Ouvrages édités par les DICTIONNAIRES LE ROBERT
107, avenue Parmentier, 75011 PARIS (France).

Dictionnaires de langue :

— *Grand Robert de la langue française* (deuxième édition).
Dictionnaire alphabétique et analogique de la langue française (9 vol.).
Une étude en profondeur de la langue française.
Une anthologie littéraire de Villon à Queneau et à nos contemporains.

— *Petit Robert 1 [P. R. 1].*
Dictionnaire alphabétique et analogique de la langue française
(1 vol., 2 208 pages, 59 000 articles).
Le classique pour la langue française : 8 dictionnaires en 1.

— *Robert méthodique [R. M.].*
Dictionnaire méthodique du français actuel
(1 vol., 1 648 pages, 34 300 mots et 1 730 éléments).
Le seul dictionnaire alphabétique de la langue française qui groupe les mots par familles.

— *Micro-Robert.*
Dictionnaire du français primordial
(1 vol., 1 232 pages, 30 000 articles).
Un dictionnaire d'apprentissage du français.

— *Dictionnaire universel* d'Antoine Furetière
(édition de 1690, préfacée par Bayle).
Réédition anastatique (3 vol.), avec illustrations du XVIIe siècle et index thématiques.
Précédé d'une étude par Alain Rey :
« Antoine Furetière, imagier de la culture classique ».
Le premier grand dictionnaire français.

— *Le Robert des sports.*
Dictionnaire de la langue des sports
(1 vol., 586 pages, 2 780 articles, 78 illustrations et plans cotés),
par Georges PETIOT.

Dictionnaires de noms propres :
(Histoire, Géographie, Arts, Littératures, Sciences...)

— *Grand Robert des noms propres.*
Dictionnaire universel des noms propres
(5 vol., 3 504 pages, 42 000 articles, 4 500 illustrations couleurs et noir, 210 cartes).
Le complément culturel indispensable du *Grand Robert de la langue française.*

— *Petit Robert 2 [P. R. 2].*
Dictionnaire des noms propres
(1 vol., 2 106 pages, 36 000 articles, 2 200 illustrations couleurs et noir, 200 cartes).
Le complément, pour les noms propres, du *Petit Robert 1.*

— *Dictionnaire universel de la peinture.*
(6 vol., 3 022 pages, 3 500 articles, 2 700 illustrations couleurs).

Dictionnaires bilingues :

— *Le Robert et Collins.*
Dictionnaire français-anglais/english-french
(1 vol., 1 536 pages, 225 000 « unités de traduction »).

— *Le « Junior » Robert et Collins.*
Dictionnaire français-anglais/english-french
(1 vol., 960 pages, 105 000 « unités de traduction »).

— *Le « Cadet » Robert et Collins.*
Dictionnaire français-anglais/english-french
(1 vol., 624 pages, 60 000 « unités de traduction »).

— *Le Robert et Signorelli.*
Dictionnaire français-italien/italiano-francese
(1 vol., 3 008 pages, 339 000 « unités de traduction »).

Consultez à la fin de ce volume
les titres de la collection « Les usuels du ROBERT ».

LE GRAND ROBERT
DE LA LANGUE FRANÇAISE

LE GRAND ROBERT
DE LA LANGUE FRANÇAISE

DICTIONNAIRE
ALPHABÉTIQUE ET ANALOGIQUE
DE LA LANGUE FRANÇAISE

de Paul ROBERT

DEUXIÈME ÉDITION
entièrement revue et enrichie
par
Alain REY

Tome V
Grim - Lil

LE ROBERT
107, avenue Parmentier, Paris-XIe

Deuxième édition entièrement revue et enrichie.

ISBN 2-85036-099-6 (édition complète).
ISBN 2-85036-093-7 (tome V).

On trouvera en tête du premier volume
les préfaces de Paul ROBERT et d'Alain REY,
l'explication des signes conventionnels, abréviations et conventions,
les principes de la transcription phonétique,
les correspondances des principales datations lexicales
ainsi que la liste des collaborateurs de l'ouvrage ;
et en fin d'ouvrage (tome IX) les annexes suivantes :
dérivés de noms propres de personnes et de lieux (noms d'habitants),
tableaux des conjugaisons des verbes français,
bibliographie et liste des suffixes.

GRIMAÇANT, ANTE [gʀimasɑ̃, ɑ̃t] adj. — 1660, fig.; p. prés. de *grimacer.*

♦ **1.** Qui fait de mauvais plis.

1 Les souliers grimaçants, vingt fois rapetassés (...) BOILEAU, Satires, X.

♦ **2.** (Personnes). Qui grimace.

2 Un spectre grimaçant et glabre.
BAUDELAIRE, Poèmes attribués, Raccommodeur de fontaine.

Figure, face, bouche grimaçante.

3 Elle avait la bave à la bouche, et tout le visage grimaçant, déformé de douleur (...)
ARAGON, les Beaux Quartiers, II, X.

Qui s'exprime par une grimace. *Un sourire grimaçant, une expression grimaçante.*

♦ **3.** Fig. Péj. **a** (Concret). Déformé comme par une grimace. *Un «corps difforme ou grimaçant»* (Alain, *in* T. L. F.).

b (Abstrait, psychologique). Qui a des attitudes forcées, excessives ou hypocrites. *Une douleur grimaçante. Une politesse outrée et grimaçante.*

c (Esthétique). *Un style grimaçant, contorsionné.*

GRIMACE [gʀimas] n. f. — XIVe, *grimache*; de l'anc. franç. *grimuche*, XIIe, par changement de suff.; probablt du francique **grima* «masque».

♦ **1.** **a** Contorsion du visage, involontaire ou faite à dessein. *Grimace de dégoût* (cit. 3), *de douleur. Les grimaces comiques d'un clown.* ⇒ **Singerie.** *Grimace convulsive* (⇒ **Tic**; → Consolider, cit. 5). *Grimace féroce* (→ Étrangler, cit. 22). *Une sotte grimace* (→ Figer, cit. 7). *Les grimaces déforment les traits* (→ Déformation, cit. 1). *Grimaces de singe, simiesques. — Faire une, des grimaces. Faire d'horribles grimaces. Faire une grimace à qqn, par dérision, moquerie, pour provoquer ou faire rire.* — (En parlant d'un animal). *La grimace, les grimaces du singe* (→ Bienfaisance, cit. 4). — (En parlant du visage, de la bouche). *Grimace de la bouche, des lèvres. Les enfants s'amusent à se faire des grimaces.*

1 (...) sa gueule faisait une laide grimace (...) MOLIÈRE, la Princesse d'Élide, I, 2.

2 (...) l'ours boucha sa narine :
Il se fût bien passé de faire cette mine.
Sa grimace déplut (...) LA FONTAINE, Fables, VII, 7.

3 Dans cette position M. Barthélemy d'Orbane m'apprit à faire des grimaces. Je le vois encore et moi aussi. C'est un art dans lequel je fis les plus rapides progrès, je riais moi-même des mines que je faisais pour faire rire les autres. Ce fut en vain qu'on s'opposa bientôt au goût croissant des grimaces, il dure encore, je ris souvent des mines que je fais quand je suis seul. STENDHAL, Vie de Henry Brulard, 5.

4 Elle emplit deux verres, elle regarda son neveu et sa nièce d'un œil si rond, qu'ils durent les vider sans une grimace, pour ne pas la blesser. Ils la quittèrent, la gorge en feu. ZOLA, la Terre, II, VII.

5 (...) dans le cadre rond de sa glace (...) il se renvoyait des grimaces. Il fronçait le nez, tirait la langue, s'arrondissait la bouche en cœur (...)
COURTELINE, le Train de 8 h 47, I, I.

(Qualifié par un adj. qualifiant une réalité psychologique ou un compl. causal en *de*). Contorsion expressive du visage, caractéristique d'une attitude, d'un affect généralement pénible ou hostile. *Une grimace de dégoût, de dépit, de douleur, de mépris, de rage. «Il n'a pu réprimer une grimace de colère, une double ride au coin des lèvres»* (Bernanos). *Une grimace amère, dégoûtée, écœurée, furieuse, haineuse.* — Rare (avec une caractérisation positive). *Une grimace admirative, d'admiration, d'approbation.* «(Les gestes) *firent évanouir la grimace aimable et reparaître la mine bourrue* (de la Thénardier)» (Hugo, *les Misérables*, t. I, p. 481, *in* T. L. F.). — REM. Dans cet emploi, *grimace* suppose que la mine expressive a un caractère forcé ou hypocrite; le mot tendant en général à impliquer une péjoration.

b Loc. Spécialt. **FAIRE LA GRIMACE :** manifester (par l'expression du visage) du mécontentement, de la désapprobation ou du dégoût. ⇒ **Moue** (faire la), **renfrogner** (se). *Faire la grimace devant un plat qu'on n'aime pas. Ce spectacle lui faisait faire la grimace. Sans faire la grimace.*

Sache qu'il faut aimer, sans faire la grimace, 6
Le pauvre, le méchant, le tordu, l'hébété (...)
BAUDELAIRE, Nouvelles Fleurs du mal, Le rebelle.

Le professeur fit la grimace et tout de suite me prit en aversion. Depuis lors, quand il me parla, ce fut toujours du bout des lèvres, d'un air méprisant. 7
Alphonse DAUDET, le Petit Chose, I, II.

Fig. *Faire la grimace à qqn,* lui faire un accueil froid, hostile. ⇒ **Mine** (grise). — Par anal. *Faire la grimace à une invitation.*

La comédienne est aussi fière que la duchesse (...) elle la morgue, elle lui fait la grimace (...) Mme DE SÉVIGNÉ, 443, 11 sept. 1675. 8

Faire la grimace à qqch., considérer avec réticence, dépit.

Prov. (métaphore du sens physique). *On n'apprend pas à un vieux singe à faire la grimace.* ⇒ **Singe**; → ci-dessous, cit. 16.

Loc. fam. **SOUPE À LA GRIMACE :** mauvais accueil (en général, d'une épouse acariâtre au mari qui rentre chez lui et à qui la tradition veut que sa femme fasse la soupe). *Faire à qqn la soupe à la grimace. Manger la soupe à la grimace :* être mal traité par sa femme.

c Expression forcée ou figée du visage. *Une grimace de sourire. Son sourire se figeait en grimace. «Son rire tournait à la grimace»* (Mauriac, *in* T. L. F.). — Expression artificielle, fausse et figée, dans la représentation du visage humain.

♦ **2.** **a** (1690; d'abord dans *faire la grimace*). Mauvais pli (d'une étoffe, d'un habit).

b Vx. Ride.

Je n'ai ni vapeurs la nuit (...) ni de *grimace* à mes mains (...) 9
Mme DE SÉVIGNÉ, 1283, juin 1690.

♦ **3.** (1632). **a** Fig. Vx. Mine affectée; comportement faux et trompeur (généralement excessif et peu convainquant). ⇒ **Affectation, dissimulation, frime, hypocrisie.** *Ce n'est que pure grimace* (→ Argumenter, cit. 2). *Ne vous laissez pas prendre à ses grimaces.* — Littér. **GRIMACE DE... :** simulacre. *Une grimace de vertu* (→ Condamnation, cit. 6). *Grimaces d'amour* (→ Comédien, cit. 5). — *Molière a raillé les grimaces des hypocrites* (→ Dévot, cit. 9; effaroucher, cit. 6). *Payer qqn de grimaces.* ⇒ **Singe** (monnaie de); → Aloi, cit. 3.

Quitte cette grimace, et mets à part la feinte. 10
CORNEILLE, Galerie du Palais, III, 4.

Que ces francs charlatans, que ces dévots de place, 11
De qui la sacrilège et trompeuse grimace
Abuse impunément et se joue à leur gré
De ce qu'ont les mortels de plus saint et sacré (...) MOLIÈRE, Tartuffe, I.

Je n'oublie aucun de ces traits, qui peignent la vraie piété filiale, réduite à de pures grimaces dans les Villes. 11.1
RESTIF DE LA BRETONNE, la Vie de mon père, p. 193.

(Par métaphore du sens 1). *La grimace :* la simulation.

Reste à savoir où cesse le vrai visage, où commence la grimace. 12
GIDE, Journal, 20 mai 1933.

Spécialt. Marques extérieures qui imposent à l'imagination (Pascal).

Mais n'ayant que des sciences imaginaires, il faut qu'ils *(les magistrats, les médecins)* prennent ces vains instruments qui frappent l'imagination à laquelle ils ont affaire; et par là, en effet, ils s'attirent le respect. Les seuls gens de guerre ne sont pas déguisés de la sorte, parce qu'en effet leur part est plus essentielle, ils s'établissent par la force, les autres par grimace. PASCAL, Pensées, II, 82. 13

Quand la force attaque la grimace, quand un simple soldat prend le bonnet carré d'un premier président et le fait voler par la fenêtre. PASCAL, Pensées, V, 310. 14

Spécialt. Comportement démonstratif dénoncé comme faux, trompeur. *Arrête tes grimaces, on ne te croit pas!* ⇒ **Singerie; cirque.**

b (1663). Au plur. ⇒ **Afféterie** (cit. 2), **façon, minauderie, mine, simagrée, singerie.** *Voilà bien des grimaces! Les grimaces de la coquetterie* (→ Assortissant, cit. 1; emprunter, cit. 11). *Grimaces de circonstance, de commande* (cit. 6). *Grimaces affectées* (cit. 4).

Tout ce qu'il vous débite en grimaces abonde; 15
À force de façons, il assomme le monde (...) MOLIÈRE, le Misanthrope, II, 4.

Loc. prov. (métaphore du sens 1). *Un vieux singe se connaît, s'y connaît* (cit. 19) *en grimaces.*

16 Un vieux singe se connaît en grimaces : j'ai offert mille francs par mois, une voiture (...) BALZAC, Splendeurs et Misères des courtisanes, Pl., t. V, p. 854.

♦ **4.** (1387). Archéol. Figure grotesque sculptée sur les sièges des stalles dans les églises médiévales.

♦ **5.** (1721). Techn. Boîte de pains à cacheter dont le couvercle est une pelote à épingles.

17 (...) une grimace en carton pleine de pains à cacheter rouges (...)
HUGO, les Misérables, V, IV.

DÉR. Grimacer, grimacerie, grimacier.

GRIMACEMENT [gʀimasmɑ̃] n. m. — 1890, Loti, *in* T. L. F.; de *grimacer.*

♦ Rare. Action de grimacer.

GRIMACER [gʀimase] v. — Conjug. *placer.* — 1428, *grimachier;* de *grimace.*

★ **I.** V. intr. ♦ **1.** Faire une grimace, des grimaces (→ Faux, cit. 21). *Cette petite fille adore grimacer* (syn. plus cour. : *faire des grimaces*). *Faire grimacer qqn,* lui faire faire une grimace (au sens propre). — (Le sujet désigne le visage, la bouche, etc.). *Figure de gargouille* (cit. 1) *qui grimace. Sa bouche grimaçait affreusement.*

1 (...) et le monocle, alors fort en vogue, sous lequel un juvénile souci d'élégance fit pendant quelques mois grimacer mon visage.
Georges LECOMTE, Ma traversée, p. 288.

2 (...) Maud mit ses lunettes noires, Pierre grimaçait un peu à cause du soleil.
SARTRE, le Sursis, p. 45.

Grimacer de... (et compl. de cause). *Grimacer de dégoût, de dépit, de mépris, de colère, de rage. Grimacer de douleur.* — (Moins cour., et impliquant une expression peu naturelle ou forcée). *Grimacer de joie, de plaisir* (⇒ **Grimace**).

Grimacer de... (suivi du n. de la partie du visage concernée). *Elle grimaçait du nez et tirait la langue.*

(Le sujet désigne un animal). Avoir une expression anormale et figée qui évoque une grimace humaine.

(Le sujet désigne une partie ou une expression du visage). *Ses lèvres grimaçaient.* — (Avec une valeur figurée). *Des sourires, des expressions qui grimacent,* se figent et expriment un sentiment affecté ou peu avouable (→ ci-dessous, 3.).

♦ **2.** (1769, Boileau, *l'Art poétique,* III). Arts. Avoir une expression outrée. *Caricature qui grimace* (→ Caricaturiste, cit. 1). — Par métaphore :

3 Au reste je n'ai tracé ce portrait et quelques autres que pour satisfaire au goût de ces lecteurs qui aiment à connaître les personnages avec lesquels on les fait vivre. Pour moi, si j'avais eu le talent de ces sortes de caricatures, j'aurais cherché soigneusement à l'étouffer; tout ce qui fait grimacer la nature de l'homme me semble peu digne d'estime (...) CHATEAUBRIAND, Itinéraire..., p. 255.

Ne pas aller, ne pas convenir dans son expression (en parlant d'une forme littéraire). *Un style qui grimace. « Ce qui est convaincant dans le Chateaubriand de Combré, grimace dans le Musset italien et dans le Hernani espagnol »* (Jean Vilar, *Tradition théâtrale, in* T. L. F.).

3.1 (...) tu m'as dit : « Il est impossible d'habiter ça et de s'appeler Potard. » Je t'ai répondu : « C'est vrai, ça grimace... » Alors nous nous sommes mis à chercher un nom, et, à force de chercher, nous avons trouvé celui de Fourchevif, qui était là, par terre, à rien faire. E. LABICHE, le Baron de Fourchevif, 3, p. 386.

♦ **3.** Fig. (Sujet n. de personne). Avoir une attitude feinte et outrée. Spécialt. Faire des façons. ⇒ **Minauder.**

♦ **4.** (1701). Faire un ou des faux plis. ⇒ **Goder.** *Robe qui grimace.*

★ **II.** V. tr. ♦ **1.** (1669). Vx. Exprimer en grimaçant par la parole. *Grimacer une réponse, un refus.*

4 Un autre, renfrogné, rêveur, mélancolique,
Grimaçant son discours, semble avoir la colique (...)
Mathurin RÉGNIER, Satires, II.

♦ **2.** Mod. Produire, faire (une expression du visage), de manière outrée, forcée et plus ou moins figée. *Elle grimaça un rire, un sourire contraint* (→ Rire jaune*). *Il grimaça une expression de bonheur.*

♦ **3.** Fig., littér. Exprimer par des grimaces, par des comportements fictifs et outrés. *« Lélia, grimaçant la volupté... »* (G. Sand, *in* T. L. F.).

♦ **4.** Littér. Rare. Imiter en se forçant et maladroitement.

DÉR. Grimaçant, grimacement.

GRIMACERIE [gʀimasʀi] n. f. — 1668, La Fontaine, VI, 6; de *grimace.*

♦ **1.** Vx. Action de grimacer.

♦ **2.** Ensemble de grimaces.

GRIMACIER, IÈRE [gʀimasje, jɛʀ] adj. et n. — 1660; « sculpteur de grimaces (4.) », 1580; de *grimace.*

♦ **1.** Qui a l'habitude de faire des grimaces. *Cet enfant est très grimacier. Une petite fille grimacière. — Un singe grimacier.* — Rare. *Un rire grimacier.* ⇒ **Grimaçant.**

Ne suis-je pas né bouffon, Sire? Je suis de nature grimacier, perfide et dissimulé, semblable en cela aux femmes. 0.1
Michel DE GHELDERODE, Escurial, *in* Littératures de langue franç. hors de France, p. 270.

N. *Un grimacier. Une petite grimacière.*

♦ **2.** Fig. Vieilli. ⇒ **Minaudier.** *Coquette grimacière. Pruderie grimacière.* ⇒ **Affecté, maniéré.** — Qui consiste en grimaces, en démonstrations affectées.

Une fois convaincu qu'il n'y a que mensonge et fausseté dans les démonstrations grimacières qu'on me prodigue, j'ai passé rapidement à l'autre extrémité (...) 1
ROUSSEAU, Rêveries..., 6ᵉ promenade.

Leurs bergers sont plus grimaciers que ceux de Fontenelle; ils minaudent la vertu, l'innocence et les mœurs champêtres (...) 2
Joseph JOUBERT, Pensées, XXIV, V, XXX.

N. Hypocrite.

(...) ils donnent hautement dans le panneau des grimaciers (...) 3
MOLIÈRE, Dom Juan, V, 2 (1665).

♦ **3.** N. m. (1811). Vx. Artiste comique. ⇒ **Bouffon.**

GRIMAGE [gʀimaʒ] n. m. — 1860, cit. 1; de *grimer.*

♦ **1.** Action de grimer, de se grimer. ⇒ **Maquillage.** *Moyens et accessoires de grimage. Un long grimage.*

Je voyais distinctement, non seulement les détails les plus minutieux de leurs ajustements *(des comédiens)* mais encore la ligne de séparation du faux front d'avec le véritable, le blanc, le bleu et le rouge, et tous les moyens de grimage. 1
BAUDELAIRE, les Paradis artificiels, Poème du haschisch, III (1860).

Je pense à ce drôle de bonhomme dans le train... Il était bien suspect... Cette casquette... cette barbe... cette bouteille vide... tout cela ressemble beaucoup à de la mise en scène, du grimage... 2
B. CENDRARS, Moravagine, Œ. compl., t. IV, p. 155 (1929).

♦ **2.** Maquillage de théâtre. ⇒ **Fard, grime** (II.). *Le grimage d'un jeune acteur en vieillard* (action). — *Son grimage est très réussi* (résultat).

Péj. Maquillage excessif.

♦ **3.** Fig. *Son attitude n'est qu'un grimage.*

CONTR. Démaquillage.

1. GRIMAUD [gʀimo] n. m. et adj. — 1480, *grimault;* probablt emploi fig. du n. pr. *Grimaud,* du francique **Grimwald,* de **grîma* « masque », avec infl. possible de *grimoire;* sans exclure un croisement, P. Guiraud rattache le terme au normand *grimer* « égratigner, griffer » (cf. sémantisme de *gribouiller*), du moyen haut all. *grimmen.*

A. N. m. ♦ **1.** Vx. Péj. Écolier des petites classes, élève ignorant (→ Bambin, cit. 2). Loc. *Un grimaud d'école.*

Je représentai à l'abbé Égault qu'il m'avait appris le latin, que j'étais son écolier, son disciple, son enfant (...) il demeura sourd à mes prières (...) Je me retranche derrière son lit; il m'allonge à travers le lit des coups de férule. Je m'entortille dans la couverture, et, m'animant au combat, je m'écrie : *Macte animo, generose puer!* Cette érudition de grimaud fit rire malgré lui mon ennemi (...) 1
CHATEAUBRIAND, Mémoires d'outre-tombe, t. I, p. 86.

Vous êtes un petit grimaud, Robespierre. Vous êtes ici par charité, parce que votre pauvre père nous a loyalement servis durant sa vie dans ses fonctions de juge au Tribunal Ecclésiastique — vous êtes de très loin notre meilleur sujet; pourtant, avec toutes vos qualités : vous nous gênez. J. ANOUILH, Pauvre Bitos, II, p. 75. 1.1

♦ **2.** Vx. Professeur insuffisant, inculte et prétentieux (⇒ **Pédant; cuistre**), et, par ext., homme pédant et scolaire (spécialt, lorsqu'il a des prétentions littéraires). *Un grimaud, barbouilleur* (cit. 1) *de papier.*

(...) tous ces jolis musiciens de chez Toulongeon ne sont que des grimauds auprès de lui *(le jeune médecin Amonio).* Mᵐᵉ DE SÉVIGNÉ, 532, 6 mai 1676. 2

C'est une des manies de ces petits grimauds à cervelle étroite, que de substituer toujours l'auteur à l'ouvrage et de recourir à la personnalité, pour donner quelque pauvre intérêt de scandale à leurs misérables rapsodies (...) 3
Th. GAUTIER, Préface de Mˡˡᵉ de Maupin, p. 22.

(...) un terne et suffisant grimaud, doué d'une niaiserie d'idées et d'une trivialité de style de premier ordre, une plume banale par excellence. 4
VILLIERS DE L'ISLE-ADAM, Contes cruels, « Deux augures », p. 38.

B. Adj. (1834). Vx. D'humeur chagrine, maussade; maladroit.

Trop timide pour inviter une danseuse, et craignant d'ailleurs de brouiller les figures, je devins naturellement très grimaud et ne sachant que faire de ma personne. 5
BALZAC, le Lys dans la vallée, Pl., t. VIII, p. 785.

DÉR. Grimaudage.

2. GRIMAUD [gʀimo] n. m. — 1611; orig. incert., p.-ê. du francique **grîma* « masque », avec infl. de 1. *grimaud.*

♦ Régional. Hulotte.

GRIMAUDAGE [gʀimodaʒ] n. m. — 1622; de 1. *grimaud.*

♦ Vx (langue class.). Comportement d'un grimaud (1. Grimaud, A., 2.); radotage, parole de grimaud.

GRIME [gʀim] n. m. et f. — 1778; *faire la grime* «faire la moue», 1694; probablt de *grimace* ou d'une valeur non attestée de *grimer.*

★ **I.** ♦ **1.** N. m. Vx. Rôle de vieillard ridicule, au théâtre. *Jouer les grimes.* — Acteur qui joue ce rôle. *Cet acteur est un excellent grime* (Académie).

♦ **2.** N. f. Ride fabriquée sur un visage pour jouer un rôle de vieillard.

★ **II.** N. f. (Déverbal de *grimer*). Grimage (1.).

Ah, maudit soit cet art du maquillage et de la grime qui nous a si souvent permis de nous glisser dans les assemblées les plus fermées pour surprendre des secrets et qui m'interdit aujourd'hui d'apprendre les nouvelles publiques!
B. CENDRARS, Moravagine, Œ. compl., t. IV, p. 163 (1926).

DÉR. (De I.) Grimer.

GRIMER [gʀime] v. tr. — 1823; de *grime,* I.

♦ **1.** Vx. Marquer un acteur de rides pour lui vieillir le visage. — Pron. *Cet acteur se grime bien* (Littré).

1 (...) mais, dans la vieillesse, tout chez la femme a parlé, les passions se sont incrustées sur son visage; elle a été amante, épouse, mère; les expressions les plus violentes de la joie et de la douleur ont fini par grimer, torturer ses traits, par s'y empreindre en mille rides, qui toutes ont un langage (...)
BALZAC, la Femme de trente ans, Pl., t. II, p. 838.

♦ **2.** (1827, Hugo). Mod. Farder*, maquiller* (qqn) pour le théâtre ou le cinéma, ou d'une manière outrancière. *La maquilleuse grime les acteurs avant leur entrée en scène. — Grimer qqn en vieillard.* — Pron. (→ ci-dessous, cit. 3). *Cet acteur excelle à se grimer* (Académie). ⇒ **Tête** (se faire une). — P. p. adj. *Acteurs grimés; bien, mal grimés.*

2 Nathalie et sa mère furent assez surprises en voyant la figure mal grimée de la marquise, et lui demandèrent s'il ne lui était rien arrivé de fâcheux.
BALZAC, le Contrat de mariage, Pl., t. III, p. 145.

3 (...) il excellait à se déguiser, à se grimer; il eût donné des leçons à Frédérick Lemaître, car il pouvait se faire dandy quand il le fallait.
BALZAC, Splendeurs et Misères des courtisanes, Pl., t. V, p. 747.

(Le compl. désigne le visage, etc.). *Grimer les joues, la tête de qqn.* — Au participe passé :

4 Sa figure grimée en rouge brique et blanc craie ne laisse pas deviner grand'chose de son vrai visage (...)
COLETTE, la Vagabonde, p. 41.

Fig., littér. (Sujet n. de chose). Modifier le visage comme un maquillage de théâtre. *La neige le grimait en Père Noël.*

♦ **3.** Fig. Transformer l'apparence de (qqn, qqch.) de manière à tromper. ⇒ **Maquiller** (plus cour.). — Au p. p. *Un assassinat grimé en suicide.*

▶ **GRIMÉ, ÉE** p. p. adj. → ci-dessus.

DÉR. Grimage.

GRIMOIRE [gʀimwaʀ] n. m. — XIIIe; *gramaire,* v. 1165; altér. de *grammaire,* qui, au moyen âge, désigne la grammaire latine, inintelligible pour le vulgaire, d'où «livre mystérieux», p.-ê. sous l'infl. de *grimer* (→ 1. Grimaud), le grimoire apparaissant comme un «griffonnage» et comme l'œuvre du «griffu» (cf. *grimaud* «diable»), selon P. Guiraud.

♦ **1.** Livre de magie (→ Comprendre, cit. 8). *Les magiciens, les sorciers consultaient leurs grimoires pour y trouver des formules d'évocation* (cit. 14) *des démons. Ces écrits sentent le grimoire,* sont suspects d'hérésie, de sorcellerie (→ Sentir le fagot*).

1 Ne ferais-tu pas bien de le montrer à monsieur le vicaire? lui dit sa mère pour qui tout livre imprimé sentait toujours un peu le grimoire. J'y pensais! répondit simplement Véronique.
BALZAC, le Curé de village, Pl., t. VIII, p. 549.

♦ **2.** (1668). Ouvrage ou discours obscur, inintelligible. *Ce livre constitue* (cit. 4) *un véritable grimoire.* — Écrit indéchiffrable, illisible*. ⇒ **Hiéroglyphe;** → État, cit. 70. *Les ordonnances de ce médecin sont d'incompréhensibles grimoires. Cette lettre est un grimoire que je n'ai pu déchiffrer* (Académie).

2 (...) il vous déchiffrera son grimoire (...)
Mme DE SÉVIGNÉ, 813, 25 mai 1680.

3 Il est certain encore que l'archidiacre s'était épris d'une passion singulière pour le portail symbolique de Notre-Dame, cette page de grimoire écrite en pierre par l'évêque Guillaume de Paris (...)
HUGO, Notre-Dame de Paris, I, IV, V.

4 Un érudit est là, qui déchiffre aux assistants les grimoires des feuilles du jour; chacun écoute, avec silence et conviction.
LOTI, Aziyadé, III, XXXIV.

5 À la droite et à la gauche du vieillard, son gendre Lecourbe et l'aîné de ses petits-enfants, Antoine, personnages secondaires et voilés d'ombre, entendaient, résignés, le grimoire du notaire.
A. MAUROIS, Bernard Quesnay, I.

Fam. et péj. Écrit, manuscrit compliqué, obscur.

♦ **3.** (Av. 1475). Chose incompréhensible, mystérieuse; ensemble de signes à déchiffrer.

GRIMPADE [gʀɛ̃pad] n. f. — 1825, *in* D. D. L.; de *grimper.* Rare. Syn. de *grimpée.*

♦ **1.** Action de grimper (Loti, Barrès..., *in* T. L. F.).

♦ **2.** (1882, Loti). Chemin, route qui monte. ⇒ **Grimpette.**

1. GRIMPANT, ANTE [gʀɛ̃pɑ̃, ɑ̃t] adj. et n. m. — Mil. XVIe, au sens 2; de 1. *grimper.*

♦ **1.** (1691). Êtres animés. Qui grimpe, qui a l'habitude de grimper. *Le chamois, animal grimpant.*

Là, s'il est quelque lieu sans route et sans chemins, 1
Un rocher, quelque mont pendant en précipices,
C'est où ces dames *(les chèvres)* vont promener leurs caprices;
Rien ne peut arrêter cet animal grimpant.
LA FONTAINE, Fables, XII, 4.

♦ **2.** *Plante grimpante,* dont la tige s'élève en s'accrochant ou en s'enroulant (cit. 5) aux corps voisins. *Plantes grimpantes :* butée, chèvrefeuille, clématite, cobéa, glycine, igname, lierre, pois, tamier, vanillier, vigne (vierge), volubilis... *Vrilles* d'une plante grimpante. Vigne grimpante* (→ Émonder, cit. 3). *Rosier* grimpant. La dalbergie*, arbrisseau grimpant.*

Des plantes grimpantes, balançant des clochettes de toutes couleurs et accrochant leurs vrilles à un treillage solide peint en vert (...) 2
Th. GAUTIER, le Capitaine Fracasse, XXII.

La plupart des plantes grimpantes s'enroulent vers la gauche, en sens inverse des aiguilles d'une montre (...) G. DUHAMEL, Chronique des Pasquier, VII, XV. 3

♦ **3.** (Choses). Qui est en pente (considérée dans le sens de la montée). ⇒ **Montant.** *Une ruelle grimpante.*

DÉR. et **HOM.** 2. Grimpant.

2. GRIMPANT [gʀɛ̃pɑ̃] n. m. — 1872; de 1. *grimpant.*

♦ Fam. Pantalon. *Un grimpant* ou *des grimpants.*

(...) les «grimpants» raidis de plâtre, les cottes bleues, les bourgerons déteints (...) 1
COLETTE, la Paix chez les bêtes, La Shah.

Les choses *(water-closets)* sont collectifs, dans cette cour des miracles. Justement un gros type en sort en remontant son grimpant. Notez que ça fait plus intime... 2
SAN-ANTONIO, Des gueules d'enterrement, p. 77.

HOM. 1. Grimpant.

GRIMPÉE [gʀɛ̃pe] n. f. — 1811, *in* T. L. F., art. *Grimper;* de 1. *grimper.*

♦ **1.** Ascension rude et pénible. *Faire une bonne grimpée* (⇒ **Grimpette**).

♦ **2.** Le fait de grimper (à un arbre, sur un obstacle, etc.).

Les grimpées donnent au cueilleur une souplesse de gymnaste.
Georges NAVEL, Travaux, p. 197.

♦ **3.** Route, rue en forte pente. *La grimpée du Mont Faron, à Toulon.* ⇒ **Côte, grimpade** (2.), **grimpette.**

HOM. 1. Grimper, 2. grimper.

GRIMPEMENT [gʀɛ̃pmɑ̃] n. m. — 1564; de 1. *grimper.*

♦ Rare. Action de grimper. ⇒ **Ascension, escalade, grimpette.**

1. GRIMPER [gʀɛ̃pe] v. — 1495; forme nasalisée de *gripper*,* probablt d'après *ramper.*

★ **I. A.** V. intr. et tr. dir. ♦ **1.** (Sujet n. de personne). Monter en s'aidant des mains et des pieds. ⇒ **Élever (s'), monter.** *Grimper aux arbres* (cit. 1); *grimper sur un arbre* (→ Bord, cit. 10). *Il a grimpé au faîte de l'arbre* (cit. 9), *tout en haut de l'arbre. Grimper aux murs avec une corde à nœuds* (→ Feu, cit. 58). *Grimper à l'échelle* (cit. 6; → aussi fenil, cit.). *Grimper sur l'impériale d'une voiture* (→ Ægipan, cit. 4). *Couvreurs qui grimpent sur un toit* (→ Ardoise, cit. 2).

(...) je grimpais (...) sur l'impériale de la diligence (...) 1
BARBEY D'AUREVILLY, les Diaboliques, «Le rideau cramoisi».

(...) j'avais remarqué un beau chêne qui, par-dessus le mur, laissait pendre une forte branche jusque dans le jardin de Fontanelle. Grimper dans le chêne, atteindre la branche, n'était pour moi qu'un jeu. H. BOSCO, Un rameau de la nuit, p. 155. 2

(Sans compl. de lieu). *Grimper à la force du poignet.*

Sports. *Grimper à la corde; grimper :* effectuer un grimper (2. Grimper).

(Sujet n. d'animal). *La panthère s'aide de ses griffes pour grimper aux arbres. La martre grimpe au nid de l'écureuil pour y faire* (cit. 11) *ses petits. La chèvre aime à grimper sur les lieux escarpés* (→ Écarter, cit. 18).

(L'écureuil) a les ongles si pointus et les mouvements si prompts, qu'il grimpe en un instant sur un hêtre dont l'écorce est fort lisse. 3
BUFFON, Hist. nat. des animaux, L'écureuil.

♦ **2.** (1538). Le sujet désigne une plante. ⇒ **Grimpant.** *Fleurs* (cit. 5) *qui grimpent aux parois d'une grotte. Plantes sauvages qui grimpent aux arbres* (→ Entrelacer, cit. 2; faîtage, cit. 1).

4 La vigne lentement de ses tendres rameaux
Grimpe s'insinuant aux festes *(faîtes)* des ormeaux (...)
RONSARD, le Bocage royal, I.

5 Il semait (...) au pied des roches, des giraumonts, des courges et des concombres, qui se plaisent à y grimper.
BERNARDIN DE SAINT-PIERRE, Paul et Virginie, p. 21.

6 Il faut qu'un vieux dallage ondule sous les portes,
Que le lierre vivant grimpe aux acanthes mortes (...)
HUGO, les Voix intérieures, IV, I.

Par métaphore. → Arabesque, cit. 6.

♦ **3.** (1680). Sujet n. de personne. Monter avec effort (sur un lieu élevé, d'accès difficile). *Grimper jusqu'au sommet d'un glacier. Grimper sur une haute falaise* (→ Débandade, cit. 1). *Grimper à travers des éboulements de roches* (→ Courir, cit. 3). *Grimper comme un chat,* avec agilité.

7 Ils grimpent sur le roc en se donnant la main les uns aux autres.
RACINE, les Campagnes de Louis XIV.

8 J'étais souvent effrayé de les voir grimper comme des chats sur des planches déjetées et sur des terrasses tremblantes (...) G. SAND, Un hiver à Majorque, III, I.

Monter (sans effort ni difficulté particulière). *Allez, grimpe dans la voiture! Grimper sur son vélo.*

9 Sans se presser, il grimpa sur un tabouret et mit le gaz en veilleuse.
P. MAC ORLAN, Quai des brumes, V.

10 À quelques pas, un bambin en tricot bleu pâle cherchait à grimper sur le parapet de la terrasse à l'aide d'un petit seau, renversé à dessein au pied du mur.
MARTIN DU GARD, les Thibault, t. IX, p. 25.

♦ **4.** (Sujet n. de chose). Suivre une pente raide et montante. *Ce chemin grimpe vers la montagne* (→ Épaulement, cit. 2). *Route qui grimpe dur.*

11 La route de Mégare à Corinthe est incomparable. Le sentier taillé à même la montagne, à peine assez large pour que votre cheval y tienne, et à pic sur la mer, serpente, monte, descend, grimpe et se tord aux flancs de la roche couverte de sapins et de lentisques. FLAUBERT, Correspondance, 279, 10 févr. 1851, t. II, p. 297.

12 Devant nous (...) grimpe une ville pointue, peinte en rose par les hommes, comme l'horizon par l'aurore victorieuse.
MAUPASSANT, la Vie errante, « La côte italienne ».

*Grimper à l'assaut** (cit. 16) *de...* ⇒ **Escalader.**

B. V. tr. ♦ **1.** (1609). ⇒ **Escalader, gravir.** *Grimper un étage* (cit. 6), *un escalier quatre à quatre. — La voiture grimpe la côte à toute allure.*

13 (...) lorsque son cheval hésite à se jeter dans quelque précipice, ou à grimper quelque muraille de rochers. G. SAND, Un hiver à Majorque, III, I.

14 L'auto-mitrailleuse, déjà loin sur la route du retour, semblait un gros coléoptère agile qui grimpait allégrement les pentes. P. MAC ORLAN, la Bandera, X.

15 (...) Mme Legras courut au perron qu'elle grimpa aussi vite que ses grosses jambes le lui permettaient (...) J. GREEN, Adrienne Mesurat, I, XII.

La route grimpe la colline.

Par métaphore :

16 Le regard remonte comme un écureuil, grimpe la grande muraille aveugle, le dôme jusqu'à la « couronne de colonnes ».
J. ROMAINS, les Hommes de bonne volonté, t. III, XIX, p. 259.

♦ **2.** (1831, Mérimée). Fam. et vulg. (Sujet et compl. n. de personne). Posséder sexuellement. ⇒ **Sauter.** *Elle s'est fait grimper par ce type.*

16.1 T'entends ça? dit la bonne femme à un petit type à côté d'elle, probablement celui qu'avait le droit de la grimper légalement. T'entends comme il me manque de respect, ce gros cochon?
R. QUENEAU, Zazie dans le métro, Gallimard, 1959, p. 10.

★ **II.** V. intr. Fig. ♦ **1.** (1669). Aller vers le haut, monter, accéder à (qqch. d'élevé). *Grimper d'une chose à une autre.*

17 (...) puis du billet de banque
On grimpe au million, rapide saltimbanque;
Le million gobé fait mordre au milliard. HUGO, les Châtiments, III, I.

Aller plus haut. ⇒ **Monter; élever** (se).

18 « Ce sera le moment de se montrer à la hauteur ». Phrase ambiguë, qui pouvait signifier : aller se battre, mais qu'Antoine, sans hésiter, traduisit : grimper au pouvoir. MARTIN DU GARD, les Thibault, t. III, p. 155.

Par métaphore du sens I, 1 :

19 « Un alpiniste mondain », disait-on, tant il était désireux de grimper aux sommets glacés de la société. Paul MORAND, Magie noire, Afrique, III, p. 141.

♦ **2.** (D'un son). Aller plus haut. *Sa voix grimpe dans l'aigu.*

♦ **3.** (Valeurs). Monter, augmenter rapidement. *Les prix grimpent rapidement. Les salaires ont beau grimper, ils ne rattrapent pas les prix.*

★ **III.** Loc. *Faire grimper qqn,* (par métaphore, *le faire grimper à l'arbre, à l'échelle*), le faire enrager. ⇒ **Échelle** (monter à l').

20 (...) on l'asticotait nous Robinson, histoire de le faire grimper et de le mettre en boîte. CÉLINE, Voyage au bout de la nuit, p. 103.

▶ **GRIMPÉ, ÉE** p. p. adj.

Juché, perché. *Un couvreur grimpé sur un toit. Un enfant grimpé sur un âne* (Littré).

21 (...) un de ces malheureux, grimpé sur un arbre, harangue la foule en bégayant, au milieu des rires et des huées.
Alphonse DAUDET, Contes du lundi, I, Paysage d'insurrection.

22 Grimpés sur le banc de pierre, nous écoutions.
R. DORGELÈS, les Croix de bois, II.

REM. *Grimper* se conjuge avec *avoir.* L'emploi de l'auxiliaire *être,* admis par certains grammairiens (*« Maintenant que nous sommes grimpés, reposons-nous »,* Hanse) « ne paraît pas devoir être conseillé » (Thomas).

CONTR. Descendre, dévaler.

DÉR. Grimpade, 1. **grimpant, grimpée, grimpement,** 2. **grimper, grimpereau, grimpette, grimpeur.**

COMP. Regrimper.

2. GRIMPER [gʀɛ̃pe] n. m. — 1805; substantivation de 1. *grimper.*

♦ **1.** Action de monter à l'aide des mains et des pieds.

♦ **2.** (1902). Sports. Exercice à la corde lisse ou à nœud. *Épreuve du grimper.*

GRIMPEREAU [gʀɛ̃pʀo] n. m. — 1555; de 1. *grimper.*

♦ Zool. Oiseau passeriforme *(Passereaux),* rose et gris, plus petit que le moineau. ⇒ **Échelette.** *Le grimpereau grimpe le long des arbres.*

GRIMPETTE [gʀɛ̃pɛt] n. f. — 1855, Champfleury, *in* T. L. F., sens 1; de 1. *grimper.*

♦ **1.** Chemin court en pente rapide. ⇒ **Côte, grimpée.**

Soubeyrac se glissa hors des sapins ensablés, vers le sud. Il avait repéré une grimpette assez vive d'où il était possible de s'orienter. Soudain, il entendit un sifflotement (...) A. LANOUX, le Commandant Watrin, p. 249. 1

♦ **2.** Fam. Action de grimper. *Faire plusieurs grimpettes par jour. Il y a une bonne grimpette, jusqu'au village.*

(...) par ces tendres premiers soleils, tout le monde se sent des envies de grimpette. Une chaise devant la haute fenêtre, une grosse assise sur la chaise pour lester, et l'échelle est prête. Une fois là-haut, on se carre la barre d'appui en travers des fesses, on étend l'orteil vers les rayons (...) A. SARRAZIN, la Cavale, p. 24. 2

GRIMPEUR, EUSE [gʀɛ̃pœʀ, øz] adj. et n. m. — 1596; de 1. *grimper.*

♦ **1.** [a] Adj. Qui a l'habitude de grimper, qui grimpe bien. *Animaux grimpeurs. Le koala*, mammifère marsupial grimpeur.* — (1798). *Oiseaux grimpeurs.*

[b] N. m. pl. (1803). *Les grimpeurs :* ordre d'oiseaux caractérisés par un bec allongé et par une disposition de doigts (deux en avant, deux en arrière) qui leur permet de s'accrocher aux arbres et d'y grimper (⇒ **Ara, coucou, perroquet, pic, todier, torcol**).

Au sing. *Un grimpeur :* un oiseau grimpeur.

♦ **2.** N. m. Personne, animal qui grimpe, aime à grimper. *Le singe est un meilleur grimpeur que l'homme.*

Spécialt. [a] (1855). *Un grimpeur :* un alpiniste. *Une bonne grimpeuse.*

Les arêtes de la pierre marquaient la peau. Plus haut le rocher se présenta par plaques lisses et obliques. Le grimpeur y colla ses muscles étalés et bien appliqués faisaient ventouses et tous les équilibres alourdissaient le frottement.
Jean PRÉVOST, Plaisirs des sports, p. 155.

[b] (1894, *in* Petiot). Coureur cycliste spécialiste des côtes. *Les grimpeurs et les rouleurs.*

GRINÇANT, ANTE [gʀɛ̃sɑ̃, ɑ̃t] adj. — 1846, Dumas, *in* T. L. F.; p. prés. de *grincer.*

♦ **1.** (Choses). Qui grince, émet des grincements. *Porte, poulie grinçante. Essieux grinçants* (→ ci-dessous, cit. 2), *roues grinçantes.* — Péj. *Un violon grinçant.* — Par métaphore :

Puis la lourde et robuste puissance de sa pensée commençait à se mouvoir dans la force d'abord un peu grinçante et dans la puissance un peu sourde de sa parole, qui prenait aux entrailles. Ch. PÉGUY, la République..., p. 20. 1

(...) les voitures de compagnie (...) antiques guimbardes aux essieux grinçants (...) 2
R. DORGELÈS, les Croix de bois, IV.

♦ **2.** [a] Discordant, dissonant (son). *Une musique grinçante. Une voix un peu grinçante.*

[b] (Visuellement). ⇒ **Criard.** *Des couleurs grinçantes.*

♦ **3.** (Personnes; abstractions psychiques). Acerbe, acrimonieux. *Une personne grinçante et hostile. — Gaieté grinçante.* — Cour. *Une ironie grinçante. Des compliments un peu grinçants.* ⇒ **Aigre.** — (L'adj. mêlant la caractérisation physique [→ ci-dessus, 2.] et psychologique). Cour. *Un rire, un sourire grinçant.*

♦ **4.** Rare. *Les dents grinçantes :* en grinçant des dents (⇒ **Grincer**).

GRINCEMENT [gʀɛ̃smɑ̃] n. m. — 1541; *gricement,* XVe; de *grincer**.

♦ **1.** GRINCEMENT DE DENTS : action de grincer (1.) des dents; action de serrer et de frotter convulsivement les dents en exprimant un sentiment intense (la douleur, le plaisir exacerbés). — Spécialt.

Douleur, tristesse extrême (des damnés). *Pleurs* et grincements de dents.*

1 Mais les fils du royaume seront jetés dans les ténèbres du dehors, où il y aura des pleurs et des grincements de dents.
BIBLE, Évangile selon saint Matthieu, VIII, 12.

♦ **2.** (1770). Bruit aigre ou strident. ⇒ **Crissement.** *Grincement d'une girouette, d'un moulin à café* (→ Bringuebaler, cit. 1), *d'une porte* (→ Érotomane, cit. 1), *des roues d'une charrette* (→ Gémissement, cit. 6), *d'une plume sur le papier* (→ Bruit, cit. 11).

Bruit ou cri grinçant (d'un animal).

2 On n'entendait que le grincement des cigales. FLAUBERT, Salammbô, XI,

3 (...) je dois avouer que le grincement d'une scie ou celui de la quatrième corde du plus habile violoniste me font exactement le même effet.
Th. GAUTIER, les Grotesques, V.

4 *(Les albatros)* criaient sans trêve de leur vilaine voix gémissante, qui semble le grincement d'une girouette ou d'une poulie rouillée. LOTI, Matelot, XLIX.

5 (...) je supporte le cri de la craie contre la vitre, si c'est *moi* qui la presse sur le verre, — (et même je ris de ta grimace), — et pourquoi le même grincement m'est odieux s'il vient de ton acte? VALÉRY, Analecta, XLIV.

♦ **3.** Par métaphore et fig. Difficulté. ⇒ **Friction.**

GRINCER [gʀɛ̃se] v. intr. — Conjug. *placer.* — XIVe; forme nasalisée de *grisser,* doublet de *crisser,* p.-ê. avec infl. de *grigner.*

♦ **1.** GRINCER DES DENTS : faire entendre un bruit caractéristique en serrant les mâchoires et en frottant les dents d'en bas contre celles d'en haut. ⇒ **Craquer** (des dents), **crisser.** *Grincer des dents sous l'action de l'agacement, de la douleur, de la colère, par tic nerveux, pendant le sommeil. Grincer des dents* (cit. 12) *au moindre bruit discordant. Les damnés grinceront des dents* (→ Fin, cit. 8). *Bruit qui écorche* les oreilles et fait grincer les dents.* — (XVIIe). Par métonymie. Produire ce bruit (en parlant des dents). *Ses dents grinçaient de rage* (syn. : *il grinçait des dents de rage*). → Concevoir, cit. 25.

1 Les dents deçà delà lui grincent en la gueule
D'un bruit tout enroué, comme d'une grand-meule (...)
RONSARD, Second livre des hymnes, « Castor et Pollux ».

2 *(Quasimodo)* criait et grinçait des dents, ses cheveux roux se hérissaient (...)
HUGO, Notre-Dame de Paris, p. 234.

3 (...) il roula des yeux sanglants, grinça des dents et serra les poings jusqu'à s'enfoncer les ongles dans les paumes. FRANCE, le Mannequin d'osier, t. XI, VI, p. 301.

4 « Oh, assez, Monsieur Chasle! » fit Antoine, en grinçant des dents.
MARTIN DU GARD, les Thibault, t. IV, p. 205.

Trans. Vx. *Grincer les dents.*

5 (...) Perdit raison, contenance et couleur,
Grinçant les dents de rage et de douleur. RONSARD, la Franciade, II.

6 Les fanatiques grinceront les dents et ne pourront pas mordre (...)
D'ALEMBERT, Lettre à Voltaire, 13 mai 1759.

♦ **2.** (1805). Sujet n. de chose. Produire un son aigu et prolongé, désagréable. ⇒ **Crier.** *Girouette rouillée qui grince aigrement* (cit. 1) *au vent. Porte qui grince sur ses gonds* (→ Commun, cit. 26). *Roue, essieux qui grincent* (→ Cesser, cit. 22; entrechoquer, cit. 3).

7 (...) les poulies grinçaient, piaulaient, sifflaient, et, par instants, jetaient des cris aigus qui semblaient jaillir d'un gosier humain.
Th. GAUTIER, Voyage en Espagne, p. 267.

8 Les fiers animaux frémissaient sous la petite main de l'enfant et faisaient grincer les jougs et les courroies liées à leur front, en imprimant au timon de violentes secousses. G. SAND, la Mare au diable, II.

9 Là grince le rouet sinistre du cordier.
HUGO, la Légende des siècles, VI, II, « Montfaucon », II.

10 L'omnibus, ouragan de ferraille et de boues,
Qui grince, mal assis entre ses quatre roues (...)
VERLAINE, la Bonne Chanson, XVI.

11 Oh! les cimes des pins grincent en se heurtant
Et l'on entend aussi se lamenter l'autan (...)
APOLLINAIRE, Alcools, « Le vent nocturne ».

12 (...) il savait aussi que le sommier rebelle allait grincer, à la grande colère du redoutable Jaboulet, le voisin de dortoir. G. DUHAMEL, Salavin, II.

Spécialt (sujet n. d'animal). Émettre un cri grinçant. *La chauve-souris grince.* — (Le sujet désigne le cri). *Le cri rauque de l'épervier* (cit. 3) *grince à travers l'espace.*

13 (...) les cigales font grincer leur corselet avec plus de vivacité que jamais (...)
Th. GAUTIER, Voyage en Espagne, p. 135.

(Le sujet désigne un son ou une source sonore). *Violon faux* (cit. 36) *qui grince. Son, voix qui grince.*

♦ **3.** Fig. (Sujet n. de personne). Manifester des dispositions acerbes, hostiles, hargneuses.

14 Et sa muse *(de J.-B. Rousseau)* qui toujours grince,
Et qui fuit les jeux et les ris (...) VOLTAIRE, Épîtres, CV, Au roi de Prusse, 1742.

15 Et ce qui me le *(Voltaire)* fait chérir, c'est le dégoût que m'inspirent les voltairiens, des gens qui rient sur les grandes choses! Est-ce qu'il riait, lui? Il grinçait!
FLAUBERT, Correspondance, 633, t. IV, p. 364.

(Sujet n. de chose). Être plein de dissonances, de difficultés.

16 (...) Hugo se souvenait avec émotion du temps, de l'heureux temps où il voulait être « premier en mariage » et en paternité comme en poésie. Mais sa vie désormais grinçait, semée de dissonances, et cela était sans remède. « Nos destinées et nos volontés jouent presque toujours à contretemps. »
A. MAUROIS, Olympio, VI, II.

Littér. GRINCER DE... (et compl. causal). *Grincer de rage, d'indignation. Il les a fait grincer de colère.*

♦ **4.** Trans. Rare. Produire (un son grinçant). *Le violon grinçait une rengaine.* — Dire, prononcer avec une voix grinçante et une expression hargneuse, acerbe. — (En incise, ou en tête de phrase). *Trop aimable, grinça-t-il...*

DÉR. Grinçant, grincement.

1. GRINCHE [gʀɛ̃ʃ] n. m. — 1800; de 2. *grincher.*

♦ (1908; encore chez P. Mille). Argot anc. Voleur.

(...) il subtilisa, avec l'adresse d'un grinche émérite, le porte-monnaie de mon camarade, contenant une trentaine de francs en bechlicks et en piastres. 1
Th. GAUTIER, Constantinople, p. 224.

En somme, il n'avait fait que vagabonder, mais il aimait à s'assimiler les façons des *grinches* célèbres, ce qu'il faisait d'autant plus facilement qu'il avait longtemps exécuté des tours sur la place publique. Celui du mouchoir est un de ses triomphes. 2
Louise MICHEL, la Misère, t. III, p. 509.

2. GRINCHE [gʀɛ̃ʃ] n. ⇒ Gringe.

1. GRINCHER [gʀɛ̃ʃe] v. intr. — 1896; var. dial. de *grincer.*

♦ Régional et fam. Manifester de la mauvaise humeur. ⇒ **Grogner; grincheux.**

(...) comme elle se démène (...) remplissant la maison de son corps efflanqué, furetant, grimpant, grinchant, grommelant, grognant, grondant (...)
R. ROLLAND, Colas Breugnon, I.

REM. L. Daudet emploie le déverbal *grinche,* n. f., et Gyp atteste grincherie, n. f. (*in* T.L.F.).

HOM. 2. Grincher, 3. grincher.

2. GRINCHER [gʀɛ̃ʃe] v. tr. — 1800; var. *grinchir,* 1821; du germanique **grippân* (→ Agripper, gripper), par des var. en *grich-.*

♦ Argot anc. Voler.

Aussi, maint'nant qu'on n'a pus du feu, 1
On n'se chauff' pus, on grinche un peu...
I' fait moins froid à la Nouvelle
Qu'à la Chapelle. A. BRUANT, Dans la rue, p. 183.

REM. La var. *grinchir* avait vieilli avant *grincher :*

— Ils ont été *grinchir* donc!... 2
— Et chez qui?
— Chez qui... eh mais (...) chez ta mère... C'est eux qui ont rincé *sa cambriole*...
Comme je te voyais boire avec eux, je pensais que tu le savais.
Ch. PAUL DE KOCK, la Grande Ville, éd. 1842, t. I, p. 182.

DÉR. 1. Grinche.
HOM. 1. Grincher, 3. grincher.

3. GRINCHER [gʀɛ̃ʃe] v. intr. — 1803; orig. incert., rapport probable avec *grigner.*

♦ Vx. Se dit d'un pain qui a une croûte trop fendue.

HOM. 1. Grincher, 2. grincher.

GRINCHEUSEMENT [gʀɛ̃ʃøzmɑ̃] adj. — 1896, *in* T.L.F.; de *grincheux.*

♦ De manière grincheuse. *Il lui a répondu assez grincheusement.*

CONTR. Aimablement.

GRINCHEUX, EUSE [gʀɛ̃ʃø, øz] adj. — 1844; var. dial. de *grinceur* « qui grince facilement des dents », 1611.

♦ **1.** Adj. (Personnes, animaux). D'humeur maussade et revêche. ⇒ **Acariâtre, hargneux; grinchu** (régional), **gringe** (régional). *Femme pincée et grincheuse.* ⇒ **Pimbêche.** *Vieillard grincheux.*

Un homme du Nord, pas méchant, plutôt grincheux, quinteux et, pour tout dire, mal servi par la chance, à bien des égards. G. DUHAMEL, Salavin, V, III. 1

(...) ma chienne elle-même, mal lunée, grincheuse, frileuse, me jette tout juste un regard noir et blanc, sans quitter sa corbeille. COLETTE, la Vagabonde, p. 15. 2

Au bout d'une journée de travail, en compagnie de vieux professionnels grincheux, jaloux et malveillants (...) P. MAC ORLAN, Quai des brumes, II. 3

(Attitudes, comportements). *Une humeur grincheuse. Mine grincheuse. — Paroles, réponses, critiques grincheuses.*

♦ **2.** N. *Un grincheux, une grincheuse. C'est un vieux grincheux.*

CONTR. Aimable, charmant, gracieux.
DÉR. Grincheusement. — V. Grinchu.

GRINCHU [gʀɛ̃ʃy] adj. — 1868, Goncourt; var. de *grincheux.*

♦ Vieilli ou régional (Suisse). Grincheux, acariâtre.

(...) un type de cette femme légitime de l'artiste chez laquelle une sorte de puritanisme grinchu, une dignité hérissée, une susceptibilité agressive, toujours en garde contre un manque de respect, une honnêteté nette, aiguë, reiche *(sic),* presque amère, dessinent dans la petite bourgeoise une petite madame Roland manquée.
Ed. et J. DE GONCOURT, Manette Salomon, p. 265.

N. *Un grinchu.* « *Une grinchue comme ma belle-sœur* » (Gide, *in* T. L. F.).

CONTR. V. **Grincheux.**

GRINGALET [gʀɛ̃galɛ] n. m. et adj. — 1611, « bouffon »; orig. incert., p.-ê. de l'all. de Suisse **gränggeli*, de *gränggel* « homme chétif », introduit par les mercenaires suisses; l'anc. franç. *gringalet* « beau cheval » (nom du cheval de Gauvain dans l'*Erec* de Chrétien de Troyes) vient du gallois *keinkaled*, de *kein* « beau », et *kaled* « vigoureux (dur) » et ne devait plus être connu au déb. du XVIIe; dans le cas contraire, il s'agirait d'une antiphrase ironique.

♦ **1.** N. m. Homme de petite taille, de corps maigre et chétif (⇒ **Faible**; → Efflanqué, cit. 2). *Ce gringalet de X.*

1 M'est avis que c'était plutôt (...) qui dirait, le gringalet de page.
BEAUMARCHAIS, le Mariage de Figaro, II, 21.

En appellatif. *Va donc, gringalet!*

♦ **2.** Adj. (1852). Chétif. *Un jeune homme un peu gringalet. — Un corps gringalet.*

2 Il le trouvait bien un peu gringalet, et ce n'était pas là un gendre comme il l'eût souhaité (...)
FLAUBERT, Mme Bovary, I, III.

Fig. Rare. Faible, sans vigueur. « *Un son gringalet* » (Gide).

REM. Le fém. *gringalette* est moins courant.

3 (...) c'était comme si l'on avait souillé mon plus beau souvenir : un petit garçon à la peau caramel, une gringalette en culotte, l'un douchant l'autre, et la passion surgissant, entre eux, comme un soleil.
Christine DE RIVOYRE, le Petit Matin, p. 64.

Adjectif :

4 (...) la mairesse, péronelle et gringalette, qui avait offert à Charlotte une broche du plus mauvais choix.
Denyse VAUTRIN, les Noces de Corrèze, p. 53.

GRINGE [gʀɛ̃ʒ] ou **GRINCHE** [gʀɛ̃ʃ] adj. — 1784, Mme de Charrière, *grinche*; formes dial. : Franche-Comté, Suisse (→ Grincheux); du francique **grîsan* « craquer, crisser ».

♦ Régional (Suisse). Grincheux, de mauvaise humeur.

GRINGO [gʀingo] n. et adj. — 1899, *in* D. D. L.; mot esp. d'Amérique du Sud, p.-ê. altér. de *grigo*, *griego* « grec », employé au sens de « jargon incompréhensible », le *-ing* évoquant un élément fréquent en anglais; cette hypothèse de Corominas semble moins anecdotique que celle qui recourt à l'expression *Green, go out* « vert (soldat yankee), fous le camp ».

♦ Péj. Américain des États-Unis, et, par ext., étranger non latin (surtout, anglo-saxon), dans un pays hispanophone d'Amérique latine. — Adj. *Les touristes gringos.*

Le peintre Diego Rivera me faisant visiter le palais de style aztèque qu'il avait fait bâtir sur une coulée de lave, et où il accumulait les pièces d'un musée d'art précolombien, comme une protestation, appuyée sur la culture d'un passé lointain, contre l'insolence inculte des « gringos ».
Roger GARAUDY, Parole d'homme, p. 115.

GRINGOLÉ, ÉE [gʀɛ̃gɔle] adj. — 1644; de l'anc. terme *gringole* « figure héraldique de serpent », p.-ê. du moy. néerl. *crinkelen* « faire une boucle ». → Dégringoler.

♦ Blason. *Croix gringolée*, dont les branches se terminent en têtes de serpent.

GRINGOTTEMENT [gʀɛ̃gɔtmɑ̃] n. m. — Mil. XVIe; de *gringotter*. Rare.

♦ **1.** Gazouillement (des petits oiseaux).

Les seuls bruits étaient le croassement d'un corbeau à la cime des pins, le gringottement d'une grive ou le bourdonnement d'un insecte.
Robert SABATIER, les Noisettes sauvages, p. 202.

♦ **2.** Bruit léger et saccadé. « *Le gringottement de la pluie* » (Chateaubriand).

GRINGOTTER [gʀɛ̃gɔte] v. — 1458; moy. franç. *gringot* « chant », XVe; d'orig. inconnue.

♦ Vx. Chanter, en parlant du rossignol; gazouiller, en parlant des petits oiseaux. — Par ext. Vx. (Personnes). *Gringotter un air.*

DÉR. **Gringottement.**

GRINGUE [gʀɛ̃g] n. m. — 1901, Bruant; « pain », 1878; de *grignon* « croûton » (→ Quignon); du bas lat. *crignum*, selon Esnault.

♦ Vx. Fam. Boniment, flatterie. — (1911; « faire l'aimable », 1901). Loc. mod. *Faire du gringue à qqn* : faire la cour, faire du plat. — *Être en gringue* : flirter.

1 Je lui fais un brin de gringue et elle rougit comme une communiante (...) « Allons, Guitare, sois sérieux!... »
J. CAU, la Pitié de Dieu, p. 106.

(...) et tâche de ne pas faire du gringue au type dans la voiture, c'est mon pote. 2
A. SARRAZIN, l'Astragale, p. 43.

GRINGUENAUDE [gʀɛ̃gnod] n. f. — 1542, Rabelais; orig. obscure, p.-ê. de *gringue* « pain », d'après *baguenaude*, *chiquenaude*. Vieux.

♦ **1.** [a] Petite crotte qui demeure attachée à l'anus.

[b] Crotte de nez.

♦ **2.** (1866). Petit reste bon à manger. ⇒ **Relief.**

1. GRIOT [gʀijo] n. m. — 1751; var. de *gruau**.

♦ Agric. Vx. Recoupe du blé.

HOM. 2. **Griot.**

2. GRIOT, GRIOTTE [gʀijo, gʀijɔt] n. — V. 1680; *guiriot*, 1637; p.-ê. du port. *criado* « domestique », de *criar* « élever », proprt « créer ».

♦ En Afrique, Membre de la caste de poètes musiciens, dépositaires de la tradition orale. *Les griots ont un statut ambigu; ils sont parfois dépréciés en tant que poètes-musiciens rétribués pour chanter les louanges des puissants. Griot musicien*, diseur ou conteur. *Femme griot* ou *griote*, *griotte*.

Vous ignorez peut-être qu'il existe parmi les Noirs de diverses contrées de l'Afrique des nègres doués de je ne sais quel grossier talent de poésie et d'improvisation qui ressemble à la folie. Ces nègres, errant de royaume en royaume, sont, dans ces pays barbares, ce qu'étaient les rhapsodes antiques, et dans le moyen âge les *ministrels* d'Angleterre, les *minsinger* d'Allemagne, et les *trouvères* de France. On les appelle *griots*. Leurs femmes, les griotes, possédées comme eux d'un démon insensé, accompagnent les chansons barbares de leurs maris par des danses lubriques (...) 1
HUGO, Bug-Jargal, XXVI.

N. B. Cette description, en partie fantaisiste, est caractéristique des attitudes européennes du temps à l'égard de l'Afrique.

Le griot s'installait, préludait sur sa cora, qui est notre harpe, et commençait à chanter les louanges de mon père. Pour moi, ce chant était toujours un grand moment. 2
Camara LAYE, l'Enfant noir, *in* Littérature de langue franç. hors de France, p. 110.

HOM. (Du masc.) 1. **Griot.** — (Du fém.) **Griotte.**

GRIOTTE [gʀijɔt] n. f. — 1505; de *agriotte*, *agriote* (→ 2. Agriote), anc. provençal *agriota*, de *agre* « aigre », du lat. *acer*, *acris*.

♦ **1.** Cerise à queue courte, à chair molle et très acidulée, à jus coloré. ⇒ régional 2. **Agriote, aigriotte.** *Les griottes, dites* cerises de Montmorency, *servent à la fabrication des confitures et des liqueurs.*

Par Philippe, elle apprend que j'ai mangé deux ou trois griottes. 1
— Oh! ça ne m'étonne pas! Il les aimait tant lorsqu'il était petit!
J. RENARD, Journal, 23 juil. 1898.

Adj. *Cerises griottes.*

♦ **2.** (1752). Minéralogie. Marbre taché de rouge et de brun. *Griotte d'Italie. La griotte du Languedoc*, sorte de marbre d'un rouge cerise. — Adj. *Les marbres griottes.*

Une république de plâtre (...) avec une étoile dans les cheveux, observe d'un regard blanc les citoyens endimanchés (...) et le maire, barré de tricolore, déjà campé derrière une table de marbre vert, incrustée de griotte et de cipolin. 2
Hervé BAZIN, Cri de la chouette, p. 193.

DÉR. **Griottier.**

HOM. Fém. de 2. **griot.**

GRIOTTIER [gʀijɔtje] n. m. — 1583; *gryotier*, 1557; de *griotte*.

♦ Rare. Cerisier qui produit les griottes.

GRIP [gʀip] n. m. — 1890, cit.; mot angl., de *to grip* « attacher, agripper ».

Anglicisme. Technique.

♦ **1.** Pince qui unit un funiculaire au cable de traction.

(...) il suffit de réduire convenablement le serrage des mâchoires du grip pour rendre la vitesse aussi faible que l'on voudra (...) La liaison entre la voiture et le câble s'obtient à l'aide d'une griffe (grip) fixée à la voiture.
L. FIGUIER, l'Année scientifique et industrielle 1891, p. 174 (1890).

♦ **2.** (1936). Poignée de raquette, assurant une meilleure prise (angl. *grip*).

HOM. **Grippe.**

GRIPPAGE [gʀipaʒ] n. m. — 1869; de *gripper*.

♦ **1.** Techn. (et cour.). Ralentissement ou arrêt du mouvement de pièces ou organes mécaniques, provoqué par le frottement et la dilatation des surfaces métalliques mal lubrifiées. *Grippage d'un mécanisme qui se bloque, se coince. Un bon graissage permet d'éviter le grippage d'un moteur, d'une machine.*

(...) au-delà de certaines limites, les réactions deviennent (...) destructives; c'est le cas du moteur qui, s'échauffant trop, commence à gripper, et, s'échauffant encore

plus à cause de la chaleur dégagée par le grippage, se détériore de manière irréversible (...)
Gilbert SIMONDON, Du mode d'existence des objets techniques, p. 80.

♦ **2.** (Mil. xxe). Mauvais fonctionnement d'institutions, de systèmes économiques, politiques, etc. *Le grippage de l'économie.*

♦ **3.** Techn. Formation de rides sur un enduit, une peinture, par rétraction.

GRIPPAL, ALE, AUX [gʀipal, o] adj. — 1871 ; de *grippe* (II.).

♦ Propre à la grippe. *État grippal. Affection grippale. Une laryngite de type grippal. Les virus grippaux.*

COMP. Antigrippal.

GRIPPE [gʀip] n. f. — 1306, « querelle » ; *grippe de fer* « croc », fin XIIIe ; déverbal de *gripper*, ou directement empr. au francique **grip*, altér. de **griff*. → Griffe.

★ **I.** ♦ **1.** (1632). Vx. Fantaisie soudaine, goût passager, caprice.

1 Mais encor suis-je plus heureux
Que tant de fous et d'amoureux
Qui se sont perdus par leurs grippes. CORNEILLE, Poésies diverses, 39.

2 C'est un homme *(le duc de Noailles)* de grippe, de fantaisie, d'impétuosité successive, qui n'a aucune suite dans l'esprit que pour les trames, les brigues (...)
SAINT-SIMON, Mémoires, III, LXII.

♦ **2.** (1762). Loc. mod. **PRENDRE (qqn ou qqch.) EN GRIPPE :** avoir une antipathie soudaine contre (qqn, qqch.). → Abreuver, cit. 8 ; embarras, cit. 9. *Elle l'avait pris en grippe :* elle ne pouvait plus le souffrir, ni le voir en peinture.

3 Voilà quel était l'homme qui, toujours par le même motif peut-être, me prit en grippe, uniquement sur ce que je le servais fidèlement.
ROUSSEAU, les Confessions, VII.

4 Cette tante Séraphie m'avait pris en grippe, je ne sais pourquoi, et me faisait sans cesse gronder par mon père. STENDHAL, Vie de Henry Brulard, 8.

5 Je n'avais pas l'intention d'y faire un long séjour, car j'avais pris en grippe cette belle ville (...) MÉRIMÉE, Carmen, II.

6 Je n'ai jamais été bien forte pour lire les journeaux, mais, à présent, je les ai pris en grippe. SARTRE, le Sursis, p. 74.

♦ **3.** Littér. Rare. Emprise, fait d'agripper, de tenir.

★ **II.** (1743 ; parce qu'elle saisit brusquement).

♦ **1.** Cour. Maladie infectieuse à virus, contagieuse, en général épidémique, caractérisée par des symptômes variés (fièvre, courbatures, atteintes des voies respiratoires parfois compliquées d'infections bactériennes). ⇒ **Influenza.** *Elle est au lit avec la grippe. Rhume compliqué de grippe. Épidémie de grippe. Accès de grippe. Attraper, avoir la grippe.*

7 Je suis bien fâché d'apprendre que la grippe vous ait si fort abattu. Je me flatte que l'esprit soutiendra le corps, comme l'huile fait durer la flamme dans la lampe.
Frédéric II, Lettre à Voltaire, 78, 6 avril 1743.

8 Vous avez peut-être ouï parler de ces mauvais rhumes épidémiques, auxquels les Français, qui nomment tout, ont donné le nom de grippe, qui est en effet très significatif. BONNET, Lettres diverses, *in* LITTRÉ.

9 En somme, des gens commme Gigon, des gens chez qui le sang est fort, peuvent très bien, à l'occasion d'une petite grippe (...) Et puis, quoi de plus naturel? Une grippe, voilà qui tourne facilement à la pneumonie.
G. DUHAMEL, Salavin, II.

Grippe espagnole, asiatique (d'après l'origine de l'épidémie).
Grippe intestinale, accompagnée de troubles gastro-intestinaux.

♦ **2.** Maladie infectieuse (des animaux) avec lésions bronchiques et pulmonaires. *Grippe bovine, porcine.*

DÉR. (Du sens II) **Grippal,** 1. **grippé.**
COMP. V. **Antigrippal.**
HOM. Grip.

1. GRIPPÉ, ÉE [gʀipe] adj. — 1782 ; de *grippe* (II.).

♦ Atteint de la grippe. *Être un peu grippé, fortement grippé.*

Le jour suivant, je me réveillai courbaturé, grippé, si souffrant que je ne me décidai qu'après-midi à retourner chez les Bucolin.
GIDE, la Porte étroite, VI, p. 126.

N. *Un grippé, une grippée. Les enrhumés et les grippés.*

HOM. 2. **Grippé, gripper.**

2. GRIPPÉ, ÉE [gʀipe] adj. ⇒ Gripper.

GRIPPELÉ, ÉE [gʀiple] adj. — 1679, *se grippeler* « se froncer », en parlant d'une étoffe ; du francique **grîpan.* → Gripper.

♦ Régional. Plissé, chiffonné.

Le grand sorcier était d'une laideur singulière. Torse nu en cuir parcheminé, longue face jaune et grippelée (...) Henri FAUCONNIER, Malaisie, p. 250.

GRIPPEMENT [gʀipmɑ̃] n. m. — 1606, « action de saisir » ; de *gripper.*

♦ **1.** (1845). Techn. ⇒ **Grippage** (1.).

♦ **2.** (1866). État de la face grippée*.

GRIPPER [gʀipe] v. — 1425, « agripper » ; « saisir avec les griffes », 1509 ; du francique **gripan* « saisir » (cf. all. *greifen*). → aussi Griffer, grimper.

★ **I.** V. tr. **A.** Vx. ♦ **1.** Attraper*, saisir lestement et avidement (particulièrement avec les griffes). ⇒ **Happer.** *Ce chat a grippé un morceau de viande. Il a grippé la souris à la sortie du trou* (Académie).

Et toutes deux, très mal contentes, 1
Disaient entre leurs dents : « Maudit coq, tu mourras. »
Comme elles l'avaient dit, la bête fut grippée. LA FONTAINE, Fables, V, 6.

♦ **2.** (1583). Dérober, voler. *On lui a grippé sa bourse* (Académie).

♦ **3.** (1699). Arrêter, attraper (qqn). *Gripper un voleur* (→ Attraper, cit. 10, Scarron).

B. ♦ **1.** Vx. Froncer, rider. — Littér. « *(...) un petit frisson (...) qui me grippe la peau du dos* » (Colette, *in* T. L. F.). — REM. Cet ex. manifeste un croisement avec le sens A, 1.

♦ **2.** (Déb. xxe). Techn. Mod. Provoquer un grippage* dans (un mécanisme). *Insuffisance de graissage qui grippe une machine.* — Par métaphore. *L'esprit bureaucratique grippe les rouages de l'administration.*

Un travail sourd, incompréhensible, grippait ses articulations (...) 2
Edmond JALOUX, les Visiteurs, II.

★ **II.** V. intr. ♦ **1.** (1740). Techn. Se froncer, se retirer (en parlant des étoffes). *Ce tissu grippe un peu.*

Si une étoffe frappée inégalement, ou fabriquée sur une chaîne mal tendue, ou 3
sur une lisière mal disposée, forme à la surface de petits plis, des tiraillements, on dit qu'elle grippe. Encyclopédie (DIDEROT), art. *Gripper.*

♦ **2.** (1757, *Encyclopédie*, art. *Foret*). Techn. et cour. S'accrocher, se coincer, s'arrêter par l'effet du grippage*. *Pièces mal huilées qui grippent. Le moteur va gripper si vous ne le graissez pas. Le moteur commence à gripper.* → Grippage, cit.

Par métaphore :

(...) des freins claqués comme « bien que » ou « quoi que », au lieu du solide « mal- 4
gré que », qui grippe et grince à la perfection.
CLAUDEL, Positions et Propositions, p. 84.

▶ **SE GRIPPER** v. pron. (De I.).

♦ **1.** Vx. (Au sens A). Passif. Être attrapé, pris.

♦ **2.** (1752). Vx. (Au sens B, 1). Se froncer. *Ce taffetas s'est tout grippé* (Académie).

♦ **3.** Mod. (Au sens B, 2). *Machine, moteur qui se grippe.*

▶ **GRIPPÉ, ÉE** p. p. adj.

♦ **1.** Vx. Attrapé, pris. — (1684). Loc. *Être grippé de qqch.,* entiché, épris (→ l'étym. de Prendre en grippe*).

♦ **2.** Spécialt. ⇒ 1. **Grippé.**

♦ **3.** Vx. Froncé, ridé. *Étoffe grippée.*

(1814). Méd. *Facies grippé :* aspect particulier que prend le visage, qui paraît alors crispé, contracté et comme diminué, dans certaines crises douloureuses suraiguës.

DÉR. Grippage, grippement.
COMP. Grippe-sou.
HOM. 1. **Grippé.**

GRIPPE-SOU [gʀipsu] n. et adj. — 1680, n. m., au sens 1 ; de *gripper* (I., A., 1.) « attraper, agripper », et *sou.*

♦ **1.** N. m. Vx. Qui, moyennant une commission d'un sou par livre, touchait les rentes pour le compte de tiers.

♦ **2.** N. m. Vx. Usurier.

Et force grippe-sous prêtant à grande usure (...) 1
LECONTE DE LISLE, Poèmes barbares, Paraboles de dom Guy, VII.

♦ **3.** N. et adj. (Av. 1778, Voltaire). Personne avare, qui économise sur tout et cherche à obtenir de l'argent par tous les moyens. ⇒ **Avare, ladre.** — Plur. *Des grippe-sous* (→ Grigou, cit. 3).

Par métaphore. *Une langue de grippe-sou* (→ Embarrasser, cit. 22).

Adj. Avare et avide. *Il, elle est un peu grippe-sou. Des gens mesquins et grippe-sous.*

Elle joue. On applaudit. Elle salue en souveraine déchue qui tout à l'heure aura 2
l'air d'une concierge. L'homme fait ses tours. Loterie, et la vieille vénérable va se changer en sorcière grippe-sou. Jules RENARD, Journal, 15 août 1906.

GRIS, GRISE [gʀi, gʀiz] adj. et n. — V. 1150; francique **gris* (cf. all. *greis*).

★ **I.** Adj. (Après le n. en épithète, sauf dans *grise mine*). **A.** ♦ **1.** D'une couleur intermédiaire entre le blanc et le noir. *Les tons gris* (→ Exquis, cit. 11) *d'un ciel d'automne, d'une mer orageuse, d'une muraille* (→ Épanouir, cit. 2; exposer, cit. 2). *Le plumage gris de certains oiseaux.* ⇒ **Griset, grisette.** *La teinte grise de métaux* (plomb*, fer...), *d'alliages, de roches* (gneiss, grès, granit...). *De gros nuages gris qui annoncent un orage* (→ Amoncellement, cit. 2; bourre, cit. 2). — (1549). Spécialt. *La lumière, la lueur grise d'un jour sans soleil* (→ 1. Cale, cit. 2; foncer, cit. 1). *Ciel gris* (→ Brûler, cit. 40). *Jour triste et gris, temps gris* (→ Estomper, cit. 3). — Ellipt. *Il fait gris* : le temps est couvert.

1 Ce tableau est si harmonieux, malgré la splendeur des tons, qu'il en est gris — gris comme la nature — gris comme l'atmosphère de l'été, quand le soleil étend comme un crépuscule de poussière tremblante sur chaque objet.
BAUDELAIRE, Curiosités esthétiques, Salon de 1845, II.

2 (...) on avançait dans la lueur d'en bas, malade comme celle de la forêt et si grise que la rue en était pleine comme un gros mélange de coton sale.
CÉLINE, Voyage au bout de la nuit, p. 177.

2.1 Ciel gris sans nuage pas un bruit rien qui bouge terre sable gris cendre.
S. BECKETT, Têtes-mortes, p. 70.

2.2 C'est un grand vieillard gris. Quand je dis qu'il est gris, ce n'est pas une image mais une description réelle. Il est grand, maigre, décharné, osseux... Il a la peau grise, les cheveux gris, une cravate grise, des souliers gris et, pour se gratter, il se met sûrement de longs gants *(calembour sur onguent)* gris.
SAN-ANTONIO, le Secret de Polichinelle, p. 42.

Yeux gris (→ Bec, cit. 3; étudier, cit. 27).

3 Ton œil mystérieux (est-il bleu, gris ou vert?)
(...) Réfléchit l'indolence et la pâleur du ciel.
BAUDELAIRE, les Fleurs du mal, Spleen et Idéal, L.

4 Dites un mot plaisant, et leur œil devient gris
Et terne comme l'œil d'un poisson qu'on fait frire (...)
BAUDELAIRE, Amœnitates Belgicæ, VI.

Visage gris. Fatigue, peur qui rend le visage gris. Peau grise et terne.

5 À quatre-vingt-dix ans, ses vieilles mains grises, déformées, noueuses (...)
M. JOUHANDEAU, Tite-le-Long, XXIII.

(Mil. XIIe). *Costume gris. Robe de toile grise* (→ Aspiration, cit. 7). *Bas gris* (→ Camisole, cit. 2). *Chapeau gris* (→ Aviser, cit. 3). *Chemises, gants gris.* — Par métonymie. *Sœurs* grises,* vêtues d'une robe grise. *Éminence* grise,* surnom du père Joseph, conseiller de Richelieu, portant comme tous les capucins la robe grise.

6 Il renifle déjà le seau, la cuvette étroite, la serviette grise en nid d'abeilles avec un trou et des taches de rouille.
J. ROMAINS, les Hommes de bonne volonté, t. IV, XV, p. 156.

(Animaux). *La robe grise d'un cheval, un cheval gris* (→ ci-dessous, Le gris). *Une souris grise. Un chat tout gris, gris et noir. Vache grise, jument grise,* parfois appelée *la Grise* (→ ci-dessous, II., 8.). *Animaux gris, de couleur grise, à pelage, à plumage gris.* ⇒ **Griset, grisette.**

GRIS DE... : rendu gris par... *Gris de poussière* : couvert d'une couche de poussière grise. *Voiture grise de poussière.*

7 Les camions étaient gris de la poussière des routes, gris aussi les hommes assis quatre par quatre, les casquettes grises posées de travers et leurs mains allongées sur les pantalons de coutil, bien sagement.
BERNANOS, les Grands Cimetières sous la lune, I, II.

8 Les branches des ficus et des palmiers pendaient, immobiles, grises de poussière, autour d'une statue de la République, poudreuse et sale.
CAMUS, la Peste, p. 100.

Typogr. *Page grise,* par suite d'un mauvais encrage.

♦ **2.** (Servant à désigner certains êtres ou objets, certaines espèces, dans des syntagmes nominaux). *Ambre* gris. Papier* gris. Lettre* grise. Carte* grise. Onguent* gris. Rainette* grise. Vin* gris.* → Pelure d'oignon, et, ci-dessous, cit. 16 et II., 6., Du gris. *Crevette* grise. Perdrix grise.* — Anat. *Substance* grise du cerveau. Noyaux gris centraux, noyaux gris de la base* : partie du cerveau constitué par les corps striés* et les couches optiques (thalamus* dorsal). *Matière** (cit. 9, 9.1) *grise. Les petites cellules grises du cerveau.* — Techn. *Papier gris,* fait de chiffons non blanchis. — *Tabac gris.* → ci-dessous, II., 3., Du gris.

♦ **3.** (V. 1530). (Cheveux, poils). Devenu gris, mêlé de sombre et de blanc (par l'effet de l'âge). ⇒ **Argenté.** *Cheveux* (→ Éteindre, cit. 52; fidèlement, cit. 2), *sourcils* (→ Aviver, cit. 2), *poil gris. Barbe* (cit. 11 et 23) *grise. Poils gris et blancs, mêlés aux poils encore noirs.* ⇒ **Poivre** (et sel). — Par métonymie. *Avoir déjà la tête grise.*

9 Il me sied bien, ma foi, de porter tête grise,
Et d'être encor si prompt à faire une sottise (...)
MOLIÈRE, l'Étourdi, II, 4.

9.1 — Dieu, que vous êtes blanc! Vos derniers cheveux noirs ont disparu.
— Hélas! je le sais, ça va vite.
Elle eut peur de l'avoir attristé.
— Oh! vous étiez gris très jeune, d'ailleurs. Je vous ai toujours connu poivre et sel.
— Oui, c'est vrai.
MAUPASSANT, Fort comme la mort, p. 132.

10 Je ne m'apercevais pas combien j'avais changé. Mais, au fait, eux (...) à quoi s'en apercevaient-ils? Je n'avais pas un cheveu gris, ma moustache était noire.
PROUST, À la recherche du temps perdu, t. XV, p. 88.

♦ **4.** (Fin XVIIe). **a** Péj. Littér. Sans éclat. ⇒ **Terne.** *Une vie grise,* sans intérêt. ⇒ **Morne.** *Style gris,* sans couleur (⇒ **Grisaille**). *Gris et étriqué* (cit. 7).

(...) vie terne et grise où les sentiments trop forts étaient des malheurs, où l'absence de toute émotion était une félicité. BALZAC, le Curé de Tours, Pl., t. III, p. 814. 11

Or Robineau ce soir était las. Il venait de découvrir, en face de Pellerin vainqueur, que sa propre vie était grise. SAINT-EXUPÉRY, Vol de nuit, V. 12

Il faut, pour qu'une seule idée heureuse vienne à maturité, beaucoup de grise besogne et beaucoup de rêveries. 13
G. DUHAMEL, Chronique des Pasquier, VIII, II.

Le chant des cloches aussi s'imaginerait plutôt noir; or, ouaté, fondu dans l'espace, il arrive en une rumeur également grise qui traîne, ricoche, ondule sur l'eau des canaux (...) Il y a là, par un miracle du climat, une pénétration réciproque, on ne sait quelle chimie de l'atmosphère qui neutralise les couleurs trop vives, les ramène à une unité de songe, à un amalgame de somnolence plutôt grise. 13.1
Georges RODENBACH, Bruges-la-Morte, p. 80.

On n'échappe pas à sa vérité de petit-bourgeois de Genève. Pas plus dans les suées du tâcheron commis aux corvées les plus grises, les plus taciturnes du travail révolutionnaire que dans les gazouillis le plus bénin des cafés parisiens. 13.2
Régis DEBRAY, l'Indésirable, p. 140.

b Indécis (par oppos. à la couleur, à la netteté des Romantiques ou des Parnassiens).

Il faut aussi que tu n'ailles point 14
Choisir tes mots sans quelque méprise :
Rien de plus cher que la chanson grise
Où l'Indécis au Précis se joint. VERLAINE, Jadis et Naguère, « Art poétique ».

c (XVe). Loc. **GRISE MINE.** *Faire grise mine à qqn,* lui faire mauvais visage, médiocre accueil. ⇒ **Maussade.**

Allons, plus de ta grise mine! VERLAINE, Chansons pour elle, IX. 15

B. (1690, Furetière). Vieilli ou régional. Qui est près d'être ivre*. ⇒ **Vin** (entre deux vins, pris de vin). *Se sentir un peu gris à la fin d'un repas arrosé de vins généreux.* ⇒ **Gai, soûl.** *Gris comme un Polonais* (cit. 1).

On appelle du *vin gris,* un vin délicat, tel que celui de Champagne, qui est entre le blanc et le clairet : et on dit qu'un homme est *gris,* lorsqu'il a beaucoup bu de vin, et qu'il commence d'être ivre. FURETIÈRE, Dict., art. *Gris.* 16

Violette tomba, la tête sur la table, non pas gris, mais ivre-mort (...) 17
BALZAC, Une ténébreuse affaire, Pl., t. VII, p. 475.

Depuis le matin, à Cloyes, il était gris déjà, le pantalon boueux, la blouse ignoble de taches, une casquette en loques renversée sur la nuque; et il fumait un cigare d'un sou, humide et noir, qui empestait. ZOLA, la Terre, I, II. 18

C. (D'après *corps noir*). Phys. Qui absorbe une partie importante (mais non la totalité) des neutrons incidents. *Corps, milieu gris.*

★ **II.** N. m. (XVe). ♦ **1.** Couleur grise. *Peindre un mur, des volets en gris. Tirer* sur le gris.*

Gris et couleurs terreuses. L'ennui de toute peinture est le gris. 19
E. DELACROIX, Journal, 13 janv. 1857.

Les Français ne sont pas naturellement coloristes. Le gris en toutes choses est leur nuance favorite; habitués aux tons froids de la pierre, ils redoutent dans l'architecture les teintes variées des marbres dont les Italiens font un si heureux usage; la couleur, pour tout dire, leur semble de mauvais goût, comme si dans la nature elle n'était pas toujours unie à la forme, et ils préfèrent, au risque de beaucoup d'ennui, une teinte abstraite et neutre, qui laisse prédominer la ligne. 20
Th. GAUTIER, Souvenirs de théâtre..., La vente Jollivet.

Mélancolie de ce gris des rues de Bruges où tous les jours ont l'air de la Toussaint! Ce gris comme fait avec le blanc des coiffes de religieuses et le noir des soutanes de prêtres, d'un passage incessant ici et contagieux. Mystère de ce gris, d'un demi-deuil éternel! 20.1
Car partout les façades, au long des rues, se nuancent à l'infini : les unes sont d'un badigeon vert pâle ou de briques fanées rejointoyées de blanc; mais, tout à côté, d'autres sont noires, fusains sévères, eaux-fortes brûlées dont les encres y remédient, compensent les tons voisins un peu clair; et, de l'ensemble, c'est quand même du gris qui émane, flotte, se propage au fil des murs alignés comme des quais. Georges RODENBACH, Bruges-la-Morte, p. 79-80.

Tons, nuances de gris. Un gris argenté (gris agent*), *clair, foncé, pâle, lumineux, laiteux, sombre, cendré, plombé, brouillé* (→ Barbouillage, cit. 3). *Gris perle* ou (vx) *gris de perle* (→ Ardoisé, cit. 3). *Gris ardoise.* ⇒ **Ardoise.** *Gris marengo* (cit.). *Gris souris. Gris de lin. Gris fer. Gris anthracite.* ⇒ **Anthracite.** *Gris tirant sur une autre couleur. Un gris jaune, brun* (⇒ **Bis**), *bleu, vert, roux* (⇒ **Noisette**), *noir...* (→ Estomper, cit. 5).

Un immense dais de brume d'un gris de perle très doux et très fin, tenant de la neige en suspens, posait sur la ville et semblait s'appuyer sur les clochers (...) 21
Th. GAUTIER, Voyage en Russie, IX, p. 120.

(...) de tout petits nuages d'un blanc doré avec un peu de gris de nacre dans leurs ombres. LOTI, Ramuntcho, XXIII. 22

— C'est gris, ce que vous faites. 22.1
— Oh! monsieur, gris-de-perle. J. RENARD, Journal, 12 janv. 1898.

Vers l'Ouest, ciel et lac sont d'une même couleur de perle, un gris d'une délicatesse attendrie, nacre exquise où tous les tons mêlés dorment encore mais où déjà frémit la promesse de la riche diaprure du jour. 23
GIDE, Voyage au Congo, *in* Souvenirs, Pl., p. 32.

Gris cendre à la ronde terre ciel confondus lointains sans fin. 23.1
S. BECKETT, Têtes-mortes, p. 70.

(Formant un adj. composé, avec un trait d'union). — (1660, *gris de souris*). *Robe gris-souris.* — *Tapis gris-perlé* (→ Cribler, cit. 9). *Lumière gris-de-perle de la lune* (→ Forêt, cit. 2). *Étoffe gris-de-lin* (Académie). — (1690, *gris de fer*). *Jupe gris-fer* (cit. 3). *Enveloppes gris-vert* (→ Feuille, cit. 9).

(...) il en sortit *(de cet œuf)* un petit carrosse d'acier poli, garni d'or de rapport : il était attelé de six souris vertes, conduites par un raton couleur de rose, et le postillon, qui était aussi de la famille ratonienne, était gris-de-lin. 24
Mme D'AULNOY, Deux contes de fées, « L'oiseau bleu ».

25 (...) on ne voit qu'une mer unie gris-perle, ses reflets de vert indécis et d'ambre pâle. J. CHARDONNE, les Destinées sentimentales, III, II.

25.1 Au bout du couloir orné de faux marbres et de miroirs, il y avait trois portes d'ascenseur. Beaucoup de gens attendaient devant les portes, des hommes vêtus de complets gris-souris et des femmes habillées avec des robes à fleurs identiques.
J.-M. G. LE CLÉZIO, les Géants, p. 78.

Spécialt (en parlant de la robe* du cheval). Couleur caractérisée par un mélange de poils blancs, noirs et autres. *Différents gris : clair, très clair, ordinaire, foncé; gris fer, gris bleu, gris ardoise, gris sale, gris isabelle, gris rouanné,* et, en vieillissant, *gris blanc mat, porcelaine, sale, rosé, argenté. Gris pommelé*.* — Adj. *Chevaux gris-rouanné.*

26 La calèche attelée de quatre chevaux gris-pommelé avec ses postillons en casaque de satin, son bruit de fouets et ses éclairs de vernis, lui passa devant les yeux comme un tourbillon. Th. GAUTIER, Fortunio, IV, p. 43.

N. m. *Un gris* : un cheval dont le poil est gris.

♦ **2.** (XVe). *Le gris, du gris* : vêtements gris. *S'habiller de gris. Il ne porte que du gris. Tout de gris vêtu. Le gris est peu salissant.*

27 Dans la pénombre du palier, Tarrou avait l'air d'un grand ours vêtu de gris.
CAMUS, la Peste, p. 140.

♦ **3.** Tabac ordinaire de la Régie (tabac scaferlati caporal, enveloppé de papier gris). *Un paquet de gris.*

28 — Du gris?
Le ministre lui tendait un paquet de tabac gris entamé, rallumait lui-même une pipe qu'il avait laissé éteindre. G. SIMENON, Maigret chez le ministre, p. 13.

♦ **4.** Loc. *Gris de Lille* : fromage de Maroilles gris.

♦ **5.** *Gris de zinc* : vapeurs de zinc condensées.

♦ **6.** Vin gris. *Du gris de Boulaouane* (Maroc).

♦ **7.** Zool. ⇒ **Petit-gris.**

♦ **8.** N. (surtout fém.; pour nommer et appeler des animaux). *Eh, la Grise!* (vache, jument grise).

♦ **9.** Argot anc. Monnaie grise. ⇒ **Grisbi.**

DÉR. Grisaille, grisard, grisâtre, grise, griser, griset, grisette, 1. grison.
COMP. Grisbi. — Petit-gris. — Cf. aussi (par attraction) **Vert-de-gris.**

GRISAGE [gʀizaʒ] n. m. — 1671; de *griser.*

Technique.

♦ **1.** Couleur grise donnée aux textiles.

♦ **2.** (1974). Dépôt de matières qui ternissent un textile clair ou blanc.

GRISAILLE [gʀizaj] n. f. — 1625; de *gris,* et suff. *-aille.*

♦ **1.** Arts. [a] Peinture monochrome en camaïeu gris donnant l'illusion du relief. *Faire de la grisaille.* — **EN GRISAILLE.** *Peindre qqch. en grisaille, travailler en grisaille. Retables dont les volets représentent des statues peintes en grisaille.*

1 (...) la glace et son trumeau à peinture en grisaille offraient un remarquable ensemble de ton, de couleur et de manière.
BALZAC, Ursule Mirouët, Pl., t. III, p. 331.

2 Même, sur son fond frotté d'une espèce de grisaille, il *(Rubens)* indique souvent des rehauts avec du blanc. E. DELACROIX, Journal, 9 juil. 1850.

3 (...) tous les ornements et les reliefs d'architecture y sont peints, comme la voûte de la Bourse, en grisaille, au lieu d'être exécutés réellement (...)
Th. GAUTIER, Voyage en Espagne, p. 181.

(Une, des grisailles). Peinture en grisaille. *Exécuter une grisaille.* — Spécialt. Première esquisse où les clairs sont rendus par le blanc de la toile, les ombres par une seule teinte (→ Chevalet, cit. 2).

3.1 Je ne parle pas seulement du mauvais goût et de la mesquine exécution des figures coloriées, mais les grisailles et ornements sont déplorables.
E. DELACROIX, Journal, 4 févr. 1847.

[b] Composition employée dans la peinture sur verre pour exécuter le trait et le modelé; vitraux en verre blanc peints uniquement avec cette composition.

4 L'art nous donne une image beaucoup plus riche du génie français. C'est une sorte non de grisaille monochrome, mais de verrière de cathédrale, où toutes les couleurs du ciel et de la terre s'harmonisent.
R. ROLLAND, Musiciens d'autrefois, p. 3.

[c] Émail monochrome de couleur grise. *Les grisailles de Limoges* (XVIe siècle).

♦ **2.** (1833, Loti). Ton ou aspect naturel qui fait songer à la peinture en grisaille (→ Écume, cit. 2). *La grisaille d'un ciel couvert, d'un paysage d'hiver.*

5 (...) le ciel de l'avril s'étendait, d'un bleu profond et sans un nuage, perdu au loin dans une grisaille brumeuse. COURTELINE, Messieurs les ronds-de-cuir, I, I.

6 Juste au bord des eaux, qui baissent chaque jour, une teinte verte persiste aux branches; autrement, n'importe où l'on regarde, c'est, dirait-on, la rouille de l'arrière-automne, ou les grisailles de l'hiver.
LOTI, l'Inde (sans les Anglais), V, VII.

7 Tout lui semblait baigné d'un demi-jour perpétuel. On eût dit une grisaille, où les lignes s'estompaient, s'enfonçaient, émergeaient par moments, s'effaçaient de nouveau. R. ROLLAND, Jean-Christophe, La foire sur la place, I, p. 688.

8 La bure des vieilles feuilles continuait à couvrir le sous-bois de sa grisaille éteinte et froide. M. GENEVOIX, la Dernière Harde, I, V.

♦ **3.** Fig. Caractère terne, atmosphère morne, manque d'éclat ou d'intérêt. *Grisaille d'une vie sans histoire.* ⇒ **Mélancolie, monotonie, tristesse.** *Sombrer dans la grisaille, l'ennui.*

Il y avait bien quelques lueurs dans cette grisaille : la tendresse de sa mère, l'affection de Daniel (...) MARTIN DU GARD, les Thibault, t. VI, p. 233. 9

CONTR. Couleur, éclat, fraîcheur.
DÉR. Grisailler.

GRISAILLER [gʀizaje] v. — 1649, au p. p., Scarron; de *grisaille.*

Vieux.

♦ **1.** V. tr. Peindre en grisaille, en gris. — Au passif :

Ornés de figures taillées, 1
Très artistement grisaillées (...) SCARRON, Énéide travestie, IV, *in* LITTRÉ.

♦ **2.** V. intr. (1810). Prendre une teinte grise, grisâtre.

La nature devint alors froide et hostile; les séracs aux éclatants reflets d'émeraude lui parurent livides, blêmes, et les roches ensoleillées grisaillèrent uniformément, tout à coup sans relief et menaçantes. 2
R. FRISON-ROCHE, la Grande Crevasse, p. 92 (1948).

(...) la ville vorace! (...) jusqu'au front pierreux et sans fissure de sa première vague, on survole des kilomètres de verdure apparemment ininterrompue. Mais déjà cette verdure grisaille, car les forêts ne sont plus que des parcs, les champs des terrains vagues, sinon des plaines d'épandage. 3
Roger IKOR, les Fils d'Avrom, Prologue, p. 32.

▶ **GRISAILLÉ, ÉE** p. p. adj.

Rare. Rendu gris, qui a pris une teinte grise. *« Quelque chose de passé, de grisaillé, de froid »* (1. Froid, cit. 29, Chateaubriand).

DÉR. Grisailleur.

GRISAILLEUR [gʀizajœʀ] n. m. — 1640; de *grisailler.*

♦ Arts. Vx. Peintre en grisaille. — REM. Le fém. *grisailleuse* est virtuel.

GRISANT, ANTE [gʀizɑ̃, ɑ̃t] adj. — 1877; p. prés. de *griser.*

♦ **1.** Qui grise, en exaltant, en surexcitant. ⇒ **Enivrant, exaltant.** *Parfums grisants. Louanges grisantes. Spectacle, succès qui a qqch. de grisant. C'est grisant!* — Spécialt (avec une valeur érotique). ⇒ **Excitant.**

Grands bois grisants et forts comme une chevelure! 1
Albert SAMAIN, le Chariot d'or, « Symphonie héroïque », Forêts, p. 153.

Je ne sais rien de grisant comme l'odeur des filles de Provence, un soir de bal, dans une fête foraine d'août ou de septembre. 2
Léon DAUDET, la Femme et l'Amour, I.

Et ce qu'il y avait de grisant, c'était moins de faire à Marie une suggestion pratique qui ne pressait pas, que de lui verser, à cette minute, dans l'oreille, tout le sens moite et caressant d'un mot. 3
J. ROMAINS, les Hommes de bonne volonté, t. V, XXIII, p. 199.

♦ **2.** (Av. 1890, Maupassant). Qui grise, enivre.

Soirée grisante au *Bœuf sur le Toit,* hier; grisante par la grâce du whisky, s'entend. Benoîte et Flora GROULT, Journal à quatre mains, p. 92. 4

GRISARD [gʀizaʀ] n. m. — 1549, au sens 1; *grisart* « grisâtre », adj., 1351; de *gris.*

♦ **1.** Blaireau.

♦ **2.** (1562). Goéland rayé.

Le goéland varié ou le grisard. Le plumage de ce goéland est haché et moucheté de gris brun sur fond blanc; les grandes pennes de l'aile sont noirâtres (...) 1
BUFFON, Hist. nat. des oiseaux, Le goéland varié.

♦ **3.** (1786). Peuplier blanc.

Dans les futaies rousses allant du jaune d'or à la terre de Sienne brûlée, quelques grisards élancés avec des bouquets de feuilles sèches toutes blanchâtres. 2
Ed. et J. DE GONCOURT, Journal, t. I, p. 92.

♦ **4.** (1829). Grès très dur.

GRISÂTRE [gʀizatʀ] adj. — V. 1500; de *gris,* et suff. *-âtre.*

♦ **1.** Qui tire sur le gris; d'un gris triste, morne. *Couleur grisâtre. Bâtisses* (→ Étager, cit. 2), *lichens* (→ Épineux, cit. 1) *grisâtres. Ciel, jour, matin grisâtre* (→ Filtrer, cit. 10). *Un temps grisâtre d'automne.*

Qu'il s'élève une vapeur qui attriste le ciel, et qui répande sur l'espace un ton grisâtre et monotone, tout devient muet, rien ne m'inspire, rien ne m'arrête (...) 1
DIDEROT, Essai sur la peinture, III.

♦ **2.** Fig. Désolant, morne, triste.

(...) quand on est comme moi un voluptueux, un mystique, et qu'on n'obéit point à un grisâtre impératif moral, à une austérité de buveurs d'eau (...) 2
J. ROMAINS, les Hommes de bonne volonté, t. IV, VII, p. 74.

GRISBI [gʀizbi] n. m. — 1895; répandu 1953 par le roman de Simonin *Touchez pas au grisbi;* le mot était rare ou archaïque v. 1950;

de *gris* «monnaie grise» (cf. rouchi *griset* «liard», 1834), et suff. pop. *-bi*.

♦ Argot. Argent. *T'as du grisbi?*

1 Cette expression : «Ne touchez pas au grisbi», devient une variante de : «Ne chahutez pas avec les nippes». C'est le maître mot qui dirige la chronique de ces chevaliers de fortune mal acquise qui donnèrent de la mobilité aux romans de cape et de mitraillette de Peter Cheyney.
P. MAC ORLAN, *in* Albert SIMONIN, Touchez pas au grisbi, Préface, p. 6.

2 Te casse pas la tête pour les politesses... D'abord, on a pas le temps si tu veux que je te trouve Ali. Tout dépend de ce qu'il a de grisbi en fouille; s'il est armé, on a une chance de le trouver au flambe, à la partie du Carillon.
Albert SIMONIN, Touchez pas au grisbi, p. 147.

GRISE [gʀiz] n. f. — 1862; fém. substantivé de *gris*, adj.
Régional ou didactique.

♦ **1.** Maladie des végétaux, due à des insectes vivant sur leur épiderme.

♦ **2.** Perdrix grise.

♦ **3.** (1876). Zool. Acarus tisserand (insecte).

HOM. Fém. de **gris**.

1. GRISÉ [gʀize] n. m. — 1873, *in* Littré, *Suppl.*; de *griser* (vx) «devenir gris».

♦ Teinte grise obtenue par des hachures (sur une gravure, une carte...), par un pointillé plus ou moins espacé et nourri. — Réglure* (des factures, registres...).

2. GRISÉ, ÉE [gʀize] adj. ⇒ **Griser.**

GRISER [gʀise] v. tr. — 1538, «grisonner»; trans., 1609; de *gris*.

★ **I.** ♦ **1.** Vx. Devenir gris.

♦ **2.** Rendre gris, colorer de gris; couvrir une surface de points ou de hachures pour obtenir un grisé*.

★ **II.** ♦ **1.** (1718). Vieilli ou littér. Rendre gris (I., B.), un peu ivre. ⇒ **Enivrer, soûler.** *On l'a grisé pour le faire parler. Ils se sont amusés à le griser,* à le faire boire.

1 Sa coquetterie consistait à boire avec les rouliers. Personne n'avait jamais pu le griser. HUGO, les Misérables, II, III, II.

2 Jerphanion réussit à lui faire boire deux ou trois verres de vin. Elle n'en avait pas l'habitude, et vers la fin déclara que la tête lui tournait : «Mais vous voulez me griser! Monsieur. Vous voulez me griser!» dit-elle en affectant un ton de théâtre.
J. ROMAINS, les Hommes de bonne volonté, t. IV, XXI, p. 230.

(Le sujet désigne la boisson qui enivre). ⇒ **Tête** (monter, porter à la tête, tourner la tête). *Ce petit vin rosé vous grise facilement.*

♦ **2.** (1835). Fig. (Sujet n. de chose). Mettre dans un état d'excitation physique (comparable aux premières impressions de l'ivresse). *L'air vif et pur du matin grise le promeneur. Griser qqn de...* (et n. d'affect). — Absolt. *Odeurs, parfums qui grisent. Mouvement, fatigue qui grise* (→ Envol, cit. 2). — Au passif et p. p. *Être grisé par le grand air. Soldat grisé par l'odeur de la poudre. Grisé de plaisirs.*

3 Je demeurais haletant, si grisé de sensations, que le trouble de cette ivresse fit délirer mes sens. Je ne savais plus vraiment si je respirais de la musique, ou si j'entendais des parfums, ou si je dormais dans les étoiles.
MAUPASSANT, la Vie errante, La nuit.

4 (...) un peu de cet air vif des montagnes qui grise et qui fait danser.
Alphonse DAUDET, Lettres de mon moulin, «Installation».

5 Cette odeur âcre de fille, ce parfum violent de foin fouetté de grand air, le grisaient, raidissaient tous ses muscles, dans une rage brusque de désir.
ZOLA, la Terre, II, IV.

♦ **3.** Fig. Exalter. ⇒ **Enivrer, enthousiasmer, étourdir, exalter, exciter.**

a (Sujet et compl. n. de personne). *Ils cherchent à le griser par des promesses. — Griser qqn de... Griser qqn de promesses, de beaux discours* (→ Exhilarant, cit. 2).

6 (...) elles tâchèrent de griser Modeste en s'adressant à son orgueil et lui montrant une des plus hautes destinées à laquelle une femme pouvait alors aspirer.
BALZAC, Modeste Mignon, Pl., t. I, p. 541.

7 Les capucins et autres moines entraînaient les paysans, les grisaient de sermons sauvages, de processions frénétiques, leur mettaient dans la main l'épée, le poignard contre l'Empereur. MICHELET, Hist. de la Révolution franç., III, III.

b (Sujet n. de chose). *Le succès le grise.* — Au passif. *Il s'est laissé griser par le succès.*

8 Au vrai, j'étais grisé par la diversité de la vie, qui commençait à m'apparaître, et par ma propre diversité (...) GIDE, Si le grain ne meurt, I, X.

9 Ne se laissant ni griser ni même distraire par les plaisirs de Mombello, il occupait à travailler la plus grande partie de ses journées et de ses nuits (...)
Louis MADELIN, Hist. du Consulat et de l'Empire, Ascension de Bonaparte, XI.

L'éblouissement, l'illumination, la plénitude de cet instant, qui avait la douceur d'une aurore, le grisèrent aussitôt (...) Une ivresse presque divine l'animait (...) 10
Henri MONDOR, Pasteur, II.

▶ **SE GRISER** v. pron.

♦ **1.** (1732). S'enivrer* (→ Arroser, cit. 14). *Se griser pour noyer son chagrin.*

Coquin, depuis que ta femme est morte, je m'aperçois que tu te grises tous les jours. Tu ne t'enivrais auparavant que deux ou trois fois par semaine. 11
CHAMFORT, Dialogues, Époux inconsolable.

Il s'était raidi encore, de plus en plus digne à mesure qu'il se grisait. Une fraternité d'ancien militaire ivrogne, une tendresse secrète le portait vers le braconnier (...) Henri MONDOR, Pasteur, II. 12

♦ **2.** Par anal. *Se griser d'air* (cit. 9) *pur, de longues marches à travers champs, de vitesse. L'aigle se grise de son vol* (→ Enivrer, cit. 20).

Par métaphore. ⇒ **Étourdir** (s').

De sorte que, *pour ne pas vivre,* je me plonge dans l'Art, en désespéré; je me grise avec de l'encre comme d'autres avec du vin. 13
FLAUBERT, Correspondance, 629, 18 déc. 1859, t. IV, p. 356.

♦ **3.** (Mil. XIXe, Balzac). Fig. S'exalter*, se repaître (de qqch. d'exaltant). *Se griser de ses propres paroles. Je me grisais de toutes ces paroles.* → Mien, cit. 13. *Se griser d'orgueil* (→ Châtier, cit. 6), *d'émotions* (cit. 16).

(...) puis il descendait chez sa fille, il s'y grisait du bonheur des pères (...) 14
BALZAC, le Cousin Pons, Pl., t. VI, p. 636 (1847).

Les employés se grisaient du récit, prodigieusement intéressés. 15
COURTELINE, Messieurs les ronds-de-cuir, V, II.

(...) eussent-ils été gentils pour lui, au lieu de se griser de colère contre eux il les eût embrassés, et il n'avait pas les réactions normales de l'homme d'honneur outragé (...) PROUST, À la recherche du temps perdu, t. XII, p. 142. 16

Antoine se grisait de sa témérité. À peine s'il balança une seconde avant d'oser (...) 17
MARTIN DU GARD, les Thibault, t. III, p. 251.

▶ **GRISÉ, ÉE** p. p. adj.

Rendu gris. *Dessin grisé.* ⇒ 1. **Grisé** (n. m.). — *Convives un peu grisés.* ⇒ **Gris.** — *Grisé par l'air pur, par la fatigue, de fatigue* (→ ci-dessus, cit. 3). — Enivré, enthousiasmé.

DÉR. Grisage, grisant, 1. grisé, griserie.
HOM. 1. Grisé.

GRISERIE [gʀizʀi] n. f. — 1838, Barbey d'Aurevilly; de *griser* (II.).

♦ **1.** Excitation comparable aux premiers effets de l'ivresse. ⇒ **Étourdissement.** *Odeurs provoquant une sorte de griserie* (→ Fermenter, cit. 1). *Griserie qui vient de l'action, du mouvement.* ⇒ **Enivrement, exaltation, excitation, ivresse.**

Le trapèze apportait au jeune homme une espèce de griserie du corps (...) 1
Ed. DE GONCOURT, les Frères Zemganno, IV.

(...) la Vitesse, griserie inconnue de nos pères (...) 2
F. MAURIAC, le Jeune Homme, p. 26.

(Avec un compl. désignant la cause de cette excitation). *Une griserie d'activité, de succès. La griserie de...* (et inf.). → ci-dessous, cit. 4 et 5.

(...) son habitude de la liberté, des belles galopades à travers les labours, des griseries de grand air, aux quatre vents de la plaine. ZOLA, la Terre, II, I. 3

La partie à présent se continue, et ses pensées se perdent dans la griserie physique de recommencer la lutte. LOTI, Ramuntcho, I, IV. 4

Cette griserie de vivre, éparse dans l'atmosphère, Lucien l'avait respirée avec cet orgueil de l'amoureux chaste et qui porte en lui une émotion sacrée, alors que tant d'autres ont déjà profané leur cœur. Paul BOURGET, Un divorce, III. 5

(...) les lettres dictées par lui (...) révèlent une griserie d'activité qui se surexcite devant le travail même qu'il impose à tous, comme devant l'esprit qui, chez le peuple, s'accuse. Louis MADELIN, Hist. du Consulat et de l'Empire, Avènement de l'Empire, I. 6

♦ **2.** (Mil. XIXe). Fig. Exaltation morale, intellectuelle, s'accompagnant d'une certaine altération du jugement. *La griserie du succès, du pouvoir. Céder à la griserie des mots.*

Il s'agit, poursuivant l'enquête à l'envers, de rechercher, moins encore si l'écrivain a échappé à la griserie des mots que s'il était capable d'y échapper (...) 7
J. PAULHAN, les Fleurs de Tarbes, p. 52.

La griserie de l'irrationnel et la vocation de l'extase détournent de l'absurde un esprit clairvoyant. CAMUS, le Mythe de Sisyphe, p. 55. 8

Une, des griseries. Une griserie de succès.

(...) ce besoin de prêter une signification psychique aux riens de la création, qui produit les œuvres inexplicables de Jean-Paul Richter, les griseries imprimées d'Hoffmann (...) BALZAC, le Cousin Pons, Pl., t. VI, p. 539. 9

Les mirages de l'imagination peuvent rehausser leurs aspirations idéalistes et leur réserver de nobles griseries (...) Henri MONDOR, Pasteur, II. 10

GRISET [gʀizɛ] n. m. — 1721, au sens 1; de l'anc. adj. *griset, ette* (XIIe) «un peu gris»; de *gris*.

♦ **1.** Petit passereau (notamment *chardonneret*) qui a encore le plumage gris du jeune âge.

♦ **2.** (1780). Espèce de requins fusiformes, assez commune dans la Méditerranée.

♦ **3.** Canthère ou brème de mer (poisson gris). — (1900). Hirondelle de mer.

♦ **4.** (1791). Argousier (plante).

♦ **5.** Cépage de Bourgogne. *Griset blanc.* ⇒ **Aligoté.**

GRISETTE [gʀizɛt] n. f. — 1651, au sens 1; de *griset, ette,* adj. (XIIᵉ); de *gris.*

♦ **1.** Vx. Étoffe commune de teinte grise.

♦ **2.** (1665, La Fontaine). Par métonymie («fille vêtue de grisette»). Vieilli. Fille de petite condition (généralement ouvrière ou employée dans les maisons de couture, lingerie, modes...), de mœurs faciles et hardies. ⇒ **Lisette, lorette;** → Coquet, cit. 13; fange, cit. 6. *Étudiants* (cit. 3 et 4) *et grisettes de l'époque romantique. Mimi Pinson, profil de grisette,* conte de Musset.

1 (...) laissons la qualité :
Sous les cotillons des grisettes
Peut loger autant de beauté
Que sous les jupes des coquettes (...)
Une grisette est un trésor,
Car, sans se donner de la peine,
Et sans qu'aux bals on la promène,
On en vient aisément à bout (...)
LA FONTAINE, Contes, I, Joconde.

2 (...) je lui faisais la guerre d'une petite grisette qu'il aimait de tout son cœur, dans la rue des Petits-Champs.
RETZ, Mémoires, II, p. 372.

3 (...) ces petits êtres gentils à croquer, à l'air fripon, au nez retroussé, à la robe courte, à la jambe bien prise, qu'on nomme grisettes (...) Ce qui constitue l'originalité de la grisette (...) c'est sa grande indépendance dans l'exercice du sentiment, ce qui ne ressemble pas précisément à de la vertu, mais excuse au moins, jusqu'à un certain point, les fréquentes atteintes que cette dernière peut recevoir.
BALZAC, Caricature, 6 janv. 1831, *in* MUSSET, Contes, Notes, 122.

4 Certes, les grisettes de Paul de Kock n'ont pas l'élégance de la *Mimi-Pinson* d'Alfred de Musset, mais elles sont fraîches, gaies, amusantes, bonnes filles, et aussi jolies sous leur bonnet de percale ou léger chapeau de paille (...).
Th. GAUTIER, Portraits contemporains, P. de Kock.

5 Oui, et cent mille fois oui, j'aime mieux une putain qu'une grisette (...) c'est ainsi je crois qu'on appelle ce quelque chose de frétillant, de propre, de coquet, de minaudé, de contourné, de dégagé et de bête, qui vous emmerde perpétuellement et veut faire de la passion comme elle en voit dans les drames-vaudevilles.
FLAUBERT, Correspondance, 29, 18 mars 1839, t. I, p. 43.

♦ **3.** Régional. Animaux, plantes de couleur grise.

a Oiseaux. (1721). Fauvette grise à gorge blanche. — (1842). Macreuse grise. — Râle gris.

b Insectes. (1791). Papillon diurne. — (1842). Charançon gris. — (1920). Insecte hétéroptère parasite des vignes.

c Champignons. (1816). Agaric; coucoumelle. — (1858). Amanite vaginée.

♦ **4.** Maladie du chêne, affectant le tronc et les branches, et provenant de la fermentation de la sève au contact de l'air.

DÉR. (Du sens 1) V. **Grisotte.**

GRIS-GRIS ou **GRI-GRI** [gʀigʀi] n. m. — 1637, *gris gris; grigri,* 1643; *grigri* «idole représentant un diable», av. 1637, et «diable, esprit malfaisant (en Afrique)», 1557, Thevet; orig. inconnue, probablt mot d'une langue de Guinée ou du Sénégal.

♦ **1.** Petit objet magique pouvant porter bonheur ou malheur. *Un gris-gris, un gri-gri; des gris-gris. Gris-gris et fétiches**.

Spécialt (en Afrique noire islamique). Sachet de cuir contenant des versets du Coran.

1 Ces billets à qui les Européens ont donné le nom de gris-gris, sont des sentences de l'Alcoran avec quelques figures arbitraires (...)
P. LABAT, Relation de l'Afrique occidentale, *in* BLOCH.

2 Les *marabous* avec toute leur famille, voyagent de province en province en enseignant les peuples (...) le commerce le plus lucratif pour eux, est celui de vendre des *gris-gris,* qui sont des bandes de papiers remplis de caractères mystérieux, que le peuple regarde comme des préservatifs contre tous les maux; ils ont le secret d'échanger ces papiers contre l'or des nègres (...)
Encycl. (DIDEROT), art. *Marabous.*

Par anal. Amulette, porte-bonheur.

3 Ils portaient une tenue kaki qu'ensauvageait une ceinture épaisse et large en peau de panthère à laquelle étaient noués différents gris-gris, fragments d'os de Dolé groupés et serrés sous le ventre en légers baluchons n'entravant pas la marche.
P. GRAINVILLE, les Flamboyants, p. 69.

Var. graphique : *grigri. Des grigris.*

4 *(Le joueur chiffre sa chance)* sous formes de tics, de superstitions, d'augures, de grigris, tout comme un général à la veille de livrer bataille, qui suspend son action, parce que le lendemain est un 13 ou un vendredi, ou parce qu'il a ceint son épée à droite et que son cheval a répandu l'avoine à gauche.
B. CENDRARS, Moravagine, Œ. compl., t. IV, p. 131.

♦ **2.** Fam. (Jeu avec *gribouiller*). Signature. *Mettez votre gri-gri ici.*

GRISOLLEMENT [gʀizɔlmɑ̃] n. m. — 1859; de *grisoller.*

♦ Rare. Cri, chant de l'alouette.

GRISOLLER [gʀizɔle] v. intr. — 1781; d'un rad. onomatopéique.

♦ Rare. Faire entendre son chant (en parlant de l'alouette). — (1803). Var. graphique : *grisoler.*

DÉR. Grisollement.

1. GRISON, ONNE [gʀizɔ̃, ɔn] adj. et n. — 1449, en parlant d'un cheval; d'un homme, 1536; de *gris.*

Vieux.

★ **I.** Adj. Un peu gris, qui grisonne*.

Que j'aime mes plaisirs, et que les passe-temps 1
Des amours m'ont rendu grison avant le temps (...)
Mathurin RÉGNIER, Satires, V.

Vois-tu ce bonhomme petit, grison et mal accoutré ? 2
VALÉRY, Cahiers, t. II, Pl., p. 1271.

★ **II.** N. ♦ **1.** Personne qui grisonne.

À mesure que les bouteilles se vidaient, tous ces grisons, comme les appelaient les 3
jeunes du Cercle, tous ces grisons, dont la face rougissait, s'allumaient, secoués de désirs réchauffés et d'ardeurs fermentées.
MAUPASSANT, Fort comme la mort, p. 104.

♦ **2.** N. m. (1685). Domestique sans livrée, vêtu de gris, pouvant ainsi s'acquitter de commissions secrètes. ⇒ **Valet.**

♦ **3.** N. m. (1644). Âne (→ Âne, cit. 1; éponge, cit. 2).

♦ **4.** *Le grison :* couleur du poil qui grisonne (→ Âge, cit. 37).

DÉR. Grisonner.
HOM. 2. Grison.

2. GRISON, ONNE [gʀizɔ̃, ɔn] adj. et n. — 1564; du romanche *grischun,* d'après le nom de *Ligue grise* (1395), association de populations romanches dirigée contre les Habsbourg.

♦ **1.** Adj. Du canton suisse des Grisons.

De Trunz à Ilanz on compte quatre lieues grisonnes; d'Ilanz à Coire, on en compte sept. C'est beaucoup.
R. TÖPFFER, Voyages en zigzag, Voyage à Venise, 1842, p. 325.

♦ **2.** N. Rare. Habitant ou originaire de ce canton. *Grisons, Grisonnes* (R. Töpffer, *Voyages en zigzag,* p. 322).

♦ **3.** N. m. Vx. Langue parlée par les Grisons. ⇒ **Romanche.**

HOM. 1. Grison.

GRISONNANT, ANTE [gʀizɔnɑ̃, ɑ̃t] adj. — 1546, Rabelais; p. prés. de *grisonner.*

♦ Qui grisonne. *Barbe* (cit. 17) *grisonnante. Cheveux grisonnants.* ⇒ **Gris;** → Poivre et sel; bassesse, cit. 18; brosse, cit. 3. *Sourcils* (→ Enchâsser, cit. 4), *favoris* (cit. 10) *grisonnants.* — Par métonymie. *Tempes grisonnantes* (cheveux des tempes).

Il se sent malheureux jusqu'au voisinage de la défaillance. Son front dégarni et ses tempes grisonnantes, dans la glace.
J. ROMAINS, les Hommes de bonne volonté, t. III, XVIII, p. 249.

(Personnes). Dont les cheveux, les poils grisonnent. *Vieillard grisonnant.* ⇒ **Grison.** *Un homme déjà mûr et grisonnant* (→ Chapeau, cit. 7; déplumer, cit. 2).

GRISONNEMENT [gʀizɔnmɑ̃] n. m. — 1546; de *grisonner.*

♦ Littér. ou style soutenu. État du poil, des cheveux qui grisonnent.

(...) le léger grisonnement des tempes (...)
J. ROMAINS, les Hommes de bonne volonté, t. II, XIV, p. 156.

GRISONNER [gʀizɔne] v. — 1470; de 1. *grison.*

★ **I.** V. intr. Commencer à devenir gris (en parlant du poil). *Le peu* (cit. 12) *de cheveux grisonne.* — Commencer à avoir le poil gris, par l'effet de l'âge (en parlant d'une personne).

Ruffin commence à grisonner; mais il est sain (...) 1
LA BRUYÈRE, les Caractères, XI, p. 123.

Ses cheveux grisonnent prématurément. Mais le gris lui va bien. 2
J. ROMAINS, les Hommes de bonne volonté, t. I, XIV, p. 151.

Véritable Américain du nord, maigre, osseux, efflanqué, âgé de quarante-cinq ans 3
environ, il grisonnait déjà par ses cheveux ras et par sa barbe, dont il ne conservait qu'une épaisse moustache.
J. VERNE, l'Île mystérieuse, t. I, p. 13.

REM. *Grisonner* et ses dér. ne s'appliquent le plus souvent qu'aux hommes. *Elle grisonne, une femme grisonnante,* encore que normaux, ne s'emploient guère.

★ **II.** V. tr. ♦ **1.** (Mil. XVIᵉ). Vx. Rendre gris.

♦ **2.** (1900). Teindre en gris.

DÉR. Grisonnant, grisonnement.

GRISOTTE [gʀizɔt] n. f. — 1930; var. de *grisette,* dér. de *gris.*

♦ Techn. Broderie à jour faite sur le métier dans un bas.

GRISOU [gʀizu] n. m. — 1706; var. *feu brisou,* 1753, *Encyclopédie;* forme wallonne de *grégeois**; mot dialectal répandu en franç. central au XIXe.

♦ Gaz combustible qui se dégage spontanément dans les mines de houille (⇒ **Exhalaison, mofette**). *Le grisou est formé en grande partie de méthane et de petites quantités d'anhydride carbonique et d'azote. Suintement, dégagement instantané, jet de grisou* (⇒ **Soufflard**). *Le grisou et l'air forment un mélange explosif. On combat l'accumulation du grisou par la ventilation des galeries, et les risques d'inflammation par l'emploi de lampes de sûreté. Indicateur de grisou.* ⇒ **Grisoumètre.** — *Explosion de grisou. Catastrophe causée par le grisou.*

1 Lorsqu'elle l'eut mené au fond de la taille, elle lui fit remarquer une crevasse dans la houille. Un léger bouillonnement s'en échappait, un petit bruit, pareil à un sifflement d'oiseau. — Mets ta main, tu sens le vent... C'est du grisou.
ZOLA, Germinal, I, p. 52.

Loc. COUP DE GRISOU : explosion de grisou. *Les rescapés d'un coup de grisou.*

Adj. Vieilli. *Feu grisou.*

2 On a vu des explosions de feu grisou anéantir des familles entières (...) mais elles connurent l'agonie peu de temps, parce que la mort est presque subite, au milieu des décombres et des gaz délétères (...)
LAUTRÉAMONT, les Chants de Maldoror, IV.

DÉR. Grisouteux.
COMP. Grisoumètre. — V. **Grisou-.**

GRISOU- Élément signifiant « utilisable en cas de grisou », et servant à former des noms d'explosifs : *grisou-dynamite,* n. f.; *grisou-naphtalite,* n. f. (1962, *in* G. L. E.).

GRISOUMÈTRE [gʀizumɛtʀ] n. m. — 1877, *in* Littré, *Suppl.*; de *grisou,* et *-mètre.*

♦ Techn. Appareil servant à mesurer la quantité de grisou répandu dans l'air d'une mine.

GRISOUTEUX, EUSE [gʀizutø, øz] adj. — 1876, *in* Littré, *Suppl.*; de *grisou.*

♦ Techn. (moins cour. que *grisou*). Qui contient du grisou. *Air grisouteux. Mine grisouteuse.*

GRIT [gʀit] n. m. — Mil. XXe; mot angl., « sable, gravier, grain », d'orig. francique. → Grès.

Anglicisme. Technique.

♦ **1.** Gravier dur (donné aux poussins pour qu'ils s'habituent à broyer les aliments dans leurs gésiers).

♦ **2.** Partie externe du grains de maïs (en brasserie). *Les grits sont riches en amidon.*

1. GRIVE [gʀiv] n. f. — V. 1280; traditionnellement considéré comme le fém. de l'anc. franç. *griu* « grec », par allus. aux migrations de l'oiseau; selon P. Guiraud, d'un dér. (p.-ê. catalan *griva*), du lat. *cribrum* « crible » (→ Grivelé), de nombreux animaux tachetés étant désignés par cette métaphore.

♦ Petit oiseau passereau (*Turdidés;* n. sc. : *turdus*), dont le plumage est brun plus ou moins clair, parsemé de noirâtre (les *turdus* à plumage sombre sont appelés *merles**), et dont la chair est très estimée. ⇒ **Tourd** (vx). *Grive commune, musicienne,* ou (1767, *in* D. D. L.) *grive des vignes* (⇒ **Vendangette**). *Grosse grive* (⇒ **Draine**). *Grive litorne* (⇒ **Jocasse, litorne**). *Grive mauvis**. — *Plumage de la grive.* ⇒ **Grivelé** (cit. Buffon). *Cri, chant de la grive* (⇒ **Babiller**). *Chasser la grive* (→ Ajuster, cit. 5). *La tenderie* aux grives dans les Ardennes.*

1 La *Grive* proprement dite *(T. musicus),* à dos gris olivâtre avec les couvertures inférieures des ailes jaunes; elle nous arrive en grandes troupes à la fin de septembre et séjourne jusqu'à la fin des vendanges, mangeant beaucoup de raisin et très recherchée alors pour sa chair délicate; on l'attire, à l'aide de graines de sorbier, près de lacets ou de gluaux dans lesquels elle se prend facilement.
P. POIRÉ, Dict. des sciences, art. *Grive.*

1.1 (...) nous avons écouté pendant un long moment une grive que nous voyions au bout d'une branche noire. Son chant, ses appels, trois fois, quatre fois la même note presque stridente, puis une petite phrase tantôt question, tantôt réponse.
J. GREEN, Journal, La terre est si belle, 21 mai 1976.

Loc. rare. *Grasse* (cit. 13) *comme une grive.* V. **Caille.**

Loc. *Soûl comme une grive :* complètement soûl (par allus. à l'habitude qu'a la grive de se gorger de raisin, au moment de la vendange).

2 Il y avait l'autre jour une dame qui confondit ce qu'on dit d'une grive; et, au lieu de dire, elle est soûle comme une grive, elle dit que la première présidente était sourde comme une grive; cela fit rire.
Mme DE SÉVIGNÉ, 116, *in* LITTRÉ.

3 Le petit domestique est, parlant par respect, soûl comme une grive (...)
BALZAC, le Député d'Arcis, Pl., t. VII, p. 170.

Prov. *Faute de grives, on mange des merles :* faute de ce que l'on désire, il faut se contenter* de ce que l'on a.

Pour justifier une étym. de 2. *grive :*

La *grive,* oiseau réputé maraudeur, symbolise à merveille la guerre du temps de Callot.
A. DAUZAT, les Argots, p. 154.

DÉR. Grivelé, griveler, grivette.
HOM. 2. **Grive.**

2. GRIVE [gʀiv] n. f. — 1628; probablt de l'anc. adj. *grief, grieve* « pénible, douloureux », au fém. « la pénible », avec infl. possible de 1. *grive* « oiseau pillard » (→ 1. Grive, cit. 4).

Argot.

♦ **1.** Vx. Guerre.

♦ **2.** (1821). Vx. Garde, police.

♦ **3.** Mod. Infanterie; ensemble de fantassins (Céline, *in* Cellard et Rey). *Soldat de la grive.* ⇒ **Griveton.**

Service militaire. *Être à la grive, aux grives.*

DÉR. Griveton (et **grifton**), **grivois.**
HOM. 1. **Grive.**

GRIVELÉ, ÉE [gʀivle] adj. — V. 1223; de *grivel* « bœuf tacheté », lat. *cribellum* « crible », d'où viendrait aussi 1. *grive,* selon P. Guiraud.

♦ **1.** Tacheté, mêlé de brun (ou de gris) et de blanc comme le plumage de la grive. *Oiseau grivelé.*

La famille des grives a sans doute beaucoup de rapports avec celle des merles, mais pas assez néanmoins pour qu'on doive les confondre (...) on a appelé grives ceux de ces oiseaux dont le plumage était grivelé, ou marqué sur la poitrine de petites mouchetures disposées avec une sorte de régularité (...)
BUFFON, Hist. nat. des oiseaux, Les grives.

♦ **2.** Fig. Vx. Marqué, marbré.

DÉR. Grivelure.
HOM. Griveler.

GRIVELER [gʀivle] v. tr. et intr. — Conjug. *appeler.* — 1620; selon P. Guiraud, de **grivel* « crible », du lat. *cribellum* (→ Grivelé; cf. dial. *gribel* « crible », *gribeler* « examiner soigneusement, tourmenter »), *cribler* signifiant « trier, prendre le meilleur », plutôt que de 1. *grive,* par allus. « aux menus pillages que font les grives dans les vignes » (Bloch).

♦ Vieilli. Gagner d'une manière illicite, dans un emploi, une charge. — Consommer sans avoir de quoi payer (au café, au restaurant). ⇒ **Grivèlerie.** *Il a essayé de griveler dans un café.*

(...) de pauvres détenus, sur la portion de viande desquels on avait peut-être *grivelé* pour acheter tout ce luxe de mauvais goût (...)
STENDHAL, le Rouge et le Noir, I, XXII.

DÉR. Grivèlerie, griveleur. — REM. Destutt de Tracy (1807), Ch. Fourier (1873) emploient le dér. *grivelage,* n. m.
HOM. Grivelé.

GRIVÈLERIE [gʀivɛlʀi] n. f. — XVIe; de *griveler.*

♦ Vx. Action de griveler. — (Av. 1892, Code pénal). Spécialt, dr. Petite escroquerie qui consiste à consommer sans payer, dans un café, un restaurant, un hôtel. ⇒ **Fraude, resquille.** — Syn. rare : *grivelage.* → Griveler. *La grivèlerie, ou filouterie d'aliments, est un délit* (Code pénal, art. 401). *Être condamné à un mois de prison avec sursis et à une amende pour grivèlerie.*

(...) le raisonnement des juges de ce monde qui punissent l'adultère d'une amende de vingt-cinq francs et fichent au bloc pour six mois un mendiant coupable de grivèlerie.
BERNANOS, les Grands Cimetières sous la lune, II, III.

GRIVELEUR, EUSE [gʀivlœʀ, øz] n. m. — 1642; de *griveler.*

♦ Vx ou dr. Personne coupable de grivèlerie.

GRIVELURE [gʀivlyʀ] n. f. — XVIe; *grivolure,* 1550; de *grivelé.*

♦ Didact. Coloration, nuance blanche, grise et brune.

GRIVET [gʀivɛ] n. m. — 1872, *in* P. Larousse; étym. incert., p.-ê. de *grisvert* ou de *grivet* « soldat ». → Griveton.

♦ Singe *(Cercopithèque)* à poil gris verdâtre, à menton et ventre blanc, avec de longs poils blancs dirigés en arrière de chaque côté de la face, très commun sur la côte orientale de l'Afrique.

(...) les GRIVETS (...) et les CALLITRICHES (...) de l'Afrique occidentale, appelés aussi « singes verts » en raison de la couleur brun olivâtre de leur pelage.
René THÉVENIN, les Fourrures, p. 74.

GRIVETON [gʀivtɔ̃] n. m. — 1881; *grivet,* 1861; de 2. *grive.*

♦ Pop. Soldat, et, spécialt, simple soldat. ⇒ (vx) **Grivois** (I.). — Var. : *grifton**, « écrit à tort *Griffeton* » (Dauzat, *les Argots,* p. 115).

1 J'ai des nippes (...) Tu feras un paquet de tes fringues de griveton et tu les emporteras avec toi. P. MAC ORLAN, Quai des brumes, VIII.

2 (...) quatre grivetons; mais la guerre finie, ça ferait de nouveau un bourgeois, un paysan, deux métallos. S. DE BEAUVOIR, les Mandarins, p. 15.

GRIVETTE [gʀivɛt] n. f. — 1611; dimin. de 1. *grive.*

♦ Petite grive; jeune grive.

GRIVOIS, OISE [gʀivwa, waz] n. et adj. — 1690, au sens I; de 2. *grive* «guerre».

★ **I.** N. Vx. ♦ **1.** N. m. Mercenaire, soldat. ⇒ (mod.) **Griveton.**

1 Toujours prêt, comme le grivois,
De brusquer un friand minois (...)
J. MOREAU, Suite du Virgile travesti, VIII, *in* LITTRÉ.

♦ **2.** (1694). «Bon drôle, bon compagnon» (Trévoux). ⇒ **Luron.**

2 Un essaim de grivois
Buvant à leurs mignonnes (...) BÉRANGER, Vert-vert, III.

★ **II.** Adj. (1707). Mod. Qui est d'une gaieté un peu licencieuse, socialement peu délicate, mais sans violence. ⇒ **Déshonnête, égrillard, gaillard, gaulois, immodeste, léger, leste, libertin, libre, licencieux.** *Un conteur, un auteur grivois. — Chansons, histoires grivoises; propos grivois.* ⇒ **Cochon** (adj.), **cru, épicé.** *Comédie de boulevard grivoise. Le ton, le genre grivois des comédies du XVIIIe siècle. C'est plus que grivois, c'est presque obscène, pornographique.*

3 Les saillies de Piron et le ton grivois de Crébillon me plaisent beaucoup. DUCLOS, Mémoires, Œ., t. X, p. 40, *in* LITTRÉ.

4 Ce théâtre jouera seul les pièces qu'on appelle grivoises, c'est-à-dire sales. P.-L. COURIER, Livret.

5 Et les Lisettes, et les Martons, quelles gaillardes, tudieu! — Les courtisanes des rues sont loin d'être aussi délurées, aussi promptes à la riposte grivoise. Th. GAUTIER, Préface de Mlle de Maupin, p. 10.

6 (...) ce gras cabaretier flamand, d'humeur goguenarde et grivoise, qui fume sur sa porte (...) Aloysius BERTRAND, Gaspard de la nuit, Fantaisies..., VI.

7 (...) cette honnêteté grivoise, qui défend le mariage, en lui donnant les allures de la débauche : le genre gaulois. R. ROLLAND, Jean-Christophe, La foire sur la place, I, p. 708.

CONTR. Grave, honnête, modeste, prude, pudibond, sérieux.
DÉR. (Du sens I) **Grivoise.** — (Du sens II) **Grivoisement, grivoiserie.**

GRIVOISE [gʀivwaz] n. f. — 1694; de *grivois.*

♦ Anciennt. Tabatière de soldat, munie d'une râpe (introduite en 1690 par les mercenaires allemands, à Strasbourg).

GRIVOISEMENT [gʀivwazmɑ̃] adv. — D. i. (attesté 1910, Colette, *in* T. L. F.); de *grivois.*

♦ D'une manière grivoise.

GRIVOISERIE [gʀivwazʀi] n. f. — 1843, Sainte-Beuve; de *grivois.*

♦ Caractère de ce qui est grivois. ⇒ **Gauloiserie, licence.** *Il y a loin de la grivoiserie au véritable érotisme*. Une grivoiserie frisant l'obscénité*. — (Une, des grivoiseries).* Action ou parole grivoise. ⇒ **Gaudriole, gravelure.** *Dire des grivoiseries.*

1 Les morceaux de haute graisse de Rabelais, les priapées de Piron, les indécences des Italiens, les gravelures de Gueullette et les grivoiseries de Collé sont éclipsés (...) LINTILHAC, la Comédie au XVIIIe s., *in* RAT, Notice sur le Barbier de Séville, p. 3.

2 Ces Gascons paillards parlaient de l'amour avec gourmandise et grivoiserie (...) A. MAUROIS, Lélia, II, II.

3 Nous avons beaucoup à apprendre de Maupassant sous le rapport de la brièveté et aussi de la compassion humaine. Sa grivoiserie proverbiale cache un grand écrivain et peut-être un homme d'une grande bonté. J. GREEN, Journal, Ce qui reste de jour, 10 déc. 1971.

CONTR. Honnêteté, modestie, pruderie, sérieux (n. m.).

GRIZZLI ou **GRIZZLY** [gʀizli] n. m. — 1902, *grizzli; grizzly,* 1866; var. *grisly,* 1860; anglo-amér. *grizzly (bear)* «ours grisâtre».

♦ Ours* gris des montagnes Rocheuses. — Plur. *Des grizzlis, des grizzlys,* ou, à l'anglaise, *des grizzlies.*

1 J'ai longtemps eu pour ami le grand ours noir des Îles de l'Amirauté, mais maintenant, je lui préfère les grizzlies des Rocheuses (...) Paul MORAND, New York, p. 244.

2 (...) nous étions des Indiens, des fils de la Forêt, chasseurs de bisons, tueurs de grizzlis, étrangleurs de serpents-boas, et scalpeurs de Visages Pâles. M. PAGNOL, la Gloire de mon père, I, p. 155.

GRŒNENDAEL [gʀœnɛndal] n. m. — 1933; mot flamand, nom d'un village de Belgique.

♦ Chien de berger à longs poils noirs. *Des grœnendaels.*

Vera n'a pas peur, pourtant il n'est pas rare que la nuit les ours noirs, et l'hiver les loups, viennent rôder en quête de nourriture jusqu'à sa porte. Le splendide grœnendael qu'ils ont dressé suffit à les mettre en fuite. R. FRISON-ROCHE, Nahanni, p. 141.

GROENLANDAIS, AISE [gʀɔɛnlɑ̃dɛ, ɛz] adj. et n. — 1721; de *Groenland.*

♦ Du Groenland. *Esquimaux (Eskimos, Inuït) groenlandais. Kayak groenlandais.*
N. (1760, *in* D. D. L.). *Un Groenlandais, une Groenlandaise.*

Ces Groenlandais étaient petits et trapus; leur taille ne dépassait pas quatre pieds dix pouces (...) J. VERNE, Un hivernage dans les glaces, p. 247.

N. m. Langue eskimo parlée au Groenland. — REM. Au sens de «langue inconnue et incompréhensible, chez Flaubert : *«Homais eût cité du chinois et du groenlandaid...» (Madame Bovary).*

GROG [gʀɔg] n. m. — 1776 (1757, selon Bloch et Wartburg); angl. *grog,* mot tiré du sobriquet de l'amiral Vernon, *Old Grog* (d'après son habit de *grogram* «[étoffe à] gros grain»), qui obligea ses marins à étendre d'eau leur ration de rhum; du franç. *gros grain.* → Gourgouran.

♦ Boisson faite d'eau chaude sucrée et d'eau-de-vie, d'alcool. *Des grogs. Grog au rhum. Grog au citron. Je vais vous faire, vous préparer un grog. Boire un grog très chaud, brûlant, pour combattre le rhume, la grippe.*

Le grog est fashionable, et le vieux vin de France 1
Réveille au fond du cœur la gaieté qui s'endort.
A. DE MUSSET, Premières poésies, «Rafaël».

(Clémence) se mit à préparer posément son grog, versant l'eau chaude sur le citron, 1.1
qu'elle écrasait à coups de cuiller, sucrant, mettant le rhum en consultant le carafon, pour ne pas dépasser le petit verre réglementaire. ZOLA, le Ventre de Paris, t. 1, p. 167.

Je lui ferai faire un grog bien chaud. Ce ne sera rien. Un grog brûlant. Je l'envelopperai de couvertures. SAINT-EXUPÉRY, Courrier Sud, II, VII. 2

GROGGY [gʀɔgi] adj. invar. — 1910, *in* Höfler; mot angl. «ivre», de *grog.* → Grog.
Anglicisme.

♦ **1.** Se dit du boxeur qui, étourdi par les coups, se maintient debout avec peine et semble près de s'écrouler. ⇒ **Sonné.**

♦ **2.** (1917, *in* Höfler). Fam. Assommé par un choc physique ou moral. *Ils, elles étaient groggy. Être groggy, complètement groggy.* ⇒ **Sonné** (2.). *Il en est resté groggy.*
Gris, ivre.

Ce qui m'a achevée, c'est le champagne au gin. À la cinquième coupe, j'étais com- 1
plètement groggy. Bob a été obligé de me ramener chez moi, je ne tenais plus debout. M. AYMÉ, Travelingue, p. 187.

Je suis peut-être saoul. Sonné. Groggy. Je n'ai prise sur rien, mes mains sont des 2
moulins à vent. Romain GARY, Clair de femme, p. 126.

GROGNANT, ANTE [gʀɔɲɑ̃, ɑ̃t] adj. — Mil. XIXe; p. prés. de *grogner.*

♦ Qui grogne.

Les monstres glapissants, hurlants, grognants, rampants,
Dans la ménagerie infâme de nos vices (...)
BAUDELAIRE, les Fleurs du mal, Au lecteur (1857).

GROGNARD, ARDE [gʀɔɲaʀ, aʀd] adj. et n. m. — Fin XIIIe; de *grogner.*

♦ **1.** Vieilli. Qui a l'habitude de grogner, de protester. — Par ext. *Air grognard.*

Un visage mécontent est encore un spectacle qu'il m'est impossible de soutenir, 1
surtout si j'ai lieu de penser que ce mécontentement me regarde. Je ne saurais dire combien l'air grognard et maussade des valets qui servent en rechignant m'a arraché d'écus dans les maisons où j'avais autrefois la sottise de me laisser entraîner (...) ROUSSEAU, Rêveries..., 9e promenade.

♦ **2.** N. m. (1812). Hist. Soldat de la vieille garde, sous Napoléon Ier (→ Exact, cit. 14). *Un vieux grognard. Les grognards de la Garde.*

Canonnier dans la Garde des consuls, sergent dans la Garde Impériale, lui avaient 2
toujours paru de plus hauts grades qu'officier de la ligne. J'ai vu beaucoup de *grognards* pareils. A. DE VIGNY, Servitude et Grandeur militaires, II, XI.

GROGNASSE [gʀɔɲas] n. f. — 1883; de *grogner,* et suff. péj. *-asse.*

♦ Fam. et péj. Vulg. Femme laide et d'humeur acariâtre. ⇒ **Pouffiasse.** — Péj. et injurieux. Femme (quels que soient son aspect physique et son caractère). *Qu'est-ce que c'est que cette grognasse qu'il traîne partout?*

Je sais que Garine est en train de se dire que je suis une grognasse et que la prochaine fois il dînera chez Carole tout seul. Mais cela ne m'arrête pas; il faut bien que mes défauts vivent! Benoîte et Flora GROULT, Il était deux fois, p. 167.

(Appellatif injurieux). *Salope, grognasse!*

GROGNASSER [gʀɔɲase] v. tr. — 1872, *in* P. Larousse ; de *grogner,* et suff. péj. *-asser.*

♦ Fam. et péj. Grogner d'une façon continuelle.

DÉR. Grognasserie.

GROGNASSERIE [gʀɔɲasʀi] n. f. — xxe ; de *grognasser.*

♦ Fam. et péj. Le fait de grogner souvent ; attitude grognonne. ⇒ **Grognerie.** *Des grognasseries continuelles.*

GROGNE [gʀɔɲ] n. f. — 1364, *grongne ;* déverbal de *grogner.*

♦ **1.** Mécontentement exprimé en grognant.
REM. Le mot, qui était archaïque et rare, a été remis à la mode par le général de Gaulle, dénonçant dans un discours « *la hargne, la grogne et la rogne* ».

♦ **2.** Hist. L'ensemble des grognards (2.).

GROGNEMENT [gʀɔɲmɑ̃] n. m. — xve, *grongnemens ;* de *grogner.*

♦ **1.** Cri du cochon, du sanglier, de l'ours, etc., consistant en une sorte de ronflement bref et sourd. ⇒ **Grommellement.** *Les grognements des pourceaux.*

1 Puis la ville se remplissait d'un bourdonnement de voix, où se mêlaient des hennissements de chevaux, des bêlements d'agneaux, des grognements de cochons (...)
FLAUBERT, Trois contes, « Un cœur simple », II.

(D'autres animaux). *Les grognements d'un chien en colère. Grognement de mécontentement* (cit. 2) *d'un écureuil.*

1.1 L'orang répondit par un petit grognement qui ne dénotait pas trop de mauvaise humeur.
« Nous voulons donc faire partie de la colonie ? demanda le marin (...) »
Nouveau grognement approbateur du singe.
« Et nous nous contenterons de notre nourriture pour tout gage ? »
Troisième grognement affirmatif.
« Sa conversation est un peu monotone, fit observer Gédéon Spilett. »
J. VERNE, l'Île mystérieuse, t. I, p. 384-385.

♦ **2.** (1530). Action de grogner (en parlant des personnes) ; murmure de mécontentement. ⇒ **Bougonnement, grommellement, grondement.** *Des grognements de colère, de protestation.*

2 Je me vois encore dans ma chaire, me débattant comme un beau diable, au milieu des cris, des pleurs, des grognements, des sifflements (...)
Alphonse DAUDET, le Petit Chose, I, IX.

3 Mais un grognement arriva du palier, la voix de Maheu bégayait, empâtée.
ZOLA, Germinal, I, p. 15.

GROGNER [gʀɔɲe] v. intr. — 1190, au sens 2 ; *gronir,* v. 1175 ; du lat. *grunnire,* var. de *grundire.* → Gronder.

♦ **1.** (1250). Pousser son cri (en parlant du cochon [cit. 5], du sanglier et, par ext., de l'ours, etc.). ⇒ **Grognement.** *Le sanglier grogne ou grommelle.*

1 (...) l'enchanteur et la fée parurent, qui la métamorphosèrent en truie, afin qu'il lui restât au moins une partie de son nom et de son naturel grondeur : elle s'enfuit, toujours grognant, jusque dans la basse-cour.
Mme D'AULNOY, Deux contes de fées, « L'oiseau bleu ».

2 À ce moment, une troupe de cochons déboucha à un tournant. Les bêtes flaireuses, aux petits yeux, aux jambes courtes, grognaient, gargouillaient, ronflaient, renâclaient, reniflaient. APOLLINAIRE, l'Hérésiarque..., L'otmika.

(D'autres animaux). Émettre un bruit sourd, une sorte de grondement. ⇒ **Gronder.** *Le chien grogne en montrant les dents.*

(Sujet n. de chose). Émettre un bruit analogue.

3 (...) dans les grottes où grogne la mer au fond des trous invisibles (...)
MAUPASSANT, la Vie errante, La côte italienne.

4 (...) pendant qu'il manœuvrait les vitesses, et que grognaient les pignons (...)
J. ROMAINS, les Hommes de bonne volonté, t. V, XXIII, p. 208.

♦ **2.** (Sujet n. de personne). Manifester son mécontentement par de sourdes protestations. ⇒ **Bougonner, grommeler, gronder, maugréer, murmurer, protester, ronchonner ;** → Claquement, cit. 1. *Grogner entre ses dents. Obéir en grognant.* ⇒ **Pester, râler, rouspéter.** *Napoléon disait des soldats de la vieille garde « ils grognent, mais me suivent toujours ».* ⇒ **Grognard.** *Elle grogne sans cesse.* ⇒ **Grognon.** *Grogner contre qqn, après qqn, au sujet de qqch. Il grogne pour tout.*

5 Ce nouvel Égiste grognait toujours quand il me voyait entrer chez sa dame (...)
ROUSSEAU, les Confessions, II.

6 La quête se faisait en sortant du caveau, le gardien grognait même à cause d'une pièce belge qu'on lui avait refilée.
CÉLINE, Voyage au bout de la nuit, p. 255.

7 — J'étais tellement heureux ici. — On ne l'aurait pas cru, dit Mme Louise. Vous étiez toujours à grogner après quelqu'un. SARTRE, le Sursis, p. 172.

♦ **3.** (1835 ; « être hostile à [qqn] », déb. xve). Sujet n. de personne.

a Vx. Pop. Gronder (qqn). *Il ne fait que me grogner* (Littré).

b Mod. Rare. Dire (qqch.) en grognant. *Grogner des insultes, des reproches.*

DÉR. Grognant, grognard, grognasse, grognasser, grogne, grognement, grognerie, grogneur, grognon.

GROGNERIE [gʀɔɲʀi] n. f. — xve, *grongnerie ;* de *grogner.*

♦ **1.** *(La grognerie).* Action de grogner ; attitude de grognon.

♦ **2.** *(Une, des grogneries).* Protestation, parole, attitude d'une personne qui grogne. ⇒ **Grognasserie.** *J'en ai assez de tes grogneries !*

GROGNEUR, EUSE [gʀɔɲœʀ, øz] adj. — Mil. xve, *grongneur ;* de *grogner.*

♦ Rare. Qui grogne, par mécontentement. ⇒ **Bougon, grognard** (vx), **grognon.** — Par. ext. *Air grogneur,* qui exprime la mauvaise humeur.

Je tenais à cette fille que je ne connaissais point, à cette fille taciturne et toujours mécontente. J'aimais sa figure grogneuse, la moue de sa bouche, l'ennui de son regard (...) MAUPASSANT, les Sœurs Rondoli, II.

N. *Un grogneur, une grogneuse.* ⇒ **Râleur, rouspéteur.**

GROGNON, ONNE [gʀɔɲɔ̃, ɔn] adj. et n. — 1721, *mère Grognon,* cit. 4, ci-dessous ; de *grogner.*

♦ **1.** Qui a l'habitude de grogner, qui est d'une humeur maussade, désagréable. ⇒ **Grognard** (vx), **grogneur** (rare) ; **acariâtre, bougon, maussade, morose.** *Un enfant grognon,* qui boude, pleure, se plaint sans cesse. ⇒ **Pleurnicheur.** — Par ext. *Un air, un visage grognon.* ⇒ **Grogneur.** — REM. La forme *grognon* est employée avec un fém. aussi bien qu'avec un masc. (→ Demeurant, cit. 4, Rousseau ; fureteur, cit. 5). Académie (8e éd.) admet le fém. *grognonne. Une humeur grognonne* (→ ci-dessous, cit. 2, Sainte-Beuve).

— Maman, Hélène ne veut pas jouer, s'écria le petit (...) — Laisse-la, Charles. Tu sais bien qu'elle est toujours grognon. 1
BALZAC, la Femme de trente ans, Pl., t. II, p. 779.

Je signale encore la compagnie grognonne des cochons et les mille gentillesses des petits lézards. SAINTE-BEUVE, *in* P. LAROUSSE. 2

Elle vieillit, glacée et grognon. 3
LA VARENDE, Belles esclaves, p. 245, *in* GREVISSE.

♦ **2.** (Animaux). Qui grogne (1.).

♦ **3.** N. m. invar. *Un, une grognon. Un vieux grognon, un insupportable grognon.* ⇒ **Mécontent, ronchon, rouspéteur** (fam.). — Par appos. (premier emploi étym.). *C'est une vraie mère grognon* (Académie).

Chez les Religieuses les petites pensionnaires qu'elles élèvent, appellent entre elles la mère *Grognon,* celle qui est chargée du soin de leur éducation, parce qu'elle les reprend de leurs fautes. Dict. de Trévoux, art. *Grogneur.* 4

CONTR. Affable, aimable, charmant, gai.
DÉR. Grognonner.

GROGNONNER [gʀɔɲɔne] v. intr. — 1634 ; de *grognon.*

♦ **1.** Pousser des grognements comme le pourceau. ⇒ **Grogner** (1.).

♦ **2.** Faire le grognon. ⇒ **Grogner** (2.).

(...) dans la bergère, le baron qui lui faisait face se plaignait de ses rhumatismes et grognonnait. GIDE, Isabelle, IV.

DÉR. Grognonnerie.

GROGNONNERIE [gʀɔɲɔnʀi] n. f. — 1845 ; de *grognonner.*

♦ Rare. Action de grognonner. *Il est d'une grognonnerie insupportable.* — Acte, parole de grognon. *Des grognonneries continuelles.*

GROIE [gʀwa] n. f. — 1442, *groye ;* de l'anc. franç. *groe* « gravier », du lat. pop. **grauca,* de **gravica,* de **grava.* → 1. Grève.
Régional.

♦ **1.** Vx. Terre sablonneuse et marécageuse.

♦ **2.** Mod. *Terre de groie,* formée d'argile de décalcification et de restes calcaires.

GROIN [gʀwɛ̃] n. m. — V. 1175, *gruing ;* du lat. *grunnium,* de *grunnire.* → Grogner.

♦ **1.** Museau* (du porc, du sanglier) ; par ext., museau tronqué et propre à fouir. *Le groin du porc, du pourceau* (→ Avaler, cit. 35 ; caver, cit. 2). *Extrémité du groin.* ⇒ **Boutoir.** *Passer un anneau* dans le groin d'un porc.* ⇒ **Anneler ; boucle** (de groin). — *Groin de la taupe.*

Les porcs assoupis enfonçaient en terre leur groin (...) 1
FLAUBERT, Mme Bovary, II, VIII.

Le sanglier est pendu la hure en bas (...) Du groin, encore souillé de terre, tombent des gouttes de sang (...) G. DUHAMEL, les Plaisirs et les Jeux, IV, XIV. 2

♦ **2.** Par métaphore (en parlant de la face humaine). ⇒ **Hure, mufle.**

3 (...) cette honteuse gueule où je démêlais un groin de goret, des yeux d'usurier de campagne (...) HUYSMANS, Là-bas, IV.

REM. On écrit aussi *grouin* [gʀwɛ̃].

DÉR. Groiner.

GROINER [gʀwane] v. intr. — 1881, au p. prés., *in* T. L. F.; de *groin*. Rare.

♦ **1.** Avoir la forme d'un groin, former groin.

REM. On écrit parfois *grouiner* [gʀuine], *groïner* [gʀɔine].

Le nez (...) sans finesse ni courbure aquiline, un peu groïnant à l'extrémité, solidement planté d'ailleurs, mais sans précision plastique (...)
Léon BLOY, le Désespéré, p. 245.

♦ **2.** Pousser du groin (le sujet désigne un porc).

♦ **3.** Grogner comme un porc (le sujet désigne un être animé autre que le porc).

GROINSON [gʀwɛ̃sɔ̃] n. m. — 1803; *groizon*, 1752; de *groize*, dér. de *grès*.

♦ Techn. Vx. Pierre ou craie blanche réduite en poudre fine qui servait pour la préparation des parchemins.

GROISIL [gʀwazil] n. m. — 1771; *groizil*, 1611; p.-ê. de *grès*, ou du néerl. *gruis* «gravats, verre pilé», de *gruizen* «piler». → Gruger.

♦ Techn. Débris de verre pulvérisés utilisés dans la fabrication des verres communs.

DÉR. V. Grésillon.

GROIZE [gʀwaz] n. f. — 1850; *groisse*, 1421; de *grès*.

♦ Régional. Grève. ⇒ 1. **Grève.**

1. GROLE ou **GROLLE** [gʀɔl] n. f. — 1523; du lat. *gracula*. → Grailler.

♦ Régional (Ouest, Berry). Corneille, choucas, freux.

HOM. 2. Grole ou grolle, grolles.

2. GROLE ou **GROLLE** [gʀɔl] n. f. — XIIIe, dial. (cf. Godefroy); argot parisien au XIXe; du lat. pop. **grolla*, attesté par l'anc. provençal, d'orig. inconnue. D'après le sémantisme «objet arrondi et creux» (cf. anc. franç. *grole, crole*; → Godillot), P. Guiraud suggère un étymon gallo-roman **corrotulare*, intensif de **rotulare* (→ Rouler).

♦ Fam. ⇒ **Chaussure, soulier.**

1 Ben, qu'on nous laisse au moins mettre nos grolles!
Les grolles!... C'est devenu un mot, une chose tragique, pour ces pauvres pieds de fantassins (...) éraillés par le cuir des gros souliers, écorchés par tous les silex (...) Les grolles!... Depuis huit jours, on les soigne, on les réchauffe, on les masse, on les imprègne patiemment de la graisse des boîtes de singe, dans l'espoir qu'elles s'attendriront (...) Roger VERCEL, Capitaine Conan, I, p. 13.

2 Puis il errait dans Bordeaux, traînant sans but ses grolles.
R. QUENEAU, le Dimanche de la vie, p. 50.

3 (...) comme rien ne bouge encore au rez-de-chaussée, je fais reluire mes grolles avec un coin de berlue *(couverture)*. A. SARRAZIN, la Cavale, p. 347.

HOM. 1. Grole ou grolle, grolles.

GROLLES [gʀɔl] n. f. pl. — 1910; de *grouler* «grouiller», par le sens régional «trembler» (1771).

♦ Argot. *Avoir les grolles* : avoir peur. ⇒ **Grelot.**

Un homme urinait dans la paille.
— Eh! salaud, criait une voix, tu ne peux pas aller dehors?
— Il fait trop froid, répondait l'interpellé.
— Dis que tu as les grolles, oui, que tu fais dans ton froc, ricanait l'autre.
— Non, j'ai tout simplement peur que mes poux s'enrhument (...)
B. CENDRARS, la Main coupée, *in* Œ. compl., t. X, p. 23.

HOM. 1. Grole, 2. grole.

GROMMELER [gʀɔmle] v. — 1382; a remplacé *grommer*, XIIe; *grumeler*, 1342; «mot expressif, qui a dû se former en germanique» (Dauzat); moy. néerl. *grommen*. Cf. all. *grummeln*; régional *groumer*.

♦ **1.** V. intr. Murmurer, exprimer du mécontentement, des protestations de manière indistincte, en parlant entre ses dents. ⇒ **Bougonner, grogner, gronder, murmurer.** *Donner, céder qqch. en grommelant* (→ Caloyer, cit.). — *Grommeler d'être dérangé* (cit. 14) *de ses habitudes.*

1 Je pestais, je grommelais, je jurais, je donnais au diable toute cette maudite cohue.
ROUSSEAU, les Confessions, III.

2 Notre voiture faisait lever des files de dormeurs qui se rangeaient contre le mur en grommelant et en nous prodiguant toutes les richesses du vocabulaire andalou.
Th. GAUTIER, Voyage en Espagne, p. 242.

Par anal. *Chien* (cit. 5) *qui grommelle entre ses dents.* ⇒ **Grogner, gronder.** — Spécialt. Grogner*, en parlant du sanglier (on dit aussi *grumeler, nasiller*).

♦ **2.** V. tr. Dire en grommelant. *Grommeler des injures, des menaces entre ses dents.*

(...) je m'en allai tout pantois (...) mais grommelant entre mes dents ces tristes paroles (...) VOLTAIRE, l'Homme aux 40 écus, III. 3

(...) il faut que la bonne serve d'interprète à l'enfant de la ville; sans quoi l'on n'entend rien à ce qu'il grommelle entre ses dents. ROUSSEAU, Émile, I. 4

Il se posa lentement sur son siège, avec circonspection, et en grommelant quelques paroles inintelligibles. BALZAC, Sarrasine, Pl., t. VI, p. 86. 5

Au p. p. *Paroles grommelées*, indistinctes.

DÉR. Grommellement.

GROMMELLEMENT [gʀɔmɛlmɑ̃] n. m. — XIIIe, *grumeslement* «cri de souris»; «glapissement», 1567; de *grommeler*.

♦ Action, fait de grommeler. *Le grommellement d'un vieux ronchon. — Le grommellement d'un animal.* ⇒ **Grognement.** «*Un grommellement d'animal*» (Goncourt).
(Un, des grommellements). Ce qui est grommelé; bruit d'une voix, de voix qui grommellent. *Un grommellement étouffé.*

GROMONO [gʀɔmɔno] n. m. — 1981; agglutination de *gros mono*, pour *gros monocylindre*.

♦ Moto. Fam. Moteur de moto à un seul cylindre. «*(...) une petite moto, tout en hauteur avec son gromono étroit qui semble repousser le réservoir*» *(Moto-Revue,* 6 mai 1981, p. 29).
Moto équipée d'un tel moteur. *Des gromonos.* «*La Suzuki GN 400 a tenté de concilier les joies du "gromono" et la détente du chopper ou du Custom*» *(Moto-Revue,* 6 mai 1981, p. 29).

REM. On rencontre encore, dans ces deux emplois, la graphie *gros mono.*

GRONDABLE [gʀɔ̃dabl] adj. — 1734; de *gronder*.

♦ Rare. Qu'on peut ou qu'on doit gronder.

GRONDANT, ANTE [gʀɔ̃dɑ̃, ɑ̃t] adj. — XVIe; p. prés. de *gronder*.

♦ **1.** Qui gronde, pousse des grondements. *Fauves grondants et rugissants. — Voix grondante.*

Parmi ces éloquences furieuses, parmi ces voix hurlantes et grondantes, il y avait des silences féconds. HUGO, Quatre-vingt-treize, II, III, I, 6. 1

La foule grondante ne se calme plus, malgré le geste de la main qui demande le silence (...) ARAGON, les Beaux Quartiers, II, XXIX. 2

Littér. Exprimé en grondant. *Une colère grondante.*

♦ **2.** (Choses). *La muraille grondante de l'artillerie* (cit. 4). *Flots grondants. Murmure grondant d'orage* (→ Exaspération, cit. 6). *Révolution grondante.* ⇒ **Menaçant.**

GRONDE [gʀɔ̃d] n. f. — 1801; déverbal de *gronder*.

♦ Vx ou régional. Gronderie.

GRONDEMENT [gʀɔ̃dmɑ̃] n. m. — Fin XIIIe; de *gronder*.

♦ **1.** Son menaçant, sourd et prolongé, que font entendre certains animaux. ⇒ **Grognement; gronder** (I., 1.). *Le grondement, les grondements d'un chien furieux, d'un ours.*

La voix de l'ours est un grondement, un gros murmure souvent mêlé d'un frémissement de dents qu'il fait entendre quand on l'irrite (...) 1
BUFFON, Hist. nat. des animaux, L'ours.

♦ **2.** Bruit sourd et prolongé. ⇒ **Gronder** (I., 2.). *Le grondement, les grondements du canon* (→ Canonnade, cit. 2; explosion, cit. 3). *Le grondement de la bataille* (cit. 12). *Grondement d'un moteur, d'un avion* (→ Cercle, cit. 4), *d'une voiture* (→ Côte, cit. 10). *Grondement d'une rivière, d'un torrent, d'une cataracte...* (→ Bruit, cit. 9). *Un grondement continu, confus, lointain, indistinct. Le grondement, les grondements du tonnerre, de l'orage; un grondement de tonnerre* (→ Éboulement, cit. 1; ébranler, cit. 28). *Grondement énorme* (cit. 4), *épouvantable, assourdissant* (→ Explosion, cit. 2).

(...) ramené aux plus mauvais jours du siège de Paris par ce grondement de canonnade lointaine. COURTELINE, Messieurs les ronds-de-cuir, V, I. 2

(...) le grondement des eaux dans le fond de ce golfe de Biscaye (...) un grondement rythmé, comme serait la monstrueuse respiration de sommeil de la mer (...) 3
LOTI, Ramuntcho, II, XII.

Ce n'est pas le silence de l'éternité, c'est le tumulte d'un orage de montagne, c'est le grondement d'un torrent gonflé par les pluies, c'est la rumeur d'une multitude en marche, c'est le fracas d'un combat qui règne en ce lieu du perpétuel repos. 4
G. DUHAMEL, le Voyage de P. Périot, I.

Par métaphore. Littér. *Le grondement de la colère, des passions.*

À un certain âge, ce qu'il y a de plus difficile à croire, c'est que ce qui touche à la chair ait une telle importance et que les grondements de nos pauvres orages retentissent jusque dans l'éternité. 5
F. MAURIAC, Souffrances et Bonheur du chrétien, p. 87.

♦ **3.** Littér. *(Un, des grondements).* Sons, paroles indistinctes exprimant un sentiment d'irritation, une protestation. — Par ext. *Les grondements d'une foule en colère. — Grondements de protestation, de rage.*

GRONDER [gʀɔ̃de] v. — V. 1170, *grondir; grundir,* v. 1230; *grondre,* du lat. *grundire,* var. de *grunnire.* → Grogner.

★ **I.** V. intr. ♦ **1.** Émettre un son menaçant et sourd (le sujet désigne certains animaux). ⇒ **Grogner.** *Chien qui gronde. Le chacal* (cit. 1) *gronde. Lion qui gronde et rugit. Gronder fort, doucement.*

1 Les chiens de garde que nous voyons souvent gronder en songeant et puis japper tout à fait et s'éveiller en sursaut (...)
MONTAIGNE, Essais, II, XII.

2 (...) votre petit chien Brusquet? gronde-t-il toujours aussi fort?
MOLIÈRE, Dom Juan, IV, 3.

3 Le dogue Liberté gronde et montre ses crocs (...)
HUGO, les Châtiments, « Nox », I.

4 Quand mes sens ont parlé, tout en moi fait silence,
Comme au désert, la nuit, quand gronde le lion.
Albert SAMAIN, le Chariot d'or, Évocations, Bacchante, p. 117.

♦ **2.** (Sujet n. de chose). Produire un bruit sourd, grave et menaçant (l'idée de menace étant plus ou moins marquée, selon les emplois). ⇒ **Frémir** (vx), **murmurer** (vx). *Le canon* (cit. 1), *le « brutal »* (cit. 10) *gronde. Le tonnerre gronde.* ⇒ **Tonner.** *L'orage grondait sourdement.* ⇒ **Menacer.** *Volcan qui gronde avant l'éruption.*

5 (...) ce n'est pas en vain qu'il *(Dieu)* lance la foudre, ni qu'il fait gronder son tonnerre!
BOSSUET, Sermons, 2e serm. purif. Vierge, 1er point.

6 L'âpre rugissement de la mer pleine d'ombres,
Cette nuit-là, grondait au fond des gorges noires (...)
LECONTE DE LISLE, Poèmes barbares, « Mille ans après ».

Par métaphore :

7 Nos passions sont comme les volcans : elles grondent toujours, mais l'éruption n'est qu'intermittente.
FLAUBERT, Correspondance, 403, 25-26 juin 1853, t. III, p. 248.

Fig. Être menaçant, près d'éclater. *La révolution, l'émeute gronde. Le conflit qui grondait. — La fureur, la colère qui grondait en elle* (→ Braver, cit. 4).

8 Dès qu'on ouït gronder l'orage qui vient de fondre sur l'Empire et la Hongrie (...)
FLÉCHIER, Oraison funèbre de Marie-Thérèse d'Autriche.

9 Les têtes fermentaient. Une tempête, qui ne faisait encore que gronder, flottait à la surface de cette foule.
HUGO, Notre-Dame de Paris, I, I.

♦ **3.** (Sujet n. de chose; sans idée de menace ou de peur). Produire un son grave, sourd et prolongé. *La mer, le fleuve gronde* (→ Buccinateur, cit.; émouvoir, cit. 16; enfoncer, cit. 35). *Le vent gronde dans la cheminée* (→ Feu, cit. 12). *Les contrebasses grondaient sourdement. Sons qui grondent* (→ Éteindre, cit. 34).

10 (...) d'autres fois, c'était Meyerbeer faisant gronder les touches sous quelques-unes de ses puissantes harmonies (...)
Th. GAUTIER, Portraits contemporains, Sophie Gay.

11 (...) la montagne était coupée comme une falaise, la mer grondait au bas, bleue et pure (...)
NERVAL, les Filles du feu, « Octavie ».

12 Un espace paisible, ami du loisir et du soleil, l'environne, bien qu'on entende sans cesse gronder les trains sur les deux ponts de fer de la rue Proudhon, où vieillit une ombre de tunnel.
J. ROMAINS, les Hommes de bonne volonté, t. III, XIX, p. 266.

Par métaphore :

13 Et mon cœur orageux dans ma poitrine gronde
Comme le chêne au vent dans la forêt profonde!
HUGO, les Châtiments, I, V.

♦ **4.** Vx ou littér. (Personnes). Murmurer, se plaindre, protester à voix basse entre ses dents, sous l'effet de la colère, etc. ⇒ **Bougonner, grogner, grommeler, maronner, murmurer, rognonner, ronchonner;** → Essuyer, cit. 17. *Un atrabilaire qui gronde sans cesse, critique tout.* ⇒ **Criailler.** *Gronder entre ses dents* (→ Barboter, cit. 9). — *Gronder contre qqn, contre qqch.* ⇒ **Protester, râler** (fam.), **rouspéter** (fam.).

14 Tant que le jour est long, il gronde entre ses dents (...)
J.-F. REGNARD, les Folies amoureuses, I, 1.

15 (...) il vit que le visage de cette bonne fille était baigné de larmes, et, tout son courage l'abandonnant, il lui fut impossible de retenir les siennes, bien qu'il grondât et menaçât encore.
G. SAND, la Mare au diable, VI.

16 Ma grand-mère dit cela parce qu'elle aime à gronder et à se plaindre.
G. SAND, la Petite Fadette, XIX.

17 Il se plaint, gronde et de reproche en insulte, sa femme l'a traité de pouilleux.
M. JOUHANDEAU, Chaminadour, II, IX.

Trans. Dire (qqch.) en grondant, en bougonnant. *« Foutre le camp! »* (cit. 7), *gronda-t-il... Gronder des menaces, des protestations entre ses dents.*

♦ **5.** Vx. (Personnes). Dire, fredonner à mi-voix (⇒ **Murmurer**), sans idée de colère, de menace. *Gronder une petite chanson entre ses dents* (→ 2. Air, cit. 17, Molière).

18 Voilà mon petit doigt (...) qui gronde quelque chose.
MOLIÈRE, le Malade imaginaire, II, 8.

19 (...) et, de sa voix d'orgue, il lui gronda le bonjour.
FRANCE, le Mannequin d'osier, II, Œ., t. XI, p. 254.

Mod. Dire ou chanter d'une voix très grave, caverneuse. *Basse qui gronde un air d'opéra.*

★ **II.** V. tr. (1665). Réprimander (un enfant) avec humeur. ⇒ **Admonester, attraper, crier** (après), **disputer** (fam.), **emballer, engueuler** (fam.), **fâcher** (se fâcher contre), **gourmander, morigéner, quereller, rabrouer, réprimander, secouer** (fam.), **tancer, tempêter, tonner** (contre). *Gronder un enfant désobéissant. Tu vas te faire gronder. Gronder un élève.* — REM. *Gronder* s'emploie surtout en parlant des enfants ou avec une nuance d'indulgence. — *Gronder amicalement, affectueusement un camarade.* ⇒ **Gronderie.**

Je vous ai toujours aimé (...) Je suis en droit, par mon amitié, de vous gronder vivement, de vous reprocher votre humeur avec moi. 20
VOLTAIRE, Lettre à Maupertuis, 693, 28 mai 1741.

Madame Derville voyait avec étonnement que son amie, toujours grondée par M. de Rênal à cause de l'excessive simplicité de sa toilette, venait de prendre des bas à jour et de charmants petits souliers arrivés de Paris. 21
STENDHAL, le Rouge et le Noir, I, XIII.

(...) c'était un de ces fidèles serviteurs dont les modèles sont devenus trop rares en France, qui (...) grondent les enfants et quelquefois les pères (...) 22
A. DE VIGNY, Cinq-Mars, I.

J'irai parler à M. Cadet Blanchet, je lui dirai de me battre et de ne pas vous gronder pour moi. 23
G. SAND, François le Champi, III.

Sa mère le gronda, de son air dur, en prenant une grosse voix, comme on fait pour gronder les petits enfants, et lui s'en alla tout penaud s'asseoir dans un coin. 24
LOTI, Mon frère Yves, XX.

Sous le couperet, ma mère m'aurait grondé pour avoir oublié mon foulard. 25
CÉLINE, Voyage au bout de la nuit, p. 160.

Absolt. *Une mère qui gronde sans cesse* (→ Fléau, cit. 8).

CONTR. Taire (se). — Murmurer. — Louer, récompenser, remercier.
DÉR. Grondable, grondant, gronde, grondement, gronderie, grondeur, grondin.

GRONDERIE [gʀɔ̃dʀi] n. f. — 1598; de *gronder.*

♦ Action de gronder qqn; réprimande. ⇒ **Gronde** (régional); **gronder** (II.). — REM. *Gronderie,* comme *gronder,* s'emploie surtout en parlant d'une réprimande adressée à un enfant ou « faite (...) sur le ton amical » (Académie). — *La gronderie de qqn* (adressée à qqn) *par qqn. La, les gronderies de qqn* (adressées par qqn). — Plus cour. *(Une, des gronderies). Affectueuse, amicale gronderie. Les gronderies continuelles de parents sévères.* ⇒ **Admonestation, criaillerie, réprimande.** *Une gronderie toute maternelle* (→ Chèrement, cit. 2).

Elle lui faisait de ces charmantes gronderies tendres qui ont tant de grâce remontant de la fille au père. 1
HUGO, les Misérables, IV, III, IV.

(M. Sandré) l'appela doucement, l'assit sur ses genoux et l'embrassa de ses vieilles lèvres durcies qui ne remuaient plus jamais que pour le reproche et la gronderie (...) 2
PROUST, Jean Santeuil, Pl., p. 225.

CONTR. Compliment, félicitation.

GRONDEUR, EUSE [gʀɔ̃dœʀ, øz] adj. — 1586; de *gronder.*

♦ **1.** (Personnes). Qui a l'habitude de gronder, de bougonner (⇒ **Gronder,** I., 3.), ou de réprimander (⇒ **Gronder,** I., 4.). *Un homme grondeur.* — N. Vx. *Un grondeur.* ⇒ **Bougon, grognon.**

(...) un gros homme (...) d'une allure assez pesante, avec une mine de grondeur (...) 1
MARIVAUX, le Paysan parvenu, IV.

Par ext. *Un naturel grondeur* (→ Grogner, cit. 1). *Humeur grondeuse.* — Qui exprime la colère, le mécontentement, la protestation d'une personne qui gronde. *Air grondeur, voix grondeuse.* ⇒ **Coléreux.**

Et l'on n'a jamais vu un amour si grondeur (...) 2
MOLIÈRE, le Misanthrope, II, 1.

(...) sa tendresse grondeuse pour sa petite-fille s'augmentait de cet ancien remords. 3
J. LEMAÎTRE, les Rois, p. 190.

Des enfants piaillent dans l'ombre et tombent : une voix grondeuse les relève. 4
L.-P. FARGUE, Poèmes, p. 67.

♦ **2.** Fig. (Choses). Qui gronde (I., 2. ou 3.), qui émet un grondement. ⇒ **Bruyant, tonnant.**

(...) l'immense orgue des vents grondeurs (...) 5
BAUDELAIRE, les Fleurs du mal, Spleen et idéal, LXII.

La terre est calme auprès de l'océan grondeur (...) 6
HUGO, la Légende des siècles, I.

CONTR. Aimable, doux. — Silencieux.

GRONDIN [gʀɔ̃dɛ̃] n. m. — 1796; « cochon », 1598; de *gronder,* à cause du grondement que ce poisson fait entendre quand il est pris.

♦ Poisson comestible du genre trigle*. *Grondin rouge.* ⇒ **Rouget.** — En appos. *Un rouget grondin* (par oppos. au *barbet*).

GROOM [gʀum] n. m. — 1669, dans un ouvrage sur l'Angleterre; répandu 1813; mot angl., d'abord « jeune homme, garçon, valet ». → Gourmet (étymologie).

♦ **1.** Vx. Jeune laquais* d'écurie, qui suivait son maître lorsque ce dernier était à cheval, qui conduisait sa voiture, etc. *Les gens du monde appelaient leur groom un « tigre »* (→ ci-dessous, cit. 2, Balzac).

Le jeune duc tourna rapidement son cheval et alla au grand galop rejoindre son *groom* qui suivait à cinq cents pas. 1
STENDHAL, Romans et Nouvelles, « Le rose et le vert », VIII.

2 Il avait un tigre, et non pas un groom, comme l'écrivent des gens qui ne savent rien du monde. BALZAC, la Maison Nucingen, Pl., t. V, p. 607.

♦ **2.** (1828, *in* Höfler). Mod. Jeune domestique en livrée chargé de faire les courses dans les hôtels, les restaurants, les cercles. ⇒ **Chasseur, commissionnaire.**

3 À côté des voitures, devant le porche où j'attendais, était planté comme arbrisseau d'une espèce rare un jeune chasseur (...) À l'intérieur dans le hall qui correspondait au narthex, ou église des Catéchumènes, des églises romanes, et où les personnes qui n'habitaient pas l'hôtel avaient le droit de passer, les camarades du groom « extérieur » ne travaillaient pas beaucoup plus que lui (...) PROUST, À la recherche du temps perdu, t. IV, p. 131.

4 (...) pas un portier galonné, mais un groom, c'est-à-dire un de ces gamins ayant dépassé depuis longtemps non pas seulement le stade de la puberté, mais encore celui de l'âge adulte (...) la livrée marron, l'espèce de toque cylindrique (...) Claude SIMON, le Palace, p. 54.

GROS, GROSSE [gʀo, gʀos] adj., adv. et n. — 1080; du lat. impérial *grossus* « gros, épais », du lat. class. *crassus* « épais, dense », remplaçant *pinguis.*

★ **I.** Adj. **A.** ♦ **1.** Choses. (Avant le nom, en épithète). Qui, dans son genre, dépasse la mesure ordinaire, soit par l'ensemble de ses dimensions (volume ou surface), soit, en parlant de choses plates ou allongées, par son épaisseur, sa section (opposé à *petit*). *Une grosse pierre* (→ Cailloutage, cit.). *Gros nuage, grosse vague.* ⇒ **Large ;** → Filtre, cit. 1. *Grosse larme* (→ Brûlant, cit. 3). Loc. *À gros bouillons* (cit. 2 et 3). — *Gros anneau* (cit. 10). *Grosse boucle* (cit. 3). — (Objets cylindriques). ⇒ **Épais.** *Gros fil. Grosse aiguille. Grosse barre. Gros bâton.* — (Objets de forme quelconque). *Gros paquet. Grosse valise.* ⇒ **Volumineux.** — *Une grosse voiture. Un gros camion* (par métaphore, *gros cul*). *Un gros bateau* (→ Canal, cit. 5). *Gros canon* (cit. 3). *Gros livre* (→ Avis, cit. 9; cahier, cit. 4). — *Grosse écriture* (cit. 5), *gros caractères**. *Les gros titres* d'un journal.* — *Fruit à grosse peau.* ⇒ **Épais.** *Du gros cuir, du gros carton. Grosse couverture. Gros bas de laine. Gros cache-nez* (cit.). — *Un gros arbre* (→ Entour, cit. 1). — Animaux. *Un gros bœuf* (cit. 4), *un gros taureau* (→ Aurochs, cit. 1). *Gros chat* (→ Angora, cit.; arbitre, cit. 5). *Gros rat* (→ Cavalerie, cit. 3). *Gros oiseau* (→ Albatros, cit. 2). *Grosse araignée* (→ Araignée, cit. 11; fil, cit. 27). « *La grenouille qui veut se faire aussi grosse que le bœuf* » (La Fontaine, *Fables,* I, 3). — Avec un nom d'animal, dans des appellatifs fam. *Mon gros lapin, mon gros rat. Gros minet !*

♦ **2.** Personnes. (Avant ou après le nom). Qui est plus large ou plus gras que la moyenne des personnes (opposé à *maigre, mince...*). ⇒ **Corpulent** (cit. 1), **empâté, énorme, épais, fort, gras, massif, obèse, pesant, puissant, rebondi, replet, rond, rondelet, ventripotent, ventru**; argot **gravos**; → Enfoncer, cit. 48. *Personne grosse et courte* (⇒ **Boulot, courtaud, ragot, trapu**; → Courte, cit. 5), *grosse et grande.* ⇒ **Colossal, gravos** (fam.), **important, imposant, maous** (fam.), **mastar** (fam.), **mastodonte.** *Être gros et gras** (cit. 11). *Un homme gros et flasque* (⇒ **Bouffi, boursouflé**). *Un gros homme, un homme gros, assez gros, très gros. Un gros mec, un gros type. Un gros bibendum*. Un gros père* (→ Caleter, cit. 1), *un gros pépère, un gros garçon.* ⇒ **Patapouf, pataud, piffre, poussah ;** → Bœuf, cit. 10. *Grosse femme* (*femme grosse* ne peut s'employer, à cause de l'ambiguïté avec le sens I, B, 3). *Une grosse bonne femme. Une grosse fille* (→ Camard, cit. 1). *Une grosse dame* (→ Caramel, cit.). *Grosse dondon, grosse mémère. Femme bien en chair sans être grosse. Un gros bébé.* ⇒ **Joufflu, potelé.** *Être gros, grosse comme un bœuf* (cit. 11), *une vache, un éléphant, une baleine.* → C'est un éléphant*, une baleine*... *Monstrueusement gros.* ⇒ **Monstrueux.** *Personne sans taille, grosse comme une boule, une barrique, une bombonne, un tonneau, un pot à tabac, une tour. Porter une gaine pour paraître moins grosse. Il est trop gros pour sa taille. Personne trop grosse qui voudrait maigrir*, qui fait une cure d'amaigrissement.* — Avec un nom propre. *Le gros Un Tel* (→ Cerner, cit. 3). *La grosse Margot.* (Dans des sobriquets). Ancient. *Gros René.* — (Mod.). *Le gros Jules.* — Loc. fig. *Être Gros-Jean comme devant* (cit. 20). ⇒ **Gros-Jean.** *Louis le Gros :* Louis VI de France, qui était devenu très gros en vieillissant.

1 (...) Madame Bouvillon (...) était une des plus grosses femmes de France, quoique des plus courtes; et l'on m'a assuré qu'elle portait d'ordinaire sur elle, bon an mal an, trente quintaux de chair, sans compter les autres matières pesantes ou solides qui entrent dans la composition d'un corps humain. SCARRON, le Roman comique, p. 198.

2 Il devient gros et gras : Dieu prodigue ses biens
À ceux qui font vœu d'être siens. LA FONTAINE, Fables, VII, 3.

2.1 La sixième était *(une fille)* du même âge; grosse comme une tour, grande à proportion, de beaux traits, un vrai colosse dont les formes étaient dégradées par l'enbonpoint. SADE, Justine..., t. I, p. 145.

3 On disait de l'avant-dernier évêque d'Autun, monstrueusement gros, qu'il avait été créé et mis au monde pour faire voir jusqu'où peut aller la peau humaine. CHAMFORT, Caractères et Anecdotes, Obésité évêque d'Autun.

4 Il était gros, marchait avec peine, soufflait beaucoup et souffrait affreusement des pieds qu'il avait fort plats et fort gros. MAUPASSANT, Contes de la Bécasse, Aventure de Walter Schnaffs.

5 Il était fabuleusement gros, et grand en proportion : la tête carrée, les cheveux roux, taillés ras, la figure rasée, grêlée, gros yeux, gros nez, grosses lèvres, double menton, le cou court, le dos d'une largeur monstrueuse, le ventre comme un tonneau, les bras écartés du corps, les pieds et les mains énormes, un gigantesque amas de chair, déformé par l'abus de la mangeaille et de la bière, un de ces pots-à-tabac, à face humaine, comme on en voit rouler parfois dans les rues des villes de Bavière (...) R. ROLLAND, Jean-Christophe, La révolte, III, p. 575.

♦ **3.** En parlant des parties du corps. (Avant le nom). *De grosses fesses. Un gros cul. Un gros ventre.* ⇒ **Arrondi, bombé, épanoui, renflé.** — De taille plus importante que la moyenne (sens 1), que ce soit ou non du fait de la graisse, de l'enbonpoint (sens 2). *Avoir une grosse tête* (→ Bosse, cit. 4; enfoncer, cit. 50), *de gros os, de gros membres* (⇒ **Membru**). — *Grosse tête* (⇒ **Tête**). — Loc. *Faire une grosse tête* à qqn.* — *Gros mollets; grosses chevilles. Grosse main.* ⇒ **Patoche, pote** (main pote). *Gros cou* (cf. Cou de taureau). *Grosse poitrine.* ⇒ **Ample, opulent.** *Grosse figure.* ⇒ **Plein;** → Lune. *Avoir de grosses joues :* être joufflu. *Avoir un gros menton* (cf. Double, triple menton), *un gros nez* (→ Aquilin, cit. 1). *Nez gros du bout* (→ Flavescent, cit.). *Grosses lèvres.* ⇒ **Charnu, épais;** → Épaté, cit. 10. *De gros yeux ronds.* ⇒ **Globuleux;** → Fixité, cit. 3. Fig. *Faire les gros yeux* (⇒ **Œil**). *Avoir les yeux plus gros que le ventre* (⇒ **Ventre**). — Loc. *Les gros bras*.* — *Faire le gros dos*.*

♦ **4.** (Au sens 1 ou 2). *Gros* exprimant les dimensions relatives (de qqch. ou de qqn). *Être gros comme le poing, comme la tête... Un caillou gros comme le bout du doigt* (→ Avalanche, cit. 4), *un gravier gros comme une tête d'épingle. Faucon* (cit. 1) *gros comme une poule.* — Iron. *Il est gros comme une puce, comme un fil !* — Fig. *Gros comme le bras* (cit. 16), *comme les deux bras* (cit. 17). ⇒ **Bras.**

Elle, qui n'était pas grosse en tout comme un œuf (...) 6
LA FONTAINE, Fables, I, 3.

Le gland, qui n'est pas gros comme mon petit doigt (...) 7
LA FONTAINE, Fables, IX, 4.

(...) les artichauts devenaient gros comme des melons, les melons gros comme des 7.1
citrouilles, les citrouilles grosses comme des potirons, les potirons gros comme la cloche du beffroi, qui mesurait, ma foi, neuf pieds de diamètre. J. VERNE, le Docteur Ox, p. 72.

♦ **5.** (Fin XIVᵉ). Dans des syntagmes désignant une sorte, une catégorie de grande taille (par rapport à une autre). *Gros grains :* froment, méteil et seigle. *Gros sel*. Gros pain*. Grosse mouche*. Gros gibier*, gros bétail*. Les gros mammifères. Les grosses dents* :* les molaires. *Le gros intestin. Une grosse caisse*.*

Grosse artillerie : artillerie de gros calibre*. — *La grosse cavalerie*.*

Les gros murs, formant l'enceinte d'une construction. — *Gros plan*,* au cinéma. — *Les grosses et les petites cylindrées** (d'automobiles).

B. ♦ **1.** **GROS DE... :** qui dépasse son volume habituel, qui est temporairement, anormalement gros. *Avoir la joue grosse d'une fluxion* (Académie). ⇒ **Enflé, grossi.** *Avoir les yeux gros de larmes.* — Fig. *Cœur** (cit. 27) *gros de soupirs, de colère* (cit. 7), qui semble gros, qui oppresse.

Le cœur gros de soupirs, qu'il n'a point écoutés (...) RACINE, Phèdre, III, 3. 8

Un matin nous partons, le cerveau plein de flamme, 9
Le cœur gros de rancune et de désirs amers (...)
BAUDELAIRE, les Fleurs du mal, « Le voyage ».

Avec une obstination douce et suppliante, elle se taisait, la bouche serrée et 10
les yeux gros de larmes. FRANCE, Les dieux ont soif, V.

♦ **2.** Sans compl. en *de.* Grossi. *Cheville grosse après une foulure.* ⇒ **Enflé.** *Avoir, se sentir le ventre gros après un bon repas.* ⇒ **Ballonné, gonflé.** — Loc. fig. *Le cœur gros.* — Pop. *Ça fait gros cœur :* cela fait de la peine.

Mar. *Grosse mer :* mer houleuse* dont les vagues s'enflent (→ Calme, cit. 4). — *Gros temps :* mauvais temps, avec de fortes vagues.

La mer était grosse et le ciel brumeux. MÉRIMÉE, Tamango. 11

Sans doute les hommes de garde avaient aperçu le vaisseau naufragé; mais 12
le gros temps les empêchait de virer de bord. MÉRIMÉE, Tamango.

♦ **3.** Adj. fém. (1140). Après le nom. **GROSSE.** *Femme grosse* (XIIᵉ). ⇒ 2. **Enceinte; grossesse.** — Vieilli. *Être grosse à pleine ceinture* (Académie). *Rendre grosse.* ⇒ **Engrosser.** — REM. 2. *Enceinte* tend à éliminer *grosse,* en ce sens.

C'est ma sœur Lise qui est allée avec le cousin Buteau, et qui est grosse de 13
six mois, à cette heure (...) ZOLA, la Terre, I, I.

♦ **4.** Fig. **GROS DE...** [a] Vx. *Être gros de... :* avoir envie* de...

[b] Mod. *Gros de... :* qui recèle (certaines choses) en germe, en puissance. *Nuée grosse d'orage. Un fait gros de conséquences* (cit. 6).

Le présent est gros de l'avenir (...) DIDEROT, Opinions des anciens philosophes. 14

Monsieur de Nueil revint donc de Courcelles, en proie à un sentiment gros de 15
résolutions extrêmes. BALZAC, la Femme abandonnée, Pl., t. II, p. 228.

Ce discours est gros de choses. SAINTE-BEUVE, Proudhon, p. 42. 16

C. (XIIIᵉ). Choses. (Avant le nom). ♦ **1.** Abondant, important (opposé à *petit*).

[a] *Grosse averse, grosse chute de neige.* ⇒ **Abondant.** *Un gros feu.* ⇒ **Nourri.** *Grosse récolte. Acheter par grosses quantités. Gros bourg, gros village* (→ Accoucher, cit. 2). *Gros attroupement.* Par anal. *Gros appétit,* qui ne se satisfait que par une grande quantité de nourriture.

Qui dépasse ou semble dépasser la mesure exprimée. *Un gros kilo. Un gros quart d'heure.* ⇒ **Bon, grand.**

17 *Le désordre fut à son comble,* comme disent les journaux en parlant de la Chambre. Au bout d'un gros quart d'heure le silence se rétablit un peu.
STENDHAL, le Rouge et le Noir, II, XXIII.

b ⇒ **Considérable, immense, important.** *Une grosse fortune, un gros trésor* (→ Cache, cit. 1, Saint-Simon). *Grosse somme, gros héritage. Le gros lot*. Faire de grosses dépenses.* ⇒ **Excessif.** *Subir de très grosses pertes. Grosse situation. Grosse affaire, grosse usine. Jouer gros jeu* (→ Croupier, cit. 2; et ci-dessous, Gros, II., adv.).

c Grand, par son importance ou le caractère essentiel de son objet. *Gros travaux, gros ouvrage* (→ Architecture, cit. 6). *Faire de grosses réparations. On déplore de gros dégats.* — Loc. *Gros œuvre*. Grosses réparations,* concernant les parties essentielles d'une construction, le gros œuvre, etc. *Grosse industrie.* ⇒ **Lourd.** *La grosse informatique. Grosse chaudronnerie. — Un gros contrat, un gros marché, une grosse affaire. — Le plus gros est fait.* ⇒ **Essentiel, principal.**

♦ **2.** Dont les effets sont importants. ⇒ **Fort, intense.** *Un gros bruit* (→ Floc, cit.). *Grosse voix*,* forte et grave. *Faire la grosse voix pour gronder qqn. Gros baiser.* ⇒ **Appuyé, sonore;** → Bonjour, cit. 4. *Gros soupir.* ⇒ **Profond.** — *Grosse faim. — Grosse fièvre.* ⇒ **Violent.** *Gros rhume.*

Important et susceptible de conséquences fâcheuses. ⇒ **Grave.** *Avoir de gros ennuis, de gros soucis. C'est une grosse erreur, une grosse faute.* — Loc. fam. *Il a fait une bêtise grosse comme lui, une très grosse bêtise.*

Pénible. *Un gros chagrin* (enfantin ou iron.). *Alors, c'est fini, ce gros chagrin?*

Vx ou littér. **GROS MOT :** mot qui exprime une réalité importante, grave (→ ci-dessous, le sens mod. I, D).

18 J'en reviens à ton mot adultère. C'est quand même un bien gros mot.
GIRAUDOUX, Électre, I, 2.

19 L'honneur... l'honneur... Avec toi, tout de suite des gros mots!
J. ANOUILH, Ornifle..., II, p. 102.

REM. Sauf en franç. d'Afrique où le sens «mot grossier» est inconnu, ces emplois sont marqués, l'autre valeur de *gros mot* étant beaucoup plus courante. On dit en général *grand mot,* dans ce sens.

(D'une couleur). *Un gros bleu :* un bleu intense.

Dr. *Prêt à la grosse aventure.* ⇒ **Aventure** (→ Assureur, cit. 1).

♦ **3.** (Personnes). Qui est remarquable en tant que... *Gros buveur* (cit. 1), *gros mangeur :* celui qui boit, mange en très grande quantité. ⇒ **Beau, grand.** *Un gros travailleur.* ⇒ **Grand.**

20 — Il est l'heure de dîner, dit Laquedem, la marche excite l'appétit et je suis un gros mangeur.
APOLLINAIRE, l'Hérésiarque..., p. 21.

REM. Cet emploi et le suivant peuvent créer une ambiguïté avec le sens I, A, 1 (*un gros bourgeois* et même *un gros mangeur* peuvent être maigres).

♦ **4.** (Personnes). Important par le rang, par la fortune. ⇒ **Important, influent, opulent, riche.** *Gros bourgeois, gros banquier, gros capitaliste. Gros coulissier* (→ Agent, cit. 14). *Gros commerçant, gros épicier* (cit. 2). *Une grosse héritière* (→ aussi, ci-dessous, III., Gros, n. m.). — Fam. *Gros bonnet** (cit. 11). *Grosse légume*.*

21 (...) un procès pendant en la cour entre deux gros seigneurs (...)
RABELAIS, Pantagruel, X.

22 Quelquefois le terme *gros* est mis au physique pour *grand,* mais jamais au moral. On dit de gros biens, pour grandes richesses; une grosse pluie, pour grande pluie; mais non pas gros capitaine, pour grand capitaine; gros ministre, pour grand ministre. Grand financier signifie un homme très intelligent dans les finances de l'État; gros financier ne veut dire qu'un homme enrichi dans la finance.
VOLTAIRE, Dict. philosophique, Grand, Grandeur.

(Noms collectifs). *La grosse bourgeoisie, le gros capitalisme.* ⇒ **Grand** (*gros* étant légèrement péj. par rapport à *grand*).

Par métonymie. *Avoir une grosse situation. Se faire « de grosses places dans l'État »* (Péguy, *in* T. L. F.). — Pop. *Faire un gros mariage,* un mariage avec une personne riche et influente.

D. (1174). Souvent péj. ♦ **1.** Qui manque de raffinement, de finesse, de délicatesse. ⇒ **Commun, épais, grossier, ordinaire, rudimentaire.** *Avoir de gros traits. Forme grosse et massive* (→ Embellir, cit. 3). *Gros drap* (→ Bouton, cit. 7; cape, cit. 1). *Grosses chaussures, gros sabots** (→ Cacher, cit. 7). *«Manger un bon gros bœuf».* ⇒ **Bon** (cit. 10). — Abstrait. *Grosse besogne* (cit. 4). ⇒ **Pénible.** — *Gros rire. Grosse gaieté. Grosse plaisanterie. Grosse blague.* ⇒ **Vulgaire.** — *Grosses vérités :* vérités évidentes pour tous. — *Gros bon sens.* ⇒ **Simple, solide.** *Vanter le gros bon sens du paysan français. Grosse certitude* (cit. 9). — **GROS MOT :** mot grossier*, choquant. ⇒ **Grossièreté;** → Blesser, cit. 22. *Dire des gros mots.* Spécialt, mod. Terme scatologique ou sexuel prohibé (notamment, dans le vocabulaire enfantin).

23 Il faut haïr et mépriser avec esprit. Les gros mots blessent le bon goût; le sot rire est toujours le rire d'un sot; il rend haïssable celui qui l'a.
Joseph JOUBERT, Pensées, VIII, LXXXI.

24 Il raconta une histoire qui débutait bien et qui finit tout à coup par un mot qui était une grosse bouffonnerie et par un calembour.
STENDHAL, Romans et Nouvelles, «Le rose et le vert», IV.

Il était alors curieux de voir toutes ces figures noires se tourner vers le musicien, perdre par degrés leur expression de désespoir stupide, rire d'un gros rire et battre des mains (...) 25
MÉRIMÉE, Tamango.

(...) la plaisanterie y est assenée, les traits d'esprit y sont émoussés; une grosse jovialité ou une grosse colère en font tous les frais (...) 26
TAINE, Philosophie de l'art, t. I, p. 253.

(...) il lui échappait un juron drolatique, ou même d'assez gros mots, — un très gros et très court, dont elle s'apostrophait elle-même. 27
R. ROLLAND, Jean-Christophe, La révolte, II, p. 468.

Tout me persuade de plus en plus que ces questions de stratégie dont on fait un si grand mystère et pour la solution desquelles on prétend que des connaissances extrêmement spéciales sont indispensables, sont des questions de gros bon sens — qu'un simple esprit, droit, lucide et prompt, est souvent plus habile à résoudre que nombre de vieux généraux. 28
GIDE, Journal, 25 oct. 1916.

Loc. *Un, du gros vin* (→ Austère, cit. 1). *Du gros rouge*, du gros bleu, du gros qui tache :* du vin rouge très ordinaire.

Du gros tabac. N. m. *Fumer du gros.* Loc. fam. *Du gros cul.* ⇒ 1. **Gros cul.**

(Personnes; œuvres). Sans finesse, grossier. *Le gros public. « Un gros drame de boulevard »* (Zola, *in* T. L. F.).

(En attribut). *C'est gros, c'est un peu gros.*

(Avec une compar.). *Dire des bêtises grosses comme des montagnes;* (loc.) *grosses comme soi.*

— Ça il y en a qui en tiennent une couche. 28.1
— Ils se croient malins, et ils ne disent que des bêtises, d'une taille... Et puis des plaisanteries, grosses comme eux.
R. QUENEAU, Pierrot mon ami, L. de poche, p. 22.

♦ **2.** Avec une valeur emphatique, pour renforcer une qualification péj. ⇒ **Grand.** *Gros fainéant* (→ Extrait, cit. 4). *C'est un gros malin. Gros lourdaud, gros bêta, gros nigaud, gros butor... C'est une grosse bécasse.* — Dans des injures. *Gros cochon! Gros con!*

★ **II.** Adv. (XIIIe) et loc. adv. ♦ **1.** Dans de grandes dimensions. *Écrire gros,* avec de gros caractères. *Plume qui écrit gros,* qui fait des traits larges. *On voit gros avec ces lunettes.*

♦ **2.** (XVIIe). ⇒ **Beaucoup.** *Cela coûte gros.* ⇒ **Cher.** *Jouer, parier gros, une grosse somme. — En avoir gros sur le cœur, sur la patate** (cit. 5; fam.) : avoir du chagrin, du dépit, de la rancune.

Je gagne gros dans mon commerce. STENDHAL, le Rouge et le Noir, I, XII. 29

On s'accoutumait, il ne pleuvait ni ne ventait davantage, sans compter que la commune y économisait gros. 30
ZOLA, la Terre, IV, IV.

Fig. *Il y a gros à parier que...*

La police a constamment l'œil dessus. Elle y entretient des indicateurs de toute espèce. Votre logeuse... eh bien! il y a gros à parier pour qu'elle en soit. 31
J. ROMAINS, les Hommes de bonne volonté, t. I, XXI, p. 250.

Loc. fam. *Gros comme une maison :* énormément (s'emploie aussi en adj.). *Il y en a gros comme une maison* (adj. : *c'est gros comme une maison*). — De manière manifeste, patente, évidente. *Ça, on s'y attendait, on le voyait venir gros comme une maison* (peut s'analyser aussi, dans cette construction, comme un attribut du complément d'objet).

♦ **3.** Loc. adv. (1080). **EN GROS. a** En grandes dimensions. *C'est écrit en gros sur l'écriteau.*

b En grande quantité. *Achat en gros; vente en gros ou au détail* (→ Détail, cit. 1; et aussi entreprise, cit. 12; fleurir, cit. 15). *Acheter de la viande en gros* (→ À la cheville*). Fig. *En gros et en détail :* dans l'ensemble et dans le détail (→ Baisser, cit. 32).

c Dans les grandes lignes, sans entrer dans les détails. ⇒ **Grosso-modo.** *C'est vrai en gros.* ⇒ **Bloc** (en bloc); **ensemble** (dans l'ensemble); **globalement, vue** (à vue de pays); → Admettre, cit. 9. *Savoir en gros ce qu'est une chose* (→ Autre, cit. 145). *Dites-moi en gros ce dont il s'agit.* ⇒ **Abrégé** (en), **grossement, substance** (en). *Voilà l'histoire en gros.*

(Il) ne m'a dit la chose qu'en gros (...) MOLIÈRE, les Fourberies de Scapin, II, 1. 32

Nous jouissions d'un imprévu limité, ce qui donnait une grande valeur à l'Histoire. Elle nous apprenait qu'il faut, en gros, s'attendre à ce qui a été. 33
VALÉRY, Regards sur le monde actuel, p. 206.

Je pense que c'est fort bien ainsi, que c'est fort bien en gros et sous réserve de quelques objections. 34
G. DUHAMEL, Défense des lettres, II, VII.

★ **III.** N. m. et f. (XIIIe). Désignant une personne.

♦ **1.** Personne grosse. *Un petit gros. Un bon gros. Une bonne grosse.* Fam. *Un gros plein de soupe.* — Appellatif. *Mon gros,* terme familier à l'adresse d'un enfant ou d'une grande personne (grosse ou non). *Oui, ma grosse. « Mon pauvre gros »* (Zola, *in* T. L. F.).

♦ **2.** (Déb. XIIIe). Pop. ou plais. Personne riche, influente. *Les petits payent pour les gros. Les gros s'entendent toujours au détriment des petits* (→ aussi Compte, cit. 6).

Que peut-on gagner, répétaient-ils souvent entre eux, à plaider contre un *gros?* 35
STENDHAL, le Rouge et le Noir, I, XXVI.

FRANÇOIS. Oh!... les nuits d'amour, c'est dans les livres..., et puis c'est pour les gros..., pour ceux qui ne foutent rien... 35.1
J. PRÉVERT, Dialogues du film Le jour se lève, *in* l'Avant-Scène, n° 53, p. 24.

★ **IV.** N. m. Désignant une chose. ♦ **1.** (1080). **LE GROS DE... :** la partie la plus grosse d'une chose. *Le gros de l'arbre :* le tronc. Fig.

Se tenir au gros de l'arbre : s'attacher à ce qu'il y a de plus sûr. — *Le gros de l'eau* : la pleine mer au moment des nouvelles et pleines lunes.

La plus grande quantité de qqch. *Le gros de l'assemblée, de la nation. Le gros de l'armée* (→ File, cit. 8), *des troupes.*

36 Le gros de l'assemblée fut de l'avis du premier ministre. RACINE, Port-Royal.

37 En tête, une dizaine de partisans montés, une section de légion. Ensuite le gros des troupes, réguliers, convois, mitrailleurs. P. MAC ORLAN, la Bandera, XIII.

Absolt, vx. *Un gros* : une grande quantité. *Un gros de cavaliers, de fantassins* (Académie).

38 Un gros de courtisans en foule l'accompagne (...) CORNEILLE, Polyeucte, I, 4.

♦ **2.** Le moment le plus intense. *Le gros de la tempête. Le gros de l'été.* ⇒ **Fort.**

39 Là, le gros de la tempête avait concentré sa colère, déversé des torrents de grêlons, des trombes d'eau, et foudroyé à grands fracas la forêt de pins et de chênes. H. BOSCO, le Jardin d'Hyacinthe, p. 33.

40 Elle aurait voulu crier. Elle était sans voix. Elle tremblait comme au gros de l'hiver. Pierrot, Pierrot... ARAGON, les Beaux Quartiers, I, XXIV.

La partie la plus importante. ⇒ **Essentiel, important, principal.** *Le gros d'un travail, d'une besogne* (→ Charge, cit. 25). *Le gros de l'affaire, de l'histoire* (→ Épisode, cit. 5).

♦ **3.** (1704). *Commerce de gros,* d'achat et de vente en grandes quantités (opposé à *détail*). — *Le gros. Magasin qui fait le gros et le demi-gros*. Maison de gros* (⇒ **Grossiste**). *Prix de gros.*

41 Les lettres d'or aux balcons des commerces de gros, baroques et lyriques, achevaient de déconcerter ses yeux neufs (...) ARAGON, les Beaux Quartiers, II, XXVI.

♦ **4.** (1586; de *gros tissu,* 1391). *Gros de Naples, de Tours* : tissu de soie à gros grain, sorte de taffetas épais.

42 (...) robes de gros de Tours flambé (...) HUGO, les Misérables, V, V, VI.

43 (...) dans la robe de gros de Naples de sa mère avec un voile de crêpe de Chine (...) M. JOUHANDEAU, Tite-le-Long, XXIV.

♦ **5.** Houille en gros morceaux. *Se chauffer avec du gros.*

♦ **6.** (1606). Ancien poids valant 1/8 d'once.

♦ **7.** *Le gros* : les plus grosses pièces de poissons pêchés à la ligne. Loc. *Pêche au gros.*

43.1 — Moi, le goujon, ça ne m'intéresse pas. J'aime mieux faire le gros, appuya Antoine. René FALLET, le Triporteur, p. 298.

Pêche au tout gros (cf. l'anglais *big game fishing*) : pêche sportive de poissons de très grande taille (espadons, thons requins), pratiquée le plus souvent à bord de vedettes rapides et puissantes spécialement conçues. *Championnat du monde de pêche au tout gros.*

★ **V.** N. f. GROSSE. ♦ **1.** (1835). Écriture en gros caractères.

♦ **2.** (1464). Dr. Expédition d'une obligation notariée ou d'une décision judiciaire, dont les caractères sont plus gros que ceux de la minute*, et qui est revêtue de la formule exécutoire (cit. 3). ⇒ **Copie** (cit. 3), **expédition.** *Notaire qui délivre la grosse d'un contrat. Grosse d'un jugement*. Faire une grosse.* ⇒ **Grossoyer.**

44 La partie qui voudra se faire délivrer une seconde grosse, soit d'une minute d'acte, soit par la forme d'ampliation sur une grosse déposée, présentera, à cet effet, requête au président du tribunal de première instance (...) Code de procédure civile, art. 844.

45 (...) s'il y a dix parties, il y a dix copies de la requête et dix significations de cette requête : il existe une minute que garde votre avoué. Cette minute, qui reste au dossier, s'appellent la *grosse.* Ce surnom, vous le prendriez pour un quolibet, un calembour, s'il vous était donné de voir la *grosse.* Cette grosse consiste en feuilles de papier timbré du grand calibre, sur lesquelles vos raisons sont déduites, selon l'ordonnance, à vingt lignes par feuilles et à cinq syllabes par lignes. BALZAC, Code des gens honnêtes, *in* Œ. diverses, t. I, p. 133.

♦ **3.** (1453). Comm. Douze douzaines* (→ Botteler, cit. 2). *Une grosse de peignes, de brosses...*

46 La grosse, les douze douzaines, revenait à dix sous et se vendait soixante. HUGO, les Misérables, V, IX, V.

CONTR. Délié, exigu, filiforme, fin, menu, minuscule, petit; chétif, efflanqué, fluet, frêle, maigre, mince, sec; creux, émacié. — Faible; bénin; délicat, fin; distingué, raffiné, recherché. — Petit, peu; détail (en). — Détail.

DÉR. Grossement, grosserie, grossesse, grosset, grosseur, grossier, grossir. — V. Grossiste; gravos. — (De *grosse,* V.) Grossoyer.

COMP. Gros-bec, gros-bois, gros-bout, gros cube, 1. gros cul, 2. gros cul, gros-grain, gros-guillaume, gros-noir, gros-porteur, gros-ventre, gros-vert. — V. Grossium.

GROS-BEC [gʀobɛk] n. m. — 1553, *in* D. D. L.; de *gros,* et *bec.*

♦ Oiseau passeriforme *(Passereaux; Fringillidés),* conirostre, scientifiquement appelé *Coccothrauste,* de taille légèrement supérieure à celle du moineau, qui se nourrit d'insectes, de graines et surtout d'amandes de fruits. *Les gros-becs sont dévastateurs de cerisiers.*

GROS-BOIS [gʀobwa] n. m. invar. — 1845; «bois en bûches», 1690; de *gros,* et *bois.*

♦ Techn., mar. Aux Antilles, Embarcation servant à transporter des charges des navires au quai.

GROS-BOUT [gʀobu] n. m. — 1900; de *gros,* et *bout.*

♦ Techn. Partie antérieure de la poitrine (d'un animal de boucherie).

GROSCHEN [gʀɔʃɛn] n. m. — 1757; *grochen* «monnaie allemande», 1723, Savary des Bruslons; mot all.

♦ **1.** Ancienne monnaie d'argent autrichienne, allemande.

♦ **2.** (1832). Centième du schilling autrichien. *Une pièce de cinquante groschens,* ou (invar.), *de cinquante groschen.*

Ludwig prit les deux groschen et les fourra dans la poche de son pantalon de toile. ERCHKMANN-CHATRIAN, l'Ami Fritz, p. 14, *in* D. D. L., II, 4.

GROS CUBE [gʀokyb] n. m. — V. 1970; de *gros,* et *(centimètre) cube.*

♦ Fam. Motocyclette de forte cylindrée (à partir de 500 cm³). *« Casque intégral et combinaison de cuir, il est l'un de ceux qui, sur des "125" ou des "gros cubes", ignorent les embouteillages »* (*le Nouvel Obs.,* 7 mai 1973, p. 52).

1. GROS CUL [gʀoky] n. m. — 1914-1918, argot de la guerre, Dauzat; de *gros,* et *cul,* syn. argotique de *trèfle* qui signifie aussi «tabac».

♦ Pop. Tabac de soldat; tabac dit gris*. Syn. : *du gros.*

Jacob (...) avait sorti une blague de caoutchouc (...) :
Moi, mon cher, vous savez, les *Camel* (...) je préfère le gros cul. ARAGON, Blanche..., I, IV, p. 73.

HOM. 2. Gros cul.

2. GROS CUL [gʀoky] n. m. — V. 1965; de *gros,* et *cul* pour *C. U.* «charge utile».

♦ **1.** Argot des routiers. Fam. Poids lourd. ⇒ **Camion.** *« Pas de prime de nuit (...) pour les jours sans camion (...) Si un "gros cul" se pointe, tu te bagarres avec les autres pour l'avoir »* (*le Nouvel Obs.,* 31 janv. 1977, p. 35).

♦ **2.** Mar. (argot de la plaisance). Bateau à moteur de fort tonnage. *Loffe un peu pour laisser passer le gros cul qui sort de la rade.*

HOM. 1. Gros cul.

GROSEILLE [gʀozɛj] n. f. — 1536; *groselle,* fin XIIe, devenu *groseille* sous l'infl. de *groseillier;* haut all. *Kruselbere,* proprt «baie frisée»; moy. néerl. *Croesel,* francique **krusil.* Cf. all. mod. *Krauselbeere.*

♦ **1.** Fruit du groseillier. *Groseilles rouges, blanches :* petite baies rouges ou blanches, en grappes, de saveur acide. *Les groseilles rouges et blanches se consomment comme dessert, au naturel, au sucre, au vin. Égrapper, égrener des groseilles. Gelée, sirop de groseille* (ou *de groseilles*).

GROSEILLE À MAQUEREAU : grosse baie solitaire verdâtre, jaune, rouge ou violacée selon les variétés, qui se consomme au naturel ou confite, et qui est ainsi nommée parce qu'on l'emploie dans une sauce pour le maquereau.

(...) une petite pannerée de groseilles à maquereau. COLETTE, Prisons et Paradis, p. 91. 1

Groseille noire. ⇒ **Cassis.**

Spécialt, cour. Groseille rouge. *Confiture de groseilles.*

♦ **2.** (1841, *in* D. D. L.). Par ext. La couleur de la groseille rouge, rose vif voisin du rouge. — Adj. invar. *Robe groseille.*

Des écharpes citron, des gants groseille (...) COLETTE, Belles saisons, p. 51. 2

DÉR. Groseillier.

GROSEILLIER [gʀozeje] n. m. — XIIe; de *groseille.*

♦ Arbrisseau *(Ribesiacées),* scientifiquement appelé *Ribes,* cultivé pour ses fruits, dont on connaît une cinquantaine d'espèces des régions tempérées et boréales. *Groseillier rouge* (Ribes rubrum) ou *groseillier à grappes,* à fruits rouges ou blancs en grappes. *Groseillier épineux* (Ribes uva-crispa), dit *groseillier raisin-crêpu* ou *à maquereau,* à fruits solitaires. *Groseillier noir* (Ribes nigrum), à feuilles odorantes et fruits noirs. ⇒ **Cassis, cassissier.** *Bordure, haie, champ de groseilliers.*

Spécialt, cour. Le groseillier rouge (à l'exclusion du cassissier).

GROS-GRAIN [gʀogʀɛ̃] n. m. — XVIe, *grosgrain;* de *gros,* et *grain.*

♦ **1.** Tissu de soie à côtes plus ou moins grosses. ⇒ **Ottoman.** *Veste de gros-grain. Des gros-grains.*

♦ **2.** Ruban de ce tissu, vendu au mètre. *Garniture, ruché de gros-grain rouge. Gros-grain de chapeau. Monter une jupe sur un gros-grain.*

GROS-GUILLAUME [gʀogijom] n. m. — 1642; de *gros*, et *Guillaume*.
REM. On écrit *guillaume* avec la minuscule, dans ce composé.

♦ **1.** Vx. Pain grossier (donné aux valets de ferme). — Plur. *Gros-guillaumes*.

♦ **2.** (1821, *in* D. D. L.). Cépage donnant du raisin rouge pour la table.

♦ **3.** (1734). Régional. Raie.

GROS-JEAN [gʀoʒɑ̃] n. m. — 1552, n. propre; de *gros*, et *Jean*, type d'homme du peuple, de rustre auquel il arrive diverses mésaventures.

♦ Vx. Rustaud. *C'est un gros-Jean*, ou *un Gros-Jean*. — Plur. *Des gros-Jeans*, ou (invar.), *des gros-Jean*. — Loc. *Être Gros-Jean comme devant :* être déçu dans ses espérances, par maladresse, balourdise.

GROS-NOIR [gʀonwaʀ] n. m. — XXᵉ; de *gros*, et *noir*.

♦ Techn. (vitic.). Cépage de raisin noir à gros grains ronds. *Des gros-noirs*.

GROS ŒUVRE [gʀozœvʀ] n. m. ⇒ **Œuvre.**

GROS PORTEUR [gʀopɔʀtœʀ] adj. et n. m. — 1969; de *gros*, et *porteur*.

♦ Techn. Avion de transport de grande capacité possédant un fuselage de forte section. ⇒ **Jumbo-jet** (anglic.). *Des gros porteurs.* — On écrit aussi *gros-porteur.* — Appos. *Avion gros-porteur.*

GROSSE [gʀos] n. f. ⇒ **Gros** (V.).

GROSSEMENT [gʀosmɑ̃] adv. — 1188, «grandement»; de *gros*.

♦ Rare. En gros, sans entrer dans les détails. ⇒ **Grosso-modo.** «*Une idée, même grossement approximative*» (Valéry, *in* T. L. F.).

GROSSERIE [gʀosʀi] n. f. — XVIᵉ, aussi dans le sens de «grossièreté»; de *gros*.

♦ **1.** Techn. Les gros ouvrages de taillanderie.

♦ **2.** Techn. Vaisselle* d'argent.

♦ **3.** Vx. Commerce de gros. *La grosserie et le détail.*

GROSSESSE [gʀosɛs] n. f. — 1283; «grosseur», fin XIIᵉ; de *grosse*. → Gros I., B., 3.

♦ État d'une femme enceinte* de la conception à l'accouchement. ⇒ **Gestation; gros** (I., B., 3.); → Enfanter, cit. 2; fécondité, cit. 4. *La durée normale de la grossesse est de 260 à 290 jours, soit environ 9 mois. Grossesse avancée. Être au sixième mois de sa grossesse. Grossesse normale. Grossesse pénible, difficile. Mener sa grossesse à terme.* ⇒ **Accouchement, délivrance.** *Grossesse interrompue avant le 180ᵉ jour.* ⇒ **Avortement;** → Avorter, cit. 1. *Interruption de grossesse* (voir ci-dessous). *Femme épuisée par de nombreuses grossesses.* ⇒ **Maternité.** — *Signes de la grossesse :* suppression des règles, gonflement et sensibilité des seins, pigmentation du visage (⇒ **Masque**)... *Diagnostic précoce de la grossesse par le test de Zondek* (injection d'urine à des souriceaux mâles impubères). *Grossesse topique* ou *utérine*, cas normal où l'ovule se fixe dans l'utérus. *Grossesse ectopique* ou *extra-utérine*, par fixation de l'œuf hors de l'utérus, soit dans une trompe *(grossesse tubaire)*, soit dans l'ovaire *(grossesse ovarienne)*, soit dans la cavité péritonéale *(grossesse abdominale)*. *Grossesse gémellaire* (⇒ **Jumeau**). *Grossesse gémellaire biovulaire*, par fécondation d'ovules différents. ⇒ **Superfécondation, superfétation.** *Grossesse gémellaire uniovulaire*, par fractionnement de l'œuf. *Grossesse trigémellaire, multiple. Malaises, troubles, maladies de la grossesse :* albuminurie gravidique, éclampsie, ictère, varices, vomissements incoercibles; envies (cit. 36). — *Ceinture* de grossesse. Robe de grossesse.* — Dr. *Présomptions légales, fondées sur une durée de grossesse de 300 jours au plus et 180 jours au moins* (filiation légitime, action en désaveu). → Désavouer, cit. 4.

1 L'enfant, né avant le cent quatre-vingtième jour du mariage, ne pourra être désavoué par le mari, dans les cas suivants : 1° s'il a eu connaissance de la grossesse avant le mariage (...) Code civil, art. 314.

2 (...) sa femme lui annonça un jour que, par divers signes irrécusables, elle avait reconnu être enceinte et qu'elle espérait même ne pas demeurer primipare si cette grossesse avait une heureuse issue. APOLLINAIRE, l'Hérésiarque..., p. 89.

3 (...) après une grossesse non pas très pénible, mais assez troublée, *(elle)* avait mis au monde un fils, trois ou quatre semaines avant terme (...)
J. ROMAINS, les Hommes de bonne volonté, t. V, XX, p. 156.

Lorsqu'à la suite de faits pathologiques, l'œuf ne peut atteindre l'utérus, il s'implante dans la trompe même : c'est la grossesse tubaire ou extra-utérine, qui évolue presque toujours vers de graves accidents hémorragiques. 4
Robert MERGER, la Naissance, p. 19.

Loc. *Interruption* volontaire de grossesse* (I. V. G.) : avortement provoqué et précoce, tel qu'il est autorisé par la loi (1975). *Grossesse nerveuse* ou *fausse* (cit. 19) *grossesse :* état morbide présentant quelques-uns des signes de la grossesse, sans qu'il y ait développement d'un produit de la conception (Garnier).
Loc. En franç. d'Afrique. EN GROSSESSE. *Être en grossesse, femme en grossesse. Mettre une femme en grossesse.* ⇒ **Enceinter.**

GROSSET, ETTE [gʀosɛ, ɛt] adj. — XIIᵉ; de *gros*.

♦ Vx. Rare. Un peu gros*. ⇒ **Grassouillet, rondelet.**

La Vrillère (...) était un homme dont la taille différait peu d'un nain, grosset, monté sur de hauts talons (...) SAINT-SIMON, Mémoires, IV, XLIV.

CONTR. Mincet.

GROSSEUR [gʀosœʀ] n. f. — Déb. XIIᵉ, au sens 2; «grossesse», 1283; de *gros*.

A. *La grosseur de...* ♦ **1.** (Sens absolu). État d'une personne grosse, d'un animal gros. *La grosseur d'une personne.* ⇒ **Corpulence, embonpoint, obésité, rotondité.** *Une grosseur prodigieuse* (→ Boutonner, cit. 1). *La grenouille de La Fontaine, envieuse* (cit. 2) *de la grosseur du bœuf.*

C'était un homme d'une grosseur prodigieuse et entassée (...) 1
SAINT-SIMON, Mémoires, II, LXX.

Race *(du Flamand)* pourtant un peu molle dans sa grosseur, plus forte que robuste, mais d'une force musculaire immense. MICHELET, Extraits historiques, p. 93. 2

♦ **2.** (Sens relatif). Volume de ce qui est plus ou moins gros. ⇒ **Dimension, épaisseur, largeur, taille, volume.** *Trier des œufs, des fruits selon leur grosseur. Grosseur des bestiaux* (→ Coûter, cit. 4; faire, cit. 118). *Le faisan* (cit.) *est de la grosseur du coq. La grosseur d'un paquet, d'une valise.* ⇒ **Volume.** *Grosseur d'une boule* (⇒ **Circonférence, diamètre**), *d'une balle, d'un obus* (⇒ **Calibre**). *Grosseur d'une colonne* (→ Architrave, cit. 2). *Des fils de grosseur différente. Des pierres précieuses de toutes grosseurs. Une bague à la grosseur de son doigt. Grosseur d'une plume*, la largeur du bec. *La grosseur d'une écriture. La grosseur d'un trait.*

♦ **3.** (Abstrait). Caractère de ce qui est important, considérable. ⇒ **Grandeur.** *La grosseur d'une somme.*
Vx. Importance* morale. «*La grosseur des grands crimes*» (Hugo, *in* T. L. F.).

♦ **4.** Caractère de ce qui est grossier. ⇒ **Grossièreté.** *La grosseur des traits de qqn.*

B. *Une, des grosseurs.* ♦ **1.** (1694). Enflure visible ou sensible au palper. ⇒ **Abcès, bosse, boule, enflure, excroissance, gonflement, tumeur.** *Avoir une grosseur à l'aine.*

♦ **2.** Techn. Diamant de un carat ou plus.

CONTR. (De A.) **Finesse, minceur, petitesse.**

GROSSIER, IÈRE [gʀosje, jɛʀ] adj. — XIIᵉ; de *gros*.

★ **I.** Vx. ♦ **1.** *Charpentier grossier*, travaillant le gros œuvre.

♦ **2.** N. m. (1305). Commerçant en gros. ⇒ **Grossiste** (mod.).

★ **II.** Mod. ♦ **1.** (1555). Qui est de basse qualité, de peu de valeur, ou qui est façonné rudimentairement. ⇒ **Brut, commun, ordinaire.** *Matière grossière. Calcaires* grossiers*, plus ou moins impurs et mélangés de silice ou d'argile. *Instrument grossier.* ⇒ **Rudimentaire.** *Laine grossière* (→ Cape, cit. 1). *Drap, tissu grossier. Vêtement grossier* (→ Dame, cit. 14). *Nourriture grossière. Un grossier pain de seigle.*

Le sec et grossier pain d'avoine qui est la principale nourriture du pauvre paysan savoyard (...) H. DE SAUSSURE, Voyage dans les Alpes, I, p. 344. 1

(...) il était convaincu qu'on y donne de la mauvaise nourriture, du vin grossier (...) 2
J. ROMAINS, les Hommes de bonne volonté, t. V, XXIII, p. 201.

Qui manque de soin, de fini. *Travail grossier.* ⇒ **Imparfait, sommaire;** → Ni fait ni à faire*. *Savonnage, essorage grossier. Dessin grossier.* ⇒ **Informe;** → Cadre, cit. 1. *Grossière ébauche* (cit. 1). *Meuble, bijou d'un travail grossier. Grossière imitation.* — (Abstrait). Qui manque d'élaboration, d'approfondissement, de précision. *Solution grossière.* ⇒ **Approximatif;** → Expédient, cit. 9. *Je n'en ai qu'une idée grossière.* ⇒ **Élémentaire, imparfait, imprécis, vague.** *Cette brochure ne vous en donnera qu'une première idée bien grossière.*

Toute politique, même la plus grossière, suppose une idée de l'homme, car il s'agit de disposer de lui, de s'en servir, et de le servir. 3
VALÉRY, Regards sur le monde actuel, p. 72.

♦ **2.** (1690). Qui manque de finesse, de délicatesse, de grâce (en parlant des traits, des formes d'une personne). ⇒ **Épais, gros, lourd, massif, mastoc.** *Visage aux traits grossiers, qui semble taillé à* *coups de serpe. Une femme d'aspect viril aux formes grossières. Mains, attaches grossières.*

♦ **3.** (1550). Vx ou littér. (Personnes, esprits...). Surtout après le nom. Qui n'a pas été dégrossi, poli par la culture, l'éducation, la civilisation. *Peuple grossier.* ⇒ **Barbare, fruste, inculte, primitif, rude.** *Gens grossiers, peu raffinés* (→ Abject, cit. 2; amusement, cit. 8; avilir, cit. 25; équivoque, cit. 5). *Public grossier qui n'apprécie pas le beau* (→ Amusant, cit. 2). — Qui témoigne de grossièreté. *Les mœurs, les manières grossières d'un campagnard.* ⇒ **Agreste, rustique, sauvage, vulgaire.** *Grossière âpreté* (cit. 6) *des mœurs. Âme basse et grossière* (→ Bas, cit. 24). *Esprit grossier des vulgaires humains* (→ Droit, cit. 14). *Homme grossier dans ses manières.* ⇒ **Balourd, dégrossi** (mal dégrossi), **incivil, indélicat, inélégant, lourdaud, paysan, rustaud, rustre;** → aussi Brute, butor, charretier, crocheteur, faraud (cit. 1; vx), goujat, malappris, malotru, manant (vx); maroufle (vx), mufle, pignouf (vx), huron, ostrogoth, wisigoth...; ours* mal léché (vx), cheval (de carrosse...). — REM. Une bonne part de ce champ sémantique est formé de termes vieillis, comme *grossier* lui-même, dans ce type d'emplois. — *Homme grossier d'esprit.* ⇒ **Béotien, philistin;** → Avoir l'esprit* enfoncé dans la matière. *Devenir moins grossier.* ⇒ **Décrasser** (se), **dégrossir** (se).

4 La plupart des jeunes gens croient être naturels, lorsqu'ils ne sont que mal polis et grossiers. LA ROCHEFOUCAULD, Maximes, 372.

5 (...) Vous n'êtes que racaille,
Gens grossiers, sans esprit, à qui l'on n'apprend rien.
LA FONTAINE, Fables, VIII, 21.

6 Nos pères, tout grossiers, l'avaient *(le goût)* beaucoup meilleur (...)
MOLIÈRE, le Misanthrope, I, 2.

2. (1604). Cour. (Avant ou après le nom). Digne d'un homme peu évolué, d'un esprit simple, peu subtil, peu cultivé. ⇒ **Gros, maladroit.** *Grossier artifice* (cit. 8). *Manœuvre, ruse grossière* (→ Cousu de fil* blanc). *Ce mensonge grossier n'a trompé personne. Le piège grossier des sens* (→ Erreur, cit. 8), *des mots* (→ Fallacieux, cit. 5). *Grossière illusion. Faute* (cit. 32), *erreur grossière.* ⇒ **Balourdise, lourderie.** *Grossière confusion, grossier contresens. Ignorance grossière.* ⇒ **Crasse.**

7 Faut-il, Monsieur, qu'une personne comme vous s'amuse à ces grossières feintes?
MOLIÈRE, le Médecin malgré lui, I, 5.

8 (...) un enchaînement d'erreurs et d'illusions, aussi grossières que le peut être une illusion d'optique : le bâton brisé dans l'eau, par exemple, ou mieux le rocher qui paraît monter sous les eaux de la cascade.
J. PAULHAN, les Fleurs de Tarbes, p. 123.

Littér. (l'antéposition est possible, mais plus rare et stylistique). Relatif à ce qui est bassement matériel, charnel, par opposition à ce qui concerne l'esprit. *Un bien-être grossier et stupide.* ⇒ **Matériel;** → Élancement, cit. 3. *Préoccupations grossières* (→ Assouvissement, cit. 2). *Plaisirs grossiers.* ⇒ **Animal** (cit. 2), **bas, bestial, charnel, sensuel.** *Amour grossier* (→ Civilisation, cit. 4). *Débauche grossière.* ⇒ **Crapule.** *Appétits, désirs grossiers.*

9 Vous, du côté de l'âme et des nobles désirs,
Moi, du côté des sens et des grossiers plaisirs (...)
MOLIÈRE, les Femmes savantes, I, 1.

♦ **4.** (Fin XVIIIe). Cour. (Après le nom). Qui offense la pudeur, qui est contraire aux bienséances. *Propos grossiers.* ⇒ **Bas, blessant, choquant, cochon, cru, dégoûtant, inconvenant, malhonnête, malséant, malsonnant, obscène, ordurier, trivial, vulgaire.** *Terme, mot grossier.* ⇒ **Gros** (mot), **grossièreté, juron.** *Injure grossière.* ⇒ **Insultant;** → Cordialement, cit. 4. *Dire des mots grossiers.* ⇒ **Injurier, insulter, jurer;** → Être mal embouché*. *Raconter des choses grossières.* → Dire des horreurs*. *Histoire, plaisanterie grossière.* ⇒ **Gaulois, poivré, salé;** cf. Plaisanterie de corps de garde. *Équivoque* (cit. 16) *grossière. Appellation grossière* (→ Fille, cit. 39). *Faire des choses grossières, des gestes grossiers* (→ Délicatement, cit. 3). — (Fin XVIIe). Cour. (Personnes). Qui agit d'une manière contraire aux bienséances. *Un homme grossier envers les femmes.* ⇒ **Discourtois, effronté, impoli, incorrect, insolent;** cf. De mauvaise compagnie. *Mari grossier et brutal* (→ Félin, cit. 3). *Femme grossière.* ⇒ **Harengère, poissarde.**

10 (...) tous ces seigneurs de la cour, qui n'étaient pas tout à fait dans l'habitude d'être grossiers et de voir chez le roi des joyeusetés aussi libres (...)
BEAUMARCHAIS, le Barbier de Séville, Notice.

11 J'ai même un grand goût pour les histoires libertines, si elles sont spirituelles et point grossières. Paul LÉAUTAUD, le Théâtre de M. Boissard, XXXVII.

12 Il s'est montré grossier, violent, incorrect à tous points de vue. J'ai pris sur moi de lui fermer la porte au nez et de le laisser dehors tant qu'il sera dans cet état.
G. DUHAMEL, Chronique des Pasquier, III, XV.

Loc. (*Grossier* antéposé). *Grossier personnage :* personne qui fait montre de grossièreté (souvent en appellatif ou apostrophe).

CONTR. Achevé, fignolé, fini, ouvragé, raffiné, recherché, travaillé. — Délié, délicat, fin, mignon. — Parfait, précis. — Aristocratique, civilisé, cultivé, éduqué, évolué, poli, raffiné. — Élevé, éthéré, léger, subtil. — Correct, décent, distingué, élégant. — Aimable, avenant, civil, complaisant, courtois.

DÉR. Grossièrement, grossièreté.

GROSSIÈREMENT

GROSSIÈREMENT [gʀosjɛʀmɑ̃] adv. — 1580; «avec simplicité», 1488; de *grossier.*

♦ **1.** D'une manière grossière (II., 1.). *Un homme grossièrement vêtu* (→ Cahoter, cit. 2). *Bois grossièrement équarri* (cit. 2), *cannelé.* ⇒ **Imparfaitement;** → Crémaillère, cit. 1. *Morceaux grossièrement attachés, assemblés, cousus.* ⇒ **Sommairement.** *Motif grossièrement dessiné, sculpté.* ⇒ **Maladroitement.** — (1580, Montaigne). Sommairement. *Calculer grossièrement un prix de revient.* ⇒ **Approximativement, gros (en), grosso-modo.** *Plan grossièrement esquissé* (cit. 1).

Voilà, mon cher cousin, fort grossièrement le sujet de la pièce. 1
Mme DE SÉVIGNÉ, 1015, 10 mars 1687.

Certes, cela est dessiné grossièrement, sans esprit, et d'un crayon qui s'écrase en appuyant sur le contour (...) 2
Th. GAUTIER, Portraits contemporains, Ch. Paul de Kock.

♦ **2.** De manière grossière (II., 3.). *Se tromper grossièrement.* ⇒ **Lourdement;** → Fait, cit. 44. *Louer qqn grossièrement.* ⇒ **Maladroitement.** *Heurter grossièrement le bon goût.*

Elle avait cru coquet de s'habiller tout en vert, couleur qui jurait grossièrement avec le ton de ses cheveux rouges. FLAUBERT, l'Éducation sentimentale, III, II. 3

♦ **3.** (1694). D'une façon blessante ou inconvenante. *Répondre grossièrement à qqn.* ⇒ **Brutalement, effrontément.**

GROSSIÈRETÉ

GROSSIÈRETÉ [gʀosjɛʀte] n. f. — 1642, sens 2, «épaisseur»; de *grossier.*

♦ **1.** (1690). Vx. Caractère de ce qui est grossier (II., 1.), de peu de valeur. *La grossièreté d'un tissu, d'une matière.*

Il avait modelé la femme en forme d'amphore (...) et il parvint à racheter la grossièreté de la matière par la magnificence des contours. 1
FRANCE, la Rôtisserie de la reine Pédauque, Œ., t. VIII, p. 116.

Caractère de ce qui est imparfaitement façonné, exécuté. *La grossièreté d'un assemblage. La grossièreté d'une exécution musicale* (→ Choquer, cit. 5). *Grossièreté de fabrication.*

Un temps j'ai cru que l'ordinaire bille de verre me contenterait, pourvu qu'elle fût chargée de sa grossièreté de fabrication, résignée à son bas prix. 2
COLETTE, Belles saisons, Derniers écrits, p. 258.

♦ **2.** Vx ou littér. (Correspond à *grossier,* II., 2.). Manque de délicatesse, de subtilité, de culture, de raffinement. ⇒ **Barbarie;** → Barbare, cit. 10. *La grossièreté du peuple. Grossièreté des mœurs.* ⇒ **Brutalité, rudesse, rusticité;** → Barbare, cit. 13. *Des vices, dans toute leur grossièreté.* ⇒ **Bassesse;** → Apprêt, cit. 9. *Amitié* (cit. 12) *exempte de toute grossièreté. Grossièreté d'une personne qui manque de savoir-vivre.* ⇒ **Butorderie** (rare).

Alexis, âgé de vingt-deux ans, se livra à toutes les débauches de la jeunesse, et à toute la grossièreté des anciennes mœurs (...) VOLTAIRE, Hist. de Russie, II, X. 3

Quand ils ne jouaient pas, les viveurs du temps de Molière faisaient pis. Ils avaient un terrible fond de grossièreté et de férocité. Il ne faut point se laisser prendre à la belle tenue toute superficielle du grand siècle. 4
J. LEMAÎTRE, Impressions de théâtre, IIIe série, Molière, I.

(...) le représentant soviétique dans les conférences internationales : il sait allier le charme et la brutalité, l'amabilité et la grossièreté, la souplesse et la violence; et avec lui on ne sait jamais sur quel pied danser (...) 5
André SIEGFRIED, l'Âme des peuples, p. 150 (→ Danser, cit. 9).

Le comte fut d'avis que cette impolitesse, dont il convenait, se rattachait à la grossièreté générale de l'époque. 6
J. ROMAINS, les Hommes de bonne volonté, t. III, XI, p. 151.

Rare. *La grossièreté d'un mensonge, d'une erreur,* son caractère grossier.

(Une, des grossièretés). Action peu délicate, dans les relations sociales. ⇒ **Goujaterie, impolitesse, incorrection, insolence, lourderie** (ou lourdise), **muflerie.** *C'est là une suprême grossièreté* (→ Gagner, cit. 51).

♦ **3.** (Av. 1696). Plus cour. (Correspond à *grossier,* II., 3.). Caractère de ce qui offense la pudeur, les bienséances. ⇒ **Inconvenance, obscénité, trivialité, vulgarité.** *La grossièreté d'un mot, d'une plaisanterie, d'une conversation.* — Par ext. Caractère d'une personne grossière dans son langage. *La grossièreté de ce garçon est étonnante, avec l'éducation qu'il a reçue.*

On trouve, dans Catulle, deux choses dont la réunion est ce qu'il y a de pire au monde : la mignardise et la grossièreté. Joseph JOUBERT, Pensées, XXIV, XXXV. 7

(...) si les hommes ne sont pas toujours polis, les femmes, par contre, sont toujours d'une inqualifiable grossièreté. MAUPASSANT, Correspondance, p. 118. 8

Est-il possible de lui faire comprendre que, même devant l'appareil inanimé, s'il se conduit avec impertinence, avec inconvenance, avec grossièreté, il insulte non seulement les artistes, mais encore, selon la nature de l'émission, à l'intelligence, à l'art, à la science, à la religion? 9
G. DUHAMEL, Manuel du protestataire, VI.

(Une, des grossièretés). Mot, propos grossier. ⇒ **Mot** (gros mot); → Argot (cit. 9). *Dire, débiter des grossièretés.* ⇒ **Cochonnerie, obscénité, ordure, saleté;** → Dire des horreurs*, parler gras*. *Grossièreté à l'adresse de qqn.* ⇒ **Injure, insulte.**

Il appelait allègrement toutes choses par le mot propre ou malpropre et ne se gênait pas devant les femmes. Il disait des grossièretés, des obscénités et des ordures avec je ne sais quoi de tranquille et de peu étonné qui était élégant. 10
HUGO, les Misérables, III, II, III.

CONTR. Finesse. — Délicatesse. — Amabilité, civilité, complaisance, courtoisie, éducation, élégance, goût, politesse, raffinement. — Attention, égard. — Bienséance, convenance, correction. — Distinction.

GROSSIR [gʀosiʀ] v. — 1317, « s'enfler » (cours d'eau); de *gros.*

★ **I.** V. intr. ♦ **1.** Devenir gros, plus gros. — (Personnes). ⇒ **Engraisser**; → Prendre du poids*, de la graisse*, de l'ampleur, de l'embonpoint, du ventre. *Il a grossi depuis que nous l'avons vu. Je l'ai trouvé grossi. Grossir du visage, de la taille, des jambes.* ⇒ **Épaissir.** *Elle a peur de grossir.* ⇒ **Empâter** (s'); → Perdre sa ligne*. *Cet enfant a bien grossi depuis qu'il est à la campagne.* ⇒ **Développer** (se), **forcir.** *Aliment, régime* qui fait grossir, qui empêche de grossir.* — (Animaux, végétaux). *Ton chat a grossi. Tronc d'arbre qui grossit. L'ovaire des fleurs grossit et devient un fruit.* ⇒ **Croître.**

1 Quant à ce qu'il reconnût Albertine (...) elle avait, au dire de tous, tellement changé et grossi que ce n'était guère probable.
PROUST, À la recherche du temps perdu, t. XIII, p. 29.

Rare. (Choses). *Larme qui grossit et coule* (cit. 7). *La rivière a grossi. Ballon qui grossit quand on le gonfle.* ⇒ **Dilater** (se).

♦ **2.** Former une grosseur. ⇒ **Enfler, gonfler, tuméfier** (se). *Sa joue s'est mise à grossir après l'extraction de la dent. Abcès qui grossit.*

2 Les ganglions avaient encore grossi, durs et ligneux au toucher.
CAMUS, la Peste, p. 32.

♦ **3.** Paraître plus gros. Mar. *Mer qui grossit,* qui devient houleuse*. — Se rapprocher*. *La barque grossissait à vue d'œil.*

♦ **4.** Augmenter (en nombre, en importance, en intensité). ⇒ **Augmenter.** *La foule des badauds grossissait. Argent* (cit. 35) *qui grossit dans les coffres. Bruit qui grossit.*

3 Puisque c'est maintenant une valeur de leur portefeuille — une petite valeur — ils aiment mieux la voir grossir que péricliter.
J. ROMAINS, les Hommes de bonne volonté, t. IV, XI, p. 118.

♦ **5.** (Mil. XVIIe). Fig. Prendre de l'ampleur, des proportions. ⇒ **Amplifier** (s'). *« Tout s'enfle* (cit. 23), *tout grossit dans la bouche des gens outrés ».*

★ **II.** V. tr. (Mil. XVIe; pron., 1368). ♦ **1.** (Sujet n. de chose). Rendre gros, volumineux. *Affluents qui viennent grossir un fleuve. Les pluies ont grossi la rivière.* — Pron. Peu usité. *Le nuage se grossit* (Académie).

4 La pluie tombait toujours, grossissant les rigoles d'eau boueuse (...)
J. GREEN, Adrienne Mesurat, I, XIV.

♦ **2.** (Sujet n. de chose). Faire paraître (qqn, qqch.) gros, plus gros. *Ce vêtement vous grossit. Une coiffure qui grossit le visage.* Absolt. *Les jupes froncées grossissent.* — (1671). *Verre qui grossit les objets.* ⇒ **Grossissant.** Absolt. *Lunette, loupe qui grossit.* ⇒ **Agrandir.** *Microscope* qui grossit mille fois.*

♦ **3.** Rendre plus nombreux, plus important. ⇒ **Accroître, augmenter.** *Les troupes qui ont grossi, qui sont venu grossir l'armée.* ⇒ **Renforcer.** *Personnes qui viennent grossir une foule* (→ Affluer, cit. 4; création, cit. 11). *Grossir le nombre des mécontents. Grossir les rangs des chômeurs.* — (Choses). *Des primes grossissent son salaire de moitié. Grossir sa fortune.* ⇒ **Étendre**; → Argent, cit. 37. *Dettes qui viennent grossir un déficit. Grossir la dose.* ⇒ **Forcer.** — Pron. *Liste qui se grossit de plusieurs noms.* ⇒ **Enrichir** (s').

5 Il (...) vint (...) grossir la foule de ses auditeurs. RACINE, Port-Royal.

6 À l'heure où cette coalition était bien près de se grossir de la Prusse, l'Empereur croyait cependant que, tout au contraire, elle allait s'affaisser par la conclusion de la paix avec l'Angleterre et la Russie.
Louis MADELIN, Hist. du Consulat et de l'Empire, Vers l'Empire d'Occident, XIII.

7 De leur côté, les Buteau, exaspérés, grossissaient la note des frais, comptaient les repas, mentaient sur les vêtements, réclamaient jusqu'à l'argent des cadeaux faits aux jours de fête.
ZOLA, la Terre, IV, VI.

8 Il laissait les revenus de ces placements s'ajouter au principal, moins pour le grossir, que pour en couvrir les risques.
J. ROMAINS, les Hommes de bonne volonté, t. III, XIII, p. 183.

♦ **4.** Rendre plus intense, plus fort (*gros* ne s'emploie plus dans ce sens). *Grossir sa voix pour intimider qqn. L'écho grossit le bruit de la foudre* (→ Entortiller, cit. 4). — Au p. p. *La musique tantôt affaiblie, tantôt grossie par la brise* (→ Boitillant, cit.).

♦ **5.** (1580). Donner, accorder une importance exagérée ou accrue à (qqch.), par la pensée ou le langage. ⇒ **Amplifier, exagérer** (cit. 14). *Ces journaux ont tendance à grossir le nombre des manifestants. La renommée a grossi ses exploits* (→ Essaim, cit. 6). *Grossir une légende* (→ Fable, cit. 15). *Grossir les défauts, les qualités d'autrui* (→ Envie, cit. 4). *Il ne faut pas grossir les difficultés, l'importance d'une chose.* ⇒ **Dramatiser**; → Regarder par le petit bout de la lorgnette*. *La presse grossit à plaisir les événements. On a grossi l'affaire à des fins politiques. — Se grossir l'importance d'un fait,* le grossir dans sa propre appréciation.

9 Que vous prenez de peine à grossir vos ennuis!
CORNEILLE, l'Illusion comique, IV, 2.

10 Ne grossis-tu pas des scrupules d'enfant?
BALZAC, le Lys dans la vallée, Pl., t. VIII, p. 1012.

11 Les désordres, inséparables d'un tel bouleversement, ont été grossis à plaisir, complaisamment exagérés (...) MICHELET, Hist. de la Révolution franç., IV, I.

12 Mais le pis était que ma pauvre mère grossissait dans les mêmes proportions mes torts et mes fautes. FRANCE, le Petit Pierre, I.

Comme on vit mal, dit l'un, avec ceux que l'on connaît trop. On gémit sur soi-même sans retenue, et l'on grossit par là de petites misères; eux de même. 13
ALAIN, Propos, 27 déc. 1910, Passions de voisinage.

▶ **GROSSI, IE** p. p. adj.

♦ **1.** Devenu plus gros. *Il m'a paru un peu grossi,* forci.

♦ **2.** Rendu plus volumineux. *Torrent grossi* (par l'orage).

♦ **3.** Rendu plus grand. *Image grossie cent fois.* ⇒ **Agrandi.**

♦ **4.** Amplifié, exagéré. *Danger grossi par l'imagination.*

CONTR. **Émacier** (s'), **maigrir.** — **Diminuer, rapetisser.** — **Décroître, faiblir.** — **Amincir, effiler.** — **Amoindrir, minimiser.**

DÉR. **Grossissant, grossissement.**

GROSSISSANT, ANTE [gʀosisɑ̃, ɑ̃t] adj. — 1763; p. prés. de *grossir.*

♦ **1.** Rare. Qui devient de plus en plus gros. *Foule grossissante.* ⇒ **Croissant.**

Je sens mon sombre esprit comme un flot grossissant. 1
HUGO, la Légende des siècles, XX, II.

♦ **2.** Cour. Qui fait paraître plus gros. *Verres grossissants.*

Il était comme un homme qui a eu longtemps devant les yeux des lorgnettes grossissantes et qui, les abaissant soudain, voit les objets s'éloigner de lui et reprendre leur vraie grandeur. A. MAUROIS, Bernard Quesnay, XXI. 2

Abstrait :

Et je me rends compte que c'est là encore un des mille et mille tours de mon imagination excessive, grossissante, qui me fait voir les choses et les gens en trop beau ou en trop laid (...) O. MIRBEAU, le Journal d'une femme de chambre, p. 36. 3

GROSSISSEMENT [gʀosismɑ̃] n. m. — 1572; *crossissement,* 1560; de *grossir.*

♦ **1.** Le fait de devenir gros, état de ce qui est plus gros. ⇒ **Augmentation** (de volume). *Grossissement anormal d'une personne. — Le grossissement d'une tumeur.* ⇒ **Accroissement, développement.** *Grossissement de la pupille.* ⇒ **Dilatation.** — *Le grossissement apparent d'un obstacle qui approche, du train qui entre en gare. Un grossissement rapide, progressif.*

♦ **2.** Action de devenir plus intense; résultat de cette action. *Le grossissement de la voix.* ⇒ **Amplification.**

Celui-ci, déjà, rappliquait; on entendait le grossissement de son pas, lentement traînaillé par les dalles du couloir. 1
COURTELINE, Messieurs les ronds-de-cuir, II, II.

♦ **3.** Action de rendre plus gros; résultat de cette action. ⇒ **Agrandissement.** — Opt. Accroissement apparent de la taille d'un objet, grâce à un instrument interposé. *Grossissement d'un instrument d'optique pour l'observation d'objets très petits :* rapport des diamètres apparents de l'image et de l'objet, situés à la même distance de l'œil. *Grossissement d'un instrument d'optique pour l'observation d'objets très éloignés :* rapport des angles sous lesquels l'image d'un objet est vue dans un instrument d'optique et l'objet lui-même vu à l'œil nu. *Loupe, lunette, télescope à fort grossissement. L'énorme grossissement des microscopes électroniques.*

(...) le parasite, pour être aperçu, exige l'emploi du microscope et de forts grossissements. Henri MONDOR, Pasteur, VII. 2

♦ **4.** Fig. Amplification, exagération. *Le grossissement de l'imagination, du souvenir. Voir les gens, les choses avec un certain grossissement* (→ Angle, cit. 7).

(...) les tragiques spectacles de 93, plus effrayants encore peut-être pour les émigrés qui les voyaient de loin avec le grossissement de l'épouvante (...) 3
HUGO, les Misérables, I, I, I.

CONTR. **Amaigrissement; affaiblissement.** — **Amoindrissement, réduction.**

GROSSISTE [gʀosist] n. — Fin XIXe (attesté *in* Larousse, 1922); p.-ê. de l'all. *Grossist* (v. 1800), ou de *gros.*

♦ Comm. Marchand en gros*, qui sert d'intermédiaire entre le détaillant et le producteur ou le fabricant. *Détaillant qui s'approvisionne chez plusieurs grossistes.* — Par appos. *Épicier grossiste* (→ vx **Marchand grossier***).

(...) l'industriel ne se soucierait guère d'entretenir des relations directes avec une infinité de petits commerçants dont chacun ne représenterait pour lui qu'un débouché très limité. L'épicier grossiste s'entremet donc entre le fabricant et le détaillant. Le fabricant, qui travaille en série, livrera au grossiste ses produits par grandes masses. Le détaillant obtiendra du grossiste les produits en quantité et aux dates correspondant à ses possibilités d'écoulement. S'il s'agit de denrées venant de l'étranger, le rôle du grossiste est plus indispensable encore, soit qu'il entre lui-même en rapport avec le producteur, soit (comme il arrive le plus souvent) qu'il ait affaire à l'agent que ce producteur étranger entretient dans le pays (...) Le grossiste (...) doit avoir à sa disposition un assez fort capital, parce que la consti-

tution de stocks importants nécessite une mise de fonds élevée, et que généralement il consent au détaillant de larges crédits.
PIROU et BYÉ, Traité d'économie politique, t. I, II, p. 209.

CONTR. Détaillant.

GROSSIUM [gʀosjɔm] n. m. — 1899; de *gros siam* «négociant» (1907), de *gros*, et *siam* «boutiquier» (1899), lui même d'orig. obscure, d'après Esnault.

♦ Argot. Homme riche, important, influent. *Fréquenter des grossiums.*

1 Le gonze que j'apercevais attablé, m'avait tout l'air du grossium en train de débaucher la nouvelle secrétaire. Albert SIMONIN, Touchez pas au grisbi, p. 102.

2 Fringué comme tu es, avec ta gueule déjà pas franche, je te trouve jeune d'aller croire que tu pourrais fair le grossium en viande.
M. AYMÉ, le Vin de Paris, La traversée de Paris, p. 49.

REM. Céline (*Guignol's band*, p. 94) écrit (phonétiquement) *grossiom.*

GROSSO-MODO [gʀosomɔdo] loc. adv. — 1566; loc., du lat. scolast., signifiant «d'une manière *(modo)* grosse».

♦ En gros, sans entrer dans le détail. ⇒ **Gros, grossement.** *Dites-nous grosso-modo de quoi il s'agit.*

CONTR. Exactement, précisément.

GROSSOYER [gʀoswaje] v. tr. — Conjug. *broyer.* — 1335; de *grosse,* n. f. → Gros, V., 2.

♦ Dr. Faire la grosse (→ Gros, V., 2.) de... ⇒ **Copier, expédier.** *Notaire, greffier qui grossoie un acte, un jugement. Faire grossoyer un contrat. Acte grossoyé.*

1 Il semblait avoir deviné quelque succession à déguster, à partager, à inventorier, à grossoyer, une succession pleine d'actes à faire (...)
BALZAC, la Peau de chagrin, Pl., t. IX, p. 161.

REM. Balzac *(le Colonel Chabert)* emploie le dér. *grossoyeur* [gʀoswajœʀ].

2 (...) quand Roumestan ne l'emmène pas à la Chambre ou au palais, comme aujourd'hui, il reste assis pendant des heures à grossoyer devant la longue table installée pour les secrétaires à côté du cabinet du patron.
Alphonse DAUDET, Numa Roumestan, VI.

GROSSULAIRE [gʀosylɛʀ] n. m. — 1845; du lat. sc. *grossularia* «groseillier».

♦ Didact. Grenat d'un vert pâle (rappelant la teinte des groseilles à maquereau).

GROSSULARIÉES [gʀosylaʀje] ou **GROSSULARIACÉES** [gʀosylaʀjase] n. f. pl. — 1842; du lat. sc. *grossularia* «groseillier».

♦ Bot. Famille de plantes phanérogames angiospermes, classe des dicotylédones dialypétales, dont le type principal est le groseillier*. — REM. Ce terme tend à être remplacé par celui de *Ribesiacées*.* — Au sing. *Une grossulariacée, une grossulariée.*

GROS-VENTRE [gʀovɑ̃tʀ] n. m. — Mil. XXe; de *gros,* et *ventre.*

♦ Fam. Coccidiose des lapins, qui leur enfle le ventre. — Plur. *Gros-ventres.*

REM. Le mot a désigné un poisson (1741, *in* D. D. L.).

GROS-VERT [gʀovɛʀ] n. m. — XXe; de *gros,* et *vert.*

♦ Agric. Raisin de table vert, tardif. — Plur. *Des gros-verts.*

GROTESQUE [gʀɔtɛsk] n. et adj. — 1532, *crotesque;* ital. *grottesca,* dér. de *grotta* «grotte», var. *crotesque,* d'après le moy. franç. *crote, croute.* → Grotte.

★ **I.** N. m. ou (vieilli) f. Arts. ♦ **1.** Ornements découverts aux XVe et XVIe siècles dans les ruines des monuments antiques italiens (ruines appelées *grottes*), et consistant en arabesques, rinceaux, sujets fantastiques peints ou sculptés en stuc. — Par ext. *Les grotesques de Pinturricchio, de Raphaël,* sujets ornementaux traités à l'imitation des grotesques antiques.

1 L'étymologie de grotesque est *grutta (sic),* nom qu'on donnait aux chambres antiques mises à jour par les fouilles, et dont les murailles étaient couvertes d'animaux terminés par des feuillages, de chimères ailées, de génies sortant de la coupe des fleurs, de palais d'architecture bizarre, et de mille autre caprices et fantaisies.
Th. GAUTIER, les Grotesques, X.

2 Ces gracieuses fantaisies — sculptures en stuc ou peintures murales dans le goût des fresques de Pompéi —, introduites au Vatican par Pinturricchio dans la décoration des appartements des Borgia, puis par Raphaël, dans les Loges, furent plus tard acclimatées en France par les peintres italiens de l'École de Fontainebleau, et les ornemanistes français, depuis Du Cerceau jusqu'à Bérain, ont brodé sur ce thème d'infinies variations. Les grotesques se distinguent des *arabesques,* avec lesquelles on les confond souvent, par l'emploi de figures (...)
Louis RÉAU, Dict. d'art, art. *Grotesques.*

♦ **2.** Figures fantasques, caricaturales. *Peintre de grotesques.* «*(Un) cortège de grotesques chargées de figurer l'abâtardissement de l'art*» (Goncourt, *in* T. L. F.). «*Des grotesques réparés et même complètement refaits*» (Huysmans, *l'Oblat*). *Les grotesques gravées par Callot* (→ Burlesque, cit. 2).

(...) différentes belles actions de la vie de saint Jean de Dieu, encadrées dans des grotesques et des fantaisies d'ornement qui dépassent ce que les monstres du Japon et les magots de la Chine ont de plus extravagant et de plus curieusement difforme. Th. GAUTIER, Voyage en Espagne, p. 180. 3

REM. Dès le XVIe siècle, le mot (sous la forme *crotesque*) a des valeurs métaphoriques, comme l'atteste le célèbre passage de Montaigne, parlant de la composition des *Essais :*

Que font-ce ici, à la vérité, que crotesques et corps monstrueux, rappiecez de divers membres, sans certaine figure, n'ayants ordre, suite ny proportion que fortuite? MONTAIGNE, Essais, I, 28, De l'amitié. 3.1

★ **II.** Adj. et n. ♦ **1.** (1566). Vx. *Peinture grotesque,* de grotesques (I., 2.). *Boiseries, ornements grotesques.*

♦ **2.** (1636, Corneille; Saint-Amant [→ Égueuler, cit. 2] s'était offert à faire les «termes grotesques» pour le dict. de l'Académie). Cour. Risible par son apparence bizarre, caricaturale. ⇒ **Bizarre, bouffon, burlesque, caricatural, comique, extraordinaire, extravagant,** 2. **falot** (vx), **ridicule, risible.** *Personnage, figure, allure grotesque.* ⇒ **Carême-prenant** (vx), **carnaval** (fig.); →. Écorcher, cit. 12; écumant, cit. 3. *Un grotesque fantoche* (→ Épater, cit. 5). *Costume, accoutrement grotesque. Scène grotesque* (→ Contempler, cit. 4). *Contraste, opposition grotesque. Caricature, charge, comédie, farce grotesque. Un grotesque sonnet* (→ Égueuler, cit. 2). *Intentions niaises et grotesques* (→ Effet, cit. 32).

(...) Les plus grotesques aventures 4
De Don Quichotte en bel arroi. SAINT-AMANT, la Chambre du débauché, p. 63.

(...) qu'y a-t-il de plus propre à exciter le rire que de voir une chose aussi grave que la morale chrétienne remplie d'imaginations aussi grotesques que les vôtres? 5
PASCAL, les Provinciales, XI.

(...) des arbres aquatiques dépouillés de feuilles, dont les troncs rabougris, les têtes énormes et chenues, élevées au-dessus des roseaux et des broussailles, ressemblaient à des marmousets grotesques. BALZAC, les Chouans, Pl., t. VII, p. 885. 6

Et moitié courant, et moitié faisant la roue, le grotesque personnage vêtu d'une souquenille couleur caca d'oie aux arabesques noires, et découpée en dents de scie, arrivait au bord de l'eau. Ed. DE GONCOURT, les Frères Zemganno, I. 7

Ce sont ces rôles que j'aurais aimé jouer, les rôles comiques, même un tantinet grotesques (...) Paul LÉAUTAUD, le Théâtre de M. Boissard, XXVIII. 8

Ridicule, qui prête à rire (sans idée de bizarrerie). → Commun, cit. 20. *Un pédant grotesque et sinistre. Une histoire banale et grotesque.*

(...) ces scènes qui avaient été touchantes, et qui, de ce fait, tendaient simplement à devenir grotesques. ARAGON, les Beaux Quartiers, I, XI. 9

Je vous assure que cette conversation est inconvenante entre nous, Ariane (...) Cela frise le mélo maintenant. Je me sens grotesque. Arrêtons-nous! Le ridicule me donne un malaise physique insupportable! 10
J. ANOUILH, Ornifle..., II, p. 89.

♦ **3.** N. Vieilli. **a** Personne grotesque. *Cet homme est un grotesque* (Académie). *Une grotesque. Les grotesques politiques* (→ Fantoche, cit. 2). — Vx. ⇒ **Bouffon.**

C'est (...) un poète, et le grotesque du genre humain. 11
MONTESQUIEU, Lettres persanes, XLVIII.

Quant au quarteron de grotesques spécialisés en ethnologie sud-américaine, parlons-en! Jean-Louis CURTIS, le Roseau pensant, p. 328. 11.1

b *Les Grotesques,* ouvrage de critique littéraire de Th. Gautier, dans lequel il entend réhabiliter «les difformités littéraires (...) les déviations poétiques», et, spécialt, les auteurs français de tendance réaliste, satirique, burlesque ou libertine du début du XVIIe siècle, correspondant à l'esthétique baroque*.

Avec eux *(les réalistes)* s'annonce ce large courant, d'orientation si contraire au classicisme, auquel pourtant le classicisme ne craindra pas de puiser. Plus tard (...) eux-mêmes et leurs successeurs feront figure d'«irréguliers», un peu de victimes. Idéalisés, ils se pareront d'une sorte d'auréole romantique : ainsi dans *Les Grotesques* de Th. Gautier, ou dans le *Cyrano* de Rostand. 12
JASINSKY, Hist. de la littérature franç., t. I, p. 279.

♦ **4.** N. m. Ce qui est grotesque, le genre grotesque. *Il est d'un grotesque achevé.*

Arts, littér. Le comique de caricature poussé jusqu'au fantastique, à l'irréel. *Les romantiques firent du grotesque un des éléments essentiels de l'art. L'alliance du grotesque et du sublime fut longtemps critiquée par les tenants du classicisme. Le grotesque et le charmant* (→ Fertilité, cit. 4).

Le grotesque antique est timide, et cherche toujours à se cacher (...) Dans la pensée des modernes, au contraire, le grotesque a un rôle immense. Il y est partout; d'une part, il crée le difforme et l'horrible; de l'autre, le comique et le bouffon (...) le grotesque est, selon nous, la plus riche source que la nature puisse ouvrir à l'art. HUGO, Préface de Cromwell (→ Drame, cit. 5). 13

(...) le grotesque, cet élément indispensable que des esprits étroits et minutieux ont voulu rejeter du domaine de l'art, abonde chez lui *(Saint-Amant)* à chaque vers, et se tortille au bout des rimes aussi capricieusement que les guivres et les tarasques au bout des gouttières gothiques (...) Th. GAUTIER, les Grotesques, V. 14

Le comique est, au point de vue artistique, une imitation; le grotesque une création (...) le rire causé par le grotesque a en soi quelque chose de profond, d'axiomatique et de primitif qui se rapproche beaucoup plus de la vie innocente et de la joie absolue que le rire causé par le comique de mœurs (...) J'appellerais désormais le grotesque comique absolu (...) 15
BAUDELAIRE, Curiosités esthétiques, De l'essence du rire, V.

16 Le mélange du grotesque et du tragique est agréable à l'esprit, comme les discordances aux oreilles blasées. BAUDELAIRE, Journaux intimes, Fusées, XVIII.

17 Il ne faut pas mêler le sublime au grotesque. LITTRÉ, Dict., art. *Grotesques.*

18 (...) le comique de caricature ou *grotesque,* dont les origines remontent à l'Antiquité, qui avait fleuri au moyen âge, et dont la tradition se développe largement à partir de la Renaissance (...) Alors que le *grotesque,* par libre fantaisie, pousse la caricature jusqu'à l'irréalité, le *burlesque* (...) se tient dans la réalité vulgaire (...) JASINSKY, Hist. de la littérature franç., t. I, p. 262.

CONTR. Commun, habituel, normal, ordinaire; correct, sérieux. — Émouvant, sublime.

DÉR. Grotesquement, grotesquerie.

GROTESQUEMENT [gʀɔtɛskəmɑ̃] adv. — 1623, *in* D. D. L.; de *grotesque.*

♦ D'une manière grotesque. *Être grotesquement accoutré.* ⇒ **Absurdement, burlesquement, ridiculement**; → Disproportionné, cit. 2.

(...) elle n'a pas la force de se dominer, et puis elle sent qu'il est préférable au contraire de forcer encore grotesquement les traits de cette caricature d'elle-même qu'elle voit en eux (...) N. SARRAUTE, le Planétarium, p. 14.

CONTR. Correctement, normalement; sublimement.

GROTESQUERIE [gʀɔtɛskəʀi] n. f. — V. 1850, Baudelaire; de *grotesque.*

♦ Rare. Caractère de ce qui est grotesque (II., 2.). *Il est d'une grotesquerie complète.*

GROTTE [gʀɔt] n. f. — 1537; attestation isolée, 1280, *in* Arveiller; ital. *grotta,* du lat. *crypta,* prononcé *crupta* (→ Crypte); a remplacé l'anc. franç. *croute, crote.* → Grotesque.

♦ **1.** Excavation, cavité naturelle de grande taille dans le rocher, le flanc d'une montagne, etc. ⇒ **Antre,** 2. **baume, caverne** (cit. 3); **spéléo-**. *Grotte naturelle. Grotte profonde, obscure. Roche, rocher, montagne creusée de grottes* (→ Aiguille, cit. 16). *Grotte marine* (→ Coquillage, cit. 1). *Les stalactites et stalagmites d'une grotte* (→ Colonnette, cit. 1). *Grotte ornée de feuillages, de fleurs* (cit. 5; → Barnache, cit. 1; émailler, cit. 1). *Grotte miraculeuse. La grotte de Lourdes* (→ Abside, cit. 2). *Se réfugier, chercher asile* (cit. 31) *dans une grotte* (→ Aussitôt, cit. 8). *Grottes préhistoriques,* ayant servi d'abri aux hominiens. *Grottes à ossements. Grottes à peinture.* — *Grotte artificielle,* creusée et non construite (→ ci-dessous, 3.).

1 Remplissez l'air de cris en vos grottes profondes;
Pleurez, Nymphes de Vaux, faites croître vos ondes (...)
LA FONTAINE, Élégies pour Fouquet.

2 (...) cette grotte était taillée dans le roc, en voûte pleine de rocailles et de coquilles; elle était tapissée d'une jeune vigne qui étendait ses branches souples également de tous côtés. FÉNELON, Télémaque, I.

2.1 Il existe en quelques parties du globe de ces cavernes immenses, sortes de cryptes naturelles qui datent de son époque géologique. Les unes sont envahies par les eaux de la mer; d'autres contiennent des lacs entiers dans leurs flancs. Telle la grotte de Fingal, dans l'île de Staffa, l'une des Hébrides, telles les grottes de Morgat, sur la baie de Douarnenez, en Bretagne, les grottes de Bonifacio, en Corse, celles du Lyse-Fjord, en Norvège, telle l'immense caverne du Mammouth, dans le Kentucky, haute de cinq cents pieds et longue de plus de vingt milles! En plusieurs points du globe, la nature a creusé ces cryptes et les a conservées à l'admiration de l'homme. J. VERNE, l'Île mystérieuse, t. II, p. 793-794 (1874).

3 C'était une porte cintrée et creusée à même le roc. Elle donnait sur une grotte. Dans cette grotte on avait taillé des murs bien lisses, une voûte en berceau et au fond, une petite abside. H. BOSCO, le Jardin d'Hyacinthe, p. 25.

4 La grotte de Lourdes fut longtemps ce qu'Armand imagina de plus beau sur la terre, avec sa Vierge au manteau bleu. ARAGON, les Beaux Quartiers, I, IX.

♦ **2.** Abri de verdure. *Arbustes entrelacés* (cit. 2) *qui forment des grottes. — Grotte de verdure.*

♦ **3.** Construction artificielle de rocaille*, ornée de divers éléments (→ aussi ci-dessus, cit. 2). *Grotte incrustée de coquillages, dans un parc.* — Spécialt. Représentation de la grotte de Lourdes, dans une église.

GROUILLANT, ANTE [gʀujɑ̃, ɑ̃t] adj. — 1540; p. prés. de *grouiller* (1480, *grouillant de...*).

♦ **1.** Qui grouille, qui remue en masse confuse. ⇒ **Fourmillant, pullulant**; → Essaim, cit. 3. *Foule grouillante.*

♦ **2.** Par ext. Qui grouille (de...). *Rue, place grouillante de monde. Matelas grouillant de vermine.* — (Sans compl.). Populeux.

1 (...) la foule grouillante des passions mauvaises et des misères hideuses qui pullulent dans nos civilisations comme des vers dans un arbre pourri. TAINE, Philosophie de l'art, t. II, p. 76.

2 (...) les bistrots grouillants de la rue Rochechouart. SARTRE, le Sursis, p. 48.

CONTR. Immobile. — Désert, vide.

GROUILLEMENT [gʀujmɑ̃] n. m. — Av. 1780, Buffon, *in* Littré; de *grouiller.*

♦ **1.** État de ce qui grouille. ⇒ **Fourmillement, grouillis, mouvement, pullulement.** *Le grouillement des abeilles, d'un essaim. — Le grouillement de la foule.*

(...) j'essayais de me figurer la Sorbonne du moyen âge et ses alentours, le grouillement de la montagne Sainte-Geneviève, le monde bizarre des écoliers d'autrefois (...) J. LEMAÎTRE, Impressions de théâtre, Villon.

♦ **2.** Ensemble d'éléments vivants qui grouillent. *Un grouillement cosmopolite* (cit. 3). — Par ext. *Un grouillement de navires dans le port.*

GROUILLER [gʀuje] v. intr. — 1480; p.-ê. de *grouler,* forme régionale de *crouler.*

♦ **1.** Vx ou régional. (Personnes). Bouger, remuer. *Cet enfant grouille sur sa chaise. Elle ne grouille pas plus qu'un morceau de bois* (Académie).

REM. Le mot se rencontre encore dans des textes modernes, mais il est toujours marqué (stylistique, ou régional et fam.).

Et l'on demande l'heure, et l'on bâille vingt fois, 1
Qu'elle grouille aussi peu qu'une pièce de bois. MOLIÈRE, le Misanthrope, II, 4.

Ah! le chameau, il n'a pas grouillé d'un pouce (...) ZOLA, la Terre, III, V. 2

— Mais, ma brave femme, je vous ai déjà dit que votre homme et cette borne, 3
c'est la même chose (...) Je ne peux pas faire grouiller les pierres, que diable! ZOLA, la Terre, V, I.

Le garçon, tournant manettes et leviers, grouille comme un mécanicien sur sa loco- 4
motive (...) J. ROMAINS, les Hommes de bonne volonté, t. IV, XVIII, p. 196.

Il enfonçait son menton dans le sable, puis son museau entier, il mangeait, il don- 4.1
nait des coups de boutoir, il respirait le sable, il suffoquait, grouillait, se noyait. J.-M. G. LE CLÉZIO, la Fièvre, p. 172.

♦ **2.** Mod. Fam. Se dépêcher (→ ci-dessous, Se grouiller). *Il va falloir grouiller, si tu veux finir à temps.*

C'est alors que Fédor Balanovitch fit son apparition. 4.2
— Allons grouillons! qu'il se mit à gueuler. Schnell! Schnell! remontons dans le car et que ça saute. R. QUENEAU, Zazie dans le métro, p. 123.

♦ **3.** (1718; «gronder», mil. XVe). Produire un bruit sourd et continu (des intestins).

♦ **4.** Mod. Cour. (Sujet au plur. ou nom collectif). Remuer, s'agiter* en masse confuse, en parlant d'éléments nombreux. ⇒ **Fourmiller, pulluler.** *Insectes, fourmis qui grouillent sur le sol* (→ Engourdissement, cit. 1). *Les vers grouillent dans ce fromage. Enfants, animaux qui grouillent dans une ruelle. La foule grouillait sur la place. Des millions d'êtres grouillent sur la croûte terrestre* (→ Apparition, cit. 4).

Ces enfants grouillaient tous, pêle-mêle, comme une nichée de chiens. 5
BALZAC, le Médecin de campagne, Pl., t. VIII, p. 511.

Je voyais les députés grouiller comme des insectes noirs au fond d'un puits. 6
FRANCE, Histoire comique, X.

(...) les révoltes anciennes grouillent dans le centre du Céleste Empire (...) 7
RIMBAUD, Illuminations, Soir historique.

Figuré :

Il s'allongea sur son lit, mais au bout de dix minutes, il en eut assez de voir grouil- 7.1
ler ses pensées. Il sortit. R. QUENEAU, les Derniers Jours, p. 121.

♦ **5.** Cour. (Sujet n. de chose). Présenter une agitation confuse; être plein de, abonder* en... *Cette branche grouille d'insectes. Route, rue qui grouille de monde. Une plage à la mode qui grouille de baigneurs.* ⇒ **Grouillant.** Absolt. *Le boulevard* (cit. 2) *grouillait.*

(...) plusieurs passants sont arrêtés devant une boutique. La rue grouille derrière 8
eux, les frôle de son mouvement, les sollicite (...)
J. ROMAINS, les Hommes de bonne volonté, t. I, II, p. 33.

Figuré :

Je suis dévoré de comparaisons, comme on l'est de poux, et je ne passe mon temps 9
qu'à les écraser; mes phrases en grouillent.
FLAUBERT, Correspondance, 360, 27 déc. 1852, t. III, p. 79.

▶ SE GROUILLER v. pron.

♦ **1.** (1645). Vx et régional. Se remuer, bouger.

Vous ne vous grouillez pas? MOLIÈRE, la Comtesse d'Escarbagnas, 2. 10
REM. Les éditeurs de 1730, 1734 ont corrigé en «vous ne grouillez pas». «La correction même (...) semble prouver que la forme réfléchie était un provincialisme». DESPOIS et MESNARD, Notes, *in* Molière, éd. Hachette (Grands Écrivains de la France).

♦ **2.** (1649). Fam. Se dépêcher, se hâter. *Allons, grouillez-vous!* ⇒ **Dégrouiller** (se). *Il va falloir te grouiller. Grouillons-nous, le train va partir!* — REM. Cet emploi est plus courant et moins marqué (quoique familier) que *grouiller,* intransitif.

(...) j'entendis, comme je dormais bien fort, du monde dans notre rue, criant tout 11
bas tant qu'il pouvait «Aux voleurs!» Dame, je me levai sans me grouiller, je mis mon chapeau dans ma tête (...)
CYRANO DE BERGERAC, le Pédant joué, IV, 4 (1649).

Grouille-toi. Puisque j'te dis qu'ils viennent! 12
Francis CARCO, Jésus-la-Caille, III, II.

13 PICARD, *pressé.* Sans vous commander, chef, vous devriez vous grouiller... On doit encore passer prendre le patron (...)
H.-G. CLOUZOT ET J. FERRY, Quai des Orfèvres, 1947, *in* l'Avant-Scène, nº 29, p. 25 (1963).

DÉR. Grouillant, grouillement, grouillis, grouillot.

GROUILLIS [gʀuji] n. m. — 1611; de *grouiller.*

♦ Vx. Ensemble nombreux d'êtres constamment agités. ⇒ **Grouillement.**

GROUILLOT [gʀujo] n. m. — 1913; de *grouiller.*

♦ Bourse. Jeune employé qui porte les ordres d'achat, de vente. — Par ext. Garçon de courses. « *Il était grouillot au journal* Le Matin » (R. Sabatier, *in* T. L. F.).

GROUINER [gʀwine] v. intr. — Fin XIXe; « embrasser », 1756 (de *coup de groin* « baiser », 1808); de *groin.*

♦ Rare. Grogner (en parlant des porcs). ⇒ **Groiner.**

GROUND [gʀawnd] n. m. — 1888; angl. *ground* « terrain ».

♦ Anglic. Vx. Terrain gazonné sur lequel on pratique un jeu de ballon. ⇒ **Terrain.**

GROUP [gʀup] n. m. — 1723; ital. *gruppo.* → Groupe.

♦ Comm. Sac d'espèces monnayées qu'on expédie cacheté d'un lieu à un autre.

HOM. Groupe.

GROUPAGE [gʀupaʒ] n. m. — 1806; de *grouper.*

♦ Action de réunir des colis ayant une même destination (→ Expéditeur, cit. 3).

GROUPAL, ALE, AUX [gʀupal, o] adj. — 1954, *in* T. L. F.; de *groupe.*

♦ Didact. Qui concerne un groupe, et, spécialt, un groupe primaire en sociologie. *Mentalité groupale.*

GROUPE [gʀup] n. m. — 1668, Robert de Piles, trad. du *De arte graphica* de Du Fresnoy; ital. *gruppo, groppo* « nœud, assemblage », d'orig. germanique **kruppa* « masse arrondie ».

♦ **1.** Arts. Réunion de plusieurs personnages, de plusieurs éléments figurés formant une unité organique dans une œuvre d'art (peinture, sculpture). *Un groupe sculpté. Le groupe des trois Grâces.*

1 De groupes contrastés un noble agencement,
Qui du champ du tableau fasse un juste partage (...)
Mais où, sans se presser, le groupe se rassemble,
Et forme un doux concert, fasse un beau tout-ensemble (...)
MOLIÈRE, la Gloire du Val-de-Grâce.

2 Pour qu'un groupe se forme et soit réel à l'œil, il faut qu'il y ait une liaison entre le mouvement de chaque figure et de celle qui la suit; que les attitudes des personnages s'enchaînent (...) Joseph JOUBERT, Pensées, XX, XXXVII.

Par analogie :

3 Groupe fier et beau, après tout, que cette femme aux pieds bruns et nus, au visage tourmenté, aux larmes dévorées, dans les bras de cet homme sympathique à sa douleur cachée, debout, la tête nue, enveloppé encore du manteau qu'il n'avait pas pris le temps de détacher (...)
BARBEY D'AUREVILLY, Une vieille maîtresse, I, V.

♦ **2.** (1755). Cour. Un certain nombre de personnes réunies, rapprochées dans un même lieu. ⇒ **Réunion.** *Un groupe d'hommes* (→ Aiguiser, cit. 3; attraper, cit. 18), *de femmes, d'enfants. Un groupe de personnes. Un petit groupe; un groupe de trois, quatre personnes.* ⇒ **Trio, quatuor** (fig.). *Un joyeux groupe d'écoliers.* ⇒ **Volée.** *Groupe important* (⇒ **Troupe**). *Groupe compact, serré.* ⇒ **Essaim, grappe** (fig.). *Des groupes se formèrent dans la rue.* ⇒ **Attroupement.** *Cortège* (cit. 1), *procession, théorie qui se sépare en groupes. Groupes qui s'égrènent* (cit. 4). *Groupes de soldats* (→ Estrade, cit. 2). — *Les invités vinrent par petits groupes.* ⇒ **Paquet** (fig.); → Écart, cit. 9. *Les gens restent en groupes. S'entretenir, discuter par groupes* (→ Couvrir, cit. 48). — *Croiser un groupe de paysans, d'étrangers* (→ Égrener, cit. 1). *Aller de groupe en groupe. Traverser, fendre* (cit. 10) *les groupes* (→ Éperon, cit. 5). *Se trouver au milieu d'un groupe de badauds, de curieux* (→ Exhibition, cit. 3). *Groupes animés, en mouvement* (→ Fantasia, cit. 1; flot, cit. 13). *Le groupe de tête, dans une course.* ⇒ **Peloton.** *Distancer le groupe.*

4 Les gens allaient et venaient par groupes, devant leurs maisons.
R. ROLLAND, Jean-Christophe, L'adolescent, II, p. 275.

5 Une fois rhabillés, nous fûmes répartis en files traînardes, par groupes hésitants (...) CÉLINE, Voyage au bout de la nuit, p. 206.

Ils s'engagèrent dans une impasse où des hommes, debout, s'attardaient par groupes à pérorer, au lieu d'entrer dans le théâtre. 6
MARTIN DU GARD, les Thibault, t. VII, p. 116.

(1976). Milit. *Groupe de saut :* équipe de parachutistes devant sauter par la même porte d'un avion, au cours d'un même passage sur la zone de saut.

Groupes armés. Groupes d'intervention. ⇒ **Commando.** *Groupes terroristes.* ⇒ **Brigade.**

♦ **3.** (1790). Ensemble de personnes ayant des caractères en commun (indépendamment de leur présence au même endroit). ⇒ **Association, groupement.** *Groupe humain, groupe d'hommes, groupe social.* ⇒ **Collectivité, communauté, société; classe** (cit. 1 et 7), **famille** (cit. 24), **nation, phratrie, tribu;** → Attacher, cit. 83; culture, cit. 2; expérience, cit. 49; extension, cit. 4. *Groupe ethnique, racial.* ⇒ **Ethnie, race;** → Ethnographie, cit. 3; ethnologie, cit. — (Sans qualification). *Opposition du groupe et de l'individu dans la société. L'emprise* (cit. 5) *du groupe. S'affilier, appartenir à un groupe, être* (cit. 76) *d'un groupe, au sein d'un groupe* (→ Éthique, cit. 3; exotérique, cit.). *Être agrégé* (cit. 2) *à un groupe, admis dans un groupe. S'embrigader* (cit.) *dans un groupe. Les intérêts, les espoirs de tout un groupe* (→ Bien, cit. 55). — *Un groupe de délicats, de parvenus* (→ 1. Agio, cit. 1; apprêt, cit. 11). *Groupe fermé.* ⇒ **Chapelle;** → Argot, cit. 8. *Un petit groupe mondain.* ⇒ **Clan, coterie;** → Exclusif, cit. 6. *Commander* (cit. 31), *conduire un groupe d'hommes. Groupe de brigands.* ⇒ 2. **Bande, gang.** *Groupe d'ouvriers.* ⇒ **Équipe.** *Groupe de travail.* ⇒ **Atelier** (6.), **commission, comité.** — *Travail en groupe, en équipe.* ⇒ **Collectif;** → Commandite, cit. 2.

(...) le mouvement qui porte naturellement tout homme à aimer le groupe dont il relève parmi les quelques groupes qui se partagent la terre. 7
Julien BENDA, la Trahison des clercs, p. 227.

(...) outre votre rémunération normale, vous vous trouveriez avoir acquis la confiance, l'estime d'un groupe de gens, dont les moyens ne sont pas négligeables. 8
J. ROMAINS, les Hommes de bonne volonté, t. V, p. 49.

L'homme (...) est un animal social. Il ne peut vivre qu'en groupe. L'importance du groupe varie au cours de l'histoire. C'est tantôt une famille, tantôt une tribu, tantôt un ordre, tantôt une secte, tantôt une nation. 9
A. MAUROIS, Étude sur Bergson, IV.

Le groupe étroit où l'homme s'est vraiment formé, le petit nombre des êtres en mutuelle dépendance (...) J. CHARDONNE, l'Amour du prochain, p. 22. 10

Sociol. *Groupes d'appartenance** (1.). *Groupes primaires* (à relations personnelles). ⇒ **Groupal.** *Dynamique* de groupe, des groupes.*

La psychologie sociale rejoint tous les problèmes généraux de notre science (psychologie différentielle, personnalité, etc.) [...] L'un de ces buts est l'étude des relations inter-individuelles et de la dynamique des groupes. 10.1
J. PIAGET, Épistémologie des sciences de l'homme, p. 174.

Psychothérapie, psychanalyse de groupe. → Psychodrame.

Spécialt. *Groupe politique, parlementaire :* ensemble des parlementaires d'un même parti*, de mêmes opinions (→ Arrivisme, cit. 1; déperdition, cit. 2). *Les groupes d'une Assemblée, d'une Chambre. Parlementaire apparenté à un groupe. Groupe communiste et apparentés*. Voter pour les membres absents de son groupe* (⇒ **Boîtier**). *Discipline de groupe* (→ Fidèle, cit. 12). — *Les groupes constituant un parti.* ⇒ **Cellule, section.** *Groupe d'opposition.* — (1955; trad. angl. *pressure group*). *Groupe de pression :* ensemble de personnes ayant des intérêts communs et qui exercent une pression sur les organismes de décision pour atteindre leur but. — REM. Le mot constitue l'équivalent francisé de l'anglicisme *lobby.*

Plusieurs assistants firent observer que la tradition libertaire n'admettait que la « discipline spontanée » du groupe (...) le rôle du chef étant d'assurer l'exécution de ce que le groupe a librement décidé. 11
J. ROMAINS, les Hommes de bonne volonté, t. IV, XVI, p. 177.

Dans son acception la plus large, le groupe de pression est tout organisme professionnel, corporatif, syndical, culturel même, qui agit pour prévenir, obtenir ou infléchir une décision de la puissance publique le concernant (...) Dans une définition plus stricte, le groupe de pression est un organisme qui défend des intérêts purement matériels par une action de préférence clandestine. 11.1
Petite encycl. politique, *in* P. G' BERT, Dict. des mots contemporains.

Groupe littéraire, artistique. ⇒ **Cénacle, cercle, école;** → Épanouir, cit. 15. *Le groupe de la Pléiade. Chateaubriand et son groupe littéraire,* ouvrage de Sainte-Beuve.

Le premier groupe romantique (→ Fantastique, cit. 5). *Le groupe des Jeunes-France. Le groupe des Six* (groupe musical fondé en 1918 par Cocteau, Honegger, Milhaud, etc.).

(Probablt avec influence de l'angl. *group*). Mus. Ensemble de musiciens et chanteurs appartenant à une même formation. *Groupe de rock. Aller écouter un groupe pop.*

Groupe financier (cit. 6). — *Groupe industriel :* ensemble d'entreprises qui établissent des liens entre elles, en vue d'obtenir, notamment, un accroissement de la productivité.

Quant à son objet, le groupe industriel répondrait à un souci d'efficience. Il se distinguerait ainsi du cartel, dans la mesure où celui-ci tend (...) à une position de monopole. Il se distinguerait également de la formule d'entente (...) le groupe se distingue encore du cartel puisqu'un cartel repose toujours sur une convention. Il se distingue également du trust puisque dans le trust les adhérents perdent toute autonomie (...) J. ROMEUF, Dict. des sciences économiques. 12

Milit. Unité élémentaire de combat, dans l'infanterie. *Le groupe de combat* ou *groupe est constitué d'une pièce de fusiliers* (F. M.) *et d'une équipe de grenadiers-voltigeurs. Groupe d'assaut. Groupe antichars. Sous-officier chef de groupe. Section* comprenant trois groupes. Groupe d'intervention de la gendarmerie nationale* (G. I. G. N.). *Groupe de lutte antiterroriste.* — Unité tactique d'artillerie correspondant au bataillon* d'infanterie. *Les batteries d'un groupe.* — *Unité,* dans l'armée de l'air. *Le groupe comprend le plus souvent deux escadrilles. Groupe de chasse, de reconnaissance.*

13 Ces jours-ci (...) les missions sacrifiées ont coûté au Groupe 2/33 dix-sept équipages sur vingt-trois.
SAINT-EXUPÉRY, Pilote de guerre, XXIII, p. 191 (→ aussi En, cit. 18).

Techn. *Groupe d'abonnés :* regroupement d'abonnés partageant un même service (dans un réseau de communication).

♦ **4.** (Toujours avec un compl. en *de* ou un adj.). Ensemble (de choses) ayant une cohérence de nature ou spatiale. ⇒ **Collection, ensemble.** *Un groupe d'arbres* (→ Allée, cit. 3), *de baraques* (cit. 2). *Groupe d'îles, de montagnes, de canaux* (cit. 4). *Groupe d'étoiles.* ⇒ **Constellation;** → Épicycloïde, cit. — *Groupe de cellules* (→ Échange, cit. 16). *Groupes ganglionnaires.* — *Groupe d'armées* (cit. 13). — *Groupe d'œuvres formant un cycle. Groupe d'expériences, de faits* (→ Chaîne, cit. 35).

14 (...) *le cimetière.* Chez les Mesurat on appelait ainsi un groupe de douze portraits accrochés dans la salle à manger (...) J. GREEN, Adrienne Mesurat, I, I.

Groupe de lettres, de signes typographiques. ⇒ **Lettrine, logogramme.** — *Groupe de voyelles.* — *Groupes de mots,* formant des unités (sémantiques, fonctionnelles, rythmiques...) secondaires dans la phrase. ⇒ **Expression, locution;** → Accommoder, cit. 14; conjonction, cit. 7. *Groupes sémantiques, syntaxiques, phonétiques.* — Mus. *Groupe de notes.* ⇒ **Gruppetto.**

15 (...) écoutez les groupes aux violons dans la mort d'Yseult; voilà l'inimitable (...)
ALAIN, Propos, 21 mai 1921, Artisans et artistes.

Techn. Ensemble (d'éléments) formant un tout fonctionnel. *Groupe d'appareils.* Spécialt. *Groupe électrogène*. Groupe motopropulseur d'un avion* (moteur et hélice). *Groupe turbo-alternateur. Groupe compresseur, générateur* (→ Turbogénérateur), *hydraulique.*

GROUPE SCOLAIRE : ensemble des bâtiments d'une école communale. *École de filles, de garçons, école maternelle d'un groupe scolaire.*

Techn. *Groupe de lignes (de communication),* rassemblement de lignes en faisceau. *Groupe primaire. Groupe de terminaux.*

♦ **5.** (1898, Hadamard). Math. Ensemble pour lequel une loi de composition interne existe et permet de faire correspondre à deux de ses éléments un troisième appartenant aussi à cet ensemble et tel que ce troisième élément puisse être en particulier : 1) identique au premier, le deuxième élément étant alors par définition l'élément neutre; 2) l'élément neutre même, les deux premiers étant alors symétriques l'un de l'autre. ⇒ **Anneau, corps, idéal.** *Groupe abélien** ou *commutatif. Groupe additif, multiplicatif. Groupe linéaire. Groupe isomorphe.*

15.1 (...) la notion de «groupe» mathématique ne serait ainsi qu'un symbole supérieur dont la signification se réduirait aux divers déplacements, états physiques, etc., qu'il permet de décrire. Dans la conception opératoire, au contraire, le «groupe» ou n'importe quel autre concept logique ou mathématique constituerait un système d'actions sur le réel, actions véritables quoique intériorisées et qui n'auraient donc en elles-mêmes rien de symbolique (...)
J. PIAGET, Épistémologie des sciences de l'homme, p. 353-354.

Théorie des groupes, élaborée par É. Galois. *Ensemble ayant une structure de groupe. Groupes de transformations, de substitutions. Groupe symétrique, alterné. Applications de la notion de groupe à la résolution des équations, à la mécanique et à la physique.*

♦ **6.** Dans une classification*, Ensemble de personnes, de choses ayant un caractère commun permettant de le faire entrer dans une classe logique. ⇒ **Catégorie, classe, division, espèce** (cit. 30), **famille** (cit. 37), **ordre, sorte.** *On peut classer, diviser ces personnes en deux groupes. Groupe de corps chimiques; le groupe des amines* (→ Béribéri, cit.). *Groupe de langues, de dialectes* (→ Breton, cit. 2; ethnie, cit. 1).

Sc. *Groupe d'atomes.* ⇒ **Groupement.**

♦ **7.** Chim. Ensemble (d'éléments) correspondant à une colonne de la classification périodique. *Le premier groupe correspond à la famille des métaux alcalins et alcalino-terreux. Groupe des métaux de transition. Groupe des non-métaux.* ⇒ **Halogène.** *Groupe des gaz rares.*

16 En fait, il y a deux espèces de protestants : les taciturnes et les parleurs. Nous avons toujours été du dernier groupe. G. DUHAMEL, Salavin, VI, I.

Géol. Ensemble des terrains correspondant à une ère *(groupe secondaire, tertiaire)* ou à une époque* *(groupes éocrétacé, mésocrétacé appartenant au système* crétacé).* ⇒ **Époque** (cit. 17).

17 Les congrès recommandent d'appeler *groupe* l'ensemble des terrains correspondant à une ère; mais ce terme désignant en zoologie un groupement d'ordre tout à fait secondaire (...) il serait fâcheux de l'employer pour une division de premier ordre et il paraît préférable de se servir du terme de *série.*
Émile HAUG, Traité de géologie, t. II, p. 560.

♦ **8.** *Groupes sanguins,* permettant la classification des individus selon la présence ou l'absence d'agglutinogènes* (antigènes) et d'agglutinines* (anticorps) spécifiques des globules rouges et du sérum dans leur sang. *Groupe 1 ou AB* (récepteurs universels); *groupe 4 ou O* (donneurs universels). *Groupe A, groupe B. De même groupe sanguin.* ⇒ **Isogroupe.**

On a retrouvé chez les grands singes les quatre groupes sanguins qui caractérisent notre espèce (...) 18
Jean ROSTAND, l'Homme, I.

Groupes tissulaires (J. Dausset, 1980).

♦ **9.** Techn. autom. Classification des voitures de courses (de 1 à 9). *Voitures du groupe 5.*

DÉR. Groupal, grouper, groupiste.
COMP. Sous-groupe.
HOM. Group.

GROUPEMENT [gʀupmɑ̃] n. m. — 1801; de *grouper.*

♦ **1.** Action de grouper, de réunir en groupe (des choses, des personnes). ⇒ **Assemblage, rassemblement, réunion.** *Le groupement d'usines dans une zone industrielle, de matériel de guerre sur un point stratégique.* ⇒ **Accumulation, concentration.** *Le groupement d'un mot et de ses dérivés dans un article de dictionnaire; le groupement des sens.*

Par le groupement des bâtiments, en squares, cours et terrasses fermées, on a évincé les clochers. RIMBAUD, Illuminations, Villes. 1

Dès qu'il y a plusieurs familles en voisinage et coopération, le groupement des enfants d'après l'âge se fait de lui-même pour les jeux. 2
ALAIN, Propos, 25 juil. 1921, Qu'est-ce que l'école?

Le groupement de..., état de ce qui est en groupe. *Le groupement des parties d'un tout.* ⇒ **Arrangement, disposition.**

♦ **2.** *(Un, des groupements).* Réunion* de personnes, de choses groupées. — REM. *Groupement* désigne une réunion généralement plus importante que *groupe** *(un groupement de maisons, d'habitations* → Agglomération) et, lorsqu'il s'agit de personnes, insiste plus que *groupe* sur le caractère consenti, volontaire de l'union. — *Groupement social, politique.* ⇒ **Association;** → Activité, cit. 3; affilier, cit. 1; esprit, cit. 82. *Groupement corporatif* (cit. 2), *syndical.* ⇒ **Confédération, fédération, organisation, syndicat, union;** → Explosif, cit. 1. *Groupement de partis politiques.* ⇒ **Bloc, coalition, front, rassemblement.**

(...) les transformations du XIXe siècle, lequel, en donnant aux groupements nationaux une consistance inconnue avant lui (...) 3
Julien BENDA, la Trahison des clercs, p. 227.

Groupement agricole d'exploitation en commun. Groupement foncier agricole (sociétés civiles). — *Groupement d'achat :* organisme ayant pour but de réunir et d'effectuer les achats de ses membres. — *Groupement de recherches coordonnées* (abrév. : *GRECO*), au C. N. R. S.

Milit. *Groupement tactique :* réunion temporaire d'éléments de diverses armes, destinés à l'accomplissement d'une mission précise. *Dissoudre un groupement tactique après l'accomplissement de sa mission.* ⇒ aussi **Sous-groupement.**

Didact. *Groupement végétal :* «unité abstraite de végétation, définie par comparaison statistique des échantillons de communautés végétales (concrètes)» *(la Banque des mots,* n° 17, p. 77). — Chim. *Groupement* (ou *groupement fonctionnel*) : association d'atomes dans une molécule qui lui confère les propriétés d'une fonction. ⇒ **Radical.** *Groupement azoïque. Groupement carboxyle. Groupements aminés*.*

CONTR. Dégroupement, dispersion, division, éparpillement. — Développement, distribution.
COMP. Dégroupement, regroupement, sous-groupement.

GROUPER [gʀupe] v. tr. — 1680; de *groupe.*

♦ **1.** Arts. **a** Disposer en groupe (→ Groupe, 1.). ⇒ **Agrouper** (vx), **réunir.** *Grouper des figures, des personnages.*

Il *(Watteau)* a réussi dans les petites figures qu'il a dessinées et qu'il a très bien groupées (...) VOLTAIRE, Temple du goût. 1

(...) autour de lui *(Jésus-Christ)* sont groupés les convives avec différentes attitudes d'étonnement, d'insouciance et d'incrédulité (...) 2
Th. GAUTIER, Souvenirs de théâtre..., Noces de Cana.

b Intrans. Vx. *Ces figures groupent bien* (Académie).

Dans le Bélisaire, la femme, l'enfant et le vieillard groupent parfaitement; mais le soldat ne groupe ni avec eux, ni avec les personnages peints dans le lointain, ni avec le lieu, ni, pour ainsi dire, avec lui-même. 3
Joseph JOUBERT, Pensées, XX, XXXVII.

♦ **2.** (Le sujet désigne la personne ou le caractère qui réunit). Mettre ensemble*. ⇒ **Assembler, réunir.** — (Compl. n. de personne). *Grouper des soldats, grouper des individus en une collectivité.* ⇒ **Attrouper, rapprocher.** *Grouper tous les adversaires du régime.* ⇒ **Coaliser.** — (Le sujet désigne l'ensemble qui réunit). ⇒ **Réunir, unir.** *Association, fédération* (cit. 2) *groupant des États. Ce mouvement groupe des milliers d'adhérents.* ⇒ **Comprendre.** — (Compl. n. de chose). *Grouper des colonnes deux à deux. L'architecte groupe les maisons autour d'un parc. Grouper des objets de provenances diverses.* ⇒ **Amasser, collectionner.** — (Abstrait). *Grouper plusieurs idées en une phrase, plusieurs thèmes dans un livre.* ⇒ **Bloquer, concentrer, condenser; arranger, assembler, joindre, ranger;** → Fabulation, cit. 2. *Grouper tous les sens d'une forme dans un* *article de dictionnaire* (s'oppose à *dégrouper*). *Grouper des qualités, des défauts* (→ Entre-deux, cit. 4).

4 Ce don musical, si rare parmi les natures littéraires, ordinairement rebelles à l'harmonie, avait attiré et groupé autour d'elle une pléiade de compositeurs, sûrs d'être appréciés, compris, exécutés avec un sentiment profond, un art exquis.
Th. GAUTIER, Portraits contemporains, Sophie Gay.

5 (...) l'aptitude à grouper les faits, à confronter les signes, dans la recherche de la difficulté (...) G. DUHAMEL, Chronique des Pasquier, I, Prologue.

6 Prenez un certain nombre d'individus, ayant chacun ses traits de caractère, ses idées, ses répulsions et ses manies; groupez ces individus, par une incorporation ou une mobilisation, en un bataillon d'infanterie; ils vont acquérir rapidement des traits collectifs (...)
A. MAUROIS, Études littéraires, J. Romains, II (→ Emporter, cit. 37).

Grouper des individus dans une même famille, une même classe. ⇒ **Classer, ranger.** *On peut grouper ces animaux en trois familles.*

▶ **SE GROUPER** v. pron. *Se grouper en une collectivité* (→ Corps, cit. 44), *autour d'un chef* (→ Embrumer, cit. 1). *Huttes qui se groupent en village* (→ Coquillage, cit. 1), *maisons qui se groupent.* ⇒ **Agglomérer** (s'); → Espace, cit. 17.

7 Ce village, bâti tout d'un coup, éclos au souffle d'une volonté, a cette régularité ennuyeuse que n'ont pas les habitations qui se sont groupées peu à peu au caprice du hasard et du temps. Th. GAUTIER, Voyage en Espagne, p. 144.

8 Les lames, encore petites, se mettaient à courir les unes après les autres, à se grouper (...) LOTI, Pêcheur d'Islande, II, I.

▶ **GROUPÉ, ÉE** p. p. adj. *Figures groupées. Personnes groupées, groupées autour d'un chef* (→ Énergumène, cit. 4).

CONTR. Couper, disperser, disséminer, distribuer, diviser, échelonner, égailler, éparpiller, fractionner, parsemer, séparer. — Développer, étendre.
DÉR. Groupage, groupement, groupeur.
COMP. Dégrouper, regrouper.

GROUPEUR [gʀupœʀ] adj. et n. — 1797, en polit.; sens mod., 1877; de *grouper*.

♦ **1.** Adj. Rare. *Groupeur de... :* qui réunit en groupe (des personnes).

L'inondation garde la même réserve d'euphorie : la presse a pu y développer très facilement une dynamique de la solidarité et reconstituer au jour le jour la crue comme un événement groupeur d'hommes. R. BARTHES, Mythologies, p. 63.

♦ **2.** N. m. Comm. Commissionnaire qui groupe les colis pour le compte de plusieurs expéditeurs. *Groupeur de fret.*
REM. Le fém. *groupeuse* est virtuel.

GROUPIE [gʀupi] n. f. — V. 1970; angl. des États-Unis *groupie*, 1967, in *Oxford Dict.*; de l'angl. *group* « groupe » (au sens 3).

♦ **1.** Jeune admiratrice d'un musicien, d'un chanteur ou d'un groupe de musique pop, qui le suit dans ses tournées et assiste à tous ses concerts. *« (...) groupie c'est une invention du dernier quart de siècle. Au commencement était le rock et ses stars en tournée (...) les groupies de la haute époque n'avaient aucune commune démesure avec la ferveur platonique des groupies de Luis Mariano qui viennent encore, quinze ans plus tard, verser une larme et un bouquet sur la modeste tombe d'Arcangues »* (*Télérama*, 22 févr. 1984, p. 43).

Les groupies suivent les chanteurs et les musiciens, elles sont généralement jeunes, jolies, sans occupations définies, et surtout parfaitement interchangeables. Quand je suis devenue la groupie de Montand, il chantait dans une boîte (...) Dans l'obscurité, je me glissais derrière le bar, et là, debout avec le barman, je faisais la groupie. A voix basse, pendant les applaudissements, on « les » comparait à « ceux » de la veille. Quand « ils » étaient mauvais, « ils » l'avaient été immanquablement aussi pour la limonade.
Après le spectacle, on ramenait Crolla chez sa groupie à lui.
Simone SIGNORET, La nostalgie n'est plus ce qu'elle était, p. 94-95.

♦ **2.** Par ext. Femme partisan inconditionnel (d'un mouvement, d'un homme politique, etc.). *Les animateurs ont leurs groupies. « (...) la lettre touchante de Paulette M. (une secrétaire du journal), qui s'était transformée pour la circonstance en* groupie *de la gauche »* (*le Point*, 6 févr. 1984, p. 38).
REM. L'emploi de *groupie* au masc. est inusité; mais le pluriel peut concerner un ensemble de femmes et d'hommes.

GROUPISTE [gʀupist] n. m. — 1973; de *groupe (électrogène)*.

♦ Techn. Cin. Personne responsable de la bonne marche d'un groupe électrogène.

GROUPUSCULAIRE [gʀupyskylɛʀ] adj. — V. 1968; de *groupuscule*.

♦ Rare. Qui concerne un groupuscule.

Mais ce silence que j'ai reçu, que j'ai entendu, il reste le silence, il ne s'appelle pas révolte. Les révoltes furent individuelles, « groupusculaires ».
Michèle PERREIN, Entre chienne et louve, p. 219.

GROUPUSCULE [gʀupyskyl] n. m. — 1936, *in* D. D. L.; répandu v. 1955; de *groupe*, d'après les dimin. en *-icule* (lat. *-iculus*), et avec infl. de *minuscule*.

♦ Fam. et péj. Petit groupement insignifiant. *Des groupuscules extrémistes.*

En fin de compte, les autorités, affolées, se réfugient faiblement dans les solutions de force et leur incommensurable sottise. On met en prison, on jette des gaz, on matraque. La jeunesse, solidaire, se dresse. Le groupuscule devient masse (...) Avec une remarquable pauvreté de moyens, à l'aide de quelques canulars d'école poursuivis avec une rigueur implacable, une poignée d'étudiants a réussi, au bout de quelques mois, à tenir en échec un gouvernement (...)
Robert MERLE, *in* le Monde, 15 mai 1968.

DÉR. Groupusculaire.

GROUSE [gʀuz] n. f. — 1851, *in* Höfler; *grous*, 1771; mot écossais.

♦ Anglic. Lagopède d'Écosse. ⇒ **Grianneau, lagopède, tétras; coq** (de bruyère). *Chasser la grouse; chasse à la grouse.*

1. GRUAU [gʀyo] n. m. — 1390; *gruel*, v. 1170; de l'anc. franç. *gru*, du francique **grût*; cf. néerl. *grut*. P. Guiraud suggère un croisement du francique avec le lat. *crudus* « brut, non façonné » (→ 2. Cru) dont le dér. **crudalis* expliquerait mieux la forme *gruau*.

♦ **1.** Grain d'avoine mondé, broyé, débarrassé du son (⇒ **Fleurage**) et dépouillé de ses annexes florales. *Bouillie, tisane de gruau.*

♦ **2.** Plat à base de gruau. *Le gruau engraisse* (→ Conglutiner, cit. 2). *Donner du gruau à un bébé. Du gruau à la crème* (→ Calorie, cit. 2).

♦ **3.** Par ext. Grain (d'une céréale quelconque). *Gruau d'orge, de froment.* ⇒ **Farine.** *Faire passer des gruaux dans un convertisseur*.*

♦ **4.** Fine fleur de froment. *Farine de gruau,* faite avec la partie du froment la plus riche en gluten, la plus nourrissante et la plus dure. *Pain de gruau.* ⇒ **Mousseau.**

HOM. 2. **Gruau.**

2. GRUAU [gʀyo] n. m. — 1547, *gruyau*; de *grue*.

♦ Rare. Petit de la grue. ⇒ **Gruon.**

HOM. 1. **Gruau.**

GRUE [gʀy] n. f. — Déb. XIIe; lat. pop. **grua*, du lat. class. *grus*, même sens.

★ **I. A.** ♦ **1.** Grand oiseau échassier (de la famille des *Gruidés*). *La grue, oiseau migrateur* (→ Bécasse, cit. 1; brise, cit. 1) *qui vole par bandes. Le vol, le passage des grues. La grue se nourrit d'insectes, de mollusques, de batraciens. Cri de la grue* (⇒ **Craquer, craqueter, glapir**). *Chasser la grue avec un faucon* (cit. 1) *gruyer**. — *Grue couronnée.* ⇒ **Trompette.** *La* « demoiselle de Numidie », *sorte de grue.*

Des vols de grues filent sur ma tête. J'entends le froissement des plumes, l'ébouriffement du duvet dans l'air vif, et jusqu'au craquement de la petite armature surmenée. Alphonse DAUDET, Lettres de mon moulin, « En Camargue », III. 1

Du dehors, au ciel opaque, un bizarre cri rouillé pénétrait dans la chambre. Une sorte de roucoulement triste, qui semblait à la fois très proche et très lointain. — Qu'est-ce que c'est? murmura Mme de Saint-Selve. — Les premières grues qui passent, dit Anne. L'hiver! Pierre BENOIT, Mlle de la Ferté, III, p. 185. 2

♦ **2.** Loc. fig. Vx. *Faire la grue;* mod., *faire le pied** (cit. 52) *de grue* (→ Chien, cit. 37) : attendre longtemps sur ses jambes (comme une grue qui se tient sur une patte).

Je courais, je faisais la grue 3
Tout un jour au bout d'une rue. CORNEILLE, Poésies diverses, X, 27.

J'ai fait le pied de grue un instant devant sa porte. STENDHAL, Journal, p. 243. 4

Bayer aux grues* (→ Flâner, cit. 1).
REM. *Faire le pied de grue,* sous l'infl. du sens B, 1, s'applique parfois aux prostituées qui font le trottoir.

B. ♦ **1.** (1415). Femme de mœurs légères et vénales (du fait des stations prolongées de la fille qui *fait le pied de grue*). ⇒ **Prostituée.** — REM. Cette acception semble être sortie de l'usage jusqu'à la seconde moitié du XIXe s. Pour Littré, *grue* s'applique à une « grande femme qui a l'air gauche ».

Je connais ma maîtresse mieux que vous, et elle n'est une grue ni de près ni de loin. COURTELINE, Boubouroche, Nouvelles, II. 5

(...) un temps où les grues s'appelaient lorettes ou cocottes et n'étaient pas aussi chères qu'aujourd'hui. Paul LÉAUTAUD, le Théâtre de M. Boissard, IV. 6

♦ **2.** (Employé comme t. d'insulte ou dépréciatif). ⇒ **Putain.** *C'est une petite grue. Sale grue!*

(...) il s'affiche avec une grue insortable. On se demande à quoi servent les études! Elle lui tient le menton entre ses doigts aux ongles sanglants et le contemple fixement. Comment peut-on avoir envie d'une femme qui vous tient le menton? 6.1
Benoîte et Flora GROULT, Journal à quatre mains, p. 35.

★ **II.** ♦ **1.** (1467; infl. par le moy. néerl. *crane*. → Crône). Machine de levage* et de manutention constituée par une charpente mobile autour d'un pivot, et terminée par une flèche* supportant une poulie où passe un câble ou une chaîne rattachée à un treuil. ⇒ **Chèvre, crône, derrick, sapine.** *Conduire une grue.* ⇒ **Grutier.** *Soulever un* *fardeau au moyen d'une grue.* ⇒ **Guinder.** *La portée d'une grue dépend de la longueur de sa volée. Empattement d'une grue. Grue d'applique. Grue à pivot, à plateau. Grue montée sur rails, sur wagon. Grue à vapeur, grue hydraulique, électrique. Grue de chantier* (cit. 2). *Grue de port, de quai, grue flottante, grue sur ponton,* pour le chargement et le déchargement des navires.

7 Pour gagner le wharf, nous prenons place à cinq ou six dans une sorte de balancelle qu'on suspend par un crochet à une élingue, et qu'une grue soulève et dirige à travers les airs, au-dessus des flots, vers une vaste barque où le treuil la laisse lourdement choir. GIDE, Voyage au Congo, I, p. 13.

♦ **2.** Cin. *Grue de prise de vues :* appareil articulé permettant les mouvements de caméra. *Travelling à la grue.*

8 (...) ce qu'il y a d'étonnamment beau dans ces mouvements d'appareil qui s'emballent comme des moteurs (...) c'est qu'ils donnent l'impression d'être faits à la main, alors qu'ils le sont à la grue, un peu comme si le crayonnage virevoltant d'un Fragonard était le fait d'une machinerie compliquée.
J.-L. GODARD, Jean-Luc Godard, *in* Coll. des Cahiers du cinéma, p. 233.

DÉR. (Du sens I) 2. **Gruau, gruon.** — (Du sens II) **Grutier.**
COMP. (Du sens II) **Autogrue.**

GRUERIE [gRyRi] n. f. — 1261 ; de *gruyer*, et suff. *-erie.*

Histoire.

♦ **1.** Privilège royal ou seigneurial sur les bois.

♦ **2.** (1509). Juridiction des eaux et forêts. — Zone sur laquelle s'exerce cette juridiction.

GRUGEAGE [gRyʒaʒ] n. m. — 1870, au sens fig., Mérimée ; de *gruger.*

♦ **1.** Techn. Opération par laquelle on rogne le bord d'une plaque de verre, en miroiterie.
Méthode de débitage des tôles, des laminés, des profilés. ⇒ **Grugeoir.**

♦ **2.** Rare. Le fait de gruger (II.) qqn. ⇒ **Grugerie,** 2.

GRUGEOIR [gRyʒwaR] n. m. — 1606 ; de *gruger.*

♦ Techn. Instrument servant à gruger (I.). ⇒ **Égrugeoir, grésoir.** — Outil de découpage de l'acier (serrurerie).
Machine-outil qui effectue le débitage de tôles, de profilés, de laminés, par arrachement de copeaux.

GRUGER [gRyʒe] v. tr. — Conjug. *bouger.* — 1482, *grugier ;* du holl. *gruizen* « écraser » ; rad. francique **grut.* → Gruau ; grusiner (régional).

★ **I.** ♦ **1.** Vx. Réduire en grains. ⇒ **Égruger.**

♦ **2.** (1660). Vx. Briser avec les dents. *Gruger des noisettes, des bonbons.* ⇒ **Croquer.** — Par ext. Gober, manger.

1 Perrin fort gravement ouvre l'huître et la gruge (...) LA FONTAINE, Fables, IX, 9.

♦ **3.** Techn. Égruger.

★ **II.** (XVIIe). Mod. Littér. Duper qqn en affaires ; le dépouiller de son bien. ⇒ **Spolier, voler.** *Se faire, se laisser gruger. Il s'est laissé gruger par des aigrefins* (→ 1. Aigrefin, cit. 1).

2 (...) on nous mange, on nous gruge,
On nous mine par des longueurs (...) LA FONTAINE, Fables, I, 21.

3 Ma rente va vous manquer, et, d'après ce que je vous entends dire, vous vous laisseriez gruger jusqu'au dernier sou par ce misérable (...)
BALZAC, la Rabouilleuse, Pl., t. III, p. 919.

4 Oh ! les hommes ! ils grugent autant les femmes que les femmes grugent les vieux... allez ! BALZAC, Splendeurs et Misères des courtisanes, Pl., t. V, p. 815.

5 — Toi, tu es une innocente (...) Tu seras toujours grugée par les hommes.
Encore faudrait-il qu'il y ait des hommes ! Et au train où vont les événements...
Benoîte et Flora GROULT, Journal à quatre mains, p. 21.

DÉR. Grugeage, grugeoir, grugerie, grugeur.
COMP. Égruger.

GRUGERIE [gRyʒRi] n. f. — 1752 ; de *gruger.*

♦ **1.** Hist. Partage d'une somme héritée d'un chanoine par le chapitre (à Notre-Dame de Paris).

♦ **2.** (1803). Littér. et rare. Action de gruger (II.) qqn. ⇒ **Grugeage,** 2.

GRUGEUR, EUSE [gRyʒœR, øz] adj. et n. — 1780 ; de *gruger.*

♦ **1.** Adj. Rare. Qui gruge (I.). *Insectes grugeurs.*

♦ **2.** N. Personne qui gruge (II.). → Affameur, cit. 2.

GRUME [gRym] n. f. — 1552, « grain de raisin » ; bas lat. *gruma* « cosse, gousse, écorce » ; lat. class. *gluma* « pellicule végétale », de *glubere* « écorcer ».

Technique ou régional.

♦ **1.** Régional. Grain* de raisin.

♦ **2.** (1684, Furetière). **a** (Dans : *de, en grume*). Écorce qui reste sur le bois coupé non encore équarri. *Bois de grume, bois en grume,* couvert de son écorce.

(...) après avoir exercé trente ans la charge de maître particulier des Eaux et Forêts, il *(La Fontaine)* avoue qu'il a appris dans le Dictionnaire universel *(celui de Furetière, alors achevé)* ce que c'est que du bois en grume, qu'un bois marmenteau, qu'un bois de touche, et plusieurs autres termes de son métier qu'il n'a jamais su. FURETIÈRE, 2e Factum, *in* LA FONTAINE, Œ., Pl., p. 974. 1

Toi qui crois tout savoir, merveilleux Furetière 2
(quand Guilleragues) Eut à coups de bâton secoué ton manteau,
Le bâton, dis-le nous, était-ce bois de grume
Ou bien du bois de marmenteau ?
LA FONTAINE, Épigramme contre Furetière, *in* Œ., Pl., p. 645.

Cette épigramme montre clairement que l'objection qu'on a faite au sieur de La Fontaine d'ignorer la nature du bois en grume et du bois marmenteau est bien fondée. Le bois en grume est du bois de charpente et de charronnage débité avec son écorce et qui n'est point équarri (...) l'un et l'autre de ces bois ne sont pas propres à venger des traits médisants. 3
FURETIÈRE, Réponse à La Fontaine, *in* LA FONTAINE, Œ., Pl., p. 974.

Pour mieux comparer la force du bois des arbres écorcés avec celle du bois ordinaire, j'eus soin de mettre ensemble chacun des six chênes que j'avais fait amener en grume, avec un chêne écorcé, de même grosseur à peu près (...) 4
BUFFON, Expériences sur les végétaux, II, 1.

b Pièce de bois, formée d'un tronc d'arbre ou d'une portion de tronc, non encore équarrie et couverte de son écorce. *Transport de grumes.* ⇒ **Grumier.**

(...) le roulier qui dort, aux sonnailles de son percheron, dans la senteur des grumes chauffées par le soleil. M. GENEVOIX, Forêt voisine, I. 5

(...) quand une grume biscornue refuse de passer sous la scie, le patron lui fait prendre une cognée : « Débarbouille-moi ça... » Alors ses longs bras font merveille (...) On a plaisir à le voir mouliner (...) Mais c'est fini, la grume peut passer. Déjà la circulaire jette sa plainte déchirante (...) M. GENEVOIX, Forêt voisine, XIV. 6

DÉR. Grumier.

GRUMEAU [gRymo] n. m. — 1265, *grumiel ;* lat. pop. **grumellus,* class. *grumulus,* dimin. de *grumus* « motte (de terre) ».

♦ **1.** Petite portion de matière agglutinée en grains*. *Grumeaux de sel, de sable, de terre. Sel en grumeaux.*

On trouve du sel en grumeaux adhérents à de la lave altérée ou à du sable vomi par les volcans. BUFFON, Hist. nat. des minéraux, t. VIII, p. 116, *in* LITTRÉ. 1

Il arrive souvent qu'en creusant sa trémie, le fourmi-lion rencontre de gros grains de sable ou de petits grumeaux de terre sèche. 2
BONNET, Contemplations de la nature, XII, 42, *in* LITTRÉ.

♦ **2.** Cour. Masse coagulée et gluante en suspension dans un liquide. *Grumeaux du lait qui caille. Grumeaux dans une sauce, une pâte.* ⇒ **Marron, maton.** *Bouillie pleine de grumeaux. Cette crème a fait des grumeaux, est pleine de grumeaux.* ⇒ **Grumeleux,** 1. — *Grumeaux de sang.* ⇒ **Caillot.**

♦ **3.** Littér. Petite éminence sur une surface rugueuse. *« Sentant au toucher les grumeaux de sa peau »* (Montherlant, *in* T. L. F.). ⇒ **Grumeleux,** 2.

GRUMELER (SE) [gRymle] v. tr. — Conjug. *appeler.* — V. 1200, au p. p. ; au pron., 1782 ; de *grumel,* forme anc. de *grumeau.*

♦ **1.** V. pron. Se mettre en grumeaux. *Lait qui tourne et se grumelle.* — Au p. p. *Bouillie toute grumelée.* Par ext. ⇒ **Grumeleux.**

(...) on a trouvé des mèches de cheveux, — des mèches très épaisses de cheveux gris. Ils ont été arrachés avec leurs racines (...) À leurs racines grumelées — affreux spectacle ! — adhéraient des fragments de cuir chevelu (...) 1
BAUDELAIRE, Trad. E. POE, Histoires extraordinaires, « Double assassinat dans la rue Morgue ».

♦ **2.** V. tr. (XXe). Couvrir de grumeaux.

(...) il dînait d'une tasse de café au lait bouillant et offrait à ses visiteurs une coupe de cidre, souvenir de la Beauce, « où des bulles grumelaient le verre et lui donnaient une extrême beauté en brodant de mille points délicats sa surface que le cidre rosait ». A. MAUROIS, À la recherche de Marcel Proust, IV, 1. 2

DÉR. Grumelure.
COMP. Engrumeler.
HOM. Variante de **grommeler** (en parlant du sanglier).

GRUMELEUX, EUSE [gRymlø, øz] adj. — 1373 ; de *grumel,* forme anc. de *grumeau.* → Grumeau.

♦ **1.** Qui contient des grumeaux, qui est en grumeaux. *Crème grumeleuse.*

♦ **2.** (1783, d'une racine). Qui présente des parties dures, des granulations à la surface ou à l'intérieur. *Poires grumeleuses. Laine brute s'étalant en nappes grumeleuses* (→ Étirer, cit. 2). *Peau grumeleuse.*

Mais elle se vit soudain toute petite, un fétu, avec une peau grumeleuse, parce qu'elle avait la chair de poule (...) SARTRE, le Sursis, p. 284. 1

2 Le sang était encore frais : une large tache rouge clair et grumeleuse, brillante comme un vernis, s'étalant sur ou plutôt hors de la croûte de boue et de poils collés.
Claude SIMON, la Route des Flandres, p. 28.

GRUMELURE [gʀymlyʀ] n. f. — 1668; de *grumeler.*

♦ Techn. Trou ou soufflure dans une pièce de métal fondu.

GRUMIER [gʀymje] n. m. — Mil. xxᵉ (*in* G. L. E., 1962); de *grume.*

♦ Techn. Camion, remorque pour le transport des grumes de bois.

GRUON [gʀyɔ̃] n. m. — 1636; de *grue* (I., A.).

♦ Vx. Petit de la grue. ⇒ **2. Gruau.**

GRUPPETTO [gʀupɛtto; gʀupeto] n. m. — 1821, *in* D. D. L.; mot ital. « petit groupe », dimin. de *gruppo.* → Groupe.

♦ Mus. Ornement composé de trois ou quatre petites notes brodant autour d'une note principale. *Exécuter un gruppetto, des gruppetti avec légèreté. Le gruppetto,* ornement fréquent dans la musique pour clavecin. ⇒ **Groupe.**

1 Les ornements les plus simples, tels que les *appogiature,* les *gruppetti* (...) toute la parure du chant (...) appartenait de droit au chanteur.
STENDHAL, Vie de Rossini, p. 450.

2 Il n'existe peut-être pas d'exemple plus fort de ce que je dis là que le *gruppetto* des musiciens, qui est un ornement de virtuose, connu, prévu, usé comme un carrefour. Mais écoutez les groupes aux violons dans la mort d'Yseult; voilà l'inimitable (...)
ALAIN, Propos, 21 mai 1921, Artisans et artistes.

GRUSINER [gʀyzine] v. intr. — 1910, Apollinaire; mot dial. wallon, du néerl. *gruizen* « écraser ». → Gruger.

♦ Régional (Belgique, Nord de la France). Manger une chose qui croque sous la dent. ⇒ **Grignoter.**

GRUTIER, IÈRE [gʀytje, jɛʀ] n. m. — Déb. xxᵉ, au masc.; de *grue,* suff. *-ier,* et consonne de liaison *-t-.*

♦ Techn. Conducteur, conductrice d'une grue, de grues. — REM. Le fém. *grutière,* encore peu fréquent, est attesté depuis l'accession de femmes à ce métier naguère exclusivement masculin.

1. GRUYER [gʀyje] n. m. — 1247; probablt d'un gallo-roman **grodiarius* « maître forestier », lui-même du francique **grôdi* « ce qui est vert ». P. Guiraud préfère l'étymon lat. *crudarius* « relatif à ce qui est brut, non cultivé (*crudus* → 1. Gruau) »; cf. l'anc. franç. *cruière* « jachère ».

Histoire.

♦ **1.** N. m. Officier préposé aux délits commis dans les forêts.

1 (...) un gruyer, ou juge des délits forestiers (...)
TAINE, les Origines de la France contemporaine, Ancien Régime, I, t. I, p. 33.

2 En 1355, une fosse située à Corberon (Côte d'Or) était placée sous la surveillance des forestiers et des gruyers; elle permit de piéger quatre loups et trois louves en une seule année.
Claude-Catherine et Gilles RAGACHE, les Loups en France, p. 188.

♦ **2.** Adj. Qui avait droit de juridiction forestière (⇒ **Gruerie**). *Seigneur gruyer.*

DÉR. Gruerie.

2. GRUYER [gʀyje] adj. — D. i.; de *grue.*

♦ Techn. (chasse). *Faucon gruyer,* spécialement dressé pour la chasse à la grue.

GRUYÈRE [gʀyjɛʀ; ou pop. gʀyɛʀ] n. m. — 1674, (fromage) *à la mode de gruière; gruière,* 1655; du nom d'une région du canton de Fribourg, en Suisse, la *Gruyère.*

♦ [a] Fromage* cylindrique, de lait de vache, cuit, à pâte dure, d'abord fabriqué dans la Gruyère, puis en France (Vosges, Jura) et dans d'autres pays. *Du gruyère et du comté*. Une meule de gruyère. Manger un morceau de gruyère. Les yeux** (les trous) *du gruyère.* ⇒ **Mille-trous.** *Soupe au gruyère* (→ Caramélé, cit.). *Gruyère râpé.*

(...) les étudiants de la rue Pavée, courant en foule aux *Trois Maures* chercher, à neuf heures, deux sous de gruyère ou de résiné (...)
BALZAC, Dictionnaire des enseignes, *in* Œ. diverses, t. I, p. 183.

REM. On écrit *du gruyère* et *du fromage de Gruyère.*

Par ext. (incorrect dans l'usage technique et commercial). Fromage analogue au gruyère. ⇒ **Comté, emmenthal.**

Loc. fam. (Vieilli). *Yeux de gruyère,* vides, inexpressifs.

[b] *(Un, des gruyères).* Un fromage de ce type; une meule de gruyère. *Transporter plusieurs gruyères sur un chariot.*

1. GRYLLE [gʀil] n. m. — Av. 1614, repris au xixᵉ (1834); du lat. *gryllus* « peinture en caricature ».

♦ Didact. Monstre, dans les œuvres antiques de la glyptique. — (1962). En peinture, Assemblage bizarre de figures d'animaux.

Monstre sacré de l'art du moyen-âge et de l'antiquité représentant des êtres dont le corps est composé de têtes (...) On a appelé ces figures gravées des grylles d'après un texte de Pline l'Ancien relatif à la caricature d'un certain Gryllos (porcelet), due à un contemporain d'Apelle, Antiphilos l'Égyptien.
Jurgis BALTRUSAITIS, le Moyen-Âge fantastique, p. 18.

HOM. Gril, grill, 2. **grylle.**

2. GRYLLE [gʀil] n. m. — 1760; orig. inconnue.

♦ Rare. Petit guillemot (oiseau).

HOM. Gril, grill, 1. **grylle.**

GRYLLIDÉS [gʀilide] n. m. pl. — 1901; *gryllide,* 1866; du lat. *grillus, gryllus* « grillon ».

♦ Zool. Famille d'insectes orthoptères dont le type est le grillon (Gryllus). — Au sing. *Un gryllidé.*

GRYPHÉE [gʀife] n. f. — 1801, Lamarck; du bas lat. *gryphus,* class. *grypus,* grec *grupos* « recourbé ». → Griffon.

♦ Zool. Mollusque lamellibranche (ordre des *Anisomyaires*) constituant un sous-genre de l'huître, à coquille allongée et irrégulière. *Gryphée comestible :* l'huître portugaise.

HOM. Griffer.

GRYPOSE [gʀipoz] n. f. — 1855; du grec *grupôsis* « forme crochue », de *grupoun* « rendre crochu ».

♦ Méd. Forme crochue des ongles, observée chez des malades atteints d'une maladie viscérale.

G. T. [ʒete] n. (toujours en appos.). — D. i. (xxᵉ); sigle.

♦ Abrév. de *grand tourisme,* dans un nom d'automobile.

G-TEST [ʒetɛst] n. m. invar. — V. 1972; de *G(rossesse),* et *test.*

♦ Méd. Réaction immuno-biologique qui permet de déceler une grossesse à son début.

GUAI ou **GUAIS** [gɛ] adj. m. — 1812, *guais; hareng gai,* 1723; très probablt même mot, dans l'anc. orth. *guay,* que *gai,* pris dans le sens anc. techn. « qui joue librement, qui a du jeu ». Cf. en blason *cheval gai* « sans brides ni harnais ».

♦ Pêche. Se dit du hareng quand il est vide de laite et d'œufs.

HOM. Guet. — REM. *Gai* et *gué* se prononcent différemment [e].

GUANACO [gwanako] n. m. — 1598; *naco,* 1568; aussi sous la forme *huanacus* et *guanaque;* péruvien *huanaco.*

♦ Lama* à l'état sauvage. *Des guanacos.*

Il y a exemple dans toutes les langues qu'on donne quelquefois au même animal deux noms différents, dont l'un se rapporte à son état de liberté, et l'autre à celui de domesticité *(Ex : sanglier et cochon)* [...] Il en est de même des lamas et des pacos (...) Ces noms sont ceux de leur état de domesticité; le lama sauvage s'appelle *huanacus* ou *guanaco,* et le paco sauvage *vicunna* ou *vigogne.*
BUFFON, Hist. nat. des animaux, Le lama et le paco.

GUANCHE [gwɑ̃ʃ] adj. et n. — 1855, Nysten, art. *Homme;* du nom de la population primitive des Canaries, signifiant « les hommes », par l'esp. *guancho.*

♦ Didact. Qui appartient à la population autochtone des Canaries. *Population, civilisation guanche.* — N. *Les Guanches.*

Ce faisant, pour la nième fois elle recommença, volubile, île par île, le récit de ses pérégrinations au pays des Guanches et des serins.
Hervé BAZIN, Cri de la chouette, p. 172.

N. m. Ancienne langue des guanches (disparue après la conquête espagnole).

GUANEUX, EUSE [gwanø, øz] adj. — 1928, *in* T. L. F.; de *guano.*

♦ Rare. Couvert de guano. *Rochers guaneux.*

GUANIDINE [gwanidin] n. f. — 1905, in *Rev. gén. des sc.,* nᵒ 1, p. 21; de *guanine.*

♦ Chim., biol. Substance azotée basique présente dans les germes de blé et certains champignons. *La guanidine, obtenue pour la pre-*

mière fois par Strecker par oxydation de la guanine. Dérivés de la guanidine (arginine, créatine). *Dérivés toxiques de la guanidine décelés dans le sang en cas d'urémie.*

GUANIER, IÈRE [gwajne, jɛʀ] adj. — 1877; de *guano.*

♦ Relatif au guano. — Où l'on trouve du guano. *Îles guanières.*

GUANINE [gwanin] n. f. — 1858, Littré-Robin; de *guano.*

♦ Didact. (biochim.). Base azotée de la série purique, de formule $C_6H_5ON_5$, contenue dans le guano, dans le pancréas de certains animaux et dans les guanophores* des amphibiens. *La guanine est constitutive d'un des quatre nucléotides formant l'acide désoxyribonucléique* (ADN). *Dans l'ADN, la guanine s'associe toujours avec la cytosine** (→ Adénine, cit.).

DÉR. Guanidine.

GUANO [gwano] n. m. — 1598; var. *guana,* n. f., xviiie, Frezier, cit. *in* Trévoux; mot esp. (1590), péruvien *huano,* mot quichua, la forme *huano* a été reprise au xixe, mais ne s'est pas imposée.

♦ **1.** Matière constituée par les amas de déjections d'oiseaux marins. Plur. : *guanos. Les gisements de guano sont particulièrement abondants sur les côtes du Pérou et du Chili, et dans certaines îles du Pacifique. Le guano est un puissant engrais** (cit. 3) *azoté, dont les propriétés fertilisantes étaient connues, selon les anciens voyageurs, depuis longtemps par les Péruviens.*

1 Il y a aussi certains endroits des côtes et des îles dont le sol entier, jusqu'à une assez grande profondeur, n'est composé que de la fiente des oiseaux aquatiques : telle est, vers la côte du Pérou, l'île d'Iquique, dont les Espagnols tirent ce fumier et le transportent pour servir d'engrais aux terres du continent (*Note.* Depuis plus d'un siècle on enlève annuellement la charge de plusieurs navires de cette fiente réduite en terreau, à laquelle les Espagnols donnent le nom de *guana*...).
BUFFON, Hist. nat. des oiseaux, Oiseaux aquatiques.

2 Le guano est devenu la pierre fondamentale sur laquelle repose tout l'édifice social du Pérou.
H. LANDRIN, Manuel des engrais, p. 138, *in* FLAUBERT, Bouvard et Pécuchet, Extraits du «Sottisier», Folio, p. 459.

♦ **2.** (1875). Techn. Engrais fabriqué avec des débris et déchets d'origine animale. *Guano de poisson. Guano de viande.*

DÉR. Guaneux, guanier, guanine.
COMP. Guanophore.

GUANOPHORE [gwanɔfɔʀ] n. m. — xxe; de *guano,* et *-phore.*

♦ Didact. (sc.). Cellule pigmentaire de la peau des amphibiens contenant de la guanine.

(...) les guanophores, qui renferment des cristaux blancs de guanine, forment une couche fortement réfringente (...)
Jean GUIBÉ, les Batraciens, p. 24.

GUARANA [gwaʀana] n. f. — 1857; mot esp., de *guarani**.

♦ Pharm. Substance astringente et tonique extraite d'une liane *(Sapindacées)* d'Amérique centrale.

GUARANI [gwaʀani] adj. et n. — 1840; *guarini,* Chateaubriand, 1803; mot guarani.

♦ Qui appartient à une population indienne du Paraguay. (Invar. en genre). *La culture guarani.* — N. *Un Guarani, une Guarani. Des Guarani ou des Guaranis.* ⇒ aussi **Tupi.** En appos. *Tupi-guarani.* — N. m. *Le guarani :* la langue des Guaranis. *Parler guarani, le guarani.*

La substance de la société guarani, c'est son monde religieux. Que se perde pour eux l'ancrage en ce monde : alors la société s'écroulera. Le rapport des Guarani à leurs dieux est ce qui les maintient comme Soi collectif, ce qui les rassemble dans une communauté de croyants.
Pierre CLASTRES, le Grand Parler, Mythes et chants sacrés des Indiens, p. 8.

Unité monétaire principale du Paraguay.

DÉR. Guarana.

GUATÉMALTÈQUE [gwatemaltɛk] adj. — Fin xixe, *Nouveau Larousse illustré;* esp. *guatemalteco,* de *Guatemala.*

♦ Du Guatemala (République d'Amérique centrale). *Le peuple guatémaltèque.* — N. *Un, une Guatémaltèque :* habitant ou originaire du Guatemala.

(...) les grands yeux d'une petite Indienne dans la brousse guatémaltèque (...)
J.-L. GODARD, *in* Coll. des Cahiers du cinéma, no 93, mars 1959, p. 212.

REM. On emploie aussi le dér. français de *Guatemala : guatémalien, ienne* [gwatemaljɛ̃, jɛn].

GUAXE [gwaks] n. f. — Mil. xxe; orig. inconnue.

♦ Fruit (gousse) de l'acacia.

GUBERNATORIAL, ALE, AUX [gybɛʀnatɔʀjal, o] adj. — xxe; dér. sav. du lat. *gubernator* «gouverneur», du supin de *gubernare.* → Gouverner.

♦ Didact. Relatif à un gouverneur, à sa fonction. *Fonction, dignité gubernatoriale.*

1. GUÉ [ge] n. m. — 1080; «mare», v. 1200; du francique **wad* (forme germanique correspondant au lat. *vadum*). → aussi gadouille.

♦ Endroit d'une rivière où le niveau de l'eau est assez bas pour qu'on puisse la traverser à pied. ⇒ **Passage** (→ Biaiser, cit. 3; chemin, cit. 2). *Passer un gué* (→ Aider, cit. 11). *Troupeau qui s'abreuve au gué.*

L'ânier, qui tous les jours traversait ce gué-là, 1
Sur l'âne à l'éponge monta (...)
LA FONTAINE, Fables, II, 10.

Loc. adv. **À GUÉ.** *Traverser à gué. Le cours d'eau est peu profond ici : on peut le passer à gué* (⇒ **Guéable**).

(...) passa bravement le ruisseau à gué, ayant de l'eau jusqu'à mi-jambe. 2
Th. GAUTIER, les Grotesques, VIII.

On passe sur un pont de bois tremblant et déjeté. Les mules chargées de nos sacs 3
et de nos couvertures passent à gué.
GIDE, Nouveaux prétextes, p. 234.

Prov. *On ne change pas les chevaux au milieu du gué :* on ne change pas de personnel dans une passe difficile, périlleuse (cf. le mot de Lincoln : *Il ne faut pas changer d'attelage en traversant une rivière, in* Guerlac, p. 252).

Loc. fig. (Vieilli). *Sonder le gué :* examiner discrètement une affaire avant de s'engager.

HOM. Gai, gay, 2. gué.

2. GUÉ [ge] interj. — 1666, Molière; mais probablt d'emploi beaucoup plus ancien dans les refrains populaires; var. de *gai, gay.*

♦ Vx ou dans des refrains de chanson. Interjection exprimant la joie. *La bonne aventure, ô gué!* (parfois transcrit erronément : *au gué*).

J'aime mieux ma mie, au gué
J'aime mieux ma mie.
MOLIÈRE, le Misanthrope (Chanson du roi Henri), I, 2.

HOM. Gai, gay, 1. gué.

GUÉABLE [geabl] adj. — 1160; de *guéer.*

♦ Que l'on peut passer à gué. *La rivière est, n'est pas guéable à tel endroit. Petite rivière guéable à plusieurs endroits.*

On l'envoie reconnaître si la rivière est guéable (...) 1
Mme DE SÉVIGNÉ, Lettres, 294, 3 juil. 1672.

Le premier obstacle était le Jourdain. Dans cette basse partie, il est large — quatre- 2
vingts mètres — mais peu profond et ordinairement guéable.
DANIEL-ROPS, le Peuple de la Bible, II, III.

CONTR. Inguéable.

GUÈBRE [gɛbʀ] n. — 1653, *gueuvre; quebre,* 1637; persan *gäbr* «adorateur du feu».

♦ Vieilli. Fidèle de la religion de Zoroastre. ⇒ **Parsi, zoroastrien.** *Un, une Guèbre. La secte des Guèbres.* — Adj. *L'émigration guèbre vers l'Inde.*

Les persécutions que nos mahométans zélés ont faites aux guèbres les ont obligés 1
de passer en foule dans les Indes (...)
MONTESQUIEU, Lettres persanes, LXXXVI.

Le droit divin des rois, les faux dieux juifs ou guèbres (...) 2
HUGO, la Légende des siècles, LVIII, II.

GUÈDE [gɛd] n. f. — Fin xie, *gueide;* d'un germanique **waizda,* all. *waid.*

♦ **1.** Bot. Plante herbacée *(Crucifères)* à fleurs jaunes. ⇒ **Pastel.**

♦ **2.** (1640). Techn. Couleur bleue extraite de la guède et employée en teinturerie.

GUÉDOUFLE [gedufl] n. f. — 1302, *cantoufle;* «du provençal *gadoufle, goudoufle,* flacon garni de paille...» (Sainéan), du rad. onomatopéique *god-,* exprimant ici le gonflement, p.-ê. avec infl. des dér. du lat. *conflare* «gonfler»; cf. *goudoufle* «enflé».

♦ **1.** (xvie). Vx. Flacon rond (pour divers liquides, notamment l'huile, le vinaigre).

Il avait une petite guédoufle pleine de vieille huyle.
RABELAIS, Pantagruel, XVI.

♦ **2.** (Semble repris au xixe, probablt d'un emploi régional resté vivant). Ustensile de table formé de deux flacons accolés (huilier et vinaigrier).

GUÉER [gee] v. tr. — Conjug. *céder.* — Déb. XIIe, *guaer;* du bas lat. *vadare.*
Rare.

♦ **1.** Passer à gué*. *Guéer un cours d'eau.*

Descendus de la colline, nous guéâmes un ruisseau (...)
CHATEAUBRIAND, Mémoires d'outre-tombe, t. I, p. 66.

♦ **2.** (XIIIe). Faire baigner dans un gué*. *Guéer un cheval, un chien. — Guéer du linge,* le laver, le rincer dans l'eau courante.

DÉR. Guéable.

GUÉGUERRE [gegɛʀ] n. f. — 1948, Cendrars, *in* T. L. F., art. *Guerre;* de *guerre,* avec redoublement de l'initiale, procédé enfantin.

♦ Fam. Petite guerre (surtout au fig.). «*La guéguerre que tous ses prédécesseurs faisaient au ministre des Finances*» (*l'Express,* 21 août 1972, p. 60). «*Une verbeuse guéguerre des sexes*» (*Télérama,* 8 nov. 1980, p. 105).

GUELFE [gɛlf] n. m. — V. 1265; de *Welf,* par l'ital. *Guelfo,* nom d'une puissante famille d'Allemagne qui prit le parti des papes.

♦ Hist. Partisan du pape contre l'empereur, dans l'Italie médiévale. *Les guelfes, ennemis des gibelins* (cit. 1, 2, 3) *qui soutenaient l'empereur d'Allemagne. —* Adj. *La faction* (cit. 1) *guelfe.*

Boniface fut longtemps *gibelin* quand il fut particulier, et on peut bien juger qu'il fut *guelfe* quand il devint pape. VOLTAIRE, Essai sur les mœurs, LXV.

GUELTE [gɛlt] n. f. — 1866; «paye», argot, 1859; all. *geld* «argent», avec francisation graphique.

♦ Tantième* accordé à un employé de commerce proportionnellement aux ventes qu'il effectue. ⇒ **Boni, gratification, prime.**

1 (...) la guelte est une remise destinée à stimuler le zèle de l'employé, à l'engager à recevoir le client avec amabilité et à faire valoir les avantages de l'objet à vendre.
Larousse commercial, art. *Guelte.*

2 Écoutez donc, mademoiselle Fanny, disait-il. Vous êtes toujours pressée (...) Est-ce que la vigogne croisée allait bien, l'autre jour? Vous savez que j'irai toucher ma guelte chez vous. ZOLA, Au Bonheur des Dames, t. I, p. 123.

3 Dans ces années-là, la vente marchait bien. Je me faisais des bonnes gueltes, les filles commençaient à gagner aussi. M. AYMÉ, le Passe-muraille, p. 248.

4 Quant à Mlle Jacqueline, elle ne semblait pas du tout ravie de quitter sa cliente. Dame, elle est à la guelte! se dit Simon. Ça ne fait rien, pour moi tout de même elle pourrait (...) Roger IKOR, les Fils d'Avrom, Les eaux mêlées, p. 491.

GUENILLE [gənij] n. f. — 1611; *gnippe* «chiffon», 1605; mot dial. de l'Ouest; p.-ê. altér. de *guenipe,* d'après les mots en *-ille,* de *guener* «mouiller», par le sens «chiffon pour essuyer»; p.-ê. (Guiraud) avec infl. du lat. pop. **vanicula,* de *vanus* «vain», d'où «objet sans valeur».

♦ **1.** [a] Chiffon, loque*. ⇒ **Guenipe** (vx). *Entasser des guenilles dans un sac.*

[b] (1664). Au plur., le plus souvent. Habit, vêtement misérable, en lambeaux. ⇒ **Défroque, haillon, hardes, nippes** (→ Brasier, cit. 1; cas, cit. 9; flanc, cit. 9). *Un gueux attifé* (cit. 2) *de guenilles. Fillette pauvre trempée de pluie sous ses guenilles* (→ Dérisoire, cit. 2). — EN GUENILLES : vêtu, couvert de guenilles. → ci-dessous, cit. 2. — Fig. → cit. 4. *Mendiant en guenille(s).* ⇒ **Déguenillé.** — Qui forme des guenilles. *Un habit en guenilles.*

1 (...) que je n'aie des habits raisonnables, pour quitter vite ces guenilles (...)
MOLIÈRE, le Mariage forcé, 2.

2 (...) la voilà qui se cache, tant elle est malpropre et en guenilles.
Mme D'AULNOY, Deux contes de fées, «L'oiseau bleu».

3 (...) partout des guenilles trouées, de vieux manteaux graisseux et déteints aux intempéries (...) TAINE, Philosophie de l'art, t. II, p. 228.

4 Et la misère en guenilles de ces faubourgs (...)
VERHAEREN, les Villes tentaculaires, «Les usines».

5 On finit par découvrir, derrière une hutte, une vieille femme borgne, accroupie, vêtue de guenilles terreuses. GIDE, Voyage au Congo, *in* Souvenirs, Pl., p. 221.

Par métaphore. *La guenille philosophique* (→ Haillon, cit. 6, Hugo).

Par anal. (Stylistique). *Les guenilles :* la vulve (Georges Bataille, *Madame Edwarda, in* Cellard et Rey), à cause de l'aspect flasque que prennent parfois les nymphes.

♦ **2.** (1672). Fig. Chose méprisable, d'importance nulle. «*Le corps* (cit. 4), *cette guenille*» (Molière).

6 Guenille, si l'on veut; ma guenille m'est chère.
MOLIÈRE, les Femmes savantes, II, 7.

7 (...) chacun voulait sauver sa guenille de vie, comme si le temps n'allait pas, dès demain, nous arracher nos vieilles peaux, dont un juif bien avisé n'aurait pas donné une obole. CHATEAUBRIAND, Mémoires d'outre-tombe, t. V, p. 223.

♦ **3.** (1846). Fig. et littér. Homme usé par l'âge, la maladie, ou dénué de toute vigueur morale. ⇒ **Loque** (→ aussi Chiffe).

8 — Mon Dieu, comme vous disposez de moi (...) dit alors madame Marneffe. Et mon mari (...) — Cette guenille? BALZAC, la Cousine Bette, Pl., t. VI, p. 222.

(...) et je te retrouve les traits déjà flétris par la débauche, les joues marbrées de bleu, un homme? Non! Une guenille! Tu le sais toi-même. 9
J.-A. DE GOBINEAU, Nouvelles asiatiques, p. 57.

DÉR. Guenilleux, guenillon.
COMP. Déguenillé.

GUENILLEUX, EUSE [gənijø, øz] adj. — 1765, Diderot; de *guenille.*

♦ **1.** Littér. (l'usage courant emploie : *en guenilles*). Couvert de guenilles. *Enfants guenilleux.* ⇒ **Déguenillé, loqueteux.** *Une mendiante guenilleuse. Une foule guenilleuse.*

(...) la porte de l'immeuble en brique rouge s'est entrouverte je sors chapeauté ganté j'ai un manteau il fait froid, un enfant guenilleux s'est blotti près des poubelles il grelotte je suis ému je lui pose des questions je lui lance un franc (...)
Tony DUVERT, Paysage de fantaisie, p. 175.

N. *Un vieux guenilleux.*

♦ **2.** En guenilles (vêtement). ⇒ **Déchiré.** *Des loques guenilleuses.*

Par métaphore. «*Des nuées guenilleuses*» (Genevoix, *in* T. L. F.), qui paraissent déchiquetées et pendantes.

♦ **3.** Fig. et vx. Sans aucune valeur. ⇒ **Misérable, sordide.**

GUENILLON [gənijɔ̃] n. m. — 1652; de *guenille.*
Vieux.

♦ **1.** Petite guenille.

♦ **2.** (XVIIe, Mme de Sévigné). Petit billet, petit écrit. ⇒ **Chiffon.**

♦ **3.** (D'après *souillon*). Fille déguenillée. ⇒ **Guenipe, souillon.**

GUENIPE [gənip] n. f. — Fin XIVe; mot dial. de l'Ouest; p.-ê. d'un rad. gaul. **wadana* «eau», *guenipe* désignant un vêtement déchiré, des lambeaux boueux.
Vieux ou littéraire.

♦ **1.** Femme débauchée.

Femme malpropre. ⇒ **Guenillon, souillon.**

(Ils) se proclamaient les plus francs imbéciles de la terre de s'être ainsi acoquinés auprès de semblables guenipes. Th. GAUTIER, Mlle de Maupin, X.

♦ **2.** (1611). Vx. Guenille (→ Guenon, cit. 6).

DÉR. Guenille, nippes. — V. Guenon.

GUENON [gənɔ̃] n. f. — 1505; orig. incert., p.-ê. du même rad. que *guenipe;* Guiraud propose de prendre en considération le lat. *vanus* «futile» et «fourbe, menteur» (→ Guenille).

♦ **1.** Vx. Cercopithèque (espèce de singes), mâle ou femelle.

Après les singes et les babouins, se trouvent les guenons; c'est ainsi que j'appelle, d'après notre idiome ancien, les animaux qui ressemblent aux singes ou aux babouins, mais qui ont de longues queues (...) 1
BUFFON, Hist. nat. des animaux, Les singes.

L'ami du grand L'Hôpital, le chancelier Olivier, dans sa langue du seizième siècle, laquelle bravait l'honnêteté, compare les Français à des guenons qui grimpent au sommet des arbres et qui ne cessent d'aller en avant qu'elles ne soient parvenues à la plus haute branche, pour y montrer ce qu'elles doivent cacher. 2
CHATEAUBRIAND, Mémoires d'outre-tombe, t. V, p. 136.

N. B. L'image de la guenon «qui monte de branche en branche jusqu'au sommet de l'arbre, et puis montre le cul» se trouve aussi au XVIe s. dans Charron, cité par Littré.

♦ **2.** (1678). Mod. Femelle du singe (quelle que soit l'espèce). ⇒ **Singesse.** *Guenon allaitant son petit.*

Le mot guenon a eu, dans ces derniers siècles, deux acceptions différentes de celle que nous lui donnons ici; l'on a employé ce mot guenon généralement pour désigner les singes de petite taille, et en même temps on l'a employé particulièrement pour nommer la femelle du singe. 3
BUFFON, Hist. nat. des animaux, Les singes.

Une petite Marocaine, noire, à figure de guenon spirituelle, se toucha le front et fit une grimace. P. MAC ORLAN, la Bandera, XVI. 4

♦ **3.** (1646). Fig. et fam. Femme très laide. ⇒ **Guenuche** (fam.), **laideron.**

Vous êtes un imbécile, un insensé; et je tiens celle que vous aimez pour une guenon, si elle n'est pas de mon sentiment (...) 5
MARIVAUX, les Fausses Confidences, II, 2.

Terme d'injure à l'adresse d'une femme. Femme de mauvaise vie.

Mon cher, je quitterai cette infâme danseuse ignoble, cette vieille toupie qui a tourné sous le fouet de tous les airs d'opéra, cette guenipe, cette guenon (...) 6
BALZAC, Un prince de la Bohème, Pl., t. VI, p. 846.

DÉR. Guenuche.

GUENUCHE [gənyʃ] n. f. — 1608; du rad. de *guenon,* et suff. péj. *-uche.*

♦ **1.** Vx. Jeune guenon (2.).

♦ **2.** (1680). Fam. Femme petite et laide.

♦ **3.** (1680). Fam. Femme de mauvaise vie.

Elle *(la mode)* résistait même aux condamnations de l'Église mettant dans la bouche de ses prédicateurs et de ses docteurs, des anathèmes à la Menot, appelant les porteuses de paniers « guenuches » et « huissiers du diable ».
Ed. et J. DE GONCOURT, la Femme au XVIIIe siècle, II, p. 55.

GUÉPARD [gepaʀ] n. m. — 1765, Buffon; *gapar,* 1637; lat. mod. *gapardus,* 1622; adapt. ital. *gatto-pardo* « chat-léopard », de *gatto* « chat », et *pardo,* du lat. *pardus,* grec *pardos* « léopard, panthère ».

♦ Mammifère carnivore *(Félidés),* qui ne diffère de la panthère* que par un corps plus haut sur pattes, une tête plus petite, une très courte crinière et des ongles non rétractiles (→ Belluaire, cit. 2). *Le guépard, quadrupède à robe jaune tachée de brun, est une variété de grand chat* sauvage qui se rencontre en Asie et en Afrique.*

1 (...) le guépard n'est point un lynx, il n'est ainsi ni panthère ni léopard, il n'a pas le poil court comme ces animaux, et il diffère de tous par une espèce de crinière ou de poil long de quatre ou cinq pouces qu'il porte sur le cou et entre les épaules (...) c'est un animal commun dans les terres voisines du cap de Bonne-Espérance; tout le jour il se tient dans des fentes de rochers ou dans des trous qu'il se creuse en terre; pendant la nuit il va chercher sa proie (...)
BUFFON, Hist. nat. des animaux, Le margay.

2 Un guépard, s'écria mon beau-père, de plus en plus exalté par ses propres paroles, c'est un animal persan, de race féline, qui a la taille et la douceur du chien et le pelage du léopard.
Edmond JALOUX, Fumées dans la campagne, VIII.

Par métaphore. ⇒ **Fauve.** *Le Guépard,* roman de Lampedusa.

GUÊPE [gɛp] n. f. — V. 1180, *vespe;* du lat. *vespa,* devenu *wespa* par croisement avec l'anc. haut all. *wefsa.*

♦ **1.** Insecte hyménoptère *(Vespidés),* scientifiquement appelé *Vespa,* dont la femelle porte un aiguillon; femelle de cet insecte. *Formes allongées et sveltes de la guêpe. La guêpe, insecte aculé*. Guêpe qui darde* (cit. 7) *son aiguillon* (cit. 7). *Piqûre de guêpe. Guêpe qui harcèle un dormeur. Guêpe qui bourdonne* (cit. 1). *De nombreuses espèces de guêpes vivent en société, d'où leur nom de guêpes sociales. La poliste*, guêpe commune en France. Grosse guêpe.* ⇒ **Frelon.** *Guêpe ichneumon* (solitaire). ⇒ **Sphex;** aussi vx **astate.** *Les guêpes nichent en terre ou dans les arbres creux. — Guêpe maçonne* (improprement dite *mouche maçonne*), construisant un abri d'argile. *Guêpe cartonnière*. Nid de guêpes.* ⇒ **Guêpier.** *Les guêpes s'attaquent aux fruits mûrs, au miel* (→ Adjuger, cit. 1) *des ruches.*

1 La méchanceté fabrique des tourments contre soi (...) comme la mouche guêpe pique et offense autrui, mais plus soi-même, car elle y perd son aiguillon et sa force pour jamais (...)
MONTAIGNE, Essais, II, V.

2 La calomnie est comme la guêpe qui vous importune, et contre laquelle il ne faut faire aucun mouvement, à moins qu'on ne soit sûr de la tuer; sans quoi, elle revient à la charge, plus furieuse que jamais.
CHAMFORT, Maximes et Pensées, X.

3 Des guêpes, çà et là, volent, jaunes et noires.
VERLAINE, Jadis et Naguère, « Allégorie ».

4 La guêpe. Elle finira pourtant par s'abîmer la taille!
J. RENARD, Histoires naturelles.

(1783, *taille en guêpe*). **TAILLE DE GUÊPE :** taille très fine, par anal. avec le mince pédoncule qui relie, chez la guêpe, le corselet* à l'abdomen. ⇒ **Guêpière.** *Avoir, se faire une taille de guêpe* (⇒ **Guêper, guêpière**).

5 Pour le bouquet de la fête, on prie Florinde de danser (...) Sa taille de guêpe se cambre audacieusement et fait scintiller la baguette de diamants qui orne son corsage (...)
Th. GAUTIER, Souvenirs de théâtre, « Le diable boiteux ».

6 (...) Polaire, actrice pathétique sans le savoir, belle en dépit du canon antique, qui ne voulut jamais modeler au gré de la mode son corps de guêpe. Sa taille jouait à l'aise dans un faux col : 42 centimètres.
COLETTE, Belles saisons, p. 89.

♦ **2.** (1850; « personne railleuse », 1829; cf. *les Guêpes,* comédie d'Aristophane). Vieilli. Femme maligne, qui aime à tourmenter. *Une fine guêpe :* une femme rouée. ⇒ **Mouche** (fine mouche).

7 Parmi ces bonnes âmes qu'elle a auprès d'elle il en est une qui est bien la plus fine guêpe, la plus perfide et la plus rouée confidente qui se puisse voir (...)
SAINTE-BEUVE, Causeries du lundi, 10 juin 1850, t. II, p. 194.

Loc. mod., fam. *Pas folle*, la guêpe! :* il (elle) a trop de ruse pour se laisser tromper. — Var. rare :

8 Pas bête la guêpe, hein?
R. QUENEAU, Zazie dans le métro, p. 55 (1959).

DÉR. Guêper, guêpier, 1. guêpière, 2. guêpière.

GUÊPER [gepe] v. tr. — 1857, Goncourt; de *taille de guêpe.*

♦ Rare. Serrer la taille pour qu'elle soit très fine. ⇒ **Corseter.**

GUÊPIER [gepje] n. m. — 1376, *gespier;* de *guêpe.*

★ **I.** Passereau syndactyle *(Lévirostres, Méropidés)* scientifiquement appelé *Merops,* plus petit que le merle et se nourrissant surtout d'abeilles et de guêpes. *Les guêpiers, oiseaux de couleurs vives et variées, habitent surtout les pays chauds. Le guêpier commun, espèce européenne.*

1 On compare le vol du guêpier à celui de l'hirondelle, avec qui il a plusieurs autres rapports (...) il ressemble aussi, à bien des égards, au martin-pêcheur, surtout par les belles couleurs de son plumage et la singulière conformation de ses pieds (...)
BUFFON, Hist. nat. des oiseaux, Le guêpier.

2 Quantité d'oiseaux au bord du fleuve (...) aigles-pêcheurs, charognards, milans (?), étincelants guêpiers vert-émeraude (...)
GIDE, Voyage au Congo, p. 193.

★ **II.** Plus cour. ♦ **1.** (1636; *guespière,* 1567). Nid de guêpes, aérien ou souterrain, composé d'une enveloppe boursouflée et de rayons* parallèles construits avec une matière cartonneuse. *Les rayons d'un guêpier sont formés d'alvéoles* (cit. 1) *hexagonales où les larves sont nourries de matières sucrées.* — Par ext. Société de guêpes vivant dans un même nid. *Enfumer* un guêpier.*

Le cheval du drogman ayant mis le pied dans un guêpier, les guêpes se jetèrent sur lui (...) 3
CHATEAUBRIAND, Itinéraire..., III.

♦ **2.** Fig. Position critique dans une affaire où l'on risque fort d'être dupé, ou parmi des gens qui cherchent à vous nuire. *Se fourrer*, donner, tomber dans un guêpier.* ⇒ **Danger, piège.** *Quel guêpier!*

Ils étaient tous contre moi; je me suis fourré la tête dans un guêpier. 4
BEAUMARCHAIS, le Barbier de Séville, IV, 8 (1775).

(...) l'Empereur, sans le prévoir, court, sinon à un abîme, du moins à un guêpier, parce qu'il croit, à tort, « connaître » les prêtres d'Italie et de Rome (...) 5
Louis MADELIN, Hist. du Consulat et de l'Empire, Vers l'Empire d'Occident, XII.

Et d'abord : ceci demeure commun au général de Gaulle et aux différents hommes d'État qui ont occupé avant lui le pouvoir : la constante pensée de sortir du guêpier algérien. 6
F. MAURIAC, le Nouveau Bloc-notes 1958-1960, p. 325.

1. GUÊPIÈRE [gɛpjɛʀ] n. f. — 1567, *guespiere;* de *guêpe.*

♦ Vx. Guêpier (II.), nid de guêpes.

HOM. 2. **Guêpière.**

2. GUÊPIÈRE [gɛpjɛʀ] n. f. — V. 1945, nom déposé; de *(taille de) guêpe.*

♦ Gaine de peu de hauteur et très serrée, qui maintient le buste et souligne la taille.

HOM. 1. **Guêpière.**

GUERDON [gɛʀdɔ̃] n. m. — 1080, *gueredon;* du francique **widarlon* « récompense », d'après le lat. *donum* « don », d'où la substitution de suffixe.

♦ Vx (archaïsme littér.). Récompense (ex. du XIXe : Nodier, Moréas et du XXe : Claudel, *in* T. L. F.).

GUÈRE ou (vx ou poét.) **GUÈRES** [gɛʀ] adv. — 1080, *guaires;* d'un francique **waigaro* « beaucoup ».

★ **I.** (Attesté XIIe). Vx. ⇒ **Beaucoup, très.** — REM. L'emploi de *guère* sans négation, déjà rare au XVIe s., est complètement sorti de l'usage, dès le XVIIe s., sauf dans un cas d'ellipse unique (→ ci-dessous, III.).

À la vérité, en toutes choses, si nature ne prête un peu, il est malaisé que l'art et l'industrie aillent guiere avant. 1
MONTAIGNE, Essais, I, XX.

★ **II.** (1080). Mod. (mais légèrement marqué : régional, style soutenu...). **NE... GUÈRE :** pas beaucoup, pas très. ⇒ **Médiocrement, peu;** → Pas autrement, pas trop. — REM. 1. « L'adverbe *guère* et la négation *ne* ont contracté une alliance si invétérée, si étroite que, depuis le XVIIe s., aucun supplément négatif (tel que *pas, point*) ne s'immisce dans leur union (...) *Guère* doit à son association fréquente avec *ne* de paraître négatif *(pas beaucoup),* alors qu'en réalité c'est un adverbe positif *(en grande quantité)* » G. et R. Le Bidois, *la Syntaxe du français moderne.*

2. *Ne... guère* a un sens restrictif ou limitatif qui en fait (comme de « pas beaucoup, pas très ») l'expression atténuée de « peu ».

Peu est précis, *guère* vague. *Peu* convient quand il est question de choses rigoureusement appréciables sous le rapport du nombre, de la quantité, du degré; *guère* dans tous les autres cas (...) *Peu* est absolu, *guère* relatif. Il y a *peu* d'hommes discrets; il *n'*y a *guère* d'hommes discrets qui sachent se taire jusqu'à la mort. 2
LAFAYE, Dict. des synonymes, Peu, guère.

Le premier travail *(dans la maxime)* est la généralisation. *Toujours* ou *jamais* est le langage de la maxime : point ou peu, le moins possible, de *souvent,* de *parfois,* de *presque* ou de *guère.* Point de *je* ou *tel,* ou *quelques-uns;* mais *nous, l'homme, on, tout le monde.* 3
Gustave LANSON, l'Art de la prose, p. 134.

♦ **1. NE... GUÈRE** devant un adjectif. *Vous n'êtes guère raisonnable. Il ne fait guère chaud. Les ardeurs* (cit. 23) *de jeunesse ne sont guère durables. Cet ouvrage n'est guère avancé* (cit. 70). *Il n'est guère naturel de...* (inf.), *que...* (→ Bourgeois, cit. 5). *Événements qui ne sont guère soumis au calcul* (→ Calculer, cit. 4). *Ces jeunes chefs ne sont guère aptes à commander* (cit. 37).

Ah! je l'aime bien, cette grande bête, mais il n'est guère raisonnable, vrai! (...) Est-ce qu'il n'est pas jaloux! 4
ZOLA, la Terre, V, III.

C'est au sein de pareils villages qu'il fallait chercher des vieillards durables, plutôt des vieillardes car — selon le mot désabusé d'une de celles-ci, — « ce n'est guère solide, un homme ». 5
COLETTE, Belles saisons, p. 240.

Ce qu'il faut, dit Gertrude, c'est d'abord en parler à Madeleine, et la mettre avec nous à fond. Ça ne sera guère difficile (...) 6
M. GENEVOIX, Rroû, I, IX.

♦ **2. NE... GUÈRE** devant un adverbe. *Vous ne l'avez guère bien reçu.*

(...) je ne vais guère loin chercher dans mon cœur pour y trouver de la douceur pour vous (...) 7
Mme DE SÉVIGNÉ, Lettres, 102, 16 avr. 1670.

♦ **3. NE... GUÈRE** devant un comparatif (d'adjectif ou d'adverbe). *Vous n'êtes guère plus avancé* (cit. 72) *qu'avant. Ce défaut n'est guère* *moins excusable* (cit. 1) *qu'un autre. — Ce petit mur n'a guère plus d'un mètre de haut* (→ Épaulement, cit. 1). *Il ne va guère mieux qu'hier.*

8 Cependant la véritable mère de famille, loin d'être une femme du monde, n'est guère moins recluse dans sa maison que la religieuse dans son cloître.
ROUSSEAU, Émile, V.

9 Pendant longtemps le roi n'aura guère plus d'importance qu'un duc ou un comte ordinaire. MICHELET, Hist. de France, III, H. Capet.

10 Il est juste de dire que la plus vieille de nos jeunes premières n'a guère plus de soixante ans (...) Th. GAUTIER, Mlle de Maupin, Préface, p. 37.

11 Mais je ne veux pas vous cacher que cela me fera beaucoup de peine et que je n'en ai guère plus d'envie que de me noyer. G. SAND, la Mare au diable, III.

12 (...) les jambes ne vont plus, les bras ne sont guère meilleurs (...)
ZOLA, la Terre, I, II.

♦ **4.** NE... GUÈRE avec un verbe. *On ne s'attendait* (cit. 103) *guère à la voir. Cela ne se dit guère* (→ Assaisonnement, cit. 5). *Personne, besogne qui ne plaît guère* (→ Aussi, cit. 63; escamotage, cit. 3). *Nous ne savons guère ce qu'est au juste la beauté* (cit. 1). *Ce n'est guère votre fait* (cit. 13), *de votre ressort, dans vos habitudes. Je n'aime guère ce quartier. Cette robe ne lui va guère* (→ aussi Accorder, cit. 28; affliger, cit. 14; assurer, cit. 80; attention, cit. 22; changement, cit. 7; chemin, cit. 31; épargner, cit. 29 et 31; estimer, cit. 18; exporter, cit. 2).

13 Au moins, dites-leur bien que je ne les crains guère (...)
RACINE, les Plaideurs, II, 3.

14 (...) quand on a le plaisir de se perdre dans l'immensité, on ne se soucie guère de ce qui se passe dans les rues de Paris.
VOLTAIRE, Lettre à Mme du Deffand, 2807, 19 févr. 1766.

15 Chanter des *Te Deum* auxquels tu ne crois guère (...)
BAUDELAIRE, les Fleurs du mal, Spleen et idéal, VIII.

(Durée). Pas longtemps. *La paix ne dura guère* (Académie). *Tu ne tarderas guère* (→ Aider, cit. 1). — Vx. *Il n'y a guère que...* : il n'y a pas longtemps que.

16 Amitiés, comme on sait, qui ne dureront guère, la carrière du critique-né ne pouvant s'accorder longtemps avec les amitiés particulières, toutes vouées à de plus ou moins fatales ruptures. Émile HENRIOT, les Romantiques, p. 234.

(Fréquence). Pas souvent, presque jamais. ⇒ **Rarement.** *Il ne vient guère nous voir. On ne voit guère de chef-d'œuvre d'esprit* (cit. 50) *qui soit l'œuvre de plusieurs. Je ne passe guère devant les boîtes des bouquinistes sans en tirer quelque bouquin**. → aussi Ambition, cit. 4; attaquer, cit. 23; dépasser, cit. 7.

17 Et vêtu d'une robe, hélas! qu'on nomme bière,
Robe d'hiver, robe d'été,
Que les morts ne dépouillent guère. LA FONTAINE, Fables, VII, 11.

REM. 1. *Ne... guère* est employé absolument dans des tournures vieillies ou familières, pour désigner des choses (→ Dire, cit. 64). *Je n'y vois guère, je n'entends guère.* → Grand-chose (pas).

18 (...) en ses affaires
Il se trouve assez neuf et ne voit encor guères (...) MOLIÈRE, l'Étourdi, II, 2.

2. L'usage de *guère,* précédé d'une préposition, encore très vivant au XVIIe s., a complètement disparu de nos jours.

19 (...) Par ma foi, l'âge ne sert de guère (...) MOLIÈRE, l'École des maris, III, 5.

Loc. Vx. *Il ne s'en faut de guère.* — Littér. *Il ne s'en faut guère* : il s'en faut de peu, il ne manque pas grand-chose. *Il ne s'en est guère fallu* (Académie).

♦ **5.** NE... GUÈRE devant un nom qu'il détermine. *Il n'y a guère de gens qui...* (→ Âge, cit. 7; aigre, cit. 13). *Je n'ai guère de courage* (cit. 5). *Il ne boit guère de vin* (→ aussi Avis, cit. 1; embêter, cit. 3; épithète, cit. 3; étoile, cit. 18). — REM. «L'unité linguistique formée par *ne... guère* et son complément ne peut être ni sujet ni objet secondaire. Le français n'admet pas une phrase comme : *Guère de gens* ne sont sincères. Et l'on n'écrirait plus, comme le faisait Pascal : "Il ne servira plus à *guère de gens*" (Prov. 4). Mais si l'on peut dire : *Il n'est guère venu de touristes,* ou (mais moins bien) : *Il n'est venu guère de touristes,* c'est qu'en réalité le sujet dans ce tour, c'est le pronom *il; guère de touristes* n'est là que le complément de *il,* son "explication"» (G. et R. Le Bidois, *Syntaxe du franç. moderne,* p. 604).

20 Il n'y avait guères de jours qu'il ne bombardât ainsi quelqu'un.
SAINT-SIMON, Mémoires, II, XLIV.

21 Il n'est guère de passion sans lutte. CAMUS, le Mythe de Sisyphe, p. 101.

♦ **6.** (XVIIe). Construit avant *ne... plus. Un vieux médecin qui n'exerce* (cit. 38) *plus guère. Ce mot n'est plus guère employé* (→ Cavée, cit. 1).

♦ **7.** Construit avec *ne... que,* au sens de «presque, seulement, si ce n'est». *Il n'y a guère que vous qui puissiez faire ce travail. Il n'y a guère que deux heures qu'elle est partie. L'Empire romain des deux premiers siècles n'était guère autre chose qu'un État fédératif* (→ Autonome, cit. 1). *On ne marche guère qu'en babouches* (cit. 2) *dans ce pays. Les hommes ne se cachent* (cit. 56) *guère que pour mal agir* (→ aussi Approcher, cit. 63; démonter, cit. 8; éventuel, cit. 3; exception, cit. 13; facile, cit. 13; faveur, cit. 31).

22 Être infatué de soi, et s'être fortement persuadé qu'on a beaucoup d'esprit, est un accident qui n'arrive guère qu'à celui qui n'en a point, ou qui en a peu.
LA BRUYÈRE, les Caractères, V, 11.

23 Vous ne cherchez que des vérités utiles, et vous n'avez guère trouvé, dites-vous, que d'inutiles erreurs. VOLTAIRE, Essai sur les mœurs, Introd.

★ **III.** (Employé sans négation, au sens de «pas beaucoup», dans des tournures fortement elliptiques plus ou moins familières). *«Je vais vous verser du vin. — Guère, je vous prie»* (Littré). *Aimez-vous cela? — Guère* (je ne l'aime guère). *Il doit avoir une trentaine d'années, guère plus. Le voici de retour, guère plus riche qu'avant.*

Oh! tout de même (...) vous exagérez un peu (...) Guère, Hamond! Ne protestez pas! COLETTE, la Vagabonde, p. 95. 24

Haverkamp est amoureux de cette parfaite viande rouge (...) Le dessus grillé à grand feu, et qui enveloppe la pulpe comme la croûte d'un gâteau. Haverkamp mange cette chair, guère plus chaude, guère moins vivante que la sienne. 25
J. ROMAINS, les Hommes de bonne volonté, t. IV, VI, p. 44.

CONTR. Beaucoup, très.
COMP. Naguère.
HOM. Guerre.

GUÉRET [geʀɛ] n. m. — 1080, *guaret;* du lat. *vervactum* «jachère», p. p. neutre de *vervagere* «labourer, défricher» avec infl. germanique sur l'initiale.

♦ **1.** Terre labourée et non ensemencée (→ Bœuf, cit. 4). — (1611). Par ext. Terre qu'on laisse en jachère*. *Laisser une terre en guérets. Lever, relever les guérets* : labourer une terre qu'on a laissé reposer.

Ne parlez à un grand nombre de bourgeois ni de guérets ni de baliveaux (...) si vous voulez être entendu (...) LA BRUYÈRE, les Caractères, VII, 21. 1

Ces sommets labourés par les torrents avaient l'air de guérets abandonnés; le jonc marin et une espèce de bruyère épineuse et flétrie y croissaient par touffes. 2
CHATEAUBRIAND, Itinéraire..., I, p. 122.

La terre rouge et fraîchement remuée formait une bosse de la longueur d'un corps humain; de petites plantes déracinées par la bêche étaient posées sur ce guéret les racines en l'air (...) LOTI, Aziyadé, V, IV. 3

♦ **2.** (1667). Poét. (vx). Champ cultivé; champ couvert de moissons. *Nettoyer les guérets de leurs chardons* (cit. 2). *Les corbeaux* (cit. 3) *s'abattent sur les guérets. Guérets surchargés de blé* (→ Épuiser, cit. 2).

Cérès s'enfuit éplorée 4
De voir en proie à Borée
Ses guérets d'épis chargés (...) BOILEAU, Odes, «Sur la prise de Namur».

GUÉRI, IE [geʀi] p. p. adj. ⇒ Guérir.

GUÉRIDON [geʀidɔ̃] n. m. — 1650; du nom d'un personnage de farce *Guéridon* (1614) ou *Guélidon* (dans des chansons; cf., en refrain, *ô gué,* et *laridon*), le meuble ayant sans doute été évocateur d'une figure humaine à pied unique, à l'origine. P. Guiraud tente un rapprochement avec l'anc. *guerredon* «prix d'un service» (du francique **widarlôn* «récompense») par l'intermédiaire de «somme laissée sur le meuble qui porte la chandelle pour la fourniture de celle-ci (dans une maison de jeu)», le personnage de la farce tenant un flambeau tandis que les autres s'embrassaient.

♦ Table ronde, pourvue d'un seul pied central et (généralement) d'un dessus de marbre, supportant des objets légers, décoratifs ou non.

Petite table (ressemblant plus ou moins à un guéridon). *Guéridon en acajou sculpté. Guéridon à trois pieds.* ⇒ **Trépied.** *Guéridon typique de l'époque Louis XVI.* ⇒ **Athénienne.** *Tige* d'un guéridon. Guéridon supportant une lampe, un plateau, des livres, un vase... Guéridon muni de brancards.* ⇒ **Brancard** (cit. 0.2). *Visiteur qui pose ses gants sur le guéridon* (→ Enlever, cit. 11). *Petit déjeuner servi sur un guéridon* (→ Encombrer, cit. 2). *Guéridon de café.*

Enfin, la bonne approcha une petite table ronde, telle qu'on en avait autrefois et qu'on nommait *guéridon* (...) 1
A. BRILLAT-SAVARIN, Physiologie du goût, t. II, p. 153.

Ils finirent par s'accommoder d'un guéridon de marbre à deux places, dans un débit de la rue de l'Arsenal (...) G. DUHAMEL, Salavin, III, X. 2

REM. Le mot sert de référence à un calembour traditionnel : *Si t'es gai, ris donc!*

GUÉRILLA [geʀija] n. f. — 1812, J. de Maistre; esp. *guerilla* «ligne de tirailleurs».

♦ **1.** Vieilli. Troupe de partisans*. *Les guérillas espagnoles harcelaient les soldats de Napoléon. Franc-tireur d'une guérilla.* ⇒ **Guérillo.**

Durant cette guerre sublime contre Napoléon, qui, aux yeux de la postérité, placera les Espagnols du dix-neuvième siècle avant tous les autres peuples de l'Europe (...) don Blas fut l'un des plus fameux chefs de guérillas. 1
STENDHAL, Romans et Nouvelles, «Le coffre et le revenant».

♦ **2.** Guerre de détail*, de coups (cit. 49) de main, de harcèlement. *Une guérilla sanglante, meurtrière.*

Et notre camarade, le soleil fait la guérilla dans le cosmos, ses éruptions troublent même les cardiaques. Jean CAYROL, Histoire de la mer, p. 102-103. 2

GUÉRILLERO ou GUERILLERO [geʀijeʀo] n. m. — Av. 1823; mot esp. (1808), de *guerilla.* → Guérilla.

♦ Soldat d'une guérilla. ⇒ **Franc-tireur; pistolero.** *Les guérilleros (guerilleros) espagnols.*

Lorsque les Occidentaux parlent des sentiments révolutionnaires, ils nous prêtent presque toujours une propagande parente de la propagande russe. Or, si propagande il y a, elle ressemble plutôt à celle de votre Révolution, parce que, comme vous, nous combattions pour une paysannerie. Si propagande veut dire instruction des milices et des guérilleros, nous avons fait beaucoup de propagande.
MALRAUX, Antimémoires, Folio, p. 538.

Adj. D'une guérilla. *« Les groupes guérilleros se formaient spontanément, et leurs zones opérationnelles, de même que leurs buts, étaient limités »* (G. Challand, *Mythes révolutionnaires du tiers monde,* 1976, p. 85).

GUÉRIR [geʀiʀ] v. — XVIe; var. de *guarir* (v. 1050) « garantir », *garir* (v. 1155) « protéger », 1080 au sens mod.; d'un germanique **warjan* « réprimer, protéger ».

★ **I.** V. tr. ♦ **1.** Délivrer* (qqn, un animal) d'un mal physique; rendre la santé à (qqn). ⇒ **Sauver; arracher** (à la maladie, à la mort). *Guérir un malade* (→ Empirique, cit. 5). *Guérir un toxicomane.* ⇒ **Désintoxiquer.** *Guérir qqn de...* (et le nom d'un mal). *Guérir qqn d'une maladie* (→ Assassin, cit. 10), *d'une fracture.*

1 Les médecins ne te guériront pas car tu mourras à la fin. Mais c'est moi qui guéris et rends le corps immortel. PASCAL, Pensées, VII, p. 553.

2 (...) ce qu'il y a de fâcheux auprès des grands, c'est que, quand ils viennent à être malades, ils veulent absolument que leurs médecins les guérissent.
MOLIÈRE, le Malade imaginaire, II, 5.

3 (...) elle a guéri nombre de malades que les médecins auraient fait mourir si l'on avait essayé de leurs remèdes. G. SAND, la Petite Fadette, VIII.

(Sujet n. de chose). *Une cure thermale vous guérira de vos rhumatismes. Ce sirop l'a guéri de sa toux. Médicament*, remède* qui guérit de la fièvre* (→ Abracadabra, cit. 1). *Traitement* qui guérit de la folie* (cit. 2).

4 (...) de spécifique qu'il était contre la colique, il guérit de la fièvre quarte, de la pleurésie (...) l'hémorragie, dites-vous? il la guérit.
LA BRUYÈRE, les Caractères, XIV, 68.

Absolt. *La médecine, art de guérir. Le but* (cit. 11) *du médecin est de guérir. Médecin qui soigne et guérit par les simples* (→ Aromate, cit. 3). *Charlatan qui guérit par des talismans* (→ Consteller, cit. 4). *Un cataplasme* (cit. 2) *soulage, mais ne guérit pas.*

5 La science qui instruit et la médecine qui guérit sont fort bonnes sans doute; mais la science qui trompe et la médecine qui tue sont mauvaises. Apprenez-nous donc à les distinguer. ROUSSEAU, Émile, I.

6 Et questionné par un de ses malades sur je ne sais quel remède en vogue, un autre médecin célèbre, Bouvart, répondait : « Dépêchez-vous d'en prendre pendant qu'il guérit. » SAINTE-BEUVE, Causeries du lundi, 24 avr. 1854, t. X, p. 94.

7 (...) il n'y a point de médecin sans la passion de soigner et de guérir.
G. DUHAMEL, Inventaire de l'abîme, VII.

8 Car il savait que, pour une période dont il n'apercevait pas le terme, son rôle n'était plus de guérir. Son rôle était de diagnostiquer. CAMUS, la Peste, p. 210.

(Compl. n. de chose, désignant le mal). *Guérir une maladie* (→ Attouchement, cit. 1; feinte, cit. 15). *Le quinquina guérit la fièvre* (cit. 2). ⇒ **Couper, tomber** (faire). *Pilules propres à guérir tous les maux.* ⇒ **Panacée;** → Fournir, cit. 3. *Emplâtre* (cit. 3) *qui guérit tous les maux. Un placebo* qui guérit par l'effet psychique. Guérir une crise* (cit. 2) *d'hystérie. Guérir une blessure* (cit. 1), *une foulure* (cit.). *Guérir une plaie.* ⇒ **Cicatriser.** *Guérir les écrouelles* (cit. 2). *Guérir la fatigue.* ⇒ **Apaiser;** → Application, cit. 8.

9 Où ils ne peuvent guérir la plaie, ils sont contents de l'endormir (...)
MONTAIGNE, Essais, II, XII.

10 (...) les talents des hommes sont comme les vertus des drogues, que la nature nous donne pour guérir nos maux, quoique son intention soit que nous n'en ayons pas besoin. Il y a des plantes qui nous empoisonnent, des animaux qui nous dévorent, des talents qui nous sont pernicieux.
ROUSSEAU, Julie ou la Nouvelle Héloïse, Lettre II.

11 Certaines paysannes, qui passent pour sorcières, guérissent radicalement la rage en Pologne, avec des sucs d'herbe. BALZAC, l'Initié, Pl., t. VII, p. 388.

12 Le beau temps doit guérir, aussi, les maux qui font souffrir les bêtes.
M. GENEVOIX, Rroû, IV, IV.

♦ **2.** (1564). Délivrer* (qqn) d'un mal moral; enlever, ôter à (qqn) un mal. *Guérir qqn de... Guérir qqn de l'ennui.* ⇒ **Délivrer** (→ Croix, cit. 18). *Il faut le guérir de cette obsession, de ce souci.* ⇒ **Débarrasser.** *Le Dieu* (cit. 35) *qui guérit les âmes.*

13 (...) une charité qui songeait à gagner les cœurs, et à guérir des esprits malades.
BOSSUET, Oraison funèbre du prince de Condé.

14 On prétend nous guérir de l'amour par la peinture de ses faiblesses (...)
ROUSSEAU, Du contrat social, Lettre à d'Alembert.

15 (...) quelques années d'expérience n'avaient pu me guérir encore radicalement de mes visions romanesques (...) ROUSSEAU, les Confessions, V.

16 Qui nous guérira de la médecine, qui se prend pour une religion?
André SUARÈS, Trois hommes, « Ibsen », VI (→ Drogue, cit. 4).

Guérir qqn de la coquetterie (cit. 4).

17 Il y a plusieurs remèdes qui guérissent de l'amour, mais il n'y en a point d'infaillibles. LA ROCHEFOUCAULD, Maximes, 459.

Vx. *Guérir de,* suivi d'un inf. ⇒ **Consoler.**

18 Un soupir, une larme à regret épandue
M'aurait déjà guéri de vous avoir perdue (...) CORNEILLE, Polyeucte, II, 2.

Absolt. → Anatomiste, cit.

19 Vous qui pleurez, venez à ce Dieu, car il pleure
Vous qui souffrez, venez à lui, car il guérit. HUGO, les Contemplations, III, IV.

Par ext. Faire disparaître les effets de (un mal moral, un défaut, etc.). ⇒ **Adoucir, apaiser, calmer, pallier, remédier** (à). *Guérir le mal* (→ Apparence, cit. 32). *Guérir les égarements de l'esprit* (→ Anneau, cit. 8). *Chagrin, ennui, peine que rien ne guérit* (→ Endormir, cit. 7; engourdir, cit. 5; essayer, cit. 21). *Rien ne pourra guérir sa peine. La mort guérit tout* (→ Devise, cit. 3). *Guérir les effets de l'anarchie* (→ Baguette, cit. 7). *L'action* (cit. 3) *guérit la timidité.* ⇒ **Corriger.**

La pauvreté des biens est aisée à guérir; la pauvreté de l'âme, impossible. 20
MONTAIGNE, Essais, III, X.

Le temps guérit les douleurs et les querelles, parce qu'on change : on n'est plus 21
la même personne; ni l'offensant, ni l'offensé, ne sont plus eux-mêmes.
PASCAL, Pensées, II, 122.

Quelle religion nous enseignera donc à guérir l'orgueil et la concupiscence? 22
PASCAL, Pensées, VII, 430.

Il est peu de plaies morales que la solitude ne guérisse. 23
BALZAC, Mme de La Chanterie, Pl., t. VIII, p. 252.

Si, au contraire (...) vous pouviez avoir la patience, je dirai même le bon sens de 24
laisser faire le médecin qui guérit toute chose, le Temps (...)
A. DE MUSSET, Bettine, 17.

(...) un homme, quel qu'il soit, c'est toujours un malade. Celui qui souffre dans 25
son corps ne l'est que deux fois. Mais la maladie originelle et mortelle dès l'origine, qui la guérit? André SUARÈS, Trois hommes, « Pascal », III.

★ **II.** V. intr. ♦ **1.** (1080). Sujet n. d'être animé. Recouvrer* la santé; aller mieux et sortir de maladie. ⇒ **Convalescence** (être en), **échapper, réchapper** (d'une maladie); **remettre** (se), **renaître, ressusciter, rétablir** (se), **revenir** (en). *Espérons* (cit. 25) *qu'elle guérira. Malade condamné*,* qui ne guérira pas. ⇒ **Incurable.** *Guérir après une longue convalescence. Guérir d'un mal, d'une maladie. — Oiseau qui guérit de ses blessures* (→ Coup, cit. 18).

(...) le seul moyen de guérir, c'est de se considérer comme guéri. 26
FLAUBERT, Correspondance, 629, 18 déc. 1859, t. IV, p. 358.

(...) parfois, de brefs accès de toux la soulageaient, mais ils l'effrayaient plus 27
encore, comme le signe d'une maladie abhorrée et elle mettait tous ses soins à les empêcher de se produire, s'imaginant qu'elle guérirait ainsi.
J. GREEN, Adrienne Mesurat, III, I.

(Le sujet désigne le mal). *Plaie qui guérit vite.* ⇒ **Cicatriser** (se), **fermer** (se). *Rhume mal soigné, blessure négligée qui ne guérit pas. Cela a mis longtemps à guérir.*

Est-ce que ma lèpre guérira? Non pas, autant qu'il y aura une parcelle de chair 28
mortelle à dévorer. Est-ce que l'amour en mon cœur guérira? Jamais, tant qu'il y aura une âme immortelle à lui fournir aliment.
CLAUDEL, l'Annonce faite à Marie, III, 3.

♦ **2.** (Fin XIIe). Le sujet désigne une personne, son cœur, son âme... Être débarrassé, soulagé (d'un mal moral, d'un défaut, de quelque chose de pénible). *Guérir de son angoisse, de sa peine.* — Le compl. désigne la cause du mal. → ci-dessous, cit. 29. — Sans compl. → ci-dessous, cit. 33; accorder, cit. 20; cicatrice, cit. 9; consoler, cit. 14; faiblesse, cit. 27.

(...) il semble (...) qu'il *(Dieu)* leur ait réservé ce dernier et infaillible moyen de 29
guérir des femmes. LA BRUYÈRE, les Caractères, III, 6.

Je sais ce qu'il en coûte, et qu'il est des blessures 30
Dont un cœur généreux peut rarement guérir (...) VOLTAIRE, Tancrède, V, 3.

Je sais un moyen de guérir 31
De cette passion malsaine (...) BAUDELAIRE, Amœnitates Belgicæ, VI.

Pour guérir de tout, de la misère, de la maladie et de la mélancolie, il ne man- 32
que absolument que le *goût du travail.*
BAUDELAIRE, Journaux intimes, « Mon cœur mis à nu », XC.

L'important, disait l'abbé Galiani à Mme d'Épinay, n'est pas de guérir, mais de 33
vivre avec ses maux. Kierkegaard veut guérir. Guérir, c'est son vœu forcené, celui qui court dans tout son journal. CAMUS, le Mythe de Sisyphe, p. 58.

(Le sujet désigne le mal). *Souffrance qui ne guérit pas* (→ Fermer, cit. 29). *Amour qui guérit dans un cœur.*

La blessure guérit, mais la marque reste (...) 34
ROUSSEAU, Julie ou la Nouvelle Héloïse, VI, VII.

▶ **SE GUÉRIR** v. pron. (Déb. XIIIe).

♦ **1.** Recouvrer la santé, se délivrer d'une maladie, d'un mal physique (→ ci-dessus, II., 1.). *Il se guérira peu à peu* (Académie). ⇒ **Tirer** (s'en). *Il se guérirait sans doute, s'il avait son frère auprès de lui* (→ Empirer, cit. 5). *Elle s'est guérie assez vite de sa pleurésie.* ⇒ **Rétablir** (se).

Nous guérissons infailliblement tous ceux qui se guérissent d'eux-mêmes (...) 35
VOLTAIRE, Dict. philosophique, Maladie.

Sa blessure ne se guérit guère (Académie). *Sa plaie s'est vite guérie. Ce genre de maladie ne se guérit guère.* ⇒ **Inguérissable** (→ Astrologie, cit. 2).

♦ **2.** Réfléchi. Se procurer la guérison à soi-même. *« Il s'est guéri par sa persévérance à suivre le régime qui lui avait été recommandé »* (Littré).

Sans doute que vous m'appliquerez ce proverbe : Médecin, guérissez-vous vous- 36
même (...) BIBLE (SACY), Évangile selon saint Luc, IV, 23.

Toutes les maladies se guérissent, et le vice est aussi une maladie. 37
A. DE MUSSET, Lorenzaccio, III, 3.

♦ **3.** (XVIIe). Se débarrasser (d'un défaut). *Son cœur a trop souffert pour se guérir jamais* (Académie). — *Il ne s'est pas encore guéri de ses préjugés.* ⇒ **Débarrasser** (se); **délivrer** (se); **perdre.** *Il finira* *par se guérir de cette mauvaise habitude, de cette manie.* ⇒ **Corriger** (se). *Il ne peut se guérir de sa folie* (→ Accabler, cit. 17).

38 Ou l'amour est un bien, ou c'est un mal; si c'est un bien, il faut croire en lui; si c'est un mal, il faut s'en guérir.
A. DE MUSSET, la Confession d'un enfant du siècle, V, V.

39 Vous tombez peu à peu dans une mélancolie dont vous ne parviendrez peut-être jamais à vous guérir si vous ne réagissez pas maintenant.
J. GREEN, Adrienne Mesurat, III, VI.

▶ **GUÉRI, IE** p. p. adj.

Rétabli d'un mal physique. *Il a été très malade, mais le voilà enfin guéri.* ⇒ **Pied** (sur). *Un aveugle* (cit. 34) *guéri.* — Par plais. *Il est mort guéri.* — Débarrassé d'une chose pénible. *Être entièrement guéri d'une passion* (→ Agiter, cit. 24). — Fam. *Être guéri de tous les maux, du mal de dents* : être mort. *En être guéri de...*, suivi d'un inf. ⇒ **Revenu** (en être). *J'en suis guéri de dépenser pour de pareilles bêtises!*

40 (...) je ne vois nulle race de gens si tôt malade et si tard guérie que celle qui est sous la juridiction de la médecine. MONTAIGNE, Essais, II, XXXVII.

41 En amour, celui qui est guéri le premier est toujours le mieux guéri.
LA ROCHEFOUCAULD, Maximes, 417.

42 Ceux qui ont eu de grandes passions se trouvent, toute leur vie, heureux et malheureux d'en être guéris. LA ROCHEFOUCAULD, Maximes, 485.

43 Je n'ai plus de fièvre, puisque je suis guérie (...)
HUGO, les Misérables, I, VIII, II.

44 Il y a pis. Il y a le moment où vous ne souffrirez presque plus. Oui! Presque guérie, c'est alors que vous serez «l'âme en peine», celle qui erre, qui cherche elle ne sait quoi (...) COLETTE, les Vrilles de la vigne, La guérison.

45 À tout jamais, je suis guérie des bêtes! je n'en veux plus, vous m'entendez?
M. GENEVOIX, Rroû, IV, XI.

CONTR. Aggraver, contaminer, détraquer; attraper (une maladie), **tomber** (malade).
DÉR. Guérison, guérissable, guérissant, guérisseur.
COMP. Guérit-tout.

GUÉRISON [geʀizɔ̃] n. f. — V. 1155, *garison; guarisun* «défense, protection», 1080; de *guérir.*

♦ **1.** Action de guérir*; fait de guérir. *Un malade espère toujours sa guérison.* ⇒ **Rétablissement** (→ Appât, cit. 8; bon, cit. 19). *La guérison du malade compte* (cit. 41) *seule pour le médecin. Il doit sa guérison à une cure. Convalescent en voie de guérison, qui touche à sa guérison. Chances de guérison* (→ Équiper, cit. 7). *Symptômes de guérison* (→ Cellule, cit. 2). *Je vous souhaite une prompte et entière guérison. Guérison complète, radicale. Guérison miraculeuse d'un démoniaque* (cit. 3). *Prier, faire brûler des cierges* (cit. 2) *pour une guérison. — Guérison inespérée.* ⇒ **Résurrection** (fig.). *Obtenir une guérison* (→ Dévouement, cit. 1, La Fontaine). — *La guérison d'une blessure* (⇒ **Cicatrisation**), *d'une douleur* (⇒ **Cessation**).

1 Que je vous suis obligé (...) de cette guérison merveilleuse!
MOLIÈRE, le Médecin malgré lui, III, 6.

2 Les médecins sont cruels et ont ôté au public des gens admirables et désintéressés, qui faisaient en vérité des guérisons prodigieuses.
Mme DE SÉVIGNÉ, Lettres, 754, 22 nov. 1679.

3 La vertu des plantes, selon cet homme, est infinie, et les guérisons des plus affreuses maladies sont possibles. BALZAC, l'Initié, Pl., t. VII, p. 388.

4 L'*Introduction des Suspiria* nous apprend qu'il y a eu pour le mangeur d'opium, malgré tout l'héroïsme développé dans sa patiente guérison, une seconde et une troisième rechute. BAUDELAIRE, les Paradis artificiels, Mangeur d'opium, VI.

5 On était persuadé que, pour opérer des guérisons de cette sorte, il fallait un nombre énorme de quartiers de noblesse, et que lui seul les avait.
RENAN, Souvenirs d'enfance..., I, III.

6 Celui qui meurt pour le progrès des connaissances ou la guérison des maladies, celui-là sert la vie, en même temps qu'il meurt.
SAINT-EXUPÉRY, Terre des hommes, p. 208.

7 De temps en temps seulement, la maladie se raidissait et, dans une sorte d'aveugle sursaut, emportait trois ou quatre malades dont on espérait la guérison.
CAMUS, la Peste, p. 290.

Par métaphore. *La guérison d'un pécheur.* → Conversion, cit. 6.

♦ **2.** (Fin XIIe). Disparition, fin (d'un mal moral). *Guérison d'un défaut, d'un vice. Guérison d'une passion. Guérison d'un chagrin.* ⇒ **Apaisement.** — Le fait de débarrasser (qqn) d'un mal moral.

8 Il y a des rechutes dans les maladies de l'âme, comme dans celles du corps; ce que nous prenons pour notre guérison n'est, le plus souvent, qu'un relâche, ou un changement de mal. LA ROCHEFOUCAULD, Maximes, 193.

9 (...) les petites incommodités que vous ressentez à présent, et qui peut-être exigent quelques remèdes, ne sont pourtant rien en comparaison de la maladie effrayante *(l'amour)* dont voilà la guérison assurée.
LACLOS, les Liaisons dangereuses, Lettre CXXVI.

10 Alors il faut attendre (...) Attendre la guérison, la fin de l'amour (...) la guérison, mon amie, la vraie guérison. Cela vient (...) mystérieusement. On ne la sent pas tout de suite. COLETTE, les Vrilles de la vigne, La guérison.

CONTR. Aggravation, blessure, contagion.

GUÉRISSABLE [geʀisabl] adj. — V. 1360; *garissable*, v. 1300; de *guérir.*

♦ Qui peut être guéri. ⇒ **Curable.** *Blessé guérissable. Mal guérissable. Ce n'est pas guérissable. Son mal est soignable, reste à voir s'il est guérissable. — Une peine guérissable, facilement guérissable.*

CONTR. Incurable, inguérissable.
COMP. Inguérissable.

GUÉRISSANT, ANTE [geʀisɑ̃, ɑ̃t] adj. — Attesté 1834, *in* T. L. F.; p. prés. de *guérir.*

♦ Rare. Qui guérit, fait recouvrer la santé. ⇒ **Guérisseur,** 3. *«Idole guérissante»* (Flaubert, *in* T. L. F.). *Les «mains guérissantes» du Christ* (Taine, *in* T. L. F.).

GUÉRISSEUR, EUSE [geʀisœʀ, øz] n. et adj. — Av. 1526; *gariseur,* XIVe «garant»; adj., *médecin guérisseur,* XVIIe.

♦ **1.** Personne qui guérit*.

Les Anglais, qui exaltent la mer par une forme de leur nationalisme, la considèrent comme une grande guérisseuse et ne connaissent pas de meilleur remède qu'une longue traversée. Jacques DE LACRETELLE, le Demi-dieu, I. 1

♦ **2.** (Av. 1721). Cour. Personne qui fait profession de guérir, sans avoir la qualité officielle de médecin, en pratiquant une thérapeutique traditionnelle ou des procédés scientifiquement non reconnus. ⇒ **Empirique; rebouteur, rebouteux.** *Guérisseur habile. Ce guérisseur se prétend doué d'un fluide efficace. Consulter un guérisseur. Avoir foi aux guérisseurs. Procès intenté par l'ordre des médecins contre un guérisseur. C'est un guérisseur authentique, pas un charlatan. Les guérisseurs des cultures africaines. Sorcier guérisseur.*

(...) nous sommes des praticiens, des guérisseurs, et nous n'imaginerions pas d'opérer quelqu'un qui se porte à merveille! FLAUBERT, Mme Bovary, II, XI. 2

Il ne savait qu'aimer, se faire aimer, dispenser et provoquer l'amour : fonction immense, mais indéfinie, et maintes fois sans doute importune aux guérisseurs de profession qui traitaient les blessés, les malades plus précisément : besogne indiscrète, mais plus salutaire que les pansements et les drogues. 3
A. HERMANT, l'Aube ardente, IX.

♦ **3.** (Av. 1672). Littér. Qui guérit. ⇒ **Guérissant.** *Des pratiques, des substances guérisseuses.*

GUÉRITE [geʀit] n. f. — V. 1360; *garite*, v. 1220, loc. *à la garite* «sauve qui peut!»; adapt. probable du provençal *garida* ou de l'anc. franç. *garette,* de *garir* «protéger». → Guérir.

♦ **1.** Vx. Refuge. — Loc. *Enfiler, gagner la guérite* : s'enfuir pour se mettre en lieu sûr.

♦ **2.** Vx. Siège à capote, généralement en osier.

♦ **3.** Mod. Abri* de bois ou de pierre, où une personne (sentinelle, garde...) se met à couvert. ⇒ **Guitoune** (fam.). → Écrouler, cit. 8; fois, cit. 21. *Factionnaire qui monte la garde* dans sa guérite. Guérite de douanier* (→ Éveiller, cit. 36). *Ancienne guérite de guetteur.* ⇒ **Échauguette, échiffe, poivrière.**

Il guetta le moment où l'une des sentinelles serait aux deux tiers de sa faction et retirée dans sa guérite, à cause du brouillard. 1
BALZAC, la Muse du département, Pl., t. IV, p. 104.

Un premier rempart crénelé, d'au moins trente pieds de haut, avec des bastions, des mâchicoulis, des guérites de pierre (...) LOTI, l'Inde (sans les Anglais), V, III. 2

Une guérite, de place en place, abrite un factionnaire l'arme au pied; elles sont en bois, avec un toit de zinc, peintes à l'extérieur, sur les deux côtés, de grands chevrons rouges et noirs. A. ROBBE-GRILLET, Dans le labyrinthe, p. 73. 2.1

Par anal. Logette de bois, de tôle aménagée pour abriter un travailleur isolé, faire office de bureau sur un chantier. *Guérite d'aiguilleur.*

Un soir le chef de chantier débaucha les derniers venus, car il n'y avait plus de travail. Ernst passa à son tour devant la petite guérite percée d'un guichet qui servait de bureau et de caisse. P. MAC ORLAN, Quai des brumes, VIII. 3

Par plais. Confessionnal.

GUÉRIT-TOUT [geʀitu] n. m. invar. — 1835, Balzac; de *guérir,* et *tout.*

♦ Régional. Plante à nombreuses propriétés curatives. → Panacée. — Personne qui guérit tous les maux.

GUERRE [gɛʀ] n. f. — 1080; du francique **werra,* a éliminé le lat. *bellum.*

★ **I.** ♦ **1.** Lutte armée entre groupes sociaux, et, spécialt, entre États, considérée comme un phénomène social et historique (→ Concurrence, cit. 3). *Le concept de guerre. On répète souvent que la guerre est éternelle* (cit. 21). → 1. Être, cit. 19; fatalité, cit. 2. *La guerre, acceptation* (cit. 4) *de la mort. La guerre est un fléau, un cataclysme, une calamité* (→ Affliger, cit. 4). *La cruauté, la brutalité de la guerre* (→ Barbarement, cit. 3; écharper, cit. 1). *Aspects, diverses images de la guerre* (→ Artillerie, cit. 3). *La crainte, la peur, la haine de la guerre* (→ Abstention, cit. 1; ancrer, cit. 8). *Vouloir délivrer l'humanité de la guerre. Tenter une justification de la guerre* (→ Agoniser, cit. 1). *Aimer la guerre, être* *affamé* (cit. 8) *de guerre et de sang. Mystique de la guerre* (→ Éteindre, cit. 19). — *De la guerre,* ouvrage de Clausewitz.

1 (...) de nombreuses définitions de la guerre ont été proposées. Insistant sur son aspect juridique, M. Quincy Wright pense que «la guerre est la condition légale qui permet à deux ou plusieurs groupes hostiles de mener un conflit par forces armées». Considérant ses intentions, Clausewitz dit que «la guerre est un acte de violence dont le but est de forcer l'adversaire à exécuter notre volonté» (...) Quoi qu'il en soit, disons, pour nous résumer, que la guerre est une forme de violence qui a pour caractéristique essentielle d'être méthodique et organisée quant aux groupes qui la font et aux manières dont ils la mènent. En outre, elle est limitée dans le temps et l'espace et soumise à des règles juridiques particulières, extrêmement variables (...) Sa dernière caractéristique est d'être sanglante, car lorsqu'elle ne comporte pas de destructions de vies humaines, elle n'est qu'un conflit ou un échange de menaces. La «guerre froide» n'est pas la guerre.
Gaston BOUTHOUL, la Guerre, p. 32-33.

2 Par la cruelle guerre on renverse les villes,
On déprave les lois divines et civiles,
On brûle les autels et les temples de Dieu;
L'équité ne fleurit, la justice n'a lieu,
Les maisons de leurs biens demeurent dépouillées,
Les vieillards sont occis, les filles violées,
Le pauvre laboureur du sien est dévêtu,
Et d'un vice exécrable on fait une vertu.
RONSARD, le Second livre des poèmes, Exhortation pour la paix.

3 La guerre est une chose si horrible, que je m'étonne comment le seul nom n'en donne pas de l'horreur (...) BOSSUET, Pensées chrétiennes et morales, XXXVI.

4 La guerre est un mal qui déshonore le genre humain (...)
FÉNELON, Dialogues des morts, Socrate et Alcibiade.

5 Le nombre infini de maladies qui nous tuent est assez grand; et notre vie est assez courte pour qu'on puisse se passer du fléau de la guerre.
VOLTAIRE, Lettre à Mme du Deffand, 4179, 27 févr. 1775.

6 La guerre est donc divine en elle-même, puisque c'est une loi du monde. La guerre est divine par ses conséquences d'un ordre surnaturel tant générales que particulières (...) La guerre est divine dans la gloire mystérieuse qui l'environne, et dans l'attrait non moins inexplicable qui nous y porte (...) La guerre est divine par la manière dont elle se déclare (...) La guerre est divine dans ses résultats qui échappent absolument aux spéculations de la raison humaine (...) La guerre est divine par l'indéfinissable force qui en détermine les succès.
J. DE MAISTRE, les Soirées de Saint-Pétersbourg, II, VIIe entretien.

7 (...) il n'est point vrai que, même contre l'étranger, la guerre soit *divine;* il n'est point vrai que *la terre soit avide de sang.* La guerre est maudite de Dieu et des hommes mêmes qui la font et qui ont d'elle une secrète horreur, et la terre ne crie au ciel que pour lui demander l'eau fraîche de ses fleuves et la rosée pure de ses nuées. A. DE VIGNY, Servitude et Grandeur militaires, II, I.

8 (...) est-il beaucoup plus humain de massacrer une famille de paysans allemands que vous ne connaissez pas, qui n'a eu avec vous de discussion d'aucune nature, que vous volez, que vous tuez sans remords, dont vous déshonorez en sûreté de conscience les femmes et les filles, parce que *c'est la guerre?*
CHATEAUBRIAND, Mémoires d'outre-tombe, t. V, p. 254.

9 (...) la guerre, la guerre civilisée, épuise et totalise toutes les formes du banditisme, depuis le brigandage des trabucaires aux gorges du mont Jaxa jusqu'à la maraude des Indiens Comanches dans la Passe-Douteuse.
HUGO, les Misérables, III, IV, IV.

10 Mais la guerre éternelle a placé son empire destructeur sur les campagnes et moissonne avec joie des victimes nombreuses.
LAUTRÉAMONT, les Chants de Maldoror, I, p. 52.

11 Si affreuses que puissent devenir les misères de la guerre, au moins elles peuvent être compensées. Il y a l'honneur de la guerre. Et il y a la grandeur de la guerre.
PÉGUY, la République..., p. 328.

11.1 Ah Dieu! que la guerre est jolie
Avec ses chants, ses longs loisirs.
APOLLINAIRE, Calligrammes, «L'adieu du cavalier».

12 (...) ces hommes qui avaient été tenaillés par la fatigue, fouettés par la pluie, bouleversés par toute une nuit de tonnerre, ces rescapés des volcans et de l'inondation entrevoyaient à quel point la guerre, aussi hideuse au moral qu'au physique, non seulement viole le bon sens, avilit les grandes idées, commande tous les crimes — mais ils se rappelaient combien elle avait développé en eux et autour d'eux tous les mauvais instincts sans en excepter un seul : la méchanceté jusqu'au sadisme, l'égoïsme jusqu'à la férocité, le besoin de jouir jusqu'à la folie.
H. BARBUSSE, le Feu, XXIV.

13 — Ce serait un crime de montrer les beaux côtés de la guerre... même s'il y en avait! H. BARBUSSE, le Feu, XXIV.

14 Qui veut la guerre veut par cela même des massacres inutiles, des exécutions pour l'exemple, et des otages fusillés. ALAIN, Propos, 3 déc. 1921, Persuasion.

15 La guerre possède à un degré éminent le caractère essentiel du sacré; elle paraît interdire qu'on la considère avec objectivité. Elle paralyse l'esprit d'examen. Elle est redoutable et impressionnante. On la maudit et on l'exalte.
Roger CAILLOIS, Quatre essais de sociologie contemporaine, p. 77.

16 La guerre n'est pas une maladie (...) C'est un mal insupportable parce qu'il vient aux hommes par les hommes. SARTRE, le Sursis, p. 205.

16.1 Il y a un côté de la guerre qu'il commençait, je crois, à apercevoir, lui dis-je, c'est qu'elle est humaine, se vit comme un amour ou comme une haine, pourrait être racontée comme un roman, et que par conséquent, si tel ou tel va répétant que la stratégie est une science, cela ne l'aide en rien à comprendre la guerre, parce que la guerre n'est pas stratégique. PROUST, le Temps retrouvé, Pl., t. III, p. 982.

16.2 Cette pluie sur la mer
Sur l'Arsenal
Sur le bateau d'Ouessant
Oh Barbara
Quelle connerie la guerre
Qu'es-tu devenue maintenant
Sous cette pluie de fer
De feu d'acier de sang (...) PRÉVERT, Paroles, «Barbara».

Connaissance, techniques de la guerre. ⇒ **Tactique, stratégie.** *Simulation d'opérations de guerre, «jeu de guerre».* ⇒ **Kriegspiel, wargame.**

L'épée, le glaive*, symboles de la guerre. Personnification de la guerre. Temple de la Guerre. Mars, dieu de la guerre.*

17 Bientôt ils défendront (...)
De figurer aux yeux la Guerre au front d'airain (...) BOILEAU, l'Art poétique, III.

Dr. *Législation internationale sur l'interdiction, la prévention directe* (⇒ **Charte, garantie, pacte**) *ou indirecte* (⇒ **Désarmement**) *de la guerre. Droit préventif de la guerre* (jus ad bellum). ⇒ **Arbitrage, médiation, sanction.** *Droit de guerre; droit de faire la guerre pour se défendre* (→ Désarmement, cit. 2; état, cit. 143). — *Droit de la guerre, les lois de la guerre* (jus in bello). → Esclavage, cit. 3. *Violation des lois de la guerre* (→ Crime de guerre, ci-dessous). *Le droit de la guerre a été codifié par les conventions de La Haye* (1899; 1907). *«Lois et Coutumes de la Guerre»,* titre de la quatrième convention de La Haye (1907), réglant les questions concernant la qualité de belligérant; les moyens licites de lutte; l'attitude envers les ennemis blessés, prisonniers; l'occupation* du territoire ennemi. — *Commentaire de la guerre. «La guerre ne commence régulièrement que par un avertissement préalable non équivoque»* (Delbez). *Déclaration* de guerre émanant de l'organe désigné par la Constitution. Déclarer la guerre* (→ Affronter, cit. 6; embargo, cit. 1). *Attaquer sans déclaration de guerre* (→ Algarade, cit. 1). *La déclaration de la guerre* (→ Faute, cit. 41). *Le droit de faire la paix et la guerre* (→ Attribuer, cit. 3). *Déclaration de guerre conditionnelle.* ⇒ **Ultimatum.** — *État de guerre.* ⇒ **Belligérance.** *Pays qui s'abstient de participer à la guerre.* ⇒ **Neutralité, neutre.** *Conventions entre pays qui font la guerre.* ⇒ **Alliance, allié, coalition.** — *Fin de la guerre, par un accord, une convention*, un traité* de paix. L'armistice* ne fait pas cesser l'état de guerre.*

La guerre ne peut être déclarée sans un vote de l'Assemblée nationale et l'avis 18
préalable du Conseil de la République. Constitution du 27 oct. 1946.

EN GUERRE : en état de guerre. *Nations en guerre* (→ Arpent, cit. 2). *Ceux contre qui on est en guerre.* ⇒ **Ennemi,** II. — *Entrer en guerre. Entrée* (cit. 7) *en guerre, dans la guerre.*

DE GUERRE. *Faits de guerre* (→ Bataille, cit. 6); *opérations de guerre.* ⇒ **Bataille, campagne, combat, expédition; approche, assaut, attaque, attaquer, bombardement, bombarder, capturer, cerner, charge, charger, chasse** (donner la), **cheminement, contre-attaque, contre-attaquer, débarquement, débarquer, débusquer, défendre, défense, défensive, déloger, engagement, entourer, envahir, envelopper, extermination, exterminer, harceler, investir, observation, observer, offensive, poursuivre, progression, retraite, siège.** *Exploit de guerre. Ruse de guerre.* ⇒ **Embuscade, piège;** fig. **artifice, ruse** (on disait aussi *Tour de vieille guerre*). — *Crime de guerre :* violation (notamment entraînant mort d'homme) des lois de la guerre. *Criminel de guerre.* — *Contrebande* de guerre* (→ 1. Agio, cit. 1). *Danse de guerre* (→ Corybante, cit.). *Cri** (cit. 18) *de guerre; chant de guerre.*

(1660). *Nom de guerre,* que prenaient les soldats en s'enrôlant. Mod. et fig. ⇒ **Pseudonyme, surnom.** *Le nom de guerre d'un écrivain, d'une actrice.*

— Je dois vous demander de me préciser votre identité. Vous ne vous appelez pas 18.1
Liliane de Rosemar? (...)
— Non, monsieur l'inspecteur, c'est un nom de guerre. J'ai été mannequin. Je m'appelle Simone Chamboisseau. J'ai trente-deux ans. Je suis célibataire.
René FLORIOT, La vérité tient à un fil, p. 61.

Correspondance de guerre, lettres de guerre (→ Ascèse, cit. 5). *Le correspondant* de guerre d'un journal.* — *Bulletin, communiqué de guerre.* — *Homme de guerre* (→ Brûleur, cit. 1); *gens de guerre* (→ Aboucher, cit. 2) : soldats de métier. ⇒ **Guerrier, soldat.** *Blessé, mutilé* de guerre; prisonnier* de guerre.* — Loc. *Un foudre** (cit. 18, 19) *de guerre, de la guerre* (vx). → Arbitre, cit. 10. — *Croix* de guerre.* — *Provisions, munitions de guerre* (→ Amasser, cit. 13; arsenal, cit. 2). *Instrument de guerre* (→ Armée, cit. 9). *Matériel* de guerre.* ⇒ **Arme, armement, artillerie, aviation,** etc. (→ Capitaine, cit. 8). *Arme de guerre; fusil de guerre* (par oppos. à *fusil de chasse*). *Fabrication des armes de guerre* (⇒ **Arsenal**). — Au moyen âge. *Fourche de guerre. Armure* de guerre* (opposé à *armure de tournoi*). *Cheval de guerre.* ⇒ **Palefroi.** *Machines* de guerre.* ⇒ **Baliste, bélier, bombarde, catapulte, chausse-trappe, onagre.** — *Place de guerre.* ⇒ **Fortification; avant-poste, poste** (avancé). — *Bateau, navire* de guerre* (→ Battre, cit. 43). *Marine* de guerre; flotte** (cit. 2) *de guerre. Port de guerre. Aviation de guerre.* — *Usine, industrie, production de guerre. Reconversion d'une économie de guerre en économie de paix.* — *Trésor de guerre. Budget de guerre. Indemnités de guerre,* payées par le pays vaincu (→ Boucher, cit. 3). *Dommages de guerre.* ⇒ **Dommage** (*supra* cit. 6).

Loc. *Armée sur le pied** (→ Pied, III., 4.) *de guerre.* → ci-dessous le sens fig., II.

L'art, le métier, la science de la guerre.* ⇒ **Stratégie, tactique** (→ Discipline, cit. 2). *L'apprentissage, l'école* (cit. 14) *de la guerre. Les exercices de la guerre* (→ Baigner, cit. 22).

L'art de la guerre est l'art de détruire les hommes, comme la politique est celui 19
de les tromper. D'ALEMBERT, Mélanges de littérature.

Qu'est-ce que la guerre? disait-il *(Napoléon)*; un métier de barbares où tout l'art 20
consiste à être le plus fort sur un point donné.
CHATEAUBRIAND, Mémoires d'outre-tombe, t. III, p. 205.

Absolt et vx. Le métier des armes. *Apprendre, savoir la guerre* (→ Aventurier, cit. 6, Fénelon).

Celui-ci *(Barclay)* manœuvrera, il est brave, il sait la guerre; mais c'est un géné- 21
ral de retraite. Ph.-P. SÉGUR, Hist. de Napoléon, IV, 5.

♦ **2.** (1680). Les questions militaires*; l'organisation des armées (en temps de paix, comme en temps de guerre). *Conseil* de guerre.* — Anciennt (en France). *Ministère de la Guerre,* et, absolt, *la Guerre.* ⇒ **Défense** (nationale).

22 Tu comprends, fiston, Lebrun passe des colonies à la guerre.
ARAGON, les Beaux Quartiers, II, VII.

♦ **3.** (1080). UNE, DES GUERRES; LA GUERRE : conflit considéré comme un phénomène historique, localisé dans l'espace et dans le temps. ⇒ **Conflagration, conflit, hostilité, lutte** (armée). → Cataclysme, cit. 2; courage, cit. 9; émigration, cit. 1. *Il va y avoir la guerre; il n'y aura pas de guerre* (→ Alerte, cit. 4). *La guerre nous sera-t-elle épargnée?* (cit. 15). *La guerre peut encore s'éviter* (cit. 50); *la guerre est inévitable* (→ Entêter, cit. 10). *Tout faire pour empêcher la guerre* (→ Pacifisme, cit. 2). *Alternative* (cit. 5) *entre le commerce et la guerre. La Guerre et la Paix,* roman de Tolstoï. *En cas de guerre, au cas où la guerre éclaterait* (→ Ajourner, cit. 3). *Menaces, bruits, rumeurs de guerre* (→ Énerver, cit. 10; entraînement, cit. 1). *Occasion, prétexte de guerre.* ⇒ **Casus belli.** *Accepter, envisager* (cit. 13) *l'éventualité de la guerre* (→ Axiome, cit. 6). — *(De guerre). Projets de guerre* (→ Assentiment, cit. 1); *plan de guerre* (→ Attentif, cit. 13). *Politique de guerre* (→ Course aux armements*).
Esprit, vent de guerre (→ Discorde, cit. 2). *Fauteur* de guerre.* ⇒ didact. **Belligène.** — *Se préparer à la guerre* (→ Bon, cit. 48); *mener un pays, un peuple à la guerre* (→ Foi, cit. 16). *Être l'artisan* (cit. 13) *de la guerre. — Porter la guerre dans un pays* (→ Couvrir, cit. 49). *Attiser, envenimer la guerre* (→ Arrondir, cit. 8). *Faire durer, éterniser* (cit. 8) *une guerre. — La guerre éclate* (cit. 18). → Empêtrer, cit. 15. *Pays, peuple assailli, surpris par la guerre* (→ Fléau, cit. 5). *Pays ruiné par la guerre. Les destructions* (→ Casse, cit. 2), *les deuils, les malheurs causés par la guerre* (→ Endolorir, cit. 3; envie, cit. 14); *les malheurs de la guerre. État fondé sur la guerre et la conquête* (→ Empiéter, cit. 2). *Pays, gens que la guerre enrichit* (cit. 1). *Profiter de la guerre* (→ Étrangler, cit. 19). *Profiteur* de guerre. Prise de guerre.* ⇒ **Butin, capture.** *La guerre est une industrie* (→ Apparaître, cit. 19). Allus. hist. *« La guerre est l'industrie nationale de la Prusse »* (phrase attribuée à Mirabeau). — *La guerre en dentelles. — Le nerf de la guerre :* l'argent (cit. 52 et 53). — *Une, des guerres. L'enjeu* (cit. 2), *les conséquences d'une guerre* (→ Avilissement, cit. 11; bouleverser, cit. 5; épuisement, cit. 6). *Le prix d'une guerre; guerre qui coûte des milliards. Financer une guerre. — Issue d'une guerre.* ⇒ **Vaincre, victoire; capitulation, défaite, écrasement** (→ Concorde, cit. 4). *Attendre la fin d'une guerre; la guerre est finie* (→ Ennemi, cit. 19; flan, cit. 1). *Guerre qui s'arrête, qui recommence.* ⇒ **Trêve** (→ Avec, cit. 83). *Suite de guerres. Les guerres en chaîne,* ouvrage de Raymond Aron. — *L'enseignement, la leçon d'une guerre.*

23 Plus que les charges qui ressemblent à des revues, plus que les batailles visibles déployées comme des oriflammes, plus même que les corps à corps où l'on se démène en criant, cette guerre, c'est la fatigue épouvantable, surnaturelle, et l'eau jusqu'au ventre, et la boue et l'ordure et l'infâme saleté. C'est les faces moisies et les chairs en loques et les cadavres qui ne ressemblent même plus à des cadavres, surnageant sur la terre vorace. C'est cela, cette monotonie infinie de misères, interrompue par des drames aigus, c'est cela, et non pas la baïonnette qui étincelle comme de l'argent, ni le chant du coq du clairon au soleil!
H. BARBUSSE, le Feu, XXIV.

24 La guerre (...) Je vois des ruines, de la boue, des files d'hommes fourbus, des bistrots où l'on se bat pour des litres de vin, des gendarmes aux aguets, des troncs d'arbres déchiquetés et des croix de bois, des croix, des croix (...) Tout cela défile, se mêle, se confond. La guerre (...) R. DORGELÈS, les Croix de bois, V.

25 Ceux-là, au lieu de tout mettre en œuvre pour éviter la guerre, ils ne pensent plus qu'à une chose; accroître, à tout hasard, le plus vite possible, leurs chances de victoire (...) MARTIN DU GARD, les Thibault, t. V, p. 184 (→ Défendre, cit. 10).

Loc. prov. *Si tu veux la paix, prépare la guerre,* adage latin *(si vis pacem, para bellum).*

26 Les préparatifs de guerre, que le plus faux des adages préconise pour faire triompher la volonté de paix, créent, au contraire, d'abord la croyance chez chacun des deux adversaires que l'autre veut la rupture, croyance qui amène la rupture, et, quand elle a eu lieu, cette autre croyance chez chacun des deux que c'est l'autre qui l'a voulue. PROUST, À la recherche du temps perdu, t. XII, p. 200.

Le temps que dure une guerre. *Années de guerre* (→ Abolir, cit. 9). *La guerre* (une guerre particulière). *Durant, pendant la guerre. En temps de guerre* (→ Armée, cit. 13). *Avant, après la guerre.* ⇒ **Avant-guerre; après-guerre.**

27 (...) il suffit de considérer ce qui se passe en temps de guerre. Le meurtre et le pillage, comme aussi la perfidie, la fraude et le mensonge ne deviennent pas seulement licites; ils sont méritoires.
H. BERGSON, les Deux Sources de la morale et de la religion, I, p. 26.

28 Que ceux déjà qui m'en veulent se représentent ce que fut la guerre pour tant de très jeunes garçons : quatre ans de grandes vacances.
R. RADIGUET, le Diable au corps, p. 7
N. B. Il s'agit de la guerre de 1914-1918.

Hommes recrutés, levés, mobilisés pour une guerre (→ Chair* [cit. 15] à canon, et aussi aiguiser, cit. 3). *La mobilisation* n'est pas la guerre. Troupes assemblées pour faire la guerre.* ⇒ **Armée.**

♦ **4.** Absolt. Action de se battre dans un conflit armé; situation individuelle de celui qui se bat. ⇒ **Bataille, combat, lutte;** (fam.) **baroud, bagarre, boucherie** (cit. 2), **casse-cou** (vx), **casse-gueule, casse-pipe.** *À la guerre* (→ Approcher, cit. 35). *Aller à la guerre, en guerre, partir pour la guerre, en guerre* (→ Avertir, cit. 21; chevalier, cit. 3). *Malbrough s'en va-t-en guerre,* chanson populaire. — N. m. (Fam.). *C'est un va-t-en guerre.* ⇒ **Va-t-en guerre.** — *Revenir de la guerre* (→ 2. Barrer, cit. 3). *Soldat, homme éprouvé, endurci dans la guerre, à la guerre.* ⇒ **Aguerri, chevronné** (→ Alarmer, cit. 5). *Homme assuré* (cit. 68) *dans la guerre, à la guerre. Bravoure, courage, vaillance à la guerre. Périr, mourir, tomber à la guerre,* au champ d'honneur*. ⇒ **Champ** (de bataille), **front; combat** (→ Finir, cit. 20). *Les chances* (cit. 5), *les hasards de la guerre, du combat. Les lauriers de la guerre* (→ Estimer, cit. 6). *Les honneurs* de la guerre* (→ Battre, cit. 46). *« La guerre a ses douceurs »* (La Fontaine; → Alarme, cit. 8). *L'arène* (cit. 10) *de la guerre. — Indiens sur le sentier* de la guerre.*

La guerre, ah! bon sang! c'est ça qui fait les hommes! (...) Lorsqu'on n'y est pas allé, on ne peut pas savoir. Il n'y a que ça, se foutre des coups (...) 29
ZOLA, la Terre, I, V.

FAIRE LA GUERRE : déclencher, mener une guerre (chefs d'État, chefs militaires); participer à un conflit armé. *Faire la guerre.* ⇒ **Battre** (se), **combattre, guerroyer.** *On voit qu'il a fait la guerre, qu'il a vu le feu*. Les officiers qui ne font pas la guerre* (→ Embusqué, planqué; camp, cit. 2). *Faire la guerre avec tel régiment, sous tel officier.*

(...) faire la guerre au loin est assurément une épreuve très pénible, mais (...) la supporter sur le territoire national, et cela trois fois en un siècle, face au plus savamment cruel des ennemis, c'est beaucoup plus qu'il n'en faut pour surmener un peuple édifié tour à tour dans le malheur et la gloire. 30
G. DUHAMEL, la Pesée des âmes, IX.

La guerre, dès qu'on la fait à portée de fusil, calme les passions à ce point que je me crois capable, d'après les discours, de deviner si un homme a fait la guerre ou non. ALAIN, Propos, 12 avr. 1921, Le règne des sots. 31

Loc. *Faites l'amour, pas la guerre!*

Allusion historique :

Ma formule est la même partout. Politique intérieure? Je fais la guerre. Politique étrangère? Je fais la guerre. Je fais toujours la guerre. 32
CLEMENCEAU, Disc. du 8 mars 1918.

EN GUERRE. *Être heureux en guerre* (→ Entreprise, cit. 1). *En amour comme en guerre* (→ Avancer, cit. 20).
Gagner la guerre. Perdre (cit. 38) *la guerre. Guerre gagnée, perdue.*

♦ **5.** ⇒ **Campagne, expédition.** *Raconter ses guerres* (→ Engager, cit. 50). *Vieux soldat qui a fait de nombreuses guerres.*

♦ **6.** UNE GUERRE, LA GUERRE DE (qualifiée). **a** Campagne, expédition (précisément désignée). *La guerre des géants.* ⇒ **Gigantomachie** (→ Assyrien, cit.). *La guerre de Troie* (→ Fleurir, cit. 13). *La guerre de Troie n'aura pas lieu,* pièce de Giraudoux. *Les guerres médiques, puniques. Les guerres des Romains* (→ Exercer, cit. 39). *Commentaires de la guerre des Gaules,* ouvrage de César. *La guerre de Trente ans, la guerre de Cent ans. La guerre des Deux-Roses. Les guerres saintes.* ⇒ **Croisade.** *La guerre contre* (cit. 20) *l'Autriche, contre les Arabes* (→ Apprentissage, cit. 8), *les Saxons* (→ Exiger, cit. 2). *La guerre d'Espagne* (→ Entonner, cit. 5). *Guerre russo-japonaise* (→ Camouflet, cit.). *La guerre de 70,* la guerre franco-allemande de 1870. — *La Première, la Seconde Guerre mondiale* (→ Asphyxiant, cit. 2; camouflage, cit. 1). *La Grande Guerre, la guerre de 14* (la guerre de 1914-1918). *La dernière guerre* (→ fam. La der* des der; ⇒ **Dernier,** cit. 4). Loc. *La drôle de guerre.* ⇒ **Drôle, drôlet** (la drôlette).

REM. Dans le langage courant on dit absolt *la guerre* pour désigner la dernière grande guerre (celle de 1914-1918, puis celle de 1939-1945). *Depuis la guerre; avant la guerre.* ⇒ **Après-guerre; avant-guerre.** *D'une guerre à l'autre.* ⇒ **Entre-deux-guerres.**

On a ri longtemps de ce mélodrame où l'auteur faisait dire à des soldats de Bouvines : « Nous autres, chevaliers de la guerre de Cent ans ». C'est fort bien fait, mais il faut donc rire de nous-mêmes : nos jeunes gens s'intitulaient « génération de l'entre-deux guerres » quatre ans avant l'accord de Munich. 33
SARTRE, Situations II, p. 42.

Les guerres des rois, des monarchies. Guerres de la République, de la liberté... Guerre nationale, populaire.

Nos ennemis font une guerre d'armée, vous faites une guerre de peuple. 34
Adresse de la Convention, 16 avr. 1793.

La guerre de... (suivi d'un nom exprimant l'objet, la cause du conflit). *Les guerres du pétrole. La Guerre du feu,* roman préhistorique de Rosny aîné.

b En parlant du caractère d'un conflit.

Guerre juste (→ Côté, cit. 35), *injuste. Guerre inexpiable. La sale guerre,* se dit en parlant d'une guerre qu'on veut flétrir. — Loc. Allus. hist. *La guerre fraîche et joyeuse,* adaptation d'une phrase du Kronprinz : « Il faut revenir fraîchement et joyeusement à l'état d'esprit des ancêtres » (*l'Allemagne en armes,* 1913, *in* Guerlac).

Ainsi, la guerre, selon la formule, reste fraîche et joyeuse. Si, par inadvertance, le souverain assistait réellement à toutes les saletés et à toutes les ignominies que procurent à l'humanité la gangrène, le gâtisme précoce et les grandes infections, il serait capable de sentir travailler son imagination et de s'en trouver incommodé. 35
G. DUHAMEL, Récits des temps de guerre, IV, XIII.

Une guerre gagnée, perdue (cit. 73) *d'avance. Une guerre facile.* → Promenade* militaire.
Guerre de défense; guerre de libération* (⇒ **Résistance**). *La guerre de la liberté* (→ Avant-garde, cit. 1). *Guerre d'agression*, de conquête, d'hégémonie* (→ Aller, cit. 49). *Guerre antinationale* (cit.). *Guerre de pacification. Guerre d'extermination. Guerre raciale*

(⇒ **Génocide**). *Guerre coloniale. — Guerre locale; petite guerre* (→ Abaissement, cit. 2). *Grandes guerres* (→ Cascade, cit. 7). *Guerre continentale, mondiale* (→ Exigence, cit. 5; exode, cit. 4), *universelle* (→ Élévation, cit. 5), *planétaire* : guerre qui s'étend à une partie importante de la planète. *Guerre ouverte; guerre à mort,* (1747) *à outrance,* qui est menée pour détruire totalement l'adversaire. *Guerre totale,* qui utilise tous les moyens pour détruire l'adversaire (→ Écrasement, cit. 3). *Guerre d'usure. — Guerre préventive**.

36 (...) les guerres nationales, les batailles, les meurtres, les représailles, qui font frémir la nature et choquent la raison, et tous ces préjugés horribles qui placent au rang des vertus l'honneur de répandre le sang humain.
ROUSSEAU, De l'inégalité parmi les hommes, II.

37 Heureux ceux qui sont morts dans une juste guerre!
Heureux les épis mûrs et les blés moissonnés! Ch. PÉGUY, Œuvres, Ève.

38 Guerre d'usure totale. Usure de l'homme vivant, mais aussi de tout ce qui s'attache à lui, de tout ce qui est chose d'homme, de tout ce qu'il a ramassé et créé.
J. ROMAINS, les Hommes de bonne volonté, t. XV, p. 51.

39 (...) ces guerres généralisées qui semblent témoigner d'une activité prodigieuse de l'homme, alors qu'elles dénoncent au contraire son apathie grandissante (...) Ils finiront par mener à la boucherie, à époques fixes, d'immenses troupeaux résignés.
BERNANOS, Journal d'un curé de campagne, p. 162.

40 La guerre totale implique en premier lieu que la multitude des combattants tende à coïncider avec le chiffre même de la population mâle adulte disponible, en second lieu que la quantité du matériel employé corresponde au niveau le plus élevé que peut atteindre l'industrie de la nation belligérante développée au maximum. Roger CAILLOIS, Quatre essais de sociologie contemporaine, p. 104.

Guerre de positions (→ Combativité, cit. 2). *Guerre de tranchées* (1915, *in* D. D. L.). *Guerre de siège. Guerre de mouvement. Guerre éclair* (all. *Blitzkrieg,* ⇒ **Blitz**), basée sur le principe d'une attaque foudroyante. *Guerre mécanisée* (⇒ **Blindé, char...**). *Guerre terrestre; aérienne* (→ Avion, cit. 6). *Guerre sur mer, guerre navale, guerre sous-marine. Guerre de course.* ⇒ **Corsaire, course** (*supra* cit. 13). *Bâtiment armé en guerre. Guerre chimique, bactériologique. Guerre atomique, nucléaire. Guerre moderne, scientifique* (→ Culture, cit. 18). — Loc. *Guerre presse-bouton,* qui se fait au moyen de dispositifs automatiques.

41 (...) à côté des guerres accidentelles il en est d'essentielles pour lesquelles l'instinct guerrier semble avoir été fait. De ce nombre sont les guerres d'aujourd'hui. On cherche de moins en moins à conquérir pour conquérir. On ne se bat plus par amour-propre blessé, pour le prestige, pour la gloire. On se bat pour n'être pas affamé, dit-on, — en réalité pour se maintenir à un certain niveau de vie au-dessous duquel on croit qu'il ne vaudrait plus la peine de vivre. Plus de délégation à un nombre restreint de soldats chargés de représenter la nation. Plus rien qui ressemble à un duel. Il faut que tous se battent contre tous, comme firent les hordes des premiers temps. Seulement on se bat avec les armes forgées par notre civilisation et les massacres sont d'une horreur que les anciens n'auraient même pas imaginée. Au train dont va la science, le jour approche où l'un des adversaires, possesseur d'un secret qu'il tenait en réserve, aura le moyen de supprimer l'autre. Il ne restera peut-être plus trace du vaincu sur la terre.
H. BERGSON, les Deux Sources de la morale et de la religion, IV, p. 305.

Guerre de partisans, d'escarmouches, de harcèlement. ⇒ **Guérilla.** — **PETITE GUERRE** : guerre de harcèlement, et, par ext., simulacre de guerre. ⇒ **Exercice, manœuvre.** *Enfants qui jouent à la petite guerre.* → ci-dessous II., 1. au sens fig.

42 Cette petite guerre, qui harcelait sans répit les soldats de la garnison de Bou-Jeloud, créait une atmosphère irritante et débilitante.
P. MAC ORLAN, la Bandera, X.

(Désignations spécifiques). *Guerre des Chouans. La guerre des Gueux.* ⇒ **Jacquerie** (→ Émeute, cit. 6).

Guerre sainte : guerre que mènent les fidèles d'une religion au nom de leur foi. *Guerre sainte menée par les chrétiens, au moyen âge* (⇒ **Croisade**). *Guerre sainte des musulmans. — Guerre religieuse* (→ Fanatiser, cit. 1). — *Guerres de religion* (spécialt, en France) : les luttes armées entre catholiques et protestants, aux XVIe et XVIIe siècles.

GUERRE CIVILE (cit. 1) : lutte armée entre groupes de citoyens d'un même État. ⇒ **Barricade** (s), **émeute, révolte, révolution** (→ Apprentissage, cit. 12; arminien, cit.; ballotter, cit. 4; esquiver, cit. 7; flèche, cit. 5). *Guerre civile et étrangère* (→ Dedans, cit. 23). *Allumer* (cit. 3), *exciter la guerre civile* (→ Attentat, cit. 10; bon, cit. 119; 1. feu, cit. 42). *Période de guerres civiles* (→ Attention, cit. 8). *La guerre civile des Chouans* (→ Embuscade, cit. 2), *de la Commune* (cit. 4). — *Guerre intestine* (même sens).

43 Les guerres civiles ont cela de pire que les autres guerres, de nous mettre chacun en échauguette en sa propre maison. MONTAIGNE, Essais, III, IX.

44 Toutes les guerres sont civiles; car c'est toujours l'homme contre l'homme qui répand son propre sang, qui déchire ses propres entrailles.
FÉNELON, Dialogues des morts, Socrate et Alcibiade.

45 *(La France)* dit à ses gouvernants, à vous-mêmes : quand me débarrasserez-vous de ce haillon de guerre civile? GAMBETTA, Disc. à la Chambre, 21 juin 1880.

46 Toute guerre civile est une guerre d'idées où se mêlent des intérêts.
J. BAINVILLE, Hist. de France, VI.

Dr. féod. *Guerre privée :* action par laquelle un particulier assurait par la force la réparation d'un tort qui lui avait été causé (par oppos. à *guerre publique*).

♦ **7.** Par ext. Hostilité, lutte entre groupes sociaux, États, n'allant pas jusqu'au conflit armé et sanglant et que l'on oppose souvent à la guerre politique, militaire. *Guerre économique, guerre douanière, guerre des tarifs, des débouchés. — Guerre de propagande, guerre des ondes, utilisation de la radio-diffusion, de la télévision, comme moyens de propagande en période de crise. Guerre électronique,* ensemble de dispositifs destinés à l'écoute, au brouillage des émissions radio-électriques de l'adversaire. *Guerre idéologique* (→ Expansionniste, cit. 1). *Guerre des cultures* (cit. 19). *Guerre des nerfs,* visant à briser la résistance morale de l'adversaire. *Guerre psychologique :* mise en jeu massive d'une propagande visant à influencer des armées ou des populations. — *Guerre larvée.*

(1948). **GUERRE FROIDE** : état de tension*, d'hostilité entre États, sans qu'intervienne un conflit armé, par oppos. à *guerre chaude, conflit armé* (*guerre* au sens 1, 2, etc.).

La guerre froide est une guerre limitée, limitation qui porte non sur les enjeux, mais sur les moyens employés par les belligérants (...) La guerre froide apparaît, dans la perspective militaire comme une course aux bases, aux alliés, aux matières premières et au prestige. R. ARON, Guerres en chaîne, p. 209-212. 47

Entre Dien-Bien-Phu et le prochain désastre ils trouvent le temps de supprimer les représentants des ballets russes, et de renvoyer les danseurs à Moscou. Ils y sont forcés? Il ne fallait pas se mettre dans ce cas. Quand ils y ont souscrit, la guerre froide sévissait déjà. F. MAURIAC, Bloc-notes 1952-1957, p. 87. 47.1

★ **II.** (V. 1150, «inimitié»). Fig. ♦ **1.** Combat, lutte. *Guerre littéraire, poétique* (→ Acharner, cit. 10). — Vx. *Guerre de plume :* querelle d'écrivains, dispute qui se poursuit par des écrits. — *Petite guerre* (entre personnes). ⇒ **Guéguerre.** *Journal qui fait la guerre au gouvernement* (→ Escarmouche, cit. 3).

Je m'intéresse plus à la guerre des Russes contre les Ottomans qu'à la guerre de plume du parlement. VOLTAIRE, Lettre à Mme du Deffand, 3731, 6 janv. 1771. 48

Loc. *Vivre en guerre, en état de guerre, sur le pied de guerre avec tout le monde.* ⇒ **Hostilité, inimitié; dispute, querelle...** (→ Armer, cit. 20). *Se mettre sur le pied* (cit. 52) *de guerre. Faire la guerre.* (→ Blanc-bec, cit. 1). *État de guerre, de guerre ouverte, déclarée entre deux personnes* (→ Ferrailler, cit. 2). *Déclarer la guerre* (→ Client, cit. 6; exercer, cit. 11). — En parlant d'animaux (→ Allumer, cit. 18, La Fontaine).

De là vient le discord sous lequel nous vivons, 49
De là vient que le fils fait la guerre à son père,
La femme à son mari, et le frère à son frère (...)
RONSARD, Discours des misères de ce temps, Remontrance au peuple de France.

Nous pouvons conclure de là 50
Qu'il faut faire aux méchants guerre continuelle. LA FONTAINE, Fables, III, 13.

FAIRE LA GUERRE à qqn, sur qqch., à propos de qqch. : combattre, réprimer cette chose en lui (⇒ **Corriger, quereller, réprimander**).

(...) ne lui faites point la guerre trop ouvertement sur tout ceci (...) 51
Mme DE SÉVIGNÉ, Lettres, 848, 1er sept. 1680.

Faire la guerre à (qqch.) : combattre, chercher à détruire. *Faire la guerre aux abus, aux injustices.* Ellipt. *Guerre à l'injustice, aux despotes! Guerre à la guerre!* → À bas*...

Guerre à la rhétorique et paix à la syntaxe! HUGO, les Contemplations, I, VII. 52

Les animaux se font mutuellement la guerre (→ An, cit. 1; avec, cit. 49). — *Faire la guerre aux lapins...* ⇒ **Chasser** (→ Air, cit. 20).

Tous les animaux sont perpétuellement en guerre; chaque espèce est née pour en dévorer une autre (...) Les mâles de la même espèce se font la guerre pour des femelles, comme Ménélas et Pâris (...) VOLTAIRE, Dict. philosophique, Guerre. 53

♦ **2.** Conflit (entre choses). ⇒ **Combat, lutte.** *Guerre entre la raison et les passions, la conscience et l'intérêt, le devoir et le plaisir. L'homme doit faire la guerre à ses passions.* ⇒ **Gouverner, maîtriser, refréner.**

(...) il ne peut être sans guerre, ne pouvant avoir paix avec l'un qu'ayant guerre avec l'autre (...) PASCAL, Pensées, VI, 412 (→ Diviser, cit. 11). 54

★ **III.** (Loc. où *guerre* a le sens I). ♦ **1.** (Mil. XVIIIe). **DE GUERRE LASSE** : en renonçant à résister, à combattre... (→ Accommoder, cit. 19). *Céder, accepter de guerre lasse. De guerre lasse, il dut y renoncer.* — REM. Dans cette locution, l'adjectif reste au féminin. Selon Littré, cette tournure «représente une figure hardie où la lassitude est transposée de la personne à la guerre : *de guerre lasse,* la guerre étant lasse, c'est-à-dire les gens qui font la guerre étant las de la faire». Selon Grevisse «il semble préférable de voir là un faux accord, qui s'explique par le fait qu'anciennement l'*s* de *las* était prononcé à la pause».

Enfin, de guerre lasse, à sept heures du soir, on consentit qu'elle y passât la nuit. 55
LACLOS, les Liaisons dangereuses, Lettre CXLVII.

(Ils) avaient fini, de guerre lasse, par ne plus s'occuper de ce mystère. 56
BALZAC, Sarrasine, Pl., t. VI, p. 85.

♦ **2. DE BONNE GUERRE** : par des procédés loyaux, sans hypocrisie ni traîtrise. ⇒ **Loyalement.** — REM. Cette locution s'est employée autrefois au sens II : «en respectant les lois de la guerre». Cf. Littré qui cite Retz.

Lorsque je me suis emparé de Fulber et de ceux qui travaillaient avec lui, c'est-à-dire de sa fille, et du fiancé de sa fille, Fulber, comme il vous l'a fait entendre dans son langage de prophète de malheur inspiré par la plus basse haine, était sur le point de déchaîner contre moi et contre l'Allemagne la foudre la plus cruelle qu'un cerveau humain ait jamais pu concevoir! (...) Cettte foudre, je la lui ai ravie (...) et c'est à moi qu'elle va servir (...) N'est-ce pas de bonne guerre (...) 56.1
G. LEROUX, Rouletabille chez Krupp, p. 178.

♦ **3.** Loc. prov. *À la guerre comme à la guerre :* il faut accepter les inconvénients, les privations qu'imposent les circonstances (⇒ **Résignation**), ou encore : la guerre justifie les moyens.

À la guerre comme à la guerre, pensa l'artiste en contemplant la table. Et il se mit à manger en homme qui avait déjeuné à Vierzon, à six heures du matin, d'une exécrable tasse de café. BALZAC, la Rabouilleuse, Pl., t. III, p. 1002. 57

♦ **4.** Prov. *Qui terre a guerre a :* la possession de terres, de richesses, est source de conflits. — REM. Ce proverbe a inspiré diverses adaptations : *Qui plume a guerre a* (Voltaire, *Lettre d'Argental,* 4 oct. 1748); *Qui gloire a guerre a* (Hugo, *Post-Scriptum de ma vie, Tas de pierres,* IV).

CONTR. Paix; calme, concorde, entente.
DÉR. Guerrier, guerroyer. — V. aussi Aguerrir. — Guéguerre.
COMP. Après-guerre, avant-guerre.
HOM. Guère.

GUERRIER, IÈRE [gɛʀje, jɛʀ] n. et adj. — 1080, *guerrer,* n. m. «personne qui a le goût de la guerre»; de *guerre.*

★ **I.** N. Personne qui fait la guerre, dont le métier est de faire la guerre. ⇒ **Combattant, militaire, soldat.** → poét. Enfant, fils de Bellone, de Mars... — REM. *Guerrier* ne s'emploie qu'en parlant des gens de guerre du passé, des civilisations préindustrielles ou dans le style soutenu. *Jeanne d'Arc, illustre guerrière. L'armure, l'épée, le bouclier* (cit. 2) *du guerrier antique. Les guerriers francs, germains, barbares* (→ Empêcher, cit. 9; flexible, cit. 7). *Guerriers sauvages* (→ Barbouiller, cit. 12). *Les guerriers et les cultivateurs d'une tribu, d'une ethnie. La caste des guerriers. Braves, fiers, généreux, hardis, vaillants guerriers* (→ Abord, cit. 2; assaillant, cit. 3; assez, cit. 53; audace, cit. 3 et 10; estimer, cit. 6). *Vieux guerrier* (→ Arme, cit. 16), *guerrier blanchi sous le harnois. Guerrier illustre* (→ Estime, cit. 9). *Armée de guerriers* (→ Appareil, cit. 7; apprendre, cit. 52; écumant, cit. 4; épisode, cit. 6; extermination, cit. 2). *Convoquer le ban et l'arrière-ban* (cit. 12) *de ses guerriers. Un grand, un célèbre guerrier.* ⇒ **Capitaine, conquérant.**

1 Dans la bouche de plusieurs *(sous la Révolution), soldat* était à peu près synonyme de gredin (...) Je sais bien qu'on dit surtout *guerrier,* qui convient mieux au ton emphatique des discours. Dès 1790, en pleine paix (...) Lameth entend distinguer «les guerriers d'une nation libre», des «satellites des despotes».
F. BRUNOT, Hist. de la langue franç., t. IX, 2, XV, p. 924 (cf. aussi t. X, p. 24).

2 La mêlée où, debout sur le large étrier,
Le sabre au poing, trouant les hordes infidèles,
Il buvait à longs traits l'ivresse du guerrier.
LECONTE DE LISLE, Poèmes tragiques, «Apothéose de Moussa-el-Kebir».

3 Ce ne sont pas des soldats : ce sont des hommes. Ce ne sont pas des aventuriers, des guerriers, faits pour la boucherie humaine — bouchers ou bétail. Ce sont des laboureurs et des ouvriers qu'on reconnaît dans leurs uniformes. Ce sont des civils déracinés. Ils sont prêts. Ils attendent le signal de la mort et du meurtre; mais on voit, en contemplant leurs figures entre les rayons verticaux des baïonnettes, que ce sont simplement des hommes. H. BARBUSSE, le Feu, XX.

Mod. (Collectif). *Le guerrier :* l'homme de guerre, le soldat*. *La psychologie du guerrier.* (Dans cette acception, *guerrier* n'a pas la nuance emphatique du premier sens).

4 Les animaux ne font pas la guerre, et cela ne prouve pas la raison dans les animaux, comme quelques-uns disent; tout au contraire. Le guerrier est un métaphysicien. Le guerrier s'est dessiné un dieu, une justice, des maximes, un ordre humain qu'il croit surhumain. ALAIN, Propos, 15 déc. 1934, Fanatisme.

5 Le droit de tuer, qui s'ajoute au risque de l'être, transporte le guerrier dans un univers d'une effrayante intensité.
Roger CAILLOIS, Quatre essais de sociologie contemporaine, p. 132.

Loc. *Le repos du guerrier,* de l'homme, après les activités considérées comme viriles, notamment auprès de la femme, considérée comme son délassement (titre d'un roman de Christiane Rochefort).

★ **II.** Adj. ♦ **1.** (V. 1570). Littér. Relatif à la guerre, au combat, aux armes. ⇒ **Militaire.** *Actions, exploits, travaux guerriers* (→ Blanchir, cit. 12, Corneille). *Chant, hymne guerrier* (→ Adonien, cit.). *Appareil* (cit. 10) *guerrier. Arche* (cit. 10) *guerrière :* arc de triomphe. *Cuirasse guerrière* (→ Aventurier, cit. 15).

6 (...) qu'à l'instant la trompette guerrière
Dans le camp ennemi jette un subit effroi. RACINE, Athalie, V, 3.

7 Et du Nord au Midi, la trompette guerrière
A sonné l'heure du combat. M.-J. DE CHÉNIER, Chant du départ.

8 Comme une mécanique grondante et compliquée qui débite les produits de son activité intérieure, la stupide machine guerrière lâche, de minute en minute, des hommes sanglants.
G. DUHAMEL, Récits des temps de guerre, I, Nuits en Artois, IV.

9 *(Il)* considérait l'industrie comme un sport guerrier et ne parlait qu'avec orgueil des coups reçus dans les campagnes saisonnières.
A. MAUROIS, Bernard Quesnay, II.

Vx. *Champ guerrier :* champ de bataille.

♦ **2.** (1580). Qui a ou qui montre des dispositions pour la guerre, les armes. ⇒ **Belliqueux.** *Un prince plus pacifique* (cit. 1) *que guerrier. Nation, race guerrière,* qui aime à se battre. *Pays, peuple guerrier. Femme guerrière.* ⇒ **Amazone** (cit. 1). *Âme guerrière* (→ Bomber, cit. 5; corps, cit. 5). *Esprit, caractère guerrier. Ardeur, humeur, valeur guerrière* (→ Arrière, cit. 8; barbare, cit. 13). Par ext. *Air guerrier, mine guerrière.* ⇒ **Martial.**

10 Qu'était la grande armée, sinon une France guerrière d'hommes qui, sans famille ayant, de plus, perdu la République, cette patrie morale, promenait cette vie errante en Europe? MICHELET, Extraits historiques, p. 394.

CONTR. Pacifique, pacifiste.

GUERROYANT, ANTE [gɛʀwajɑ̃, ɑ̃t] adj. — XVIe; p. prés. de *guerroyer.*

♦ Littér. ou style soutenu. Qui guerroie, qui aime la guerre, les combats. *Une humeur guerroyante.* ⇒ **Belliqueux, combatif.**

GUERROYER [gɛʀwaje] v. — Conjug. *noyer.* — 1080, *guerreier;* de *guerre.*

Littéraire ou style soutenu.

★ **I.** V. intr. Faire la guerre (contre qqn). *Le seigneur partait parfois guerroyer contre un vassal félon.* — Absolt. *Aimer à guerroyer.* ⇒ **Batailler, battre** (se). — REM. *Guerroyer* ne s'emploie plus de nos jours qu'en parlant des gens de guerre du moyen âge, de l'Ancien Régime, ou par allusion à eux et plus ou moins ironiquement.

Ha! Prince, c'est assez, c'est assez guerroyé : 1
Votre frère avant l'âge au sépulcre envoyé,
Les plaies dont la France est sous vous affligée (...)
RONSARD, Discours des misères de ce temps, Remontrance au peuple de France.

(...) au temps où la maison de Bourgogne guerroyait contre la maison de France. 2
BALZAC, les Paysans, Pl., t. VIII, p. 91.

(...) Guerroyer, se chamailler pour rien, 3
Pour un oui, pour un non, pour un dogme arien (...)
HUGO, la Légende des siècles, II, XV, «Éviradnus», XIV.

Fig. *Guerroyer contre les abus, les privilèges...* ⇒ **Lutter.**

Nul ne fait plus la guerre à la morale que l'homme le plus moral, quand il ne guerroie pas pour elle, ni une guerre plus dangereuse, parce qu'il sait le fort et le faible de sa victime (...) André SUARÈS, Trois hommes, «Ibsen», IV. 4

★ **II.** V. tr. (Fin XIIe). Vx. Combattre* (qqn).

Venez-vous-en avec moi, car je veux guerroyer le roi mon seigneur (...) 5
VOLTAIRE, Essai sur les mœurs, I.

DÉR. Guerroyant, guerroyeur.

GUERROYEUR, EUSE [gɛʀwajœʀ, øz] adj. et n. — XIIIe; *guerreeur,* v. 1155.

♦ Rare. Qui aime à guerroyer.

GUESDISTE [gɛdist] adj. et n. — 1885; du nom de *Jules Guesde.*

♦ Hist. (1885-v. 1930). De Jules Guesde, de son socialisme patriotique dit *guesdisme. Le socialisme guesdiste.* — Partisan des idées de Guesde. *Un, une guesdiste convaincu(e).*

GUET [gɛ] n. m. — V. 1265; *gait,* v. 1155, en emploi libre; *faire le guet,* v. 1225; déverbal de *guetter.*

♦ **1.** Action de guetter*. Dans des loc. *Faire le guet* (→ Égrillard, cit. 3). *Complice faisant le guet pendant que des voleurs opèrent.* — Vx. *Être au guet :* exercer une surveillance (→ Chat, cit. 3; daim, cit. 2). ⇒ **Affût, aguet**(s).

(Il) avertit ses enfants 1
D'être toujours au guet et faire sentinelle. LA FONTAINE, Fables, IV, 22.

Les premiers moments se passent dans une sorte de paroxysme d'attente et de guet, qui double la puissance de l'ouïe et de la vue. LOTI, Ramuntcho, I, VIII. 2

Avoir l'œil, l'oreille au guet : guetter, surveiller en regardant ou écoutant attentivement (→ Éveiller, cit. 32). ⇒ **Ouvrir** (l'œil), **prêter** (l'oreille).

Aie aussi l'œil au guet, Nérine, et prends bien garde qu'il ne vienne personne (...) 3
MOLIÈRE, Monsieur de Pourceaugnac, I, 1.

(...) ils allaient l'oreille inquiète et le regard au guet (...) LOTI, Matelot, XXXIV. 4

Fig. Attention extrême (portée à des choses d'ordre moral ou intellectuel).

(...) cet homme pris et possédé de son savoir (...) qui veut rentrer à toute force dans la conservation, et qui est toujours au guet pour prendre au bond l'occasion de se remettre en danse (...) Mme DE SÉVIGNÉ, Lettres, 128, 26 janv. 1689. 5

♦ **2.** (V. 1360). Vx ou hist. Surveillance exercée de nuit par la troupe ou la police (en vue de protéger un camp, une place, ou de maintenir l'ordre). *Faire le guet. Être de guet. Établir des postes de guet. Sentinelle chargée du guet.* ⇒ **Faction.** *Villes où les bourgeois faisaient le guet.* — Féod. *Droit de guet,* payé au seigneur si on n'assurait pas personnellement le guet. *Guet des métiers,* exercé dans les villes par les divers artisans à tour de rôle. — *Guet de mer :* surveillance des côtes.

Sûr que le forçat en rupture de ban ne pouvait être bien loin, il établit des guets, il organisa des souricières et des embuscades et battit le quartier toute la nuit. 6
HUGO, les Misérables, II, V, X.

♦ **3.** (V. 1155, *gast*). Anciennt. Troupe, patrouille, garde chargée de cette surveillance. *Guet à cheval, à pied. Compagnie, chevalier du guet. Archers, sergents du guet* (mod., par plais., *les archers du guet :* les gendarmes, les agents de police, en particulier ceux qui assurent une mission de surveillance nocturne). *Villon, comme* *beaucoup d'écoliers de Paris, se divertissait à rosser le guet.* — Loc. *Mot de, du guet :* mot de passe*.

7 Pour enseigne et mot du guet :
Foin du loup et de sa race! LA FONTAINE, Fables, IV, 16.

8 (...) les pas du guet sonnent après le couvre-feu.
J. ROMAINS, les Hommes de bonne volonté, III, I, p. 9.

HOM. Guai.

GUET-APENS [gɛtapɑ̃] n. m. — 1508, *guet a pens;* 1472, dans l'expr. *de guet apens,* encore employée dans l'art. 296 du Code pénal (→ Assassinat, cit. 2); altér. de *de guet apensé* (xve), de *en aguet apensé* (XIIIe) «avec préméditation», de *aguet,* et de l'anc. franç. *apenser* «réfléchir, préméditer».

♦ **1.** Dr. et cour. «Fait d'attendre plus ou moins longtemps, en un ou plusieurs endroits, un individu, soit pour lui donner la mort, soit pour exercer sur lui des actes de violence» (Capitant). *Le guet-apens est une espèce de préméditation*. Tendre un guet-apens. Attirer qqn dans un guet-apens* (→ Agent, cit. 9). *Être victime d'un guet-apens, tomber dans un guet-apens. Échapper à un guet-apens. Des guets-apens.*

1 Le pauvre Prévan perdit la tête, et croyant voir un guet-à-pens *(guet-apens)* dans ce qui n'était au fond qu'une plaisanterie, il se jeta sur son épée.
LACLOS, les Liaisons dangereuses, Lettre LXXXV.

2 Aussi l'endroit est-il merveilleusement désert et propice aux guets-apens.
Th. GAUTIER, Voyage en Espagne, p. 202.

3 (...) César Borgia (...) considéra toujours la paix comme les Hurons et les Iroquois considéraient la guerre, c'est-à-dire comme un état dans lequel la dissimulation, la feinte, la perfidie, le guet-apens, sont un droit, un devoir et un exploit.
TAINE, Philosophie de l'art, t. I, V, p. 182.

♦ **2.** Machination, piège, perfidement préparé en vue de nuire gravement à quelqu'un qu'on veut surprendre. ⇒ **Attaque, attentat, embûche, embuscade.** *Le coup d'État du 2 décembre, guet-apens contre la République* (→ Exiler, cit. 4). *Considérer comme un guet-apens une rencontre organisée à notre insu.* ⇒ **Piège, traquenard.** *«On prit le temps de son absence pour faire juger son procès, c'est un guet-apens»* (Académie).

4 Je prie qu'on veuille noter que je suis un des plus grands ennemis — loyaux — de Jaurès (...) Je suis l'adversaire le plus résolu de son ministérialisme (...) Mais il ne s'agit pas de cela. Il s'agit d'un guet-apens vulgaire et d'un assassinat concerté. On dit dans les salles de rédaction (...) qu'on le tient cette fois, qu'on l'attendait là, qu'on va lui casser les reins (...) Ch. PÉGUY, la République..., p. 40-41.

Par plais. Surprise, chose ou situation surprenante, soigneusement préparée. *Un gâteau de fête, du champagne, mais c'est un guet-apens!*

5 Ils ont l'obsession de la femme. Un jardin que l'on traverse est un guet-apens de femmes nues. J. ROMAINS, les Hommes de bonne volonté, t. IV, XV, p. 154.

GUÊTRE [gɛtʀ] n. f. — 1538, *guestre;* 1432, *guietre; guestes,* 1426; p.-ê. du francique **wrist* «cou-de-pied», selon Bloch.

♦ **1.** Enveloppe de tissu ou de cuir qui recouvre le haut de la chaussure et parfois le bas de la jambe. ⇒ **Chausse.** *Une paire de guêtres. Sous-pied d'une guêtre. Chausser, mettre, lacer, boutonner ses guêtres* (→ Cordon, cit. 1). *Guêtres de chasse en cuir.* ⇒ **Houseau, jambière.** — *Demi-guêtres de ville en drap. Demi-guêtres de modèle militaire.*

1 Il portait des souliers cachés par des guêtres, faites sur le modèle de celles de la garde impériale, et qui lui permettaient sans doute de garder les mêmes chaussettes pendant un certain temps. BALZAC, le Cousin Pons, Pl., t. VI, p. 527.

2 (...) ce sont les boursiers qui ont les premiers porté la guêtre et le soulier; le sous-pied les gênait pour monter en courant les marches de la Bourse (...)
FLAUBERT, Correspondance, 456, 29 janv. 1854, t. IV, p. 22.

3 Elles chaussaient des lanières rappelant la cothurne selon Talma, ou de hautes guêtres rappelant celles de nos chers combattants.
PROUST, le Temps retrouvé, Pl., t. III, p. 723.

Allus. hist. *«Nous sommes archiprêts; il ne manque pas un bouton de guêtre»,* paroles attribuées au maréchal Lebœuf, ministre de la Guerre en 1870, au moment de la déclaration de guerre.

♦ **2.** Loc. fig. (Vx). *Tirer ses guêtres :* s'en aller, partir. — (1842, D. D. L.). Mod. **TRAÎNER SES GUÊTRES (quelque part),** y aller (en flânant, en y étant conduit par les circonstances). *J'ai traîné mes guêtres un peu partout en Europe.*

4 Au cinéma, bien mieux encore que dans les livres, j'ai appris également que l'homme fort ne traînait pas ses guêtres n'importe où. Qu'on avait peu de chances de le rencontrer sur un sentier parfumé de Normandie ou dans les ruelles confites d'ennui de Clermont-Ferrand. L'homme fort exige des lieux à la mesure de sa force. Annie LECLERC, Parole de femme, p. 27 (1974).

Vx. *Laisser ses guêtres quelque part,* y mourir.

DÉR. Guêtrer, guêtron.

GUÊTRER [gɛtʀe] v. tr. — 1549, au p. p.; de *guêtre.*

♦ Rare (surtout au p. p.). Chausser de guêtres. — Pron. *Se guêtrer.* — Passif et p. p. *Être guêtré.*

GUÊTRON [gɛtʀɔ̃] n. m. — 1808, de *guêtre.*

♦ Vx. Guêtre à courte tige.

1. GUETTE ou **GUÈTE** [gɛt] n. f. — XIIIe; *guaite,* v. 1130; *gueite,* fin XIIe; déverbal de *guetter.*

♦ **1.** Vx ou régional. Action de guetter. ⇒ **Guet, surveillance.**

La branche craque. Il voit bien; sa guette le rend tout tremblant. 1
J. GIONO, Regain, I, IV.

♦ **2.** Vx. Guetteur. ⇒ **Sentinelle.**

♦ **3.** (Attesté déb. XVIe). Au moyen âge, Tour d'où une sentinelle guettait un ennemi éventuel. — Vx ou régional. Lieu d'où l'on guette.

Quelques jours après, de sa guette dans les herbes, il vit un voilier amarré devant le port. J. GIONO, Naissance de l'Odyssée, p. 24. 2

♦ **4.** (XVIe). Trompette dont on sonnait pour réunir le guet (2.); la sonnerie.

HOM. 2. **Guette;** formes du v. **guetter.**

2. GUETTE ou **GUÈTE** [gɛt] n. f. — 1676; p.-ê. prononc. pop. de *guêtre.*

♦ Techn. (menuis.). Demi-croix de Saint-André, posée en contrefiche dans une charpente. *Assembler, poser une guette.*

HOM. 1. **Guette,** formes du v. **guetter.**

GUETTER [gete] v. tr. — 1080, *guaitier* «veiller (un mort)»; du francique **wahton* «veiller». Cf. all. *wachen.*
Surveiller* avec attention.

REM. Selon le contexte, l'accent est mis sur l'intention d'agir par surprise, de s'informer, de se prémunir contre un danger, ou seulement d'attendre* un événement que l'on prévoit ou espère.

♦ **1.** (V. 1160; dans le présent). Observer pour surprendre (qqn, qqch.). ⇒ **Épier, surveiller.** *Le chat guette la souris. Il fut attaqué par un malandrin qui le guettait. Chasseur, animal guettant le gibier, une proie* (→ Abriter, cit. 6; buse, cit. 1). *Un espion guettait ses moindres mouvements. Guetter le sommeil de qqn* (→ Crocheter, cit. 1). *Chien qui guette les moindres gestes de son maître* (→ Faiblesse, cit. 31).

(Le renard) guettait à toute heure 1
Les poules d'un fermier (...) LA FONTAINE, Fables, XI, 3.

Et depuis lors je veille au sommet de Leucate, 2
Comme une sentinelle à l'œil perçant et sûr,
Qui guette nuit et jour brick, tartane ou frégate (...)
BAUDELAIRE, les Fleurs du mal, «Lesbos».

Il guettait, dans les lacs qu'ombrage le bouleau, 3
La naïade qu'on voit radieuse sous l'eau (...)
HUGO, la Légende des siècles, XXII, «Le satyre», Prologue.

Un d'eux, paysan vindicatif, qui avait reçu en plein visage le plomb du seigneur, le guetta un soir, derrière les arbres du mail et le manqua de peu, car il lui brûla d'une balle le bout de l'oreille. 4
FRANCE, le Crime de S. Bonnard, *in* Œ., t. II, p. 344.

V. pron. (réciproque) :

Pas un coup de feu; les deux lignes, face à face, se guettaient haineuses et résignées. R. DORGELÈS, les Croix de bois, XV. 5

Absolt. Faire le guet. ⇒ **Écoute** (être à l'). *Guetter à sa fenêtre. Archer* (cit. 3), *soldat, sentinelle en train de guetter* (→ Entonnoir, cit. 3). *Il est toujours à épier* (cit. 7), *fureter* (cit. 2), *guetter.*

Mais tu ne nous écoutes pas, mais comme un chien de garde tu guettes (...) 6
CLAUDEL, l'Annonce faite à Marie, I, 1.

♦ **2.** (XIIe; dans l'avenir). Attendre avec impatience (une chose à venir) en étant extrêmement attentif à ne pas (la) laisser échapper. *Guetter une occasion* (→ Filoutage, cit. 2), *le moment, l'instant favorable.* ⇒ **Affût** (être à l'). *Guetter les symptômes, les signes, l'approche* (cit. 26) *d'un mal, d'une guérison* (→ Cellule, cit. 2). *Auteur envieux guettant la prochaine publication d'un écrivain* (→ Coaliser, cit.). *Guetter les fautes* (cit. 34) *d'un élève. Guetter un signal. Guetter le passage, la sortie d'une vedette.*

Lucien et Louise avaient dans du Châtelet un espion intime qui guettait avec la persistance d'une haine mêlée de passion et d'avarice l'occasion d'amener un éclat. 7
BALZAC, Illusions perdues, Pl., t. IV, p. 573.

Ce moment, Adrienne le connaissait bien; elle en guettait l'approche avec une inquiétude dont elle n'aurait su dire si c'était pour elle un plaisir ou une souffrance. 8
J. GREEN, Adrienne Mesurat, I, IV.

(...) le fidèle bélier, mascotte du régiment, le museau baissé vers le sol dur et déjà brûlant de la route, guettait philosophiquement le signal de la marche (...) 9
P. MAC ORLAN, la Bandera, VI.

(Le compl. désigne une personne qui doit venir). *«Je guette ici le ministre pour lui présenter une pétition»* (Littré). *Guetter le facteur* (cit. 12) *qui doit apporter une lettre importante. «Il guettait son débiteur pour lui réclamer de l'argent»* (Académie). *Guette-le, il ne va pas tarder.*

♦ **3.** (XIIIe). Fig. (Le sujet désigne une chose personnifiée). Attendre (qqn) en faisant peser sur lui une menace, un danger tout proche. *La mort, la maladie le guette. L'ennui* (cit. 19) *le guette et bientôt le tient. Épouvante* (cit. 6), *remords qui guettent quelqu'un* (→ Fantôme, cit. 14). *Vous ne comprenez donc pas ce qui vous guette? Rêveurs candides* (cit. 2) *que guette malicieusement la vie.*

10 C'est la paralysie générale qui vous guette. Vous devriez voir un spécialiste.
COURTELINE, Boubouroche, Petit historique, p. 19.

11 Le comique défait les passions et même les sentiments; la frivolité les guette à leur naissance et les dissout dans son tourbillon. ALAIN, les Aventures du cœur, p. 35.

12 Un autre mal guettait Joseph, déjà tapi en lui et ne se manifestant que par ce que Mme Dézaymeries appelait un gros rhume (...) F. MAURIAC, le Mal, I.

Par ext. Attendre (sans idée de menace).

13 Le bruit, le mouvement, les foules et les musiques orientales, tout cela nous guette un peu plus loin, dans une pénombre déjà piquée de mille petites lumières.
LOTI, Suprêmes visions d'Orient, p. 4.

DÉR. Guet, 1. guette, guetteur.

GUETTEUR, EUSE [getœʀ, øz; getœʀ, øz] n. m. et adj. — XIVe; *gueiteor*, XIIIe; *waitor*, fin XIIe; de *guetter*.

♦ **1.** Celui qui guette, qui est chargé de guetter. *Guetteur à l'affût.*

1 Dans les coins les plus reculés il y a toujours quelqu'un qui vous observe. Bien posté pour y voir, mais lui-même invisible, l'œil au ras de quelque mur, partout se tient à l'affût un guetteur. Rien n'échappe à sa surveillance, et l'acuité de son regard relève du miracle. H. BOSCO, l'Âne culotte, p. 82.

♦ **2.** Anciennt. Homme posté au haut d'un beffroi et chargé d'annoncer à son de cloche toute espèce de danger (attaque, incendie, etc.). ⇒ 1. **Guette** (vx), **veilleur.** *Le guetteur donnait l'alarme.*

2 J'aimerais que ma vie ne laissât après elle d'autre murmure que celui d'une chanson de guetteur, d'une chanson pour tromper l'attente. Indépendamment de ce qui arrive, n'arrive pas, c'est l'attente qui est magnifique.
A. BRETON, l'Amour fou, III.

(V. 1360). Mod. Soldat qui veille dans une tranchée, un poste d'écoute. ⇒ **Sentinelle.** *Échauguette où s'abritait un guetteur. Abri de guetteur. Le Guetteur mélancolique,* poèmes d'Apollinaire. — Mar. Préposé à la signalisation optique ou électrique, dans les phares, les sémaphores, les stations radio-émettrices installés le long des côtes. — Homme de veille.

3 Tandis que les premiers guetteurs, s'accoudant au parapet, prenaient la veille, notre section reflua sur l'autre versant du mont pour s'installer.
R. DORGELÈS, les Croix de bois, VIII.

REM. Aux sens 1 et 2, le fém. *guetteuse* serait normal, s'agissant d'une femme.

♦ **3.** Adj. (XIXe; 1883, Daudet). Littér. **GUETTEUR, EUSE :** qui se rapporte au comportement de la personne (ou animal) qui guette. *Air guetteur.* ⇒ **Affût** (à l'), **aguets** (aux). *Allure guetteuse.*

4 (...) le loufiat qui rôde avec une indifférence guetteuse, maniant son plateau et sa lavette, bousculant les chaises désertées.
A. SARRAZIN, l'Astragale, p. 226 (1964).

GUEULADE [gœlad] n. f. — 1850; de *gueuler.*

♦ Fam. et vx. Action de gueuler. ⇒ **Gueulement.**

Je ne sais que penser du fracas de Marcia. Est-ce de très bon goût? en somme, pourtant, ça fait de l'effet. Du reste c'est peut-être intentionnel de sa part, il faut qu'elle gueule d'autant plus que la gueulade ne dure pas longtemps.
FLAUBERT, Lettre à Louis Bouilhet, 15 janv. 1850, *in* Correspondance, Pl., t. I, p. 579.

GUEULANTE [gœlɑ̃t] n. f. — XXe (1939, Sartre, *le Mur*); p. prés. de *gueuler.*

♦ **1.** Argot scol. Clameur de protestation ou d'acclamation. *Les élèves poussent une gueulante. Une gueulante salue la fin du cours.*

♦ **2.** Fam. Explosion de colère. *Il est furieux, il va encore pousser une gueulante.* ⇒ **Beuglante.** — Figuré :

Il n'y a eu, en dehors des gueulantes désordonnées, trop volontaires, trop hépatiques, de Georges Bernanos (...) personne pour parler.
Marc BEIGBEDER, les Vendeurs du temple, p. 84.

♦ **3.** Pop. et vx. Chanson populaire, qui se chante à pleine voix. *Pousser la gueulante. Les gueulantes composées par Bruant.* ⇒ **Goualante.**

1. GUEULARD [gœlaʀ] n. m. — Av. 1774; *gheular* «grosse cruche (de laitier)», 1395 en picard; de *gueule.*

Technique.

♦ **1.** Ouverture supérieure d'un haut fourneau*, par où se fait le chargement.

Le fourneau avait 23 pieds de hauteur. On a jeté par le gueulard (c'est ainsi qu'on appelle l'ouverture supérieure du fourneau) les charbons ardents que l'on tirait des petits fourneaux d'expériences.
BUFFON, Introd. à l'hist. nat. des minéraux, V, I.

♦ **2.** Ouverture du foyer d'une chaudière (de bateau, de locomotive à vapeur).

♦ **3.** Pot à eau à large ouverture et à bec renversé.

2. GUEULARD, ARDE [gœlaʀ, aʀd] adj. et n. — 1567; de *gueuler.*

Familier.

♦ **1.** Qui a l'habitude de gueuler, de parler haut et fort. ⇒ **Bruyant, criard.** — N. *Faites donc taire ce gueulard, cette gueularde.* ⇒ **Beuglard, braillard.**

(...) de simples gueulards, trompant la classe ouvrière par leur comédie, mais au fond tremblant devant la police, et à ses ordres. 1
J. ROMAINS, les Hommes de bonne volonté, t. IV, XVI, p. 175.

(...) si j'avais une femme aussi gueularde que la tienne, je ne ferais ni une ni deux, 2 pendant qu'elle parlemente à tue-tête dans la cuisine, je partirais tout seul avec l'âne et le veau (...) M. JOUHANDEAU, Chaminadour, p. 36.

♦ **2.** N. m. (1904, *in* D. D. L.; «petit canon», en argot, 1791). Mar. Porte-voix.

♦ **3.** Adj. (Mil. XIXe, Flaubert). Qui se manifeste avec force, qui «gueule». ⇒ **Criard.** *Des couleurs gueulardes.*

3. GUEULARD, ARDE [gœlaʀ, aʀd] n. — 1808; cf. anc. franç. *gouliart,* XIIIe; de *goule* (→ Gueule); de *gueule.*

♦ Régional. Porté sur les plaisirs de la table. ⇒ **Gourmand, goinfre.** *Il est gourmand et même un peu gueulard. Quelle gueularde!* — REM. Le mot était senti comme vieilli au XIXe s. : *Je suis gourmand, fils de gueulard, comme nous disions dans le temps jadis* (Murger, *Scènes de la vie de jeunesse,* 1851, *in* T. L. F.).

DÉR. Gueulardise.

GUEULARDISE [gœlaʀdiz] n. f. — 1867; *goulardise,* 1611; de 3. *gueulard.*

Familier.

♦ **1.** *(La gueulardise).* Gourmandise. Gloutonnerie.

♦ **2.** *(Une, des gueulardises).* Friandise ou mets salé servi en petite quantité et pour le plaisir de la bouche plus que pour l'assouvissement de l'appétit. *C'est bon, ces petites gueulardises. Gueulardises servies avec l'apéritif.* ⇒ **Amuse-gueule.**

GUEULE [gœl] n. f. — V. 1175; *gola,* 980; *gole,* v. 1135; *goule,* v. 1175, *le Roman de Renart;* du lat. *gula* «gosier, bouche des animaux».

★ **I.** Bouche, ouverture orale (de certains animaux, surtout carnassiers, reptiles, poissons). *Le lion ouvre une gueule énorme* (→ Enflammer, cit. 23). *La gueule d'un chien, d'un loup, d'un renard, d'un furet. — La gueule d'un poisson carnassier, d'un brochet, d'une perche, d'un requin. Plaques situées près de la gueule d'un poisson.* ⇒ **Gulaire.** — *La gueule d'un reptile* (→ Aspic, cit. 2; fasciner, cit. 4), *d'un boa, d'un crocodile. Gueule ouverte, béante* (→ Curée, cit. 3; empailler, cit. 1). *Happer* qqch. d'un coup de gueule.* — Loc. (Vén.). *Chien qui chasse de gueule,* qui aboie en suivant les traces du gibier.

J'ai donc vu ce sanglier (...) 1
Ses deux yeux flamboyants ne lançaient que menace,
Et sa gueule faisait une laide grimace (...)
MOLIÈRE, la Princesse d'Élide, I, 2.

Les chiens, ayant éventé notre présence, aboyaient à pleine gueule de sorte que 2 toute la ferme fut bientôt en rumeur. Th. GAUTIER, Voyage en Espagne, p. 227.

Combien de gens ont des gueules de bulldog, des têtes de bouc, de lapin, de renard, 3 de cheval, de bœuf! MAUPASSANT, les Sœurs Rondoli, II.

(...) les crocodiles et les requins qui passent entre deux eaux la gueule ouverte 4 autour des bateaux d'ordures et de viandes pourries qu'on va leur déverser au large, à la Havane. CÉLINE, Voyage au bout de la nuit, p. 29.

Loc. prov. (1612). *Se jeter, se précipiter, précipiter qqn dans la gueule du loup,* ou (vx), *venir se mettre dans la gueule du lion,* dans un danger certain, et de façon imprudente. — *Il fait noir comme dans la gueule d'un loup.*

Il fait noir comme dans la gueule d'un loup, dit en ce moment Pille-miche. 5
BALZAC, les Chouans, Pl., t. VII, p. 1055.

Poé. *La gueule de l'enfer, d'un monstre infernal ou mythologique, du démon* (→ Arracher, cit. 28; broyer, cit. 1; éclipse, cit. 1).

L'enfer semble une gueule effroyable qui mord. 6
HUGO, l'Année terrible, Octobre, III.

★ **II.** (XIe, *goule* «visage», fin XVIe). Fam. Visage, bouche (des personnes). *Avoir la gueule fendue comme une grenouille, comme une tirelire :* avoir une grande bouche.

Spécialt. ♦ **1.** La bouche considérée comme servant à parler ou crier. *Vas-tu fermer, boucler ta gueule!* ⇒ **Boîte** (→ La boucler, la fermer). *Ferme ta gueule! Tais ta gueule!* Ellipt. *Ta gueule! Ta gueule, bébé :* tais-toi! *Crever* (cit. 26) *la gueule ouverte,* en appelant au secours. *Donner, pousser un coup de gueule :* crier, gronder ou chanter très fort. *Il est fort, elle est forte en gueule. Un fort en gueule :* bavard et grossier (⇒ **Braillard,** cit. 1; 2. **gueulard,** 1.). — Fam. *Se fendre la gueule :* rire. ⇒ **Pêche.** — (Vx). *Mots de gueule :* paroles brutales et grossières.

Vous êtes, mamie, une fille suivante 7
Un peu trop forte en gueule, et fort impertinente (...) MOLIÈRE, Tartuffe, I, 1.

Est-ce qu'il faut toujours l'entendre crier? 8
Quelle gueule!... RACINE, les Plaideurs, I, 2.

9 On ne peut guère fermer la gueule à ces roquets-là *(la canaille littéraire)*, parce qu'ils jappent pour gagner un écu.
VOLTAIRE, Lettre à Mme Denis, 1082, 22 mai 1752.

10 (...) il n'y avait pas un homme *(Hanriot)* qui s'entendit de si loin; c'était (il faut dire le mot) *une gueule* terrible, à faire taire toute une place.
MICHELET, Hist. de la Révolution franç., X, XI.

11 (...) les coups de gueule de Derouet, — ces coups de gueule dont la renommée amenait chaque soir sur Montmartre de longues bandes vadrouilleuses affluant là des quatre extrémités de Paris (...)
COURTELINE, Messieurs les ronds-de-cuir, VI, III.

11.1 Le maréchal rit. L'expression « se fendre la gueule » lui convient à merveille.
MALRAUX, Antimémoires, Folio, p. 504.

12 Il n'est pas grossier, brutal, fort en gueule, comme cet animal de Groult qui amuse toute la salle. G. DUHAMEL, Récits des temps de guerre, I, La grâce.

Loc. *Avoir une grande gueule.*

12.1 Si le général de Gaulle nous montre « comment faire autrement », si les Français et le peuple algérien se réconcilient sous son égide, dans une Algérie autonome où les deux drapeaux flotteront et ne seront plus jamais séparés, eh bien, je me consolerai de voir la République devenir autoritaire, j'accepterai que Marianne ait tout à coup cette grande gueule, ce grand style, cette puissance d'orgueil, d'indifférence et de mépris, dont on peut s'offenser (...)
F. MAURIAC, le Nouveau Bloc-notes 1958-1960, p. 57.

Loc. Par métonymie (→ ci-dessus cit. 8, 10). **GRANDE GUEULE** : personne qui parle beaucoup et fort (spécialt, qui est plus forte en paroles qu'en actes). *Ce type est une grande gueule, mais il n'est pas bien dangereux.*

12.2 Laissez faire, lui avait conseillé Bernard. Nous saurons tout de même bien ce qu'ils ont dans leur sac. Aussi marioles qu'ils se croient, ils parlent trop : c'est des grandes gueules. Francis CARCO, les Belles Manières, p. 50.

♦ **2.** (XIIIe). **a** La bouche considérée comme servant à manger ou à engloutir (⇒ **Gueuleton**; → Aboyer, cit. 3; artillerie, cit. 6; bouillie, cit. 1). *S'en mettre plein la gueule. Avoir la gueule pavée, blindée.* ⇒ **Gosier.** *Se rincer la gueule* (⇒ **Boire**). *Se bourrer la gueule* : se saouler. *Emporter la gueule*, se dit à propos de mets épicés.

13 Son peu de fortune et sa passion pour le Bric-à-Brac lui commandaient un régime diététique tellement en horreur avec sa *gueule fine*, que le célibataire avait tout d'abord tranché la question en allant dîner tous les jours en ville.
BALZAC, le Cousin Pons, Pl., t. VI, p. 533.

14 On n'a jamais peint les exigences de la Gueule, elles échappent à la critique littéraire par la nécessité de vivre; mais on ne se figure pas le nombre des gens que la table a ruinés. BALZAC, le Cousin Pons, Pl., t. VI, p. 534.

(1902). Loc. cour. **GUEULE DE BOIS** : sensation de bouche empâtée, sèche, après un excès de boisson (abrév. fam. : *G. D. B.*). *Une fameuse gueule de bois.*

15 (...) il avait la gueule de bois, comme s'il s'était saoulé la veille.
SARTRE, la Mort dans l'âme, p. 9.

Loc. fig. Vx. *Gueule béante* : appétit, ambition.

16 *(Le président)* de Mesmes, bien éveillé, bien averti, avait tourné vers cette première charge de la robe une gueule béante. SAINT-SIMON, Mémoires, IV, XXI.

b (XIIIe). Gloutonnerie ou gourmandise. *Tout pour la gueule.* ⇒ **Bouffe.** *Être porté sur la gueule.* ⇒ 2. **Gueulard** (I.) — Prov. (Vx). *La gueule fait périr plus de gens que le glaive.*

Par métonymie. **FINE GUEULE** : gourmet, gastronome.

♦ **3.** (1673). Figure, visage. ⇒ **Face, tête.** *Il a une bonne gueule, une gueule sympathique.* — (1903). *Une sale gueule.* — Loc. *Une gueule de raie. Une gueule d'empeigne*. — Une gueule de voyou. Une gueule de vache. Cette gueule-là ne me revient pas* (→ Antipathique). *Faire une gueule d'enterrement*. Faire une drôle de gueule. Il est venu, la gueule enfarinée** (cit. 3).

17 Montgobert m'a fait rire du respect qu'elle a eu pour M. de Grignan; elle avait mis qu'il vint à ce bal *la gueule enfarinée;* tout d'un coup elle s'est reprise, elle a effacé *la gueule*, et a mis *la bouche.* Mme DE SÉVIGNÉ, Lettres, 631.

(1898). *Faire une gueule* (et qualificatif) : faire une tête... *T'en fais, une gueule! Faire une gueule de six pieds de long. — Faire la gueule, sa gueule* : bouder. *Arrête de faire la gueule! Mais, ma parole, tu nous fais la gueule!*

(Équivalent fam. et énergique de *figure**). **GUEULE DE...** (dans des injures). — (Exprimant des mauvais traitements). *Je vais te foutre mon poing sur la gueule. Recevoir un coup, une balle dans la gueule.* — (Avec le v. *casser*). *Casser la gueule à qqn*, le battre, lui donner une correction (→ Flirter, cit. 3). *Bourrer* la gueule à qqn. Se casser la gueule* : tomber et se faire mal. Fig. Subir un échec. *Leur commerce marche mal, ils vont se casser la gueule. — Un soldat qui va se faire casser* (cit. 9) *la gueule.* ⇒ **Tuer.** — Argot milit. *Gueule cassée* : mutilé de guerre blessé au visage.

18 (...) la croix est pour ceux qui peuvent encore se faire casser la gueule. — Désabusez-vous, mon brave : il y a aussi des croix pour les invalides.
BALZAC, Souvenirs d'un paria, I, *in* Œ. diverses, t. I, p. 223.

19 (...) quelle modeste jeune fille, habitée d'amour, ne flétrit *in petto* sa rivale en la traitant de gueule de pou et de vache malade?
COLETTE, l'Étoile Vesper, p. 15.

20 Tu parleras, cochon, ou je te casse la gueule! M. GENEVOIX, Raboliot, I, II.

Cracher à la gueule de qqn, l'insulter. — *Se payer* (cit. 46) *la gueule de qqn*, se moquer de lui.

Loc. *Gueule noire* : mineur de charbon (dans le Nord de la France).

Non péj. Visage, tête. *Il, elle a une belle gueule. Une jolie petite gueule. — Gueule d'amour*, surnom de séducteur irrésistible. — (En appellatif). *Ma petite gueule!*

Il écoutait, distrait, l'hommage qu'on lui rendait. — Ma petite gueule! mon jésus! (...) soupirait Fernande. Francis CARCO, Jésus-la-Caille, II, III. 21

Loc. Allure (personnes). *Ce type a, n'a pas la gueule de l'emploi*, le physique, l'allure qui convient. —*Avoir une gueule à* (et inf.), une tête, une apparence à... ⇒ **Air.**

Moi, si je pouvais t'oublier, je t'oublierais tout de suite..., je te le garantis!... *(Se répétant à elle-même.)* Un bon souvenir..., des souvenirs... *(Brusquement à François.)* Est-ce que j'ai une gueule à faire l'amour avec des souvenirs? 21.1
J. PRÉVERT, Dialogues du film le Jour se lève, *in* l'Avant-Scène, n°53, p. 33.

♦ **4.** (Déb. XXe). Aspect, forme (d'un objet). *Ce chapeau a une drôle de gueule* (→ Air). *L'affaire prend une sale gueule*, mauvaise tournure*. — Absolt. *Ça a de la gueule; ce paysage, ce tableau a de la gueule*, a grand air, fait grand effet.

Ne vous étonnez donc pas que mon casino, bien que d'une formule âprement moderne, ait aussi cette douce gueule de lieu saint de l'Islam. 22
J. ROMAINS, les Hommes de bonne volonté, t. V, XXVII, p. 287.

Il n'y a qu'à voir la gueule d'un billet de dix francs à côté de deux pièces de cent sous pour comprendre l'argent. GIRAUDOUX, la Folle de Chaillot, II, p. 153. 23

★ **III.** Par anal. Sans connotation familière. ♦ **1.** (Se dit de choses dont la forme rappelle la gueule d'un animal). Bot. *Fleur, corolle en gueule*, divisée en deux lèvres qui demeurent plus ou moins ouvertes (⇒ **Zygomorphe**). *Gueule-de-loup* (→ ci-dessous à l'ordre alphabétique).

♦ **2.** (1360). Ouverture par laquelle entre ou sort quelque chose. *La gueule d'un four, d'un haut fourneau* (⇒ 1. **Gueulard**), *d'un tunnel. La gueule d'une cruche, d'une gouttière, d'une fontaine, d'un tonneau. — La gueule d'un canon, d'une bombarde* (cit. 1), *d'un tromblon* (→ Braquer, cit. 2). *Charger un canon jusqu'à la gueule*, se disait autrefois lorsqu'on bourrait l'âme du canon de poudre et de mitraille pour rendre son tir plus meurtrier.

Enfin l'*Othello*, qui se trouvait alors à dix portées de fusil, montra distinctement les gueules menaçantes de douze canons prêts à faire feu. 24
BALZAC, la Femme de trente ans, Pl., t. II, p. 816.

Au bas, des arcades à piliers trapus ouvrent leurs gueules sombres, au fond desquelles scintillent vaguement les montres de quelque boutique d'orfèvrerie. 25
Th. GAUTIER, Voyage en Russie, IV, p. 50.

DÉR. 1. **Gueulard,** 3. **gueulard, gueuler, gueuleton, gueulette, gueulin.**
COMP. Bégueule, dégueulasse, dégueuler, égueuler, engueuler. — Amuse-gueule, brûle-gueule, casse-gueule. — Gueulebée, gueule-de-four, gueule-de-loup, gueule-de-raie.
HOM. Gueules.

GUEULEBÉE [gœlbe] n. f. — 1606; *gueules bayées,* 1409; de *gueule,* et *bée.*

Technique.

♦ **1.** Tonneau à un seul fond. *Des gueulebées.*

♦ **2.** (1828). Techn. Décharge d'un réservoir où les fluides sortent selon des directions parallèles. *Écoulement à gueulebée.*
On écrit aussi *gueule-bée;* plur. *Des gueules-bées.*

GUEULE-DE-FOUR [gœldəfuʀ] n. f. — 1767; de *gueule, de,* et *four,* évolution de sens inconnue.

♦ Rare. Mésange à longue queue. *Des gueules-de-four.*

GUEULE-DE-LOUP [gœldəlu] n. f. — 1809; de *gueule, de,* et *loup.*

♦ **1.** Cour. Muflier des jardins (famille des Scrofulariacées). *Des gueules-de-loup.* N. sc. : *antirrhinum.* — REM. On dit également *gueule-de-lion.*

♦ **2.** (Après 1750). Techn. Tuyau coudé monté sur pivot au sommet d'une cheminée.

La cheminée débouchait trop promptement sur le toit, et fumait tant, que nous fûmes forcés de faire mettre une gueule-de-loup à nos frais.
BALZAC, Z. Marcas, *in* D. D. L., II, 9.

♦ **3.** (1832). Archit. Assemblage de deux pièces par une surface courbe. — Partie courbe d'une cimaise*, d'une doucine*.

♦ **4.** (1837). Pathol. ⇒ **Bec-de-lièvre.**

GUEULE-DE-RAIE [gœldəʀɛ] n. f. — 1845; de *gueule, de,* et *raie.*

♦ Mar. Espèce de nœud marin. *Des gueules-de-raie.*

GUEULÉE [gœle] n. f. — V. 1175, *geulée; goulée,* XIIIe; de *gueuler.*

Familier.

♦ **1.** Gueulante, clameur.

(...) huer fait partie des liesses. Une bonne gueulée sur une bonne tête de Turc a toujours contribué à la santé publique (...)
Jacques PERRET, Bâtons dans les roues, p. 15.

♦ **2.** Goulée*. *« Manger à grandes gueulées »* (Giono, *in* T. L. F.).

GUEULEMENT [gœlmɑ̃] n. m. — Av. 1870, Mérimée ; de *gueuler.*

♦ Fam. Cri. *Des gueulements de douleur, de fureur.* ⇒ **Hurlement.**

Léopard avait saisi son ennemi à la gorge et le secouait avec une violence telle que Saigneur poussa un gueulement de souffrance. M. AYMÉ, la Vouivre, p. 22.

GUEULER [gœle] v. — 1660 ; de *gueule.*

★ **I.** Fam. **A.** V. intr. ♦ **1.** Parler, crier, chanter très fort. ⇒ **Brailler, hurler, vociférer ;** → Croire, cit. 35 ; dur, cit. 30 ; ensemble, cit. 6. *Il gueulait comme un âne, comme un putois, comme un cochon qu'on saigne, comme un perdu. Arrête de gueuler ! Tu ne peux pas discuter sans gueuler ?* — Spécialt. Protester, revendiquer avec force, bruyamment. ⇒ **Rouspéter.** *Là, ça ne va plus, je vais gueuler. Les nouveaux impôts vont faire gueuler les commerçants. Gueuler contre qqn, qqch.* ⇒ **Fulminer, tempêter.**

1 Nous gueulons contre notre époque.
FLAUBERT, Correspondance, 686, 15 juil. 1861, t. IV, p. 442.

2 La solitude me grise comme de l'alcool. Je suis d'une gaieté folle, sans motifs, et je gueule tout seul de par les appartements de mon logis, à me casser la poitrine.
FLAUBERT, Correspondance, 582, déc. 1858, t. IV, p. 284.

3 Alors, la maison craqua, un tel gueulement monta dans l'air tiède et calme de la nuit, que ces gueulards-là s'applaudirent eux-mêmes ; car il ne fallait pas espérer de pouvoir gueuler plus fort. ZOLA, l'Assommoir, t. I, p. 299.

4 Flaubert est tout le contraire de l'homme réservé. Il gueule. Il invective.
G. DUHAMEL, Refuges de la lecture, VI, p. 202.

♦ **2.** (Choses). Produire un grand bruit. *Ne fais donc pas gueuler la radio, la télé comme ça !* ⇒ **Beugler.**

5 Un voisin mit en marche une radio qui gueula.
R. QUENEAU, Pierrot mon ami, éd. L. de Poche, p. 173.

♦ **3.** Fig. (métaphore du bruit). Produire un effet très fort, éclatant. *Des couleurs qui gueulent.* ⇒ **Péter ; criard, gueulard.**

B. V. tr. (Fin XIXe, A. Daudet). Proférer en criant (ou fig.) violemment. *Gueuler une rengaine, des ordres, des injures, la vérité* (→ 1. Chant, cit. 5 ; complice, cit. 1).

(Choses). *La radio gueulait des chansons.*

★ **II.** (1762). Techn., chasse. (En parlant d'un chien de chasse). Saisir avec la gueule. *Le chien gueulait une perdrix.*

DÉR. (De I.) **Gueulade, gueulante, 2. gueulard, gueulée, gueulement, gueuloir.**

GUEULES [gœl] n. m. — XIIIe ; *goles,* v. 1160 ; même mot que *gueule**, au plur. *gueules* désignant au moyen âge de petits morceaux de fourrures découpés dans la peau du gosier de l'animal (particulièrement de la martre) et servant d'ornements, cf. au XIIIe l'expr. *« collet orné de gueules » ;* ces fourrures ont désigné la couleur rouge, soit du fait de la couleur naturelle fauve, soit du fait d'une teinture habituelle à ces ornements ; on sait que les fourrures (vair, hermine) ont une grande place en héraldique.

♦ Blason. La couleur rouge de l'écu. ⇒ **Émail.** *« Il porte de gueules à bande d'or »* (Académie).

1 (...) des armoiries de la ville, qui sont de gueules au pampre d'or feuillé de sinople.
Aloysius BERTRAND, Gaspard de la nuit, p. 36.

2 Lorsque ces couleurs ne peuvent être peintes, elles sont représentées par des signes conventionnels (...) au diapré sans signification héraldique dont les graveurs revêtaient parfois les blasons aux grandes surfaces unies, le P. Pietra Santa imagina de substituer, en 1636, un système de hachures conventionnelles à signification précise (...) L'argent est représenté par un champ nu (...) les gueules, par des lignes verticales (...) G. D'HAUCOURT, G. DURIVAUX, le Blason, p. 48.

HOM. Gueule.

GUEULETON [gœltɔ̃] n. m. — 1743, Vade ; de *gueule,* II., 2.

♦ Fam. Bon repas (en général bien arrosé, souvent collectif et gai). ⇒ **Festin.** *Faire un gueuleton, un gueuleton formidable, un gueuleton à tout casser, un bon petit gueuleton. On va se taper un gueuleton chez X.*

1 (...) l'Étude a été mise en possession cejourd'hui de ces témoignages du culte que nos prédécesseurs ont constamment rendu à la *dive* bouteille et à la bonne chère (...) nous célébrerons la conquête de ce livre qui contient la charte de nos gueuletons. BALZAC, Un début dans la vie, Pl., t. I, p. 716.

2 Et les nôtres, dis donc, nos députés, qu'est-ce qu'ils avaient comme idéal ? Se remplir les poches, oui, et les petites femmes et tout le tremblement. Ils se payaient des gueuletons avec notre argent. SARTRE, la Mort dans l'âme, p. 275.

3 (...) il regardait Napoléon III comme son ennemi personnel, une canaille qui s'enfermait avec de Morny et les autres, pour faire des « gueuletons ».
ZOLA, le Ventre de Paris, t. I, p. 94.

DÉR. Gueuletonner.

GUEULETONNER [gœltɔne] v. intr. — 1838 ; de *gueuleton.*

♦ Fam. Faire un gueuleton, des gueuletons. *Il aime gueuletonner.* ⇒ **Banqueter, festoyer.**

GUEULETTE [gœlɛt] n. f. — 1933 ; de *gueule.*

♦ Fam. et vieilli. Joli petit visage. ⇒ **Gueule** (petite gueule).

GUEULIN [gœlɛ̃] n. m. — D. i. (*in* Larousse, 1962) ; de *gueule.*

♦ Pêche. Languette de peau prélevée au flanc d'un poisson, et qui sert d'appât (syn. : *fleurette*). ⇒ **Boëtte.**

GUEULOIR [gœlwaʀ] n. m. — 1862, Goncourt, probablt antérieur (Flaubert) ; de *gueuler.*

Familier.

♦ **1.** Bouche (en tant qu'instrument à gueuler). — Selon P. Bourget *(Essais psychologiques),* mot employé par Flaubert : *« Je ne sais qu'une phrase est bonne qu'après l'avoir fait passer par mon gueuloir ».*

♦ **2.** Porte-voix. — Instrument qui gueule.

Il baisse les yeux, il me montre ses longs cils fournis. Nous sommes seuls avec notre avenir au-dessous du gueuloir des radios dans la cour.
Violette LEDUC, la Chasse à l'amour, p. 161.

GUEUSAILLE [gøzɑj] n. f. — 1630 ; de *gueux.*

Vieux.

♦ **1.** Groupe, troupe de gueux, de mendiants.

♦ **2.** *La gueusaille* : l'ensemble des gueux.

DÉR. Gueusailler.

GUEUSAILLER [gøzɑje] v. intr. — 1642 ; de *gueusaille.*

♦ Vx. Vivre en gueux, en misérable. — Fréquenter des gueux.

GUEUSARD, ARDE [gøzaʀ, aʀd] adj. et n. — 1807 ; de *gueux,* et suff. péj. *-ard.*

♦ Vx. Qui est gueux, coquin.

Notre chien de métier est chose assez jolie
Pour un leste et gueusard amant ;
Toujours pour démarrer on trouve l'embellie :
— Un pleur... Et saille de l'avant !
Tristan CORBIÈRE, les Amours jaunes, Pl., p. 828.

1. GUEUSE [gøz] n. f. — 1543 ; bas all. *Göse* (plur. de *Gos,* proprt « oie ») ; cf. all. *Gans*), terme utilisé par les fondeurs allemands pour désigner les morceaux informes de fer fondu. P. Guiraud suggère un dér. du lat. *coquere* « cuire, fondre » par l'intermédiaire d'un p. passé **coxus, coxa* (cf. moy. franç. *cueux, cueuse*).

♦ **1.** Techn. Masse de fer fondu, telle qu'elle sort du haut fourneau. ⇒ **Fonderie.** *Couler une gueuse ; une gueuse d'une tonne.*

(1783). Lingot de fonte.

Ordinairement on fait, au bout de douze heures, ouverture au creuset *(du haut fourneau)* la fonte coule comme un ruisseau de feu dans un long et large sillon où elle se consolide en un lingot ou gueuse de quinze cents à deux mille livres de poids (...) BUFFON, Hist. nat. des minéraux, Du fer.

♦ **2.** Techn. Moule de sable dans lequel on verse le métal en fusion.

HOM. 2. **Gueuse** (fém. de *gueux*), 3. **gueuse.**

2. GUEUSE [gøz] adj. et n. f. ⇒ **Gueux,** adj. et n.

3. GUEUSE [gøz] n. f. ⇒ **Gueuze.**

GUEUSEMENT [gøzmɑ̃] adv. — 1869, Hugo, *in* T. L. F. ; de *gueux.*

♦ Rare. Comme un gueux, misérablement. — Comme une gueuse.

GUEUSER [gøze] v. intr. — 1501, *in* Bloch-Wartburg ; de *gueux.*

♦ Vx. Vivre en gueux* ; mendier. — Trans. *Gueuser son pain, sa nourriture.*

Et moi qui l'ai reçu gueusant et n'ayant rien (...) MOLIÈRE, Tartuffe, V, 1. 1

Tout marquait en lui un jeune débauché qui avait eu de l'éducation, et qui n'allait 2
pas gueusant comme un gueux, mais comme un fou.
ROUSSEAU, les Confessions, III.

Cependant tu vas, gueusant 3
Quelque vieux débris gisant
Au seuil de quelque véfour
De carrefour (...) BAUDELAIRE, les Fleurs du mal, Tableaux parisiens, LXXXVIII.

GUEUSERIE [gøzʀi] n. f. — 1606 ; de *gueux.*

♦ **1.** Vx ou littér. Métier, condition de gueux. ⇒ **Mendicité, misère, pauvreté.** — Par ext. L'ensemble des gueux.

(...) cela me paraît une sorte de magie noire comme la gueuserie des courtisans : 1
ils n'ont jamais un sou, et font tous les voyages (...)
Mme DE SÉVIGNÉ, Lettres, 844, 21 août 1680.

Tout pays où la gueuserie, la mendicité est une profession, est mal gouverné. La 2 gueuserie, ai-je dit autrefois, est une vermine qui s'attache à l'opulence; oui, mais il faut la secouer. VOLTAIRE, Dict. philosophique, Gueux.

3 — Quel est donc ce brigand qui, là-bas, nez au vent,
Se carre, l'œil au guet et la hanche en avant,
Plus délabré que Job et plus fier que Bragance,
Drapant sa gueuserie avec son arrogance (...) HUGO, Ruy Blas, I, 2.

3.1 (...) ce petit livre risquerait pourtant de passer pour un joyeux poème de circonstance où, tour à tour, défilent, comme dans les couplets d'une «revue», de graves et plaisants personnages que ni leur rang, ni leur fortune, ni leur savoir, ni leur sottise, ni même enfin leur gueuserie ne peuvent mettre à l'abri des horizons qu'un «enfant de Paris» prend plaisir à leur assener. Francis CARCO, Nostalgie de Paris, p. 76.

♦ **2.** (1624). Vx. Chose de bas prix, digne d'un gueux (→ Auprès, cit. 24). ⇒ (mod.) **Cochonnerie, saleté.**

♦ **3.** (1808). Vieilli. Action vile. ⇒ **Friponnerie, indélicatesse.**

4 D'abord, savoir si les billets souscrits par Blanchet à la Sévère n'ont pas été extorqués par ruse et gueuserie (...) G. SAND, François le Champi, XIX.

5 — Ah! non, ah! non, mon oncle, en v'là assez! Je vous ai dit de ne pas nous mêler à toutes ces gueuseries (...) ZOLA, la Terre, V, I.

♦ **4.** Hist. des arts (au XVIIe). Peinture de genre représentant des gueux, des misérables. *Les gueuseries de Callot, de Témiers.*

GUEUX, GUEUSE [gø, gøz] n. — 1452; du moy. néerl. *guit* «coquin, fripon, fourbe». Selon P. Guiraud, même orig. que 1. *queux* «cuisinier», d'après le sens «importuner» du lat. *coquere* «cuire» et le sémantisme «importun» attaché au mendiant.

★ **I.** ♦ **1.** N. m. Vx. Personne qui vit d'aumônes, est réduit à mendier pour vivre. ⇒ **Mendiant, claque-faim, clochard, indigent, miséreux, nécessiteux, pouilleux, traîne-misère, vagabond, va-nu-pieds.** *Mener une vie de gueux. Gueux qui demande l'aumône* (cit. 7). *Gueux qui passe subitement de la misère à l'opulence* (cit. 1). *Bande, troupe de gueux.* ⇒ **Gueusaille.** — *La Chanson des gueux,* recueil de poèmes de J. Richepin (1876).

1 Un quartier comme celui-ci, où il n'y a que des gueux. RACINE, Lettres, 6, 26 janv. 1661.

2 Enfin, quoi qu'on puisse penser de ces infortunés, si l'on ne doit rien au gueux qui mendie, au moins se doit-on à soi-même de rendre honneur à l'humanité souffrante ou à son image, et de ne point s'endurcir le cœur à l'aspect de ses misères. ROUSSEAU, Julie ou la Nouvelle Héloïse, IV, V, II.

3 (...) des mendiants en loques, des gueux d'hôpital tendent vers lui leurs mains suppliantes (...) TAINE, Philosophie de l'art, t. II, p. 227-228.

4 Le soldat (...) couche comme un gueux sur la paille. FRANCE, le Petit Pierre, XXII, p. 155.

(Au XVIe, attesté, plus tard). Hist. Nom que se donnèrent les Républicains de Hollande, huguenots ligués contre Philippe II.

(1545). Par ext. ⇒ **Pauvre.**

5 (...) l'avare (...) vit en gueux. LA FONTAINE, Fables, IV, 20.

Loc. *Herbe aux gueux :* clématite.

♦ **2.** Adj. (1654). Vieilli. Pauvre (→ Arpent, cit. 1; assigner, cit. 14; bâtir, cit. 51). *Il est gueux comme un rat.*

6 Montchevreuil était (...) sans esprit aucun, et gueux comme un rat d'église. SAINT-SIMON, Mémoires, I, III.

7 Qu'y a-t-il de plus ridicule qu'un grand seigneur devenu gueux, qui porte dans sa misère les préjugés de sa naissance? ROUSSEAU, Émile, III.

♦ **3.** N. et adj. Vx. Être vil, méprisable. ⇒ **Bélître** (cit. 1), **coquin, fripon, malandrin.** *Un gueux, une gueuse.*

8 (...) et, quand l'autre viendra, prends ta règle et donne-lui une raclée en lui disant qu'il est un gueux, qu'il voulait se servir de toi, que tu révoqueras ta procuration, et que tu lui rendras son argent la semaine des trois jeudis. BALZAC, les Petits Bourgeois, Pl., t. VII, p. 204.

8.1 Ce que je n'avais pas prévu, mon cher, c'est que cette femme que je croyais riche comme la reine de Saba, mourrait sans me laisser un sou, la gueuse! (...) G. LEROUX, Rouletabille chez Krupp, p. 65.

Adj. Méprisable.

♦ **4.** N. f. (1655). GUEUSE : femme de mauvaise vie. — Loc. mod. (1808). *Courir la gueuse, les gueuses :* se débaucher.

9 (...) une fille coureuse,
De qui le noble emploi n'est qu'un métier de gueuse? MOLIÈRE, l'Étourdi, IV, III.

10 Eh mais, peut-être bien, infâme saligaud, que tu voudrais courir la gueuse! (...) pour revenir ici avec la gale, n'est-ce pas? ou quelque chose de mieux encore, et en empoisonner tout mon escadron? COURTELINE, le Train de 8 h 47, V.

(Dans le vocabulaire de l'extrême-droite française, à la fin du XIXe siècle). *La gueuse,* terme d'injure pour désigner la République.

11 (...) légitimistes et orléanistes n'avaient pas *(après 1871)* contre les républicains la rancune que nourrissaient les bonapartistes. La «gueuse» n'était pas de leur vocabulaire. J. BAINVILLE, la Troisième République, p. 69.

★ **II.** N. m. (1830). Vx. Pot de grès percé de trous dans lequel on plaçait des braises.

12 Une vieille fille lui apporta un peu de poussier, afin qu'elle renouvelât les cendres de son gueux. BALZAC, Zéro, *in* Œ. diverses, t. II, p. 187.

★ **III.** N. f. GUEUSE. ♦ **1.** (1669). Vx. Variété de dentelle. (1723). Étoffe de peu de valeur, fabriquée en Flandres.

♦ **2.** (1851). Syn. de *gueux* (II.).

DÉR. Gueusaille, gueusard, gueusement, gueuser, gueuserie.
HOM. (Du fém.) 1. **Gueuse,** 3. **gueuse** ou **gueuze.**

GUEUZE ou **GUEUSE** [gøz] n. f. — 1866, Hugo; du moy. néerl. *guit* «coquin». → 2. Gueux.

♦ Bière belge (bruxelloise), forte et aigre, faite avec du malt et du froment non germé, par fermentation spontanée, à partir du lambic*. ⇒ **Faro.** *Boire une bouteille, un verre de gueuze, de gueuse.*

REM. On emploie aussi *gueuze-lambic, gueuse-lambic.*

Il y avait alors à Saint-Malo une petite hôtellerie sur le port qu'on appelait l'Auberge Jean (...) il y avait des raffinements de boissons locales étrangères pour les marins dépaysés (...). On y buvait du stout comme à Greenwich et de la gueuse brune comme à Anvers. HUGO, les Travailleurs de la mer, V, I.

GUÉVOIR [gevwaʀ] n. m. — 1864, Erckmann-Chatrian, *in* T. L. F.; de l'anc. mot lorrain *gayoir,* de *gayer* «guéer», d'après *gué* et la finale de *lavoir, abreuvoir.*

♦ Régional. Abreuvoir (à chevaux, à vaches).

GUÈZE [gez] n. m. — 1791, *geez;* mot éthiopien.

♦ Ling. Langue sémitique parlée en Éthiopie ancienne, et qui subsiste dans la liturgie copte.

GUGUSSE [gygys] n. m. — 1883, Goncourt; forme pop. de *Auguste,* prononcée [ogys], avec redoublement. → Gus.

♦ **1.** Vieilli. Clown (⇒ **Auguste**) qui joue les naïfs.

♦ **2.** Fam. (souvent péj.). Personne quelconque. ⇒ **Gus.** *Qu'est-ce que c'est que ce gugusse?*

1. GUI [gi] n. m. — 1372; *guy,* sens douteux, 1347; du lat. *viscum,* devenu *guix.*

♦ Plante parasite *(Loranthacées)* à feuilles persistantes qui croît sur les branches de certains arbres, surtout le poirier, le pommier, le peuplier et, plus rarement, le chêne. *Boules de gui. Le gui blanc, gui du chêne, utilisé en pharmacie. — Le gui, plante sacrée chez les Gaulois. La cueillette du gui. — Destruction du gui.* ⇒ **Guiage.**

On s'avança vers le chêne de trente ans, où l'on avait découvert le gui sacré. On 1
dressa au pied de l'arbre un autel de gazon (...) un Eubage vêtu de blanc monta sur le chêne, et coupa le gui avec la faucille d'or de la Druidesse; une saie blanche étendue sous l'arbre reçut la plante bénite, les autres Eubages frappèrent les victimes, et le gui, divisé en égales parties, fut distribué à l'assemblée. CHATEAUBRIAND, les Martyrs, IX.

Des guis d'un vert luisant pendent à toutes les bifurcations des branches où il a 2
pu séjourner de l'humidité. BALZAC, les Paysans, Pl., t. VIII, p. 16.

Mais le remède universel, la panacée, comme l'appelaient les druides, c'était le 3
fameux *gui.* Ils le croyaient semé sur le chêne par une main divine, et trouvaient dans l'union de leur arbre sacré avec la verdure éternelle du gui un vivant symbole du dogme de l'immortalité. On le cueillait en hiver, à l'époque de la floraison, lorsque la plante est le plus visible, et que ses longs rameaux verts, ses feuilles et les touffes jaunes de ses fleurs, enlacés à l'arbre dépouillé, présentent seuls l'image de la vie, au milieu d'une nature morte et stérile. MICHELET, Hist. de France, I, II.

S'embrasser sous le gui, au premier de l'an. *Au gui l'an neuf!,* locution associant le gui aux fêtes du Premier de l'An.

DÉR. Guiage.
HOM. 2. **Gui.**

2. GUI [gi] n. m. — 1687, *guy;* du néerl. *giek* ou *gijk.*

♦ Mar. «Fort espar arrondi sur lequel vient se border toute voile à corne» (Gruss). *Gui d'artimon sur lequel est bordée la brigantine*. Croissant* de gui. Gui fixé au mât par une mâchoire.*

HOM. 1. **Gui.**

GUIAGE [gjaʒ; gijaʒ] n. m. — 1879, cit.; de 1. *gui.*

♦ Techn. Destruction, arrachage du gui pour sauver les arbres qu'il envahit.

La seule mesure efficace consisterait à ordonner, par voie administrative, au moins dans les pays à cidre, la destruction du gui, comme on ordonne la destruction des chenilles. Le guiage serait d'ailleurs bien autrement facile et efficace que l'échenillage. L. FIGUIER, l'Année scientifique et industrielle 1880, p. 427 (1879).

GUIB [gib] n. m. — D. et orig. inconnues; probablt mot d'une langue africaine.

♦ Petite antilope africaine, de la famille des Hippotraginés *(Tragelaphus scriptus). — Guib d'eau :* antilope plus grande, à longs sabots.

GUIBOLLE ou **GUIBOLE** [gibɔl] n. f. — 1836; var. de *guibonne* (1836, Vidocq), p.-ê. du normand *guibon, gibon* «cuisse» (XVIIe), apparenté à l'anc. v. *giber* «remuer bras et jambes» (cf. *regiber* «ruer» → Regimber), avec passage de *g* à *gu* sous l'infl. des termes à initiale *gamb-* de la famille de *jambe.* → aussi Gibecière, gibelotte.

♦ Fam. ⇒ **Jambe.** *Se casser la guibole. Elle a de chouettes guibolles. Il ne tient plus sur ses guibolles. Jouer des guibolles :* courir, se sauver vivement ; danser.

1 Ma *guibole* se consolide, mais je boiterai pendant longtemps.
FLAUBERT, Correspondance, 1809, févr. 1870, t. VIII, p. 210.

2 Le matin, il se plaignait d'avoir des guibolles de coton (...)
ZOLA, l'Assommoir, t. I, p. 192.

Loc. (xxe). *En avoir plein les guiboles :* être très fatigué d'avoir longuement marché. — En avoir assez de quelque chose. *Vos discussions, j'en ai plein les guiboles.* ⇒ **Marre.**

GUIBRE [gibʀ] n. f. — 1773 ; altér. de *guivre**. → aussi Vouivre.

♦ Mar. (Ancienn). Sur les navires en bois, « Construction rapportée à l'avant et destinée à fournir les points d'appui nécessaires pour l'attache du beaupré » (Gruss, *Dict. de marine*). → Écubier, cit. 2.

1 Les guibres et les antennes s'appuyaient familièrement sur le parapet du quai comme des chevaux qui reposent leur tête sur le col de leur voisin d'attelage (...)
Th. GAUTIER, la Toison d'or, I.

2 *(Il)* accostait le navire et s'accrochait d'une main aux sous-barbes de beaupré. Il respira alors, et, se haussant sur les chaînes, il parvint à atteindre l'extrémité de la guibre. Là séchaient quelques culottes de matelot.
J. VERNE, l'Île mystérieuse, t. II, p. 615.

1. GUICHE [giʃ] n. f. — XIIIe ; var. *guige* (1080), *guinche ;* probablt du francique **whitig* « lien d'osier ».

♦ **1.** Archéol. Courroie pour suspendre un bouclier. ⇒ **Enguichure.**

♦ **2.** (1704). Bande d'étoffe attachée de chaque côté de la robe des chartreux.

COMP. Enguichure.
HOM. 2. Guiche.

2. GUICHE [giʃ] n. f. — 1876 ; *favoris taillés à la Guiche, in* Féval, 1847 ; p.-ê. de 1. *guiche ;* selon Esnault, du nom de Louis Henri Casimir, marquis de la *Guiche,* promoteur d'une coiffure où les cheveux étaient collés aux tempes.

♦ **1.** Argot et vx. Accroche-cœur.

♦ **2.** N. f. pl. Cour. **GUICHES :** mèches de cheveux frisés plaquées sur le front, les tempes. ⇒ **Accroche-cœur.**

COMP. V. Aguicher.
HOM. 1. Guiche.

GUICHET [giʃɛ] n. m. — V. 1130 ; probablt de l'anc. scandinave *vik* « cachette », avec infl. de l'anc. franç. *uisset,* dimin. de *uis, huis* « porte ». Hypothèse rejetée par P. Guiraud qui rattache le terme au lat. *visere* « voir » par un gallo-roman **visicare,* doublet de *visitare.* → Visiter.

♦ **1.** Vx. Petite porte* pratiquée dans une porte monumentale, une muraille de fortification, etc. *Se présenter au guichet d'une ville fortifiée. Porte de grange munie d'un guichet* (→ Engin, cit. 1).

♦ **2.** (1767). Mod. Petite ouverture, pratiquée à hauteur d'homme dans une porte, un mur, et par laquelle on peut parler à qqn, faire passer des objets (→ Barricader, cit. 4). *Le guichet de la porte d'un couvent, d'une prison. Passer de la nourriture à un prisonnier par le guichet de sa cellule. Guichet grillé ou grillagé.* ⇒ **Judas** (→ Grille, cit. 8).

1 Abramko n'ouvrait jamais à personne sans avoir regardé par un guichet grillagé, formidable.
BALZAC, le Cousin Pons, Pl., t. VI, p. 635.

2 La mère Angélique (...) s'avança seule vers la porte de clôture, à laquelle M. Arnauld heurtait déjà. Elle ouvrit le guichet (...) M. Arnauld commandait d'ouvrir : la mère Angélique dut tout d'abord prier son père d'entrer dans le petit parloir d'à côté, afin qu'à travers la grille elle lui pût parler commodément et se donner l'honneur de lui justifier ses résolutions (...)
(...) toute cette scène du *Guichet* (...) cette Journée que M. Royer-Collard aime à citer comme une des grandes pages de la nature humaine (...)
SAINTE-BEUVE, Port-Royal, Journée du guichet.

3 Il passa devant la prison. À la porte pendait une chaîne de fer attachée à une cloche. Il sonna. Un guichet s'ouvrit. — Monsieur le guichetier, dit-il (...) voudriez-vous bien m'ouvrir et me loger pour cette nuit ?
HUGO, les Misérables, I, II, I.

(1680). *Le guichet d'un confessionnal* (cit. 1).

♦ **3.** (Mil. XIXe). Cour. Petite ouverture par laquelle le public communique avec les employés d'une administration, d'un bureau, d'une banque. *Se présenter au guichet de la poste* (→ Espérer, cit. 28 ; encrier, cit. 1), *de la perception, d'une caisse d'épargne* (→ Assiéger, cit. 5). *L'employé du guichet.* ⇒ **Guichetier.** *Employé assis derrière son guichet* (→ État, cit. 134). *Adressez-vous au guichet d'à côté.* — Endroit où s'effectuent, se reçoivent des paiements. ⇒ **Caisse.** *Les guichets du Trésor. Banque qui paye, qui rembourse à guichets ouverts,* sans interruption (→ Désastre, cit. 6). — *Guichet de location,* où l'on délivre les billets pour assister à un spectacle. *Troupe qui joue à guichets fermés (ou bureaux fermés),* après avoir loué la totalité des places disponibles.

4 Ce n'est plus la barricade aujourd'hui qui discerne, qui sépare en deux le bon peuple de France, les populations du royaume. C'est un beaucoup plus petit appareil, mais infiniment plus répandu, surtout aujourd'hui, qu'on nomme le *guichet.* Quelques cadres de bois, plus ou moins mobiles, un grillage métallique, plus ou moins fixé, font tous les frais d'un guichet. C'est pourtant avec cela, c'est avec ce peu que l'on gouverne la France très bien.
Ch. PÉGUY, la République..., p. 203.

Le guichet a droit à notre considération respectueuse, à notre admiration : il a dompté, il a maté le peuple de France, ce peuple dont on aime à dire qu'il est indomptable. Le guichet est une forme de la discipline à laquelle, vraiment, aucun peuple ne saurait résister.
G. DUHAMEL, Récits des temps de guerre, IV, XXXI. 5

REM. Le mot continue d'être utilisé même lorsque les opérations administratives se déroulent de part et d'autre d'un simple comptoir* séparant les employés du public.

Par anal. *Guichet automatique d'une banque.* ⇒ aussi **Billetterie, distributeur** (de billets).

♦ **4.** (1690). *Les guichets du Louvre, des Tuileries :* étroits passages voûtés qui font communiquer les cours intérieures et les abords du palais.

Gurau passe sous les guichets du Louvre ; il débouche dans la rue de Rivoli. 6
J. ROMAINS, les Hommes de bonne volonté, t. V, XXIV, p. 232.

DÉR. Guichetier.

GUICHETIER, IÈRE [giʃtje, jɛʀ] n. — 1611 ; de *guichet.*

♦ **1.** N. Vx. Celui qui est chargé d'ouvrir, de fermer le guichet d'une prison. — (1668). *Guichetier d'une prison.* ⇒ **Geôlier** (→ Guichet, cit. 3).

La guichetière — car à Bachelor's-Prison, les guichetiers sont des guichetières — m'inscrit froidement sur un registre et me fait conduire dans une cellule meublée d'un lit, d'une table et d'une chaise.
A. ROBIDA, le Vingtième Siècle, p. 336.

♦ **2.** N. Mod. Personne qui est préposée à un guichet. *Les guichetiers, les guichetières d'une administration, d'un théâtre.*

GUIDAGE [gidaʒ] n. m. — 1611 ; de *guider.*

Action de guider ; ce qui sert à guider. — REM. Semble inusité dans les emplois généraux de *guider.*

♦ **1.** Techn. Ensemble de pièces qui guident la descente et la remontée des cages d'extraction dans les mines (on dit aussi *guidonnage*). — Mécan. Dispositif qui guide une pièce mobile d'une machine.

♦ **2.** (xxe). Aide apportée aux avions en vol par des stations radioélectriques. ⇒ **Radioguidage, téléguidage.**

(1973). Processus visant à imposer une trajectoire à un véhicule aéronautique ou spatial, par référence à une loi de mouvement déterminée, dite *loi de guidage. Guidage par itération.* — Spécialt. *Procédé de guidage,* consistant à appliquer des corrections de trajectoires successives, résultant d'un calcul instantané et itératif par ordinateur des composantes de position et de vitesse.

Ensemble des procédés destinés à imposer une trajectoire à un mobile, ou à lui faire atteindre une cible. ⇒ **Autoguidage, téléguidage, radioguidage.**

COMP. Autoguidage, radioguidage, téléguidage.

GUIDANCE [gidɑ̃s] n. f. — V. 1950 ; de *guider.*

♦ Admin. Méthode d'assistance aux enfants, aux enseignés, destinés à les aider à mieux s'adapter au milieu.

Cette autoformation sera assistée (...) par la guidance (les enseignants constitués en équipes et les parents aident les enfants à faire leur choix et à construire leur progression) et l'orientation (...)
B. SCHWARTZ, l'Éducation demain, cité *in* Psychologie, nº 48, janv. 1974, p. 87.

HOM. Guide-anse.

GUIDE [gid] n. m. et f. — 1370 ; anc. provençal ou ital. *guida,* même sens, de *guidare.* → Guider.

★ **I. A.** N. m. ♦ **1.** Personne qui accompagne (qqn) pour montrer le chemin. *Se faire accompagner en voyage par un guide* (→ Campagne, cit. 8). *Servir de guide à qqn* (→ Fier, cit. 23). ⇒ **Cicerone.** — (1821, *in* Petiot). Spécialt. Personne qui conduit des alpinistes en montagne. *Faire une course en montagne avec un guide. Un guide sûr, expérimenté, intrépide* (→ Escarpement, cit. 2). *Les guides de Chamonix, de Zermatt. Alpinistes encordés* (cit. 2) *précédés d'un guide.*

Aussi les Lovelace n'osaient-ils ni louer de bateaux pour se promener sur le lac, ni chevaux, ni guides pour visiter les environs. 1
BALZAC, Albert Savarus, Pl., t. I, p. 781.

L'on nous donna pour guide un jeune garçon qui connaissait parfaitement les chemins et nous conduisit sans encombre à Écija (...) 2
Th. GAUTIER, Voyage en Espagne, p. 228.

(1842). Personne qui conduit des visiteurs dans un endroit (musée, château, etc.) réputé pour son intérêt historique, sa beauté, etc. *Guide d'un musée, d'un monument historique. Suivez le guide !* (fig. et fam. « venez avec moi »). *N'oubliez pas le pourboire du guide ! N'oubliez pas le guide !* — REM. On trouve parfois pour ce sens le féminin. *Elle est guide. La guide.*

Ils cheminent à la queue leu leu, menés par des guides à casquette d'uniforme qui hurlent dans un porte-voix pour dominer le bruit des mécaniques (...) 3
G. DUHAMEL, Scènes de la vie future, VIII.

♦ **2.** N. m. (1825). Milit. Soldat ou gradé sur lequel tout le rang doit régler son alignement et sa marche. *Guide à gauche! à droite!* — Personne qui connaît le pays et peut renseigner une armée en campagne (→ Fatalité, cit. 14). ⇒ **Éclaireur.** — Nom donné à certains cavaliers* sous la Révolution et le Second Empire. *Régiment de guides.*

Mar. *Le guide d'une escadre :* navire sur lequel les autres navires règlent leurs mouvements.

♦ **3.** N. m. (XVIe). Personne (homme ou femme) qui conduit d'autres personnes dans la vie, les affaires, une entreprise, une recherche. ⇒ **Conducteur, conseiller, directeur, gouverneur,** (et leur fém.); **mentor, pilote.** *Les hommes se donnent souvent pour guides ceux qui savent les flatter. Ce jeune homme aurait besoin d'un guide éclairé et compréhensif* (→ Abuser, cit. 18). *Maîtres qu'on prend pour guides en art* (cit. 63). — *Les guides des peuples.* ⇒ **Berger, chef** (→ aussi Duce, Führer), **pasteur** (→ Employer, cit. 15). *Bon, mauvais guide.*

4 (...) sous la conduite d'une reine qui lui servait de mère par la tendresse et de guide par son expérience.
FLÉCHIER, Oraison funèbre de Marie-Thérèse d'Autriche.

5 Le poète primitif a des devanciers, mais pas de guides.
HUGO, Post-Scriptum de ma vie, Le goût.

6 Parmi ceux qui l'aidèrent à se former, son parrain, le Cardinal, tient une place éminente. Mazarin n'avait pas de génie. Mais il fut pour Louis XIV le grand initiateur, — son guide et, dans une certaine mesure, son père spirituel.
Louis BERTRAND, Louis XIV, II, II.

7 Ces minorités à leur tour vaudraient ce que vaudraient les chefs qu'elles auraient pour inspirateurs et pour guides.
J. ROMAINS, les Hommes de bonne volonté, t. IV, XVI, p. 175.

♦ **4.** N. m. (1534; en parlant d'une chose). Principe directeur qui inspire qqn. ⇒ **Boussole, flambeau** (poét.). *Prendre en art le goût pour guide. Choisir la raison pour guide, en ses écrits, dans la conduite de sa vie* (→ Âme, cit. 10; astreindre, cit. 2; consulter, cit. 9). *L'homme trouve un guide dans sa foi* (→ Attiédir, cit. 2), *sa conscience* (cit. 14). *N'avoir d'autre guide que son caprice. Complications où l'on aurait besoin d'un guide.* ⇒ **Fil.**

8 Le poète ne doit avoir qu'un modèle, la nature; qu'un guide, la vérité.
HUGO, Odes et Ballades, Préface, 1826.

B. N. m. (Déb. XVIIe; au fém., 1552). [a] Vx. Ouvrage de conduite morale, spirituelle. *Guide des pécheurs,* de Luis de Grenade; *Guide spirituel,* de Molinos. — REM. En cette acception, le mot a longtemps été féminin (cf. *la Guide des pêcheurs,* Molière, *Sganarelle,* 1).

[b] Mod. Ouvrage destiné à aider par des informations générales ou pratiques les voyageurs, les touristes et décrivant un lieu, ses ressources (séjour, restaurants, etc.). *Acheter un guide du Japon, de New-York. Guide illustré.* — (Dans des noms d'ouvrages, de collections). *Les Guides bleus** (*supra* cit. 6.1), *les Guides Michelin* (en France). *Les Guides du routard. Mettre un guide à jour.*

9 Ne connaissant pas les hôtels de Sens, il fit halte sous un réverbère pour consulter le guide.
SAINT-EXUPÉRY, Courrier Sud, VIII.

10 *(L'œuvre de Pausanias)* fait penser à un guide rédigé par un touriste anglais, de tendances traditionalistes, fort scrupuleux, au cerveau positif et rassis. Il énumère et mentionne plutôt qu'il ne goûte (...) Jacques de LACRETELLE, le Demi-dieu, II.

[c] Ouvrage contenant des conseils pratiques. *Le guide de l'étudiant, de l'amateur de disques.*

[d] Régional (Belgique). *Un guide de chemin de fer.* ⇒ **Indicateur.**

★ **II.** N. f. (1930). Jeune fille appartenant à un mouvement féminin du scoutisme*. ⇒ **Guidisme.** *Les Guides de France. Elle est guide, c'est une guide.*

★ **III.** ♦ **1.** N. f. pl. ⇒ **Guides.**

♦ **2.** N. m. (1676, en menuis.). Techn. Partie d'outillage dont le rôle est de guider le mouvement rectiligne, circulaire... de pièces mobiles. *Guides d'un foret, d'une tige de piston, de soupapes dans un moteur à explosion. Changer des guides usés.* ⇒ **Boitard, glissière.** — *Rainures d'un guide de scie à ruban.*

♦ **3.** (1692). Techn. (électron.). *Un guide d'ondes :* système utilisé pour transporter les communications téléphoniques interurbaines. « *On doit, au delà de quelques gigahertz, « guider » l'énergie dans un véritable tuyau : le guide d'ondes. C'est une technique employée depuis longtemps sur de courtes distances, pour transporter les ondes radars du tube protecteur à l'antenne* » (*la Recherche,* n° 2, juin 1970, p. 186).

♦ **4.** ⇒ **Guide-fil.**

♦ **5.** Mus. L'antécédent d'une fugue.

DÉR. V. **Guiderope.** — (De II.) **Guidisme.**
HOM. Guides. — Formes du v. **guider.**

GUIDE-ÂNE [gidan] n. m. — 1812, au sens 1, « livre contenant l'ordre des fêtes et celui des offices pour chaque fête », 1721; de *guider,* et *âne.*

♦ **1.** Petit livre, aide-mémoire contenant des instructions élémentaires pour guider les débutants dans un art, une profession. ⇒ **Pense-bête.** — Par ext. Ce qui dispense de réflexion.

♦ **2.** (1845). Transparent* aidant à écrire droit. Plur. *Des guide-âne,* ou *guide-ânes.*

GUIDE-ANSE [gidɑ̃s] n. m. — 1935; de *guider,* et *anse.*

♦ Méd. Accessoire d'un galvanocautère permettant de donner à un fil métallique la forme d'une anse. *Des guides-anses.*

HOM. Guidance.

1. GUIDEAU [gido] n. m. — 1840; de *guider,* et *eau.*

♦ Mar. Barrage fait de planches inclinées, pour diriger l'écoulement de l'eau. *Dresser des guideaux à l'entrée d'un port.*

HOM. 2. Guideau.

2. GUIDEAU [gido] n. m. — 1322; altér. de *quideau,* bas all. *Kiedel* « filet ».

♦ Pêche. Filet en forme de sac. *Des guideaux.*

HOM. 1. Guideau.

GUIDE-CHANT [gidʃɑ̃] n. m. — 1936, *in* T. L. F.; de *guider,* et *chant.*

♦ Mus. Petit harmonium portatif muni d'une soufflerie actionnée manuellement, et qui est utilisé pour soutenir la justesse des voix, dans les cours de chant choral. *Des guides-chants.*

GUIDE-COKE [gidkɔk] n. m. — Mil. XXe; de *guider,* et *coke.*

♦ Techn. Appareil servant à guider le coke au sortir d'une chambre de distillation. *Des guide-coke* ou *des guide-cokes.*

GUIDE-FIL [gidfil] n. m. invar. — 1872; de *guider,* et *fil.*

♦ Techn. Petit appareil destiné à guider les fils sur les bobines des métiers à filer et des machines à coudre. *Des guide-fils.* — REM. On dit aussi *guide* (n. m.).

GUIDE-GREFFE [gidgʀɛf] n. m. — XXe (*in* Larousse 1922); de *guider,* et *greffe.*

♦ Techn. Instrument qui permet de couper régulièrement les rameaux utilisés pour la greffe. *Des guide-greffe,* ou *guide-greffes.*

GUIDE-LAME [gidlam] n. m. — Déb. XXe; de *guider,* et *lame.*

♦ Techn. Pièce qui guide le mouvement de la lame tranchante dans une faucheuse. *Des guide-lames.* — REM. On dit aussi *porte-lame.*

GUIDE-LIME [gidlim] n. m. — Av. 1907, Larousse; de *guide,* et *lime.*

♦ Techn. Appareil pour limer droit. *Des guide-limes.*

GUIDER [gide] v. tr. — 1367; réfection, d'après *guide,* de l'anc. franç. *guier,* 1080, du francique **wîtan* « montrer une direction ».

♦ **1.** Accompagner (qqn) en montrant le chemin. ⇒ **Conduire, piloter.** *Guider un voyageur, un touriste* (⇒ **Guide**). *Guidez-nous, puisque vous connaissez la route. Se laisser guider à travers un bois.* — Au p. p. *Aveugle guidé par son caniche.*

À travers le labyrinthe d'escaliers où le guidait un homme en livrée (...) 1
BALZAC, César Birotteau, Pl., t. V, p. 494.

Oh hi! mes pigeons, gare à la souche de chêne. Là, Bosselé, attention au sapin. 2
Droit, Aurore (...) Il les guidait doucement à travers la forêt ouverte.
J. GIONO, le Chant du monde, II, III.

Il allait devant eux, le jour, dans une colonne de nuées, pour les guider dans les 3
chemin, et la nuit dans une colonne de feu, pour les éclairer.
DANIEL-ROPS, le Peuple de la Bible, II, I.

Spécialt. Conduire (qqn) en soutenant, en veillant à la marche. *Guider un aveugle à travers une rue. Il guide les premiers pas de son enfant. Guider qqn en lui tenant le bras* (→ Évacuer, cit. 6). *Il la guidait dans sa marche.* — *Guider la marche de quelqu'un.*

♦ **2.** Faire aller, pousser (un être animé, un véhicule) dans une certaine direction. ⇒ **Diriger, mener** et (vx) **gouverner.** *Cavalier* (cit. 4) *guidant son cheval. L'homme de barre guide le bateau. Le berger guide son troupeau.* — *Guider un avion, un projectile à distance.* ⇒ **Radioguider, téléguider.**

(...) je vois l'outil
Obéir à la main : mais la main, qui la guide? 4
LA FONTAINE, Fables, IX, Disc. à Mme de La Sablière.

Guider une opération, une manœuvre (→ Dévidage, cit. 1).

♦ **3.** (1549). Sujet n. de chose. Mettre (qqn) sur la voie, aider à reconnaître le chemin. *Bornes, poteaux indicateurs qui guident le voyageur. L'étoile* qui guida les rois mages. Thésée guidé par le fil d'Ariane. Phares guidant les navigateurs. Lumière qui éclaire et guide* (→ Aurore, cit. 3). — *Le flair guide les animaux. L'odeur le guidait.* — Au p. p. *Chien guidé par son flair* (cit. 1), *par des traces.*

5 Pour surcroît de malheur, ce n'était pas nuit de lune et nous n'avions pour nous guider que la tremblotante lueur des étoiles.
Th. GAUTIER, Voyage en Espagne, p. 226.

6 Guidé par ton odeur vers de charmants climats.
BAUDELAIRE, Spleen et Idéal, « Parfum exotique ».

♦ **4.** (1433). Abstrait. Mettre ou entraîner (qqn) dans une certaine direction morale, intellectuelle; aider (qqn) à choisir une direction. ⇒ **Conseiller, éclairer, éduquer, orienter.** *Guider un enfant dans ses études, dans le choix d'une carrière* (→ Affectueusement, cit.). *Ses parents le guideront* (→ Fortune, cit. 11). *Assister* (cit. 8) *celui qu'on guide.* — Au p. p. *Il piétine, il a été mal guidé* (→ Étude, cit. 14). ⇒ **Aiguiller** (fam.).

7 (...) il est à propos que le peuple soit guidé, et non pas qu'il soit instruit (...)
VOLTAIRE, Lettre à Damilaville, 2818, 19 mars 1766.

8 Écoutez, mon enfant, si vous avez confiance en ma tendresse, laissez-moi vous guider dans la vie. À dix-sept ans l'on ne sait juger ni de l'avenir ni du passé, ni de certaines considérations sociales. BALZAC, Gobsek, Pl., t. II, p. 621.

(Sujet n. de chose). *C'est son intérêt, son ambition, sa passion qui le guide.* ⇒ **Gouverner.** *Être guidé par des principes, une morale, une doctrine, une discipline, une sagesse* (→ Brouiller, cit. 32; église, cit. 11; épreuve, cit. 23; auspice, cit. 9). *La raison ne nous guide pas toujours sûrement* (→ Achopper, cit. 1). *Se laisser guider par ses caprices, par ses instincts.* ⇒ **Mener** (→ Foulée, cit. 1). *La délicatesse, la bonté qui le guide en toutes circonstances.*

9 Un clair discernement de ce que vous valez
Nous fait plaindre le sort où cet amour vous guide (...) MOLIÈRE, Psyché, I, 2.

10 (...) pour guider l'homme, la marche de la nature est toujours la meilleure.
ROUSSEAU, Julie ou la Nouvelle Héloïse, II, V, III.

11 (...) nul intérêt personnel ne la guidait en ceci, mais bien uniquement le désir de me protéger contre moi-même (...) GIDE, Si le grain ne meurt, II, II.

12 Il se laisse plutôt guider par son flair, ou par ce qu'il a personnellement observé.
J. ROMAINS, les Hommes de bonne volonté, t. IV, IV, p. 22.

Les principes qui guident nos choix, nos décisions. Faune dont la sensibilité guide la distribution dans certains étangs (cit. 6). ⇒ **Commander, déterminer.**

13 Hors celui du président du conseil et de quelques ministres politiques, *tous* les choix, y compris ceux des ministres techniciens, ne devraient être guidés que par des considérations de valeur technique et morale.
A. MAUROIS, Un art de vivre, IV, I.

♦ **5.** Techn. Imposer un mouvement précis, une trajectoire à (un organe, un élément, un mobile). ⇒ **Guide.** *Traits, repères servant à guider un outil* (→ Équivalent, cit. 4).

▶ **SE GUIDER** v. pron. (1516).

(Rare, employé absolt). Trouver son chemin. *« Cet aveugle se guide à l'aide d'un bâton »* (Littré), *avec, grâce à son bâton. Un fil pour se guider dans ce dédale* (cit. 7).

14 Je vous servais de guide, et je n'ai su depuis
Moi-même me guider, tant égaré je suis.
RONSARD, Églogues, « Le cyclope amoureux ».

15 (...) il fallait réellement une habitude extrême de cette navigation pour se guider à travers ces méandres capricieux. Th. GAUTIER, Voyage en Russie, II, p. 378.

Se guider sur : se diriger d'après quelque chose que l'on prend pour repère. *Les marins se guidaient sur l'étoile polaire. Se guider sur le soleil, sur un clocher.* — Fig. *Se guider sur une impression, une intuition, un signe. Se guider sur l'exemple de quelqu'un. Se guider sur l'étymologie* (cit. 5) *dans l'emploi des mots.*

▶ **GUIDÉ, ÉE** p. p. adj. Voir à l'article. (Au sens 2). *Bateau, avion, tank guidé par radio* (⇒ **Radioguidé**). *Fusée guidée.* — ⇒ aussi **Téléguidé.**

CONTR. Abuser, aveugler, berner, dépayser, écarter, égarer, fourvoyer, tromper.
DÉR. Guidage, guidance.
COMP. Guide-âne, guide-anse, 1. **guideau, guide-chant, guide-coke, guide-fil, guide-greffe, guide-lame, guide-lime.** — REM. La langue technique a formé de nombreux composés désignant des appareils ou instruments. Le sens reste toujours « appareil qui guide, sert à guider (telle chose) ». — (Du p. p.) **Autoguidé, radioguidé.**

GUIDEROPE [gidʀɔp] n. m. — 1855, Baudelaire, trad. d'un texte de Poe de 1844; de l'angl. *guide-rope,* formé du franç. *guide,* et de l'angl. *rope* « corde ».

♦ **1.** Cordage que les pilotes d'aérostats laissaient traîner sur le sol dans certaines manœuvres. *Des guideropes.*

Le *guide-rope* (...) est simplement une très longue corde qu'on laisse traîner hors de la nacelle, et dont l'effet est d'empêcher le ballon de changer de niveau à un degré sensible (...) un autre office très important du *guide-rope* est de marquer la direction du ballon.
BAUDELAIRE, Trad. E. POE, Histoires extraordinaires, « Le canard au ballon ».

♦ **2.** Alpin. Corde fixe tendue dans les endroits dangereux en guise de rampe.
REM. On écrit souvent *guide-rope.*

GUIDES [gid] n. f. pl. — 1660; de *guider.*

♦ **1.** Lanières de cuir, cordons attachés au mors d'un cheval attelé et servant à le diriger. *Petites guides,* pour conduire un cheval lorsqu'on marche à côté de lui. *Grandes guides,* pour conduire le cheval de flèche d'un attelage. *Tirer sur les guides, lâcher les guides.* ⇒ **Rêne**(s). *Conduire à grandes guides :* aller à toute vitesse.

Et déjà des carrioles partaient, on attelait dans les auberges, on dénouait les guides des chevaux attachées aux anneaux des trottoirs. ZOLA, la Terre, II, VI.

♦ **2.** (1866). Fig. *Mener la vie, une vie à grandes guides.* Vx. « Prodiguer sa fortune, sa santé » (Littré, Académie). Mod. « Faire de grandes dépenses ». ⇒ **Train** (mener grand).

♦ **3.** Vx. Somme payée au postillon d'une voiture. Loc. *Payer doubles guides* (pour aller plus vite).

HOM. Guide.

GUIDISME [gidism] n. m. — 1960; de *guide,* II., n. f. d'après *scoutisme.*

♦ Scoutisme* féminin. *Les « couleurs bleu et or du trèfle, emblème du guidisme mondial »* (*la République du Centre,* 27 août 1981).

GUIDON [gidɔ̃] n. m. — 1373; de *guider,* et suff. *-on;* l'ital. *guidone,* même sens, est attesté plus tard.

★ **I.** ♦ **1.** Vx. Étendard d'une compagnie de gendarmerie* ou de cavalerie lourde. ⇒ **Drapeau, enseigne, fanion.**

♦ **2.** (1611). Par métonymie. (Vx). Celui qui portait cet étendard. ⇒ **Enseigne** (→ Porte-drapeau). — La charge de guidon.

(M. de Pons) fut ainsi à la cour plusieurs années avant la mort du Roi, qui (...) 1
lui donna enfin pour rien un guidon de gendarmerie.
SAINT-SIMON, Mémoires, V, XXIX.

♦ **3.** Par anal. (Vx). Bannière d'une confrérie, d'un ordre.

♦ **4.** (1660). Mar. Pavillon triangulaire ou à deux pointes servant d'insigne de commandement. — Marque de la société propriétaire d'un yacht.

Mr Fogg se rendit aux rives de l'Hudson, et parmi les navires amarrés au quai 1.1
ou ancrés dans le fleuve, il rechercha avec soin ceux qui étaient de partance. Plusieurs bâtiments avaient leur guidon de départ et se préparaient à prendre la mer à la marée du matin. J. VERNE, le Tour du monde en 80 jours, p. 291 (1873).

♦ **5.** (1825). Mod. Milit. Fanion servant à déterminer l'alignement* dans les manœuvres d'infanterie.

♦ **6.** (1891, *in* Petiot). Sport. Vieilli. Fanion (d'un équipe sportive).

★ **II.** ♦ **1.** (1757, *Encyclopédie*). Petite saillie, à l'extrémité du canon d'une arme à feu qui, avec l'œilleton* ou le cran de hausse*, donne la ligne de mire. *Le guidon d'un fusil, d'un pistolet. Viser plein guidon,* en laissant apparaître toute la hauteur du guidon dans l'évidement du cran de hausse. *Guidon en aiguille, en grain d'orge.*

♦ **2.** [a] (1622). Typogr. *Guidon de renvoi :* repère qui signale où l'on doit placer une addition à un texte.

[b] (1680). Mus. Signe que les graveurs de musique plaçaient en bout de ligne pour annoncer la note commençant la ligne suivante.

★ **III.** (1869, *in* Petiot). Tube métallique creux et cintré, de forme variable, maintenu en son milieu par une potence solidaire de la fourche*, et qui permet d'orienter la roue directrice (roue avant) d'un véhicule à deux ou trois roues. *Le guidon d'une bicyclette, d'une moto, d'un tricyle. Guidon d'acier, de duralumin. Le guidon porte les poignées et les freins. Guidon (surbaissé) de course. Guidon de tourisme. Guidon plat, relevé. Lâcher le guidon de sa bicyclette.* — Loc. *Le nez dans (sur) le guidon,* se dit d'un coureur qui penche le buste dans l'effort. *Partir le nez dans le guidon. Mettre le nez dans le guidon. Les mains en haut du guidon,* se dit d'un coureur qui, coupant l'effort, lâche les poignées pour tenir le guidon par la courbure du cintre, en redressant le buste. *Rouler les mains en haut du guidon. Descendre une côte sans pédaler, les mains en haut du guidon. Mordre le guidon, rouler le guidon dans les dents :* s'arc-bouter sur la machine, la tête en avant et les mains serrant les poignées. *Prendre le guidon par en-dessous* (même sens). *Empoigner le guidon, tirer sur le guidon :* bloquer ses mains sur le guidon, tout l'effort portant sur les pédales. *Monter une côte en danseuse, en tirant sur le guidon.*

Le beffroi de la gare marquait quatre heures trente-cinq. Courbé sur le guidon, 2
Bénin gravit la rampe de la cour (...) J. ROMAINS, les Copains, II.

Par anal., fam. *Moustaches en guidon de vélo :* moustaches épaisses et taillées en arc, aux pointes retroussées à la mode, à la « Belle Époque ».

DÉR. **Guidonnage, guidonner.**

GUIDONNAGE [gidɔnaʒ] n. m. — 1869; de *guidon.*

♦ Techn. Guidage (1.).

GUIDONNER [gidɔne] v. intr. — V. 1970; de *guidon,* III.

♦ Avoir des mouvements incontrôlés de la roue avant (d'une moto). *« J'ai vu sa moto "guidonner", la roue avant qui louvoie soudain »* (*le Nouvel Obs.,* 25 sept. 1972, p. 49).

GUIFETTE [gifɛt] n. f. — 1781, Buffon; mot picard, d'orig. incertaine.

♦ Régional. Oiseau palmipède, variété de sterne* de petite taille, pêchant surtout en eau douce.

1. GUIGNARD [giɲaʀ] n. m. — 1694; *guignar,* 1655; anc. franç. « qui cligne de l'œil », v. 1250.

♦ Petit échassier *(Charadriidés)* appelé aussi *pluvier* des Alpes. La chair délicate des guignards était utilisée dans les « pâtés de Chartres ».*

2. GUIGNARD, ARDE [giɲaʀ, aʀd] adj. et n. — 1880; de 2. *guigne.*

♦ Fam. et vieilli. Qui a de la guigne. ⇒ **Malchanceux.** *Je suis guignard, aujourd'hui.* N. (1880). *C'est une guignarde.*

CONTR. **Veinard.**

1. GUIGNE [giɲ] n. f. — XVe; *guine,* 1393; bas lat. *guina,* p.-ê. de l'anc. haut all. *Wîhsila;* cf. all. mod. *Weichsel* « griotte ». P. Guiraud rejette cette hypothèse pour le lat. *vinea* « (fruit) couleur de vin », de *vinum* (→ Vin).

♦ **1.** Petite cerise* à longue queue, de chair molle, rouge et très sucrée, dont la forme rappelle celle du bigarreau*. *Guigne noire, rouge.*

Loc. fam. (Vx). *Femme fraîche comme une guigne* (→ Avenant, cit. 3).

♦ **2.** Loc. Mod. *Se soucier de qqn, de qqch. comme d'une guigne,* très peu, pas du tout.

1 Quant aux cadeaux de la corbeille (...) elles s'en souciaient comme d'une guigne.
LOTI, les Désenchantées, III.

2 Or, sachez (...) que ces païens qui se soucient, comme d'une guigne, de la vie éternelle, et ne lavent pas plus leur âme que leurs pieds, exigent de leur curé la pluie et le beau temps. R. ROLLAND, Colas Breugnon, III.

Ellipt. *Des guignes! :* rien du tout. → Des nèfles.

Loc. *Je te (vous) paie des guignes si... :* la chose est invraisemblable.

DÉR. **Guignier, guignolet.**

HOM. 2. **Guigne;** formes du v. **guigner.**

2. GUIGNE [giɲ] n. f. — 1811; *avoir la guigne* « loucher », 1864; var. pop. de *guignon.* → Guigner.

♦ Fam. Mauvaise chance qui semble s'attacher à qqn. *Avoir la guigne.* ⇒ **Guignon, malchance;** (fam.) **cerise, poisse.** *Porter, flanquer* (cit. 7), *foutre la guigne à quelqu'un. Guigne qui s'acharne* (cit. 7) *sur quelqu'un. Une guigne noire. Quelle guigne!*

1 Je ne crois pas du tout à la guigne et crois que c'est s'en préserver que de se refuser à y croire. GIDE, Journal, 9 févr. 1943.

2 Poupaert est un homme du Nord, un garçon qui a souffert tous les malheurs imaginables : femme, santé, famille, courage, tout l'a trahi. Il est devenu comme un spécialiste de la guigne. G. DUHAMEL, Salavin, I, XV.

CONTR. **Chance;** (fam.) **pot, veine.**

DÉR. 2. **Guignard.**

HOM. 1. **Guigne;** formes du v. **guigner.**

GUIGNER [giɲe] v. tr. — 1536; *guignier,* v. 1175; d'abord « faire signe », puis « faire signe de l'œil, loucher »; a aussi le sens de « remuer » dans de nombreux dial.; d'un francique* *wingjan* « faire signe », par une forme gallo-romaine *gwinynare.* Cf. all. *winken* « faire signe ».

♦ **1.** Regarder (qqn, qqch.) à la dérobée (et généralement avec convoitise). *Guigner le jeu de son voisin.* ⇒ **Lorgner, loucher** (sur). *Guigner une jolie fille.*

1 J'ai guigné ceci *(la cassette d'Harpagon)* tout le jour. MOLIÈRE, l'Avare, IV, 6.

2 Tout le régiment connaît Lucie, tous les hommes la désirent, et quand elle traverse le débit bondé, portant les verres, ils la guignent d'un air goulu et disent crûment leur goût. R. DORGELÈS, les Croix de bois, VI.

Son fils le guignait du coin de l'œil, où voulait-il en venir? Mais le silence d'Edmond glaçait le vieux malin et lui mettait la puce à l'oreille. 3
ARAGON, les Beaux Quartiers, II, VII.

♦ **2.** (1640). Abstrait. Guetter avec convoitise. ⇒ **Convoiter; vue** (avoir des vues). *Guigner une place, un héritage, un beau parti,* avoir des vues sur.

Il revint la semaine suivante, et se vanta d'avoir, après force démarches, fini par découvrir un certain Langlois qui, depuis longtemps, guignait la propriété sans faire connaître son prix. FLAUBERT, Mme Bovary, III, V. 4

DÉR. 1. **Guignard.** — V. 2. **Guignette, guignol, guignon.**

1. GUIGNETTE [giɲɛt] n. f. — 1465; de l'anc. franç. *goy* « serpe », suff. *-in,* et *-ette,* du bas lat. *gubia* « serpette, gouge ».

♦ **1.** Techn. (Vx). Petite serpe.

♦ **2.** (1845). Mar. Outil de calfat.

♦ **3** (1872). Pêche. Vigneau, ou littorine.

HOM. 2. **Guignette.**

2. GUIGNETTE [giɲɛt] n. f. — XVIIIe, Buffon; p.-ê. de *guigner.* → 1. Guignard.

♦ Oiseau charadriiforme, du genre échassier *(Charadriidés),* appelé scientifiquement *tringoïde* ou *actitis. La guignette fréquente à l'automne les rivages marins.*

On pourrait dire que la guignette n'est qu'un petit bécasseau, tant il y a de ressemblance entre ces deux oiseaux pour la forme et même pour le plumage (...) La guignette vit solitairement le long des eaux, et cherche, comme les bécasseaux, les grèves et les rives de sable (...) BUFFON, Hist. nat. des oiseaux, La guignette.

HOM. 1. **Guignette.**

GUIGNIER [giɲje] n. m. — 1508, *guynier;* de 1. *guigne.*

♦ Régional. Variété de cerisier qui produit les guignes.

GUIGNOL [giɲɔl] n. m. — 1847, *Gazette de Lyon;* du nom du canut lyonnais *Guignol,* var. *Chignol,* dont Mourguet, vers la fin du XVIIIe, fit le héros de son théâtre de marionnettes à Lyon, de *guigner* « cligner de l'œil » exprimant la malice du personnage.

♦ **1.** Marionnette* à gaine sans fil, animée par les doigts d'un opérateur caché, de la tradition lyonnaise de Mourguet.

Maurice et Lambert ont fabriqué un théâtre de marionnettes, qui est vraiment quelque chose d'étonnant (...) Ils ont une vingtaine de personnes à eux et ils font parler et gesticuler tout ce monde de guignols de la façon la plus divertissante. 1
G. SAND, Lettre à A. de Bertholdi, déc. 1848, *in* A. MAUROIS, Lélia, p. 413.

♦ **2.** (1866). Théâtre de marionnettes (⇒ **Castelet**) où l'on joue des pièces dont Guignol est le héros; ces pièces. *Mener ses enfants au Guignol, à guignol, à Guignol, à un spectacle de Guignol (de guignol). Un ton de guignol* (→ Farce, cit. 4).

Mais à peine l'un d'eux *(des gendarmes)* apparut-il sur le toit, que la foule, comme les enfants à Guignol, se mit à vociférer, à prévenir la victime. 2
R. RADIGUET, le Diable au corps, p. 19.

À ma droite, devant le point médian de la rangée d'arbres, s'élevait, semblable à un guignol géant, certain théâtre rouge, sur le fronton duquel les mots « Club des Incomparables », composant trois lignes en lettres d'argent, étaient brillamment environnés de larges rayons d'or épanouis dans toutes les directions comme autour d'un soleil. Raymond ROUSSEL, Impressions d'Afrique, p. 2. 3

Fig. *C'est du guignol!* ⇒ **Farce, guignolade.**

♦ **3.** (1856, « cabotin »). Fig. Personne involontairement comique ou ridicule. ⇒ **Pantin.** *Quel guignol que ce type-là! Ne fais donc pas le guignol!* ⇒ **Charlot.** *Les personnages de ce roman ne sont que des guignols.* ⇒ **Marionnette.**

Et tu voudrais que j'écoute l'avis d'un guignol pareil? 4
R. QUENEAU, le Dimanche de la vie, p. 58.

(1880). Pop. Gendarme*.

5 Au marché de Briv'-la-Gaillarde,
A propos de bottes d'oignon,
Quelques douzaines de gaillardes
Se crêpaient un jour le chignon.
À pied, à cheval, en voiture,
Les gendarmes, mal inspirés,
Vinrent pour tenter l'aventure
D'interrompre l'échauffouré.

Or, sous tous les cieux sans vergogne,
C'est un usag' bien établi,
Dès qu'il s'agit d'rosser les cognes
Tout l'monde se réconcili'
Ces furi's, perdant tout'mesure,
Se ruèrent sur les guignols,
Et donnèrent, je vous l'assure,
Un spectacle assez croquignol.
G. BRASSENS, Hécatombe.

DÉR. **Guignolade, guignoler, guignolesque.** — V. **Guignolant.**

GUIGNOLADE [giɲɔlad] n. f. — XXe; de *guignol.* → Guignolerie, 1904, Francis Jammes, *in* T. L. F. qui n'enregistre pas *guignolade.*

♦ **1.** Vieilli. Farce qui ressemble à celle des théâtres de marionnettes. *Cette pièce de boulevard est une petite guignolade sans prétention.*

♦ **2.** Mod. Situation, action, discours ridicule, digne du Guignol. *Une guignolade politique. Arrête tes guignolades! Sa déclaration est une vraie guignolade, une véritable guignolade.*

Action comique, facétieuse, visant à faire rire. *Ce gosse est marrant, il invente des guignolades.*

GUIGNOLANT, ANTE [giɲɔlɑ̃, ɑ̃t] adj. — 1839; altér. de *guignonnant**, de *guignon*, d'après *guignol.*

♦ Pop. et vx. Ennuyeux, désagréable.

GUIGNOLER [giɲɔle] v. intr. — 1918; de *guignol.*

♦ Littér. Faire le guignol.

(...) il avait pris Justin sous son bras et l'entraînait déjà dans la direction du chenil, en guignolant sur ses deux jambes avec une surprenante agilité, pour faire rire le petit. J.-R. BLOCH, Et compagnie, p. 238.

GUIGNOLESQUE [giɲɔlɛsk] adj. — XXe; de *guignol.* → Grand-guignolesque.

♦ Digne du guignol, d'une farce grotesque.

1 *(Les)* « Joueurs » de 1892[1] autour desquels flotte une menace mi-tragique, mi-guignolesque (...) A. BRETON, l'Amour fou, VI, p. 155.

1. Tableau de Cézanne.

2 Et Iglésia ne répondant pas (...) plus que jamais l'air (dans cette burlesque défroque, cette capote démesurée couleur de terre, de bile, dont sortaient ses mains minuscules et son bilieux, terreux visage aquilin) de quelque personnage guignolesque (...) Claude SIMON, la Route des Flandres, p. 155.

COMP. Grand-guignolesque.

GUIGNOLET [giɲɔlɛ] n. m. — 1823; de *guignole,* dér. normand de 1. *guigne* (du gallo-roman **vineola;* cf. P. Guiraud).

♦ Liqueur de cerises. *Un guignolet kirsch, un guignolet cassis :* boisson faite de guignolet et de kirsch, de cassis. — Appos. *Un vermouth guignolet.*

1 — Je n'ai justement plus de fine, mes bons messieurs; mais j'ai encore du guignolet. J. ROMAINS, les Copains, III.

2 Fidèle aux vieux usages, Mme Laudet ne laissa pas sa ferme suivre la mode que prirent alors beaucoup de fermes du Centre qui, pour rivaliser avec les marchands de vin, vendirent de l'absinthe et du vermouth guignolet. PROUST, Jean Santeuil, Pl., p. 352.

GUIGNON [giɲɔ̃] n. m. — 1609; de *guigner* « regarder de côté, ou de travers », d'où, « de façon défavorable »; le mot évoque l'idée de « mauvais œil ». → 2. Guigne.

♦ Fam. Mauvaise chance persistante (au jeu, dans la vie...). ⇒ **Cerise,** 2. **guigne** (fam.); **malchance.** *Avoir du guignon, être en guignon. Être poursuivi par le guignon. Porter le guignon à quelqu'un,* lui porter malheur. *Quand le guignon s'en mêle, rien ne réussit* (→ Fatalité, cit. 13). — *Le Guignon,* titre de poèmes de Baudelaire et de Mallarmé.

1 Je ne sais, ma très chère, comme vous pourriez croire que votre présence fût un obstacle à la fortune de vos frères (...) vous n'êtes guère propre à porter guignon. Mme DE SÉVIGNÉ, Lettres, 816, 5 juin 1680.

2 Il y a, dans l'histoire littéraire (...) de vraies damnations, — des hommes qui portent le mot *guignon* écrit en caractères mystérieux dans les plis sinueux de leur front. BAUDELAIRE, E. A. Poe, sa vie et ses œuvres, I.

3 Ceux qui disent : « J'ai du guignon », sont ceux qui n'ont pas encore eu assez de succès et qui l'ignorent (...) il n'y a pas de guignon. Si vous avez du guignon, c'est qu'il vous manque quelque chose : ce quelque chose, connaissez-le (...) BAUDELAIRE, l'Art romantique, IV.

4 Ils courent sous le fouet d'un monarque rageur,
Le Guignon, dont le rire inouï les prosterne. MALLARMÉ, Poésies, « Le guignon ».

CONTR. Bonheur, chance, veine (fam.).
COMP. Enguignonné.
DÉR. Guignonnant.

GUIGNONNANT, ANTE [giɲɔnɑ̃, ɑ̃t] adj. — 1754; de *guignon.*

♦ Vieilli. Qui inspire le dépit par son caractère de mauvaise chance obstinée ou cruelle. *C'est guignonnant !*

Le pauvre jeune homme est sans fortune et amoureux fou, voilà qui est *guignonant.* STENDHAL, Romans et Nouvelles, « Féder », p. 1281.

GUILDE [gild] ou **GILDE** [ʒild] n. f. — 1788; *ghilde, in* Littré, *Suppl.* 1877; *gelde,* XIIe; lat. médiéval *gilda, ghilda,* empr. au moy. néerl. *gilde* « troupe, corporation ».

♦ **1.** Association de secours mutuel entre marchands (⇒ **Hanse**), artisans, bourgeois, au moyen âge.

La gilde était avant tout une association de secours mutuels, de protection, d'assurances contre toutes sortes d'accidents; une étroite solidarité unissant les membres d'une gilde liés entre eux par un serment. Elle avait en outre des fonctions religieuses (...) M. PROU, *in* Encycl. BERTHELOT, art. *Gilde.*

♦ **2.** (Mil. XXe). Mod. (Toujours *guilde*). Association destinée à procurer à ses adhérents des conditions commerciales particulières. *La Guilde du disque.*

GUILDIVE [gildiv] n. f. — 1698; altér. angl. *kill-devil* (1639), de *to kill* « tuer », et *devil* « diable ».

♦ Vx. Tafia*.

GUILI-GUILI [giligili] n. m. — Av. 1910, Renard; onomatopée.

♦ Fam. Faire guili-guili à quelqu'un, le chatouiller (→ Areu, a-reu). *Cela me fait des guili-guilis :* cela me chatouille. ⇒ **Gouzi-gouzi.** — REM. On fait parfois le mot invariable : *« des guili-guili consternants ».* → Bestiaux, cit. 8, J.-L. Bory.

GUILLAGE [gijaʒ] n. m. — 1757; de *guiller.*

♦ Techn. (Vx). Fermentation de la bière, lorsqu'elle pousse la levure hors du fût.

GUILLAUME [gijom] n. m. — 1506; provençal; nom propre. Technique.

♦ **1.** Outil pour le travail du bois, rabot* à lame étroite aussi large que le fût. — Outil (de plâtrier, de maçon, ...) comparable au rabot de menuisier, mais dont la lame est montée en bout de fût. *Le guillaume est notamment utilisé pour creuser l'emplacement des plinthes.*

♦ **2.** (1832). Gros tamis pour grener la poudre.

GUILLEDIN [gij(ə)dɛ̃] n. m. — 1534; altér. de l'angl. *gelding* « eunuque, animal châtré ».

♦ Vx. Cheval hongre d'origine anglaise.

GUILLEDOU [gijədu] n. m. — 1620, *courir le guildrou,* 1640; orig. incert., p.-ê. de l'anc. franç. *guiller* « tromper, séduire ». → Guilleret et doux, adv.

♦ Loc. fam. *Courir le guilledou :* aller en quête d'aventures galantes* (cit. 18). ⇒ **Prétentaine.**

Moi, je vous croyais des maîtresses à la douzaine, des danseuses, des actrices, des duchesses, rapport à vos absences (...) Qu'en vous voyant sortir, je disais toujours à Cibot : Tiens, voilà monsieur Pons qui va courir le guilledou ! BALZAC, le Cousin Pons, Pl., t. VI, p. 647.

Un coureur (rare : *une coureuse*) *de guilledou.*

GUILLEMET [gijmɛ] n. m. — 1677 (le signe apparaît pour la première fois en 1527); de *Guillaume,* imprimeur qui inventa ce signe, d'après Ménage.

♦ **1.** Signe typographique consistant en un petit crochet courbe ou anguleux et que l'on emploie par paires (« ... ») pour isoler un mot, un groupe de mots, un passage, etc., cité, rapporté, ou simplement mis en valeur. (Presque toujours au plur.). *Mettre une citation entre guillemets. Ouvrir, fermer les guillemets :* inscrire la paire de signes correspondant au début («) ou à la fin (») de la citation. *Guillemets ouvrants, fermants.* — *Guillemets anglais,* simples et courbes (dans ce sens, *un guillemet ouvrant, fermant*).

Dans l'écriture, les guillemets indiquent qu'on cite textuellement des paroles : *L'aïeule regarda déshabiller l'enfant, disant : « Comme il est blanc ! approchez donc la lampe ! »* (V. H., Chât., Nuit du 4). F. BRUNOT, la Pensée et la Langue, p. 342. 1

Vous abrégez sous cette forme et mettez entre guillemets une phrase qui, dans mon texte, est plus longue, mais qui, je le reconnais, prête à équivoque. La voici (...) F. PORCHÉ, Lettre à Gide, *in* GIDE, Corydon, Appendice, p. 201. 2

Vous et moi, nous écrivons « Je ne sais rien », à la bonne franquette. Mais supposons que j'entoure ce *rien* de guillemets. Supposons que j'écrive, comme M. Bataille : « Et surtout "rien", je ne sais "rien". » Voilà un *rien* qui prend une étrange tournure (...) il se détache et s'isole, il n'est pas loin d'exister par soi. SARTRE, Situations I, p. 183. 3

Les ensembles cohérents de symboles passent assez bien d'une langue à l'autre, d'une "culture" à une autre « culture » (pour autant qu'il y ait "culture", d'où les guillemets). Henri LEFEBVRE, la Vie quotidienne dans le monde moderne, p. 18. 4

Il ne faut pas confondre les parenthèses avec les guillemets ! 5
Exemple :
On dit de quelqu'un qui a les jambes arquées
qu'il les a « en parenthèses » (...)
Pour que l'on puisse dire
qu'il les a « entre guillemets »,
il faudrait y ajouter les bras ! Raymond DEVOS, Sens dessus-dessous, p. 132.

♦ **2.** Loc. *Entre guillemets,* expression propre à souligner qu'on ne prend pas à son compte le mot ou la locution qu'on emploie. *C'est une révolution entre guillemets,* une prétendue révolution.

DÉR. Guillemeter.

GUILLEMETAGE [gijmətaʒ] n. m. — XXe; de *guillemeter.*

♦ Le fait de mettre (un énoncé écrit) entre guillemets.

Le procès du cardinal *(Mindzenty)* n'était pas un scandale, mais un « scandale ». Et peu s'en fallut que le cardinal ne fût « cardinal ». Et pourquoi le mot procès n'était-il pas guillemeté de la même main ?

Pour M. Bergery, le bénéfice des guillemets fut accordé à son serment au maréchal Pétain et à son « loyalisme »; mais sa trahison n'a pas droit aux guillemets, lesquels s'ouvrent et se ferment (...) sous le contrôle de la commission tactique du guillemetage. Jacques PERRET, Bâtons dans les roues, p. 232.

GUILLEMETER [gijməte] v. tr. — Conjug. *jeter.* — 1800; de *guillemet.*

♦ Mettre entre guillemets. *Guillemeter un passage, une citation, un mot. Faut-il guillemeter cette phrase ou la mettre en italique?* — P. p. adj. *Guillemeté, ée* (→ ci-dessus Guillemetage, cit. Perret).

DÉR. Guillemetage.

GUILLEMOT [gijmo] n. m. — 1555, Belon; dimin. de *Guillaume,* surnom de cet oiseau.

♦ Oiseau alciforme *(Palmipèdes; Alcidés)* habitant les régions arctiques. *Petit guillemot.* Syn. : 2. *grylle. Guillemot à capuchon. Le mergule, le macareux sont voisins du guillemot.*

Le guillemot nous présente les traits par lesquels la nature se prépare à terminer la suite nombreuse des formes variées du genre entier des oiseaux. Ses ailes sont si étroites et si courtes, qu'à peine peut-il fournir un vol faible (...) cet oiseau est très peu défiant, il se laisse approcher et prendre avec une grande facilité (...) et c'est de cette apparence de stupidité que vient l'étymologie anglaise de son nom guillemot. BUFFON, Hist. nat. des oiseaux, Le guillemot.

GUILLER [gije] v. intr. — XVe, *ghiller* à Lille; repris 1722; néerl. *gilen* « fermenter ». → Guilloire.

♦ Vx. Techn. Fermenter, en poussant la levure hors du fût (de la bière).

DÉR. Guillage, guilloire.

GUILLERET, ETTE [gijʀɛ, ɛt] adj. — 1460; probablt de même famille que *guilleri**, p.-ê. de l'anc. franç. *guiller, guiler* « tremper ». → Guilledou.

♦ **1.** Qui manifeste une gaieté vive, pétulante. ⇒ **Folâtre, frétillant, fringant; éveillé, gai, vif.** (Surtout dans *tout guilleret*). *Il est tout guilleret dès le matin.* — Par ext. *Air guilleret.* ⇒ **Réjoui.**

1 Petit, trapu, devenu sec, il *(le comte Hulot)* portait sa verte vieillesse d'un air guilleret (...) BALZAC, la Cousine Bette, Pl., t. VI, p. 177.

2 Mais un jour par semaine de bonne humeur ce n'est pas assez et Madeleine n'aimait pas le voir guilleret, parce qu'elle savait que le lendemain soir il rentrerait tout enflambé de colère. G. SAND, François le Champi, II.

3 Un jour elle m'en revint toute guillerette des Armées, et munie d'un brevet d'héroïsme, signé par l'un de nos grands généraux, s'il vous plaît. CÉLINE, Voyage au bout de la nuit, p. 77.

♦ **2.** (Actions, paroles). Un peu libre, léger. ⇒ **Leste.** *Propos guilleret.*

CONTR. Accablé, triste.
DÉR. Guillerettement.

GUILLERETTEMENT [gijʀɛtmɑ̃] adv. — 1845; de *guilleret.*

♦ Rare. De manière guillerette. ⇒ **Gaiment.**

CONTR. Tristement.

GUILLERI [gijʀi] n. m. — 1608; probablt de l'anc. franç. *guiller* « séduire ». → Guilledou, guilleret. Cf. *Compère Guilleri,* personnage de chansons populaires.

Vieux.

♦ **1.** Chant du moineau*.

♦ **2.** (1775). Moineau. *Des guilleris.*

GUILLOCHAGE [gijɔʃaʒ] n. m. — 1765; de *guillocher.*

♦ **1.** Action de guillocher; son résultat. *Guillochage à la main; mécanique, au tour. « Des coins de cuivre d'un guillochage simple et léger »* (Verlaine, *Œ. posthumes, in* T. L. F.).

♦ **2.** Ouvrage guilloché. *Des guillochages anciens.*

GUILLOCHE [gijɔʃ] n. f. — 1866; de *guillocher.*

♦ Techn. Burin* à guillocher.

GUILLOCHER [gijɔʃe] v. tr. — 1557, au p. p.; probablt ital. *ghiocciare,* var. de *gocciare,* de *goccia* « goutte », au sens d'ornement architectural. Hypothèse rejetée par P. Guiraud qui rattache le terme à *guille* « bâton », var. de *quille**, l'ornement n'étant pas en forme de gouttes, mais de traits entrecroisés.

♦ Orner de traits gravés en creux et entrecroisés. *Guillocher une plaque de cuivre, un cadre d'ébène.* — Absolt. *Tour à guillocher.*

Par métaphore ou fig. Orner de fines gravures; orner, ciseler (fig.).

▶ **GUILLOCHÉ, ÉE** p. p. adj.

Orné de traits gravés. *Pièces guillochées, finement guillochées. Boîtier de montre guilloché.*

Il plongea son large pouce et son index dans sa boîte d'argent guilloché (...) 1
BARBEY D'AUREVILLY, les Diaboliques, p. 179.

(...) les petites pipes rentrent dans leurs étuis guillochés, se rattachent aux ceintu- 2
res (...) LOTI, Mme Chrysanthème, LI, p. 279.

Au-dessus de la porte, l'enseigne « Bar Colonial » était peinte en lettres guillochées 2.1
sur fond vert d'eau, et au-dessus de l'enseigne s'ouvrait une fenêtre (...) Claude SIMON, le Vent, p. 45.

Par analogie. Finement décoré, orné (comme par un guillochage).

Le roi tient son sceptre à la main, et porte une robe longue, guillochée et rama- 3
gée avec une délicatesse inconcevable. Th. GAUTIER, Voyage en Espagne, p. 35.

Point de rose sur la joue un peu creuse, ni sous la paupière que la fatigue, le cli- 4
gnement fréquent ont, déjà, délicatement guillochée (...) COLETTE, la Vagabonde, p. 126.

N. m. *Du guilloché :* ouvrage de guillochis.

DÉR. (Du v.) **Guillochage, guilloche, guillocheur, guillochis, guillochure.**

GUILLOCHEUR [gijɔʃœʀ] n. m. — 1756; de *guillocher.*

♦ Techn. Ouvrier, artiste qui guilloche. ⇒ **Graveur.** — Fig. *« Un guillocheur de mots »* (Vallès, *in* T. L. F.). — REM. Le fém. *guillocheuse* est virtuel.

GUILLOCHIS [gijɔʃi] n. m. — 1555; de *guillocher.*

♦ Techn. Ornement formé de traits graves *(guillochures)* entrecroisées avec régularité, symétrie. *Un fin guillochis.*

Petit à petit, les délicates sculptures, les guillochis merveilleux de cette architecture de fées s'oblitèrent, se bouchent et disparaissent. Th. GAUTIER, Voyage en Espagne, p. 175.

GUILLOCHURE [gijɔʃyʀ] n. f. — 1858, Barbey d'Aurevilly, *in* T. L. F.; de *guillocher.*

♦ Techn. Chacun des traits, des entrecroisements de traits formant un guillochis*. *Les guillochures d'un boîtier de montre.*

C'était une vieille alliance d'or, un de ces bijoux de grosse joaillerie commune, si 1
usée, que les guillochures en avaient presque disparu. ZOLA, la Terre, IV, IV.

Elle avait aux pieds des sabots noirs, à guillochures, d'un modèle élégant. 2
J. ROMAINS, les Hommes de bonne volonté, t. XXI, XI, p. 200.

GUILLOIRE [gijwaʀ] — Déb. XVIe, *gluloire;* de *gluler;* altér. de *ghiller, guiller.* → Guiller.

♦ Vx. Techn. Cuve dans laquelle on mélangeait les moûts, les levures de brasserie, avant fermentation (l'opération se fait aujourd'hui dans la cuve de fermentation).

GUILLON [gijɔ̃] n. m. — 1616; forme dial. à rapprocher de *guille* (XVIe) et de *guillotte* (1869, Jura), même sens; de l'anc. haut all. *Kegil* « quille ».

♦ Régional (Suisse). Fausset* de tonneau.

(Il a) vidé son verre. Il l'a vidé tout d'un coup, puis le remplit de nouveau, faisant aller de côté la manette du petit robinet de cuivre qu'ils appellent guillon (...) — et dans le verre se tient la vérité. C.-F. RAMUZ, Passage du poète, *in* Œ. compl., t. X, p. 137.

GUILLOTINADE [gijɔtinad] n. f. — 1797; de *guillotiner,* p.-ê. d'après *noyade.*

♦ Action de guillotiner (un condamné à mort). — Exécution par guillotine. ⇒ **Guillotinage, guillotinement.**

(...) le souvenir de l'hôtel de la rue d'Artois, où lors de la guillotinade de son père, il y eut une visite de deux commissaires (...) Ed. et J. DE GONCOURT, Journal, t. II, p. 168.

GUILLOTINAGE [gijɔtinaʒ] n. m. — 1790; de *guillotiner.*

♦ Exécution capitale au moyen de la guillotine. *Le guillotinage des condamnés par le bourreau. Un guillotinage collectif, pendant la Terreur.* ⇒ **Guillotinade.**

GUILLOTINE [gijɔtin] n. f. — 1790; du nom de *Guillotin,* médecin qui préconisa par souci humanitaire l'usage de cet instrument de supplice, utilisé en Italie dès le XVIe, pour remplacer la décapitation au sabre, à la hache.

♦ **1.** Instrument de supplice servant à trancher la tête des condamnés à mort, par la chute d'un couperet qui glisse entre deux montants verticaux. ⇒ **Échafaud, justice** (bois de); fam. **bascule,** (à Charlot), **béquillarde** (béquillard, 3.), **faucheuse, monte à regret,**

veuve; → Charrette, cit. 2; exécuteur, cit. 5. *Préconisée par Guillotin en 1789, la guillotine fut mise au point en 1791 par le docteur Louis* (on l'appela d'abord la *Louison,* la *Louisette*) *et adoptée en France le 20 mars 1792. Parties de la guillotine :* montants, lame (⇒ **Couperet, couteau, mouton**), planches maintenant le cou du condamné (⇒ **Lunette**). *Dresser* (cit. 9) *la guillotine.*

1 Vous avez sur le cou une ligne rouge que je vois. La guillotine vous attend. Oui, vous mourrez en place de Grève. BALZAC, Melmoth réconcilié, Pl., t. IX, p. 293.

2 La *guillotine* est la concrétion de la loi; elle se nomme *vindicte;* elle n'est pas neutre et ne vous permet pas de rester neutre. Qui l'aperçoit frissonne du plus mystérieux des frissons. Toutes les questions sociales dressent autour de ce couperet leur point d'interrogation.
HUGO, les Misérables, I, I, IV (→ Échafaud, cit. 6).

3 Isabel fut condamné à mort, son recours en grâce fut rejeté. Il mourut sur la guillotine de mort violente, en avance de quelques mois sur une grande partie de ses contemporains. P. MAC ORLAN, Quai des brumes, X, p. 159.

(1872). Le supplice* de la guillotine. ⇒ **Décapitation, exécution.** *Condamner* (cit. 16), *envoyer un criminel à la guillotine* (→ Couteau, cit. 17). *Être partisan de la guillotine.*

Loc. *Guillotine sèche :* peine de déportation ou de relégation à vie. ⇒ **Bagne.**

♦ **2.** (1830, *in* D. D. L.). À GUILLOTINE. *Fenêtre à guillotine,* dont le châssis glisse verticalement entre deux rainures et peut se retenir en l'air, au moyen de tourniquets (ou birloirs). *En Grande-Bretagne, la plupart des fenêtres sont à guillotine. Porte à guillotine. — Cisaille à guillotine,* montée sur un long manche. — *Obturateur photographique à guillotine.*

4 Par la fenêtre à guillotine, on voyait un coin de ciel noir, entre les toits pointus.
FLAUBERT, Mme Bovary, III, I.

5 (...) dans la généralité des chambres au dessous de cinq francs par semaine les fenêtres ferment très mal, et on sent le vent de dedans son lit la nuit. Les fenêtres anglaises sont à guillotine et s'ouvrent de bas en haut, en assez mauvais état généralement dans les dites chambres.
Germain NOUVEAU, Lettre à sa sœur, 30 mars 1892, *in* Correspondance, Pl., p. 901.

♦ **3.** Petit couperet. — Spécialt. Faucille pour récolter le goémon.

♦ **4.** (Mil. XXe). Élément de noms composés; indique que la situation, l'action est marquée par une sorte d'automatisme brutal. ⇒ **Hache.** *Un examen-guillotine. Un contrôle-guillotine.*

DÉR. Guillotiner.

GUILLOTINEMENT [gijɔtinmɑ̃] n. m. — 1790; de *guillotiner.*

♦ Rare. Le fait de guillotiner (qqn). ⇒ **Guillotinage.**

GUILLOTINER [gijɔtine] v. tr. — 1790; de *guillotine.*

♦ Faire mourir, exécuter par le supplice de la guillotine. ⇒ **Décapiter, raccourcir** (fam.); **couper, faucher, trancher** (la tête de...)

1 (...) la veille de sa mort, Danton disait avec sa grosse voix : C'est singulier, le verbe « guillotiner » ne peut pas se conjuguer dans tous ses temps; on peut bien dire : je serai guillotiné, tu seras guillotiné, mais on ne dit pas : j'ai été guillotiné.
STENDHAL, le Rouge et le Noir, XLII.

2 (...) si l'on admet la discontinuité de l'être, comment guillotinera-t-on un criminel, puisqu'il est évident que l'homme qui a assassiné et celui qu'on mène à l'échafaud sont différents? DANIEL-ROPS, le Monde sans âme, VII, p. 215.

▶ **GUILLOTINÉ, ÉE** p. p. adj. *Assassin guillotiné.* — N. *Le cadavre d'un guillotiné.*

3 Le rêve secret d'une bonne partie de la France, et de la plupart de ses intellectuels, c'est une guillotine sans guillotinés.
MALRAUX, Antimémoires, Folio, p. 130.

DÉR. Guillotinade, guillotinage, guillotinement, guillotineur.

GUILLOTINEUR [gijɔtinœʀ] n. m. — 1790; de *guillotiner.*

♦ Celui qui guillotine (⇒ **Bourreau, exécuteur**) ou est responsable de condamnations à la guillotine. *« Plutôt cent fois être guillotiné que guillotineur »,* mot attribué à Danton.
Partisan de la guillotine.

REM. Le fém. *guillotineuse* est virtuel.

GUIMAUVE [gimov] n. f. — XIIIe; *wild malve,* XIIe; d'un premier élément *gui-,* issu du lat. *hibiscus* (grec *hibiskos* « mauve ») avec infl. du germanique **wihsila* (→ Gui), et de *mauve* « qui a été ajouté pour éviter une confusion de sens » (Bloch).

♦ **1.** Plante dicotylédone dialypétale *(Malvacées),* scientifiquement appelée *Althea,* herbacée, vivace, à tige plus haute et à feuilles plus petites que la mauve*. *Les fleurs, les feuilles, les racines de guimauve ont des propriétés émolientes. Guimauve officinale. Guimauve rose* (Althea rosea) : la rose trémière. *Infusion, sirop de guimauve.*

♦ **2.** (1811). *Pâte de guimauve :* pâte molle et sucrée (que l'on vendait notamment dans les foires).

1 (...) il *(le miel)* a la fermeté et la consistance de la pâte de guimauve.
CHATEAUBRIAND, Itinéraire..., I, p. 182.

Guimauve : pâte de guimauve. *Mou comme de la guimauve.*

Il était mou, comme en guimauve; sa main fondait dans celle qu'on lui tendait. 2
GIDE, Journal, 7 oct. 1942, p. 30.

♦ **3.** Fig. *Un style en guimauve,* fade et inexpressif. *Une sentimentalité, une littérature à la guimauve. C'est de la guimauve, de l'eau de rose. « Une sorte de vomissement musical (...) une sorte de guimauve sans nom, sans sexe et sans âge... »* (Montherlant, *les Célibataires,* p. 843).

GUIMBARDE [gɛ̃baʀd] n. f. — 1625, « danse », puis « instrument de musique », *à la guimbarde,* 1622, t. de mode; provençal mod. *guimbardo* « danse », p.-ê. de *guimba* « sauter » (→ Guibolle, regimber). Soulignant le caractère péjoratif des t. provençaux apparentés (« boiteux »), P. Guiraud suggère un composé par juxtaposition de rad. syn. (« sauter, glisser en travers »).

♦ **1.** (1739). Petit instrument de musique rudimentaire, fait de deux branches de fer que l'on maintient dans la bouche et d'une languette métallique que l'index fait vibrer.

Il n'est si mince râcleur de guitare, si lourd marteleur d'ivoire (...) qui ne prétende arriver à l'aisance et à la renommée en donnant des concerts. Un homme a donné à Paris un concert sur la *guimbarde de...* 0.1
H. BERLIOZ, les Soirées de l'orchestre, 2, p. 46.

Un gars que la pelade avait rendu chauve comme César, serrait entre ses dents une guimbarde qu'il tenait de la main gauche, tandis que de la droite il faisait vibrer son instrument pour accompagner le cantique. 1
APOLLINAIRE, l'Hérésiarque..., p. 154.

Péj. Instrument de musique rudimentaire, de mauvaise qualité, et, spécialt, mauvaise guitare* (cit. 7).

De l'antique guimbarde qui a nom piano dans ce mauvais lieu, elles *(ses mains)* tirent des sons inouïs, angéliques, et l'on croirait que les baguettes de feutre et les cordes assoupies se sont plongées aussi dans la fontaine de jeunesse. 1.1
André HARDELLET, Lourdes, lentes..., p. 111.

♦ **2.** (1771). Techn. Petit rabot de menuisier, d'ébéniste, pour aplanir le fond des creux.

♦ **3.** [a] (1723). Vx. Long chariot* couvert à quatre roues.

[b] (1862). Mod. Mauvaise voiture, vieille automobile délabrée. ⇒ **Tacot.** *Une guimbarde cahotante* (cit. 1). *Une affreuse guimbarde* (→ Patache, cit. 3). *Il a vendu sa vieille guimbarde. De vieilles guimbardes de wagons* (→ Gémir, cit. 12).

C'était une affreuse guimbarde, cela était posé à cru sur l'essieu; — il est vrai que les banquettes étaient disposées à l'intérieur avec des lanières de cuir; — (...) les roues étaient rouillées et rongées d'humidité (...) 2
HUGO, les Misérables, I, VII, V.

(...) le vétérinaire, qui montait dans sa vieille guimbarde disloquée (...) 3
ZOLA, la Terre, I, III.

En d'autres mains que celles de son vieux chauffeur, cet engin, qui était franche et détestable guimbarde, eût donné à rire. Mais ce poussif et démodé teuf-teuf (...) prouvait au contraire que la possession des plus récentes mécaniques est le fait des marchands de cochons enrichis (...) G. CHEVALLIER, Clochemerle, p. 226. 4

♦ **4.** (1671). Vx. Femme méprisable (encore cour. au XIXe : Zola, *l'Assommoir*).

DÉR. Guimbardier.

GUIMBARDIER, IÈRE [gɛ̃baʀdje, jɛʀ] n. — 1848, cit.; de *guimbarde.*

♦ Rare. Instrumentiste qui joue de la guimbarde (1.).

Comme maintenant tout virtuose, guimbardier ou autre, qui a *fait Paris,* c'est-à-dire qui y a donné un concert tel que (...) croit devoir voyager (...)
H. BERLIOZ, les Soirées de l'orchestre, 2, p. 47.

REM. La variante *guimbardiste* est attestée (Veuillot, 1866, *in* T. L. F.).

GUIMBRI [gɛ̃bʀi] n. m. — 1860; arabe d'Afrique du Nord *gunbarī.*

♦ Didact. (mus.). Instrument à corde d'Afrique du Nord, proche de la guitare. *Des guimbris. « Au son des* guimbris, *des* darboukas » (Alphonse Daudet, *in* T. L. F.).

GUIMPE [gɛ̃p] n. f. — 1564; *guimple,* v. 1135; du francique **wimpil.* Cf. all. *Wimpel* « banderole ».

♦ **1.** Partie du costume des religieuses, Morceau de toile qui couvre la tête, encadre le visage, cache le cou et la gorge. ⇒ **Barbette.**

Elles sont vêtues de noir, avec une guimpe qui, selon la prescription expresse de saint Benoît, monte jusqu'au menton. HUGO, les Misérables, II, VI, II. 1

♦ **2.** (1840). Cour. Chemisette* de femme, corsage sans manches, très montant, en tissu léger. *Guimpe de tulle, de dentelle. Guimpe froncée, plissée, à col brodé. Guimpe qui enserre* (cit. 3) *le cou jusqu'aux oreilles* (→ Modestie). — *Robe à guimpe, en guimpe.*

Cependant la reine se pâmait de rire à une fenêtre, dans sa haute guimpe de Malines aussi raide et plissée qu'un éventail. 2
Aloysius BERTRAND, Gaspard de la nuit, VIII, p. 90.

Le costume est tout noir, varié à peine par une draperie de dentelle blanche sur les bras et les épaules. Une guimpe haut-montante cache le cou. 3
SAINTE-BEUVE, Causeries du lundi, 28 juil. 1851, t. IV, p. 382.

Elle porte une guimpe de tulle noir maintenue autour du cou par des baleines qui entrent dans la chair, à la base du maxillaire. Cela lui fait un port de tête très droit. Roger VAILLAND, Bon pied, bon œil, p. 50. 4

(xxe). Plastron formant dos, porté avec une robe décolletée, une veste de tailleur.

DÉR. Guimper.

GUIMPER [gɛ̃pe] v. tr. — V. 1170, *soi guimpler; de guimpe.*

★ **I.** Vx. ♦ **1.** Vêtir d'une guimpe.

♦ **2.** (1691). Par ext. Mettre (une fille) au couvent.

★ **II.** (xxe). Techn. Recouvrir (un fil) de plusieurs fils torsadés. — Au p. p. *Galon guimpé.*

GUINCHE [gɛ̃ʃ] n. f. et m. — 1821; déverbal de *guincher.*

♦ **1.** N. f. (1821). Pop. Danse.

♦ **2.** N. m. (fém., 1879; masc., 1885). Pop. Bal. *Aller au guinche.*

J'ai encore bifurqué par l'avenue Mathurin-Moreau pour passer devant les anciennes Folles-Buttes, un guinche disparu depuis longtemps, et où j'avais quelques bons souvenirs aussi. A. SIMONIN, Touchez pas au grisbi, p. 110.

GUINCHER [gɛ̃ʃe] v. intr. — 1821, «danser dans un cabaret», par ext. 1866; p.-ê. var. de l'anc. franç. *guenchir* «esquiver, obliquer», du francique **wenkjan* «vaciller, chanceler». → Gauchir.

♦ Pop. ou fam. et plais. Danser. *Tu viens, on va guincher.* ⇒ **Gambiller.**

Je la ferai danser un peu, mais je ferai attention. C'est surtout pour la compagnie. Elle m'a dit qu'elle aimait beaucoup guincher quand elle était jeune. Guincher, monsieur Salomon, ça veut dire danser.
É. AJAR, l'Angoisse du roi Salomon, p. 100.

DÉR. Guinche, 1. guincheur.

1. GUINCHEUR, EUSE [gɛ̃ʃœʀ, øz] n. — xxe; de *guincher.*

♦ Pop. Danseur. *« Les grandes fêtes organisées par les professionnels du plaisir rassemblent des milliers de personnes. La faune en satin-paillettes côtoie le guincheur de banlieue »* (*l'Express*, 1er sept. 1979, p. 93).

HOM. 2. Guincheur.

2. GUINCHEUR [gɛ̃ʃœʀ] adj. et n. m. — 1878; de *guincher* (xvie), *guenchir* (xiie) «s'esquiver, se dérober»; germanique *wankjan*, all. *wanken* «vaciller», du francique **wenkjan.* → Gauchir, guincher.

♦ Hippol. Se dit d'un cheval* qui en s'approchant de l'écurie frappe du pied et cherche à mordre. *Cheval guincheur.*

HOM. 1. Guincheur.

GUINDAGE [gɛ̃daʒ] n. m. — 1386; de *guinder*, I.

♦ Mar. Action de guinder; d'élever un fardeau, un mât avec un palan.

GUINDAILLE [gɛ̃daj] n. f. — 1880; mot wallon, p.-ê. de *godaille* d'après *guinse* «beuverie», du francique *winst* «profit», ou d'après *guindal**.

Régional (Belgique).

♦ **1.** Réunion où l'on s'amuse. — Repas bien arrosé (d'où *guindailler*, v. intr. et *guindailleur, euse*, n.).

♦ **2.** Spécialt. Réunion et beuverie d'étudiants, accompagnée de chants et de plaisanteries.

Sur sa tête, il portait sa vieille casquette d'étudiant aux insignes vert-de-gris. Le vernis de la visière s'était craquelé et, sur la coiffe, la bière des guindailles passées avait tracé des ronds concentriques d'une couleur indécise.
G. ROSNEL (G. RAHLENBEEK), Histoires estudiantines, p. 38 (1888).

1. GUINDAL [gɛ̃dal] n. m. — xiie; de *guinder*, I.

♦ Techn. Appareil à soulever des fardeaux.

HOM. 2. Guindal.

2. GUINDAL [gɛ̃dal] n. m. — 1844, Esnault; dial. *guindôle*, d'après Chautard, orig. obscure.

♦ Argot. Verre à boire. Contenu du verre. *Avoir un guindal dans le pif.*

Pierrot, qui pensait réellement à tout, nous y avait fait disposer (dans l'appartement) un petit assortiment de flacons, rhum, fine, marc, whisky, avec des guindals à grande capacité (...) A. SIMONIN, Touchez pas au grisbi, p. 93.

REM. On trouve aussi *guinde* [gɛ̃d] n. m. (xxe).

HOM. 1. Guindal.

GUINDANT [gɛ̃dɑ̃] n. m. — 1643, *gindant;* p. prés. de *guinder.*

♦ Mar. *Guidant de mât :* hauteur comprise entre les jottereaux et le pont supérieur, ou entre la noix et le chouque du mât inférieur. *Guindant d'une voile :* hauteur le long du mât d'une voile carrée ou aurique. *Le guindant, la chute* (II., 2.), *la bordure* (3., b) *d'une voile. Guindant de pavillon :* hauteur d'un pavillon du côté fixé à la hampe, par oppos. à la longueur nommée *ballant**.

1. GUINDE [gɛ̃d] n. f. — xiiie, «coiffure de femme»; de *guinder.*

♦ Techn. Petite grue à bras. — (Théâtre). Cordage pour attacher les éléments d'un décor.

HOM. 2. Guinde; formes du v. guinder.

2. GUINDE [gɛ̃d] n. f. — xxe; étym. inconnue; p.-ê. de *guindeau* «treuil», par le sémantisme «machine bruyante».

♦ Argot. Voiture. ⇒ **Tire.**

Quand je ne savais pas encore conduire et que je sentais la fatigue de mon homme au volant, je regardais la route, en serrant les doigts, pour redresser la guinde (...)
A. SARRAZIN, la Cavale, p. 230.

HOM. 1. Guinde; formes du v. guinder.

GUINDÉ, ÉE [gɛ̃de] p. p. adj. ⇒ **Guinder.**

GUINDEAU [gɛ̃do] n. m. — 1642; *vindas*, v. 1155; *guindas*, xiie, de *guinder.*

♦ Mar. Petit cabestan* horizontal servant à lever les ancres. (On dit aussi *guindas.*) *Virer au guindeau.*

(...) en cinq minutes notre pont fut balayé de bout en bout, la chaloupe et la muraille de tribord furent enlevées, et le guindeau lui-même mis en pièce. 1
BAUDELAIRE, Trad. E. POE, les Aventures d'A. Gordon Pym, VIII.

En effet, on entendait distinctement le cliquetis du linguet qui frappait sur le guindeau, à mesure que virait l'équipage du brick. 2
J. VERNE, l'Île mystérieuse, t. II, p. 636.

GUINDER [gɛ̃de] v. tr. — xiie, *windé*, p. p.; *winder*, v. 1155; empr. au scandinave *winda* «hausser».

★ **I.** ♦ **1.** Mar. Hisser* (un mât) au moyen d'un palan* (⇒ **Guinderesse**). *Guinder un mât de hune.*

Au tiers du châssis, sur l'avant, se dressait un mât très élevé, sur lequel s'enverguait une immense brigantine. Ce mât, solidement retenu par des haubans métalliques, tendait un étai de fer qui servait à guinder un foc de grande dimension. 0.1
J. VERNE, le Tour du monde en 80 jours, p. 280.

♦ **2.** Élever (un fardeau) avec une machine (grue, poulie...). ⇒ **Élever, hisser, lever; guindage, 1. guindal.** — Plus génér. Hisser. — Au p. p. *Colonnes guindées sur d'énormes bases* (→ Écraser, cit. 16).

Sinon, il consentait d'être en place publique 1
Guindé, la hart *(corde)* au col, étranglé court et net (...)
LA FONTAINE, Fables, VI, 19.

(...) nous admirâmes les peines qu'ils eurent sans doute à guinder leur canon si haut (...) 2
SAINT-SIMON, Mémoires, t. I, XXIII.

Pron. *Se guinder sur ses pattes* (→ Contrefaire, cit. 6).

Plus haute encore, dans les rochers dépouillés de végétation, est une petite grotte où nous autres hommes nous nous sommes guindés, non sans quelques écorchures. 2.1
STENDHAL, Mémoires d'un touriste, II, p. 167.

♦ **3.** Par métaphore (vx). ⇒ **Hausser.** — Pron. *Se guinder :* se hisser, se hausser.

(...) les machines qui l'avaient guindé si haut (...) sont encore toutes dressées pour le faire tomber dans le dernier mépris (...) LA BRUYÈRE, les Caractères, VIII, 32. 3

Il mit cinq ans à l'achever et parachever, et ce ne fut pas sans peine qu'il le guinda à cette hauteur de ridicule souverain et inaccessible où nous le voyons. 4
Th. GAUTIER, les Grotesques, IV, p. 136.

Pourquoi jouer avec moi-même une dangereuse comédie, uniquement pour me guinder jusqu'à des couronnes que je pourrais fort bien manquer (...) 5
J.-A. DE GOBINEAU, les Pléiades, I, I, p. 10.

♦ **4.** (xxe). Techn. (théâtre). Utiliser une guinde pour attacher un élément de décor.

★ **II.** (xvie). Fig. Littér. Donner une élévation, une tenue factice qui s'accompagne de raideur, d'un manque de naturel. *Guinder son allure. « Guinder son style »* (Académie). — Pron. (1837). Plus cour. (mais seul le p. p. est usuel). *Se guinder :* devenir guindé (→ *infra*, Guindé). *Se guinder pour dire de bons mots.* ⇒ **Travailler** (se).

Sa dignité se guinda, sa royauté la rendit précieuse et quintessenciée. 6
BALZAC, Illusions perdues, Pl., t. IV, p. 500.

7 Elles *(les lettres de Saint-Évremond et de Ninon)* sont d'une parfaite sincérité, et la nature humaine ne s'y déguise et ne s'y guinde en rien (...)
SAINTE-BEUVE, Causeries du lundi, 26 mai 1851, t. IV, p. 185.

8 Le récit se guinde un peu et tout ce qu'on nous rapporte du héros prend l'allure d'informations solennelles et publicitaires. SARTRE, Situations I, p. 20.

▶ **GUINDÉ, ÉE** p. p. et adj.

★ **I.** (Correspondant au sens I de l'actif). → ci-dessus.

★ **II.** (Au sens II). ♦ **1.** (1666). Personnes. Qui manque de naturel en s'efforçant de paraître digne, grave, d'un niveau supérieur. — Par ext. Peu naturel, mal à l'aise. ⇒ **Contraint, gourmé.** *Personne guindée.* ⇒ **Affecté, étudié** (→ Collet* monté). *« Cet homme est toujours solennel* et guindé »* (Académie, art. *Solennel*). *Avoir un air guindé.* → Avoir l'air d'avoir avalé* sa canne; être toujours monté sur ses échasses*. *Être guindé dans une tenue de cérémonie.* ⇒ **Corseté, engoncé, raide.**

9 Il est guindé sans cesse; et dans tous ses propos,
On voit qu'il se travaille à dire de bons mots. MOLIÈRE, le Misanthrope, II, 4.

10 Il n'a rien de vrai, ni de naturel, il est guindé et outré en tout (...)
FÉNELON, Dialogues des morts, Anc. dial., 24.

♦ **2.** (1654). Affecté, ampoulé. *Style guindé.* ⇒ **Académique, apprêté, boursouflé, empesé, emphatique, pompeux.** *Écrivain guindé* (→ Alambiquer, cit. 5). — N. m. (Littér.). *Le guindé d'un style, d'un comportement.*

11 À beaucoup d'égards, nous préférons la piété amusante et spirituelle de Pierre Camus, l'ami de François de Sales, à la tenue raide et guindée qui est devenue plus tard la règle du clergé français (...) RENAN, Souvenirs d'enfance..., IV, I.

12 (...) les quelques pages que j'avais écrites à Neuchâtel; elles se ressentent de l'effort et le ton m'en paraît guindé. GIDE, Journal, 5 janv. 1948, p. 282.

13 Y a-t-il un art de ne pas lasser? *Le grand secret est le naturel.* Toute posture guindée est pénible à tenir et d'ailleurs toujours sans beauté.
A. MAUROIS, Un art de vivre, II, 5.

♦ **3.** (1580). Serré (dans ses vêtements).

14 Trapu, un peu guindé dans des vêtements noirs (...)
MARTIN DU GARD, les Thibault, t. V, p. 93.

♦ **4.** Par métaphore. (Choses). Raide comme une personne guindée.

15 Malgré sa Rambla plantée d'arbres, ses belles rues alignées, Barcelone a un air un peu guindé et un peu roide, comme toutes les villes lacées trop dru dans un justaucorps de fortifications. Th. GAUTIER, Voyage en Espagne, p. 288.

16 Je vois une grande bâtisse muette, guindée dans sa solennité provinciale.
SARTRE, les Mouches, I, 2.

CONTR. Abaisser, descendre. — Laisser (aller). — Aisé, naturel.

DÉR. Guindage, 1. guindal, guindant, 1. guinde, guindeau, guinderesse.

GUINDERESSE [gɛ̃dʀɛs] n. f. — 1525; de *guinder.*

♦ Mar. Gros cordage ou fil d'acier pour guinder un mât.

GUINDRE [gɛ̃dʀ] n. m. — 1600; p.-ê. ital. *guindola* « dévidoir », mot germanique, mais l'altér. en *-indre* est obscure.

♦ Techn. Éléments d'un dévidoir à soie où se forme la « flotte » de soie. ⇒ **Tavelle.**

GUINÉE [gine] n. f. — 1669; au sens I; angl. *guinea* « guinée »; de *Guinea* « Guinée », n. géographique.

★ **I.** Ancienne monnaie anglaise valant 21 shillings, ainsi nommée parce que les premières pièces furent frappées avec de l'or de Guinée. *La guinée, remplacée par le souverain (sovereign) en 1817, n'est plus de nos jours qu'une monnaie de compte.* ⇒ **Souverain.**

1 Il s'en vengea en véritable Anglais, et en homme à qui les guinées ne coûtaient pas grand-chose.
CHAMFORT, Caractères et anecdotes, Belle leçon et belle fête..., p. 225.

★ **II.** (1682; *toile de Guinée,* 1662; de *Guinée* p.-ê. parce que les toiles grossières servaient au troc avec les Africains). Vx. Pièce de toile de coton de qualité courante. *Guinées de Pondichéry.*

2 (...) des ordres de faire travailler à des assortiments de toiles, guinées, salempouris et bétilles. Fr. MARTIN, Journal, II, p. 290 (1682).

GUINETTE [ginɛt] n. f. — 1552, *guynette,* repris 1780; de *guinée.* Cf. *poule de Guinée,* 1555.

♦ Vx. Pintade.

GUINGAN [gɛ̃gɑ̃] n. m. — 1701, p.-ê. port. *guingaõ,* du malais *guingong,* tamoul *Kindan.*

♦ Vx. Fine toile de coton, importée des Indes (XVIIIe-XIXe siècles).

GUINGOIS (DE) [degɛ̃gwa] loc. adv. — 1440; *de gingois;* selon Wartburg, de la famille de *gigoter, gigue,* rad. germanique *gîga* « violon » (→ Gigot), avec nasalisation *(ginguer).* P. Guiraud préfère rattacher le terme au francique **wenkjan* (var. **wingjan*). → Guigner, guincher.

♦ Fam. De travers. ⇒ **Obliquement, travers** (de). *« Cette planche, cette console est placée de guingois »* (Académie). *Vous êtes assis tout de guingois, installez-vous confortablement!*

Dinarzade, son épée de guingois, à la façon de Frédéric II, debout entre une roue de la voiture et la croupe d'un cheval (...) 1
CHATEAUBRIAND, Mémoires d'outre-tombe, t. II, p. 50.

Toujours assis de guingois, comme sur un bras de fauteuil. 2
GIDE, Journal, 14 juil. 1930.

(...) la tête coiffée d'un chapeau melon beige de guingois sur le sommet du crâne (...) P. MAC ORLAN, Quai des brumes, VIII, p. 122. 3

Fig. *Aller de guingois.* ⇒ **Mal.**

Oui, tout est mal arrangé, rien ne s'ajuste à rien, ce vieux monde est tout déjeté, je me range dans l'opposition. Tout va de guingois (...) 4
HUGO, les Misérables, IV, XII, II.

REM. Toutes les éditions du *Dictionnaire* de l'Académie donnent depuis 1694 comme sens premier *guingois,* n. m., défini par « ce qui n'est point droit », sans l'illustrer d'aucune citation d'auteur. *« Il y a du guingois dans cette construction »* (Littré). *« Il y a un guingois dans ce jardin »* (Académie, 8e éd.). Cet emploi de *guingois,* n. m., qui n'est attesté ni au XVe ni au XVIe est rarissime dans l'usage moderne (un ex. de Huysmans, *in* T. L. F.).

CONTR. Droit.

GUINGUETTE [gɛ̃gɛt] n. f. — 1694; fém. de *guinguet* « étroit » (d'un habit); *maison guinguette,* XVIIIe; de l'anc. franç. *ginguer* « sauter », rad. germanique *gîga.* P. Guiraud préfère rattacher le t. au francique **wenkjan* par l'intermédiaire d'un germanique **winkan.* → Guincher, guingois (de).

♦ **1.** Café (cit. 5), cabaret populaire où l'on consomme et où l'on danse, le plus souvent en plein air dans la verdure. ⇒ **Auberge, bal, bastringue** (cit. 1), **estaminet** (→ Étourdissement, cit. 8). — REM. Le mot connote les distractions populaires et le milieu urbain, à la fin du XIXe s. et au XXe avant 1940. *Guinguette de banlieue au bord de l'eau. Guinguette où l'on se retrouve le dimanche pour danser. Tonnelles, charmilles d'une guinguette. Orchestre de guinguette.* — *La Guinguette,* tableau de Van Gogh.

La guinguette, sous sa tonnelle 1
De houblon et de chèvrefeuil,
Fête, en braillant la ritournelle,
Le gai dimanche et l'argenteuil.
Th. GAUTIER, Émaux et Camées, « Carnaval de Venise », I.

Il y a une guinguette au bord de l'eau, un type boit, on voit sa casquette, son verre et son long nez au-dessus de la charmille. SARTRE, la Mort dans l'âme, p. 279. 2

♦ **2.** (Déb. XVIIIe). Vx. Maison de campagne.

Personne ne pouvait comprendre une dépense si prodigieuse pour une simple guinguette, puisque une maison au milieu d'un champ, sans terres, sans revenu, sans seigneurie, ne peut avoir d'autre nom (...) SAINT-SIMON, Mémoires, t. III, LXI. 3

À ce jardin était jointe une guinguette assez jolie qu'on meubla suivant l'ordonnance. ROUSSEAU, les Confessions, V. 4

GUIPAGE [gipaʒ] n. m. — 1867; de *guiper.*

Technique.

♦ **1.** Action de guiper.

♦ **2.** (1883). Gaine isolante entourant un fil électrique.

GUIPER [gipe] v. tr. — 1350; francique *wipan* « entourer de soie ».

♦ **1.** Passementerie. Passer un brin de soie, de textile (sur ce qui est déjà tors). — (1866). Travailler avec le guipoir*. *Guiper des franges,* les tordre au guipoir.

♦ **2.** (1845). Techn. Imiter (sur vélin) la dentelle nommée guipure*.

♦ **3.** (XXe). Électr. Entourer (un fil électrique) d'un isolant.

DÉR. Guipage, guipoir, guipon, guipure.

GUIPOIR [gipwaʀ] n. m. — 1723; de *guiper.*

♦ Techn. Outil de passementier, pour faire des torsades.

GUIPON [gipɔ̃] n. m. — 1777; *guispon,* XVIIe; « goupillon », de *guiper,* 1342.

♦ **1.** Mar. Balai fait de morceaux d'étoffe ou de fils de caret fixés au bout d'un manche, qui sert à laver le plancher ou à étendre le goudron sur les carènes.

♦ **2.** (1791; tannerie). ⇒ **Gipon,** 2.

DÉR. V. Gipon.

GUIPURE [gipyʀ] n. f. — XVIIe; *ghippure,* 1393; de *guiper.*

♦ **1.** Dentelle sans fond dont les motifs sont séparés par de grands vides. ⇒ **Dentelle** (cit. 3). *Guipure de fil, de soie; au fuseau, à l'aiguille, au crochet. Barrettes, boucles, picots, fleurs d'une guipure. Guipure de Venise, guipure point de rose. Guipure d'Irlande,* *de Flandre, du Puy. Guipure point Colbert. Guipure fabriquée à la machine. Faire de la guipure* (→ Enserrer, cit. 3). *Volants de guipure* (→ Emprisonner, cit. 5). *Chemisier de guipure. Rideaux de guipure.*

1 (...) d'autres femmes se penchaient pour regarder, dans leurs robes aux manches noires à crevés blancs serrés de perles ou ornés de guipures.
PROUST, À l'ombre des jeunes filles en fleurs, Folio, p. 566.

♦ **2.** (XIXe). Fig. Ce qui rappelle la guipure par l'aspect ajouré et délicat. *Les guipures légères de l'architecture gothique* (→ Chant, cit. 3).

2 La rosée avait laissé sur les choux des guipures d'argent avec de longs fils clairs qui s'étendaient de l'un à l'autre. FLAUBERT, Mme Bovary, I, IX.

GUIRLANDAGE [giʀlɑ̃daʒ] n. m. — XXe; de *guirlande* ou de *guirlander.*

♦ Techn. Torsade de fils textiles autour d'un câble électrique servant d'isolant.

GUIRLANDE [giʀlɑ̃d] n. f. — 1540; *guerlande,* 1403; l'ital. *ghirlanda* qui a remplacé l'anc. franç. *garlande, galande* (→ Galandage) vient du provençal, lui-même d'un francique **wiara* «parure de fils d'or», par un v. **wiarôn.* → aussi Galon, galonner.

★ **I.** ♦ **1.** Cordon décoratif de végétaux naturels ou artificiels, de papier découpé... que l'on pend en feston, que l'on enroule en couronne, etc. *Faire, tresser une guirlande, des guirlandes. Guirlande de roses* (→ Entêter, cit. 2), *de fleurs entrelacées. Guirlande de feuilles, de verdure* (→ Botanique, cit. 3). *Entourer qqch. de guirlandes.* ⇒ **Enguirlander.** *Bœufs couronnés* (cit. 17) *de guirlandes. Guirlande enroulée autour d'une colonne. Accrocher des guirlandes aux murs. Les guirlandes du sapin de Noël. Guirlandes tricolores tendues en travers des rues, des places, aux fêtes du 14 Juillet.*

1 Pourquoi ces festons, ces fleurs, ces guirlandes? Où courait cette foule (...)?
FLAUBERT, Mme Bovary, II, VIII.

2 J'ai entendu des cordes de clocher à clocher; des guirlandes de fenêtre à fenêtre; des chaînes d'or d'étoile à étoile, et je danse. RIMBAUD, Illuminations, Phrases.

3 C'est dans la salle de bal du *Café de la Poste* qu'on l'a jugé hier soir. Il y avait encore les branches de sapin de notre dernier concert, les guirlandes tricolores en papier (...) R. DORGELÈS, les Croix de bois, IX.

(XIXe). Représentation de ce cordon de végétaux dans les arts décoratifs (peinture, sculpture...). *Guirlande sculptée de feuilles d'acanthe* (cit. 2). *Peinture allégorique encadrée de guirlandes. Tissu, papier orné de guirlandes de roses. Fleurs en semis et en guirlandes sur une porcelaine.*

4 Des guirlandes de fleurs richement sculptées et d'un beau caractère serpentent à travers les glaces et descendent le long en festons.
BALZAC, Mémoires de deux jeunes mariées, Pl., t. I, p. 135.

5 Une guirlande de fleurs se jouait sur le lambris (...)
A. DE MUSSET, Nouvelles, «Margot», III.

6 Une guirlande de roses pompon circulait coquettement autour d'une glace de Venise (...) Th. GAUTIER, Omphale, *in* Fortunio, p. 233.

♦ **2.** (XIXe). Végétation qui présente l'aspect de guirlandes. *Les guirlandes du lierre, de la glycine. Roses en guirlandes qui bordent une allée* (→ Dôme, cit. 3).

♦ **3.** Série, alignement qui évoque une guirlande. ⇒ **Feston.** *Une guirlande de diamants* (→ Amphithéâtre, cit. 2). *Candélabres* (cit. 2) *rangés en guirlande.*

7 Ils apercevaient sur l'autre rive, devant une muraille faite d'arcades aveugles, et ourlée d'une guirlande d'arbres, les tonneaux de Bercy rangés par centaines comme des moutons. J. ROMAINS, les Hommes de bonne volonté, III, XIX, p. 266.

Fig. *La Guirlande de Julie,* recueil de madrigaux composés pour Mlle de Rambouillet, ainsi nommé parce que chaque feuillet était orné d'une fleur.

♦ **4.** Fig. et littér. Ornements inutiles. ⇒ **Fioriture.**

★ **II.** (1704). Mar. (Par anal. de forme). Pièce de bois courbe qui sert de liaison à l'avant, en dedans de l'étrave, et à l'arrière d'un navire.

DÉR. Guirlandage, guirlander.
COMP. Enguirlander.

GUIRLANDER [giʀlɑ̃de] v. tr. — XVIe; de *guirlande.*

♦ Vx. Orner de guirlandes. ⇒ **Enguirlander.**

Des tours portant des faisceaux de tourelles, guirlandées de clochetons; des donjons travaillés comme de la dentelle.
J.-A. DE GOBINEAU, Nouvelles asiatiques, p. 282.

DÉR. Guirlandage.

GUISARME [gizaʀm] n. f. — V. 1150; *jusarme,* fin XIe; orig. incert. p.-ê. francique *wîsarm* «sorte d'arme».

♦ Archéol., hist. Arme médiévale, à lame asymétrique prolongée en dague et munie d'un ou deux crochets.

DÉR. Guisarmier.

GUISARMIER [gizaʀmje] n. m. — XVe; de *guisarme.*

♦ Hist. Soldat armé d'une guisarme.

GUISE [giz] n. f. — V. 1050; *wise,* v. 980; d'un germanique *wîsa* «manière».

♦ **1.** Vx ou archaïque (dans *en cette guise, de telle guise, à la guise de...*). ⇒ **Façon, manière, sorte.**

La tortue enlevée, on s'étonne partout 1
De voir aller en cette guise
L'animal lent et sa maison. LA FONTAINE, Fables, X, 2.

Notre amour est de telle guise que vous ne pouvez mourir sans moi, ni moi sans vous. J. BÉDIER, Tristan et Iseult, XIX, p. 216. 2

♦ **2.** Loc. mod. [a] **À MA, TA, SA... GUISE :** selon son goût, sa volonté propre. *Laissez chacun vivre, agir à sa guise.* → Comme il l'entend*; à son gré*, à sa fantaisie*. *Ils peuvent aller et venir à leur guise. À votre guise :* comme vous voudrez. → Comme bon* vous semble, comme il vous plaira*. *Il n'en fait qu'à sa guise,* à sa tête*.

Les poètes font à leur guise (...) MOLIÈRE, Amphitryon, Prologue. 3

Il ne voulait étudier qu'à sa guise, se révoltait souvent, et restait parfois des heures entières plongé dans de confuses méditations (...) 4
BALZAC, Sarrasine, Pl., t. VI, p. 93.

(...) enivrez-vous sans cesse! De vin, de poésie ou de vertu à votre guise. 5
BAUDELAIRE, le Spleen de Paris, XXXIII.

(...) il ne faut point dire que nous transformons les faits à notre guise. 6
PAULHAN, Entretiens sur des faits divers, III, p. 81.

En parlant des choses, des sentiments...

(...) Laissons faire à leur guise 7
Le bonheur qui s'enfuit et l'amour qui s'épuise.
VERLAINE, Jadis et Naguère, «Circonspection».

[b] Loc. prép. **EN GUISE DE :** en manière de..., comme. *«On lui a donné ce petit emploi en guise de consolation»* (Académie).

Certains se sont levés avant l'aube. Ceux qui l'ont fait de leur plein gré, pour un plaisir ou en guise de prouesse (...) 8
J. ROMAINS, les Hommes de bonne volonté, t. III, XVII, p. 228.

À la place de... (en parlant d'une chose qui en remplace une autre, fait l'office d'une autre). — REM. Avec *en guise de,* le nom n'est jamais précédé de l'article. *Il portait un simple ruban en guise de cravate. Boire de l'orge en guise de café. Flacon fermé par des herbes en guise de bouchon* (→ Fiasque, cit. 1).

(...) des murs gris, presque noirs, sans fenêtres, percés, en guise de portes, de trous carrés (...) E. FROMENTIN, Un été dans le Sahara, II, p. 111. 9

(...) on l'aurait prise pour un garçon, vêtue, en guise de robe, d'une vieille blouse à son père, serrée autour de la taille par une ficelle. ZOLA, la Terre, I, III, p. 39. 10

Jacques, pour écrire, s'asseyait généralement sur son lit, un atlas sur les genoux en guise de pupitre. MARTIN DU GARD, les Thibault, t. V, p. 21. 11

COMP. Déguiser.

GUITARE [gitaʀ] n. f. — 1349; *quitarre,* v. 1275; esp. *guitarra* (1330) et arabe *gītṭarāh,* grec *kithara.* → Cithare.

★ **I.** ♦ **1.** Instrument de musique à six (ou cinq) cordes que l'on pince avec les doigts. ⇒ **Gratte,** I., 4. (fam.). *La guitare rappelle le violon par la forme mais possède à la place des ouïes une ouverture circulaire ou rosace*; son manche est divisée en cases pour guider l'emplacement des doigts* (⇒ **Touche, touchette**). *D'origine orientale, la guitare est devenue l'instrument national de l'Espagne. Jouer, racler de la guitare. Solo de guitare flamenco* (ou *flamenco*); *sérénade, romance à la guitare. Guitare espagnole,* à cinq cordes. *Chanter en s'accompagnant d'une guitare* (→ Apporter, cit. 10; aubade, cit. 1; basque, cit. 2). *Œuvres classiques pour luth ou clavecin interprétées à la guitare. — La guitare est beaucoup utilisée en jazz. — Chorus* de guitare. Guitare basse.* ⇒ 1. **Basse,** 2. *Mauvaise guitare.* ⇒ **Guimbarde** (vx).

(...) déjà le son des guitares causait de l'inquiétude aux pères, et alarmait les maris jaloux (...) A. R. LESAGE, le Diable boiteux, I. 1

On jugeait encore à ses traits et à la vivacité de ses yeux, qu'elle devait avoir fait racler bien des guitares. A. R. LESAGE, Gil Blas, VII, VII. 2

(...) le prince touchait languissamment les cordes de sa guitare (...) 3
A. DE VIGNY, Cinq-Mars, XIX.

L'orchestre, composé d'une grande et d'une petite guitare, d'une espèce de violon aigu et de trois ou quatre paires de castagnettes, commença à jouer les jotas et les fandangos indigènes (...) G. SAND, Un hiver à Majorque, III, I, p. 167. 4

Guitare électrique, dont le son est amplifié électriquement. — *Guitare sèche,* sans amplificateur.

Abusivt. Instrument à cordes pincées ou grattées. ⇒ **Balalaïka, banjo, cithare, guiterne, guzla, luth, lyre, mandoline, turlurette.** *Guitare arabe, orientale,* dont la vibration provient du glissement d'une pièce de métal sur le manche. ⇒ **Guimbri.** *Guitare hawaïenne,* aux sons gémissants. ⇒ **Ukulele.**

5 (...) une petite guitare arabe, à trois cordes, au ventre en calebasse et au long manche d'ébène et d'ivoire, qui servit à la Péri dans sa scène de séduction musicale (...) Th. GAUTIER, Portraits contemporains, Marilhat, p. 240.

Par comparaison :

6 (...) les nerfs d'Isabelle, frémissants comme les cordes d'une guitare qu'on vient de pincer (...) Th. GAUTIER, le Capitaine Fracasse, XVI, p. 174.

7 Si la sensibilité est une sorte de guitare que nous avons en nous-mêmes et que les objets extérieurs font vibrer, on a tant raclé sur cette pauvre mienne guimbarde que quantité de cordes en sont cassées depuis longtemps (...)
FLAUBERT, Correspondance, 449, 28 déc. 1853, t. III, p. 419.

♦ **2.** Par métonymie. Guitariste. *La guitare est excellente, dans cette section rythmique.*

♦ **3.** Musique pour la guitare; jeu de la guitare. *Apprendre la guitare classique, la guitare espagnole. Guitare de jazz.*

★ **II.** (1858). Fig. Vx. Rengaine, banalité rebattue. *« C'est la même guitare »* (Académie, 1932). ⇒ (mod.) **Disque.** *Autre guitare !*

★ **III.** (1866). Techn. Assemblage des bois utilisés dans la construction des toits des lucarnes.

DÉR. Guitariser, guitariste.

GUITARISER [gitaʀize] v. intr. — 1654; de *guitare.*

♦ Vx (et iron.). Jouer de la guitare.

GUITARISTE [gitaʀist] n. — 1821, *in* D. D. L.; de *guitare.*

♦ Personne qui joue de la guitare. *Un grand, une grande guitariste. Guitariste classique. Guitariste de jazz. Guitariste flamenco. Guitariste qui joue de la guitare basse.* ⇒ **Bassiste.**

GUITERNE [gitɛʀn] n. f. — 1280; altér. de *guitarra.* → Guitare.

★ **I.** Ancien instrument à sept cordes grattées, voisin de la guitare, en usage aux XVIe et XVIIe siècles (→ Braillement, cit. 3).

★ **II.** (1694). Mar. (Vx). Arc-boutant* qui soutient une machine à mâter.

GUIT-GUIT [gigi] ou [gitgit] n. m. — 1734, dans un texte lat.; 1760; probablt onomatopée.

♦ Petit oiseau *(Passereaux)* d'Amérique tropicale, dont le mâle a un plumage noir brillant.

GUITOUNE [gitun] n. f. — V. 1860; *guitoun,* 1838, in *Rev. des deux mondes;* arabe d'Algérie *gęyṭọn* « tente ».

♦ **1.** Argot milit. Tente de campement, et, par ext. (1914), abri de tranchée. ⇒ **Gourbi.**

1 (...) notre guitoune, petite cave basse, sentant le moisi et l'humidité , où l'on trébuche sur des boîtes de conserves vides et des chiffons sales (...)
H. BARBUSSE, le Feu, I, II.

2 Le caporal Gilieth surveillait et aidait ses hommes qui installaient les guitounes devant les écuries. P. MAC ORLAN, la Bandera, XII, p. 148.

♦ **2.** (Mil. XXe). Cour. Tente (en général). *Une guitoune de campeur. On va monter la guitoune.*

♦ **3.** (1901). Fam. Maison. *« C'était de la meulière leur guitoune... »* (Céline, *Mort à crédit,* Pl., p. 553). ⇒ **Cagna.** Chambre.

GUITRAN [gitʀɑ̃] n. m. — 1671 ; arabe *gitrān,* qui a donné *goudron*.*

♦ Mar. (Anciennt). Bitume dont on enduisait les carènes.

Et les sabords lustrés de cuivre et de guitran (...)
VERHAEREN, Multiple splendeur, p. 106.

GUIVRE [givʀ] n. f. — 1080; lat. *vipera,* avec infl. germanique pour le *gu-,* comme *guêpe.* → Vouivre.

♦ Vx. (Jusqu'au XVe). Serpent fantastique. — (Mil. XIIIe, *vuivre*). Mod. (Blason). ⇒ **Serpent.**

(...) comme une vipère dressée sur sa queue, comme la guivre du blason des Sforza (...) BARBEY D'AUREVILLY, Une vieille maîtresse, I, XI.

DÉR. Guivré.

GUIVRÉ, ÉE [givʀe] adj. — 1611 ; de *guivre.*

♦ Blason. Orné de guivres, d'une tête de guivre.

GULAIRE [gylɛʀ] adj. — 1842; dér. sav. du lat. *gula* « gueule ».

♦ Zool. Qui est près de la gueule, de la bouche. *Plaques gulaires* (poissons).

GULDEN [gyldɛn] n. m. — 1704; mot holl. « florin », du moy. haut all. *guldên phennic* « monnaie en or ».

♦ Pièce de monnaie hollandaise en or, valant un florin* (on dit aussi *guilder* [gildɛʀ]).

GULF STREAM [gœlfstʀim] n. m. — 1803, *Golfe-strême;* mot angl., de *gulf* « golfe », et *stream* « courant ».

♦ Courant chaud de l'océan Atlantique *(le Gulf Stream),* et, par ext. (littér.), courant chaud *(Gulf Stream, un gulf stream).*

La mer a ses fleuves comme les continents. Ce sont des courants spéciaux, reconnaissables à leur température, à leur couleur, et dont le plus remarquable est connu sous le nom de courant du Gulf Stream.
J. VERNE, Vingt mille lieues sous les mers, 1877, p. 142.

GUMÈNE [gymɛn] n. f. — 1512; *agumene,* mil. XVe; *gume,* 1359, *goume,* v. 1320; ital. *gumena,* lat. médiéval *agumena, agumina,* p.-ê. de l'arabe *ǧuml* « câble ».

♦ **1.** Mar. (Vx). Câble d'ancre.

♦ **2.** Blason. Ce câble, représenté dans l'eau.

GUMMI [gymi] n. m. — 1946; mot all., abrév. de *Gummiknüppel* « matraque *(Knüppel)* en caoutchouc ». → Gomme.

♦ Argot. ⇒ **Goumi.**

GUMMIFÈRE [gymifɛʀ] adj. — 1845; de *gummi-,* de *gomme,* et *-fère.*

♦ ⇒ **Gommifère.**

GUNITAGE [gynitaʒ] n. f. — 1952, *in* Höfler; de *guniter.*

♦ Techn. Procédé de revêtement par projection de mortier.

GUNITE [gynit] n. f. — V. 1940; mot angl., de *gun* « canon ».

♦ Techn. Mélange de sable et de ciment projeté comme enduit (pour remettre en état des constructions en béton armé, etc. : opération du *gunitage*).

DÉR. Guniter.

GUNITER [gynite] v. tr. — Mil. XXe; de *gunite.*

♦ Techn. Revêtir (une façade) par gunitage.

DÉR. Gunitage.

GUPPY [gypi] n. m. — Mil. XXe (1925, en angl.); du nom de R. J. Lechmere *Guppy,* qui fit le premier parvenir un spécimen au British Museum.

♦ Zool. et cour. Petit poisson téléostéen dulcicole (n. sc. : *Lebistes reticulatus;* famille des Cyprinodontidés), originaire d'Amérique tropicale, qui peut s'élever en aquarium. *Sa rapidité de reproduction et le nombre des variétés obtenues, toutes richement colorées, font du guppy l'une des espèces les plus prisées des aquariophiles. Aliments spéciaux pour guppys. Le mâle du guppy, parfois appelé* poisson arc-en-ciel, *est utilisé pour la destruction des larves des moustiques qui propagent la malaria.*

GURU [guʀu] n. m. ⇒ **Gourou.**

GUS [gys] n. m. — 1954, argot milit.; de *Gugusse, Auguste;* l'anc. argot *gus* « fripon » (1904), du provençal, de même orig. que *gueux,* est sans doute un autre mot.

♦ **1.** Argot milit. Simple soldat. ⇒ **Bidasse.** → Gazier, griveton.

♦ **2.** Fam. Type, mec. ⇒ **Gugusse.** — *Faire le gus :* faire des pitreries. ⇒ **Charlot, guignol.**

J'veux bien qu'il aille déjà eu des petits incidents de parcours en Asie, seulement ça se passait chez des gus pas catholiques du collier.
SAN-ANTONIO, J'ai essayé : on peut !, p. 20.

GUSTATIF, IVE [gystatif, iv] adj. — 1503; dér. sav. du supin du lat. *gustare* « goûter ».

♦ Qui a rapport au goût*. *Nerf gustatif. Récepteur gustatif,* bourgeon du goût *(bourgeon gustatif)* des papilles de la langue. *Les papilles* (cit. 2) *gustatives. Perte de la sensibilité gustative.* ⇒ **Agueusie.** *Impression gustative* (→ Excitabilité, cit. 3). *Audition* gustative.* — Plais. Bon, excellent.

— Après? J'en rotais. C'était tellement gustatif que je m'en suis fourré jusque-là.
R. QUENEAU, le Dimanche de la vie, p. 191.

GUSTATION [gystɑsjɔ̃] n. f. — 1530; du lat. impérial *gustatio*, du supin de *gustare* « goûter ». → Dégustation.

♦ Didact. Perception des saveurs par le goût. *Les papilles gustatives, organes de la gustation, avec l'ensemble des muqueuses de la bouche.*

GUSTOMÉTRIE [gystɔmetʀi] n. f. — XXe; du lat. *gustare* « goûter », et de *-métrie*.

♦ Méd. Mesure de l'intensité des sensations gustatives (par divers procédés; surtout : courants électriques de faible intensité appliqués sur la langue).

DÉR. Gustométrique.

GUSTOMÉTRIQUE [gystɔmetʀik] adj. — Mil. XXe; de *gustométrie*.

♦ Méd. De la gustométrie. *« Un examen gustométrique révèle un seuil gustatif plus élevé du côté de la tumeur avant même l'apparition d'une atteinte du nerf facial »* (*la Recherche*, févr. 1971, p. 189).

GUT [gyt] n. m. — Mil. XXe; mot angl. « intestin, boyau ». → Catgut.

♦ Anglic. Techn. Fil de pêche en fibres de nylon agglutinées par du vernis.

GUTTA-PERCHA [gytapɛʀka] n. f. — 1845; mot angl. tiré du malais.

♦ Gomme* obtenue par solidification du latex* de certains arbres poussant à Sumatra *(payena, palaquium). La gutta-percha, plastique et extensible, mais non élastique, conduit mal l'électricité et sert d'isolant. Câbles* électriques, téléphoniques, enrobés de gutta-percha. Chatterton*, colles, chaussures et gants isolants en gutta-percha.*

Je m'occupai donc immédiatement de préparer mon ballon. Il était en soie préparée à la gutta-percha, substance inattaquable aux acides et aux gaz, qui est d'une imperméabilité absolue, et son volume — trois mille mètres cubes — lui permettait de s'élever aux plus grandes hauteurs.
J. VERNE, Un drame dans les airs, p. 177.

GUTTE [gyt] n. f. ⇒ **Gomme-gutte.**

GUTTIFÉRACÉES [gytifeʀase] n. f. pl. — 1866; *guttifères*, 1789; du lat. *gutta* « goutte », *-fèr(e)*, et *-acées*.

♦ Bot. Famille de plantes dicotylédones, dialypétales, à étamines hypogynes, qui se trouvent dans les régions tropicales (ordre des guttiférales). Syn. : *clusiacées*, (vx) *guttifères*. — Au sing. *Une guttiféracée.*

GUTTIFÉRALES [gytifeʀal] n. f. pl. — Mil. XXe; de *guttifères*, et suff. *-ales*.

♦ Bot. Ordre de plantes dicotylédones, dialypétales, possédant un appareil sécréteur très développé. *L'ordre des guttiférales comprend plusieurs familles, dont les Hypéricacées* et les Clusiacées** (ou *Guttiféracées*). *Le calophyllum, genre de guttiférales.* — Au sing. *Une guttiférale.*

GUTTIFÈRE [gytifɛʀ] adj. et n. f. pl. — 1789; du lat. *gutta* « goutte », et *-fère*.

♦ **1.** N. f. pl. Bot. Vx. ⇒ **Guttiféracées.**

♦ **2.** Adj. (1886). Minér. Qui se présente sous la forme d'une goutte.

DÉR. Guttiférales.

GUTTURAL, ALE, AUX [gytyʀal, o] adj. — 1542, Rabelais; dér. sav. du lat. *gutur* « gosier ».

♦ **1.** Didact. (méd.). a Qui appartient au gosier. *Artère gutturale.*
b Qui affecte le gosier. *Angine gutturale.*

♦ **2.** (1791). Cour. Caractéristique des sons émis par le gosier, la gorge. ⇒ **Rauque.** *Toux, voix gutturale* (→ Commandement, cit. 4). *Son guttural.*

1 (...) vous la connaissez, cette voix du haschisch? Grave, profonde, gutturale, et ressemblant beaucoup à celle des vieux mangeurs d'opium.
BAUDELAIRE, les Paradis artificiels, Poème du haschisch, III.

2 Otto Schulze (...) s'exprimait dans un français correct, quoique un peu guttural (...) Francis CARCO, les Belles Manières, I, I.

♦ **3.** (1578, *lettres gutturales*). Phonét. (V. 1900). *Consonne gutturale.* — N. f. (1866). *Une gutturale :* « Consonne occlusive qui donne faussement l'impression d'être prononcée "de la gorge" (...) et qui en réalité comporte le relèvement du dos de la langue contre le palais mou ou voile du palais *(g, k...)* ce qui a conduit parfois à préférer pour ce type de consonnes les noms de vélaire* ou post-palatale, et... de laryngale* » (Marouzeau, *Lexique de terminologie linguistique*, p. 104). ⇒ **Vélaire.**

GUYANAIS, AISE [gɥijanɛ, ɛz] adj. et n. — XXe; de *Guyane.*

♦ De la Guyane (ou de la Guyana). *L'économie guyanaise. Créole guyanais.* — N. *Un Guyanais, une Guyanaise.*

GUZLA [gyzla] n. f. — 1791; mot ital., du croate *gusle.*

♦ Mus. Instrument de musique monocorde (à corde unique frottée), en usage chez les peuples dalmates. — *La Guzla*, œuvre de Mérimée.

(...) elle fut arrêtée par le son d'un instrument qu'elle ne connaissait point : elle s'approcha, et vit un vieillard qui promenait régulièrement sur une espèce de guitare, garnie d'une seule corde de crin, un archet grossier, qui en tirait un son rauque et monotone, mais très-bien assorti à sa voix grave et cadencée. Il chantait, en vers esclavons, l'infortune des pauvres Dalmates (...)
Antonia surprise, s'avançait lentement vers le vieillard (...) Le vieux poète la saisit par le bras et sourit (...) Alors, changeant sur-le-champ de mode et de sujet, il se mit à célébrer les douceurs de l'amour et les grâces de la jeunesse. Il ne s'accompagnait plus de la *guzla*, mais il accentuait ses vers avec bien plus de véhémence (...) Charles NODIER, Jean Sbogar, I, chap. II, p. 40, 41-42 (éd. 1818).

GY [ʒi] adv. et interj. — 1562, *gis;* orig. incert., p.-ê. abrév. (*j'y... vais?*).

♦ Argot. Oui; d'accord, entendu. Var. : *gi, ji, jy.*

On s'arrangera. À deux heures, tu passeras prévenir Le Duc chez lui et vous nous retrouverez là-bas, Gy? — Ça boume! René FALLET, le Triporteur, p. 253.

Var. plais. : *Gy-go* (parfois écrit par calembour : *gigot*).

MONSEIGNEUR. (...) Écoute voir!... Aujourd'hui faut plus rien envoyer, on attend la visite des maçons.
Monseigneur tourne la tête dans la direction de la cellule huit...
MONSEIGNEUR. T'as entendu, la huit?...
UN DÉTENU. *Gigot!...* Et merci!
J. BECKER et J. GIOVANNI, Scénario du film Le trou, *in* l'Avant-Scène, n° 13, p. 18.

GYM [ʒim] n. f. — 1878; abrév. de *gymnastique.*

♦ Fam. et scolaire. Gymnastique. *Le cours de gym.*

À six heures, en décembre, à poil, dans la cour, pour la gym!
Roger VERCEL, Capitaine Conan, I, p. 30.

GYMKHANA [ʒimkana] n. m. — 1899, *in* Petiot; mot hindou apparu en angl. en 1861.

♦ **1.** Vx. Fête de plein air, avec des jeux ou des épreuves d'adresse. *Des gymkhanas.*

Il ne se demande même pas s'il est bien juste que la naissance offre à chacun des chances inégales, comme gymkhana où l'un part guidant une autruche et l'autre un cochon d'Inde. Henri FAUCONNIER, Malaisie, p. 195.

♦ **2.** (1914, *in* Höfler). Mod. Épreuve dans laquelle des automobiles, des motocyclettes accomplissent un parcours parsemé d'obstacles bizarrement placés. *Gymkhana automobile, motocycliste.*

GYMNASE [ʒimnaz] n. m. — 1596; *gynnasy*, déb. XIIIe; *gynaise*, XIVe; lat. *gymnasium*, du grec *gumnasion*, de *gumnazein* « dénuder », de *gumnos* « nu ». → Gymn(o)-.

♦ **1.** (1704). Antiq. grecque. Établissement public de culture* physique, d'athlétisme. ⇒ **Académie, palestre.** *Les athlètes* (cit. 2) *grecs, nus ou demi-nus, s'entraînaient dans le gymnase au lancement du disque et du javelot, à la lutte, à la course à pied. Agrès d'un gymnase.* ⇒ **Octogone.** *Portique*, xyste* d'un gymnase.*

(...) il n'y a plus de cité sans gymnase; c'est un des signes auxquels on reconnaît 1
une ville grecque (...) Ce gymnase était un grand carré, avec des portiques et des allées de platanes, ordinairement près d'une source ou d'une rivière, décoré par une quantité de statues de dieux et d'athlètes couronnés.
TAINE, Philosophie de l'art, t. II, p. 190-191.

Les jeunes filles ont des gymnases et s'exercent comme les garçons, nues ou en 2
courte tunique, à courir, à sauter, à jeter le disque et la lance (...)
TAINE, Philosophie de l'art, t. II, p. 188.

♦ **2.** (1757). Mod. Établissement où l'on pratique les exercices du corps, et, spécialt (1888, *in* Petiot), vaste salle aménagée à cet effet, avec tous les appareils nécessaires. *Assister à des séances de culture physique dans un gymnase.*

Dans tous les collèges il faut établir un gymnase ou lieu d'exercices corporels pour 3
les enfants. Cet article si négligé est, selon moi, la partie la plus importante de l'éducation, non seulement pour former des tempéraments robustes et sains, mais encore plus pour l'objet moral, qu'on néglige ou qu'on ne remplit que par un tas de préceptes pédantesques et vains qui sont autant de paroles perdues.
ROUSSEAU, Gouvernement de Pologne, IV.

Un logement pour lui et ses compagnons et un gymnase temporaire avaient été 4
préparés dans une villa au pied de la route qui monte jusqu'à Beachy Head. Tous

les matins ils escaladaient la pente ensemble, couverts de leur sweaters d'exercice, à longues foulées nerveuses d'athlètes déjà bien en souffle.
Louis HÉMON, Battling Malone, p. 99.

4.1 L'odeur de sciure et de poussière des gymnases clos me gênait. Je ne me sentais pas amélioré quand, après les séances, mes biceps brûlaient et que tremblaient mes doigts. Jean PRÉVOST, Plaisirs des sports, p. 21.

Le théâtre du Gymnase, à Paris. *Pièce jouée au Gymnase.*

♦ **3.** En franç. de Suisse (all. *Gymnasium*). École secondaire. ⇒ **Lycée.** *Du gymnase.* ⇒ **Gymnasial.**

♦ **4.** (1596; en Allemagne). Établissement d'enseignement secondaire. ⇒ **Lycée.**

5 Classique! ce mot dit tout. La libre passion, arrangée, expurgée à l'usage des écoles! La vie, cette plaine immense que balayent les vents, renfermée entre les quatres murs d'une cour de gymnase!
R. ROLLAND, Jean-Christophe, La révolte, I, p. 436.

DÉR. (Du sens 3) **Gymnasial, gymnasien.**

GYMNASIAL, ALE, AUX [ʒimnazjal, o] adj. — XXe; de *gymnase.*

♦ Régional (Suisse). Relatif au gymnase.

Dans le secteur gymnasial et de l'enseignement professionnel, les problèmes se posent toujours plus au niveau du canton.
Bulletin officiel des délibérations du Grand Conseil de la République et Canton de Neuchâtel, t. CXXXVIII, p. 394.

GYMNASIARQUE [ʒimnazjark] n. m. — 1630; lat. *gymnasiarchus,* grec *gumnasiarkhos,* de *gumnasion.* → Gymnase.

♦ **1.** Vx. Directeur d'école.

♦ **2.** (1700). Chef d'un gymnase antique. *La gymnasiarquie, fonction de gymnasiarque.*

♦ **3.** (1845). Rare. Professeur ou professionnel de gymnastique. ⇒ **Gymnaste.**

1 C'est un gymnasiarque de première force, un cycliste hors ligne : il a déjà gagné trois ou quatre épreuves d'amateurs. G. DUHAMEL, Salavin, IV, 4 févr.

2 Il ne faudra pas se tenir les poings sur les hanches jusqu'au matin, ni marquer le pas le genou plié devant un gymnasiarque dément.
ARAGON, le Nouveau Crève-cœur, Chanson pour oublier Dachau, p. 82.

GYMNASIEN, IENNE [ʒimnazjɛ̃, jɛn] n. — XXe; de *gymnase.*

♦ Régional (Suisse). Élève d'un gymnase. → Lycéen.

GYMNASTE [ʒimnast] n. — 1534; *ginaste,* adj., XVe; nom du maître de gymnastique de Gargantua; grec *gymnastês,* de *gymnazein* «dénuder». → Gymnase.

♦ **1.** N. m. (1701). Antiq. grecque. Maître qui dirigeait les exercices et formait les athlètes dans les gymnases. ⇒ **Agoniste,** 1.

♦ **2.** (1886). Vx. Professeur de gymnastique.

♦ **3.** (1855). Mod. Professionnel de gymnastique. ⇒ **Acrobate.** *Cirque* qui présente un numéro de gymnastes.* — (1888, *in* Petiot). Personne qui s'adonne régulièrement et avec méthode à la gymnastique. *Équipe de gymnastes. Une gymnaste.*

1 Tomaso Bescapé, plus jeune, avait été un gymnaste émérite... Mais avec l'âge, l'Italien avait été obligé de se rabattre sur des pantomimes d'une gymnastique plus modeste, et dans lesquelles il se contentait de faire quelques cabrioles (...)
Ed. DE GONCOURT, les Frères Zemganno, V.

2 C'était un mobilier complet de sport-boy et de petit gymnaste : trapèze, cordes, barres, poids, haltères, tout ce qu'il faut pour exercer la force d'un enfant et préparer la grâce virile. FRANCE, le Livre de mon ami, I, VI.

3 (...) un bataillon de gymnastes ouvriers dont les maillots clairs et les bras nus trouèrent un instant le déferlement du flot humain.
ARAGON, les Beaux Quartiers, II, XXIX.

Pratiquant, pratiquante de la gymnastique sportive, qui participe aux compétitions dans cette discipline.

GYMNASTIQUE [ʒimnastik] adj. et n. f. — V. 1361, adj. et n. f.; lat. d'orig. grecque *gymnasticus,* grec *gumnastikos,* adj., au fém. substantivé *gumnastikê,* de *gumnazein* «dénuder». → Gymnase, gymn(o)-.

★ **I.** Adj. ♦ **1.** (Rare). Qui a rapport aux exercices du corps (→ Élancé, cit. 2). *Éducation, entraînement gymnastique.*

1 Il s'était souvent mêlé à nos récréations gymnastiques, à mes frères et à moi, et il avait déployé devant nous une vigueur et une souplesse qui tenaient du prodige.
BARBEY D'AUREVILLY, les Diaboliques, «Dessous de cartes...», III.

2 Elle inventa également pour eux toute une série d'exercices gymnastiques alors inconnus : les exercices des *poulies,* des *hottes,* les *lits de bois,* les *souliers de plomb* (...) SAINTE-BEUVE, Causeries du lundi, 14 oct. 1850, t. III, p. 31.

3 (...) et, si aujourd'hui, oubliant nos corps mal venus ou gâtés de plébéiens ou de penseurs, nous voulons retrouver quelque ébauche de la forme parfaite, c'est dans ces statues, monuments de la vie gymnastique, oisive et noble, que nous allons chercher nos enseignements. TAINE, Philosophie de l'art, t. I, p. 74.

♦ **2.** Loc. (1872). *Pas gymnastique :* pas de course cadencé (environ 180 pas à la minute, pour une enjambée de 80 cm) [→ Escouade, cit. 2] → ci-dessous *pas de gymnastique* (plus cour.).

★ **II.** N. f. ♦ **1.** *La gymnastique :* art d'assouplir et de fortifier le corps par des exercices convenables. ⇒ **Culture** (physique), **éducation** (physique); **entraînement** (II.), **sport.** *La gymnastique chez les Grecs.* ⇒ **Agonistique, athlétique, gymnique, orchestique, palestrique, sphéristique.** *Exercices de gymnastique.* ⇒ **Blocage, estrapade, rétablissement, saut, traction** (→ Gymnaste, cit. 1). *Exercices au sol, en gymnastique.* ⇒ **Bascule, pirouette, rondade, roue, roulade, saut.** *S'échauffer avant une séance de gymnastique. Mouvements de gymnastique. Pas de gymnastique* (→ cit. 9 et 10 et, ci-dessus, Pas gymnastique). *Moniteur, professeur de gymnastique. École, société, stade de gymnastique. Salle, halle* (régional) *de gymnastique.* ⇒ **Gymnase.** *Tapis de gymnastique* (tapis de sol); *praticable de gymnastique. Tenue de gymnastique* (maillot, maillot académique, justaucorps, collant, jambières, chaussettes, chaussons, etc.; cf. anglic. *body* [maillot collant]). *Tenue d'entraînement, d'échauffement pour la gymnastique* (short, tricot, sweater, survêtement, sweat-shirt, training, etc.; chaussures : baskets, tennis, trainings). *Appareils et instruments de gymnastique.* ⇒ **Agrès,** 2., **appareil,** II., 1. (et **engin**); **anneau** (anneaux), **barre** (fixe, barres parallèles, barres asymétriques), **cheval** (d'arçons, de saut), **corde** (à grimper), **échelle, espalier, portique, poutre, sautoir, trampoline, trapèze, tremplin, vindas; bâton, canne, exerciseur, extenseur, haltère, medecine-ball,** 3. **mil, xylofer.** — (Qualifié). *Gymnastique acrobatique.* ⇒ **Voltige.** *Gymnastique corrective, médicale, musculative. Gymnastique suédoise. Gymnastique féminine; gymnastique volontaire. Gymnastique harmonique : gymnastique moderne. Gymnastique rythmique* (ou, n. f., *la rythmique*). *Gymnastique rythmique et sportive. Gymnastique éducative, pratiquée en plein air.* ⇒ **Hébertisme.** *Gymnastique d'entretien, pratiquée en musique.* ⇒ **Aérobic** (anglic.). *Gymnastique culturiste.* ⇒ **Body-building** (anglic.), **culturisme, musculation.** *Gymnastique sportive :* la gymnastique compétitive (syn. : *sports gymniques;* s'oppose à *sports athlétiques,* ⇒ **Athlétisme**). *Figures libres, exercices imposés en gymnastique. Les concours olympiques de gymnastique.* — (1721). Exercices de gymnastique. *Faire de la gymnastique respiratoire, abdominale. Faire sa gymnastique tous les matins.* ⇒ **Gym** (fam.).

Il *(l'État)* lui enseignait la gymnastique, parce que le corps de l'homme était une arme pour la cité, et qu'il fallait que cette arme fût aussi forte et aussi maniable que possible. FUSTEL DE COULANGES, la Cité antique, p. 267. 4

À côté de l'orchestrique il y avait en grèce une institution plus nationale encore, et qui était la seconde partie de l'éducation, la gymnastique. 5
TAINE, Philosophie de l'art, t. II, p. 183.

(...) ce que l'on voyait dans les façons, le geste et la pose du Grec, ce n'était pas l'homme de cour, c'était l'homme de la palestre (...) tel que la gymnastique héréditaire dans une race choisie l'avait formé (...) 6
TAINE, Philosophie de l'art, t. II, p. 196.

Satisfaits de leur régime, ils voulurent s'améliorer le tempérament par de la gymnastique. 6.1
Et ayant pris le manuel d'Amoros, ils en parcoururent l'atlas.
Tous ces jeunes garçons, accroupis, renversés, debout, pliant les jambes, écartant les bras, montrant le poing, soulevant des fardeaux, chevauchant des poutres, grimpant à des échelles, cabriolant sur des trapèzes, un tel déploiement de force et d'agilité excita leur envie. FLAUBERT, Bouvard et Pécuchet, Folio, p. 273.

La vraie gymnastique, comme les Grecs l'avaient compris, c'est l'empire de la droite raison sur les mouvements du corps. ALAIN, Propos sur le bonheur, p. 12. 7

(...) il consacra plus de quinze minutes à la gymnastique suédoise. 8
G. DUHAMEL, Chronique des Pasquier, X, VIII.

C'est tout pour aujourd'hui, les gars. À la douche et au pas de gymnastique. 9
SARTRE, la Mort dans l'âme, p. 251.

Roberte m'a tellement pressé que j'ai pris le pas de gymnastique pour venir chez vous. M. AYMÉ, la Tête des autres, I, 12. 10

Par anal. Exercices musculaires intéressant une partie du corps, destinés à corriger certaines imperfections (⇒ **Rééducation**). *Gymnastique oculaire. Gymnastique orthopédique,* corrigeant les déviations de la colonne vertébrale.

♦ **2.** Série de mouvements plus ou moins acrobatiques, mais exécutés sans méthode et à des fins autres que l'éducation physique. *Il faut en faire, une gymnastique, pour monter dans cette voiture!*

Pour apporter les plats, les garçons se livraient à des gymnastiques étranges; ils avaient l'air de saltimbanques tenant des chaises en équilibre sur le bout du nez. 11
Th. GAUTIER, Voyage en Russie, V, p. 61.

Alignés derrière lui en longues files régulières, d'autres burnous répondent, s'inclinent, s'agenouillent, frappent leur front contre la terre, se redressent, chantent, psalmodient, jamais lassés, semble-t-il, de leur sainte gymnastique. 12
Jérôme et Jean THARAUD, Rabat, III, p. 56.

Heureusement pour lui, la gare n'avait ni portes ni barrières, il s'élança donc sur la voie, sauta sur le marchepied de la dernière voiture, et tomba essoufflé sur une des banquettes du wagon. 12.1
Passepartout, qui avait suivi avec émotion les incidents de cette gymnastique, vint contempler ce retardataire.
J. VERNE, le Tour du monde en 80 jours, 1873, p. 242.

♦ **3.** (1778). Fig. Exercices qui permettent de développer une faculté intellectuelle. ⇒ **Exercice, travail** (→ Émeute, cit. 4). *Gymnastique de l'esprit, de la pensée* (→ Escrime, cit. 7; faussaire, cit. 8). — Exercice de virtuosité intellectuelle. *Se livrer à une gymnastique intellectuelle* (→ Approfondir, cit. 12).

La déclamation était une espèce d'apprentissage de l'éloquence appliquée à des sujets anciens ou fictifs, une gymnastique où l'athlète essayait des forces qu'il devait employer dans la suite aux choses publiques (...) 13
DIDEROT, Claude et Néron, I, 1.

14 Il existe en effet, concède-t-il (...) une critique indifférente «qui ne voit dans la gymnastique littéraire qu'une distraction pour son oisiveté» (...)
G. MATORÉ, Introd. à la Préface à Mlle de Maupin de Th. GAUTIER, p. LV.

15 (...) Lucien avait étudié les plaisanteries et les articles des petits journaux. Sûr d'être au moins l'égal des plus spirituels rédacteurs, il s'essaya secrètement à cette gymnastique de la pensée (...). BALZAC, Illusions perdues, Pl., t. IV, p. 664.

16 (...) dans la description des divers exercices, manège, chasse, lutte, natation, Rabelais s'amuse : ces tours de force de maître Gymnaste deviennent, sous sa plume, des tours de force de la langue. La prose française fait là aussi sa gymnastique, et le style s'y montre prodigieux pour l'abondance, la liberté, la souplesse, la propriété à la fois et la verve. Jamais la langue, jusque-là, ne s'était trouvée à pareille fête. SAINTE-BEUVE, Causeries du lundi, 7 oct. 1850, t. III, p. 11.

16.1 M. Lentz, selon le programme du docteur, dans lequel l'enseignement religieux n'était pas oublié, avait fondé plusieurs écoles primaires où les soins du maître tendaient à développer l'esprit de l'enfant en le soumettant à une gymnastique intellectuelle, calculée de manière à suivre l'évolution naturelle de ses facultés.
J. VERNE, les Cinq Cents Millions de la Bégum, éd. Hetzel, p. 185.

17 Dans la souffrance et la dissimulation, elle *(la femme)* s'exerce et s'assouplit, comme à une gymnastique quotidienne pleine de risques (...)
COLETTE, la Vagabonde, p. 36.

18 (...) en ce moment, rien; les vagues de mon cœur sont immobiles. J'ai l'anesthésie d'un assommé. Impossible de prier, impossible de pleurer, impossible de lire. Je vous écris donc, puisqu'une âme livrée à son propre néant n'a d'autre ressource que l'imbécile gymnastique littéraire de la formule.
Léon BLOY, le Désespéré, p. 9.

DÉR. Gymnastiquer.

GYMNASTIQUER [ʒimnastike] v. intr. — 1891, *le Charivari;* de *gymnastique.*

♦ Rare. Faire de la gymnastique. — Par métaphore :

(...) le remuement des chaussons, le clac-clac des talons et le friselis des jupes gymnastiquant pour enjamber les bancs.
A. SARRAZIN, la Cavale, p. 43 (1961-1962).

GYMNIQUE [ʒimnik] adj. et n. f. — 1542; lat. d'orig. grecque *gymnicus.* → Gymn(o)-.

Didactique.

♦ **1.** Qui a rapport aux exercices que les athlètes antiques pratiquaient nus. ⇒ **Gymnastique.** *Combats, jeux gymniques du cirque.* Relatif à la gymnastique sportive. *Exercices gymniques. Sports gymniques.*

1 Entre les combats gymniques, le pugilat était un des plus rudes et des plus périlleux (...) ROLLIN, Hist. ancienne, Œ., t. V, p. 71, *in* POUGENS.

2 *(Chez les Grecs)* La tragédie, la comédie, les chœurs de danse, les jeux gymniques sont une partie du culte. TAINE, Philosophie de l'art, t. II, p. 122.

♦ **2.** N. f. (1723). Didact. Science des exercices du corps propres aux athlètes professionnels. ⇒ **Athlétique** (II.).

GYMNO-

Premier élément, du grec *gumnos* «nu», entrant dans la composition **a** de mots empr. du grec par le latin. ⇒ **Gymnase, gymnaste, gymnastique, gymnique, gymnopédie, gymnosophiste; gymnosperme, gymnote.**

b De mots composés, en sciences naturelles.

GYMNOBLASTE [ʒimnoblast] adj. — 1866; de *gymno-,* et *blaste.*

♦ Bot. Se dit des plantes dont l'embryon n'est pas enfermé dans un sac.

GYMNOCARPE [ʒimnokaʀp] adj. — 1823; de *gymno-,* et *carpe.*

♦ Bot. Se dit des plantes dont le fruit n'est enveloppé d'aucun organe accessoire.

GYMNOGYNE [ʒimnoʒin] adj. — 1866; de *gymno-,* et *-gyne.*

♦ Bot. Se dit des plantes qui portent des ovaires nus.

GYMNOPÉDIE [ʒimnopedi] n. f. — 1865, Taine; grec *gymnopædia,* de *gumno-,* et *-pédie.*

♦ Didact. *Les gymnopédies :* les fêtes annuelles en l'honneur d'Apollon, à Sparte.

(Une gymnopédie). Danse à l'honneur pendant ces fêtes (→ Danse, cit. 8). — *Les Gymnopédies,* pièces pour piano d'Éric Satie.

GYMNOSOMES [ʒimnozom] n. m. pl. — XXe; adj. (zool.) «qui a le corps nu», 1866; de *gymno-,* et *-some,* grec *sôma* «corps».

♦ Zool. Sous-ordre de mollusques dont le corps est sans coquille à l'état adulte. — Au sing. *Un gymnosome.*

GYMNOSOPHISTE [ʒimnosɔfist] n. m. — 1488; lat. *gymnosophistæ,* du grec *gumnosophistai,* n. m. pl., de *gumnos* «nu», et *sophistês* «sage».

♦ Didact. Philosophe d'une ancienne secte hindoue, dont les membres ne portaient pas de vêtements et menaient une vie d'ascètes contemplatifs. ⇒ **Yoga.** — *La gymnosophie, doctrine des gymnosophistes.*

GYMNOSPERME [ʒimnospɛʀm] adj. et n. f. pl. — XVIIIe, Rousseau, *Dict. de botanique;* grec *gumnospermos;* de *gumnos* «nu», et *sperma* «semence». → Sperme.

♦ **1.** Bot. Dont la graine est nue.

♦ **2.** N. f. pl. LES GYMNOSPERMES : sous-embranchement des phanérogames, comprenant des plantes à ovule nu porté par une feuille fertile. ⇒ **Conifère, gnétacée.** — Au sing. *Un gymnosperme.*

CONTR. Angiosperme.
DÉR. V. **Gymnospermie.**

GYMNOSPERMIE [ʒimnospɛʀmi] n. f. — 1749; lat. mod. *gymnospermia* (Linné), du grec. → Gymnosperme.

Botanique.

♦ **1.** Vx. Classe des fleurs à quatre graines nues, dans le système de Linné.

♦ **2.** Mod. Caractère des végétaux dont l'ovule (graine) est nue.

GYMNOTE [ʒimnɔt] n. m. — 1777; lat. sc. *gymnotus* (1738), pour *gymnonotus,* de *gymno-,* et grec *nôtos* «dos»; proprt «dos nu».

♦ Zool. Poisson *(Téléostéens, physostomes)* d'eau douce de l'Amérique tropicale, dépourvu de nageoire dorsale et muni, de chaque côté de la queue, de lamelles membraneuses qui déchargent de l'électricité. *Le gymnote, vulgairement nommé* anguille électrique, *se nourrit de poissons que ses décharges paralysent.*

GYN- ⇒ Gyno-.

GYNANDRE [ʒinɑ̃dʀ] adj. ⇒ Gynandrique.

GYNANDRIE [ʒinɑ̃dʀi] n. f. — 1749; lat. sc. *gynandria,* du grec *gunandros,* de *gunê* «femme, femelle», et *anêr, andros* «homme, mâle».

♦ **1.** Bot. Disposition de la fleur telle que les étamines sont soudées sur le pistil.

♦ **2.** (1900). État d'une femme qui, tout en possédant les caractères génétiques du sexe féminin, présente certains caractères sexuels secondaires du type masculin. ⇒ (syn.) **Pseudo-hermaphrodisme.**

DÉR. Gynandre, gynandrique.

GYNANDRIQUE [ʒinɑ̃dʀik] adj. — 1866; de *gynandrie.*

♦ Bot. Se dit d'une plante dont les étamines sont soudées sur le pistil.

GYNANDROÏDE [ʒinɑ̃dʀɔid] adj. — Mil. XXe; de *gyn(o)-,* grec *gunê* «femme, femelle», *anêr, andros* «homme» et *-oïde.*

♦ Didact. Qui présente des symptômes de gynandrie (2.). *Sujet, femme gynandroïde.*

GYNANDROMORPHE [ʒinɑ̃dʀɔmɔʀf] adj. et n. m. — 1872, en entomol.; de *gyn-,* du grec *gunê* «femme, femelle», *anêr, andros* «homme», et *-morphe.*

♦ Biol. Qui présente des caractères sexuels secondaires mâles et femelles. *Animaux gynandromorphes.*

GYNANDROMORPHISME [ʒinɑ̃dʀɔmɔʀfism] n. m. — 1913, Caullery; de *gyn-,* du grec *gunê* «femme, femelle», *anêr, andros* «homme, mâle», et *-morphisme.*

♦ Biol. Présence chez un animal appartenant à une espèce unisexuée de caractères sexuels secondaires mâles et femelles. *Le gynandromorphisme se rencontre chez les arthropodes, les mollusques, les oiseaux.*

-GYNE

Second élément du grec *gunê* (⇒ **Gynéco-**) entrant dans la composition de mots. → Androgyne, misogyne.

GYNÉCÉE [ʒinese] n. m. — 1701; *gynaecée,* 1694; *gyneconitis,* 1547; *gynaices,* 1568; lat. *gynaeceum,* du grec *gunaïkeion,* de l'adj. *gunaikeios,* de *gunê, gunaïkos* «femme, femelle».

♦ **1.** Antiq. Appartement des femmes (cit. 86), dans les maisons grecques et romaines. ⇒ **Harem.** *Le gynécée était distinct de l'appartement des hommes.*

1 (...) j'ai passé une partie de mes jours et de mes nuits à côtoyer des parcs comme un voleur et à convoiter les gynécées. SAINTE-BEUVE, Volupté, IV.

2 Aujourd'hui les femmes doivent être élevées pour le salon comme autrefois elles l'étaient pour le gynécée. BALZAC, le Contrat de mariage, Pl., t. III, p. 164.

3 (...) s'engourdir dans une béate torpeur de gynécée (...)
J. CARCOPINO, la Vie quotidienne à Rome..., III, I.

Fig. Littér. et plais. Endroit où vit et travaille habituellement un groupe de femmes.

♦ **2.** (1845). Bot. Ensemble des carpelles*. ⇒ **Pistil.**

GYNÉCO- Premier élément, du grec *gunê, gunaïkos* «femme», et entrant dans la composition de quelques mots savants : *gynécocratie, gynécographie, gynécologie* et dér., *gynécomaste, gynécopathie, gynécophobie.*

GYNÉCO [ʒineko] n. — Mil. xxᵉ; abrév. de *gynécologue.*

♦ Gynécologue. *Elle va chez son, chez sa gynéco. De bons gynécos.*

GYNÉCOCRATIE [ʒinekɔkʀasi] n. f. — 1565, Ronsard; grec *gunaïkokratia,* de *gunê, gunaïkos* (→ Gynéco-), et *kratia* (→ -cratie).

♦ Didact. Pouvoir politique détenu par les femmes. → Matriarcat, cit. 2.

GYNÉCOGRAPHIE [ʒinekɔgʀafi] n. f. — 1959, *in* D. D. L.; «traité sur les femmes», 1872; de *gynéco-,* et *(radio)graphie.*

♦ Méd. Radiographie des organes génitaux féminins.

GYNÉCOLOGIE [ʒinekɔlɔʒi] n. f. — 1823, «étude médicale de la femme»; *gynéologie,* 1826; sens mod., v. 1900; de *gynéco-,* et *-logie.*

♦ Méd. «Étude de l'organisme de la femme et de son appareil génital considéré au point de vue morphologique, physiologique et pathologique» (Garnier-Delamare). *La gynécologie étudie les organes sexuels de la femme et les maladies qui leur sont propres. Chaire de gynécologie.* ⇒ **Obstétrique, parthénologie** (vx).

1 A mon sens, la gynécologie ne se limite pas, en effet, à la pathologie des organes génitaux de la femme. Elle est de plus grande envergure et englobe toute la sexologie féminine. Elle comprend, par conséquent, non seulement l'anatomie, la physiologie et la pathologie des caractères sexuels primaires, mais elle comporte, en outre, l'étude des caractères sexuels secondaires et, en particulier, des modifications morphologiques survenant après la puberté. Elle s'étend même aux caractères sexuels tertiaires, caractères purement psychiques, et ne se manifestant guère qu'à la nubilité. La gynécologie, ainsi comprise, du point de vue pratique comme du point de vue strictement étymologique, est bien à proprement parler «la science de la femme» (...) André BINET, Souvenirs et propos d'un gynécologue, p. 35.

2 L'homme ne se prépare pas plus à lui-même par la science, qu'à l'amour par la gynécologie (...) MALRAUX, l'Homme précaire et la Littérature, p. 311.

Abrév. fam. (1975, *in* D. D. L.) : *gynéco.*

DÉR. **Gynécologique, gynécologue.**

GYNÉCOLOGIQUE [ʒinekɔlɔʒik] adj. — 1873, sens mod.; 1845, de *gynécologie.*

♦ Qui a rapport à la gynécologie. *Examen gynécologique.*

GYNÉCOLOGUE [ʒinekɔlɔg] ou (vx) **GYNÉCOLOGISTE** [ʒinekɔlɔʒist] n. — 1832, *gynécologue; gynécologiste,* 1845; de *gynécologie.*

♦ Médecin spécialiste de la physiologie de la femme, de ses maladies, des accouchements, etc. (⇒ **Accoucheur**). *Consulter une gynécologue.* — Abrév. : *gynéco,* n.

GYNÉCOMASTE [ʒinekɔmast] adj. et n. m. — 1840; grec *gunaïkimasthos,* de *gunê, gunaïkos* «femme», et *masthos* ou *mastos* «sein».

♦ Méd. Se dit d'un homme dont les seins sont développés comme ceux d'une femme.

DER. **Gynécomastie.**

GYNÉCOMASTIE [ʒinekɔmasti] n. f. — V. 1900; de *gynécomaste.*

♦ Méd. Chez l'homme, Développement exagéré des mamelles.

L'hormone de synthèse a des propriétés androgéniques puissantes qui semblent susceptibles de modifier l'état de sénescence (...) La thérapeutique est, en général, bien supportée, néanmoins, il est possible d'observer des œdèmes, de la gynécomastie, de l'acné, des érections répétées et parfois gênantes.
Léon BINET, Gérontologie et Gériatrie, p. 99.

GYNÉCOPATHIE [ʒinekɔpati] n. f. — Mil. xxᵉ; de *gynéco-,* et *-pathie.*

♦ Méd. Maladie, affection du système génital féminin, soignée par les gynécologues.

GYNÉCOPHOBIE [ʒinekɔfɔbi] n. f. — 1900, *in* D. D. L.; de *gynéco-,* et *-phobie.*

♦ Didact. (pathol.). Peur morbide des femmes. — Var. : *gynophobie.*

GYNERIUM [ʒineʀjɔm] n. m. — xxᵉ; *gynérion,* 1872; du grec *gunê* «femelle», et *-erion* «duvet».

♦ Bot. Plante qui pousse en larges touffes cultivée pour son épi ornemental (famille des Graminéacées).

(...) je contournai le pavillon de droite pour déboucher dans la cour intérieure où, des massifs de jadis, ne subsistait qu'un gynerium à grands plumets, au milieu d'un désert glaiseux. Hervé BAZIN, Cri de la chouette, p. 77.

GYN(O)- Premier élément de mots didactiques, du grec *gunê* «femme». V. aussi les mots en *gynandr-.*

On peut signaler : *gynocide,* n. m. (à-peu-près sur *génocide,* cit. *infra*); *gynogène,* adj., «engendré par les femmes» (Cendrars, *in* T. L. F.); *gynophile,* adj., «qui aime les femmes» (Proust, *in* T. L. F.).

Après tout, le XVIIᵉ siècle n'est pas si loin, les bûchers datent d'hier et ce crime commis contre nous — ce «gynocide» — est un crime parfait dans la mesure où, gardé le plus secret possible, il a été refoulé donc perpétué.
Michèle PERREIN, Entre chienne et louve, p. 235.

Dans les composés de biologie, *gyn(o)-* signifie «femelle».

GYNOGENÈSE [ʒinoʒənɛz] n. f. — xxᵉ; de *gyn(o)-,* et *genèse.*

♦ Biol. Développement d'un embryon ne possédant que les chromosomes maternels (de l'ovule), le spermatozoïde fécondant n'ayant joué qu'un rôle de stimulation.

Des individus haploïdes peuvent (...) se former quand un ovule est fécondé par un spermatozoïde qui, incapable de prendre part au développement, joue uniquement le rôle d'un agent stimulateur (gynogenèse).
Jean ROSTAND, Idées nouvelles de la génétique, p. 39.

GYNOÏDE [ʒinɔid] adj. — xxᵉ; de *gyn(o)-,* du grec *gunê* «femme, femelle», et *-oïde.*

♦ Méd. Se dit de certains traits présents chez l'individu mâle mais qui sont caractéristiques du sexe féminin. *Obésité gynoïde.*

GYPAÈTE [ʒipaɛt] n. m. — 1800; comp. sav. du grec *gups, gupos* «vautour», et *aetos* «aigle».

♦ Grand oiseau rapace diurne (*Accipitridés*), parfois nommé *vautour barbu* ou *vautour des agneaux. Le gypaète, à long bec crochu, à large et longue queue et à vastes ailes, habite les régions montagneuses de l'ancien continent. Le gypaète se nourrit surtout de charognes, dont l'odeur l'attire* (→ Gigot, cit. 3). *Le piaulement* (cit. 1) *des gypaètes.*

L'ibis rose et le gypaète 1
Au blanc plumage, aux serres d'or.
Th. GAUTIER, Émaux et Camées, Nostalgie d'obélisques, I.

(...) des gypaètes tachés de noir et de gris clair, traversaient lentement cette solitude (...) E. FROMENTIN, Un été dans le Sahara, p. 41. 2

Il y a deux ou trois jours nous avons été voir la léproserie d'ici. C'est hors de la ville, près d'un marais d'où des corbeaux et des gypaètes se sont envolés à notre approche. 3
FLAUBERT, Lettre à L. Bouilhet, 10 sept. 1850, *in* Correspondance, t. I.

GYPSAGE [ʒipsaʒ] n. m. — xxᵉ; de *gypse,* et suff. *-age.*

♦ Techn. Addition de gypse au ciment Portland, pour en faciliter la prise.

GYPSE [ʒips] n. m. — 1719; *gips,* 1464; *gip,* v. 1250; lat. *gypsum,* du grec *gupsos* «gypse, plâtre, chaux vive».

♦ Minér. Sulfate hydraté de calcium naturel ($CaSO_4$, $2H_2O$), communément appelé *pierre à plâtre* et utilisé pour faire le plâtre ($CaSO_4$, $1/2\ H_2O$). *Carrière de gypse* (→ Plâtrerie, cit.). *Cristaux*, macles* de gypse. Gypse fer-de-lance. Les lits de gypse* (⇒ **Cliquart**) *abondent dans le Bassin parisien. L'alabastrite, l'albâtre sont des variétés de gypse. Cuisson du gypse* (⇒ **Plâtre**).

L'eau qui circule activement dans les couches superficielles de l'écorce terrestre rencontre des substances anhydres, avec lesquelles elle peut entrer en combinaison (...) *L'anhydrite,* c'est-à-dire le sulfate de calcium anhydre, se transforme en *gypse,* sulfate de calcium hydraté, qui cristallise avec deux molécules d'eau. 1
Émile HAUG, Traité de géologie, t. I, p. 364.

Le gypse lui-même ne renferme pas de restes d'organismes marins, mais on y trouve souvent, et notamment dans celui des environs de Paris, des squelettes de vertébrés terrestres, qui ont été entraînés accidentellement dans la lagune. Les 2

différents bancs de gypse sont séparés les uns des autres par des couches argileuses ou marneuses, qui renferment des mollusques marins ou fluviatiles.
Émile HAUG, Traité de géologie, t. IV, p. 1401-1402.

DÉR. Gypsage, gypseux, gypsose.
COMP. Gypsifère, gypsomètre, gypsophile.

GYPSEUX, EUSE [ʒipsø, øz] adj. — V. 1560; *gypceux*, v. 1370; de *gypse*.

♦ Minér. De la nature du gypse. *Albâtre gypseux.*

GYPSIFÈRE [ʒipsifɛʀ] adj. — 1811; de *gypse*, et *-fère*.

♦ Minér. Qui renferme (naturellement) du gypse.

GYPSOMÈTRE [ʒipsomɛtʀ] n. m. — 1890; de *gypse*, et *-mètre*.

♦ Techn. Appareil servant à déterminer la teneur des vins en sulfate de potassium. *Gypsomètre de Salleron.*

GYPSOPHILE [ʒipsɔfil] n. f. — 1803; *gypsophila*, xxᵉ; de *gypse*, et *-phile*.

♦ Bot. Plante herbacée *(Caryophyllacées)* à fleurs blanches.

GYPSOSE [ʒipsoz] n. f. — xxᵉ; de *gypse*, et *-ose*.

♦ Méd. Maladie pulmonaire professionnelle due à l'inhalation de poussière de gypse.

GYPSY [ʒipsi] adj. et n. ⇒ **Gipsy.**

GYR-, GYRO- ou **GIR-, GIRO-** Éléments, du grec *guros* «cercle», entrant dans la composition de quelques mots savants.

GYRAVION [ʒiʀavjɔ̃] n. m. — Mil. xxᵉ; de *gyr(o)-*, et *avion*.

♦ Techn. Appareil volant dont la sustentation est produite par des pales tournant autour d'un axe vertical. — On écrit aussi *giravion*. — Syn. : *gyroplane*, 1.

-GYRE ou **-GIRE** Seconds éléments, du grec *guros* (⇒ **Gyr-**), servant à former des mots savants. Ex. : *dextrogyre, lévogyre.*

GYRER [ʒiʀe] v. intr. — 1891, P. Louÿs, réfect. sav. de l'anc. v. *girer* (v. 1230) «tourner».

♦ Littér. et rare. Tourner, tournoyer.

GYRIE [ʒiʀi] n. f. ⇒ **Girie.**

GYRIN [ʒiʀɛ̃] n. m. — 1770; *rane gyrine* «têtard», 1548; du rad. du grec *gûros* «cercle, rond». → Gyr-.

♦ Zool. Insecte aquatique (*Coléoptère*, famille des Gyrinidés) de l'hémisphère boréal, appelé *tourniquet* (parce qu'il tournoie à la surface des eaux), dont une dizaine d'espèces habitent les eaux stagnantes de la région parisienne. *Les gyrins, au corps noir brillant, vivent en groupes à la surface des eaux douces.*

GYROBUS [ʒiʀobys] n. m. — 1957; de *gyr(o)-*, et *(auto)bus*.

♦ Techn. Autorail qui utilise l'énergie cinétique de rotation d'un disque lourd, tournant à grande vitesse pendant les arrêts.

GYROCOMPAS [ʒiʀokɔ̃pa] n. m. — 1922; de *gyro(scope)*, et *compas*.

♦ Techn. Compas gyroscopique (gyroscope électrique à orientation constante). «*Cet extraordinaire gyrocompas qui indique le cap, le tangage et le roulis était l'un des multiples instruments exceptionnels dont disposait la cabine Apollo* (engin spatial américain)» (*Science et Vie*, nº 595, p. 49).

GYROFRÉQUENCE [ʒiʀofʀekɑ̃s] n. f. — Mil. xxᵉ; de *gyro-*, et *fréquence*.

♦ Phys. Nombre de tours qu'effectuent en une seconde des électrons qui tournent autour des lignes d'induction d'un champ magnétique uniforme. «*Tout électron ou proton, doté d'une composante de vitesse* (...) *perpendiculaire à B est soumis à un mouvement de giration dont la fréquence, dite pyrofréquence, est une jonction linéaire de l'intensité de B et du rapport e/m*» (*la Recherche*, nov. 1973, p. 958).

GYROMANCIE [ʒiʀɔmɑ̃si] n. f. — V. 1360; de *gyro-*, et *-mancie*.

♦ Didact. Divination qui se pratique en tournant rapidement sur soi-même au centre d'un cercle portant des lettres tracées au hasard sur sa circonférence. *Les prédictions de la gyromancie se tirent des mots formés par l'assemblage des lettres sur lesquelles le consultant finit par tomber étourdi.*

DÉR. Gyromancien.

GYROMANCIEN, IENNE [ʒiʀɔmɑ̃sjɛ̃, jɛn] n. — D. i.; de *gyromancie*.

♦ Didact. Devin qui pratique la gyromancie.

GYROMÈTRE [ʒiʀɔmɛtʀ] n. m. — Mil. xxᵉ; «compte-tours», 1890; de *gyro-*, et *-mètre*.

♦ Techn. (aviat.). Appareil qui indique les variations de direction.

GYROPHARE [ʒiʀofaʀ] n. m. — V. 1970; de *gyro-*, et *phare*.

♦ Didact., admin. Lanterne rotative à feu clignotant placée sur le toit d'une voiture de police, de pompiers, d'une ambulance, etc.

GYROPILOTE [ʒiʀopilɔt] n. m. — V. 1960; de *gyro(scope)*, et *pilote*.

♦ Aviat. Compas gyroscopique actionnant automatiquement les gouvernes.

GYROPLANE [ʒiʀɔplan] n. m. — 1907, in *Rev. gén. des sc.*, nº 19, p. 809; de *gyro-*, et *plane*.
Didactique.

♦ **1.** Rare. ⇒ **Gyravion.**

♦ **2.** Appareil volant où des hélices inclinées servent à la fois à la sustentation et à la propulsion.

GYROPTÈRE [ʒiʀɔptɛʀ] n. m. — Mil. xxᵉ; de *gyro-*, et *hélicoptère*.

♦ Didact. Hélicoptère à grandes ailes tournantes.

GYROSCOPE [ʒiʀɔskɔp] n. m. — 1852, Foucault; de *gyro-*, et *-scope*.

♦ Didact. et cour. (Appareil inventé par Foucault en 1852 pour fournir une preuve expérimentale de la rotation de la terre et des lois du mouvement pendulaire). Appareil comprenant un gyrostat et utilisant ses propriétés particulières, dues à la rapidité de son mouvement de rotation (fixité de l'orientation de son axe, effet gyroscopique [précession*], détection des forces agissant sur ses armatures). ⇒ **Gyrocompas, gyromètre, gyropilote, gyrostat.** *Tout solide de révolution pouvant être déplacé sans que la direction de son axe de rotation soit modifié, constitue un gyroscope. Gyroscope de démonstration. Petit gyroscope servant de jouet d'enfant.* — *Gyroscope directionnel :* instrument indiquant le cap suivi par l'avion. *Rôle des gyroscopes dans le radioguidage des avions.* — Mar. Appareil auto-régulateur de commande des gouvernails de profondeur et de direction des torpilles.

Chaque trente secondes, pour vérifier, le gyroscope et le compas, Fabien plongeait 1
sa tête dans la carlingue. SAINT-EXUPÉRY, Vol de nuit, XII.

Tout petit, tu n'as plus voulu que des jouets scientifiques. Voilà tes gyroscopes, 2
tes éprouvettes, tes électro-aimants, tes cornues, ta grue mécanique.
J. ANOUILH, le Voyageur sans bagage, 3ᵉ tableau.

DÉR. Gyroscopique.
COMP. V. **Gyrocompas, gyropilote.**

GYROSCOPIQUE [ʒiʀɔskɔpik] adj. — 1852, Foucault; de *gyroscope*.

♦ Didact. Qui ressemble ou a rapport au gyroscope. *Couple gyroscopique. Compas* gyroscopique.* ⇒ **Gyrocompas.** *Effet gyroscopique.* — Aviat. *Horizon* gyroscopique* (ou *gyro-horizon*).

Fabien usait ses forces à dominer l'avion, la tête enfoncée dans la carlingue, face 1
à l'horizon gyroscopique car, au dehors, il ne distinguait plus la masse du ciel de celle de la terre, perdu dans une ombre où tout se mêlait, une ombre d'origine des mondes. SAINT-EXUPÉRY, Vol de nuit, XV.

On appelle *effet gyroscopique* un phénomène qui se produit quand un corps solide 2
de révolution a un mouvement de rotation très rapide autour d'un axe voisin de son axe de révolution. J.-L. DESTOUCHES, la Mécanique des solides, p. 113.

GYROSTAT [ʒiʀɔsta] n. m. — 1901, Poincaré, *in* T. L. F.; de *gyro-*, et du grec *statos* «qui se tient».

♦ Didact. Solide animé d'un mouvement de rotation autour de son axe. ⇒ **Gyroscope.** *Application du gyrostat à des fins de stabili-*

sation. ⇒ **Gyrotrain.** *Une toupie, la Terre, le gyroscope sont des gyrostats.*

DÉR. **Gyrostatique.**

GYROSTATIQUE [ʒiʀɔstatik] adj. — 1903, in *Rev. gén. des sc.*, nº 5, p. 249; de *gyrostat.*

♦ Didact. Relatif au gyrostat.

GYROTRAIN [ʒiʀotʀɛ̃] n. m. — Mil. xxᵉ; de *gyro-*, et *train.*

♦ Techn. Train monorail dont la stabilité est assurée par gyrostat.

GYROVAGUE [ʒiʀovag] adj. et n. m. — 1501, *girovague;* du bas lat. ecclés. *gyrovagus* «(moine) en tournée», de *gyrare* «tourner», de *gyrus,* grec *gûros* «cercle», et lat. class. *vagus* «vagabond».

♦ Vx et littér. *Moine gyrovague :* moine qui demandait l'aumône en errant sur les routes. — N. m. *Un gyrovague.*

GYRUS [ʒiʀys] n. m. invar. — 1906, in *Rev. gén. des sc.*, nº 10, p. 470; lat. sc. *gyrus*, empr. en angl. (1842) et all. dans ce sens; lat. *gyrus* «cercle», grec *gûros.*

♦ Didact. Circonvolution* cérébrale.

H

H [aʃ] n. m. ou f. — De la lettre latine *h*, devenue muette dès l'Empire ou du *h* aspiré initial germanique, de l'esprit rude en grec.

♦ **1.** Huitième lettre, sixième consonne de l'alphabet. *H* (majuscule); *h* (minuscule). *Écrire un H, une H. L'h.* — REM. *Genre du H.* Jusqu'au XIXᵉ s., grammairiens et lexicographes (Furetière, Trévoux) donnent H comme subst. fém. *(une h).* De nos jours, l'Académie (8ᵉ éd.) et certains auteurs (Brunot, Damourette et Pichon) s'en tiennent à cet usage, tandis que l'usage général le fait du masculin.

1 Je ne sais où vous prendre, mon cher philosophe; votre lettre n'était ni datée, ni signée d'un H : car encore faut-il une petite marque dans la multiplicité des lettres qu'on reçoit. VOLTAIRE, Lettre à Helvétius, 27 oct. 1760.

2 J'écoute le crapaud (...) il reprend : «ou! ou! ou!» Mais ce n'est pas cela. Il y a une consonne avant cette voyelle, je ne sais quelle consonne de gorge, une *h* un peu aspirée. J. RENARD, Journal, 12 juin 1898.

3 *(Mon père)* nous faisait écrire notre vieux nom en deux mots, avec un H majuscule, s'il vous plaît (...) G. DUHAMEL, Biographie de mes fantômes, p. 54.

REM. Ces exemples sont signalés par Grevisse, qui a relevé *une h* chez A. Hermant, J. L. Vaudoyer; et *un h* chez Colette et Maurois.

H aspiré : son expiré «qui avait disparu du latin parlé dès l'époque de Cicéron (et qui) a été introduit en français avec des mots germaniques, comme *hardi, haubert*» (Grevisse; ce son expiré n'existe pas en français moderne; il a disparu du français de Paris, dès le XVIᵉ siècle, mais subsiste encore dans certaines régions et parfois dans certaines interjections vigoureuses : *hé! holà! hic! hum!*). Abusivt. *L'h dit «aspiré» du français moderne ne correspond pas à une expiration mais sert à maintenir un hiatus en empêchant la liaison et l'élision. L'H aspiré initial est noté* ['] *en phonétique.* Ex. : *un héros* [œ'eʀo], *des haricots* [de'aʀiko], *les Hollandais* [le'ɔllɑ̃dɛ], *c'est honteux* [sɛ'ɔ̃tø]. — *H muet* (ou *muette*) : signe graphique qui ne correspond à aucune modification dans la prononciation (ex. : *un homme, des hommes* [œ̃nɔm; dezɔm], *l'histoire, l'hiver... ; bonheur, malheur, exhiber...*).

4 Dans l'ancien latin, la lettre *h* représentait une aspiration, mais cette lettre était devenue complètement muette dès les premiers temps de l'Empire. Aussi trouve-t-on (...) en vieux français des graphies comme *erbe, eure* (...) Mais on a généralement rétabli dans l'orthographe française l'*h* muet du latin. Cependant, nous écrivons *orge* (latin *hordeum*), *avoir* (latin *habere*) (...) Dans les mots d'origine germanique, ou d'origine grecque, l'*h* initial, dit «aspiré», représente ce qui reste de l'ancienne aspiration, c'est-à-dire la suppression de la liaison avec le mot précédent. C'est sous une influence germanique que le mot *haut*, d'origine latine, a pris un *h* aspiré; en latin, il n'avait même pas d'*h* muet (...) L. CLÉDAT, Précis d'orthographe franç., p. 76.

5 Les phénomènes de mue de contiguïté *(liaison, élision)* (...) peuvent être entravés par ce que les grammairiens classiques appellent l'*h* aspirée, que M. Nyrop appelle *h* disjonctive et que nous appelons *assurance d'hiatus.* DAMOURETTE et PICHON, Essai de grammaire (...), t. I, p. 207.

Groupes comprenant l'H. Les groupes TH, RH sont empruntés au grec et transcrivent le *te*, le *re* aspiré grecs. — Le groupe PH, prononcé [f] est emprunté au latin qui transcrivait ainsi le φ *(phi)* grec. — Le groupe CH transcrit soit un son chuintant [ʃ] inconnu au latin (*ch*ant, *ch*apeau), soit le *ke* [k] grec (chiromancie).

6 Comme la consonne *h* ne représentait plus aucun son en français, on l'a utilisée arbitrairement, mais ingénieusement, en l'ajoutant au *c (pour transcrire le son nouveau* che)... On aurait sans doute préféré un autre artifice, si l'on avait prévu qu'on emprunterait régulièrement aux mots latins d'origine grecque une graphie identique pour représenter le *ke aspiré* grec. L. CLÉDAT, Précis d'orthographe franç., p. 33.

♦ **2.** Abrév. Chim. Symbole de l'*hydrogène**. — *Rayons H*, obtenus en bombardant des atomes d'hydrogène avec des rayons alpha. *Bombe H :* bombe atomique à l'hydrogène.

7 Tu as toujours prétendu que le XXᵉ siècle est nul et non avenu, ô chevalier du Moyen Âge sans armure ni cheval! Tu ne vas pas jusqu'à pleurer sur le sort des tortues de mer, que la méchante bombe H a privées de leurs sens de l'orientation, sur cet atoll maudit, comment s'appelle-t-il encore, Bikini? Alain BOSQUET, les Bonnes Intentions, p. 100.

Phys. *h*, symbole de *hecto*, de *heure*. — *L'heure* H.* — Électr. *H :* symbole du *henry*. — Mus. *H :* la note *si* en allemand. — Abrév. de *hautesse*. — (1973). *H :* abréviation de *haschish*. ⇒ **Hasch.** *«Pour survivre, pour acheter le sandwich tunisien, payer la chambre et surtout le "H", il faut se débrouiller»* (*le Nouvel Obs.*, 3 mars 1975, p. 42).

Il amenait du H, gratuitement, pour fumer ensemble. Au bout d'une semaine, il m'a demandé de lui en procurer et me voilà ici. J.-P. MONTARON, les Jeunes en prison, p. 103. 8

HOM. Hache.

HA [ha; 'a] interj. — XIIᵉ; onomatopée.

REM. Variante de *ah*. «Désuète par suite de la disparition de l'*h* aspiré» (Dauzat), cette interjection «peut toujours être remplacée par *ah!* dont l'emploi est beaucoup plus large» (Hanse).

♦ **1.** Sert à donner plus de force à l'expression :

Ha! si vous aviez vu comme j'en fis rencontre. MOLIÈRE, Tartuffe, I, 5. 1

Ha! vraiment, mon pauvre Sosie 2
À te revoir j'ai de la joie au cœur. MOLIÈRE, Amphitryon, I, 1.

♦ **2.** Vx. Exprime la douleur (mod. : aie, ouille).

Toinette (...) se plaint toujours en disant : Ha! MOLIÈRE, le Malade imaginaire, I, 2 *(jeu de scène).* 3

♦ **3.** Exprime la surprise, agréable ou non :

Ha! Que me dites-vous? (...) MOLIÈRE, l'École des maris, II, 3. 4

N. m. (1666, Molière). *Pousser des ho! et des ha!* Plur. (vx). *Des has.*

(...) faire du fracas 5
À tous les beaux endroits qui méritent des has. MOLIÈRE, le Misanthrope, III, 1.

♦ **4.** Exprime le rire, surtout sous la forme redoublée *ha, ha!*

Montrez-moi ce papier. Ha, ha. Où sont donc les paroles que vous avez dites? MOLIÈRE, le Malade imaginaire, II, 5. 6

N. m. *Pousser des ha!, des ha ha!*

Toutes les fois qu'il lui échappait quelque chose de plaisant, il le ponctuait à la fin d'un *ha!* ou d'un *ho!* poussé du fond des poumons, mais unique et d'un effet singulier (...) NERVAL, Contes et Facéties, «La main enchantée», II. 7

ha Symbole de l'*hectare. Un terrain de 5 ha.*

HABANERA ['abaneʀa] n. f. — 1888; *habaneira*, 1883; mot esp., adj. fém., de La *Habana*, nom de l'île de La Havane.

♦ Danse espagnole, originaire de La Havane. *Danser une habanera* (→ Fandango, cit. 2). — Musique sur laquelle s'exécute cette danse. *La habanera pour violon*, de Maurice Ravel.

Ce sont de très vieux noëls du pays de Guipuzcoa, rapides et alertes comme des habaneras (...) LOTI, Figures et choses..., p. 98 (1898). 1

On dit aussi bien, en français, havanaise (cf. *Havanaise*, de Saint-Saëns). Sur un dessin rythmique constant, croche pointée, double-croche, deux croches (mesure à 2/4), l'arabesque de la mélodie se déploie librement (Ex : *Habanera*, de *Carmen*). Elle est devenue en Espagne une danse de théâtre. La mimique qui l'accompagne est d'un caractère lascif. Initiation à la Musique, p. 382. 2

HABEAS CORPUS [abeaskɔʀpys] n. m. — 1672; expr. angl.; mots latins signifiant «que tu aies le corps» c'est-à-dire «tu auras à présenter l'individu» (sous-entendu *ad subjiciendum* «devant la cour»).

♦ **1.** Formule par laquelle commençait le *writ* ou acte délivré par la juridiction compétente pour notifier que le prévenu doit comparaître devant le juge ou devant la cour, afin qu'il soit statué sur la validité de son arrestation. Par ext. Cet acte lui-même *(writ d'habeas corpus).*

♦ **2.** L'institution garantie par la loi anglaise de 1679 (communément appelée *Habeas corpus Act)* en vue d'assurer le respect de la liberté individuelle (→ Gardien, cit. 4).

Le Conventionnel sortit et harangua la multitude, en parlant des droits sacrés du foyer, de l'*habeas corpus* et du domaine anglais. BALZAC, Une ténébreuse affaire, Pl., t. VII, p. 467. 1

Le Canadien, emporté par son caractère, y mit beaucoup d'animation. Il se plaignit violemment d'être emprisonné au mépris du droit des gens, demanda en vertu de quelle loi on le retenait ainsi, invoqua l'*habeas corpus*, menaça de poursuivre ceux qui le séquestraient indûment, se démena, gesticula, cria, et finalement, il fit comprendre par un geste expressif que nous mourions de faim. J. VERNE, Vingt mille lieues sous les mers, p. 77. 1.1

2 Toute personne arrêtée et détenue doit recevoir du lord chancelier ou, à la requête de celui-ci, de l'un des juges compétents, un *Writ d'Habeas corpus.* En vertu de cet acte, le prévenu est amené devant le magistrat qui a délivré le *Writ* ou devant un autre juge compétent. Ce magistrat est obligé de prononcer immédiatement sa mise en liberté, s'il peut fournir caution de se présenter devant la justice.
L. DUGUIT, Droit constitutionnel, t. V, p. 51.

HABENNARIA [abenaʀja] n. m. — XXe; latinisation de *habenaire* (1839, Boiste, *Nomenclature d'histoire naturelle*); du lat. *habenae* « brides, rênes ».

♦ Bot. Orchidée des régions tempérées, voisine des *orchis* (genre regroupant environ 400 espèces).

HABERLEA [abɛʀlea] n. m. — Mil. XXe, lat. sc.; *haberlée* au XIXe (*in* Pierre Larousse); orig. incert. (nom propre?).

♦ Bot. Plante dicotylédone (Gesnériacées) à feuilles en rosette et à fleurs en ombrelles d'un rouge vif, cultivée comme ornementale. *Des haberleas.*

HABILE [abil] adj. — Fin XIIIe, « propre à »; « agile, souple », XVe; « rapide », 1419; *habile* au XVe; lat. *habilis* « commode, facile à manier », et, par ext., « bien adapté ».

★ **I.** Vx ou spécialt. ♦ **1.** *Habile à...* ⓐ (En parlant des choses). Vx. Apte, convenable, propre. « *L'âge habile à être capitaine* » (XVIe, Deroziers, *in* Huguet).

ⓑ (En parlant des personnes). ⇒ **Capable.** — (1390, en dr.). Mod. Dr. Qui remplit les conditions requises pour l'exercice d'un droit*. *Rendre une personne habile à contracter, à succéder.* ⇒ **Habiliter.** *Habile à ester en justice, à tester* (cf. l'ancien adage *Le mort saisit le vif, son hoir le plus proche habile à lui succéder*).

♦ **2.** (1596). Vx. *Habile à :* prompt* à. Absolt. Diligent, empressé. « *Allez vite tous deux et revenez : on verra lequel est le plus habile* » (Académie, 1964).

1 Mais demain, du matin, il vous faut être habile
À vider de céans jusqu'au moindre ustensile (...) MOLIÈRE, Tartuffe, V, 4.

♦ **3.** (XVe-XVIe). Vx. (Des animaux). Agile, rapide.

2 (...) les daims légers (...) et les chevaux habiles.
LEMAIRE DE BELGES, Illustrations de la Gaule, I, 23.

★ **II.** Mod. ♦ **1.** (1478). (Personnes désignées par un nom impliquant une activité; l'antéposition de l'épithète tend à devenir stylistique). Qui exécute ce qu'il entreprend, ce qu'il fait, avec adresse, intelligence ou compétence. ⇒ **Adextre** (vx), **adroit** (cit. 2 et 3), **capable, industrieux.** *Artisan* (cit. 10), *ouvrier, travailleur habile et expérimenté.* ⇒ **Bon, émérite, expert, praticien, routier** (vieux routier). → Atteindre, cit. 23; forge, cit. 7. *Habile dans son métier, en tous métiers* (→ Brocanter, cit. 1). *Un arrimeur* (cit. 1) *habile. Une couturière très habile. Un habile faussaire* (→ Fabriquer, cit. 10). *Habile artiste, artiste habile possédant une forte technique** (→ Anatomie, cit. 4; croquis, cit. 1; effet, cit. 31). *Peintre habile dans tous les genres* (cit. 18). *Habile prestidigitateur. Les danseuses les plus habiles* (→ Caractère, cit. 33). *Un pianiste, un violoniste prodigieusement habile.* ⇒ **Virtuose** (dans le domaine de l'art, l'adj. est quelque peu limitatif). — (1538). *Habile financier. Habile banquier* (cit. 3). *Habile capitaine* (cit. 3), *habile stratège. Habile ministre* (→ Favoritisme, cit. 1). *Habile diplomate. Politicien habile* (→ Entreprendre, cit. 3).

3 Un homme peut avoir lu tout ce qu'on a écrit sur la guerre, ou même l'avoir vue, sans être habile à la faire (...) L'habile homme est (...) celui qui fait un grand usage de ce qu'il sait; le capable peut, et l'habile exécute.
VOLTAIRE, Dict. philosophique, Habile.

4 Cette belle porcelaine est produite à Limoges, grâce (...) à des générations d'ouvriers très habiles, grâce aussi à des perfectionnements techniques, qui ont une longue histoire. J. CHARDONNE, les Destinées sentimentales, p. 129.

Être habile de (ses doigts, ses mains...).

Par ext. *Des mains, des doigts habiles.* → Des doigts de fée. *L'affaire est entre des mains habiles* (→ En bonnes mains*). *Une habile épée :* un escrimeur habile (→ Garde, cit. 23).

5 Deux ou trois grands génies suffisent pour pousser bien loin des théories en peu de temps; mais la pratique procède avec plus de lenteur, à cause qu'elle dépend d'un trop grand nombre de mains dont la plupart même sont peu habiles.
FONTENELLE, Éloge de Chazelles, *in* LITTRÉ.

(Personnes). Qui est apte à parvenir à ses fins en utilisant avec maîtrise les moyens les mieux adaptés. *Habile à, dans, en qqch., pour qqch. Être très, assez habile. Être habile dans les relations sociales.* ⇒ **Diplomate** (adj.), **fin, malin, politique** (adj.). — *Un homme habile et intrigant.* ⇒ **Débrouillard, roublard, roué, rusé.** *Un personnage habile et plein de ressources. La passion rend souvent les plus sots habiles* (→ 1. Fou, cit. 17). *Il ne faut pas être bien habile pour y arriver.* → Il ne faut pas être grand clerc*, grand sorcier*. *Il se croit plus habile que les autres.* ⇒ **Fort, malin** (→ Aigreur, cit. 2). *Se piquer d'être habile* (→ Flatteur, cit. 5). *Il est habile en toutes circonstances.* → Il sait y faire*, il n'est pas manchot*, il sait se retourner*, il connaît toutes les rubriques*, il sait tomber*, retomber sur ses pieds. *Il est plus habile dans ce genre d'affaires. Plus habile en paroles qu'en actes.* → Beau* parleur. — *Un habile courtisan, un flatteur. Un habile hypocrite* (→ Enfiellé, cit. 2). — Allus. littér. « *Les plus accommodants* (cit.) *ce sont les plus habiles* » (La Fontaine).

Le désir de paraître habile empêche souvent de le devenir. 6
LA ROCHEFOUCAULD, Réflexions et maximes, 199.

Il y a des gens habiles dans tout ce qui ne les regarde pas, et malhabiles dans ce 7
qui les regarde (...)
LA ROCHEFOUCAULD, Réflexions diverses, De la diff. des esprits.

(...) Tu prétends être fort habile : 8
En sais-tu tant que moi? J'ai cent ruses au sac. LA FONTAINE, Fables, IX, 14.

L'habile homme est celui qui cache ses passions, qui entend ses intérêts, qui y 9
sacrifie beaucoup de choses, qui a su acquérir du bien ou en conserver.
LA BRUYÈRE, les Caractères, II, 55.

Habile courtisan emporte un peu plus de blâme que de louanges; il veut dire 10
trop souvent habile flatteur (...) Le renard qui, interrogé par le lion sur l'odeur qu'exhale son palais, lui répond qu'il est enrhumé, est un courtisan habile.
VOLTAIRE, Dict. philosophique, Habile.

Joseph, quand il conduit, montre avec éclat qu'il est très brutal, très égoïste, très 11
habile et, malgré tout, prodigieusement naïf, comme le sont tous les artificieux, tous les roublards de carrière. G. DUHAMEL, Chronique des Pasquier, X, VI.

Par ext. *Amour-propre* (cit. 7) *habile dans ses calculs. Égoïsme habile* (→ Exalter, cit. 16). *Un zèle habile* (→ Éprouver, cit. 34).

♦ **2.** Spécialt. (Dans le domaine intellectuel). ⓐ (1555, Ronsard). Vx. Docte, savant. — REM. Ce sens vieillit à la fin du XVIIe s. ou au début du XVIIIe. *Un habile homme :* un homme de science, d'érudition (→ Air, cit. 29; érudition, cit. 1, Molière). Cf. aussi Pascal (*Pensées*, II, IV, 251), La Bruyère (→ Ancien, cit. 15; art, cit. 59; avenir, cit. 6), Fénelon (cité par Littré).

ⓑ Mod. Qui a des connaissances, de l'ingéniosité, de l'art, de la technique. *Un écrivain habile et froid,* ingénieux, bon technicien. *Un écrivain plus habile qu'original. Habile seulement dans l'analyse* (→ Apte, cit. 3).

Ce mot ne convient point aux arts de pur génie; on ne dit pas, un habile poète, 12
un habile orateur; et si on le dit quelquefois d'un orateur, c'est lorsqu'il s'est tiré avec habileté, avec dextérité, d'un sujet épineux.
VOLTAIRE, Dict. philosophique, Habile.

Les observations de La Bruyère, comme il est naturel de la part d'un habile obser- 13
vateur qui n'était point un grand esprit, sont intéressantes et piquantes, à proportion qu'elles portent sur de plus petits objets.
Émile FAGUET, Études littéraires, XVIIe s., La Bruyère, IV.

Un intellectuel habile est un prestidigitateur de la pensée. 14
R. ROLLAND, Au-dessus de la mêlée, p. 87.

Les médiocres esprits deviennent toujours plus habiles, ne cessant de parcourir 15
leur médiocre lieu (...) VALÉRY, Rhumbs, p. 275.

N. m. pl. (Déb. XVe). *Les habiles :* les malins, les ingénieux (souvent péjoratif).

Les habiles en littérature sont ceux qui, comme les Jésuites de Pascal, ne lisent 16
point, écrivent peu et intriguent beaucoup.
P.-L. COURIER, Lettre à M. Renouard, *in* LITTRÉ.

Aussi les habiles s'enferment dans leur cabinet, ne fût-ce que pour dormir, pla- 17
cent une lampe allumée près de leurs carreaux et disent avoir passé trois mois à l'œuvre enlevée en trois jours.
Th. GAUTIER, Portraits contemporains, Tony Johannot, p. 226.

Les habiles, dans notre siècle, se sont décerné à eux-mêmes la qualification 18
d'homme d'état; si bien que ce mot, homme d'état, a fini par être un peu un mot d'argot. Qu'on ne l'oublie pas, en effet, là où il n'y a qu'habilité, il y a nécessairement petitesse. Dire : « les habiles », cela revient à dire : « les médiocres ».
HUGO, les Misérables, IV, I, II.

♦ **3.** (1636). *Habile à...,* suivi d'un verbe à l'inf. ⇒ **Apte** (cit. 7), **entendu** (vieilli), **propre, rompu** (à). *Être habile à faire* (cit. 190) *qqch.* ⇒ **Exceller** (à), **savoir.** *Homme habile à ruser, à tromper* (→ Adresser, cit. 13; expérience, cit. 11). — *Habile à (qqch.). Expert habile aux estimations* (cit. 3). *Être habile à un jeu d'adresse.* ⇒ **Bon, expert.**

C'est Saint-Donat qui la traite *(Mme de Coulanges)*; je ne sais s'il est bien habile à 19
ces sortes de maux. Mme DE SÉVIGNÉ, 1374, 21 avril 1694.

On ne trouvait pas étrange que ces grands hommmes fussent aussi habiles à rendre 20
la beauté sur la toile que dans le marbre.
Th. GAUTIER, Souvenirs de théâtre..., Vente Jollivet, p. 282.

♦ **4.** (1687, Bossuet). Qui est fait avec adresse et intelligence. *Un habile tour* (→ Anse, cit. 3). *Manœuvre, opération, démarche habile.* ⇒ **Diplomatique.** *Une intervention habile. Ce que vous avez fait là n'est pas très habile. Ce qu'il a répondu était très habile. Dissimulation, camouflage* (cit. 3) *habile. Ils ont jugé plus habile de ne se démasquer* (cit. 6) *qu'au dernier moment. Raisonnement, argument trop habile.* ⇒ **Captieux, subtil.** *Formule* (cit. 14) *habile. D'habiles jongleries verbales* (→ Discursif, cit. 1).

(...) ce qu'il y a de plus fatal à la vie humaine, c'est-à-dire l'art militaire, est en 21
même temps ce qu'elle a de plus ingénieux et de plus habile (...)
BOSSUET, Oraison funèbre de Louis de Bourbon.

(En parlant d'une œuvre d'art, d'une œuvre littéraire). Fait avec habileté, avec une maîtrise technique. ⇒ **Artificieux** (vx), **ingénieux, astucieux.** *Un film habile. Une intrigue habile. C'est habile sans être génial, c'est plus habile qu'inspiré. C'est une œuvre originale mais pas très habile.*

CONTR. Gauche, inhabile, maladroit, malhabile, mauvais, naïf, niais, sot. — Apprenti.

DÉR. et COMP. Habilement, habiliter, inhabile.

HABILEMENT [abilmɑ̃] adv. — 1374; «rapidement», 1427; de *habile.*
D'une manière habile.

♦ **1.** Vx. Diligemment, promptement.

1 (...) le peuple s'est mis dans la tête que son âme *(de Bourdeille)* revient la nuit tout en feu dans l'église (...) Cette folie est venue à tel point, qu'il a fallu ôter le corps habilement de la chapelle (...)
Mme DE SÉVIGNÉ, Lettres, 280, 27 mai 1672.

♦ **2.** (1538). Mod. Avec habileté, avec une maîtrise technique. ⇒ **Adroitement, bien, délicatement, dextrement, expertement.** *Écrire, peindre, travailler habilement. Figure, scène habilement campée* (cit. 10). *Toile habilement tissée.* → Fondamental, cit. 3 (fig.). — *Bijou habilement ciselé. — Se tirer habilement d'une difficulté. Tirer habilement son épingle du jeu* (→ Galamment). *Diplomate, homme politique qui conduit habilement une négociation. Orateur qui amalgame* (cit. 1) *habilement dans ses discours, ses passions et celles de l'auditoire.*

2 Il y a des gens niais qui se connaissent et qui emploient habilement leur niaiserie.
LA ROCHEFOUCAULD, Réflexions et maximes, 208.

3 Le metteur en œuvre travaille adroitement ce que l'homme de goût a dessiné habilement. VOLTAIRE, Dict. philosophique, Habile.

4 Au moment de verser le sang, les vieilles haines fanatiques habilement ravivées de jalousie sociale, ne furent pas assez fortes encore.
MICHELET, Hist. de la Révolution franç., III, IX.

5 (...) c'est un petit chapeau, une voilette légère, sauf un grand dessin habilement placé devant les yeux.
J. ROMAINS, les Hommes de bonne volonté, IV, XII, p. 133.

CONTR. Maladroitement, naïvement.

HABILETÉ [abilte] n. f. — 1539; lat. *habilitas,* de *habilis,* ou de *habile.*

★ **I.** Vx. *Habileté à...* ⇒ **Aptitude, capacité.** (1700). Spécialt (dr.). ⇒ **Habilité.** «*Leur habileté à disputer les droits des couronnes*» (Fléchier, *in* Littré). — REM. Vx. *Habileté* a signifié également au XVIIe siècle «promptitude, rapidité». «*Ce Basque fait des messages avec une habileté extraordinaire*» (Furetière).

★ **II.** (1549). Mod. ♦ **1.** Qualité d'une personne habile, de ce qui est habile (II., 1.). ⇒ **Adresse, dextérité, capacité, industrie.** *Habileté de main.* ⇒ **Adresse** (cit. 1), **tour** (de main); **patte** (fig.). *S'émerveiller* (cit. 2) *de l'habileté de qqn. Escamoter* (cit. 1) *qqch. avec habileté. L'habileté d'un artisan, d'un ouvrier, d'un peintre. Avoir de l'habileté, une habileté remarquable, exceptionnelle* (cit. 6), *singulière* (⇒ **Bonheur,** cit. 4), *rapide, sûre, consommée* (→ Faculté, cit. 6). *Grande habileté technique* (→ Créateur, cit. 6). *Extrême habileté d'un exécutant, d'un musicien...* ⇒ **Brio, virtuosité.** *Habileté manuelle;* (vieilli) *habileté de main* (→ ci-dessous, cit. 3). *Habileté oratoire.* ⇒ **Éloquence.** — *Exploiter avec habileté les ressources de sa voix* (→ Fausset, cit. 4). *Manier l'épigramme* (cit. 8) *avec habileté. Ouvrage, travail exécuté avec habileté.* ⇒ **Chic, facilité, maîtrise.** → D'une main sûre, de main d'ouvrier*, de main de maître*. — *Les bonnes traditions et l'habileté périclitent, se perdent dans ce métier.* ⇒ **Technique** (→ Exécuteur, cit. 6). *Habileté innée, naturelle ou acquise.* ⇒ **Aptitude, capacité, don; art** (cit. 48), **savoir-faire, talent.** *Le mérite et l'habileté ne suffisent pas toujours pour réussir* (→ Énorme, cit. 12). *Habileté d'un financier, d'un homme d'affaires, d'un ministre, d'un général, d'un homme politique* (→ Génie, cit. 14).

1 (...) il connaissait M. de Turenne, dont l'habileté consommée n'avait besoin d'aucun ordre pour faire tout ce qu'il fallait.
BOSSUET, Oraison funèbre de Louis de Bourbon.

2 (...) ses détails si sobres et si larges montrent une habileté consommée, qui connaît la puissance d'une touche mise à sa place et ne se trompe jamais.
Th. GAUTIER, Souvenirs de théâtre..., Noces de Cana, p. 212.

3 (...) ils savent peindre les habits, les accessoires, les architectures, les paysages, avec une justesse et un fini surprenants; leur habileté de main est admirable.
TAINE, Philosophie de l'art, III, II, II.

4 Je dois la clarté de mon esprit, en particulier une certaine habileté dans l'art de diviser (art capital, une des conditions de l'art d'écrire), aux exercices de la scolastique et surtout à la géométrie, qui est l'application par excellence de la méthode syllogistique. RENAN, Souvenirs d'enfance..., IV, II.

5 (...) l'habileté d'un escamoteur. J. RENARD, Poil de Carotte, p. 36.

6 Le petit Dauphin, chassé de la capitale, dut reconquérir son royaume pour ainsi dire province par province. Sans la présence d'esprit et l'habileté de Turenne, qui rétablit sa fortune au combat de Bléneau, il allait devenir un autre roi de Bourges.
Louis BERTRAND, Louis XIV, II, I, p. 88.

7 Cependant, l'habileté, l'intelligence ou le savoir-faire deviennent suspects, comme s'ils dissimulaient quelque défaut des convictions.
J. PAULHAN, les Fleurs de Tarbes, p. 53.

Habileté dans qqch., pour qqch. Habileté à qqch., à (et inf.). *Habileté dans les affaires humaines, dans les relations sociales.* ⇒ **Diplomatie, doigté, perspicacité, savoir-faire, tact.** *Il s'est tiré de ce mauvais pas avec habileté.* ⇒ **Délicatesse, dextérité, élégance.** *Mener une affaire avec habileté. Profiter d'un bon conseil* (cit. 2) *avec habileté. — Une habileté sans scrupule.* ⇒ **Astuce** (vieilli), **roublardise, rouerie.** *Faire ce que la morale commande et non ce que l'habileté conseille* (cit. 5). *Il a réussi son coup avec une merveilleuse habileté.* → Coup* de maître, tour* de force. *Son habileté se joue des difficultés, jongle avec les difficultés.*

Il est difficile de juger si un procédé net, sincère et honnête est un effet de probité ou d'habileté. LA ROCHEFOUCAULD, Réflexions et maximes, 170. 8

C'est une grande habileté que de savoir cacher son habileté. 9
LA ROCHEFOUCAULD, Réflexions et maximes, 245.

(Le sénéchal de Rennes) avait une affaire épineuse où il fallait de l'habileté. 10
Mme DE SÉVIGNÉ, Lettres, 442, 9 sept. 1675.

Le terme de l'habileté est de gouverner sans la force. 11
VAUVENARGUES, Maximes et réflexions, 96.

L'habileté est à la ruse ce que la dextérité est à la filouterie. 12
CHAMFORT, Maximes et pensées, XXXIX.

Après avoir expliqué, tout à son avantage, la rouerie à laquelle il fallait répondre par de l'habileté (...) l'avocat résuma son plan de campagne. 13
BALZAC, les Petits Bourgeois, Pl., t. VII, p. 202.

(Dans le domaine intellectuel, artistique). Maîtrise technique. *Habileté dans le domaine intellectuel.* ⇒ **Art, artifice, ingéniosité, talent.**

Mais quand M. Alfred Mortier écrit *Sylla,* il ne me montre que de l'habileté. C'est un beau tour de force, mais non de la force. 14
Paul LÉAUTAUD, le Théâtre de Maurice Boissard, XXXII, p. 162.

♦ **2.** (1549). Littér. *Une, des habiletés.* Acte, procédé habile. ⇒ **Finesse** (→ Conquête, cit. 1). *De petites habiletés mesquines. Les habiletés du métier.* ⇒ **Artifice, astuce, ficelle, truc.** *Les habiletés d'un intrigant.* ⇒ **Ruse** (→ Bailler, cit. 2). — (Qualifié). *Des habiletés de langage, de métier.*

Il s'en faut bien que toutes nos habiletés ou toutes nos fautes portent coup. 15
VAUVENARGUES, Maximes et réflexions, 554.

(...) toutes habiletés de métier, qui doivent toujours s'effacer de l'art, quand elles y entrent (...) André SUARÈS, Trois hommes, «Dostoïevski», III, p. 223. 16

Son grand et généreux esprit *(de Vergniaud)* l'emporte vite au delà des combinaisons et des habiletés. JAURÈS, Hist. socialiste..., t. VI, p. 304. 17

Les finesses et les habiletés comptent pour peu de chose dans l'œuvre des véritables hommes d'État (...) Point n'est besoin d'un équilibriste, l'homme de bon sens, en l'espèce, réussit mieux. André SIEGFRIED, La Fontaine..., p. 253. 18

CONTR. Apprentissage, gaucherie; impéritie, inhabileté, maladresse, simplicité.

HABILITANT, ANTE [abilitɑ̃, ɑ̃t] adj. — 1866, Littré; p. prés. de *habiliter.*

♦ Dr. Qui rend apte à accomplir un acte juridique.

HABILITATION [abilitɑsjɔ̃] n. f. — XVe; *abilitation,* 1373; lat. médiéval *habilitatio,* du supin de *habilitare.* → Habiliter.

♦ Dr. Action de conférer la capacité à un incapable (→ Habiliter, cit. 1).

HABILITÉ [abilite] n. f. — V. 1361; *abilité,* XIIIe; du lat. *habilitas,* de *habilis.* → Habile.

♦ **1.** (1530). Vx. Qualité qui rend apte à. «*Nous n'apportons point en naissant l'habilité à faire ces choses*» (Bossuet, *in* Littré).

(...) l'unique concession du nom, titre, etc., de prince du sang, et de l'habilité après eux à la couronne (...) récompense d'une naissance tellement impure, que, jusqu'à ces bâtards *(de Louis XIV),* les hommes en pas un pays, n'ont voulu la connaître (...) SAINT-SIMON, Mémoires, IV, XXII.
N.B. On trouve dans le même sens chez cet auteur *habileté* (cf. IV, XXIII, pp. 376 et 379).

♦ **2.** (1671). Dr. Vx. Capacité. *Habilité à succéder.*

REM. Ne pas confondre avec *habileté.*

HOM. Habiliter.

HABILITER [abilite] v. tr. — 1470; *abilleté à,* fin XIIIe; du lat. médiéval *habilitare,* du lat. class. *habilis.* → Habile.

♦ **1.** (1470). Dr. Rendre (qqn) habile (au sens juridique), conférer à (un incapable) la capacité juridique. *Habiliter un incapable à passer un acte juridique.* ⇒ **Autoriser.**

Si l'un des époux se trouve hors d'état de manifester sa volonté, son conjoint peut se faire habiliter par justice à le représenter d'une manière générale, ou pour certains actes particuliers, dans l'exercice des pouvoirs visés à l'article précédent (...) 1
A défaut de pouvoir légal, de mandat ou d'habilitation par justice, les actes faits par un époux en représentation de l'autre sans pouvoir de celui-ci ont effet à l'égard de ce dernier dans la mesure déterminée par l'article 1375.
Code civil, art. 219.

♦ **2.** Rendre (qqn) légalement capable d'exercer certains pouvoirs, d'accomplir certains actes. ⇒ **Qualifier.** (Surtout passif et p. p.). *Le mandataire est habilité à agir au nom du mandant. Il est habilité à passer ce marché au nom de l'État.* ⇒ **Qualité** (avoir qualité pour).

(...) il n'était plus un général ordinaire, un simple exécutant; il avait tout conçu seul et, seul, tout mené à bien. Ainsi était-il, à ses yeux, habilité pour conduire mieux encore d'autres opérations (...) 2
Louis MADELIN, Hist. du Consulat et de l'Empire, Ascens. Bonaparte, VI, p. 78.

(...) le sacrement, que transmet le prêtre habilité par l'ordination (...) 3
André SIEGFRIED, l'Âme des peuples, III, III.

DÉR. Habilitant.
COMP. Réhabiliter.
HOM. Habilité.

HABILLABLE [abijabl] adj. — 1845, Bescherelle ; de *habiller.*

♦ Qu'on peut habiller. *Rien ne lui va : il n'est pas habillable.*

HABILLAGE [abijaʒ] n. m. — 1611 ; *abillage,* mil. xve ; de *habiller.* Technique.

♦ **1.** Action d'habiller (I.). *L'habillage d'une bête de boucherie, d'une volaille, d'un poisson.* — (1530). *Habillage d'une montre. Habillage d'un arbre.*

♦ **2.** Action d'habiller (II., 6.). *L'habillage des bouteilles. Habillage d'une gravure, d'une illustration,* disposition du texte typographique autour d'elle.

♦ **3.** (Mil. xxe). Par métonymie. Enveloppe en métal, en plastique, protégeant un appareil, une machine, un véhicule, et dont la couleur et la forme sont étudiées pour plaire à la clientèle. *L'habillage d'un poste de télévision.* — Enveloppe amovible isolante (d'un appareil de chauffage).

♦ **4.** (Fin xixe, Huysmans). Action d'habiller, de s'habiller (avec des vêtements). *L'habillage d'un acteur par un habilleur. Salon d'habillage.*

(1526). Rare. Par métonymie. Ensemble des vêtements (d'une personne).

CONTR. **Déshabillage.**

HABILLÉ, ÉE [abije] p. p. adj. ⇒ **Habiller.**

HABILLEMENT [abijmɑ̃] n. m. — 1374 ; de *habiller.*

♦ **1.** Action d'habiller, de pourvoir ou de se pourvoir d'habits, de vêtements. *L'habillement d'un enfant par sa mère* (rare). *L'habillement de qqn, des troupes.* (Rare). *L'habillement d'une actrice.* ⇒ **Habillage.** — **... D'HABILLEMENT.** *Frais, dépenses d'habillement. Magasin d'habillement* (→ Espionnage, cit. 3). *Officier, capitaine* (cit. 5) *d'habillement.*

1 (...) le bureau de la *solde* par exemple donnait les renseignements relatifs à la *solde,* le bureau de l'*habillement* ceux sur l'*habillement ;* supposons l'affaire d'un officier d'habillement du 7e léger devant restituer sur sa solde 107 francs, montant de la serge qu'il a reçue indûment, il me fallait les renseignements des deux bureaux susnommés (...) STENDHAL, Vie de Henry Brulard, 41, p. 372.

2 Il restait ainsi moins de vingt-cinq mille francs pour l'habillement de six personnes (...) J. ROMAINS, les Hommes de bonne volonté, t. III, XI, p. 145.

2.1 J'ai fait la guerre comme caporal d'habillement, et je dois dire à Monsieur que dans l'intendance nous avions assez peu d'occasions.
J. ANOUILH, le Voyageur sans bagage, 5e tableau, p. 97.

REM. *Habillement* est rare dans le sens de « revêtir, mettre des vêtements ». On ne dirait guère : *Elle passe une heure à son habillement.* On emploie plutôt le verbe *habiller :* « Il lui faut une heure pour s'habiller ». → Toilette.

♦ **2.** (1572). L'ensemble des habits dont une personne est vêtue. ⇒ **Costume, effet**(s), **équipage** (vx), **habit, vêtement.** « *Les diverses parties de l'habillement* » (Académie). *Les chaussures sont distinguées de l'habillement dans l'indice des prix de détail des objets manufacturés à Paris. Le fard lui paraît un complément indispensable de l'habillement* (→ Farder, cit. 11). — Manière de s'habiller. ⇒ **Costume, mise, tenue.** *Un habillement singulier, bizarre, grotesque.* ⇒ **Accoutrement, attifement, déguisement.**

3 L'*habillement* dépend du goût ou de la fantaisie de chacun. Deux personnes portant le même *habit* peuvent néanmoins différer par l'*habillement,* suivant leur manière de s'ajuster (...) LAFAYE, Dict. des synonymes, p. 1023.

4 (...) elle n'avait pour habillement qu'une méchante petite jupe.
MOLIÈRE, les Fourberies de Scapin, I, 2.

5 Des étoffes de ménage, fines, mais fortes et peu salissantes, composent presque tout l'habillement des enfants et du père. Sa femme ne porte que des robes blanches de toile de coton (...) É. DE SENANCOUR, Obermann, LXV.

6 Marius avait toujours deux habillements complets, l'un vieux pour tous les jours, l'autre tout neuf, pour les occasions. HUGO, les Misérables, III, V, II.

7 (...) avec leurs grands cols clairs et leurs pompons rouges tranchant sur le bleu marine de leur habillement. LOTI, Mon frère Yves, III, p. 13.

8 (...) ils mettent des drôles d'habillements, des habillements d'État, des toges, des toques, des simarres, des déguisements, des mascarades, et sur l'épaule des machins en poil de lapin que *(dont)* je ne sais même pas le nom.
Ch. PÉGUY, la République..., p. 303.

Vx. (Au sing. ou au plur.). Pièce du vêtement. « *Revêtons-nous d'habillement* » (→ Apprêter, cit. 5, Racine), « *des habillements trops étroits* » (→ Épaule, cit. 4, Lamartine).

9 Alors, les esclaves apportèrent le corps de son fils, revêtu de ses plus beaux habillements, et, dès que la fosse qu'on lui faisait fut achevée, on l'y descendit.
A. GALLAND, les Mille et une Nuits, t. I, p. 165.

♦ **3.** *L'habillement :* ensemble des professions du vêtement*. *Commerce de l'habillement. Le syndicat de l'habillement.* ⇒ **Couture, prêt-à-porter.** *Salon de l'habillement et du prêt-à-porter.*

HABILLER [abije] v. tr. — Av. 1453 ; *abillier,* v. 1307 ; de *a* (préf. marquant le but), 2. *bille-,* et *-er,* proprt « préparer une bille de bois », « ébrancher et écorcer », « préparer, arranger, apprêter » ; *habiller* au sens II, « vêtir », v. 1400, sous l'influence de *habit* et de *habile.*

★ **I.** Techn. Apprêter (qqch.) pour un usage déterminé (⇒ **Habillage**). *Habiller une bête de boucherie* (→ Frais, cit. 23), *du gibier, de la volaille, un poisson,* les dépouiller, les vider, les mettre en état pour les vendre ou les accommoder.

Ce ministre les prit *(les poissons)* et les porta lui-même encore dans la cuisine, où il s'enferma seul avec la cuisinière, qui commença à les habiller devant lui et qui les mit sur le feu, comme il avait fait des quatre autres le jour précédent. 0.1
A. GALLAND, les Mille et une Nuits, t. I, p. 70.

(1680). *Habiller une montre,* disposer les diverses pièces de son mécanisme. ⇒ **Ajuster.** — (1701). *Habiller un arbre :* tailler les racines et les branches d'un arbre que l'on a arraché pour le replanter ailleurs.

Techn. *Habiller le cylindre d'une presse* (pour le tirage).

★ **II.** Couvrir (qqn) de vêtements. ⇒ **Mettre** (des vêtements à), **vêtir.**

♦ **1.** (xve). Couvrir (qqn) de ses vêtements habituels (→ Aller, cit. 73 ; endoctriner, cit. 3). *Habiller un enfant. Il est impotent, il lui faut un domestique pour l'habiller. La petite fille habillait sa poupée.*

Elle faisait le lit des enfants, qu'elle venait de lever et d'habiller. 1
ZOLA, l'Assommoir, p. 12.

L'habilleuse est en train d'habiller la vedette du spectacle, la prima donna.

Art. *Peintre qui peint un personnage nu avant de l'habiller.* — (1690, Furetière). *Habiller une figure nue, une académie.*

♦ **2.** (1690, Furetière). Fournir (qqn) en vêtements. *Ses parents ne payent pas son loyer, mais ils l'habillent. Les uniformes dont l'État habille un certain nombre de ses fonctionnaires. Officier chargé, dans une caserne, d'habiller les recrues.* ⇒ **Équiper.** *Dame charitable qui se charge d'habiller une famille pauvre, un enfant en loques* (→ Être, cit. 87 ; garde-robe, cit. 5).

Il me fit habiller à ses frais depuis les pieds jusqu'à la tête. 2
A.-R. LESAGE, Estève Gonzalez, XIX.

(Un prince belliqueux) trouve incontinent un grand nombre d'hommes qui n'ont rien à perdre ; il les habille d'un gros drap bleu à cent dix sous l'aune, borde leurs chapeaux avec du gros fil blanc, les fait tourner à droite et à gauche, et marche à la gloire. VOLTAIRE, Dict. philosophique, Guerre. 3

♦ **3.** (1631). Vêtir (d'une certaine manière). *Vous n'avez pas assez habillé cet enfant. Habillez-le chaudement, large* (→ Aise, cit. 2). — *Habiller qqn de... Habillez-le de laine pour l'envoyer à la montagne.* — *Habiller qqn de façon disgracieuse, grotesque.* ⇒ **Accoutrer, affubler, attifer, fagoter, ficeler, harnacher.** *Habiller à l'antique.* ⇒ **Draper. HABILLER EN...** *Enfants qu'on habille en Pierrot, en Sioux pour le Mardi-Gras.* ⇒ **Costumer, déguiser, travestir.**

(...) des couturiers qui apportaient de belles étoffes de soie pour habiller la mariée (...) A.-R. LESAGE, Gil Blas, X, IX. 4

♦ **4.** (1690, Furetière). Le sujet désigne les vêtements. Être seyant. ⇒ **Aller, convenir, seoir.** *Ce costume, cette robe vous habille bien. Un rien l'habille :* des vêtements modestes suffisent à lui donner un air d'élégance. *Ce tissu habille bien.*

♦ **5.** (1690, Furetière). Faire, confectionner et vendre des vêtements à. *Le même tailleur nous habille, vous et moi. Le grand couturier qui habille la présidente. Vous me donnez un délai trop court pour vous habiller.*

Un philosophe se laisse habiller par son tailleur : il y a autant de faiblesse à fuir le monde qu'à l'affecter. LA BRUYÈRE, les Caractères, XIII, 11. 5

Absolt. *Ce tailleur, cette couturière habille bien.*

♦ **6.** (Fin xve). Couvrir (qqch.) comme d'un vêtement. ⇒ **Entourer, envelopper, recouvrir.** *Habiller une borne-fontaine pour la protéger contre le gel. Habiller de housses des chaises, des fauteuils. Habiller un abat-jour, une fenêtre. Habiller un livre d'une jaquette illustrée. Habiller de paillons des bouteilles de vin.*

Sur la petite place, les siècles ont habillé de mousse une fontaine à coupes étagées, et chaque fibre de mousse, chaque brin de soie verte et dorée distille sa goutte d'eau vivante. COLETTE, Belles Saisons, Mes cahiers, p. 151. 6

Spécialt. *Habiller des bouteilles,* les revêtir d'étiquettes, de capsules ou de coiffes de papier métallique. *Habiller une gravure :* disposer le texte autour de l'illustration.

Techn. Recouvrir (un appareil, un véhicule...) d'un habillage*. ⇒ **Décorer, orner.**

Ici, c'est autre chose : c'est un atelier de finition, où les voitures arrivent peintes, rutilantes, où on les « habille » : on recouvre l'intérieur, on monte les sièges, les phares, les chromes, on pose le bloc moteur sur le chassis, on met les vitres, on monte les roues. Robert LINHART, l'Établi, p. 29. 6.1

♦ **7.** Fig. [a] Vieilli. ⇒ **Arranger.**

Souvent j'habille en vers une maligne prose (...) BOILEAU, Satires, VII. 7

J'ai donné vos lettres au faubourg (...) on y trouve la réflexion de M. de Grignan admirable : on l'a pensée quelquefois ; mais vous l'avez habillée pour paraître devant le monde. Mme de SÉVIGNÉ, 253, 1er mars 1672. 8

[b] (1661, Molière). ⇒ **Couvrir, déguiser, dissimuler, envelopper.** *La gaze* (cit. 8) *pudique qui habille des galanteries assez vives. L'orateur habillait de phrases sonores des pensées banales.* ⇒ **Orner, parer.** *Les hommes de la Révolution ont habillé à l'antique les ver-*

tus républicains. ⇒ **Draper.** *Habiller un drame ancien en costumes modernes* (→ Embourgeoiser, cit. 1).

9 Il n'est rien si commun qu'un nom à la latine;
Ceux qu'on habille en grec ont bien meilleure mine (...)
MOLIÈRE, les Fâcheux, III, 2.

10 Les passions y paraissent (...) convulsives, parce qu'elles sont peu à peu dépouillées de tout ce qui les habille.
André SUARÈS, Trois hommes, « Dostoïevski », III, p. 221.

Habiller un texte, un rapport, le présenter de telle façon qu'on en altère, qu'on en fausse le sens, la portée.

c (1757). Fam. Vx. *Habiller qqn,* en dire du mal. ⇒ **Calomnier, médire** (de). *Il a été bien habillé par ses prétendus amis!*

11 Voilà comme ils vous habillent. D'ALEMBERT, Lettre à Voltaire, 23 janv. 1757.

▶ **S'HABILLER** v. pron. (Déb. XVe).

♦ **1.** Mettre* ses habits. ⇒ **Vêtir** (se). *S'habiller de pied en cap. S'habiller à la hâte, précipitamment* (→ Aurore, cit. 8; coiffeur, cit. 2). *Il est long à s'habiller. Il lui faut une heure pour s'habiller. Aidez-le à s'habiller.* ⇒ **Ajuster** (s'), **arranger** (s'). *Finir de s'habiller* (se boutonner, etc.). *S'habiller et se chausser**.

12 Les domestiques ici (...) sont plus longs à s'habiller que les maîtres.
BEAUMARCHAIS, le Mariage de Figaro, III, 5.

13 (...) chaque fois maintenant que Charles sortait de bonne heure, Emma s'habillait vite et descendait à pas de loup le perron (...) FLAUBERT, Mme Bovary, II, IX.

14 Tu ne sauras donc jamais t'habiller tout seul? COLETTE, Chéri, p. 14.

♦ **2.** Se vêtir (d'une certaine façon). *Habillez-vous plus légèrement. S'habiller court, long. S'habiller de noir, de gris.* ⇒ **Porter** (du noir). *S'habiller avec chic, élégance* (cit. 8), *goût, décence, discrétion, recherche. S'habiller à la dernière mode. Femme d'un certain âge qui s'habille comme une jeune fille. S'habiller en Colombine pour aller au bal masqué. Soldat en permission qui s'habille en civil. Comment t'habilles-tu?* → Qu'est-ce que tu te mets*? — Absolt. *Cette femme ne sait pas s'habiller; elle n'a aucun goût.*

15 (...) un maître à danser qui s'habille comme un petit-maître (...)
A.-R. LESAGE, le Diable boiteux, VII.

16 Il s'habillait. Pour cette fête, il choisissait les étoffes les plus rudes, les cuirs les plus lourds, il s'habillait comme un paysan. Plus il devenait lourd, plus elle l'admirait. Elle-même bouclait cette ceinture, tirait ces bottes.
SAINT-EXUPÉRY, Vol de nuit, X, p. 93.

Absolt. Revêtir des habits de sortie, de cérémonie, une tenue de soirée. *Faut-il s'habiller pour cette réception? Il est trop tard pour m'habiller et sortir* (→ Ennuyer, cit. 12), *pour aller dans le monde* (→ Délicat, cit. 4). *Va t'habiller; mets ton plus beau costume.* → Se mettre sur son trente-et-un*.

16.1 Elle devait se prendre par la peau du cou pour y aller *(au bal),* empoisonnée à la pensée de « s'habiller » (...) MONTHERLANT, Pitié pour les femmes, p. 23.

♦ **3.** Se pourvoir d'habits. *Chez qui vous habillez-vous? S'habiller en confection; sur mesure, chez un bon tailleur. S'habiller de neuf. Où est-ce que tu t'habilles?* ⇒ (fam.) **Fringuer** (se), **nipper** (se). *En être réduit à s'habiller chez un fripier* (→ Chichement, cit. 4).

17 Il *(Rubempré)* courut avec une vélocité de cerf jusqu'à l'hôtel du Gaillard-Bois, monta dans sa chambre, y prit cent écus, et redescendit au Palais-Royal pour s'y habiller de pied en cap. Il avait vu des bottiers, des lingiers, des giletiers, des coiffeurs au Palais-Royal où sa future élégance était éparse dans dix boutiques.
BALZAC, Illusions perdues, Pl., t. IV, p. 609.

18 (...) les gens chic, mais là, les gens véritablement élégants, femmes ou hommes, ils ne peuvent pas attendre plus longtemps avant de s'habiller pour la saison prochaine? COLETTE, Chéri, p. 119.

♦ **4.** Figuré :

19 Le monde aujourd'hui n'est plein (...) que de ces imposteurs qui (...) s'habillent insolemment du premier nom illustre qu'ils s'avisent de prendre.
MOLIÈRE, l'Avare, V, 5.

▶ **HABILLÉ, ÉE** p. p. adj.

♦ **1.** (XVe). Couvert de vêtements (opposé à *nu*). ⇒ **Vêtu.** — Spécialt. Dans une tenue où l'on peut être vu. *Attendez un instant : je ne puis vous recevoir, je ne suis pas habillé.*

20 Allez-vous-en voir, vous, si ma femme est habillée.
MOLIÈRE, le Malade imaginaire, II, 2.

Tout habillé. Il se coucha tout habillé. → Excursion, cit. 2.

21 Il remonta chez lui et s'endormit tout habillé sur son lit.
MAUPASSANT, Bel-Ami, I, IV, p. 87.

♦ **2.** Couvert de tels ou tels vêtements. *Personne bien habillée.* ⇒ **Chic, élégant.** *Il est toujours mal habillé.* ⇒ **Accoutré;** → Fichu, foutu comme quatre sous, comme l'as de pique, comme un sac. *Habillé de* (telle façon, telle couleur). → ci-dessus Habiller, II., 3. → Brillant, cit. 28; corsage, cit. 2; étincelant, cit. 13; fil, cit. 1; flexible, cit. 2. *Habillé de blanc* (cit. 12). *Habillé dans son beau costume du dimanche.* ⇒ **Endimanché.**

♦ **3.** (Av. 1696, La Bruyère). Dans une tenue qui a de l'apparat, une tenue de soirée. ⇒ **Mis** (bien mis). *Elle est sortie, belle, habillée, élégante, tirée à quatre épingles* (→ Fourberie, cit. 6). *Elle était trop habillée pour la circonstance.* — Absolt. *Habillé :* vêtu d'un habit* (5.), ou d'un vêtement prescrit par la circonstance. *Il n'y aura à cette soirée que des gens habillés.*

(Av. 1825). Par ext. *Une tenue, une robe habillée,* d'apparat. *Ils ne pouvaient paraître à la cour qu'en habit habillé* (→ Anachronisme, cit. 3). *Un tissu, une couleur qui fait habillé.*

Iphis voit à l'église un soulier d'une nouvelle mode; il regarde le sien et en rougit; il ne se croit plus habillé. LA BRUYÈRE, les Caractères, XIII, 14. 22

On est beaucoup plus « habillé », dans les quartiers élégants, à New-York qu'à Paris (...) Paul MORAND, New-York, p. 217. 23

♦ **4.** N. m. (1866, Littré). Fam. *Un habillé de soie :* un cochon. *Saigner l'habillé de soie.*

CONTR. Déshabiller, dévêtir. — Nu, dévêtu. — Négligé.
DÉR. Habillable, habillage, habillement, habilleur.
COMP. Déshabiller, rhabiller.

HABILLEUR, EUSE [abijœʀ, øz] n. — Mil. XVIe, « corroyeur »; de *habiller.*

★ **I.** (Correspond à *habiller,* I.). ♦ **1.** N. m. Techn. Ouvrier corroyeur qui habille (I.) les peaux.

♦ **2.** N. m. (1770). Pêcheur chargé de préparer la morue.

♦ **3.** N. (1962). Étalagiste qui dispose des denrées qu'on habille.

★ **II.** (Correspond à *habiller,* II.). ♦ **1.** N. (1839, Balzac, *Illusions perdues*). Surtout au fém. Personne qui aide les acteurs et actrices à s'habiller, prend soin de leurs costumes (→ Étalagiste, cit. 2).

L'habilleuse entre dans la loge. C'est une grande et forte femme (...) qui a fait des conquêtes, mais qui ne sont plus qu'à habiller ces dames, à leur vendre des bouteilles de blanc, à faire leurs commissions dramatiques, et à leur rapporter parfois ce qu'un homme comme il faut et bien couvert lui a dit pour elles. Du reste, l'habilleuse est la discrétion même (...) 1
Ch. PAUL DE KOCK, la Grande Ville, éd. 1842, t. I, p. 366.

Loge de Brandès. Avec le concours de son habilleuse, elle passe de sa robe dans son peignoir. Je n'y ai vu que du feu. J. RENARD, Journal, 28 févr. 1898. 2

(Déb. XXe). Par ext. Personne qui aide les mannequins à s'habiller pour la présentation des collections. *Elle est habilleuse chez un grand couturier.*

Une habilleuse aux gestes rapides vêtit Claire d'un fourreau de velours noir, bordé d'hermine (...) MAUROIS, Terre promise, X, p. 61. 3

♦ **2.** N. (Fin XIXe, Daudet). Techn. Personne qui confectionne des vêtements de poupées.

♦ **3.** N. m. (V. 1970). Fabriquant ou vendeur de vêtements pour hommes. *« Qui mieux que votre habilleur sait vous conseiller en fonction de vos goûts et de votre caractère »* (*l'Express,* 6 nov. 1972, p. 32).

HABIT [abi] n. m. — XIIIe; *abit,* v. 1155; lat. *habitus* « manière d'être », d'où « costume ».

♦ **1.** (XIIIe). Au sing. Vx (langue class.). Ensemble des vêtements qui couvrent le corps. ⇒ **Costume, habillement, tenue, vêtement.**

REM. Au XVIIe s. on entend par *habit* la « tenue complète », le « costume entier d'homme ou de femme, y compris la chaussure et la coiffure » (Cayrou, *Dict. du français classique*).

Une femme ne prendra point un habit d'homme, et un homme ne prendra point un habit de femme (...) BIBLE (SACY), Deutéronome, XXII, 5. 1

L'habit qu'il eut sur lui fut son seul héritage (...) BOILEAU, Satires, I. 2

(...) le déguisement qu'il a pris est l'habit d'une femme. 3
MOLIÈRE, Monsieur de Pourceaugnac, III, 1.

♦ **2.** *Un, des habits.* Vêtement de dessus, à l'exclusion des ornements (⇒ **Culotte, veste; jupe, robe...**); spécialt, vêtement d'homme. *L'étoffe* (cit. 1) *d'un habit. Habit de gros drap, de velours* (→ Enterrer, cit. 7). *Habit correct* (cit. 5), *simple, strict. Un bel habit, un habit élégant, très chic. Habit somptueux, auguste* (cit. 8) *et magnifique. Habit neuf; vieil habit, habit râpé, usé* (→ Bigarrure, cit. 4). *Habit bien coupé, qui va bien* (→ Beau, cit. 70). *Cet habit vous engonce. Habit démodé* (→ Frapper, cit. 31). *Commander, acheter un nouvel habit. Engager* (cit. 1) *son habit; mettre son habit au clou. Tailleurs qui travaillent à un habit* (→ Après, cit. 57). *Confectionner, couper, tailler un habit. Retourner un habit. Changer d'habit* (→ Beauté, cit. 36), *changer chaque jour quelque chose à son habit.* ⇒ **Atour** (cit. 2), **habillement, parure.** *Se soucier de son habit, être sensible à l'habit* (→ Fagoter, cit. 4). — Vx. *L'habit d'une dame* (→ Atour, cit. 8, La Fontaine).

Théodote avec un habit austère a un visage comique (...) 4
LA BRUYÈRE, les Caractères, VIII, 61.

Chez de certaines gens un habit neuf, c'est presque un beau visage. 5
MARIVAUX, Vie de Marianne, I.

Chose unique, qui m'a tracassé toute la journée c'est que je pensais toujours à l'habit que j'ai essayé le matin et qui allait mal (...) 5.1
E. DELACROIX, Journal, 5 oct. 1822.

♦ **3.** (V. 1360). Au plur. **LES HABITS** : l'ensemble des pièces composant l'habillement. ⇒ **Affaires, effets, vêtements,** et (fam.) **fringues, fripe, frusques, hardes, nippes** (→ Affecter, cit. 5; autrement, cit. 17). *Ensemble des habits, du linge.* ⇒ **Frusquin** (saint-frusquin, cit. 1), **garde-robe, trousseau.** *Assortir* (cit. 1) *ses habits et ses chapeaux, ses parures. Un grand luxe d'habits* (→ Équipage, cit. 9). — *Beaux, superbes habits* (→ Agencer, cit. 2; curieux, cit. 1). *Habits simples, modestes* (→ Avilissement, cit. 2). *Modeste dans* *ses habits,* dans son habillement (→ Avaricieux, cit. 4). *Habits à la mode, habits démodés* (→ Créer, cit. 4; empire, cit. 5; extravagant, cit. 5). *Habits grotesques, ridicules* (⇒ **Accoutrement, défroque, oripeau**). *Habits anciens, vieux habits relégués dans un grenier. Habits du* XVII*e siècle, agrémentés, chamarrés de broderies* (cit. 1, 3), *de passements, brodés d'or* (→ Éclater, cit. 26). *Habits tout neufs* (→ Emprisonner, cit. 4). *Habits chauds, confortables* (→ Exigence, cit. 2). *Habits usagés, sales, mouillés, déchirés* (→ Élève, cit. 4; geler, cit. 4). *De méchants habits.* ⇒ **Hardes** (→ Glacé, cit. 1). *Habits qui montrent la corde, qui tombent en loques.* ⇒ **Guenille.** — (1900). Loc. *Marchand d'habits.* ⇒ **Fripier** (cit. 2). — *Acheter ses habits tout faits, sur mesure, chez un tailleur, une couturière. Mettre, ranger ses habits dans un placard, une penderie, une garde-robe* (cit. 2), *un vestiaire. Entretenir ses habits. Emporter des habits en voyage* (→ Commodité, cit. 6). *Mettre, ôter ses habits.* ⇒ **Habiller** (s'); **déshabiller** (se). — *Habits d'homme, de femme, d'enfant* (→ Flotter, cit. 17). *Habits de drap, de toile, de coton* (→ Écœurer, cit. 1). — *Habits de mariage* (→ Gentil, cit. 7), *de deuil* (→ Cheveu, cit. 21; ensevelir, cit. 8). *Habits de voyage, de ville. Habits de travail. Habits du dimanche* (cit. 14). → Endimanchement, cit. — *Habits militaires.* ⇒ **Uniforme** (→ Épaulette, cit. 2). *Habits civils* (cit. 11).

6 Tel deuil n'est bien souvent que changement d'habits.
LA FONTAINE, Contes, La coupe enchantée, III, IV.

7 Elle réforma tout ce qu'il y avait de mondain et de sensuel dans ses habits (...)
RACINE, Port-Royal, I.

8 L'or et les diamants brillent sur ses habits (...) VOLTAIRE, les Scythes, I, 1.

9 Si j'avais à remettre la tête d'un enfant ainsi gâté, j'aurais soin que ses habits les plus riches fussent les plus incommodes, qu'il y fût toujours gêné, toujours contraint (...) ROUSSEAU, Émile, II.

10 S'il avait soin de lui-même et de ses habits, il n'aurait pas l'air d'un va-nu-pieds.
BALZAC, la Rabouilleuse, Pl., t. III, p. 908.

11 Dans le nombre de ces Parisiens accusés d'être si spirituels, il s'en trouve qui se croient infiniment mieux en uniforme que dans leurs habits ordinaires, et qui supposent chez les femmes des goûts assez dépravés pour imaginer qu'elles seront favorablement impressionnées à l'aspect d'un bonnet à poil et par le harnais militaire. BALZAC, la Cousine Bette, I, Pl., t. VI, p. 135.

12 (...) il aperçut ses habits de tous les jours, jetés là, vides, fatigués, flasques, vilains (...) MAUPASSANT, Bel-Ami, I, III, p. 49.

13 (...) j'en suis venu à adopter pour un temps le langage et les coutumes de la Turquie, — même ses beaux habits de soie et d'or. LOTI, Aziyadé, XXIV, p. 108.

Brosse à habits.*

Loc. prov. *Habits de velours, ventre de son,* se dit de celui qui utilise toutes ses ressources à l'habillement et n'a plus même de quoi se nourrir.

♦ **4.** (V. 1360). Qualifié. Vêtement caractéristique d'une époque, approprié à un usage précis ou propre à certaines fonctions, à certaines professions. — Anciennt. *Un habit à la française* (1664, *in* D. D. L.), *à l'espagnole* (→ Épiloguer, cit. 6). *Habit à l'antique, habit romain* (→ Calquer, cit. 2). *Habit de cour* (→ Dégager, cit. 8). *Habit bourgeois* (cit. 14), *habit noir du tiers état* (cit. 93). — *Habit du matin* (→ Élégant, cit. 4). — (1659). Vx. *Habit court :* vêtements ordinaires (opposé à l'*habit long,* propre à certaines fonctions. → Soutane; robe, toge). *Gens d'habit court, d'habit long.*

14 Tel rit d'un juge en habit court, qui-i *(sic)* tremble au seul aspect d'un procureur en robe. BEAUMARCHAIS, le Mariage de Figaro, III, 14.

Mod. *Habit de chasse* (→ Boutonner, cit. 2), *habit de cheval. Habit de fête* (→ Faucon, cit. 2), *de gala* (cit. 3). ⇒ **Costume.** *Elle portait un habit de voyage. Habit habillé* (→ Anachronisme, cit. 3). — *Habit de clown, d'équilibriste* (cit. 2). *Habit de bouffon* (cit. 6), *d'arlequin* (cit. 4 et 5). — *Habit de laquais, de valet de chambre, de groom.* ⇒ **Livrée** (→ Âme, cit. 73; assemblage, cit. 16; friser, cit. 4). *Habit d'huissier, d'encaisseur, de magistrat* (⇒ **Robe**). *L'habit militaire.* ⇒ **Uniforme.** — (1812, *in* D. D. L.). *Habit à la française,* (vx) *habit français,* à basques planes.

15 Jerphanion n'est pas loin de regretter qu'il n'y ait pas un uniforme de l'École. Est-ce qu'il n'en a pas existé un, jadis? (...) Hélas! (...) Ça devait être du propre! Un semis de violettes, ou de graines d'épinard, sur un habit d'huissier jeunet. Quelque chose qui devait évoquer l'Académicien gamin (...)
J. ROMAINS, les Hommes de bonne volonté, t. IV, XVIII, p. 200.

(1902). **L'HABIT VERT :** tenue officielle des membres de l'Institut de France. *L'Habit vert,* comédie de de Flers et Caillavet. Fig. *Briguer l'habit vert,* le titre d'académicien.

(1839, Stendhal). *L'habit rouge :* tenue des soldats anglais avant 1914. Fam. (vx). Soldat anglais.

L'habit religieux, ecclésiastique (cit. 1). *Habit de prêtre* (→ Ensorceler, cit. 8) [autrefois, soutane], *de clergyman. Habit de chartreux* (→ Ensevelir, cit. 6), *de capucin. Habit porté par pénitence, dans certains ordres.* ⇒ **Sac** (de toile). *Habit de chœur :* « vêtement que doivent revêtir les membres du clergé pour assister à un office liturgique » *(Dict. de liturgie romaine).*

(V. 1155). Absolt. (1676). *Prendre l'habit :* devenir prêtre, moine (→ Égarement, cit. 2). — (1679, Mme de Sévigné, *in* D. D. L.). *Prise d'habit. Cérémonie de la prise d'habit :* entrée* en religion (on dit aussi, pour les religieuses, *prise de voile**). — (1690, Furetière). *Quitter l'habit :* se défroquer* (→ Jeter le froc* aux orties).

16 Votre cousine d'Harcourt a pris l'habit à Montmartre : toute la cour y était.
Mme DE SÉVIGNÉ, 564, 31 juil. 1676.

Cette sainte fille, trop pauvre pour porter le magnifique habit de son ordre, qui était une robe blanche avec le scapulaire écarlate (...) 17
HUGO, les Misérables, II, VI, VI.

J'ai dû quitter mon couvent (...) et porter un habit séculier. Mon Père, dit Brotteaux, en examinant la souquenille de M. de Longuemare, votre habit témoigne suffisamment que vous n'avez pas renié votre état; à le voir, on croirait que vous avez réformé votre ordre plutôt que vous ne l'avez quitté (...) 18
J'ai quitté mon habit, monsieur, ce qui est une manière d'apostasie (...)
FRANCE, Les dieux ont soif, VI, p. 58-59.

(...) si je prends l'habit, je ne le quitterai plus. Je n'aurais sans doute pas la force d'être une contemplative. Mais je veux soigner des malades, donner ma vie aux souffrants, aux pauvres, aux prisonniers, à tous ceux qui ne peuvent pas porter le fardeau de leur vie. G. DUHAMEL, Cri des profondeurs, XI, p. 219. 19

(V. 1440). Prov. *L'habit ne fait pas le moine :* il ne suffit pas de revêtir les apparences d'un état pour en acquérir, en posséder les caractères; on ne doit pas juger des gens sur l'apparence.

Vous savez que l'habit ne fait pas la science (...) 20
J.-F. REGNARD, les Folies amoureuses, I, 5.

(...) l'autorité presque d'oracle que j'attribuai il y a longtemps au dicton *Kleider machen Leute,* que me firent connaître quelques leçons d'allemand à l'École Berlitz et qui s'oppose à notre *l'habit ne fait pas le moine,* — l'idée un peu obsessionnelle qu'un jour viendra où je commanderai un costume que la mort m'interdira de porter ou ne me le permettra qu'à peine (...) 20.1
Michel LEIRIS, Frêle bruit.

♦ **5.** Vx (langue class.). Vêtement de dessus. ⇒ **Cape** (cit. 1), **manteau.**

♦ **6.** **a** (1666, Molière). Vx. Veste de cérémonie. ⇒ **Jaquette, veste.** *Habit feuille-morte* (cit.), *bleu* (→ Fluctuer, cit.). *Le corps, les basques* (cit. 3), *les revers, les parements, le col, le collet d'un habit* (→ Graisser, cit. 9). *Boutonner* (cit. 1) *son habit. Épousseter* (cit. 2) *la manche de son habit. Fleurir* (cit. 17) *la boutonnière de son habit.*

Qu'on se figure ce personnage affublé d'un habit dont les basques étaient si courtes, qu'elles laissaient passer cinq à six pouces du gilet, et les pans si longs qu'ils ressemblent à une queue de morue, terme alors employé pour les désigner. 21
BALZAC, les Chouans, II, Pl., t. VII, p. 824.

b (1845, Bescherelle). Mod. Costume de cérémonie à veste ajustée, très courte par devant et à longues basques par derrière. ⇒ **Frac.** *Habit noir à queue de pie, à queue de morue* (→ Gagner, cit. 52). *Habit de cérémonie.* — Absolt. *Liserés, parements de soie d'un habit.* Par ext. Le vêtement de cérémonie complet. *Pantalon* (gris rayé), *gilet d'habit. Diplomate, turfiste en habit. Comme tenue de soirée, l'habit a été généralement remplacé par le smoking. Location d'habits et vêtements de cérémonie. Des officiels en habit et chapeau haut de forme. Habit-veste,* à basques très courtes.

Suivant leur position sociale différente, ils avaient des habits, des redingotes, des vestes, des habits-vestes; — bons habits, entourés de toute la considération d'une famille, et qui ne sortaient de l'armoire que pour les solennités. 22
FLAUBERT, Mme Bovary, I, IV, p. 22.

Son habit était en drap léger, avec de spacieux revers, une longue queue de morue et de larges boutons d'acier. HUGO, les Misérables, III, II, II. 23

Tu n'as pas d'habit? Bigre! en voilà une chose indispensable pourtant. À Paris, vois-tu, il vaudrait mieux n'avoir pas de lit que pas d'habit. 24
MAUPASSANT, Bel-Ami, I, I, p. 17.

Rien que des dentelles, de la gaze, des couleurs claires et gaies; pas un habit noir, il va sans dire, pour faire tache d'encre comme dans vos galas européens. 25
LOTI, les Désenchantées, II, IV, p. 55.

♦ **7.** (1549). Fig. Ce qui recouvre comme le fait un habit. ⇒ **Apparence, costume, dehors, extérieur.** *Mettre un habit neuf à une vieille idée, à une vieille sentence,* lui donner une forme, une expression nouvelle (→ Goût, cit. 31).

Il faut connaître aussi le vice revêtu 26
D'un habit vertueux, qui d'autant plus offense
Qu'il se montre honorable et a belle apparence.
RONSARD, Disc. des misères de ce temps, Instit. pour adolesc. du Roy.

COMP. Habit-veste.

HABITABILITÉ [abitabilite] n. f. — 1801, Mercier; de *habitable.*

♦ **1.** Qualité de ce qui est habitable.

Les sociétés de crédit immobilier peuvent consentir (...) des prêts pour l'acquisition et la remise en état d'habitabilité (...) de bâtiments d'habitation inoccupés et destinés à devenir la résidence principale des acquéreurs. 1
DALLOZ, Nouveau répertoire de droit (1953), Habitation, nº 47-2º.

Les expériences les plus étranges, l'essai de vivre sous toutes les latitudes psychologiques, à tous les étages de la sensibilité — ont enfin cette valeur* de faire revenir à la maison paternelle, aux coutumes qui à force d'antiquité avaient paru étranges, aux règles qui avaient perdu leur raison — pour enfin comprendre ces mystères trop familiers et leur trouver des raisons, des charmes, des profondeurs, une habitabilité nouvelle (...) VALÉRY, Cahiers, t. II, Pl., p. 1382. 2

Au-dessus du toit, le charpentier devait dresser deux cheminées, l'une correspondant à la cuisine, l'autre au poêle de la grande salle, qui devait chauffer en même temps les cabines du quatrième compartiment. De cet ensemble il ne résulterait certainement pas une œuvre architecturale, mais l'habitation serait dans les meilleures conditions possibles d'habitabilité. Que pouvait-on demander de plus? 3
J. VERNE, le Pays des fourrures, t. I, p. 167.

♦ **2.** (xxe). Qualité de ce qui offre plus ou moins de place pour des personnes. *L'habitabilité d'une voiture ; d'un ascenseur.*

CONTR. Inhabitabilité.

HABITABLE [abitabl] adj. — V. 1160 ; lat. *habitabilis,* de *habitare.* → Habiter.

♦ Où l'on peut habiter, vivre. *L'homme a conquis toute l'étendue habitable de la terre* (→ Éther, cit. 6 ; frontière, cit. 3). — *Maison, logement habitable,* en bon état, salubre, etc. *Aménager une pièce pour la rendre habitable. Immeuble, château qui n'est plus habitable* (→ Cloporte, cit. 2). — *Sous un tel régime politique ce pays n'est plus habitable.* ⇒ **Vivable.**

1 Le pays avait changé. Cette petite bourgade de Kamsk est comme une île, habitable et saine, située au milieu de l'inhabitable contrée.
J. VERNE, Michel Strogoff, p. 222-223.

2 (...) c'était comme une maison où on ne va qu'aux vacances. C'est à peine habitable. CÉLINE, Voyage au bout de la nuit, p. 447.

3 Quand j'étais misérable, marchant dans la pluie ou le vent, la plus petite anfractuosité, le moindre abri devenait habitable.
J. GENET, Journal du voleur, p. 179.

CONTR. Inhabitable.
DÉR. Habitabilité.

HABITACLE [abitakl] n. m. — V. 1170 ; *abitacle,* v. 1120 ; du lat. impérial *habitaculum* « petite maison », du lat. class. *habitare.* → Habiter.

♦ **1.** (V. 1120). Vx. Relig. ou poét. Demeure. *L'habitacle du Très-Haut* (→ aussi Fréquenter, cit. 2).

1 C'était néanmoins dans cet habitacle de mélancolie que je me proposais de séjourner pendant quelques semaines.
BAUDELAIRE, Trad. E. POE, Nouvelles histoires extraordinaires, Chute maison Usher.

2 Voilà, nous apprend-on, comme se constitue l'habitacle et le mouvant refuge de cet étrange animal, qu'un muscle vêt, qu'il revêt d'une coque.
VALÉRY, Variété V, « L'homme et la coquille », p. 31.

♦ **2.** (1643). Mar. Armoire, « cuvette ou (...) caisse cylindrique en bois ou en cuivre, recouverte à la partie supérieure d'une glace et qui contient le compas de route et les lampes » (Gruss, *Dict. de marine*). → Compas, cit. 4. *Fanal enfermé dans son habitacle.*

3 Mon frère était à l'arrière se tenant à une petite barrique vide, solidement attachée sous l'échauguette derrière l'habitacle (...)
BAUDELAIRE, Trad. E. POE, Histoires extraordinaires, « Descente dans le Maelstrom ».

♦ **3.** (xxe). Partie de l'avion où s'installe le pilote ou l'équipage. ⇒ **Cabine, poste** (de pilotage).

Par ext. Intérieur (d'une voiture automobile). *Un habitacle confortable. « L'habitacle de l'Audi 100 a été entièrement pensé pour les longs trajets confortables (...) » (le Nouvel Obs.,* 14 nov. 1977, p. 23, publicité).

HABITANT, ANTE [abitɑ̃, ɑ̃t] n. — Fin xiie ; p. prés. substantivé de *habiter.*

♦ **1.** (Plus souvent au plur.). Être vivant qui habite, occupe, peuple (un lieu). ⇒ **Faune, population ; occupant,** et suff. **-cole.** *Les habitants du globe terrestre.* ⇒ **Terrien.** *Le soleil n'éclaire pas à la même heure tous les habitants de la terre.* ⇒ **Homme, humain, périœcien, périscien.** « Sélénien *se dit des habitants supposés de la Lune* » (Littré). *Terres sans habitants, sans un habitant. Habitants des cavernes.* ⇒ **Troglodyte.** *Les oiseaux, habitants des bocages* (⇒ **Bocager**), *des marais* (⇒ **Palustre**).

1 Les animaux qui en sont les habitants et les architectes *(de ces coquilles).*
BONNET, *in* LITTRÉ, art. *Coquille.*

2 Le cousin qui voltige dans l'air a d'abord été habitant de l'eau.
BONNET, *in* LITTRÉ, art. *Cousin.*

3 Les singes, habitants domiciliés de ces forêts (...)
BERNARDIN DE SAINT-PIERRE, Paul et Virginie, p. 96.

(1677, Boileau). Poét. *Les habitants de l'air* (cit. 20) : les oiseaux. (1873). *Les habitants de l'eau, des ondes :* les poissons, les grenouilles. *Les habitants des forêts, des bois :* les oiseaux, les animaux sauvages. ⇒ **Hôte** (→ aussi les citations de La Fontaine où le fabuliste applique le mot aux grenouilles : Beauté, cit. 49 ; aux souris : caverneux, cit. 1...). — (1677, Racine). *Les habitants de l'Olympe :* les dieux de la mythologie. *Les habitants du Parnasse :* les poètes.

4 Je vous sacrifierai cent moutons ; c'est beaucoup
Pour un habitant du Parnasse. LA FONTAINE, Fables, VIII, IV.

5 *(Un jardinier)* la serpe à la main,
De ses arbres à fruit retranchait l'inutile,
Ébranchait, émondait (...)
Était-il d'homme sage
De mutiler ainsi ces pauvres habitants ? LA FONTAINE, Fables, XII, XX.

6 Les dieux même, les dieux, de l'Olympe habitants (...) RACINE, Phèdre, IV, 6.

Au fém. HABITANTE (→ Ensevelissement, cit. 1, Baudelaire).

Ô toi qui m'apparus dans ce désert du monde, 7
Habitante du ciel, passagère en ces lieux !
Ô toi qui fis briller dans cette nuit profonde
Un rayon d'amour à mes yeux ;
À mes yeux étonnés montre-toi tout entière ;
Dis-moi quel est ton nom, ton pays, ton destin (...)
LAMARTINE, Premières méditations, XX, « Invocation ».

♦ **2.** (Fin xiie). Personne qui habite, vit en un lieu déterminé, y a sa demeure, son domicile, ou sa résidence habituelle. *Un habitant, une habitante, les habitants d'un pays, d'une région, d'une ville, d'un bourg, d'un village, d'un quartier. Les habitants d'un continent, de l'Europe occidentale, de l'Europe orientale, de ce pays* (⇒ **Peuple, population**), *de cette région, de cette île* (⇒ **Insulaire**), *de cette oasis* (⇒ **Oasien**), *des villes* (⇒ **Citadin**), *des villages* (⇒ **Villageois**), *des anciens bourgs* (⇒ **Bourgeois**), *des campagnes* (⇒ **Campagnard, contadin, paysan, rural**), *des montagnes* (⇒ **Montagnard**), *des plaines. Les habitants de la banlieue, des faubourgs* (⇒ **Banlieusard, faubourien**), *de la paroisse* (⇒ **Paroissien**), *de cette rue, du voisinage* (⇒ **Voisin**). *Habitants originaires* (⇒ **Aborigène, autochtone, indigène, natif, naturel**), *non originaires* (⇒ **Allogène, aubain, étranger, naturalisé**) *du pays qu'ils habitent. Habitant qui quitte son pays d'origine* (⇒ **Émigrant, émigré**) *pour s'installer dans un pays étranger* (⇒ **Immigrant, immigré**), *dans une colonie* (⇒ **Colon, planteur**). *Nationalité des habitants d'un pays* (⇒ **Citoyen, étranger, résidant, sujet**). *Habitants de même nationalité* (⇒ **Compatriote**), *de la même ville* (⇒ **Concitoyen**). *Le maire s'est adressé aux habitants de la commune.* ⇒ **Administré.** — *Dénombrement, recensement des habitants. La France compte près de cinquante-deux millions d'habitants.* ⇒ **Âme.** *Nombre d'habitants au kilomètre carré* (⇒ **Densité**). *Pays surpeuplé regorgeant d'habitants.* — *Les mœurs, les caractères, le naturel des habitants de ce pays.* ⇒ **Gens** (→ Aveuglément, cit. 8 ; français, cit. 3). *Les habitants de la région, du village, du quartier* (par métonymie : *le village, le quartier*).

Non loin du Nord il est un monde 8
Où l'on sait que les habitants,
Vivent, ainsi qu'aux premiers temps,
Dans une ignorance profonde (...)
LA FONTAINE, Fables, IX, Disc. à Mme de La Sablière.

Vous passerez aussitôt au fil de l'épée les habitants de cette ville, et vous la détruirez avec tout ce qui s'y rencontrera, jusqu'aux animaux. 9
BIBLE (SACY), Deutéronome, XIII, 15.

Peut-être un jour, s'il y a des millions d'habitants de trop en France, sera-t-il avantageux de peupler la Louisiane (...) VOLTAIRE, Essai sur les mœurs, CLI. 10

Les rares habitants qui se trouvaient, en ce moment, à leurs fenêtres ou sur le seuil de leurs maisons, regardaient ce voyageur (...) 11
HUGO, les Misérables, I, II, I.

La nécessité de connaître le nombre des habitants et leur répartition ne fait pas de doute. Lors de la colonisation ou de l'étude d'une terre nouvelle, l'évaluation de sa population est un des premiers soucis. On ne conçoit pas un pays policé sans recensement. A. SAUVY, la Population, I, p. 12. 12

Au fém. HABITANTE. Rare. *« Jadis ces femmes* (françaises) *furent d'heureuses habitantes de Moscou »* (Ségur, *in* Littré). *Il devait garder le meilleur souvenir de ce village et de ses gracieuses habitantes.*

Collectif. N. m. *Loger chez l'habitant,* chez les gens du pays.

♦ **3.** Personne qui habite (une maison, un immeuble). ⇒ **Occupant.** *Les habitants d'un grand immeuble.*

♦ **4.** (1675). Régional (Canada). Personne qui cultive la terre. ⇒ **Cultivateur, fermier, paysan.** *Les anciens, les vieux habitants. « Un habitant, bon cultivateur »* (J. Ferron). — Fig., péj. Rustre. *« Sa femme ! Maudit habitant ! (...) les femmes sont à personne »* (J.-J. Richard).

HABITAT [abita] n. m. — 1808, Boiste ; au sens mod., Cournat, 1861 ; de *habiter.*

♦ **1.** Milieu géographique propre à la vie d'une espèce animale ou végétale. *L'habitat d'un animal, d'une plante. La mer est l'habitat des phytozoaires, à de rares exceptions près.*

Il faut distinguer l'*habitat* qui définit les conditions habituelles de la vie des animaux, de la *distribution géographique,* qui définit la région du globe qu'ils habitent ordinairement, et de la *station* ou *localité,* qui est le point précis où des individus ont été trouvés. 1
Suivant leur habitat, les animaux sont *halophiles* ou *marins, potamophiles* (habitant l'eau douce), *hygrophiles* (habitant les lieux humides), ou enfin, *géophiles* ou *terrestres.* Rémy PERRIER, *in* P. POIRÉ, Dict. des sciences, art. *Habitat.*

Pays où l'orge et le froment ont sans doute leur habitat d'origine. 2
DANIEL-ROPS, le Peuple de la Bible, I, I, p. 10.

♦ **2.** (1907, in *Rev. gén. des sc.,* n° 3, p. 121). Mode d'organisation et de peuplement* par l'homme du milieu où il vit. *Géographie de l'habitat. Habitat rural, urbain. Habitat dispersé, disséminé ; habitat groupé. Habitat sédentaire, nomade.*

Parmi les facteurs déterminant l'habitat, les indigènes ont eu à tenir compte de la proximité des terres de culture, de la présence de l'eau et de la sécurité. 3
A. BERNARD, *in* VIDAL DE LA BLACHE, Géographie universelle, t. XI, p. 89.

Dans la géographie de l'habitat, il ne suffit pas de décrire les divers types de maisons, il faut expliquer à quels besoins répondent les divers dispositifs adoptés (...) 4
L'habitat comprend non seulement le logis des hommes, où ils se mettent à l'abri des intempéries et en sécurité pendant les heures de repos, mais aussi toutes les

constructions annexes où ils enferment leurs animaux domestiques, leurs récoltes, leurs réserves de fourrage et de semences, leur matériel de culture.
DEMANGEON et PERPILLOU, Géographie générale (cl. de 2e), XXVII.

4.1 Dans tous les groupes humains qui soient connus, l'habitat répond à une triple nécessité ; celle de créer un milieu techniquement efficace, celle d'assurer un cadre au système social, celle de mettre de l'ordre, à partir d'un point, dans l'univers environnant. A. LEROI-GOURHAN, le Geste et la Parole, t. II, p. 150.

(1925, Roussel). Ensemble des conditions d'habitation, de logement. *Loi du 21 novembre 1940, relative à la restauration de l'habitat rural. Amélioration de l'habitat.*

5 (...) un fonds national d'amélioration de l'habitat est institué (Ord. 26 oct. 1945, art. 10). Ce fonds a pour objet de faciliter l'exécution des travaux de réparation, d'assainissement et d'amélioration des immeubles à usage principal d'habitation (...) DALLOZ, Nouveau répertoire de droit (1952), Habitation, no 9.

HABITATION [abitɑsjɔ̃] n. f. — V. 1120, *habitaciun ;* lat. *habitatio,* du supin de *habitare.* → Habiter.

♦ **1.** Le fait d'habiter dans un lieu, de loger d'une manière durable quelque part. ⇒ **Logement.** *Cette expérience d'habitation en commun ne fut pas de longue durée.* ⇒ **Vie** (communauté de vie, vie en commun) ; **cohabitation.** *Bâtiments, immeubles, locaux à usage d'habitation* (opposé à *usage commercial,* etc.). *Droit d'habitation. Intervention de l'État en matière d'habitation. Améliorer les conditions d'habitation.* ⇒ **Habitat.** *Politique nationale de l'habitation.*

1 (...) je quittai la ville pour n'y plus habiter ; car je ne compte pas pour habitation quelques courts séjours que j'ai faits depuis, tant à Paris qu'à Londres et dans d'autres villes, mais toujours de passage, ou toujours malgré moi.
ROUSSEAU, les Confessions, IX.

2 Celui qui a un droit d'habitation dans une maison, peut y demeurer avec sa famille, quand même il n'aurait pas été marié à l'époque où ce droit lui a été donné. Code civil, art. 632.

3 Sous le ciel pâlissant, les bâtiments de la Borderie sommeillaient encore, à demi sombres, trois longs bâtiments aux trois bords de la vaste cour carrée, la bergerie au fond, les granges à droite, la vacherie, l'écurie et la maison d'habitation à gauche. ZOLA, la Terre, II, 1.

4 (...) les locaux à usage d'habitation ne peuvent *(dans ces communes)* être affectés à un autre usage, ni transformés en meublés, hôtels, pensions de famille ou établissements similaires (...) Loi du 1er sept. 1948, art. 76.

Loc. Vx. *Faire son habitation dans tel ou tel endroit* (Littré), y établir sa demeure. ⇒ **Pénates, séjour.** *Le tigre fait son habitation dans les contrées brûlantes* (Littré).

Loc. Vx. *« Avoir habitation avec une femme »* (Académie, Littré), avoir avec elle des relations charnelles.

5 J'avais d'ailleurs remarqué que l'habitation des femmes empirait sensiblement mon état (...) ROUSSEAU, les Confessions, XII.

Vieilli. *L'habitation de* (un lieu) : fait d'habiter, de loger. *« L'habitation de cette maison est malsaine »* (Académie, Littré).

Figuré :

6 L'habitation du songe est une faculté de l'homme.
HUGO, Post-Scriptum de ma vie, L'esprit, Promontorium somnii.

♦ **2.** (V. 1120). Lieu où l'on habite. ⇒ **Demeure, domicile, logement, logis, maison, résidence ; habitacle, séjour.** *L'habitation de qqn, son habitation. Une, des habitations. Les quelques pièces qui lui servent d'habitation.* ⇒ **Appartement ; chambre, turne** (fam.). *Habitation personnellle.* ⇒ **Chez-soi, home.** *Changer d'habitation* (→ Déménager ; transporter ses pénates*). *Être en quête d'une habitation ; trouver une habitation provisoire, une habitation écartée, retirée.* ⇒ **Abri, asile, ermitage, gîte, nid, retraite, toit.** *S'installer dans une habitation toute neuve.* → Essuyer les plâtres*. *Les êtres* (aîtres) d'une habitation. Ameublement, décoration d'une habitation. Riche habitation.* ⇒ **Château, manoir, palais.** *L'habitation principale et ses dépendances. Habitation de plaisance, de campagne.* ⇒ **Propriété, villa, résidence** (secondaire). *Local industriel aménagé en habitation.* ⇒ **Loft** (anglic.). *Groupe d'habitations.* ⇒ **Agglomération ; immeuble.** *Habitations à bon marché* (H. B. M.), *à loyer modéré* (H. L. M.). *Habitation de montagne.* ⇒ **Chalet.** *Habitation rurale.* ⇒ **Ferme, manse.** *Habitation commune.* ⇒ **Phalanstère.** *Habitation destinée aux prêtres, aux religieux.* ⇒ **Couvent, cure, doyenné, ermitage, presbytère.** *Habitations sommaires.* ⇒ **Baraque, bicoque, cabane, cahute, case, gourbi, hutte, isba, tente...** *Habitations lacustres.*

7 Il m'était échappé de dire dans mon transport : « Ah ! madame, quelle habitation délicieuse ! Voilà un asile tout fait pour moi ».
ROUSSEAU, les Confessions, VIII.

8 L'hôtel de Crevel était donc un magnifique spécimen du luxe des sots, comme l'hôtel de Josépha le plus beau modèle d'une habitation d'artiste.
BALZAC, la Cousine Bette, Pl., t. VI, p. 473.

9 Il était le seul reste d'une habitation de plaisance, maintenant disparue.
FLAUBERT, Trois contes, « Un cœur simple », II, p. 17.

10 (...) ces casernes grisonnantes, que l'on nomme des H. L. M., sigle vulnérable qui signifiait encore « habitations à loyer modéré », mais que l'on pourrait aussi traduire autrement : « hommes libres et malheureux ».
G. DUHAMEL, l'Archange de l'aventure, I, p. 7.

Lieu où vit habituellement (un animal). ⇒ **Abri.** *L'habitation des oiseaux.* ⇒ **Nid.** *L'habitation des castors.*

COMP. Cohabitation.

HABITÉ, ÉE [abite] p. p. adj. ⇒ Habiter.

HABITER [abite] v. — V. 1050 ; du lat. *habitare,* de *habere* « avoir ».

★ **I.** V. intr. ♦ **1.** (V. 1120). Avoir sa demeure (en un lieu, quelque part). ⇒ **Demeurer, loger, résider, vivre ; crécher** (fam.). *Habiter à la ville, en ville, dans une ville, à New York, dans les faubourgs, en banlieue, à la campagne. Habiter sur une hauteur, dans une vallée. Les Francs* (cit. 1) *habitaient le long du Rhin. Habiter au bord de la mer. — Où habite-t-il ? Il habite près de Fontainebleau, en France, en Suisse, à Montréal, aux États-Unis. Elle habite à l'étranger. Habiter dans une cabane* (⇒ **Cabaner,** vx), *dans un appartement, à l'hôtel. C'est là, c'est ici qu'il habite* (→ 1. Feu, cit. 48 ; fumée, cit. 2). *Elle habitait aux environs* (→ Alibi, cit. 2). *Habiter dix-neuf quai Saint-Michel* (→ Éditeur, cit. 5). *Habiter au rez-de-chaussée, au second étage* (→ Fuser, cit. 4). *Habiter chez des amis, chez sa grand-tante* (cit.). *Aller habiter en un endroit donné.* ⇒ **Établir** (s'), **fixer** (se). — *Habiter seul. Habiter avec qqn.* ⇒ **Cohabiter.** *Sœurs qui habitent ensemble, sous le même toit.*

Mieux vaut habiter dans une terre déserte, 1
qu'avec une femme querelleuse et irritable.
BIBLE (SEGOND), Proverbes, XXI, 19.

M. Sucre et madame Prune, mon propriétaire et sa femme, deux impayables, échappés de paravents, habitent au-dessous de nous, au rez-de-chaussée. 2
LOTI, Mme Chrysanthème, XIV, p. 90.

L'abbé Vécard habitait rue de Grenelle, à proximité des bureaux de l'archevêché où il dirigeait maintenant le service des Œuvres diocésaines. 3
MARTIN DU GARD, les Thibault, t. IV, VI, II, p. 125.

N'ayant au monde qu'un désir : ne pas habiter seule ; et, puisque les gens avec qui l'on désire de naissance manquaient autour d'elle, puisqu'elle n'avait père, mère, frère ni sœur, elle avait donc dû se contenter des logis de fait ou de hasard, ceux des peintres russes, des banquiers, ou des actrices du Français. 3.1
J. GIRAUDOUX, Siegfried et le Limousin, p. 58.

Habiter quelque part de façon provisoire et précaire. ⇒ **Camper, giter.** *Habiter longtemps.* ⇒ **Séjourner ; rester** (y rester).

Spécialt (style biblique). *Homme et femme qui habitent ensemble,* qui ont des relations charnelles. ⇒ **Coucher** (ensemble).

Marie, sa mère, ayant été fiancée à Joseph, il se trouva, avant qu'ils eussent habité ensemble, qu'elle avait conçu par la vertu du Saint-Esprit. 4
BIBLE (CRAMPON), Évangile selon saint Matthieu, I, 18.

♦ **2.** Fig. Vivre (dans une situation, un état). *Habiter tout le jour dans une certaine atmosphère, une certaine ambiance* (→ Envelopper, cit. 12). — Sujet n. de chose. *L'innocence et le mystère n'habitent pas longtemps ensemble.* ⇒ **Exister ; coexister** (→ Évaporer, cit. 5). — (Style biblique). *L'Esprit de Dieu habite en vous. Le péché habite en moi.*

Ne savez-vous pas que vous êtes le temple de Dieu, et que l'Esprit de Dieu habite en vous ? BIBLE (SACY), Première épître de saint Paul aux Corinthiens, III, 16. 5

(...) la raison, d'ordinaire, 6
N'habite pas longtemps chez les gens séquestrés.
LA FONTAINE, Fables, VIII, X.

Mais quelquefois l'avenir habite en nous sans que nous le sachions, et nos paroles qui croient mentir dessinent une réalité prochaine. 7
PROUST, À la recherche du temps perdu, t. IX, I, p. 55.

(...) la nature que nous refoulons n'en habite pas moins en nous. 8
PROUST, À la recherche du temps perdu, t. XII, II, p. 109.

★ **II.** V. tr. ♦ **1.** (V. 1120). Occuper (une habitation, un logis) de façon durable. ⇒ **Vivre** (dans, à). *Habiter un édifice* (→ Architecture, cit. 1), *une maison* (→ Famille, cit. 12 ; golfe, cit. 5), *une villa* (→ Goinfre, cit. 3), *un gratte-ciel* (cit. 1), *une tour, un palais* (→ Bouffon, cit. 5), *un gourbi* (cit. 1), *un ermitage* (cit. 2). *Habiter un taudis. Il habite l'hôtel, une chambre d'hôtel. Habiter ensemble un logis* (→ Faute, cit. 10). — Par ext. *Vagabond qui habite un fossé.* ⇒ **Coucher** (dans). → Engrosser, cit. 2. — Fréquenter. *Joueur invétéré qui habite les tripots.* ⇒ **Fréquenter, hanter** (→ Carte, cit. 5). — Par métaphore. *Foyer* (cit. 8) *qu'habite la vertu.*

Littér. Sujet n. d'abstraction (le complément désignant le lieu où se trouve le domicile, la résidence). Avoir sa demeure dans. *Il habite Liège, Québec, Lausanne, Paris, le quartier latin* (→ Étudiant, cit. 4). *Habiter une ville* (→ Endormir, cit. 19 ; garder, cit. 17), *sa ville natale* (→ Environ, cit. 5). *Habiter un quartier mal famé.* — Au passif. *Cité habitée par des ouvriers* (→ Évangéliser, cit. 2). *Rue habitée par des gens interlopes* (→ Fourvoyer, cit. 1). — *Habiter la campagne* (cit. 1). *Habiter un pays sauvage* (→ Expatrier, cit. 1). *La contrée, la terre qu'il habite* (→ Empreinte, cit. 8 ; fondre, cit. 32 ; geler, cit. 5). *Il a habité cette région pendant plus de trois ans. — Tout ce qui habite le globe* (cit. 8 et 9), tout ce qui y vit.

Ils habitaient un bourg plein de gens dont le cœur 9
Joignait aux duretés un sentiment moqueur.
LA FONTAINE, Philémon et Baucis.

J'appelle mondains, terrestres ou grossiers ceux dont l'esprit et le cœur sont attachés à une petite portion de ce monde qu'ils habitent, qui est la terre (...) 10
LA BRUYÈRE, les Caractères, VI, 3.

11 Je veux essayer du *chez moi* sur cette terre étrangère, où jusqu'à présent je n'ai fait que passer, dans les auberges, dans les caravansérails ou sous la tente, changeant tantôt de demeure et tantôt de bivouac, campant toujours, arrivant et partant, dans la mobilité du provisoire et en pèlerin. Cette fois je viens y vivre et l'habiter.
E. FROMENTIN, Une année dans le Sahel, p. 6.

Par métaphore (le compl. désigne un état, une situation).

11.1 J'entends de loin monter la fièvre comme un flux. Si peu que je sois malade, sensation, on dirait géologique, de mon corps : je l'habite, comme le capitaine Némo de Jules Verne habitait « l'île mystérieuse » qui devait disparaître avec lui.
F. MAURIAC, Bloc-notes 1952-1957, p. 92.

♦ **2.** (Le sujet désigne un animal). Vivre habituellement dans (un lieu). ⇒ **Tenir** (se), **terrer** (se), **vivre.** *Les fauvettes* (cit.) *qui habitent nos jardins. Mur qu'habite un insecte* (→ Fragile, cit. 4). *Les lieux que l'ours habite* (→ Affaire, cit. 65). Par ext. *Corbeaux qui habitent les ténèbres* (→ Funèbre, cit. 13).

(Le sujet désigne un végétal). *Plantes qui habitent les eaux* (→ Aquicole, amnicole), *les contrées alpestres* (alpicole), *sablonneuses* (arénicole), *les champs* (arvicole), *les cavernes* (cavernicole), *les fleurs* (floricole), *les herbes* (herbicole), *le bois* (lignicole), *la surface de la terre entière* (orbicole), *les rochers* (rupicole), *les forêts* (arboricole, sylvicole), *la terre* (terricole), *les objets en forme de tube* (tubicole). *Habiter les buissons* (⇒ **Buissonnier**).

Par ext. *Le monde surnaturel qu'habitent les fées* (cit. 3).

♦ **3.** (Av. 1813). Fig. (Le sujet désigne une chose abstraite). Être comme dans une demeure dans... ⇒ **Hanter, résider** (dans). *L'âme fiévreuse* (cit. 3) *qui habite ce corps frêle. Bonté, vertu qui habite une rude enveloppe* (cit. 9). *La croyance* (cit. 5), *l'enthousiasme, la flamme* (cit. 14) *qui l'habite.* ⇒ **Animer, posséder.** *L'angoisse qui l'habite* (→ Déserter, cit. 12). *Le projet qui habite son cœur* (→ Entier, cit. 19).

12 (...) je ne sais quelle profonde tristesse habitait mon âme, mais ce n'était autre chose que la pensée cruelle que je n'étais pas aimé.
NERVAL, les Filles du feu, « Octavie ».

13 Tu parles très bien, et la sagesse habite ta vieille tête chauve (...)
Th. GAUTIER, le Roman de la momie, VII, p. 119.

14 La complication, je ne la recherche point ; elle est en moi. Tout geste me trahit où je ne reconnais point toutes les contradictions qui m'habitent.
GIDE, Si le grain ne meurt, I, IX, p. 251.

Au passif (le sujet désigne une personne). *Être habité par (un sentiment, des passions).*

15 (...) on peut, à la fois être habité par l'esprit et pleinement efficace dans le réel, comme le seront Jeanne d'Arc ou sainte Thérèse d'Avila.
DANIEL-ROPS, Peuple de la Bible, II, III, p. 244.

16 Tous les peuples primitifs ont admis que le fou est habité par un démon.
A. MAUROIS, les Silences du Colonel Bramble, p. 192.

(Le sujet désigne une personne). ⇒ **Vivre** (dans). *Habiter les hautes régions, les hautes sphères de la science, de la philosophie* (→ Essor, cit. 8). *Habiter le devoir, la vertu* (→ Étincelant, cit. 7). *Habiter un rêve* (→ Franchir, cit. 8).

► **HABITÉ, ÉE** p. p. adj.

♦ **1.** (D'un lieu). Qui a des habitants (s'oppose à *désert, vide*). *Des régions, des contrées habitées. Terres habitées.* ⇒ **Peuplé** (→ Abîme, cit. 9 ; étendue, cit. 11). *Les terres habitées ne représentent qu'une faible partie de la superficie du globe. Aux confins des terres habitées de l'Atlas commence le désert. On ne sait si cette planète est habitée* (→ Enquérir, cit. 5).

♦ **2.** Qui est occupé (en parlant d'une maison). *Maison habitée. Ce château n'est plus habité. Maison habitée depuis peu, longtemps demeurée inhabitée.*

♦ **3.** (1968). Astron. Qui est occupé par un homme, un équipage. *Vaisseau spatial habité. — Vols habités.*

♦ **4.** (1866, Littré). Fam. *Fromage habité,* où il y a des vers.

♦ **5.** (Abstrait). *Fou* (cit. 8) *habité par le démon. Habité par une passion, un sentiment ; d'une passion.*

17 Habité de cet espoir « de n'être pas complètement oublié » par la faune littéraire de Paris, Mathieu aimait Madame d'Argenti avec plus d'élan encore. Il avait cru l'aimer hier, aujourd'hui il la vénérait.
Marie-Claire BLAIS, Une liaison parisienne, p. 44.

CONTR. Dépeuplé, désert. — Inoccupé. — Déshabité, inhabité.
DÉR. Habitant, habitat.

HABITUATION [abitɥasjɔ̃] n. f. — V. 1960 ; de *habituer.*

♦ Didact. ou techn. Fait de s'habituer à quelque chose. ⇒ **Accoutumance.** *L'habituation aux bruits d'un aéroport. « Puis brusquement, une voix monotone se met à psalmodier une série de syllabes : "Bi, si, li, mi" Paul, parfaitement éveillé, suce alors plus fort, et, en réponse, la voix reprend "Bi, si, li, mi". Au bout d'un certain temps, Paul manifeste des signes évidents de lassitude. C'est le phénomène d'habituation. »* (*le Point,* 6 févr. 1984, p. 69).

HABITUDE [abityd] n. f. — V. 1361, au sens de « complexion » ; lat. *habitudo* « manière d'être, état », de *habitum,* supin de *habere* « avoir, se trouver dans un état ».

★ **I.** Vx. Complexion, constitution (d'un être). ⇒ **Habitus.** — Loc. *Habitude du corps.*

(...) cette physionomie (...) cette habitude du corps, menue, grêle, noire et velue, lesquels signes le dénotent très affecté de cette maladie (...) 1
MOLIÈRE, Monsieur de Pourceaugnac, I, 8.

★ **II.** (XVe). Mod. Manière d'être ou disposition permanente acquise sous l'influence d'une action extérieure, de l'éducation ou d'un effort personnel. *Qui tient de l'habitude.* ⇒ **Habituel.** *Accoutumer par l'habitude.* ⇒ **Habituer.** — REM. De façon générale, l'habitude *acquise* est opposée à la nature ou aux aptitudes *innées.* Mais on a souvent remarqué qu'elle finit par prendre certains aspects de la nature.

♦ **1.** Façon d'agir constante. ⇒ **Coutume.** — (Dans une collectivité). Manière, façon d'être à laquelle la plupart des membres d'une société se conforment. ⇒ **Coutume** (cit. 5), **mœurs, règle, rite, tradition, usage.** *Conforme aux habitudes.* ⇒ **Admis, classique, courant, habituel, normal.** *Habitudes d'habillement.* ⇒ **Mode.** *C'est l'habitude, on a l'habitude, en Espagne, de manger très tard. Ce sont les habitudes de l'endroit, du pays. Les habitudes des pleupades primitives* (→ Avorter, cit. 1). *Ces pudeurs ne sont guère dans nos habitudes occidentales* (→ Après, cit. 5). *Habitudes et conventions* (cit. 7) *sociales. S'encroûter* (cit. 2) *dans les habitudes de la province. Habitudes administratives* (→ Fou, cit. 6). *Habitudes des diverses professions* (→ Contrecarrer, cit. 2). *Avoir des habitudes de paysan, de bourgeois.* ⇒ **Manière.** *Les habitants de ce pays, de cette région ont tous pris, contracté l'habitude de...* (→ Costumer, cit. ; fréter, cit. 1). *S'adapter facilement aux habitudes de divers pays* (⇒ **Cosmopolite**).

C'est dans les mœurs, dans les institutions, dans le langage même que se déposent les acquisitions morales ; elles se communiquent ensuite par une éducation de tous les instants ; ainsi passent de génération en génération des habitudes qu'on finit par croire héréditaires. 2
H. BERGSON, les Deux Sources de la morale et de la religion, p. 289.

La vie sociale nous apparaît comme un système d'habitudes plus ou moins fortement enracinées qui répondent aux besoins de la communauté. 3
H. BERGSON, les Deux Sources de la morale et de la religion, p. 2.

En était-il arrivé, sans s'en apercevoir, aux pires habitudes d'esprit du bavardage parlementaire et du journalisme ? 4
J. ROMAINS, les Hommes de bonne volonté, t. III, XVI, p. 215.

(Chez les individus). Façon d'agir ou de se comporter plus ou moins constante et régulière. ⇒ **Coutume.** *Petites habitudes plus ou moins ridicules.* ⇒ **Manie, marotte** (→ Certain, cit. 12 ; fréquent, cit. 1). *L'habitude de...* (et inf.). *J'ai l'habitude, c'est mon habitude de me promener à cinq heures* (→ Faire, cit. 197). *Nous avons l'habitude de nous servir chez ce marchand, c'est notre fournisseur attitré. L'habitude, les habitudes de qqn, ses habitudes. On ne lui connaît que cette habitude* (→ Fréquentation, cit. 6). *L'habitude de bavarder, de s'enivrer* (cit. 18), *de fumer* (cit. 29). *Avoir l'habitude de boire :* s'adonner* à la boisson, être sujet* à boire. *L'habitude de fréquenter les mauvais lieux, de courir* (cit. 51) *les femmes...* (→ Engouffrer, cit. 7). — *L'habitude de... (qqch.). L'habitude des stupéfiants, de l'opium* (→ Énergie, cit. 11). — *Des habitudes de... Habitudes d'orgueil* (→ Borner, cit. 25), *de braverie* (cit. 2), *de silence* (→ Cacher, cit. 21), *de défiance* (→ Figer, cit. 6) ; *de paresse* (→ Faction, cit. 6), *de fainéantise* (cit. 1) ; *d'ascétisme* (cit. 3). ⇒ **Attitude, penchant.** *Habitudes de travail.* — *Habitudes insouciantes de bohème...* (→ Briser, cit. 29). — *Avoir des habitudes de grand seigneur, de soudard.* ⇒ **Façon(s), manière(s).** *Habitudes de carabin* (cit. 1). — *Habitudes intellectuelles, habitudes d'esprit* (→ Appétence, cit. 4 ; empirisme, cit. 2). *Habitudes* (et adj.). *Habitudes sédentaires,* de sédentarité (→ Excitation, cit. 6). *Habitudes élégantes, douces* (→ Bien-être, cit. 1). *Habitude à laquelle on s'abandonne volontiers.* ⇒ **Péché** (mignon). *Drôle d'habitude. Sale habitude* (→ Gnôle, cit. 1). *Innocente habitude. Bonne, excellente, salutaire, heureuse habitude. Habitude néfaste.* ⇒ **Errement, pli** (mauvais pli). *Habitude qui devient un tic* (→ Fantassin, cit. 1). ⇒ **Déformation.** *Se faire une habitude de qqch.* (→ Auteur, cit. 40 ; créer, cit. 17 ; essuyer, cit. 7). — *Habitudes qui se créent* (cit. 20), *se forment. Contracter* (cit. 6), *prendre une habitude* (→ Bout, cit. 20 ; différent, cit. 9). *Garder, conserver une habitude. Habitudes constantes, inchangeables, invétérées, enracinées* (cit. 15), *implantées en nous. Vieilles habitudes. Longue habitude,* acquise depuis fort longtemps. *Il est très régulier dans ses habitudes.* → Réglé* comme une horloge. *Un casanier très attaché* (cit. 101) *à ses habitudes. Être esclave de ses habitudes, encroûté, sclérosé dans ses habitudes. J'en ai tellement l'habitude que je ne puis m'en passer, c'est plus fort que moi. La chaîne, le joug, le train-train des habitudes.* ⇒ **Routine** (→ Forger, cit. 3). *Donner à qqn une habitude.* ⇒ **Familiariser** (avec). *L'oisiveté crée de mauvaises habitudes.* ⇒ **Acoquiner.** *Communiquer, imposer ses habitudes à qqn. Changer les habitudes de qqn* (⇒ **Déclimater, dépayser, déshabituer**). *Changer, rompre ses habitudes* (→ Exciter, cit. 41). *Cela sort de ses habitudes, n'est pas dans ses habitudes* (⇒ **Extraordinaire**). *Abandonner ses vieilles habitudes.* → Dépouiller* le vieil homme. *Déranger, gêner qqn dans ses habitudes* (→ Autoritarisme, cit. ; bouleversement, cit. 3). *Dépouiller qqn de ses habitudes* (→ Factice, cit. 6). *Se corriger d'une mauvaise habitude* (→ Couper, cit. 15). *Perdre l'habitude d'employer une expres-*

sion (→ Fraîcheur, cit. 18). *Habitude qui s'en va* (→ Discontinuer, cit. 2). *J'ai fini par lui faire perdre cette habitude. Retrouver ses habitudes.*

5 Les vertus morales sont habitudes acquises et apprises par longue accoutumance et long usage, insinuées et imprimées de longue main en cette partie et faculté de l'âme irraisonnable pour corriger, châtier, subjuguer et mettre sous l'obéissance les passions de l'appétit et de la sensualité (...)
RONSARD, Œuvres en prose, « Des vertus ».

6 Ce qui forme les habitudes, ce sont les actes fréquents et réitérés.
BOURDALOUE, Pensées, t. III, p. 73.

7 Je ne quitterai point mes douces habitudes (...) MOLIÈRE, Dom Juan, V, 2.

8 (...) ils ont contracté du barreau certaine habitude de déclamation.
MOLIÈRE, Monsieur de Pourceaugnac, II, 10.

9 (...) il met du rouge, mais rarement, il n'en fait pas habitude.
LA BRUYÈRE, les Caractères, XIII, 14.
N. B. On dirait aujourd'hui *Il n'en fait pas une habitude.*

10 (...) j'ai déjà vieilli dans l'habitude de ne dire jamais mon secret, et encore plus de ne trahir jamais, sous aucun prétexte, le secret d'autrui.
FÉNELON, Télémaque, III.

11 La seule habitude qu'on doit laisser prendre à l'enfant est de n'en contracter aucune (...) ROUSSEAU, Émile, I.

12 Une femme doit-elle perdre l'habitude de séduire?
BALZAC, les Ressources de Quinola, II, 8.

13 (...) ses manières décidées, la sécurité de son regard, le port de sa tête, tout aurait trahi ces habitudes régimentaires qu'il est impossible au soldat de jamais dépouiller, même après être rentré dans la vie domestique.
BALZAC, le Médecin de campagne, Pl., t. VIII, p. 319.

14 (...) dans l'ombre du lit, derrière un rideau, les ustensiles de toilette trahissant encore les anciennes habitudes élégantes de l'homme du monde (...)
HUGO, les Misérables, I, I, VI.

15 Lisez et ne rêvez pas. Plongez-vous dans de longues études; il n'y a de continuellement bon que l'habitude d'un travail entêté. Il s'en dégage un opium qui engourdit l'âme. FLAUBERT, Correspondance, 285, 26 juil. 1851.

16 C'était un vieillard dont la vie, les idées, les habitudes, formaient avec celles du pays le plus singulier contraste. RENAN, Souvenirs d'enfance..., V, p. 90.

17 Ce qui est moins acceptable, c'est le penchant qu'il manifeste à faire des dupes, je veux dire l'habitude qu'il a de spéculer sur la niaiserie du partenaire.
G. DUHAMEL, Salavin, I, XV.

18 Peu porté lui-même au paradoxe — par une sorte de respect filial de la vérité, et aussi par l'habitude professionnelle de penser juste — il ne le détestait pas chez autrui. J. ROMAINS, les Hommes de bonne volonté, t. IV, IX, p. 90.

19 (...) quand vous avez l'habitude de vous coucher sur la droite, ce n'est pas à mon âge que vous changez (...)
J. ROMAINS, les Hommes de bonne volonté, t. II, VII, p. 75.

20 (...) grognon, comme un vieux chien qu'on aurait dérangé dans ses habitudes et qui essaie de retrouver son panier à coussin partout où on veut bien lui ouvrir la porte. CÉLINE, Voyage au bout de la nuit, p. 30.

21 Souvent un léger changement dans les habitudes peut agir en bien dans le cas d'une personne nerveuse. J. GREEN, Adrienne Mesurat, IV, p. 239.

Loc. — Avec *dans*. **a** Vieilli. *Être dans l'habitude de faire une chose.*

21.1 Je n'ai reçu qu'une lettre de vous, ma chère fille, et j'en suis fachée, j'étais dans l'habitude d'en recevoir deux. Mme DE SÉVIGNÉ, *in* LITTRÉ.

b Mod. *Il n'est pas dans son habitude* (et surtout *dans ses habitudes*) *d'agir ainsi. Ce n'est pas dans ses habitudes de rentrer si tard.*

Loc. Vx. *L'habitude à (qqch.), à* (et inf.). *L'habitude à régner* (Corneille), *à souffrir* (Voltaire). *L'habitude qu'elle a aux péchés* (Pascal, *in* Littré).

Par euphém. *Mauvaises habitudes* (⇒ **Onanisme**).

22 Dame! déclara la Bécu, quand on ne marie point les filles! Ils ont bien tort de ne pas la donner au fils du charron (...) Et, d'ailleurs, à ce qu'on raconte, celle-là se tue le tempérament avec ses mauvaises habitudes. ZOLA, la Terre, IV, 4.

Absolt. (Collectif). *L'habitude :* l'ensemble des habitudes de qqn. *Cherchez le bonheur dans l'habitude* (→ Monotonie, cit. 1). *L'habitude, la force de l'habitude* (→ Axe, cit. 2; découdre, cit. 4). *L'ornière, les chaînes, les liens de l'habitude* (→ Aisément, cit. 5). *L'habitude, obstacle à la volonté* (→ Empêcher, cit. 13). *L'habitude enchaîne* (→ Former, cit. 47). *Sentiment qu'engendre l'habitude* (→ Affermir, cit. 7). *L'habitude, source d'inertie et d'inconscience* (⇒ **Automatisme**).

23 (...) l'empire de l'habitude est très grand sur les viellards et sur les gens indolents, très petit sur la jeunesse et sur les gens vifs. Ce régime n'est bon qu'aux âmes faibles, et les affaiblit davantage de jour en jour. ROUSSEAU, Émile, II (Note).

24 L'habitude est une étrangère
Qui supplante en nous la raison (...)
(...) cette vieille au pas monotone
Endort la jeune liberté;
Et tous ceux que sa force obscure
A gagnés insensiblement,
Sont des hommes par la figure,
Des choses par le mouvement. SULLY PRUDHOMME, Poésies, « L'habitude ».

25 D'ailleurs, quand il n'y a, de part ou d'autre, ni dégoût physique ni haine, l'habitude finit par créer une espèce de lien malgré tout (...)
LOTI, Mme Chrysanthème, XVI, p. 94.

26 Soulevant un coin du voile lourd de l'habitude (l'habitude abêtissante qui pendant tout le cours de notre vie nous cache un peu près tout l'univers...)
PROUST, À la recherche du temps perdu, t. XIII, p. 157.

Vice, défaut d'habitude, dû à l'éducation, aux circonstances, à la persévérance dans une mauvaise voie, et non à la nature du sujet (→ Égarement, cit. 3).

Loc. *Par habitude :* en suivant un penchant, une inclinaison affermis par le temps, sans spontanéité ni réflexion. ⇒ **Machinalement; routine.** *Acheter par habitude un journal qu'on ne lit pas. Fumer sans plaisir, par habitude. Suivre certains principes par habitude et sans examen* (cit. 4).

L'on est encore longtemps à se voir par habitude, et à se dire de bouche que l'on s'aime, après que les manières disent qu'on ne s'aime plus. 27
LA BRUYÈRE, les Caractères, IV, 37
(→ aussi Asservissement, cit. 3; empresser, cit. 5; éreinter, cit. 7).

À son habitude, selon, suivant son habitude : comme de coutume*, comme d'ordinaire* (→ Cribler, cit. 13; écouter, cit. 8; faire, cit. 162). *Comme à son habitude* (→ Fouiller, cit. 13).

Suivant son habitude, il se remémorait jusque dans le détail ce discours qu'il avait improvisé. J. ROMAINS, les Hommes de bonne volonté, t. V, XIV, p. 215. 28

Loc. adv. (XIXe). **D'HABITUDE :** comme les choses se passent d'ordinaire, le plus souvent. ⇒ **Habituellement** (→ Accabler, cit. 14; animer, cit. 41; appréhension, cit. 9; assertion, cit. 6; farder, cit. 11; frileux, cit. 6; garder, cit. 54). *D'habitude, il prend ce chemin. Il vient d'habitude le mardi. Il est plus ponctuel d'habitude. Garçon, un café, un apéritif, comme d'habitude!*

(En parlant d'un événement quelconque et non plus d'un acte individuel, commandé par les habitudes de qqn). ⇒ **Généralement, ordinaire** (d'). *Le café est meilleur que d'habitude* (→ Empaumer, cit. 2). *Il y a eu moins de monde que d'habitude. Comme d'habitude* (→ Envelopper, cit. 6; fois, cit. 18). *Il n'est pas comme d'habitude.*

Déjà le matin, au petit déjeuner, Mariette avait un air pas comme d'habitude. Et à midi (...) M. AYMÉ, le Vin de Paris, « Traversée de Paris », p. 37. 28.1

♦ **2. a** Vx. « Accès auprès de quelqu'un, fréquentation ordinaire » (Académie, Littré). *Avoir habitude auprès de qqn ou avec qqn, en quelque lieu, en quelque maison* (Académie 1935, qui indique qu'en ce sens *habitude* est vieux).

Je vous avoue que je n'ai aucune habitude avec ces messieurs-là (*Aristote et Horace*), et que je ne sais point les règles de l'art. 29
MOLIÈRE, Critique de l'École des femmes, VI.

b Par métonymie (mais généralt compris comme relevant du sens 1). (Vieilli). Maîtresse.

(...) une vraie maîtresse, là? appelle ça comme tu voudras, une habitude, si tu veux. Ed. et J. DE GONCOURT, Sœur Philomène, p. 168. 29.1

♦ **3.** *L'habitude de...,* absolt *l'habitude :* processus par lequel la répétition de même actes, de mêmes situations, de mêmes phénomènes, avive, atténue ou supprime certaines sensations, impressions ou sentiments qu'ils faisaient primitivement éprouver. ⇒ **Accoutumance** (cit. 4); **acclimatement, adaptation; endurance, endurcissement, entraînement.** *L'habitude de l'effort* (→ Amollir, cit. 6), *du danger* (→ Affermir, cit. 6), *de la misère, du malheur. L'habitude rend insensible au bruit. Il finira, comme tout carabin, par supporter la vue du sang, c'est une question d'habitude. Affaire d'habitude. L'habitude de coucher sur la dure, de faire de longues marches, de passer des nuits blanches. On n'a pas encore pu prendre l'habitude de ne point manger* (→ Accoutumer, cit. 19). *L'habitude rend ces poisons anodins* (cit. 7). *L'habitude nous apprivoise* (cit. 21) *avec les choses.* ⇒ **Familiariser.** *Il vous laisse seule? Ce n'est rien, j'en ai l'habitude,* j'y suis habituée, c'est toujours ainsi. *L'influence anesthésiante, apaisante, calmante de l'habitude* (→ Cesser, cit. 7). *L'habitude amortit* (cit. 6), *émousse* (cit. 4) *la sensibilité. L'habitude nous empêche de voir les objets familiers* (→ Chambre, cit. 6). *L'habitude engendre l'indifférence, la satiété. « L'habitude qui fortifie tous les penchants qu'elle ne détruit pas... »* (→ Époux, cit. 11, Laclos). *Plaire par la nouveauté, dégoûter par l'habitude* (→ Aurore, cit. 20). *L'habitude apprend à goûter certains plaisirs qu'on n'appréciait pas tout d'abord.*

La grâce de la nouveauté et la longue habitude, quelque opposées qu'elles soient, nous empêchent également de sentir les défauts de nos amis. 30
LA ROCHEFOUCAULD, Réflexions et maximes, 426.

— Qui t'a donné une philosophie aussi gaie? — L'habitude du malheur. 31
BEAUMARCHAIS, le Barbier de Séville, I, 2.

(...) cet effet singulier de l'habitude qui introduit l'indifférence dans toutes les pratiques prescrites, et qui fait regarder les cérémonies les plus augustes et les plus terribles comme des choses convenues de pure forme (...) 32
B. CONSTANT, Adolphe, X, p. 97.

(...) il faut avouer aussi qu'il y a un charme étrange, plus doux, plus dangereux peut-être, dans l'habitude de vivre avec ce qu'on aime. Cette habitude, dit-on amène la satiété; c'est possible; mais elle donne la confiance, l'oubli de soi-même, et lorsque l'amour y résiste, il est à l'abri de toute crainte. 33
A. DE MUSSET, Frédéric et Bernadette, VI, p. 225.

La verdure, les oiseaux qui chantent, les blés qui remuent au vent, les hirondelles qui vont si vite, l'odeur de l'herbe, les coquelicots, les marguerites, tout ça me rend folle! C'est comme le champagne quand on n'en a pas l'habitude. 34
MAUPASSANT, la Femme de Paul, Au bois, p. 73.

(...) je crois là-dessus (*les combats de gladiateurs*), d'après l'expérience des soldats, des infirmières et des médecins, que l'habitude rendrait promptement insensible à ce genre de spectacle. ALAIN, Propos, Hist. et rom., p. 340. 35

(...) nous connaissons le mécanisme de cette hébétude, de cet émoussement d'habitude qui rend, qui finit par rendre une âme impénétrable aux infusions de la grâce. Ch. PÉGUY, Note conjointe..., p. 118. 36

La saveur du premier baiser m'avait déçu comme un fruit que l'on goûte pour la première fois. Ce n'est pas dans la nouveauté, c'est dans l'habitude que nous trouvons les plus grands plaisirs. 37
R. RADIGUET, le Diable au corps, p. 63.

Au contraire de tant d'autres, l'habitude est une condition de mon plaisir. Plus j'ai de souvenirs, d'images de mes plaisirs passés, plus grand est mon plaisir du moment. Paul LÉAUTAUD, Propos d'un jour, Amour, p. 16. 38

Habitude passive (ou *négative*) : accoutumance, adaptation. *Habitude active* (ou *positive*) : apprentissage (→ ci-dessous, 4.).

♦ **4.** Usage répété, action répétée qui apporte l'habileté ou la connaissance. ⇒ **Pratique.** *La répétition d'une opération engendre l'habitude. Je n'ai plus l'habitude de conduire une moto, j'ai perdu la main*, il faut que je m'y remette. Manque d'habitude.* (→ Esprit, cit. 125). *C'est une habitude qui reviendra vite. Acquérir une habitude.* ⇒ **Apprendre, initier** (s'). *Toute habitude repose sur l'éducation d'une aptitude* (cit. 11) *primitive, sur un dressage* (→ Former, cit. 27), *sur un entraînement. Il faut un apprentissage*, plus ou moins long, pour acquérir et perfectionner une habitude. Les psychologues ont dressé les courbes graphiques, formulé les lois relatives à l'acquisition des habitudes. Lois de Jost, d'Ebbinghaus, sur la maturation des habitudes, l'espacement et la durée des séances d'apprentissage. — Habitudes intellectuelles ou mentales sur lesquelles reposent les opérations supérieures de la pensée. Avoir l'habitude de calculer de tête, de manier des formules logarithmiques. Habitude d'embrasser un grand nombre d'idées* (→ Esprit, cit. 92). *S'enrichir d'habitudes; l'habitude des automatismes** (cit. 3, 4 et 7). *L'habitude endort* (cit. 39) *nos facultés en se substituant à elles.*

39 L'habitude de penser en donne la facilité; elle nous rend plus pénétrants et plus prompts à tout voir. Nos organes, comme nos membres, acquièrent par l'exercice plus de mobilité, de force et de souplesse.
Joseph JOUBERT, Pensées, III, XXX, p. 47.

40 L'habitude du métier est si nécessaire dans tous les arts, et cette culture incessante de l'esprit dirigée vers un but doit si bien accompagner le génie qui crée, que, sans elle, les lueurs les plus heureuses s'évanouissent.
E. DELACROIX, Écrits, Œuvres littéraires, p. 96.

41 Il conviendrait de séparer nettement l'*accoutumance* de l'organisme, l'*adaptation biologique*, phénomène physiologique dans lequel la volonté n'intervient pas, au moins directement, et d'autre part l'*habitude psychologique* qui est une forme de vouloir, qui consiste en une manière spéciale de penser, de diriger son attention, d'enchaîner ses idées.
D. ROUSTAN, Leçons de philosophie, p. 498.

42 L'habitude est un facteur essentiel du comportement le plus intelligent, le plus plastique. Tout comportement intelligent aboutit sans cesse à de nouvelles habitudes.
H. DELACROIX, les Grandes Formes de la vie mentale, p. 90.

43 (...) l'habitude est la condition d'une conscience bien orientée et maîtresse d'elle-même. Mais si nous devons utiliser l'habitude, nous ne devons pas nous laisser envahir par elle.
F. ALQUIÉ, Psychologie *in* Leçons de philosophie, t. I, p. 160, note.

Habitudes générales (V. Egger) : aptitudes très vastes (écrire, jouer d'un instrument de musique). *Habitudes spéciales :* actes très précis.

Par ext. ⇒ **Expérience, pratique.** Loc. *Avoir l'habitude de... Avoir l'habitude des hommes, des fortes têtes :* savoir diriger. *Avoir l'habitude des méthodes scientifiques* (→ Expérience, cit. 44). *Métier qui demande plus d'habitude que de génie* (→ Capacité, cit. 7). *Acteur qui a une grande, une longue habitude de la scène.*

Prov. *L'habitude est une seconde nature :* notre nature première subit la transformation sous l'influence de l'habitude, de sorte qu'une seconde nature paraît se substituer à la première (pensée exprimée sous des formes diverses par Cicéron, saint Augustin, Rousseau). → Éloigner, cit. 18. — *De l'influence de l'habitude sur la façon de penser,* ouvrage de Maine de Biran (1802). *De l'habitude,* ouvrage de Ravaisson (1838).

44 La nature, nous dit-on, n'est que l'habitude. Que signifie cela? N'y a-t-il pas des habitudes qu'on ne contracte que par force, et qui n'étouffent jamais la nature? (...) Il en est de même des inclinaisons des hommes. Tant qu'on reste dans le même état, on peut garder celles qui résultent de l'habitude, et qui nous sont le moins naturelles; mais, sitôt que la situation change, l'habitude cesse et le naturel revient.
ROUSSEAU, Émile, I, p. 8.

45 Entre l'habitude et la nature, la différence n'est donc que de degré, et cette différence peut être réduite et amoindrie jusqu'à l'infini *(l'habitude)* est une nature acquise, une *seconde nature,* qui a sa raison dernière dans la nature primitive, mais qui seule l'explique à l'entendement.
RAVAISSON, De l'habitude, p. 22-23.

46 Le style c'est l'habitude, la seconde nature de la pensée.
J. RENARD, Journal, 28 juil. 1899.

47 Si l'habitude est une seconde nature, elle nous empêche de connaître la première, dont elle n'a ni les cruautés ni les enchantements.
PROUST, Sodome et Gomorrhe, éd. La Gerbe, p. 210.

48 C'est ici que l'on voit bien (...) que l'habitude est littéralement une seconde nature. Elle a même force et pour ainsi dire même commandement que la nature.
Ch. PÉGUY, Note conjointe..., p. 262.

CONTR. Accident, anomalie. — Désuétude, exception, inhabitude, occasion, rareté.
DÉR. Habitudinaire.

HABITUDINAIRE [abitydinɛʀ] n. — 1873; adj., «habile», 1487; «passé en habitude», 1611; dér. sav. de *habitude,* d'après le lat. *habitudo, -dinis.*

♦ Théol. Personne commettant habituellement les mêmes pêchés.

HABITUÉ, ÉE [abitɥe] p. p. adj. ⇒ Habituer.

HABITUEL, ELLE [abitɥɛl] adj. — XIVe (1617, selon T. L. F.); lat. médiéval *habitualis,* de *habituari.* → Habituer.

Qui tient de l'habitude par sa régularité, sa constance.

♦ **1.** Passé à l'état d'habitude individuelle ou de coutume collective. ⇒ **Accoutumé, coutumier, commun, familier, ordinaire.** *La distraction habituelle de qqn. Un exemple de sa distraction habituelle.* ⇒ **Perpétuel.** *Ce comportement ne lui est pas habituel. Actes, mouvements, gestes habituels* (→ Carrure, cit. 1). ⇒ **Familier, machinal.** *Cette attitude est habituelle à cet homme, lui est habituelle. Une familiarité* (cit. 8) *qui ne lui est pas habituelle. Cette expression lui est devenue habituelle* (→ Fruste, cit. 2; garder, cit. 73). *Son itinéraire habituel* (→ Fortuit, cit. 4). *Son journal habituel. Livre dont on fait sa lecture habituelle* (⇒ **Bréviaire**). *Fréquentation habituelle.* ⇒ **Commerce.** *Le train-train habituel; la monotonie de la vie habituelle.* ⇒ **Quotidien** (→ Émotionner, cit. 1; entretenir, cit. 16; fugacité, cit. 2). *Les réjouissances habituelles du Mardi-Gras.* ⇒ **Traditionnel.** *Le va-et-vient habituel d'un bureau, d'un collège* (→ Fonctionner, cit. 5). *Le cérémonial religieux habituel.* ⇒ **Rituel.** *Formules habituelles de salutation. Clause de style habituelle dans certains contrats.* ⇒ **Consacré, usuel; usage** (d'). *Expédier les affaires habituelles.* ⇒ **Courant.**

(...) la physionomie du soldat au bivouac comme au feu, son attitude habituelle et caractéristique, le haussement d'épaule du fantassin, le traînement de jambe du cavalier, le type spécial de chaque arme ou de chaque campagne. 1
Th. GAUTIER, Portraits contemporains, Horace Vernet, p. 314.

L'Auvergnat a dit cela en faisant rouler les r, sonner les d, et d'un ton qui contraste avec l'indifférente courtoisie de ses propos habituels. 2
J. ROMAINS, les Hommes de bonne volonté, t. IV, III, p. 19.

Que l'on fréquente par habitude, régulièrement (lieux, personnes). *Se servir chez son fournisseur habituel* (→ Foire, cit. 3).

(Personnes). Qui vient habituellement. *Les clients habituels du café.*

♦ **2.** (1671). Qui est constant ou très fréquent. ⇒ **Ordinaire.** *Ce n'est pas très habituel.* ⇒ **Courant, fréquent.** *Au sens habituel du terme. C'est l'histoire habituelle, le coup habituel.* ⇒ **Classique.** *Le bleu azuré, couleur habituelle du ciel sans nuages. L'état habituel des muscles.* ⇒ **Normal** (→ Figure, cit. 14). *Les conditions habituelles de la fécondation* (cit. 4). *Les causes habituelles de l'asphyxie* (cit. 1). *État habituel* (→ Fureur, cit. 2). *Il souffre du foie de façon habituelle.* ⇒ 2. **Chronique.** *La forme habituelle du gouvernement* (cit. 34). *Physionomie habituelle* (→ Galbe, cit. 4). *Disposition habituelle du caractère* (→ Envieux, cit. 3). *Irritation* (→ Exprimer, cit. 18) *habituelle. Les signes habituels d'une passion* (→ Apercevoir, cit. 6). *Procédé habituel* (→ Exaspérer, cit. 11). *Les illusions habituelles de l'entendement* (→ Extension, cit. 15). *Au sens habituel du terme* (→ 2. Arbitre, cit.).

Les traits du visage d'un homme viennent insensiblement à se former et à prendre de la physionomie par l'impression fréquente et habituelle de certaines affections de l'âme. 3
ROUSSEAU, Émile, IV.

(...) la voix habituelle du cygne privé est plutôt sourde qu'éclatante (...) 4
BUFFON, Hist. nat. des oiseaux, Le cygne.

N. m. (Rare). *L'habituel :* ce qui est habituel, courant.

(...) elle a *(la parole)* ce pouvoir, nous communiquant l'illusion de l'immédiat, alors qu'elle nous donne seulement l'habituel, de nous donner à croire que l'immédiat nous est familier. 5
M. BLANCHOT, l'Espace littéraire, p. 37.

CONTR. Accidentel, anormal, étonnant, exceptionnel, extraordinaire, inhabituel, inaccoutumé, insolite, inusité, occasionnel, original, rare, unique.
DÉR. Habituellement.

HABITUELLEMENT [abitɥɛlmɑ̃] adv. — Fin XIVe; de *habituel.*

♦ **1.** D'une manière habituelle. ⇒ **Ordinaire** (d'), **ordinairement.** *Il fourre habituellement ses mains dans ses poches* (→ Gousset, cit. 2). *Habituellement vêtu d'un complet bleu* (→ Fluctuer, cit.). *Les éléments qu'emploie habituellement un écrivain* (→ Extraordinaire, cit. 8).

On sut de ses valets de chambre, après sa mort, qu'il se macérait habituellement par des instruments de pénitence (...) SAINT-SIMON, Mémoires, II, XXXII. 1

Il *(Saint Paul)* parlait habituellement et facilement en grec (...) 2
RENAN, les Apôtres, Œ. compl., t. IV, X, p. 572.

♦ **2.** Selon l'usage, la coutume. *Habituellement, lors de son élection, le Président de la République gracie un certain nombre de condamnés. Les classes terminent habituellement en juillet.*

♦ **3.** De façon très fréquente; presque toujours*. ⇒ **Constamment, couramment.** *Il écoute habituellement les informations matin et soir.* ⇒ **Assidûment.** *Habituellement, les gens trop semblables se supportent mal.* ⇒ **Fréquemment, souvent** (→ Exaspérer, cit. 12). *Il fait habituellement plus chaud en mars. Front* (cit. 3) *plus développé qu'il ne l'est habituellement.* ⇒ **Généralement, normalement.** *L'article* (cit. 2) *manque habituellement dans ce cas, en français. C'est ainsi qu'on définit habituellement ce terme.* ⇒ **Communément.**

CONTR. Accidentellement, exceptionnellement, rarement; extraordinaire (par); **hasard** (par).

HABITUER [abitɥe] v. tr. — 1549, trans. et pron.; au p. p., 1361; *abituer* «habiller», v. 1320; bas lat. *habituare,* du lat. class. *habitus* «manière d'être». → Habitude.

♦ **1.** *Habituer qqn à* (qqch.) : rendre familier, par l'habitude. ⇒ **Accoutumer.** *Habituer un enfant, une recrue au froid, à la fati-*

gue. ⇒ **Endurcir; entraîner.** *Les gens de ce pays sont habitués à l'altitude.*

♦ **2.** *Habituer qqn à (qqch., faire qqch.)* : faire acquérir une façon d'agir, une aptitude à... ⇒ **Dresser, éduquer, façonner, former.** *Ils sont mal élevés, personne ne les a habitués à la politesse.* ⇒ **Initier.** *Il faut l'habituer à prendre ses responsabilités. On l'avait habitué à considérer cela comme une faute* (→ Assonance, cit. 2). *Cette lutte constante l'a habitué à l'énergie* (→ Carcasse, cit. 6). *Habituer un animal à venir manger dans la main.*

1 C'était en vain que Mme Londe faisait mettre à la petite fille des effets des plus seyants, lui peignait les cheveux (...), l'habituait à sourire gentiment (...)
J. GREEN, Léviathan, II, IV, p. 173.

2 Les mois qui venaient de passer (...) les avaient habitués à compter de moins en moins sur une fin prochaine de l'épidémie. CAMUS, la Peste, p. 289.

♦ **3.** Vx. *Habituer qqn de...* (A. Chénier, *in* Littré).

▶ **S'HABITUER (À)** v. pron.

♦ **1.** (1475). Vx. S'établir, s'installer en un lieu. *« Ceux qui allèrent s'habituer au Canada furent, en grande partie, des Normands »* (Littré).

3 (...) je me suis habitué ici, où, sous le nom d'Anselme, j'ai voulu m'éloigner les chagrins de cet autre nom qui m'a causé tant de traverses.
MOLIÈRE, l'Avare, V, 5.

♦ **2.** (1549). Prendre l'habitude (1., 3.) de; s'accoutumer (cit. 17) à, se familiariser avec. *Les yeux s'habituent à l'obscurité* (→ Étoile, cit. 9), *à voir de nouvelles formes architecturales* (→ Gable, cit.). *L'oreille s'habitue au bruit* (→ Canon, cit. 5). *À la longue on s'habitue à cette température, à ce climat.* ⇒ **Acclimater** (s'), **accommoder** (s'... de), **adapter** (s'), **faire** (se faire). *Je ne pouvais m'habituer au ciel de Paris* (→ Brûler, cit. 40). *S'habituer à l'effort physique, au travail, au manque de sommeil* (→ Excitant, cit. 9). *S'habituer à la discipline.* ⇒ **Plier** (se). *S'habituer à l'idée de la mort.* ⇒ **Familiariser** (se). *Je ne peux pas m'habituer à ce voisinage, à cette nouvelle vie.*

4 Quand on s'est habitué à une vie de distractions, on éprouve toujours une sensation mélancolique en rentrant en soi-même, dût-on s'y trouver bien.
Mme DE STAËL, Corinne, XV, 3.

5 On finit par s'habituer
A la trahison de la femme (...) VERLAINE, Épigrammes, XII, I.

6 Les yeux s'étaient habitués à la nuit, on y voyait comme on voit en rêve, et on distinguait parfois, sortant des fourrés pour aussitôt s'évanouir, d'imprécises bêtes rôdeuses au pas de velours. LOTI, l'Inde (sans les Anglais), p. 17.

7 Il s'habitue, et quand on s'habitue à une chose elle finit par n'être plus drôle du tout. J. RENARD, Poil de Carotte, p. 27.

8 Quel dommage (disait-il), qu'il faille renoncer à la vie. *Depuis le temps, je commençais à m'y habituer.* Ch. PÉGUY, Note conjointe..., p. 115.

9 Les premières douleurs sont les pires. Peut-être parce qu'on ne s'est pas encore habitué à l'injustice de la vie. Elles détruisent en nous cette jeune idole que chacun de nos proches s'était complu à créer.
Edmond JALOUX, le Dernier jour de la création, III, p. 37.

10 Cette fois je vous demande de me répondre, afin que je puisse donner libre cours à ma tendresse et si votre cœur répond au mien m'habituer à mon bonheur.
MONTHERLANT, les Jeunes Filles, p. 11.

♦ **3.** (1549). Prendre l'habitude (4.), la pratique de quelque chose en s'y exerçant, en s'y appliquant. *Il s'habitue à travailler régulièrement, à penser clairement. L'esprit s'habitue à trouver la rime* (→ Évertuer, cit. 1). — *S'habituer à partager, à tout mettre en commun* (→ Équipe, cit. 4). *S'habituer à parler, à improviser devant un auditoire.*

11 Mais, en attendant, elle fera bien d'apprendre un état et de s'habituer à servir les autres. G. SAND, la Mare au diable, V, p. 44.

(Passif). **ÊTRE HABITUÉ À** : avoir l'habitude (3.) de. *Nous sommes habitués au bruit, nous y sommes habitués. Les enfants ne sont pas habitués à rester seuls.*

▶ **HABITUÉ, ÉE** p. p. adj.

♦ **1.** (1361). Qui a acquis l'habitude de. *Habitué au travail, à l'obéissance. Homme habitué aux manœuvres louches* (→ Coup, cit. 48). *Esprit* (cit. 113) *habitué à la confusion. Habitué à certains visages, à certains spectacles* (→ Accidenté, cit. 1; glissant, cit. 10). *Yeux habitués à un faible* (cit. 26) *éclairage.* — *Habitué à porter des habits convenables* (→ Endimanchement, cit.), *à marcher en file* (cit. 10). *Les politiciens, habitués qu'ils sont à frapper l'esprit du public* (→ Bout, cit. 39). *Habitué à travailler seul* (→ Gêner, cit. 19). *Habitué à remuer ses souvenirs* (→ Fébrile, cit. 1). — *Habitué à ce que...* (→ Grandiloquence, cit. 1).

♦ **2.** Vx ou hist. *Prêtre habitué* et, n. m. (1477), *un habitué* : ecclésiastique qui, tout en n'ayant ni charge ni dignité dans une église, est associé aux fonctions du prêtre en titre.

12 Le Parlement eut alors liberté tout entière d'instrumenter contre les habitués, vicaires, curés, porte-Dieu, qui refusaient d'administrer les mourants.
VOLTAIRE, Hist. du Parlement de Paris, LXVI.

♦ **3.** (1778, *in* D. D. L.). N. *Un habitué, une habituée.* Mod. Personne qui fréquente de façon régulière un lieu. ⇒ **Assidu** (de qqch.). *Les habitués des courses* (→ Endosser, cit. 4; gagner, cit. 61). *Les habitués du café, du restaurant.* ⇒ **Client.** *Un habitué de la maison.* ⇒ **Familier.** *Une clientèle d'habitués. Un petit restaurant d'habitués.*

Il y avait encore sur la place du Palais-Royal cinq ou six fiacres stationnant pour 13
les habitués des cercles et des maisons de jeu.
NERVAL, les Filles du feu, III, p. 268.

Les habitués de la maison et les camarades de l'Opéra firent des présents en 14
bijoux, en vaisselle, en sorte que le ménage Colleville fut beaucoup plus riche en superfluités qu'en capitaux. BALZAC, les Petits Bourgeois, Pl., t. VII, p. 87.

(...) j'avais retraversé ce qui avait été autrefois pour moi le mystère d'un hôtel 15
inconnu, où quand on arrive, touriste sans protection et sans prestige, chaque habitué qui rentre dans sa chambre, chaque jeune fille qui descend dîner, (...) jettent sur vous un regard où l'on ne lit rien de ce qu'on aurait voulu.
PROUST, À la recherche du temps perdu, t. IX, p. 210.

Les clients de ce café, ce sont des habitués que j'ai vus depuis des années reve- 16
nir aux mêmes places (...) ARAGON, le Paysan de Paris, p. 32.

CONTR. Déclimater, désaccoutumer, dépayser, déshabituer, rouiller.
DÉR. Habituation.

HABITUS [abitys] n. m. — 1586, *in* D. D. L.; rare av. XIXe; lat. *habitus* « manière d'être ».

♦ **1.** Méd. Apparence générale du corps en tant qu'indication de l'état général de santé ou de maladie. ⇒ **Habitude** (I., vx). *Habitus physiologique. Habitus morbides.*

Le même paysage apparaissait dans le fond, mais son intérêt, maintenant secon- 1
daire, était annihilé par les personnages du premier plan. Les gestes, pris sur le vif, — les *habitus*, très définis, — les silhouettes, curieusement amusantes, — et les visages, criants de ressemblance, — avaient l'expression voulue, tantôt sombre, tantôt joyeuse. Raymond ROUSSEL, Impressions d'Afrique, p. 208.

Par ext. (en parlant des choses) :

Sengle s'était cru le droit, de par son influence expérimentée sur l'habitus de petits 2
objets, d'induire l'obéissance probable du monde.
A. JARRY, les Jours et les Nuits, Pl., p. 793.

♦ **2.** (Répandu v. 1980). Sociol. Manière d'être d'un individu, constituant un ensemble de signes socialement codés, et telle qu'elle se manifeste, en particulier, dans son apparence corporelle (maintien, gestuelle, mimique; voix; vêtements, soins cosmétiques, etc.).

HABIT-VESTE [abivɛst] n. m. — 1760; de *habit,* et *veste.*

♦ Vx. Habit à basques courtes. *Des habits-vestes.*

HÂBLER ['able] v. intr. — 1542; esp. *hablar* « parler », du lat. *fabulari* « parler ».

♦ Vieilli, littér. ou style soutenu (moins cour. que *hâbleur*). Parler beaucoup, avec forfanterie. ⇒ **Exagérer, vanter** (se). *Hâbler et blaguer sur, à propos de qqch.*

Il savait qu'en France, hâbler est le commencement d'agir.
R. ROLLAND, Jean-Christophe, le Buisson ardent, p. 1315, *in* T. L. F.

REM. On trouve chez Gautier *(le Capitaine Fracasse)* l'hispanisme *hâbler* pour « parler »; cet emploi est isolé.

DÉR. Hâblerie, hâbleur.

HÂBLERIE ['abləʀi] n. f. — 1628, Sorel; de *hâbler.*

♦ Littér. ou vieilli. Propos, manière d'être du hâbleur. *Ne croyez pas un mot de ses hâbleries.* ⇒ **Craque, fanfaronnade, forfanterie, gasconnade, mensonge, menterie, vanterie, vantardise.**

Sa hâblerie lui avait acquis quelque réputation. 1
FURETIÈRE, le Roman bourgeois, II, 46.

(...) il commença un discours plein de hâbleries, d'exagérations et de rodomon- 2
tades (...) Th. GAUTIER, le Capitaine Fracasse, V.

(...) ce besoin de forfanterie, de hâblerie, de vantardise ingénue, propre à tout 3
soldat qui se respecte. COURTELINE, le Train de 8 h 47, Épilogue.

HÂBLEUR, EUSE ['ablœʀ, øz] n. et adj. — 1555; de *hâbler,* et *-eur.*

♦ Littér. ou style soutenu (plus cour. que *hâbler* et *hâblerie*). Personne qui a l'habitude de hâbler. *Un incorrigible hâbleur.* ⇒ **Blagueur, brodeur, craqueur, faiseur, fanfaron, gascon, menteur, vantard.** *Ce médecin n'est qu'un hâbleur.* ⇒ **Charlatan, vendeur** (d'orviétan). → Assassin, cit. 9.

Cependant mon hâbleur, avec une voix haute, 1
Porte à mes campagnards la santé de notre hôte (...) BOILEAU, Satires, III.

Adj. (→ Engin, cit. 2). *Un Parisien hâbleur et gouailleur. Un récit hâbleur.*

(...) ses ambassadeurs célébraient, avec le génie hâbleur des Grecs, les richesses 2
de l'Orient, les empires, les royaumes qu'on pouvait y conquérir (...)
MICHELET, Hist. de France, IV, III.

Lorsque arriva l'invasion prussienne, Saint-Antoine, au cabaret, promettait de 3
manger une armée, car il était hâbleur comme un vrai Normand (...)
MAUPASSANT, les Contes de la Bécasse, « Saint Antoine ».

Et on restait trois heures à table en racontant des coups de fusil. C'étaient d'étran- 4
ges et invraisemblables aventures, où se complaisait l'humeur hâbleuse des chasseurs. MAUPASSANT, les Contes de la Bécasse, « La bécasse ».

REM. Céline emploie la var. suffixale péj. *hâblard, arde (Voyage au bout de la nuit).*

HABOU ['abu] adj. — 1875; mot arabe.

♦ Dr. *Bien habou :* bien de mainmorte, en Afrique du Nord, dont le produit est essentiellement affecté à l'entretien des mosquées. — N. m. pl. *Les habous :* les biens habous.

L'exploitation rationnelle et vérifiée des biens habous fournit immédiatement, à la satisfaction générale, des revenus amplifiés, permettant la restauration des édifices pieux, la création de nouvelles mosquées, le paiement régulier du personnel, et, dans l'ensemble, une grande amélioration dans l'exercice du culte musulman, sur toute l'étendue du Protectorat. L.-H. LYAUTEY, Paroles d'action, p. 230.

HABROBRACON [abʀɔbʀakɔ̃] n. m. — D. i. (xxe); du grec *habros* «délicat, gracieux», et de *bracon,* genre d'insecte hyménoptère.

♦ Zool. Insecte hyménoptère térébrant qui parasite d'autres insectes à l'état larvaire, en particulier les chenilles.

HABROCOME [abʀokom] n. m. — D. i.; orig. incert.

♦ Zool. Rongeur originaire du Chili (famille des *Octodontidés*) qui a l'aspect d'un campagnol mais est élevé pour sa fourrure qui ressemble à celle du chinchilla.

HABRONÈME [abʀɔnɛm] n. m. — xxe (*in* Larousse 1962); du grec *habros* «tendre, délicat, gracieux», et grec *rêma* «fil d'une trame».

♦ Vétér. Ver *(Némathelmintes),* parasite du cheval, et parfois du chien.

DÉR. **Habronémose.**

HABRONÉMOSE [abʀonemoz] n. f. — 1927, *in* D. D. L.; de *habronème,* et *-ose.*

♦ Vétér. Maladie parasitaire du cheval causée par des habronèmes. *Habronémose gastrique, pulmonaire.*

HACHAGE ['aʃaʒ] n. m. — 1866; de *hacher.*

♦ Action de hacher; son résultat. Syn. : *hachement. Le hachage de la paille.*

HACHARD ['aʃaʀ] n. m. — 1838, Académie; de *hache.*

♦ Techn. Cisailles servant à couper le fer rond et fin.

HOM. **Achards.**

HACHE ['aʃ] n. f. — V. 1138; du francique **hâppia,* même sens.

♦ **1.** Instrument servant à couper, à fendre, et composé d'une lame tranchante de forme variable, fixée à un manche par une tête à douille. *Taillant, tranchant d'une hache. Couper, fendre du bois avec une hache. Abattre* (cit. 4), *ébrancher* (cit. 1) *un arbre à coups de hache. — À la hache :* avec une hache. *Équarrir* (cit. 1) *un tronc de sapin à la hache. — Mettre, porter la hache dans un bois,* commencer de l'exploiter (cit. 2). *Se frayer* (cit. 3) *une route la hache à la main à travers une forêt vierge. Défoncer une porte à coups de hache* (→ Furieusement, cit. 1). *Tuer, massacrer à coups de hache.* — (1802). *Hache à main :* petite hache à manche court, maniable d'une seule main. ⇒ **Hachette.** — *Hache de pierre, à tranchant de silex taillé, dont se servaient les premiers hommes* (→ Façonner, cit. 7). — *Hache de bûcheron* (⇒ **Cognée, merlin**), *de charpentier* (⇒ **Herminette**), *de tonnelier* (⇒ **Aisseau, cochoir, doloire**). *Hache d'ouvrage :* outil des ardoisiers. ⇒ **Doleau.** *Hache formant marteau.* ⇒ **Aissette, hachereau, tille.**

1 Un grand chêne du mont Ida, que la hache a coupé par mille coups dont toute la forêt a retenti (...) FÉNELON, Télémaque, XIII.

2 À la vérité, le bois de cet arbre n'est formé que d'un paquet de filaments; mais son aubier est si dur qu'il fait rebrousser les meilleures haches (...) BERNARDIN DE SAINT-PIERRE, Paul et Virginie, p. 33.

3 Apprends à manier d'un bras vigoureux la hache et la scie, à équarrir une poutre (...) ROUSSEAU, Émile, III.

4 Un peloton de sapeurs-pompiers, la hache à l'épaule, venait d'apparaître en ordre de bataille à l'extrémité de la rue. HUGO, les Misérables, V, I, XVIII.

Par métaphore. *Coup de hache.*

5 (...) la phrase qui avait coupé tous liens entre eux, à jamais, comme d'un coup de hache. ZOLA, la Terre, V, II.

(1787). Fig. *Fait, taillé* (1873) *à coups de hache,* grossièrement (⇒ **Serpe**).

Loc. *Porter la hache dans une administration,* y supprimer les abus, les emplois superflus... *Comité de la Hache,* nom donné, en 1938 et 1947, à des comités de réforme administrative.

(1770). *Hache de guerre.* ⇒ **Francisque** (cit. 1), **tomahawk** (→ Empêcher, cit. 9). Loc. (allus. aux Indiens d'Amériques). *Enterrer la hache de guerre :* cesser le combat, renoncer à des actes hostiles. — (1530). *Hache d'armes :* ancienne arme* d'hast, composée d'une forte hache à très long manche (→ Craquer, cit. 4). — (1902). Mar. *Hache d'abordage.*

(...) le cavalier qui avait apparemment quelque soupçon de ce que j'avais fait pendant qu'il avait eu la tête tournée, mit aussitôt la main dans son sac, et, n'y trouvant pas sa bourse, me donna un si grand coup de sa hache d'armes, qu'il me renversa par terre. A. GALLAND, les Mille et une Nuits, t. I, p. 365. 5.1

(...) si, à propos des sauvages ou des anciens Francs, je dis «la hache de guerre», tous comprennent du premier coup; si je dis «le tomahawk», ou «la francisque», plusieurs supposeront que je parle teuton ou iroquois. TAINE, les Origines de la France contemporaine, I, t. I, p. 295-296. 6

Sur le bureau de «la jeune fille» bientôt octogénaire, j'ai toujours vu une ravissante hache à manche court, tout acier, amoureusement fourbie. — Qu'est-ce que c'est que cette hache? dis-je un jour à ma respectable amie. — C'est une hache, répondit-elle. — Et... vous vous en servez? — Tous les jours, puisque tous les jours je la regarde. On m'a refusé, quand j'étais petite, une «hache d'abordage» que j'avais lue dans un roman d'aventures. Dès que j'ai été grande, je l'ai achetée. COLETTE, Belles Saisons, Noël. 7

L'arme monstrueuse une hache aux cornes d'ombre portée sur les pierres. 7.1
Arme de la pâleur et du cri quand tu tournes blessée dans ta robe de fête,
Une hache puisqu'il faut que le temps s'éloigne sur ta nuque,
O lourde et tout le poids d'un pays sur tes mains l'arme tombe.
Yves BONNEFOY, «L'arme monstrueuse», Poèmes, p. 12.

(1809). *La hache du bourreau,* avec laquelle il tranche la tête du condamné. *Décapitation à la hache. Supplice de la hache* (→ Croix, cit. 2). *Périr par la hache, sous la hache,* sur l'échafaud.

Je n'ai qu'à déployer l'appareil des supplices, 8
Et pour soldats choisis, envoyer des bourreaux
Qui portent hautement mes haches pour drapeaux. CORNEILLE, Pompée, IV, 5.

À Westminster, le cicerone qui montre la hache dont un inconnu se servit pour décoller Charles Ier, dit aux curieux : «Ne touchez pas la hache!» BALZAC, Notice sur La Fontaine, *in* Œ. diverses, t. I, p. 148. 9

Elle seule, on ne sait comment, survécut à l'exécution de tous les siens sous la hache révolutionnaire. Émile HENRIOT, Portraits de femmes, p. 265. 10

Antiq. rom. *La hache et les faisceaux* (cit. 3) *des licteurs* (⇒ **Faisceau**). *L'ascia des tombeaux galloromains a, sur un côté, la forme d'une hache.*

Meuble de l'écu (*hache* ou *hache d'armes*).

♦ **2.** (1690, Furetière). Fig. *En hache :* en forme de hache (→ Sécuriforme). — Typogr. *Composition en hache :* composition désuète où les marges extérieures et les marges de pied se trouvent encadrées par des notes *(Essai de termin. de la Bibliographie de la France).* — (1551). Agric. *Pièce de terre, champ en hache,* pénétrant comme un coin dans un autre champ.

En hache vers le village, et derrière la cour, dépendait encore de cette habitation un petit terrain humide et bas (...) BALZAC, les Paysans, Pl., t. VIII, p. 44. 11

DÉR. **Hachard, hacher, hachereau, hachette, hachot, hachotte.**

HOM. **Ache.** — **H** (lettre). — **Formes du v. hacher.**

HACHÉ, ÉE ['aʃe] p. p. adj. ⇒ **Hacher.**

HACHE-BÂCHÉ, ÉE ['aʃbɑʃe] adj. — 1819; de *hacher,* et *bâcher.*

♦ Anciennt. *Broderie hache-bâchée,* utilisée pour les sujets religieux.

HACHE-ÉCORCE ['aʃekɔʀs] n. m. invar. — 1866, Littré; de *hacher,* et *écorce.*

♦ Techn. Machine utilisée pour hacher menu l'écorce de chêne pour obtenir le tan. *Des hache-écorce.*

HACHE-FOURRAGE ['aʃfuʀaʒ] n. m. invar. — 1902; de *hacher,* et *fourrage.*

♦ Agric. Instrument utilisé pour hacher le fourrage. ⇒ **Hache-paille.** *Des hache-fourrage.*

HACHE-LÉGUMES ['aʃlegym] n. m. invar. — 1866, Littré; de *hacher,* et *légume.*

♦ Cuis. Instrument servant à couper menu des légumes pour la préparation des potages, etc. (On dit aussi *coupe-légumes*).

HACHE-MAÏS ['aʃmais] n. m. invar. — 1902, Larousse; de *hacher,* et *maïs.*

♦ Techn. Instrument utilisé pour hacher le maïs vert.

HACHEMENT ['aʃmɑ̃] n. m. — 1349, au sens I; 1606, au sens II; de *hacher,* et *-ment.*

★ **I.** Au plur. Blason. Découpure des lambrequins.

★ **II.** ♦ **1.** Vieilli. ⇒ **Hachage.**

♦ **2.** (1962, Larousse). Techn. Action de taillader à l'aide d'une hachette de plâtrier, d'un décintroir, le parement d'une construction avant de la recrépir.

HACHÉMITE [ˈaʃemit] ou **HACHIMITE** [ˈaʃimit] adj. — XXe; de *Hachin,* nom de celui qui est considéré comme l'ancêtre de Mahomet.

♦ Qui appartient à la famille des Hachémites, qui fournit depuis mille ans des émirs (chérifs) de La Mecque. *Le régime hachémite. « Quelques jours auparavant, le roi hachémite avait divorcé de la princesse Mouna »* (*l'Express,* 1er janv. 1973, p. 33).

HACHE-PAILLE [ˈaʃpaj] n. m. invar. — 1765, Brunot; de *hacher,* et *paille.*

♦ Techn., agric. Instrument servant à hacher la paille et le fourrage dont on nourrit le bétail. ⇒ **Coupe-paille, hache-fourrage.** *Des hache-paille.*

HACHER [ˈaʃe] v. tr. — V. 1225, *in* T. L. F.; *déhachier,* v. 1175; de *hache.*

♦ **1.** (V. 1175). Réduire, couper en menus morceaux avec une hache ou tout autre instrument tranchant. *Hacher du persil, des oignons, des champignons. Hacher de la chair de volaille avec des fines herbes pour faire une farce* (→ 1. Farce, cit.). *Hacher le chanvre* (→ Chevalet, cit. 1), *du chanvre. Hacher de la paille. Le coupe-racines hache les tubercules destinés à la nourriture du bétail. Un des procédés d'extraction* (cit. 3) *des essences odorantes consiste à hacher certaines fleurs ou feuilles. Hacher du tabac.* — Absolt. *Couperet**, *hachoir** *qui hache gros. Hacher fin, menu.*

0.1 À droite *(de la cuisine de la charcuterie)* la table à hacher, énorme bloc de chêne appuyé contre la muraille, s'appesantissait toute couturée et toute creusée.
ZOLA, le Ventre de Paris, t. I, p. 126.

0.2 Derrière eux, Léon hachait de la chair à saucisse, sur le bloc de chêne, à coups lents et réguliers. ZOLA, le Ventre de Paris, t. I, p. 127.

Au participe passé :

1 (...) une casserole où il y avait, à ce qu'il disait, un lapin déjà tout haché (...)
A. R. LESAGE, Gil Blas, X, XII.

2 (...) le matin, je lui hachais du tabac pour fumer cinq ou six pipes (...)
A. R. LESAGE, Gil Blas, X, X.

3 Prenez six gros oignons, trois racines de carottes, une poignée de persil; hachez le tout et le jetez dans une casserole, où vous le ferez chauffer et roussir au moyen d'un morceau de bon beurre frais.
A. BRILLAT-SAVARIN, Physiologie du goût, Variétés, X.

Loc. prov. *Hacher menu comme chair* à pâté.*

4 Vous auriez bien besoin de dix *(langues)* des mieux nourries,
Pour fournir tour à tour à tant de menteries;
Vous les hachez menu comme chair à pâtés. CORNEILLE, le Menteur, IV, 3.

5 Bonnes gens qui fauchez, si vous ne dites au Roi que le pré que vous fauchez appartient à Monsieur le Marquis de Carabas, vous serez tous hachés menu comme chair à pâté. Ch. PERRAULT, Contes, « Le chat botté ».

(1873). Loc. fig. *Hacher de la paille :* parler en marquant fortement des accents (d'abord, 1867, parler allemand); parler (français) avec l'accent allemand.

Hacher qqn en pièces, supplice autrefois usité en Asie.

6 (...) ils condamnent les deux infortunés à être hachés en pièces; c'est un supplice usité en Chine et en Tartarie pour les parricides (...)
VOLTAIRE, Hist. de l'Empire de Russie, I, IV.

(1759). Loc. fig. *Se faire hacher.* **a** Se défendre jusqu'à complète extermination.

7 Il a fallu tenir dix jours sur ce morne chantier, se faire hacher par bataillons pour ajouter un bout de champ à notre victoire, un boyau éboulé, une ruine de bicoque.
R. DORGELÈS, les Croix de bois, XI.

b (1693). Être disposé à tout souffrir pour défendre quelqu'un, quelque chose. *Elle se ferait hacher pour nous. Il se ferait hacher plutôt que de revenir sur sa décision.*

8 Ah! vous ne le connaissez pas, s'écria Lise. Il se ferait plutôt hacher que de céder (...) Non, non, c'est fini! ZOLA, la Terre, I, V.

9 J'ai tout sacrifié à la famille; je me ferais hacher pour que la famille fût à jamais grande et glorieuse. ZOLA, le Docteur Pascal, I, p. 9.

♦ **2.** (1690, Furetière). Découper maladroitement, grossièrement. *Ce couteau émoussé ne tranche plus la viande, il la hache.* ⇒ **Déchiqueter.** — (1694). Par ext. Endommager* en brisant en petits morceaux, en déchiquetant. *La grêle a haché les récoltes.*

10 Comme il fallait qu'elle massacrât toujours quelque chose, elle hachait rêveusement à coups de cravache les jeunes pousses d'un arbre qui se penchait aux bords du chemin. BARBEY D'AUREVILLY, Une vieille maîtresse, I, VII, t. I, p. 167.

11 De trop fortes pluies pourrissaient les semences, des coups de grêle hachaient le blé en herbe (...) ZOLA, la Terre, I, V.

12 (...) l'orage monte (...) l'orage qui, de sa grêle, hachera toute vendange (...)
F. MAURIAC, le Mal, II.

Une rafale de mitrailleuse hache les assaillants.

♦ **3.** (1877). Fig. ⇒ **Couper, entrecouper, interrompre.** *La ponctuation qui hache ces phrases. Les éclats de rire du public hachaient le débit de l'orateur.*

12.1 (...) Antoine allait le contredire, il l'arrêta de la main, et, malgré la toux qui hachait ses phrases, avançant le menton avec une humble bonne grâce, il continua (...) MARTIN DU GARD, les Thibault, t. III, p. 125.

♦ **4.** Techn. Entailler avec une hache, un ciseau. *Hacher une pierre, une planche pour en dégrossir le parement.*

♦ **5.** (1355). Dessin et gravure. Sillonner de hachures*. ⇒ **Hachurer.** *Hacher une estampe.*

▶ **HACHÉ, ÉE** p. p. adj. (XIVe, « ciselé »).

♦ **1.** (1580). Coupé en petits morceaux (→ ci-dessus, cit. 1). Cour. *Viande hachée, bifteck, steak haché.* — N. m. *Manger du haché. 500 grammes de haché.* ⇒ **Hachis.**

♦ **2.** Découpé, coupé grossièrement, maladroitement; endommagé. *Champ haché* (par la grêle).

♦ **3.** *Mer hachée,* dont la surface est agitée par des vagues courtes.

La mer est encore hachée, cassant un peu l'erre, mais nous gagnons en latitude, cap au sud-sud-ouest sur l'archipel du Cap-Vert, tandis que l'alizé s'établit franchement et que la mer s'arrondit, régulière après deux jours. 12.2
Bernard MOITESSIER, Cap Horn à la voile, p. 92.

♦ **4.** (1798). Entrecoupé, interrompu à maintes reprises (du langage). *Discours haché de soupirs, de rires. Orateur au débit haché.*

Et, en phrases hachées, coupées d'incidentes étrangères au sujet, il raconta l'histoire de Paradou (...) ZOLA, la Faute de l'abbé Mouret, I, VII. 13

Il (...) engageait d'interminables conversations hachées par les coups de marteau du savetier (...) G. DUHAMEL, Salavin, V, XIX. 14

Dans le discours écrit, littéraire. → ci-dessous Style haché.

Ce que notre auteur *(Camus)* emprunte à Hemingway, c'est (...) la discontinuité de ses phrases hachées qui se calque sur la discontinuité du temps. 15
SARTRE, Situations I, p. 117.

En parlant d'activités :

Un travail haché porte toujours la trace des interruptions. 16
A. MAUROIS, Un art de vivre, III, 1.

Style haché : style coupé en phrases très courtes, ou bien encore décousu*, manquant d'enchaînement (cit. 3). ⇒ **Abrupt** (cit. 3, Diderot), **heurté, saccadé, sautillant** (→ Caractère, cit. 29).

Le reste de ses écrits est composé toujours de pièces et de morceaux, de très beaux morceaux, mais qui ne réussissent à faire qu'un ensemble haché, saccadé. Il y a du grandiose, mais à tout moment brisé, un grandiose qui *casse* à tout coup. 17
SAINTE-BEUVE, Chateaubriand, t. I, p. 127.

♦ **5.** (1690). Couvert de hachures. ⇒ **Hachuré.**

DÉR. Hachage, hachard, hachement, hacheur, hacheuse, hachis, hachoir, hachure.
COMP. Hache-bâché, hache-écorce, hache-fourrage, hache-légumes, hache-maïs, hache-paille, hache-viande.

HACHEREAU [ˈaʃʀo] n. m. — 1456; de *hache,* suff. *-ereau.*

Technique.

♦ **1.** Petite cognée de bûcheron. ⇒ **Hachette.**

♦ **2.** (1872). Petite hache de charpentier, en forme de marteau tranchant d'un côté.

Pour l'Atlanthrope, il en est très différemment : la confection d'un hachereau suppose le choix du point sur lequel, dans un bloc, sera détaché le grand éclat dont le tranchant constituera le bord actif du futur hachereau, et de plus un travail d'aménagement secondaire est indispensable pour découper, dans l'éclat initial, une forme qui préexiste par conséquent dans l'esprit du fabricant (...)
A. LEROI-GOURHAN, le Geste et la Parole, t. I, p. 139.

HACHETTE [ˈaʃɛt] n. f. — Déb. XIVe; *hachete,* v. 1250; de *hache.*

★ **I.** Petite hache. *Hachette à bois* (→ Frigo, cit. 1). *Hachette de plâtrier. Hachette de boucher, de cuisinier.*

Quatre petits poulets fendus par moité, frappés du plat de la hachette, salés, poivrés, bénits d'huile pure (...) COLETTE, la Naissance du jour, p. 60.

★ **II.** ♦ **1.** (1785, *in* D. D. L.). Papillon du groupe bombyx.

♦ **2.** (1873). Ablette.

HACHEUR, EUSE [ˈaʃœʀ, øz] n. — XIVe; de *hacher.*

♦ **1.** (1723). Ouvrier, ouvrière, qui hache les laines utilisées pour les tapisseries.

♦ **2.** Fig., fam., rare. *Hacheur, hacheuse de paille :* personne qui parle une langue à fort accent tonique; personne qui parle français avec un fort accent allemand ou alsacien (qui « hache de la paille »).

♦ **3.** Techn. N. m. Transformateur de tension permettant d'obtenir une tension réglable en débitant suivant un rythme assez rapide une tension constante.

HOM. (Du fém.) Hacheuse.

HACHEUSE [ˈaʃøz] n. f. — 1873, Zola; de *hacher.*

♦ Hachoir mécanique.

(...) une machine à pousser, une hacheuse mécanique, mettaient là, avec leurs rouages et leurs manivelles, l'idée mystérieuse et inquiétante de quelque cuisine de l'enfer. ZOLA, le Ventre de Paris, t. I, p. 127.

HOM. Fém. de **hacheur.**

HACHE-VIANDE [ʼaʃvjɑ̃d] n. m. invar. — 1893, *in* D. D. L.; de *hacher*, et *viande*.

♦ Instrument de charcutier ou simple ustensile de cuisine servant à hacher la viande en menus fragments. ⇒ **Hachoir.** *Des hache-viande électriques.*

HACHIS [ʼaʃi] n. m. — 1538; *hagis*, v. 1280; en gravure, 1355; de *hacher*, et *-is*.

♦ **1.** Préparation de viande ou de poisson hachés très menu. *Hachis de porc.* ⇒ **Saucisse** (chair à). *Farcir une volaille avec du hachis* (⇒ **Farce**). *Boulette de hachis.* ⇒ **Croquette, fricadelle, fricandeau, godiveau.** — Par anal. Préparation hachée. *Hachis de persil, d'échalotes, de champignons.*

1 Foin des lamelles, des hachis, des rognures, des pelures de truffe! COLETTE, Prisons et Paradis, Rites.

♦ **2.** Mets préparé avec de la viande ou du poisson finement hachés. *Préparer, servir un hachis. En hachis. Accommoder un reste de gigot* (cit. 2) *en hachis.*

2 (...) ses hachis étaient assaisonnés d'une manière qui les rendait très agréables au goût (...) A. R. LESAGE, Gil Blas, II, I.

3 (...) on me servit un soir dans une hôtellerie, pour un lapin de garenne, un matou en hachis; cela m'a dégoûté des fricassées. A. R. LESAGE, Gil Blas, X, XII.

4 (...) un noyau douillet de volaille en hachis (...) COLETTE, Prisons et Paradis, Déjeuner marocain.

(XXe). *Hachis Parmentier :* hachis de bœuf recouvert de purée de pommes de terre.

5 — Demain, j'aurai du hachis Parmentier. Vous aimez ça, hein?
Je l'avouais.
Le lendemain, en plein coup de feu, elle faisait sortir sa face cuite par le guichet de la porte de la cuisine.
— Dites donc, m'sieu Henri, aujourd'hui j'ai du hachis Parmentier.
Tous les jours, elle avait son hachis Parmentier.
Henri CALET, la Belle Lurette, p. 192-193.

REM. *Hachis* est inusité en Belgique. → Haché (1.).

♦ **3.** Fig. Mise en pièce, destruction. *Mettre l'ennemi en hachis.* ⇒ **Compote, marmelade.**

♦ **4.** Fig. Réunion conforme de fragments. *« Un hachis de petites phrases molles »* (H. Bazin, *in* T. L. F.).

HACHISCH [aʃiʃ] n. m., **HACHISCHIN** ou **HACHICHIN** [ʼaʃiʃɛ̃] n. m. ⇒ **Haschisch, haschischin.**

HACHOIR [ʼaʃwaʀ] n. m. — 1471; de *hacher*, et *-oir*.

A. ♦ **1.** (1471). Cuis. Large couteau* pour hacher (viandes, légumes, etc.). ⇒ **Couperet, hansart.**

1 (...) le hachoir de Léon allait à coups plus vifs, raclant la table par moments, pour ramener la chair à saucisse qui commençait à se mettre en pâte. ZOLA, le Ventre de Paris, t. I, p. 132.

2 (...) je prépare maintenant mon repas sans dégoût — toujours le même menu, pain et vin. Seulement, j'ajoute au vin beaucoup de sucre et laisse rassir mon pain plusieurs jours, jusqu'à ce qu'il soit très dur, si dur qu'il m'arrive de le briser plutôt que de le couper — le hachoir est très bon pour ça. Il est ainsi beaucoup plus facile à digérer. BERNANOS, Journal d'un curé de campagne, Pl., p. 1105-1106.

♦ **2.** (XXe). Instrument à vis qu'on tourne à la manivelle et qui sert à hacher la viande, les légumes. ⇒ **Hache-viande.** *Le hachoir, ustensile du boucher, du charcutier.*

♦ **3.** Fam. Couperet, hache. *« Le hachoir de monsieur de Paris* (le bourreau) *»* (Le Breton, *in* T. L. F).

B. (1680). Par métonymie. Épaisse planche de chêne ou de hêtre sur laquelle on hache.

HACHOT [ʼaʃo] n. m. — Repris mil. XXe; « petite hache », déb. XVIe; de *hache*.

♦ Mar. Petite hache. *Le hachot fait partie du matériel des embarcations de sauvetage.*

HACHOTTE [ʼaʃɔt] n. f. — 1789; de *hache*.
Technique.

♦ **1.** (1789). Outil de couvreur servant à couper les ardoises.

♦ **2.** (1845). Outil de tonnelier servant à tailler les douves.

HACHURATEUR [ʼaʃyʀatœʀ] n. m. — 1907, *in* D. D. L.; de *hachurer*.

♦ Techn. Instrument de dessin servant à tracer des hachures équidistantes.

HACHURE [ʼaʃyʀ] n. f. — 1690; *hacheure*, terme de blason (« cordon liant les lambrequins »), XVe; de *hacher*.

♦ **1.** (1690). L'un des traits parallèles ou croisés qui marquent les demi-teintes, les ombres (d'un dessin, d'une gravure).

(...) l'artiste se contente d'un ton local et sommaire relevé de quelques hachures pour indiquer les ombres. 1
Th. GAUTIER, Souvenirs de théâtre..., Fouilles mont Palatin, p. 327.

Une des ambitions du graveur est alors le rendu du relief (...) La direction même des hachures, tantôt rectilignes et tantôt courbes, tantôt parallèles et tantôt convergeant vers un point de fuite, suggère avec une force et une précision singulières le modelé des surfaces et l'orientation des plans. C'est d'instinct qu'un Schongauer ou un Dürer hachurait « dans le sens de la forme ». 2
Jean LARAN, les Estampes, p. 44.

(1873). L'un des traits conventionnels qui figurent les accidents du terrain, la densité de la population, etc. (sur une carte). *L'espacement des hachures est inversement proportionnel à la rapidité des pentes qu'elles représentent.*

(1675). Blason. Trait ou point qui représente les émaux.

♦ **2.** (1723). Techn. L'une des entailles pratiquées sur les métaux avant de les dorer ou de les argenter.

♦ **3.** (1770, Buffon). Fig. ⇒ **Raie, rayure.**

L'ombre était si claire qu'elle rayait à peine de légères hachures la rive ensoleillée. 3
ZOLA, la Faute de l'abbé Mouret, II, X.

Une banlieue quelconque (...) que bientôt la pluie recommence à rayer de ses petites hachures grises. LOTI, Jérusalem, p. 62. 4

DÉR. **Hachurer.**

HACHURER [ʼaʃyʀe] v. tr. — 1893, Courteline; de *hachure*.

♦ Couvrir de hachures (cit. 2). ⇒ **Hacher, rayer.**

(...) le tailleur qui s'était levé et qui hachurait à la craie les reins formidables du concierge. COURTELINE, Messieurs les ronds-de-cuir, V, III.

▶ **HACHURÉ, ÉE** p. p. adj. *Les parties hachurées d'une carte.*

DÉR. **Hachurateur.**

HACIENDA [asjenda] n. f. — 1827, *in* D. D. L.; mot esp., dér. de *hacer* « faire ». Cf. au XVIe, *faciende* « affaire, occupation », et aussi « métairie »; du lat. *facienda* « choses à faire », de *facere* « faire ». Cf. encore l'anc. provençal *fazenda* « petite ferme », le portugais *fazenda* (→ Fazenda).

♦ Grande exploitation rurale, en Amérique du Sud de langue espagnole; habitation du maître. ⇒ 2. **Ferme.**

Le coup fait, on l'attribua à un parti d'Indiens (...) El Jabali le crut, ou feignit de le croire (...) Un beau jour, El Jabali disparut (...) il ne resta de lui que son hacienda fortifiée (...) sous la garde d'un ancien général, Don Alvarez Nuna (...)
H. BOSCO, le Sanglier, p. 141.

HACK [ʼak] n. m. — 1847, Gautier; mot angl., « cheval de service », abrév. de *hackney* « cheval de louage ».
Sports (turf).

♦ **1.** Cheval de service que les entraîneurs utilisent pour surveiller l'entraînement des chevaux de course. *Des hacks.*

♦ **2.** (1873). Cheval de selle sans spécialisation sportive.

HACKLE [ʼakœl] n. m. — Mil. XXe; mot angl., « filasse, soie écrue, mouche de plume ou de soie (pour pêcher) ».
Techn. (pêche).

♦ **1.** Plume déliée utilisée pour le montage des mouches. *Des hackles.*

♦ **2.** Fibres de plumes garnissant une mouche artificielle.

HADAL, ALE, AUX [ʼadal, o] adj. — Mil. XXe; du grec *Hadês*, nom du roi des Enfers.

♦ Didact. *Profondeurs hadales :* profondeurs des océans dépassant 6 000 m. *Étude de la faune des profondeurs hadales.* — REM. Le masc. plur. *hadaux* est rare.

HADDOCK [ʼadɔk] n. m. — 1905; *hadoche*, 1555; *hadot* « aiglefin », XIIIe; attestation isolée, *haduc*, 1285; mot angl.; orig. incert.

♦ Aiglefin (poisson de la famille des Gadidés) fumé. Plur. *Haddocks. Du haddock aux épinards. Haddock cuit au lait.* Var. anc. : *haddok :*

(...) puis, il examina la liste des poissons, demanda un haddok, une sorte de merluche fumée qui lui parut louable (...) HUYSMANS, À rebours, XI.

HOM. Ad hoc.

HADÈNE [adɛn] n. m. — 1873, Larousse; du n. pr. *Hadès,* et suff. *ène.*

♦ Zool. Noctuelle (famille des *Noctuidés*) dont la chenille vit aux dépens des plantes fourragères ou des graminées. *Les hadènes sont nuisibles aux céréales.*

HADITH ['adit] n. m. — 1697, d'Herbelot; arabe *hadīth* «récit».

♦ Didact. Recueil des actes et paroles de Mahomet. *Les hadiths sont une référence importante pour la foi islamique. Les hadiths complètent le Coran*.*

HADJ ['adʒ] ou **HADJI** ['adʒi] n. m. — 1743; *hagis,* 1567; *hodge,* 1731; arabe vulg. *hădjdjī* «celui qui a accompli le pèlerinage de La Mecque».

♦ Titre que prend tout musulman qui a fait le pèlerinage de La Mecque. *Des hadjs, des hadjis.*

1 Il portait une pelisse vert-émir, comme en portent les descendants du Prophète ou les hadjis qui ont fait le pèlerinage de La Mecque. Th. GAUTIER, *in* P. LAROUSSE.

2 Si Mokhtar calcula qu'il avait à peine de quoi payer le guide obligatoire chargé d'accompagner chaque hadj de Djeddah à Médine, sur le tombeau du Prophète. Kateb YACINE, Nedjma, p. 116.

HADROME [adʀom] n. m. — 1930, Larousse; du grec *hadros* «abondant, épais, solide».

♦ Bot. Partie vasculaire des faisceaux libéroligneux (par oppos. à *leptome**).

HADRON [adʀɔ̃] n. m. — V. 1965 (*in* Larousse, 1968); du grec *hadros* «abondant», et de *(électr)on.*

♦ Phys. Particule élémentaire lourde (classe subdivisée en baryons* et mésons*). *Les nucléons sont des hadrons. «On sait qu'il existe deux grandes familles de particule-matière : d'une part les hadrons comme le proton, de l'autre les leptons comme l'électron.»* (*Sciences et Avenir,* juil. 1979, p. 78). *Hadrons primaires,* «selon le type d'interaction, électromagnétique pour les électrons, nucléaire pour les hadrons (protons, deutons, hélium)» (*la Recherche,* déc. 1979, p. 1198). *«Les particules sensibles aux forces nucléaires sont appelées hadrons. Les hadrons constituant la matière usuelle sont le proton et le neutron. Depuis 1947, plus de 200 hadrons différents ont été mis en évidence à l'aide des rayons cosmiques et des accélérateurs»* (*la Recherche,* nº 123, juin 1981, p. 675).

DÉR. Hadronique.

HADRONIQUE [adʀɔnik] adj. — V. 1970; de *hadron.*

♦ Phys. Des hadrons; qui a les caractères des hadrons. *«Particules hadroniques»* (*la Recherche,* févr. 1978, p. 58). *«Une sorte de "boule de feu" de matière hadronique»* (*la Recherche,* janv. 1975, p. 59). *«Gerbe hadronique»* (*la Recherche,* juin 1979, p. 670).

HAECCÉITÉ [ɛkseite] n. f. ⇒ **Eccéité.**

HAEMATOXYLON [ematɔksilɔ̃] n. m. — 1846, *Hématoxyle,* Bescherelle; lat. sc. *Haematoxylon campechianum;* de *haemato-,* var. de *hémato-* (→ Héma-), et grec *xylon* «bois».

♦ Bot. Arbre tropical de la famille des *Césalpiniacées* (⇒ **Césalpinées**), dont le bois est coloré en rouge (*bois de campêche**). *Le principe colorant de l'haematoxylon est utilisé en teinturerie et en histologie.*

HAFIZ ['afiz] n. m. invar. — 1878, Larousse; mot arabe.

♦ Didact. Musulman qui a appris le Coran par cœur.

HAFNIUM [afnjɔm] n. m. — 1923, *le Journal de physique et le Radium, in* T. L. F.; du danois (Kjœben) *havn* «Copenhague», lieu de découverte du métal, en 1923, et suff. *-ium.*

♦ Chim. Corps simple, métal (symb. : *Hf*), de numéro at. 72, du groupe des terres rares. — Plur. : *hafniums.*

HAGADA ou **AGADA** [agada] n. f. — 1869, Renan; *hag(g)ādā(h)* «conte édifiant», de *higgidh* «déclarer, rencontrer».

♦ Relig. Littérature populaire juive, traitant des enseignements non fixés par la «loi».

L'agada (...) désigne la prédication populaire, se proposant la conversion des païens (...) Pour parler le langage du Talmud, les Évangiles sont des agadas... C'est l'agada qui a conquis le monde et fait le Christianisme... E. RENAN, Hist. des origines du christianisme, Saint Paul, 1869, p. 63, *in* T. L. F.

HAGADISTE [agadist] n. m. — XXᵉ; de *hagada.* → Agadiste.

♦ Relig. Spécialiste de la hagada.

HAGARD, ARDE ['agaʀ, aʀd] adj. — XVᵉ; *hagart,* fin XIVᵉ; sans doute orig. germanique. Cf. moyen angl. *hagger* «sauvage», et all. *Hagerfalk* «faucon sauvage».

★ **I.** (V. 1398). Vx (fauconn.). Se disait de l'oiseau (faucon, épervier) qui, pris après une ou plusieurs mues à l'état sauvage, restait trop farouche pour pouvoir être apprivoisé (par oppos. à l'*oiseau niais*).

★ **II.** Cour. ♦ **1.** (1410, *cœur hagart; regard hagart,* v. 1560). Qui a une expression égarée et farouche. ⇒ **Effaré.** *Œil hagard* (→ Engoulevent, cit.; faire, cit. 262). *Prunelle hagarde* (→ Éteindre, cit. 9). *Mine hagarde. Air, visage hagard.*

(...) ces yeux rouges et hagards (...) MOLIÈRE, Monsieur de Pourceaugnac, I, 8. 1

Je pense à la négresse, amaigrie et phtisique, 2
Piétinant dans la boue, et cherchant, l'œil hagard,
Les cocotiers absents de la superbe Afrique
Derrière la muraille immense du brouillard (...)
BAUDELAIRE, les Fleurs du mal, Tableaux parisiens, Le cygne.

(...) avec cet air suppliant et hagard de poule qui aurait perdu l'oiseau sauvage de sa couvée. ALAIN-FOURNIER, le Grand Meaulnes, I. 3

Comme des sourds-muets parlant dans une gare 4
Leur langage tragique au cœur noir du vacarme
Les amants séparés font des gestes hagards
ARAGON, le Crève-cœur, Les amants séparés.

(Fin XIVᵉ). Vx ou littér. (Personnes). Qui semble farouche, sauvage. *Être hagard. Un fou hagard. Sortir hagard d'un sommeil cataleptique* (cit.).

(...) pâle, hagard, bouleversé par tous ces excès d'émotions (...) HUGO, les Misérables, II, VIII, VII. 5

Aussitôt reçue la nouvelle, elle m'entraîna, échevelée, hagarde à l'assaut de la gare du Nord. CÉLINE, Voyage au bout de la nuit, p. 330. 6

♦ **2.** (Mil. XIXᵉ; depuis Hugo, qui a fait de *hagard,* comme de *farouche, fauve,* etc., un des mots-clefs de sa poésie). Littér. Qui rend l'homme hagard, qui a un caractère inquiétant, effrayant. ⇒ **Sauvage.** *Une sorte d'excitation hagarde* (→ Enfiévrer, cit. 3).

(...) Ah! je sens la colère hagarde. 7
Battre de l'aile autour de mon front (...)
HUGO, la Légende des siècles, IV, Le géant, aux dieux.

Une seule tête pâlit 8
De ne voir où qu'elle regarde
Qu'une même absence hagarde. VALÉRY, Poésies, «Pythie».

Littér. (Choses concrètes). *«Les grands immeubles hagards...»* (Montherlant, *in* T. L. F.).

CONTR. Calme, tranquille; rassurant.

DÉR. Hagardement.

HAGARDEMENT ['agaʀdəmɑ̃] adv. — XVIᵉ; de *hagard,* et *-ment.*

♦ Littér. D'une façon hagarde.

HAGGIS [aʒi] n. m. — 1952, *in* Höfler; attestation isolée, 1877; mot écossais ancien (v. 1420), d'orig. incert. (le mot est antérieur à *hachis,* et ses formes anciennes sont *hagas, hagese,* etc.), p.-ê. en rapport avec *to hag* «frapper d'une arme» (mot dial.) ou avec l'anc. franç. *agasse* «pie», mot d'origine germanique.

♦ Cuis. Estomac de mouton farci d'abats, plat national écossais.

HAGIASME [aʒjasm] n. m. — 1873, Laroussse; grec *hagiasmos* «sanctification, sanctuaire», de *hagiazein* «sanctifier, consacrer», de *hagios* «saint». → Hagiographe, hagiologie.
Religion.

♦ **1.** (1873). Dans la religion chrétienne orthodoxe, Bénédiction de l'eau.

♦ **2.** (1962). Sanctuaire où se trouve une source miraculeuse.

HAGIOGRAPHE [aʒjɔgʀaf] adj. et n. — Fin XVᵉ, *agyographe;* bas lat. *hagiographa,* du grec *hagios* «saint, sacré», et *graphein* «écrire». → -graphe.

♦ **1.** (1704, Trévoux). Vx (adj.). *Livres hagiographes,* se disait des livres de la troisième partie de l'Ancien Testament qui ne sont pas inclus dans la Loi et les Prophètes (on dit aujourd'hui *hagiographa*). — N. m. (1787, Féraud). Écrivain sacré, auteur d'un des livres hagiographes

♦ **2.** (1752, Trévoux). Mod. (n.). Auteur qui traite de la vie et des actions des saints. *Légendes naïves recueillies par les anciens hagiographes.*

1 Les plus célèbres hagiographes sont les jésuites d'Anvers, que nous appelons communément en France Bollandistes, du nom du P. Bollandus, qui a le premier travaillé à l'ouvrage des *Acta Sanctorum*. Dict. de Trévoux, art. *Hagiographe*.

2 Il y a toujours de pieux hagiographes pour nous persuader que les saints n'ont jamais fait de bêtises, étant gamins. DANIEL-ROPS, Ce qui meurt..., VI, p. 215.

♦ **3.** (Déb. XXe). Biographie qui embellit systématiquement la vie de son héros.

3 Balzac a lui-même beaucoup prêté à ce dénigrement, dont un hagiographe seul se refuserait à voir les raisons évidentes, et qu'un biographe sincère comme Zweig ne peut absolument pas dissimuler. Émile HENRIOT, les Romantiques, p. 353.

DÉR. Hagiographie.

HAGIOGRAPHIE [aʒjɔgʀafi] n. f. — 1813, Gattel, *in* D. D. L.; de *hagiographe*.

Didactique.

♦ **1.** Rédaction des vies des saints. *Les Actes des Martyrs, les Martyrologes, les bulles de canonisation sont les bases de l'hagiographie catholique. Hagiographie primitive et naïve dans la Légende dorée*.*

1 Entre tant de particularités que la Bretagne possède en propre, l'hagiographie locale est sûrement la plus singulière. RENAN, Souvenirs d'enfance..., II, II.

2 Un sourire d'extrême bienveillance ne quitte pas ses lèvres, le sourire des images de piété, celui que les petits livres d'hagiographie prêtent aux saints personnages de jadis. M. BARRÈS, la Colline inspirée, V.

♦ **2.** (Déb. XXe). Biographie excessivement élogieuse; éloge systématique (de qqn).

3 M. Guillemin (...) M. Raymond Escholier (...) auront bien travaillé pour sa gloire (...) en le ramenant à la vérité de sa vie, très différente de sa légende et de l'hagiographie grossissante et simplificatrice du *Victor Hugo raconté (par un témoin de sa vie)*. Émile HENRIOT, les Romantiques, p. 99.

4 (...) au nom d'une hagiographie de la révolte, un des hommes les plus avertis du drame de l'époque *(André Breton)* se met à distribuer des certificats de poésie, nie ce qu'il sait, néglige d'étudier ce qu'il combat, ignore la dignité des autres, et insulte comme on rêve. CAMUS, Actuelles II, *in* Essais, Pl., p. 735.

DÉR. Hagiographique.

HAGIOGRAPHIQUE [aʒjɔgʀafik] adj. — 1842, Académie; de *hagiographie*.

♦ Didact. Qui a rapport à l'hagiographie. *Récits d'un caractère hagiographique* (→ Concevoir, cit. 4).

Le premier (...) de ces deux ouvrages *(Vie de sainte Radegonde)* avait été, sans comparaison, le plus immense insuccès de l'époque (...) C'était pourtant une chose réellement grande, ce récit hagiographique (...) Léon BLOY, le Désespéré, p. 95.

HAGIOLOGE [aʒjɔlɔʒ] n. m. — 1898, Huysmans; de *hagiologie*, d'après *martyrologe*.

♦ Relig. Liste de saints.

HAGIOLOGIE [aʒjɔlɔʒi] n. f. — 1842, Mozin; du grec *hagios* «saint, sacré», et *-logie*.

♦ Didact. Corps de littérature formé par la réunion des ouvrages hagiographiques.

DÉR. Hagiologe, hagiologique, hagiologue.

HAGIOLOGIQUE [aʒjɔlɔʒik] adj. — 1694; du grec *hagios* «saint, sacré», et *-logique*.

♦ Didact. Qui concerne les saints. *Le « Vocabulaire hagiologique » de Chastelain (1694) était une liste des noms de saints.*

HAGIOLOGUE [aʒjɔlɔg] n. — 1903, Huysmans; de *hagiologie*.

♦ Didact. Personne qui étudie la vie des saints.

1. HAHA [haha] interj. — 1684, Corneille; redoublement de *ha!*

♦ **1.** Vx. Exclamation indiquant l'ironie, l'intérêt.

♦ **2.** Onomatopée du rire.

2. HAHA ['aa] n. m. invar. — 1738; emploi substantivé du précédent.

♦ **1.** Vx. Fossé situé au bout d'une allée et barrant le passage. ⇒ **Saut-de-loup.**

♦ **2.** (1892). Milit. Fossé situé à la poterne ou à l'entrée d'une fortification et empêchant le passage.

HAHNEMANNIEN, IENNE [anmanjɛ̃, jɛn] adj. — 1840, *«Journal de la doctrine hahnemannienne»* par la Société homéopathique de Paris; de *Hahnemann*, médecin allemand (1755-1843), fondateur de l'homéopathie, et *-ien*.

♦ Méd. Relatif aux conceptions thérapeutiques de Hahnemann. ⇒ **Homéopathique.** — N. *Un hahnemannien.*

Hahnemanniens et électiques ont bien essayé, dans un effort généreux, de se réunir pour faire un enseignement régulier commun. Mais comment pouvaient-ils espérer réaliser un enseignement valable, alors qu'aucune entente n'existait, ni sur les principes, ni sur la technique, ni sur la pratique? Pierre VANNIER, l'Homéopathie, p. 47.

HAHNEMANNISME [anmanism] n. m. — XXe; de Hahnemann, et *-isme*. → Hahnemannien.

♦ Méd. homéopathique. Ensemble des conceptions hahnemanniennes sur la médecine et la thérapeutique homéopathique.

HAHNIUM [anjɔm] n. m. — V. 1970, en angl.; du nom de Otto *Hahn*, prix Nobel de chimie en 1945.

♦ Phys. Élément radioactif de masse at. 105, à durée de vie très brève (entre 1,3 et 1,9 seconde), qui se transmue en lawrencium-103 avec émission de particules α. — Symb. : *Ha.*

HAI [hɛ] interj. Vx. ⇒ **Hé.**

HAICK ['aik] n. m. ⇒ **Haïk.**

HAIE ['ɛ] n. f. — V. 1155; *hoie*, 1080; francique **hagja.*

★ **I.** ♦ **1.** Clôture faite d'arbres, d'arbustes, d'épines ou de branchages et servant à limiter ou à protéger un champ, un jardin. ⇒ **Baragne** (régional). *Domaine, verger clos de haies. Prairie bordée de haies. Haie de cyprès. Haie de charmes.* ⇒ **Charmille.** *Haie de troènes, de fusains, d'aubépines, d'arbustes* (→ Brousse, cit. 1). ⇒ **Bordure.** *Des haies épaisses* (→ Clore, cit. 7; épine-vinette, cit. 2). *Haie servant de brise-vent*. Haie séparant des propriétés mitoyennes. Chemin entre des haies* (→ Faufiler, cit. 8; flanc, cit. 11). *Le long d'une haie* (→ Froid, cit. 10). *Brèche, trouée dans une haie. Échalier pour franchir une haie. Bois taillis fermé de haies* (⇒ **Breuil**). *Tailler une haie.*

(...) il me fallut rejoindre en courant mon père et mon grand-père qui m'appelaient, étonnés que je ne les eusse pas suivis dans le petit chemin (...) Je le trouvai tout bourdonnant de l'odeur des aubépines. La haie formait comme une suite de chapelles qui disparaissaient sous la jonchée de leurs fleurs amoncelées en reposoir (...) au-dessous d'elles, le soleil posait à terre un quadrillage de clarté (...) PROUST, À la recherche du temps perdu, t. I, p. 188. 1

Anne se trouva alors devant une haie touffue où se mêlaient des mûriers, des noisetiers, de jeunes acacias. Pierre BENOIT, Mlle de la Ferté, I, p. 72. 2

Il y a, pour abriter la maison du mistral, cette haie de cyprès. M. CONSTANTIN-WEYER, Source de joie, IX. 3

Tant qu'il faisait très chaud, on ne marchait pas autant que possible en plein champ, mais on prenait les petits chemins bordés de haies qui les longent, surélevées de la hauteur de leur talus. Les haies, maintenant toutes vertes, ne brillaient plus des tendres couleurs des fleurs d'aubépines. PROUST, Jean Santeuil, Pl., p. 301. 3.1

Je hais les haies 3.2
Qui sont des murs (...)
Je hais les haies
Qui nous emmurent. Raymond DEVOS, Sens dessus dessous, p. 193.

(1600). *Haie vive,* formée d'arbustes en pleine végétation. ⇒ **Bouchure** (→ Échapper, cit. 41; fruitier, cit. 2). — (1600). *Haie morte* ou *sèche,* faite de branches sèches, de bois mort.

Des haies, qui pousse dans les haies. *Prunellier* des haies.*

♦ **2.** (1853). Obstacle (fragment de haie) dans une course. *Course de haies,* où les chevaux ont à franchir des haies (naturelles ou factices), à l'exclusion de gros obstacles (réservés au steeple-chase). *Dresser un cheval sur les haies. Cheval qui se dérobe à une haie.* (1884, *in* Petiot). Athlétisme. *Course de haies,* où le coureur doit franchir un certain nombre de haies factices (sorte de cadres en bois ou en métal renforcés de barres transversales). *Coureur de haies.* ⇒ **Jumper.** — Par appos. *Les courses de haies classiques sont le 110 mètres haies et le 400 mètres haies.*

Ils abordent la haie à toute allure, 4
ils la franchissent dans la foulée.
MONTHERLANT, les Olympiques, Les sauteurs de haies.

Sempé prit la tête et domina toutes les haies avec exubérance. Son galop triomphal avait le rythme et la violence d'un éclat de rire. Mais André, sa grande jambe mal reployée sous lui, fauchait les haies l'une après l'autre. Jean PRÉVOST, Plaisirs des sports, p. 192. 4.1

♦ **3.** (Fin XIIIe). Obstacle constitué par une file (de choses) interdisant l'accès, le passage. *Une haie de rochers, d'écueils. Haie de baïonnettes.*

Les frontières ne furent qu'une haie de places fortes. G.-T. RAYNAL, Hist. philosophique, XIII, 58, *in* LITTRÉ. 5

♦ **4.** (V. 1360). File de personnes (soldats, gardes, curieux...) bordant une voie pour laisser passage à qqn, à un cortège. ⇒ **File, rang.** *Une haie d'agents de police rangés le long d'un trottoir.* ⇒ **Cordon.** *Une double haie. Forçats avançant entre deux haies de gardes-chiourme* (→ Bagne, cit. 1). *Cortège qui défile entre deux haies de spectateurs. Haie d'honneur.*

6 Une commotion pareille à celle que produit la foudre ébranla tous les spectateurs, quand on vit Laurence que le frôlement de son amazone avait annoncée (...) ses gens s'étaient vivement mis en haie pour la laisser passer.
BALZAC, Une ténébreuse affaire, Pl., t. VII, p. 525.

7 Aussi quand Véronique sortit de l'église, trouva-t-elle presque toute la paroisse rangée en deux haies. Chacun, à son passage, la salue respectueusement dans un profond silence. BALZAC, le Curé de village, Pl., t. VIII, p. 679.

Loc. *Border de haie* (vieilli). *Former, faire la haie* : être rangé, se disposer en haie. *Garçons d'honneur faisant la haie à la sortie de l'église. Rompre la haie.*

8 (...) l'infanterie forma la haie sur les bords de la Saône, depuis la porte du fort jusqu'à la place des Terreaux. A. DE VIGNY, Cinq-Mars, XXV, t. II, p. 432.

9 Les gardes suisses d'un côté, les gardes françaises de l'autre font la haie aussi loin qu'elle peut s'étendre.
TAINE, les Origines de la France contemporaine, t. I, I, p. 143.

10 Puis, tout autour de la salle, par-delà les rangées d'officiers formant la haie le long du passage réservé au cortège présidentiel, et refluant très loin dans le vestibule d'entrée, la jeune foule enthousiaste des étudiants.
Georges LECOMTE, Ma traversée, p. 487.

★ **II.** Techn. Age* d'une charrue. ⇒ **Flèche.**

HOM. Ais; forme des v. être, haïr.

HAÏE ['ai; 'aj] interj. — 1694, Académie; onomatopée.
Vieux.

♦ **1.** Hue!

♦ **2.** Cri de douleur. ⇒ **Aïe.**

HOM. Aïe, ail. — Formes du v. aller.

HAÏK ['aik] n. m. — 1725, n. f., *in* D. D. L.; masc., 1830; *heque*, 1654; arabe d'Algérie *ḥāyk*, du verbe *ākā* «tisser».

♦ Longue pièce d'étoffe rectangulaire, dans laquelle les femmes musulmanes se drapent comme dans un manteau, par-dessus les autres vêtements et qui peut servir à cacher le bas du visage.

1 Le haïk *(des femmes d'El-Aghouat)* est une étoffe de coton cassante et légère, de couleur incertaine entre le blanc, le jaune et le gris. Il se porte à peu près comme le vêtement des statues grecques, agrafé sur les pectoraux ou sur les épaules, et retenu à la taille par une ceinture.
E. FROMENTIN, Un été dans le Sahara, p. 146.

2 Le triste haïk blanchâtre cache toujours aux yeux les visages et les robes aux riches couleurs (...) Jérôme et Jean THARAUD, Rabat, V.

3 Elle referma sur son caftan violet les plis de son haïk et se voila le visage jusqu'aux yeux (...) P. MAC ORLAN, la Bandera, XV.

REM. Ce mot a eu de nombreuses variantes : *heque* (1654), *hayque* (1667), *alhaique* (1670), *haïcque* (1670), *ecque* (1675), *haïque* (1683), *hayc* (1686), *in* D. D. L.

HAÏKAÏ ou **HAÏ-KAÏ** ['ajkaj] n. m. — 1920, Éluard; mot japonais, forme anc. de *haïku*.

♦ **1.** (Stricto sensu). Strophe de 17 syllabes, dans certaines poésies japonaises (notamment le *renga*, XIe-XIVe siècles).

♦ **2.** Poème de 17 syllabes issu de cette strophe. Syn. : *haï-ku*.

Et il est vrai qu'en face de la pensée et de l'art bouddhistes ou taoïstes, nos chefs-d'œuvre chrétiens, nos tableaux modernes, la tragédie grecque même, présentent des accents que le Japon définit en notant que la sérénité ne s'y trouve jamais; *Recueillement* de Baudelaire prend un ton de destin, comparé aux Haï-kaï.
MALRAUX, l'Homme précaire et la Littérature, p. 328.

Par ext. (dans d'autres langues que le japonais). *Pour vivre ici, onze haï-kaïs*, d'Éluard (1920).

HAÏKU ['ajku] n. m. — 1922, *in* P. Larousse; mot japonais.

♦ Didact. Poème classique japonais de trois vers (issu du *haï-kaï*) dont le premier et le troisième sont pentasyllabiques, le deuxième heptasyllabique (5-7-5, soit 17 syllabes). *Le haïku et le tonka ont des structures voisines.*

1 Le haïku fait envie (...) combien de lecteurs occidentaux n'ont pas rêvé de se promener dans la vie, un carnet à la main, notant ici et là des «impressions», dont la brièveté garantirait la perfection, dont la simplicité attesterait la profondeur (...) dans le haïku, dirait-on, le symbole, la métaphore, la leçon ne coûtent presque rien : à peine quelques mots, une image, un sentiment — là où notre littérature demande ordinairement un poème.
R. BARTHES, l'Empire des signes, p. 91-92.

2 Dans le haïku japonais, le code veut qu'il y ait toujours un mot qui renvoie au moment du jour et de l'année (...) c'est le *kigo*, le mot-saison. Du haïku, la notation amoureuse garde le *kigo*, cette mince allusion à la pluie, au soir, à la lumière, à tout ce qui baigne, diffuse.
R. BARTHES, Fragments d'un discours amoureux, p. 206.

HAILLON ['ajɔ̃] n. m. — 1404; du moy. haut all. *hadel* «lambeau»; suff. *-on*; ou de *hailles* «guenilles» (mot dialectal attesté tardivement).

♦ **1.** Vieux lambeau d'étoffe servant de vêtement. ⇒ **Chiffon, défroque, guenille, loque, oripeau,** et (vx) **penaille.** *Vêtu* (→ Emporter, cit. 2), *couvert* (cit. 40) *de haillons. Pauvre qui grelotte dans ses haillons* (→ Couvrir, cit. 36). *Haillons de mendiant.* — Collectivt. *Le haillon.* → ci-dessous, cit. 2.

Il y avait dans ses vêtements des vestiges de magnificence. C'était de la soie usée, 1
une mante propre, quoique passée, des dentelles soigneusement raccommodées (...) enfin les haillons de l'opulence!
BALZAC, Un épisode sous la Terreur, Pl., t. VII, p. 431.

(...) on prendrait un morceau d'étoffe, et l'on travaillerait pendant dix ans à le 2
salir, à le râper, à le trouer, à le rapiécer, à lui faire perdre sa couleur primitive, que l'on n'arriverait pas à cette sublimité du haillon!
Th. GAUTIER, Voyage en Espagne, p. 18.

Quelle splendeur qu'un juste abandonné de tous, 3
N'ayant plus qu'un haillon dans le mal qui le mine (...)
HUGO, les Contemplations, V, XXVI.

En haillons : vêtu de haillons. *Un vieillard en haillons.* → Bandit, cit. 4.

Elle était pieds nus et en haillons comme le jour où elle était entrée si résolument 4
dans sa chambre, seulement ses haillons avaient deux mois de plus (...) les trous étaient plus larges, les guenilles plus sordides. HUGO, les Misérables, IV, II, IV.

Voilà l'Orient vrai et, partant, poétique : des gredins en haillons galonnés et tout 5
couverts de vermine.
FLAUBERT, Correspondance, 378, 27 mars 1853, t. III, p. 137.

Par métonymie, littér. Personne vêtue de haillons (Hugo, Fargue, *in* T. L. F.).

♦ **2.** Par métaphore, littér. :

La génération nouvelle a décidément jeté là le haillon classique, la guenille philo- 6
sophique, l'oripeau mythologique. Elle a revêtu la robe virile, et s'est débarrassée de ses préjugés, tout en étudiant les traditions.
HUGO, Littérature et Philosophie mêlées, Idées au hasard, I.

Ô vivants, la pensée est la pourpre de l'âme (...) 7
Le blasphème en est le haillon. HUGO, les Contemplations, VI, XVII.

Fig. ⇒ **Guenille, loque.** *Un «haillon humain»* (Gautier, *in* T. L. F.), *«social»* (Balzac, *in* T. L. F.).
Un haillon de... : reste méprisable, misérable de qqch.

(...) quand me débarrasserez-vous de ce haillon de guerre civile? 8
GAMBETTA, Disc. à la Chambre, 21 juin 1880 (→ Guerre, cit. 45).

DÉR. Haillonneux.

HAILLONNEUX, EUSE ['ɑjɔnø, øz] adj. — 1569, Ronsard; de *haillon*.

♦ **1.** Vieilli. Qui tombe en lambeaux, en haillons. *Vêtements haillonneux.*

♦ **2.** (1580). Littér. En haillons. ⇒ **Déguenillé, dépenaillé.**

Toute petite, elle errait, haillonneuse, vermineuse, sordide. 1
MAUPASSANT, les Contes de la Bécasse, «La rempailleuse».

N. Personne en haillons. *Des haillonneux.*

En passant devant la boutique d'un coiffeur, je me découvris tout entier : un hail- 2
lonneux en bleu pisseux, aux molletières effrangées, à la vareuse constellée d'auréoles de graisse. P. GUTH, le Naïf sous les drapeaux, III, V, p. 227.

HAINE ['ɛn] n. f. — V. 1360; *hayne*, v. 1283; *haïne*, v. 1155; de *haïr*.

♦ **1.** (V. 1155). Sentiment violent qui pousse à vouloir du mal à quelqu'un et à se réjouir du mal qui lui arrive. ⇒ **Abomination, aigreur, animadversion, animosité** (cit. 7), **antipathie, aversion, colère, dégoût, détestation, exécration, horreur, hostilité, inimitié, malignité, rancœur, rancune, répulsion, répugnance, ressentiment**; suff. **-phobe**; préf. **anti-, mis-.** *Caractère, effets de la haine* (→ Affectif, cit. 2; affection, cit. 1 et 3; ardeur, cit. 38; assombrir, cit. 12; dissension, cit. 2; électricité, cit. 1; éloignement, cit. 12; fermenter, cit. 4; fiel, cit. 4). *C'est plus que de l'éloignement, de l'indifférence, de l'hostilité; c'est de la haine. La haine de qqn pour qqn, pour qqch., sa haine. Faire qqch. par haine, avec haine. — Prendre qqn en haine, se mettre à le haïr.* → Fournée, cit. 4. *L'amour* et la haine. L'envie, la jalousie, ferments* (cit. 2), *sources, levains de haine. Un amour-propre blessé engendre la haine* (→ Envenimer, cit. 5). *Haine, mépris et vengeance. La haine et la calomnie* (cit. 5). *Il est sans haine, incapable de haine.*

Haine est le mot général, le nom propre de la passion excitée dans l'âme contre 1
ce qui la blesse ou lui fait peine, comme *amour* est le nom de la passion produite en nous par ce qui nous agrée. LAFAYE, Dict. des synonymes, Haine.

La haine n'est qu'ire enracinée. 2
CALVIN, Institution de la religion chrétienne, 302.

La haine a sa cristallisation; dès qu'on peut espérer de se venger, on recommence 3
à haïr. STENDHAL, De l'amour, VI.

La haine est un tonique, elle fait vivre, elle inspire la vengeance; mais la pitié 4
tue, elle affaiblit encore notre faiblesse.
BALZAC, la Peau de chagrin, Pl., t. IX, p. 239.

Ne confondez pas la haine et la vengeance, lui disait l'abbé, c'est deux sentiments 5
bien différents, l'un est celui des petits esprits, l'autre est l'effet d'une loi à laquelle obéissent les grandes âmes. Dieu se venge et ne hait pas. La haine est le vice des âmes étroites, elles l'alimentent de toutes leurs petitesses, elles en font le prétexte de leurs basses tyrannies. BALZAC, la Muse du département, Pl., t. IV, p. 82.

La haine, c'est l'hiver du cœur. HUGO, les Contemplations, II, XX. 6

7 La Haine est le tonneau des pâles Danaïdes (...)
La Haine est un ivrogne au fond d'une taverne,
Qui sent toujours la soif naître de la liqueur (...)
Et la Haine est vouée à ce sort lamentable
De ne pouvoir jamais s'endormir sous la table.
BAUDELAIRE, les Fleurs du mal, Tonneau de la Haine.

8 (...) la haine est une liqueur précieuse, un poison plus cher que celui des Borgia, car il est fait avec notre sang, notre santé, notre sommeil et les deux tiers de notre amour! Il faut en être avare! BAUDELAIRE, l'Art romantique, IV, III.

9 Je me mis à haïr cette Alberte, et, par haine de désir trompé, à expliquer sa conduite avec moi par les motifs qui pouvaient le plus me la faire mépriser, car la haine a soif de mépris. Le mépris, c'est son nectar à la haine!
BARBEY D'AUREVILLY, les Diaboliques, « Rideau cramoisi ».

10 La haine, c'est la colère des faibles! (...)
Alphonse DAUDET, Lettres de mon moulin, Dilig. de Beaucaire.

De haine : qui exprime la haine. ⇒ **Haineux.** *Regard, cri de haine.*

(Qualifié ou mis en situation). *Une haine mortelle, éternelle, implacable, irréconciliable, enracinée, invétérée, jurée, déclarée, furieuse, ardente, tenace, acharnée, opiniâtre, farouche* (cit. 14), *venimeuse, mordante.* Fam. *Une haine cordiale, vive, forte.* — *Avoir, concevoir, éprouver de la haine pour qqn* (→ Détestation, cit. 1). ⇒ **Haïr.** *La haine de qqn pour qqn. Haine contre qqn. La haine de qqn* : la haine qu'on a pour qqn (rare; ambigu). *Poursuivre qqn de sa haine. Nourrir une haine contre qqn. Être animé, aveuglé de haine. Cœur dévoré par la haine* (→ Bassesse, cit. 20), *gros de colère* (cit. 7) *et de haine, enivré* (cit. 26) *de haine. Assouvir sa haine.* ⇒ **Vengeance.** *Libelle où l'auteur a mis toute sa haine.* ⇒ **Fiel, venin.** *Mots chargés de haine* (→ Expressif, cit. 2). *S'attirer, exciter la haine de qqn* (→ Gaucherie, cit. 3). *Inspirer de la haine. Engendrer* (cit. 7) *une haine. Être, devenir l'objet de la haine de qqn.* ⇒ **Odieux.** *Braver la haine d'un ennemi, n'avoir pas peur de sa haine* (→ Aridité, cit. 3). *Haine qui couve, qui se déclare entre deux personnes* (→ Envenimer, cit. 4), *entre deux peuples* (→ Émule, cit. 1; envenimer, cit. 7; esprit, cit. 10; étendard, cit. 2). *Sa haine n'est pas encore éteinte* (cit. 59), *ne désarme* (cit. 10) *pas. Leur haine devint plus âpre* (cit. 10). *Garder* (cit. 49) *une haine. Haine nationale, patriotique* (→ Exalter, cit. 14). *Déchaîner la haine entre les classes. Haine raciale, religieuse.* ⇒ **Fanatisme, intolérance.** *Siècle ensanglanté par la haine* (→ Aveugle, cit. 10).

11 Quelque haine qu'on ait pour un fier ennemi (...) RACINE, la Thébaïde, III, 6.

12 Lorsque notre haine est trop vive, elle nous met au-dessous de ceux que nous haïssons. LA ROCHEFOUCAULD, Maximes, 338.

13 De la dispute, Calvin passa aux injures, et des injures à cette haine théologique qui est la plus implacable de toutes les haines.
VOLTAIRE, Essai sur les mœurs, CXXXIV.

14 On partage avec plaisir l'amitié de ses amis pour des personnes auxquelles on s'intéresse peu soi-même; mais la haine, même celle qui est la plus juste, a de la peine à se faire respecter. CHAMFORT, Maximes, S. les sentiments, XXIII.

15 Son accent trahissait une haine réfléchie comme celle d'un Corse, implacable comme sont les jugements de ceux qui, n'ayant pas étudié la vie, n'admettent aucune atténuation aux fautes commises contre les lois du cœur.
BALZAC, le Lys dans la vallée, Pl., t. VIII, p. 1011.

16 Dans ce cabaret, vrai nid de vipères, s'entretenait donc, vivace et venimeuse, chaude et agissante, la haine du prolétaire et du paysan contre le maître et le riche.
BALZAC, les Paysans, Pl., t. VIII, p. 55.

17 Aujourd'hui encore, entre Nîmes et la montagne de Nîmes, il y a une haine traditionnelle, qui, il est vrai, tient de moins en moins à la religion : ce sont les Guelfes et les Gibelins. MICHELET, Hist. de France, III, Languedoc.

18 Je conçus pour lui une haine qui n'est pas éteinte encore.
Th. GAUTIER, Portraits contemporains, p. 5.

19 Parce que j'étais le plus beau des deux, et le plus intelligent, mon frère me prit en haine (...) LAUTRÉAMONT, les Chants de Maldoror, IV, p. 181.

20 Tant qu'ils sont pauvres, ils nourrissent contre la dureté et l'avarice de leurs maîtres une haine recuite et renfermée, et, s'ils ont à leur tour des valets, ils profitent de l'expérience de la servitude pour surpasser la dureté et l'avarice dont ils ont souffert. MAETERLINCK, Vie des abeilles, V, XI.

21 De la haine qu'elle m'inspirait, rien ne s'exprima dans mes paroles. Pourtant ma belle-mère dut en sentir le souffle dès ce soir-là (...)
F. MAURIAC, la Pharisienne, XIII.

22 On voulait avoir l'au-delà avec soi contre ceux qu'on haïssait; la haine qu'on éprouvait était si entière, si pure de tout mélange qu'elle trouvait pour s'exprimer des accents religieux qui ressemblaient aux incantations et partageaient le Ciel et l'Enfer. M. JOUHANDEAU, Tite-le-Long, XVII.

Au plur. *S'attirer des haines implacables* (→ Garde, cit. 37). *Fomenter, allumer, exciter, déchaîner, attiser* (cit. 8) *les haines. On voit tant de haines éclater* (cit. 2). *Assoupir* (cit. 20) *les haines publiques et particulières.* ⇒ **Antagonisme, dissension, querelle, rivalité.** *La bassesse* (cit. 17) *des haines. Longue chaîne de violences et de haines* (→ Contre-révolution, cit.). *Épouser* (cit. 12) *les haines de qqn. Haines sourdes* (→ Expier, cit. 10). *Haines vigoureuses d'un misanthrope* (→ Complaisant, cit. 1). *Les plus fortes haines* (→ Familiarité, cit. 4). *Les haines les plus injustifiées* (→ Fomentation, cit.). *De vieilles haines. Des haines politiques, partisanes* (cit. 6).

23 Combien je vais sur moi faire éclater de haines. RACINE, Andromaque, III, 7.

24 (...) une de ces haines sourdes et capitales, comme il s'en rencontre en province.
BALZAC, le Cabinet des antiques, Pl., t. IV, p. 339.

25 Les haines entre classiques et romantiques étaient aussi vives que celles des guelfes et des gibelins, des gluckistes et des piccinistes.
Th. GAUTIER, Portraits contemporains, p. 7.

26 (...) homme bon sous son écorce rude, loyal avec sa finesse, ami sincère des études et de ceux qui les cultivent, éloigné de toute brigue, et sachant se préserver des haines et des colères qui empoisonnent et déshonorent trop souvent l'érudition.
SAINTE-BEUVE, Causeries du lundi, 6 oct. 1851, t. V, p. 19.

Ainsi les rares énergies qui échappaient au paludisme, à la soif, au soleil, se consumaient en haines si mordantes, si insistantes, que beaucoup de colons finissaient par en crever sur place, empoisonnés d'eux-mêmes, comme des scorpions. 27
CÉLINE, Voyage au bout de la nuit, p. 118.

La haine de..., pour... (avec un compl. d'origine, on emploie *pour : la haine de qqn pour...*). *Avoir la haine de l'étranger* (cit. 38. ⇒ **Xénophobie** et suff. **-phobe, -phobie**), *de l'envahisseur, des tyrans, des persécuteurs* (→ Âpre, cit. 10). *Avoir la haine et le mépris des traîtres* (→ Félon, cit. 6). *Une haine atroce* (cit. 8) *de soi-même. Haine du prochain, des hommes, de la femme.* ⇒ **Misanthropie, misogynie.**

Cette haine des rois, que depuis cinq cent ans 28
Avec le premier lait sucent tous ses enfants (...) CORNEILLE, Cinna, II, 1.

(...) une de ces grosses prostituées qui font des livres, entre Paris et Nice, avec leur haine de l'homme, en se léchant elles-mêmes dans un miroir. 29
André SUARÈS, Trois hommes, « Dostoïevski », IV.

♦ **2.** (V. 1155). Aversion profonde (pour qqch.). *Avoir de la haine pour le vice, pour le péché* (→ Acharnement, cit. 1), *le mensonge. Le bourgeois* (cit. 12) *a la haine du gratuit, du désintéressé. J'ai pris la vie en haine* (→ Crime, cit. 4). *Sa haine contre le grec* (→ Épigramme, cit. 8), *contre le régime* (→ Explosion, cit. 9). *C'est un sujet de haine pour lui.*

Nous avons pris chacun une haine mortelle 30
Pour un nombre de mots (...) MOLIÈRE, les Femmes savantes, III, 2.

(...) ce qui domine chez lui *(Rancé)*, est une haine passionnée de la vie (...) 31
CHATEAUBRIAND, Vie de Rancé, III, p. 197.

(...) la haine du domicile et la passion du voyage. 32
BAUDELAIRE, le Spleen de Paris, XII.

Le point de départ comme le point d'arrivée de toutes ses pensées était la haine de la loi humaine; cette haine qui, si elle n'est arrêtée dans son développement par quelque incident providentiel, devient, dans un temps donné, la haine de la société, puis la haine du genre humain, puis la haine de la création, et se traduit par un vague et incessant et brutal désir de nuire, n'importe à qui, à un être vivant quelconque. HUGO, les Misérables, I, II, VII. 33

Dans l'âme de Pascal, il y avait une passion brûlante pour le bien. La haine du mal, le goût de la vérité, le mépris du mensonge et de l'imposture, l'horreur de toute impureté ne peut guère aller plus loin. 34
André SUARÈS, Trois hommes, « Ibsen », IV.

La haine de la sottise ne suffit pas à faire une philosophie. 35
G. DUHAMEL, les Refuges de la lecture, VI, p. 198.

♦ **3.** (1644, Corneille). Loc. prép. EN HAINE DE... Vieilli. À cause de la haine qu'on éprouve pour (qqn ou qqch.). *Organiser la révolte en haine des oppresseurs. Ouvrage écrit en haine de la religion, de la société.*

(...) nouveau roi de France, Philippe-Auguste. Celui-ci affectait, en haine du roi d'Angleterre, une intimité fraternelle avec son fils révolté. 36
MICHELET, Hist. de France, IV, V.

(XXe). **PAR HAINE DE...** *Par haine du gouvernement français* (→ Agissements, cit.). *Par haine d'un principe, d'une idée* (→ Face, cit. 26). *Il agit ainsi par haine de tout ce qui est beau, grand...* — REM. Cette tournure tend à supplanter la précédente.

CONTR. Amour. — Affection, amitié, commisération, concorde, entente, faible, faiblesse, fraternisation, fraternité, tendresse. — Culte, passion.
DÉR. Haineux.
HOM. Aine, N.

HAINEUSEMENT ['ɛnøzmɑ̃] adv. — 1554; *haïneusement*, fin XIVe; *haingeusement*, v. 1350; de *haineux*.

♦ Littér. D'une façon haineuse, par haine, avec haine.

Et d'abord Calvin, qui demeurait dans une des plus humbles maisons du haut Genève (...) n'avait pas à Genève d'autorité bien grande. Pendant longtemps, sa puissance fut haineusement limitée par les Genevois.
BALZAC, Sur Catherine de Médicis, Pl., t. X. p. 180.

HAINEUX, EUSE ['ɛnø, øz] adj. — V. 1283; *haïnus*, v. 1155; de *haine*, et *-eux*.

♦ **1.** (V. 1155). Naturellement porté à la haine. ⇒ **Malveillant, vindicatif.** *Des gens haineux* (→ Crédule, cit. 5). *Caractère haineux. Une âme haineuse.* — N. Rare. *Un haineux, une haineuse.*

(...) un seul haineux empoisonnerait tout le plaisir d'y trouver *(à Genève)* quelques amis. ROUSSEAU, Lettre à Moultou, 25 avr. 1762, *in* LITTRÉ. 1

Du Croisier, homme haineux et capable de couver une vengeance pendant vingt ans (...) BALZAC, le Cabinet des antiques, Pl., t. IV, p. 339. 2

(...) les gradés, les petits surtout, plus abrutis, plus mesquins et plus haineux encore que d'habitude (...) CÉLINE, Voyage au bout de la nuit, p. 31. 3

♦ **2.** (V. 1283). Choses. Qui exprime la haine. *Des regards haineux. Une réponse haineuse.*

Quant à Ahmet, il était fort pâle, et son regard assez doux d'habitude se fixa sur moi d'une façon haineuse. E. FROMENTIN, Un été dans le Sahara, p. 215. 4

Il parlait la bouche serrée, les dents haineuses. FRANCE, le Lys rouge, XXXIV. 5

♦ **3.** (V. 1155). Inspiré par la haine. ⇒ **Enfiellé, fielleux, venimeux.** *Se répandre en propos haineux. Écrits haineux* (→ Aristocrate, cit. 2; estaminet, cit. 3). *Une joie mauvaise, haineuse. Opposi-*

tion mesquine et souvent haineuse. Préjugés haineux (→ Piqûre, cit. 9).

CONTR. Affectueux, bienveillant, tendre.
DÉR. Haineusement.

HAIN-TENY ['ajnteni] n. m. — 1913, J. Paulhan; mots de la langue merina (Madagascar) «richesse de paroles».

♦ Didact. Pièce poétique orale malgache, de forme dialoguée, en vers rythmés et assonancés, souvent sur des thèmes érotiques. *La tradition des hain-tenys.*

HAÏR ['air] v. tr. — *Je hais, tu hais, il hait, nous haïssons, vous haïssez, ils haïssent; je haïssais; je haïs; je haïrai; je haïrais; haïs, haïssons; que je haïsse, qu'il haïsse; qu'il haït; haïssant; haï.* — 1080; du francique **hatjan*, cf. all. *hassen*, angl. *to hate.*

♦ **1.** Éprouver un sentiment de haine envers (qqn). ⇒ **Abhorrer, détester, exécrer, honnir, maudire; sentir, souffrir, voir** (ne pas pouvoir voir). *Il le jalouse au point de le haïr* (⇒ **Envie, envier**). *Haïr son ennemi* (cit. 2), *son rival* (→ Endurer, cit. 11). *Se venger de ceux qu'on hait. Haïr l'être qu'on a aimé* (→ Aimer, cit. 14, 15 et 17; 1. bien, cit. 64; bienfait, cit. 4; éclater, cit. 20; ensorcellement, cit. 3; explication, cit. 8). *Haïr qqn à mort, mortellement, cordialement*. Misanthrope qui hait les hommes, son prochain, ses frères* (→ Aimer, cit. 6 et 45; complaisant, cit. 1). *Haïr les étrangers, les hommes d'une nation. On ne peut l'aimer* (cit. 11), *ni le haïr à demi. Haïr les méchants* (→ Excommunier, cit. 4). *Je hais cette engeance* (cit. 3). *Être haï de tous. Se faire haïr de tout le monde* : se rendre odieux à tout le monde (→ Garde, cit. 44). ⇒ **Bête** (noire). *«Qu'ils me haïssent, pourvu qu'ils me craignent»* (cit. 6).

1 Vous avez appris qu'il a été dit : Tu aimeras ton prochain, et tu haïras ton ennemi. Mais moi, je vous dis : Aimez vos ennemis, bénissez ceux qui vous maudissent, faites du bien à ceux qui vous haïssent, et priez pour ceux qui vous maltraitent et qui vous persécutent, afin que vous soyez fils de votre Père qui est dans les cieux (...) BIBLE (SEGOND), Évangile selon saint Matthieu, V, 43.45.

2 Va, je ne te hais point. CORNEILLE, le Cid, III.
N. B. Déclaration euphémistique de Chimène à Rodrigue, qu'elle aime.

3 Je crains notre victoire autant que notre perte.
Rome, si tu te plains que c'est là te trahir,
Fais-toi des ennemis que je puisse haïr. CORNEILLE, Horace, I, 1.

4 (...) je hais tous les hommes (...) MOLIÈRE, le Misanthrope, I, 1.

5 L'on hait avec excès lorsque l'on hait un frère. RACINE, la Thébaïde, III, 6.

6 J'ai voulu te paraître odieuse, inhumaine;
Pour mieux te résister, j'ai recherché ta haine.
De quoi m'ont profité mes inutiles soins?
Tu me haïssais plus, je ne t'aimais pas moins. RACINE, Phèdre, II, 5.

7 Les héros chez Quinault parlent bien autrement,
Et jusqu'à *je vous hais*, tout s'y dit tendrement. BOILEAU, Satires, III.

8 Je ne vous aime point, monsieur; vous m'avez fait les maux qui pouvaient m'être les plus sensibles, à moi votre disciple et votre enthousiaste (...) c'est vous qui me ferez mourir en terre étrangère, privé de toutes les consolations des mourants (...) Je vous hais, enfin, puisque vous l'avez voulu; mais je vous hais en homme encore plus digne de vous aimer, si vous l'aviez voulu.
ROUSSEAU, Dernière lettre à Voltaire, *in* les Confessions, X.

9 Dans le monde, disait M..., vous avez trois sortes d'amis : vos amis qui vous aiment, vos amis qui ne se soucient pas de vous, et vos amis qui vous haïssent.
CHAMFORT, Maximes, S. l'amitié, III.

10 Oh! Quand on est haï, que vite on est méchant! Je ne suis pas haï, ou du moins je m'inquiète peu de ceux qui me haïssent. Mais mon mal et mon crime, c'est de n'être pas aimé, de n'être pas aimé comme je voudrais l'être, comme j'aimerais l'être, aimant.
SAINTE-BEUVE, Correspondance, 143, 17 sept. 1830, t. I, p. 203.

11 Haïr quelqu'un, c'est s'en inquiéter autant que si on l'aimait; c'est le distinguer, l'isoler de la foule; c'est être dans un état violent à cause de lui; c'est y penser le jour et y rêver la nuit; c'est mordre son oreiller et grincer des dents en songeant qu'il existe; que fait-on de plus pour quelqu'un qu'on aime?
Th. GAUTIER, Mlle de Maupin, VIII.

12 (...) ils ne cherchent qu'à nous prendre en faute, ils nous haïssent de toute la haine du domestique pour le maître, du petit pour le grand, de l'animal pour le cornac.
Th. GAUTIER, Souvenirs de théâtre..., Gavarni, II.

13 (...) on n'est jamais mieux haï que dans son propre art (...)
HUGO, Littérature et Philosophie mêlées, S. Mirabeau, II.

Au négatif. (Par euphém.). Aimer (→ aussi cit. 2).

14 (...) et vous croyez que (...) il aimera mieux m'épouser, moi qui lui suis indifférente, pendant qu'il a de l'amour pour la comtesse, qui peut-être ne le hait pas (...)
MARIVAUX, le Legs, I.

Avec un compl. de cause. Vx. *Haïr qqn de qqch.*, lui en vouloir à cause de... — Avec *de* et l'inf. *Je le hais de m'avoir toujours trompé.* — Avec *de ce que. Il me hait de ce que...*, à cause du fait que.

15 (...) si je suis contente de cette petite faveur de la fortune, je la hais bien d'ailleurs de me brouiller et de me déranger tous mes desseins.
Mme DE SÉVIGNÉ, 262, 6 avril 1672.

16 Au fond, elle le haïssait. Elle le haïssait de ce qu'elle l'avait aimé.
R. ROLLAND, l'Âme enchantée, t. II, p. 15.

Mod. *Haïr qqn pour, à cause de...*

Absolt. *Les méchants envient et haïssent* (→ Admirer, cit. 6). *Aimer* (cit. 31) *ou haïr* (→ Exemple, cit. 19). *Je ne sais pas haïr* (→ Aisément, cit. 4). *Peut-on haïr sans cesse?* (cit. 4).

17 Dire qu'on ne saurait haïr,
N'est-ce pas dire qu'on pardonne? MOLIÈRE, Amphitryon, II, 6.

Vous qui savez aimer, vous devriez savoir haïr. 18
A. DE MUSSET, Lorenzaccio, III, 2.

Ils haïrent parce qu'ils aimaient trop. 19
MICHELET, Hist. de la Révolution franç., VIII, III.

Mon Dieu! quelle haine dans sa voix! Et ce regard restait fier, sans honte. On peut donc haïr sans honte? 20
BERNANOS, Journal d'un curé de campagne, p. 146.

♦ **2.** (V. 1165). Avoir (qqch.) en haine. ⇒ **Abhorrer, détester.** *Haïr le vice, le péché, le mal... Haïr les plaisirs* (→ Flatter, cit. 6), *la flatterie* (cit. 2). *Haïr un idéalisme paresseux et couard* (cit. 3). *Haïr le pouvoir* (→ Essentiel, cit. 2), *la tyrannie, la dictature, la règle* (→ Exécration, cit. 4), *la contrainte, l'étude. Je hais cette façon de parler* (→ Enfariner, cit. 3), *cette minutie, ces compilations pédantesques* (→ Fait, cit. 18). *«Je hais comme la mort l'état de plagiaire»* (cit. Musset). *Haïr une chose comme la peste.* ⇒ **Fuir.** — Loc. *Je ne hais rien tant que ces manières, ces contorsions* (cit. 3). *Je hais le mouvement* (→ Déplacer, cit. 1).

Qui ne hait en soi son amour-propre, et cet instinct qui le porte à se faire Dieu, est bien aveuglé. PASCAL, Pensées, VII, 492. 21

Que j'ai toujours haï les pensers du vulgaire! LA FONTAINE, Fables, VIII, 26. 22

(...) je hais et méprise les fausses nouvelles. 23
Mme DE SÉVIGNÉ, 272, 4 mai 1672.

(...) elles *(ces dames vertueuses)* étaient toutes si laides, qu'il faut être un saint pour ne pas haïr la vertu. MONTESQUIEU, Lettres persanes, LV. 24

Vous me demanderez si j'aime ma patrie. 25
Oui; j'aime fort aussi l'Espagne et la Turquie (...)
Mais je hais les cités, les pavés et les bornes.
Tout ce qui porte l'homme à se mettre en troupeau.
A. DE MUSSET, Premières poésies, «La coupe et les lèvres», Dédic.

Il *(Danton)* n'était pas assez pur pour haïr le mal. 26
MICHELET, Hist. de la Révolution franç., XII, I.

(...) Je hais les choses éternelles, 27
Elles sont sans pitié, l'implacable est en elles. HUGO, les Années funestes, XXIX.

(...) cette caricature grossière, cette charge médiocre de la vie chrétienne, j'avais feint d'y voir une représentation authentique pour avoir le droit de la haïr. Il faut oser regarder en face ce que l'on hait. F. MAURIAC, le Nœud de vipères, XX. 28

Littér. (Par euphém.). *Ne pas haïr* : aimer assez. *Il ne hait pas le bon vin. Je ne hais pas une pointe d'ail dans la salade* (on dit couramment *ne pas détester*). *Si vous aimez sa manière, je ne la hais pas non plus* (→ Bannir, cit. 16). *Je ne hais pas l'outrance en art* (→ Excès, cit. 8).

La bonne dame ne haïssait pas le vin d'Espagne. 29
HAMILTON, Mémoires du comte de Gramont, IX.

Tu vois, j'haïrais pas ça m'encabaner durant une tempête avec une pinte de p'tit blanc et une couple de jeunes Indiennes. 29.1
Jean-Yves SOUCY, Un dieu chasseur, p. 199.

♦ **3.** Avec un compl. à l'infinitif, désignant le fait, l'action qui inspire de la répugnance. Vx. **HAÏR À...** (→ A, cit. 15). Par euphém. *Ne pas haïr à ...* ⇒ **Répugner.**

Je hais mortellement à vous parler de tout cela (...) 30
Mme DE SÉVIGNÉ, 831, 14 juil. 1680.

(...) de petits défauts (...) dont nous ne haïssons pas à être raillés (...) 31
LA BRUYÈRE, les Caractères, V, 55.

Vx ou littér. **HAÏR DE...** *Je hais d'être dérangé à chaque instant.* ⇒ **Horreur** (avoir). — Par euphém. (plus cour.). *Il aime le bon vin et ne hait pas, à l'occasion, d'être un peu gris,* il lui est assez agréable de... — REM. Littré n'admet la tournure *haïr de...* qu'avec une négation. On en trouve, cependant, de nombreux exemples à la forme affirmative, même à l'époque classique.

(...) je hais d'écrire à tout le reste du monde. 32
Mme DE SÉVIGNÉ, 665, 20 octobre 1677.

(...) je hais toujours de vous déplaire. 33
Mme DE SÉVIGNÉ, À Mme de Grignan (Lettre de date incertaine.

Je vous avoue que, si je n'étais pas canusi *(ancien prêtre du Japon)*, je ne haïrais pas d'être quekar *(quaker)*. 34
VOLTAIRE, Dialogues, XVI, L'Indien et le Japonais.

HAÏR QUE... (et le subj.). Avoir horreur que... *Il ne hait pas que...* : il aime assez que...; il y prend plutôt plaisir.

(...) je hais toujours que les hommes aient mal au derrière (...) 35
Mme DE SÉVIGNÉ, 589, 16 oct. 1676.

Je hais qu'on joute à qui sera le plus féroce (...) 36
HUGO, l'Année terrible, mai 1871, VI.

Il ne hait pas qu'on l'admire, pour le reste, il ne s'occupe pas des autres. 37
André SUARÈS, Trois hommes, «Ibsen», VII.

▶ **SE HAÏR** v. pron.

♦ **1.** (Réfl.). *«Il déteste son crime, il se hait lui-même»* (Académie). Relig. Mépriser en soi la nature pécheresse (→ Exciter, cit. 23).

La vraie et unique vertu est donc de se haïr, car on est haïssable par sa concupiscence, et de chercher un être véritablement aimable, pour l'aimer. 38
PASCAL, Pensées, VII, 485.

SE HAÏR DE... (et l'inf.). Se reprocher vivement de...

Je me hais de te voir ainsi mésestimée. 39
T'aimant si dignement j'aime ta renommée. Mathurin RÉGNIER, Élégies, II.

(...) je ne l'ai point encore vue, je m'en hais. 40
Mme DE SÉVIGNÉ, 366, 1er janv. 1674.

♦ **2.** (Récipr.). *Ces deux hommes se haïssent cordialement* (cit. 3).

⇒ **Entre-haïr** (s'). → Entre-, cit. 10. *Pourquoi nous haïr?* (→ Frontière, cit. 1).

41 Tous les hommes se haïssent naturellement l'un l'autre.
PASCAL, Pensées, VII, 451.

42 Ce n'est donc plus aux hommes que je m'adresse; c'est à toi, Dieu de tous les êtres (...) Tu ne nous as point donné un cœur pour nous haïr, et des mains pour nous égorger (...) VOLTAIRE, Traité sur la tolérance, XXIII, Prière à Dieu.

43 Les hommes sont forcés de se haïr pour se dévorer, et c'est un grand désavantage qu'ils ont là par rapport aux animaux, lesquels s'entre-mangent avec fureur, mais sans haine. VALÉRY, Mélange, p. 77.

▶ **HAÏ, HAÏE** p. p. adj. *Un homme, un dictateur haï. — Un vice haï.*

CONTR. **Aimer. — Adorer, affectionner, bénir, chérir. — Entendre** (s').
COMP. **Haine. — Haïssable, haïsseur. — Entre-haïr** (s').

HAIRE ['ɛʀ] n. f. — V. 980; du francique **harja* «vêtement grossier fait de poil». Cf. all. *Haar* et angl. *hair* «cheveu».

♦ **1.** Petite chemise faite d'une grossière étoffe de poils de chèvre ou de crin, portée à même la peau par esprit de mortification et de pénitence. *Porter la haire et le cilice. La haire et la discipline* (cit. 1) *de Tartufe. Prendre la haire :* commencer une vie de pénitence.

1 (...) tels désirs *(amoureux)* sont (...) capables de remèdes matériels (...) Les haires de nos aïeuls étaient de cet usage; c'est une matière tissue de poil de cheval, de quoi les uns d'entre eux faisaient des chemises, et d'autres des ceintures à gêner leurs reins. MONTAIGNE, Essais, II, XXXIII.

2 Chaque matin, j'offrais humblement mon dos à la discipline, et pour que la réparation fût proportionnée au scandale que j'avais causé, je portais habituellement une haire armée de petites pointes de fer.
STENDHAL, Romans et nouvelles, «Souvenirs d'un gentilhomme italien».

♦ **2.** (V. 1170). Techn. Tissu grossier dont on fait les vêtements de travail des brasseurs. — Première forme que présente le drap quand les poils n'ont pas encore été soumis au foulage. — (1723). *Drap en haire.*

HOM. V. **Air, erre, R**; formes du v. **errer**.

HAÏSSABLE ['aisabl] adj. — 1569; *haable*, XIIIe; du rad. du p. prés. de *haïr*.

♦ **1.** Qui mérite d'être haï. ⇒ **Odieux.**

1 À le prendre rigoureusement, *odieux* exprime plutôt comme un fait ce que *haïssable* présente comme une capacité ou un devoir. Ce qui est *odieux* excite effectivement beaucoup de haine; ce qui est *haïssable* est bon ou propre à être haï.
LAFAYE, Dict. des synonymes, Haïssable, odieux.

(En parlant d'un être). *Un individu haïssable. Un enfant haïssable.* ⇒ **Insupportable.**

2 (...) s'il ne faut pas fréquenter les mauvaises gens, encore ne faut-il pas augmenter leur humiliation et le malheur qu'ils ont d'être haïssables à tout le monde.
G. SAND, la Petite Fadette, XXVIII.

3 (...) ce bégueulisme s'exaspéra jusqu'à produire la plus haïssable et la plus rechignée de toutes les pécores. Léon BLOY, la Femme pauvre, I, III.

(En parlant des choses). ⇒ **Détestable, exécrable, infâme, ignoble.** *Un vice haïssable entre tous.* ⇒ **Maudit.** *Hypocrisie particulièrement haïssable. Une espèce de bonheur qui lui paraît haïssable* (→ Dépens, cit. 6).

4 Je trouve la guerre haïssable, mais haïssables bien plus ceux qui la chantent sans la faire. R. ROLLAND, Au-dessus de la mêlée, p. 59.

5 Il y a eu un temps, de la sorte, où Ibsen voyait une hypocrisie haïssable partout où la force dissimule son droit, et partout où la faiblesse ne revendique pas le sien d'être rebelle. André SUARÈS, Trois hommes, «Ibsen», VI.

6 Mais la moyenne en tout est haïssable, comme = médiocrité.
Paul LÉAUTAUD, Propos d'un jour, p. 46.

♦ **2.** Par hyperb. Détestable, très mauvais. *Il fait un temps haïssable cet été.*

7 (...) la poste est haïssable; les lettres sont à Paris, et on ne veut les distribuer que demain (...) Mme de SÉVIGNÉ, 534, 8 mai 1676.

8 Ce vent et ce froid étaient haïssables d'abord parce que «cambroussards». À Paris, l'on n'en connait pas de pareils.
J. ROMAINS, les Hommes de bonne volonté, t. V, XXVII, p. 276.

♦ **3.** Relig., morale. Qu'il faut haïr, rejeter pour des raisons morales. *«Le moi est haïssable»* (Pascal, *Pensées*, VII, 455). ⇒ **Moi.**

9 Je sais aussi bien que personne, combien le «moi» est haïssable. Les autres nous sont moins indulgents que nous ne le sommes à nous-mêmes.
H. CONSTANTIN-WEYER, Source de joie, I.

CONTR. **Aimable; adorable.**

HAÏSSEUR, EUSE ['aisœʀ, øz] adj. et n. — 1585, Du Fail; du rad. du p. prés. de *haïr*, et *-eur*.

♦ Rare. Qui ressent de la haine pour quelqu'un ou quelque chose. — N. *Un haïsseur du genre humain. Une haïsseuse.*

HAÏTIEN, ENNE ['aisjɛ̃, ɛn] adj. et n. — 1846; de *Haïti*.

♦ De Haïti (Antilles). *Coutumes haïtiennes. Le créole haïtien.* — N. *Un Haïtien, une Haïtienne.*

HAJE [aʒ] n. m. — 1827, Académie; arabe *hayya* «serpent».

♦ Zool. Serpent venimeux d'Afrique (famille des *Vipérides*), du genre naja*, communément nommé aspic (⇒ **Aspic**) et improprement «serpent à lunettes». — Par appos. *Vipère haje.*

HAL- ⇒ Hali.

HALAGE ['alaʒ] n. m. — 1488; de *haler*.

♦ Mar. Action de haler (un bateau). *Le halage d'une péniche du bord d'un fleuve, d'un canal. Le halage se fait au moyen de longues amarres attachées au bateau* (⇒ **Cordelle**) *et tirées par des hommes* (⇒ **Haleur**), *des chevaux, des treuils, des tracteurs. Halage à bras d'hommes. Les «bateliers» de la Volga étaient employés au halage des bateaux.* Anciennt. *Chevaux de halage* (⇒ **Tirage**) *tirant un coche d'eau. Cale* de halage.* — (1690). *Chemin de halage* et, ellipt., *le halage :* chemin qui longe un cours d'eau pour permettre le halage des bateaux. ⇒ **Lé** (→ Garder, cit. 15). — (1873). Dr. *Servitude de halage :* servitude des propriétaires riverains d'un cours d'eau navigable ou flottable.

(...) il vit de loin un paysan, homme de près de six pieds, qui, dès le petit jour, 1
semblait fort occupé à mesurer des pièces de bois déposées le long du Doubs, sur le chemin de halage. STENDHAL, le Rouge et le Noir, I, IV.

Les propriétaires riverains des fleuves et rivières navigables ou flottables sont 2
tenus, dans l'intérêt du service de la navigation et partout où il existe un chemin de halage, de laisser le long des bords desdits fleuves et rivières, ainsi que sur les îles où il en est besoin, un espace libre de 7 m 80 de largeur. — Ils ne peuvent planter d'arbre ni se clore par haies ou autrement qu'à une distance de 9 m 75 du côté où les bateaux se tirent et de 3 m 25 sur le bord où il n'existe pas de chemin de halage. Loi du 8 avril 1898, III, art. 46.

Encore quelques pas vers le môle (...) et puis un détour hors d'écluse et nous 2.1
revoici au halage... CÉLINE, Guignol's band, p. 49.

Par métaphore :

L'époque où nous entrons est le chemin de halage par lequel des générations fata- 3
lement condamnées tirent l'ancien monde vers un monde inconnu.
CHATEAUBRIAND, Mémoires d'outre-tombe, t. VI, p. 271.

HOM. **Hallage.**

HALBI ['albi] n. m. — 1771, Trévoux; néerl. *haalbier* «petite bière».

♦ Régional (Normandie). Boisson analogue au cidre, faite de pommes et de poires fermentées. — Plur. : *halbis.*

HALBRAN ['albʀɑ̃] n. m. — 1636; *albran*, 1552, Rabelais; *halebran*, v. 1398; moy. haut all. *Halber-ant*, proprt «demi-canard», à cause de sa petitesse.

♦ Jeune canard sauvage.

Les jours de brume, il s'enfonçait dans un marais pour guetter les oies, les lou- 1
tres, et les halbrans.
FLAUBERT, Trois contes, «Légende de Saint Julien l'Hospitalier», I.

Marcel (...) rappelle que les deux grandes fermes sont désormais séparées du reste 2
et que la frontière tout du long sera la rivière. (...) Mais il ajoute aussitôt qu'il s'agit de la rive nord, l'étang se trouvant donc de son côté comme le marais aux halbrans. Hervé BAZIN, Cri de la chouette, p. 162.

DÉR. **Halbrener.**

HALBREDA [albʀeda] n. ⇒ Hallebreda.

HALBRENER ['albʀəne] v. intr. — XVIe; 1373, au p. p.; de *halbran*, et *-er*.

♦ Vx. Chasser le halbran.

▶ **HALBRENÉ, ÉE** p. p. adj. *Faucon halbrené,* qui s'est cassé les plumes en halbrenant. — Fig., vx. (Personnes). Fatigué, épuisé.

HALCYON [alsjɔ̃] n. m. — 1863, Littré; *halcion*, 1519; var. *alcyon*.

♦ Zool. Grand martin-pêcheur vivant dans les régions tropicales d'Afrique et d'Asie (famille des *Alcédinidés**).

HOM. **Alcyon.**

HÂLE ['ɑl] n. m. — XVIIe; *hale*, déb. XVe; *halle*, XIIIe; *hasle*, v. 1175; longtemps écrit *hale*, déverbal de *hâler*.

♦ **1.** (V. 1175). Vx. Effet de l'air et du soleil, qui jaunit et flétrit les corps organiques. *«Les Dames ne veulent point sortir sur le haut du jour de crainte du hale»* (Dict. de Trévoux). *«Le hâle a fané les herbes»* (Académie). — Vieilli ou littér. *Visage bruni par le hâle.*

Il avait femme et belle encor, 1
Ferme surtout : le hâle avait fait tort
À son visage, et non à sa personne.
LA FONTAINE, Contes, «Jument de compère Pierre».

(...) on disait que j'étais beau garçon, beau comme peut l'être un paysan dont le 2
visage est à la merci du hâle de l'air et du travail.
MARIVAUX, le Paysan parvenu, I.

3 Le hâle de l'été avait posé son masque jaune sur les chairs de ces visages et leur prêtait presque la même nuance qu'aux cheveux et qu'à la barbe.
Th. GAUTIER, Voyage en Russie, II, p. 377.

4 (...) nous avions depuis longtemps fait le sacrifice de notre fraîcheur, et une couche de hâle de plus sur notre figure bistrée et jaunie ne nous importait guère.
Th. GAUTIER, Voyage en Espagne, p. 206.

♦ **2.** (1690, Furetière). Mod. Couleur plus ou moins brune que prend la peau exposée à l'air et au soleil. *Un hâle léger dorait son visage. Le hâle lui va bien.* ⇒ **Bronzage.** *Fard qui imite le hâle d'une peau bronzée.*

5 Sa peau a dépassé le ton de hâle qui convenait au bleu de ses yeux. Elle a trop affronté de soleils, trop de bains ont salé son épiderme délicat.
COLETTE, Belles Saisons, p. 35.

6 — Comme vous êtes brun, Mathieu!
— C'est du hâle de luxe, dit Mathieu gêné. Ça s'attrape sur les plages, à ne rien faire.
SARTRE, le Sursis, p. 207.

HÂLÉ, ÉE ['ale] adj. ⇒ **Hâler.**

HÂLE-À-BORD ['alabɔʀ] n. m. invar. — 1691; de *haler, à,* et *bord.*

♦ Mar. Petit cordage utilisé pour hisser un objet à bord. *Frapper un hâle-à-bord sur l'anse d'un seau.*

HALE-AVANT [alavɑ̃] n. m. invar. — 1772; de *haler,* et *avant.*

♦ Mar. Grosse mitaine de toile utilisée par les pêcheurs.

HALE-BAS ou **HALEBAS** ['alba] n. m. invar. — 1721, Trévoux; de *haler,* et *bas.*

♦ Mar. Manœuvre destinée à tirer vers le bas (un élément du gréement). *Halebas de bôme :* palan frappé sur la bôme, destiné à la maintenir en position basse, pour résorber le creux de la voile. *Étarquer le halebas. Halebas de tangon, de spi.*

HALEBREDA [albʀeda] n. ⇒ **Hallebreda.**

HALE-BREU ['albʀø] n. m. invar. — 1773; de *haler,* et *breu,* var. de *breuil.*

♦ Mar. (Vx). Petit cordage servant à hisser des objets.

HALECRET ['alkʀɛ] n. m. — 1489, *aldecrez;* moy. néerl. *halscleet* «tour de cou». Cf. all. mod. *Halskragen.*

♦ Anciennt. Pièce de l'armure, corselet de fer battu formé de deux parties pour le devant et le derrière.

HALE-CROC ['alkʀo] n. m. — 1769; de *haler,* et *croc.*

♦ Mar. Croc servant à tirer à bord les gros poissons de mer. *Des hale-crocs.*

HALE-DEDANS ['aldedɑ̃] n. m. invar. — 1836; de *haler,* et *dedans.*

♦ Mar. ⇒ **Hale-à-bord.**

HALEINE [alɛn] n. f. — V. 1360; *aleine,* 1080; déverbal de l'anc. franç. *alener,* lat. *anhelare* par métathèse de *n* et *l,* écrit avec un *h* initial par réfection du lat. *halare* «souffler».

★ **I.** ♦ **1.** (1080). Mélange gazeux qui sort des poumons pendant l'expiration*. *L'haleine d'une personne, d'une bête* (→ Fouir, cit. 3). *Tiédeur de l'haleine. Des haleines qui font de la buée par temps froid* (→ Amortir, cit. 11). *Miroir qui se trouble sous une haleine* (→ Candide, cit. 4). *Odeur de l'haleine. Haleine inodore, fraîche, parfumée, embaumée* (→ Fleur, cit. 19; fleurant, cit.). *La douceur de son haleine* (→ Fraîcheur, cit. 11). *Haleine qui garde l'odeur d'un aliment* (→ Foule, cit. 7), *qui sent l'ail, le tabac, l'alcool. Haleine vineuse* (→ Chancelant, cit. 1). *Sentir l'haleine de qqn. Il a fumé et bu, je l'ai senti à son haleine. Haleine forte, fétide,* causée par le mauvais fonctionnement des organes en communication avec la bouche. — *Avoir mauvaise haleine :* sentir mauvais de la bouche*. *Le diabète, la fièvre typhoïde... communiquent à l'haleine une odeur spéciale parfois révélatrice.*

1 D'abord avec son haleine
Il se réchauffe les doigts (...)
LA FONTAINE, Fables, V, 7.

2 Il a tant bu, que je ne pense pas qu'on puisse durer contre lui, et l'odeur du vin qu'il souffle est montée jusqu'à nous. — Monsieur mon beau-père, je vous conjure... — Retirez-vous : vous puez le vin à pleine bouche. — Madame, je vous prie... — Fi! ne m'approchez pas : votre haleine est empestée.
MOLIÈRE, George Dandin, III, 7.

3 Qu'il m'est doux près de toi d'errer libre d'ennuis,
Quand tu mêles, pensive, à la brise des nuits
Le parfum de ta douce haleine!
HUGO, Odes et Ballades, V, XX.

(...) comme au temps froid 4
La tiède haleine d'une bouche,
La respiration se voit (...)
Th. GAUTIER, Émaux et Camées, «Fumée».

Édouard fit connaissance avec une haleine agréable qui sentait le gingembre et la bergamote. Il hésita un tiers de seconde entre ces deux parfums et, son odorat de chimiste ne souffrant pas le doute, il prit un second baiser pour éclaircir son jugement. — C'est de la bergamote, murmura-t-il. 5
G. DUHAMEL, Salavin, III, I.

♦ **2.** (1080). L'expiration, et, par ext., la respiration (inspiration et expiration). ⇒ **Respiration, souffle.** *Le rythme de l'haleine* (→ Étable, cit. 3). *Respirer d'une haleine égale* (→ Enfoncer, cit. 33). *Haleine coupée* (→ Flageller, cit. 1).

J'm'en vas continuer la lecture d'hier, comme ayant l'haleine la plus forte. 5.1
H. MONNIER, Scènes populaires, le Romain chez la portière, t. I, p. 27.

Vous, qui me regardez, éloignez-vous de moi, car mon haleine exhale un souffle empoisonné. 6
LAUTRÉAMONT, les Chants de Maldoror, I.

La couverture avait glissé et elle respirait si doucement que son haleine ne soulevait même pas sa gorge déjà lourde. 7
ZOLA, Germinal, I, p. 82.

(Av. 1834). Loc. *Retenir son haleine :* s'arrêter volontairement de respirer. *Retenir son haleine pour mieux écouter* (cit. 11), *pour passer inaperçu.*

Toutes les bouches retenaient leur haleine, comme si elles eussent craint d'ajouter le moindre souffle au vent qui secouait les deux misérables. 8
HUGO, les Misérables, II, II, III.

De ma chambre, j'écoutais sans le vouloir, retenant mon haleine (...) 9
G. DUHAMEL, le Temps de la recherche, VII.

(1678). *Perdre l'haleine et la vie.* Vx. → Crever (cit. 18). *Être sans haleine* (vx), sans force, sur le point de s'évanouir (→ Frisson, cit. 15). — Par ext. *Perdre haleine :* ne plus pouvoir respirer à la suite d'un effort trop soutenu.

Mangeons comme de droit, buvons comme permis, 10
Mais, sacrebleu! surtout, n'allons pas perdre haleine
À tant courir (...)
VERLAINE, Élégies, VIII.

(Av. 1634). Mod. **À PERDRE HALEINE;** et (vx; 1673) **À PERTE D'HALEINE,** loc. adv. *Courir à perdre haleine. Rire, chanter à perdre haleine. Parler, tenir des discours à perdre haleine.* ⇒ **Longuement** (→ Decrescendo, cit.).

Sois gai pour tromper l'ennemi 11
Et chante à perdre haleine.
BÉRANGER, Faridondaine, *in* LITTRÉ.

(V. 1460). **HORS D'HALEINE.** *Être hors d'haleine.* ⇒ **Essoufflé, haletant; anhélant** (littér.). → À bout de souffle*. *Il arriva tout en eau et hors d'haleine. Cette poursuite l'a mise hors d'haleine.*

Je me suis, à courir, presque mis hors d'haleine. MOLIÈRE, les Fâcheux, II, 3. 12

Quand il fut au haut de l'escalier, il s'arrêta, tant il se sentait hors d'haleine. 13
FLAUBERT, Mme Bovary, II, VI.

(XIIIe). *Reprendre haleine :* reprendre sa respiration après une interruption, respirer à l'aise après un effort. ⇒ **Respirer, souffler** (→ Abasourdir, cit. 1; abattre, cit. 19; chœur, cit. 10; demander, cit. 30). *Personne essoufflée* (cit. 2) *qui reprend haleine après une montée pénible. Interrompre un discours pour reprendre haleine.* — Fig. S'arrêter, se reposer pour reprendre des forces. *Travailleur qui reprend haleine* (→ Courber, cit. 30). *Combattant qui lutte sans reprendre haleine* (→ Débander, cit. 1; forcené, cit. 8). *Laissez-nous reprendre haleine! Reprendre haleine avant de fournir* (cit. 18) *à d'autres projets.*

La période est longue, il faut reprendre haleine. LA FONTAINE, Fables, II, 1. 14

(...) je repris haleine une minute dans l'escalier, juste le temps d'inventer une histoire pour expliquer mon retard. 15
Alphonse DAUDET, le Petit Chose, I, III.

Vx. *Prendre haleine* (même sens). → Eau, cit. 17; étourdir, cit. 18; fatigue, cit. 12.

♦ **3.** (1690, Furetière). Temps pendant lequel on peut rester sans respirer, intervalle entre deux inspirations. *Longue haleine; courte haleine.* ⇒ **Anhélation, essoufflement.** *Cheval court d'haleine, cheval qui a du fond* (cit. 60) *et de l'haleine.* Vx. *Avoir beaucoup d'haleine, de l'haleine. Manquer d'haleine. «Il faut qu'un plongeur, qu'un coureur ait beaucoup d'haleine»* (Académie). ⇒ **Souffle.**

J'ai une assez bonne carrure, la poitrine large, mes poumons doivent y jouer à l'aise; cependant j'avais la courte haleine, je me sentais oppressé, je soupirais involontairement, j'avais des palpitations, je crachais du sang (...) 16
ROUSSEAU, les Confessions, V.

Il fallait le voir haletant, palpitant, l'haleine courte (...) 17
BARBEY-D'AUREVILLY, les Diaboliques, «À un dîner d'athées».

Littér. Souffle (fig.). *Auteur qui a l'haleine courte, qui manque d'haleine,* qui n'a ni abondance, ni facilité (→ Conter, cit. 1; efflanquer, cit. 3; essouffler, cit. 6). *Acquéreur qui manque d'haleine dans une vente aux enchères* (cit. 3), qui, ne pouvant persévérer, abandonne.

♦ **4.** Locutions. **DE LONGUE HALEINE.** [a] Vx. (En parlant des choses). *Récit de longue haleine* (vx), qui dure longtemps (→ Assembler, cit. 17).

[b] Mod. *Travail de longue haleine,* qui exige beaucoup de temps et d'efforts (→ Bâtir, cit. 43). *Un dictionnaire est un ouvrage de longue haleine.*

Une ode, une chanson se peut faire sans peine; 18
Mais une Franciade, œuvre de longue haleine,
Ne s'accomplit ainsi (...) RONSARD, Pièces retranchées, Sec. liv. des hymnes.

(...) il *(Mérimée)* l'engageait *(Tourguéniev)* à tenter d'écrire un grand livre, au lieu de se cantonner dans des nouvelles de courte haleine, et le conseil est remar- 19

quable de la part du conteur ramassé qu'était Mérimée, dont le chef-d'œuvre, *la Vénus d'Ille*, n'a que trente pages (...)
Émile HENRIOT, les Romantiques, p. 381.

(V. 1460). **D'UNE HALEINE** (littér.) : sans s'arrêter pour respirer. ⇒ **Trait** (d'un). *Boire un bol de café d'une haleine, d'une seule haleine. Débiter* (cit. 16) *une phrase d'une haleine.* — (1677). Fig. Sans pause, sans interruption. *Parcours fourni d'une seule haleine,* sans étape (cit. 6). *Livre écrit d'une haleine.* ⇒ **Jet** (d'un seul jet). → Distance, cit. 7. — Vieilli. *Tout d'une haleine* : sans respirer.

20 (...) je n'écris point mes lettres tout d'une haleine (...)
Mme DE SÉVIGNÉ, 617, 23 juin 1677.

21 (...) ils (...) boivent tout d'une haleine une grande tasse de vin pur (...)
LA BRUYÈRE, les Caractères de Théophraste, De la rusticité.

22 Quatre à quatre, il dégringole l'escalier séculaire de l'Académie et s'en va d'une haleine retenir sa place pour Sarlande.
Alphonse DAUDET, le Petit Chose, I, IV.

Littér. *D'une seule haleine* (même sens).

23 Puis je sortis sans bruit, et filai d'une seule haleine jusqu'au boulevard de l'Hôpital.
G. DUHAMEL, Chronique des Pasquier, III, V.

(1456). Fig. Loc. adv. **EN HALEINE** : en exercice, en train (proprement : dans un état tel qu'on ne soit pas obligé de s'arrêter pour reprendre haleine). ⇒ **Forme** (en), **train.** — Vieilli. *Sportif qui se met en haleine par un entraînement quotidien. Travail qui met en train et en haleine* (→ Élément, cit. 18). *Reprendre les échecs pour se remettre en haleine* (→ Cran, cit. 2). *« Il fait quelques vers par-ci par-là, pour se tenir en haleine »* (Académie).

24 Depus plus d'une semaine,
Je n'ai trouvé personne à qui rompre les os;
La vertu de mon bras se perd dans le repos,
Et je cherche quelque dos,
Pour me remettre en haleine.
MOLIÈRE, Amphitryon, I, 2.

25 (...) il s'amuse évidemment de ce qu'il écrit : c'est le moyen le plus sûr de réussir, de rester toujours en verve et en haleine.
SAINTE-BEUVE, Causeries du lundi, 13 mai 1850, t. II, p. 104.

(1580, Montaigne). Mod., cour. *Tenir qqn en haleine,* maintenir son attention en éveil, empêcher qu'elle ne se relâche, et, plus spécialt, maintenir dans un état d'incertitude, d'attente. *L'espérance* (cit. 19) *tient les hommes en haleine. Il ne lui fit pas de promesse formelle pour mieux la tenir en haleine.*

26 Plus je parcourais cet agréable asile, plus je sentais augmenter la sensation délicieuse que j'avais éprouvée en y entrant : cependant la curiosité me tenait en haleine.
ROUSSEAU, Julie ou la Nouvelle Héloïse, IV, Lettre XI.

27 Il n'y avait aucune punition dans la maison; la lecture des notes et les réflexions du supérieur étaient l'unique sanction qui tenaient tout en haleine et en éveil.
RENAN, Souvenirs d'enfance..., III, III.

28 (...) de menus événements qui pouvaient sembler fortuits mais qui, tous, tinrent Patrice Périot en haleine et aggravèrent son inquiétude.
G. DUHAMEL, le Voyage de P. Périot, VIII.

★ **II.** (Fin XIIIe). ♦ **1.** Souffle (du vent). ⇒ **Souffle.** *L'haleine de la bise* (cit. 7), *du vent* (→ Foc, cit. 1). *Un calme* (cit. 1) *sans haleine. Les premières haleines du printemps.* ⇒ **Brise.**

29 (...) on n'entendait plus que le gazouillement des oiseaux, ou la douce haleine des zéphyrs qui se jouaient dans les rameaux des arbres (...)
FÉNELON, Télémaque, II.

30 (...) ces grandes haleines du large qu'on respire sur les côtes de la mer.
MAUPASSANT, Bel-Ami, I, VI.

31 À mesure que montait le soleil, dans l'air limpide, une brise soufflait par grandes haleines régulières, creusant les champs d'une houle, qui partait de l'horizon, se prolongeait, allait mourir à l'autre bout.
ZOLA, la Terre, III, I.

♦ **2.** Fumée qui s'échappe. *L'haleine d'une machine à vapeur* (→ Fumée, cit. 8).

32 *(La locomotive)* perdait sa vapeur, par les robinets arrachés, les tuyaux crevés, en des souffles qui grondaient, pareils à des râles furieux de géante. Une haleine blanche en sortait, inépuisable, roulant d'épais tourbillons au ras du sol (...)
ZOLA, la Bête humaine, X, p. 329.

33 La fumée, c'est l'haleine bleue de la maison.
J. RENARD, Journal, 20 août 1902.

♦ **3.** (1690, Furetière). Odeur qui se dégage. ⇒ **Effluve, émanation, odeur, parfum.** *L'haleine des jardins* (→ Bouffée, cit. 3).

34 La misère des villes a partout la même haleine de fricot et de latrines.
F. MAURIAC, la Pharisienne, XI.

35 La soupe aux choux du concierge, l'haleine des lieux d'aisances (...)
J. ROMAINS, les Hommes de bonne volonté, t. II, XI, p. 108.

36 L'haleine des abattoirs reflue vers le cœur de la ville et, mêlée obstinément à l'air, aux êtres, aux pensées semble l'odeur naturelle et secrète du luxe américain.
G. DUHAMEL, Scènes de la vie future, VIII.

DÉR. Halenée, halener.
HOM. Alêne, allène.

HALEINÉE [alene] n. f. ⇒ **Halenée.**

HALEINER [alene] v. intr. ⇒ **Halener.**

HALEMENT ['almɑ̃] n. m. — 1660, « action de haler »; de *haler.*

♦ (1676). Techn. (charpenterie). Nœud d'attache d'un lien, réunissant plusieurs pièces de bois que l'on veut soulever ensemble.

HALENÉE [alene] n. f. — V. 1534; *alenée,* fin XIIe; de *haleine,* et *-ée.*

♦ Vx ou littér. Bouffée d'air expirée par la bouche, spécialt lorsqu'elle a une odeur caractéristique. *Une halenée d'alcool, d'ail.*

REM. On écrit aussi *haleinée.*

1 Il soufflait à grandes haleinées lentes.
J. GIONO, le Chant du monde, II, VII.

2 L'homme respire de longues haleinées sourdes sur le visage de Julia. Ça sent l'herbe crue et le tabac.
J. GIONO, le Grand Troupeau, *in* Œ. roman., Pl., t. I, p. 699.

HOM. Halener.

HALENER [alene] v. — Conjug. *lever.* — Mil. XVIe, *haleiner,* repris fin XIXe, Huysmans; *alener,* v. 1360; du lat. pop. **alenare,* du lat. class. *anhelare* « respirer difficilement ».
Vx ou littéraire.

★ **I.** V. intr. ♦ **1.** Exhaler son haleine (personnes, animaux). — Respirer.

Enfin gargouille un petit flux d'air, le va-et-vient se rétablit, les côtes se soulèvent pour halener encore.
Hervé BAZIN, Cri de la chouette, p. 277.

♦ **2.** (Mil. XVIe). Souffler. *Le vent halène.*

★ **II.** V. tr. ♦ **1.** Exhaler (une odeur, un souffle).

♦ **2.** (1690). Chasse. Prendre l'odeur de (la bête) en parlant des chiens. ⇒ **Éventer, flairer.**

♦ **3.** Sentir, humer (→ Effluve, cit. 1, Chateaubriand).

♦ **4.** (V. 1160). Fig. Vx. Deviner, pressentir. → Flairer (fig.).

♦ **5.** Vx. Exhaler son haleine sur... *« Les brises qui haleinaient les fleurs des prés »* (→ 1. Reverser, cit. 2).

REM. On écrit aussi (vieilli) *haleiner.*

HOM. Halenée.

1. HALER ['ale] v. tr. — V. 1138; germanique occidental *halon* « amener, aller chercher ».

♦ **1.** V. tr. dir. (V. 1138). Mar. Tirer sur... *Haler une manœuvre. Haler un câble, un cordage à la main.* ⇒ **Paumoyer.** Absolt. *Haler bas* : faire descendre. ⇒ **Affaler, peser** (sur).

(V. 1180). Tirer au moyen d'un cordage. ⇒ **Remorquer, touer.** *Haler une bouée à bord. Haler un navire sur cale. Haler un canot à terre avec une sabaye. Renard pour haler les bois dans les arsenaux.*

Une fois arrivé dans le hangar, il jetterait sur un des traineaux remisés en cet endroit une charge de combustible, puis, fixant l'une des cordes à l'avant du traîneau, ce qui permettrait de le haler jusqu'à la maison, attachant l'autre à l'arrière, ce qui permettrait de le ramener au hangar, il établirait ainsi un va-et-vient entre le hangar et la maison (...) 0.1
J. VERNE, le Pays des fourrures, t. I, p. 285.

♦ **2.** (V. 1307). Remorquer (un bateau) au moyen d'un cordage tiré du rivage. ⇒ **Halage.** *Haleurs, chevaux qui halent une péniche* (→ Fouetter, cit. 8). Au p. p. *Bateau halé par cabestan* électrique.* ⇒ **Remorquer, touer.**

Il était temps; une minute de plus, l'homme épuisé et désespéré, se laissait tomber dans l'abîme; le forçat l'avait amarré solidement avec la corde à laquelle il se tenait d'une main pendant qu'il travaillait de l'autre. Enfin on le vit remonter sur la vergue et y haler le matelot (...) 1
HUGO, les Misérables, II, II, III.

Une barque, qui revenait de placer ses filets au large, passa dans ces parages. Les pêcheurs prirent Réginald pour un naufragé, et le halèrent, évanoui, dans leur embarcation. 2
LAUTRÉAMONT, les Chants de Maldoror, V.

♦ **3.** V. tr. ind. (1866). **HALER SUR.** ⇒ **Tirer.** *Haler sur une manœuvre, une bouline.*

♦ **4.** Mar. (Le sujet désigne le vent). Tourner vers (une direction). *Les vents halent le Nord.*

▶ **SE HALER** v. pron.

♦ **1.** (1833, *in* D. D. L.). Déplacer son bateau en tirant sur une amarre.

♦ **2.** (Av. 1945, Valéry). Littér., fig. Se hisser vers qqch.

CONTR. Pousser.
DÉR. Halage, halement, haleur, 1. halin.
COMP. Déhaler; hale-à-bord, hale-avant, hale-bas, hale-breu, hale-croc, hale-dedans.
HOM. Allée, aller, 2. haler.

2. HALER ['ale] v. tr. — V. 1460; *harer,* 1377; de l'anc. franç. *hare,* interj. (→ Haro), par dissimilation des deux *r.*

♦ Chasse. Vx. Exciter (un chien) à courir sur (qqn, un animal). *« Haler les chiens après quelqu'un »* (Académie, 1878).

HOM. Allée, aller, 1. haler.

3. HALER ['alɛʀ] n. m. — 1962, Larousse; mot tchèque.

♦ Monnaie de Tchécoslovaquie, égale au centième d'une couronne.

HÂLER ['ɑle] v. tr. — V. 1240, intrans., «devenir sec»; *halé*, v. 1170, «sec, desséché»; var. *harler, haller*, et *hasler* au moyen âge; orig. incert., p.-ê. d'un lat. pop. **assulare*, du lat. class. *assare* «rôtir», croisé avec le néerl. *hael* «desséché».

♦ **1.** Vx. Dessécher (les végétaux), en parlant de l'air, du soleil. *« Le vent a hâlé la campagne »* (Académie).

♦ **2.** Mod. Rendre (la peau, le teint...) plus ou moins brun ou rougeâtre, en parlant de l'air et du soleil. ⇒ **Bronzer, brunir; hâle.** *L'air marin hâle le teint.* Au passif. *Être hâlé par le soleil, la vie en plein air.* — (1690, Furetière). Pron. (Passif). *Peau qui se hâle vite.*

▶ **HÂLÉ, ÉE** p. p. adj.

♦ **1.** Vx. Desséché.

♦ **2.** Mod. Bruni par le soleil. ⇒ **Brun, basané, boucané, bronzé, cuivré, doré, tané.**

1 (...) elle avait la peau très brune, hâlée et dorée de soleil. ZOLA, la Terre, I, I.

2 Un bouton du corsage s'arracha. Buteau vit la chair blanche, sous la ligne hâlée du cou (...) ZOLA, la Terre, III, VI.

CONTR. Blanchir; blanc.
DÉR. Hâle, halette, haloir.
COMP. Déhâler.

HALESIA ['alezja] n. f. — 1808, Boiste, *halesier, -sia*, n. m.; du n. de Stephen *Hales*, naturaliste anglais (1677-1761).

♦ Bot. Arbuste ornemental d'Amérique du Nord, à fleurs blanches (famille des *Styracacées*).

REM. On trouve aussi *alesie*, n. f., *in* Larousse xxe.

HALETANT, ANTE ['altɑ̃, ɑ̃t] p. prés. et adj. — 1539; p. prés. de *haleter*.

♦ **1.** Dont le rythme de la respiration est anormalement précipité, qui est hors d'haleine. ⇒ **Essoufflé, pantelant, pantois** (vx). → Abattre, cit. 19; entasser, cit. 1. *Chien, cheval haletant* (→ Efflanqué, cit. 1). *Être haletant de fièvre, d'émotion, d'effroi* (→ Frémir, cit. 12; haleine, cit. 17). *Haletant de* (et inf.). *Tout haletant d'avoir couru.*

1 À deux heures, précisément, un homme arrive, haletant, tout prêt de se trouver mal (...) Il a couru depuis Sèvres, où les troupes voulaient l'arrêter... MICHELET, Hist. de la Révolution franç., II, I.

2 Madame Magloire était une petite vieille blanche, grasse, replète, affairée, toujours haletante, à cause de son activité d'abord, ensuite à cause d'un asthme. HUGO, les Misérables, I, I, I.

3 (...) je demeurai debout, haletant d'épouvante, tellement éperdu que je n'avais plus une pensée, prêt à tomber. MAUPASSANT, Lui?

4 Très pâle, vite essoufflée, souffrant d'une maladie de cœur, elle remuait peu (...) se réveillait la nuit et se redressait dans son lit, adossée à l'oreiller, haletante et livide. J. CHARDONNE, les Destinées sentimentales, II, II.

(Mil. xvie, Ronsard). *Poitrine haletante*, soulevée par une respiration précipitée. — (1685, La Fontaine). En parlant de la respiration. ⇒ **Précipité.** *Respiration courte et haletante.*

5 (...) ses mains s'avançaient dans la manche d'Emma, pour lui palper le bras. Elle sentait contre sa joue le souffle d'une respiration haletante. FLAUBERT, Mme Bovary, II, VII.

6 Mme de Bonmont, les roses de sa chair avivées par la course, sa riche poitrine haletante sous le corsage clair (...) FRANCE, l'Anneau d'améthyste, III, Œ., t. XII, p. 56.

7 (...) une femme (...) au souffle haletant entre les lèvres rouges (...) J. ROMAINS, les Hommes de bonne volonté, t. II, X, p. 106.

♦ **2.** Figuré :

8 (...) le mécanicien sifflait éperdument, à coups pressés, le sifflet haletant et lugubre de la détresse. ZOLA, la Bête humaine, VII.

9 (...) la monotonie des journées, rompue quelquefois par les tocsins haletants qui se répandaient de village en village. F. MAURIAC, l'Enfant chargé de chaînes, XXVIII.

♦ **3.** Qui halète (3.). *Tandis qu'à leurs œuvres perverses les hommes courent haletants* (→ Averse, cit. 2, Gautier). ⇒ **Ardent, avide, impatient.** *Être haletant d'impatience*, très impatient, excité par l'attente. *Haletant après, vers quelque chose.*

10 Haletants vers le gain, les honneurs, la richesse (...) André CHÉNIER, Élégies, XXX.

HALÈTEMENT ['alɛtmɑ̃] n. m. — 1495, Wartburg; rare jusqu'après 1850 (absent de P. Larousse 1873, un seul ex. dans Littré); de *haleter*, et *-ment*.

♦ **1.** Le fait de haleter; état de ce qui est haletant. ⇒ **Essoufflement, oppression.** *Le halètement d'une personne, d'un animal qui a couru, fourni un gros effort. Le halètement d'un cardiaque, d'un asthmatique* (→ Accentuer, cit. 3). ⇒ **Anhélation, dyspnée.**

1 Pyrame allait devant, avec un halètement dans son gosier de pauvre vieille bête asthmatique. Pierre BENOIT, Mlle de la Ferté, II, p. 89.

2 Peu à peu le halètement diminua. Le vieil homme luttait contre son cœur. Son visage était blafard. Un peu de sang revint cependant aux pommettes. Lui, les yeux clos, la tête renversée sur le grand dossier du fauteuil, attendait le retour du calme. L'onde douloureuse passa et il retrouva une faible vie. H. BOSCO, Un rameau de la nuit, p. 263.

(1866, Littré). Par ext. Bruit que produit ce type de respiration. *Entendre des halètements.*

(Déb. xxe). Par ext. *Halètement de la poitrine* : mouvement précipité de la poitrine qui se soulève et s'abaisse.

Anne voyait, sous le halètement de la poitrine, le drap qui s'élevait et descendait. 3
Pierre BENOIT, Mlle de la Ferté, IV, p. 268.

♦ **2.** (Déb. xxe). Souffle précipité semblable au halètement d'une personne. *Le halètement d'une locomotive.*

(...) la danse boiteuse des marteaux sur l'enclume, le halètement du soufflet poussif (...) R. ROLLAND, Jean-Christophe, Antoinette, p. 835. 4

(...) les halètements de l'orage qui cherche à se répandre (...) 5
G. DUHAMEL, Inventaire de l'abîme, XII.

Le halètement d'un train en partance rappelait une poitrine oppressée. 6
F. MAURIAC, Génitrix, VII.

♦ **3.** Fig. Vive émotion, tension haletante. *« Ce long halètement des cœurs vers la lumière »* (A. de Noailles, *in* T. L. F.).

HOM. Allaitement.

HALETER ['alte] v. intr. — Conjug. *acheter*. — 1538; «palpiter (du cœur)», v. 1175; d'un anc. v. franç. *hasler*, même sens, du lat. *halare* «exhaler (une odeur, un souffle)». → Exhaler, inhaler.

♦ **1.** (V. 1225). Respirer avec gêne, à un rythme anormalement précipité; être à bout de souffle, hors d'haleine. ⇒ **Anhéler, essouffler** (s'), **panteler, souffler.** *Haleter après une course, un effort violent* (→ Forger, cit. 1). *Chevaux, chiens qui halètent. Haleter de fatigue, de fièvre, de soif* (→ Eau, cit. 18), *d'émotion.* Par ext. *Poitrine qui halète.*

(...) sa poitrine, brisée par les sanglots, haletait dans l'ombre, sous la pression d'un regret immense (...) FLAUBERT, Mme Bovary, III, X. 1

Dans le parc (...) les moutons, vautrés, respiraient d'une haleine courte et pénible (...) tandis que les deux chiens, allongés en dehors, haletaient eux aussi, la langue pendante. ZOLA, la Terre, IV, I. 2

Il était déjà loin qu'on l'entendait encore souffler et haleter. 3
G. DUHAMEL, Salavin, V, V.

Je regarde avec une fureur concentrée le public du cirque (...) il halette de plaisir. 4
G. DUHAMEL, les Plaisirs et les Jeux, II, III.

N. B. DUHAMEL observe ici l'ancienne orthographe donnée par LITTRÉ.

Il se laissa glisser jusqu'à l'herbe et il resta un bon moment à haleter comme un chien fatigué. J. GIONO, Jean le Bleu, VIII, p. 219. 5

♦ **2.** (1873). Par anal. Souffler à un rythme précipité, saccadé (→ Chant, cit. 2).

(...) une locomotive halète à coups espacés (...) 6
J. ROMAINS, les Hommes de bonne volonté, t. III, XII, p. 171.

♦ **3.** Fig. Être tenu en haleine. *« Tout l'auditoire haletait »* (Académie).

(1559). Vx ou littér. Aspirer* ardemment. *Haleter après, vers quelque chose.*

(...) il haletait après l'INCONNU, car il connaissait tout. 7
BALZAC, Melmoth réconcilié, Pl., t. IX, p. 298.

DÉR. Haletant, halètement.
HOM. Formes du v. **allaiter.**

HALETTE ['alɛt] n. f. — Déb. xxe (1903, Barrès); de *hâler*, et *-ette*, mot lorrain.

♦ Régional (Lorraine). Coiffe lorraine en toile (protégeant du hâle).

HOM. Formes des v. **alaiter, haleter.**

HALEUR, EUSE ['alœʀ, øz] n. — 1680; de 1. *haler*, et *-eur*.

♦ **1.** (1680). Personne qui fait métier de haler les bateaux le long des cours d'eau. ⇒ **Batelier.** *Haleurs attelés à une corde de péniche.*

Comme je descendais des fleuves impassibles, 1
Je ne me sentis plus guidé par les haleurs (...)
RIMBAUD, Poésies, «Le bateau ivre».

Il avançait lourdement, traînant son idée fixe, pareil au haleur attelé à une péniche. MARTIN DU GARD, les Thibault, t. IX, p. 136. 2

♦ **2.** N. m. (1931, Larousse). Treuil à vapeur utilisé par les pêcheurs pour remonter leurs filets à bord.

HALF-TRACK ['alftʀak] n. m. — 1946, *in* Höfler; mot angl. des États-Unis «semi-traction», de *half* «demi», et *track* au sens de «chenille».

♦ Anglic. Milit. Véhicule blindé, semi-chenillé. *Des half-tracks.*

C'est un petit garçon avec un casque trop grand pour lui (...) Il est adossé à un half-track, il tient encore son fusil contre son cœur comme un ours en peluche. 1
Roger NIMIER, le Hussard bleu, p. 29 (1950).

Des tanks, des half-tracks, et des jeeps des deux divisions, fusaient les rires joyeux des soldats et des Parisiennes. 2
D. LAPIERRE et L. COLLINS, Paris brûle-t-il?, p. 430.

HALI-, HALO- Éléments, tirés de deux mots grecs homonymes *hals, halos* «le sel», et *hals, halos* «la mer».

HALIASTUR [aljastuʀ] n. m. — 1873, P. Larousse; du grec *hals* « mer », et du latin *astur* « autour ».

♦ Zool. Oiseau falconidé originaire d'Australie appelé communément *aigle-autour.*

HALICHÈRE [alikɛʀ] n. m. — 1873, P. Larousse; lat. sc. mod. *halichœrus,* du grec *hals, halos* « mer » (→ Hali-), et *khoîros* « cochon », proprt « cochon de mer ».

♦ Zool. Grand phoque au museau épais et poilu, commun sur les côtes de l'Atlantique nord (famille des *Pinnipèdes*).

HALICHONDRIE [alikɔ̃dʀi] n. f. — 1873, P. Larousse; de *hali-,* et du grec *khondros* « cartilage; grain ». → Chondre.

♦ Zool. Éponge siliceuse des mers tempérées froides, que l'on trouve dans les eaux polluées. *L'halichondrie se nourrit surtout de bactéries.*

HALICORE [alikɔʀ] n. m. — 1873, P. Larousse; du grec *hals, halos* « mer » (→ Hali-), et *koros* « jeune garçon ».

♦ Zool. Dugong.

HALICTE [alikt] n. m. — XIXe; lat. sc. mod. *halictus,* 1804, Latreille; orig. incert.

♦ Zool. Insecte hyménoptère *(Apidés)* qui fait son nid dans le sol.

HALIEUTIQUE [aljøtik] adj. — 1732, Trévoux; lat. *halieuticus* « de pêcheur », grec *halieutikos,* de *halieus* « pêcheur », « qui vit sur mer », de *hals, halos* « mer ». → Hali-.

♦ Didact. Qui concerne la pêche. *Poème halieutique.* — N. m. *Les halieutiques d'Oppien.* — (1866, Littré). N. f. *L'halieutique* : art de la pêche*.

Un autre *(roi)* versé dans l'halieutique, fleurit de ses lignes les voies des chemins de fer de ceinture, comparables aux lits des rivières.
A. JARRY, Gestes et Opinions du docteur Faustroll, Pl., p. 681-682.

DÉR. **Halieutiste.**

HALIEUTISTE [aljøtist] n. — Mil. XXe; de *halieutique,* et *-iste.*

♦ **1.** Personne qui s'occupe de pêche. — REM. On trouve aussi *halieute* (*la Clé des mots,* avr. 1974).

♦ **2.** Vendeur d'articles de pêche.

HALIGRAPHIE [aligʀafi] n. f. ⇒ **Halographie.**

1. HALIN [ʼalɛ̃] n. m. — 1679; de 1. *haler.*

♦ Mar. (vx). Cordage utilisé pour haler.

HOM. 2. **Halin.**

2. HALIN [ʼalɛ̃] adj. m. — 1974, in *la Clé des mots;* du grec *hals, halos* « sel ». → Hali-.

♦ Didact., rare. Salin.

HOM. 1. **Halin.**

HALIOTIDE [aljɔtid] n. f. — 1803, *in* D. D. L.; *haliotite,* 1768; du grec *hals, halos* « mer », et *ous, otos* « oreille ».

♦ Zool. Mollusque gastéropode *(Prosobranches diotocardes),* couramment nommé *ormeau, ormier, « oreille de mer ». L'haliotide, mollusque comestible à coquille aplatie et perforée en forme d'oreille.* Syn. : *haliotis.*

HALIOTIS [aljɔtis] n. m. — XXe; → Haliotide.

♦ Zool. Haliotide.

En survolant les déserts d'Arabie, roses et verts comme la nacre de l'haliotis.
Claude LÉVI-STRAUSS, Tristes tropiques, p. 30.

HALIPLE [alipl] n. m. — 1825, Académie; grec *haliplous* « qui nage en mer », de *hals, halos* « mer » (→ Hali-), et *pleîn* « naviguer ».

♦ Zool. Insecte coléoptère carnivore *(Dysticidés)* qui vit dans les eaux douces ou saumâtres où il nage difficilement et dont il sort par les grandes chaleurs.

HALITUEUX, EUSE [alitɥø, øz] adj. — 1539; du lat. *halitus* « vapeur », de *halare* « exhaler ».
Méd., vieux.

♦ **1.** Chaud et moite (se dit de la peau). *Front halitueux. Peau halitueuse.* ⇒ **Moite.**

J'avais la langue saburrale comme une wassingue sale et le front habitueux.
J. P. MANCHETTE, Que d'os, p. 226.

♦ **2.** (V. 1560, Paré). *Chaleur halitueuse* : chaleur humide.

HALL [ʼol] n. m. — 1671, Chamberlayne, en parlant de salles anglaises; répandu v. 1868; angl. *hall,* mot germanique. → Halle.

♦ **1.** Grande salle où l'on a accès en entrant dans un édifice; vestibule de grandes dimensions, dans les édifices publics ou les maisons particulières. ⇒ **Entrée, salle, vestibule.** *Une antichambre** (cit. 4.1) *qui ne méritait pas le nom de hall. Hall carrelé, dallé; hall de marbre. Escaliers, ascenseur, portes qui donnent dans un hall. Attendre qqn dans le hall. Hall d'hôtel* (→ Couloir, cit. 4; faire, cit. 172), *de mairie, de théâtre, de gare* (→ Bivouac, cit. 3). *Le hall de la gare Saint-Lazare (à Paris), dit salle des pas perdus* (→ Émigrant, cit. 1). *Hall d'accueil. Invité qu'on accueille dans le hall* (→ Brouhaha, cit. 4). *Groom* (cit. 3), *huissier, domestique qui prie un visiteur d'attendre dans le hall.*

(...) les voyageurs que les employés faisaient descendre sur le ballast, et chassaient 1
à travers les rails vers le hall d'arrivée.
MARTIN DU GARD, les Thibault, t. VIII, p. 10.

Ah! c'est chargé ici! fit M. Pommerel en glissant un regard vers le domestique 2
qui montait lentement sa valise par le grand escalier du hall, vaste salle au plafond surélevé d'un étage, où quatre pièces avaient fondu en une seule.
J. CHARDONNE, les Destinées sentimentales, p. 122.

(...) un grand hall large et bas, tout à fait mélancolique où se morfondent sous un 3
lustre de cristal à pendeloques des plante vertes et des voyageurs.
ARAGON, le Paysan de Paris, p. 84.

♦ **2.** *Hall, hall de gare* : grande pièce, qui rappelle un hall (souvent péj.). → Échouer, cit. 3. Pièce d'habitation démesurément grande et peu accueillante. *Son salon est un vrai hall de gare.*

♦ **3.** (1973). Techn., astronaut. *Hall d'assemblage* : bâtiment destiné à la préparation, à l'assemblage et à certaines vérifications de grands dispositifs (notamment, des différents étages d'un lanceur avant son transport sur l'aire de lancement).

HALLAGE [ʼalaʒ] n. m. — XVIe; *halage,* v. 1268; de *halle,* et *-age.*

♦ Comm. Taxe, redevance payée par les marchands pour vendre aux halles, au marché d'une commune.

HOM. **Halage.**

HALLALI [alali] interj. et n. m. — 1751; *ha la ly,* 1683, *in* Tilander; *haler* « exciter (les chiens) » (pour *hare à lui*), anc. franç. *hare,* du francique **hara* « par ici ».
Vénerie.

♦ **1.** Interj. Cri de chasse qui annonce que la bête poursuivie est aux abois.

La balle gicla au travers des joncs tandis que la détonation roulait, étrangement 1
loin, de cime en cime. Daguet, debout, cria une seule fois « hallali ! ». Sa voix parut comme dépouillée dans le reflux énorme du silence. Rien n'avait tressailli dans l'épaisseur de la jonchère.
M. GENEVOIX, Forêt voisine, XII.

♦ **2.** N. m. (1866, Littré). [a] Ce cri, ou la sonnerie de cor qui le remplace (→ Chasse, cit. 3). *Sonner l'hallali. Hallali courant* (par métonymie : tentative de fuite de la bête). *Hallali debout, sur pied* (la bête étant encore debout); *hallali par terre* (la bête étant tombée).

(1879, Loti). Par métaphore :

On entendait au loin les fanfares des troupes qui partaient pour la guerre sainte, 2
ces étranges fanfares turques, unisson strident et sonore, timbre inconnu à nos cuivres d'Europe (...) on eût dit le suprême hallali de l'islamisme et de l'Orient, le chant de mort de la grande race de Tchengiz.
LOTI, Aziyadé, V, IV.

[b] Le dernier temps de la chasse, où la bête est mise à mort.

On avait lancé un dix cors, un grand vieux cerf digne d'une Saint-Hubert, et l'on 3
avait à l'hallali un daguet presque agonisant.
M. GENEVOIX, la Dernière Harde, II, I.

[c] Fig. et littér. Dernier temps d'une poursuite, d'une chasse; approches de la fin, de la mort. *« Comme si la Grâce laissait reposer un peu de temps, avant l'hallali, le pauvre être humain »* (F. Mauriac, *Pascal et sa sœur,* p. 206, *in* T. L. F.).

HALLE [ʼal] n. f. — V. 1360; *hale,* v. 1213; francique **halla.* → Hall.

♦ **1.** (V. 1213). Vaste emplacement couvert où se tient un marché; grand bâtiment public qui abrite un marché, un commerce* en gros de marchandises. ⇒ **Marché; hangar, magasin.** — REM. *Halle* au singulier est tombé en désuétude, sauf en parlant de bâtiments anciens ou dans certaines locutions (→ Confusion, cit. 1, Molière). *Les marchands de ce bourg firent construire une halle au XVe siècle. Halle en bois. — Halle à marchandises d'une gare.* ⇒ **Entrepôt.** *Halle* *aux cuirs, aux draps.* (En parlant du commerce de l'alimentation). *Halle aux grains, aux vins. Halle au blé* (→ Casquette, cit. 1, Hugo), *au poisson.* Absolt. *Les dames de la Halle* (→ ci-dessous, 3.). *Les forts* (cit. 77 et *supra*) *de la Halle.*

1 *(M. de Nevers)* avare à l'excès, qui allait très souvent acheter lui-même à la Halle et ailleurs ce qu'il voulait manger (...) SAINT-SIMON, Mémoires, II, XLVII.

2 On confond quelquefois le mot de *halle* avec celui de *marché* (...) Il y a cependant quelque différence, le nom de *marché* appartenant à toute la place en général où se font ces assemblées de vendeurs et d'acheteurs, et celui de *halle* ne signifiant que cette portion particulière de la place qui est couverte d'un appentis, et quelquefois enfermée de murs pour la sûreté des marchandises, et pour les garantir de la pluie. Encycl. (DIDEROT), 1765, art. *Halle.*

(1690, Furetière). Vx. Grand bâtiment sommaire; grande salle ouverte à tous les vents. *Une grande halle mansardée* (→ Fermer, cit. 19).

3 À gauche, les marquises des halles couvertes ouvraient leurs porches géants, aux vitrages enfumés, celle des grandes lignes, immenses, où l'œil plongeait, et que les bâtiments de la poste et de la bouilloterie séparaient des autres, plus petites, celles d'Argenteuil, de Versailles et de la Ceinture (...) ZOLA, La Bête humaine, I.

4 À côté, le bétramidrasch, sorte de halle close servant tout à la fois de bibliothèque, de réfectoire et de dortoir aux pieuses multitudes. Jérôme et Jean THARAUD, L'Ombre de la croix, II.

(1784). Spécialt, vx. Grand atelier de verrerie où se trouvent les fours.

Régional (Suisse). *Halle de gymnastique,* ou, ellipt., *halle :* salle de gymnastique. — Par ext. *Halle des fêtes, d'exposition :* salle des fêtes, d'exposition.

♦ **2.** (V. 1260; *hales*). Plur. LES HALLES : emplacement, bâtiment où se tient le marché central de denrées alimentaires d'une ville. *Les halles d'une petite ville, d'un port* (→ Bazar, cit. 1; exotique, cit. 1). *Les halles de Bruges.* Dr. *Établissement, propriété, ferme, police des halles, foires et marchés.* ⇒ **Marché.** — (1873, Larousse). Absolt. *Les Halles centrales, les Halles,* celles de Paris. *S'approvisionner aux Halles. Le personnel des Halles.* ⇒ **Marchand; commissionnaire** (1.), **facteur** (II.), **mandataire.** *Porteur des Halles.* ⇒ **Fort** (cit. 77). *Le carreau* des Halles. Le quartier des Halles à Paris,* le quartier des anciennes Halles. *Manger la soupe à l'oignon aux Halles,* dans les restaurants du quartier des Halles. *Les Halles de Baltard :* les pavillons des Halles, conçus par Baltard (et détruits en 1971). *Les halles de Rungis :* les nouvelles halles de Paris, construites dans la banlieue de la capitale.

5 Le petit carreau des halles commençait à s'animer. Les charrettes des maraîchers, des mareyeurs, des beurriers, des verduriers, se croisaient sans interruption. NERVAL, les Nuits d'octobre, La halle.

6 Les halles, c'est-à-dire un toit de tuiles supporté par une vingtaine de poteaux, occupent à elles seules la moitié environ de la grande place d'Yonville. FLAUBERT, Mme Bovary, II, I.

7 (...) l'immense ville vide, où rien ne bat plus après les heures de bureau, sauf le lointain cœur des Halles (...) ARAGON, les Beaux Quartiers, II, I.

♦ **3.** ... DES HALLES (connotant le ton, le langage populaire). *Les femmes, les dames des halles.* ⇒ **Harangère, poissarde** (→ Canaille, cit. 5). *En termes de dames de la halle* (→ Souteneur, cit. 1). — (1674, Boileau). *Le langage des halles :* la langue populaire, la langue verte*. *Expression des halles. Équivoques* (cit. 15) *ramassées dans la boue des halles.*

8 Puissé-je ne me servir que de ceux *(des mots)* qui servent aux halles. MONTAIGNE, Essais, I, XXVI.

9 De proverbes traînés dans les ruisseaux des Halles? MOLIÈRE, les Femmes savantes, II, 7.

DÉR. Hallage, 1. hallier.

HALLEBARDE

HALLEBARDE [albaʀd] n. f. — 1448; *alabarde* en 1333; ital. *alabarda;* moy. haut all. *helmbarte,* littéralt «hache *(barte)* à poignée *(helme, halm)*».

♦ Anciennt. Arme d'hast à longue hampe, munie d'un fer tranchant et pointu, et de deux fers latéraux ou ailes, l'une en forme de croissant, l'autre en pointe (⇒ **Guisarme, pertuisane, pique, vouge**). *La hallebarde fut une arme de fantassin du* XIVe *au* XVIIIe *siècle* (→ File, cit. 6). *Les suisses d'église portent encore la hallebarde* (→ Bedeau, cit. 1). *Gardes* (cit. 4) *armés de hallebardes.*

1 (...) janissaires en armes qui frappent les dalles sonores du pommeau de leur hallebarde. LOTI, Jérusalem, p. 75.

2 (...) le bruit solennel de la hallebarde du suisse qui la précédait dans la nef. A. MAUROIS, Terre promise, p. 72.

Loc. *Il pleut des hallebardes :* il pleut très fort, à verse. *Il va tomber des hallebardes.* ⇒ **Corde.**

3 (...) puisse le Ciel en courroux ébouler sur ton chef des hallebardes au lieu de pluie! CYRANO DE BERGERAC, le Pédant joué, III, 1.

4 (...) *il lansquine* (en argot), il pleut, vieille figure frappante, qui porte en quelque sorte sa date avec elle, qui assimile les longues lignes obliques de la pluie aux piques épaisses et penchées des lansquenets, et qui fait tenir dans un seul mot la métonymie populaire : *il pleut des hallebardes.* HUGO, les Misérables, IV, VII, II.

(1690, Furetière). Loc. vieillie. *Rimer comme hallebarde et miséricorde :* rimer très mal, par allus. à l'épitaphe d'un suisse, rédigée au XVIIIe siècle par un marchand à qui on avait assuré que l'identité des trois dernières lettres suffisait à faire la rime.

Ci-gît mon ami Mardoche 5
Qui fut suisse de Saint-Eustache
Il porta trente ans la hallebarde
Dieu lui fasse miséricorde. J.-B. BOMBEL, Épitaphe, citée par P. LAROUSSE.

DÉR. Hallebardier. — V. Hallebreda.

HALLEBARDIER

HALLEBARDIER [albaʀdje] n. m. — 1483; de *hallebarde.*

♦ **1.** Anciennt. Homme d'arme, fantassin portant la hallebarde. *Hallebardier suisse* (⇒ **Traban**). *Les hallebardiers étaient des fantassins d'élite, leur arme étant en principe réservée aux sergents, dans les compagnies de gens de pied.*

Trente hallebardiers se détachèrent à pas lourds et cliquetants de l'ombre du corridor. Aloysius BERTRAND, Gaspard de la nuit, Fantaisies, IV.

♦ **2.** Mod. Marin portant une hallebarde et qui assure le service d'honneur d'un amiral.

REM. Le fém. *hallebardière* est virtuel.

HALLEBREDA

HALLEBREDA ou **HALEBREDA** [albʀeda] n. — 1640; p.-ê. altér. de *hallebarde.*

♦ Vx. Personne grande et mal bâtie. ⇒ **Bringue.**

Var. : *halbreda.*

1. HALLIER

1. HALLIER ['alje] n. m. — XVIIe; *halier,* v. 1268; de *halle,* et *-ier.* Vieux.

♦ **1.** Gardien aux halles.

♦ **2.** (1723). Vx ou archaïsme. Marchand qui vend aux halles.

(...) la veuve proposa de commémorer sur-le-champ cette rencontre en asséchant un glasse et de pénétrer à cette fin dans la salle de café du Vélocipède boulevard Sébastopol, où quelques halliers déjà s'humectaient le tube ingestif avant de charrier leurs légumes. R. QUENEAU, Zazie dans le métro, p. 164.

REM. Le fém. *hallière* est virtuel.

HOM. Allié, allier (v.), **allier** (n. m.), 2. **hallier**, 3. **hallier.**

2. HALLIER

2. HALLIER ['alje] n. m. — Av. 1525; *haillier,* 1458; de l'anc. franç. *halot,* avec changement de suff., du lat. pop. *hasla* «rameau», du francique **hasal,* cf. all. *Hasel* «noisetier».

♦ Groupe de buissons* serrés et touffus. *Des halliers épais, impénétrables, déserts* (→ Épine, cit. 4). *Les halliers d'un taillis, d'un bois. Sanglier, bête fauve qui établit son gîte dans un hallier, à la chasse* (→ Équipage, cit. 14).

Au plus fort du taillis un gros hallier était (...) 1
RONSARD, le Bocage royal, I, Songe.

Je mis mon chien sur la trace; mais il nous conduisit dans des halliers si épais et 2
si épineux qu'un serpent n'y aurait pas pénétré (...) A. BRILLAT-SAVARIN, Physiologie du goût, VI, II, 38.

On croit sentir, en lisant Eschyle, qu'il a hanté les grands halliers primitifs, houillè- 3
res d'aujourd'hui (...) HUGO, Shakespeare, I, IV, VII.

(...) il courait la plaine durcie, les halliers de mélèzes et de bouleaux, les forêts 4
de sapins (...) J. VERNE, Michel Strogoff, p. 35.

HOM. Allié, allier (v.), **allier** (n. m.), 1. **hallier**, 3. **hallier.**

3. HALLIER

3. HALLIER ['alje] n. m. ⇒ **Allier** (n. m.).

HOM. Allié, allier (v.), **allier** (n. m.), 1. **hallier**, 2. **hallier.**

HALLOMÉGALIE

HALLOMÉGALIE [alomegali] n. f. — 1909, *in* D. D. L.; du bas lat. *allus* «gros orteil», et du grec *megas, megalê* «grand». → Mégal(o)-.

♦ Méd. Hypertrophie d'un orteil.

HALLOWEEN

HALLOWEEN [alɔwin] n. f. — Mil. XXe; mot angl. (1556), abrév. de *All Hallow Even* «veille de la Toussaint».

♦ Anglic. (Canada). Fête annuelle (31 octobre), comparable à la mi-carême, à l'occasion de laquelle les enfants masqués et déguisés viennent présenter des sacs ou des paniers pour qu'on y dépose des friandises et utilisent des citrouilles vidées formant des têtes éclairées de l'intérieur par des bougies. *« Chaque mot, c'est une histoire qui surgit, comme un enfant masqué, dans ton dos, un soir d'halloween »* (J. Ferron).

HALLOYSITE

HALLOYSITE [alɔjsit] n. f. — 1832, Beudant; 1827, en angl.; du nom de O. *d'Halloy,* géologue belge.

♦ Minér. Silicate naturel hydraté d'aluminium.

HALLSTATTIEN, IENNE

HALLSTATTIEN, IENNE [alstatjɛ̃, jɛn] adj. — 1882; E. de Mortillet; de *Hallstatt,* nom de lieu en Autriche.

♦ Sc. Relatif à la première période de l'« âge du fer » (1000 à 500 av. J.-C.). *L'époque hallstatienne* (ou : *de Hallstatt*). *La civilisa-*

tion, la culture hallstattienne. — Par ext. *Une fibule, un bronze hallstattien.*

HALLUCINANT, ANTE [a(l)lysinɑ̃, ɑ̃t] adj. — 1862, Goncourt; p. prés. de *halluciner.*

♦ **1.** Qui hallucine, provoque des hallucinations. *Pouvoir hallucinant.*

0.1 L'hypnotiseur Darriand, désireux de faire connaître dans le nouveau monde certaines plantes mystérieuses dont il avait su pénétrer les hallucinantes propriétés et dont l'arome pouvait exalter l'acuité sensorielle d'un sujet au point de lui faire prendre pour des réalités de simples projections lumineuses dues à des pellicules finement coloriées. Raymond ROUSSEL, Impressions d'Afrique, p. 216.

♦ **2.** (Fin XIXe, Daudet). Qui est dû à une hallucination. *Une vision hallucinante.*

♦ **3.** (Déb. XXe). Cour. Qui a grande puissance d'illusion, d'évocation. *Une ressemblance hallucinante. Portrait d'une vérité hallucinante.* ⇒ **Extraordinaire** (→ Développer, cit. 24).

1 (...) avec quelle hallucinante acuité, elle devait revoir, toute sa vie, ce front, cette mèche sombre, ce regard pénétrant (...)
MARTIN DU GARD, les Thibault, t. VI, p. 233.

2 (...) la saisissante Emily *(Brontë)* dans sa fixité de somnambule, qui explique peut-être tant de choses — et peut-être donne la seule clef de son livre hallucinant *(les Hauts de Hurlevent).* Émile HENRIOT, Portraits de femmes, p. 416.

♦ **4.** Fam. Intense, énorme (intensif). *Il est d'une bêtise hallucinante.* ⇒ **Fabuleux.**

HALLUCINATEUR, TRICE [a(l)lysinatœʀ, tʀis] adj. — 1835, Balzac; de *halluciner.*

♦ Littér. Qui hallucine, cause des hallucinations.

HALLUCINATION [a(l)lysinɑsjɔ̃] n. f. — 1660, *in* T. L. F.; lat. *hallucinatio,* de *hallucinatus.* → Halluciné, p. p. de *hallucinari.*

♦ (1674). Méd. Perception pathologique de faits, d'objets qui n'existent pas, de sensations en l'absence de tout stimulus extérieur. ⇒ **Illusion.** *De l'hallucination.* ⇒ **Hallucinatoire.**

REM. Selon les spécialistes, *hallucination* est pris dans une acception plus ou moins large, incluant ou non le rêve* et l'« hallucination consciente » (→ Hallucinose). Dans le langage courant, on confond l'*hallucination* et l'illusion*, que les psychologues distinguent.

1 S'il y a altération de ce que doit être normalement la sensation, nous dirons qu'il y a *hallucination;* s'il y a seulement altération de ce que doit être normalement l'interprétation perceptive de la sensation, nous dirons qu'il y a *illusion.*
A. LALANDE, Voc. de la philosophie, Hallucination.

2 *(Hallucination)* « Perception sans objet » (BALL). Cette définition commode est cependant critiquable (...) Mieux vaudrait dire que l'on nomme hallucinatoire toute expérience psychologique interne qui amène un sujet à se comporter comme s'il éprouvait une sensation ou une perception alors que les conditions extérieures normales de cette sensation ou de cette perception ne se trouvent pas réalisées.
H. EY, *in* Dr POROT, Manuel de psychiatrie, p. 183.

Hallucinations élémentaires (vagues, indifférenciées). *Hallucinations complexes, figurées, associées. Hallucinations visuelles* (⇒ **Phantasme, vision**), *auditives* (⇒ **Voix** : entendre des voix), *olfactives* (⇒ **Cacosmie**), *gustatives. Hallucination négative* (non perception d'un objet présent). *Hallucination spéculaire.* ⇒ **Autoscopie.** *Hallucinations cénesthésiques, musculaires, psychomotrices. Hallucinations associées.* — *Hallucinations physiologiques* (visions du demi-sommeil : *hallucinations hypnagogiques, hypnopompiques;* ⇒ aussi **Cauchemar, rêve**). *Hallucination par atteintes des centres nerveux. Hallucinations du type onirique, causées par les toxiques* (cocaïne, haschisch, mescaline, opium...), *par l'épilepsie, certaines psychonévroses. Hallucinations des délires chroniques, des démences précoces, des états maniaques, des névroses* (⇒ **Aliénation, délire, folie**). — *Hallucination collective.*

3 Une nuance très importante distingue l'hallucination pure, telle que les médecins ont souvent occasion de l'étudier, de l'hallucination ou plutôt de la méprise des sens dans l'état mental occasionné par le haschisch. Dans le premier cas, l'hallucination est soudaine, parfaite et fatale; de plus, elle ne trouve pas de prétexte ni d'excuse dans le monde des objets extérieurs. Le malade voit une forme, entend des sons où il n'y en a pas. Dans le second cas, l'hallucination est progressive, presque volontaire (...) Enfin elle a un prétexte.
BAUDELAIRE, les Paradis artificiels, « Poème du haschisch », III.

4 (...) c'est une lecture des plus curieuses, illuminée par la fantasmagorie de l'opium et la peinture des hallucinations les plus brillantes, les plus bizarres et les plus terribles produites par ce séduisant poison (...)
Th. GAUTIER, Portraits contemporains, Baudelaire.

5 Je ne lui ai pas enlevé un pan de son pourpoint, comme il l'a dit. Simple hallucination hypnagogique causée par la frayeur.
LAUTRÉAMONT, les Chants de Maldoror, VI, p. 240.

Par extension :

6 (...) la perception extérieure est une hallucination vraie.
TAINE, De l'intelligence, t. I, I, 3.

7 (...) les perceptions sont des « hallucinations vraies », des états du sujet projetés hors de lui (...) H. BERGSON, Matière et Mémoire, p. 70.

Avoir une, des hallucinations. Être le jouet, la proie, la victime d'une hallucination (→ Exister, cit. 4; fléau, cit. 5). *Hallucination naissante* (→ Fiction, cit. 6), *qui éclipse la réalité* (→ Éclipse, cit. 7). (1831, Balzac). Cour. Erreur des sens, illusion. ⇒ **Berlue, éblouissement.** *J'ai cru le voir ici, je dois avoir des hallucinations.* — *Les hallucinations d'un poète, d'un peintre.* ⇒ **Vision.** *Les hallucinations de Brueghel* (→ Fantastique, cit. 4), *de Goya, de Blake.*

Les hallucinations dangereuses peuvent venir le jour; mais elles viennent surtout la nuit. Par conséquent, ne t'étonne pas des visions fantastiques que tes yeux semblent apercevoir. LAUTRÉAMONT, les Chants de Maldoror, I, p. 44. 8

Je m'habituai à l'hallucination simple : je voyais très franchement une mosquée à la place d'une usine (...) RIMBAUD, Une saison en enfer, Délires II. 9

(...) je me demandai anxieusement si je n'avais pas été le jouet d'une hallucination (...) Et j'allais croire à une vision, à une erreur de mes sens, quand je m'approchai de la fenêtre. MAUPASSANT, Clair de lune, Apparition. 10

En revanche, il éprouvait réellement et jusqu'à l'hallucination tous les sentiments qui avaient affecté Ashley Bell, dont le minutieux témoignage était noté de la main du poète dans ses cahiers. A. HERMANT, l'Aube ardente, IX. 11

Jean avait bien dit : « Bonjour, mon oncle ». Mais cette appellation offrant à l'esprit du baron quelque chose d'absurde, il la rejeta aussitôt dans l'hypothèse qu'il avait mal entendu, soit comme ces faits trop en désaccord avec la réalité pour pouvoir être admis et qui sont aussitôt rejetés comme une hallucination ou une étrangeté dont il vaut mieux ne pas tenir compte. 12
PROUST, Jean Santeuil, Pl., p. 715.

DÉR. V. Hallucinatoire, hallucinose.

HALLUCINATOIRE [a(l)lysinatwaʀ] adj. — 1872, Goncourt, *in* T. L. F.; du rad. de *hallucination.*

♦ **1.** Relatif à l'hallucination (cit. 2). *Vision hallucinatoire* (→ Appréhension, cit. 6).

Les types innombrables d'images surréalistes appelleraient une classification (...) Pour moi, la plus forte est celle qui présente le degré d'arbitraire le plus élevé (...) soit qu'elle soit d'ordre hallucinatoire (...) soit qu'elle implique la négation de quelque propriété physique (...) A. BRETON, Manifeste du surréalisme, p. 60.

♦ **2.** (1878, Larousse). Qui provoque l'hallucination. *Psychoses hallucinatoires aiguës (délires hallucinatoires), chroniques.*

HALLUCINÉ, ÉE [a(l)lysine] adj. et n. — 1611, *halluxiné;* lat. *hallucinatus,* p. p. de *hallucinari* « errer », et fig. en bas lat. « divaguer ».

♦ **1.** (1611). Qui a des hallucinations. *Aliéné, fou, toxicomane halluciné.*

♦ **2.** (XXe). *Un air halluciné.* ⇒ **Égaré; bizarre.**

Fig. *Les Campagnes hallucinées,* recueil de poèmes de Verhaeren (1893).

♦ **3.** (1845). *Un halluciné, une hallucinée. Les visions, les phantasmes d'un halluciné.* ⇒ **Visionnaire.** *Halluciné qui entend des voix. Extases* (cit. 3) *d'un halluciné mystique.*

(...) tout seul, il était poussé à des gestes de somnambule et d'halluciné, et que les physiologistes appellent des *mouvements symboliques,* geste dont il n'avait pas l'absolue volonté. Ed. DE GONCOURT, les Frères Zemganno, XLII. 1

(...) il était dans un perpétuel rêve d'halluciné où passaient la Bretagne et l'Islande. 2
LOTI, Pêcheur d'Islande, III, I.

DÉR. Halluciner.
HOM. Halluciner.

HALLUCINER [a(l)lysine] v. tr. — 1862, Hugo; → Échafaud, cit. 6; de *halluciné.*

♦ **1.** (1862). Provoquer des hallucinations chez (qqn). — Absolument :

L'idée monte en lui, comme un orage, 1
Elle écrase toute sa raison.
Elle fait mal.
Elle hallucine. J. GIONO, Colline, *in* Œ. roman., Pl., p. 149.

♦ **2.** (Déb. XXe). Rendre halluciné; obséder. *Halluciner qqn de...* (et nom désignant une sensation, un sentiment).

♦ **3.** (Compl. n. de chose). Didact. Évoquer, imaginer par une hallucination. ⇒ **Fantasmer.**

(...) les représentations elles-mêmes étaient soumises à ce mouvement d'ensemble, en hallucinant la réalisation des désirs ou en conservant dans l'inconscient le souvenir des désirs satisfaits ou des échecs et des conflits. 2
J. PIAGET, Épistémologie des sciences de l'homme, p. 183.

Le héros de la *Gradiva* (récit étudié par Freud) est un amoureux excessif : il hallucine ce que d'autres ne feraient qu'évoquer. L'antique Gradiva, figure de celle qu'il aime sans le savoir, est perçue comme une personne réelle : c'est là son délire. 3
R. BARTHES, Fragments d'un discours amoureux, p. 147.

DÉR. Hallucinant, hallucinateur.
COMP. Hallucinogène.
HOM. Halluciné.

HALLUCINOGÈNE [a(l)lysinɔʒɛn] adj. et n. m. — 1934, *in* D. D. L.; de *halluciner,* et *-gène.*

♦ (1934). Didact. Qui provoque des hallucinations (substance). *Les champignons hallucinogènes du Mexique.* — N. m. *Un hallucinogène :* drogue provoquant un état psychédélique (cocaïne, haschisch, L. S. D., psylocybine). *Hallucinogènes et psychédélisme.* → Psychodysleptique. « *Le L. S. D., cet hallucinogène qui provoque aux États-Unis une nouvelle vague de toxicomanie (...), est aussi utilisé en psychiatrie (...) et efficacement dans les cures de désintoxication alcoolique.»* (*Science et Vie*, n° 588, p. 42).

Dites, vous ne savez pas si votre copine, là, Memphis Charles, elle prenait des hallucinogènes?
— Hallucinogènes, j'ai répété. Du L. S. D.? Des trucs comme ça? Non. Je veux dire, non, je ne sais pas. Je vous dis que je la connaissais très peu.
J.-P. MANCHETTE, Morgue pleine, p. 53.

HALLUCINOSE [a(l)lysinoz] n. f. — 1911; du rad. de *hallucination*, et *-ose*.

♦ Didact. Phénomène hallucinatoire dont le sujet reconnaît l'irréalité (à la différence de l'hallucination proprement dite).

HALO ['alo] n. m. — V. 1360; grec *halôs* «aire», lat. *halos*.

♦ **1.** (Mil. XIVe). Cercle lumineux, couronne brillante qui se voit parfois autour d'un astre. ⇒ aussi **Arc,** II., B., 5. *Le halo est dû à la présence de nuages de glace. Petit halo, halo intérieur (de 22°); grand halo, halo extérieur (de 46°).* — (1884, Huysmans). Auréole lumineuse diffuse autour d'une source lumineuse. *Halo autour du soleil* (→ Émerger, cit. 3), *de la lune* (⇒ **Cerne**). *Le halo des réverbères dans le brouillard* (→ Bruiner, cit. 1). *Halo d'une lampe* (→ Entrer, cit. 17). *Halo entourant les êtres humains et visible aux médiums.* ⇒ **Aura,** 2. *Halo brillant, diffus, estompé, vaporeux. Des halos.*

1 Énorme et toute rose en son halo lilas,
La lune qui se lève au-dessus d'une meule.
SAMAIN, Chariot d'or, Les roses dans la coupe, Soir sur la plaine, p. 34.

2 Au fond, à droite et à gauche, deux pâles lueurs de bougies, aux halos ronds comme de lointaines lunes rousses, permettent de distinguer la forme humaine de ces masses dont la bouche émet soit de la buée, soit de la fumée épaisse.
H. BARBUSSE, le Feu, XIV, t. I, p. 72.

3 Une nuit de précoce automne, humide, enveloppait de brume la pleine lune. Un grand halo laiteux, environné d'un pâle arc-en-ciel, remplaçait l'astre, et s'éteignait par moments, étouffé sous des bouffées de nues courantes.
COLETTE, la Fin de Chéri, p. 142.

3.1 (...) vus de si haut, ils *(les flocons de neige)* ne forment de place en place qu'un vague halo blanchâtre, douteux lui-même car la lueur des lampadaires est très faible, rendue plus incertaine encore par l'éclat diffus que répandent alentour toutes ces surfaces blêmes, le sol, le ciel, le rideau de flocons serrés descendant avec lenteur mais sans interruption davant les fenêtres (...)
A. ROBBE-GRILLET, Dans le labyrinthe, p. 78.

(1891, Rodenbach, *in* T. L. F.). Par anal. *Un halo de bruit.*

♦ **2.** (1890). Photogr. Irradiation lumineuse autour de l'image photographique d'un point lumineux (→ Antihalo).

3.2 Un autre de nos correspondants, d'Athènes (...) nous a communiqué, à son tour, une vue de la façade est du Parthénon, obtenue avec un appareil très ordinaire, au bout d'une pose de 22 minutes. Ici encore, on voit une tache caractéristique, un large halo blanc; il provient d'une allumette que l'opérateur avait tenue une ou deux secondes en face de l'objectif pour s'assurer que son obturateur était bien ouvert.
L'Illustration, 3 mars 1906, p. 143-144.

♦ **3.** (Av. 1914, Péguy). Fig. ⇒ **Auréole** (cit. 10). *Un halo de gloire.*

4 L'animalité générale, sous les cheveux blonds ou bruns, était dominée par cet on ne sait quoi qui est la phosphorescence de la femme même déchue, son halo.
Léon DAUDET, la Femme et l'Amour, I.

♦ **4.** Ophtalm. Cercle brillant entourant la pupille de l'œil dans le glaucome.

COMP. Anti-halo.
HOM. Allo, 1. halot, 2. halot.

1. HALO- Élément, tiré du grec *hals, halos* «sel», et servant à former de nombreux mots dans le domaine de la biologie, de la botanique et de la chimie. ⇒ **Haloacide, halochimie, halogène, halographie, halométrie, halomorphe, halopéridol, halophile, halophyte, halosel, halotechnie, halotolérant.**

2. HALO- Élément tiré du grec *hals, halos* «mer». ⇒ **Halobate, halobenthos, halobios.**

HALOACIDE [aloasid] n. m. — XXe; de 1. *halo-*, et *acide.*

♦ Chim. Acide contenant un halogénure (bromure, chlorure, fluorure, iodure). *L'acide chlorhydrique est un haloacide.*

HALOBATE [alɔbat] n. m. — 1873, Larousse, de 2. *halo-*, et *-bate.*

♦ Zool. Insecte hémiptère (famille des Hydrométridés), à pattes très allongées et courant très rapidement à la surface des eaux (mers tropicales et australes) où les sargasses* lui offrent sa nourriture. *L'halobate est le seul insecte exclusivement marin.*

HALOBENTHOS [alobɛ̃tos] n. m. — Mil. XXe; de 2. *halo-*, et *benthos* «profondeur (de la mer)».

♦ Biol. Ensemble des organismes marins vivant sur le sol marin.

HALOBIOS [alobjos] n. m. — Mil. XXe; de 2. *halo-*, et *bios* «vie».

♦ Didact. Ensemble des organismes animaux et végétaux qui vivent dans les mers.

HALOCHIMIE [aloʃimi] n. f. — 1866, Littré; de 1. *halo-*, et *chimie.*

♦ Didact., vx. Partie de la chimie qui traite des sels.

HALOGÉNANT, ANTE [aloʒenɑ̃, ɑ̃t] adj. et n. m. — 1962, Larousse; de *halogène*, et *-ant.*

♦ Chim. (En particulier d'un corps). Qui peut fournir un halogène et le fixer sur un autre corps.

HALOGÉNATION [aloʒenasjɔ̃] n. f. — 1930, Larousse, selon T. L. F.; de *halogène*, et *-ation.*

♦ Chim. Introduction d'halogènes dans une molécule (chloruration, bromuration, ioduration, etc.).

L'halogénation, remplacement d'un ou plusieurs atomes d'hydrogène des molécules de corps chimiques et notamment d'hydrocarbures, par autant d'halogènes : chlore, brome, iode, fluor (...)
Jean BECK, le Goudron de houille, p. 87.

HALOGÈNE [alɔʒɛn] n. m. — 1826, Berzélius (*in* T. L. F.); de 1. *halo-*, et *-gène.*

♦ Chim. Élément chimique figurant dans la septième et avant-dernière colonne de la classification périodique des éléments, celle du chlore, et qui présente des propriétés réactives voisines de celles de ce corps. ⇒ **Astate, brome, chlore, fluor, iode.**

Lampe à halogène : lampe à incandescence dont l'atmosphère gazeuse contient un halogène. — Adj. (moins cour.). *Les corps halogènes.*

DÉR. Halogénant, halogénation, halogéné, halogénure.
HOM. Allogène.

HALOGÉNÉ, ÉE [alɔʒene] adj. — XXe (1925, *in* T. L. F.); de *halogène*, et *-é.*

♦ Chim. Qui contient un halogène.

HALOGÉNURE [aloʒenyʀ] n. m. — 1934, M. Curie, *in* T. L. F.; de *halogène*, et *-ure.*

♦ Chim. Sel ou ester d'un halogène*. *Halogénure d'argent* (bromure, fluorure...) *employé en photographie.* — REM. On a employé dans ce sens, au XIXe s., *haloïde.*

HALOGRAPHIE [alɔgʀafi] n. f. — 1819, Boiste, *in* D. D. L.; de 1. *halo-*, et *-graphie.*

♦ Sc. Étude, description des sels. ⇒ **Halochimie.**

HÂLOIR ['alwaʀ] n. m. — 1752, Trévoux; de *hâler*, et *-oir.* Technique.

♦ **1.** Lieu où l'on sèche le chanvre.

♦ **2.** (1895). Séchoir où sont déposés les fromages à pâte molle, après le salage et avant qu'on les fasse mûrir dans les caves.

HALOMÉTRIE [alɔmetʀi] n. f. — 1866, Littré; de 1. *halo-*, et *-métrie.*

♦ Chim. Détermination du titre des solutions salines du commerce.

HALOMORPHE [alɔmɔʀf] adj. — Mil. XXe; de 1. *halo-*, et *-morphe.*

♦ Didact. *Sol halomorphe*, imprégné de sel.

HOM. Allomorphe.

HALON [alɔ̃] n. m. — XXe; du rad. de *halogène*, et suff. *-on*, sur le modèle des noms de gaz rares (→ Néon, argon, etc.).

♦ Comm. Dérivé fluoré, chloré ou bromé des hydrocarbures, utilisé comme liquide extincteur et frigorifique. *«Le halon est le nom familier du chlorobrométhane (...)»* (*Sciences et Avenir*, nov. 1979, p. 29). ⇒ aussi **Fréon** (nom déposé).

HOM. Formes du v. aller, haler.

HALOPÉRIDOL [alopeʀidɔl] n. m. — Mil. XXe (synthétisé par P. Janssen en 1956); de 1. *halo-*, deuxième élément obscur, et suff. *-ol.*

♦ Méd. Médicament neuroleptique ($C_{21}H_{23}CLFNO_2$) prescrit dans le traitement de diverses maladies mentales et pour combattre les nausées.

HALOPHILE [alɔfil] adj. et n. m. — 1845, Bescherelle ; de 1. *halo-*, et *-phile.*

♦ Adj. Bot. Qui croît dans les terrains imprégnés de sel marin. *Plantes halophiles.* « *Le milieu marin, les écosystèmes salés et hypersalés, favorisent la sélection de micro-organismes halophiles* » (*la Recherche,* n° 112, juin 1980, p. 703). — N. m. *Les halophiles.*
REM. On dit aussi *halophyte* [alɔfit].

HALOPHYTE [alɔfit] adj. et n. m. ⇒ **Halophile.**

HALOSEL [alɔsɛl] n. m. — 1894, *halo-sel,* in *Année sc. et industr.,* 1895, p. 531 ; de 1. *halo-,* et *sel.*

♦ Chim. Sel halogéné.

1. HALOT ['alo] n. m. — 1669 ; p.-ê. du francique **hal* « creux, cavité ».

♦ Vx ou régional. Entrée du terrier d'un lapin de garenne.
HOM. Allo, halo, 2. **halot.**

2. HALOT ['alo] n. m. — 1292 ; du francique **hasal* « buisson du coudrier ». → 2. Hallier.

♦ Régional (Normandie, Picardie). Touffe de buissons, de plantes.
HOM. Allo, halo, 1. **halot.**

HALOTECHNIE [alɔtɛkni] n. f. — XVIIIe ; de 1. *halo-,* et *-technie.*

♦ Didact. Partie de la chimie industrielle qui traite de la préparation des sels.

HALOTOLÉRANT, ANTE [alɔtɔleʀɑ̃, ɑ̃t] adj. — Mil. XXe (*in* Larousse 1968) ; de 1. *halo-,* et *tolérant.*

♦ Didact. (en parlant des animaux). Qui peut supporter de grandes variations de salure de l'eau. *Poissons, crustacés halotolérants.*

HALTE ['alt] n. f. — 1566, *faire halte ;* var. *alte* (jusqu'au XVIIIe) ; *halt,* XIIe, en anc. picard « lieu où l'on séjourne » ; all. *Halt* « arrêt », francique **halt.*

♦ **1.** (1570). Arrêt, temps d'arrêt consacré au repos, au cours d'une marche ou d'un voyage en général. ⇒ **Station.** *La halte de qqn. Halte de chasseurs, de cavaliers, de troupes, de voyageurs. Halte auprès d'une fontaine, d'un puits, à la lisière d'un bois. Faire une longue, une courte halte. — Faire halte quelque part* (→ Faisceau, cit. 5). ⇒ **Escale** (en parlant d'un navire, d'un avion de ligne). *Faire plusieurs haltes sur un trajet aérien* → anglic. Stopover.

1 Nous fîmes le trajet en calèche sans autre accident qu'une halte à mi-chemin dans la maison de poste pour laisser souffler les chevaux.
Th. GAUTIER, Voyage en Russie, IV, p. 44.

2 Après une halte d'une semaine dans l'île verte et mouillée de Ceylan, où le paquebot de France m'avait conduit, j'ai traversé la nuit dernière, sur un mauvais navire de la côte, ce golfe de Manaar (...) LOTI, l'Inde (sans les Anglais), III, I.

(Dans l'armée). *Halte horaire :* arrêt de dix minutes après cinquante minutes de marche. — (1866). *Grande halte,* ou *grand-halte :* repos aux deux tiers d'une étape, pour prendre un repas chaud.

3 Les mouvements sont en principe coupés par des haltes. Les haltes à heure fixe sont de 10 minutes (50 minutes de marche). À proximité de l'ennemi les haltes de 10 minutes sont exécutées au moment et au point les plus favorables. Les arrêts dans les villages et localités importantes sont interdits.
Les grand-haltes sont d'une durée suffisante pour que la troupe puisse se reposer et s'alimenter. Elles sont mises à profit pour compléter les pleins d'essence, d'huile et d'eau des véhicules.
Mémento de l'officier de réserve d'infanterie, Service en campagne, p. 61.

(Sans idée de repos). *Faire halte :* s'arrêter dans un mouvement quelconque. *Machine qui fait halte* (→ Frein, cit. 12).

4 Au vacarme de verres secoués qu'il déchaînait, le passant fit une brusque halte.
COURTELINE, Messieurs les ronds-de-cuir, V, III.

♦ **2.** (1794). Lieu où se fait la halte. ⇒ **Escale, étape, gîte, relais.** *Arriver avant la nuit à la halte fixée. Une halte agréable.*

5 Je ne suis pas un extraordinaire marcheur (...) Dès que ma jambe s'alourdit, je regarde un peu plus vivement, devant moi, en quête d'une halte, d'une vraie halte, celle où, de haut en bas, se délasse le corps et où je puisse, moi manger, boire, soupirer d'aise et même dire : « Ma foi ! je coucherai là s'il le faut ».
H. BOSCO, Un rameau de la nuit, p. 7.

(1907). Ch. de fer. Point d'arrêt sur une ligne, où le train ne prend que les voyageurs, sans que soit prévu un temps d'arrêt déterminé. ⇒ **Station.** *C'est une simple halte, il n'y a pas de gare.*

♦ **3.** (1830, Lamartine). Fig. Moment de pause, interruption momentanée au cours d'une action ou d'une évolution. ⇒ **Répit** (→ Compensation, cit. 6). *Une halte dans le cours fiévreux des événements.* — FAIRE HALTE : s'arrêter. *Il est temps de faire halte, l'évolution a été trop rapide. Faire halte pendant un long travail* (→ Débrider).

6 Vers la fin de 90, il y eut un moment de halte apparente, peu ou point de mouvement. Rien qu'un grand nombre de voitures qui encombraient les barrières, les routes couvertes d'émigrés. En revanche, beaucoup d'étrangers venaient voir le grand spectacle, observer Paris. Halte inquiète, sans repos.
MICHELET, Hist. de la Révolution franç., IV, V.

7 (...) l'état auquel aspirait, après la secousse de 1830, cette partie de la nation qu'on nomme la bourgeoisie, ce n'était pas l'inertie (...) c'était la halte (...) La halte, c'est la réparation des forces (...) c'est le repos armé et éveillé (...) c'est le fait accompli qui pose des sentinelles et se tient sur ses gardes. La halte suppose le combat hier et le combat demain. C'est l'entre-deux de 1830 et de 1848.
HUGO, les Misérables, IV, I, II.

8 Il y a des haltes, des repos, des reprises d'haleine dans la marche des peuples, comme il y a des hivers dans la marche des saisons.
HUGO, Shakespeare, III, II.

9 Antoine voudrait de nouveau faire halte, réfléchir. Mais il ne reste plus que quatre pages, et son impatience l'emporte.
MARTIN DU GARD, les Thibault, t. IV, p. 33.

♦ **4.** Interj. (1636). HALTE !, commandement militaire par lequel on ordonne à une troupe de s'arrêter (contr. : *marche !*). *Section, halte ! Compagnie, halte !* — Par ext. (Dans un contexte autre que militaire). *Halte ! attendez-moi, pas si vite !* ⇒ **Stop.**
Fig. *Dire halte ! à la guerre. On ne peut dire halte ! au progrès.* Ellipt. *Halte à la révolution ! Halte aux factieux !*
HALTE-LÀ !, commandement d'une sentinelle, d'une patrouille enjoignant à un suspect de s'arrêter. ⇒ **Qui vive ?**
(1669, Molière). Fig. Se dit pour arrêter qqn dans une voie, dans des propos qu'on désapprouve. *Halte-là ! en voilà assez !*

10 — Qu'après avoir chez vous réparé ma misère,
Vous en veniez au point... ?
— (*H*)Alte-là, mon beau-frère (...)
Vous ne connaissez pas celui dont vous parlez. MOLIÈRE, Tartuffe, I, 5.

11 Que vous n'aimiez pas mon oncle, c'est encore dans l'ordre. Mais que vous rendiez le bonhomme malheureux ?... Halte-là ! Quand on veut une succession, il faut la gagner. BALZAC, la Rabouilleuse, Pl., t. III, p. 1058.

CONTR. Marche. — Continuation, reprise.
DÉR. Halter.
COMP. Halte-garderie.

HALTE-GARDERIE ['altəgaʀdəʀi] n. f. — 1935, *in* T. L. F. ; de *halte,* et *garderie.*

♦ Crèche acceptant des enfants pour une courte période de temps et de façon occasionnelle. *La halte-garderie d'un grand magasin.* « *Un million et demi* (d'enfants) *sont gardés à la maison, par leur mère, qui, la plupart du temps, n'a pas le choix. Le million restant est trimbalé comme un sac à main de crèche en nourrice, de loge de concierge en halte-garderie de grande surface* » (*le Nouvel Obs.,* 30 janv. 1978, p. 68). *Des haltes-garderies.*

HALTER ['alte] v. intr. — 1752, Trévoux ; v. pron., v. 1690 ; de *halte.*

♦ Vx. Faire halte ; s'arrêter à une halte.

Nous allons au pas, puis tout à coup nous lançons nos chevaux à fond de train (...) Nous haltons aux fontaines (...) nous couchons sous les arbres.
FLAUBERT, Correspondance, 265, 20 août 1850, t. II, p. 232.

HOM. Haleter.

HALTÈRE [altɛʀ] n. m. — 1636 ; *altères,* 1534, Rabelais ; rare jusqu'au XIXe ; lat. impérial *halteres,* grec *haltêres* « balanciers pour le saut, la danse ».

♦ **1.** Instrument de gymnastique fait de deux boules ou disques de métal réunis par une tige (barre* à sphères) qu'on saisit pour les manœuvrer. *Un haltère.* — (Surtout au plur.). *Les, des haltères. Développer, exercer ses muscles à l'aide d'haltères. Faire des haltères* (→ Courbature, cit. 4 ; ferraille, cit. 2). *Les haltères de compétition sont démontables, et constitués d'une barre à laquelle on fixe des disques de poids variable.*

1 (*Il*) ramassa sous une chaise un pesant haltère qui traînait (...) Debout devant la glace, les talons unis, le corps droit, il faisait décrire aux deux boules de fonte tous les mouvements ordonnés, au bout de son bras musculeux, dont il suivait d'un regard complaisant l'effort tranquille et puissant.
MAUPASSANT, Fort comme la mort, I, I.

2 Aufrère venait de ramasser par terre un haltère de trente livres et le maniait avec une adresse distraite. G. DUHAMEL, Salavin, V, I.

♦ **2.** Au plur. HALTÈRES, POIDS ET HALTÈRES : sport consistant à soulever, en exécutant certains mouvements, les haltères les plus lourds possible. ⇒ **Haltérophilie.** *Mouvements classiques des poids et haltères, exécutés d'une main ou des deux mains : arraché, développé, épaulé* et jeté, fouetté. Champion du monde des poids et haltères poids plume, poids lourds.* — (Exercice sans compétition). *Pratiquer les haltères. Faire des haltères.* — REM. *Haltère* est parfois mis par erreur au féminin.

3 (...) sa grande valise, ses petites haltères d'une livre et demie et ses trousses noires, ses gants de quatre onces (...) COLETTE, Chéri, p. 41.

COMP. Haltérophilie.
HOM. Formes des v. **altérer, haleter.**

HALTÉROPHILE [altɛʀɔfil] n. et adj. — 1903, *in* D. D. L.; de *haltère*, et *-phile.*

♦ Athlète qui pratique le sport des poids et haltères. — Adj. (1932, *in* Petiot). *Champion haltérophile.*

(Il en) suivit une *(jeune femme)* qui s'arrêta à un tir forain (...) Il en suivit une autre qui s'arrêta devant un haltérophile. MONTHERLANT, les Célibataires, VII.

DÉR. Haltérophilie.

HALTÉROPHILIE [altɛʀɔfili] n. f. — 1924, *in* Petiot; de *haltérophile*, et *-ie.*

♦ Sports. Sport des poids et haltères.

HALVA ['alva; xalva] n. m. — V. 1890; *hulwah*, 1826, *in* D. D. L.; mot turc, *halvā.*

♦ Confiserie d'origine turque, faite de farine, d'huile de sésame, de miel, de fruits et d'amandes (ou noisettes, pistaches). → Loukoum. *Des halvas.*

HAMAC ['amak] n. m. — 1659; *hamat*, 1640; *hamacque*, 1569; *hamaca*, 1545; *amacca*, 1532; v. 1525, *amache*, esp. *hamaca*, du taïno (langue indienne) *hamacu.*

♦ **1.** Rectangle de toile ou de filet suspendu horizontalement par ses deux extrémités, qu'on utilise comme lit dans les régions tropicales. *Hamac suspendu entre deux arbres. Les Caraïbes utilisent le hamac pour se « garantir des animaux farouches et des insectes »* (Furetière, *Dict.*). *Dormir, faire la sieste, se balancer dans un hamac.* Par ext. *Hamac de jardin. Petits hamacs où dorment les bébés en voyage.*

1 C'est à faire *(affaire)* aux castors, dira l'Indien, de s'enfuir dans des tanières (...) l'homme doit dormir à l'air dans un hamac suspendu à des arbres.
ROUSSEAU, Lettre à M. Philopolis, *in* LITTRÉ.

2 Les sauvages obligent leurs femmes à travailler continuellement (...) ce sont elles qui cultivent la terre, qui font l'ouvrage pénible, tandis que le mari reste nonchalamment couché dans son hamac, dont il ne sort que pour aller à la chasse ou à la pêche (...) BUFFON, Hist. nat. de l'homme, De l'âge viril.

3 Sara, belle d'indolence,
Se balance
Dans un hamac (...) HUGO, les Orientales, XIX.

4 Les rayons de la nuit argentent nos pensées,
Lorsque, dans un hamac mollement balancées,
Entrelaçant nos bras, nous chantons deux à deux.
Th. DE BANVILLE, Odes funambulesques, Opéra turc.

4.1 Plus tard, on les laissa libres de faire ce qu'ils voulaient (...) on les enfermait seulement la nuit, dans une grande cabane de bois, où ils dormaient sur des hamacs tendus entre deux barres. ZOLA, le Ventre de Paris, t. I, p. 133.

4.2 Parmi les Indiens d'Amérique tropicale à qui on doit l'invention du hamac, la pauvreté est symbolisée par l'ignorance de cet ustensile et de tout autre servant au repos et au sommeil. Les Nambikwara dorment par terre et nus.
Claude LÉVI-STRAUSS, Tristes tropiques, p. 243.

♦ **2.** Mar. Forte pièce de toile servant au couchage des matelots, de certains passagers. ⇒ **Branle** (→ Bâbord, cit. 3). *Crocs de suspension* (ou *araignées*) *des hamacs. Bastingages où l'on serre les hamacs. Accrocher les hamacs au signal du branle-bas* (cit. 1). *« Au cours de son second voyage, en 1494, Christophe Colomb se rendit dans les Caraïbes. Les indigènes se balançaient sur des lianes tressées suspendues entre deux troncs d'arbres. Ces lianes provenaient d'un arbre nommé hamack. Sur les caravelles de Christophe Colomb, les hamacs firent apparition et l'usage s'en répandit rapidement dans toutes les marines du monde »* (*Historia*, nº 369, août 1977, p. 113).

5 Elle se leva debout, l'embrassa, et s'étendit la première dans son hamac (...) elle se sentait bercée avec plaisir par le mouvement du navire.
A. DE VIGNY, Servitude et grandeur militaires, I, V.

6 (...) le corps avait été remonté de la chambre vers midi pour être jeté par-dessus bord, quand le second (...) ordonna aux hommes de le coudre dans son hamac et de lui octroyer la sépulture ordinaire des marins.
BAUDELAIRE, Trad. E. POE, les Aventures d'A. Gordon Pym, VII.

HAMADA [amada] n. f. — 1880, *in* T. L. F.; mot arabe.

♦ Plateau pierreux des déserts sahariens (par oppos. à *erg**).

1 (...) les fragments grossiers, qui donnent aux plaines désertiques l'aspect uniforme d'étendues caillouteuses. Les *hamadas* sahariennes, qui sont le plus souvent des surfaces structurales, font l'impression de champs jonchés d'éclats de pierre anguleux (...) E. DE MARTONNE, Géographie physique, t. II, p. 947.

2 Le sommeil passait lentement sur la ville de Smara. Ailleurs, au sud, sur la grande hamada de pierres, il n'y avait pas de sommeil dans la nuit.
J.-M. G. LE CLÉZIO, Désert, p. 19.

1. HAMADRYADE [amadʀijad] n. f. — Mil. XVIᵉ, Ronsard; *amadriade*, 1442; lat. *hamadryas*; du grec *hamadruas*, de *hama* « avec », et *drus* « arbre, chêne », littéralt « qui fait corps avec un arbre ».

♦ Didact. Nymphe des bois identifiée à un arbre qu'elle était censée habiter, naissant et mourant avec lui. ⇒ **Dryade.**

Je suis Hamadryade en ces chênes enclose, 1
Je vis dessous l'écorce (...)
RONSARD, Sonnets divers, Audit seigneur Duc, entrant dans son bois.

(...) sous la rude écorce palpite, aux approches du dieu, le tendre sein de la jeune 2
et belle Hamadryade qui n'a rien à refuser au maître de la forêt, et pour lui dépouille son épaisse tunique ligneuse frangée de mousse d'or.
Th. GAUTIER, Portraits contemporains, Denecourt.

Nous répétons, depuis quelques jours, une nouvelle pantomime (...) Il y aura une 3
forêt, une grotte, un vieux troglodyte, une jeune hamadryade, un faune dans la force de l'âge. COLETTE, la Vagabonde, p. 69.

HOM. 2. Hamadryade.

2. HAMADRYADE [amadʀijad] n. m. — 1904, in *Rev. gén. des sc.*, nº 4, p. 211; « genre de couleuvre », 1873, P. Larousse; du grec *hamadruas.* → 1. Hamadryade.

♦ Zool. Cobra royal.

HOM. 1. Hamadryade.

HAMADRYAS [amadʀijɑs] n. m. — 1805, Cuvier; mot lat., du grec *hamadruas.* → 1. Hamadryade.

♦ Zool. Grand singe du genre Cynocéphale*, remarquable par la disposition de sa crinière. *L'hamadryas, souvent représenté dans les hiéroglyphes, était le singe sacré de l'ancienne Égypte.*

La cage des hamadryas, au Jardin d'Acclimatation, est un lieu plus sain, est un 1
lieu plus fraternel (...) et je dormirais avec plus d'abandon dans l'antre du fourmilier tamanoir que sous le toit de cette famille de braves gens.
MONTHERLANT, les Olympiques, p. 38.

Par comparaison :

Dans le cabinet de toilette de Muhlfeld, au-dessus de la baignoire, une peinture de 2
Vallotton. D'étonnantes femmes avec des derrières immondes, des derrières pendants d'hamadryas, qu'elles soutiennent avec leurs mains.
J. RENARD, Journal, 13 janv. 1897.

HAMAMÉLIDÉES [amamelide] ou **HAMAMÉLIDACÉES** [amamelidase] n. f. pl. — 1872, P. Larousse, *hamamélidées; hamamélidacées*, XXᵉ; de *hamamélis*, et *-idées, -idacées.*

♦ Bot. Famille de plantes phanérogames angiospermes, classe des dicotylédones dialypétales, ayant pour types principaux l'hamamélis et le liquidambar. — Au sing. *Une hamamélidée, une hamamélidacée.*

HAMAMÉLIS [amamelis] n. m. invar. — 1615; grec *hamamêlis* « sorte de néflier », de *hama* « ensemble », et *melon* « pomme », la floraison étant à la même époque que celle du pommier.

♦ Plante dicotylédone, famille des Hamamélidées, arbrisseau* dont la feuille ressemble à celle du noisetier et qui croît en Amérique du Nord (on l'appelle encore vulgairement *aune moucheté* ou *noisetier de sorcière*). *L'écorce et les feuilles de l'hamamélis sont employées en pharmacie* (action astringente et vasoconstrictive).

DÉR. Hamamélidées, hamamélidacées.

HAMBOURGEOIS, OISE ['ɑ̃buʀʒwa, waz] adj. et n. — 1721; de *Hambourg*, ville d'Allemagne, et *-ois.*

♦ **1.** De Hambourg. — N. *Un Hambourgeois, une Hambourgeoise.*

♦ **2.** N. f. (1873, Larousse). Taffetas à très petit poil, utilisé pour faire des robes et des rubans.

♦ **3.** (1920, L. Daudet, *in* T. L. F.). Fam. (jeu de mots avec *« en bourgeois »*). Policier en civil.

— Je vous remercie.
Le hambourgeois hésitait.
— Vous devriez mettre des gants, finit-il par dire.
R. QUENEAU, le Dimanche de la vie, p. 263.

HAMBURGER ['ɑ̃byʀgɛʀ; 'ɑ̃buʀgœʀ] n. m. — 1930, P. Morand, *New York* (→ Kascher, cit. 3); répandu mil. XXᵉ; mot amér., abrév. de *Hamburger steak* (1902), proprt « steak à la façon de *Hamburg* », ville allemande. → Hambourgeois.

♦ Anglic. Bifteck haché de forme ronde, souvent servi dans un pain rond (ou, en France, recouvert d'un œuf au plat). *Hamburger au fromage.* ⇒ **Cheeseburger.** *Des hamburgers. Manger des hamburgers dans un fast-food. Hamburger servi avec un œuf à cheval*, et, ellipt., *hamburger à cheval.*

Des hamburgers rissolaient sur la tôle noire du four, ça sentait bon l'oignon frit 1
et le feu de bois. S. DE BEAUVOIR, les Mandarins, p. 517 (1954).

Yann demande s'il n'aura pas un deuxième hamburger et des petites patates la 2
paysanne s'écrie Sainte Vierge il a le ver solitaire cet enfant-là.
T. DUVERT, Paysage de fantaisie, p. 196.

HAMEAU ['amo] n. m. — Mil. XIIIe; *hamel*, v. 1170; de l'anc. franç. *ham.* encore attesté dans des noms de lieu, francique **haim*. Cf. all. *Heim*, angl. *home* «domicile».

♦ **1.** Agglomération de quelques maisons rurales situées à l'écart (cit. 9) d'un village, et ne formant pas une commune ⇒ **Écart, lieu-dit.** *Hameau bâti* (cit. 45) *sur le penchant d'une colline. Habitants, maisons d'un hameau* (→ Apparence, cit. 5; bougainvillée, cit.; bourgade, cit. 2; étique, cit. 2; gabelle, cit. 3). — *Le Hameau de Trianon, de la reine* (→ ci-dessous, cit. 4).

1 Elle n'était jamais sortie de son hameau; et sa première pensée de voyage fut de faire le tour du globe (...) DIDEROT, Suppl. au voyage de Bougainville, II.

2 Il avait rendu célèbre le hameau enfoncé dans un pli du vallon qui descendait vers la mer, pauvre hameau paysan, composé de dix maisons normandes entourées de fossés et d'arbres. MAUPASSANT, Toine, I.

3 Aucune expansion brusque de Paris ne pouvait plus les atteindre *(les villages)*. Ils eurent le temps de grossir : les hameaux de devenir des bourgs, et les bourgs de grandes villes. J. ROMAINS, les Hommes de bonne volonté, t. I, XVIII, p. 200.

4 Sur le désir exprimé par la reine *(Marie-Antoinette)* d'avoir un hameau, avec laiterie et moulin, dans le goût de celui que Jean-François Leroy avait créé à Chantilly en 1774 pour le prince de Condé, Mique en donna les plans et l'édifia de 1782 à 1784. E. DACIER, le Style Louis XVI, p. 37.

Par anal. *Humbles hameaux urbains.* → Ramas, cit. 2.

♦ **2.** (1968, Larousse). Milit. *Hameau stratégique :* agglomération servant de point de résistance dans la guérilla.

HAMEÇON [amsɔ̃] n. m. — Fin XIIIe; *esmeçon*, mil. XIIe; de l'anc. franç. *ain, hain, haim*, du lat. *hamus* (d'où le *h* initial).

♦ **1.** Petit engin de métal en forme de crochet, armé de pointes, qu'on adapte au bout d'une ligne et qu'on garnit d'un appât (cit. 1 et 2) pour prendre le poisson. *L'hameçon comprend la hampe et le crochet, la première munie d'une palette ou d'un œil, le second garni d'une ou deux pointes (barbe, barbillons, ardillon). Hameçon simple, hameçon à double barbe. Hameçon à deux crochets,* ou *bricole. Hameçon à trois ou quatre crochets. Hameçon à crochet recourbé,* dit *à avantages. Embecquer* l'hameçon. Monter un hameçon sur une cordée, un crin, un fil de soie. Le poisson a pris, avalé* (cit. 7) *l'hameçon.* ⇒ **Avaler** (→ Engamer). *Le poisson s'est pris, a pris, a mordu à l'hameçon. Retirer l'hameçon de la gorge d'un poisson.* ⇒ **Dégorgeoir.** *Hameçon qui se prend dans les herbes, les branches* (→ Effarouchement, cit.).

1 Sur la jetée de Dieppe, je vis un pêcheur de mouettes. Il laissait flotter sur l'eau verte une longue corde, avec un hameçon garni d'un appât. ALAIN, Propos, La jetée de Dieppe.

♦ **2.** (V. 1270, *ameçon*). Fig. Appât, attrape, piège (surtout dans les loc.). — (1669). *Mordre à l'hameçon, gober* (cit. 4) *l'hameçon :* se laisser prendre à un appât, à une proposition, apparemment avantageuse qui cache quelque piège. — *Tendre l'hameçon à qqn,* chercher à le séduire, à l'entraîner dans un piège.

2 *(Le premier président)* espéra que les ducs ne se laisseraient pas prendre à un hameçon si grossier, et il ne s'y trompa pas. SAINT-SIMON, Mémoires, IV, XXXIV.

3 (...) vous ne voyez que l'appât, vous ne prenez point garde à l'hameçon; vous ne regardez que le plaisir, et moi, j'envisage tous les désagréments qui le suivent. A. R. LESAGE, Gil Blas, II, VII.

4 On ne prend leur faveur *(aux hommes)* qu'avec un certain hameçon. STENDHAL, Souvenirs d'égotisme, V.

5 Vraiment le Diable lançait trop d'hameçons devant une âme qui lui appartenait peut-être avant sa naissance. A. MAUROIS, Vie de Byron, XX.

DÉR. Hameçonner.

HAMEÇONNER [amsɔne] v. tr. — 1611; p. p., 1577; *hamassonné* «crochu, en forme d'hameçon», XVe; de *hameçon.*

♦ **1.** Garnir d'hameçons. *Hameçonner une ligne.*

♦ **2.** (1617). Prendre à l'hameçon (un poisson). — (1589, repris déb. XIXe, 1833, Petrus Borel, *in* Matoré). Fig. Attraper, allécher, séduire.

▶ **HAMEÇONNÉ, ÉE** p. p. adj. (1464).

♦ **1.** Garni d'un hameçon. *Ligne hameçonnée.*

♦ **2.** (Déb. XVIIe). Pris à l'hameçon. *Poisson hameçonné.* (1879, Huysmans). Fig. Séduit, attrapé.

♦ **3.** (1868, Littré). Bot. En forme d'hameçon.

HAMELIA ['amelja] ou **HAMÉLIE** ['ameli] n. f. — 1839, Boiste; du nom de Duhamel du Monceau, savant franç. 1700-1782.

♦ Bot. Genre de Rubiacées* à belles fleurs rouges tubuleuses, à baies globuleuses. *La hamélie à feuilles velues est vulgairement appelée mort-aux-rats* (les baies étant vénéneuses).

HAMITIQUE [amitik] adj. — XXe; de *Hamite*, et *-ique.*

♦ Relatif aux Hamites, population du nord de l'Afrique orientale. Syn. : *chamitique* (⇒ **Chamito-sémitique**).

HAMLÉTIQUE ['amletik] adj. — 1887, J. Laforgue; de *Hamlet*, personnage de Shakespeare, et *-ique.*

♦ Littér., par plais. Qui rappelle Hamlet.

Jacquoli est à demi étendu, dans une pose hamlétique, sur les deux marches de l'estrade où règne le divan bas d'Adrienne. 1
J.-R. BLOCH, l'Aigle et Ganymède, p. 97.

Au Danemark, à Helsingör (l'Elseneur hamlétique), le château fort possède sa «batterie», âgée de deux ou trois siècles, et il est convenu que c'est sur cette portion des remparts, qui ne remontent pas même à l'époque élisabéthaine, qu'errait pour demander vengeance le fantôme du roi assassiné (...) 2
M. LEIRIS, Frêle bruit, p. 234.

HAMMAL ['amal] — 1833, Gautier; une première fois *hamal*, 1676; mot turc, de l'arabe *ḥammāl* «portefaix».

♦ Rare. Porteur turc (Hugo, Farrère, *in* T. L. F.).

Les hammals ont le torse extrêmement développé, et souvent, chose extraordinaire, des jambes très-grêles. Th. GAUTIER, Constantinople, p. 76.

HAMMAM ['amam] n. m. — 1655; *hummuns*, 1663; *hammamât*, *in* P. Larousse, 1873, «établissement de bains chez les musulmans»; arabo-turc *hămmām* «bien chaud».

♦ Établissement de bains turc (en Orient, ou, à la mode turque, dans les autres pays). *Des hammams. Le hammam de la Mosquée de Paris.*

Trois jours avant le mariage, le jour du dernier bain, on loue le hammam du quartier s'il n'y en a pas dans la maison, et la fiancée s'y rend, escortée par toute la troupe des jeunes filles de sa parenté. Elles se déshabillent ensemble. Et toute cette jeunesse nue serait, je l'imagine un spectacle charmant, s'il n'y avait au milieu d'elles les horribles laveuses, ramollies par la buée, épouvantables à voir! Jérôme et Jean THARAUD, Fez..., VIII, III.

HAMMERLESS ['amɛʀlɛs] n. m. invar. — 1878, P. Larousse, *Premier suppl.*, art. *Fusil*; mot angl., proprt «sans» *(less)* «marteau» *(hammer).*

♦ Anglic. Fusil de chasse à bascule et à percussion centrale, sans chien apparent.

Le hammerless qu'on tient sous le bras, comme les soldats ne font qu'après qu'un uniforme est mort, et qui porte infaillible, parce qu'épaulé librement. A. JARRY, les Jours et les Nuits, Pl., p. 761.

1. HAMPE ['ɑ̃p] n. f. — 1471; altér. de l'anc. franç. *hanste* ou *hante* (v. 1170), du lat. *hasta* «lance, tige», altéré par un croisement avec le francique **hant* «main». → 2. Ante.

♦ **1.** (Mil. XVIe). Long manche de bois auquel est fixé (le fer d'une arme d'hast*, une croix, un drapeau*). ⇒ **Bâton, bois; aste** (régional). *Brayer supportant la hampe d'un drapeau. La botte, douille contenant l'extrémité inférieure de la hampe. Drapeau* (cit. 4) *qu'on arrache de sa hampe. Banderoles, étendards pendant le long des hampes* (→ Fraîchir, cit. 2). *Hampe portant un pavillon.* ⇒ **Digon.** *Hampe d'une hallebarde, d'une pique, d'une pertuisane, d'une lance, d'un dard, d'un épieu. Donner un coup de hampe.* — Par anal. *Hampes soutenant un dais, une courtine.*

(...) d'énormes hampes dorées, surchargées de sculptures, soutiennent les courtines de velours relevées de câbles et de glands d'or, et supportent un gigantesque blason aux armes de Russie (...) Th. GAUTIER, Voyage en Russie, XII. 1

(...) des bannières qui se gonflaient ainsi que des voiles de navire et entraînaient les hommes cramponnés à leurs hampes. HUYSMANS, la Cathédrale, p. 216. 2

Tous les pavillons d'Europe flottaient dessus au bout de longues hampes, lui donnant un air de Babel en fête, et des sables miroitants l'entouraient comme une mer. 3
LOTI, Pêcheur d'Islande, II, IX.

(...) assis sur les talons, la barbe baissée vers les hampes de ses javelots, il la considérait (...) FLAUBERT, Salammbô, Pl., t. I, p. 754. 3.1

(Mil. XVIe, Ronsard). Techn. Long manche de certains instruments (écouvillon, refouloir, pinceau...). — (XXe). Mar. *Hampe de torpille.* (1873, Larousse). *Hampe de hune :* garde-fou.

♦ **2.** (1771, Trévoux). Bot. Axe, tige allongée, terminée par une fleur unique ou un groupe de fleurs, et dépourvue de feuilles. *La hampe d'un roseau.*

Rien que ces étranges palmiers à tige grisâtre (...) droits et lisses comme des poteaux géants, enflés à la base et tout de suite amincis en fuseau, ils portent au bout de leur hampe démesurée un tout petit bouquet d'éventails rigides, trop haut dans le ciel de feu. LOTI, l'Inde (sans les Anglais), III, II. 4

(La rivière) disparaissait, chuchotante, dans un fouillis de grands roseaux : il n'y avait plus d'elle que le frisson des hampes vertes, larges, aiguisées comme des glaives. M. GENEVOIX, Raboliot, IV, I. 5

♦ **3.** (XXe; 1939, *in* T. L. F.). Trait vertical (de certaines lettres). *Hampe de* h; *de* p (⇒ **Queue**). *Hampe de t.*

HOM. 2. Hampe.

2. HAMPE ['ɑ̃p] n. f. — 1270; croisement de l'anc. haut all. *wampa* (cf. all. *Wampe, Wamme* «fanon, peau du ventre») avec le francique **hamma* «partie postérieure de la cuisse», ou, selon P. Guiraud, du dialect. *lampe* «fanon du bœuf, peau entre le ventre et la cuisse», proprt «morceau de chair», du francique *labba (→ Lambeau); cf. var. *ampa* en dialecte stéphanois.

♦ **1.** Vén. Poitrine du cerf.

♦ **2.** (1690, Furetière). Partie supérieure et latérale du ventre du bœuf, du côté de la cuisse. ⇒ **Grasset, maniement.**

HOM. 1. **Hampe.**

HAMSTER ['amstɛʀ] n. m. — 1765, Buffon; mot allemand.

♦ Petit mammifère rongeur, de la famille des Muridés, au pelage roux avec ventre blanc, ressemblant à la fois au rat et au cochon d'Inde, particulièrement remarquable par ses abajoues qu'il remplit du grain dont il se nourrit. *Le hamster* ou *rat de blé, commun en Europe centrale et en Russie, creuse des terriers compliqués où il amasse des provisions considérables. Hamster vendu comme animal domestique.*

Le hamster est un rat des plus fameux et des plus nuisibles (...) le hamster ressemble plus au rat d'eau qu'à aucun autre animal; il lui ressemble encore par la petitesse des yeux et la finesse du poil; mais il n'a pas la queue longue comme le rat d'eau, il l'a au contraire très courte (...)
BUFFON, Hist. nat. des animaux, Le hamster.

Hamster jovial, personnage (chef scout) d'une bande dessinée de Gotlib.

HAN ['ɑ̃] interj. — V. 1307, interj. affirmative; onomatopée.

♦ (1552, Rabelais). Onomatopée traduisant le cri sourd et profond d'un homme (bûcheron, scieur...) qui frappe ou pousse avec un violent effort, ou le soupir de qqn qui est délivré de quelque poids, de quelque peine.

1 (...) comme à un fendeur de bois fait grand soulagement, celui qui à chacun *(chaque)* coup près de lui crie : Han! à haute voix (...)
RABELAIS, le Quart Livre, XX.

2 Pasquier et Nicod le dérivent *(le subst. ahan)* de *han,* qui est le cri que font les charpentiers en fendant du bois. FURETIÈRE, Dict., art. *Ahan.*

N. m. (1834, Balzac). *Faire, pousser un han. Un han caverneux, guttural. «(...) le "han" naturel du bûcheron»* (Alain).

3 Les boucles contenues étaient d'une telle finesse qu'elles devaient avoir été prises pendant la première enfance des deux filles. Lorsque le médaillon toucha sa poitrine, le vieillard fit un *han* prolongé qui annonçait une satisfaction effrayante à voir. BALZAC, le Père Goriot, Pl., t. II, p. 1078.

4 (...) le cri rauque, strident, doublé d'un autre cri, d'un «han!» de casseur de pierres, ces deux cris montent ensemble, continuent à s'élever vers le plafond.
J.-M. G. LE CLÉZIO, la Fièvre, p. 106.

HOM. An, en.
DÉR. Hanner.

HANAP ['anap] n. m. — V. 1130; *henap,* v. 1100; bas lat. *anappus, hanappus,* XIIe; du francique *hnap; cf. all. *Napf* «écuelle».

♦ Anciennt. Grand vase* à boire en métal, monté sur un pied et muni d'un couvercle. ⇒ **Calice, coupe, cratère.** *Hanaps d'argent ou d'or, richement ciselés. Hanap de vin* (→ Apprendre, cit. 59).

1 J'aime mieux voir les Turcs en campagne
Que de voir nos vins de Champagne
Profanés par des Allemands :
Ces gens ont des hanaps trop grands;
Notre nectar veut d'autres verres (...)
LA FONTAINE, Pièces diverses, IV, À Mgr le duc de Vendôme, 1689.

2 Les cris (...) assourdissaient ceux des assistants qui étaient venus chercher un canon de vin de Suresnes dans les hanaps d'étain de maître Raymond.
NERVAL, Contes et facéties, «Le souper des pendus».

3 L'enfant remplit un hanap et le présenta à sa maîtresse. Elle but à longs traits, puis le tendit à Tristan, qui le vida. J. BÉDIER, Tristan et Yseut, IV.

HANCHE ['ɑ̃ʃ] n. f. — Mil. XIIe; du germanique *hanka, restitué d'après le moyen néerl. *hanke* «hanche»; cf. all. *Hinken* «boitier».

★ **I.** ♦ **1.** Chacune des deux régions symétriques du corps formant saillie au-dessous des flancs, «depuis la crête iliaque jusqu'au grand trochanter, entre la fesse en arrière et le pli de l'aine en avant» (Richer). *«La hanche ou ceinture pelvienne est constituée par un seul os que l'on désigne sous le nom d'ox coxal»* (Testut). *Articulation de la hanche* ou *articulation coxo-fémorale.* ⇒ **Bassin, cuisse; coxal** (os), **iliaque** (os), **ilio-fémoral** (ligament); **fémur; sciatique** (échancrure). *Affections, malformation de la hanche.* ⇒ **Boiter, coxalgie, coxarthrose, luxation.** *Se démettre* (cit. 2), *se luxer la hanche. Prothèse totale de la hanche,* de l'articulation, avec pose d'une cupule. *Écartement, largeur des hanches. Hanches étroites, larges, rondes* (→ Buste, cit. 2), *puissantes* (→ Charnel, cit. 7), *vigoureuses* (→ Dandiner, cit. 1), *épanouies* (→ Gabarit, cit. 2), *rebondies* (→ Graisse, cit. 7). *Tour des hanches. Avoir de la hanche, de fortes hanches. N'avoir pas de hanches, trop de hanches* (→ 1. Bas, cit. 59). *Gamine* (cit. 9) *sans hanches. Jupes serrant les hanches* (→ Épandre, cit. 14). *Ligne, galbe, saillie, relief, ressaut des hanches* (→ Fuseler, cit.).

(...) entre ces grands roseaux verts et sonores comme ceux de l'Eurotas, on voit luire la hanche ronde et argentée de quelque naïade aux cheveux glauques. 1
Th. GAUTIER, Mlle de Maupin, IX.

Elle s'avance, balançant mollement son torse si mince sur ses hanches si larges. 2
BAUDELAIRE, le Spleen de Paris, XXV.

Le relief de la hanche est accru par un pannicule adipeux qui, le plus souvent, se confond sur le pourtour avec celui des régions voisines (...) La plus grande largeur des hanches existe au niveau du grand trochanter qui déborde toujours en dehors de la saillie de la crête iliaque. 3
Paul RICHER, Nouvelle anatomie artistique..., La femme, p. 214.

L'articulation coxo-fémorale, encore appelée articulation de la hanche, réunit le membre inférieur proprement dit à la ceinture pelvienne, le fémur à l'os coxal. Elle constitue le type le plus parfait des énarthroses. L. TESTUT, t. I, p. 677. 4

Mouvement des hanches. Femme qui balance (cit. 5) *les hanches, qui se balance* (cit. 27) *sur ses hanches.* ⇒ **Déhancher** (se). *Rouler les hanches. Tortillement de hanches.*

Il semble que tout son corps soit démonté, et que les mouvements de ses hanches, de ses épaules et de sa tête n'aillent que par ressorts. 5
MOLIÈRE, la Critique de l'École des femmes, 2.

Rencontrez-vous une de ces jolies personnes qui vont trottant menu, les yeux baissés, coudes en arrière, et tortillant un peu des hanches (...) 6
BEAUMARCHAIS, le Mariage de Figaro, III, 5.

Elle sourit et puis passa, s'éloignant comme elle était venue, lente, d'une allure balancée, où ses hanches se devinaient souples et libres sous son costume. 7
LOTI, Matelot, X.

Elles marchent avec des roulements de hanches. 8
J. ROMAINS, les Hommes de bonne volonté, t. V, VIII, p. 66.

Appuyer un objet sur sa hanche (→ Gâchette, cit. 2). *Porter un paquet sur la hanche. Poser, mettre la main sur la hanche.* ⇒ **Côté.** *Mettre les poings sur les hanches* (→ fam. Faire le pot à deux anses*). — (1845, Mérimée). *La main, les mains, une main, le poing sur la hanche,* dans une posture marquant souvent le défi, la provocation, l'effronterie (→ Brave, cit. 8; coulisse, cit. 2).

(...) ces personnages gaillards de Molière, ces Dorine et ces Marton qu'il aime à citer et qui disent des vérités le poing sur la hanche. 9
SAINTE-BEUVE, Causeries du lundi, 13 mai 1850, t. II, p. 107.

♦ **2.** (XIVe). En parlant des animaux. (Manège). Région de l'arrière-train du cheval, comprise entre le rein et la croupe, en haut du flanc. (1678). *Mettre un cheval sur les hanches,* le dresser de façon qu'il se soutienne sur les hanches en galopant. *Ce cheval va bien sur les hanches,* ayant été mis sur les hanches. *Cheval qui traîne les hanches,* qui galope mal, n'ayant pas été mis sur les hanches. Loc. *Hanches accidentées.* ⇒ **Épointer.** *Mouvements de hanches d'un cheval* (→ Enfoncer, cit. 20).

La hanche se trouve, de part et d'autre, à l'extrémité antérieure de la croupe. Bien sortie, elle doit faire légèrement saillie sur les régions avoisinantes, mais sans excès (chevaux maigres, dits cornus) ni insuffisamment (hanche effacée ou noyée). Cette position en saillie expose cette région aux chocs (...) Il peut alors en résulter (...) des fractures (hanche cassée, descendue, coulée, chevaux dits *éhanchés*). 10
Raymond AMIOT, le Cheval, p. 23.

En parlant d'un autre quadrupède :

La biche à l'œil profond se dressa sur ses hanches (...) 11
HUGO, la Légende des siècles, XXII, I.

♦ **3.** (1832). Entomol. Segment des pattes articulé au corselet, chez les insectes.

★ **II.** ♦ **1.** (1678). Mar. Partie supérieure de la muraille* d'un navire qui avoisine le tableau*. *Canonner un vaisseau par la hanche. Le vent vient, est de la hanche,* d'une direction passant environ à 45 degrés de l'arrière du travers.

La *Tankadère,* pendant toute cette journée, ne s'éloigna pas sensiblement de la côte, dont les courants lui étaient favorables. Elle l'avait à cinq milles au plus par sa hanche de bâbord (...) 12
J. VERNE, le Tour du monde en 80 jours, p. 175 (1873).

♦ **2.** (1832). Techn. Chacun des deux montants principaux d'une chèvre*.

♦ **3.** Techn. *Les hanches :* partie arrondie (d'un pot) qui joint le fond aux parois.

DÉR. Hancher, hanchu.
COMP. Déhancher, éhancher.
HOM. Anche.

HANCHEMENT ['ɑ̃ʃmɑ̃] n. m. — 1867, Goncourt; de *hancher.*

♦ Attitude hanchée. *Le hanchement des vierges gothiques du* XIVe *siècle* (→ Hancher, cit. 3).

Visite aux musées de l'Œuvre et du Palais de Rohan. La cour aux galeries de bois. La Synagogue *(statue de la cathédrale de Strasbourg)* avec son hanchement de côté élusif. CLAUDEL, Journal, 21 mars 1939, Pl., t. II, p. 263.

HANCHER ['ɑ̃ʃe] v. — 1835, Gautier; *hanchier* «donner un croc-en-jambe», fin XIVe; de *hanche.*

★ **I.** V. intr. (1835). Se tenir, se camper dans une posture qui fait saillir la hanche, du côté opposé à la jambe sur laquelle porte le poids du corps.

Rosalinde décroisa ses mains, appuya le bout de son doigt sur le dos d'un fauteuil et se tint immobile; elle hanchait légèrement de manière à faire ressortir toute la richesse de la ligne ondoyante (...) Th. GAUTIER, Mlle de Maupin, XVI. 1

1.1 — Ah! monsieur, j'ai un malheur... Les médecins disent comme ça que j'ai un commencement d'ankylose de la colonne vertébrale... Ce n'est pas que ça me gêne autrement pour n'importe quoi... Mais voilà deux ans au moins que je ne puis plus hancher... Ed. et J. DE GONCOURT, Manette Salomon, p. 38.

En parlant des animaux :

2 Les deux jars, en tête, s'arrêtent brusquement, hanchant sur une patte, leurs grands becs jaunes tournés l'un vers l'autre; et les becs de chaque bande, tous à la fois, suivirent le bec de leur chef, tandis que les corps hanchaient du même côté.
ZOLA, la Terre, III, VI.

★ **II.** V. tr. (1902). Arts. Représenter (un personnage, une statue) de manière à faire saillir une hanche.

3 *(La sculpture monumentale)* bien avant les ivoiriers du XIVe siècle, avait hanché ses Vierges, celle de la porte Nord de Notre-Dame notamment, et cela pour cette raison décisive, qu'une mère ne peut regarder l'enfant qu'elle porte dans ses bras sans reculer le buste, sans cambrer la taille par conséquent. De là est né ce hanchement, dont le XIVe siècle fait un si singulier abus.
Raymond KOECHLIN, *in* A. MICHEL, Hist. de l'art, t. II, p. 474.

▶ **SE HANCHER** v. pron. (1877, Littré, *Suppl.*).

▶ **HANCHÉ, ÉE** p. p. adj. *Attitude, posture, station hanchée. Statues hanchées.*

4 Pline attribue à Polyclète l'introduction de la station hanchée dans la statuaire. C'est manifestement une erreur, puisque nous la retrouvons dans les œuvres des écoles primitives et jusque chez les Égyptiens. Il n'en est pas moins vrai que ce sont les Grecs qui ont donné à la station hanchée sa forme la plus souple et la plus parfaite et qu'ils l'ont répandue à profusion dans leurs ouvrages.
Paul RICHER, Nouvelle anatomie artistique..., Attitudes et mouvements, p. 65.

5 (...) vers 1260-1270, les sculpteurs d'Amiens exécutaient à la porte du croisillon Sud, la belle « Vierge dorée » du trumeau, légèrement hanchée, la figure souriante dans la contemplation de son Fils qu'elle présente à l'adoration des fidèles d'un geste plein de grâce. Marcel AUBERT, la Sculpture franç. au moyen âge, p. 255.

DÉR. **Hanchement.**
HOM. (Du p. p.) **Anché.**

HANCHU, UE [ɑ̃ʃy] adj. — 1611; *hainchous*, en anc. franç. ; de *hanche*.

♦ Littér. Qui a de fortes hanches.

(...) Babette Manapoux devint en quelques années une énorme commère, démesurément hanchue et mamelue (...) G. CHEVALLIER, Clochemerle, p. 413.

HAND-BALL [ɑ̃dbal] n. m. — 1912, *l'Aviron bayonnais, in* Petiot; mot all., « balle *(Ball)* à la main *(Hand)* ».

♦ Sport d'équipe analogue au football, mais qui se joue uniquement avec les mains (11 ou 7 joueurs). Plur. *Hand-balls. Jouer au handball. Un match de hand-ball.*

Dehors, les clameurs hermétiques d'une partie de hand-ball, en créole.
Claude COURCHAY, La vie finira bien par commencer, p. 96.

Abrév. fam. : *hand* [ɑ̃d]. *Elle joue au hand.*

DÉR. **Handballeur.**

HANDBALLEUR, EUSE [ɑ̃dbalœʀ, øz] n. — 1934; de *handball.*

♦ Sports. Joueur, joueuse de hand-ball. « *Les handballeurs français ont battu le Canada* » (*le Monde,* 2 avr. 1974, in *la Clé des mots*). « *(...) hand-balleuse de compétition elle garde la nostalgie du foot...* » (*F. Magazine,* no 26, avr. 1980, p. 62).

HANDICAP [ɑ̃dikap] n. m. — 1827, Byron, *Manuel de l'amateur de courses, in* Matoré; mot angl., composé probable de *hand in cap* « main dans la casquette », d'abord, au XVIIe, jeu de hasard, entraînant des paris, appliqué v. 1754 aux courses de chevaux.

♦ **1.** Course ouverte à des chevaux dont les chances de vaincre, naturellement inégales, sont, en principe, égalisées par l'obligation faite aux meilleurs de porter un poids plus grand (courses au galop) ou de parcourir une distance plus longue (courses au trot). *Des handicaps. Courir, disputer, gagner un handicap. Cheval qui rend* deux kilos, trente mètres à ses concurrents dans un handicap. Handicap ouvert aux chevaux de tout âge.* ⇒ **Omnium.** *Un trois mille mètres handicap.*

♦ **2.** (1854, *in* Höfler). Épreuve, compétition sportive où l'inégalité des chances des concurrents est compensée au départ par l'attribution de points, des avantages de temps, de distance... *Match de polo handicap.*

1 (...) en s'honorant dans le trois cents mètres handicap qui devait ouvrir les Jeux Funèbres. MONTHERLANT, les Olympiques, p. 81.

♦ **3.** (1888, en cyclisme, *in* Petiot). Désavantage de poids (⇒ **Surcharge**), de distance, de temps, de points, imposé à un concurrent pour que ses chances se trouvent diminuées et ramenées, en principe, à celles d'un ou plusieurs concurrents. *Avoir, supporter un handicap de trois livres, de vingt-cinq mètres. Avoir deux kilos de handicap, une seconde de handicap. Handicap en temps, dans une course-croisière* (⇒ **Allégeance**). *Partir avec un handicap. Refaire, rattraper, combler son handicap.*

♦ **4.** (1913, *in* Höfler). Fig. Désavantage, infériorité, gêne, qu'on doit supporter par rapport à des concurrents ou par rapport aux conditions normales d'action et d'existence. *Il a les mêmes titres, mais son âge est un sérieux handicap. Sa blessure lui inflige un handicap momentané.*

Il *(Byron)* avait le goût des jeux et le désir d'y briller malgré son infériorité physique. En particulier, il aimait à nager et à plonger; dans l'eau, son infirmité cessait d'être un handicap. A. MAUROIS, la Vie de Byron, I, V. 2

Déficience physiologique ou mentale caractérisant les handicapés*.

(1964). Infériorité momentanée (économique, sociale, politique) d'une collectivité par rapport à une autre.

CONTR. **Avance, avantage.**
DÉR. **Handicaper.**

HANDICAPÉ, ÉE [ɑ̃dikape] adj. et n. — 1854; p. p. de *handicaper.*

♦ **1.** ⇒ **Handicaper.** *Cheval sévèrement handicapé.*

♦ **2.** (1961, *in* Höfler; personnes). Qui présente une déficience (congénitale ou acquise) des capacités physiques ou mentales. *Travailleur handicapé. Il, elle est handicapé(e).* — N. (1958). *Un handicapé visuel, moteur.* ⇒ **Infirme, invalide.** — REM. *Handicapé* (ou *handicapé physique*) tend à remplacer *infirme.* — *Sport pour les handicapés.* ⇒ **Handisport.**

Des spécialisations plus poussées encore interviennent pour les dyslexies, etc., ou les troubles de la parole et des techniques « logopédiques » ont été constituées, sans parler naturellement de l'aide des psychologues à l'éducation des enfants handicapés, sourds-muets, aveugles, etc.
J. PIAGET, Épistémologie des sciences de l'homme, p. 238-239.

♦ **3.** (1914, *in* Höfler). Victime d'un handicap (4.), désavantagé. « *La mort du père fait des orphelins des enfants "handicapés" sur le plan affectif et matériel* » (*le Monde,* 10 févr. 1966).

DÉR. **Handisport.**
HOM. **Handicaper.**

HANDICAPER [ɑ̃dikape] v. tr. — 1854, au p. p.; v. tr., 1855; de *handicap,* d'après l'angl. *to handicap,* et *-er.*

♦ **1.** Imposer à (un cheval, un concurrent) un désavantage quelconque selon la formule du handicap*. — Au p. p. *Cheval équitablement, sévèrement handicapé.*

Les chevaux sont classés par catégories d'âge et parfois par sexe, et on les handicape en leur imposant de porter un poids déterminé. 0.1
Jean DAUVEN, Technique du sport, p. 69.

♦ **2.** (1888). Fig. Mettre (qqn) en état d'infériorité. ⇒ **Défavoriser, désavantager.** *Sa timidité le handicape sérieusement. Il a été handicapé par son accident.* ⇒ **Handicapé** (adj.).

De la sixième au baccalauréat ses élèves auraient le temps, prétendait-elle, de rejoindre ceux du lycée (...) On partait plus tard, mais pour n'arriver pas moins tôt (...) Oui, mais moi qui prenais la course en écharpe, j'étais handicapé (...) je perdis vite tout espoir de rattraper jamais ceux qui déjà traduisaient Virgile. 1
GIDE, Si le grain ne meurt, I, IV.

(...) je suis sérieusement atteint, il ne faut pas se faire d'illusions... Bien entendu, je m'en tirerai. Mais ce sera long... Et je suis très probablement handicapé pour le reste du parcours! MARTIN DU GARD, les Thibault, t. IX, p. 107. 2

CONTR. **Avantager, douer, favoriser.**
DÉR. **Handicapé, handicapeur.**
HOM. **Handicapé.**

HANDICAPEUR [ɑ̃dikapœʀ] n. m. — 1855; *handicapper,* 1854, *in* Petiot; de *handicaper,* et *-eur.*

♦ Turf. Commissaire d'une société de courses chargé d'établir les handicaps. — Appos. *Le commissaire handicapeur.*

(...) le *handicap,* course dans laquelle les chevaux portent un poids fixé par le handicapeur dans le but d'égaliser leurs chances de gagner, le handicapeur étant un spécialiste extrêmement exercé et commis par la société mère pour faire un classement des chevaux suivant leur valeur.
Pierre ARNOULT, les Courses de chevaux, p. 93.

HANDISPORT [ɑ̃dispɔʀ] adj. — 1977; de *handi(capé), et sport.*

♦ Relatif aux sports pratiqués par les handicapés physiques. *Tennis handisport. Fédération française handisport. Jeux olympiques handisports. Disciplines handisports.*

HANGAR [ɑ̃gaʀ] n. m. — 1337; *hangart,* déb. XIIe, en picard; du francique **haimgard,* de **haim* « petit village » (→ Hameau), et **gard* « enclos » (→ Jardin). P. Guiraud suggère un composé de *han* « abri pour le bétail » (même étymon francique **haim*) et d'un représentant de *garer* « mettre à l'abri » (→ Garer).

♦ Construction, généralement assez sommaire, formée d'une couverture soutenue par des supports et destinée à abriter du matériel (agricole, mécanique...) ou certaines marchandises. ⇒ **Abri, bâtiment, entrepôt, remise.** *Les hangars d'une ferme. Hangar à récoltes, à fourrage* (⇒ **Grange; fenil, herbier**). *Hangar à bois. Hangar servant de cellier. Hangar à tabac* (⇒ **Séchoir**). *Les hangars d'un port, des docks. Hangar à embarcation.* ⇒ **Carbet.** *Hangar à locomotives.* ⇒ **Rotonde.** — *Hangar couvert de tuiles, de tôle ondulée, de chaume* (→ Fauconnerie, cit.). *Hangar de bois, de briques, de béton; hangar métallique. Hangar isolé. Hangar en appentis. Hangar ouvert, fermé* (avec murs). *Forge* (cit. 6) *installée sous un hangar, dans un hangar.*

1 L'aubergiste baissa tristement la tête, et emmena le cheval sous une espèce de hangar (...) MÉRIMÉE, Chronique du règne de Charles IX, I.

2 Nous fûmes donc, après les errements habituels, admis à notre cantonnement de nuit : un hangar soutenu par quatre madriers et ayant pour murs les quatre points cardinaux. H. BARBUSSE, le Feu, XVI, t. II, p. 6.

3 Dans le vaste hangar fermé, noir de charbon, et que de hautes fenêtres poussiéreuses éclairaient, parmi les autres machines au repos, celle de Jacques se trouvait déjà en tête d'une voie, destinée à partir la première. ZOLA, la Bête humaine, V, p. 162.

(1922). Vaste construction close servant d'abri aux avions. *Les hangars d'un camp d'aviation* (cit. 2), *d'un terrain d'atterrissage, d'un aéroport. Hangar à dirigeables. Hangar d'entretien, hangar-atelier.*

4 Toulouse, Barcelone, Alicante ayant dépêché le courrier (...) rentraient les avions, fermaient les hangars. SAINT-EXUPÉRY, Courrier Sud, III, I.

Fig. Local trop vaste et trop vide. *Son salon est immense : un vrai hangar!*

HANIWA ['aniwa] n. m. — V. 1960; mot japonais.

♦ Archéol. Figurine de terre cuite retrouvée dans les tombes japonaises, représentant des animaux, des êtres humains ou des objets. *Les haniwa* (ou *haniwas*) *constituent des documents précieux sur la civilisation japonaise du IVe au VIIe siècle.* — Appos. ou adj. *Une terre cuite haniwa* (→ Kakémono, cit. 3).

HANNER ['ane] v. intr. — 1841, Flaubert, *in* D. D. L.; de *han.* → Anhéler.

♦ Vx. Souffler, soupirer. ⇒ **Ahaner.**

Quant à moi je deviens colossal, monumental, je suis bœuf (...) Je ne fais que souffler, hanner, suer et baver. FLAUBERT, Lettre à Ernest Chevalier, 7 juil. 1841, *in* Correspondance, Pl., t. I, p. 83.

HOM. Année.

HANNETON ['antɔ̃] n. m. — Fin XIe, *haneton;* dér. d'un francique **hano* «coq»; cf. plusieurs noms d'insectes provenant de cette racine dans les langues germaniques.

♦ **1.** Insecte coléoptère (*Scarabéidés*) à antennes lamelleuses, de couleur souvent rousse, scientifiquement appelé *Melolontha. Les larves de hannetons* (⇒ **Man, turc, ver** [blanc]) *mettent trois ans à se développer en chrysalides, puis en insectes parfaits. Hanneton commun, hanneton du marronnier. — Dégâts causés aux récoltes par les hannetons et leurs larves. Chasser, détruire les hannetons* (⇒ **Hannetonnage**). *Le vol lourd, le bourdonnement du hanneton* (→ Cerf-volant, 1.). *Enfant qui s'amuse avec un hanneton, en l'attachant avec un fil.*

1 Quand j'étais tout petit, et que je tourmentais des hannetons, il y avait chez ces pauvres insectes un mouvement qui me donnait presque la fièvre. C'est quand je les voyais faisant ces efforts réitérés pour prendre leur vol, sans néanmoins s'envoler, quoiqu'ils eussent réussi à soulever leurs ailes. BALZAC, Albert Savarus, Pl., t. I, p. 811.

2 (...) des bandes innombrables de hannetons, s'élevant des champs et volant vers les jeunes verdures des bois, faisaient une rumeur lointaine et intense de vague qui s'enflait et s'apaisait tour à tour. L. PERGAUD, De Goupil à Margot, La tragique aventure de Goupil, V.

2.1 C'est une année à hannetons, l'année prochaine il n'y en aura pas, ni l'année suivante, regarde-les bien. Je rentre à la nuit, ils s'envolent, ils lâchent mon petit chêne et s'en vont, gavés dans les ombres (...) Trois ans dans la terre, ceux qui échappent aux taupes, puis dévorer, dévorer, dix jours durant, quinze jours, et chaque nuit. Jusqu'à la rivière, peut-être, ils partent vers la rivière. S. BECKETT, Pour finir encore, p. 33-34.

(En parlant d'insectes de la même famille). *Hanneton des jardins* (Phyllopertha), *de Saint-Jean* (Rhizotrogus), *des pins* (Polyphylla), *des roses* (⇒ **Cétoine** [dorée]); *hanneton laineux* (Anoxia), *hanneton foulon.*

♦ **2.** Loc. (1611). Vx. *Être étourdi comme un hanneton* (allus. au vol maladroit du hanneton, qui se cogne contre les obstacles). *Courir à l'étourdie* (cit. 11), *comme un hanneton* (→ aussi Entrer, cit. 8). — Fig. *C'est un hanneton, un vrai hanneton,* un esprit léger et désordonné.

3 Si Montreuil n'était point douze fois plus étourdi qu'un hanneton (...) Mme DE SÉVIGNÉ, 37, 23 juin 1656.

4 Son beau-fils était un petit hanneton, grand dissipateur qui jouait volontiers, qui perdait tant qu'on voulait, mais qui ne payait pas de même. Antoine HAMILTON, Mém. du comte de Grammont, IX.

♦ **3.** Loc. fam. (1821). Mod. *N'être pas piqué des hannetons :* être intense, extrême (souvent dans un contexte péjoratif).

Il fait à Aix, l'hiver, un petit froid qui n'est pas piqué des hannetons. 5
ARAGON, les Beaux Quartiers, II, X.

♦ **4.** *Avoir un hanneton dans le cerveau, le crâne :* être un peu dérangé, avoir des lubies (cf. le sens fig. et vx : *un hanneton* «lubie, manie», 1675).

DÉR. Hannetonner.

HANNETONNAGE ['antɔnaʒ] n. m. — 1835; de *hannetonner.*

♦ Agric. Opération qui a pour but la destruction des hannetons.

HANNETONNER ['antɔne] v. intr. — 1767, Brunot; de *hanneton.*

♦ **1.** (1767). Agric. Détruire les hannetons (en secouant les arbres). — Trans. *Hannetonner une région.*

♦ **2.** (1907, Gide). Fig. et littér. Aller et venir de manière désordonnée.

DÉR. Hannetonnage.

HANSART ['ɑ̃saʀ] n. m. — XIIIe; du germanique *hand seax* «poignard, glaive à main».

♦ Régional (Ouest). Couperet, petite hache pour trancher, hacher la viande.

1. HANSE ['ɑ̃s] n. f. — V. 1240, aussi «taxe»; anc. haut all. *hansa* «troupe».

♦ (V. 1240). Hist. Au moyen âge, Association de marchands ayant le monopole du commerce par eau, dans une région. *Une Hanse* (ou *une hanse*) *germanique,* et, absolt, *la Hanse :* association de villes commerçantes de la mer du Nord et de la Baltique, du XIIIe au XVIe siècle. — Par ext. Nom donné à certaines corporations*, compagnies de marchands. *Une Hanse* ou *une hanse.*

Au-dessus des compagnies et des sociétés se formèrent parfois des confédérations qui portèrent le nom de Hanses. La plus connue de ce genre fut la célèbre ligue hanséatique, confédération à la fois commerçante et politique des villes de la Baltique qui se forme au XIIIe siècle et dont on sait les destinées brillantes. LAVISSE et RAMBAUD, Hist. générale du IVe s. à nos jours, t. II, p. 508.

DÉR. Hanséate, hanséatique.
HOM. Anse, 2. hanse.

2. HANSE ['ɑ̃s] n. f. — 1492; altér. de l'anc. franç. *hanste* (1080). → 1. Hampe.

♦ (1755). Techn. Tige de l'épingle.

HOM. Anse, 1. hanse.

HANSÉATE ['ɑ̃seat] adj. et n. — 1878, Larousse; de 1. *hanse,* d'après *hanséatique.*

♦ Didact. (hist.). Qui a rapport aux villes de la Hanse. — N. Habitant de ces villes.

HANSÉATIQUE ['ɑ̃seatik] adj. — 1690, Furetière; *anséatique,* v. 1600; de 1. *hanse,* d'après l'all. *Hanseatisch.*

♦ Didact. Relatif à la Hanse. *Ligue hanséatique.* Appartenant à la Hanse. *Cité, ville hanséatique.*

Il est sept heures du matin, et nous voilà arrivés dans cette bonne ville hanséatique de Hambourg. Th. GAUTIER, Voyage en Russie, II, p. 12.

HANTANT, ANTE [ɑ̃tɑ̃, ɑ̃t] p. prés. et adj. — 1884, Huysmans; p. prés. de *hanter.*

♦ Rare, littér. Qui hante.

Tel est le caractère hantant des grands, des vrais romans. Ils habitent le lecteur et font de lui un homme qui a lu *Les souffrances du jeune Werther* ou *La chartreuse de Parme.* ARAGON, Blanche..., III, II, p. 438.

HOM. (Du fém.) Entente.

HANTÉ, ÉE ['ɑ̃te] p. p. adj. ⇒ **Hanter.**

HANTER [ɑ̃te] v. tr. — V. 1138; au sens 2; de l'anc. scandinave *heimta,* de **haim.* → Hameau.

♦ **1.** (V. 1155). Littér. Fréquenter* (un lieu) d'une manière habituelle, familière. — REM. Le mot était considéré comme vieux ou vulgaire au XVIIe s. (Brunot, *H. L. F.,* t. IV, p. 254). Au XXe s., il est littéraire. — *Hanter les palais* (→ Asseoir, cit. 16), *les églises* (cit. 14), *la taverne* (→ Enivrer, cit. 16), *les tripots, les mauvais lieux. Hanter les ventes publiques.* ⇒ **Courir** (→ Bric-à-brac, cit.).

(...) car tous les environs 1
Étaient hantés de brigands et larrons.
RONSARD, le Premier Livre des poèmes, «Le satyre».

Il y avait alors aux environs des barrières de Paris des espèces de champs pau- 2

vres (...) Jean Valjean les hantait avec prédilection. Cosette ne s'y ennuyait point. C'était la solitude pour lui, la liberté pour elle.
HUGO, les Misérables, IV, III, VIII.

3 (*Il*) visitait les navires, interrogeait les capitaines, fréquentait chez les armateurs, hantait les salles de spectacles (...) G. DUHAMEL, Inventaire de l'abîme, III.

Vx. Habiter*, vivre dans (un lieu). — Passif et p. p. *Des combes hantées par les bêtes sauvages* (→ Graine, cit. 7).

4 (*Quatre animaux divers*)
Hantaient le tronc pourri d'un pin vieux et sauvage.
LA FONTAINE, Fables, VIII, 22.

Absolt ou intrans. (Vx). « *Hanter en mauvais lieux* » (Littré). *Hanter chez qqn.*

5 (...) pourquoi, surtout depuis un certain temps,
Ne saurait-il souffrir qu'aucun hante céans?
MOLIÈRE, Tartuffe, I, 1.

♦ **2.** (V. 1138). Vx (ou archaïsme littér.). Compl. n. de personne. Fréquenter habituellement (qqn). ⇒ **Fréquenter, pratiquer.** *Femme qui hante les comédiens* (→ Gaupe, cit. 2).

6 Hantez les boiteux, vous clocherez, hantez les chiens, vous aurez des puces.
DU FAIL, Contes d'Eutrapel, XIX, *in* LITTRÉ.

7 Lorsque je hante la noblesse, je fais paraître mon jugement, et cela est plus beau que de hanter votre bourgeoisie. MOLIÈRE, le Bourgeois gentilhomme, III, 3.

7.1 (...) vous hantez ces Anglais suspects que protège le cardinal?
— C'est-à-dire que je hante une Anglaise, celle dont je vous ai parlé.
A. DUMAS, les Trois Mousquetaires, t. II, p. 414.

(1873). Prov. *Dis-moi qui tu hantes, je te dirai qui tu es :* on peut juger de qqn d'après les gens qu'il fréquente.

♦ **3.** (1823, Hugo; angl. *to haunt;* → ci-dessous Hanté). Mod. (Le sujet désigne un esprit, un fantôme). *On dit qu'un revenant hante ce château en ruine.* Passif et p. p. *Cette maison est hantée par un esprit.*

8 Autrefois, à en croire les discours populaires, chaque isthme avait son démon qui le hantait, chaque anse sa fée qui l'habitait, chaque promontoire son saint qui le protégeait (...) HUGO, Han d'Hislande, XVIII (1823), *in* Œ. compl., t. VI, p. 141.

9 Au temps de Théodoric (...) Saint Césaire débarrassa une maison hantée par des lémures. HUYSMANS, Là-bas, p. 137.

Fig. *Fantôme* (cit. 12) *qui hante la vie de qqn.*

♦ **4.** (1836, Stendhal). Sujet n. de chose abstraite; compl. n. de personne. ⇒ **Obséder, poursuivre; hantise.** *Cette idée, ce souvenir le hantait. Les rêves, les obsessions qui hantent son sommeil.* ⇒ **Habiter, peupler** (fig.). — Passif. *Être hanté par le remords, par des souvenirs pénibles* (→ Estomac, cit. 17). — Au p. p. *Nuits hantées de visions, d'hallucinations. — Ennuis, soucis, désirs qui hantent la pensée, l'esprit de qqn. Hanter l'imagination des hommes* (→ Forêt, cit. 4).

10 C'est à elle en partie que je dois de bien parler, s'il m'échappait un mot bas elle disait : « Ah! Henry! » Et sa figure exprimait un froid dédain dont le souvenir me *hantait* (me poursuivait longtemps).
STENDHAL, Vie de Henry Brulard, XXIX.

11 (...) l'abominable tête du crocodile (...) me regardait partout (...) et je restais là, plein d'horreur et fasciné. Et ce hideux reptile hantait si souvent mon sommeil que, bien des fois, le même rêve a été interrompu de la même façon (...)
BAUDELAIRE, les Paradis artificiels, « Le mangeur d'opium », IV.

12 Il pleurait du matin au soir, l'âme déchirée d'une souffrance intolérable, hanté par le souvenir, par le sourire, par la voix, par tout le charme de la morte.
MAUPASSANT, Clair de lune, « Les bijoux ».

13 Toujours ce vain désir inassouvi me hante
D'emporter avec moi tes yeux vivants d'amante (...)
Albert SAMAIN, le Chariot d'or, « Élégies », p. 73.

14 Je ne goûte ici même plus la joie de la rendre heureuse; c'est-à-dire que je n'ai plus cette illusion; et la pensée de cette faillite hante mes nuits.
GIDE, Et nunc manet in te, Journal intime, 26 janv. 1921.

15 L'idée du suicide le hante. Il tourne à l'hypocondrie. Il est rongé d'insomnies.
André SUARÈS, Trois hommes, « Dostoïevski », I.

16 Les soucis financiers, qui devaient par la suite hanter toutes nos pensées, harcelaient déjà Justin. G. DUHAMEL, Chronique des Pasquier, V, VII.

▶ **HANTÉ, ÉE** p. p. adj. (XIIe).

♦ **1.** Vx. Fréquenté, visité.

17 Je ne crois pas que sur la terre
Il soit un lieu d'arbres planté
Plus célèbre, plus visité,
Mieux fait, plus joli, mieux hanté (...)
Que l'ennuyeux parc de Versailles.
A. DE MUSSET, Poésies nouvelles, « Sur trois marches de marbre rose ».

17.1 Ainsi animé et hanté, l'atelier d'Anatole était encore visité, généralement sur le tard et vers les heures où commencent les exigences de l'estomac, par quelques femmes sans profession qui faisaient le tour des hommes qui étaient là, et cherchaient si l'un d'eux avait l'idée de ne pas dîner seul.
Ed. et J. DE GONCOURT, Manette Salomon, p. 72.

♦ **2.** (Avant 1848, Chateaubriand; adapt. de l'angl. *haunted*). Visité par des fantômes, des esprits. *Maison hantée. Château hanté.*

18 Il est prouvé que les bêtes sentent le Diable (...) à ce point que les rats et jusqu'aux punaises déguerpissent précipitamment d'une maison hantée.
Léon BLOY, la Femme pauvre, L, XXVIII.

19 Je sais ce qu'est en réalité un bourg hanté. Les batteries de cuisine qui résonnent la nuit dans les appartements dont on veut écarter le locataire, des apparitions dans les propriétés indivises pour dégoûter l'une des parties.
GIRAUDOUX, Intermezzo, I, 4.

♦ **3.** *Des nuits hantées (de visions, de remords...).* → ci-dessus Hanter (4.).

CONTR. **Fuir; éloigner** (s').
DÉR. **Hantant, hanteur, hantise.**
HOM. **Enter.**

HANTEUR, EUSE [ɑ̃tœʀ, øz] n. et adj. — XVIe; repris 1865; de *hanter.*

Rare. *(Hanteur, hanteuse de...).*

♦ **1.** N. Personne qui hante (un lieu).

Ce n'était pas, lui, un hanteur d'église. On ne l'y voyait jamais. 1
BARBEY D'AUREVILLY, les Diaboliques, « À un dîner d'athées ».

(...) c'était un hanteur d'endroits solitaires, un homme à systèmes sombres et à 2
tempérament vindicatif. Il avait quelque chose d'égaré, de rudimentaire, dans les traits fondamentaux. VILLIERS DE L'ISLE-ADAM, Tribulat Bonhomet, p. 87.

♦ **2.** Adj. (1849, *in* D. D. L.). Qui hante (un lieu, qqn).

La bourgeoisie a son aristocratie : jeunesse turbulente et blasée, hanteuse de bourse 3
et de coulisses, qui veut des sensations vives.
Daniel STERN (Marie d'Agoult), Pensées, réflexions et maximes, p. 198.

HANTISE [ɑ̃tiz] n. f. — 1228, au sens 1; de *hanter.*

♦ **1.** Vx. Action de hanter, de fréquenter (une personne).

Isabelle pourrait perdre dans ces hantises 1
Les semences d'honneur qu'avec nous elle a prises (...)
MOLIÈRE, l'École des maris, I, 2.

♦ **2.** (1860, Baudelaire). Mod. Caractère obsédant d'une idée, d'une pensée, d'un souvenir; préoccupation constante, crainte, inquiétude, tourment, dont on ne parvient pas à se libérer. ⇒ **Obsession; idée** (fixe), **manie** (→ Coexister, cit.; esprit, cit. 82). *La hantise du péché mortel* (→ Communion, cit. 5), *du crime* (→ Couteau, cit. 15), *de la mort* (⇒ **Peur**). *Avoir la hantise d'un accident, du feu. Hantise qui poursuit, accompagne qqn* (⇒ **Vision**). *Hantise sexuelle. Mais tu es obsédé : c'est une hantise!*

Chaque fois que mes hantises sensuelles fléchissent, mes obsessions religieuses se 2
débilitent. HUYSMANS, En route, p. 86.

Il y a bien la hantise du concours, à la fin de la troisième année, qui ne me quitte 3
jamais tout à fait; qui tend peut-être même à s'aggraver (...)
J. ROMAINS, les Hommes de bonne volonté, t. IV, VII, p. 56.

HAPALÉMUR [apalemyʀ] n. m. — XXe; du grec *hapalos* « mou; délicat », et lat. plur. *lemures* « spectres ».

♦ Zool. Genre de lémuriens* (famille des Lémuridés) habitant les bambous, à Madagascar, et dont le type est le maki*. *Crépusculaire et herbivore, l'hapalémur a le museau très allongé et les pattes postérieures plus longues que les antérieures.*

HAPALIDÉS [apalide] n. m. pl. — 1892, *Dict. des dict.; Hapalinés,* 1873, Larousse; du grec *hapalos* « mou, délicat », et *-idés.*

♦ Zool. Famille de simiens platyrrhiniens* de petite taille, à longue queue préhensile. *Le ouistiti* fait partie des hapalidés.*

HAPAX [apaks] n. m. — 1922, Larousse; *hapax legomenon,* 1909; grec *hapax* (une fois) *legomenon* « chose dite une seule fois ».

♦ Ling. Mot, forme, emploi dont on ne peut relever qu'un exemple (à une époque donnée). *Le mot* ptyx*, *employé par Mallarmé, est un hapax.* — Spécialt. Attestation isolée (d'une forme). *Ce mot est attesté au XVIe siècle, mais c'est un hapax; il n'est réattesté qu'au XIXe.* — REM. 1. On rencontre parfois la forme *apax.*

2. Le dérivé *hapaxique* [apaksik] est attesté.

HAPLO- Élément tiré du grec *haploos* « simple », et qui entre dans la composition de mots savants. ⇒ **Mono-.** Ex. : *haplodiplobionte, haploïde, haplologie, haplopétale, haplophase, haploscope, haplotype.*

HAPLOBIONTE [aplɔbjɔ̃t] n. m. — Mil. XXe; de *haplo-, bio-,* et *-onte.*

♦ Biol. Être vivant ne présentant dans son cycle qu'un seul type d'individus indépendants. ⇒ **Haploïde.**

HAPLOCÈRE [aplɔsɛʀ] n. m. — D. i.; de *haplo-,* et *-cère.*

♦ Zool. Mammifère cavicorne.
Chèvre sauvage des montagnes Rocheuses.

HAPLODIPLOBIONTE [aplodiplɔbjɔ̃t] n. m. — Mil. XXe; de *haplo-, diplo-, -bio-,* et *-onte.*

♦ Biol. Être vivant présentant dans son cycle une succession d'individus libres, haploïdes ou diploïdes. — On dit aussi *plantes à cycle digénétique.*

HAPLOGRAPHIE [aplɔgʀafi] n. f. — 1898, *in* T. L. F.; de *haplo-*, et *-graphie.*

♦ Didact. Faute d'écriture consistant à n'écrire qu'une seule fois un groupe de lettres redoublées. Ex. : *apeler* pour *appeler.*

HAPLOÏDE [aplɔid] adj. — Déb. xxe (1913, Caullery); de *haplo-*, et *-oïde.*

Biologie.

♦ **1.** Se dit des gamètes dont le nombre de chromosomes est réduit à un élément de chaque paire après la méiose, afin qu'ils puissent s'apparier avec d'autres dans la fécondation (opposé à *diploïde**). *Cellule haploïde.*

♦ **2.** Se dit des individus qui n'ont qu'un stock de chromosomes.

On dispose de multiples procédés qui permettent d'obtenir des individus haploïdes dans certaines espèces où l'haploïdie ne fait pas partie du cycle vital. Alors que, dans l'haploïdie naturelle, le stock unique de chromosomes provient toujours du parent maternel, il peut dans l'haploïdie expérimentale, provenir, soit du parent paternel, soit du parent maternel.
Jean ROSTAND, Idées nouvelles de la génétique, p. 38.

DÉR. **Haploïdie.**

HAPLOÏDIE [aplɔidi] n. f. — xxe; de *haploïde.*

♦ Biol. État de ce qui est haploïde (cit., Rostand).

(...) chaque type est représenté par deux chromosomes de même taille et de même forme.
Si les chromosomes vont ainsi par deux, c'est que l'œuf, cellule première de l'être, a une origine double : chaque paire chromosomique est constituée par un élément de provenance paternelle et par un élément de provenance maternelle. Mais on connaît des êtres qui, au lieu de deux lots chromosomiques (diploïdie), en portent plusieurs *(polyploïdie)*, et aussi des êtres qui n'en portent qu'un seul (*haploïdie :* du grec, *haploos,* simple).
Jean ROSTAND, Idées nouvelles de la génétique, p. 37.

CONTR. **Polyploïdie.**

HAPLOLOGIE [aplɔlɔʒi] n. f. — 1908, *Larousse mensuel;* de *haplo-*, et *-logie.*

♦ Phonét. Le fait de n'énoncer que l'une de deux articulations semblables et successives (cas de dissimilation). Ex. : *haplogie* pour *haplologie.*

HAPLOPÉTALE [aplopetal] adj. — 1846; de *haplo-*, et *pétale.*

♦ Bot. Se dit d'une fleur constituée par un seul pétale, ou d'une plante qui porte de telles fleurs.

HAPLOPHASE [aplofaz] n. f. — Mil. xxe; de *haplo-*, et *phase.*

♦ Biol. Phase du cycle de la reproduction pendant laquelle les noyaux cellulaires contiennent un nombre haploïde de chromosomes, à la suite de la division réductionnelle des noyaux pendant la méiose.

HAPLOSCOPE [aplɔskɔp] n. m. — xxe; de *haplo-*, et *-scope.*

♦ Méd. Instrument pour l'évaluation du pouvoir de convergence et de fusion des yeux.

HAPPE ['ap] n. m. — 1611; *hape* «crampon», 1260; déverbal de *happer.*

Technique.

♦ **1.** [a] (1611). Crampon qui sert à lier deux pièces de bois, de charpente, deux pierres.

[b] Pince, tenaille de fondeur.

[c] Outil de luthier, pour tenir les pièces qu'il travaille.

♦ **2.** Demi-cercle de métal qui protège de l'usure chaque extrémité d'un essieu (de charrette...).

HOM. Formes du v. **happer.**

HAPPEAU [apo] n. m. — 1872; de *happer*, et *-eau.*

♦ Vx ou dial. Piège pour prendre les oiseaux. ⇒ **Appeau.**

HOM. **Appeau.**

HAPPE-BOURSE ['ap(ə)buʀs] n. m. — 1834, Gautier; de *happer*, et *bourse.*

♦ Vx. Voleur à la tire. ⇒ **Pickpocket** (mod.), **tire-laine** (vx). *Des happe-bourses.*

HAPPE-CHAIR ['ap(ə)ʃɛʀ] n. m. — Fin xvie; repris 1684, La Fontaine; de *happer*, et *chair.*

Vieux.

♦ **1.** Homme de police, magistrat (qui avait la charge d'arrêter les gens, de faire payer, de faire des saisies). *Des happe-chair* (invar.) ou *des happe-chairs.*

♦ **2.** Homme très avide.

HAPPE-LOPIN ['aplɔpɛ̃] n. m. — Mil. xixe; de *happer*, et *lopin.*

Vieux.

♦ **1.** Chien avide à la curée (*in* Littré).

♦ **2.** Personne avide (Huysmans, *in* T. L. F.). — Plur. *Des happe-lopins.*

HAPPELOURDE ['ap(ə)luʀd] n. f. — 1532, Rabelais, «séducteur, qui trompe les femmes»; de *happer*, et *lourde* «sotte». → Attrape-nigaud.

♦ **1.** (1564). Vx. Pierre fausse qui a l'apparence d'une pierre précieuse.

Tout est fin diamant aux mains d'un habile homme, 1
Tout devient happelourde entre les mains des sots!
LA FONTAINE, Lettres diverses, À M. Girin.

♦ **2.** (Av. 1573, *in* T. L. F.). Personne d'apparence brillante, mais dépourvue d'esprit.

Le vieux se mit à bougonner en tournant sa tête sur sa canne comme un magot. 2
— La punir de quoi? D'avoir été la première de sa classe? De ne pas s'entendre avec cette happelourde de madame Lot?
Félicien MARCEAU, Bergère légère, p. 46-47.

HAPPEMENT ['ap(ə)mɑ̃] n. m. — 1330; de *happer.*

♦ **1.** Rare. Action de happer. — Mouvement des mâchoires qui happent.

♦ **2.** (1845, Bescherelle). Adhérence (de l'argile, etc.) sur la langue.

♦ **3.** Fig. Le fait de happer; aspiration, succion. *« Un happement de la glaise où leurs jambes s'engloutissent »* (Genevoix, *la Boue, in* T. L. F.).

HAPPENING ['ap(ə)niŋ] n. m. — 1963, *in* Höfler; mot angl. «événement», p. prés. substantivé de *to happen* «arriver, survenir», qui a pris ce sens aux États-Unis.

Anglicisme.

♦ **1.** Forme de spectacle où la part d'imprévu et de spontanéité est essentielle. *Assister à un happening. «Il proteste, avec raison, contre l'abus de l'affreux* happening, *alors que le français* événement *dit la même chose»* (Aristide, in *le Figaro littéraire,* 10 mars 1969).

Vivi a voulu (...) aller voir cette exposition Op à Boulogne (ou était-ce un happening à Nanterre?) (...) F. MALLET-JORIS, le Jeu du souterrain, p. 56.

♦ **2.** Par ext. Événement collectif comparé à ce type de spectacle. *Des happenings. « Six mois plus tard, ça pète dans tous les coins, la Sorbonne envahie et la rue Gay-Lussac mise à sac. Tous crient : "Étudiants-ouvriers, même combat!". Happening permanent et fiévreux »* (*Actuel,* n° 4, févr. 1980, p. 48).

Méthode de psychothérapie de groupe, utilisant les possibilités créatrices des malades au cours de réunions organisées sous forme de représentations théâtrales, de jeux. — Équivalent français proposé : *impromptu.*

HAPPER ['ape] v. — xive; *haper,* fin xiie; rad. onomat. germanique *happ-.*

★ **I.** ♦ **1.** V. tr. (Fin xiie). Saisir, attraper brusquement et avec violence (qqn, qqch.). ⇒ **Attraper, gripper, saisir.** *Happer qqn au collet* (→. Fumée, cit. 9), *par la manche. Happer la main, le bras de qqn* (→ 2. Critique, cit. 38). (Sujet n. de chose). *Le camion l'a happé.* — Passif. *Être happé par une voiture, un train.*

(...) Avant seras happé 1
Et de par nous saisi, pri(n)s, attrapé (...) Clément MAROT, Épître, XXI.

Lentement il se rapprocha, ne quittant pas des yeux l'objet de sa convoitise; puis, happant le morceau avec sa main, se recula vivement; comme s'il eût craint que mon offre ne fût pas sincère (...) BAUDELAIRE, le Spleen de Paris, XV. 2

Ils allaient s'éloigner, lorsque Cadieux sortit du commissariat, sans chapeau et courant. Jacques le happa au passage. 3
MARTIN DU GARD, les Thibault, t. VII, p. 201.

Vx (fam. dans la langue class.). Attraper, prendre (qqn), se saisir de... (→ Assommer, cit. 1, La Fontaine).

♦ **2.** (Fin XIIe). Le sujet désigne un animal. Attraper, prendre brusquement dans la gueule, le bec. *Chien, loup, lion qui happe un morceau de viande. Poisson, oiseau qui happe et gobe* un insecte.* — (Le sujet désigne une personne). Prendre brusquement dans la bouche. → Goulu, cit. 1. *Happer un raisin, une cerise.* — Loc. *Happer l'air* : aspirer fortement.

4 À ces mots, le premier il *(le chien)* vous happe un morceau.
LA FONTAINE, Fables, VIII, 7.

5 (...) accrochez-y *(à votre ligne)* un ver ou morceau de vieux fromage, carpes, barbillons, perches, anguilles, sauteront à trois pieds hors de l'eau pour le happer. — Les hommes ne sont pas aussi différents des poissons qu'on a l'air de le croire généralement. Th. GAUTIER, Préface de Mlle de Maupin, p. 18.

6 (...) tous les deux se mirent à déjeuner, guettés par les chiens qui vinrent s'asseoir devant eux, happant de temps à autre une croûte, si dure qu'elle craquait entre leurs mâchoires comme un os. ZOLA, la Terre, IV, I.

(Sujet n. de chose). *Piège qui happe la patte d'un animal.* → Étau, cit. 2. Au passif. *Être happé dans une trappe, une porte à tambour.*

7 (...) je fus happé dans le sens inverse en plein grand vestibule à l'intérieur.
CÉLINE, Voyage au bout de la nuit, p. 181 (→ Gicler, cit. 7).

♦ **3.** Fig. S'emparer de (qqch.) avec avidité; saisir rapidement, au passage.

8 (...) le dernier enfin, le long de la touche, happe la balle, dépasse tous les autres et semble s'envoler. Jean PRÉVOST, Plaisirs des sports, p. 134.

♦ **4.** (Sujet n. de chose; compl. n. de personne). Attirer (surtout au passif).

★ **II.** V. intr. Sujet n. de chose. Vx. Adhérer* fortement. ⇒ **Attacher** (s'). *L'argile sèche, la terre bolaire* (cit.) *happe à la langue.*

CONTR. Lâcher, laisser.
DÉR. Happe, happeau, happement, happeur, happeux.
COMP. Happe-bourse, happe-chair, happe-lopin, happelourde.

HAPPEUR, EUSE [apœʀ, øz] n. et adj. — 1870; de *happer.*

♦ N. Rare. (Personnes). Qui happe. — Adj. (Choses). *Des mains, des griffes happeuses.*

C'est vrai que les vieillards se désintéressent et se détournent du sérieux des adultes, c'est vrai qu'ils n'ont presque plus faim que de bonbons et de baisers, et c'est vrai qu'ils finissent comme ils ont commencé, la main happeuse, et serrant jusqu'à la limite des forces possibles la main qui a bien voulu se tendre (...)
Annie LECLERC, Parole de femme, p. 190 (1974).

HAPPY END ['apiɛnd] n. m. ou f. — 1945, *in* D. D. L.; mots angl., « fin *(end)* heureuse *(happy)* ».

♦ Anglic. Heureuse fin (d'un film tragique), considérée souvent comme une concession au goût du public. *Ce happy end a été imposé par le producteur.*

1 C'est une histoire vieille comme le monde, et toute pleine de leçons rabâchées, un bon scénario américain avec son *happy end* joliment amené.
Jacques PERRET, Bâtons dans les roues, p. 159.

Par ext., fam. Fin heureuse (d'une histoire tragique). *« Le "présupposé de la happy end" des philosophies de l'histoire »* (Gurvitch).

2 Après tout, pourquoi l'histoire de Roberti ne finirait-elle pas relativement bien, c'est-à-dire sans drame majeur, comme la plupart, des histoires humaines? Sois chic! Donne-moi une *happy end.* J. DUTOURD, les Horreurs de l'amour, p. 722.

3 Ce n'est pas moi, avertissait l'auteur, qui vous présenterai un beau coupable bon à pendre, ni une *« happy end »* facile et radicale.
Pierre NORA, les Français d'Algérie, p. 206.

HAPPY FEW ['apifju] n. m. pl. — 1804, Stendhal, à propos de ses lecteurs présumés; expr. angl., « quelques *(few)* heureux *(happy)* ».

♦ Anglic. Les rares privilégiés. *« Avec ses deux mille exemplaires pour "happy few", "la Revue du Cinéma" restait un mensuel élitiste »* (*l'Express,* 21 juil. 1979, p. 29).

1 Croyez que le drame est votre fait. Je ne dis pas le drame à jouer ou jouable mais le drame pour les gens d'esprit, *the happy few,* à lire dans un fauteuil.
MÉRIMÉE, Lettre à Tourgueniev, 9 mars 1860, *in* M. PARTURIER, Une amitié littéraire, 129 (*in* D. D. L., II, 7).

2 (...) comme si les artistes, conscients de l'indifférence du grand public pour leur œuvre, se retranchaient dans les lieux culturels où seuls quelques *happy few* peuvent apprécier leur travail (...)
S. LEMOINE, *in* le Nouvel Obs., no 401, 17 juil. 1972, p. 41.

HAPTÈNE [aptɛn] n. m. — XXe (1935, *in* T. L. F.); du grec *haptein* « attacher », et suff. *-ène.*

♦ Chim. biol. Substance possédant les qualités d'un antigène, mais qui ne devient active que lorsqu'elle est attachée à la protéine spécifique d'un antigène. *« La spécificité de la reconnaissance d'un antigène par un anticorps pouvait être étudiée à l'aide de substances non-immunogènes par elles-mêmes, et que Landsteiner, qui avait découvert cette propriété vers 1930, avait appelé haptènes (d'un verbe grec qui veut dire "s'emparer", car les haptènes se fixent sur les anticorps) »* (*la Recherche,* no 142, nov. 1983, p. 347).

HAPTÈRE [aptɛʀ] n. m. — XXe (attesté 1895 en angl. *hapteron, in* Oxford); du grec *haptein* « attacher », lat. sc. *hapteron, haptera.*

♦ Bot. Système de fixation de végétaux cryptogames avasculaires qui diffère des racines en ce qu'il n'a pas de rôle d'absorption.

HOM. Aptère.

HAPTODÈRE [aptɔdɛʀ] n. m. — 1930, *Larousse du XXe siècle;* du grec *haptein* « attacher ».

♦ Zool. Insecte coléoptère carnivore qui peuple les régions montagneuses d'Europe et d'Asie Mineure (famille des Carabidés).

HAPTOGLOBINE [aptoglɔbin] n. f. — XXe; du grec *haptein* « attacher », et *globine.*

♦ Chim. biol. Protéine combinée à un sucre (glycoprotéine), présente dans le plasma sanguin et qui accroît le pouvoir oxydatif de l'hémoglobine. *Le taux sanguin de l'haptoglobine est augmenté dans les états inflammatoires.*

HAQUE ['ak] n. f. — 1846, Bescherelle; orig. inconnue, l'hom. *haque* « cheval hongre » ne convient pas pour le sens.

♦ Agric. Gros plantoir à deux branches, utilisé pour planter la vigne. ⇒ **Taravelle.**

HAQUEBUTE ou HACQUEBUTE ['ak(ə)byt] n. f. — Fin XVe; *haquebute; hacquebute,* 1473; altér. sous l'influence de *buter* (« viser ») du moy. néerl. *hakebusse.*

♦ Anciennt. ⇒ **Arquebuse.**

HAQUENÉE ['akəne] n. f. — V. 1360; moy. angl. *haquenei* (angl. mod. *hackney*) « tiré de *Hackney,* nom du village (...) dont les chevaux étaient renommés » (Bloch). Pour P. Guiraud comme pour l'O. E. D., l'angl. est un emprunt au vieux franç. → Haquet.

♦ **1.** Vx. Cheval (cit. 3) ou jument de taille moyenne, d'allure douce, allant l'amble, que montaient les dames.

Voici venir madame Marie-Anne; 1
Elle descend l'escalier de la tour (...)
Une haquenée
Est seule amenée,
Tant elle a d'effroi
Du noir palefroi.
Mais son père monte
Le beau destrier;
Ferme à l'étrier (...) A. DE VIGNY, le Livre moderne, « Madame de Soubise ».

♦ **2.** (1841, Balzac). Fig., vx. Grande et forte femme (⇒ **Cheval, jument**); grande femme laide et dégingandée.

Mademoiselle Goujet était une de ces filles dont le portrait est fait en deux mots qui permettent aux moins imaginatifs de se les représenter : elle appartenait au genre des grandes haquenées. Elle se savait laide, elle riait la première de sa laideur en montrant ses longues dents jaunes (...) 2
BALZAC, Une ténébreuse affaire, Pl., t. VII, p. 491.

(1805, Stendhal). Vx. Femme de mauvaise vie. ⇒ **Chabraque.**

Elle était sur le retour et toute frémissante encore de ses débauches effrénées. Car il faut vous dire qu'elle avait été pendant vingt ans la meilleure haquenée de la province de Normandie. 3
FRANCE, les Opinions de J. Coignard, III, *in* Œ., t. VIII, p. 355.

HOM. Acné.

HAQUET ['akɛ] — 1606; dér. *haquetier*,* 1481; p.-ê. de l'anc. franç. *haquet* « cheval », probablt de même rac. que *haquenée.* Pour P. Guiraud, *haquet* « cheval » et *haquet* « charrette » dérivent tous deux de **haqueter,* var. de *hoqueter* « secouer, cahoter », et *haquenée* d'un doublet **haquener.*

♦ Charrette étroite et longue, sans ridelles. *Des haquets. Haquet muni d'un treuil, pour le transport des tonneaux.*

Sept voitures marchaient à la file sur la route. Les six premières avaient une structure singulière. Elles ressemblaient à des haquets de tonneliers; c'étaient des espèces de longues échelles posées sur deux roues et formant brancard à leur extrémité antérieure. Chaque haquet, disons mieux, chaque échelle était attelée de quatre chevaux bout à bout. HUGO, les Misérables, IV, III, VIII. 1

On voyait se ranger devant les portes des haquets chargés de barriques. 2
H. BARBUSSE, le Feu, V, t. I, p. 36.

HAQUETIER ['ak(ə)tje] n. m. — 1481; de *haquet.*

♦ Rare. Conducteur de haquet. — REM. Le fém. *haquetière* est virtuel.

HARA-KIRI ['aʀakiʀi] n. m. — 1873, *in* P. Larousse; mot japonais « ouverture du ventre », lecture rare des caractères qui se lisent normalement *seppuku,* seul mot usité au Japon et chez les spécialistes de la civilisation japonaise.

♦ Suicide par éviscération, particulièrement honorable, au Japon.

Les samouraïs condamnés à mort avaient le privilège du hara-kiri. Officier japonais qui fait hara-kiri pour venger son honneur, l'honneur national. Des hara-kiris.

1 — Oui, — dit Hirata Takamori. — Je vais, Narimasa, me tuer tout à l'heure. Et je vous serai très obligé, à vous qui êtes d'une très noble famille de bons samouraïs, de bien vouloir m'assister dans mon harakiri.
Claude FARRÈRE, la Bataille, XXX.

2 (...) une brosse à habits dont se recourbait la poignée et qui laissait croire dans chaque mouvement à un harakiri (...)
GIRAUDOUX, Siegfried et le Limousin, p. 98.

3 Le hara-kiri ne fait pas peur à qui est certain de ressusciter.
F. MAURIAC, Bloc-notes 1952-1957, p. 217.

4 — Le trépas n'a pas plus d'importance que la mort. L'acte que vous appelez hara-kiri (nous n'employons cette expression qu'avec les Occidentaux) vous le traduisez par : suicide. Il n'est pas un suicide, il est un exemple.
MALRAUX, Antimémoires, Folio, p. 577.

Loc. fig. (1933). *Faire hara-kiri :* se sacrifier, renoncer à des avantages (→ Demander, cit. 26).

HARANGUE ['aʀɑ̃g] n. f. — V. 1461, Villon; ital. *aringa,* du gotique **hariggs,* var. de **hriggs;* du francique **hring* «cercle, rang».

♦ **1.** (Déb. XVIe). Discours solennel prononcé devant une assemblée, un haut personnage. ⇒ **Allocution, discours** (cit. 10), **oraison** (vx). → Écrivain, cit. 1. *Harangue véhémente, violente.* ⇒ **Catilinaire, philippique.** *Une courte harangue. Harangue pompeuse, solennelle, emphatique.* ⇒ **Prosopopée.** *Faire, prononcer une harangue* (→ Blandice, cit. 4). *Harangue d'un député* (cit. 1), *d'un sénateur, d'un tribun romain. — La tribune aux harangues d'Athènes s'élevait sur le Pnyx.*

1 (...) présenter des harangues ou des disputes de rhétorique à une compagnie assemblée pour rire et faire bonne chère, ce serait un mélange de trop mauvais accord.
MONTAIGNE, Essais, t. I, XXVI.

2 Les harangues sont une autre espèce de mensonge oratoire que les historiens se sont permis autrefois. On faisait dire à ses héros ce qu'ils auraient pu dire.
VOLTAIRE, Hist. de l'Empire de Russie, Préface, VII.

3 (...) ce jour-là, il trouva d'instinct l'éloquence militaire dont il est le modèle; il inventa la harangue à l'usage de la valeur française et faite pour l'électriser. Henri IV avait eu des traits d'esprit (...) mais, ici, il fallait une éloquence (...) à la mesure de ces armées sorties du peuple, la harangue brève, familière, monumentale. Du premier jour, au nombre de ses moyens de grande guerre, Napoléon trouva celui-là. SAINTE-BEUVE, Causeries du lundi, 17 déc. 1849, t. I, p. 184.

4 Il y a, dans nos races jacassières, des individus qui accepteraient avec moins de répugnance le supplice suprême, s'il leur était permis de faire du haut de l'échafaud une copieuse harangue, sans craindre que les tambours de Santerre ne leur coupassent intempestivement la parole.
Je ne les plains pas, parce que je devine que leurs effusions oratoires leur procurent des voluptés égales à celles que d'autres tirent du silence et du recueillement; mais je les méprise. BAUDELAIRE, le Spleen de Paris, XXIII.

4.1 C'est elle *(Mascha)* qui rédigeait nos proclamations, ces manifestes et ces tracts qui eurent une si grosse influence sur la masse et qui déclenchèrent tant de grèves et causèrent tant de ravages. Elle avait le génie de la harangue, et personne ne savait mieux qu'elle faire appel aux bas instincts de la foule.
B. CENDRARS, Moravagine, Œ. compl., t. V, p. 114.

5 Il est rare qu'ils *(les héros d'Homère)* en viennent aux coups sans, préalablement, s'être adressé de longues harangues qui sont parfois poétiques et toujours instructives. G. DUHAMEL, Refuges de la lecture, p. 30.

♦ **2.** (V. 1530). Discours pompeux et ennuyeux; remontrance, réprimande interminable (⇒ **Sermon**). → Après, cit. 70. *Épargnez-nous vos harangues.*

6 — *(Voici)* de quoi te délier la langue.
— Elle ira faire encor quelque sotte harangue!
MOLIÈRE, le Dépit amoureux, I, 4.

DÉR. Haranguer.
HOM. Formes du v. **haranguer.**

HARANGUER ['aʀɑ̃ge] v. tr. — 1414, «lire en public»; sens mod., 1547; de *harangue,* ou de l'ital. *aringare,* de *aringa.* → Harangue.

♦ **1.** Adresser une harangue* à. *Haranguer un roi, un empereur, une assemblée, des soldats, le peuple, la foule* (→ Chef, cit. 10; français, cit. 1; grimper, cit. 21).

1 *(M. de Beaufort)* sortit; il harangua à sa manière la populace, et il l'apaisa pour un moment. RETZ, Mémoires, II, p. 244.

2 Il *(Mazarin)* exigea et il obtint que le parlement vînt le haranguer par députés. C'était une chose sans exemple dans la monarchie (...)
VOLTAIRE, le Siècle de Louis XIV, VI.

3 (...) si jamais on vit un spectacle indécent, odieux, risible, c'est un corps de magistrats, le chef à la tête, en habit de cérémonie, prosternés devant un enfant au maillot, qu'ils haranguent en termes pompeux, et qui crie et bave pour toute réponse. ROUSSEAU, Émile, II.

4 Des hommes d'une éloquence frénétique haranguaient la foule au coin des rues (...)
FLAUBERT, l'Éducation sentimentale, III, I.

5 (...) cette place éminente par elle-même, où je ressens, avec la sensation de l'étrangeté d'y paraître, tout l'émoi et tout l'embarras d'avoir à vous haranguer.
VALÉRY, Variété V, p. 41.

(1580, Montaigne). Absolt. Prononcer des harangues, et, par ext., parler beaucoup et avec emphase.

6 (...) soit qu'il parle, qu'il harangue ou qu'il écrive, *(il)* veut citer (...)
LA BRUYÈRE, les Caractères, XII, 64.

7 (...) la philosophie enseigne et ne harangue pas.
P.-L. COURIER, Œuvres, p. 566.

8 Qui croirait que cette cour insensée se rappelât, regrettât l'usage absurde de faire haranguer le Tiers à genoux? On ne voulut pas l'en dispenser expressément, et l'on aima mieux décider que le président du Tiers ne ferait pas de harangue.
MICHELET, Hist. de la Révolution franç., I, II.

♦ **2.** (1573). Faire d'ennuyeux discours, de longues remontrances à. ⇒ **Sermonner** (→ Fréquentation, cit. 7).

Avant mon départ, j'allai embrasser mon père et ma mère, qui ne m'épargnèrent 9
pas les remontrances. Ils m'exhortèrent à prier Dieu pour mon oncle, à vivre en honnête homme (...) et, sur toutes choses, à ne pas prendre le bien d'autrui. Après qu'ils m'eurent très longtemps harangué, ils me firent présent de leur bénédiction (...) A. R. LESAGE, Gil Blas, I, 1.

(...) le conducteur est assis sur le brancard, d'où il peut haranguer et bâtonner sa 10
mule tout à son aise (...) Th. GAUTIER, Voyage en Espagne, p. 50.

DÉR. Harangueur.
HOM. V. **harangue.**

HARANGUET [aʀɑ̃gɛ] n. m. ⇒ **Harenguet.**

HARANGUEUR, EUSE ['aʀɑ̃gœʀ, øz] n. — Déb. XVIe; de *haranguer.*

♦ **1.** Vieilli. Personne qui prononce des harangues. ⇒ **Orateur.**

(...) au lieu d'écouter ces harangueurs, comme il vit que personne ne venait pour 1
l'introduire, il répéta le même cri avec une assurance qui fit frémir tout le monde (...) A. GALLAND, les Mille et une Nuits, p. II, p. 126.

(1559). Péj. *Mauvais, froid harangueur* (→ Amphigouri, cit. 2).

♦ **2.** (1652, Scarron). Fig. et littér. Personne qui discourt interminablement, parle d'une façon solennelle et ennuyeuse.

Des harangueurs du temps l'ennuyeuse éloquence. BOILEAU, Satires, VIII. 2

HARAS ['aʀɑ] n. m. — 1280; *haraz* «troupe d'étalons», v. 1160; probablt de l'anc. scandinave *hârr* «qui a le poil gris». P. Guiraud suggère un étymon gallo-roman **haracius,* du lat. *hara* «abri pour les animaux» (cf. ital. dial. *ara* «abri pour les chevaux»), d'une rac. signifiant «enclos», d'où aussi *hortus* (→ Horti-, hortillon).

♦ **1.** Lieu, établissement destiné à la reproduction de l'espèce chevaline, à l'amélioration des races de chevaux par la sélection des étalons (cit. 1 et 2). *Haras privés, appartenant aux particuliers. Le stud-book d'un haras de pur-sang.* — (En France). *Haras nationaux,* appartenant à l'État. ⇒ 1. **Étalon** (dépôt d'étalons), **jumenterie.** *Administration des haras* (loi du 21 mars 1874). *La direction générale des haras au ministère de l'Agriculture. Concours des haras. Étalons privés approuvés ou autorisés par la commission des haras.*

Les haras nationaux furent créés par Colbert en 1665 (...) Il fit acheter des éta- 1
lons par l'État et les mit en dépôt chez des particuliers qui les nourrissaient moyennant certaines détaxes d'impôts. En 1714 fut créé le haras du Pin en Normandie qui commença à fonctionner quatre ans plus tard. En 1751, naquit la Jumenterie de Pompadour en Corrèze (...) Raymond AMIOT, le Cheval, p. 101.

L'administration des Haras met à la disposition des éleveurs des étalons et des bau- 2
dets dont l'effectif est fixé par une loi; les étalons nationaux sont entretenus dans vingt-trois dépôts régionaux, et répartis pour la saison de monte dans sept cents stations de monte environ. DALLOZ, Dict. pratique de droit, art. *Haras,* n° 2.

♦ **2.** (En parlant de l'espèce humaine) :

(...) la loi *(à Sparte)* fixe l'âge des mariages et choisit le moment et les circons- 3
tances les plus favorables pour bien engendrer. Il y a chance pour que de tels parents aient des enfants beaux et forts; c'est le système des haras, et on le suit jusqu'au bout puisqu'on rejette les produits mal venus.
TAINE, Philosophie de l'art, t. II, p. 188.

(...) Toute sélection implique la suppression des malvenus, et c'est à quoi notre 4
chrétienne de société ne saurait se résoudre. Elle ne sait même pas prendre sur elle de châtrer les dégénérés; et ce sont les plus prolifiques. Ce qu'il faudrait, ce ne sont pas des hôpitaux, c'est des haras. GIDE, les Faux-monnayeurs, III, XI.

Spécialt. *Haras humains :* les *Lebensborn* nazis (1936), organismes de contrôle génétique et de reproduction supervisée de manière raciste pour assurer la «pureté» de la «race» aryenne.

HOM. Ara.

HARASSANT, ANTE [aʀasɑ̃, ɑ̃t] p. prés. et adj. — 1845; p. prés. de *harasser.*

♦ Qui harasse, cause des fatigues nombreuses et extrêmes. ⇒ **Fatigant; épuisant, éreintant, exténuant.** *Besogne, tâche harassante, travail harassant* (→ Amusement, cit. 12). *Journée, vie harassante* (→ Amusement, cit. 12). *Journée, vie harassante* (→ Baume, cit. 11). *Sa tâche n'est pas trop harassante.*

Il se taisait pendant les jours entiers, accomplissant sa tâche monotone et haras- 1
sante avec une sorte de rage silencieuse.
R. ROLLAND, Jean-Christophe, Le matin, I, p. 145.

(...) et après six de ces harassantes journées de douze heures, rentrant à la mai- 2
son avec soixante francs (...)
J. ROMAINS, les Hommes de bonne volonté, t. V, XXVIII, p. 295.

HARASSE ['aʀas] n. f. — XIIIe; orig. obscure; d'après Dauzat p.-ê. var. de *charasse*.*

♦ Techn. Emballage léger, caisse à claire-voie, pour le transport du verre, de la porcelaine.

HOM. Formes du v. **harasser.**

HARASSÉ, ÉE ['aʀase] p. p. adj. ⇒ **Harasser.**

HARASSEMENT ['aʀasmɑ̃] n. m. — 1572, Amyot; de *harasser.*

♦ Rare. Action de harasser; état d'une personne harassée; fatigue* extrême.

HARASSER ['aʀase] v. tr. — 1527; de l'anc. franç. *harache* (XIIIe), *harace* (déb. XIVe), de *hare* «cri pour exciter les chiens», interj. d'orig. francique.

♦ (Plus cour. aux temps comp. et au p. p.). Accabler de fatigue. ⇒ **Fatiguer; briser, broyer** (de fatigue), **épuiser, éreinter, excéder, exténuer, vanner.** *Harasser un cheval.* ⇒ **Estrapasser.** *Se harasser* (→ Aquilon, cit. 4). — Par ext. *Ce long discours harassa l'auditoire* (Académie). — (Passif). *Être harassé de fatigue* (→ Brûler, cit. 54), *de travail; harassé de travailler, d'écrire* (→ Gémir, cit. 18).

En emploi absolu (littéraire ou régional) :

0.1 La neige pourrie des sentiers harasse, de même que la neige mouillée dans le vent. La mousse mal gelée défonce, l'eau sourd et la tache d'argile.

Jean-Yves SOUCY, Un dieu chasseur, p. 23.

► **HARASSÉ, ÉE** p. p. adj. (1562).

Épuisé de fatigue. *Être harassé, à bout de force*.* ⇒ **Fatigué** (cit. 20). *Se coucher* (cit. 18) *harassé* (→ aussi Déchevelé, cit. 1).

1 Harassé, fatigué, je succombe au sommeil. DELILLE, Conversations, I.

2 (*L'Empereur*) ne dissimula pas à ce maréchal qu'il arrivait à Smolensk avec une armée harassée et une cavalerie toute démontée.

Ph. P. SÉGUR, Hist. de Napoléon, X, 2, *in* LITTRÉ.

3 La marche était pénible, et ils furent bientôt si harassés qu'ils s'arrêtèrent en rencontrant enfin un endroit sec sous de grands chênes.

G. SAND, la Mare au diable, VII.

(1696). Qui montre une grande fatigue. *Air harassé. Expression, mine harassée.*

4 Mais je l'aperçois. Qu'il a l'air harassé! J.-F. REGNARD, le Joueur, I, 4.

5 (...) aussitôt m'était apparu le plissement douloureux de son front, l'expression inquiète et parfois harassée de son regard. GIDE, Si le grain ne meurt, I, V.

CONTR. Délasser, réconforter, reposer. — (Du p. p.) **Dispos, fort, frais.**
DÉR. Harassant, harassé, harassement.

HARCELANT, ANTE ['aʀsəlɑ̃, ɑ̃t] adj. — 1834, Sainte-Beuve, *Volupté, in* T. L. F.; p. prés. de *harceler.*

♦ Qui harcèle. *Bruit, son harcelant* (→ Annoncer, cit. 18). ⇒ **Obsédant.** *Nuée, fourmilière de cireurs* (cit. 1) *harcelants comme des mouches. Créanciers harcelants. Occupations harcelantes* (→ Affairement, cit. 2).

Ces vieilles gens sont incorrigibles et harcelants.

SAINTE-BEUVE, *in* Revue des Deux-Mondes, 1er janv. 1875.

HARCÈLEMENT ['aʀsɛlmɑ̃] n. m. — 1632; de *harceler.*

Littéraire ou style soutenu.

♦ **1.** Action de harceler (en actes ou en paroles). *Guerre de harcèlement.* ⇒ **Guérilla.** *Tir de harcèlement.* ⇒ **Tir.**

Tous les petits «harcèlements» dont notre enfance politique se fait encore une gloire. NECKER, Pouv. exéc. 1792, t. VIII, p. 354, *in* BRUNOT.

♦ **2.** Le fait de harceler (psychologiquement).

HARCELER ['aʀsəle] v. tr. — Conjug. *geler;* ou (selon l'Académie) *appeler : je harcelle* (rare). — XVe (av. 1493); var. pop. de *herceler,* dér. de *herser*,* au fig. «tourmenter».

♦ **1.** Soumettre sans répit à de petites attaques réitérées, à de rapides assauts incessants. ⇒ **Attaquer, assaillir.** *Harceler l'ennemi par d'incessantes escarmouches. Leur armée était continuellement harcelée par les guérillas, par les francs-tireurs. — Harceler un cerf, un lièvre* (→ Levrauder, étym.) *jusqu'à épuisement.* ⇒ **Poursuivre.** *Le lion harcelé par une mouche* (→ Avorton, cit. 6). — *Taureaux qu'on harcèle avec des pointes.* ⇒ **Aiguillonner, exciter** (cit. 17), **provoquer, tourmenter.**

1 *Harceler,* écrit d'abord *herceler,* c'est provoquer par de fréquentes attaques, en inquiétant sans cesse; comme la *herse* par ses divers rangs de dents tourmente la terre sur laquelle on la passe et repasse.

LAFAYE, Dict. des synonymes, Provoquer, harceler...

2 La première journée fut rude, parce que, n'ayant ni cavalerie, ni frondeurs, ils furent extrêmement harcelés par un détachement qu'on avait envoyé contre eux.

ROLLIN, Hist. ancienne, Œ., t. IV, p. 190, *in* POUGENS.

3 (*L'albatros*) paraît même n'être que sur la défensive avec les mouettes, qui, toujours hargneuses et voraces, l'inquiètent et le harcèlent (...)

BUFFON, Hist. nat. des oiseaux, L'albatros.

4 (...) un âne trottait vivement, harcelé par un malotru armé d'un fouet.

BAUDELAIRE, le Spleen de Paris, IV.

5 La populace (...) nous harcelait avec ses lances, et nous accablait de ses volées de flèches. BAUDELAIRE, Trad. E. POE, Histoires extraordinaires, «Souvenirs de M. A. Bedloe».

Par métaphore (équivaut au sens 2, c) :

6 Cette dette (...) fut la Nécessité au fouet armé de pointes, à la main pleine de clous de bronze qui le harcela nuit et jour, sans trève ni pitié, lui faisant regarder comme un vol une heure de repos ou de distraction.

Th. GAUTIER, Portraits contemporains, Balzac, II.

♦ **2.** (Av. 1493). Presser, attaquer (qqn) de manière réitérée de manière à l'excéder. ⇒ **Levrauder** (vx).

[a] (Sujet n. de personne). Exciter, attaquer (qqn) par des moqueries, des paroles blessantes, critiques. ⇒ **Houspiller.** *Il le harcelait, l'irritait. — Harceler qqn de... Harceler qqn de critiques, de taquineries.*

7 Il est un peu extraordinaire qu'on ait harcelé, honni, levraudé un philosophe de nos jours très estimable, l'innocent, le bon Helvétius, pour avoir dit que si les hommes n'avaient pas des mains, ils n'auraient pu bâtir des maisons et travailler en tapisserie de haute lice. VOLTAIRE, Dict. philosophique, Homme.

[b] Importuner (qqn) par des demandes, des sollicitations, des incitations. *Ses créanciers ne cessent de le harceler.* ⇒ **Presser, talonner** (→ Mettre l'épée* dans les reins). *Il est très paresseux, il faut le harceler pour le faire agir* (Académie). ⇒ **Secouer.** *Une foule de fâcheux, de solliciteurs, qui sont tout le temps à le harceler.* ⇒ **Asticoter** (fam.), **importuner, tarabuster, tirailler;** → (vieilli) Être après les chausses* de qqn. *Est-ce que tu as bientôt fini de me harceler?* ⇒ **Agacer, empoisonner, fatiguer;** → fam. Casser les pieds*. — *Harceler qqn de demandes, de questions, de réclamations continuelles.*

8 Sa bru la suivait pas à pas, de marche en marche, la harcelant de questions avec cet accent de rage obstinée dont elle n'avait pas conscience.

MAURIAC, le Sagouin, I, p. 14.

Spécialt. Presser d'agir, de travailler. *J'ai dû harceler l'entrepreneur pour le faire avancer les travaux.*

[c] (1764, Voltaire). Sujet n. de chose. *Les soucis, les ennuis qui le harcèlent. —* Au passif et au p. p. *Être harcelé de soucis, de scrupules, de remords; harcelé par des soucis, des scrupules...* → Conscience, cit. 17; éreinter, cit. 6; hanter, cit. 16.

► **SE HARCELER** v. pron. *Bandes armées qui se harcèlent sans répit* (→ Égratigner, cit. 2). — *Politiciens qui se harcèlent de critiques.*

9 (...) il ne faut point se hâter quand on veut bien faire; l'imagination harcelée et gourmandée devient rétive (...)

VOLTAIRE, Lettre à d'Argental, 320, 18 nov. 1735.

► **HARCELÉ, ÉE** p. p. adj. *Armée harcelée. Taureau harcelé. Gouvernement harcelé (par l'opposition). Harcelé de soucis.*

CONTR. Apaiser, calmer. — Laisser.
DÉR. Harcelant, harcèlement, harceleur.

HARCELEUR, EUSE ['aʀsəlœʀ, øz] adj. et n. — 1898, *Nouveau Larousse illustré;* de *harceler.*

♦ Adj. Rare. Qui harcèle. *Remords harceleur. —* N. *Un harceleur, une harceleuse.*

HARD ['aʀd] n. m. — V. 1975; mot angl. «dur».

Anglicisme.

♦ **1.** ⇒ **Hard-rock.** *«Les rockers de Motorhead ne travaillent pas dans la demi-teinte (...) C'est du hard»* (*l'Express,* 3 nov. 1979, p. 27).

♦ **2.** Hard core. — Adj. *Du porno hard. «Mais aujourd'hui la plupart des interdits sont levés et l'on peut se magnétoscoper at home les pornos les plus hards qui soient»* (*le Nouvel Obs.,* no 856, 15 juin, p. 12).

HOM. 1. **Harde,** 2. **harde, hardes.**

HARD CORE ['aʀdkɔʀ] n. m. — V. 1975; expr. anglo-américaine, de *core* «noyau», et *hard* «dur».

♦ Anglic. Genre pornographique explicite, obscène. ⇒ **Porno.** *«Il ne donne pas dans le hard core, mais dans la comédie légère, avec une variante, la dominante homosexuelle féminine»* (*le Nouvel Obs.,* 26 déc. 1973, p. 53).

1. HARDE ['aʀd] n. f. — 1567; *herde,* v. 1138; francique **herda;* cf. all. *Herde* «troupeau».

♦ Vén. Troupe de bêtes sauvages vivant ensemble. *Une harde de cerfs, de daims.* ⇒ **Harpail.**

1 En hiver, les biches, les hères, les daguets et les jeunes cerfs se rassemblent en hardes et forment des troupes d'autant plus nombreuses que la saison est plus rigoureuse. Au printemps ils se divisent (...)

BUFFON, Hist. nat. des animaux, Le cerf.

2 (...) les bêtes, d'un moment à l'autre, s'attendaient à voir surgir les hommes (...) Toute la harde, étroitement serrée, frémissait en renâclant. Elle pivota brusque-

ment sur elle-même : d'autres bêtes arrivaient au galop, biches et cerfs pêle-mêle, les yeux fous, se heurtant dans leur course et soufflant à pleins naseaux. Ils vinrent donner violemment dans la harde, l'enlevèrent dans un grouillant remous.
M. GENEVOIX, la Dernière Harde, I, II.

DÉR. **Hardé, hardées.**
HOM. **Hard,** 2. **harde, hardes**; formes du v. **harder.**

2. HARDE ['aʀd] n. f. — 1391, «corde»; forme fém. de *hart.* → Hart.

♦ Vén. Lien servant à attacher les chiens, par quatre ou par six. — Par ext. Groupe de chiens ainsi attachés. *Une harde de chiens.*

DÉR. 2. **Hardé, harder, hardillier.**
HOM. **Hard,** 1. **harde, hardes**; formes du v. **harder.**

1. HARDÉ ['aʀde] adj. m. — 1765, *Encyclopédie; hardré,* 1564; p.-ê. de *hardes.*

♦ *Œuf ardé :* œuf pondu sans coquille et pourvu seulement d'une membrane (l'œuf paraissant enveloppé d'une fine étoffe). → Coque, cit. 2.

HOM. 2. **Hardé, hardées, harder.**

2. HARDÉ, ÉE ['aʀde] adj. — Déb. xxᵉ; *enhardé,* 1867; de 1. *harde.*

♦ Vén. Accompagné d'une harde.

Jolibois (...) avait rembûché un dix cors (...)
— Seul ou hardé?
— Seul, monsieur le marquis. M. DRUON, la Chute des corps, II, IX, p. 174.

HOM. 1. **Hardé, hardées,** formes du v. **harder.**

HARD EDGE ['aʀdɛdʒ] n. m. — V. 1975, expr. angl., de *hard* «dur», et *edge* «bord».

♦ Anglic. Art pictural d'abstraction géométrique, utilisant des formes et des couleurs simples, des «contours rigoureux».

HARDÉES ['aʀde] n. f. pl. — 1690, Furetière; de 1. *harde,* et *-ées.*

♦ Vén. Petites branches des taillis brisées par les cerfs quand ils vont viander.

HOM. 1. **Hardé,** 2. **hardé, harder.**

HARDER ['aʀde] v. tr. — 1561; de 2. *harde,* et *-er.*

♦ Vén. Attacher (les chiens) à la harde, les accoupler. — V. pron. *Se harder :* s'embarrasser dans la harde, en parlant des chiens.

HOM. 1. **Hardé,** 2. **hardé, hardées.**

HARDES ['aʀd] n. f. pl. — 1480; *fardes,* v. 1155, en anc. franç., prononcé *hardes* en gascon; arabe *fărdăh* «demi-charge d'un chameau». → 1. Farde, fardeau.

♦ **1.** Vx ou régional. Ensemble des effets personnels (vêtements, linge et même meubles) voyageant avec les bagages. → Ample, cit. 2; faquin, cit. 1; fripier, cit. 1.

1 Ah! dit la Bonnelle, voilà une mijaurée (*la comtesse de Choiseul*) qui a eu plus de cent mille écus de nos hardes. Mᵐᵉ DE SÉVIGNÉ, 261, 1ᵉʳ avril 1672.

2 Les troupes (...) qui, dans ce moment-là, portaient leurs tentes et leurs autres hardes sur leurs épaules (...) RACINE, le Siège de Namur.

3 Il y a des mères, arrivées des villages, ayant mis leur beau costume breton des fêtes, la grande coiffe, et la robe de drap noir à broderies de soie; la pluie les gâte pourtant, ces belles hardes qu'on ne renouvelle pas deux fois dans la vie (...)
LOTI, Mon frère Yves, IV.

Dr. (la langue juridique ayant gardé le sens ancien). *Quelques hardes indispensables* (→ Envoyer, cit. 16).

4 La femme qui renonce (*à la communauté*) perd toute espèce de droit sur les biens de la communauté, et même sur le mobilier qui y est entré de son chef. Elle retire seulement les linges et hardes à son usage.
Code civil, Art. 1492 (cf. aussi art. 1566, et Code de commerce, art. 419).

♦ **2.** (1771). Vêtements extrêmement modestes, pauvres et usagés. ⇒ **Nippes, oripeaux;** → Fripes. *Des hardes, presque des guenilles*. Un paquet de hardes, de vieilles hardes.* ⇒ **Vieillerie.** *Être vêtu de hardes. Hardes accrochées à un épouvantail* (cit. 2). ⇒ **Défroque.** *Ravauder ses hardes.*

5 (...) sur le lit du père, il vit l'habillement qu'il lui avait vu la veille posé en travers en façon de couvre-pied. D'autres hardes, placées de la même manière sur le lit du petit-fils, faisaient présumer que toute leur garde-robe était là (...) Enfin c'était la misère à son dernier période (...) BALZAC, l'Initié, Pl., t. VII, p. 366.

6 Le déménagement ne dérangea personne : deux paquets de hardes, que le vieux tint à porter lui-même, et dont il fit deux voyages. ZOLA, la Terre, IV, II.

7 Elle était vêtue de taffetas noir (...) mais il y avait dans l'étoffe autour de la taille quatre ou cinq vilaines reprises qui avouaient des temps difficiles (...) Le rose de la coiffeuse contrastait fortement avec ce qu'il y avait de pauvre et de triste dans ces hardes usées (...) J. GREEN, Léviathan, I, III.

8 La maison qui vend *des vêtements* ne se confond pas avec celle qui étale *des nippes* ou *des hardes.* F. BRUNOT, la Pensée et la Langue, p. 581.

DÉR. V. 1. **Hardé.**
HOM. 1. **Harde,** 2. **harde,** formes du v. **harder.**

HARDI, IE ['aʀdi] adj. — 1080; p. p. de l'anc. franç. *hardir* «rendre, devenir dur, hardi»; du francique **hardjan* «durcir», de l'adj. **hart* «dur»; cf. all. *hart* «dur», et *härten* «durcir».

A. ♦ **1.** [a] (Personnes). Qui manifeste, exprime, dénote un tempérament, un esprit prompt à oser sans se laisser intimider. ⇒ **Audacieux, aventureux, brave, courageux, décidé, déterminé, énergique, entreprenant, intrépide, résolu.** — Vieilli (en parlant du courage militaire). *Soldats, cavaliers, guerriers hardis* (→ Abord, cit. 2; éclaireur, cit. 2; frapper, cit. 18). — Mod. *Être hardi, entreprenant. Caractère hardi* (→ Emportement, cit. 8; gascon, cit. 2). *Hardi à l'excès.* ⇒ **Présomptueux, risque-tout, téméraire.** *Un hardi réformateur. Hardi comme un lion. Animal hardi* (→ Besoin, cit. 10; faucon, cit. 3). — *Le plus hardi. Ce qui effraie les plus hardis.* → Effarer, cit. 7; exécuter, cit. 7.

Un d'eux, le plus hardi, mais non pas le plus sage (...) 1
LA FONTAINE, Fables, VI, 4.

L'obscurité de la nuit semblait favorable à Charles; il prend son parti sur le champ : il se jette dans le fossé, accompagné des plus hardis, et suivi en un instant de tout le reste (...) VOLTAIRE, Hist. de Charles XII, VIII. 2

Plusieurs étaient plus hardis; ils parlaient haut, fort et ferme, remettaient le Roi à sa place. MICHELET, Hist. de la Révolution franç., Introd., II, § VIII. 3

Et comme elle n'était pas femme à reculer devant le diable, étant corporée comme un laboureur et hardie comme un soldat, elle s'avança tout auprès de lui, décidée qu'elle était à lui ôter et tomber son chapeau pour voir si c'était un loup-garou ou un homme baptisé. G. SAND, François le Champi, XVII. 4

Spécialt (blason). *Coq hardi,* figuré la patte levée et le bec ouvert. *Au Coq Hardi,* enseigne de nombreuses auberges.

Vx ou littér. *Être hardi à* (suivi de l'inf.). → Cabrer, cit. 15; épargner, cit. 32.

Mais qu'un traître, qui n'est hardi qu'à m'offenser (...) 5
RACINE, Mithridate, II, 4.

(...) celui-là *(Turenne)* d'un air plus froid sans jamais rien avoir de lent, plus hardi à faire qu'à parler (...) BOSSUET, Oraison funèbre du Prince de Condé. 6

N. m. *Philippe le Hardi,* surnom de Philippe III, fils de Saint Louis.

[b] (1273). Choses. Mod. Qui dénote de l'audace et du courage. *Avoir la mine hardie. Contenance fière et hardie.* ⇒ **Assuré, décidé.** *Regard hardi.*

Chez d'autres, un menton comme le sien paraîtrait «volontaire». Chez lui, ce n'est qu'une saillie maladroite (...) Son nez, dans un autre visage, serait hardi et sensuel. Dans le sien, il est indiscret. 7
J. ROMAINS, les Hommes de bonne volonté, t. II, I, p. 5.

Qui demande de l'audace et du courage. *Action, entreprise hardie. Attaque, marche hardie. Un projet particulièrement hardi. Tenter, réussir un coup hardi. Spéculations hardies. Faire une réponse hardie. S'adresser à qqn d'une façon à la fois respectueuse et hardie* (→ Galanterie, cit. 15).

Il eut sur-le-champ l'idée hardie de lui baiser la main. Bientôt il eut peur de son idée (...) STENDHAL, le Rouge et le Noir, I, VI. 8

(1690, Furetière). Spécialt (en parlant de doctrines qu'il est dangereux de soutenir). *Mettre en avant les idées les plus hardies. Il est seul à avoir pris sur ce problème une position aussi hardie.*

(...) Collins, magistrat de Londres, auteur du livre *De la Liberté de penser,* et de plusieurs autres ouvrages aussi hardis que philosophiques. 9
VOLTAIRE, Étude de la philos. de Newton, I, IV.

Le jeune diacre (...) assura qu'il fréquentait beaucoup le Père, qu'il était au courant de son évolution et que son traité serait beaucoup plus hardi encore et n'aurait sans doute pas l'imprimatur. CAMUS, la Peste, p. 249. 10

♦ **2.** (V. 1283). Péj. et vieilli. ⇒ **Effronté, impudent, insolent.** *«Qui te rend si hardi de troubler mon breuvage* (cit. 1)*?»* (La Fontaine). *Des gens aventuriers* (cit. 11) *et hardis. Un hardi menteur* (→ 1. Être, cit. 32). *Hardi comme un page** (→ Faubourg, cit. 5). *Une commère hardie.*

Et quoiqu'il eût reçu avec une extrême piété le viatique (...) et que la *Gazette* même en eût informé tout le public, ils n'en furent pas moins hardis à publier qu'il était mort sans vouloir recevoir ses sacrements. RACINE, Port-Royal, I. 11

Bahorel était un être de bonne humeur et de mauvaise compagnie, brave, panier percé, prodigue et rencontrant la générosité, bavard et rencontrant l'éloquence, hardi et rencontrant l'effronterie (...) HUGO, les Misérables, III, IV, I. 12

(1657, Pascal). Vieilli. Qui dénote un caractère effronté, insolent. ⇒ **Cavalier.** *Dévisager qqn d'un air hardi. Se camper dans une attitude hardie. Un mensonge hardi. Rien n'est trop hardi pour ses calomniateurs* (cit. 1). *Tiroirs forcés* (cit. 1) *par des mains hardies.*

Quoi? le traître sur vous porte ses mains hardies? RACINE, Esther, III, 6. 13

(...) si tu n'avais point le regard si hardi et si moqueur, on aimerait être bien vu de ces yeux-là. G. SAND, la Petite Fadette, XIX. 14

Vx. ⇒ **Impudique, provocant.** *Femmes hardies, dont le front* (cit. 11) *ne rougit jamais. Une fille hardie.* — (Actions). *Grandes garces* (cit. 2) *aux œillades hardies. Manières hardies et impudiques. Décolleté hardi.* ⇒ **Audacieux.**

Les trois autres moins timides (...) étaient décolletées tout net, ce qui, l'été (...) a beaucoup de grâce et d'agacerie; mais à côté de ces ajustements hardis, le canezou de la blonde Fantine (...) semblait une trouvaille provocante de la décence. 15
HUGO, les Misérables, I, III, III.

Mod. (en parlant de propos, d'écrits quelque peu libres sans être vraiment inconvenants). ⇒ **Audacieux, gaillard, leste, osé, risqué.** *Glis-*

ser des allusions, des sous-entendus hardis. Vous ne trouvez pas ce passage un peu hardi?

♦ **3.** (Av. 1648, Voiture). Qui est audacieux avec bonheur (surtout dans le domaine de l'expression, de l'art). ⇒ **Original; nouveau.** *Une expression hardie. Comparaisons, images, figures, métaphores hardies* (→ Fertile, cit. 7). *Style, plume, manière hardie. Pensée profonde et hardie* (→ Farce, cit. 3). *Imagination hardie.*

16 Je n'ai pu entendre l'oraison funèbre de Monsieur de Meaux *(celle de la Princesse Palatine)* elle a passé ici et à Paris pour l'une des plus belles qu'il ait faites et même que l'on puisse faire. Il y eut de très beaux traits, fort hardis, et le sublime y régna en bien des endroits (...)
LA BRUYÈRE, Lettre à Condé, 18 août 1685.

17 (...) et les écrivains de talent qui, venant après les écrivains de génie, renouvellent la langue par l'emploi nouveau et hardi qu'ils font des mots. Tel a voulu être Rivarol (...) je crois Chateaubriand un artiste de style bien autrement heureux, énergique et hardi, que Rivarol.
CHÊNEDOLLÉ, *in* SAINTE-BEUVE, Chateaubriand, II, p. 232.

18 (...) les conceptions de Turpin témoignaient d'un talent hardi et novateur (...)
J. ROMAINS, les Hommes de bonne volonté, t. V, XXVII, p. 282.

Qui a quelque chose de franc et d'aisé dans son audace. *Peintre au pinceau hardi. Ciseau hardi* (→ Fouiller, cit. 8). *Une touche hardie. Le jeu brillant et hardi d'un virtuose. — Arche, voûte hardie conçue par un architecte, un ingénieur. La flèche* (cit. 17) *hardie de cette église gothique* (cit. 9). *Monument d'une élégance hardie.*

19 Au moyen du *dôme*, inconnu des anciens, la religion a fait un heureux mélange de ce que l'ordre gothique a de hardi, et de ce que les ordres grecs ont de simple et de gracieux (...)
CHATEAUBRIAND, le Génie du christianisme, III, I, VI.

♦ **4.** Loc. interj. (1660, Molière). **HARDI!**, expression servant à animer, à encourager et pousser en avant. *Hardi, les gars!* ⇒ **Courage.** Fam. *Hardi petit!*, formule qui renforce *hardi! —* REM. Employé seul, *hardi!* est archaïque.

20 Là, hardi! tâche à faire un effort généreux (...)
MOLIÈRE, Sganarelle, 21.

21 — Hardi! encore des pavés! encore des tonneaux! (...) une hottée de plâtras pour me boucher ce trou-là. C'est tout petit, votre barricade. Il faut que ça monte.
HUGO, les Misérables, IV, XII, IV.

B. Adv. (Av. 1885, Hugo). Régional (îles Anglo-Normandes). Fam. Pop. et vx. Beaucoup. *Hardi de fleurs* : beaucoup de fleurs.

CONTR. (Du sens A, 1) **Capon, couard, lâche, peureux, pusillanime, timide. — Embarrassé, modeste, réservé.** — (Du sens A, 3) **Banal, plat, terne.**

DÉR. Hardiesse, hardiment.

COMP. Enhardir.

HARDIESSE ['aʀdjɛs] n. f. — V. 1361; *ardiesce,* fin XIIe; de *hardi.*

★ **I.** Littér. ♦ **1.** (XIIIe). Qualité d'une personne, d'une action hardie. ⇒ **Assurance, audace, bravoure, cœur, courage** (cit. 19), **énergie, fermeté, intrépidité.** *Avoir, montrer de la hardiesse.* ⇒ **Oser.** *Hardiesse aveugle, folle.* ⇒ **Imprudence, témérité.** *Se lancer avec hardiesse dans une entreprise. Hardiesse d'un écrivain qui combat les préjugés, qui brave l'opinion* (→ Audace, cit. 7; esprit, cit. 93). *Attaquer avec vigueur et hardiesse.* ⇒ **Affronter.**

1 La hardiesse (...) se représente, quand il est besoin, aussi magnifiquement en pourpoint qu'en armes, en un cabinet qu'en un camp, le bras pendant que le bras levé.
MONTAIGNE, Essais, I, XXIV.

2 Si d'Alexandre il a la hardiesse (...)
DU BELLAY, Chanson.

3 Fortune aveugle suit aveugle hardiesse.
LA FONTAINE, Fables, X, 13.

4 (...) et la hardiesse française porte partout la terreur avec le nom de Louis.
BOSSUET, Oraison funèbre deMarie-Thérèse.

5 Parler imprudemment et parler hardiment, c'est presque toujours la même chose, mais on peut parler sans prudence et parler juste; et il ne faut pas croire qu'un homme a l'esprit faux parce que la hardiesse de son caractère ou la vivacité de ses passions lui auront arraché, malgré lui-même, quelque vérité périlleuse.
VAUVENARGUES, Maximes, 205.

6 Il faut une grande hardiesse pour oser être soi : c'est surtout dans nos temps de décadence que cette qualité est rare.
E. DELACROIX, Journal, 15 janv. 1860.

7 La hardiesse dans le guet, c'est la bravoure des timides.
HUGO, l'Homme qui rit, II, IV, IV.

8 (...) sa hardiesse ressemblait à la présomption, à la témérité.
G. DUHAMEL, la Pesée des âmes, II.

Vx (en amour). *Avoir de la hardiesse auprès des femmes. Devoir des conquêtes à sa hardiesse. Froideur* (cit. 11) *qui provoque à la hardiesse.*

9 (...) un peu de hardiesse réussit toujours aux amants (...)
MOLIÈRE, les Amants magnifiques, I, 1.

10 Cinq ou six ans qu'elle avait de plus que moi devaient, selon moi, mettre de son côté toute la hardiesse, et je me disais que, puisqu'elle ne faisait rien pour exciter la mienne, elle ne voulait pas que j'en eusse.
ROUSSEAU, les Confessions, II.

11 J'avais de la hardiesse, mais dans l'âme seulement, et non dans les manières. J'ai su plus tard que les femmes ne voulaient pas être mendiées (...)
BALZAC, la Peau de chagrin, Pl., t. IX, p. 83.

12 Elle se mit (...) à se promener très tard, dans le chemin de ronde, un bras d'homme autour de la taille. Toujours méchante, mais rieuse, et poussant à la hardiesse ceux qui se seraient contentés de l'aimer.
COLETTE, la Maison de Claudine, p. 112.

LA HARDIESSE DE (et inf.). *Avoir la hardiesse d'entreprendre, de résister* (→ Effaroucher, cit. 6). *Prendre la hardiesse de dire.* ⇒ **Liberté.**

13 Avec cette permission, Madame, je prendrai la hardiesse de me défendre.
MOLIÈRE, Critique de l'École des femmes, 6.

C'est au théâtre anglais que je dois la hardiesse que j'ai eue de mettre sur la scène les noms de nos rois et des anciennes familles du royaume. 14
VOLTAIRE, Épître dédicacée à Falkener sur Zaïre.

Par ext. *Hardiesse dans le visage, l'expression.*

(...) son nez que la nature avait effilé en bec d'oiseau, un nez curieux, sans hardiesse, prompt à se baisser sous les coups (...) 15
J. GREEN, Léviathan, I, X.

(1690, Furetière). Qualité de ce qui dénote de l'audace, du courage. *La hardiesse d'une entreprise, d'un projet, d'un plan de campagne, d'une manœuvre, d'un dessein* (→ Amasser, cit. 9). *Réponse pleine de hardiesse, d'une grande hardiesse. La hardiesse de sa thèse, de ses écrits a fait scandale.*

Nous avons beaucoup insisté sur cette audace et cette témérité de Cyrano, d'abord parce que, depuis Horace et même à dater de bien plus haut, les poètes se sont fait une réputation de couardise on ne peut plus méritée, et que nous sommes bien aise d'en trouver un qui ait du courage et soit homme quoique poète; ensuite, parce que cette audace et cette témérité n'abandonnaient pas Cyrano lorsqu'il quittait l'épée pour la plume; le même caractère de hardiesse extravagante et spirituelle se retrouve dans tous ses ouvrages; chaque phrase est un duel avec la raison (...) 16
TH. GAUTIER, les Grotesques, Cyrano de Bergerac.

♦ **2.** (1546). Péj. Vieilli. ⇒ **Effronterie, impudence.** *Je suis indigné de la hardiesse avec laquelle il parle à son père* (Académie). *C'est une grande hardiesse de prétendre que...* (→ Antipape, cit. 1). *Il a la hardiesse de soutenir cela!* ⇒ **Aplomb, culot, front, toupet.**

N'ayez donc plus la hardiesse de dire que vos décisions sont conformes à l'Esprit et aux Canons de l'Église. 17
PASCAL, les Provinciales, XIV.

Tu as une belle jappe *(caquet)* et une fière hardiesse, lui dit-elle, et on dirait que ta grand-mère t'a fait une leçon pour essayer d'enjôler le monde (...) 18
G. SAND, la Petite Fadette, XXI.

Spécialt. ⇒ **Inconvenance, indécence, licence.** *Être gêné par la hardiesse de certains gestes, de certains propos.*

Demandez-leur *(aux confesseurs)* le nombre d'incestes (par exemple) enterrés dans les familles les plus fières et les plus élevées, et voyez si la littérature, qu'on accuse tant d'immorale hardiesse, a osé jamais les raconter, même pour en effrayer! 19
BARBEY D'AUREVILLY, les Diaboliques, « Vengeance d'une femme ».

Il a vu peu à peu les prostituées qu'il rencontrait devenir plus élégantes, d'une hardiesse plus voilée. 20
J. ROMAINS, les Hommes de bonne volonté, t. IV, XV, p. 160.

♦ **3.** (1669, Boileau). Dans un sens laudatif (dans les productions de l'esprit, de l'art). *Hardiesse du style, de l'expression, d'une image, de la composition.* ⇒ **Originalité, nouveauté.** *Cela manque d'élévation, de hardiesse* (→ *supra,* cit. 6, Delacroix). *Une grande hardiesse de pinceau, de crayon,* une grande franchise dans l'exécution. ⇒ **Vigueur.** *La hardiesse de certaines constructions, de l'architecture gothique. Pont, voûte dessinés avec beaucoup de hardiesse.*

(...) et Lebrun, qui n'a que de la hardiesse *combinée* et jamais de la hardiesse *inspirée* (...) 21
RIVAROL, Rivaroliana, III.

Jamais quand il *(Bossuet)* écrit pour lui, et pour ses religieuses, il ne craint le réalisme ou la hardiesse de l'image, et c'est ce qui le fait poète. 22
Gustave LANSON, l'Art de la prose, p. 107.

★ **II.** (Fin XVIIe). *(Une, des hardiesses).* Action, idée, parole, expression hardie. *Se permettre certaines hardiesses.* ⇒ **Liberté, licence.** *L'Encyclopédie cache souvent des hardiesses dans des articles apparemment inoffensifs.* ⇒ **Audace;** → Grave, cit. 12. *Les hardiesses de la langue de Saint-Simon. Les hardiesses d'un metteur en scène.* ⇒ **Innovation.** *Artiste sincère qui ne veut renoncer à aucune hardiesse* (→ Érotisme, cit. 3).

(...) quant aux poètes, sachons-leur gré de leurs hardiesses, lorsqu'elles sont dictées par le goût et avouées par le bon sens. 23
D'OLIVET, Remarques sur Racine, 42, *in* LITTRÉ.

Placez un tombeau dans *Sémiramis*, osez faire paraître l'ombre de Ninus (...) mais ne répétez pas ces hardiesses; qu'elles soient rares, qu'elles soient nécessaires (...) 24
VOLTAIRE, Des divers changements arrivés à l'art tragique.

Quelques petites hardiesses de M. Clair, à l'occasion d'un panégyrique de Saint Louis. 25
VOLTAIRE, Titre d'un opuscule, Œ., t. XLVI.

C'est surtout dans les hardiesses intellectuelles qu'était pour elle maintenant l'énergie de l'action. 26
JAURÈS, Hist. socialiste..., t. V, p. 55.

Le chef qui a bâti toute sa carrière sur l'idée de jeunesse perd lui-même la jeunesse. Longtemps, comme le vieux loup, il essaie de cacher sa disgrâce. Il se maintient en bonne forme physique; il a des hardiesses et des outrances de jeune; il affecte une violence à laquelle il ne croit plus guère. 27
A. MAUROIS, Un art de vivre, V, 2.

CONTR. Couardise, crainte, lâcheté, pusillanimité, timidité. — Décence, modestie, réserve, respect. — Banalité, platitude.

HARDILLIER ['aʀdije] n. m. — 1723; de 2. *harde,* et *-illier.*

♦ Techn. (anciennt). Crochet de métal utilisé dans la tapisserie de haute lice.

HARDIMENT ['aʀdimɑ̃] adv. — XVe; *hardiement,* v. 1160; de *hardi.*

(V. 1130). D'une manière hardie, avec hardiesse.

♦ **1.** Avec courage, intrépidité. *S'exposer* (cit. 25) *hardiment aux dangers.* ⇒ **Bravement, courageusement, intrépidement.** *Entreprendre qqch. hardiment. Aller hardiment de l'avant. Se défendre hardiment. Porter hardiment le fer* (cit. 12) *dans la plaie. User hardiment d'une expression* (→ Frais, cit. 4). *Parler hardiment* (→ Et, cit. 22). ⇒ **Carrément.** *Regarder hardiment qqn.* ⇒ **Face** (en); → Avancer, cit. 45.

1 (...) je sentis une main qui prenait hardiment la mienne par-dessous la table.
BARBEY D'AUREVILLY, les Diaboliques, « Le rideau cramoisi ».

2 Pourquoi si craintive alors que, jeune fille, elle allait seule hardiment chez tout le monde? J. CHARDONNE, les Destinées sentimentales, II, II.

Dire, juger, prétendre hardiment, sans crainte de se tromper ou d'être démenti (→ Acte, cit. 2; bataille, cit. 6).

3 Disons-le donc hardiment. Le temps en est venu (...) Il n'y a ni règles, ni modèles (...) HUGO, Préface de Cromwell.

4 Aujourd'hui que tant de choses alors secrètes sont en pleine lumière, nous pouvons prononcer hardiment que, sans la plus forte, la plus énergique action, la Révolution périssait. MICHELET, Hist. de la Révolution franç., IV, IV.

♦ **2.** Péj. et vieilli. Avec une hardiesse qui tient soit de l'ignorance et de l'inconscience (→ Amour, cit. 12; connaître, cit. 17), soit de l'effronterie et du cynisme (→ Approprier, cit. 8; bâtir, cit. 29; famille, cit. 12). *S'engager bien hardiment.* → À la légère*, sans réfléchir. — (V. 1265). *Mentir, nier hardiment.* ⇒ **Effrontément, impudemment.** *Elle dévisage hardiment des inconnus.*

5 (...) l'on n'est point bien aise de voir, sur sa moustache, cajoler hardiment sa femme ou sa maîtresse. MOLIÈRE, le Sicilien, 13.

♦ **3.** (1831, Hugo). Littér. Avec hardiesse (I., 3.), en innovant. *C'est hardiment écrit. Taille fine qui s'élance* (cit. 10) *hardiment. Belles épaules hardiment développées* (→ Flexible, cit. 1).

CONTR. Craintivement, timidement; modestement.

HARD ROCK ['aʀdʀɔk] n. m. — V. 1970 (*l'Express,* 1er janv. 1973, p. 6); expr. anglo-américaine, de *hard* « dur », et *rock.* → Rock (rock and roll).

♦ Anglic. Forme de musique rock simple et brutale. *« Enfin, un vrai groupe de hard rock français! (...) Les quatre méchants loulous de Trust jouent et chantent un rock and roll puissant et dévastateur »* (*l'Express,* 12 janv. 1980, p. 14). — Abrév. ⇒ **Hard.**

HARD-TOP ['aʀdtɔp] n. m. — 1952, *in* Höfler; mot angl., de *top* « dessus », et *hard* « dur ».

♦ Anglic. Toit en tôle, amovible, pour automobile. *Coupé décapotable livré dans un hard-top. Des hard-tops.*

HARDWARE ['aʀdwaʀ]; ou, à l'angl. ['aʀdwɛʀ] n. m. — V. 1965; mot amér., proprt « quincaillerie », formation plais. de l'argot des ingénieurs (1947), de *hard* « dur », et *ware,* suff. servant à former des noms d'instruments ménagers; cf. *silverware* « argenterie », et aussi en franç. des emplois de *quincaillerie* pour désigner divers matériels.

♦ Anglic. Les éléments matériels (circuits, dispositifs, rubans magnétiques, matériel électronique) d'un système informatique, par oppos. aux moyens d'utilisation, programmes. — Équivalent français : *matériel**; on a proposé d'autres équivalents, notamment *quincaille, informate,* mais seul *matériel* est en usage.

Abrév. fam. : *hard* (cour. chez les professionnels de l'informatique, malgré le terme officiel, *matériel*). *Le hard et le soft.*

Quatre clous dans le mur et ses doigts, c'était là son métier à tisser. Le « hardware » et le « software » des ordinateurs que je connais à présent, franchis *(sic)* l'espace et le temps. Driss CHRAÏBI, la Civilisation, ma Mère!, *in* Littératures de langue franç. hors de France, p. 395.

HARE [aʀ] interj. et n. m. — 1204; francique **hara* « ici, de ce côté ».

♦ (1373). Chasse. Cri que l'on pousse pour exciter les chiens. — N. m. (1866, Littré). *Entendre le hare.*

DÉR. Haro.
COMP. Harlou ou **harloup.**
HOM. Are.

HAREM ['aʀɛm] n. m. — 1673; *haram,* v. 1660, *in* D.D.L.; *hara,* 1632, *in* D.D.L.; arabe *hărăm* « ce qui est défendu, sacré », appliqué aux femmes qu'un homme étranger à la famille ne doit pas voir.

REM. Le mot a été longtemps confondu avec *sérail;* ainsi Montesquieu n'emploie que ce dernier mot.

♦ **1.** Appartement des femmes, dans la civilisation musulmane. ⇒ **Gynécée.** *Le harem impérial, du palais du sultan* (→ Bisaïeul, cit.). *Les jardins du harem* (→ Bleuir, cit. 1). *Femmes cloîtrées dans un harem. Eunuques* servant dans un harem.* — REM. Loti emploie parfois la forme développée *haremlike* (→ Grillage, cit. 1).

1 Les Circassiens sont pauvres, et leurs filles sont belles; aussi ce sont elles dont ils font le plus de trafic. Ils fournissent de beautés les harems du grand-seigneur, du sophi de Perse (...) VOLTAIRE, Lettres philosophiques, XI.

2 (...) au pays féerique où les blanches sultanes
Baignent leurs corps polis à l'ombre des platanes.
Et s'enivrent le cœur aux chansons du harem
Sous les rosiers de Perse et de Jérusalem,
Tandis qu'en souriant, les esclaves tartares
Arrachent des soupirs à l'âme des guitares.
TH. DE BANVILLE, Odes funambulesques, « Opéra turc ».

3 Chez nous, musulmans, vous savez combien, dans une même maison, hommes et femmes vivent séparés. Cela tend à disparaître (...) Mais ce n'est pas le cas dans les vieilles familles strictement pratiquantes comme les nôtres; là, le *harem,* où nous devons nous tenir, et le *selamlike,* où résident les hommes nos maîtres, sont des demeures tout à fait distinctes. LOTI, les Désenchantées, XIX.

Appartement des femmes (chez les peuples d'Orient).

Les maîtres du Nil et de l'Euphrate comptent dans leurs harems des femmes par centaines : il *(Salomon)* en prend un millier. 4
DANIEL-ROPS, le Peuple de la Bible, III, I.

♦ **2.** (1866, Littré). Ensemble des femmes qui habitent le harem. *Prince, seigneur disposant d'un nombreux harem. Harem qui s'enrichit d'une nouvelle épouse, de nouvelles servantes* (⇒ **Odalisque**).

(...) le *harem* de nos jours, c'est tout simplement la partie féminine d'une famille constituée comme chez nous, — et éduquée comme chez nous, sauf la claustration, sauf les voiles épais pour la rue, et l'impossibilité d'échanger une pensée avec un homme, s'il n'est le père, le mari, le frère, ou quelquefois, par tolérance, le cousin très proche avec qui l'on a joué étant enfant. LOTI, les Désenchantées, I, II. 5

♦ **3.** Fam. Les nombreuses femmes que fréquente un homme aux multiples liaisons.

(...) je m'étais dit que je serais contente d'entrer dans votre harem : je me serais très bien entendue avec les autres épouses de mon sultan. Et j'ai vu que ce n'était pas du tout cela. Vous ne pouvez pas avoir de harem : vous êtes trop mortellement sérieux dans votre amour. Valery LARBAUD, Barnabooth, Journal, p. 167. 6

(Déb. xxe). Par plais. Groupe de femmes qui entourent un homme. Groupe de femmes vivant sous le même toit.

(...) une femme douée d'un esprit d'observation un peu terre à terre, mais pénétrant, est plus précieuse pour le penseur que tout un harem de femmes savantes. 7
J. PAYOT, Éducation de la volonté, IV, I, 2.

HARENG [aʀɑ̃] n. m. — XIIe; francique *haring.*

♦ **1.** Poisson de mer physostome, famille des Clupéidés. *Le hareng vit en bancs souvent immenses. Pêche au hareng.* ⇒ **Aplet, buyse, harengeaison, harenguier, harenguière, relouage, trinquart.** *Harengs des côtes atlantiques de l'Amérique du Nord.* ⇒ **Menhaden.** *Harengs frais. Conserve de harengs.* ⇒ **Roussable.** *Hareng blanc,* sommairement salé. *Hareng au vin blanc.* ⇒ **Rollmops.** *Hareng gras de la Baltique.* — (1573; *hareng sor,* XIIe). **HARENG SAUR :** hareng salé, séché et fumé. ⇒ 2. **Bouffi, gendarme** (III., 1.); → Assaisonnement, cit. 3. *On enfile les harengs à fumer sur une aine. Hareng pec,* fraîchement salé et pouvant se manger cru une fois dessalé. *Hareng guai*. Harengs en caque*, en boîte. Manger des harengs grillés, des filets de hareng.*

Amsterdam, aujourd'hui si fameuse, était alors *(en 1570)* peu de chose (...) Cette ville était alors occupée d'un commerce nouveau et bas en apparence, mais qui fut le fondement de sa grandeur. La pêche du hareng et l'art de le saler ne paraissent pas un objet bien important dans l'histoire du monde; c'est cependant ce qui a fait d'un pays méprisé et stérile une puissance respectable. 1
VOLTAIRE, Essai sur les mœurs, CLXIV.

Deux femmes, la mère et la fille, celle-ci, Norine, rouleuse et célèbre, étalaient sur une table boiteuse de la morue, des harengs salés, des harengs saurs, un vidage de fonds de baril dont la saumure forte piquait à la gorge. 2
ZOLA, la Terre, II, VI.

(...) les harengs légèrement tordus, montraient tous, sur leurs robes lamées, la meurtrissure de leurs ouïes saignantes (...) 2.1
ZOLA, le Ventre de Paris, t. I, p. 149.

(...) il empoigna pour la remuer la salade de céleri, de hareng et de bœuf. — Quel fumet! s'écria Durtal en humant l'odeur incisive du hareng. Ce que ce parfum suggère! (...) Il me semble qu'il y a comme un halo de goudron et d'algues salées autour de ces ors fumés et de ces rouilles sèches. HUYSMANS, Là-bas, XXII. 3

Loc. fam. (xxe). *Sec, maigre comme un hareng saur.* — (Av. 1850, Balzac). *Être serrés, encaqués* comme des harengs.* → Comme des sardines*. — Prov. *La caque* sent toujours le hareng.*

— Êtes-vous prête, ma fille? dit Colleville en faisant irruption dans la salle à manger; il est neuf heures, et ils sont serrés comme des harengs dans votre salon. 4
BALZAC, les Petits Bourgeois, Pl., t. VII, p. 165.

Quel qu'ait été l'homme qui est mort à Sainte-Hélène, j'ai travaillé dix ans dans son gouvernement (...) Je vous supplie (...) de ne plus l'oublier à l'avenir (...) — Je l'oubliais, s'écria-t-il, blême, les dents serrées (...) j'avais tort. La caque sent toujours le hareng et quand on a servi des coquins (...) 5
FRANCE, le Crime de Sylvestre Bonnard, Œ., t. II, p. 399.

Loc. fam. *La mare aux harengs :* l'Atlantique.

Loc. techn. *Maladie des harengs :* carie attaquant certaines céréales qui prennent alors une odeur de marée.

♦ **2.** (1876). Pop. et vx. *Hareng,* ou *hareng saur :* gendarme (par jeu de mots sur *gendarme,* I. et III., 1.).

♦ **3.** Fam. Proxénète. ⇒ **Maquereau.** *« Un vieux hareng, qui a toujours vécu des femmes ... »* (Carco, *la Dernière Chance, in* Cellard et Rey).

DÉR. Harengade, harengeaison, harengère, harengerie, harenguet ou **haranguet, harengueux, harenguier, harenguière.**

HARENGADE [aʀɑ̃gad] n. f. — 1834, Landais; de *hareng.* Rare.

♦ **1.** ⇒ **Harenguière.**

♦ **2.** (1866, *in* Littré). Harengs salés et pressés dans de petits baquets.

HARENGEAISON ['aʀɑ̃ʒɛzɔ̃] ou **HARENGAISON** ['aʀɑ̃gɛzɔ̃] n. f. — 1690, Furetière; *harangaison,* av. 1615; *harengueson,* 1357; *harenghison,* mil. XIIIe; de *hareng.*

♦ Pêche. Pêche au hareng; époque où elle a lieu.

HARANGÈRE ['aʀɑ̃ʒɛʀ] n. f. — Déb. XIIIe, *harenchiere; de hareng.*

♦ **1.** Vx. Vendeuse au détail de harengs et autres poissons. *Les harengères des halles.*

1 (...) lui semble qu'il écoute
En plein marché six ordes harengères
Jeter le feu de leurs langues légères
Contre quelqu'un. Clément MAROT, Épîtres, XXIII.

2 Un homme parlait du respect que mérite le public. «Oui, dit M..., le respect qu'il obtient de la prudence. Tout le monde méprise les harengères; cependant, qui oserait risquer de les offenser en traversant la halle?»
CHAMFORT, Caractères et anecdotes, Le public et les femmes de la halle.

♦ **2.** (1656). Femme grossière, criarde, mal embouchée. ⇒ **Poissarde; halle** (femme, dame de la halle). *Elle parle comme une harengère. Des insultes de harengères. Elles s'engueulent comme des harengères.* → l'équivalent masc. Charretier.

3 (*La duchesse de Piney*) était laide affreusement et de taille et de visage : c'était une grosse vilaine harengère dans son tonneau; mais elle était fort riche (...)
SAINT-SIMON, Mémoires, I, VIII.

4 (...) la sienne, pie-grièche et harengère, ne montrait rien aux yeux des autres qui pût racheter sa mauvaise éducation. Il l'épousa toutefois.
ROUSSEAU, les Confessions, VII.

5 (...) sa femme se déchaînait partout contre moi, avec une aigreur qui m'affectait peu, sachant qu'elle était connue de tout le monde pour une harengère.
ROUSSEAU, les Confessions, X.

HARENGERIE ['aʀɑ̃ʒʀi] n. f. — 1297; de *hareng.*

♦ Vx. Marché aux harengs.

HARENGUET ['aʀɑ̃gɛ] n. m. — 1775; «petit hareng», 1771; Larousse, 1873; dimin. de *hareng.*

♦ Vx. Sprat. — On a écrit aussi *haranguet.*

HOM. Formes du v. **haranguer.**

HARENGUEUX ['aʀɑ̃gø] n. m. — 1877; de *hareng,* et suff. *-eux.*

♦ Techn. (pêche). Bateau. ⇒ **Harenguier** (1.).

HARENGUIER ['aʀɑ̃gje] n. m. — 1922; de *hareng.*
Technique (marine, pêche).

♦ **1.** Bateau spécialisé pour la pêche du hareng avec des filets dérivants. On dit aussi *drifter,* n. m. (anglic.). — Syn. : *harengueux.*

♦ **2.** Pêcheur de harengs. — REM. Dans ce sens, le fém. *harenguière* est virtuel.

HARENGUIÈRE ['aʀɑ̃gjɛʀ] n. f. — 1727; de *hareng.*

♦ Pêche. Filet pour la pêche du hareng. (On dit aussi *harengade*).

HARET ['aʀɛ] adj. m. — 1690, Furetière, *chats harets,* de l'anc. franç. *harer* «crier hare, traquer» (→ Harasser); le chat *haret* est «farouche, effarouché».

♦ *Chat haret :* chat domestique qui est retourné à l'état sauvage et vit de gibier. — N. m. *Un haret.*

Tout à leur affaire, soufflant et faisant le gros dos, deux chats sauvages se regardaient. Le plus vieux avait une oreille à moitié fendue (...) Le jeune hésitait pour l'attaquer. Il était plus léger. Je vis que c'était un haret. La tête était beaucoup moins grosse que celle de l'autre; la fourrure moins rude me fit penser au chat des Siméon qui les a quittés l'année dernière pour vivre dans les bois.
J. TAILLEMAGRE, la Chatte sauvage, *in* le Monde, 2 juin 1956.

HOM. Arrêt.

HARFANG ['aʀfɑ̃] n. m. — 1791; *harfaong,* cité comme mot suéd., 1760; mot suédois.

♦ Didact. (zool.) ou littér. Oiseau rapace nocturne des régions septentrionales, famille des Strigidés, scientifiquement appelé *nyctea.* Le *harfang* est couramment appelé *chouette blanche.*

1 L'oiseau qui se trouve dans les terres septentrionales des deux continents, que nous appellerons *harfang,* du nom *harfaong* qu'il porte en Suède, et qui par sa grandeur est à l'égard des chouettes ce que le grand duc est à l'égard des hiboux, car ce harfang n'a point d'aigrettes sur la tête, et il est encore plus grand et plus gros que le grand duc. BUFFON, Hist. nat. des oiseaux, Le harfang.

2 Cierges clairs au repaire sombre.
Deux grandes ailes de Harfangs
Sur son cou cisaillent dans l'ombre.
A. JARRY, les Minutes de sable mémorial, Pl., p. 204.

HARGNE ['aʀɲ] n. f. — Déb. XVIe, «dispute, chagrin»; *herne* «désagrément», v. 1265; déverbal de l'anc. v. *hargner* «quereller», d'un francique **harmjan,* supposé d'après l'anc. haut all. *harmjan* «insulter, tourmenter» ou (P. Guiraud) d'un gallo-roman **hericiniare,* du lat. *hericinus* «de hérisson» (→ Hérisser), avec infl. possible de *harer* (→ Haret).

♦ **1.** (XIIIe-XVIe). Vx. Querelle.

(...) de petites hargnes et querelles quotidianes *(quotidiennes)* et continuelles entre le mari et la femme (...) J. AMYOT, les Préceptes de mariage, 22, *in* HUGUET, Dict. de la langue du XVIe siècle. 1

♦ **2.** (1899, *in* T. L. F.). Mod. Mauvaise humeur se traduisant par des propos acerbes, un comportement agressif, parfois méchant ou haineux. ⇒ **Agressivité, colère, grogne** (fam.), **rogne** (fam.); → Enfoncer, cit. 46, Gide. *Attaquer, répliquer avec hargne. Un homme vieilli, aigri, exagérant* (cit. 9) *sa hargne. Une expression* (cit. 38) *de méchanceté amère, de hargne et de défi. Avoir plus de timidité que de hargne* (→ Froid, cit. 18). *Se libérer de sa hargne* (→ Autel, cit. 20). *La hargne d'un adversaire. Boxeurs qui se rendent les coups avec hargne.*

De sorte que Rebendart me semblait prêcher la haine, la hargne et l'amertume au nom des trois seuls élèves que je n'avais point connus, au nom de Pergaud, qui aimait chez les bêtes jusqu'aux blaireaux et aux martres sanguicruelles, de Clermont, qui aimait jusqu'aux âmes intraitables et aux cœurs homicides, de Péguy, qui aimait tout, exactement tout (...) GIRAUDOUX, Bella, II. 2

M. Élie, en effet, était mauvais, comme son père. Quand il voyait une affiche : «Vente par autorité de justice», cela lui faisait plaisir (...) Sa haine (à cet oisif!) pour les gens qui prenaient un congé (...) Il pinçait à la dérobée les enfants dans la cohue des grands magasins (...) Mais ce chevalier sans emploi n'usait du ton de dompteur que lorsqu'il pouvait le faire impunément (...) car sa hargne perpétuelle était combattue par la timidité, congénitale chez les Coëtquidan (...)
MONTHERLANT, les Célibataires, II. 3

Tous ceux qui ont approché cette malheureuse Colet l'ont trouvée pareillement invivable, insupportable de vanité, de violence, d'aigreur et de hargne.
Émile HENRIOT, Portraits de femmes, p. 355. 4

(Dans un contexte politique) :

Chaque remous met en action les équipes diverses de la hargne, de la rogne et de la grogne. Ch. DE GAULLE, Allocution, 12 juil. 1961 (il s'agit de l'opposition). 4.1

(En parlant d'un animal). *Chien qui aboie avec hargne.*

(...) il éprouvait, contre tout ce que Rachel aimait et qui lui était si étranger, la hargne d'un animal domestique contre tout ce qui rôde et menace la sécurité du logis. MARTIN DU GARD, les Thibault, t. III, p. 43. 5

DÉR. Hargnerie, hargneux.

HARGNERIE ['aʀɲəʀi] n. f. — V. 1770, *petites hargneries d'auteur,* Rousseau; de *hargn(eux),* et *-erie.*

♦ Vx. Accès de hargne, querelle ou attaque hargneuse.

HARGNEUSEMENT ['aʀɲøzmɑ̃] adv. — 1876, Daudet; de *hargneux,* et *-ment.*

♦ D'une façon hargneuse.

Pour que les clauses de paix soient discutées, non plus hargneusement entre adversaires, mais sereinement au sein d'une Société universelle des Nations, qui arbitrerait de haut, qui répartirait les responsabilités, qui rendrait un verdict impartial.
MARTIN DU GARD, les Thibault, t. IX, p. 167. 1

(...) jamais je n'ai entendu les perfidies et les méchancetés qu'on a si hargneusement attribuées, sinon au maître de maison lui-même, du moins à ses familiers, sûrs ainsi de le divertir, disait-on, et de soulager son orgueilleuse amertume.
Georges LECOMTE, Ma traversée, p. 257. 2

CONTR. Aimablement.

HARGNEUX, EUSE ['aʀɲø, øz] adj. — V. 1393, n. m.; *hergnos,* adj., v. 1160; de *hargne,* et *-eux.*

REM. À la différence de *hargne*, hargneux* n'a subi aucune éclipse depuis le XIVe s.

♦ **1.** Qui a de la hargne, qui est plein de hargne. ⇒ **Acariâtre, colérique, désagréable, grincheux, hérissé, insociable, maussade, morose, querelleur, rageur.** *Une femme hargneuse* (→ Bréhaigne, cit. 1). ⇒ **Harpie, mégère, teigne.** *Un individu hargneux.* ⇒ **Coucheur** (mauvais), **pète-sec, roquet.** *Humeur, caractère hargneux.* ⇒ **1. Chagrin, mauvais, revêche.**

Il était rechigné, hergneux *(hargneux)* et solitaire (...) 1
RONSARD, Hymnes, II, L'hiver.

Si votre esprit est si hargneux 2
Que le monde qui ne demeure
Qu'un moment avec vous, et ne revient qu'au soir,
Est déjà lassé de vous voir (...) LA FONTAINE, Fables, VII, 2.

Qu'une femme hargneuse est un mauvais voisin! 3
CORNEILLE, la Galerie du Palais, IV, 12.

Et le vilain être était sournoisement mauvais, hargneux, taquin, voleur de tout ce qui traînait (...) Ed. DE GONCOURT, les Frères Zemganno, II. 4

(...) une petite veuve de trente-trois ans, rageuse, hargneuse, spirituelle, féroce pour peu qu'on l'attaquât, et excellant dans le bel art de vous brûler, comme d'un fer rouge, d'une malice appliquée au plus cuisant d'une plaie. 5
COURTELINE, Boubouroche, Nouvelle, I.

N. *Un hargneux. Une hargneuse. Ce sont des hargneux.*

(En parlant des animaux portés à mordre, à ruer). *Chien* (cit. 4) *hargneux.* ⇒ **Méchant.** — Prov. *Chien hargneux a toujours l'oreille* *déchirée* (La Fontaine, x, 8). — *Cheval hargneux* (vieilli). ⇒ **Ombrageux ;** → Harceler, cit. 3, Buffon.

6 (...) un cheval naturellement hargneux, ombrageux, rétif, etc. produit des poulains qui ont le même naturel (...) BUFFON, Hist. nat. des animaux, Le cheval.

7 Fi du chien bellâtre, de ce fat quadrupède, danois, King-Charles, carlin ou gredin (...) quelquefois hargneux et insolent comme un domestique! BAUDELAIRE, le Spleen de Paris, « Les bons chiens ».

Fig. et littér. (Choses). Qui évoque la colère, la méchanceté. *Les pointes hargneuses des branches* (→ Justifier, cit. 2). *De hargneuses giboulées* (cit. 3).

8 À Chartres, au sortir de cette petite place que balaye, par tous les temps, le vent hargneux des plaines (...) HUYSMANS, la Cathédrale, I.

♦ **2.** (1572, Amyot). Qui exprime ou dénote de la hargne. *Mine hargneuse* (→ Battant, cit. 3). *Quelque chose de hargneux dans l'expression de la bouche* (cit. 6). ⇒ **Rechigné, revêche.** *Ton hargneux.*

9 (...) avec l'air hargneux d'une bête qu'on dérange à l'heure de sa pâtée. MARTIN DU GARD, les Thibault, t. VI, p. 268.

Aboiements hargneux (→ Aversion, cit. 9). *Paroles, critiques hargneuses.* ⇒ **Acerbe.** *Une sévérité hargneuse* (→ Éplucher, cit. 7). *Refus hargneux.* ⇒ **Rebuffade.**

10 (...) il grommelait en crachotant sur ses bottes, symptôme connu de hargneuse préoccupation que les camarades respectaient. Léon BLOY, la Femme pauvre, I, II.

11 Charmant accueil. L'aîné avait le réveil hargneux. Ça se passerait sans doute avec un café. ARAGON, les Beaux Quartiers, II, XXXII.

♦ **3.** (1938, *in* Petiot). Agressif ; qui attaque avec agressivité (en sports).

CONTR. Aimable, amène, avenant, charmant, doux.

DÉR. Hargneusement.

HARICOCÈLE [ˈaʀikosɛl] n. m. — XXe ; de 2. *haricot*, et *-cèle*.

♦ Méd. Testicule* atrophié.

1. HARICOT [ˈaʀiko] n. m. — 1596 ; *haricoq*, déb. XVe ; *hericot*, v. 1398 ; pour **harigot*, déverbal de l'anc. franç. *harigoter* « couper en morceaux », du francique **harijôn*, var. de **hariôn* « gâter, abîmer ».

♦ Ragoût de mouton (épaule, poitrine, collet, hauts de côtelettes) préparé avec du beurre, du lard, des oignons et accompagné de pommes de terre, navets. *Haricot de mouton aux salsifis.*

Il faudra de ces choses dont on ne mange guère, et qui rassasient d'abord : quelque bon haricot bien gras (...) MOLIÈRE, l'Avare, III, 1.

REM. Par infl. de 2. *haricot*, beaucoup plus courant, « *haricot* de mouton » est souvent compris comme devant désigner un ragoût aux haricots ; ce ragoût était en effet parfois accompagné de fèves, d'où l'expression *fèves de haricot.* → 2. Haricot.

DÉR. et **HOM.** 2. **Haricot.**

2. HARICOT [ˈaʀiko] n. m. — 1640 ; d'abord *fèves d'aricot*, 1628 ; de 1. *haricot*, car le haricot de mouton était souvent accompagné de ce légume, ou (P. Guiraud) à cause de la forme fine et allongée des gousses (cf. anc. franç. *harigot* « aiguillette »). La variété de haricot la plus commune, originaire d'Amérique centrale et méridionale, a été introduite en Europe au XVIe et a dû d'abord s'appeler *fève.*

★ **I.** ♦ **1.** Plante dicotylédone *(Légumineuses Papilionacées)* appelée scientifiquement *Phaseolus*, herbacée, annuelle à fruits (gousses) comestibles (riches en réserves protidiques et amylacées), qui comprend un grand nombre de variétés. *Les haricots sont des herbes plus ou moins volubiles, à stipules persistantes, à feuilles trifoliées ou unifoliées, à fleurs groupées en grappes, et dont les fruits sont des gousses* (⇒ **Cosse**). *Le haricot commun joue un grand rôle dans l'alimentation humaine. Haricots grimpants, à rames ; haricots nains. Haricots mange-tout*, à gousses comestibles *(haricots jaunes, haricots beurre). Haricots à écosser*, variété dont seules les graines se mangent (*haricots noirs ;* ⇒ **Dolic**), *haricots rouges* (variété de petite taille, d'un rouge brun, cultivée et consommée en Amérique centrale : Mexique ; et du Nord : sud des États-Unis ; angl. *red beans*), *haricots de Soissons* (France). *Variété de haricots nains dont les graines se mangent avant maturité.* ⇒ **Flageolet.** *Haricots d'Espagne*, cultivés pour leurs fleurs. *Haricots de Lima. Haricot de Java*, dont les graines peuvent être toxiques. *Haricots sauteurs. Planter, arroser, faire pousser des haricots* (→ Abreuver, cit. 1). *Pied de haricot.*

0.1 (...) dans sa présomption, il aborda les échasses (...) tranquille là-dessus, il arpentait le jardin, pareil à une gigantesque cigogne qui se fût promenée.
Bouvard à la fenêtre le vit tituber — puis s'abattre d'un bloc sur les haricots, dont les rames en se fracassant amortirent sa chute. On le ramassa couvert de terreau, les narines saignantes, livide — et il croyait s'être donné un effort. FLAUBERT, Bouvard et Pécuchet, Folio, p. 276.

♦ **2.** *Des haricots*, la partie comestible de cette plante, comprenant soit les gousses encore vertes *(haricots verts)*, soit les gousses contenant les graines mûres *(haricots mange-tout)*, soit les graines seules, imparfaitement mûres *(flageolets)* ou mûres *(haricots blancs). La foire aux haricots. Éplucher des haricots verts, des haricots mange-tout. Salade aux haricots verts. Écosser des haricots blancs.* — REM. On emploie absolt *haricots* pour désigner les graines des espèces dites *à écosser (haricots noirs, rouges, riz, de Soissons...)* qui se mangent fraîches *(haricots blancs nouveaux, haricots frais)* ou sèches (*haricots secs ;* → Fayot).

Sacs de haricots. Haricots durs à cuire (cit. 7). *Faire tremper des haricots avant de les faire cuire. Haricots charançonnés.* — Au sing. *Un haricot :* une graine de haricot, ou, plus rarement, une gousse (*un haricot vert ;* → Croquer, cit. 2).

Et dire qu'il faut attendre encore deux mois pour que nous entendions : « Haricots 1
verts et tendres, haricots, v'là l'haricot vert ». Comme c'est bien dit : Tendres haricots ! (...) PROUST, À la recherche du temps perdu, t. XI, p. 158.

Il entra bravement dans la fruiterie. Le patron vidait dans un tiroir un sac de 2
haricots blancs. J. ROMAINS, les Hommes de bonne volonté, t. II, VII, p. 73.

Plat de haricots. Plat mexicain de viande pimentée, aux haricots rouges. ⇒ **Chile** (chile con carne). *Haricots verts à la crème, au jus, en salade. — Haricots blancs*, et, absolt, *haricots au lard, au jus. Gigot, côtelette de mouton aux haricots. Ragoût aux haricots.* ⇒ **Cassoulet.**

(...) une bonne odeur se répandait, des haricots rouges et du veau aux oignons, 3
que la petite cuisinait à s'en lécher les doigts. ZOLA, la Terre, IV, III.

(...) une tranche de pain bis (...) exhaussée d'un doigt de haricots rouges froids, 4
figés dans leur sauce au vin rouge (...) COLETTE, Prisons et paradis, Puériculture, p. 91.

♦ **3.** Par anal. *Table haricot :* table courbe et échancrée en forme de graine de haricot. On dit aussi *table rognon* (réniforme). — Fam. Récipient utilisé en chirurgie, dont la forme rappelle celle d'une graine de haricot.

★ **II.** Fam. ou pop. ♦ **1.** (1695). Vx. Imbécile, personne sans valeur (encore chez Labiche, *in* D. D. L.).

♦ **2.** Loc. (XXe). *C'est la fin des haricots*, la fin de tout.

♦ **3.** (1920 ; « orteil », puis « pied », 1880). *Courir, taper sur le haricot* (de qqn ; à qqn) : ennuyer, importuner. → Casser* les pieds. ⇒ **Courir** (II., 9.). *Tu nous cours sur le haricot. Tu nous pèles le haricot* (même sens). → Casser* les couilles. — REM. Ces loc. reprennent le sens figuré (vx) de *haricoter** (3.).

Le Vieux me fait mander sur ces entrefaites. Il me pèle le haricot. Je fais répondre 5
par le standard que je viens de sortir et je poursuis mon numéro de haute voltige cérébrale. SAN-ANTONIO, Des gueules d'enterrement, p. 179.

♦ **4.** (1911, *in* D. D. L.). Fam. *Des haricots :* rien du tout (→ Des clous*), ou une somme insignifiante (peut-être à cause de l'habitude d'utiliser des haricots blancs comme enjeu fictif dans certains jeux). *Il lui a donné des haricots* (→ Des clopinettes*, des nèfles*...).

Il faut toujours faire de son mieux, même si ça ne rapporte que des haricots. 6
J. DUTOURD, Pluche, XIV, p. 256.

♦ **5.** Fam., vulg. Clitoris.

COMP. Haricocèle.

HOM. 1. **Haricot.**

HARICOTER [ˈaʀikɔte] v. — V. 1769 ; probablt d'orig. dial., var. de l'anc. franç. *harigoter* « couper en morceaux ». → 1. Haricot.

♦ **1.** (1769). Vx. Tirer parti petitement d'un lopin de terre.

♦ **2.** (1838, Académie). Mod. Faire des affaires mesquines, spéculer sur de petites sommes. ⇒ **Mégoter.**

Ils allaient haricotant les restes du Grand-I-Vert, ceux des châteaux (...) BALZAC, les Paysans, Pl., t. VIII, p. 49.

♦ **3.** (1835, Flaubert, *in* T. L. F.). Vx. Harceler, importuner. → mod. Courir sur le haricot (2. Haricot, II., 3.).

HARIDELLE [ˈaʀidɛl] n. f. — V. 1460, Villon, au sens 2, orig. incert., p.-ê. d'un rad. germanique *hârr* (→ Haras), ou plus vraisemblablt (P. Guiraud), apparenté à *aride** (cf. l'anc. *aridelle* « squelette », et → le sémantisme de 2. *carcan*), avec infl. possible, pour l'initiale aspirée, de *harer* (→ Haret).

♦ **1.** (1558). Mauvais cheval maigre et efflanqué. ⇒ **Rosse, rossinante.** *Une vieille haridelle, une haridelle boiteuse* (→ Canasson, cit. 1). *Charrette traînée par des haridelles* (→ Contraster, cit. 2) ; *haridelle de fiacre* (→ Cavale, cit. 1).

À peine le charretier, jurant et indigné, avait-il eu le temps de prononcer avec 1
l'énergie convenable le mot sacramentel : *Mâtin!* appuyé d'un implacable coup de fouet, que la haridelle était tombée pour ne plus se relever. HUGO, les Misérables, I, III, VIII.

(*Les*) écuries dans lesquelles il arrive qu'on aperçoive, triste et osseuse, une hari- 2
delle toute semblable à celle de l'illustre hidalgo *(Don Quichotte).* G. DUHAMEL, Inventaire de l'abîme, I.

♦ **2.** (V. 1460). Fig. et péj. Grande femme sèche et maigre. ⇒ **Hallebreda** (vx).

(...) ces haridelles qui n'étaient pour eux qu'un gouffre sans nom d'obscurité et de 3
servitude. J. GIRAUDOUX, Juliette au pays des hommes, p. 76.

HARISSA [ˈaʀisa] n. f. — 1930 ; mot arabe *harīsa*, du verbe *harasa* « piler, broyer ».

♦ Poudre ou purée de piments, utilisée comme assaisonnement très relevé (cuisine maghrébine). *Sauce à la harissa pour le couscous.*

HARKA [ˈaʀka] n. f. — 1904; arabe *hărăkăh* « mouvement ».

♦ **1.** Troupe d'insurgés rassemblés pour effectuer un coup de main, dans l'ouest du Maghreb.

Le 17 août 1904, une harka de quatre mille guerriers avait assiégé notre poste de Taghit. A. MAUROIS, Lyautey, VI.

♦ **2.** (1914, Jaurès, *in* T. L. F.). Dans l'armée française d'Afrique du Nord, Troupe de supplétifs levée sur un territoire et renforçant l'armée régulière. ⇒ **Harki.**

HARKI [ˈaʀki] n. m. — Répandu v. 1960; mot arabe, de *harka* (dial.), *hărăkăh* « mouvement ». → Harka.

♦ Militaire indigène d'Afrique du Nord qui servait dans une milice supplétive (⇒ **Harka**) aux côtés des Français. ⇒ **Supplétif.** *Les harkis.*

Ils sont apparus à Paris en 1960, avec le printemps. Uniforme bleu de la police, calot de l'armée, en file indienne par trois, par six, par huit, en double file, une sur chaque trottoir, pistolet au flanc, mitraillette à la main, à hauteur de la ceinture, les « harkis » se mirent à patrouiller dans les rues du XIIIe arrondissement. Les harkis à Paris, dossier présenté par P. PÉJU, p. 7.

HARLE [ˈaʀl] n. m. — 1555; *herle,* v. 1280; mot dial. (Nivernais), d'orig. obscure.

♦ Oiseau ansériforme ou lamellirostre *(Anatidés palmipèdes),* voisin du canard, à plumage brun, blanc ou noir et à bec denticulé (n. sc. : *mergus*). *Harle huppé* ou *bec de scie. Harle bièvre, grand harle* ou *grand bec de scie. Harle couronné. Les harles sont d'excellents plongeurs ; ils nichent à terre et se nourrissent de poissons, de crustacés, d'insectes. Chasse aux harles.*

Moi qui, tant de fois, me suis contenté au souper de l'exécrable chair d'un harle et d'une fade grillade de gravelet ! Jean RAY, les Derniers Contes de Canterbury, p. 210.

HARLOU ou **HARLOUP** [ˈaʀlu] interj. — 1566; 1604, contraction de *hare-loup,* de *hare**, et *loup.*

♦ Chasse. Cri poussé pour exciter les chiens à la chasse au loup. — N. m. *Un harlou.*

HARMALE [ˈaʀmal] n. f. — 1694; lat. sc. *harmala,* de l'arabe *hărmăl.*

♦ Bot. Plante rameuse *(Rutacées),* à fleurs blanches solitaires.

DÉR. Harmaline.

HARMALINE [ˈaʀmalin] n. f. — XXe; de *harmale,* et *-ine.*

♦ Chim., pharm. Alcaloïde extrait des graines et de la racine de harmale *(Peganum harmala),* employé comme vermifuge.

HARMATTAN [ˈaʀmatɑ̃] n. m. — 1840, Académie; *harmatan,* 1765, *Encyclopédie ;* mot fanti (Ghana).

♦ Vent très chaud et sec qui souffle de l'est, en Afrique occidentale.

1 Dans la région soudanaise, le vent sec (*harmattan*) fait fendre les troncs de certains arbres; plusieurs espèces d'*acacia* exsudent alors de la gomme arabique; d'autres perdent leurs feuilles. É. DE MARTONNE, Géographie physique, t. III, p. 1114.

2 Alors que maintenant donnait et exultait l'harmattan. Les feux de brousse de l'harmattan et le souffle de l'harmattan avaient tout dénudé. Dénudé même le petit bosquet du milieu du cimetière. Ahmadou KOUROUMA, les Soleils des Indépendances, *in* Littératures de langue franç. hors de France, p. 95.

REM. On rencontre aussi la graphie *harmatan.*

Par appos. *« Au début de la nuit, le vent harmatan qui souffle du désert s'est calmé. La chaleur est moins insupportable ... »* (*le Nouvel Obs.*, 2 juil. 1973, p. 56).

HARMONICA [aʀmɔnika] n. m. — 1765; angl. *armonica,* 1762, Franklin; tiré du fém. du lat. *harmonicus* « harmonieux », de *harmonia.* → Harmonie.

♦ **1.** Vx. Instrument de musique (inventé en Allemagne et perfectionné par B. Franklin), consistant en récipients de verre de timbres différents que l'on faisait résonner par frottement.

1 (...) on n'entendait plus qu'une voix au fond des flots, comme ces sons de l'harmonica, produits de l'eau et du cristal, qui font mal. CHATEAUBRIAND, Vie de Rancé, III, p. 245.

(1823, *in* D. D. L.). Caisse contenant des lames de verre de longueurs différentes qu'un petit marteau fait résonner. *Harmonica à clavier :* sorte de clavecin à lames de verre (1788).

1.1 (...) et pour amener le somnambulisme ils projetèrent de construire un baquet mesmérien (...) mais à cause des potins et du chantage peut-être, mieux valait s'abstenir. Ils se contentèrent d'un harmonica et le portaient avec eux dans les maisons, ce qui réjouissait les enfants.
Un jour, que Migraine était plus mal, ils y recoururent. Les sons cristallins l'exaspérèrent; mais Deleuze ordonne de ne pas s'effrayer des plaintes, la musique continua. « Assez ! assez ! » criait-il. — « Un peu de patience » répétait Bouvard. Pécuchet tapotait plus vite sur les lames de verre, et l'instrument vibrait, et le pauvre homme hurlait, quand le médecin parut attiré par le vacarme.
— « Comment ! encore vous ! » s'écria-t-il, furieux de les retrouver toujours chez ses clients. Ils expliquèrent leur moyen magnétique. Alors il tonna contre le magnétisme, un tas de jongleries, et dont les effets proviennent de l'imagination. FLAUBERT, Bouvard et Pécuchet, Folio, p. 283.

Harmonica thermique : ensemble d'un corps chaud et d'un corps froid (métal, verre) qui, par suite de phénomènes très rapides de dilatation et de contraction, produisent un son. — (1866). *Harmonica chimique,* où un tube de verre est mis en vibration par une flamme d'hydrogène.

♦ **2.** (1902; de *eolharmonica,* 1859; all. *Harmonika* « accordéon », Dawian; pour ce sens, l'all. a employé *Mundharmonika,* d'où en français, vx, *harmonica à bouche*). Instrument de musique composé de petits tuyaux à anche métallique juxtaposés que l'on fait vibrer par le souffle. *Harmonica diatonique,* donnant une gamme diatonique. *Harmonica chromatique,* à poussoir. *Virtuose de l'harmonica* (⇒ **Harmoniciste**). — Syn. fam. et rare : *musique à bouche**.

Les enfants de l'école viennent avec fracas 2
Vêtus de hoquetons et jouant de l'harmonica.
APOLLINAIRE, Alcools, « Les colchiques ».

♦ **3.** Régional (Suisse, Belgique). Accordéon.

DÉR. Harmoniciste.

HARMONICISTE [aʀmɔnisist] n. — 1953; de *harmonica,* et *-iste.*

♦ Joueur, joueuse d'harmonica.

HARMONICORDE [aʀmɔnikɔʀd] n. m. — 1819, Boiste, *in* D. D. L., probablt par l'all. : instrument inventé par Kaufmann, à Dresde; d'après *harmonium,* et *corde.*

♦ **1.** Instrument ancien, piano dont les cordes sont mises en vibration par un cylindre en rotation frottant contre des lames de bois.

♦ **2.** (1854, M. Debain, l'inventeur; *in* D. D. L.). Instrument ancien résultant des perfectionnements successifs de l'harmonicorde (au sens 1), et combinant des anches libres et des cordes frappées.

HARMONIE [aʀmɔni] n. f. — XVIe; *armonie,* XIIe, aux sens I, 1 puis I, 2; lat. *harmonia,* mot grec signifiant au propre « assemblage ».

★ **I.** Sons assemblés selon des règles. ⇒ **Musique.**

♦ **1.** Vx ou littér. Combinaison, ensemble de sons perçus simultanément d'une manière agréable à l'oreille. *L'harmonie des voix humaines, des instruments.* ⇒ **Chœur, concert.** *Belle, noble, sereine harmonie.* Par ext. *L'harmonie de la nature, de la forêt.* Absolt. *Les charmes, les douceurs de l'harmonie. La puissance, le pouvoir de l'harmonie sur les cœurs, les âmes* (→ Exhilarant, cit. 1). *Natures rebelles à l'harmonie* (→ Grouper, cit. 4). *Apollon, dieu de l'harmonie. Mer, flots, torrent d'harmonie* (→ Gamme, cit. 2), *d'harmonies.* Cour. (et souvent iron.). *Des flots d'harmonie.*

(...) en un concert d'instruments, on n'oyt *(entend)* pas un luth, une épinette et la flûte, on oyt une harmonie en globe, l'assemblage et le fruit de tout cet amas. 1
MONTAIGNE, Essais, III, VIII.

(...) des voix et des instruments (...) pour pacifier avec leur harmonie les troubles de l'esprit. MOLIÈRE, l'Amour médecin, III, 7. 2

Les bruits ont éveillé les bruits, la forêt est toute harmonie; est-ce les sons graves de l'orgue que j'entends? (...) 3
CHATEAUBRIAND, Amérique, Journal sans date, Une heure du matin.

Rarement l'art du compositeur avait déployé d'aussi grandes masses, fait mouvoir d'aussi puissants bataillons d'harmonies vocales et instrumentales et joint une science aussi recherchée, aussi profonde, une passion aussi ardente et aussi intense. 4
Th. GAUTIER, Souvenirs de théâtre..., Giselle ou les Wilis.

Ces harmonies ineffables *(de la Symphonie pastorale)* peignaient, non point le monde tel qu'il était, mais bien tel qu'il aurait pu être, qu'il pourrait être, sans le mal et sans le péché. GIDE, la Symphonie pastorale, p. 58. 5

(1555, Ronsard). *L'harmonie des sphères** *:* les sons harmonieux que les pythagoriciens croyaient produits par le mouvement des corps célestes. *L'harmonie des étoiles.* ⇒ **Chœur** (*supra* cit. 9).

Tu fais une si douce et plaisante harmonie, 6
Que nos luths ne sont rien, au prix des moindres sons
Qui résonnent là-haut de diverses façons.
RONSARD, Premier livre des hymnes, « Du ciel ».

L'harmonie est l'âme des cieux ! (...) 7
L'antiquité l'a dit, et souvent son génie
Entendit dans la nuit leur lointaine harmonie.
LAMARTINE, Harmonies, IV, La voix humaine.

— Quels sons doux et puissants, demande Eustathe à Pythagore, et quelles harmonies d'une étrange pureté il me semble d'entendre dans la substance de la nuit qui nous entoure? (...) Quel est donc le mystérieux instrument de ces délices? 8
— Le ciel même, lui répondait Pythagore. Tu perçois ce qui charme les dieux. Il n'y a point de silence dans l'univers. Un concert de voix éternelles est inséparable du mouvement des corps célestes. VALÉRY, Variété, p. 149.

Par métaphore (→ Enchanter, cit. 9).

9 L'amour est la plus mélodieuse des harmonies, et nous en avons le sentiment inné. La femme est un délicieux instrument de plaisir, mais il faut en connaître les frémissantes cordes (...) BALZAC, Physiologie du mariage, Pl., t. X, p. 644.

Par ext. (sans idée d'agrément). *Sauvage, lugubre harmonie.*

10 (...) une foule de cris discordants, que l'espace transforme en une lugubre harmonie, comme celle de la marée qui monte ou d'une tempête qui s'éveille.
BAUDELAIRE, le Spleen de Paris, XXII.

♦ **2.** (Fin XIIe). Vx. Son, succession de sons agréables; «la force et la beauté du son» (Rousseau). *L'harmonie d'une harpe* (→ Effet, cit. 39), *d'une voix. Ce jeu* (d'orgue) *a une belle harmonie* (Littré). ⇒ **Sonorité.** *Douces, puissantes harmonies* (→ Gronder, cit. 10).

11 (...) des Hautbois,
Qui tour à tour dans l'air poussaient des harmonies
Dont on pouvait nommer les douceurs infinies. CORNEILLE, le Menteur, I, 5.

12 (...) l'harmonie la plus douce est le son de voix de celle que l'on aime.
LA BRUYÈRE, les Caractères, III, 10.

13 Ma voix avait une harmonie divine (...) FÉNELON, Télémaque, II.

(1835, Académie). Mod. **TABLE D'HARMONIE :** table sur laquelle sont tendues les cordes d'un instrument de musique. *La table d'harmonie d'un piano* (à laquelle est fixé le cadre), *d'un violon, d'une guitare, d'une cithare* (→ Fond, cit. 36).

13.1 Tu as un clavecin chez toi; n'est-ce pas? celui de notre tante Thérèse. Il y a un parti à en tirer, si toutefois tu ne l'as pas fait déjà! Est-ce un piano? Est-ce une autre table d'harmonie avec un autre nom? Je ne me rappelle plus au juste.
Germain NOUVEAU, Lettre à sa sœur, 1892, Pl., p. 894.

♦ **3.** [a] (1722, Rameau). Ensemble des principes sur lesquels est basé en musique l'emploi des sons simultanés, la combinaison des parties ou des voix; science, théorie des accords et des simultanéités (⇒ **Accord, intervalle, mouvement, renversement; cadence, chiffrage, modulation; altération, retard; pédale**). *L'harmonie s'est dégagée peu à peu des ensembles sonores engendrés par le contrepoint, la polyphonie* (cf. l'écriture verticale, par oppos. à l'écriture horizontale du contrepoint*). *Les règles, les lois de l'harmonie classique. Harmonie d'école. Étudier l'harmonie, le contrepoint. Exercices d'harmonie :* réalisation d'une basse donnée; harmonisation d'un chant (⇒ **Accompagnement**). — Loc. *Marche* d'harmonie :* progression harmonique. *Traité, manuel d'harmonie. Traité de l'harmonie réduite à ses principes naturels,* ouvrage de J.-Ph. Rameau (1722).

14 *Harmonie,* selon les modernes, est proprement l'effet de plusieurs tons entendus à la fois, quand il en résulte un tout agréable (...) Mais ce mot s'entend plus communément d'une succession régulière de plusieurs accords.
ROUSSEAU, *in* Encycl. (DIDEROT), art. *Harmonie.*

15 L'harmonie (...) n'est qu'un accessoire éloigné dans la musique imitative; il n'y a dans l'harmonie proprement dite aucun principe d'imitation. Elle assure, il est vrai, les intonations; elle porte témoignage de leur justesse; et, rendant les modulations plus sensibles, elle ajoute de l'énergie à l'expression, et la grâce au chant.
ROUSSEAU, Julie, I, Lettre XLVIII.

16 L'Allemagne, terre de l'harmonie, a des symphonistes; l'Italie, terre de la mélodie, a des chanteurs. HUGO, Post-scriptum de ma vie, Tas de pierres, III.

17 (...) l'harmonie de Debussy n'est pas, comme chez Wagner et dans toute l'école allemande, une harmonie d'enchaînement, étroitement soumise à la logique despotique du contrepoint : c'est (...) une harmonie avant tout harmonieuse, qui a son principe et sa fin en elle-même.
R. ROLLAND, Musiciens d'aujourd'hui, Pelléas et Mélisande.

18 Si, au piano, instrument de timbre homogène, on joue une suite d'accords (...) l'oreille perçoit plutôt, avec la ligne supérieure (...) les accords frappés (...) C'est ce qu'on appelle *l'audition verticale.* Elle se rapporte à *l'harmonie,* qui est l'étude des accords ou des simultanéités.
Ch. KOECHLIN, *in* Encycl. franç. (DE MONZIE), XVI, 34* 10.

[b] (1662, Racine). *Les harmonies :* les accords conformes aux règles de l'harmonie. *Harmonies consonantes :* les accords de trois notes disposées de tierce en tierce (note fondamentale, tierce, quinte). *Harmonies dissonantes :* les accords de quatre notes, ou plus, disposées de tierce en tierce (note fondamentale, tierce, quinte, septième, neuvième...). ⇒ **Consonance, dissonance.** *Noter, chiffrer les harmonies d'une chanson, d'un accompagnement. Musicien de jazz qui improvise sur les harmonies d'un thème.*

19 (...) cherchant sur leurs guitares accordées des accompagnements en parties et se reprenant chaque fois qu'un son n'est pas rigoureusement juste à leur oreille, sans s'embrouiller jamais dans ces harmonies dissonantes, étranges, toujours tristes.
LOTI, Mme Chrysanthème, XXXVII.

20 Les plus extravagantes combinaisons d'harmonies, les duretés les plus implacables s'effacent et se fondent, grâce à la combinaison merveilleuse des timbres.
R. ROLLAND, Musiciens d'aujourd'hui, Mus. franç. et mus. all.

♦ **4.** (1866, Littré). *L'harmonie d'un orchestre :* les bois, les cuivres et la percussion, à l'exclusion des instruments à cordes. — Loc. (XXe). *Concert, musique d'harmonie,* orchestre composé de ces seuls instruments. ⇒ **Fanfare, orphéon, philharmonie.**

(1820, *in* D. D. L.). *Cor, trompette d'harmonie,* permettant la production des sons de la gamme (grâce à des pistons, etc.). Opposé à *cor de chasse, trompette de cavalerie.*

♦ **5.** (1672, Boileau). Ensemble des caractères (combinaison de sons, accents, rythme...) qui rendent un discours agréable à l'oreille. ⇒ **Arrangement** (cit. 6, 7), **combinaison** (des mots); **euphonie.** *L'harmonie des mots, des paroles. Harmonie du style, du discours. Harmonie des périodes.* ⇒ **Cadence, nombre, rondeur** (fig.), **rythme.** *Morceau dépourvu d'harmonie* (→ Élégance, cit. 10). *L'harmonie des vers, de la poésie; l'harmonie oratoire. Des harmonies recherchées.* — *L'harmonie d'une langue* (→ Cadence, cit. 2).

Avouons plutôt que, par le moyen de cette périphrase mélodieusement répandue dans le discours, d'une diction toute simple il a fait une espèce de concert et d'harmonie. BOILEAU, trad. Traité du sublime, de LONGIN, XXIV. 21

J'ai connu plus d'un Anglais et plus d'un Allemand qui ne trouvaient d'harmonie que dans leurs langues. VOLTAIRE, Dict. philosophique, Langues. 22

(...) il suffit d'avoir un peu d'oreille pour éviter les dissonances, et de l'avoir exercée, perfectionnée par la lecture des poètes et des orateurs, pour que mécaniquement on soit porté à l'imitation de la cadence poétique et des tours oratoires. Or jamais l'imitation n'a rien créé : aussi cette harmonie des mots ne fait ni le fond, ni le ton du style, et se trouve souvent dans des écrits vides d'idées.
BUFFON, Disc. de réception à l'Académie franç. (→ Dissonance, cit. 2). 23

Chateaubriand est le seul écrivain en prose qui donne la sensation du vers : d'autres ont eu un sentiment exquis de l'harmonie, mais c'est une harmonie oratoire; lui seul a une harmonie de poésie.
CHÊNEDOLLÉ, *in* SAINTE-BEUVE, Chateaubriand, t. II, p. 54. 24

(...) prose ou poésie, l'art d'écrire réside tout entier dans la convenance de l'idée et du sentiment au rythme et au nombre de la phrase, au son, à la couleur et à la saveur des mots, et ce sont ces rapports subtils, ces harmonies, que tout traducteur dissocie nécessairement et détruit, puisqu'il est l'esclave de la littéralité et qu'il peut bien rendre en son propre langage la pensée, mais non pas la musique de la pensée, non pas cette petite chose, le style.
J. BÉDIER, Chanson de Roland, Avant-propos, p. XV. 25

(...) *l'harmonie,* c'est-à-dire le *sens musical des mots et des phrases* et l'art de les combiner agréablement pour l'oreille. L'harmonie, pour les mots, consiste dans leur son propre. L'harmonie, pour les phrases, consiste dans leur cadence et leur équilibre. Antoine ALBALAT, l'Art d'écrire, VIIe leçon. 26

Loc. *Harmonie imitative,* qui, par la sonorité des mots employés, imite ou évoque le bruit que produit la chose signifiée.

Le chant du rossignol surtout a paru admirablement traduit (*dans* le Génie du christianisme) : c'est proprement de la musique, c'est presque de l'harmonie imitative. SAINTE-BEUVE, Chateaubriand, t. I, p. 248. 27

Littér. L'expression poétique, au sens large (musique...).

Fille de la douleur, harmonie! harmonie! 28
Langue que pour l'amour inventa le génie!
Qui nous vint d'Italie, et qui lui vint des cieux!
Douce langue du cœur, la seule où la pensée,
Cette vierge craintive et d'une ombre offensée,
Passe en gardant son voile, et sans craindre les yeux!
A. DE MUSSET, Premières poésies, «Le saule», I.

Allus. littér. *Les Harmonies poétiques et religieuses,* recueil de poèmes de Lamartine.

Rien ne peut mieux expliquer *(que cette lettre à M. d'Esgrigny)* ce que c'est qu'une *harmonie :* la jeunesse qui s'éveille, l'amour qui rêve, l'œil qui contemple, l'âme qui s'élève, la prière qui invoque, le deuil qui pleure, le Dieu qui console, l'extase qui chante, la raison qui pense, la passion qui se brise, la tombe qui se ferme, tous les bruits de la vie dans un cœur sonore, ce sont ces harmonies (...) J'en ai écrit quelques-unes en vers, d'autres en prose; des milliers d'autres n'ont jamais retenti que dans mon sein.
LAMARTINE, Harmonies, Prologue (Lettre à d'Esgrigny). 29

★ **II.** ♦ **1.** (1680, Richelet). Rapports, relations entre les parties d'un tout, qui font que ces parties concourent à un même effet d'ensemble; cet effet. ⇒ **Ensemble, unité.** *L'harmonie des parties d'un ensemble, des organes du corps.* ⇒ **Ordre, organisation.** *L'harmonie du système solaire. Harmonie des projets, des vues, des sentiments, de plusieurs personnes.* ⇒ **Communauté, communion, concordance, conformité.** *Complète harmonie de vues au sein d'un groupe.* ⇒ **Unanimité.** *«L'harmonie est la poésie de l'ordre»* (cit. 27). *Cette équipe manque d'harmonie.* ⇒ **Homogénéité.** *Harmonie des caractères, des tempéraments* (→ Bien-être, cit. 1). ⇒ **Correspondance** (cit. 2).

(...) il faut de l'harmonie dans les sentiments et de l'opposition dans les caractères, pour que l'amour naisse tout à la fois de la sympathie et de la diversité.
Mme DE STAËL, Corinne, XVI, I. 30

D'un autre côté, tous les phénomènes d'un corps vivant sont dans une harmonie réciproque telle, qu'il paraît impossible de séparer une partie de l'organisme sans amener immédiatement un trouble dans tout l'ensemble.
Claude BERNARD, Introd. à l'étude de la médecine expérimentale, II, I. 31

Tout aboutit à l'harmonie. Plus sauvage et plus persistante avait été la discordance, plus large est l'épanouissement de l'accord. GIDE, Journal, Juin 1927. 32

(...) l'âme de l'homme imagine plus facilement et plus volontiers la beauté, l'aisance et l'harmonie que le désordre et le péché qui partout ternissent, avilissent, tachent et déchirent ce monde (...)
GIDE, la Symphonie pastorale, 27 févr., p. 36. 33

L'harmonie qui s'établit entre un artiste et ses contemporains. ⇒ **Accord, alliance** (cit. 10). *Harmonie entre les êtres et les conditions d'existence.* ⇒ **Adaptation, ajustement** (→ Forme, cit. 9). *Harmonies cachées, dans la nature.* ⇒ **Correspondance.** — *Harmonie du soir,* poème de Baudelaire.

Les ruines ont (...) des harmonies particulières avec leurs déserts (...) 34
CHATEAUBRIAND, le Génie du christianisme, II, V, IV.

(1802, Chateaubriand). **EN HARMONIE.** *Être en harmonie avec...* ⇒ **Convenir, correspondre** (→ Délabré, cit. 5; déniaiser, cit. 3; flou, cit. 2). *Ces deux choses sont en harmonie, en parfaite harmonie,* vont bien ensemble (⇒ **Rapport, ressemblance, similitude, unisson**). *Mettre en harmonie.* ⇒ **Accorder, ajuster, assortir, concilier, harmoniser.**

Sa douillette puce était en harmonie avec ce luxe, et il prisait dans une tabatière d'or enrichie de diamants! (...) BALZAC, l'Initié, Pl., t. VII, p. 379. 35

La jeune ingénue regardait avec une sorte d'intérêt attendri ce jardin en friche si bien en harmonie avec ce château en ruine.
Th. GAUTIER, le Capitaine Fracasse, II, t. I, p. 59. 36

Ce qu'on appelle les conquêtes de Louis XIV partait d'un plan stratégique et de sécurité nationale. Elles étaient en harmonie avec le système de Vauban et pour ainsi dire dictées par lui. J. BAINVILLE, Hist. de France, XIII. 37

38 Le monde moderne, qui a prodigieusement modifié notre vie matérielle, n'a su se faire ni des lois, ni des mœurs, ni une politique, ni une économie, qui fussent en harmonie avec ces immenses changements, ses conquêtes de puissance et de précision. VALÉRY, Variété IV, p. 200.

39 (...) la science qui s'efforcerait de mettre en harmonie les constructions des hommes et le site (...) dans lequel ou devant lequel ces constructions vont s'élever. G. DUHAMEL, Turquie nouvelle, V, p. 92.

Les Harmonies de la nature, œuvre de Bernardin de Saint-Pierre (1796), suite aux *Études de la nature,* dans laquelle il veut prouver que tout dans la nature est accord et harmonie (⇒ **Finaliste; finalisme,** cit.).

40 (...) par le spectacle des harmonies actuelles de la nature, je m'élève vers son auteur, et j'espère dans un autre monde de plus heureux destins. BERNARDIN DE SAINT-PIERRE, Paul et Virginie, p. 95.

Les Harmonies économiques, ouvrage de Bastiat (1849). — (1866, Littré). *L'harmonie sociale,* ou, absolt, *l'harmonie :* l'époque de prospérité qui doit succéder à l'enfance de l'humanité, selon les fouriéristes. ⇒ **Harmonien.**

(1716, Fontenelle). Philos. *Harmonie préétablie :* doctrine de Leibniz suivant laquelle le développement parallèle des substances créées se conforme à une relation préétablie, sans qu'il y ait d'actions réciproques entre elles.

41 L'âme suit ses propres lois et le corps aussi les siennes; et ils se rencontrent en vertu de l'harmonie préétablie entre toutes les substances, puisqu'elles sont toutes les représentations d'un même univers (...) *(Si Descartes n'avait pas cru que l'âme peut changer la direction des corps)* il serait tombé dans mon système de l'harmonie préétablie. LEIBNIZ, Monadologie, §§ 79 et 80 (texte français de l'auteur).

♦ **2.** (1689, Racine). Littér. Accord, bonnes relations (entre des personnes). ⇒ **Accord, concorde, entente** (cit. 6), **paix, union.** *L'harmonie qui règne dans une société, un État. Vertus qui font la douceur et l'harmonie de la société* (→ Civil, cit. 3). *L'harmonie de la famille, du ménage. Détruire, troubler, rétablir l'harmonie. Harmonie retrouvée.* ⇒ **Conciliation, réconciliation.** *Vivre en harmonie, en parfaite harmonie.* ⇒ **Amitié, entente, sympathie; entendre** (s'). *Harmonie inaltérable* (→ 2. Discord, cit.).

42 Rois, chassez la calomnie.
Ses criminels attentats
Des plus paisibles États
Troublent l'heureuse harmonie. RACINE, Esther, III, 3.

♦ **3.** (1577). Ensemble des rapports entre les parties, les éléments (d'un objet, d'une œuvre d'art, d'un spectacle), envisagés du point de vue esthétique. ⇒ **Beauté; économie** (des parties), **ensemble, équilibre, eurythmie...** *Art d'harmonie et de décoration* (→ Futuriste, cit.). *Harmonie d'une composition, d'un tableau* (→ Exhumation, cit.; franc, cit. 12; garder, cit. 62; 2. glacis, cit. 1). *Harmonie des masses, des volumes, des proportions, dans un tableau, une sculpture.* ⇒ **Balancement** (cit. 6), **pondération.** *Harmonie des couleurs** (cit. 2, 4). ⇒ **Combinaison, consonance** (cit. 7). *L'harmonie des vêtements.* ⇒ **Assortiment.** — Par ext. *Harmonie des saveurs* (→ Gourmandise, cit. 7; gourmet, cit. 7). — *L'harmonie d'un visage* (→ Équilibre, cit. 25), *d'un corps féminin.* ⇒ **Beauté, élégance, grâce; régularité, symétrie.** *Harmonie de l'allure, de la démarche, des mouvements* (→ Chevreuil, cit. 3). *Danse pleine d'harmonie et de grâce.*

43 Il y avait dans cette harmonie parfaite un concert de couleurs auquel l'âme répondait par des idées voluptueuses, indécises, flottantes. BALZAC, la Fille aux yeux d'or, Pl., t. V, p. 303.

44 Les couleurs sont la musique des yeux; elles se combinent comme les notes (...) Certaines harmonies de couleurs produisent des sensations que la musique elle-même ne peut atteindre. E. DELACROIX, Journal, t. III, p. 391, *in* R. HUYGHE, Dialogue avec le visible, p. 207.

45 (...) ce qui est séduisant chez elle *(Fanny Elssler)* c'est l'harmonie parfaite de sa tête et de son corps; elle a les mains de ses bras, les pieds de ses jambes, des épaules qui sont bien les épaules de sa poitrine (...) Th. GAUTIER, Souvenirs de théâtre..., Mlles Elssler à l'Opéra.

46 Et l'harmonie est trop exquise,
Qui gouverne tout son beau corps,
Pour que l'impuissante analyse
En note les nombreux accords. BAUDELAIRE, les Fleurs du mal, Spleen et idéal, XLI.

47 Il aimait un corps humain comme une harmonie matérielle, comme une belle architecture, plus le mouvement (...) BAUDELAIRE, la Fanfarlo.

48 La femme (...) est surtout une harmonie générale, non seulement dans son allure et le mouvement de ses membres, mais aussi dans les mousselines, les gazes, les vastes et chatoyantes nuées d'étoffes dont elle s'enveloppe (...) dans le métal et le minéral qui serpentent autour de ses bras et de son cou (...) BAUDELAIRE, Curiosités esthétiques, X.

49 Un couple qui danse révèle son degré d'entente. L'harmonie des gestes du comte et de la comtesse d'Orgel prouvait un accord que donne seul l'amour ou l'habitude. R. RADIGUET, le Bal du comte d'Orgel, p. 44.

50 Cette vallée était pourtant bien belle, quand elle était toute vêtue de feuilles; les bois encadraient les champs; c'était une harmonie merveilleuse pour l'œil. ALAIN, Propos, 27 avril 1908, Les bûcherons.

♦ **4.** (XXe). Math. Se dit d'une relation caractéristique entre plusieurs grandeurs. ⇒ **Harmonique** (3.). *Condition d'harmonie, relation d'harmonie. Rapport d'harmonie.*

CONTR. Cacophonie, charivari; brouhaha. — Chaos, désaccord, désordre, discordance, disparité, dureté, inharmonie, laideur; antagonisme, incompatibilité, opposition. — Antipathie, discorde, dissentiment, froissement, mésentente, mésintelligence...

DÉR. Harmonier, harmonieux, harmoniser, harmoniste, harmonium. — (Au sens de Fourier) **Harmonien.** — V. **Harmonica, harmonique.**
COMP. Enharmonie, inharmonique, philharmonie.

HARMONIEN, IENNE [aʀmɔnjɛ̃, jɛn] adj. — 1822, Fourier; de *harmonie* au sens des fouriéristes.

♦ Didact. De l'harmonie fouriériste.

HARMONIER [aʀmɔnje] v. tr. — 1784, Bernardin de Saint-Pierre; de *harmonie.*

♦ Vx. ⇒ **Harmoniser.**

HARMONIEUSEMENT [aʀmɔnjøzmɑ̃] adv. — 1636; *armonieusement,* 1512; de *harmonieux.*

D'une manière harmonieuse.

♦ **1.** (De *harmonieux,* I.). *Chanter, parler, jouer harmonieusement* (→ Corde, cit. 21).

♦ **2.** (De *harmonieux,* II.). Plus cour. *Couleurs harmonieusement réparties. Ville harmonieusement étagée* (→ Baigner, cit. 17). *Destinée harmonieusement réglée d'avance* (cit. 20). *Univers harmonieusement ordonné* (→ Entrer, cit. 35).

(...) cette sauce est harmonieusement mêlée d'huile d'olive et de jaune d'œuf. G. DUHAMEL, Salavin, Deux hommes, III, XII.

CONTR. Désagréablement, laidement.

HARMONIEUX, EUSE [aʀmɔnjø, øz] adj. — XVIe; *armonieux,* fin XIVe, Froissart; de *harmonie.*

★ **I.** ♦ **1.** Agréable à l'oreille (en parlant d'un son, d'une succession ou d'une combinaison de sons). ⇒ **Mélodieux.** — REM. Pour la distinction entre *harmonieux* et *harmonique,* → Harmonique, cit. 1. — *Des sons harmonieux* (→ Fond, cit. 4). *Voix harmonieuse.* ⇒ **Doux, suave.** *Chant harmonieux* (→ Festin, cit. 2), *musique harmonieuse. Le murmure harmonieux d'un ruisseau* (→ Éolien, cit. 2). *Chœur, concert harmonieux* (→ Cadencer, cit. 1).

Unissez en votre musique 1
La flûte à la viole, et la lyre aux tambours;
Que l'orgue à tant de sons mêle un son magnifique,
Prête un harmonieux secours. CORNEILLE, Office de la Vierge, V, 16.

Toi qui dis aux forêts : Répondez au zéphyre! 2
Aux ruisseaux : Murmurez d'harmonieux accords!
Aux torrents : Mugissez! à la brise : Soupire!
À l'océan : Gémis en mourant sur tes bords! LAMARTINE, Harmonies, I, « Invocation ».

Spécialt (en parlant des sons assemblés et organisés). ⇒ **Musical.**

L'harmonieux accord que notre main en tire *(de cette lyre).* 3
LAMARTINE, Mort de Socrate.

Si la musique nous est si chère, c'est qu'elle est la parole la plus profonde de l'âme, le cri harmonieux de sa joie et de sa douleur. 4
R. ROLLAND, Musiciens d'autrefois, Grétry, p. 262.

♦ **2.** (1670, Molière). Qui produit des sons agréables de l'harmonie musicale. *L'âme* (cit. 83) *harmonieuse du violon. Instrument harmonieux. Les mains harmonieuses d'un pianiste* (→ Chanter, cit. 6). — *Des flots harmonieux* (→ Cadence, cit. 6). → Flots* d'harmonie.

La trompette marine est un instrument qui me plaît, et qui est harmonieux. 5
MOLIÈRE, le Bourgeois gentilhomme, II, 1.

♦ **3.** (1669, Boileau). Qui a de l'harmonie (en parlant du discours, du langage). *Discours harmonieux* (→ Facilité, cit. 18). — *Style, ton harmonieux* (→ Abondant, cit. 7; auteur, cit. 33). *Langue harmonieuse. Périodes harmonieuses.* ⇒ **Cadencé, nombreux, rythmé.** *Mots harmonieux. Le style est un souffle harmonieux* (→ Écrire, cit. 52, J. Renard). — Par métonymie. *Auteur harmonieux.*

Sa langue passe pour la plus belle de la littérature scandinave (...) elle est aussi claire et aussi harmonieuse que le danois puisse l'être. 6
André SUARÈS, Trois hommes, « Ibsen », I.

★ **II.** (1755, *Encyclopédie*). Qui a, qui produit de l'harmonie (II.) par les relations qui existent entre ses éléments (en parlant d'un ensemble); qui est en harmonie avec les autres éléments (en parlant d'un élément). ⇒ **Harmonique.** *Ensemble* (cit. 1), *système harmonieux, unité harmonieuse. Former un tout harmonieux.* ⇒ **Cohérent, équilibré, organisé;** → Éclectisme, cit. 1; finalisme, cit. *Parties harmonieuses d'un ensemble. Équilibre* (cit. 11) *harmonieux. Répartition, distribution harmonieuse.* ⇒ **Juste, proportionné** (→ Développement, cit. 4). *Connaissances harmonieuses. Développement harmonieux de l'esprit. Fusion harmonieuse des races* (→ Français, cit. 5).

(...) la France ne se réalise pleinement que dans l'harmonieux équilibre des éléments très divers qui la composent (...) 7
GIDE, Nouveaux prétextes, p. 71.

(Dans l'ordre esthétique). *Couleurs harmonieuses* (→ Gris, cit. 1). *Composition, décoration harmonieuse.* ⇒ **Agréable, beau, esthétique.** *La réussite harmonieuse d'une architecture* (→ Eurythmie, cit. 1; façade, cit. 3). *Arrangements harmonieux* (→ Ordre, cit. 8). *Le* *mouvement harmonieux d'une courbe, d'un paysage* (→ Coteau, cit. 1). *Les paysages harmonieux de Touraine, de Toscane. Corps, visage harmonieux. Formes harmonieuses. Allure, démarche harmonieuse.*

8 Quand je te vois passer, ô ma chère indolente (...)
Suspendant ton allure harmonieuse et lente (...)
BAUDELAIRE, les Fleurs du mal, XCVIII.

9 Son cher corps rare, harmonieux,
Suave (...) VERLAINE, Parallèlement, « Filles », I.

10 Sous ce luxueux vêtement qui les couvre *(ces statues)*, collé au nu, se révèle l'élégante silhouette féminine. Les épaules sont larges sans exagération et, sur certaines, les lignes du bassin dessinent leurs courbes harmonieuses avec les hanches ressorties et la rondeur des cuisses. P. RICHER, l'Art grec, p. 256.

11 (...) rien de plus enfantin que son sourire, rien de plus harmonieux que son geste, de plus musical que sa voix. GIDE, la Symphonie pastorale, 10 mai, p. 128.

N. m. (XXe, Gide). Littér. *L'harmonieux.*

CONTR. Criard, désaccordé, désagréable, discordant, dissonant, dur, inharmonieux. — Boiteux (fig.), **désorganisé, disparate, disproportionné, heurté, incohérent.**
DÉR. Harmonieusement.

HARMONIQUE [aʀmɔnik] adj. — XVIe; « harmonieux », v. 1361; lat. *harmonicus*, du grec *harmonikos*, de *harmonia*. → Harmonie.

Relatif à l'harmonie.

1 *Harmonique*, usité principalement en musique, qualifie d'une manière abstraite, froide, sans degré; il indique le genre de l'objet en marquant son rapport avec l'harmonie, mais sans aucun égard à l'effet agréable qui en résulte (...) *Harmonieux* (...) est un mot du langage commun qui se rapporte toujours et surtout à l'effet produit (...) il est expressif. LAFAYE, Dict. des synonymes, Harmonique.

♦ **1.** (Mil. XVIIIe, Buffon). Se dit de sons, de rapports ou assemblages de sons caractéristiques, en harmonie (⇒ **Harmonie,** I., 3.). *Gamme harmonique.* (1873). *Échelle harmonique.* ⇒ **Diatonique.** — *Notes harmoniques. Marche* harmonique.*

De l'harmonie, en musique (s'oppose à *mélodique* et à *rythmique*).

2 Quant au langage harmonique de Debussy, son originalité ne consiste pas (...) dans l'invention d'accords nouveaux, mais dans l'emploi nouveau qui en est fait.
R. ROLLAND, Musiciens d'aujourd'hui, Pelléas et Mélisande.

(1751, Diderot). *Son harmonique :* son musical simple dont la fréquence est un multiple entier de celle d'un son de référence *(son fondamental*). Fréquences harmoniques :* fréquences supérieures à la fréquence fondamentale.

3 Le cor et tous les genres de trompette nous apprennent les intervalles justes; car, en soufflant dans un tuyau, on ne produit que les sons harmoniques (...)
ALAIN, Propos, 1913, L'esprit des cloches.

N. Plus cour. *Un harmonique*, n. m.; *une harmonique*, n. f.

a Un son harmonique. *Harmoniques du deuxième, troisième... rang; deuxième, troisième... harmoniques*, ceux dont la fréquence est double, triple... de celle du son fondamental. *Accord consonant, formé de sons possédant des harmoniques communs. Le timbre dépend des harmoniques émis en même temps que le son fondamental.*

b (Av. 1945, P. Valéry). Fig. Ce qui produit un effet comparé à celui d'un harmonique d'un son fondamental. ⇒ **Résonance.**

4 (...) une émotion est dramatique, communicative, quand tous les harmoniques y sont donnés avec la note fondamentale. H. BERGSON, le Rire, p. 143.

5 Je ne regrette pas ces moments, bien qu'ils aient été fugitifs; leurs dernières harmoniques résonnent encore en moi et j'en perçois, si je tends bien l'oreille et fais taire les bruits du présent, le son pur et déjà mourant.
A. MAUROIS, Climats, I, V.

6 Il se plaira désormais, lui aussi (...) à faire résonner, à la fin d'une description concrète d'un fait simple, des harmoniques abstraites et graves, et à évoquer au moment où, enfant, il se couche dans de grands draps blancs qui vous montent par-dessus la figure, « l'église qui sonne par toute la ville les heures d'insomnie des mourants et des amoureux ».
A. MAUROIS, À la recherche de Marcel Proust, IV, II.

♦ **2.** (1662, La Rochefoucauld). Qui concourt à l'harmonie, ou dont toutes les parties sont en harmonie. ⇒ **Harmonieux** (II.). *Unité harmonique. Relation, dépendance harmonique. Valeur harmonique des parties, dans un ensemble.*

7 (...) cette relation harmonique qui doit exister entre un commandement légitime et une obéissance raisonnable. LA ROCHEFOUCAULD, Mémoires, 26.

8 La fonction du poète est de rendre aux mots leur valeur harmonique et de recréer autour d'eux (...) en les surprenant en des positions inaccoutumées, l'air de mystère qui les entourait à leur naissance.
A. MAUROIS, Études littéraires, P. Valéry, IV, 4.

♦ **3.** (1704, Trévoux). Sc. (math., géom.). *Division harmonique*, formée par quatre points alignés A, B, C et D, lorsqu'ils sont dans un rapport tel $\frac{\overline{CA}}{\overline{CB}} = -\frac{\overline{DA}}{\overline{DB}}$ (les points C et D étant *conjugués harmoniques* par rapport à A et B et inversement). ⇒ **Birapport.** — *Faisceau harmonique*, formé par les quatre droites joignant un point du plan à quatre points formant une division harmonique. — Arithm. *Proportion harmonique*, existant entre trois nombres A, B, C tels que $\frac{A}{C} = \frac{A - B}{B - C}$.

Alg. *Série harmonique :* la série 1 + 1/2 + 1/3 + 1/4... *Moyenne harmonique de plusieurs nombres :* nombre dont l'inverse est la moyenne arithmétique des inverses de ces nombres.

♦ **4.** Sc. (ethnol.). Se dit d'une structure de parenté où la règle de filiation et la règle de résidence sont semblables (par ex., matrilinéaire et matrilocal).

Régime, système harmonique (opposé à *dysharmonique*).

DÉR. Harmoniquement.
COMP. Anharmonique.

HARMONIQUEMENT [aʀmɔnikmɑ̃] adv. — 1579; de *harmonique.*

♦ **1.** Mus. Suivant les lois de l'harmonie, suivant les rapports harmoniques des sons.

♦ **2.** (1866, Littré). Math. Conformément aux rapports harmoniques. *Droite divisée harmoniquement par quatre points.*

♦ **3.** (Av. 1865, Proudhon). De façon à former un ensemble dont toutes les parties sont en harmonie. *Un tableau harmoniquement construit.* ⇒ **Harmonieusement.**

HARMONISABLE [aʀmɔnizabl] adj. — 1949, Ricœur, *in* T. L. F.; de *harmoniser.*

♦ Qui peut être harmonisé, s'harmoniser.

HARMONISANT, ANTE [aʀmɔnizɑ̃, ɑ̃t] adj. — 1839, Michelet; p. prés. de *harmoniser.*

♦ **1.** Qui harmonise, rend harmonieux.

♦ **2.** Biol. Qui régularise. Cf. aussi le comp. Neuro-harmonisant, n. m.

HARMONISATEUR, TRICE [aʀmɔnizatœʀ, tʀis] n. — 1866, Littré; de *harmoniser*, et *-ateur.*

♦ Mus. Personne qui harmonise une mélodie, un air. ⇒ **Arrangeur.**

(...) les systèmes nerveux et musculaires comme coordinateurs et harmonisateurs des mécanismes organiques.
Claude BERNARD, Introd. à l'étude de la médecine expérimentale, p. 296, *in* T. L. F.

HARMONISATION [aʀmɔnizasjɔ̃] n. f. — 1842, Michelet, *in* T. L. F.; de *harmoniser.*

♦ **1.** Action d'harmoniser; résultat de cette action. *L'harmonisation des couleurs, des parties d'une composition. — Les services ne sont pas coordonnés : une harmonisation s'impose.* ⇒ **Coordination.**

♦ **2.** Fait d'harmoniser (2.); opération, technique par laquelle un musicien harmonise. ⇒ **Accompagnement, arrangement, orchestration.** *Travailler à l'harmonisation d'une chanson. Chant populaire français, harmonisation de Vincent d'Indy. Une belle, une riche harmonisation.*

♦ **3.** (1873). Phonét. *Harmonisation vocalique :* le fait, pour deux voyelles voisines dans la chaîne parlée, de tendre à l'identité; spécialt, en français, Fermeture d'un è ouvert [ɛ] en syllabe inaccentuée sous l'influence des voyelles accentuées [e], [i], [y]. Ex. : *aimer* [eme].

HARMONISER [aʀmɔnize] v. tr. — Mil. XVe; inus. aux XVIIe et XVIIIe, *harmoniser* n'a été repris que postérieurement à la création d'*harmonier* (XVIIIe), que Necker classe parmi les « nouveaux verbes complètement barbares » (cf. Brunot, *H. L. F.*, t. X, p. 44) et que Bernardin de Saint-Pierre, Chateaubriand et surtout Balzac employèrent fréquemment; de *harmonie.*

♦ **1.** Mettre en harmonie, en accord (plusieurs choses; une chose avec une autre). ⇒ **Accorder, arranger.** *Harmoniser des couleurs. Harmoniser les parties d'une composition, les masses sonores d'un orchestre.* ⇒ **Équilibrer.** *Harmoniser les intérêts de plusieurs personnes.* ⇒ **Arranger, concilier, concorder** (faire). *Harmoniser l'action de divers services.* ⇒ **Coordonner.** *Harmoniser une chose avec une autre.* ⇒ **Allier.**

Toute religion qui succède à une autre respecte longtemps certaines pratiques et formes de culte, qu'elle se borne à harmoniser avec ses propres dogmes. 1
NERVAL, les Filles du feu, « Isis », IV.

♦ **2.** Mus. Combiner (une mélodie) avec d'autres parties ou avec des suites d'accords, en vue de réaliser un ensemble harmonique. *Harmoniser un chant, une chanson*, composer un accompagnement. *Harmoniser un air pour chœur et orchestre.* ⇒ **Arranger, orchestrer.** — Au passif. *Cantique, chant populaire harmonisé par Bach.* Au p. p. *Air mal harmonisé.* — Absolt. *Savoir harmoniser* (→ Composer, cit. 8).

(1839). Spécialt. Régler le timbre des tuyaux d'orgue.

▶ **S'HARMONISER** v. pron.

Se mettre, être en harmonie. ⇒ **Accorder** (s'), **aller** (ensemble), 2. **appareiller** (s'), **approprier** (s'), **concorder, consoner, correspondre.**

Couleurs, teintes qui s'harmonisent (→ Grisaille, cit. 4). *Ses sentiments s'harmonisent avec le paysage, au paysage.*

2 Sa joie de posséder une femme riche n'était gâtée par aucun contraste; le sentiment s'harmonisait avec le milieu.
FLAUBERT, l'Éducation sentimentale, III, IV (1850).

3 Le détail vous saisit, il vous empoigne, il vous pince et, plus il vous occupe, moins vous saisissez bien l'ensemble; puis, peu à peu, cela s'harmonise et se place de soi-même avec toutes les exigences de la perspective.
FLAUBERT, Correspondance, 245, 15 janv. 1850, t. II, p. 148.

4 Elle s'harmonisait d'une façon presque surnaturelle avec le paysage où nous nous trouvions, par le charme de jeunesse qui émanait d'elle.
Paul BOURGET, le Disciple, p. 228.

▶ **HARMONISÉ, ÉE** p. p. adj. → ci-dessus à l'article.

CONTR. Désaccorder. — Détonner, dissoner.
DÉR. Harmonisable, harmonisant, harmonisateur, harmonisation.

HARMONISTE [armɔnist] n. m. — 1767, Rousseau; de *harmonie*.

★ **I.** ♦ **1.** Mus. Musicien spécialiste de l'harmonie, ou qui donne à l'harmonie plus d'importance qu'aux autres éléments de la composition. *Un bon, un mauvais harmoniste* (→ Fugue, cit. 1).

Techn. Professionnel qui règle les jeux d'orgues.

♦ **2.** (Av. 1784, Diderot). Vx (en parlant de peinture). Personne qui place les couleurs de façon harmonieuse.

★ **II.** (1863, Renan). Érudit qui montre l'harmonie, la concordance des Évangiles.

★ **III.** (1866, Littré; angl. des États-Unis, *harmonist*, de *harmony*). Polit. Membre d'une société religieuse et communiste des États-Unis, fondée par George Rapp.

HARMONIUM [armɔnjɔm] n. m. — 1840; mot créé d'après *harmonie* par Debain, qui perfectionna l'instrument.

♦ Instrument à clavier et à soufflerie (comme l'orgue), mais qui est (comme l'accordéon*) muni d'anches libres au lieu de tuyaux (⇒ **Harmonicorde,** 2.). *On a d'abord appelé l'harmonium* mélodium, orgue expressif. *Pédales actionnant la soufflerie d'un harmonium. Harmonium à deux claviers. Harmonium à clavier mobile* (⇒ **Transpositeur**). *Registres, basses, dessus d'un harmonium. Jouer de l'harmonium à l'église, au temple* (→ Caquetage, cit. 2; entre-temps, cit. 2). *Accompagner une chorale à l'harmonium. Harmonium portatif.* ⇒ **Guide-chant.** *Des harmoniums.*

1 Jean de L. a toute sa vie dirigé la maîtrise de la paroisse, convaincu que sans lui l'église manquerait de tout son lustre et voilà que le clergé assourdi l'invite à fermer son harmonium et à disperser les chantres.
M. JOUHANDEAU, Chaminadour, II, XIII.

2 C'était à une répétition de chant de Noël qu'elle avait vu Jean pour la première fois. Elle était montée à la tribune du temple, où des jeunes filles entouraient le pasteur assis devant l'harmonium (...) Il tourna la tête vers Pauline, les mains sur le clavier (...)
J. CHARDONNE, les Destinées sentimentales, p. 38.

HARMOTOME [armɔtɔm] n. m. — 1801, Haüy, *in* T. L. F.; du grec *harmos* «jointure», et *-tome*.

♦ Minér. Silicate naturel de baryum et de potassium.

HARNACHEMENT ['arnaʃmɑ̃] n. m. — Mil. XVIe; *harnasment*, XIVe; *arnechement*, fin XVe, au sens 2; de *harnacher*.

♦ **1.** (1636). Action de harnacher. *Palefrenier habile au harnachement des chevaux.*

♦ **2.** Ensemble des harnais, équipement des chevaux* et animaux de selle. *Harnachement de selle. Harnachement de trait, de bât, de dressage* (chevaux). *Le bourrelier fabrique des pièces de harnachement. Le harnachement somptueux d'un cheval de cirque.*

1 Les chevaux passaient du pas au trot, du trot au galop, les palefreniers les faisant caracoler, et faisant jouer les reflets luisants de leurs corps, les satinements de leurs croupes, les rubis et les émeraudes de leurs harnachements (...)
Ed. DE GONCOURT, les Frères Zemganno, LIII.

Par ext. (en parlant de tous les «animaux moteurs»). *Le harnachement des bovidés.*

♦ **3.** (1834, Stendhal). Habillement lourd et incommode. ⇒ **Accoutrement.** *Le harnachement d'un fantassin.* ⇒ **Attirail, équipement.** *Un harnachement complet d'alpiniste* (→ Piolet, cit. 1), *d'excursionniste.*

2 Capote aux deux pans relevés, molletières, grosses chaussures de marche : l'uniforme est celui de l'infanterie, de même que le casque à jugulaire, et le harnachement complet de musettes, sac, bidon, ceinturon, cartouchière, etc.
A. ROBBE-GRILLET, Dans le labyrinthe, p. 66.

HARNACHER ['arnaʃe] v. tr. — 1564; *harnesquier*, 1409; *harnesier*, déb. XIIIe; *haneker* «carguer (les voiles)», fin XIIe; de *herneis.* → Harnais.

♦ **1.** Mettre le harnais, les harnais à (un cheval, un animal de selle...). ⇒ **Enharnacher.** *Harnacher les chevaux.*

(...) les chevaux étaient aussi bien pansés et harnachés, en rentrant à Chaumont, que si M. le Comte eût été prêt à partir pour la chasse. 1
A. DE VIGNY, Cinq-Mars, VI.

♦ **2.** (1493). *Harnacher (qqn) :* accoutrer* (qqn) comme d'un harnais. ⇒ **Affubler** (fam.), **attifer** (fam.).

Pron. *Se harnacher :* s'équiper (en parlant d'un soldat, d'un chasseur, d'un alpiniste...).

La fille se lève avec grâce et se harnache illico. 1.1
R. QUENEAU, les Fleurs bleues, p. 22.

▶ **HARNACHÉ, ÉE** p. p. adj.

♦ **1.** *Cheval richement harnaché, harnaché de cuir.*

(...) les mules harnachées bizarrement, couvertes de pompons, de grelots, de plumets et de fanfreluches de mille couleurs (...) 2
Th. GAUTIER, Souvenirs de théâtre..., Diable boiteux.

(...) deux grands chevaux noirs harnachés de cuir cramoisi et d'argent (...) 3
Valery LARBAUD, Barnabooth, Journal, p. 331.

♦ **2.** (1651). *Touriste harnaché d'appareils de photo. Des excursionnistes bizarrement harnachés.*

(...) des vierges harnachées dans des robes, sanglées dans des corsets (...) 4
HUYSMANS, Là-bas, X.

(...) il est prêt à partir, tout harnaché de courroies, de musettes, sa cruche et son panier à la main (...) 5
J. GIONO, Colline, p. 146.

DÉR. Harnachement, harnacheur.

HARNACHEUR ['arnaʃœr] n. m. — Fin XVIe; *harnicheur*, 1402, Du Cange; de *harnacher.*

♦ **1.** (Fin XVIe). Vx. Artisan qui fait des harnais et travaille pour un sellier.

♦ **2.** (1611, Cotgrave). Palefrenier qui harnache les chevaux.
REM. Le fém. *harnacheuse* est virtuel.

HARNAIS ['arnɛ] ou HARNOIS ['arnwa] n. m. — V. 1268, *harnais; harnois*, XIIe; *henneis*, mil. XIe; de l'anc. scandinave *her-nest* «provision de voyage, bagages d'une armée», de *herr* «armée», et *nest* «provision».

REM. Depuis le XVIIIe s., l'orthographe et la prononciation *harnais* sont seules courantes; *harnois* ne se dit et ne s'écrit plus que par souci d'archaïsme, en poésie et dans certaines expressions *(blanchi sous le harnois).*

♦ **1.** (V. 1155). Anciennt. Armure, équipement complet d'un homme d'arme. ⇒ **Armure;** → Enclume, cit. 1. *Harnois blanc :* armure d'acier rigide, par oppos. aux armures de mailles. *Harnois de guerre d'un cheval* (⇒ **Armure,** 2. **barde, caparaçon, housse**).

Don Sanche lui suffit : c'est la première fois 1
Que ce jeune seigneur endosse le harnois.
CORNEILLE, le Cid, V, 3.

Elle *(la ville de Narbonne)* a pour se défendre, outre ses Béarnais, 2
Vingt mille Turcs ayant chacun double harnais.
HUGO, la Légende des siècles, X, «Aymerillot».

(Av. 1825). Habit (cit. 11) militaire. ⇒ **Uniforme.**

♦ **2.** (1841, Balzac). Vêtement peu commode ou ridicule. ⇒ **Accoutrement, habit, harnachement, vêtement.**

Une femme frêle et délicate garde son dur et brillant harnais de fleurs et de diamants, de soie et d'acier, de neuf heures du soir à deux et souvent trois heures du matin. 3
BALZAC, la Fausse Maîtresse, Pl., t. II, p. 32.

Il portait une redingote noire à revers de soie et tenait à la main un chapeau haut de forme. Sa prestance s'accommodait d'ailleurs assez bien de ce harnais officiel. 4
MARTIN DU GARD, les Thibault, t. III, p. 153.

♦ **3.** Loc. (1636). Vx. *Endosser* (cit. 3) *le harnois, le harnais :* devenir militaire, entrer dans une profession (⇒ **Livrée**). — (1669, Molière). *Blanchi* (cit. 13) *sous le harnois, sous le harnais :* vieilli dans le métier (des armes, etc.). *Contracter* (cit. 6) *sous le harnois des habitudes de soudard.*

Sire, ainsi ces cheveux blanchis sous le harnois, 5
Ce sang pour vous servir prodigué tant de fois (...)
CORNEILLE, le Cid, II, 8 (1636).

(...) celui-ci voit, il a vieilli sous le harnois en voyant, il est spectateur de profession (...) 6
LA BRUYÈRE, les Caractères, VII, 13.

(...) vous avez suivi votre penchant, ou vous avez pris goût à ce métier; sans quoi vous ne seriez pas resté jusqu'à votre âge sous le pesant harnais de la discipline militaire (...) 7
BALZAC, le Médecin de campagne, Pl., t. VIII, p. 408.

Reprendre joyeusement l'affreux harnais, écrit monsieur Songe. Et puis il biffe l'affreux. Et puis il biffe harnais. Reste reprendre joyeusement. 7.1
R. PINGET, le Harnais, p. 9.

Loc. (1682, La Fontaine). Vx. *Suer dans son harnais :* être trop vêtu, mal à l'aise. — (1552). *S'échauffer dans son harnais :* s'énerver, s'exciter.

Benoît monsieur, dit Panurge, vous *(vous)* échauffez en votre harnois. 8
RABELAIS, le Quart Livre, VII (1552).

Mon fils s'est embarrassé là-dedans de période en période, et se chauffant luimême dans son harnois contre ceux qui lui faisaient croire (...) 9
Mme DE SÉVIGNÉ, 905, 26 janv. 1683.

REM. Certaines locutions figurées font aussi bien allusion au *harnais militaire* qu'au *harnais d'une bête de trait. Reprendre le harnais après les vacances :* reprendre un travail astreignant.

10 (...) j'essayais de me dérober une fois de plus aux instances réitérées de mes confrères pour me faire reprendre le harnais de la présidence et m'efforçais de leur suggérer des choix, j'avais prononcé très favorablement le nom d'Édouard Estaunié, qui fut accueilli avec fraîcheur. Georges LECOMTE, Ma traversée, p. 406.

♦ **4.** a (V. 1268). Équipement d'un cheval de selle, de trait, et, par ext., de tout animal de travail. ⇒ **Harnachement.** *Courroie, sangles d'un harnais. Un harnais tout neuf. Pièces du harnais, de harnais.* ⇒ **Alliance** (II., 2.), **attelle, avaloire, bât, brêle, bricole, bride, chaînette** (de mors), **collier** (d'attelage), **croupière, culière, dossière, frein, guide, joug, licol** ou **licou, martingale, montant** (de bride), **mors, muserolle, œillère, panurge, poitrail, reculement, rêne, sautoir, selle, sellette, sous-barbe, sous-gorge, sous-ventrière, surdos, surfaix, têtière, trait, trousse-queue.** — REM. Dans l'usage courant, *harnais* correspond surtout aux pièces souples, et s'appliquerait difficilement à la selle, au bât, au collier... → ci-dessous, b. — *Harnais de contention, de direction* (mors, bride...), *de portage* (selle, bât...), *de traction* (collier, bricole). *Harnais militaire d'attelage, harnais de bât d'un mulet.* — *Cheval de harnais,* d'attelage, de voiture.

11 Un âne accompagnait un cheval peu courtois,
Celui-ci ne portant que son simple harnois,
Et le pauvre baudet si chargé qu'il succombe. LA FONTAINE, Fables, VI, 16.

11.1 Bouvard faisait assidûment la cour à Mme Bordin.
Elle le recevait, un peu sanglée dans sa robe de soie gorge-pigeon qui craquait comme le harnais d'un cheval, tout en maniant par contenance sa longue chaîne d'or. FLAUBERT, Bouvard et Pécuchet, Folio, p. 266.

12 C'était le jour des courses (...) On avait fourbi la veille son harnais et les calèches, les berlines (...) défilaient sur la belle route de Charsat.
M. JOUHANDEAU, Chaminadour, Contes brefs, Les courses.

(1690). *Harnais d'un bœuf de trait; harnais d'un éléphant, d'un lama.*

b *(Un, des harnais).* Pièce de harnachement. *Des harnais de cuir. Changer les harnais d'un cheval. Bourrelier, sellier qui fabrique, répare les harnais. Chevaux aux harnais dorés* (→ Galoper, cit. 2). *Harnais bien ajustés, trop serrés.* — REM. Dans le langage courant, on entend généralement par *harnais* les pièces souples, en cuir, etc. (guides, rênes...) à l'exclusion des pièces métalliques (mors...) ou rigides (collier, joug, selle...). *Ranger les harnais et les selles dans l'écurie.*

13 Le désolé voyageur aperçoit des harnais blancs, usés, raccommodés, près de céder au premier effort des chevaux.
BALZAC, le Curé de village, Pl., t. VIII, p. 604.

(1857, Flaubert). *Harnais de voiture :* l'équipement de cuir ou de métal reliant l'animal de traction à une voiture.

14 Le plancher de la sellerie luisait à l'œil comme le parquet d'un salon. Des harnais de voitures étaient dressés dans le milieu sur deux colonnes tournantes (...)
FLAUBERT, Mme Bovary, I, VIII.

♦ **5.** (V. 1960). *Harnais de sécurité :* système de sangles dont s'entourent pour s'attacher les alpinistes et les parachutistes, ou qui retiennent une personne à l'intérieur d'un véhicule (avion, voilier, voiture de course). ⇒ aussi **Baudrier, bretelle** (I., 4.), **ceinture** (de sécurité).

15 Berryl Smeeton (la femme) était à la barre quand *Tzu-Hang* a sanci, et le bout' de 10 mm de son harnais de sécurité a cassé comme une ficelle sans lui casser les reins. Bernard MOITESSIER, Cap Horn à la voile, p. 103.

♦ **6.** (1765, *Encyclopédie*). Techn. Ensemble de pièces (lices ou lisses) d'un métier à tisser. On a dit aussi *harnat* ['aʀna] n. m.

(1922, Larousse). *Harnais d'engrenage :* groupe d'engrenages commandant un arbre secondaire.

DÉR. Harnacher.

HARO ['aʀo] interj. et n. m. — XIIIe; *harou,* v. 1180; de *hare**.

♦ **1.** (V. 1180). Dr. anc. Cri d'appel à l'aide, poussé par la victime d'un flagrant délit, et qui rendait obligatoires l'intervention des auditeurs et l'arrestation du coupable. — *Clameur de haro, haro,* formule juridique qui donnait à chacun « le droit de s'ériger en officier de justice, d'arrêter le coupable (...) de contraindre les voisins à prêter main-forte » (Glasson, in *Grande encyclopédie*). → Arrestation, cit. 2.

1 La clameur de haro (...) donnait *(à la victime de violences)* le moyen d'arrêter par lui-même les entreprises injustes dirigées contre ses biens (...) en cas de simple trouble, une fois le haro lancé, l'auteur du trouble devait immédiatement s'arrêter (...) Toutefois, dès que le haro avait été clamé, le défendeur avait comme le demandeur le droit d'exiger qu'on allât tout de suite devant la justice (...)
E. GLASSON, *in* Grande encycl. (BERTHELOT), art. *Haro.*

♦ **2.** Loc. (1529, *in* D. D. L.). *Crier haro sur qqn,* dénoncer à l'indignation de tous, s'élever violemment contre. « *On cria* (cit. 18) *haro sur le baudet* » (La Fontaine; parfois repris; → ci-dessous cit. 3.1). — Fig. *Crier haro sur qqch.,* le condamner, le flétrir publiquement.

2 Dans la plus grande fureur des décrets et de la persécution, les Genevois s'étaient particulièrement signalés en criant haro de toute leur force (...)
ROUSSEAU, les Confessions, XII.

3 (...) il est bon de hausser la voix et de crier haro sur la bêtise contemporaine (...)
BAUDELAIRE, Curiosités esthétiques, Salon de 1859, I.

3.1 Alors pourquoi quand nous, tout à l'heure... quand nous nous sommes permis... mais permis quoi?... vraiment rien, moins que rien... pas même la largeur de notre langue... pourquoi aussitôt haro sur les baudets?...
N. SARRAUTE, Vous les entendez?, p. 75.

N. B. La « largeur de la langue » est aussi une allusion à la fable de La Fontaine.

♦ **3.** N. m. (V. 1360). Rare. *Le haro, un haro :* cri public d'indignation. ⇒ **Tollé.**

Ces mots, à peine dits, causèrent un haro 4
Qui du prochain couvent ébranla le carreau.
A. DE MUSSET, Premières poésies, Don Paëz, II.

HAROUELLE ['aʀwɛl] n. f. — 1769; orig. incert., p.-ê. de la même famille que l'anc. franç. *havet* « crochet », dér. de *hef,* même sens; du francique **haf* « crochet »; altér. du flamand *haveroule.* → Haveneau.

♦ Techn. (pêche). Grosse ligne de pêche; ligne tendue de lignes latérales. *Avançons fixés sur une harouelle.*

HARPACTE ['aʀpakt] n. m. — 1873, Larousse; du grec *harpaktês* « ravisseur », de *harpaks, harpagos* « qui ravit, enlève; rapace ». → Harpagon, harpaye.

♦ Zool. Oiseau grimpeur (famille des Trogonidés), au plumage très coloré.

HARPACTOR ['aʀpaktɔʀ] n. m. — 1873, Larousse; lat. mod., du grec *harpactês* « ravisseur ». → Harpacte, harpaye.

♦ Zool. Insecte hémiptère (famille des Reduviidés), souvent rouge et noir, qui vit sur les fleurs et dont la piqûre est très douloureuse.

HARPAGE ['aʀpaʒ] n. m. — 1930, Larousse; de 2. *harper.*

♦ Pêche. Action de harper, de prendre (le poisson) à la harpette*.

HARPAGON, ONNE [aʀpagɔ̃, ɔn] n. m. et adj. — 1696, *in* D. D. L.; du nom du personnage principal de *l'Avare* de Molière; du lat. *harpago* « grappin, harpon », et, au fig., « rapace ».

♦ Littér. Homme d'une grande avarice. ⇒ **Avare, ladre.** *Un vieil harpagon. Des harpagons.* — REM. Le fém. est virtuel.

Adj. (1719, *in* D. D. L.). « *Une avidité harpagonne* ».

REM. Balzac emploie le dér. *harpagonnerie* (n. f.) « avarice sordide ».

HARPAIL n. m. ou (vieilli) HARPAILLE ['aʀpaj] n. f. — V. 1387, Phébus, « harde de cerfs »; de l'anc. v. *harpailler* « séparer ». → 2. Harpe.

♦ Vén. Troupe de biches et de jeunes cerfs (⇒ 1. **Harde**). *Des harpails.*

HOM. Harpaye.

HARPAILLER ['aʀpaje] v. tr. — Attesté 1794; d'abord « mal saisir; séparer »; de 2. *harper.*

♦ Vén. (le sujet désigne des chiens). Prendre le change sur des biches (en chassant le cerf).

DÉR. (Du sens étym.) **Harpail.**

HARPALE ['aʀpal] n. m. — 1801, *in* D. D. L.; du grec *harpaleos* « ravissant ».

♦ Zool. Insecte coléoptère carnassier (famille des Carabidés*), qui vit dans le sable ou sous les pierres. *On trouve de nombreuses espèces de harpales en France.*

HARPAYE [aʀpaj] n. m. — 1808, Boiste; du grec *harpaks, harpagos* « rapace ».

♦ Busard (famille des Accipitridés) vivant dans les régions tempérées de l'hémisphère Nord, appelé aussi *busard, buse des marais* ou *des roseaux* (n. sc. : *Circus æruginosus*).

HOM. Harpail.

1. HARPE ['aʀp] n. f. — 1080; du germanique **harpa,* désignant un instrument à cordes. P. Guiraud suppose, très tôt, un rapprochement entre les familles de 1. *harpe* et 2. *harper,* en fonction du sémantisme « saisir, pincer ».

A. ♦ **1.** Instrument à cordes pincées, formé d'un cadre (souvent triangulaire) et de cordes de longueur inégale. *Harpe égyptienne, harpe galloise, irlandaise. Chanter en s'accompagnant de la harpe* (→ Aubade, cit. 1). *Poème chanté sur la harpe, au moyen âge* (→ Composition, cit. 6).

1 Après lui, descendit le chevelu Orfée,
Qui tenait en ses mains une harpe étoffée
De deux coudes d'ivoire, ou par rang se tenaient
Les cordes qui d'en haut inégales venaient
A bas l'une après l'autre en biais chevillées (...)
RONSARD, Premier livre des hymnes, « Calays et Zethés ».

2 Depuis l'heure charmante
Où le servant d'amour,
Sa harpe sous sa mante,
Venait pour une amante
Soupirer sous la tour.
LAMARTINE, Harmonies, « La retraite ».

La harpe de David. — Les harpes célestes (→ Concert, cit. 15).

3 Ainsi toutes les fois que l'esprit malin, *envoyé* du Seigneur, s'emparait de Saül, David prenait sa harpe, et en jouait; et Saül en était soulagé (...) car l'esprit malin se retirait de lui, *au son de la harpe de David.* BIBLE (SACY), Rois, I, XVI, 23.

4 Telle est la majesté de tes concerts suprêmes,
Que tu sembles savoir comment les anges mêmes
Sur les harpes du ciel laissent errer leurs doigts!
HUGO, Odes et ballades, III, I, 6.

5 Alors elle laissa retomber sa tête, croyant entendre dans les espaces le chant des harpes séraphiques (...) FLAUBERT, Mme Bovary, II, XIV.

♦ **2.** Vx. Instrument à cordes, harpe (au sens A, 1), luth ou lyre, au XVIe siècle.

♦ **3.** (1820, Lamartine). Fig. et vx. La poésie sacrée, par allus. à *la harpe de David* (⇒ **Psaume**). — (Fin XVIIIe). Par ext. La poésie. ⇒ **Lyre** (fig.).

6 Poésie, harpe intérieure,
Seule langue qui parle à Dieu!
LAMARTINE, Poésies diverses, Harpe des Cantiques (cf. aussi Lamartine, Harmonies, Invocation).

B. Mod. ♦ **1.** Le plus grand des instruments à cordes pincées, de forme caractéristique triangulaire, à cordes inégales; spécialt, *harpe d'Érard,* à 47 cordes diatoniques (notes bémolisées) et à 7 pédales servant à hausser chacune des notes de même nom d'un ou de deux demi-tons (notes naturelles ou diésées), ou *harpe chromatique,* à 78 cordes. *Jouer de la harpe* (→ Entendre, cit. 41). *Joueur, joueuse de harpe.* ⇒ **Harpiste;** → (par métaphore) Chat, cit. 10. *Les accords sur la harpe sont arpégés.* ⇒ **Arpègement** (cit.). *Concerto pour harpe et orchestre. Sonate pour harpe, flûte et alto,* de Debussy. *Fermer une harpe dans son étui* (cit. 2).

7 Corinne prit sa harpe, et, devant ce tableau, elle se mit à chanter les romances écossaises dont les simples notes semblent accompagner le bruit du vent qui gémit dans les vallées. Mme DE STAËL, Corinne, VIII, IV.

8 (...) il a fait exprès, une année, le voyage de Lyon, pour passer une journée chez un grand « soyeux » et regarder les métiers, harpes aux mille cordes, inscrire, sur un fond de soleil et de lune, de nuit et de jour, un portrait de fleur (...)
COLETTE, Belles saisons, p. 76.

9 Avez-vous entendu la tristesse des harpes
Aux doigts musiciens qui caressent les eaux.
ARAGON, les Yeux d'Elsa, L'escale.

Par métaphore (→ Averse, cit. 5). *Frémir* (cit. 9, 15) *comme une harpe, comme les cordes d'une harpe.*

♦ **2.** (1807, Mme de Staël). *Harpe éolienne** (cit. 1 et 2).

C. Du sens B, 1. (1742, *in* D. D. L.). Zool. Mollusque gastéropode prosobranche, dont la coquille présente des côtes longitudinales parallèles au bord externe de l'ouverture (comparées aux cordes de la harpe).

DÉR. 1. **Harper, harpiste.** — 3. **Harper.**
HOM. 2. **Harpe;** formes des v. 1. **harper,** 2. **harper,** 3. **harper.**

2. HARPE [ˈaʀp] n. f. — 1409, « fer coudé »; lat. *harpe* « faucille; espèce d'oiseau de proie »; grec *harpê* « faucon; objet crochu ».

♦ **1.** (1549). Vén. Griffe de chien.

♦ **2.** (1690, Furetière). Techn. Pièce de métal coudée reliant les poteaux des pans* de bois aux murs. ⇒ **Harpon.**
(1676). Saillie des pierres d'attente devant servir au raccord d'une construction voisine.

♦ **3.** Régional. Instrument en forme de croc, de griffe.

DÉR. 2. **Harpé, harpeau, harpette, harpin.**
HOM. 1. **Harpe;** formes des v. 1. **harper,** 2. **harper,** 3. **harper.**

1. HARPÉ, ÉE [ˈaʀpe] adj. — 1655; *harpé* « arqué (jarret) », 1561; de 3. *harper.*

♦ Chasse. Qui a l'estomac large et abaissé, le ventre haut (d'un chien). *Un lévrier bien harpé.*

HOM. 2. **Harpé;** 1. **harper,** 2. **harper,** 3. **harper.**

2. HARPÉ [ˈaʀpe] n. m. — 1603; de 2. *harpe.*

♦ Archéol. Sabre à lame courbe.

HOM. 1. **Harpé;** 1. **harper,** 2. **harper,** 3. **harper.**

HARPEAU [ˈaʀpo] n. m. — 1808, Boiste; de 2. *harpe,* et *-eau.*

♦ Vx. Grappin d'abordage.

1. HARPER [ˈaʀpe] v. intr. — XIIe; de 1. *harpe.*

♦ Vx. Jouer de la harpe.

DÉR. Harpeur (vx).
HOM. 1. **Harpé,** 2. **harpé,** 2. **harper,** 3. **harper.**

2. HARPER [ˈaʀpe] v. tr. — Fin XIIe; du lat. *harpe* (→ 2. Harpe), avec l'infl. phonétique de l'anc. scandinave *harpa* « crampe ». → aussi 1. Harpe.

♦ **1.** Vx. Prendre, serrer fortement. ⇒ **Agripper.** — Pron. *Se harper, s'entre-harper.* ⇒ **Empoigner** (s').

♦ **2.** (1907). Techn. (pêche). Prendre un poisson à la harpette*.

DÉR. Harpage, harpailler, harpette, harpoise, harpon.
HOM. 1. **Harpé,** 2. **harpé,** 1. **harper,** 3. **harper.**

3. HARPER [ˈaʀpe] v. intr. — XIIIe; de 1. *harpe,* par compar. de forme.

Technique (hippologie; le sujet désigne un cheval).

♦ **1.** Vx. Lever une jambe de derrière plus haute que l'autre, sans plier le jarret.

♦ **2.** (1678). Fléchir les jarrets dans le pas et le trot.

DÉR. 1. **Harpé.**
HOM. 1. **Harpé,** 2. **harpé,** 1. **harper,** 2. **harper.**

HARPETTE [ˈaʀpɛt] n. f. — 1962, Larousse; de 2. *harpe,* ou de 2. *harper.*

♦ Pêche. Ligne à laquelle sont fixés plusieurs hameçons simples ou multiples (⇒ 2. **Harper,** 2.).

HOM. Arpète.

HARPEUR, EUSE [ˈaʀpœʀ, øz] n. — 1808, Boiste; de 1. *harper.*

♦ Vx. ⇒ **Harpiste.**

HARPIDÉS [aʀpide] n. m. pl. — 1908, *harpide;* 1873, *in* P. Larousse; de *harpe,* et suff. *-idés.*

♦ Zool. Mollusque gastéropode marin dont la coquille renflée et très colorée est bordée d'un bourrelet (océan Pacifique).

HARPIE [ˈaʀpi] n. f. — 1555, Ronsard; *erpie,* v. 1420; *arpe,* XIVe; lat. *harpya,* grec *harpuia.*

♦ **1.** Didact. Monstre fabuleux, à tête de femme et à corps d'oiseau, à griffes acérées, dans la mythologie classique. — REM. Dans ce sens, le mot prend en général la majuscule. — « *Hésiode (...) représente* (les Harpies) *avec de belles chevelures et des ailes au dos. Plus tard, on en fit des monstres dégoûtants...* » (Aubert, *Dict. de mythologie*). *Les dieux, pour punir Phinée, l'aveuglèrent et le livrèrent aux Harpies qui lui volaient ses aliments ou les souillaient. — Bas-relief grec représentant des harpies.*

Mais, à tous ses repas, les Harpies cruelles (...) 1
Lui pillaient sa viande, et leur griffe arrachait
Tout cela que Phinée à sa lèvre approchait (...)
RONSARD, Premier livre des hymnes, « Calays et Zethés ».

Par métaphore :

« — C'est bien, » dit-il en s'adressant à son fils, « c'est bien, vous priez! heureux 1.1
celui qui peut prier! c'est qu'il a la foi et la foi console de tous les malheurs. Tandis que le doute est une harpie qui gâte toutes les jouissances. Que ne puis-je prier, moi! » Louise MICHEL, la Misère, t. II, p. 364.

♦ **2.** (1585). Vx. Personne avide, rapace.

(Villars avait) sous une magnificence de Gascon, une avarice extrême, une avi- 2
dité de harpie, qui lui a valu des monts d'or pillés à la guerre (...)
SAINT-SIMON, Mémoires, II, VII.

(...) ne le livrons pas à la discussion publique, cette harpie moderne qui n'est que 3
le porte-voix de la calomnie, de l'envie (...)
BALZAC, les Petits Bourgeois, Pl., t. VII, p. 156.

♦ **3.** (Déb. XVIIe, d'Aubigné). Mod. Femme méchante, acariâtre. ⇒ **Démon, furie, mégère.** *Une vieille harpie. Une insupportable harpie.*

♦ **4.** Zool. [a] (1808). Oiseau rapace *(Falconidés)* vivant en Amérique du Sud. La *harpie féroce* est appelée scientifiquement *Thrasætus.*

[b] (1775, *in* D. D. L.). Genre de chauve-souris, voisine des roussettes.

[c] Lépidoptère de la famille des Notodontidés.

On rencontre aussi les graphies *harpye* et *harpyie* (au sens 1) :

Mais c'est à sa réalité, qu'elle les annexe; c'est dans cette réalité, que les Anubis 4
transformés en chiens de garde s'unissent aux sirènes et aux harpyes tératologiques héritées d'Alexandrie. MALRAUX, la Métamorphose des dieux, p. 109.

HARPIN ['aʀpɛ̃] n. m. — xviie; de 2. *harpe*, et *-in*.

♦ Techn. Croc utilisé par les bateliers.

HARPISTE ['aʀpist] n. — 1677; de 1. *harpe*.

♦ Personne qui joue de la harpe. *Harpiste de concert. Harpiste soliste.*

(...) la harpiste (...) dépassée de tous côtés par les rayons du quadrilatère d'or (...) semblait aller y chercher, çà et là, au point exigé, un son délicieux, de la même manière que, petite déesse allégorique, dressée devant le treillage d'or de la voûte céleste, elle y aurait cueilli, une à une, des étoiles.
PROUST, À la recherche du temps perdu, t. XII, p. 61.

HARPOISE ['aʀpwaz] n. f. — 1842; de 2. *harper*.

♦ Techn. (pêche). Rare. Pièce de métal recourbée à l'extrémité d'un harpon.

HARPON ['aʀpɔ̃] n. m. — Fin xve; *harpun*, 1474 au sens 2; d'abord «agrafe (bijou)», v. 1130; de 2. *harper*.

♦ **1.** (1516). Instrument en forme de flèche qui sert à prendre les gros poissons, les cétacés (baleines, etc.). ⇒ **Dard, digon** (→ Engin, cit. 8). *Le harpon, fer tranchant triangulaire et barbelé* (tête), *monté sur une longue hampe plombée qui en assure la direction, est terminé par une ligne permettant de le tirer à soi; une ou plusieurs lames d'acier maintenues par une bague s'ouvrent en travers dans le corps du poisson ou du cétacé après la pénétration de l'arme. Pêche au harpon. Lancer le harpon à la main. Fusil à harpon pour la pêche sous-marine. Canon lance-harpon* des baleiniers pour la capture des cétacés. Les harpons des baleiniers, dont le poids atteint 80 kg, sont munis à la tête d'une charge explosive qui, lors de la pénétration dans le corps du cétacé, provoque l'ouverture de quatre lames d'acier.*

J'arrivais enfin à rattraper la baleine, je lançais vivement un harpon par l'avant, bien aiguisé et solide (après avoir bien fait amarrer et vérifier le câble), le harpon partait, entrait profondément dans la chair, faisant une blessure énorme.
Henri MICHAUX, La nuit remue, p. 130.

♦ **2.** (1611, Cotgrave). Grappin dont on se servait pour l'abordage des vaisseaux ennemis.

♦ **3.** (xxe). Mod. Instrument des sapeurs-pompiers, double croc* fixé à l'extrémité d'un manche, dont on se sert comme d'un grappin.

♦ **4.** (1474). Techn. (constr.). Pièce de métal coudée pour relier deux pièces de maçonnerie, notamment pour relier aux murs les poteaux des pans de bois. ⇒ **Crampon.**

♦ **5.** (1962, Larousse). Spécialt. Arme préhistorique comportant une pointe en os ou en bois de renne, avec des barbelures.

DÉR. Harponner, harponnier.
COMP. Lance-harpon.
HOM. Arpon; formes des v. 1. **harper**, 2. **harper**, 3. **harper.**

HARPONNAGE ['aʀpɔnaʒ] n. m. — 1769; de *harponner*.

♦ Action de harponner (1.). Syn. rare : *harponnement*, n. m. (1866).

Quand je repense à la tentative que je fis ce matin-là, je ne puis m'empêcher de sourire. Je décidai en effet de tenter le harponnage d'un thon. Il faut, je crois, être vraiment poussé par la faim pour se lancer dans une entreprise de ce genre.
Alain BOMBARD, Naufragé volontaire, p. 89.

HARPONNER ['aʀpɔne] v. tr. — 1613, Champlain; de *harpon*.

♦ **1.** (1614). Atteindre, accrocher avec un harpon, et, par ext., avec tout instrument du même genre (digon, foëne, fourche...; → Engin, cit. 8). *Harponner une baleine, un phoque, un thon, un espadon.*

1 Nous avons pu filmer Kopak pagayant doucement sur son frêle esquif jusqu'au phoque, le harponnant, le ramenant sur la berge.
R. FRISON-ROCHE, Peuples chasseurs de l'Arctique, p. 300.

2 Si harponner un thon ne représente pas une performance, vouloir le ramener à bord est une gageure qui amusera tous les pêcheurs sous-marins avertis.
Alain BOMBARD, Naufragé volontaire, p. 89.

Par métaphore :

3 Ne plus la perdre (...) la tenir harponnée au bout de son regard!
MARTIN DU GARD, les Thibault, t. VI, p. 147.

♦ **2.** (Fin xixe). Fig. (compl. n. de personne). Arrêter, prendre, saisir brutalement. *Harponner un malfaiteur. Il s'est fait harponner en sortant de chez lui. — Se faire harponner par un importun* (⇒ **Grappin** : se faire mettre le grappin dessus).

4 N'essayez pas de leur damer le pion dans les rochers, vous vous feriez harponner en moins de deux. Ils ont bouché tous les chemins même les plus petits.
J. GIONO, le Hussard sur le toit, p. 263.

DÉR. Harponnage ou **harponnement, harponneur.**

HARPONNEUR, EUSE ['aʀpɔnœʀ, øz] n. — 1613, n. m.; de *harponner*.

♦ Pêche. Personne qui lance le harpon, qui harponne (un poisson, un cétacé).

Pendant la journée deux hommes de l'équipage, — des harponneurs, — descendirent accompagnés du coq (...)
BAUDELAIRE, Trad. E. POE, les Aventures d'A. Gordon Pym, V.

HARPONNIER ['aʀpɔnje] n. m. — 1754, *in* D. D. L.; de *harpon*.

♦ Zool. Héron dont le bec a la forme d'un harpon.

HARPYE, HARPYIE ['aʀpi] n. f. ⇒ **Harpie** (cit. 4, Malraux).

HARRATIN ['aʀatɛ̃] n. m. — xxe, *in* Larousse; mot arabe.

♦ Chez les Maures, Homme de la classe la plus basse, descendant d'esclaves et souvent de race noire. *Des harratins.*

Adj. (plur. ici invar.) :

Dans des champs pas plus grands qu'un tapis de selle, les esclaves *harratin* essayaient de faire vivre quelques fèves, du piment, du mil.
J.-M. G. LE CLÉZIO, Désert, p. 15.

HARRIER ['aʀje] n. m. — Déb. xve, *haryer*; mot angl., dér. de *hare* «lièvre», mot anglo-saxon.

♦ Chasse. Race de chien courant anglais utilisé principalement pour la chasse au lièvre.

HART ['aʀ] n. f. — V. 1155; francique **hard* «filasse».

♦ **1.** (Fin xiie). Vx ou régional. Lien (d'osier, de bois flexible...) pour attacher les fagots, un fardeau.

1 Ils me hissèrent avec des harts par un sentier de loutres, et me transportèrent à leur village.
CHATEAUBRIAND, Mémoires d'outre-tombe, t. I, p. 304.

♦ **2.** (V. 1155). Vx ou archaïsme littér. Corde avec laquelle on pendait les condamnés. *La hart au col* (→ Guinder, cit. 1). *Sentir la hart* (→ Demeurant, cit. 2).

(1265). La pendaison.

2 Ainsi, en 1465, ordre aux habitants, la nuit venue, d'illuminer de chandelles leurs croisées, et d'enfermer leurs chiens, sous peine de la hart (...)
HUGO, Notre-Dame de Paris, X, IV.

♦ **3.** (1704, Trévoux). Techn. anc. Cheville de fer en demi-cercle utilisée par les peaussiers et les gantiers pour étirer les peaux.

HOM. Are, arrhes, ars, art.

HARUSPICE [aʀyspis] n. m. ⇒ **Aruspice.**

HARVIAU ['aʀvjo] n. m. — Atteste 1873, *in* P. Larousse, certainement antérieur; probablt de l'anc. franç. *haviau* «crochet», v. 1360; de *hef*, fin xiie; francique **hof* «crampon».

♦ Régional et techn. Anse de la corde servant à attacher un filet à l'arche d'un pont.

HASARD [azaʀ] n. m. — V. 1155, *hasart*, au sens I, 1; *hazard*, xve, au sens II; arabe *(ɔ) ăz-zăhr* «dé, jeu de dé», par l'intermédiaire de l'esp. *azar*, l'orig. du mot arabe est controversée, soit de *yasara* «jouer aux dés», soit de *zahr* «fleur»; cf. esp. *azahar* «fleur d'oranger», les dés ayant porté une fleur sur une face.

★ **I.** ♦ **1.** Vx. Jeu de dés en usage au moyen âge. — (xiiie). Coup heureux à ce jeu (le six).

♦ **2.** (1538). Mod. **JEU DE HASARD** : jeu* où le vainqueur est désigné à l'issue d'une série de «coups» produisant aléatoirement des résultats, et où le calcul, l'habileté... n'ont aucune part (→ Existence, cit. 12). — REM. Aujourd'hui on ne fait plus référence dans cette expression au sens de «dés» mais au sens absolu et philosophique du mot *hasard* (jeu dont les coups dépendent du hasard. → *infra*, 3.). — *Le jeu de pile ou face est le plus simple des jeux de hasard. Principaux jeux de hasard :* dés, roulette, baccarat, loterie.

1 On appelle jeux de *hasard*, ceux où le *hasard* seul décide, où la réflexion, le jugement, etc., ne servent de rien, comme le passe-dix. Ces sortes de jeux sont défendus par les Ordonnances.
Trévoux, Dict., art. *Hasard.*

2 Qu'il s'agisse des dés, des cartes ou des dominos, les jeux de hasard les plus répandus, qui sont aussi les plus anciens, sont basés sur l'égalité de certaines probabilités. Les diverses faces d'un dé ont des probabilités égales d'apparaître lorsqu'on jette le dé sur une table horizontale; les diverses cartes d'un jeu ont des chances égales d'être distribuées à chacun des joueurs lorsque le jeu a été bien battu (...)
Émile BOREL, Probabilités et certitude, p. 18.

★ **II.** ♦ **1.** (xiiie). Vieilli (emploi critiqué par Voltaire qui admet seult l'expr. *mettre au hasard*). Risque, circonstance périlleuse. ⇒ **Danger, risque.** *Des hasards de gain* (→ Démonstratif, cit. 2), *de perte* (→ Balancer, cit. 15). ⇒ **Chance.** *Courir un hasard* (→ Enrôler, cit. 1). Vx. *Courir plus, trop de hasard.* → ci-dessous, cit. 3. *S'exposer* (cit. 25) *au plus grand des hasards. Personne éprouvée* (cit. 33) *en divers hasards. Éviter* (cit. 15) *un hasard* (→ Expert, cit. 1; faux, cit. 29). *Mépriser les hasards* (→ Endurcir, cit. 2).

(1538). Vieilli. *Être au hasard* (vx), *en hasard :* s'exposer à un risque, un péril. *Mettre qqch., qqn au hasard.* ⇒ **Hasarder.** *Mettre au hasard de* (et inf.). — Mod. (dans le même sens). *Les hasards de la guerre.* ⇒ **Aléa, péril.**

3 Mon honneur, qui m'est cher, y court trop de hasard.
MOLIÈRE, l'École des maris, III, 2.

4 (...) aussi capable de ménager ses troupes que de les pousser dans les hasards (...)
BOSSUET, Oraison funèbre de Louis de Bourbon.

5 Cette ligue le mit *(Louis XI)* au hasard de perdre sa couronne et sa vie.
VOLTAIRE, Essai sur les mœurs, XCIV.

(1906; angl. *hazard,* mais le mot est attesté en 1717 comme t. de mail, *in* Petiot). Mod. Golf. *Les hasards :* les obstacles naturels et variés du terrain de golf.

♦ **2.** (XVe). Mod. Cas, événement fortuit; concours de circonstances inattendu et inexplicable. *Quel hasard!* ⇒ **Coïncidence; aléatoire.** *C'est un vrai, un pur hasard* (→ Faufiler, cit. 4) : rien n'était calculé, prémédité. *Ce n'est pas un hasard si... :* c'est une chose normale, qui était prévisible, devait arriver. *Un curieux hasard. Heureux hasard.* ⇒ **Aubaine, chance, coup** (de chance), **fortune, veine.** *Profiter d'un hasard favorable.* ⇒ **Occasion.** *Hasard malheureux.* ⇒ **Accident, coup, déveine, malchance.** *« Par un malheureux hasard »* (→ Carabinier, cit. 2). *Les hasards de l'existence* (→ Flibustier, cit. 3), *d'une destinée* (→ Choix, cit. 7), *d'une vie agitée* (→ Croire, cit. 68), *d'une carrière exceptionnelle* (→ Caste, cit. 3). *L'histoire n'est pas le résultat de hasards obscurs* (→ Automatisme, cit. 9). *Le hasard des circonstances* (→ Diplomate, cit. 1). *Les hasards de la conversation* (→ Anecdote, cit. 3). *Le hasard d'une bataille a ruiné un État* (→ Général, cit. 2). *Les hasards de la rime* (→ Exercer, cit. 42). *Coup de hasard :* événement fortuit. *Rencontre de hasard. — Quel hasard!,* se dit pour exprimer l'étonnement d'une rencontre fortuite.

6 (...) ce qui est hasard à l'égard des hommes est dessein à l'égard de Dieu (...)
BOSSUET, Politique..., V, III, 1.

7 (...) soit hasard ou projet, c'est toujours une action honnête et louable (...)
LACLOS, les Liaisons dangereuses, Lettre XXII.

8 L'action, commencée deux heures plus tôt, eût été finie à quatre heures, et Blücher serait tombé sur la bataille gagnée par Napoléon. Tels sont ces immenses hasards, proportionnés à un infini qui nous échappe.
HUGO, les Misérables, II, I, XI.

9 (...) une combinaison malheureuse, un sot hasard, la négligence d'un employé de la poste m'exposent à recevoir un affront (...)
G. SAND, Lettres à Musset, p. 66.

10 Quel heureux hasard vous amène ici? phrase polie qui se dit à quelqu'un qui vient et qu'on ne s'attendait pas à voir.
LITTRÉ, Dict., art. *Hasard.*

11 Étaient-ils donc moins surprenants les hasards obstinés qui, depuis sa naissance, avaient enchaîné Salavin à cette même masure, dans le refuge de cette même ruelle parisienne?
G. DUHAMEL, Salavin, V, XIV.

12 Il s'interrompit pour dire qu'il s'agissait là de vues très aventureuses, que les hasards de la discussion avaient fait naître, et que les événements pouvaient sans cesse modifier.
J. ROMAINS, les Hommes de bonne volonté, t. IV, p. 182.

(1694, Académie). Vx. *Marchandise, objet de hasard,* d'occasion. ⇒ **Occasion.**

♦ **3.** (Mil. XVIe). Absolt, cour. *(Le hasard).* Cause fictive de ce qui arrive sans raison apparente ou explicable (souvent personnifiée au même titre que le sort*, la fortune*). *Le hasard décide* (cit. 18 et 21) *de tout. Tenter le hasard; livrer qqch. au hasard.* ⇒ **Hasarder.** Loc. prov. *Le hasard fait bien les choses. Laisser faire le hasard* (→ Expérience, cit. 36). *Le hasard et la Providence* (→ Aplanir, cit. 6). *Le hasard est un grand railleur* (→ Destinée, cit. 11), *un grand entremetteur* (cit. 5). *Caprices* (cit. 13) *du hasard. Le Jeu de l'amour et du hasard,* comédie de Marivaux (1730). *Fait du hasard* (→ Assemblage, cit. 2). *Un coup du hasard* (→ Arrangement, cit. 2). *C'est un pur effet du hasard. Ce n'est pas le hasard qui fait que...* (→ Français, cit. 5). *Le hasard préside au cercle des joueurs* (→ Aveugle, cit. 26). *Le hasard créateur de situations comiques, de mots expressifs* (cit. 3). *Le hasard me le fit découvrir, rencontrer* (→ Cacher, cit. 55; fréquemment, cit.). *Le hasard l'a fait choisir* (→ Armement, cit. 3; borner, cit. 24). ⇒ **Destin, fatalité, sort.** *Le hasard agit* (cit. 9) *en sa faveur. Devoir son bonheur au hasard* (→ Enorgueillir, cit. 5). *Hommes, animaux que le hasard a rassemblés* (→ Absorber, cit. 9; assembler, cit. 18; boucanier, cit. 1). ⇒ **Circonstance, conjoncture.** *Un étranger que le hasard avait jeté dans sa vie comme un accident** (cit. 10). *Le hasard n'a pas de place dans sa vie.* ⇒ **Imprévu;** → Engrener, cit. 2. *Ne rien laisser au hasard :* tout organiser. *Agir sur le hasard* (→ Déterminer, cit. 11). *Faire la part du hasard dans un projet, une prévision. Abandonner une décision au hasard* (→ La jouer à pile* ou face). — *« Un coup de dés jamais n'abolira le hasard »* (Mallarmé). — Dr. ⇒ **Fortuit** (cas fortuit). *Condition qui dépend du hasard.* ⇒ **Casuel** (cit. 1).

13 Ce sont coups du hasard, dont on n'est point garant.
MOLIÈRE, l'École des femmes, I, 1.

14 Quoique les hommes se flattent de leurs grandes actions, elles ne sont pas souvent les effets d'un grand dessein, mais des effets du hasard.
LA ROCHEFOUCAULD, Maximes, 57.

15 Un homme sage n'abandonne pas une seule action au hasard, ou à l'emportement de l'humeur.
SAINT-ÉVREMOND, *in* TRÉVOUX.

(...) où est là le mérite qui soit véritablement à vous? Une belle figure, pur effet 16
du hasard (...)
LACLOS, les Liaisons dangereuses, Lettre LXXXI.

Quelqu'un disait que la Providence était le nom de baptême du hasard : quelque 17
dévot dira que le hasard est un sobriquet de la Providence.
CHAMFORT, Maximes et pensées, LXXIV.

La prudence, la conduite, élèvent lentement quelques fortunes; tous les jours le 18
hasard en fait rapidement.
É. DE SENANCOUR, Oberman, XLVII.

Il ne faut jamais dire le hasard, mon enfant, dites toujours la Providence. 19
STENDHAL, le Rouge et le Noir, II, I.

(...) et l'on finit par admirer les caprices d'une divinité sur le compte de laquelle 20
on met bien des choses, le HASARD.
BALZAC, Code des gens honnêtes, § 68, Œ. diverses, t. I, p. 113.

Il faut, dans la vie, faire la part du hasard. Le hasard, en définitive, c'est Dieu. 21
FRANCE, le Jardin d'Épicure, p. 102.

(...) le hasard sait toujours trouver ceux qui savent s'en servir. 22
R. ROLLAND, Jean-Christophe, t. VII, éd. Ollendorff, p. 190.

Ce qui demeurait puissant, chez ce calicot, c'était l'instinct paysan de prévoyance, 23
de défiance, l'horreur du risque, le souci de ne rien laisser au hasard.
F. MAURIAC, le Nœud de vipères, XIV.

Sa seule tâche, en vérité, était de donner des occasions à ce hasard qui, trop sou- 24
vent, ne se dérange que provoqué.
CAMUS, la Peste, p. 306.

Philos., sc. Caractère de ce qui arrive en dehors de normes objectives ou subjectives, de ce qui relève des lois de la probabilité et n'est pas délibéré. *Les lois du hasard.* ⇒ **Probabilité;** → Coup, cit. 72. *Science du hasard.* ⇒ **Statistique;** → Appeler, cit. 44. *La dialectique du hasard et de la causalité, de la nécessité.*

Ce que nous appelons *hasard* n'est et ne peut être que la cause ignorée d'un effet 25
connu.
VOLTAIRE, Dict. philosophique, Atomes.

L'idée du concours de plusieurs séries de causes indépendantes pour la production 26
d'un événement est ce qu'il y a de caractéristique et d'essentiel dans la notion du hasard (...)
COURNOT, Essais, t. II, p. 53.

(...) il faut faire dans l'histoire une large part à la force, au caprice, et même à 27
ce qu'on peut appeler le hasard, c'est-à-dire à ce qui n'a pas de cause morale proportionnée à l'effet.
RENAN, l'Avenir de la science, Œ. compl., t. III, p. 746.

Une énorme tuile, arrachée par le vent, tombe et assomme un passant. Nous disons 28
que c'est un hasard. Le dirions-nous, si la tuile s'était simplement brisée sur le sol? Peut-être, mais c'est que nous penserions vaguement alors à un homme qui aurait pu se trouver là, ou parce que, pour une raison ou pour une autre, ce point spécial du trottoir nous intéressait particulièrement, de telle sorte que la tuile semble l'avoir *choisi* pour y tomber. Dans les deux cas, il n'y a de hasard que parce qu'un intérêt humain est en jeu et parce que les choses se sont passées comme si l'homme avait été pris en considération, soit en vue de lui rendre service, soit plutôt avec l'intention de lui nuire (...) Le hasard est donc le mécanisme se comportant comme s'il avait une intention.
H. BERGSON, les Deux Sources de la morale et de la religion, p. 154.

Tout le reste — tout ce que nous ne pouvons assigner ni à l'homme pensant, ni à 29
cette Puissance génératrice *(la nature)* — nous l'offrons au « hasard », — ce qui est une invention de mot excellente. Il est très commode de disposer d'un nom qui permette d'exprimer qu'une chose *remarquable* (par elle-même ou par ses effets immédiats) est amenée *tout comme une autre* qui ne l'est pas. Mais dire qu'une chose est *remarquable,* c'est introduire un *homme,* une personne qui y soit particulièrement sensible, et c'est elle qui fournit tout le remarquable de l'affaire. Que m'importe, si je n'ai point de billet de la loterie, que tel ou tel numéro sorte de l'urne? (...) Il n'y a point de hasard pour moi dans le tirage (...)
VALÉRY, Variété V, p. 25.

Qui analysera (...) en détail les mouvements de la main qui jette les dés ou bat 30
les cartes? La caractéristique des phénomènes que nous appelons fortuits ou dus au hasard, c'est de dépendre de causes trop complexes pour que nous puissions les connaître toutes et les étudier.
Émile BOREL, le Hasard, p. 5.

Nous disons que ces altérations *(du « texte génétique »)* sont accidentelles, qu'elles 30.1
ont lieu au hasard. Et puisqu'elles constituent la seule source possible de modifications du texte génétique, seul dépositaire à son tour des structures héréditaires de l'organisme, il s'ensuit nécessairement que le hasard seul est à la source de toute nouveauté, de toute création dans la biosphère.
Jacques MONOD, le Hasard et la Nécessité, p. 148.

♦ **4.** Loc. adv. (1580, Montaigne). **AU HASARD.** **a** Sans direction déterminée; sans décider du lieu, de la situation. → N'importe où (→ Abîme, cit. 34; forum, cit. 1). *Aller au hasard* (→ Éblouir, cit. 8; errer, cit. 15). *Voguer au hasard* (→ Carène, cit. 1). *S'aventurer* (cit. 7), *fuir* (cit. 4) *au hasard. Promener ses regards au hasard* (→ Changeant, cit. 7). *Laisser flotter* (cit. 11 et 13) *sa pensée, sa rêverie au hasard. S'éparpiller au hasard* (→ Canaliser, cit. 2). *Coups tirés au hasard* (→ Fasciné, cit. 2). *Croître, germer* (cit. 2) *au hasard* (→ Fécond, cit. 9).

Je ne suivais dans cette étude d'autre plan que mon penchant. J'allais au hasard, 31
où mes pas me portaient.
LAMARTINE, Graziella, I, V.

Les obus et les décorations tombent au hasard, sur le juste et l'injuste (...) 32
A. MAUROIS, les Discours du Dr O'Grady, XI.

Pour rien au monde elle n'eût demandé qu'on lui indiquât un hôtel, elle préférait 33
chercher au hasard (...)
J. GREEN, Adrienne Mesurat, II, V.

b (V. 1695, Fénelon). Sans évolution prévue ni prévisible; sans modalité déterminée. → N'importe comment. — (1580, Montaigne). Spécialt. Sans réflexion, sans choix ni règle. ⇒ **Inconsidérément.** *Assertion* (cit. 6) *jetée un peu au hasard. Quelques mots placés comme au hasard* (→ Bouée, cit. 1). *Écrire* (cit. 53) *au hasard, selon son caprice. Parler, juger au hasard* (→ A tort* et à travers). *Principes, conseils donnés au hasard,* sans examen (cit. 4). ⇒ **Aveuglément, aveuglette** (à l'aveuglette), **bonheur** (au petit bonheur). *Ce n'est point au hasard que...* (→ Filiation, cit. 3). *Vivre au hasard* (→ Égarement, cit. 3), *gâcher* (cit. 7) *sa vie au hasard. Au hasard Balthazar,* film de R. Bresson.

Louis, le grand Louis, dont l'esprit souverain 34
Ne dit rien au hasard et voit tout d'un œil sain.
MOLIÈRE, la Gloire du Val-de-Grâce, 298.

35 (...) tu vis au hasard, pêle-mêle,
Dans ce monde, arrivé sans savoir trop par où (...)
HUGO, les Années funestes, XII.

36 (...) elle était devant la vie intellectuelle comme un enfant devant un piano dont il ne sait pas jouer, et qui s'émerveille lorsque, en frappant des touches au hasard, il réussit à produire un accord.
Valery LARBAUD, Amants, heureux amants, p. 25.

[c] Loc. prép. (1580, Montaigne). Vx. AU HASARD DE... : au risque de...

37 (...) je ne pus m'empêcher de lui dire tout ce que je pensais, au hasard de lui déplaire. A. R. LESAGE, Gil Blas, II, VII.

(1883, Loti). Mod. Selon les hasards de... *Au hasard des circonstances* (→ Contrordre, cit. 1), *des rencontres... Au hasard de l'improvisation.* — Loc. *Au hasard de la fourchette* (⇒ **Fourchette**) mod. : au hasard de ce qu'il y a à manger (→ Cantine, cit. 2) et, par ext., sans façon, sans apprêt (→ À la fortune* du pot).

38 (...) l'amour naissait (...) puis se traduisait en ivresses brutales ou en rêves naïvement purs au hasard des lieux où le vent le poussait (...)
LOTI, Mon frère Yves, I.

39 (...) je me suis trouvé à l'aise avec Gourmont, parlant selon mon idée, disant mes idées, au hasard de l'improvisation (...)
Paul LÉAUTAUD, Journal littéraire, 26 août 1905, t. I, p. 189.

40 Ensuite les attentats de crétins, de fous — et pas de fous guidés, utilisés, non, de fous solitaires, qui agissaient sous l'empire de lectures mal digérées ou d'exemples; frappant au hasard de l'inspiration.
J. ROMAINS, les Hommes de bonne volonté, t. IV, X, p. 103.

[d] Loc. adv. (Fin XVIe, d'Aubigné). À TOUT HASARD [atuazaʀ] : (vx) à tout événement, quoi qu'il puisse arriver (→ Malgré* tout). *À tout hasard, ton cœur me restera* (Millevoix). — Mod. En prévision ou dans l'attente de toute espèce d'événements possibles. *Il fait assez beau, mais prenez votre parapluie à tout hasard* (au cas* où il pleuvrait). *Je lui posai la question à tout hasard, bien que certain de sa réponse. À tout hasard, elle essaya la clef* (→ Carillonner, cit. 2). *Il était venu là à tout hasard* (→ Fortune, cit. 16).

♦ **5.** Loc. adv. (1636). PAR HASARD. ⇒ **Accidentellement, fortuitement.** — REM. Les puristes du XVIIe s., rappelle Littré, condamnaient cette locution, alors même qu'elle était employée par les meilleurs écrivains. — *Événement qui se produit, qui arrive par hasard* (⇒ **Accidentel, aléatoire, contingent, fortuit, imprévu, occasionnel**). *Canon* (cit. 9) *qui dévie par hasard. Entrer* (cit. 10) *par hasard. S'échapper par hasard. Se trouver par hasard dans un endroit* (→ Baie, cit. 3). *Rencontrer qqn par hasard.* → Tomber* sur. *Par hasard il avait gardé l'adresse. Les jours où par hasard...* ⇒ **Exceptionnellement** (→ Attention, cit. 44). *Quand par hasard...* (→ Éveil, cit. 9; face, cit. 51). *Être fâcheux* (cit. 12) *par hasard et non par nature. Une fois par hasard* (→ Cœur, cit. 137). *Tout à fait par hasard, nous en sommes venus* à parler de... — Comme par hasard* : comme si c'était un hasard (→ Bénéficier, cit. 3). — Iron. *Comme par hasard il n'avait jamais de monnaie quand il fallait payer.* — *Si par hasard* : au cas où. ⇒ **Éventuellement** (→ D'aventure*, des fois*, on ne sait* jamais). *Si par hasard j'étais en retard... Si par hasard il n'avait pas les qualités requises* (→ Cadenas, cit. 3). *S'il faut* (cit. 26) *par hasard qu'un ami vous trahisse...*

41 Le Roi arrive ce soir à Saint-Germain, et par hasard Mme de Montespan s'y trouve aussi le même jour (...) Mme DE SÉVIGNÉ, 556, 8 juil. 1676.

42 Rien ne s'est fait par hasard, ni par la volonté d'un seul, ni par la fantaisie d'un autre. André SUARÈS, Trois hommes, « Ibsen », IV.

43 Ni le rêve ni la rêverie ne sont nécessairement poétiques; ils peuvent l'être : mais des figures formées *au hasard* ne sont que *par hasard* des figures harmoniques.
VALÉRY, Variété V, p. 137.

44 (...) le rôle de l'esprit, comme celui du petit démon de Maxwell, consiste tout simplement à ouvrir ou à fermer la trappe devant les idées qui se présentent par hasard. J. ROMAINS, les Hommes de bonne volonté, t. IV, XXII, p. 247.

45 Et l'appartement est rangé. Si par hasard « il » rentre avant elle, il ne pourra se plaindre d'aucun désordre.
J. ROMAINS, les Hommes de bonne volonté, t. I, VI, p. 63.

(Pour atténuer une question, en présentant l'hypothèse comme un hasard). *Auriez-vous par hasard l'intention de louer votre maison? J'ai perdu ma clef; vous ne l'auriez pas vue par hasard?* — Iron. *Est-ce que par hasard vous m'auriez oublié?* (→ Ça, cit. 3). *T'imagines-tu par hasard que je vais tolérer cela?*

Vx (*hasard* est qualifié par un adj.). *« Par grand hasard »* (→ Gage, cit. 5, La Fontaine). Mod. *Par le plus grand des hasards.*

CONTR. Déterminisme, finalité.
DÉR. Hasarder, hasardeux.

HASARDÉ, ÉE ['azaʀde] p. p. adj. ⇒ **Hasarder.**

HASARDEMENT ['azaʀdəmɑ̃] n. m. — 1812, Stendhal, *Journal*, in D. D. L.; de *hasarder.*

♦ Rare. Le fait de hasarder (qqch.), de risquer. *Le hasardement de sa fortune au jeu.*

HASARDER ['azaʀde] v. tr. — Fin XVe; *hasarder* « jouer au hasard (jeu de dés) », 1407, du Cange, intrans.; de *hasard.*

REM. Ce verbe tend de plus en plus à sortir de l'usage courant où il est remplacé par *risquer.* Quand il est encore employé, il appartient à la langue littéraire ou au style soutenu.

♦ **1.** (1407). [a] Littér. Livrer au hasard, aux aléas du hasard, du sort. ⇒ **Aventurer, exposer, risquer.** *La prudence commande de ne rien hasarder, ou de hasarder le moins possible. Hasarder sa vie* (→ Fortune, cit. 9), *son honneur. Hasarder sa réputation,* risquer de la compromettre*. ⇒ **Commettre.** *Hasarder de l'argent, hasarder sa fortune au jeu.* ⇒ **Jouer.** — Prov. *Qui ne hasarde rien n'a rien* : il faut quelque hardiesse si l'on veut réussir. ⇒ **Tenter.**

Un homme ne fait rien d'illustre, qui devant *(avant)* trente ans met sa vie en danger, parce qu'il expose ce qu'il ne connaît pas; mais lorsqu'il la hasarde depuis cet âge-là, je soutiens qu'il est enragé de la risquer, l'ayant connue. 1
CYRANO DE BERGERAC, Lettres satiriques, Contre un poltron.

Mais l'incertitude de gagner est proportionnée à la certitude de ce qu'on hasarde (...) PASCAL, Pensées, III, 233 (→ Gagner, cit. 7). 2

Ce soir, tu souperas comme on festinait chez Balthazar, et tu verras notre Paris, à nous, jouant au lansquenet, et hasardant cent mille francs d'un coup, sans sourciller. BALZAC, les Comédiens sans le savoir, Pl., t. VII, p. 54. 3

Absolt. → *infra* Se hasarder.

Dans l'amour on n'ose hasarder parce que l'on craint de tout perdre; il faut pourtant avancer, mais qui peut dire jusques où? 4
PASCAL, Discours sur les passions de l'amour, Œ., t. III, p. 139.

[b] (Mil. XVe). Vx. *Hasarder (qqn),* l'exposer.

(...) voyez les périls où vous me hasardez. CORNEILLE, Polyeucte, I, 4. 5

[c] (1678, La Fontaine). Vx. Braver (un danger).

À peine ils touchent le port 6
Qu'ils vont hasarder encor
Même vent, même naufrage. LA FONTAINE, Fables, X, 14.

♦ **2.** (1651, Scarron). Vieilli. *Hasarder de* (avec un inf.) : courir le risque de. → ci-dessous Se hasarder (2.) de... ⇒ **Exposer** (s'exposer à), **risquer** (de). *« Il vaut mieux hasarder de sauver un coupable que de condamner* (cit. 3) *un innocent »* (Voltaire). *« On hasarde de tout perdre en voulant trop gagner* (cit. 14) *»* (La Fontaine).

On avait compté, trop compté sur cette incapacité; autrement jamais on n'eût hasardé de faire ce grand mouvement. 7
MICHELET, Hist. de la Révolution franç., I, I.

♦ **3.** (1552, Rabelais). Faire, entreprendre (qqch.) en courant le risque d'échouer ou de déplaire. ⇒ **Essayer, tenter.** *Hasarder une démarche* (cit. 8).

Il est le seul des universitaires auprès de qui je me crois l'accès assez libre pour hasarder une recommandation. 8
SAINTE-BEUVE, Correspondance, 305, 11 août 1833, t. I, p. 377.

Le Dr Élie Faure, son ami, qui, contre tout espoir, s'obstine et jusqu'aux derniers instants prodiguera ses soins, hasarde encore de temps à autre une piqûre de spartéine ou d'huile camphrée; l'organisme ne réagit déjà plus. 9
GIDE, Nouveaux prétextes, p. 171.

♦ **4.** (1580, Montaigne). Plus cour. Mettre en avant, se risquer à exprimer ce dont on n'est pas bien sûr, ce qui risque de se révéler faux ou d'être mal accueilli, de déplaire, de produire un effet fâcheux. ⇒ **Avancer.** *Hasarder une remarque, une observation. Hasarder un mot* (→ Engager, cit. 7). *Hasarder timidement une opinion* (→ Blanchir, cit. 7), *une suggestion, un conseil.* ⇒ **Émettre.** *Hasarder une boutade* (cit. 1), *une plaisanterie* (→ Dard, cit. 3), *un quolibet* (→ Garde, cit. 81). — (1670, Corneille). Spécialt. *Hasarder une phrase, une façon de parler, une expression* : se servir d'une phrase, d'une façon de parler, d'une expression nouvelle ou dont l'usage n'est pas encore bien établi (Académie; → aussi Fixer, cit. 9, Voltaire).

(...) ils sont *puristes,* et ne hasardent pas le moindre mot (...) 10
LA BRUYÈRE, les Caractères, V, 15.

(...) les quelques remarques qu'il a craintivement hasardées m'ont paru des plus judicieuses (...) GIDE, les Faux-monnayeurs, III, XII. 11

Je hasardai un conseil de transport immédiat dans un hôpital pour qu'on l'opère en vitesse. CÉLINE, Voyage au bout de la nuit, p. 238. 12

Le partage du compte en banque s'annonçait fort simple et, jusqu'à la dernière minute, Daniel se garda, prudemment, de hasarder des chiffres. 13
G. DUHAMEL, Compagnons de l'Apocalypse, XX, p. 223.

Figuré :

Le feu se reflétait dans la mare, et les grenouilles, commençant à s'y habituer, hasardaient quelques notes grêles et timides (...) 14
G. SAND, la Mare au diable, X.

▶ **SE HASARDER** v. pron. (Mil. XVIe).

♦ **1.** Vx. S'exposer à un péril. *Se hasarder contre un adversaire* (cit. 1). *Ce général se hasarde trop* (Académie).

♦ **2.** (1835, Gautier). Mod. Aller, se risquer (en un lieu où il y a du danger). *Ne vous hasardez pas dans ce quartier après minuit; il n'est pas prudent de s'y hasarder.* ⇒ **Aventurer** (s').

(...) conservez-vous, si vous voulez que je vive (...) il me semble que dans la vue de me plaire vous ne vous hasarderez point. 15
Mme DE SÉVIGNÉ, 134, 12 févr. 1671.

Pour ne pas l'exposer *(le fils d'Andromaque),* lui-même il se hasarde. 16
RACINE, Andromaque, IV, 1.

(...) le théâtre est devenu une école de prostitution, où l'on n'ose se hasarder qu'en tremblant avec une femme qu'on respecte. 17
Th. GAUTIER, Préface de Mlle de Maupin, p. 6.

(Mil. xvie). Vx. *Se hasarder de... :* se risquer* à... → ci-dessus Hasarder (2.) de... *Se hasarder d'emprunter qqch.* (→ Enlever, cit. 17, La Bruyère).

18 (...) je me suis hasardé d'y ajouter l'épithète d'« héroïque » *(au titre de « comédie » donné à* Don Sanche*)*, pour le distinguer d'avec les comédies ordinaires.
CORNEILLE, Discours du poème dramatique.

19 (...) lorsqu'il pensa le ressentiment de l'affaire amorti, il se hasarda d'adresser une requête à l'éminence (...) Th. GAUTIER, les Grotesques, X.

♦ **3.** (1642, Corneille). Mod. *Se hasarder à* (suivi de l'inf.) : se décider, se résoudre (à faire qqch.) en bravant quelque danger, en s'exposant à des risques. ⇒ **Risquer** (se risquer à). *Ils se hasardèrent à sortir de leur refuge, à descendre dans la plaine* (→ Établir, cit. 26). *Il ne s'y hasarde pas. Se hasarder à demander qqch.* (→ Fâcheux, cit. 5), *à présenter une requête. Il se hasarda à lui envoyer un baiser* (→ Gaiement, cit. 1). *Ne vous hasardez pas à retourner chez elle, ce serait jouer avec le feu*.*

20 (...) je me hasarde à vous prier de vouloir servir mon amour (...)
MOLIÈRE, le Médecin malgré lui, II, 5.

▶ **HASARDÉ, ÉE** p. p. adj. (1389, *hazardé* « hardi, impertinent »).

♦ **1.** (1611). Exposé à un péril, risqué. *Entreprise hasardée.* ⇒ **Dangereux, fou, hasardeux, imprudent, risqué.**

♦ **2.** (xixe). Dont l'issue est douteuse. *Démarche hasardée.*

♦ **3.** (xviiie). Peu sûr, avancé à la légère. *Idée, hypothèse hasardée.* ⇒ **Hardi, incertain, téméraire** (→ Énoncer, cit. 3).

21 Cette idée sur la cause du mouvement d'impulsion des planètes paraîtra moins hasardée lorsqu'on rassemblera toutes les analogies qui y ont rapport (...)
BUFFON, Hist. nat., Preuves, De la formation des planètes, I.

♦ **4.** Vieilli. *Mot hasardé, expression hasardée,* employés de façon anormale ou incorrecte (→ Bannir, cit. 21 ; et aussi propos déplacé*). ⇒ **Grivois, leste, licencieux, osé.**

22 (...) il y a un mot *(dans votre ouvrage)* qui est hasardé (...)
LA BRUYÈRE, les Caractères, I, 27 (1688).

23 (...) cette veuve avait la plaisanterie lourde et hasardée (...)
G. SAND, la Mare au diable, XII.

♦ **5.** (1762). *Blond hasardé,* tirant sur le roux (Balzac, *Illusions perdues*).

DÉR. Hasardement, hasardeur.

HASARDEUR [ˈazaʀdœʀ] n. m. — V. 1860, Sainte-Beuve ; de *hasarder.*

♦ Rare. Celui qui hasarde. — REM. Le fém. *hasardeuse* (hom. du fém. de *hasardeux*) semble inusité.

HASARDEUSEMENT [ˈazaʀdøzmɑ̃] adv. — xvie ; repris 1671, Mme de Sévigné ; de *hasardeux.*

♦ **1.** (xvie). Vx. Par hasard.

♦ **2.** Rare. D'une manière hasardeuse.

CONTR. Sûrement.

HASARDEUX, EUSE [ˈazaʀdø, øz] adj. — 1540 ; de *hasard.*

♦ **1.** Vx. Qui s'expose, se hasarde volontiers (en parlant d'une personne). ⇒ **Audacieux, aventureux, imprudent, téméraire.** *Joueur hasardeux* (→ Angoisse, cit. 10). *Ce pilote est trop hasardeux* (Académie). — Par ext. *Humeur hasardeuse* (→ Abuser, cit. 9).

1 Mais encore serais-je un peu consolée si cela vous rendait moins hasardeuse à l'avenir (...) Mme DE SÉVIGNÉ, 141, 3 mars 1671.

N. Vx. *Les hasardeux.*

♦ **2.** (1552, Rabelais). Mod. Qui expose à des hasards, des périls ; qui comporte des risques. *Affaire, entreprise* (cit. 4) *hasardeuse.* ⇒ **Aléatoire, aventuré, chanceux, dangereux, fou.** *Hasardeuse partie diplomatique* (→ Gré, cit. 15). *S'engager* (cit. 46) *dans des entreprises de plus en plus hasardeuses.* → Sur un terrain glissant*. *Parole, conjecture hasardeuse. Épreuve hasardeuse* (→ Flatter, cit. 32). *Leur sort est bien hasardeux* (→ Audacieux, cit. 1). *Aimer* (cit. 48) *la vie hasardeuse. Il serait bien hasardeux de prendre une telle décision.* ⇒ **Problématique, risqué.** *Affirmation hasardeuse,* qui risque d'être fausse. ⇒ **Gratuit.**

2 (...) loin de le tirer de ce pas hasardeux,
Ma bonté ne ferait que nous perdre tous deux. CORNEILLE, Polyeucte, V, 1.

3 Napoléon, réduit à de si hasardeuses conjectures (...)
Ph.-P. SÉGUR, Hist. de Napoléon, IX, 6.

4 On sait la réponse qu'il fit un jour au chimiste Guyton de Morveau, qui voulait passer au creuset un corps, pour s'assurer d'un fait que Buffon déduisait de la théorie. « Le meilleur creuset, c'est l'esprit », lui répondit Buffon. Parole bien hasardeuse quand il s'agit en effet de prononcer sur les œuvres de la nature !
SAINTE-BEUVE, Causeries du lundi, 21 juil. 1851, t. IV, p. 350.

Littér. (choses concrètes) :

5 Ce chemin, allègre et hasardeux comme une passerelle sur un torrent (...)
J. ROMAINS, les Hommes de bonne volonté, t. III, I, p. 8.

CONTR. Sûr.
DÉR. Hasardeusement.

HAS BEEN [ˈazbin] n. m. invar. — 1932, en sports (boxe), *in* G. Petiot ; expr. verbale angl., de *has,* passé de *to have* « avoir », et *been,* p. p. de *to be* « être » : « qui a été ».

♦ Anglic. Personne qui a eu du succès, de la notoriété et ne l'a plus (ou en a moins). *« Il* (un homme politique anglais) *commence de s'enfoncer dans le passé. Et rentre* (sic) *doucement dans la catégorie toute britannique des has been, celle des hommes qui ont été. Et qui ne sont plus »* (*le Point,* 9 oct. 1972, p. 71). *« (...)Camus est un cas. Le petit monde littéraire qui volète et caquète autour des livres ne s'occupe plus guère de lui. Certes, Camus n'est plus maudit. Simplement classé* has been, *sans que personne ait osé l'écrire »* (*le Point,* n° 591, 16 janv. 1984, p. 117). *C'est un has been, un ringard*.*

... On se dit que, cette fois, ça y est, qu'il est rangé, fatigué, vieilli, usé, mort... 1
Modèle dépassé... Has been ! Et puis le revoilà, transformé, repeint, refuselé, fendant l'air (...) Ph. SOLLERS, Femmes, p. 82-83.

Le rêve de Kate : que les hommes soient très jeunes, ou définitivement vieux... 2
Sur le point d'être, ou « has been »... Trépidants, ardents, idéalisants ; ou, au contraire, philosophes, lents, résignés... Ph. SOLLERS, Femmes, p. 253.

HASCH [ˈaʃ] n. m. — V. 1968 ; de *haschisch.*

♦ Fam. Haschisch. ⇒ **Herbe.** *« Mon fournisseur habituel s'est fait arrêter récemment (...) les flics croyaient qu'il trafiquait de l'héroïne. Chez lui, ils n'ont trouvé que 300 grammes de hasch. Ils l'ont interrogé deux heures et l'ont relâché en lui rendant son paquet »* (*le Monde,* 26 août 1977, p. 9). *Un petit dealer de hasch. Fumer du hasch.*

HOM. H, hache.

HASCHISCH ou HASCHICH [ˈaʃiʃ] n. m. — 1556, *aschy* et *hasis ; haschîsch,* 1773 ; arabe *ḥašiš* « herbe ». → Assassin.

REM. On écrit aussi, mais moins couramment, *hachich, hachisch.*

♦ **1.** Chanvre indien dont on peut mâcher ou fumer les feuilles séchées. ⇒ **Kif.** *Les Arabes préparent un extrait* (cit. 1) *gras du haschisch. Pipe de haschisch.*

Nâman est mort, Nâman le fumeur de *haschisch,* celui dont je te disais (...) avec 1
la prévision de sa fin prochaine, qu'il brûlait sa vie dans le fourneau de sa pipe.
E. FROMENTIN, Une année dans le Sahel, p. 194.

Le haschisch, ou chanvre indien, *cannabis indica,* est une plante de la famille des 2
urticées, en tout semblable, sauf qu'elle n'atteint pas la même hauteur, au chanvre de nos climats. Il possède des propriétés enivrantes très extraordinaires (...)
BAUDELAIRE, les Paradis artificiels, Poème du haschisch, II.

(...) assise sur mon divan, à fumer des cigarettes, ou du hachisch (...) 3
LOTI, Aziyadé, III, XIV.

♦ **2.** Drogue enivrante ou stupéfiant préparé avec ce chanvre. → Paradis, cit. 7. *Prendre du haschisch* (→ Drôle, cit. 11). *Consommateur de haschisch.* ⇒ **Hachischin** (vieilli). *Se livrer au haschisch* (→ Énergie, cit. 11). *Emploi* (cit. 4), *usage du haschisch* (→ Encourager, cit. 13). *Circonstances favorables à l'ivresse du haschisch* (→ Falloir, cit. 16). *Effets pernicieux du haschisch* (→ Fonctionner, cit. 4). *Voix gutturale* (cit. 1) *du mangeur de haschisch. Mélange de poudre de haschisch, de miel et d'amandes.* ⇒ **Madjoun.** *Fumeur de haschisch. Hallucinations* (cit. 3) *occasionnées par le haschisch. Le haschischisme, intoxication par le haschisch. — Du vin et du haschisch* (1851), essai de Baudelaire. *Le Poème du haschisch* (1860), première partie des *Paradis artificiels* de Baudelaire. — Abrév. fam. : *hasch*, H*.* ⇒ **Cannabis, kif, marijuana.**

On a essayé de faire du haschisch avec du chanvre de France. Tous les essais, jus- 4
qu'à présent, ont été mauvais, et les enragés qui veulent à tout prix se procurer des jouissances féeriques, ont continué à se servir du haschisch qui avait traversé la Méditerranée, c'est-à-dire fait avec du chanvre indien ou égyptien. La composition du haschisch est faite d'une décoction de chanvre indien, de beurre et d'une petite quantité d'opium. BAUDELAIRE, Du vin et du haschisch, IV.

(...) j'étais enfoncé bien avant sous les ondes insondables de cette mer d'anéantis- 5
sement où tant de rêveurs orientaux ont laissé leur raison, déjà ébranlée par le hatschich *(sic)* et l'opium. Th. GAUTIER, la Mille et Deuxième Nuit.

(...) l'imagination d'un homme nerveux, enivré de haschisch, est poussée jusqu'à 6
un degré prodigieux, aussi peu déterminable que la force extrême possible du vent dans un ouragan, et ses sens subtilisés à un point presque aussi difficile à définir.
BAUDELAIRE, les Paradis artificiels, Poème du haschisch, IV.

Il est vraiment superflu, après toutes ces considérations, d'insister sur le caractère 7
immoral du haschisch. Que je le compare au suicide, à un suicide lent, à une arme toujours sanglante et toujours aiguisée, aucun esprit raisonnable n'y trouvera à redire. BAUDELAIRE, les Paradis artificiels, V.

Tout en causant, le second officier et lui, fumant le « beng », feuille de chanvre 7.1
qui forme la base du « haschich » dont les Asiatiques font un si grand usage, allaient et venaient dans le bois (...) J. VERNE, Michel Strogoff, p. 237.

Ses grands yeux noirs avaient ce regard langoureux que donne le haschisch (...) 8
GIDE, Si le grain ne meurt, II, II.

DÉR. Haschischin ou **hachischin, haschischisme.** — REM. Le mot a eu plusieurs dérivés adj., exprimant les effets du haschisch : *haschidé, ée* (1886, Goncourt) ; *haschisché, ée* (1886, Goncourt) ; *haschisé, ée* (J. Moreau), d'après T. L. F. ; ces adj. n'ont guère vécu.

HASCHISCHIN ou **HACHISCHIN** [aʃiʃɛ̃] n. m. — 1851, Gautier, au sens 2; de *haschisch.*

♦ **1.** (1860). Vieilli ou littér. Personne qui s'adonne au haschisch. *Le Club des Haschischins,* récit de Th. Gautier (1851).

0.1 Pour le haschischin, un mot, une sentence faite de mots sans aucun sens, d'apparences de mots comme il en vient en rêve, — lui ouvre le paradis de la compréhension infinie. Il croit comprendre comme le rêveur croit voler.
VALÉRY, Cahiers, t. II, Pl., p. 578.

1 (...) les séances du Club des Haschischins, qui se tenaient dans cette somptueuse demeure de l'île Saint-Louis, ayant dû avoir lieu vers 1846.
Émile HENRIOT, Portraits de femmes, p. 384.

♦ **2.** Hist. Fanatique d'une secte d'ismaéliens, consommateurs de haschisch, soumis au « Vieux de la Montagne », qui attaquaient et tuaient les voyageurs, notamment les chrétiens. ⇒ **Assassins,** I., 1. (et étym.).

2 (...) le Vieux de la Montagne enfermait, après les avoir enivrés de haschisch (d'où, Haschischins ou Assassins), dans un jardin plein de délices, ceux de ses plus jeunes disciples à qui il voulait donner une idée du paradis (...)
BAUDELAIRE, les Paradis artificiels, Poème du haschisch, II.

♦ **3.** Adj. (1860, Baudelaire). Qui est provoqué par le haschisch. *Rêve haschischin.*

HASCHISCHINE [aʃiʃin] n. f. — 1860, Baudelaire; de *haschisch.*

♦ Vx. Résine extraite du haschisch.

HASCHISCHISME [aʃiʃism] n. m. — XXe (1945); de *haschisch,* et *-isme.*

♦ Intoxication par le haschisch. Syn. : *cannabisme.* — Var. : *hachischisme.*

HASE [ɑz] n. f. — 1556; all. *Hase* « lièvre ».

♦ Chasse. Femelle du lièvre ou du lapin de garenne (→ Essai, cit. 3). ⇒ **Lapine.**

Les hases avaient fait des troupes de petits levrauts.
J. GIONO, Jean le Bleu, IX, p. 311.

HASEKI [azeki] n. f. — 1962, Larousse; mot turc « ce qui appartient au service du Sultan ».

♦ Didact. (hist.). Favorite du sultan de Turquie.

HASHI [aʃi] n. m. pl. — 1962, Larousse; mot japonais.

♦ Didact. Paire de baguettes* dont se servent les Japonais pour manger. *Des hashi en bois blanc.*

HOM. Hachis.

HASIDIM [asidim] n. m. pl. ⇒ **Hassidim.**

HASSANI [asani] adj. invar. — 1962, Larousse; mot arabe, de *Hassan,* nom propre.

♦ Anciennt. Marocain (en parlant d'une monnaie).

HASSIDIM [asidim] n. m. pl. — Déb. XXe; 1886, *Chasidim,* P. Larousse; mot hébreu, « les pieux », trad. pour *asidaioi, asidaei* dans *les Septante, la Vulgate,* d'où *assidiens,* XVIIe, trad. de la Bible; *assidéen,* XVIIIe.

♦ **1.** Hist. (antiq.). Juifs orthodoxes (⇒ **Assidéen**) qui s'opposèrent aux tentatives d'hellénisation de la Palestine par la Syrie au temps des Macchabées (v. 175 av. J.-C.). *Le parti des Hassidim. Les Hassidim sont considérés comme étant à l'origine des sectes des Esséniens et des Pharisiens.*

♦ **2.** Hist. Juifs pieux se réclamant du hassidisme (2.), dans l'Allemagne des XIIe et XIIIe siècles.

♦ **3.** Mod. Juifs pieux se réclamant du hassidisme (3.) restauré par Ba'al Shem Tov. *Les Hassidim expriment leur sentiment religieux notamment par le chant et la danse. « Un peu plus loin, avenue Paul-Valéry, des hassidim, portant feutre noir, s'attardent devant la librairie hébraïque, à côté de l'agence de voyages qui offre "en promotion" des circuits touristiques en Israël »* (*l'Express,* 30 sept. 1983, p. 72). — REM. On écrit parfois *hasidim;* la majuscule est fréquente.

DÉR. Hassidique, hassidisme.

HASSIDIQUE [asidik] adj. — XXe; de *hassidim,* et *-ique.*

♦ Du hassidisme, qui a rapport au hassidisme. *L'orthodoxie hassidique. « (...) un acteur juif dont la chronique n'a retenu que son interprétation de Puck dans la version hassidique du "Songe d'une nuit d'été" »* (*Le Point,* no 573, 12 sept. 1983, p. 144).

Kafka n'était pas un esprit « superstitieux », il y avait en lui une lucidité froide qui lui faisait dire à Brod, au sortir de célébrations hassidiques : « Au vrai, c'était à peu près comme dans une tribu nègre, de grossières superstitions. »
M. BLANCHOT, l'Espace littéraire, p. 84 (1955).

HASSIDISME [asidism]; rare (→ cit.) [asidism] n. m. — 1923, *in* D. D. L.; de *hassid(im),* et *-isme.*

Piété et mystique juives orthodoxes et ensemble des pratiques rituelles qui leur sont liées; communauté des fidèles qui se réclament d'une telle obédience pieuse.

REM. *Hassidisme* vient de *hassidim* « les dévôts, les pieux » en hébreu. Le mot a donc pu être utilisé pour désigner des mouvements de dévotion d'inspirations doctrinales parfois sensiblement différentes bien que liés par une référence de même nature à la tradition hébraïque.

Les *Hassidim* formaient un parti, chez les Juifs de Palestine, qui s'opposa farouchement aux tentatives d'hellénisation du roi de Syrie Antiochus IV, vers 175 av. J.-C. (...)
L'*Hassidisme* reparut, mais sous un aspect purement mystique, dans l'Allemagne médiévale, et fut à l'origine du vaste développement de la littérature kabbalistique. Ce mouvement connut au XVIIIe siècle, sous la direction d'Israël ben Eliezer, dit Baal Shem (m. en 1760), une remarquable renaissance en Pologne et en Galicie; il subsiste dans quelques communautés judaïques d'Europe orientale.
S. HUTIN, Dict. des religions, art. *Hassidim* (1954).

♦ **1.** Rare. Mouvement politico-religieux des hassidim* de Palestine qui résistèrent à l'hellénisation v. 175 av. J.-C.

♦ **2.** Hist. Courant de piété judaïque qui se développa en Allemagne aux XIIe et XIIIe siècles, fondé sur un esprit de renoncement ascétique, de contemplation mystique et d'amour du prochain.

♦ **3.** Mod. Courant de piété judaïque né au milieu du XVIIIe siècle en Pologne, et dont l'initiateur, Ba'al Shem Tov (1700-1760), à la fois prophète et thaumaturge, rejetait toute forme d'ascétisme. *De nos jours, des groupes très fervents de la communauté juive se réclament du hassidisme.*

HAST n. m. ou **HASTE** [ast] n. f. — V. 1188, *haste; arme d'ast,* 1542; la réfection en *hast* semble plus tardive (1636); du lat. *hasta* « lance, hampe de lance » (→ Aste).

♦ **1.** Anciennt. Lance, pique, javelot...; bois de lance.
(Sous la forme *haste*). Bois de javelot représenté sur certaines monnaies.

♦ **2.** *Arme d'hast :* arme dont le fer est monté sur une longue hampe (fût). *La lance, la pique, la hallebarde sont des armes d'hast.*

Un coup de fusil à petit plomb eût fait une hécatombe de ces volatiles, mais les chasseurs en étaient encore réduits, comme armes de jet, à la pierre, comme armes de *(sic)* hast, au bâton, et ces engins primitifs ne laissaient pas d'être très insuffisants.
J. VERNE, l'Île mystérieuse, p. 153-154 (1874).

DÉR. Hasté.
HOM. Aste, haste (broche; → 1. **hâte**).

HASTAIRE [astɛʀ] n. m. — 1548, du Bellay; bas lat. *hastarius,* de *hasta.* → Hast.

♦ Didact. (antiq.). Soldat romain qui était armé de la lance ou du javelot.

HOM. Aster.

1. HASTE [ast] n. f. ⇒ 1. **Hâte.**

2. HASTE [ast] n. f. ⇒ **Hast.**

HASTÉ, ÉE [aste] adj. — 1789, *Encyclopédie méthodique;* de *hast,* et *-é.*

♦ Bot. Qui a la forme d'un fer de lance. *Feuilles hastées* (on dit aussi *hastiforme*).
Par compar. *Croix hastée.*

(...) le *(sic) swastika,* par des transformations successives, devint la *croix hastée* des modernes chrétiens.
Émile BURNOUF, la Science des religions, p. 241.

HASTELLOY [astelɔj; astelwa] n. m. invar. — Mil. XXe; nom déposé; orig. incert., p.-ê. de l'angl. *alloy* « alliage ».

♦ Métall. Alliage d'une grande résistance à la corrosion en milieu acide, formé de nickel (55 à 85 %) et de divers autres métaux, tels que chrome, fer, molybdène.

(...) les hastebloys *(sic)* préparés spécialement en Amérique pour l'industrie chimique et que n'attaquent qu'à un faible degré l'acide chlorhydrique et l'acide sulfurique. Ce sont des alliages à haute teneur en nickel (55 à 85 %) contenant divers autres métaux : molybdène, fer, chrome, silicium, cuivre et aluminium (...)
Gaston COHEN, le Cuivre et le Nickel, p. 85.

HASTEUR ['astœʀ] n. m. ⇒ **Hâteur.**

1. HÂTE ['ɑt] ou **HASTE** ['ast] n. f. — 1636; *haste,* v. 1180; croisement entre le lat. *hasta* «lance» (→ Hast) et le francique **harst* «gril».

♦ **1.** (V. 1210). Vx. Broche à rôtir.

♦ **2.** (XIIe). Vx. Viande rôtie (⇒ **Hâtereau**).

DÉR. Hâtelet, hâtelle, hâtereau, hâteur, hâtier, hâture.
HOM. 2. **Hâte.**

2. HÂTE ['ɑt] n. f. — V. 1170, *haste; hâte,* au XVIe; francique **haist* «violence, vivacité».

♦ Le fait de procéder, d'agir avec rapidité, souvent avec précipitation, de manière à en terminer au plus vite, à atteindre un but au plus tôt. ⇒ **Activité, empressement, presse, promptitude, rapidité, vitesse.** *Mettre de la hâte, trop de hâte, peu de hâte à faire qqch.; montrer de la hâte* (→ Bousculer, cit. 4). *La hâte d'en avoir terminé avec une tâche fastidieuse.* ⇒ **Impatience;** → Furibond, cit. 4. *Hâte à aider qqn, à rendre service.* ⇒ **Diligence, empressement.** *La hâte des passants dans la rue.* ⇒ **Agitation, presse.** *Une hâte extrême, excessive, fébrile.* ⇒ **Précipitation** (→ Augure, cit. 8; cul, cit. 25).

1 (...) cet empressement, cette hâte pour arriver là où personne ne vous attend, cette agitation dont la curiosité est la seule cause, vous inspirent peu d'estime pour vous-même (...)
Mme DE STAËL, Corinne, I, 2.

2 (...) elle mangeait la viande laissée près du soupirail, en ne trahissant sa hâte que par un mouvement avide du cou et le tremblement de son échine.
COLETTE, la Paix chez les bêtes, Prrou.

Avoir de la hâte, avoir hâte. ⇒ **Pressé** (être pressé). — (1538). *Avoir hâte de* (et inf.). *Il avait hâte de sortir* (→ Gagner, cit. 69). — (1866, Littré). *Avoir grande hâte, grand-hâte. N'avoir, n'avoir plus qu'une hâte.*

3 (...) il lui sembla qu'il serait d'autant moins ridicule qu'il aurait eu moins de hâte à courir à sa déconvenue.
J. ROMAINS, les Hommes de bonne volonté, t. II, X, p. 103.

4 Tout ce que je faisais d'inutile en ce lieu m'est alors remonté à la gorge et je n'ai eu qu'une hâte, c'est qu'on en finisse et que je retrouve ma cellule avec le sommeil.
CAMUS, l'Étranger, II, IV.

Avec hâte. Sans hâte : calmement, en prenant tout son temps (→ Bostonner, cit. ; dandiner, cit. 4; écouvillon, cit. 2; émonder, cit. 3).

5 Il acheva de s'habiller sans hâte, resta un moment dans le jardin (...) et suivit la route avec nonchalance.
J. CHARDONNE, les Destinées sentimentales, p. 284.

Littér. *Une hâte de* (et compl. de cause).

Vieilli. *Faire hâte de* (et inf.) : se hâter de... *Il faisait hâte de ranger.*

(En parlant des choses). ⇒ **Vitesse.**

6 Quelle que soit la course et la hâte du flot,
Le vent lointain finit toujours par le rejoindre (...)
HUGO, la Légende des siècles, XVII, «L'aigle du casque».

Loc. adv. (V. 1131, *en haste*). **EN HÂTE :** avec promptitude, rapidité; en se dépêchant. ⇒ **Promptement, rapidement, vite; dare-dare** (fam.). *Faire qqch. en hâte* (→ Aborder, cit. 9). *On l'envoya en hâte* (→ Barrage, cit. 1). *Cheminer* (cit. 3), *marcher, passer en hâte.* ⇒ **Courir** (en courant); → Bourrelet, cit. 1. — *En toute hâte* (→ Garrot, cit. 1). *Venez en toute hâte!* ⇒ **Urgence** (d'). — *En grande hâte,* et, vx ou archaïque, *en grand'hâte, en grand-hâte* (→ Exhaustif, cit. 2).

7 (...) aucun d'eux à vos yeux ne se montre
Qu'on ne vous voie, en hâte, aller à sa rencontre (...)
MOLIÈRE, le Misanthrope, II, 4.

8 M. de Richelieu avait pris un lavement (...) il demanda ma garde-robe, et y monta en grande hâte (...)
SAINT-SIMON, Mémoires, I, IX.

9 (...) elle allait ainsi chaque jour en grande hâte vers une maison (...) où un enfant se mourait (...)
J. CHARDONNE, les Destinées sentimentales, p. 420.

Loc. adv. (1538; *a haste,* XVe). **À LA HÂTE :** avec précipitation, au plus vite. ⇒ **Vite, vitesse** (à toute); → (fam.) À la six-quatre-deux, à la vapeur*, à la va*-vite; en catastrophe. *Faire un travail à la hâte, sans précaution.* ⇒ **Bâclage; bâcler, brocher** (→ Gagner, cit. 49). *Travail fait à la hâte.* ⇒ **Hâtif.** *Gravir* (cit. 8) *quatre étages à la hâte.* → Quatre* à quatre. *Se coiffer, s'habiller à la hâte* (→ Cheveu, cit. 25; coiffeur, cit. 2). *Déjeuner, manger à la hâte.* ⇒ **Pouce** (sur le); → Flottille, cit. *Mots écrits à la hâte, griffonnés à la hâte* (→ Écriture, cit. 11).

10 Une adresse à l'Assemblée se trouve au café de Foy; tout le monde signe, jusqu'à trois mille personnes, à la hâte, la plupart sans lire.
MICHELET, Hist. de la Révolution franç., I, V.

CONTR. Atermoiement, calme, lenteur.
DÉR. Hâter, hâtif, hâtiveau.
HOM. 1. **Hâte.**

HÂTÉ, ÉE ['ɑte] p. p. adj. — 1549 au sens 2; p. p. de *hâter.*

♦ **1.** (1596). Vx. Qui est pressé.

1 Il *(Phileas Fogg)* ne se permettait aucun geste superflu. On ne l'avait jamais vu ému ni troublé. C'était l'homme le moins hâté du monde, mais il arrivait toujours à temps.
J. VERNE, le Tour du monde en 80 jours, p. 10.

♦ **2.** Vx. Qui doit être fait rapidement. ⇒ **Pressé.**

♦ **3.** (Av. 1841). Vx, littér. Qui est poussé à aller vite, à faire vite.

♦ **4.** (Fin XIXe). Littér. Qui est fait vite. ⇒ **Hâtif.**

2 Rubens est plein de ces négligences ou choses hâtées.
E. DELACROIX, Journal, 21 avr. 1852.

3 Ce fut un déjeuner un peu hâté, un peu bousculé, car des femmes de service, à trois reprises, vinrent soumettre des difficultés, demander des ordres.
ZOLA, Paris, t. I, p. 242.

CONTR. Lent.
HOM. Hâter.

HÂTELET ['ɑtlɛ] n. m. — 1393, *hastelet;* de 1. *hâte,* et dimin. *-elet.* Technique.

♦ **1.** Vx. Petite broche à rôtir. ⇒ **Brochette.** *Viande rôtie au hâtelet* (hâtelle, hâtelette). — Vx. Broche décorative utilisée pour dresser les plats, dans un dîner d'apparat.

♦ **2.** (1842). Petite broche d'un métier à tisser la soie.

Var. : *atelet.*

HÂTELLE ['ɑtɛl] ou **HÂTELETTE** ['ɑtlɛt] n. f. — 1907, *hâtelette,* Larousse; *hâtelle,* 1765, *Encyclopédie;* de 1. *hâte,* et suff. *-elle, -ette.*

♦ Vx. Petit morceau de viande rôtie avec le hâtelet. → Hâtereau.

HÂTER ['ɑte] v. tr. — 1080, *haster, Chanson de Roland;* écrit *hâter,* XVIIe (Académie, 1694); de 2. *hâte (haste).*

REM. Dans tous ses emplois, le v. tr. est littér. ou d'usage soutenu; le pron. est plus courant en français contemporain, mais reste marqué par rapport à ses synonymes usuels (*se dépêcher,* etc.).

♦ **1.** (Mil. XIIe). Faire arriver plus tôt, plus vite (qqch.). ⇒ **Avancer, brusquer, précipiter, presser.** *Hâter un événement. Hâter son départ* (→ Exposer, cit. 23), *son retour. Hâter une entrevue, une démarche. Hâter le supplice d'un condamné* (→ Demander, cit. 29). *Afin de hâter cette minute, cet instant* (→ Avis, cit. 14). *Fin impossible à retarder ni à hâter* (→ Enlisement, cit. 1). *Hâter la cuisson d'un plat, l'évaporation d'un liquide* (→ Abeille, cit. 5). *Hâter un événement agréable. Hâtez nos plaisirs* (→ Dépêcher, cit. 4). *Le surmenage a hâté sa fin, sa mort.*

Allons, Madame, allons. Une raison secrète 1
Me fait quitter ces lieux et hâter ma retraite.
RACINE, Mithridate, IV, 4.

Un sergent de bataille allant en chaque endroit 2
Faire avancer ses gens et hâter la victoire.
LA FONTAINE, Fables, VII, 9.

Mon cœur, pressé d'un souvenir délicieux, hâte le moment du retour au château. 3
LACLOS, les Liaisons dangereuses, Lettre XXIII.

L'émotion précoce, qui hâte l'éveil de l'intelligence, l'infuse et l'aiguise pour des années. 4
MONTHERLANT, la Relève du matin, p. 24.

♦ **2.** Faire évoluer plus vite, rendre plus rapide. ⇒ **Accélérer, activer, brusquer, précipiter.** *Hâter le cours* (cit. 8) *du temps, l'évolution d'un phénomène. Hâter le progrès de la civilisation.* — *Hâter le mouvement.* ⇒ **Presser.** — (1580, Montaigne). *Hâter le pas*.* ⇒ **Forcer, presser** (le pas); → Approche, cit. 5; calciner, cit. 2. — *Hâter le galop* (→ Bride, cit. 14). — (1751). Spécialt. *Le cerf hâte son erre,* il fuit grand-erre*.

(...) les fleuves mal sûrs dans leurs grottes profondes 5
Hâtent vers l'Océan la fuite de leurs ondes.
CORNEILLE, Poésies diverses, 126.

Elle eût compris qu'elle devait hâter le mouvement des réformes, écarter tous les obstacles, abréger ce mortel passage où la France restait entre l'ordre ancien et l'ordre nouveau. 6
MICHELET, Hist. de la Révolution franç., II, VI.

(...) ils hâtaient le pas pour ne pas brûler la plante épaisse de leurs pieds aux dalles chaudes comme le pavé d'une étuve. 7
Th. GAUTIER, le Roman de la momie, I.

Hâter le développement, la maturation d'une plante. Hâter les productions d'un arbre (cit. 24). — *Hâter une plante; hâter les fruits.* ⇒ **Forcer.**

Exécuter (un travail) vite. ⇒ **Dépêcher.** *Hâter la besogne, le travail. Faites hâter le dîner* (Académie). *Hâter une affaire.* ⇒ **Trousser.**

♦ **3.** (V. 1155). Vx. Faire dépêcher (qqn). *Hâtez un peu ces gens-là* (Académie). — *Hâter les âmes, les esprits vers la raison* (→ Attarder, cit. 10).

Je te hâterai bien si je prends un bâton. SCARRON, Jodelet, III, 3. 8

Que l'on coure avertir et hâter la princesse (...) RACINE, la Thébaïde, I, 1. 9

(Mil. XVIe). Vx. *Hâter qqn de* (suivi d'un inf.). ⇒ **Presser.** — Absolt (→ Aller, cit. 14, Molière).

Si elle donnait (...) les dix mille écus (...) elle le hâterait bien d'aller (...) 10
Mme DE SÉVIGNÉ, 432, 19 août 1675.

▶ **SE HÂTER** v. pron. (V. 1160, *soi haster; soi ahaster,* 1080).

Mod. Aller vite, faire vite; faire diligence. ⇒ **Dépêcher** (se), **empresser** (s'); → Flamber, cit. 6. *Il se hâte et s'épuise* (cit. 25). *Il s'est* *trop hâté. Hâtez-vous. Se hâter vers la sortie.* ⇒ **Courir, précipiter** (se); → Fourmi, cit. 9. *Se hâter du travail au plaisir* (→ Foule, cit. 12). *Se hâter pour qqch. Se hâter pour faire qqch.* (→ 2. Flanquer, cit. 9), *pour échapper à qqn* (→ Flageoler, cit. 1). *Se hâter à qqch., à faire qqch. — Navire qui se hâte* (→ Brûler, cit. 10).

11 Jean Valjean le vit se hâter à travers le jardin, aussi vite que sa jambe torse le lui permettait (...) HUGO, les Misérables, II, VIII, I.

12 Asiles et relais de l'éternel dans un monde occupé moins de vivre que de se hâter vers la mort. G. DUHAMEL, Scènes de la vie future, XIV.

Loc. *Hâte-toi lentement,* maxime grecque et latine *(festina lente)* reprise par de nombreux écrivains français : Cyrano de Bergerac, Voiture, Boileau... ; cf. La Fontaine parlant de la tortue : *« Elle se hâte avec lenteur »* (→ Évertuer, cit. 6).

13 Mais parmi tant d'écueils, hâtons-nous lentement. CYRANO DE BERGERAC, la Mort d'Agrippine, I, 2.

14 Faites tous comme moi, hâtez-vous lentement,
Ne formez qu'un dessein, suivez-le constamment.
VOITURE, Étrenne de quatre animaux.

15 Hâtez-vous lentement, et sans perdre courage,
Vingt fois sur le métier (...) BOILEAU, l'Art poétique, I (→ Cesse, cit. 5).

16 « Hâte-toi lentement » *(devise)* qui avait été celle de la politique française sous tant de rois. Louis MADELIN, Talleyrand, XL.

17 (...) il se fallait hâter, mais suivant la devise *Festina lente.* Louis MADELIN, Hist. du Consulat et de l'Empire, Le Consulat.

Se hâter de (suivi de l'inf.). ⇒ **Dépêcher** (se); → Avant, cit. 66; bourreau, cit. 5. *Se hâter de sortir, de gagner un lieu* (→ Aurore, cit. 8; ermitage, cit. 2). *Se hâter de terminer un travail, une lecture* (→ Foule, cit. 17). *Hâtez-vous de vous enrichir pendant qu'il en est encore temps* (→ Branler, cit. 3). *Il ne se hâte pas trop de payer* (Académie).

18 Elle se hâte trop, Burrhus, de triompher.
J'embrasse mon rival, mais c'est pour l'étouffer. RACINE, Britannicus, IV, 3.

19 L'homme a besoin d'aiguillons. Si sa vie n'était pas si courte, il ne se hâterait point tant de vivre. R. ROLLAND, Compagnons de route, p. 195.

20 (...) je tire de là qu'il ne faut point se hâter de juger les caractères, comme si l'on décrète que l'un est sot et l'autre paresseux pour toujours. ALAIN, Propos, 21 avril 1921, Père et fils.

21 Car les militaires, voyant avec tristesse leur machine sur le point d'être démontée, se hâtaient de forger des rouages nouveaux. A. MAUROIS, les Discours du Dr O'Grady, XV.

Fig. *« Hâtons-nous aujourd'hui de jouir de la vie »* (Racine; → Demain, cit. 4). — Absolt. *« Hâtons-nous; le temps fuit »* (→ Fuir, cit. 17, Boileau). *« Hâtez-vous; car il* (le temps) *n'attend personne »* (→ Attendre, cit. 35, La Fontaine).

22 Hâte-toi, mon ami : tu n'as pas tant à vivre. LA FONTAINE, Fables, VIII, 27.

23 Aimons donc, aimons donc! de l'heure fugitive
Hâtons-nous, jouissons! LAMARTINE, Premières méditations, Le lac.

▶ **HÂTÉ, ÉE** p. p. adj. ⇒ **Hâté.**

CONTR. Ajourner, attendre, atermoyer, différer, ralentir, remettre, retarder, surseoir, tarder, temporiser. — Arrêter.
HOM. Hâté.

HÂTEREAU ['ɑtʀo] n. m. — 1721, Trévoux; *hastereau* « viande grillée », 1552, Rabelais; *hasteriau,* v. 1190; de 1. *hâte,* et *-eau.*

♦ Vx. Viande grillée à la broche. (1611). Spécialt. Mod. Boulette de foie de porc rôtie sur le gril. → Hâtelle.

HÂTEUR ['ɑtœʀ] ou HASTEUR ['astœʀ] n. m. — Fin XIVe; *hasteur,* 1285; de 1. *hâte,* et *-eur.*

♦ **1.** Vx. Rôtisseur. — Syn. : *hâtier.*

♦ **2.** (1680). Anciennt, hist. Officier des cuisines du roi chargé des viandes rôties.

HATHA-YOGA [atajɔga] n. m. ⇒ Yoga.

HATHORIQUE [atɔʀik] adj. — 1890, *Encycl. Berthelot,* art. *Colonne;* de *Hathor,* déesse de l'Égypte ancienne, représentée sous les traits d'une vache ou d'une femme à cornes en forme de lyre.

♦ Didact. (archit.). *Colonne hathorique :* colonne de temples égyptiens dont le chapiteau est la stylisation de la tête de la déesse Hathor. — On écrit aussi *athorique. Chapiteau hathorique.*

(...) deux colonnes à chapiteaux, dits hathoriques, parce qu'ils ont la forme de la tête de la déesse Isis-Hathor, soutiennent un auvent qui protège l'entrée de la chapelle. G. CONTENAU et V. CHAPOT, l'Art antique, p. 70.

HÂTIER ['ɑtje] n. m. — 1636; *hastier,* 1175; écrit *hâtier* 1636; de 1. *hâte.*

♦ **1.** Vx. Broche à rôtir.

♦ **2.** (1704, Trévoux). Vx. Rôtisseur. — Syn. : *hâteur* (1.).

♦ **3.** (1501). Grand chenet* de cuisine, muni de crochets sur lesquels on appuie les broches.

COMP. Contre-hâtier.

HÂTIF, IVE ['ɑtif, iv] adj. — 1080, *Chanson de Roland, hastif* « qui se hâte, précipité »; de 2. *hâte.*

♦ **1.** (1487). Qui se produit avant la date normale ou prévue. *Développement hâtif; croissance hâtive.* ⇒ **Prématuré.** *Esprit hâtif.* ⇒ **Précoce.**

(...) la puberté (...) est toujours plus hâtive chez les peuples instruits et policés (...) ROUSSEAU, Émile, IV. 1

(...) ce vieillard abattu, mais non défiguré par une vieillesse hâtive (...) E. FROMENTIN, Un été dans le Sahara, p. 7. 2

♦ **2.** (Fin XIXe). Qui se fait ou a été fait trop vite, avec une hâte excessive. *Un travail hâtif.* ⇒ **Bâclé.** *Œuvre hâtive et fiévreuse* (→ Économie, cit. 10). *Réponse hâtive* (Académie). *Écriture hâtive.* ⇒ **Précipité.**

L'action violente et hâtive est un alcool. L'intelligence qui y a goûté a bien de la peine ensuite à s'en déshabituer; et sa croissance normale risque d'en rester forcée et faussée pour toujours. R. ROLLAND, Jean-Christophe, t. X, éd. Ollendorff, p. 47. 3

♦ **3.** (1680; repris XXe). Rare. Qui se hâte. *« Un grand oiseau hâtif »* (→ Battement, cit. 5, Proust). *« Imbéciles hâtifs et prétentieux »* (→ Exister, cit. 6, Maurois). ⇒ **Pressé.**

♦ **4.** (Fin XIVe). Agric. Qui produit avant le temps. *Arbres hâtifs* (Bossuet, *in* Littré). *Variétés hâtives.* — (1487). Qui est produit, se développe, arrive à maturité plus tôt que les autres individus de l'espèce (en parlant d'un végétal). ⇒ **Précoce, hâtiveau.** *Pois, choux hâtifs. Blé hâtif. Cerises, fraises, poires hâtives.*

Ces fleurs simples, ce sont le barbeau des champs, et la hâtive pâquerette, la marguerite des prés. É. DE SENANCOUR, Oberman, Lettre sans date. 4

CONTR. Lent, retardataire, retardé, tardif.
DÉR. Hâtiveau, hâtivement.

HÂTIVEAU ['ɑtivo] n. m. — 1611; *hastivel,* fin XIIIe; de *hâtif.*

♦ Vx ou régional. Fruit ou légume hâtif, précoce. — Se dit surtout de « certaines variétés de poires, de pommes et de pois » (Académie).

HÂTIVEMENT ['ɑtivmɑ̃] adv. — XVIIe; *hastivement,* v. 1138; écrit *hâtivement,* XVIIIe; de *hâtif.*

♦ **1.** D'une manière hâtive (2.); trop vite. ⇒ **Rapidement, vite;** → Fosse, cit. 4. *Il finit hâtivement son travail. Hâtivement vêtu, lavé* (→ Éloigner, cit. 12). *Il partit hâtivement.*

Il avait aperçu Clanricard, l'avait salué hâtivement en portant la main à son béret. J. ROMAINS, les Hommes de bonne volonté, t. I, XVII, p. 183. 1

En quelques minutes, elle parvint à l'église qu'elle regarda hâtivement (...) J. GREEN, Adrienne Mesurat, II, V. 2

♦ **2.** Agric. D'une manière hâtive (4.). *Il a l'art de faire venir des fleurs et des fruits plus hâtivement qu'aucun autre jardinier* (Académie).

CONTR. Lentement, tardivement.

HATTERIA [ateʀja] n. m. ou HATTÉRIE [ateʀi] n. f. — 1908, *Encyclopédie universelle du XXe siècle;* lat. mod. *(hatteria),* orig. obscure.

♦ Zool. Petit reptile à forme de lézard (n. sc. : *sphenodon* punctatus*), unique représentant actuel de l'ordre des *Rhynchocéphales**. *L'hatteria survit dans quelques îlots de Nouvelle-Zélande. Des hatterias; des hattéries.*

HÂTURE ['ɑtyʀ] n. f. — 1761; de 1. *hâte* « broche ».

♦ Techn. Pièce métallique, en forme d'équerre triangulaire, pour arrêter un pêne, un verrou.

HAUBAN ['obɑ̃] n. m. — 1676; *auban,* 1573; *hoben, hoban,* v. 1155; *hobent,* v. 1138; anc. scandinave *höfudbendur* « liens du sommet » (du mât), plur. de *höfudbenda,* de *höfud* « tête », et *benda* « lien ».

♦ **1.** (V. 1138). Cordage servant à assujettir un mât par le travers ou par l'arrière. *Les haubans font partie des manœuvres dormantes. Haubans et étais soutiennent les mâts. Haubans des mâts supérieurs.* ⇒ **Galhauban.** *Plate-forme à laquelle sont fixés les haubans.* ⇒ **Porte-hauban.** *Échelons de cordage tendus entre les haubans.* ⇒ **Enfléchure** (cit. 1). *Haubans supplémentaires, « faux haubans ».* ⇒ **Pataras.** *Les bastaques, haubans supplémentaires à itagues. Chèvre à haubans. Grands haubans :* haubans de grand mât; *haubans de misaine, d'artimon. Matelots qui grimpent, s'élancent dans les haubans* (→ Abordage, cit. 2).

0.1 Ce mât, solidement retenu par des haubans métalliques, tendait un étai de fer qui servait à guinder un foc de grande dimension.
J. VERNE, le Tour du monde en 80 jours, p. 280.

1 Oh! les autres, qui couraient dans les haubans, qui habitaient dans les hunes! (...)
LOTI, Pêcheur d'Islande, III, II.

♦ **2.** (Mil. XIVe). Cordage, câble métallique servant à maintenir, à consolider. ⇒ **Tenseur.** *Poteau soutenu par des haubans. Les haubans d'une grue. Haubans consolidant le tablier d'un pont. Pont* (suspendu) *à haubans.* — (Aviat.). Câble métallique renforçant l'empennage, les ailes des avions notamment biplans, d'un modèle ancien.

1.1 L'avion était un vieil appareil raccommodé, retapé, sale. Il manquait une roue au train d'atterrissage. Des haubans étaient rompus. De nombreuses bandes de taffetas bouchaient les déchirures des toiles.
B. CENDRARS, Moravagine, *in* Œ. compl., t. IV, p. 239.

2 Au début de l'aviation, la voilure se composait de deux ailes fixées au fuselage par des mâts (...) l'ensemble étant rendu indéformable par un haubanage en croix de Saint-André fait de câbles, cordes à piano ou haubans fuselés (...)
Edmond BLANC, l'Aviation, p. 24.

DÉR. Haubanage (2.), haubaner.
COMP. Galhauban, porte-hauban.

HAUBANAGE [ˈobanaʒ] n. m. — 1927, *in* T. L. F.; de *haubaner* (sens 1) et de *hauban* (2.).
Technique.

♦ **1.** Consolidation, maintien (de qqch.) par des haubans.

♦ **2.** Ensemble de haubans. *Haubanage d'un mât de navire, d'un avion, d'une antenne de radio. Réparer le haubanage.*
REM. On écrit parfois *haubannage.*

HAUBANER [ˈobane] v. tr. — 1676; de *hauban.*

♦ Mar., aviat. Assujettir, consolider au moyen de haubans. *Haubaner un mât, une mâture.* — Par ext. *Haubaner un pylône.*
REM. On écrit parfois *haubanner.*

DÉR. Haubanage (2.).

HAUBERGEON [ˈobɛʀʒɔ̃] n. m. — 1170; des formes de *haubert* en *-erc, erg (halberc...).*

♦ Anciennt. Haubert court, sans manche ou sans coiffe, que portaient les écuyers, les archers..., au moyen âge.

HAUBERGIER [ˈobɛʀʒje] n. m. — XIIIe; des formes de *haubert* en *-erc, -erg.*

♦ Anciennt. Fabricant ou vendeur de hauberts.

HAUBERSAERT (D') [dobɛʀsɛʀ] n. m. — Av. 1872, Gautier; probablt de *d'Haubersaert,* nom d'un homme politique français (1804-1868).

♦ Anciennt. Tournure que portaient les femmes au milieu du XIXe siècle. *Un d'haubersaert.*

HAUBERT [ˈobɛʀ] n. m. — Déb. XIVe; *aubert,* XIIe; *haberc, halberc, osberc,* 1080; du francique **halsberg* « ce qui protège le cou ».

♦ Anciennt. Chemise de mailles à manches, à gorgerin et à coiffe, que portaient les hommes d'armes au moyen âge. ⇒ **Broigne, cotte** (de mailles), **jaseran.** *Le haubert, harnois de mailles du chevalier, signe de noblesse.* ⇒ **Adoubement.** *Haubert court des écuyers, des archers.* ⇒ **Haubergeon.** *Revêtir un haubert* (→ Chevaucher, cit. 1).

1 Il brise l'écu qu'il porte au cou, en disjoint les chanteaux, rompt la ventaille du haubert et atteint la poitrine, sous la gorge; à pleine hampe il l'abat mort de sa selle.
J. BÉDIER, Chanson de Roland, C.

2 Le matin, l'évêque de Bayeux, frère de Guillaume, célébra la messe et bénit les troupes, armé d'un haubert sous son rochet.
MICHELET, Hist. de France, IV, II.

3 J'ai trop porté haubert, maillot, casque et salade;
J'ai besoin de mon lit, car je suis fort malade.
HUGO, la Légende des siècles, X, « Aymerillot ».

Hist. *Fief de haubert,* dont le possesseur, qui avait reçu le haubert, symbole de son rang, devait servir le suzerain, notamment le roi, à la guerre.

DÉR. Haubergeon, haubergier.
HOM. Aubère.

HAUSSE [ˈos] n. f. — 1376, au sens I; *halce* « orgueil », XIIIe; déverbal de *hausser.*

★ **I.** ♦ **1.** Techn. Objet, dispositif servant à hausser, à élever. *Mettre une hausse à des chaussures, aux pieds d'un meuble* (⇒ **Cale**). — Typogr. Épaisseur de papier que l'on colle sur le tympan ou le cylindre d'une presse, ou sous la forme* pour égaliser la pression. — Mus. *Hausse d'un archet,* qui écarte les crins de la baguette. *La hausse de l'archet comporte une bague qui répartit les crins.* — Planche mobile placée sur les vannes d'un barrage pour hausser le niveau des eaux. ⇒ **Barrage** (mobile).

♦ **2.** (1819). Milit. (et cour.). Système de visée, appareil articulé et gradué qui permet de régler le tir à grande distance des fusils et des canons, en inclinant plus ou moins la ligne de mire par rapport à l'axe du canon. ⇒ **Pointage** (en hauteur). *L'œilleton de la hausse* (ou *le cran de mire*) *forme avec le guidon la ligne de mire idéale. Hausse continue à réglette, à cadran; hausse discontinue à lamettes. Curseur de hausse. Régler la hausse. Angle de hausse.* — Par ext. *Augmenter, diminuer la hausse, l'angle de hausse. Prenez la hausse de 2 000 mètres.*

(...) on écoute l'observateur d'artillerie crier des ordres que recueille et répète le téléphoniste enterré à côté : — Première pièce, même hausse. Deux dixièmes à gauche. Trois explosifs à une minute! H. BARBUSSE, le Feu, XIX, t. II, p. 18. 1

On échangea quelques souvenirs personnels, quelques lieux communs sur le poids, le tir et la hausse, et en trois répliques le vieux mousqueton Chatellerault modèle 93 devint une arme de légende. Jacques PERRET, Bande à part, p. 61. 1.1

★ **II.** ♦ **1.** (Attesté XIXe). Action de hausser, de s'élever. ⇒ **Crescendo, élévation.** Rare (concret). *La hausse des eaux.* ⇒ **Crue.** — *Hausse de la température.* ⇒ **Augmentation;** → Front, cit. 36. — *En hausse. Le baromètre est en hausse :* la pression barométrique remonte. → ci-dessous, au sens 2.

♦ **2.** (1443, *la haulce d'un denier*). Augmentation (de prix, de valeur). ⇒ **Augmentation, élévation, montée.** *La hausse du prix du blé, de la viande,* ou, ellipt., *la hausse du blé, de la viande. Les producteurs réclament la hausse des cours.* ⇒ **Majoration, relèvement, valorisation.** *Hausse du cours de l'or. Hausse des denrées* (cit. 1). *Hausse illicite. La hausse générale des prix.* → La valse des étiquettes*. *Hausses et baisses imprévisibles, fréquentes.* ⇒ **Fluctuation** (→ Appauvrir, cit. 1). *Une hausse sensible de l'indice des prix.* ⇒ **Bond.** *Hausse du coût de la vie.* ⇒ **Renchérissement.** *Mouvement de hausse. Hausse de dix pour cent. Hausse automatique des salaires dans le système de l'échelle* (cit. 16) *mobile.* — (1771, *la hausse des actions*). *Hausses et baisses alternatives des cours* (cit. 21), *des valeurs, du change* (cit. 2). *Jouer à la hausse :* spéculer sur la hausse des marchandises, des valeurs (⇒ **Haussier;** → Baisse, cit. 3). — (1866, Littré). *En hausse. Les spéculateurs* (cit. 2) *ne songeaient qu'à faire des coups d'audace sur la hausse et la baisse. Les actions de cette société sont en hausse.* — Fig. et fam. *Ses actions sont en hausse :* ses affaires vont mieux, son crédit se relève.

Les hausses et les baisses dont il *(le commerce)* est susceptible font voir l'état du négoce dans une nation aussi manifestement que les variations du baromètre montrent l'état de l'atmosphère. TRÉVOUX, Dict., art. *Hausse.* 2

Les paysans voudraient un système de la propriété inaliénable; les ouvriers, un marché public des produits, et un salaire réglé sur les prix; les bourgeois, un bénéfice secret et des moyens de jouer à la hausse et à la baisse.
ALAIN, Propos, 30 avril 1921, Métiers. 3

En fait, dès mon arrivée, l'urgence de certains problèmes fit qu'on me confia, outre mon travail à ce service, un poste de chargé de mission au ministère de l'Économie nationale, qui avait à faire « digérer » par l'économie française les mesures sociales décidées en juin 36 et notamment à endiguer, dans certains secteurs industriels, une hausse de prix hors de proportion avec ces mesures.
Raymond ABELLIO, Ma dernière mémoire, p. 261, t. II. 4

CONTR. Avilissement, baisse, dépréciation, dépression, effondrement.
DÉR. Haussette, haussier.
COMP. (Du sens II, 2) **Antihausse.**
HOM. Formes du v. **hausser.**

1. HAUSSE-COL [ˈoskɔl] n. m. — 1671; *haussecol,* v. 1468; *houscot,* v. 1460; *hauscol,* 1447; *hochecol,* 1419; *housecol,* du moyen néerl. *halskote* « vêtement de cou », altéré par attract. de *hausse,* et de *col* (alors que *hals* signifie « cou »).

♦ **1.** Anciennt. Pièce d'acier ou de cuivre protégeant la base du cou et complétant l'armure jusqu'au XVIIIe siècle.

(Louis XIV) installait lui-même ces colonels à la tête du régiment, en leur donnant de sa main un hausse-col doré avec une pique (...) 1
VOLTAIRE, le Siècle de Louis XIV, XXIX.

♦ **2.** (1680). Croissant de cuivre ou d'acier que portaient jusqu'en 1881 les officiers d'infanterie en grande tenue. *Des hausse-cols.*

Quand je m'ennuyais par trop dans cette ville sans mouvements, sans intérêt et sans vie, je me mettais en grande tenue, — toutes aiguillettes dehors, — et l'ennui fuyait devant mon hausse-col! 2
BARBEY D'AUREVILLY, les Diaboliques, « Le rideau cramoisi ».

♦ **3.** Techn. Pièce de cuir formant protection à la partie supérieure du collier d'attelage.

HOM. 2. **Hausse-col.**

2. HAUSSE-COL ['oskɔl] n. m. — 1886, Littré; de *hausser,* et *col.*

♦ Régional. Oiseau-mouche à gorge dorée, ou noire, formant comme un col assez haut. — Variété d'alouette. *Des hausse-cols.*

HOM. 1. **Hausse-col.**

HAUSSEMENT ['osmɑ̃] n. m. — 1358; *hocement* «montagne», XIIIe, attestation isolée; de *hausser.*

♦ **1.** (1690, Furetière). Vx. Action de hausser (dans quelques syntagmes). ⇒ **Hausse; élévation.** *Haussement de voix.* — (1763, Voltaire). Fig. *«La banque était épuisée, ce haussement de valeur numéraire des espèces acheva de la décrier»* (Voltaire, *Dict. philosophique,* Banque).

♦ **2.** (1585). Mod. *Haussement d'épaules* (cit. 26) : mouvement par lequel on élève les épaules sous l'influence de certains sentiments, spécialt, le dédain. *Un haussement d'épaules de résignation* (→ Gaspillage, cit. 3), *de lassitude* (→ 2. Entre, cit. 12), *de mépris.*

HAUSSE-PIED ['ospje] n. m. — XVIIe; *hauchepied,* 1326; de *hausser,* et *pied.*

Ce qui fait lever le pied. Plur. *Des hausse-pied* ou *des hausse-pieds.*

★ **I.** ♦ **1.** (1296). Vx. Marchepied.

♦ **2.** (1387). Vén. (Vx). Piège à loups.

♦ **3.** (1840, *hochepied,* confusion graphique avec *hocher*). Techn. Pièce de métal fixée à la douille d'une bêche, et sur laquelle on peut appuyer le pied pour enfoncer l'instrument.

★ **II.** (Av. 1690, Furetière). Chasse (fauconn.). Faucon qu'on jette le premier sur un héron pour le faire monter.

HAUSSE-QUEUE ['oskø] n. m. invar. — 1555; de *hausser* (pour *hocher*), et *queue.*

♦ Vx. Bergeronnette. — Syn. : *hoche-queue.*

HAUSSER ['ose] v. — XVe; *haucier,* XIIe; *halcier,* v. 1130 au sens I, 3; du lat. pop. *altiare,* dér. du lat. class. *altus* «haut».

★ **I.** V. tr. Rendre plus haut. ⇒ **Élever.**

♦ **1.** (V. 1283). Donner à (qqch.) de plus grandes dimensions dans le sens de la hauteur. *Hausser un mur de cinquante centimètres. Hausser une maison de la hauteur d'un étage.* ⇒ **Exhausser, surélever, surhausser.** — *Hausser une fenêtre, une porte.*

1 On mangea à deux tables dans le même lieu (...) La bonne chère est excessive; on remporte les plats de rôti comme si on n'y avait pas touché; mais pour les pyramides du fruit, il faut faire hausser les portes.
Mme de Sévigné, 191, 5 août 1671.

♦ **2.** (V. 1195; *voix haucise*). Donner plus d'ampleur, d'intensité. *Hausser la voix* (→ fig. Comédie, cit. 12; haro, cit. 3). *Hausser le ton dans une dispute, une réprimande.* ⇒ **Élever, enfler** (la voix).

2 Rühl et Davernhoult haussent le ton, et c'est l'amour-propre de la Nation qu'ils s'appliquent à aiguillonner. Jaurès, Hist. socialiste, t. III, p. 126.

3 Ce jour-là, il s'était permis de répliquer, et peut-être de hausser le ton. Berthe Sammécaud partit, là-dessus, dans une de ces colères, où l'éducation disparaît soudain comme un maquillage dans la sueur.
J. Romains, les Hommes de bonne volonté, t. V, XX, p. 150.

Mus. *Hausser le ton d'une mélodie, d'un cri* (→ Gazouillement, cit. 6), en augmenter la hauteur. *Le dièse hausse d'un demi-ton la note qu'il affecte.* — Pron. *La voix de ce soprano se hausse jusqu'au ré 5.* ⇒ **Monter.**

♦ **3.** (V. 1130). Mettre à un niveau plus élevé. ⇒ **Lever.** *Hausser un meuble en le plaçant sur des cales, des hausses. Hausser qqn jusqu'à soi en le tirant.* ⇒ **Hisser.** — Plus cour. Rendre plus élevé grâce à un mécanisme. *Hausser d'un cran la tablette d'un chevalet de peintre. Manivelle pour hausser le plateau d'une table à la Tronchin, un lit d'hôpital, l'affût d'une mitrailleuse.* ⇒ **Monter.** *Hausser un tabouret de piano.* — *Hausser la barre avant un saut.* — *Fantassin* (cit. 1) *qui hausse son sac d'un mouvement d'épaule.* ⇒ **Remonter.** *Hausser la tête pour mieux voir.* ⇒ **Dresser, redresser.** *Hausser la tête d'un malade avec des oreillers, des coussins.* — Loc. Vx. *Hausser le dos.* — Mod. *Hausser les épaules** (cit. 23, 24, 25) *avec dédain, mépris, en signe d'indifférence.* ⇒ **Haussement.** — (Fam.). *Hausser les sourcils.* — (1690, Furetière). Vx. *Hausser le coude, pour boire* (⇒ **Lever**). — (V. 1265). Pron. *Se hausser sur la pointe des pieds. Grimper sur les épaules de qqn pour se hausser et mieux voir.* ⇒ **Dresser** (se). — *Glace qui se hausse et s'abaisse à volonté* (→ Articuler, cit. 4).

(Le maître à danser). Haussez la tête. Tournez la pointe du pied en dehors. La, la, la. Dressez votre corps. Molière, le Bourgeois gentilhomme, II, 1. 4

— Dans les marchés qui hausse le coude, fait hausser le prix, dit Corentin. 5
Balzac, Une ténébreuse affaire, Pl., t. VII, p. 539.

Thénardier reprit en haussant jusqu'à sa pomme d'Adam la loque qui lui servait 6
de cravate, geste qui complète l'air capable d'un homme sérieux (...)
Hugo, les Misérables, V, III, VIII.

Il haussa les épaules, moins par dédain que par lassitude. 7
J. Lemaitre, les Rois, p. 173.

Il marchait sans bruit, pieds nus sur les dalles. Il haussait sa bougie au-dessus de 8
sa tête pour voir loin devant lui. J. Giono, le Chant du monde, II, VI.

(...) un général français en civil, délivré par nous, m'a dit dédaigneusement : «Bien 8.1
entendu, on ne nous avait pas mis avec les rayés...» Beaucoup de gifles se perdent, et un seul homme ne peut hausser que deux épaules.
Malraux, Antimémoires, p. 618.

(V. 1207). Rare. *Hausser les impôts, les prix, les cours.* ⇒ **Augmenter, majorer, relever** (→ Bestiaux, cit. 2).

Absolt. Régional (Belgique). Faire monter les enchères. ⇒ **Surenchérir.** *Hausser sur une maison en vente publique.*

♦ **4.** (XIIIe; abstrait). Élever. ⇒ **Exalter, guinder** (vx). → Exaltation, (cit. 1). *Hausser qqn jusqu'à soi, par son amour, en l'éduquant. Hausser la situation de qqn* (→ Étayer, cit. 10). *Essayer vainement de hausser sa bassesse naturelle* (→ Bal, cit. 11). *Cela ne le hausse pas, cela le hausse beaucoup dans mon estime* (cit. 14). *Hausser le niveau moyen de la masse* (→ Culturel, cit. 1), *la condition humaine* (→ Égaliser, cit. 4).

Pron. (V. 1265). *Se hausser jusqu'au sacrifice, jusqu'au sublime.* ⇒ **Parvenir.** *Intelligence, cœur qui se hausse.* ⇒ **Agrandir** (cit. 9).

Quand la capacité de son esprit se hausse (...) Molière (→ Capacité, cit. 6). 9

J'ai vu celui par qui Dieu règle l'Univers, 10
Qui hausse l'humble au Ciel et dompte le pervers (...)
Leconte de Lisle, Poèmes tragiques, «Hiéronymus».

Il *(Fénelon)* a voulu se hausser à la grande éloquence, et il a déclamé. 11
Gustave Lanson, l'Art de la prose, p. 112.

Au p. p. et au passif :

(...) ces étrangers, haussés par le parlementarisme du plus profond néant à la plus 12
effrénée grandeur (...) M. Barrès, Leurs figures, p. 74.

REM. La plupart des emplois au sens 4 sont vieillis ou archaïsants; le verbe se rencontre encore fréquemment dans la langue moderne, mais il est marqué comme littéraire ou soutenu.

Tout ce rêve le haussait dans une zone d'extase. 13
Cocteau, les Enfants terribles, p. 23.

★ **II.** V. intr. (Mil. XVIe). Vieilli. ⇒ **Augmenter, monter.** *La rivière a haussé de deux mètres. Le baromètre hausse. La température a haussé. — La rente, les prix ont haussé. Le prix du blé a beaucoup haussé* (Académie, qui ajoute «on dit plutôt aujourd'hui *monter*»). *Tout hausse* (→ Acheter, cit. 5).

On se plaignait que tous les acheteurs allaient à eux, et qu'ils faisaient hausser le 14
prix du grain. G.-T. Raynal, Hist. philosophique, III, 1.

CONTR. Abaisser, avilir, baisser, descendre.
DÉR. Hausse, haussement, haussier.
COMP. Exhausser, rehausser, surhausser. — 2. **Hausse-col, hausse-pied.** — V. 1. **Hausse-col, hausse-queue.**

HAUSSETTE ['osɛt] n. f. — Déb. XXe, à Namur; de *hausse,* et *-ette.*

♦ Techn. Paroi surélevée (d'un wagon, d'un tombereau).

1. HAUSSIER ['osje] n. m. et adj. — 1823, Boiste, *in* D. D. L.; de *hausse,* et *-ier.*

♦ Bourse. Personne qui joue à la hausse. *Les haussiers et les baissiers.*

Ainsi se poursuit chaque jour, entre dix heures et trois heures, cette bataille quotidienne des baissiers et des haussiers, ou, comme l'on dit en argot de Bourse, le combat des «ours» et des «taureaux». Paul Morand, New York, p. 61.

HOM. 2. **Haussier;** formes du v. **hausser.**

2. HAUSSIER, IÈRE ['osje, jɛʀ] adj. et n. — 1968, *in* T. L. F.; de *hausse.*

♦ **1.** (Personnes). Qui est favorable à une politique de hausse des prix. — Par ext. *«Le ministre iranien a rejoint le camp des pays "haussiers"* (partisans de la hausse du prix du pétrole)*»* (*l'Express,* 31 mars 1979, p. 109).

N. *Un haussier, une haussière.*

♦ **2.** (Choses). Qui concerne la hausse. *Tendances haussières. Contagion haussière.*

HOM. 1. **Haussier;** formes du v. **hausser.** — (Du fém.) **Haussière.**

HAUSSIÈRE ['osjɛʀ] n. f. ⇒ **Aussière.**

HAUSSMANNIEN, IENNE ['osmanjɛ̃, jɛn] adj. — Mil. XXe; de *Haussmann,* préfet de Paris sous le Second Empire.

♦ Didact. Relatif à Haussmann, à sa politique d'urbanisme (⇒ **Haussmannisation**).

HAUSSMANNISATION ['osmanizasjɔ̃] n. f. — 1926, *in* D. D. L; de *Haussmann,* ou de *haussmanniser.*

♦ Didact. Transformation d'une ville selon les méthodes de Haussmann.

1 L'influence, directe ou indirecte, de Haussmann fut très grande : l'urbanisme chirurgical des percées par l'éventrement des anciens quartiers, l'haussman*(n)*isation constitue vraiment une époque dans l'histoire de l'urbanisme (...).
P. LEUILLIOT, *in* Encycl. Pl., Histoire universelle, t. III, p. 550.

2 Je ne sais pas quel aspect les villages indigènes ont pu offrir avant que l'administration française eût passé par là (...) Peu de rues ont moins de quinze mètres de large (...) Haussman*(n)*isation du désert.
J.-R. BLOCH, Cacaouettes et Bananes, p. 82.

HAUSSMANNISER (SE) ['osmanize] v. pron. — 1892, au p. p.; de *Haussmann.*

♦ (Passif). Didact. et vieilli. En parlant d'un ensemble urbain. Être transformé selon les méthodes de Haussmann. *Les vieux quartiers de cette ville se sont complètement haussmannisés.* — Au p. p. :

Le type du bourgeois tel que nous l'ont dépeint les physiologistes de 1830, tel qu'on le retrouve encore dans certains quartiers excentriques et non haussmannisés.
E. BERGERAT, les Soirées de Calibangrève, 1892, p. 203, *in* D. D. L., II, 7.

DÉR. V. **Haussmannisation.**

HAUT, HAUTE ['o, 'ot] adj., n. m. et adv. — XIIe; *halt,* v. 1050; *alta,* 980; du lat. *altus,* l'*h* du franç. étant dû à l'infl. de l'adj. germanique de même sens, francique *hôh*; cf. all. *hoch,* angl. *high.*

★ **I.** Adj. (définissant soit une dimension dans le sens vertical, soit une position sur la verticale).

A. (Dimension). ♦ **1.** Qui est d'une certaine dimension dans le sens vertical. *Haut, haute de... Mur haut de deux mètres. Maison haute de deux étages* (→ Façade, cit. 5). *La maison sera plus haute d'un étage* (⇒ **Exhausser, hausser, surélever, surhausser**). *Meule haute de huit mètres* (→ Fort, cit. 49). — (Personnes). *Un petit homme haut de trois pieds et demi* (→ Épaule, cit. 3). *Un soldat haut de six pieds.* ⇒ **Grand** (cit. 3). — (Dans des compar.). *Un morceau de papier plus large que haut.* → Faux, cit. 37. Loc. *Un petit garçon pas plus haut qu'une botte* (cit. 3), *haut comme sa botte*, haut comme trois pommes, pas plus haut que cela...,* tout petit. *Plus haut d'une tête, de toute la tête* (⇒ **Dépasser, surpasser**).

1 (...) les jambes du devant sont une fois plus hautes que celles de derrière (...)
BUFFON, Hist. nat. des animaux, « La girafe ».

2 La figure sera haute de cent coudées,
Et d'un seul bloc (...) HUGO, la Légende des siècles, XLIII, « Le temple ».

3 Mon berceau s'adossait à la bibliothèque,
(...) J'étais haut comme un in-folio. BAUDELAIRE, Pièces diverses, « La voix ».

4 (...) la minuscule madame Touki-San; haute comme une demi-botte (...)
LOTI, Mme Chrysanthème, XII.

5 (...) la vocation ecclésiastique qu'il avait proclamée très fort quand il était haut comme trois pommes. ARAGON, les Beaux Quartiers, I, XI.

♦ **2.** (En général antéposé). Qui est, dans le sens vertical, d'une dimension considérable, par rapport aux êtres ou objets de même espèce. ⇒ **Élevé.** *De hautes montagnes* (→ Aigle, cit. 3; empanacher, cit. 4; fosse, cit. 8; gorge, cit. 33). *Haute cime. Haute falaise* (cit. 1 et 2). *Hauts rochers. Hauts arbres, hautes herbes* (→ Atteindre, cit. 21; briser, cit. 26). *Hautes fougères* (cit. 1). *Bois de haute futaie** (cit. 1 et 2). *Une tour assez haute; une haute tour, une haute pyramide* (→ Apparaître, cit. 6). *Maison haute* (→ Bocager, cit. 1), *haute d'étage* (→ Entrecroisement, cit.). *De hautes pièces* (→ Atténuer, cit. 10; enfilade, cit. 2). *Des pièces hautes de plafond. Hauts murs* (→ Gadoue, cit. 1). *Haute porte* (→ Cannelure, cit. 2). *Hautes cheminées* (→ Face, cit. 25). *Haute horloge* (→ Carillonner, cit. 1). *Hautes vagues, hautes cascades* (cit. 4). — Loc. *Vaisseaux de haut bord* (cit. 1; → aussi arsenal, cit. 1). *Bâtiment haut,* dont le bord s'élève fort au-dessus de la ligne de flottaison.

6 Des arbres si hauts qu'on ne les saurait passer avec une flèche.
RACINE, Livres annotés.

7 Le tonnerre, la trombe, où le typhon se dresse,
S'acharnent sur la fière et haute forteresse (...)
HUGO, la Légende des siècles, XV, « Éviradnus », 3.

8 Une haute barrière de vapeur grise et légère apparaissait constamment à l'horizon sud (...) BAUDELAIRE, Trad. E. POE, les Aventures d'A. Gordon Pym, XXV.

9 Une belle galère, ma foi, je l'avoue, haute de bords, bien ramée (...)
CÉLINE, Voyage au bout de la nuit, p. 167.

10 (...) une assez belle chambre, avec un haut lit provincial (...)
J. ROMAINS, les Hommes de bonne volonté, t. V, XXIII, p. 202.

10.1 Elles *(les portes)* sont peintes en brun foncé sur toute leur surface, et de dimensions identiques : très hautes pour leur faible largeur.
A. ROBBE-GRILLET, Dans le labyrinthe, p. 101.

Homme de haute taille. Mince et de taille assez haute. ⇒ **Élancé** (→ Élargissement, cit. 2). *Bœufs* (cit. 5) *de labour hauts de taille. Une haute bête* (→ 1. Garrot, cit.). *Front haut* (→ Brosse, cit. 2; citadelle, cit. 7). *Hautes oreilles* (→ Épais, cit. 6). *Haute coiffure* (cit. 5; → aussi filer, cit. 3; gaufrer, cit. 1). *Chapeau* (cit. 2) *haut de forme.* ⇒ **Haut-de-forme.** *Haut bonnet* (→ Grenadier, cit. 4). *Col haut et large* (→ Fanon, cit. 3). *Haute guimpe* (cit. 3). *Talons hauts* (→ Grosset, cit.).

Beau (...) l'air d'une fille, perché sur de hauts talons pour surélever sa petitesse (...) 11
Émile HENRIOT, Portraits de femmes, p. 100.

Loc. *Haut fourneau.* ⇒ **Fourneau** (cit. 2 et 3).

B. (Position). Le plus souvent épithète. ♦ **1.** (En épithète, généralement après le nom, sauf dans des expr.). Qui est mis ou porté au-dessus de la position normale ou habituelle. ⇒ **Dressé, levé.** *Aller, marcher la tête haute* (→ Frêle, cit. 10). — Loc. fig. *Il peut aller partout la tête haute, le front haut,* sans craindre de reproches ni d'affronts. — *S'avancer le menton haut, les sourcils hauts* (→ Caparaçonner, cit. 2). — *Marcher sur un adversaire l'épée* haute. Rester l'arme haute. Chevalier portant la visière haute.* — Loc. fig. *Tenir la bride** (cit. 2) *haute, la dragée** (cit. 3) *haute à qqn.* — Escr. *Garde* haute.* — Blason. *Croix haute, épée haute.*

Un seul d'entre eux formait des pas avec agilité, la tête haute, le regard assuré, 12
les bras étendus, le corps droit, le jarret ferme. VOLTAIRE, Zadig, XIV.

Gil, ce grand chevalier nommé l'Homme qui passe, 13
Parvint, la lance haute et la visière basse (...)
HUGO, la Légende des siècles, VI, L'hydre.

Un homme qui tient haute une épée à deux mains. 14
HUGO, la Légende des siècles, XVIII, Conf. du marquis Fabrice, 13.

Loc. *Tapisserie de haute lisse.* ⇒ **Lisse.**

Loc. Vx. *Haut à la main* : prompt à lever la main (pour frapper, se faire obéir); d'où : hautain, arrogant. — *La main haute,* levée en un geste menaçant. Fig. *Tenir la main haute à qqn,* ne rien lui passer. *Tenir la main haute dans une affaire* : « se rendre difficile sur les conditions » (Littré), être exigeant. — (1835, Académie). Mod. HAUTE MAIN. *Avoir la haute main dans une affaire, un parti, un ouvrage...,* y avoir l'autorité, la part prépondérante (→ Empreinte, cit. 12). *Il a la haute main sur toute l'entreprise, sur toute l'équipe,* il contrôle tout.

La grammaire, qui sait régenter jusqu'aux rois, 15
Et les fait la main haute obéir à ses lois?
MOLIÈRE, les Femmes savantes, II, 6.

HAUT VOL. *Oiseaux de haut vol. Plongeons* de haut vol.* Fig. *Escroc de haut vol*, de haute volée*. Prendre un vol* trop haut.*

(...) un oiseau de haut vol peut parcourir chaque jour quatre ou cinq fois plus de 16
chemin que le quadrupède le plus agile.
BUFFON, Hist. nat. des oiseaux, Discours...

Loc. mar. *Pavillon* haut.*

Mar. *Porter une voile haute,* sans ris.

Hautes eaux, par rapport à l'étiage (cit. 1). ⇒ **Crue.** *Les Hautes Eaux,* roman de P. Zumthor.

Les eaux furent hautes sur la terre pendant cent cinquante jours. 17
BIBLE (CRAMPON), Genèse, VII, 24.

De ces conditions résulte *(pour les fleuves sibériens)* un régime curieux (...) Les 18
hautes eaux sont au printemps, les maigres, en automne.
E. DE MARTONNE, Nouvelle géographie physique, t. I, p. 479.

Loc. *Marée* haute.* — (1121, *mer holte*). *La haute mer*.*

♦ **2.** (En épithète, généralt antéposé). Qui se trouve situé au-dessus, par rapport aux choses de même espèce, ou par rapport au reste de la chose. *Une haute branche* (→ Guenon, cit. 2). *Un lieu haut* (→ Appréhension, cit. 3); *un haut lieu.* ⇒ **Dominant.** Fig. *Les hauts lieux* de la chrétienté.* — *Haut plateau*. Les hautes terres. Le plus haut étage d'une maison, le plus haut degré** (⇒ **Supérieur**), *la plus haute marche d'un escalier* (⇒ **Dernier**). *La plus haute étagère* (cit. 2). *Les nuages sont hauts. Les hautes régions de l'air* (→ Brise, cit. 1). *Hautes latitudes** (l'opinion ancienne faisant le Nord plus haut que le Midi). *Le plus haut point.* — Loc. *Au plus haut point* (*supra* cit. 48). ⇒ **Culminant.** — (1530). *Le haut bout** (cit. 1 et 2) *de la table* (réellement plus élevé que l'autre à l'origine). — Mar. *Les hautes voiles :* les voiles supérieures.

Car depuis que le temple de Salomon fut bâti, il n'était plus permis de sacrifier 19
ailleurs, et tous ces autres autels qu'on élevait à Dieu sur des montagnes, appelés par cette raison dans l'Écriture les hauts lieux, ne lui étaient point agréables.
RACINE, Préface d'Athalie.

Quand on peut s'enfoncer entre deux pans de rocs, 20
Et, comme l'ours, l'isard et les puissants aurochs,
Entrer dans l'âpreté des hautes solitudes (...)
HUGO, la Légende des siècles, XXI, « Masferrer », 3.

N. m. (Superlatif neutre). *Du plus haut de l'échelle au plus bas* (→ Bourreau, cit. 4). *Au plus haut de sa course* (cit. 18). *Astre au plus haut de sa course* (⇒ **Apogée, zénith**). *Gloire* (cit. 49) *à Dieu au plus haut des cieux.*

Ils allaient au plus haut de la perfection. 21
CORNEILLE, Imitation de J.-C., I, 681.

(Avec l'art. défini, désignant « la partie supérieure par rapport au reste »). — (1834, Ségur). *La ville haute :* la partie haute de la ville. *La ville haute de Bar-le-Duc. Le haut pays. Les hautes Pyrénées, les hautes Alpes.* — (Mil. XVIe). *La haute Savoie, la haute Égypte, la haute Allemagne.* — (1656, Molière). *Le haut allemand :* dialecte de la haute Allemagne. — *Le haut Rhin, la haute Loire, la haute Seine, le haut Danube.* — REM. 1. Le mot *haut,* dans ces expressions géographiques, désigne pratiquement les régions les plus éloignées de la mer ou les plus proches de la source, par oppos. à *bas.*

2. Quand il s'agit d'appellations officielles de départements, provinces, circonscriptions, etc., on met un trait d'union entre l'adjectif *haut* et le nom, ainsi qu'une majuscule à l'adjectif. *Les Hautes-Alpes. La Haute-Saône. La Haute-Volta. La Haute-Égypte. La Haute-Bavière.*

22 Angoulême est une vieille ville, bâtie au sommet d'une roche en pain de sucre qui domine les prairies où se roule la Charente (...) toutes les industries qui vivent par la route et par la rivière, se groupèrent au bas d'Angoulême pour éviter les difficultés que présentent ses abords (...) Le faubourg de l'Houmeau devint donc une ville industrieuse et riche, une seconde Angoulême que jalousa la ville haute où restèrent le Gouvernement, l'Évêché, la Justice, l'aristocratie.
BALZAC, Illusions perdues, Pl., t. IV, p. 490-491.

23 Il faut dire que la ville haute était pour lui une espèce de région de rêve. Autant il détestait la ville basse, le faubourg, avec l'usine, le relent de chocolat, les laideurs de la vie moderne et sordide, autant la haute partie de la ville avec ses maisons anciennes, dont beaucoup étaient abandonnées, les souvenirs des ducs de Provence, des passages royaux, les écussons aux portes, et ces délabrements où soudain filaient le vent et le soleil, autant tout cela l'enchantait (...)
ARAGON, les Beaux Quartiers, I, X.

Subst. En apposition après un toponyme. *X-le-haut.*

♦ **3.** (1690, Furetière). Temporel. (Avant le nom; toujours épithète). Qui est près de l'origine, de la source. ⇒ **Ancien, éloigné, reculé.** *Haute époque. La haute antiquité de l'argot* (cit. 5). *Coutume de la plus haute antiquité* (→ Aspersion, cit. 4). *Haute origine* (→ Échelle, cit. 15). *Le haut moyen* âge. Le Haut Empire :* l'Empire romain d'Auguste à Constantin.

23.1 (...) les musées américains si bien dotés, ont fourni, pour l'art des hautes époques, un effort qui surpasse tout ce que nous avons pu faire.
Paul MORAND, New York, p. 226.

♦ **4.** [a] (1080, *Chanson de Roland*). Avant le nom, toujours épithète. (Sur l'échelle des degrés d'intensité). ⇒ 1. **Fort, grand, intense.** *Haute pression* du sang* (→ Érection, cit. 3). *Haute tension*. Haute fréquence*. Haute température.* ⇒ **Chaud.** — Vx. *Haut goût. Mets de haut goût.* ⇒ **Épicé, relevé** (→ Assaisonner, cit. 1 ; gibier, cit. 3). *Gaillardise* (cit. 2) *de haut goût.* — *Anecdote de haute graisse** (→ Grivoiserie, cit. 1). — Loc. mod. *De haute lutte** (→ Aborder, cit. 12). — *Le haut mal*.* ⇒ **Épilepsie.** — *Arriver à son plus haut développement. Le plus haut éclat.* ⇒ **Vif.** — Loc. *Haut en couleur :* très coloré (du teint); (fig.) pittoresque.

24 Enfin, comme il repassait devant l'hôtel des Ambassadeurs, ses yeux inquiets rencontrèrent ceux d'une grosse femme, encore assez jeune, haute en couleur, à l'air heureux et gai.
STENDHAL, le Rouge et le Noir, I, XXIV.

25 (...) une civilisation arrivée à son plus haut développement, un art à son point culminant (...)
Th. GAUTIER, Voyage en Espagne, p. 240.

[b] (1080). Après le nom. (Sur l'échelle, le registre des sons). ⇒ **Aigu, élevé.** *Ton haut, tonalités hautes. Ce morceau est trop haut pour ma voix. Voix qui reste harmonieuse dans les notes hautes.*

26 (...) on étouffe les basses notes au profit des notes élevées; on aiguise les hautes, mais ce résultat ne s'obtient souvent qu'au détriment de la voix, qui se fatigue ou s'altère.
Th. GAUTIER, Portraits contemporains, Madame Sontag.

27 Elle fredonna la mélodie d'une voix insaisissable, tremblante et haute, comme succédant à des pleurs.
COLETTE, la Chatte, p. 161.

[c] (Sur l'échelle des degrés de puissance de la voix). ⇒ **Éclatant,** 1. **fort, puissant, retentissant, sonore.** *À haute voix.* ⇒ **Voix** (*supra* cit. 10). *Lire* à voix haute. Parler à haute et intelligible voix. — La parole haute et magistrale.* → Entendre, cit. 35. *Elle jetait une clameur si haute que...* (→ Accoucher, cit. 2). *Une plus haute clameur* (→ Frénésie, cit. 11). — Loc. *Jeter, pousser les hauts cris** (cit. 15 et 16). — Vieilli. *Messe haute,* chantée (par oppos. à *messe basse*). ⇒ **Messe** (grand-).

28 Il ne nous parlait presque jamais à voix haute, à mots couverts seulement, on aurait dit qu'il ne vivait, qu'il ne pensait que pour conspirer, épier, trahir passionnément.
CÉLINE, Voyage au bout de la nuit, p. 133.

Loc. fig. (Vieilli). *Prendre le haut ton, le prendre d'un ton haut, sur un ton haut, sur le haut ton :* être arrogant, menaçant. *Avoir la parole haute :* parler avec fierté, hauteur. — Loc. (1835, Académie). Mod. *Avoir le verbe* haut* (→ Geste, cit. 12). *N'avoir jamais un mot, une parole plus haut(e) que l'autre :* parler sur un ton uni qui marque l'égalité d'humeur ou le sang-froid. *Nous n'avons jamais eu ensemble une parole plus haute que l'autre :* nous ne nous sommes jamais querellés. ⇒ **Entendre** (s').

29 Vous le prenez là d'un ton un peu trop haut (...)
MOLIÈRE, l'Étourdi, I, 3.

30 (...) jamais nous n'avons eu une parole plus haute que l'autre au sujet de Mahomet et de Brama.
VOLTAIRE, Bababec et les fakirs.

31 Le jardinier, qui n'a peut-être jamais dit un mot plus haut que l'autre à sa femme, les entend échanger des injures ignobles.
J. ROMAINS, les Hommes de bonne volonté, t. V, XX, p. 153.

Par métonymie. (Personnes). *Être haut en parole :* avoir le verbe haut, parler fort.

♦ **5.** (V. 1050). Avant le nom, seult dans des syntagmes où *haut* est épithète. (Dans l'ordre de la puissance, sur l'échelle sociale et politique). ⇒ **Éminent, grand, important.** *Haut personnage* (→ Apprendre, cit. 2). *Hauts fonctionnaires* (cit. 6). *Le haut personnel administratif* (→ Arguer, cit. 2). *La haute administration. La haute magistrature, le haut clergé, la haute finance, la haute bourgeoisie. Hautes sphères*. Les hautes classes de la société. La haute société.* (1866, Littré). *En haut lieu*.* — N. f. (1821). *La haute :* la haute société. → ci-dessous, cit. 32 et 32.1.

Eh bien, si nous ne soupons pas *dans la haute*, dit mon ami, — je ne sais trop où nous irions à cette heure-ci. Pour la Halle, il est trop tôt encore. 32
NERVAL, Nuits d'octobre, V.

(...) Mariette. Sa mère dit maintenant : 32.1
— On la jalouse, et non seulement les filles du pays, mais les gens de la haute, parce qu'elle s'habille bien et qu'elle est belle.
J. RENARD, Journal, 27 juil. 1908.

Tout le haut clergé était là, les cardinaux en robes rouges, l'avocat du diable en velours noir, les abbés de couvent avec leurs petites mitres, les marguilliers de Saint-Agrico (...) 33
Alphonse DAUDET, Lettres de mon moulin, La mule du Pape.

Or, le luxe s'étale dans les hautes classes — si tant est qu'on puisse appeler « haut » un monde moralement si bas. 34
Louis MADELIN, Hist. du Consulat et de l'Empire, Ascension de Bonaparte, I.

Par anal. *La haute pègre.* ⇒ **Pègre** (cit. 1 et 3).

(Titre honorifique). Hist. *Haut et puissant seigneur, très haut et très puissant seigneur. Haute et puissante dame, très haute et très puissante dame. Très haut et très puissant prince, très haute et très puissante princesse.* — Diplom. *Les hautes puissances contractantes*.*

Haute et puissante dame Yolande Cudasne, 35
Comtesse de Pimbesche, Orbesche, et cætera (...)
RACINE, les Plaideurs, II, 4.

C'est, Messieurs, ce que vous verrez dans la vie éternellement mémorable de très-haut et très-puissant prince Louis de Bourbon, Prince de Condé, Premier Prince du Sang. 36
BOSSUET, Oraison funèbre du prince de Condé.

N. m. *Le Très-Haut :* **Dieu.**

Ou parles-tu du Dieu qu'il faudrait inventer (...) 37
Dieu consenti par Locke et que Grimm refusa,
Très-Haut à qui d'Holbach a donné son visa (...)
HUGO, Dieu, « Les voix ».

(V. 1200, *halte curt*). *La Haute Assemblée** (→ Formule, cit. 12). *La Chambre haute et la Chambre basse d'un parlement* (cf. Chambre des Lords, en Grande-Bretagne). — *Haute Cour de justice,* ou, absolt, *Haute Cour :* tribunal d'exception destiné à juger certains crimes ou délits politiques. ⇒ **Cour.** *Loi du 27 octobre 1946 sur la constitution et le fonctionnement de la Haute Cour de justice.* — Anciennt. *Haute justice*, exécuteur de la haute justice, des hautes œuvres* (→ Assassiner, cit. 14). ⇒ **Bourreau.**

La haute cour de justice se composait, aux termes de la Constitution, de sept magistrats : un président, quatre juges et deux suppléants, choisis par la Cour de cassation parmi ses propres membres et renouvelés tous les ans. 38
HUGO, Hist. d'un crime, I, XI.

Il *(le Président de la République, dans le cas de haute trahison)* peut être mis en accusation par l'Assemblée nationale et renvoyé devant la Haute Cour de justice (...) 39
Les ministres peuvent être mis en accusation par l'Assemblée nationale *(pour les crimes et délits commis dans l'exercice de leurs fonctions)* et renvoyés devant la Haute Cour de justice.
Constitution du 24 octobre 1946, Art. 42 et 57.

Haut rang (→ Admettre, cit. 17 ; éterniser, cit. 4). *Le plus haut rang.* ⇒ **Suprême.** *Hautes charges, hautes dignités. Haute situation. Hautes positions* (→ Briser, cit. 11). *Hautes destinées* (→ Griser, cit. 6). *Haute naissance* (→ Arrogance, cit. 3). *Haut parage*. Haut poste. — Faire intervenir de hautes influences.* ⇒ **Puissant.** *Hautes protections. Hautes relations. — Haute responsabilité* (→ État-major, cit. 3). *La plus haute souveraineté* (→ Adoration, cit. 1). *Réunion placée sous la haute présidence de...*

À des partis plus hauts ce beau fils doit prétendre (...) CORNEILLE, le Cid, I, 3. 40

Il n'est pas toujours bon d'avoir un haut emploi. LA FONTAINE, Fables, I, 4. 41

(...) un lord placé dans la plus haute situation, un sous-secrétaire d'État (...) 42
BAUDELAIRE, les Paradis artificiels, Mangeur d'opium, I.

♦ **6.** (1690, Furetière). Élevé sur l'échelle des prix, des valeurs cotées. *Haut prix. À très haut prix.* ⇒ **Coûteux.** *De hauts cours. Les cours sont hauts, plus hauts. Le change est haut. Le dollar est de plus en plus haut. Les cafés, les cotons sont hauts, les cours sont hauts. — Les fonds sont hauts. — Haute paie (paye). Hauts salaires.*

(...) cet homme est sous le coup de cent mille francs de lettres de change qui s'acquitteront, je l'espère, par le haut prix auquel monteront mes biens (...) 43
BALZAC, le Contrat de mariage, Pl., t. III, p. 176.

Il fallait une haute paye pour décider un maçon, à disparaître dans cette sape fétide (...) 44
HUGO, les Misérables, V, II, VI.

Jeu. *Hautes cartes,* celles qui ont le plus de valeur, l'emportent sur les autres. *L'as est la plus haute carte au bridge.*

♦ **7.** (1531). Vx. Qui a de l'éclat. *Haute couleur.* ⇒ **Intense.**

C. Fig. ♦ **1.** (1493). Littér. ou style soutenu (toujours épithète, antéposé, lorsqu'il est seul). Qui occupe une position nettement au-dessus de la moyenne sur l'échelle des valeurs intellectuelles, esthétiques ou morales. ⇒ **Supérieur.** *Haute intelligence* (→ Équilibre, cit. 13). *Haute capacité* (cit. 5). *Haut génie* (cit. 14). *Haute pensée* (→ Agoniser, cit. 1). *Avoir, donner une haute idée* de qqn, qqch.* (→ Éprendre, cit. 8). *La plus haute expression* (cit. 44) *de son génie. « La haute critique, qui a son point de départ dans l'enthousiasme »* (Hugo).

(...) l'autre excelle par un grand sens, par une vaste prévoyance, par une haute capacité, et par une longue expérience. 45
LA BRUYÈRE, les Caractères, II, 31.

Jacques sera comme vous un homme d'une haute instruction, plein de vertueux savoir (...) 46
BALZAC, le Lys dans la vallée, Pl., t. VIII, p. 957.

(...) en somme, figure haute et originale (...) Louis-Philippe sera classé parmi les hommes éminents de son siècle (...) 47
HUGO, les Misérables, IV, I, III.

Dans l'ordre des hauts génies, Rabelais suit chronologiquement Dante (...) 48
HUGO, W. Shakespeare, I, II, 12.

(Avec l'idée d'une difficulté supérieure). *Hautes mathématiques.* ⇒ **Transcendant.** *Haute philosophie. De hauts problèmes. Hautes spéculations. — Les hautes classes d'un lycée* (→ Abréger, cit. 4). *Le haut enseignement. L'École des hautes études,* à Paris. *L'Institut des hautes études politiques. Exercice de haute école*, de haute voltige*. — Haute couture, haute coiffure.*

49 Il sait (...) le secret des familles : il entre dans de plus hauts mystères : il vous dit pourquoi celui-ci est exilé (...) LA BRUYÈRE, les Caractères, II, 39.

50 Rendez-vous attentifs : voici le nœud. La matière est haute ; et quelque ordre qu'on y apporte, elle échappe si on ne la suit (...)
BOSSUET, 6e avertissement aux protestants, I, I, III.

51 (...) de l'étude des mathématiques, et particulièrement de la très haute branche de cette science, qui (...) a été nommée l'analyse (...)
BAUDELAIRE, Trad. E. POE, Histoires extraordinaires, « Le double assassinat de la rue Morgue ».

(Dans l'ordre moral ; l'épithète peut être postposé). Vx. ⇒ **Beau, élevé, éthéré, noble.** *De hauts sentiments* (→ Appuyer, cit. 38). *Âme haute* (→ Autant, cit. 26). *Une haute figure. Homme d'un caractère* (cit. 55) *si haut que... Les plus hautes ardeurs* (→ Âme, cit. 38), *les plus hautes passions* (⇒ **Altissime,** littér.). Mod. *Hauts faits** (cit. 7). — Vx. *Haute action* (→ Attente, cit. 26). ⇒ **Héroïque ; exploit.** *Une haute entreprise. — Les plus hautes vertus, les vertus les plus hautes. De hauts devoirs* (→ Absent, cit. 7). *De hautes leçons.* ⇒ **Édifiant.**

52 Cette haute vertu qui règne dans votre âme. CORNEILLE, le Cid, II, 5.

53 En présence des maux épouvantables qui nous frappent, il n'est pas nécessaire d'avoir le cœur bien haut pour se sentir pénétré de tristesse.
Léon BLOY, Choix de textes, p. 236 (éd. Cri de la France).

54 (...) le plus grand style en art est l'expression de la plus haute révolte.
CAMUS, l'Homme révolté, p. 335.

Didact. Qui occupe la position la plus élevée dans une hiérarchie. — Spécialt (rhétor., théorie littér.). *Le haut style.* ⇒ **Élevé.** *La haute comédie*.* → Caractère, cit. 67.

Péjor. (Vieilli). Plein d'orgueil, de vanité (attitudes, sentiments). ⇒ **Altier, hautain.** *Cette fierté si haute* (→ Abaisser, cit. 5). *Prendre des airs trop hauts* (→ Accroire, cit. 5). ⇒ **Fier, supérieur.**

55 Vous avez l'humeur haute, et c'est cette humeur-là dont il serait à propos que monsieur s'alarmât pour vous. MARIVAUX, le Paysan parvenu, II.

56 Elle sait ce que signifient trop souvent (...) ces bruyantes fiertés qui se fondent à la moindre avanie et tournent à la bassesse. Madame de Sénecé, que le cardinal avait jusque-là maltraitée et qui faisait la haute, est choisie par lui pour garder ses nièces lorsqu'elles arrivent d'Italie (...)
SAINTE-BEUVE, Causeries du lundi, 1er déc. 1851, t. V, p. 181.

♦ **2.** (1080, *Chanson de Roland*). Dans un sens général. (Toujours épithète et antéposé). Très grand. ⇒ **Extrême.** — REM. L'emploi de *haut*, en ce sens, est extrêmement répandu à l'époque classique, et sans aucune acception de valeur, puisqu'on dit aussi bien *haute sottise* que *haute piété*. Il en est resté un certain nombre d'expressions lexicalisées. — *Tenir qqn en haute estime* (cit. 19). *Haute bienveillance. En haute considération. Haute réputation. Communication* (cit. 5) *de la plus haute importance. Avoir une haute conception de son devoir. Une haute conscience de sa valeur* (→ Génie, cit. 44). *Une haute idée de soi-même.* ⇒ **Exagéré.** *C'est de la haute fantaisie,* une invention sans aucun fondement, absolument folle. *Cette histoire est du plus haut comique.* → Hautement* comique. *Des prétentions du plus haut comique,* tout à fait ridicules. *Les plus hautes jouissances. De haute qualité. De haute valeur. Haute probabilité. Instrument de haute précision. Haute fidélité* (calque de l'angl.). ⇒ **Fidélité.** *Haute sécurité* (de fonctionnement).

57 C'est où je mets aussi ma gloire la plus haute. MOLIÈRE, Tartuffe, II, 1.

58 Les rhétoriques, inquiètes des contagions et des pestes qui sont dans le génie, recommandent avec une haute raison (...) la tempérance, la modération, le « bon sens » (...) HUGO, W. Shakespeare, II, III, V.

(1649). *Haute trahison*.* — REM. En dehors de cette expression, *haut* ne se dit plus guère en mauvaise part de ce qui est excessif en son genre, bien que l'Académie, reproduisant le texte de sa première édition (1694) enregistre encore dans la huitième (1935) : *haute insolence, haute effronterie, haute injustice. Il a fait une haute sottise.*

59 Par lui j'ai jeté Rome en haute jalousie (...) CORNEILLE, Nicomède, I, 5.

60 *(Ce vers)* n'est pas français. On inspire de la jalousie, on la fait naître. La jalousie ne peut être haute ; elle est grande, violente, soupçonneuse, etc.
VOLTAIRE, Commentaires sur Corneille, Nicomède, I, 5.

Haute surveillance.*

★ **II.** N. m. (1170). ♦ **1.** [a] *(... de haut).* Dimension dans le sens vertical, de la base au sommet. ⇒ **Altitude, élévation, hauteur.** *La tour Eiffel a trois cents mètres de haut. Une tour de cent coudées de haut* (→ Arbalète, cit. 1). *Tableautin de vingt centimètres de haut sur quinze de large.*

61 (...) il s'appelait Micromégas, nom qui convient fort à tous les grands. Il avait huit lieues de haut (...) VOLTAIRE, Micromégas, I.

[b] (Dans la construction emphatique *... d'un haut*). Grande hauteur.

61.1 Le chapeau de Gray attire tous les regards (...) Il est vrai que ce chapeau est d'un haut fabuleux. Déjà long par nature, la pluie l'a indéfiniment allongé (...)
R. TÖPFFER, Voyages en zig-zag, Milan, Côme, Splugen, 7e et 8e journée, p. 169.

♦ **2.** *(... de haut, ..., du haut).* Position déterminée sur la verticale. *Voler à cent mètres de haut.* ⇒ **Hauteur.** — *Parler du haut de la chaire, de la tribune* (→ Blêmir, cit. 2). *« Du haut de ces pyramides*... »* (Bonaparte). *Tomber du haut du cinquième étage, du haut d'un balcon, d'une plate-forme. Tomber de son haut,* de toute sa hauteur.

Si l'enfant tombe de son haut, il ne se cassera pas la jambe (...) Je ne sache pas qu'on ait jamais vu d'enfant en liberté se tuer, s'estropier (...) à moins qu'on ne l'ait indiscrètement exposé sur des lieux élevés (...) ROUSSEAU, Émile, II. 62

Par hyperb. *Il a failli tomber de son haut en apprenant cette nouvelle,* tant la nouvelle était étonnante, renversante*. Fig. *Tomber de son haut :* éprouver une extrême surprise, être saisi d'étonnement. ⇒ **Renverse** (tomber à la), **renversé** (être). Vx. *Tomber tout de son haut.*

C'est un méchant : il me tint l'autre fois 63
Propos d'amour, dont je fus si surprise,
Que je pensai tomber tout de mon haut (...)
LA FONTAINE, Contes, « Le cocu battu et content ».

Et ce qui m'a vingt fois fait tomber de mon haut, 64
C'est de vous voir au ciel élever des sornettes
Que vous désavoueriez, si vous les aviez faites.
MOLIÈRE, les Femmes savantes, IV, 2.

Quand Respellière avait dit les exigences d'Angélique, elle était tombée de son haut. ARAGON, les Beaux Quartiers, I, XXIV. 65

Regarder qqn du haut de sa grandeur. Du haut de sa condescendance (cit. 5). *Juger du haut de sa science.*

Il se met au-dessus de tous les autres gens ; 66
Aux conversations même il trouve à reprendre :
Ce sont propos trop bas pour y daigner descendre ;
Et les deux bras croisés, du haut de son esprit
Il regarde en pitié tout ce que chacun dit. MOLIÈRE, le Misanthrope, II, 4.

Cette école *(du juste milieu politique)*, avec sa fausse profondeur, toute de surface, qui dissèque les effets sans remonter aux causes, gourmande, du haut d'une demi-science, les agitations de la place publique. 67
HUGO, les Misérables, IV, X, I.

Et tu le juges, ce pauvre monde pourri, du haut de quoi ? De ton honnêteté, sans doute ? COLETTE, la Fin de Chéri, p. 67. 68

♦ **3.** (Fin XIIe). *Le haut de... :* partie, région haute d'une chose. *Objets dessinés dans le haut d'un tableau. Toucher qqn sur le haut de la poitrine* (→ Céder, cit. 24). *Planter un clou au haut d'une paroi* (→ Corde, cit. 1). *La lumière éclairait seulement le haut du front* (→ Filtrer, cit. 2). *Frise* (cit. 1) *régnant au haut d'un mur. Toile gâtée* (cit. 4) *dans le haut. Déplacement vers le haut* (→ Froncement, cit. 2). *Le haut de la ville. — Le haut d'une colonne, d'une page. Un haut, des hauts de page.*

Sans beaucoup de conviction elle fit le signe de la croix sur le haut de son corsage. 69
J. GREEN, Léviathan, IX.

Le haut d'une robe, la partie au-dessus de la taille. ⇒ **Corsage.**

Sans compl. *Il y a une tache sur le haut.*

Le bas du tablier est très ample, ainsi que la jupe, tandis que le haut n'est qu'un simple carré de toile protégeant le devant du corsage. 69.1
A. ROBBE-GRILLET, Dans le labyrinthe, p. 63.

Mus. *Le haut :* les notes hautes (→ Gong, cit. 1).

Typogr. *Haut de casse*.*

N. m. pl. (1676). Mar. *Les hauts d'un navire,* la partie émergée, ou celle qui est au-dessus du premier pont. « En parlant de la mâture ou du gréement d'un voilier, *les hauts* sont tout ce qui est au-dessus des chouquets et des bas-mâts » (Gruss, *Dict. de marine*).

Phileas Fogg héla un canot, s'y embarqua, et, en quelques coups d'aviron, il se trouvait à l'échelle de l'Henrietta, steamer à coque de fer, dont tous les hauts étaient en bois. J. VERNE, le Tour du monde en 80 jours, p. 291 (1873). 69.2

— C'est que je vais être obligé de le brûler. 69.3
— Brûler mon navire !
— Oui, du moins dans ses hauts, car nous manquons de combustible.
J. VERNE, le Tour du monde en 80 jours, p. 301.

Haut de cuisse (de poulet). *Haut de côtelette.*

Étiquette (cit. 3), *caisse, carton... portant les mentions : haut et bas.*

♦ **4.** (V. 1354). La partie la plus haute, le point culminant. ⇒ **Sommet.** *Le haut d'une maison, d'une montagne, d'une tour. — Perché sur le haut d'un arbre* (cit. 8), *d'une branche. Croix plantée sur le haut d'un clocher. Girouette au haut d'une maison* (→ Femme, cit. 22). *Au haut d'une montagne, sur le haut de la montagne* (→ Arriver, cit. 10 ; ermite, cit. 1). *Nous étions au haut de la mosquée* (→ Appel, cit. 6). *Arriver* (cit. 6) *au haut d'une côte. Calvaire* (cit. 4) *pointant au haut d'une montée. Gagner le haut d'une éminence* (cit. 1). *Échelle* (cit. 7) *dont le haut touchait au ciel.* — Fig. *Atteindre le haut de l'échelle*. Tenir le haut du pavé** (→ Élégant, cit. 9 ; femme, cit. 51). *Le haut du jour*.*

Bientôt le haut du mont reparut sans Moïse. 70
A. DE VIGNY, Livre mystique, Moïse.

Au-dessus du repaire, au haut du mur de marbre, 71
Se tord et se hérisse une hydre de troncs d'arbre (...)
HUGO, la Légende des siècles, XXI, Masferrer, 4.

DU HAUT DE... *Rouler du haut d'un escalier, d'un perron* (→ Front, cit. 4). *Tomber du haut d'une maison, d'un clocher* (→ Briser, cit. 25). *Sources se précipitant par cascades* (cit. 1) *du haut de la montagne. Évangile* (cit. 10) *dicté du haut d'une montagne solitaire. Du haut des cieux* (cit. 47), *des airs* (→ Furie, cit. 1). *Tirer, foudroyer* (cit. 3) *un lapin du haut d'un arbre.*

72 Mais nous étions bien mal cachés
Toutes les cloches à la ronde
Nous ont vus du haut des clochers
Et le disent à tout le monde. APOLLINAIRE, Alcools, « Les cloches ».

73 Du haut de la tour décharnée, une voix descendit alors qui n'était peut-être qu'un soupir du vent d'automne dans les pierres.
G. DUHAMEL, Compagnons de l'Apocalypse, XXI.

(1648). DU HAUT EN BAS : de la partie la plus haute à la partie la plus basse. *Nettoyer, visiter une maison du haut en bas* (→ De la cave au grenier*). ⇒ **Partout.** *Du haut en bas de l'échelle* (→ fig. État, cit. 136). *Gangrener* (cit. 3) *du haut en bas. Du haut jusqu'en bas.* Vx. *Du haut jusques en bas.*

74 Et je vous verrais nu du haut jusques en bas,
Que toute votre peau ne me tenterait pas. MOLIÈRE, Tartuffe, III, 2.

75 (...) il avait exigé, du haut en bas de sa maison, d'épais tapis.
COLETTE, la Fin de Chéri, p. 19.

Fig. *Regarder qqn du haut en bas,* l'examiner avec dédain, avec mépris. ⇒ **Toiser.** *Traiter qqn du haut en bas,* avec mépris et arrogance. — REM. On dit plutôt de nos jours *regarder, traiter qqn de haut en bas* (→ *infra,* III., C., 1.; *supra* cit. 127).

76 Cela s'appelle, en vérité, se moquer du monde. Mais s'il lui est permis, comme à tout homme persuadé, de traiter du haut en bas les incrédules, il n'est pas défendu aux incrédules de lui exposer modestement leurs doutes.
VOLTAIRE, Colimaçons du R. P., IIIe lettre.

♦ **5.** (V. 1283). Abstrait. Situation élevée.

76.1 Il reste à Philibert de constituer le comité de patronage. Le plus simple, c'est de frapper au plus haut : si le président de la Chambre et celui du Sénat trouvent les statuts honorables, quel ministre oserait ne pas ajouter son nom au leur?
Alain BOSQUET, les Bonnes Intentions, p. 100.

76.2 (...) dans les entreprises les salaires du haut sont souvent des revenus du capital ou d'entreprise. A. SAUVY, Croissance zéro ?, p. 304.

Le haut, le bas d'une hiérarchie. — Loc. *Le haut de gamme*. Un produit haut de gamme.* ⇒ **Gamme.**

Loc. (au plur.). *Des hauts et des bas.* ⇒ 1. **Bas** (*supra* cit. 50); **alternative, changement...**

77 Il y aura des hauts et des bas, mais *les choses ne peuvent pas ne pas s'arranger.*
MARTIN DU GARD, les Thibault, t. VII, p. 32.

78 Moi, j'ai trente-six ans, j'ai pas toujours rigolé. Il y a eu des hauts et des bas. Mais j'ai vécu. SARTRE, le Sursis, p. 264.

78.1 (...) il faut lutter contre cette impression de détresse, d'écroulement... c'est de l'énervement, la contrepartie de l'excitation de tout à l'heure, elle a souvent de ces hauts et de ces bas, elle passe si facilement d'un extrême à l'autre...
N. SARRAUTE, le Planétarium, p. 12.

78.2 La patronne de « Coca » m'a assuré que Liliane était une bonne cliente, dont la trésorerie pouvait avoir des hauts et des bas, mais qu'elle finissait toujours par régler ses factures. René FLORIOT, La vérité tient à un fil, p. 67.

78.3 (Cette lassitude en moi, ces jours-ci, qui vient des profondeurs de l'être. Je lui cherchais des explications rassurantes. On a ainsi des hauts et des bas. Mais lorsque l'on tombe toujours plus bas, lorsque c'est la chute libre du temps?)
Claude MAURIAC, le Temps immobile, p. 73.

♦ **6.** Vx ou régional. *Un haut, des hauts :* terrain élevé. ⇒ **Élévation, éminence, hauteur** (I., 5.).

a Vieux.

79 Sur un haut, vers cet endroit,
Était leur infanterie (...) MOLIÈRE, Amphitryon, I, 1.

80 Tenez, à parler franchement, j'aime mieux passer un an ou deux à vivre ainsi dans les hauts, sans rencontrer ni gouvernement, ni douanier, ni garde champêtre, ni procureur du roi, que de croupir cent ans dans votre marécage (*c'est un paysan qui parle*) BALZAC, le Médecin de campagne, Pl., t. VIII, p. 428.

b Régional (Suisse). Au plur. Région élevée, hauteurs.

80.1 Est-ce que tu pourras continuer à courir la montagne (...) quand la neige se sera mise dans les hauts, partout où elle peut tenir, comme la mauvaise mousse aux arbres.
C.-F RAMUZ, Farinet ou la Fausse Monnaie, Éd. Rencontre, t. XIV, p. 131.

c (Dans certaines appellations géographiques). *Les Hauts de Meuse, de Moselle. Le département des Hauts-de-Seine.* Littér. *Les Hauts de Hurlevent (Wuthering Heights),* roman d'E. Brontë.

En apposition avec un toponyme. ... *le-Haut.* → ci-dessus I., 2. *infra* cit. 23.

♦ **7.** Loc. adv. (où *haut* et *bas* sont nominaux). *Entre haut et bas :* en parlant sans trop élever la voix. (Au sens de « sons intenses »; → ci-dessous, III., B., 3.).

80.2 Beaucoup mouraient, et les médecins, surchargés de travail, à court d'espérance, disaient entre haut et bas que cette grippe était la peste, concourant ainsi à aggraver le désarroi des gens. Suzanne PROU, la Terrasse des Bernardini, p. 132.

♦ **8.** (*Haut,* nom, dans des loc. adv.). → ci-dessous, III., C.

★ **III.** Adv. (1080) ou dans des loc. adv. **A.** Adj. à valeur adverbiale. ♦ **1.** (Dans un commandement). En position haute. — Anciennt. *Haut le bras!,* commandement d'artillerie. *Haut le bois!,* commandement de lever les piques. *Haut la barre!,* commandement adressé au timonier.

81 — (...) Haut la barre! — Haute est, répondaient les matelots.
RABELAIS, le Quart Livre, XXII.

82 Chevalier, haut la herse et bas le pont-levis!
Je veux entrer. Je veux passer (...)
HUGO, la Légende des siècles, XIX, Welf..., 2.

Haut les cœurs!, exhortation au courage, à l'action (cf. lat. *sursum corda*).

Haut les cœurs, donc, confiance, et aiguisons nos baïonnettes. 83
Général HUMBERT, Revue des Deux Mondes, *in* DAMOURETTE et PICHON, t. II, p. 483.

Mod. *Haut les mains!,* sommation faite à un adversaire de lever les mains ouvertes (pour l'empêcher d'user de ses armes). *Haut les mains! C'est un hold-up!* (cit. 1).

(...) il entendit derrière lui : « Haut les mains! » Katow, par la fenêtre ouverte sur 84
la coursive, le tenait en joue.
MALRAUX, la Condition humaine, 21 mars 1927, 4 h. 1/2 matin.

♦ **2.** *Haut la main :* la main en position haute. *Mener un cheval haut la main,* en tenant la bride haute (I., B., 1.). Fig. Avec autorité, en surmontant aisément tous les obstacles. *L'emporter, gagner, vaincre haut la main,* sans effort, largement.

— Vous l'auriez guéri haut la main. — Sans doute, quand il y aurait eu compli- 85
cation de douze maladies. MOLIÈRE, Monsieur de Pourceaugnac, II, 1.

Vous gagneriez votre procès haut la main : car Guignes-la-Putain se trouve située 86
dans une coutume qui vous est tout à fait favorable (...)
VOLTAIRE, Dialogues, II, Un plaideur et un avocat.

♦ **3. HAUT LE PIED.** **a** Vx. En levant le pied (pour mieux courir, pour s'enfuir). « *Allez-vous-en, haut-le-pied* » (Académie, 1694). « *Ce banqueroutier a fait haut le pied* » (Littré). — REM. En ce sens on dit aujourd'hui *lever le pied.* — Exclam. *Haut le pied!* : fuyons.

(...) le cheval lui desserre 87
Un coup, et haut le pied. LA FONTAINE, Fables, XII, 17.

Il s'agit d'aller au pas accéléré si nous voulons être à table en même temps que 88
les autres. Haut le pied! Saute, marquis! là donc! bien. Vous franchissez les sillons comme un véritable cerf! BALZAC, Adieu, Pl., t. IX, p. 750.

b Vieilli. *Haut le pied* (en fonction d'adj.) : en parlant d'un cheval, Non monté, non chargé. *Cheval, mulet haut le pied :* bête de rechange qui suit sans être montée.

Puis, dans un dernier flot de poussière, ce furent les haut-le-pied, les hommes et 89
les chevaux de rechange (...) ZOLA, la Débâcle, I, II.

c (Ch. de fer). *Machine, locomotive haut le pied,* qui circule sans être attelée à un train. *Train haut le pied :* train de matériel vide.

(...) à l'aube nous réveille le sifflet de la locomotive haut-le-pied qui nous servira 89.1
de voiture particulière. Claude LÉVI-STRAUSS, Tristes tropiques, p. 140.

B. Adv. ♦ **1.** (1119). En un endroit, un point haut sur la verticale. *Monter, voler, planer, sauter haut, plus haut, très haut* (→ Bondir, cit. 4; cabriole, cit. 2; comprimer, cit. 10; fraîcheur, cit. 5). *Être haut perché. Être, demeurer, mettre, tenir, lever haut, plus haut, très haut* (→ Blaireau, cit. 2; canal, cit. 12; épais, cit. 20; essor, cit. 1; filet, cit. 10; fléau, cit. 1). ⇒ **Élever, hisser, jucher, monter.** *Être pendu haut et court*. Jupe haut relevée. Cheval haut monté. — Le bateau pouvait remonter plus haut* (vers l'amont, la source). → Envasement, cit.

Madame à sa tour monte 90
Si haut qu'elle peut monter. Chanson de Malbrough, 4e couplet.

Tous les yeux s'étaient levés vers le haut de l'église (...) sur le sommet de la gale- 91
rie la plus élevée, plus haut que la rosace centrale, il y avait une grande flamme qui montait entre les deux clochers (...) HUGO, Notre-Dame de Paris, X, IV.

Enfin, de son vil échafaud, 92
Le clown sauta si haut, si haut,
Qu'il creva la plafond de toiles (...)
Th. DE BANVILLE, Odes funambulesques, Saut du tremplin.

Le soleil luisait haut dans le ciel calme et lisse. 93
VERLAINE, Romances sans paroles, Beams.

(...) indifférente à tout ce qui fait le souci des passants, elle se troussait assez 94
haut (...) André SUARÈS, Trois hommes, « Ibsen », VI.

Il y a des femmes qui ont les seins haut placés et d'autres au contraire qui les ont 95
situés assez bas (...) P. RICHER, Nouvelle anatomie artistique, p. 175.

PORTER HAUT... *Porter haut la tête* (→ Attitude, cit. 18). *Cheval qui porte haut,* qui va fièrement en tenant la tête haute. *Porter haut son cheval,* le faire marcher la tête haute.

Les jeunes garçons qui commencent à monter à cheval, quand ils sentent leur che- 96
val porter un peu plus haut, ne serrent pas seulement les genoux, ains (*mais*) se prennent à belles mains à la selle.
Saint François DE SALES, Amour de Dieu, XI, 18, *in* HUGUET.

(*Les pingouins royaux*) marchent très droits, avec une allure pompeuse. Ils por- 97
tent la tête très haut, avec leurs ailes pendantes, comme deux bras (...)
BAUDELAIRE, Trad. E. POE, les Aventures d'A. Gordon Pym, XIV.

Fig. *Porter haut la tête :* être fier. — Vieilli. *Le porter haut,* en parlant de qqn qui « fait l'homme de qualité, qui fait une grande dépense et au-dessus de sa condition » (Trévoux); d'où : se montrer fier et hautain.

Je vous trouve un esprit bien plein de vanité, 98
Si de cette créance il peut s'être flatté (...)
Détrompez-vous, de grâce, et portez-le moins haut (...)
MOLIÈRE, le Misanthrope, V, 4.

Ce seigneur avait une fierté convenable à un homme qui portait tant de noms. Il 99
parlait aux hommes avec le dédain le plus noble, portant le nez si haut, élevant si impitoyablement la voix, prenant un ton si imposant, affectant une démarche si altière, que tous ceux qui le saluaient étaient tentés de le battre.
VOLTAIRE, Candide, XIII.

♦ **2.** En un point reculé dans le temps. ⇒ **Loin.** *Origine qui remonte haut.* ⇒ **Ancien** (cit. 1). *Si haut qu'on remonte dans l'histoire. Remonter plus haut, reprendre les choses de plus haut,* dès l'origine des faits.

100 Quelque haut qu'on puisse remonter pour rechercher dans les histoires les exemples des grandes mutations (...)
BOSSUET, Oraison funèbre de Henriette de France.

101 (...) l'exposition historique de l'ordre dans lequel nos connaissances se sont succédé, ne sera pas moins avantageuse pour nous éclairer (...) Pour ne point remonter trop haut, fixons-nous à la renaissance des lettres.
D'ALEMBERT, Disc. préliminaire de l'Encycl., Œ., t. I, p. 55.

PLUS HAUT : précédemment (dans l'ordre de déroulement de la lecture d'un texte). ⇒ **Ci-dessus, supra.** *Reportez-vous plus haut, voir plus haut.* ⇒ **Référence.**

102 Comme on a pu le remarquer dans ce qui a été dit plus haut, le logis était distribué de telle sorte (...) HUGO, les Misérables, I, II, V.

♦ **3.** (1080, *Chanson de Roland*). À haute voix, d'une voix forte; avec intensité. ⇒ **Fort, fortement, intensément.** *Parler haut. Parlez plus haut, moins haut!* (→ Égosiller, cit. 1). *Crier très haut* (→ Étouffer, cit. 20). Ellipt. *Plus haut!* : parlez plus haut. — *Entre haut et bas* (cit. 84.1) : d'une voix mesurée, entre la voix haute et la voix basse. — Par métaphore. *La nature, les sens parlent plus haut que la raison* (→ Farouche, cit. 15).

103 Vous me répondrez qu'il est un peu sourdaut,
Et que c'est déplaisir en amour (*de*) parler haut (...)
RONSARD, Pièces retranchées, Continuation des Amours.

104 Il a déjà appris l'affaire, et elle lui tient si fort en tête, que tout seul il en parle haut. MOLIÈRE, Scapin, I, 4.

105 Si quelquefois il est lésé (...) il crie haut; si c'est le contraire, il crie plus haut (...)
LA BRUYÈRE, les Caractères, X, 12.

TOUT HAUT (plus cour.). *Parler tout haut et tout seul.* → Exutoire, cit. 2. *Se faire remarquer en parlant un peu trop haut.* → Causer, cit. 2. *Lire, déclamer tout haut.* → Entrecouper, cit. 2.

106 — Monsieur, reprit Jean Valjean, je voudrais vous dire un mot en particulier. — Tout haut! parle tout haut! répondit Javert; on me parle tout haut à moi! Jean Valjean continua en baissant la voix : — C'est une prière que j'ai à vous faire (...) — Je te dis de parler tout haut. — Mais cela ne doit être entendu que de vous seul (...) HUGO, les Misérables, I, VIII, IV.

Ellipt., avec un verbe non déclaratif (sous-entendu *en parlant*). *Penser tout haut* : ne pas garder ses pensées pour soi, les exprimer sans crainte et sans réticence.

107 Une société peu nombreuse, et qui s'aime,
Où vous pensez tout haut, où vous êtes vous-même (...)
J.-B. GRESSET, le Méchant, IV, 4.

108 Ce que je te demande simplement, c'est de ne plus jamais te taire! Pense avec moi tout haut. Paul BOURGET, Un divorce, VII, p. 250.

Spécialt. À haute voix et sans craindre de se faire entendre, sans ambages. (Surtout dans : *bien haut, tout haut*). ⇒ **Franchement, hautement, nettement, ouvertement, publiquement.** *Je le dirai bien haut, s'il le faut.* ⇒ **Clamer** (→ Face, cit. 65). *Annoncer bien haut* (→ Faire, cit. 66). *Exprimer tout haut ce que chacun murmure tout bas* (→ Général, cit. 14). *Parler haut et clair*, haut et net.*

109 (...) je vous dirai haut et net
Que je craindrai fort peu la honte. CORNEILLE, Poésies diverses, 28.

110 (...) j'avouerai tout haut, d'une âme franche et nette (*que...*)
MOLIÈRE, les Femmes savantes, I, 2.

111 C'étaient des choses dont on ne devait pas causer tout haut, personne n'avait besoin de savoir ce qu'ils pensaient là-dessus. ZOLA, la Terre, I, V.

À haute voix et de façon arrogante ou provocante. *Vous parlez bien haut, vous feriez mieux de le prendre sur un autre ton!*

112 Si je parlais trop haut, je trouverais fort bon
Qu'avec quelques soufflets il (*mon mari*) rabaissât mon ton.
MOLIÈRE, les Femmes savantes, V, 3.

113 Comment vous nommez-vous, monsieur, qui parlez si haut?
VOLTAIRE, l'Ingénu, IX.

Fig. *Le prendre haut, bien haut* : se montrer arrogant ou présomptueux (→ Céder, cit. 15; et *infra*, C., De haut).

114 Mais, mon petit Monsieur, prenez-le un peu moins haut.
MOLIÈRE, le Misanthrope, I, 2.

114.1 M. Chèbe, lui, le prit de très haut, avec des phrases, des airs de tête, rapportant tout à sa personne, selon son habitude.
Alphonse DAUDET, Fromont jeune et Risler aîné, p. 154.

Loc. Vx. *C'est un homme à qui il ne faut pas dire plus haut que son nom,* «c'est un homme qui s'offense aisément» (Littré).

115 (...) il s'est laissé emmener au bagne tranquillement. À son retour, il est venu s'établir ici sous la protection de monsieur le curé; personne ne lui dit plus haut que son nom : il va tous les dimanches et les jours de fêtes aux offices, à la messe.
BALZAC, le Curé de village, Pl., t. VIII, p. 661.

Vx. Avec bruit, de façon sonore. *Éternuer* (cit. 1) *fort haut.*

116 Il mange haut et avec grand bruit (...) LA BRUYÈRE, les Caractères, XI, 120.

Monter haut (dans le registre des sons) : atteindre des notes élevées, aiguës. *Le soprano monte plus haut que le contralto; le contreténor plus haut que le ténor. Attaquer un air un ton, un demi-ton trop haut.*

♦ **4.** (V. 1145). À un haut degré de puissance, à un haut degré de l'échelle sociale. *Des personnes haut placées* (→ Échelle, cit. 13). *Un ambitieux qui cherche à se hisser plus haut* (→ Épiscopat, cit. 2). *Ce prince a porté, élevé bien haut la grandeur* (cit. 11) *de son royaume. Ce n'est pas un parti pour lui, il prétend, il vise trop haut.* ⇒ **Présomptueux.**

117 Chacun tremble sous toi, chacun t'offre des vœux,
Ta fortune est bien haut, tu peux ce que tu veux (...) CORNEILLE, Cinna, V, 1.

Dans quelques jours vous pouvez me faire trancher la tête; tuez-moi, mais ne me calomniez pas : vous êtes placé trop haut pour descendre si bas. 118
BALZAC, les Ressources de Quinola, IV, 2.

♦ **5.** À un haut degré sur l'échelle des prix et des valeurs cotées. *Monter haut* : s'élever à un prix considérable. *La dépense monte haut, plus haut que je ne pensais. Pousser très haut les enchères.*

(...) s'ils décidaient de pousser l'enchère beaucoup plus haut, il fallait leur faire bien mesurer le risque qu'ils lui demandaient, à lui Haverkamp, d'assumer à leur place. J. ROMAINS, les Hommes de bonne volonté, t. V, p. 76. 119

♦ **6.** (Abstrait). À un haut degré sur l'échelle des valeurs (intellectuelles, esthétiques, morales...). *Jamais cet orateur ne s'est élevé aussi haut* (→ Froideur, cit. 2). *C'est une œuvre que je mets très haut. Admiration excessive* (cit. 4) *qui place un écrivain trop haut. En s'élançant trop haut on est sujet aux chutes* (cit. 13). *Estimer* (cit. 21) *très haut certaines qualités.*

(...) je n'ai jamais vu porter si haut l'élégance de l'ajustement. 120
MOLIÈRE, les Précieuses ridicules, 9.

Il fallait, s'il était possible, le placer si haut, ce drapeau, que la terre entière le vît, que sa flamme tricolore ralliât les nations. Reconnu comme le drapeau commun de l'humanité, il devenait invincible. 121
MICHELET, Hist. de la Révolution franç., II, IV.

Ses lettres étaient de quelqu'un qui souffre, mais plaçant trop haut sa Marthe pour la croire capable de trahison. R. RADIGUET, le Diable au corps, p. 67. 122

(*Katherine Mansfield*) était si loin de notre monde, déjà si détachée, si pure et montée si haut qu'il ne peut s'agir que de vénération et de respect. 123
Émile HENRIOT, Portraits de femmes, p. 461.

C. Loc. adv. ♦ **1.** (V. 1175). **DE HAUT** : d'un lieu, d'un point haut sur la verticale. *Voir, distinguer qqch. de haut, de plus haut, de très haut* (→ Fresque, cit. 6). — Loc. (1580). *Tomber* de haut* : au fig., subir une grave désillusion; aussi, éprouver de graves revers. — Fig. *L'homme est d'autant plus misérable qu'il est tombé de plus haut* (→ Argument, cit. 2, Pascal). — *Juger, arbitrer* (cit. 3) *de haut* (→ Engager, cit. 17). *Dominer de haut, de très haut* (→ au fig. Brio, cit. 4). *Voir les choses de haut, d'un peu haut,* d'une vue générale et sereine.

Il avait donc échelonné sa brigade de telle façon que, vue de haut et de loin, vous eussiez dit le triangle romain de la bataille d'Ecnome (...) 124
HUGO, Notre-Dame de Paris, X, IV.

(...) on ne voit que tours sacrées émergeant des palmes, tellement que, de si haut, l'on dirait la multiplication des terriers des taupes dans un champ d'herbages. 125
LOTI, l'Inde (sans les Anglais), IV, I.

(...) si haut que nous nous placions pour juger notre temps, l'historien futur le jugera de plus haut encore; la montagne où nous pensons avoir fait notre nid d'aigle ne sera pour lui qu'une taupinière (...) SARTRE, Situations II, p. 42. 126

Le prendre de haut, de très haut* : réagir avec arrogance.

(1268). **DE HAUT EN BAS.** S'emploie dans les mêmes sens que *du haut en bas* mais ne peut être suivi d'un complément; on ne dit pas de *haut en bas de la maison*, mais *du haut en bas de...* — *Regard plongeant de haut en bas. Le fémur* (cit. 1.1) *se dirige obliquement de haut en bas.* → aussi *Du haut en bas*, ci-dessus B.; *supra* cit. 76. — *Examiner qqn de haut en bas,* de la tête aux pieds, complètement. *Regarder, traiter qqn de haut en bas,* avec dédain, arrogance (→ *supra,* II., 3.).

(...) une (...) de ces femmes qui (...) regardent un chacun de haut en bas. 127
MOLIÈRE, l'Impromptu de Versailles, 1.

(*Ces dragons de vertu qui*) 128
Prennent droit de traiter les gens de haut en bas.
MOLIÈRE, l'École des femmes, IV, 8.

♦ **2.** (V. 1120, *en halt*). **EN HAUT** : dans la région, la partie haute, la plus haute. *Aller, monter en haut* (→ Âme, cit. 3). *Il loge en haut et moi en bas. S'ouvrir en haut* (→ Cave, cit. 4). Dans une description. *En haut, telle chose...* (→ Bouquet, cit. 2; cape, cit. 6; coque, cit. 7). — *Tapissé depuis* (cit. 24) *en haut jusqu'en bas. Gilet* (cit. 1) *boutonné jusqu'en haut. Tout en haut* : au point le plus haut. *Le livre est sur le rayon d'en haut* (→ Grandeur, cit. 15). — Spécialt. Dans le ciel. *Étoile* (cit. 12) *qui brille en haut.* — (1690). *Par en haut* : par le haut. *Prenez par en haut.*

(*Il*) monte en haut, en une chambre où (...) 129
RACINE, Remarques sur l'Odyssée, II.

Un roi chantait en bas, en haut mourait un dieu. 130
HUGO, la Légende des siècles, II, «Booz endormi».

Fig. Dans les régions supérieures (socialement, moralement). *Épuration* (cit. 2) *qui frappe en haut. «Le peuple est en haut...»* (→ Foule, cit. 14, Hugo).

Ses disciples dogmatiques (*de Lénine*) et autoritaires traduisirent cette thèse en proclamant que la conscience révolutionnaire devait être apportée à la base du dehors, et sa propre expérience d'en haut, par le Parti et ses chefs. 130.1
Roger GARAUDY, Parole d'homme, p. 198.

L'expérience a prouvé que les révolutions qui se font par en haut, et non par en bas, par la base, ne mettent pas fin aux aliénations, mais au contraire les perpétuent. Roger GARAUDY, Parole d'homme, p. 200. 130.2

En direction du haut. *Regarder en haut. Tirer, pousser en haut* : élever, enlever, lever. *Mouvement de bas en haut.*

Adv. Vx. **EN-HAUT, ENHAUT.** *Mettre des fleurs en enhaut, en en-haut* (cf. Molière, *le Bourgeois gentilhomme,* II, 5).

Subst. (n. m.). *L'en-haut.*

Il y avait plus de deux heures que les Vêpres étaient finies, — car c'était diman- 130.3

che, ce jour-là, — et le nuage d'encens qui forme longtemps un dais bleuâtre dans l'en-haut des voûtes du chœur, après les Offices, s'y était évaporé.
BARBEY D'AUREVILLY, les Diaboliques, « À un dîner d'athées ».

♦ **3.** Loc. prép. EN HAUT DE : dans la partie supérieure de... *Tout en haut de l'estrade* (→ Bloquer, cit. 3). *Fanal* (cit. 2) *en haut du mât. Dessin en haut de la page, en haut de page. Habiter en haut de la ville.*

131 Le jardin de ma grand-mère, suspendu en haut d'un mur, dominait l'avenue Garibaldi. J. CHARDONNE, l'Amour du prochain, p. 95.

♦ **4.** (1669, « du ciel »). **D'EN HAUT** : de la partie haute, de la région supérieure. *Les dents d'en haut* (→ Articuler, cit. 10 ; bout, cit. 5). *Pièce où la lumière vient d'en haut. On a d'en haut une vue admirable.*

132 Il voyait d'en haut les truands, pleins de triomphe et de rage, montrer le poing à la ténébreuse façade (...) HUGO, Notre-Dame de Paris, X, IV.

Fig. Du ciel, de Dieu. *Grâce* (cit. 16), *disgrâce d'en haut* (→ Attirer, cit. 34). *Message, inspiration d'en haut. Âme éclairée d'en haut.* — D'une autorité supérieure. *Des instructions, des ordres qui viennent d'en haut. Le mauvais exemple vient d'en haut.*

133 Mes prières n'ont pas le mérite qu'il faut
Pour avoir attiré cette grâce d'en haut (...) MOLIÈRE, Tartuffe, III, 3.

134 Il a connu la sagesse que le monde ne connaît pas ; cette sagesse « qui vient d'en haut, qui descend du Père des lumières », et qui fait marcher les hommes dans les sentiers de la justice. BOSSUET, Oraison funèbre de Michel Le Tellier.

135 Ne valait-il pas mieux croire à un miracle de la Providence, à une inspiration d'en haut qui était venue à sa mère juste à ce moment, en récompense de la contrition véritable du pécheur ? ARAGON, les Beaux Quartiers, I, X.

♦ **5.** (Vx). **PAR HAUT** : en haut. « *En haut, par haut,* façons de parler adverbiales, qui désignent un endroit plus élevé que celui où l'on est » (Trévoux).

Loc. *Aller** (cit. 15) *par haut* : vomir. *Aller par haut et par bas.*

♦ **6. LÀ-HAUT.** ⇒ **Là.**

CONTR. Bas. — Petit. — Baissé. — Moderne, récent. — Faible. — Modeste. — Mesquin. — Abîme, bas, base, culot, fond. — Bas. — Près, récemment. — Infra.
DÉR. 1. **Hautain, hautement, hautesse, hauteur, hautin. — V. Hauturier.**
COMP. Contre-haut (en). — Haut-commissaire, haut-commissariat (V. Commissaire, commissariat), hautbois, haut-de-chausses, haut-de-côtelette, haut-de-forme, haute-contre, haute-fidélité, haute-lissier, haut-fond, haut-le-cœur, haut-le-corps, haut-parleur, haut-pendu, haut-relief, haut-parcs.
HOM. Au, aux, aulx, eau, ho, o, ô, oh. — (Du fém.) **Hôte ; formes du v. ôter.**

1. HAUTAIN, AINE ['otɛ̃, ɛn] adj. — V. 1196, « noble » ; *altain,* « élevé, haut », 1080 ; de *haut,* et *-ain.*

★ **I.** Vx. (Dans quelques emplois). Qui s'élève haut.

1 Ils *(les jeunes poulains)* semblent menacer les cieux
D'une tête hautaine (...) RACINE, Poésies diverses, Ode VI.

Poét. (par reprise du sens ancien). *Hunes hautaines* (→ Armada, cit., Hugo).

2 Le mont porte en triomphe à son sommet hautain
L'épanouissement glorieux du matin (...)
HUGO, la Légende des siècles, XII, « Temple d'Éphèse ».

★ **II.** ♦ **1.** Vx ou littér. Élevé ; noble (sans idée d'arrogance). → Assortir, cit. 12.

3 En cette hautaine entreprise,
Commune à tous les beaux esprits (...)
MALHERBE, Grandes odes, XVI, « À la reine... ».

♦ **2.** (V. 1320). Mod. Qui, dans ses manières et son aspect, marque une fierté dédaigneuse et arrogante. ⇒ **Altier, arrogant** (cit. 2), **condescendant, dédaigneux, fier, haut** (vx), **orgueilleux.** *Homme hautain et distant. Chef hautain dont l'abord glace ses subordonnés.* ⇒ **Glacial.** *Froid* (cit. 18) *et hautain. Les dédains* (cit. 8) *de cette âme hautaine.*

4 Ont-ils rendu l'esprit, ce n'est plus que poussière
Que cette majesté si pompeuse et si fière
Dont l'éclat orgueilleux étonne l'univers ;
Et dans ces grands tombeaux où leurs âmes hautaines
Font encore les vaines,
Ils sont mangés des vers. MALHERBE, Vers spirituels, Imitation du psaume.

5 La marquise de Parnes était plus qu'orgueilleuse, elle était hautaine.
A. DE MUSSET, les Deux Maîtresses, X.

6 Parce que son infirmité lui inspirait la crainte d'être dédaigné, il se montrait hautain, batailleur, ombrageux. A. MAUROIS, la Vie de Byron, I, V.

Par ext. *Humeur, manières hautaines. Air hautain.* ⇒ **Cavalier, conquérant, grand** (grands airs), **impérieux.** *Prendre un ton hautain. Paroles hautaines* (→ Critique, cit. 39). *Dignité hautaine* (→ Cabrer, cit. 11).

7 Je saurai bien rabattre une humeur si hautaine. CORNEILLE, le Cid, II, 6.

8 L'âme haute est l'âme grande : la hautaine est superbe. On peut avoir le cœur haut avec beaucoup de modestie : on n'a point l'humeur hautaine sans un peu d'insolence ; l'insolent est à l'égard du hautain ce qu'est le hautain à l'impérieux.
VOLTAIRE, Dict. philosophique, Hautain.

9 (...) quelques jugements pleins d'un hautain et savant mépris.
Émile FAGUET, Études littéraires du XVIIe s., La Rochefoucauld, II.

♦ **3.** (Dans un sens mélioratif). ⇒ **Fier** (adj., II., 2.).

10 Cette pudeur hautaine de l'émotion est quelque chose d'aussi rare dans le théâtre musical que l'est, en poésie, la tragédie de Racine (...)
R. ROLLAND, Musiciens d'aujourd'hui, Pelléas et Mélisande.

L'horrible est de s'accrocher. Il restera le renoncement volontaire, la vie hautaine 11
et pure. MONTHERLANT, les Jeunes Filles, p. 66.

CONTR. Affable, bonhomme, courtisan, humble, modeste, obséquieux, plat.
DÉR. Hautainement, hautaineté.
HOM. Hautin.

2. HAUTAIN ['otɛ̃] n. m. ⇒ **Hautin.**

HAUTAINEMENT ['otɛnmɑ̃] adv. — 1365 ; de *hautain.*

♦ Littér. D'une manière hautaine (→ Cause, cit. 58). *Des « paroles hautainement dédaigneuses »* (Goncourt, *in* T. L. F.). *Mépriser qqn hautainement.*

CONTR. Affablement, humblement, modestement.

HAUTAINETÉ ['otɛnte] n. f. — XIVe ; de *hautain.*

♦ Littér. et rare. Caractère d'une personne hautaine.

Pauvre gauche, affolée par ce poète *(Chateaubriand)* qui tantôt se prosterne aux pieds du trône et de l'autel, tantôt enfourche sa cavale révolutionnaire ; qui tantôt se drape dans sa hautaineté de ci-devant et tantôt joue au sans-culotte.
Gabriel MATZNEFF, la Caracole, p. 16, *in* D. D. L., II, 7.

REM. On trouve la var. *hautainerie* (n. f.) chez Sainte-Beuve (*in* T. L. F.).

HAUTBOIS ['obwa] n. m. — 1586 ; *haultbois,* 1501 ; *haut bois,* 1490, *in* D. D. L. ; de *haut,* I., 4., b, et *bois.* → *infra,* cit. 1.

Musique et courant.

♦ **1.** Instrument de musique à vent, à anche double. *Le cor** (cit. 7) *anglais, variété de hautbois. Jouer du hautbois* (→ Chœur, cit. 8 ; crotale, cit. 1). *Languette, pavillon d'un hautbois. Le hautbois, symbole de la poésie pastorale* (→ Églogue, cit. 1). « *Doux comme les hautbois* » (→ Parfum, cit. 1, Baudelaire). *Hautbois alto.* ⇒ **Baryton.** Anciennt. *Hautbois de chasse.*

Le hautbois, dont le nom veut dire « bois » (flûte) à son « haut », est un instrument 1
à anche double. Il est en bois, ébène ou cèdre. Sa tessiture est de deux octaves et une quarte en partant de ce *si.* Le hautbois au son si caractéristique est pris par Boileau pour symbole de la poésie pastorale. Cet instrument rappelle, en effet, la musette, mais avec une finesse très particulière. Sa sonorité est simple, champêtre, naïve, ce qui ne l'empêche pas d'avoir quelque chose d'ému et de pénétrant. Malgré sa petite taille, le hautbois est d'une grande puissance : on le distingue au milieu de masses orchestrales considérables. Initiation à la musique, p. 162.

Veux-tu pour me sourire, un bel oiseau des bois, 2
Qui chante avec un chant plus doux que le hautbois,
Plus éclatant que les cymbales ? HUGO, les Orientales, XVIII.

♦ **2.** (1660 ; *haulzbois,* 1508). Joueur de hautbois. ⇒ **Hautboïste.** *Un excellent hautbois. Le meilleur hautbois de l'orchestre.*

♦ **3.** Par anal. Jeu d'orgue faisant partie des jeux d'anches.

DÉR. Hautboïste.

HAUTBOÏSTE ['obɔist] n. — 1779, *in* D. D. L. ; de *hautbois,* d'après l'all. *Hoboist,* de *Hoboe,* adapt. du franç. *hautbois.*

♦ Mus. Musicien qui joue du hautbois. *Un bon, une bonne hautboïste.*

(...) la sensibilité d'une anche de hautbois est telle, que tous les hautboïstes soucieux de la pureté de leur timbre s'astreignent à confectionner eux-mêmes leurs anches. Albert LAVIGNAC, Éducation musicale, p. 155.

HAUT-COMMISSAIRE ['okɔmisɛʀ] n. m. ⇒ **Commissaire.**

HAUT-COMMISSARIAT ['okɔmisaʀja] n. m. ⇒ **Commissariat.**

HAUT-DE-CHAUSSES ['odʃos] n. m. invar. — 1490, *in* D. D. L. ; de *haut,* et *chausse.* → *infra,* cit. 1.

♦ Anciennt. Partie du vêtement masculin allant de la ceinture aux genoux. ⇒ **Chausse(s), culotte, grègue, rhingrave** (→ Aiguillette, cit. 1 ; caleçon, cit. 1 ; derrière, cit. 10 ; estomac, cit. 12). — REM. On écrit aussi *un haut-de-chausse, un haut de chausse.* « *Connaître* (cit. 47) *un pourpoint d'avec un haut-de-chausse* » (Molière).

(Panurge) prit quatre aunes de bureau *(gros drap)* ; s'en accoutra comme d'une 1
robe longue à simple couture ; désista porter le haut de ses chausses (...) — Mais *(dit Pantagruel)* ce n'est la guise des amoureux, ainsi (...) laisser pendre sa chemise sur les genoux sans haut de chausses (...) RABELAIS, le Tiers Livre, VII.

À voir sa ceinture de cuir noir, ses gros souliers, ses chausses drapées, son haut- 2
de-chausses de tiretaine et son justaucorps de laine grise, il ressemblait au clerc du plus pauvre sergent de justice. BALZAC, Maître Cornélius, Pl., t. IX, p. 916.

HAUT-DE-CÔTELETTES ['odkotlɛt ; 'odkotlɛt] n. m. invar. — XXe ; cf. *haut-côté,* 1651, *in* D. D. L. ; de *haut, de,* et *côtelette.*

♦ Bouch. et cuis. Morceau de veau ou de mouton, compris entre les carrés de côtelettes et la poitrine.

HAUT-DE-FORME [ˈodfɔʀm] ou **HAUTE-FORME** [ˈotfɔʀm] n. m. — 1886, *haut de forme,* Verlaine; *haute forme,* 1888, Daudet; de *haut (de),* et *forme;* de *chapeau* (cit. 2) *haut de forme* ou *à haute forme.* → Forme, cit. 80.2 et 81.

♦ Chapeau d'homme, en soie, haut et cylindrique, à bords plus ou moins larges, qui se porte généralement avec la redingote ou l'habit*. ⇒ argot **Bosselard.** *Porter un haut-de-forme. Se couvrir, être coiffé d'un haut-de-forme.* ⇒ **Ascot, bolivar, claque, gibus, tube.** *Des hauts-de-forme.*

1 (...) coiffé d'un haute-forme à bords plats (...)
Paul LÉAUTAUD, le Théâtre de M. Boissard, XLIII.

2 Le haut-de-forme en arrière, une grande mèche de cheveux couvrant son front, il *(Proust)* ressemblait, cérémonieux et désordonné, à un garçon d'honneur ivre.
COLETTE, Belles saisons, p. 173.

HAUTE [ˈot] n. f. ⇒ **Haut** (cit. 74.1, et *supra*).

HAUTE-CONTRE [ˈotkɔ̃tʀ] n. — 1553; *haut-contre,* déb. XVIe; *haulte contre* «baryton», 1486; de *haut,* adj., et *contre.* → Contralto.

♦ N. f. Mus. anc. Voix masculine aiguë, plus étendue dans le haut que celle de ténor, et exigeant en général une technique vocale particulière. ⇒ **Contre-ténor.**

N. m. et adj. (1690, Furetière). Chanteur qui a cette voix. *Des hautes-contre. Haute-contre chantant en voix de fausset* (dit *falsettiste*).

1 Il vous faudra trois voix : un dessus, une haute-contre, et une basse (...)
MOLIÈRE, le Bourgeois gentilhomme, II, 1.

2 Il existe encore des représentants d'une catégorie de ténors nommés *hautes-contre,* dont le registre atteint facilement des notes fort aiguës, grâce à une émission vocale faite d'un mélange de voix de poitrine et de tête combinées.
Initiation à la musique, p. 134.

Appos. *Un ténor haute-contre.*

CONTR. Basse, basse-contre.

HAUTE-FIDÉLITÉ [ˈotfidelite] n. f. — 1955; de *haut,* adj., et *fidélité,* d'après l'angl. *high fidelity.*

♦ ⇒ **Fidélité,** cit. 13, et *supra.* Abrév. ⇒ **Hi-fi.**

HAUTE-FORME [ˈotfɔʀm] n. m. ⇒ **Haut-de-forme.**

HAUTE-LISSIER, IÈRE [ˈotlisje, jɛʀ] n. — 1532, Rabelais; de *haute lisse* (→ Lisse), et *-ier.*

♦ Techn. Personne travaillant sur un métier de haute lisse. *Des hautes-lissiers; des hautes-lissières.*

REM. Cette forme paraît aujourd'hui étrange et l'on trouve une var. *haut-lissier, haut-lissière.*

HAUTEMENT [ˈotmɑ̃] adv. — XIIe; *haltement,* 1080, *Chanson de Roland,* au sens A, 1; de *haut.*

A. ♦ **1.** Vx. À haute voix.

1 Lisez, et hautement : je veux l'entendre aussi. MOLIÈRE, Dom Garcie, II, 6.

♦ **2.** Littér. Tout haut et sans craindre de se faire entendre. ⇒ **Franchement, nettement, ouvertement.** *Déclarer, professer, avouer hautement* (→ Français, cit. 3). *Il l'accusa hautement* (→ Excommunier, cit. 2). *Parler hautement* (→ Gagner, cit. 24). *Renier hautement certains principes* (→ Éloquemment, cit. 1).

2 Et je remercierai qui me dit hautement
Qu'il ne m'est plus permis de vaincre impunément!
CORNEILLE, Nicomède, II, 3.

B. ♦ **1.** (V. 1220). Vx, langue class. D'une manière hardie, résolue. *Attaquer* (cit. 27) *hautement. Il le protège hautement* (Académie). *Il prend hautement les intérêts d'un tel* (Académie).

3 *(Vous)* qui si hautement osez nous défier? RACINE, les Plaideurs, II, 6.

♦ **2.** À un haut degré, fortement, supérieurement.

a Vx. (Avec un verbe).

4 Ma main bientôt sur eux m'eût vengé hautement. CORNEILLE, Horace, III, 5.

5 (...) combien la science des armes l'emporte hautement sur toutes les autres sciences inutiles (...) MOLIÈRE, le Bourgeois gentilhomme, II, 2.

5.1 (...) mais, ô subtile haine du ciel, au lieu de s'apaiser dans cette étreinte, au moment où il touchait la fallacieuse chair dénudée, la soif d'amour brûlait plus hautement en lui comme un qui boit à ces sources dont l'eau amère coule entre les racines des cyprès. J. GIONO, Naissance de l'Odyssée, Pl., t. I, p. 22.

b (Déb. XXe). Mod. (devant un adj.). *Mot hautement caractéristique* (→ Espèce, cit. 11). *Hautement significatif. C'est hautement immoral. Sa réaction est hautement comique.* → Du plus haut comique*.

6 Chez l'être hautement civilisé, la volonté et l'intelligence sont une seule et même fonction. Elles donnent à nos actes leur valeur morale.
Alexis CARREL, l'Homme, cet inconnu, IV, III.

♦ **3.** (V. 1330). Vieilli. Avec hauteur, fierté. ⇒ **Fièrement.**

L'homme, de sa nature, pense hautement et superbement de lui-même (...) 7
LA BRUYÈRE, les Caractères, XI, 69.

Je refusai hautement de lui obéir (...) 8
A. GALLAND, les Mille et une Nuits, t. I, p. 51.

C. (Spatial). Rare et littér. Sur une hauteur, en haut.

(...) et les hérons percheront hautement. 9
Francis JAMMES, De l'angélus de l'aube à l'angélus du soir, p. 184.

CONTR. Timidement. — Médiocrement, peu.

HAUTERIVIEN, IENNE [otʀivjɛ̃, jɛn] adj. et n. m. — 1874, Renevier, *in* E. Haug; de *Hauterive,* ville du canton de Neuchâtel.

♦ Didact. (géol.) Étage du néocomien* (Crétacé).

HAUTESSE [ˈotɛs] n. f. — Déb. XIIIe; *haltesce* «lieu élevé, paradis», v. 1120; «haut rang», v. 1155; de *haut.*

♦ Vx. Titre honorifique donné à certains hauts personnages, et en particulier au sultan de Turquie. *Un firman de sa Hautesse. Votre Hautesse.* ⇒ **Altesse.**

Petits hommes (...) qui vous donnez sans pudeur de la *hautesse* et de l'*éminence,* qui est tout ce que l'on pourrait accorder à ces montagnes (...) 1
LA BRUYÈRE, les Caractères, XII, 119.

Et pour empêcher qu'il n'entre quelque pensée en contrebande dans la sacrée ville impériale, commettons spécialement le premier médecin de sa hautesse (...) lequel médecin, ayant déjà tué quatre personnes augustes de la famille ottomane (...) 2
VOLTAIRE, Facéties, Horrible danger de lecture.

HOM. Hôtesse.

HAUTEUR [ˈotœʀ] n. f. — XIVe; *holtur,* 1155, au sens I, 1; de *haut,* et *-eur.*

★ **I.** ♦ **1.** (XIIe). *La hauteur de...* Dimension dans le sens vertical, de la base au sommet. ⇒ **Haut** (II., 1.). *La hauteur d'un mur, d'un édifice, d'une tour, d'une balustrade* (cit. 1), *d'un épaulement* (cit. 1), *d'un retranchement* (→ Flanc, cit. 12). *Augmenter la hauteur d'une construction.* ⇒ **Élever, hausser, surélever.** *Diminuer la hauteur de qqch.* ⇒ **Baisser.** *Tour, édifice de plus de cent mètres de hauteur. Hauteur relative d'une montagne,* calculée par rapport au sol où elle s'élève (→ Erg, cit. 2). *Hauteur absolue d'une montagne,* par rapport au niveau de la mer. ⇒ **Altitude.** *Mesure de la hauteur.* ⇒ **Altimétrie, hypsométrie.** — *Arbre d'une grande hauteur.*

(...) mes bois (...) sont d'une hauteur et d'une beauté merveilleuses. 1
Mme DE SÉVIGNÉ, 460, 20 oct. 1675.

Les montagnes qui entourent tout mon royaume ont dix mille pieds de hauteur, et sont droites comme des murailles (...) VOLTAIRE, Candide, XVIII. 2

(Vieilli). En parlant d'êtres vivants, de personnes. ⇒ **Taille.** (1689, Mme de Sévigné). *La hauteur du corps humain* (→ Échalas, cit. 3; face, cit. 10). *Se dresser de toute sa hauteur.*

Vous avez raison de préférer tant de bonnes qualités à la hauteur de sa taille; mais il n'est point petit (...) Mme DE SÉVIGNÉ, 1135, 9 févr. 1689. 3

(...) en prenant la taille des hommes d'environ cinq pieds, nous ne faisons pas sur la terre une plus grande figure qu'en ferait sur une boule de dix pieds de tour un animal qui aurait à peu près la six-cent millième partie d'un pouce en hauteur. 4
VOLTAIRE, Micromégas, V.

Absolt. Dimension considérable, grande hauteur. *Les colonnes sont d'une grosseur et d'une hauteur qui rendent l'édifice très majestueux* (→ Architrave, cit. 2). *Pont remarquable par la hauteur de ses arches* (→ Beauté, cit. 16).

(1538). Vieilli. ⇒ **Profondeur.** «*On jette la sonde (...) pour savoir la hauteur de l'eau, combien elle est profonde*» (Furetière, *Dict.*).

Mod. Dimension linéaire verticale caractérisant une masse liquide. *Hauteur des marées. Hauteur de pluie, de précipitation. — Hauteur de crue.*

(1690, Furetière). Géom. L'une des trois dimensions de l'espace (cit. 9) euclidien. Spécialt. Distance d'un certain point d'une figure à une droite ou à un plan donné. *Hauteur d'un triangle, d'un tétraèdre,* droite issue d'un sommet, perpendiculaire à un côté, à la face opposée; la distance de ce sommet à ce côté, à cette face. *Hauteur d'un parallélogramme, d'un cylindre,* la distance de deux côtés, de deux faces parallèles. *Hauteur d'un prisme,* distance de la base au côté opposé. *Hauteur d'un trapèze, d'un rectangle.* — Phys. *Hauteur du baromètre* (cit. 2); *hauteur barométrique** (→ Bassesse, cit. 1).

Supposons qu'il eût à démontrer que les parallélogrammes, qui ont même base et même hauteur, sont égaux en surface (...) DIDEROT, Lettre sur les aveugles. 5

♦ **2.** 1671. *(Une hauteur...; de hauteur).* Position sur la verticale; élévation par rapport à un lieu de référence (le sol, en général). *Aigle volant à une grande hauteur* (→ Égal, cit. 26; frégate, cit. 5). ⇒ **Altitude.** *Atteindre une hauteur prodigieuse, inimaginable. L'avion s'élève à plusieurs milliers de mètres de hauteur* (→ Bourdonnement, cit. 3). *Hauteur vertigineuse. Monter à une certaine hauteur* (→ Ascension, cit. 5; explosion, cit. 2). *Lever un poids à telle ou telle hauteur. — À hauteur d'hommes. Regarder* (cit. 8) *à hauteur d'homme.* Loc. fig. *À hauteur d'homme :* selon un point de vue humaniste. — *Fenêtre à hauteur d'appui* (cit. 7). — *Lumières* *s'allumant à différentes hauteurs* (→ Fuseau, cit. 2). *Bondir* (cit. 7) *à des hauteurs insolites.*

6 De tous les sommets, dont des calculs trigonométriques, ou les estimations du baromètre ont déterminé la hauteur (...) É. DE SENANCOUR, Oberman, V.

7 Dans la croisée la plus rapprochée de la porte, se trouvait une chaise de paille dont les pieds étaient montés sur des patins, afin d'élever madame Grandet à une hauteur qui lui permît de voir les passants.
BALZAC, Eugénie Grandet, Pl., t. III, p. 493.

8 (...) et vous me tueriez si de cette hauteur
Vous me laissiez tomber un mot dur sur le cœur!
Edmond ROSTAND, Cyrano, III, 6.

Saut en hauteur. ⇒ **Saut.**

(Déb. XXᵉ). Absolt. *Prendre de la hauteur,* en parlant d'un avion, d'un objet quelconque qui s'élève de plus en plus. (Fig.). Prendre du recul (intellectuellement). — *Perdre de la hauteur.*

9 Riiser-Larsen *(pilote d'Amundsen lors de son expédition au Pôle Nord)* sort son avion, déjà en vitesse, d'une flaque d'eau, le redresse (...) accélère les moteurs, l'arrache, l'enlève. Le N-25 vole. Il prend de la hauteur, vire, monte encore (...)
E. PEISSON, Pôles.

Tomber d'une certaine hauteur. Tomber de sa hauteur, de son haut* (II., 2.).

10 *(Elle)* tomba de sa hauteur sans connaissance, et sans avoir eu la force de lui répondre un mot (...) Mme D'AULNOY, Deux contes de fées, Le nain jaune.

11 J'avais bien éprouvé des changements de fortune depuis que j'étais au monde, mais je n'étais jamais tombé d'une pareille hauteur.
CHATEAUBRIAND, Mémoires d'outre-tombe, t. V, p. 160.

(1554). Vx. Latitude.

(1583). Astron. *Hauteur d'un astre,* angle que fait sa direction avec le plan de l'horizon. ⇒ **Élévation.** *Hauteur positive, négative,* selon que l'astre est à un point situé au-dessus ou au-dessous de l'horizon. *Hauteur apparente** (par oppos. à *hauteur vraie*). *Hauteur méridienne* d'un astre.* — (1690, Furetière). *Prendre la hauteur du soleil,* afin de faire le point* en mer. Loc. techn. *Prendre hauteur* (même sens).

12 Le ciel est clair à midi; on a pris hauteur : on est à telle latitude.
CHATEAUBRIAND, Mémoires d'outre-tombe, t. I, p. 258.

12.1 L'entraînement intensif aux droites d'étoiles se poursuit : je prends trois hauteurs en notant l'heure, je fais la moyenne et Françoise s'occupe du calcul par Dieumegard (environ dix minutes au total).
Bernard MOITESSIER, Cap Horn à la voile, p. 159.

♦ **3. À LA HAUTEUR DE** (loc. prép.). **a** (Spatial). *Mettre, placer une chose à la hauteur d'une autre.* ⇒ **Niveau.** *Il le hissa à la hauteur du parapet* (→ Culotte, cit. 3). *L'espada* (cit.) *tient son épée horizontale, la pointe à la hauteur des cornes de l'animal. Chemisette un peu bridée à la hauteur des seins* (→ Emmanchure, cit.). *De grosses fronces* (cit.), *dans le dos, à la hauteur des épaules.*

b Loc. fig. *Élever qqch. à la hauteur d'une institution. Élever l'aventure la plus humble à la hauteur d'une tragédie* (→ Généralisation, cit. 1).

c (1817, Stendhal). *Être à la hauteur de... :* être au même niveau (intellectuel, moral) que..., être l'égal de, n'être pas inférieur à... ⇒ **Niveau.** *Peu d'esprits sont à la hauteur de ce grand génie* (Académie), sont à même de le comprendre, de l'apprécier. *Être, se montrer, à la hauteur de la situation, des circonstances,* avoir, montrer les qualités requises pour y faire face. *Il n'est pas à la hauteur de son emploi, de sa mission.*

13 Il avait apporté à l'organisation de l'entreprise une prévision dans les détails et, à l'exécution, en face des obstacles de tout genre, une fermeté et une ingéniosité qui, une fois de plus, le montraient à la hauteur des tâches les plus difficiles (...)
Louis MADELIN, Hist. du Consulat et de l'Empire, De Brumaire à Marengo, XVIII.

14 À toutes les folies d'Édouard, Salavin opposait des sourires effarouchés. Pourtant il ne laissa pas, jusqu'au soir, de se montrer à la hauteur des événements, et quand, vers la minuit, il regagna la rue du Pot-de-Fer, au bras de Marguerite, il se mit à chantonner un air allègre auquel il n'avait recours que dans les grandes circonstances. G. DUHAMEL, Salavin, III, XIV.

15 Elle avait promis à Bernard d'être à la hauteur des circonstances.
F. MAURIAC, Thérèse Desqueyroux, XII.

(1906, *in* D. D. L.). Absolt et fam. *À la hauteur :* qui réagit avec efficacité, compétence, dans des circonstances données. *Des collaborateurs à la hauteur.* ⇒ **Capable, compétent.** *Il ne s'est pas montré à la hauteur.*

16 En France, quand il faut, on est toujours à la hauteur.
MARTIN DU GARD, les Thibault, t. VIII, p. 66.

Spécialt. De niveau (intellectuel).

16.1 (...) elle s'efforçait de suivre, pas tout à fait, tout à fait sûre d'être vraiment à la hauteur. F. MALLET-JORIS, le Jeu du souterrain, p. 138.

d Mar. *Être à la hauteur d'un cap, d'une île, d'un port,* se trouver à la même latitude*, sur le même parallèle.

17 Les vents d'ouest, entremêlés de calmes, retardèrent notre marche. Le 4 mai nous n'étions qu'à la hauteur des Açores.
CHATEAUBRIAND, Mémoires d'outre-tombe, t. I, p. 263.

e Au niveau de, sur la même ligne que... ⇒ **Côté** (à côté de), **devant, face** (en face de)... *J'allais la dépasser, quand, arrivé à sa hauteur, je reconnus son visage.*

18 Il était à la hauteur d'une petite épicerie. « Il faut que j'y entre. J'achèterai n'importe quoi... Une boîte d'allumettes... »
J. ROMAINS, les Hommes de bonne volonté, t. I, XII, p. 129.

(...) lorsqu'ils *(les gladiateurs)* arrivaient à la hauteur de la loge impériale, ils se tournaient vers le prince (...) 19
J. CARCOPINO, la Vie quotidienne à Rome, p. 277 (→ Ave Cæsar, cit.).

♦ **4.** (1889, Bergson, *in* T. L. F.). Acoust. *Hauteur d'un son :* sensation auditive liée à la fréquence plus ou moins élevée d'un son périodique (sensation d'aigu ou de grave); acuité. *Diapason* permettant de vérifier la hauteur d'une note.*

L'*intonation,* ou hauteur du son, dépend uniquement du nombre absolu de vibrations que fournit dans un temps donné le corps sonore mis en action. 20
A. LAVIGNAC, Éducation musicale, p. 4.

♦ **5.** (1671, Poney). *Une, des hauteurs.* Terrain, lieu élevé. ⇒ **Butte, colline, côte, coteau, élévation, éminence, haut** (II., 6.), **mamelon, mont, montagne, monticule, tertre.** *Les fonds et les hauteurs* (→ Atteindre, cit. 11; bas-fond, cit. 1). *Maison sur une hauteur. Être situé sur une hauteur, sur des hauteurs* (→ Bouquet, cit. 6; entretenir, cit. 1; être, cit. 59; fortification, cit. 3). *Les hauteurs qui dominent* (cit. 21) *la ville. Gravir une hauteur. Notre armée enleva* (cit. 20) *ces hauteurs. L'air* (cit. 9) *pur des hauteurs.*

J'approche d'une petite ville, et je suis déjà sur une hauteur d'où je la découvre. 21
LA BRUYÈRE, les Caractères, V, 49.

Esquisser ici l'aspect de Napoléon, à cheval, sa lunette à la main, sur la hauteur de Rossomme, à l'aube du 18 juin 1815, cela est presque de trop. 22
HUGO, les Misérables, II, I, IV.

Et c'est tantôt dans les ravins où bruissent les torrents, tantôt sur les hauteurs d'où apparaissent de tous côtés les grandes cimes assombries. 23
LOTI, Ramuntcho, I, VI.

Littér. Région, partie haute. *Les hauteurs de l'air, du ciel, de l'azur* (→ Faucon, cit. 3; frissonner, cit. 15).

Le ciel, le jour qui monte et qui s'épanouit, 24
La terre qui s'efface et l'ombre qui se dore,
Ces hauteurs, ces splendeurs, ces chevaux de l'aurore (...)
HUGO, la Légende des siècles, XXII, « Le satyre », I.

Par métaphore. *Les hauteurs où Dieu, où la religion nous appelle* (→ Accoutumer, cit. 8; escalader, cit. 8).

★ **II.** (V. 1180, « haute situation »). Fig. ♦ **1.** (V. 1360). *La hauteur de...* Caractère élevé (d'une personne, d'une chose d'ordre moral). ⇒ **Élévation, grandeur, noblesse, sublimité, supériorité.**

Vx. *Grande hauteur d'âme, de courage* (Furetière).

Elle donnait non seulement avec joie, mais avec une hauteur d'âme qui marquait tout ensemble, et le mépris du don, et l'estime de la personne. 25
BOSSUET, Oraison funèbre de Henriette d'Angleterre.

La sainteté, la hauteur et l'humilité d'une âme chrétienne. 26
PASCAL, Pensées, IV, 289.

♦ **2.** Vx (langue class.). Caractère « de ce qui est grand, honorable, important, difficile, éclatant, etc. » (Cayrou). — Loc. métaphorique. Mod. *Hauteur de vues*, de conceptions. La hauteur de sa pensée* (→ Brièveté, cit. 5).

♦ **3.** (V. 1350, « orgueil, arrogance », non péj.). *La hauteur.* Caractère, attitude d'une personne qui regarde les autres de haut, du haut de sa grandeur. ⇒ **Arrogance, condescendance, dédain, fierté, morgue, orgueil** (→ Arroger, cit. 1; élévation, cit. 12). *Parler, répondre, répliquer avec hauteur* (→ Fouet, cit. 1). ⇒ **Verbe** (verbe haut). *Une hauteur insupportable* (→ Fâcher, cit. 6). *Regard plein de hauteur.*

Que de hauteur dans cette façon de saluer, dans ce regard! quels gestes de reine! 27
STENDHAL, le Rouge et le Noir, II, VIII.

Son regard perdit cette expression de hauteur par laquelle les princes de la terre vous font mesurer la distance qui se trouve entre eux et vous. 28
BALZAC, le Lys dans la vallée, Pl., t. VIII, p. 846.

Je commençais à me repentir de n'avoir pas un peu plus vécu avec ces deux bonnes gens que j'avais traités sans hauteur, mais avec la politesse détachée et parfois distraite qu'on a pour ceux qui ne sont que d'un intérêt très secondaire dans la vie. 28.1
BARBEY D'AUREVILLY, les Diaboliques, « Le rideau cramoisi ».

(...) un procureur général ou un « doyen » conscients de leur haute charge cachent peut-être plus de simplicité réelle et, quand on les connaît davantage, plus de bonté, de simplicité vraie, de cordialité, dans leur hauteur traditionnelle que de plus modernes dans l'affectation de la camaraderie badine. 29
PROUST, À la recherche du temps perdu, t. IX, p. 75.

♦ **4.** (1654). *Une, des hauteurs.* Vx. Manières, paroles marquant de la hauteur.

Et toutes les hauteurs de sa folle fierté. MOLIÈRE, les Femmes savantes, I, 3. 30

On ne le vit jamais acheter par des bassesses, le droit de faire éprouver des hauteurs. CONDORCET, Linné, *in* LITTRÉ. 31

CONTR. Petitesse (et vx, **brièveté**). — **Abîme, bas-fond, enfoncement.** — **Bassesse, médiocrité.** — **Affabilité, bonhomie, humilité, simplicité.**
HOM. Auteur.

HAUT-FOND [ofɔ̃] n. m. — 1716; de *haut,* et *fond.*

♦ Sommet sous-marin recouvert d'une eau peu profonde et dangereux pour la navigation. *Des hauts-fonds* (→ Échouer, cit. 1). ⇒ **Banc, barre** (III., 1.), **bas-fond.** Par ext. *Les hauts-fonds d'une rivière.*

(...) on voit qu'entre deux îles le courant suit la direction des côtes aussi bien qu'entre les bancs de sable, les écueils et les hauts-fonds. 1
BUFFON, Preuves de la théorie de la terre, XIII.

2 Il n'y a aux environs de l'île ni hauts-fonds ni dangers d'aucune espèce; les côtes sont singulièrement nettes et hardiment coupées, et les eaux sont profondes.
BAUDELAIRE, Trad. E. POE, les Aventures d'A. Gordon Pym, XV.

HAUT FOURNEAU ['ofuʀno] ⇒ **Fourneau.**

HAUT-FOURNISTE ['ofuʀnist] n. m. — Mil. xxᵉ; de *haut fourneau,* et *-iste.*

♦ Techn. Ouvrier métallurgiste qui travaille aux hauts fourneaux. «*Grève de hauts-fournistes*» (Télévision française, 10 juin 1974).

HAUTIN ['otɛ̃] n. m. — 1542; de *haut,* et suff. *-in.*

♦ Techn. (vitic.) Vigne cultivée en hauteur, appuyée sur des arbres (cerisier, orme, érable...) ou de grands échalas. *La culture des hautins était fort répandue chez les Anciens. Vignes en hautins.* — (1877, Littré). Par ext. Échalas ou arbre soutenant ces vignes.

Aux environs de Belley, beaucoup de vignes sont plantées en hautains, à la manière italienne (...) Th. GAUTIER, Souvenirs de théâtre..., p. 6.

REM. La graphie *hautain* (ci-dessus) est due à l'attraction de l'adjectif.

HOM. Hautain.

HAUT-LE-CŒUR ['olkœʀ] n. m. invar. — 1857, Baudelaire; de *haut,* et *cœur,* dans le sens qu'il a dans l'expr. *mal au cœur.*

♦ **1.** Soulèvement de l'estomac. ⇒ **Nausée.** *Avoir un haut-le-cœur.*

1 Ce repas (...) consistait en entrailles palpitantes de quelque animal inconnu (...) il *(le chef sauvage)* commença, pour nous montrer l'exemple, à engloutir la séduisante nourriture yard par yard, si bien qu'à la fin il nous fut positivement impossible de supporter plus longuement un pareil spectacle et que nous laissâmes voir des haut-le-cœur et de telles rébellions stomachiques (...)
BAUDELAIRE, Trad. E. POE, les Aventures d'A. Gordon Pym, XIX.

2 On lui avait trop remué le ventre, il en était malade. Un premier haut-le-cœur l'arrêta, tout chavirait. ZOLA, la Terre, IV, IV.

♦ **2.** Par métaphore. Mouvement de dégoût, de répulsion (→ Fourberie, cit. 2).

3 Boire perpétuellement son imposture est une nausée. La douceur que la ruse donne à la scélératesse répugne au scélérat, continuellement forcé d'avoir ce mélange dans la bouche, et il y a des instants de haut-le-cœur où l'hypocrite est sur le point de vomir sa pensée. HUGO, les Travailleurs de la mer, II, VI, VI.

4 (...) la guerre civile ne m'a fait vraiment peur que le jour où je me suis aperçu que j'en respirais, presque à mon insu, sans haut-le-cœur, l'air fade et sanglant.
BERNANOS, les Grands Cimetières sous la lune, p. 138.

HAUT-LE-CORPS ['olkɔʀ] n. m. invar. — 1560; de *haut, le,* et *corps.*

♦ **1.** Techn. (manège). Bond, saut brusque (d'un cheval).

1 Je voulus fouetter les chevaux; mais elles craignaient pour moi les ruades et pour elles les haut-le-corps. J'eus recours à un autre expédient.
ROUSSEAU, les Confessions, IV.

Cour. (En parlant de l'homme). Mouvement brusque qui soulève la partie supérieure du corps. ⇒ **Soubresaut.**

2 Elle était ridicule et faisait des haut-le-corps qui nous faisaient éclater de rire.
Mᵐᵉ DE SÉVIGNÉ, 77, *in* LITTRÉ.

2.1 Extrêmement animé des bonds, des haut-le-corps, des grincements, des contorsions que la douleur m'arrache, les examinant, les saisissant avec délices, il vient en exprimer, sur ma bouche qu'il baise avec ardeur, les sensations dont il est agité (...)
SADE, Justine..., t. I, p. 182.

♦ **2.** (1740). Mouvement brusque et involontaire marquant une vive surprise, l'indignation ou la révolte. ⇒ **Frisson, sursaut, tressaillement.** *Avoir, faire un haut-le-corps.*

3 La présidente fit un haut-le-corps si cruellement significatif que Fraisier fut forcé d'ouvrir et de fermer rapidement une parenthèse dans son discours.
BALZAC, le Cousin Pons, Pl., t. VI, p. 700.

4 (...) à s'entendre appeler par son prénom, il eut un haut-le-corps et répondit prudemment : «Qu'est-ce que c'est?» G. DUHAMEL, Salavin, III, I.

HAUT-LE-PIED ['olpje] ⇒ **Haut,** III., A., 3.

HAUT-PARLEUR ['opaʀlœʀ] adj. et n. m. — 1898, adj.; *téléphone haut parleur,* trad. de l'angl. *loud speaker,* de *loud,* adv. «fort» traduit par *haut,* et *parleur.*

♦ **1.** Adjectif. Vieux.

0.1 (...) et du fond du passé qui remplit cette coupe de cuivre, comme de la trompe haut-parleuse d'un phonographe, la voix chevrotante de la vieille redit les fanfares des combats entre Croyants et Roumi.
A. JARRY, Critique littéraire, le Livre des mille et une nuits, *in* R. Blanche, juil. 1900 (*in* Œ. compl., t. VII, p. 182).

♦ **2.** N. m. Appareil destiné à transformer en ondes sonores les courants électriques détectés et amplifiés par le récepteur*. *Haut-parleur électromagnétique, électrodynamique, électrostatique* (→ Étudier, cit. 26). *Haut-parleurs d'une radio, d'un électrophone. Haut-parleurs de graves, d'aigus, de médiums. Haut-parleurs dans une enceinte, un baffle.*

Dans les usines, on a installé des haut-parleurs partout. Ils ont mission de lutter contre l'isolement de l'ouvrier en face de la matière. 1
SARTRE, Situations III, p. 79.

(...) les énormes voix des haut-parleurs dans le crépuscule (...) 2
CAMUS, la Peste, p. 264.

(...) la voix lui tombant maintenant dessus d'en haut, comme vomie par un de ces haut-parleurs perchés au sommet des mâts qui jalonnent les terrains de sports, tonitruants, jupitériens et péremptoires (...) Claude SIMON, le Vent, p. 131. 3

Ces caractéristiques de rendement des canaux d'information ne sont pas des caractéristiques énergétiques, et très souvent un bon rendement en information va de pair avec un mauvais rendement énergétique : un haut-parleur électromagnétique a un meilleur rendement énergétique qu'un haut-parleur électrodynamique, mais un très mauvais rendement d'information. 4
Gilbert SIMONDON, Du mode d'existence des objets techniques, p. 132.

Par ext. Cour. Ensemble formé par un ou plusieurs haut-parleurs et son ou leur enceinte. *Cette chaîne comporte deux haut-parleurs.*

HAUT-PENDU ['opɑ̃dy] n. m. — 1691; de *haut,* adv., et *pendu,* p. p. de *pendre.*

♦ Mar. «Nuage noir très élevé laissant, en passant, tomber quelques gouttes de pluie» (Gruss, *Dict. de marine*). *Des haut-pendus.*

HAUT-RELIEF ['oʀəljɛf] n. m. — 1875, P. Larousse; de la loc. *de, en haut relief* : 1669, «*en figures de haut relief*», *in* La Fontaine, *Psyché,* II; ellipt sur le modèle de *bas-relief.*

♦ Arts. Sculpture présentant un relief très saillant sans se détacher toutefois du fond dans toute son épaisseur (donc intermédiaire entre le bas-relief* et la ronde-bosse*). *Des hauts-reliefs.*

Maintes sculptures, désignées improprement sous le nom de bas-reliefs, comme la *Marseillaise* de Rude, sont en réalité des hauts-reliefs. 1
Louis RÉAU, Dict. d'art., art. *Haut-relief.*

(...) même dans le haut-relief du *Couronnement,* à Paris, où les figures ne sont pas des statues de porche, les personnages se détachent sur leur fond abstrait, qui était doré, comme sur le fond d'or des panneaux. 2
MALRAUX, les Voix du silence, p. 260.

CONTR. Bas-relief.

HAUTS-PARCS ['opaʀk] n. m. pl. — xxᵉ; de *haut,* et *parc.*

♦ Techn. Pêcheries formées de filets établis verticalement.

HAUTURIER, IÈRE ['otyʀje, jɛʀ] adj. — 1632, Champlain, *in* T. L. F.; anc. franç. *hauture,* dér. de *haut.*

♦ Mar. De la haute mer. *Pilote hauturier,* qui sait se diriger hors de vue des côtes (par oppos. à *côtier*). *Navigation hauturière,* au large, au long cours (opposé à *cabotage*).

Rare et figuré :

Telle est la Beauté, la Beauté hauturière, apparue dès les premiers temps de notre cœur, tantôt dérisoirement conscient, tantôt lumineusement averti.
René CHAR, les Matinaux, p. 197.

HAVAGE ['avaʒ] n. m. — 1846, Bescherelle, *Suppl.*; de *haver.* Technique.

♦ **1.** Mode de travail employé dans les roches stratifiées, et qui consiste à pratiquer de profondes entailles parallèles à la stratification, afin de faciliter l'abattage*, dans une mine. — Découpage (d'un bloc) par ce procédé. *Achever le havage d'un bloc* (→ Éboulement, cit. 1).

Il ne voulait pas lâcher son havage, il donnait de grands coups, qui le secouaient violemment entre les deux roches, ainsi qu'un puceron pris entre deux feuillets d'un livre, sous la menace d'un aplatissement complet.
ZOLA, Germinal, I, p. 41.

Par anal. Méthode de fonçage où l'on utilise le poids de l'élément à mettre en place (caisson, etc).

♦ **2.** Entaille ainsi pratiquée. *Un havage profond.*

HAVANAIS, AISE ['avanɛ, ɛz] adj. — 1846, Bescherelle, *Suppl.*; de *La Havane,* esp. *Habana,* capitale de Cuba.

♦ **1.** Adj. et n. De La Havane. *La population havanaise. — Les Havanais et les autres Cubains.*

♦ **2.** N. m. (1859, *in* D. D. L.) Petit chien à poils soyeux et longs, généralement blancs (→ Ceindre, cit. 1).

HAVANE ['avan] n. m. — 1838, *in* T. L. F.; de *La Havane.*

♦ **1.** Tabac de La Havane. *Aimer le havane.*

Bizarre déité, brune comme les nuits. 1
Au parfum mélangé de musc et de havane (...)
BAUDELAIRE, les Fleurs du mal, «Sed non satiata».

(Un, des havanes). Cigare très réputé, fabriqué avec un tabac de La Havane. *Fumer un excellent havane* (→ Flocon, cit. 4).

(...) un de mes amis me donna une boîte de havanes, qu'il me recommanda comme 2 étant de la même qualité que ceux dont le défunt roi d'Angleterre ne pouvait se passer. APOLLINAIRE, l'Hérésiarque..., p. 221.

♦ **2.** Adj. invar. (1865, Goncourt). De la couleur (marron clair) des havanes. *Reliure en maroquin havane.*

3 Les couvertures de laine fine — rouges, vertes, havane ou blanches (...)
H. BARBUSSE, le Feu, I, t. I, p. 5.

HÂVE ['ɑv] adj. — 1536; «sombre» (d'une cave), après 1250; «en friche, abandonnée» (d'une terre), fin XIVe; «mat» aux échecs, au XIIe, Chrétien de Troyes; francique **haswa*, cf. haut all. *heewe* «blême», probablt «gris comme le lièvre» *(Hase).*

♦ **1.** (1536). Vx. (Du regard). Terne, vitreux.

1 Sa bouche de long jeûne pâlissait affamée (...)
Son teint était plombé, ses yeux hâves et creux (...)
RONSARD, Second livre des hymnes, «De Pollux et Castor».

♦ **2.** (1648, Scarron). Amaigri et pâli par la faim, la fatigue, la souffrance. ⇒ **Décharné, émacié, maigre.** *Il, elle était hâve à faire peur.* ⇒ **Spectre.** *Des gens hâves et déguenillés. Population hâve* (→ Écume, cit. 9; empester, cit. 5). — *Figure, visage hâve. Joues hâves. Teint hâve.* ⇒ **Blafard, blême, livide.**

2 (...) un jeune Égyptien (...)
Arrive accompagné d'une vieille fort hâve (...) MOLIÈRE, l'Étourdi, IV, 7.

3 Il n'y a pas d'apparence non plus qu'un conseiller de la Tournelle regarde comme un de ses semblables un homme qu'on lui amène hâve, pâle, défait, les yeux mornes, la barbe longue et sale, couvert de la vermine dont il a été rongé dans un cachot. VOLTAIRE, Dict. philosophique, Torture.

4 Les visages hâves des malheureux qui languissent dans les infectes vapeurs des mines (...) ROUSSEAU, les Rêveries..., VIIe promenade.

5 Clarke l'avait trouvé hâve, maigre, la peau collant aux os, les yeux brillant d'une constante fièvre (...)
Louis MADELIN, Hist. du Consulat et de l'Empire, Ascension de Bonaparte, VIII.

CONTR. Frais, replet.
DÉR. Havir.

1. HAVÉE ['ave] n. f. — XIIe; de l'anc. franç. *hef* «crochet», francique **haf* «ce qu'on peut saisir avec la main».

♦ Anciennt. Mesure de grains équivalent à la quantité qu'on peut prendre à deux mains.

HOM. Ave, 2. havée, haver.

2. HAVÉE ['ave] n. f. — XXe; p. p. substantivé de *haver.*

♦ Techn. Surface de taille dégagée par l'opération de havage.

HOM. Ave, 1. havée, haver.

HAVENEAU ['avno] ou **HAVENET** ['avnɛ] n. m. — 1713, *haveneau; havenet,* 1765; de l'anc. scandinave *hâfr* «engin de pêche», et *net,* «filet».

♦ Techn. (pêche). Filet utilisé sur les plages sablonneuses pour la pêche à la crevette et aux poissons plats.

Il tend vers nous son haveneau débordant de nacres vivantes... Maggie vient à son tour, ravie d'elle-même; elle a pris sept crevettes et un enfant de sole (...)
COLETTE, les Vrilles de la vigne, p. 234.

HAVER ['ave] v. tr. — Fin XIVe, Froissart, et 1407; répandu XIXe; mot wallon, «creuser»; var. de *chaver, chever.* → Caver.

♦ Techn. Entamer et abattre par l'opération du havage. *Haver le charbon. Mineur havant un lit de schiste* (→ Creuser, cit. 3). — Absolt. *Commencer à haver.*

DÉR. Havage, 2. havée, haveur, haveuse, havrit.

HOM. Ave, 1. havée, 2. havée.

HAVEUR ['avœʀ] n. m. — 1568, en wallon; répandu XIXe (*in* P. Larousse); de *haver.*

♦ Techn. Mineur pratiquant le havage (→ Charbon, cit. 2). — REM. Le fém. *haveur* est virtuel.

J'ai tout fait là-dedans, galibot d'abord, puis herscheur, quand j'ai eu la force de rouler, puis haveur pendant dix-huit ans. ZOLA, Germinal, t. I, p. 8.

HAVEUSE ['avøz] n. f. — 1867, *in* T. L. F.; de *haver.*

♦ Techn. Machine destinée au havage.

Alors il manœuvra les commandes de la double haveuse : par degrés les scies montaient en coups de lances éclatantes. Elles gerbaient dans des efflorescences de soleil. P. GRAINVILLE, les Flamboyants, p. 295.

HAVIR ['aviʀ] v. — 1564; v. 1307, «désirer ardemment»; de *have,* forme anc. de *hâve.*
Rare.

♦ **1.** V. tr. Dessécher et brûler en surface (la viande) sans cuire en dedans. *Les coups de feu risquent de havir la viande.* — Pron. *La viande se havit.*

♦ **2.** V. intr. (1740). *Viande qui havit à la flamme.*

▶ **HAVI, IE** p. p. adj. *Viande havie.* N. m. *Havi.* Action produite par un four trop chaud qui havit (la viande, le pain).

HOM. (Du p. p.) **Avis.**

HAVRE ['ɑvʀ] n. m. — V. 1160; *havene,* v. 1138; du moyen néerl. *havene.* Cf. all. *Hafen.*

♦ **1.** Anciennt. Port de mer.

♦ **2.** Vx, régional. Petit port naturel ou artificiel, bien abrité, généralement à l'embouchure d'un fleuve (→ Franger, cit. 7). *Havre de barre,* dont l'entrée est fermée par une barre. *Havre d'entrée, de toutes marées,* où les bâtiments peuvent entrer à marée haute ou basse. — *Le Havre-de-Grâce,* ancien nom du port du Havre (→ Bassin, cit. 7; clef, cit. 6).

Tous nos havres en étaient comme assiégés *(de corsaires).* 1
CORNEILLE, Rodogune, Épît.

(...) la mer, qu'on apercevait de la fenêtre et dont les flots montants, devenus plus 2
verts à l'approche du soir, emplissaient démesurément ce petit havre, creusé par la nature, qu'on appelle le port de Carteret.
BARBEY D'AUREVILLY, Une vieille maîtresse, II, II.

Mar. Abri sûr, naturel (crique, etc.) ou aménagé (port).

♦ **3.** (V. 1420). Fig. et littér. ⇒ **Abri, port, refuge.** *Un havre de paix, de grâce. Un hâvre pour l'esprit, pour la liberté.*

Mais n'est-ce pas la loi des fortunes humaines, 3
Qu'elles n'ont point de havre à l'abri de tout vent?
MALHERBE, Poésies diverses, «Pour une mascarade».

(...) cette ville de V..., où il était venu chercher le havre de grâce de sa vie. 4
BARBEY D'AUREVILLY, les Diaboliques, «Le bonheur dans le crime».

(...) avant de parvenir enfin, dans les derniers temps, au havre d'un accord que 5
nous avions presque cessé d'espérer. GIDE, Et nunc manet in te, p. 26.

HAVRESAC ['avʀəsak] n. m. — 1680; var. *habresac,* 1694, Ménage, forme encore vivante dans les patois (→ ci-dessous, cit. 2); all. *Habersack,* proprt «sac *(sack)* à avoine *(Haber)*», introduit par les soldats lors de la guerre de Trente ans.

REM. La graphie *havre-sac* se rencontre encore.

♦ **1.** Milit. (Anciennt). Sac contenant l'équipement du fantassin et porté sur le dos à l'aide de bretelles (on dit aujourd'hui simplement *sac*).

Je m'asseyais, avec mon fusil, au milieu des ruines; je tirais de mon havresac le 1
manuscrit de mon voyage en Amérique (...) je relisais et corrigeais une description de forêt, un passage d'*Atala* (...) Puis, je serrais mon trésor dont le poids, mêlé à celui de mes chemises, de ma capote, de mon bidon de fer-blanc, de ma bouteille clissée et de mon petit Homère, me faisait cracher le sang.
CHATEAUBRIAND, Mémoires d'outre-tombe, t. II, p. 40-41.

♦ **2.** (1735). Sac du même genre, que l'on porte sur le dos et où l'on met des outils, des provisions, etc. ⇒ **Sac-à-dos.**

(...) il rencontra par hasard (...) une jeune Bohémienne qui lui parut fort jolie. Elle 2
était seule, à pied, et portait avec elle toute sa fortune dans une espèce de habresac *(sic)* qu'elle avait sur le dos. A. R. LESAGE, Gil Blas, X, X.

(Jean Valjean) marcha à son alcôve, prit son havre-sac *(sic),* l'ouvrit, le fouilla, en 3
tira quelque chose qu'il posa sur le lit, mit ses souliers dans une des poches, referma le tout, chargea le sac sur ses épaules. HUGO, les Misérables, I, II, X.

Il s'agissait d'une absence d'un à deux jours, qui ne pouvait étonner les habitants 4
de la factorerie, et on se munit en conséquence d'une certaine quantité de viande sèche, de biscuit et de quelques flacons de brandevin, qui ne chargerait pas trop le havre-sac des explorateurs. J. VERNE, le Pays des fourrures, t. II, p. 32.

HAVRIT ['avʀi] n. m. — Mil. XXe (*in* Larousse, 1962); pour *haverit;* de *haver,* et *-it.*

♦ Techn. Charbon que produit la haveuse pendant le havage.

HAWAÏEN, ENNE [awajɛ̃, ɛn] adj. — 1839, *in* D. D. L., comme n. et adj. de langue; de *Hawaï,* nom polynésien de la plus grande des îles Sandwich.

♦ Des îles Hawaï. *Guitare hawaïenne. La géographie, l'économie hawaïenne.*

(...) le jazz et la guitare hawaïenne ont conquis à l'exotisme une belle place dans l'univers sonore contemporain.
René DUMESNIL, la Musique contemporaine en France, I, p. 1.

Géol. *Éruption volcanique du type hawaïen,* avec émission de lave fluide, sans explosion.

N. (1847). *Les Hawaïens. Une Hawaïenne.*

HAYLAGE ['ɛlaʒ] n. m. — 1968, Larousse; dér. de l'angl. *hay* «foin», suff. *-age,* consonne de liaison.

♦ Anglic. Agric. Procédé de conservation du fourrage dans un état intermédiaire entre le foin et l'ensilage. — Fourrage obtenu par ce procédé.

HAYON [ajɔ̃] n. m. — 1877, Littré; *haion,* 1280, dial., «étal, échoppe», de *haie,* et *-on.*

♦ **1.** Dial. Claie formant abri.

♦ **2.** (1878). Techn. Panneau amovible à l'avant ou à l'arrière d'une charrette (var. *layon*).

♦ **3.** (1926, d'un camion, *in* T. L. F.). Plus cour. Partie mobile articulée tenant lieu de porte à l'arrière d'une camionnette, d'une voiture de tourisme.

(...) j'aperçois Nouzeilles enjamber le hayon de la camionnette bâchée derrière laquelle je m'étais posté. Roger BORNICHE, le Gang, p. 251.

Hayon élévateur : élévateur placé à l'arrière d'un camion, capable de soulever des fardeaux du niveau du sol à celui du camion.

DÉR. V. 2. Layon.

HAZAN ['azɑ̃] n. m. — 1962, Larousse; mot hébreu, même sens.

♦ Didact. Chantre (d'une synagogue).

He ['aʃe] Symbole chimique de l'hélium.

HÉ [he; 'e] interj. — 1655, Molière; *e,* v. 1050; onomatopée.

♦ Interjection qui sert surtout à interpeller, à appeler, à attirer l'attention. *Hé! vous, là-bas* (→ Campagnard, cit. 2). *Hé! monsieur! Hé! faites attention!*

1 Holà! hé! pas si vite! il est bien pressé, celui-là!
COURTELINE, le Train de 8 h 47, III, III.

Se dit pour renforcer ce qui suit. ⇒ **Eh!** (→ Avance, cit. 11; franc, cit. 2).

2 — Tant pis. — Hé oui, tant pis, c'est là ce qui m'afflige.
MOLIÈRE, l'Étourdi, I, 2.

Hé! Hé! s'emploie familièrement ou plaisamment avec diverses nuances, selon le ton (approbation, appréciation, ironie, moquerie...).

3 Hé!... hé!... peut-être... je ne dis pas.
Alphonse DAUDET, Tartarin de Tarascon, I, IX (→ Évasif, cit. 3).

4 (...) de l'observation, je tombai dans l'espionnage, qui n'est que de l'observation à tout prix. Hé! hé! un goût vif, bientôt nous déprave...
BARBEY D'AUREVILLY, les Diaboliques, p. 178.

Hé bien! (vx). ⇒ **Eh!** (→ Âge, cit. 5; 1. bien, cit. 125; frais, cit. 5).

COMP. Hélas! Ohé!
HOM. Et.

HEAUME ['om] n. m. — XIIe; *helme, healme,* 1080, *Chanson de Roland; kelmus,* VIIIe; du francique **helm* «casque».

♦ **1.** Grand casque (cit. 5) enveloppant toute la tête et le visage, que portaient les hommes d'armes du moyen âge. *Heaume de joute, pointu à l'avant. Le ventail d'un heaume. Le chevalier ne mettait son heaume qu'au moment du combat; en dehors des batailles, un écuyer* (cit. 1) *en avait la charge. Le cimier d'un heaume.*

1 La terre a vu jadis errer des paladins (...)
Il passaient, effrayants, muets, masqués de fer (...)
Leurs cimiers se dressaient difformes sur leurs heaumes.
HUGO, la Légende des siècles, XV, «Chevaliers errants».

2 Plein d'hommes portant heaume et cotte d'acier, lance,
Masse d'armes et glaive, engins de violence (...)
LECONTE DE LISLE, Poèmes barbares, «Paraboles de Dom Guy», V.

♦ **2.** (1690, Furetière). Blason. Casque (cit. 5) surmontant l'écu d'arme et servant à indiquer le rang, le degré de noblesse du possesseur (suivant l'orientation : *heaume taré de face, de profil...,* le nombre de barreaux du ventail, etc.). *Couronne surmontant le heaume. Lambrequins descendant du heaume. Heaume de prince, de comte, de baron.*

DÉR. Heaumerie, heaumet, heaumier.
HOM. Home, ohm.

HEAUMERIE ['omʀi] n. f. — 1808, Boiste; de *heaume.*

♦ Didact. Lieu où l'on fabriquait des heaumes. ⇒ **Armurerie.**

HEAUMET ['omɛ] n. m. — 1833, E. Quinet, *in* T. L. F.; de *heaume.*

♦ Rare. Petit heaume.

HEAUMIER, IÈRE ['omje, jɛʀ] n. — V. 1268; de *heaume,* et *-ier.*

♦ Didact. Fabricant de heaumes. — Au fém. *Les Regrets, la Ballade de la Belle Heaumière* [omjɛʀ] (titre de deux poèmes de Villon), de l'épouse du heaumier.

HÉAUTOSCOPIE [eotoskɔpi, eɔtɔskɔpi] n. f. — XXe (1945, Merleau-Ponty, *in* T. L. F.); du grec *heautoû* «de soi-même», de *he* («il», accus.) et *autos* «même», et *-scopie.*

♦ (1945, *in* D. D. L.). Psychiatrie. Perception anormale d'un individu qui situe son propre corps en dehors de lui-même.

HEBDO [ɛbdo] n. m. — V. 1948, *in* D. D. L.; abrév. de *hebdomadaire.*

♦ Fam. Hebdomadaire. Publication qui paraît chaque semaine. *Des hebdos illustrés.*

(...) ils publiaient leur hebdo : la Vérité (...)
Claude COURCHAY, La vie finira bien par commencer, p. 152.

HEBDOMADAIRE [ɛbdɔmadɛʀ] adj. et n. m. — 1460, *in* D. D. L.; n. m., «moine en fonction pour la semaine», 1220; *serviteurs hebdomadaires,* 1501; du lat. impérial *hebdomas* «semaine», mot grec, de *hebdomos* «septième», de *hepta* «sept».

♦ **1.** Adj. Qui appartient à la semaine, ou se renouvelle chaque semaine. *Travail hebdomadaire. Quarante heures de travail hebdomadaire.* (1907, *in* D. D. L.). *Repos hebdomadaire.* ⇒ **Week-end.** *Fermeture, relâche hebdomadaire. Notes hebdomadaires fournies par un établissement scolaire. Réunion hebdomadaire* (→ Fantaisie, cit. 38). *Chronique théâtrale hebdomadaire d'un journal. Revue, bulletin hebdomadaire.*

Mais son tête-à-tête hebdomadaire avec Renée Bertin lui donnait l'apprentissage 1
de l'indiscrétion. J. ROMAINS, les Hommes de bonne volonté, t. III, X, p. 138.

♦ **2.** N. m. (1758, Voltaire). *Un hebdomadaire :* publication qui paraît régulièrement chaque semaine. ⇒ **Hebdo.** *Écrire dans un hebdomadaire des feuilletons* (cit. 2) *de critique littéraire. Un hebdomadaire illustré, d'art. Hebdomadaire littéraire. Les hebdomadaires du lundi,* qui paraissent le lundi.

Je m'engageai, sous l'espoir d'un salaire,
À travailler à son hebdomadaire. VOLTAIRE, le Pauvre Diable. 2

DÉR. Hebdo, hebdomadairement.
COMP. Bi-hebdomadaire, tri-hebdomadaire.

HEBDOMADAIREMENT [ɛbdɔmadɛʀmɑ̃] adv. — 1781, Brunot; de *hebdomadaire.*

♦ Chaque semaine, une fois par semaine (→ Éreinter, cit. 3).

Le pays est beau et fertile. Le maïs, le coton et le tabac y poussent et surtout, plus au nord, le blé. Tous ces produits descendent le fleuve, vers les États plus chauds, pour être mesurés hebdomadairement aux nègres qui travaillent dans les plantations de canne à sucre. B. CENDRARS, l'Or, *in* Œ. compl., t. II, p. 147.

HEBDOMADIER, IÈRE [ɛbdɔmadje, jɛʀ] n. — 1511; *ebdomadier,* après 1250; du lat. ecclés. *hebdomadarius,* du lat. impérial *hebdomas, ades.* → Hebdomadaire.

♦ Relig. Religieux, religieuse qui exerce une certaine fonction dans une communauté pendant une semaine (⇒ **Semainier**). — Par appos. *Chanoine hebdomadier.*

HEBDOME [ɛbdɔm] n. m. — 1873, P. Larousse; grec *hebdomê (hêmera)* «le septième (jour), le sabbat», fém. de *hebdomos.* → Hebdomadaire.

Didactique.

♦ **1.** Dans la Grèce antique, fête d'Apollon, le septième jour du mois lunaire.

♦ **2.** Fête familiale, célébrée le septième jour après une naissance.

HÉBÉ- Élément, tiré du grec *hêbê* «jeunesse, adolescence, signes de puberté», servant à former des mots de médecine. ⇒ **Hébélogie, hébéphrénie.**

HÉBÉLOGIE [ebelɔʒi] n. f. — XXe; de *hébé-,* et *-logie.*

♦ Didact. (méd.). Rare. Étude de l'adolescence. ⇒ **Éphébologie.**

HÉBÉLOME [ebelom] n. m. — Fin XIXe, *in* Cottez; *hebeloma,* 1836, Fries; du grec *hêbê* «signes de puberté», d'où «pubescent» (→ Hébé-), et *lôma* «frange».

♦ Bot. Champignon basidiomycète, caractérisé par ses spores ocres, à odeur de rave ou de pomme de terre crue (fam. des *Naucoriacées).*

HÉBÉPHRÉNIE [ebefʀeni] n. f. — V. 1892, Guérin; mot all. (1871), de *hébé-,* et *phrên* «esprit»; suff. *-ie.*

Psychiatrie.

♦ **1.** Vieilli. Forme de démence précoce.

♦ **2.** Mod. Psychose considérée comme une forme de schizophrénie.

Une jeune fille souffre d'une hébéphrénie évoluant à bas bruit. Elle (...) ébauche quelques idées délirantes, mais n'a pas, jusqu'alors, élaboré d'idée délirante fixe (...)
Trad. de K. ABRAHAM, Développement de la libido, *in* Œ. compl., t. II, p. 135.

DÉR. Hébéphrénique.

HÉBÉPHRÉNIQUE [ebefʀenik] adj. et n. — Fin XIXe; de *hébéphrénie.*

♦ Qui est atteint d'hébéphrénie. On a dit aussi *hébéphrène.* — N. *Un, une hébéphrénique.*

HÉBERGE [ebɛʀʒ] n. f. — V. 1208, Villehardouin; *herberge,* v. 1050; déverbal de *héberger.*

♦ **1.** Vx. Logement, logis.

♦ **2.** Dr. « Partie supérieure du bâtiment le moins élevé quand deux bâtiments sont contigus » (Capitant). *Mur d'héberge* (⇒ **Mitoyen**).

(...) tout mur servant de séparation entre bâtiments jusqu'à l'héberge (...) est présumé mitoyen (...) Code civil, art. 653.

HÉBERGEMENT [ebɛʀʒəmɑ̃] n. m. — XIIIe; *herbergement,* v. 1155, « logement »; de *héberger.*

♦ (1636). Action d'héberger (qqn), de loger. ⇒ **Logement.** *Pourvoir à l'hébergement d'une troupe, de pèlerins, de touristes. Centre d'hébergement pour réfugiés, émigrés.*

HÉBERGER [ebɛʀʒe] v. — Conjug. *bouger.* — V. 1190; *herberger,* v. 1050; francique **heribergôn* « loger », cf. *arberjier,* v. 980; de **heri, *hari* « armée », et **bergan* « protéger ».

★ **I.** V. tr. ♦ **1.** Loger (qqn) chez soi. *Héberger des amis, des parents. Pouvez-vous nous héberger pour la nuit?* ⇒ **Abriter.** *Nous avons été hébergés pendant une semaine par des hôtes charmants.* ⇒ **Recevoir.**

1 Présentez-vous chez le docteur en habit de cavalier, avec un billet de logement; il faudra bien qu'il vous héberge. BEAUMARCHAIS, le Barbier de Séville, I, 4.

2 (...) nous ne logeâmes pas chez les Charles Gide? ou simplement parce qu'ils n'avaient pas la place de nous héberger? GIDE, Si le grain ne meurt, I, IV.

♦ **2.** (1669, La Fontaine). Accueillir, recevoir sur son sol. *Héberger des réfugiés.*

3 La Provence a visité, a hébergé tous les peuples.
MICHELET, Hist. de France, *in* Extraits historiques, p. 88.

♦ **3.** (1669). Sujet n. de lieu. Servir de logement; pouvoir abriter. *Ce refuge peut héberger vingt alpinistes.*

★ **II.** V. intr. (V. 1196). Vx. Être logé de façon temporaire. *Héberger dans un hôtel, une auberge* (→ Descendre, cit. 9).

Fig. et littér. *« Les brises qui hébergent dans les golfes... »* (Chateaubriand, *Mémoires, in* T. L. F.).

DÉR. Héberge, hébergement, hébergeur.

HÉBERGEUR, EUSE [ebɛʀʒœʀ, øz] n. — 1857; *herbergeor,* v. 1155; de *héberger.*

♦ Rare. Personne qui héberge (qqn). ⇒ **Hôte, hôtelier.**

1 Vieil ami, ce Colardez, vieux complice de mon père dans les luttes électorales, et vieil hébergeur de la famille de père en fils.
Ed. et J. DE GONCOURT, Journal, t. I, p. 158.

2 Le duc d'Auge descendit à la Sirène torte, qu'un trover de passage lui avait un jour recommandé.
— Nom, prénom, qualités? demanda Martin, l'hébergeur.
R. QUENEAU, les Fleurs bleues, p. 17.

1. HÉBERTISME [ebɛʀtism] n. m. — 1794, *in* D. D. L.; de Jacques René *Hébert,* et *-isme.*

♦ Hist. Doctrine se réclamant de Jacques René Hébert (1757-1794), révolutionnaire français, auteur du *Père Duchesne. L'histoire de l'hébertisme.*

(...) le modératisme, et l'hébertisme, je me sers de ce mot, ne trouvant point d'expression moins ignoble, se soutenoient mutuellement et se prêtoient des forces.
ROBESPIERRE, *in* Œ., t. X, p. 510.

DÉR. V. 1. Hébertiste.

2. HÉBERTISME [ebɛʀtism] n. m. — 1930, *in* Petiot; de Georges *Hébert,* éducateur français (1875-1957), et *-isme.*

♦ Méthode d'éducation physique qui consiste en exercices naturels (marche, saut, nage, etc.) effectués en plein air.

DÉR. V. 2. **Hébertiste.**

1. HÉBERTISTE [ebɛʀtist] n. et adj. — 1796; de Jacques René *Hébert,* et *-iste.*

♦ Hist. Partisan du révolutionnaire Hébert. → 1. Hébertisme.

2. HÉBERTISTE [ebɛʀtist] n. et adj. — Déb. XXe; de G. *Hébert,* ou de 2. *hébertisme.*

♦ **1.** Du hébertisme.

♦ **2.** N. (1914, *in* Petiot). Personne qui pratique l'éducation physique hébertiste.

HÉBÉTANT, ANTE [ebetɑ̃, ɑ̃t] p. prés. et adj. — 1866, Littré; p. prés. de *hébéter.*

♦ Rare. Qui hébète, rend obtus, stupide. ⇒ **Abrutissant.** *L'action hébétante des drogues. Une existence hébétante.*

HÉBÉTÉ, ÉE [ebete] p. p. adj. ⇒ **Hébéter.**

HÉBÉTEMENT [ebɛtmɑ̃] n. m. — 1586, repris 1832; de *hébéter.*

♦ Littér. État d'une personne hébétée. ⇒ **Abrutissement.**

Madeleine ne s'étonna plus de voir ce bel enfant si malpropre, si déguenillé et si abandonné à l'hébétement de son âge. 1
SAND, François le Champi, I.

Comme elle était triste, le dimanche, quand on sonnait les vêpres! Elle écoutait, dans un hébétement attentif, tinter un à un les coups fêlés de la cloche. 2
FLAUBERT, Mme Bovary, I, IX.

(...) l'ignorance, changée en hébétement, était l'égale de l'intelligence changée en désespoir. Pas de choix possible entre ces hommes qui apparaissaient aux regards comme l'élite de la boue. 3
HUGO, les Misérables, IV, III, VIII.

(...) l'existence implacable, écrasante, qui à la longue amène chez les vieilles femmes du peuple cet hébétement de la raison, des idées et du cœur, des facultés, des sentiments (...) Ed. et J. DE GONCOURT, la Femme au XVIIIe s., t. II, p. 8. 4

HÉBÉTER [ebete] v. tr. — Conjug. *céder.* — V. 1355, v. tr. et p. p.; du lat. *hebetare* « émousser », de *hebes, etis* « émoussé »; évol. de sens sous l'infl. probable de *bête.*

♦ **1.** Rare. Rendre obtus, émoussé; enlever toute vivacité, toute subtilité à (l'esprit, l'intelligence). *L'alcool hébète le cerveau, l'esprit, la raison.* ⇒ **Émousser** (cit. 3), **engourdir.**

Ces exemples (...) ne sont pas étranges, si nous considérons (...) combien l'accoutumance hébète nos sens. MONTAIGNE, Essais, I, XXIII. 1

♦ **2.** (1631). Rendre (qqn) stupide. ⇒ **Abêtir** (cit. 2), **abrutir.** *Les abus hébètent l'homme. La douleur l'avait tout hébété.* ⇒ **Abasourdir.**

C'était dans ma tête un flux et reflux d'incertitudes à hébéter le plus fort cerveau (...) Th. GAUTIER, Mlle de Maupin, XI. 2

Le tabac, impôt mille fois plus immoral que le jeu, détruit le corps, attaque l'intelligence, il hébète une nation (...) BALZAC, la Rabouilleuse, Pl., t. III, p. 902. 3

Les contrariétés de cette existence ainsi tiraillée finirent par hébéter madame du Bousquier (...) BALZAC, la Vieille Fille, Pl., t. IV, p. 330. 4

▶ **S'HÉBÉTER** v. pron. (Réfl.) V. 1587. Littér. Devenir hébété, se rendre hébété. *À vivre ainsi, il s'est hébété. Chercher à s'hébéter pour ne plus souffrir, pour oublier. S'hébéter de travail. S'hébéter par la boisson.*

Que je hais ces sortes de vapeurs d'épuisement! Qu'elles sont difficiles à guérir, quand le remède est de s'hébéter, de ne point penser, d'être dans l'inaction! C'est un martyre pour une personne aussi vive et aussi active que vous (...) 5
Mme DE SÉVIGNÉ, 1168, 22 avr. 1689.

▶ **HÉBÉTÉ, ÉE** p. p. adj. (V. 1355, « émoussé »).
(1669). Cour. Rendu stupide. ⇒ **Abêti, abruti, ahuri, sidéré, stupide, troublé.** *État d'une personne hébétée.* ⇒ **Hébétude.** *Un homme hébété. Être hébété de joie, de douleur, de stupeur, de fatigue. Se réveiller, rester tout hébété* (→ Empêtrer, cit. 13; équilibre, cit. 17). — (1631). N. *Un, une hébété(e).*

Mais il est devenu comme un homme hébété. 6
Depuis que de Tartuffe on le voit entêté (...) MOLIÈRE, Tartuffe, I, 2.

(...) son honnête homme de mari, lequel avait la tête faible et finit même par être tenu enfermé dans une chambre comme *hébété.* 7
SAINTE-BEUVE, Causeries du lundi, 9 juin 1851, t. IV, p. 218.

(...) je tombe sur mon divan et j'y reste hébété dans un marais intérieur d'ennui. 8
FLAUBERT, Correspondance, 318, 24 avr. 1852, t. II, p. 394.

Air, regard hébété. Yeux hébétés. → Galbe, cit. 4.

Il souriait en fixant sa mère, sans s'occuper de Sammécaud. C'était un sourire non pas hébété, mais lent et profond. 9
J. ROMAINS, les Hommes de bonne volonté, t. V, XXIII, p. 203.

CONTR. Dégourdir, éveiller, réveiller.
DÉR. Hébétant, hébétement.

HÉBÉTUDE [ebetyd] n. f. — V. 1535, J. Bouchet; bas lat. *hebetudo*, du lat. class. *hebes, etis*. → Hébéter.

♦ **1.** Méd. État morbide marqué par une obnubilation des fonctions intellectuelles (émotion violente, abus de calmants ou de tranquillisants). *L'hébétude, premier degré de la stupeur, ne présente pas de symptômes délirants.*

♦ **2.** Littér. État de celui qui est hébété, stupide. ⇒ **Abrutissement, stupeur.** *L'hébétude de l'ivresse, de la fièvre* (→ Frémir, cit. 11).

1 Souvent, il s'oubliait l'après-midi entière au bout d'une poutre, accroupi, à boire le soleil. Une hébétude l'immobilisait, les yeux ouverts. Des gens passaient qui ne le saluaient plus, car il devenait une chose. ZOLA, la Terre, V, II.

2 Les grandes œuvres ne nous instruisent point tant, qu'elles ne nous plongent dans une sorte d'hébétude presque amoureuse. GIDE, Journal, 18 mai 1930.

3 (...) l'hébétude d'un assouvissement morne. F. MAURIAC, le Mal, VI.

HÉBRAÏQUE [ebʀaik] adj. — V. 1450; lat. *hebraicus*, du grec *hebraikos*, de *Hebraîos*. → Hébreu.

♦ **1.** Qui appartient aux Hébreux. *Alphabet, caractère* (cit. 4) *hébraïque. L'aleph, première lettre de l'alphabet hébraïque. La langue hébraïque* : l'hébreu (→ Exégèse, cit. 1). *Poésie hébraïque. Ruine, pierre hébraïque* (→ Encastrer, cit. 3).

♦ **2.** Qui concerne les Hébreux ou leur civilisation. *Revue des Études hébraïques; chaire de philologie hébraïque. L'Université hébraïque de Jérusalem.*

1 Durant la captivité (...) les Juifs apprirent la langue chaldaïque assez approchante de la leur, et qui avait presque le même génie. Cette raison leur fit changer l'ancienne figure des lettres hébraïques, et ils écrivirent l'hébreu avec les lettres des Chaldéens plus usitées parmi eux, et plus aisées à former. BOSSUET, Disc. sur l'Hist. universelle, I, VIII.

2 Les livres qui doivent servir de texte à des leçons de langues hébraïque, chaldaïque et syriaque sont en grande partie des livres sacrés. RENAN, Questions contemporaines, Œ. compl., t. I, p. 147.

2.1 On a donc pu, de nos jours, entreprendre sur les livres hébraïques les mêmes recherches que l'on réalisait avec bonheur sur les traditions des peuples âryens. Émile BURNOUF, la Science des religions, p. 177.

♦ **3.** Fig. Qui rappelle un caractère des Hébreux (⇒ **Juif**).

3 (...) un nez d'un moule hébraïque, très délicat, mais d'une ampleur de narines qui s'accorde rarement avec une pareille forme (...) BAUDELAIRE, Trad. E. POE, Nouvelles histoires extraordinaires, « La chute de la maison Usher ».

DÉR. Hébraïquement, hébraïsme, hébraïste.

HÉBRAÏQUEMENT [ebʀaikmɑ̃] adv. — Attesté XXe (J. Green, *in* T. L. F.); de *hébraïque*.

♦ Rare. Conformément aux traditions hébraïques.

HÉBRAÏSANT, ANTE [ebʀaizɑ̃, ɑ̃t] n. et adj. — 1586; p. prés. de *hébraïser*.

Didactique.

♦ **1.** Personne qui s'adonne à l'étude de la langue hébraïque ou, plus spécialement, des textes sacrés hébreux. *Un congrès d'hébraïsants.* Syn. : *hébraïste.*

1 Par une petite pédanterie d'hébraïsant, j'appelai cette crise de mon existence *Nephtali* (mot qui signifie « lutte »...) RENAN, Souvenirs d'enfance..., V, IV.

2 — Repris la lecture quotidienne de la Bible hébraïque que j'avais un peu laissée de côté. Elle apporte quelque chose que ne donnent ni les traductions en langue vulgaire ni la Vulgate ni les Septante. Si peu hébraïsant que je le sois moi-même, je le sens malgré tout et voudrais faire partager cette impression si forte et parfois si émouvante. J. GREEN, La terre est si belle, 22 avr. 1978.

♦ **2.** (1756). Juif converti resté fidèle à l'Ancien Testament. — Adj. *Chrétiens hébraïsants.*

HÉBRAÏSER [ebʀaize] v. — 1752, Trévoux; grec *hebraizein*, de *Hebraîos*. → Hébreu.

Didactique.

★ **I.** ♦ **1.** V. intr. (1851, *in* D. D. L.). Se servir de tournures propres à la langue hébraïque.

♦ **2.** (1776). Vivre selon les coutumes, les dogmes hébraïques.

♦ **3.** (1836, *in* D. D. L.). Étudier l'hébreu*, le parler.

Kircher dit qu'on croirait que les Hébreux ont tout imité des Égyptiens, ou que les Égyptiens ont hébraïsé. VOLTAIRE, Philosophie, III, Bible expl., Nombres (Notes).

★ **II.** V. tr. (XXe). Rendre hébreu, marquer d'un caractère propre à la civilisation, aux mœurs hébraïques. ⇒ **Judaïser.** *Les émigrés juifs qui ont hébraïsé un quartier de cette ville.*

▶ **HÉBRAÏSÉ, ÉE** p. p. adj. *Populations immigrées et hébraïsées, en Israël. Nom hébraïsé.*

REM. Le dér. *hébraïsation*, n. f., est attesté.

DÉR. Hébraïsant.

HÉBRAÏSME [ebʀaism] n. m. — 1566; de *hébraïque*, et *-isme*.

♦ Didact. Façon de parler, expression propre à la langue hébraïque. *Texte grec émaillé d'hébraïsmes.* Tournure d'esprit hébraïque.

(Les Juifs d'Alexandrie) se firent un grec mêlé d'hébraïsmes qu'on appelle le langage hellénistique : les Septante et tout le Nouveau Testament est écrit en ce langage. BOSSUET, Disc. sur l'Hist. universelle, I, VIII. 1

Eschyle, admirablement grec, est pourtant autre chose que grec. Il a le démesuré oriental. Saumaise le déclare plein d'hébraïsmes et de syrianismes, *hebraismis et syrianismis.* HUGO, W. Shakespeare, I, IV, 7. 2

HÉBRAÏSTE [ebʀaist] n. — 1839, Boiste; de *hébraïque*, et *-iste*.

♦ Didact. Personne qui étudie les textes sacrés hébreux. ⇒ **Hébraïsant.**

HÉBRÉOPHONE [ebʀeofɔn] adj. — 1974, *in* D. D. L.; dér. irrégulier de *hébreu*, et *-phone*.

♦ Didact. Qui s'exprime en hébreu, parle hébreu. *Les populations hébréophones et arabophones d'Israël.*

HÉBREU [ebʀø] n. et adj. m. — V. 1119, *l'hebreus* (la langue); adj. *(ebrieu)*, fin XIIe; du lat. chrét. *haebreus*, grec *hebraîos*, de l'araméen *'ibra'i*.

★ **I.** N. m. ♦ **1.** Juif. *Un Hébreu. L'exode des Hébreux en Égypte. La captivité des Hébreux à Babylone. La manne, nourriture céleste des Hébreux dans le désert, selon la Bible. La Bible, livre sacré des Hébreux.* ⇒ **Massorah.** *Prêtres des Hébreux revêtus de l'éphod*. Religion des Hébreux.* ⇒ **Hébraïsme, judaïsme.**

Le Messie est attendu par les Hébreux; il vient et il appelle les gentils, comme il avait été prédit. Le peuple qui le reconnaît comme venu, est incorporé au peuple qui l'attendait, sans qu'il y ait entre deux un seul moment d'interruption (...) BOSSUET, Disc. sur l'Hist. universelle, II, XXX. 1

Le Dieu qu'ont toujours servi les Hébreux et les chrétiens n'a rien de commun avec les divinités pleines d'imperfections, et même de vice, que le reste du monde adorait. BOSSUET, Disc. sur l'Hist. universelle, II, I. 2

Abraham est désigné par le mot « Hébreu » ce qui peut signifier aussi bien « fils de Héber », un descendant de Noé, ancêtre des Patriarches, que, plus généralement, « errant, nomade » l'équivalent de l'arabe qui a donné « bédouin ». DANIEL-ROPS, le Peuple de la Bible, I, II, p. 35. 3

REM. 1. Le fém. est virtuel; on emploie *israélite, juive.*

2. *Hébreu* est synonyme de *israélite* à partir de la sortie d'Égypte; il est synonyme de *juif* à partir de l'exil babylonien (d'après M. Catane, *in* T. L. F.).

♦ **2.** N. m. La langue hébraïque. *L'hébreu, langue sémitique. Livres écrits en hébreu* (→ Cantique, cit. 1; exégèse, cit. 1). *Les signes diacritiques de l'hébreu écrit. L'hébreu rabbinique, langue liturgique. Apprendre* (cit. 3) *l'hébreu. L'hébreu moderne* (langue officielle de l'État d'Israël).

L'hébreu, concis, énergique, presque sans inflexion dans ses verbes, exprimant vingt nuances de la pensée par la seule apposition d'une lettre (...) CHATEAUBRIAND, le Génie du christianisme, II, V, III. 4

L'étude de l'hébreu n'était pas obligatoire au séminaire; elle était même suivie par un très petit nombre d'élèves. RENAN, Souvenirs d'enfance..., V, III. 5

Loc. fig. (1530). *C'est de l'hébreu pour moi* : cela m'est inintelligible (sans doute à cause des caractères de l'écriture. → C'est du chinois*).

C'est de l'hébreu pour moi, je n'y puis rien comprendre. MOLIÈRE, l'Étourdi, III, 3. 6

Monsieur, répondit Canalis en souriant, je ne sais pas plus ce que vous voulez me dire, que si vous me parliez hébreu (...) BALZAC, Modeste Mignon, Pl., t. I, p. 479. 7

★ **II.** (V. 1119). Adj. m. — REM. Au fém., on emploie *israélite, juive...* ⇒ **Hébraïque.** *Un texte hébreu, un auteur hébreu* (→ Familier, cit. 5). *Vau, Yod..., lettres de l'alphabet hébreu. Mots hébreu. Le peuple hébreu.*

(...) saint Jérôme (...) composa sur l'original hébreu la version de la Bible que toute l'Église a reçue sous le nom de *Vulgate* (...) BOSSUET, Disc. sur l'Hist. universelle, I, XI. 8

H. E. C. [aʃøse] n. f. — XXe, sigle.

♦ Cour. Sigle de École des Hautes Études Commerciales.

N. (Mil. XXe). Étudiant(e) de cette école. Adj. *Il, elle est H. E. C.*

HÉCATOMBE [ekatɔ̃b] n. f. — Déb. XVIe (1513); du grec *hekatombê* «(sacrifice) de cent *(hekaton)* bœufs *(bous)*». En grec, *hekatombê* s'écartait déjà de son sens étymologique, puisqu'on l'employait à propos de 12 bœufs (*Iliade*, VI, 93, 115), de 50 béliers (XXIII, 146).

♦ **1.** (Av. 1525). Antiq. Sacrifice d'un grand nombre d'animaux. ⇒ **Immolation, sacrifice.** *Offrir une hécatombe pour l'expiation* (cit. 1) *d'une faute.*

1 Et *(les Grecs)* se purifiaient tous, et ils jetaient leurs souillures dans la mer, et ils sacrifiaient à Apollon des hécatombes choisies de taureaux et de chèvres, le long du rivage de la mer inféconde.
LECONTE DE LISLE, Trad. HOMÈRE, l'Iliade, p. 10.

Fig. et poét. Sacrifice humain à une divinité ou à une chose divinisée.

2 J'ai fait à ton amour, au péril de la tombe,
Des Héros de ma race un*(e)* funeste hécatombe (...)
CYRANO DE BERGERAC, Mort d'Agrippine, I, 4.

3 *(La Nature parle) :*
On me dit une mère et je suis une tombe.
Mon hiver prend vos morts comme son hécatombe,
Mon printemps ne sent pas vos adorations.
A. DE VIGNY, la Maison du berger, III.

♦ **2.** (1667, Corneille). Cour. Massacre d'un grand nombre de personnes. ⇒ **Boucherie, carnage, tuerie.** *Les hécatombes des batailles napoléoniennes. Les hécatombes et les destructions de la guerre.* — Fig. *Quatre-vingts pour cent de recalés à cet examen, quelle hécatombe !*

4 (...) la santé de Pollion ? vous savez si je m'y intéresse. Il y a peu d'hommes comme lui. Je ferais une hécatombe de sots pour sauver un rhumatisme à un homme aimable.
VOLTAIRE, Lettre à Thiriot, 402, 21 oct. 1736.

5 (...) ils firent voir l'horreur de la guerre, et appelèrent boucherie les hécatombes.
A. DE MUSSET, la Confession d'un enfant du siècle, I, II.

6 Mais Norma, l'implacable Norma, lui répond que, pour qu'elle soit satisfaite, il lui faut, non pas une seule victime, mais une hécatombe ; que les Romains seront massacrés par centaines.
Th. GAUTIER, Souvenirs de théâtre..., Norma.

6.1 (...) ils *(les Verdurin)* avaient un salon politique où on discutait chaque soir de la situation, non seulement des armées, mais des flottes. Ils pensaient en effet à ces hécatombes de régiments anéantis, de passagers engloutis (...)
M. PROUST, le Temps retrouvé, Pl., t. III, p. 772.

7 Le dernier acte *(du « Roi Lear »)* s'achève sur une morne hécatombe où bons et méchants sont confondus dans la mort.
GIDE, Journal 1942-1949, 2 déc. 1946.

(XXe). Le fait de tuer de nombreux animaux.

8 L'époque et la région étaient encore frugales, infractions consenties aux grandes noces, aux baptêmes et aux repas de premières communions, aux hécatombes de petit gibier.
COLETTE, Belles saisons, p. 247.

HÉCATONSTYLE [ekatɔ̃stil] adj. et n. m. — 1866, Littré ; du grec *hekaton* « cent », et *stûlos* « colonne ».

♦ Didact. et rare. (Édifice) qui comporte cent colonnes.

HÉCISTOTHERME [esistɔtɛʀm] n. f. — Mil. XXe (*in* Larousse, 1962) ; du grec *hêkistos* « très petit », et *-therme.*

♦ Bot. Plante poussant à une température inférieure à 0° C.

HECT- ⇒ **Hecto-.**

HECTARE [ɛktaʀ] n. m. — 1795 ; de *hect(o-)*, et *are.*

♦ Cour. Mesure de superficie équivalant à cent ares, ou dix mille mètres carrés (100 × 100). Abrév. : *ha. Une ferme de cinquante hectares. Cette terre produit 15, 20... quintaux de blé à l'hectare* (→ Extensif, cit. 1 ; faible, cit. 30 ; fermier, cit. 3 ; fertiliser, cit. 2).

HECTIQUE [ɛktik] adj. — 1538, n., « malade » ; adj., 1548 ; bas lat. *hecticus*, grec *hektikos* « habituel », de *hektos* « qu'on peut obtenir, posséder », de *ekhein* « porter ; avoir ».

♦ Méd. *Fièvre hectique :* fièvre des états septicémiques graves caractérisée par de grandes oscillations de température avec frissons violents suivis de transpiration profuse. *Fièvre hectique du paludisme, de la tuberculose avancée.*

Vx. Qui est le symptôme de l'hectisie ou étisie*.

Cette délicate petite créature laissait voir dans le tremblement de ses doigts émaciés, dans le ton livide de ses lèvres et dans la légère tache hectique plaquée sur son teint d'ailleurs plombé, des symptômes évidents d'une phthisie *(sic)* effrénée.
BAUDELAIRE, Trad. E. POE, Nouvelles histoires extraordinaires, « Le Roi Peste ».

HECTISIE [ɛktizi] n. f. ⇒ **Étisie.**

HECTO [ɛkto] n. m. — XXe ; abréviation.

♦ **1.** Hectogramme (rare).

♦ **2.** Cour. Hectolitre. *Il a récolté cette année deux mille hectos de vin.*

HECTO- Élément, du grec *hekaton* « cent », servant à former des mots savants de mesure. ⇒ **Hectare, hectogramme, hectographie, hectokilo-, hectolitre, hectomètre, hectométrique, hectopièze, hectosthène, hectowatt.**

HECTOGRAMME [ɛktɔgʀam] n. m. — 1795 ; de *hecto-*, et *gramme.*

♦ Poids de cent grammes (symb. : *hg*). ⇒ **Hecto,** 1. — REM. Le mot est moins courant que d'autres unités en *hecto- ;* on dira plutôt *deux cents, trois cents grammes* que *deux, trois hectogrammes,* dans l'usage courant.

HECTOGRAPHIE [ɛktɔgʀafi] n. f. — 1962, Larousse ; de *hecto-*, et *-graphie.*

♦ Didact., techn. Procédé de reproduction de textes dactylographiés ou manuscrits permettant d'obtenir une centaine d'exemplaires.

DÉR. **Hectographique.**

HECTOGRAPHIQUE [ɛktɔgʀafik] adj. — 1962, Larousse ; de *hectographie.*

♦ Didact., techn. Relatif à l'hectographie. *Procédé hectographique.*

HECTOKILO- Élément double, formé de *hecto-* et de *kilo-*, signifiant cent mille, et servant à former des noms savants de mesure (symb. : *hk*).

HECTOLITRE [ɛktɔlitʀ] n. m. — 1795 ; de *hecto-*, et *litre.*

♦ Mesure de cent litres (symb. : *hl*). *Vigne qui donne, bon an mal an, cinq cents hectolitres de vin.* ⇒ **Hecto,** 2.

HECTOMÈTRE [ɛktɔmɛtʀ] n. m. — 1795 ; de *hecto-*, et *mètre.*

♦ Didact., admin. Longueur de cent mètres (symb. : *hm*).

DÉR. **Hectométrique.**

HECTOMÉTRIQUE [ɛktɔmetʀik] adj. — 1843, Landais ; de *hectomètre.*

♦ Didact. Qui sert à jalonner les hectomètres. *Bornes hectométriques le long des routes.*

Techn. *Transports hectométriques :* transports en commun sur de très courtes distances (navettes, correspondances par tapis roulants, etc.).

HECTOPIÈZE [ɛktɔpjɛz] n. f. — 1920, *in* D. D. L. ; de *hecto-*, et *pièze.*

♦ Phys. Ancienne mesure de pression valant cent pièzes (symb. : *hpz*). ⇒ **Bar.** On dit aussi *mégabarye.*

HECTOSTHÈNE [ɛktɔstɛn] n. m. — 1922, Larousse ; de *hecto-*, et *sthène.*

♦ Phys. Mesure de force valant cent sthènes (symb. : *hsn*).

HECTOWATT [ɛktɔwat] n. m. — 1881 ; de *hecto-*, et *watt.*

♦ Phys. Unité de puissance, valant cent watts (symb. : *hW*).

DÉR. **Hectowattheure.**

HECTOWATTHEURE [ɛktɔwatœʀ] n. m. — 1922, Larousse ; de *hectowatt*, et *heure.*

♦ Phys. Travail accompli pendant une heure par une machine fournissant une puissance constante d'un hectowatt (symb. : *hWh*).

HÉDER ['edɛʀ] n. m. — Déb. XXe ; mot hébreu.

♦ Didact. École juive. *« Une bande d'enfants échappés du héder »* (J. et J. Tharaud, *in* G. L. L. F.)

HEDERA ['edeʀa] n. m. — 1873, *in* P. Larousse ; mot latin « lierre ».

♦ Bot. Nom scientifique du lierre.

HÉDÉRACÉ, ÉE ['edeʀase] adj. et n. f. — 1771, Trévoux ; lat. *hederaceus* « de lierre », de *hedera* « lierre ».

Botanique.

♦ **1.** Adj. Qui ressemble ou se rapporte au lierre*. *La vigne vierge, plante hédéracée.*

♦ **2.** N. f. pl. (1866, Littré). *Hédéracées.* Famille de plantes dont le type est le lierre. ⇒ **Araliacées.** — Au sing. *Une hédéracée.*

HÉDÉRIFORME [edeʀifɔʀm] adj. — 1866, Littré; du lat. *hedera* «lierre», et *-forme*.

♦ Bot. Qui est de la forme du lierre.

HÉDOBIE [edɔbi] n. f. — 1873, *in* P. Larousse; du grec *hedô* «je ronge», et *bios* «vie».

♦ Zool. Insecte coléoptère *(Ptinidés)* dont les larves vivent dans le bois mort.

HÉDONICITÉ [edɔnisite] n. f. — 1946, Mounier, *in* T. L. F.; de *hédonique*.

♦ Littér. Caractère de ce qui est hédonique, procure du plaisir.

HÉDONIQUE [edɔnik] adj. — xxe (1929, Bernanos, *in* T. L. F.); de *hédonisme*.

♦ **1.** Littér. De l'hédonisme, de la recherche du plaisir. *Tendances hédoniques.* ⇒ **Hédoniste.** *Activité hédonique.* Syn. : *hédonistique.*

1 Suivre le réseau si fin, si délié, si fragile des complexes, démonter pièce à pièce les systèmes d'ingénieuses compensations aux tendances hédoniques, trouver l'imperceptible point d'arrêt, la césure d'un développement trop tardif ou trop précoce, — quel sang-froid cela réclame! BERNANOS, la Joie, Œ. roman., Pl., p. 646.

♦ **2.** Zool. *Glandes hédoniques,* nom donné aux glandes sexuelles des Urodèles.

2 Chez les Urodèles, les glandes sexuelles sont développées et principalement localisées sur le menton, le museau et la racine de la queue; on les nomme souvent les glandes hédoniques en raison du rôle qu'elles jouent dans les préliminaires d'accouplement. Jean GUIBÉ, les Batraciens, p. 55.

DÉR. Hédonicité.

HÉDONISME [edɔnism] n. m. — 1877, *in* Littré, *Suppl.*; du grec *hêdonê* «plaisir», de *hêdesthai* «se réjouir», de *hêdein* «réjouir, charmer».

♦ **1.** Philos. Doctrine qui prend pour principe de la morale la recherche du plaisir et l'évitement de la douleur. *Faire de l'hédonisme la règle de sa vie. L'épicurisme* est souvent confondu avec un hédonisme.* ⇒ **Eudémonisme.** — Spécialt. *Les philosophes de l'école de Cyrène, théoriciens de l'hédonisme intégral.*

1 L'hédonisme a fait du plaisir l'objet à approuver comme bien (...) et, corrélativement, de la douleur le mal à condamner et par suite à écarter (...) R. LE SENNE, Traité de morale, p. 375-376.

2 Même aujourd'hui, en pleine Passion, je n'attends rien d'autre, et je n'obtiens rien d'autre que la paix (...) Hédonisme inguérissable. F. MAURIAC, Bloc-notes 1952-1957, p. 74.

(Mil. xxe). Psychan. Recherche du plaisir par investissement de la libido sur certaines parties du corps, au cours du développement normal de l'enfant. *Hédonisme oral, anal, génital.*

♦ **2.** (1956, Romeuf). Écon. «Conception de l'économie selon laquelle la raison et la fin de toute activité économique n'est au fond que la poursuite du maximum de satisfactions» (J. Romeuf), avec le moindre effort.

CONTR. Ascèse, ascétisme.
DÉR. Hédonique, hédoniste.

HÉDONISTE [edɔnist] adj. et n. — 1884-1885, Guyau; de *hédonisme*, et *-iste*.

♦ Adj. et n. Adepte de l'hédonisme. *Sage, philosophe hédoniste. — Un, une hédoniste.*

1 (...) le sage hédoniste arrive à la maîtrise de soi comme le sage cynique, mais tandis que celui-ci y parvient par une indifférence radicale à l'attrait du plaisir (...) l'hédoniste y réussit par sa souplesse infinie à cueillir et goûter le plaisir quand il lui est donné. R. LE SENNE, Traité de morale, p. 382.

2 Le plaisir finit par être la seule façon possible d'avaler l'horrible pilule de la solitude, de la détresse du tragique destin qui serait le nôtre. Bref, nous ne parvenons à vivre, disent nos hédonistes, que tant que l'insupportable et profonde horreur du vivre se dissimule sous le voile sucré du plaisir. En quelque sorte, le plaisir est notre seul recours pour supporter la vie. Annie LECLERC, Parole de femme, p. 175 (1974).

Adj. (xxe). Relatif à l'hédonisme. ⇒ **Hédonique.** *Morale hédoniste* (on dit aussi *hédonistique*). *Principe hédonistique.*

HÉDONISTIQUE [edɔnistik] adj. — 1907, Larousse.

♦ ⇒ **Hédonique, hédoniste.**

HÉDOTHÉRAPIE [edoteʀapi] n. f. — xxe; du grec *hêdonê* «plaisir» (→ Hédonisme), et *-thérapie*.

♦ Méd. Psychothérapie qui utilise des moyens susceptibles de faire plaisir au malade.

HEDWIGIA [edwigja] n. f. — 1846, Bescherelle, *hedwigie;* du nom de J. *Hedwig,* bot. allemand de la fin du xviiie.

♦ Bot. Mousse (famille des *Bryacées**) vivant sur les rochers dont elle est un des colonisateurs précoces, après les lichens. Plur. *Hedwigias.*

HEDYCHIUM [edikjɔm] n. m. — 1846, Bescherelle, *hedychion;* du grec *hêdus* «plaisant», et *chiôn* «flocon».

♦ Bot. Plante phanérogame dicotylédone (famille des *Zingibéracées**), à fleurs ornementales, en grappe, à l'odeur suave. *Des hedychiums.*

HÉDYSARUM [edizaʀɔm] n. m. — 1627; mot latin formé du grec *hêdusaron.*

♦ Bot. Sainfoin.

REM. Le mot s'écrit avec ou sans accent sur le *e;* l'absence d'accent est de règle en lat. botanique.

HÉGÉLIANISME [egeljanism] n. m. — 1842, Pierre Leroux, *in* T. L. F.; du nom du philosophe allemand Hegel, 1770-1831.

♦ Philos. Doctrine de Hegel. *L'hégélianisme a exercé une action profonde sur la philosophie allemande. Victor Cousin a le premier répandu l'hégélianisme en France. L'hégélianisme est une philosophie de l'histoire.*

(...) le premier hégélianisme est mort en Allemagne. En France, Victor Cousin en transmet quelque chose à Taine (...) De nouveaux hégélianismes se formeront, soit par le pragmatisme, soit par le marxisme, qui placeront l'accent sur la dialectique et sur la phénoménologie de l'esprit. Yvon BELAVAL, la Droite hégélienne, *in* la Révolution kantienne, p. 172.

HÉGÉLIEN, IENNE [egeljɛ̃, jɛn] adj. — 1840, Proudhon, *in* T. L. F.; de *Hegel,* et *-ien.*

♦ Philos. De Hegel. *La doctrine hégélienne. La philosophie hégélienne de l'histoire. La dialectique hégélienne. La triade hégélienne. L'école hégélienne.*

Pécuchet n'enraya pas. Il se procura une introduction à la philosophie hégélienne, et voulut l'expliquer à Bouvard. 1
— «Tout ce qui est rationnel est réel. Il n'y a même de réel que l'idée. Les lois de l'Esprit sont les lois de l'univers; la raison de l'homme est identique à celle de Dieu.» FLAUBERT, Bouvard et Pécuchet, Folio, p. 314.

(...) la philosophie hegelienne est celle qui a remué les peuples, par le Marxisme, et cela est à considérer. ALAIN, Hegel, *in* les Passions et la Sagesse, p. 999. 2

N. *Un hégélien, une hégélienne :* partisan de Hegel, de sa doctrine.

Dégagées de leur appareil systématique, les idées hégéliennes exercèrent une profonde influence (...) Peu de temps avant 1870 (...) une souscription fut organisée par la «Société philosophique» de Berlin, fondée jadis par des hégéliens. 3
Lucien HERR, *in* Grande encycl. (BERTHELOT), art. *Hegel.*

HÉGÉMONIE [eʒemɔni] n. f. — 1815; *egimonie,* J. de Maistre, 1840, *in* D. D. L.; du grec *hêgemonia,* de *hêgemôn* «chef».

Didactique.

♦ **1.** Antiq. grecque. Suprématie d'une cité, d'un peuple, dans les fédérations ou amphictyonies*. *La lutte de Sparte et d'Athènes pour l'hégémonie de la Grèce.*

♦ **2.** Mod. ⇒ **Autorité, direction, pouvoir, prépondérance, suprématie.** *Soumettre des peuples à son hégémonie. L'hégémonie contestée du vieux monde* (→ Crise, cit. 12). *Conquérir l'hégémonie du monde.* ⇒ **Domination, empire** (cit. 14). → Éloquemment, cit. 1. *Guerre d'hégémonie.*

Depuis la fin de l'Empire romain, ou, mieux, depuis la dislocation de l'Empire de Charlemagne, l'Europe occidentale nous apparaît divisée en nations, dont quelques-unes, à certaines époques, ont cherché à exercer une hégémonie sur les autres, sans jamais y réussir d'une manière durable. 1
RENAN, Qu'est-ce qu'une nation?, I, Œ. compl., t. I, p. 888.

Il était partisan d'un retour à l'hégémonie impériale romaine, telle que cette hégémonie existait sous Constantin et sous Théodose. 2
Valery LARBAUD, Fermina Marquez, XIV.

(...) se contenter d'une caricature de Société des Nations, avouer qu'on rêve de mettre l'Europe sous une hégémonie anglo-française, et cultiver à plaisir des germes de nouveaux conflits sanglants. 3
MARTIN DU GARD, les Thibault, t. IX, p. 235.

DÉR. Hégémonique.

HÉGÉMONIQUE [eʒemɔnik] adj. — 1876, Renan, *in* T. L. F.; de *hégémonie.*

♦ Didact. De l'hégémonie. *Tendances politiques hégémoniques. «L'Europe hégémonique de Napoléon»* (Thibaudet, *Histoire de la littér. franç.,* p. 55).

HÉGIRE [eʒiʀ] n. f. — 1556; arabe *ăl-Hidjrăh* «l'émigration (du prophète Mahomet de la Mecque à Médine)»; par l'interm. du toscan *hegira.*

♦ Ère (cit. 1) des mahométans. → Époque, cit. 3. *L'hégire ou fuite de Mahomet, première date de la chronologie musulmane* (622 de l'ère chrétienne). *En l'an deux cents de l'hégire.*

1 (...) chassé de la Mekke, il *(Mahomet)* s'enfuit à Médine, et date son ère de sa fuite *(l'hégire).* BALZAC, Gambara, Pl., t. IX, p. 443.

2 (...) en Turquie, l'année 1322 de l'hégire. LOTI, les Désenchantées, VII.

DÉR. Hégirien.

HÉGIRIEN, IENNE [eʒiʀjɛ̃, jɛn] adj. — D. i. (attesté XXe); de *hégire.*

♦ Didact. De l'hégire. *« D'ici à la fin de l'année hégirienne »* (*El Moudjahid,* 24 janv. 1973, p. 6).

HÉGOUMÈNE [egumɛn] n. m. — 1873, *in* P. Larousse; grec *hêgoumenos,* p. prés. de *hêgeisthai* « guider ».

♦ Didact. Supérieur d'un monastère orthodoxe grec.

HEIDUQUE [ɛdyk] n. m. — 1715; *haiduc,* 1565; *heïduc,* 1664, *in* D. D. L.; *heidouque,* 1660; all. *Heiduck;* du hongrois *hajduk* « fantassin ».

Anciennement; didactique (histoire).

♦ **1.** Fantassin* de la milice hongroise.

1 Il faudrait risquer sa tête (...)
Et tout braver pour me voir,
Le sabre nu de l'heiduque,
Et l'eunuque
Aux dents blanches, au front noir! HUGO, les Orientales, XIX.

♦ **2.** Domestique* accompagnant une voiture de maître.

2 (...) des heiduques dont la taille étonnait la rue (...)
Ed. et J. DE GONCOURT, la Femme au XVIIIe siècle, II, p. 21.

HOM. Formes du v. **éduquer.**

HEIMATLOS [ɛmatlos] adj. et n. inv. — 1828, *in* D. D. L.; mot all. « sans patrie », de *Heimat* « pays natal » (de *Heim* « domicile »), et suff. *-los* « sans ».

♦ Didact. (Personne) qui, ayant perdu sa nationalité d'origine, n'a pas acquis de nationalité nouvelle. ⇒ **Apatride, sans-patrie.** *Des réfugiés heimatlos, des heimatlos.*

Pour corser la chose, nous placerions les deux bombes sous l'appareil et les quatre pétards autour. C'est Sawo, le Gitan, donc un heimatlos, qui avait eu l'idée première de cette machine infernale.
B. CENDRARS, la Main coupée, *in* Œ. compl., t. X, p. 111.

DÉR. Heimatlosat.

HEIMATLOSAT [ɛmatloza] n. m. — 1922; de *heimatlos,* et *-at.*

♦ Didact. Situation juridique d'un heimatlos. ⇒ **Apatridie.**

HEIN [ɛ̃] interj. — 1765; *heim,* 1691; *hen,* mil. XVe; *ahen, ahene,* XIIIe; onomat., du lat. *hem.*

Interjection familière d'interrogation.

♦ **1.** (XIIIe). S'emploie seul, soit pour inviter l'interlocuteur à répéter une chose qu'on a ou qu'on feint d'avoir mal entendue, soit pour l'interrompre avec impatience. ⇒ **Comment, plaît-il.**

1 Ha! Monsieur... — Hen?... MOLIÈRE, Dom Juan, I, 2.

2 Ma cousine... répondit Eugène. — Hein? fit la vicomtesse en lui jetant un regard dont l'impertinence glaça l'étudiant. BALZAC, le Père Goriot, Pl., t. II, p. 905.

N. m. :

3 L'esprit de cette femme est le triomphe d'un art tout plastique (...) Elle (...) a mis l'épigramme de Voltaire dans un *hein!* dans un *ah!* dans un *et donc!*
BALZAC, Autre étude de femme, Pl., t. III, p. 230 (1839).

♦ **2.** Se joint à une interrogation pour la renforcer. *Hein? que faire? — Qu'en penses-tu, hein?*

4 Que diable vous voulait-il donc, ce chat-huant? Hein, dites!
HUGO, Notre-Dame de Paris, VII, I.

♦ **3.** Se joint à une phrase (interrogative ou exclamative) pour marquer la surprise, l'étonnement. *Hein? que me chantez-vous là? Hein? en voilà une histoire!*

(1693). Pour demander une approbation, solliciter un consentement. → N'est*-ce pas? Non? *Vous viendrez, hein? Ça la fout* (cit. 6) *mal, hein? Tu me crois gâteux* (cit. 4), *hein?*

5 Je suis vilaine, hein? Vous m'en voulez? Allons! ne faites pas des yeux tristes (...)
COLETTE, la Paix chez les bêtes, Poucette.

6 En Amérique, je vais *faire de l'argent.* Avec le nom *(Silbermann)* que je porte, j'y étais prédestiné, hein?...
LACRETELLE, *in* A. MAUROIS, Études littéraires, t. II, p. 226.

Pour renforcer un ordre, une menace (→ Falot, cit. 4). — **REM.** En ce cas, la proposition est souvent elliptique du verbe. *Attention à vous, hein? Et pas de rouspétance, hein?*

7 Fiche-moi la paix, hein! R. DORGELÈS, les Croix de bois, II (1913).

(1863, Baudelaire). Pour exprimer une joie triomphante. *Hein? qu'est-ce que je vous avais dit? Ça te la coupe, hein?*

Faire un heureux, quelle jouissance! et surtout un heureux qui me fera rire!... Hein! comme ce sera drôle! BAUDELAIRE, le Spleen de Paris, XLVI. 8

Hein?... vous en restez assise? 9
COLETTE, la Paix chez les bêtes, L'homme aux poissons.

HELARCTE [elaʀkt] n. m. — Mil. XXe, Quillet; lat. sc. *helarctos,* 1873, Larousse; du grec *helos* « marais », et *arktos* « ours ».

♦ Zool. Ursidé (ours) arboricole, se nourrissant d'insectes et de végétaux, noir à collier blanc, dont le type est l'*ours malais,* appelé aussi *ours des cocotiers.*

HÉLAS [elas]; vx [ela] interj. — Fin XIIe; de *hé!,* et anc. franç. *las* « malheureux ».

♦ Interjection de plainte, exprimant la douleur, le regret... ⇒ **Las!** *Hélas! quel affreux malheur! — Qu'allons-nous devenir? Hélas! — Va-t-il mieux? Hélas! non. J'ai vu mourir, hélas! des centaines de blessés* (cit. 6). *Mais, hélas! nos beaux jours ne reviennent jamais* (→ Âge, cit. 46). *Ce n'est, hélas! que trop vrai* (→ Exploiteur, cit. 1). — (Répété). *Hélas, trois fois hélas!*

Quand reverrai-je, hélas, de mon petit village 1
Fumer la cheminée (...) DU BELLAY, Regrets, XXXI.

Hélas, fus-je jamais si cruel que vous l'êtes! RACINE, Andromaque, I, 4. 2

Hélas! quand reviendront de semblables moments? 3
LA FONTAINE, Fables, IX, 2.

Hélas! on voit que de tout temps 4
Les petits ont pâti des sottises des grands. LA FONTAINE, Fables, II, 4.

Hélas! que j'en ai vu mourir des jeunes filles! HUGO, les Orientales, XXXIII, 1. 5

Hélas! les beaux jours sont finis! 6
Th. GAUTIER, Émaux et Camées, « Ce que disent les hirondelles ».

Veuve d'Hector, hélas! et femme d'Hélénus! 7
BAUDELAIRE, Tableaux parisiens, Le cygne, II.

La chair est triste, hélas! et j'ai lu tous les livres. 8
MALLARMÉ, Poésies, « Brise marine ».

Hélas! je sens d'avance la vanité de toute diversion. 9
COLETTE, la Vagabonde, p. 15.

Par hyperbole (surtout dans la langue précieuse du XVIIe s.), pour marquer l'ennui, le dépit, l'affectation... (→ Accoucher, cit. 5).

— Eh bien, Mesdames, que dites-vous de Paris? 10
— Hélas! qu'en pourrions-nous dire?... MOLIÈRE, les Précieuses ridicules, 9.

C'est une chose, hélas! si plaisante et si douce! 11
MOLIÈRE, l'École des femmes, II, 5.

REM. *Hélas!* se trouve placé, soit en tête de proposition (cit. 2 à 6; 9, 10, 12), soit (plus rarement) en fin de proposition (cit. 7, 8) ou en incise (cit. 1, 11).

N. m. (1458). *Pousser un profond hélas!* (⇒ **Soupir**).

— Hélas! 12
— Eh bien, « hélas! » Que veut dire ceci?
Voyez le bel hélas! qu'elle nous donne ici! (...)
Je vous ferai chanter hélas! de belle sorte! MOLIÈRE, Sganarelle, 1.

HÉLÉPOLE [elepɔl] n. f. — 1611, *hellepole, in* Cotgrave; du grec *helepolis (mêkhanê)* « machine à prendre les villes », de *helein,* « prendre », et *polis* « ville ».

♦ Didact. Antiq. Machine de guerre en forme de tour mobile dont les Anciens se servaient aux sièges des villes, pour s'élever jusqu'à la hauteur des remparts.

C'était la grande hélépole, entourée par une foule de soldats (...) Elle avait (...) huit roues cerclées de fer, et depuis le matin elle avançait ainsi, lentement, pareille à une montagne qui se fût élevée sur une autre.
FLAUBERT, Salammbô, XIII, p. 280.

HÉLER [ʼele] v. tr. — Conjug. *céder.* — 1531, *heller; heiller,* fin XIVe; *heler* « boire ensemble », 1374; de l'angl. *to hail,* et *-er.*

♦ **1.** Mar. Appeler (une embarcation) à l'aide. *Héler un bâtiment pour l'arraisonner. Héler un bateau à l'aide d'un porte-voix.*

Et ils commencent à héler cette barque fuyante et sans fanal (...) Trop tard, les amis! ricane Itchoua, en ramant à outrance. Hélez à votre aise, à présent, et que le diable vous réponde! LOTI, Ramuntcho, VIII. 1

(1811, Chateaubriand). Appeler en se servant des mains comme d'un porte-voix.

♦ **2.** (1830, Balzac). Appeler de loin (→ Glisser, cit. 45). *Héler un taxi* (→ Faire, cit. 180), *un porteur.*

L'inconnu héla un fiacre qui se rendait à une place voisine, et y monta rapidement (...) BALZAC, la Maison du chat-qui-pelote, Pl., t. I, p. 24. 2

Les pierres grinçaient dans la boue, la diligence se balançait, et Hivert, de loin, hélait les carrioles sur la route (...) FLAUBERT, Mme Bovary, III, V. 3

Tout à coup deux lanternes brillèrent. Il aperçut un cabriolet, s'élança pour le rejoindre. Bouvard était dedans. 3.1
Mais où pouvait être la voiture du déménagement? Pendant une heure, ils la hélèrent dans les ténèbres. Enfin, elle se retrouva, et ils arrivèrent à Chavignolles.
FLAUBERT, Bouvard et Pécuchet, Folio, p. 71.

(...) il fermait sa porte, lorsqu'un paysan endimanché, qui passait en bas, sur la route, le héla. ZOLA, la Terre, III, III. 4

(Sujet n. de chose). *« Le téléphone le hèle brutalement »* (Montherlant, *in* T. L. F.).

▶ **SE HÉLER** v. pron. Récipr. *Les marins se hèlent d'un bord à l'autre.*

HOM. Ailé.

HÉLI- Faux élément de mots composés, tiré de *hélicoptère* (l'élément morphologique est *hélico-* ou *hélici-*), et que l'on retrouve dans *hélibus, héligare, héligrue, héliport, héliportage, héliporté, hélitransporté, hélitreuillage.*

HÉLIANTHE [eljɑ̃t] n. m. — 1615; lat. bot. *helianthus,* de *hêlios* « soleil » (→ Hélio-), et *anthos* « fleur ». → -ante.

♦ Bot. Plante dicotylédone *(Composacées)* d'origine exotique, à grands capitules jaunes. Bot. *Hélianthe tubéreux.* ⇒ **Topinambour.** — Cour. *L'hélianthe annuel,* fleur d'ornement. ⇒ **Soleil** (grand), **tournesol.**

L'hélianthe tord sa tige pour suivre le soleil dont il est l'image (...)
COLETTE, Belles saisons, p. 21.

DÉR. Hélianthine.

HÉLIANTHÈME [eljɑ̃tɛm] n. m. — 1732; *elianteme,* 1894; lat. bot. *helianthemum* (1615), du grec *hêlios* « soleil » (→ Hélio-), et *anthemon* « fleur » (dér. de *anthos*). → -anthème.

♦ Bot. Plante dicotylédone *(Cistinées)* communément appelée *gerbe d'or* ou *herbe d'or,* à fleurs d'un beau jaune luisant, disposées en épi. *Hélianthème alyssoïde.* ⇒ **Alysson** (faux).

REM. Var. : *helianthemum* [eljɑ̃tɛmɔm].

HÉLIANTHINE [eljɑ̃tin] n. f. — 1890, *in* P. Larousse, *Deuxième Suppl.*; de *hélianthe,* et *-ine.*

♦ Chim. Colorant azoïque qui tourne au jaune-orange en milieu basique et au rouge en milieu acide (→ Méthylorange, orangé, III.). *L'hélianthine s'emploie comme réactif coloré.*

HÉLIAQUE [eljak] adj. — 1593; grec *hêliakos,* de *hêlios.* → Hélio-.

♦ Astron. *Lever, coucher héliaque d'un astre :* lever ou coucher d'un astre peu avant le lever ou peu après le coucher du soleil et qui, de ce fait, contrairement au lever ou coucher cosmique*, peut être observé.

Fig. et plais. *« Avant l'Aurore... lever héliaque »* (*Révolution du Ténor autour du public,* H. Berlioz, *les Soirées de l'orchestre,* 6e soirée).

REM. Le dér. *héliaquement,* adv., est attesté (1791, *in* T. L. F.).

HÉLIASTE [eljast] n. m. — 1721; du grec *hêliastês,* de *hêliazein* « faire cuire au soleil », de *hêlios* « soleil ».

♦ Antiq. Juge ou juré d'un tribunal athénien (cit. 2), *l'héliée,* dont les audiences commençaient au lever du soleil.

HÉLIBUS [elibys] n. m. — 1962, Larousse; de *héli-* (hélicoptère), et *-bus* (de *autobus*).

♦ Techn. et rare. Hélicoptère servant au transport des passagers.

HÉLIÇAGE [elisaʒ] n. m. — XXe; de *hélice.*

♦ Techn. Fabrication des hélices d'avion (⇒ aussi **Hélicier**).

La fabrication des pales donnant de gros bénéfices, M. Lerter l'augmentait, y consacrant de nouveaux ateliers, mais dans cette recherche d'un monopole, il dérangeait les maisons spécialisées mécontentes que cet opulent fabricant de moteurs ajoutât à ses gains celui de l'héliçage.
Pierre HAMP, la Peine des hommes (Moteurs), p. 228.

HÉLICE [elis] n. f. — 1547; en archit. « volute d'un chapiteau corinthien » (sens 2); lat. *helix, icis* « spirale » (→ Hélix), du grec *helix, ikos.*

♦ **1.** Géom. *Hélice circulaire* (absolt *hélice*) : courbe gauche engendrée par enroulement sur un cylindre de révolution d'une droite oblique par rapport à son axe. *Décrire, tracer une hélice.* Syn. cour. (erronné) : *spirale.* — Par ext. Courbe coupant sous un angle constant les génératrices d'une surface de révolution. *Spires d'une hélice* (→ Coquillage, cit. 5).

1 Avec un tube fermé à l'un de ses bouts et supposé souple, je puis, non seulement reproduire assez bien l'essentiel de la forme d'un coquillage, mais encore en figurer quantité d'autres, dont les uns seraient inscrits dans un cône, comme celui-ci que j'examine; tandis que les autres, obtenus en réduisant le *pas* de l'hélice conique, finiront par se lover et se disposer en ressort de montre.
VALÉRY, Variété V, p. 13.

2 Le plus souvent d'ailleurs, une courbe gauche est (...) une hélice circulaire (un tire-bouchon est un morceau d'une telle courbe) [...] Outre l'hélice circulaire, les hélices les plus connues sont *l'hélice conique* (elle est tracée sur un cône de révolution, et sa projection sur un plan perpendiculaire à l'axe de ce cône est une spirale logarithmique) et l'*hélice sphérique* (elle est tracée sur une sphère et sa projection sur le plan diamétral de la sphère perpendiculaire à son axe est une épicycloïde).
Jean TAILLÉ, Courbes et Surfaces, p. 112-113-119.

(1690). EN HÉLICE : hélicoïdal, en forme de vis (on dit erronément : *en spirale**). ⇒ **Hélicoïdal, hélicoïde.** Techn. *Filet en hélice d'une vis, d'une vrille.* — *Escalier en hélice.* ⇒ **Colimaçon** (en), **vis** (à). — *Torsion en hélice.* ⇒ **Hélicisme.**

♦ **2.** Objet, dispositif en hélice. — Archit. Volute latérale ornant le chapiteau de style corinthien.

(1548). Anat. ⇒ **Hélix** (→ Anfractueux, cit. 2). Zool. ⇒ **Hélix.**

♦ **3.** (1803). Par anal. (de mouvement). Cour. Appareil constitué de deux, trois... pales (ou ailes) solidaires d'un arbre, constituant l'organe de propulsion ou de traction de bateaux, d'avions (de tous les avions, avant la propulsion par réaction). *Hélice d'un navire qui broie* (cit. 2) *l'eau. Hélice d'une torpille marine. Hélice d'un hydroglisseur. Hélices d'un avion* (→ 1. Pale, cit.), *en métal, à pas* variable, mues par un moteur à piston, un turbopropulseur. Ailette d'un ventilateur à hélice. Aéronef à hélices horizontales.* ⇒ **Autogire, giravion; -gyre, hélicoptère.** *Avions à hélice et avions à réaction. La ligne est encore desservie par un petit avion à hélice. Ballon dirigeable, zeppelin à hélice. — L'Île à hélice,* roman de Jules Verne. — *Hélice carénée. Arbre d'hélice.*

On parle bien des moteurs destinés à surmonter la résistance des courants, l'hélice par exemple; mais l'hélice, se mouvant dans un milieu mobile, ne donnera aucun résultat. Moi, monsieur, moi j'ai découvert le seul moyen de diriger les ballons (...) 2.1
J. VERNE, Un drame dans les airs, p. 190.

On n'entend que le battement de l'hélice. La quille du navire glisse au milieu des eaux illuminées et silencieuses comme des étoffes molles et moirées d'argent où le sillage fait comme une déchirure d'or, sous le tremblement des reflets lunaires. 3
Louis BERTRAND, le Livre de la Méditerranée, p. 330.

Les roues puissantes écrasent les cales. Battue par le vent de l'hélice, l'herbe jusqu'à vingt mètres en arrière semble couler... L'avion, happé par l'hélice, fonce. 4
SAINT-EXUPÉRY, Courrier Sud, p. 19-20.

L'hélice d'un ventilateur.

Dans le haut des murs ronronnaient des appareils qui renouvelaient l'air, et leurs hélices courbes brassaient l'air crémeux et surchauffé (...) 5
CAMUS, la Peste, p. 226.

DÉR. Héliçage, hélicier, hélicisme.

HÉLICICULTEUR, TRICE [elisikyltœʀ, tʀis] n. — 1922, Larousse; du lat. *helix, icis* (→ Hélix, 2.), et *-culteur.*

♦ Didact. Éleveur, éleveuse d'escargots (⇒ **Héliciculture**).

HÉLICICULTURE [elisikyltyʀ] n. f. — 1914, *Larousse mensuel;* du lat. *helix, icis* (→ Hélix, 2.), et *culture.*

♦ Didact. Élevage des escargots. *L'héliciculture se pratique dans les escargotières.*

HÉLICIDÉS [eliside] n. m. pl. — 1902; *hélicides,* 1873; du lat. *helix, icis,* et *-idés.*

♦ Zool. Famille de mollusques gastéropodes terrestres et pulmonés comprenant les escargots*. — Au sing. *Un hélicidé.*

HÉLICIER [elisje] n. m. — 1929, *in* T. L. F.; de *hélice,* et *-ier.*

♦ Techn. Ouvrier qui fabrique les hélices.

La grève se réconfortait dans la colère et se distrayait dans le remuement (...) Des héliciers faisaient de la perruque sur leurs établis. Ils fignolaient des chandeliers, des animaux. L'aluminium se travaillait comme du hêtre. Plusieurs de ces ouvriers venaient de l'ébénisterie (...) Les travailleurs du bois retrouvaient sur ces profils le dessin des meubles courbes. Avant la fabrication des hélices par la Société des Moteurs, une grande partie lui était fournie par un ancien artisan de commodes (...) Pierre HAMP, la Peine des hommes, (Moteurs), p. 111.

REM. Le fém. *hélicière* est virtuel.

HÉLICIFORME [elisifɔʀm] adj. — 1873, *in* P. Larousse; du lat. *helix, icis* (→ Hélix, 2.), et *-forme.*

♦ Didact. Qui a la forme d'un escargot.

HÉLICISME [elisism] n. m. — Mil. XXe; de *hélice.*

♦ Didact. (bot.). Torsion en forme d'hélice.

1. HÉLICO- ⇒ **Héli-.**

2. HÉLICO [eliko] n. m. ⇒ **Hélicoptère.**

HÉLICOAGITATEUR [elikoaʒitatœʀ] n. m. — 1968, Larousse; de *hélico-,* et *agitateur.*

♦ Techn. Appareil utilisé pour brasser un mélange au moyen d'une hélice.

HÉLICOÏDAL, ALE, AUX [elikɔidal, o] adj. — 1854; de *hélicoïde.*

♦ **1.** Didact. En forme d'hélice. *Repli hélicoïdal de l'oreille.* ⇒ **Hélix.**

♦ **2.** Mécan. *Mouvement hélicoïdal :* mouvement d'un solide qui tourne autour d'un axe fixe en se déplaçant le long de cet axe, de telle sorte que ses différents points décrivent des hélices de même axe, de même pas, mais de rayons différents. *Engrenage* hélicoïdal.*

(...) par une habitude rapidement prise, elle saisit à travers l'étoffe du pantalon un bout de chair de cuisse de l'oncle entre ses ongles et lui imprime un mouvement hélicoïdal. R. QUENEAU, Zazie dans le métro, p. 131.

HÉLICOÏDE [elikeɔid] adj. et n. — 1704; grec *helikoeidês,* de *helix, ikos* (→ Hélice), et *eidos* «forme». → -oïde.

♦ Géom. En forme d'hélice. *Parabole hélicoïde :* courbe engendrée par une parabole dont l'axe est enroulé autour d'un cercle.

N. m. *Un hélicoïde.* Surface engendrée par le mouvement hélicoïdal d'une droite autour d'un axe. *La surface d'une vis à filet* carré est un hélicoïde. Hélicoïde à génératrice courbe* (→ Vis* de saint Gilles).

La chaire a pour dais un élégant clocher terminé en pointe comme une mitre; l'intérieur de ce clocher se compose d'un noyau autour duquel tourne une voûte hélicoïde à filigranes de pierres. CHATEAUBRIAND, Mémoires d'outre-tombe, t. VI, p. 20.

DÉR. Hélicoïdal.

HÉLICON [elikɔ̃] n. m. — 1902, Larousse; grec *helikos* «sinueux», de *helix, ikos.* → Hélice.

♦ Mus. Instrument de cuivre, à vent et à pistons, que sa forme circulaire permet de porter autour du corps en le faisant reposer sur une épaule. ⇒ **Saxhorn.** *Jouer de l'hélicon. Registre grave de l'hélicon.*

HÉLICOPODE [elikɔpɔd] adj. — 1896, *in* D. D. L.; de *hélico-,* et *-pode.*

♦ Méd. *Démarche hélicopode :* démarche de l'hémiplégique dont la jambe paralysée avance en fauchant.

HÉLICOPTÈRE [elikɔptɛʀ] n. m. — 1862, «aéronef» et «jouet d'enfant»; 1861 dans un texte angl., demande de brevet déposée par Panton d'Amécourt, *in* L. Guilbert; du grec *helix, ikos* «spirale» (→ Hélice), et *pteron* «aile».

♦ Cour. Appareil volant dont la sustentation et la propulsion sont assurées par de grandes hélices* horizontales placées au-dessus de l'appareil. (Abrév. fam. : *hélico;* 1929, *in* D. D. L.). ⇒ **Autogire, giravion, girodyne; héligrue.** *Rotors, voiture tournante d'un hélicoptère. Hélicoptère à deux rotors.* ⇒ **Banane,** 3. *Hélicoptère à réaction*. Hélicoptère Alouette.* ⇒ **Alouette,** 4. *Rôle de l'hélicoptère dans les opérations de sauvetage en mer ou en montagne. Hélicoptère de combat. L'hélicoptère décolle à la verticale.*

1 Le rotor étant automatiquement entraîné quel que soit le régime de vol, l'hélicoptère peut donc effectuer des déplacements rigoureusement verticaux, horizontaux ou inclinés (...) La possibilité d'envol et d'atterrissage à la verticale rend les hélicoptères aptes à des missions entre villes ou bien entre villes et aéroports. Pierre LEFORT, le Matériel volant, p. 103-105.

2 (...) à moins que l'hélicoptère n'ait soudainement pris la place et joué le rôle du murmurant vélo-moteur et de toutes les autres mécaniques terrestres. G. DUHAMEL, l'Archange de l'aventure, I.

3 Hors le cas de force majeure et de sauvetage, les hélicoptères doivent atterrir ou décoller :
— soit sur certains aérodromes destinés aux aéronefs à voilure fixe, en se conformant aux consignes particulières qui leur sont applicables sur ces aérodromes;
— soit sur des plateformes spécialement prévues à leur usage, et qui sont classées dans les trois catégories suivantes :
héliports
hélistations
hélisurfaces. Arrêté, Journal officiel, 10 juil. 1959.

COMP. Héligare, héligrue, héliport, héliporté, hélistation, hélisurface, hélitransport, hélitransporté, hélitreuillage, hélitreuiller.

HÉLICOSTAT [elikɔsta] n. m. — 1938, *in* D. D. L.; de *hélico- (hélicoptère),* d'après *aérostat.*

♦ Techn. Type d'hélicoptère stabilisé par un ballon. *«À Toulouse, l'Aérospatiale travaille à la conception d'un engin hybride à mi-chemin entre le ballon et l'hélicoptère, l'hélicostat, destiné, à l'origine, au débardage du bois en haute montagne»* (*l'Express,* 28 août 1978, p. 43).

HÉLICOTRÈME [elikɔtʀɛm] n. m. — 1846, Bescherelle; de 1. *hélico-,* et grec *trêma* «ouverture».

♦ Anat. Orifice situé au sommet du limaçon, ou cochlée*, dans l'oreille interne.

-HÉLIE Élément, tiré du grec *hêlios* «soleil», et qui entre dans la composition de quelques mots savants. ⇒ **Aphélie, parhélie, périhélie.**

HÉLIGARE [eligaʀ] n. f. — 1957, *Larousse mensuel;* de *héli(coptère),* et *gare.* → Aérogare.

♦ Rare. Gare d'hélicoptères pour passagers. ⇒ **Héliport.**

HÉLIGRUE [eligʀy] n. f. — 1974, *in la Clé des mots;* de *héli(coptère),* et *grue.*

♦ Techn. (aviat.). Hélicoptère de manutention.

HÉLIO [eljo] n. f. ⇒ **Héliogravure.**

HÉLIO- Élément, tiré du grec *hêlios* «soleil», et servant à former de nombreux mots savants. Outre les mots traités à l'ordre alphab., des composés rares ou occasionnels sont attestés : *héliophobe,* adj., vx (⇒ **Héliofuge**); *héliophobie,* n. f.; *héliothalassothérapie,* n. f. thérapeutique par l'action du soleil et de la mer.

Par mutation brusque Jacques est devenu salamandre, héliocole, incombustible, vivant amiante. R. QUENEAU, Loin de Rueil, p. 88.

HÉLIOCENTRIQUE [eljosɑ̃tʀik] adj. — 1721; de *hélio-, centre,* et *-ique.*

♦ Astron. Qui est mesuré, considéré par rapport au centre du Soleil (opposé à *géocentrique*). *Théorie héliocentrique* (ou *héliocentrisme*) *de Copernic. Mouvement héliocentrique d'une planète.*

À la source de ces erreurs, il y a bien sûr l'illusion anthropocentriste. La théorie héliocentrique, la notion d'inertie, le principe d'objectivité ne pouvaient suffire à dissiper cet ancien mirage. Jacques MONOD, le Hasard et la Nécessité, p. 59.

DÉR. Héliocentrisme.

HÉLIOCENTRISME [eljosɑ̃tʀism] n. m. — XXe; du rad. de *héliocentrique.*

♦ Astron. Système d'après lequel le Soleil est considéré comme le centre de l'univers (opposé notamment à *géocentrisme*). *«Et tout s'expliquait fort bien jusqu'à ce que Michelson, inventeur de l'interféromètre, eut l'idée de mettre à l'épreuve, non pas l'hypothèse de l'éther, mais celle de l'héliocentrisme. La Terre étant en mouvement relatif par rapport à l'éther « luminifère », la vitesse de la lumière devait être différente selon qu'on observait un faisceau dans le sens du mouvement terrestre ou en sens contraire»* (*Sciences et Avenir,* n° 418, déc. 1981, p. 80).

HÉLIOCHIMIQUE [eljoʃimik] adj. — V. 1970; de *hélio-,* et *chimique.*

♦ Techn. sc. Qui a rapport aux processus chimiques causés par l'action du soleil. *« La voie héliochimique, c'est-à-dire la transformation de l'énergie solaire par les plantes, ou "énergie verte"»* (*le Nouvel Obs.,* 7 mars 1977, p. 43).

HÉLIOCHROMIE [eljokʀomi] n. f. — 1866, Littré; de *hélio-,* et *-chromie.*

♦ Techn. Reproduction des couleurs par la photographie.

DÉR. Héliochromique.

HÉLIOCHROMIQUE [eljokʀomik] adj. — 1866; de *héliochromie.*

♦ Techn. Relatif à l'héliochromie.

HÉLIODERMITE [eljodɛʀmit] n. f. — XXe; de *hélio-,* et *dermite.*

♦ Didact. (méd.). Affection de la peau due à une exposition excessive au soleil (ex. : coup de soleil). *L'héliodermite fait partie des héliopathies.*

HÉLIODORE [eljodɔʀ] n. m. — 1873; de *hélio-,* et du grec *dôron* «don»; nom d'une variété de tulipe; sens mod., 1962.

♦ Techn. Pierre fine formée de béryl jaune d'or.

HÉLIODYNAMIQUE [eljodinamik] n. f. — 1890, n. f.; 1876, adj., in *Année sc. et industr.* 1877, p. 85; de *hélio-*, et *dynamique.*

♦ Didact. Partie de la physique qui étudie la chaleur solaire.

HÉLIODYNE [eljodin] n. m. — V. 1960 (*in* Larousse, 1968); de *hélio-*, et *-dyne*, du grec *dunamis.*

♦ Didact. et rare. Four* solaire.

HÉLIOÉLECTRIQUE [eljoelɛktʀik] adj. — Mil. xxe; de *hélio-*, et *électrique.*

♦ Didact., techn. Qui transforme l'énergie solaire en énergie électrique. *Appareils hélioélectriques sur un engin spatial.* — REM. On écrit aussi *hélio-électrique.*

HÉLIOFUGE [eljofyʒ] adj. — 1873, Larousse; de *hélio-*, et *-fuge.*

♦ Biol. Se dit d'un organisme qui craint, qui fuit la lumière du soleil. (On dit aussi *héliophobe*).

CONTR. Héliophile.

HÉLIOGÈNE [eljɔʒɛn] adj. — Mil. xxe; de *hélium*, et *-gène.*

♦ Phys. nucl. Se dit d'un élément radioactif dont la transformation donne de l'hélium.

HÉLIOGRAMME [eljɔgʀam] n. m. — 1879, cit.; de *héliographe*, et *-gramme.*

♦ Didact. Diagramme, enregistrement fourni par un héliographe.

Un héliogramme a été envoyé, avec le clair de lune, du Palais de Cristal à Sydenham jusqu'à Woolwich Common.
L. FIGUIER, l'Année scientifique et industrielle 1880, p. 80 (1879).

HÉLIOGRAPHE [eljɔgʀaf] n. m. — 1857, *in* D. D. L.; de *hélio-*, et *-graphe.*

♦ **1.** Anciennt. Appareil télégraphique optique utilisant les rayons du soleil.

♦ **2.** Phys. ⇒ **Héliostat.**

Je saisis alors mon héliographe, appareil qui envoie le soleil dans l'œil de l'observateur, suivant le principe du miroir que les enfants dirigent sur la figure des passants, et cherche à attirer l'attention du bateau en faisant scintiller l'appareil suivant le rythme du S. O. S. Le navire poursuit sa course.
Alain BOMBARD, Naufragé volontaire, p. 91-92.

♦ **3.** Météor. Appareil enregistrant le nombre d'heures d'ensoleillement.

♦ **4.** Astron. Appareil mesurant la quantité de chaleur émise par le Soleil.

HÉLIOGRAPHIE [eljɔgʀafi] n. f. — 1802; de *hélio-*, et *graphie.*

♦ **1.** Astron. Description du Soleil.

♦ **2.** (1866). Procédé photographique de gravure. ⇒ **Photogravure.**

♦ **3.** Techn. milit. (Vx). Procédé de visée par repérage solaire.

DÉR. Héliographique, héliographiste.

HÉLIOGRAPHIQUE [eljɔgʀafik] adj. — 1842; de *héliographie.*

Didactique.

♦ **1.** Relatif à l'héliographie. — (Au sens 3). « *Une armée quitte sa base d'opérations où elle a établi une station héliographique...* » (*Année sc. et industr.* 1881, p. 99).

♦ **2.** Obtenu par l'héliographie.

HÉLIOGRAPHISTE [eljɔgʀafist] n. — 1880, in *Année sc. et industr.* 1881, p. 99; de *héliographie.*

♦ Vx. Spécialiste de l'héliographie (1. ou 3.).

HÉLIOGRAVÉ, ÉE [eljogʀave] adj. — 1927, cit.; de *héliogravure*, d'après *gravé.*

♦ Techn. Reproduit par héliogravure.

Aux murs héliogravés par Braun-Clément, les chefs-d'œuvre de la peinture française : la *Liseuse* de Henner, la *Naissance de Vénus* de Bouguereau (...)
Maurice BEDEL, Jérôme 60° latitude Nord, XXII, p. 256.

HÉLIOGRAVEUR, EUSE [eljogʀavœʀ, øz] n. — 1905, *in* D. D. L.; de *héliogravure*, d'après *graveur.*

♦ Techn. Personne qui fait de l'héliogravure.

HÉLIOGRAVURE [eljogʀavyʀ] n. f. — 1873, *in* Littré, *Suppl.*; de *hélio-*, et *gravure.*

Technique.

♦ **1.** Procédé de photogravure en creux, se tirant comme la gravure en taille douce. (Abrév. fam. : *hélio* [eljo]). *L'héliogravure utilise les clichés galvanoplastiques. Héliogravure rotative.* ⇒ **Rotogravure.**

Il y a deux sortes d'héliogravures, qui n'ont guère de commun que le nom. La première est une sorte d'aquateinte *(sic)* mécanique, photographique, tirée ensuite à la main comme la taille douce. Dans la seconde (la seule industrielle), l'original est photographié à travers une trame d'une finesse microscopique, et reporté sur un cylindre de cuivre enduit d'une couche de gélatine sensibilisée, laquelle, au développement, est incomplètement détruite (proportionnellement, en chaque point, à l'intensité lumineuse reçue)... Les noirs de l'héliogravure sont veloutés et un peu bouchés. Les plus fins dégradés peuvent être obtenus (...)
Encycl. franç. (DE MONZIE), XVI, 16-28-15.

♦ **2.** Par ext. Gravure exécutée selon ce procédé. *Livre orné d'héliogravures* (abrév. : *hélios*).

DÉR. Héliogravé, héliograveur.

HÉLIOMARIN, INE [eljomaʀɛ̃, in] adj. — 1933, *in* D. D. L.; de *hélio-*, et *marin.*

♦ Méd. Qui utilise l'action simultanée des rayons solaires et de l'air marin. *Cure héliomarine.* → Héliothalassothérapie. *Centre, établissement, sanatorium héliomarin.*

HÉLIOMÉTÉOROLOGIE [eljometeɔʀɔlɔʒi] n. f. — 1962, Larousse; de *hélio-*, et *météorologie.*

♦ Didact. Partie de la météorologie qui étudie les rapports entre la circulation atmosphérique et l'activité solaire.

HÉLIOMÈTRE [eljɔmɛtʀ] n. m. — 1747; de *hélio-*, et *-mètre.*

♦ Didact. (astron.). Lunette servant à mesurer le diamètre apparent des corps célestes (Soleil, Lune, planètes).

DÉR. Héliométrique.

HÉLIOMÉTRIQUE [eljometʀik] adj. — 1866, Littré; de *héliomètre.*

♦ Didact. (astron.). Relatif à l'héliomètre.

HÉLION [eljɔ̃] n. m. — 1923, Marie Curie, *in* T. L. F.; de *hélium*, et *-on.*

♦ **1.** Phys. Noyau d'hélium, particule du rayonnement α (alpha).

Ces atomes d'hélium, ces *corpuscules alpha*, furent ensuite appelés *hélions* et, à 1
force de patience, on en mesura la grosseur et la vitesse.
Pierre ROUSSEAU, De l'atome à l'étoile, p. 26.

♦ **2.** (Emploi scientifiquement archaïque ou incorrect). Hélium.

À la suite d'un échange de vues entre Mme Curie et Sir E. Rutherford, les éma- 2
nations du radium, du thorium et de l'actinium pourraient prendre les noms de *radon*, *thoron* et *actinon*, dénominations qui rappellent leur origine et leur analogie avec l'argon (il serait de même indiqué de dire *hélion* et non *hélium*).
A. BOUTARIC, la Vie des atomes, p. 168.

Les turbines géantes qu'on ne connaît pas envoient sans cesse le courant électri- 3
que le long des fils, d'une tour à l'autre, par-dessus les vallées, les montagnes, les routes, et l'électricité se répand dans Hyperpolis, elle embrasse au même instant tous les petits bouts de fil de fer, tous les tubes d'hélion, de carbone, de néon.
J.-M. G. LE CLÉZIO, les Géants, p. 111.

HÉLIOPATHIE [eljopati] n. f. — xxe (1971, *Dict. de méd. et de biol.*); de *hélio-*, et *-pathie.*

♦ Méd. Affection ou ensemble de troubles provoqués par les rayons du soleil. ⇒ **Héliodermite** (coup de soleil, insolation, etc.).

HÉLIOPHANIE [eljofani] n. f. — Attesté 1972, cit.; de *hélio-*, et *-phanie.* → -phane.

♦ Didact. et rare. Éclat, lumière solaire.

Suspendue au-dessus des dunes du levant, une chapelle ardente rougeoyait où se préparaient mystérieusement les fastes de l'héliophanie.
M. TOURNIER, Vendredi..., p. 215 (1972).

HÉLIOPHILE [eljɔfil] adj. — 1873, Larousse; de *hélio-*, et *-phile.*

♦ Biol. Se dit d'un organisme qui recherche le soleil.

CONTR. Héliofuge.

HÉLIOPHOTOMÈTRE [eljofɔtɔmɛtʀ] n. m. — 1875, *Année sc. et industr.* 1876, p. 135; de *hélio-*, et *photomètre.*

♦ Techn. Instrument destiné à mesurer l'intensité de la lumière solaire.

HELIOPORA [eljɔpɔʀa] n. m. — 1890, Encycl. Berthelot, art. *Coralliaire ;* lat. mod., du grec *hêlios* « soleil », et *poros.* → Pore.

♦ Zool. Octocoralliaire vivant dans les récifs de coraux, à squelette calcaire de couleur bleue.

Il existe un seul genre vivant *Heliopora*, connu depuis le Crétacé, mais il y a de nombreux genres fossiles, certains connus dès le Silurien.
Odette TUZET, Cœlentérés, *in* Encycl. Pl. (Zoologie), t. I, p. 499.

HÉLIOPROPHYLAXIE [eljopʀɔfilaksi] n. f. — 1945, *in* D. D. L. ; de *hélio-*, et *prophylaxie.*

♦ Didact. Utilisation des rayons solaires dans la prévention de certaines maladies.

1. HÉLIOSCOPE [eljɔskɔp] n. m. — 1671 ; de *hélio-*, et *-scope.*

♦ Astron. Vx. Lunette à verre fumé ou coloré permettant d'observer le Soleil sans danger pour la vue.

DÉR. Hélioscopie.

2. HÉLIOSCOPE [eljɔskɔp] adj. — 1548, *in* D. D. L. ; de *hélio-*, et *-scope.*

♦ Bot. Vx. Qui se tourne vers le soleil. ⇒ **Héliotrope.**

HÉLIOSCOPIE [eljɔskɔpi] n. f. — 1866 ; de 1. *hélioscope.*

♦ Astron. Observation du Soleil au moyen de l'hélioscope.

HÉLIOSENSIBILITÉ [eljosɑ̃sibilite] n. f. — 1970 ; de *hélio-*, et *sensibilité.*

♦ Didact. Sensibilité (de micro-organismes) aux variations de l'activité solaire (explosions solaires).

HÉLIOSTAT [eljɔsta] n. m. — 1746 ; de *hélio-*, et grec *statos* « arrêté ».

♦ Phys. Instrument d'optique formé d'un miroir plan mû par un mécanisme d'horlogerie qui assure, malgré le mouvement apparent du Soleil, la projection en un point fixe des rayons solaires réfléchis. ⇒ **Héliographe** (2.) ; aussi **cœlostat, sidérostat.** *L'héliostat de Foucault, de Silbermann.*

DÉR. Héliostatique.

HÉLIOSTATION [eljostasjɔ̃] n. f. — 1970, *in* T. L. F. ; de *hélio-*, et *station.*

♦ Techn. Centrale électrique solaire.

HÉLIOSTATIQUE [eljostatik] adj. — 1866 ; de *héliostat*, et *-ique.*

♦ Phys. Relatif à l'héliostat. *Appareil héliostatique.*

HÉLIOSYNCHRONE [eljosɛ̃kʀon] adj. — D. i. ; de *hélio-*, et *synchrone.*

♦ Astron. *Orbite héliosynchrone :* orbite d'un satellite artificiel de la Terre dont le plan fait un angle constant avec la direction Terre-Soleil. « *Conçue principalement pour viser le géostationnaire de 36 000 km, Ariane peut offrir aussi des missions en orbite basse, en orbite polaire héliosynchrone (...)* » (*Sciences et Avenir*, n° 413, juil. 1981, p. 16). — Par ext. *Satellite héliosynchrone*, décrivant une orbite héliosynchrone.

HÉLIOTECHNIQUE [eljotɛknik] n. f. — Mil. XXe ; de *hélio-*, et *technique.*

♦ Phys. Technique qui permet de transformer l'énergie solaire en courant électrique. — REM. Le dér. *héliotechnicien, ienne*, n., est attesté.

HÉLIOTHÉRAPEUTE [eljoteʀapøt] n. — 1928, Arnoux, *in* T. L. F. ; de *héliothérapie*, d'après *thérapeute.*

♦ Méd. Personne qui pratique l'héliothérapie. ⇒ **Héliothérapiste.**

HÉLIOTHÉRAPIE [eljoteʀapi] n. f. — 1900, Jarry ; de *hélio-*, et *-thérapie.*

♦ Méd. Traitement de certaines maladies par la lumière et la chaleur solaire (bains de soleil). *Séance d'héliothérapie.* ⇒ **Bain** (de soleil). *Héliothérapie artificielle par lampes à arc, lampes à rayons ultraviolets.*

(...) une petite pièce bâtarde, couloir à murs de vitres que Patrick destinait à des séances d'héliothérapie.
COLETTE, la Chatte, p. 93.

DÉR. Héliothérapique, héliothérapiste.

HÉLIOTHÉRAPIQUE [eljoteʀapik] adj. — 1922, Larousse ; de *héliothérapie.*

♦ Méd. Relatif à l'héliothérapie.

HÉLIOTHÉRAPISTE [eljoteʀapist] n. — 1955, *Dict. des Métiers ;* de *héliothérapie.*

♦ Méd. Employé(e) d'un établissement d'héliothérapie.

HÉLIOTHERME [eljotɛʀm] adj. — 1974 ; de *hélio-*, et *-therme.*

♦ Didact. Dont la chaleur provient du soleil. *Reptile héliotherme.*

HÉLIOTHERMIE [eljotɛʀmi] n. f. — V. 1960 ; de *hélio*, et *thermie.*

♦ Techn. Production de chaleur à partir de l'énergie solaire.

DÉR. Héliothermique.

HÉLIOTHERMIQUE [eljotɛʀmik] adj. — V. 1972 ; de *héliothermie.*

♦ Techn. Qui concerne l'héliothermie. *Centrale héliothermique.* « *(...) la voie héliothermique, où l'on utilise directement la chaleur du soleil, soit pour évaporer l'eau d'une chaudière, soit pour chauffer l'eau d'une maison* » (*le Nouvel Obs.*, 7 mars 1977, p. 43).

1. HÉLIOTROPE [eljɔtʀɔp] n. m. et adj. — 1546, Rabelais ; *eliotropie*, 1372 ; *elyotrope*, XIIe, aux sens 1 et 2 ; lat. *heliotropium* « pierre précieuse », du grec *hêliotropion*, même sens, de *hêliotropios*, de *hêlios* « soleil » et *trepein* « tourner », d'où « (plante) qui se tourne vers le soleil ». → Tournesol (autre plante). Cf. adj. *plante héliotrope* (1812).

♦ **1.** Bot. et cour. Plante dicotylédone *(Borraginées)* annuelle ou vivace, à feuilles alternes et persistantes, à fleurs odorantes (blanches, mauves, violettes) dont de nombreuses espèces croissent dans les régions chaudes et tempérées du globe. *L'héliotrope d'Europe, à fleurs blanches, communément appelé* tournesol, herbe aux verrues, herbe de Saint-Fiacre *ou* herbe aux chancres. *L'héliotrope du Pérou, à petites fleurs bleues ou lilas, cultivé pour son parfum suave qui rappelle celui de la vanille.*

Et comme les naturalistes remarquent que la fleur nommée héliotrope tourne sans 1
cesse vers cet astre du jour (...) MOLIÈRE, le Malade imaginaire, II, 5.

Une odeur fine et suave d'héliotrope s'exhalait d'un petit carré de fèves en 2
fleurs (...) CHATEAUBRIAND, Mémoires d'outre-tombe, t. I, p. 269.

L'héliotrope mauve aux senteurs de vanille (...) 3
C^sse de Noailles, l'Ombre des jours, Attendrissement.

Vous savez bien que c'est quand ils sont tout mouillés par la pluie qu'on sent vrai- 4
ment l'odeur fraîche des lilas, tandis que l'héliotrope ne donne tout son parfum, qui est si doux, qu'au soleil. PROUST, Jean Santeuil, Pl., p. 263.

Adj. (1892). De la couleur violette des fleurs d'héliotrope. *Une robe héliotrope. Des robes héliotrope.*

♦ **2.** (XIIe). Minér. Calcédoine à fond verdâtre jaspé de veines rouges.

DÉR. Héliotropine.

2. HÉLIOTROPE [eljɔtʀɔp] n. m. — 1842 ; de *hélio-*, et *-trope ;* grec *tropein* « tourner ».

♦ Techn. (Vx). Miroir, plan réfléchissant les rayons solaires, destiné à faire des signaux. *L'héliotrope de Gauss.*

HÉLIOTROPINE [eljɔtʀɔpin] n. f. — V. 1900 ; de *héliotrope*, et *-ine.*

♦ Chim. Composé aromatique, à base d'essence de sassafras et d'un parfum analogue à celui de l'héliotrope. ⇒ **Pipéronal.** *Emploi de l'héliotropine en parfumerie.*

HÉLIOTROPIQUE [eljɔtʀɔpik] adj. — 1845 ; de *héliotropisme.*

♦ Didact. Relatif à l'héliotropisme.

HÉLIOTROPISME [eljɔtʀɔpism] n. m. — 1828 ; de *hélio-*, et *tropisme.*

♦ Biol. Propriété des végétaux et des animaux inférieurs fixés de se tourner vers la lumière solaire *(héliotropisme positif)* ou de s'en détourner *(héliotropisme négatif).* ⇒ **Phototropisme.**

Nous ne ferons que mentionner ici les tropismes qui affectent les végétaux : l'héliotropisme ou phototropisme en vertu duquel une plante pousse vers une source lumineuse ou la fuit (...)
Max ARON et Pierre-Paul GRASSÉ, Précis de biologie animale, p. 466.

DÉR. Héliotropique.

HÉLIOTYPIE [eljɔtipi] n. f. — 1890, *in* P. Larousse, *Deuxième Suppl.*; de *hélio-*, et *-typie.*

♦ Techn. Photocollographie, phototypie.

HÉLIOX [eljɔks] n. m. — 1971; de *héli(um)*, et *ox(ygène).*

♦ Sc. Mélange hélium-oxygène utilisé en plongée sous-marine. « (Les chercheurs) *commencèrent par remplacer l'air comprimé par un mélange respiratoire synthétique, dans lequel l'hélium se substituait à l'azote comme gaz diluant de l'oxygène. Ce nouveau mélange, baptisé "héliox", supprima en effet la narcose observée à partir de - 50/60 m.* » (*Science et Vie*, nº 796, janv. 1984, p. 52).

HÉLIOZOAIRES [eljɔzɔɛʀ] n. m. pl. — 1890, *in* P. Larousse, *Deuxième Suppl.*, de *hélio-*, et *-zoaires.*

♦ Zool. Classe de protozoaires actinopodes à spicules siliceux ou silico-calcaires rayonnants, dont les prolongements cytoplasmiques entourent la masse cellulaire. — Au sing. *Un héliozoaire.*

HÉLIPORT [elipɔʀ] n. m. — 1952; comp. irrég. de *héli(coptère)*, et *port.* → Aéroport.

♦ « Aérodrome spécialement aménagé pour les transports réguliers par hélicoptères » (Arrêté du 10 juil. 1959). ⇒ **Hélistation; vertiport.** → Héligare.

1 Pour commencer, une flotille de dix hélicoptères avait transporté les invités qui l'avaient souhaité de l'héliport d'Issy-les-Moulineaux à une clairière située à moins de cent mètres de la maison forestière de Sénart.
Philippe DAUDY, la Force du Destin, p. 391.

2 Les cinq aérogares seront reliées entre elles et à un point central, à la fois station du Réseau Express Régional et héliport pour les hélicoptères joignant Paris-Nord à Orly ou à Paris même. Ce bâtiment central comprendra naturellement des hôtels, restaurants, magasins divers. Science et Vie, nº 594, p. 107.

HÉLIPORTAGE [elipɔʀtaʒ] n. m. — 1962, Larousse; de *héliporté*, d'après *portage.*

♦ Transport par hélicoptère.

Ils continuent les héliportages. Ils cernent la vallée, mais ne veulent pas y descendre. Jean LARTÉGUY, les Prétoriens, p. 451.

REM. On dit aussi *hélitransport.*

HÉLIPORTÉ, ÉE [elipɔʀte] adj. — 1955; de *héli(coptère)*, et *porté.* → Aéroporté.

♦ Transporté par hélicoptère. *Commando héliporté.* Qui est accompli à l'aide d'hélicoptères. *Opération héliportée.*

REM. On dit aussi *hélitransporté.*

D. I. H., détachement d'intervention héliporté — en général une dizaine d'appareils lourds mis à la disposition d'une unité de combat pour transporter ses hommes sur de petites distances. Jean LARTÉGUY, les Prétoriens, p. 439.

DÉR. Héliportage.
HOM. Héliporter.

HÉLIPORTER [elipɔʀte] v. tr. — 1964, Lartéguy; de *héliporté.*

♦ Transporter (des troupes, du matériel) par hélicoptère.

Boisfeuras prévint Raspéguy par radio et, laissant deux sections de garde à Foum, il se fit héliporter avec deux autres sections sur ce rassemblement.
Jean LARTÉGUY, les Prétoriens, p. 660.

HOM. Héliporté.

HÉLISTATION [elistɑsjɔ̃] n. f. — 1959; de *héli(coptère)*, et *station.*

♦ Admin. Aérodrome pour hélicoptères, plus sommairement aménagé que l'héliport*. → Hélicoptère, cit. 3.

HÉLISURFACE [elisyʀfas] n. f. — 1959; de *héli(coptère)*, et *surface.*

♦ Admin. Emplacement utilisé par les hélicoptères « à titre exceptionnel, temporaire ou saisonnier » (Arrêté du 10 juil. 1959). → Hélicoptère, cit. 3.

HÉLITRANSPORT [elitʀɑ̃spɔʀ] n. m. — Mil. XXᵉ; de *héli(coptère)*, et *transport.*

♦ Techn. ⇒ **Héliportage.**

HÉLITRANSPORTÉ, ÉE [elitʀɑ̃spɔʀte] adj. — Mil. XXᵉ; de *héli(coptère)*, et *transporté.*

♦ Techn. ⇒ **Héliporté.**

HÉLITREUILLAGE [elitʀœjaʒ] n. m. — 1977; de *héli(coptère)*, et *treuillage.*

♦ Techn. Remorquage ou manipulation par treuil, au moyen d'un hélicoptère (opérations en mer, en haute montagne, etc.).

HÉLITREUILLER [elitʀœje] v. tr. — 1974, à la radio; de *héli(coptère)*, et *treuiller.*

♦ Techn. Manipuler par treuil, au moyen d'un hélicoptère.

HÉLIUM [eljɔm] n. m. — 1868; lat. mod. *helium*, du grec *hêlios* « soleil », l'existence de cet élément ayant été établie par l'observation du soleil; d'abord en anglais.

♦ Corps simple gazeux (*He*; nº at. 2, p. atom. 4,0026), très léger (dens. 0,13), mono-atomique et inflammable, découvert dans la chromosphère solaire et très rare dans l'air. Plur. *Héliums. La température de fusion de l'hélium est de* — *272 °C. Hélium liquide. L'hélium, découvert par spectroscopie lors de l'éclipse solaire de 1868 par l'anglais Lockyer, n'a été isolé qu'en 1893, à partir d'un minerai d'uranium. La fusion de l'hydrogène en hélium rend compte de l'énergie de la bombe H. Ballon gonflé à l'hélium. On trouve l'hélium dans certaines eaux minérales, et surtout dans les gaz de pétrole du sous-sol américain. Hélium dégagé par les corps radioactifs. Tube luminescent à l'hélium. Noyau d'hélium.* ⇒ **Hélion.**

On a reconnu la nature du soleil (...) et on y a trouvé des corps qui existent sur la terre et qui y étaient restés inaperçus; par exemple, l'hélium, ce gaz presque aussi léger que l'hydrogène.
H. POINCARÉ, la Valeur de la science, 1905, p. 67, *in* T. L. F.

HÉLIX [eliks] n. m. — 1690, P. Dionis; lat. mod., du lat. *helix, icis*, du grec *helix* « spirale ». → Hélice.

♦ **1.** Anat. Ourlet du pavillon de l'oreille, décrivant un demi-cercle en partant de la conque jusqu'à la partie supérieure du lobule.

♦ **2.** (1802). Zool. Nom scientifique de l'escargot.

DÉR. et COMP. Héliciculteur, héliciculture, hélicidés, héliciforme.

HELLANODICE [elanɔdis, ɛllanɔdis] ou **HELLANODIQUE** [elanɔdik; ɛllanɔdik] n. m. — 1801, Mercier; du grec *hellanodikês.*

♦ Antiq. Juge aux Jeux olympiques.

HELLÉBORE [elebɔʀ, ɛllebɔʀ] n. m. ⇒ **Ellébore.**

HELLÈNE [ɛlɛn] n. — 1681, Bossuet, « païen »; grec *Hellên, ênos*, nom que se donnaient les Grecs.

♦ (Déb. XIXᵉ). De la Grèce ancienne *(Hellade)* ou moderne. ⇒ **Grec.** *Les Hellènes.* — Adj. *Le peuple, l'armée hellène. Voilier hellène* (→ Courir, cit. 28).

À part quelques Grecs sans caractère ralliés à leurs vainqueurs, jamais Hellène vraiment digne de ce nom n'a fait à la littérature latine l'honneur de s'en occuper (...) RENAN, Grammairiens grecs, Œ., t. II, p. 638. 1

Mais où sont les hymnes des anciens Hellènes? Ils avaient, comme les Italiens, des chants antiques, de vieux livres sacrés; mais de tout cela il n'est rien parvenu jusqu'à nous. FUSTEL DE COULANGES, la Cité antique, Introd. 2

(...) des conditions comparables se sont trouvées ailleurs sans reproduire le miracle grec, et aucune explication matérielle ne nous dispense de mettre en cause (...) les merveilleuses aptitudes naturelles du peuple hellène. 3
Fernand ROBERT, la Littérature grecque, p. 8.

DÉR. Helléniser.
COMP. Philhellène.

HELLÉNIQUE [elenik; ɛllenik] adj. — 1712; grec *hellênikos*, de *Hellên, ênos.* → Hellène.

♦ Qui a rapport aux Hellènes, à la Grèce (antique ou moderne). ⇒ **Grec.** *Confédération hellénique. Civilisation hellénique. Langue hellénique. Mot de racine hellénique* (→ Étymologie, cit. 8). — *Les Helléniques*, récit historique de Xénophon (IVᵉ siècle av. J.-C.).

(...) il ne faudrait pas conclure de là que Paul reçut une éducation hellénique très soignée (...) Il n'est pas croyable qu'un homme qui eût pris des leçons même élémentaires de grammaire et de rhétorique eût écrit cette langue bizarre, incorrecte, si peu hellénique par le tour, qui est celle des lettres de saint Paul. 1
RENAN, les Apôtres, X, Œuvres, t. IV, p. 572.

2 Et lorsqu'on a cette vue d'ensemble sur le rôle d'Athènes dans le paganisme hellénique, quel aspect miraculeux prend ce paysage !

Jacques DE LACRETELLE, le Demi-dieu, IV.

COMP. Préhellénique.

HELLÉNISANT, ANTE [elenizɑ̃, ɑ̃t; ɛllenizɑ̃, ɑ̃t] n. et adj. — 1846 ; p. prés. de *helléniser.*

♦ **1.** Hist. Juif parlant grec, marqué par l'hellénisme. Adj. *Juif hellénisant.*

♦ **2.** (1906, Barrès, *in* T. L. F.). Didact. Personne qui s'occupe d'études grecques. ⇒ **Helléniste.**

HELLÉNISATION [elenizɑsjɔ̃; ɛllenizɑsjɔ̃] n. f. — 1876 ; de *helléniser.*

♦ Action de marquer d'un caractère hellénique. *Hellénisation d'un peuple, d'un pays.*

1 À la romanisation, la communauté résistait d'instinct, comme elle avait fait à l'hellénisation d'Épiphane. DANIEL-ROPS, le Peuple de la Bible, IV, II, p. 343.

2 Ces Grecs d'Asie Mineure conservent des relations avec l'Hellade, dont ils réclameront l'intervention lors de la menace de Cyrus (...) Cette hellénisation de la côte d'Asie Mineure se fait encore sentir à notre époque.

Yves BÉQUIGNON, la Grèce archaïque et classique, *in* Encycl. Pl. (Hist. universelle), t. I, p. 558-559.

HELLÉNISER [elenize; ɛllenize] v. — 1808, Courier ; grec *hellênizein,* de *Hellên.* → Hellène.

★ **I.** V. tr. Donner un caractère grec à. ⇒ **Gréciser.**

Au p. p. *Juif hellénisé.* ⇒ **Helléniste,** 1. *Peuples hellénisés.*

1 (...) mais Sapho et les poètes de l'*Anthologie* sont des « coloniaux », des Orientaux hellénisés (...)

Robert BRASILLACH, Anthologie de la poésie grecque, Introd., p. 12.

2 (...) Raphaël hellénise ou latinise tout naturellement la Bible (...)

MALRAUX, les Voix du silence, p. 87.

Pron. (1860). *S'helléniser.* Prendre un caractère grec.

3 Le christianisme a été obligé, pour s'étendre dans le monde méditerranéen, de s'helléniser et sa doctrine s'est du même coup assouplie.

CAMUS, l'Homme révolté, p. 235.

★ **II.** V. intr. (1845). Rare. Étudier la langue et la civilisation grecques. — Partager les opinions des Grecs.

▶ **HELLÉNISÉ, ÉE** p. p. adj. Voir ci-dessus.

DÉR. Hellénisant, hellénisation.

HELLÉNISME [elenism; ɛllenism] n. m. — 1580 ; grec *hellênismos,* de *hellênizein.* → Helléniser.

♦ **1.** (1704). Ling. Construction ou emploi propre à la langue grecque. *Les hellénismes, idiotismes* du grec.* — Par anal. Construction grecque que l'on introduit dans une autre langue. *Latin mêlé d'hellénismes.*

1 Rabelais a été à la fois l'initiateur de l'hellénisme en littérature et le plus heureux des novateurs (...) Un grand nombre d'hellénismes consignés par Rabelais ont fait fortune et sont restés dans la langue.

L. SAINÉAN, la Langue de Rabelais, t. II, p. 49-50.

♦ **2.** (1829, « goût pour la civilisation grecque »). Hist. Ensemble de la civilisation grecque. *Le siècle de Périclès marqua le triomphe de l'hellénisme. L'hellénisme gréco-romain, byzantin.* — Civilisation d'inspiration grecque, qui s'est développée hors de Grèce. *Rôle de l'hellénisme en Orient dans la période hellénistique*.* — (1866, Littré). Esprit grec ; philosophie grecque. *Influence de l'hellénisme sur les humanistes de la Renaissance.*

2 (...) l'émigration vers l'Asie Mineure aurait commencé dès avant l'invasion dorienne et elle se serait poursuivie plusieurs siècles après elle. Les cités qui furent alors fondées devinrent « des îlots d'hellénisme en terre barbare » JARDÉ (...)

Yves BÉQUIGNON, la Grèce archaïque et classique, *in* Encycl. Pl. (Hist. universelle), t. I, p. 558.

3 (...) l'hellénisme s'adaptera, avec des succès plus ou moins durables, et la période hellénistique, désignation à laquelle ne s'attachera aucun préjugé défavorable, sera l'histoire de cette adaptation, de cette évolution nouvelle de l'hellénisme (...) L'hellénisme ne disparaît pas avec la conquête de la Grèce par Rome en 146, ni davantage avec l'an 231, lorsqu'Octave est vainqueur d'Antoine, mais, sous l'empereur Julien (355-363), il brille encore d'un vif éclat.

Yves BÉQUIGNON, Évolution du monde hellénistique, *in* Encycl Pl. (Hist. universelle), t. I, p. 727.

Hist. relig. Religion répandue dans l'Empire romain, où dominait le paganisme d'origine grecque.

4 Au IIe, au IIIe, au IVe siècle de notre ère, l'hellénisme se constituera en religion organisée, par une sorte de fusion entre la mythologie et la philosophie grecques, et, avec ses philosophes thaumaturges, ses anciens sages érigés en révélateurs, ses légendes de Pythagore et d'Apollonius, fera au christianisme une concurrence qui, pour être restée impuissante, n'en a pas moins été le plus dangereux obstacle que la religion de Jésus ait trouvé sur son chemin.

RENAN, les Apôtres, XVII, Œuvres, t. IV, p. 674.

COMP. Panhellénisme.

HELLÉNISTE [elenist; ɛllenist] n. — 1598 ; grec *hellênistês* « partisan des coutumes grecques », d'où (pour les chrétiens) « païen, idolâtre », de *hellênizein.* → Helléniser, hellénisme.

♦ **1.** Antiq. Vx. Juif converti au paganisme grec. ⇒ **Hellénisant.** — Adj. *Les Juifs hellénistes de Galilée.*

(...) son grec *(de saint Paul)* était celui des juifs hellénistes, un grec chargé d'hébraïsmes et de syriacismes (...) 1

RENAN, les Apôtres, X, Œuvres, t. IV, p. 572.

♦ **2.** (1661, *in* T. L. F. ; repris 1808). Mod. Savant ou lettré qui s'occupe de philologie ou de littérature grecque. *Henri Estienne, P.-L. Courier, Victor Bérard, furent de grands hellénistes. Une helléniste.*

(...) vous apprenez à vos lecteurs que je suis un *helléniste,* fort habile, dites- 2
vous (...) Je ne suis point (...) *helléniste,* ou je ne me connais guère. Si j'entends bien ce mot, qui, je vous l'avoue, m'est nouveau, vous dites un *helléniste,* comme on dit un *dentiste,* un *droguiste,* un *ébéniste ;* et, suivant cette analogie, un *helléniste* serait un homme qui étale du grec, qui en vit et qui en vend au public, aux libraires, au gouvernement. Il y a loin de là à ce que je fais. Vous n'ignorez pas, monsieur, que je m'occupe de ces études uniquement par goût (...)

P.-L. COURIER, Lettre à M. Renouard, 20 sept. 1810.

Il *(Racine)* allait (très peu de temps) recevoir aux Granges les leçons de M. Lan- 3
celot, l'helléniste (...) F. MAURIAC, la Vie de Jean Racine, I.

DÉR. Hellénistique.

HELLÉNISTIQUE [elenistik; ɛllenistik] adj. — 1671, Bossuet ; de *helléniste,* et *-ique.*

♦ **1.** S'est dit de la langue grecque mêlée d'hébraïsmes parlée par les Juifs hellénisants.

Le reste des livres sacrés pourrait dans la suite avoir été mis en grec pour l'usage 1
des Juifs répandus dans l'Égypte et dans la Grèce, où ils oublièrent non seulement leur ancienne langue qui était l'hébreu, mais encore le chaldéen que la captivité leur avait appris. Ils se firent un grec mêlé d'hébraïsmes qu'on appelle le langage hellénistique : les Septante et tout le Nouveau Testament est écrit en ce langage.

BOSSUET, Disc. sur l'hist. universelle, I, VIII.

♦ **2.** (1881). Relatif à l'époque qui va de la mort d'Alexandre à la conquête romaine, et de tout ce qui se rapporte à cette période d'adaptation de l'hellénisme à l'Orient. *Les grandes monarchies hellénistiques. Art, poésie hellénistique.* ⇒ 1. **Alexandrin.**

On n'en saurait disconvenir, l'époque hellénistique ne compte plus de génies *(artis-* 2
tiques) ; mais le talent ne fait pas défaut ; les praticiens experts foisonnent et, à force de métier, ils attirent l'attention, parviennent même à des trouvailles.

Louis RÉAU, Hist. universelle des arts, I, p. 282.

Ce n'est plus un empire au sens politique du terme, mais c'est l'empire d'une forme 3
de civilisation, l'empire hellénistique.

DANIEL-ROPS, le Peuple de la Bible, IV, II.

La civilisation de l'époque hellénistique ne s'oppose pas à celle des siècles précé- 4
dents. Elle lui demeure fidèle, mais elle l'enrichit d'éléments neufs et elle possède son originalité (...) la civilisation hellénistique se distingue par des traits d'apparence contradictoire : par son unité, par son infinie diversité et par son insatiable curiosité (...) Le goût du luxe s'est répandu au contact des civilisations orientales (...)

Yves BÉQUIGNON, Évolution du monde hellénistique, *in* Encycl. Pl. (Hist. universelle), t. I, p. 792 et 799.

HELLÉNO- ou **HELLÉNICO-** Premier élément de composés (plus rare que *gréco-*) : *helléno-latin, ine,* adj. (Élie Faure, *in* T. L. F.).

HELLÉNOMANIE [elenɔmani; ɛllenɔmani] n. f. — 1973 ; de *helléno-,* et *-manie.*

♦ Didact. Fait d'utiliser des racines grecques pour former des mots français nouveaux.

HELLO ! [ɛllo] interj. — 1895 ; angl. *hello.* → Allô.

♦ Anglic. Interjection pour appeler qqn en le saluant. ⇒ **Allô.**

Quand il s'approcha, elle lui lança son gentil *Hello !* 1

Maurice BEDEL, Jérôme 60° latitude Nord, XII, p. 137.

— Hello ! s'écrièrent des gens qui descendaient d'un taxi. 2

R. QUENEAU, Zazie dans le métro, p. 104.

HELMINTHE [ɛlmɛ̃t] n. m. — 1806, *in* D. D. L. ; *elminthe,* 1538 ; grec *helmins, inthos* « ver ».

♦ Zool. et méd. Se dit de tout ver* parasite de l'homme et des animaux. *Les helminthes appartiennent aux classes des némathelmin-*

tes et des plathelminthes*. Maladie causée par les helminthes.* ⇒ **Helminthiase.**

Serré, fourmillant comme un million d'helminthes,
Dans nos cerveaux ribote un peuple de Démons (...)
BAUDELAIRE, les Fleurs du mal, Au lecteur.

DÉR. Helminthique, helminthoïde.
COMP. Helminthologie.

HELMINTHIASE [ɛlmɛ̃tjaz] n. f. — 1814, Nysten, *in* D. D. L. ; du grec *helminthian «avoir des vers», de helmins, inthos* (→ Helminthe), suff. *-ase.*

♦ Méd. Maladie causée par les helminthes. ⇒ **Ascaridiose, distomatose, filariose, strongylose, trichinose.**

HELMINTHIQUE [ɛlmɛ̃tik] n. et adj. — 1752 ; de *helminthe.*

♦ Qui se rapporte aux vers parasites. — Employé contre les helminthes. *Médicament helminthique.* (On dit aussi *anthelminthique*). — N. m. *Un helminthique.* ⇒ **Vermifuge.**

HELMINTHOÏDE [ɛlmɛ̃tɔid] adj. — 1866, Littré ; de *helminthe,* et *-oïde.*

♦ Didact. Qui ressemble à un ver. *Larve helminthoïde.*

HELMINTHOLOGIE [ɛlmɛ̃tɔlɔʒi] n. f. — 1791, *in* D. D. L. ; var. *helmontologie,* 1778, *in* D. D. L. ; de *helminthe,* et *-logie.*

♦ Didact. Étude des vers parasites. — REM. Les dér. *helminthologique,* adj., et *helminthologiste,* n., sont attestés.

HELMINTHOSPORIOSE [ɛlmɛ̃tospɔʀjoz] n. f. — Mil. XXe (1969, Quillet) ; de *helminthosporium,* et 2. *-ose.*

♦ Maladie des céréales due à plusieurs espèces d'helminthosporium.

HELMINTHOSPORIUM [ɛlmɛ̃tospɔʀjɔm] n. m. — Mil. XXe (1969, Quillet) ; du grec *helmins, inthos* «ver» (→ Helminthe), et *spora* «semence». → Spore.

♦ Bot. Champignon ascomycète dont plusieurs espèces sont parasites de plantes cultivées, notamment des graminées.

DÉR. Helminthosporiose.

HÉLODÉE [elɔde] n. f. ⇒ **Élodée.**

HÉLODERME [elɔdɛʀm] n. m. — 1846, Bescherelle ; du grec *hêlos* «clou», et *derma, atos* «peau».

♦ Zool. Saurien nocturne d'Amérique tropicale, parfois appelé *monstre de Gila,* dont la morsure venimeuse est mortelle pour l'homme (famille des *Hélodermatidés*).

HÉLOPHILE [elɔfil] n. m. — 1846, Bescherelle ; du grec *helos* «marais», et *-phile.*

♦ Zool. Insecte diptère dont les larves vivent dans les eaux croupies (famille des *Syrphidés*).

HÉLOPHYTE [elɔfit] n. f. — 1969, Quillet ; du grec *helos* «marais», et *phuton* «plante».

♦ Bot. Plante des marais, enracinée et bourgeonnant dans la vase.

HÉLOPS [elɔps] n. m. — 1874, *in* Littré, *Suppl.* ; du grec *hêlos* «clou», et rad. *op-* (→ -ope) «qui a l'apparence d'un clou».

♦ Zool. Insecte coléoptère *(Ténébrionidés)* qui vit dans le bois carié, sous les écorces, dans la mousse.

HELVELLE [ɛlvɛl] n. f. — 1778, Lamarck, *in* D. D. L. ; lat. *helvella* «petit chou», au XVIIIe dans ce sens.

♦ Bot. Champignon ascomycète *(Discomycètes),* proche des morilles, dont la tête est formée de lames minces et lisses. *Les helvelles sont comestibles.*

(Voici) l'helvelle, dont le chapeau a l'air d'une mitre d'évêque (...)
André THEURIET, *in* Revue des Deux-Mondes, 1er oct. 1874.

HELVÈTE [ɛlvɛt] adj. — 1831, Michelet, *in* T. L. F. → Helvétique.

♦ Hist. De l'Helvétie. ⇒ **Suisse.** N. *Les Helvètes,* nom latin du peuple habitant la Suisse.

HELVÉTIEN, IENNE [ɛlvesjɛ̃, jɛn] n. — XVIIIe ; de *Helvetia,* et *-ien.*

♦ Vx. Qui est de nationalité suisse. ⇒ **Helvète, helvétique.**

HELVÉTIQUE [ɛlvetik] adj. — Déb. XVIIIe, La Chapelle, Saint-Simon, *Mémoires,* t. V, XLIX ; lat. *helveticus,* de *Helvetii* «les Helvètes».

♦ Relatif à la Suisse. ⇒ **Suisse.** *La Constitution, la Confédération helvétique* (C. H.).

DÉR. Helvétisme.

HELVÉTISME [ɛlvetism] n. m. — 1845, Bescherelle ; de *helvétique,* et *-isme.*

♦ Ling. Locution, tournure française propre aux habitants de la Suisse romande. ⇒ **Suissisme** (fam.).

HEM [hœm ; hɛm ; ɛm] interj. — V. 1530, Marot ; onomat., certainement antérieure.

♦ Interj. servant à appeler (⇒ **Hé ! holà !**), à interroger (⇒ **Hein**), à exprimer le doute, un scepticisme moqueur, certains sous-entendus (⇒ **Hm, hum**).
(V. 1530). Onomatopée imitant un raclement de gorge, un toussotement.

— Hem ! c'est prendre bran pour farine. 1
— Que dites-vous ? — Rien, Catherine ;
Je toussais...
Clément MAROT, Colloques d'Érasme, II.

Cette Raymond est assurément, *hem ! hem !* avec cette coiffe que vous connaissez... sa chambre et sa voix sont charmantes, *hem ! hem !* il me semble que je 2
vous entends.
Mme DE SÉVIGNÉ, 595, 5 nov. 1676.

On me parlait, je n'entendais pas. Hem ? quoi ? que voulez-vous ? Voilà tout ce
qu'on pouvait tirer de moi. 3
MARIVAUX, Marianne, VI.

N. m. (1646, *in* D. D. L.). *Un hem !*

Sans qu'un chien d'Harangueur me vinst aussi charger 4
De son hem, de sa toux, de sa reniflerie.
SCARRON, Dom Japhet d'Arménie, III, 4, 61 (1646).

HÉMA-, HÉMAT-, HÉMATO-, HÉMO- Préfixes, tirés du grec *haima* «sang», qui servent à former de nombreux composés savants (biologie, médecine, chimie...). Ex. : *autohémothérapie.* Voir les composés à l'ordre alphabétique. — REM. Littré note qu'on trouve parfois ces mots «écrits à tort dans les dictionnaires techniques par *hæm* ; la diphtongue grecque *αι (ai)* se rend en français par *é*». → le suff. **-émie.**

HÉMAGGLUTININE [emaglytinin] n. f. — 1959, *in* D. D. L. ; de *héma-,* et *agglutinine.*

♦ Méd. Substance qui provoque l'agglutination des globules rouges du sang (anticorps spécifique des groupes sanguins, produit bactérien ou viral).

HÉMAGOGUE [emagɔg] adj. et n. m. — 1800, *in* D. D. L. ; grec *haimagôgos,* de *héma-,* et suff. *-agogue.*

♦ Méd. Se dit d'une substance qui facilite l'écoulement des règles.

HÉMAMIBE [emamib] n. f. — 1903, *in* Rev. gén. des sc., n° 11, p. 632 ; de *hém(a)-,* et *amibe.*

♦ Biol. Protozoaire (*Hæmamœba plasmodium*) parasite du sang (hématozoaire*), qui, transmis par l'anophèle, est la cause des affections paludéennes.

HÉMANGIOME [emɑ̃ʒjom] n. m. — XXe ; de *héma-,* et *angiome.*

♦ Pathol. Tumeur bénigne formée par une agglomération de vaisseaux sanguins dilatés. ⇒ **Angiome.**

HÉMAPHÉINE [emafein] n. f. — 1898, *Nouveau Larousse illustré ; de héma-,* et grec *phaios* «brun».

♦ Méd. Substance brune provenant de la destruction massive des globules rouges du sang, apparaissant dans l'urine dans certaines formes d'ictère (dites *ictères hémaphéiques*).

HÉMARTHROSE [emaʀtʀoz] n. f. — 1893, Encycl. Berthelot ; de *héma-,* et *arthrose.*

♦ Méd. Épanchement du sang dans une articulation.

HÉMATÉINE [ematein] n. f. — D. i. (XXe) ; du grec *haimatos,* suff. *-eine.* → Hématine.

♦ Chim., techn. Colorant ($C_{16}H_{12}O_6$) obtenu par oxydation de l'hématoxyline, présent dans le bois de Campêche.

HÉMATÉMÈSE [ematemɛz] n. f. — 1803, *in* D. D. L.; *hematemesis*, 1795, trad. Cullen; de *héma(to)-*, et grec *emesis* «vomissement».

♦ Méd. Vomissement de sang, provenant du tube digestif (surtout de l'estomac). ⇒ **Hémoptysie.**

HÉMATEUX, EUSE [ematø, øz] adj. — 1866, Littré; du grec *haima, atos* «sang».

♦ Didact. Relatif au sang.

HÉMATIDROSE ou **HÉMATHIDROSE** [ematidʀoz] n. f. — 1855, Nysten; de *hémat(o)-*, et grec *hidrôs* «sueur», suff. *-ose.*

♦ Méd. Suintement de sang par les pores cutanés, décrit dans certains cas de purpura.

As-tu sué du sang Christ dans Gethsémani
Crucifié réponds dis non moi je le nie
Car j'ai trop espéré en vain l'hémathidrose. APOLLINAIRE, Alcools, p. 101.

HÉMATIE [emasi] n. f. — 1858, Lachâtre; du rad. grec *haimatos*, suff. *-ie.*

♦ Biol. Globule rouge du sang. *L'hématie adulte a la forme d'une lentille biconcave de 7 μ de diamètre; elle est dépourvue de noyau. Hématie nucléée, hématie jeune. Hématie granuleuse, ponctuée. L'hématimètre, appareil destiné au dénombrement des hématies.* ⇒ **Érythrocyte.**

HÉMATIMÈTRE [ematimɛtʀ] n. m. — 1878, *in* D. D. L.; de *hémat(o)-*, et *-mètre.*

♦ Méd. Petit récipient gradué servant à la numération des globules rouges du sang sous le microscope. Syn., vx : *globulimètre.*

HÉMATINE [ematin] n. f. — 1855; *hématoxyline**, Chevreul, v. 1811, dér. sav. du grec *haimatos*, suff. *-ine.*

♦ Biochim. Forme oxydée de la matière colorante de l'hémoglobine, qui peut être trouvée dans le sang lors de certaines infections et dans l'anémie pernicieuse. *Chlorhydrate d'hématine.* ⇒ 2. **Hémine.**

HÉMATIQUE [ematik] adj. — 1855, Nysten; grec *haimatikos*, de *haima, atos.* → Héma-.

♦ Didact. D'origine sanguine. *Crise hématique, kyste hématique.*

Dépouillé de son sédiment de charbon, Carl, vraiment, n'était pas plus laid qu'un autre (...) mais sa taille était trop exiguë pour son âge. Cette vie sans soleil le rendait aussi anémique qu'une laitue, et il est vraisemblable que le compte-globules du docteur Sarrasin, appliqué au sang du petit mineur, y aurait révélé une quantité tout à fait insuffisante de monnaie hématique.
J. VERNE, les Cinq cents millions de la Bégum, VI, éd. Hetzel, p. 91.

HÉMATITE [ematit] n. f. — 1558, *pierre hématite; ematite*, XIIe; lat. *hæmatites*, grec *haimatitês*, de *haima, atos* «sang». → Héma-.

♦ Minér. Sesquioxyde naturel de fer, de couleur rougeâtre ou brune. *Hématite rouge* : oxyde de fer Fe_2O_3. ⇒ **Ferret** (d'Espagne), **oligiste.** *Hématite brune.* ⇒ **Limonite.** *Les hématites sont les minerais de fer les plus répandus.*

(Des) mines de fer cristallisées, auxquelles on a donné le nom d'*hématites*, parce qu'il s'en trouve souvent qui sont d'un rouge couleur de sang (...) Au reste, toutes les hématites ne sont pas rouges : il y en a de brunes et même de couleur plus foncée; mais lorsqu'on les réduit en poudre, elles prennent toutes une couleur d'un rouge plus ou moins vif (...) BUFFON, Hist. nat. des minéraux, Du fer.

HÉMATO- ⇒ **Héma-.**

HÉMATOBLASTE [ematoblast] n. m. — 1877, Hayem; de *hémato-* (→ Héma-), et grec *blastos* «germe».

♦ Biol. ⇒ **Globulin** (dér. de *globule*).

HÉMATOCÈLE [ematosɛl] n. f. — 1732, Trévoux; de *hémato-* (→ Héma-), et *-cèle.*

♦ Pathol. Tumeur constituée par une collection de sang; spécialt, collection de sang, d'aspect tumoral, du scrotum.

HÉMATOCYTOLOGIE [ematositolɔʒi] n. f. — Mil. XXe (1968, *in* Larousse, *Suppl.*); de *hémato-* (→ Héma-), et *-cytologie.*

♦ Didact. (méd.). Partie de l'hématologie qui étudie les cellules du sang (globules rouges, globules blancs, plaquettes).

HÉMATODE [ematɔd] adj. — 1836, Landais; grec *haimatôdês* «de la nature du sang», de *haima, atos* «sang».

★ **I.** Biol., méd. Qui ressemble à du sang. Spécialt. *Carcinome hématode* : carcinome caractérisé par de nombreuses hémorragies.

★ **II.** N. m. Coléoptère rougeâtre vivant sur les cadavres.

HÉMATOGÈNE [ematɔʒɛn] adj. — 1874, *in* D. D. L.; «protéide ferrugineuse servant à la formation de l'hémoglobine de l'embryon de poulet», *Nouveau Larousse illustré*, v. 1900; de *hémato-* (→ Héma-), et *-gène.*

♦ Physiol. Qui dépend du sang, est dû à la circulation sanguine. *Dissémination hématogène des microbes* (Garnier). *Acides hématogènes*, qui favorisent la formation de l'hémoglobine.

HÉMATOGRAPHIE [ematɔgʀafi] n. f. — 1808, Boiste; de *hémato-* (→ Héma-), et *graphie.*

♦ Didact. et vx. Description du sang. ⇒ **Hématologie.**

HÉMATOLOGIE [ematɔlɔʒi] n. f. — 1803, *in* D. D. L.; de *hémato-* (→ Héma-), et *-logie.*

♦ Didact. Branche de la médecine consacrée à l'étude et au traitement des maladies du sang et des organes formateurs du sang.

DÉR. **Hématologique, hématologiste** ou **hématologue.**

HÉMATOLOGIQUE [ematɔlɔʒik] adj. — 1843; de *hématologie.*

♦ Didact. De l'hématologie. *Analyse hématologique. Affections hématologiques,* du sang.

HÉMATOLOGISTE [ematɔlɔʒist] ou **HÉMATOLOGUE** [ematɔlɔg] n. — 1882, *in* D. D. L., *hématologiste; hématologue*, 1846; de *hématologie*, et *-iste, -logue.*

♦ Didact. Spécialiste de l'hématologie.

HÉMATOME [ematom] n. m. — 1855, Nysten; de *hémato-* (→ Héma-), et *-ome.*

♦ Méd. (assez cour.) Accumulation circonscrite de sang dans un tissu (surtout dans le tissu cutané), due à des lésions vasculaires. ⇒ **Ecchymose, bleu** (fam.). *Hématome anévrismal diffus*, formé par le sang épanché hors d'une artère. *Hématome dural*, siégeant dans l'épaisseur de la dure-mère; *hématome extra-dural*, siégeant entre la dure-mère et les os du crâne.

Il a fait un hématome qui est en train de s'infecter.
DUHAMEL, les Maîtres, Chronique des Pasquier, t. VI, p. 40.

HÉMATOPHAGE [ematɔfaʒ] adj. — 1846, Bescherelle; de *hémato-* (→ Héma-), et *-phage.*

♦ Didact. Qui se nourrit du sang d'autres animaux. *Les puces et les punaises sont des insectes hématophages. « L'antigène de surface du virus de l'hépatite B a aussi été identifié chez de nombreux insectes hématophages, puces, moustiques (...) »* (*la Recherche*, n° 145, juin 1983, p. 863).

HÉMATOPHOBIE [ematɔfɔbi] n. f. — XVIe; de *hémato-* (→ Héma-), et *-phobie.*

♦ Didact. Peur maladive à la vue du sang. On dit aussi *hémophobie.*

HÉMATOPOÏÈSE [ematopɔjɛz] n. f. — 1888, Larousse; *hématopoèse*, 1873, Littré-Robin; grec *haimatopoïein*, de *haima, atos* «sang», et *poïein* «faire».

♦ Physiol. Formation des globules sanguins.

DÉR. **Hématopoïétique.**

HÉMATOPOÏÉTIQUE [ematopɔjetik] adj. — 1863, *in* D. D. L.; de *hématopoïèse.*

♦ Physiol. *Organes hématopoïétiques*, où se forment les globules (moelle osseuse, etc.).

HÉMATOSE [ematoz] n. f. — 1628, *in* D. D. L.; grec *haimatôsis*, du verbe *haimatoun* «ensanglanter, transformer en sang», de *haima, atos* «sang».

♦ Physiol. Échanges gazeux qui se produisent dans le poumon au cours de la respiration (l'oxygène de l'air inspiré passe dans le sang et le gaz carbonique du sang est éliminé par l'expiration).

DÉR. Hématoser.

HÉMATOSER (S') [ematoze] v. pron. — 1873, *in* P. Larousse; de *hématose.*

♦ Physiol. Subir une hématose. Au p. p. *Sang hématosé.*

HÉMATOXYLINE [ematɔksilin] n. f. — 1842, Académie; de *hémato-* (→ Héma-), et grec *xulon* «bois».

♦ Chim. Matière colorante extraite du bois de campêche (par Chevreul) et appelée d'abord *hématine** (C_{16} H_{14} O_6).

HÉMATOZOAIRE [ematɔzɔɛʀ] n. m. — 1843, *in* D. D. L.; de *hémato-* (→ Héma-), et *-zoaire.*

♦ Zool. Parasite animal (sporozoaire) vivant dans le sang. *Hématozoaire du paludisme* (plasmodium). ⇒ **Hémamibe.**

HÉMATURIE [ematyʀi] n. f. — 1771; de *hémato-* (→ Héma-), et *-urie.*

♦ Pathol. Présence de sang dans l'urine (pissement de sang). *Hématurie d'Égypte.* ⇒ **Bilharziose.** *Hématurie due à la présence d'un calcul dans l'uretère.* ⇒ **Colique** (néphrétique). *Hématurie enzootique des bovins.*

DÉR. Hématurique.

HÉMATURIQUE [ematyʀik] adj. — 1866, Larousse; de *hématurie.*

♦ Pathol. Relatif à l'hématurie.

HÈME [ɛm] n. m. — 1970, *la Recherche,* nov., p. 577; du grec *haima, atos* «sang». → Héma-.

♦ Biol. Molécule organique contenant un ion ferreux. *« Les échanges électroniques se font très lentement d'un hème à l'autre, alors que cet échange est très rapide entre des hèmes en solution dans l'eau »* (*la Recherche,* nov. 1974, p. 989).

HOM. Formes du verbe **aimer.**

HÉMÉR(O)- Élément de mots didact., du grec *hêmera* «jour». — Outre les mots traités ci-dessous, on peut signaler : *hémérophonie,* n. f. (1970, *in* T. L. F.) «incapacité à parler quand il fait nuit».

HÉMÉRALOPE [emeʀalɔp] adj. et n. — 1866, Littré; de *héméralopie.*

♦ Méd. Qui est atteint d'héméralopie. — N. *Un, une héméralope.*
Par métaphore :

Puisse ce chapitre faire comprendre à la foule, la grande héméralope, qui ne sait voir qu'à des lueurs connues, que d'autres peuvent la considérer comme une exception morbide, et calculer les ascensions droites et déclinaisons d'une nuit pour elle sans astre. A. JARRY, les Jours et les Nuits, Pl., p. 788.

HÉMÉRALOPIE [emeʀalɔpi] n. f. — 1751, *Encyclopédie,* art. *Aveuglement;* du grec *hêmera* «jour», et *ops* «œil»; d'après *nyctalopie.*

♦ Pathol. Diminution considérable de la vision* lorsque l'éclairage est faible. ⇒ **Amblyopie** (crépusculaire), **cécité** (nocturne), **nyctalopie.** On dit aussi *hespéranopie.*

DÉR. Héméralope.

HÉMÉROCALLE [emeʀɔkal] n. f. — 1628; *hemerocallés,* 1573; lat. *hemerocalles,* du grec *hêmerokalles,* proprt «belle d'un jour», de *hêmera* «jour», et *kallos* «beauté», de *kalos* «beau». → Cally-.

♦ Bot. Plante monocotylédone *(Liliacées),* herbacée, vivace, dont les fleurs très décoratives ne durent chacune qu'un seul jour. *Hémérocalle jaune,* ou *lis* jaune.* ⇒ **Belle** (Belle-d'un-jour). *Hémérocalle fauve.*

REM. On trouve aussi la forme latino-grecque *hemerocallis.*

HÉMÉROLOGIE [emeʀɔlɔʒi] n. f. — 1866, Littré; du grec *hêmerologein* «compter jour par jour», de *hêmera* «jour», et *legein* «trier, compter».

♦ Didact. Art de composer les calendriers.

DÉR. Hémérologue.

HÉMÉROLOGUE [emeʀɔlɔg] n. — 1873, *in* P. Larousse; de *hémérologie,* et *-logue.*

♦ Didact. Auteur de calendriers. — Personne qui s'occupe des questions relatives aux calendriers.

HÉMÉROTHÈQUE [emeʀɔtɛk] n. f. — 1900, selon Hanse, *Nouv. dict...;* du grec *hêmera* «jour», et *bibliothèque.*

♦ Didact. et rare. Bibliothèque de journaux et de périodiques.

HÉMI- Élément, tiré du grec *hêmi* «à moitié» et servant à former des noms et des adjectifs savants. Voir à l'ordre alphabétique.

HÉMIALGIE [emialʒi] n. f. — 1878, *in* D. D. L.; de *hémi-,* et *-algie.*

♦ Didact. (méd.). Hémicrânie. ⇒ **Migraine.**

HÉMIANESTHÉSIE [emianɛstezi] n. f. — 1874, *in* D. D. L.; de *hémi-,* et *anesthésie.*

♦ Méd. Anesthésie* d'une moitié latérale du corps.

HÉMIANOPIE [emianɔpi] ou **HÉMIANOPSIE** [emianɔpsi] n. f. ⇒ **Hémiopie.**

HÉMICELLULOSE [emiselyloz] n. f. — 1905, in *Rev. gén. des sc.,* n° 21, p. 932; de *hémi-,* et *cellulose.*

♦ Chim. Variété de cellulose, très hydrolysable, que l'on rencontre dans les cosses de lupin et de pois, également dans les champignons.

Outre la *cellulose* qui s'hydrolyse quantitativement en glucose ($C_6H_{12}O_6$), on trouve des quantités variables suivant les espèces d'autres polysaccharides, groupés sous le nom d'*hémicelluloses.* M. CHÊNE et N. DRISCH, la Cellulose, p. 9.

HÉMICRÂNIE [emikʀɑni] n. f. — 1765, *Encyclopédie* (Diderot); de *hémi-,* et *-algie;* lat. *hemicrania,* mot grec. → Migraine.

♦ Didact. (méd.). Douleur localisée à une moitié du crâne; spécialt, migraine*. ⇒ **Céphalée, hémialgie.** *« Les accès du mal débutent fréquemment le matin, notamment le samedi, jour de repos pour beaucoup de gens. Ils se manifestent en général par hémicrânie droite ou gauche, jusque sur la tempe, ou irradient dans la région occipitale. La douleur évolue par vagues pendant plusieurs heures »* (*l'Express,* n° 1692, 9-15 déc. 1983, p. 48).

HÉMICYCLE [emisikl] n. m. — 1547; lat. *hemicyclium,* du grec *hêmikuklion,* de *hêmi* (→ Hémi-), et *kuklios,* de *kuklos.* → Cycle.

♦ **1.** Espace, construction qui a la forme d'un demi-cercle. ⇒ **Demi-cercle** (→ Cirque, cit. 1). *Hémicycle d'un théâtre. Hémicycle d'une basilique,* l'abside*. *L'hémicycle de la Madeleine* (→ Fortune, cit. 24).

♦ **2.** (1762, Académie). Rangées de gradins semi-circulaires et concentriques, destinées à des auditeurs, des spectateurs, des membres d'une assemblée... *Hémicycle de l'Assemblée Nationale.* (1844, *in* D. D. L.). Absolt. *Député qui descend* (cit. 4) *les gradins de l'hémicycle.*

(Les députés) font battre leurs pupitres; ils se lèvent, tapagent (...) ils se pressent debout dans le bas de l'hémicycle (...) M. BARRÈS, Mes cahiers, t. V, p. 159. 1

La séance terminée, le théâtre (la Chambre des Communes est une salle, mais l'Assemblée Nationale est un hémicycle) se vida sans bruit. MALRAUX, Antimémoires, Folio, p. 160. 2

HÉMICYLINDRIQUE [emisilɛ̃dʀik] adj. — 1842, Académie; de *hémi-,* et *cylindrique.*

♦ Didact. Qui a la forme d'un demi-cylindre, d'une moitié de cylindre divisé selon un plan passant par l'axe. *Baguette, moulure hémicylindrique.* (On dit aussi *demi-cylindrique*).

HÉMIÈDRE [emiɛdʀ] adj. — 1848, Pasteur; de *hémi-,* et *-èdre.*

♦ Vx. Hémiédrique. → Dévier, cit. 2. *Cristaux hémièdres. Symétrie hémièdre.*

HÉMIÉDRIE [emiedʀi] n. f. — 1842, Académie; de *hémi-,* grec *edra* «face», suff. *-ie.*

♦ Minér. Caractère des cristaux qui ne présentent de modifications que sur la moitié des arêtes ou des angles semblables. *Hémiédrie des cristaux de quartz.*

HÉMIÉDRIQUE [emiedʀik] adj. — 1822, Weiss; de *hémi-, -èdre,* et suff. *-ique.*

♦ Minér. Qui a les caractères de l'hémiédrie. *Cristaux hémiédriques.*

Tous les paratartrates lui apparurent avec les faces et facettes commandées par la symétrie; sauf deux, qui déposaient dans leurs eaux-mères des cristaux hémiédriques, manchots disait-on. Cette hémiédrie, là où il n'y avait pas de pouvoir rotatoire c'était une surprise (...)
Henri MONDOR, Pasteur, II.

HÉMIFACE [emifas] n. f. — 1905, in *Rev. gén. des sc.,* n° 4, p. 145; de *hémi-,* et *face.* → Hémifacial.

♦ Didact. Chacune des moitiés, droite et gauche, de la face.

HÉMIFACIAL, ALE, AUX [emifasjal, o] adj. — 1878, Larousse; de *hémi-,* et *facial.*

♦ Didact. Relatif à la moitié de la face. → Hémiface.

HÉMIGLOSSITE [emiglɔsit] n. f. — 1933, *Larousse du xxᵉ;* de *hémi-,* et *glossite*.*

♦ Didact. (méd.). Inflammation de la moitié de la langue.

HÉMIMÉTABOLE [emimetabɔl] — D. i. (xxᵉ); de *hémi-,* et 2. *-métabole.*

♦ Zool. Se dit d'un insecte qui a des métamorphoses incomplètes, les divers stades de l'animal (larve, nymphe, imago) ne différant que par des détails anatomiques.

1. HÉMINE [emin] n. f. — 1548; *emine,* v. 1200; grec *hemina* «moitié» (d'un setier).

♦ **1.** Antiq. Mesure de capacité valant un demi-setier ou 12 onces (0,271 l). — (1690, Furetière). Récipient ayant cette capacité.

♦ **2.** Régional (Sud de la France). Mesure pour les grains (valant de 40 à 100 litres, selon les lieux). *«Un pauvre métayer (...) s'en va trouver son maître, lui demander une hémine de blé»* (H. Pourrat, *Gaspard des montagnes,* p. 170, *in* T. L. F.).

DÉR. **Héminée.**

2. HÉMINE [emin] n. f. — 1859, *Année sc. et industr.* 1860, p. 177; dér. sav. du grec *haima,* atos (→ Héma-), suff. *-ine.*

♦ Méd. Substance (chlorhydrate d'hématine*) cristallisée obtenue par un procédé spécial à partir de l'hémoglobine. *L'hémine permet de déceler la présence de sang dans des taches suspectes* (en médecine légale).

(...) une substance rouge cristallisée que M. Teichmann a désignée sous le nom d'hémine et qui se reproduit aux dépens de la matière colorante du sang, quand ce liquide est mis en contact avec l'acide acétique concentré.
L. FIGUIER, l'Année scientifique et industrielle 1864, p. 188 (1863).

HÉMINÉE [emine] n. f. — 1866, Littré; de 1. *hémine,* et *-ée.*

♦ Antiq. Étendue de terre pour l'ensemencement de laquelle il fallait une hémine de grains.

HÉMIONE [emjɔn] n. m. — 1793, *in* D. D. L.; lat. zool. *hemionus,* grec *hêmionos* «mulet», proprt «demi-âne», de *hêmi* (→ Hémi-), et *anos* «âne».

♦ Zool. Mammifère ongulé *(Equus hemionus, Équidés)* qui tient de l'âne et du cheval. *L'hémione, qui vit en Asie occidentale, n'a pu être domestiqué.*

Le long d'un grillage, on voyait l'ancêtre du cheval de fiacre, chargé de muscles, et la tête basse, puis le zèbre trop paré, et l'indomptable âne rouge, que les savants appellent l'hémione.
ALAIN, Propos, 25 avr. 1909, Mouflons.

HÉMIOPIE [emiopi] n. f. — 1817, *in* T. L. F.; de *hémi-,* et grec *ops* «vue», suff. *-ie.*

♦ Opt. État de la vue, dans lequel l'œil n'embrasse qu'une moitié du champ visuel normal, tantôt en haut ou en bas seulement *(hémiopie horizontale),* tantôt à droite ou à gauche seulement *(hémiopie verticale).* — REM. Selon Garnier et Delamare, l'affaiblissement ou perte de la vue dans une moitié du champ visuel se dit *hémianopie* ou *hémianopsie,* tandis que l'*hémiopie* s'entend de la «conservation de la vision normale dans une seule moitié du champ visuel».

HÉMIPARALYSIE [emipaʀalizi] n. f. — 1897, *Année biol.;* de *hémi-,* et *paralysie.*

♦ Méd. Paralysie affectant la moitié droite ou gauche du corps.

HÉMIPARÉSIE [emipaʀezi] n. f. — 1959; de *hémi-,* et *-parésie.*

♦ Méd. Parésie légère d'un côté du corps. ⇒ **Hémiplégie.**

HÉMIPLÉGIE [emipleʒi] n. f. — 1707; *emiplegie,* 1658; var. *hémiplexie,* 1573; du grec *hêmiplêgês* «à moitié frappé», de *hêmi* (→ Hémi-), et *plêgê* «coup», de *plessein* «frapper».

♦ Méd. et cour. Paralysie complète ou incomplète frappant une moitié latérale du corps, provoquée par des lésions des centres nerveux moteurs ou des voies motrices. ⇒ **Triplégie.** *Hémiplégie congénitale. Hémiplégie controlatérale. Hémiplégie alterne*.*

C'était une hémiplégie, qui, en paralysant tout le côté droit, le bras et la jambe, 1
lui avait aussi envahi la face, à ce point que la parole était abolie.
ZOLA, Paris, t. II, p. 219.

(...) surmené par les plus austères excès, il *(Pasteur)* fut victime le 19 octobre 1868 2
d'une apoplexie cérébrale (...) le corps avait été foudroyé et une hémiplégie gauche allait persister. Parfois, le malade disait de son bras paralysé : Il pèse comme du plomb. Si je pouvais le couper.
Henri MONDOR, Pasteur, V.

DÉR. **Hémiplégique.**

HÉMIPLÉGIQUE [emipleʒik] adj. et n. — 1795, *in* D. D. L.; de *hémiplégie.*

♦ Méd. Qui a rapport à l'hémiplégie. *La paralysie hémiplégique.*

Près de lui le sinistre, long, Laniboire, ses marbrures violettes, sa bouche tordue 1
de guignol hémiplégique, cachait ses palmes sous un pardessus trop court laissant voir un bout d'épée.
Alphonse DAUDET, l'Immortel, p. 188.

N. Personne atteinte d'hémiplégie. *Un, une hémiplégique.*

Déjà Vulpian avait fait remarquer que si l'on demande à un hémiplégique de fer- 2
mer son poing paralysé, il accomplit inconsciemment cette action avec le poing qui n'est pas malade.
H. BERGSON, Essai sur les données immédiates de la conscience, p. 16.

HÉMIPTÈRES [emiptɛʀ] n. m. pl. — 1762; de *hémi-,* et *-ptère.*

♦ Zool. Ordre d'insectes ptérygogènes, ainsi nommés à cause des demi-élytres de certaines espèces, et appelés plus justement *Rhynchotes*,* d'après la structure de l'appareil buccal (rostre), constante chez toutes les espèces. *Les hémiptères ont une tête portant les yeux, les antennes, le rostre formé de quatre stylets pour piquer et sucer; un thorax en trois segments portant chacun une paire de pattes, les deux derniers portant les ailes; un abdomen à anneaux; ils ont des métamorphoses incomplètes* (pas de nymphe immobile), *sont terrestres ou aquatiques, végétariens ou entomophages.* — *Classification des hémiptères ou rhynchotes :* Hétéroptères (Anthocoridés, Capsidés, Cimicidés, Gerridés ou Hydrométridés, Limnobatidés, Pentatomidés, Pyrrhocoridés, Réduviidés, Saldidés, Tingididés; Corixidés, Népidés, Notonectidés, Pélogonidés). Homoptères (Cicadidés, Cercopidés, Jassidés ou Tettigoniidés, Lédridés, Fulgoridés, Membracidés, Ulopidés; Psyllidés). Phytophtires (Aleurodes, Cochenilles, Pucerons). *Principaux hémiptères.* ⇒ **Cigale, cochenille, gerris, kermès, lécanie, livie, naucore, pentatome, phylloxéra, pou, puceron, punaise, ranatre, réduve, tigre** (du poirier), **vélie, zicrone...** — N. m. et adj. *Un hémiptère. Insecte hémiptère.*

HÉMISPHÈRE [emisfɛʀ] n. m. — 1611; *hemispere,* 1544; au sens 2, *emispere,* fin xɪɪɪᵉ; lat. *hemispherium,* du grec *hêmisphairion,* de *hêmi* (→ Hémi-), et *sphaira* «corps rond». → Sphère.

♦ **1.** (1690, Furetière). Chacune des deux moitiés d'une sphère* limitée par un des plans passant par le centre. ⇒ **Calotte** (sphérique). Archit. *Voûte en hémisphère.* ⇒ **Coupole.**

Ces nids sont des hémisphères creux, d'environ quatre pouces de diamètre. 1
BUFFON, Hist. nat. des oiseaux, t. V, p. 376, *in* LITTRÉ.

(1866, Littré). Spécialt. Phys. *Hémisphères de Magdebourg :* hémisphères creux dont Otto de Guerick, bourgmestre de Magdebourg, se servit en 1654 pour démontrer l'existence de la pression atmosphérique.

♦ **2.** (Fin xɪɪɪᵉ). Géogr. et cour. Moitié (quelconque) du globe terrestre. *L'hémisphère éclairé par le soleil* (→ Équinoxe, cit.). *Chaque méridien* divise le globe en deux hémisphères. Notre hémisphère* (→ Bas, cit. 10).

(La Nuit) Moi, dans cet hémisphère, avec ma suite obscure, 2
Je vais faire une station.
MOLIÈRE, Amphitryon, Prologue.

J'ai conquis avec vous ce sauvage hémisphère *(l'Amérique).* 3
VOLTAIRE, Alzire, I, 1.

(1690, Furetière). Chacune des deux moitiés du globe limitée par l'équateur (cit. 1). *Hémisphère Nord* ou *boréal* (→ Envahir, cit. 11; eurasiatique, cit.). *Hémisphère Sud* ou *austral. Les deux hémisphères* (→ Baigner, cit. 2). *Renversement des saisons d'un hémisphère à l'autre.*

En tranchant le globe par l'équateur et comparant les deux hémisphères, on voit 4
que celui de nos continents contient à proportion beaucoup plus de terre que l'autre (...) Il y avait donc moins d'éminences et d'aspérités sur l'hémisphère austral que sur le boréal, dès le temps même de la consolidation de la terre (...)
BUFFON, Hist. nat., Époques de la nature, II.

5 On était en août, et c'était le froid de l'autre hémisphère qui commençait.
LOTI, Mon frère Yves, XIII.

Fig. (par plais.).

6 (...) cette bonne dame qui est à sa gauche et qui étale bravement deux hémisphères qui, s'ils étaient réunis, formeraient une mappemonde d'une grandeur naturelle (...)
Th. GAUTIER, Mlle de Maupin, II.

♦ **3.** (1866, Littré). Astron. Moitié de la sphère céleste. *Hémisphères septentrional et méridional,* limités par l'équateur céleste; *oriental et occidental,* limités par le méridien; *supérieur et inférieur,* limités par l'horizon.

♦ **4.** (1776, *in* T. L. F.). Anat. *Hémisphères cérébraux :* les deux moitiés symétriques, droite et gauche, du cerveau qui ont chacune très grossièrement la forme d'un hémisphère. *Hémisphère droit, gauche* (syn. : *cerveau* droit, gauche*). *Scissure entre les deux hémisphères, limitée par le corps calleux. Les hémisphères cérébraux, siège des fonctions intellectuelles.*

7 Si nous examinons un cerveau par sa convexité, un détail nous frappe tout d'abord : c'est la présence, sur la ligne médiane, d'une scissure profonde, divisant le bloc cérébral en deux moitiés latérales et symétriques, que l'on désigne sous le nom d'*hémisphères* (...) Si nous écartons l'un de l'autre les deux hémisphères pour juger de la profondeur de la scissure qui les sépare, nous constatons que cette scissure descend, à sa partie antérieure et à sa partie postérieure, jusqu'à la base du cerveau, dans sa partie moyenne, au contraire, elle est limitée par une lame horizontale de substance blanche qui va d'un hémisphère à l'autre et qui porte le nom de *corps calleux.*
L. TESTUT, Traité d'anatomie humaine, t. II, p. 901.

DÉR. Hémisphérique, hémisphéroïde.

HÉMISPHÉRICITÉ [emisfeʀisite] n. f. — V. 1900, Jarry, *in* D. D. L.; de *hémisphérique.*

♦ Rare. Caractère de ce qui est hémisphérique.

Le jovial petit homme se dandina de droite et de gauche sur l'hémisphéricité de sa base, et l'évêque aurait reconnu, s'il eût fait auparavant le voyage, le cul-de-jatte coureur expulsé de l'île Fragante.
A. JARRY, Gestes et Opinions du Dr Faustroll, Pl., p. 706.

HÉMISPHÉRIQUE [emisfeʀik] adj. — 1551; de *hémisphère.*

♦ Qui a la forme d'un hémisphère. *Calotte* hémisphérique. Voûte, vase, coupe hémisphérique.*

(...) un immense chapeau de castor gris américain, à bords superlativement larges, à calotte hémisphérique, avec un ruban noir et une boucle d'argent.
BAUDELAIRE, Trad. E. POE, Histoires extraordinaires, « Aventures d'Hans Pfaall ».

DÉR. Hémisphéricité.

HÉMISPHÉROÏDE [emisfeʀɔid] adj. et n. m. — 1716; de *hémisphère,* et *-oïde.*

♦ Dont la forme est proche de l'hémisphère. — N. m. *Un hémisphéroïde.*

HÉMISTICHE [emistiʃ] n. m. — 1548; lat. *hemistichium,* du grec *hêmistikhion,* de *hêmi* (→ Hémi-), et *stikhos* « vers ».

Versification.

♦ **1.** (Dans la poésie classique, jusqu'au XIXe). Moitié d'un vers, et, plus spécialt, de l'alexandrin, marquée par un repos ou césure*. *Chaque hémistiche de l'alexandrin contient six syllabes. Premier, second hémistiche* (→ Acrostiche, cit. 1; cheville, cit. 7). — (1690, Furetière). Césure placée au milieu d'un vers. ⇒ **Césure.** *Rime intérieure à l'hémistiche.*

1 Que toujours, dans vos vers le sens coupant les mots,
Suspende l'hémistiche, en marque le repos.
BOILEAU, l'Art poétique, I.

2 Hémistiche (...) moitié de vers, demi-vers, repos au milieu du vers (...) Ce repos à la moitié d'un vers n'est proprement le partage que des vers alexandrins. La nécessité de couper toujours ces vers en deux parties égales, et la nécessité non moins forte d'éviter la monotonie, d'observer ce repos et de le cacher, sont des chaînes qui rendent l'art d'autant plus précieux qu'il est plus difficile.
VOLTAIRE, Dict. philosophique, Hémistiche.

♦ **2.** (1843). Mod. Chacune des deux parties d'un vers, égales ou non, séparées par la césure. Par ext. Cette césure.

3 M. Chênedollé a assurément beaucoup de talent, beaucoup d'esprit; il fait parfaitement les vers, il a une facture à lui; mais il ne se défie pas toujours assez de sa mémoire. Il emprunte des hémistiches, et, soit dit en passant, il m'en a pris à moi, et plusieurs.
FONTANES, *in* SAINTE-BEUVE, Chateaubriand, t. II, p. 236.

4 J'étais en train de retourner dans ma tête je ne sais quel lambeau d'hémistiche, comme c'est mon habitude en voyage (...)
Th. GAUTIER, Voyage en Espagne, p. 39.

5 L'hémistiche est, dans une structure métrique binaire, le membre rythmique de détail ou d'ensemble dont la syllabe tonique porte l'un des deux accents majeurs sur lesquels s'articule le système.
J. MAZALEYRAT, Éléments de métrique française, p. 18.

HÉMITROPE [emitʀɔp] adj. — 1801; de *hémitropie.*

♦ Minér. Se dit des cristaux présentant les caractères de l'hémitropie.

HÉMITROPIE [emitʀɔpi] n. f. — 1801, Haüy; de *hémi-,* et *-tropie.*

♦ Minér. Groupement régulier de cristaux de même forme et de même nature (⇒ **Macle**) dans lequel deux cristaux s'accolent suivant une face commune après rotation de l'un d'eux (180° ou 60°) autour d'un axe perpendiculaire ou parallèle à cette face; structure de tels cristaux. *Axe d'hémitropie. L'hémitropie du gypse, de la pyrite.*

DÉR. Hémitrope.

HEMLOCK [ɛmlɔk] n. m. — 1786, Chastellux, *in* Bonnafé; mot anglo-amér. (*hemlock-tree,* 1662), de *hemlock* « ciguë ».

♦ Anglic. Pin canadien. Écorce de ce pin, utilisée autrefois pour le tannage. — REM. On écrit aussi *hemloc.*

HÉMO- ⇒ Héma-.

HÉMOBIOLOGISTE [emobjɔlɔʒist] n. — 1962, Larousse; de *hémo-* (→ Héma-), et *biologiste.*

♦ Didact. Spécialiste d'hématologie, de biochimie et de microbiologie faisant des diagnostics urgents au cours d'une opération chirurgicale.

HÉMOCHROMATOSE [emokʀomatoz] n. f. — XXe; de *hémo-* (→ Héma-), grec *khrôma, atos* « couleur », et 2. *-ose.*

♦ Pathol. Maladie due à la surcharge en fer (sous forme d'hémosidérose) de divers tissus et organes, entraînant des lésions dégénératives. *Le diabète bronzé est une forme particulière d'hémochromatose.* (On dit aussi *hémosidérose*).

HÉMOCLASIE [emoklazi] n. f. — XXe; de *hémo-* (→ Héma-), et grec *klasis* « action de briser ».

♦ Pathol. Perturbation de l'équilibre colloïdal du plasma sanguin pouvant entraîner un état de choc.

HÉMOCŒLE ou HÉMOCÈLE [emosɛl] n. f. — XXe; de *hémo-* (→ Héma-), et grec *koilia* « cavité, ventre ».

♦ Zool. Cavité générale des arthropodes qui est emplie de sang, et assure le rôle de l'appareil circulatoire.

HÉMOCOMPATIBLE [emokɔ̃patibl] adj. — V. 1970; de *hémo-* (→ Héma-), et *compatible.*

♦ Biol., méd. Qui n'altère pas le sang au contact duquel il se trouve. Se dit d'une substance (non organique). « *Elle* (une membrane d'hémodialyse) *doit être hémocompatible, c'est-à-dire qu'elle ne doit pas provoquer l'altération du sang au contact duquel elle se trouve* » (*la Recherche,* janv. 1974, p. 39). — On emploie aussi le dér. *hémocompatibilité,* n. f. (*Sciences et Avenir,* no spécial no 22, p. 69).

HÉMOCONCENTRATION [emokɔ̃sɑ̃tʀasjɔ̃] n. f. — 1945, *in* D. D. L.; de *hémo-* (→ Héma-), et *concentration.*

♦ Méd. Diminution du volume sanguin sans diminution du nombre des globules.

La vaso-dilatation des capillaires a également pour conséquence une augmentation de leur perméabilité se traduisant par un passage de l'eau du sang vers les tissus. On note une hémoconcentration et de l'œdème.
A. GALLI et R. LELUC, les Thérapeutiques modernes, p. 27.

HÉMOCULTURE [emokyltyʀ] n. f. — 1909, *in* D. D. L.; de *hémo-* (→ Héma-), et *culture.*

♦ Didact. Ensemencement d'un milieu de culture avec du sang pour la recherche des microbes susceptibles de s'y trouver.

On pratique une hémoculture et l'on a la surprise de découvrir dans le sang de la première malade un streptocoque, et dans celui de la deuxième un colibacille (...)
V. VIC-DUPONT, la Maladie infectieuse, p. 102.

HÉMOCYANINE [emosjanin] n. f. — Av. 1892, cit.; de *hémo-* (→ Héma-), et grec *kuanos* « bleu ».

♦ Chim., biol. Protéide renfermant du cuivre, pigment respiratoire du sang des mollusques et des crustacés. *L'hémocyanine,* « *pigment respiratoire qui se rencontre dans le sang des Mollusques et des Arthropodes et qui joue chez eux le même rôle que l'hémoglobine chez d'autres animaux* » (Poiré, *Dict. des sciences*).

Le sang du Poulpe présente les mêmes phénomènes, et M. Frédéricq a nommé hémocyanine, la substance bleue qui jouit de la propriété de se colorer en fixant l'oxygène. L. FIGUIER, l'Année scientifique et industrielle 1893, p. 258 (1892).

HÉMODIAGNOSTIC [emodjagnɔstik] n. m. — 1904, in *Rev. gén. des sc.*, nº 1, p. 35; de *hémo-* (→ Héma-), et *diagnostic.*

♦ Méd. Diagnostic (de certaines infections) par examen du sang.

HÉMODIALYSE [emodjaliz] n. f. — Après 1947; de *hémo-* (→ Héma-), et *dialyse.*

♦ Méd. Élimination de produits toxiques contenus dans le sang (en particulier de l'urée accumulée en cas d'insuffisance rénale), par dérivation du sang hors de l'organisme et passage à travers une membrane semi-perméable qui retient les produits toxiques. *Le rein artificiel est un appareil servant à l'hémodialyse. « En 1973, l'hémodialyse est devenue une technique médicale courante bien qu'encore très coûteuse »* (*la Recherche*, janv. 1974, p. 39).

DÉR. Hémodialyser. — V. Hémodialyseur.

HÉMODIALYSER [emodjalize] v. tr. — Mil. XXᵉ; de *hémodialyse.*

♦ Méd. Traiter par hémodialyse. — Au p. p. *« Les patients hémodialysés à domicile, qui, dormant bien en dialyse, font concorder leur durée de séance et celle du sommeil »* (*Sciences et Avenir*, nº spécial, 1979, p. 67).

DÉR. V. Hémodialyseur.

HÉMODIALYSEUR [emodjalizœʀ] n. m. — Mil. XXᵉ, de *hémodialyse* ou de *hémodyaliser.*

♦ Méd. Filtre permettant d'épurer le sang au cours d'une hémodialyse. *« Dans le domaine des organes artificiels, les hémodialyseurs sont assurément les plus répandus, vingt sociétés en commercialisent dont quatre fabriquent des dialyseurs à partir de leurs propres composants »* (*Sciences et Avenir*, nº 43, juil. 1981, p. 53).

HÉMODILUTION [emodilysjɔ̃] n. f. — 1959, *in* D. D. L.; de *hémo-* (→ Héma-), et *dilution.*

♦ Physiol. Augmentation, pathologique ou provoquée à des fins thérapeutiques, de la proportion d'eau contenue dans le plasma sanguin, par rapport aux substances en solution et aux globules. Syn. : *hydrémie. « En absence de cahier des charges d'un matériau réellement hémocompatible, on essaya l'acier et diverses matières plastiques souples ou rigides. Très vite, on ajouta deux techniques, l'hypothermie et l'hémodilution »* (*Sciences et Avenir*, nº 413, juil. 1981, p. 50).

HÉMODYNAMIQUE [emodinamik] adj. et n. f. — 1878, n. f.; de *hémo-* (→ Héma-), et *dynamique.*

♦ **1.** Adj. Didact. (physiol., méd.). Qui se rapporte aux conditions mécaniques (et non pas physiologiques ou chimiques) de la circulation du sang : pression, débit, etc.

(Des lésions) avec (...) les mêmes conséquences hémodynamiques sur la fonction cardiaque et leurs complications générales.

Claude D'ALLAINES, Chirurgie du cœur, p. 112.

♦ **2.** N. f. Étude de la circulation sanguine normale et pathologique (pression, débit, vitesse).

HÉMODYNAMOMÈTRE [emodinamɔmɛtʀ] n. m. — 1870, *Année sc. et industr.* 1872, p. 524; de *hémo-* (→ Héma-), et *dynamomètre.*

♦ Méd. Manomètre spécialement adapté pour la mesure de la pression du sang dans les artères ou dans les veines. (On dit aussi *hémomanomètre*).

HÉMOFORMATEUR, TRICE [emofɔʀmatœʀ, tʀis] adj. — XXᵉ; de *hémo-* (→ Héma-), et *formateur, trice.*

♦ Physiol. Formateur, générateur de sang, de globules sanguins. *Moelle hémoformatrice.*

HÉMOGÉNIE [emɔʒeni] n. f. — Mil. XXᵉ; de *hémo-* (→ Héma-), et *-génie.*

♦ Méd. Maladie caractérisée par des hémorragies répétées diverses (purpura, épistaxis, hémorragies utérines), de causes variées. ⇒ **Hémophilie.**

DÉR. Hémogénique.

HÉMOGÉNIQUE [emɔʒenik] adj. et n. — Mil. XXᵉ; de *hémogénie.*

♦ Méd. Relatif à l'hémogénie. — Qui est atteint d'hémogénie. *Maladie hémogénique.* N. *Un, une hémogénique.*

HÉMOGLOBINE [emɔglɔbin] n. f. — 1873; de *hémo-* (→ Héma-), et du rad. de *globuline.*

♦ Biol. et cour. Substance protéique contenue dans les globules rouges du sang, et qui renferme du fer. *L'hémoglobine est un pigment respiratoire qui joue un rôle essentiel dans le transport de l'oxygène* (⇒ **Oxyhémoglobine**).

DÉR. Hémoglobinémie, hémoglobinique, hémoglobinurie.
COMP. Méthémoglobine, oxyhémoglobine.

HÉMOGLOBINÉMIE [emɔglɔbinemi] n. f. — 1905, in *Rev. gén. des sc.*, nº 5, p. 235; de *hémoglobine*, et *-émie.*

♦ Méd. Présence anormale d'hémoglobine dans le plasma sanguin, due à la destruction des globules rouges.

HÉMOGLOBINIQUE [emɔglɔbinik] adj. — 1904, in *Rev. gén. des sc.*, nº 22, p. 1035; de *hémoglobine*, et *-ique.*

♦ Méd. Qui a rapport à l'hémoglobine. *Pigment hémoglobinique.*

(Chez les) Péruviens séjournant en permanence dans les Andes à des altitudes de 4 500 m *(... on n'observe)* de relèvement du taux d'hémoglobine que dans la moitié seulement de la population (il semble d'ailleurs que la charge hémoglobinique de chacune des hématies est en raison inverse du nombre de celles-ci).

Jacques GUILLERME, la Vie en haute altitude, p. 65.

HÉMOGLOBINURIE [emɔglɔbinyʀi] n. f. — 1890, *in* P. Larousse; comp. de *hémoglobine*, et *-urie.*

♦ Méd. Présence d'hémoglobine dans l'urine.

HÉMOGRAMME [emɔgʀam] n. m. — 1938, *in* D. D. L.; de *hémo-* (→ Héma-), et *-gramme.*

♦ Méd. Résultat de l'étude quantitative et qualitative des éléments figurés du sang (nombre d'hématies et leucocytes par mm^3, taux d'hémoglobine, formule leucocytaire).

HÉMOLYMPHE [emɔlɛ̃f] n. f. — 1908, in *Rev. gén. des sc.*, nº 18, p. 74; de *hémo-* (→ Héma-), et *lymphe.*

♦ Zool. Sang des invertébrés, qui ne contient guère que des éléments du type leucocyte.

HÉMOLYSANT, ANTE [emɔlizɑ̃, ɑ̃t] adj. — 1910; p. prés. de *hémolyser.*

♦ Méd. Qui provoque l'hémolyse. *Agent hémolysant.*

HÉMOLYSE [emɔliz] n. f. — 1901, *Année sc. et industr.*; de *hémo-* (→ Héma-), et *-lyse.*

♦ Méd. Destruction (⇒ **Lyse**) des globules rouges du sang avec libération de l'hémoglobine (dans le sang ou dans le liquide qui entoure les cellules de divers tissus). *Hémolyse physiologique* (vieillissement des globules rouges). *Hémolyse pathologique* (intoxications, incompatibilité des groupes sanguins, action toxique des microbes). *Les hémolyses pathologiques sont souvent suivies d'une anémie.*

DÉR. Hémolyser, hémolysine, hémolytique.

HÉMOLYSER [emɔlize] v. tr. — Attesté 1920, Calmette, mais *hémolysant* est attesté en 1910; de *hémolyse.*

♦ Méd. Provoquer l'hémolyse de. *Hémolyser les globules rouges.*

DÉR. V. Hémolysant.

HÉMOLYSINE [emɔlizin] n. f. — 1900, *Année sc. et industr.* 1901, p. 169; de *hémolyse*, et *-ine.*

♦ Méd. Nom donné aux substances (toxines bactériennes, anticorps, venins) qui détruisent les globules rouges du sang. *Champignon à hémolysine.*

HÉMOLYTIQUE [emɔlitik] adj. — 1900, *Année sc. et industr.*; de *hémolyse*, et *-ique.*

Médecine.

♦ **1.** Qui provoque l'hémolyse, qui s'accompagne d'hémolyse. *Sérum hémolytique. Anémie hémolytique.*

♦ **2.** Dû à une hémolyse, produit par une hémolyse.

HÉMOPATHIE [emopati] n. f. — 1873, *in* P. Larousse; de *hémo-* (→ Héma-), et *-pathie.*

♦ Méd. Maladie du sang (quelle qu'elle soit; ⇒ **Anémie, leucémie...**).

HÉMOPHILE [emɔfil] adj. et n. — 1866, *in* D. D. L.; de *hémophilie.*

♦ Méd. et cour. Atteint d'hémophilie. — N. *Un, une hémophile.*

HÉMOPHILIE [emɔfili] n. f. — 1855, Nysten; de *hémo-* (→ Héma-), et *-philie.*

♦ **1.** Didact. Disposition pathologique aux hémorragies prolongées, dues à l'absence d'un facteur de coagulation dans le sang, affection héréditaire transmise par les femmes uniquement aux enfants de sexe masculin.

L'*hémophilie* est caractérisée par un grand retard de la coagulation sanguine avec diminution de la coagulabilité, tous les autres éléments physiques, chimiques et biologiques du sang, ainsi que l'endothélium vasculaire, étant normaux.
M. GARNIER et J. DELAMARE, Dict. termes techniques de médecine, art. *Hémophilie.*

♦ **2.** Cour. État pathologique, non héréditaire, qui offre certains caractères de l'hémophilie vraie, et qui peut affecter les deux sexes. *Hémophilie familiale, héréditaire.*

DÉR. Hémophile, hémophilique.

HÉMOPHILIQUE [emɔfilik] adj. — 1880, n., «personne atteinte d'hémophilie», *in* D. D. L.; adj., 1884, *in* D. D. L.; de *hémophilie.*

♦ Méd. Relatif à l'hémophilie. *État hémophilique.*

HÉMOPHOBIE [emɔfɔbi] n. f. ⇒ **Hématophobie.**

HÉMOPROTÉINE [emopʀɔtein] n. f. — Mil. xxe; de *hémo-* (→ Héma-), et *protéine.*

♦ Biol. Protéine du sang.

HÉMOPTYSIE [emɔptizi] n. f. — 1694; bas lat. *hæmoptyicus,* du grec *haimoptuikos* «qui crache le sang», de *haima* «sang», et *ptuein* «cracher».

♦ Didact. Crachement de sang provenant des voies respiratoires (trachée, bronches, poumons) par hémorragie de l'appareil respiratoire ou d'un organe voisin. *L'hémoptysie est généralement symptomatique de la tuberculose pulmonaire ou d'une affection cardiaque.* ⇒ **Hématémèse.**

Zut!... je suis plus malade qu'elle!... hémoptysies?... la belle histoire!... le grand Cardinal a craché le sang toute sa vie... s'est envoyé toutes les duchesses, plus dompté l'Europe et comment!... CÉLINE, Rigodon, p. 206.

DÉR. Hémoptysique.

HÉMOPTYSIQUE [emɔptizik] adj. et n. — 1845, Bescherelle; *hémoptyique,* 1743, Trévoux; de *hémoptysie.*

♦ Didact. Relatif à l'hémoptysie.

N. Malade qui a des hémoptysies.

HÉMORRAGIE [emɔʀaʒi] n. f. — 1538; *emoragie,* après 1350; lat. *hæmorrhagia,* grec *haimorrhagia,* de *haimorrhagês* «dont le sang se répand», de *haima,* et *rhêgnunai* «faire jaillir; rompre». → -rragie.

REM. L'orthographe *hémorrhagie,* recommandée par Littré et par les étymologistes, n'est plus en usage.

♦ **1.** Épanchement de sang hors d'un vaisseau sanguin (⇒ **Écoulement, épanchement; saignement**). *Hémorragie artérielle, veineuse, capillaire. Hémorragie traumatique. Hémorragie interne, sous-cutanée* (⇒ **Ecchymose, hématome**). *Hémorragie cutanée* (⇒ **Purpura**). *Hémorragie cérébrale* (⇒ **Apoplexie;** → Coup de sang*). *Hémorragie nasale.* ⇒ **Épistaxis, saignement** (de nez). *Hémorragie stomacale* (⇒ **Hématémèse**), *intestinale* (melæna ou méléna), *urinaire* (⇒ **Hématurie**), *utérine* (⇒ **Ménorragie, métrorragie**), *anorectale* (⇒ **Hémorroïde**). *Hémorragie de l'appareil respiratoire* (⇒ **Hémoptysie**). — *Prédisposition aux hémorragies.* ⇒ **Hémophilie.** *Maladie caractérisée par des hémorragies répétées.* ⇒ **Hémogénie.** *Arrêt d'une hémorragie par pose d'un garrot* (cit. 1), *tamponnement* (⇒ **Hémostasie**). *L'ergotine, remède contre les hémorragies. Le fibrinogène, agent coagulateur, arrête les hémorragies* (→ Fibrinogène, cit.).

1 Un saignement de nez, ou plutôt une espèce d'hémorragie.
RACINE, Port-Royal.

2 Puis, comme l'hémorragie faisait une mare sur le pont du bateau, un des matelots cria : «Il va se vider, faut nouer la veine.»
MAUPASSANT, Contes de la bécasse, «En mer».

3 D'assez faible santé depuis sa jeunesse, Augustine, atteinte d'hémophilie, n'a jamais voulu apprendre à coudre, parce qu'il lui suffisait d'une piqûre pour faire une hémorragie. ARAGON, les Beaux Quartiers, I, IV.

♦ **2.** (1874, Hugo). [a] Perte de vies humaines. *Le pays se remet lentement de l'hémorragie causée par la guerre, la révolution* (→ Amputer, cit. 3, Hugo).

[b] (Mil. xxe). Perte (de toute espèce de richesse). *L'hémorragie des capitaux. L'hémorragie des cerveaux.* ⇒ **Fuite.**

DÉR. Hémorragique.

HÉMORRAGIQUE [emɔʀaʒik] adj. — 1795, Bosquillon, trad. Cullen; de *hémorragie.*

♦ Méd. Relatif à l'hémorragie. *Diathèses hémorragiques* (Hémophilie, hémogénie...). *Accidents hémorragiques* (→ Grossesse, cit. 4).

Cette tumeur, à la coupe, se montre formée d'une membrane isolable, distincte de la paroi épendymaire formant une cavité close, indépendante du ventricule qu'elle remplit, et cloisonnée. Des cavités secondaires ainsi formées s'écoule tantôt un liquide clair et tantôt un liquide positivement hémorragique.
B. CENDRARS, Moravagine, *in* Œ. compl., t. IV, p. 259.

HÉMORROÏDAIRE [emɔʀɔidɛʀ] adj. et n. — 1795, *in* D. D. L.; de *hémorroïde.*
Médecine.

♦ **1.** Qui est affecté d'hémorroïdes. — N. *Un, une hémorroïdaire.*

♦ **2.** Qui concerne les hémorroïdes. *Maladie hémorroïdaire.* «*La crise hémorroïdaire est souvent déclenchée par un écart alimentaire (...) ou un accès de diarrhée ou de constipation*» (Dr Néfert, *les Maladies de l'anus,* in *Guérir,* oct. 1967).

HÉMORROÏDAL, ALE, AUX [emɔʀɔidal, o] adj. — 1559; de *hémorroïde.*

♦ **1.** Méd. Relatif aux hémorroïdes. *Varices hémorroïdales. Sang hémorroïdal.*

♦ **2.** Anat. Qui appartient à la région du rectum, de l'anus. *Artères, veines hémorroïdales. Nerf, plexus hémorroïdal.*

HÉMORROÏDE [emɔʀɔid] n. f. — 1549, *in* D. D. L.; *hemorrhoïde,* v. 1560, Paré; *emoroyde,* XIIIe; lat. *hemorrhois, oidis,* du grec *haimorrhois, idos,* de *haima* «sang» et de *rhoos* «écoulement», du v. *rhein,* «couler».

REM. L'orth. *hémorrhoïde* n'est pas usitée.

♦ Méd. et cour. Tumeur variqueuse qui se forme à l'anus et au rectum par la dilatation des veines. ⇒ **Varice.** — REM. Le mot ne s'emploie guère qu'au pluriel. *Hémorroïdes internes* (au-dessus du sphincter anal), *externes ou* (didact.) *procidentes* (au-dessous de l'anus). *Hémorroïdes sèches, fluentes. Plantes astringentes employées contre les hémorroïdes* (consoude, hamamélis, scrofulaire).

Vénus leur envoya *(aux Scythes)* des hémorrhoïdes *(sic).* 1
BOILEAU, Remarques sur Longin, XXIV.

Le cardinal de Richelieu n'était sanguinaire que parce qu'il avait des hémorrhoïdes *(sic)* internes qui occupaient son intestin rectum, et qui durcissaient ses matières. VOLTAIRE, Dict. philosophique, Ventres paresseux. 2

Bouvard, quand Pécuchet rentra, était lui-même dans une grande agitation. Il venait de recevoir Foureau, exaspéré par ses hémorroïdes. Vainement avait-il soutenu qu'elles préservent de toutes les maladies, Foureau n'écoutant rien, l'avait menacé de dommages et intérêts. Il en perdait la tête. 3
FLAUBERT, Bouvard et Pécuchet, Folio, p. 133.

DÉR. Hémorroïdaire, hémorroïdal.

HÉMORROÏSSE [emɔʀɔis] n. f. — Fin XVIe (1598) dans les trad. de l'Évangile; lat. ecclés. *hæmorrhoissa* «femme qui a des hémorroïdes», du grec *haimorrhois,* de *rhein* «couler». → Hémorroïde.

♦ Femme affectée d'un flux de sang (ne se dit qu'en parlant de la femme guérie par le Christ; cf. *Évangile selon saint Matthieu,* IX, 18-22).

Plusieurs s'approchèrent de Notre-Seigneur : les uns pour l'ouïr, comme Madeleine, les autres pour être guéris, comme l'hémorroïsse. 1
Saint François DE SALES, Amour de Dieu, VII, 3.

L'hémorroïsse guérie p*(our)* avoir touché la frange (du pallium). 2
CLAUDEL, Journal, mars-avr. 1933.

REM. On rencontre la variante *hémorroïdesse.*

Au contact de l'hémorroïdesse, Jésus se retourna en disant : «Qui m'a touché?» Il ne savait donc pas qui le touchait? Cela contredit l'omniscience de Jésus. 3
FLAUBERT, la Tentation de saint Antoine, p. 92-93.

HÉMOSIDÉRINE [emozideʀin] n. f. — xxe; de *hémo-* (→ Héma-), *sider-,* et *-ine.*

♦ Chim., biol. Pigment protéique jaune brunâtre renfermant du fer (appelé aussi *pigment ocre*), qui constitue une forme de réserve de fer de l'organisme. *Accumulation pathologique d'hémosidérine dans les organes.* ⇒ **Hémochromatose.**

HÉMOSPORIDIE [emɔspɔʀidi] n. f. — 1930, *Larousse du xxe;* de *hémo-* (→ Héma-), et *spora* «semence».

♦ Zool. Sporozoaire* intracellulaire des vertébrés. *Les principaux* *hématozoaires sont des hémosporidies. Les hémosporidies parasites de l'homme sont responsables du paludisme et appartiennent au genre* plasmodium.

DÉR. Hémosporidiose.

HÉMOSPORIDIOSE [emospɔʀidjoz] n. f. — 1930, *Larousse du xxe; de hémosporidie,* et 2. *-ose.*

♦ Méd. Maladie causée par les hémosporidies.

HÉMOSTASE [emostaz] n. f. — 1812; *hémostasie,* 1748; grec *haimostasis,* de *haima* «sang», et *stasis* «arrêt».

♦ Didact. (méd.). Arrêt d'une hémorragie. *Hémostase spontanée, physiologique* (⇒ **Coagulation**). *Hémostase provoquée* (⇒ **Compression, forcipressure,** 2. **garrot, ligature, tamponnement**). *Qui produit l'hémostase.* ⇒ **Hémostatique.**

HÉMOSTATIQUE [emostatik] adj. et n. — 1748; grec *haimostatikos,* de *haimostasis.* → Hémostase.

♦ **1.** Adj. Relatif à l'hémostase, qui peut arrêter une hémorragie. *Pinces hémostatiques,* munies de crans d'arrêt permettant de les maintenir fermées. *Médicaments, remèdes hémostatiques,* coagulants ou vaso-constricteurs. *Pansement hémostatique.*

♦ **2.** N. m. (1824). *Un hémostatique. Les hémostatiques.* ⇒ **Anticoagulant; astrictif, astringent.** *L'alun, l'amadou, l'antipyrine, l'ergotine, le tanin sont des hémostatiques.*

♦ **3.** N. f. Physiol. Ensemble d'études se rapportant à l'équilibre du sang dans les vaisseaux.

HÉMOTHÉRAPIE [emoteʀapi] n. f. — 1944, Garcin, *in* T. L. F.; de *hémo-* (→ Héma-), et *-thérapie.*

♦ Vétér. Thérapeutique consistant à administrer du sang d'un animal guéri à des animaux malades.

HÉMOTHORAX [emotɔʀaks] n. m. — 1846, Bescherelle; de *hémo-* (→ Héma-), et *thorax.*

♦ Pathol. Épanchement de sang dans la plèvre.

HÉMOTYPE [emɔtip] n. m. — V. 1970; *Science et Vie,* 1974; de *hémo-* (→ Héma-), et *-type.*

♦ Biol. Ensemble de caractéristiques définissant un type de sang. *Analyser les hémotypes d'une population.*

DÉR. Hémotypologie.

HÉMOTYPOLOGIE [emɔtipɔlɔʒi] n. f. — Av. 1970 (in *la Recherche,* juil. 1970, p. 273); de *hémotype,* et *typologie.*

♦ Biol. Typologie des sangs, caractérisant les facteurs héréditaires du sang et leur transmission.

HENDÉCA- Élément, tiré du grec *hendeka* «onze», et entrant dans la composition de mots savants. ⇒ **Hendécagone, hendécasyllabe.**

HENDÉCAGONAL, ALE, AUX [ɛ̃dekagɔnal, o] adj. — 1866; de *hendécagone.*

♦ Géom. Qui a les caractères d'un hendécagone. *Polygone hendécagonal. Prisme hendécagonal,* dont la base est un hendécagone.

HENDÉCAGONE [ɛ̃dekagɔn; ɛ̃dekagon] n. m. — 1676; d'après Bloch et Wartburg, 1652; de *hendéca-,* et *-gone.*

♦ Géom. Polygone qui a onze angles et onze côtés. — Adj. (rare). *Figure hendécagone.*

DÉR. Hendécagonal.

HENDÉCASYLLABE [ɛ̃dekasi(l)lab] n. m. — 1549, du Bellay; de *hendéca-,* et *syllabe.*

♦ Didact. Vers qui compte onze syllabes. *Hendécasyllabes saphiques.* Adj. *Vers hendécasyllabe.*

Adopte-moi aussi en la famille française ces coulants et mignards hendécasyllabes à l'exemple d'un Catulle (...) Ce que tu pourras faire, sinon en quantité, pour le moins en nombre de syllabes.

DU BELLAY, Défense et illustration de la langue franç., II, IV.

DÉR. Hendécasyllabique.

HENDÉCASYLLABIQUE [ɛ̃dekasi(l)labik] adj. — XVIIIe; de *hendécasyllabe.*

♦ Didact. De onze syllabes. *Vers hendécasyllabique.*

Vous avez le savant, le pédant, le Sidias (...) adressant des vers hendécasyllabiques à la manière de Catulle aux Gothons et aux Cathos de son cabaret.

Th. GAUTIER, les Grotesques, IX, p. 298.

HENDIADYS [ɛ̃djadis] ou **HENDYADYIN** [ɛ̃djadin] n. m. — 1902, Larousse; grec *hen dia duoin* «une chose au moyen de deux mots».

♦ Didact. Figure de rhétorique qui consiste à dissocier en deux noms coordonnés une expression unique (nom et adjectif ou nom et complément) «ainsi quand Lamartine dit : un temple rempli *de voix et de prières,* pour : *de voix qui prient*» (Marouzeau). *L'hendiadys est fréquent en poésie latine.*

HENNÉ ['ene] n. m. — 1541; arabe de Syrie *hînne,* arabe *hînâ.* Cf. les formes *encanne, alchanne,* etc., au XIIIe.

♦ **1.** Bot. Rare. Plante dicotylédone *(Lythrariées),* scientifiquement appelée *lawsonia,* arbuste des régions tropicales, dont l'écorce et les feuilles séchées et pulvérisées fournissent une poudre colorante (cit. 1) jaune ou rouge.

♦ **2.** (1835, Lamartine, *in* D. D. L.). Cour. Cette poudre, utilisée notamment dans les pays musulmans, pour la teinture des cheveux (cit. 16), des lèvres, des paupières, des doigts. *Certains orientaux se teignaient la barbe au henné. Musulmane, juive d'Afrique du Nord aux mains rouges de henné, aux ongles, aux orteils peints au henné. Emploi du henné en Occident en coiffure, en parfumerie. Shampooing au henné. Se faire une teinture au henné. Utilisation industrielle du henné :* teinture du bois blanc, de la laine.

Elle avait les yeux bordés d'antimoine, les mains enluminées de *henné,* les pieds aussi; ses talons, rougis par la peinture, «ressemblaient à deux oranges». 1

E. FROMENTIN, Une année dans le Sahel, p. 152.

D'élégantes pelisses, dont les manches relevées en arrière se rattachaient à la façon du pouf européen, laissaient voir leurs bras nus *(des sultanes)* chargés de bracelets réunis par des chaînes de pierres précieuses, et leurs petites mains, dont les doigts étaient teints aux ongles du suc du «henneh». 1.1

J. VERNE, Michel Strogoff, p. 322 (1876).

(...) une jeune cousine de Hamdi, nommée Durdané, celle-ci jolie, d'une blancheur d'albâtre, avec des cheveux au henneh ardent (...) 2

LOTI, les Désenchantées, XIX.

REM. L'orthographe *henneh* qui n'est plus en usage, était admise par Littré, à côté de *henné.*

HENNIN ['enɛ̃] n. m. — 1428; probablt du néerl. *henninck* «coq», du francique **hano* (→ Hénon), la coiffure haute faisant penser à une crête de coq.

♦ Anciennt. Coiffure (cit. 5) féminine du moyen âge, en forme de bonnet conique, très haut et rigide. *Le hennin, d'origine flamande, fut introduit en France par Isabeau de Bavière. Hennin en croissant, à deux cornes.*

Les cornes de son hennin frôlaient le linteau des portes (...)

FLAUBERT, Trois contes, «La légende de saint Julien l'Hospitalier», I.

HENNIR ['eniʀ] v. intr. — 1080, *henir;* du lat. *hinnire,* avec *h* aspiré d'orig. expressive.

♦ **1.** Le sujet désigne un cheval, un équidé. Pousser le cri (puissant, aigu, rythmé) particulier à son espèce. *Cheval qui hennit et s'ébroue* (cit. 1). *Jument qui hennit de désir, de frayeur, de fureur, d'impatience, de joie. Un cheval qui hennit après les juments, qui hennit après l'avoine* (Académie).

Celles mêmes *(les bêtes)* à qui la vieillesse refuse la force corporelle, frémissent encore, hannissent *(hennissent)* et tressaillent d'amour. 1

MONTAIGNE, Essais, III, III.

Ils sont devenus comme des chevaux qui courent et qui hennissent après les cavales; chacun d'eux a poursuivi avec une ardeur furieuse la femme de son prochain. 2

BIBLE (SACY), Jérémie, V, 8.

Cependant le cheval noir ne cessait de piaffer et de s'agiter en hennissant (...) 3

A. DE VIGNY, Cinq-Mars, I, t. I, p. 76.

Des charretiers, les bras nus, retenaient par le licou des étalons cabrés, qui hennissaient à pleins naseaux du côté des juments. 4

FLAUBERT, Mme Bovary, II, VIII.

Les grands attelages entrèrent dans la cour et des poulains hennirent. Au rez-de-chaussée, deux ou trois lanternes s'allumèrent, puis disparurent. Les gens de travail passaient en traînant leurs sabots sur les cailloux — et la cloche pour le souper tinta. 4.1

FLAUBERT, Bouvard et Pécuchet, Folio, p. 82.

♦ **2.** (XIXe). Pousser un cri, faire entendre un bruit évoquant le cri du cheval. ⇒ **Mugir, rugir.** — (XXe). Spécialt. Rire bruyamment.

5 *(Quasimodo)* criait et grinçait des dents, ses cheveux roux se hérissaient, sa poitrine faisait le bruit d'un soufflet de forge, son œil jetait des flammes, la cloche monstrueuse hennissait toute haletante sous lui (...)
HUGO, Notre-Dame de Paris, IV, III.

6 Et soudain, des trompettes hennirent (...) HUYSMANS, Là-bas, XVII.

Fig. ⇒ **Bramer.**

7 Le baron de Nucingen, vous savez, ce vieux voleur patenté, hennit après une femme qu'il a vue au bois de Vincennes, et il faut la lui trouver, ou il meurt d'amour (...) BALZAC, Splendeurs et Misères des courtisanes, Pl., t. V, p. 762.

DÉR. Hennissant, hennissement.

HENNISSANT, ANTE [ˈenisɑ̃, ɑ̃t] adj. — 1673, Hatzfeld; p. prés. de *hennir.*

♦ **1.** Qui hennit. *Étalons hennissants.*

1 Les chevaux hennissants, les crins effarés, les jambes raidies, s'avançaient dans la terreur de ce terrain mouvant, qu'ils sentaient fuir. ZOLA, la Débâcle, I, V.

Figuré :

2 Jamais ce rut hennissant de cheval ne l'avait irritée à ce point.
ZOLA, la Terre, III, IV.

♦ **2.** Qui évoque un hennissement. *Un rire hennissant.*

HENNISSEMENT [ˈenismɑ̃] n. m. — XIVe; *hannissement,* v. 1220; de *hennir.*

♦ **1.** Cri spécifique du cheval (→ Étalon, cit. 1; fanfare, cit. 4; grognement, cit. 1).

1 (...) on peut distinguer (...) cinq sortes de hennissements différents, relatifs à différentes passions : le hennissement d'allégresse, dans lequel la voix se fait entendre assez longuement, monte et finit à des sons plus aigus (...) le hennissement du désir, soit d'amour soit d'attachement, dans lequel la voix se fait entendre longuement et finit par des sons plus graves; le hennissement de la colère, pendant lequel le cheval rue et frappe dangereusement, est très court et aigu; celui de la crainte, pendant lequel (...) la voix est grave, rauque, et semble sortir en entier des naseaux (...) celui de la douleur est moins un hennissement qu'un gémissement ou ronflement d'oppression qui se fait à voix grave, et suit les alternatives de la respiration. BUFFON, Hist. nat. des animaux, Le cheval.

2 (...) nos chevaux ont de temps en temps des frissons amoureux et poussent, vers une femelle invisible qui les enflamme, des hennissements aigus comme un éclat de trompette (...) E. FROMENTIN, Un été dans le Sahara, p. 24.

♦ **2.** (Av. 1704). Cri ou bruit intense et chevrotant qui rappelle le cri du cheval. → Conflit, cit. 2.

3 De la rue Mouffetard arrivaient les hennissements d'un orgue mécanique.
G. DUHAMEL, Salavin, III, VIII.

Figuré :

4 Le règne du péché est renversé de fond en comble (...) cette impétuosité, ces emportements, ce hennissement des cœurs lascifs est supprimé (...)
BOSSUET, Sermon pour le jour des morts, I.

HÉNOLOGIE ou **ÉNOLOGIE** [enɔlɔʒi] n. f. — V. 1960; du grec *en* ou *hen* «un», et *-logie.*

♦ Philos. Théorie selon laquelle le principe dernier est l'Un et non l'Être (Plotin).

HOM. Œnologie.

HÉNON [ˈenɔ̃] n. m. — 1873, *in* P. Larousse; *hanon,* XIIIe; d'un francique **hano* «coq».

♦ Régional (Somme). Coque (coquillage).

HENRY [ˈɑ̃ʀi] n. m. — V. 1894; du n. du physicien Joseph *Henry* (1797-1878).

♦ Phys. Unité de mesure du coefficient de self-induction* (symb. : *H*). *Des henrys.*

HEP [ˈɛp; hɛp] interj. — 1694, *in* T. L. F.

♦ Interjection servant à appeler. *Hep! vous, là-bas! Hep! venez ici!*

1 Hep!... arrêtez-vous, mes enfants! COLETTE, les Vrilles de la vigne, p. 243.

2 Hep! le mitrailleur, l'oxygène, ça va? SAINT-EXUPÉRY, Pilote de guerre, V.

3 Hep! vous oubliez cela (...) Paul MORAND, l'Europe galante, p. 98.

N. m. *Un hep sonore, vigoureux.*

HÉPARINE [epaʀin] n. f. — 1923, *in* T.L.F.; d'abord en angl. (Howel); du grec *hêpar* «foie», suff. *-ine.*

♦ Biochim. Substance polysaccharidique acide, à propriétés anticoagulantes, présente dans tous les tissus (abondante dans le foie, les muscles et le poumon), et élaborée par des cellules du tissu conjonctif (mastocytes). *Administration d'héparine dans le traitement de l'infarctus du myocarde, des phlébites.*

Si l'on prélève du sang de mammifères, il est indispensable de placer dans le tube une petite quantité d'héparine. Les tubes contenant le sang prélevé sont soumis à une centrifugation de quelques minutes, à vitesse moyenne. Cette opération permet de séparer le plasma des éléments figurés du sang : hématies, leucocytes et plaquettes qui se sédimentent.
Jean VERNE et Simone HÉBERT, la Culture de tissus, p. 20.

DÉR. Hépariné, hépariniser.

HÉPARINÉ, ÉE [epaʀine] adj. — Mil. XXe; de *héparine.*

♦ Biochim. Qui contient de l'héparine. *Sang hépariné pour les transfusions.*

HÉPARINISATION [epaʀinizasjɔ̃] n. f. — Mil. XXe; de *hépariniser.*

♦ Méd. Action d'hépariniser; injection d'héparine. « *Pour maintenir la fluidité du sang dans le circuit extra-corporel une héparinisation est nécessaire* » (*Sciences et Avenir,* no spécial, 1979, p. 65).

HÉPARINISER [epaʀinize] v. tr. — Mil. XXe; de *héparine.*

♦ Méd. Administrer de l'héparine dans le but de diminuer la coagulabilité du sang.

DÉR. Héparinisation.

HÉPAT- Élément, tiré du grec *hêpar, atos* «foie», entrant dans la composition de mots savants.

HÉPATALGIE [epatalʒi] n. f. — 1803; de *hépat-,* et *-algie.*

♦ Méd. Douleur au niveau du foie irradiant en général vers l'épaule droite.

HÉPATECTOMIE [epatɛktɔmi] n. f. — Mil. XXe; de *hépat-,* et *-ectomie.*

♦ Chir. Ablation d'une partie du foie.

HÉPATIQUE [epatik] n. et adj. — 1611; *epatique,* 1314; d'abord *epatic,* au sens II, 1240; lat. *hepaticus,* du grec *hêpatikos.* → Hépat-.

★ **I.** ♦ **1.** Anat., méd. Qui a rapport au foie*. *Artère hépatique. Pédicule hépatique.* — (1770). *Canal hépatique,* qui collecte la bile dans le foie et s'unit au canal cystique pour former le canal cholédoque. *Bile hépatique* (par oppos. à *bile vésiculaire*). *Fonctions hépatiques* (→ Explorer, cit. 9). *Tâches hépatiques* (→ Couvrir, cit. 44). — (1863). *Colique hépatique :* crise douloureuse des voies hépatiques, provoquée par la migration d'un calcul dans les voies biliaires. *Insuffisance hépatique :* troubles provoqués par un dérèglement des fonctions du foie. *Médication hépatique.*

(...) un julep hépatique, soporatif, et somnifère, composé pour faire dormir Monsieur (...) MOLIÈRE, le Malade imaginaire, I, 1. 1

(...) la sécrétion biliaire hépatique est continue, même en dehors des périodes de digestion (...) R. FABRE et G. ROUGIER, Physiologie médicale, p. 922. 2

♦ **2.** (V. 1560). Méd. et cour. Qui souffre du foie, est prédisposé aux maladies du foie. *Tempérament hépatique.* N. *Un, une hépatique. Le teint bilieux des hépatiques.*

Je voisinais à table avec quatre agents des postes du Gabon, hépatiques, édentés. 3
CÉLINE, Voyage au bout de la nuit, p. 108.

★ **II.** N. f. (1611; *aloé epatic,* 1240). Bot. ♦ **1.** Plante dicotylédone *(Renonculacées)* herbacée, indigène, vivace, dont une variété à feuilles trilobées, *l'hépatique commune* ou *des jardins,* appelée aussi *anémone hépatique* ou *herbe de la Trinité,* était employée comme remède dans les affections du foie.

♦ **2.** N. f. pl. (XVe, sing; plur., 1866). Classe de plantes cryptogames cellulaires *(Bryophytes)* à reproduction sexuée, intermédiaires entre les lichens et les mousses. *Les hépatiques croissent sur la terre humide, dans les lieux ombragés. Les marchantiées, hépatiques à amphigastre et à thalle. Principaux genres d'hépatiques.* ⇒ **Marchantie, riccie.** Au sing. *Une hépatique.*

DÉR. (Du sens I) **Hépatisme.** — **V. Hépatisation, hépatisé.**
COMP. Sus-hépatique.

HÉPATISATION [epatizasjɔ̃] n. f. — 1824, Nysten, *in* D. D. L.; du rad. de *hépatique* ou de *hépatisé.*

♦ Méd. État pathologique d'un tissu organique qui prend la coloration et la densité du tissu hépatique. *Hépatisation du poumon au cours d'une pneumonie.*

HÉPATISÉ, ÉE [epatize] adj. — 1819, Laennec, *in* T. L. F.; du rad. de *hépatique.*

♦ Méd. Atteint d'hépatisation. *Tissu pulmonaire hépatisé.*

HÉPATISME [epatism] n. m. — 1898, in *l'Année biol.*; de *hépatique.*

♦ Méd. Ensemble des symptômes relevant des affections chroniques du foie.

1. HÉPATITE [epatit] n. f. — 1542; lat. *hepatites* «pierre de la couleur du foie», du grec *hêpar, atos* «foie».

♦ Minér. (Vieilli). Pierre précieuse de couleur brune.

2. HÉPATITE [epatit] n. f. — 1655; lat. mod. *hepatitis,* du bas lat. *hepatitis,* adj. «de la nature du foie», du grec *hêpatitis, idos* «du foie», de *hêpar, atos.* → Hépat-.

♦ Méd. Affection inflammatoire du foie. *Hépatite aiguë. Hépatite chronique. Hépatite suppurée* ou *abcès du foie. Hépatite amibienne.* ⇒ **Cirrhose, ictère.** — Cour. *Hépatite virale :* infection virale du foie, affection grave due à deux virus, le virus A *(hépatite épidémique)* et le virus B *(hépatite d'inoculation). L'hépatite virale entraîne une longue période d'asthénie après la guérison.*

Son visage perdit ces ardents tons bruns qui annonçaient un commencement d'hépatite, la maladie des tempéraments vigoureux ou des personnes dont l'âme est souffrante, dont les affections sont contrariées.

Balzac, le Curé de village, Pl., t. VIII, p. 575.

HÉPATO- ⇒ **Hépat-.**

HÉPATOBILIAIRE [epatobiljɛʀ] adj. — Mil. xxe; de *hépato-* (→ Hépat-), et *biliaire.*

♦ Méd. Qui concerne le foie et les voies biliaires.

HÉPATOBLASTOME [epatoblastom] n. m. — xxe; de *hépato-* (→ Hépat-), *blaste,* et *-ome.*

♦ Pathol. Cancer primitif du foie.

HÉPATOCÈLE [epatosɛl] n. f. — 1808; de *hépato-* (→ Hépat-), et *-cèle.*

♦ Méd. Hernie partielle du foie.

HÉPATOCELLULAIRE [epatoselylɛʀ] adj. — xxe; de *hépato-* (→ Hépat-), et *cellulaire.*

♦ Méd. Qui concerne les cellules du foie. *Ictère hépatocellulaire.*

HÉPATOCYSTIQUE [epatosistik] adj. — 1805, Cuvier; de *hépato-* (→ Hépat-), et *cystique.*

♦ Méd. Vx. Relatif au foie et à la vésicule biliaire. ⇒ **Hépatovésiculaire.**

HÉPATOCYTE [epatosit] n. m. — 1973, in *la Clé des mots;* de *hépato-* (→ Hépat-), et *-cyte.*

♦ Physiol. Cellule hépatique. *«Alors la multiplication des cellules se fait hors de l'ordre initial et provoque la formation de nodules dans lesquels les hépatocytes fonctionnent sans profit pour l'organisme : c'est la cirrhose»* (*Sciences et Avenir,* juil. 1980, p. 22).

HÉPATO-ENTÉRIQUE [epatoɑ̃teʀik] adj. — 1925, *in* T. L. F.; de *hépato-* (→ Hépat-), et *entérique.*

♦ Méd. Relatif au foie et à l'intestin.

HÉPATOGÈNE [epatoʒɛn] adj. — 1892; de *hépato-* (→ Hépat-), et *-gène.*

♦ Méd. Qui est produit par le foie.

HÉPATOGRAPHIE [epatoɡʀafi] n. f. — 1866; de *hépato-* (→ Hépat-), et *graphie.*

Médecine.

♦ **1.** Description du foie.

♦ **2.** (xxe). Radiographie du foie, après administration d'une substance, opaque aux rayons X, qui passe électivement par le foie.

HÉPATOLOGIE [epatolɔʒi] n. f. — Fin xviiie; de *hépato-* (→ Hépat-), et *-logie.*

♦ Méd. Étude (anatomique, physiologique, pathologique) du foie. — rem. Les dér. *hépatologiste, hépatologue* sont attestés.

HÉPATOME [epatom, epatɔm] n. m. — 1929, *in* T. L. F.; de *hépat-* (→ Hépat-), et *-ome.*

♦ Pathol. Tumeur (bénigne ou maligne) du foie.

HÉPATOMÉGALIE [epatomegali] n. f. — 1907; de *hépato-* (→ Hépat-), et *-mégalie.*

♦ Méd. Augmentation du volume du foie.

HÉPATONÉPHRITE [epatonefʀit] n. f. — 1920, *in* D. D. L.; de *hépato-* (→ Hépat-), et *néphrite.*

♦ Pathol. Affection, d'origine infectieuse ou toxique, caractérisée par des lésions du foie et des reins. *«(...) du tétrachlorure de carbone, une substance qui, si on l'inhale, attaque le foie et les reins, et peut provoquer des hépatonéphrites»* (*l'Express,* 29 mars 1980, p. 117).

HÉPATOPTOSE [epatɔptoz] n. f. — 1908, in *Rev. gén. des sc.,* no 13, p. 551; de *hépato-* (→ Hépat-), et *ptose*.*

♦ Pathol. Situation anormalement basse du foie par relâchement des ligaments qui le soutiennent.

HÉPATORÉNAL, ALE, AUX [epatoʀenal, o] adj. — 1927; de *hépato-* (→ Hépat-), et *rénal.*

♦ Méd. Relatif au foie et aux reins (→ Hépatonéphrite).

HÉPATOSPLÉNIQUE [epatosplenik] adj. — Mil. xxe; de *hépato-* (→ Hépat-), et *splénique.*

♦ Méd. Relatif au foie et à la rate.

HÉPATOSTOMIE [epatostomi] n. f. — 1916, *in* D. D. L.; de *hépato-* (→ Hépat), et *-stomie.*

♦ Méd. Drainage du foie, opéré par abouchement à la peau.

HÉPATOTOMIE [epatotɔmi] n. f. — 1803, *in* D. D. L.; de *hépato-* (→ Hépat), et *-tomie.*

♦ Chir. Incision du foie.

HÉPATOTOXÉMIE [epatotɔksemi] n. f. — 1901, *in* D. D. L.; de *hépato-* (→ Hépat-), et *toxémie.*

♦ Pathol. Intoxication d'origine hépatique.

HÉPATOTOXIQUE [epatotɔksik] adj. — 1904, in *Rev. gén. des sc.,* no 13, p. 666; de *hépato-* (→ Hépat-), et *toxique.*

♦ Méd. Qui a une action toxique sur le foie. *Ictère hépatotoxique.*

HÉPATOVÉSICULAIRE [epatovesikylɛʀ] adj. — Mil. xxe; de *hépato-* (→ Hépat-), et *vésiculaire.*

♦ Méd. Relatif au foie et à la vésicule biliaire. ⇒ **Hépatocystique.**

HÉPIALE [epjal] n. m. — 1846, Bescherelle; lat. sc. *hepialus,* 1775, J. C. Fabricius; dér. irrég. du grec *hêpialops* «sorte de teigne qu'attire la lampe».

♦ Zool. Grand insecte lépidoptère nocturne, papillon dont la chenille souterraine se nourrit de racines (type de la famille des *Hépialidés*).

HEPT-, HEPTA- Élément tiré du grec *hepta* «sept», et entrant dans la composition de mots savants.

HEPTACORDE [ɛptakɔʀd] adj. — 1578, *eptacorde* et *heptacorde* «gamme de sept sons»; sens mod., 1768, Rousseau; bas lat. *heptachordus,* grec *heptakhordos,* de *hepta-* (→ Hept-), et *khordos* «corde».

Musique.

★ **I.** Mus. anc. Échelle musicale de sept notes divisant l'octave.

★ **II.** Lyre à sept cordes.

HEPTAÈDRE [ɛptaɛdʀ] n. m. — 1772; de *hepta-* (→ Hept-), et du grec *hedra.* → -èdre.

♦ Géom. Solide à sept faces.

DÉR. Heptaédrique.

HEPTAÉDRIQUE [ɛptaedʀik] adj. — 1866; de *heptaèdre.*

♦ Géom. Qui a rapport à l'heptaèdre.

HEPTAGONAL, ALE, AUX [ɛptagɔnal, o] adj. — 1632, de *heptagone.*

♦ Géom. Qui a sept angles et sept côtés. *Pyramide heptagonale,* dont la base est un heptagone.

HEPTAGONE [ɛptagɔn, ɛptagon] n. m. — 1542; grec *heptagonos,* de *hepta* (→ Hept-), et *gônia* «coin, angle».

♦ Géom. Polygone qui a sept angles et sept côtés. *Un heptagone régulier.*

DÉR. Heptagonal.

HEPTAGYNE [ɛptaʒin] adj. — 1866; de *hepta-* (→ Hept-), et du grec *gunê* «femelle».

♦ Bot. Qui a sept styles ou pistils.

HEPTAMÉRON [ɛptameʀɔ̃] n. m. — 1559; de *hepta-* (→ Hept-), et grec *hêmera* «jour», d'après *décameron.*

♦ Littér. Récit en sept parties, correspondant à sept journées. *L'Heptaméron,* titre d'un récit de Marguerite de Navarre (1559).

HEPTAMÈTRE [ɛptamɛtʀ] adj. — 1827; bas lat. *heptametrum,* du grec *hepta* (→ Hept-), et *metron.* → -mètre.

♦ Prosodie. Qui a sept pieds. *Vers heptamètre,* ou, n. m., *un heptamètre.*

HEPTANCHUS [ɛptɑ̃kys] n. m. — 1890, *in* P. Larousse, *Deuxième Suppl.;* lat. sc., du grec *hepta* (→ Hept-), et *agkhein* «étrangler».

♦ Zool. Requin qui a sept paires de fentes branchiales. *Une espèce d'heptanchus vit sur les côtes de la Méditerranée.*

HEPTANDRE [ɛptɑ̃dʀ] adj. — 1798; de *hepta-* (→ Hept-), et *-andre.*

♦ Bot. Qui a sept étamines.

HEPTANDRIE [ɛptɑ̃dʀi] n. f. — 1765; de *hepta-* (→ Hept-), et *-andrie.*

♦ Bot. Classe du système de Linné (abandonné de nos jours) comprenant les plantes à fleurs heptandres*.

DÉR. Heptandre.

HEPTANE [ɛptan] n. m. — 1890, *in* P. Larousse, *Suppl.;* de *hepta-* (→ Hept-), et *-ane.*

♦ Chim. Hydrocarbure saturé à 7 atomes de carbone (C_7H_{16}).

HEPTATHLON [ɛptatlɔ̃] n. m. — 1980, *in* Petiot; du grec *hepta* «sept», et *athlon* «lutte».

♦ Sport. Épreuve propre à l'athlétisme féminin, qui combine trois courses et quatre concours.

HEPTARCHIE [ɛptaʀʃi] n. f. — 1654; de *hepta-* (→ Hept-), et grec *arkhein* «commander». → -archie.

♦ Hist. *L'heptarchie :* les sept royaumes germains de Grande-Bretagne (VIe-IXe siècles).

HEPTASYLLABE [ɛptasi(l)lab] adj. — Mil. XVIIIe; de *hepta-* (→ Hept-), et *syllabe**.

♦ Didact. De sept syllabes.

HEPTOSE [ɛptoz] n. m. — XXe; de *hepta-* (→ Hept-), et 1. *-ose.*

♦ Chim., biol. Ose comportant sept atomes de carbone dans sa molécule.

HÉRACLIDES [eʀaklid] n. m. pl. — 1756; grec *heraklidês,* de *Hêraklês* «Hercule».

♦ Rare. Descendants du demi-dieu Hercule.

HÉRALDIQUE [eʀaldik] adj. et n. f. — XVe; du lat. médiéval *heraldicus,* de *heraldus,* latinisation de *héraut.*

♦ **1.** Adj. (1690). Relatif au blason (⇒ **Blason**). *Science héraldique. Couleurs héraldiques. Pièce, meuble, figure, ornement héraldique. — Colonne héraldique,* qui porte des écussons blasonnés.

(...) la plaque de fer écussonnée de trois fleurs de lys héraldique! 1
Aloysius Bertrand, Gaspard de la nuit, Nuit et ses prestiges, X.

Les murs étaient tendus de tapisseries et décorés de nombreux trophées héraldiques (...) 2
Baudelaire, Trad. E. Poe, Nouvelles histoires extraordinaires, «Le portrait ovale».

La guerre, qui détachait soudain du blason des grands empires les animaux héraldiques et les faisait pour moi lutter silencieusement à mort, la licorne avec l'ours, l'aigle à une tête avec son collègue à trois têtes!... 3
Giraudoux, Suzanne et le Pacifique, VIII, p. 145.

(...) le roi khmer peint en or porté en procession sur son piédestal de glaïeuls, l'astrologue qui déchiffre le ciel de Chaldée pour y suivre une lente course d'immenses lions héraldiques, ne nous fascinent pas moins que la face hagarde qui rêva des bisons magdaléniens. Malraux, la Métamorphose des dieux, p. 32. 4

Je m'avançais lentement, sûrement, avec la certitude d'être le personnage héraldique pour qui s'est formé un blason naturel : azur, champ d'or, soleil, forêts. 5
Jean Genet, Journal du voleur, p. 51.

♦ **2.** N. f. (1845). *L'héraldique :* connaissance des armoiries; art relatif aux armoiries. ⇒ **Blason** (2.). *Livre d'héraldique.* — Ensemble des emblèmes de blason.

DÉR. Héraldiquement, héraldiste.

HÉRALDIQUEMENT [eʀaldikmɑ̃] adv. — 1919; de *héraldique.*

♦ Littér. À propos de blason, d'armoiries, de la science héraldique.

(...) jeugeant cette souveraineté *(de Bavière)* un peu inégale à sa race, la plus noble, héraldiquement parlant, de toute l'Europe.
Proust, À l'ombre des jeunes filles en fleurs, Pl., t. I, p. 459.

HÉRALDISME [eʀaldism] n. m. — XXe; de *héraldiste.*

♦ Didact. Science du blason*.

La querelle que les nobles se sont toujours cherchée, puis les bourgeois, sur la pureté de leur pedigree, beaucoup d'intellectuels la reprennent depuis quelque temps. La fierté a changé de sens avec l'origine théorique de la souveraineté (...) Mais c'est, à rebours, le même snobisme (...) la même différence qu'entre la légitimité et... l'héraldisme.
B. Poirot-Delpech, Coq-à-l'âne, *in* le Monde, 10 déc. 1972.

HÉRALDISTE [eʀaldist] n. — 1873; de *héraldique.*

♦ Personne qui est versée dans l'héraldique (2.).

DÉR. Héraldisme.

HÉRAUDERIE [eʀodʀi] n. f. — V. 1570; de *héraut.*

♦ **1.** Vx. Connaissance du blason, des armoiries. ⇒ **Héraldique.**

♦ **2.** (1802). Anciennt. Province dont un héraut (1.) portait le nom.

HÉRAUT ['eʀo] n. m. — Déb. XIIIe; *hiraut,* v. 1175; du francique **hariwald, *heriwald,* proprt «chef d'armée».

♦ **1.** Hist. *(Héraut d'armes* ou *héraut).* Au moyen âge, Officier de l'office d'armes, grade intermédiaire entre le «poursuivant d'armes» et le «roi d'armes». *Les fonctions du héraut d'armes ou fonctions héraldiques étaient la transmission des messages* (déclarations de guerre, de paix, défis, sommations...), *les proclamations solennelles, l'ordonnance des cérémonies* (fêtes publiques, réunions, tournois...), *le recensement de la noblesse, la surveillance de l'usage des armoiries et la composition des nouveaux blasons* (→ Écu, cit. 2). *Les hérauts d'armes n'eurent plus, de Louis XIII à la Révolution, que des fonctions d'huissier. Dalmatique des hérauts.* ⇒ **Tabard.**

Louis XII envoya un héraut d'armes annoncer la guerre au doge. 1
Voltaire, Essai sur les mœurs, CXIII.

(...) hérauts d'armes et brandisseurs des insignes royaux au sacre de Bonaparte, ils rempliront les mêmes fonctions au sacre de Charles X (...) 2
Chateaubriand, Mémoires d'outre-tombe, t. IV, p. 9.

♦ **2.** (XVIe). Fig., littér. Personne qui a pour charge d'annoncer la venue de qqn ou qqch. ⇒ **Annonciateur, messager;** → Avant-coureur, cit. 1; évangile, cit. 7. *Être, se faire le héraut de... Servir de héraut à la renommée de qqn.* — Littér. (d'un animal). → ci-dessous, cit. 3.

Un rossignol tomba dans ses mains *(du milan),* par malheur. 3
Le héraut du printemps lui demande la vie (...) La Fontaine, Fables, IX, 18.

Malheureux, j'ai servi de héraut à sa gloire. Racine, Esther, III, 1. 4

Avouez (...) que cette brillante civilisation dont l'Amérique est, aujourd'hui, le pro- 5

tagoniste, le héraut, le prophète, semble nous conduire vers une de ces périodes qui figurent, dans l'histoire de l'esprit, comme de mornes lacunes (...)
G. DUHAMEL, Scènes de la vie future, IV.

DÉR. Hérauderie.
HOM. Héro (V. 2. **Héroïne**), **héros.**

HERBACÉ, ÉE [ɛʀbase] adj. — 1542; lat. *herbaceus,* de *herba.* → Herbe.

♦ Bot. Qui a les caractères, l'apparence de l'herbe. *Filet herbacé* (→ Extension, cit. 3). *Végétation herbacée,* formée d'herbes. — Spécialt (opposé à *ligneux**). *Tige herbacée :* tige molle et généralement verte, peu résistante. *Plantes herbacées :* plantes non ligneuses, annuelles ou vivaces, dont la partie aérienne meurt après la fructification. *L'œillet, l'ortie, le fraisier, le bananier, la carotte, le tabac, le trèfle, les graminées sont des plantes herbacées.* — Vx. *Légumes herbacés :* légumes verts (opposé à *légumineuses* et *tubercules*). — Fig., littér. Par plaisanterie :

Le foin est humide par places. De ces places, on voit surgir des personnages entièrement herbacés; en particulier, le voyageur Augier ressemble à une prairie; blouse et pantalon, tout est verdâtre (...)
R. TÖPFFER, Voyages en zig-zag, Aux Alpes et en Italie, 4[e] journée, p. 20.

HERBAGE [ɛʀbaʒ] n. m. — V. 1131; de *herbe.*

♦ **1.** [a] (1599). Vx. Herbes, végétaux cueillis. *Vivre d'herbages* (Académie).

[b] (1660). Herbe des prés (→ Épaisseur, cit. 7).

0.1 (...) à trois heures, le morceau de pain suivi de la courte récréation (...) de là jusqu'à sept heures, l'aiguille reprise et les torchons; puis le souper d'herbages, la récréation d'après souper, et le coucher à neuf heures.
Ed. et J. DE GONCOURT, Sœur Philomène, p. 17.

♦ **2.** Prairie naturelle dont l'herbe, consommée sur place par le bétail, est suffisamment fertile pour l'engraisser (→ ci-dessous, cit. 2). ⇒ **Prairie; embouche, pâturage, pâture, pré.** *Herbages plantés* (*de graminées :* pâturin, dactyle, fléole des prés, fétuque des prés, ray-grass, vulpin... ; *de légumineuses :* trèfle blanc, trèfle des prés... ; *de plantes diverses :* chardon, pissenlit, plantain...). *Herbages non plantés. Herbages de Normandie. Mettre des bœufs à l'engrais dans un herbage.* ⇒ 1. **Herbager;** → aussi Mettre au vert*.

1 Les vaches, elles, n'étaient guère menées en pâture qu'après la moisson. Cette Beauce si sèche, dépourvue d'herbages naturels, donnait de bonne viande cependant (...)
ZOLA, la Terre, II, I.

2 Les *herbages* et les *pâturages* comprennent les prairies naturelles qui ne sont pas fauchées et dont l'herbe est consommée sur place par le bétail; on range dans la catégorie des *herbages* ces prairies qui, suffisamment fertiles, permettent l'engraissement du bétail qui les pâture; on réserve à la catégorie des *pâturages* celles qui, plus pauvres, ne permettent pas l'engraissement du bétail.
Statistiques de l'agriculture de la France, Enquête de 1929, Circulaire du 25 avr. 1929.

DÉR. 1. **Herbager,** 2. **herbager, herbageux.**
HOM. Formes du v. 1. **herbager.**

HERBAGEMENT [ɛʀbaʒmɑ̃] n. m. — 1877; de 1. *herbager.*

♦ Agric. Action d'herbager des bestiaux.

1. HERBAGER [ɛʀbaʒe] v. tr. — Conjug. *bouger.* — 1409; de *herbage.*

♦ Agric. Mettre à paître* dans un herbage. *Herbager des bœufs.*

DÉR. Herbagement.
HOM. 2. Herbager.

2. HERBAGER, ÈRE [ɛʀbaʒe, ɛʀ] n. et adj. — 1736; de *herbage.* Agriculture.

★ **I.** N. Éleveur, personne qui s'occupe de l'engraissement des bovins. ⇒ **Emboucheur.**

★ **II.** Adj. Caractérisé par des herbages.

Nous faisons halte au sommet du col, d'où l'on ne découvre que les pentes vertes : tout ce pays est purement herbager, à peine aussi sauvage que la vallée d'Urseren.
Rodolphe TÖPFFER, Voyages en zig-zag, Voyage à Venise, 1842, 8e jour, p. 318.

HOM. 1. Herbager.

HERBAGEUX, EUSE [ɛʀbaʒø, øz] adj. — 1611; de *herbage.*

♦ Vx ou littér. Couvert d'herbages. *Contrée herbageuse.*

HERBE [ɛʀb] n. f. — 1080, *erbe;* du lat. *herba.*

♦ **1.** [a] Surtout dans des syntagmes où *herbe* est qualifié. *(Une, des herbes).* Petite plante* phanérogame non ligneuse dont les parties aériennes meurent chaque année (⇒ **Herbacé**). *Les plantes phanérogames comprennent des arbres, des arbustes, des arbrisseaux, des sous-arbrisseaux et des herbes. Herbes annuelles, bisannuelles. Herbes vivaces. Herbe cultivée, herbe sauvage, herbe des champs* (→ 1. Fumer, cit. 1; fleurir, cit. 6). *Herbes dures et épineuses des lieux arides* (→ Agreste, cit. 3). *Herbes aquatiques* (→ Engorger, cit. 2), *fluviatiles* (cit. 2). *Animaux qui vivent d'herbes, de végétaux.* ⇒ **Herbivore;** → Autruche, cit. 1. *Cultiver des herbes* (→ Germe, cit. 8). *Cueillir des herbes* (→ Cueillette, cit. 2), *en faire une collection.* ⇒ **Herbier, herboriser.** *Herbe dont on fait une couronne* (cit. 2). *Herbes médicinales* (→ Botanique, cit. 3; brûler, cit. 21; entreprendre, cit. 17). *Herbes officinales,* employées en pharmacie. ⇒ **Herboriste.** *Herbes vulnéraires. Herbes aux vertus magiques; herbes des fées* (→ Enchantement, cit. 3). *Sorcières qui font bouillir des herbes* (→ Arriver, cit. 15). — Spécialt. *Herbes odorantes, aromatiques* (→ Âcre, cit. 3). *Gigot* (cit. 5) *parfumé aux herbes des collines.*

Vous verrez une autre fois cet homme sordide acheter en plein marché des viandes cuites, toutes sortes d'herbes (...) 1
LA BRUYÈRE, les Caractères de Théophraste, De l'avarice.

(La sauce) doit ses subtiles vertus à des herbes aromatiques dont Clémentine a le secret. 2
G. DUHAMEL, Salavin, III, XII.

Toute leur médecine, aux herbes un peu amères, manifeste un art méticuleux d'apaiser opportunément la fièvre, la soif, et les dangereuses impatiences de la guérison. 3
H. BOSCO, Hyacinthe, p. 163.

(...) une vieille femme qui allait vendre ses herbes au marché et qui était entrée dans la villa peu après Désirée, pour proposer sa marchandise. 4
J. GREEN, Adrienne Mesurat, I, XVI.

Loc. **FINES HERBES :** herbes aromatiques qui entrent dans l'assaisonnement* de certains mets. ⇒ **Cerfeuil, ciboulette, civette, estragon, persil, pimprenelle;** → Les appétits. *Farce* (1. Farce, cit. 1) *aux fines herbes. Omelette aux fines herbes.*

Vx. *Herbes potagères :* légumes verts et salades. — *Herbes* (même sens). *Éplucher* (cit. 1) *des herbes. Salade d'herbes fades* (cit. 1). *Bouillon aux herbes :* bouillon de légumes. *Des œufs, des herbes et du fromage* (cit. 2). *Marché aux herbes.* ⇒ **Herberie.** — *Herbes cuites.*

(...) la boutique, sous l'auvent, paraissait lui causer une émotion extraordinaire. Elle s'ouvrait. C'était un marchand d'herbes cuites; au fond, des bassines luisaient; sur la table d'étalage, des pâtés d'épinards et de chicorée, dans des terrines, s'arrondissaient. 4.1
ZOLA, le Ventre de Paris, t. I, p. 29.

[b] (Qualifié par un adj. ou un compl. et désignant une plante herbacée spécifique). **HERBE DE, À.** *Herbe aux abeilles :* spirée. *Herbe aux aiguillettes :* scandix. *Herbe à l'ambassadeur :* tabac. *Herbe d'amour :* myosotis. *Herbe aux ânes :* onagre ou onagraire. *Herbe à balai :* érica. *Herbe bénie* ou *de Saint-Benoît :* benoîte. *Herbe à la bière :* houblon. *Herbe de bison :* avoine odorante, utilisée en Pologne pour parfumer certaines vodkas. *Herbes du bon Henri :* chénopode. *Herbe aux boucs :* chélidoine. *Herbe britannique :* patience d'eau ou rumex. *Herbe aux brûlures :* bacopa. *Herbe à cailler :* gaillet. *Herbe au cancer :* plombagine. *Herbe carrée :* scrofulaire. *Herbe de casse-lunettes* (vx) : euphraise. *Herbe au centaure :* bleuet. *Herbe aux cents goûts :* armoise vulgaire. *Herbe aux cents maux :* lysimaque. *Herbe aux cents nœuds :* polygonum. *Herbe aux cerfs :* peucédan. *Herbe au chancre :* héliotrope. *Herbe au chantre :* sisymbre et vélar. *Herbe de Charlemagne :* carline. *Herbe au charpentier :* achillée. *Herbe aux chats :* népète, cataire, valériane. *Herbe des chevaux, herbe aux poules, à la teigne :* jusquiame. *Herbe aux chèvres :* galega. *Herbe aux chutes, au pêcheur :* arnica. *Herbe à cinq côtes :* plantain. *Herbe aux cinq feuilles :* potentille. *Herbe au citron :* mélisse. *Herbe à cloque :* physalis. *Herbe à cochon :* renouée. *Herbe du cœur :* menthe. *Herbe au coq :* tanaisie. *Herbe aux corneilles :* fragon. *Herbe à coton :* gnaphale. *Herbe à coucou :* lychnis. *Herbe à la coupure :* sedum reprise, orpin. *Herbe aux couronnes :* romarin. *Herbe aux couteaux :* carex. *Herbe sans couture :* ophioglosse. *Herbe aux cuillers :* cochléaria. *Herbe à dartre :* cassia. *Herbe au diable, du diable :* datura. *Herbe aux dindons :* fumeterre. *Herbe à dorer :* cétérac. *Herbe dragonne :* arum. *Herbe à l'éclaire :* chélidoine. *Herbe aux écrouelles :* lampourde, scrofulaire. *Herbe aux écus :* lysimaque, nummulaire, thlaspi. *Herbe à empoisonner :* belladone. *Herbe aux engelures :* jusquiame. *Herbe à l'esquinancie :* aspérule, géranium. *Herbe à éternuer :* achillée ou bouton d'argent. *Herbe étoilée :* aspérule. *Herbe à femme battue, aux femmes battues :* tamier. *Herbe au fic :* ficaire. *Herbe à la fièvre :* centaurée. *Herbe du foie :* anémone. *Herbe à foulon :* saponaire. *Herbe aux fous :* → ci-dessous, Herbe à séton. *Herbe à la gale :* solanum. *Herbe aux goutteux :* ægopodium. *Herbe aux grands prieurs* (vx) : tabac. *Herbe à la gravelle :* saxifrage. *Herbe aux gueux :* clématite. *Herbe de Guinée :* panic. *Herbe aux hémorroïdes :* ficaire. *Herbe d'Hermès :* mercuriale. *Herbe à l'hirondelle :* stellaire. *Herbe jaunin :* genêt, réséda. *Herbe des Juifs, aux Juifs :* colidage ou gaude. *Herbe au lait :* polygale. *Herbe à la laque :* phytolaque. *Herbe aux loups (herbe à loup, au loup) :* l'aconit «tue-loup». *Herbe de Madère, de Mogador :* rocella. *Herbe à la magicienne :* circée. *Herbe des magiciens :* morelle noire. *Herbe aux mamelles :* lapsane. *Herbe à la manne :* glycérie. *Herbe marine :* algue, goémon. *Herbe aux massues :* lycopode. *Herbe à tous les maux, herbe sacrée :* verveine, tabac. *Herbe à la meurtrie :* valériane. *Herbe à mille trous :* millepertuis. *Herbe aux mites :* tanaisie, molène. *Herbe du mort :* menthe à feuilles rondes. *Herbe aux mouches :*

conyse carrée. *Herbe aux murailles :* pariétaire. *Herbe aux neuf chemises :* ail. *Herbe à Nicot* (vx) : tabac. *Herbe Notre-Dame :* pariétaire. *Herbe aux oies :* potentille. *Herbe à l'ophtalmie :* euphraise. *Herbe à la ouate :* asclépiade. *Herbe des pampas :* gynérium. *Herbe aux panaris :* renouée. *Herbe du Paraguay :* maté. *Herbe à Paris :* parisette. *Herbe au pauvre homme :* gratiole. *Herbe aux perles :* grémil. *Herbe à la pituite :* delphinium. *Herbe aux porcs* (→ ci-dessus Herbe à cochon). *Herbe aux poules :* pétivérie. *Herbe aux poumons :* pulmonaire. *Herbe aux poux :* dauphinelle, pédiculaire, staphisaigre. *Herbe aux prud'hommes :* salvia verbanaca. *Herbe puante :* chenopodium. *Herbe aux puces :* plantain des sables, psyllium. *Herbe à la reine* (vx) : tabac. *Herbe à Robert :* géranium. *Herbe à la rosée :* droséra. *Herbe sacrée :* verveine ou sauge. *Herbe Saint-Antoine :* épilobe. *Herbe de Saint-Benoît :* benoîte (→ ci-dessus, Herbe bénie). *Herbe de Saint-Christophe :* actée. *Herbe de Saint-Fiacre :* héliotrope, molène. *Herbe de Saint-Innocent :* poivre d'eau, renouée. *Herbe de Saint-Jacob :* jacobée, séneçon. *Herbe de Saint-Jacques :* séneçon. *Herbe de Saint-Jean :* armoise, gléchome ou lierre terrestre, millepertuis. *Herbe de Saint-Joseph :* scabieuse. *Herbe de Saint-Julien :* barbarée. *Herbe de Saint-Laurent :* bugle. *Herbe de Saint-Paul :* primevère. *Herbe de Saint-Roch :* inule. *Herbe de Sainte-Barbe :* vélar. *Herbe de Sainte-Marie :* balsamine. *Herbe de Sainte-Sophie :* sisymbre. *Herbe de Sainte-Thérèse :* véronique. *Herbe au scorbut :* raifort. *Herbe à séton :* hellébore, dite aussi *herbe aux fous. Herbe aux sonnettes :* fritillaire. *Herbe aux sorciers :* circée, datura. *Herbe aux teigneux :* bardane, tussilage. *Herbe à teinture :* genêt. *Herbe terrestre :* gléchome. *Herbe de la Trinité :* pensée sauvage. *Herbe aux varices :* cirse. *Herbe du vent :* anémone pulsatille. *Herbe aux verrues :* chélidoine, euphorbe, héliotrope. *Herbe aux vers :* absinthe, tanaisie. *Herbe de vie :* aspérule. *Herbe à la vierge :* narcisse. *Herbe aux vipères :* vipérine. *Herbe vulnéraire :* arnica.

Herbes de la Saint-Jean : herbes que l'on cueillait le jour de la Saint-Jean, et auxquelles on attribuait des vertus magiques. — Fig. Vieilli. *Employer toutes les herbes de la Saint-Jean :* employer tous les moyens* pour réussir.

5 Il lui a tout de même fallu un peu de séminaire, l'ordination, la tonsure, toutes les herbes de la Saint-Jean.
J. ROMAINS, les Hommes de bonne volonté, t. III, VII, p. 110.

♦ **2.** a Cour. Plante herbacée, graminée (qui pousse naturellement partout où les conditions lui sont favorables). ⇒ **Graminée.** *Longues herbes* (→ Engraisser, cit. 5). *Hautes herbes des prés, des savanes. Herbes folles** (cit. 51). *Herbes couvertes de rosée* (→ Étincellement, cit. 2). *Herbes sèches* (→ Année, cit. 5; chemin, cit. 23; foin, cit. 3). *Couleur des feuillages et des herbes* (→ 2. Cru, cit. 5). *Moulin abandonné, envahi* (cit. 7) *par les herbes. S'avancer dans les herbes* (→ Froncer, cit. 5), *au travers des herbes et des orties* (→ Forêt, cit. 3). *Faire courber* (cit. 2) *les herbes sous ses pas.*

6 Le vent qui soufflait tirait horizontalement les herbes folles qui avaient poussé dans la paroi du mur (...) PROUST, À la recherche du temps perdu, t. I, p. 210.

7 Ce qui est démoralisant, c'est la friche, ou l'envahissement d'un bon semis par les herbes. J. ROMAINS, les Hommes de bonne volonté, t. IV, XIX, p. 210.

8 La foule s'avança dans une petite allée entre les herbes hautes qui envahissaient les tombes, et s'arrêta auprès de la fosse (...)
J. CHARDONNE, les Destinées sentimentales, p. 58.

9 La caractéristique des associations herbeuses est la prédominance des espèces herbacées, en premier lieu des Graminées, auxquelles peuvent s'ajouter diverses espèces vivaces (...) Les pluies peuvent être faibles, mais assez fréquentes pour humecter la surface du sol, la température doit être favorable pendant toute cette période *(période de végétation).* Mais les herbes, étant ordinairement tropophiles, peuvent supporter pendant leur période de repos soit de grands froids, soit une sécheresse prolongée. E. DE MARTONNE, Géographie physique, t. III, p. 1203.

b (1316; *male herbe,* XIIIe). **MAUVAISE HERBE :** herbe qui n'est d'aucune utilité et nuit aux cultures qu'elle envahit. *Mauvaise herbe qui gêne les légumes* (→ Couper, cit. 2). *Enlever, arracher, extirper, sarcler les mauvaises herbes.* ⇒ **Désherber.**

10 Et en effet, sur la planète du petit prince, il y avait comme sur toutes les planètes, de bonnes herbes et de mauvaises herbes. Par conséquent de bonnes graines de bonnes herbes et de mauvaises graines de mauvaises herbes.
SAINT-EXUPÉRY, le Petit Prince, V.

Loc. métaphorique ou fig. *Pousser comme une mauvaise herbe :* pousser rapidement, facilement. *Idée qui pousse comme une mauvaise herbe* (→ 1. Crâne, cit. 5). — (En parlant d'un jeune vaurien ou, par plais., de n'importe quel enfant). *Mauvaise herbe croît toujours. Mauvaise herbe est précoce et croît avant* (cit. 4) *le temps.* ⇒ **Graine** (mauvaise graine).

11 L'enfant, à peine sevrée, avait poussé dru, en mauvaise herbe (...)
ZOLA, la Terre, I, III.

c (1860, Baudelaire, *les Paradis artificiels;* empr. à l'arabe). Argot de la drogue. Drogue qui se fume (haschisch, marijuana). *« Personne ne songe à y redire, comme nul ne s'offusque d'entendre, chaque samedi sur la radio socialiste, un présentateur zélé débiter les cours officieux des différentes variétés d'herbes offertes en ville »* (*le Monde,* 26 août 1977, p. 9). *Chez X, « on offre des joints d'"herbe", après le pousse-café »* (*l'Express,* 2 févr. 1980, p. 95).

♦ **3.** (1080). Sing. collectif. *(L'herbe, de l'herbe).* Végétation naturelle de plantes herbacées peu élevées où les graminées* dominent. ⇒ **Ray-grass; gazon.** *Touffe d'herbe* (→ Énergie, cit. 3), *brin d'herbe* (→ Apprivoiser, cit. 19; flottant, cit. 5). *Une herbe rase, courte* (→ Épineux, cit. 1). *Herbe riche, grasse, drue, épaisse, fournie, haute, touffue des terres fertiles et bien arrosées. Herbe maigre et rare des terres pauvres, des régions trop froides* (latitude, altitude), *ou trop sèches. Herbe verte* (⇒ **Verdure**), *herbe d'émeraude* (cit. 3), *herbe nouvelle* (→ Flanc, cit. 15), *menue* (⇒ **Herbette;** → Gambader, cit. 1). *Herbe fine* (→ Arrosage, cit. 1), *tendre* (→ Faim, cit. 2), *fraîche* (→ Brebis, cit. 2; croupir, cit. 8), *fleurie. Herbe jaunie, roussie, sèche* (→ Flammèche, cit. 2), *brûlée par le soleil* (→ Fendre, cit. 11), *le feu* (→ Flamme, cit. 8). *Herbe givrée* (→ Clapoter, cit. 1), *mouillée* (→ Fondre, cit. 10). *Pluie qui foule* (cit. 3) *l'herbe. Herbe qui ploie, qui frissonne* (cit. 12) *dans le vent. Fraîcheur* (→ Âcre, cit. 2), *parfums, exhalaisons de l'herbe* (→ Bien-être, cit. 2). *Bruissement des insectes dans l'herbe* (→ Envol, cit. 1). *Fourmis, sauterelles* (→ Balle, cit. 9), *couleuvres* (cit. 3) *qui vivent dans l'herbe. Lieux couverts d'herbe.* ⇒ **Herbage, pâture, prairie, pré, savane.** *Endroit feutré* (cit. 3) *d'herbe. Herbe des champs, des prés* (→ Chardon, cit. 1). *Pré plein d'herbe* (→ Âne, cit. 1). *Herbes des berges, des fossés* (→ Coucher, cit. 23), *des chemins peu fréquentés. Herbe qui croît dans les cimetières* (cit. 3), *qui envahit un jardin, les allées d'un parc abandonné, qui cache* (cit. 4), *enfouit qqch. Temple enseveli* (cit. 10) *sous l'herbe. Brûler l'herbe sur pied.* ⇒ **Brûlis; écobuer.** *Garnir d'herbe.* ⇒ **Enherber, engazonner.** *Herbe entretenue pour la décoration des jardins, des parcs.* ⇒ **Gazon, pelouse.** — *Marcher, courir* (cit. 2) *dans l'herbe. Poulains qui gambadent* (cit. 3) *sur l'herbe. Avoir de l'herbe jusqu'au ventre* (→ Étoile, cit. 15). *S'asseoir* (cit. 22), *se reposer sur l'herbe* (→ Étendre, cit. 7; foule, cit. 1). *Se coucher dans l'herbe* (→ Foin, cit. 4), *dormir sur l'herbe* (→ Abandon, cit. 8). *Se rouler dans l'herbe* (→ Fenaison, cit.). *Cueillir des fleurs, ramasser des fruits dans l'herbe* (→ Gauler, cit.). *Déjeuner* sur l'herbe. Un déjeuner, un pique-nique sur l'herbe. Jeux sur l'herbe.* — *Écraser, froisser* (cit. 7 et 8) *l'herbe sous ses pas* (→ Cahin-caha, cit. 3). *Herbe couchée, froissée* (cit. 9). *Bestiaux qui foulent l'herbe* (→ Flotter, cit. 11). *Traces de gibier sur l'herbe* (→ Barbare, cit. 21). — *L'herbe, nourriture des animaux* (⇒ **Herbivore**). *Bêtes qui mangent, broutent* (cit. 1 et 2) *l'herbe.* ⇒ **Paître.** *Faim* (cit. 3), *famine* (cit. 2) *qui oblige les hommes à manger de l'herbe. Couper, faucher l'herbe des prés.* ⇒ **Fenaison.** *Herbe coupée, fauchée, herbe séchée.* ⇒ **Foin; andain;** → Faneur, cit. 1. *Odeur d'herbe fauchée* (→ Effluve, cit. 3). *Fourchée* (cit. 1), *botte, bottillon, meule d'herbe. Herbe qui repousse après la fenaison.* ⇒ **Regain.** *Faire* (cit. 26) *de l'herbe pour les lapins,* en couper, en récolter. *Apporter* (cit. 5) *de l'herbe aux bêtes.* ⇒ **Fourrage.** *Litière d'herbe sèche, bouchon d'herbe.*

Je ne vois rien que le Soleil qui poudroie, et l'herbe qui verdoie. 12
Ch. PERRAULT, Barbe Bleue.

C'est là qu'il y en avait, de l'herbe! jusque par-dessus les cornes, mon cher! (...) 13
Et quelle herbe! savoureuse, fine, dentelée, faite de mille plantes (...) C'était bien autre chose que le gazon du clos.
Alphonse DAUDET, Lettres de mon moulin, « La chèvre de M. Seguin ».

Rognes fauchait et fanait, dans les prés, autour d'elles. Avant le jour, Delhomme 14
se trouvait là, car l'herbe, trempée de rosée, est tendre à couper, comme du pain mollet, tandis qu'elle durcit, à mesure que le soleil la chauffe; et on l'entendait bien, résistante et sifflante à cette heure sous la faux. ZOLA, la Terre, II, IV.

(...) d'un balancement de sa fourche, elle prenait l'herbe, la jetait dans le vent (...) 15
Les brins volaient, une odeur s'en dégageait, pénétrante et forte, l'odeur des herbes coupées, des fleurs fanées. ZOLA, la Terre, II, IV.

Plus d'allées; sur les pelouses débordées quelques vaches pâturaient librement 16
l'herbe surabondante et folle (...) Nous parvînmes devant le perron du château dont les premières marches étaient noyées dans l'herbe, celles d'en haut disjointes et brisées (...) GIDE, Isabelle, p. 9-10.

(...) l'herbe courte des fossés se creusait et se divisait, sous le vent, semblable à 17
des cheveux où des mains invisibles auraient couru.
J. GREEN, Adrienne Mesurat, II, V.

Allusion historique :

Les champs, foulés du pied des chevaux, montraient que les Tartares y avaient 17.1
passé, et de ces barbares on pouvait dire ce que l'on a dit des Turcs : « Là où le Turc passe, l'herbe ne repousse jamais! » J. VERNE, Michel Strogoff, p. 228.

Par compar. *Cheveux* (cit. 13) *plantés comme de l'herbe.*

Sur le crâne, de rares cheveux décolorés rappelaient l'herbe qui pousse sur les 18
dunes. MARTIN DU GARD, les Thibault, t. III, p. 184.

Loc. prov. Vx. *À chemin battu il ne croît point d'herbe :* il n'y a rien à gagner dans une affaire dont beaucoup de personnes s'occupent.

Loc. mod. *Couper l'herbe sous les pieds de qqn :* frustrer qqn d'un avantage en le devançant, en le supplantant.

(...) il n'a tenu qu'à elle (...) de couper l'herbe sous le pied de Mlle de La 19
Valette (...) Mme DE SÉVIGNÉ, 946, 27 déc. 1684.

La police, quelle que soit sa conviction initiale, a toujours intérêt, dans une enquête 19.1
bien faite, à démontrer qu'elle a été impartiale et a suivi toutes les pistes possibles. Elle le fait avec d'autant plus de conscience qu'elle sait que la défense s'emploiera à démontrer qu'il y a eu des trous ou des lacunes dans l'information. C'est, en quelque sorte, pour couper l'herbe sous le pied du défenseur qu'elle se livre à toutes ces vérifications, même quand elle est persuadée qu'elles sont inutiles. René FLORIOT, La vérité tient à un fil, p. 134.

♦ **4. EN HERBE,** se dit des céréales qui, au début de leur croissance sont vertes, courtes et molles comme de l'herbe. *Blés* (cit. 3) *en herbe* (→ Couvée, cit. 3). *L'avoine est encore en herbe.* — Par métaphore. *Le Blé en herbe,* roman de Colette (dont les héros sont des adolescents). — Loc. *Manger son blé en herbe,* (proprt) le manger avant qu'il ne soit mûr (en gerbe) et en perdant la récolte; (au fig.) utiliser, dépenser un bien productif avant qu'il n'ait rapporté. ⇒ **Dilapider.** « *Comment Panurge (...) mangeait son blé en herbe* » (Rabelais, *Tiers Livre,* II). *Amasser le froment* (cit. 1) *en gerbe au lieu de le manger en herbe.* — (Dans le même sens). « *Quand on broute* (cit. 3) *sa gloire en herbe de son vivant, on ne la récolte pas en épis après sa mort* » (Renan).

20 (...) en moins de quatorze jours il *(Panurge)* dilapida le revenu certain et incertain de sa châtellenie pour trois ans (...) abattant bois, brûlant les grosses souches pour la vente des cendres, prenant argent d'avance, achetant cher, vendant à bon marché, et mangeant son blé en herbe. RABELAIS, III, II.

(En parlant d'enfants, de jeunes personnes). **EN HERBE :** qui a des dispositions pour qqch., qui se destine à un métier. *Pianiste, médecin en herbe.* ⇒ **Apprenti, futur.** *Un gangster en herbe.* → De la graine* de gangster.

21 Montrer une horloge à un mécanicien en herbe, ce sera toujours lui révéler la mécanique en entier; il développe aussitôt les germes qui dorment en lui.
BALZAC, Modeste Mignon, Pl., t. I, p. 592.

22 L'héroïsme réunissait un monde mêlé sous une même palme. Bien des meurtriers en herbe y trouvaient l'occasion, l'excuse de leur vice et sa récompense, côte à côte avec les martyrs. COCTEAU, Thomas l'imposteur, p. 120.

(1558). Par plais. *Cocu* en herbe.*

23 Au sort d'être cocu son ascendant l'expose,
Et ne l'être qu'en herbe est pour lui douce chose.
MOLIÈRE, l'École des maris, III, 9.

DÉR. Herbage, herbeiller, herber, herberie, herbette, herbier, 1. herbière, 2. herbière, herbu.
COMP. Désherber; herbicide, herbicole, herbivore.

HERBEILLER [ɛʀbeje] v. intr. — 1279, de *herbe,* suff. *-eiller* (→ -iller).

♦ Vén. Paître l'herbe, en parlant du sanglier. ⇒ **Paître.**

HERBER [ɛʀbe] v. tr. — V. 1138, aux sens de « 1. herbager » et de « aromatiser avec des herbes »; de *herbe.*

♦ Vieilli. Exposer sur l'herbe (de la toile qu'on veut blanchir). *Herber de la toile, des draps...*

HERBERIE [ɛʀbəʀi] n. f. — XIIIe, « collection d'herbes »; de *herbe.*

♦ **1.** Vx. Marché aux herbes. *On vendait à l'herberie toutes sortes d'herbes potagères, aromatiques, médicinales... Le Dit de l'Herberie,* œuvre de Rutebeuf (XIIIe siècle, v. 1260).

♦ **2.** (1730). Lieu où l'on herbe la toile, le linge.

HERBETTE [ɛʀbɛt] n. f. —1170; dimin. de *herbe.*

♦ **1.** Vx ou littér. Herbe courte et fine. *Un berger étendu* (cit. 50) *sur l'herbette.*

♦ **2.** Au plur. Régional (Suisse). Fines herbes. *Soupe aux herbettes.*

1 On prépare la soupe dans les cuisines, parce que la femme va au jardin cueillir ses herbettes (...) C.-F. RAMUZ, Présence de la mort, Œ. compl., t. IX, p. 306.

2 J'enviais ce grouillement du peuple dans la traverse passagère (...) sa cuisine en plein air qui sentait bon, la friture, l'ail, l'oignon, les tomates, les herbettes (...)
B. CENDRARS, Bourlinguer, p. 149.

HERBEUX, EUSE [ɛʀbø, øz] adj. — 1553; *herbous,* 1080; lat. *herbosus,* de *herba* « herbe ».

♦ **1.** Où il pousse de l'herbe (⇒ **Herbu**). « *Il croît de l'herbe dans une clairière* herbeuse; *et l'on en voit à foison dans un champ* herbu ». *Sentiers herbeux.*

1 (...) Au long de cette rive herbeuse.
Rémi BELLEAU, les Petites Inventions, « Le papillon ».

2 (...) elle se mit à marcher sur le côté herbeux du chemin, en évitant les pierres.
P.-J. TOULET, la Jeune Fille verte, V.

Géogr. *Associations herbeuses des prairies, des steppes et des savanes.*

3 La caractéristique des associations herbeuses est la prédominance des espèces herbacées, en premier lieu des Graminées, auxquelles peuvent s'ajouter diverses espèces vivaces, des sous-arbrisseaux ou arbustes et même des arbres disséminés.
E. DE MARTONNE, Géographie physique, t. III, p. 1203.

♦ **2.** De la nature de l'herbe. *Chaumes herbeux.* — De l'herbe. « *Odeur herbeuse* » (Mauriac, *in* T. L. F.).

HERBICIDE [ɛʀbisid] adj. et n. m. — V. 1930; de *herbe,* suff. *-cide.*

♦ Didact. Qui détruit les mauvaises herbes. *Produit herbicide.* — N. m. Plus cour. *Un herbicide très efficace.* ⇒ **Pesticide; débroussaillant, défoliant, désherbant.** *Herbicide persistant,* dont l'action se prolonge après l'application. *Herbicide sélectif,* qui permet d'éliminer certaines mauvaises herbes en respectant les cultures. *Herbicide systémique,* qui est efficace après pénétration de la plante traitée.

HERBICOLE [ɛʀbikɔl] adj. — 1828; du lat. *herba,* ou de *herbe,* et suff. *-cole**.

♦ Zool. Qui vit dans l'herbe. *Insecte herbicole.*

HERBIER [ɛʀbje] n. m. — V. 1160, « terrain herbeux »; de *herbe.*

★ **I.** Vx. ♦ **1.** Herboriste (→ Arboriser, cit.).

♦ **2.** Hangar* où l'on abrite provisoirement l'herbe coupée pour le fourrage.

♦ **3.** (1771). Agric. Vieilli. Endroit où l'on conserve l'herbe coupée pour la nourriture du bétail.

★ **II.** ♦ **1.** (XVe). Bot. Vx. Traité de botanique.

♦ **2.** (1704). Mod. Collection de plantes, entières ou fragmentées, destinées à l'étude, et que l'on garde séchées, et aplaties entre des feuillets auxquels elles sont généralement fixées. *Confectionner un herbier* (⇒ **Herboriser**). *Un bel herbier.*

(...) me voilà sérieusement occupé du sage projet d'apprendre par cœur tout le 1
Regnum vegetabile de Murray, et de connaître toutes les plantes connues de la terre. Hors d'état de racheter des livres de botanique, je me suis mis à transcrire ceux qu'on m'a prêtés; et résolu de refaire un herbier plus riche que le premier, en attendant que j'y mette toutes les plantes de la mer et des Alpes, et de tous les arbres des Indes, je commence toujours à bon compte par le mouron, le cerfeuil, la bourrache et le séneçon (...) ROUSSEAU, Rêveries..., VIIe promenade.

Je le trouve *(le prince Roland Bonaparte)* au milieu de ces immenses herbiers 2
qui, contenant des échantillons de plantes les plus rares, occupaient tout un étage de la demeure monumentale de ce fervent botaniste, membre de l'Académie des Sciences à ce titre. Georges LECOMTE, Ma traversée, p. 508.

Henri, comme nous l'avons dit, s'occupait de botanique; l'étude de cette science, 2.1
la collation d'un herbier répondait d'ailleurs également à son amour de l'ordre, à son besoin de marche et à son goût pour la grâce.
PROUST, Jean Santeuil, Pl., p. 469.

(1783). *Herbier artificiel,* ou, absolt, *herbier :* collection de planches illustrées représentant des plantes.

(...) nous eûmes des herbiers chinois, des géographies (...) chinoises (...) 3
CHATEAUBRIAND, le Génie du christianisme, IV, IV, I.

★ **III.** (1769; ce sens « amas d'herbe » est à rapprocher de l'anc. franç. *erbier* « pré, herbage »). Banc d'herbes ou d'algues dans un cours d'eau, la mer. *Les herbiers servent de refuge aux poissons. Laisser couler sa ligne entre deux herbiers. Herbier à posidonies.*

1. HERBIÈRE [ɛʀbjɛʀ] n. f. — XIIIe; de *herbe,* et suff. *-ière.*

♦ Techn. (bouch.). Œsophage des ruminants.

HOM. 2. Herbière.

2. HERBIÈRE [ɛʀbjɛʀ] n. f. — V. 1245; de *herbe.*
Vieux.

♦ **1.** Marchande d'« herbes ».

♦ **2.** Sorcière qui connaît les herbes.

(...) on courait les herbières et les jeteurs de sorts.
M. DRUON, le Lis et le Lion, p. 209.

HOM. 1. Herbière.

HERBIVORE [ɛʀbivɔʀ] adj. — 1748; comp. sav. de *herbe,* et *-vore.*

♦ **1.** Qui se nourrit d'herbes, de feuilles. *Animal herbivore* (→ Carnivore, cit.).

♦ **2.** N. m. pl. (1805). *Les herbivores :* ensemble de mammifères* qui se nourrissent d'herbes, de feuilles, qu'ils coupent grâce à leurs incisives en ciseaux, appelées pinces (⇒ **Ruminant;** → 2. Faune, cit. 5). *Le bœuf, le mouton, le rhinocéros sont des herbivores.*

De nombreux herbivores habitent les steppes et les hauts plateaux : des bovidés comme le chamois d'Europe, l'*oreotragus* d'Afrique (...) le yak du Tibet (...) de nombreuses chèvres (...) des moutons (...)
E. DE MARTONNE, Géographie physique, t. III, p. 1405.

HERBORISATEUR, TRICE [ɛʀbɔʀizatœʀ, tʀis] n. — 1845; de *herboriser.*

♦ Rare. Personne qui herborise.

Rousseau n'a séjourné que peu de temps à Ermenonville. S'il y a accepté un asile, c'est que depuis longtemps, dans les promenades qu'il faisait en partant de l'*Ermitage* de Montmorency, il avait reconnu que cette contrée présentait à un herborisateur des familles de plantes remarquables, dues à la variété des terrains.
NERVAL, les Filles du feu, Angélique, XI.

HERBORISATION [ɛʀbɔʀizasjɔ̃] n. f. — 1719; de *herboriser.*

♦ **1.** Le fait d'herboriser.

♦ **2.** Excursion au cours de laquelle on herborise.

(...) je ne connais point d'étude au monde qui s'associe mieux avec mes goûts naturels que celle des plantes, et la vie que je mène depuis dix ans à la campagne n'est guère qu'une herborisation continuelle (...) ROUSSEAU, les Confessions, V.

HERBORISÉ, ÉE [ɛʀbɔʀize] p. p. adj. ⇒ **Herboriser; arborisé.**

HERBORISER [ɛʀbɔʀize] v. intr. — 1611; *arboriser,* 1534, Rabelais; de *herboriste.*

♦ Recueillir des plantes là où elles poussent spontanément, soit pour les étudier, en faire un herbier*, soit pour utiliser leurs vertus médicinales. *Herboriser pour étudier la botanique*.* ⇒ **Botaniser;** → Épuiser, cit. 8. *Il est parti herboriser dans les prés.* — Trans. *Herboriser des plantes* (→ Envoi, cit. 1, Rousseau).

1 C'était, comme je crois l'avoir dit, un paysan de Moutru, qui, dans son enfance, herborisait dans le Jura, pour faire du thé de Suisse, et qu'elle avait pris à son service à cause de ses drogues, trouvant commode d'avoir un herboriste dans son laquais. ROUSSEAU, les Confessions, V.

2 Car elle s'occupait de botanique. Certains jours elle partait herboriser, portant en bandoulière sur ses robustes épaules une boîte verte qui lui donnait l'aspect bizarre d'une cantinière; elle passait entre son herbier et sa «loupe montée» le temps que lui laissaient les soins domestiques. GIDE, Isabelle, VI.

▶ **HERBORISÉ, ÉE** p. p. adj. (1783).

Rare. ⇒ **Arborisé.** *Agate, pierre herborisée.*

DÉR. Herborisateur, herborisation, herboriseur.

HERBORISEUR, EUSE [ɛʀbɔʀizœʀ, øz] n. m. — 1636, n. m.; de *herboriser.*

♦ Personne qui herborise (→ Herborisateur).

HERBORISTE [ɛʀbɔʀist] n. — 1690; «botaniste», 1545; *erboliste,* 1442; *herboliste,* 1530; *arboriste,* 1572, par attr. de *arbre;* dér. méridional du lat. *herbula,* dimin. de *herba.*

♦ Personne qui vend des plantes médicinales et, accessoirement, au XIXᵉ et au déb. du XXᵉ siècle, des drogues simples (à l'exclusion des médicaments), des produits hygiéniques, de la parfumerie. *Métier, profession d'herboriste. Acheter de la menthe, de la camomille chez un herboriste. Herboriste bandagiste. Pharmacien herboriste,* titulaire du diplôme d'une faculté de pharmacie, supprimé en 1941.

1 Elle a près d'elle une fiole d'un liquide incolore, et un petit pot de porcelaine, qui contient une crème un peu jaunâtre; le tout sans étiquette. Les deux produits viennent de chez une herboriste de la rue Dauphine qui prétend les confectionner elle-même d'après des recettes secrètes. J. ROMAINS, les Hommes de bonne volonté, t. I, XI, p. 121.

2 Céline (...) appelant sa sœur qui rêvait tout haut devant la montre d'un herboriste, admirant des colliers d'ambre, des irrigateurs aux serpents rouges, des tétines en caoutchouc, des peignes de buffle, des houppes à poudre, de toutes petites éponges (...) montrant du doigt à l'autre qui pinçait la bouche, des blaireaux à barbe et des soutiens en filoselle. HUYSMANS, les Sœurs Vatard, II, p. 19.

DÉR. Herboriser, herboristerie.

HERBORISTERIE [ɛʀbɔʀistəʀi] n. f. — 1838; de *herboriste.*

♦ **1.** Commerce, boutique d'herboriste. *Tenir une herboristerie.*

♦ **2.** (XXᵉ). Méd. Étude des propriétés médicinales des plantes.

HERBU, UE [ɛʀby] adj. et n. m. — XIIIᵉ; *erbu,* v. 1160; de *herbe.*

♦ **1.** Adj. Où l'herbe foisonne (⇒ **Herbeux**). *Prairie herbue. Terre grasse* (cit. 42) *et herbue.*

1 (...) les vallées herbues où dansent les paysannes à la haute coiffure (...) CHATEAUBRIAND, les Natchez, I.

2 De l'autre côté du lavoir, cependant, deux hauts piliers herbus marquent encore l'entrée d'un chemin.
Des piliers portant la boule du monde, avec le capuchon de mousse et des écritures en latin. J. GIONO, Colline, *in* Œ. roman., t. I, p. 130.

♦ **2.** N. m. Végétation formée d'herbes fixant un sol sablonneux. *«Progressivement* (au Mont-Saint-Michel), *le sable se couvre d'herbu»* (*l'Express,* 2. févr. 1980, p. 74).

HOM. Herbue.

HERBUE ou **ERBUE** [ɛʀby] n. f. — 1742; de *herbe.*

♦ **1.** Métall. Fondant* argileux utilisé pour le traitement des minerais de fer dans les hauts fourneaux.

♦ **2.** (1842). Terre légère et peu profonde qui ne peut servir qu'à faire des pâturages. — Terre prélevée des pâturages pour amender les vignes.

HOM. Herbu.

HERCHAGE [ˈɛʀʃaʒ] n. m. — 1769, *hierchage;* de *hercher.*

♦ Techn. Action de hercher. *Le herchage est un des procédés de roulage au fond, qui se faisait à la main* (wagonnets poussés), *à l'aide de chevaux, et, de nos jours, avec une traction mécanique.* — Var. graphique : *herschage.*

HERCHE [ˈɛʀʃ] n. f. — XIXᵉ; de *hercher.*

♦ Techn. anc. Berline, wagonnet poussé à la main, au fond d'une mine. — Var. graphique : *hersche.*

HERCHER [ˈɛʀʃe] v. intr. — 1875; *hiercher,* 1768; mot wallon, du bas lat. **hirpicare,* de *hirpex.* → Herse.

♦ Pousser les wagons ou berlines chargés de minerai, au fond de la mine. — Var. graphique : *herscher.*

DÉR. Herchage, herche, hercheur.

HERCHEUR, EUSE [ˈɛʀʃœʀ, øz] n. — 1769, *hiercheur;* de *hercher.*

♦ Techn. Mineur* qui herche (→ Galibot, cit.). — Var. graphique : *herscheur.*

Dès qu'on a besoin de plusieurs herscheurs sur une même voie il faut renoncer à ce procédé *(le herschage).* Mais dans le cas où le débit d'un seul ouvrier suffit à l'évacuation du minerai, alors cette ancienne manière de faire peut être conservée (...) Michel CAZIN, les Mines, p. 101.

HERCOTECTONIQUE [ɛʀkotɛktɔnik] — 1694, Dict. de Th. Corneille; du grec *hercos* «clôture», et *tectonique.*

♦ Techn. et vx. Art, technique de la fortification des places de guerre. *L'hercotectonique et la poliorcétique.*

HERCULE [ɛʀkyl] n. m. — 1550, Ronsard; n. d'un demi-dieu de la mythologie gréco-latine (lat. *Hercules,* du grec *Hêraklês*), célèbre par ses travaux, ses luttes contre les monstres, contre Antée (cit. 1), etc., symbole de la force physique.

♦ Homme d'une force physique exceptionnelle. ⇒ **Colosse,** 3. **fort** (I., 1.). *C'est un hercule; il est bâti en hercule. Hercule précoce* (→ Bras, cit. 3). *Force, muscles, carrure, bras d'hercule* (→ Attaquer, cit. 26). *Les hercules peints par Rubens* (→ Assommeur, cit.). — REM. Certains écrivains maintiennent la majuscule à ce nom devenu nom commun.

(...) cet homme trapu, robuste, vivace, qui résumait en lui les vigueurs du sanglier et du taureau, moitié hercule, moitié satyre, fait pour dépasser cent ans (...) 1
Th. GAUTIER, Portraits contemporains, Balzac, IV.

À l'arrière, tandis qu'ils flânaient, apparut le capitaine, sorte de colosse à figure éteinte, d'hercule grisonnant, farouche et grave, avec des yeux désintéressés de tout, inexpressifs et sans vie. LOTI, Matelot, VIII. 2

C'était un homme d'assez haute taille bâti en Hercule (...) 3
ARAGON, les Beaux Quartiers, II, XIV.

Spécialt. *Hercule de foire, hercule forain :* acrobate qui fait des tours de force. ⇒ **Alcide** (II.), **bateleur, lutteur.** *Exhibition* (cit. 3) *d'un hercule forain* (→ Gras, cit. 34).

Par ext. Homme capable d'exploits remarquables, en quelque ordre que ce soit.

Notre intelligence est très bornée, ainsi que la force de notre corps. Il y a des hommes beaucoup plus robustes que les autres; il y a aussi des Hercules en fait de pensées; mais au fond cette supériorité est fort peu de chose. L'un soulèvera dix fois plus de matière que moi; l'autre pourra faire de tête, et sans papier, une division de quinze chiffres (...) VOLTAIRE, le Philosophe ignorant, IX. 4

CONTR. Avorton.
DÉR. Herculéen.

HERCULÉEN, ÉENNE [ɛʀkyleɛ̃, eɛn] adj. — 1520; *herculien,* 1512; de *hercule.*

♦ Rare. Digne d'Hercule. *Un personnage herculéen.* ⇒ **Titanesque.** — Cour. *Être doué d'une force herculéenne.* ⇒ **Colossal;** → Évader (s'), cit. 3. Littér. *Carrure herculéenne.* ⇒ **Colossal** (cit. 2). *Tempérament herculéen* (→ Résister, cit. 5).

Ici, un garçon bouvier, trapu et d'une force herculéenne, se détacha du groupe (...) G. SAND, la Mare au diable, Appendice, II.

HERCYNIEN, ENNE [ɛʀsinjɛ̃, ɛn] adj. — 1721, Trévoux, *forêt hercynienne;* sens mod., 1842; de *Hercynia silva,* n. lat. de la Forêt-Noire.

♦ Géol. Se dit de plissements géologiques du primaire (époque carbonifère) qui affectèrent la Cornouaille, la Bretagne, le Plateau central, les Vosges, les Ardennes, la Forêt-Noire, le Hartz, la Bohême et certaines régions de l'Afrique. *Plissements* (1931), *soulèvement hercyniens.* — (1902). *Chaîne hercynienne* ou *armoricaine-varisque.* — Par ext. *Europe hercynienne.*

(...) on peut réunir sous le nom d'Europe hercynienne les régions qui ont été le théâtre de mouvements orogéniques au cours de l'époque Anthracolithique. La chaîne Armoricaine-Varisque n'en constitue qu'une partie, car on retrouve la trace de ces mêmes mouvements dans la chaîne des Alpes et dans les régions circum-méditerranéennes. Émile HAUG, Traité de géologie, t. II, p. 770. 1

(...) cette Limagne qui est le tapis le plus épais posé sur des grès herciniens *(sic)* (...) GIRAUDOUX, Juliette au pays des hommes, p. 143. 2

HERD-BOOK [ˈœʀdbuk] n. m. — 1839; mot angl., proprt «livre de troupeau»; de *herd* «troupeau», et *book* «livre».

♦ Anglic. Agric. Livre généalogique des races bovines et de certaines races porcines. *Les herd-books sont tenus par des associations professionnelles.*

C'est bien avant la découverte des lois de l'hérédité que les éleveurs ont senti le besoin d'inscrire sur les registres généalogiques, les reproducteurs qualifiés d'une race déterminée et d'en suivre la descendance. En 1791 le Stud-Book de la race chevaline anglaise de course fut créé. Coates en 1822 fonda le Herd-Book de la race bovine Durham. Louis GALLIEN, la Sélection animale, p. 121.

1. HÈRE [ˈɛʀ] n. m. — 1534, *pouvre hayre,* Rabelais; *her* «maître», XIVe; p.-ê. de l'all. *Herr* «seigneur» (par dérision), ou de *haire* «misère, douleur», en anc. franç. **harja* «haire», symbole de misère.

♦ **1.** Vx. Homme misérable*. *« Cancres, hères et pauvres diables... »* (→ Faim, cit. 10, La Fontaine).

♦ **2.** Mod. Seult dans la loc. **PAUVRE HÈRE.** *Un pauvre hère besogneux* (cit. 1). *Une clientèle d'épaves* (cit. 8) *et de pauvres hères.*

1 Neuf-Germain est un pauvre hère de poète, fort vieux (...)
TALLEMANT DES RÉAUX, *in* LA FONTAINE, Vers à la manière de Neuf-Germain, Notes et variantes, *in* Œ. diverses, Pl., p. 1002.

2 (...) un curieux mélange de familiarité aristocratique telle qu'on la constate en Espagne dans les relations entre grands seigneurs et pauvres hères (...)
P. MAC ORLAN, la Bandera, V.

HOM. 1. **Air,** 2. **air,** 3. **air, aire, ère, erre, ers, haire,** 1. **hère,** 2. **hère,** 3. **hère, R.** — Formes des v. **airer, errer.**

2. HÈRE [ˈɛʀ] n. m. — 1750; néerl. *hert* «cerf».

♦ Vén. Jeune cerf de plus de six mois qui n'est pas encore daguet. ⇒ **Daguet** (cit., Buffon). *Des hères dont les bois poussent* (→ Dague, cit. 4).

Alors il n'était plus un faon, mais un hère déjà grand qui portait deux bosses sur le front et dont le poil, ayant effacé toutes ses taches, avait déjà la nuance ardente (...) M. GENEVOIX, la Dernière Harde, II, II.

HOM. V. 1. **Hère.**

3. HÈRE [ˈɛʀ] n. m. — Déb. XVIIe, d'Aubigné; de l'anc. adj. *haire* «pauvre». → 1. Hère.

♦ Vx. Jeu de cartes, ancêtre du baccara (syn. : *as qui court, bête noire, in* Académie, 1936).

HOM. V. 1. **Hère.**

HÉRÉDITAIRE [eʀeditɛʀ] adj. — 1549; lat. *hereditarius,* de *hereditas.* → Hérédité.

♦ **1.** Dr. Relatif à l'hérédité (I., 2.). *Droit héréditaire :* droit de recueillir une succession. — Qui se transmet par droit de succession. *Biens héréditaires. Trésor héréditaire* (→ Gêne, cit. 9).

1 Le droit héréditaire de l'enfant naturel dans la succession de ses père ou mère est fixé ainsi qu'il suit : Si le père ou la mère a laissé des descendants légitimes, ce droit est de la moitié de la portion héréditaire qu'il aurait eue s'il eût été légitime.
Code civil, art. 758.

Figuré :

2 (...) la masse des mots et des formes provient du passé (...) Ce que chaque siècle produit en fait de néologisme est peu de chose à côté de ce trésor héréditaire.
LITTRÉ, Dict., Préface.

(1549). Hist. et cour. *Monarchie, royauté héréditaire* (→ Dépôt, cit. 9). *D'élective* (cit. 2), *la couronne devint héréditaire. Aristocratie* (cit. 2) *héréditaire. Comtés héréditaires et comtés bénéficiaires* (cit. 2). *Charges, offices, titres héréditaires sous l'Ancien Régime.*

(Personnes). Qui a la qualité d'héritier. *Prince héréditaire* (⇒ **Successible**).

♦ **2.** (1549). Qui se transmet par voie de reproduction, des parents aux descendants. ⇒ **Hérédité.** *Caractères, traits héréditaires. Aptitudes* (cit. 7), *instincts héréditaires.* ⇒ **Ataval** (vx), **atavique.** *Voix héréditaire* (→ Gras, cit. 33). *C'est héréditaire chez eux.* → C'est de famille*.

(XIX). Biol. ⇒ **Hérédité** (II.). *Patrimoine héréditaire :* ensemble des caractères liés aux chromosomes maternels et paternels réunis dans l'œuf en même noyau. ⇒ **Génotype.** *Les vrais jumeaux ont même patrimoine héréditaire.* ⇒ **Génétique** (adj.). *Maladie, tare héréditaire,* transmise par les chromosomes maternels et paternels. *Caractère héréditaire. Changement d'un caractère héréditaire.* → Mutation.

3 On sait comment Weismann *(biologiste allemand)* a été conduit, par son hypothèse de la continuité du plasma germinatif, à considérer les cellules germinales, — ovules et spermatozoïdes, — comme à peu près indépendantes des cellules somatiques. Partant de là, on a prétendu et beaucoup prétendent encore que la transmission héréditaire d'un caractère acquis serait chose inconcevable.
H. BERGSON, l'Évolution créatrice, p. 79.

4 La science moderne de l'hérédité (...) a établi que les propriétés héréditaires sont transmises, du parent au descendant, par la distribution des chromosomes contenus dans le noyau des cellules. Or, ces chromosomes renferment, suivant leurs dimensions, des dizaines ou des centaines de particules, les *gènes* ou unités héréditaires.
Émile GUYÉNOT, l'Origine des espèces, p. 66.

5 Cette cellule *(l'ovule fécondé)* est déjà le premier embryon d'un vivant autonome avec son patrimoine héréditaire bien à lui, tant et si bien que si l'on connaissait le spermatozoïde qui est venu et les chromosomes qui se sont rencontrés, on pourrait déjà prévoir le tempérament de cet enfant, la couleur future de ses cheveux et les maladies auxquelles il sera sujet. Jules CARLES, la Fécondation, p. 79.

Abusif en sc. *Maladie héréditaire* (due en fait à une contamination précoce du fœtus). ⇒ **Congénital.** *Syphilis héréditaire.* ⇒ **Hérédo.** — *« La mort seule est héréditaire ».* → Postérité, cit. 1, Giraudoux.

♦ **3.** Hérité des parents, des ancêtres, par l'habitude, la tradition... *Une haine, une aversion héréditaire.* ⇒ **Traditionnel.** *L'ennemi héréditaire.*

6 (...) la bravoure n'y est pas *(dans la maison de Sotenville)* plus héréditaire aux mâles, que la chasteté aux femelles. MOLIÈRE, George Dandin, I, 4.

7 (...) c'était à proprement parler des souvenirs : il en est d'héréditaires ainsi que de personnels; c'était des traditions (...) A. HERMANT, l'Aube ardente, XIII.

DÉR. Héréditairement.

HÉRÉDITAIREMENT [eʀeditɛʀmɑ̃] adv. — 1323; de *héréditaire.*

♦ **1.** Dr. D'une façon héréditaire. *Posséder héréditairement un immeuble.*

♦ **2.** Biol. *Caractères qui se transmettent héréditairement. Tendance qui s'est héréditairement développée.* ⇒ **Génétiquement;** → Essaimer, cit. 1.

Nous savons que l'apathie intellectuelle, l'immoralité et la criminalité sont, en général, des caractères non transmissibles héréditairement.
Alexis CARREL, l'Homme, cet inconnu, VIII, I.

HÉRÉDITÉ [eʀedite] n. f. — 1050, *ereditez* «héritage»; lat. *hereditas,* de *heres, edis.* → Héritier.

★ **I.** Dr. ♦ **1.** Vx. L'ensemble des biens qu'une personne laisse en mourant. ⇒ **Héritage, patrimoine, succession.**

La loi des Saxons veut que le père et la mère laissent leur hérédité à leur fils (...) 1
MONTESQUIEU, l'Esprit des lois, XVIII, XXII.

La pension alimentaire *(de l'époux survivant)* est prélevée sur l'hérédité *(de l'époux prédécédé).* Elle est supportée par tous les héritiers (...) 2
Code civil, art. 205 (→ Aliment, cit. 3).

♦ **2.** (1538). Qualité d'héritier*; droit de recueillir une succession. *Accepter, refuser l'hérédité. — Pétition d'hérédité :* action intentée par l'héritier pour revendiquer la succession contre toute personne qui se prétend elle-même héritière. ⇒ **Pétitoire** (action).

(...) l'article de cette ancienne loi qui ôte toute hérédité aux filles en terre salique (...) 3
VOLTAIRE, Essai sur les mœurs, LXXV.

♦ **3.** (1690). Caractère héréditaire; transmission par voie de succession*. *Hérédité de la couronne. Dérogation* (cit. 2) *aux lois d'hérédité. Hérédité et vénalité des offices sous l'Ancien Régime.*

L'hérédité des fiefs et l'établissement général des arrière-fiefs éteignirent le gouvernement politique, et formèrent le gouvernement féodal. 4
MONTESQUIEU, l'Esprit des lois, XXXI, XXXII.

L'hérédité de la couronne prévient les troubles, mais elle amène la servitude (...) 5
ROUSSEAU, Considérations sur le gouvernement de Pologne, XIV.

L'hérédité enfante la légitimité, ou la permanence, ou la durée. 6
CHATEAUBRIAND, Mémoires d'outre-tombe, t. VI, p. 311.

Malgré l'admirable discours de monsieur Royer-Collard, l'hérédité de la pairie et ses majorats tombèrent sous les pasquinades d'un homme qui se vantait d'avoir adroitement disputé quelques têtes au bourreau, mais qui tuait maladroitement de grandes institutions. BALZAC, la Duchesse de Langeais, Pl., t. V, p. 152. 7

♦ **4.** Cour. Transmission de caractères individuels, physiques ou mentaux, des parents à leurs enfants, dans l'espèce humaine. ⇒ **Parenté, ressemblance.** *Part du père et de la mère dans l'hérédité. Hérédité maternelle, paternelle. Croisement* (cit. 5) *d'hérédités. Hérédité directe* ou *continue,* par laquelle un caractère dominant («gène* dominant») se manifeste à chaque génération. *Hérédité discontinue,* dite *ancestrale* ou *«en retour»*, par laquelle un caractère récessif («gène* récessif») apparaît à certaines générations*. ⇒ **Atavisme** (cit. 0.1). *Hérédité des maladies, des «terrains*».* ⇒ **Maladie, tare** (héréditaire*). *Hérédité liée au sexe* (ex. : l'hémophilie transmise par les femmes exclusivement).

Ma famille maternelle de Lannion, du côté de laquelle vient mon tempérament, a offert beaucoup de cas de longévité; mais des troubles persistants me portent à croire que l'hérédité sera dérangée en ce qui me concerne. 8
RENAN, Souvenirs d'enfance..., VI, V.

À cet instant, il était irresponsable; il cédait à des influences lointaines et mystérieuses qui lui venaient de son sang : il subissait la loi d'hérédité de toute une famille, de toute une race. 9
LOTI, Mon frère Yves, LXXIX.

★ **II.** Biol. (Pour tous les êtres vivants). ♦ **1.** (1821, *in* T. L. F.). Transmission des caractères d'un être vivant à ses descendants (→ Matériel, cit. 15, F. Jacob). *Hérédité spécifique, raciale :* transmission rigoureuse des caractères spécifiques, raciaux, par laquelle des individus (ou un individu hermaphrodite) d'une espèce, d'une race donnée ne peuvent engendrer que des individus de la même espèce, de la même race (⇒ **Espèce, lignée**). *Hérédité individuelle :* transmission de certains caractères individuels des parents à leurs descendants. *Science, lois de l'hérédité.* ⇒ **Génétique** (cit. 2). *Étude des lois de l'hérédité par l'hybridation. Lois de l'hérédité formulées par Mendel.* ⇒ **Mendélisme; mutation, mutationnisme.** *Hérédité mendélienne. Hérédité «extra chromosomique»*, concernant certains organites cellulaires ou certaines bactéries. *Théorie chromosomique de l'hérédité.* ⇒ **Chromosome, gène.** *Hérédité et milieu.* ⇒ **Génotype, phénotype.** *Hérédité et mutations*. Théorie transformiste de Lamarck basée sur l'hérédité des caractères acquis. Loi de Weismann niant l'hérédité des caractères acquis* (⇒ 1. **Soma**; → Germen, cit. 2).

10 (...) certaines influences, comme celle de l'alcool, peuvent s'exercer à la fois sur l'être vivant et sur le plasma germinatif dont il est détenteur. En pareil cas, il y a hérédité d'une tare, et tout se passe *comme si* le soma du parent avait agi sur son germen (...) H. BERGSON, l'Évolution créatrice, p. 83.

11 Il est toujours téméraire d'expliquer un caractère par l'hérédité. Tel trait d'un ancêtre reparaît soudain à la quinzième génération. Tel homme de talent a des enfants médiocres. Tel ménage de notaire produit Voltaire.
A. MAUROIS, Lélia, I, I.

12 (...) il s'en faut que l'hérédité soit seulement spécifique ou raciale; elle est aussi *individuelle*, en ce sens qu'elle porte sur des caractères, sur des traits, propres à certains individus; et cela non plus, il n'est pas besoin d'être biologiste pour le savoir. C'est même, en général, à cette sorte d'hérédité que pense le profane lorsqu'il parle d'hérédité humaine. Ressemblance des enfants avec les ascendants, soit avec la mère ou le père, soit avec les grands-parents, soit avec les collatéraux, etc.
Jean ROSTAND, l'Hérédité humaine, p. 8.

13 (...) quand un individu est modifié par le milieu, son patrimoine héréditaire est-il, lui aussi, modifié, et dans le même sens? C'est la grande question, si souvent débattue en biologie, de la transmissibilité des caractères acquis ou, plus brièvement, de l'*hérédité de l'acquis* (...) la biologie peut invoquer, contre la transmission des caractères acquis, une foule d'expériences qui, instituées en vue de mettre en évidence un tel mode d'hérédité, n'ont abouti qu'à des résultats *entièrement négatifs.* Jean ROSTAND, l'Hérédité humaine, p. 109-111.

14 (...) l'indépendance du germen par rapport au soma n'est plus admissible aujourd'hui, aussi bien du point de vue embryologique que du point de vue physiologique. Le fait que des vers privés largement de tout leur germen arrivent à le reconstruire tout à fait normalement suffit à démontrer que Weismann s'est trompé. Dans ces conditions, on ne peut plus affirmer *a priori* que l'hérédité de l'acquis soit impossible (...) Jules CARLES, le Transformisme, p. 72.

♦ **2.** Cour. L'ensemble des caractères, des dispositions, des aptitudes, etc. «hérités» par une personne de ses parents, de ses aïeux; le «patrimoine héréditaire». *Les réserves obscures de l'hérédité* (→ Épargne, cit. 16). *Une lourde hérédité, une hérédité chargée :* un patrimoine héréditaire comportant des tares physiques ou mentales.

15 Aussi lourde que soit l'hérédité d'un enfant, aussi redoutables que soient les passions dont il apportait le germe en naissant (...)
F. MAURIAC, l'Éducation des filles.

16 (...) Enfin puisque vous avez examiné Philippe vous savez que c'était un malade! — Pas tout à fait, dit le médecin en souriant. Il avait certainement une hérédité chargée. Du côté de son père, ajouta-t-il (...) SARTRE, le Sursis, p. 118.

Caractères qu'on retrouve à chaque génération dans certains milieux (géographiques, sociaux...), avec autant de constance que s'ils étaient héréditaires. ⇒ **Héritage.** *Hérédité paysanne, provinciale, étrangère.*

17 (...) des hérédités religieuses, qui sommeillaient au tréfonds de lui-même, l'emplissent à présent d'une soumission et d'un respect inattendus (...)
LOTI, Ramuntcho, II, XIII.

18 (...) c'est très fort, cette hérédité paysanne et bourgeoise qui est celle de tant de familles françaises (...) A. MAUROIS, Climats, II, III.

HÉRÉDO [eʀedo] n. f. ⇒ **Hérédosyphilis; hérédosyphilitique.**

HÉRÉDO- Premier élément, du lat. *heres, heredis* «héritier», entrant dans la composition de certains mots savants médicaux.

HÉRÉDOCONTAGION [eʀedokɔ̃taʒjɔ̃] n. f. — 1897; de *hérédo-,* et *contagion.*

♦ Méd. Vieilli. Transmission présumée héréditaire de germes pathogènes au fœtus par l'ovule ou le spermatozoïde. *La syphilis dite héréditaire serait un phénomène d'hérédocontagion.*

Se décide-t-on pour l'hérédité de la prédisposition, c'est reconnaître que le rôle de celle-ci se réduit à favoriser la contagion. Se prononcer pour l'hérédité de la graine, c'est admettre la contamination du germe (...) c'est donc en dernière analyse faire de l'hérédité un cas particulier de la contagion méritant bien le nom d'hérédo-contagion qu'on lui applique parfois.
E. JEANSELME, *in* G.-M. DEBOVE et Ch. ACHARD, Manuel de médecine, IX, 324 (1897), *in* D. D. L., II, 8.

HÉRÉDOFAMILIAL, ALE [eʀedofamiljal] adj. — XXe; de *hérédo-,* et *familial.*

♦ Méd. Se dit de ce qui est héréditaire dans une famille.

HÉRÉDOSYPHILIS [eʀedosifilis] ou (par abrév.) **HÉRÉDO** [eʀedo] n. f. — 1907, *hérédosyphilis; hérédo,* 1916; de *hérédo-,* et *syphilis.*

♦ Vx. Syphilis* dite «héréditaire» (par oppos. à *syphilis acquise*), généralement transmise au fœtus par la mère lors de la gestation. ⇒ **Congénital.**

HÉRÉDOSYPHILITIQUE [eʀedosifilitik] ou **HÉRÉDO** [eʀedo] adj. et n. — 1870; de *hérédo-,* et *syphilitique.*

♦ Vx. Qui est atteint d'hérédosyphilis. *Enfant hérédosyphilitique. Une hérédo, des hérédos.* — *L'Hérédo,* roman de Léon Daudet (1916).

J'expérimenterais sur différentes espèces, je croiserais à la fois les dons semblables et les facultés contraires. Je ne négligerais pas non plus les hérédos... Quel risque courrais-je? De former un concurrent dangereux pour l'hégémonie humaine, un sur-chien, un super-singe, capable de nous disputer l'empire du monde? Billevesées. J.-R. BLOCH, Cacaouettes et Bananes, p. 237-238.

HÉRÉSIARQUE [eʀezjaʀk] n. m. — Fin XVIe; *erarsiage,* 1524; lat. ecclés. *hæresiarches,* mot grec; de *hairesis* (→ Hérésie), et *arkhein* «guider, commander».

♦ Didact. Auteur d'une hérésie; chef d'une secte hérétique. *Arius, Manès, Montanus, Luther, hérésiarques célèbres. Les sectateurs, les disciples d'un hérésiarque. Excommunier un hérésiarque. L'Hérésiarque et Cie,* recueil de nouvelles de G. Apollinaire.

Saint Grégoire de Nazianze ne nous représente pas les hérésiarques comme 1
des hommes sans religion, mais comme des hommes qui prennent la religion de travers.
BOSSUET, Hist. des variations..., V, 1.

L'indifférence et l'orthodoxie se touchent. L'hérésiarque n'a donc rien à espérer 2
de nos jours ni des orthodoxes sévères, qui l'anathématiseront, ni des libres penseurs, qui souriront à la tentative de réformer l'irréformable.
RENAN, Questions contemporaines, *in* Œ. compl., t. I, p. 228.

Certains verront sans doute en lui un manichéen. Nous savons que la doctrine du 3
grand hérésiarque Manès reconnaissait dans ce monde deux principes : celui du bien et celui du mal (...) GIDE, Dostoïevski, p. 182.

Adj. *Un sectateur hérésiarque.*

CONTR. Orthodoxe.

HÉRÉSIE [eʀezi] n. f. — V. 1120, *eresie;* lat. *hæresis* «doctrine», spécialt en lat. ecclés., du grec *hairesis* «choix, opinion particulière», de *hairein* «saisir, prendre».

♦ **1.** (Dans la relig. cathol.). Doctrine, opinion émise au sein de l'Église catholique et condamnée par elle comme corrompant les dogmes. ⇒ **Hétérodoxie.** *De l'hérésie.* ⇒ **Hérétique.** *«L'erreur ne fait pas hérésie, mais l'opiniâtreté dans l'erreur signalée»* (Capitant, *Vocab. juridique*). *Hérésie formelle ou matérielle, intérieure ou extérieure, occulte ou publique. L'hérésie formelle, extérieure et publique est punie de l'excommunication majeure. Penseur, théologien, personne coupable* (cit. 4) *d'hérésie.* ⇒ **Hérésiarque.** *L'auteur d'une hérésie. Crime* (cit. 16) *d'hérésie.* — *Tomber en hérésie* (→ Fourvoyer, cit. 6). — *Accuser qqn d'hérésie* (→ Brûler, cit. 56; excommunier, cit. 2). *L'hérésie des adamiens* (adamisme), *des albigeois* ou *cathares, des ariens* (arianisme), *des ascites*, des bégards*, des bogomiles** (bogomilisme), *des manichéens* (manichéisme), *des monothélites* (monothélisme; → Déférer, cit. 3), *des montanistes* (montanisme), *des quiétistes* (quiétisme), *des sacramentaires*, des sociniens* (socinianisme), *de Tertullien* (tertullianisme), *des unitaires* ou *unitariens, des valentiniens, des vaudois (hérésie vaudoise)... Les convictions religieuses de Calvin, de Luther* (⇒ **Calvinisme, luthéranisme, protestantisme**), *de Jansénius* (⇒ **Jansénisme**) *sont des hérésies pour le catholicisme romain. L'hérésie du fidéisme* (cit. 1). *Naissance d'une hérésie, hérésie nouvelle* (→ Consommation, cit. 1; épuration, cit. 1). *Histoire, historien, théoricien des hérésies* (⇒ **Hérésiographie, hérésiologie**). *Sa religion côtoie, frise l'hérésie* (→ Ferveur, cit. 21). *Introduire l'hérésie au sein de l'Église* (→ Fraude, cit. 9). *Enseigner, semer l'hérésie. Adhérer à une hérésie* (⇒ **Secte**). *Abjurer l'hérésie. Frapper d'anathème une hérésie. Hérésie qui entraîne une division du corps de l'Église.* ⇒ **Schisme; dissidence.** *En France, sous l'Ancien Régime, l'hérésie était réprimée par l'État comme une infraction aux lois du Royaume. L'Inquisition poursuivait l'hérésie. Être suspect d'hérésie.* → Sentir le fagot*.

Il y a (...) un grand nombre de vérités, et de foi et de morale, qui semblent répu- 1
gnantes, et qui subsistent toutes dans un ordre admirable. La source de toutes les hérésies est l'exclusion de quelques-unes de ces vérités; et la source de toutes les objections que nous font les hérétiques est l'ignorance de quelques-unes de nos vérités (...) C'est pourquoi le plus court moyen pour empêcher les hérésies est d'instruire de toutes les vérités; et le plus sûr moyen de les réfuter est de les déclarer toutes (...) PASCAL, Pensées, XIV, 862.

Ce n'a pas été seulement les ariens qui ont varié (...) toutes les hérésies dès l'ori- 2
gine du christianisme ont eu le même caractère; et longtemps avant Arius, Tertullien, avait déjà dit : «Les hérétiques varient dans leurs règles, *c'est-à-dire, dans leurs confessions de foi* (...) l'hérésie retient toujours sa propre nature en ne cessant d'innover (...) tout change dans les hérésies; et quand on les pénètre à fond, on les trouve dans leur suite différentes en beaucoup de points de ce qu'elles ont été dans leur naissance. BOSSUET, Hist. des variations..., Préface, III.

(...) les hérésies n'ont jamais été que des opinions particulières, puisqu'elles ont 3
commencé par cinq ou six hommes (...)
BOSSUET, Avertissement aux protestants, I, XXXIII.

On ne vit jamais d'hérésie chez les anciennes religions, parce qu'elles ne connu- 4
rent que la morale et le culte. Dès que la métaphysique fut un peu liée au christianisme, on disputa, et de la dispute naquirent différents partis (...)
VOLTAIRE, Dict. philosophique, Hérésie, I.

J'apprends qu'en Espagne on vient de brûler il y a six mois une malheureuse 5
femme pour *hérésie* de *quiétisme.*
D'ALEMBERT, Lettre au roi de Prusse, 14 déc. 1781.

6 (...) lorsque Bossuet descendit dans la carrière, la victoire ne demeura pas longtemps indécise; l'hydre de l'hérésie fut de nouveau terrassée.
CHATEAUBRIAND, le Génie du christianisme, I, I, I.

6.1 La plupart des hérésies sont nées dans les discussions ou à l'occasion des conciles (...) Émile BURNOUF, la Science des religions, p. 339.

7 Le propre des hérésies, c'est de recéler, au point de départ, une vérité qui, ensuite, se dégrade ou s'égare. Le monde moderne, a dit quelque part Chesterton, est malade de vérités devenues folles.
DANIEL-ROPS, Ce qui meurt et ce qui naît, p. 18.

Par ext. Doctrine contraire à l'orthodoxie, au sein d'une religion établie autre que le catholicisme. *Les hérésies musulmanes.*

♦ **2.** (1690; *iresie*, fin XIIe). Idée, opinion, théorie, pratique qui heurte les opinions considérées comme justes et raisonnables, qui semble émaner d'une perversion du jugement ou du goût. *Hérésie scientifique, littéraire. Au regard de la doctrine libérale, marxiste, cette opinion est une véritable hérésie. C'est une hérésie technique* (→ Électrique, cit. 2). — Par plais. *Servir du Bourgogne rouge avec le poisson! Quelle hérésie!* ⇒ **Sacrilège.**

8 Mais il est une autre hérésie *(en poésie)* une erreur qui a la vie plus dure, — je veux parler de l'hérésie de l'*enseignement*, laquelle comprend comme corollaires inévitables l'hérésie de la *passion*, de la *vérité* et de la morale. Une foule de gens se figurent que le but de la poésie est un enseignement quelconque (...)
BAUDELAIRE, Notes nouvelles sur Poe, *in* E. POE, Œuvres en prose, IV, p. 1071.

9 Les Puritains préfèrent leurs opinions à leur pays, ce qui pour moi est l'hérésie très abominable. A. MAUROIS, les Discours du D^r O'Grady, XX.

10 Il fallait donner beaucoup de gages et mener une vie exemplaire, au XIXe siècle, pour se laver du péché d'écrire aux yeux des bourgeois : car la littérature est par essence hérésie. SARTRE, Situations II, p. 281.

CONTR. Conformisme, orthodoxie. — Vérité.

HÉRÉSIOGRAPHE [eʀezjɔgʀaf] n. — 1846, Bescherelle; de *hérésie*, et *-graphe* ou de *hérésiographie*.

♦ Didact. Spécialiste qui écrit sur les hérésies.

HÉRÉSIOGRAPHIE [eʀezjɔgʀafi] n. f. — 1846, Bescherelle; de *hérésie*, et *-graphie*. → -graphe.

♦ Didact. Étude des hérésies (⇒ **Hérésiologie**); œuvre sur les hérésies.

DÉR. Hérésiographe.

HÉRÉSIOLOGIE [eʀezjɔlɔʒi] n. f. — 1892, Renan; de *hérésie*, et *-logie*.

♦ Didact. Étude (historique, théologique, philosophique) des hérésies. ⇒ aussi **Hérésiographie.**

DÉR. V. **Hérésiologue.**

HÉRÉSIOLOGUE [eʀezjɔlɔg] n. — 1920, *in* T. L. F.; de *hérésie*, et *-logue*, ou de *hérésiologie*.

♦ Didact. Spécialiste qui étudie les hérésies.

HÉRÉTICITÉ [eʀetisite] n. f. — Fin XVIIe, Fénelon, selon Richelet; dér. sav. du lat. *hæreticus*. → Hérétique.

♦ Didact. Caractère de ce qui est hérétique. *L'héréticité d'une doctrine, d'une opinion, d'une proposition.*

HÉRÉTIQUE [eʀetik] adj. — XIVe; a supplanté les formes populaires *erege, herege*, v. 1265, et *herite*, 1080; lat. ecclés. *hæreticus*, grec *hairetikos*, de *hairesis*. → Hérésie.

♦ **1.** (Dans la relig. cathol.). Qui soutient une hérésie. *Un prince, un prélat hérétique. Fondateur d'une secte hérétique.* ⇒ **Hérésiarque.** *Penseur, philosophe hérétique, auteur hérétique. On est aussi hérétique pour nier un seul point du dogme que pour nier le tout* (→ Église, cit. 8, Renan).

1 Mais, pour être philosophes et tolérants, il ne s'ensuit pas que ses membres *(du clergé de Genève)* soient hérétiques. ROUSSEAU, Lettre à d'Alembert.

N. *Un, une hérétique* : personne qui adhère à une hérésie (l'*hérésiarque* en étant l'auteur). *Les hérétiques sont les ennemis de l'Église* (→ Déchirer, cit. 23). *L'Église condamne, excommunie les hérétiques* (→ Contaminer, cit. 1; égarer, cit. 26; excommunication, cit. 3). *Hérétique qui a abandonné la foi catholique.* ⇒ **Apostat, relaps, renégat.** *Hérétique qui se convertit, revient dans le sein de l'Église.* → Brebis* égarée. *« L'hérétique est nécessairement hétérodoxe*, mais l'hétérodoxe n'est pas nécessairement hérétique »* (Littré). *Tous les schismatiques* ne sont pas des hérétiques. Hérétiques déclarés; hérétiques cachés, non déclarés* (→ Ambigu, cit. 3; erreur, cit. 32; fortifier, cit. 5). *L'Inquisition condamnait les hérétiques au supplice du feu. Jeanne d'Arc, brûlée comme hérétique et relapse.*

2 Comme les deux principaux intérêts de l'Église sont la conservation de la piété des fidèles et la conversion des hérétiques, nous sommes comblés de douleur de voir les factions qui se font aujourd'hui pour introduire les erreurs les plus capables de fermer pour jamais aux hérétiques l'entrée de notre communion et de corrompre mortellement ce qui nous reste de personnes pieuses et catholiques.
PASCAL, Pensées, XIV, 952.

Le propre de l'hérétique, c'est-à-dire de celui qui a une opinion particulière, est de s'attacher à ses propres pensées (...) 3
BOSSUET, Hist. des variations, Préface, XXIX.

Alfonse de Castro, livre II, *de la juste punition des hérétiques*, pense qu'il est assez indifférent de les faire périr par l'épée, ou par le feu, ou par quelque autre supplice; mais Hostiensis, Godofredus, Covarruvias (...) soutiennent qu'il faut absolument les brûler. VOLTAIRE, Dict. philosophique, Inquisition, I. 4

L'hérétique est celui qui, ayant été baptisé, connaît les dogmes de la foi, les altère ou les combat. FRANCE, l'Anneau d'améthyste, II, *in* Œ., t. XII, p. 19. 5

Par ext. ⇒ **Impie, incroyant, infidèle;** → Enfer, cit. 6, Molière.

♦ **2.** (1656). Choses (opinions, écrits). Qui est entaché d'hérésie. ⇒ **Hétérodoxe; héréticité.** *Proposition, doctrine hérétique. Opinion hérétique* (→ Anathématiser, cit. 1). *Écrit apocryphe et hérétique.*

Il faut commencer par là (...) sans cela on n'entend rien, et tout est hérétique (...) 6
PASCAL, Pensées, VIII, 567.

♦ **3.** (1647, Poussin). Qui soutient une opinion, une doctrine contraire aux idées reçues (par un groupe). ⇒ **Hérésie** (2.); **déviationniste, dissident, non-conformiste.** — N. *Un hérétique en littérature, en médecine. Des hérétiques du freudisme, du marxisme, du surréalisme.*

Les ennemis *(du régime nazi)* sont hérétiques, ils doivent être convertis par la prédication ou propagande : exterminés par l'inquisition ou Gestapo. 7
CAMUS, l'Homme révolté, p. 228.

Freud est *(pour les marxistes)* un penseur hérétique et « petit bourgeois » parce qu'il a mis au jour l'inconscient (...) CAMUS, l'Homme révolté, p. 233. 8

CONTR. Orthodoxe. — Catholique, chrétien, croyant, fidèle. — Conformiste.
DÉR. (Du même rad.) **Héréticité.**

HÉRISSÉ, ÉE [eʀise] p. p. adj. et n. ⇒ **Hérisser.**

HÉRISSEMENT [eʀismɑ̃] n. m. — 1415, *hericement*; de *hérisser*.

♦ **1.** Le fait de se hérisser ou d'être hérissé (en parlant des poils, des plumes). *Hérissement en boule du porc-épic. Hérissement des poils d'un chien, d'un loup* (→ Croc, cit. 3). — *Le hérissement des piquants d'une plante.* — Par métaphore :

Et il le trouvait si beau, si grand, avec son hérissement de vieux lion blanchi, dans sa volonté obstinée de résurrection prochaine, qu'une fois encore l'autre grand vieillard, le cardinal Boccanera, s'évoqua devant lui entêté également dans sa foi, n'abandonnant rien de son rêve, quitte à être écrasé sur place, par la chute du ciel. 0.1
ZOLA, Rome, p. 721.

♦ **2.** Fig. *Hérissement de colère, de rage* (⇒ **Horripilation**).

Mais chefs et collègues l'estimaient pour la ferme droiture de son caractère — que pourtant on traitait de hérissement — pour sa compétence et sa conscience. 1
Georges LECOMTE, Ma traversée, p. 127.

♦ **3.** Disposition de choses pointues, réunies ensemble; ces choses. *Un hérissement d'épines, de ronces.*

(...) sa clarté froide *(du projecteur)* s'attachait au vapeur (...) elle (...) détaillait les brisures de son pont, en accusait le pillage. C'était vraiment un extraordinaire hérissement de débris, un abattis de fer jeté de l'avant à l'arrière, sous un réseau de ronces géantes. Roger VERCEL, Remorques, IV, p. 79-80. 2

(...) ce que je voyais (tantôt telle sorte de haut pylône érigé dans un hall d'hôtel pour honorer les guérillas et composé d'un hérissement de fusils échafaudés, tantôt telle scène rurale (...) me prouvait qu'au moins dans cette île révolution et poésie vont facilement de pair. Michel LEIRIS, Frêle bruit, p. 148. 3

HÉRISSER [eʀise] v. — V. 1165, *hericier*; lat. pop. **ericiare*, du lat. class. *ericius* (→ Hérisson); l'*h* aspiré est d'orig. expressive.

★ **I.** V. tr. ♦ **1.** (Mil. XVIe). Le sujet désigne un animal. Dresser (ses poils, ses plumes). *Le lion hérisse sa crinière* (cit. 1), *l'oiseau ses plumes, le porc-épic ses piquants.*

J'ai donc vu ce sanglier, qui par nos gens chassé, 1
Avait d'un air affreux tout son poil hérissé (...)
MOLIÈRE, la Princesse d'Élide, I, 2.

Comme un coursier indompté hérisse ses crins, frappe la terre du pied et se débat impétueusement à la seule approche du mors (...) 2
ROUSSEAU, De l'inégalité parmi les hommes, II.

(...) des oiseaux se tenaient immobiles, hérissant leurs petites plumes au vent froid du matin. FLAUBERT, Mme Bovary, I, II. 3

Le sujet désigne un végétal, un objet. Présenter (des pointes, des éléments aigus). *Le cactus hérisse ses épines. Monument qui hérisse son faîte* (→ Carquois, cit. 1).

Sujet n. de cause abstraite. Faire dresser (les poils, les plumes [d'un animal]). *La colère hérisse les poils des chats.* Le compl. désigne le poil, les cheveux humains. *Le froid hérisse les poils* (⇒ **Horripiler**). Fig. *La peur, l'horreur hérissait les cheveux de sa tête.*

Le sifflement des balles hérissait le poil sur sa peau. 4
MAUPASSANT, les Contes de la Bécasse, « Aventure de Walter Schnaffs ».

Passif et p. p. *Être hérissé de... Cheveux hérissés de frayeur* (→ ci-dessous, Hérissé, 1.).

(...) les cheveux hérissés 5
D'épouvante, d'horreur et de colère (...)
LECONTE DE LISLE, Poèmes barbares, « Le corbeau ».

♦ **2.** (1673). Le sujet désigne des choses pointues, saillantes, des poils. Se dresser sur. *Les épingles qui hérissent une pelote. Pointes, écrous* (cit. 2) *qui hérissent une planche, une paroi. Des morceaux de verre, des tessons hérissent le sommet du mur.*

6 Le chardon importun hérissa les guérets (...) BOILEAU, Épîtres, III.

7 Des brins de chaume, des broussailles hérissent çà et là la couche neigeuse où sautillent des corbeaux qui virgulent de leur noirceur la blancheur du sol.
Th. GAUTIER, Feuilleton du « Moniteur universel », 25 mai 1868.

8 (...) je méprisais les petites filles et j'attendais avec impatience le moment (qui, hélas! est venu) où une barbe piquante me hérisserait le menton.
FRANCE, le Crime de S. Bonnard, *in* Œ., t. II, p. 285.

9 (...) une armée de pins gisaient à terre. Leurs racines géantes hérissaient la lande dans laquelle elles laissaient d'énormes trous.
Pierre BENOIT, Mlle de la Ferté, I, p. 19.

♦ **3.** (1779). Sujet n. de personne. Garnir*, munir* (qqch.) de choses aiguës, pointues. *Hérisser de pieux un bastion* (Littré). ⇒ **Entourer.** *On a hérissé ce mur de tessons de bouteilles, cette grille de pointes de fer* (⇒ **Hérisson**). *Hérisser de mitrailleuses une ligne de défense.* ⇒ **Armer.**

10 En Franche-Comté, plus on bâtit de murs, plus on hérisse sa propriété de pierres rangées les unes au-dessus des autres, plus on acquiert de droits au respect de ses voisins. STENDHAL, le Rouge et le Noir, I, I.

Techn. *Hérisser un mur.* ⇒ **Hérissonner.**

Au p. p. Garni de pointes, d'aspérités, etc. *Jambes hérissées de longs poils* (→ Éparvin, cit.). *Tête hérissée de cheveux blancs* (→ Flageller, cit. 1). — *Écailles hérissées de pointes* (→ Cactus, cit. 1). *Cuirasse hérissée de clous* (→ Cataphracte, cit.). *Épinoche hérissée de piquants* (→ Fretin, cit. 2). — *L'aspect hérissé d'un édifice, d'une barricade* (→ Efflorescent, cit.; enchevêtrer, cit. 2). *Hérissé comme un porc-épic, comme un chardon*. Tour hérissée d'aiguilles* (cit. 17). *Crête hérissée de pieux barbelés* (cit. 1). *Enceinte* (1. Enceinte, cit. 2) *hérissée de tours, de créneaux* (→ Forteresse, cit. 1). *Arbres hérissés de lichen* (→ Anguleux, cit. 1). *Sentiers hérissés de buissons* (→ Ficher, cit. 5). *Parcours de steeple hérissé d'obstacles.* — Absolt. → ci-dessous, Hérissé (adj.).

11 Un autel hérissé de dards, de javelots (...) RACINE, Iphigénie, III, 1.

12 Une grosse tête hérissée de cheveux roux (...)
HUGO, Notre-Dame de Paris, I, V.

13 (...) la plaine était verte, hérissée de palmiers nains (...)
E. FROMENTIN, Un été dans le Sahara, p. 257.

14 (...) sur une zone claire du couchant (...) se profile en vigueur la dentelure d'un vieux château demi-fantastique, hérissée de toits en éteignoir, d'aiguilles, de cheminées et de clochetons bulbeux (...)
Th. GAUTIER, Souvenirs de théâtre..., Dessins de Victor Hugo.

♦ **4.** Sujet n. de personne; compl. n. de chose (notamment, productions langagières). Garnir, remplir de choses rébarbatives, choquantes, désagréables, difficiles. *Hérisser de difficultés* (une question de concours, une dictée). Hérisser sa prose d'adverbes, de mots savants et rébarbatifs, de barbarismes, de termes régionaux* (→ Glossaire, cit.), *de citations* (cit. 7). ⇒ **Embarrasser, surcharger, truffer.** *Hérisser sa conversation de pointes, de piques* (→ 1. Gaillard, cit. 11).

15 La prose la reçut *(la pointe)* aussi bien que les vers;
L'avocat au palais en hérissa son style. BOILEAU, l'Art poétique, II.

Au p. p. Parsemé de difficultés, de choses déplaisantes. *Une dictée hérissée de pièges.*

16 Je dus, le cœur plein, soutenir une conversation hérissée de difficultés, où mes sincères réponses sur la politique alors suivie par le roi heurtèrent les idées du comte (...) BALZAC, le Lys dans la vallée, Pl., t. VIII, p. 917.

17 Le français, au contraire, appuyé sur les consonnes sans en être hérissé, adouci par les voyelles sans en être affadi, est composé de telle sorte que toutes les langues humaines peuvent l'admettre.
HUGO, Post-Scriptum de ma vie, Tas de pierres, III.

18 (...) ces dissertations d'érudits, hérissées de passages chaldéens, syriaques, hébreux ou chinois (...) Th. GAUTIER, Souvenirs de théâtre..., Hist. de la marine, I.

Vx. (Personnes). Qui affiche de manière abrupte et méprisante son érudition en matière de. *Un pédant hérissé de grec, de latin* (→ 1. Barbe, cit. 22).

19 Tout hérissé de grec, tout bouffi d'arrogance (...) BOILEAU, Satires, IV.

20 Son précepteur, qui était un homme hérissé de latin, citait des passages de Virgile et d'Horace. A. R. LESAGE, le Bachelier de Salamanque, 46, *in* LITTRÉ.

♦ **5.** (XIXe). Sujet n. de chose; compl. n. de personne. Disposer défavorablement (qqn) en lui inspirant de la colère, de l'irritation, de la défiance, de l'aversion. ⇒ **Horripiler, indisposer, irriter**; → Mettre en boule*. *Cela me hérisse* (→ Flatter, cit. 41).

21 Quelque méchanceté, dame! il faut qu'on l'avoue,
Te hérisse à son tour — et certes je t'en loue (...) VERLAINE, Élégies, I.

★ **II.** V. intr. (V. 1140). ♦ **1.** Devenir hérissé (→ ci-dessous, Se hérisser). *La peur fit hérisser ses poils, son épiderme* (cit. 2).

22 Je sens venir l'hiver, de qui la froide haleine
D'une tremblante horreur fait hérisser ma peau. DU BELLAY, Regrets, IX.

Vx. *Les cheveux lui hérissent de peur* (Académie).

♦ **2.** (1585, Garnier). Vx. Se garnir de choses pointues.

▶ **SE HÉRISSER** v. pron. (V. 1160).

♦ **1.** Le sujet désigne les poils, les plumes... Se dresser. *Crins* (cit. 1) *qui se hérissent. Ses cheveux se hérissaient* (→ Grincer, cit. 2). *Tous ses poils se hérissent d'effroi* (→ Abominable, cit. 1).

Ses cheveux se hérissaient au seul nom de Port-Royal. RACINE, Port-Royal. 23

Par ext. Dresser son poil, ses plumes. *Ce coq est furieux, il se hérisse* (Littré). *Animal qui se hérisse de colère.*

Dans le danger, le porc-épic se hérisse, le scarabée fait le mort (...) 24
HUGO, les Misérables, V, IX, IV.

♦ **2.** (Fin XIIe, « se révolter »). Fig. Sujet n. de personne. Se mettre sur la défensive, manifester son opposition, sa colère*. ⇒ **Fâcher** (se), **irriter** (s'); → Se mettre en boule*. *À cette proposition, il se hérissa.* ⇒ **Raidir** (se).

(...) Chamillart en parla *(du mariage de son fils)* à Mme de Maintenon, qui d'abord se hérissa, et qui en éloigna le Roi. SAINT-SIMON, Mémoires, II, LVII. 25

Ils sont si prodigieusement excessifs que je ne puis m'empêcher de me hérisser un peu et de réclamer en faveur de l'humanité, dont je ne suis cependant pas éperdument épris. Th. GAUTIER, Souvenirs de théâtre..., Hist. de la marine, I. 26

Lamartine se hérissait devant La Fontaine, découvrant dans ses *Fables* les plus pernicieux conseils. GIDE, Attendu que..., I. 27

Mais les vieux bourgeois de Paris se hérissaient devant cette invasion de mœurs espagnoles et italiennes. Louis BERTRAND, Louis XIV, II, II. 28

Vieilli. *Se hérisser de...* → Armer, cit. 16.

♦ **3.** Le sujet désigne une chose aiguë, pointue. Se dresser. *Crêtes* (cit. 6), *pics qui se hérissent à l'horizon. Flèches, tours, clochers qui se hérissent* (→ Forêt, cit. 5).

(...) des chardons de six à sept pieds de haut se hérissaient sur les bords de la route comme des hallebardes de soldats invisibles. 29
Th. GAUTIER, Voyage en Espagne, p. 141.

(...) l'aloès et le cactus se hérissaient parmi les broussailles (...) 30
NERVAL, Fragments de la Bohème galante.

Au sommet de la colline, à droite, au-dessus d'un fourmillement de pins, se hérissait un ensemble de murs blancs, vaguement oriental, faisant penser à une pièce de pâtisserie. Edmond JALOUX, les Visiteurs, I. 31

(1558). *Se hérisser de... :* être garni, muni, entouré de (pointes...). *Surface qui se hérisse de saillies, de pointes, de clous, d'aspérités* (→ Coquille, cit. 4). *Champs qui se hérissent de plantes épineuses.*

(...) les baïonnettes, dont le premier rang se hérissait, faisaient, d'un coup de parade, sauter les sabres des assaillants (...) 32
Louis MADELIN, Hist. du Consulat et de l'Empire, Ascension de Bonaparte, XVI.

▶ **HÉRISSÉ, ÉE** adj. et n. (Pour le p. p., → ci-dessus [*supra* cit. 5] Hérissé de..., et cit. 5, 10 à 13, et 16 à 20).

♦ **1.** En parlant des poils, des cheveux, des plumes. Dressé. ⇒ **Ébouriffé, échevelé, hirsute, raide.** *Poils, cheveux hérissés. Plumes hérissées. Barbe, moustache hérissée* (→ Fâcher, cit. 13). *Chevelure hérissée, hérissée en brosse*.*

(Calchas) L'œil farouche, l'air sombre, et le poil hérissé (...) 33
RACINE, Iphigénie, V, 6.

De son visage (...) on n'apercevait que le haut des joues d'une pâleur ardente, deux pointes de moustaches hérissées et des yeux couleur de charbon en feu. 34
E. FROMENTIN, Une année dans le Sahel, p. 284.

♦ **2.** (Fin XIIe). *Cactus hérissé.* ⇒ **Épineux.** Bot. *Tige hérissée.* ⇒ **Hispide.** *Épi hérissé.* ⇒ **Barbu.** — *Perche hérissée* (→ Avaler, cit. 7).

À partir de Carmona, les plantes grasses, les cactus et les aloès (...) reparurent plus hérissés et plus féroces que jamais. Th. GAUTIER, Voyage en Espagne, p. 243. 35

♦ **3.** Fig. Dont l'aspect est rude. ⇒ **Hargneux, rébarbatif.** *Homme, visage hérissé.*

(...) maintes fois il est rude, hérissé et presque sauvage (...) 36
SAINTE-BEUVE, Correspondance, t. II, p. 144.

(...) il montre d'abord un visage hérissé et sévère, les yeux froids sous les lunettes d'or (...) André SUARÈS, Trois hommes, « Ibsen », VII. 37

Amour-propre hérissé. ⇒ **Susceptible.**

Un amour-propre hérissé. Un rien le froissait et il avait peur d'être froissé, et surtout de le montrer; car c'est une faiblesse et il faut se garder de donner prise à l'ennemi. R. ROLLAND, l'Âme enchantée, p. 244. 38

Style hérissé. ⇒ **Déplaisant, raboteux, rude.**

Vous savez avec quelle fureur on affectait de louer (...) l'*Électre* de Crébillon (...) ces vers durs et hérissés (...) 39
VOLTAIRE, Lettre à La Harpe, 2478, 25 mai 1764.

♦ **4.** N. **a** N. m. **HÉRISSÉ**, nom donné à divers poissons.

b N. f. **HÉRISSÉE :** chenille de la noctuelle.

CONTR. Aplatir, lisser. — Dégarnir. — Adoucir, calmer. — (Du p. p. et de l'adj., sens 1 et 2) **Arrondi, lisse, plat.** — (De l'adj., sens 3) **Aimable, avenant, doux; facile.**

DÉR. Hérissement.

HÉRISSON [ˈeʀisɔ̃] n. m. — XVIe; *heriçun*, v. 1120; *heriçon*, v. 1160; du lat. pop. **ericio, onis*, de **ericio, onis*, dér. de *ericius, hericius* « hérisson; chevaux de frise ».

♦ **1.** Petit mammifère de l'ordre des insectivores, au corps recouvert de piquants, lisses en temps normal, mais susceptibles d'érection. *Le hérisson, animal carnassier, se nourrit d'insectes, de souris, d'escargots, de reptiles; à l'approche du danger il se roule en boule* (⇒ **Volvation**) *et hérisse ses piquants. Le hérisson, animal nocturne. Engourdissement* (cit. 2) *du hérisson pendant le jour. Le* *hérisson est comestible* (→ Garum, cit. 2). *Hérisson mâle; hérisson femelle.* ⇒ (rare) **Hérissonne.**

1 (...) le renard sait beaucoup de choses, le hérisson n'en sait qu'une grande, disaient proverbialement les anciens. Il sait se défendre sans combattre, et blesser sans attaquer : n'ayant que peu de force et nulle agilité pour fuir, il a reçu de la nature une armure épineuse, avec la facilité de se resserrer en boule et de présenter de tous côtés des armes défensives (...)
BUFFON, Hist. nat. des animaux, Le hérisson.

2 Il y a des époques où tous les cent pas vous trouvez un hérisson mort. Ils traversent les routes la nuit, par dizaines, hérissons et hérissonnes qu'ils sont, et ils se font écraser (...)
GIRAUDOUX, Électre, I, 3.

♦ **2.** (1651). Personne d'un caractère, d'un abord difficile. *C'est un vrai hérisson : on ne peut l'approcher. « Un caractère qui n'est qu'un hérisson tout en pointes »* (Hugo; → Arrondir, cit. 2). — REM. On dit : « *Cette femme est un vrai hérisson* » (Hanse).

Adj. (1697). Vx. *Hérisson, hérissonne.* ⇒ **Acariâtre, inabordable, revêche.**

3 La madame Grognac a l'humeur hérissonne (...)
J.-F. REGNARD, le Distrait, I, 5.

♦ **3.** (Fin XIVe). Animaux dont le corps est garni de piquants. — (XIVe, *in* Arweiller). *Hérisson de mer.* ⇒ **Échinoderme, oursin;** et aussi **diodon, tétrodon.** — Bot. Champignon comestible qui pousse sur les arbres et dont la masse charnue est couverte d'aiguillons pendants. *Hydne* hérisson.* — Enveloppe de la châtaigne. ⇒ **Bogue.**

♦ **4.** Techn. (Appareils, instruments munis de pointes). — (1676). Roue dentelée. — (1678). Grappin à quatre becs. — Assemblage de pointes de fer garnissant le sommet d'un mur, d'une grille, d'une clôture, pour empêcher l'escalade.

Fortif. [a] (V. 1155). Anciennt. Engin formé d'une poutre hérissée de pointes de fer. *Hérisson roulant.*

[b] Mod. Élément mobile d'un réseau barbelé, formé d'un quadrilatère de fils de fer barbelés.

(1680). Tige garnie de chevilles où l'on place les bouteilles à égoutter. ⇒ **Égouttoir, porte-bouteilles.**

Agric. Rouleau* garni de pointes pour écraser les mottes de terre. ⇒ **Herse.** — Organe distributeur du semoir d'engrais.

Tige garnie de lames flexibles en métal, disposées en étoile, et servant à ramoner les cheminées.

♦ **5.** (1780, Mme de Genlis). Hist. Anciennt. Coiffure de femme dans laquelle les cheveux étaient relevés au sommet de la tête.

4 Un moment cette furie des coiffures extravagantes était menacée, arrêtée par la vogue du hérisson, une coiffure relativement simple qui cerclait d'un simple ruban les cheveux relevés et se dressant en pointes.
Éd. et J. DE GONCOURT, la Femme au XVIIIe s., II, p. 88.

♦ **6.** (XIVe). Constr. Disposition des briques, moellons dressés de chant sur la ligne supérieure d'un mur.

♦ **7.** (XXe; 1965, ci-dessous, cit. 5). Fig. Milit. Centre de résistance; point fortifié d'un front discontinu. *Tactique des hérissons et tactique linéaire.*

5 On abandonne le mince ruban de la R.C. *(route coloniale)* 4 elle-même sur quarante kilomètres, entre That-Khé et Caobang. Mais, dans cette jungle laissée aux Viets, on maintient deux « hérissons » — deux places fortes complètement isolées par terre et reliées au reste du monde uniquement par air, par des aérodromes et des ponts aériens. Il s'agit de Caobang même et de Dong-Khé.
Lucien BODARD, la Guerre d'Indochine, 3e partie : l'Humiliation, p. 62, 1973 (Gallimard, 1965).

6 Notre but est d'encercler le troupeau pour l'obliger à se former en hérisson selon sa tactique habituelle de défense.
R. FRISON-ROCHE, Peuples chasseurs de l'Arctique, p. 367.

DÉR. Hérissonne, hérissonné, hérissonner.
COMP. Peigne-hérisson.
HOM. Formes du v. **hérisser.**

HÉRISSONNE [eʀisɔn] n. f. — XVIIIe, au sens 3; de *hérisson.*

♦ **1.** Rare. Femelle du hérisson (→ Hérisson, cit. 2).

♦ **2.** Régional. Plante appelée aussi *genêt* à balai* (n. sc. : *Erinacea*). *Hérissonne piquante.*

♦ **3.** (1764). Chenille de certains papillons nocturnes.

HÉRISSONNÉ, ÉE [eʀisɔne] adj. — 1175, *heirçonné* « hérissé », de *hérisson.*

♦ **1.** Blason. Se dit des animaux représentés ramassés sur eux-mêmes et le poil hérissé. *Chat hérissonné.*

♦ **2.** Fam. Hérissé; qui a les poils hérissés.

Tête hérissonnée, toujours boutonné de travers, l'air ahuri, comme s'il sortait d'être berné dans une couverture, Shannon n'a qu'une passion : c'est la haine de l'Angleterre (...)
Paul MORAND, Bouddha vivant, p. 157.

♦ **3.** (1866). Bot. Se dit d'une plante ou d'une partie de plante couverte d'épines. — Enveloppe de la châtaigne. ⇒ **Bogue.**

HOM. Formes du v. **hérissonner.**

HÉRISSONNER [eʀisɔne] v. tr. — 1866; au p. p., « garni d'objets pointus », v. 1160; de *hérisson.*

♦ Constr. Couvrir (un mur) d'une couche de mortier que l'on n'égalise pas et qui reste pleine d'aspérités, de saillies. — On dit aussi *hérisser.*

HOM. Hérissonné.

HÉRITABILITÉ [eʀitabilite] n. f. — V. 1950; angl. *heritability,* du rad. de *hériter.*

♦ Biol. Probabilité pour qu'une caractéristique apparente, manifeste d'un individu (⇒ **Phénotype**) soit transmise héréditairement, par les facteurs génétiques exclusivement.

HÉRITAGE [eʀitaʒ] n. m. — V. 1131, *eritage;* de *hériter.*

♦ **1.** Patrimoine laissé par une personne décédée et transmis par succession; (v. 1361) action, fait d'hériter. ⇒ **Succession; hérédité, hoirie.** *Faire un héritage, un grand héritage,* le recueillir (→ Friche, cit. 7). *Attendre, espérer un héritage, avoir en espérance* (cit. 41) *un héritage.* ⇒ **Espérance** (*supra* cit. 48). *Convoiter un héritage* (→ Création, cit. 20). *Héritage provenant des ascendants* (→ Profectif), *des collatéraux. L'héritage de son père* (→ 2. Avoir, cit. 3; bien, cit. 55). *Héritage de famille* (→ Composite, cit. 2). — *Laisser qqch. pour héritage, en héritage; transmettre en héritage* (⇒ **Léguer; legs, testament**). *Héritage devant être transmis à qqn.* ⇒ **Substituer; substitution.** *Droit à entrer en possession d'un héritage.* ⇒ **Possession** (envoi en), **saisine.** *Droit de l'épouse sur l'héritage de son mari.* ⇒ **Douaire.** Dr. féod. *Droit d'un seigneur à l'héritage d'un serf.* ⇒ **Mortaille.** — *Part, portion d'héritage* (→ Envier, cit. 5). *Partage* d'un héritage entre des cohéritiers. Se partager* (cit. 19) *l'héritage. Distribution* des parts, des lots d'un héritage. Part d'héritage qui accroît** (II.) *à un héritier.* ⇒ **Accroissement** (droit d'). *Priver* (qqn) *d'un héritage.* ⇒ **Déshériter, exhéréder.** *Capter* un héritage.* ⇒ **Captateur, captation, dol.** *Accepter* (→ Condition, cit. 2), *refuser un héritage. Renoncer à un héritage.* ⇒ **Renonciation.**

(...) l'héritage qui aurait pu vous faire vivre à votre aise vous vient ordinairement le jour de votre mort. 1
Th. GAUTIER, Mlle de Maupin, XII.

(...) on est souvent forcé de se résoudre à la donation (...) Je dois ajouter qu'elle offre une économie aux familles, car les droits d'héritage sont plus forts que ceux de la démission de biens (...) 2
ZOLA, la Terre, I, II.

(...) il avait exprimé, en cinq lignes, son refus catégorique et à peine motivé d'entrer en possession de sa part d'héritage (...) 3
MARTIN DU GARD, les Thibault, t. V, p. 163.

Un vignoble entier lui était échu par héritage (...) 4
CÉLINE, Voyage au bout de la nuit, p. 374.

Ellipt. *L'héritage des enfants,* les biens qui leur sont destinés (→ Faiblesse, cit. 29).

Par ext. *L'héritage d'un roi,* son trône, son royaume. *Princes qui se disputent* (cit. 16) *l'héritage du roi leur père.*

Vous lui avez, dites-vous, rendu l'héritage de ses pères, comme si les hommes pouvaient être légués et possédés ainsi que des terres et des troupeaux. 5
G.-T. RAYNAL, Hist. philosophique..., IV, 21.

♦ **2.** (1228). Spécialt. Vx. Bien immeuble par nature faisant ou non l'objet d'une succession. ⇒ **Domaine, propriété;** → Ameublir, cit. 2; bail, cit. 2; cens, cit. 2; 2. ferme, cit. 1. *Limites entre deux héritages* (→ Borne, cit. 2). *Héritage en friche* (→ Colon, cit. 2). *Vendre un héritage* (→ Garder, cit. 81). *Agrandir, accroître son héritage.*

(...) cette route est fleurie d'héritages entourés de haies et parsemée de maisonnettes à rosiers. 6
BALZAC, les Paysans, Pl., t. VIII, p. 42.

♦ **3.** (Fin XIIe, *irretaige*). T. bibl. ou relig. *L'héritage du Seigneur :* la Terre sainte. — *L'héritage céleste, l'héritage de Dieu :* le royaume des cieux. *Avoir pour héritage la vie éternelle* (→ Centuple, cit. 1).

S'immoler pour son nom et pour son héritage *(de Dieu),* 7
D'un enfant d'Israël voilà le vrai partage (...)
RACINE, Esther, I, 3.

Le Seigneur refuse sans doute à mes infidélités *(dit Saint Louis)* la consolation que j'avais tant souhaitée de délivrer son héritage (...) 8
MASSILLON, Panégyrique de Saint Louis.

♦ **4.** (XIVe). Fig. ou par métaphore. Ce qui est transmis comme par succession. *Recevoir pour héritage un nom glorieux, célèbre* (→ Après, cit. 3). *Héritage de gloire; d'infamie. Avantage* (cit. 13) *transmis en héritage. Conserver une qualité, un caractère en héritage* (→ Biblique, cit. 2). *Ce trait de caractère est un héritage de famille* (→ Brouille, cit. 2). *Héritage de croyances, de coutumes, d'une civilisation* (cit. 15). *Héritage culturel.* ⇒ **Tradition.** *L'héritage du genre humain.* ⇒ **Atavisme;** → Accumuler, cit. 7; frontière, cit. 6. — *L'héritage vital réside dans les chromosomes* (cit.). ⇒ **Hérédité.**

Car volontiers sottise est le propre héritage 9
De celui qui sans peine est riche dès jeune âge (...)
RONSARD, le Second livre des Hymnes, « De l'or ».

10 Vous n'avez pas la vie ainsi qu'un héritage (...) CORNEILLE, Polyeucte, IV, 3.
11 Mourir digne de vous, voilà mon héritage. VOLTAIRE, Mérope, IV, 2.
12 Il importe de sauver l'héritage spirituel, sans quoi la race sera privée de son génie. SAINT-EXUPÉRY, Pilote de guerre, XXIV.

HÉRITER [eʀite] v. tr. — V. 1140, v. tr., «rendre héritier»; les formes *ireter, eriter* subsistent jusqu'au xvᵉ; du bas lat. *hereditare,* du lat. class. *heres, edis* «légataire». → Hérédité, hoir.

★ **I.** V. tr. ind. ♦ **1.** (xiiiᵉ). Devenir propriétaire, possesseur (de qqch.), titulaire (d'un droit), par voie de succession*. *Hériter d'une grande fortune, d'un immeuble. Les biens dont il a hérité. La bibliothèque dont il a hérité.*

1 (...) quand on a hérité de *quarante mille doublons de huit* (...) BEAUMARCHAIS, la Mère coupable, II, 22.
2 (...) toute la fortune dont je viens d'hériter lui est destinée de ma part (...) BEAUMARCHAIS, la Mère coupable, IV, 6.

Absolt. *Il vient d'hériter* (→ Empocher, cit. 3). *Depuis qu'il a hérité, il mène grand train. Hériter « ab intestat* ».*

3 Théramène était riche et avait du mérite; il a hérité, il est donc très riche et est d'un très grand mérite. Voilà toutes les femmes en campagne pour l'avoir pour galant, et toutes les filles pour *épouseur.* LA BRUYÈRE, les Caractères, VII, 14.

♦ **2.** (1690). Recueillir la possession, l'usage, la jouissance (de qqch. qui a été donné). *Il a hérité d'un beau tapis.*

4 Pendant deux jours, il s'occupa de son installation, car il héritait d'une table particulière et de casiers à lettres, dans la vaste pièce commune à toute la rédaction. MAUPASSANT, Bel-Ami, I, VI, p. 152.

Fig. Recevoir (qqch.) d'une tradition, des générations précédentes, etc. *La franc-maçonnerie* (cit. 3) *a hérité des rites et des symboles des anciens mystères.*

5 De votre injuste haine il n'a pas hérité (...) RACINE, Phèdre, V, 3.
6 (...) dix femmes dont il était le tyran héritent par sa mort de la liberté. LA BRUYÈRE, les Caractères, III, 45.
7 Son fils, Ferdinand III, qui hérita de sa politique, et fit comme lui la guerre de son cabinet (...) VOLTAIRE, le Siècle de Louis XIV, II.

★ **II.** V. tr. dir. ♦ **1.** (V. 1160, *eriter*). Littér. Recevoir, recueillir (qqch.) par héritage, par voie de succession. *Hériter une fortune; une fortune de ses parents. Une maison qu'il a héritée de son père* (→ Famille, cit. 12, La Bruyère). *Arbres, champs hérités de famille* (→ Emprunter, cit. 5). — *Hériter la couronne.*

8 On ne peut contester la coutume passée en loi qui veut que les filles ne puissent hériter la couronne de France tant qu'il reste un mâle de sang royal. VOLTAIRE, Dict. philosophique, Loi salique.
9 (...) l'archevêque, qui vient d'hériter la très grosse fortune de Fernisoun (...) APOLLINAIRE, l'Hérésiarque..., p. 52.
10 Le dénonciateur héritant les biens de sa victime. Émile HENRIOT, les Fils de la louve, p. 133, *in* GREVISSE.

(1655). Sans compl. direct. Recevoir un héritage (de qqn). *Hériter de ses parents, de vieux collatéraux* (cit. 2). *Hériter d'un oncle d'Amérique. Hériter du côté maternel* (→ Éternel, cit. 39).

11 (...) procréez des enfants
Qui puissent hériter de vous en droite ligne (...)
J.-F. REGNARD, le Légataire universel, V, 8.

(1650). Fig. ⇒ **Recevoir, recueillir.** *Hériter la gloire de ses ancêtres, un grand nom. Hériter une tradition, une culture. Le métier qu'il avait hérité de générations de forgerons* (cit.). *C'est une maladie qu'il a héritée de sa mère* (Académie). — Pron. *« La culture ne s'hérite pas, elle se conquiert »* (cit. 8, Malraux).

12 Vous avez hérité ce nom de vos aïeux (...) CORNEILLE, Sertorius, III, 1.
13 Et ces hautes vertus que de vous il hérite
Vous donnent votre part aux encens qu'il mérite.
CORNEILLE, Poésies diverses, 9.
14 J'en dois compte *(de ce sang)* aux aïeux dont il est hérité (...) CORNEILLE, Don Sanche, III, 4.
15 Il est dit que Jaurès héritera tout ce que les guesdistes avaient de mauvais et qu'il n'héritera pas le peu qu'ils avaient de bon. Ch. PÉGUY, la République..., p. 61.
16 Les indécis (...) écartelés entre les exigences de leur logique et certains besoins mystiques qu'ils ont hérités. MARTIN DU GARD, Jean Barois, Rupture, IV.

▶ **HÉRITÉ, ÉE** p. p. adj.

Transmis par héritage. *Biens hérités, légués.* Fig. *Tradition, culture héritée. Qualités héritées.* → (prov.) Bon chien chasse* de race.

17 L'histoire de l'art est celle des formes inventées contre les formes héritées. MALRAUX, les Voix du silence, p. 357.

CONTR. Léguer, transmettre. — Créer, inventer.
DÉR. Héritage.
COMP. Déshériter.

HÉRITIER, IÈRE [eʀitje, jɛʀ] n. — V. 1196; *eritier,* v. 1131; réfection de *heretier,* du lat. *hereditarius,* de *hereditas.* → Hérédité.

♦ **1.** Dr. et cour. (Au sens étroit). Parent appelé par la loi à recueillir la succession* d'un défunt. ⇒ **Hoir** (vx). *Les héritiers ou héritiers du sang se distinguent des successeurs* irréguliers et anomaux et des légataires*. Qualité d'héritier, titre d'héritier.* ⇒ **Hérédité;** → Enfant, cit. 23. *Héritiers légitimes et héritiers naturels. Les héritiers sont classés en ordres* (descendants, ascendants, collatéraux), *en lignes* (paternelle, maternelle), *en degrés*, par la loi. Légataire assimilé à un héritier par institution* d'héritier. Absence d'héritier.* ⇒ **Déshérence.** *Héritier unique* (→ Embarrasser, cit. 10). (1406). *Héritier présomptif*.* ⇒ **Successible.** *Libéralité faite à un héritier présomptif.* ⇒ **Avancement** (4., avancement d'hoirie). *Exclure ses héritiers présomptifs de sa succession.* ⇒ **Déshériter, exhérédation** (cit. 2); **exhéréder.** *Héritier apparent :* «personne qui est en possession d'une hérédité et passe pour héritier aux yeux de tous» (Capitant). *Héritier apparent écarté par découverte ultérieure d'un testament. Héritier ab intestat*. Héritier testamentaire* (⇒ **Testament, testateur**). — *Héritier appelé à une succession. Héritier qui revendique une succession par la pétition d'hérédité. Transmission de la succession aux héritiers.* ⇒ **Saisine.** *La transmission de la succession à l'héritier le plus proche s'effectue dès la mort du de cujus* (cf. Le mort saisit le vif, son hoir le plus proche habile à lui succéder). — Dr. rom. *Héritiers nécessaires,* ceux qui ne pouvaient renoncer à la succession. — *Nul n'est héritier qui ne veut,* adage du droit français. *Droit d'option de l'héritier. Héritier pur et simple,* qui accepte la succession sans bénéfice d'inventaire, par oppos. à *l'héritier bénéficiaire.* ⇒ **Bénéfice** (I., 2.). *Héritier qui renonce à la succession.* ⇒ **Renonciation.** — *Droit pour chaque héritier de demander le partage*. Héritier recevant sa part d'un bien indivis vendu par licitation* (⇒ **Colicitant**). *Héritier alloti* de sa part* (→ Attribuer, cit. 1). *Héritier qui divertit* (cit. 4) ou *recèle des effets de la succession. — Protection des héritiers. Héritier réservataire.* ⇒ **Réserve.** — *Les héritiers considérés par rapport au défunt, à leur auteur** (cit. 13). ⇒ **Ayant-cause** (cit. 1 et 2); → Authentique, cit. 3. *Il est l'héritier de tel banquier, c'est son héritier. Amasser, entasser* (cit. 5) *des biens, conserver son patrimoine pour ses héritiers* (→ Entamer, cit. 4; essentiel, cit. 5). — *Héritier avide* (cit. 10), *sans scrupules. Héritier prodigue qui dévore* (cit. 17), *dilapide son héritage.*

(...) on n'aurait plus désir 1
D'amasser tant de biens, pour les laisser en proie
D'un indigne héritier, qui sautera de joie
Gaillard après ta mort, qui de mille festins,
Masques, cartes et dés, musique et baladins,
En trois ou quatre mois rendra ta bourse vide.
RONSARD, le Second livre des Hymnes, «De l'or».

Non, je ne comprends pas de plus charmant plaisir 2
Que de voir d'héritiers une troupe affligée,
Le maintien interdit, et la mine allongée,
Lire un long testament où, pâles, étonnés,
On leur laisse un bonsoir avec un pied de nez.
J.-F. REGNARD, le Légataire universel, I, 4.

Une héritière gênoise! cette expression pourra faire sourire à Gênes où par suite 3
de l'exhérédation des filles, une femme est rarement riche; mais Onorina Pedrotti, l'unique enfant d'un banquier sans héritiers mâles, est une exception. BALZAC, Honorine, Pl., t. II, p. 250.

(...) les héritiers, qui se tenaient au bout de la rue entourés de curieux et abso- 4
lument comme des corbeaux qui attendent qu'un cheval soit en terre pour venir gratter la terre et fouiller de leurs pattes et du bec, accouraient avec la célérité de ces oiseaux de proie. BALZAC, Ursule Mirouët, Pl., t. III, p. 407.

L'action représente une de ces terribles scènes de famille qui se passent au chevet 5
des morts, — dans ce moment, si bien rendu jadis sur une scène des boulevards, — où l'héritier, quittant son masque de componction et de tristesse, se lève fièrement et dit aux gens de la maison : «Les clefs?». NERVAL, les Filles du feu, Angélique, II.

La loi règle l'ordre de succéder entre les héritiers légitimes et les héritiers natu- 6
rels. À leur défaut, les biens passent à l'époux survivant, et, s'il n'y en a pas, à l'État. Code civil, art. 723.

Les successeurs appelés par la loi à recueillir l'hérédité sont divisés par elle en 7
deux catégories, les *héritiers* et les *successeurs irréguliers* (art. 723). L'intérêt de cette distinction fondamentale, c'est que les premiers seuls sont investis de la *saisine* (...) 1º D'après le Code civil de 1804, la classe des héritiers comprenait seulement les *parents légitimes* (...) Depuis, la loi du 25 mars 1896 a fait des enfants naturels des héritiers, et désormais (art. 723 nouveau), la première classe comprend *les parents soit légitimes soit naturels* (...)
2º L'article 723 disait et dit encore que l'hérédité passe à l'époux survivant *«à défaut d'héritiers».* Mais cette formule, exacte autrefois, a cessé de l'être (...) en vertu de la loi du 9 mars 1891, le conjoint survivant, successeur irrégulier, vient à la succession *en concours* avec les héritiers du sang.
A. COLIN et H. CAPITANT, Cours élémentaire de droit civil franç., t. III, p. 400.

Il y a, d'après l'article 731, trois ordres d'héritiers, celui des *enfants et descen-* 8
dants du défunt, celui des *ascendants,* celui des *collatéraux;* ces ordres sont appelés à la succession à défaut l'un de l'autre.
A. COLIN et H. CAPITANT, Cours élémentaire de droit civil franç., p. 403.

♦ **2.** (V. 1360). Cour. (parfois erroné en droit). Au sens large. Personne qui reçoit des biens en héritage. ⇒ **Acquéreur** (à titre gratuit), **légataire, successeur.** *Il a deshérité son propre fils pour faire de cette personne son héritière. Épous héritier de son conjoint* (→ Apport, cit. 3).

(...) une femme qui pourrait bien souhaiter charitablement d'être mon héritière 9
universelle. MOLIÈRE, l'Amour médecin, I, 1.

Sœur Pathou (...) gagne l'affection d'une vieille dame archimillionnaire qu'elle 10
assiste. La vieille dame propose à sœur Pathou de déshériter son propre fils pour faire d'elle sa légataire universelle (...) Quand la vieille dame meurt, sœur Pathou malgré elle est héritière, mais malgré les ordres de ses supérieures elle refuse la succession. M. JOUHANDEAU, Chaminadour, II, XIII.

L'héritier, l'héritière de (suivi du nom de la chose héritée). *L'héritier d'une grande fortune, d'une propriété. — Ce prince est l'héritier du royaume, de l'empire, du trône. — Héritier présomptif* de la couronne.*

(...) j'apprends que mon oncle est mort, et que je suis héritier de tous ses biens. 11
MOLIÈRE, le Médecin malgré lui, III, 11.

12 Héritier de mon nom, de mes places, de ma fortune (...)
BEAUMARCHAIS, la Mère coupable, I, 6.

13 Dès lors, Henri de Bourbon qui, depuis longtemps, s'était échappé de Paris et qui était retourné au calvinisme, devenait, de toute certitude, l'héritier du trône.
J. BAINVILLE, Hist. de France, IX.

♦ **3.** (1668). Fig. Personne qui continue (une tradition). ⇒ **Continuateur, successeur.** *Les héritiers de son nom, de sa puissance, de son œuvre. Être l'héritier de la gloire, des talents de ses ancêtres. — L'héritier spirituel d'un écrivain. Le dernier héritier d'un courant de pensée. Les héritiers d'une culture, d'une civilisation. Nos élégants* (cit. 8), *héritiers des petits-maîtres.*

14 Ces deux rivaux d'Horace, héritiers de sa lyre (...) LA FONTAINE, Fables, III, 1.

15 (...) mon père m'a fait lire un des plus profonds écrivains de nos contrées, un des héritiers de Bossuet, un de ces cruels politiques dont les pages engendrent la conviction. Pendant que tu lisais Corinne, je lisais Bonald (...)
BALZAC, Mémoires de deux jeunes mariées, Pl., t. I, p. 202.

16 Il se trouvait être l'héritier d'un long effort monarchique, qui avait abouti à l'unification presque complète du pays, unification qui faisait sa force et que les étrangers admiraient et jalousaient plus encore que sa fertilité.
Louis BERTRAND, Louis XIV, III, I.

17 De cette Révolution le souverain se déclare l'héritier, il l'incarne (...)
Louis MADELIN, Hist. du Consulat et de l'Empire, Avènement de l'Empire, VIII.

18 Depuis votre plus tendre enfance on vous instruisit comme moi ; on vous apprit à vénérer la Grèce, dont nous sommes les héritiers.
GIDE, Corydon, Quatrième dialogue, p. 157.

♦ **4.** (1648). Vx ou plais. Enfant. ⇒ **Fils, fille.** *Sa femme ne lui a point encore donné d'héritier* (Académie). *L'éducation de l'héritier* (→ Désobéir, cit. 6). *L'héritier de David* (→ Autel, cit. 5). *Ce roi n'a pas d'héritier mâle, il n'a pas laissé d'héritier* (→ Apanage, cit. 1).

19 Mon père est sénateur; je serai sénateur après lui : je suis son seul héritier mâle et le dernier de mon nom. SARTRE, la P... respectueuse, II, 5.

19.1 Je n'ai pas été très surpris de l'annonce d'un futur héritier que tu me fais sur un ton dolent (...) mon cher Germain (...) Je t'avouerai que je ne suis pas trop inquiet sur son avenir, quoi que du dises. Il est vrai que les enfants, les parents, et même quelquefois les vieux domestiques, sont des charges. Empressons-nous de féliciter le père, d'offrir à la mère nos meilleurs vœux pour ses heureuses relevailles et d'augurer du mieux possible pour son heureuse venue.
Germain NOUVEAU, Lettre à Léopold Silry, 11 juin 1909, Pl., p. 960.

♦ **5.** N. f. (Fin XVIIe). *Héritière, riche héritière* : « fille unique qui doit hériter d'une grande succession » (Littré). *Chercher à épouser une héritière* (→ Effleurer, cit. 10).

20 Mme de Richelieu (...) était franche héritière, c'est-à-dire riche, laide et maussade.
SAINT SIMON, Mémoires, IV, XVII.

21 Mon père de son vivant ne m'aurait donné qu'une dot modérée ; je ne serais point une héritière célèbre. Ainsi, chère maman, dit Mina en rougissant beaucoup, je ne pourrais jamais, comme toutes les jeunes filles mes amies, me flatter d'inspirer un sentiment tendre (...) STENDHAL, Romans et nouvelles, Le rose et le vert, II.

22 Il avait décidé qu'il ferait un jour un beau mariage, et dans sa tête il était arrêté qu'il épouserait une des héritières de la chocolaterie.
ARAGON, les Beaux Quartiers, I, VII.

CONTR. Auteur, de cujus, testateur.
COMP. Cohéritier.

HERMANDAD [ɛʀmɑ̃dad] n. f. — 1808 ; *la Sainte-Hermandad*, 1715 ; mot esp., « confrérie ».

♦ Hist. Fédération de villes espagnoles au moyen âge, dirigée contre les excès commis par la noblesse féodale, puis contre les brigands. *Soldats de la Sainte-Hermandad* (fondée en 1476).

Tel est ce souterrain, que les officiers de la Sainte-Hermandad viendraient cent fois dans cette forêt sans le découvrir. A.-R. LESAGE, Gil Blas, I, IV.

HERMAPHRODISME [ɛʀmafʀɔdism] n. m. — 1765 ; de *hermaphrodite*, et suff. *-isme*.

♦ **1.** État d'un être vivant (animaux supérieurs, humains) hermaphrodite (se dit de l'*hermaphrodisme vrai* ou, plus souvent, du *pseudo-hermaphrodisme*). Chez l'homme, on appelle *hermaphrodisme* une « malformation des organes génitaux caractérisée par la présence (...) de quelques-uns des caractères apparents des deux sexes. C'est plutôt un pseudo-hermaphrodisme » (Garnier et Delamare). ⇒ **Androgynie.**

1 Dans l'hermaphrodisme intégral, il y a cumul morphologique et physiologique complet des deux sexes. C'est ce que l'on observe dans certaines classes d'invertébrés (...) Chez les vertébrés, en général, et dans le genre humain, en particulier, rien de semblable. La fusion des sexes est toujours incomplète chez le même sujet.
A. BINET, les Régions génitales de la femme, p. 114.

♦ **2.** (1797). Comportement psychologique qui tient de l'homme et de la femme. ⇒ aussi **Bisexualité, transsexualisme.**

2 (...) avec la tête froide d'un homme et le cœur brûlant d'une femme, comme on a dit que J.-J. Rousseau écrivait. J'ai remarqué que cet ensemble, cet hermaphrodisme moral, est moins rare qu'on ne le croit.
BEAUMARCHAIS, la Mère coupable, Un mot.

♦ **3.** Bot. Zool. (animaux inférieurs). Réunion des organes reproducteurs mâles et femelles chez un même individu. *Hermaphrodisme des plantes* (⇒ **Monœcie**). *L'hermaphrodisme permet parfois qu'un individu puisse se féconder lui-même.* ⇒ **Autogamie** (cit.).

REM. La var. *hermaphroditisme* (1904, in *Rev. gén. des sc.*, n° 5, p. 249) est employée par Proust.

HERMAPHRODITE [ɛʀmafʀɔdit] n. m. et adj. — 1488 ; *ermefrodis*, XIIIe ; lat. *hermaphroditus*, du n. grec d'un personnage mythologique androgyne*, fils (fille) d'*Hermès* (Mercure) et d'*Aphrodite* (Vénus).

★ **I.** N. m. ♦ **1.** Biol. (Au sens étroit). Être humain anormal possédant un ovaire d'un côté et un testicule de l'autre, ou bien la réunion des deux glandes de chaque côté. *Hermaphrodites vrais* ou *bisexués* (ou *digames*). — (Au sens large). Se dit du *pseudo-hermaphrodite*, individu qui a les glandes génitales d'un sexe, mais dont les organes génitaux externes et les caractères sexuels secondaires ressemblent à ceux de l'autre sexe. ⇒ **Androgyne.** *Hermaphrodites* ou *pseudo-hermaphrodites masculins.* ⇒ **Androgynoïdes.** *Hermaphrodites* ou *pseudo-hermaphrodites féminins.* ⇒ **Gynandroïdes.**

On demande si un animal, un homme par exemple, peut avoir à la fois des testicules et des ovaires (...) en un mot si la nature peut faire de véritables hermaphrodites, et si un hermaphrodite peut faire un enfant à une fille et être engrossé par un garçon. Je réponds, à mon ordinaire, que je n'en sais rien (...) 1
VOLTAIRE, Dict. philosophique, Testicules, II.

(...) le sexe d'un individu ne résulte pas seulement de la structure générale de ses glandes génitales mais, encore, de l'ensemble de ses caractères sexuels et surtout de son aptitude aux fonctions sexuelles. 2
En tenant compte de l'ensemble de ces facteurs anatomiques et physiologiques, en faisant, en expert, le bilan de chaque cas concret, on arrivera à établir la *dominante sexuelle* et à classer les sujets, tout au moins pour la commodité de la discrimination clinique, en *hermaphrodites masculins* et *hermaphrodites féminins.*
Il faut, en effet, en revenir à l'antique conception du digeste : le sexe d'un sujet est celui qui prévaut en lui. A. BINET, les Régions génitales de la femme, p. 119.

♦ **2.** Être légendaire auquel on supposait une forme humaine bisexuée. *Platon, dans le Banquet, suppose que les premiers hommes étaient des hermaphrodites. Les rondeurs de l'hermaphrodite antique* (→ Poitrine, cit. 14).

Il n'y a presque pas de différence entre Pâris et Hélène. Aussi l'hermaphrodite est-il une des chimères les plus ardemment caressées de l'antiquité idolâtre. 3
GAUTIER, Mlle de Maupin, IX.

Là, dans ce bosquet entouré de fleurs, dort l'hermaphrodite (...) Ses traits expriment l'énergie la plus virile, en même temps que la grâce d'une vierge céleste. Rien ne paraît naturel en lui, pas même les muscles de son corps, qui se fraient un passage à travers les contours harmonieux de formes féminines. 4
LAUTRÉAMONT, les Chants de Maldoror, II, p. 70.

♦ **3.** Arts. Sujet doté de formes masculines et féminines combinées. *L'hermaphrodite du Vatican, du musée d'Épinal. Hermaphrodite couché, debout.*

(...) le type de l'hermaphrodite se résume, en dehors de l'attitude qui peut varier, en deux conceptions morphologiques différentes. La première, la plus simpliste, consiste à doter un corps féminin aux formes bien développées des attributs mâles ; la seconde, d'un plus haut intérêt, est la fusion en une étonnante synthèse du type viril et du type féminin. 5
Paul RICHER, Nouvelle anatomie artistique..., Le nu dans l'art, p. 292.

♦ **4.** (1705). Fig. Ce qui présente une ambiguïté, prête à équivoque. *Ce mot est un hermaphrodite,* il a les deux genres* (cit. 21). *Le timbre de contralto* (cit. 1), « *hermaphrodite de la voix* » (Gautier).

★ **II.** Adj. ♦ **1.** (1562). Qui est doté de caractères des deux sexes. *Adolescent hermaphrodite. Statue de dieu hermaphrodite.*

La pieuse madame de Bourignon était sûre qu'Adam avait été hermaphrodite, comme les premiers hommes du divin Platon. 6
VOLTAIRE, Dict. philosophique, Adam, II.

♦ **2.** (1704). Bot. Se dit des espèces végétales où le même sujet porte les fleurs mâles et femelles ou dont les fleurs sont hermaphrodites (la même fleur* porte les organes mâles [étamines] et femelles [pistil]). ⇒ **Amphigame, bisexué.** *Plante hermaphrodite où le pistil* (⇒ **Protogyne**) *et les étamines* (⇒ **Protandre**) *arrivent simultanément ou successivement à maturation.* — (De l'organe de reproduction). *Fleur hermaphrodite* (→ ci-dessus).

Zool. Animal portant à la fois les gonades* mâle et femelle. *De nombreux invertébrés sont hermaphrodites : l'escargot, la sangsue, le ver de terre. Les animaux hermaphrodites pratiquent l'autofécondation* (nématodes) *ou la fécondation croisée* (ver de terre, escargot). — (D'un organe). *Glande hermaphrodite* (ovotestis) *de l'escargot,* produisant à la fois les spermatozoïdes et les ovocytes.

Chez les animaux supérieurs, les glandes génitales élaborant les gamètes, sont portées par deux êtres différents, le mâle et la femelle. Les sexes sont séparés. Ce cas n'est pas général. Il existe de nombreux animaux hermaphrodites, où les gonades mâles et femelles, se développent côte à côte, sur le même individu. Parfois, l'une des deux glandes fonctionnent simultanément. Parfois, l'une des gonades arrive à maturité avant l'autre, et l'animal est d'abord mâle, puis femelle (...) 7
Louis GALLIEN, la Sexualité, p. 7.

Beaucoup de plantes sont hermaphrodites et développent côte à côte dans la même fleur les organes mâles et les organes femelles ; quelques-unes (...) ajoutent à l'hermaphrodisme l'autogamie, c'est-à-dire le pouvoir de se féconder elles-mêmes. 8
Jules CARLES, la Fécondation, p. 48.

CONTR. Agame, asexué, unisexué. — Femelle, mâle.
DÉR. Hermaphrodisme.

HERMÉNEUTE [ɛʀmenøt] n. — 1900, Bloy, *in* T. L. F.; de *herméneutique.*

Didactique.

♦ **1.** N. m. Relig. Personne, spécialiste qui interprète l'Écriture.

♦ **2.** Personne qui déchiffre des textes obscurs; qui interprète un système signifiant. « *Dans* La Nave va (film de Fellini) *c'est le personnage effarant du journaliste qui surgit toujours à contre-emploi pour montrer ce que tout le monde voit, pour expliquer ce que tout le monde comprend. Et bien entendu cet herméneute surnuméraire est l'exact doublon physique de Fellini et probablement sa transmission de pensée* » (*Libération,* 6 janv. 1984).

HERMÉNEUTIQUE [ɛʀmenøtik] adj. et n. f. — 1777; du grec *hermeneutikos,* de *hermeneuein* « interpréter ».

♦ **1.** Qui a pour objet l'interprétation des textes (philosophiques, religieux...). *L'art, la science herméneutique.* ⇒ 2. **Critique.**

N. f. **L'HERMÉNEUTIQUE** : interprétation des textes, et, spécialt, des symboles. *Herméneutique sacrée :* l'interprétation de la Bible, l'explication des textes sacrés. *Herméneutique cabalistique.* ⇒ **Cabale.**

♦ **2.** Relatif à l'interprétation des phénomènes du discours considérés en tant que signes. *Une philosophie herméneutique. Texte herméneutique.*

1 (...) le passage au point de vue herméneutique correspond au changement de niveau qui conduit de la phrase au discours proprement dit (poème, récit, essai, etc.). P. RICŒUR, la Métaphore vive, p. 10.

N. f. Système d'interprétation (décodage*) d'une séquence de signes complexes (symboles, etc.) et des codes qui l'organisent. ⇒ **Sémiologie.**

2 (...) cette transition de la sémantique à l'herméneutique trouve sa justification la plus fondamentale dans la connexion en tout discours entre le sens, qui est son organisation interne, et la référence, qui est son pouvoir de se référer à une réalité en dehors du langage. P. RICŒUR, la Métaphore vive, p. 10.

3 Appelons herméneutique l'ensemble des connaissances et des techniques qui permettent de faire parler les signes et de découvrir leur sens (...) : le XVIe siècle a superposé sémiologie et herméneutique dans la forme de la similitude. Michel FOUCAULT, les Mots et les Choses, p. 44.

DÉR. Herméneute.

HERMÈS [ɛʀmɛs] n. m. — 1732, Trévoux; lat. *Hermes,* n. d'une divinité grecque correspondant à Mercure.

♦ Arts (sculpt.). Tête de Mercure supportée par une gaine*; statue de Mercure. *Un hermès de marbre. Colonne surmontée d'un hermès.* ⇒ 2. **Hermétique.** — Par ext. Tête ou buste surmontant une gaine. *Buste en hermès,* dont les épaules, la poitrine, le dos sont coupés par des plans.

(...) des consoles jaunes étaient portées par des gaines d'hermès aux têtes de femme en métal doré. Ed. et J. DE GONCOURT, Madame Gervaisais, III, p. 8.

HERMÉTICITÉ [ɛʀmetisite] n. f. — 1866, Littré; de 1. *hermétique.*

♦ **1.** Rare. Qualité de ce qui est fermé, clos d'une manière hermétique. ⇒ **Étanchéité.**

♦ **2.** Didact. Caractère de ce qui est occulte, esotérique.

1. HERMÉTIQUE [ɛʀmetik] adj. et n. — 1554, *hermetic;* dér. de *Hermès* (*Trismégiste,* « trois fois grand »), le Thot des Égyptiens, qui passait pour le fondateur de l'alchimie.

♦ **1.** *Sceau hermétique, fermeture hermétique :* « la manière de boucher les vaisseaux *(récipients)* pour les opérations chimiques si exactement, que rien ne se puisse exhaler (...) ce qui ne peut se faire qu'en fondant à la lampe le bout du col de matras, et en le tortillant avec les pincettes propres à cela« (Furetière).

♦ **2.** (1610). Vx. Alchimique.

1 Il lui donna un collier fait de quatre pierres hermétiques supportées de cristal. BÉROALDE DE VERVILLE, Voyage des princes fortunés, p. 377 (1610).

2 La chimie a été nommée art ou science hermétique (...) FOURCROY, Système des connaissances chimiques..., t. I, p. 3, *in* LITTRÉ, Dict., art. *Pyrotechnie.*

Didact. Relatif à la partie occulte de l'alchimie, au grand œuvre, aux doctrines d'Hermès Trismégiste. ⇒ **Hermétisme.** *Philosophie, science hermétique. Philosophe hermétique. Livres, œuvres hermétiques. Le vieux langage hermétique* (→ Exhumer, cit. 6).

3 Il *(Proclus)* s'était rempli la tête de gymnosophisme, de notions hermétiques, homériques, orphéiques, pythagoriciennes, platoniques et aristotéliciennes. DIDEROT, Opinions des anciens philosophes, Éclectisme.

4 (...) je feuilletterai, aux blafardes lueurs de la lampe, les livres hermétiques de Raymond Lulle! Aloysius BERTRAND, Gaspard de la nuit, L'alchimiste.

5 À cette époque, le centre hermétique était, en France, à Paris où les alchimistes se réunissaient sous les voûtes de Notre-Dame (...) HUYSMANS, Là-bas, VI.

6 Elle *(la curiosité métaphysique)* se prolongera à la fois, semble-t-il, au cours du IIIe siècle dans le recueil des *Écrits hermétiques,* rassemblant le savoir qu'on prête à un ancien sage d'Égypte, Hermès Trismégiste, et dans le vaste système de pensée de Plotin (...) P. GUILLON, *in* Hist. des littératures, t. I, Encycl. Pl., p. 563.

♦ **3.** (Déb. XIXe). Abstrait. Dont le caractère peu compréhensible (→ ci-dessous le sens 5) résulte d'une volonté délibérée de secret. ⇒ **Ésotérique, occulte,** 1. **secret.**

La clef est un symbole en grande vénération chez les Arabes, à cause d'un verset du Coran qui commence par ces mots : *Il a ouvert,* et de plusieurs autres significations hermétiques (...) Th. GAUTIER, Voyage en Espagne, p. 164 (1834). 7

N. f. (XVIIIe). **L'HERMÉTIQUE** : la philosophie, les doctrines ésotériques de l'alchimie.

Mon jeune châtelain donne, en toute réalité, dans l'Hermétique, la kabbale et les histoires du sabbat! VILLIERS DE L'ISLE-ADAM, Axel, II, 5. 8

N. m. *Un hermétique.* ⇒ **Hermétiste** (REM.).

♦ **4.** (1837, Balzac). Concret. Mod. Se dit d'une fermeture aussi parfaite que le « sceau hermétique » des alchimistes. ⇒ **Étanche.** *Fermeture hermétique d'un récipient, d'une bouteille.* Par ext. ⇒ **Clos, fermé.** *Boîte, récipient hermétique.* Fig. *Fermeture hermétique des frontières, etc.* (→ Faillite, cit. 3).

(...) les banques centrales, dispensatrices des devises, tiennent ainsi en main la clé d'une serrurerie financière grâce à laquelle la fermeture devient effectivement hermétique. André SIEGFRIED, l'Âme des peuples, p. 21. 9

La moindre infiltration lumineuse pouvait en effet compromettre la réussite du travail, et le judas du plafond se prêtait mieux qu'aucune porte latérale à une fermeture hermétique garantie par son propre poids. Raymond ROUSSEL, Impressions d'Afrique, p. 428. 9.1

♦ **5.** (XIXe). Abstrait. Impénétrable, difficile ou impossible à comprendre, à interpréter. ⇒ **Obscur.** *Écrivain, poète hermétique. Certains sonnets de Mallarmé sont assez hermétiques.* ⇒ **Ésotérique.** — *Visage hermétique,* sans expression. ⇒ **Fermé, impénétrable.**

(...) il veut être hermétique; il tient la clarté pour une faiblesse (...) Cela dans le style écrit, car, dans la conversation, il est très simple. A. MAUROIS, Terre promise, XXX. 10

(...) visage strictement hermétique, osseux, comme taillé dans le silex, où plus rien de sensible ne subsistait que la double meurtrissure des paupières (...) F. MAURIAC, le Désert de l'amour, II. 11

D'autres aussi se signalent par un style si personnel qu'il est à peu près hermétique. M. AYMÉ, le Confort intellectuel, VII. 12

CONTR. Clair, compréhensible, évident. — Ouvert.
DÉR. Herméticité, hermétiquement, hermétisme.
HOM. 2. **Hermétique.**

2. HERMÉTIQUE [ɛʀmetik] adj. — 1694; de *Hermès.*

♦ Archit. *Colonne hermétique :* colonne surmontée d'un hermès*, d'une tête d'homme, en manière de chapiteau.

HOM. 1. **Hermétique.**

HERMÉTIQUEMENT [ɛʀmetikmɑ̃] adv. — 1608; de 1. *hermétique.*

♦ Par une fermeture hermétique. *Récipient fermé*, bouché*, scellé hermétiquement.* Par ext. *Porte, fenêtre hermétiquement fermée* (→ Appliquer, cit. 17). *Volets hermétiquement clos. Lieu, appartement, sérail hermétiquement clos* (→ Filtrer, cit. 11). — Fig. et plais. *Il est hermétiquement bouché.*

(...) jamais rien de si hermétiquement bouché *(que d'Auguesseau)* en fait de finance (...) ni de si incapable d'y rien entendre. SAINT-SIMON, Mémoires, V, XLV. 1

Par précaution contre lui-même, pour être sûr, au moment où défilerait le cortège, de ne pas chercher dans l'assistance certains visages connus, il avait laissé les volets hermétiquement clos (...) MARTIN DU GARD, les Thibault, t. IV, p. 275. 2

Abstrait. *Un secret hermétiquement gardé, conservé, couvé* (→ Conserver, cit. 12).

HERMÉTISME [ɛʀmetism] n. m. — 1832, Hugo, *Notre-Dame de Paris, in* T. L. F.; de 1. *hermétique.*

♦ **1.** Didact. Ensemble des doctrines ésotériques des alchimistes (⇒ **Alchimie**); philosophie hermétique* (1. Hermétique, n. f.). ⇒ **Astrologie, ésotérisme, magie, occultisme.**

On appelle *hermétisme* ou *philosophie hermétique* un ensemble de doctrines qui sont censées remonter aux livres égyptiens dits *Livres de Toth trois fois grand* (...) Ces doctrines sont exposées dans des textes grecs dont la date et l'origine sont incertaines; ils ont été imprimés pour la première fois, en traduction latine, par MARSILE FICIN, sous le titre *Mercurii Trismegisti liber de potestate et sapientia Dei* (Trévise, 1471) et dans le texte grec par Ad. TURNÈBE (Paris, 1554). LALANDE, Voc. de la philosophie, art. *Hermétisme.* 1

Par ext. « Caractère secret, fermé, rigoureux et inflexible d'une doctrine » (Académie).

♦ **2.** (1884, Péladan). Littér. Caractère de ce qui est impénétrable, incompréhensible, obscur. *L'hermétisme d'une certaine poésie moderne.*

(...) ne voit-on pas que l'hermétisme de la poésie contemporaine on n'en fera pas bon marché par une simple sommation aux poètes d'avoir à se plus clairement expliquer (...) ARAGON, les Yeux d'Elsa, Appendice, I, p. 87. 2

Malgré son souci de transcrire fidèlement la réalité, malgré ses phrases rudement 3 maçonnées, Proust acquit ainsi une réputation de préciosité, d'hermétisme, et passa pour une espèce de décadent. M. AYMÉ, le Confort intellectuel, X.

DÉR. **Hermétiste.**

HERMÉTISTE [ɛʀmetist] n. — 1884, Péladan; de *hermétisme.*

♦ Personne qui est versée dans l'hermétisme. — REM. Dans ce sens, on emploie parfois *hermétique,* (1. Hermétique, 3., n. m.). *«La plupart des hermétiques»* (Huysmans, *Là-bas,* p. 85).

(...) nous le voyons *(Gilles de Rais)* faire construire le fourneau des alchimistes (...) acheter des pélicans, des creusets et des cornues. Il établit des laboratoires (...) et il s'y enferme avec Antoine de Palerne, François Lombard, Jean Petit, orfèvre de Paris, qui s'emploient, jours et nuits, à la coction du grand œuvre. Rien ne réussit; à bout d'expédients, ces hermétistes disparaissent (...)
HUYSMANS, Là-bas, VI.

HERMINE [ɛʀmin] n. f. — V. 1140, *ermine;* fém. de l'anc. adj. *ermin, hermin,* du lat. *armenius,* dans *Armenius mus* «rat d'Arménie».

♦ **1.** Mammifère carnivore *(Mustélidés),* scientifiquement appelé *mustela erminea,* un peu plus grand que la belette* à laquelle il ressemble. ⇒ **Martre** (blanche). *Le pelage de l'hermine, brun rouge en été* (⇒ 1. **Herminette**) *devient blanc l'hiver, sauf le bout de la queue qui reste noir.* ⇒ **Roselet.**

1 La belette à queue noire s'appelle hermine ou roselet : hermine lorsqu'elle est blanche, roselet lorsqu'elle est rousse ou jaunâtre (...) La peau de cet animal est précieuse; tout le monde connaît les fourrures d'hermine, elles sont bien plus belles et d'un blanc plus mat que celles du lapin blanc (...) Les hermines sont très communes dans tout le Nord, surtout en Russie, en Norvège, en Laponie : elles y sont, comme ailleurs, rousses en été et blanches en hiver (...)
BUFFON, Hist. nat. des animaux, L'hermine.

2 L'hermine vierge de souillure
Qui, pour abriter les frissons,
Ouate de sa blanche fourrure
Les épaules et les blasons (...)
Th. GAUTIER, Émaux et Camées, «Symphonie en blanc majeur».

2.1 Les hermines se montrèrent rarement. Ces animaux, qui font partie de la tribu des martres, comme les putois, ne portaient pas leur belle robe d'hiver (...)
J. VERNE, le Pays des fourrures, t. I, p. 210.

La blancheur de l'hermine, symbole de la pureté*, de l'innocence*.

3 Tout ce qu'il *(le poète)* peut trouver de qualités, il l'entasse sur la tête de son prince ou de sa princesse; il les fait plus soucieux de leur pureté que la blanche hermine, qui aime mieux mourir que d'avoir une tache sur sa fourrure de neige.
Th. GAUTIER, Voyage en Espagne, p. 221.

♦ **2.** (XIXe). Fig. Personne innocente et pure.

4 Hermine par sa propre volonté, la souillure morale ne lui semblait pas supportable.
BALZAC, Splendeurs et Misères des courtisanes, Pl., t. V, p. 818.

♦ **3.** **a** *(L'hermine).* Peau, fourrure (cit. 2) de l'hermine (→ Briller, cit. 8). *L'hermine était «très recherchée au moyen âge à cause de la blancheur neigeuse de son poil d'hiver, que l'on mouchetait ou herminait en la parsemant des pinceaux ou queues noires de ces animaux»* (Réau). *Manteau doublé d'hermine. Col d'hermine.*

5 Un tas d'hommes vêtus d'hermine et de simarres (...)
HUGO, la Légende des siècles, LIV, XI.

6 Le magistrat l'avait reçu debout, dans sa robe d'hermine à l'épaule et toque en tête. FLAUBERT, Mme Bovary, II, III.

7 Riches, les vêtements des seigneurs et des dames,
Velours, panne, satin, soie, hermine et brocart,
Chantent l'ode du luxe en chatoyantes gammes.
VERLAINE, Poèmes saturniens, «Mort de Philippe II».

(Fin XIIe). Blason. Une des deux fourrures du blason (⇒ aussi **Vair**) figurée par un champ d'argent moucheté de petites croix de sable, à pied élargi et se terminant par trois pointes. ⇒ **Contre-hermine.**

b *(Une, des hermines).* Bande d'hermine fixée au costume d'apparat de certains magistrats et professeurs. *Une hermine* (→ Examinateur, cit. 1). Absolt. *L'hermine des magistrats, des professeurs. Avoir l'hermine à l'épaule* (→ Écarlate, cit. 5; emmailloter, cit. 6).

DÉR. **Herminé,** 1. **herminette.** — Voir aussi 2. **Herminette.**
COMP. **Contre-hermine.**

HERMINÉ, ÉE [ɛʀmine] adj. — v. 1175; de *hermine.*

♦ **1.** Vx. Fourré d'hermine. *Robe herminée.*

♦ **2.** (1682). Blason. Chargé de mouchetures d'hermine, en parlant d'une pièce de blason. *«Lion herminé»* (Mme de Maintenon). *Croix herminée,* formée de quatre mouchetures d'hermine.

REM. Le dér. occasionnel *herminer,* v. tr., est attesté par une cit. de Réau (→ Hermine, 3., *supra* cit. 5).

1. HERMINETTE [ɛʀminɛt] n. f. — XIVe, «petite hermine»; repris XXe; de *hermine.*

♦ **1.** (1931). Autre nom de l'hermine, réservé à l'animal lorsqu'il a sa fourrure d'été (rousse) et non d'hiver (blanche).

♦ **2.** (1949, *in* D. D. L.). Comm. Nom commercial du lapin blanc chez certains fourreurs.

HOM. 2. **Herminette.**

2. HERMINETTE ou **ERMINETTE** [ɛʀminɛt] n. f. — 1518; de *hermine* ou de 1. *herminette,* par anal. de forme entre le museau courbe de l'animal et la courbure du tranchant de la hachette.

♦ Hachette à tranchant recourbé et orienté perpendiculairement à l'axe du manche. *Herminette de charpentier, de tonnelier,* à un seul tranchant. *Herminette à hache,* munie d'une seconde lame droite à l'opposé de la première.

Une herminette est un bon outil si d'une part elle possède une courbure convenant à une attaque franche et bien dirigée du bois, et si d'autre part elle peut recevoir et conserver un bon affûtage même lorsqu'on l'emploie pour travailler dans les bois durs. Gilbert SIMONDON, Du mode d'existence des objets techniques, p. 71.

HOM. 1. **Herminette.**

HERMITAGE [ɛʀmitaʒ]; **HERMITE** [ɛʀmit] → Ermitage.

♦ Ancienne orthographe d'*ermitage** (→ Couvert, cit. 1, La Fontaine; ermitage, cit. 2, Rousseau) et d'*ermite* (cf. La Fontaine, X, 5).

HERMITIEN, IENNE [ɛʀmisjɛ̃, jɛn] adj. — D. i. (XIXe); du nom du mathématicien français *(Charles) Hermite* (1822-1901).

♦ Math. De Hermite. *Espace hermitien :* espace vectoriel E sur le corps C des nombres complexes muni d'une norme spécifique (dite *norme hermitienne,* et utilisant une *forme hermitienne*). *Espace hermitien complet.* ⇒ **Hilbertien.** *Matrice hermitienne :* matrice carrée à éléments complexes qui est égale à son «adjointe».

HERNANDIE [ˈɛʀnɑ̃di] n. f. — 1816, Bescherelle; du nom de Francisco *Hernandez* (mort en 1578), botaniste espagnol.

♦ Bot. Arbuste dicotylédone des régions tropicales (fam. des *Hernandiacées*), produisant une essence âcre aux propriétés purgatives. — REM. On trouve parfois dans des contextes français le nom scientifique latin de la plante, *Hernandia.*

1. HERNIAIRE [ˈɛʀnjɛʀ] adj. — 1704; de *hernie.*

♦ Physiol., méd. Relatif à la hernie. *Sac, tumeur herniaire. Étranglement herniaire.* — Qui est destiné à contenir une hernie. *Bandage herniaire* (→ Hernie, cit. 1).

HOM. 2. **Herniaire.**

2. HERNIAIRE [ˈɛʀnjɛʀ] n. f. — 1611; de *hernie,* la plante étant censée guérir les hernies.

♦ Plante vivace *(Paronychiacées),* appelée aussi *herniole, herbe aux Turcs, herbe aux hernies,* à fleurs verdâtres en paquet dont le fruit est un akène.

HOM. 1. **Herniaire.**

HERNIE [ˈɛʀni] n. f. — 1490; anc. franç. *hergne, hargne,* encore usités au XVIIe; empr. au lat. *hernia.*

♦ **1.** Méd. *Hernie* (et adj.), *hernie de... :* tumeur molle formée par un organe totalement ou partiellement sorti par un orifice naturel ou accidentel de la cavité qui le contient à l'état normal. *Hernie du cerveau, du poumon; hernie cérébrale, pulmonaire. Hernie de la moelle épinière.* ⇒ **Spina-bifida.** *Hernie du foie* (⇒ **Hépatocèle**), *de l'iris* (⇒ **Kératocèle**), *du rein* (⇒ **Néphrocèle**)...; → aussi le suff. -cèle. — *Hernie de l'abdomen, abdominale.* → ci-dessous, 2. — *Hernie discale. Hernie testiculaire. Hernie musculaire.*

♦ **2.** Méd. et cour. Hernie de l'abdomen. ⇒ **Descente, effort, éventration.** *Hernie simple, double. Brayer* pour pointe de hernie. Avoir, attraper, se donner une hernie. Réduire une hernie par taxis. L'herbe dite herniaire* (→ 2. Herniaire) *était censée guérir les hernies. Hernie crurale, diaphragmatique, inguinale, intestinale, ombilicale, périnéale. Hernie étranglée* (ou *incarcérée*), où le resserrement du col du sac herniaire entraîne la constriction de l'organe hernié, avec immobilisation des gaz et des matières fécales. *Débrider, opérer une hernie étranglée.*

Des bandages herniaires pour toutes les variétés de hernies, simples ou doubles, avec leur tampon maintenu par une ceinture métallique qui fait ressort (...) 1
ARAGON, le Paysan de Paris, p. 122.

Véter. *Hernie inguinale du porcelet, hernie ombilicale du poulain.*

♦ **3.** (XXe). Excroissance formée par une chambre à air à travers une déchirure de l'enveloppe d'un pneumatique.

Il était à peu près impossible de se procurer des pneus neufs; les nôtres étaient rapiécés et gonflés de bizarres hernies (...) 2
S. DE BEAUVOIR, la Force de l'âge, p. 505.

♦ **4.** Bot. *Hernie du chou :* tumeur provoquée par un champignon myxomycète *(Plasmodiophora).*

DÉR. 1. **Herniaire,** 2. **herniaire, hernié, hernieux, herniole.**

HERNIÉ, ÉE ['ɛʀnje] adj. — 1836; de *hernie.*

♦ Méd. Sorti par hernie (1. ou 2.). *Anse intestinale herniée, épiploon hernié.*

HERNIEUX, EUSE ['ɛʀnjø, øz] adj. et n. — 1545; de *hernie.*

♦ Méd. Qui est atteint d'une hernie (1. ou 2.). — N. *Un hernieux* (Montaigne, III, 13), *une hernieuse.*

HERNIOLE ['ɛʀnjɔl] n. f. — Après 1850; de *hernie.*

♦ Herniaire (plante). ⇒ 2. **Herniaire.**

HÉRO [eʀo] n. f. Abrév. fam. ⇒ 2. **Héroïne.**

HÉROÏCITÉ [eʀɔisite] n. f. — 1716; du rad. de *héroïque.*

♦ Didact. ou littér. Caractère héroïque de (qqch., qqn).

HÉROÏ-COMIQUE [eʀɔikɔmik] adj. — 1640; pour *héroïco-comique,* forme inusitée; de *héroï(que),* et *comique.*

♦ **1.** Littér. Qui tient de l'héroïque* et du comique, en littérature. *Genre, poésie, théâtre héroï-comique. « Le Lutrin », de Boileau, est un poème héroï-comique.*

(...) on choisit de simples bourgeois ou des gens du peuple, à qui l'on fait prendre des attitudes héroïques et un ton solennel : c'est *le poème héroï-comique,* représenté surtout par *Le Lutrin* (...)
M. BRAUNSCHVIG, Notre littérature étudiée dans les textes, t. I, p. 497.

♦ **2.** (Déb. xxe). Se dit d'événements où se mêlent l'héroïque et le cocasse. *Aventures, exploits héroï-comiques.*

HÉROÏDE [eʀɔid] n. f. — 1512; du lat. d'orig. grecque *hêrôis, -idis* « héroïne », de *hêrôs.* → Héros.

♦ Didact. (hist. de la littér.). Épître* élégiaque composée sous le nom d'un héros, d'une héroïne, ou d'un personnage très célèbre. *Les vingt et une Héroïdes,* ou *Epîtres,* d'Ovide.

Mon petit La Harpe a fait une réponse à l'abbé de Rancé. Cet abbé de Rancé avait écrit ce qu'on appelle, je ne sais pourquoi, une héroïde à ses moines; M. de La Harpe fait répondre un moine qui assurément vaut mieux que l'abbé.
VOLTAIRE, Lettre à Chabanon, 3 072, 16 mars 1767.

1. HÉROÏNE [eʀɔin] n. f. — 1540; du lat. *heroine,* grec *hêrôinê,* fém. de *hêrôs.* → Héros.

♦ **1.** Femme d'un grand courage, qui fait preuve par sa conduite, en des circonstances exceptionnelles, d'une force d'âme au-dessus du commun. ⇒ **Héros;** → Encontre, cit. 1. *Une héroïne légendaire* (→ Ballet, cit. 4). *Sainte Blandine, héroïne chrétienne, vierge et martyre. Jeanne d'Arc, héroïne nationale. Charlotte Corday, héroïne de la Révolution. Louise de Bettignies, héroïne française. Edith Cavell, héroïne anglaise de la Grande Guerre. Mourir en héroïne, comme une héroïne* (→ Carcasse, cit. 4).

1 Élevé dans le sein d'une chaste héroïne,
Je n'ai point de son sang démenti l'origine. RACINE, Phèdre, IV, 2.

2 Elle *(Anne de Gonzague)* fut l'amie de Condé, l'une des héroïnes de la Fronde (...)
Émile HENRIOT, Portraits de femmes, p. 90.

3 La captivité de Jeanne d'Arc n'avait pas éteint l'ardeur combative née des épiques succès de l'héroïne. Pierre GAXOTTE, Hist. des Français, t. I, p. 409.

Vieilli. Femme supérieure. — Ironiquement :

4 Héroïnes du temps, Mesdames les savantes,
Pousseuses de tendresse et de beaux sentiments (...)
MOLIÈRE, l'École des femmes, I, 3.

♦ **2.** (1669). Principal personnage féminin (d'une œuvre littéraire, dramatique, cinématographique). *Madame Bovary, héroïne de Flaubert. Héroïne cornélienne, racinienne* (→ Corps, cit. 35). *La femme adultère* (cit. 1), *héroïne de nombreux romans. Héroïne de roman-feuilleton. L'héroïne d'un film.*

5 Notre héroïne, qui commençait à s'accoutumer aux aventures extraordinaires (...)
LA FONTAINE, Psyché, I.

6 Ces héros et ces héroïnes que le véritable romancier met au monde et qu'il n'a pas copiés d'après des modèles rencontrés dans la vie sont des êtres que leur inventeur pourrait se flatter d'avoir tirés tout entiers du néant par sa puissance créatrice, s'il n'y avait, tout de même, autour de lui (...) des personnes qui croient se reconnaître dans ces êtres que le romancier se flattait d'avoir créés de toutes pièces.
F. MAURIAC, le Romancier et ses personnages, p. 98.

♦ **3.** (1866). Principal personnage féminin (d'une aventure, d'un événement réel). ⇒ **Protagoniste.** *L'héroïne, la triste héroïne d'un fait divers.*

7 Elle était une *héroïne de cour d'assises* (...) Léon BLOY, la Femme pauvre, p. 192.

Hélène de Racowitza (...) fut aussi l'héroïne sanglante d'un drame qui devait longtemps plonger dans le deuil le parti socialiste allemand, dont le chef se tua pour elle. Émile HENRIOT, Portraits de femmes, p. 420. 8

HOM. 2. **Héroïne.**

2. HÉROÏNE [eʀɔin] n. f. — 1903, *Nouveau Larousse illustré,* art. *Morphine;* all. *Heroin,* 1898, du grec *hêrôs,* par anal. entre la fougue du *héros* et l'exubérance provoquée par la drogue.

♦ **1.** Chim. Ester* diacétique de la morphine.

♦ **2.** Cour. Médicament et stupéfiant*, tiré de cet ester, poudre blanche cristalline, très toxique. *L'héroïne, employée comme calmant* (surtout dans la crise d'asthme) *et antithermique* (sous forme de chlorhydrate d'héroïne). *Toxicomane qui use de l'héroïne* ⇒ **Héroïnomane;** et aussi **merde** (III.) argot. → La blanche. *Mélange d'héroïne non raffinée et d'opiacés.* ⇒ (anglic.) **Brown sugar.** *Se piquer à l'héroïne.*

(...) les pilules d'héroïne avaient remplacé, en Extrême-Orient, les boulettes d'opium dans la pipe du fumeur pauvre. Par ailleurs, la poudre d'héroïne se prisait aisément (...) On assista dans le bassin méditerranéen, de 1935 à 1939, à une invasion systématique de l'héroïne (...) En Tunisie (...) sur deux cents entrants à l'asile de la Manouba, il y eut cinquante-deux héroïnomanes. 1
A. POROT, les Toxicomanies, p. 45-46.

Il avait découvert l'héroïne dont il avait été surpris et séduit. Au fond, il avait cru quelque temps au paradis sur la terre. 2
DRIEU LA ROCHELLE, le Feu follet, p. 44.

(1960, *in* D. D. L.). Abrév. fam. : *héro* [eʀo]. « *Il l'avait vue dégringoler, en six mois elle avait pris dix ans d'âge, mais on a beau engueuler une junkie, lui péter ses seringues d'un talon rageur, la fatalité de l'héro est plus forte* » (*Actuel,* déc. 1983, n° 50, p. 62).

DÉR. Héroïnomane.
HOM. 1. **Héroïne.**

HÉROÏNOMANE [eʀɔinɔman] n. et adj. — 1906, cit.; de 2. *héroïne,* et *-mane.*

♦ Didact. et cour. Intoxiqué par l'héroïne.

On voit des morphinomanes résister cinq, six ans à des doses colossales de 2 à 3 grammes de morphine. Les héroïnomanes résistent beaucoup moins longtemps.
A. CARTAZ, *in* la Nature, 7 avr. 1906 (*in* D. D. L., II, 9).

DÉR. Héroïnomanie.

HÉROÏNOMANIE [eʀɔinɔmani] n. f. — 1906 (dans le texte cité à *héroïnomane*); de *héroïno(mane),* et *-manie.*

♦ Didact. Habitude morbide de l'héroïne.

HÉROÏQUE [eʀɔik] adj. — V. 1361, Oresme; lat. d'orig. grecque *heroicus,* du grec *hêrôs.* → Héros.

♦ **1.** Qui a rapport aux anciens héros. *Âges, époques, siècles héroïques. Légendes héroïques.*

Chez les Grecs, dans les temps héroïques, il s'établit une espèce de monarchie qui ne subsista pas. MONTESQUIEU, l'Esprit des lois, XI, XI. 1

Loc. **TEMPS HÉROÏQUES.** *Remonter aux temps héroïques,* à une époque très reculée. → Remonter au déluge*. *Les temps héroïques de qqch.,* l'époque où une technique en était à ses débuts. *Les temps héroïques du cinéma, de l'automobile.*

Temps où se sont déroulés des événements mémorables qui, avec l'éloignement, prennent un caractère de légende.

Le piquant, en cette passionnelle année 1833, était sans doute d'avoir intimement mêlé aux choses de l'amour les pouvoirs déformants de la poésie, qui nous a valu ces mythes nouveaux, couples désormais légendaires (...) Franz et Marie (...) il faut signaler (...) la curiosité que Marie *(d'Agoult)* et Franz *(Liszt),* au temps héroïque de leur liaison, avaient inspirée à Balzac (...) 2
Émile HENRIOT, Portraits de femmes, p. 328-334.

Depuis la réconciliation, ces deux vieillards, qui avaient passé leurs longues vies en de patients efforts pour se ruiner l'un l'autre, n'avaient pas de plaisir plus vif que de se réunir le soir chez leurs enfants et d'y parler des temps héroïques. 3
A. MAUROIS, Bernard Quesnay, II.

♦ **2.** (1690; « qui appartient à l'épopée », 1572). Qui célèbre, conte les exploits des héros, des hommes illustres. *Poète héroïque.* ⇒ 1. **Barde.** *Poème, poésie héroïque.* ⇒ **Épique** (cit. 2); **épopée.** — Littér. *Genre héroïque,* d'inspiration et de forme noble, élevée. — N. m. *L'héroïque :* le genre héroïque (→ ci-dessous, cit. 5). — *Comédie* héroïque,* d'où *personnages héroïques.*

(Homère et Virgile) assez nous ont montré 4
Comment, et par quel art, et par quelle pratique,
Il fallait composer un ouvrage héroïque (...)
RONSARD, Pièces posthumes, Préf. de la Franciade.

(...) quand je me suis résolu de repasser du héroïque au naïf, je n'ai osé descendre de si haut sans m'assurer d'un guide (...) CORNEILLE, Épître du Menteur. 5

Les six jeunes gens (...) commencent avec Apollon une danse héroïque (...) 6
MOLIÈRE, les Amants magnifiques, VIe intermède.

Mélicerte, comédie pastorale héroïque (...) MOLIÈRE (Titre de 1682). 7

Le musicien consciencieux doit se servir du vin de Champagne pour composer un opéra-comique. Il y trouvera la gaieté mousseuse et légère que réclame le genre 8

(...) la musique héroïque ne peut pas se passer de vin de Bourgogne. Il a la fougue sérieuse et l'entraînement du patriotisme.
BAUDELAIRE, Du vin et du haschisch, I.

9 Ce sont ces rôles que j'aurais aimé jouer, les rôles comiques, même un tantinet grotesques, si on veut, bien plutôt que les grands rôles romanesques, phraseurs, héroïques. Paul LÉAUTAUD, le Théâtre de M. Boissard, XXVIII.

(V. 1361). Prosodie. *Vers héroïque :* hexamètre des Grecs et des Latins; alexandrin du français moderne.

Mus. *Symphonie héroïque,* et, ellipt, *l'Héroïque,* de Beethoven, composée à la gloire de Bonaparte.

♦ **3.** (1580). Qui est caractéristique ou digne d'un héros; qui dénote de l'héroïsme*. *Une âme héroïque* (→ Agonie, cit. 1; aspect, cit. 14). *Courage héroïque. Attitude héroïque devant la souffrance.* ⇒ **Stoïque.** *Un «rêve héroïque et brutal»* (→ Gerfaut, cit. 2). *Sentiments héroïques* (→ École, cit. 21). *Vocation héroïque. — Action héroïque* (→ Frémissement, cit. 10). *Combat, lutte, résistance héroïque. S'imposer un effort héroïque* (→ Ascèse, cit. 2). *Geste, manifestation héroïque* (→ Gratuité, cit. 4). *Mort, trépas, sacrifice héroïque* (→ Bras, cit. 37). *Atteindre des sommets* héroïques* (→ Entente, cit. 6). *Tâche, travail héroïque* (→ Appropriation, cit. 4; gémir, cit. 18).

10 Rampant au limon de la terre, je ne laisse pas de remarquer, jusque dans les nues, la hauteur inimitable d'aucunes âmes héroïques.
MONTAIGNE, Essais, I, XXXVII.

11 Une héroïque ardeur brillait sur son visage (...) RACINE, la Thébaïde, III, 1.

12 (...) le pauvre Pomenars fut taillé avant-hier avec un courage héroïque.
Mme DE SÉVIGNÉ, 771, 12 janv. 1680.

13 Celui-là est bon qui fait du bien aux autres; s'il souffre pour le bien qu'il fait, il est très bon (...) et s'il en meurt, sa vertu ne saurait aller plus loin : elle est héroïque, elle est parfaite. LA BRUYÈRE, les Caractères, II, 44.

14 Souviens-toi (...) des transports qui nous élevaient au-dessus de nous-mêmes, au récit de ces vies héroïques qui rendent le vice inexcusable et font l'honneur de l'humanité. ROUSSEAU, Julie ou la Nouvelle Héloïse, II, Lettre XI.

15 Oh! si les hommes connaissaient la puissance de séduction qu'exercent sur nous les actions héroïques, ils seraient bien grands; les plus lâches deviendraient des héros. BALZAC, Mémoires de deux jeunes mariées, Pl., t. I, p. 194.

16 Pureté, douceur, bonté héroïque, que cette suprême beauté de l'âme se soit rencontrée en une fille de France *(Jeanne d'Arc),* cela peut surprendre les étrangers qui n'aiment à juger notre nation que par la légèreté de ses mœurs.
MICHELET, Hist. de France, X, IV.

17 Est-ce qu'un acte héroïque ne dépasse pas toujours les bornes de la raison? et cependant qui donc oserait dire que le héros n'est pas plus sage que ceux qui ne bougent pas parce qu'ils n'écoutent que leur raison?
MAETERLINCK, Sagesse et Destinée, XXX.

18 Et ici, dans le bureau du Commandant, la mort ne me paraît ni auguste, ni majestueuse, ni héroïque, ni déchirante. Elle n'est qu'un signe de désordre.
SAINT-EXUPÉRY, Pilote de guerre, I.

19 Elle *(Juliette Drouet)* ne pouvait plus du tout se nourrir. Chaque soir, Victor Hugo venait passer une heure près de son lit (...) Elle essayait de sourire. Jusqu'à la fin, elle conserva devant lui cette attitude héroïque.
A. MAUROIS, Olympio, p. 555.

Par exagér. ou iron. *Il a eu un geste héroïque : il m'a donné dix francs!*

20 L'offre que vous me faites de venir à Bourbon est tout à fait héroïque et obligeante; mais il n'est pas nécessaire que vous veniez vous enterrer inutilement dans le plus vilain lieu du monde (...)
BOILEAU, Lettre à Racine, XLVIII, 13 août 1687.

Fam. Rempli d'événements pittoresques, inattendus. *Aventure, équipée héroïque.* ⇒ **Homérique.**

Par ext. *Souvenirs héroïques. Mots, formules* (cit. 18) *héroïques.*

21 La France a des palais, des tombeaux, des portiques,
De vieux châteaux tout pleins de bannières antiques,
Héroïques joyaux conquis dans les dangers (...) HUGO, Odes, II, 8.

22 «Au drapeau, mes enfants, au drapeau!...» Aussitôt un officier s'élançait (...) et l'héroïque enseigne, redevenue vivante, planait encore au-dessus de la bataille (...)
Alphonse DAUDET, Contes du lundi, «Le porte-drapeau», I.

(Dans le temps). Qui évoque un passé d'action. *Les jours héroïques de l'affaire Dreyfus* (→ Bulletin, cit. 3). *Les temps héroïques des grandes révoltes* (→ 2. Geste, cit. 3). *Les heures héroïques de la libération de Paris. À l'époque héroïque de ses débuts.*

23 La France de 1848 avait fait une révolution pour l'amour de la Pologne opprimée et de l'Italie esclave. Ces âges héroïques sont révolus.
J. BAINVILLE, la France, t. I, p. 2.

♦ **4.** (Personnes). Qui fait preuve d'héroïsme. ⇒ **Brave, courageux.** *Femme héroïque* (→ Furieux, cit. 3). *Combattant, soldat héroïque. Les héroïques défenseurs de Verdun.* ⇒ **Valeureux.**

24 *(Elle)* N'aime rien que la chasse, et de toute la Grèce
Fait soupirer en vain l'héroïque jeunesse. MOLIÈRE, la Princesse d'Élide, I, 1.

25 (...) la nation, pour la première fois, apparaît vraiment militaire, avec ou sans enthousiasme, également héroïque.
MICHELET, Hist. de la Révolution franç., XIII, II.

26 Les Prussiens, pleins d'admiration pour cette armée héroïque (...)
MICHELET, Hist. de la Révolution franç., XIII, II.

27 Wellington, inquiet, mais impassible, était à cheval, et y demeura toute la journée dans la même attitude (...) Wellington fut là froidement héroïque. Les boulets pleuvaient. L'aide de camp Gordon venait de tomber à côté de lui (...)
HUGO, les Misérables, II, I, VI.

28 (...) je veux dire qu'un tel héroïsme de sainteté ne se produit peut-être que dans un monde naturellement héroïque, dans le monde cornélien (...)
Ch. PÉGUY, Victor-Marie comte Hugo, p. 88.

Par exagération et familier :

29 Écoutez-moi, Max chéri (...) je partirai, seule, avec l'entrain d'un chien qu'on fouette (...) On s'écrira tous les jours (...) On sera héroïques, n'est-ce pas? afin d'attendre la date, le beau 15 mai qui nous réunira?
COLETTE, la Vagabonde, p. 173.

♦ **5.** (1812). Méd. *Médicament, remède héroïque,* d'une grande efficacité, mais d'un usage dangereux. ⇒ **Énergique.**

♦ **6.** (1866; actions). Très énergique. *Prendre un parti, une résolution héroïque,* qui tranche un cas désespéré.

CONTR. Lâche.

DÉR. et **COMP.** Héroïcité, héroï-comique, héroïquement, héroïser.

HÉROÏQUEMENT [eʀɔikmɑ̃] adv. — 1551; de *héroïque.*

♦ **1.** Avec un courage héroïque. *Souffrir héroïquement.* ⇒ **Stoïquement.** *Mourant qui sourit héroïquement* (→ Céleste, cit. 13).

(...) il faudrait s'humilier (...) c'est en cela même qu'on serait véritablement, qu'on 1
serait évangéliquement, qu'on serait héroïquement sévère (...)
BOURDALOUE, Sermon pour le IIIe dim. après la Pentecôte, 1re part.

(...) M. Foucquet (...) qui a soutenu héroïquement sa disgrâce (...) 2
Mme DE SÉVIGNÉ, 638, 18 août 1677.

Ma Providence me sert admirablement dans ces occasions : elle a fait souffrir 3
héroïquement à Mlle Le Camus la rupture de son mariage.
Mme DE SÉVIGNÉ, 1217, 21 sept. 1689.

(...) les difficultés de tout genre héroïquement surmontées. 4
BALZAC, la Muse du département, Pl., t. IV, p. 177.

Dès le 26 avril, Custine, général de notre armée du Rhin, ne pouvant rien faire 5
pour la place, l'autorisait à se rendre. Refusé héroïquement.
MICHELET, Hist. de la Révolution franç., XIII, II.

♦ **2.** Avec héroïsme, au combat. ⇒ **Bravement, courageusement.** *Se conduire héroïquement.*

CONTR. Lâchement.

HÉROÏSATION [eʀɔizasjɔ̃] n. f. — XXe (1936, *in* T.L.F.); de *héroïser.*

♦ Littér. Action d'héroïser (qqn).

On a déjà noté qu'en Amérique le catch figure une sorte de combat mythologique entre le Bien et le Mal (de nature para-politique, le mauvais catcheur étant toujours censé être un Rouge). Le catch français recouvre une tout autre héroïsation, d'ordre éthique et non plus politique. R. BARTHES, Mythologies, p. 22.

HÉROÏSER [eʀɔize] v. tr. — 1554; de *héroïque.*

♦ **1.** Antiq. (Surtout au p. p.). Élever (un personnage) au rang de héros.

♦ **2.** (V. 1840). Littér. Attribuer à qqn le caractère d'un héros. — Au participe passé :

(...) les légendes qui sous une forme héroïsée véhiculent mon histoire.
J. LACAN, Écrits, p. 259.

DÉR. Héroïsation.

HÉROÏSME [eʀɔism] n. m. — 1658; rare av. le XVIIIe; de *héros,* d'après *héroïque.*

♦ **1.** Vertu supérieure, force d'âme qui fait les héros*; fermeté exceptionnelle devant le danger, la douleur (physique ou morale). *L'héroïsme d'un martyr, d'un soldat.* ⇒ **Bravoure** (cit. 3), **courage** (cit. 16). *Héroïsme obscur et quotidien d'un mineur, d'un chercheur.* ⇒ **Dévouement, sacrifice.** *Choisir entre l'héroïsme et l'abjection, les deux extrêmes* (cit. 24) *de la condition humaine. Sentiment de l'honneur, de l'héroïsme* (→ Espagnolisme, cit. 1). *Déployer, montrer de l'héroïsme. Faire preuve d'un héroïsme sublime, surhumain. Pousser la vertu jusqu'à l'héroïsme. Effort d'héroïsme* (→ Fatiguer, cit. 26). *Actes d'héroïsme* (→ Gadoue, cit. 2). *L'héroïsme obscur, anonyme de combattants. Des héroïsmes.* — (1696). Par ext. Caractère de ce qui est héroïque. *L'héroïsme d'un geste, d'une tâche, d'une vie...* ⇒ **Grandeur.**

(...) ils *(les stoïques)* lui ont tracé *(à l'homme)* l'idée d'une perfection et d'un 1
héroïsme dont il n'est point capable, et l'ont exhorté à l'impossible.
LA BRUYÈRE, De l'homme, XI, 3.

(...) ce général, ayant aperçu le régiment de Diesbach et un autre, qui faisaient 2
ferme contre une armée victorieuse (...) loua leur valeur, leur courage, leur fermeté, leur intrépidité, leur vaillance, leur patience, leur audace, leur animosité, leur bravoure, leur héroïsme, etc. Voyez, monsieur, que de termes pour un!
VOLTAIRE, Lettre à Déodati de Tovazzi, 1886, 24 janv. 1761.

(...) ce nombre prodigieux de guerriers auxquels il est indifférent de servir sous une 3
puissance ou sous une autre, qui trafiquent de leur sang comme un ouvrier vend son travail et sa journée (...) Je demande en bonne foi si cette espèce d'héroïsme est comparable à celui de Caton, de Cassius, et de Brutus.
VOLTAIRE, Notes sur Olympie.

(...) toutes les routes par lesquelles, durant mon apprentissage, je passai de la subli- 4
mité de l'héroïsme à la bassesse d'un vaurien.
ROUSSEAU, les Confessions, I.

L'admiration qu'excite en nous la vertu, la grandeur d'âme, et tout ce qui porte 5
l'empreinte de l'héroïsme (...) MARMONTEL, Poétique franç., XII.

On voit encore aux Carmes les trois ou quatre greniers qu'y occupèrent les Giron- 6
dins. Les murs sont couverts d'inscriptions (...) Toutes respirent le sentiment de l'héroïsme antique, le génie stoïcien.
MICHELET, Hist. de la Révolution franç., XIII, IX.

7 (...) il était incapable d'héroïsme, faible, banal, plus mou qu'une femme (...)
FLAUBERT, Mme Bovary, III, VI.

8 (...) un des ces concerts, riches de cuivre,
Dont les soldats parfois inondent nos jardins,
Et qui, dans ces soirs d'or où l'on se sent revivre,
Versent quelque héroïsme au cœur des citadins.
BAUDELAIRE, Tableaux parisiens, « Les petites vieilles », III.

9 Elle entre à son tour elle-même dans cette voie d'un héroïsme tout de résignation et de patience. SAINTE-BEUVE, Causeries du lundi, 14 juil. 1851, t. IV, p. 342.

10 Ces grandes barricades révolutionnaires étaient des rendez-vous d'héroïsmes. L'invraisemblable y était simple. Ces hommes ne s'étonnaient pas les uns les autres. HUGO, les Misérables, V, I, IV.

11 (...) ces beaux exemples d'héroïsme qui volent de siècle en siècle sur les lèvres des hommes (...) FRANCE, le Petit Pierre, XXIII.

12 *(Jacques Thibault)* : La vie est l'unique bien. La sacrifier est fou. La sacrifier est un crime, le crime contre nature! Tout acte d'héroïsme est absurde et criminel (...) MARTIN DU GARD, les Thibault, t. VIII, p. 130.

13 Il n'y a, à la vérité, aucune différence d'espèce entre l'héroïsme du soldat qui combat et celui de la mère de famille pauvre qui est fidèle à sa tâche et l'accomplit tout entière. Bien loin d'avoir sa place dans un walhalla où la commune humanité ne pénètre pas, l'héroïsme le plus naturel se manifeste, « *hic et nunc* », à chaque jour, à chaque instant. Il n'y a aucun métier qui, à son heure, ne puisse exiger de l'homme ce qu'il faut nommer de l'héroïsme, si l'on consent à dépouiller ce terme de toute une imagerie romantique dont on le revêt trop souvent. On peut même dire que l'héroïsme est d'autant plus vrai qu'il est moins spectaculaire, parce que, dans le spectacle et dans le plaisir qu'en éprouve l'homme, se glissent fatalement des éléments impurs de vanité. Le souci d'une belle attitude peut pousser l'être au-dessus de soi, même s'il n'est qu'une canaille; mais rien ne soutient l'héroïsme qui n'a pas de témoin. Rien hormis le regard de Dieu.
DANIEL-ROPS, Ce qui meurt..., p. 174.

14 L'héroïsme réunissait un monde mêlé sous une même palme. Bien des meurtriers en herbe y trouvaient l'occasion, l'excuse de leur vice et sa récompense, côte à côte avec les martyrs. On s'étonne que la guerre embauchât, par exemple, les Joyeux. Ils tenaient le secteur entre les fusiliers et les zouaves. La société trouvait bon, alors, qu'ils déployassent des instincts pour quoi elle les avait exclus.
COCTEAU, Thomas l'imposteur, Folio, p. 103-104.

Par plais. *Vivre toute une existence avec une femme pareille, avec un type aussi lamentable, c'est de l'héroïsme.* ⇒ **Vertu.**

♦ **2.** Rare. *(Un, des héroïsmes).* Action héroïque. *Les héroïsmes d'un combattant. « Des siècles d'héroïsmes, de labeurs, de détresses... »* (→ Consacrer, cit. 9).

CONTR. Lâcheté.

HÉRON ['eʀɔ̃] n. m. — 1320; *hairon*, XIIe; *heiron*, v. 1175; du francique **haigro*, cf. anc. haut all. *heigir*.

♦ **1.** Grand oiseau ciconiiforme *(Échassiers ardéidés)*, scientifiquement appelé *ardea*, à long cou grêle en S au repos et pendant le vol, à bec très long, droit, conique, fendu jusqu'au-dessous de l'œil. *Le héron se nourrit surtout de poissons et de grenouilles; il niche dans les roseaux des marais ou sur de grands arbres, au bord de l'eau* (⇒ **Héronnière**). *Un grand héron se mit à pêcher* (→ 2. Pêcher, cit. 7). *Plumes de héron. Masse de héron*, le bouquet des plumes de sa queue. *Cri aigre du héron. Vol du héron* (→ Glissade, cit. 3). *Chasser, voler le héron avec un faucon héronnier*. Principales espèces de hérons : héron cendré, héron pourpré. Hérons migrateurs, sédentaires.* — Allus. littér. *(Faire comme) le héron de la fable* : finir, comme le héron de La Fontaine, par se contenter de peu, après avoir fait le difficile*.

1 Le héron au long bec emmanché d'un long cou (...) LA FONTAINE, Fables, VII, 4.

2 (...) des hérons et des cigognes, une patte pliée sous le ventre, l'autre plongée à demi dans l'eau attendaient le passage de quelque poisson dans une immobilité si complète, qu'on les eût pris pour des oiseaux de bois fichés sur une baguette.
Th. GAUTIER, Voyage en Espagne, p. 261.

3 Animal vraiment aérien, pour porter ce corps si léger, le héron a assez, il a trop d'une patte; il replie l'autre; presque toujours sa silhouette boiteuse se dessine ainsi sur le ciel dans un bizarre hiéroglyphe.
MICHELET, l'Oiseau (1856), *in* LAGARDE, MICHARD et FOURNIER.

♦ **2.** (Qualifié; en parlant d'oiseaux analogues). *Héron bihoreau. Héron butor.* — *Héron crabier* : le garde-bœuf.

En appos. *Coq héron* : huppe.

DÉR. Héronneau, héronnier, héronnière.

HÉRONNEAU ['eʀɔno] n. m. — 1542, Rabelais; de *héron*.

♦ Rare. Jeune héron.

HÉRONNIER, IÈRE ['eʀɔnje, jɛʀ] adj. — V. 1354, *haironnier*; de *héron*.

♦ **1.** Fauconn. Dressé pour la chasse du héron. *Faucon héronnier.*

♦ **2.** (1690). Vx. Maigre, long et sec comme le héron. *Oiseau héronnier.* — Fig. Fam. *Jambe héronnière*, sèche et maigre.

HOM. (Du fém.) **Héronnière.**

HÉRONNIÈRE ['eʀɔnjɛʀ] n. f. — Déb. XIVe; de *héron*.

♦ **1.** Lieu où les hérons font leur nid.

♦ **2.** (1555). Endroit aménagé pour l'élevage des hérons.

Au-delà des jardins historiques, des pavillons de marbre noir et des héronnières, un immense et banal verger s'étendait sur le bronze rouge des champs d'amarantes. MALRAUX, Antimémoires, Folio, p. 114.

HOM. Fém. de héronnier.

HÉROS ['eʀo] n. m. — 1361; lat. *heros*, grec *hêrôs*, d'abord « maître, chef » puis « demi-dieu ».

♦ **1.** Didact. Demi-dieu; homme célèbre divinisé (dans l'antiquité). ⇒ **Demi-dieu.** *Hercule, héros vainqueur d'Antée. Ajax, héros grec chanté par Sophocle. Léonidas, Lycurgue et beaucoup d'autres hommes illustres furent élevés après leur mort au rang de héros. Apothéose* des héros dans les champs Élysées. Héros éponyme* d'une cité. Les dieux et les héros dans l'art antique* (→ Attache, cit. 9). — (Mil. XVIIe). Par anal. Personnage légendaire auquel on prête un courage et des exploits remarquables (→ Assemblage, cit. 9). *Les géants* (cit. 3), *héros bibliques. Siegfried, héros de la tradition germanique* (→ Aurochs, cit. 1). — Fig. *Une race de héros* (→ Entremise, cit. 5).

(...) cette ville *(Troie)*, 1
Si superbe en remparts, en héros si fertile (...)
RACINE, Andromaque, I, 2.

Ce héros *(Achille)*, si terrible au reste des humains (...) RACINE, Iphigénie, IV, 1. 2

Quand tu me dépeignais ce héros intrépide *(Thésée)*. RACINE, Phèdre, I, 1. 3

(...) qu'on leur apprenne *(aux enfants)* à chanter les louanges des héros qui ont été aimés des dieux, qui ont fait des actions généreuses pour leurs patries, et qui ont fait éclater leur courage dans les combats (...) FÉNELON, Télémaque, XI. 4

Dans l'Élysée des anciens on ne trouve que des héros et des hommes qui avaient été heureux ou éclatants dans le monde (...) 5
CHATEAUBRIAND, le Génie du christianisme, I, VI, VI.

Le dieu de la tribu était ordinairement de même nature que celui de la phratrie ou celui de la famille. C'était un homme divinisé, un *héros*. De lui la tribu tirait son nom : aussi les Grecs l'appelaient-ils le *héros éponyme*. Il avait son jour de fête annuelle. FUSTEL DE COULANGES, la Cité antique, III, I. 6

Au cours de son trajet organisateur, le héros des mythes préagricoles, en Amérique ou dans l'Orient, ne se borne pas seulement à donner un nom aux rivières et aux montagnes : il tue pour les fixer les monstres qui sont rivières et montagnes.
A. LEROI-GOURHAN, le Geste et la Parole, t. II, p. 179. 6.1

♦ **2.** (1550). Celui qui se distingue par ses exploits* (cit. 3) ou un courage extraordinaire (particulièrement dans le domaine des armes). ⇒ **Brave**; 1. **héroïne.** *Qualités de héros.* ⇒ **Héroïsme.** *Hector, héros de la guerre de Troie. Les héros fameux de l'Antiquité* (→ Fer, cit. 5; franciser, cit. 2). *David, héros de l'Ancien Testament* (→ Esquiver, cit. 2). *Mission civilisatrice des premiers héros* (→ Enthousiasme, cit. 13). *Chant de guerre à la louange des héros* (→ Bardit, cit. 1). *Combattants qui meurent, qui tombent en héros* (⇒ **Héroïquement**; → Garder, cit. 18). *Héros de la Grande Armée, de la Marne, de la Résistance. Héros de l'Union soviétique* : haute distinction militaire soviétique, décernée depuis 1934. *Guynemer, Mermoz, héros de l'air* (⇒ **Aviateur**). *Compter* (cit. 19) *ses soldats pour des héros. Célébrer, chanter* (cit. 18) *un glorieux* (cit. 5) *héros. Avoir l'étoffe* (cit. 5), *le sang bouillant* (cit. 4) *d'un héros* (→ aussi Chevronné, cit. 1; fier, cit. 21). *La morale du héros. Il n'y a plus de héros. Les héros sont fatigués* (titre de film). *Le héros moderne, le héros type vingtième siècle* (→ Milliardaire, cit. 2).

Quand pour vous acquérir je gagnais des batailles, 7
Que mon bras de Milan foudroyait les murailles,
Que je semais partout la terreur et l'effroi,
J'étais un grand héros, j'étais un digne roi (...) CORNEILLE, Pertharite, I, 4.

(...) Celui-ci, loin de tourner le dos, 8
Veut vendre au moins sa vie et mourir en héros. LA FONTAINE, Fables, X, 13.

L'intrépidité est une force extraordinaire de l'âme, qui l'élève au-dessus des troubles, des désordres et des émotions que la vue des grands périls pourrait exciter en elle, et c'est par cette force que les héros se maintiennent en un état paisible, et conservent l'usage libre de leur raison dans les accidents les plus surprenants et les plus terribles. LA ROCHEFOUCAULD, Maximes, 217. 9

Il semble que le héros est d'un seul métier, qui est celui de la guerre, et que le grand homme est de tous les métiers (...) Dans la guerre, la distinction entre le héros et le grand homme est délicate : toutes les vertus militaires font l'un et l'autre. Il semble néanmoins que le premier soit jeune, entreprenant, d'une haute valeur, ferme dans les périls, intrépide; que l'autre excelle par un grand sens, par une vaste prévoyance, par une haute capacité, et par une longue expérience. Peut-être qu'ALEXANDRE n'était qu'un héros, et que CÉSAR était un grand homme.
LA BRUYÈRE, les Caractères, II, 30-31. 10

Ce n'est pas à porter la faim et la misère chez les étrangers qu'un héros attache la gloire, mais à les souffrir pour l'État; ce n'est pas à donner la mort, mais à la braver. VAUVENARGUES, Maximes et réflexions, 224. 11

Un courage indompté, dans le cœur des mortels, 12
Fait ou les grands héros ou les grands criminels. VOLTAIRE, Rome sauvée, V, 3.

Divination merveilleuse du patriotisme! Cet homme *(Carnot)* aima tant la Patrie, il eut au cœur un désir si violent de sauver la France, que, devant cette foule où les autres ne distinguaient rien, lui, par une seconde vue, il connut, sentit les héros! Son premier regard lui donna Jourdan. Le second lui donna Hoche. Le troisième lui donna Bonaparte. MICHELET, Hist. de la Révolution franç., XIII, II. 13

Les héros ont leur accès de crainte, les poltrons des instants de bravoure, et les femmes vertueuses leurs instants de faiblesse. STENDHAL, Journal, p. 16. 14

(...) où serait le mérite, si les héros n'avaient jamais peur (...) 15
Alphonse DAUDET, Tartarin de Tarascon, III, V.

(...) l'ivresse de se battre, cette ivresse non raisonnée qui vient du sang vigoureux, celle qui donne aux simples le courage superbe, celle qui faisait les héros antiques.
LOTI, Pêcheur d'Islande, III, I. 16

Oui, papa, nous voilà : vingt mille types qui voulaient être des héros et qui se sont rendus sans combattre en rase campagne. 17
SARTRE, la Mort dans l'âme, p. 268.

Par apposition :

18 (...) on eût pu reconnaître *(dans nos soldats)* non seulement le peuple héros, mais le peuple militaire. MICHELET, Hist. de la Révolution franç., XIII, VIII.

Iron. → Flatter, cit. 26; (cf. aussi Voltaire, *Candide,* II et III).

19 Après ce rare exploit, je veux que l'on s'apprête
À me peindre en héros un laurier sur la tête (...) MOLIÈRE, l'Étourdi, II, 8.

20 Tue Vandenesse, et ta femme tremble, et ta belle-mère tremble, et le public tremble, et tu te réhabilites, et tu publies ta passion insensée pour ta femme, et l'on te croit, et tu deviens un héros.
BALZAC, le Contrat de mariage, Pl., t. III, p. 204.

21 Nous connaissons le vocabulaire. L'homme en temps de guerre s'appelle le héros. Il peut ne pas en être plus brave et fuir à toutes jambes. Mais c'est du moins un héros qui détale. GIRAUDOUX, La guerre de Troie n'aura pas lieu, I, 6.

Appos. (Choses). *Les villes-héros de l'Union soviétique* (calque du russe).

♦ **3.** Homme digne de l'estime publique, de la gloire par sa force de caractère, son génie, son dévouement total à une cause, une œuvre. ⇒ **Géant** (fig.), **grand** (grand homme). *Une âme, une conduite de héros.* ⇒ **Héroïque.** *Les héros et les hommes de génie* (→ Étincelle, cit. 11). *Les héros dans l'histoire* (→ Embellir, cit. 4). *Les peuples, « oubliant le tyran, s'éprirent du héros »* (→ Empereur, cit. 5, Hugo). *Pierre le Grand* (cit. 63), *héros national russe. Se proposer un héros pour exemple* (cit. 18). *Se prendre pour un héros* (→ Génie, cit. 44).

22 (...) montrons dans un Prince admiré de tout l'univers (...) ce qui fait les héros, ce qui porte la gloire du monde jusqu'au comble : valeur, magnanimité, bonté naturelle, voilà pour le cœur; vivacité, pénétration, grandeur et sublimité de génie, voilà pour l'esprit (...) BOSSUET, Oraison funèbre de Louis de Bourbon.

23 Lorsque les grands hommes se laissent abattre par la longueur de leurs infortunes, ils font voir qu'ils ne les soutenaient que par la force de leur ambition, et non par celle de leur âme, et qu'à une grande vanité près, les héros sont faits comme les autres hommes. LA ROCHEFOUCAULD, Maximes, 24.

24 Il y a des héros en mal comme en bien. LA ROCHEFOUCAULD, Maximes, 185.

25 *Grand homme* est le genre, et *héros* l'espèce (...) *Héros* signifie une espèce de *grands hommes,* mais l'espèce la plus rare et la plus glorieuse. Les *héros* ne sont pas chose commune; on les compte; c'est une sorte de phénomène (...) Le terme de *héros* désignait d'abord un demi-dieu, et il lui reste encore quelque chose de cette première signification; il fait toujours concevoir quelque chose de divin (...) En revanche, les *héros* n'étant qu'une espèce dans le genre des *grands hommes* ont par cela même un mérite exclusif et limité. Aussi, sous le rapport intellectuel et moral, et quant aux sentiments d'estime et d'affection qu'ils inspirent, sont-ils souvent inférieurs aux simples *grands hommes;* d'autant plus que les *héros* doivent beaucoup au succès, et par conséquent au hasard, ainsi qu'au tempérament.
LAFAYE, Dict. des synonymes, Héros.

26 La vie, le malheur, l'isolement, l'abandon, la pauvreté, sont des champs de bataille qui ont leurs héros; héros obscurs, plus grands parfois que les héros illustres.
HUGO, les Misérables, III, V, I.

27 Il y a encore des héros, pour qui la vie n'est vécue qu'en fonction d'une vérité qui la transcende, et dont le dévouement, par-delà la cause même qu'ils servent, atteste une valeur de portée universelle. DANIEL-ROPS, Ce qui meurt..., p. 24.

27.1 Qu'est-ce qu'un héros? Celui qui a la dernière réplique. Voit-on un héros qui ne parlerait pas avant de mourir? Renoncer à la dernière réplique (refuser la scène) relève donc d'une morale anti-héroïque : c'est celle d'Abraham.
R. BARTHES, Fragments d'un discours amoureux, p. 248.

Héros de la foi (→ Face, cit. 64), *de la science* (→ Avenue, cit. 9).

28 (...) ces héros du travail, dont l'obstination est sans limites.
ALAIN, Propos, Métiers, 30 avril 1921.

Héros du travail socialiste : haute distinction civile soviétique, décernée depuis 1938.

Héros de... : personne qui excelle (dans un domaine). *Descartes, héros de l'intelligence humaine* (→ Dieu, cit. 26). *Les financiers* (cit. 7), *héros de la gourmandise.*

29 Des pécheurs qu'on regardait comme des héros dans l'impiété.
MASSILLON, Carême, *in* LITTRÉ.

Un héros de fidélité, de générosité, qui pousse ces vertus à leur plus haut degré (⇒ **Modèle**). — Par anal. *Un héros de fourberie, de vice.* — Par plaisanterie :

30 J'ai chez moi un garçon qui, pour monter une rhingrave, est le plus grand génie du monde; et un autre qui, pour assembler un pourpoint, est le héros de notre temps. MOLIÈRE, le Bourgeois gentilhomme, II, 5.

Loc. prov. *Il n'y a pas de héros pour son valet de chambre :* ceux qui vivent dans l'intimité des grands hommes ne peuvent les considérer comme des héros, ils en connaissent trop les faiblesses, les petitesses.

♦ **4.** (V. 1650). Personnage principal (d'une œuvre littéraire, dramatique, cinématographique...) ⇒ 1. **Héroïne.** *Les héros d'Homère* (→ Apothéose, cit. 3; grandir cit. 16). *Héros de Corneille* (→ Difficile, cit. 20). *Un héros de tragédie* (→ Façon, cit. 1). *Le comédien et son héros* (→ Anéantir, cit. 14). *Héros de roman* (→ Fiction, cit. 7; 1. foudre, cit. 14). *Le héros romantique* (→ Fatalité, cit. 8). *Fascination* (cit. 7) *exercée sur les foules par les héros de cinéma.*

31 (...) c'est lui qui est le héros de ma tragédie. RACINE, Bajazet, 2e préface.

32 (...) au lieu que d'Urfé, dans son *Astrée,* de bergers très frivoles avait fait des héros de roman considérables, ces auteurs, au contraire, des héros les plus considérables de l'histoire firent des bergers très frivoles (...)
BOILEAU, Disc. sur le dialogue des héros de roman.

33 Les héros de Corneille étalent des maximes fastueuses et parlent magnifiquement d'eux-mêmes (...) VAUVENARGUES, Maximes et réflexions, 515.

34 Les héros de romans naissent du mariage que le romancier contracte avec la réalité. F. MAURIAC, le Romancier et ses personnages, p. 96.

(1671). Fig. *Un héros de roman :* une personne qui a connu des aventures extraordinaires.

Le comte de Guiche est à la cour, tout seul de son air et de sa manière, un héros de roman, qui ne ressemble point au reste des hommes (...) 35
Mme DE SÉVIGNÉ, 209, 7 oct. 1671.

(...) que ce qu'on avait pris pour un vrai héros de roman n'est, au bout du compte, qu'un bourgeois prosaïque qui met des pantoufles et une robe de chambre! 36
Th. GAUTIER, Mlle de Maupin, X.

Par ext. *Le héros d'une aventure,* celui à qui elle est arrivée, qui en a été le principal acteur. *Le héros d'une folle équipée. Le triste héros de ce fait divers.*

À propos de voleurs, plaçons ici une histoire dont nous avons bien failli être les héros. Th. GAUTIER, Voyage en Espagne, p. 96. 37

(1734). *Le héros de la fête,* le personnage en l'honneur duquel elle se donne, ou, encore, celui qui s'y montre le plus brillant.

(...) et moi, jeune et jovial encore, je puis dire qu'à ces soupers j'étais le héros de la table. J'y avais la verve de la folie. MARMONTEL, Mémoires, III. 38

(XIXe). Fam. *Le héros du jour,* celui qui accapare l'attention du moment, qui occupe le premier rang de l'actualité.

(...) l'on se demande comment le héros du jour *(le triomphateur romain)* y pouvait passer *(dans cette Voie sacrée)* sur un char attelé de quatre chevaux, et la foule s'y presser pour l'acclamer! 39
A. FRANÇOIS-PONCET, Réception de J. Carcopino à l'Acad. franç., 16 nov. 1956.

Fig. *Être le héros de qqn,* l'objet de sa très vive admiration. *J.-J. Rousseau, héros de Mme de La Tour* (→ Factice, cit. 7). *C'est son héros, il en est fou* (cit. 31).

(...) même si cela finissait par un combat où lui, Léniot, serait certainement vaincu, il garderait l'honneur très grand de s'être tout seul élevé contre le héros du collège (...) « et à propos d'une femme encore ». Valery LARBAUD, Fermina Marquez, VIII. 40

CONTR. Bravache, lâche.
CONTR. et **COMP. Antihéros.**
HOM. Hérault, héro (V. 2. **héroïne**) .

1. HERPE [ɛʀp] n. f. — 1671; dér. probable de 2. *harper.*

★ **I.** Vén. ⇒ 2. **Harpe.** *Chien de bonne herpe,* qui a de bonnes griffes.

★ **II.** ♦ **1.** Au plur. Anc. dr. mar. *Herpes marines :* épaves maritimes. — Matières diverses (corail, ambre gris, etc.) que l'on trouve flottant en mer ou rejetées sur le rivage par les vagues.

♦ **2.** (1765). Mar. anc. Dans les anciens vaisseaux en bois, Pièce de construction du garde-corps, dont une extrémité soutient la partie supérieure de la guibre. ⇒ **Écharpe,** 4. **lisse.**

HOM. 2. **Herpe.**

2. HERPE [ɛʀp] n. f. — 1845; var. de 1. *harpe.*

♦ Par anal. de forme. Techn. Crible à trémie, en plan incliné.

HOM. 1. **Herpe.**

HERPÈS [ɛʀpɛs] n. m. — XIIIe, *erpés;* lat. impérial *herpes, herpetis,* grec *herpês* « dartre ».

♦ Méd. Affection cutanée caractérisée par une éruption* de vésicules transparentes, du volume d'une tête d'épingle, groupées en nombre variable sur une tache congestive, provoquée par un virus. *Herpès de la face. Herpès du pharynx.* ⇒ **Herpétique** (angine). *Herpès de la cornée. Herpès génital récidivant. Herpès symptomatique de diverses infections. « L'herpès est provoqué par un ultravirus »* (Garnier et Delamare). *Herpès fébrile.* — Spécialt, cour. Herpès de la face.

Son nez verni par l'herpès avec son réseau de veinules bleues, sa rondeur élastique, son excessive mobilité, terrorise sa femme.
BERNANOS, Monsieur Ouine, *in* Œ. roman., Pl., p. 1393.

DÉR. et **COMP. Herpétiforme, herpétique, herpétisme.**

HERPÉTIFORME [ɛʀpetifɔʀm] adj. — 1875; de *herpès,* et *-forme, -t-* des formes déclinées du latin.

♦ Méd. Qui ressemble à un herpès (par la présence de vésicules agglomérées). *Une éruption herpétiforme.*

HERPÉTIQUE [ɛʀpetik] adj. — 1793; de *herpès.*

♦ Méd. Qui a rapport à l'herpès. *Éruption herpétique. Angine herpétique. Virus herpétique.*

HERPÉTISME [ɛʀpetism] n. m. — 1853; de *herpès.*

♦ Méd. (Vieilli). État pathologique consitutionnel caractérisé par des troubles trophiques se traduisant par des maladies de la peau et des muqueuses (eczéma, bronchites, rhumes). *La médecine moderne fait entrer les manifestations de l'herpétisme dans le cadre de la diathèse neuro-arthritique.*

HERPÉTOLOGIE [ɛʀpetɔlɔʒi] n. f. ⇒ **Erpétologie.**

HERPÉTOLOGIQUE [ɛʀpetɔlɔʒik] adj. ⇒ **Erpétologique.**

HERPÉTOLOGISTE [ɛʀpetɔlɔʒist] n. ⇒ **Erpétologiste.**

HERSAGE ['ɛʀsaʒ] n. f. — V. 1300; de *herser.*

♦ Techn. Agric. Action de herser; façon donnée à la terre au moyen de la herse.

Le hersage a pour effets principaux : — d'ameublir superficiellement le sol; — de le nettoyer en ramenant les mauvaises herbes à la surface; — de le niveler (en abattant les crêtes des sillons); — d'enfouir les semences et les engrais.
Tony BALLU, le Machinisme agricole, p. 50.

Var. régionale *herchage.*

HERSCHAGE ['ɛʀʃaʒ] n. m. ⇒ **Herchage.**

HERSCHER ['ɛʀʃe] v. intr. ⇒ **Hercher.**

HERSCHEUR ['ɛʀʃœʀ] n. m. ⇒ **Hercheur.**

HERSE ['ɛʀs] n. f. — XIVᵉ; *herce,* v. 1170; d'un lat. pop. *herpex,* lat. class. *hirpex, -icis; l'h* aspiré est d'orig. expressive.

♦ **1.** Instrument à dents de fer ou d'acier (autrefois de bois), fixées à un bâti rigide ou articulé, qu'un attelage ou un tracteur traîne ou roule sur une terre labourée pour briser les mottes, enfouir les semences (→ Germe, cit. 2)... *Herse tringulaire à dents fixes. Herse articulée,* dite *herse en zigzag. Herse traînante. Herse roulante,* dite *herse norvégienne,* dont les dents sont fixées à des cylindres rotatifs. ⇒ **Écroûteuse, émotteuse, hérisson.** *Herse à dents flexibles, à disques. Herse à ressorts,* dite *herse canadienne. La herse, le brise-mottes, machines aratoires à travail superficiel. Passer la herse sur un champ.* ⇒ **Herser.** *Herse à céréales, à gazon.*

1 Le froment répandu, l'homme attelle la herse,
Le sillon raboteux la cahote et la berce :
En groupe sur ce char les enfants réunis
Effacent sous leur poids les sillons aplanis.
LAMARTINE, Jocelyn, « Les laboureurs », 16 mai 1801.

2 Seul, en avant il marchait, l'air grandi; et, derrière, pour enfouir le grain, une herse roulait lentement, attelée de deux chevaux, qu'un charretier poussait à longs coups de fouet réguliers, claquant au-dessus de leurs oreilles. ZOLA, la Terre, I, I.

♦ **2.** (Mil. XIVᵉ; *herce*). Anciennt. Grille* armée par le bas de fortes pointes de fer ou de bois et qui, suspendue par un chaîne à l'entrée d'un château fort, d'une forteresse (cit. 1) pouvait être, à volonté, abaissée pour en défendre l'accès. ⇒ **Orgue, sarrasine.** *Abattre, relever la herse* (→ Haut, cit. 82).

3 On vivait en paix depuis si longtemps que le herse ne s'abaissait plus (...)
FLAUBERT, Trois contes, « Légende de saint Julien l'Hospitalier », I.

♦ **3.** (1752). Pièce de bois garnie de pointes et utilisée pour barrer une route. — (XXᵉ). Grille placée en travers d'un cours d'eau et arrêtant les corps flottants.

♦ **4.** Archit. Épure d'un comble tracée sur le sol. — (1782). Charpent. *Herses de la croupe** : pièces de bois qui se croisent dans la charpente d'un pavillon carré.

♦ **5.** Techn. [a] (1501). Cadre en bois sur lequel le mégissier tend les peaux mouillées pour les faire sécher.

[b] Agric. Ensemble des pointes des échalas (d'un treillage). ⇒ **Peigne.**

♦ **6.** [a] (1319; *erche*). Liturgie. Grand chandelier d'église, le plus souvent triangulaire, hérissé de pointes sur lesquelles on pique les cierges (→ Abside, cit. 2).

[b] (1765). Théâtre. Appareil d'éclairage dissimulé dans les cintres des scènes de théâtre. *Herse électrique* (→ Éclairer, cit. 22).

♦ **7.** Mar. ⇒ 1. **Erse.**

♦ **8.** Météor. Instrument pour mesurer la vitesse des nuages. *Herse néphoscopique.*

DÉR. Hersé, herser.
HOM. 1. Erse, 2. erse.

HERSÉ, ÉE ['ɛʀse] adj. — XVIIᵉ, en blason; de *herse,* ou de *herser.*

♦ **1.** ⇒ **Herser.**

♦ **2.** Garni d'une herse. « *Quelques meurtrières hersées* » (Morand, *in* T. L. F.).

(1690). Blason. *Chateau hersé,* représenté avec une herse baissée.

HOM. Formes du v. herser.

HERSER ['ɛʀse] v. tr. — XVIᵉ; *hercier, ercier,* v. 1175; var. dial. *harser, hercher* (→ Harceler, hercher); de *herse.*

♦ **1.** Soumettre à l'action de la herse. *Herser une terre, un guéret.* ⇒ **Ameublir, émotter, labourer.**

En mars, il hersa ses blés, en avril, ses avoines, multipliant les soins, se donnant tout entier. ZOLA, la Terre, III, I. 1

♦ **2.** Par métaphore. Littér. Faire des traces parallèles sur (une surface). ⇒ **Ratisser.**

La pluie hersait la surface et jetait sur la transparence de l'eau une grille sous laquelle s'agitaient les poissons. 2
Georges BORGEAUD, le Voyage à l'étranger, I, p. 122.

▶ **HERSÉ, ÉE** p. p. adj. *Des champs* (cit. 2) *hersés.*

DÉR. Hersage, herseur
HOM. Voir hersé.

HERSEUR, EUSE ['ɛʀsœʀ, øz] n. et adj. — 1549; *erceeur,* v. 1175; de *herser.*

★ **I.** ♦ **1.** N. Personne qui herse, effectue un hersage.

(...) les enfants font mine de labourer à plusieurs façons, faisant imitation en petit de ce qu'ils voient faire aux laboureurs, semeurs, herseurs (...) et s'apprenant ainsi les uns aux autres, dans une heure de temps, toutes les façons, cultures et récoltes que reçoit et donne la terre dans le cours de l'année.
G. SAND, la Petite Fadette, VII.

♦ **2.** Adj. *Rouleau herseur.*

♦ **3.** N. f. Herse mécanique.

★ **II.** Fig. Zool. *Araignée herseuse,* qui a l'extrémité des pattes hérissée d'une sorte de brosse.

HERTZ ['ɛʀts] n. m. — V. 1930 (1934, *in* T. L. F.); du n. du physicien all. *(Heinrich Rudolf) Hertz* (1857-1894).

♦ Électr. Unité de fréquence égale à un cycle* par seconde (symb. : *Hz*).

HERTZIEN, IENNE [ɛʀtsjɛ̃, jɛn, ɛʀdzjɛ̃, jɛn] adj. — 1894; du nom de *(H. R.) Hertz,* mort en 1894.

♦ Qui a rapport aux ondes électromagnétiques. *Ondes hertziennes employées en T. S. F.* ⇒ **Radio.** *La découverte des ondes hertziennes a fourni une remarquable solution au problème de la transmission lointaine des signaux* » (Faivre - Dupaigre, in *Nouveau Cours de physique élémentaire*). *Signaux hertziens. Câble* (4.) *hertzien.*

Au delà de l'infrarouge, des radiations calorifiques, s'étend la région des oscillations hertziennes, ultra-courtes, courtes, moyennes et longues, domaine du radar, de la télévision et de la radio-diffusion.
Or, en ces dernières années, la détection inattendue de rayonnements stellaires hertziens a conduit à doter l'astronomie de moyens d'exploration tout nouveaux et d'une fécondité extraordinaire. La *radio-astronomie* est née (...)
Fernand LOT, *in* le Figaro littéraire, 20 oct. 1956.

HÉSITANT, ANTE [ezitɑ̃, ɑ̃t] adj. — 1829, Boiste; n. m. pl., *les Hésitans,* p. prés. substantivé (hist. des relig.) « ceux qui ne savaient pas s'ils recevraient ou rejetteraient le concile de Chalcédoine »; p. prés. de *hésiter.*

Qui hésite.

♦ **1.** Personnes. Qui hésite, qui a de la peine à se déterminer. *Caractère hésitant, personne hésitante.* ⇒ **Incertain, indécis, irrésolu.** *Demeurer hésitant.* ⇒ **Perplexe; balance** (en). *Être tout hésitant.* ⇒ **Désorienté;** → Ne savoir sur quel pied* danser. — N. *Un hésitant, une hésitante :* personne qui hésite.

Une minute hésitant, dérouté à l'envisagé d'une soirée tout entière perdue, il tira de son gousset sa montre et constata qu'il était moins de neuf heures. 1
COURTELINE, Boubouroche, Nouvelle, p. 29.

Je n'ai pas grande confiance dans la fidélité électorale de Respellière, c'est un hésitant. Mais avec ça, il y a de quoi le décider pour demain. 2
ARAGON, les Beaux Quartiers, I, XXIII.

Il resta près d'elle six mois, hésitant, tenant son mariage secret. 3
Émile HENRIOT, Portraits de femmes, p. 250.

Par métaphore. *Fortifier* (cit. 11) *une confiance hésitante.*

L'art, hésitant et déconcerté, poursuit une doctrine et des règles qui semblent fuir devant ses recherches. Henri MONDOR, Pasteur, VI. 4

♦ **2.** (1862). Choses. Qui n'est pas déterminé, caractérisé. ⇒ **Flottant, fluctuant.** *Opinion hésitante* (→ Flotter, cit. 19). *Une réponse hésitante.* ⇒ **Flou, imprécis.** *Entre les deux camps la victoire demeura longtemps hésitante.* ⇒ **Douteux, suspendu.**

Tout le monde connaît la première phase de cette bataille; début trouble, incertain, hésitant, menaçant pour les deux armées (...) HUGO, les Misérables, II, I, V. 5

6 (...) Mais ces mots que j'expire à genoux
Ne sont pourtant qu'une âme hésitante entre nous (...)
VALÉRY, Poésies, Charmes, Fragm. du Narcisse, I.

Fin. *Marché financier hésitant,* dont la tendance (à la hausse ou à la baisse) n'est pas nette (→ Faible, cit. 30.1).

♦ **3.** (1866). Qui exprime ou trahit l'hésitation; qui manque d'assurance, de fermeté. *Voix hésitante. Regard hésitant* (→ Décocher, cit. 5). *Geste* (cit. 16) *hésitant. Démarche hésitante, pas hésitants d'un vieillard.* ⇒ **Chancelant.**

7 Quelle distance entre ces harangues audacieusement improvisées et mon hésitante récitation d'un texte pourtant appris par cœur, devant l'auditoire restreint de l'Assemblée Générale de la Société des Gens de Lettres, le jour où, presque malgré moi, on me fit poser ma candidature à son Comité directeur!
Georges LECOMTE, Ma traversée, p. 323.

8 Des mots hésitants me vinrent aux lèvres (...) Par où commencer? Qu'aurait-elle compris? Le silence est une facilité à laquelle je succombe toujours.
F. MAURIAC, le Nœud de vipères, IV.

9 Elle (...) sortit enfin avec une démarche hésitante, qui ne s'adaptait plus aux choses environnantes. J. CHARDONNE, les Destinées sentimentales, p. 116.

Par métaphore. → Archipel, cit. 1, Hugo. — Fig. *Musique hésitante* (→ Fandango, cit. 2).

10 En dépit d'un verbe encore hésitant, ces vers écrits avant Ronsard gardent à nos yeux une fraîcheur délicieusement spontanée (...)
Émile HENRIOT, Portraits de femmes, p. 27.

CONTR. Assuré, certain, décidé, dogmatique, entreprenant, ferme, résolu.

HÉSITATION [ezitɑsjɔ̃] n. f. — xvᵉ; *esitacion,* fin xiiiᵉ; lat. *hæsitatio,* du supin de *hæsitare.* → Hésiter.

♦ **1.** Le fait d'hésiter, en général *(l'hésitation),* ou dans une circonstance donnée *(une, des hésitations).* ⇒ **Balancement, doute, embarras, flottement, incertitude, indécision.** *Être pris d'une hésitation devant un obstacle, une difficulté. Hésitation entre deux partis. Avoir des hésitations avant de conclure une affaire.* ⇒ **Barguignage.** *Donner des signes d'hésitation. Hésitation apparente* (cit. 8), *feinte. Hésitation prudente. Il a fini par se décider, par accepter après bien des hésitations.* ⇒ **Atermoiement, façon** (faire des façons), **tergiversation.** *Il a trouvé sa voie au terme de longues, de multiples hésitations.* ⇒ **Errement, tâtonnement.** *Lever les dernières hésitations de qqn.* ⇒ **Résistance, réticence, scrupule.** *Aller au fait franchement, sans hésitation. Faire son devoir bravement, obéir sans hésitation, sans une hésitation.*

1 Au milieu de ce marivaudage sentimental, la confiance était venue et avait en effet uni les mains des deux personnages; si bien qu'après quelques hésitations et quelques pruderies qui semblèrent de bon augure à Samuel, madame de Cosmelly à son tour lui fit ses confidences (...) BAUDELAIRE, la Fanfarlo.

2 Il y eut dans l'Assemblée, qui commençait à se réunir, hésitation, fluctuation. Personne n'avait de parti pris, d'idée arrêtée. Ce mouvement populaire avait pris tout le monde à l'improviste. Les esprits les plus pénétrants n'y avaient rien vu d'avance. Mirabeau n'avait rien prévu, ni Sieyès.
MICHELET, Hist. de la Révolution franç., II, IX.

3 (...) en face de Dumouriez, tout décision et action, il *(Brunswick)* était, lui, tout hésitation et regrets. JAURÈS, Hist. socialiste..., t. IV, p. 360.

4 Il avait tué en professionnel, sans haine et sans hésitation (...)
P. MAC ORLAN, la Bandera, III.

5 Nous tenons que ses continuelles hésitations, ses balancements et ses retours constituent la meilleure prévue de cette sincérité qu'on a tendance à lui contester en lui prêtant des vues constamment intéressées. A. BILLY, Sainte-Beuve, 28, p. 201.

• *Hésitation à* (et inf.). *N' avoir aucune hésitation à faire, à entreprendre qqch.* (→ Effort cit. 25).

♦ **2.** Arrêt dans l'action; attitude qui trahit de l'indécision, de l'embarras. *Une courte hésitation suspendit ses pas. Il eut une minute d'hésitation, puis se remit en route. Le chien marque une hésitation, puis court à son maître. Se conduire dans l'obscurité sans la moindre hésitation. Marcher sans hésitation,* d'un pas assuré.

6 (...) il y a de ces hésitations étranges au bord de cet abîme, le bonheur.
HUGO, les Travailleurs de la mer, III, III, II.

7 Un intervalle, témoignant d'un autre temps d'arrêt : l'hésitation suprême sans doute, et puis l'accomplissement de l'acte irrévocable.
LOTI, les Désenchantées, LVI.

8 Chacun hésite avant de s'engloutir dans la mince ténèbre souterraine. C'est la somme de ces hésitations et de ces lenteurs qui se répercute dans les tronçons d'arrière de la colonne, en flottements, en engorgements avec parfois des freinages brusques. H. BARBUSSE, le Feu, XXIII, t. II, p. 54.

♦ **3.** (1595, Montaigne). Temps d'arrêt dans l'élocution. *Parler, répondre avec hésitation* (Académie). *L'élève récite sa leçon sans hésitation.*

9 (...) frappé de l'hésitation que sa fille avait marquée avant de prononcer le mot de *mère.* BALZAC, la Femme de trente ans, Pl., t. II, p. 828.

10 L'enfant s'agenouilla sur la jupe de la jeune fille, joignit ses petites mains et se mit à réciter sa prière, d'abord avec attention et ferveur, car il savait très bien le commencement; puis avec plus de lenteur et d'hésitation.
G. SAND, la Mare au diable, IX.

11 Il la pressa de questions. Enfin à travers bien des hésitations, des à peu-près, des retouches, il finit par comprendre ce qu'elle n'osait pas dire (...)
MARTIN DU GARD, les Thibault, t. VI, p. 223.

Ce dernier parla d'un ton plus doux et plus réfléchi que la première fois et, à plusieurs reprises, les assistants remarquèrent une certaine hésitation dans son débit. 12
CAMUS, la Peste, p. 242.

CONTR. Assurance, décision, détermination, résolution.
COMP. Valse-hésitation.

HÉSITER [ezite] v. intr. et tr. ind. — 1406; lat. *hæsitare,* de *hærere* «être fixé, accroché».

♦ **1.** Être dans un état d'incertitude, d'irrésolution qui suspend l'action, la détermination. ⇒ **Balancer** (cit. 14), **consulter** (vx), **douter** (vx), **flotter, tâter** (se); → Être incertain, en balance, en suspens; (fam.) se tâter le pouls.

a V. intr. *Se décider** (cit. 34) *après avoir longtemps hésité.* ⇒ **Délibérer.** *Le médecin a hésité quelques jours avant de se prononcer.* ⇒ **Tâtonner.** *N'hésitez plus; le temps presse.* ⇒ **Atermoyer** (cit. 1 et 2), **attendre, reculer, tergiverser;** → Le vin est tiré il faut le boire*; le sort* en est jeté. *Il n'y a pas à hésiter.* ⇒ (fam.) **Tortiller** (il [n'] y a pas à). *Il n'hésita pas une seconde* (→ Ne faire ni une ni deux*. *Vous me faites hésiter :* vous m'ébranlez. — SANS HÉSITER : avec détermination. *Acheter sans hésiter.* ⇒ **Barguigner, délibérer, marchander.** *Parieur qui gage* (cit. 2), *parie sans hésiter. Jeter les millions sans hésiter* (→ Compter, cit. 26). *Prendre une décision sans hésiter* (→ Équité, cit. 9). — REM. On trouve encore chez Corneille (→ ci-dessous, cit. 1) *hésiter* employé avec l'*h* aspiré du xviᵉ s.

Il y faut promptitude, esprit, mémoire, soins, 1
Ne hésiter jamais, et rougir encor moins. CORNEILLE, le Menteur, III, 4.

Elle flotte, elle hésite; en un mot, elle est femme. RACINE, Athalie, III, 3. 2

Mon époux, inflexible en sa fidélité, 3
N'a vu que son devoir, et n'a point hésité (...)
VOLTAIRE, l'Orphelin de la Chine, III, 3.

Non, celui-là seul est libre qui, ayant *pour jamais* opté, c'est-à-dire ne pouvant plus faillir, n'est plus contraint d'hésiter. VILLIERS DE L'ISLE-ADAM, Axel, III, 1. 4

Ce n'est point que Chardonne hésite, ainsi que trop souvent j'ai pu faire, ni que, par besoin d'équité, il s'attarde à peser le pour et le contre; non, ce n'est point un perplexe (...) GIDE, Attendu que..., p. 15. 5

b V. tr. (1670). Mod. HÉSITER SUR : ne savoir quoi faire, penser quant à. *Hésiter sur la route à suivre, le parti à prendre, l'orthographe d'un mot. Il hésite sur ce qu'il devra faire.* ⇒ **Demander** (se).

Monsieur, la plupart des gens, sur cette question n'hésitent pas beaucoup. On tranche le mot aisément. Ce nom ne fait aucun scrupule à prendre (...) 6
MOLIÈRE, le Bourgeois gentilhomme, III, 12.

(...) vous ne sauriez croire à quel point j'ai été affligé que vous ayez pu hésiter sur mes sentiments pour vous (...) 7
VOLTAIRE, Lettre à Voisenon, 4134, 10 oct. 1774.

Quand Georges Duroy se retrouva dans la rue, il hésita sur ce qu'il ferait. 8
MAUPASSANT, Bel-Ami, I, III.

C'est sur la nature et la suprenante vertu du rouge que l'œil hésitait tout d'abord. Ce n'était pas le carmin et non certes le vermillon. 9
G. DUHAMEL, Chronique des Pasquier, X, I.

(1653). HÉSITER ENTRE. ⇒ **Balancer, flotter, osciller.** *Hésiter entre deux idées* (→ Esthétique, cit. 4), *entre divers projets. Hésiter entre le genre* (cit. 26) *féminin et le genre masculin. Hésiter entre un taxi et un fiacre* (cit.).

Placés à l'y du carrefour, nous hésitions entre les deux routes. 10
Th. GAUTIER, Bien public, 10 mars 1872, *in* LITTRÉ.

Madame Barnery songeait à une épingle de cravate et elle hésitait entre plusieurs modèles. J. CHARDONNE, les Destinées sentimentales, p. 88. 11

Par métaphore. *Les heures de l'aube et du crépuscule où tout hésite entre le jour et la nuit.*

L'amour qui prépare ma couronne, hésite lui-même entre le myrte et le laurier (...) 12
LACLOS, les Liaisons dangereuses, Lettre IV.

(...) sans parler de l'air doctoral (...) et du maintien qui hésite entre le professeur de théologie et le médecin. André SUARÈS, Trois hommes, « Ibsen », III. 13

(1690). HÉSITER À (et inf.) : ne pas oser (faire qqch.). ⇒ (vx) **Feindre** (à). *Hésiter à prendre parti. Hésiter à identifier qqn* (→ Germanique, cit. 4), *à pousser plus loin une analogie* (cit. 10). *Ne pas hésiter à se prononcer en faveur d'une mesure* (→ Établir, cit. 22). — *Hésiter à aborder un grand personnage, à engager* (cit. 18) *une bataille.* ⇒ **Craindre** (de). *Hésiter à regarder l'inconnu en face* (→ Cher, cit. 18). *Cet écrivain n'hésite jamais à dire la vérité* (→ Artifice, cit. 11). — *J'hésite à vous déranger.* ⇒ **Scrupule** (avoir). *Hésiter à bouleverser* (cit. 4) *l'univers, à mettre le feu à la terre* (→ Explosible, cit.). *Il n'avait pas hésité à tout faire pour conquérir la faveur* (cit. 3) *du nouveau maître. Hésiter à formuler une critique* (→ Fondation, cit. 5). *Il n'hésite pas à fouler* (cit. 10) *aux pieds ses affections.* — Par métaphore. *Il y a des mots que la plume hésite à tracer* (→ Fortune, cit. 40).

Sans doute qu'étant chrétien, comme vous prétendez l'être, vous n'hésiterez pas à reconnaître qu'il n'est rien de plus important pour vous (...) que tout ce qu'il vient de vous marquer (...) BOURDALOUE, Pensées, De la prière, Prière mentale... 14

Enfin, mon avis (...) est que (...) vous n'hésitiez pas à rompre le mariage que vous aviez arrêté. LACLOS, les Liaisons dangereuses, Lettres CLXXII. 15

(...) il n'hésita pas à favoriser son évasion (...) ROUSSEAU, Émile, IV. 16

(...) on peut hésiter vingt ans à faire un pas, mais non reculer quand on a l'a fait. 17
A. DE MUSSET, la Confession d'un enfant du siècle, XV.

Il secoua la tête, hésitant, non à lâcher un mensonge, mais une insolence ou une vilenie. HUYSMANS, Là-bas, XV. 18

19 (...) je ne sais plus quel orateur très connu a parlé de l'Empereur avec une liberté inouïe, dont on hésiterait à user ici envers le Président de la République (...)
J. ROMAINS, les Hommes de bonne volonté, t. IV, IX, p. 89.

(Fin XVIIe). Vx. **HÉSITER DE** (et inf.). → Attrait, cit. 5, Rousseau.

20 Ils n'hésitent pas de critiquer des choses qui sont parfaites (...)
LA BRUYÈRE, les Caractères, XI, 145.

21 Bien loin que l'infidélité soit un crime, c'est que je soutiens qu'il ne faut pas un moment hésiter d'en faire une, quand on en est tentée, à moins que de vouloir tromper les gens, ce qu'il faut éviter, à quelque prix que ce soit.
MARIVAUX, Heureux stratagème, I, 4.

(XIXe). Littér. **HÉSITER SI** (et indic. ou cond.). ⇒ **Demander** (se), **douter**; → Grand-mère, cit. 2, Proust. *Il hésite encore s'il doit accepter. Il hésita quelque temps s'il partirait.*

21.1 Elle devait se prendre par la peau du cou pour y aller *(au bal)*, hésitant toujours au dernier instant si elle ne s'excuserait pas.
MONTHERLANT, Pitié pour les femmes, p. 23.

♦ **2.** V. intr. (XVIIe). Marquer de l'indécision (par un temps d'arrêt, un mouvement de recul...). *Personne pusillanime, timide qui hésite sur des riens.* ⇒ **Chipoter.** *Elle hésite comme si elle ne retrouvait plus son chemin* (→ Extirper, cit. 5). *Le témoin hésita, l'air gêné, puis se décida à parler* (→ Ennuyeux, cit. 2). — (Animaux). *Le cheval hésitait devant l'obstacle.* ⇒ **Broncher.** *Essaim* (cit. 2) *qui hésite au sortir de la ruche.* — (Choses). *Mémoire, pas qui hésite.* ⇒ **Chanceler, vaciller.**

22 La nuée un moment hésita dans l'espace. HUGO, les Orientales, I, 3.

23 Les doigts hésitaient au-dessus des touches, puis se décidaient brusquement.
J. ROMAINS, Lucienne, p. 57.

24 Il s'assied. On lui présente une coupe de champagne au whisky. Il hésite; puis sourit tristement, hausse les épaules et accepte.
J. ROMAINS, les Hommes de bonne volonté, t. IV, XXII, p. 245.

25 (...) elle n'avançait plus du tout la famille, elle hésitait devant une ruelle comme une escadrille de pêche par mauvais vent.
CÉLINE, Voyage au bout de la nuit, p. 289.

26 Elle essuya longuement ses souliers sur le paillasson boueux, hésita, puis ouvrit la porte. J. CHARDONNE, les Destinées sentimentales, p. 204.

27 J'ai eu alors envie de fumer. Mais j'ai hésité parce que je ne savais pas si je pouvais le faire devant maman. J'ai réfléchi, cela n'avait aucune importance. J'ai offert une cigarette au concierge et nous avons fumé. CAMUS, l'Étranger, I, p. 17.

Par métaphore. (→ Contact, cit. 7). *Parole qui semble hésiter sur les lèvres* (→ Dédaigneux, cit. 4).

28 La caresse et le meurtre hésitent dans leurs mains (...)
VALÉRY, Poésies, Charmes, Fragments du Narcisse, p. 145.

♦ **3.** V. intr. (1611). *Hésiter en parlant :* ne pas trouver ses mots, par timidité, défaut de mémoire ou d'élocution. ⇒ **Balbutier, bégayer, chercher** (ses mots). *Élève qui hésite fréquemment en récitant sa leçon.* ⇒ **Ânonner.** *Hésiter dans ses réponses.*

29 Dans nos études, je lui soufflais la leçon quand il hésitait (...)
ROUSSEAU, les Confessions, I.

CONTR. Agir, choisir, décider (se).
DÉR. Hésitant.

HESPÉRIDES [ɛspeʀid] adj. et n. f. pl. — 1798; du n. des *Hespérides,* nymphes, filles d'Atlas et d'*Hespéris,* nom grec.

♦ **1.** Adj. Didact. Vx. *Pommes hespérides :* les pommes d'or du jardin* des Hespérides.

♦ **2.** N. f. pl. (1848). *Les hespérides :* le jardin des Hespérides, et, par métaphore, lieu d'accès difficile ou interdit et rempli de trésors, de choses précieuses. «*Les hespérides de la poésie et de l'histoire*» (Chateaubriand, *Mémoires d'outre-tombe,* t. IV, p. 489, *in* T. L. F.).

HESPÉRIDÉS [ɛspeʀide] n. m. pl. — 1845, Bescherelle; du grec *hespera* «soir», et *-idés.*

♦ Zool. Famille de lépidoptères rhopalocères, papillons diurnes et colorés, dont l'*hespérie* (ou *hespéride*) est le type. — Au sing. *Un hespéridé.*

HESPÉRIDINE [ɛspeʀidin] n. f. — XXe; du lat. sav. *hesperidium* «fruit à pulpe divisée en lobules», comme l'orange, le citron, les «pommes d'or» des *Hespérides* étant considérées comme des agrumes.

♦ Chim., biol. Substance (glucoside) à propriétés vitaminiques P, présente dans certains agrumes.

HESPÉRIDITÉ [ɛspeʀidite] n. f. — XXe; du rad. du lat. *hesperidium.* → Hespéridine.

♦ Didact. Note d'un parfum, odeur de zeste d'agrume.

HÉTAÏRE [etaiʀ] n. f. — 1799, *hetaire;* grec *hetaira* «compagne; maîtresse», fém. de *hetairos.* → Hétairie.

REM. La var. *hétère,* encore seule admise par Littré, n'est plus en usage. Didactique.

♦ **1.** Dans l'antiquité grecque, Courtisane* d'un rang social un peu relevé, surtout à Athènes et à Corinthe. *Aspasie, hétaïre amie de Périclès.* — Var. orthographique : *hétaire* [etaiʀ], sans tréma sur l'i (vx).

(...) Plangon, nous avons oublié de le dire, n'était ni une noble et chaste matrone, ni une jeune vierge dansant la bibase aux fêtes de Diane, mais tout simplement une esclave affranchie exerçant le métier d'*hétaire.* 1
Th. GAUTIER, la Chaîne d'or, *in* Fortunio..., p. 254.

Voici les beaux palais où sont les hétaïres, 2
Sveltes lys de Corinthe ou roses de Milet,
Qui, dans des bains de marbre, au chant divin des lyres,
Lavent leurs corps sans tache avec un flot de lait.
Th. DE BANVILLE, Odes funambulesques, «Ville enchantée», p. 27.

♦ **2.** (1873). Par ext. Prostituée de luxe; femme vénale (→ Écharper, cit. 2).

DÉR. Hétaïrisme.

HÉTAIRIE ou HÉTÉRIE [eteʀi] n. f. — 1799; grec *hetaireia* «association d'amis», de *hetairos* «ami, compagnon». → Hétaïre. Didactique.

♦ **1.** Antiq. grecque. Association, plus ou moins secrète, à caractère généralement politique.

♦ **2.** Société politique ou littéraire de la Grèce moderne. *Les hétairies eurent un rôle important dans la conquête de l'indépendance hellénique.*

HÉTAÏRISME [etaiʀism] n. m. — 1981; *hétairisme,* 1874; de *hétaïre.*

REM. A. Thibaudet (1927) emploie le comp. *hétairocratie,* n. f.

♦ Didact. Rare. Mœurs, condition des hétaïres.

HÉTÉR- ⇒ Hétéro-.

HÉTÉRANDRE [eteʀɑ̃dʀ] adj. — Mil. XIXe; de *hétér-,* et *-andre,* du grec *anêr, andros* «mâle».

♦ Bot. (Plante) dont les étamines ou les anthères n'ont pas toutes la même forme.

HÉTÉRIE [eteʀi] n. f. ⇒ Hétairie.

HÉTÉRO [eteʀo] n. et adj. ⇒ Hétérosexuel.

HÉTÉRO-, HÉTÉR- Élément de mots didact. ou cour., tiré du grec *heteros* «autre». ⇒ **Hétéroclite, hétérodoxe, hétérogène** et dér.; et aussi **hétérandre.** — Outre les mots traités ci-après, on peut signaler des comp., en général didact., plus rares ou occasionnels, comme *hétéradelphie* adj. et n.; *hétéroallèle* n. m. (⇒ **Allèle**); *hétéroanticorps* n. m.; *hétéroantigène* n. m.; *hétérochromatique* adj.; *hétéroinoculation* n. f.; *hétérolyse* n. f.; *hétérohypnotisation* n. f.; *hétérosuggestion* n. f.

HÉTÉROBASIDE [eteʀobazid] n. f. ⇒ Baside.

HÉTÉROBASIDIOMYCÈTES [eteʀobazidjomisɛt] n. m. pl. ⇒ Basidiomycètes.

HÉTÉROCARPE [eteʀokaʀp] adj. — 1855, Nysten; de *hétéro-,* et suff. *-carpe.*

♦ Bot. Qui porte plusieurs espèces de fruits; dont tous les fruits n'ont pas la même forme. *Plante hétérocarpe.*

HÉTÉROCELLULAIRE [eteʀoselylɛʀ] adj. — XXe; de *hétéro-,* et *cellulaire.*

♦ Biol. Qui est constitué de cellules de formes diverses.

HÉTÉROCENTRIQUE [eteʀosɑ̃tʀik] adj. — 1948; de *hétéro-,* et *centre,* d'après *anthropocentrique, géocentrique,* etc.

♦ Psychol. Dont le centre d'intérêt est hors de soi. ⇒ **Altruiste.**

La grande importance de cette sorte d'oblation des premières poussées affectives est dans son caractère hétérocentrique.
E. MOUNIER, la Relation sexuelle, tiré de «Traité du caractère» (1948), *in* Dr WILLY, la Sexualité, t. I, p. 32.

CONTR. Égocentrique.

HÉTÉROCÈRE [eteʀɔsɛʀ] n. m. — 1839; de *hétéro-,* et grec *keras* «antenne».

♦ Insecte coléoptère clavicorne aquatique. — N. m. pl. (1827). *Les hétérocères* : sous-ordre d'insectes lépidoptères comprenant des papillons aux antennes variées, filiformes ou pectinées, mais non renflées à leur extrémité.

HÉTÉROCERQUE [eteʀɔsɛʀk] adj. — 1866; de *hétéro-*, et *-cerque*, grec *kerkos* «queue».

♦ Qui a deux lobes inégaux, en parlant de la nageoire caudale de certains poissons. — Par ext. *Poisson hétérocerque* (squale, esturgeon). — N. m. pl. *Les hétérocerques.*

CONTR. Homocerque.

HÉTÉROCHROME [eteʀokʀom] adj. — 1873; de *hétéro-*, et *-chrome*, du grec *khrôma* «couleur».

♦ Didact. Qui présente une couleur différente.

Spécialt (bot.). Se dit des capitules des composées quand les fleurs du centre ont une couleur différente de celles de la circonférence.

CONTR. Homochrome.

HÉTÉROCHROMIE [eteʀokʀomi; eteʀɔkʀɔmi] n. f. — 1896, *Année sc. et industr.* 1897, p. 434; de *hétéro-*, et *-chromie.*

♦ Didact. Coloration différente, en parlant de parties qui sont normalement de la même couleur. *Hétérochromie de l'iris.* ⇒ **Vairon** (yeux vairons).

CONTR. Homochromie.

HÉTÉROCHROMOSOME [eteʀokʀomozom] n. m. — 1907, in *Rev. gén. des sc.*, nº 20, p. 837; de *hétéro-*, et *chromosome.*

♦ Biol. Chromosome qui détermine le sexe, différent de son homologue de l'autre sexe (dans l'espèce humaine, le second chromosome X de la paire XX chez la femme et le chromosome Y de la paire XY chez l'homme). Syn. : *allosome, gonosome.*

CONTR. Autosome.

HÉTÉROCHRONE [eteʀokʀon] adj. — XXᵉ; de *hétéro-*, et *-chrone* «temps».

♦ Sc. Se dit de deux neurones qui n'ont pas la même chronaxie.

CONTR. Isochrone.

HÉTÉROCHTONE [eteʀɔktɔn] adj. — 1854, About; de *hétéro-*, et *-chtone* dans *autochtone*, du grec *khtôn* «terre».

♦ Didact. Rare. Qui provient d'un autre lieu que celui où il vit.

CONTR. Autochtone.

HÉTÉROCINÉSIE [eteʀosinezi] n. f. — 1896; de *hétéro-*, et *-cinésie*, du grec *kinêsis* «mouvement».

♦ Méd. Exécution d'un mouvement inverse à celui qui a été ordonné.

HÉTÉROCINÉTIQUE [eteʀosinetik] adj. — Mil. XXᵉ; de *hétéro-*, et *cinétique*, d'après *hétérocinésie.*

♦ Phys. Se dit d'un ensemble de particules ayant les vitesses différentes.

CONTR. Homocinétique.

HÉTÉROCLISIE [eteʀoklizi] n. f. — XXᵉ; de *hétéroclite* (1.).

♦ Ling. Flexion d'un mot hétéroclite (1.).

HÉTÉROCLISME [eteʀoklism] n. m. — Mil. XIXᵉ; de *hétéroclite* (2. et 3.), et suff. *-isme.*

♦ Didact. Rare. État d'une chose hétéroclite.

HÉTÉROCLITE [eteʀɔklit] adj. — 1549, en gramm.; *etroclite* «étrange», v. 1440; empr. au lat. gramm. *heteroclitus*, du grec *heteroklitos*, de *heteros* (→ Hétéro-), et *klinein* «incliner».

♦ **1.** Didact. Qui s'écarte des règles. Gramm. *Mot hétéroclite*, «dont la déclinaison, la conjugaison ou le régime ne suivent pas les règles de la grammaire ordinaire» (Furetière). ⇒ **Irrégulier; hétéroclisie.**

♦ **2.** Arts, littér. Se dit d'une œuvre faite de parties appartenant à des styles ou à des genres différents. *Pièces de théâtre, roman hétéroclite; édifice hétéroclite.* ⇒ **Composite, disparate.**

1 (...) les mots sont accouplés d'une manière si hétéroclite que l'on ne sait plus si c'est du haut allemand ou du théotisque!
Th. GAUTIER, les Grotesques, Chapelain.

Cour. Qui est constitué d'éléments variés, peu homogènes, peu compatibles. ⇒ **Bigarré, divers, hétérogène, mélangé, varié.** *Population hétéroclite. Peintures hétéroclites* (→ Barbouilleur, cit. 5).

(...) toute cette population, musulmane, juive, chrétienne, bariolée de tant de peaux différentes et de costumes hétéroclites, qui peuple l'ancienne capitale de Haroun-Al-Raschid. 2
J.-A. DE GOBINEAU, les Pléiades, I, III.

♦ **3.** (Déb. XVIIᵉ). Fig. Vieilli. Qui comporte de façon étrange, éloignée des usages. ⇒ **Bizarre, singulier.** *Personnage hétéroclite. Façon hétéroclites.* — Mod. (Choses). *Un accoutrement hétéroclite.*

Entre nous, le comte d'Olivarès a l'esprit un peu fantasque et singulier; c'est un seigneur plein de caprices : quelquefois, comme dans cette occasion, il agit d'une manière qui révolte; et lui seul a la clef de ses actions hétéroclites. 3
A.-R. LESAGE, Gil Blas, XI, III.

(...) j'ai du goût pour sa personne hétéroclite (*Montlosier*) j'aime (...) ce libéral expliquant la Charte à travers une fenêtre gothique, ce seigneur pâtre quasi marié à sa vachère, semant lui-même son orge parmi la neige, dans son petit champ de cailloux (...) 4
CHATEAUBRIAND, Mémoires d'outre-tombe, t. II, p. 112.

Il était vêtu d'un étrange complet colonial en toile kaki, aussi décoloré que ses cheveux; et bien qu'on eût l'habitude, au *Croissant*, des tenues hétéroclites, il ne passait pas inaperçu. 5
MARTIN DU GARD, les Thibault, t. VI, p. 244.

CONTR. Homogène.

DÉR. Hétéroclisie, hétéroclisme. — REM. Gautier emploie l'adv. **hétéroclitement** (1837, *in* D. D. L.).

HÉTÉROCYCLIQUE [eteʀosiklik] adv. — 1903, in *Rev. gén. des sc.*, nº 1, p. 46; de *hétéro-*, et *cyclique.*

♦ Chim. Se dit des corps à chaîne fermée (composés cycliques) lorsque cette chaîne comprend des atomes d'éléments autres que le carbone. *Composé hétérocyclique* (opposé à *homocyclique*).

HÉTÉRODONTE [eteʀɔdɔ̃t] adj. — 1846, Bescherelle; de *hétér(o)-*, et *-odonte.*

♦ **1.** Zool. Qui possède plusieurs types de dents.

Presque tous les Mammifères sont hétérodontes, c'est-à-dire ont des incisives, des canines et des molaires; les Reptiles, par contre, sont homodontes et possèdent un grand nombre de dents toutes semblables. Les poissons sont également homodontes dans leur ensemble, mais les cas d'hétérodontie sont loin d'être rares. Le Requin de Port-Jackson en est un bon exemple; il a d'ailleurs reçu le nom générique d'*Heterodontus.* Chez ce Squale, les mâchoires portent, en avant, plusieurs rangées de petites dents aiguës et, sur les côtés, quelques rangées de grosses dents larges et plates; il y a là une nette différenciation en canines et molaires.
R. et M.-L. BAUCHOT, les Poissons, p. 31.

♦ **2.** N. m. pl. *Les hétérodontes* : famille de mollusques bivalves eulamellibranches*, caractérisés par leur charnière dont les dents cardinales sont peu nombreuses et très différenciées. *La famille des hétérodontes comprend les coques, les praires et les palourdes.* — Au sing. *Un hétérodonte.*

CONTR. (Du sens 1) **Homodonte.**
DÉR. (Du sens 1) **Hétérodontie.**

HÉTÉRODONTIE [eteʀɔdɔ̃si] n. f. — 1969, Quillet; de *hétérodonte.*

♦ Zool. Caractère d'un animal hétérodonte.

Dès l'apparition, à la fin de l'ère primaire, de la station quadrupède dressée, on se rappelle qu'est apparue l'hétérodontie ou diversification des incisives, canines, prémolaires et molaires.
A. LEROI-GOURHAN, le Geste et la Parole, t. I, p. 104.

HÉTÉRODOXE [eteʀɔdɔks] adj. — 1667; grec ecclés. *heterodoxos*; de *heteros* «autre» (→ Hétéro-), et *doxa* «opinion».

♦ **1.** Relig. Qui s'écarte de la doctrine reçue. *Théologiens hétérodoxes. Opinion hétérodoxe.* ⇒ **Hérétique.** — N. *Un, une hétérodoxe* (→ Gloire, cit. 51).

Rejeter de son sein les éléments hétérodoxes, voici qui n'appartient qu'à l'Église; car il ne peut y avoir hétérodoxie s'il n'y a pas orthodoxie. 1
GIDE, Nouveaux prétextes, p. 119.

♦ **2.** (1757). Didact. Qui n'est pas orthodoxe, conformiste. *Esprit hétérodoxe. Savant aux idées hétérodoxes.* ⇒ **Dissident, indépendant, non-conformiste.**

On en est encore à épier les textes, pour y découvrir une proposition hétérodoxe! 2
BERNANOS, l'Imposture, *in* Œ. roman., Pl., p. 333.

CONTR. Conformiste, orthodoxe, traditionaliste.

HÉTÉRODOXIE [eteʀɔdɔksi] n. f. — 1690; grec ecclés. *heterodoxia*; de *heteros* (→ Hétéro-), et *doxa*. → -doxe.

♦ Relig. ou didact. Doctrine hétérodoxe. *Les luttes de Bossuet contre l'hétérodoxie.* — Caractère de ce qui est hétérodoxe. *Théologien persécuté pour l'hétérodoxie de ses ouvrages.*

Certes, ma philosophie du *fieri* était l'hétérodoxie même; mais je ne tirais pas les conséquences. 1
RENAN, Souvenirs d'enfance..., IV, II.

(...) dans chaque religion, les dogmes indécis des premiers temps ne se préci- 2

sent et ne parviennent à l'état d'orthodoxies que par le même travail d'esprit qui engendre les hétérodoxies, les hérésies et les doctrines individuelles.
Émile BURNOUF, la Science des religions, p. 339.

CONTR. Doctrine (saine doctrine), **orthodoxie.**

HÉTÉRODYNE [eteʀɔdin] n. f. — 1922; de *hétéro-*, et *-dyne.*

♦ Radio. Générateur d'ondes entretenues qui joue le rôle d'amplificateur des ondes captées par le poste récepteur. *Une hétérodyne à cristal, à haute, à basse fréquence.* — Adj. *Générateur hétérodyne* (⇒ **Superhétérodyne**).

COMP. Superhétérodyne.

HÉTÉROGAMÉTIE [eteʀɔgamesi] n. f. — Mil. xxe; de *hétéro-, gamète*, et suff. *-ie.*

♦ Biol. Formation, dans une espèce, de deux catégories de gamètes différents. *L'hétérogamétie du sexe femelle et l'homogamétie* du sexe mâle chez les oiseaux, les crapauds.*

CONTR. Homogamétie.

HÉTÉROGAMIE [eteʀɔgami] n. f. — 1842; de *hétéro-*, et *-gamie.*

♦ Biol. Reproduction sexuée par deux gamètes de morphologie différentes (syn. : *anisogamie*). *La fécondation de l'ovule par le spermatozoïde, type de l'hétérogamie.*

CONTR. Isogamie.

HÉTÉROGÈNE [eteʀɔʒɛn] adj. — 1616; *hétérogénée*, v. 1370; lat. scolast. *hétérogeneus*; du grec *heterogenês*; de *heteros* (→ Hétéro-), et *genos* (→ -gène).

♦ **1.** Rare. Se dit des parties, des éléments d'un tout qui sont de nature différente*. *Éléments hétérogènes d'un corps.* — Par métaphore. → Cohésion, cit. 2.

1 L'erreur de Descartes a été de croire à la réalité de ces abstractions et de regarder le physique et le moral comme hétérogènes. Ce dualisme a pesé lourdement sur toute l'histoire de la connaissance de l'homme.
Alexis CARREL, l'Homme, cet inconnu, IV, I.

♦ **2.** (1690). Concret. Composé d'éléments de nature différente, dissemblables*. *Corps hétérogène. Roche hétérogène. Organisme hétérogène* (→ Cellule, cit. 7). — *Nombre hétérogène*, composé d'entiers et de fractions.

(1866). Gramm. Vx. *Substantif hétérogène*, dont le genre varie avec le nombre. Amour, délice, orgue, *substantifs hétérogènes.*

♦ **3.** (xixe). Abstrait. Qui n'a pas d'unité, est composé d'éléments de nature différente. ⇒ **Bigarré, composite, disparate, dissemblable, divers, hétéroclite.** *Nation hétérogène* (→ Agglomération, cit.). *Les blocs hétérogènes d'une population* (→ Assimilation, cit.).

2 Il est clair qu'un peuple essentiellement hétérogène et qui vit de l'unité de ses différences internes, ne pourrait, sans s'altérer profondément, adopter le mode d'existence uniforme et entièrement discipliné qui convient aux nations dont le rendement industriel et la satisfaction standardisée sont des conditions ou des idéaux conformes à leur nature. VALÉRY, Regards sur le monde actuel, p. 134.

3 Curieux livre, où tout est excellent mais hétérogène, au point qu'il semble la carte d'échantillons de tout ce où peut exceller Stevenson. GIDE, Journal, 17 nov. 1913.

4 Mais les Ibères ne sont pas seuls en Méditerranée, car des infiltrations, des invasions répétées y ont introduit des éléments hétérogènes.
André SIEGFRIED, l'Âme des peuples, II, I.

5 Sa personnalité, de même, était composée d'éléments hétérogènes, opposés et également impérieux (...) MARTIN DU GARD, les Thibault, t. IX, p. 193.

(En parlant d'un seul élément). *Notion hétérogène à une autre, à un système.*

CONTR. (Du sens 1) **Analogue, identique, semblable, similaire.** — (Des sens 2 et 3) **Homogène, pur, simple.**

HÉTÉROGÉNÉITÉ [eteʀɔʒeneite] n. f. — 1586; lat. scolast. *heterogeneitas*, de *heterogeneus*. → Hétérogène.

♦ Caractère de ce qui est hétérogène* (au propre et au fig.). ⇒ **Disparité, dissemblance, diversité.** *Hétérogénéité des États fédératifs* (→ Fédération, cit. 1).

1 (...) nous savons que toute analyse expérimentale de l'électricité a donné, pour résultat final, le principe, réel ou apparent, de *l'hétérogénéité.*
BAUDELAIRE, Trad. E. POE, Eureka, V.

2 Pour les anatomistes et pour les chirurgiens, notre hétérogénéité organique est indiscutable. Il semble, cependant, qu'elle soit plus apparente que réelle.
Alexis CARREL, l'Homme, cet inconnu, III, XII.

CONTR. Homogénéité; analogie.

HÉTÉROGENÈSE [eteʀɔʒənɛz] n. f. ⇒ **Hétérogénie.**

HÉTÉROGÉNIE [eteʀɔʒeni] n. f. — 1837, d'Orbigny, *in* T. L. F.; de *hétéro-*, et *-génie.*

★ **I.** ♦ **1.** Vx ou hist. des sc. Génération spontanée. ⇒ **Génération** (cit. 6 et *supra*).

♦ **2.** Biol. (vieilli). Apparition, au cours de générations successives, de caractères différents. ⇒ **Mutation.** — On dit aussi *hétérogenèse.* ⇒ **Homogenèse.**

★ **II.** Didact. Rare. Hétérogénéité. — REM. Dans ce sens, un adj. dér., *hétérogénique* «relatif au caractère hétérogène» est attesté (J. Maritain, *in* T. L. F.).

DÉR. Hétérogéniste.

HÉTÉROGÉNISTE [eteʀɔʒenist] n. — Mil. xxe; de *hétérogénie* (I.).

♦ Didact. Partisan de l'hétérogénie (I., 2.).

HÉTÉROGLOTTE [eteʀɔglɔt] n. — xxe; de *hétéro-*, d'après *polyglotte.*

♦ Didact. Rare. Se dit de deux personnes qui ne parlent pas la même langue.

M. Kaï Kielland l'attendait sur le quai de la petite gare de Hvalstad (...) Les politesses furent brèves entre ces deux hétéroglottes.
Maurice BEDEL, Jérôme 60° latitude Nord, IX, p. 93.

HÉTÉROGREFFE [eteʀɔgʀɛf] n. f. — 1900, *l'Année biol.*; de *hétéro-*, et *greffe.*

♦ Chir. Greffe entre individus d'espèces différentes. ⇒ **Hétéroplastie.**

CONTR. Autogreffe, autoplastie, homogreffe.

HÉTÉROLATÉRAL, ALE, AUX [eteʀolateʀal, o] adj. — Mil. xxe; de *hétéro-*, et *latéral.*

♦ Méd. Qui a trait, qui appartient au côté opposé du corps.

CONTR. Homolatéral.

HÉTÉROLOGUE [eteʀɔlɔg] adj. — 1853, *in* T. L. F.; de *hétéro-*, et grec *logos* «rapport». → Homologue.

Didactique (biologie, médecine).

♦ **1.** Dont la structure ou la formation paraît différente de celles d'autres parties ou tissus de l'organisme. *Tissu hétérologue.*

♦ **2.** Qui provient d'une espèce différente. *Greffe hétérologue.* ⇒ **Hétérogreffe, hétéroplastie.**

Frédéric et Corin (1962) ont observé que l'utilisation d'un extrait embryonnaire hétérologue, c'est-à-dire provenant d'un animal différent de celui dont les tissus sont en culture, peut modifier le caryotype des cellules cultivées. À côté des variations du nombre de chromosomes, l'attention a été attirée sur les variations de leur forme. Jean VERNE et Simone HÉBERT, la Culture de tissus, p. 94.

HÉTÉROMÈRE [eteʀɔmɛʀ] adj. — 1839; de *hétéro-*, et grec *meros* «partie».

♦ **1.** Bot. Se dit d'une fleur dont le nombre de pièces florales varie d'un verticille* à l'autre.

♦ **2.** Zool. Se dit des insectes coléoptères dont les tarses* sont, suivant les paires de pattes, composés d'un nombre différents d'articles.

♦ **3.** N. m. pl. LES HÉTÉROMÈRES : groupe de coléoptères comprenant ceux qui possèdent cinq articles aux deux premières paires de tarses et quatre seulement aux tarses postérieurs. — Au sing. *Un hétéromère.*

HÉTÉROMÉTABOLE [eteʀometabɔl] adj. — 1930, in *Larousse du xxe s.; de hétéro-*, et 2. *métabole.*

♦ Zool. Se dit d'un insecte dont le cycle évolutif comporte une métamorphose progressive et incomplète (absence du stade nymphal inerte). — N. *Les hétérométaboles font partie des hémimétaboles*.*

CONTR. Holométabole.

HÉTÉROMORPHE [eteʀɔmɔʀf] adj. — 1816, Blainville; de *hétéro-*, et *-morphe.*

♦ **1.** Vx. Diversiforme, polymorphe.

♦ **2.** Sc. Qui présente des formes très différentes (en parlant d'individus de la même espèce). — Zool. *Femelles hétéromorphes.* — Bot. *Organes hétéromorphes.* — Chim. *Substances hétéromorphes.*

DÉR. Hétéromorphisme.

HÉTÉROMORPHISME [eteʀɔmɔʀfism] n. m. — 1866; de *hétéromorphe.*

♦ Sc. Vx. Caractère de ce qui est hétéromorphe. ⇒ **Polymorphisme.** *Hétéromorphisme sexuel* (→ Dimorphisme).

HÉTÉROMYAIRES [eteʀɔmjɛʀ] n. m. pl. — 1924, Poiré; de *hétéro-*, grec *mûs* «musclé», et suff. *-aire.*

♦ Zool. Ordre de mollusques lamellibranches dont les deux muscles adducteurs de la coquille sont inégalement développés. — Au sing. *Un hétéromyaire.*

HÉTÉRONOME [eteʀɔnɔm] adj. — 1842, Académie, *Compl.*; de *hétéro-*, et grec *nomos* «loi».

♦ Didact. Qui reçoit de l'extérieur les lois qui le gouvernent. *Acte hétéronome.*

CONTR. **Autonome.**
DÉR. **Hétéronomie.**

HÉTÉRONOMIE [eteʀɔnɔmi] n. f. — 1827, *in* D. D. L.; de *hétéronome.*

Didactique (philosophie, droit).

♦ **1.** État de la volonté qui puise hors d'elle-même, dans les impulsions ou dans les règles sociales, le principe de son action. *L'hétéronomie de la volonté, obstacle, selon Kant, à l'action morale authentique.*

♦ **2.** Absence d'autonomie.

CONTR. **Autonomie.**

HÉTÉRONYME [eteʀɔnim] adj. — 1866; de *hétéro-*, et *-onyme*, du grec *ônuma* «nom», d'après *homonyme.*

♦ **1.** Méd., biol. Qui est en relation d'opposition; spécialt, qui intéresse deux parties symétriques de l'organisme. *Image hétéronyme. Diplopie* hétéronyme.*

♦ **2.** Ling. **a** Qui n'a pas le même nom.

b Équivalent d'un mot dans une autre langue. *«Chat» et «cat» sont des hétéronymes* (français et anglais).

CONTR. (Du sens 2) **Homonyme.**

HÉTÉROPEPTIDE [eteʀɔpɛptid] n. m.— xxe; de *hétéro-*, et *peptide.*

♦ Chim., biol. Substance constituée de plusieurs acides aminés (peptide) et d'un groupement non protéique, et pouvant être décomposée par hydrolyse.

HÉTÉROPHILE [eteʀɔfil] adj. — xxe; de *hétéro-*, et *-phile.*

♦ Biol. Se dit de substances antigéniques décelables chez des êtres vivants appartenant à des espèces différentes.

HÉTÉROPHORIE [eteʀɔfɔʀi] n. f. — xxe; de *hétéro-*, grec *phorein* «porter» (→ -phore), et suff. *-ie.*

♦ Méd. Forme de strabisme latent, décelable par l'examen des mouvements oculaires, mais dans lequel la déviation oculaire n'apparaît pas spontanément, étant corrigée par un effort plus ou moins conscient.

HÉTÉROPLASTIE [eteʀoplasti] n. f. — 1878; de *hétéro-*, et *-plastie.*

♦ Biol., chir. Transplantation sur un sujet de greffons prélevés sur un individu appartenant à une espèce différente. — On dit aussi *hétérogreffe* ou *greffe hétérologue.* ⇒ 2. **Greffe.**

CONTR. **Autogreffe, autoplastie, homogreffe.**
DÉR. **Hétéroplastique.**

HÉTÉROPLASTIQUE [eteʀoplastik] adj. — 1878; de *hétéroplastie.*

♦ Biol., chir. Qui a rapport à l'hétéroplastie. *Greffe* (cit. 6) *hétéroplastique.*

CONTR. **Autoplastique, homoplastique.**

HÉTÉROPLOÏDE [eteʀɔplɔid] adj. — xxe; de *hétéro-*, et *(ha)ploïde*, d'après *diploïde.*

♦ Biol. Se dit du noyau cellulaire (de la cellule qui le porte ou d'un organisme constitué par de telles cellules) dans lequel le nombre de chromosomes ne représente pas un multiple exact du nombre haploïde.

CONTR. **Euploïde.**

HÉTÉROPODES [eteʀɔpɔd] n. m. pl. — 1873; de *hétéro-*, et *-pode.*

♦ Zool. Sous-ordre de mollusques gastéropodes* prosobranches carnassiers, au corps transparent, dont le pied est transformé en une large nageoire verticale. *Les hétéropodes vivent dans les mers chaudes.* — Au sing. *Un hétéropode.*

HÉTÉROPROTÉINE [eteʀopʀɔtein] n. f. — V. 1850; de *hétéro-*, et *protéine.*

♦ Biochim. Protéine liée à un groupement non protéique (chromoprotéines, glycoprotéines, lipoprotéines, nucléoprotéines).

HÉTÉROPTÈRE [eteʀɔptɛʀ] adj. et n. — 1834; de *hétéro-*, et *-ptère.*

♦ Zool. Qui a les ailes supérieures à demi coriaces, en parlant d'un hémiptère. — N. m. pl. *Les hétéroptères :* sous-ordre d'hémiptères, dont les ailes antérieures (*hémiélytres* ou *hémélytres*) sont cornées à la base et membraneuses à leur extrémité. ⇒ **Rhynchotes.** *Les punaises* des bois, des lits, les punaises d'eau, principales variétés d'hétéroptères.* — Au sing. *Un hétéroptère.*

HÉTÉROSCIENS [eteʀɔsjɛ̃] n. m. pl. — 1584; de *hétéro-*, grec *skia* «ombre», et suff. *-ien.*

♦ Géogr. Vx. ⇒ **Antisciens.**

HÉTÉROSEXUALITÉ [eteʀosɛksɥalite] n. f. — 1894; de *hétérosexuel**, d'après *sexualité.*

♦ Didact. (Opposé à *homosexualité*). Sexualité (considérée comme normale) des hétérosexuels.

La diversité des cas d'homosexualité est plus grande, et de beaucoup, que celle des cas d'hétérosexualité. Il y a plus : l'irrépressible dégoût que peut éprouver un homosexuel pour un autre dont les appétits ne sont pas les mêmes est chose dont l'hétérosexuel ne peut se rendre compte.
GIDE, Ainsi soit-il, *in* Souvenirs, Pl., p. 1212.

HÉTÉROSEXUEL, ELLE [eteʀosɛksɥɛl] adj. et n. — Nov. 1894, A. Raffalovitch, *l'Éducation des invertis* (in *Archives d'anthropologie criminelle*); de *hétéro-*, et *sexuel.*

♦ Didact. (mais répandu dans l'usage cour. après la diffusion de *homosexuel*). Qui éprouve une appétence sexuelle (considérée comme normale) pour les individus du sexe opposé et non pour ceux du même sexe. — N. (1895, *in* D. D. L.). *Un hétérosexuel, une hétérosexuelle.* — (Av. 1964, *in* D. D. L.). Abrév. fam. *Un, une hétéro* (opposé à *homo* [«homosexuel»]).

(...) au coup de cloche suivant un chassé-croisé répartit ces quatre personnes en deux couples hétérosexuels. Petit-Pouce choisit la brune frisée et Paradis prit la décolorée. 1
R. QUENEAU, Pierrot mon ami, p. 19.

Je suis ressortie et je suis allé rue Coulé où j'ai acheté des couleurs à peindre et puis des bouteilles de parfum à la parfumerie bien connue de Monsieur Jacques qui est un hétérosexuel et qui me fait toujours des avances. 2
É. AJAR (R. GARY), la Vie devant soi, p. 249.

CONTR. **Homosexuel.** — (De *hétéro*) **Homo.**
DÉR. **Hétérosexualité.**

HÉTÉROSIDE [eteʀozid] n. m. — 1900; de *hétéro-*, et *oside.*

♦ Biochim. Substance glucidique (⇒ **Oside**) composée d'un ou plusieurs sucres (*oses*) et d'une partie non glucidique (*aglycone*), et qui peut être décomposée par hydrolyse. ⇒ **Holoside, saponoside.**

HÉTÉROSPHÈRE [eteʀosfɛʀ] n. f. — V. 1900; de *hétéro-*, et *sphère.*

♦ Didact. Région de l'atmosphère, située au-dessus de 100 km, dans laquelle la composition de l'air varie par suite de la séparation par diffusion de certains de ses éléments.

CONTR. **Homosphère.**

HÉTÉROSTASE [eteʀostaz] n. f. — D. i.; de *hétéro-*, et *stase.*

♦ Zool. Chez les acariens, stase (3.) différant fortement des stases voisines (opposé à *homostase*).

HÉTÉROSUGGESTION [eteʀosygʒɛstjɔ̃] n. f. — 1926; de *hétéro-*, et *suggestion.*

♦ Didact. Suggestion venue de l'extérieur, produite par une influence extérieure.

Lorsqu'on a admis que l'hétérosuggestion devait être avant tout une éducation de l'autosuggestion, leur étude peut être en quelque sorte commune (...) D'une façon générale il serait possible d'obtenir avec l'autosuggestion tout ce qu'on obtient par l'hétérosuggestion. Guy PALMADE, la Psychothérapie, p. 46.

CONTR. **Autosuggestion.**

HÉTÉROTOPE [eteʀɔtɔp] adj. — xxe; de *hétéro-*, et grec *topos* «lieu, emplacement».
Didactique.

♦ **1.** Biol. Pathol. Qui se trouve, qui a son origine dans un endroit anormal. *Greffe hétérotope. Stimulus hétérotope.*

♦ **2.** Dont le «lieu» abstrait est différent; qui n'est pas (sémantiquement, rhétoriquement) sur le même plan (opposé à *isotope*; → Hétérotopie, cit.).

DÉR. **Hétérotopie.**

HÉTÉROTOPIE [eteʀɔtɔpi] n. f. — xxe; de *hétérotope.*
Didactique.

♦ **1.** Biol. Présence d'éléments anatomiques, constitués normalement, en des lieux où ils n'existent pas normalement.

♦ **2.** Situation, «lieu» non homogène (sur le plan sémantique, etc.) (Opposé à *isotopie*).

La notion d'isotopie appelant celle d'hétérotopie, il s'ensuit un classement formel (structural) des espaces mentaux et sociaux en isotopes et hétérotopes, avec des rapports et implications, d'appartenance, d'inclusion et aussi d'exclusion, d'extériorité. Un tel classement peut prendre pour référence la chose écrite (qui précisément s'érige elle-même en contexte mental et social, et supplante les autres référentiels).
Henri LEFEBVRE, la Vie quotidienne dans le monde moderne, p. 299-300.

DÉR. **Hétérotopique.**

HÉTÉROTOPIQUE [eteʀɔtɔpik] adj. — 1905, in *Rev. gén. des sc.*, no 21, p. 961; de *hétérotopie.*

♦ Relatif à l'hétérotopie. *Greffe hétérotopique* : greffe d'un organe ailleurs qu'en position normale.

HÉTÉROTRICHES [eteʀɔtʀiʃ] n. m. pl. — 1890, P. Larousse, *Deuxième Suppl.*; de *hétéro-*, et grec *thrix* «cheveu, poil».

♦ Zool. Ordre de protozoaires ciliés (⇒ **Infusoires**), dont la bouche, entourée de cils longs et rigides, est placée au fond d'un péristome*. — Au sing. *Un hétérotriche.*

HÉTÉROTROPHE [eteʀɔtʀɔf] adj. — 1905, *in* Cottez; de *hétéro-*, et *-trophe.*

♦ Biol. Qui se nourrit de substances organiques, ne peut effectuer lui-même la synthèse de ses éléments contituants. *L'homme est hétérotrophe.* — N. m. Organisme hétérotrophe.

Toute cellule subsiste grâce à un apport constant d'énergie extérieure; cette énergie est fournie par la lumière solaire, dans le cas des plantes (on dit, dans ce cas, que ce sont des autotrophes, c'est-à-dire capables de se nourrir elles-mêmes), par les substances élaborées par d'autres êtres vivants dans le cas des animaux (on dit qu'ils sont hétérotrophes).
Antoine DANCHIN, Ordre et Dynamique du vivant, p. 19, Seuil (1978).

CONTR. **Autotrophe.**
DÉR. **Hétérotrophie.**

HÉTÉROTROPHIE [eteʀɔtʀɔfi] n. f. — Mil. xxe; de *hétérotrophe.*

♦ Biol. Caractère d'un organisme hétérotrophe. *«L'un des caractères fondamentaux de la vie animale* (qui s'oppose en cela à la vie végétale) *est l'hétérotrophie : l'énergie nécessaire à la vie animale provient du démantèlement de molécules organiques complexes»* (*la Recherche*, mai 1974, p. 425).

CONTR. **Autotrophie.**

HÉTÉROTYPE [eteʀɔtip] n. m. — 1904, in *Rev. gén. des sc.*, no 4, p. 213; de *hétéro-*, et *type.*

♦ Biol. Type dont la forme diffère de celle du type représentatif d'une population déterminée.

HÉTÉROXÈNE [eteʀɔksɛn] adj. et n. m. — xxe; de *hétéro-*, et grec *xenos* «étranger».

♦ Biol. Se dit d'un parasite qui vit, au cours de ses différents stades évolutifs, chez plusieurs hôtes successifs. *Organisme hétéroxène.* — N. m. *Les hétéroxènes.*

HÉTÉROZOÉCIE [eteʀozɔesi] n. f. ⇒ **Zoécie.**

HÉTÉROZYGOTE [eteʀozigɔt] adj. — 1903, in *Rev. gén. des sc.*, no 3, p. 158; de *hétéro-*, grec *zygos* «paire», et suff. *-ote.*

♦ Biol. Se dit de l'individu porteur de deux gènes différents (récessif et dominant) sur chaque chromosome d'une même paire (par oppos. à *homozygote**).

(...) la règle formulée par HALDANE : «Quand, dans une descendance, F_1, de deux types animaux différents, un sexe est absent, rare, ou stérile, c'est le sexe hétérozygote». (...) Il est probable que, dans le sexe hétérozygote, l'équilibre génétique est plus facilement troublé que dans le sexe homozygote.
Jean ROSTAND, Idées nouvelles de la génétique, p. 101.

CONTR. **Homozygote.**
DÉR. **Hétérozygotie.**

HÉTÉROZYGOTIE [eteʀozigɔti] n. f. — 1928, Cuenot, *in* T. L. F.; de *hétérozygote.*

♦ Biol. Caractère d'un organisme hétérozygote.

CONTR. **Homozygotie.**

HETMAN [ɛtmɑ̃] n. m. — 1725; *heltman*, 1660; mot slave.

♦ Hist. Chef élu des clans cosaques (populations guerrières de l'Ukraine, des bords du Don), à l'époque de leur indépendance. ⇒ **Atman.**

Et bien! ce condamné qui hurle et qui se traîne,
Ce cadavre vivant, les tribus de l'Ukraine
Le feront prince un jour...
Un jour, des vieux hetmans il ceindra la pelisse (...)
HUGO, les Orientales, XXXIV, I.

HÊTRAIE [ˈɛtʀɛ] n. f. — 1701; de *hêtre.*

♦ Lieu planté de hêtres; forêt, bois de hêtres.

Je songe à la hêtraie de Cuverville, aux grands souffles d'automne emportant les feuilles roussies (...) GIDE, Journal, sept. 1942, *in* Journal 1939-1949, Pl., p. 131.

Var. (rare) : *hêtrée* [ˈetʀe]. → Houspiller, cit. 2.1, Flaubert.

HÊTRE [ˈɛtʀ] n. m. — 1210, *haistre* «jeune hêtre»; sens mod., 1301; a éliminé l'anc. franç. *fou* (du lat. *fagus*); francique **haistr, hester*, de **haisi* «fourré».

♦ **1.** Arbre* (cit. 21) forestier *(Cupuliféracées)*, scientifiquement appelé *fagus*, de grande taille, à tronc droit, cylindrique, à écorce lisse de couleur cendrée, à feuilles ovales, à fleurs monoïques, à fruits *(faines)* enchâssés dans une cupule *(induvie)* à quatre lobes hérissés d'épines molles. *Noms régionaux du hêtre.* ⇒ **Fayard,** 2. **fou, fouteau.** *Grand hêtre* (→ Fraîcheur, cit. 5; géant, cit. 15). *Hêtre rouge, hêtre pourpre* (variété d'Amérique du Nord). *Écorce* (cit. 3), *branches, feuilles d'un hêtre* (→ Bras, cit. 45; bruisser, cit. 4; cueillir, cit. 4). *Bois, forêt, cépée* (cit.), *couvert* (cit. 5) *de hêtres.* ⇒ **Hêtraie.** *«Le hêtre est surtout un arbre de futaie, mais il est aussi exploité en taillis»* (Omnium agricole). — *Utilisation du bois* de hêtre en boissellerie, carrosserie, charronnerie. Le bois de hêtre, excellent combustibles. L'écorce du hêtre contient du tanin.* — Loc. *L'oiseau du hêtre* : le pinson des Ardennes.

Revenant le long des haies à peine tracées, la pluie m'a surpris; je me suis réfugié sous un hêtre : ses dernières feuilles tombaient comme mes années; sa cime se dépouillait comme ma tête (...) 1
CHATEAUBRIAND, Mémoires d'outre-tombe, t. II, p. 295.

Les hêtres, à l'écorce blanche et lisse, entremêlaient leurs couronnes (...) 2
FLAUBERT, l'Éducation sentimentale, III, I.

♦ **2.** Le bois de cet arbre. *Meuble de cuisine en hêtre, sabots en hêtre.*

DÉR. **Hêtraie.**
HOM. **Aîtres,** 1. **être,** 2. **être, êtres.**

1. HEU [ø] interj. et n. m. — xve, *la Farce de Maître Pierre Pathelin*; onomatopée.

♦ Interjection qui parfois redoublée, marque l'embarras, le doute, quelque réticence, et, spécialt, la difficulté à trouver ses mots. *Il ne va pas mieux? — Heu! Heu!...*

— Ton nom est...? — Sosie. — Heu? comment? MOLIÈRE, Amphitryon, I, 2. 1

N. m. invar. *Des heu!*

Au prône, sans monter en chaire, assis sur une chaise, au milieu du chœur, il ânonna, se perdit, renonça à se retrouver : l'éloquence était son côté faible, les mots ne venaient pas, il poussait des heu! heu! sans jamais pouvoir finir ses phrases (...) 2
ZOLA, la Terre, I, IV.

Le jardin japonais traditionnel est un moyen de... nê... de communion... 3

Malgré la sûreté cérémonieuse et vaguement ecclésiastique de son français, notre « heu... » n'avait pas remplacé le « né... » japonais.
MALRAUX, Antimémoires, Folio, p. 570.

HOM. Euh, eux, 2. **heu,** plur. de **œuf.**

2. HEU ['ø] n. m. — V. 1515; *heues,* au plur., 1513; *hue,* n. f., fin XVe; néerl. *heu, heude.*

♦ Mar. anc. Navire caboteur de la mer du Nord.

HOM. Voir 1. **Heu.**

HEULANDITE ['ølɑ̃dit] n. f. — 1824, Beudant; en angl., 1822; du n. du minéralogiste angl. *(H.) Heuland.*

♦ Minér. Silicate hydraté d'alumine et de chaux que l'on trouve sous forme de cristaux dans les cavités de roches volcaniques.

HEUR [œʀ] n. m. — V. 1121, *eür, aür* « hasard, chance »; du lat. impérial *agurium,* du lat. class. *augurium* « présage » (→ Augure); archaïque dès le XVIIe.

♦ **1.** (XIVe). Vx. Bonne fortune. ⇒ **Bonheur, chance;** → 1. Aide, cit. 9.

1 Puisse le juste ciel, content de ma ruine,
Combler d'heur et de jours Polyeucte et Pauline! CORNEILLE, Polyeucte, II, 2.

2 *Heur* se plaçait où *bonheur* ne saurait entrer; il a fait *heureux,* qui est si français, et il a cessé de l'être (...) LA BRUYÈRE, les Caractères, XIV, 73.

♦ **2.** Loc. Littér. ou iron. *Avoir l'heur de plaire à qqn* (→ Freluquet, cit. 2). *Je n'ai pas l'heur de lui plaire.*

3 Mais au mois dites-moi, Madame, par quel sort
Votre Clitandre a l'heur de vous plaire si fort? MOLIÈRE, le Misanthrope, II.

Avec d'autres verbes que *plaire* comme complément :

3.1 Enfin après vingt-cinq ans, j'ai eu l'heur de trouver un admirable auxiliaire, l'aide et l'appui de La Poétique, la ferme et consciente admiration de son directeur (...)
Léonce DE LARMANDIE, Histoire de J.-G.-N. dit Humilis, *in* Germain NOUVEAU, Œ., Pl., p. 1052.

Heur et malheur. — Prov. *Il n'y a qu'heur et malheur dans ce monde :* tout est une question de chance.

4 — Tout est heur et malheur, dit Bordin en regardant ses clients. Acquittés ce soir, vous pouvez être condamnés demain.
BALZAC, Une ténébreuse affaire, Pl., t. VII, p. 609.

5 Vous aviez de l'esprit, marquis. Flux et reflux,
Heur, malheur, vous avaient laissé l'âme assez nette (...)
HUGO, les Contemplations, V, Écrit en 1846, 1.

6 Jamais aucun livre ne lui a coûté tant de peine. Il ne peut se résoudre à le délaisser tout à fait, il est devenu pour son cerveau malade une sorte de fétiche, le signe augural dont dépend l'avenir, heur ou malheur.
BERNANOS, Un mauvais rêve, *in* Œ. roman., Pl., p. 933.

CONTR. Malheur.
DÉR. Heureux.
COMP. Bonheur, malheur.
HOM. Heure, heurt.

HEURE [œʀ] n. f. — 1080, *ore; eure, ure,* v. 1050; le *h* du lat. *hora* a été rétabli très tôt dans l'écriture.

A. ♦ **1.** Espace de temps égal à la vingt-quatrième partie du jour (pratiquement, aujourd'hui, du jour* solaire moyen). *La division du jour en vingt-quatre heures remonte à la plus haute antiquité. Heures du jour, heures de la nuit. Répartition des heures, en Grèce et à Rome, en 12 heures de jour et 12 heures de nuit qui n'étaient d'égale durée qu'aux équinoxes* (*heures équinoxiales* de Galien). *Égalité des heures* (généralisée dans les temps modernes). *Heure sidérale*, heure solaire* vraie, heure solaire* moyenne. L'heure est subdivisée en 60 minutes. Demi-heure, quart d'heure.* ⇒ **Demi-heure,** 2. **quart** (2.).

1 Le chronomètre le plus parfait, c'est le ciel lui-même. Il suffit, en effet, lorsqu'on sait exactement la latitude de son observatoire, d'y mesurer à chaque instant la distance au zénith d'un astre quelconque, dont la déclinaison (...) est actuellement bien connue, pour en conclure l'angle horaire correspondant et, par une suite immédiate, le temps écoulé (...) Ce procédé (...) sert, dans nos observatoires, à régler la marche des horloges en la confrontant avec celle de la sphère céleste. On peut même se borner (...) à modifier le mouvement du chronomètre jusqu'à ce qu'il marque vingt-quatre heures sidérales entre les deux passages consécutifs d'une même étoile à une lunette fixée (...)
A. COMTE, Cours de philosophie positive, I, p. 222.

Pendant, durant une heure, deux heures, plusieurs heures (→ Accabler, cit. 22; arrêter, cit. 36; 2. baiser, cit. 27). *Une heure, des heures :* pendant une heure, pendant des heures (→ Entrée, cit. 2; filature, cit. 2; flanc, cit. 1; 1. frais, cit. 32). *J'ai attendu deux heures. Deux heures de temps* (→ Amuser, cit. 2; an, cit. 3), *deux heures d'horloge* (→ Daigner, cit. 9). *Deux heures entières* (insiste sur le contenu affectif temporel). *Avoir une heure de temps à perdre.* — *N'avoir pas une heure à soi :* être très occupé. *Trois heures de suite* (→ Application, cit. 10), *d'affilée* (cit. 1). *Pendant des heures entières* (→ Forme, cit. 30). *Prendre, louer une chambre pour quelques heures. Plusieurs heures par jour, par semaine* (→ Asseoir, cit. 38; géhenne, cit. 5). *Passer, consacrer une heure, des heures à qqch., à faire qqch.* (→ Brosser, cit. 1; enrager, cit. 6; fréquenter, cit. 2). *En une, en quelques heures* (→ Banque, cit. 4; forger, cit. 7; gagner, cit. 62). *Deux heures avant, après; deux heures plus tôt, plus tard* (→ Astrakan, cit. 1; attaquer, cit. 3; auparavant, cit. 6; flamboiement, cit. 3). *Depuis tant d'heures* (→ Armoire, cit. 7; 2. général, cit. 21). *Avancer, retarder son départ d'une heure. Revenez dans une heure. Délai de vingt-quatre, de quarante-huit heures.* — Liturgie. *Prière des quarante* heures* (→ Exaucer, cit. 7).

Une heure après la mort, notre âme évanouie
Sera ce qu'elle était une heure avant la vie. 2
CYRANO DE BERGERAC, la Mort d'Agrippine, V, 6.

Bon! Cela fait toujours passer une heure ou deux. RACINE, les Plaideurs, III, 4. 3

Au bout de vingt-quatre heures ils revirent le jour (...) VOLTAIRE, Candide, XVII. 4

Réponds; un siècle est comme une heure
Devant mon regard éternel. HUGO, Odes, I, X. 5

Une heure n'est pas une heure, c'est un vase rempli de parfums, de sons, de projets et de climats. PROUST, le Temps retrouvé, Pl., t. III, p. 889. 5.1

(...) mon régime essentiel c'était en somme les légumes secs. Ils mettent longtemps à cuire. Je passais à surveiller leur ébullition des heures dans la cuisine (...) 6
CÉLINE, Voyage au bout de la nuit, p. 242.

J'ai trouvé beau qu'il *(Giacometti)* me dise un jour, à propos de statues qu'il venait de détruire : « J'en étais content, mais elles n'était faites que pour durer quelques heures. » Quelques heures : comme une aube, comme une tristesse, comme une éphémère. SARTRE, Situations III, p. 295. 7

(XVIIe). *Heure de :* heure consacrée à, passée dans, occupée par. *Une heure, des heures de repos, de sommeil, de lecture, de solitude, de liberté, de loisir* (→ Écrasant, cit. 4; étude, cit. 5). *Deux heures de marche, de route, de chemin de fer* (→ Frein, cit. 14), *d'avion. Une heure de pluie, de soleil* (→ Feutrer, cit. 4). *Heures de classe, d'audience, de bureau* (→ Fonctionnaire, cit. 4). *Il doit tant d'heures de travail.*

(...) ce ne fut qu'après avoir bien concerté mon plan que je pus trouver deux heures de repos. LACLOS, les Liaisons dangereuses, Lettre LXIII. 8

J'envie quelquefois votre sort : vous êtes maître de vos heures de loisir et de travail; vous disposez de votre temps comme il vous plaît. 9
FONTANES, Lettre à Chênedollé, *in* SAINTE-BEUVE, Chateaubriand..., t. II, p. 221.

Une heure de liberté totale. L'heure autour de laquelle la journée tourne, comme une roue aux lenteurs exaspérantes. L'heure où l'on est enfin soi-même, sous le regard complice et stimulant d'un être qui vous aime (...) 10
G. DUHAMEL, Salavin, III, X.

Il y a en effet quelque chose de calme, et de rassurant dans les premières heures d'obscurité (...) J. GREEN, Adrienne Mesurat, I, IV. 11

Après une heure d'incendie, il ne restait presque rien de mon édicule. 12
CÉLINE, Voyage au bout de la nuit, p. 163.

Il voudrait surtout faire comprendre à ce peuple ouvrier, venu pour acclamer son tribun, que ce qui importe, pour l'instant, ce n'est pas d'obtenir des augmentations de salaires, des réductions d'heures de travail. 13
J. ROMAINS, les Hommes de bonne volonté, t. IV, XXIII, p. 255.

Spécialt. Heure de trajet. *Vous êtes à une heure (de marche, de voiture, de train, d'avion,* selon les contextes) *de cette ville.*

Heure de travail. *Journée de huit heures. Semaine de quarante heures, de trente-huit heures* (→ aussi ci-dessous, *supra* cit. 15).

(...) c'est lui *(le syndicalisme)* qui, en un siècle, a prodigieusement amélioré la condition ouvrière depuis la journée de seize heures jusqu'à la semaine de quarante heures. CAMUS, l'Homme révolté, p. 367. 14

Plusieurs fois (cit. 8) *par heure. Vingt fois l'heure* (→ 2. Fin, cit. 14). — (1886, *in* Petiot). *Faire* (cit. 110) *tant de kilomètres à l'heure :* aller à une vitesse qui, constamment soutenue, ferait parcourir tant de kilomètres en une heure. *Atteindre le cent à l'heure,* une vitesse de 100 km à l'heure (→ Côte, cit. 10). *Rouler à quarante à l'heure.* — *Coureur qui fait vingt kilomètres dans l'heure.* — (1909, *in* Petiot). *Battre le record de l'heure,* le record de la distance parcourue en une heure (par un cycliste, un coureur). ⇒ aussi **Kilomètre*-heure.**

Tout en songeant, il fouettait le cheval, lequel trottait de ce bon trot réglé et sûr qui fait deux lieues et demie à l'heure. HUGO, les Misérables, I, VII, V. 15

Prendre, louer une voiture à l'heure, payable selon le nombre d'heures qu'on l'emploie et non selon le kilométrage. — *Ouvrier qui est payé, qui travaille,* (1862) *qui est à l'heure,* dont la paye est calculée d'après le nombre d'heures de travail fourni (par oppos. à *à la tâche*, aux pièces*;* ⇒ **Horaire;** et aussi par oppos. aux *rémunérations hebdomadaires, mensuelles*). *Il gagne trois cents francs l'heure. Gagner tant par heure,* (vieilli) *tant de l'heure. Il touche deux cents francs de l'heure, par heure.* Loc. fig. Fam. *S'embêter à cent sous (de) l'heure,* au plus haut point. — (1870). *Heure supplémentaire,* effectuée en dehors des heures normales, et mieux rémunérée.

(...) Marius aperçut un cabriolet de régie qui passait à vide sur le boulevard (...) Marius fit signe au cocher d'arrêter, et lui cria : — À l'heure! (...) — Payez d'avance, dit le cocher. HUGO, les Misérables, III, VIII, X. 16
« Tarif des cabriolets de régie : deux francs l'heure ».

Ils allèrent donc aux Noctambules, où ils s'empoisonnèrent à cent sous de l'heure. 17
ARAGON, les Beaux Quartiers, II, III.

Qualifié par un adj. exprimant un sentiment de la durée. *Une bonne* (1862), *une grande heure :* une heure entière ou même un peu plus (→ Fluctuation, cit. 3). *Trois bons* (cit. 28) *quarts d'heure. S'enfermer* (cit. 17) *de longues heures. Une petite heure :* un peu moins d'une heure. *Trois mortelles* heures* (→ Arme, cit. 2). — *Des heures qui paraissent longues, courtes,* selon les sentiments, les occupations de la personne pendant ce temps (→ Abréger, cit. 8; allonger, cit. 9; désœuvrement, cit. 2; écourter, cit. 1). *Compter* les* *heures.* — (1669). Par exagér. *Voilà une heure qu'on t'attend, dépêche-toi un peu!* ⇒ **Longtemps.**

18 Les heures passent vite quand nous sommes ensemble; j'ai tant de choses à vous dire, et vous m'écoutez si bien! FLAUBERT, Correspondance, 55, 22 janv. 1842.

19 Que lentement passent les heures
Comme passe un enterrement
Tu pleureras l'heure où tu pleures
Qui passera trop vivement
Comme passent toutes les heures. APOLLINAIRE, Alcools, « À la Santé », V.

Au plur. ou au sing. collectif. Littér. Le temps. *Les heures passent vite. L'heure s'enfuit* (→ Flétrir, cit. 21). *L'effilochage* (cit.) *des heures. Le cours* (cit. 14) *rapide des heures. Au fil* (cit. 33) *des heures. Passage, fuite* (cit. 9 et 10) *des heures. Heures qui usent, qui rongent* (→ Flambeau, cit. 2). *L'heure fugitive* (→ Aimer, cit. 34 et 35; couler, cit. 18).

20 Les minutes s'écoulaient lentement, mais les heures passaient vite. P. MAC ORLAN, la Bandera, XVII.

♦ **2.** (1505, *donner l'eure*). Point précis du jour, pratiquement déterminé par référence à un instrument de mesure (horloge, pendule, montre) et chiffré de 0 à 23 sur la base des 24 divisions du jour (symb. : *h*). *Le train de 20 h 50, de 0 h 45; magasin ouvert de 8 h à 12 h et de 14 h à 18 h.*

REM. 1. La langue courante emploie *minuit* au lieu de *0 heure*, et *midi* au lieu de *12 heures;* d'autre part, la numérotation reprenant de 1 à 11 pour les heures qui suivent midi, les heures de 1 à 11 de la première moitié du jour sont précisées en ajoutant *du matin*, tandis que les heures de 1 à 11 de la seconde moitié sont précisées en ajoutant *de l'après-midi* (→ aussi Relevée) ou *du soir*. Ex. : *15 heures* se dit couramment *3 heures de l'après-midi* (ou *3 heures*) et *19 heures* se dit *7 heures du soir* (ou *7 heures*).
2. Le décompte purement numérique (de 0 à 23 pour les heures, de 1 à 59 pour les minutes) se répand dans l'usage avec la diffusion des montres et horloges à affichage numérique. Ex. : *Il est quinze heures quarante*, au lieu de *il est quatre heures moins vingt;* → ci-dessous, les syntagmes usuels.

Détermination de l'heure (sidérale ou moyenne) *au moyen d'un astrolabe.* ⇒ **Sciographie.** *Bureau International de l'Heure* (B.I.H.). *Heure locale*, différente d'un méridien à l'autre. *Heure française, allemande. L'heure est uniforme à l'intérieur de chacun des 24 fuseaux*horaires.* — (1866). *Heure légale*, en France celle du méridien de Greenwich avancée d'une heure. ⇒ **Temps** (légal). Au Canada. *Heure normale du Nord* (T.U. [« temps universel »] — 3 h 30), *de l'Atlantique* (T.U. — 4 h), *de l'Est* (T.U. — 5 h), *du Centre* (T.U. — 6 h), *des Rocheuses* (T.U. — 7 h), *du Pacifique* (T.U. — 8 h).

Heure d'été : temps en usage avancé d'une heure (parfois de deux) par rapport au temps* universel, pendant l'été. — Au Canada. *Heure avancée. Avancer, retarder l'heure.*

21 (...) Dans toute une partie du ciel — du ciel ignorant de l'heure d'été et de l'heure d'hiver, et qui ne daignait pas savoir que 8 h 1/2 était devenu 9 h 1/2 — dans toute une partie du ciel bleuâtre il continuait à faire un peu jour. PROUST, le Temps retrouvé, Pl., t. III, p. 762.

22 — Il n'y a plus d'heure française, eh! fada. De Marseille à Strasbourg les Fritz ont imposé la leur. — Peut se faire, dit le sergent, paisible et têtu. Mais celui qui me fera changer *mon* heure il est pas encore né. SARTRE, la Mort dans l'âme, p. 257.

Dr. *Heure légale* : « heure fixée par la loi, avant ou après laquelle il est interdit de faire certains actes » (Capitant).

23 Aucune signification ni exécution ne pourra être faite, depuis le 1er octobre jusqu'au 31 mars, avant six heures du matin et après six heures du soir (...) Code de procédure civile, art. 1037.

Cour. *Quelle heure est-il?* Pop. *Quelle heure qu'il est?* Fam. *Quelle heure il est?, quelle heure c'est? — Savez-vous l'heure? Il m'a demandé l'heure* (→ Fredonner, cit. 4). *Pouvez-vous me dire l'heure qu'il est?* Loc. fam. *Je ne vous demande par l'heure qu'il est! :* je ne vous ai pas adressé la parole, mêlez-vous de ce qui vous regarde. —*Avoir l'heure :* connaître l'heure par un instrument (montre) qu'on a sur soi (→ ci-dessous, *supra* cit. 24). — *L'heure exacte* (→ Estimer, cit. 3), *l'heure juste. Perdre le sentiment de l'heure, oublier l'heure* (→ Extraordinaire, cit. 13). *Que faites-vous dehors à cette heure-ci? À quelle heure?* (→ Boîte, cit. 11). *À la même heure* (→ Cadenas, cit. 2). *À n'importe quelle heure. À l'heure même :* au moment même où... (concomitance, synchronie). *À heures fixes, à des heures réglées* (→ Fièvre, cit. 2; élévation, cit. 6). *Absorber* (cit. 1) *un verre toutes les heures, tous les quarts d'heure. Faire attention à l'heure. Se tromper d'heure. Mettre sa montre à l'heure*, en régler les aiguilles de façon qu'elles indiquent l'heure exacte.

24 Ma forme de vie est pareille en maladie comme en santé : même lit, mêmes heures, mêmes viandes me servent, et même breuvage. MONTAIGNE, Essais, III, XIII.

25 Tout mouvement projeté à Nantes était à l'heure même connu, prévenu, de l'autre côté de la Loire. MICHELET, Hist. de la Révolution franç., XVI, I.

26 Elle avait trop longtemps vécu selon les exigences d'un rigoureux emploi de la journée pour ne pas être elle-même quelque peu atteinte de la manie des heures fixes, et ce dérangement apporté aux allées et venues de son père lui semblait étrange. J. GREEN, Adrienne Mesurat, I, XIII.

(Précédé d'un adj. numéral). *À deux, à trois heures du matin, vers cinq heures du soir.* ⇒ (argotique) **Plombe.**

26.1 Sur l'agenda, sitôt levé je pus lire : tâcher de se lever à six heures. Il était huit heures; je pris ma plume; je biffai; j'écrivis au lieu : Se lever à onze heures. — Et je me recouchai, sans lire le reste. GIDE, Paludes, *in* Romans, Pl., p. 128.

*À cinq heures juste**, (1856) *battant** (ou *battantes*), (1690) *sonnant**, (XXe) *tapant.* Fam. *À cinq heures pétant* (ou *pétantes*). — REM. Dans ces loc., « tantôt la forme en *-ant* s'accorde (...) tantôt — et c'est, semble-t-il, l'usage le plus suivi (...) — la forme en *-ant* est laissée invariable » (Grevisse, qui cite, dans le premier cas Maupassant, France, Loti, les Goncourt, Colette..., et dans le second, Flaubert, Stendhal, Barrès, Martin du Gard, etc.).

À, jusqu'à, avant, depuis, après... une heure, trois heures... (→ Allure, cit. 1; après-midi, cit. 4; assoupir, cit. 1; garnison, cit. 3). *Vers sept heures* (→ Attention, cit. 19; attroupement, cit. 14; bouder, cit. 3). *Il est plus de huit heures, huit heures passées* (→ 1. Fin, cit. 6). — *Deux heures quinze, quatorze heures quarante-cinq, dix-neuf heures cinquante* (→ Flottille, cit.; attaque, cit. 17). → REM. 2. ci-dessus, *infra* cit. 20. — Loc. *Chercher midi* à quatorze heures.* — (Les minutes 15, 30 et 45 étant remplacées, dans la langue cour., par des expr. formées avec *quart** et *demie**). *Six heures un quart, et quart, six heures et demie, six heures trois quarts* ou *sept heures moins le quart*). Régional. *Six heures quart.* — (Les minutes de la première demi-heure s'ajoutant, dans la langue cour., à l'heure passée mais se déduisant, pour la seconde demi-heure, de l'heure à venir). *Deux heures dix, trois heures vingt-cinq, six heures moins vingt, six heures moins un quart*, et cour., *moins le quart* (→ Fermer, cit. 27; ficher, cit. 12; filer, cit. 28). — Ellipt. (Le mot *heure* étant sous-entendu, quand il n'est pas suivi d'indication de minutes). *De deux à trois, de cinq à sept...*

C'est à l'aventure quelque sens particulier qui découvre aux coqs l'heure du matin et de minuit, et les émeut à chanter (...) MONTAIGNE, Essais, II, XII. 27

Il n'est pas encore cinq heures; je ne dois aller retrouver Maman qu'à sept : voilà bien du temps, si j'avais quelque chose à te dire! 28
LACLOS, les Liaisons dangereuses, Lettre I.

N'oubliez pas d'être à ma porte à quatre heures et demie du matin très précises (...) HUGO, les Misérables, I, VII, II. 29

Je me promène seul le soir de 5 à 9 *(heures).* 30
APOLLINAIRE, Calligrammes, « À Nîmes ».

— Quelle heure est-il? 31
— Il est déjà quatre heures un quart, dit Bloyé.
Philippe secoua sa femme et lui cria :
— Berthe, réveille-toi... Il est quatre heures passé...
P. NIZAN, le Cheval de Troie, I.

Loc. fam. Par plais. *À pas d'heure :* à une heure indue; spécialt, à une heure très tardive. *Je me suis couché à pas d'heure, et je n'ai pas entendu le réveil.*

Heure indiquée par l'horloge, la montre... (→ Cause, cit. 5; évider, cit. 1). *Voir, regarder, lire l'heure. Cet enfant ne sait pas encore lire l'heure. Cadran où sont portées les heures et les minutes* (→ Émail, cit. 3), *marquant la demie de dix heures* (c'est-à-dire dix heures et demie; → Gare, cit. 3), *qui dit l'heure* (→ Funeste, cit. 20). *L'horloge sonne, carillonne* (cit. 1) *l'heure, les heures, la demie et les quarts. Trois heures ont sonné* (→ Abandonner, cit. 20). *Sur le coup* de dix heures, de midi. Prendre l'heure :* régler sa montre sur l'heure indiquée par une horloge. Mar. *Heure de bord*, celle qu'indique la montre d'habitacle*.

On portait des montres jadis, parce qu'il n'y avait pas d'horloges. Aujourd'hui, vous n'iriez pas écrire votre nom chez un suisse de bonne maison sans voir l'heure. Toutes les églises, les administrations, les ministères, voire les boutiques, ont des pendules. Nous marchons sur des méridiens, sur des canons de midi. On ne fait pas une enjambée sans se trouver face à face avec un cadran : aussi une montre est-elle du vieux style. 32
BALZAC, Code des gens honnêtes, I, I, *in* Œ. diverses, t. I, p. 73.

Le carillon, c'est l'heure inattendue et folle, 33
Que l'œil croit voir, vêtue en danseuse espagnole (...)
HUGO, les Rayons et les Ombres, Écrit sur la vitre..., XVIII.

(...) c'était chez Françoise un de ces défauts particuliers, permanents, inguérissables, que nous appelons maladies, de ne pouvoir jamais regarder ni dire l'heure exactement (...) Quand Françoise, ayant ainsi regardé sa montre, s'il était deux heures disait : il est une heure, ou il est trois heures, je n'ai jamais pu comprendre si le phénomène qui avait lieu alors avait pour siège la vue de Françoise, ou sa pensée, ou son langage (...) PROUST, la Prisonnière, Pl., t. III, p. 156. 34

Il faut aussi que la demie de sept heures ait sonné au clocher bulbeux (...) 35
COLETTE, la Naissance du jour, p. 196.

L'heure qui sonnait tira Mme Londe de sa contemplation. Elle se redressa et attendit pour se lever que les septs coups eussent retenti dans le silence de la petite pièce. J. GREEN, Léviathan, I, III. 36

(Pour indiquer une direction, par comparaison avec un cadran de montre dont le midi correspond à la direction « droit devant soi »; d'abord dans le langage des pilotes d'avions militaires). *Appareil non identifié à dix heures (à deux heures) :* devant et nettement à gauche (à droite). *À six heures :* derrière, dans le dos. — *Avoir les pieds à dix heures dix. Pour jouer de la caisse claire, on place les mains à huit heures vingt.*

(Avec un adj. ordinal, par empr. au lat. : *vers la sixième heure du jour*, c'est-à-dire « vers midi »). *Les ouvriers de la onzième* heure.*

(1580). *Heure convenue, fixée, prescrite, déterminée* (→ Avancer, cit. 16). *Énoncer, choisir une heure* (→ Acte, cit. 12; aujourd'hui, cit. 2). — Loc. Vx. *Prendre heure :* convenir d'une heure. — Mod. *À l'heure dite* (→ Attente, cit. 20). *À l'heure précise, exacte. L'heure militaire :* l'heure très exacte. — *L'heure d'un rendez-vous* (→ Étendre, cit. 38), *d'une cérémonie; d'une attaque, de la relève, du couvre-feu, d'un match :* l'heure fixée pour le commencement des opérations. *Voici l'heure où je dois me rendre chez lui. Heure de départ, heure d'arrivée d'un train.* — Absolt. *L'heure :* l'heure fixée, prévue. *Commencer avant l'heure. Arriver après l'heure. Être en en avance* (cit. 16) *sur l'heure. Arriver, être à l'heure. Employé qui est toujours à l'heure.* ⇒ **Exact, ponctuel.** *N'avoir pas d'heure :* négliger d'observer un horaire régulier. *Oublier, laisser passer l'heure* — Fam. *Avant l'heure, c'est pas l'heure; après l'heure c'est plus l'heure :* il faut être exact.

37 (...) la vieille, craignant de laisser passer l'heure,
Courait comme un lutin par toute sa demeure. LA FONTAINE, Fables, V, 6.

38 Nous ne rentrâmes enfin qu'à l'heure convenue.
LACLOS, les Liaisons dangereuses, Lettre LIV.

39 Tout un grand mois s'écoula, pendant lequel Marius alla tous les jours au Luxembourg. L'heure venue, rien ne pouvait le retenir. — Il est de service, disait Courfeyrac. HUGO, les Misérables, III, VI, VII.

40 Sept heures du matin : l'heure des visites officielles et des réceptions princières.
LOTI, l'Inde (sans les Anglais), II, IV.

40.1 — Mais tu ne veux pas rester encore un peu avec nous? — Non, maman, il est l'heure que je monte. — L'heure, l'heure! dit Mlle des Coulombes avec ironie, est-ce qu'il vous arriverait quelque chose si vous montiez un quart d'heure plus tard? Il est doux à tout âge, et surtout au vôtre, de se laisser guider par la fantaisie.
PROUST, Jean Santeuil, Pl., p. 406.

♦ **3.** (V. 1175). Liturgie cathol. *Heures canoniales,* où l'on récite les diverses parties du bréviaire, et, par ext., ces parties elles-mêmes. — *Grandes heures.* ⇒ **Laudes, matines, vêpres.** *Petites heures.* ⇒ **Complies, none,** 1. **prime, sexte, tierce.** — *Livre d'Heures,* ou, ellipt, *Heures :* recueil de dévotion renfermant les prières de l'office divin. *Anciens livres d'Heures,* manuscrits puis imprimés (→ Frontispice, cit. 3). *Heures à la mode de* (telle ou telle ville; en lat., *horæ in modum...*). *Les Très Riches Heures du duc de Berry,* célèbre livre d'Heures du XVe siècle, admirablement enluminé et miniaturé.

41 Mon père, quoiqu'il eût la tête des meilleures,
Ne m'a jamais rien fait apprendre que mes heures,
Qui, depuis cinquante ans dites journellement
Ne sont encor pour moi que du haut allemand. MOLIÈRE, le Dépit amoureux, II, 6.

42 Bref, elle avait conservé les mœurs et à peu près le costume de son temps, ne se souciant que médiocrement du nôtre, lisant ses heures plutôt que les journaux, laissant le monde aller son train, et ne pensant qu'à mourir en paix.
A. DE MUSSET, Nouvelles, « Margot », I.

43 (...) la première feuille de parchemin de ce gothique livre d'Heures, à fermoir d'émail (...) VILLIERS DE L'ISLE-ADAM, Axel, I, 3.

44 Tous les détails qu'il avait autrefois connus des séculaires liturgies se pressèrent : les Invitatoires de Matines (...) des carillons chantant les heures canoniales, les primes et les tierces, les sextes et les nones (...) HUYSMANS, Là-bas, III.

♦ **4.** (V. 1175, *ore de souper*). (Qualifié par un compl. ou un adj.). Moment de la journée, plus ou moins long, ou plus ou moins exactement déterminé dans le temps, selon son emploi ou l'aspect sous lequel il est considéré. *Vous pouvez me téléphoner aux heures des repas, aux heures de bureau. Heures libres. Arriver chez qqn à l'heure du thé* (→ Chrysanthème, cit.; écouteur, cit. 2), *du goûter, de l'apéritif.* — *Heures d'affluence, de pointe*. Heures creuses** (cit. 11). — *L'heure de l'affût* (cit. 1 et 2), *de l'aube* (cit. 10). — *L'heure la plus chaude; les heures brûlantes* (→ Épanouir, cit. 19). *Une heure triste, lugubre* (→ Épouvante, cit. 6), *douce* (→ Gaver, cit. 4), *exquise* (→ Déchirant, cit. 4). *Varier selon les jours et les heures* (→ Frivole, cit. 6). *À l'heure accoutumée* (cit. 3). *Une heure indue*. Une heure matinale. Aux petites heures du jour :* à l'aube. *À une heure avancée*.* ⇒ **Tard.**

45 Que viens-tu faire en cette maison, à des heures indues?
BEAUMARCHAIS, le Barbier de Séville, IV, 8.

46 C'était l'heure indécise et exquise qui ne dit ni oui ni non. Il y avait déjà assez de nuit pour qu'on pût s'y perdre à quelque distance, et encore assez de jour pour qu'on pût s'y reconnaître de près. HUGO, les Misérables, V, III, IX.

47 L'heure était en effet si belle, la nuit si tranquille, un si calmant éclat descendait des étoiles, il y avait tant de bien-être à se sentir vivre et penser dans un tel accord de sensations et de rêves (...) E. FROMENTIN, Un été dans le Sahara, p. 179.

48 L'heure du thé fumant et des livres fermés (...) VERLAINE, la Bonne Chanson, XIV.

49 J'ai beaucoup d'heures libres ici et je ne sais trop que faire (...)
Paul BOURGET, le Disciple, p. 213.

50 Les tramways étaient toujours pleins aux heures de pointe, vides et sales dans la journée. CAMUS, la Peste, p. 76.

51 Cette heure du soir, qui pour les croyants est celle de l'examen de conscience, cette heure est dure pour le prisonnier ou l'exilé qui n'ont à examiner que du vide.
CAMUS, la Peste, p. 201.

Heure matinale. Déjà levé, à une heure si matinale?

Loc. (avec *premier* et *dernier*). *À la première heure :* de très bon matin, le plus tôt possible. *Je compte vous voir demain à la première heure.* Fig. *Les combattants de la première heure,* ceux du début, les premiers à avoir combattu (→ Exterminateur, cit.). — *Nouvelles de la dernière heure, de dernière heure,* celles qui parviennent à un journal dans les ultimes moments précédant la mise sous presse. *Dernière heure,* rubrique réservée dans la presse à ces dernières nouvelles. Fig. *Les combattants, les résistants de la dernière heure.*

52 « La nouvelle n'a malheureusement pas été reçue par nous, à l'heure où nous mettons sous presse, que Leurs Excellences aient pu se mettre d'accord sur une formule pouvant servir de base à un instrument diplomatique ».
Dernière heure : « On a appris avec satisfaction dans les cercles bien informés, qu'une légère détente semble s'être produite dans les rapports franco-prussiens. On attacherait une importance toute particulière au fait que M. de Norpois aurait rencontré “unter den Linden” le ministre d'Angleterre (...) »
PROUST, la Fugitive, Pl., t. III, p. 638.

L'heure où..., ces heures où... (→ Apaisement, cit. 5; azurer, cit. 2; bruit, cit. 12; engourdir, cit. 13; facteur, cit. 10; flairer, cit. 2).

C'était l'heure tranquille où les lions vont boire. 53
HUGO, la Légende des siècles, II, « Booz endormi ».

Et en descendant pour rejoindre ma mère qui m'attendait, à cette heure où à Combray il faisait si bon goûter le soleil tout proche dans l'obscurité conservée par les volets clos (...) PROUST, la Fugitive, Pl., t. III, p. 645. 54

L'heure de (suivi d'un inf.) : le moment où il est nécessaire, convenable, prescrit, habituel de... *Il est largement l'heure de se mettre à table. C'est l'heure d'aller se coucher. Est-ce l'heure?; est-il l'heure de manger?* Fam. *C'est pas encore l'heure de partir?*

Est-il l'heure de revenir chez soi quand le jour est près de paraître? 55
MOLIÈRE, George Dandin, III, 6.

(Avec un adj. poss.). Moment habituel ou agréable à qqn de faire telle ou telle chose. *Ce doit être, lui qui arrive, c'est son heure. Il a ses heures, vous ne pourrez pas l'en faire changer* (→ Fréquentation, cit. 10). *Il ne fait rien qu'à ses heures.* — **À SES HEURES :** à certains moments. *Il est poète à ses heures,* selon sa fantaisie. → Quand ça lui chante*.

Il vivait de régime, et mangeait à ses heures. LA FONTAINE, Fables, VII, 4. 56

(...) ma paresse était moins celle d'un fainéant que celle d'un homme indépendant, qui n'aime à travailler qu'à son heure. ROUSSEAU, les Confessions, IX. 57

C'est la bonne heure pour..., le moment convenable, favorable pour... *C'est la bonne heure pour aller le voir, pour se promener. C'est la meilleure heure pour travailler. C'est une bien mauvaise heure pour le voir, il est très occupé.* — Fam. *C'est, ce n'est pas une heure pour faire cela,* un moment adéquat, convenable.

Loc. adv. **À LA BONNE HEURE.** **a** (V. 1450, *a bonne heure*). Au bon moment, à propos.

b (Marquant l'approbation). C'est très bien, c'est parfait; j'y consens, soit. *J'ai pu me libérer un moment. — À la bonne heure, nous allons pouvoir causer.*

Si tu avais senti quelque inclination pour elle, à la bonne heure : je te l'aurais fait épouser, au lieu de moi (..) MOLIÈRE, l'Avare, IV, 3. 58

Ici les objections se raniment. Le phénicien, à merveille! le levantin, à la bonne heure! même le patois, passe! ce sont des langues qui ont appartenu à des nations ou à des provinces; mais l'argot! HUGO, les Misérables, IV, VII, I. 59

c (Avec une nuance d'ironie dans l'approbation ou la satisfaction). *Eh bien! à la bonne heure, voilà un joli coco! Tu ne veux rien faire? à la bonne heure, tu réussiras!* → À ton aise*.

— Je ne dormirai point. — Hé bien, à la bonne heure! RACINE, les Plaideurs, I, 4. 60

d Vx. Promptement, de bonne heure.

(...) Vous ne vous pressez pas assez de partir (...) Voilà votre petit frère qui arrive. Le cardinal de Retz me fait dire qu'il est arrivé. Arrivez donc tous à la bonne heure. Mme DE SÉVIGNÉ, 377, 2 févr. 1674. 61
REM. *À la bonne heure* signifie bien ici « promptement » et non « heureusement, avec un bon succès », comme l'interprète Littré.

♦ **5.** (Qualifié par un compl. ou un adj.). Moment de la vie (d'un individu, d'un groupe, d'une société). ⇒ **Époque, instant, temps;** → Défendre, cit. 18. *Les heures d'autrefois. Qui n'a connu de ces heures où...* (→ Accablant, cit. 5). *Connaître dans sa vie des heures agréables, tranquilles, aimables* (cit. 11), *heureuses* (→ Brio, cit. 2), *propices* (→ Délice, cit. 9), *délicieuses* (→ Appeler, cit. 21). *Des heures d'ivresse* (→ Cadran, cit. 3), *des heures claires* (cit. 18) *ou sombres, amoureuses* (→ Couler, cit. 11), *exaltantes, exubérantes* (→ Existence, cit. 20), *misérables* (→ 2. Défiler, cit. 6). *Heures claires,* recueil de poèmes de Verhaeren. *Aux heures de détresse, de bonheur, d'épanchement* (cit. 8). *Aux heures où l'on a besoin de tendresse. À certaines heures* (→ Acceptation, cit. 4). *L'heure du danger* (→ Appartenir, cit. 36). *Jusqu'à l'heure de ma mort :* jusqu'à ma mort. *Heure décisive* (cit. 4). *L'heure des paroles décisives* (→ Fiançailles, cit. 3). *Dès l'heure de sa naissance* (→ Bœuf, cit. 1). *« De l'heure qu'elle aima* (cit. 35), *l'univers fut amour »* (Lamartine). — *Avoir son heure de gloire, de célébrité* (→ Génération, cit. 6), *de grandeur* (→ Calculateur, cit. 4). *Un ami de toutes les heures :* un ami fidèle.

Il vous reste à vous votre jeunesse, un long avenir (...) À moi *(Chateaubriand),* il me reste des heures flétries et ridées, un passé au lieu d'un avenir, et la solitude qui se forme autour d'une existence qui finit (...) 62
CHATEAUBRIAND, *in* Émile HENRIOT, Portraits de femmes, p. 288.

Par instants, après certaines lectures, alors que le dégoût de la vie ambiante s'accentuait, il enviait des heures lénitives au fond d'un cloître (...) 63
HUYSMANS, Là-bas, I.

Véronique, irréparablement enlaidie, deviendrait cette amie très douce, cette compagne bienfaisante, des heures de lassitude intellectuelle et de tristesse (...) 64
Léon BLOY, le Désespéré, p. 132.

Attendons l'heure du sacrifice en travaillant à autre chose. Elle finit toujours par sonner; mais ne perdons pas notre temps à la chercher sans cesse au cadran de la vie. MAETERLINCK, Sagesse et Destinée, LXV. 65

Certaines heures semblent impossibles à vivre. Il faudrait pouvoir les sauter, les omettre et rejoindre la vie un peu plus loin. 66
J. GREEN, Adrienne Mesurat, III, VIII.

(1580). *Heure dernière :* les derniers instants d'une vie (→ Approcher, cit. 44). *Les défaillances* (cit. 3) *de la dernière heure. Heure suprême.* Ellipt. *Son heure est venue, a sonné :* il va bientôt mourir.

Peu de gens meurent résolus que ce soit leur heure dernière, et n'est endroit où la piperie de l'espérance nous amuse plus. MONTAIGNE, Essais, II, XIII. 67

68 (...) un philosophe vous dira en vain que vous devez être rassasiés d'années et de jours (...) La dernière heure n'en sera pas moins insupportable, et l'habitude de vivre ne fera qu'en accroître le désir.
BOSSUET, Oraison funèbre de Michel Le Tellier.

69 Peut-être nous touchons à notre heure dernière. RACINE, Athalie, V, 1.

70 Certes, le duc Magnus est fort comme un vieux chêne,
Mais sa barbe est très blanche, il a quatre-vingts ans
Et songe quelquefois que son heure est prochaine.
LECONTE DE LISLE, Poèmes tragiques, « Le lévrier de Magnus », I.

Loc. (1580). Absolt. *Mourir avant l'heure,* prématurément, plus tôt qu'on pouvait normalement s'y attendre.

(Avec un adj. poss. ou un compl. d'appartenance). Moment, époque de la vie (de qqn) où s'offre une chance favorable à la réussite de qqch., au succès de qqn, au bonheur de son existence. *Il sait qu'il aura son heure, que son heure viendra.* ⇒ 3. **Tour.** *Attendre son heure* (→ Épuiser, cit. 28). *Il a eu son heure, il n'a pas su en profiter. Son heure est passée. L'heure d'un homme d'État.* — Loc. fig. *L'heure du berger** (cit. 11 et 12).

71 N'existons-nous donc plus? Avons-nous eu notre heure?
Rien ne la rendra-t-il à nos cris superflus?
HUGO, les Rayons et les Ombres, « Tristesse d'Olympio ».

72 Elle venait de comprendre qu'il fallait laisser les hommes se débrouiller entre eux, qu'elle avait sa part, qu'elle aurait son heure, qu'il suffisait d'attendre.
G. DUHAMEL, Salavin, III, XV.

Heures difficiles, critiques (1. Critique, cit. 3) *dans l'histoire d'un peuple, d'un siècle, d'un régime. École, salon, parti, mode qui a eu son heure de gloire* (→ 2. Cancan, cit. 1). *Doctrines qui, à leur heure, semblaient bien établies,* à l'époque où elles se manifestaient. *En attendant l'heure, d'arbitrer* (cit. 4).

73 L'heure viendra que l'obélisque du désert retrouvera, sur la place des meurtres, le silence et la solitude de Luxor.
CHATEAUBRIAND, Mémoires d'outre-tombe, t. VI, p. 312.

REM. De nos jours, on dirait plutôt *l'heure viendra où...*

74 Cette crise pathétique de l'histoire contemporaine que la mémoire des Parisiens appelle *l'époque des émeutes,* est à coup sûr une heure caractéristique parmi les heures orageuses de ce siècle. HUGO, les Misérables, IV, X, II.

75 Le plus grand siècle peut avoir son heure immonde (...)
HUGO, l'Année terrible, « Février », V.

76 Mais il vient toujours une heure dans l'histoire où celui qui ose dire que deux et deux font quatre est puni de mort. CAMUS, la Peste, p. 149.

L'heure présente. À l'heure où nous sommes. ⇒ **Présentement.** — (1883). *L'heure actuelle* (→ Américanisme, cit.; cap, cit. 4). — Absolt. *L'heure :* l'heure actuelle. *L'heure est grave.* ⇒ **Circonstance;** → Cache-cache, cit. *Difficultés, problèmes de l'heure.* ⇒ **Actuel.**

77 Le passé, il est vrai, est très fort à l'heure où nous sommes.
HUGO, les Misérables, IV, VII, IV.

78 On ne pourrait à l'heure actuelle (...) supprimer la taxe sur le chiffre d'affaires sans creuser dans notre budget un trou que rien ne saurait combler.
J. BAINVILLE, la Fortune de la France, p. 295.

Absolt. Moment favorable, propice.

79 Lorsque l'heure lui sembla venue, la Restauration (...) se croyant forte et se croyant profonde, prit brusquement son parti et risqua son coup.
HUGO, les Misérables, IV, I, I.

(1938, *in* D. D. L.). *L'heure H :* l'heure prévue pour l'attaque, et, fig., l'heure de la décision. ⇒ **H.**

B. (Dans certaines loc. adv. de temps). — REM. On trouvera groupées ici, pour la commodité, les loc. adverbiales les plus usuelles, où le mot *heure* est pris dans l'une des acceptions étudiées ci-dessus.

♦ **1.** (Fin XVe). (Avec *à*). **À CETTE HEURE** [asɛtœʀ; (pop.) astœʀ] (parfois écrit *à c'teur*). Vieilli ou rural. Maintenant, présentement (qu'il s'agisse d'un moment de la journée ou du temps en général). *À cette heure, il faut en finir* (→ Fixer, cit. 19). *Vous pouvez à cette heure espérer...* ⇒ **Aujourd'hui;** → 2. Gent, cit. 2. *Jusqu'à cette heure :* jusqu'à maintenant (→ Chaîne, cit. 20).

80 Je comprends cela à cette heure. MOLIÈRE, le Bourgeois gentilhomme, I, 2.

81 (...) n'ayant point à cette heure de passion (...) plus violente que celle de vous contenter. LA BRUYÈRE, Lettres, VII, À Condé.

82 En tous temps, il y a eu des crimes; mais ils n'étaient point commis de sang-froid, comme ils le sont de nos jours (...) À cette heure ils ne révoltent plus (...)
CHATEAUBRIAND, Mémoires d'outre-tombe, IV, XII, 5.

83 N'allez-vous pas effrayer tout le voisinage et amener la police, à c't'heure!
BALZAC, le Père Goriot, Pl., t. II, p. 931.

84 Il est notoire, par exemple, qu'à cette heure, la Tamise empoisonne Londres.
HUGO, les Misérables, V, II, I.

85 — À cette heure, dit ensuite Soulas ragaillardi, si vous étiez gentils, vous me donneriez un coup de main pour avancer le parc. ZOLA, la Terre, IV, I.

À cette heure où : maintenant que. — Vx. *À cette heure que* (→ Altesse, cit. 1).

À L'HEURE QU'IL EST : en ce moment de la journée (→ Embarrassant, cit.; 1. frais, cit. 5); à l'époque actuelle. ⇒ **Aujourd'hui; actuellement.**

86 Napoléon a bâti (...) quatre mille huit cent quatre mètres; Louis XVIII, cinq mille sept cent neuf (...) le régime actuel, soixante dix mille cinq cents; en tout, à l'heure qu'il est (...) soixante lieues d'égouts (...) HUGO, les Misérables, V, II, VI.

86.1 (...) je serais peut-être à l'heure qu'il est paisiblement amalgamé à la terre française, aux vins de France (...) M. YOURCENAR, le Coup de grâce, p. 146.

À TOUTE HEURE : à tout moment de la journée, sans interruption. ⇒ **Constamment, continuellement.** *Pharmacie, brasserie ouverte à toute heure.* — REM. On renforce ou on précise souvent l'expression en disant *à toute heure du jour, de la nuit, du jour et de la nuit* (→ Entretenir, cit. 5). — À n'importe quel moment (→ Fouiller, cit. 24). *Repas chaud à toute heure.* — À chaque occasion (→ Cagotisme, cit.).

Dieu veut-il qu'à toute heure on prie, on le contemple? RACINE, Athalie, II, 7. 87

On pouvait appeler M. Myriel à toute heure au chevet des malades et des mourants. HUGO, les Misérables, I, I, IV. 88

À l'heure (et adj. ethnique). *Mon village à l'heure allemande,* ouvrage de J.-L. Bory. — *À l'heure* (et adj.) : à l'ère, à l'époque (caractérisée par un élément). *Vivre à l'heure atomique. Se mettre à l'heure audiovisuelle.* — *À l'heure de* (et n. compl.) : à l'époque de; de la manière de sous l'influence de.

Un petit village qui, grâce aux efforts de ses habitants (...) semble s'être mis à l'heure du progrès. F. MALLET-JORIS, le Jeu du souterrain, p. 16. 88.1

♦ **2. POUR L'HEURE :** pour le moment, dans les circonstances actuelles. *Je suis pour l'heure dans l'impossibilité de...*

Peut-être à mon retour je saurai te guérir; 89
Je ne puis mieux pour l'heure : adieu. CORNEILLE, la Suite du Menteur, II, 6.

♦ **3.** (1540). **SUR L'HEURE :** aussitôt*, à l'instant même. ⇒ **Champ** (sur le champ), **immédiatement,** 2. **incontinent.** *Accorder, fournir qqch. sur l'heure* (→ Anacoluthe, cit.; ange, cit. 5; éprouver, cit. 12).

(...) Il soit dit que sur l'heure il se transportera 90
Au logis de la dame (...) RACINE, les Plaideurs, II, 4.

♦ **4.** (1628; *tout à cette heure,* 1549). **TOUT A L'HEURE.** **a** Vx. (Marquant un futur immédiat). Tout de suite, sur-le-champ.

Hors d'ici tout à l'heure, et qu'on ne réplique pas (...) sors vite, que je ne t'assomme. MOLIÈRE, l'Avare, I, 3. 91

b Mod. (Marquant un futur proche). Dans un moment, après un bref laps de temps. ⇒ **Tantôt** (régional). *Ne vous inquiétez pas, il va rentrer tout à l'heure. Nous verrons cela tout à l'heure.*

Nous en parlerons tout à l'heure; mais nous devons auparavant terminer (...) 92
MICHELET, Hist. de la Révolution franç., XVIII, II.

Monsieur le maire, il est tout à l'heure cinq heures du matin. 93
HUGO, les Misérables, I, VII, IV.

c (Marquant un passé tout proche). Il y a un moment, il y a très peu de temps. *Je l'ai vu tout à l'heure, il ne peut être bien loin. Tout à l'heure encore, il me disait... Tout à l'heure irrité, maintenant calmé* (→ Apaiser, cit. 21; ardent, cit. 39; balayer, cit. 5). *La pluie, l'alerte, la conversation de tout à l'heure* (→ Brûlure, cit. 3).

C'est un logis garni que j'ai pris tout à l'heure. MOLIÈRE, l'Étourdi, V, 4. 94

(...) L'enfant que j'avais tout à l'heure, 95
Quoi donc! je ne l'ai plus! HUGO, les Contemplations, IV, « À. Villequier ».

♦ **5.** (Avec *de*). **D'HEURE EN HEURE.** **a** (V. 1260, « d'un instant à l'autre »). Toutes les heures. *Vous prendrez d'heure en heure une cuillerée de cette potion* (Académie). — REM. On dit aussi en ce sens *heure par heure* (→ Apologétique, cit. 3).

Pendant plusieurs jours, mes amis restèrent dans la crainte de me voir enlever par la police; ils se présentaient chez mois d'heure en heure, et toujours en frémissant quand ils abordaient la loge du portier. 96
CHATEAUBRIAND, Mémoires d'outre-tombe, II, IV, 1.

Personne ne sortait par ce temps de grande chaleur, et c'était à peine si d'heure en heure quelqu'un passait, poursuivant l'ombre avare au ras des murs. 97
J. GREEN, Adrienne Mesurat, I, I.

b (Marquant une progression ascendante ou descendante). D'une heure à l'autre, à mesure que l'heure, le temps passe. *Les souvenirs s'effacent d'heure en heure* (→ Banalité, cit. 3). *Ciel d'heure en heure plus sombre, plus rose* (→ Diaprer, cit. 5). *La situation s'aggrave d'heure en heure. Résistance d'heure en heure moins forte. Augmenter, diminuer d'heure en heure.*

Ce que vous y avez vu d'aimable, d'admirable et charmant a toujours augmenté d'heure en heure, et on découvre tous les jours en elle de nouveaux trésors de beauté, de générosité et d'esprit. VOITURE, Lettres, 67, *in* LITTRÉ. 98

La pluie continue. Le vent, qui n'a fait que s'accroître d'heure en heure en se fixant à son point d'hiver, commence à labourer profondément les eaux de la baie. 99
E. FROMENTIN, Une année dans le Sahel, p. 104.

D'UNE HEURE À L'AUTRE : en l'espace d'une heure, d'un moment à l'autre. *La situation peut se modifier d'une heure à l'autre. Il change d'avis d'une heure à l'autre.*

DE BONNE HEURE. **a** (1458). À une heure matinale, ou à un moment de la journée nettement en avance sur l'heure fixée ou habituelle. ⇒ **Tôt.** *Se lever de bonne heure pour prendre le train du matin. Se mettre au travail de très bonne heure. — Se sentant fatigué, il alla se coucher de bonne heure* (→ Froid, cit. 21). *Je vous attends à goûter, mais venez de bonne heure, que nous ayons le temps de bavarder tranquillement. Invité gêné parce qu'il est arrivé de trop bonne heure.*

Matinale comme toutes les filles de province, elle se leva de bonne heure (...) 100
BALZAC, Eugénie Grandet, Pl., t. III, p. 525.

— Ta maîtresse peut-elle se lever de bonne heure? demanda-t-il à la négresse. 101
— À l'heure où se lève le soleil. A. DE MUSSET, Nouvelles, « Le fils du Titien », IV.

— Voilà un cheval bien fatigué. La pauvre bête, en effet, n'allait plus qu'au pas. 102
— Est-ce que vous allez à Arras? ajouta le cantonnier. — Oui. — Si vous allez de ce train, vous n'y arriverez pas de bonne heure. HUGO, les Misérables, I, VII, V.

De meilleure heure : plus tôt.

102.1 Ils nous renvoyèrent de beaucoup meilleure heure, sans en garder aucune à coucher (...) SADE, Justine..., t. I, p. 207.

b (1691). Avant l'époque habituelle, normale. *Inculquer de bonne heure certains principes à un enfant* (→ 1. Air, cit. 27; corriger, cit. 15; compatissant, cit. 2). *Cette année les cerises ont été mûres de bonne heure* (⇒ **Précocement**). *Les arts ont fleuri de bonne heure en Italie* (Académie). *Devenir observateur de trop bonne heure* (→ Exercer, cit. 13). *On l'a émancipé de trop bonne heure* (⇒ **Prématurément**).

103 (...) il *(les)* conjurait (...) de l'avertir de bonne heure, quand ils verraient sa mémoire vaciller ou son jugement s'affaiblir (...)
BOSSUET, Oraison funèbre de Michel Le Tellier.

104 (...) les familles mariaient de fort bonne heure leurs enfants afin de les soustraire aux envahissements de la conscription. BALZAC, la Vieille Fille, Pl., t. IV, p. 252.

♦ **6. HEURE PAR HEURE** : d'heure en heure, progressivement (→ Gagner, cit. 64).

DÉR. Voir **Lurette** (étym. : *l'heurette*).
COMP. Ampère-heure, kilomètre-heure, kilowatt-heure. — Désheurer.
HOM. Heur, heurt.

HEUREUSEMENT [œʀøzmɑ̃] adv. — 1351, «par chance»; au sens 1, 1557; de *heureux*.

♦ **1.** Vx. Dans l'état de bonheur. *Il est nécessaire d'aimer pour vivre heureusement.* ⇒ **Heureux** (vivre heureux); → Agréable, cit. 15.

♦ **2.** D'une manière heureuse (I., 2.), avantageuse ou favorable; avec succès. ⇒ **Avantageusement,** 1. **bien, favorablement.** *Terminer heureusement une affaire. Tout lui réussissait heureusement* (→ Avec, cit. 14). *Culture qui réagit heureusement sur les autres récoltes* (→ Betterave, cit. 2).

1 (...) ainsi finit heureusement la bataille la plus hasardeuse et la plus disputée qui fût jamais. BOSSUET, Oraison funèbre de prince de Condé.

1.1 (...) la reine devint grosse et accoucha très heureusement d'un prince qui fut nommé Zeyn Alasham, c'est-à-dire l'*ornement des statues.*
A. GALLAND, les Mille et une Nuits, p. 403.

Heureusement doué, heureusement né, qui a de bonnes dispositions naturelles, des dons heureux.

2 La Catalogne est un des pays les plus fertiles de la terre, et des plus heureusement situés. VOLTAIRE, le Siècle de Louis XIV, XXIII.

♦ **3.** (1580). D'une manière esthétiquement heureuse, réussie, originale, habile. *Cela est heureusement exprimé.* ⇒ **Bonheur** (avec bonheur). *Locution très heureusement traduite.* ⇒ **Élégamment** : → Flexibilité, cit. 3. *Expression heureusement trouvée. Mots qui riment, couleurs qui contrastent heureusement. Œuvre heureusement conçue, composée.* ⇒ **Harmonieusement, idéalement.**

3 Il était difficile d'accoupler plus heureusement la peinture à la ronde bosse, le travail du pinceau à celui du ciseau. Th. GAUTIER, Voyage en Russie, XV, p. 238.

♦ **4.** (1756). Cour. Par une heureuse chance, par bonheur. → Dieu merci*, grâce* à Dieu, grâce au ciel. — REM. En ce sens, *heureusement,* détaché par la ponctuation ou par l'élocution, se met généralement en tête de la proposition. *Heureusement, il est...* (→ Approximation, cit. 3; fantaisie, cit. 7 et 29; garder, cit. 57). *Il ne sait heureusement pas...* (→ Formuler, cit. 1; fulminate, cit. 2). *Danger heureusement peu grave* (→ Foyer, cit. 6). *Il a enfin compris, heureusement.*

4 On a voulu priver le public de ce Dictionnaire utile *(l'Encyclopédie),* heureusement on n'y a pas réussi. VOLTAIRE, Dict. philosophique, Heureux.

5 Les bonnes fondent sur moi; je leur échappe; je cours me barricader dans la cave de la maison : l'armée femelle me pourchasse. Mon père et ma mère étaient heureusement sortis. CHATEAUBRIAND, Mémoires d'outre-tombe, I, 8.

6 Il a *vécu* **heureusement,** signifie simplement que sa vie s'est passée sans infortune. **Heureusement** *il a vécu!* exprime la joie que cause la prolongation d'une vie pour laquelle on craignait. F. BRUNOT, la Pensée et la Langue, p. 513.

En réponse, ellipt. *Vous avez fini ce travail? — Heureusement!* (sous-entendu : que oui).

(XIXᵉ). Ellipt. *Heureusement pour moi, pour lui :* c'est heureux pour moi, pour lui. — (1784). *Heureusement que :* il est heureux que. *Heureusement qu'il n'a rien vu* (Académie). *Heureusement que j'y ai pensé!* (→ 1. Bise, cit. 5).

7 Heureusement que je ne m'en soucie guère, et que sa trahison ne me fait plus rien du tout. BEAUMARCHAIS, le Mariage de Figaro, V, 8.

CONTR. Malheureusement; malencontreusement.

HEUREUSETÉ [œʀøzte] n. f. — Déb. XVIIᵉ, Cotgrave; de *heureux.*

♦ Vx (encore dans Littré). État, qualité de ce qui est heureux; chose, mot heureux. *«Des heureusetés que le néologue Mercier voulait introduire dans la langue»* (*in* Bescherelle, 1846).

HEUREUX, EUSE [œʀø, øz] adj. et n. — 1213; *euros,* fin XIIᵉ; de *heur.*

Qui a ou marque du bonheur.

★ **I.** (⇒ **Bonheur** [1.]). ♦ **1.** (1460; personnes). Qui bénéficie d'une chance favorable, que le sort favorise, que la nature a bien partagé. ⇒ **Chanceux, favorisé;** (vx) **fortuné** (cit. 2). *Être heureux au jeu*, en affaires* (→ Angoisse, cit. 10), *dans une activité. Moins heureux, plus heureux :* qui a moins, qui a plus de chance (→ 2. Carrière, cit. 23; galerie, cit. 4). *Il est heureux en tout :* tout lui réussit. ⇒ **Veinard.** *Il fut assez heureux pour rétablir une situation très compromise. Une heureuse mère, un heureux père* (→ Atome, cit. 1). *L'heureux Monsieur Untel* (→ Déshériter, cit. 3). *Un heureux coquin* (→ Filer, cit. 11). — Loc. *Un heureux mortel :* une personne heureuse, chanceuse. — *Être plus heureux que sage :* réussir par la chance plus que par la prudence et le calcul. — Prov. Vieilli. *Être plus heureux qu'un honnête homme :* bénéficier de cette chance qui semble refusée aux honnêtes gens (→ Il n'y a de chance que pour la canaille, la crapule).

(...) les hommes, quelque beau visage que fortune leur fasse, ne se peuvent appeler heureux, jusques à ce qu'on leur ait vu passer le dernier jour de leur vie, pour *(en raison de)* l'incertitude et variété des choses humaines, qui d'un léger mouvement se changent d'un état en *(un)* autre, tout divers. MONTAIGNE, Essais, I, XIX. 1

Que vous êtes heureuse, et qu'un peu de soupirs 2
Fait un aisé remède à tous vos déplaisirs! CORNEILLE, Polyeucte, II, 2.

Je (...) le priai de me dire s'ils ne condamneraient donc pas au moins cette autre opinion (...) Mais je ne fus pas plus heureux en cette seconde question. PASCAL, les Provinciales, Lettre, I. 3

Le premier qui fut roi fut un soldat heureux (...) VOLTAIRE, Mérope, I, 3. 4

Quand on dit un heureux scélérat, on n'entend par ce mot que ses succès. VOLTAIRE, Dict. philosophique, Heureux. 5

Général heureux et qui méritait son bonheur, Maurice de Saxe devint vite maréchal de France. A. MAUROIS, Lélia, I, I. 6

Heureux à..., dans une activité. Loc. prov. *Heureux au jeu, malheureux en amour.*

Être heureux, bien heureux de (suivi de l'inf.) : avoir de la chance, beaucoup de chance de (→ Fructifier, cit. 5). *Il est fort heureux d'en être quitte à si bon marché* (Académie). *Vous êtes trop heureux de... :* vous avez vraiment une chance extraordinaire, trop de chance de...

Heureux que (suivi du subj.). *Nous sommes heureux qu'il n'en ait rien su* (Académie) : c'est une chance pour nous qu'il n'en ait rien su (→ en un autre sens, ci-dessous, II., 1.).

Hippolyte est heureux qu'aux dépens de vos jours 7
Vous-même en expirant appuyez ses discours. RACINE, Phèdre, III, 3.

REM. *Heureux* n'a pas ici le sens de «satisfait» que lui donne Littré, mais celui de «fortuné, favorisé par la chance».

*S'estimer** (cit. 25) *heureux de* (suivi de l'inf.) ou *s'estimer* (cit. 26) *heureux que* (suivi du subj.) : estimer qu'on a bien de la chance de..., que... (et, par conséquent, se tenir pour satisfait, sans rien demander de plus, sans demander son reste). *Estimez-vous heureux de vous en tirer à si bon compte* (cit. 10).

(Trop heureux de...). Il a liquidé l'affaire, trop heureux de n'avoir pas tout perdu. Elle nous dédaigne, alors qu'elle était autrefois trop heureuse d'être reçue chez nous (→ Glorieux, cit. 15). *A sa place, je serais trop heureux de...* (→ Bienfait, cit. 7). *Je serai trop heureuse d'accourir* (cit. 8).

(...) cinq mille hommes d'infanterie (...) qui furent trop heureux de se rendre à discrétion. RACINE, les Campagnes de Louis XIV. 8

Heureux si... (→ Ardeur, cit. 7; attendrir, cit. 4; grand, cit. 45). — REM. Cette tournure elliptique est vieillie ou littér. Elle reste vivante dans les expressions *bien heureux, trop heureux si...* (→ Faveur, cit. 19).

Heureux si je pouvais, dans l'ardeur qui me presse, 9
Au lieu d'Astyanax lui ravir ma princesse! RACINE, Andromaque, I, 1.

♦ **2.** (1580; en parlant de l'aspect, du cours des choses, des événements). Qui est favorable. ⇒ **Avantageux,** 1. **bon, favorable.** *Heureux hasard, heureuse fortune* (cit. 14). *Un coup heureux. Chance, occasion heureuse.* ⇒ **Beau.** *Accidents* (cit. 7 et 9), *aventure, succès* (→ Allégresse, cit. 3), *événements* (cit. 9) *heureux. Heureux succès** (au sens anc.), *heureuse fin* (cit. 19), *heureuse issue* (→ Art, cit. 33). *Une heureuse rencontre. Quelle heureuse rencontre* (II.)*!* → Quel bon vent* vous amène! *D'heureux résultats* (→ Annonciateur, cit. 5).

Ah! quel heureux sort en ce lieu vous amène? MOLIÈRE, le Misanthrope, III, 4. 10

Un destin plus heureux vous conduit en Épire. RACINE, Andromaque, I, 1. 11

(...) les dénoûments *(dans les comédies de Molière)* sont aussi heureux que les dénoûments des contes de fées, et tout le monde, jusqu'au mari, est on ne peut plus satisfait. Th. GAUTIER, Mˡˡᵉ de Maupin, Préface, p. 13. 12

Que le succès accompagne, couronne. *Choix, conseil heureux. Nos recherches n'ont pas été heureuses* (→ Botanique, cit. 1). *Expédition particulièrement heureuse* (→ Flibustier, cit. 1).

Loc. (1690). *Avoir la main heureuse,* se dit d'un joueur qui gagne souvent. Par ext. Réussir ordinairement dans les choses qu'on entreprend, dans les choix ou les résolutions auxquelles on se détermine.

Quand elle a dévoré Chénier, la Bête révolutionnaire a eu, si l'on peut dire, la main, la patte, la gueule heureuse. En le supprimant, elle a fait disparaître le seul des êtres, alors en vie, qui aurait pu efficacement s'opposer *(aux principes révolutionnaires).* Ch. MAURRAS, André Chénier, *in* Tableau de la littérature française. 13

— Encore un qui a la main heureuse. Ah! là là, si je n'étais pas là, quelle pagaïe ça serait. R. QUENEAU, Pierrot mon ami, p. 29. 13.1

Une heureuse influence. D'heureux changements.

(1669). Qui est signe ou promesse de succès. *Heureux présage.*

*D'heureux augure** (cit. 8). *Sous d'heureux auspices** (cit. 3 et 4). *Être né sous une heureuse étoile**. ⇒ 1. **Bon.**

14 Il semble que nos actions aient des étoiles heureuses ou malheureuses, à qui elles doivent une grande partie de la louange et du blâme qu'on leur donne.
LA ROCHEFOUCAULD, Réflexions et maximes, 58.

Impers. *C'est heureux pour vous :* c'est une chance pour vous, c'est qqch. qui vient à point. *Il est heureux que vous ayez été prévenu à temps.* — Iron. (en manière d'approbation [cit. 4]). *Enfin vous en convenez, c'est heureux, c'est bien heureux! — C'est heureux, car...* (→ Exterminer, cit. 9). Ellipt. *Encore heureux qu'on ne lui ait pas volé son passeport!* → C'est encore une chance*. Spécialt. Qui tourne bien, n'a pas de suites fâcheuses, en dépit des dangers ou des risques. *Un heureux accouchement. À peine quelques contusions, on peut dire que c'est une chute heureuse! — Heureuse faute!* (lat. *Felix culpa!*), mot de saint Augustin montrant que le péché originel avait valu à l'homme le bénéfice de la Rédemption (se dit souvent des fautes ou des erreurs dont il sort un bien).

♦ **3.** (1673; plus souvent antéposé, en épithète). Qui marque un don, une disposition favorable; qui est remarquable et rare en son genre. ⇒ 1. **Bon.** *Avoir un heureux caractère,* porté à l'optimisme. *Heureuse nature, heureux naturel* (→ Altérer, cit. 2). *Un heureux génie.* ⇒ **Doué** (bien). *Il a la mémoire heureuse. Dons heureux* (→ Astreinte, cit.). *Heureuse constitution.*

15 Comme (...) son heureuse fécondité redoublait tous les jours les sacrés liens de leur amour mutuel (...)
BOSSUET, Oraison funèbre de la reine d'Angleterre.

16 Mais pourrait-on le craindre d'un enfant simple et timide; d'un enfant né de vous, et dont l'éducation modeste et pure n'a pu que fortifier l'heureux naturel?
LACLOS, les Liaisons dangereuses, Lettre CIV.

17 Le garde général attirait tout d'abord l'attention par une figure heureuse, d'un ovale parfait, fine de contours, que le nez partageait également, perfection qui manque à la plupart des figures françaises.
BALZAC, les Paysans, Pl., t. VIII, p. 85.

18 Doué d'une heureuse mémoire qui me permet d'oublier instantanément n'importe quelle lecture.
J. RENARD, Journal, 23 janv. 1909.

19 (...) Marceline demeurait à Paris ou à Lyon avec sa nichée, à moins qu'elle ne passât aussi de théâtre en théâtre, y faisant applaudir une voix ravissante et d'heureux dons de comédienne (...)
Émile HENRIOT, Portraits de femmes, p. 317.

(Choses, lieux). Agréablement, bien situé. *Situation exceptionnellement heureuse d'une ville, d'un port. Heureuse proportion entre l'étendue des plaines et celle des montagnes* (→ Côte, cit. 12). *Un heureux climat.*

20 La Nouvelle-Hollande est une terre peut-être plus étendue que toute notre Europe, et située sous un ciel encore plus heureux.
BUFFON, Suppl. à l'Hist. nat., *in* LITTRÉ.

21 (...) au bas du rocher s'étale une vallée verte, pleine de lignes heureuses, d'horizons fuyants.
BALZAC, Pierrette, Pl., t. III, p. 668.

♦ **4.** (XVIIe; dans un contexte esthétique). Dont l'originalité, la justesse, l'habileté... ont qqch. d'inspiré qui semble dû à la chance. ⇒ **Juste, original, réussi, trouvé** (bien). *Expression, repartie, formule heureuse* (→ Adopter, cit. 5; atmosphère, cit. 10). *Une heureuse manière de dire* (→ Familier, cit. 16). *Un heureux choix de mots. Trouvaille, inspiration particulièrement heureuse. Heureuse alliance de mots. Heureux anachronisme* (cit. 2). *Il y a dans ces œuvres un naturel heureux qui paraît facile* (cit. 12). *Mots, vers, rythmes, tours heureux* (→ Ailleurs, cit. 6). *Heureux accord, heureux équilibre.* ⇒ **Harmonieux.**

22 Ah! que ce *quoi qu'on die* est d'un goût admirable!
C'est, à mon sentiment, un endroit impayable (...)
— Je suis de votre avis, *quoi qu'on die* est heureux.
MOLIÈRE, les Femmes savantes, III, 2.

23 Ah! disait-il *(Molière)*, pourquoi ai-je été forcé d'écrire quelquefois pour le peuple? Que n'ai-je toujours été le maître de mon temps! j'aurais trouvé des dénouements plus heureux (...)
VOLTAIRE, le Temple du goût.

24 (...) c'est là ma prédilection secrète, mon courant caché; et quand toutes mes digressions dans les bouquins me fournissent jour à un sonnet neuf, à un mot à bien encadrer, à un trait heureux dont j'accompagne un sentiment intime, je m'estime assez payé de ma peine (...)
SAINTE-BEUVE, Correspondance, 488, 23 sept. 1835, t. I, p. 539.

★ **II.** (⇒ **Bonheur** [2.]). ♦ **1.** (Personnes). **a** Adj. (Déb. XIIIe). Qui jouit du bonheur* (cit. 13). *Tous les hommes veulent être heureux* (→ Accablant, cit. 4; appréhender, cit. 8; assurer, cit. 68 et 90; attente, cit. 10; croire, cit. 49; délibération, cit. 6; éperdu, cit. 6; exception, cit. 2). *Ce qu'on fait, ce qu'il faut pour être heureux, pour vivre heureux* (→ Athlète, cit. 1; avoir, cit. 27; 2. bien, cit. 45; bienveillant, cit. 5; cacher, cit. 54, Florian; désirer, cit. 3; difficile, cit. 6; embarrasser, cit. 15; estime, cit. 12; exemption, cit. 5; gain, cit. 3; gravir, cit. 10). Prov. *Pour vivre heureux, vivons cachés* (et, fam. et plais., *couchés*). *Il a tout pour être heureux* (→ Gâter, cit. 17). *Se croire, se sentir heureux. Épouse heureuse et comblée. Couple, amants* (cit. 10) *heureux* (→ Automne, cit. 14; beau, cit. 114; cadre, cit. 5; fruit, cit. 31). — *Être heureux en ménage* (→ Complaisance, cit. 9). *Être heureux avec une femme* (→ Amazone, cit. 4; bercer, cit. 10). *Les êtres, les choses qui nous rendent heureux* (→ Existence, cit. 27; frivolité, cit. 7; gloire, cit. 11). *L'art de rendre les peuples heureux.* ⇒ **Florissant;** → Élucubration, cit. 2. *Être parfaitement heureux, heureux comme un roi,* (fam.) *comme un pape.* ⇒ **Béat, ravi;** → Être aux anges*, au quatrième, au septième ciel*, comme un coq* en pâte, comme un poisson* dans l'eau; boire du petit lait*. — Euphém. fam. *Il (n') est pas heureux, il a pas l'air heureux :* il est, il semble mécontent.

J'ai vu en mon temps cent artisans, cent laboureurs, plus sages et plus heureux que des recteurs de l'Université (...) 25
MONTAIGNE, Essais, II, XII.

Et je vais être enfin, par votre seul arrêt, 26
Heureux, si vous voulez, malheureux, s'il vous plaît.
MOLIÈRE, Tartuffe, III, 3.

On n'est jamais si heureux ni si malheureux qu'on s'imagine. 27
LA ROCHEFOUCAULD, Maximes, 49.

On n'est jamais si malheureux qu'on croit, ni si heureux qu'on avait espéré. 28
LA ROCHEFOUCAULD, Maximes supprimées, 572.

Comme la plus heureuse personne du monde est celle à qui peu de chose suffit, 29
les grands et les ambitieux sont en ce point les plus misérables, puisqu'il leur faut l'assemblage d'une infinité de biens pour les rendre heureux.
LA ROCHEFOUCAULD, Maximes, 522.

Ni l'or ni la grandeur ne nous rendent heureux (...) 30
LA FONTAINE, Philémon et Baucis (cf. Divinité, cit. 6).

Il est heureux comme un roi dans sa solitude (...) 31
RACINE, Lettres, 183, 24 juil. 1698.

Il y a une espèce de honte d'être heureux à la vue de certaines misères. 32
LA BRUYÈRE, les Caractères, XI, 82.

Il faut rire avant que d'être heureux, de peur de mourir sans avoir ri. 33
LA BRUYÈRE, les Caractères, IV, 63.

Vivons tant que nous pourrons, et comme nous pourrons. Nous ne serons jamais 34
aussi heureux que les sots, mais tâchons de l'être à notre manière (...)
VOLTAIRE, Lettre à Mme du Deffand, 1213, 2 juil. 1754.

Il faut être heureux, cher Émile : c'est la fin de tout être sensible; c'est le pre- 35
mier désir que nous imprima la nature, et le seul qui ne nous quitte jamais.
ROUSSEAU, Émile, V.

Mais s'il est un état où l'âme trouve une assiette assez solide pour s'y reposer 36
tout entière et rassembler là tout son être (...) tant que cet état dure, celui qui s'y trouve peut s'appeler heureux, non d'un bonheur imparfait, pauvre et relatif, tel que celui qu'on trouve dans les plaisirs de la vie, mais d'un bonheur suffisant, parfait et plein, qui ne laisse dans l'âme aucun vide qu'elle sente le besoin de remplir.
ROUSSEAU, Rêveries..., 5e promenade.

En toute espèce de biens, posséder est peu de chose; c'est jouir qui rend heu- 37
reux (...)
BEAUMARCHAIS, le Barbier de Séville, IV, 1.

Des fleurs, de la lumière, des parfums, une peau soyeuse et douce qui touche la 38
vôtre, une harmonie voilée et qui vient on ne sait d'où, on est parfaitement heureux avec cela; il n'y a pas moyen d'être heureux différemment.
Th. GAUTIER, Mlle de Maupin, IV.

Il est sept heures, dit Philippe, la reine de votre cœur sera vers onze heures et 39
demie ici (...) ne serez-vous pas heureux comme un pape?
BALZAC, la Rabouilleuse, Pl., t. III, p. 1073.

Être bête, égoïste, et avoir une bonne santé, voilà les trois conditions voulues pour 40
être heureux; mais si la première nous manque, tout est perdu.
FLAUBERT, Correspondance, 113, 6 août 1846, t. I, p. 215.

Ceux-là seuls ont vécu heureux qui ont su ménager parfois dans leur existence si 41
chère l'inappréciable pureté de quelques jouissances imprévues.
Pierre LOUŸS, Aphrodite, III, II.

La vie intérieure n'est faite que d'un certain bonheur de l'âme, et l'âme n'est heu- 42
reuse que lorsqu'elle peut aimer en elle quelque chose de pur.
MAETERLINCK, Sagesse et Destinée, XXXVI.

Le but, c'est d'être heureux. On n'y arrive que lentement. Il y faut une applica- 43
tion quotidienne. Quand on l'est il reste beaucoup à faire : à consoler les autres.
J. RENARD, Journal, 9 oct. 1897.

On devrait bien enseigner aux enfants l'art d'être heureux. Non pas l'art d'être 44
heureux quand le malheur vous tombe sur la tête; je laisse cela aux Stoïciens; mais l'art d'être heureux quand les circonstances sont passables et que toute l'amertume de la vie se réduit à de petits ennuis et à de petits malaises.
ALAIN, Propos, 8 sept. 1910, L'art d'être heureux.

Être heureux en amour (peut être compris au sens I, 1 «avoir de la chance»).

Exclam. (1558; le v. *être* étant sous-entendu). ⇒ **Bienheureux.** *Heureux le peuple* (→ Abondance, cit. 1), *l'homme, le mortel* (→ Coin, cit. 18; fruit, cit. 2). *Heureux les hommes des champs* (cf. O fortunatos nimium, sua si bona norint! [Virgile]). *Heureux les pauvres* en esprit. Heureux celui, ceux qui...* (→ Affliger, cit. 12; apprentissage, cit. 13; éblouir, cit. 23; faim, cit. 14). *«Heureux qui comme Ulysse...»* (→ Âge, cit. 2, Du Bellay). *Heureux, trois fois heureux celui qui...* (→ Garder, cit. 89).

(...) Heureux qui vit chez soi, 45
De régler ses désirs faisant tout son emploi.
LA FONTAINE, Fables, VII, 12.

Heureux qui satisfait de son humble fortune, 46
Libre du joug superbe où je suis attaché,
Vit dans l'état obscur où les Dieux l'ont caché!
RACINE, Iphigénie, I, 1.

Heureux ceux qui sont morts pour la terre charnelle, 47
Mais pourvu que ce fût dans une juste guerre.
Ch. PÉGUY, Ève, Pl., p. 800.

(1683). *Heureux de...* ⇒ **Aise, content, satisfait; réjouir** (se). *Je suis très heureux de votre beau succès. Heureux et fier* de ses lauriers.* — (Avec l'inf.). *Tout heureux et tout aise* (cit. 25) *de... Il était tout heureux de la revoir* (→ aussi Agréger, cit. 2; aperçu, cit. 3; 2. carrière, cit. 13 et 18; enfant, cit. 27; examiner, cit. 15). — (Formule de politesse). *Très heureux d'avoir fait votre connaissance.* ⇒ **Charmé, enchanté, ravi.** — Absolt. (En réponse à une formule de présentation). — *M. X. — Très heureux!* — (Avec le subj.). *Heureux que... Je suis heureux qu'il aille mieux* (→ Caprice, cit. 7; exprimer, cit. 43).

b N. (1654; au plur., parfois au sing. avec l'art. indéf.). *Les misérables et les heureux* (→ Foi, cit. 34). — (1673). *Les heureux de ce monde; les heureux du siècle*, de la terre :* ceux qui sont abondamment pourvus de biens. ⇒ **Riche.** *Les heureux du jour :* les hommes en faveur, en place. — (1701). *Faire des heureux :* faire le bonheur de quelques personnes. Par ext. Procurer à qqn un avantage, lui faire plaisir. *Il a fait des heureux parmi les enfants en distribuant ses derniers bonbons.* — (1900). Au sing. *Faire un heureux.*

48 (...) voyez un heureux, contemplez-le dans le jour même où il a été nommé à un nouveau poste (...) voyez quelle sérénité cet accomplissement de ses désirs répand dans son cœur et sur son visage (...) comme ensuite sa joie lui échappe et ne peut plus se dissimuler (...) LA BRUYÈRE, les Caractères, VIII, 50.

49 Il n'y aurait pas beaucoup d'heureux s'il appartenait à autrui de décider de nos occupations et de nos plaisirs. VAUVENARGUES, Maximes et Réflexions, 119.

50 Assez de malheureux ici-bas vous implorent :
Coulez, coulez pour eux ;
Prenez avec leurs jours les soins qui les dévorent ;
Oubliez les heureux. LAMARTINE, Premières méditations, « Le lac ».

51 Pitié pour les malheureux, mais indulgence pour les heureux.
HUGO, les Misérables, V, IX, I (Titre).

REM. Le fém., tant au sing. qu'au plur., ne semble pas usité.

♦ **2.** Qui exprime le bonheur. *Un air, un visage heureux.* ⇒ **Radieux, triomphant.** *Partout régnait une heureuse animation.*

♦ **3.** (1538; choses abstraites). Marqué par le bonheur; où règne le bonheur. *État heureux, situation, condition heureuse.* ⇒ **Prospère;** → Falloir, cit. 3. *Vie heureuse* (→ Ambition, cit. 6; 1. calme, cit. 13; eurythmie, cit. 2). *L'heureux âge de l'enfance.* ⇒ **Beau;** → Anecdote, cit. 2. *Une heureuse vieillesse. Époque heureuse.* ⇒ **Âge** (d'or, doré). *Temps, moments heureux* (→ Appuyer, cit. 7; changer, cit. 49; 1. être, cit. 17; familier, cit. 1). *Bonne et heureuse année! Couler des jours heureux.* ⇒ **Filé** (d'or et de soie), **serein;** → Campagne, cit. 13. *Ce mariage n'a pas été heureux* (→ Exceptionnel, cit. 7). *Tranquillité* (→ Apporter, cit. 40), *équilibre* (→ Bramer, cit. 2), *calme* (cit. 8) *heureux.* ⇒ **Tranquille.** *Émotions heureuses* (→ Éteindre, cit. 23). *Souvenirs heureux* (→ Emporter, cit. 4). *Faire une heureuse fin,* une bonne fin*.

52 Marot, voici, si tu le veux savoir,
Qui fait à l'homme heureuse vie avoir :
Successions, non biens acquis à peine,
Feu en tout temps, maison plaisante et saine,
Jamais procès, les membres bien dispos,
Et au dedans un esprit à repos (...) Clément MAROT, Épigrammes, CCXVII.

53 Dante, pourquoi dis-tu qu'il n'est pire misère
Qu'un souvenir heureux dans les jours de douleur? (...)
Un souvenir heureux est peut-être sur terre
Plus vrai que le bonheur. A. DE MUSSET, Poésies nouvelles, « Souvenir ».

54 L'amour heureux n'a pas d'histoire, et Marie d'Agoult connut quelque temps le bonheur dans la solitude du « poème à deux » qu'elle avait choisie (...)
Émile HENRIOT, Portraits de femmes, p. 331.

(Choses concrètes). Littér. *Chair* (cit. 57) *heureuse et lasse.* ⇒ **Comblé.** — *Trouver dans la nature un heureux paradis* (→ Avril, cit. 4). *Campagne, champs* (cit. 1) *heureux et paisibles. Rivières heureuses* (→ Cours, cit. 2). *Heureux asile.*

55 Souvent, tu t'en souviens, dans cet heureux séjour
Où, naquit d'un regard notre immortel amour (...)
LAMARTINE, Premières méditations, « L'immortalité ».

CONTR. Malheureux. — (Du sens I, 1) **Infortuné, malchanceux.** — (Des sens I, 2 et 4) **Affligeant, amer, déplorable, désolant, douloureux, ennuyeux, fâcheux, fatal, funeste.** — (Du sens I, 2, *c'est heureux!*) **Dommage** (c'est). — (Du sens II) **Fâché, dépité, mécontent, triste.**

DÉR. Heureusement, heureuseté.

COMP. Bienheureux, malheureux.

HEURISTIQUE

HEURISTIQUE [øʀistik] adj. et n. f. — Av. 1845, Bescherelle; all. *heuristik, heuristisch,* 1750, Baumgarten; lat. mod. *heuristica* (1734, en Allemagne), dér. du grec *heuriskein* « trouver ».

Didactique.

♦ **1.** Adj. Qui sert à la découverte. *Hypothèse heuristique,* « dont on ne cherche pas à savoir si elle est vraie ou fausse, mais qu'on adopte seulement à titre provisoire, comme idée directrice dans la recherche des faits » (Lalande). — Pédag. *Méthode heuristique,* consistant à faire découvrir à l'élève ce qu'on veut lui enseigner.

Inform. Se dit d'une méthode d'exploration d'un problème procédant par évaluations successives et hypothèses provisoires (→ Système expert*).

♦ **2.** N. f. (1845). Partie de la science qui a pour objet la découverte des faits.

En histoire*, Art de rechercher et de découvrir les documents.

La première étape de la méthode historique est la recherche des documents, ou *heuristique.* A. LALANDE, Lectures sur la philosophie des sciences, p. 239.

Inform. Méthode de recherche fondée sur l'approche progressive d'un problème donné. « *Ces ordinateurs seront construits autour de "systèmes experts", logiciels qui intègrent des heuristiques et par conséquent autorisent des cheminements à plusieurs degrés de liberté* » (*Sciences et Avenir,* n° 442, déc. 1983, p. 69).

REM. La var. graphique *euristique* semble rare.

HEURT

HEURT [œʀ] n. m. — V. 1450; *hurt,* v. 1120; déverbal *de heurter.*

★ **I.** ♦ **1.** Action de heurter; résultat de cette action. ⇒ **Coup; choc, heurtement.** *Un heurt léger, violent, terrible. Le bruit d'un heurt. Heurt qui se produit, qui survient* (→ Agréable, cit. 10). *Le heurt de qqch. par qqch. Le heurt de qqch.,* causé par qqch. *Bouclier fracassé* (cit. 2) *par le heurt d'une pierre. Éviter* (cit. 42) *le heurt, un heurt. Prendre des précautions pour déplacer sans heurt un objet fragile.* ⇒ **À-coup, cahot, saccade;** → Basculer, cit. 3. *Heurt de deux, de plusieurs voitures.* ⇒ **Carambolage.**

(...) une suite de coups profonds, qui semblaient les heurts d'un bélier de muraille (...) LOTI, Ramuntcho, II, XII. 1

C'étaient des voix d'hommes et de femmes, des rires mourants, l'ébrouement d'une bête, le heurt d'un outil (...) ZOLA, la Terre, II, IV. 2

(...) le silence glacial n'est rompu que de loin en loin, par le pas d'une dévote attardée ou le heurt d'un lourd vantail qui se renferme. 3
Louis BERTRAND, le Livre de la Méditerranée, p. 29.

Soudain, le train fut secoué d'un de ces légers heurts qui passent au corps du voyageur la surprise du mécanicien à la vue d'un mouton sur la voie. 3.1
GIRAUDOUX, Siegfried et le Limousin, p. 287.

Par métaphore :

Le heurt que le *Génie du christianisme* donna aux esprits, fit sortir le dix-huitième siècle de l'ornière, et le jeta pour jamais hors de sa voie (...) 4
CHATEAUBRIAND, Mémoires d'outre-tombe, II, I, 12.

Brutalité, voie de fait. *Il y a eu des heurts entre les manifestants et la police.*

♦ **2.** (1694). Rare. Marque laissée par le coup. *Ce cheval a un heurt à un pied de devant* (Académie).

♦ **3.** (1882). Abstrait. Opposition* brutale, choc résultant d'un désaccord, d'une dispute. ⇒ **Antagonisme, conflit, friction, froissement.** *Leur entente, leur collaboration qui ne va pas sans heurts. Se garder de toutes les occasions de heurt. Ils sont trop entiers, trop passionnés pour qu'il n'y ait pas des heurts entre eux.*

Depuis cette brouille, une rupture était imminente entre l'abbé Godard et Rognes, le moindre heurt allait amener la catastrophe. ZOLA, la Terre, III, VI. 5

♦ **4.** (1897; esthétique). Opposition forte. ⇒ **Contraste.** *Les heurts violents des tons d'un tableau* (→ Éteindre, cit. 28). *Des heurts savants de couleurs* (→ Colorer, cit. 10). — *Heurt de deux voyelles.* ⇒ **Heurtement.** *Le heurt déplaisant de sonorités* (→ Dissonance).

★ **II.** Techn. (D'un emploi ancien de *heurt* au sens d'« éminence », d'« élévation de terrain [qui fait obstacle] »). Point le plus élevé (d'une rue, d'un pont, d'une conduite d'eau...) d'où partent les deux pentes en sens contraire.

CONTR. (Du sens 3) **Conciliation.** — (Des sens 3 et 4) **Harmonie.**

HOM. Heur, heure.

HEURTÉ, ÉE

HEURTÉ, ÉE [œʀte] adj. ⇒ **Heurter** (p. p. adj.).

HEURTÉE

HEURTÉE [œʀte] n. f. — XIIIe, *hurtee;* de *heurter.*

♦ Vx ou littér. Rare (R. Rolland, *in* D. D. L.). Fait de se heurter; combat, mêlée.

HOM. Formes du v. **heurter.**

HEURTEMENT

HEURTEMENT [œʀtəmɑ̃] n. m. — 1538; *hurtement,* v. 1200; de *heurter.*

♦ Vx ou littér. Action de heurter, de se heurter. ⇒ **Choc, heurt.**

HEURTEQUIN

HEURTEQUIN [œʀtəkɛ̃] n. m. — 1597; de *heurtoir,* par substitution de finale, l'élément *-(e)quin* provenant du néerl. *-kijn* → Vilebrequin.

♦ Techn. Saillie d'un essieu métallique contre laquelle bute le moyeu de la roue.

On doubla les traits des chevaux, et, par surcroît de précaution, le heurtequin des moyeux fut rembourré de paille, autant pour assurer la solidité des roues que pour adoucir les chocs, difficiles à éviter dans une nuit obscure.
J. VERNE, Michel Strogoff, p. 132 (1876).

HEURTER

HEURTER [œʀte] v. — 1119, *hurter,* intrans.; v. tr. (I., 1.), v. 1160; *heurter* ne semble pas antérieur au XVIIe; probablt d'un francique **hûrt,* supposé d'après l'anc. scandinave *hrûtr* « bélier », le v. signifiant alors « frapper à la façon d'un bélier »; hypothèse rejetée par P. Guiraud, qui propose un gallo-roman **uritare* « frapper comme un taureau sauvage », du lat. *urus* (→ Urus).

★ **I.** V. tr. (V. 1160, *hurter*). ♦ **1.** (Sujet n. de personne ou de chose). Toucher plus ou moins rudement, en entrant brusquement en contact avec... (généralement de façon accidentelle). ⇒ **Choquer, cogner, télescoper.** *Heurter et culbuter qqn, qqch. en courant* (→ Fuir, cit. 2). *Heurter du coude.* ⇒ **Coudoyer.** *Il a été heurté et bousculé* (cit. 2) *par la foule. Bourdon* (2. Bourdon, cit. 1) *qui heurte qqn au visage. Heurter un meuble* (→ Coussin, cit. 3). *Son pied heurte qqch. de dur* (→ Effort, cit. 4). *La crosse heurte la mâchoire.* ⇒ **Froisser;** → Épauler, cit. 1. *Heurter une voiture.* ⇒ **Emboutir, percuter, tamponner.** *L'épée de son adversaire heurte la sienne* (→ Étincelle, cit. 2). *La proue heurte la proue* (→ Abordage, cit. 2). *Bête en cage heurtant ses barreaux* (→ Furieux, cit. 3). *Casser* en heurtant. Le bélier heurta de la tête son adver-*

saire. ⇒ **Cosser.** — REM. Cet emploi, plutôt littéraire ou didactique en français de France, est normal et cour. dans des usages régionaux, par ex. en Suisse.

1 L'un me heurte d'un ais dont je suis tout froissé :
Je vois d'un autre coup mon chapeau renversé. BOILEAU, Satire, VI.

2 Marie heurta tout à coup une piere et fit un faux pas.
BALZAC, les Chouans, Pl., t. VII, p. 863.

3 Le pré commençait à se remplir, et les ménagères vous heurtaient avec leurs grands parapluies, leurs paniers et leurs bambins.
FLAUBERT, Mme Bovary, II, 8, p. 91.

4 Il allait et venait dans sa cage de fer,
Heurtant les deux cloisons avec sa tête rude.
LECONTE DE LISLE, Poèmes barbares, « Mort d'un lion ».

5 On entendait (...) ma plume, par intervalles, heurter du bec le fond de l'encrier.
G. DUHAMEL, Salavin, I, XIX.

6 (...) le flot qui heurtait ce bec de granit rampait sournoisement le long de ses flancs lisses (...) MARTIN DU GARD, les Thibault, t. I, p. 102.

Faire entrer brutalement en contact. *Heurter son front, sa tête contre, à...* (→ Creux, cit. 3).

7 (...) en se dressant vite, dans son réveil subit, il heurta contre les poutres son front large. LOTI, Pêcheur d'Islande, III, VIII.

8 Le spectacle de cet effroi mit Guéret hors de lui. Il la gifla d'abord, et, lâchant son poignet, il lui prit la tête dans les mains et la heurta plusieurs fois sur le sol.
J. GREEN, Léviathan, I, XII.

(Le sujet et le compl. désignent des sons). Renconter, se juxtaposer d'une manière désagréable à l'oreille. *Voyelle heurtant une autre voyelle.* ⇒ **Hiatus.**

9 Prendre garde qu'un *qui* ne heurte une diphtongue (...)
Mathurin RÉGNIER, Satires IX, À Nicolas Rapin.

10 Gardez qu'une voyelle à courir trop hâtée
Ne soit d'une voyelle en son chemin heurtée. BOILEAU, l'Art poétique, I.

♦ **2.** (1280). Abstrait. (Compl. n. de personne ou de chose humaine). Venir contrecarrer (qqn), aller à l'encontre* de (sentiments, intérêts...), d'une façon choquante, rude ou maladroite qui provoque ou durcit la résistance. ⇒ **Contrarier, offenser, scandaliser, vexer.** *Vous allez le heurter, il faut le prendre autrement. On ne peut agir ainsi sans heurter beaucoup de gens* (Académie). ⇒ **Blesser, choquer.** — (1668). *Heurter de front** (cit. 37 et 38) *qqn, ses sentiments, ses idées.* ⇒ **Affronter, attaquer, combattre;** → Biais, cit. 11. *Ces propos nous surprennent et nous heurtent.* ⇒ **Froisser;** → Empyrée, cit. 5. *L'inégalité sociale heurtait les esprits* (→ Égalité, cit. 11). *Heurter les intérêts, l'amour-propre, les préjugés, l'opinion, le patriotisme.* ⇒ **Atteindre;** → Civil, cit. 12. *C'est heurter le sens commun, la raison, les faits.* ⇒ **Offusquer;** → Éthique, cit. 3.

11 (...) il n'y a rien qui choque plus notre raison que de dire que le péché du premier homme ait rendu coupables ceux qui, étant si éloignés de cette source, semblent incapables d'y participer (...) Certainement rien ne nous heurte plus rudement que cette doctrine; et cependant (...) PASCAL, Pensées, VII, 434.

12 Cette grande roideur des vertus des vieux âges
Heurte trop notre siècle et les communs usages (...) MOLIÈRE, le Misanthrope, I.

13 Je prévois qu'on me pardonnera difficilement le parti que j'ai osé prendre. Heurtant de front tout ce qui fait ajourd'hui l'admiration des hommes, je ne puis m'attendre qu'à un blâme universel (...)
ROUSSEAU, Discours sur les sciences et les arts, Préface.

14 Quand on veut vivre dans un pays, il n'en faut point heurter les préjugés.
BEAUMARCHAIS, la Mère coupable, I, 5.

15 Lorsque le pouvoir suit l'opinion, il est fort; lorsqu'il la heurte, il tombe.-
A. DE VIGNY, Journal d'un poète, p. 38.

16 Ce n'est pas le sens commun, c'est la vérité qu'il importe de ne pas heurter.
GIDE, Corydon, I, I

17 Dès 1695, Louis XIV avait créé la capitation qui frappait tous les Français sauf le Roi et les tout petits contribuables, mais qui rencontra une vaste opposition, tant elle heurtait les habitudes et les intérêts. J. BAINVILLE, Hist. de France, XIII.

18 Certains jours le sans-gêne de Balzan l'agaçait, heurtait son sens des hiérarchies légitimes.
J. ROMAINS, les Hommes de bonne volonté, t. V, XXV, p. 242.

Absolt. *C'est ce qui heurte le plus* (→ 2. Causer, cit. 10; détonner, cit. 2).

19 Que vos tableaux, en restant francs, perdent un peu de ce qui heurte.
SAINTE-BEUVE, Correspondance, t. I, p. 262.

♦ **3.** Factitif. *Heurter qqch. à qqch. :* faire se heurter, faire heurter (II.) à... Spécialt. *Heurter sa tête, son front à un meuble.* — *Se heurter la tête contre un meuble.*

★ **II.** V. intr. et tr. ind. ♦ **1.** Vieilli. (Avec *contre*). Entrer brusquement, plus ou moins rudement en contact avec... ⇒ **Achopper, buter, chopper** (cit. 2), **cogner, donner, porter, taper.** *Heurter contre un caillou, une marche. Voiture qui heurte contre le trottoir.* — (Sujet n. de personne). *Heurter du front, de la tête contre qqch.* ⇒ **Coup;** → Chacun, cit. 3. — *Le navire a heurté contre un écueil.* ⇒ **Échouer.**

20 (...) il sera une pierre d'achoppement, à laquelle plusieurs heurteront (...)
PASCAL, Pensées, XII, 751.

21 Les Allemands enfin, dans leur dernière expédition d'Italie, vinrent plus d'une fois heurter lourdement contre nos Français de Naples.
MICHELET, Hist. de France, IV, II.

22 Et tout aussitôt la petite Fadette, qui s'apprêtait gaiement à passer l'eau sans montrer crainte ni étonnement du feu follet, heurta contre Landry, qui était assis par terre dans la brune (...) G. SAND, la Petite Fadette, XII

Fig. *Volontés qui heurtent les unes contre les autres* (→ Assortir, cit. 2).

♦ **2.** V. tr. ind. (V. 1135; sujet n. de personne). **HEURTER À :** frapper avec intention à... *Heurter à la porte, à la vitre.* Fig. *Heurter à toutes les portes**.

Octobre, le courrier de l'hiver, heurte à la porte de nos demeures. 23
Aloysius BERTRAND, Gaspard de la nuit, Octobre.

Absolt. Vx ou régional (Suisse). Frapper à la porte. *Il n'osait pas heurter* (→ Époumoner, cit. 1). *Heurter fort, doucement* (→ Gratter, cit. 17).

▶ **SE HEURTER** v. pron.

♦ **1.** (V. 1170, *soi hurter à*). Réfl. (→ ci-dessus, II.). **a** *Se heurter à un obstacle* (→ Banc, cit. 8; barreau, cit. 4; chauve-souris, cit. 2; croiser, cit. 4; frelon, cit. 4), *contre un obstacle* (→ Eau, cit. 3). *Les vagues se heurtent contre les rochers.* ⇒ **Briser** (se).

Les ondes de cette foule, sans cesse grossies, se heurtaient aux angles des maisons qui s'avançaient çà et là, comme autant de promontoires, dans le bassin irrégulier de la place. HUGO, Notre-Dame de Paris, I, I. 24

Et tandis qu'aux portes de fer 25
Se heurte la jeune espérance (...) P.-J. TOULET, Contrerimes, « Chansons », VIII.

J'avais, pour la première fois, le sentiment de me heurter à quelque chose de résistant, d'invincible, une muraille contre laquelle un enfant se briserait en vain les ongles, les dents et la tête. G. DUHAMEL, Chronique des Pasquier, II, XVIII. 26

b (Mil. XVIIe). Fig. *Se heurter à* (qqch., qqn) : rencontrer (un obstacle qui freine ou arrête l'action, le développement...). *Ses idées se heurtèrent à une forte opposition* (→ Fluor, cit. 2), *à une résistance.* — (Sujet n. de personne). Être gêné, contrarié, arrêté par... *Se heurter à une consigne* (→ Flèche, cit. 7), *à un refus* (→ Boniment, cit. 2), *à un silence.*

Conduit à la conquérir *(la Flandre)* par le développement de la guerre avec les Anglais, il *(Philippe le Bel)* se heurtait à la résistance des Flamands.
J. BAINVILLE, Hist. de France, V. 27

Au conseil d'État même, ordinairement d'accord avec le Consul, le projet se heurtait à l'opposition inquiète des anciens révolutionnaires.
Louis MADELIN, Hist. du Consulat et de l'Empire, Le Consulat, IX. 28

Cette logique se heurta, chez Salavin, à un mutisme opiniâtre qui était son système de défense favori et qui désespérait Édouard. G. DUHAMEL, Salavin, III, XVIII. 29

(...) il objectait qu'une action militaire autrichienne se heurterait au veto du Kaiser.
MARTIN DU GARD, les Thibault, t. VII, p. 41. 30

(...) Caliste est l'honneur et la vertu même : quand elle aimera, elle se heurtera durement aux lois du *cant,* et le père du jeune homme s'opposera formellement au mariage envisagé. Émile HENRIOT, Portraits de femmes, p. 223. 31

c Régional (Suisse). Entrer en collision avec (qqch.).

(Le bruit du tonnerre) va se heurter, de l'autre côté de la vallée, à la chaîne du Sud, Il revient en arrière, se heurtant à lui-même.
C.-F. RAMUZ, Derborence, *in* Œ. compl., t. XIV, p. 243. 31.1

♦ **2.** Récipr. Se rencontrer en produisant un heurt réciproque ⇒ **Cogner** (se). *Les passants pressés se heurtaient. Navires, meubles ballotés qui se heurtent.* ⇒ **Entrechoquer** (s'); → Amarrer, cit. 4; caisse, cit. 1. *Les deux voitures se sont heurtées de plein fouet.* ⇒ (fam.) **Bougner** (se).

Par métaphore (→ ci-dessous, cit. 33) ou fig. Se contrarier, entrer en conflit. ⇒ **Accrocher** (s'), **affronter** (s'). *Avec des caractères si différents, ils ne peuvent que se heurter.* — Faire un violent contraste. *Ces couleurs, ces tons se heurtent.*

Eugène est pour Chrysante dans les mêmes dispositions : ils ne courent pas risque de se heurter. LA BRUYÈRE, les Caractères, VI, 54. 32

On ne se rencontre qu'en se heurtant et chacun, portant dans ses mains ses entrailles déchirées, accuse l'autre qui ramasse les siennes.
FLAUBERT, Correspondance, 291, fin oct. 1851, t. II, p. 325. 33

▶ **HEURTÉ, ÉE** p. p. adj. (1752).

Spécialt (arts). Qui manque de fondu, qui est fait de contrastes trop appuyés et de saillies d'une vigueur parfois excessive. *Tons, contours heurtés. Touche, manière heurtée.* — Littér. *Style heurté,* qui présente des oppositions rudes, qui manque d'harmonie. ⇒ **Abrupt, rocailleux, rude.** Par anal. *Voix heurtées* (→ Brusque, cit. 3); *débit heurté.* ⇒ **Saccadé.** *Exécution heurtée d'une œuvre musicale.*

Sa touche est lourde, sa manière est pénible et heurtée. DIDEROT, Salon de 1767. 34

Une vapeur particulière répandue dans les lointains arrondit les objets et dissimule ce qu'ils pourraient avoir de dur ou de heurté dans leurs formes.
CHATEAUBRIAND, Lettre à M. de Fontanes sur la campagne romaine. 35

(Saint-Simon) est le premier des écrivains français qui écrive avec ses nerfs. De là ce discours heurté, fougueux, ces contrastes, ces disparates, ces brusqueries, ces audaces et ces négligences incroyables (...)
Émile FAGUET, Études littéraires, XVIIe s., Saint-Simon, IV. 36

Il nous faut une lumière plus douce, et des ombres moins heurtées. Quand un carré de ciel bleu lavé de pluie se montre entre les nuages, c'est alors que les chênes, les hêtres, les ormeaux, les marronniers, les acacias étalent devant nos yeux les nuances innombrables du vert, plus pur et plus riche que les couleurs vierges sur la palette. ALAIN, Propos, 3 juin 1909, J'aime la pluie. 37

CONTR. (Du sens I, 1) **Éviter.** — (Du sens I, 2) **Charmer, complaire.** — (Du sens II, 1) **Franchir, surmonter.** — (Du p. p.) **Fondu, harmonieux, lié.**
DÉR. Heurt, heurtée, heurtement, heurtoir.
COMP. Aheurter, entre-heurter (s').
HOM. Voir **heurté** (adj.), **heurtée.**

HEURTOIR [œRtwaR] n. m. — 1302; *hurteuer,* sens techn., fin XIIIe; de *heurter.*

♦ **1.** (1345). Marteau* adapté à la porte d'entrée d'une maison, dont on se sert pour frapper (en le faisant retomber sur le *contre-heurtoir*). ⇒ **Anneau, boucle; marmot** (cit. 6). *Heurtoir à la porte d'un hôtel ancien.*

1 (...) le heurtoir grotesque qui ornait la porte de l'atelier (...)
BALZAC, le Chef-d'œuvre inconnu, Pl., t. IX, p. 389.

2 Il saisit le heurtoir de fer et il sonna un bon coup solide à plein poing.
J. GIONO, le Chant du monde, I, IX.

♦ **2.** Techn. Pièce (de métal, de bois, etc.) disposée de façon a arrêter un objet mobile venant heurter contre elle. ⇒ **Amortisseur, butoir, culbuteur; heurtequin.**

DÉR. Heurtequin.
COMP. Contre-heurtoir.

HEUSE ['øz] ou **HEUSSE** ['øs] n. f. — XIIe, *huese*; var. *heusse* au XIVe; du francique **hosa* «botte». → Houseau.

★ **I.** Vx ou hist. Botte, au moyen âge.

★ **II.** Mar. Piston* d'une pompe dont le corps est en bois.

HÉVÉA [evea] n. m. — 1751, *hhévé; hévé*, 1769; *hévée*, 1808; mot quichua (Pérou) latinisé en *hevea*.

♦ Plante dicotylédone *(Euphorbiacées)*, arbre de grande taille originaire de la Guyane. *L'hévéa contient le latex, d'où l'on extrait le caoutchouc* ou *gomme élastique. Inciser* (cit. 0.1) *un tronc d'hévéa. L'hévéa a été acclimaté en Asie (Malaisie, Insulinde) et en Afrique. Culture* (cit. 8), *plantations d'hévéas.*

HEX-, HEXA- Premier élément de mots scientifiques, tiré du grec *heks* «six». Voir à l'ordre alphabétique.

Chim. Sert à former des mots désignant des composés dont la molécule contient six atomes d'un élément. Ex : *hexachlorobenzène* n. m.; *hexachlorure* n. m.; *hexalcool* n. m. (⇒ **Hexol**); *hexaméthylène* n. m.; *hexaméthylbenzène* n. m.; *hexaphénol* n. m.

HEXACHLOROPHÈNE [ɛgzaklɔʀɔfɛn] n. m. — Mil. XXe; de *hexa-* (→ Hex-), *chlore*, et grec *phainein* «briller».

♦ Pharm. et cour. Substance antiseptique employée comme désinfectant de la peau, en chirurgie, en dermatologie, et qui peut être incorporée dans les savons, des crèmes ou lotions. *L'hexachlorophène a été considéré comme responsable d'accidents. «Le grand coupable serait-il donc l'hexachlorophène, ce bactéricide dérivé du phénol, couramment employé en médecine et qui entre dans la fabrication de quelque 150 produits d'hygiène et de cosmétiques? (...) l'hexachlorophène pénètre dans le sang, provoquant des lésions des cellules nerveuses et du cerveau»* (*l'Express*, 4 sept. 1972, p. 51).

HEXACORALLIAIRES [ɛgzakɔʀaljɛʀ] n. m. pl. — 1924; *hexacoralla*, 1894; de *hexa-* (→ Hex-), et *coralliaires*.

♦ Zool. Sous-classe de Cœlentérés *(Coralliaires*)*; polypes de grande taille aux cloisons disposées en hexagone, au corps cylindrique porté sur une base discoïde. *Les hexacoralliaires* (ou *Zoantharies*) *se divisent en Actiniaires et Madréporaires.* ⇒ **Actiniaires, madrépore.** — Au sing. *Un hexacoralliaire.*

HEXACORDE [ɛgzakɔʀd] n. m. — 1690, Furetière; grec *hexakordion*, de *heks* «six» (→ Hex-), et *cordion*. → Corde.

♦ Mus. Système musical fondé sur une gamme de six sons.

HEXAÈDRE [ɛgzaɛdʀ] adj. — 1701; bas lat. *hexahedrum*, du grec *hexa-*. → Hex-, et -èdre.

♦ Géom. Qui a six faces planes. *Prisme, solide hexaèdre.* — N. m. Polyèdre* à six faces. *Le cube*, hexaèdre régulier.*

DÉR. Hexaédrique.

HEXAÉDRIQUE [ɛgzaedʀik] adj. — 1846; de *hexaèdre*.

♦ Géom. Relatif à l'hexaèdre, à sa forme. *Solide hexaédrique.*

HEXAFLUORURE [ɛgzaflyɔʀyʀ] n. m. — D. i. (XXe); de *hexa-*, *fluor*, et suff. chim. *-ure*.

♦ Chim. Composé dont la molécule contient six atomes de fluor. *Hexafluorure d'uranium*, utilisé dans les centrales nucléaires pour l'enrichissement en isotope 235, radioactif, de la matière fissile.

HEXAGONAL, ALE, AUX [ɛgzagɔnal, o] adj. — 1632; de *hexagone*.

♦ **1.** Qui a six angles et six côtés. *Figure hexagonale. Plan hexagonal d'un édifice.* — Dont la base est un hexagone. *Pyramide hexagonale. Prisme hexagonal.*

Sc. *Système hexagonal d'un cristal*, dont la forme fondamentale est un prisme droit à base hexagonale. *Le graphite cristallise dans le système hexagonal.* ⇒ **Cristallin** (système).

♦ **2.** (V. 1966; avec une valeur souvent péj.). Qui concerne l'Hexagone* (français). ⇒ **Français, métropolitain.** *« La plupart des firmes* (françaises) *restent très hexagonales»* (*l'Express*, 30 juin 1977, p. 62).

N. m. (V. 1969). Péj. La langue française, telle qu'elle est répandue dans l'Hexagone par l'administration et les média de masse.

(...) j'appelle «hexagonal» le langage nouveau qui est en train de s'élaborer à l'intérieur de l'Hexagone, et cela à une telle cadence que le français ne sera bientôt plus qu'une langue morte enseignée dans les établissements secondaires, jusqu'au jour où la loi dispensera les jeunes Hexagonaux de son étude. Il sera alors l'affaire de quelques spécialistes, tout comme le latin. 1
Largement propagé par les moyens de diffusion actuels, Presse, Radio et Télévision, l'hexagonal est en train de gagner les masses auxquelles il s'impose par ces deux vertus à quoi le public contemporain résiste difficilement : la laideur et la prétention.
Robert BEAUVAIS, L'hexagonal tel qu'on en parle, p. 8.

L'un d'eux, très barbu, très aimable du reste, parle couramment ce qu'on appelle l'hexagonal, langue que je n'entends pas toujours. 2
J. GREEN, Journal, ce qui reste de jour, 2 févr. 1971.

N. (Plais.). Français → ci-dessus, cit. 1.

HEXAGONE [ɛgzagon; ɛgzagɔn] adj. et n. m. — 1377, *exagone*; du lat. *hexagonus*, du grec *hexagônos*, de *hex* «six» (→ Hex-) et *gônia* «angle». → 1. -gone.

♦ **1.** Adj. Vx. Qui a six angles, six côtés. *Plan, figure hexagone.* ⇒ **Hexagonal.**

♦ **2.** N. m. (1651). Mod. Polygone à six côtés. *Hexagone régulier.* — (1690). Fortif. Ouvrage composé de six bastions.

Les ruches des abeilles étaient aussi bien mesurées il y a mille ans qu'aujourd'hui, et chacune *(des abeilles)* forme cet hexagone aussi exactement la première fois que la dernière. 1
PASCAL, Fragments de la Préface Traité du vide.

♦ **3.** (1934, de Gaulle). *L'hexagone (français)* : la représentation cartographique de la France, ramenée à une figure géométrique à six côtés. — Absolt. (Employé comme n. pr.). *L'Hexagone :* la France continentale (parfois par oppos. aux *Territoires* et *Départements d'outre-mer* [*D. O. M.-T. O. M.*], ou encore aux *pays francophones*). ⇒ **Hexagonal.** — Par plais. *Aux quatre coins de l'Hexagone* (absurdité étymologique).

Ici *(aux Antilles)*, c'est la France, et l'Hexagone, c'est la Métropole. 2
Claude COURCHAY, La vie finira bien par commencer, p. 97.

Qu'est-ce que l'Hexagone? 3
C'est la France.
Mais le mot «France», entaché d'une affectivité suspecte, petite-bourgeoise, tend à basculer vers le folklore; le langage contemporain lui préfère celui d'Hexagone qui, dans sa pureté fonctionnelle, semble mieux adapté à la définition d'une grande nation moderne.
Robert BEAUVAIS, l'Hexagonal tel qu'on le parle, p. 7.

DÉR. Hexagonal.

HEXAGYNE [ɛgzaʒin] adj. — 1798; lat. *hexagynus*; du grec *hexa* (→ Hex-), et *gunê*. → -gyne.

♦ Bot. Qui a six pistils.

HEXAMÈTRE [ɛgzamɛtʀ] adj. et n. m. — 1488; *exametre*, 1450, lat. *hexametrus*, grec *hexametros* (→ Hex-), et *-mètre*.

♦ **1.** Qui a six pieds. *Vers hexamètre.* — N. m. *Un hexamètre* (→ Composition, cit. 4; cracher, cit. 9). *Hexamètre grec, et parfois latin, dont le cinquième pied est un spondée.* ⇒ **Spondaïque.** *L'Iliade, l'Énéide sont en hexamètres. Distique composé d'un hexamètre et d'un pentamètre.*

L'hexamètre, pourvu qu'en rompant la césure, 1
Il montre la pensée et garde la mesure,
Vole et marche; il se tord, il rampe, il est debout.
Le vers coupé contient tous les tons, il dit tout.
HUGO, Toute la lyre, IV, 14.

Il *(Byron)* était capable d'écrire d'un seul coup trente ou quarante hexamètres latins. 2
A. MAUROIS, la Vie de Byron, V.

♦ **2.** Vx. (Voltaire, *in* Littré). Alexandrin (vers de 12 syllabes).

HEXANE [ɛgzan] n. m. — 1903, in *Rev. gén. des sc.*, no 1, p. 55; de *hex-*, et *-ane*.

♦ Chim. Hydrocarbure saturé (C_6H_{14}) combustible, faisant des mélanges explosifs avec l'air.

HEXAPÉTALE [ɛgzapetal] adj. — XXe; de *hexa-* (→ Hex-) et *-pétale*.

♦ Bot. Qui a six pétales.

HEXAPODE [ɛgzapɔd] adj. et n. m. — 1764; de *hexa-* (→ Hex-), et suff. *-pode.*
Zoologie.

♦ **1.** Qui a six pattes (se dit des larves à six pattes développées, dans les groupes où ce caractère est remarquable). *Animal hexapode.*

♦ **2.** N. m. pl. LES HEXAPODES : les insectes. ⇒ **Insecte.** — Au sing. *Un hexapode.*

Les Insectes, ou Hexapodes *(six pattes)* représentent à eux seuls les neufs dixièmes des Arthropodes.
Andrée TÉTRY, les Insectes, Caractères généraux, *in* Encycl. Pl., Zoologie t. II, p. 487.

HEXÉTHAL [ɛgzetal] n. m. — 1971, Manuila; de *hex-*, et *éthal.*

♦ Méd. Dérivé barbiturique prescrit par voie buccale comme hypnotique.

HEXITE [ɛgzit] n. f. ou **HEXITOL** [ɛgzitɔl] n. m. — 1905, in *Rev. gén. des sc.*, nº 21, p. 930; de *hex-*, et *-ite* ou *-ol.*

♦ Chim. Composé chimique linéaire à six atomes de carbone possédant six fonctions alcools. *Il existe dix hexites; les plus connues sont les mannites et les sorbites**.

HOM. (De *hexite*) Exit.

HEXOL [ɛgzɔl] n. m. — D. i. (xxe); de *hex-*, et *(alco)ol.*

♦ Chim. Corps possédant six fois la fonction alcool. — Syn. : *hexalcool.*

HEXON [ɛgzɔ̃] n. m. — 1973, in *la Clé des mots; de hex-*, et *-on.*

♦ Chim. Composé dont la molécule contient six atomes d'un élément.

HEXOSE [ɛgzoz] n. m. — 1905, in *Rev. gén. des sc.*, nº 5, p. 205; de *hex-* et 1. *-ose.*

♦ Biochim. Sucre réducteur non hydrolysable possédant dans sa molécule six atomes de carbone [$C_6H_{12}O_6$] (ex. : *galactose, glucose, fructose*).

Hf [aʃɛf] Symbole chimique du hafnium.

Hg [aʃʒe] Symbole chimique du mercure* (lat. *hydrargyrum*).

HI ['i; hi] interj. — 1480, *hy;* onomatopée du rire.

♦ Onomatopée, qui, répétée, figure le rire et parfois les pleurs.

De grâce, Monsieur, je vous prie de me laisser rire. Hi, hi, hi.
MOLIÈRE, le Bourgeois gentilhomme, III, 2.

HOM. Hie, i, 1. y, 2. y.

HIATAL, ALE ['jatal] adj. — V. 1900; de *hiatus.*

♦ Didact. (méd.). Qui concerne un hiatus (3.). *Hernie hiatale :* hernie de l'hiatus œsophagien.

HIATUS ['jatys] n. m. — 1521; lat. *hiatus* «ouverture», puis «hiatus»; de *hiare* «béer» et, en rhétorique, «présenter des rencontres de voyelles».

♦ **1.** Rencontre de deux voyelles, de deux éléments vocaliques, soit à l'intérieur d'un mot (ex. : *aérer, géant*) soit entre deux mots énoncés sans pause (ex. : *il a été*). *Éviter un hiatus par une contraction, une élision, une épenthèse, une liaison. Un hiatus choquant. L'hiatus peut être désagréable à l'oreille* (⇒ **Cacophonie, heurtement**). *L'interdiction de certains hiatus dans la poésie classique française* (→ Heurter, cit. 10, Boileau).

1 *(Malherbe) interdit l'hiatus.* Ronsard, frappé de certaines rencontres de voyelles qui rendaient les vers «merveilleusement rudes», n'admettait plus le contact de deux voyelles appartenant à des mots différents qu'après un monosyllabe ou à la pause (...) Malherbe proscrivit absolument tous les hiatus. La définition de l'hiatus, tel que l'a compris la versification classique, est *artificielle :* l'hiatus est la *rencontre de deux voyelles* appartenant à *deux mots différents, dont le premier n'est pas terminé par un e muet.*
F. BRUNOT et Ch. BRUNEAU, Grammaire historique, § 1075.

2 Les *hiatus* sont sans doute un défaut en général; mais, 1º. il y a des *hiatus* à chaque moment au milieu des mots, et ces *hiatus* ne choquent point; croit-on qu'*ilia*, intestins, soit plus choquant qu'*il y a* dans notre langue? 2º. Ne devrait-on pas dire que c'est une puérilité (..) que le soin minutieux d'éviter les *hiatus* dans la prose (...) 3º. Notre poésie même me paraît ridicule sur ce point; on rejette, *j'ai vu mon père immolé à mes yeux*, et on admet, *j'ai vu ma mère immolée à mes yeux*, quoique l'*hiatus* du second vers soit beaucoup plus ridicule.
D'ALEMBERT, Lettre à Voltaire, 11 mars 1770.

3 (...) d'Alembert juge que le fait de bannir l'hiatus de la prose risque d'en compromettre la simplicité et la naïveté. Si nous pourchassons pointilleusement les hiatus bénins qui coupent à peine le débit et son propres à l'aérer — je choisis ce mot à dessein pour son clair hiatus intérieur, — d'Alembert a raison, et le purisme nuit au naturel.
G. DUHAMEL, Disc. aux nuages, p. 41.

♦ **2.** (1835). **a** Littér. Solution de continuité entre deux choses, dans une chose. ⇒ **Interruption; espace.**

(...) deux ou trois boutons du justaucorps, défaits pour faciliter la respiration, permettaient d'entrevoir, par l'hiatus d'une chemise de fine toile de Hollande, un losange de chair potelée et rebondie d'une admirable blancheur (...) 4
Th. GAUTIER, Mlle de Maupin, VI.

Dans un de ces paquets, on apercevait par un hiatus l'uniforme de garde national de Jean Valjean. 5
HUGO, les Misérables, IV, XV, I.

Un hiatus bleu bâillait devant lui. Il allait être libre jusqu'au lundi à midi. 5.1
J. GIONO, Appendices, Pl., t. I, p. 779.

b (1690, au théâtre; sens étendu au xxe). Mod. Décalage dans l'espace ou le temps; décalage entre deux phénomènes. ⇒ **Interruption, lacune.**

Le dimanche n'est pas un jour normal, physiologique, c'est un hiatus, une solution de continuité dans la trame des jours vivants. 6
G. DUHAMEL, Chronique des Pasquier, II, X.

(...) entre ces invasions *(doriennes)* et l'organisation nouvelle révélée par le VIIIe siècle *(avant J.-C.)*, subsiste un hiatus, irritant certes et que certains historiens et archéologues se sont acharnés à combler et même à nier. 7
Y. BÉQUIGNON, *in* Hist. universelle, t. I, Encycl., Pl., p. 555.

♦ **3.** Anat. Orifice* anatomique. ⇒ **Fente, interstice.** *Hiatus du pharynx, hiatus sacré* (sacro-coccygien). *D'un hiatus.* ⇒ **Hiatal.**

CONTR. Liaison; continuité.
DÉR. Hiatal.

HIBERNACLE [ibɛʀnakl] n. m. — 1829, Académie, *Dict., Suppl.*, «enveloppe que l'on dispose autour d'une plante pour la protéger du froid»; t. de botanique, 1846, Bescherelle; sens mod., mil. xxe; de *hibern-*, rad. de *hibern(er)*, et *-acle;* cf. *hibernaculum* «appartement d'hiver».

♦ Bot. Bourgeon qui, chez certaines plantes aquatiques, se détache et forme une plantule.

HIBERNAL, ALE, AUX [ibɛʀnal, o] adj. — 1555; *hybernal*, 1532; rare jusqu'au XIXe; lat. *hibernalis.*
Didactique.

♦ **1.** Relatif à l'hibernation, à l'engourdissement d'hiver. *Un sommeil hibernal.*

Pendant le sommeil hibernal, le cœur de la marmotte ne bat plus que 3 ou 4 fois par minute (...)
P. POIRÉ, Dict. des sciences, art. *Hibernation.*

♦ **2.** Qui a lieu durant l'hiver. ⇒ **Hivernal.** *Germination hibernale.*

HIBERNANT [ibɛʀnɑ̃] adj. — 1824; *hybernant*, 1808; p. prés. de *hiberner.*

♦ Qui hiberne. *Animaux hibernants :* chiroptères (chauves-souris), marmotte, loir, lérot, hamster, hérisson. *Espèces hibernantes.* — N. m. *« La poule sauvage, étudiée par Mrosovsky, mange peu et maigrit durant les vingt et un jours de couvaison. Comme l'hibernant, si on précipite son amaigrissement en la privant totalement, son anorexie est temporairement levée» (la Recherche,* nº 112, juin 1980, p. 729). — *Faux hibernants :* animaux qui s'assoupissent moins profondément que les *vrais hibernants* et dont la température s'abaisse moins (ex. : *le castor, l'ours*).

HIBERNATION [ibɛʀnasjɔ̃] n. f. — 1829 (→ ci-dessous, cit. 1); bas lat. *hibernatio*, de *hibernare.* → Hiberner.

♦ **1.** Ensemble des modifications que subissent les animaux sous l'action du froid hivernal. — Spécialt. État d'engourdissement où tombent certains mammifères, pendant l'hiver, et qui est caractérisé par une interruption de la régulation thermique et par un ralentissement très marqué des activités. — Syn. : *sommeil hiémal**.

On nomme *hibernation*, en histoire naturelle, cet état d'engourdissement ou de léthargie dans lequel quelques mammifères de nos climats, comme les marmottes, par exemple, passent presque tout le temps que dure la saison froide. On en a fait le verbe *hiberner*, c'est-à-dire être dans cet état d'engourdissement. 1
FLOURENS, Expériences des effets du froid sur les animaux, *in* Mémoires de l'Académie des Sciences du 15 juin 1829.

De même, pour les animaux, on sait qu'il en est plusieurs qui, après avoir été transformés en masses glacées, ont repris avec le dégel la vie et l'usage de leurs membres, tandis que le plus ordinairement ils perdent l'un et l'autre pour toujours; un grand nombre sont plongés, par le froid, dans une torpeur ou engourdissement auquel on a donné le nom d'hibernation, et cet état léthargique présente une foule d'anomalies singulières. 1.1
C. BAILLY DE MERLIEUX, Résumé complet de météorologie, p. 159 (1830).

Hibernation artificielle ou *provoquée :* refroidissement du corps humain dans un but thérapeutique (chirurgie, etc.).

(...) le chien stabilisé et réfrigéré ou, comme on dit maintenant «hiberné», résiste au choc hémorragique (...) alors que le chien non hiberné meurt en trois heures sans réanimation possible. 2
Chez l'homme l'hibernation provoquée a déjà été appliquée dans une soixantaine de cas.
A. LEMAIRE, l'Hibernation provoquée, *in* le Monde, 29 nov. 1951.

♦ **2.** (1966). Fig. Inaction, inactivité, passivité. *« De belles vedettes, une histoire qui a fait ses preuves : autant de "moyens" prometteurs de plaisirs dont la mise en œuvre* (dans un film) *n'aboutit souvent qu'à plonger le spectateur dans un état d'hibernation intellectuelle qui est le contraire de ce que doit provoquer le vrai divertissement »* (*le Monde,* 23 déc. 1966, *in* P. Gilbert).

Fig. *En hibernation :* en attente, en réserve. *Garder un dossier en hibernation.* → Au réfrigérateur*.

HIBERNER [ibɛʀne] v. intr. — 1805, Cuvier; lat. *hibernare.*

♦ Passer l'hiver dans un état d'engourdissement, en parlant de certains animaux. *La marmotte, le loir hibernent.* ⇒ **Hiverner.** *Fait d'hiberner.* ⇒ **Hibernation.**

DÉR. **Hibernant.**

HIBISCUS [ibiskys] n. m. — 1826, Chateaubriand, *les Natchez;* mot lat., du grec *hibisko.* → Guimauve.

♦ Bot. Arbre tropical *(Malvacées)* plante utilisée comme ornementale ou comme textile. *Fleur d'hibiscus. Les ketmies sont des hibiscus.* ⇒ **Ketmie.** *L'ambrette, graine d'hibiscus originaire de l'Inde* (⇒ **Abelmosque**).

1 (...) des hibiscus, sur les profondeurs vertes, étalaient de fabuleuses fleurs rayonnantes, pareilles aux fleurs des mauves champêtres mais plus grandes que des tournesols. M. GENEVOIX, Forêt voisine, Pins.

2 Ce fut une espèce appartenant à la famille des malvacées, un « hibiscus heterophyllus », qui fournit des fibres d'une ténacité remarquable, qu'on eût pu comparer à des tendons d'animaux. J. VERNE, l'Île mystérieuse, t. I, p. 164.

HIBOU ['ibu] n. m. — 1530, *huiboust;* XIe-XIVe en judéo-français (*in* Lévy); orig. incert., probablt onomatopée.

♦ **1.** Oiseau rapace nocturne *(Strigidés)* scientifiquement appelé *asio* ou *otus* et communément *moyen duc**. — Cour. Strigidé portant des aigrettes (⇒ **Bubo, duc**) à l'exclusion de la chouette* (cit. 1). *Des hiboux. Le hibou se nourrit de petits rongeurs, de batraciens; il niche dans les creux d'arbres. Cri du hibou.* ⇒ **Huer; ululement, ululer.** *Le hibou a un cercle de plumes autour de chaque œil, et des houppes de plumes érectiles sur les côtés de la tête. Hibou vulgaire commun. Hibou brachyote, hibou des marais.* — *L'aigle et le hibou,* fable de La Fontaine (V, 18). *Le hibou, la chouette, oiseaux de Minerve, personnifient parfois la sagesse* (→ ci-dessous, cit. 2, Baudelaire; et cit. 8, Chamfort).

1 On abattit un pin pour son antiquité,
Vieux palais d'un hibou, triste et sombre retraite
De l'oiseau qu'Atropos prend pour son interprète. LA FONTAINE, Fables, XI, 9.

2 Sous les ifs noirs qui les abritent,
Les hiboux se tiennent rangés,
Ainsi que des dieux étrangers,
Dardant leur œil rouge. Ils méditent.
BAUDELAIRE, les Fleurs du mal, « Les hiboux ».

3 (...) un vieux hibou sinistre, à tête de penseur, qui habite le moulin depuis plus de vingt ans. DAUDET, Lettres de mon moulin, « Installation ».

4 Le vent gémit à travers les feuilles ses notes langoureuses, et le hibou chante sa grave complainte, qui fait dresser les cheveux à ceux qui l'entendent.
LAUTRÉAMONT, les Chants de Maldoror, I, p. 21.

4.1 Quand ils apercevaient sur une porte un hibou crucifié, ils entraient dans la ferme et disaient :
— « Vous avez tort; — ces animaux vivent de rats, de champagnols; on a trouvé dans l'estomac d'une chouette jusqu'à cinquante larves de chenilles. »
FLAUBERT, Bouvard et Pécuchet, Folio, p. 398.

5 Le hibou se nourrit principalemet de petits mammifères nuisibles : mulots, musaraignes, campagnols (...) On doit donc protéger son existence, et la présence si fréquente de hiboux cloués, les ailes étendues, à la porte des granges, n'est pour le propriétaire qu'un brevet d'ignorance ou de cruauté.
P. POIRÉ, Dict. des sciences, art. *Hibou.*

Loc. *Avoir des yeux de hibou,* de gros yeux ronds. *Être triste, morose comme un vieux hibou. Vivre seul comme un hibou.*

6 (...) la mère Chasle avait de gros yeux fixes, comme un hibou (...)
MARTIN DU GARD, les Thibault, t. II, p. 141.

(1690). *Un nid de hiboux :* une vieille maison, un vieux château abandonné, inhabité.

♦ **2.** (1640). Fig. et vx. Homme triste et solitaire. *Un vieux hibou misanthrope, taciturne. Il fait le hibou :* il reste à l'écart de toute société.

7 Je suis hibou, je l'avoue, mais je ne laisse pas de m'égayer quelquefois dans mon trou (...) VOLTAIRE, Lettre à d'Argental, 3319, 22 avr. 1768.

8 On disait de J.-J. Rousseau : *C'est un hibou.* « Oui, dit quelqu'un, mais c'est celui de Minerve »; et quand je sors du *Devin du village,* j'ajouterais : déniché par les Grâces (...) CHAMFORT, Caractères et anecdotes, Hibou de Minerve.

HIC ['ik] n. m. — 1690; mot. lat. signifiant « ici », dans la loc. *hic est quæstio* « c'est là la question ».

♦ Fam. Point difficile, essentiel, d'une chose, d'une affaire. ⇒ **Nœud; crucial** (point crucial); → Il y a un bémol*, un cactus* (cf. la loc. lat. *Tu autem*). *Voilà le hic; c'est bien là le hic.*

Ils ont connu mon innocence, ils m'ont remis en liberté : oui, mais, répliqua-t-il, vous ont-ils restitué vos effets? C'est là le hic. 1
A.-R. LESAGE, Estevanille Gonz., 44, *in* LITTRÉ.

Elle *(Catherine)* est allée à Paris. Et qu'y fait-elle? 2
Voilà le *hic.* BALZAC, le Curé de village, Pl., t. VIII, p. 666.

Il vit, c'est possible!... mais il ne s'enrichit pas!... il ne s'enrichit pas!... voilà le *hic*!... 3
E. LABICHE, la Chasse aux corbeaux, II, 4.

HIC ET NUNC ['ikɛtnɔ̃k] loc. adv. — 1833, Balzac; mots lat. « ici (→ Hic) et maintenant ».
Didactique, administratif ou littéraire.

♦ **1.** Sur-le-champ, sans délai. *Il faut vous y résoudre hic et nunc. « L'héroïsme le plus naturel se manifeste "hic et nunc", à chaque jour, à chaque instant »* (Daniel-Rops).

Ces conditions me semblent à peu près justes, dit Birotteau. 1
— Puis, dit Molineux, vous me compterez sept cent cinquante francs, *hic et nunc,* imputables sur les six derniers mois de la jouissance, le bail en portera quittance.
BALZAC, César Birotteau, Pl., t. V, p. 397.

L'engagement fut conclu hic et nunc. 2
Enfin, Passepartout avait trouvé une position. Il était engagé pour tout faire dans la célèbre troupe japonaise. C'était peu flatteur, mais avant huit jours il serait en route pour San Francisco.
J. VERNE, le Tour du Monde en 80 jours, p. 199.

N. m. *Le hic et nunc.*

♦ **2.** (Au sens du lat.). Philos., ling. Ici et maintenant (en tant que repérage logique et discursif). — N. m. (1949, Vuillemin, *in* T. L. F. : *l'hic et nunc*). *Le hic et nunc, dans le discours, est exprimé par les déictiques**; *il correspond à la position du locuteur au moment de l'énonciation. L'analyse du hic et nunc* (→ Anamnèse, cit. 1, Lacan).

Visons plutôt ce *hic et nunc* où certains croient devoir enclore la manœuvre de l'analyse. Il peut être utile en effet, pourvu que l'intention imaginaire que l'analyste y découvre, ne soit pas détachée par lui de la relation symbolique où elle s'exprime. Rien ne doit y être lu concernant le *moi* du sujet, qui ne puisse être réassumé par lui sous la forme du *« je »,* soit en première personne. 3
J. LACAN, Écrits, p.251.

HIC JACET ['ikʒasɛt] loc. — 1873; mots lat. signifiant « ici *(hic)* est étendu »; de *jacere.* → Gésir.

♦ Formule qui se place souvent en tête d'une épitaphe. — Loc. lat. *Hic jacet lepus* « c'est là que gît le lièvre », locution par laquelle on signale une difficulté.

HICKORY ['ikɔʀi] n. m. — 1798, *in* Höfler; *hiccory,* 1783; *hickery,* 1765; *hickories,* 1707, *in* D. D. L.; angl. *hickory* (XVIIe), abrév. de *pohickery,* mot indien de Virginie.

♦ Plante dicotylédone *(Juglandiés)* scientifiquement appelée *carya;* arbre de grande taille voisin du noyer (syn. : *noyer blanc d'Amérique*). *Bois de hickory.*

La forêt de magnoliers devenait moins épaisse et moins régulière; de magnifiques hickorys et des chênes verts les remplaçaient peu à peu.
M. POUSSIELGUE, Quatre mois en Floride, *in* le Tour du monde, 1869, t. I, p. 120.

HIDALGO [idalgo] n. m. — 1759; *indalgo,* 1535; *hydalle,* av. 1525, *in* T. L. F.; mot esp., contraction de *hijo de algo* « fils *(hijo)* de quelque chose *(algo)* », francisé en *hidalgue* (1640).

♦ Noble espagnol, de descendance chrétienne, sans mélange de sang. *La fierté, l'orgueil des hidalgos.*

(...) il était intraitable comme un hidalgo sur le point d'honneur, et il eût bravé mille morts plutôt que de souffrir qu'on manquât de respect à sa maîtresse (...)
Th. GAUTIER, le Capitaine Fracasse, X, t. II, p. 10.

HIDEUR ['idœʀ] n. f. — V. 1240, « effroi »; *hisdur,* déb. XIIe; de l'anc. franç. *hisde* « horreur, peur ». → Hideux.

REM. L'Académie (huitième éd., 1935) a consacré le retour en usage de ce mot, rare après le XVIe, donné comme vieilli par Hatzfeld (fin XIXe) et qualifié d'« ancien mot fort nécessaire » par Littré (1866).

♦ **1.** (V. 1210, *hidor*). *La hideur.* Qualité, état de ce qui est hideux; laideur* extrême. *La hideur d'un spectacle, d'un tableau, d'un logis misérable. La hideur d'un visage.* ⇒ **Horreur.** *Être d'une effroyable hideur.*

(...) cette hideur effroyable avec laquelle la nature l'a fait naître *(le lion)* dans les déserts. MALHERBE, Épîtres de Sénèque, XLI, 2. 1

Chaque jour, malgré la hideur du pays, je m'imposais d'énormes promenades. Suis-je injuste en disant : hideur? Peut-être; mais j'avais pris la Suisse en horreur (...) 2
GIDE, Si le grain ne meurt, II, II.

Elle ne se rendait pas compte de la hideur des meubles, et de tout ce qui faisait, banal, souffrir son visiteur dans ce décor sans goût (...) 3
ARAGON, les Beaux Quartiers, II, IV.

(Abstrait). Hideur morale. *La hideur d'une action, d'un crime.* ⇒ **Abjection, bassesse, monstruosité.**

♦ **2.** (V. 1393). *Une, des hideurs.* Chose hideuse.

Marchenoir, voué, par nature, à l'observation des hideurs sociales, n'avait jamais 4 pu se remettre de l'ahurissement que lui avait causé le premier aspect de cet individu, qu'il avait pu rêver dégoûtant, mais non pas de ce genre ni de ce degré de dégoûtation. Léon BLOY, le Désespéré, p. 203.

CONTR. **Beauté.**

HIDEUSEMENT [ˈidøzmɑ̃] adv. — V. 1185, *hisdosement;* de *hideux.*

♦ D'une manière hideuse. *Hideusement habillé, fagoté* (cit. 4). *Hideusement laid, défiguré. Visage qui grimace hideusement. Il a été hideusement défiguré par l'explosion.*

Sa conscience jouit de se voir hideusement nue et de prendre librement un bain ignoble dans le mal. HUGO, les Travailleurs de la mer, VI, VI.

CONTR. **Bellement, joliment.**

HIDEUX, EUSE [ˈidø, øz] adj. — 1273; *hisdos, hydus,* déb. XIIe; du lat. *hispidosus,* dér. de *hispidus* «rude, hérissé» ou de l'anc. franç. *hisde* (→ Hideur), lui-même de *hispidus* (cf. Guiraud) ou de l'anc. haut all. **egisida* «horreur», avec aspiration initiale expressive.

♦ **1.** D'une laideur repoussante, horrible, qui procure une impression très désagréable (dégoût, peur...). ⇒ **Laid; affreux, atroce, horrible, ignoble, ord** (vx), **repoussant.** *Corps, visage hideux; monstre hideux* (→ Aspect, cit. 2; court, cit. 5; croup, cit. 1; entaille, cit. 3; flamboiement, cit. 2; génie, cit. 6). *Un membre tuméfié, hideux.* ⇒ **Difforme.** *Un spectre hideux* (→ Chair, cit. 7). *La colère, la fureur le rend hideux.* — (Choses). *Geste hideux* (→ Agonisant, cit. 2). *Un strabisme hideux* (→ Glousser, cit. 1). *Un bourrelet* (cit. 2) *hideux autour de la tête. Quelque hideux que soit son ulcère* (→ Rebuter, cit. 2). — *Grimaces hideuses; hideuses grimaces. Objet hideux; arme hideuse* (→ Casse-tête, cit.). *Spectacle hideux. Chose hideuse à voir* (→ Concupiscence, cit. 4; enlaidir, cit. 5). — *Ce tableau, ce dessin est absolument hideux.* — Par métaphore. *La tête hideuse du despotisme* (cit. 4).

1 (...) ôtez-moi cet objet;
Qu'il est hideux! que sa rencontre
Me cause d'horreur et d'effroi! LA FONTAINE, Fables, I, 15.

2 Sous les pieds des chevaux cette reine foulée (...)
Et de son corps hideux les membres déchirés (...) RACINE, Athalie, I, 1.

3 On s'en sert *(de la media-luna, sorte de serpe)* pour couper les jarrets de l'animal, que l'on achève alors sans aucun danger. Rien n'est plus ignoble et plus hideux : dès que le péril cesse, le dégoût arrive; ce n'est plus un combat, c'est une boucherie. Th. GAUTIER, Voyage en Espagne, p. 272.

4 Dors-tu content, Voltaire, et ton hideux sourire
Voltige-t-il encore sur tes os décharnés?
A. DE MUSSET, Poésies nouvelles, Rolla, IV.

5 (...) leurs traits inspiraient tant de répugnance, que je ne doutai pas un seul instant que je n'eusse devant les yeux les deux spécimens les plus hideux de la race humaine. LAUTRÉAMONT, les Chants de Maldoror, IV, p. 158.

6 C'était un visage complètement inconnu, dur, hideux, empreint d'une haine si poignante qu'Édouard eut peur. G. DUHAMEL, Salavin, III, XXVI.

♦ **2.** (1694; abstrait). Qui provoque le dégoût moral. ⇒ **Ignoble, répugnant.** *La «hideuse banqueroute»* (cit. 4, Mirabeau). *Hideuse supercherie* (→ Enrôlement, cit. 1). *Un hideux spectacle* (→ Escamotage, cit. 2). *Misères hideuses* (→ Grouillant, cit. 1). *Vices hideux. Certaines qualités, certaines vertus peuvent devenir hideuses* (→ Grand, cit. 70).

7 (...) ce magistrat de hideuse mémoire (...) BOILEAU, Satires, X.

8 Choulette y voulait exprimer la misère humaine, non point simple et touchante, telle que l'avaient pu sentir les hommes d'autrefois (...) mais hideuse et fardée (...) FRANCE, le Lys rouge, VII.

9 L'égoïsme familial (...) à peine un peu moins hideux que l'égoïsme individuel. GIDE, les Faux-monnayeurs, I, XII.

Par exagér. ⇒ **Affreux, horrible.** *Son appartement est hideux; il a des meubles hideux. Cette robe est hideuse.* — REM. Sauf dans ce type d'emploi, *hideux* garde plus de force que *affreux* ou *horrible.*

10 Moi, je voulais faire de la chimie. Je n'ai aucune aptitude pour ce hideux métier de rond-de-cuir. G. DUHAMEL, Salavin, I, II.

CONTR. **Beau.**
DÉR. **Hideusement.**

HIDRADÉNOME [idʀadenɔm; idʀadenom] n. m. — XXe; du grec *hidrôs* «sueur», et *adénome.*

♦ Pathol. Petite tumeur bénigne de la peau, siégeant souvent à la paupière inférieure, dont le point de départ est une glande sudoripare.

HIDRORRHÉE [idʀɔʀe] n. f. — 1878; de *hidro-,* et *-rrhée.*

♦ Méd. Sueurs abondantes.

HIDROS-, HYDRO- Premier élément, du grec *hidrôs* «sueur», qui entre dans la composition de quelques mots de physiologie, de médecine.

HOM. **Hydro-.**

HIDROSADÉNITE [idʀozadenit] n. f. — 1854; de *hidros-,* grec *adên* «glande», et *-ite.* → Adénite.

♦ Méd. Abcès atteignant une glande sudoripare (en général dans la région de l'aisselle).

HIDROTIQUE [idʀɔtik] adj. — 1771, Trévoux; n. f., 1719, Richelet; dér. sav. du grec *hidrôs* «sueur».

♦ Méd. ⇒ **Sudorifique.**

HIE [ˈi] n. f. — V. 1120, «maillet de fer pour défoncer les murs»; sens mod., v. 1415; du moyen néerl. *heie.* → 2. Hier.

♦ Techn. Instrument, formé d'une lourde masse et d'un manche, servant à enfoncer les pavés (⇒ **Dame, demoiselle**), les pilotis (⇒ **Mouton, sonnette**). *Enfoncer des pavés, des pieux avec la hie.* ⇒ 2. **Hier.**

Une fois le procédé y reparaît *(dans Locus solus)* dans sa forme primitive avec le mot *demoiselle* considéré dans deux sens différents (...)
1° *Demoiselle* (jeune fille) à *prétendant;* 2° *demoiselle* (hie) à *reître à dents.*
Je me trouvais donc en face de ce problème : l'exécution d'une mosaïque par une hie. D'où l'appareil si compliqué décrit pages 35 et suivantes.
R. ROUSSEL, Comment j'ai écrit certains de mes livres, p. 23.

DÉR. 2. **Hier.**
HOM. **I. — Hi.**

HIÈBLE ou **YÈBLE** [jɛbl] n. f. — Déb. XIVe, *hieble, ybles,* XIIe; du lat. *ebulum;* l'*h* a été rajouté au moyen âge pour qu'on ne lise pas [ʒɛbl] (Bloch-Wartburg).

♦ Bot. Sureau à tige herbacée, scientifiquement appelé *Sambucus ebulus* et communément *petit sureau* (famille des *Caprifoliacées*). *Les baies de l'hièble fournissent une teinture violette et sont utilisées en médecine.*

HIÉMAL, ALE, AUX [ˈjemal, o] adj. — V. 1500, *hyemal;* «hivernal», v. 1246; lat. *hiemalis,* de *hiems* «hiver».

♦ **1.** Didact. (Plur. masc. rare). De l'hiver. *Le sommeil hiémal de certains animaux.* ⇒ **Hibernal.** *Plantes hiémales,* qui croissent en hiver.

(...) au contraire de ce que l'on croit généralement, la vie hiémale des abeilles est alentie mais non pas arrêtée. MAETERLINCK, la Vie des abeilles, VI, III. 1

Eau de glace, qui pourra dire ta pureté! Dans les gobelets où nous en bûmes elle était encore azurée. Elle était si limpide et si bleue qu'elle avait toujours l'air profonde. Elle restait fraîche toujours ainsi que les eaux hiémales. Elle était si pure, qu'elle grisait comme l'air très matinal des montagnes. 1.1
GIDE, le Voyage d'Urien, *in* Romans, Pl., p. 30.

♦ **2.** Littér. Hivernal.

Le parc nous semblait fort beau dans son austérité hiémale. 2
G. DUHAMEL, Chronique des Pasquier, V, XI.

Var. graphique : *hyémal, ale, aux.*

La lumière manque à cette latitude, et avec la lumière la vie; tout est éteint, hyémal, blémissant; l'hiver semble charger l'été de lui garder le givre jusqu'à son prochain retour. CHATEAUBRIAND, Mémoires d'outre-tombe, t. VI, p. 44. 3

HIÉMATION [jemasjɔ̃] n. f. — 1866; lat. *hiematio,* de *hiems* «hiver». → Hiémal.

♦ Didact. Action de passer l'hiver. — Spécialt. Propriété qu'ont certaines plantes de croître en hiver.

HIEMENT [ˈimɑ̃] n. m. — 1549; de 2. *hier.*
Technique et rare.

♦ **1.** Action de hier. ⇒ 2. **Hier.** *Le hiement des pavés.*

♦ **2.** Bruit produit par un assemblage de pièces de bois (machine, charpente...) soumis à une force, à un ébranlement.
REM. On écrit aussi *himent* (XXe).

1. HIER [jɛʀ], vieilli [ijɛʀ] adv. et n. m. — 1080, *ier, er;* du lat.

♦ **1.** Le jour qui précède immédiatement celui où l'on est. *Hier matin. Hier dans la matinée.* — Vx. *Hier au matin.* — *Je l'ai rencontré hier soir, hier au soir* (→ Exaspérer, cit. 13). *Hier à trois heures. Il disait hier, il nous assurait hier encore...* (→ Abuser, cit. 3; bâtir, cit. 54). *«Aujourd'hui plus qu'hier...». Hier, c'était X..., aujourd'hui, c'est Y...* (→ Fièvre, cit. 10). *Il est à peine arrivé depuis hier, d'hier au soir* (→ Appétit, cit. 18). *Sa colère, sa peur d'hier. Le journal d'hier. Le jour, la journée d'hier. La matinée d'hier. Le jour qui a précédé hier.* ⇒ **Avant-hier.**

1 (...) le jour d'hier meurt en celui de jourd'hui *(d'aujourd'hui)*, et le jourd'hui mourra en celui de demain; et *(il)* n'y a rien qui demeure ni qui soit toujours un.
MONTAIGNE, Essais, II, XII.

2 Toute la journée d'hier a été également orageuse, et partagée entre des accès de transports effrayants, et des moments d'un abattement léthargique (...) Je n'ai quitté le chevet de son lit qu'à neuf heures du soir, et je vais y retourner ce matin pour toute la journée. LACLOS, les Liaisons dangereuses, Lettre CXLVII.

3 Selon l'histoire des langues, hier est parent du soir, et demain se dit comme matin. Cela étonne dès qu'on y pense; mais on le comprend bien vite. Ce n'est pas au milieu de la journée qu'on pense au temps; on est tout à l'action; on dévore le temps sans compter. C'est le matin et le soir que l'on pense au temps. Le soir, on considère les sillons achevés; et le matin, on imagine les sillons à faire. Le repos et la fatigue s'accordent bien avec ces pensées-là. Le soir, on constate; le matin, on invente. C'est pourquoi les images du soir sont liées à l'idée du passé, et les images du matin à l'idée de l'avenir. ALAIN, Propos, 6 oct. 1909, Les marmottes.

N. m. (1350). Sans déterminant. *Vous aviez hier tout entier, tout hier pour vous décider. Hier s'est bien passé.*

4 *Aujourd'hui*, pensait-on, est un mauvais garçon; et un garçon mal élevé. Et puis on ne sait pas bien qui il est. Il nous ferait des ennuis. Attendons seulement un jour. Dès demain, il sera hier. Et nous le retrouverons dans le compartiment des hiers à la Bibliothèque Nationale. Ch. PÉGUY, Note conjointe..., p. 269.

4.1 Hier régnant désert, j'étais feuille sauvage
Et libre de mourir.
Yves BONNEFOY, « Une voix », Hier régnant désert, Poèmes, p. 144.

♦ **2.** (V. 1188, *ier*). Dans un passé récent, à une date récente (→ Il y a peu*, peu de temps). *Sa fortune, son mariage ne datent que d'hier. Ce qui était bon, valable hier est caduc* (cit. 4) *aujourd'hui* (→ Accepter, cit. 7). *Une mode, un ridicule qui ne date pas d'hier* (→ Esthétisme, cit. 1).

5 Il semble que nous soyons sortis avant-hier du chaos, et hier de la barbarie.
VOLTAIRE, la Princesse de Babylone, XI.

6 Le monde est vieux, mais l'histoire est d'hier.
VOLTAIRE, le Pyrrhonisme de l'histoire.

7 Moi, cœur éteint, dont l'âme, hélas! s'est retirée,
Du spectacle d'hier affiche déchirée (...) HUGO, Ruy Blas, I, 3.

Je m'en souviens comme si c'était hier, il me semble que c'était hier : c'est une chose ancienne dont je me souviens parfaitement, comme si elle était récente. — Variante :

8 (...) il y a douze ou quinze ans de cela, mais je m'en souviens mieux que d'hier.
Alphonse DAUDET, Tartarin de Tarascon, I, I.

Loc. fam. **NÉ D'HIER.** *Il n'est pas né d'hier :* il a de l'expérience. ⇒ **Expérimenté.** — Rare. « *Il est né d'hier, il est fait d'hier* » (Littré) : c'est une personne naïve, inexpérimentée* (→ Expérience, cit. 32). — *Ne pas dater d'hier :* être ancien, très ancien.

9 (...) tous ces discours me persuadent peu; je ne suis pas né d'hier, moi, et j'ai mes souvenirs. P.-L. COURIER, Lettres, V.

N. m. Le passé récent (→ Demain, cit. 16). « *Hier n'existait pas pour elle...* » (→ Aujourd'hui, cit. 27, Hugo).

CONTR. Aujourd'hui. — Demain.
COMP. Avant-hier.

2. HIER [je; ije] v. — 1611; « frapper avec un maillet, un bélier », XIIIe; de *hie*.

★ **I.** V. tr. Techn. et rare. Enfoncer avec la hie. *Hier des pavés.*

★ **II.** V. intr. Produire le bruit appelé *hiement**.

DÉR. Hiement.

HIER- ⇒ Hiéro-.

HIÉRACOCÉPHALE ['jeʀakosefal] adj. — 1838, Gautier, *in* T. L. F.; de *hiéraco-*, du grec *hierax, hieracos* « faucon », et *-céphale*.

♦ Didact. À tête de faucon, d'épervier (en parlant du dieu égyptien Horus). *Le dieu hiéracocéphale. Horus hiéracocéphale.*

HIÉRARCHIE [jeʀaʀʃi] n. f. — 1611; *gerarchie*, 1332; lat. ecclés. *hierarchia*, du grec *hieros* « sacré », et *arkhia* « commandement ».

♦ **1.** Didact. (relig.). **a** (1521). Ordre et subordination des différents chœurs des anges. *La hiérarchie céleste, la hiérarchie des anges. Les trois hiérarchies d'anges.* ⇒ **Ordre.**

1 (...) les anges, que Dieu a divisés en leurs ordres et hiérarchies (...)
BOSSUET, 1er sermon du premier dimanche de Carême, Sur les démons, 1er point.

2 (...) la sainte subordination des puissances ecclésiastiques, image des célestes hiérarchies (...) BOSSUET, Oraison funèbre de Michel Le Tellier.

b Ordre et subordination des divers degrés de l'état ecclésiastique. *Hiérarchies de l'Église catholique : hiérarchie d'ordre* (évêques, prêtres, ministres : diacres, etc.); *hiérarchie de juridiction* (pape, évêques, curés...). *Hiérarchie du sous-diaconat* (clercs inférieurs); *des évêques.* — Absolt. *Membre de la hiérarchie* (ecclésiastique). → Casuiste, cit. 1. — *La hiérarchie religieuse musulmane.*

3 Elle *(la mère Angélique)* avait toujours eu au fond de son cœur un fort grand amour pour la hiérarchie ecclésiastique (...) RACINE, Port-Royal, I.

4 Ainsi *(par les lois de l'Assemblée constituante, en 1790-91)* la hiérarchie catholique est brisée, le supérieur ecclésiastique a la main forcée (...) du curé à l'évêque, la subordination cesse, comme elle a cessé de l'évêque au pape (...)
TAINE, les Origines de la France contemporaine, III, t. I, p. 280.

♦ **2.** (V. 1398, *gerarchie*). Cour. Organisation sociale dans laquelle les personnes sont réparties en séries, de telle façon que chaque personne « soit supérieure à la précédente par l'étendue de son pouvoir ou par l'élévation de son rang social » (Lalande). ⇒ **Ordre, subordination.** *Les degrés, les échelons d'une hiérarchie. Rang dans une hiérarchie. Être au sommet de la hiérarchie :* être le chef; avoir le commandement. *Être supérieur, inférieur, subordonné à qqn dans une hiérarchie* (cf. Venir avant, après...). *Du haut en bas de la hiérarchie. Passer par tous les degrés d'une hiérarchie. La hiérarchie sociale. Pouvoir et hiérarchie dans les systèmes politiques.* ⇒ le suff. **-cratie.** *La hiérarchie administrative, politique. La hiérarchie d'un parti, d'une société secrète* (→ Concile, cit. 2; franc-maçonnerie, cit. 2). *Éléments supérieurs d'une hiérarchie.* ⇒ **Élite, notabilité.** — *Le respect de la hiérarchie. Hiérarchie établie, stable. Révolution qui bouleverse la hiérarchie sociale.*

(...) j'oserai le dire, la « hiérarchie » politique établie par l'Assemblée Nationale 5
(...) je me sers ici de ce mot de « hiérarchie », quoique d'après son étymologie il soit uniquement applicable à l'ordre sacré, mais je me soumets à l'extension que l'usage vient de lui donner. NECKER, Administration financière, VI, p. 221 (1791), *in* F. BRUNOT, Hist. de la langue franç., t. VI, p. 446.

Ne pas voir le Receveur-Général et agréer un simple Directeur des Contributions, 6
ce renversement de la hiérarchie parut inconcevable aux autorités dédaignées.
BALZAC, Illusions perdues, Pl., t. IV, p. 503.

La hiérarchie, c'est-à-dire la subordination des fonctionnaires les uns aux autres. 7
FUSTEL DE COULANGES, Leçons à l'Impératrice, p. 131.

Ma grand-mère (...) gardait un vif sentiment des hiérarchies. 8
GIDE, Si le grain ne meurt, I, I.

À cette heure où toutes les valeurs humaines semblent remises en question, est- 9
il possible d'imaginer un monde sans hiérarchie? Est-il possible d'imaginer une société qui ne comporterait pas une échelle formée d'un certain nombre de degrés, à chaque degré se trouvant attachés des devoirs et des droits, peut-être même des privilèges? G. DUHAMEL, Manuel du protestataire, II, p. 55.

La civilisation de notre XVIIe siècle avait imposé sa forme à l'Europe parce qu'elle 10
apportait une des hiérarchies les plus puissantes que le monde ait connues, ordonnait en architecture la confusion exaltée de la Renaissance; mais cet ordre convergeait vers Dieu. MALRAUX, les Voix du silence, p. 479.

(Mil. XIXe). *La hiérarchie militaire.* ⇒ **Grade** (→ Ex-æquo, cit., Sainte-Beuve). « *Les membres de la hiérarchie militaire, à quelque degré qu'ils soient placés, doivent traiter leurs subordonnés avec bonté (...) et leur témoigner tous les égards dus à des compagnons d'arme* » (*Règlement prov. de manœuvre de l'infant.*, p. 42). *Passer par tous les degrés de la hiérarchie.* ⇒ **Hiérarchique** (voie).

Par anal. Organisation hiérarchique dans les sociétés animales. *Hiérarchie linéaire.*

♦ **3.** (1784). Organisation d'un ensemble en une série où chaque terme est supérieur au terme suivant, par un caractère de nature normative. ⇒ **Classement, classification** (cit. 4), **ordre, subordination.** *La hiérarchie des valeurs, des devoirs, des droits. Une hiérarchie morale, intellectuelle. Tenir son rang dans une hiérarchie* (→ Éclabousser, cit. 3). *La hiérarchie des classes sociales, des métiers.* ⇒ **Éventail** (→ Armature, cit. 2; fileur, cit. 2; aristocratie, cit. 9). *Hiérarchie artistique* (→ Édifice, cit. 4). *La hiérarchie des sciences* (→ Généralité, cit. 2). *La hiérarchie des formes de l'énergie. Régler, organiser selon une hiérarchie.* ⇒ **Hiérarchiser.**

Les styles sont classés dans notre langue, comme les sujets dans notre monarchie. 11
Deux expressions qui conviennent à la même chose ne conviennent pas au même ordre de choses; et c'est à travers cette hiérarchie des styles que le bon goût sait marcher. RIVAROL, De l'universalité de la langue française, p. 33.

Certes je ne veux pas me traîner de degrés en degrés; prendre place dans la 12
société; avoir des supérieurs, avoués pour tels, afin d'avoir des inférieurs à mépriser. Rien n'est burlesque comme cette hiérarchie des mépris qui descend selon des proportions très exactement nuancées, et embrasse tout l'état (...)
É. de SENANCOUR, Oberman, XLIII.

(...) les sentiments ont leur hiérarchie secrète. 13
BARBEY d'AUREVILLY, les Diaboliques, « Dessous de cartes... ».

Elle n'était plus qu'une prostituée, et encore de la prostitution la plus basse, car 14
il y a une hiérarchie jusque dans l'infamie (...)
BARBEY d'AUREVILLY, les Diaboliques, Vengeance d'une femme.

Seul, parmi les êtres vivants, l'homme a le sentiment des hiérarchies morales : il 15
connaît le bien et le mal; il sait qu'il existe des intérêts supérieurs auxquels son intérêt personnel doit céder le pas, des réalités supérieures auxquelles il peut participer et que, de cette participation, procède sa vraie grandeur.
DANIEL-ROPS, Ce qui meurt et ce qui naît, V, p. 165.

♦ **4.** Sc. **a** Inform. *Hiérarchie de (des) mémoires :* classement des mémoires d'un ordinateur selon un critère de capacité et de performance.

b Organisation d'un ensemble complexe en groupes ou partitions successives.

CONTR. Anarchie, désordre. — Égalité.
DÉR. Hiérarchiser.

HIÉRARCHIQUE ['jeʀaʀʃik] adj. — XVIe; *iherarchique*, XVe; *ierarcicque*, XIVe; emplois exclusivement religieux jusqu'au XVIIIe; lat. ecclés. *hierarchicus*, de *hierarchia*. → Hiérarchie.

♦ **1.** Relatif à la hiérarchie (1. et 2.), qui appartient à une hiérarchie. *Ordre, organisation hiérarchique. Degré hiérarchique*

(→ Archevêque, cit. 1). *Supériorité hiérarchique. Recours hiérarchique.* — (Personnes). *Adressez-vous à vos supérieurs hiérarchiques. Dans l'armée, les ordres ou instruments venant d'une autorité supérieure, ainsi que les demandes qui lui sont adressées, doivent suivre la voie hiérarchique.*

1 En bons fonctionnaires, ils avaient tendance à n'admettre la supériorité du talent que quand elle se conciliait avec la supériorité hiérarchique.
R. ROLLAND, Jean-Christophe, Dans la maison, II, p. 995.

2 (...) l'expression militaire de «supérieur hiérarchique» est, comme beaucoup d'autres locutions employées dans la même société, empreinte d'une modestie qui ne va pas sans ironie et donc sans mélancolie.
G. DUHAMEL, la Pesée des âmes, VIII, p. 188.

3 Il demanda à parler au colonel, par la voie hiérarchique, comme on le lui fit savoir.
P. MAC ORLAN, la Bandera, V.

♦ **2.** Qui se fait, qui est organisé selon une hiérarchie (3. ou 4.). *Classement hiérarchique. Prime* hiérarchique.*

CONTR. Anarchique, égalitaire.

DÉR. Hiérarchiquement.

HIÉRARCHIQUEMENT ['jeʀaʀʃikmɑ̃] adj. — 1690; de *hiérarchique.*

♦ D'une manière hiérarchique; par une hiérarchie ou conformément à elle. *Société organisée hiérarchiquement.*

CONTR. Anarchiquement, égalitairement.

HIÉRARCHISATION ['jeʀaʀʃizasjɔ̃] n. f. — 1840; de *hiérarchiser.*

♦ Action de hiérarchiser. *La hiérarchisation des salariés, des postes dans une entreprise.*
Organisation selon une hiérarchie. *La hiérarchisation militaire.*

Dans l'état présent, malgré les efforts sociaux et la décolonisation, le groupe *(humain)* déjà planétarisé n'a pas une forme différente de celle qu'offraient les petites sociétés mésopotamiennes d'il y a 4000 ans, c'est-à-dire (quelle que soit la formule politique) qu'une stricte hiérarchisation sociale héréditaire ou sélective conditionne les individus dans des fonctions de plus en plus déterminées.
A. LEROI-GOURHAN, le Geste et la Parole, t. I, p. 259.

HIÉRARCHISER ['jeʀaʀʃize] v. tr. — 1834, Balzac, *in* T. L. F.; de *hiérarchie,* et *-iser.*

♦ **1.** Organiser, régler selon une hiérarchie, d'après un ordre hiérarchique. ⇒ **Ordonner.** *Hiérarchiser une société, une assemblée.*

♦ **2.** Par ext. Classer selon un ordre hiérarchique. — *Hiérarchiser des salaires.*

▶ **HIÉRARCHISÉ, ÉE** p. p. adj. (1840). *Groupes sociaux fortement hiérarchisés. Au moyen âge, les États* (cit. 92) *étaient hiérarchisés.* — Classé selon une hiérarchie. *Groupes hiérarchisés* (→ Espèce, cit. 30). *Postes strictement hiérarchisés.* — *Indemnité hiérarchisée,* variable selon les degrés de la hiérarchie.

Je trouvai dans sa réserve un sentiment plus grand, je ne dirai pas d'égalité, car ce n'eût pas été concevable pour lui, au moins de la considération qu'on peut accorder à un inférieur, comme il arrive dans tous les milieux fortement hiérarchisés, au Palais par exemple, dans une Faculté, où un Procureur général (...)
PROUST, À la recherche du temps perdu, t. IX, p. 75 (pour la suite, cf. Hauteur, cit. 29).

CONTR. Désorganiser, égaliser.

DÉR. Hiérarchisation.

HIÉRARQUE ['jeʀaʀk] n. m. — 1551; lat. médiéval *hierarcha;* du grec ecclés. *hierarkhês* «grand prêtre».
Didactique.

♦ **1.** Relig. Titre désignant les hauts dignitaires de l'Église orthodoxe, évêques et archevêques. ⇒ **Hiérarchie** (1.).

♦ **2.** (XXᵉ). Fig. et littér. Personnage important dans une hiérarchie.

Les cadres ont encore trop, et à tous les niveaux, cette attitude autoritaire, peu dialoguante, peu collégiale, qui caractérise en France l'ensemble des hiérarques.
BLOCH-LAINÉ (interview), *in* l'Express, 8-14 juil. 1968.

HIÉRATIQUE [jeʀatik] adj. et n. m. — 1566; lat. *hieraticus,* grec *hieratikos,* de *hieros* «sacré».

♦ **1.** Didact. Qui concerne les choses sacrées, et, spécialt, le formalisme religieux, la liturgie. ⇒ **Liturgique.** *Institution hiératique. Célébration hiératique d'une fête* (cit. 2) *religieuse. Gestes hiératiques d'un prêtre célébrant un sacrifice.*

1 À Sparte, le vol était pratiqué et honoré : c'était une institution hiératique, un complément indispensable à l'éducation de tout Lacédémonien sérieux.
VILLIERS DE L'ISLE-ADAM, Contes cruels, p. 9.

(1822, Champollion, *in* T. L. F.). Ling. *Écriture hiératique* ou *l'hiératique,* n. m., écriture cursive ancienne des Égyptiens, par oppos. à l'écriture *démotique** d'une part, à l'écriture *hiéroglyphique** *primitive* de l'autre. *Caractères de l'écriture hiératique.* ⇒ **Hiérogramme.**

C'est à cette époque *(Moyen empire; 2000 av. J.-C.)* qu'apparaissent pour nous les manuscrits en nombre (...) l'écriture en est dite d'après le grec, hiératique, c'est-à-dire ecclésiastique, quoiqu'elle ait surtout servi à des usages profanes. C'est une manière cursive de dessiner les hiéroglyphes (...) 2
A. MEILLET et M. COHEN, les Langues du monde, p. 153.

♦ **2.** (1843). Arts. Se dit d'un art, d'un style imposé ou réglé par une tradition sacrée. *L'art égyptien, l'art byzantin sont essentiellement hiératiques.* — Par ext. *L'aspect* (cit. 19) *hiératique d'un temple égyptien. Un Christ, un saint hiératique, figé dans une attitude hiératique. Le caractère hiératique des icônes.* ⇒ **Sacré.**

(L'art byzantin) est un art hiératique, sacerdotal, immuable : rien ou presque rien n'y est abandonné à la fantaisie ou à l'invention de l'artiste. les formules en sont précises comme des dogmes. 3
Th. GAUTIER, Voyage en Russie, XIX.

♦ **3.** (1862, Flaubert). Littér. et cour. (sans qu'il soit question de formalisme religieux). Qui semble réglé, imposé par un rite, un cérémonial, une tradition. ⇒ **Solennel.** *Figure, personnage, visage hiératique.* ⇒ **Immobile, figé.** *Attitudes, gestes hiératiques.*

Les gestes étaient solennels et presque hiératiques. L'héroïne, drapée de son peignoir comme d'un péplum grec, la bras levé, la tête baissée, jouait l'Antigone toujours (...) 4
R. ROLLAND, Jean-Christophe, Foire sur la place, I, p. 710.

CONTR. Laïque, profane. — Individuel, libre. — Baroque. — Mobile, vivant.

DÉR. Hiératiquement, hiératisme.

HIÉRATIQUEMENT [jeʀatikmɑ̃] adv. — 1855; de *hiératique.*

♦ Didact. ou littér. D'une manière hiératique.

L'art des Égyptiens, dont le caractère, hiératiquement invariable, est partout facile à reconnaître.
DE VOGÜÉ, Souvenirs d'une excursion en Phénicie (1855), *in* LITTRÉ, Dict., *Suppl.*

HIÉRATISME [jeʀatism] n. m. — 1858, Goncourt; de *hiératique.*

♦ Didact. ou littér. Caractère, aspect hiératique. *L'hiératisme de la liturgie, des institutions* (aux sens 2 et 3 de *hiératique*). — *Hiératisme des icônes byzantines.* — *L'hiératisme d'un visage, d'une attitude.*

(...) il n'y a pas lieu d'attribuer seulement à des traditions techniques, l'hiératisme des figures chrétiennes. 1
MALRAUX, les Voix du silence, p. 197.

D'un rite sacré il a la solennité; — l'hiératisme des costumes donne à chaque acteur comme un double corps, de doubles membres, — et dans son costume l'artiste engoncé semble n'être plus à lui-même que sa propre effigie. 2
A. ARTAUD, le Théâtre et son double, *in* Œ. compl., t. IV, p. 87.

Notre XVIIᵉ siècle appellera mouvement ce qui éblouira le XVIᵉ devant l'École d'Athènes de Raphaël : on pense au mot désinvolture. Il l'opposera à la raideur; nous l'opposerons à l'hiératisme. Rigoureusement, c'est l'indépendance du personnage. Jusqu'au XIXᵉ siècle, on verra en elle un progrès de la représentation, presque une découverte technique : la libération des «siècles obscurs» dont la maladresse unissait les idoles, les pharaons et les saints gothiques. Mais tout hiératisme est un refus du profane, l'équivalent des langues sacrées, sanscrit ou latin d'églises; l'indépendance du personnage n'exprime pas la découverte et le triomphe de l'imitation, mais la libération du sacré. 3
MALRAUX, la Métamorphose des dieux, p. 47 (1957).

HIÉRO-, HIÉR- Premier élément de mots savants, tiré du grec *hieros* «sacré». Voir à l'ordre alphabétique.

HIÉRODULE ['jeʀɔdyl] n. — 1866; *hiérodoule,* 1840; bas lat. *hierodulus,* mot grec, de *hieros* (→ Hiéro-), et *doulos* «esclave».

♦ Antiq. grecque. Esclave attaché au service d'un temple.

HIÉROGAMIE ['jeʀɔgami] n. f. — 1915, *in* T. L. F.; de *hiéro-,* et *-gamie.*

♦ Didact. Union conjugale de caractère sacré. *Hiérogamie entre un dieu* (ou *un humain divinisé*) *et une déesse, dans les religions anciennes. L'importance des hiérogamies dans la célébration des mystères.*
Union rituelle entre un homme et une femme, dans certaines religions.

DÉR. Hiérogamique.

HIÉROGAMIQUE ['jeʀɔgamik] adj. — V. 1965; de *hiérogamie.*

♦ Qui se rapporte à la hiérogamie. *Cérémonies hiérogamiques.* — Par métaphore :

Peut-être l'acte d'écrire n'est-il qu'un coït? Une union hiérogamique? Tenir ensemble passé et futur, lieu du symbole? Peut-être l'histoire de l'écriture ne peut-elle pas être séparée de l'histoire de la sexualité, mais qu'est-ce qui ne l'est pas?
J. GILLIBERT, la Création littéraire, *in* la Nef, nº 31, p. 94 (1967).

HIÉROGLYPHE ['jeʀɔglif] n. m. — 1546; dér. régressif de *hiéroglyphique.*

♦ **1.** Caractère, signe des anciennes écritures égyptiennes. ⇒ **Hiérogramme** (→ Graphie, cit. 2). *Les hiéroglyphes peuvent avoir une valeur figurative* (le signe «lion» représentant le lion, etc.), *idéographique* (le signe «homme dansant» représentant la joie, etc.) *ou phonétique, chaque hiéroglyphe représentant deux ou trois conson-*

nes qui servent à noter des mots ou parties de mots homophones de l'idéogramme (les voyelles n'étant pas notées). *Monument, obélisque couvert d'hiéroglyphes. Hiéroglyphes déformés de l'écriture cursive, hiératique.* ⇒ **Hiérogramme.** « *Les hiéroglyphes usuels sont au nombre de 600 environ* » (Meillet et Cohen). *Champollion déchiffra* (cit. 2) *les hiéroglyphes de la pierre de Rosette.*

1 Plusieurs anciens et presque tous les modernes ont cru que les prêtres d'Égypte inventèrent les hiéroglyphes, afin de cacher au peuple les profonds secrets de leur science (...) au contraire c'est la pure nécessité qui leur a donné naissance pour l'utilité publique (...) Encycl. (DIDEROT), 1765, art. *Hiéroglyphe.*

2 Les caractères qui, dès l'origine, composèrent le système entier de l'écriture sacrée, furent des imitations plus ou moins exactes d'objets existants dans la nature ; ces caractères, consistant en images de choses réelles, reproduites dans leur ensemble ou dans quelques-unes de leurs parties, reçurent des anciens auteurs le nom de γράμματα ἱερα *(grammata hiera)*, caractères sacrés, et plus particulièrement, celui de γράμματα ιερογλυφικα *(grammata hieroglyphica)*, caractères sacrés sculptés ; de là est dérivé le nom d'hiéroglyphes ou de caractères hiéroglyphiques, qu'on leur a conservé jusqu'à notre temps.
CHAMPOLLION, Grammaire égyptienne, p. 1, *in* LITTRÉ.

(1690). Se dit des signes de l'écriture utilisée en Asie Mineure, en Syrie du Nord, du XIVe siècle au VIIIe siècle av. J.-C., appelés (abusivement) *hiéroglyphes hittites.*

3 On ne sait encore comment se dénommait la langue des inscriptions hiéroglyphiques qu'on appelle provisoirement « hittite hiéroglyphique » (...) Les textes (...) sont écrits en un système particulier d'hiéroglyphes à valeur mi-idéographique, mi-phonétique, que l'on commence, après beaucoup d'efforts, à interpréter de manière vraisemblable. A. MEILLET et M. COHEN, les Langues du monde, p. 18.

Spécialt. Signe figuratif ou idéographique.

3.1 (...) un hiéroglyphe bien autrement parlant qu'une froide représentation, qui ne tient que la place d'un caractère d'imprimerie : art sublime dans ce sens, si on le compare à celui où la pensée n'arrive à l'esprit qu'à l'aide des lettres mises dans un ordre convenu (...) E. DELACROIX, Journal, 20 oct. 1853.

♦ **2.** (1689, Mme de Sévigné). Signe, caractère difficile ou impossible à comprendre. *Ce message est formé d'hiéroglyphes indéchiffrables. Les hiéroglyphes d'une écriture illisible.*

4 (...) cette (...) lettre en a un *(défaut)* que j'ai eu bien de la peine à corriger ; c'est une écriture difficile à déchiffrer (...) ce n'est plus de l'écriture (...) ce sont des hiéroglyphes (...) Ch. DE SÉVIGNÉ, *in* Mme DE SÉVIGNÉ, 1184, 12 juin 1689.

5 (...) deux grosses liasses de feuillets azurés, hiéroglyphes plutôt que manuscrits, criblés de mots abrégés, de repères en forme d'étoiles, de croix, de petits serpenteaux signalisateurs comme au long des routes. COLETTE, l'Étoile Vesper, p. 187.

♦ **3.** Didact. Idéogramme, signe, emblème interprétable (→ Écriture, cit. 2). *Les hiéroglyphes de la féodalité* (→ Blason, cit. 3, Hugo).

6 (...) la précaution qu'on avait prise de me faire des marques distinctives témoignerait assez combien j'étais un fils précieux : et cet hiéroglyphe à mon bras (...)
BEAUMARCHAIS, le Mariage de Figaro, III, 16.

7 Ces acteurs avec leurs robes géométriques semblent des hiéroglyphes animés.
A. ARTAUD, le Théâtre et son double, Sur le théâtre balinais, *in* Œ. compl., t. IV, p. 81.

DÉR. Hiéroglyphisme, hiéroglyphite. — REM. On peut signaler les dér. rares **hyéroglyphé,** adj. (« couvert de hiéroglyphes » ; au sens 2 chez Murger, *in* T. L. F.) ; **hiéroglyphié,** adj. (« transformé en hiéroglyphe » ; attestation unique chez Balzac, *in* T. L. F.).

HIÉROGLYPHIQUE ['jeʀɔglifik] adj. — 1529 ; lat. *hieroglyphicus,* du grec *hierogluphikos,* de *hierogluphos* « graveur de hiéroglyphes », de *hieros* (→ Hiéro-), et *gluphein* « graver ».
Didactique.

♦ **1.** Se dit de l'écriture formée de signes idéographiques et phonétiques (⇒ **Hiéroglyphe**) ; des signes qui la composent. *L'écriture alphabétique* (cit. 2) *évinça l'écriture hiéroglyphique. De l'écriture hiéroglyphique.* ⇒ **Hiérographique.** *Caractère, signe hiéroglyphique. — Textes hiéroglyphiques égyptiens* (→ Copte, cit. 1). *Hittite hiéroglyphique,* nom donné à une langue antique d'Asie Mineure (→ Hiéroglyphe, cit. 3).

1 À la vérité, les figures grotesques que les trous, les pièces, les taches et les filets y composent bizarrement, ont beaucoup de rapport avec les figures hyéroglyphiques *(sic)* des Égyptiens. CYRANO DE BERGERAC, le Pédant joué, III, 2.

1.1 Quant à l'Égypte, malgré l'abondance pour ainsi dire croissante des textes hiéroglyphiques, il n'est pas probable que l'histoire parvienne de longtemps à résoudre le problème de ses origines religieuses.
Émile BURNOUF, la Science des religions, p. 43.

♦ **2.** (1529). Fig. Obscur, incompréhensible (en parlant d'un signe, d'un symbole ou d'une suite de signes). → Écriture, cit. 10. *Ce rêve* (cit. 6) *que j'appellerai hiéroglyphique.*

2 À M. M. M. M. Madame (...) Ces quatre lettres hiéroglyphiques vous embarrasseront aussi bien que les autres (...) CORNEILLE, Andromède, Dédicace.

3 (...) sa *belle écriture* devait déjà s'être altérée dans les brouillons chiffonnés, raturés, surchargés, presque hiéroglyphiques de l'écrivain luttant avec l'idée et ne se souciant plus de la beauté du caractère.
Th. GAUTIER, Portraits contemporains, Balzac, II.

DÉR. Hiéroglyphe, hiéroglyphiquement.

HIÉROGLYPHIQUEMENT ['jeʀɔglifikmɑ̃] adv. — 1822, Champollion ; de *hiéroglyphique.*

♦ Didact. Au moyen de hiéroglyphes. — À la manière des hiéroglyphes, symboliquement. *Représenter, figurer hiéroglyphiquement qqch., une abstraction.* — Fig. De manière incompréhensible.

HIÉROGLYPHISME ['jeʀɔglifism] n. m. — 1872, *in* Littré ; de *hiéroglyphe.*

♦ Didact. et vx. Système graphique utilisant des hiéroglyphes ou des idéogrammes.

HIÉROGLYPHITE ['jeʀɔglifit] n. m. — 1858, Gautier, *Roman de la momie ; de hiéroglyphe.*

♦ Didact. et rare. Dans l'Égypte antique, Savant expert en hiéroglyphes.

HIÉROGRAMMATE ['jeʀogʀa(m)mat] ou **HIÉROGRAMMATISTE** ['jeʀogʀa(m)matist] n. m. — 1819 ; *hiérogrammatée,* 1732, Trévoux ; grec *hierogrammateus,* de *hieros* (→ Hiéro-), et *grammateus* « scribe », de *gramma* « caractère d'écriture ».

♦ Didact. Dans l'antiquité égyptienne, Scribe au service d'un temple ; prêtre qui interprétait les textes sacrés.

En Égypte, le dieu à tête d'épervier était le dieu qui possédait la science des hiéroglyphes ; autrefois, dans ce pays, les Hiérogrammates avalaient le cœur et le sang de cet oiseau, pour se préparer aux rites magiques (...)
HUYSMANS, Là-bas, XX.

HIÉROGRAMMATIQUE ['jeʀogʀa(m)matik] adj. — 1771 ; du lat. *hierogrammaticus,* de *hierogrammateus.* → Hiérogrammate.

♦ Didact. *Écriture hiérogrammatique.* ⇒ **Hiératique.**

HIÉROGRAMME ['jeʀɔgʀam] n. m. — 1839 ; de *hiéro-,* et *-gramme,* du grec *gramma* « caractère d'écriture ».

♦ Didact. Caractère de l'écriture hiératique. ⇒ **Hiéroglyphe.**

HIÉROGRAPHIQUE ['jeʀɔgʀafik] adj. — 1824, *in* D. D. L. ; de *hieros* « sacré », et *-graphique.*

♦ Didact. Qui a rapport à l'écriture hiéroglyphique ou hiératique des anciens Égyptiens.

HIÉRONYMITE ['jeʀɔnimit] n. m. — 1680 ; du lat. *Hieronymus* « (saint) Jérôme », « saint nom », de *hieros* (→ Hiéro-), *onoma,* et suff. *-ite.*

♦ Religieux d'un des ordres fondés en Espagne et en Italie aux XIVe et XVe siècles et qui prirent saint Jérôme pour patron. *Les Hiéronymites s'appelaient aussi Ermites de saint Jérôme.*

Charles s'embarque aussitôt pour l'Espagne, et va se retirer dans l'Estramadure, au monastère de Saint-Just, de l'ordre des Hiéronymites.
VOLTAIRE, Annales de l'Empire, Charles-Quint (1556).

HIÉROPHANTE ['jeʀɔfɑ̃t] n. m. — 1535 ; lat. *hierophantes,* mot grec, de *hieros* (→ Hiéro-), et *phainein* « révéler ».
Didactique.

♦ **1.** Antiq. grecque. Prêtre qui présidait aux mystères d'Éleusis, instruisait les initiés. — (À Rome). Grand pontife.

Je demande ce qu'étaient ces hiérophantes, ces francs-maçons sacrés qui célébraient leurs mystères antiques de Samothrace (...) 1
VOLTAIRE, Dict. philosophique, Samothrace.

♦ **2.** Fig. et didact. Prêtre, pontife.

De l'hiérophante au druide, 2
Une sorte de Dieu fluide
Coule aux veines du genre humain.
HUGO, les Contemplations, VI, « Les mages », VI.

(...) puis c'est toute l'histoire primitive, acceptée jusque-là avec une grossière littéralité, qui trouve d'ingénieux interprètes, hiérophantes rationalistes qui lèvent le voile des vieux mystères. RENAN, l'Avenir de la science, Œ. compl, t. III, p. 764. 3

DÉR. Hiérophantique.

HIÉROPHANTIQUE ['jeʀɔfɑ̃tik] adj. — 1852, Nerval, *in* T. L. F. ; de *hiérophante.*

♦ Didact. D'un hiérophante.

HIÉROSOLOMYTAIN, AINE ['jeʀosɔlɔmitɛ̃, ɛn] adj. et n. — D. i. (attesté 1902, Larousse) ; bas lat. *hierosolimytanus,* du lat. class. *Hierosolimyta,* plur. neutre, « Jérusalem », du grec *Hierosoluma,* de l'hébreu.

♦ Didact. De Jérusalem.

HI-FI ['ifi] n. f. et adj. invar. — 1955 ; abrév. de l'angl. *high fidelity* « haute-fidélité ».

♦ Anglic. Haute-fidélité. ⇒ **Fidélité.** *Une chaîne hi-fi.* « *Pas de voi-*

sins pour crier au tapage nocturne... oui, mais à l'époque, je n'ai pas de chaîne hi-fi pas même un petit tourne-disque. Alors pas de musique!» (*Actuel*, n° 4, février 1980, p. 97)

N. *Un passionné de la hi-fi.* ⇒ **Audiophile.**

HIGHLANDER [ˈajlɑ̃dœʀ] n. m. — 1688, Miège, *high-lander;* mot angl., de *highland* «haute *(high)* terre *(land)*».

♦ **1.** Habitant ou natif des Hautes Terres de l'Écosse.

♦ **2.** (1839). Soldat écossais des Highlands, et, par ext. régiment de l'armée britannique, dont l'uniforme rappelle le costume traditionnel des montagnards écossais qui le composent. *Un highlander en kilt. La cornemuse des musiques de highlanders.*

Le carré extrême de droite, le plus exposé de tous (...) était formé du 75e régiment de highlanders. Le joueur de cornemuse au centre, pendant qu'on s'exterminait autour de lui, baissant dans une inattention profonde son œil mélancolique plein du reflet des forêts et des lacs, assis sur un tambour, son pibrock sous le bras, jouait les airs de la montagne. Ces Écossais mouraient en pensant au Ben Lothian, comme les Grecs en se souvenant d'Argos.
HUGO, les Misérables, II, I, X (1862).

HIGH LIFE [ajlajf] n. m. — 1823, Stendhal; mots angl., «haute *(high)* vie *(life)*».

♦ Vx (à la mode au XIXe). Haute société, grand monde.

1 Ce fameux abbé de Percy, Normand comme elle, l'avant-dernier descendant mâle des Percy en France, dont la laideur et l'esprit furent si célèbres à Londres dans le *high-life* pendant l'émigration (...)
BARBEY D'AUREVILLY, Une vieille maîtresse, II, t. I, p. 39.

1.1 Les clients affluèrent, tout le high life s'y donnait des rendez-vous secrets, diurnes ou nocturnes, au choix.
Charles CROS, Œuvres en collaboration, *in* Gil Blas, 1880, Pl., p. 471.

1.2 De petite noblesse, sans valeur, sans esprit, mû dans tous ses actes par un amour immodéré de ce qui est sélect, comme il faut et distingué, il était parvenu, à force de hanter uniquement les maisons les plus princières, à force de montrer ses sentiments royalistes, pieux, corrects au suprême degré, à force de respecter tout ce qui doit être respecté, de mépriser tout ce qui doit être méprisé, de ne jamais se tromper sur un point des dogmes mondains, de ne jamais hésiter sur un détail d'étiquette, à passer aux yeux de beaucoup pour la fine fleur du high-life.
Guy DE MAUPASSANT, Fort comme la mort, éd. Paul Ollendorff, Paris, 1889, p. 64.

2 (...) l'élite de ceux qu'on appelait autrefois les *gens du monde* et que, depuis que le «monde» s'est élargi, on nomme, dit Jay, la *société*, en attendant que se répande une désignation que Jouy emploie déjà en 1825, celle de *high life.*
G. MATORÉ, Voc. et société sous Louis-Philippe, p. 53.

Adj. (rare) :

3 Bel Œil t'aurais vu le beau gosse!... Rien que les crèches les plus high life!...
CÉLINE, Guignol's band, p. 76 (1951).

REM. Les dér. *highlifer* [ˈajlajfe] v. intr. (1869) et *highlifeur* [ˈajlajfœʀ] n. m. (1866) ont eu un moment de vogue autour de 1870.

HIGH-TECH [ˈajtɛk] n. f. et adj. — 1983; abrév. (anglo-américaine) de l'angl. *high technology* «haute technologie».

♦ **1.** Utilisation, à des fins de décoration intérieure, de matériaux, d'objets ou de structures initialement destinés à un usage industriel. Adj. Relatif à ce style. *Meubles high-tech. Décor high-tech. «Fini le hamburger triste, oubliée la frite molle! En entrant dans le fast-food, les consommateurs marquent tous leur surprise : trois écrans vidéo (soutenus par un matériel hi-fi) allument le décor standardisé high-tech»* (*Libération*, 16 août 1983).

♦ **2.** Technologie de pointe. — (Comme mot anglais). *«L'informatique, la micro-électronique, la bio-technologie (...) les technologies de pointe — la "hightech" comme disent les anglophones»* (*la Recherche*, n° 145, juin 1983, col. 14, p. 765).

HIGOUMÈNE [igumɛn] n. m. — Déb. XVIIIe, *hégumène; hegoumenos,* 1831; *hégoumène,* 1840; mot grec *hegoumenos* «commandant», p. prés. de *hegoumai* «commander».

♦ Didact. Supérieur d'un monastère de rite byzantin. — Var. : *hégoumène.*

HI-HAN [ˈiɑ̃] onomat. — 1670; *hin han,* 1606; *ihan,* déb. XIVe; onomatopée.

♦ Onomatopée désignant le braiement de l'âne. — N. m. (1606, *hinhen*). *Des hi-hans sonores.* ⇒ **Braiement.**

HILAIRE [ilɛʀ] adj. — 1834, *in* T. L. F.; de *hile.*

♦ Didact. Relatif à un hile. *Cicatrice hilaire. Ganglions hilaires, du hile pulmonaire.*

HILARANT, ANTE [ilaʀɑ̃, ɑ̃t] adj. — 1805, chim.; *hilariant,* au sens 1, 1834; lat. *hilarans,* p. prés. de *hilarare* «rendre gai». → Exhilarant.

♦ **1.** Qui excite à la gaieté. ⇒ **Amusant, comique.** *Une histoire hilarante. — Un spectacle hilarant. Une trogne hilarante.* — Qui fait rire à son insu. ⇒ **Ridicule.** *Il est d'une ânerie assez hilarante.* — Ellipt. *Hilarant!* ⇒ **Drôle, marrant.**

♦ **2.** *Gaz hilarant :* protoxyde d'azote, qui produit une sorte d'exaltation.

CONTR. Triste. — Attristant.

HILARE [ilaʀ] adj. — 1519; *hylaire, islaire,* XIVe; lat. *hilaris,* grec *hilaros* «joyeux».

REM. Disparu au XVIe s., *hilaire* renaît au XIXe s., mais reste absent des dictionnaires jusqu'à la fin du siècle dernier. Il est admis par l'Académie en 1935. On trouve les var. *hilarieux* dans Trévoux (1771) et *hilareux* chez Chateaubriand.

♦ **1.** Qui est dans un état d'euphorie, de contentement béat, de douce gaieté. ⇒ **Gai; hilarité.** *Un personnage hilare. Ils étaient hilares.*

En face de lui s'étalait, florissante et hilare, la famille du pharmacien, que tout au monde contribuait à satisfaire. FLAUBERT, Mme Bovary, III, XI. 1

Sous un pampre un vieux faune hilare 2
Murmurait tout bas : Casse-cou!
HUGO, Chansons des rues et des bois, IV, Choses écrites à Créteil.

Non loin de deux silvains hilares (...) VERLAINE, Fêtes galantes, «Les indolents». 3

♦ **2.** *Face, visage hilare.* ⇒ **Radieux, réjoui.**

(...) un visage hilare de folie. P. MAC ORLAN, la Bandera, VIII. 4

♦ **3.** Littér. (Choses). Comique et plein d'entrain.
Une musique hilare (Willy, *in* T. L. F.).

CONTR. Chagrin, maussade.

HILARITÉ [ilaʀite] n. f. — XIIIe, *ilarité;* lat. *hilaritas,* de *hilaris.* → Hilare.

♦ **1.** Vx. Joie douce et calme; contentement béat.

(...) contentez-vous de lui souhaiter, du fond du cœur, prospérité, hilarité, succès en tout, et jamais de gravelle. 1
VOLTAIRE, Lettre à Mme de Choiseul, 3485, 20 mai 1769.

(...) il a suffi de le prononcer *(le mot «gastronomie»)* pour porter sur toutes les physionomies le sourire de l'hilarité. 2
A. BRILLAT-SAVARIN, Physiologie du goût, XXVII, 136.

♦ **2.** (1820, Michelet, *in* T. L. F.). Brusque accès de gaieté*; explosion de rire. ⇒ **Allégresse** (→ Fou* rire). *Plaisanterie qui déchaîne, excite, provoque, déclenche l'hilarité générale.* ⇒ **Exhilarant, hilarant.** *Mouvement d'hilarité.*

Ce toast excita l'hilarité générale, et Colleville, déjà gai, cria : — Gredin! tu m'as volé ma phrase! BALZAC, les Petits Bourgeois, Pl., t. VII, p. 157. 3

(...) une certaine hilarité saugrenue et irrésistible s'empare de vous (...) Cette gaieté vous est insupportable à vous-même; mais il est inutile de regimber. 4
BAUDELAIRE, Du vin et du haschisch, IV.

D'un bout à l'autre des gradins, du haut en bas de la salle, on se tordait; chaque élève riait comme il n'est pas souvent donné de rire en classe; on ne se moquait même plus; l'hilarité était irrésistible au point que M. Nadaud lui-même y cédait; du moins souriait-il, et les rires alors, s'autorisant de ce sourire, ne se retinrent plus. 5
GIDE, Si le grain ne meurt, I, IV.

CONTR. Affliction, chagrin, tristesse.

HILBERTIEN, IENNE [ilbɛʀtjɛ̃, jɛn] adj. — 1905, in *Rev. gén. des sc.,* n° 12, p. 542; du nom du mathématicien allemand *David Hilbert* (1862-1943).

♦ Math. Du mathématicien Hilbert. *Axiomatique hilbertienne. Espace hilbertien* ou *espace de Hilbert :* espace hermitien* complet, jouant un rôle essentiel dans la théorie quantique. *Vecteur normé dans un espace hilbertien* (représentant l'état d'un système physique).

HILE [ˈil] n. m. — 1600; du lat. *hilum* «point noir au haut d'une fève» et, fig., «petite parcelle, chose insignifiante».

♦ **1.** Bot. Cicatrice laissée sur le tégument* d'une graine par la rupture du funicule*. *Hile de la fève, de la vesce.*

♦ **2.** (1845). Anat. Point d'insertion, généralement déprimé, des vaisseaux et des conduits excréteurs sur un organe. *Le hile du foie, ou sillon transverse, large et profond. Hile du rein. Hile d'un ganglion. Ganglions du hile pulmonaire.* ⇒ **Hilaire.**

DÉR. Hilaire.
HOM. Il, île.

HILOIRE [ˈilwaʀ] n. f. — 1690, Furetière; 1643, *illoires;* du néerl. *slœrie* «plat bord», et suff. *-oire;* var. *ailure* (suff. *-ure*), 1751.

Marine.

♦ **1.** Fort bordage longitudinal destiné à accroître la résistance d'un pont de navire.

♦ **2.** Bordure verticale d'un panneau, qui protège l'ouverture et empêche les entrées d'eau, les chutes intempestives d'objets, etc.

HIMALAYA [imalaja] n. m. — 1936, P. Morand, *in* T. L. F.; nom de la chaîne de montagnes d'Asie, la plus haute du monde.

♦ **1.** Montagne (fig.). *Des himalayas de dossiers, de papiers* (parfois écrit avec la majuscule). — Abstrait :

Pour réussir dans le métier, tu sais, il faut un himalaya de culot.
Jacqueline MONSIGNY, le Miroir aux pingouins, p. 13.

♦ **2.** (1951, *in* T. L. F.). Fourrure provenant ou censée provenir de l'Himalaya.

DÉR. Himalayen, himalayisme.

HIMALAYEN, ENNE [imalajɛ̃, ɛn] adj. — 1830; de *Himalaya.*

♦ **1.** De l'Himalaya. *Les sommets himalayens.*

♦ **2.** Fig. Immense, très élevé.

(...) il est maintenant avéré que l'Histoire n'est pas inscrite dans les lointains échos des batailles et des vaines clameurs de foules mais dans les poussiéreuses et himalayennes montagnes de contrats et d'actes (...) Claude SIMON, le Vent, p. 110.

(Abstrait). *Une bêtise himalayenne* (→ Gros* comme une montagne).

HIMALAYISME [imalajism] n. m. — 1951; de *Himalaya,* et suff. *-isme,* d'après *alpinisme.*

♦ Techn. Alpinisme tel qu'il se pratique dans l'Himalaya. ⇒ **Alpinisme** (sens large). *Dans l'himalayisme, le sherpa est d'un concours précieux.* — REM. On rencontre également la graphie *himalaysme.*

(...) une nouvelle phase est entamée depuis quelques années, celle de l'himalayisme proprement dit. Les répétitions prestigieuses, comme celles de l'Everest, du Makalu ou de l'Annapurna s'ajoutent aux voies nouvelles, peu à peu ouvertes, sur les sommets déjà conquis. Maurice HERZOG,
Préf. à la trad. de Chris BONINGTON, Annapurna face sud (1972).

HIMATION [imasjɔ̃] n. m. — 1876, *in* Littré, *Suppl.*; mot grec, même sens.

♦ Didact. (antiq. grecque). Sorte de manteau sans manches.

(...) l'himation ionien (...) complète la parure de fête. C'est un carré d'étoffe dont l'un des bords, serré en forme de bourrelet, passe sous le bras gauche, traversant obliquement la poitrine. Ce vêtement s'ajuste sur l'épaule droite au moyen d'agrafes; les bouts du manteau remontent en une masse épaisse, creusée de plis verticaux, serrés et réguliers, inégaux en longueur et dessinant ainsi à leur extrémité une ligne sinueuse qui monte, descend encore pour suivre le bord de l'étoffe repliée sur elle-même par un savant tuyautage.
COLLIGNON, la Sculpture grecque, I, p. 146, *in* RICHER, Art grec, p. 68.

HIMENT ['imɑ̃] n. m. ⇒ **Hiement.**

HINDI ['indi] n. m. et adj. — 1842, Académie, *Compl.*; mot de cette langue, du persan, désignant les langues parlées par les hindous dans la plaine indogangétique. → Indien.

♦ L'une des principales langues de l'Inde, du groupe indo-aryen, parlée actuellement par plus de cent cinquante millions de personnes. ⇒ **Hindoustani** (vx). *La langue nationale de l'Union indienne est l'hindi en écriture nagari.*

L'hindi, au sens le plus large, est la raison sociale d'une multitude de dialectes ruraux se succédant sur plus de 1 000 kilomètres, de Simia à la Mahâdani, et présentant, à côté des caractéristiques communes, des différences notables.
Pierre MEILE, Langues de l'Inde
(Cent-cinquantenaire de l'École des langues orientales), p. 121.

Adj. (invar. en genre). *La syntaxe, le vocabulaire hindi. La littérature hindi.*

REM. Le mot est parfois employé avec l'h « aspiré » : *le hindi* [ləhindi].

HINDOU, OUE [ɛ̃du] adj. et n. — 1653, *indou; hindou,* déb. XIXe (attesté 1830); de *Inde.* → Indou.

♦ **1.** Adj. De l'Inde et relatif à la civilisation brahmanique. ⇒ **Indien;** (vx) **indou.** *Les castes* (cit. 3) *de l'ancienne société hindoue. Prince hindou.* ⇒ **Maharajah, rajah.** *Princesse hindoue.* ⇒ **Maharané, rani.** *Soldat hindou.* ⇒ **Cipaye.** *Religions hindoues.* ⇒ **Bouddhisme, brahmanisme, hindouisme, jaïnisme, védisme.** *Philosophie hindoue.* ⇒ **Vedanta;** et aussi **âtma, brahman...** *Ascète hindou.* ⇒ **Yogi.** — Vx. *Langue hindoue.* ⇒ **Hindi, hindoustani.** — *Les Poèmes hindous,* de Leconte de Lisle.

1 (...) les vestiges cyclopéens, les pyramides d'Égypte, les gigantesques pagodes hindoues (...) HUGO, Notre-Dame de Paris, p. 143.

2 Prêchant la non-violence au nom de traditions hindoues millénaires, il *(Gandhi)* apparut comme le symbole de la douceur hindoue devant ce qu'on appelait la barbarie occidentale. Pierre MEILE, Hist. de l'Inde, p. 112.

♦ **2.** N. *Un Hindou, une Hindoue,* Indien, Indienne adepte de l'hindouisme. ⇒ **Hindouiste.**

(...) la loi de Manou interdit aux Hindous orthodoxes de passer les mers, sous peine de dures expiations. Pierre MEILE, Hist. de l'Inde, p. 93. 3

DÉR. Hindouisme, hindouiste.

HINDOUISME [ɛ̃duism] n. m. — 1876; de *hindou.*

♦ Religion brahmanique pratiquée en Inde. *L'hindouisme, ou « brahmanisme sectaire ». L'hindouisme et l'islam sont les deux principales religions du « sous-continent » indien.*

En face du Bouddhisme, l'Hindouisme a créé deux grandes religions : celle de *Vichnou* et celle de *Çiva.* Louis RÉAU, Hist. universelle de l'art, t. II, p. 110.

Var. : *indouisme.*

HINDOUISTE [ɛ̃duist] adj. et n. — 1948; de *hindou.*

♦ **1.** Qui a rapport à l'hindouisme. *Mythes, rites hindouistes.* — N. Adepte de l'hindouisme. ⇒ **Hindou.**

Le bouddhisme et le jaïnisme ne sont pas autre chose, à l'origine, que des sectes réformatrices à l'intérieur de la communauté hindouiste naissante.
Louis RENOU, l'Hindouisme, p. 32.

♦ **2.** Spécialiste de l'hindouisme. — Var. : *indouiste.*

HINDOUSTANI [ɛ̃dustani] n. m. et adj. — 1814; *indistanni,* 1653; de *Hindoustan,* partie principale de la péninsule hindoue.

♦ Vieilli. Hindi (langue indo-aryenne du Nord de l'Inde), en tant que langue normée, commune, écrite en caractère nagari. — Adj. *La langue hindoustani.*

(...) un dialecte assez obscur, des abords du Himâlaya, connu en Europe depuis 1
le XVIIIe siècle sous le nom d'« hindoustani ». Ce dialecte a deux aspects, l'un islamisé, c'est-à-dire où, la grammaire restant de type indien, le vocabulaire, du moins dans les noms, est en grosse majorité arabe et persan (...)
Louis RENOU, les Littératures de l'Inde, p. 87.

L'hindoustani est une langue qui contient huit ou neuf langues. Mais tous ses mots 2
ont la même allure (...) Béats avec une bonnasserie paysanne et lente, énormément de voyelles bien épaisses, des â, et ô, avec une sorte de vibration ronflée et lourde, ou contemplativement traînarde et dégoûtée, des î et surtout des ê (...)
Henri MICHAUX, Un barbare en Asie, p. 19.

HINTERLAND ['intɛʀlɑ̃d] n. m. — 1894; mot all.; de *hinter* « derrière », et *Land* « pays ».

♦ Dr., géogr. Arrière-pays. *Des hinterlands.*

Mais si l'on aménage un port, c'est pour y amener quelque chose (...) il faut donc 1
assurer à votre hinterland naturel les débouchés indispensables.
L.-H. LYAUTEY, Paroles d'action, p. 189.

Par métaphore :

(...) lui et moi, gens de ce monde obscur de derrière le masque qui, si nous nous 2
rencontrions sans doute, ne nous parlerions pas (...) et pourtant sommes gens de ce même hinterland (...) ARAGON, Blanche..., III, III, p. 430.

Personne ne voit que mon cœur est suspendu à ce qui se dit, et que dans l'hin- 3
terland de mon visage, à quelques pouces de mon sourire, une angoisse est cachée.
VALÉRY, Cahiers, t. I, Pl., p. 423.

1. HIP ['ip; hip] interj. — 1889; interj. angl., onomatopée.

♦ Marque l'enthousiasme, la joie, la victoire (souvent répété trois fois et suivi de *hourra*). *Hip hip hip! Hourra!* — Variante :

Mais le gentleman ne put achever sa phrase. Derrière lui, de cette terrasse qui précédait l'escalier, partirent des hurlements épouvantables. On criait : « Hurrah! Hip! Hip! pour Mandiboy! » C'était une troupe d'électeurs qui arrivait à la rescousse, prenant en flanc les partisans de Kamerfield.
J. VERNE, le Tour du monde en 80 jours, p. 220 (1873).

2. HIP ['ip] adj. et n. ⇒ **Hippy.**

HIPP-, HIPPO- Premier élément, du grec *hippos* « cheval », qui entre dans la composition de nombreux mots savants (formés en français ou empruntés au grec ou au latin). Voir à l'ordre alphabétique.

Outre les mots traités ci-dessous, on peut signaler : *hippolâtre* [ipolatʀ] adj. et n.; *hippolâtrie* [ipolatʀi] n. f. (1875, *in* D. D. L.); *hippomanie* [ipomani] n. f. (1819, Boiste); *hippomancie* [ipomɑ̃si] n. f. (1842, *in* T. L. F.) « divination par les chevaux »; *hippophile* [ipofil] adj. et n.

Devant la cage de l'homme du P. M. U., des hippophiles faisaient la queue.
R. QUENEAU, Pierrot mon ami, éd. L. de Poche, p. 122.

HIPPANTHROPE [ipɑ̃tʀɔp] n. m. — 1862, Hugo; de *hipp-,* et grec *anthrôpos* « homme ».

♦ Littér., didact. et rare. Homme-cheval. ⇒ **Centaure, hippocentaure** (→ Épopée, cit. 3).

HIPPARCHIE [ipaʀʃi] n. f. — 1832, Raymond; grec *hipparkhia,* de *hipparkhos.* → Hipparque.

Didactique (antiq. grecque).

♦ **1.** Division de cavalerie grecque, comprenant environ cinq cents hommes. *Chef d'une hipparchie.* ⇒ **Hipparque.**

♦ **2.** Grade d'hipparque. *Accéder à l'hipparchie.*

HIPPARION [ipaʀjɔ̃] n. m. — 1843; grec *hipparion,* «petit cheval», de *hippos* «cheval». → Hipp-.

♦ Paléont. Mammifère périssodactyle *(Équidés),* fossile du tertiaire, considéré comme l'ancêtre du cheval. *«Nous avons recueilli plus de mille fragments d'hipparion. Ce quadrupède ne vit plus de nos jours; il se rapprocherait beaucoup de nos chevaux et de nos ânes»* (*Revue des deux mondes,* p. 511, 1er août 1857).

On connaît l'exemple des Protérothéridés du Miocène d'Amérique du Sud qui ont suivi la même voie de spécialisation que les Équidés et qui ont donné naissance à des lignées de faux hipparions et de faux chevaux d'une surprenante similitude fonctionnelle avec les vrais.
A. LEROI-GOURHAN, le Geste et la Parole, t. I, p. 48.

HIPPARQUE [ipaʀk] n. m. — 1765; grec *hipparkhos,* de *hippos* (→ Hipp-), et *arkhein* «commander».

♦ Antiq. grecque. Général commandant une hipparchie*.

C'est la sculpture qui apparente l'hipparque à quelque Héraclès, voire à Zeus; mais elle n'apparente pas Zeus à un hipparque, c'est-à-dire à un chef de cavalerie.
MALRAUX, la Métamorphose des dieux, p. 78.

HIPPIATRE [ipjatʀ] n. — 1772; grec *hippiatros,* de *hippos* (→ Hipp-), et *iatros* «médecin». → -iatre.

♦ Didact. et vieilli. Vétérinaire spécialiste des maladies du cheval. — REM. Semble rare au féminin.

HIPPIATRIE [ipjatʀi] n. f. — 1534, Rabelais; dér. sav. du grec *hippiatros.* → Hippiatre.

♦ Didact. Thérapeutique du cheval. *Traité d'hippiatrie.*

HIPPIATRIQUE [ipjatʀik] adj. et n. f. — 1750, n. f.; adj., 1823; grec *hippiatrikos,* de *hippiatros.* → Hippiatrie.

♦ Didact. Relatif à l'hippiatrie. — Adj. *Science hippiatrique,* qui a rapport à la médecine du cheval. — N. f. *L'hippiatrique.* ⇒ **Hippiatrie.**

HIPPIE ou **HIPPY** plur. **HIPPIES** ['ipi] n. et adj. — 1967; mot américain, de *hip* «dans le vent, à la page».

♦ Anglic. Jeune homme, jeune fille qui rejette les valeurs sociales et culturelles de la société de consommation (conventions vestimentaires et mode de vie, recherche du prestige social et de l'argent, goût de la technologie), le nationalisme, etc. ⇒ aussi 5. **Baba, beatnik.** *Les hippies sont non violents, prônent la liberté sexuelle, et parfois l'usage des drogues hallucinogènes.* — Adj. *Le mouvement hippie, la révolte hippie. La mentalité hippie. La mode hippie.*

1 Il y avait beaucoup de jeunes sur le grand terre-plein central. Des gauchistes qui se réunissaient au bar Navona; près de la fontaine centrale, des hippies, des minets, des homosexuels, des joueurs de guitare (...)
S. DE BEAUVOIR, Tout compte fait, p. 247.

2 Les autres jeunes gens avaient l'air de hippies, ce qui aussi était évidemment une garantie de spiritualité. R. GARY, Chien blanc, p. 108.

Abrév. : *hip.* *«En 1967, au meilleur moment de la grande vague hip à San Francisco»* (*l'Express,* 10 juil. 1972, p. 5). — N. *«Une bande de hips nous invite à son feu de camp»* (*Match,* 16 mars 1974).

CONTR. Bourgeois.

DÉR. Yippie. — Les dér. **hippisé** adj. (1968) «qui a pris un caractère hippie», et **hippisme** n. m. (1968) «façon de vivre, idées des hippies» n'ont eu que quelques années de vogue.

HIPPIQUE [ipik] adj. — 1838; du grec *hippikos,* de *hippos.* → Hipp-.

♦ **1.** Qui a rapport au cheval. *Concours* hippique. Sport hippique.* ⇒ **Hippisme; hippodrome.**

Bien différente de celle des courses est l'organisation des concours hippiques où les chevaux montés exécutent sur des obstacles sévères et rapprochés parsemant une piste réduite, des parcours où se présente un seul cheval à la fois. Le classement est obtenu par la somme des fautes commises (...)
Raymond AMIOT, le Cheval, p. 81.

♦ **2.** Qui a rapport à l'hippisme. *Chronique hippique. Chroniqueur hippique.*

DÉR. Hippisme.

HIPPISME [ipism] n. m. — 1898; de *hippique.*

♦ Sports. Ensemble des exercices équestres et des sports hippiques. ⇒ **Course** (de chevaux), **équitation, turf.** *Les amateurs d'hippisme.*

HIPPO [ipo] n. m. ⇒ **Hippopotame.**

HIPPO- ⇒ **Hipp-.**

HIPPOBOSCIDÉS [ipobɔside] n. m. pl. — 1892, Dict. de Guérin; du rad. de *hippobosque,* et *-idés.*

♦ Zool. Famille d'insectes diptères, ectoparasites des mammifères et des oiseaux, dont le type est l'hippobosque*. — Au sing. *Un hippoboscidé.*

HIPPOBOSQUE [ipobɔsk] n. m. — 1808, *in* Cottez; lat. sc. *hippobosca,* 1634, Moufet; grec *hippoboskos* «(celui) qui élève, nourrit des chevaux», de *hippo-,* et grec *boskô* «je fais paître, je nourris».

♦ Zool. Insecte diptère pupipare, qui vit sur le bœuf et le cheval *(Hippobosca equina),* dont il suce le sang.

DÉR. Hippoboscidés.

HIPPOCAMPE [ipɔkɑ̃p] n. m. — 1561; lat. *hippocampus,* grec *hippokampos,* de *hippos* (→ Hipp-), et *kampos* désignant un poisson, de *kampê* «courbure».

★ **I.** ♦ **1.** Myth. Animal mythique moitié cheval, moitié poisson. ⇒ **Cheval.** *L'hippocampe, cheval marin à queue de dauphin. L'hippocampe, motif ornemental en honneur sous le Directoire.*

♦ **2.** Poisson *(Téléostéens, lophobranches),* qui porte la tête inclinée et rabattue contre la gorge, comme le cheval dont il rappelle par la tête et l'«encolure» le profil, d'où son nom de «cheval marin». *Les hippocampes, qui habitent les mers chaudes et tempérées où ils se nourrissent de crustacés, enroulent leur queue préhensile autour des algues et se tiennent le plus souvent en position verticale.*

Planche folle, escorté des hippocampes noirs. RIMBAUD, Poésies, Le bateau ivre.

★ **II.** Anat. Saillie du plancher de la corne temporale du ventricule latéral du cerveau. *«La sclérose de l'hippocampe serait la cause première de l'état épileptique dans au moins 50 % des cas»* (*la Recherche,* janv. 1975, p. 46). — Syn. : *grand hippocampe.* *«Drôle d'objet, cet hippocampe. Situé dans le néocortex, on lui prête une origine phylogénétique très ancienne : il est relié par trois filets nerveux d'abord au thalamus, au système limbique et aux lobes frontaux, ensuite aux nerfs crâniens, enfin aux noyaux hippothalamiques* (sic)*»* (*le Point,* no 575, 26 sept. 1983, p. 112).

HIPPOCASTANACÉES [ipokastanase] n. f. pl. — XXe; *hippocastanées,* 1846; de *hippo-, castana* «châtaigne», et suff. *-ées.*

♦ Bot. Famille de plantes phanérogames angiospermes *(Dicotylédones, dialypétales),* dont le type principal est le marronnier d'Inde. — Au sing. *Une hippocastanacée.*

HIPPOCENTAURE [iposɑ̃tɔʀ] n. m. — XVIe; lat. *hippocentaurus,* du grec *hippokentauros,* de *hippos* (→ Hipp-), et *kentauros* (→ Centaure).

♦ Poét. et vx. Centaure.

Vous voyez ici les romans, dont les auteurs sont des espèces de poètes qui outrent également le langage de l'esprit et celui du cœur; qui passent leur vie à chercher la nature et la manquent toujours, et qui font des héros qui y sont aussi étrangers que les dragons ailés et les hippocentaures.
MONTESQUIEU, Lettres persanes, CXXXVII.

HIPPOCRAS [ipokʀas] n. m. ⇒ **Hypocras.**

HIPPOCRATE [ipɔkʀat] n. m. — Av. 1845; du nom de *Hippocrate,* le plus célèbre médecin de l'antiquité.

♦ Didact. et plais. (Vx). Médecin (écrit avec ou sans majuscule). *«Nos Hippocrates modernes...»* (Chateaubriand).

HIPPOCRATIQUE [ipɔkʀatik] adj. — Attesté 1658 mais antérieur (*hippocratiquement,* 1579); de *Hippocrate,* nom d'un célèbre médecin de l'antiquité, par le bas lat. (IVe s.) *hippocraticus.* Didactique.

♦ **1.** Relatif à Hippocrate et à sa doctrine ⇒ **Hippocratisme.** *L'héritage hippocratique. Le serment hippocratique* ou *serment d'Hippocrate.*

(...) le mouvement psychosomatique cherche à dépasser une médecine des organes (...) au profit d'une médecine générale de l'organisme. Il met au premier plan le rôle du terrain renouant ainsi avec la tradition hippocratique, celle qui considère la maladie moins comme un accident ou un processus exogène, en quelque sorte extrinsèque à la personne du malade, que comme un développement intimement lié à la nature de ses réactions et en définitive à sa nature.
Jean DELAY, Introd. à la médecine psychosomatique, p. 5.

(1814). Digne d'un médecin, de la médecine.

♦ **2.** (1862). Méd., pathol. *Face* (ou *facies*) *hippocratique :* « face profondément altérée et qui annonce une mort prochaine; ainsi dite parce que Hippocrate en a donné une description dans son *Pronostic* » (Littré). *Face hippocratique* ou *cadavéreuse.*
Doigts hippocratiques : « déformation des doigts observée surtout dans les suppurations pulmonaires prolongées, la phtisie chronique, et aussi dans les affections cardio-vasculaires, l'amibiase, etc. Elle consiste en un élargissement de la pulpe de la dernière phalange et une incurvation des ongles vers la face palmaire donnant aux doigts la forme d'une baguette de tambour » (Garnier et Delamare, *Dict. des termes techniques de médecine*). *Succussion hippocratique :* bruit produit par le contact du liquide de la plèvre avec l'air.

HIPPOCRATISME [ipɔkʀatism] n. m. — 1719; de *Hippocrate.* → Hippocratique.

Didactique.

♦ **1.** Doctrine inspirée des principes d'Hippocrate, selon laquelle la thérapeutique doit observer les efforts que fait la nature dans sa lutte contre la maladie et agir dans le même sens (loi d'analogie et de similitude).

1 En Occident, à Rome, où la médecine est longtemps exercée par des esclaves, des affranchis ou des étrangers, l'hippocratisme brille encore avec Celse, qui publie son œuvre sous le règne de Tibère. Pierre VANNIER, l'Homéopathie, p. 13.

♦ **2.** (1876). Pathol., méd. Déformation particulière des ongles. ⇒ **Hippocratique** (doigts hippocratiques).

2 M. Esbach signale un autre phénomène remarquable, la lunule, cet espace plus pâle que l'on observe à la base de l'ongle disparaît quand vient l'hippocratisme, parce que le derme sous-unguéal se vascularise (...) Les caractères de l'hippocratisme se remarquent d'abord au pouce et au médius.
Journal de médecine et de chirurgie pratiques, 1876, XLVII, p. 365, *in* D. D. L., II, 8.

HIPPOCRATISTE [ipɔkʀatist] adj. et n. — V. 1480; *ypocratistes;* du nom de *Hippocrate.*

♦ Didact. Partisan de l'hippocratisme (le mot est chez Claude Bernard, *Introd. à l'étude de la médecine expérimentale*).

HIPPODAMIE [ipodami] n. f. — 1873, *in* P. Larousse; p.-ê. de *Hippodamie,* nom d'une créature d'une grande beauté, dans la mythologie grecque.

♦ Zool. Coléoptère clavicorne, coccinelle* qui chasse les pucerons et s'en nourrit.

HIPPODROME [ipodʀom] n. m. — 1534; *ypodrome,* XIIIe, attestation isolée; lat. *hippodromus,* grec *hippodromos,* de *hippos* « cheval », et *dromos* (→ -drome).

♦ **1.** Didact. Dans l'antiquité, Cirque* de forme oblongue aménagé pour les courses de chevaux et de chars. *Hippodrome d'Olympie, de Byzance.*

1 (...) en l'hippodrome (qui était le lieu où l'on pourmenoit *(promenait)* et voultigeoit *(voltigeait)* les chevaux (...) RABELAIS, I, XIV.

2 En Grèce, à Rome, à Byzance, les luttes de l'hippodrome passionnaient les foules. R. AMIOT, le Cheval, p. 75.

♦ **2.** (1828). Cour. Terrain de sport hippique; champ de courses. *L'hippodrome d'Auteuil, de Longchamp... Les tribunes, la piste, la pelouse, le pesage d'un hippodrome. Les amateurs, les parieurs, les bookmakeurs qui fréquentent les hippodromes.*

3 Ce dimanche-là (...) on courait le Grand Prix de Paris au bois de Boulogne (...) Vers onze heures, au moment où les voitures arrivaient à l'hippodrome de Longchamp, un vent du sud avait balayé les nuages (...) Et, dans les coups de soleil (...) tout flambait brusquement, la pelouse (...) la piste encore vide, avec la guérite du juge, le poteau d'arrivée, les mâts des tableaux indicateurs, puis en face, au milieu de l'enceinte du pesage, les cinq tribunes symétriques, étageant leurs galeries de briques et de charpentes. ZOLA, Nana, XI.

4 Plus de trois cents hippodromes sont aménagés dans toute la France. Les deux plus connus sont au bois de Boulogne : Longchamp pour le plat, le plus bel hippodrome de France (66 hectares) et Auteuil pour les obstacles. Autour de Paris, Chantilly, Saint-Cloud, Le Tremblay, Maisons-Laffitte, etc., pour le galop et Vincennes pour le trot offrent au sport hippique des cadres réputés.
R. AMIOT, le Cheval, p. 76.

HIPPOGRIFFE [ipɔgʀif] n. m. — 1556; ital. *ippogrifo* (Arioste, *le Roland furieux*), désignant un cheval à tête d'oiseau, né d'une jument et d'un griffon; du grec *hippos* (→ Hipp-), et ital. *grifo.* → Griffon.

♦ Didact. ou littér. Animal fabuleux, monstre ailé, moitié cheval, moitié griffon. ⇒ **Griffon.** *L'hippogriffe du Roland furieux de l'Arioste.*

1 L'Hippogriffe n'a rien qui me choque l'esprit,
Non plus que la Lance enchantée (...)
LA FONTAINE, Contes, « Coupe enchantée ».

2 Le vaisseau seul est un spectacle (...) sensible au plus léger mouvement du gouvernail, hippogryphe *(sic)* ou coursier ailé, il obéit à la main du pilote, comme un cheval à la main du cavalier.
CHATEAUBRIAND, Mémoires d'outre-tombe, t. I, p. 259.

— Va, va, va!... galope sur l'hippogriffe du divin Ariosto; cours après tes brillantes chimères (...) BALZAC, Massimilla Doni, Pl., t. IX, p. 385. 3

REM. On relève chez Montherlant *(les Jeunes Filles)* un emploi métaphorique d'auteur, pour désigner le mariage en tant que monstre dangereux; le même auteur, dans le même contexte, forge l'adj. *hippogrifal* [ipɔgʀifal] « du mariage » (cf. *le Démon du bien,* Pl., p. 1314).

HIPPOLITHE [ipɔlit] n. m. — 1723, Lémery; de *hippo-,* et *-lithe.*

♦ Minér. Pierre jaune qui se trouve parfois dans la vésicule biliaire, les intestins ou la vessie du cheval.

HIPPOLOGIE [ipɔlɔʒi] n. f. — 1855; de *hippo-,* et *-logie.*

♦ Didact. Étude du cheval.

Octave Sarrasin, qui, trois mois plus tôt, savait à peine rester en selle sur les chevaux de manège qu'il louait à l'heure, était devenu subitement un des hommes de France les plus profondément versés dans les mystères de l'hippologie.
J. VERNE, les Cinq cents millions de la Bégum, éd. Hetzel, p. 181.

DÉR. Hippologique, hippologue.

HIPPOLOGIQUE [ipɔlɔʒik] adj. — 1776; de *hippologie.*

♦ Didact. Qui a rapport à l'hippologie. *Thérapeutique hippologique.* ⇒ **Hippiatrie.**

J'adoptai un quart de l'énorme pari de M. Pikle... M'abandonnant à la confiance que m'inspiroit sa sagacité hippologique, si l'on veut me passer le terme, je m'imaginois voir le célèbre cheval Pompée revenir avec la palme olympique, et empocher déjà mes cinq cents louis d'or. J. J. RUTLIDGE, *in* A. FRANKLIN, la Vie de Paris sous Louis XVI, p. 170 (*in* D. D. L., II, 12).

HIPPOLOGUE [ipɔlɔg] n. — 1866; de *hippologie.*

♦ Didact. Personne qui s'occupe d'hippologie. *Un, une hippologue.*

C'était Sebha, appelée du nom de ce cheval cher au prophète lui-même, mais dont certains hippologues prétendent qu'il était un étalon et certains autres une jument.
GIRAUDOUX, Églantine, p. 120.

HIPPOMANE [ipɔman] n. m. — 1519; lat. *hippomanes,* du grec *hippos* « cheval », et *mainomai* « être en folie ».

♦ Didact. et vx. Aphrodisiaque préparé avec les mucosités vulvaires de juments en chaleur.

HIPPOMOBILE [ipɔmɔbil] adj. et n. f. — 1896, n. f.; adj., 1897, *in* D. D. L.; de *hippo-,* et *-mobile,* d'après *automobile.*

Didactique.

♦ **1.** Mû par un ou plusieurs chevaux. *Voiture hippomobile. La berline, véhicule hippomobile.*

Vous êtes bien sévère, m'a dit quelqu'un, si à vos yeux *hippomobile* est ridicule, puisqu'il est devenu indispensable. Ridicule, oui, au comble. Indispensable, pas du tout. On n'a qu'à distinguer, fût-ce dans les arrêtés de police, les autos des voitures *attelées.* André THÉRIVE, Querelles de langage, t. I, p. 47.

N. f. (1896). Vx. *Une hippomobile.*

♦ **2.** Qui utilise les chevaux. *Traction hippomobile.*

HIPPOPHAÉ [ipɔfae] n. m. — 1704, *hippophaes;* grec *hippophaes,* de *hippos* (→ Hipp-), et *phaos* « lumière ».

♦ Bot. Nom scientifique de l'argousier*.

HIPPOPHAGE [ipɔfaʒ] adj. et n. — 1827; de *hippo-,* et *-phage.*

♦ Didact. Qui mange de la viande de cheval. « *Une peuplade particulièrement hippophage de l'âge du renne* » (*Année sc. et industr.,* 1873, p. 515). — N. « *Le dîner des hippophages, qui a tenu ses assises à Lyon* » (in *Année sc. et industr.* 1865, p. 443, 1864).

DÉR. Hippophagique.

HIPPOPHAGIE [ipɔfaʒi] n. f. — 1832, Raymond; de *hippo-,* et *-phagie.*

♦ Didact. Usage alimentaire de la viande de cheval.

HIPPOPHAGIQUE [ipɔfaʒik] adj. — 1836; de *hippophage.*

♦ Relatif à l'hippophagie. *Boucherie hippophagique,* où l'on vend de la viande de cheval (syn. : *boucherie chevaline*).

(...) il y a, fixée au-dessus du lit, une photo qui le représente aux côtés de sa bonne vieille moman *(maman).* Ils ont, l'un et l'autre, la même frime chevaline. Ils pourraient servir d'enseigne à une boucherie hippophagique, c'est vous dire (...)
SAN-ANTONIO, le Secret de Polichinelle, p. 147.

HIPPOPOTAME [ipɔpɔtam] n. m. — 1546; *ypopotamos,* fin XIIe; lat. *hippopotamus,* du grec *hippos* « cheval », et *potamos* « de fleuve ».

♦ **1.** Gros mammifère ongulé *(Artiodactyles, Hippopotamidés)* non ruminant, amphibie, au corps massif couvert d'une peau glabre très épaisse, brunâtre ou d'un noir bleuâtre, et porté par des membres trapus à quatre doigts. *L'hippopotame, quadrupède amphibie, habite les fleuves et les lacs de l'Afrique équatoriale et tropicale. Hippopotame qui sort son mufle de l'eau* (→ Étang, cit. 5). *On chasse l'hippopotame pour l'ivoire de ses dents* (⇒ **Osanore**) *et pour sa peau* (→ Cataphracte, cit.). *Lanière en cuir d'hippopotame* (→ Cingler, cit. 2).

1 Là, des monstres de toute forme
Rampent, — le basilic rêvant,
L'hippopotame au ventre énorme (...) HUGO, les Orientales, XXVII.

1.1 L'hippopotame, qui est le héros de l'action, est une bête informe qu'aucune exécution ne pourrait rendre supportable.
E. DELACROIX, Journal, 25 janv. 1847, t. I, p. 245.

2 L'hippopotame souffle aux berges du Nil blanc
Et vautre, dans les joncs rigides qu'il écrase,
Son ventre rose et gras tout cuirassé de vase.
LECONTE DE LISLE, Poèmes barbares, « L'oasis ».

3 Les pommiers étaient en fleurs, et l'herbe dans la cour fumait sous le soleil levant. Au bord de la mare, à demi couverte d'un drap, une vache beuglait, grelottante des seaux d'eau qu'on lui jetait sur le corps ; — et démesurément gonflée, elle ressemblait à un hippopotame. FLAUBERT, Bouvard et Pécuchet, Folio, p. 284.

Par ext. *Hippopotame nain,* le chaeropsis.

Abrév. fam. (cour. en franç. d'Afrique) : *hippo. Des hippos.*

4 Les éléphants sont à trois cents mètres environ (...) Pendant le déjeuner, on signale dix têtes d'hippos qui nagent devant nous. B. CENDRARS, Trop c'est trop, p. 180.

♦ **2.** (1856, Hugo, *in* T. L. F.). Fig. et fam. Personne énorme. ⇒ **Baleine, éléphant.**

DÉR. Hippopotamesque, hippopotamidés.

HIPPOPOTAMESQUE [ipɔpɔtamɛsk] adj. — 1838 ; de *hippopotame.*

♦ Qui ressemble à un hippopotame; digne d'un hippopotame. — REM. On trouve aussi la var. *hippopotamique* [ipɔpɔtamik] (1838, chez Gautier).

1 (...) Mie, la petite chienne paralysée, Nina, la chienne gymnaste, Miss, l'impotente : hippopotamesque petit animal (...)
Ed. et J. DE GONCOURT, Journal, t. V, p. 115.

2 Ils ont aussi un instrument, une sorte de trompette de 4 m 50 de long, qu'ils braquent sur la campagne pour appeler les gens à la prière. Un bruit de glotte énorme et hippopotamesque en sort. Henri MICHAUX, Un barbare en Asie, p. 111.

Plais. *Une grâce hippopotamesque.* ⇒ **Éléphantesque.**

HIPPOPOTAMIDÉS [ipɔpɔtamide] n. m. pl. — XXe ; de *hippopotame,* et suff. *-idés.*

♦ Zool. Famille de mammifères ongulés comprenant l'hippopotame et le chaeropsis (ou *hippopotame nain*). — Au sing. *Un hippopotamidé.*

HIPPOTECHNIE [ipotɛkni] n. f. — 1878 ; de *hippo-,* et *-technie.*

♦ Didact. Technique de l'élevage et du dressage des chevaux.

HIPPOTIGRIS [ipotigʀis] n. m. invar. — 1890, *in* P. Larousse, *Deuxième Suppl.;* de *hippo-,* et grec *tigris* « tigre ».

♦ Sc. Nom scientifique des Équidés à robe tigrée. *Le zèbre est un hippotigris.*

HIPPOTRAGINÉS [ipotʀaʒine] n. m. pl. — D. i. (av. 1969, *in* Quillet, art. *Hippotragus*) ; lat. sav. *hippotragus,* de *hippo-,* et grec *tragos* « bouc ». — REM. Le grec avait *hippotragelaphos* « animal fantastique qui tient à la fois du cheval, du bouc et du cerf ».

♦ Zool. Famille de mammifères ruminants du groupe des bovidés. *L'hippotragus*, le kob* sont des hippotraginés.* — Au sing. *Un hippotraginé.*

HIPPOTRAGUS [ipotʀagys] n. m. invar. — 1922 ; var. francisée *hippotrague, in* Larousse, 1933 ; lat. zool., de *hippo-,* et grec *tragos* « bouc ».

♦ Zool. Antilope africaine de grande taille, aux longues cornes annelées, recourbées vers l'arrière.

HIPPURIE [ipyʀi] n. f. — 1855, Littré et Robin ; de *hippurique.*

♦ Physiol. Teneur d'une urine en acide hippurique.

HIPPURIQUE [ipyʀik] adj. — 1830 ; de *hippo-,* et *-urique,* du grec *ouron* « urine ».

♦ Chim. *Acide hippurique :* acide abondant dans l'urine des herbivores, surtout des ruminants, et présent également dans l'urine humaine.

DÉR. Hippurie.

HIPPURITE [ipyʀit] n. f. — 1752, identifié à un animal fossile, 1801, Lamarck ; du lat. *hippuris, -idis,* grec *hippouris* « queue de cheval, plante aquatique dont les touffes ressemblent à une queue de cheval », de *hippos* (→ Hipp-), et *oura* « queue ».

♦ Paléont. Mollusque lamellibranche, fossile dans le crétacé méditerranéen.

HIPPY ['ipi] adj. et n. ⇒ **Hippie.**

HIRAGANA [iʀagana] n. m. pl. — XXe ; mot japonais, de *hira* « plat », et *gana.* → Kana.

♦ Didact. Syllabaire japonais (⇒ **Kana**) sous la forme cursive, utilisé surtout pour noter les éléments de la langue (flexions, mots outils) qui ne peuvent être transcrits par les kangi* (caractères chinois). *Hiragana et katakana*.*

HIRCIN, INE [iʀsɛ̃, in] adj. — 1458 ; lat. *hircinus,* de *hircus* « bouc ».

♦ Didact. Qui a rapport au bouc, qui vient du bouc. *Puanteur hircine.*

Oui, leur odeur bondissait, hircine, capiteuse à vomir, et cela s'épandait en nappes, envahissait leurs moires légères, leurs soies liquides, leurs poreuses voilures de filles souples et charnelles sous les jacarandas oscillants et mauvis, les ravenellas aux longs doigts délicats de palme. P. GRAINVILLE, les Flamboyants, p. 126.

HIRONDEAU [iʀɔ̃do] n. m. — 1660 ; de *hirondelle;* a remplacé l'anc. franç. *arondeau, arondel,* dimin. de *aronde.*

♦ Vieilli. Petit de l'hirondelle.

(...) leurs petits (*des hirondelles de rivage*) prennent beaucoup de graisse, et une graisse très fine, comparable à celle des ortolans (...) aussi fait-on une grande consommation des hirondeaux de rivage en certains pays, par exemple à Valence en Espagne (...) BUFFON, Hist. des oiseaux, Hirondelle de rivage.

HIRONDELLE [iʀɔ̃dɛl] n. f. — 1546, *hyrondelle;* anc. provençal *irondela,* du lat. pop. **hironda,* class. *hirundo;* a remplacé l'anc. franç. *arondelle,* de *aronde* (même sens).

★ **I.** ♦ **1.** Oiseau migrateur (*Passereaux*), à queue fourchue, aux ailes fines et très longues (→ Efflanqué, cit. 1). *Hirondelle de cheminée, de fenêtre,* dont le nid est fait de terre gâchée (→ Avant-toit, cit. 1). *Hirondelle de rivage.* ⇒ **Mottereau.** *Les lointains voyages* (→ Apprendre, cit. 2), *le vol rapide, le sifflement acéré* (cit. 3) *des hirondelles. L'hirondelle, messagère du printemps. Au départ des hirondelles* (→ État, cit. 54). *Les hirondelles vivent en colonies* (→ Conciliabule, cit. 2 ; emplir, cit. 14 ; escadrille, cit. 2). *L'hirondelle se nourrit d'insectes happés au vol. Fiente* (cit. 1) *d'hirondelle. Hirondelle qui se pose au sol* (→ Frémissant, cit. 3), *rase le sol avant l'orage* (→ Calomnie, cit. 5 ; furtif, cit. 8). *Cri* (cit. 28), *chant des hirondelles.* ⇒ **Gazouiller** (cit. 1), **trisser** (→ Babillard, cit. 1 ; cœur, cit. 61).

Prov. (1605, *in* D. D. L.). *Une hirondelle ne fait pas le printemps :* un fait isolé, un seul exemple n'autorise pas de conclusion générale.

Cour. Oiseau de la famille des hirundinidés (hirondelle proprement dite, martinet, etc.). — Vx. Hirondelle à queue carrée, engoulevent (cit.).

L'hirondelle ajouta (...) vous n'êtes pas en état 1
(...) De passer comme nous les déserts et les ondes,
Ni d'aller chercher d'autres mondes. LA FONTAINE, Fables, I, 8.

(...) les hirondelles qui rasent la terre annoncent la pluie (...) 2
VOLTAIRE, Dict. philosophique, Augure.

À Bischofsheim, où j'ai dîné, une jolie curieuse s'est présentée à mon grand couvert : une hirondelle, vraie Procné, à la poitrine rougeâtre, s'est venue percher à ma fenêtre ouverte, sur la barre de fer qui soutenait l'enseigne du *Soleil d'Or;* puis elle a ramagé le plus doucement du monde (...) 3
CHATEAUBRIAND, Mémoires d'outre-tombe, t. VI, p. 127.

Les nids d'hirondelles, dont on voyait sortir les petites têtes noires et briller les yeux inquiets, étaient suspendus aux solives couvertes d'écorce qui formaient le toit. LAMARTINE, Graziella, I, XIV. 4

Je partirai, je ne sais où, mais vers le sud, dès la première hirondelle (...) 5
SAINTE-BEUVE, *in* BILLY, Sainte-Beuve, p. 305.

Des hirondelles passaient en poussant de petits cris, coupaient l'air au tranchant de leur vol, et rentraient vite dans leurs nids jaunes, sous les tuiles du larmier. 5.1
FLAUBERT, Mme Bovary, Folio, p. 156.

Un peuple d'hirondelles sans cesse tournoyaient autour de la maison ; leurs nids d'argile s'abritaient sous le rebord des toits, dans l'embrasure des fenêtres, d'où l'on pouvait surveiller les couvées. GIDE, Si le grain ne meurt, I, III. 6

♦ **2.** (Qualifié ; désignant d'autres oiseaux). *Hirondelle des marais.* ⇒ **Glaréole.** — (1611). *Hirondelle de mer :* oiseau palmipède de la famille des laridés. ⇒ **Sterne.**

Les hirondelles de mer fouettaient l'écume de leurs ailes blanches, seul oiseau qui ait son élément dans la tempête et qui crie de joie pendant les naufrages (...) 7
LAMARTINE, Graziella, I, XXIII.

♦ **3.** Loc. (1878). *Nid d'hirondelle :* nid de la salangane*, qui constitue un mets très apprécié en Extrême-Orient. *Potage aux nids d'hirondelles.*

Techn. *À queue d'hirondelle.* ⇒ **Aronde.**

★ **II.** Fig. ♦ **1.** (1553). Poisson volant. ⇒ **Exocet.**

♦ **2.** (1626). Vx. Petit bateau à vapeur rapide navigant sur les rivières.

♦ **3.** (1915, «gendarme»; *hirondelle de la grève*, 1837, Balzac). Pop. Agent cycliste (→ Vache* à roulettes).

8 Si les *hirondelles (gendarmes)* ont oublié de te prendre à la la gare parce que l'ouvrage pressait ailleurs, il fallait te rendre tout de même à *l'hôtel de ville de la pègre (la préfecture).* Louise MICHEL, la Misère, t. III, p. 607.

DÉR. Hirondeau.

HIRSUTE [ˈiʀsyt] adj. — 1802; lat. *hirsutus,* de *hirtus* «pointu, plein d'aspérités; grossier».

♦ **1.** Sc. nat. Garni de longs poils très fournis.

♦ **2.** (Fin XIXe). Cour. ⇒ **Ébouriffé, échevelé.** *Tête hirsute. Un gamin hirsute. Barbe, tignasse hirsute.* ⇒ **Hérissé, inculte, touffu.** *Brigands* (cit. 2) *aux cheveux* (cit. 14) *hirsutes.*

(...) sa laideur et sa saleté, ses cheveux hirsutes mais pommadés (...) Émile HENRIOT, les Romantiques, p. 285.

(Av. 1841, *in* D. D. L.). Par métaphore ou fig. ⇒ **Bourru, grossier, sauvage.** *Des manières hirsutes. Une apparence hirsute.*

DÉR. Hirsutisme.

HIRSUTISME [ˈiʀsytism] n. m. — 1920, *in* D. D. L.; de *hirsute* (1.).

♦ Méd. Développement excessif du système pileux. *L'hirsutisme est une manifestation d'une sécrétion exagérée d'hormones corticosurrénales.*

HIRUDINE [iʀydin] n. f. — 1908, in *Rev. gén. des sc.,* no 3, p. 109; du lat. *hirudo, -inis* «sangsue».

♦ Chim. biol. Substance polypeptidique à propriétés anticoagulantes extraite des sangsues.

HIRUDINÉES [iʀydine] n. f. pl. — 1820; du lat. *hirudo* «sangsue», et suff. *-inées.* → Hirudini-.

♦ Zool. Classe d'annélides discophores comprenant les sangsues. — Au sing. *Une hirudinée.*

HIRUDINI- Élément, tiré du lat. *hirudo, hirudinis* «sangsue».

HIRUDINICULTEUR [iʀydinikyltœʀ] n. m. — 1866; de *hirudini-,* et *-culteur.*

♦ Didact. Éleveur de sangsues.

HIRUDINICULTURE [iʀydinikyltyʀ] n. f. — 1866; *hirundiniculture,* 1863, in *Année sc. et industr.* 1864, p. 529; *hirudoculture,* 1856, in *Année sc. et industr.* 1857, p. 479; de *hirudini-,* et *-culture.*

♦ Didact. Anc. Élevage des sangsues (pour les usages médicaux).

HIRUDINISATION [iʀydinizasjɔ̃] n. f. — Mil. XXe; *hirudination,* 1900; dér. sav. de *hirudo, -inis* «sangsue».

♦ Méd. Anc. Application de sangsues sur la peau dans un but thérapeutique.

HIRUNDINIDÉS [iʀɔ̃dinide] n. m. pl. — D. i.; dér. sav. du lat. *hirundo* «hirondelle».

♦ Zool. Famille d'oiseaux passereaux comprenant les hirondelles. — Au sing. *Un hirundinidé.*

HISPANIQUE [ispanik] adj. — 1525, *in* T. L. F.; lat. impérial *hispanicus,* de *Hispania* «Hispanie», de *Hispani,* nom de peuple, plur. de *Hispanus.*

♦ Qui a trait à l'Espagne, aux Espagnols. ⇒ **Ibérique.** *Institut d'études hispaniques.*

À l'autre bout des Pyrénées, la Marche hispanique se détachait aussi de l'empire franc. LAVISSE et RAMBAUD, Histoire générale, t. II, XII, p. 663.

DÉR. Hispanisant, hispaniste.

HISPANISANT, ANTE [ispanizɑ̃, ɑ̃t] n. — 1919, Esnault, p. 152, du rad. de *hispanique.*

♦ Didact. Linguiste spécialisé dans l'étude de la langue espagnole; spécialiste de l'Espagne. ⇒ **Hispaniste.**

HISPANISME [ispanism] n. m. — 1725; du lat. *hispanus,* et suff. *-isme.*

♦ Ling. Construction ou emploi propre à la langue espagnole, d'Espagne, par rapport aux formes d'espagnol propres aux communautés hispanophones hors d'Espagne.

Construction ou emploi propre à l'espagnol, dans une autre langue ou par rapport à une autre langue. *Étude comparée des gallicismes et des hispanismes.*

HISPANISTE [ispanist] n. — V. 1933; de *hispanique.*

♦ Didact. Spécialiste de la langue, de la civilisation espagnole. ⇒ **Hispanisant.**

HISPANO- Élément tiré du lat. *hispanus* «espagnol».

HISPANO-AMÉRICAIN, AINE [ispanoameʀikɛ̃, ɛn] adj. et n. — 1846; de *hispano-,* et *américain.*

♦ **1.** Qui a rapport à l'Amérique et à l'Espagne. *Guerre hispano-américaine* (1898), entre les États-Unis et l'Espagne.

♦ **2.** Relatif à la partie de l'Amérique latine où l'on parle espagnol. — N. *Les Hispano-Américains :* les habitants de cette région.

HISPANO-ARABE [ispanoaʀab] adj. — 1867, Goncourt; de *hispano-,* et *arabe.*

♦ Didact. De la civilisation arabe d'Espagne. — REM. *Hispano-moresque** est plus spécial.

HISPANO-MAURESQUE [ispanomɔʀɛsk] adj. ⇒ **Hispano-moresque.**

HISPANO-MEXICAIN, AINE [ispanomɛksikɛ̃, ɛn] adj. — XXe; de *hispano-,* et *mexicain.*

♦ Didact. Relatif à la civilisation espagnole coloniale du Mexique.

(...) des statues, hispano-mexicaines, baroques et sauvages (...) MALRAUX, l'Espoir, II, I, VII.

HISPANO-MORESQUE [ispanomɔʀɛsk] adj. — 1933, *hispano-mauresque,* 1898, *in* D. D. L.; de *hispano-,* et *moresque.*

♦ Didact. *Art hispano-moresque :* art musulman qui appartient à l'époque où les califes de Cordoue réunirent sous leur domination le Maroc et l'Espagne. *Apogée de la civilisation hispano-moresque aux Xe-XIIe siècles.* — Spécialt. *Céramique hispano-moresque,* fabriquée en Espagne musulmane du XIIIe au XVe siècle. *Le lustre mordoré des faïences hispano-moresques.*

HISPIDE [ispid] adj. — 1495; lat. *hispidus.*

♦ Bot. Hérissé de poils rudes et épais. *Tige hispide.*

HISSAGE [ˈisaʒ] n. m. — Déb. XXe; de *hisser.*

♦ Rare. Action de hisser. *Le hissage d'un fardeau.*

HISSER [ˈise] v. tr. — 1552, *inse,* impér.; *ysser,* 1573; bas all. *hissen.*

♦ **1.** Mar. Élever, faire monter au moyen d'une manœuvre, d'un cordage (palan, drisse, etc.). *Hisser les embarcations*. Hisser un mât.* ⇒ **Guinder.** *Frégate* (cit. 2) *qui hisse ses voiles. Élinguer* un baril pour le hisser. Hisser une voile à bloc.* ⇒ **Étarquer.**

(...) nous hissâmes le foc et la grande voile (...) 1
BAUDELAIRE, Trad. E. POE, les Aventures d'A. Gordon Pym, I.

♦ **2.** Cour. *Hisser les couleurs.* ⇒ **Envoyer.** *Hisser un pavillon.* ⇒ **Arborer** (→ Emblème, cit. 2; embosser, cit.).

(...) le premier, le seul ordre qu'il devait donner encore (...) allait être de hisser 2
le drapeau blanc sur la citadelle, afin de demander un armistice. ZOLA, la Débâcle, VI, t. II, p. 7.

(...) elle rentrait maintenant dans ce ménage comme un capitaine sur son bateau, 2.1
hissait son pavillon au mât et ne tolérait plus d'autre maître à bord. A. MAUROIS, Ariel ou la vie de Shelley, p. 87.

Par ext. *Hisser un fardeau au moyen d'une grue, d'une poulie.* ⇒ **Guinder.**

(...) mais quel jour le poids d'une pierre de taille lentement hissée dans l'air par 3
les travailleurs revenus fera-t-il grincer sa poulie rouillée depuis des siècles? Th. GAUTIER, Voyage en Espagne, p. 254.

Cour. Tirer en haut et avec effort. ⇒ **Élever.** *Hisser un homme* *à la hauteur d'un parapet* (→ Culotte, cit. 3). *Hisser un blessé* (→ Hart, cit. 1).

4 Le fermier fut hissé par le facteur et par le messager au cri de : — Haoup! là! ahé! hisse! (...) poussé par Georges. BALZAC, Un début dans la vie, Pl., p. 637.

5 Puis, au commandement d'Antoine, ils reprirent les quatre coins du drap, hissèrent péniblement le malade hors de la baignoire et le déposèrent tout dégouttant sur le matelas. MARTIN DU GARD, les Thibault, t. IV, p. 165.

Fig. *Hisser qqn sur le pavois**.

6 Chaque jour, elle me semblait moins jolie. Seul le désir qu'elle excitait chez les autres, quand, l'apprenant, je recommençais à souffrir et voulais la leur disputer, la hissait à mes yeux sur un haut pavois. PROUST, À la recherche du temps perdu, t. XI, p. 33.

♦ **3. HISSE! OH! HISSE!** (interj. tirée de l'impér. du verbe; 1773; *hisse!*, 1701). Interjection qui accompagne un effort collectif pour tirer un cordage, soulever un fardeau (→ ci-dessus, cit. 4).

7 Ils empoignèrent le câble, et comme le bateau se couchait sur bâbord, le second se laissa glisser le long de la coque (...) — Hisse! Quand ils l'élevèrent, il donna un grand coup de reins (...) vingt bras se tendirent pour l'aider à franchir la lisse. Roger VERCEL, Remorques, V, p. 113.

▶ **SE HISSER** v. pron. (Av. 1794).
S'élever avec effort. ⇒ **Grimper, monter.** *Se hisser sur un mur avec agilité* (cit. 2). *Matelot qui se hisse sur le plat-bord à la force des poignets* (→ Crocher, cit.). *Se hisser sur la pointe des pieds.* ⇒ **Hausser** (se).

8 Là il creusa un nouveau trou et planta une nouvelle cheville. Alors il se hissa lui-même, de manière à poser ses pieds dans le trou qu'il venait de creuser, empoignant avec ses mains la cheville dans le trou au-dessus. BAUDELAIRE, Trad. E. POE, les Aventures d'A. Gordon Pym, XXIV.

9 Les mains encombrées de sa montre, de son altimètre, de son porte-carte, les doigts gourds sous les gants épais, il *(le pilote)* se hisse lourd et maladroit jusqu'au poste de pilotage. SAINT-EXUPÉRY, Courrier Sud, II.

10 (...) il allait une fois de plus perdre l'équilibre, lorsqu'il saisit une touffe d'herbe, parvint à se retenir, donna un dernier coup de reins, et se hissa sur la plate-forme. MARTIN DU GARD, les Thibault, t. IX, p. 86.

11 Voulez-vous cette rose? Carlotta l'avait cueillie en se hissant sur la pointe des pieds à ce rosier grimpant qui enserrait un charme à la peau de lézard vert. ARAGON, les Beaux Quartiers, III, VII.

(Déb. XXe). Fig. ⇒ **Élever (s'), hausser** (se). *Se hisser au plus haut degré d'une carrière* (→ Épiscopat, cit. 2). *Se hisser à la force du poignet**.

12 Parce que je me suis moi-même, dans ma vie individuelle, dégagé de l'ombre et tout doucement hissé vers des régions plus claires, je regarde avec passion, avec sollicitude, avec angoisse parfois, ce cheminement opiniâtre et toujours recommencé vers une existence moins douloureuse, mieux ordonnée, mieux éclairée, plus équitable. G. DUHAMEL, le Temps de la recherche, II.

▶ **HISSÉ, ÉE** p. p. adj. *Voile hissée. Pavillon hissé.*

CONTR. Amener, baisser (les couleurs), **descendre. — Abattre, précipiter, renverser.**
DÉR. Hissage.

HIST-, HISTO-

HIST-, HISTO- Premier élément de mots de sciences naturelles, tiré du grec *histos* « tissu ».

HISTAMINE

HISTAMINE [istamin] n. f. — 1931; de *hist-*, et *amine*.

♦ Biochim. Amine dérivée de l'histidine, présente dans la plupart des tissus animaux. *L'histamine dilate les capillaires, contracte les fibres musculaires lisses, augmente les sécrétions organiques. Rôle de l'histamine dans les manifestations allergiques* (choc anaphylactique, urticaire). *Qui combat les effets de l'histamine.* ⇒ **Antihistaminique.**

DÉR. Histaminique.

HISTAMINIQUE

HISTAMINIQUE [istaminik] adj. — Mil. XXe; de *histamine*.

♦ Biol. Qui a rapport à l'histamine. *Choc histaminique.*

COMP. Antihistaminique.

HISTER

HISTER [istɛʀ] n. m. — 1839; du lat. mod., p.-ê. du même rad. que *histrio* « comédien, mime ».

♦ Zool. Insecte coléoptère* au corps plat et large, d'un noir luisant. ⇒ **Escarbot.** *L'hister, type principal des Histéridés, famille de coléoptères qui vivent sur les matières en décomposition* (bouses, cadavres, fumiers) *dont ils se nourrissent.*

HISTIDINE

HISTIDINE [istidin] n. f. — 1897, in *Année biol.*; mot all., de *hist-*, *-ide*, et *-ine*.

♦ Biochim. Acide aminé, constituant des protéines animales et végétales, qui fournit par dégradation enzymatique l'histamine*.

HISTIO-

HISTIO- ⇒ **Hist-.**

HISTIOCYTAIRE

HISTIOCYTAIRE [istjɔsitɛʀ] adj. — Mil. XXe; de *histiocyte*.

♦ Biol. Relatif aux histiocytes (→ Fibroblastique, cit.). *Système histiocytaire*, ou réticulo-endothélial.

HISTIOCYTE

HISTIOCYTE [istjɔsit] n. m. — 1917; du grec *histion* « voile de navire, tenture, toile », et *-cyte*.

♦ Biol., histol. Cellule libre du tissu conjonctif issue des monocytes* et des épithéliums embryonnaires, qui sert à la différenciation et au remplacement des cellules de plusieurs tissus. ⇒ **Macrophage** (→ Fibrocyte, cit.).

DÉR. et COMP. Histiocytaire, histiocytome.

HISTIOCYTOME

HISTIOCYTOME [istjɔsitom] n. m. — 1938, *in* D. D. L.; de *histiocyte*, et *-ome*.

♦ Méd. Petite tumeur cutanée conjonctive. *Histiocytome à la jambe.*

HISTIOTYPIQUE

HISTIOTYPIQUE [istjotipik] adj. — D. i.; du grec *histion* (→ Histiocyte), et *-typique*.

♦ Biol., histol. *Culture histiotypique* : type de culture où les cellules cultivées conservent leurs propriétés spécifiques. *Culture histiotypique et culture organotypique.*

On peut distinguer actuellement deux principaux types de culture qui ont chacun leurs techniques et possèdent des indications précises. Le premier de ces types est désigné sous le nom de culture histiotypique. On cherche (...) à isoler un tissu, à préciser les caractères et les réactions des cellules qui le constituent. Le deuxième type est la culture organotypique qui cherche à observer le comportement d'un organe ou d'un fragment séparé de l'organisme dont il faisait partie et considéré comme un tout fonctionnel. Jean VERNE et Simone HÉBERT, la Culture de tissus, p. 6-7.

HISTO-

HISTO- ⇒ **Hist-.**

HISTOCHIMIE

HISTOCHIMIE [istɔʃimi] n. f. — 1886; de *histo-*, et *chimie*.

♦ Didact. Étude de la composition chimique des cellules et des tissus vivants et des réactions chimiques cellulaires et tissulaires au cours des processus métaboliques.

DÉR. Histochimique.

HISTOCHIMIQUE

HISTOCHIMIQUE [istɔʃimik] adj. — 1875; de *histochimie*.

♦ Didact. De l'histochimie. *« Les altérations structurales et histochimiques montrent la présence de zones successives »* (*la Recherche*, no 124, juil.-août 1981, p. 805).

HISTOCOMPATIBILITÉ

HISTOCOMPATIBILITÉ [istɔkɔ̃patibilite] n. f. — V. 1971; de *histo-*, et *-compatibilité*.

♦ Didact. Compatibilité immunologique des tissus (d'individus différents).

HISTODIAGNOSTIC

HISTODIAGNOSTIC [istɔdjagnɔstik] n. m. — Mil. XXe; de *histo-*, et *diagnostic*.

♦ Méd. Diagnostic établi par l'examen au microscope d'un fragment de tissu prélevé sur le malade. ⇒ **Biopsie.**

HISTODYSPLASIE

HISTODYSPLASIE [istɔdisplazi] n. f. — V. 1970; de *histo-*, et *dysplasie*.

♦ Biol. Anomalie dans le développement des tissus cellulaires. *« Les histodysplasies, troubles de la différenciation cellulaire, sont rarement constatées dès la naissance. Elles sont évolutives (...) »* (*la Recherche*, juin 1979, p. 120).

HISTOGÈNE

HISTOGÈNE [istɔʒɛn] adj. et n. m. — 1873; de *histo-*, et *-gène*.
Biologie.

★ **I.** Adj. Qui donne naissance aux tissus vivants. *Feuillets* histogènes de l'embryon.*

★ **II.** N. m. (1931). Substance qui favorise le développement et la régénération d'un tissu.

HISTOGÉNÈSE

HISTOGÉNÈSE [istɔʒenɛz] n. f. — 1855, Nysten, au sens 2; de *histo-*, et *-génèse*.
Didactique.

♦ **1.** (1863). Formation de divers tissus au cours du développement embryonnaire, à partir de cellules non différenciées. *L'histogénèse, qui a lieu à la fin de la métamorphose des insectes.*

♦ **2.** Branche de l'embryologie qui étudie le développement des tissus. Étude de la formation des tissus morbides.

CONTR. (Du 1) **Histolyse.**

HISTOGÉNIE [istɔʒeni] n. f. — 1866; de *histo-*, et *-génie.*

♦ Biol. (Vx). Histogénèse.

HISTOGRAMME [istɔgʀam] n. m. — 1956, Romeuf; angl. *histogram*, 1903, du grec *histos* «texture, trame». → Histo-; -gramme.

♦ Statistique. Graphique représentant la densité d'un effectif en fonction des valeurs d'un caractère, et formé par une série de rectangles dont la base constitue un intervalle de variation de ces valeurs et la surface l'effectif correspondant.

1 Ces faits générateurs *(du chiffre d'affaires d'une entreprise)* devront être enregistrés dans des tableaux de valeurs complétés par une expression graphique : diagrammes rectangulaires (...) histogrammes à lignes ou à colonnes, représentations polaires, volumes représentatifs, etc. (...)
Fernand BOUQUEREL, les Études de marché, p. 26.

2 On peut rendre plus visibles les résultats de cette analyse en traçant l'histogramme représentant la fréquence relative des défaillances des familles classées suivant leur rang (histogramme de Pareto) ou la fréquence relative cumulée (courbe de concentration). Pierre CHAPOUILLE, la Fiabilité, p. 117.

HISTOIRE [istwaʀ] n. f. — 1361; *estoire*, 1155, «récit d'événements mémorables»; *historie*, 1050; du lat. *historia*, mot grec.

★ **I.** ♦ **1.** Connaissance ou relation des événements du passé, des faits relatifs à l'évolution de l'humanité, d'un groupe social, d'une activité humaine, etc., et qui sont dignes ou jugés dignes de mémoire; événements, faits ainsi relatés. — *Histoire générale, universelle; histoire de l'humanité* (→ Carte, cit. 13). *Discours sur l'histoire universelle*, de Bossuet (1681). *Histoire de la société* (→ Entrecroiser, cit. 4), *d'une société, d'un peuple* (→ Empreindre, cit. 6). *L'histoire des sociétés antiques* (→ Époque, cit. 7). *L'histoire de la Grèce, des Grecs* (→ Exemple, cit. 33), *des Romains* (→ Grandeur, cit. 6). *Histoire d'un continent; de l'Asie, de l'Europe* (→ Centre, cit. 16; envisager, cit. 9). *Histoire d'un pays, d'un État, d'une nation. Histoire de l'Occident; l'histoire occidentale. Histoire de France* (→ Consulat, cit. 2; érudition, cit. 4), *de Chine* (→ Ère, cit. 4). *Histoire de France*, de Michelet (1833-1867), de Lavisse (1903-1922), de Bainville (1924). *Histoire de la nation française*, de G. Hanotaux (1926-1929). *Histoire d'une région, d'une ville.*

1 Il a fallu avant toutes choses vous faire lire dans l'Écriture l'histoire du peuple de Dieu, qui fait le fondement de la religion. On ne vous a pas laissé ignorer l'histoire grecque ni la romaine; et ce qui vous était plus important, on vous a montré avec soin l'histoire de ce grand royaume, que vous êtes obligé de rendre heureux. BOSSUET, Disc. sur l'Hist. universelle, Avant-propos.

2 Tous les peuples ont écrit leur histoire dès qu'ils ont pu écrire.
VOLTAIRE, Dict. philosophique, Histoire, V.

3 Animés par la curiosité et par l'amour-propre, et cherchant par une avidité naturelle à embrasser à la fois le passé, le présent et l'avenir, nous désirons en même temps de vivre avec ceux qui nous suivront, et d'avoir vécu avec ceux qui nous ont précédés. De là l'origine et l'étude de l'histoire, qui nous unissant aux siècles passés par le spectacle de leurs vices et de leurs vertus, de leurs connaissances et de leurs erreurs, transmet les nôtres aux siècles futurs.
D'ALEMBERT, Disc. préliminaire, Œ., 1821, t. I, p. 36.

Histoire d'une période, d'une époque. Histoire qui s'étend (cit. 39) *sur une période de..., sur deux cents ans, sur plusieurs siècles. Histoire de France de 1789 à 1870. Histoire du moyen âge, de l'Ancien Régime, de l'Empire* (→ Critique, cit. 3). — *Histoire de la Révolution française*, de Thiers (1823-1827), de Michelet (1847-1853)... *Divisions traditionnelles de l'histoire en histoire ancienne* (cit. 10.2), avant 395; *histoire du moyen âge* (de 395 à 1453); *histoire des temps modernes* (de 1453 à 1789), *histoire contemporaine.*

Loc. fig. et fam. *C'est de l'histoire ancienne.* ⇒ **Ancien** (II., 1.).

Histoire d'un problème politique, d'une question internationale. L'histoire des relations franco-allemandes, anglo-russes. Histoire de la question d'Orient (→ Croisade, cit. 1). — *Histoire d'un régime politique, social. Histoire de l'esclavage, de la féodalité. Histoire d'une monarchie, d'une dynastie.* — *Histoire d'un souverain, d'un roi* (→ Anthentique, cit. 12), *d'un grand homme, d'un héros.* ⇒ **Biographie, vie** (→ Grand, cit. 63). *L'histoire d'un règne. Histoire de saint Louis*, de Joinville (début XIVe siècle). *Histoire de Charles XII*, de Voltaire (1731). — *Histoire d'un parti. Histoire des Girondins*, de Lamartine (1847).

Histoire intérieure, interne. Histoire extérieure, diplomatique. Histoire politique, sociale. Histoire économique et sociale (→ ci-dessous, cit. 22.2). *Histoire climatique, histoire du climat* (→ ci-dessous, cit. 8.4) *et histoire rurale. Histoire religieuse, ecclésiastique* (→ Cas, cit. 13). *Histoire des religions. Histoire militaire, histoire de l'armée. Histoire de l'aviation* (cit. 3), *de la marine. Histoire du droit; histoire de la littérature, histoire littéraire; histoire de la philosophie, de la science, d'une science. Histoire de la philosophie et philosophie de l'histoire. Histoire des sciences; histoire des idées. Histoire de l'art, de la peinture, de l'architecture* (→ Aqueduc, cit. 2; effacer, cit. 16). *Histoire du théâtre, du cinéma, de la musique. Histoire des mœurs, des coutumes. Histoire de la mode, du costume. Histoire des mentalités* (→ ci-dessous, cit. 8.3); *histoire des mentalités et psychologie sociale; histoire des attitudes et étude des groupes. Histoire de l'imagination. Histoire de la sexualité*, ouvrage de Michel Foucault. *«Histoire de la vérité»* (Michel Foucault; → ci-dessous, cit. 8.6). *Histoire du corps, de l'hygiène, des habitudes alimentaires. Histoire d'une religion; histoire du christianisme* (→ Embrasser, cit. 25), *histoire de l'Islam. Histoire de la langue, d'une langue* (→ Archaïsme, cit.; français, cit. 13; genre, cit. 27). *Histoire de la langue française*, de F. Brunot. *Histoire des usages linguistiques; histoire du livre, de la lecture.*

(...) en un mot, c'est encore plus d'un grand siècle que d'un grand roi que j'écris l'histoire *(il s'agit du Siècle de Louis XIV).* 4
VOLTAIRE, Lettre à Milord Harvey, 652, 1740.

La véritable histoire est celle des mœurs, des lois, des arts, et des progrès de l'esprit humain. VOLTAIRE, Lettre au baron de Tott, 3101, 23 avr. 1767. 5

En lisant les sèches et rebutantes nomenclatures de faits appelés *histoires*, qui ne s'est aperçu que les écrivains ont oublié, dans tous les temps, en Égypte, en Perse, en Grèce, à Rome, de nous donner l'histoire des mœurs. 6
BALZAC, Avant-propos, Pl., t. I, p. 5.

Il y a entre les façons infinies d'écrire l'histoire, deux divisions principales qui tiennent à la nature des sources auxquelles on puise. Il y a une sorte d'histoire qui se fonde sur les pièces mêmes et les instruments d'État, les papiers diplomatiques, les correspondances des ambassadeurs, les rapports militaires, les documents originaux de toute espèce. Nous avons un récent et un excellent exemple de cette méthode de composition historique dans l'ouvrage de M. Thiers, qui se pourrait proprement intituler : *Histoire administrative et militaire du Consulat et de l'Empire.* Et puis, il y a une histoire d'une tout autre physionomie, l'histoire *morale* contemporaine écrite par des acteurs et des témoins (...) 7
SAINTE-BEUVE, Réflexions sur les lettres, éd. Plon, 1941, p. 70.

L'histoire politique n'est pas l'histoire des partis, de même que l'histoire de l'esprit humain n'est pas l'histoire des coteries littéraires. Au-dessus des partis, il y a ces grands mouvements dont l'histoire de tous les temps est remplie, mais qui, depuis soixante-dix ans, ont pris un nom et une forme particuliers, le nom et la forme de révolutions. C'est là l'objet qui doit, dans l'histoire contemporaine, fixer l'attention du philosophe et de l'observateur. 8
RENAN, Questions contemporaines, Œ. compl., t. I, p. 33.

L'histoire de l'art est ainsi une esquisse de l'histoire de la religion. Mais ce n'est pas la religion même qui écrit cette double histoire. 8.1
ALAIN, Hegel, *in* les Passions et la Sagesse, Pl., p. 1053.

Qu'est-ce que la féodalité? Des institutions, un mode de production, un système social, un type d'organisation militaire? Georges Duby répond qu'il faut aller plus loin, «prolonger l'histoire économique par celle des mentalités», faire entrer en ligne de compte «la conception féodale du service». La féodalité? «Une mentalité médiévale». 8.2
Jacques LE GOFF, les Mentalités : une histoire ambiguë, *in* Faire de l'histoire, t. III, p. 77.

(...) la psychologie sociale penche vers l'ethnologie et, par-delà, vers l'histoire. Deux domaines manifestent cette attirance réciproque de l'histoire des mentalités et de la psychologie sociale : le développement des études sur la criminalité, les marginaux, les déviants dans les époques passées et l'essor parallèle des sondages d'opinion et des analyses historiques de comportements électoraux. 8.3
Dans cette voie un des intérêts de l'histoire des mentalités se révèle : les possibilités qu'elle offre à la psychologie historique de se relier à un autre grand courant de la recherche historique aujourd'hui : l'histoire quantitative. Science en apparence du mouvant et du nuancé, l'histoire des mentalités peut au contraire, avec certaines adaptations, utiliser les méthodes quantitatives mises au point par les psychologues sociaux.
Jacques LE GOFF, les Mentalités : une histoire ambiguë, *in* Faire de l'histoire, t. III, p. 78-79.

Le *but* de l'histoire climatique n'est pas d'expliquer l'histoire humaine, ni de rendre compte, en un style simpliste, de tel ou tel épisode grandiose (...) Même quand cet épisode stimule, pour des raisons valables, la réflexion des férus d'histoire. Le «but», en première analyse, est tout autre : il consiste d'abord, à dessiner les linéaments d'un devenir météorologique, dans l'esprit de ce que Paul Veyne appelle une «histoire cosmologique de la nature». Certes, cette «cosmologie chronologique», modestement limitée à l'étude d'un climat de région, peut servir de discipline d'attente, pour un projet tout autre, et plus ambitieux, qui vise, lui, l'histoire humaine : les «retombées» de l'histoire du climat intéressent en effet la chronologie des famines et peut-être aussi celle des épidémies; mais il ne s'agit là que de conséquences dérivées : si importantes et même passionnantes qu'elles soient, elles demeurent marginales. 8.4
Emmanuel LE ROY LADURIE, le Climat : l'histoire de la pluie et du beau temps, *in* Faire de l'histoire, t. III, p. 3.

La limite entre les «puissants» et les «pauvres», instituée par les rapports de production, la limite de classe, se déplaçait insensiblement vers le bas de l'échelle sociale. Sur l'emplacement primitif de cette frontière, la noblesse édifia une nouvelle barrière. Elle est comme l'ombre, le fantasme de la première. Imaginaire. Ce fut l'idéologie, ce furent des rites qui l'érigèrent. 8.5
Ici devrait prendre place une histoire de l'adoubement (...) Elle est difficile, puisque c'est celle d'un sens, d'une signification, de l'insaisissable changement d'une signification. Georges DUBY, les Trois Ordres..., p. 356.

Je devais choisir : ou bien maintenir le plan établi, en l'accompagnant d'un rapide examen historique de ce thème du désir. Ou bien réorganiser toute l'étude autour de la lente formation, pendant l'Antiquité, d'une herméneutique de soi. C'est pour ce dernier parti que j'ai opté, en réfléchissant qu'après tout, ce à quoi je suis tenu — ce à quoi j'ai voulu me tenir depuis bien des années — c'est une entreprise pour dégager quelques-uns des éléments qui pourraient servir à une histoire de la vérité. Une histoire qui ne serait pas celle de ce qu'il peut y avoir de vrai dans les connaissances; mais une analyse des «jeux de vérité», des jeux du vrai et du faux à travers lesquels l'être se constitue historiquement comme expérience, c'est-à-dire comme pouvant et devant être pensé. 8.6
Michel FOUCAULT, l'Usage des plaisirs, Histoire de la sexualité, t. II, p. 12-13.

Loc. (1680). *Histoire sacrée, histoire sainte*, par oppos. à *histoire profane* (→ Époque, cit. 3). *L'Histoire Sainte, contée dans la Bible*. Histoire évangélique.* ⇒ **Évangile** (cit. 5).

Ce n'est donc pas seulement une solide tradition, enracinée au cœur de notre culture occidentale et chrétienne, c'est aussi la considération la plus objective de ces 9 faits qui nous justifie quand, pour résumer toute cette longue suite d'événements significatifs, nous lui donnons pour titre ces deux mots : histoire sainte.

DANIEL-ROPS, le Peuple de la Bible, IV, III.

L'histoire vraie, véritable, authentique (cit. 10), par oppos. à *l'histoire fabuleuse* (cit. 5), *mythique, légendaire.* ⇒ **Légende, mythologie.** *Histoire des dieux et des héros.* — *Histoire anecdotique* (cit. 1). → Anecdote, cit. 1. — Loc. (xxe). *La petite histoire :* les anecdotes, les petits événements qui se rattachent à une période historique. — *L'histoire officielle.* ⇒ **Annales, fastes.** — (La qualification exprimant le point de vue). *Histoire socialiste...,* publiée sous la direction de Jaurès.

10 Vous ne me paraissez pas fort en Histoire. Il y a deux Histoires : l'Histoire officielle, menteuse qu'on enseigne, l'Histoire *ad usum delphini;* puis l'Histoire secrète, où sont les véritables causes des événements, une histoire honteuse.

BALZAC, Illusions perdues, Pl., t. IV, p. 1020.

Vx (désignant une chronique anecdotique). *Histoire amoureuse des Gaules,* de Bussy-Rabutin.

Par ext. Étude, description dans le temps (d'un phénomène autre que ceux que décrit l'histoire *stricto sensu*). *Histoire du globe* (cit. 9). *Histoire géologique* (→ Cycle, cit. 4).

11 Après avoir considéré l'homme intérieur, et avoir démontré la spiritualité de son âme, nous pouvons maintenant examiner l'homme extérieur et faire l'histoire de son corps; nous en avons recherché l'origine dans les chapitres précédents, nous avons expliqué sa formation et son développement, nous avons amené l'homme jusqu'au moment de sa naissance; reprenons-le où nous l'avons laissé, parcourons les différents âges de sa vie, et conduisons-le à cet instant où il doit se séparer de son corps (...) BUFFON, Hist. nat. de l'homme, De la nature de l'homme.

12 Le vieux Castel (...) estimait qu'en fait, on ne pouvait rien prévoir, l'histoire des épidémies comportant des rebondissements imprévus. CAMUS, la Peste, p. 256.

Description historique (d'un fait particulier). *L'histoire d'un problème; d'un mot* (→ Bastringue, cit. 1; gnôle, cit. 2).

♦ **2.** Absolt. *L'histoire.* [a] L'ensemble des connaissances relatives à l'évolution, au passé de l'humanité; la science et la méthode permettant de reconstituer cette évolution et d'acquérir et de transmettre ces connaissances; par ext., l'évolution humaine considérée comme objet d'étude. — *L'histoire, connaissance du passé. L'histoire est la plus partiale des sciences* (→ Partial, cit. 2). *Clio, muse de l'histoire. Événements de l'histoire situés dans le temps.* ⇒ **Date; chronologie** (cit. 2 et 3), **synchronisme.** *Événements, faits étudiés, considérés par l'histoire.* ⇒ **Historique; historicité.** — *Les sources de l'histoire, les éléments qui permettent de faire, d'écrire l'histoire.* ⇒ **Annales** (cit. 3), **archives, chronique, commentaire, fastes** (cit. 2), **généalogie, mémoires, souvenirs; document, heuristique.** *Recherche des témoignages non écrits, en histoire.* ⇒ **Fouille, monument, site, vestige.** *Utilisation par l'histoire de la photographie, du cinéma, de la photographie aérienne, de l'enregistrement phonographique. Conservation et présentation des témoignages utilisés par l'histoire.* ⇒ **Musée** (et **muséographie**); **archives, bibliothèque, cinémathèque, discothèque, filmothèque, médiathèque, phonothèque, photothèque.** *Histoire et érudition. L'histoire et les historiens. Sciences auxiliaires de l'histoire.* ⇒ **Archéologie, bibliographie, chronologie, codicologie, cryptographie, dendrochronologie, diplomatique, épigraphie, généalogie, héraldique, numismatique, onomastique, paléographie, papyrologie, sigillographie.** *Élargissement du champ d'action de l'histoire; nouvelles méthodes en histoire et emprunts aux autres sciences de l'homme. Histoire et anthropologie, et ethnographie* (cit. 2), *et ethnologie. Histoire et économie*; histoire et sciences politiques. Histoire et linguistique; histoire et sociologie. Histoire et géographie* (cit. 1). ⇒ **Géohistoire.** *Histoire et biogéographie* (palynologie, phénologie, etc.). *Histoire et méthodes quantitatives* (⇒ **Démographie, statistique**); *histoire quantitative* (→ ci-dessus, cit. 8.3; ci-dessous, cit. 22.3). — *Conceptions successives de l'histoire :* conception utilitaire des peuples antiques, conception littéraire, conception scientifique, moderne. *« L'histoire n'est pas une science exacte »* (G. Duby). *L'histoire, science conjecturale* (cit. 2). *Conception religieuse, chrétienne, providentielle de l'histoire* (→ Gagner, cit. 29). *Conception matérialiste, marxiste, positiviste de l'histoire* (→ Matérialisme, cit. 5.1). *Histoire marxiste, histoire positiviste. L'histoire positive* (→ ci-dessous, cit. 22.2). *Philosophie de l'histoire. Idées neuves en histoire* (→ Ambiant, cit. 2). *Problèmes d'histoire* (→ Désigner, cit. 9). *Réflexions sur l'histoire,* de d'Alembert. *Histoire événementielle, histoire expérimentale. Histoire comparée* (Lucien Febvre). *Histoire « totale », s'appliquant à la longue durée. Histoire structurale. Histoire sérielle* (Pierre Chaunu). — Loc. *La nouvelle histoire :* l'histoire non événementielle, telle qu'elle est pratiquée par les historiens de l'école des Annales* (Henri Berr, Lucien Febvre) et leurs successeurs (Fernand Braudel, Georges Duby, etc.); cette école d'historiens.

Allus. littér. *« Voilà comme on écrit* (cit. 31) *l'histoire »* (Voltaire) : voilà comment un événement est déformé, mal rapporté.

13 L'histoire sert aux Rois, aux Sénats, et à ceux
Qui veulent par la guerre avoir le nom de Preux;
Et, bref, toujours l'histoire est propre à tous usages :
C'est le témoin du temps, la mémoire des âges (...)

RONSARD, Second livre des Poëmes, Excellence de l'esprit.

14 Hérodote, qu'on nomme le père de l'histoire, raconte parfaitement; il a même de la grâce par la variété des matières; mais son ouvrage est plutôt un recueil de relations de divers pays, qu'une histoire qui ait de l'unité avec un véritable ordre.

FÉNELON, Lettre à l'Acad., VIII.

15 (...) l'histoire est d'un genre entièrement différent de toutes les autres connaissances. Bien que tous les événements généraux et particuliers qui la composent soient cause l'un de l'autre, et que tout y soit lié ensemble par un enchaînement si singulier que la rupture d'un chaînon ferait manquer, ou, pour le moins, changer l'événement qui le suit, il est pourtant vrai qu'à la différence des arts, surtout des sciences, où un degré, une découverte, conduit à un autre certain, à l'exclusion de tout autre, nul événement général ou particulier historique n'annonce nécessairement ce qu'il causera (...) d'où résulte la nécessité d'un maître (...) qui conduise de fait en fait par un récit lié dont la lecture apprenne ce qui sans elle serait toujours nécessairement et absolument ignoré.
C'est ce récit qui s'appelle l'histoire, et l'histoire comprend tous les événements qui se sont passés dans tous les siècles et dans tous les lieux.

SAINT-SIMON, Mémoires, Avant-propos.

(...) ma méthode (...) et la condition nouvelle imposée à l'histoire : non plus de raconter seulement ou juger, mais d'*évoquer, refaire, ressusciter* les âges. 16

MICHELET, Hist. de France, Préface de 1869, p. XI.

(...) ce que l'on a appelé la *philosophie de l'histoire* (...) ce que nous aimerions mieux appeler l'*étiologie historique,* en entendant par là l'analyse et la discussion des causes ou des enchaînements de causes qui ont concouru à amener les événements dont l'histoire nous offre le tableau (...) 17

COURNOT, Considérations sur la marche des idées, I, I.

(...) l'Histoire est la science des choses qui ne se répètent pas. 18

VALÉRY, Variétés IV, p. 139.

L'histoire, ayant pour matière *la quantité des événements ou des états qui dans le passé ont pu tomber sous le sens de quelque témoin,* la sélection, la classification, l'expression des faits qui nous sont conservés ne nous sont pas imposés par la nature des choses (...) VALÉRY, Regards sur le monde actuel, p. 14. 19

L'histoire, plus encombrée de détails qu'aucune autre connaissance, a le choix entre deux solutions : être complète et inconnaissable ou être connaissable et incomplète. LANGLOIS et SEIGNOBOS, *in* LALANDE, Lecture philosophique des sciences, p. 250. 20

(...) l'histoire est toujours une science conjecturale, même si elle s'applique à des événements tout proches de nous (...) DANIEL-ROPS, le Peuple de la Bible, I, III. 21

(...) toute histoire est choix. Elle l'est, du fait même du hasard qui a détruit ici, et là sauvegardé les vestiges du passé. Elle l'est du fait de l'homme : dès que les documents abondent, il abrège, simplifie, met l'accent sur ceci, passe l'éponge sur cela. Lucien FEBVRE, Combats pour l'histoire, p. 7. 22

On met souvent au crédit de l'histoire contemporaine d'avoir levé les privilèges accordés jadis à l'événement singulier et d'avoir fait apparaître les structures de la longue durée (...) Mais l'important, c'est que l'histoire ne considère pas un événement sans définir la série dont il fait partie, sans spécifier le mode d'analyse dont celle-ci relève, sans chercher à connaître la régularité des phénomènes et les limites de probabilité de leur émergence, sans s'interroger sur les variations, les inflexions et l'allure de la courbe, sans vouloir déterminer les conditions dont elles dépendent. Michel FOUCAULT, l'Ordre du discours, p. 56-57-58. 22.1

Arrachée aux *dei ex machina* de la vieille histoire : providence ou grands hommes, aux concepts pauvres de l'histoire positive : événement ou hasard, l'histoire économique et sociale, inspirée ou non par le marxisme, avait donné à l'explication historique des bases solides. Mais elle se révélait impuissante à réaliser le programme que Michelet assignait à l'histoire dans la préface de 1869 : « L'histoire (...) me paraissait encore faible en ses deux méthodes : trop peu matérielle (...) trop peu spirituelle, parlant des lois, des actes politiques, non des idées, des mœurs (...) » A l'intérieur même du marxisme, les historiens qui s'en réclamaient, après avoir mis en valeur le mécanisme des modes de production et de la lutte des classes, ne réussissaient pas à passer de façon convaincante des infrastructures aux superstructures. Dans le miroir que l'économie tendait aux sociétés, on ne voyait que le pâle reflet de schémas abstraits, non des visages, non des vivants ressuscités. L'homme ne vit pas seulement de pain, l'histoire n'avait même pas de pain, elle ne se nourrissait que de squelettes agités par une danse macabre d'automates. 22.2

Jacques LE GOFF, les Mentalités : une histoire ambiguë, *in* Faire de l'histoire, t. III, p. 79.

L'histoire, depuis cinquante ans, allégée de ses poids morts : personnage, fait brut, contingence, évolution, n'a pas tout à fait levé deux hypothèques majeures. D'une part, le tabou des domaines impurs : le corps, le sexe, les appétits et les désirs — la topologie du bas et du haut, le ventre opposé à la tête comme l'indignité à la noblesse; fantasme plusieurs fois millénaire, articulé à la pensée de l'Occident, et encore vivace dans les représentations académiques. D'autre part, plus redoutable, parce que bardée des succès de la recherche récente, la dictature des antinomies opératoires : la quantité contre la qualité, le système contre l'événement, le signe contre le vécu. Comme si le vécu ne pouvait se traiter en signe, comme si l'événement n'était pas récupérable par le système, comme si le qualitatif n'était pas impliqué et parfois transparent dans les séries et les ensembles complexes de l'histoire quantitative! 22.3

Jean-Paul ARON, la Cuisine : un menu au XIXe siècle, *in* Faire de l'histoire, t. III, p. 192.

Les études qui suivent, comme d'autres que j'avais entreprises auparavant, sont des études d'« histoire » par le domaine dont elles traitent et les références qu'elles prennent; mais ce ne sont pas des travaux d'« historien ». Ce qui ne veut pas dire qu'elles résument ou synthétisent le travail qui aurait été fait par d'autres; elles sont — si on veut bien les envisager du point de vue de leur « pragmatique » — le protocole d'un exercice qui a été long, tâtonnant, et qui a eu besoin souvent de se reprendre et de se corriger. C'était un exercice philosophique : son enjeu était de savoir dans quelle mesure le travail de penser sa propre histoire peut affranchir la pensée de ce qu'elle pense silencieusement et lui permettre de penser autrement. 22.4
Ai-je eu raison de prendre ces risques? Ce n'est pas à moi de le dire. Je sais seulement qu'en déplaçant ainsi le thème et les repères chronologiques de mon étude j'ai trouvé un certain bénéfice théorique.

Michel FOUCAULT, l'Usage des plaisirs, Histoire de la sexualité, t. II, p. 15.

(→ aussi Abréger, cit. 3; Bainville; après, cit. 67, Chateaubriand; assignable, cit. 2, Sainte-Beuve; associer, cit. 28, Valéry; avenir, cit. 17, Valéry; biographie, cit. 2, Valéry; bloc, cit. 9, Taine; conseiller, cit. 3, Bossuet; dépositaire, cit. 6, Rollin; document, cit. 3, Paulhan; embellir, cit. 4, La Bruyère; emparer, cit. 14, Hugo; empreinte, cit. 2, Hugo; endroit, cit. 23, Chateaubriand; entrer, cit. 50, Taine; éternel, cit. 19, Hugo; fait, cit. 29, Valéry; gnose, cit. 2, Renan; historien, cit. 4.1, Foucault).

Description, tableau d'histoire (→ Fidélité, cit. 11). *Texte d'histoire* (→ Encadrer, cit. 6). *Ouvrages, livres d'histoire* (→ Autoriser, cit. 22). *Auteur* (cit. 23) *de livres d'histoire.* ⇒ **Historien.** — *L'histoire, objet d'étude, d'enseignement. Étudier, apprendre* (cit. 3) *l'histoire. Faire de l'histoire,* titre d'un recueil collectif, sous la direction de Jacques Le Goff et Pierre Nora (1974). *Les férus* *d'histoire* (→ ci-dessus, cit. 8.4). *Professeur d'histoire* (→ Entériner, cit. 3). *Licence, agrégation, doctorat d'histoire. Classe d'histoire. Enseignement de l'histoire et de la géographie,* (fam.) *de l'histoire-géo.*

23 Par une erreur encore plus ridicule, on leur fait étudier l'histoire : on s'imagine que l'histoire est à leur portée, parce qu'elle n'est qu'un recueil de faits.
ROUSSEAU, Émile, II.

Les enseignements, les leçons de l'histoire. L'histoire nous apprend (cit. 42), *nous montre, nous fournit l'exemple de...* (→ Filer, cit. 11; florissant, cit. 2). *Tirer ses exemples* (cit. 34) *de l'histoire, les puiser dans l'histoire* (→ Égoïsme, cit. 1).

24 L'histoire est le produit le plus dangereux que la chimie de l'intellect ait élaboré. Ses propriétés sont bien connues. Il fait rêver, il enivre les peuples, leur engendre de faux souvenirs, exagère leurs réflexes, entretient leurs vieilles plaies, les tourmente dans leur repos, les conduit au délire des grandeurs ou à celui de la persécution, et rend les nations amères, superbes, insupportables et vaines.
L'Histoire justifie ce que l'on veut. Elle n'enseigne rigoureusement rien, car elle contient tout, et donne des exemples de tout.
VALÉRY, Regards sur le monde actuel, De l'Histoire, p. 43.

Utiliser, asservir (cit. 24) *l'histoire à des fins de propagande. Mettre l'histoire au service d'une politique, d'intérêts.*

25 L'humanité n'a certes pas attendu l'âge présent pour voir l'histoire se mettre au service de l'esprit de parti ou de la passion nationale (...)
Julien BENDA, la Trahison des clercs, p. 150.

b La mémoire des hommes, le jugement de la postérité*. *Célèbre* (cit. 4) *dans l'histoire* (→ Célébrité, cit. 2). *L'histoire enregistre* (cit. 3 et 4) *certains événements. Laisser son nom dans l'histoire* (→ Éclat, cit. 39). *Entrer* (cit. 31) *dans l'histoire. Vivre dans l'histoire* (→ Éterniser, cit. 14). *Mot, acte... consacré par l'histoire* (→ Fronde, cit. 2). *Sa gloire, son mérite devant l'histoire* (→ Emparer [s'], cit. 3). *Le témoignage, le jugement de l'histoire* (→ Confirmer, cit. 10). *Le tribunal de l'histoire. L'histoire jugera, dira s'il a eu raison d'agir ainsi.*

26 L'histoire n'est pas plus reconnaissante que les hommes.
CHATEAUBRIAND, Vie de Rancé, III, p. 158.

c La vérité historique (→ Admettre, cit. 12). *Récit conforme à l'histoire* (→ Avancer, cit. 7). *Mélanger l'histoire et la fiction. L'histoire et la fable* (cit. 6 et 8).

27 L'histoire est le récit des faits donnés pour vrais, au contraire de la fable (...)
VOLTAIRE, Dict. philosophique, Histoire, I.

28 L'histoire est un roman qui a été; le roman est de l'histoire qui aurait pu être.
Ed. et J. DE GONCOURT, Journal, p. 305.

28.1 L'Histoire n'est qu'une histoire à dormir debout.
J. RENARD, Journal, 13 mai 1901.

29 Le tableau de la cour d'Angleterre, avec les passe-temps de la reine (...) ce n'est pas une invention d'Hamilton. C'est de l'histoire.
G. DUHAMEL, Refuges de la lecture, IV, p. 159.

♦ **3.** **a** La suite des événements historiques. ⇒ **Passé.** *Au cours de l'histoire, dans l'histoire* (→ Agraire, cit.; audace, cit. 1). *Le cours, la marche de l'histoire; le déroulement de l'histoire* (→ Automatisme, cit. 9). *Les grandes époques de l'histoire* (→ Enthousiasme, cit. 2). *Le point culminant* (cit. 5) *de l'histoire. Un tournant de l'histoire. Les grands hommes qui influent sur le cours de l'histoire, qui font l'histoire. L'histoire est un éternel recommencement* (→ Contestable, cit. 2). «*L'histoire ne se répète jamais*». *C'est une loi de l'histoire* (→ Excès, cit. 11). *Le sens de l'histoire. La roue de l'histoire. L'accélération de l'histoire.*

30 Presque toute l'histoire n'est qu'une suite d'horreurs.
CHAMFORT, Maximes et pensées, Sur la politique, VI (→ aussi Avis, cit. 19, Courier).

31 Nous savons que le plus intime de nos gestes contribue à faire l'histoire (...) que nous appartenons à une époque qui aura plus tard un nom et une figure et dont les grands traits, les dates principales, la signification profonde, se dégageront aisément : nous vivons dans l'histoire comme les poissons dans l'eau, nous avons une conscience aiguë de notre responsabilité historique.
SARTRE, Situations II, p. 40-41.

b L'ensemble des facteurs historiques (par oppos. à la *nature,* la *géographie*). *L'unité de ce pays a été déterminée par l'histoire* (→ Canadien, cit. 1).

c La période connue par des documents écrits, par oppos. aux périodes antérieures de l'évolution humaine. ⇒ **Préhistoire, protohistoire.**

32 Les limites entre la préhistoire et l'histoire sont théoriquement fixées par l'apparition de l'écriture. Les temps immédiatement antérieurs aux textes et vaguement éclairés par ceux-ci constituent la protohistoire.
A. LEROI-GOURHAN, *in* Encycl. Pl., Hist. universelle, t. I, p. 3.

♦ **4.** Récit, écrit, livre d'histoire. *L'histoire de Thucydide* (→ Copier, cit. 1), *de Photius* (→ Épitomé, cit.). *Les histoires anciennes* (→ Convenir, cit. 26; expérience, cit. 1). *Les histoires grecques* (→ Foi, cit. 12). *Acheter, lire une histoire.*

33 Ces gens lisent toutes les histoires et ignorent l'histoire; ils parcourent tous les livres et ne profitent d'aucun (...) LA BRUYÈRE, les Caractères, XIII, 2.

Plur. (vieilli). *Histoires d'Hérodote, de Tacite, de Polybe.*

♦ **5.** L'ensemble des textes d'histoire; le discours des historiens (considéré dans ses particularités rhétoriques, littéraires...). *L'histoire est l'un des plus importants parmi les genres en prose. Histoire et tragédie* (→ Exposition, cit. 10).

L'histoire et la poésie lyrique, voilà les deux lacunes apparentes de notre littérature classique. En trois siècles (...) le genre historique est représenté par le *Discours sur l'Histoire universelle* de Bossuet, qui est une œuvre de théologie, par l'*Histoire des Variations,* du même, qui est une œuvre de controverse, par l'*Esprit des Lois,* de Montesquieu, qui est un essai de philosophie politique et juridique : restent l'*Essai sur les mœurs* et le *Siècle de Louis XIV* de Voltaire, qui sont vraiment de l'histoire (...) Gustave LANSON, Hist. de la littérature franç., p. 1013. 34

♦ **6.** (Dans *d'histoire*). *Peinture d'histoire :* genre pictural comprenant les évocations historiques, notamment la représentation de scènes célèbres, tirées de l'histoire, de la fable, et considéré comme le premier dans la hiérarchie académique. — Syn. : *le grand genre* (cit. 18). *Van Loo, H. Vernet, peintres d'histoire et de batailles. Tableau d'histoire.*

Notre méthode de discours consistera simplement à diviser notre travail en tableaux d'histoire et portraits — tableaux de genre et paysages (...) 35
BAUDELAIRE, Curiosités esthétiques, Salon de 1845, I.

★ **II.** Vx et didact. ♦ **1.** Partie des connaissances humaines reposant sur l'observation et la description des faits, et dont l'acquisition met en jeu la mémoire, par oppos. à la *philosophie,* à la *science* (objets de raison), à la *poésie,* aux *beaux-arts* (objets d'imagination). *Histoire et théorie de la terre,* de Buffon. *Histoire d'un animal, d'une plante.* ⇒ **Description, étude** (→ Fourmilière, cit., Buffon).

Le point commun entre la doctrine de Cournot et la tradition qui va d'Aristote aux Encyclopédistes me paraît être l'opposition (...) de l'*histoire* et de la *théorie,* la première ayant pour objet les données de fait, qu'on recueille simplement et qui sont objet de mémoire (...) L'importance de cette *opposition* (...) se fait surtout sentir quand on oppose ce sens du mot *histoire* au sens moderne, qui non seulement n'exclut pas de l'histoire les opérations synthétiques et les constructions générales, mais qui les considère même comme une partie essentielle de la *science* historique. A. LALANDE, Voc. de la philosophie, art. *Histoire.* 36

♦ **2.** (1551, Belon). **HISTOIRE NATURELLE :** étude, description des corps observables dans l'univers, et, spécialt, sur le globe terrestre. ⇒ **Botanique, géologie, minéralogie, zoologie...** (→ Entomologie, cit.; fixité, cit. 6). *L'Histoire naturelle,* de Pline. *Histoire naturelle générale et particulière. Histoire générale de l'homme,* de Buffon. *Histoire naturelle des animaux sans vertèbres,* de Lamarck. *Professeur d'histoire naturelle* (→ Expression, cit. 43). *Cabinet d'histoire naturelle. Ouvrage d'histoire naturelle où l'on décrit les espèces.* ⇒ **Species.** — REM. Dans cette acception, on dit plutôt de nos jours *sciences* naturelles.*

L'histoire naturelle, prise dans toute son étendue, est une histoire immense : elle embrasse tous les objets que nous présente l'univers. Cette multitude prodigieuse de quadrupèdes, d'oiseaux, de poissons, d'insectes, de plantes, de minéraux, etc., offre à la curiosité de l'esprit humain un vaste spectacle (...) Une seule partie de l'histoire naturelle, comme l'histoire des insectes, ou l'histoire des plantes, suffit pour occuper plusieurs hommes (...) BUFFON, Hist. nat., Premier disc. 37

★ **III.** (Mil. XVe). *Une, des histoires; l'histoire de...* ♦ **1.** Récit d'actions, d'événements réels ou imaginaires. ⇒ **Anecdote, épisode, récit, relation.** *Dire* (cit. 65), *conter* (cit. 7), *narrer, raconter une histoire, des histoires, l'histoire de...* (→ Aborder, cit. 6; attacher, cit. 38; attentif, cit. 3; fade, cit. 14; fictif, cit. 2; fidélité, cit. 10; fuseau, cit. 1). *Arranger* (cit. 11), *ajuster* (cit. 6), *controuver* (cit.) *une histoire. Une histoire où rien n'est inventé* (→ Fuir, cit. 32). *Histoire vraie, véridique, attestée* (→ Certificat, cit. 1). *Histoire merveilleuse, légendaire, fabuleuse* (cit. 6). ⇒ **Conte, légende.** *Début, suite d'une histoire* (→ Anticiper, cit. 6). *L'intrigue, le sujet, le gros, les épisodes* (cit. 5) *d'une histoire. Écouter, entendre une histoire. Aimer les histoires* (→ Asile, cit. 26), *les belles histoires. Croire* (cit. 7) *une histoire* (→ Assurer, cit. 21). *La morale de cette histoire. Longue histoire. Petite, courte histoire.* ⇒ **Historiette.** *Histoire lugubre, tragique, ténébreuse* (→ Couleur, cit. 28; flot, cit. 7). *Horrible histoire. Histoire qui émeut, bouleverse* (cit. 8). *Histoire comique, cocasse. Histoire pour rire. Une bonne histoire* (→ Une bonne*, une bien bonne). *Histoires corsées, grivoises, de corps de garde*, de carabin; histoires de fou*; histoires marseillaises*. Histoires de commis-voyageur. Histoires de chasse, de pêche. Recueils d'histoires.*

(...) ils suppriment quelques noms pour déguiser l'histoire qu'ils racontent. 38
LA BRUYÈRE, les Caractères, V, 8.

(...) mon oncle, à son tour, racontait la bataille de Fontenoy, où il s'était trouvé, et couronnait ses vanteries par des histoires un peu franches qui faisaient pâmer de rire les honnêtes demoiselles. 39
CHATEAUBRIAND, Mémoires d'outre-tombe, t. I, p. 39.

Qu'il est doux, qu'il est doux d'écouter des histoires, 40
Des histoires du temps passé. A. DE VIGNY, Livre moderne, « La neige », I.

Il adorait les contes, les petits contes polissons, et aussi les histoires vraies arrivées dans son entourage. MAUPASSANT, Contes de la bécasse, « La bécasse ». 41

(Titres). *Histoires ou contes du temps passé,* de Perrault. *Histoire du chevalier Des Grieux et de Manon Lescaut,* roman de l'abbé Prévost. *Histoires extraordinaires,* de Poe (trad. Baudelaire). *Une histoire sans nom,* roman de Barbey d'Aurevilly (1882). *Histoire comique,* roman d'A. France (1903). *Histoires comme ça,* de R. Kipling (1902). *Histoires naturelles,* de Jules Renard. *Histoire de l'œil,* de G. Bataille (1928). *Histoire d'O,* de Pauline Réage (1955). *Histoires,* recueil de poèmes de Prévert. — Allus. littér. *Mais ceci est une autre histoire,* phrase popularisée par Kipling, qui termine ainsi plusieurs nouvelles de son recueil *Simples contes des collines.*

42 Nous rassemblons sous le titre : *Histoires extraordinaires*, divers contes choisis dans l'œuvre générale de Poe.
BAUDELAIRE, E. Poe, sa vie et ses œuvres, IV (1856).

L'histoire d'un homme. ⇒ **Biographie, vie.** *Raconter, conter, écrire sa propre histoire.* ⇒ **Autobiographie, mémoires, souvenirs** (→ Épargner, cit. 33; être, cit. 44). *Faire, écrire l'histoire de qqn* (→ Épreuve, cit. 29). *Histoire d'une vie* (→ Échec, cit. 12; frange, cit. 7). *Les pages les plus sombres de son histoire* (→ Arriver, cit. 42). *Mettre son histoire dans ses ouvrages* → Peindre, cit. 16.

Loc. *Ce n'est pas le plus beau de son histoire* : ce n'est pas ce qu'il y a de plus honorable. *Je sais bien son histoire* : je connais bien sa vie. *C'est mon histoire que vous me contez là* : il m'en est arrivé tout autant.

43 Il lira seulement l'histoire de ma vie.
CORNEILLE, le Cid, I, 3 (→ Exemple, cit. 2).

44 Au lieu de l'histoire d'une belle vie, nous sommes réduits à faire l'histoire d'une admirable, mais triste mort.
BOSSUET, Oraison funèbre de la Duchesse d'Orléans.

44.1 Les œuvres d'un homme retracent souvent l'histoire de ses nostalgies ou de ses tentations, presque jamais sa propre histoire, surtout lorsqu'elles prétendent à être autobiographiques. CAMUS, l'Été, *in* Essais, Pl., p. 864.

Spécialt. Histoire inventée, invraisemblable ou destinée à tromper, à mystifier. ⇒ **Conte, fable, mensonge.** *Inventer, forger une histoire* (→ Fourbi, cit. 4), *pour s'excuser, se faire valoir. Son histoire s'effondre* (cit. 9). *Histoires de brigands. Histoires à dormir debout. Histoire de loup-garou* (→ Frocard, cit.). — Au plur. *Ce sont des histoires, il n'y a pas un mot de vrai dans tout cela.* ⇒ **Blague, frime.** *Ne viens pas nous raconter des histoires.* ⇒ **Balivernes, chanson.**

45 *(Tout ce beau mystère)*
N'est qu'un pur stratagème, un trait facétieux,
Une histoire à plaire, un conte (...) MOLIÈRE, l'Étourdi, III, 2.

46 (...) je repris haleine une minute dans l'escalier, juste le temps d'inventer une histoire pour expliquer mon retard. Alphonse DAUDET, le Petit Chose, I, III.

47 (...) dès qu'il avait bu, il en contait des contes bleus, des histoires de brigands, de l'autre monde ou à dormir debout! APOLLINAIRE, l'Hérésiarque..., p. 127.

48 Vous êtes trop au courant de ce qui s'est passé pour que j'essaie de vous raconter des histoires. F. MAURIAC, la Pharisienne, XIV.

♦ **2.** Chaîne, enchaînement, suite, succession d'événements. ⇒ **Affaire, aventure.** *Il vous raconte toutes ses histoires*, tout ce qui lui arrive. *J'ai failli être le héros* (cit. 37) *de cette histoire. Il faut oublier cette histoire, passer l'éponge* (cit. 8) *sur toute cette histoire. C'est une tout autre histoire que je vous raconterai plus tard. Le bon** (*infra* cit. 33), *le meilleur, le plus beau de l'histoire* : le plus extraordinaire, le plus piquant... — *Une brève histoire d'amour* (→ Banalité, cit. 5). *C'est une histoire de cœur, une histoire de fesse*, une histoire où le sentiment, où le désir intervient, explique tout. — Absolt. *Avoir une histoire avec qqn*, une liaison sans lendemain.

48.1 Histoire passé pourri
Horreur
Histoires de petits bonheurs
Histoires d'
Hommes. E. L. T. MESENS, Poèmes, p. 70.

N. B. La première attestation est au sens I, 2.

Allus. littér. « *L'amour* (cit. 14) *n'est que le roman du cœur, c'est le plaisir qui en est l'histoire* », qui en constitue la réalité.

SANS HISTOIRE : sans événements méritant d'être relatés. *Vie sans histoire; match, course sans histoire*, sans événements saillants.

Loc. prov. *Les peuples heureux n'ont pas d'histoire*, il ne leur arrive rien d'extraordinaire, les événements dont leur vie est faite sont trop simples pour être relatés. *Le bonheur n'a pas d'histoire* (→ aussi Boue, cit. 8).

Histoire compliquée. Il m'est arrivé une drôle d'histoire. Se fourrer dans une drôle d'histoire, dans une sale histoire, dans une affaire pleine de fâcheuses, de dangereuses conséquences. *Qu'est-ce que c'est que cette histoire de voiture dont tu me parlais ce matin?*

49 (...) les affaires avaient l'air de marcher (...) Mais sûrement qu'il a été trop bête, on ne se fourre pas dans des histoires pareilles! ZOLA, la Débâcle, II, VII.

50 — Oui! Qu'est-ce que c'est donc au juste que cette histoire du chèque. Les journaux donnent là-dessus des tartines! G. DUHAMEL, Salavin, V, XVIII.

51 Pas de grands scandales. De vilaines petites histoires. Des emmerdements mesquins. J. ROMAINS, les Hommes de bonne volonté, t. III, XVII, p. 231.

C'est l'histoire de tous les mauvais conducteurs, c'est ce qui leur arrive immanquablement. *C'est toujours la même histoire* : les mêmes choses se reproduisent, les mêmes ennuis se répètent. *Voilà encore une nouvelle histoire*, qqch. qui va entraîner de nouveaux ennuis, de nouvelles complications.

52 Ah, ah! voici une nouvelle histoire. Qu'est-ce que c'est donc, mon mari, que cet équipage-là? MOLIÈRE, le Bourgeois gentilhomme, III, 3.

53 — Non, trop tard (...) Je vous le disais bien, je ne voulais pas venir. C'est toujours la même histoire, ils m'appellent quand ils sont morts. ZOLA, la Terre, II, II.

C'est une histoire, toute une histoire : c'est très compliqué*; ou bien : c'est très long* à raconter. *Quelle histoire!* ⇒ **Complication.** *Quand il part en voyage, c'est toute une histoire.* ⇒ **Événement.** *Il n'y a pas à en faire une histoire.* — **FAIRE DES HISTOIRES.** *Ne faites pas tant d'histoires.* ⇒ **Embarras.** *Allons, pas d'histoires!* ⇒ **Affectation, détour, difficulté, façon**(s), **manière**(s). *Que d'histoires pour si peu de choses.* ⇒ **Comédie.** — *Tu vas t'attirer une histoire, des histoires.* ⇒ **Ennui.** *Je ne veux pas d'histoires. C'est une femme à histoires.*

(...) ce n'est pas un ami pour Jean. Il est brouillé avec son père qui est un excel- 53.1
lent homme; au collège, au régiment, partout il a des histoires avec ses chefs.
PROUST, Jean Santeuil, Pl., p. 694.

— Tu as tout à craindre, c'est le type de femme à histoires. 54
GIRAUDOUX, Électre, I, 2.

Villefranche (...) était de ces villes où les passions mûrissent avec lenteur, où les 55
policiers disent : le coin est tranquille, où le préfet n'a pas d'histoires avec la place Beauvau. P. NIZAN, le Cheval de Troie, p. 105.

— Oh! pas d'histoire, affirma-t-il. L'affaire est entendue. 56
Francis CARCO, Jésus-la-Caille, III, 5.

Ah! quand un être n'a que ces désirs-là, donnons-lui donc sans faire d'histoires le 57
rien qui le contente. MONTHERLANT, les Olympiques, p. 91.

Comme toutes les administrations, la nôtre redoute ce qu'on appelle, d'ailleurs bien 57.1
improprement, les histoires (...) BERNANOS, Un crime, *in* Œ. roman., Pl., p. 853.

Ça c'est une autre histoire, une autre question qui ne doit pas être mêlée à celle dont on parle. ⇒ **Différent.**

Une histoire de... (et nom). *C'est une histoire d'argent, d'héritage.* ⇒ **Affaire.**

Loc. fam. **HISTOIRE DE** (suivi de l'infinitif), marque le but, l'intention (cf. Façon, question de...). ⇒ **Pour** (→ Fendre, cit. 3; frime, cit. 1). *Histoire de rire* (→ Gausse, cit. 2, Balzac).

(...) j'ai attendu le père Goriot pour voir : histoire de rire. 58
BALZAC, le Père Goriot, Pl., t. II, p. 880.

(...) ils avaient invité Fanny à dîner chez eux (...) histoire de la distraire un peu 59
de ses vilaines idées. Alphonse DAUDET, Sapho, XIII.

La langue très familière se sert assez souvent, pour exprimer la finalité, de la locu- 60
tion *histoire de* (+ infinitif)... Plus populaire encore est le tour *question de*, qui a le même sens (...) il est vain de rechercher ce qui est omis ici devant les mots *histoire* ou *question*. Ces constructions s'expliquent par le besoin de « condensation » et d'économie (...)
G. et R. LE BIDOIS, Syntaxe du franç. moderne, t. II, p. 741.

♦ **3.** Fam. Chose, objet (qu'on ne veut ou qu'on ne peut nommer). ⇒ **Affaire, machin, truc.** *Qu'est-ce que c'est que cette histoire-là?* (Euphémisme sexuel). Vieilli. Sexe. — Plur. *Avoir ses histoires* (en parlant d'une femme), ses règles.

CONTR. Fable, mensonge, mythe (I.).

DÉR. et **COMP.** (Du lat. *historia*) V. **Historial, historien, historier, historiette, historiographe, historique, historisant, historisation. — Géohistoire, préhistoire, protohistoire.**

HISTOLOGIE [istɔlɔʒi] n. f. — 1823; de *histo-*, et *-logie*.

♦ Sc. Science qui traite de la structure des tissus et des cellules qui constituent les êtres vivants. ⇒ **Biologie, cytologie.** *L'acide osmique utilisé en histologie pour rendre les tissus plus visibles au microscope. Histologie pathologique.* ⇒ **Histopathologie.**

On désigne sous le nom de *Tissus* des ensembles de cellules qui ont même morphologie et qui sont vouées au même rôle (...) Leur étude est l'objet de l'*Histologie* (...) Raymond KEHL, les Glandes endocrines, p. 5.

DÉR. Histologique, histologiste.

HISTOLOGIQUE [istɔlɔʒik] adj. — 1832, Raymond; de *histologie*.

♦ Sc. Qui a rapport à l'histologie. *Coupe, préparation, examen histologique. Modifications histologiques des tissus cancéreux.*

Ce sont choses bien connues aujourd'hui que les manifestations cliniques, biologiques, histologiques de la maladie cancéreuse (...)
Raymond KEHL, les Glandes endocrines, p. 29.

DÉR. Histologiquement.

HISTOLOGIQUEMENT [istɔlɔʒikmɑ̃] adv. — 1866, *in* D. D. L.; de *histologique*.

♦ Sc. Relativement à l'histologie.

Le fragment expectoré l'autre matin a été identifié histologiquement. Pas une fausse membrane : une moule de muqueuse.
MARTIN DU GARD, les Thibault, t. IX, p. 245.

HISTOLOGISTE [istɔlɔʒist] n. — 1842, *in* Académie, *Compl.*; de *histologie*.

♦ Méd. Spécialiste en histologie. *Elle fait sa médecine pour devenir histologiste.* « *L'homme et le chimpanzé portent — grosso modo — les mêmes gènes de structure. Mis en face d'une coupe de tissu hépatique, rénal, musculaire ou nerveux, le meilleur histologiste sera incapable de dire si la préparation qu'on lui soumet est d'origine humaine ou animale* » (*Sciences et Avenir*, n° 409, mars 1981, p. 61). — REM. On dit aussi *histologue* [istɔlɔg], moins courant.

HISTOLYSE [istɔliz] n. f. — 1890, *in* P. Larousse, *Deuxième Suppl.*; *hystolisie, histolysie*, 1878; de *histo-*, et *-lyse*.

♦ Biol. Dissolution de tissus vivants. *L'histolyse, qui a lieu au début de la métamorphose chez les insectes.* — Par métaphore :

Moi qui depuis toujours m'emprisonnais en moi et croyais ainsi, naïvement, m'être distancé de mon corps et même de mon âme, je m'apercevais brusquement que

durant toutes ces années mes frontières intérieures avaient été brouillées et même abolies dans une complète histolyse.
Raymond ABELLIO, Ma dernière mémoire, t. I, p. 176.

HISTOMÉTRIE [istɔmetʀi] n. f. — V. 1960 ; de *histo-*, et *-métrie.*

♦ Biol. Étude des tissus recourant à la mesure.

DÉR. Histométrique.

HISTOMÉTRIQUE [istɔmetʀik] adj. — V. 1960 ; de *histométrie.*

♦ Biol. De l'histométrie. *« Des méthodes histométriques, comme la mesure du volume moyen des cellules adipeuses... »* (*la Recherche*, juin 1979, p. 657).

HISTONE [istɔn] n. f. — 1904, in *Rev. gén. des sc.*, n° 12, p. 624 ; *histon*, 1900 ; du grec *histos* « tissu », et suff. *-one.*

♦ Chim., biol. Protéine simple, hydrosoluble, de caractère basique, précipitable et coagulable sans être dénaturée, présente dans les noyaux cellulaires sous forme combinée avec les acides désoxyribonucléiques. *« Birnstiel et ses collaborateurs en Suisse ont analysé la disposition des gènes des histones chez l'oursin. Les histones sont des protéines basiques responsables du maintien et du contrôle de la structure des chromosomes des eucaryotes. Il faut les cinq histones H1, H2A, H2B, H3 et H4 en grande quantité pour donner aux chromosomes leurs formes compactes »* (*la Recherche*, juil. 1979, p. 647).

HISTOPATHOLOGIE [istopatɔlɔʒi] n. f. — 1962 ; de *histo-*, et *pathologie.*

♦ Méd. Histologie* des tissus et organes malades. ⇒ **Anatomie** (pathologique).

HISTOPLASMOSE [istoplasmoz] n. f. — Après 1908 ; de *histoplasma*, nom de l'agent responsable, et 2. *-ose.*

♦ Méd. Infection interne due à des champignons microscopiques levuriformes (*Histoplasma*) dont les pores sont inhalées avec l'air et qui se développent à l'intérieur des cellules, spécialement du tissu conjonctif. *Histoplasmose généralisée, grave*, atteignant surtout l'enfant en bas âge. *Histoplasmose localisée*, atteignant surtout le poumon.

HISTOPOÏÈSE [istopɔjɛz] n. f. — XXe (*in* Larousse, 1933) ; de *histo-*, et *-poïèse*, du grec *poiesis* « création », de *poieîn* « faire ».

♦ Biol. Modifications d'une cellule au cours de son évolution ou dans ses lignées successives (différenciation, etc.).

HISTORADIOGRAPHIE [istɔʀadjɔgʀafi] n. f. — Mil. XXe ; de *histo-*, et *radiographie.*

♦ Biol. Radiographie de coupes minces de tissus, pour l'étude des cellules.

HISTORIAL, ALE, AUX [istɔʀjal, o] adj. — V. 1327, *le Miroir historial*, œuvre encyclopédique de Jean de Vignay ; autre sens, 1291 ; lat. *historialis*, de *historia.*

♦ Vx. ⇒ **Historique.**

DÉR. Historialiser.

HISTORIALISER [istɔʀjalize] v. tr. — 1943, Sartre, *in* T. L. F. ; de *historial*, et *-iser.*

♦ Didact. Donner une dimension historique à (qqch.). — Pron. Devenir historique. — REM. Le dér. *historialisation* [istɔʀjalizasjɔ̃] n. f., est attesté.

Ce à quoi est relative la relation au monde, c'est l'étant lui-même, et rien d'autre. Ce dont toute attitude reçoit sa conduite directive, c'est l'étant lui-même, et rien de plus.
Ce avec quoi s'historialise, dans l'irruption, l'analyse qui recherche et qui confronte, c'est l'étant lui-même et rien au-delà. Yanny HUREAUX, la Prof, p. 93.

HISTORICISME [istɔʀisism] n. m. ⇒ **Historisme** (1.).

HISTORICITÉ [istɔʀisite] n. f. — 1866, *Journal* d'Amiel, *in* T. L. F. ; de *historique.*

♦ Didact. Caractère de ce qui est historique. *Offrir toutes les garanties désirables d'historicité.* ⇒ **Authenticité.**

Le prédicateur qui est imprégné des idées nouvelles — tout comme un curé de notre temps s'efforce de démontrer dans son sermon le peu d'historicité des Évangiles. J. GREEN, Journal, La Terre est si belle, 30 juin 1976.

HISTORICO- Premier élément d'adjectifs composés, tiré de l'adj. *historique.* Voir à l'ordre alphabétique. — On rencontre aussi : *historico-linguistique*, adj. (1926, L. Febvre, *in* T. L. F.) ; *historico-philosophique*, adj. (1953, Flaubert, *in* T. L. F.) ; *historico-psychologique* (1957, Jankélévitch) ; *historico-romanesque* (1833, Musset).

HISTORICO-CRITIQUE [istɔʀikokʀitik] adj. — Mil. XXe ; de *historico-*, et *critique.*

♦ Didact. Relatif aux problèmes épistémologiques en relation avec l'histoire.

Il y a longtemps déjà que sous le nom de « méthode historico-critique » des théoriciens de la connaissance ont compris en quoi l'analyse historique de la formation des idées et des méthodes éclaire les mécanismes du savoir scientifique.
J. PIAGET, Épistémologie des sciences de l'homme, p. 102.

HISTORICO-MYTHIQUE [istɔʀikomitik] adj. — Mil. XXe ; de *historico-*, et *mythique.*

♦ Didact. Qui tient du mythe et de l'histoire. *Textes sacrés historico-mythiques.*

Si l'on rapproche les récits historico-mythiques en langue nahuati recueillis au Mexique central et les chroniques maya du Yuacatán, on peut tracer à grands traits le tableau suivant. Jacques SOUSTELLE, l'Amérique précolombienne, Histoire universelle, *in* Encycl. Pl., t. II, p. 1602-1603.

HISTORIÉ, ÉE [istɔʀje] p. p. adj. ⇒ **Historier.**

HISTORIEN, IENNE [istɔʀjɛ̃, jɛn] n. — V. 1213, *ystorien* ; dér. sav. du lat. *historia.* → Histoire.

♦ **1.** **a** (Au sens large). Auteur d'ouvrages d'histoire, de travaux historiques. ⇒ **Annaliste, chroniqueur, chronologiste, mémorialiste.** *Historien et historiographe* (cit. 1, Voltaire). *Les premiers historiens grecs de l'Antiquité.* ⇒ **Logographe.**

b Spécialiste de l'histoire, de la science historique. *Il, elle veut être historien(ne). Le rôle, la tâche de l'historien* (→ Abjection, cit. 1 ; abréger, cit. 3). *Études, travaux de l'historien* (→ Histoire, cit. 22.4). *L'exégète* (cit. 1) *et l'historien. Le point de vue, les thèses d'un historien* (→ Conception, cit. 4). *Jugement de l'historien sur un fait* (→ Arbitrairement, cit. 2 ; fait, cit. 26). *Un historien admirable* (→ Crier, cit. 22 ; flatter, cit. 45, Fénelon). *Historien impartial. Historien sévère* (→ Goût, cit. 48). *Mots, actes, événements que rapporte l'historien* (→ Authentique, cit. 13). *Historien positiviste, historien marxiste.* — *Historien de la religion, de la langue. Historien de l'art, historien du cinéma. Le grammairien est devenu historien* (→ Grammaire, cit. 9). *Historien, historienne d'un pays, d'une époque. Historien du moyen âge, de l'antiquité grecque. Les historiens de la Révolution* (→ Accorder, cit. 26). *L'historien d'un personnage.* ⇒ **Biographe** (→ Appendre, cit. 2). *Historien contemporain* (cit. 1 ; → aussi Création, cit. 2).

J'aime les Historiens ou fort simples ou excellents. Les simples, qui n'ont point 1
de quoi y mêler quelque chose du leur (...) nous laissent le jugement entier pour la connaissance de la vérité (...) Les bien excellents ont la suffisance *(capacité)* de choisir ce qu'il est digne d'être su. MONTAIGNE, Essais, II, X.

On exige des historiens modernes plus de détails, des faits plus constatés, des dates 2
plus précises, des autorités, plus d'attention aux usages, aux lois, aux mœurs, au commerce, à la finance, à l'agriculture, à la population (...)
VOLTAIRE, Dict. philosophique, Histoire, IV.

Où est-il l'historien qui saura unir la beauté et la pureté de la forme, propres en 3
tout genre aux Anciens, avec la profondeur des recherches imposée aux Modernes, et doit-on l'espérer désormais ?
SAINTE-BEUVE, Réflexions sur les lettres, p. 83.

À l'idée d'admettre qu'une part de hasard intervient dans le développement de la 3.1
vie et que, par conséquent, le hasard soit objet de connaissance scientifique — que nul historien, nul géographe ne s'effraie et ne laisse paraître cette crainte assez risible qu'on voit volontiers manifester les ressortissants des « sciences morales » à l'égard de leurs confrères des sciences physiques et naturelles : celle de ne pas être de stricte observance.
Lucien FEBVRE, la Terre et l'Évolution humaine, p. 447.

L'application qu'il met à juger les faits contemporains avec recul, en historien, me 4
plaît. MARTIN DU GARD, les Thibault, t. IX, p. 167.

(...) introduire à la racine même de la pensée, le *hasard*, le *discontinu* et la *maté-* 4.1
rialité. Triple péril qu'une certaine forme d'histoire essaie de conjurer en racontant le déroulement continu d'une nécessité idéale. Trois notions qui devraient permettre de lier à la pratique des historiens l'histoire des systèmes de pensée. Trois directions que devra suivre le travail de l'élaboration théorique.
Michel FOUCAULT, l'Ordre du discours, p. 61-62.

Fam. Étudiant en histoire. *Les historiens et les chartistes*. L'historien et le romancier.*

L'historien et le romancier font entre eux un échange de vérités, de fictions et 5
de couleurs, l'un pour vivifier ce qui n'est plus, l'autre pour faire croire ce qui n'est pas. RIVAROL, Littérature, Le génie et le talent.

Les historiens sont des raconteurs du passé, les romanciers des raconteurs du pré- 6
sent. Ed. et J. DE GONCOURT, Journal, II.

J'ai dit et répété que je ne croyais pas aux romans historiques : Le romancier est 7
l'historien du présent. L'historien est le romancier du passé.
G. DUHAMEL, Refuges de la lecture, VI, p. 194.

♦ **2.** Fig. et vieilli. Personne qui raconte, rapporte un événement, une suite d'événements. ⇒ **Narrateur.**

Sans tous ces ornements le vers tombe en langueur (...) 8

Le poète n'est plus qu'un orateur timide,
Qu'un froid historien d'une fable insipide. BOILEAU, l'Art poétique, III.

REM. La forme fém. *historienne* est rare jusqu'au XIXe s. Littré la mentionne au sens fig. : *« La raison est historienne ; et les passions sont actrices »* (Rivarol). → Érudit, cit. 1, Hugo.

9 Je suis historienne ; et une historienne, aussi bien qu'un historien, ne doit pas prendre de parti. M.-J. L'HÉRITIER, 1664-1734, *in* Trévoux, Dict.

HISTORIER [istɔʀje] v. tr. — Fin XIVe, sens 2 ; « raconter en historien », v. 1360 ; lat. *historiare,* de *historia.* → Histoire.

♦ **1.** (1609). Vx. Raconter en détail.

♦ **2.** Arts. (Rare à l'actif). Décorer de scènes à personnages, et, spécialt, de scènes tirées de l'Écriture sainte, de la vie des saints (scènes appelées au moyen âge « histoires »). *Historier un chapiteau.* — (Mil. XVIe). Par ext. Enjoliver d'ornements (avec ou sans personnages). *Historier un lambris trop nu* (Littré). ⇒ **Orner.**

▶ **HISTORIÉ, ÉE,** p. p. adj. (XVIe).

Arts. Orné de scènes à personnages. *Décor historié* (opposé à *géométrique, végétal*). *Tapisserie historiée. Chapiteau historié de style roman. Monument historié.* ⇒ **Figuré.** *Vignette historiée.* — Par ext. Orné, enjolivé. *Croix historiée* (→ Araignée, cit. 9). *Dais* (cit. 2) *historié d'armoiries. Lettres historiées.*

0.1 Il est curieux d'observer les chapiteaux des colonnes ; on les appelle historiés quand ils sont ornés de bas-reliefs représentant des êtres animés.
STENDHAL, Mémoires d'un touriste, II, p. 242.

1 (...) de piliers historiés d'hiéroglyphes (...)
Th. GAUTIER, le Roman de la momie, Prologue, p. 17.

2 (...) une très belle chambre, tendue d'un papier historié sur lequel une chasse au sanglier était indéfiniment répétée.
FRANCE, le Chat maigre, VIII, Œ., t. II, p. 211.

3 Ils sont surmontés de frises historiées, décorés de scolopendres et de poissons (...)
CLAUDEL, Connaissance de l'Est, Jardins.

DÉR. Historieur.

HISTORIETTE [istɔʀjɛt] n. f. — 1650, Mme de Sévigné, *in* D. D. L. ; du lat. *historia.*

♦ Récit d'une petite aventure, d'événements de peu d'importance. ⇒ **Anecdote, conte, nouvelle.** *Une petite, une jolie historiette. Historiette amusante, comique, plaisante. Conteur d'historiettes. Rimer, mettre en vers une historiette* (→ Exercice, cit. 15). *Les Historiettes,* recueil d'anecdotes de Tallemant des Réaux (1657).

1 (...) il discourt des mœurs de cette cour (...) il récite des historiettes qui y sont arrivées ; il les trouve plaisantes, et il en rit le premier jusqu'à éclater.
LA BRUYÈRE, les Caractères, V, 9.

2 (...) il semble bien (...) que la reine Marguerite ne contait pas pour le plaisir de rapporter des historiettes scandaleuses, comiques ou tragiques, mais pour instituer à leur occasion un débat plus haut (...)
Émile HENRIOT, Portraits de femmes, p. 33.

3 Les missionnaires s'épuisent à faire comprendre que les Paraboles ne sont pas des historiettes. MALRAUX, l'Homme précaire et la littérature, p. 235.

HISTORIEUR [istɔʀjœʀ] n. m. — 1495 ; de *historier.*

♦ Arts. Artiste qui enluminait les manuscrits. ⇒ **Enlumineur.**

HISTORIOGRAPHE [istɔʀjɔgʀaf] n. — 1213, *storiographe ;* bas lat. *historiographus,* d'orig. grecque.

♦ Didact. Auteur, écrivain chargé officiellement d'écrire l'histoire de son temps. ⇒ **Historien** (1., a). *La charge officielle d'historiographe créée sous Charles IX. Pellisson, Racine, Boileau, historiographes de Louis XIV. Historiographe du roi, historiographe de France. Une historiographe.*

1 On appelle communément en France historiographe l'homme de lettres pensionné, et, comme on disait autrefois, appointé pour écrire l'histoire (...)
Il est bien difficile que l'historiographe d'un prince ne soit pas un menteur ; celui d'une république flatte moins, mais il ne dit pas toutes les vérités (...)
Peut-être le propre d'un historiographe est de rassembler les matériaux et on est historien quand on est les met en œuvre. Le premier peut tout amasser, le second choisir et arranger. L'historiographe tient plus de l'annaliste simple (...)
VOLTAIRE, Dict. philosophique, Historiographe.

2 (...) cette fidélité honorable *(envers Fouquet)* finit par toucher Louis XIV, à qui l'on doit savoir gré d'avoir accordé sa faveur à cet honnête homme et d'en avoir fait son historiographe. C'est même Pellisson qui reçut la délicate mission d'écrire, sous la dictée du roi et sur ses notes, les *Mémoires de Louis XIV* (...)
Émile HENRIOT, Portraits de femmes, p. 39.

DÉR. Historiographie.

HISTORIOGRAPHIE [istɔʀjɔgʀafi] n. f. — 1750, *historiographerie ;* « histoire », fin XVe ; de *historiographe.*

Didactique.

♦ **1.** Travail de l'historiographe. *S'adonner à l'historiographie.*

Voyez ce qui est arrivé à Duclos après son *Histoire de Louis XI.* S'il est mon successeur en historiographerie *(sic)* comme on le dit, je lui conseille de n'écrire que quand il fera, comme moi, un petit voyage hors de France.
VOLTAIRE, Lettre à Mme Denis, 989, 28 oct. 1750.

♦ **2.** (1845). Ensemble d'ouvrages d'historiographes. *L'historiographie byzantine. L'historiographie du règne de Louis XIV.*

DÉR. Historiographique.

HISTORIOGRAPHIQUE [istɔʀjɔgʀafik] adj. — 1832 ; de *historiographie.*

♦ Didact. Qui concerne l'historiographie.

HISTORIQUE [istɔʀik] adj. et n. m. — 1447 ; lat. *historicus,* grec *historikos,* de *historia.* → Histoire.

A. Adj. ♦ **1.** [a] Qui a rapport à l'étude du passé, à l'étude ou aux perspectives de l'histoire (I., 1. ou 2., a). *Ouvrage, narration, recueil, tableau historique. Exposé historique d'une question. Examen historique d'un thème, d'un sujet. Études historiques ; enseignement historique* (→ Auteur, cit. 22). *Style historique,* propre aux historiens (→ Correctement, cit. 2). *Critique historique* (→ Exégète, cit. 1). — Utilisé par l'histoire. *Faits, documents, matériaux historiques.* — De l'histoire, garanti par l'histoire. *Vérité historique.* — De l'histoire en tant que science. *Science historique* (→ Éthologie, cit.). *Méthode historique. L'explication historique* (→ Histoire, cit. 22.2). *Tendances historiques de l'esprit moderne* (→ Exemple, cit. 36). *La recherche historique aujourd'hui* (→ Histoire, cit. 8.3).

Qui utilise la méthode historique, s'intéresse aux aspects historiques. *Psychologie historique. Linguistique historique. Grammaire* (cit. 7), *dictionnaire* (cit. 8) *historique.* ⇒ **Diachronique.**

Cette vérité historique, tant implorée, à laquelle chacun s'empresse d'en appeler, n'est trop souvent qu'un mot : elle est impossible au moment même des événements, dans la chaleur des passions croisées ; et si, plus tard, on demeure d'accord, c'est que les intéressés, les contradicteurs ne sont plus. Mais qu'est alors cette vérité historique, la plupart du temps ? Une fable convenue (...) 1
NAPOLÉON, Mémoires de Sainte-Hélène, 20 nov. 1816, t. VII, p. 310.

Une œuvre n'a de valeur que dans son encadrement, et l'encadrement de toute œuvre, c'est son époque (...) L'admiration absolue est toujours superficielle : nul plus que moi n'admire les *Pensées* de Pascal, les *Sermons* de Bossuet ; mais je les admire comme œuvres du XVIIe siècle. Si ces œuvres paraissaient de nos jours, elles mériteraient à peine d'être remarquées. La vraie admiration est historique (...) La littérature du XVIIe siècle est admirable sans doute, mais à condition qu'on la reporte à son milieu au XVIIe siècle. Il n'y a que des pédants de collège qui puissent y voir le type éternel de la beauté. 2
RENAN, L'Avenir de la science, X, Œ. compl., t. III, p. 882.

(...) un dictionnaire historique est le flambeau de l'usage, et ne passe par l'érudition que pour arriver au service de la langue. LITTRÉ, Dict., Préface, p. V. 3

Un fait historique ne peut recevoir cette qualification que s'il a exercé quelque influence, il n'entre dans l'histoire que lorsqu'il est connu et dans la mesure où il est connu (...) H. LÉVY-BRUHL, Revue de synthèse, 1934. 4

La critique historique est une méthode scientifique destinée à distinguer le vrai du faux en histoire. Or l'histoire ne se fait que sur la base des témoignages. Distinguer le vrai du faux en histoire se ramènera donc à deux opérations fondamentales ; contrôler d'abord les témoignages, ensuite comprendre ces témoignages. 5
L. E. HALKIN, Cahiers des Annales, no 6, p. 16.

(...) je ne pense pas qu'il y ait comme une raison inverse entre le repérage de l'événement et l'analyse de la longue durée. Il semble, au contraire, que ce soit en resserrant à l'extrême le grain de l'événement, en poussant le pouvoir de résolution de l'analyse historique jusqu'aux actes notariés, aux registres de paroisse, aux archives portuaires suivis année par année, semaine par semaine, qu'on a vu se dessiner au-delà des batailles, des décrets, des dynasties ou des assemblées, des phénomènes massifs à portée séculaire ou pluriséculaire. 5.1
Michel FOUCAULT, l'Ordre du discours, p. 56-57.

Matérialisme historique.*

[b] Qui a rapport à l'histoire objective, à l'objet de l'histoire-science (les sociétés humaines envisagées dans le temps). *L'ordre historique.* ⇒ **Chronologie.** *Système historique* (→ Historiquement, cit. 2). *Le temps historique et le temps abstrait.* — Qui résulte de l'histoire. *C'est une fatalité, une nécessité historique.*

Entre Hésiode et Platon un certain partage s'est établi, séparant le discours vrai et le discours faux (...) ce partage historique a sans doute donné sa forme générale à notre volonté de savoir. Michel FOUCAULT, l'Ordre du discours, p. 17-18. 5.2

♦ **2.** (1694). Qui relève de l'histoire, des faits avérés et non de la fable. ⇒ **Réel, vrai.** *Le fait est historique. Aspect historique et légendaire du genre* (cit. 4) *humain. Personnage historique.*

Il n'y a point, à proprement parler, de personnages historiques en poésie ; seulement, quand le poète veut représ nter le monde qu'il a conçu, il fait à certains individus qu'il rencontre dans l'histoire, l'honneur de leur emprunter leurs noms pour les appliquer aux êtres de sa création. GIDE, Nouveaux prétextes, p. 17. 6

(1763). Spécialt. *Roman hi torique ; pièce, comédie historique :* œuvres dont l'intrigue, le sujet sont empruntés partiellement à l'histoire (cf. Vigny, *Cinq-Mars,* Préface). — Arts (peinture). *Tableau historique* ou *d'histoire*,* peint dans le genre (cit. 16) historique. *Peinture historique.*

Walter Scott est mort ; Dieu lui sse grâce, mais il a introduit dans le monde et mis à la mode le plus détestable genre de composition qu'il soit possible d'inventer ; le nom seul a quelque chose de difforme et de monstrueux qui fait voir de quel accouplement antipathique il est né ; le roman historique, c'est-à-dire la vérité fausse ou le mensonge vrai. Th. GAUTIER, Souvenirs de théâtre..., p. 31. 7

(1740). Spécialt. Que l'on peut étudier grâce à des documents écrits (opposé à *préhistorique*). *Les temps historiques, la période historique.*

♦ **3.** (1831). Qui est ou mérite d'être conservé par l'histoire. *Nom* *historique ; famille historique.* ⇒ **Célèbre, connu.** *C'est un événement historique* (→ Fonction, cit. 4). *Mot, parole historique.* ⇒ **Mémorable.** *Journée historique, décision historique.*

8 (...) l'une de ces maisons historiques dont les noms seront toujours en dépit même des lois intimement liés à la gloire de la France (...)
BALZAC, la Femme de trente ans, Pl., t. II, p. 754.

9 Chacun de ses pas, désormais est marqué par une parole, par un de ces mots historiques qu'on retient parce qu'il est éclairé de gloire.
SAINTE-BEUVE, Causeries du lundi, 17 déc. 1849, t. I, p. 184.

10 On dit, en ce sens, *une journée historique, un mot historique.* Mais cette notion de l'histoire est abandonnée. Tout incident passé fait partie de l'histoire, aussi bien le costume porté par un paysan du XVIIIe siècle que la prise de la Bastille.
Ch. SEIGNOBOS, la Méthode historique appliquée aux sciences sociales, p. 3, *in* LALANDE.

Loc. (1900). **MONUMENT HISTORIQUE :** monument présentant un intérêt historique et artistique et qui est, comme tel, protégé par l'État. ⇒ **Monument** (cit. 9). *Inspection des monuments historiques.* — *Demeure, château historique,* authentique (→ Faire, cit. 171).

B. N. m. (Déb. XVIIIe). Exposé chronologique des faits. Exposé, narration, récit. *Faire l'historique d'une question, d'une affaire,* en exposer le développement depuis l'origine. *L'historique des événements. Voici l'historique de cet étrange procès* (Académie). *Historique d'un mot :* collection d'exemples classés chronologiquement. ⇒ **Dictionnaire** (cit. 7).

11 Je donne le nom d'*historique* à une collection de phrases appartenant à l'ancienne langue.
LITTRÉ, Dict., Préface, p. XX.

CONTR. Fabuleux, faux, imaginaire, légendaire, mythique. — Insignifiant. — Anhistorique, antéhistorique, préhistorique, protohistorique.
DÉR. Historicité, historiquement, historisme ou historicisme. — V. Historico-.
COMP. Anhistorique, antéhistorique, préhistorique.

HISTORIQUEMENT [istɔʀikmɑ̃] adv. — 1617 ; de *historique.*

♦ **1.** D'une manière historique, par la discipline historique. *Historiquement parlant. Événement historiquement exact* (→ Authenticité, cit. 8). *Étudier historiquement un problème* (→ Francique, cit. 2). *Fait historiquement explicable* (→ Frontière, cit. 3). *Théorie qui s'exprime* (cit. 48) *historiquement dans...*

1 (...) en admettant que le mariage des prêtres eût été toléré dans la primitive Église, ce qui ne peut se soutenir ni historiquement ni canoniquement (...)
CHATEAUBRIAND, le Génie du christianisme, I, I, 8.

♦ **2.** Dans l'histoire, dans la succession des faits historiques (→ Histoire, cit. 8.6).

2 Mais si on se place à une autre échelle, si on pose la question de savoir quelle a été, quelle est constamment, à travers nos discours, cette volonté de vérité qui a traversé tant de siècles de notre histoire, ou quel est, dans sa forme très générale, le type de partage qui régit notre volonté de savoir, alors c'est peut-être quelque chose comme un système d'exclusion (système historique, modifiable, institutionnellement contraignant) qu'on voit se dessiner.
Partage historiquement constitué à coup sûr, car, chez les poètes grecs du VIe siècle encore, le discours vrai (...) c'était le discours prononcé par qui de droit et selon le rituel requis (...) Michel FOUCAULT, l'Ordre du discours, p. 16-17.

HISTORISANT, ANTE [istɔʀizɑ̃, ɑ̃t] adj. — Mil. XXe ; du lat. *historia,* d'après les p. prés. en *-ant.*

♦ Didact. Qui étudie l'histoire en elle-même, avec ses lois propres, en refusant de s'appuyer sur d'autres disciplines.

HISTORISATION [istɔʀizɑsjɔ̃] n. f. — Attesté 1949, Sartre ; dér. sav. du lat. *historia.* → Historisant.

♦ Didact. Passage des récits légendaires ou mythiques au récit historique marqué de repères chronologiques vérifiables. *L'avènement de l'écriture, l'institution de l'historiographie, étapes importantes de l'historisation.*

(...) distinguer ce qu'on peut appeler les fonctions primaire et secondaire de l'historisation (...) les événements s'engendrent dans une historisation primaire, autrement dit l'histoire se fait déjà sur la scène où on la jouera une fois écrite, au for interne comme au for extérieur. J. LACAN, Écrits, p. 260-261.

HISTORISME [istɔʀism] ou HISTORICISME [istɔʀisism] n. m. — 1937, *historisme ; historicisme,* 1908, sens 2 ; de *historique.*
Philosophie.

♦ **1.** Tendance à accorder une place prépondérante à l'histoire, dans l'explication des faits. *Historisme (historicisme) marxiste.*

1 L'hostilité de la sociologie bourgeoise envers l'historisme est due à l'effroi que lui inspirent la vérité historique, l'étude objective du passé et du présent, car une telle étude prouve incontestablement que la société capitaliste a historiquement un caractère transitoire. M. ROSENTHAL, Petit dict. philosophique, *in* FOULQUIÉ, Dict. de la langue philosophique.

2 Alors, il est d'essence que la philosophie des sciences devienne philosophie de l'histoire des sciences, ou histoire des sciences, ou encore histoire de la philosophie des sciences. Il est d'essence qu'elle verse à l'historicisme : soit dans le sens usuel, soit dans le sens d'histoire naturelle, c'est-à-dire qu'elle devienne une description diachronique ou une description synchronique.
Michel SERRES, Hermès I, la Communication, p. 62.

♦ **2.** Doctrine selon laquelle toute vérité évolue avec l'histoire et devient historique.

Ce terme *(historisme)* est appliqué spécialement à la doctrine qui soutient que le droit, comme les langues et les mœurs, est le produit d'une création collective, inconsciente et volontaire, qui est terminée au moment où la réflexion s'y applique ; et que, par suite, on ne peut ni le modifier délibérément, ni le comprendre et l'interpréter autrement que par son étude historique. 3
A. LALANDE, Voc. de la philosophie.

HISTOTHÉRAPIE [istoteʀapi] n. f. — Mil. XXe ; de *histo-,* et *thérapie.*

♦ Méd. Traitement sous forme d'injections ou de greffes de tissus (en particulier de placenta), visant à stimuler l'activité des cellules de l'organisme. ⇒ **Opothérapie.**

HISTOTOXIQUE [istotɔksik] adj. et n. m. — XXe (*in* Larousse, 1933) ; de *histo-,* et *-toxique.*

♦ Biol. Capable de détruire les tissus, les cellules. *Substance histotoxique.* — N. m. *Un histotoxique.*

HISTOTROPISME [istotʀɔpism] n. m. — Mil. XXe ; de *histo-,* et *tropisme.*

♦ Biol. Propriété qui incite certains parasites à s'enfoncer dans les tissus organiques (d'organismes appartenant à d'autres espèces).

HISTRION [istʀijɔ̃] n. m. — 1544 ; lat. *histrio* « acteur bouffon ; faiseur d'embarras ».
Didactique ou littéraire.

♦ **1.** Didact. Dans l'antiquité classique, Acteur jouant des farces grossières. ⇒ **Bouffon.**

Quand on voyait cet insensé *(l'empereur Commode)* combattre dans le cirque et se comporter en histrion de bas étage : « Ce n'est pas un prince, disait-on, c'est un gladiateur ». RENAN, Mélange d'hist. et de voyages, Œ. compl., t. II, p. 457. 1

Pour un Romain de vieille roche, l'histrion fut toujours un amuseur de second ordre, un méprisable saltimbanque. Francis DE MIOMANDRE, Danse, p. 15. 2

♦ **2.** (1690). Mod. Péj. et littér. Mauvais comédien (⇒ **Cabotin**) ou comédien méprisé (notamment dans les genres populaires ; ⇒ **Baladin, bateleur...**).

(...) saint Thomas, qui n'avait jamais vu de bonne comédie, et qui ne connaissait que de malheureux histrions (...) 3
VOLTAIRE, Dict. philosophique, Police des spectacles.

— Mais qui me dit, fit Vallombreuse, que ce prétendu Sigognac, qui joue les Matamores dans une compagnie de bouffons, ne soit pas un intrigant de bas étage usurpant un nom honorable pour avoir l'honneur de faire toucher sa batte d'histrion par mon épée ? Th. GAUTIER, le Capitaine Fracasse, IX. 3.1

C'était un histrion aux gestes pathétiques et au verbe sonore, qui « joue » la grandeur sans être vraiment grand. Henri LICHTENBERGER, Wagner, p. 230. 4

Par métaphore :

Éphémère histrion qui sait son rôle à peine, 5
Chaque homme, ivre d'audace ou palpitant d'effroi,
Sous le sayon du pâtre ou la robe du roi,
Vient passer à son tour son heure sur la scène. HUGO, Odes, IV, 14.

Toutes les passions s'éloignent avec l'âge,
L'une emportant son masque et l'autre son couteau, 6
Comme un essaim chantant d'histrions en voyage
Dont le groupe décroît derrière le coteau.
HUGO, les Rayons et les Ombres, « Tristesse d'Olympio ».

(1819). Charlatan, cabotin (fig.).

REM. Le féminin *histrionne* [istʀijɔn], rare, est attesté chez Diderot et Huysmans.

DÉR. Histrionique, histrionisme, histrionner.

HISTRIONIQUE [istʀijɔnik] adj. — 1944 ; de *histrion.*

♦ Littér. Relatif à l'histrion ; de l'histrion.

(...) cette espèce de but qu'il se proposait d'atteindre depuis sa rupture avec Camille et les débuts de sa carrière histrionique (...) 1
R. QUENEAU, Loin de Rueil, p. 167.

Il lui fallait toujours beaucoup d'argent. Ses dons histrioniques lui permirent, en plus de ce que lui rapportaient ses romans, d'en gagner considérablement. 2
J. GREEN, Ce qui reste de jour, 1er avril 1971.

REM. On trouve la var. *histrionesque* [istʀijɔnɛsk].

HISTRIONISME [istʀijɔnism] n. m. — 1842, « profession de comédien » ; de *histrion.*

♦ **1.** Attitude d'histrion. ⇒ **Cabotinage.** « (Il) *n'hésitait pas à se promener en justaucorps et maillot de satin, avec un manteau de velours, mi-Hamlet, mi-Méphisto, un jabot de dentelle (...) Cet histrionisme assez consternant faisait son effet parmi les redingotes, et c'est peut-être à lui tout de même qu'on doit la présente résurrection du mage* » *(l'Express,* 14 juil. 1979, p. 36).

♦ **2.** (1917). Psychiatrie. Comportement d'un malade atteint de névrose hystérique, caractérisée par le théâtralisme*.

HISTRIONNER [istʀijɔne] v. intr. — 1758, Voltaire; de *histrion.*

♦ Littér. et vx. Jouer la comédie (péj.); cabotiner.

HIT [ʼit] n. m. — 1930; mot angl., propr᷊t «choc».

♦ Anglic. Succès commercial, effet spectaculaire, notamment dans le domaine du spectacle, des variétés. ⇒ **Hit-parade.**

(...) spéculateurs précaires, ignorant tout de l'art dramatique, prêts à lancer une pièce avec juste assez de capitaux pour la soutenir pendant une semaine, mais qui tentent un coup de chance, une mise dans le mille, un *hit!*
Paul MORAND, New York, p. 174.

HITLÉRIEN, IENNE [itleʀjɛ̃, jɛn] adj. et n. — V. 1925; de *Hitler,* n. propre.

♦ Qui a rapport à Hitler. *Parti hitlérien.* ⇒ **National-socialiste, nazi.** *Les jeunesses hitlériennes* (all. *Hitlerjugend*). *Militants hitlériens en uniforme* (cf. Chemises brunes). *La croix gammée*, emblème hitlérien.* ⇒ **Svastika.** *Religion* (→ Exprimer, cit. 48) *hitlérienne. Le racisme hitlérien. Cruautés hitlériennes* (→ Camp, cit. 3). — N. Adepte d'Hitler, ou d'un régime totalitaire analogue au nazisme.

1 (...) auprès des Hitlériens et des communistes, triomphateurs de la journée (*des élections allemandes*), les autres partis paraissent modérés (...)
J. BAINVILLE, 16 sept. 1930, *in* l'Allemagne, t. II, p. 162.

2 (...) l'apparence systématique et scientifique du mouvement hitlérien couvre en vérité une poussée irrationnelle qui ne peut être que celle du désespoir et de l'orgueil. CAMUS, l'Homme révolté, p. 230.

3 (...) tout à l'heure, en écrivant le mot «hitlérien», où Hitler est contenu, c'est l'Église de la Trinité, toujours sombre et assez informe pour paraître l'aigle du Reich, que j'ai vue s'avancer sur moi. Jean GENÊT, Pompes funèbres, p. 10.

HITLÉRISME [itleʀism] n. m. — 1933, Gide, *Journal;* de *Hitler,* n. propre.

♦ Doctrine, système politique de Hitler. ⇒ **Nazisme.**

HIT-PARADE [ʼitpaʀad] n. m. — 1956, *in* Höfler; au Canada, av. 1950; mot anglais des États-Unis, de *hit* «succès fracassant», et *parade,* empr. au français.

♦ Anglic. Palmarès des meilleurs succès de vente dans le domaine des disques de variétés. *Premier au hit-parade, en tête du hit-parade* (→ Tube, cit. 4). — Par ext. (à propos de toute forme de spectacle — notamment le cinéma — ou de manifestation). *«Hit-parade de l'élégance»* (*l'Express,* 1966). *Des hit-parades.* — Recomm. off. : *palmarès.*

HITTITE [ʼitit] adj. et n. m. — 1884, *in* D. D. L.; angl. *hittite,* appellation qui s'est imposée pour différencier ce peuple de la tribu cananéenne des *Hétéens,* 1740; lat. bibl. *Hethaei,* hébr. *Hittim.*

♦ Relatif aux Hittites, peuple de l'antiquité. *L'Empire hittite d'Asie Mineure* (v. 2000 à 1400 av. J.-C.). *Art hittite. Les hiéroglyphes hittites* (→ Graphie, cit. 2).

N. m. *Le hittite,* langue parlée par les Hittites. *Le déchiffrement du hittite a commencé en 1916.*

HIVER [ivɛʀ] n. m. — XIe, *iver; hyveri,* 1282; du bas lat. *hibernum,* lat. class. *hibernum tempus* «temps hivernal», même rac. que *hiems* «hiver». → Hiémal.

♦ **1.** La plus froide des quatre saisons de l'année, qui succède à l'automne. *Hiver astronomique, hiver boréal,* qui commence au solstice* de décembre (22 déc.) et se termine à l'équinoxe* de mars (20 au 21 mars) dans l'hémisphère nord (*l'hiver austral* commence au solstice de juin et se termine à l'équinoxe de septembre). — Cour. *L'hiver météorologique :* dans les zones tempérées, La plus froide des saisons, dont la durée est variable (dans l'hémisphère nord, surtout de décembre à février [cit.] ou mars; dans l'hémisphère sud, de juillet à septembre). — *L'hiver, saison du froid*, des frimas, mauvaise saison.* ⇒ **Froidure.** *Mois d'hiver. Être en hiver* (→ Asseoir, cit. 40; grelotter, cit. 2 et 4). *C'est l'hiver, voici l'hiver* (→ Conciliabule, cit. 2). *L'hiver approche. Voici l'hiver.* — Fam. *On va, nous allons vers l'hiver. Aspect de la nature qui annonce l'hiver* (→ Équanimité, cit. 4). *Hiver précoce, tardif. Début, seuil de l'hiver* (→ Enfermer, cit. 21; faner, cit. 16). *Hiver court. Les longs hivers des régions continentales. Hiver qui dure des mois* (→ Étaler, cit. 36); *sept mois d'hiver* (→ Fournir, cit. 2); *persistance de l'hiver* (→ Fournaise, cit. 3). *Le fort* (cit. 72), *le cœur* (cit. 24) *de l'hiver* (→ Ambrer, cit. 2; feutrer, cit. 4). *L'hiver s'en va* (→ Bois, cit. 24), *fait place au printemps. — Hiver sec et froid; hiver rigoureux, rude* (→ Année, cit. 6); *âpre, dur, terrible* (→ Avalanche, cit. 2; floraison, cit. 2; glace, cit. 7). *Un rude hiver,* roman de Queneau. *Grand hiver* (→ Fendre, cit. 2). *Rigueur des hivers* (→ Attiédir, cit. 1; hérisser, cit. 22). *Hiver neigeux, pluvieux, humide* (→ Germe, cit. 13), *malsain. Hiver doux, tiède, clément. Il n'y a pas eu d'hiver cette année :* la température n'a jamais été rigoureuse. — *Jour d'hiver blafard* (cit. 5). *Beaux jours d'hiver* (→ Air, cit. 7). *Un frais matin d'hiver* (→ Faire, cit. 206). *De longues soirées d'hiver* (→ Abréger, cit. 8; évoquer, cit. 9). *Le gel* (cit. 4), *le givre* (cit. 1), *les neiges de l'hiver* (→ Épuisant, cit.; fermer, cit. 4). *Vent, âpre bise* (cit. 7) *d'hiver. L'hiver effeuille, dénude les arbres* (cit. 32). *L'hiver blanchit* (cit. 6) *les monts, gèle* (cit. 5) *les plantes, grossit les ruisseaux* (→ Encaisser, cit. 5; envaser, cit.). *Le sommeil de la nature, des animaux pendant l'hiver.* ⇒ **Hibernation; hibernant** (→ Abeille, cit. 4; arranger, cit. 19).

(...) l'Hiver est une mort de six mois répandue sur tout un côté de cette boule, que nous ne saurions éviter; c'est une courte vieillesse des choses animées (...) 1
CYRANO DE BERGERAC, Lettres diverses, Contre l'hiver.

Que j'aime le premier frisson d'hiver! le chaume, 2
Sous le pied du chasseur, refusant de ployer!
A. DE MUSSET, Premières poésies, «Sonnet».

Le commencement de l'hiver avait été doux, il n'avait encore ni gelé ni neigé. 3
HUGO, les Misérables, II, III, I.

C'était l'hiver, il pleuvait des semaines entières, il neigeait; puis un dégel subit emportait la neige et la ville apparaissait de plus en plus noire après ce rapide ébouissement qui l'avait couverte un moment des fantaisies de cette âpre saison. 4
E. FROMENTIN, Dominique, IV.

(...) l'hiver n'a pas plus de fin que le printemps n'a de commencement; la terre ne connaît ni mort ni repos. Il n'est que le citadin pour qui l'hiver interpose, entre octobre et mars, une saison massive taillée dans un bloc de mois défeuillés, gris, mouillés, çà et là blancs de neige mince et trouée, signalés par l'avènement de l'huître, des concerts, des marrons et des skis. COLETTE, Belles saisons, p. 8. 5

La *zone tempérée* est celle pour laquelle ont été créées les divisions de l'année en saisons exprimant le régime thermique. Il n'y a pas d'hiver dans la zone subtropicale, il y en a un dans la zone tempérée, où huit mois au moins ont une moyenne inférieure à 20 °C (...) il faudrait encore distinguer entre les climats océaniques et continentaux. Les premiers sont caractérisés par une lente montée de la température et une descente aussi lente. Le printemps et l'automne s'étendent sur au moins six mois dans les climats océaniques. L'été et l'hiver semblent se partager l'année dans les climats continentaux. 6
E. DE MARTONNE, Traité de géographie physique, I, p. 142.

Mon métier m'obligeait d'errer sur toute la terre. Hélas je me trouvais toujours d'octobre à mars dans l'hémisphère nord, d'avril à septembre dans l'hémisphère sud, si bien qu'il n'y avait dans ma vie que des hivers. 7
IONESCO, Victimes du devoir, Théâtre I, p. 197.

On est peu à peu arrivé à ce temps où l'hiver s'amollit comme un fruit malade. Jusqu'à présent, il était dur et vert et bien acide, et puis, d'un coup, le voilà tendre. 7.1
J. GIONO, Regain, *in* Œ. roman., Pl., t. I, p. 344.

D'HIVER. *Plantes d'hiver,* qui poussent, produisent en hiver. ⇒ **Brumal, hiémal.** *Blé d'hiver. Fruits d'hiver. Rose* d'hiver. Jardin* d'hiver. — Se vêtir chaudement l'hiver* (→ Flanelle, cit. 1). *Pièces inhabitables l'hiver* (→ Geler, cit. 20). *Être nue été comme hiver. Pardessus d'hiver* (→ Goder, cit.). *Provisions d'hiver* (→ Figue, cit. 1). *Feux* (cit. 12) *d'hiver.* — Loc. *Quartiers* d'hiver.* — Loc. *Sports* d'hiver,* qui se pratiquent sur la neige.

(V. 1695). Température froide.

Des neiges qui ne se fondent jamais font un hiver perpétuel sur le sommet des montagnes (...) FÉNELON, Télémaque, II. 8

♦ **2.** Fig. et poét. **a** Année* qui apporte la vieillesse, la tristesse.

Cinquante hivers ont passé sur sa tête (...) BÉRANGER, Bonsoir. 9

b (1629). *Hiver de la vie, des ans.* ⇒ **Vieillesse.** *Ne remettez pas à l'automne, l'hiver vient aussitôt* (→ Attendre, cit. 35). — Littér. *L'Hiver,* recueil de poèmes de vieillesse de d'Aubigné.

On ne voit point tomber ni tes lys, ni tes roses, 10
Et l'hiver de ta vie est ton second printemps.
MAYNARD, Odes, À une belle vieille.

— Ninon, Ninon, que fais-tu de la vie? 11
L'heure s'enfuit, le jour succède au jour.
Rose ce soir, demain flétrie.
Comment vis-tu, toi qui n'as pas d'amour (...)
Aujourd'hui le printemps, Ninon, demain l'hiver.
A. DE MUSSET, À quoi rêvent les jeunes filles, I, 1.

CONTR. **Été.**

DÉR. Hiverner. — V. Hiberner, hivernal.

HIVERNAGE [ivɛʀnaʒ] n. m. — 1226, *hybernage* «hiver»; de *hiverner.*

★ **I.** ♦ **1.** (1802). Mar. Temps de la mauvaise saison, que les navires passent en relâche dans un abri.

Le 12 septembre, la mer n'offrit plus qu'une plaine solide, sans issue, sans passe, qui entourait le navire de tous côtés, de sorte qu'il ne pouvait ni avancer ni reculer. La température se maintenait, en moyenne, à seize degrés au-dessous de zéro. Le moment de l'hivernage était donc venu, et la saison d'hiver arrivait avec ses souffrances et ses dangers. J. VERNE, Un hivernage dans les glaces. 1

Port* où les navires relâchent pendant l'hiver, pendant la mauvaise saison (qui peut ne pas correspondre à l'hiver austral, notamment dans les zones tropicales et équatoriales).

♦ **2.** (1802). Géogr. (Cour. en français d'Afrique, où les noms des quatre saisons ne correspondent pas à des réalités climatiques). Saison des pluies, dans les régions tropicales (correspond en partie à l'été, dans l'hémisphère austral).

Je crie la joie étale qui inonde mon cœur 2
plus que Niger en hivernage.
L. S. SENGHOR, Nocturne, *in* Pages africaines, t. I, p. 5.

3 L'hivernage s'en allait à regret. La nature, lavée à grande eau, paraissait rajeunie.
Abdoulaye SADJI, Maïmouna, *in* Pages africaines, t. II, p. 32.

♦ **3.** Techn. [a] (XVIIIe). Labour qui précède l'hiver.

[b] (1866). Séjour des bestiaux à l'étable pendant l'hiver. ⇒ **Stabulation.**

♦ **4.** (1922). Techn. Maintien des végétaux, des œufs de ver à soie à une température assez basse pour retarder leur développement.

♦ **5.** Lieu où des animaux, des oiseaux hivernent.

★ **II.** Par métonymie. Agric. ♦ **1.** (1226, *ybernage*). Fourrage* de graminées et de légumineuses semées ensemble au printemps ou en automne, et destinées à la consommation d'hiver. ⇒ **Waterie** (régional). *Hivernage de seigle et de vesce.*

♦ **2.** (1732). Semailles de fourrage qui passent l'hiver en terre.

HIVERNAL, ALE, AUX [ivɛʀnal, o] adj. — V. 1119; bas lat. *hibernalis; -v-* d'après *hiver.*

Littéraire ou style soutenu.

♦ Propre à l'hiver, de l'hiver. ⇒ **Hiémal.** *Froid* (cit. 1) *hivernal. Une brume hivernale* (→ Étain, cit. 4). *Un ciel hivernal* (→ Coupole, cit. 2). *Le repos hivernal de la nature. Germination hivernale.* ⇒ **Hibernal.**

Les étoiles, en ces nuits claires, avaient cet éclat hivernal presque violent (...)
ALAIN, Propos, 9 oct. 1921, Divination.

Station hivernale : lieu dont le climat est doux et où l'on passe l'hiver. ⇒ **Hivernant** (1.). — REM. Ne se dit pas des stations de sports d'hiver. *Course hivernale,* en montagne. ⇒ **Hivernale.**

CONTR. Estival.
HOM. Hivernale.

HIVERNALE [ivɛʀnal] n. f. — 1966; de *course hivernale.*

♦ Alpin. Ascension, course effectuée l'hiver en haute montagne. *Une hivernale très dure, dangereuse.*

HOM. Hivernal.

HIVERNANT, ANTE [ivɛʀnɑ̃, ɑ̃t] n. — 1888, au sens 2; « hivernant », 1829; p. prés. de *hiverner.*

♦ **1.** Personne qui séjourne dans un lieu pendant l'hiver (opposé à *estivant*). *Les hivernants ont été nombreux cette année sur la Côte d'Azur.* — Spécialt. *Les estivants* et les hivernants d'une station, d'une base arctique.*

♦ **2.** (1888, Maupassant, *in* T. L. F.). Spécialt. Personne qui séjourne dans une station hivernale, dans une station de sports d'hiver.

HIVERNATION [ivɛʀnɑsjɔ̃] n. f. — 1829; de *hiverner.*

♦ **1.** Vx. ⇒ **Hibernation.** — REM. Le terme d'*hivernation* est encore employé pour les plantes.

♦ **2.** (XXe). Techn. Période pendant laquelle les graines des œufs de vers à soie doivent être refroidies, afin que les embryons puissent reprendre leur développement.

HIVERNER [ivɛʀne] v. — XIIe, *iverner* « faire un temps d'hiver »; lat. *hibernare,* de *hibernus* « hiver », d'après *hiver.*

♦ **1.** V. intr. [a] (V. 1207). Passer l'hiver à l'abri, en parlant des navires, des troupes (→ Prendre ses quartiers* d'hiver).

1 (...) comme le port n'était pas propre pour hiverner, la plupart furent d'avis de se remettre en mer (...) BIBLE (SACY), Actes des apôtres, XXVII, 12.

2 Rien ne distingue le fleuve de la terre ferme, si ce n'est çà et là, le long des quais, pareils à des murs, quelques bateaux qui hivernent surpris par les froids.
Th. GAUTIER, Voyage en Russie, VIII, p. 114.

(Animaux). *Les troupeaux qui hivernent dans la plaine.* ⇒ aussi **Hiberner.**

[b] (Personnes). Passer l'hiver (quelque part). *Hiverner à Cannes.*

♦ **2.** V. tr. [a] (XIIIe). *Hiverner les bestiaux,* les mettre à l'étable pendant l'hiver. ⇒ **Hivernage.**

3 (...) une petite maison de paysan, à la manière du pays, contenant sous un même toit plusieurs chambres, la cuisine, la grange et l'étable : tout cela suffisait seulement pour un petit ménage, et pour *hiverner* deux vaches.
É. DE SENANCOUR, Oberman, LXXVI.

[b] (XVIIIe). Labourer (une terre) avant l'hiver.

CONTR. Estiver.
DÉR. Hivernage, hivernant, hivernation, hiverneur.

HIVERNEUR, EUSE [ivɛʀnœʀ, øz] n. — 1874; de *hiverner.*

♦ Rare. Personne qui passe l'hiver à l'abri quelque part; qui effectue un hivernage*.

Les hiverneurs éprouvèrent des douleurs dans les oreilles, dans le nez, dans toutes les extrémités du corps (...) J. VERNE, Un hivernage dans les glaces, p. 303. 1

D'ailleurs, sous ce sombre crépuscule, au milieu des rafales de neige, à demi enfouie sous les glaces, blanche de la base au sommet, avec ses lignes empâtées, ses fumées grisâtres tordues par le vent, cette maison d'hiverneurs présenterait encore un aspect étrange, sombre, lamentable, qu'un artiste ne saurait oublier. 2
J. VERNE, le Pays des fourrures, t. I, p. 168.

hl Symbole de l'hectolitre*.

H. L. M. [aʃɛlɛm] n. m. ou (plus correct) n. f. — V. 1950; sigle de *habitation à loyer modéré.*

♦ Grand immeuble construit par une collectivité et affecté aux personnes qui ont de petits revenus. — Par ext. Immeuble moderne à appartements bon marché. *Constructions de H. L. M. aux portes de Paris. Habiter un H. L. M., une H. L. H.* — Var. graphique plaisante : *hachélem, achélem.* — En appos. *Une cité H. L. M.*

Nous sommes entrés dans l'ère de la philosophie des ensembles! des grands ensembles, et je ne parle pas hachélem (...) ARAGON, Blanche..., III, II, p. 401. 1

Pas besoin de consulter des milliers de spécialistes pour savoir que dans vingt ans la majorité n'aura pas encore de salles de bains puisque dans la plupart des H. L. M. on n'aménage que des salles d'eau. 2
S. DE BEAUVOIR, les Belles Images, p. 209 (1966).

REM. Malgré la logique, le masculin tend à prévaloir; Grévisse cite cependant *une H. L. M.* chez P. Chabrol.

(...) c'était comme un ordre venu d'ailleurs, de toutes les fenêtres du H. L. M., par exemple (...) J.-M. G. LE CLÉZIO, la Fièvre, p. 138. 3

Appartement dans une H. L. M.

— Mais enfin, il pourrait s'acheter un H. L. M. (...) 4
Claude COURCHAY, La vie finira bien par commencer, p. 139.

HM ou HMM [hɘm] mot invar. — Écrit au XXe; var. de *hem, hum.*

♦ **1.** Onomatopée marquant le doute (*Hmm! je n'en suis pas très sûr*), ou au contraire l'approbation, le plaisir (*hmm! c'est bon...*).

— Le Saint Père nous offre Spolète et Foligno! 1
— Pas moins que cela. — Contre quoi?
— Contre rien.
— Hmm... Spolète et Foligno, ces perles! Est-ce qu'on se mettrait à reconnaître mes services? MONTHERLANT, Malatesta, I, 6.

(...) c'est un malheureux fou qui s'imagine que nous sommes mariés tous les deux... parce que je lui ai fait un peu de bien... comme à tant d'autres... — (...) Hm! Hm! 2
Sacha GUITRY, Ils étaient 9 célibataires, p. 320.

♦ **2.** Notation graphique d'un murmure à bouche fermée (réponse inaudible, indécise, etc.).

« On mange bientôt? » demanda-t-il en dépliant la lettre. « Cinq minutes », dit sa femme; « tu as faim? » « Hm... » J.-M. G. LE CLÉZIO, la Fièvre, p. 12. 3

hm Symbole de l'hectomètre*.

Ho [aʃo] Symbole chimique de l'holmium*.

1. HO [ho; 'o] interj. — XIVe; « halte ! », v. 1233; onomatopée. → Oh; o.

Onomatopée.

♦ **1.** Servant à appeler. ⇒ **Eh, hé, holà.** *Ho! vous, là-bas!* — Vx. *Ho! ça!*

Allons, ho! Messieurs, debout, debout, vite, c'est trop dormir. 1
MOLIÈRE, la Princesse d'Élide, 1er intermède, 2.

Ho! (...) prenez vos fusils; vous allez accompagner mon frère. 2
MÉRIMÉE, Colomba, XVI.

♦ **2.** Exprimant l'étonnement, l'indignation... ⇒ **Oh.** *Ho! quel coup!* (Académie). — REM. La graphie *ho!* est peu usitée de nos jours; on lui préfère *oh!*

Ho! ho! qui des deux croire. MOLIÈRE, l'Étourdi, I, 4. 3

Ho! Ho quoi!... dit l'Auvergnat d'une voix profonde... Celui-là... Lui aussi! 4
BERNANOS, l'Imposture, *in* Œ. roman., Pl., p. 421.

COMP. Holà.
HOM. Au, aulx (pl. de *ail*), aux, eau, haut, ô, oh, os.

2. HO [ho; 'o] interj. ⇒ **Oh.**

HOAZIN [ɔazɛ̃] n. m. — Fin XVIIIe, *in* Buffon; d'une langue indienne onomatopéique.

♦ Zool. Oiseau gallinacé de couleur brune, d'un type très primitif, qui vit en Amérique centrale.

(...) l'hoazin n'est pas tout à fait aussi gros qu'une poule d'Inde; il a le bec courbé, la poitrine d'un blanc jaunâtre, les ailes et la queue marquées de taches ou raies blanches (...) Il se trouve dans les contrées les plus chaudes du Mexique (...) 1
BUFFON, Hist. nat. des oiseaux, L'hoazin.

REM. Selon Cuvier, « le nom d'hoazin a été appliqué sans preuve à cet oiseau par Buffon ».

(...) l'*Opisthocomus* ou hoatzin *(sic)* de l'Amérique tropicale est le seul exemple 2

actuel d'un oiseau chez lequel la main serve à grimper, encore cette particularité est-elle limitée au jeune.
A. LEROI-GOURHAN, le Geste et la Parole, t. I, p. 50.

HOBBISME ['ɔbism] n. m. — 1766, *in* Mackenzie; angl. *hobbism; de Hobbes*, n. propre.

♦ Didact. Philosophie politique de Thomas Hobbes (1588-1679), auteur du *Léviathan* (1651). *Dans le hobbisme, l'individu renonce à ses droits naturels au profit du pouvoir du souverain.*

Je ne vois point de milieu supportable entre la plus austère démocratie et le « hobbisme » le plus parfait. ROUSSEAU, Lettre à Mirabeau, 26 juil. 1767.

HOBBY ['ɔbi] n. m. — 1815, *hobby-horse*; répandu mil. XXe (*hobby*, 1933, P. Morand); mot angl., de *hobby (horse)* « dada », de l'anc. franç. *hober*. → Hobereau.
Anglicisme.

♦ **1.** Vx. HOBBY-HORSE : manie. ⇒ **Dada.**

1 Comme je suis dans mon éloignement le hobby horse de sa tendresse, tout papier blanc noirci de ma plume lui est bon (...)
V. JACQUEMONT, Correspondance, 28 mai 1831.

♦ **2.** Mod. HOBBY (plur. *hobbies* [ɔbiz]) : passe-temps pour se distraire, activité de loisir, violon* d'Ingres. « *Trop heureux de pouvoir parler de son hobby : la pêche... à la truite* » (*Toute la pêche*, n° 57, p. 31).

2 Vous avez des hobbies? (À noter que les journalistes ne disent jamais marottes qui ferait sans doute vieux jeu).
Pierre DANINOS, Un certain Monsieur Blot, p. 175.

3 (...) la « créativité », essence inventée par des spécialistes qui localiseraient la capacité créatrice des groupes et des individus. Où se situerait ce lieu social? Dans les « hobbies », le « faites-le vous-même »? Ce qui marque l'échec et l'abandon des capacités créatrices à l'échelle globale.
Henri LEFEBVRE, la Vie quotidienne dans le monde moderne, p. 321.

HOBEREAU [ɔbʀo] n. m. — 1370; *hoberel*, 1196; de l'anc. franç. *hobeler, hober*, du moy. néerl. *hobelen* « bouger, se démener ».

★ **I.** Vx ou techn. (fauconn.). Oiseau rapace diurne de petite taille, qui se nourrit de petits oiseaux et de gros insectes, ce qui l'oblige à voler très bas. ⇒ **Faucon.** — Syn. : *émouchet à gorge blanche, tiercelet bleu. Les hobereaux chassent surtout les alouettes; ils sont peu estimés en fauconnerie.*

1 Le hobereau est bien plus petit que le faucon et en diffère aussi par les habitudes naturelles : le faucon est plus fier, plus vif et plus courageux; il attaque des oiseaux beaucoup plus gros que lui. Le hobereau est plus lâche de son naturel, car, à moins qu'il ne soit dressé, il ne prend que les alouettes et les cailles (...) le hobereau se porte sur le poing, découvert et sans chaperon, comme l'émerillon, l'épervier et l'autour; et l'on en faisait autrefois un grand usage pour la chasse des perdrix et des cailles. BUFFON, Hist. nat. des oiseaux, Le hobereau.

★ **II.** (1579, *hobreau*). Fig. (D'abord régional et péj.). Gentilhomme campagnard de petite noblesse, qui vit sur ses terres. *Un pauvre hobereau de province. Hobereau recherché par les bourgeois* (→ Frais, cit. 6).

2 Dans quelques-unes de nos provinces on donne le nom de *hobereau* aux petits seigneurs qui tyrannisent leurs paysans, et plus particulièrement au gentilhomme à lièvre, qui va chasser chez ses voisins sans être prié, et qui chasse moins pour le plaisir que pour le profit. BUFFON, Hist. nat. des oiseaux, Le hobereau.

3 Le voyageur qui eût aperçu de loin le castel dessinant ses faîtages pointus sur le ciel, au-dessus des genêts et des bruyères, l'eût jugé une demeure convenable pour un hobereau de province (...) Th. GAUTIER, le Capitaine Fracasse, I.

4 (...) le plus haut bourgeois de Cologne, ou le plus riche industriel de la Ruhr, se sent humble dans son cœur devant un misérable petit hobereau de Poméranie.
J. ROMAINS, les Hommes de bonne volonté, t. IV, IX, p. 95.

5 (...) le hobereau, qui noyait sous l'alcool, au fond d'un manoir crasseux près de Morlaix, l'angoisse de reconnaître peu à peu qu'on devient pauvre.
MONTHERLANT, les Olympiques, p. 90.

HOC ['ɔk] n. m. — 1616, *être hoc*; mot lat., « cela ».

♦ **1.** (V. 1640). Anciennt. Jeu de cartes, dans lequel certaines cartes privilégiées assuraient la levée. — Carte assurant la levée.

♦ **2.** Fig. et vx. *Être hoc* : être assuré (à, pour quelqu'un).

Mon congé cent fois me fût-il hoc,
La poule ne doit pas chanter devant le coq.
MOLIÈRE, les Femmes savantes, V, 3.

HOM. Oc.

HOCA [ɔka] n. m. — 1672, *hoca*; *hocca*, 1658, *in* D. D. L.; de *oca* « oie, jeu de l'oie »; *h* initial par attr. de *hoc*.

♦ Anciennt. Jeu de hasard rappelant le loto, en faveur aux XVIIe et XVIIIe siècles.

HOCCO ['ɔko] n. m. — 1741, Barrère; *oco, loco*, 1664; mot caraïbe de la Guyane.

♦ Oiseau galliforme (*Gallinacés, Pénélopidés*), appelé aussi *coq indien, coq d'Amérique*, qui tient du faisan et du pigeon. *Le hocco, arboricole et frugivore, habite les régions équatoriales de l'Amérique; il s'apprivoise aisément et sa chair est comestible. Hocco noir. Hocco du prince Albert. L'alector est un hocco.*

(...) le hocco a la tête grosse, le cou renforcé, l'un et l'autre garnis de plumes, sur le bec un tubercule rond, dur et presque osseux, et sur le sommet de la tête une huppe mobile qui paraît propre à cet oiseau, qu'il baisse et redresse à son gré (...)
BUFFON, Hist. nat. des oiseaux, Les hoccos, I.

HOCHE ['ɔʃ] n. f. — 1530, « brèche, entaille »; *osche*, mêmes sens, v. 1175; aussi *oche*, XIIe-XIIIe; d'un préroman **ŏsca* « entaille », ou déverbal de 2. *hocher*.
Vx ou régional.

♦ **1.** (Mil. XIIIe, *oche*). Entaille que l'on faisait sur une planchette spéciale (⇒ **Taille,** I., 6.) pour tenir le compte des denrées (pain et vin en particulier) vendues à crédit. ⇒ **Coche, encoche.** *Faire une hoche.* — (XIIe, *osche*). Entaille naturelle. *Les palmes inférieures tombent « et laissent sur le tronc des espèces de hoches raboteuses et annulaires »* (Bernardin de Saint-Pierre, *Harmonies de la nature*, p. 64, *in* T. L. F.).

♦ **2.** (Fin XIIe). Vx. Brèche* sur une lame. « *Ce couteau a des hoches* » (Littré).

DÉR. V. 2. **Hocher.**

HOCHEMENT ['ɔʃmɑ̃] n. m. — 1552; « coït », v. 1550; de 1. *hocher*.

♦ *Hochement de tête* : action de hocher (la tête); mouvement qui en résulte (→ Air, cit. 9). *Un hochement de tête imperceptible, minuscule* (→ Compte, cit. 31). *Des hochements de tête qui expriment le doute, le mépris* (→ Froissement, cit. 1).

(...) voulant des hommes discrets, elle *(la science)* permet aux ignorants de ne rien dire, de se retrancher dans des hochements de tête mystérieux (...) 1
BALZAC, Illusions perdues, Pl., t. IV, p. 501.

(...) en même temps, elle émettait, scandées de hochements de tête pensifs, des réflexions (...) COURTELINE, Boubouroche (nouvelle), V. 2

(...) un de ces hochements de tête qui n'ont pas confiance (...) 3
COURTELINE, Messieurs les ronds-de-cuir, III, II.

Elle s'est retournée vers moi et elle a eu ce drôle de mouvement que je l'avais déjà vue faire l'autre soir, un hochement de tête de bas en haut. 4
J.-P. MANCHETTE, Morgue pleine, p. 132.

Absolt. *Hochement approbatif* (cit. 2), *désapprobatif.* — (Avec d'autres compl. que *tête*). « *Un petit hochement des épaules* » (Zola, *Son Excellence Eugène Rougon*, *in* T. L. F.).

HOCHEPOT ['ɔʃpo] n. m. — V. 1120, *in* T. L. F.; de 1. *hocher*, et *pot*.

♦ Vx, régional. Ragoût de bœuf et de volaille cuits sans eau avec des navets et des marrons. *Des hochepots.*

HOCHE-QUEUE ou **HOCHEQUEUE** ['ɔʃkø] n. m. — 1549, *hoque-queue*; var. *hausse-queue*, 1557; de 1. *hocher*, et *queue*.

♦ Régional. Bergeronnette (cet oiseau remuant la queue en sautillant). ⇒ **Bergeronnette, lavandière.** *Des hochequeues, des hoche-queues.*

« Mais, tiens, dit-il, en voilà un que je reconnais... C'est facile, il bouge la queue. Petit! » Voyant un hoche-queue à uniforme sombre au bout d'une branche, et qui bouge en effet à petits coups sa queue.
RAMUZ, Derborence, 1934, p. 159, *in* T. L. F.

REM. Lamartine fait le mot du féminin.

1. HOCHER ['ɔʃe] v. tr. — V. 1155, *hochier*, sens sexuel en anc. franç. (→ Branler); francique **hottisôn*, de **hotton* « faire balancer ».

♦ **1.** Vx ou régional. Secouer, remuer. [a] *Hocher des fruits*, les faire tomber en secouant l'arbre.

[b] Rare. *Hocher les épaules* (Duhamel, *Cécile parmi nous*, *in* T. L. F.). ⇒ **Hausser.**

[c] Techn. (manège). *Hocher le mors, la bride à un cheval.* — Loc. fig. *Hocher le mors à qqn*, l'exciter, le « secouer ». — *Cheval qui hoche le mors.*

♦ **2.** (XIIIe; *hoquer le chief*, v. 1170). Mod. et cour. HOCHER LA TÊTE, la secouer (de haut en bas, ou de droite à gauche, pour signifier ce que ces gestes expriment conventionnellement). ⇒ **Branler** (le chef). *Hocher la tête en signe de dénégation, de mépris. Dire non, refuser en hochant la tête. Hocher la tête d'un air de doute, d'encouragement, de regret, de résignation navrée* (→ Fourrer, cit. 5; et aussi fourragère, cit. 3).

(Ils) me font la moue et puis haut et puis bas 1
Hochent la tête. Clément MAROT, Psaumes de David, XXII.

Puis il hocha silencieusement la tête de droite à gauche comme s'il se refusait quelque chose (...) HUGO, les Misérables, V, VIII, IV. 2

Quelques regretteurs du temps passé, hochant la tête, disent : de mon temps, il n'en était pas ainsi. CHAMPFLEURY, *in* le Figaro, 15 févr. 1866, cité *in* LITTRÉ, art. *Regretteur.* 3

4 (...) Gabrielle, point convaincue, persistant à hocher la tête d'un air d'incrédulité (...) COURTELINE, Messieurs les ronds-de-cuir, IV, II.

5 À la fin, celui-ci hochait la tête avec approbation.
A. MAUROIS, les Roses de septembre, II, 1, p. 84.

6 Quand on demandait à un commerçant une denrée qu'il ne possédait pas (...) son visage exprimait le dédain et la consternation; il hochait la tête, dans une mimique qui en France signifie oui, et qui reflétait tout le malheur du monde.
S. de BEAUVOIR, la Force de l'âge, p. 312.

REM. H. Michaux a tiré de l'expression l'adj. *hoche-tête* ['ɔʃtɛt] «qui hoche la tête (par hésitation, doute, air, entendu...)».

7 Le reste, c'est de l'académie dont tous les musées ont rempli d'immenses salles, et où naturellement un tas de vieux archéologues hoche-tête, qui n'ont jamais écrit, ni buriné, ni sculpté quoi que ce soit d'artistique, ont fait la loi, et donné la consigne de l'admiration aux Européens. Henri MICHAUX, Un barbare en Asie, p. 41.

♦ **3.** V. intr. Vx. Loc. *Hocher du nez :* témoigner son mécontentement. — Avec d'autres compl. (Animaux). *Hocher la queue.* ⇒ **Hochequeue.**

DÉR. Hochement, hochet, hocheur.
COMP. Hochepot, hoche-queue ou hochequeue.
HOM. 2. Hocher.

2. HOCHER

2. HOCHER ['ɔʃe] v. tr. — Déb. XIVe, *hoschier; oschier* «ébrécher», v. 1210; p. p. *oschié*, v. 1160; de *hoche;* P. Guiraud suggère un étymon gallo-roman **oscicare*, doublet du lat. class. *oscitare* «ouvrir la bouche».

♦ Vx. Marquer d'une hoche. ⇒ **Cocher, entailler.**

HOM. 1. Hocher.
DÉR. V. Hoche.

HOCHET

HOCHET ['ɔʃɛ] n. m. — 1391; «jeu d'osselets», 1331; de 1. *hocher.*

♦ **1.** Jouet des enfants en bas âge, formé d'un manche et d'une partie qui fait du bruit quand on la secoue. *Un hochet en ivoire, en plastique. Agiter un hochet pour amuser un bébé. L'enfant mord son hochet pour se faire les dents.*

1 (...) je n'ai point pris la fantaisie des grand'mères, qui passent par-dessus leurs enfants pour jouer du hochet avec ces petites personnes (...)
Mme DE SÉVIGNÉ, 789, 13 mars 1680.

2 *(L'enfant)* fait pour une poupée, pour un hochet, ce que l'âge mûr fait pour un titre ou un sceptre. C.-A. HELVÉTIUS, De l'homme, V.

3 Une fille; elle avait cinq ans; elle marchait
Au hasard, elle était dans l'âge du hochet (...) HUGO, la Légende des siècles, LVII.

Par compar. ou métaphore. *La malice, hochet de l'esprit* (→ Goût, cit. 32).

4 (...) la vie, sans les maux qui la rendent grave, est un hochet d'enfant.
CHATEAUBRIAND, Mémoires d'outre-tombe, t. II, p. 87.

5 Tu jouais avec le bonheur comme un enfant avec un hochet (...)
A. DE MUSSET, la Confession d'un enfant du siècle, V, VI.

♦ **2.** (1745). Fig. et littér. Chose futile qui contente, console l'esprit, qui flatte les passions. ⇒ **Consolation, illusion.** *Les hochets de la vanité. Le hochet de la vieillesse* (→ 1. Barbe, cit. 23).

6 Imaginer que l'on pourra être à côté de Pythagore, de Plutarque, ou d'Ossian dans le cabinet d'un L*** futur, c'est une illusion qui a de la grandeur, c'est un des plus nobles hochets de l'homme.
Éd. DE SENANCOUR, Oberman, LXXVIII.

7 (...) l'homme qui touche à son adolescence
Brise les vains hochets de sa crédule enfance. LAMARTINE, Harold, I.

HOCHE-TÊTE

HOCHE-TÊTE ['ɔʃtɛt] adj. invar. ⇒ 1. **Hocher** (*supra* cit. 7).

HOCHEUR, EUSE

HOCHEUR, EUSE ['ɔʃœʀ, øz] n. — 1867, *in* Littré; de 1. *hocher.*

♦ **1.** Personne qui hoche (qqch.). *Des hocheurs de tête.*

♦ **2.** Régional. Ouvrier qui secoue les pommiers à cidre pour récolter les pommes.

HOCKEY

HOCKEY ['ɔkɛ] n. m. — 1876, *in* Höfler; mot angl. empr. de l'anc. franç. *hocquet* «bâton»; francique **hôk.*

♦ Anglic. Jeu d'équipe, dont les règles rappellent celles du football et qui consiste à faire passer une balle de cuir entre deux poteaux *(buts)*, au moyen d'une crosse* *(stick)* aplatie dans sa partie courbe. *Les onze joueurs et le capitaine d'une équipe de hockey* (sur gazon). *Match de hockey sur gazon.* ⇒ aussi **Lacrosse** (régional). (1897, *hockey sur la glace*). **HOCKEY SUR GLACE**, ou, absolt, **HOCKEY**, où la balle est remplacée par un palet (*rondelle* en franç. québécois; *puck* en angl.) que se disputent deux équipes de six joueurs chacune, chaussés de patins à glace. *Avants, arrières d'une équipe de hockey sur glace. Équipement du joueur de hockey :* gants, jambières, casque, masque de gardien.

— Aujourd'hui, c'est jeudi soir; il y a hockey sur glace à Madison Square Gardens. Paul MORAND, New-York, p. 181.

DÉR. Hockeyeur.
HOM. Hoquet.

HOCKEYEUR, EUSE

HOCKEYEUR, EUSE ['ɔkɛjœʀ, øz] n. — 1924, *in* Höfler; *hockeyer*, 1910; de *hockey.*

♦ Joueur, joueuse de hockey.

On retrouve dans les gestes du hockeyeur beaucoup d'affinités avec ceux du joueur de tennis. La crosse plus lourde que la raquette ne peut que renforcer les muscles du bras et du poignet. Henri COCHET, le Tennis, p. 27.

HODO-

HODO- Élément, du grec *hodos* «route». ⇒ **Odo-.**

HODJA

HODJA ['ɔdʒa] n. m. — 1879, Loti; *hogea*, 1559; *kogia*, 1653; mot turc *hoca* [hodʒa], du persan *häwāǧä* «maître, marchand».

♦ En Turquie, Enseignant (spécialt, maître d'une école coranique).

HODOCHRONE

HODOCHRONE [odokʀon; ɔdokʀɔn] n. f. — Mil. XXe; de *hodo-*, et *-chrone.*

♦ Sc. Courbe représentant le temps en fonction de la distance de propagation d'une onde réfractée. *Hodochrones fournies par un sismogramme.*

HODOGRAPHIE

HODOGRAPHIE [ɔdɔgʀafi] n. f. ⇒ **Odographie.**

HODOGRAPHIQUE

HODOGRAPHIQUE [ɔdɔgʀafik] adj. ⇒ **Odographique.**

HODOMÈTRE

HODOMÈTRE [odomɛtʀ; ɔdɔmɛtʀ] n. m. (et dér.). ⇒ **Odomètre** (et dér.).

HODOSCOPE

HODOSCOPE [odoskɔp; ɔdɔskɔp] n. m. — Mil. XXe; de *hodo-*, et *-scope.*

♦ Didact. Appareil capable de matérialiser les trajectoires de particules électrisées dans un champ magnétique.

HOFFMANNESQUE

HOFFMANNESQUE ['ɔfmanɛsk] adj. — 1846, Baudelaire; var. *hoffmanique;* de *Hoffmann*, écrivain et musicien allemand (1776-1822), célèbre pour ses récits fantastiques.

♦ Didact. Qui rappelle les récits, les personnages de Hoffmann. «*Un théâtre d'une barbarie latente et d'une ambiance hoffmannesque*» (A. Artaud, *l'Atelier de Charles Dullin*, Œuvres, t. II, p. 154, éd. Gallimard).

Fournier, cette fois en pierrot (...) trébuchant d'un portant à l'autre, les bras levés en l'air et invitant à la joie, ivre de vin, ivre du bruit et de la folie de sa fête — et fantastique, et hoffmanesque *(sic)*, et shakespearien, et sardanapalesque (...)
Ed. et J. DE GONCOURT, Journal, 17 févr. 1863.

Var. : *hoffmanien, ienne* ['ɔfmanjɛ̃, jɛn] (1939, Béguin, *in* T. L. F.).

HOGNER

HOGNER ['ɔɲe] v. tr. — 1190, *hoignier* «mentir»; orig. douteuse, finale de *grogner*, le premier élément pourrait représenter *honnir.*

♦ Vx ou régional. Grogner, grommeler. — REM. Le dér. *hognement* ['ɔɲ(ə)mɑ̃] n. m., est attesté.

HOIR

HOIR ['waʀ] n. m. — V. 1080, *heir;* du lat. *heres* «héritier».

♦ **1.** Vx ou archaïsme didact. (hist.), littér. Héritier.

Le mort saisit le vif, son hoir le plus proche habile à lui succéder. 1
LOISEL, Institutes coutumières, n° 317 (→ Héritier).

(...) Montaigne eut six filles; mais tout porte à croire qu'il espérait un hoir mâle (...) G. DUHAMEL, les Plaisirs et les Jeux, VII, II. 2

(...) si peu qu'il reste de terre héréditaire, si révoltés qu'en soient les hoirs, les seuls glaiseux peuvent dire ce que ça peut recoller aux pieds. 3
Hervé BAZIN, Cri de la chouette, p. 291.

♦ **2.** Régional (Suisse). Le plus souvent au plur. Héritier direct. «*Les hoirs F. ont vu leur parcelle située à la Croix-sur-Lutry passer de l'affectation de zone rurale (...) en zone verte*» (*24 heures*, 22 mars 1978, p. 18).

DÉR. Hoirie.

HOIRIE

HOIRIE ['waʀi] n. f. — 1318, *haerie;* de *hoir.*

♦ **1.** Dr. Vx (ou archaïsme stylistique). Héritage.

Il a aimé comme un homme, humainement, l'humble hoirie de l'homme (...) 0.1
BERNANOS, la Joie, *in* Œ. roman., p. 684.

Loc. mod. *Avancement* d'hoirie.* ⇒ **Avancement.** *Avance* (cit. 24 et 24.1) *d'hoirie.*

Une (...) somme (...) comptée (...) en avancement d'hoirie (...) 1
LA BRUYÈRE, les Caractères, VI, 27.

(...) les avancements d'hoirie ne sont en réalité que des remises anticipées des parts que les donataires successibles doivent un jour recueillir dans la succession (...) 2
DALLOZ, Nouveau code civil, II, art. 922 B, V, 85.

♦ **2.** Régional (Suisse). Ensemble des héritiers indivis. — Héritage indivis.

HOLÀ [ˈɔla] interj. et n. m. — 1350, *in* T. L. F.; de 1. *ho,* et *là.*

♦ **1.** Servant à appeler. ⇒ 1. **Ho.** *Holà! monsieur!* (→ Après, cit. 31). *Holà! quelqu'un? Holà! qui va là!* (→ Aller, cit. 13.1). *Holà! à moi!* ⇒ **Hé, hem.**

1 Holà! quelqu'un n'a-t-il point vu mon maître? RACINE, les Plaideurs, II, 7.

2 — Holà! Holà! Au secours, monsieur le curé! R. ROLLAND, Colas Breugnon, III.

♦ **2.** Vieilli (on dirait plutôt au xxe siècle : *hé, là!*). Servant à modérer, à arrêter. *Holà! pas si vite* (→ Cadence, cit. 3). *Holà! suffit!* (cf. Assez, tout beau, doucement, tout doux!).

3 Holà, holà! tout doucement. Comme diantre vous allez vite.
MOLIÈRE, les Fourberies de Scapin, II, 8.

4 Après l'Agésilas,
Hélas!
Mais, après l'Attila,
Holà! BOILEAU, Épigramme, VII.

N. m. :

5 Un clerc, pour quinze sous, sans craindre le holà,
Peut aller au parterre attaquer Attila (...) BOILEAU, Satires, IX.

♦ **3.** Loc. mod. (1644; *faire holà,* 1594). *Mettre le holà :* faire cesser une querelle, une bataille.

6 (...) s'il s'élevait des disputes, Cadenet mettait le holà en disant (...)
BALZAC, les Petits Bourgeois, Pl., t. VII, p. 170.

Mettre le holà à... : mettre fin, bon ordre à...

7 (...) ce père précédé de flambeaux, et venant mettre le holà aux fredaines un peu trop fortes de son fils? Th. GAUTIER, le Capitaine Fracasse, XVII, t. II, p. 242.

HOLANDRIQUE [ɔlɑ̃dʀik] adj. — Mil. xxe; de *holo-, -andre,* du grec *andros,* et suff. *-ique.*

♦ Biol. Porté et transmis uniquement par le mâle. *Caractère, gène holandrique.*

CONTR. Hologynique.

HOLARCTIQUE [ɔlaʀktik] adj. — 1907, in *Rev. gén. des sc.,* n° 15, p. 643; de *hol(o)-,* et *arctique.*

♦ Didact. *Région holarctique :* région botanique de l'hémisphère boréal, au nord de la Méditerranée en Europe, comprenant toute la Sibérie, le Nord de la Chine, la majeure partie de l'Amérique du Nord.

HOLDING [ˈɔldiŋ] n. m. — 1937, *in* Höfler; mot angl., abrév. de *holding company* (1912), de *to hold* «tenir», et *company* «compagnie».

♦ Écon. Société financière qui possède les actions d'autres sociétés, accomplit les opérations financières intéressant ces sociétés et dirige ou contrôle leur activité. ⇒ **Trust** (cour.). *«Un holding peu maniable»* (*l'Express,* 31 juil. 1972, p. 70). — REM. On entend parfois le fém. (de *compagnie, société holding*) : *une holding.* — Appos. *Société holding.*

On parle de *trusts,* de *pools,* de *mergers,* de *holdings,* mots nouveaux.
Paul MORAND, New-York, p. 120.

Holding trust (aussi en angl. *investment trust*) : société de placement de fonds, qui gère un portefeuille de valeurs mobilières.

HOLD-UP [ˈɔldœp] n. m. — 1925, *in* D. D. L.; mot amér., de *to hold up one's hands* «tenir les mains en l'air». → Haut (les mains).

♦ Anglic. Vol à main armée dans un lieu public. *Le hold-up d'une banque, d'un fourgon postal. Des hold-up* ou *des hold-ups.*

1 Il y a des vols et des meurtres à New-York, comme partout, mais ce qu'on y pratique le plus, c'est le «haut les mains!» (*hold up*).
Paul MORAND, New-York, p. 90.

2 (...) prendre les bars de mauvais garçons pour des centres d'étude de hold-up ou les confondre avec des bureaux d'embauche d'hommes de main, c'est pas sérieux comme conception. Albert SIMONIN, Touchez pas au grisbi, p. 127.

Graphie francisée plaisante (supposant la prononc. [ɔldyp]) :

3 Mises à part les agressions à main armée vulgairement appelées oldupe (...)
Jacques PERRET, Bâtons dans les roues, p. 193.

HÔLEMENT [ˈolmɑ̃] n. m. — 1770, Buffon; de *hôler.*

♦ Rare. Cri de la hulotte et des chats-huants.

HÔLER [ˈole] v. intr. — XIIIe, *hoiler;* onomatopée.

♦ Rare. Pousser le cri caractéristique de l'espèce, en parlant de la hulotte et autres chats-huants. ⇒ **Hululer.**

DÉR. Hôlement.

HOLISME [ˈɔlism] n. m. — xxe (1939, J. Rostand, *in* T. L. F.); du grec *holos* «entier», (→ Holo-), et suff. *-isme.*

♦ Didact. Théorie selon laquelle l'homme est un tout indivisible qui ne peut pas être expliqué par ses différentes composantes (physique, physiologique, psychique) considérées séparément. ⇒ **Globalisme.**

HOLISTE [ˈɔlist] ou **HOLISTIQUE** [ˈɔlistik] adj. et n. — Mil. xxe; du grec *holos* «entier» (→ Holo-), et *-iste,* ou de l'angl. *holistic,* de même origine.

Didactique.

♦ **1.** Qui concerne le holisme; qui relève du holisme.

L'une des tendances les plus générales des mouvements d'avant-garde dans toutes les sciences humaines est le structuralisme, se substituant aux attitudes atomistiques ou aux explications «holistes» (totalités émergentes). 1
J. PIAGET, Épistémologie des sciences de l'homme, p. 278 (1970).

♦ **2.** (Seulement *holiste*). Partisan du holisme. ⇒ **Globaliste.** — N. *Un, une holiste :* un partisan du holisme.

On sait que certaines écoles de pensée (toutes plus ou moins consciemment ou confusément influencées par Hegel) entendent contester la valeur de l'approche analytique lorsqu'il s'agit de systèmes aussi complexes que les êtres vivants. Selon ces écoles («organicistes» ou «holistes») qui, tel le phénix, renaissent à chaque génération, l'attitude analytique, qualifiée de «réductionniste» serait à jamais stérile, comme prétendant ramener purement et simplement les propriétés d'une organisation très complexe à la «somme» de celles de ses parties. 2
Jacques MONOD, le Hasard et la Nécessité, p. 105.

HOLKER [ˈɔlkɛʀ] n. m. — 1873, *in* P. Larousse; mot scandinave.

♦ Didact. (archéol.). Embarcation scandinave faite d'un tronc d'arbre creusé. *Des holkers.*

HOLLANDAIS, AISE [ˈɔllɑ̃dɛ, ɛz] adj. et n. — XIIIe, *in* T. L. F., *Holandois;* de *Hollande* (germanique *Holland*).

♦ De Hollande, province des Pays-Bas; par ext., des Pays-Bas. ⇒ **Batave** (vx), **néerlandais.** *Le peuple hollandais. Anciennes colonies hollandaises d'Indonésie. Le stathouder, ancien gouverneur hollandais. Noble hollandais.* ⇒ **Jonkheer.** *La propreté légendaire des intérieurs hollandais* (→ Éblouir, cit. 6). *Canaux, moulins, polders hollandais. Les champs de tulipes hollandais. Fromages hollandais.* ⇒ **Gouda, hollande** (II., 1.), **mimolette.** *Les grands libraires hollandais des* XVIIe *et* XVIIIe *siècles. Les grands peintres de l'école hollandaise. Les maîtres hollandais.*

La peinture hollandaise (...) ne fut et ne pouvait être le portrait de la Hollande, son image extérieure, fidèle, exacte, complète, ressemblante, sans nul embellissement. Le portrait des hommes et des lieux, des mœurs bourgeoises, des places, des rues, des campagnes, de la mer et du ciel, tel devait être, réduit à ses éléments primitifs, le programme suivi par l'école hollandaise, et tel il fut depuis le premier jour jusqu'à son déclin.
E. FROMENTIN, Maîtres d'autrefois, p. 135 (→ aussi Concave, cit.).

(Syntagmes figés). *Toupie hollandaise. Vache hollandaise* (ou *frisonne*), et, n. f., *hollandaise :* vache laitière à pelage pie noir.

Cuis. *Sauce hollandaise,* à base de jaunes d'œufs et de beurre.

N. Personne habitant la Hollande. *Les Hollandais. Une Hollandaise en costume traditionnel, en coiffe et en sabots.* — (1866). *Le hollandais :* la langue parlée en Hollande, qui, normalisée, est devenue la langue des Pays-Bas. ⇒ **Néerlandais.**

HOLLANDE [ˈɔllɑ̃d] n. — 1598, *holande;* de *Hollande.*

★ **I.** N. f. ♦ **1.** Toile de lin très fine, fabriquée en Hollande.

♦ **2.** Porcelaine de Hollande.

♦ **3.** Variété de pomme de terre, de grande dimension, jaune, assez farineuse.

— Y a pas d'pommes de terre. 1
— Tu iras en acheter. Des hollandes à dix-huit sous le kilo.
R. QUENEAU, le Chiendent, p. 368.

★ **II.** N. m. ♦ **1.** (1845). Fromage* de Hollande à pâte affinée et dure. — Syn. : *tête de Maure, croûte rouge* (régional).

♦ **2.** (1931). Papier de luxe vergé*. *Exemplaire de luxe tiré sur hollande.*

Il me dit cela avec emphase et secret comme un collectionneur averti peut informer un bibliophile de ses amis qu'il a trouvé une édition originale de Chénier sur hollande et dans une reliure de l'époque. 2
Maurice SACHS, Chronique joyeuse..., p. 180.

DÉR. (Du sens I, 1) **Hollandé.**

HOLLANDÉ, ÉE [ˈɔllɑ̃de] adj. — 1723; de *Hollande* (I., 1.).

♦ Anciennt. *Baptiste hollandée :* baptiste unie et serrée qui ressemble à la toile de Hollande.

HOLLANDILLE [ˈɔllɑ̃dij] n. f. — 1723; esp. et catalan *olandella* (déb. XVIIe); de *olanda* «hollande» (I., 1).

♦ Anciennt. Contrefaçon de toile de Hollande, fabriquée en Silésie.

HOLLANDO- Premier élément d'adj. composés signifiant «de la Hollande (et d'un autre pays)». — Ex. : *hollando-allemand* ['ɔllɑ̃doalmɑ̃]; *hollando-belge* [ɔllɑ̃dobɛlʒ]; *hollando-français* [ɔllɑ̃dofʀɑ̃sɛ].

HOLLYWOODIEN, IENNE ['ɔ(l)liwudjɛ̃, jɛn] adj. — Mil. xxe (1937, Céline); de *Hollywood*, localité de la grande agglomération de Los Angeles, en Californie.

♦ De Hollywood, capitale du cinéma américain. *Films hollywoodiens. Star hollywoodienne.*

1 J'allais vivre, conquérir un jour la gloire hollywoodienne.
André ROUSSIN, la Boîte à couleurs, p. 245.

Qui rappelle le luxe (jugé tapageur) de Hollywood.

2 (...) les nouveaux blocs d'habitations, poussés rutilants et incongrus sur les anciens glacis, ou les hollywoodiennes villas des négociants en vins pourvues de pergolas, de piscines, de palmiers hollywoodiens (...) SIMON, le Vent, p. 41.

3 Après avoir emmuré la Sainte-Chapelle, saccagé la Cité (...) on est tout content d'avoir, par mégarde, épargné Notre-Dame pour la pousser en gros plan sous les projecteurs, la transformer en tape-à-l'œil holivoudien *(sic)*, monument publicitaire au service du tourisme à monnaie forte (...)
Jacques PERRET, Bâtons dans les roues, p. 20.

HOLMIUM ['ɔlmjɔm] n. m. — 1880, in *Année sc. et industr.* 1891, p. 617; dernière syllabe de *Stockholm*, et suff. *-ium*.

♦ Chim. Métal du groupe des terres rares (symb. *Ho;* no at. 67).

HOLO- Élément, du grec *holos* «entier». ⇒ les comp. ci-dessous, et aussi **Holandrique, holarctique.** — On peut signaler de nombreux autres comp. scientifiques : *holobranchie* [olobʀɑ̃ʃi] n. f., «branchie complète»; *hologymnose* [oloʒimnoz] n. m., «poisson sans écailles» (J. Verne); *holoplancton* [oloplɑ̃ktɔ̃] n. m., «plancton permanent ou vrai plancton».

HOLOAXE [oloaks] adj. — 1899, Lapparent; de *holo-*, et *axe.*

♦ Didact. *Cristal holoaxe :* qui possède tous ses axes de symétrie.

HOLOBLASTIQUE [ɔlɔblastik] adj. — 1892, Guérin; de *holo-*, et *-blaste.*

♦ Biol. *Œuf holoblastique,* qui se segmente en totalité.

HOLOCARPE [olokaʀp] adj. — 1866, *in* Littré; de *holo-*, et *-carpe.*

♦ Bot. Dont les fruits ne s'ouvrent pas. *Plante holocarpe.*

HOLOCAUSTE [olokost] n. m. — V. 1170; lat. ecclés. d'orig. grecque *holocaustum* «brûlé tout entier», de *holos* (→ Holo-), et *kaustos* «brûlé», de *kaiein* «allumer, faire brûler».

A. ♦ **1.** Chez les juifs, Sacrifice religieux où la victime était entièrement consumée par le feu. *Faire, pratiquer un holocauste. En holocauste. Offrir un bélier* (cit. 1) *en holocauste. Victime propitiatoire brûlée en holocauste. L'autel* (cit. 1 et 10) *des holocaustes.* — REM. Au XVIIe s., *holocauste* était indifféremment féminin ou masculin.

1 Si l'offrande de bêtes à quatre pieds est un holocauste de brebis ou de chèvres, celui qui l'offre choisira un mâle sans tache; et il l'immolera devant le Seigneur (...) et le prêtre brûlera sur l'autel toutes ces choses offertes, pour être au Seigneur un holocauste et *un sacrifice* de très agréable odeur.
BIBLE (SACY), Lévitique, I, 10-11-13.

♦ **2.** (1691). Sacrifice sanglant, de caractère religieux. ⇒ **Immolation.** *L'holocauste du Christ sur la croix.*

2 Est-ce qu'en holocauste aujourd'hui présenté,
Je dois, comme autrefois la fille de Jephté,
Du Seigneur par ma mort apaiser la colère? RACINE, Athalie, IV, I.

3 Ces abominables holocaustes s'établirent dans presque toute la terre. Pausanis prétend que Lycaon immola le premier des victimes humaines en Grèce.
VOLTAIRE, Essai sur les mœurs, Introd., Des victimes humaines.

4 (...) qu'ils fassent l'holocauste en adjurant les dieux (...)
Victor BÉRARD, Trad. de l'Odyssée, p. 176.

♦ **3.** (Fin XVIe). Fig. Vx ou littér. (Dans des loc. verbales). Sacrifice* total, à caractère religieux ou non (→ Expiatoire, cit. 5). *S'offrir en holocauste à Dieu, à la patrie, à une cause.* ⇒ **Immoler** (s'). *Faire l'holocauste de son cœur, de ses désirs, de ses goûts.*

5 Notre sacrifice n'est point un simple sacrifice; mais c'est un holocauste où toute la victime doit être consommée (...) BOURDALOUE, Pensées, Sacrifice religieux.

6 Comprends-tu maintenant qu'il ne faut pas offrir
L'holocauste sacré de tes premières roses
Aux souffles violents qui pourraient les flétrir?
BAUDELAIRE, les Épaves, «Femmes damnées».

6.1 En vain, il tâchait de retrouver le brûlant état d'esprit, le besoin de charité et de martyre qui l'avait fait s'offrir en holocauste. ZOLA, Paris, t. II, p. 72.

♦ **4.** (1958, Mauriac). Spécialt (avec l'article défini, en emploi absolu). *L'Holocauste* ou *l'holocauste :* le massacre, l'extermination des juifs par les nazis. *Les six millions de victimes de l'holocauste.* Massacre, génocide. *L'holocauste des albigeois, au XIIIe siècle.*

B. (1690). Par métonymie. Littér. Victime immolée dans un sacrifice. ⇒ **Hostie** (vx).

L'angoisse d'être au monde autant que l'épouvante 7
De la mort, voue au feu stupide de l'Enfer
L'holocauste fumant sur son autel de fer!
LECONTE DE LISLE, Poèmes tragiques, «Siècles maudits».

Par métaphore :

«Que celui qui veut venir après moi, se renonce soi-même». Ah! que ces paroles 8
sont dures, je l'avoue, et qu'elles sont difficiles à embrasser! (...) Mais il faut que le sacrifice soit entier; il faut que l'holocauste soit parfait, qu'il soit jeté au feu, entièrement brûlé, détruit et consumé, pour être agréable à Dieu.
BOSSUET, Sermons, Conférence aux Ursulines de Meaux.

Figuré :

Ô femme! si tu viens en oblation, volontaire holocauste, pour l'amour de Dieu, tu 9
deviendras ton amour même réalisé, quand tu entreras dans ton éternité.
VILLIERS DE L'ISLE-ADAM, Axel, I, 6.

HOLOCÈNE [olosɛn; ɔlɔsɛn] adj. et n. m. — 1931; de *holo-*, et *-cène*, du grec *kainos* «nouveau».

♦ Géol. Se dit de la période la plus récente de l'ère quaternaire*, succédant au pléistocène. — N. m. *Holocène ancien* ou *inférieur* (⇒ **Mésolithique**); *holocène moyen* (⇒ **Néolithique**); *holocène récent* ou *supérieur* («âge des métaux»).

HOLOCENTRE [olosɑ̃tʀ; ɔlɔsɑ̃tʀ] n. m. — 1870, J. Verne, *in* T. L. F.; de *holo-*, et grec *kentron* «aiguillon».

♦ Zool. Poisson acanthoptérygien des mers tropicales, de mœurs nocturnes.

HOLOCÉPHALES [olosefal] n. m. pl. et adj. — Fin XIXe; de *holo-*, et *céphales.*

♦ Zool. Super-ordre de poissons *(Chondrychtyens)*, caractérisés par une tête de grande dimension. — Au sing. *Un holocéphale.* — Adj. (1904, in *Rev. gén. des sc.*, no 4, p. 207). *Les poissons holocéphales.*

HOLOCRISTALLIN, INE [olokʀistalɛ̃, in] adj. — 1902; de *holo-*, et *cristallin.*

♦ Géol. *Roche holocristalline :* roche endogène entièrement cristallisée.

HOLOÈDRE [oloɛdʀ; ɔlɔɛdʀ] adj. — 1866, *in* Littré; de *holo-*, et *-èdre.*

♦ Didact. Cristal à réseau cristallin symétrique.

DÉR. V. **Holoédrie.**

HOLOÉDRIE [oloedʀi; ɔlɔedʀi] n. f. — 1866, *in* Littré; de *holo-*, *-èdre*, et suff. *-ie*, ou de *holoèdre.*

♦ Didact. Symétrie du réseau (d'un cristal).

DÉR. Holoédrique.

HOLOÉDRIQUE [oloedʀik; ɔlɔedʀik] adj. — 1866, *in* Littré; de *holoédrie.*

♦ Didact. Qui présente les caractères de l'holoédrie.

HOLOENZYME [oloɑ̃zim] n. f. — D. i. (XXe); de *holo-*, et *enzyme.*

♦ Biochim. Enzyme constituée d'une partie protéique (⇒ **Apoenzyme**) et d'une partie non protéique (groupement prosthétique*), dialysable, nécessaire à la réaction enzymatique (⇒ **Coenzyme**).

HOLOGAMIE [ologami; ɔlɔgami] n. f. — 1970; de *holo-*, et *-gamie.*

♦ Biol. Chez les organismes inférieurs (protozoaires, algues, champignons), Mode de reproduction par union de deux cellules végétatives qui se comportent comme des cellules sexuelles.

HOLOGENÈSE [oloʒənɛz] n. f. ⇒ **Ologenèse.**

HOLOGRAMME [ɔlɔgʀam; ologʀam] n. m. — 1970; de *holo-*, et *-gramme.*

♦ Didact. (relativement cour.). Enregistrement d'une image obtenue par interférence entre deux faisceaux de lumière cohérente dont l'un éclaire le sujet et l'autre sert de référence. ⇒ **Holographie.** «*(...) la composante de la lumière dont la couleur est la même* *que celle du rayon laser ayant servi à l'enregistrement va "rebondir" de strate en strate, sa longueur d'onde étant égale à la distance qui sépare deux couches successives. En revanche, toutes les autres composantes de la lumière dont les longueurs d'onde ne sont pas accordées sur cette distance vont se perdre dans la gélatine de l'émulsion. En quelque sorte l'hologramme sélectionne, filtre, la lumière dont il a besoin pour apparaître (...)»* (*Sciences et Avenir*, p. 61, n° 373, mars 1978).

HOLOGRAPHE [ɔlɔgʀaf; ologʀaf] adj. ⇒ **Olographe** (dr.).

HOLOGRAPHIE [ɔlɔgʀafi; ologʀafi] n. f. — 1947; de *holo-*, et *(photo)graphie*.

♦ Didact. Méthode de photographie restituant le relief des objets, grâce aux interférences de faisceaux lasers. ⇒ **Hologramme**. *Holographie optique. « (...) l'imagerie ultrasonore est redevenue un sujet important de réflexion à la suite des premiers succès de l'holographie optique au début des années 1960»* (*la Recherche*, juin 1979, p. 643).

DÉR. Holographier, holographique, holographiste.

HOLOGRAPHIER [ɔlɔgʀafje; ologʀafje] v. tr. — V. 1975; de *holographie*.

♦ Didact. Photographier par hologramme. *Il est «possible d'holographier l'image à travers une fente»* (*Sciences et Avenir*, mars 1978, p. 61). *On a «songé à les holographier* (des diamants) *pour présenter des images fidèles* (aux) *clients (...) Les reflets des diamants rendent l'opération quasi impossible!»* (*l'Express*, 2 févr. 1980, p. 114).

HOLOGRAPHIQUE [ɔlɔgʀafik; ologʀafik] adj. — V. 1970; de *holographie*.

♦ Sc. Relatif à l'holographie. *Réseau holographique. «Enregistrement holographique»* (*la Recherche*, juin 1979, p. 643). — Destiné à l'holographie. *«Une grande pellicule holographique»* (*Sciences et Avenir*, mars 1975, p. 62).

HOLOGRAPHISTE [ɔlɔgʀafist; ologʀafist] n. — V. 1975; de *holographie*.

♦ Didact. Spécialiste de l'holographie. *«Ce qui montre peut-être le plus que l'image en relief est vraiment aujourd'hui sortie du laboratoire c'est qu'il existe déjà des holographistes amateurs»* (*Sciences et Avenir*, mars 1978, p. 61).

HOLOGYNIQUE [oloʒinik; ɔlɔʒinik] adj. — Mil. xxᵉ; de *holo-*, *gyn-* (→ Gynéco-), et suff. *-ique*.

♦ Biol. Porté et transmis uniquement par la femelle. *Caractère, gène hologynique.*

CONTR. Holoandrique.

HOLOMÉTABOLE [olometabɔl] adj. — 1900, *in* Larousse; de *holo-*, et *métabole**.

♦ Biol. Se dit d'un insecte dont le cycle évolutif comporte une métamorphose complète.

CONTR. Hétérométabole.

HOLOMÈTRE [ɔlɔmɛtʀ; olomɛtʀ] n. m. — 1690; de *holo-*, et *-mètre*.

♦ Sc. Instrument servant à mesurer la hauteur angulaire d'un point au-dessus de l'horizon.

DÉR. Holométrique.

HOLOMÉTRIQUE [olometʀik] adj. — 1873; de *holomètre*.

♦ Sc. Relatif à l'holomètre ou à son utilisation.

HOLOMORPHOSE [olomɔʀfoz] n. f. — xxᵉ (*in* Larousse, 1931); de *holo-*, et *-morphose*.

♦ Biol. Régénération complète (d'un organe).

HOLOPARASITE [olopaʀazit; ɔlɔpaʀazit] n. m. — Mil. xxᵉ; de *holo-*, et *parasite*.

♦ Biol. Animal qui ne peut vivre qu'en parasite (opposé à *hémiparasite*).

HOLOPHANE [ɔlɔfan] adj. — 1894, ex. ci-dessous; de *holo-*, et *-phane*.

♦ Didact. Qui répand une lumière égale. *«Les globes d'éclairage holophanes : comme leur nom l'indique, ce sont des globes uniformément lumineux sur toute leur surface»* (*Année sc. et industr.* 1895, p. 219 [1894]).

HOLOPHRASTIQUE [ɔlɔfʀastik] adj. — 1866; de *holo-*, grec *phrasis* «économie», de *phrazein* «dire», et suff. *-ique*.

♦ Gramm. Se dit d'une langue dans laquelle une phrase entière s'exprime par un seul mot, ou *mot-phrase. L'inuit* (l'«eskimo») *est une langue holophrastique.*

HOLOPROTÉINE [olopʀotein; ɔlɔpʀɔtein] n. f. — Mil. xxᵉ; de *holo-*, et *protéine*.

♦ Chim., biol. Protéine constituée exclusivement par des acides aminés. ⇒ **Hétéroprotéine.** *Les holoprotéines sont décomposables par hydrolyse. L'albumine de sérum sanguin est une holoprotéine.*

HOLORIME [ɔlɔʀim] adj. — Mil. xxᵉ; de *holo-*, et *rime*.

♦ Didact. Se dit de vers qui se prononcent exactement de la même façon, quoiqu'ils soient formés de mots différents. *Vers holorimes. Distique holorine.* — Exemple :

Dans ces meubles laqués, rideaux et dais moroses,
Danse, aime, bleu laquais, ris d'oser des mots roses (...)
Attribué à Théodore DE BANVILLE (*in* Morier).

HOLOSIDE [olozid; ɔlozid] n. m. — V. 1950; de *hol(o)-*, et *-oside*.

♦ Biochim. Substance glucidique (⇒ **Oside**) constituée par la condensation de sucres non hydrolysables (oses), et qui donne ces sucres par hydrolyse. ⇒ **Hétéroside.**

HOLOSIDÈRE [olozidɛʀ; ɔlozidɛʀ] n. m. — 1874; grec *holosideros* «tout en fer», de *holos* «entier» (→ Holo-), et *sideros* «fer».

♦ Sc. Météorite entièrement composé de fer. *«Un fer météorique, ou holosidère, a été découvert dans un bloc de lignite tertiaire...»* (*Année sc. et industr.* 1887, p. 7).

HOLOSTÉENS [ɔlɔsteɛ̃] n. m. pl. — 1903, E. Perrier; de *holo-*, et *stéens*, du grec *steos*.

♦ Zool. Poissons à squelette ossifié, intermédaires entre les Chondrostéens et les Téléostéens.

HOLOSTÉRIQUE [ɔlosteʀik] adj. — 1907, *Nouveau Larousse illustré, Suppl.; de holo-*, et grec *stereos* «solide».

♦ *Baromètre holostérique :* baromètre mécanique, par oppos. au baromètre à mercure (baromètre à liquide). ⇒ **Anéroïde.** — REM. Le mot est considéré par les dictionnaires des années 1920-1930 comme désignant une marque particulière de baromètres anéroïdes. — *Baromètre holostérique de bureau.*

HOLOTHURIDES [ɔlɔtyʀid] n. m. pl. — 1966; de *holothurie*, et suff. *-ides*.

♦ Zool. Classe d'échinodermes* pourvus seulement de dépôts calcaires microscopiques et non de plaques étendues. — Au sing. *Un holothuride.*

HOLOTHURIE [ɔlɔtyʀi] n. f. — 1572; lat. *holothuria*, grec *holothouria*, plur. de *holothourion*, désignant un zoophyte marin.

♦ Animal marin *(Échinodermes)*, appelé parfois *Concombre de mer*, muni de ventouses sur la surface ventrale et de papilles rétractiles sur la face dorsale. *Holothurie tubuleuse rampante. Holothurie en forme d'U, de bouteille renflée. L'holothurie des mers de Chine, comestible apprécié des Chinois.*

DÉR. Holothurides.

HOLOTRICHES [ɔlɔtʀiʃ] n. m. pl. — 1890; de *holo-*, et *-triche*.

♦ Zool. Ordre de protozoaires ciliés (⇒ **Infusoires**), dont les cils vibratiles forment un revêtement continu sur tout le corps. — Au sing. *Un holotriche.*

HOLOTYPE [ɔlɔtip] n. m. — Mil. xxᵉ; de *holo-*, et *type*.

♦ Didact. (sc.). Spécimen-type servant à décrire une catégorie déterminée dans la classification des organismes vivants. *«Fondé sur la variation et la sélection, le schéma darwinien est, par essence, uni-*

formisant. Il tend à imposer un seul type : celui qui est le mieux apte à répondre aux contraintes de la sélection et lui seul. À la longue, tous les sujets composant un même groupe devraient être uniformes, et ressembler à un modèle idéal, porteur de tous les caractères les plus favorables : l'holotype» (*Sciences et Avenir*, n° 38, 1982, p. 6).

HOLSTER [ɔlstɛʀ] n. m. — Mil. XXe (1968, Y. Courrière, *la Guerre d'Algérie*); mot angl. (attesté 1663 en angl., *holsters* «les fontes»), d'un radical germanique *hel-*, *hul-*, exprimant l'idée de «couvrir».

♦ Anglic. Étui utilisé pour transporter une arme à feu cachée sous un vêtement (sous l'aisselle, le plus souvent).

Cela fait, il tire un pistolet de son holster, engage un chargeur dans l'arme, le met en place d'un coup de paume expert.
SAN-ANTONIO, T'es beau, tu sais!, p. 127.

HOM [hɔm; 'ɔm] interjection.

♦ Vx. Variante de *hum*.

HOMARD ['ɔmaʀ] n. m. — 1547; *houmar, hommars*, 1525; ancien nordique *humarr*; cf. all. *Hummer*.

♦ **1.** Grand crustacé marin malacostracé de l'ordre des décapodes macroures, aux pattes antérieures armées de grandes et fortes pinces. *Le homard (Astacura Homarus) appartient à la série des formes où l'abdomen n'est pas comprimé latéralement (Reptantia); il y voisine avec la langouste (Palinura). Homard commun d'Europe. Homard d'Amérique. Homard de Norvège.* ⇒ **Langoustine.** — REM. Dans l'usage courant, *homard* non qualifié exclut les espèces de petite taille (langoustines). *Le homard habite l'hiver les profondeurs marines et au printemps se rapproche des côtes; il se nourrit de débris animaux ou végétaux, de poissons morts. La carapace d'un brun bleuâtre du homard devient rouge à la cuisson. Antenne, patte de homard. Pêcher le homard avec des casiers* (cit. 2), *des caudrettes, sur un chalutier* (cit.). *Pêcheries de homards, sur les côtes de Terre-Neuve. Parc à homards.* ⇒ **Homarderie.** *Vivier à homards.* ⇒ **Homardier.** *Le homard, mets très recherché. Conserves de homard. Boîte de homard. Homard surgelé.*

1 Un grand homard de bronze, acheté sur le port,
Parmi la victuaille au hasard entassée,
Agite, agonisant, une antenne cassée.
Albert SAMAIN, le Chariot d'or, Roses dans la coupe, «La cuisine», p. 40.

2 Les homards, eux, se réfugient de temps à autre dans un trou du rocher et font cuirasse neuve. Sans doute est-ce d'une métamorphose, ou d'une mue, que j'aurais besoin.
A. MAUROIS, les Roses de septembre, I, XIII.

Beurre de homard, bisque de homard. Homard à l'américaine, à l'armoricaine, à la bordelaise, à la nage. Homard Thermidor. Gratin de homard.

3 — (...) Mitsou, vous ne voudriez pas manger du homard? (...) Homard à l'indienne? — Oh! oui. Avec de la mayonnaise et toutes les pattes. — Le homard à l'indienne ne comporte pas de mayonnaise. Le riz s'accompagne de safran et de cary.
COLETTE, Mitsou, VI.

4 Nous pourrions déjeuner ensemble et je vous ferai faire un homard au chambertin comme je crois qu'on n'en peut pas manger de meilleur.
Maurice SACHS, Chronique joyeuse..., p. 51.

Loc. fam. *Rouge comme un homard* : très rouge, comme l'est un homard après la cuisson. ⇒ **Écrevisse.**

Loc. *En pince de homard. Main en pince de homard* (malformation congénitale).

Loc. fig. *Pince de homard* : pince métallique.

5 (...) un cycliste qui ne s'était pas débarrassé des pinces de homard qui serraient le bas de son pantalon (...)
R. QUENEAU, Pierrot mon ami, éd. L. de Poche, p. 134.

♦ **2.** (1847, *in* Esnault). Fig. et fam. (Vieilli). Soldat anglais (à cause de l'uniforme rouge).

DÉR. Homarderie, homardier.

HOMARDERIE ['ɔmaʀdəʀi] n. f. — 1904, *in* T. L. F.; de *homard*.

♦ Techn. Parc où l'on élève les homards. *Les homarderies de Concarneau.*

HOMARDIER ['ɔmaʀdje] n. m. — 1907; de *homard*.

♦ Techn. Bateau pour la pêche au homard, pourvu d'un vivier qui permet de transporter les crustacés vivants. ⇒ **Langoustier.**

HOMBRE [ɔ̃bʀ] n. m. — 1657; esp. *hombre* «homme», proprt «celui qui mène la partie».

♦ Ancien jeu de cartes d'origine espagnole. ⇒ **Ombre.** *Le jeu de l'hombre fut très en faveur en France au XVIIe siècle. Les as au jeu de l'hombre.* ⇒ **Baste, ponte, spadille.** *Carte maîtresse, à l'hombre.* ⇒ **Matador.**

Que dirai-je encore de l'esprit du jeu? Pourrait-on me le définir? Ne faut-il ni pré- 1
voyance, ni finesse, ni habileté pour jouer l'hombre ou les échecs?
LA BRUYÈRE, les Caractères, XII, 56.

(...) on jouera quelques reprises d'hombre et de lansquenet (...) 2
DANCOURT, les Bourgeoises à la mode, IV, 6.

HOM. Ombre.

HOME ['om] n. m. — 1816, *in* Höfler; mot angl., «maison».

Anglicisme.

♦ **1.** Domicile*, logis considéré sous son aspect intime et familial. ⇒ **Chez-soi.** *Des homes. L'intimité du home. Décorer son home.*

(...) ils m'ont légué cette secrète sauvagerie qui m'a rendu toujours le monde insup- 1
portable et le *home* nécessaire. G. SAND, Histoire de ma vie, II, IX, Lettre XI.

Une grande quantité de manuscrits, de curiosités et de souvenirs de toute espèce 1.1
promettait déjà de rendre fort captivante la visite du home illustre.
Raymond ROUSSEL, Impressions d'Afrique, p. 336.

(...) l'essentiel pour eux (*les Américains*), c'est d'emporter leur «home» avec eux. 2
Ce home, c'est l'ensemble des objets, meubles, photos, souvenirs, qui leur appartiennent, qui leur renvoient leur image et qui constituent le paysage intérieur et vivant de leur logement. Ce sont leurs pénates. Ils les traînent partout, comme Énée.
SARTRE, Situations III, p. 96.

Loc. (1826, *in* Höfler). Littér. *At home* : à la maison, chez soi.

♦ **2.** (1895, *in* Höfler). Foyer. — (1939). *Home d'enfants* : centre d'accueil, pension pour les enfants. *Homes d'enfants d'une station thermale. — Home de semi-liberté* (pour les mineurs délinquants).

HOM. Heaume, ohm.

HOMÉLIE [ɔmeli] n. f. — Fin XIIe, *omélie* «instruction sur la Bible»; lat. ecclés. *homilia* «entretien familier», grec *homilia* «réunion», de *homilos* «troupe, rassemblement», de *homoû* «en un même lieu», et *ilê* «troupe».

♦ **1.** Didact. (relig.). Discours simple et de ton familier, prononcé du haut de la chaire, sur des matières de religion, particulièrement sur l'Évangile. ⇒ **Instruction, prêche, prône.** *Les homélies de saint Jean Chrysostome sur saint Matthieu. Les homélies dominicales d'un curé de campagne. Recueil d'homélies.* ⇒ **Homilaire.**

Le temps des homélies n'est plus; les Basiles, les Chrysostomes ne le ramèneraient 1
pas; on passerait en d'autres diocèses pour être hors de la portée de leur voix et de leurs familières instructions. Le commun des hommes aime les phrases et les périodes (...)
LA BRUYÈRE, les Caractères, XV, 5.

Tel fait des sermons qui sont beaux, qui ne saurait faire un catéchisme solide, 2
encore moins une homélie. FÉNELON, Dialogues sur l'éloquence, III.

Tous les jours, il se mit directement en rapport avec la totalité de ses élèves par 3
un entretien intime, souvent comparable, pour l'abandon et le naturel, aux homélies de Jean Chrysostome dans la *Palœa* d'Antioche.
RENAN, Souvenirs d'enfance..., III, III.

Allus. littér. *Les homélies de l'archevêque de Grenade* (Lesage, *Gil Blas*, VII, 3 et 4). → Avertissement, cit. 5; auditoire, cit. 4.

Apprenez que je n'ai jamais composé de meilleure homélie que celle qui a le mal- 4
heur de n'avoir pas votre approbation. A.-R. LESAGE, Gil Blas, VII, IV.

♦ **2.** (1815). Littér. Longue et ennuyeuse leçon de morale. *Ces homélies m'assomment.* ⇒ **Discours, remontrance, réprimande, sermon.**

(...) mes tyrans me parlaient toujours avec les douces paroles de la plus tendre 5
sollicitude, et leur plus ferme alliée était la religion. J'avais à subir des homélies continuelles sur l'amour paternel et les devoirs des enfants.
STENDHAL, Vie de Henry Brulard, 9.

DÉR. Homilaire.

HOMÉO- Élément, du lat. *homœo*, tiré du grec *homoios* «semblable». ⇒ **Homo-.** Outre les mots traités ci-dessous, on peut signaler : *homéographe* [ɔmeɔgʀaf] n. f. (1924, *in* T. L. F.), «appareil servant à reproduire les dessins»; *homéoplasie* [ɔmeɔplazi] n. f., «formation de tissus nouveaux identiques aux tissus normaux». — Var. anc. : *homœo-*.

CONTR. Allo-, hétéro-.

HOMÉOMÈRE ['ɔmeɔmɛʀ; 'omeomɛʀ] adj. — XIXe; de *homéo-*, et *-mère*.

♦ Didact. Dont les parties sont égales ou homogènes.

Chim. Dont les coefficients énergétiques moléculaires sont égaux.

DÉR. Homéomérie.

HOMÉOMÉRIE ['ɔmeɔmeʀi; 'omeomeʀi] n. f. — XIXe; de *homéomère*.

Didactique.

♦ **1.** Caractère des corps homéomères.

♦ **2.** Hist. des sc. Élément identique qui s'assemble avec d'autres pour former les différents corps, dans la théorie d'Anaxagore. ⇒ **Monade.**

L'homéomérie : la doctrine d'Anaxagore sur les éléments.

HOMÉOMORPHE [ˈɔmeɔmɔʀf ; ˈomeomɔʀf] adj. — 1905 ; in *Rev. gén. des sc.*, n° 5, p. 235 ; de *homéo-*, et *morphe.*

♦ Math., log. Dont la correspondance est un homéomorphisme. *Ensembles, espaces homéomorphes.*

HOMÉOMORPHISME [ˈɔmeɔmɔʀfism ; ˈomeomɔʀfism] n. m. — 1926 ; de *homéo-*, et *morphisme*, d'après *homéomorphe.*

♦ **1.** Chim. Analogie des formes cristallines. — Syn. : *homéomorphie.*

♦ **2.** (V. 1950). Math., log. Bijection faisant correspondre à deux éléments, voisins d'un ensemble, deux éléments également voisins d'un autre.

HOMÉOPATHE [ˈɔmeɔpat ; ˈomeopat] n. et adj. — 1827 ; de *homéopathie.*

♦ Médecin qui pratique l'homéopathie. *Consulter un, une homéopathe.*

Adj. *Médecin homéopathe.* — Var. anc. : *homœopathe.*

CONTR. Allopathe.

HOMÉOPATHIE [ɔmeɔpati ; omeopati] n. f. — 1827 ; all. *Homöopathie*, 1796 ; du grec *homoios* (→ Homéo-), et *pathos* (→ -pathie).

♦ **1.** Méthode thérapeutique (du médecin allemand Hahnemann) qui consiste à soigner les malades au moyen de remèdes (à doses infinitésimales obtenues par dilution) capables, à des doses plus élevées, de produire sur l'homme sain des symptômes semblables à ceux de la maladie à combattre. *Le principe fondamental de l'homéopathie repose sur la loi de similitude* (lat. similia similibus curantur). *Emploi des dilutions* en homéopathie.*

— Si l'homéopathie arrive à Paris, elle est sauvée, disait dernièrement Hahnemann.
BALZAC, Ursule Mirouët, Pl., t. III, p. 316.

♦ **2.** Fig. Traitement d'un mal par le mal.

CONTR. Allopathie.
DÉR. Homéopathe, homéopathique.

HOMÉOPATHIQUE [ˈɔmeɔpatik ; ˈomeopatik] adj. — 1827 ; de *homéopathie.*

♦ **1.** Qui a rapport à l'homéopathie. *Pharmacie, remède homéopathique. Cure homéopathique.* — Var. anc. : *homœopathique.*

(...) mais comme ils *(ces tons)* sont excessivement pâlis et pris à une dose homœopathique, l'effet en est plutôt surprenant que douloureux (...)
BAUDELAIRE, Curiosités esthétiques, Salon de 1846, p. 9.

Dilution homéopathique, dans laquelle la solution contient une quantité infinitésimale de soluté. *Dose homéopathique.*

♦ **2.** (1846, *dose homéopathique*, Baudelaire). Fig. *À dose homéopathique* : à dose très faible, par quantités très petites. *Je sale les plats, mais à dose homéopathique, je suis au régime. Je ne supporte la peinture abstraite qu'à dose homéopathique.*

DÉR. Homéopathiquement.

HOMÉOPATHIQUEMENT [ˈɔmeɔpatikmɑ̃ ; ˈomeopatikmɑ̃] adv. — 1833, Mérimée, *in* D. D. L. ; de *homéopathique.*

♦ Didact. Par l'homéopathie. *Administrer un médicament homéopathiquement*, à doses homéopathiques.

HOMÉOPTOTE [ˈɔmeɔptɔt ; ˈomeoptɔt] n. m. — 1866 ; de *homéo-*, et grec *ptôtos* « qui tombe ».

♦ Rhét. Syn. de *homéotéleute.*

HOMÉOSTASIE [ˈɔmeɔstazi ; ˈomeostazi] n. f. — 1950, *in* D. D. L. ; angl. *homœostasis*, 1926 ; de *homéo-*, et *stasis* « position ». → Stase ; statique.

♦ Physiol. Stabilisation, chez les organismes vivants, des différentes constantes physiologiques.

Il ne s'agit pas d'une balance des forces, au sens gestaltiste, mais bien d'une autorégulation au sens de la biologie et de la cybernétique, c'est-à-dire d'un facteur qui montre la liaison essentielle de l'intelligence avec ce qu'on sait aujourd'hui des multiples homéostasies propres à la vie organique.
J. PIAGET, Épistémologie des sciences de l'homme, p. 209 (1970).

DÉR. Homéostatique.

HOMÉOSTAT [ˈɔmeɔsta ; ˈomeosta] n. m. — 1953 ; angl. *homœostat*, 1948, Ashby ; du grec. → Homéo- ; -stat.

♦ Techn. Appareil complexe, qui règle lui-même son fonctionnement d'après un équilibre préalablement fixé.

HOMÉOSTATIQUE [ˈɔmeɔstatik ; ˈomeostatik] adj. — 1954 ; *in* T. L. F. ; de *homéostasie*, d'après *statique.*

♦ Physiol. Relatif à l'homéostasie. *Équilibre homéostatique.* — Var. : *homéostasique* [ˈɔmeɔstazik ; ˈomeostazik].

Il y a récurrence de causalité entre le milieu associé et les structures, mais cette récurrence n'est pas symétrique. Le milieu joue un rôle d'information ; il est le siège des auto-régulations, le véhicule de l'information ou de l'énergie déjà régie par l'information (par exemple l'eau qui est animée d'un mouvement plus ou moins rapide et refroidit plus ou moins vite un carter) ; tandis que le milieu associé est homéostatique, les structures sont animées d'une causalité non récurrente.
Gilbert SIMONDON, Du mode d'existence des objets techniques, p. 59.

HOMÉOTÉLEUTE [ˈɔmeɔteløt ; omeoteløt] n. f. — 1866 ; *homoïotéleute*, 1839 ; grec *homoioteleutos*, de *homoios* (→ Homéo-), et *teleutê* « fin ».

♦ Rhét. Figure de rhétorique, consistant en une succession de finales semblables à la fin de mots ou de groupes de mots suffisamment « proches les uns des autres pour que la répétition soit sensible à l'oreille » (Marouzeau).

HOMÉOTHERME [ˈɔmeɔtɛʀm ; ˈomeotɛʀm] adj. et n. — 1893 ; de *homéo-*, et *-therme.*

♦ Biol. Se dit des animaux qui présentent une température constante, non influencée par celle du milieu ambiant, grâce au mécanisme physiologique de thermorégulation*. *Les mammifères et les oiseaux sont des homéothermes* (animaux à sang chaud).

L'organisme de ces êtres possède un « régulateur thermique », qui équilibre, à chaque instant, la dépense et la production de la chaleur. Ce régulateur est leur système nerveux. De tels êtres sont appelés êtres à température constante ou *homéothermes* (des deux mots grecs « homoios » semblable et « thermê » chaleur).
Roger SIMONET, le Froid, p. 33.

CONTR. Poïkilotherme.
DÉR. Homéothermie.

HOMÉOTHERMIE [ˈɔmeɔtɛʀmi ; ˈomeotɛʀmi] n. f. — xxe ; de *homéotherme.*

♦ Biol. Caractère d'un organisme homéotherme. « *Les gros dinosaures, en particulier les sauropodes, devaient être homéothermes, avoir une température constante au moins en raison de leur masse : une homéothermie passive* » (*Sciences et Avenir*, n° 411, mai 1981, p. 62).

HOMÉOTYPIQUE [ˈɔmeɔtipik ; ˈomeotipik] adj. — Déb. xxe, in *Rev. gén. des sc.* ; de *homéo-*, et *typique.*

♦ Biol. *Division homéotypique*, qui s'effectue selon la mitose normale (opposé à *hétérotypique*).

HOMÉRIDE [ˈɔmeʀid] n. m. — 1810, Chateaubriand, *in* T. L. F. ; de *Homère.*

Didactique.

♦ **1.** Rapsode qui chantait les poèmes d'Homère. — Aède* imitateur d'Homère.

♦ **2.** Descendant présumé d'Homère.

HOMÉRIQUE [ˈɔmeʀik] adj. — 1546, Rabelais ; lat. *homericus*, du grec *homerikos*, de *Homeros* « Homère ».

♦ **1.** Qui appartient, qui a rapport à Homère, à l'ensemble de textes attribués traditionnellement à Homère. *L'Iliade et l'Odyssée, poèmes homériques. Le récit homérique, le corpus homérique. Les héros homériques* (→ Grandir, cit. 16). — Par ext. *Époque, civilisation homérique.*

(...) tous les représentants anciens de la force, géants homériques ou bibliques (...) 1
BAUDELAIRE, l'Art romantique, XXII, I, 3.

L'humanité homérique, cette humanité dont nous sommes séparés, dans le temps, 2
par une trentaine de siècles, est-elle si différente de nous (...)
G. DUHAMEL, Refuges de la lecture, I, p. 27.

♦ **2.** (1861). Qui est digne d'Homère, de sa manière. *Style homérique. Épithète homérique. Personnage homérique* (→ Ganache, cit. 4). *Lutte homérique* (→ Apache, cit.).

Pour étudier le procédé de Chateaubriand à sa source, il faut surtout lire *les Nat-* 3
chez ; c'est là qu'on saisit à la fois dans toute sa fécondité et dans tout son abus le retour à la comparaison homérique (...) Jamais, pour parler le langage de l'atelier, le *chic* homérique n'a été poussé plus loin.
SAINTE-BEUVE, Chateaubriand..., t. I, p. 173.

(...) la première des qualités homériques, qui est « de ne voir dans un sujet que les 4
grands traits ».
Émile HENRIOT, les Romantiques, p. 381.

♦ **3.** (1873). Fig. Qui est rempli d'événements spectaculaires, d'épisodes forts (avec une allusion plus au moins nette au sens 2). ⇒ **Épique, héroïque.** *Une équipée homérique. Discussion, bagarre homérique.*

4.1 — Sac à terre! dis-je à mes hommes. Reposez-vous... Et j'allumai une cigarette. Alors, j'eus une discussion homérique avec le sergent qui voulait me faire jeter ma cigarette. B. CENDRARS, la Main coupée, *in* Œ. compl., t. X, p. 51-52.

Loc. (1825). **RIRE HOMÉRIQUE** : fou rire bruyant, pareil à celui qu'Homère prête aux dieux de l'Olympe, à la vue du boiteux Vulcain leur servant d'échanson (*Iliade,* I).

5 — Ah! ah! ah! dit des Lupeaulx en interrompant le chef de bureau par un rire homérique; mais c'est là le pain quotidien de tout homme remarquable dans le beau pays de France (...) BALZAC, les Employés, Pl., IV, p. 1057 (1836).

6 Ce fut donc au milieu d'un éclat de rire immense, homérique, olympien, que la course commença (...) Th. GAUTIER, Voyage en Espagne, p. 210.

DÉR. Homériquement, homérisme.

HOMÉRIQUEMENT [ɔmeʀikmɑ̃] adv. — 1796, *in* T. L. F.; de *homérique.*

♦ Didact. À la manière d'Homère, du récit, des héros homériques.

HOMÉRISME [ɔmeʀism] n. m. — 1865, Sainte-Beuve, *in* T. L. F.; de *homérique.*

Didactique.

♦ **1.** Caractère des poèmes homériques.

♦ **2.** (1901). Particularité de la langue d'Homère.

♦ **3.** Théorie aujourd'hui abandonnée, attribuant le corpus homérique à un seul auteur (appelé Homère).

REM. On trouve aussi la forme *homériste* [ɔmeʀist] (1826, Delécluze, *in* T. L. F.).

HOMESPUN ['ɔmspœn] n. m. — 1890; mot angl., proprt «filé à la maison», de *home* «maison, logis» (→ Home), et *spun,* p. p. de *to spin* «filer».

Anglicisme.

♦ **1.** Tissu écossais* primitivement fabriqué à domicile par des artisans.

♦ **2.** (1908). Vêtement fait de ce tissu.

Avait-il, depuis dix ans, admiré et envié le coeur battant les amis de son père habillés de homespun? C'était bien dans l'humeur de Jacques. En tout cas, il avait eu raison. C'était l'étoffe à choisir. Ni le velours de Gênes, ni la ratine de Sedan n'auraient eu ce matin le pouvoir de ce homespun. GIRAUDOUX, Choix des élues, p. 250.

HOMESTEAD ['ɔmstɛd] n. m. — 1873; mot angl., «domicile, domaine familial»; de *home* «maison», et *stead* «place».

♦ Anglic., dr. Institution du bien de famille insaisissable (loi du 12 juillet 1909 modifiée par la loi du 7 juillet 1948).

Il faut (...) rendre inaliénable ou tout au moins insaisissable, sinon toute terre, du moins celle nécessaire à l'existence et au maintien de la famille. C'est ce qu'on appelle le *homestead,* du nom que porte cette institution aux États-Unis où elle a été établie dès 1839 (dans le Texas), mais qui tend aujourd'hui à s'acclimater dans divers pays. En France, après une quinzaine d'années d'hésitations et plusieurs projets de loi, finalement la loi du 12 juillet 1909 est venue consacrer le *homestead,* ou pour parler français, le bien de famille. Charles GIDE, Cours d'économie politique, II, p. 257-258.

HOME-TRAINER ['omtʀɛnœʀ] n. m. — 1881, *in* Höfler; mot angl., de *home**, et *trainer* «entraîneur», de *to train* «entraîner».

♦ Anglic. Appareil fixe qui permet de pratiquer chez soi les mouvements de divers sports (bicyclette, aviron...). *Des home-trainers.*

1. HOMICIDE [ɔmisid] n. et adj. — V. 1150; lat. *homicida,* de *homo* «homme», et *cædere* «tuer». → -cide.

★ **I. 1.** Littér. Personne qui tue, qui a tué un être humain. ⇒ **Assassin, criminel, meurtrier.** *Condamner, juger un homicide, une homicide. Malheur à l'homicide!* (→ Arrêter, cit. 52). — Vx. *L'homicide de (qqn),* assassin, meurtrier.

1 Des enfants de son fils détestable homicide (...) RACINE, Athalie, I, 1.

2 Pleure, Jérusalem, pleure, cité perfide,
Des prophètes divins malheureuse homicide. RACINE, Athalie, III, 7.

3 (...) de tout temps, il a été écrit : *Homicide point ne seras, de fait ni de consentement.* BALZAC, Souvenirs d'un paria, I, *in* Œ. diverses, t. I, p. 219.

Par métaphore. (→ Déicide, cit. 2).

♦ **2.** Vx. *Homicide de soi-même :* personne qui se suicide. — En attribut :

3.1 (...) ceux qui ne veulent pas être homicides d'eux-mêmes, et qui attendent tranquillement leur destin, périssent dans la terre, lorsque les pluies, qui les ont fait naître, les font aussi mourir. J.-F. REGNARD, Voyage en Laponie, p. 165.

♦ **3.** Fig. Personne qui ruine sa santé. — En attribut :

4 Quand par dépit de vivre au mortel monde
Fut homicide et bourreau de soi-même (...) Clément MAROT, Traductions, II.

♦ **4.** (1643). Fig. Personne qui cause la perte (morale) de qqn. — En attribut :

(...) malheur à celui qui cause le scandale. Pourquoi? parce qu'il est homicide devant Dieu de toutes les âmes qu'il scandalise. 5
BOURDALOUE, Sermons sur le scandale, I.

★ **II.** Adj. ♦ **1.** (XIVe). Vx ou poét. Qui a commis ou va commettre un meurtre.

Sur le point d'attaquer une reine homicide (...) RACINE, Athalie, I, 2. 6

Par anal. Qui cause la mort d'une ou de nombreuses personnes. ⇒ **Meurtrier.** *Folie homicide.*

(...) cette guerre homicide (...) VOLTAIRE, Orphelin de la Chine, I, 1. 7

♦ **2.** (Mil. XVIe). Littér. Qui tue, qui sert à tuer (des êtres humains). *Un homicide acier* (cit. 2).

Les glaives meurtriers, les lances homicides. RACINE, Athalie, III, 8. 8

Celui qui portera la main sur un de ses semblables, en lui faisant au sein une blessure mortelle, avec le fer homicide, qu'il n'espère point les effets de la miséricorde, et qu'il redoute les balances de la justice. 9
LAUTRÉAMONT, les Chants de Maldoror, III, p. 146.

Fig. *Des yeux homicides* (→ Entre-tuer, cit. 2). *Desseins homicides.*

Rois, prenez soin de l'absent 10
Contre sa langue *(de la calomnie)* homicide. RACINE, Esther, III, 3.

Le besoin du sang le tourmente; 11
Et sa voix homicide à la hache fumante
Désigne les têtes du jour. HUGO, Odes et ballades, I, III, 2.

2. HOMICIDE [ɔmisid] n. m. — V. 1155, *omecide;* lat. *homicidium.* → 1. Homicide.

♦ Action de tuer un être humain. *Commettre un homicide involontaire, par imprudence. Être accusé d'homicide volontaire.* ⇒ **Assassinat, crime, meurtre** (cit. 1). *Se rendre coupable d'homicide sur la personne de qqn. Homicide d'un nouveau-né.* ⇒ **Infanticide** (→ Avortement, cit. 3). *Punir l'homicide* (→ Attentat, cit. 1). *Expier* (cit. 2) *un homicide.*

(...) quiconque tue se rend coupable d'homicide. 1
SAINT-AUGUSTIN, traduit et cité par PASCAL, les Provinciales, XIV.

Et pour concevoir plus d'horreur de l'homicide, souvenez-vous que le premier crime des hommes corrompus a été un homicide en la personne du premier juste; que leur plus grand crime a été un homicide en la personne du chef de tous les justes; et que l'homicide est le seul crime qui détruit tout ensemble l'État, l'Église, la Nature et la Piété. 2
SAINT-AUGUSTIN, traduit et cité par PASCAL, les Provinciales, XIV.

Quiconque, par maladresse, imprudence, inattention, négligence ou inobservation des règlements, aura commis involontairement un homicide, ou en aura été involontairement la cause, sera puni d'un emprisonnement de trois mois à deux ans, et d'une amende de 12 000 francs à 360 000 francs. Code pénal, art. 319. 3

Il n'y a ni crime ni délit, lorsque l'homicide, les blessures et les coups étaient ordonnés par la loi et commandés par l'autorité légitime. — Il n'y a ni crime ni délit, lorsque l'homicide, les blessures et les coups étaient commandés par la nécessité actuelle de la légitime défense de soi-même ou d'autrui. 4
Code pénal, art. 327-328.

Fig. *Homicide spirituel* (→ Empoisonneur, cit. 2).

HOMILÉTIQUE [ɔmiletik] n. f. et adj. — 1765, *Encyclopédie,* adj.; n. f., 1824; grec *homilêtikê (technê)* «art de converser», de *homilia.* → Homélie.

♦ Didact. (rhét.). Partie de la rhétorique qui traite de la prédication évangélique et de l'éloquence de la chaire en général. *Traité d'homilétique.*

Adj. De l'homilétique.

HOMILAIRE [ɔmilɛʀ] n. m. — 1866; *omeliaire,* XVIe; de *homélie.*

♦ Didact. (relig.) et vx. Recueil d'homélies.

HOMINAL, ALE, AUX [ɔminal, o] adj. — 1822, *in* T. L. F.; dér. sav. du lat. *homo, hominis* «homme».

♦ Didact. et rare. *Règne hominal :* règne humain, espèce humaine.

HOMINEM (AD) [adɔminɛm] loc. adj. ⇒ **Ad hominem.**

HOMING ['ɔmiŋ] n. m. — 1954, *Larousse mensuel;* mot angl., p. prés. de *to home,* de *home.* → Home.

♦ Anglic. Techn. Navigation maritime ou aérienne effectuée en se dirigeant sur un radiophare. — Équivalent franç. : *radio-ralliement.* *«Téléphone sous-marin (...) fonctionnant en appareil de homing (sur des balises ou bâtiments)»* (*Science et Vie,* févr. 1974, p. 47).

HOMINIDÉS [ɔminide] n. m. pl. — 1845; *hominides,* 1834, *in* D. D. L.; du lat. *homo, hominis* «homme», et suff. zool. *-idés.*

♦ Zool. Famille de primates *(Hominiens*)* qui comprend le genre *Homo,* avec une seule espèce vivante, *Homo sapiens sapiens* (l'homme actuel), et plusieurs groupes fossiles (pithécanthrope, homme de Néandertal). — Au sing. *Un hominidé.* ⇒ **Homme** (I., 1.).

Les différences entre l'Homme et les grands Singes sont certainement assez importantes pour justifier la création, au profit de l'Homme, d'une famille particulière, celle des Hominidés, qui ne comprend actuellement qu'un seul genre, le sien; une seule espèce, la sienne. Jean ROSTAND, l'Homme, I.

HOMINIENS [ɔminjɛ̃] n. m. pl. — 1877; du lat. *homo, hominis* «homme», et suff. zool. *-iens.*

♦ Zool. Sous-ordre de primates qui comprend plusieurs genres fossiles appartenant à deux familles (Australopithécidés; ⇒ **Australopithèque;** et aussi **hominidés**) et un seul représentant actuel, qui est l'homme. — Au sing. *Un hominien.*

COMP. Pré-hominiens.

HOMINISATION [ɔminizasjɔ̃] n. f. — V. 1950, M. Choisy, *in* T. L. F.; lat. *homo, hominis,* et suff. *-isation.*

♦ Anthrop. Ensemble des processus évolutifs, physiques, physiologiques et psychiques qui caractérisent le passage du primate à l'homme. *Processus d'hominisation.*

1 (...) l'origine de l'homme se rattache à la scission qui, au cours du miocène, a partagé en deux branches un groupe primitif (...) l'une a donné les grands singes anthropomorphes africains (...) l'autre a donné le rameau hominien. On a coutume d'appeler hominisation l'ensemble des transformations qui ont affecté ce dernier rameau et qui, en se développant à travers un certain nombre de stades, a abouti — l'homme actuel. Jacques RUFFIÉ, De la biologie à la culture, p. 255.

2 (...) ce n'est pas, enfin, négation de la culture, ni même «contre-culture» rejetant les acquis de millénaires d'hominisation ou d'humanisation de l'homme. Roger GARAUDY, Parole d'homme, p. 191.

DÉR. V. **Hominisé, hominiser.**

HOMINISÉ, ÉE [ɔminize] adj. — 1955, Teilhard de Chardin, *in* T. L. F.; d'après *hominisation.*
Didactique.

♦ **1.** Qui a subi le processus d'hominisation. *Primate partiellement hominisé.*

♦ **2.** (Rare). Auquel on confère les attributs de l'homme, qu'on traite comme tel.

De quoi donc a-t-il *(le patient)* ainsi peur? De l'animal féroce qui est en lui (...) Ange et bête tout à la fois, ou plutôt animal hominisé dans ses structures supérieures, qui cherche à s'empêcher de faire la bête. R. HELD, le Processus de guérison, *in* la Nef, n° 31, p. 20.

HOMINISER [ɔminize] v. tr. — 1955; d'après *hominisation.*

♦ Anthrop. Faire subir le processus d'hominisation à (un primate). — Pron. *S'hominiser.*

HOMINOÏDE [ɔminɔid] adj. — 1955, Teilhard de Chardin; du lat. *homo, hominis* (→ Hominidés), et *-oïde.*

♦ Didact. Qui ressemble à l'homme. — REM. Teilhard de Chardin atteste l'emploi de *hominoïdés* [ɔminɔide] n. m. pl., pour désigner la super-famille incluant les Anthropoïdes et l'Homme.

HOMMAGE [ɔmaʒ] n. m. — V. 1160, *homage;* de *homme,* et suff. *-age.*

♦ **1.** Hist. Acte par lequel le vassal se déclarait l'homme* de son seigneur, en lui promettant une fidélité et un dévouement absolus. *La cérémonie symbolique de l'hommage était suivie de l'aveu** (cit. 1). *Jurer foi et hommage à qqn.* ⇒ **Foi** (*infra* cit. 5). → Féal, cit. 2. *Rendre foi et hommage à qqn. Fief* tenu à charge de foi et hommage. Recevoir foi et hommage* (→ Fief, cit. 1). *Amortir, remettre l'hommage :* dégager le vassal de ses engagements. — *Hommage lige*, hommage simple,* dit *hommage plain* ou *plan.*

1 On attendait (...) Monsieur de Lorraine, pour rendre au Roi son hommage lige du duché de Bar (...) SAINT-SIMON, Mémoires, I, XLVII.

2 (...) ces hommes qui prêtaient *foi* et *hommage* à leur *Dieu,* leur *dame* et leur *roi.* CHATEAUBRIAND, le Génie du christianisme, I, II, II.

3 (...) le vassal se lie au seigneur par un acte solennel, car on ne naît pas vassal, on le devient, et il faut le devenir pour pouvoir jouir du fief. C'est pourquoi la cérémonie qui crée le vasselage s'est conservée à travers les siècles : elle servait à constater le droit du seigneur (...) Le futur vassal se présente devant le futur seigneur, nu-tête et sans armes. Il s'agenouille devant lui, met ses mains dans les mains du seigneur et déclare qu'il devient son *homme.* Le seigneur lui donne un baiser sur la bouche et le relève. Telle est la cérémonie de l'*hommage.* Elle est accompagnée d'un serment : le vassal jure, la main sur des reliques ou sur l'Évangile, de rester *fidèle* au seigneur, c'est-à-dire de remplir les devoirs de vassal. C'est la *foi* ou *féauté.* L'hommage et la foi sont deux actes distincts; l'un est un engagement, l'autre un serment; mais, comme il n'y a pas d'hommage sans foi, on a fini par les confondre. LAVISSE et RAMBAUD, Hist. générale du IVᵉ s. à nos jours, Le régime féodal, t. II, p. 37-38.

4 On en vint, au XIIᵉ siècle, à distinguer *l'hommage lige,* qui obligeait le vassal à servir sans limite, de *l'hommage plain,* que le vassal prêtait debout et armé, et qui ne l'engageait qu'à un service limité. LAVISSE et RAMBAUD, Hist. générale du IVᵉ s. à nos jours, t. II, p. 42.

5 L'hommage est toujours dû en principe au fief dominant, qui est souvent en ruine au XVIᵉ siècle, et, au XVIIᵉ siècle, il est de mauvais ton, Mᵐᵉ de Sévigné l'atteste, d'exiger de son vassal l'hommage personnel et les formalités humiliantes et devenues ridicules qui l'accompagnent. Fr. OLIVIER-MARTIN, Précis d'hist. du droit franç., éd. Dalloz, n° 1069.

Fig. et vieilli. *Rendre hommage d'une chose à qqn,* en faire gloire avec reconnaissance à celui de qui on la tient. *Offrir à Dieu l'hommage de la création* (cit. 7).

Il vient en apporter la nouvelle *(de ce grand succès)* en ces lieux, 6
Et par un sacrifice en rendre hommage aux dieux. CORNEILLE, Polyeucte, I, 4.

Rendre hommage à la vérité, la reconnaître en la proclamant hautement.

♦ **2.** [a] (1668). Vieilli ou iron. (sauf dans quelques expressions). Acte de courtoisie par lequel un homme témoigne à une femme qu'il est prêt à se faire son chevalier servant, à lui donner des preuves de dévouement, de zèle. *Recevoir plus d'un hommage. L'hommage de qqn, d'un homme à une femme, son hommage.* — Vx. *Rendre son hommage à une dame.* — Mod. *Rendre hommage à une femme* (→ Galanterie, cit. 11).

Je crains d'être fâcheux par l'ardeur qui m'engage 7
À vous rendre aujourd'hui, Madame, mon hommage (...)
MOLIÈRE, les Femmes savantes, III, 3.

Hé bien! rappelez-vous le temps où vous me rendîtes vos premiers soins : jamais hommage ne me flatta autant; je vous désirais avant de vous avoir vu. LACLOS, les Liaisons dangereuses, Lettre LXXXI. 8

Je me suis dit : «Mais il m'aime... il m'aime!» J'avais peur de m'en assurer, cependant. Votre réserve était si charmante, que j'en jouissais comme d'un hommage involontaire et continu. FLAUBERT, l'Éducation sentimentale, III, VI. 9

Le poète *(troubadour)* a gagné sa *dame* par la beauté de son hommage musical. Il lui jure à genoux une éternelle fidélité, comme on fait à un suzerain. D. DE ROUGEMONT, l'Amour et l'Occident, p. 70. 10

(...) ce gros homme sait rendre hommage à une femme, sait prendre à l'égard d'une femme une attitude qu'elle, Germaine, juge conforme à la fonction masculine. J. ROMAINS, les Hommes de bonne volonté, t. IV, XII, p. 129. 11

[b] (XVIIᵉ). Plus cour. Plur. *Des hommages,* actes, paroles par lesquels un homme donne à une femme un témoignage d'appréciation (notamment érotique, galante). ⇒ **Adoration** (cit. 6), **flatterie, soin** (→ Embûche, cit. 2; fadeur, cit. 6). *Des hommages assidus* (cit. 8). *Femme flattée* (cit. 19) *de recevoir des hommages, avide d'hommages* (→ Encensement, cit.). *Conquérir une femme à force d'hommages* (→ Arme, cit. 34).

(...) comme la beauté est le partage de notre sexe, vous ne sauriez ne nous point aimer, sans nous dérober les hommages qui nous sont dus, et commettre une offense dont nous devons toutes nous ressentir. MOLIÈRE, la Princesse d'Élide, III, 4. 12

(...) je conserve des yeux pour voir le mérite de toutes, et rends à chacune les hommages et les tributs où la nature nous oblige. MOLIÈRE, Dom Juan, I, 2. 13

J'ai connu, depuis trois ans, pas mal d'hommages, si j'ose dire, mais qui n'avaient rien de respectueux. Et mon vieux bourgeoisisme, qui veille, s'épanouit en secret, comme s'ils ne demandaient pas, ces hommages-ci — tout masqués de respect qu'ils veulent être, — la même chose, toujours la même chose (...) COLETTE, la Vagabonde, p. 61. 14

C'étaient des hommes de ce genre qui lui faisaient des compliments sur son visage, sur sa taille. Parbleu! Un laideron aussi complaisant qu'elle eût recueilli les mêmes hommages. J. GREEN, Léviathan, I, IX. 15

Et les bonnes façons de ce galant homme, droit et adroit (...) devaient agréer à la princesse entre tant d'hommages, parfois plus désinvoltes et plus débraillés que les siens. Émile HENRIOT, Portraits de femmes, p. 395. 16

[c] Spécialt. Fait, pour un homme, d'avoir des rapports sexuels avec (une femme), considéré comme un hommage. ⇒ **Honorer** (4.).

Après le souper, tour à tour enfant et raisonnable, folâtre et sensible, quelquefois même libertine, je me plaisais à le considérer comme un Sultan au milieu de son sérail, dont j'étais tour à tour les favorites différentes. En effet, ses hommages réitérés, quoique toujours reçus par la même femme, le furent toujours par une maîtresse nouvelle. LACLOS, les Liaisons dangereuses, Lettre X. 17

[d] (1694). Dans le sens très affaibli d'une simple formule de politesse. ⇒ **Civilité, compliment, devoir, respect.** *Adresser, présenter* (cit. 9) *ses hommages à qqn. Daignez agréer, Madame, mes très respectueux hommages. Je dépose* mes hommages à vos pieds.*

J'offre mes vieux hommages à Madame Lacroix (...) SAINTE-BEUVE, Correspondance, 1274, 9 déc. 1841, t. IV, p. 183. 18

(...) se découvrant pour présenter ses hommages à la duchesse, avec une si ample révolution du chapeau haut de forme dans sa main gantée de blanc (...) qu'on s'étonnait que ce ne fût pas un feutre à plume de l'Ancien Régime (...) PROUST, À la recherche du temps perdu, t. IX, p. 155. 19

Ellipt. *Mes hommages, Madame.*

♦ **3.** (Fin XIIᵉ). Littér. ou style soutenu. Marque de vénération, de soumission respectueuse. ⇒ **Culte** (cit. 9). — (Souvent avec le v. *rendre* et sans déterminant). *Rendre hommage à Dieu* (⇒ **Adorer**), *à sa grandeur* (→ Frère, cit. 20), *aux faux dieux* (→ Fornication, cit. 3). *Les hommages rendus à une reine* (→ Autant, cit. 38), *à un seigneur.* ⇒ **Baisemain.** *Devoir un hommage,* (vx) *devoir hommage à qqn. Apporter, donner des hommages.*

Reconnaissons, amis, la céleste puissance : 20
Allons lui rendre hommage (...) CORNEILLE, Héraclius, V, 7.

Il verra le sénat m'apporter ses hommages (...) RACINE, Bérénice, I, 5. 21

Aux feux inanimés dont se parent les cieux 22
Il rend de profanes hommages. RACINE, Esther, II, 8.

L'hommage particulier que je mets à ses pieds (*de Sa Majesté*) pour les hautes bontés dont elle m'honore. BUFFON, Hist. nat. des minéraux, t. VI, *in* LITTRÉ. 23

24 Chaque heure a son tribut, son encens, son hommage,
Qu'elle apporte en mourant aux pieds de Jéhovah (...)
LAMARTINE, Harmonies, II, XVII.

25 Ne vous dois-je point hommage? n'êtes-vous pas le maître céans, ne relevant que de Dieu seul, comme le Roi de France lui-même et l'Empereur Charlemagne?
CLAUDEL, l'Annonce faite à Marie, II, 2.

(Av. 1648). Témoignage de respect, d'admiration, de piété, de reconnaissance. ⇒ **Tribut.** *Un hommage chaleureux, éclatant* (→ Étriqué, cit. 9), *sincère, spontané, vibrant. Un piètre, triste hommage* (→ Flatter, cit. 49). — *Entourer qqn d'hommages flatteurs, obséquieux...* (→ Fondre, cit. 23). *Fuir, mépriser, repousser les hommages.* — **RENDRE HOMMAGE.** *Rendre hommage à qqn.* ⇒ **Honorer** (→ Applaudissement, cit. 8). *Rendre hommage au mérite, au talent, à la vertu.* ⇒ **Saluer.** — (Avec le déterminant). *La foule rendit un suprême et émouvant hommage à la dépouille mortelle du grand homme.* ⇒ **Devoir.**

26 (...) l'hypocrisie est une bonne chose : c'est comme on dit, un hommage que le vice rend à la vertu. VOLTAIRE, Politique et Législation, t. II, XVI.

27 J'ai mieux aimé vous donner quelque légère idée du génie de Pétrarque (...) que de vous répéter ce que tant d'autres ont dit des honneurs qu'on lui offrit à Paris, de ceux qu'il reçut à Rome, de ce triomphe au Capitole en 1341; célèbre hommage que l'étonnement de son siècle payait à son génie alors unique (...)
VOLTAIRE, Essai sur les mœurs, LXXXII.

28 (...) le silence des vivants est un hommage pour les morts; ils durent, et nous passons. Mme DE STAËL, Corinne, II, III.

29 Une inscription, en cette langue millénaire que les étrangers ne réussissent jamais à bien entendre, indique que c'est là un hommage du pays basque au dernier de ses bardes. LOTI, Figures et Choses..., À Loyola, I.

Spécialt (dans la langue courtoise et précieuse du XVIIe). *Rendre hommage aux agréments* (cit. 5), *aux appas* (cit. 17), *aux attraits* (cit. 18) *d'une femme,* les célébrer hautement.

30 Et, si je rends hommage aux brillants de leurs yeux.
De leur esprit aussi j'honore les lumières. MOLIÈRE, les Femmes savantes, III, 2.

EN HOMMAGE (peut s'employer aussi aux sens 1 et 2) : en signe d'hommage. *Cérémonie en hommage aux déportés, aux morts d'une guerre.* — Rare. **À L'HOMMAGE.** *Cérémonie à l'hommage de...*

♦ **4.** (1651). Vieilli. Don* respectueux, offrande (→ Étrenne, cit. 2). *Faire l'hommage de son livre à qqn, lui en faire l'hommage, lui en faire hommage,* le lui dédier, lui offrir un exemplaire (généralement dédicacé). ⇒ **Dédicacer, dédier.** — *« Daignez agréer ceci comme un hommage de ma reconnaissance »* (Académie). ⇒ **Expression, témoignage.**

31 Que ce serait pour vous un hommage trop bas
Que le rebut d'un cœur qui ne vous valait pas (...) MOLIÈRE, le Misanthrope, V, 3.

32 (...) j'allai, sans façon, offrir l'hommage de mon respect au roi abdicataire de Sardaigne. CHATEAUBRIAND, Mémoires d'outre-tombe, t. II, p. 252.

EN HOMMAGE (de...).

33 (...) faites-en hommage (*de ces petites choses*) aux enfants inconnus et pauvres que vous rencontrerez. BAUDELAIRE, le Spleen de Paris, « Joujou du pauvre ».

Spécialt (poét.). *Les hommages d'un cœur* (cit. 5), ce par quoi il s'exprime, s'offre.

34 Oui, si parmi les cœurs soumis à votre empire,
Vos yeux ont discerné les hommages du mien (...) VOLTAIRE, Zaïre, I, 2.

CONTR. Raillerie (→ Assombrir, cit. 8).
DÉR. Hommager.

HOMMAGÉ, ÉE [ɔmaʒe] adj. — V. 1570; de *hommager.*

♦ Didact. (hist.). Tenu en hommage. *Fief hommagé. Terre hommagée.*

HOM. Hommager.

HOMMAGER, ÈRE [ɔmaʒe, ɛʀ] adj. et n. m. — 1552; de *hommage.*

♦ Anciennt. Qui devait l'hommage. *Vassal hommager.* — N. m. *Un hommager.*

HOM. Hommagé.

HOMMASSE [ɔmas] adj. — 1535, *homace;* par l'adv. *hommassement,* fin XIVe; de *homme* (II.).

♦ Péj. Qui ressemble à un homme par l'allure, les manières (en parlant d'une femme). ⇒ **Masculin.** *Elle est belle, mais un peu hommasse.*

1 Cette madame Thénardier était une femme rousse, charnue, anguleuse; le type femme-à-soldat dans toute sa disgrâce. Et, chose bizarre, avec un air penché qu'elle devait à des lectures romanesques. C'était une minaudière hommasse.
HUGO, les Misérables, I, IV, I.

2 Car il cachait à tous un goût pervers pour sa caissière-comptable, une brune douce, un peu duvetée et hommasse, le cheveu tiré, une médaille au col, qui avouait avec un sourire : « Moi, je tuerais pour un sou. Je suis comme ça. »
COLETTE, la Fin de Chéri, p. 35.

Par ext. *Traits, silhouette, manières hommasses.*

3 Bouchardon, dans ses Cris de Paris, en a saisi la silhouette forte, la carrure hommasse; ses dessins puissants montrent, sous le lainage et la bure solides et rigides, la grossièreté virile, la masculinité de toutes ces femmes de peine.
Ed. et J. DE GONCOURT, la Femme au XVIIIe siècle, t. II, p. 6.

Loc. (*hommasse* est substantivé) :

(...) celle-ci s'habillait un peu à l'hommasse et s'adonnait au tabac fort. 4
R. QUENEAU, Pierrot mon ami, p. 37.

HOMME [ɔm] n. m. — 980, *omne;* lat. *hominem,* accusatif de *homo.* → aussi On.

★ **I.** Être appartenant à l'espèce animale la plus évoluée de la Terre. ⇒ **-anthrope, anthropo-.** *L'homme, les hommes.* ⇒ **Humanité; gens.** *Un homme.* ⇒ **Individu, personne.** — REM. En ce sens, *homme* désigne l'humain mâle (→ ci-dessous, *homme* au sens II) ou femelle (→ Femme); il peut ne s'appliquer qu'à des mâles (*hommes* au sens II), mais jamais à des femmes exclusivement. Le caractère abstrait de cet emploi, où *les hommes* correspond à *les humains,* explique la fréquence du singulier collectif *l'homme* (« l'humanité »). Dans ce dernier cas, le pluriel peut désigner une pluralité de classes *(les hommes fossiles)* et non une pluralité d'individus. Enfin l'emploi de *un homme* (individuel) dans ce sens est rendu difficile par l'ambiguïté avec le sens II. Pour éviter ces ambiguïtés, possibles aussi avec le pluriel, on emploie parfois : *un humain, les humains.*

Un homme ne commence jamais par se poser comme un individu d'un certain sexe : qu'il soit homme, cela va de soi (...) le rapport des deux sexes n'est pas celui de deux électricités, de deux pôles : l'homme représente à la fois le positif et le neutre au point qu'on dit en français « les hommes » pour désigner les êtres humains, le sens singulier du mot « vir » s'étant assimilé au sens général du mot « homo » (...) de même que pour les Anciens, il y avait une verticale absolue par rapport à laquelle se définissait l'oblique, il y a le type humain absolu qui est le type masculin. S. DE BEAUVOIR, le Deuxième Sexe, I, p. 14. 1

L'homme corps et esprit, dualité de l'homme (cf. lat. *homo duplex*).

Il n'y a rien qui soit entièrement en notre pouvoir que nos pensées; au moins en prenant le mot de pensée comme je fais, pour toutes les opérations de l'âme (...) Et il n'y a rien du tout que les choses qui sont comprises sous ce mot, qu'on attribue proprement à l'homme en langue de philosophe : car pour les fonctions qui appartiennent au corps seul, on dit qu'elles se font dans l'homme et non par l'homme. DESCARTES, Lettre à Reneri, avril 1638. 2

L'antithèse de la matière et de l'esprit n'est que l'opposition de deux ordres de techniques. L'erreur de Descartes a été de croire à la réalité de ces abstractions et de regarder le physique et le moral comme hétérogènes. Ce dualisme a pesé lourdement sur toute l'histoire de la connaissance de l'homme. Il a créé le faux problème des relations de l'âme et du corps.
Alexis CARREL, l'Homme, cet inconnu, p. 137. 3

♦ **1.** Biol., cour. Mammifère primate*, famille des Hominidés (cit.), seul représentant de son espèce *(Homo sapiens);* (collectif) *l'homme* (parfois écrit *l'Homme*) : l'espèce humaine. *L'homme est un animal très proche des grands singes.* ⇒ **Anthropoïdes** (singes anthropoïdes). *Cet animal* (cit. 2) *qu'on appelle homme. « L'homme descend* (cit. 33) *du singe »* (formule issue du transformisme darwinien mal interprété). *Principaux caractères spéciaux à l'homme : station verticale* (→ Appui, cit. 3), *différenciation fonctionnelle des mains et des pieds* (⇒ **Bimane;** → Bipède, cit. 1), *bras plus courts que les jambes, menton proéminent, masse plus importante du cerveau, langage articulé, intelligence développée, en particulier faculté d'abstraction et de généralisation* (→ Généraliser, cit. 3), *perfectibilité* (→ Caractère, cit. 13; expérience, cit. 33).

Par ext. Hominien. *L'homme et l'évolution*; l'origine de l'homme.* ⇒ **Hominisation** (cit. 1 et 2). *Les hommes fossiles* ont permis l'étude des formes disparues de l'espèce* homo : homo habilis; homo erectus; homo erectus erectus (⇒ **Pithécanthrope**), homo erectus pekinensis (⇒ **Sinanthrope**); homo sapiens neanderthalensis (⇒ **Néandertalien**), l'homme actuel étant dit *Homo sapiens sapiens.* — (Qualifié). *Homme préhistorique, homme fossile. L'homme de Néanderthal.* — (Nom scientifique). *Homme des cavernes.*

Nous avons dit que la nature marche toujours et agit en tout par degrés imperceptibles et par nuances; cette vérité qui d'ailleurs ne souffre aucune exception, se dément ici tout à fait; il y a une distance infinie entre les facultés de l'homme et celles du plus parfait animal, preuve évidente que l'homme est d'une différente nature, que seul il fait une classe à part, de laquelle il faut descendre en parcourant un espace infini avant que d'arriver à celle des animaux, car si l'homme était de l'ordre des animaux, il y aurait dans la nature un certain nombre d'êtres moins parfaits que l'homme et plus parfaits que l'animal, par lesquels on descendrait insensiblement et par nuances de l'homme au singe; mais cela n'est pas tout d'un coup de l'être pensant à l'être matériel (...)
BUFFON, Hist. nat. de l'homme, De la nature de l'homme. 4

L'homme est une suite d'hommes qui s'engendrent et se succèdent, une équipe d'ouvriers qui se passent de main en main les moellons. 4.1
R. ROLLAND, Deux hommes se rencontrent, p. 104.

(...) pour le biologiste, l'homme est un animal, un animal comme les autres. 5
Jean ROSTAND, l'Homme, I.

Nous connaissons, d'une part, des Hommes fossiles nettement inférieurs à l'homme d'aujourd'hui; d'autre part, des êtres fossiles nettement supérieurs aux singes actuels, et que nous hésitons, du moins pour quelques-uns, à classer parmi les Hominidés ou parmi les animaux (...) Le Plésianthrope, le Paranthrope, le Sinanthrope, le Pithécanthrope, les Hommes de Piltdown, de Heidelberg et de Néanderthal : c'est là en tout cas, une suite de formes préhumaines et humaines qui, si elles étaient parvenues jusqu'à nos jours, combleraient la lacune entre la bête et nous. Jean ROSTAND, l'Homme, VIII. 6

Loin de constituer dans la Nature une incompréhensible exception, l'Homme se rattache décidément, par une longue série d'ancêtres, au tronc commun d'où sont successivement issus les différents groupes d'animaux qui l'accompagnent sur le globe. Cette notion, admise aujourd'hui par la grande majorité des biologistes, ne s'est point imposée sans luttes : le problème des origines de l'Homme est de ceux qui ont soulevé des tempêtes à cause des controverses métaphysiques et extra-scientifiques auxquelles il a donné lieu. Et aujourd'hui même, malgré l'évidence de faits tels que ceux révélés par la découverte des Pithécanthropidés et des Australopithécidés qui réalisent d'une façon pour ainsi dire idéale ces chaînons intermédiaires réclamés par les adversaires de la descendance (...) beaucoup d'esprits 7 excellents répugnent encore, plus ou moins ouvertement, à l'idée de notre parenté animale. Camille ARAMBOURG, la Genèse de l'humanité, p. 7.

8 En 1950 enfin, l'Église a précisé sa position. Elle proclame que les catholiques ont la plus entière liberté d'être transformistes (...) Un seul point touche le dogme catholique, l'apparition de l'homme. Si l'« hypothèse » qui explique l'origine de son corps par l'évolution peut être admise, il ne saurait en être de même pour son âme qui suppose une intervention spéciale de Dieu. De plus, pour cette même origine, l'encyclique écarte l'hypothèse du polygénisme qui ferait apparaître l'humanité sur plusieurs points du globe à la fois (...)
Jules CARLES, le Transformisme, p. 24.

9 La découverte de tels vestiges revêt pour nous une importance extrême puisqu'elle signe en quelque sorte l'acte de naissance de l'homme actuel; aussi peut-on dire que mille fois déjà on a signalé notre présence dans le Quaternaire moyen ou ancien et même dans le Tertiaire plus ou moins éloigné (...) Aucune de ces découvertes, si lourdes de signification philosophique, n'a résisté jusqu'à présent à l'examen scientifique et, récemment encore, l'homme de Piltdown, qui servait de pivot depuis de longues années aux théories sur l'apparition des formes actuelles, a été écarté. A. LEROI-GOURHAN, *in* Hist. universelle, t. I, Encycl. Pl., p. 27.

Loc. cour. *Homme des cavernes.*

HOMME DES BOIS. [a] Vx. Orang-outan.

[b] Homme sauvage, primitif.

9.1 Il était évident que, si le naufragé avait jamais été civilisé, l'isolement en avait fait un sauvage, et pis, peut-être, un véritable homme des bois. Des sons rauques sortaient de sa gorge, entre ses dents, qui avaient l'acuité des dents de carnivores, faites pour ne plus broyer que de la chair crue. La mémoire devait l'avoir abandonné depuis longtemps, sans doute, et, depuis longtemps aussi, il ne savait plus se servir de ses outils, de ses armes, il ne savait plus faire de feu! On voyait qu'il était leste, souple, mais que toutes les qualités physiques s'étaient développées chez lui au détriment des qualités morales.
J. VERNE, l'Île mystérieuse, t. II, p. 504 (1874).

L'homme à la pointe de l'évolution. Avenir de l'homme en tant qu'espèce. Transformations possibles de l'homme. ⇒ **Mutant.**

10 (...) en un seul point *(de la vie)* l'obstacle a été forcé, l'impulsion a passé librement. C'est cette liberté qu'enregistre la forme humaine. Partout ailleurs que chez l'homme, la conscience s'est vu acculer à une impasse : avec l'homme seul elle a poursuivi son chemin. L'homme continue donc indéfiniment le mouvement vital, quoiqu'il n'entraîne pas avec lui tout ce que la vie portait en elle (...) L'ensemble du monde organisé devient comme l'humus sur lequel devait pousser ou l'homme lui-même ou un être qui, moralement, lui ressemblât.
H. BERGSON, l'Évolution créatrice, p. 266-267.

11 Ce n'est plus la biologie et ses lois, qui dirigent le monde, mais l'Homme et ses fantaisies (...) L'apparition de l'intelligence a tout bouleversé : la vie s'est donné un maître qui prétend se servir d'elle et non plus la servir, et c'est pourquoi nous pouvons croire que l'homme ne sera pas dépassé par l'évolution (...) Une autre évolution s'est amorcée, et sa marche est rapide car ici tout acquis s'hérite et n'a pas besoin de l'effet du temps pour s'inscrire dans le futur : tout se passe hors de l'organisme et la biologie n'est plus en cause, car le facteur du progrès est l'éducation. Jules CARLES, le Transformisme, p. 117-118.

Spécialt. *L'homme caractérisé par son aptitude à l'invention et à l'utilisation des outils* (Homo faber), *à la pensée* (Homo sapiens), *à la parole* (Homo loquax). → ci-dessus les désignations zoologiques.

12 (...) il est de l'essence de l'homme de créer matériellement et moralement, de fabriquer des choses et de se fabriquer lui-même. *Homo faber,* telle est la définition que nous proposons. L'*Homo sapiens,* né de la réflexion de l'*Homo faber* sur sa fabrication, nous paraît tout aussi digne d'estime tant qu'il résout par la pure intelligence les problèmes qui ne dépendent que d'elle (...) Le seul qui nous soit antipathique est l'*Homo loquax,* dont la pensée, quand il pense, n'est qu'une réflexion sur sa parole. H. BERGSON, la Pensée et le Mouvant, p. 91-92.

♦ **2.** (Physique, corps de l'homme). Surtout au sing. collectif. *Études des proportions chez l'homme.* ⇒ **Anthropométrie.** *Représentation de l'homme dans l'art* (⇒ **Portrait, statue**), interdite par certaines religions (Islam, judaïsme...).

13 En vérité, je crois que l'homme, et par l'homme j'entends aussi la femme, est le plus vilain animal qui soit sur la terre. Ce quadrupède qui marche sur ses pieds de derrière me paraît singulièrement présomptueux de se donner de son plein droit le premier rang dans la création. Un lion, un tigre, sont plus beaux que les hommes, et dans leur espèce beaucoup d'individus atteignent à toute la beauté qui lui est propre. Cela est extrêmement rare chez l'homme. — Que d'avortons pour un Antinoüs! que de Got(h)ons pour une Philis.
Th. GAUTIER, Mlle de Maupin, II, p. 71.

14 Pour la statuaire antique, la partie mobile du visage : les yeux et la bouche, compte peu; mais la statuaire chrétienne s'attachera passionnément à elle. Lorsque, dans un musée, nous arrivons aux salles gothiques, il nous semble rencontrer les premiers hommes vrais. MALRAUX, les Voix du silence, p. 219.

Étude de l'homme, du corps humain dans sa constitution et son fonctionnement. ⇒ **Anatomie, biologie, physiologie.** *Fonctions de nutrition, de relation, de reproduction chez l'homme. Les sens de l'homme* (→ Autant, cit. 43). *Caractères sexuels chez les hommes, chez l'homme.* ⇒ **Femme, homme** (II.); **androgyne, hermaphrodite.** *Vie de l'homme.* ⇒ **Naissance, enfance, adolescence, maturité, vieillesse, mort.** *La durée moyenne de la vie de l'homme augmente progressivement. Vivre trois âges* (cit. 4) *d'homme. Les excès abrègent* (cit. 6) *les jours de l'homme.*

15 (...) la longévité diminue, bien que la durée moyenne de la vie soit plus grande (...) Avant de rendre plus longue la vie des hommes, il faut trouver le moyen de conserver jusqu'à la fin leurs activités organiques et mentales.
Alexis CARREL, l'Homme, cet inconnu, V.

Types d'hommes classés d'après leurs caractères physiques héréditaires. ⇒ **Race; anthropologie** (au sens 1; cit. 2). *Diversité d'aspect des hommes en tant qu'individus.*

16 Parmi les hommes que nous connaissons, ou par nous-mêmes, ou par les historiens, ou par les voyageurs, les uns sont noirs, les autres blancs, les autres rouges; les uns portent de longs cheveux, les autres n'ont que de la laine frisée; les uns sont presque tout velus, les autres n'ont pas même de barbe. Il y a eu, et il y a peut-être encore, des nations d'hommes d'une taille gigantesque; et, laissant à part la fable des Pygmées, qui peut bien n'être qu'une exagération, on sait que les Lapons, et surtout les Groenlandais, sont fort au-dessous de la taille moyenne de l'homme.
ROUSSEAU, De l'inégalité parmi les hommes, Notes.

L'Homme est extrêmement divers. Nul n'ignore qu'il existe des races humaines, 17
fort dissemblables, et que, même à l'intérieur de la race la plus pure, les individus présentent des différences manifestes. Jean ROSTAND, l'Homme, I.

(Qualifié, selon les races). *L'homme blanc, noir.*

♦ **3.** (Surtout collectif). *L'homme, être pensant* (→ Assurer, cit. 43; grandeur, cit. 20). *L'homme se distingue de la bête* (cit. 1 à 4) *par la raison. — Nature, essence de l'homme :* nature humaine (→ Essentialiste, cit.). *Conceptions matérialistes, spiritualistes de l'homme.* ⇒ **Âme, esprit.** *L'Homme-machine,* œuvre de La Mettrie. *Définitions célèbres de l'homme. L'homme est un animal politique* (adapt. d'Aristote : *zôon politikon*), *un animal* (cit. 8) *raisonnable, « une intelligence servie par des organes »* (De Bonald), *un être* (cit. 13) *moral, un animal éducable* (→ Franchement, cit. 3), *un animal* (cit. 6) *sociable, un être social* (→ Autonome, cit. 3). *L'homme est borné par sa nature même* (→ Borne, cit. 9; cesser, cit. 12). *L'homme n'est pas un pur esprit. L'homme n'est pas encore accompli.*

Mais qu'est-ce qu'un homme? Dirai-je que c'est un animal raisonnable? Non cer- 18
tes : car il me faudrait (par) après rechercher ce que c'est qu'animal et ce que c'est que raisonnable, et ainsi d'une seule question je tomberais insensiblement en une infinité d'autres plus difficiles (...) DESCARTES, Méditations, II.

(...) qu'est-ce donc que l'homme? est-ce un prodige? est-ce un composé mons- 19
trueux de choses incompatibles? ou bien est-ce une énigme inexplicable?
BOSSUET, Sermon pour la profession de Mme de La Vallière.

L'homme n'est pas une intelligence servie par des organes, mais plutôt une intel- 20
ligence empêchée souvent par l'organisation (...) Les organes servent les passions et l'imagination; ils asservissent l'intelligence et la raison toutes les fois qu'ils ne sont pas soumis à la volonté. MAINE DE BIRAN, Œuvres, t. XII, p. 222.

L'homme sans aucun appui et sans aucun secours est condamné chaque instant à 21
inventer l'homme. Ponge a dit dans un très bel article « L'homme est l'avenir de l'homme ». SARTRE, L'existentialisme est un humanisme, p. 38.

♦ **4.** (Surtout collectif; ou au plur. général). *Psychologie de l'homme. Vie active, affective, intellectuelle de l'homme. L'homme intérieur, l'homme moral. Instincts de l'homme (l'homme charnel). Volonté de l'homme. Mémoire de l'homme.* — Loc. *De mémoire* (cit. 38) *d'homme. — L'homme est mortel et aspire à l'immortalité. L'homme poursuit la vérité absolue* (cit. 17; → Dieu, cit. 30) *et ne peut avoir de certitude* (→ Acquérir, cit. 18; dieu, cit. 3). *L'homme veut être heureux* (→ Bonheur, cit. 13), *est né pour le bonheur* (cit. 31); *le bonheur* (cit. 12) *n'est pas fait pour l'homme. L'homme, destiné à souffrir. « L'homme est un apprenti* (cit. 9), *la douleur est son maître »* (Musset). *L'homme a des besoins moraux, esthétiques, religieux... Qualités et défauts de l'homme, des hommes. Instabilité, contradictions de l'homme* (→ Accord, cit. 15; attacher, cit. 60). *L'ingratitude des hommes* (→ 1. Flétrissure, cit. 1). *Orgueil de l'homme* (→ Hautement, cit. 7). *Corruption de l'homme* (→ ci-dessous, 6.; et aussi béatitude, cit. 1; excellence, cit. 2). *Méchanceté, malice des hommes* (→ Authentique, cit. 6). *L'homme considéré comme naturellement bon* (→ Barbarie, cit. 15; déviation, cit. 3) *ou naturellement méchant* (ci-dessous, 7.). *« L'homme est un méchant animal* (cit. 4), *un sot animal* (cit. 5)». *« L'homme n'est ni ange* (cit. 14) *ni bête »* (Pascal). *« L'homme n'est d'abord rien, il est ce qu'il se fait »* (→ Essence, cit. 8). *L'homme, responsable de ce qu'il est* (→ Existentialisme, cit. 2).

Certes, c'est un sujet merveilleusement vain, divers et ondoyant, que l'homme. 22
MONTAIGNE, Essais, I, I.

De tous les animaux l'homme a le plus de pente 23
À se porter dedans l'excès. LA FONTAINE, Fables, IX, 11.

Il n'y a rien que les hommes aiment mieux à conserver et qu'ils ménagent moins, 24
que leur propre vie. LA BRUYÈRE, les Caractères, « De l'homme », 34.

Ne nous emportons point contre les hommes en voyant leur dureté, leur ingra- 25
titude, leur injustice, leur fierté, l'amour d'eux-mêmes, de l'oubli des autres : ils sont ainsi faits, c'est leur nature, c'est ne pouvoir supporter que la pierre tombe ou que le feu s'élève. LA BRUYÈRE, les Caractères, « De l'homme », 1.

L'homme est très fort quand il se contente d'être ce qu'il est; il est très faible 26
quand il veut s'élever au-dessus de l'humanité. ROUSSEAU, Émile, II.

Les hommes sont méchants, une triste et continuelle expérience dispense de la 27
preuve; cependant l'homme est naturellement bon (...) Qu'est-ce donc qui peut l'avoir dépravé à ce point, sinon les changements survenus dans sa constitution, les progrès qu'il a faits et les connaissances qu'il a acquises?
ROUSSEAU, De l'inégalité parmi les hommes, Notes.

Hélas, ai-je pensé, malgré ce grand nom d'Hommes, 28
Que j'ai honte de nous, débiles que nous sommes?
A. DE VIGNY, Poèmes philosophiques, « La mort du loup », III.

L'homme fait des progrès en tous sens : il commande à la matière c'est inconte- 29
stable, mais il n'apprend pas à se commander lui-même.
E. DELACROIX, Écrits, Journal, p. 74.

Beaucoup de choses sont admirables, mais rien n'est plus admirable que l'homme. 30
GIDE, Œdipe, p. 63.

Ce que je vois d'abord dans l'homme, c'est son malheur. Le malheur de l'homme 31
est la merveille de l'univers.
BERNANOS, les Grands Cimetières sous la lune, p. 280.

(...) l'Homme, il faut le reconnaître, possède un fond d'instincts mauvais, haineux, 32
avides, agressifs, ce qui ne doit pas nous étonner outre mesure puisque les Singes, auxquels devaient ressembler nos aïeux, ne sont pas précisément des bêtes altruistes. Jean ROSTAND, l'Homme, X.

Absolt. [a] L'homme considéré dans ses qualités. *Être digne du nom d'homme* (→ Bataille, cit. 17). *Criminel indigne du nom d'homme* (→ Altérer, cit. 18). *Pour former un homme, il faut être homme soi-même* (→ Entreprendre, cit. 8). *Les œuvres d'art, dont la connais-*

sance fait de nous des hommes (→ Aborder, 12). *Mourir comme un homme* (→ 2. Pouvoir, cit. 18).

33 Je veux que l'on soit homme, et qu'en toute rencontre
Le fond de notre cœur dans nos discours se montre (...)
MOLIÈRE, le Misanthrope, I, 1.

34 Si tu peux rencontrer Triomphe après Défaite
Et recevoir ces deux menteurs d'un même front (...)
Tu seras un homme, mon fils.
A. MAUROIS, Trad. KIPLING, *in* les Silences du colonel Bramble, XIV.

35 (...) on n'est pas un homme tant qu'on n'a pas trouvé quelque chose pour quoi on accepterait de mourir. SARTRE, l'Âge de raison, p. 129.

b L'homme considéré dans ses faiblesses. *Ce n'est qu'un homme. J'ai le cœur aussi bon* (cit. 36) *mais enfin je suis homme. Pour être dévot je n'en suis pas moins homme* (→ Appât, cit. 15).

36 (...) c'est à tort que sages on nous nomme;
(...) dans tous les cœurs il est toujours de l'homme.
MOLIÈRE, le Misanthrope, V, 4.

Un, les hommes (opposé à *l'homme*). *L'homme moral individuel.* ⇒ **Individu, personne.** *Différence, ressemblance entre les hommes. La vertu fait la différence entre les hommes* (→ Aïeul, cit. 4). *S'il y a qqch. de plus abject* (cit. 3) *que l'homme c'est beaucoup d'hommes. Le commun des hommes* (→ Apercevoir, cit. 15). *Distinguer qqn du reste des hommes* (→ Arcane, cit. 4). *Les derniers des hommes* (→ Canaille, cit. 6). *Le plus malheureux des hommes* (→ Ange, cit. 19; bambin, cit. 2).

37 Plutarque dit en quelque lieu qu'il ne trouve point si grande distance de bête à bête, comme il trouve d'homme à homme (...) j'enchérirais volontiers sur Plutarque; et dirais qu'il y a plus de distance de tel à tel homme qu'il n'y a de tel homme à telle bête (...) MONTAIGNE, Essais, I, XLII.

38 À mesure qu'on a plus d'esprit, on trouve qu'il y a plus d'hommes originaux : les gens du commun ne trouvent pas de différence entre les hommes.
PASCAL, Pensées, I, 7.

39 L'Homme se distingue des hommes. On ne dit rien d'essentiel sur la cathédrale, si l'on ne parle que des pierres. On ne dit rien d'essentiel sur l'Homme, si l'on cherche à le définir par des qualités d'homme.
SAINT-EXUPÉRY, Pilote de guerre, XXVII.

40 L'homme est plus intéressant que les hommes (...) Chacun est plus précieux que tous. GIDE, Journal, Littérature et morale.

L'homme, un, des, les hommes, du point de vue intellectuel, moral. ⇒ **Psychologie.** *L'homme se connaît en s'observant soi-même* (⇒ **Introspection**) *et en observant les autres* (→ Agir, cit. 5; approfondir, cit. 7 et 13; attendre, cit. 79; étude, cit. 28; fait, cit. 26; général, cit. 24). *Avoir l'expérience* (cit. 13) *des hommes. Juger des hommes* (→ Approfondir, cit. 8). *Peindre les hommes* (→ Assujettir, cit. 12; éternel, cit. 19; étudier, cit. 16). *Moraliste qui étudie les hommes* (→ Approfondir, cit. 11). *Croire aux hommes, avoir foi* (cit. 21) *en l'homme. Aimer les hommes.* ⇒ **Philanthropie** (→ Estimer, cit. 5). *Haïr les hommes.* ⇒ **Misanthropie** (→ Général, cit. 17).

41 (...) j'ai cru trouver au moins bien des compagnons en l'étude de l'homme, et que c'est la vraie étude qui lui est propre. J'ai été trompé; il y en a encore moins qui l'étudient que la géométrie. Ce n'est que manque de savoir étudier cela qu'on cherche le reste. PASCAL, Pensées, II, 144.

42 On ne peut corriger les hommes qu'en les faisant voir tels qu'ils sont.
BEAUMARCHAIS, le Mariage de Figaro, Préface.

43 Homme, nul n'a sondé le fond de tes abîmes (...)
BAUDELAIRE, les Fleurs du mal, « L'homme et la mer ».

44 L'homme est un tout indivisible d'une extrême complexité. Il est impossible d'avoir de lui une conception simple. Il n'existe pas de méthode capable de le saisir à la fois dans son ensemble, ses parties et ses relations avec le monde extérieur. Son étude doit être abordée par des techniques variées. Elle utilise plusieurs sciences distinctes. Alexis CARREL, l'Homme, cet inconnu, p. 2.

45 Je nourris (...) une confiance pleine, une foi vivace et sans défaillance, dans les infinies ressources de l'homme, parce que je sais que certaines richesses sont en lui, alors même qu'il les ignore et cherche à les déprécier.
DANIEL-ROPS, le Monde sans âme, VIII.

46 La littérature française s'est proposé de peindre en pied, inlassablement, l'homme; je dis bien l'homme individuel et l'homme social, l'homme intérieur et l'homme extérieur, l'homme visible et l'homme invisible, l'homme subjectif, et l'homme objectif. G. DUHAMEL, la Défense des lettres, IV, I.

47 Nous sommes mal renseignés sur les hommes, parce que nos relations courantes sont trop superficielles. On ne voit que par des vices, des travers et des vertus (...) Hors de l'amitié, de l'amour et de quelques liens de sang, je ne veux pas savoir ce qu'on pense des hommes. Si on ne peut les aimer, qu'on ne m'en parle pas.
J. CHARDONNE, l'Amour du prochain, p. 22-24.

48 (...) on ne peut admettre qu'un homme puisse porter un jugement sur l'homme (...) l'existentialiste ne prendra jamais l'homme comme fin, car il est toujours à faire.
SARTRE, l'Existentialisme est un humanisme, p. 91.

REM. On aura remarqué par les exemples que, dans de nombreux cas, l'inclusion de la femme dans ce concept est ambiguë, sinon impossible. Les tentations de « levée d'ambiguïté » sont d'ailleurs souvent ironiques ou involontairement comiques.

48.1 C'est cependant la langue de la religion française *(le latin)*; c'est même la langue naturelle à l'homme en général; car qui dit l'homme dit la femme.
H. MONNIER, « Le roman chez la portière », Sciences populaires, t. 1, p. 22.

♦ **5.** *L'homme* (physique et moral), considéré dans l'univers. *L'homme et la réalité du monde extérieur. Le monde existe* (cit. 5) *en dehors de l'homme. L'homme se prend volontiers pour le centre* (cit. 22) *de l'univers.* ⇒ **Anthropocentrisme.** *Tendance à concevoir le divin à l'image de l'homme.* ⇒ **Anthropomorphisme.** *Donner aux choses l'aspect de l'homme.* ⇒ **Anthropomorphiser.** *Petitesse, fragilité relatives de l'homme* (→ Atome, cit. 11 et 14; ciron, cit. 1; hauteur, cit. 4). *L'homme et les deux infinis* de Pascal. Domination de l'homme sur la nature* (→ Assujettir, cit. 28; captation, cit. 1). *Théorie qui prend l'homme pour fin.* ⇒ **Humanisme.** *Mettre à la portée de l'homme.* ⇒ **Humaniser.** — *La liberté* de l'homme* (→ Hasard, cit. 6 et 28). *L'homme et la nécessité; l'homme et le destin, la fatalité* (cit. 6); *l'homme et Dieu, et la Providence* (→ ci-dessous, 6).

La plus calamiteuse et frêle de toutes les créatures, c'est l'homme, et quant et quant *(à la fois)* la plus orgueilleuse. MONTAIGNE, Essais, II, XII. 49

Considérons donc pour cette heure l'homme seul, sans secours étranger, armé seulement de ses armes (...) Est-il possible de rien imaginer *(de)* si ridicule que cette misérable et chétive créature, qui n'est pas seulement maîtresse de soi, exposée aux offenses de toutes choses, se dit maîtresse et empeniere *(impératrice)* de l'univers, duquel il n'est pas en puissance de connaître la moindre partie, tant s'en faut de la commander? MONTAIGNE, Essais, II, XII. 50

Car, enfin, qu'est-ce que l'homme dans la nature? Un néant à l'égard de l'infini, un tout à l'égard du néant, un milieu entre rien et tout. Infiniment éloigné de comprendre les extrêmes, la fin des choses et leurs principes sont pour lui invinciblement cachés dans un secret impénétrable, également incapable de voir le néant d'où il est tiré, et l'infini où il est englouti. PASCAL, Pensées, II, 72. 51

L'homme n'est qu'un roseau, le plus faible de la nature; mais c'est un roseau pensant. Il ne faut pas que l'univers entier s'arme pour l'écraser : une vapeur, une goutte d'eau, suffit pour le tuer. Mais, quand l'univers l'écraserait, l'homme serait encore plus noble que ce qui le tue, parce qu'il sait qu'il meurt, et l'avantage que l'univers a sur lui; l'univers n'en sait rien. PASCAL, Pensées, VI, 347. 52

Il est donc vrai que l'homme est le roi de la terre qu'il habite; car non seulement il dompte tous les animaux, non seulement il dispose des éléments par son industrie, mais lui seul sur la terre en sait disposer, et il s'approprie encore, par la contemplation, les astres mêmes dont il ne peut approcher. ROUSSEAU, Émile, IV. 53

L'homme est le vainqueur des chimères, la nouveauté de demain, la régularité dont gémit le chaos, le sujet de la conciliation. Il juge de toutes choses. Il n'est pas imbécile. Il n'est pas ver de terre. C'est le dépositaire du vrai, l'amas de certitude, la gloire, non le rebut de l'univers. S'il s'abaisse, je le vante. S'il se vante, je le vante davantage. LAUTRÉAMONT, les Chants de Maldoror, Poésies, p. 288. 54

On ne se lasse pas de répéter que l'homme est bien peu de chose sur la terre, et la terre dans l'univers. Pourtant, même par son corps, l'homme est loin de n'occuper que la place minime qu'on lui octroie d'ordinaire, et dont se contentait Pascal lui-même quand il réduisait le « roseau pensant » à n'être, matériellement, qu'un roseau. Car si notre corps est la matière à laquelle notre conscience s'applique, il est coextensif à notre conscience, il comprend tout ce que nous percevons, il va jusqu'aux étoiles.
H. BERGSON, les Deux Sources de la morale et de la religion, p. 274. 55

L'Homme mesure des choses (...) VALÉRY, Regards sur le monde actuel, p. 316. 56

L'homme exploite, défriche, ensemence, construit, déboise, fouille le sol, perce des monts, discipline les eaux, importe des espèces.
VALÉRY, Regards sur le monde actuel, p. 117. 57

♦ **6.** *L'homme, un, des, les hommes,* dans les croyances religieuses. *Les dieux et les hommes.* ⇒ **Mortel.** *Évolution de la notion de Dieu dans l'esprit de l'homme. Dieu considéré comme créant l'homme, comme conçu par l'homme. « Dieu sans l'homme n'est pas plus que l'homme sans Dieu »* (cit. 10, Hegel). *« Les Dieux* (cit. 18) *passent comme les hommes ».* — Allus. littér. *Jupiter créa les hommes dans un accès* (cit. 11) *de misanthropie* (Hugo).

(Bonstetten) m'a cependant exprimé une idée assez piquante sur l'origine des idées religieuses. L'homme actif rencontre au dehors des résistances et se fait des dieux; l'homme contemplatif éprouve au dedans un besoin vague et se fait un Dieu.
B. CONSTANT, Journal intime, 10 juil. 1804, p. 192. 58

On a souvent attribué les premières conceptions religieuses à un sentiment de faiblesse et de dépendance, de crainte et d'angoisse qui aurait saisi l'homme quand il entra en rapports avec le monde (...) les premières religions ont une tout autre origine (...) É. DURKHEIM, les Formes élémentaires de la vie religieuse, p. 320. 59

Longtemps, l'homme a été distrait de la vie par des esprits malins, le culte des morts et des divinités, le souci de sa tombe et de sa survie. Puis il s'est mis à travailler, découvrant dans sa tâche l'équivalent des réconforts célestes (...)
J. CHARDONNE, l'Amour du prochain, p. 157. 60

Sa tâche *(de Bruno Bauer)* sera de montrer que la distinction entre l'humain et le divin est illusoire, qu'elle n'est pas autre chose que la distinction entre l'essence de l'humanité, c'est-à-dire la nature humaine, et l'individu. « Le mystère de Dieu n'est que le mystère de l'amour de l'homme pour lui-même ».
CAMUS, l'Homme révolté, p. 183. 61

(Dans le dogme chrétien). *L'homme créature de Dieu.* ⇒ **Créature.** *Dieu créa* (cit. 1) *l'homme, les hommes à son image. L'innocence première de l'homme et le péché originel. L'Éternel se repentit d'avoir fait l'homme sur la terre* (→ Affliger, cit. 11). *L'homme déchu* (cit. 6 et 7). *Grandeur et faiblesse* (cit. 15) *de l'homme* (→ Avantageux, cit. 2). *Grandeur et bassesse* (cit. 2 et 16), *misère de l'homme, des hommes* (→ État, cit. 82). *Le Christ a racheté les hommes.* ⇒ **Rédemption** (→ Balancer, cit. 23; endurcissement, cit. 3). *Régénération des hommes par le baptême. Fins de l'homme* (→ Blesser, cit. 14). *L'homme est fait pour Dieu* (cit. 4). *Vie éternelle de l'homme après sa mort. Jugement des hommes. L'homme et la Providence divine, la grâce... « L'homme s'agite* (cit. 17) *mais Dieu le mène ».* — Prov. *L'homme propose, Dieu dispose.*

Puis Dieu dit : « Faisons l'homme à notre image, selon notre ressemblance, et qu'il domine sur les poissons de la mer, sur les oiseaux du ciel, sur les animaux domestiques et sur les reptiles qui rampent sur la terre. »
BIBLE (CRAMPON), Genèse, I, 26. 62

Car l'homme propose et Dieu dispose, et la voie de l'homme n'est pas dans le pouvoir de l'homme. CORNEILLE, l'Imitation de Jésus-Christ, I, XIX, *in* GUERLAC. 63

Crains Dieu et garde ses commandements, car c'est là tout l'homme.
BOSSUET, Oraison funèbre de Henriette-Anne d'Angleterre. 64

(...) il est une conviction dans l'homme, celle de sa chute, de son péché, d'où vient partout l'idée des sacrifices et du rachat.
BALZAC, le Curé de village, Pl., t. VIII, p. 652. 65

Le christianisme, qui ne considère l'homme actuel qu'à titre de créature déchue, 66

ne craint pas d'insister sur les vices de la nature, à qui il veut faire sentir le besoin d'un remède et d'une restauration surnaturelle.
SAINTE-BEUVE, Causeries du lundi, 18 nov. 1850, t. III, p. 128.

67 Or, ce n'était plus l'Homme en sa gloire première,
Tel qu'Iavèh le fit pour la félicité,
Calme et puissant, vêtu d'une mâle beauté,
Chair neuve où l'âme vierge éclatait en lumière
Devant la vision de l'immortalité.
LECONTE DE LISLE, Poèmes barbares, « La fin de l'homme ».

68 Ma poésie ne consistera qu'à attaquer, par tous les moyens, l'homme, cette bête fauve, et le Créateur, qui n'aurait pas dû engendrer une pareille vermine.
LAUTRÉAMONT, les Chants de Maldoror, II, p. 63.

69 Durant des siècles ma civilisation a contemplé Dieu à travers les hommes. L'homme était créé à l'image de Dieu. On respectait Dieu en l'homme. Les hommes étaient frères en Dieu. Ce reflet de Dieu conférait une dignité inaliénable à chaque homme. SAINT-EXUPÉRY, Pilote de guerre, XXVI.

Loc. Relig. *Homme de péché.* ⇒ **Pécheur.**

(1564). *Le vieil homme :* l'homme qui a des habitudes de péché. *Dépouiller* (cit. 17) *le vieil homme.*

*Paix sur la terre aux hommes de bonne volonté** (→ Gloire, cit. 49). — REM. Certaines bibles donnent de ce verset une traduction différente : *« Gloire à Dieu dans les lieux très hauts, Et paix sur la terre parmi les hommes qu'il agrée »* (Segond).

70 (...) notre vieil homme a été crucifié avec lui, afin que le corps du péché soit détruit, et que désormais nous ne soyons plus asservis au péché.
BIBLE (SACY), Épître de saint Paul aux Romains, VI, 6.

71 Mais égoïste, avide de soins et d'amour, je voulais que l'univers entier s'occupât de moi (...) et, à l'âge de cinq ans, je n'avais pas encore dépouillé le vieil homme.
FRANCE, le Petit Pierre, XIX.

Spécialt (et par une évidente ambiguïté avec le sens II, « mâle »). *Le Christ s'est fait* (cit. 235) *homme.* ⇒ **Incarnation.** *Le Fils de Dieu fait homme, le Fils* (cit. 12) *de l'homme, l'Homme-Dieu :* le Christ. *Le Christ, vrai Dieu* (cit. 38) *et vrai homme. L'homme de douleur :* le Christ de la Passion* (→ Faire, cit. 234).

♦ **7.** (Collectif ou non collectif : *un homme, des hommes, les hommes*). ⇒ **Humanité, société.** *Les hommes vivent en société* (→ Ethnographie, cit. 2 et 3). *La société des hommes* (→ Bon, cit. 85). — (Au XVIIIe). Collectif. *« L'homme sauvage* (→ État, cit. 99), *l'homme de la nature »* (Rousseau ; → Gâter, cit. 31), opposé à *« l'homme social ».* — *« Ni à l'état sauvage, ni à l'état civilisé, l'homme ne vit normalement à l'état isolé »* (Giddings).

72 L'on demande pourquoi tous les hommes ensemble ne composent pas comme une seule nation, et n'ont point voulu parler une même langue, vivre sous les mêmes lois, convenir entre eux des mêmes usages et d'un même culte : et moi, pensant à la contrariété des esprits, des goûts et des sentiments, je suis étonné de voir jusques à sept ou huit personnes se rassembler sous un toit, dans une même enceinte, et composer une seule famille. LA BRUYÈRE, les Caractères, De l'homme, 16.

73 Les hommes ne sont point faits pour être entassés en fourmilières, mais épars sur la terre qu'ils doivent cultiver (...) L'homme est de tous les animaux celui qui peut le moins vivre en troupeaux. ROUSSEAU, Émile, I.

74 Tous les hommes qu'on a découverts dans les pays les plus incultes et les plus affreux vivent en société (...) Quelques mauvais plaisants ont abusé de leur esprit jusqu'au point de hasarder le paradoxe étonnant que l'homme est originairement fait pour vivre seul comme un loup-cervier, et que c'est la société qui a dépravé la nature (...) Chaque animal a son instinct ; et l'instinct de l'homme fortifié par la raison, le porte à la société comme au manger et au boire.
VOLTAIRE, Dict. philosophique, Homme.

Rapports des hommes entre eux. L'homme et son prochain, son semblable. ⇒ **Autrui** (→ Assujettir, cit. 27 ; aumône, cit. 10). — *Fraternité* (cit. 3, 4 et 5) *des hommes ; rivalité, hostilité des hommes* (→ Haïr, cit. 41 et 43). *L'homme est un loup pour l'homme* (« Homo homini lupus », Plaute). — Prov. *Nul ne peut se vanter de se passer des hommes* (Sully Prudhomme). *Le jugement, la justice des hommes.* ⇒ **Humain** (→ Attendre, cit. 80 ; briser, cit. 16). *Jurer devant Dieu et devant les hommes* (→ Accusé, cit. 2). — *L'homme et sa condition sociale.* ⇒ **Classe.** *Exploitation* (cit. 9 et 10) *de l'homme par l'homme. « L'homme est né libre et partout il est dans les fers »* (cit. 19, Rousseau ; et → Esclave, cit. 2). *Discours sur l'inégalité parmi les hommes,* de Rousseau.

75 Les hommes naissent inégaux. Le grand bienfait de la société est de diminuer cette inégalité autant qu'il est possible (...) Joseph JOUBERT, Pensées, XIV, XXXVIII.

76 Nulle aumône n'apaisera la colère des hommes qui n'auront pas pu être des hommes, parce que la société ne l'aura pas voulu.
DANIEL-ROPS, Ce qui meurt et ce qui naît, p. 139.

Collectif. *Les droits* de l'homme. Déclaration des droits de l'homme et du citoyen* (→ Abus, cit. 3 ; force, cit. 48). *Droits naturels et imprescriptibles de l'homme* (→ Association, cit. 8). *L'homme protégé, brimé par la société. L'Homme révolté,* œuvre d'Albert Camus. *L'homme et l'État**.

Humain, personne humaine (par oppos. à la *fonction,* au *rang*). — REM. Ne s'emploie qu'en parlant d'hommes au sens II, de mâles. *Les prêtres, les rois sont des hommes. Sous l'artiste on veut atteindre l'homme* (→ Gratter, cit. 15). *« On s'attendait de voir un auteur* (cit. 30), *et on trouve un homme ».*

77 (...) ils *(les rois)* sont, comme nous sommes,
Véritablement hommes
Et meurent comme nous. MALHERBE, Paraphrase du Psaume CXLV.

78 La femme tient grande place dans l'histoire de ces rois. Par ce côté, ils sont hommes ; la nature est forte chez eux ; c'est presque l'unique intérêt pour lequel ils se mettent quelquefois mal avec l'Église. MICHELET, Hist. de France, IV, V.

79 Ce ne sont pas des soldats : ce sont des hommes (...) Ils attendent le signal de la mort et du meurtre ; mais on voit, en contemplant leurs figures entre les rayons verticaux des baïonnettes, que ce sont simplement des hommes.
H. BARBUSSE, le Feu, XX, t. II, p. 27.

Collectif (à propos de l'influence, de l'action de la société et de la civilisation sur l'homme). *La société a dépravé, a amélioré l'homme. Évolution de l'homme dans la société.* ⇒ **Histoire.** *L'homme civilisé. L'homme du moyen âge, de la Révolution. Les hommes de la génération de...* (→ Apporter, cit. 33). — *L'homme et le progrès*. L'homme futur* (→ Fusion, cit. 9). *L'homme et la technique, la machine. L'homme dans la vie économique* (cf. lat. homo œconomicus).

(...) le sauvage vit en lui-même ; l'homme sociable, toujours hors de lui, ne sait que vivre dans l'opinion des autres, et c'est pour ainsi dire de leur seul jugement qu'il tire le sentiment de sa propre existence (...) Il me suffit d'avoir prouvé que ce n'est point là l'état originel de l'homme, et que c'est le seul esprit de la société et l'inégalité qu'elle engendre qui changent et altèrent ainsi toutes nos inclinations naturelles. ROUSSEAU, De l'inégalité parmi les hommes, II. 80

(...) les hommes dans cet état *(de nature),* n'ayant entre eux aucune sorte de relation morale ni de devoirs connus, ne pouvaient être ni bons ni méchants, et n'avaient ni vices ni vertus (...) 81
ROUSSEAU, De l'inégalité parmi les hommes, I.

Loin que le besoin de la société ait dégradé l'homme, c'est l'éloignement de la société qui le dégrade. Quiconque vivrait absolument seul, perdrait bientôt la faculté de penser et de s'exprimer (...) VOLTAIRE, Dict. philosophique, Homme. 82

L'homme n'est ni bon ni méchant, il naît avec des instincts et des aptitudes ; la Société, loin de le dépraver, comme l'a prétendu Rousseau, le perfectionne, le rend meilleur ; mais l'intérêt développe aussi ses penchants mauvais. 83
BALZAC, Avant-propos, Pl., t. I, p. 8.

L'homme ne devient pas seulement, au cours de sa vie, le débiteur de ses contemporains ; dès le jour même de sa naissance, il est un obligé. *L'homme naît débiteur de l'association humaine* (...) en naissant, il commence à jouir d'un capital immense qu'ont épargné d'autres générations antérieures. Auguste Comte a depuis longtemps mis ce fait en pleine lumière : « Nous naissons chargés d'obligations de toute sorte envers la société ». Ce que Renan dit des hommes de génie : « Chacun d'eux est un capital accumulé de plusieurs générations », est vrai non pas seulement des hommes de génie, mais de tous les hommes. La valeur de l'homme se mesure à sa puissance d'action sur les choses ; à cet égard, le plus modeste travailleur de notre temps l'emporte sur le sauvage de l'âge de pierre (...) 84
Léon BOURGEOIS, Solidarité, p. 116.

Si (...) l'homme conçoit des idéaux, si même il ne peut se passer d'en concevoir et de s'y attacher c'est qu'il est un être social. C'est la société qui le pousse ou l'oblige à se hausser ainsi au-dessus de lui-même et c'est elle aussi qui lui en fournit les moyens. E. DURKHEIM, Jugements de valeur et jugements de réalité. 85

L'homme étant essentiellement un être social, ses fonctions de relation, physiologiques et surtout psychologiques, ne peuvent se concevoir que sociologiquement. La plupart de ses croyances, et la manière même dont elles se forment et s'imposent à lui sont inexplicables si on le considère individuellement ; même en ce qu'elles ont de plus personnel, elles sont les actes d'un être qui agit dans un milieu. 86
E. GOBLOT, Traité de logique, p. 35.

L'homme est constitué par la société et impossible même à imaginer hors du milieu qui lui a donné son âme, mais il est aussi un individu, qu'on ne saurait entièrement expliquer par des influences sociales. 87
J. CHARDONNE, l'Amour du prochain, p. 16.

La société moderne ignore l'individu (...) et nous traite comme des abstractions. C'est la confusion des concepts d'individu et d'être humain qui l'a conduite à une de ses erreurs les plus graves, à la standardisation des hommes. 88
Alexis CARREL, l'Homme, cet inconnu, X.

À mesure qu'on proclamait la déification de l'homme, on le réduisait à n'être qu'une abstraction (...) il est apparu que c'était, suivant les cas, le citoyen abstrait des droits, ou l'*homo œconomicus* des libéraux ou des marxistes, le producteur du système tayloriste ou le soldat inconnu, parfaite image des guerres anonymes. 89
DANIEL-ROPS, Ce qui meurt et ce qui naît, p. 25.

♦ **8.** *Un, des, les hommes,* en tant qu'unité dans un groupe humain. *Répartition des hommes sur la terre.* ⇒ **Démographie, habitant, peuplement, population.** *Le nombre des hommes augmente à la surface de la terre. Densité des hommes sur la terre. Hommes sédentaires, nomades.* ⇒ **Habitat** (cit. 4). *Mouvement d'hommes.* ⇒ **Migration.** *Répartition des hommes en unités sociopolitiques.* ⇒ **État, nation, pays.**

(...) il n'y a point d'hommes dans le monde. J'ai vu dans ma vie des Français, des Italiens, des Russes ; je sais même grâce à Montesquieu qu'on peut être Persan ; mais quant à l'homme je déclare ne l'avoir jamais rencontré de ma vie, s'il existe c'est bien à mon insu. J. DE MAISTRE, Considérations sur la France, VI, p. 88. 90

(...) l'esprit débarrassé de tout ce que nous savons des hommes, tentons de voir et de noter les faits essentiels de la géographie humaine avec les mêmes yeux et du même regard qui nous permettent de découvrir et de démêler les traits morphologiques, topographiques, hydrographiques de la surface terrestre (...) qu'apercevons-nous ? (...) En premier lieu, les hommes eux-mêmes, revêtement mobile de la surface et revêtement d'une densité très inégale sur les différents points du globe (...) La *toundra* sibérienne, les *hamadas* sahariennes ou la forêt amazonienne sont et restent presque vides d'hommes, tandis que les hommes s'accumulent et se pressent dans les deltas boueux et humides de l'Extrême-orient asiatique ou dans tels et tels districts de l'Europe occidentale ou centrale. 91
Jean BRUNHES, la Géographie humaine, I, p. 61-62.

Aujourd'hui, plus de 4 milliards d'hommes peuplent la planète. Comptant avec un taux de croissance annuel de 1,9 %, les démographes prévoient que ce nombre aura doublé vers l'an 2010. Jean ZIEGLER, Main basse sur l'Afrique, p. 263. 91.1

Loc. *Terre des hommes* (titre d'un ouvrage de Saint-Exupéry).

★ **II.** (Fin Xe, *Passion du Christ*). Être humain mâle, et (le plus souvent) adulte. ⇒ **Garçon** (cit. 11), **mâle, masculin ; -andre, -andrie** (2.), **andro-, vir-.** — REM. Dans ce sens, plus concret, c'est l'emploi individuel *(un, des hommes)* qui l'emporte sur le général *(l'homme) ;* spécialt, « mâle adulte de l'espèce humaine ». — *Un homme. Le premier homme selon l'Écriture.* ⇒ **Adam** (cit. 1). *Êtres mythiques mi-hommes mi-bêtes.* ⇒ **Ægipan, centaure, faune, sagittaire, satyre.**

♦ **1.** Mâle* de l'espèce humaine. ⇒ **Bonhomme** (fam.), **gars, mec** (fam.), **quidam, type** (fam.); et aussi argot **gonze, gus, pante.** *Il y a plus de femmes que d'hommes en France. Caractères biologiques, physiologiques, sexuels de l'homme. La barbe, apanage de l'homme* ⇒ **Barbe** (fig.). *Voix* d'homme. Des hommes et des femmes.* ⇒ **Gens.** *Aversion pour les hommes* (⇒ **Androphobie, misandrie**), *attirance pour les hommes* (⇒ **Androphilie**).

Aspect physique, esthétique de l'homme. Vêtements, habits (cit. 1) *d'homme. Un homme bien, mal habillé; élégant. Un homme vêtu de bleu, de blanc.* — (Syntagme lexicalisé). *Les hommes en blanc** (cit. 19.1 et *supra*) : les médecins, les infirmiers. — REM. Ce dernier emploi est à rapprocher des valeurs professionnelles du mot (→ ci-dessous 4., c : *homme de...*). Par ext. *Femme qui s'habille en homme, comme un homme. — Homme qui s'habille en femme.* ⇒ **Travesti.**

92 Le corps d'un homme bien fait doit être carré, les muscles doivent être durement exprimés, le contour des membres fortement dessiné, les traits du visage bien marqué. Dans la femme tout est plus arrondi, les formes sont plus adoucies, les traits plus fins; l'homme a la force et la majesté, les grâces et la beauté sont l'apanage de l'autre sexe. BUFFON, Hist. nat. de l'homme, De l'âge viril, t. II, p. 48.

93 Tant que je ne les avais vus que de loin et à travers mon désir, les hommes m'avaient paru beaux, et l'optique m'avait fait illusion. — Maintenant je les trouve du dernier effroyable, et je ne comprends pas comment une femme peut admettre cela dans son lit. Th. GAUTIER, Mlle de Maupin, XV.

94 Le seul défaut qu'il ait, c'est d'être trop beau et d'avoir des traits trop délicats pour un homme. Th. GAUTIER, Mlle de Maupin, V.

95 Quant à l'esthétique mâle, n'en parlons pas! (...) Homme, va te cacher! Léon DAUDET, la Femme et l'Amour, p. 281.

Spécialt. Homme physiquement adulte. *À quinze ans il était déjà un homme. Il se fait, il devient homme.*

96 Je l'ai vu devenir homme pendant qu'il me regardait, et la barbe lui pousser autour de sa bonne figure (...) CLAUDEL, l'Annonce faite à Marie, I, 1.

Homme grand, petit, gros, maigre, fort, faible. Un homme bien bâti, taillé en athlète, en hercule. ⇒ 1. **Fort.** *Homme carré d'épaules* (→ Armoire* à glace; gorille, cit. 2). *Un bel homme.* ⇒ **Beau** (cit. 14); 1. **adonis, apollon** (fam.); → Filet, cit. 14; 1. fou, cit. 32. *Un homme affreux, hideux, très laid... Homme chauve, poilu, barbu, moustachu, bien, mal rasé. Homme élégant. Homme d'aspect mâle, de manières viriles; homme efféminé.* ⇒ **Femmelette.**

97 Quel homme est-ce? — C'est un beau, gros, court, jeune vieillard, gris pommelé (...) BEAUMARCHAIS, le Barbier de Séville, I, 4.

♦ **2.** **a** *Un, des hommes; l'homme* (opposé à *la femme*). *Psychologie de l'homme. Un homme, des, les hommes,* et, collect., *l'homme. L'homme est traditionnellement dit actif* (→ Action, cit. 10), *créateur, constructeur doué de l'esprit de synthèse* (→ Glaneur, cit. 4), *apte aux études scientifiques. L'homme moins émotif* (→ Émotivité, cit. 1) *que la femme. — L'homme a besoin d'amour* (→ Abreuver, cit. 6). *« Les hommes commencent par l'amour et finissent par l'ambition »* (cit. 5, La Bruyère).

98 (...) je fis en sorte que la conversation tournât sur les femmes. Cela ne fut pas difficile; car, c'est, après la théologie et l'esthétique, la chose dont les hommes parlent le plus volontiers quand ils sont ivres. Th. GAUTIER, Mlle de Maupin, X.

99 (...) ce n'est qu'un homme, capable de feindre une émotion sans doute, mais non de la dissimuler (...) COLETTE, la Vagabonde, p. 135.

100 (...) il faut à l'homme beaucoup d'intelligence pour ne pas, avec d'égales qualités morales, rester sensiblement au-dessous de la femme. GIDE, Si le grain ne meurt, I, IV.

101 (...) les poupées et les soldats de plomb n'auraient-ils pas presque autant de responsabilité que les hormones dans la différenciation psychique de l'homme et de la femme? Jean ROSTAND.

102 L'homme et la femme sont identiques, mais longtemps encore des écrivains les décriront comme essentiellement différents. Les simplifications artificielles, les faux contrastes, les erreurs, le passé imaginaire, ont beaucoup enrichi la littérature. J. CHARDONNE, l'Amour du prochain, p. 48.

102.1 Le monde appartient aux femmes, il n'y a que des femmes (...) Les hommes? Écume, faux dirigeants, faux prêtres, penseurs approximatifs, insectes (...) Gestionnaires abusés (...) Muscles trompeurs, énergie substituée, déléguée (...) Ph. SOLLERS, Femmes, p. 14.

b Absolt. *(Un homme).* Homme moralement adulte. *Il anticipe* (cit. 8) *sur son âge et s'improvise un homme à seize ans à peine. Ne pleure pas! Sois un homme!* ⇒ **Adulte.**

103 Chez nous, dans les grands jours, les enfants sont des hommes. HUGO, les Années funestes, XVI.

104 À leur tête marchait une femme (...) avec des gosses (...) deux dans les jupes, cinq et trois ans, des hommes qui ne pleuraient pas (...) ARAGON, les Beaux Quartiers, I, XXVI.

105 Je ne suis plus un enfant, vous savez! — Non, c'est vrai que tu es un homme; on a l'âge de sa souffrance. F. MAURIAC, la Pharisienne, IX.

Être humain mâle, possédant les qualités de courage, de hardiesse (cit. 16), de droiture, considérées comme propres à son sexe. *Ose le répéter, si tu es un homme!* (→ Dur, cit. 31). *Ce n'est pas un homme. Parole d'homme. Femme qui se comporte en homme.* ⇒ **Viril** (→ Eunuque, cit. 5).

106 (...) c'est la comparaison avec Mme de Staël qui cause tout cela. Le contraste entre son impétuosité, son égoïsme, sa constante occupation d'elle-même, et la douceur, le calme, l'humble et modeste manière d'être de Charlotte, me rend celle-ci mille fois plus chère. Je suis las de l'*homme-femme,* dont la main de fer m'enchaîne depuis dix ans, quand j'ai une femme qui m'enivre et m'enchante. B. CONSTANT, Journal intime, mai 1807.

107 (...) nous allons sortir (...) J'ai quelques explications à te demander (...) — Tu peux parler ici (...) — Non, si tu es un homme, tu sortiras seul avec moi. P. MAC ORLAN, la Bandera, XVI.

c *Un, des hommes* (qualifié). *Un homme brave, courageux, énergique, ferme. Un homme faible, couard, lâche, mou, veule. Homme serviable, un brave* homme. Le meilleur homme du monde. Saint homme. Un diable d'homme* (→ Argument, cit. 15). *Un méchant homme. Dom Juan* (de Molière), *« un grand seigneur méchant homme ». Homme sans aveu, sans scrupules, malhonnête. Homme intéressé, avare, rusé, hypocrite. Homme infatué* (⇒ **Narcisse**), *frivole. Homme fruste, sale, grossier. Homme distingué, délicat.* ⇒ **Gentleman.** *Homme séduisant.* ⇒ **Amadis.** *Homme galant* (cit. 2) *et galant homme. Homme niais, sot; intelligent, supérieur. Savant homme. Honnête homme* (spécialt, au sens du XVIIe; ⇒ **Honnête**; à distinguer de : *un homme honnête, malhonnête*). *Homme illustre*.* — Loc. (XVe). *Grand* homme* : homme célèbre, reconnu par la culture. *« Aux grands hommes la Patrie reconnaissante »,* inscription au fronton (cit. 3) du Panthéon. — REM. Ce syntagme n'ayant pas de féminin, on peut y voir un emploi de *homme* au sens I, « être humain ».

Un homme volage est un *papillon;* étourdi, une *girouette* (...) simple d'esprit, un *niais* (faucon au nid), un *béjaune,* un *serin,* une *moule,* une *huître;* ignorant, un *âne;* vaniteux, un *paon;* prodigue, un *panier percé* (...) F. BRUNOT, la Pensée et la Langue, p. 78. 108

C'est un homme... qui... ha!... un homme... un homme enfin... MOLIÈRE, Tartuffe, I, 5. 109

Prov. *Un homme averti* en vaut deux.* — Syn : *Un bon averti...*

Syntagmes. (V. 1360). **HOMME DE...** — REM. Dans ces emplois, le sing. collectif est possible *(l'homme d'action se caractérise par...).* — *Homme d'action* (cit. 4; et → Actif, cit. 2; courtisan, cit. 5; entier, cit. 17; enviable, cit.; gifle, cit. 3). *Homme de bien* (2. Bien, cit. 74; et → Ériger, cit. 10; évanouir, cit. 2; fripon, cit. 2). *Homme de mérite* (→ Assidûment, cit. 1 et 4; caressant, cit. 11). *Homme de scrupule et de devoir* (→ Frasque, cit. 4). *Homme de cœur** (→ Empoisonner, cit. 23). *Homme d'honneur** (→ Attaquer, cit. 30; autoriser, cit. 11; endroit, cit. 2). *Homme de parole*. Homme de confiance** (→ Familiarité, cit. 1). — Vieilli. *Homme de rien, homme de peu. — Homme de peu de foi* (cit. 37). *Homme de sac et de corde* (cit. 9). — Loc. vieillie. *Homme de Dieu.* ⇒ **Dévot, pieux.** — *Homme de génie** (cit. 39, 40 et 45). *Homme de talent. Homme de caractère* (cit. 58). *Homme d'esprit** (→ Absolu, cit. 4; approuver, cit. 22; gouverne, cit. 1). *Homme de goût** (cit. 20; → aussi Gourmet, cit. 5). — *Les Hommes de bonne volonté,* œuvre de Jules Romains.

d (1647). **ÊTRE UN HOMME À..., ÊTRE HOMME À...** : être capable de... (→ Gober, cit. 3).

Puisque je passe encor pour homme à vous séduire, 110
Venez dans la prison où je vais vous conduire (...) CORNEILLE, Héraclius, IV, 5.

C'est un homme à jamais ne me le pardonner (...) MOLIÈRE, le Misanthrope, II, 2. 111

Mais on voyait qu'il était homme à soutenir son dire. STENDHAL, le Rouge et le Noir, II, VIII. 112

e (XVe). **HOMME** (précédé d'un possessif), l'homme dont il est question, auquel on a affaire. *Voilà mon homme* (→ Assassiner, cit. 3).

De cette façon donc, un homme, sans avoir du cœur, est sûr de tuer son homme, et de n'être point tué. MOLIÈRE, le Bourgeois gentilhomme, II, 2. 113

(1866). L'homme qui convient, dont on a besoin. *Le parti a trouvé son homme. C'est votre homme.* — Spécialt. Homme qui fait ce qu'on réclame de lui. *Je suis votre homme, vous pouvez compter sur moi.*

(...) rendez-lui service, soyez son homme, accueillez une plainte en faux qu'il va vous déposer contre le jeune d'Esprignon (...) BALZAC, le Cabinet des antiques, Pl., t. IV, p. 439. 114

(1663). Vx. Homme qui ne cède pas, qui tient tête. *Trouver son homme.* ⇒ **Maître.**

Chevalier (...) tu as trouvé ton homme, ma foi! MOLIÈRE, la Critique de l'École des femmes, 6. 115

f Loc. (Mil. XVIe). **D'HOMME À HOMME** : directement, en toute franchise et sans intermédiaire.

Je vous parle d'homme à homme, comme le premier venu arrêterait un passant pour l'avertir d'un danger grave (...) Pierre LOUŸS, la Femme et le Pantin, III, p. 57. 116

Il vous suffit que l'affaire s'arrange à votre convenance, correctement, moi de même. Entre nous deux, d'homme à homme, ça me va, j'ai jamais refusé le défi de personne. BERNANOS, Monsieur Ouine, p. 129. 117

g Loc. *Voici l'homme,* parole de Pilate livrant Jésus. ⇒ **Ecce homo.**

Jésus sortit donc, portant la couronne d'épines et le manteau de pourpre. Et Pilate leur dit : Voici l'homme. BIBLE (SEGOND), Évangile selon saint Jean, XIX, 5. 118

♦ **3.** *(L'homme et la vie sexuelle).* **a** *Homme vierge.* ⇒ **Puceau.** *Homme castré, dépouillé de sa virilité.* ⇒ **Eunuque** (cit. 3). *Homme impuissant* (→ Goujat, cit. 7), *insuffisant.* ⇒ **Andropause.** *Homme viril, de tempérament amoureux, ardent, chaud.* ⇒ **Coq, gaillard, lapin** (chaud lapin). → 1. Froid, cit. 12. *Homme continent et chaste* (→ Ardent, cit. 21). *Inversion sexuelle chez l'homme.* ⇒ **Homosexualité, homosexuel**; fam. **gay.** *Homme qui préfère les hommes* (⇒ **Homophile, homosexuel**), *les jeunes garçons* (⇒ **Pédéraste, pédophile**). *Homme qui s'habille en femme.* ⇒ **Travesti**; fam. **travelo.**

Absolt. *Homme sexuellement actif, viril*. « Les eunuques* (cit. 2) *ne sont pas des hommes ». Une femme regarde toujours un homme comme un homme* (→ Amitié, cit. 12).

(...) même dans cette amitié pure dont parle La Bruyère, n'oubliez pas qu'une 119

femme regarde toujours un homme comme un homme (...) avoir connaissance de la contrariété des sexes, c'est nécessairement en être troublé.
Léon BLUM, Du mariage, p. 106.

Homme qui fait des avances (cit. 25) *à une femme, qui courtise* une femme, cherche à la séduire* ⇒ **Amoureux, chevalier** (servant), **galant, prétendant, soupirant.** *Homme qui escorte une femme.* ⇒ **Cavalier, sigisbée** (→ Auréole, cit. 9). *Homme qui convoite, désire, guigne* (cit. 2) *une femme. Désir d'homme* (→ Attention, cit. 28; bijou, cit. 9). *Homme entreprenant* (cit. 4). *Homme qui séduit, prend, possède une femme.* ⇒ **Amant.** *Homme qui viole une femme, une fillette.* ⇒ **Violeur.**

Loc. (1837). *Homme à femmes.* ⇒ **Don Juan, lovelace, séducteur, tombeur** (→ fam. Coq* de village, coqueluche* des femmes). *Homme volage, infidèle* (⇒ **Papillon;** cf. Cœur d'artichaut), *qui trompe une femme* (→ Attachement, cit. 11). *Homme débauché. Homme asservi à une femme. Homme qui fréquente les prostituées.* ⇒ **Putassier.** *Homme jaloux. Homme trompé.* ⇒ **Cocu.** *« La femme perd ou régénère l'homme »* (→ Autel, cit. 16; baptême, cit. 15). *Amitié* (cit. 13 et 14) *entre homme et femme. Homme qui refuse la liberté aux femmes.* ⇒ **Macho, machiste, phallocrate.** — *Homme célibataire.* ⇒ **Garçon** (et → ci-dessous, 6., *jeune homme*). *Union libre de l'homme et de la femme* (→ Affranchir, cit. 4). *Homme entretenu par une femme.* ⇒ **Gigolo.** *Homme qui vit des femmes, prostitue des femmes.* ⇒ **Entremetteur, maquereau, proxénète, souteneur.** *L'homme et le mariage.* ⇒ **Époux, mari.** *Homme qui épouse* (cit. 5) *une femme, prend femme. Célibataires et hommes mariés. « L'homme s'attachera* (cit. 54) *à sa femme et ils deviendront une seule chair »* (Bible). *Homme qui engendre, procrée, a des enfants* (→ Enfanter, cit. 1). *L'homme chef de famille. L'homme dans la famille, l'homme et la parenté. Homme veuf, divorcé.* ⇒ **Divorcé, veuf.**

120 (...) À certain âge les femmes ne sont plus faites pour la société. Il leur reste le rôle d'amie, mais d'amie dans la retraite, recevant des confidences et donnant des conseils à l'homme dont elles sont le deuxième ou le troisième intérêt dans la vie.
B. CONSTANT, Journal intime, 9 févr. 1804.

121 Chez le coquet chevalier, tout révélait les mœurs de l'homme à femmes *(ladies' man)*... BALZAC, la Vieille Fille, Pl., t. IV, p. 211.

122 Je vois tant d'hommes, ignobles sous tous les rapports, avoir de belles femmes dont ils sont à peine dignes d'êtres les laquais, que la rougeur m'en monte au front pour elles — et pour moi —. Cela me fait prendre une pitoyable opinion des femmes de les voir s'enticher de tels goujats (...)
Th. GAUTIER, Mlle de Maupin, I, p. 59.

123 Le désir de l'homme est brutal et sommaire. Celui de la femme rusé et lent, comme venant de plus loin. Léon DAUDET, la Femme et l'Amour, p. 280.

124 Que redoute-t-on quand un homme fixe sa vie avant d'avoir « jeté sa gourme » et « mené la vie de garçon »? (...) On craint que la solidité du mariage ne résiste pas au déchaînement subit de l'instinct viril. Juste crainte, mais qui n'est pas moins fondée (...) pour la femme que pour l'homme.
Léon BLUM, Du mariage, p. 26.

125 Une minute d'inattention (...) et la voilà rejetée hors de l'abri si sûr, si doux, dans la foule horrible des hommes. Les hommes! (...) Elle n'en redoute aucun en particulier, mais l'idée de leur nombre, de leur puissance, de leur grossière complicité l'épouvante. Gros visages, regards cyniques et ce qu'elle hait par-dessus tout... le sourire blême et sournois du désir (...) BERNANOS, Monsieur Ouine, p. 115.

126 (...) l'humeur sensuelle de l'homme est une saison brève, dont le retour incertain n'est jamais un recommencement. COLETTE, la Chatte, p. 136.

127 (...) en matière sexuelle le vrai plaisir et le vrai besoin sont pour les hommes (...) le rôle de la femme étant surtout fait de complaisance.
J. ROMAINS, les Hommes de bonne volonté, t. V, XXVI, p. 267.

128 Et quel fat! Il croit que toutes les femmes veulent se jeter à son cou. Voilà bien les hommes. On leur parle amitié : ils comprennent sexe. Ensuite, ils nous reprochent de ne penser qu'à ça. MONTHERLANT, les Jeunes Filles, p. 114.

128.1 Car si les hommes se conduisent mal avec les femmes, c'est parce qu'ils ont peur d'elles. MONTHERLANT, Pitié pour les femmes, p. 85.

129 Michèle est une fille qui aime l'homme. Voilà ce qu'il y a.
F. MAURIAC, la Pharisienne.

130 Ce n'est pas seulement un plaisir subjectif et éphémère que l'homme cherche dans l'acte sexuel. Il veut conquérir, prendre, posséder; avoir une femme, c'est la vaincre (...) Il la fait sienne comme il fait sienne la terre qu'il travaille (...) il laboure, il plante, il sème : ces images sont vieilles comme l'écriture.
S. DE BEAUVOIR, le Deuxième Sexe, I, p. 49.

b (1050; avec un possessif). Homme qui vit avec (une femme). ⇒ **Amant, mari;** fam. **jules, mec, mecton, régulier, type.** *C'est son homme. Mon homme. Une brave femme et son homme* (→ Grouiller, cit. 3). *Mon homme,* titre d'une chanson de Jacques-Charles et A. Willemetz (musique de M. Yvain), créée par Mistinguett en 1920.

131 Il avait deux femmes, une à chaque bout de la ligne, sa femme à Paris pour les nuis qu'il y couchait, et une autre au Havre pour les heures d'attente qu'il y passait, entre deux trains (...) Victoire *(sa femme légitime)* veillait sur son linge, car il lui aurait été très sensible que l'autre l'accusât de ne pas tenir leur homme proprement. ZOLA, la Bête humaine, III, p. 80.

132 (...) elle n'avait pas trouvé dans le mariage les joies violentes qu'elle s'y était promises. La politique et l'ambition lui avaient arraché son homme de fort bonne heure. ARAGON, les Beaux Quartiers, I, VIII.

133 La Marie vit son homme (...) elle comprit qu'il avait bu et qu'il allait cogner.
SARTRE, le Sursis, p. 125.

134 « Voilà mon homme ». Elle se leva pour aller au-devant de son ami qui entrait dans le restaurant. P. MAC ORLAN, la Bandera, III.

135 Se loger et nourrir un homme, vous vous rendez compte. Avec ça il me faut du linge, des bas de soie, et lui, Fernando, il s'habille aussi. C'est qu'il est coquet, il faut voir. Au moins s'il voulait s'occuper. Je connais des femmes, leurs hommes, ils s'arrangent, ils font de l'arnaque au marché noir.
M. AYMÉ, le Passe-muraille, « En attendant », p. 262.

136 — Je peux pas tout de même vous maquer toutes! Merde! (...) Il refusait les femmes. Angèle, elle avait du sourire, elle le trouvait comique son homme avec ses clameurs. Une femme sérieuse son Angèle, sa vraie (...)
L.-F. CÉLINE, Guignol's band, p. 58.

REM. Malgré sa fréquence, notamment dans la langue pop. et fam., cet emploi n'est pas lexicalisé au même niveau que *femme* au sens d'« épouse ».

Loc. *C'est l'homme de sa vie,* l'homme qui compte le plus dans sa vie (à propos d'une femme). ⇒ **Amour** (grand amour).

♦ **4.** **a** *L'homme (un homme; des, les hommes)* dans la société (considéré, soit par rapport aux femmes, soit dans leurs rapports entre eux). *L'homme (un homme) et sa fonction, et son métier. Écoles, activités, métiers réservés aux hommes. C'est un métier d'homme,* seuls les hommes peuvent (doivent...) le pratiquer. *Place, rôle de l'homme dans la société.* ⇒ **Sexe** (fort); → ci-dessus, I. (cit. 1). *Domination de l'homme sur la femme. Asservissement de la femme par l'homme. Rivalité, égalité de l'homme et de la femme* (cit. 23 et 61). ⇒ **Féminisme** (cit. 3).

Ce n'est point à la femme à prescrire, et je sommes *(suis)* 137
Pour céder le dessus en toute chose aux hommes.
MOLIÈRE, les Femmes savantes, V, 3.

Les hommes sont cause que les femmes ne s'aiment point. 138
LA BRUYÈRE, les Caractères, Des femmes, 55.

(...) à quelque cause que les hommes puissent devoir cette ignorance des femmes, 139 ils sont heureux que les femmes, qui les dominent d'ailleurs par tant d'endroits, aient sur eux cet avantage de moins.
LA BRUYÈRE, les Caractères, De l'homme, 49.

Les femmes ne sont pas, à beaucoup près, aussi fortes que les hommes, et le plus 140 grand usage ou le plus grand abus que l'homme ait fait de sa force, c'est d'avoir asservi et traité souvent d'une manière tyrannique cette moitié du genre humain (...) chez les peuples policés, les hommes, comme les plus forts, ont dicté des lois, où les femmes sont toujours plus lésées, à proportion de la grossièreté des mœurs (...) BUFFON, Hist. nat. de l'homme, Âge viril.

La femme est faite pour un homme, l'homme est fait pour la vie et notamment 141 pour toutes les femmes. MONTHERLANT, les Jeunes Filles, p. 173.

La femelle est plus que le mâle en proie à l'espèce; l'humanité a toujours cherché à s'évader de sa destinée spécifique; par l'invention de l'outil, l'entretien de 142 la vie est devenu pour l'homme activité et projet, tandis que dans la maternité, la femme demeurait rivée à son corps, comme l'animal. C'est parce que l'humanité (...) préfère à la vie des raisons de vivre, qu'en face de la femme, l'homme s'est posé comme le maître. S. DE BEAUVOIR, le Deuxième Sexe, I, p. 113.

Économiquement, hommes et femmes constituent presque deux castes, toutes cho- 143 ses égales, les premiers ont des situations plus avantageuses, des salaires plus élevés, plus de chances de réussite que leurs concurrentes de fraîche date; ils occupent dans l'industrie, la politique, etc., un beaucoup plus grand nombre de places et ce sont eux qui détiennent les postes les plus importants. Outre les pouvoirs concrets qu'ils possèdent, ils sont revêtus d'un prestige dont toute l'éducation de l'enfant maintient la tradition : le présent enveloppe le passé, et dans le passé toute l'histoire a été faite par les mâles.
S. DE BEAUVOIR, le Deuxième Sexe, I, p. 21.

Entre le *Monsieur* et l'*Homme,* il y a des degrés : l'homme mal vêtu, l'homme à 143.1 demi vêtu (...) en chemise, en haillons (...) en costume de bain.
VALÉRY, Suite, p. 56.

b En appellatif. Vx. *L'homme!,* appellation condescendante. *Holà, ho, l'homme!* (Molière, *Dom Juan,* III, 1).

c **HOMME DE...** (suivi d'un nom, formant des syntagmes plus ou moins lexicalisés, dont certains sont de véritables noms composés).

(XVIIe; situation). Anciennt. *Homme de qualité, homme de condition.* ⇒ **Gentilhomme, grand, noble.** — Vieilli. *Homme de cour* (→ Faveur, cit. 5). ⇒ **Courtisan.**

(Av. 1675). Mod. *Homme du monde** (→ Alliance, cit. 13; entrer, cit. 32; 1. piston, cit. 2.1).

Vx. *Homme du commun.* — Mod. *Homme du peuple.* ⇒ **Ouvrier, paysan, prolétaire** (→ Assurer, cit. 23; bout, cit. 45; frelater, cit. 3). — (1935; *l'homme dans la rue,* 1931; adapt. de l'angl. *the man in the street,* 1931). *L'homme de la rue* (collectif seulement) : l'homme moyen, « quelconque » (cf. ital. *l'uomo qualunque*). → Boursicoter, cit. 2; espèce, cit. 19; extrapolation, cit. 1.

Loc. *Faire l'homme d'importance.* — *L'homme du jour,* celui qui a la notoriété du moment.

(1640; fonctions). *Homme d'État :* dirigeant politique important. ⇒ **État** (→ Charge, cit. 24; efforcer, cit. 6; égérie, cit. 2; empressement, cit. 11).

(1636). Vieilli. *Homme de robe :* magistrat (→ Anoblir, cit. 1; capitan, cit.). — (1718). Mod. *Hommes de loi :* magistrats, mais aussi avocats, avoués, huissiers, juristes, légistes, officiers ministériels (→ Envers, cit. 12). *C'est un homme de loi.*

(1690). *Homme d'affaires* (cit. 61) : (anciennt) financier, intendant, traitant; (mod.) homme ayant une fonction de direction ou de décision dans l'économie privée. ⇒ **Business-man, cadre, directeur, pédégé...** (→ Absent, cit. 7; assez, cit. 47; fleur, cit. 15). *Un homme et une femme d'affaires.*

Homme de finance (cit. 4) : financier.

(1690). *Homme d'église :* ecclésiastique.

Vx. *Homme de cheval :* cavalier.

(1659). Vx. *Homme d'épée :* soldat, militaire de carrière (→ Esprit, cit. 98; furieux, cit. 7). — (1530). *Homme de guerre.* ⇒ **Guerrier, militaire** (→ Commerce, cit. 17; engager, cit. 17).

Vx. *Homme d'armes :* soldat, militaire.

(1690). Vx. *Homme de mer.* ⇒ **Marin, matelot.** — Mod. *Homme d'équi-*

page (→ Albatros, cit. 1; galion, cit. 2). — *Homme de poste.* — *Homme de quart. Homme de barre* (→ Gâter, cit. 6), *de vigie.* — REM. Ces valeurs sont en rapport avec celle de *homme,* 7., b, «simple soldat».

(1580). *Homme de lettres.* ⇒ **Écrivain, lettre** (IV., 2.). → Alliance, cit. 13; bon, cit. 27; clarté, cit. 13; cotisation, cit. — *Homme de plume.* — *Homme de théâtre.*

Homme de science : savant, scientifique, chercheur.

Vx. *Homme de cabinet :* homme qui étudie.

Homme de l'art : technicien confirmé; spécialt, médecin. *Il va falloir recourir à l'homme de l'art.*

(1606). Vx. *Homme de métier :* artisan, technicien.

Homme d'équipe : ouvrier, manœuvre travaillant en équipe (→ Fréter, cit. 4).

Homme de garde : gardien, surveillant (→ Bord, cit. 5; gros, cit. 12).

Homme de peine : homme chargé des gros travaux (→ Assistant, cit. 5).

Loc. fig. *Homme de paille** (cit. 12) : prête-nom (→ Consort, cit. 1; opération, cit. 10). *Homme de main**.

(1972; d'après *femme de ménage*). *Homme de ménage :* homme qui fait des travaux de ménage.

143.2 Puis ce fut un Cadre en chômage, amer. Fusion, licenciement, course à l'emploi, où il a fini par être homme de ménage.
F. GIROUD, in l'*Express,* 23 oct. 1972, nº 111, p. 57.

d *Homme à... Homme à gages. Homme à toutes mains.*

L'homme à, aux... (spécifiant un individu qu'on ne nomme pas). *L'Homme au gant* (sujet de tableau). *L'homme aux quarante écus,* conte de Voltaire.

e (1552, R. Estienne). *Homme* (suivi d'un adj., formant un syntagme du même type qu'en c ou d). *Un homme politique* (cit. 7 et 8). *L'homme public et l'homme privé. L'homme blanc.*

REM. Certains de ces syntagmes correspondent à l'équivalent formé avec *femme.*

♦ **5.** (Considéré selon son âge). *Les âges, les époques de la vie de l'homme.* ⇒ **Enfant, garçon** (cf. fam. Petit homme); **adolescent, vieillard.** *Homme fait* (→ Assemblage, cit. 15; faire, cit. 265 et 266), *homme mûr* (→ Circonspect, cit. 4; composer, cit. 4). *Homme encore jeune. Homme dans la force de l'âge* (cit. 6). *Homme d'un certain âge. Homme âgé. Vieil homme* (→ Gangué, cit.). ⇒ **Vieillard, vieux.** — *Homme en âge de se marier, en âge* (cit. 61) *de combattre.*

144 Il le trouva beau, noble, distingué, grandi, homme fait (...)
HUGO, les Misérables, IV, VIII, VII.

144.1 Avant Zelten, j'avais eu des amis, mais qui alternaient tous dans cet ordre : un homme mûr, un tout jeune homme, un homme mûr, un tout jeune homme. Jamais un homme de mon âge. Tous les dix-huit mois, j'étais assurée de regagner (...) la barbe blanche des collectionneurs d'Outamaro et de Van Goyen, pour retomber, au bout de dix-huit mois à l'extrême jeunesse et aider mon ami à préparer son bachot. GIRAUDOUX, Siegfried et le Limousin, p. 61.

145 L'essence même du mariage tel qu'il est institué dans nos mœurs est d'unir une fille vierge à un homme déjà fait (...) Léon BLUM, Du mariage, p. 87.

146 Les hommes mûrs et les jeunes gens sont forts, parce qu'ils sont égoïstes et ne croient pas l'être. Ils mettent leur amour de soi-même jusque dans la foi, les idées et le sacrifice. André SUARÈS, Trois hommes, «Ibsen», VI.

147 À force de ramper le long des meubles (...) le petit homme sait marcher (...)
G. DUHAMEL, les Plaisirs et les Jeux, III, I.

Absolt. Homme adulte, par oppos. à *enfant, adolescent. Parvenir à l'âge d'homme* (→ Astrologue, cit. 3). *Quand tu seras un homme. Se faire homme.*

148 Enfant, homme, vieil *(vieux),* j'ai toujours cru et jugé de même.
MONTAIGNE, Essais, I, XXVI.

149 Mes premiers vers sont d'un enfant,
Les seconds d'un adolescent
Les derniers à peine d'un homme. A. DE MUSSET, Premières poésies, Au lecteur.

150 Le goût que les femmes ressentiront (...) pour l'ignorance des garçons, les hommes ne sont pas sans l'éprouver pour l'innocence des filles.
Léon BLUM, Du mariage, p. 97.

151 (...) l'âge où l'adolescent se fait homme, est celui des ambitions qui se fixent, des perspectives qui se dessinent. On y sent le plus vivement ce qui doit devenir la qualité maîtresse qu'on pourra manifester et que l'on devra développer, utiliser le plus possible. VALÉRY, Variété V, p. 222.

♦ **6.** (XVIe). **JEUNE HOMME :** homme jeune. **a** Vx. *Un jeune homme et sa femme* (→ Cahoter, cit. 2, Voltaire). — *Un vieillard n'a plus des jambes de jeune homme* (→ Cachet, cit. 7). — Mod. (Littér.). *Des jeunes hommes* (→ Ascension, cit. 10; bordée, cit. 5). *Le Vieillard et les trois jeunes hommes,* fable de La Fontaine (XI, 8). *Suzanne et les jeunes hommes,* roman de Duhamel (dans la série *les Pasquier*).

152 On me dit fort que tous les jeunes hommes sont des trompeurs (...)
MOLIÈRE, l'École des femmes, III, 4.

153 Contre elle *(la jeunesse),* les malheurs, les soucis, le contact qu'ils mènent pour vivre protègent les ouvriers de vingt ans, qui «ont déjà des maîtresses ou des femmes, des enfants, un métier (...) une vie enfin», qui deviennent, au sortir de l'adolescence, de jeunes hommes, sans être jamais des «jeunes gens».
SARTRE, Situations I, p. 27.

b Cour. Garçon pubère, homme jeune célibataire. ⇒ **Adolescent, garçon, gars; damoiseau, éphèbe, jouvenceau** (→ Âge, cit. 6; ardent, cit. 19; arrangement, cit. 14). — REM. En ce sens, *jeune homme* correspond à *jeune fille** et a pour pluriel courant *jeunes gens,* qui s'emploie également pour un groupe de personnes jeunes, garçons et filles (→ Gens). — *Un jeune homme de vingt ans. Un tout jeune homme,* qui sort à peine de l'enfance. *Un grand jeune homme,* qui n'est plus un enfant. *Timidité, gaucherie de jeune homme. Jeune homme naïf.* ⇒ **Béjaune, coquebin.** *Jeune homme galant.* ⇒ **Dameret, mirliflore.** *Jeune homme fortuné* (cf. fam. Fils à papa). *Camaraderie, flirt entre jeune homme et jeune fille. Jeune homme sursitaire qui fait son service militaire avec des gens plus jeunes que lui. Un vieux jeune homme :* un homme qui n'est visiblement plus jeune et qui garde des traits, une allure de jeune homme. — REM. *Jeune homme* est considéré tantôt comme un nom accompagné d'une épithète *(un tout jeune homme),* tantôt et le plus souvent comme un véritable nom composé *(un grand jeune homme).*

À tout âge, les choses inconnues causent des terreurs involontaires. Le jeune homme est comme le soldat qui marche contre des canons et recule devant des fantômes. Il hésite entre les maximes du monde; il ne sait ni donner ni accepter, ni se défendre ni attaquer, il aime les femmes et les respecte comme s'il en avait peur; ses qualités le desservent, il est tout générosité, tout pudeur, et pur des calculs intéressés de l'avarice; s'il ment, c'est pour son plaisir et non pour sa fortune; au milieu de voies douteuses, sa conscience, avec laquelle il n'a pas encore transigé, lui indique le bon chemin, et il tarde à le suivre. 154
BALZAC, le Médecin de campagne, Pl., t. VIII, p. 477.

Le jeune homme est souvent sot et timide. 155
J. ROMAINS, les Hommes de bonne volonté, t. V, XXIII, p. 198.

Gilberte de Saint-Loup me dit : «Voulez-vous que nous allions dîner tous les deux seuls au restaurant?» Comme je répondais : «Si vous ne trouvez pas compromettant de venir dîner seule avec un jeune homme», j'entendis que tout le monde autour de moi riait, et je m'empressai d'ajouter : «ou plutôt avec un vieil homme». Je sentais que la phrase qui avait fait rire était de celles qu'aurait pu, en parlant de moi, dire ma mère, ma mère pour qui j'étais toujours un enfant. 155.1
PROUST, le Temps retrouvé, Pl., t. III, p. 931.

(...) ce garçon, il faut comprendre qu'il est désormais un homme. La voix est grave et mâle; mais, à tout instant, elle a des inflexions naïves et presque puériles (...) Matin et soir, quand Antoinette Baudoin embrasse Hubert, au vol, car le jeune homme, à pein saisi, déjà rêve et s'échappe (...) la mère dit en souriant : «Vraiment, tu commences à piquer!» 156
G. DUHAMEL, Chronique des Pasquier, Suzanne et les jeunes hommes, XIV.

(...) la première maîtresse d'un jeune homme, signifie d'ordinaire un abaissement de l'intelligence et du caractère, quand ce n'est pas de la santé. Un garçon, pour sa promotion à l'homme, n'aurait pourtant que la maîtresse, s'il n'y avait pas le sport (...) 157
MONTHERLANT, les Olympiques, Préface.

(...) cet âge où, encore pensionné et nourri par ses parents, le jeune homme, inutile et sans responsabilité, gaspille l'argent de sa famille, juge son père et assiste à l'effondrement de l'univers sérieux qui protégeait son enfance. 158
SARTRE, Situations II, p. 186.

c (XXe). Pop. (Avec un possessif). ⇒ **Fils.** *Votre jeune homme.*

d (XXe). *Jeune homme* s'emploie pour nommer, appeler un enfant, un adolescent de la classe moyenne, bourgeoise, trop jeune pour qu'on lui dise «Monsieur». ⇒ **Petit.** *Que veut ce jeune homme?* — En appellatif. *Eh, jeune homme, vous pourriez dire merci! Dites-donc, jeune homme!* — Prononc. pop. ou plaisante : [ʒynɔm].

Suivez-moi-jeune-homme, n. m.

♦ **7. a** (1080). *Homme,* considéré comme dépendant d'un autre, comme étant soumis à son autorité. — (XIIe). *Homme lige.* ⇒ **Vassal.** *Serment qui lie l'homme, l'homme lige au seigneur.* ⇒ **Hommage.**

C'est ainsi que, dans les Niebelungen, Siegfried devient vassal du roi Gunther en combattant pour lui. Dans les idées du moyen âge Harold s'était donc fait *l'homme* de Guillaume. MICHELET, Hist. de France, IV, II. 159

Je suis ton homme lige, et, toujours, n'importe où, 160
Je te suivrai, mon maître, et j'aimerai ta chaîne,
Et je la porterai. HUGO, la Légende des siècles, XVIII, «Les conseillers».

(...) un personnage qu'il *(le vassal)* appelait aussi son maître et son seigneur et dont il se disait l'homme. 161
FUSTEL DE COULANGES, Hist. des institutions politiques, p. 590.

b Exécutant, militaire ou civil, dans une hiérarchie, une équipe. *Trente mille hommes en bataille* (cit. 19) *rangée.* ⇒ **Soldat.** *Le caporal et ses hommes* (→ Guitoune, cit. 2). *Entraîner, lancer ses hommes à l'attaque* (→ Faire, cit. 136; général, cit. 19). *Équipage de six hommes, dans un avion. L'expédition a perdu deux de ses hommes. Entrepreneur, contremaître, chef de chantier et ses hommes.* ⇒ **Ouvrier** (→ Grève, cit. 10).

(Me) Fournir en un moment d'hommes et d'attirail. MOLIÈRE, l'Étourdi, III, 5. 162

À l'avant, les hommes du *Primauguet* boivent et chantent avec les baleiniers. 163
LOTI, Mon frère Yves, LXXXVII.

Gilieth déploya ses hommes en tirailleurs à dix pas. 164
P. MAC ORLAN, la Bandera, XI.

J'ai tutoyé pendant la guerre, presque tous les blessés qu'il m'a été donné d'assister, quand ces blessés étaient ceux qu'en style militaire on appelle simplement «des hommes». 165
G. DUHAMEL, Récits des temps de guerre, V, Mémorial de Cauchois.

La salle de police des «hommes» est pleine. On va vous mettre dans la salle des sous-officiers. Justement il n'y a personne. 166
A. ALLAIS, Contes et Chroniques, p. 64.

(En organisation industrielle du travail). *Homme-heure* (*jour, semaine,* etc.) : quantité de travail produite par une personne en une heure (en un jour, en une semaine, etc.).

CONTR. Femme.

DÉR. Hommage, hommasse, hominiens.

COMP. Bonhomme, gentilhomme, prudhomme, surhomme. — Homme-, homme-affiche, homme-grenouille, homme-mort, homme-oiseau, homme-orchestre, homme-réclame, homme-robot, homme-sandwich. — Sous-homme, surhomme.

HOMME- Élément utilisé dans de nombreux composés libres.

♦ **1.** Avec un nom qui indique la ressemblance, le rapport d'un homme avec un autre être vivant, une chose. *Un homme-loup,* loup-garou, lycanthrope.

1 Les questions de tératologie que soulève l'exhibition des hommes-chiens.
Journal de médecine et de chirurgie pratique, 1873, *in* D. D. L., II, 15 (fig. en 1588, *in* D. D. L.)

2 On le surnomme l'homme-oiseau, l'homme-écureuil, etc.
T. RÉMY, les Clowns, p. 22 (v. 1840), *in* D. D. L., II, 15.

3 Moitié roue et moitié cerveau
Voici l'homme-vélocipède.
Th. DE BANVILLE, Nouvelles odes funambulesques, p. 130 (1868).

Le second substantif désigne un être humain :

4 Lui, ce timide et ce faible, cet homme-enfant qu'elle croyait capable seulement de larmes et le lamentations. Alphonse DAUDET, *in* G. L. L. F.

5 Première apparition des hommes-femmes, descendants de ceux des habitants de Sodome qui furent épargnés par le feu du ciel.
PROUST, Sodome et Gomorrhe, Pl., t. II, p. 601.

N. B. Ce composé est attesté en 1569 (*in* D. D. L.).

♦ **2.** Avec un nom qui indique la fonction de l'homme, ou qui marque ce à quoi l'homme est identifié.

6 (...) un homme-vigie sur les machines des grands rapides.
Le Spectateur, n° 23, 1911, *in* D. D. L., II, 15.

7 (...) Napoléon, ce génie, cet homme-nation (...)
Louis DE CORMENIN, Libelles politiques, t. I, p. 217 (1831), *in* D. D. L., II, 15.

8 Une première contre-attaque était lancée par l'homme-cible lui-même, le ministre des Affaires étrangères G. Schroeder. l'Express, 18 oct. 1965.

♦ **3.** Avec un nom qui caractérise un aspect (physique, psychique) de l'homme considéré. *Un homme-tronc.*

9 L'importance qu'on *(Sartre)* accorde ici (*dans* Saint Genet) au mythe de l'homme-échec, les nombreuses adhérences par lesquelles la fable de Genet-voleur-tante-onaniste-mendiant-etc (...) tient encore à celle de Rimbaud.
ÉTIEMBLE, *in* Nouv. N. R. F., 1953, n° 2, févr., 348, *in* D. D. L., II, 15.

10 Sa particularité raciale se lit dans sa morphologie : la combinaison anti-G en nylon gonflable, le casque poli engagent l'homme-jet dans une peau nouvelle, où «pas même sa mère ne le reconnaîtrait». R. BARTHES, Mythologies, p. 95.

HOMME-AFFICHE [ɔmafiʃ] n. m. — 1833, Gautier ; de *homme,* et *affiche.*

♦ Vx. Homme-sandwich. — Plur. *Des hommes-affiches* [ɔmafiʃ].

Des hommes-affiches circulaient au milieu des groupes. Des bannières et des banderoles flottaient au vent. Des cris éclataient de toutes parts.
J. VERNE, le Tour du monde en 80 jours (1873), p. 217.

HOMME-GRENOUILLE [ɔmgʀənuj] n. m. — 1949, *in* D. D. L. ; de *homme,* et *grenouille.*

♦ Plongeur muni d'un scaphandre autonome, qui travaille sous l'eau (→ Nageur* de combat). — Plur. *Des hommes-grenouilles.*

HOMME-MORT [ɔmmɔʀ] n. m. — Mil. XXe ; de *homme,* et *mort.*

♦ Techn. Dispositif de sécurité provoquant l'arrêt du train en cas de défaillance du conducteur, lorsque ce dernier est seul à bord. — Plur. *Des hommes-morts.*

HOMME-OISEAU [ɔmwazo] n. m. — V. 1935 ; de *homme,* et *oiseau.*

♦ Vieilli (à la mode v. 1935-40). Homme qui, largué d'un avion, effectuait de longs vols planés au moyen d'une voilure dorsale. — Plur. *Des hommes-oiseaux* [ɔmwazo].

HOMME-ORCHESTRE [ɔmɔʀkɛstʀ] n. m. — 1884 ; de *homme,* et *orchestre.*

♦ **1.** Musicien qui joue simultanément de plusieurs instruments, en manière d'attraction.

(...) cet homme-orchestre de nos fêtes foraines, dont chaque mouvement met en branle un triangle, une grosse caisse, un chapeau chinois, des cymbales.
Alphonse DAUDET, Tartarin sur les Alpes, VI.

♦ **2.** (1920, *in* D. D. L.). Personne qui accomplit des fonctions diverses, dans un domaine, une entreprise. — Plur. *Des hommes-orchestres* [ɔmɔrkɛstʀ].

HOMME-RÉCLAME [ɔmʀeklam] n. m. — 1921 ; de *homme,* et *réclame.*

♦ Vx. Homme-sandwich. ⇒ **Homme-affiche.** — Plur. *Des hommes-réclames.*

(...) tour à tour (...) chantant comme des poèmes les titres des journaux que je vendais, homme-réclame par amour des chapeaux hauts de forme, porteur de bagages (...) ARAGON, Anicet, I, p. 12 (1921).

HOMME-ROBOT [ɔmʀobo] n. m. — V. 1956 ; de *homme,* et *robot.*

♦ Rare. Être humain que la société industrielle semble avoir automatisé. ⇒ **Robot.**

HOMME-SANDWICH [ɔmsɑ̃dwitʃ] n. m. — 1881 ; de *homme,* et *sandwich.*

♦ Homme qui promène dans les rues deux placards publicitaires, l'un sur la poitrine, l'autre dans le dos (→ 2. Pis, cit. 13). ⇒ **Affiche** (porte-), **homme-affiche** (vx), **homme-réclame, sandwich** (rare). — Plur. *Des hommes-sandwiches.*

Et toi, dis-je certaine nuit à un homme-sandwich, qui promenait l'affiche d'une vedette de cinéma, d'où viens-tu ? Francis CARCO, Nostalgie de Paris, p. 67.

1. HOMO [omo] n. m. et adj. — V. 1975 ; abrév. de *homosexuel.*

♦ Fam. Homosexuel. *Un homo.* — Adj. *«À Paris, les homosexuels ont leurs bars, leurs restaurants, leurs saunas. Trente discothèques "homo" à Paris»* (*l'Express,* 23 janv. 1978, p. 78). — REM. Il semble que l'abrév. soit plus rare en parlant des homosexuelles femmes.

HOM. 2. **Homo.**

2. HOMO [omo] n. m. —1735, *homo sapiens ;* latin *homo, hominis* «homme».

♦ Sc. Espèce zoologique formée par l'Homme au sein des Primates (sans article, en appos., *l'espèce Homo,* ou dans un syntagme).

(Surtout dans les syntagmes latins). *Homo faber,* l'homme, en tant qu'espèce capable de technique, de fabrication d'outils. — *Homo sapiens,* l'homme, en tant qu'espèce capable de pensée abstraite, de connaissance.

Les Atlanthropes, Sinanthropes et Pithécanthropes nous apparaissent comme correspondant assez bien à la notion, d'ailleurs très vague, de l'*homo faber* des philosophes. La technicité chez l'homme pendant la plus grande partie de sa durée chronologique (il ne restera plus ensuite que quelques instants géologiques à parcourir) relèverait donc plus directement de la zoologie que de toute autre science. 1
A. LEROI-GOURHAN, le Geste et la Parole, t. II, p. 266.

Libéré de ses outils, de ses gestes, de ses muscles, de la programmation de ses actes, de sa mémoire, libéré de son imagination par la perfection des moyens télédiffusés, libéré du monde animal, végétal, du vent, du froid, des microbes, de l'inconnu des montagnes et des mers, l'*homo sapiens* de la zoologie est probablement près de la fin de sa carrière. 2
A. LEROI-GOURHAN, le Geste et la Parole, t. II, p. 266.

(Désignant des hommes fossiles). *Homo habilis. Homo erectus : homo erectus erectus* (⇒ **Pithécanthrope**), *homo erectus pekinensis* (⇒ **Sinanthrope**). *Homo sapiens néanderthalensis* (⇒ **Néandertalien**). *Avant l'apparition de l'espèce homo sapiens.* ⇒ **Antéhumain.**

(Qualifiant des aspects de l'activité humaine). *Homo loquax, homo ludens* («qui joue»), *homo œconomicus, religiosus.*

HOM. 1. **Homo.**

HOMO- Élément, du grec *homos* «semblable, le même». Outre les mots traités à l'ordre alphabétique, on pourrait signaler de nombreux composés scientifiques archaïques ou rares, ainsi que des composés occasionnels, stylistiques. — Ex. : *homo-allèle* [omoalɛl] n. m. ; *homoallélique* [omoalelik] adj. ; *homo-transplantation* [omotʀɑ̃splɑ̃tasjɔ̃] (⇒ **Homogreffe**) ; *homo-ionique* [omojɔnik] adj., etc.

HOMOBASIDE [omobazid] n. f. ⇒ **Baside.**

HOMOBASIDIOMYCÈTES [omobazidjɔmisɛt] n. m. pl. ⇒ **Basidiomycètes.**

HOMOCENTRE [omosɑ̃tʀ] n. m. — 1827 ; de *homocentrique.*

♦ Géom. Centre commun de plusieurs cercles (concentriques).

HOMOCENTRIQUE [omosɑ̃tʀik] adj. — 1690 ; du grec *homokentros,* de *kentron* «centre», et suff. *-ique.*

♦ Sc. Concentrique. *Faisceau lumineux homocentrique,* dont tous les rayons passent par un même point.

DÉR. Homocentre. — REM. Les dér. **homocentricité,** n. f. (1878, *in* P. Larousse, *Deuxième suppl.*), et **homocentriquement,** adv. (1845, Bescherelle), sont attestés.

HOMOCERCIE [omosɛʀsi] n. f. — 1902, *homocerquie ;* de *homocerque.*

♦ Zool. État d'un poisson homocerque.

HOMOCERQUE [omosɛʀk] adj. — 1866 ; de *homo-,* et grec *kerkos* «queue».

♦ Zool. Qui a les deux lobes égaux, en parlant de la nageoire caudale des poissons. *Nageoire homocerque.* — Par ext. *Les carpes sont homocerques.*

CONTR. Hétérocerque.
DÉR. Homocercie.

HOMOCHROME [omokʀom] adj. — 1905, in *Rev. gén. des sc.*, n° 3, p. 101 ; de *homo-*, et *-chrome.*

♦ Didact. Qui présente la même couleur. — Spécialt (zool.). Se dit d'un animal qui a la même couleur que le milieu où il vit. *Des goélands, parmi lesquels la mouette fuligineuse, au plumage remarquablement homochrome avec les rochers noirâtres sur lesquels elle se tient* (*Animalia International*, déc. 1983, n° A, p. 13).

CONTR. Hétérochrome.

HOMOCHROMIE [omokʀomi] n. f. — 1903, in *Rev. gén. des sc.*, n° 14, p. 779 ; de *homo-*, et *-chromie.*

♦ Didact. Identité de couleur, d'aspect entre un animal et le milieu où il vit. *Homochromie par mimétisme*.*

Il faut en effet concevoir que la forme va de pair, pour chaque poisson, avec l'habitat, les déplacements, l'homochromie ou le mimétisme, la lutte contre les ennemis. R. et M.-L. BAUCHOT, les Poissons, p. 16.

CONTR. Hétérochromie.
DÉR. Homochromique.

HOMOCHROMIQUE [omokʀomik] adj. — 1905, in *Rev. gén. des sc*, n° 3, p. 101 ; de *homochromie.*

♦ Zool. Relatif à l'homochromie. « *Les animaux présentent souvent des livrées homochromiques* » (*la Recherche*, mai 1974, p. 419).

HOMOCINÉTIQUE [omosinetik] adj. — 1931 ; de *homo-*, et *cinétique.*

♦ **1.** Mécan. *Liaison homocinétique*, qui assure une transmission régulière des vitesses entre deux arbres non alignés.

♦ **2.** (Mil. xxe). Phys. *Particules homocinétiques*, de même vitesse.

CONTR. Hétérocinétique.

HOMOCYCLIQUE [omosiklik] adj. — Déb. xxe ; de *homo-*, et *cyclique.*

♦ Chim. Se dit des composés organiques dont les chaînes fermées sont exclusivement formées de carbone (opposé à *hétérocyclique*).

HOMODONTE [omodɔ̃t] adj. — 1972 ; de *homo*, et *-donte.*

♦ Zool. Qui ne possède qu'un seul type de dents. *Les reptiles sont homodontes.* ⇒ **Hétérodonte** (cit.).

La denture est plus surprenante encore. Jusqu'alors les Poissons, les Amphibiens ou les Reptiles possédaient (et ils continuent encore) une denture de type conodonte et homodonte, c'est-à-dire des dents simples, coniques et toutes sensiblement identiques. A. LEROI-GOURHAN, le Geste et la Parole, t. I.

CONTR. Hétérodonte.

HOMŒO- ⇒ **Homéo-.**

HOMŒOSTASIE [omeostazi] n. f. — Mil. xxe ; de *homœo-*, et grec *stasis* « position ».

♦ Didact. (physiol.). Maintien à leur valeur normale des différentes constantes physiologiques de l'individu (température, tonus cardio-vasculaire, composition du sang, etc.). *L'homœostasie est réglée par le système neuro-végétatif et les glandes endocrines.*

HOMOFOCAL, ALE, AUX [omofɔkal, o] adj. — V. 1900 ; de *homo-*, et *focal.*

♦ Math., phys. Dont le ou les foyers sont communs. *Des coniques homofocales.*

HOMOGAME [omogam] adj. — 1866 ; de *homo-*, et *-game.*

♦ Bot. Qui ne comprend que des fleurs du même sexe. *L'inflorescence homogame du cassissier.* ⇒ **Isogame ; homogamie** (1).

HOMOGAMÉTIE [omogamesi] n. f. — Mil. xxe ; de *homo-*, *gamète*, et suff. *-ie.*

♦ Biol. Formation, dans une espèce, d'une seule catégorie de gamètes par le mâle et par la femelle.

CONTR. Hétérogamétie.

HOMOGAMÉTIQUE [omogametik] adj. — 1945, *in* D. D. L. ; de *homo-*, *gamète*, et suff. *-ique.*

♦ Biol. Qui produit des gamètes semblables (en parlant d'un sexe, dans une espèce). « *À quoi tient donc cette possibilité qu'ont malgré tout certains hybrides de se reproduire ? Tout d'abord il faut distinguer le cas des mâles (hétérogamétiques) des femelles (homogamétiques)* » (*Sciences et Avenir*, n° 410, av. 1981, p. 56).

HOMOGAMIE [omogami] n. f. — 1866 ; de *homo-*, et *-gamie.*

♦ **1.** Bot. État des plantes à inflorescences homogames. ⇒ **Isogamie.**

♦ **2.** Biol. Tendance à l'apariage entre formes semblables ; tendance des animaux à s'accoupler avec leurs semblables. — (Chez l'homme). « *L'assortiment marital se fait donc dans le sens d'une homogamie positive* » (*Sciences et Avenir*, n° spécial 16, p. 20, 1975).

HOMOGÈNE [ɔmɔʒɛn ; omoʒɛn] adj. — 1503, *homogénée ;* lat. scolast. *homogeneus*, grec *homogenês ;* de *homos* « semblable » (→ Homo-), et *-gène.*

♦ **1.** (En parlant d'un tout, d'un ensemble). De structure uniforme ; dont les éléments constitutifs, les parties, sont de même nature ou répartis de façon uniforme. *Mélange, ensemble homogène. Former un tout homogène. Corps, masse, substance, pâte, liquide homogène. Les pierres plus homogènes se patinent plus régulièrement. Rendre qqch. homogène.* ⇒ **Homogénéiser.** — *Caractère, structure homogène.* ⇒ **Homogénéité.** *La composition, la constitution plus ou moins homogène d'un mélange.* — Par ext. *Son homogène* (→ Ébranler, cit. 28). *Voix homogène*, dont les passages* entre deux registres « sont rendus acoustiquement inapparents » par la technique vocale (*Encyclopédie de Monzie*).

Imaginons que la terre soit un sphéroïde homogène renflé à son équateur ; on peut 1
alors la considérer comme étant formée d'une sphère (...) et d'un ménisque qui recouvre cette sphère. LAPLACE, Exposition du système du monde, IV, 14, *in* LITTRÉ, Dict., art *Ménisque.*

(Le biologiste) Nageotte (...) avait bien observé, au cours du développement de 2
l'embryon de lapin, que la cornée de l'œil se présente d'abord comme une substance homogène qui durant les trois premiers jours ne contient pas de cellules (...) G. CANGUILHEM, la Connaissance de la vie, p. 93.

(1753). Abstrait. ⇒ **Cohérent, régulier, uni, uniforme.** *Langue homogène* (→ Gallo-roman, cit. 2). *Groupe, réunion homogène* (→ Composite, cit. 1 ; et aussi amalgamer, cit. 4). — *Livre, œuvre homogène*, qui a une grande unité. *Formation, équipe, ministère homogène.*

Cette Assemblée *(législative)* est homogène. Les hommes qui la composent sont 3
à peu près de même origine, de même formation aussi. Ils ont en philosophie, en politique, les idées que les écrivains du dix-huitième siècle ont répandues. J. BAINVILLE, Hist. de France, XVI, p. 347.

La nation est un organisme homogène et viable. 4
A. MAUROIS, les Discours du D^r O'Grady, XV.

L'action de la critique s'exerçant aussi bien dans la philosophie que dans l'histoire, 5
a rompu l'équilibre intérieur de l'être. Tout a contribué à le déchirer ; les données les plus sûres se sont effondrées ; il a renoncé à se croire homogène ; dans l'ordre de la connaissance comme dans celui de la morale, il se sent fragmenté. DANIEL-ROPS, le Monde sans âme, VII, p. 212.

(1507, Pascal). Géom. *Espace homogène*, « caractérisé par la possibilité d'y déplacer une figure sans déformation » (Lalande). ⇒ **Espace** (cit. 5, 6 et 8). — *Coordonnées homogènes*, définissant tous les points du plan ou de l'espace à distance finie ou infinie.

La première de ces lois (qui font l'objet de la géométrie) est celle de l'homogénéité. 5.1
Supposons que, par un changement externe α, nous passions de l'ensemble d'impressions A à l'ensemble B, puis que ce changement α soit corrigé par un mouvement corrélatif volontaire β, et de façon que nous soyons ramenés à l'ensemble A.
Supposons maintenant qu'un autre changement externe α' nous fasse de nouveau passer de l'ensemble A à l'ensemble B.
L'expérience nous apprend alors que ce changement α' est, comme α, susceptible d'être corrigé par un mouvement corrélatif volontaire β' et que ce mouvement β' correspond aux mêmes sensations musculaires que le mouvement B qui corrigeait α.
C'est ce fait que l'on énonce d'ordinaire en disant que *l'espèce est homogène et isotrope.* J. POINCARÉ, la Science et l'Hypothèse, IV, p. 87-88.

Math. *Fonction homogène, polynôme homogène*, « dont les divers termes sont du même degré* par rapport à l'ensemble des variables » (Uvarov et Chapman, *Dict. des Sciences*).

Log. Se dit d'une expression, d'une formule ne comprenant que des éléments appartenant à un même système logique.

Une expression verbale doit être *homogène (...)* une définition, en particulier, ne 6
doit jamais omettre les termes nécessaires pour que le définissant soit du même ordre que le défini. (Par ex. : « Le scepticisme est la *doctrine* selon laquelle il est impossible d'atteindre la vérité » et non : « (...) *l'impossibilité* d'atteindre la vérité »). A. LALANDE, Voc. de la philosophie, art. *Homogénéité.*

N. m. Didactique ou littéraire :

Néanmoins on s'accorde à envisager le temps comme un milieu indéfini, différent 6.1
de l'espace, mais homogène comme lui : l'homogène revêtirait ainsi une double forme, selon qu'une coexistence ou une succession le remplit. H. BERGSON, Essai sur les données immédiates de la conscience, p. 73.

♦ **2.** (En parlant des parties qui composent un tout, un ensemble). Qui est de même nature. ⇒ **Même, semblable.** *Chose homogène avec une autre.* — Plus cour., au plur. *Les parties homogènes, les éléments homogènes d'une substance chimiquement pure. « L'eau était regardée autrefois comme composée de parties homogènes »* (Académie).

7 (...) pour qu'il se forme des cristallisations par l'attraction mutuelle des parties homogènes et similaires. BUFFON, Hist. nat. des minéraux, t. V, p. 96, *in* LITTRÉ.

Abstrait :

8 Fouché avait senti l'incompatibilité de son existence ministérielle avec le jeu de la monarchie représentative : comme il ne pouvait s'amalgamer avec les éléments d'un gouvernement légal, il essaya de rendre les éléments politiques homogènes à sa propre nature. CHATEAUBRIAND, Mémoires d'outre-tombe, t. IV, p. 42.

CONTR. Hétéroclite, hétérogène. — Bigarré, composite, disparate, divers.
DÉR. Homogénéiser ou **homogénéifier.**

HOMOGÉNÉISATEUR, TRICE [ɔmɔʒeneizatœʀ, tʀis] adj. et n. m. — 1907 ; de *homogénéiser.*

♦ Techn. Appareil servant à l'homogénéisation* (des liquides, des aliments). — N. m. *Un homogénéisateur.*

HOMOGÉNÉISATION [ɔmɔʒeneizɑsjɔ̃] n. f. — 1907 ; de *homogénéiser.*

♦ Didact., techn. Action de rendre homogène. — Spécialt. *Homogénéisation du lait, d'un liquide organique avant centrifugation.*
(Abstrait). *« Y a-t-il à l'échelle mondiale homogénéisation du quotidien et du "moderne" ? »* (H. Lefebvre).

HOMOGÉNÉISER [ɔmɔʒeneize] ou (vieilli) HOMOGÉNÉIFIER [ɔmɔʒeneifje] v. tr. — 1837, *homogénéiser, in* D. D. L. ; *homogénéifier,* 1907 ; de *homogène.*

♦ Sc. Rendre homogène. *Homogénéiser, homogénéifier une substance.*
Fig. *Homogénéiser une société.*

▶ **HOMOGÉNÉISÉ, ÉE** p. p. adj. *Substance homogénéisée.* — Cour. *Lait homogénéisé,* dont les globules graisseux ont été fragmentés et mélangés.

DÉR. Homogénéisateur, homogénéisation.

HOMOGÉNÉITÉ [ɔmɔʒeneite] n. f. — 1503 ; lat. *homogeneitas,* de *homogeneus.* → Homogène.

♦ Caractère de ce qui est homogène. — (Concret). *L'homogénéité d'une substance.* — (En parlant des éléments). *« L'homogénéité des éléments de la matière »* (Laplace).
(Abstrait). ⇒ **Cohérence, cohésion.** *L'homogénéité d'une société, d'une réunion d'hommes. Donner à des éléments disparates une homogénéité superficielle* (→ Autant, cit. 52). ⇒ **Harmonie, régularité, unité.**

1 Cette émigration étrangère, qui coule sans cesse dans leur population de toutes les parties de l'Europe, ne détruira-t-elle pas à la longue l'homogénéité de leur race ?
CHATEAUBRIAND, Voyage en Amérique, conclusion des États-Unis, *in* LITTRÉ.

2 De là venait cette grande supériorité de l'Ordre, cette harmonie dans les desseins, cette homogénéité, cet ensemble dans l'exécution. Ce grand corps n'avait qu'une âme, qu'une voix. BALZAC, Hist. des jésuites, Œ. diverses, t. I, p. 35.

2.1 En effet, ce vaste empire, qui compte douze millions de kilomètres carrés, ne peut pas avoir l'homogénéité des États de l'Europe occidentale.
J. VERNE, Michel Strogoff, p. 52.

3 (...) les passions politiques présentent aujourd'hui un degré d'universalité, de cohérence, d'homogénéité, de précision, de continuité (...) inconnu jusqu'à ce jour (...)
Julien BENDA, la Trahison des clercs, I, p. 117.

Math. *Degré, conditions d'homogénéité.* — *Loi d'homogénéité* (de l'espace). → Homogène, cit. 5.1.

CONTR. Hétérogénéité. — Disparité, diversité.

HOMOGENÈSE [ɔmoʒənɛz] n. f. — 1904, in *Rev. gén. des sc.,* nº 22, p. 1037 ; de *homo-,* et *genèse.*

♦ Biol. Production des mêmes caractères pendant des générations successives. ⇒ **Hétérogénie.**

CONTR. Hétérogenèse, hétérogénie.

HOMOGRAPHE [ɔmɔgʀaf] adj. et n. m. — 1823, *in* Boiste ; de *homo-,* et *graphe.*

♦ Ling. Se dit des mots qui ont même orthographe. *Mots homographes,* à même prononciation (⇒ **Homonyme**), à prononciation différente (ex. : nous *portions* [nupɔʀtjɔ̃] les *portions* [lepɔʀsjɔ̃]). — N. m. *Des homographes.*

HOMOGRAPHIE [ɔmɔgʀafi] n. f. — 1837, Chasles ; de *homo-,* et *-graphie.*

♦ Géom. Transformation ponctuelle biunivoque définie par la fonction homographique*.

HOMOGRAPHIQUE [ɔmɔgʀafik] adj. — 1837, Chasles, *in* T. L. F. ; de *homographie.*

♦ Géom. Relatif à l'homographie. *Figures homographiques.* — *Fonction homographique* : fonction, quotient de deux fonctions du premier degré, dont la courbe représentative est une hyperbole dont les asymptotes sont parallèles aux axes de coordonnées. *Relation homographique entre deux variables :* relation du premier degré par rapport à chacune d'elles.

HOMOGREFFE [ɔmɔgʀɛf ; omogʀɛf] n. f. — 1899, in *Année biol.* ; de *homo-,* et *greffe.*

♦ Biol. Greffe dans laquelle les tissus greffés proviennent d'un donneur appartenant à la même espèce que l'organisme qui reçoit la greffe (s'oppose à *hétérogreffe*). — Syn. : *isotransplantation,* 1.

HOMOLATÉRAL, ALE, AUX [omolateʀal, o] adj. — 1905, in *Rev. gén. des sc.,* nº 16, p. 746 ; de *homo-,* et *latéral.*

♦ Méd. Qui est situé, qui a lieu du même côté du corps. *Hémiplégie homolatérale,* du même côté que la lésion cérébrale responsable.

CONTR. Hétérolatéral.

HOMOLOGABLE [ɔmɔlɔgabl] adj. — 1866, *in* Littré ; de *homologué.*

♦ Qui peut être homologué. — (Au sens 1). *Acte homologable.* — (Au sens 2). *Performance homologable.*

HOMOLOGATIF, IVE [ɔmɔlɔgatif, iv] adj. — 1839 ; de *homologuer.*

♦ Didact. (dr.). Qui produit une homologation. *Arrêt, jugement homologatif.*

HOMOLOGATION [ɔmɔlɔgɑsjɔ̃] n. f. — 1611 ; *emologation,* 1313 ; de *homologuer.*

♦ **1.** Action d'homologuer, décision à laquelle l'exécution d'un acte est soumise ; approbation* emportant force exécutoire. *Homologation administrative, judiciaire.* ⇒ **Autorisation** (d'exécution), **entérinement, ratification, validation.** *L'homologation d'une succession ; homologation de succession. Homologation d'un tarif.*

L'homologation du concordat le rendra obligatoire pour tous les créanciers portés ou non portés au bilan, vérifiés ou non vérifiés (...) Code de commerce, art. 516.

♦ **2.** (1886, *in* Petiot). Confirmation, validation. *L'homologation d'une performance.*

CONTR. Annulation.

HOMOLOGIE [ɔmɔlɔʒi] n. f. — 1822, Poncelet, au sens 2 ; grec *homologia,* de *homologos.* → Homologue.

Sciences.

♦ **1.** (1844, en chimie). État d'éléments homologues. *Homologie d'institutions, dans différents pays.*

(...) la sociologie de la politique étudie : l'homologie des signes politiques dans les divers types de civilisations. 1
Gaston BOUTHOUL, Sociologie de la politique, p. 8.

Le rôle de la sociologie politique est de dégager, de l'immense variété des institutions, les types essentiels et l'homologie fonctionnelle des organes politiques. 2
Gaston BOUTHOUL, Sociologie de la politique.

♦ **2.** Math. Correspondance entre deux points M et M' telle que la droite qui les joint passe par un point fixe O et coupe une droite fixe en un point P formant avec les trois précédents un birapport* (OPMM') constant.

DÉR. Homologique.

HOMOLOGIQUE [ɔmɔlɔʒik] adj. — 1822, Poncelet, en géométrie (2.) ; de *homologie.*

♦ **1.** Relatif à l'homologie ; qui concerne une homologie. *Caractère homologique de deux lignes, de deux organes.*

♦ **2.** Math. Qui procède par homologie. *« L'algèbre homologique (...) un des instruments clés des mathématiques (...) » (la Recherche,* oct. 1973). *Cet ouvrage développe les propriétés homologiques des modules, en vue notamment des applications à l'algèbre commuta-*

tive et à la théorie des espaces analytiques complexes (*la Recherche*, n° 117, déc. 1980, p. 1362).

DÉR. Homologiquement.

HOMOLOGIQUEMENT [ɔmɔlɔʒikmɑ̃] adv. — 1866; de *homologique.*

♦ Didact. D'une manière homologique; par homologie.

HOMOLOGUE [ɔmɔlɔg] adj. et n. — 1585, *termes homologues,* en géométrie; grec *homologos,* de *homos* «semblable», et *logos* «rapport». → Hétérologue.

♦ **1.** Sc. Se dit des éléments qui se correspondent à l'intérieur d'ensembles différents et qui sont liés par une relation. ⇒ **Correspondant.**

Géom. Se dit des points, des droites qui se correspondent dans deux figures semblables*, homographiques ou homothétiques, et dans toute autre transformation. — (1680). *Côtés homologues de deux triangles semblables.*

Phys. (cristallographie). Se dit des éléments de même nature des cristaux de même forme. *Les faces, les arêtes homologues de deux cristaux.*

(1866). Anat. Se dit des parties du corps qui se correspondent d'une espèce à une autre (membres antérieurs des mammifères, ailes des oiseaux), d'un sexe à l'autre (→ Clitoris, cit. 2), d'une partie du corps à une autre (genou et coude). — REM. À distinguer de *homotype.* — N. *Le genou* (cit. 1) *et son homologue le coude.*

♦ **2.** (1803). Cour. Équivalent. *Le grade de chef d'escadron est homologue de celui de chef de bataillon.*

N. (Mil. XXe). Personne ou collectivité dont l'activité, la fonction est analogue à celle d'une autre personne, d'une autre collectivité (dans un pays ou une région différente). *L'ouvrier américain a un revenu plus élevé que son homologue français. Le ministre belge a rencontré son homologue chinois.* «*La région lombarde a les mêmes problèmes que ses homologues italiennes*» (*le Monde,* 19 avr. 1978).

♦ **3.** (1844, in *Année sc. et industr.* 1858, p. 297). Se dit d'une série de composés chimiques dont chaque terme diffère du précédent par un même groupe d'atomes constant et défini (le groupe CH_2). *La série des paraffines est homologue.* — Se dit des termes de cette série. *Le méthane* (CH_4), *l'éthane* (C_2H_6) *sont homologues.* — N. m. *Le méthane et l'éthane sont des homologues.*

DÉR. Homologie.
COMP. V. Isologue.

HOMOLOGUER [ɔmɔlɔge] v. tr. — 1461; *emologuer,* 1329; lat. médiéval *homologare,* du grec *homologein* «être d'accord, reconnaître», de *homologos.* → Homologue.

★ **I.** ♦ **1.** Dr. Approuver* (un acte) par une mesure lui donnant force exécutoire. ⇒ **Autoriser, confirmer, entériner, ratifier, sanctionner, valider.** *Le tribunal doit homologuer les délibérations du conseil de famille d'un mineur, d'un interdit. Homologuer un partage de succession, un concordat. — L'autorité administrative doit homologuer certains actes.*

1 L'acte d'adoption doit être homologué par le tribunal civil du domicile de l'adoptant. Code civil, art. 362.

2 Je viens vous apprendre que le testament est tout à fait en règle, et sera certainement homologué par le tribunal qui vous enverra en possession (...)
BALZAC, le Cousin Pons, Pl., t. VI, p. 784.

♦ **2.** (1902, *in* Petiot). Sports. Reconnaître, enregistrer officiellement (une performance, un record) après vérification de la conformité à certaines normes. *Homologuer un temps, un record.*

3 Au club tous les officiels sont en déplacement. Alors j'ai pensé à vous. Il faut que dès demain, si possible, vous veniez me chronométrer (...) Elle m'avait convaincu. Sans doute son désir était-il peu fondé, puisque, si elle battait ce record, sa performance, accomplie sans témoins officiels, ne serait pas homologuée.
MONTHERLANT, les Olympiques, p. 91.

★ **II.** Didact. *Homologuer qqch. à qqch.* : considérer comme homologue. ⇒ **Assimiler** (non synonyme).

▶ **HOMOLOGUÉ, ÉE** p. p. adj. (Déb. XVIIIe, Saint-Simon). *Acte homologué. Tarif homologué.* — (XXe). *Record homologué.*

DÉR. Homologable, homologatif, homologation.

HOMOLYTIQUE [ɔmɔlitik] adj. — Mil. XXe (cf. angl. *homolytic,* 1941); de *homo-,* et *-lytique.* → Lyse.

♦ Chim. *Rupture homolytique* : rupture d'une liaison covalente, les fragments de la molécule concernée possédant chacun un électron isolé.

HOMOMORPHE [ɔmɔmɔʀf; omomɔʀf] adj. — 1903, in *Rev. gén. des sc.,* n° 10, p. 583; de *homo-,* et *-morphe,* d'après *homomorphisme.*

♦ Math. Qui a la propriété d'homomorphisme. ⇒ **Morphisme.** *Application homomorphe. — Image homomorphe d'un groupe, d'un anneau.*

HOMOMORPHIE [ɔmɔmɔʀfi; omomɔʀfi] n. f. — Probablt déb. XXe; de *homo-,* et *morphie.*

Didactique.

♦ **1.** Math. Homomorphisme.

♦ **2.** Didact. Homogénéité des formes, des structures. «*Malgré son extraordinaire ubiquité, l'homme est resté étonnamment monotypique. Et les conditions de la vie moderne ne font qu'amplifier cette homomorphie*» (*le Monde,* 23 févr. 1977, p. 21).

HOMOMORPHISME [ɔmɔmɔʀfism; omomɔʀfism] n. m. — Déb. XXe; de *homo-,* et *-morphisme.*

♦ Math., sc. Application d'un ensemble dans un autre, chacun étant muni d'une loi de composition interne, telle que l'image d'un composé de deux éléments est le composé des images de ces éléments (syn. : *morphisme*). *Homomorphisme d'un ensemble sur lui-même.* ⇒ **Endomorphisme.** *Homomorphisme bijectif.* ⇒ **Isomorphisme.** *Homomorphisme de groupes d'anneaux, de corps, d'espaces vectoriels, etc.* (homomorphisme pour chacune des lois internes ou externes définissant ces structures). *Décomposition canonique d'un homomorphisme de groupe.*

HOMONCULE [ɔmɔ̃kyl] n. m. — 1611; lat. *homunculus,* dimin. de *homo* «homme».

♦ **1.** Hist. des sc. Petit être vivant à forme humaine, que les alchismistes prétendaient fabriquer (cf. la scène célèbre du *Second Faust* de Gœthe, où le Dr Wagner fabrique un *Homunculus*). — REM. Var. : *homuncule* [ɔmɔ̃kyl] (Académie); *homonculus* [ɔmɔ̃kylys]; *homunculus* [ɔmɔ̃kylus]. — Plur. *Des homonculus* ou (plur. lat.) *des homunculi.*

Comme Maître Wagner (*personnage de « Faust »*), j'ai un homunculus dans un flacon de verre. Th. GAUTIER, les Jeunes-France, 340. 1

(...) nous (...) regardions Redon comme un maître, une sorte de thaumaturge habile à faire surgir, sur la toile ou sur le papier, un tas d'organismes incomplets (...) d'homuncules en suspens dans le rêve, comme on les verrait à travers la vitre d'un aquarium (...) GIDE, Attendu que..., p. 130. 2

Un livre amusant sur les soucoupes volantes. Il y a tant de témoignages de tous les points du globe qu'on finirait presque par y croire, croire même aux *homunculi* qui en sortent, dit-on, et viennent ramasser des cailloux pour les emporter — où? J. GREEN, Journal, Ce qui reste de jour, 29 juin 1967, p. 23. 2.1

♦ **2.** Hist. des sc. Petit être préformé que les biologistes croyaient voir soit dans l'ovule, soit dans le spermatozoïde de l'homme. ⇒ **Préformation.**

Par ce système (*dans lequel l'enfant est préformé dans le spermatozoïde*)... c'est le premier homme qui (...) contenait (...) toute sa postérité : les germes préexistants (...) sont de petits animaux, de petits homoncules organisés et actuellement vivants (...) et qui deviennent des animaux parfaits et des hommes par un simple développement (...) BUFFON, Hist. des animaux, V. 3

♦ **3.** (Après 1750). Vx. Petit homme. ⇒ **Animalcule** (fam.), **avorton, nabot.**

Ce singe eût-il été encore plus ressemblant à l'homme, les anciens auraient eu raison de ne le regarder que comme un homoncule, un nain manqué, un pygmée (...) 4
BUFFON, Hist. nat. des animaux, Nomenclature des singes.

(...) les nouveaux systèmes d'éducation ne sauraient aboutir qu'au dressage de hideux homuncules (...) BERNANOS, les Grands Cimetières sous la lune, III, I. 5

(...) lui (l'étudiant, l'homoncule, le jeune étourneau, le double microscopique et lointain) haletant, essayant pour le troisième fois de la matinée d'apaiser sa respiration. Claude SIMON, le Palace, p. 178. 6

HOMONOME [ɔmɔnɔm] adj. — Mil. XXe; de *homo-,* et grec *onoma* «nom».

♦ Sc. nat. Se dit de parties, de structures d'un organisme qui se ressemblent par la forme, qui ont la même fonction, qui ont une même origine.

DER. Homonomie.

HOMONOMIE [ɔmɔnɔmi] n. f. — Mil. XXe; de *homonome.*

♦ Sc. nat. Caractère de ce qui est homonome. *Homonomie des anneaux successifs d'un ver.* ⇒ **Métamère.**

HOMONYMAT [ɔmɔnima] n. m. — 1927, Proust; de *homonyme.* → Anonymat.

♦ Littér. et rare. État de ce qui porte le même nom (notamment, les personnes). ⇒ **Homonymie.**

Et pourtant, bien qu'il y ait peu de rapport entre notre moi véritable et l'autre, à cause de l'homonymat et du corps commun aux deux, l'abnégation qui vous fait faire le sacrifice des devoirs plus faciles, même des plaisirs, paraît aux autres de l'égoïsme. PROUST, le Temps retrouvé, Pl., p. 986.

HOMONYME [ɔmɔnim] adj. et n. m. — 1534; *vers homonyme* «vers léonin», xvᵉ; lat. *homonymus*, grec *homônimos*, *de homo*, et *onoma* «nom».

A. Didact. (assez courant). ♦ **1.** Se dit des mots phonétiquement identiques (⇒ **Homophone**) et de sens différents (abrév. dans ce dictionnaire : *hom.*). *Noms, adjectifs homonymes* (ex. : *ceint, sain, saint, sein, seing* [sɛ̃]). *Forme verbale homonyme d'un substantif* (ex. : *je cours, une cour* [kuʀ]). *Mots à la fois homonymes et homographes** (ex. : 1. *canon* et 2. *canon*), *homonymes sans être homographes* (ex. *eau* et *haut*), *homographes mais non homonymes* (ex. : *les poules du couvent couvent*). — *Expressions, phrases homonymes.*

1 (...) pour manier aucun concept freudien, la lecture de Freud ne saurait être tenue pour superflue, fût-ce pour ceux qui sont homonymes à des notions courantes. J. LACAN, Écrits, p. 246.

N. m. (1572). *Un, des homonymes. On peut considérer les différents aspects sémantiques* (sens) *d'un même mot* (polysémie) *comme des homonymes, lorsque l'origine commune n'est plus sentie* (ex. : *éclat*, I. et II.; *génie*, I., II. et III.; 1. *grève* et 2. *grève*).
«Père» a pour homonyme «pair», «paire»... Dictionnaire, recueil d'homonymes. Jeux de mots utilisant les homonymes. ⇒ **Calembour, équivoque.** *«Conjecture» et «conjoncture» sont presque des homonymes.* ⇒ **Paronyme.**

2 L'on s'amuse parfois aujourd'hui à énumérer les homonymes du français : *saint, sain, seing, sein.* Qu'en subsiste-t-il dans le langage courant? *Seing* ne se rencontre plus que dans des expressions figées et techniques (...) Le participe *ceint* a complètement disparu de la langue commune; *Sain* lui-même n'est-il pas restreint dans son emploi? (...) Puisque le mot *Santé* est d'un usage constant, c'est l'homonymie avec *saint* qui a restreint l'emploi de l'adjectif *sain.* F. BRUNOT et Ch. BRUNEAU, Précis de grammaire historique, § 345.

♦ **2.** N. m. (1771). Se dit des personnes, des villes, etc. qui portent le même nom. *Confondre qqn avec un de ses homonymes. Chercher dans le bottin son homonyme* (→ Bottin, cit. 2). *Troyes et son homonyme légendaire Troie. Paris a de nombreux homonymes en Amérique.*

B. (1866, *in* T. L. F.). Méd. (au plur.). Localisés symétriquement par rapport à la ligne médiane du corps. *Troubles, lésions homonymes.*

CONTR. Hétéronyme.
DÉR. Homonymat.

HOMONYMIE [ɔmɔnimi] n. f. — 1534, Rabelais, *Gargantua*, «calembour»; du lat. *homonymia*, de *homonymus.* → Homonyme.

♦ **1.** Vx. Jeu de mots fondé sur la ressemblance des sons. ⇒ **Amphibologie, calembour, équivoque.**

♦ **2.** (1582). Didact. Caractère de ce qui est homonyme, notamment en parlant des unités lexicales. *Homonymie de plusieurs mots, entre plusieurs mots; homonymie entre deux phrases. L'homonymie, par les confusions, les ambiguïtés qu'elle peut entraîner, est une des causes de l'élimination des mots* (→ Homonyme, cit. 2). *Homonymie et polysémie**.
Par ext. Identité des noms. *L'homonymie de deux personnes.* ⇒ **Homonymat.**

Il y a deux Marguerite de Valois, toutes deux reines de Navarre : la première, sœur de François Iᵉʳ, est l'auteur des Contes (...) l'autre fut la femme d'Henri IV. C'est généralement celle-ci qu'on connaît le mieux (...) L'homonymie (...) continue à nuire à la précédente, qui fut l'une de nos premières femmes de lettres. Émile HENRIOT, Portraits de femmes, p. 28.

DÉR. Homonymique.

HOMONYMIQUE [ɔmɔnimik] adj. — xxᵉ; de *homonymie.*

♦ Didact. Qui concerne l'homonymie* (2.); de l'homonymie. *Caractère homonymique de deux éléments lexicaux.* ⇒ **Homonymie.** *Relation quasi homonymique.* ⇒ **Paronymique.**

HOMOPÉTALE [omopetal] adj. — 1866; de *homo-*, et *pétale.*

♦ Bot. Dont les pétales se ressemblent. *Fleur homopétale.*

HOMOPHAGE [ɔmɔfaʒ; omofaʒ] adj. et n. — xxᵉ; de *homo-*, et *-phage.*

♦ Didact. et rare. Qui mange sa propre substance (⇒ **Autophage**) ou une substance analogue.

Le transgresseur de l'interdit alimentaire se comporte plutôt en homophage, celui de l'interdit exogamique plutôt en homosexuel, mais les deux représentations se correspondent étroitement, s'évoquent mutuellement. Roger CAILLOIS, l'Homme et le Sacré, p. 103.

HOMOPHILE [ɔmɔfil; omofil] n. m. — V. 1970; de *homo-* (→ Homosexuel), et *-phile*; sans rapport avec *homme.*

♦ Didact. Homme qui éprouve une affinité sexuelle pour les personnes de son sexe (sans forcément avoir des pratiques homosexuelles). ⇒ **Homosexuel, inverti...** *«Les homophiles chrétiens de David et Jonathan cherchent à redonner l'espérance à tous les homosexuels, chrétiens ou non, en leur montrant qu'ils sont aimés du Christ (...)»* (*le Monde*, 25 avr. 1978, p. 16).
Adj. Relatif aux homophiles, à l'homophilie. *«Prix du meilleur roman homophile»* (*Arcadie*, sept. 1979).

REM. Dans la pratique, le mot et son dérivé *homophilie* sont ressentis comme des équivalents euphémistiques et mélioratifs de *homosexuel* et *homosexualité*; l'élément *homo-* y est souvent ressenti à tort comme lié à *homme*, et les termes ne s'appliquent pas à l'homosexualité féminine.

DÉR. Homophilie.

HOMOPHILIE [ɔmɔfili; omofili] n. f. — V. 1970; de *homophile.*

♦ Didact. Tendance, conduite des homophiles*. ⇒ **Homosexualité.** *«L'homophilie n'est qu'une manière d'être, qui touche 10 % de l'humanité»* (Dʳ Eck, in *l'Express*, 26 nov. 1973).

HOMOPHONE [ɔmɔfɔn; omofɔn] adj. et n. m. — 1822, Champollion; grec *homophônos*, de *homos* (→ Homo-), et *phônê* «son» (→ -phone).

Didactique.

♦ **1.** Ling. Qui a le même son. *Signes homophones* (ex. : *f* et *ph* [f] en français). *Syllabes homophones* (ex. : *au, eau* [o]).
Mots homophones. ⇒ **Homonyme.** — N. m. (1824). *Des homophones. Homophones et homographes**.
(Signes). Qui note, transcrit un même son.

♦ **2.** Mus. Qui correspond exactement au même son. *Do double dièse est homophone à ré dans le système chromatique tempéré.*

HOMOPHONIE [ɔmɔfɔni; omofɔni] n. f. — 1752; grec *homophonia*, de *homophônos.* → Homophone.

Didactique.

♦ **1.** Mus. Musique de l'antiquité qui s'exécutait à l'unisson (opposé à *polyphonie*).
(xxᵉ). Caractère homophone (de deux notes).

♦ **2.** (1822, Champollion). Ling. Identité des sons représentés par des signes différents.

Le Brésil s'esquissait dans mon imagination comme des gerbes de palmiers contournés, dissimulant des architectures bizarres, le tout baigné dans une odeur de cassolette, détail olfactif introduit subrepticement, semble-t-il, par l'homophonie inconsciemment perçue des mots «Brésil» et «grésiller», mais qui, plus que toute autre expérience acquise, explique qu'aujourd'hui encore je pense d'abord au Brésil comme à un parfum brûlé. LÉVI-STRAUSS, Tristes tropiques, p. 33-34.

HOMOPLASTIQUE [omoplastik] adj. — Fin xixᵉ; de *homo-*, et *plastique.*

♦ *Greffe* (cit. 6) *homoplastique* : greffe où le greffon et le tissu greffés sont analogues. ⇒ **Autoplastique.**

CONTR. Hétéroplastique.

HOMOPOLAIRE [omopɔlɛʀ] adj. — 1904, in *Rev. gén. des sc.*, nº 6, p. 316; de *homo-*, et *polaire.*

♦ Chim. Se dit d'une molécule dont les atomes sont liés par covalence. *«Ces liens connus pour être homopolaires ou covalents concourent aux extraordinaires caractéristiques physiques du diamant : sa très grande dureté, son point de fusion élevé, son inertie chimique, etc.»* (*Ingénieurs et techniciens*, nº 200, p. 17).

HOMOPOLYMÈRE [omopɔlimɛʀ] n. m. — V. 1980; de *homo-*, et *polymère.*

♦ Chim. Polymère complexe dont la macromolécule comporte un seul «motif» qui se répète (opposé à *copolymère*).

HOMOPTÈRE [ɔmɔptɛʀ] adj. et n. m. — 1873; grec *homopteros*, de *homos* (→ Homo-), et *pteron* «aile» (→ -ptère).

♦ Zool. Se dit d'insectes qui ont quatre ailes de dimension ou de consistance analogues.
N. m. plur. (1866, *in* Littré). *Les Homoptères* : ordre d'insectes hémiptères* dont les quatre ailes sont de consistance uniforme, disposées en toit en position de repos (ex. : *cigales, cicadelles, fulgores, psylls, pucerons, cochenilles...*). *L'ordre des Homoptères comprend plus de 20 000 espèces.* — Au sing. *Un homoptère.*

HOMOSEXUALISANT, ANTE [ɔmɔsɛksɥalizɑ̃, ɑ̃t; omosɛksɥalizɑ̃, ɑ̃t] adj. — D. i. (mil. xxe); p. prés. de *homosexualiser.*

♦ Didact. ou littér. Qui rend homosexuel.

(...) il n'y évoque le conflit instinctuel que pour s'en écarter aussitôt, et pour reconnaître dans l'isolation symbolique du « je ne suis pas châtré », où s'affirme le sujet, la forme compulsionnelle où reste rivé son choix hétérosexuel, contre l'effet de capture homosexualisante qu'a subi le *moi* ramené à la matrice imaginaire de la scène primitive. J. LACAN, Écrits, 26-27 sept. 1953, p. 264.

HOMOSEXUALISER [ɔmɔsɛksɥalize; omosɛksɥalize] v. tr. — xxe; de *homosexuel.*

♦ Littér. Rendre homosexuel. — Donner un aspect, une apparence homosexuel(le).

(...) parlez chiffons (...) homosexualisez vos gestes, votre tenue vestimentaire, vos propos. J. CAU, la Pitié de Dieu, p. 233.

DÉR. **Homosexualisant.**

HOMOSEXUALITÉ [ɔmɔsɛksɥalite; omosɛksɥalite] n. f. — 1891, cit. 1; de *homosexuel.*

♦ Tendance, conduite des homosexuels (opposé à *hétérosexualité*). ⇒ **Homophilie, inversion** (sexuelle). *Homosexualité masculine.* ⇒ **Pédérastie.** *Homosexualité féminine.* ⇒ **Saphisme, tribadisme.** *Homosexualité et sodomie*.* ⇒ **Uranisme.**

1 L'individu n'a de goût que pour son propre sexe : inversion de l'instinct génital, homosexualité congénitale ou acquise.
Dr CHATELAIN, Annales médico-psychologiques, t. XIV, sept. 1891, p. 330.

2 (...) l'homosexualité, tout comme l'hétérosexualité, comporte tous les degrés, toutes les nuances : du platonisme à la salacité, de l'abnégation au sadisme, de la santé joyeuse à la morosité, de la simple expansion à tous les raffinements du vice. L'inversion n'en est qu'une annexe. De plus tous les intermédiaires existent entre l'exclusive homosexualité et l'hétérosexualité exclusive.
GIDE, Corydon, Premier dialogue, III.

3 Il ne vivait pas du tout son homosexualité comme le font la plupart, désormais, de façon triomphante, aggressive, militante, dure, prononcée... L'obscénité en vitrine... Boîtes sado-maso, valse du cuir... Torses, poils, muscles, piscines d'argile, mer gluante... Ph. SOLLERS, Femmes, p. 131.

HOMOSEXUEL, ELLE [ɔmɔsɛksɥɛl; omosɛksɥɛl] adj. et n. — 1891; de *homo-,* et *sexuel,* p.-ê. d'après l'all. *homosexual* (1869), de même origine.

♦ **1.** Personne qui éprouve une appétence sexuelle plus ou moins exclusive pour les individus de son propre sexe. ⇒ **Homophile, inverti.** *Un homosexuel.* ⇒ **Androgame** (rare), **pédéraste, sodomite, uraniste;** (fam. et péj.) **enculé, enviandé, folle, frégate, gonzesse, jésus, lope, lopette, pédale, pédé, pédoque, tapette, tante, tantouse** (→ Chevalier de la manchette*). *Homosexuel habillé en femme.* ⇒ **Travesti; travelo.** *Homosexuel actif; passif. Jeune homosexuel.* ⇒ **Bardache** (vieilli), 2. **giron** (fam.), **giton** (littér.), **mignon, môme** (fam.). *Elle fréquente beaucoup d'homosexuels. Un bar, une boîte de nuit d'homosexuels. — Une homosexuelle.* ⇒ **Lesbienne, tribade;** fam. et péj. **gouine, gougnotte, gousse.**

0.1 Les homosexuels purs, chez lesquels toute appétence normale pour l'autre sexe disparaît absolument.
Dr CHATELAIN, Annales médico-psychologiques, t. XIV, sept. 1891, p. 331.

1 Chaque âge, chaque classe ont comme cela leur façon particulière de désigner une même chose ou d'attribuer par des mots différents un même qualificatif : le collégien dit un pédé, quand le médecin dit un homosexuel, la femme : un anormal, le journaliste : un inverti, l'homme fort : une sale tante, le barman montmartrois : une folle, etc. Maurice SACHS, Alias, p. 38.

Abrév. fam. ⇒ **Homo.**

♦ **2.** Adj. (1894, *in* D. D. L.). [a] (Personnes). *Elle est homosexuelle.* → fam. Être de la bottine*, de la maison tire-bouton. *Il est homosexuel.* → fam. En être* (*supra* cit. 80), être de la jaquette (flottante), être de la pédale*. *Devenir homosexuel.* → fam. Virer sa cuti*. *Être à la fois homosexuel et hétérosexuel.* ⇒ **Bisexuel;** → fam. À voile* et à vapeur, bique* et bouc. *Les milieux homosexuels.* ⇒ **Gay** (anglic.). *Un couple homosexuel* (d'hommes ou de femmes).

[b] Relatif à l'homosexualité. *Tendances homosexuelles. Manières homosexuelles.* ⇒ **Pédérastique.** *Habitudes, relations homosexuelles. Amour homosexuel.*

2 Sans doute s'abusait-elle encore moins sur son cas que le psychiatre qui eût parlé bien hâtivement de vocation homosexuelle.
J. ROMAINS, les Hommes de bonne volonté, t. III, VIII, p. 128.

CONTR. **Hétérosexuel.**
DÉR. **Homosexualiser, homosexualité.**

HOMOSPHÈRE [omosfɛʀ] n. f. — 1962; de *homo-,* et *-sphère.*

♦ Didact. Couche de l'atmosphère située entre le sol et une altitude de 100 km, qui comprend la troposphère*, la stratosphère* et la mésosphère*, et où l'azote et l'oxygène restent en proportions constantes.

CONTR. **Hétérosphère.**

HOMOSTASE [omostaz] n. f. — Mil. xxe; de *homo-,* et *stase.*

♦ Zool. Chez les Acariens, Stase (3.) qui diffère très peu des stases voisines au cours du processus de métamorphose.

CONTR. **Hétérostase.**

HOMOTHERMIE [omotɛʀmi] n. f. — 1890, *in* P. Larousse, *Deuxième suppl.;* de *homo-,* et *-thermie.*

♦ Didact. (phys.). État d'un corps dont la température est homogène et constante.

HOMOTHÉTIE [ɔmɔtesi; omotesi] n. f. — V. 1850, mot créé par Chasles (→ Homothétique), *in* Littré, 1872; de *homo-,* et grec *thesis* « position ».

♦ Géom. Transformation géométrique qui, étant donné un point fixe 0 *(centre, pôle d'homothétie)* et un nombre X *(rapport d'homothétie),* fait correspondre à tout point M de l'espace un point M' tel que : OM' = KOM. ⇒ **Homologue.** *L'homothétie est un cas de similitude.*

DÉR. **Homothétique.**

HOMOTHÉTIQUE [ɔmɔtetik; omotetik] adj. — 1846, Chasles; de *homothétie.*

♦ Géom. Qui se correspond par homothétie. *Points, figures homothétiques.* — REM. L'adv. *homothétiquement* [ɔmɔtetikmɑ̃; omotetikmɑ̃] est attesté (1905, *in* T. L. F.).

HOMOTOPIE [ɔmɔtɔpi; omotɔpi] n. f. — Mil. xxe (1968 : *homotopie et espaces fibrés,* publication de l'École normale supérieure, in *Bibliographie de la France*); de *homo-,* et *-topie,* grec *topos.* → Hétérotope.

♦ Math. Possibilité de passer d'une application d'un espace topologique à une application dans un second espace topologique par une déformation continue (applications dites *homotopes*).

HOMOTRANSPLANT [ɔmɔtʀɑ̃splɑ̃; omotʀɑ̃splɑ̃] n. m. ⇒ **Isotransplant,** 1.

HOMOTYPE [ɔmɔtip; omotip] adj. — Déb. xxe; de *homo-,* et *type.* → Hétérotype.

♦ Anat., zool. Se dit des parties d'un organisme qui ont la même morphologie et qui sont symétriques (ex. : main droite, main gauche). — REM. À distinguer de *homologue,* 1. (anat.).

DÉR. **Homotypie, homotypique.**

HOMOTYPIE [ɔmɔtipi; omotipi] n. f. — 1907, in *Rev. gén. des sc.,* n° 8, p. 306; de *homotype.*

♦ Anat., zool. Caractère de parties homotypiques (d'un organisme à symétrie bilatérale).

HOMOTYPIQUE [ɔmɔtipik; omotipik] adj. — 1904, in *Rev. gén. des sc.,* n° 18, p. 863; de *homotype.*

♦ Anat., zool. Qui a rapport à l'homotypie.

HOMOZYGOTE [omozigɔt] adj. et n. — 1903, in *Rev. gén. des sc.,* n° 3, p. 158; de *homo-,* et *zygote.*

♦ Biol. Se dit d'une cellule, d'un individu, qui possède deux gènes identiques situés aux endroits correspondants des deux chromosomes d'une même paire. — N. m. *Un homozygote* (un individu pur).

CONTR. **Hétérozygote.**
DÉR. **Homozygotie.**

HOMOZYGOTIE [ɔmozigɔsi] n. f. — 1950, Garnier et Delamare; de *homozygote.*

♦ Biol. État d'une cellule, d'un individu homozygote*.

CONTR. Hétérozygotie.

HOMUNCULE [ɔmɔ̃kyl] n. m. ⇒ **Homoncule.**

HON [ʼɔ̃; hɔ̃] interj. — xvᵉ; onomat., var. de *hum.*

♦ Vx. Interjection exprimant le mécontentement, la colère; ou encore (1660, Molière), la surprise, l'admiration.

1 Hon! que cela sent bon! MOLIÈRE, Sganarelle, 6.

2 Hon, bon, vous êtes un méchant diable (...) MOLIÈRE, Critique de l'École des femmes, 6.

HONCHETS [ʼɔʃɛ] n. m. pl. ⇒ **Jonchets.**

HONGRE [ʼɔ̃gʀ] adj. et n. m. — Mil. xvᵉ; *ongre, hongre* «hongrois», 1372, l'usage de châtrer les chevaux étant venu de Hongrie.

♦ **1.** Adj. Châtré* (en parlant du cheval). — Opposé à *entier* (2.), à *étalon* (cit. 1). *On employait des chevaux hongres pour les travaux de grosse traction. Poulain hongre.* — Par anal. *«Chameau hongre»* (Buffon).

1 Les chevaux hongres et les juments hennissent moins fréquemment que les chevaux entiers, ils ont aussi la voix moins pleine et moins grave (...) on a remarqué que les hongres dorment plus souvent et plus longtemps que les chevaux entiers. BUFFON, Hist. nat. des animaux, Le cheval.

2 (...) il importe, lorsqu'on achète un cheval, de bien s'assurer qu'il possède ses deux testicules aparents; ou, s'il est hongre (cheval castré), s'il a bien ses deux cicatrices de castration. Raymond AMIOT, le Cheval, p. 28.

♦ **2.** N. m. **a** *Un attelage de hongres.*

b (Vx). Homme châtré. ⇒ **Castrat, eunuque.**

3 (...) le Chang-ti se plaît beaucoup à entendre les voix claires de ces cinquante hongres. VOLTAIRE, Dialogues, XV, 5.

CONTR. Entier, étalon.

DÉR. Hongrer.

HONGRELINE [ʼɔ̃gʀəlin] n. f. — 1622; de *hongre* «hongrois», avec le suff. de *capeline.*

Anciennement.

♦ **1.** Justaucorps pincé aux hanches, d'origine ou d'apparence hongroise, porté par certains officiers dans la première moitié du XVIIᵉ siècle.

♦ **2.** (1648). Camisole, veste ajustée à grandes basques, portée par les femmes.

HONGRER [ʼɔ̃gʀe] v. tr. — 1613; de *hongre.*

♦ Rare. Rendre (un cheval) hongre. ⇒ **Castrer; châtrer.** — P. p. *Cheval hongré.* ⇒ **Hongre.**

(...) dans certaines provinces on hongre les chevaux dès l'âge d'un an (...) mais l'usage le plus général et le mieux fondé est de ne les hongrer qu'à deux et même trois ans, parce qu'en les hongrant tard ils conservent un peu plus des qualités attachées au sexe masculin. BUFFON, Hist. nat. des animaux, Le cheval.

DÉR. Hongreur.

HONGREUR [ʼɔ̃gʀœʀ] n. m. — Mil. xixᵉ (*in* P. Larousse, 1873); de *hongrer.*

♦ Celui qui hongre, castre (les chevaux). — REM. Le fém. *hongreuse* [ʼɔ̃gʀøz] est virtuel.

HONGROIERIE [ʼɔ̃gʀwaʀi] n. f. — 1790; de *hongroyer.*

♦ Techn. Industrie, commerce des cuirs hongroyés*.

HONGROIS, OISE [ʼɔ̃gʀwa, waz] adj. et n. — V. 1470, *in* D. D. L.; *hongre, ongre,* du xiiiᵉ au xviᵉ; du lat. d'Allemagne *hungarus,* du turc *ogur* «flèche», mot par lequel les Turcs désignaient les Magyars (nom autochtone).

♦ Qui se rapporte à la Hongrie, à ses habitants. *Le peuple hongrois.* ⇒ **Magyar.** *Anciens dignitaires hongrois.* ⇒ **Magnat, palatin.** *Soldats hongrois d'autrefois.* ⇒ **Heiduque, pandour.** *Cuir traité à la manière hongroise.* ⇒ **Hongroierie, hongroyer.** *Blouses, broderies hongroises. Cheval hongrois. La puszta hongroise. Le tokay, célèbre vin hongrois. Cuisine hongroise. Le goulasch, plat hongrois. Le folklore hongrois. La musique hongroise. Danses hongroises* (czardas, polka...). *Danses hongroises,* de Brahms. *Rapsodies hongroises,* de Liszt. *La marche hongroise* (ou marche de Rakoczy) *harmonisée par Berlioz et introduite dans la Damnation de Faust.* *À la hongroise :* à la manière hongroise. *Broderies, bottes à la hongroise.*

N. *Un Hongrois, une Hongroise.*

N. m. (1701). Ling. *Le hongrois :* la plus importante des langues finno-ougriennes, formée de dialectes «très homogènes» (Meillet) et qui s'écrit en caractères latins. *Mots français empruntés au hongrois :* heiduque, hussard, pandour, sabre, shako, soutache... (la plupart par l'intermédiaire de l'allemand).

HONGROYAGE [ʼɔ̃gʀwajaʒ] n. m. — 1804, *in* D. D. L.; de *hongroyer.*

♦ Techn. Préparation du cuir hongroyé.

HONGROYER [ʼɔ̃gʀwaje] v. tr. — 1734; de *Hongrie,* dans *cuir de Hongrie,* et suff. *-oyer,* p.-ê. d'après *corroyer.*

♦ Techn. Apprêter, préparer (le cuir) à la manière des cuirs dits «de Hongrie», au gros sel et à l'alun. — P. p. adj. *Cuirs hongroyés.*

DÉR. Hongroierie, hongroyage, hongroyeur.

HONGROYEUR, EUSE [ʼɔ̃gʀwajœʀ, øz] n. — 1734; de *hongroyer.*

♦ Techn. Artisan, ouvrier (ouvrière) qui prépare les cuirs «de Hongrie», qui hongroie le cuir. ⇒ **Hongroyer.**

HONGUETTE [ʼɔ̃gɛt] n. f. ⇒ **Ognette.**

HONNÊTE [ɔnɛt] adj. et n. m. — V. 1050, aussi «honoré, noble»; lat. *honestus* «honorable, conforme à l'honneur», de *honos.* → Honneur.

★ **I.** ♦ **1.** (Personnes). **a** Qui se conforme aux lois de la probité, du devoir; spécialt (xviiᵉ), qui respecte le bien d'autrui. ⇒ **Brave** (3.), **digne, droit, franc, intègre, irréprochable, loyal, moral, probe, scrupuleux, vertueux.** *C'est un honnête homme, un homme honnête, très honnête, un très honnête homme, un parfait honnête homme* (→ Désintéresser, cit. 1). *Vivre en honnête homme. Les gens honnêtes* (→ Fossoyeur, cit. 4), *les honnêtes gens. Les honnêtes gens et la canaille* (cit. 1, 3, 5 et 12), *et les fripons* (→ Compte, cit. 12), *et les filous* (cit. 3), *et les fripouilles* (cit. 2), *et les gredins* (cit. 3). *Attirer l'estime* (cit. 2) *des honnêtes gens. Un homme foncièrement honnête* (→ Apparition, cit. 12; grave, cit. 6). *Une famille honnête, une honnête famille,* qui n'a compté que des personnes honnêtes. *Domestique honnête* (→ Bon, cit. 50; gens, cit. 34). *Commerçant honnête. Dépositaire honnête.* ⇒ **Fidèle.** *Il est pauvre mais honnête. Ministre intègre et honnête.* ⇒ **Incorruptible** (cf. Avoir les mains nettes). *Citoyen honnête qui n'en fraude* (cit. 5) *pas moins la douane ou le fisc. Préférer un roturier honnête à un prince peu scrupuleux* (→ Crocheteur, cit.).

Ils ont amassé du bien à leurs enfants, qu'ils payent maintenant peut-être bien cher en l'autre monde, et l'on ne devient guère si riches à être honnêtes gens. 1
MOLIÈRE, le Bourgeois gentilhomme, III, 12.

(...) Néron était déjà vicieux (...) et (...) Narcisse l'entretenait dans ses mauvaises inclinations. J'ai choisi Burrhus pour opposer un honnête homme à cette peste de cour (...) RACINE, Britannicus, 2ᵉ préface. 2

Quoi! vous prétendez que celui qui fera le mieux un entrechat sera le financier le plus intègre et le plus habile! Je ne vous réponds pas qu'il sera le plus habile, repartit Zadig; mais je vous assure que ce sera indubitablement le plus honnête homme. VOLTAIRE, Zadig, XIV. 3

(...) je vois une infinité d'honnêtes gens qui ne sont pas heureux et une infinité de gens qui sont heureux sans être honnêtes. 4
DIDEROT, le Neveu de Rameau, Pl., p. 455.

La lecture de la *Nouvelle-Héloïse* et les scrupules de Saint-Preux me formèrent profondément honnête homme; je pouvais encore, après cette lecture faite avec larmes et dans des transports d'amour pour la vertu, faire des coquineries, mais je me serais senti coquin. STENDHAL, Vie de Henry Brulard, 20. 5

— Oui, monsieur Eugène, dit Christophe, c'était un brave et honnête homme, qui n'a jamais dit une parole plus haut que l'autre, qui ne nuisait à personne et n'a jamais fait de mal. BALZAC, le Père Goriot, Pl., t. II, p. 1084. 6

Est-ce qu'il n'avait pas un autre but qui était grand, qui était le vrai? Sauver, non sa personne, mais son âme. Redevenir honnête et bon. Être un juste! Est-ce que ce n'était pas là surtout, là uniquement, ce qu'il avait toujours voulu, ce que l'évêque lui avait ordonné? HUGO, les Misérables, I, VII, III. 7

S'il n'y avait pas une autre vie, Dieu ne serait pas un honnête homme. 8
HUGO, Post-scriptum de ma vie, De la vie et de la mort.

Qui n'a point la maladie du scrupule ne doit même pas songer à être honnête. 9
J. RENARD, Journal, 15 mars 1910.

Je suis honnête homme, n'ayant jamais assassiné, jamais volé, ni violé que dans mon imagination. Je ne serais pas honnête homme sans ces crimes. 10
VALÉRY, Suite, p. 64.

Loc. *Trop poli pour être honnête* (→ Poli, cit. 2.1).

b (Mil. xvᵉ; en parlant des femmes). Qui pratique la vertu, en matière sexuelle; qui est, soit chaste, soit fidèle à un homme. ⇒ **Chaste, pudique, pur, sage, vertueux.** *Une honnête femme, une femme honnête* (→ Atteinte, cit. 3; dégoûter, cit. 2; escapade, cit. 5; galant, cit. 5; grâce, cit. 83). *Les honnêtes femmes, les femmes honnêtes* (→ Asservir, cit. 16). *Une honnête fille, une fille hon-*

nête. Les honnêtes filles (→ Courtisane, cit. 2). *Une honnête bourgeoise mariée* (→ Carrière, cit. 14). *Une épouse honnête.* ⇒ **Fidèle.**

11 Moi, je ne sais pas ce que vous y avez trouvé *(dans la comédie)* qui blesse la pudeur. — Hélas! tout; et je mets en fait qu'une honnête femme ne la saurait voir sans confusion, tant j'y ai découvert d'ordures et de saletés.
MOLIÈRE, Critique de l'École des femmes, 3.

12 Une honnête femme est un trésor caché; celui qui l'a trouvé fait fort bien de ne s'en pas vanter. LA ROCHEFOUCAULD, Maximes, 552.

13 Il y a peu d'honnêtes femmes qui ne soient lasses de leur métier.
LA ROCHEFOUCAULD, Maximes, 367.

13.1 Uniquement victime des attentats de quelques monstres, à peu de chose près néanmoins, je pouvais me croire encore dans la classe des filles honnêtes.
SADE, Justine..., t. I, p. 133.

REM. L'évolution des mœurs sexuelles fait que le mot, qui tend à vieillir dans ce sens, s'est appliqué à des femmes ayant des relations extra-conjugales mais qui sauvaient les apparences.

13.2 Antoine Desroches était comme ces femmes dites honnêtes qui n'acceptent pas d'argent de leurs amants et leur coûtent vingt fois plus cher qu'une danseuse.
PROUST, Jean Santeuil, Pl., p. 431.

14 La principale difficulté, avec les femmes honnêtes, n'est pas de les séduire, c'est de les amener dans des endroits clos. Leur vertu est faite des portes entrouvertes.
GIRAUDOUX, Amphitryon 38, I, 1.

♦ **2.** (Choses). a Qui témoigne d'honnêteté. ⇒ **Bon, louable, moral.** *Une vie, une conduite honnête* (→ Apprendre, cit. 55; asphyxie, cit. 3). *Des sentiments honnêtes* (→ Contrefaire, cit. 5; fort, cit. 51). *Âme, nature, cœur honnête* (→ Envie, cit. 9; germe, cit. 15). *But, motif, fin honnête* (→ Épargne, cit. 3). ⇒ **Avouable.** *Moyen honnête* (→ Fortune, cit. 44), *peu honnête.*

b Où n'entre aucune fraude, aucune falsification. *Tous ses vins, tous ses produits sont honnêtes.* ⇒ **Correct.**

c Fait avec conscience. *Le travail honnête d'un artisan.* ⇒ **Consciencieux, probe.**

d Qui témoigne de sincérité, de droiture. *Cela n'est ni beau* (cit. 58) *ni honnête. Il serait plus honnête de...* (→ Beau, cit. 90). — N. m. *L'honnête :* ce qui est honnête. *De l'utile et de l'honnête,* titre d'un chapitre des *Essais* de Montaigne (III, 1).

15 (...) ce qu'il fait, est-ce la chose la plus noble et la plus honnête que l'on puisse faire? LA BRUYÈRE, les Caractères, III, 33.

e Vertueux ou considéré comme tel, sur le plan sexuel (→ ci-dessus, 1., b). *Plaisirs, distractions honnêtes* (→ Avec, cit. 7). — Vieilli. *Avoir des vues honnêtes sur une jeune fille,* matrimoniales. *Amour, tendresse honnête.* ⇒ **Chaste** (cf. En tout bien tout honneur).

16 Artistes, si vous êtes jaloux de la durée de vos ouvrages, je vous conseille de vous en tenir aux sujets honnêtes. Tout ce qui prêche aux hommes la dépravation est fait pour être détruit (...) DIDEROT, Salon de 1767, Le coucher de la mariée.

17 Accoutumée à n'inspirer que des sentiments honnêtes, à n'entendre que des discours que je puis écouter sans rougir (...)
LACLOS, les Liaisons dangereuses, Lettre XXVI.

18 Deux siècles de commerce honnête, de bonnes mœurs, de mariages avantageux, ont produit ces êtres fixés, ignorants, de belle prestance, tout à fait conscients de leur supériorité. J. CHARDONNE, l'Amour du prochain, p. 180.

★ **II.** (Fin XIIe). Qui se conforme aux bienséances ou à certaines normes sociales.

♦ **1.** (1538; répandu au XVIIe; personnes). Vx ou didact. (par allus. à l'époque classique, en France). **HONNÊTE HOMME :** homme du monde, agréable et distingué par les manières comme par l'esprit. ⇒ **Accompli, distingué, galant** (cit. 2). → De bonne compagnie*, comme il faut*, de bon ton*.
Caractère, mœurs de l'honnête homme (→ Amoureux, cit. 5; attachement, cit. 3; extrême, cit. 22). *Très honnête homme, le plus honnête homme du monde* (→ Gauche, cit. 8). — *Les honnêtes gens* (→ Entreprise, cit. 2; familiarité, cit. 2; fournée, cit. 6; lecture, cit. Descartes).

19 (...) l'honnête homme ou le galant homme; deux expressions qui ne sont point synonymes : *galant homme* a quelque chose de plus aimable, *honnête homme* quelque chose de plus solide, mais qui expriment l'une et l'autre l'idéal du chevalier de Méré (...) L'honnête homme est à sa place partout; il s'acquitte de tout avec une supériorité qui n'a rien de technique et de contraint, qui est toujours naturelle et aisée; rien en lui ne sent le métier : métier et honnêteté sont choses incompatibles et contradictoires; il ne faut pas même « affecter d'être honnête homme : car ce serait en faire une espèce de métier ». BRUNSCHVICG,
Notice, *in* Pensées et opuscules de PASCAL, éd. Hachette, p. 116.

20 Les hommes de la société et familiarité desquels je suis en quête, sont ceux qu'on appelle honnêtes et habiles hommes; l'image de ceux-ci me dégoûte des autres.
MONTAIGNE, Essais, III, III.

21 Mais il faut à Paris bien d'autres qualités :
On ne s'éblouit point de ces fausses clartés;
Et tant d'honnêtes gens, que l'on y voit ensemble,
Font qu'on est mal reçu si l'on ne leur ressemble. CORNEILLE, le Menteur, I, 1.

22 (...) Paris est le grand bureau des merveilles, le centre du bon goût, du bel esprit et de la galanterie. — Pour moi, je tiens que hors de Paris, il n'y a point de salut pour les honnêtes gens. MOLIÈRE, les Précieuses ridicules, 9.

23 Il faut qu'on n'en puisse *(dire),* ni : il est mathématicien, ni prédicateur, ni éloquent, mais il est honnête homme; cette qualité universelle me plaît seule.
PASCAL, Pensées, I, 35.

24 Une belle femme qui a les qualités d'un honnête homme, est ce qu'il y a au monde d'un commerce plus délicieux (...) LA BRUYÈRE, les Caractères, III, 13.

J'aime le luxe, et même la mollesse, 25
Tous les plaisirs, les arts de toute espèce,
La propreté, le goût, les ornements :
Tout honnête homme a de tels sentiments. VOLTAIRE, le Mondain.

Ces « honnêtes gens », comme les appelait Molière, à égale distance d'une cour un peu trop figée et d'un parterre un peu trop libre, étaient précisément ce que Molière regardait comme *son public;* et c'est à ce public qu'il s'adressait. La cour de Louis XIV représentait le formalisme; le parterre représentait le naturalisme; eux représentaient *le bon goût.* GIDE, Nouveaux prétextes, p. 31. 26

♦ **2.** (Fin XVe). Vx. (Après le nom, en épithète). Qui fait preuve de politesse, de savoir-vivre; qui marque de la politesse. ⇒ **Civil, poli.** *Il est honnête avec tout le monde. Honnête, affable et débonnaire* (→ Gagner, cit. 30). — (1781, *in* D. D. L.). Vieilli. *Vous êtes bien honnête, vous êtes trop honnête,* formule par laquelle on témoigne qu'on est sensible aux politesses de qqn (souvent iron.; → cit. 28). *Un air, des manières honnêtes.* ⇒ **Convenable.** *Accueil honnête.*

(...) il n'est guère honnête à un amant de venir le dernier au rendez-vous. 27
MOLIÈRE, la Comtesse d'Escarbagnas, I, 1.

— Moi, payer? En soufflets. — Vous êtes trop honnête. 28
RACINE, les Plaideurs, II, 4.

Ces deux personnes-ci, plus honnêtes que toi, 29
Devraient t'apprendre à vivre, ou du moins à te taire.
LA FONTAINE, Fables, VIII, 12.

Spécialt. Qui s'entoure de formes polies de manière à être acceptable ou plausible. *Un refus honnête. Excuse honnête. Sous un prétexte honnête.* ⇒ **Spécieux.**

Un doux nenni avec un doux sourire, 30
Est tant honnête, il le vous faut apprendre (...)
Clément MAROT, Épigrammes, LXVIII.

♦ **3.** Vx (langue class.). Conforme aux prescriptions de l'usage. ⇒ **Bienséant, convenable, décent, naturel, normal, raisonnable.** *« Il n'est pas honnête de se louer soi-même »* (Académie). *« Cela n'est pas honnête à une personne de votre caractère, de votre profession, de votre âge »* (Académie). *Parti honnête auquel s'arrête* (cit. 66) *un sage. Faire une honnête retraite* (→ Archange, cit. 1).

Il n'est pas bien honnête, et pour beaucoup de causes 31
Qu'une femme étudie et sache tant de choses.
MOLIÈRE, les Femmes savantes, II, 7.

Vieilli. Convenable, vu la situation; approprié. *Don, présent honnête. Honnête récompense à qui rapportera l'objet perdu. Offrir un dédommagement honnête. Prix honnête.* ⇒ **Juste.** *Habit, équipage* (cit. 7) *honnête.*

(...) j'ai cinq frères qui sont bien aises quand ils vont au bal d'avoir des habits 32
honnêtes (...) RACINE, Remarques sur l'Odyssée, VI.

♦ **4.** Vx (langue class.). Honorable, sur le plan des hiérarchies sociales, de la naissance.

Vous me permettez de cacher mon nom et ma naissance, Madame; sans être 32.1
illustre, elle est honnête, et je n'étais pas destinée à l'humiliation où vous me voyez réduite. SADE, Justine..., t. I, p. 20.

★ **III.** (V. 1160, *in* T. L. F.). Qui ne s'écarte pas de la moyenne et peut être considéré comme satisfaisant. ⇒ **Convenable, honorable, moyen, passable, satisfaisant, suffisant.** *Grosseur, longueur, largeur honnête. Honnête corpulence* (cit. 1). *Une honnête moyenne. Obtenir des résultats honnêtes, plus qu'honnêtes. Nous avons fait un repas honnête, sans plus.* ⇒ **Acceptable, correct.** *« Le régal fut fort honnête »* (→ Festin, cit. 1). *Ce vin est très honnête,* il se laisse boire. *C'est un vêtement qui est encore très honnête.* ⇒ **Décent, mettable.** *Un honnête talent d'amateur. Il n'est pas riche, mais il jouit d'une honnête aisance. Cet héritage lui assure une fortune honnête. L'affaire n'est pas excellente, mais elle doit laisser un bénéfice honnête.* — Vx. *Naissance, condition honnête,* ni relevée ni basse, médiocre.

(Et sans cela nos gains seraient assez honnêtes). LA FONTAINE, Fables, VIII, 2. 33

Il n'y a guère qu'une naissance honnête, ou qu'une bonne éducation, qui rendent 34
les hommes capables de secret. LA BRUYÈRE, les Caractères, V, 79.

Au lieu d'offrir les vieilleries merveilleuses, trop spéciales, comme dit Berthomé, 35
vous vendez en bouteille des eaux-de-vie de quinze ans, naturelles, passables, saines, en somme honnêtes, mais moins chères (...)
J. CHARDONNE, les Destinées sentimentales, p. 139.

CONTR. Malhonnête. — Coquin, crapule, fourbe, fripon. — Déloyal, fallacieux, frauduleux. — Déshonnête, dépravé, immoral, impudique, vicieux. — Grivois, inconvenant, indécent, malsonnant. — Brutal, discourtois, grossier, impoli. — Malséant, mauvais. — Extraordinaire, supérieur.

DÉR. Honnêtement, honnêteté.

COMP. Déshonnête, malhonnête.

HONNÊTEMENT [ɔnɛtmɑ̃] adv. — V. 1130, Ph. de Thaon, « selon la morale »; au sens 2, « de manière courtoise », fin XIIe; de *honnête.*
D'une manière honnête.

♦ **1.** Selon le devoir, la vertu, la probité. ⇒ **Bien.** *Vivre, se conduire honnêtement. Gérer honnêtement une affaire. Il m'a honnêtement mis en garde.* ⇒ **Irréprochablement, loyalement.** *Avouer honnêtement ses torts.* — Ellipt. Franchement. *Honnêtement, n'étiez-vous pas au courant?*

(...) elle ne tirait donc de sa journée de travail que peu de chose; mais enfin cela 1
suffisait, le problème était résolu; elle gagnait sa vie. Quand Fantine vit qu'elle vivait, elle eut un moment de joie. Vivre honnêtement de son travail, quelle grâce du ciel! HUGO, les Misérables, I, V, 7-8.

2 (...) il faut vivre honnêtement la vie de tous les jours; elle est grise et tissée de fils communs. Ch. PÉGUY, la République..., p. 149.

2.1 Le cheval était trop vieux, bien plus vieux que la mère pour un cheval, un vieillard centenaire. Il essaya honnêtement de faire le travail qu'on lui demandait et qui était bien au-dessus de ses forces depuis longtemps, puis il creva.
M. DURAS, Un barrage contre le Pacifique, p. 13.

♦ **2.** Vieilli. Selon les bienséances. ⇒ **Civilement, poliment.** *Recevoir, accueillir* (cit. 1) *qqn fort honnêtement. « Il lui a parlé le plus honnêtement du monde »* (Académie).

3 Il m'écoute; et dans tout, il en use, ma foi!
Le plus honnêtement du monde avecque *(avec)* moi.
MOLIÈRE, le Misanthrope, I, 2.

4 (...) il s'est trouvé des hommes qui refusaient plus honnêtement que d'autres ne savaient donner (...) LA BRUYÈRE, les Caractères, VIII, 45.

Vx. En honnête homme. ⇒ **Honnête** (II., 1.).

5 (...) c'est *(La Fontaine)* un homme unique dans les excellents morceaux qu'il nous a laissés; ils sont en grand nombre; ils sont dans la bouche de tous ceux qui ont été élevés honnêtement (...) VOLTAIRE, Dict. philosophique, Fable.

♦ **3.** (V. 1175). Selon les normes raisonnables ou moyennes; assez bien. ⇒ **Convenablement, correctement, moyennement, passablement, raisonnablement, suffisamment.** *Son travail est honnêtement payé* (→ Crever, cit. 25). *« Il en a honnêtement mangé »* (Académie). *Il a honnêtement de quoi vivre* (→ Aisance, cit. 8). *Il s'en tire très honnêtement. La pièce a honnêtement réussi.*

6 On a rejoué Zaïre, il y avait honnêtement du monde.
VOLTAIRE, Lettre en vers et en prose, 22.

7 Il résolut de n'en tirer, pour sa dépense de chaque jour, qu'une somme réglée et suffisante pour régaler honnêtement une seule personne avec lui à souper.
A. GALLAND, les Mille et une Nuits, t. II, p. 462.

CONTR. **Malhonnêtement. — Déloyalement, frauduleusement, immoralement, impoliment. — Extraordinairement, supérieurement.**

HONNÊTETÉ

HONNÊTETÉ [ɔnɛtte] n. f. — V. 1260, *honesteté*, dans un sens général, « bienséance ; dignité, noblesse » ; « probité », XVIe ; de *honnête ;* réfection de l'anc. franç. (fin IXe) *honestet*, du lat. *honestas, -atis*, de *honestus*. → Honnête.

Qualité d'une personne honnête ou de ce qui est honnête (I.).

A. *L'honnêteté.* ♦ **1.** [a] ⇒ **Dignité, droiture, intégrité, loyauté, moralité, probité.** *L'honnêteté de qqn, son honnêteté. Un homme d'une parfaite honnêteté. Il est l'honnêteté même. On a mis en doute son honnêteté. L'honnêteté de sa conduite, de ses intentions. Un fonds d'honnêteté* (→ Duplicité, cit. 4). *Honnêteté en affaires.* ⇒ **Correction.** *Reconnaître à sa clarté* (cit. 16) *l'honnêteté d'un esprit. Honnêteté absolue, insoupçonnable, scrupuleuse.* ⇒ **Conscience, délicatesse.** *Ayez l'honnêteté de le reconnaître.* ⇒ **Foi** (bonne).

1 Le dernier et le plus grand défaut des hommes d'État de la Restauration fut leur honnêteté dans une lutte où leurs adversaires employaient toutes les ressources de la friponnerie politique, le mensonge et les calomnies, en déchaînant contre eux, par les moyens les plus subversifs, les masses inintelligentes, habiles seulement à comprendre le désordre. BALZAC, les Employés, Pl., t. VI, p. 980.

2 Sa suprême angoisse, c'était la disparition de la certitude. Il se sentait déraciné. Le code n'était plus qu'un tronçon dans sa main. Il avait affaire à des scrupules d'une espèce inconnue (...) Rester dans l'ancienne honnêteté, cela ne suffisait plus (...) Il apercevait dans les ténèbres l'effrayant lever d'un soleil moral inconnu (...)
HUGO, les Misérables, V, IV.

3 La liberté qu'il me laissa était absolue. Comme il voyait l'honnêteté de ma nature, la pureté de mes mœurs et la droiture de mon esprit, l'idée ne lui vint pas un instant que des doutes s'élèveraient pour moi sur des matières où lui-même n'en avait aucun. RENAN, Souvenirs d'enfance..., IV, II.

4 Sainte-Beuve a bien des défauts, en tant qu'homme, mais l'honnêteté du penseur et du critique est inattaquable et reste admirable.
Émile HENRIOT, les Romantiques, p. 227.

5 (...) il ne s'agit pas d'héroïsme dans tout cela. Il s'agit d'honnêteté. C'est une idée qui peut faire rire, mais la seule façon de lutter contre la peste, c'est l'honnêteté. — Qu'est-ce que l'honnêteté, dit Rambert, d'un air soudain sérieux. — Je ne sais pas ce qu'elle est en général. Mais dans mon cas, je sais qu'elle consiste à faire mon métier. CAMUS, la Peste, p. 180.

[b] (En parlant des femmes). Comportement chaste ou fidèle. ⇒ **Chasteté, pureté, sagesse, vertu.** *Honnêteté d'une femme, des femmes* (→ Amour, cit. 2; carmélite, cit. 1; forligner, cit. 1).

6 L'honnêteté d'une femme n'est pas dans les grimaces.
MOLIÈRE, Critique de l'École des femmes, 3.

7 On peut dire de toutes nos vertus ce qu'un poète italien a dit de l'honnêteté des femmes, que ce n'est souvent autre chose qu'un art de paraître honnête.
LA ROCHEFOUCAULD, Maximes, 605.

8 *(L'Ingénu)* s'était élancé vers le lit. Mademoiselle de Saint-Yves, se réveillant en sursaut, s'était écriée : Quoi! c'est vous! ah! c'est vous! arrêtez-vous, que faites-vous? Il avait répondu : Je vous épouse; et en effet il l'épousait, si elle ne s'était pas débattue avec toute l'honnêteté d'une personne qui a de l'éducation.
VOLTAIRE, l'Ingénu, VI.

[c] Absolt. (Vx ou dans des expressions). ⇒ **Décence, modestie, morale, pudeur.** *Paroles contraires à l'honnêteté. Cela blesse, choque l'honnêteté. Braver* (→ Guenon, cit. 2), *respecter l'honnêteté.*

9 Ma fille est d'une race trop pleine de vertu, pour se porter jamais à faire aucune chose dont l'honnêteté soit blessée (...) MOLIÈRE, George Dandin, I, 4.

10 Le latin, dans les mots, brave l'honnêteté :
Mais le lecteur français veut être respecté (...) BOILEAU, l'Art poétique, II.

11 L'amour est privé de son plus grand charme quand l'honnêteté l'abandonne; pour en sentir tout le prix, il faut que le cœur s'y complaise, et qu'il nous élève en élevant l'objet aimé. ROUSSEAU, Julie ou la Nouvelle Héloïse, I, Lettre XXIV.

(...) les principes inaltérables, de pudeur, d'honnêteté et de modestie (...) 12
LACLOS, les Liaisons dangereuses, Lettre CIV.

♦ **2.** (1538). Vx (langue class.). Qualité de « l'honnête homme ». *Discours de la vraie honnêteté,* œuvre du chevalier de Méré.

Si quelqu'un me demandait en quoi consiste l'honnêteté, je dirais que ce n'est 13
autre chose que d'exceller en tout ce qui regarde les agréments et les bienséances de la vie. MÉRÉ, cité *in* PASCAL, Petite éd. Brunschvicg, p. 116.

♦ **3.** (1538). Vx ou régional. Civilité, politesse où entrent de l'affabilité, de l'obligeance. *Honnêteté dans les propos d'un garçon bien éduqué* (cit. 7). *L'honnêteté de son procédé.* ⇒ **Bienveillance.** *« Il n'a pas eu l'honnêteté de l'aller voir »* (Académie). ⇒ **Bienséance, délicatesse.**

(...) le bien que vous dites de cette pièce n'est que par honnêteté (...) 14
MOLIÈRE, Critique de l'École des femmes, 6.

J'ai écrit à M. l'abbé Boileau pour le prier d'y prêcher *(à cette cérémonie)*, et il 15
a eu l'honnêteté de vouloir bien partir exprès de Versailles en poste pour me donner cette satisfaction. RACINE, Lettres.

L'honnêteté (...) et la politesse des personnes avancées en âge (...) 16
LA BRUYÈRE, les Caractères, XII, 83.

Tu m'as dit à peu près ce que tout le monde me reproche, et tu me l'as dit avec 17
beaucoup d'honnêteté et de ménagement, ce que les autres ne font point (...)
G. SAND, la Petite Fadette, XVIII.

B. (1532, Rabelais). *Une, des honnêtetés.* ♦ **1.** Vieilli. Témoignage (acte ou parole) de politesse et d'obligeance. ⇒ **Amitié, politesse, procédé** (bon). *« Il lui a fait mille honnêtetés, toutes les honnêtetés imaginables »* (Académie), *toutes les honnêtetés du monde* (→ Envelopper, cit. 13).

Je suis très obligé au P. Bouhours de toutes les honnêtetés qu'il vous a prié de me 18
faire de sa part. RACINE, Lettres.

(...) Ajax et Hector (...) aussitôt après leur combat (...) se comblent d'honnêtetés 19
et se font des présents. BOILEAU, Lettre à Ch. Perrault.

Il me laissa souper au bout de la table, loin du feu, sans me faire la moindre hon- 20
nêteté. ROUSSEAU, les Confessions, IX.

Tu t'es laissée embrasser, Marie? dit Germain, tout tremblant de colère. — J'ai 21
cru que c'était une honnêteté, une coutume de l'endroit aux arrivées, comme, chez vous, la grand-mère embrasse les jeunes filles qui entrent à son service (...)
G. SAND, la Mare au diable, XV.

♦ **2.** Vx. Petit présent fait par reconnaissance ou complaisance. *« Cela méritait bien une honnêteté »* (Littré).

CONTR. **Malhonnêteté. — Improbité, immoralité. — Dépravation, impudicité, impureté, immodestie, indécence. — Grossièreté, incivilité. — Impolitesse.**

HONNEUR

HONNEUR [ɔnœʀ] n. m. — Xe; *honor, onor; honur, Chanson de Roland,* 1080; d'abord « marque d'honneur », sens I, 1, mil. XIe; var. pop. *enour;* du lat. *honor* ou *honos,* accusatif *honorem.*

★ **I.** Dignité morale. ♦ **1.** [a] Bien moral qui correspond au sentiment de mériter la considération et de garder le droit à sa propre estime. ⇒ **Dignité, fierté; estime, respect** (de soi-même). *L'honneur de qqn, son honneur. Attaquer, blesser, déchirer, ruiner l'honneur de qqn. Commettre, compromettre* (cit. 5), *vendre son honneur. Porter atteinte à l'honneur de qqn par diffamation* (cit. 3). *Engager* (cit. 6) *son honneur. Défendre, venger son honneur* (→ Faire, cit. 56). *Perdre, garder* (cit. 45), *conserver* (→ Exprès, cit. 2) *son honneur.* — Absolt. *« Tout est perdu, fors* l'honneur »* (François Ier). *L'honneur est sauf. Sauver l'honneur.* — Spécialt (en parlant d'une rencontre sportive qui a tourné au désavantage d'un joueur, d'une équipe). *Battus, nous avons du moins sauvé l'honneur en marquant un but. — Mon honneur est en jeu. Il y va de l'honneur* (→ 1. Bien, cit. 79). *C'est une tache à son honneur.* ⇒ **Entacher.** *Cette action l'a perdu* d'honneur. Aimer l'argent* (cit. 19) *plus que l'honneur. Votre honneur m'est cher* (→ 2. Brocard, cit. 2).

Viens me venger. — De quoi? — D'un affront si cruel, 1
Qu'à l'honneur de tous deux il porte un coup mortel (...) CORNEILLE, le Cid, I, 5.

Et l'on peut me réduire à vivre sans bonheur. 2
Mais non pas me résoudre à vivre sans honneur. CORNEILLE, le Cid, II, 1.

Car qui ne mourrait pour conserver son honneur, celui-là serait infâme. 3
PASCAL, Pensées, II, 147.

La plupart des hommes s'exposent assez dans la guerre pour sauver leur hon- 4
neur; mais peu se veulent exposer toujours autant qu'il est nécessaire pour faire réussir le dessein pour lequel ils s'exposent. LA ROCHEFOUCAULD, Maximes, 219.

(Le lièvre) Croit qu'il y va de son honneur 5
De partir tard (...) LA FONTAINE, Fables, VI, 10.

Je distingue dans ce qu'on appelle honneur celui qui se tire de l'opinion publique, 6
et celui qui dérive de l'estime de soi-même.
ROUSSEAU, Julie ou la Nouvelle Héloïse, I, Lettre XXIV.

(...) c'est un homme si scrupuleux et si délicat sur l'honneur, qu'il exagère quel- 7
quefois, et se fait des fantômes où les autres ne voient rien.
BEAUMARCHAIS, la Mère coupable, III, 1.

Pour ne parler que de morale, on sent combien ce mot, l'*honneur*, renferme d'idées 8
complexes et métaphysiques. Notre siècle en a senti les inconvénients; et, pour ramener tout au simple, pour prévenir tout abus des mots, il a établi que l'*honneur* restait dans son intégrité à tout homme qui n'avait point été repris de justice.
CHAMFORT, Maximes et pensées, Philosophie et morale, XLII.

Bien que supplément obligé aux lois qui ne connaissent pas des offenses faites à 9
l'honneur, le duel est affreux, surtout lorsqu'il détruit une vie pleine d'espérances (...) CHATEAUBRIAND, Mémoires d'outre-tombe, t. VI, p. 280.

Je perds tout sauf l'honneur ainsi qu'à Marignan. 10
J'ai perdu mes amours. Où sont-elles allées?
APOLLINAIRE, Ombre de mon amour, XXIII.

11 Pour de l'argent, il a vendu son honneur et son ami. Pour de l'argent, il vendrait son âme (...) Louis MADELIN, Talleyrand, II.

12 La vie vaut-elle plus que l'honneur? L'honneur plus que la vie? Qui ne s'est pas posé une fois la question ne sait pas ce qu'est l'honneur, ni la vie.
BERNANOS, le Scandale de la vérité, p. 9.

Vx. *L'honneur du rang, de la naissance* (→ Cœur, cit. 106).

Loc. vieillie. (Déb. XVIIIe, Fénelon). **PIQUER D'HONNEUR** (qqn) : persuader (qqn) que son honneur est engagé (à faire ou ne pas faire qqch.). *Se piquer d'honneur :* croire qu'il y va de son honneur en telle ou telle occasion, et, par suite, y apporter tous les soins, toute l'habileté, toute l'énergie, etc. dont on est capable. ⇒ **Zèle.** *Son premier travail ne m'avait pas satisfait, mais cette fois il s'est piqué d'honneur : c'est parfait. Se piquer d'honneur, d'un faux honneur de...* (avec l'infinitif). → Ensevelir, cit. 23.

12.1 (...) elle piquerait le prince Ahmed d'honneur, en l'engageant à lui procurer certains avantages, par l'entremise de la fée, sous prétexte d'en tirer une grande utilité dont il lui avait obligation. A. GALLAND, les Mille et une Nuits, t. III, p. 429.

Vieilli. **METTRE SON HONNEUR À ...** (et inf.) : considérer comme une question d'honneur (→ ci-dessous, *Mettre son point d'honneur*).

(1580). **POINT D'HONNEUR :** la chose essentielle quant à l'honneur, ce qu'on regarde comme intéressant au premier chef l'honneur. *« Origine du point d'honneur »* (Montesquieu, *De l'esprit des lois,* XXVIII, 20). *Être délicat, intraitable sur le point d'honneur* (→ Hidalgo, cit.). *Contestation sur le point d'honneur. «Autrefois les maréchaux de France étaient juges du point d'honneur»* (Académie). *Un singulier, un faux point d'honneur* (→ Déchoir, cit. 2; gloriole, cit. 5). *Prendre tout au point d'honneur :* faire preuve d'une susceptibilité excessive quant au point d'honneur. *Se faire un point d'honneur de qqch.,* le tenir pour une chose qui intéresse essentiellement l'honneur. *Mettre un point d'honneur, son point d'honneur à frauder* (cit. 2) *ses créanciers. Se faire un point d'honneur de...*

13 (...) vous êtes homme qui savez les maximes du point d'honneur, et je vous demande raison de l'affront qui m'a été fait. MOLIÈRE, George Dandin, I, 6.

14 Je conçois bien qu'un scélérat, associé à d'autres scélérats, cèle d'abord ses complices; les brigands s'en font un point d'honneur : car il y a de ce qu'on appelle honneur jusque dans le crime.
VOLTAIRE, la Henriade, Dissert. sur la mort de Henri IV.

15 Frédéric, par point d'honneur, crut devoir les fréquenter plus que jamais.
FLAUBERT, l'Éducation sentimentale, II, III.

... D'HONNEUR. — (XVIIe). *Affaire d'honneur :* affaire où l'honneur est engagé; spécialt (1771), duel*. *Réparation d'honneur. Dette* (cit. 8) *d'honneur. Engagement d'honneur* (→ Fiançailles, cit. 2). ⇒ **Promesse, serment.** — (1694). *Parole** (cit. 14) *d'honneur.* — Exclamativement (ellipt.). *(Ma) parole d'honneur!* (→ Autant, cit. 34). ⇒ **Parole** (ma).

16 Pesez ce que vaut, parmi nous, cette expression populaire, universelle, décisive et simple cependant — Donner sa parole d'honneur.
A. DE VIGNY, Servitude et Grandeur militaires, Conclusion.

Exclam. Vx. *D'honneur! :* en vérité!

16.1 Tiens, mais c'est d'honneur vrai, ils sont tous les mêmes! Des parvenus!
H. MONNIER, le Roman chez la concierge, Scènes populaires, t. I, p. 14.

(1690, *sur mon honneur*). *Assurer, jurer sur l'honneur, sur son honneur* (→ Coupable, cit. 3; devant, cit. 6). *Je l'atteste sur l'honneur, je vous en réponds sur mon honneur.* — Ellipt. *Sur l'honneur, d'honneur* (vx), *en honneur* (vx) : je le jure sur l'honneur.

b (Mil. XIIe). Spécialt, vieilli. *L'honneur d'une femme,* réputation attachée au caractère irréprochable de ses mœurs ou de sa situation (fidélité, chasteté : interdiction des relations extra-conjugales). ⇒ **Honnêteté.** — Loc. (Vx). *« Rendre l'honneur à une femme,* l'épouser après l'avoir eue pour maîtresse» (Littré). *« Ravir l'honneur à une femme »,* la violer (Académie). *Des prudes défendant sauvagement leur honneur* (→ Armer, cit. 22). *Commettre* (cit. 11) *l'honneur de sa dame. L'honneur dans le mariage* (→ Conformité, cit. 1; émousser, cit. 2).

17 Nous avons intérêt que l'hymen prétendu
Répare sur-le-champ l'honneur qu'elle a perdu.
MOLIÈRE, l'École des maris, III, 5.

18 (...) j'ai l'honneur en recommandation, et j'aimerais mieux me voir morte, que de me voir déshonorée. MOLIÈRE, Dom Juan, II, 2.

19 Enfin sa compagne sortit de l'arrière-cabinet, tout éperdue, sans pouvoir parler, réfléchissant profondément sur le caractère des grands et des demi-grands, qui sacrifient si légèrement la liberté des hommes et l'honneur des femmes.
VOLTAIRE, l'Ingénu, XV.

20 (...) je parle comme une femme outragée dans son honneur, c'est-à-dire dans ce qu'elle a de plus précieux. STENDHAL, le Rouge et le Noir, I, XXI.

Loc. mod. *En tout bien tout honneur.* ⇒ **Bien** (cit. 75 à 78).

Vx. *L'honneur d'un homme,* réputation liée au comportement sexuel (fidélité) de sa femme (→ Eunuque, cit. 2; fat, cit. 2).

21 Il prend, pour mon honneur, un intérêt extrême (...) MOLIÈRE, Tartuffe, I, 5.

c (En parlant d'une collectivité, d'un corps, d'une profession). *Compromettre, sauver l'honneur de la famille, du nom, du régiment, de la corporation. Pour l'honneur de la profession. L'honneur national, professionnel, sacerdotal* (→ Coupable, cit. 3), *militaire.* — Par ext. *Son honneur de soldat, de médecin, de savant :* l'honneur qu'il défend en tant que soldat, etc. (et qui peut coexister avec l'honneur personnel, parfois s'y opposer).

On peut voir (...) quel haut sentiment elle avait de l'honneur militaire, et à quel point elle épousa cette religion de loyauté, de dévouement et de sacrifice (...) 22
SAINTE-BEUVE, Causeries du lundi, 9 juin 1851, t. IV, p. 220.

Ce qui nous défendons, ce n'est pas seulement notre honneur. Ce n'est pas seulement l'honneur de tout notre peuple, dans le présent, c'est l'honneur historique de notre peuple, tout l'honneur historique de toute notre race, l'honneur de nos aïeux, l'honneur de nos enfants (...) Une seule tache entache toute une famille. Elle entache aussi tout un peuple. Un seul point marque l'honneur de toute une famille. Un seul point marque aussi l'honneur de tout un peuple. Un peuple ne peut pas rester sur une injure, subie, exercée, sur un crime, aussi solennellement, aussi définitivement endossé. L'honneur d'un peuple est d'un seul tenant. 23
Ch. PÉGUY, la République..., p. 256.

Pour intéresser un Français à un match de boxe, il faut lui dire que son honneur national y est engagé; pour intéresser un Anglais à une guerre, rien de tel que de lui suggérer qu'elle ressemble à un match de boxe. 24
A. MAUROIS, les Silences du colonel Bramble, I.

♦ **2.** (1080). Absolt. **a** **L'HONNEUR** (souvent écrit avec un *h* majuscule) : le sentiment qui pousse à obtenir ou à préserver ce bien moral. *Les grandes notions, les grands mots d'Honneur, Patrie, Droit, Civilisation* (→ Alouette, cit. 5; employer, cit. 14; évangile, cit. 8; gros, cit. 19). *L'honneur considéré comme un sentiment, une foi* (→ Armée, cit. 10), *un devoir* (→ Amour, cit. 8), *une maladie* (→ Argent, cit. 29). *L'honneur a sa source dans l'amour-propre* (→ Amour, cit. 50), *dans des préjugés de caste* (cit. 1). *Honneur chevaleresque* (cit. 1). *Règles* (→ Bienséance, cit. 10), *prescriptions, lois, code, morale* (→ Gagner, cit. 10) *de l'honneur. Ce que prescrit, ce qu'ordonne l'honneur* (→ Capitulation, cit. 2; extrémité, cit. 11). *L'honneur veut, exige que... Ne consulter que l'honneur, n'écouter que la voix de l'honneur. Avoir le sentiment de l'honneur. Allez où l'honneur vous appelle, vous convie* (→ Aller, cit. 36). *Ne songer qu'à l'honneur* (→ Espagnolisme, cit. 1; filet, cit. 10). *Manquer à l'honneur. Se sacrifier à l'honneur* (→ Émigration, cit. 3). *« L'honneur, âme des martyrs »* (→ Entourer, cit. 7). — Vx. *L'Honneur,* personnifié (dans des allégories; → ci-dessous, cit. 1).

Lors l'Honneur qui volait dessus les camps armés, 25
Les rendait vivement aux armes animés,
De sorte que chacun avait plus grande envie
De la mort, que sauver honteusement sa vie,
Et plutôt désirait à la guerre mourir,
Que vivre en sa maison sans louange acquérir.
RONSARD, le Bocage royal, II, Discours.

Honneur impitoyable à mes plus chers désirs, 26
Que tu vas me coûter de pleurs et de soupirs! CORNEILLE, le Cid, II, 3.

(...) une de ces (...) affaires qui réduisent les gentilhommes à se sacrifier (...) à la sévérité de leur honneur (...) être asservi par les lois de l'honneur au dérèglement de la conduite d'autrui (...) MOLIÈRE, Dom Juan, III, 3. 27

(...) on ne voit pas qu'où l'honneur les conduit 28
Les vrais braves soient ceux qui font beaucoup de bruit.
MOLIÈRE, Tartuffe, I, 5.

L'honneur parle, il suffit : ce sont là nos oracles. RACINE, Iphigénie, I, 2. 29

(...) on est trop infatué de ce mot d'honneur; on s'en est fait un fantôme qu'il est présentement trop malaisé de détruire. 29.1
J.-F. REGNARD, Voyage en Laponie, p. 104.

(...) une distinction que vous me fîtes autrefois dans une occasion importante, entre l'honneur réel et l'honneur apparent? (...) Qu'y a-t-il de commun entre la gloire d'égorger un homme et le témoignage d'une âme droite? et quelle prise peut avoir la vaine opinion d'autrui sur l'honneur véritable dont toutes les racines sont au fond du cœur? ROUSSEAU, Julie ou la Nouvelle Héloïse, Lettre LVII. 30

Jamais il *(le comte Maxime de Trailles)* n'avait manqué à l'honneur, il payait scrupuleusement ses dettes de jeu. BALZAC, le Député d'Arcis, Pl., t. VII, p. 726. 31

L'Honneur, c'est la conscience, mais la conscience exaltée. — C'est le respect de soi-même et de la beauté de sa vie porté jusqu'à la plus pure élévation et jusqu'à la passion la plus ardente. 32
A. DE VIGNY, Servitude et Grandeur militaires, Conclusion.

L'honneur, c'est la poésie du devoir. A. DE VIGNY, Journal d'un poète, p. 96. 33

On a ici le sentiment de l'honneur, de la vertu, du patriotisme dans toute sa pureté et son ingénuité, le sentiment moral, exquis, antique, plus antique que celui d'Eudore, malgré le costume romain de ce dernier. 34
SAINTE-BEUVE, Chateaubriand, t. I, p. 114.

(...) Combeferre se bornait à répondre avec un grave sourire : — Il y a des gens qui observent les règles de l'honneur comme on observe les étoiles, de très loin. 35
HUGO, les Misérables, V, I, XXI.

Je t'ai élevée, je t'ai consacré ma vie, je t'ai appris le bien, je suis restée ici seule, malade, malheureuse, pour qu'il y ait auprès de toi un exemple de l'honneur. Voilà ma récompense! Tu veux me quitter, toi aussi (...) 36
J. CHARDONNE, les Destinées sentimentales, p. 474.

Le Monde a besoin d'honneur. C'est d'honneur que manque le Monde. Le Monde a tout ce qu'il lui faut, et il ne jouit de rien parce qu'il manque d'honneur. Le Monde a perdu l'estime de soi. Or, aucun homme sensé n'aura jamais l'idée saugrenue d'apprendre les lois de l'honneur chez Nicolas Machiavel ou Lénine. Il me paraîtrait aussi bête d'aller les demander aux Casuistes. L'honneur est un absolu. Qu'a-t-il de commun avec les docteurs du Relatif? 37
BERNANOS, les Grands Cimetières sous la lune, p. 98.

(...) la fleur merveilleuse dont la semence semble avoir été jetée par les Anges, ce génie de l'honneur que notre race a tellement surnaturalisé qu'elle a failli en faire un moment comme une quatrième vertu théologale (...) 38
BERNANOS, les Grands Cimetières sous la lune, p. 359.

L'honneur était dans l'obéissance qui se confondait parfois avec le crime. La loi militaire punit de mort la désobéissance et son honneur est servitude. 39
CAMUS, l'Homme révolté, p. 228.

Spécialt (Montesquieu, *De l'esprit des lois,* III). *L'honneur, principe* de la monarchie. L'honneur, objet des lois de l'éducation* (cit. 4) *dans les monarchies.*

Dans les États monarchiques et modérés, la puissance est bornée par ce qui en est 40 le ressort, je veux dire l'honneur, qui règne, comme un monarque, sur le prince et sur le peuple. MONTESQUIEU, l'Esprit des lois, III, X.

41 (...) Saint-Simon est une belle pièce justificative pour la maxime de Montesquieu, l'*honneur*, base des monarchies (...) STENDHAL, Vie de Henry Brulard, 20.

(1592; « homme d'un certain rang », mil. XVe). **HOMME D'HONNEUR,** animé par le sentiment de l'honneur, et, par ext., homme de probité, de vertu (→ Attaquer, cit. 30; écarter, cit. 30). *Action indigne d'un homme d'honneur* (→ Autoriser, cit. 11). — *Des gens* (cit. 8) *d'honneur.*

42 Ne le recevez point en meurtrier d'un frère,
Mais en homme d'honneur qui fait ce qu'il doit faire (...)
CORNEILLE, Horace, II, 4.

43 Il faut rompre la paille : une paille rompue
Rend, entre gens d'honneur, une affaire conclue.
MOLIÈRE, le Dépit amoureux, IV, 4.

(Dans un serment). *Foi d'homme d'honneur, parole d'homme d'honneur, je le ferai comme je le dis!* — Elliptiquement :

44 D'homme d'honneur, il *(cela)* est ainsi que je le dis.
MOLIÈRE, le Dépit amoureux, III, 8.

BANDIT D'HONNEUR, qui agit, devient bandit par honneur (spécialt en parlant des bandits corses).

Ne pas avoir d'honneur. « Il n'a ni cœur ni honneur » (Académie). *Des hommes sans honneur* (→ Canaille, cit. 1; généreux, cit. 2).

b (→ ci-dessus, 1., b). Vieilli. Chasteté ou fidélité (d'une femme). ⇒ **Honnêteté, pudeur.** *L'honneur d'une femme, son honneur,* et, absolt, *l'honneur.* — Loc. (Vx). *Faire faux bond* (cit. 10), *forfaire* (cit. 1) *à l'honneur. Son honneur s'alarme, se gendarme* (cit. 1). — *Vouloir, exiger* (cit. 4) *d'une femme ce que l'honneur ne permet pas. Instinct de l'honneur qui empêche une femme de faillir* (cit. 16). *« L'honneur est comme une île escarpée et sans bords »* (→ Dehors, cit. 2, Boileau).

45 Honneur, cruel tyran des belles passions,
Qui traverse l'espoir de nos affections,
De combien de malheurs la terre est féconde
Depuis que ton erreur empoisonne le monde! RACAN, Bergeries, I, 3.

46 Puisque l'honneur du sexe, en tout temps rigoureux,
Oppose un fort obstacle à de pareils aveux. MOLIÈRE, Don Garcie, III, 1.

47 (...) votre fille ne vit pas comme il faut qu'une femme vive, et (...) elle fait des choses qui sont contre l'honneur (...) MOLIÈRE, George Dandin, I, 4.

47.1 Voilà ce que je souffris, Madame, mais mon honneur au moins se trouva respecté si ma pudeur ne le fut point. SADE, Justine..., t. I, p. 42 (1791).

48 (...) la lutte d'une femme « tout à fait du monde » contre les images trop puissantes de l'honneur et de la vertu.
J. ROMAINS, les Hommes de bonne volonté, t. IV, XII, p. 138.

Femme d'honneur (→ Assaut, cit. 3). *Femme sans honneur* (→ Carie, cit. 1).

★ **II.** (Fin X^e^). Considération plus ou moins glorieuse, marques de distinction accordées au mérite reconnu.

A. *L'honneur, un honneur.* ♦ **1.** Considération (cit. 6) qui s'attache au mérite, à la vertu, aux talents. ⇒ **Estime, gloire, illustration, réputation.** — Vieilli. *Acquérir de l'honneur* (→ Arme, cit. 17; brigue, cit. 3; caution, cit. 2). *« Vous y aurez de l'honneur »* (Académie). — Mod. *Il s'en est tiré avec honneur, il en est sorti à son honneur,* en acquérant de l'honneur, avec succès ou, du moins, sans perdre la face (→ Expédient, cit. 2). *C'est tout à son honneur.* ⇒ **Éloge.** *Tout l'honneur lui en revient.* ⇒ **Mérite** (→ Généralat, cit.). *Il en a eu tout l'honneur. L'honneur de* (et inf.). *L'honneur d'achever cette belle entreprise lui était réservé. « L'honneur de l'avoir entrepris »* (→ Agréer, cit. 2, La Fontaine). — *Il n'y a ni honneur ni profit à cela.* — **POUR L'HONNEUR.** *Travailler pour l'honneur,* de façon désintéressée. *Athlète amateur qui peine, qui lutte pour l'honneur.*

49 Et ne suivait, comme il disait, la guerre,
Comme beaucoup, pour du bien y acquerre *(acquérir)*
Mais pour l'honneur, qui est le seul loyer
Du cœur qui veut aux vertus s'employer.
RONSARD, Épitaphe de feu M. d'Annebault.

50 Trop peu d'honneur pour moi suivrait cette victoire (...) CORNEILLE, le Cid, II, 2.

51 Ensemble nous cherchons l'honneur d'un beau trépas (...) CORNEILLE, Cinna, V, 2.

52 Pendant que la paresse et la timidité nous retiennent dans notre devoir, notre vertu en a souvent tout l'honneur. LA ROCHEFOUCAULD, Maximes, 169.

53 Votre fils s'était acquis bien de l'honneur dans cette campagne.
Mme DE SÉVIGNÉ, 496, *in* LITTRÉ.

54 (...) eh bien! je m'en suis tiré avec honneur, comme je fais toujours. Quand M. le comte reçut son boulet dans le bas-ventre, je ramenai moi seul ses chevaux, ses mulets, sa tente et tout son équipage, sans qu'il manquât un mouchoir, monsieur (...) A. DE VIGNY, Cinq-Mars, VI, t. I, p. 189.

55 (...) les Laplace, les Lagrange, les Monge, les Chaptal, les Berthollet (...) devinrent les plus obséquieux serviteurs de Napoléon. Il faut le dire à l'honneur des lettres : la littérature nouvelle fut libre, la science servile (...)
CHATEAUBRIAND, Mémoires d'outre-tombe, t. II, p. 208.

Rendre honneur à... : célébrer. ⇒ **Hommage** (rendre). — Ellipt. *Honneur au courage malheureux :* rendons honneur au (...)

(Mil. XVIIe; choses). **EN HONNEUR :** entouré de considération, qui est l'objet d'une sorte de culte. ⇒ **Apprécié, estimé.** *Les lettres furent en honneur sous son règne. La poésie a toujours été en grand honneur auprès du peuple arabe. La taille fine reste en honneur* (→ Catalogue, cit. 2). ⇒ **Mode** (à la), **vogue** (en). *Mettre qqch. en honneur :* faire qu'une chose soit en honneur. *L'Émile de Rousseau mit en honneur l'allaitement maternel.*

Remettant en honneur les dons naturels et les affections primitives, et leur laissant leur libre jeu, il s'oppose à l'excès de raisonnement et d'analyse qui voudrait tout réduire à un amour de soi égoïste et cupide. 56
SAINTE-BEUVE, Causeries du lundi, 18 nov. 1850, t. III, p. 130.

ÊTRE, DEVENIR... L'HONNEUR DE..., une source d'honneur pour... ⇒ **Fierté, ornement.** *Être l'honneur de sa famille, de sa génération. Cette contradiction* (cit. 11) *est l'honneur de l'espèce humaine. C'est son honneur immortel d'avoir dit un jour...* (→ Emporter, cit. 9).

Tout ainsi que la vigne est l'honneur d'un ormeau, 57
Et l'honneur de la vigne est le raisin nouveau,
Et l'honneur des troupeaux est le bouc qui les mène,
Et comme les épis sont l'honneur de la plaine,
Et comme les fruits mûrs sont l'honneur des vergers,
Ainsi ce Henriot fut l'honneur des bergers. RONSARD, Églogues, I.

Ah! tu seras un jour l'honneur de ta famille (...) RACINE, les Plaideurs, II, 3. 58

(...) une femme n'est pas un instrument de plaisir, mais l'honneur et la vertu de la maison. BALZAC, le Contrat de mariage, Pl., t. III, p. 178. 59

(...) une salle d'armes célèbre à la ronde, qui était la distinction, l'ornement et l'honneur de la ville (...) 60
BARBEY D'AUREVILLY, les Diaboliques, « Le bonheur dans le crime ».

Vous serez l'honneur de ma vieillesse, admirable élève, la gloire de mes cheveux blancs. Ch. PÉGUY, la République..., p. 35. 61

Le rôle suprême de la divinité et son honneur, chez les philosophes helléniques, était, non pas d'avoir créé l'univers, mais d'y avoir introduit de l'ordre, c'est-à-dire de l'intelligibilité. Julien BENDA, la Trahison des clercs, p. 18. 62

D'HONNEUR (dans des expressions). — (1756). **CHAMP D'HONNEUR,** où l'on acquiert de l'honneur; champ (I., 3.) de bataille. *Le théâtre me parut un champ d'honneur* (→ Essayer, cit. 5). *Mourir au champ d'honneur,* sur le champ de bataille. ⇒ **Front, guerre.** — Fam. *Baroud* d'honneur :* combat livré sans espoir d'en retirer rien d'autre que de l'honneur.

Faire un tour d'honneur, un tour de piste, après une victoire (sports). — Fig. *Il aura droit à un tour d'honneur.*

♦ **2.** (XIIe). Traitement spécial destiné à honorer qqn, à lui marquer de la considération, à lui rendre l'hommage qui lui est dû; privilège qui distingue du commun (construit surtout avec les verbes *rendre, devoir, recevoir, mériter*). — Loc. *Rendre honneur à qqn* (vx, *rendre l'honneur*). ⇒ **Culte, vénération.** *L'enfant* (cit. 22) *doit honneur et respect à ses parents. L'épitaphe* (cit. 1), *dernier honneur dû au défunt. Recevoir un honneur* (→ Apprêter, cit. 4; ériger, cit. 4). *« Ni cet excès* (cit. 4) *d'honneur, ni cette indignité »* (Racine). *Exigeant* (cit. 3) *pour l'honneur qui m'était dû. À vous l'honneur! :* à vous de commencer (dans un jeu, une rencontre sportive). — Prov. *À tout seigneur tout honneur :* il faut rendre honneur à chacun selon sa qualité ou son mérite; à chacun selon son rang. — Loc. *Être à l'honneur. « Il avait été à la peine, c'était bien raison qu'il fût à l'honneur »* (mots attribués à Jeanne d'Arc, et s'appliquant à son étendard, qu'on lui reprochait d'avoir déployé auprès du roi lors du sacre, à Reims).

Que ma bouche et mon cœur, et tout ce que je suis, 63
Rendent honneur au Dieu qui m'a donné la vie. RACINE, Esther, II, 8.

(...) jamais un si digne maître n'avait expliqué par de si doctes leçons les *Commentaires* de César. Les capitaines des siècles futurs lui rendront un honneur semblable. BOSSUET, Oraison funèbre du Prince de Condé. 64

En rendant l'honneur et le tribut aux puissances établies de Dieu. 65
MASSILLON, Carême, Aumône, *in* LITTRÉ.

(...) un jour comme il *(Virgile)* vint paraître au théâtre après qu'on y eut récité quelques-uns de ses vers, tout le peuple se leva avec des acclamations, honneur qu'on ne rendait alors qu'à l'empereur. VOLTAIRE, Essai sur la poésie épique, III. 66

Sauf votre honneur : sauf le respect que je vous dois.

VOTRE HONNEUR, transcription française d'un titre usité (au vocatif), en Angleterre *(your Honor)* et dans l'ancienne Russie, pour marquer son respect à certains hauts personnages (spécialt, en parlant à un juge, à un magistrat, dans un pays de langue anglaise; trad. de *your Honor*).

Faire, accorder un honneur à qqn. Faire un grand honneur à qqn. Veuillez m'accorder cet honneur. C'est un honneur pour moi, croyez bien que je l'apprécie. Je suis flatté d'un tel honneur. C'est beaucoup d'honneur, c'est trop d'honneur que vous me faites! Vous me faites là un grand, un bel honneur, bien de l'honneur : vous me traitez bien (ou, iron., mal).

Le grand dieu Jupiter nous fait beaucoup d'honneur, 67
Et sa bonté (...) MOLIÈRE, Amphitryon, III, 10.

(...) vous leur fîtes, Seigneur. 68
En les croquant beaucoup d'honneur (...) LA FONTAINE, Fables, VII, 1.

De la manière dont ces peuples étaient faits, c'était leur faire trop d'honneur que de les fourber avec quelque précaution. FONTENELLE, Hist. des oracles, I, 15. 69

(...) dîner tous les jours avec madame la marquise est-ce un de mes devoirs, ou est-ce une bonté que l'on a pour moi? — C'est un honneur insigne! reprit l'abbé, scandalisé. Jamais M. N..., l'académicien, qui depuis quinze ans, fait une cour assidue n'a pu l'obtenir pour son neveu (...) STENDHAL, le Rouge et le Noir, II, IV. 70

Vous aviez la bonté de vous occuper de moi; mais c'est un honneur qui se paye ordinairement par un peu de médisance. BALZAC, Vautrin, Pl., t. II, p. 10. 71

Iron. *C'est trop d'honneur que vous lui faites :* il ne mérite pas que vous le traitiez, que vous le jugiez d'une façon si favorable, si obligeante (→ Enchérir, cit. 2). *Ne vous occupez pas de ses critiques, c'est lui faire trop d'honneur!*

(XIIe, *en l'onor de...*). **EN L'HONNEUR DE (qqn),** en vue de lui rendre honneur, afin de l'honorer. ⇒ **Hommage** (en). *Fêtes, manifestations, applaudissements* (cit. 3), *acclamations en l'honneur d'un grand homme. En l'honneur de Dieu* (→ Brûler, cit. 1; célébrer, cit. 3). *En son, en votre honneur* (→ Entonner, cit. 5; flagorner, cit. 3). ⇒ **Intention, louange** (à la). *Hymne, couplet en l'honneur de la vertu, d'une doctrine* (→ Exercice, cit. 15). — Vx (dans le même sens). *À l'honneur de...* (→ ci-dessous, cit. 72).

72 (...) vous voulez bien que cette petite ingratitude soit mise dans le livre que nous avions envie de composer à l'honneur de cette vertu.
Mme DE SÉVIGNÉ, 362, 24 déc. 1673.

73 On voyait aussi des pères insensés se jeter au milieu des flammes en l'honneur de leur idole. DIDEROT, Opuscule des anciens philosophes, Juifs.

74 Le président de Brosses envoie à son ami l'abbé Courtois une liste des cardinaux du conclave avec un mot sur chacun d'eux en son honneur (...)
CHATEAUBRIAND, Mémoires d'outre-tombe, t. III, p. 499.

75 C'est en l'honneur de cette bluette que vous avez préparé votre couplet de la belle saison? COLETTE, la Naissance du jour, p. 171.

En l'honneur de (un événement) : en vue de fêter, de célébrer. *Les cloches sonnent en l'honneur d'un mariage.*

76 C'était la botte de mai, que les clercs de la basoche avaient déposée le matin à la porte d'un président au parlement, en l'honneur de la solennité du jour.
HUGO, Notre Dame de Paris, II, 1.

Fam. *En l'honneur de... :* à cause de... *C'est en l'honneur de cette fille qu'on ne te voit plus? — En quel honneur? :* pourquoi? (ou, avec une intention malicieuse : à cause de qui? pour qui?) *En quel honneur cette nouvelle toilette?*

77 (...) voici que passent les pompiers trompetteurs et tous les gens de notre maison se précipitent à la cave en l'honneur de je ne sais quel zeppelin.
CÉLINE, Voyage au bout de la nuit, p. 79.

Vx. **TENIR À HONNEUR... :** considérer comme un honneur (→ ci-dessous, cit. 78 et 80). *Je tiens à honneur de lui être présenté.* — (Dans le même sens). Cour. **SE FAIRE UN HONNEUR DE...** *Je me ferai un honneur et un plaisir d'intervenir en votre nom. Se faire un honneur d'être constant* (→ Constance, cit. 5).

78 *(Je)* tiens son alliance à singulier honneur. MOLIÈRE, les Femmes savantes, II, 4.

79 (...) le sénat se faisait un honneur de défendre les dieux (...)
BOSSUET, Disc. sur l'Hist. universelle, III, 1.

80 En Laponie, le père de famille tient à honneur que sa fille soit l'objet de toutes les gracieusetés dont peut disposer le voyageur admis à son foyer.
VILLIERS DE L'ISLE-ADAM, Contes cruels, « Les demoiselles de Bienflâtre », p. 10.

AVOIR, FAIRE (à qqn) L'HONNEUR DE... (avec l'inf.), l'honneur qui consiste à... *Le roi lui fit l'honneur de le recevoir.* ⇒ **Faveur, grâce** (→ Bas, cit. 10). *Il m'a fait l'honneur de me choisir pour son témoin, pour son avocat* (cit. 14). — (Dans un sens affaibli, comme formule de politesse). *Pouvez-vous me faire l'honneur de venir me voir, d'assister à la cérémonie? Faites-moi cet honneur.* — (Par un redoublement ironique de politesse). *C'est comme j'ai l'honneur de vous dire. Me ferez-vous l'honneur de ne pas me contredire? Faites-moi l'honneur de répondre quand je vous pose une question.*

81 Des écrivains me firent l'honneur d'imiter *Atala* et *René*, de même que la chaire emprunta mes récits des Missions et des bienfaits du Christianisme.
CHATEAUBRIAND, Mémoires d'outre-tombe, t. II, p. 203.

82 Monsieur le comte Sixte du Châtelet et madame la comtesse du Châtelet prient Monsieur Chardon de leur faire l'honneur de dîner avec eux le quinze prochain.
BALZAC, Illusions perdues, Pl., t. IV, p. 976.

Les Grands avaient l'honneur de vivre à la cour. ⇒ **Prérogative, privilège.** *Il a l'honneur de siéger dans cette illustre assemblée. De quel maître j'aurais l'honneur de porter le bât* (→ Âne, cit. 2). *L'honneur dangereux de...* (→ Approcher, cit. 10). — (Avec d'autres verbes que *avoir* ou *faire*). *Briguer l'honneur de....* (→ Avilir, cit. 1). *Ne vouloir que l'honneur de...* (→ Attacher, cit. 2). *Se proposer l'honneur de...* (→ Emploi, cit. 11). *Mériter un honneur.*

83 Le reste ne vaut pas l'honneur d'être nommé (...) CORNEILLE, Cinna, V, 1.

84 On demandait à une duchesse de Rohan à quelle époque elle comptait accoucher : « Je me flatte, dit-elle, d'avoir cet honneur dans deux mois ». L'honneur était d'accoucher d'un Rohan.
CHAMFORT, Caractères et anecdotes, L'honneur d'un Rohan.

85 Je suis allé à l'Académie tibérine, dont j'ai l'honneur d'être membre.
CHATEAUBRIAND, Mémoires d'outre-tombe, t. V, p. 65.

Iron. *Je n'ai pas l'honneur d'être le fils de l'illustre maire* (→ Entendre, cit. 31). *Ce monsieur n'a pas l'honneur d'être dans votre estime* (cit. 5).

86 (...) il me disait : « Vous êtes du même avis que Taine ». Je n'avais pas l'honneur de connaître M. Taine, ajouta M. de Charlus (avec cette irritante habitude du « monsieur » inutile qu'ont les gens du monde, comme s'ils croyaient, en taxant de monsieur un grand écrivain, lui décerner un honneur, peut-être garder les distances)... PROUST, Sodome et Gomorrhe, Pl., t. II, p. 1052.

(Dans un sens affaibli, comme formule de politesse, dans le style épistolaire). *J'ai l'honneur de vous demander sa main* (→ Épouser, cit. 4). *J'ai l'honneur de vous faire savoir que... J'ai l'honneur de vous saluer,* « la plus sèche des formules de civilité au bas d'une lettre » (Littré). — Iron. *C'est comme j'ai l'honneur de vous le dire.* — Ellipt. *À qui ai-je l'honneur...* (de parler)? *Monsieur, j'ai bien l'honneur...* (de vous saluer).

87 Monsieur le grand Référendaire,
J'ai l'honneur de vous envoyer copie des deux lettres que j'ai adressées (...)
J'ai l'honneur d'être avec une haute... (considération) etc.
CHATEAUBRIAND, Mémoires d'outre-tombe, t. III, p. 668.

♦ **3.** (XVIIe; *in* Richelet, 1680). **D'HONNEUR** (après un substantif, marque que la personne ou la chose est, au moins à l'origine, destinée à rendre ou conférer un honneur). *Garde** (cit. 21) *d'honneur* (→ Étamine, cit. 1). *Garçon*, demoiselle* d'honneur. Fille*, dame* d'honneur* (→ Abeille, cit. 5; grappin, cit. 4). *Cour*, escalier*, étage* d'honneur d'un château, d'un bâtiment public* (→ Fuir, cit. 22). *Place* d'honneur* (→ Cerner, cit. 1). *Épée* d'honneur. Armes* d'honneur. Vin* d'honneur. Prix*, tableau* d'honneur. Médaille*, croix*, diplômé* d'honneur* (→ Gloire, cit. 28). *Légion* d'honneur. Titre* d'honneurs.* ⇒ **Honorifique** (→ Appui, cit. 27; envier, cit. 12). — Loc. (par antiphr.). *Bras** (3., b) *d'honneur.* — *Président, membre d'honneur.* ⇒ **Honoris causa; honoraire.**

Ce palais était un vrai logis seigneurial. Tout y avait grand air, les appartements de l'évêque, les salons, les chambres, la cour d'honneur, fort large, avec promenoirs à arcades, selon l'ancienne mode florentine, les jardins plantés de magnifiques arbres. HUGO, les Misérables, I, I, II. 88

De sa main tendue, il désignait une coupe en argent, protégée contre les mouches par une mousseline, le prix d'honneur remporté dans un comice agricole. 89
ZOLA, la Terre, II, V.

♦ **4.** (Mil. XVIIe). **FAIRE HONNEUR À (qqn) :** valoir de l'honneur, de la considération publique à qqn. *Il, elle fait honneur à ses parents. Je veux que tu me fasses honneur, mets ton plus beau costume* (→ Friser, cit. 4). *Cet élève fait honneur à son maître* (→ Essor, cit. 5). *Il était empêtré* (cit. 8) *d'une femme qui lui faisait peu d'honneur. Il fait honneur à son pays* (→ Allouer, cit.). *Un de ces hommes qui font honneur à leur profession.* — (Sujet n. de chose). *Cette entreprise vous fera beaucoup d'honneur* (→ Entrepreneur, cit. 2). *Ce sont des sentiments, des scrupules qui vous font honneur. La mine de vos pensionnaires vous fait honneur. Cet ouvrage, ce tracé de route fait honneur aux ingénieurs* (→ Gorge, cit. 30). — Vx. *Faire de l'honneur* (→ ci-dessous, cit. 91).

Rasius et Baldus font honneur à la France (...) 90
MOLIÈRE, les Femmes savantes, IV, 3.

Nous vîmes une fort jolie fille qui ferait de l'honneur à Versailles (...) 91
Mme DE SÉVIGNÉ, 1201, 30 juil. 1689.

(...) deux belles livrées qui font honneur à une maison. 92
J. ROMAINS, les Hommes de bonne volonté, t. III, XII, p. 166.

(Av. 1690). *Faire honneur à qqch.,* y rester fidèle, s'en montrer digne. *Faire honneur à sa naissance, à son éducation.* — *Faire honneur à ses engagements, à ses obligations,* les tenir, les remplir. *Faire honneur à sa signature, à une lettre de change :* respecter l'engagement souscrit, payer ce qu'on doit.

À ce sujet, Véronique parut se souvenir du nom de Monténgac, et pria son mari de faire honneur à cet engagement en acquérant cette terre pour elle. 93
BALZAC, le Curé de village, Pl., t. VIII, p. 638.

Grâce aux cinquante-sept francs de la voyageuse, Thénardier avait pu éviter un protêt et faire honneur à sa signature. HUGO, les Misérables, I, IV, III. 94

Se faire honneur de... : considérer qu'on retire beaucoup d'honneur de..., se tenir honoré de... — (Compl. n. de personne). Rare. *Il se fait honneur de son fils* (Académie). — (Compl. n. de chose). *Se faire honneur de l'amitié d'un grand homme. Singularités* (→ Approfondissement, cit. 2), *scrupules* (→ Arme, cit. 34) *dont on se fait honneur. — Se faire honneur de...* (et inf.). ⇒ **Targuer** (se), **vanter** (se); → Se donner les gants* de... *Il se fait honneur d'avoir réussi. — Se faire un honneur, un grand honneur de qqch.* — Péj. (en s'en vantant). *Se faire honneur de sa richesse, de son luxe.* ⇒ **Targuer** (se).

Vertueux sans vouloir se faire honneur de sa vertu. FLÉCHIER, Lam., *in* LITTRÉ. 95

Loin de m'excuser de la guerre d'Espagne, je m'en fais honneur vous le savez et je le répète. 96
CHATEAUBRIAND, Mémoires d'outre-tombe, V, 6, éd. Levaillant, t. III, p. 187.

Spécialt (l'honneur qu'on retire étant immérité, acquis par fraude). *Se faire honneur, se donner l'honneur de qqch.,* se l'attribuer en revendiquant la gloire. ⇒ **Parer** (se). *Se faire honneur de la découverte d'un autre.*

REM. On dit, dans le même sens : *faire honneur à qqn de qqch.* « *On lui fait honneur d'un sentiment qu'il ne connut jamais* » (Académie).

Ils ne doutèrent pas que je ne me fusse fait honneur du travail d'autrui. 97
ROUSSEAU, les Confessions, V.

(La chose dont il est question semblant être traitée d'une manière flatteuse). Fam. *Faire honneur à un repas, à un plat,* en manger largement et avec entrain. *Je suis contente que vous fassiez honneur à ma cuisine.*

Et sur l'ordre de l'évêque, on apporta des biscuits et du vin de Malaga, auxquels Julien fit l'honneur, et encore plus l'abbé de Frilair, qui savait que son évêque aimait à voir manger gaiement et de bon appétit. 98
STENDHAL, le Rouge et le Noir, I, XXIX.

Il y avait bien une trentaine de plats à table, pour quatre personnes que nous étions. Afin de faire honneur à tant d'honneurs, j'ai mangé de telle sorte que si je n'ai pas eu d'indigestion le soir, c'est que j'ai un rude estomac. 99
FLAUBERT, Correspondance, 268, 6 oct. 1850, t. II, p. 246.

Mar. *Faire honneur à un banc, à une roche,* en passer près, mais sans les toucher, en se tenant à une distance respectueuse. — REM. On dit dans le même sens : *ranger une terre à l'honneur.*

B. (XIIe; « éloges », 1080). **LES, DES HONNEURS.**

♦ **1.** Témoignages d'honneur. « *On lui a fait des honneurs extraordinaires* » (Académie). ⇒ **Autel** (dresser, élever des autels; vx). *Rendre à qqn les honneurs qu'il mérite* (→ Éloge, cit. 1; garantie, cit. 3). *Il a été reçu avec tous les honneurs dus à son rang.* ⇒ **Égard** (→ Caïd, cit. 1). — Fam. *Avec tous les honneurs dus à son rang,* se dit, dans des circonstances familières, pour « avec égard ». — *Recevoir certains honneurs* (→ Gourmet, cit. 5). *On rendait à Auguste les honneurs divins* (→ Autel, cit. 11). ⇒ **Apothéose.** *Général romain auquel on décernait les honneurs du triomphe.*

100 (...) dans Rome enfin, ce même art a reçu aussi des honneurs extraordinaires (...)
MOLIÈRE, Tartuffe, Préface.

101 (...) il rendait au roi d'Angleterre et au duc d'York, maintenant un roi si fameux, malheureux alors, tous les honneurs qui leur étaient dus (...)
BOSSUET, Oraison funèbre du Prince de Condé.

102 Les ambassadeurs qu'on laisse trop longtemps à la même cour prennent les mœurs du pays où ils résident : charmés de vivre au milieu des honneurs (...) ils craignent de laisser passer dans leurs dépêches une vérité qui pourrait amener un changement dans leur position.
CHATEAUBRIAND, Mémoires d'outre-tombe, XII, 1, éd. Levaillant, t. III, p. 641.

102.1 Aller chez le ministre de la Justice qui était non seulement son ami, mais même un peu son protégé, n'avait rien de bien effrayant. Cela ne lui rappelait que des dîners où il était au bout de la table, un cabinet qui s'ouvrait immédiatement pour lui, quand les plus gros personnages faisaient antichambre. Cela le replongeait dans toute sa vie d'honneur et d'honneurs, qui en somme durait encore et par un mot du ministre de la Justice allait certainement reprendre et continuer jusqu'à sa mort.
PROUST, Jean Santeuil, Pl., p. 593.

(1828). *Honneurs militaires :* saluts, salves d'artillerie, sonneries, etc., rendus à des souverains, des généraux, ou aux drapeaux, aux pavillons. *Rendre les honneurs au chef de l'État.* — (1753). *Les honneurs de la guerre. Obtenir les honneurs de la guerre :* bénéficier dans une capitulation de conditions stipulant que la garnison qui se rend se retirera libre de la place, avec armes et bagages. — Fig. *Sortir d'un procès, d'une discussion avec les honneurs de la guerre,* en sortir dans des conditions flatteuses, avec des satisfactions d'amour-propre, sans rien perdre de sa dignité (→ Battre, cit. 46).

103 (...) les mêmes corrects soldats à turban rouge, qui rendent les honneurs, qui présentent les armes (...)
LOTI, l'Inde (sans les Anglais), III, VII.

104 Quand il entendit les légionnaires s'aligner dans la cour, pour rendre les honneurs, sa pensée s'affola.
P. MAC ORLAN, la Bandera, XV.

(1552). Littér. *Honneurs funèbres, suprêmes ;* absolt (1642), *honneurs,* ceux qui sont rendus lors des funérailles (→ Après, cit. 17). — *Les honneurs de la sépulture, du cercueil, du bûcher* (cit. 1). *Rendre des honneurs solennels aux restes, à la dépouille de qqn.*

105 Jetez les yeux de toutes parts : voilà tout ce qu'a pu faire la magnificence et la piété pour honorer un héros ; des titres, des inscriptions (...) des figures qui semblent pleurer autour d'un tombeau, et des fragiles images d'une douleur que le temps emporte avec tout le reste ; des colonnes qui semblent vouloir porter jusqu'au ciel le magnifique témoignage de notre néant : et rien enfin ne manque dans tous ces honneurs, que celui à qui on les rend.
BOSSUET, Oraison funèbre du Prince de Condé.

106 Son époux en cherchait le corps
Pour lui rendre, en cette aventure,
Les honneurs de la sépulture.
LA FONTAINE, Fables, III, 16.

107 Chez les anciens, le cadavre du pauvre ou de l'esclave était abandonné presque sans honneurs ; parmi nous, le ministre des autels est obligé de veiller au cercueil du villageois comme au catafalque du monarque.
CHATEAUBRIAND, le Génie du christianisme, IV, I, XII.

108 Dom Augustin, le prieur défunt, aura, en habit de cordelier, les honneurs de la chapelle ardente (...)
Aloysius BERTRAND, Gaspard de la nuit, Un rêve.

109 (...) on a travesti la cathédrale en domino noir, et on a planté sur ses deux respectables tours deux espèces d'étendards noirs supportés par des bâtons. Voilà le goût des hommes et ce qu'on appelle rendre les honneurs aux grands.
FLAUBERT, Correspondance, 64, 1er août 1842, t. I, p. 113.

(1672, Mme de Sévigné). Anciennt. *Avoir les honneurs du Louvre,* certains privilèges, comme celui d'entrer à cheval ou en carrosse dans la cour du Louvre.

Vén. *Faire les honneurs du pied,* à la chasse (cit. 3) : offrir le pied de la bête à la personne qu'on veut honorer.

109.1 (...) on avait prié, puis sommé le prince de céder vivante sa capture : il s'y était refusé, encore qu'on lui offrît les honneurs du pied, en raison de ses principes religieux.
Paul MORAND, Bouddha vivant, p. 131.

Admettre aux honneurs de la séance : inviter à la séance qqn qui ne fait pas partie de l'assemblée. *Peintre désirant obtenir les honneurs de la cimaise* (cit. 1). *Avoir les honneurs de la première page :* être cité, mentionné à la première page d'un journal. *Jouir des honneurs du fauteuil* (cit. 6) *dans une académie.*

Faire (à qqn) les honneurs d'une maison, du logis : recevoir des hôtes avec politesse et avec le souci de leur être agréable, en les introduisant et les guidant soi-même. ⇒ **Accueillir** (→ Assemblée, cit. 1 ; entracte, cit. 1). *Faire à qqn les honneurs de la table :* présider au repas en hôte attentif.

110 (...) je vais faire pour vous, mon père, les honneurs de votre logis, et conduire Madame dans le jardin, où je ferai porter la collation.
MOLIÈRE, l'Avare, III, 9.

111 Parmi ceux qui lui faisaient les honneurs de la ville, il y avait un petit abbé périgourdin, l'un de ces gens empressés, toujours alertes, toujours serviables, effrontés, caressants, accommodants, qui guettent les étrangers à leur passage, leur content l'histoire scandaleuse de la ville, et leur offrent des plaisirs à tout prix. Celui-ci mena d'abord Candide et Martin à la comédie.
VOLTAIRE, Candide, XXII.

112 S'il est un rôle noble et bien digne d'envie
Un agréable emploi dans le cours de la vie,
C'est celui d'un mortel qui fait en sa maison
Les honneurs de la table en digne Amphitryon.
BERCHOUX, la Gastronomie, Chant III.

Faire à qqn les honneurs de... : faire visiter, conduire (lorsqu'on a autorité pour le faire.)

112.1 (...) son chef de cabinet, M. Bouvet, nous fera les honneurs du pays.
GIDE, Voyage au Congo, *in* Souvenirs, Pl., p. 717.

Fig. (métaphore d'origine précieuse). Vx. *Faire les honneurs de qqn, de qqch.,* les présenter, les montrer en se mettant en frais.

113 Faisons bien les honneurs au moins de notre esprit.
MOLIÈRE, les Femmes savantes, III, 3.

♦ **2.** (xe, saint Léger, « office, charge » ; « possession, fief », 1080, *Chanson de Roland*). Absolt. **LES HONNEURS,** titres, dignités, charges, privilèges, décorations qui confèrent de la distinction, qui sont appréciés dans la société. ⇒ **Grandeur** (→ Bénéfice, cit. 8 ; éminent, cit. 4 ; fortune, cit. 6 ; grand, cit. 46). *Rechercher, briguer les honneurs, aspirer aux honneurs, être avide d'honneurs.* ⇒ **Ambition** (cit. 1 et 8). *Soif d'honneurs. Conférer, dispenser les honneurs* (→ Envie, cit. 23 ; faire, cit. 19). *Être dépouillé de ses honneurs* (→ Grandesse, cit. 2). *Être élevé aux honneurs, parvenir au comble, au sommet des honneurs, aux plus grands honneurs. Être chargé, comblé d'honneurs* (→ Accabler, cit. 23). *Route qui mène aux honneurs* (→ Battre, cit. 90 ; consentir, cit. 5). *Ne pas confondre l'honneur et les honneurs* (→ Échanger, cit. 4 ; foisonner, cit. 2). *« Les honneurs déshonorent »* (cit. 5, Flaubert). *Vanité des honneurs* (→ Appareil, cit. 6).

114 Honteux attachements de la chair et du monde
Que ne me quittez-vous quand je vous ai quittés ?
Allez, honneurs, plaisirs, qui me livrez la guerre.
CORNEILLE, Polyeucte, IV, 2.

115 Lorsqu'on se voit tout d'un coup élevé aux places les plus importantes, et que je ne sais quoi nous dit dans le cœur qu'on mérite d'autant plus de si grands honneurs, qu'ils sont venus à nous comme d'eux-mêmes (...)
BOSSUET, Oraison funèbre de Michel Le Tellier.

116 L'ambition n'était cependant pas de notre âge, et l'avide curée qui se faisait alors des positions et des honneurs nous éloignait des sphères d'activité possibles.
NERVAL, les Filles du feu, « Sylvie », I.

117 Il dédaigne les honneurs, refuse les croix, et réussit à rendre cette modestie plus décorative que toutes les décorations.
A. MAUROIS, la Terre promise, XXXI.

118 Ceux qui refusent les honneurs sont encore plus orgueilleux, les plus enragés de distinction. Ils réclament l'honneur de mépriser les honneurs.
G. DUHAMEL, Chronique des Pasquier, VI, IX.

♦ **3.** Spécialt (retour au sens du lat. *cursus honorum* « carrière des honneurs », hiérarchie des magistratures et fonctions publiques). Dignités d'une carrière, positions dans une hiérarchie. *Les honneurs militaires et civils* (→ Aristocratie, cit. 1). *Les premiers honneurs militaires* (→ Capitaine, cit. 2). *Charges* (cit. 17) *et honneurs ecclésiastiques.*

119 (...) on y élevait aux honneurs et aux dignités des gens de basse naissance (...)
MONTESQUIEU, l'Esprit des lois, XXX, XXV.

120 Pour n'avoir plus les honneurs gothiques et ridicules des fiefs, devenus un non-sens, ils n'étaient pas descendus. Presque partout, avec une déférence aveugle, on leur avait donné les vrais honneurs du citoyen, dont la plupart n'étaient guère dignes, les premières places des municipalités, les grades de la garde nationale.
MICHELET, Hist. de la Révolution franç., IV, I.

Pièces et insignes honorifiques, essentiels à la célébration de grandes cérémonies.

121 Quatre maréchaux portent les *honneurs :* Sérurier, l'anneau ; Moncey, la corbeille qui recevra le manteau ; Murat, le coussin d'or où repose la couronne ; Lefebvre, le sceptre (...)
Louis MADELIN, Hist. du Consulat et de l'Empire, Avènement de l'Empire, XV.

122 Du Poirat énuméra alors les honneurs du prince impérial, le chrémeau, le cierge, la salière, et les honneurs du parrain et de la marraine, le bassin, l'aiguière, la serviette ; tous ces objets étaient portés par des dames du palais.
ZOLA, Son Excellence Eugène Rougon, t. I, p. 115.

C. (1690). Aux cartes. Les cartes les plus hautes à certains jeux (notamment au bridge). ⇒ **Figure.** *Avoir tous les honneurs à trèfle, en main. Marquer cent d'honneurs. Jouer honneur sur honneur :* couvrir l'honneur jeté par l'adversaire en jouant un honneur supérieur. *Points d'honneurs,* comptés par addition des points attribués conventionnellement à chaque honneur.

CONTR. Avilissement, déshonneur, discrédit, flétrissure, honte, infamie, opprobre. — Improbité, malhonnêteté. — Humiliation, vexation.
COMP. Déshonneur.

HONNIR [ɔniʀ] v. tr. — 1080, *honir, Chanson de Roland ;* du francique **haunjan* (cf. all. *höhnen*), dér. **haunita.* → Honte.

♦ **1.** Vieilli ou littér. Dénoncer, vouer à la détestation et au mépris publics de façon à couvrir de honte*. ⇒ **Ahonter** (vx), **blâmer, conspuer, mépriser, vilipender, vomir, vouer** (à l'aversion, à l'opprobre, aux gémonies). *Les révolutionnaires avaient honni, vitupéré, anathématisé* (cit. 2) *les émigrés.* — Passif. *Un milieu aigri* (cit. 17) *où le gouvernement était honni. Il est honni partout, par tout le monde. Être honni par un adversaire dont on gêne* (cit. 15) *l'intérêt.*

1 Les académiciens qui s'attendaient à être sifflés, honnis, bafoués, n'osaient se montrer.
DIDEROT, Salon de 1767, *in* POUGENS.

2 Je suis quelquefois honni dans ma patrie ; les étrangers me consolent.
VOLTAIRE, Lettre à d'Argental, 3904, 8 juil. 1772.

3 Vous honnissez de pauvres créatures qui se vendent pour quelques écus à un homme qui passe (...)
BALZAC, la Femme de trente ans, Pl., t. II, p. 752.

4 — Vous allez aller comme vous êtes à l'enterrement de monsieur ? C'est une monstruosité à vous faire honnir par tout le quartier (...)
BALZAC, le Cousin Pons, Pl., t. VI, p. 769.

5 (...) à mesure que sa gloire *(de Sainte-Beuve)* monte et que son œuvre prend plus de place (...) un plus grand nombre d'exégètes, de critiques et de biographes se sont, ces dernières années, emparés de lui pour l'expliquer et le tirer à soi, décrier ses mœurs et son caractère, honnir l'homme, ou même lui dénier toute qualité de juge littéraire. Émile HENRIOT, les Romantiques, p. 212.

6 — Napoléon en Espagne (...) l'empereur, vêtu de son habit vert, passait à cheval en vainqueur au milieu d'habitants qui semblaient le honnir par leur attitude sourdement menaçante. Raymond ROUSSEL, Impressions d'Afrique, p. 166.

(Complément nom de chose) :

7 Nous entendons honnir, parfois, globalement toute une époque (...)
GIDE, Attendu que..., I.

Absolument :

8 — Attention! vous commencez vous-même à honnir, à proscrire.
GIDE, Attendu que..., II.

♦ **2.** Vx. ⇒ **Déshonorer.**

9 Quoi! ne tient-il qu'à honnir des familles?
Pour vos ébats nous nourrirons nos filles! LA FONTAINE, Contes, « Le berceau ».

▶ **HONNI, IE** p. p. adj. (V. 1270). *Honni et cloué* (cit. 6) *au pilori. Honni et excommunié* (cit. 5).

Honni soit celui qui... (→ Carence, cit. 1). **HONNI SOIT QUI MAL Y PENSE!** : honte à celui qui y voit du mal. — REM. Cette formule (enregistrée par Furetière, 1690), qui a d'abord été la devise de l'ordre de la Jarretière en Angleterre, s'emploie avec ironie pour blâmer ceux qui pourraient voir une allusion scabreuse dans les actes ou les propos les plus honnêtes.

10 Il ne prit ni cocher, ni groom, ni gouvernante,
Mais (honni soit qui mal y pense!) une servante.
A. DE MUSSET, Premières poésies, « Mardoche », X.

11 Le dîner n'est pas le dernier repas des voraces Anglo-Saxons. Ils ont encore le souper, où réapparaissent le thé et les viandes froides; on y sert aussi les confitures. Tout cela est prévu, calculé, et malheur à l'infidèle qui voudrait intervertir cette rigoureuse discipline. D'un bout à l'autre du Royaume-Uni, il serait poursuivi, vilipendé, et on lui appliquerait le dicton national : *Honni soit qui mal y pense!*
M. L. SIMONIN, Un voyage aux mines de Cornouailles, *in* le Tour du monde, 1865, t. I, p. 360.

CONTR. Louer. — Encenser. — (Du sens 2) Honorer.

HONORABILITÉ [ɔnɔʀabilite] n. f. — 1845, *onnorabilité;* attestation isolée, mil. XVe; « honneur », fin XIIIe; réfection de l'anc. franç. *honorableté* du XIIIe au XVIe (de *honorable*); lat. *honorabilitas,* de *honorabilis.* → Honorable.

♦ **1.** Littér. ou style soutenu. Qualité d'une personne honorable. *Une femme, un homme d'une parfaite honorabilité. Son honorabilité n'est pas en cause.* ⇒ **Honneur, respectabilité.** « *Les apparences de l'honorabilité* » (Goncourt, *in* T. L. F.). *Suspecter, mettre en doute l'honorabilité de qqn.*

Spécialt et vieilli. Caractère, état d'une femme honnête* (I., 1., b).

♦ **2.** Rare. Par métonymie. Personne honorable (Baudelaire, *in* T. L. F.).

HONORABLE [ɔnɔʀabl] adj. — Déb. XIIe; lat. *honorabilis,* de *honorare.* → Honorer.

★ **I. A.** Qualifié n. de personne. ♦ **1.** Qui mérite d'être honoré, estimé. ⇒ **Digne, estimable, respectable.** *Une famille honorable, des plus honorables* (→ Étranger, cit. 42). *Né de parents honorables. C'est un homme parfaitement honorable,* plein d'honnêteté, de probité. *Un honorable commerçant.*

1 (...) ce n'est pas grand-chose que d'être honoré, puisque cela ne signifie pas qu'on soit honorable. MARIVAUX, la Double Inconstance, I, 10.

2 Reste monsieur le maire, reste honorable et honoré, enrichis la ville, nourris des indigents, élève des orphelins, vis heureux et admiré (...)
HUGO, les Misérables, I, VII, III.

2.1 M. de Charlus enfin avait encore des raisons plus particulières d'être ce germanophile. L'une était qu'homme du monde, il avait beaucoup vécu parmi les gens du monde, parmi les gens honorables, parmi les hommes d'honneur, les gens qui ne serreront pas la main à une fripouille : il connaissait leur délicatesse et leur dureté, il les savait insensibles aux larmes d'un homme qu'ils font chasser d'un cercle ou avec qui ils refusent de se battre, dût leur acte de « propreté morale », amener la mort de la mère de la brebis galeuse.
PROUST, le Temps retrouvé, Pl., t. III, p. 776.

♦ **2.** Vx. ⇒ **Noble.** — Loc. *L'honorable compagnie.*

3 Je donne le bon vêpres à toute l'honorable compagnie (...)
MOLIÈRE, la Comtesse d'Escarbagnas, 6.

(Mil. XIIIe). Vx. *Honorable homme, honorable bourgeois,* qualité que se donnaient de petites gens qui n'avaient pas d'autre titre, notamment dans les actes d'état civil.

4 *(Ma bonté)* Qui de ce vil état de pauvre villageoise
Vous fait monter au rang d'honorable bourgeoise.
MOLIÈRE, l'École des femmes, III, 2.

5 Veut-on (...) qu'il fasse de son père un *Noble homme,* et peut-être un *Honorable homme,* lui qui est *Messire?* LA BRUYÈRE, les Caractères, VI, 21.

♦ **3.** (Av. 1850; Hugo, *Correspondance,* 1829, *in* T. L. F.; angl. *honourable,* terme de politesse dans le langage parlementaire). En parlant d'un député, d'un parlementaire. *Mon honorable collègue. L'honorable Monsieur Un Tel.* « *L'honorable préopinant* » (Académie). *L'honorable orateur qui m'a précédé à cette tribune. Je répondrai à mon honorable contradicteur...*

En 1792, M. Burke se sépara de M. Fox. Il s'agissait de la Révolution française que M. Burke attaquait et que M. Fox défendait... Toute la Chambre fut émue (...) quand M. Burke termina sa réplique par ces paroles : « Le très honorable gentleman, dans le discours qu'il a fait, m'a traité à chaque phrase avec une dureté peu commune (...) » CHATEAUBRIAND, Mémoires d'outre-tombe, t. II, p. 159. 6

Messieurs les jurés (...) Vous connaissez tous, au moins de réputation, l'honorable M. Madeleine, maire de Montreuil-sur-Mer. HUGO, les Misérables, I, VII, XI. 7

N. m. (anglic.). Vx. Député, parlementaire.

Jupien tenait à accompagner sa sortie pour témoigner de la déférence qu'il portait à la qualité d'honorable, sans aucun intérêt personnel d'ailleurs. Car bien que ce député, qui répudiait les exagérations de l'Action Française (il eût d'ailleurs été incapable de comprendre une ligne de Charles Maurras ou de Léon Daudet), fût bien avec les ministres (...) PROUST, le Temps retrouvé, Pl., t. III, p. 816. 7.1

B. (Mil. XVIe). Qualifié n. de chose. ♦ **1.** Qui honore, qui attire la considération, le respect, qui sauvegarde l'honneur, la dignité. ⇒ **Beau.** *Une grande et honorable alliance* (cit. 7). *Poste, profession, emploi, rang, titre, condition honorable* (→ Comédien, cit. 1). *Capituler* (cit. 5) *à des conditions honorables. Action, occupation honorable* (→ Esprit, cit. 49). *Sentiments honorables* (→ Cacher, cit. 41; flétrir, cit. 11). ⇒ 1. **Bon.** *Vie grave* (cit. 11), *noble et honorable.* ⇒ **Digne.** *Gagne-pain* (cit. 2) *honorable. Une fin, une vieillesse honorable* (→ Couronner, cit. 12). « *On lui donna la place la plus honorable* » (Académie). *Classement, rang très honorable.*

Je suis de cet avis, que la plus honorable vacation *(occupation)* est de servir au public et être utile à beaucoup. MONTAIGNE, Essais, III. 8

La vertu plus honorable que les dignités et les triomphes.
RACINE, Livres annotés, Plutarque, Vie de Tibérius... 9

(...) le XVIIIe siècle a prouvé que l'on peut allier les plus laides doctrines avec la conduite la plus pure et le caractère le plus honorable.
RENAN, l'Avenir de la science, V, Œ. compl., t. III, p. 808. 10

(...) il y a manque de convenance mutuelle entre le mariage, qui est un état honorable, et la jouissance de la chair, qui est péché.
J. ROMAINS, les Hommes de bonne volonté, t. V, XXVI, p. 268. 11

— Je regrette cette décision. Tu compromets ta carrière par un scrupule honorable, mais déplacé. J. CHARDONNE, les Destinées sentimentales, p. 146. 12

Je m'appelle Méjan de Mégremut. C'est là un nom assez honorable pour qu'il garantisse à lui seul ma bonne foi. H. BOSCO, le Jardin d'Hyacinthe, p. 9. 13

S'il avait accepté l'offre qui lui était faite, ce fut pour des raisons honorables et, si l'on peut dire, par fidélité à un idéal. CAMUS, la Peste, p. 57. 14

C'est plus honorable, moins honorable (→ Arquebuser, cit. 1). *Je n'estime pas, j'estime* (cit. 8) *peu honorable de* (et infinitif).

Il m'est sans doute très honorable de me voir à la tête de cette célèbre Compagnie (...) RACINE, Disc. à l'Académie, Réception de l'abbé Colbert. 15

Mention très honorable donnée à une thèse.*

♦ **2.** (1690). Blason. *Pièces honorables de l'écu* (cit. 2) : pièces principales, pouvant occuper le tiers du champ. Syn. : *pièce de premier ordre.*

★ **II.** (Déb. XVIIe, d'Aubigné). Sens affaibli. ⇒ **Convenable, honnête, moyen, suffisant.** *Avoir une fortune honorable. Elle a eu, malgré les embarras de sa famille, une dot honorable. Obtenir des résultats non pas brillants, mais honorables. Dissertation à peine honorable.* ⇒ **Acceptable.**

(...) la taxe proposée par Caillaux pouvait sembler le résultat plus qu'honorable d'une campagne menée avec énergie.
J. ROMAINS, les Hommes de bonne volonté, t. IV, XI, p. 119. 16

CONTR. Déshonoré, infâme; aveu (sans); avilissant, déshonorant, honteux, infamant.
DÉR. Honorabilité, honorablement.

HONORABLEMENT [ɔnɔʀabləmɑ̃] adv. — V. 1175; de *honorable.*

♦ **1.** D'une manière honorable, avec honneur. *Se conduire, vivre, agir honorablement.* ⇒ 1. **Bien.** *Gagner honorablement sa vie* (→ 2. Air, cit. 3). « *Parler honorablement de quelqu'un* » (Académie). ⇒ **Avantageusement.** *Honorablement connu dans le quartier. Il a été reçu fort honorablement.* ⇒ **Dignement.**

(...) il m'a traité plus honorablement. MOLIÈRE, les Femmes savantes, III, 3. 1

(...) il vient d'entrer dans l'Université, ce qui le met à même de gagner honorablement sa vie. Alphonse DAUDET, le Petit Chose, I, IV. 2

REM. De nos jours, cet exemple serait plutôt compris au sens 2.

♦ **2.** D'une manière suffisante, convenable. *S'acquitter honorablement de ses fonctions.* « *Un garçon travaillant honorablement, qui s'applique* » (Goncourt, *Journal,* 1866, *in* T. L. F.). *Avoir de quoi vivre honorablement. — Il a joué honorablement, sans plus.* ⇒ **Honnêtement** (3.). *L'équipe a tenu sa place honorablement dans le championnat.*

CONTR. Honteusement, mal.

1. HONORAIRE [ɔnɔʀɛʀ] adj. — 1496, au sens 2; lat. jurid. *honorarius* « qui est à titre honorifique », en lat. class. « honorable », de *honos, oris.* → Honneur.

♦ **1.** (XVIIe). Qui, ayant cessé d'exercer une fonction, en garde le titre et les prérogatives honorifiques. ⇒ **Émérite** (vx ou belgic.). *Conseil-*

ler, inspecteur honoraire. Recteur, professeur honoraire. Le titre d'honoraire est généralement conféré aux retraités par le Ministre.

Par plaisanterie :

Et toi, Crispin, travailles-tu toujours? — Non, je suis, comme toi, un fripon honoraire. A.-R. LESAGE, Crispin rival..., II.

♦ **2.** (1496). Qui, sans exercer la fonction, en a le titre honorifique. *Président, membre honoraire d'une société.* ⇒ **Honneur** (d'). *Chanoine honoraire. — Présidence honoraire.*

CONTR. Onéraire (vx).
DÉR. Honorariat.
HOM. 2. **Honoraire** (s).

2. HONORAIRE [ɔnɔʀɛʀ] n. m., HONORAIRES [ɔnɔʀɛʀ]

n. m. pl. — 1592, au sing. : lat. jurid. *honorarium,* neutre substantivé de l'adj. *honorarius.* → 1. Honoraire.

♦ **1.** (1592). Au sing. Vx. Rétribution honorable.

1 Pour honorer une profession au-dessus des arts mécaniques, on donne à un homme de cette profession un honoraire, au lieu de salaire et de gages qui offenseraient son amour-propre. VOLTAIRE, Dict. philosophique, Honneur.

Honoraires (→ ci-dessous, cit. 3).

♦ **2.** (1747, Voltaire). Au plur., ou, vx, au sing. Rétribution accordée en échange de leurs services aux personnes exerçant une profession libérale. ⇒ **Appointement, émolument.** *Les honoraires d'un médecin* (cit. 9), *d'un avocat, d'un avoué, d'un notaire* (⇒ **Vacation**), *d'un expert, d'un auteur* (s'il s'agit d'un travail ne comportant pas de droits d'auteur*). *Les honoraires d'un curé. Honoraires variables, à la tâche; honoraires au forfait. Honoraires fixes, réguliers. Demander, recevoir, toucher des honoraires. — Note d'honoraires. Partage d'honoraires.* ⇒ **Dichotomie.**

2 Le grand desterham de Babylone envoya ici (...) un petit satrape pour me faire étrangler (...) je lui demandai ce que pouvait lui valoir la commission de m'étrangler. Il me répondit que ses honoraires pouvaient aller à trois cents pièces d'or. VOLTAIRE, Zadig, XVI (1747).

3 L'honoraire est ce que le client doit, en sus des frais, à son avoué pour la conduite plus ou moins habile de son affaire. Le Fisc est pour moitié dans les frais, tandis que les honoraires sont tout entiers pour l'avoué. BALZAC, Illusions perdues, Pl., t. IV, p. 914.

4 (...) vous m'obligeriez beaucoup en me comptant mes honoraires. BALZAC, César Birotteau, Pl., t. V, p. 465.

5 (...) il demandait au médecin des nouvelles de ses malades, et celui-ci le consultait sur la probabilité des honoraires. FLAUBERT, Mme Bovary, II, IV.

6 (...) les avoués, pour corser leurs notes d'honoraires, ajoutent aux dossiers de leurs clients des conclusions sur papier timbré qui sont taxées fort cher. G. DUHAMEL, Salavin, I, XVIII.

7 Je suis donc d'avis (...) d'imputer sur nos dépenses annuelles des honoraires fixes (...) J. ROMAINS, les Hommes de bonne volonté, t. V, XXII, p. 189.

HOM. 1. **Honoraire.**

HONORARIAT [ɔnɔʀaʀja] n. m. — 1836 (1841, *in* T. L. F.); de

1. *honoraire,* sur le modèle de *notariat.*

Didactique, aministration.

♦ **1.** Qualité, dignité* de celui qui conserve un titre après avoir cessé d'exercer la fonction correspondante. *Conférer, obtenir l'honorariat. Officier de réserve rayé des cadres mais bénéficiant de l'honorariat de son grade.*

♦ **2.** Titre accordé à certains fonctionnaires méritants lors de leur admission à la retraite. ⇒ aussi (en Belgique) **Éméritat** (2.).

HONORÉ, ÉE [ɔnɔʀe] adj. ⇒ Honorer.

HONORER [ɔnɔʀe] v. tr. — xe; lat. *honorare,* de *honos, honoris.*

→ Honneur.

A. ♦ **1.** (Compl. n. de personne). Procurer de l'honneur à..., mettre en honneur. ⇒ **Honneur,** II. — (Sujet n. de personne). *Un grand homme qui honore son pays, son siècle. Honorer son état* (cit. 78), *sa profession* (→ cit. 1 et 5). — (Sujet n. de chose). *Cette conduite vous honore. Ce sont des sentiments, des scrupules qui l'honorent. Votre générosité vous honore* (→ Cause, cit. 55). *Un monument qui honore la France* (→ Encyclopédie, cit. 3).

1 (...) aux temps les plus féconds en Phrynés, en Laïs,
Plus d'une Pénélope honora son pays (...) BOILEAU, Satires, X.

2 Presque tous les ouvrages qui honorèrent ce siècle *(de Louis XIV)* étaient dans un genre inconnu à l'antiquité. VOLTAIRE, le Siècle de Louis XIV, XXXII.

3 Cette franchise vous honore et prouve que vous êtes une femme pratique. MAUPASSANT, Bel-Ami, I, V, p. 102.

4 L'abondance, quand elle vient tard dans la vie d'un homme, reste un peu clandestine. Elle réjouit, mais n'honore pas. COLETTE, l'Étoile Vesper, p. 68.

5 *(Pasteur parlant de son père)* il savait bien que c'est l'homme qui honore sa position, et non la position qui honore l'homme (...) Henri MONDOR, Pasteur, IV.

♦ **2.** Rendre honneur à..., traiter avec beaucoup de respect et d'égards.

[a] (Le compl. désigne une personne, un groupe...). *Adorer* (cit. 2) *Dieu et honorer les saints.* ⇒ **Célébrer; culte.** *Honorer son père et sa mère* (→ Anaphore, cit.), *les gens de bien* (→ Captieux, cit. 2). *Honorer les rois, les grands* (→ Avantage, cit. 3; brocatelle, cit. 1; emprunter, cit. 24). *Honorer qqn à l'égal d'un dieu.* ⇒ **Déifier.** *On honore souvent d'habiles fripons* (→ Délit, cit. 5). *Honorer en qqn une collectivité, une nation. C'est trop honorer ces gens-là que de faire attention* (cit. 15) *à leurs procédés.* — Au passif. *Être honoré par, de* (qqn, un groupe).

(...) parce que ce peuple m'honore des lèvres, mais que son cœur est bien loin de moi (...) PASCAL, Pensées, XI, 713. 6

M. Newton était honoré de son vivant, et l'a été après sa mort comme il devait l'être (...) VOLTAIRE, Lettres philosophiques, XXIII. 7

On eût voulu, dans la personne de cet homme vénérable, honorer tant de générations héroïques indignement méconnues, rabaissées pendant leur vie (...) MICHELET, Hist. de la Révolution franç., III, VI. 8

De tout temps et dans toutes les sociétés, l'homme a voulu honorer ses dieux par des fêtes (...) FUSTEL DE COULANGES, la Cité antique, p. 183. 9

Avaler toutes ces grossièretés en public avec un habit vert sur le dos, une épée au côté et un tricorne à la main, cela s'appelle être honoré. FLAUBERT, Correspondance, 823, 30 mai 1852, t. II, p. 425. 10

[b] (Compl. n. de chose). *Honorer la mémoire de qqn* (→ Côté, cit. 41; gentilité, cit. 1). *Honorer en qqn l'autorité du roi* (→ Carton, cit. 1). *Honorer le tombeau, les restes, la dépouille de qqn* (→ Cérémonie, cit. 2; cyclopéen, cit. 1). *Célébrer et honorer les vertus d'un illustre défunt* (→ Funérailles, cit. 2). ⇒ **Célébrer, encenser, glorifier, saluer.**

(...) je vous invite ce soir à mes noces. — Je n'y manquerai pas, et je veux y aller en masque, afin de les mieux honorer. MOLIÈRE, le Mariage forcé, 1. 11

(...) quelques-uns ont prétendu qu'ils (*les Anglais*) avaient affecté d'honorer à ce point la mémoire de cette actrice, afin de nous faire sentir davantage la barbare et lâche injustice qu'ils nous reprochent d'avoir jeté à la voirie le corps de mademoiselle Lecouvreur. VOLTAIRE, Lettres philosophiques, XXIII. 12

(...) on voulait honorer cette vie pure dans une carrière facile aux entraînements, cette vertu modeste devant laquelle se taisait la médisance, cet amour de l'art et du travail, qui ne demandait de séductions qu'à la danse seule (...) Th. GAUTIER, Portraits contemporains, Emma Livry. 13

Ces attentions s'adressaient au mari de Nathalie, au maître de la maison, dont on honorait la présence (...) J. CHARDONNE, les Destinées sentimentales, p. 162. 14

Allusion littéraire :

Non, il n'est rien que sa vertu (*celle de Nanine*) n'honore. VOLTAIRE, Nanine, III, 8 (→ Allitération). 15

[c] (Dans le langage de la politesse). Vieilli (sauf au passif et p. p.). *C'est m'honorer beaucoup de vouloir que...* (→ Entrevue, cit. 1), c'est me faire beaucoup d'honneur.

— Monsieur Jourdain (...) dit qu'il est ravi de vous voir chez lui. 16
— Il m'honore beaucoup. MOLIÈRE, le Bourgeois gentilhomme, III, 16.

[d] *Honorer qqn de...* (le compl. en *de* précisant l'honneur que l'on accorde, distinction, grâce, faveur...). ⇒ **Gratifier.** — (Sujet n. de personne). *« Vous honorez du titre de sage un homme qui le mérite bien peu »* (Académie). *Il veut bien m'honorer de sa confiance, de son amitié, de sa protection, de son attention* (→ 1. Frayer, cit. 14). *Elle n'a pas daigné l'honorer du moindre regard, d'un mot de réponse. Des choses qu'on ne doit pas honorer du nom d'art* (cit. 57). — (Dans le langage de la politesse). *La lettre dont votre Majesté m'honore* (→ Esprit, cit. 65).

(...) ayant été honoré de l'honneur de sa confidence (...) SCARRON, le Roman comique, I, XVI. 17

(...) une tragédie qui a été honorée de tant de larmes (...) RACINE, Bérénice, Préface. 18

Honore d'un regard ton épouse fidèle (...) VOLTAIRE, Tancrède, V, 6. 19

Moi, j'honore du nom de vertu l'habitude de faire des actions pénibles et utiles aux autres. STENDHAL, De l'amour, LVII. 20

Vous m'avez toujours honoré de tant de bontés, vous m'avez habitué à apprécier si haut votre amitié et votre estime, que la moindre idée de démériter dans votre esprit m'effraie et me fait peine (...) SAINTE-BEUVE, Correspondances, 23, 7 févr. 1825, t. I. p. 62. 21

Honoré de la confiance de mon client, je fus chargé par lui de dresser le catalogue et de diriger la vente, qui aura lieu le 24 décembre prochain. FRANCE, le Crime de S. Bonnard, Œ., t. II, p. 328. 22

(Sujet n. de chose, l'honneur accordé étant sujet du verbe). *Un applaudissement* (cit. 10) *qui nous honore. Votre confiance m'honore.*

♦ **3.** (1580, Montaigne). Tenir en haute estime. ⇒ **Estimer, respecter, révérer.** *Admirer et honorer les grands caractères* (cit. 62). *Une estimation* (cit. 5) *trompeuse qui fait honorer des talents pernicieux. Honorer les professions les plus modestes* (→ Exercer, cit. 36). *« J'honore son mérite et sa vertu »* (Académie).

Avec tout l'univers j'honorais vos vertus (...) RACINE, Bérénice, I, 4. 23

Elle a le noble orgueil du mérite qui se sent, qui s'estime et qui veut être honoré comme il s'honore. ROUSSEAU, Émile, V. 24

l'illustre profession de savetier, que j'honore à l'égal de la profession de monarque constitutionnel (...) Th. GAUTIER, Mlle de Maupin, Préface, p. 27. 25

(Formule de politesse, particulièrement dans une lettre). Rare. *« Croyez que personne ne vous honore plus que moi »* (Académie).

Dites à Madame de Ventadour combien je l'honore. Mme DE MAINTENON, Lettre à Mme de St-Géran, 27 août 1704, *in* LITTRÉ. 26

♦ **4.** (Euphémisme plaisant, d'origine petite-bourgeoise; → Hommage, 2., c). *Honorer sa femme,* avoir des relations sexuelles avec elle.

Le fabricant de chaussures arriva dans l'après-midi. Il venait deux fois par mois à Paris pour ses affaires et il en profitait pour tromper sa femme; c'était une créature contrariante, qui voulait être honorée deux fois par semaine, et lui, il ne pouvait pas. M. AYMÉ, Maison basse, p. 148. 26.1

B. (1723). Comm. ♦ **1.** (Compl. n. de chose). Acquitter, payer afin de faire honneur à un engagement. *Honorer une lettre de change. Honorer un ticket de ravitaillement, un bon-matière,* livrer la marchandise à laquelle ils donnent droit. — Par ext. *Honorer sa signature.*

27 Que les particuliers continuent éternellement d'honorer leurs signatures lorsque les maîtres du monde renient la leur, il faut l'immense frivolité des bien-pensants pour le croire. BERNANOS, les Grands Cimetières sous la lune, p. 329.

♦ **2.** (Rare). Compl. n. de personne. Payer (un médecin, un avocat...), lui régler ses honoraires*.

28 La médecine, c'est ingrat. Quand on se fait honorer par les riches, on a l'air d'un larbin, par les pauvres on a tout du voleur.
CÉLINE, Voyage au bout de la nuit, p. 241.

▶ **S'HONORER** v. pron.

♦ **1.** Réfl. S'attirer de l'honneur, de la considération. *Il s'est honoré par cette action.*

29 (...) le nom de Vauvenargues a grandi peu à peu, sa noble et aimable figure s'est de mieux en mieux dessinée aux yeux de la postérité. Les esprits les plus distingués et les plus divers se sont honorés en s'occupant de lui.
SAINTE-BEUVE, Causeries du lundi, 18 nov., t. III, p. 123.

(Mil. XVIe). *S'honorer de...* : tirer honneur, orgueil, fierté de. ⇒ **Enorgueillir** (s'), **flatter** (se); **gloire** (se faire gloire). *S'honorer du titre de citoyen* (cit. 4). *Je m'honore de son estime. Je m'honore d'être son ami, d'être sous ses ordres.*

30 (...) s'honorer d'un regard
Que vous aurez sur eux fait tomber au hasard (...) RACINE, Britannicus, II, 2.

31 Et cette mère, qui s'honorait de se dire la serve de ma Seigneurie (...)
Valery LARBAUD, Barnabooth, Journal, p. 188.

(Péj.). Tirer vanité de... *S'honorer de ses titres, de ses richesses.* ⇒ **Targuer** (se).

32 Hélàs! qu'est devenu ce temps, cet heureux temps,
Où les rois s'honoraient du nom de fainéants. BOILEAU, le Lutrin, II.

♦ **2.** Récipr. *Quoique rivaux, ils se sont toujours honorés et estimés.*

▶ **HONORÉ, ÉE** p. p. adj. (V. 1050, «honorable»).

♦ **1.** *Un personnage honoré, souvent honoré.* — *Une mémoire honorée.*

(T. de politesse). *Mon honoré confrère, mon cher et honoré Maître.* ⇒ **Estimé.** — N. f. (1873; avec ellipse du mot *lettre*). *J'ai reçu votre honorée du 10 courant.*

(Politesse). *Très honoré.* ⇒ **Flatté.**

♦ **2.** Respecté. *Une famille estimée et honorée* (→ Alliance, cit. 3).

♦ **3.** *Signature honorée.*

CONTR. **Abaisser, avilir, blasphémer, déshonorer, diffamer, flétrir, honnir, mépriser, rabaisser.**

HONORIFIQUE [ɔnɔʀifik] adj. — 1488; lat. *honorificus,* de *honos, oris* «honneur», et *facere* «faire».

♦ **1.** Qui confère des honneurs (sans avantages matériels). *Titres, distinctions, privilèges honorifiques, purement honorifiques. Plaques, insignes honorifiques* (→ Crachat, cit. 3; étole, cit. 1). — Anciennt. *Droits honorifiques* : ensemble de droits à certains honneurs et distinctions, réservés aux seigneurs féodaux.

Ces hommes qui mettaient tant de temps, tant de pesanteur à discuter la Déclaration des droits (...) dès qu'on fit appel à leur désintéressement, répondirent sans hésitation; ils mirent l'argent sous les pieds, les droits honorifiques qu'ils aimaient plus que l'argent (...) MICHELET, Hist. de la Révolution franç., II, IV.

♦ **2.** (Formé sur le modèle des expressions *à titre onéreux, gratuit...*). *À titre honorifique :* sans autre droit, sans autre qualité qu'un titre purement honorifique. *Président à titre honorifique.* ⇒ **Honneur** (d'), 1. **honoraire.** *Docteur à titre honorifique.* ⇒ **Honoris causa.**

DÉR. **Honorifiquement.**

HONORIFIQUEMENT [ɔnɔʀifikmɑ̃] adv. — XVe; de *honorifique.*

♦ Rare. D'une manière honorifique.

HONORIS CAUSA [ɔnɔʀiskoza] loc. adj. et adv. — 1894; loc. lat. «pour l'honneur», de *causa,* à l'ablatif «pour cause de, en raison de», et génitif de *honos, oris.*

♦ *Docteur honoris causa,* à titre honorifique (titre conféré à d'éminentes personnalités que l'on veut ainsi honorer, bien qu'elles ne remplissent pas les conditions normalement exigées). *Homme d'État nommé docteur honoris causa de l'Université d'Oxford. Le prix Nobel est docteur honoris causa de nombreuses universités.*

HONTE ['ɔ̃t] n. f. — 1080, *hunte, Chanson de Roland;* du francique **haunipa, *haunita,* même rac. que *honnir**.

♦ **1.** Déshonneur humiliant. ⇒ **Abaissement** (cit. 5), **abjection, bassesse, dégradation, déshonneur, flétrissure, humiliation, ignominie, indignité, opprobre, turpitude.** *Couvrir qqn de honte publiquement.* ⇒ **Bafouer, dégrader, honnir.** *Jeter, semer la honte et l'opprobre sur qqn* (→ Calomniateur, cit. 6). *Cette action le couvre de honte* (→ Gratuitement, cit. 6). *Infliger, encourir, essuyer, recevoir la honte d'un affront*, d'une avanie, d'un démenti, d'une insulte* (⇒ **Flétrissure**). *Action qui cause de la honte, couvre qqn de honte.* — Vieilli. *Porter honte à qqn* (⇒ **Dégradant, honteux, humiliant, infamant**). — *Étaler sa honte* (→ Accouplement, cit. 2). *Avouer, pleurer sa honte. Cacher, enfermer* (cit. 8), *ensevelir* (cit. 16) *sa honte. Effacer* (cit. 6) *sa honte. S'éviter* (cit. 45) *une honte, la honte d'un affront.* — *La honte d'un crime,* qui s'attache à un crime (→ Affreux, cit. 2). *La honte du scandale*. La honte d'une situation infamante, de l'esclavage* (→ Épreuve, cit. 29). *Jours de misère et de honte* (→ Arriver, cit. 42).

Viens mon fils, viens mon sang, viens réparer ma honte (...) 1
CORNEILLE, le Cid, I, 5 (→ Honneur, cit. 1).

Le crime fait la honte et non pas l'échafaud. 2
Thomas CORNEILLE, le Comte d'Essex, IV, 3 (→ Crime, cit. 15, VOLTAIRE).

Suivons la nature, qui a donné aux hommes la honte comme leur fléau; et que la 3
plus grande partie de la peine soit l'infamie de la souffrir. Que, s'il se trouve des pays où la honte ne soit pas une suite du supplice, cela vient de la tyrannie, qui a infligé les mêmes peines aux scélérats et aux gens de bien.
MONTESQUIEU, l'Esprit des lois, VI, 12.

— Un éclat! ... non... mais le divorce... — Moi, publier ma honte! Quelques lâches 4
l'ont fait! c'est le dernier degré de l'avilissement du siècle. Que l'opprobre soit le partage de qui donne un pareil scandale (...)
BEAUMARCHAIS, la Mère coupable, III, 9, p. 468.

Songe que c'est avec ignominie qu'il te chassera de sa maison; tout Verrières, tout 5
Besançon parleront de ce scandale. On te donnera tous les torts; jamais tu ne te relèveras de cette honte (...) STENDHAL, le Rouge et le Noir, I, XIX.

(...) je n'ai pas voulu survivre à la honte d'une faillite. 6
BALZAC, Eugénie Grandet, Pl., t. III, p. 516.

(...) et ce sera le frisson de l'histoire 7
De voir à tant de honte aboutir tant de gloire!
HUGO, l'Année terrible, Janvier 1871, XIII.

(...) un larcin véniel (...) attire sur son auteur immanquablement l'opprobre for- 8
mel (...) le déshonneur automatique et la honte inexpiable (...)
CÉLINE, Voyage au bout de la nuit, p. 66.

Affront, humiliation. Vx. *Essuyer une honte, des hontes. Faire cent hontes, mille hontes à quelqu'un.* — (V. 1175). *Faire honte à qqn,* l'humilier (a aujourd'hui un autre sens; → ci-dessous, 3.).

(...) il me ferait cent hontes, cent opprobres devant tout le monde. 9
MOLIÈRE, le Médecin volant, 15.

La plus brillante fortune ne mérite point ni le tourment que je me donne (...) ni 10
les humiliations, ni les hontes que j'essuie (...)
LA BRUYÈRE, les Caractères, VIII, 66.

Il y a de la honte à (et inf.) : c'est une chose honteuse, vile.

(...) il y aurait de la honte à m'abandonner (...) FÉNELON, Télémaque, XII. 11

À la honte de qqn, en lui infligeant, en lui faisant souffrir un déshonneur. *À sa honte* (→ Courir, cit. 39; 2. farce, cit. 1), *à sa grande honte.* — Fig. *À la honte de l'humanité, de la raison...* (→ Esclavage, cit. 3).

(1690). *Être la honte de. De tels hommes sont la honte de l'humanité* (Académie). — (1866). *Faire la honte de... Sa mauvaise conduite a fait la honte de sa famille.*

Divorces et séparations si ordinaires aujourd'hui dans le monde, et que nous pou- 12
vons regarder comme la honte de notre siècle (...)
BOURDALOUE, Dominicains, 2e dimanche après l'Épiphanie, I.

(...) enfin il *(Galilée)* fut condamné, à la honte de la raison (...) 13
VOLTAIRE, Singularités de la nature, XXVI.

C'est une honte! Quelle honte! : c'est une chose honteuse*, qui soulève l'indignation. ⇒ **Scandale.** — Par exagér. ou plais. *On n'est pas enjôleur* (cit. 4) *à ce point; c'est une honte,* cela n'est pas permis, cela n'est pas admissible.

Une femme qu'on a reçue ici par charité, venir étaler ses velours et ses diamants 14
dans une voiture armoriée! N'est-ce pas une honte?
FRANCE, le Crime de S. Bonnard, Œ., t. II, p. 335.

(1837). Littér. *Honte à celui, à ceux qui...,* que le déshonneur, l'opprobre soit sur lui, sur eux. Fig. *Honte à la méchanceté, à la guerre.*

Honte à qui peut chanter pendant que Rome brûle (...) 15
LAMARTINE, Recueillements poétiques, «À Némésis».

Honte à toi qui la première 16
M'a appris la trahison (...)
A. DE MUSSET, Poésies nouvelles, «La nuit d'octobre».

(...) Honte au mensonge et silence à la haine 17
Qui bave sur l'honneur de mes quatre-vingts ans!
LECONTE DE LISLE, Poèmes tragiques, «L'apothéose de Mouça-al-Kébyr».

♦ **2.** (1611). Sentiment pénible d'infériorité, d'indignité devant sa propre conscience, ou d'humiliation devant autrui, d'abaissement dans l'opinion des autres (sentiment du déshonneur*). ⇒ **Confusion, dégoût** (de soi), **humiliation.** *La souffrance, les souffrances, les douleurs de la honte* (→ Aigu, cit. 11). *Honte et regret*, et remords, et repentir*.* — Exclam. *Quelle honte! C'est la honte!*

(...) il arrive que l'on ait honte simplement par crainte de l'opinion défavorable 18
d'autrui — c'est l'aspect «vain» de la honte; la honte véritable comporte la révélation sincère de notre bassesse ou de notre incapacité; elle est l'expérience douloureuse de notre indignité. J. MAISONNEUVE, les Sentiments, p. 72.

Avoir, éprouver de la honte de qqch. (→ Conte, cit. 1). — AVOIR HONTE. *Avoir honte de qqch., d'avoir fait qqch.* (→ Action, cit. 16).

Avoir honte de soi. Il devrait avoir honte (→ Il n'y a pas de quoi se vanter*). *Tu n'as pas honte? N'as-tu pas honte de faire, d'avoir fait* (telle chose)? → Amasser, cit. 2; conséquent, cit. 1; envi (à l'), cit. 6. *J'en ai honte pour lui. — Prendre honte de soi* (→ Désavouer, cit. 9). — *Baisser les yeux, le front, sous l'effet de la honte.* ⇒ **Baisser, cacher** (se), **courber** (le front, la tête, les yeux), **voiler** (se voiler la face); → Chemin, cit. 9. *Rougir* de honte* : être rouge, cramoisi de honte (→ Confusion, cit. 9; front, cit. 17). *Le feu* (1. Feu, cit. 68), *le rouge de la honte* (→ Ensorceler, cit. 8). *Pleurer de honte.* — Par exagér. *Mourir* de dépit* (cit. 1) *et de honte. De honte, il souhaitait être à cent pieds* sous terre.*

19 Je me ressouvins du peu d'esprit que j'avais témoigné devant la mère et la fille, et toutes les fois que cela me venait dans l'esprit, la honte me mettait le visage tout en feu. SCARRON, le Roman comique, p. 68.

20 La honte, compagne de la conscience du mal, était venue avec les années; elle avait accru ma timidité naturelle au point de la rendre invincible (...) ROUSSEAU, les Confessions, III.

21 Quand vous aurez lu les lettres qui y sont, vous aurez, malgré votre infamie, honte de les avoir lues; mais avez-vous encore honte de quelque chose? demanda-t-elle après une pause. BALZAC, Une ténébreuse affaire, Pl., t. VII, p. 526.

22 Elle ne s'arrêta pas un moment à l'idée de revoir Darcy. Cela lui paraissait impossible; elle serait morte de honte en l'apercevant. MÉRIMÉE, la Double Méprise, XIV.

23 Les prostituées (...) ont perdu la superbe et dépouillé l'orgueil (...) elles possèdent l'humilité (...) Elles sont comme nous des coupables, mais la honte coule sur leur crime comme un baume (...) FRANCE, le Lys rouge, XVII.

24 (...) il me laissait agir à ma guise. Puis, il en avait honte. Il menaçait, plus furieux contre lui que contre moi. Ensuite, la honte de s'être mis en colère le poussait à lâcher les brides. R. RADIGUET, le Diable au corps, p. 160.

25 Toute sa volonté se tendait en un seul effort : ne se souvenir de rien! La honte l'oppressait, empêchait les larmes de monter jusqu'aux yeux. Elle était dominée par un sentiment nouveau : la peur. — La peur d'elle-même. MARTIN DU GARD, les Thibault, t. II, p. 271.

Ne pas craindre (cit. 7) *la honte* : être inaccessible, insensible à la honte (⇒ **Éhonté**). *Avoir perdu toute honte.*

Loc. (Déb. XVe). **AVOIR TOUTE HONTE BUE** : devenir inaccessible à la honte pour avoir trop supporté d'avanies, ou avoir trop commis de méfaits. ⇒ 1. **Boire** (cit. 35 et *supra*).

26 On dit proverbialement, qu'un homme a toute honte bue (...) en parlant d'un scélérat (...) de celui qui ne se soucie pas des affronts, des mépris. FURETIÈRE, Dict., art. *Honte.*

27 En l'an trentième de mon âge
Que toutes mes hontes j'eus bues (...) VILLON, Testament, I.

28 Les Ribalier et les Cogé devraient mourir de honte, s'ils n'avaient pas toute honte bue. VOLTAIRE, Lettre à Damilaville, 3189, 28 sept. 1767.

29 (...) il s'était aperçu que, pour convertir l'amour en instrument de fortune, il fallait avoir bu toute honte (...) BALZAC, le Père Goriot, Pl., t. II, p. 976.

29.1 Les assemblées n'ont pas de vergogne. Elles montrent à nu des sentiments que les particuliers éprouvent mais dissimulent. Une collectivité a toute honte bue parce qu'elle compte sur l'anonymat. F. MAURIAC, Bloc-notes 1952-1957, p. 161.

♦ **3.** (Fin XIIe). **FAIRE HONTE (à qqn).** [a] (Sujet n. de chose). Être pour lui un sujet de honte. *La conduite de ce garçon fait honte à son père. Tu me fais honte.*

30 Ah! mon père, ce que vous dites là est du dernier bourgeois. Cela me fait honte de vous ouïr parler de la sorte (...) MOLIÈRE, les Précieuses ridicules, 4.

31 Ah! Seigneur, songez-vous que toute autre alliance
Fera honte aux Césars, auteurs de ma naissance? RACINE, Britannicus, II, 3.

[b] (Sujet n. de personne). Faire à qqn des remontrances, des reproches destinés à lui inspirer de la honte, de la confusion. *Faites-lui honte, il le mérite bien. Faites-lui honte de sa paresse.*

32 Et je consens encor que tu me fasses honte
Des faiblesses d'un cœur qui souffre qu'on le dompte.
MOLIÈRE, la Princesse d'Élide, I, 1.

33 Je lui dis qu'il me fait mal au cœur aussi, je lui fais honte; je lui dis que ce n'est point là la vie d'un honnête homme (...) Mme DE SÉVIGNÉ, Lettres, 159, 22 avr. 1671.

34 Un des membres perdit la tête, au point de sauter, pour se sauver, dans la tribune des femmes. Madame Roland y était, qui lui en fit honte, et l'obligea d'en sortir, comme il y était venu. MICHELET, Hist. de la Révolution franç., V, IX.

Inspirer de la honte (à qqn), en donnant conscience d'une infériorité, en invitant à une comparaison pénible. *Cet élève fait honte à tous les autres par son travail.* ⇒ **Humilier.**

35 Je vous gêne. Je vous fais honte. Je suis restée ici, fidèle, irréprochable, j'ai gardé le foyer. J. CHARDONNE, les Destinées sentimentales, p. 474.

Poét. Éclipser.

36 À quelles roses ne fait honte
De son teint la vive fraîcheur (...) MALHERBE, V, 18, *in* LITTRÉ.

37 La belle enfin découvre un pied dont la blancheur
Aurait fait honte à Galatée (...) LA FONTAINE, Contes, « Le fleuve Scamandre ».

♦ **4.** (1552, Rabelais). **COURTE HONTE.** ⇒ **Échec, insuccès.** *Il en sera pour sa courte honte. S'en revenir, s'en retourner avec sa courte honte.* — REM. Littré cite à l'art. *Court* une phrase de Pasquier : *« (...) je n'oserais dire avec notre courte honte; car elle n'a été que trop grande (...) »* d'après laquelle *courte honte* signifierait « honte de petite dimension, sans gravité; confusion ».

38 (...) la coterie holbachique, qui prédisait hautement que je ne supporterais pas trois mois de solitude, et qu'on me verrait dans peu revenir, avec ma courte honte, vivre comme eux à Paris. ROUSSEAU, les Confessions, IX.

♦ **5. FAUSSE HONTE (1735), MAUVAISE HONTE (1660)** : honte éprouvée, par un scrupule excessif ou par timidité, à propos d'une chose qui n'est pas blâmable. ⇒ **Réserve, respect** (humain), **retenue.**

(...) si tu as besoin de ma bourse, viens hardiment à moi : qu'une mauvaise honte ne te prive point d'un secours infaillible, et ne me ravisse point le plaisir de t'obliger. A. R. LESAGE, Gil Blas, XII, VII. 39

De tous les obstacles qui nuisent à l'amour, l'un des plus grands est sans contredit ce qu'on appelle la fausse honte, qui en est bien une très véritable. Croisilles n'avait pas ce triste défaut que donnent l'orgueil et la timidité (...) A. DE MUSSET, Nouvelles, Croisilles, IV. 40

(...) gens distingués, sympathiques, vivant renfermés chez eux, surtout par fausse honte de leur situation gênée. R. ROLLAND, Jean-Christophe, Dans la maison, I, p. 964. 41

Mais nous ne savons plus nous assouvir; quelque fausse honte nous retient toujours. J. ROMAINS, Lucienne, p. 173. 42

♦ **6.** (Sens affaibli). [a] Sentiment de gêne éprouvé par scrupule de conscience, par timidité, modestie, humilité, crainte du ridicule. *La honte qui l'empêche d'être naturel.* ⇒ **Contrainte** (cit. 6), **embarras, gêne, réserve, respect, retenue, timidité** (→ Cynique, cit. 4; effaroucher, cit. 3 et 5). — *Avoir honte de parler* (→ Attention, cit. 10), *d'avancer* (cit. 8) *certains arguments, de se trouver dans une certaine compagnie* (→ Dégoûter, cit. 3). — *Pleurer sans honte. Jouir sans honte de sa tranquillité* (→ Allégement, cit. 3). *Étaler son luxe sans honte.* ⇒ **Pudeur, scrupule, vergogne.** *La honte le retient* (→ Église, cit. 15).

La même honte qui me retint m'a souvent empêché de faire de bonnes actions, qui m'auraient comblé de joie, et dont je ne me suis abstenu qu'en déplorant mon imbécillité. ROUSSEAU, Rêveries..., 9e promenade. 43

(...) le vague sentiment de honte que l'on a en présence de gens humiliés au delà de ce qu'ils méritent. J. GREEN, Adrienne Mesurat, I, X. 44

[b] Gêne, retenue qu'inspire la pudeur (→ Aiguillette, cit. 3; auréole, cit. 8). Vx. *« Une honte virginale »* (Montaigne, *Essais*, II, XV). — *Avoir honte de sa nudité, de son corps* (→ Fixer, cit. 14).

La bru de Pythagoras disait que la femme qui se couche avec un homme doit avec la cotte laisser aussi la honte, et la reprendre avec le cotillon. MONTAIGNE, Essais, I, XXI. 45

Ils étaient nus tous deux, l'homme et sa femme, sans en avoir honte. BIBLE (CRAMPON), Genèse, II, 25. 46

(...) ce n'est que samedi qu'on est venu tourner autour de moi, et me balbutier quelques mots; encore prononcés si bas et tellement étouffés par la honte, qu'il était impossible de les entendre. Mais la rougeur qu'ils causèrent m'en fit deviner le sens. LACLOS, les Liaisons dangereuses, Lettre CX. 47

En un instant, Salavin fut complètement nu et vit emporter ses vêtements. La nuit était chaude, il se mit pourtant à grelotter de honte. G. DUHAMEL, Salavin, V, XVII. 48

CONTR. Gloire, honneur. — Audace, effronterie, impudeur, indécence.
DÉR. Honteux.
COMP. Ahonter.

HONTEUSEMENT ['ɔ̃tøzmɑ̃] adv. — V. 1138, *huntusement;* de *honteux.*

♦ **1.** Littér. ou style soutenu. D'une manière honteuse, avec honte, ignominie. *Il a été renvoyé, exclu, banni honteusement* (→ 1. Car, cit. 8). *Honteusement coupable* (cit. 4). *Égoïsme qui se manifeste honteusement* (→ Gourmandise, cit. 5). *Fuir honteusement. On l'a honteusement mal traité, honteusement traité.*

(...) le vicomte de Turenne (...) l'obligea *(l'électeur de Brandebourg)* à demander honteusement la paix, que l'année suivante il rompit plus honteusement encore. RACINE, les Campagnes de Louis XIV. 1

♦ **2.** Cour. D'une manière très insuffisante. ⇒ **Ridiculement, scandaleusement.**

Il gagnait sa vie, en donnant des répétitions, en écrivant des livres d'art, honteusement payés suivant l'habitude (...) R. ROLLAND, Jean-Christophe, Dans la maison, I, p. 942. 2

CONTR. Fièrement, glorieusement. — Effrontément, impudemment.

HONTEUX, EUSE ['ɔ̃tø, øz] adj. — 1135, *hontos, hontous;* de *honte.*

♦ **1.** [a] Qui cause de la honte, du déshonneur; qui suscite un sentiment de honte. ⇒ **Avilissant, dégradant, déshonorant, ignominieux, scandaleux.** *Acte honteux, action honteuse.* ⇒ **Abject, bas** (cit. 31), **dégoûtant, ignoble, immoral, infâme, méprisable, vil.** *Honteuse pensée.* ⇒ **Inavouable.** *Il n'y a rien de plus honteux. C'est honteux* (→ C'est une honte*). *Il est, il serait, il eût été honteux que* (avec le subj.). → Académie, cit. 2; blanc-bec, cit. 1; escroc, cit. 2. *Il est honteux de se défier* (cit. 1) *de ses amis. Ce qui est honteux, c'est de changer* (cit. 44) *d'opinion par intérêt. — C'est honteux à lui d'avoir fait cela. — C'est honteux à dire, à faire. — Caractère* (cit. 8) *honteux d'une chose, d'un acte. Une chose ridicule et honteuse* (→ Coûter, cit. 24). — *Fuite, reculade honteuse.* ⇒ **Lâche** (→ Affront, cit. 11). *Attitude, conduite honteuse. Vice honteux. Honteuses débauches. Amour honteux* (→ Courtisane, cit. 2). *Honteuses brigues* (cit. 1). *Carrière* (cit. 14), *situation, vie honteuse. Honteux esclavage* (cit. 10). → Finir, cit. 7. *Honteuse dissipation d'un patrimoine* (→ Amasser, cit. 2). « *Honteux attachements* (cit. 1) *de la chair et du monde...* » (Corneille). *La joie honteuse d'humilier autrui* (→ Aumône, cit. 14). — *Calomnie* (cit. 6), *médisance honteuse,* qui déshonore celui qui la fait.

1 J'ai cru honteux d'aimer quand on n'est plus aimable (...)
CORNEILLE, Sertorius, IV, 2.

2 Le seul mépris d'un choix si bas et si honteux (...) MOLIÈRE, Sganarelle, 10.

3 (...) elle disait qu'il était honteux de faire de sa fille une servante, lorsqu'elle n'avait qu'à choisir parmi les plus beaux garçons du pays pour devenir une riche fermière. A. DE MUSSET, Nouvelles, « Margot », II.

4 Je l'ai gardée dans le fond intime de moi, dans ce fond où l'on cache les secrets pénibles, les secrets honteux, toutes les inavouables faiblesses que nous avons dans notre existence. MAUPASSANT, Clair de lune, Apparition.

5 (...) je vois déjà s'éveiller un goût honteux pour l'indécence, la bêtise et la pire vulgarité. GIDE, Si le grain ne meurt, I, II.

6 (...) elle *(la vérité)* n'est pas seulement triste mais encore ridicule, honteuse, au point que la pudeur nous détourne de l'exprimer.
F. MAURIAC, la Pharisienne, X.

Par ext. *Accusation, calomnie honteuse,* qui déshonore celui qui en est l'objet. ⇒ **Déshonorant.** *Se défendre contre une prévention honteuse* (→ Animation, cit. 4). *Honteux supplice.* ⇒ **Infamant.**

Vx. *Être honteux à qqn,* honteux pour qqn. « *Toute excuse* (cit. 18) *est honteuse aux esprits généreux* » (Corneille). — En parlant des personnes (vx). Qui mérite l'ignominie.

7 De nos honteux soldats les phalanges errantes
À genoux ont jeté leurs armes impuissantes.
VOLTAIRE, l'Orphelin de la Chine, I, 3.

b Loc. *Les parties honteuses :* les organes génitaux. ⇒ **Sexe.** — (Mil. XVIe). *Maladie honteuse.* ⇒ **Vénérien.** — Anat. Se dit de nerfs, d'artères des régions génitales. *Nerf honteux, artère honteuse.*

♦ **2.** (Fin XIIe). Personnes. Qui éprouve un sentiment de honte. ⇒ **Honte** (2.); **confus, consterné** (cit. 4). *Être honteux, tout honteux, un peu honteux* (→ Enfant, cit. 14; étudier, cit. 18; fatras, cit. 2; 1. faux, cit. 43). *Devenir honteux* (→ Franc, cit. 9). *Honteux de... N'êtes-vous pas honteux de faire ce métier infâme?* (→ Aumône, cit. 7). *Être honteux de soi-même* (→ Bourreler, cit. 3), *de son ignorance* (→ Béant, cit. 15). *Honteux des bêtises qu'il disait* (→ Épaisseur, cit. 2). *Honteux de faire, d'avoir fait qqch.* (→ Faible, cit. 4). *Honteux d'avoir été joué* (→ Déjouer, cit. 4), *d'avoir été ridicule.* ⇒ **Déconfit, penaud,** (vx) **quinaud.**

8 Honteux d'avoir poussé tant de vœux superflus (...) RACINE, Andromaque, I, 1.

9 S'étant, dis-je, sauvé sans queue et tout honteux (...)
LA FONTAINE, Fables, V, 5.

10 Il n'y a guère de gens qui ne soient honteux de s'être aimés, quand ils ne s'aiment plus. LA ROCHEFOUCAULD, Maximes, 71.

11 (...) je ne sais comment faire pour lui parler; et quand j'en trouverais l'occasion, je serais si honteuse, que je ne saurais peut-être que lui dire.
LACLOS, les Liaisons dangereuses, Lettre LXXV.

12 Cet instrument *(le parapluie)* me rend honteux et ridicule.
G. DUHAMEL, Salavin, III, VII.

Allus. littér. « *Le corbeau** (cit. 1) *honteux et confus...* » (La Fontaine). « *Honteux comme un renard qu'une poule aurait pris* » (→ 1. Bas, cit. 63, La Fontaine).

13 Au point du jour, il *(Javert)* laissa deux hommes intelligents en observation, et il regagna la préfecture de police, honteux comme un mouchard qu'un voleur aurait pris. HUGO, les Misérables, II, V, X.

♦ **3.** (En épithète, après le nom). **a** Vieilli. Qui éprouve facilement un sentiment de honte, et, par ext., de gêne, de timidité. ⇒ **Craintif, embarrassé, timide.** *Un enfant honteux, naturellement timide et honteux* (→ Éloignement, cit. 11; gêne, cit. 10, Rousseau). — N. (Rare; presque toujours au plur.). *Les honteux.*

14 Il faut que les jeunes gens qui entrent dans le monde soient honteux ou étourdis : un air capable et composé se tourne d'ordinaire en impertinence (...)
LA ROCHEFOUCAULD, Maximes, 495.

15 (...) un peu de hardiesse réussit toujours aux amants; il n'y a en amour que les honteux qui perdent (...) MOLIÈRE, les Amants magnifiques, I, 1.

Par ext. *Un air honteux.*

16 (...) si vous aviez la bonté d'aller vous-même lui parler pour moi, vous me feriez grand plaisir, ajoutai-je d'un air niais et honteux.
MARIVAUX, le Paysan parvenu, IV.

b (Fin XIIIe). Mod. Qui cache, dissimule (son état). ⇒ **Caché.** *Les pauvres honteux :* ceux qui cachent leur pauvreté et n'osent faire appel à la charité. — Par ext. *Un chrétien, un communiste honteux,* qui se cache de l'être, n'affiche pas ses convictions. — *Les gourmands honteux* (→ Fanfaron, cit. 7).

17 Les pauvres étrangers, les pauvres souffreteuses,
Qui n'osent mendier, tant elles sont honteuses.
RONSARD, Second Livre des Hymnes, « De l'or ».

18 On donne toujours trop aux mendiants, répondit-elle, ce sont des fainéants, mais il y a les pauvres honteux, et ceux-là sont à plaindre. Il y en a partout; ils se cachent. Et ils souffrent plutôt que de demander. FRANCE, la Vie en fleur, I.

Par ext. *Pauvreté, misère honteuse* (→ Garni, cit. 2).

19 Et de même que l'inversion, dans sa jeunesse, prend deux formes, l'une militante et l'autre honteuse (...) A. MAUROIS, À la recherche de Marcel Proust, VII, V.

c Loc. fam. *Le morceau honteux :* le dernier morceau qui reste dans le plat et que personne n'ose prendre.

Figuré (en parlant de quelqu'un) :

20 Je pouvais l'écraser sur place : il devait peser dans les quarante kilos!...
Je t'ai dit, déjà : c'était de la viande honteuse et qui puait pour qui a le nez fin, mais sa honte et sa mauvaise odeur, ça m'engourdissait. Ça faisait mal, et c'était bon. J. GIONO, Un de Baumugnes, *in* Pl., t. I, p. 227.

CONTR. **Fier, glorieux. — Audacieux, effronté, éhonté, impertinent, impudent. — Avoué, étalé,** 2. **franc.**
DÉR. **Honteusement.**

HOP [ʼɔp; hɔp] interj. — 1828, Vidocq; *houp,* 1652; onomatopée.

♦ Interjection servant à stimuler, à faire sauter. *Allez, hop! Et hop! Hop là* (var. : *houp*). — Pour exprimer un geste, une action brusque... :

En deux temps les laissés-pour-compte s'équipent, ferment le compteur à gaz, 1
empochent la clef de l'appartement et hop! (...) Il y a le train, le car, l'auto, la moto, le vélo et le tandem (...) COLETTE, Belles Saisons, p. 10.

On appotait la garbure. Tout en devisant des uns et des autres, ils soupèrent 2
copieusement et, comme toutes ces émotions les avaient fatigués, hop, au lit.
R. QUENEAU, les Fleurs bleues, p. 215.

« Je vous donne l'ordre de reculer », qu'il dit, et hop! il sort le pétard. En voilà 3
des manières, dis donc! Robert MERLE, Week-end à Zuydcoote, p. 17.

Rare. Pour attirer l'attention. → Hep! (Alain-Fournier, R. Benjamin, *in* T. L. F.).

HÔPITAL, AUX [ɔpital, o] n. m. — V. 1170, *ospital; hospital,* 1190; lat. *hospitalis* « d'hôte, hospitalier », substantivé. → Hôtel.

♦ **1.** Anciennt. Établissement charitable, hospitalier (d'abord exclusivement religieux) où l'on recevait les personnes sans ressources, pour les entretenir, les soigner. ⇒ **Asile, hospice; dispensaire, refuge;** → Œuvre, cit. 9. « *L'hôpital général est celui où l'on reçoit tous les mendiants* » (Furetière). *Hôpital des fous* (1. Fou, cit. 2, Pascal). ⇒ **Asile, maison.** *Hôpital des orphelins* (⇒ **Orphelinat**), *des pèlerins. Hôpital* (hospice) *des Quinze-Vingts,* fondé par Saint Louis pour les aveugles. — Spécialt. Maison où l'on internait et soignait les prostituées. « *Mettre une fille de mauvaise vie à l'hôpital* » (Littré).

Eh oui! reprit-il, il y a deux mois qu'elle *(Manon)* apprend la sagesse à l'Hôpi- 1
tal général, et je souhaite qu'elle en ait tiré autant de profit que vous à Saint-Lazare. Abbé PRÉVOST, Manon Lescaut, I, p. 89.

Le vocabulaire de l'Ancien Régime était moins précis *(que le vocabulaire actuel).* 2
Les définitions mêmes qui furent alors données sont défectueuses et peu claires. Ainsi Guyot regarda l'hôpital comme « une maison fondée et destinée pour recevoir les pauvres, les y loger, les nourrir, les traiter par charité » (...) L'*Encyclopédie Méthodique* tâche d'être plus précise. Elle établit une distinction entre : — l'*hospice,* « lieu où l'on donne l'hospitalité » (...) — l'*hôpital,* « lieu destiné à soigner les malades d'un certain genre, d'un certain lieu (...) » — l'*Hôtel-Dieu,* où sont admis « tous les malades indistinctement (...) ». Mais la distinction (...) était plus théorique que réelle.
C. BLOCH, l'Assistance et l'État en France à la veille de la Révolution, p. 58, *in* BRUNOT, Hist. de la langue franç., t. VI, p. 188.

L'Hôpital général, ainsi nommé parce que la maladie, la vieillesse et la misère 3
s'y donnaient rendez-vous, était un bâtiment énorme (...) Devant la porte était un petit auvent, où se réunissaient, quand il faisait beau, les convalescents et les bienportants. L'hospice, en effet, ne contenait pas seulement des malades, il comprenait aussi des pauvres remis à la charité publique et même des pensionnaires, qui, pour un capital insignifiant, y vivaient chétivement, mais sans souci.
RENAN, Souvenirs d'enfance..., I, II.

L'hôpital, symbole de la misère, de la pauvreté. ⇒ **Asile, hospice.** Loc. (vx). *Prendre le chemin de l'hôpital :* se ruiner par de folles dépenses. *Mourir à l'hôpital,* dans la misère (→ Économie, cit. 24). *Il sera dans peu réduit à l'hôpital* (Académie). — REM. Les emplois métaphoriques d'*hôpital* au sens ancien d'« asile », d'« hospice », seraient compris de nos jours au sens moderne du mot.

♦ **2.** (1671; répandu déb. XIXe). Mod. Établissement public, payant ou gratuit, qui reçoit ou traite pendant un temps limité les malades, les blessés et les femmes en couches (⇒ **Maternité;** fam. **hosto;** péj. **mouroir,** cit.). *Les hôpitaux et les cliniques.* ⇒ **Hospitalier, sanitaire** (établissement). *Le dispensaire*, à la différence de l'hôpital, n'abrite pas les malades. L'asile* (cit. 32) *et l'hospice* diffèrent de l'hôpital par leur objet mais sont régis par la même législation. — Personnel administratif : directeur, économe d'un hôpital. Personnel médical d'un hôpital : médecins, chirurgiens, spécialistes, assistants, anesthésistes, internes, externes* (⇒ **Internat; externat).** *Les blouses blanches des médecins d'hôpital.* → Les hommes en blanc*. *Infirmiers, infirmières, aides, manipulateurs d'un hôpital. Faire son service, se faire remplacer à l'hôpital* (→ Coûter, cit. 19; exhaustif, cit. 2; explication, cit. 4). *Enseignement clinique de la médecine, donné dans les hôpitaux. Hôpital lié à une université* (centre hospitalier universitaire ou C. H. U.). ⇒ **Hospitalo-universitaire.** — *Les bâtiments d'un hôpital. Hôpital en surface, constitué par des pavillons*; hôpital en hauteur. Corps d'hôpital* (→ Coron, cit.). *L'économat*, la gestion, la direction de l'hôpital. Les salles d'un hôpital* (salle de consultation, d'opération, salles des malades, salles de garde, pharmacie). *Services d'un hôpital* (médecine générale, vénérologie, phtisiologie..., maladies contagieuses, gynécologie, radiologie, laboratoires). — *Lit d'hôpital* (→ Fusiller, cit. 1; grabat, cit. 2). *Un hôpital de mille lits. Chambre d'hôpital. — Être à l'hôpital, être soigné à l'hôpital* (→ Fait, cit. 3; foyer, cit. 11). *Coût d'une journée d'hôpital* (⇒ **Hospitalisation).** *Frais d'hôpitaux. Crever* (cit. 24), *mourir dans un hôpital. Envoyer, admettre un malade dans un hôpital.* ⇒ **Hospitaliser; hospitalisation.** — *Hôpital général,* où l'on soigne plusieurs sortes d'affections. *Les hôpitaux Cochin, Laënnec, Bichat, Saint-Louis, sont des hôpitaux généraux situés à Paris. Hôpital spécial. Hôpital d'enfants. L'hôpital* *des Enfants-Malades,* à Paris. — *Hôpital improvisé en temps d'épidémie* (→ Endroit, cit. 6). *Hôpital servant de lazaret, de léproserie, de maladrerie.*

4 Entre l'hôpital, la clinique et l'hospice, l'asile, il y a une grande différence; dans les premiers, sont soignées les maladies aiguës, les seconds reçoivent les individus atteints de maladie chronique, les vieillards. Dans les premiers, les soins, toutes les interventions, opérations (...) doivent être aussi rapides que possible (...)
A. PERRET, *in* Encycl. (DE MONZIE), 16.68.8.

5 Las du triste hôpital, et de l'encens fétide
Qui monte en la blancheur banale des rideaux
Vers le grand crucifix ennuyé du mur vide,
Le moribond sournois y redresse un vieux dos (...)
MALLARMÉ, Poésies, «Les fenêtres».

6 (...) il avait déjà la charge de la clinique municipale qu'on appelait pompeusement l'Hôpital. Ce n'étaient pas tant les trente lits, souvent vides, mais il y avait la consultation. ARAGON, les Beaux Quartiers, I, VIII.

7 (...) toujours fourré chez ses malades, tantôt à l'hospice de ceci, tantôt à la clinique de cela (...) Trois fois par semaine il va à l'hôpital de Dreux où il donne des consultations gratuites. J. GREEN, Adrienne Mesurat, III, IV.

8 (...) les familles devaient (...) consentir à l'isolement de leurs malades dans les salles spéciales de l'hôpital. CAMUS, la Peste, p. 66 (→ Équiper, cit. 7).

(1893). *Hôpital militaire,* destiné au traitement des militaires, malades ou blessés et qui sont en activité de service. *L'hôpital du Val-de-Grâce. Soldat des formations* (cit. 2) *sanitaires employé dans les hôpitaux. Hôpital militaire complémentaire, hôpital auxiliaire de la Croix-Rouge, hôpital d'évacuation, en temps de guerre. Hôpital militaire ambulant* (⇒ **Ambulance**), *sédentaire. Évacuer* (cit. 7) *un malade, un blessé à l'hôpital.* — *Hôpital mixte :* hôpital civil recevant aussi des militaires.

9 Carré n'a vu le feu qu'une fois, et, tout de suite, il a reçu un coup de fusil (...) il avait une bonne provision de courage, et c'est entre les murs d'un hôpital qu'il lui faut la gaspiller (...) C'est bien heureux que Carré ait gardé tant de courage pour l'hôpital, car il en a grand besoin. Les opérations successives, les pansements, tout cela tarit les sources les plus généreuses.
G. DUHAMEL, Récits des temps de guerre, I, Hist. de Carré et Lerondeau.

Navire, bateau-hôpital, aménagé en hôpital. ⇒ **Infirmerie.** — *L'hôpital du bord.*

Spécialt (en France). Établissement public défini par la législation hospitalière (réforme de 1958) : centre hospitalier, hôpital proprement dit, hospice. ⇒ **Hospitalier.**

REM. Certains établissements médicaux publics considérés comme des hôpitaux et répondant à la définition de ce mot ne sont pas désignés officiellement par ce nom (ex. : *maison, clinique d'accouchement;* → Maternité; clinique chirurgicale). Par contre, on donne le nom d'*hôpital* à certains établissements spécialisés abritant les malades pendant un temps indéterminé et communément désignés par un autre terme. Ex. : *hôpital maritime de Berck* (→ Sanatorium); *hôpitaux psychiatriques** ; → Asile (vx).

9.1 (...) à la longue, la dénomination d'asiles, surtout d'asiles d'aliénés, a fini par prendre une teinte péjorative et sur l'initiative de M. Rucart, ministre de la Santé publique, ce terme a été transformé en celui d'*hôpitaux psychiatriques.*
H. BARUK, Psychoses et Névroses, p. 129.

(Dans des composés) :

9.2 Si, en U.R.S.S., l'extermination de ceux qui réclament leur liberté se pratique dans des camps et dans des hôpitaux-prisons, au Chili, l'extermination de celui qui réclame l'égalité *(travailler-manger)* se pratique dans des camps et hors des camps. Michèle PERREIN, Entre chienne et louve, p. 224.

Fig. *C'est un hôpital,* se dit d'une maison, d'un lieu où se trouvent de nombreux malades.

10 Smolensk n'était plus qu'un vaste hôpital, et le grand gémissement qui en sortait l'emporta sur le cri de gloire qui venait de s'élever des champs de Valoutina.
Ph. P. SÉGUR, Hist. de Napoléon, VI, 8.

Loc. fam. *L'hôpital n'est pas fait pour les chiens*.* — *Envoyer qqn à l'hôpital,* le frapper gravement.

DÉR. J. Vallès emploie le dér. péj. **hôpitaleux,** n. m. «employé d'un hôpital» (*le Bachelier,* p. 343).

HOPLITE [ɔplit] n. m. — 1721; lat. *hoplites,* mot grec, de *hoplon* «arme».

♦ Didact. Fantassin lourdement armé, dans l'antiquité grecque.

Dans toutes les cités, les plus riches formèrent la cavalerie, la classe aisée composa le corps des hoplites ou des légionnaires.
FUSTEL DE COULANGES, la Cité antique, p. 382.

HOPLO- Élément savant, du grec *hoplon* «arme». ⇒ **Hoplomachie, hoploptère.** — Composé occasionnel :

M. Paul Éluard a su parler de la guerre (dans *le Devoir et l'Inquiétude*) sans une fausse note et avec un esprit qui perce d'une autre manière que (...) la lance de nos hoplocrates. L. DE GONZAGUE-FRICK, *in* le Carnet-Critique, n° 9, 15 févr. 1919 (*in* D.D.L.).

HOPLOMACHIE [ɔplɔmaʃi] n. f. — 1839; grec *hoplomakhia;* du grec *hoplos* (→ Hoplite), et suff. *-machie.*

♦ Antiq. rom. Combat de gladiateurs (cit. 2) armés, appelés *hoplomaques.*

HOPLOPTÈRE [ɔplɔptɛʀ] n. m. — 1833, C. L. Bonaparte, *in* Cottez; n. sc. : *hoplopterus spinosus;* du grec *hoplon* «arme» (→ Hoplo-), et *pteron* «aile».

♦ Zool. Oiseau (famille des *Charadriidés*) originaire d'Asie et d'Afrique, pourvu d'un éperon à l'aile, et communément appelé *vanneau armé,* ou *éperonné.*

HOQUET ['ɔkɛ] n. m. — Déb. XIVe en mus. (sens 2); «choc, coup», 1835; d'une onomatopée *hok-* exprimant un bruit de choc.

♦ **1.** (XIVe). Vx. Choc, heurt (→ Clopin-clopant, cit. 1, La Fontaine). *À hoquets :* par à-coups. — Fig. Empêchement, difficulté soudaine.

(Monsieur de Metz) se disposa à se faire recevoir au Parlement. Il y trouva un hoquet auquel il n'avait pas lieu de s'attendre (...) 1
SAINT-SIMON, Mémoires, III, XXX.

♦ **2.** (1310). Mus. anc. Alternance de deux voix se répondant, dans la polyphonie médiévale.

♦ **3.** (1464, *ioquet*). Cour. Contraction spasmodique du diaphragme produisant un appel d'air assez fort pour faire vibrer les cordes vocales; bruit qui en résulte. *Le hoquet, comme le sanglot*, consiste en une contraction du diaphragme. Le hoquet est accompagné d'une secousse spasmodique du thorax et de l'abdomen. Hoquets déterminés par un état de réplétion de l'estomac; hoquets d'origine nerveuse. Avoir, faire, émettre un hoquet. Les hoquets d'un ivrogne* (→ Balbutiement, cit. 3).

(Il) fait entendre de sales hoquets (...) 2
LA BRUYÈRE, les Caractères de Théophraste, De l'impudent...

(Ces galants) À qui beaucoup de vin fait sortir la tendresse, 3
Qui vont en cet état aux pieds de leur maîtresse
Exhaler les transports de leurs brûlants désirs,
Et pousser des hoquets en guise de soupirs (...)
J.-F. REGNARD, Démocrite, IV, 7.

(...) le repas fini, on se rince la bouche, on se lave les mains, on s'asperge la barbe d'eau de fleur d'oranger, on promène sous ses vêtements la fumée du brûle-parfum, et l'on émet (...) ces hoquets incongrus, qui sont, dans tout l'Orient, la politesse de l'estomac et le remerciement des convives. 4
Jérôme et Jean THARAUD, Fez, V.

(1844). Bruit qui accompagne une respiration brutalement contrariée; sanglot spasmodique. *Les hoquets d'une personne qui suffoque. Un hoquet d'émotion. Être secoué de hoquets* (→ Épaule, cit. 9).

La pauvre créature, au plaisir essoufflée, 5
A de rauques hoquets la poitrine gonflée,
Et je devine, au bruit de son souffle brutal,
Qu'elle a souvent mordu le pain de l'hôpital.
BAUDELAIRE, Premiers Poèmes, XXIV.

(Le boxeur) laissa échapper le hoquet de suffocation qui indique que le coup a touché juste, et tomba sur les genoux (...) Louis HÉMON, Battling Malone, V. 6

Tout à coup, le silence fut rompu par une sorte de hoquet atroce (...) C'était Mme de Villerupt qui venait d'éclater en sanglots. Elle s'était contenue trop longtemps. Pierre BENOIT, Mlle de la Ferté, p. 297. 7

Les mots sifflaient dans sa bouche, et à la fin de chaque phrase, elle avait comme un hoquet, un hoquet de dégoût, de fatigue, je ne sais. 8
BERNANOS, Journal d'un curé de campagne, p. 152.

Loc. *Le hoquet de la mort;* (1608, au plur.) *le dernier hoquet :* le hoquet qui accompagne parfois le râle des mourants (→ Agonie, cit. 9).

Un vague moribond tardif 9
Crachant sa douleur et sa haine
Dans un hoquet définitif (...) VERLAINE, Jadis et Naguère, «Les loups».

Souvent les pauvres mourants, avant de rendre leur dernier cri, leur dernier hoquet d'agonie, sont restés des jours et des nuits trempés, salis, couverts d'une couche boueuse de sueur froide et de sel, d'un enduit de mort. 10
LOTI, Mon frère Yves, XXVII.

Par ext. État caractérisé par des hoquets répétés, chroniques. — (1866). *Avoir le hoquet.* ⇒ **Hoqueter.**

♦ **4.** (Fin XIXe). Par anal. Bruit semblable à un hoquet (→ Cours, cit. 2).

DÉR. Hoqueter.
HOM. Hockey.

HOQUETER ['ɔkte] v. intr. — Conjug. *jeter.* — 1538; «chanter le hoquet (2.)», après 1250; de *hoquet.*

♦ **1.** Avoir un hoquet, le hoquet. *Hoqueter bruyamment.*

Monsieur Ulysse à ce banquet 1
Prit un très important hoquet,
Et comme il est fort malhonnête
De hoqueter dans une fête,
Il but à la santé du dieu,
Fit un hoc, et puis dit adieu.
MARIVAUX, Iliade travestie, Chant I.

♦ **2.** Sangloter spasmodiquement.

(...) Adrienne fondit si bruyamment en larmes que M. Thibault, troublé, faillit luimême éclater en sanglots. Il hoqueta, mais se ressaisit (...) 2
MARTIN DU GARD, les Thibault, t. III, p. 265.

Il (...) s'habilla dans la pénombre, presque à tâtons, en hoquetant de malaise (...) 3
G. DUHAMEL, Salavin, VI, XV.

♦ **3.** V. tr. Dire avec des hoquets.

4 Avec les douas d'pied on peut aller de bronze à vin, mais t'es trop soûl pous ça. — Ô ma sueur Cloche, c'est mamarant, hic! hoqueta l'ex-concierge.
R. QUENEAU, le Chiendent, p. 429.

HOQUETON ['ɔktɔ̃] n. m. — XIIIe; *auqueton,* v. 1180; *alqueton,* v. 1130; *hocqueton,* XIIIe; d'après *heuque, huque* «sorte de cape», arabe *(ɔ)ăl-qŭtn* «le coton». → Coton.

♦ **1.** Anciennt. Veste de grosse toile que les hommes d'armes portaient sous le haubert. — Casaque brodée que portaient les archers du grand prévôt, du chancelier.

(1636). Par métonymie. Archer revêtu de cette casaque.

Le chancelier Séguier se transportait déjà au parlement, suivi d'un lieutenant et de plusieurs hoquetons (...) VOLTAIRE, le Siècle de Louis XIV, IV.

♦ **2.** (1549). Vx. Casaque de paysan. *Hoqueton de berger* (cit. 4). → Empêcher, cit. 30. — Régional. Sorte de cape. → Harmonica, cit. 2, Apollinaire.

HORAIRE [ɔʀɛʀ] adj. et n. m. — Après 1550; rare av. 1680; du lat. *hora* «heure»; 1532, Rabelais, latinisme de l'écolier limousin, calque du lat. médiéval *horarius* «propre aux heures liturgiques», de *hora* «heure».

★ **I.** Adj. ♦ **1.** Didact. Relatif aux heures*, aux temps, aux angles mesurés en heures. *Lignes horaires d'un cadran solaire,* les lignes qui marquent les heures. — Astron. *Cercles horaires :* grands cercles de la sphère céleste, passant par les pôles et par un astre. *Angle* horaire d'un astre,* formé par le méridien de l'observateur et le cercle horaire de l'astre. *Plan horaire :* plan d'un cercle horaire. *Coordonnées horaires :* système de coordonnées sphériques comprenant l'angle horaire et la déclinaison (ou la distance polaire) d'un astre. *Mouvement horaire :* déplacement apparent (d'un astre) sur la sphère céleste. — Géogr. et cour. *Fuseau** (cit. 5) *horaire.*

♦ **2.** Cour. Qui a lieu toutes les heures. *Halte horaire. Signaux horaires.*

1 Autrefois, les marins ne disposaient pas des signaux horaires qui rendent la navigation tellement plus sûre de nos jours (...)
Bernard MOITESSIER, Cap Horn à la voile, p. 233.

♦ **3.** Qui correspond à une durée d'une heure. *Vitesse horaire :* distance parcourue en une heure. *Moyenne horaire. Débit horaire. Salaire* horaire. Rendement, productivité horaire.*

♦ **4.** (1968). Personnes (emploi critiqué). Qui est payé à l'heure, reçoit un salaire* horaire (opposé à *mensuel*). *Des travailleurs horaires. Un personnel horaire.*

N. (1968). *Les horaires et les mensuels. Les horaires font grève pour être mensualisés.*

★ **II.** N. m. (1868, Amiel). ♦ **1.** [a] Relevé des heures de départ, de passage, d'arrivée des services de transport réguliers. *Horaire de chemins de fer, de bateaux, d'avions. Quel est l'horaire de ce train? Ce train, cet autocar est en retard, en avance sur l'horaire, sur son horaire.*

[b] Tableau, livret... indiquant un horaire. *Consulter l'horaire.* ⇒ **Indicateur.**

2 Sept heures cinquante, murmura Meynestrel, en consultant l'horaire des chemins de fer affiché sur le mur du vestibule (...)
MARTIN DU GARD, les Thibault, t. VII, p. 73.

♦ **2.** Emploi* du temps heure par heure. ⇒ **Programme.** *L'horaire d'une journée de travail, de classe. — Afficher l'horaire à l'entrée de la classe. — Avoir un horaire chargé. Les exigences, les contraintes de l'horaire. Absence d'horaire* (→ Entrelacs, cit. 4). Répartition des heures de travail exigées. *Un horaire commode.* — (1972). *Horaire libre, mobile, variable; horaire à la carte :* temps de travail réparti de manière souple. *Aménagement des horaires.*

HORDE ['ɔʀd] n. f. — 1559 dans un récit de voyage; péj. au XVIIIe; tartare *orda, horda;* cf. turc *ordou* «camp». → Ourdou.

♦ **1.** Didact. Tribu errante, nomade (chez les peuples de l'Asie centrale). *Une horde mongole, tartare. La grande horde, la horde d'or :* la tribu la plus importante, chez les Mongols. *Luttes, guerres entre les hordes* (→ Autre, cit. 115).

1 La nature a donné à ces peuples *(les Tartares),* comme aux Arabes Bédouins, un goût pour la liberté et pour la vie errante (...) Chaque horde ou tribu avait son chef, et plusieurs chefs se réunissaient sous un kan.
VOLTAIRE, Essai sur les mœurs, LX.

1.1 Les Kirghis *(Kirghizes)* se divisent en trois hordes, la grande, la petite et la moyenne, et comptent environ quatre cent mille «tentes», soit deux millions d'âmes. De ces diverses tribus, les unes sont indépendantes, et les autres reconnaissent la souveraineté, soit de la Russie, soit des khanats de Khiva, de Khokhand et de Boukhara, c'est-à-dire des plus redoutables chefs du Turkestan. La horde moyenne, la plus riche, est en même temps la plus considérable, et ses campements occupent tout l'espace compris entre les cours d'eau du Sara-Sou, de l'Irtyche, de l'Ichim supérieur, le lac Hadisang et le lac Aksakal. La grande horde, qui occupe les contrées situées dans l'est de la moyenne, s'étend jusqu'aux gouvernements d'Omsk et de Tobolsk. J. VERNE, Michel Strogoff, p. 26.

Hist. des sc. *La horde primitive* (hypothèse de Darwin, reprise par Freud) : groupe humain primitif dominé par «un mâle puissant».

(...) la vieille image de la «horde» primitive errante est certainement fausse : un certain glissement progressif du territoire du groupe est possible aussi, mais la situation normale est dans la fréquentation prolongée d'un territoire connu dans ses moindres possibilités alimentaires. 1.2
A. LEROI-GOURHAN, le Geste et la Parole, t. I, p. 213.

Troupe errante d'hommes; peuplade de nomades. *Une horde de Bédouins.* — Par ext. Clan, tribu.

(...) l'allégresse de froisser l'herbe blanche de gelée, d'affronter le soleil, de muser sur une longue route, appartient aux hordes migratrices, au clan qui reprend force et joie à disperser les cendres tièdes de son feu d'hier. 2
COLETTE, Belles Saisons, p. 13.

Le jugement du groupe (...) est sans cesse présent dans la conscience de chacun de ses membres. Cet instinct de la horde peut être plus fort que l'instinct de conservation lui-même (...) car l'homme isolé considère que cette situation anormale ne saurait durer et se prépare à affronter, au temps du retour, le jugement de la horde. A. MAUROIS, Études littéraires, Bergson, IV. 3

♦ **2.** (Mil. XVIIIe). Cour. Troupe ou groupe d'hommes indisciplinés, nuisibles. ⇒ 2. **Bande.** *Une horde de brigands. Une horde d'escrocs* (cit. 2), *d'usuriers. Une horde sanguinaire. Horde de soldats en déroute* (cit. 6).

Cette horde d'excitateurs révolutionnaires, dont il lui avait semblé, hier soir, entendre déjà les vociférations d'émeute. 4
MARTIN DU GARD, les Thibault, t. V, p. 272.

Par ext. *Des hordes de touristes. «Voyagez hors des hordes»* (slogan).

De graves désordres eurent lieu. La fille de basse-cour devint enceinte. Ils prirent des gens mariés; les enfants pullulèrent, les cousins, les cousines, les oncles, les belles-sœurs. Une horde vivait à leurs dépens; — et ils résolurent de coucher dans la ferme, à tour de rôle. FLAUBERT, Bouvard et Pécuchet, éd. Folio, p. 84. 5

♦ **3.** (1669, La Fontaine; repris XXe). En parlant d'animaux. *Une horde de loups, de chiens.* ⇒ 1. **Harde, meute.** *Une horde de tortues.* ⇒ **Colonie.**

♦ **4.** Fig. et littér. (rare). Grand nombre de choses qui apparaissent sans ordre. *«Cette horde de vérités»* (Chateaubriand). — Concret (rare). *«Une horde de nuages»* (Van der Meersch, *in* T. L. F.).

HORDÉ- Élément, du lat. *hordeum* «orge», entrant dans la composition de termes didact. ou sc. ⇒ **Hordéacé, hordéiforme, hordéine.**

HORDÉACÉ, ÉE [ɔʀdease] adj. — 1846; du lat. *hordeum* (→ Hordé-), et suff. *-acé.*

♦ Didact. Qui ressemble à un grain d'orge. ⇒ **Hordéiforme.** — Bot. Relatif à l'orge.

HORDÉIFORME [ɔʀdeifɔʀm] adj. — 1839; du lat. *hordeum* (→ Hordé-), et *-forme.*

♦ Bot. Qui ressemble à l'orge. ⇒ **Hordéacé.**

HORDÉINE [ɔʀdein] n. f. — 1819; du lat. *hordeum* (→ Hordé-), et suff. *-ine.*

♦ Biochim. Protéine simple extraite de l'orge.

HORION ['ɔʀjɔ̃] n. m. — V. 1285; orig. incert., p.-ê. altér. de l'anc. franç. *orillon, oreillon* «coup sur l'oreille» (de *oreille*), avec adjonction d'une aspiration initiale expressive; P. Guiraud préfère l'étymon lat. *haurire* «puiser, épuiser, transpercer» en fonction du sémantisme «coup (de vin, de lance); maladie qui frappe et épuise» attaché à *horion* dans ses premiers emplois.

♦ Rare au sing. Coup* violent. *Donner des horions à qqn. Échanger des horions, force horions. Attraper, recevoir des horions. Fuir pour éviter les horions.*

Je me fâchai, je voulu me battre; c'était ce que les petits coquins demandaient. Je battis, je fus battu. Mon pauvre cousin me soutenait de son mieux; mais il était faible, d'un coup de poing on le renversait. Alors je devenais furieux. Cependant, quoique j'attrapasse force horions, ce n'était pas à moi qu'on en voulait (...) 1
ROUSSEAU, les Confessions, I.

(...) l'ardeur au combat de deux hommes aux fortes charpentes qui voient rouge et échangent de sauvages horions (...) Louis HÉMON, Battling Malone, II. 2

HORIZON [ɔʀizɔ̃] n. m. — Après 1250, *orizonte; orizon,* v. 1360; lat. *horizon,* mot grec, du v. *horizein* «borner», de *horos* «borne, limite».

♦ **1.** Limite circulaire de la vue, pour un observateur qui est le centre. *La terre* (ou *la mer*) *semble rejoindre le ciel à l'horizon. L'horizon s'éloigne, recule, fuit lorsqu'on veut s'en approcher* (→ Avancer, cit. 29; contrarier, cit. 6). *Prendre l'horizon pour les bornes* (cit. 5) *du monde. Plaine, steppe qui s'étend jusqu'à l'horizon* (→ À perte du vue). *Le soleil descend sur l'horizon* (→ Couchant, cit. 2). *Disque du soleil tangent à l'horizon* (→ 2. Coucher, cit. 2). *Le soleil disparaît au-dessous de l'horizon. Nuages, vapeurs au ras, au-dessus de l'horizon* (→ Aurore, cit. 15; écheveau, cit. 2).

1 Il en est de certaines idées comme de l'horizon qui existe bien certainement, puisqu'on le voit en face de soi de quelque côté que l'on se tourne, mais qui fuit obstinément devant vous et qui, soit que vous alliez au pas, soit que vous couriez au galop, se tient toujours à la même distance; car il ne peut se manifester qu'avec une condition d'éloignement déterminée; il se détruit à mesure que l'on avance, pour se former plus loin avec son azur fuyard et insaisissable, et c'est en vain qu'on essaie de l'arrêter par le bord de son manteau flottant.
Th. GAUTIER, Mlle de Maupin, XV.

2 (...) la recherche du bonheur dans la satisfaction du désir moral était quelque chose d'aussi naïf que l'entreprise d'atteindre l'horizon en marchant devant soi.
PROUST, À la recherche du temps perdu, t. XIII, p. 45.

La ligne de l'horizon, la ligne d'horizon : la ligne qui semble séparer le ciel de la terre (ou de la mer), à l'horizon (→ 1. Feu, cit. 35; fuyant, cit. 9).

3 (...) vers Chartres, au nord, la ligne plate de l'horizon gardait sa netteté de trait d'encre coupant un lavis, entre l'uniformité terreuse du vaste ciel et le déroulement sans bornes de la Beauce. ZOLA, la Terre, I, I.

4 Ils restèrent ainsi, confondus, comme le ciel et la mer certains jours où la ligne d'horizon n'est plus visible, dans une grande splendeur unie et étale.
MONTHERLANT, Pitié pour les femmes, p. 102.

(Dessin). Ligne d'horizon d'un dessin (⇒ **Dessin, perspective**). *Placer l'horizon trop haut, trop bas. Point de fuite situé sur l'horizon. L'horizon d'un tableau, d'un paysage.*

Spécialt. **a** Astron. Grand cercle théorique divisant la sphère céleste en deux parties égales, l'une visible, l'autre invisible. *Horizon astronomique, rationnel* ou *géocentrique :* intersection de la sphère céleste et d'un plan perpendiculaire à la verticale* d'un lieu et passant par le centre de la terre. *Horizon mathématique, théorique,* déterminé par un plan tangent en un point à la surface de la sphère terrestre. — *Horizon apparent, visuel, sensible* (par oppos. à *horizon vrai*), déterminé par les rayons visuels de l'observateur tangents à la surface de la terre. *L'horizon visuel, qui limite une certaine étendue de la surface terrestre, est la base d'un cône dont le sommet est l'œil de l'observateur; il est situé au-dessous de l'horizon mathématique (dépression de l'horizon). La distance de l'horizon visuel* (rayon de visibilité*) *varie suivant l'altitude de l'observateur* (3 km 5 à 1 m; près de 113 km à 1 000 m). — *Sur l'horizon :* dans la partie visible du ciel. *Il doit y avoir une éclipse sur notre horizon* (Académie). *Hauteur d'un astre sur l'horizon. Mouvement ascendant, déclinant d'un astre sur l'horizon* (⇒ **Ascendance, déclin**). *Astre qui passe par le point le plus élevé par rapport à l'horizon.* ⇒ **Culminer.** *Le zénith* et le nadir* sont symétriques et opposés par rapport au plan de l'horizon. Points de l'horizon où le soleil se lève, se couche.* ⇒ **Orient; occident.** *Arc de l'horizon compris entre l'orient et le point où se lève un astre.* ⇒ **Ortive** (amplitude ortive). *L'almicantarat, cercle de la sphère céleste parallèle à l'horizon.*

b Mar. *Horizon artificiel :* surface rigoureusement plane et horizontale (miroir, surface de mercure) remplaçant l'horizon visuel pour les observations astronomiques (au sextant*, par ex.). — Techn. *Horizon artificiel :* système gyroscopique matérialisant pour le pilote la direction de l'avion par rapport à son plan horizontal.

♦ **2.** (1611, pour le ciel; 1671, pour le paysage). Les parties de la surface terrestre et du ciel voisines de l'horizon visuel, de la ligne d'horizon. *Couleur de l'horizon* (→ Adopter, cit. 7). *L'horizon blêmit* (cit. 4) *à l'aube. Horizon embrumé* (cit. 5), *fumeux* (cit. 3), *pâli* (→ Encens, cit. 7). *Horizons vaporeux* (cit. 18). *Le ciel clair de l'horizon* (→ Champ, cit. 2). *L'aurore* (cit. 6) *dore l'horizon. Lueur qui frange* (cit. 4) *l'horizon.* — Poét. *Soleil penchant, mourant à l'horizon :* soleil couchant (→ Cribler, cit. 7; enflammer, cit. 14; fumer, cit. 8).

5 (...) là, viennent se peindre sur la même toile les sites et les cieux les plus divers avec leur soleil brûlant ou leur horizon brumeux.
CHATEAUBRIAND, Mémoires d'outre-tombe, t. VI, p. 136.

6 La vue n'est bornée que par les riches coteaux du Cher, horizon bleuâtre, chargé de parcs et de châteaux. BALZAC, la Grenadière, Pl., t. II, p. 186.

7 L'horizon semble un rêve éblouissant où nage
L'écaille de la mer, la plume du nuage,
Car l'océan est hydre et le nuage oiseau.
HUGO, les Contemplations, VI, « Éclaircie ».

8 (...) l'horizon calme, avec ses bois, ses maisons, ses coteaux, pareil à tous les horizons de la terre. MONTHERLANT, le Songe, I, III.

Appos. *Bleu horizon :* couleur des uniformes français pendant et après la guerre de 1914-1918 (→ Barrer, cit. 6). *Tenue bleu horizon.*

Voir, apercevoir qqch. à l'horizon. ⇒ **Loin** (au), **lointain** (dans le); → Flamboyer, cit. 1. *Interroger, scruter l'horizon* (→ Attachement, cit. 20). *Se détacher sur l'horizon* (→ Campanile, cit. 1; étincelant, cit. 1). *Bateau qui disparaît à l'horizon* (→ Amoindrir, cit. 5). *Voiles à l'horizon* (→ Balancer, cit. 25; épanouir, cit. 4; goéland, cit. 2). *Ce n'était plus qu'un point noir à l'horizon.* — *Arc* (cit. 10) *formé à l'horizon par les forêts de pins. L'horizon du Nord, du Midi* (ou *du Sud*). *D'un horizon à l'autre :* d'un point de l'horizon au point opposé. *Les quatre coins* (cit. 22), *les quatre points de l'horizon :* les points cardinaux. *De tous les points de l'horizon* (→ Balayer, cit. 3; enfler, cit. 2). *Du fond, du bout de l'horizon* (→ Furie, cit. 14).

8.1 Cet instrument terminé, l'ingénieur revint sur la grève; mais comme il fallait qu'il prît la hauteur du pôle au-dessus d'un horizon nettement dessiné, c'est-à-dire un horizon de mer, et que le cap Griffe lui cachait l'horizon du sud, il dut aller chercher une station plus convenable.
J. VERNE, l'Île mystérieuse, t. I, p. 173 (1874).

Pour te contempler, il faut que la vue tourne son télescope, par un mouvement continu, vers les quatre points de l'horizon (...) 9
LAUTRÉAMONT, les Chants de Maldoror, I, p. 27.

De gros nuages couraient d'un horizon à l'autre (...) CAMUS, la Peste, p. 255. 10

♦ **3.** Espace visible au niveau de l'horizon. ⇒ **Distance, étendue.** *« Plus on s'élève, plus l'horizon s'agrandit »* (Littré). *Un large horizon. Chaîne* (cit. 26) *de montagnes qui borne, limite, ferme l'horizon. Horizon borné* (cit. 20), *limité, sans grandeur. Grands horizons* (→ Étendue, cit. 10). *Pays plat, pays de steppes, aux horizons immenses, illimités. — De ce lieu, de cette montagne, on embrasse un immense horizon.* ⇒ **Paysage, vue.** *Échappée* sur l'horizon.*

Fabrice courut aux fenêtres; la vue qu'on avait de ces fenêtres grillées était sublime : un seul petit coin de l'horizon était caché, vers le nord-ouest, par le toit en galerie du joli palais du gouverneur (...) 11
STENDHAL, la Chartreuse de Parme, XVIII.

Je manquais d'air, et j'étouffais dans ma chambre étroite, sans horizon, sans gaieté, la vue barrée par cette haute barrière de murailles grises où couraient des fumées (...) E. FROMENTIN, Dominique, IV. 12

(...) des percées avaient été faites au milieu des arbres de telle façon que d'ici on embrassait tel horizon, de là tel autre. Il y avait à chacun de ces points de vue un banc (...) PROUST, À la recherche du temps perdu, X, p. 173. 13

Elle *(la chambre)* était au second, mansardée, mais vaste, fraîche, et tapissée d'un papier à fleurs; l'horizon y était borné, mais par les cimes de deux marronniers dont le feuillage plumeux était une caresse pour le regard. 14
MARTIN DU GARD, les Thibault, t. II, p. 189.

Par métaphore. *Voir toujours le même horizon, ne jamais changer d'horizon* (→ Échapper, cit. 4). *L'horizon borné du citadin, de l'employé* (cit. 3). *Érudit* (cit. 8) *n'ayant pour tout horizon que celui de sa bibliothèque.* — Fig. Ce qui borne, limite (→ Âme, cit. 24, Lamartine). *Horizon qui cerne* (cit. 1) *toute vie.*

♦ **4.** (Déb. XIXe; cf. *horizon rationnel,* au XVIIe). Abstrait. Domaine qui s'ouvre à la pensée, à l'activité de qqn. ⇒ **Champ** (d'action), **perspective.** *Son esprit embrasse* (cit. 20) *de vastes horizons. Ce livre m'a découvert, révélé, dévoilé des horizons insoupçonnés. Ouvrir des horizons nouveaux, illimités. Élargir** (cit. 3) *son horizon, l'horizon des foules. Le « vaste horizon humanitaire »* (→ Borner, cit. 19, Chateaubriand). *Un siècle sans horizon* (→ Aveugler, cit. 15). — Absolt et poét. *Des chercheurs d'horizons* (→ Gagneur, cit. 3).

Mais ton esprit plus vaste étend son horizon, 15
Et, du monde embrassant la scène,
Le flambeau de l'étude éclaire ta raison.
LAMARTINE, Premières Méditations, « La retraite ».

(...) des événements ignorés, des bonheurs entrevus, des joies inexplorées, tout un horizon de vie qu'il n'avait jamais soupçonné et qui s'ouvrait brusquement devant lui en face de cet horizon de campagne illimitée (...) 16
MAUPASSANT, M. Parent, II.

Toutes ces observations faisaient honneur à leur sagacité orthodoxe, mais il en résultait pour leurs élèves un horizon singulièrement fermé. 17
RENAN, Souvenirs d'enfance..., III, I.

(...) les curieuses phrases que ses yeux ont dévorées, et qui ouvrent à son esprit le champ illimité des horizons incertains et nouveaux. 18
LAUTRÉAMONT, les Chants de Maldoror, VI, p. 241.

L'amour qui change l'horizon de la femme à tous les niveaux et dans tous les milieux, au moment où elle l'éprouve, et ensuite par le souvenir. 19
Léon DAUDET, la Femme et l'Amour, I, p. 21.

(...) chercher, au delà du modeste horizon familier, des perspectives plus poignantes. J. ROMAINS, les Hommes de bonne volonté, t. V, XXVI, p. 268. 20

Les horizons s'ouvraient et se fermaient, les nuées accouraient, régnaient, s'évanouissaient. G. DUHAMEL, Biographie de mes fantômes, VII. 21

Loc. *Ouvrir des horizons.* — REM. L'expression était condamnée par Abel Hermant, sous prétexte que le sens étymologique de *horizon* est « ce qui borne »; mais on peut fort bien dire *ouvrir une barrière, un enclos,* et l'Académie a confirmé l'usage : *cette découverte ouvre de nouveaux horizons à l'esprit humain* (Académie, huitième éd.).

L'horizon politique, économique : les perspectives politiques, économiques. *L'horizon international s'éclaircit, s'assombrit.* ⇒ **Avenir.**

(...) à partir de onze heures, de fâcheux présages assombrissent de nouveau l'horizon. Le bruit se répandit d'abord que, si l'Allemagne avait accepté le projet de Sir Edward Grey, elle l'avait fait en termes fort réticents (...) 22
MARTIN DU GARD, les Thibault, t. VI, p. 104.

(V. 1971). *À l'horizon* (suivi d'un millésime) : dans la perspective de (l'année indiquée). *Se reporter, pour des prévisions, à l'horizon 2000.*

Loc. *Tour d'horizon :* examen général (d'une question). *Faire un tour d'horizon :* aborder, étudier successivement et succintement toutes les questions.

♦ **5.** Géol., pédologie. Couche bien caractérisée (par des fossiles, par la composition du sol). → Bourbe, cit. *Éléments d'accumulation dans un horizon du sol* (⇒ **Illuviation**). *Horizons humifères, éluviaux, illuviaux.*

DÉR. Horizonner, horizontal.
COMP. Transhorizon.

HORIZONNER [ɔʀizɔne] v. tr. — 1839, E. de Guérin; de *horizon.*

♦ **1.** Rare. Borner par un horizon*, une ligne d'horizon.

(...) au milieu d'une immense plaine qu'horizonnait un fond de petites collines pressées et bleues comme des vagues (...)
Alphonse DAUDET, Contes du lundi, « Le Caravansérail ».

♦ **2.** Arts. En peinture, représenter comme horizon, sur une toile. — (Sujet n. de chose). Constituer l'horizon. *« Une de ces villes de Judée qui horizonnent des "Saintes Familles" en route... »* (A. Daudet, *in* G. L. L. F.).

DÉR. Horizonnement [ɔʀizɔnmɑ̃], attesté chez Bloy, 1886.

HORIZONTAL, ALE, AUX [ɔʀizɔ̃tal, o] adj. et n. f. — 1545, *orizontal*; de *orizonte*, forme anc. de *horizon*.

★ **I.** Adj. ♦ **1.** Qui est parallèle à l'horizon astronomique, théorique; qui est perpendiculaire à la direction de la pesanteur en un lieu (à la verticale). *Plan horizontal; ligne, droite horizontale. Lignes horizontales d'un édifice* (cit. 2). *Rendre horizontale une surface plane.* ⇒ **Niveler.** *Mesure de l'inclinaison d'un plan par rapport à un plan horizontal grâce au clinomètre*. Tenir une épée, une lance... horizontale* (→ Espada, cit., Gautier). *Un vent violent faisait tomber la pluie presque horizontale* (→ Cingler, cit. 4). *La lumière horizontale du soleil levant, couchant* (→ Briller, cit. 6; étaler, cit. 35, Hugo). *Stratifications, couches horizontales,* en géologie. — *Écriture horizontale,* se traçant de droite à gauche ou de gauche à droite.

Archit. *Ville horizontale* (opposé à *verticale*).

1 Le Danube, supposé horizontal à son embouchure, comme le sont presque tous les grands fleuves, du moins sensiblement.
FONTENELLE, Guglielmini.

2 Les bancs de pierres calcaires sont ordinairement horizontaux ou légèrement inclinés; et, de toutes les substances calcaires, la craie est celle dont les bancs conservent le plus exactement la position horizontale.
BUFFON, Addit. à la théorie de la terre, Sur la hauteur des montagnes, V.

3 La pesanteur est perpendiculaire à la surface des eaux stagnantes et par conséquent horizontales.
LAPLACE, Exposition du système du monde, III, 4.

4 (...) des collines horizontales qu'on dirait aplaties avec la main (...)
E. FROMENTIN, Un été dans le Sahara, p. 39.

S'étendre dans une position horizontale. — Fam. *Prendre la position horizontale :* se coucher, s'allonger.

♦ **2.** Qui se rapporte à la direction horizontale. *Projection horizontale,* sur un plan horizontal. *Composante horizontale du champ magnétique terrestre, intensité horizontale* (valeur de la projection horizontale du vecteur représentant le champ magnétique).

♦ **3.** Fig. *Concentration horizontale :* réunion d'entreprises se situant au même niveau dans un processus technique ou économique (opposé à *vertical*). *Intégration horizontale.*

★ **II.** N. f. HORIZONTALE. ♦ **1.** Position horizontale. *À l'horizontale* (→ Bâton, cit. 7.1).

5 Il lui sembla que son compagnon faisait le geste de se découvrir, portant la main à sa tête, et ramenant son bras à l'horizontale.
CAMUS, la Peste, p. 117.

Droite horizontale. *Les horizontales d'un plan,* intersections de ce plan par des plans horizontaux. — *Les horizontales et les verticales d'un tableau, d'une architecture.*

♦ **2.** (1883). Vieilli. *Une horizontale :* une prostituée, une courtisane.

6 (...) ces dames demeuraient persuadées que toutes les filles de la capitale passaient leur existence dans les rapides (...) Les échos de *Gil Blas,* d'ailleurs, au dire de M. de Bridoie, signalaient la présence à Vichy, au Mont-Dore et à La Bourboule, de toutes les horizontales connues et inconnues. Pour y être, elles avaient dû y venir en wagon (...) C'était donc un va-et-vient continu d'impures sur cette maudite ligne.
MAUPASSANT, En wagon (1886), *in* M. Parent, p. 234.

7 Il y a, dans Paris, des horizontales de tout à fait première marque qui ont hôtel, chevaux, voitures, enfin tout le grand luxe, fournis par des amants, qu'elles ont connus dans ces maisons, un jour où l'abandon d'un autre amant les avait jetées sur le pavé.
GORON, l'Amour à Paris, t. I, p. 218.

8 Grue, gueuse, horizontale, poule, dégrafée, étaient les qualificatifs les plus nuancés dont ils usaient à l'égard de la maîtresse de leur fils.
Edmonde CHARLES-ROUX, l'Irrégulière, p. 149.

CONTR. Vertical.
DÉR. Horizontalement, horizontalisme, horizontaliste, horizontalité.

HORIZONTALEMENT [ɔʀizɔ̃talmɑ̃] adv. — 1596; de *horizontal.*

♦ Dans une direction, une position horizontale. *Glisser horizontalement. Plumes éployées horizontalement* (→ Croupion, cit. 2). *Le vent couche* (cit. 5) *la pluie presque horizontalement.*

(Il) se mit à suivre horizontalement le flanc du mont, en s'accrochant aux pierres, aux branches, aux plantes même, avec une adresse de chat sauvage (...)
A. DE VIGNY, Cinq-Mars, XXII.

CONTR. Verticalement.

HORIZONTALISME [ɔʀizɔ̃talism] n. m. — V. 1965; de *horizontal,* I., figuré.

Didactique.

★ **I.** Mus. ⇒ **Horizontaliste.**

★ **II.** Relig. Tendance de catholiques qui donnent la primauté à l'action envers les hommes (et non, comme le *verticalisme,* aux rapports spirituels avec Dieu).

HORIZONTALISTE [ɔʀizɔ̃talist] adj. et n. — 1908, R. Rolland; de *horizontal.*

★ **I.** Mus. Tendance des musiciens qui privilégient l'écriture horizontale par rapport aux accords. ⇒ **Mélodiste.**

★ **II.** Relig. Catholique dont la tendance est l'horizontalisme (*le Monde,* 11 mars 1970, *in* G. L. L. F.).

HORIZONTALITÉ [ɔʀizɔ̃talite] n. f. — 1786; de *horizontal.*

♦ **1.** Caractère de ce qui est horizontal. *Vérifier l'horizontalité d'une surface à l'aide du fil à plomb et de l'équerre, du niveau*.*

♦ **2.** Arts. Prépondérance des lignes horizontales (en architecture, décoration).

Il *(le peintre Dauzats)* savait sa ligne, et au besoin il eût bâti les édifices qu'il dessinait (...) Il exprimait avec sa puissante horizontalité le lourd temple égyptien (...)
Th. GAUTIER, Portraits contemporains, Dauzats.

CONTR. Verticalité.

HORLOGE [ɔʀlɔʒ] n. f. — V. 1170, *orloge,* d'abord masc.; n. f., XIIIe; var. *reloge, orloge;* lat. *horologium,* grec *hôrologion* « qui dit l'heure », de *hôra* « heure », et *legein* « dire, parler ». → -logie.

♦ **1.** a Vx ou hist. Appareil destiné à indiquer l'heure, à marquer les heures. *Horloge solaire.* ⇒ **Cadran** (solaire), **gnomon.** *Horloge à sable.* ⇒ **Sablier.** *Horloge à eau.* ⇒ **Clepsydre** (cit. 1).

(...) on ne tarda pas à les compliquer *(les clepsydres)*; un flotteur actionnant des rouages fit mouvoir une aiguille devant un cadran gradué (...) Ces clepsydres ainsi perfectionnées devaient d'ailleurs être assez délicates, puisque, lorsque en 490 le roi Théodoric fit cadeau d'une horloge à Gondebault, roi des Burgondes, il lui envoya en même temps « des personnes qui la sçavaient gouverner ». 1
Jean GRANIER, la Mesure du temps, p. 15.

b Mod. *Horloge à quartz* ou *horloge électronique,* réglée par un cristal de quartz dont les oscillations sont entretenues.

Horloge atomique : appareil de mesure du temps de très haute précision, destiné à servir d'étalon de temps et utilisant la résonance des atomes en transition (notamment césium, rubidium : *horloge au césium, au rubidium*) entre deux états quantiques. *L'horloge atomique, caractérisée par sa stabilité à long terme* ($\pm$ *1 s en 50 000 ans), remplace depuis 1967 le système de mesure reposant sur les mouvements astronomiques.*

Inform. Circuit électronique qui produit des signaux de synchronisation. ⇒ **Base** (de temps).

♦ **2.** (V. 1230). Cour. Machine d'une grande dimension, souvent munie d'une sonnerie et destinée à indiquer l'heure*, notamment dans les lieux publics (dans les locaux privés, *horloge* ne s'oppose à *pendule* que par la taille). *Aiguille, cadran; caisse, coffre, gaine d'une horloge. Mécanisme, mouvement d'une horloge* (⇒ **Horlogerie**), *moteur* (⇒ **Poids, ressort, tambour**), *mouvement, rouage; régulateur, balancier... d'une horloge. Horloge à cadran évidé* (cit. 1). — *Horloge à ressort. Horloge à poids, à grand balancier. Grande horloge rustique, formant meuble. Petite horloge murale.* ⇒ **Carillon, coucou.** *Horloge publique. Horloge de gare. L'horloge de l'église* (→ Butoir, cit. 1). *L'horloge d'un clocher, d'un campanile, d'un beffroi. La tour de l'horloge. Horloge monumentale à personnages, à jaquemart*. L'horloge de la cathédrale de Strasbourg, de la cathédrale de Beauvais.* — *Horloge de précision; horloge de compensation*. Horloge électrique,* dont le balancier est mû par l'électricité. *Horloges électriques commandées à distance par une horloge de distribution (« horloge mère »). Horloge pneumatique,* fonctionnant à l'air comprimé. *Horloge à quartz.* → ci-dessus, 1., b. — *Le tic-tac, le bruit d'une horloge* (→ 1. Canon, cit. 5). *Sonnerie*, carillon* d'une horloge. Horloge qui sonne, carillonne* (cit. 1) *l'heure. Horloge qui sonne les douze coups de midi. Marteau d'horloge* (→ Couper, cit. 23). — *Fonctionnement, marche d'une horloge. Vieille horloge qui fonctionne* (cit. 5) *mal. Dérégler* (cit. 1) *une horloge. Horloge qui avance, retarde. Mettre une horloge à l'heure. Monter, remonter une horloge à poids à l'aide d'une clé qui agit sur les ressorts, sur les poids. Démonter une horloge pour la réparer.*

L'horloge du palais vint à frapper onze heures (...) 2
Mathurin RÉGNIER, Satires, VIII.

Les anciens ne possédaient pas, il est vrai, la commodité de l'horloge sonnante ni 3
même de l'horloge muette; mais ils suppléaient, autant qu'ils le pouvaient, à nos machines d'acier et de cuivre par des machines vivantes, par des esclaves chargés de crier l'heure d'après la clepsydre et le cadran solaire (...)
NERVAL, les Filles du feu, « Isis », I.

Toutes les demi-heures, ou tous les quarts d'heure, les horloges sonnaient chacune 4
avec un timbre distinct; pas une ne ressemblait à la sonnerie rustique de Villeneuve, si reconnaissable à sa voix rouillée.
E. FROMENTIN, Dominique, IV.

Nous nous tûmes, visitâmes l'église puis allâmes entendre tinter l'heure à l'horloge 5
de l'Hôtel de Ville. La Mort, tirant la corde, sonnait en hochant la tête. D'autres

statuettes remuaient, tandis que le coq battait des ailes et que, devant une fenêtre ouverte, les Douze Apôtres passaient en jetant un coup d'œil impassible sur la rue.
APOLLINAIRE, l'Hérésiarque..., p. 18.

6 (...) à gauche la maie de merisier, qu'une horloge dans sa gaine, au cadran fleuri d'enluminures, séparait du bureau à ferrures. M. GENEVOIX, Raboliot, I, III.

REM. Le masculin, archaïque, s'est conservé dans des dénominations; ex. : *le gros horloge*, à Rouen.

(1935). *L'horloge parlante* : diffusion orale de l'heure de l'Observatoire par téléphone.

7 Tout le monde a déjà entendu l'horloge parlante : chaque 10 secondes, elle annonce l'heure qu'il va être (...) puis, exactement à l'heure annoncée, elle émet un top musical. J. GRANIER, la Mesure du temps, p. 80.

L'horloge, symbole du temps. *L'horloge*, poème de Baudelaire (*Spleen et Idéal*, LXXXV). → Effrayant, cit. 2.

Loc. *Une régularité, une précision, une ponctualité, une exactitude d'horloge. Il est réglé comme une horloge*, se dit d'une personne aux habitudes très régulières. — (1547). *Une heure d'horloge* : une heure entière, mesurée sur une horloge (→ Une grande heure).

8 Rasé, lesté de sa tasse de café dès huit heures du matin, il *(Rabourdin)* sortait avec une exactitude d'horloge (...) BALZAC, les Employés, Pl., t. VI, p. 865.

9 (...) il réglait et calculait les mouvements de ce cœur comme ceux d'une horloge, et aurait pu dire avec exactitude par quelles sensations il avait passé.
A. DE VIGNY, Cinq-Mars, X.

10 Dirai-je quelques mots de (...) sa ponctualité d'horloge dans l'accomplissement de tous ses devoirs? BAUDELAIRE, l'Art romantique, Gautier, VI.

11 (...) parmi ce petit monde d'employés, soumis à une existence d'horloge par l'uniforme retour des heures réglementaires, la vie s'était remise à couler, monotone.
ZOLA, la Bête humaine, VI.

L'horloge, modèle de mécanisme. *Les animaux, aux mouvements réglés comme ceux d'une horloge, selon Descartes, Malebranche.* ⇒ **Machine** (animaux-machines), **mécanisme.**

12 Je sais bien que les bêtes font beaucoup de choses mieux que nous, mais je ne m'en étonne pas; car cela même sert à prouver qu'elles agissent naturellement et par ressorts, ainsi qu'une horloge, laquelle montre bien mieux l'heure qu'il est, que notre jugement ne nous l'enseigne. Et sans doute que, lorsque les hirondelles viennent au printemps, elles agissent en cela comme les horloges.
DESCARTES, Lettre au marquis de Newcastle, 23 nov. 1646.

L'univers comparé à une horloge, dont le fonctionnement parfait prouverait l'existence d'un créateur (→ Cause, cit. 5; exister, cit. 1, Voltaire).

13 Nous avons beaucoup perdu depuis Voltaire qui, tenant le monde pour une horloge, admettait au moins l'existence de l'horloger. Une horloge de ce genre, nous n'en savons pas encore construire; à peine sommes-nous capables de graisser quelques petits rouages. Déjà nous voulons tenir l'horloger pour superflu.
DANIEL-ROPS, le Monde sans âme, VI, p. 185.

♦ **3.** Par métaphore. **a** (1764). *Horloge botanique*; (1797) *horloge de Flore* (Linné) : plantes rangées selon un ordre tel que l'ouverture, la fermeture de leurs fleurs constituent une succession chronologique (→ 1. Belle-de-nuit, cit.).

b *Horloge physiologique* : particularité qu'ont les êtres vivants, animaux et végétaux, d'avoir une certaine possibilité de se repérer dans le temps, même en l'absence des modifications de luminosité du jour et de la nuit. — *Horloge interne, horloge physiologique, biologique* (animaux supérieurs, homme).

♦ **4.** Loc. (1776). HORLOGE DE LA MORT, HORLOGE-DE-MORT : coléoptère qui produit un bruit régulier, un tic-tac, en rongeant le bois. ⇒ **Vrillette.**

DÉR. Horloger, horlogerie.
COMP. Horlogiographie.

HORLOGER, ÈRE [ɔʀlɔʒe, ɛʀ] n. et adj. — V. 1360; var. *aulogier*, 1292; *horlogier*, jusqu'au XVIIe (→ ci-dessous, cit. 1); de *horloge*.

♦ **1.** Personne qui fabrique, répare, vend des objets d'horlogerie (horloges, montres, pendules...). → Artifice, cit. 3; artisan, cit. 10. *Profession, métier d'horloger.* — Fig. *Faire un travail d'horloger*, de précision. *Horloger bijoutier. Ouvriers horlogers* : ébaucheur (qui effectue le dégrossissage), acheveur, cadraturier, etc. *Outils, instruments de l'horloger* : alésoir, archelet, bigorne, brunissoir, échoppe, filière, foret, pincettes, poinçon, pointeau, revenoir... *Lime ronde d'horloger* (dite *fraise*). *Établi, tour d'horloger. Horloger qui démonte, nettoie, répare une pendule* (→ Démonter, cit. 10).

1 Depuis quand cette montre? et qui vous l'a donnée?
— Acaste, mon cousin, me la vient d'envoyer,
Dit-elle, et veut ici la faire nettoyer,
N'ayant point d'horlogiers au lieu de sa demeure (...)
CORNEILLE, le Menteur, II, 5.

2 Je suis né à Genève en 1712, d'Isaac Rousseau, citoyen, et de Suzanne Bernard, citoyenne... *(mon père)* n'avait pour subsister que son métier d'horloger, dans lequel il était à la vérité fort habile. ROUSSEAU, les Confessions, I.

3 (...) il parle de son métier. Il est horloger. Jean lui tend sa montre. Daubigny tire difficilement un lorgnon (...) et ouvre le boîtier.
J. CHARDONNE, les Destinées sentimentales, p. 350.

4 Destiné par son père à l'état d'horloger, Pierre-Augustin *(Beaumarchais)* en apprit le rudiment à l'école de campagne d'Alfort (...) Il travailla, devint fort habile, et inventa (...) un système d'échappement qui permettait de faire des montres minuscules et très plates, qu'on pouvait insérer dans une bague (...) La marquise de Pompadour commande à Pierre-Augustin une montre de bague (...) on charge Beaumarchais de construire une pendulette pour Madame Victoire; on le nomme « horloger du roi ». Maurice RAT, Introd. au théâtre de Beaumarchais, p. II-III.

Fig. *L'horloger, le grand horloger* : Dieu, créateur de l'univers. ⇒ **Horloge** (→ Exister, cit. 1, Voltaire).

♦ **2.** Adj. (1867). Relatif à l'horlogerie. *L'industrie horlogère.*

HORLOGERIE [ɔʀlɔʒʀi] n. f. — V. 1640; de *horloger*.

♦ **1.** Fabrication, industrie et commerce des instruments destinés à la mesure du temps. *Théorie, technique de l'horlogerie. Atelier, fabrique d'horlogerie. École d'horlogerie. Grosse horlogerie; horlogerie de précision. L'invar, le palladium, métaux utilisés en horlogerie. Nouveaux matériaux utilisés en horlogerie* : alliages spéciaux, matières plastiques, acier au titane. *Opérations d'horlogerie* : dégrossissage, montage, achevage, finissage; éclaircissage, polissage (des verres).

L'art de l'horlogerie était faible *(sous Louis XIII)*, et consistait à mettre une corde à la fusée d'une montre : on n'avait point encore appliqué le pendule aux horloges. VOLTAIRE, Essai sur les mœurs, CLXXVI.

♦ **2.** (1762). *Ouvrages d'horlogerie* (chronomètres, horloges*, pendules, montres*). *Pièces d'horlogerie.* ⇒ **Aiguille, ancre, arbre, axe, balancier, barillet, boîtier, cadran, cadrature, cheville, cliquet, compensateur, doigt, échappement, fourchette, fusée, goupille, marteau** (de sonnerie), **pendule** (n. m.), **pignon, platine, poids, régulateur, remontoir, ressort, rochet, roue** (de temps, des minutes, d'échappement; roue de compte, d'étouteau d'une sonnerie...), **sonnerie, spiral, tambour, tympan, verre, volant** (de sonnerie). *Mouvement* d'horlogerie. Miniaturisation des pièces et mouvements d'horlogerie.*

Fig. *Pièce d'horlogerie* : pièce délicate ou complexe. *Mécanisme d'horlogerie*, complexe et précis.

Par compar. *Comme un mouvement d'horlogerie* : d'une manière précise, infaillible.

♦ **3.** (1803, « atelier d'horlogerie »). Magasin d'horloger. *Ouvrir une horlogerie. Être vendeur dans une horlogerie. Une horlogerie-bijouterie.*

HORLOGIOGRAPHIE [ɔʀlɔʒjɔgʀafi] n. f. — 1561; de *horloge*, et *-graphie*.

♦ Didact. et vx. « Science et technique des instruments à mesurer le temps et notamment des cadrans solaires » (Ozanam, *Dictionnaire de mathématiques*, 1691, *in* D. D. L.). ⇒ **Gnomonique.**

HORMIN [ɔʀmɛ̃] n. m. — 1600, O. de Serres; lat. *horminum*, du grec *horminon* « sauge ».

♦ Bot. Plante dicotylédone *(Labiées)*, herbacée, vivace, qui croît dans les montagnes.

Var. graphique (vx) : *ormin*.

REM. On emploie aussi le dér. *horminelle* [ɔʀminɛl] n. f., et la forme latine *horminum* [ɔʀminɔm] n. m.

HORMINELLE [ɔʀminɛl] n. f. ; HORMINUM [ɔʀminɔm] n. m.

⇒ **Hormin.**

HORMIQUE [ɔʀmik] adj. — V. 1970; du grec *hormê* « impulsion ».

→ Hormone.

♦ Psychol., psychan. Relatif aux pulsions. ⇒ **Pulsionnel.**

HORMIS ['ɔʀmi] prép. — V. 1360, *hor mis que*, Froissart; *hors mis*, non lexicalisé, 1260; de *hors*, et *mis* « étant mis hors ».

♦ Vieilli ou littér. ⇒ **Excepté, fors** (vx), **hors, sauf.** *Aucun, nul, personne, hormis tel ou tel* (→ Bohémien, cit. 2; futile, cit. 4; gouverner, cit. 13). *Hormis les cas de force majeure* (→ Censé, cit. 3). *Tout, hormis ceci* (→ Baisser, cit. 27; excuser, cit. 28). *Rien n'existait pour elle, hormis...* (→ Extérieur, cit. 4).

Hormis toi, tout chez toi rencontre un doux accueil (...) BOILEAU, Satires, X. 1

Bêtes mieux pourvues de tout que l'homme, hormis de la raison. 2
RACINE, Livres annotés, Plutarque, De fortuna.

(...) on a de tout avec de l'argent, hormis des mœurs et des citoyens. 3
ROUSSEAU, Disc. sur les sciences, II.

Rien ne m'agréait dans la vie positive, hormis peut-être le ministère des affaires 4
étrangères. CHATEAUBRIAND, Mémoires d'outre-tombe, t. IV, p. 258.

(...) une maîtresse idolâtrée aux yeux de qui les hommes ne sont rien, hormis-un 5
seul (...) BALZAC, le Message, Pl., t. II, p. 177.

(Suivi d'un infinitif) :

En cette extrémité que prétendez-vous faire? 6
Tout, hormis l'irriter; tout, hormis lui déplaire (...)
CORNEILLE, Andromède, V, 1.

Loc. conj. Littér. HORMIS QUE... : si ce n'est que... ⇒ **Excepté** (que), **sauf** (que).

7 (...) il ressemblait à M. de Beaufort, hormis qu'il parlait mieux français.
Mme DE SÉVIGNÉ, Lettres, 163, 1er mai 1671.

CONTR. Compris (y compris), inclus.

HORMOGÈNE [ɔʀmɔʒɛn] adj. — Mil. xxe; du grec *hormê* «impulsion», et *-gène.*

♦ Psychol. Se dit d'une stimulation qui suscite un comportement.

HORMONAL, ALE, AUX [ɔʀmɔnal, o] adj. — 1932, Comptes rendus de l'Académie des Sciences (*in* T.L.F.); cf. angl. *hormonal,* 1926; var. *hormonique,* 1913, Caullery; de *hormone.*

♦ Relatif à une hormone, aux hormones. *Spécificité hormonale. Différenciation hormonale des sexes* (→ Femme, cit. 12). *Corrélations, régulations hormonales. Échanges hormonaux.*

Les spécialistes nous parlent des hormones, de ce qu'ils appellent la vie hormonale, de l'action profonde et modificatrice des glandes dites endocrines.
G. DUHAMEL, Cri des profondeurs, III.

De la nature des hormones. *Médicaments hormonaux.*
Qui utilise des hormones (naturelles ou de synthèse). *Traitement hormonal* (⇒ **Opothérapie**). *Méthodes hormonales de contraception.* (⇒ **Pilule**).

HORMONE [ɔʀmon; ɔʀmɔn] n. f. — 1911; angl. *hormone* (Bayliss et Starling), 1904; du grec *hormân* «exciter»; cf. *hormonique (pilules hormoniques),* Lémery, 1738.

♦ Substance chimique élaborée par un groupe de cellules ou un organe et qui exerce une action spécifique sur d'autres tissus ou d'autres organes. *Les hormones sont généralement sécrétées par des organes de structure glandulaire* (⇒ **Glande; endocrine,** cit. 1) *et transportées par le sang* (dans les organismes possédant une circulation sanguine). *Hormones hypophysaires :* intermédine, ocytocine, et surtout hormones sécrétées par le lobe antérieur de l'hypophyse : hormones somatotrope, cétogène, diabétogène, stimulines (hormones thyréotrope, pancréatotrope, etc., et gonadostimulines). *Hormones thyroïdiennes.* ⇒ **Thyroxine** et **parathyroïdienne;** et aussi **parathormone.** *Hormones des glandes surrénales :* médullo-surrénales (⇒ **Adrénaline**); cortico-surrénales (aldostérone, corticostérone, cortine, cortisone*). *Hormones pancréatiques* (⇒ **Insuline**). *La sécrétine, hormone découverte dans la muqueuse duodénale. — Hormones sexuelles, génitales. Hormones mâles* (ou *androgènes*), élaborées par le testicule (androstérone, testostérone*). *Hormones femelles,* élaborées par l'ovaire (folliculine* ou œstrone, œstrine; œstriol, œstradiol; progestérone* ou lutéine). *Hormones gonadotropes** (cit.), sécrétées par le lobe antérieur de l'hypophyse (gonadostimulines et prolans A et B; ocytocine; prolactine, galactine). — *Nature chimique des hormones : hormones protidiques, lipidiques. — Rôle des hormones dans l'organisme* (→ Morphogène, cit.) : *influence des hormones sur la croissance. Hormones de croissance. Rôle des hormones dans les métamorphoses des batraciens, des insectes (hormones métaboliques). Hormones de la gestation** (cit. 3) : folliculine, progestérone, prolans*; *hormones de la parturition :* ocytocine; *hormones de la lactation :* prolactine... *Rôle des hormones dans le fonctionnement du système nerveux. Influence des hormones sur le comportement* (instincts et psychisme). — *Troubles dus aux excès ou insuffisances d'hormones,* maladies thyroïdiennes (goitre, myxœdème, maladie de Basedow), parathyroïdiennes; diabète pancréatique, troubles sexuels (cachexie, infantilisme, nanisme, acromégalie, gigantisme). — *Traitement par les hormones.* ⇒ **Hormonothérapie, opothérapie.** *Utilisation des hormones dans les techniques contraceptives* («pilule*», etc.).

0.1 La fin du XIXe siècle sera marquée par une découverte capitale (...) celle des hormones. On désigne sous ce nom des substances chimiques sécrétées par certains tissus et capables d'agir, en se diffusant, sur d'autres tissus situés à plus ou moins grande distance. Le rôle de ces substances actives et diffusibles, qui établissent, en somme, la liaison d'un point à un autre de l'organisme, apparaît aujourd'hui d'une extrême importance, puisque nous les voyons intervenir dans tous les grands phénomènes de la vie (nutrition, croissance, organisation embryonnaire, développement, métamorphose, différenciation sexuelle, maturité génitale, etc.), et chez tous les êtres vivants, aussi bien chez les Invertébrés que chez les Vertébrés, chez les plantes que chez les animaux.
Jean ROSTAND, Esquisse d'une histoire de la biologie, p. 185.

1 (...) les caractères sexuels secondaires, ceux-ci étant déterminés par l'action de substances chimiques, ou *hormones,* qu'élabore la glande génitale, et qui, passant dans le milieu humoral, influencent l'organisme tout entier.
Jean ROSTAND, l'Homme, VI, p. 92.

2 (...) les hormones peuvent avoir des constitutions et des propriétés chimiques extrêmement variées (...) nous ignorons encore quelle est la nature exacte (...) de l'action qu'elles exercent dans l'intimité même des cellules. Il est probable que lorsque ces actions seront mieux connues, certaines hormones se rangeront dans des groupes biochimiques existant déjà par ailleurs (...) Le nom d'hormones est souvent une étiquette provisoire, dont on abuse peut-être un peu trop aujourd'hui.
Pierre REY, les Hormones, p. 14.

Bot. *Hormones végétales* (ou *phythormones**), sécrétées par les plantes et agissant sur leur développement, sur leur croissance (⇒ **Auxine**).
Produit de synthèse à effet semblable à celui des hormones naturelles. *Utilisation des hormones pour accélérer la croissance des animaux domestiques* (sous forme d'injections, d'implants [pellets]).
— Fam. *Poulet, volaille aux hormones,* traité(e) aux hormones, lors de l'élevage (pour accélérer la croissance).

Du poulet, mais aux hormones. Ce devait être blanchâtre et filandreux. 3
Claude COURCHAY, La vie finira bien par commencer, p. 37.

DÉR. Hormonal, hormoner.
COMP. Hormonogène, hormonogenèse, hormonologie, hormonopoïèse, hormonothérapie. — Antihormone, nécrohormone, neurohormone, phéro-hormone.

HORMONER [ɔʀmɔne] v. tr. — V. 1980; de *hormone.*

♦ Fam. Traiter (un animal) aux hormones, pour lui faire prendre du poids.

HORMONOGÈNE [ɔʀmɔnɔʒɛn] adj. — 1959, Garnier et Delamare; de *hormone,* et *-gène.*

♦ Physiol. Se dit des produits des glandes endocrines, se transformant en hormones ou jouant le rôle d'hormones. *Substances hormonogènes.*

HORMONOGENÈSE [ɔʀmɔnɔʒənɛz] n. f. — Mil. xxe; de *hormone,* et *genèse.*

♦ Physiol. Production d'hormones dans une glande endocrine. ⇒ **Hormonopoïèse.**

HORMONOLOGIE [ɔʀmɔnɔlɔʒi] n. f. — Mil. xxe; de *hormone,* et *-logie.*

♦ Didact. et rare. Étude des hormones, comprise dans l'endocrinologie*.

HORMONOPOÏÈSE [ɔʀmɔnopɔjɛz] n. f. — xxe; de *hormone,* et grec *poiesis* «formation», de *poiein* «faire». → Poésie.

♦ Physiol. Production des hormones dans l'organisme. ⇒ **Hormonogenèse.**

HORMONOTHÉRAPIE [ɔʀmɔnoteʀapi] n. f. — 1940; de *hormone,* et *-thérapie.*

♦ Méd. Traitement par les hormones, d'abord administrées sous formes d'extraits de glandes endocrines (opothérapie), puis, de nos jours, sous forme de produits de synthèse.

Les résultats de l'hormonothérapie sont inconstants, mais, parfois, saisissants, le plus souvent encourageants, d'autant meilleurs et complets que les sujets sont moins âgés. On note une reprise de la vigueur morale et physique, une augmentation de la capacité de travail et de l'acuité des divers sens, le retour d'un meilleur équilibre neuro-psychique. Il n'y a pas toujours d'action sur la puissance sexuelle, mais on a noté quelquefois le réveil subit de la *libido.*
Léon BINET, Gérontologie et Gériatrie, p. 100.

HORNBLENDE ['ɔʀnblɛ̃d] n. f. — 1775, écrit *horn-blende;* all. *Hornblende* (1775); de *Horn* «corne», parce que ces blendes ont l'apparence de la corne, et *Blende.* → Blende.

♦ Minér. Minéral noir ou vert foncé, silicate de fer, d'aluminium ou de magnésium appartenant au groupe des amphiboles*. *Hornblende basaltique* (basaltine) *en cristaux noirs. La hornblende fait partie des «éléments noirs» ou ferro-magnésiens. Les gneiss*, les micaschistes renferment de la hornblende.*

Il nous renseigna (...) sur la blende et la horn-blende; sur le micaschiste et le poudingue (...) BAUDELAIRE, Trad. E. POE, Nouvelles Histoires extraordinaires, «Lionnerie».

HORO- Élément, du grec *hôra* «heure», entrant dans la composition de termes didactiques. ⇒ **Horodaté, horodateur, horographie, horokilométrique, horométrie, horoscope.**

HORODATÉ, ÉE [ɔʀɔdate] adj. — V. 1973; de *horo-,* et *daté.*

♦ Techn. Se dit d'un document comportant l'heure à laquelle il a fait l'objet d'une opération. *Ticket, titre de transport horodaté. — Stationnement horodaté :* stationnement à durée limitée, dont la durée est contrôlée au moyen d'un ticket horodaté.

HORODATEUR, TRICE [ɔʀɔdatœʀ, tʀis] adj. et n. — 1927, *in* T.L.F.; de *horo-,* et *dateur.*
Technique.

♦ **1.** Adj. Qui imprime la date et l'heure sur un document. *Horloge horodatrice.*

♦ **2.** N. **a** N. m. Appareil servant à imprimer la date et l'heure.
b N. f. (1974). *Horodatrice :* appareil de précision enregistrant les moments de passage des automobiles, dans les courses.

HORODICTIQUE [ɔʀɔdiktik] adj. — 1866, Littré; de *horo-*, et grec *diktikos* «qui démontre», de *deiknunai* «montrer».

♦ Techn. Didact. *Quart de cercle horodictique,* où sont tracées les lignes horaires.

HOROGRAPHE [ɔʀɔgʀaf] n. — XVIIe; de *horographie.*

♦ Didact. Personne qui pratique l'horographie*.

HOROGRAPHIE [ɔʀɔgʀafi] n. f. — 1644; de *horo-*, et *-graphie.*

♦ Didact. Art de tracer les cadrans solaires. ⇒ **Gnomonique.**

DÉR. Horographe, horographique.
HOM. Orographie.

HOROGRAPHIQUE [ɔʀɔgʀafik] adj. — 1866; de *horographie.*

♦ Didact. Relatif à l'horographie*.

HOM. Orographique.

HOROKILOMÉTRIQUE [ɔʀokilɔmetʀik] adj. — 1894; de *horo-*, et *kilomètre, kilométrique.*

♦ Techn. Relatif à une vitesse exprimée en kilomètres-heure. *Compteur horokilométrique.*

HOROLOGE [ɔʀɔlɔʒ] n. m. — 1873, P. Larousse; grec *horologion.* → Horloge.

♦ Didact. (relig.). Livre de prières quotidiennes dans l'Église chrétienne d'Orient.

HOROMÉTRIE [ɔʀɔmetʀi] n. f. — 1721; de *horo-*, et *-métrie.*

♦ Didact. et vx. Art de diviser, de mesurer le temps.

DÉR. Horométrique.
HOM. Orométrie.

HOROMÉTRIQUE [ɔʀɔmetʀik] adj. — 1842; de *horométrie.*

♦ Didact. et vx. Relatif à l'horométrie*.

HOROPTÈRE [ɔʀɔptɛʀ] n. m. — 1694; du grec *horos* «limite», et *optêr* «observateur», de *opsesthai,* inf. futur de *horân* «voir».

♦ Techn., physiol. Ligne droite passant par le point de coïncidence des axes optiques, et parallèle à la ligne qui joint les centres des yeux de l'observateur (dans l'art de la perspective). *L'horoptère est le lieu des points dont les images se forment sur des points correspondants des deux rétines.*

HOROSCOPE [ɔʀɔskɔp] n. m. — 1512, J. Lemaire de Belges, «conjonction astrale»; *oroscope,* 1529, Rabelais; «prédiction», fin XVIIe; lat. *horoscopus,* grec *hôroskopos,* de *horos* «heure», et *skopein* (→ -scope) «qui considère *(skopein)* l'heure (de la naissance)». Courant.

♦ **1.** Étude de la destinée d'une personne, fondée sur les influences astrales censées s'exercer sur elle depuis l'heure de sa naissance; observation* faite de l'état du ciel, des aspects (cit. 31 et 33) des astres à ce moment. ⇒ **Astrologie; ascendant; carte** (du ciel), **nativité** (thème de nativité). *Faire, dresser l'horoscope d'un enfant. Établir le thème généthliaque** (cit.) *et édifier un horoscope. Tirer l'horoscope de qqn. Diseurs, faiseurs, tireurs d'horoscopes* (→ Charlatan, cit. 1; crédule, cit. 2). *Lire, consulter son horoscope* (→ Euréka, cit.). *Prédictions, présages d'un horoscope. Bon, mauvais horoscope.*

1 (...) et ceux qui ont dressé son horoscope ont prédit qu'il serait un jour grand Seigneur à Rome (...) CYRANO DE BERGERAC, Lettres satiriques, À M. Le Coq, Œ. diverses, p. 131.

2 L'on souffre dans la république les chiromanciens et les devins, ceux qui font l'horoscope et qui tirent la figure (...) LA BRUYÈRE, les Caractères, XIV, 69.

3 On ne peut trop répéter qu'Albert-le-Grand et le cardinal d'Ailli ont fait tous deux l'horoscope de Jésus-Christ. Ils ont lu évidemment dans les astres combien de diables il chasserait du corps des possédés, et par quel genre de mort il devait finir; mais malheureusement ces deux savants astrologues n'ont rien dit qu'après coup. VOLTAIRE, Dict. philosophique, Astronomie.

3.1 Flore avoua son secret et voulut savoir, avant tout, si sa flamme était née sous d'heureux auspices. Angélique, aussitôt, tira de son cabas un planisphère céleste qu'elle épingla au mur; puis, prenant la date de la veille pour point de départ de son horoscope, elle se plongea dans une grave méditation, semblant se livrer à un calcul mental actif et compliqué. À la fin elle désigna du doigt la constellation du Cancer, dont l'influence bienfaisante devait préserver de tout déboire les futures amours de Flore. Raymond ROUSSEL, Impressions d'Afrique, p. 271.

3.2 Cette suite d'interrogations n'autorise pas à oublier que les textes d'horoscopes contiennent les débris d'une vision du monde : le zodiaque, les constellations, les destins inscrits dans les étoiles, le firmament comme écriture divine, déchiffrable par les initiés à l'usage des intéressés. Vaste symbolisme qui a inspiré l'architecture, qui se lit sur beaucoup de monuments, qui résume une topologie (jalonnement et orientation de l'espace cosmique et social, celui des pasteurs, des paysans, puis des urbains). Henri LEFEBVRE, la Vie quotidienne dans le monde moderne, p. 161.

♦ **2.** (Mil. XVIIe). Prédiction de l'avenir par un procédé quelconque. ⇒ **Magie,** et le suff. **-mancie.**

4 (...) ma cousine, en train de se faire dire son horoscope par quelque esclave habile à lire dans le marc de café. LOTI, les Désenchantées, XIX.

5 (...) elle lui saisit le poignet et lui posa la main, retournée, sur la nappe. Il crut qu'elle voulait lire son horoscope : — «Non», fit-il, en cherchant à se dégager. (Rien ne l'agaçait autant que les prophéties...). MARTIN DU GARD, les Thibault, t. VI, p. 26.

DÉR. Horoscopie, horoscopiste.

HOROSCOPIE [ɔʀɔskɔpi] n. f. — 1812; de *horoscope.*

♦ Didact. et rare. Art de prédire l'avenir, par horoscope. *Science de l'horoscopie.*

DÉR. Horoscopique.

HOROSCOPIQUE [ɔʀɔskɔpik] adj. — 1839; de *horoscopie.*

♦ Didact. et rare. De l'horoscopie*. *Sciences horoscopiques. Les données horoscopiques.*

C'est Balzac qui, pour les personnages de *La Comédie humaine,* faisait établir, dit-on, des fiches horoscopiques, où il trouvait tous les motifs de leur vie et le thème de leur destinée. B. CENDRARS, Rhum, p. 14.

HOROSCOPISTE [ɔʀɔskɔpist] n. — V. 1765, Diderot; de *horoscope.*

♦ Didact. et rare. Personne qui prédit l'avenir par horoscope*. ⇒ **Astrologue, voyant**(e).

Ils étaient suivis des tireurs d'horoscopes (...) Après les horoscopistes venaient ceux qu'on appelait les stolites. DIDEROT, Opinions des anciens philosophes, Œ. compl., t. XIV, p. 187.

HORRESCO REFERENS [ɔʀɛskoʀefeʀɛ̃s] loc. lat. — XIXe (1873, *in* P. Larousse), mais antérieur (abrév. *horresco,* 1871, *in* D. D. L.); mots lat. (→ ci-dessous).

♦ «Je frémis d'horreur en le racontant» (Virgile, *Énéide,* II, vers 204), locution latine qui s'emploie par plaisanterie avant d'énoncer une parole qui risque de choquer.

HORREUR [ɔʀœʀ] n. f. — V. 1175, au sens I, 2; lat. *horror, horroris* «frisson d'effroi, hérissement»; puis «horreur sacrée», de *horrere* «se hérisser; trembler».

REM. L'usage abusif et hyperbolique du mot *horreur* dans toutes ses acceptions, a été répandu du XVIIe s. au début du XIXe s., particulièrement dans la langue du théâtre.

Le carnage et l'horreur, termes vagues et usés qu'il faut éviter. Aujourd'hui tous nos mauvais versificateurs emploient le carnage et l'horreur à la fin d'un vers (...) pour rimer. VOLTAIRE, Remarques sur Sertorius, V, 6. 1

Depuis mon retour à Paris, en 1801 (...) j'avais été choquée du ton de la conversation : rien n'y était naturel, et l'exagération avait mis à la mode les expressions les plus outrées. On éprouvait l'*horreur* ou l'*enthousiasme* pour les choses les plus futiles et les plus simples (...) Mme DE GENLIS, Mémoires, XXXVII, *in* BRUNOT, Hist. de la langue franç., t. X, p. 756. 2

★ **I.** Sens subjectif. ♦ **1.** (1546; latinisme). Vx. Frisson. → Hérisser, cit. 22, Du Bellay.

♦ **2.** Impression violente causée par la vue ou la pensée d'une chose affreuse (souvent accompagnée par un frémissement, un frisson, un mouvement de recul). ⇒ **Effroi** (cit. 4), **épouvante** (cit. 4), **peur, répulsion.** *L'horreur fait dresser les cheveux* (cit. 30) *sur la tête, glace le sang dans les veines. Cheveux hérissés* (cit. 5) *d'horreur. Pupilles dilatées* (cit. 7) *par l'horreur. Horreur qui saisit qqn à la vue d'un spectacle affreux, répugnant.* ⇒ **Saisissement.** *Rester immobile, plein d'horreur, fasciné devant un hideux reptile* (→ Hanter, cit. 11). *Frémir* (cit. 13) *d'horreur* (→ Aspect, cit. 6). *Être béant* (→ Grand, cit. 29), *frappé, glacé* (cit. 29), *muet, pâle d'horreur. Cri d'horreur* (→ Frisson, cit. 12). *Avec horreur* (→ Entrailles, cit. 2), *avec une secrète horreur* (→ Désert, cit. 11). *Sans horreur* (→ Enfer, cit. 10).

Vous eussiez vu leurs yeux s'enflammer de fureur, 3
Et dans un même instant, par un effet contraire,
Leur front pâlir d'horreur et rougir de colère. CORNEILLE, Cinna, I, 3.

J'entends même les cris des barbares soldats, 4
Et d'horreur j'en frissonne. RACINE, Athalie, IV, 6.

Ceux qui vantent encore 1793 et qui en admirent les crimes ne comprendront-ils jamais combien l'horreur dont on est saisi pour ces crimes est un obstacle à l'établissement de la liberté? CHATEAUBRIAND, Mémoires d'outre-tombe, t. IV, p. 135. 5

Il tomba sur le dos, les bras en croix. Un hurlement d'horreur s'éleva de la foule. FLAUBERT, l'Éducation sentimentale, III, V. 6

7 Et elle se faisait caressante, l'attirant, levant ses lèvres pour qu'il les baisât. Mais, tombé près d'elle, il la repoussa, dans un mouvement d'horreur.
ZOLA, la Bête humaine, I.

FAIRE HORREUR (À...). ⇒ **Répugner; dégoûter, écœurer.** *La viande saignante lui fait horreur. Ton geste me fait horreur* (→ Désavouer, cit. 7). *Action, chose, idée, personne qui fait horreur* (⇒ **Horrible**).

8 (...) car la vue même des drogues faisait horreur à mon père.
MONTAIGNE, Essais, II, XXXVII.

9 (...) il *(Saint-Aubin mort)* n'était point du tout changé, il ne me fit nulle horreur (...) Mme DE SÉVIGNÉ, Lettres, 1090, 19 nov. 1688.

10 (...) votre conduite avec nous fait horreur ou pitié.
BEAUMARCHAIS, le Mariage de Figaro, Préface.

11 Tout ce qui est bas et plat dans le genre bourgeois me rappelle Grenoble, tout ce qui me rappelle Gr*(enoble)* me fait horreur, non, *horreur* est trop noble, *mal au cœur.* STENDHAL, Vie de Henry Brulard, 9.

12 (...) je distinguais les œufs gluants de grenouilles qui me faisaient horreur : *horreur* est le mot propre, je frissonne en y pensant.
STENDHAL, Vie de Henry Brulard, 12.

13 Ah! pour nous, malheureuses vieilles femelles, l'âge est passé de plaire, même aux innocents; et nous faisons horreur aux petits enfants que nous voulons aimer!
BAUDELAIRE, le Spleen de Paris, II.

14 Dans les yeux de l'enfant elle avait lu la vérité que son miroir ne savait plus lui dire : elle faisait horreur; elle demandait à une petite fille de l'embrasser et cette petite fille devenait pâle et reculait devant elle.
J. GREEN, Léviathan, II, VII.

Donner de l'horreur (→ Guerre, cit. 3). *Crime, meurtre qui inspire de l'horreur* (→ Culpabilité, cit. 3; forteresse, cit. 2). *Produire, causer une horreur profonde* (→ Émouvoir, cit. 14; hideux, cit. 1). *Cette vue la remplissait d'horreur. Objet d'horreur* (→ Blême, cit. 1).

15 Malgré la juste horreur que son crime me donne (...)
RACINE, Andromaque, IV, 3.

16 Quelle horreur jetez-vous dans mon cœur étonné! VOLTAIRE, Marianne, I, 4.

17 Un acteur prête d'autant plus de force à un personnage tragique qu'il se garde de l'exagérer. S'il est mesuré, l'horreur qu'il suscite sera démesurée.
CAMUS, le Mythe de Sisyphe, p. 177.

Littér. (Qualifié par un adj.). À l'exclusion de toute idée de dégoût. Sentiment de crainte, mêlée d'admiration, de respect devant la grandeur de Dieu, les mystères de la nature ou de la religion, l'inconnu ou le sublime. ⇒ **Terreur.** *Horreur sacrée. Frémir d'une sainte horreur* (→ Enthousiasme, cit. 5).

18 Le ciel brille d'éclairs, s'entrouvre, et parmi nous
Jette une sainte horreur qui nous rassure tous. RACINE, Iphigénie, V, 6.

♦ **3.** (V. 1225). Sentiment violemment défavorable qu'une chose inspire. ⇒ **Abomination, aversion, dégoût, détestation, exécration, haine** (cit. 34), **répugnance.** *L'horreur de* (suivi du nom de la chose qui inspire ce sentiment). *L'horreur de l'anormal* (cit. 2), *du banal* (cit. 4), *du vague* (→ Contenu, cit. 1), *de la brusquerie* (→ Arrondir, cit. 5), *de la promiscuité* (→ Authentique, cit. 18). *L'horreur d'agir* (→ Cérébral, cit. 2). *L'horreur du risque* (→ Hasard, cit. 23). *Inspirer au peuple l'horreur du crime* (→ Effigie, cit. 6). *Faire horreur à qqn de qqch.* (→ Existence, cit. 16). — *L'horreur de l'eau, de la lumière...* ⇒ **-phobie** (hydrophobie, etc.).

19 La secrète horreur, l'horreur occidentale du reptile ressuscite en moi, si je me penche longtemps sur elles *(les couleuvres)*...
COLETTE, la Paix chez les bêtes, p. 161.

20 Et l'instinct de conservation, l'horreur du risque, l'emportent sur l'amour.
A. MAUROIS, Études littéraires, Mauriac, II.

L'horreur de qqn pour qqch. L'horreur de l'homme pour la réalité. → Échappatoire, cit. 4. — *Avoir, concevoir de l'horreur pour qqn, pour qqch. Avoir l'horreur de...* ⇒ **Abhorrer, abominer, détester, exécrer, haïr.** *Les pacifistes ont l'horreur de la guerre* (cit. 7). *Avoir une horreur, une sainte horreur de...* — Plus cour. (sans déterminant). *Avoir horreur de... Avoir horreur du péché* (→ Chair, cit. 63). (— Sens affaibli). *J'ai horreur de ce temps* (→ Bruine, cit. 1). *Elle a horreur de ce prénom.* ⇒ **Déplaire** (cit. 5). *Avoir horreur des principes* (→ Éclairer, cit. 28), *des servitudes* (→ Élévation, cit. 6). *Il a horreur des chipotages* (cit.), *de la pose* (→ 1. Faire, cit. 79). *Mon estomac a horreur du graillon* (cit. 3). *J'ai horreur de ça.* — *Avoir horreur de se lever tôt, de changer ses habitudes.* — Loc. prov. (Phys. anc.). *La nature a horreur du vide**.

21 J'ai une horreur trop invincible pour ces sortes d'abaissements (...)
MOLIÈRE, la Princesse d'Élide, II, 1.

22 (...) l'homme a horreur de la solitude. Et de toutes les solitudes, la solitude morale est celle qui l'épouvante le plus. BALZAC, Illusions perdues, Pl., t. IV, p. 1032.

23 Il avait horreur de la vie. Il ne sortait de chez lui qu'à l'heure où la vie cessait, et rentrait quand le petit jour attirait vers la ville les pêcheurs et les maraîchers.
Pierre LOUŸS, Aphrodite, I, III.

24 Elle eut horreur de cette malade qui n'avait rien de mieux à faire que d'épier les autres; et elle eut horreur d'elle-même, de cette passion qui la dévorait et qu'elle cachait comme une maladie. J. GREEN, Adrienne Mesurat, I, VIII.

25 *(Le chien Macaire)* avait horreur d'être promené au bout d'une laisse par un domestique (...) J. ROMAINS, les Hommes de bonne volonté, t. IV, VIII, p. 84.

EN HORREUR. *Avoir* (qqn ou qqch.) *en horreur* (→ Écraser, cit. 10). *Prendre* (qqn ou qqch.) *en horreur.* ⇒ **Grippe, haine** (→ Crime, cit. 4; hideur, cit. 2).

26 (...) ils ont en horreur les lumières (...) BAUDELAIRE, Amœnitates Belgicæ, VI.

27 (...) ta marquise est une femme à la mode, et j'ai précisément ces sortes de femmes en horreur. BALZAC, l'Interdiction, Pl., t. III, p. 14.

Vx. *Être en horreur à qqn.* ⇒ **Odieux** (→ Agréer, cit. 7). *Les pensées mauvaises sont en horreur à Dieu* (→ Bienveillant, cit. 1).

David m'est en horreur (...) RACINE, Athalie, II, 7. 28

(...) ces lépreux qui, renoncés de leurs proches, languissaient aux carrefours des 29
cités, en horreur à tous les hommes.
CHATEAUBRIAND, le Génie du christianisme, IV, VI, II.

Vx. *Être l'horreur de qqn,* un objet d'horreur. → La bête noire*. Ellipt. *L'horreur de toute la terre* (→ Front, cit. 23).

(...) une si grande déférence pour des gens qui devraient être l'horreur de tout le 30
monde (...) MOLIÈRE, Tartuffe, IIe placet.

★ **II.** Sens objectif. — REM. Comme le sens subjectif archaïque («horripilation»), le sens objectif («chose hérissée») du mot latin a été repris, puis employé, dans un usage très littéraire.

Horreur était entré dans l'ensemble des termes qui symbolisent le sentiment de 30.1
crainte, de peur, quand on le rechargea de la valeur qu'«*horror*» avait en latin, soit celle d'un «hérissement» physique. Cela se passait au XVIIe siècle. Mais «*horreur*», en ce sens, a survécu. Verlaine en témoigne :
Quelques buissons d'épines épars, et quelques houx
Dressant l'horreur de leur feuillage à droite, à gauche (...)
(Poèmes saturniens, IV, Effet de nuit)
texte dont l'intelligence précise n'est accessible qu'à des lettrés.
R.-L. WAGNER, les Vocabulaires français, p. 35.

♦ **1.** (V. 1170). Caractère de ce qui inspire ou peut inspirer de l'effroi, de la répulsion (⇒ **Effroyable, horrible**). *L'horreur d'une prison, d'un cachot, d'un égout* (cit. 2). *L'horreur d'un accident* (cit. 12). *C'est la misère dans toute son horreur. L'horreur d'un supplice.* ⇒ **Cruauté.** *Vision d'horreur. L'horreur de la guerre* (cit. 41), *des ténèbres* (→ Épouvante, cit. 6). *L'horreur dans l'art* (→ Expressionnisme, cit. 2). *Degrés, nuances de l'horreur* (→ Échelonner, cit. 2). *Atteindre les sommets de l'horreur. Horreur dantesque* (cit. 3). — *Dans toute son horreur :* avec tous ses aspects horribles et (par exagér.) désagréables (cit. 31).

L'hiver est ici *(aux Rochers)* dans toute son horreur : je suis dans les jardins, ou 31
au coin de mon feu. Mme DE SÉVIGNÉ, Lettres, 221, 22 nov. 1671.

(...) toute l'horreur d'un combat ténébreux (...) RACINE, Mithridate, II, 3. 32

C'était pendant l'horreur d'une profonde nuit. RACINE, Athalie, II, 5. 33

J'ai peur du sommeil comme on a peur d'un grand trou, 34
Tout plein de vague horreur (...) BAUDELAIRE, Nouvelles Fleurs du mal, VIII.

Elle murmura : *C'était pendant l'horreur d'une profonde nuit.* Jamais elle n'avait 35
réfléchi au sens de ces mots et, maintenant que sa mémoire les lui restituait après des années d'oubli, ils lui semblèrent empreints d'une beauté forte et terrible, et elle eut peur. Il y a en effet quelque chose de calme, et de rassurant dans les premières heures d'obscurité, mais à mesure que la nuit avance et que tous les bruits de la terre se taisent, l'ombre et le silence prennent vite un caractère différent. Une espèce d'immobilité surnaturelle pèse sur tout et il n'est pas de mot plus éloquent que celui d'*horreur* pour décrire les moments qui précèdent la venue de l'aube.
J. GREEN, Adrienne Mesurat, I, IV.

Par exagér. (vieilli). Aspect terrifiant, sinistre.

(...) nos montagnes sont charmantes dans leur excès d'horreur; je souhaite tous les 36
jours un peintre pour bien représenter l'étendue de toutes ces épouvantables beautés (...) Mme DE SÉVIGNÉ, Lettres, 1403, 3 févr. 1695.

Spécialt. Caractère de ce qui inspire un sentiment de crainte religieuse (→ ci-dessus, I., 2., spécialt). *La forêt* (cit. 4) *et son horreur sacrée, sa religieuse horreur* (→ Gothique, cit. 8).

(...) eussé-je été avec mon père, je ne me serais pas crue plus en sûreté. Les ombres 36.1
de la nuit commençaient à répandre dans la forêt, cette sorte d'horreur religieuse qui fait naître à-la-fois la crainte dans les âmes timides, le projet du crime dans les cœurs féroces. SADE, Justine..., t. I, p. 62-63.

Fig. *L'horreur de ses remords.* ⇒ **Cruauté** (→ Fureur, cit. 26). *Pour comble d'horreur.*

Le voilà donc connu ce secret plein d'horreur! VOLTAIRE, Zaïre, IV, 5. 37

(...) il n'y a que le délire de la passion qui puisse me voiler l'horreur de ma situa- 38
tion présente (...) ROUSSEAU, Julie ou la Nouvelle Héloïse, I, Lettre XXXV.

L'horreur de la loi fait la majesté du juge. HUGO, l'Homme qui rit, II, IV, VIII. 39

(Au sens moral d'une action). ⇒ **Abjection, atrocité, infamie, noirceur.** *L'horreur d'un crime. L'horreur de sa conduite dépasse l'imagination.*

(...) je lui ai fait voir *(à Monsieur de Marseille)* l'horreur de son procédé pour 40
moi (...) Mme DE SÉVIGNÉ, Lettres, 313, 1673.

Pour diminuer l'horreur de l'athéisme on charge trop l'idolâtrie. 41
MONTESQUIEU, l'Esprit des lois, XXIV, II.

♦ **2.** (XVIIIe; d'une personne, 1587). *Une, des horreurs.* La chose qui inspire ou devrait inspirer un sentiment d'horreur. ⇒ **Crime, monstruosité.** *Ce qu'il a fait est une horreur. Quelle horreur d'avoir emprisonné* (cit. 1) *cet homme!*

La lettre de M. de Grignan m'a fait frémir, moi, ma chère enfant, qui ne puis pas 42
souffrir la vue ni l'imagination d'un précipice; quelle horreur de passer par-dessus, et d'être toujours à deux doigts de la mort affreuse!
Mme DE SÉVIGNÉ, Lettres, 1147, 9 mars 1689.

Quelle horreur qu'un jugement secret, une condamnation sans motifs! 43
VOLTAIRE, Lettre à d'Argental, 2149, 5 juil. 1762.

Il se trame ici quelque horreur. BEAUMARCHAIS, la Mère coupable, I, 2. 44

Fam. (par exagér.). Chose, personne repoussante par sa laideur, sa saleté, ou, simplement très désagréable, très gênante. *Jolie, elle? Une horreur!* ⇒ **Laid.** *Mais c'est une véritable horreur, ce tableau! Une horreur de vieux matou pelé. Quelle horreur que ces gosses braillards!* — Appellatif plais. *Petite horreur!*

5 Couvant des yeux l'enfant que Dieu fait rayonner,
Cherchant le plus doux nom qu'elle puisse donner
À sa joie, à son ange en fleur, à sa chimère :
— Te voilà réveillée, horreur! lui dit sa mère.
HUGO, l'Art d'être grand-père, II.

6 Je suis abominablement gêné. Pas un livre, pas un cabaret à portée de moi, pas un incident dans la rue. Quelle horreur que cette campagne française.
RIMBAUD, Correspondance, À E. Delahaye, XXI, 1873.

Fam. Exclamation marquant le dégoût, la répulsion. *Fi* l'horreur!* (vx). *Quelle horreur!* — Absolt. *Horreur!*

7 Et il ébaucha un geste qui scandalisa toutes ces dames. Fi! l'horreur!
ZOLA, Une page d'amour, I, II.

8 La vieille Lili vient de s'abattre de tout son poids sur le cadet Ceste, qui a dix-sept ans et des sentiments pieux (...) — La vieille Lili? quelle horreur (...) j'ai mal au cœur! COLETTE, Chéri, p. 61.

♦ **3.** (Déb. XVIIIe, *les horreurs de la mort,* d'Aubigné). Au plur. Aspects horribles* d'une chose; choses horribles. *Être en proie aux horreurs de la misère* (Académie). *Les horreurs de la mort, de l'enfer.* ⇒ **Affres** (cit. 1). *Les horreurs de la guerre.* ⇒ **Atrocité** (→ Élévation, cit. 5). *«Les horreurs de la guerre»,* suite célèbre de gravures de Goya.

9 Moi, nourri dans la guerre aux horreurs du carnage (...) RACINE, Athalie, II, 5.

9.1 Alors Omphale me demanda s'il n'était pas vrai que de tous, Clément fût celui dont j'eusse le plus à me plaindre. — Hélas! répondis-je, au milieu d'une foule d'horreurs et de saletés qui tantôt dégoûtent et tantôt révoltent, il est bien difficile que je prononce sur le plus odieux de ces scélérats (...)
SADE, Justine..., t. I, p. 203.

Absolt (choses concrètes). Objets horribles*. *C'est le musée des horreurs,* un ensemble de choses affreuses.

0 (...) la chiourme, le carcan, la veste rouge, la chaîne au pied (...) le cachot, le lit de camp, toutes ces horreurs connues! HUGO, les Misérables, I, VII, III.

1 (...) il y longtemps que nos codes militaires, avec leur appareil de mort, ne se devraient plus voir que dans les musées des horreurs, près des clefs de la Bastille et des tenailles de l'Inquisition.
FRANCE, le Mannequin d'osier, Œ., t. XI, p. 364.

(1665). Sentiments criminels, actes infâmes, cruels, sanglants. ⇒ **Atrocité.** *Commettre des horreurs. La vie de ce tyran n'est qu'un tissu d'horreurs* (Académie). *Spectacles d'horreurs et de crimes* (→ Bilieux, cit. 2; courber, cit. 31). *«Toutes les horreurs dont une âme est capable»* (cit. 2). *Les horreurs dont les hommes se sont rendus coupables dans la dernière guerre* (→ Excitation, cit. 11).

2 Tu vas ouïr le comble des horreurs. RACINE, Phèdre, I, 3.

3 Je ne puis vous dire tout ce que j'ai vu, car j'ai vu des crimes contre lesquels la justice est impuissante. Enfin, toutes les horreurs que les romanciers croient inventer sont toujours au-dessous de la vérité.
BALZAC, le Colonel Chabert, Pl., t. II, p. 1147.

4 (...) les horreurs de 93 étaient stigmatisées en termes brûlants (...)
ZOLA, la Terre, I, V.

(Dans un contexte érotique). Acte que la morale réprouve (perversion, etc.).

♦ **4.** (XVIIe). Spécialt. Au plur. Imputations outrageantes sur le compte de qqn. *Débiter des horreurs sur qqn. Écrire un tissu d'horreurs sur le compte de qqn.* → Mégère, cit. 2. *Faire croire des horreurs* (→ Calomnie, cit. 5).

5 Vous n'imaginez pas quel tissu d'horreurs l'infernale mégère lui a écrit sur mon compte. LACLOS, les Liaisons dangereuses, Lettre XLIV.

6 Ils racontaient sur mon compte des horreurs à n'en plus finir et des mensonges à s'en faire sauter l'imagination. CÉLINE, Voyage au bout de la nuit, p. 304.

(1866). Propos obscènes. ⇒ **Grossièreté, obscénité** (→ ci-dessus, *infra* cit. 54). *Dire, chanter, écrire des horreurs.*

CONTR. Admiration, amour; beauté, charme. — Besoin (de qqch.).

HORRIBLE [ɔʀibl] adj. et n. m. — V. 1138; du lat. *horribilis,* de *horrere* «trembler».

♦ **1.** Qui fait horreur, cause de l'horreur ou du dégoût. ⇒ **Abominable, affreux** (cit. 1), **atroce, effrayant, effroyable, épouvantable** (cit. 1), **hideux.** *Blessure* (cit. 8) *horrible. «Un horrible mélange d'os et de chair* (cit. 5) *meurtris».* → Carnage, cit. 3, Racine. *Une puanteur horrible. Des cris si horribles que tout le monde en tremblait* (→ Formidable, cit. 3). — **HORRIBLE À** (et inf.). *Râle horrible à entendre. Monstre horrible à voir* (→ Hammam, cit.). — *Horrible maigreur. L'horrible tourment de la faim* (cit. 3). *Épidémie* (cit. 6), *fièvre* (cit. 1), *maladie horrible* (→ Croup, cit. 1; épilepsie, cit. 2). *Une mort horrible* (→ Fiévreux, cit. 1). *Horrible supplice. Horrible vision. Une peur horrible l'obsède, l'accable* (cit. 16). *La guerre* (cit. 3) *est une chose si horrible que... — Conduite, crime horrible.* ⇒ **Dégoûtant, exécrable, infâme, monstrueux, révoltant.** *Des préjugés horribles* (→ Guerre, cit. 36). *C'est une chose horrible de...* (→ Écouler, cit. 7). *Ce qui lui sembla horrible, ce fut...* (→ Entrailles, cit. 7). *Il est horrible de...*

1 N'est-ce pas une chose horrible, une chose qui crie vengeance au ciel (...)
MOLIÈRE, le Mariage forcé, 4.

2 Pour l'horrible combat, ma sœur, l'ordre est donné. RACINE, Athalie, V, 1.

3 La journée de la Saint-Barthélémy fut ce qu'il y a jamais eu de plus horrible.
VOLTAIRE, Hist. du parlement de Paris, XXVIII.

4 Pour moi, je ne connais maintenant rien de plus horrible qu'une pensée de vieillard sur un front d'enfant (...)
BALZAC, la Femme de trente ans, Pl., t. II, p. 777.

5 Et pourtant vous serez semblable à cette ordure,
À cette horrible infection,
Étoile de mes yeux, soleil de ma nature.
Vous, mon ange et ma passion!
BAUDELAIRE, les Fleurs du mal, «Une charogne».

6 (...) je sens mes jambes qui tremblent encore de l'horrible vision que je viens d'avoir (...) Alphonse DAUDET, le Petit Chose, Le rêve.

7 L'horrible silence qui y régnait me glaçait le cœur. FRANCE, le Petit Pierre, IX.

8 Brûlé par la poudre du crâne aux talons, couvert d'innombrables plaies, l'œil droit tuméfié, énorme, le malheureux Soubrat, monstrueux de misère et même de laideur, faisait bien penser au cyclope horrible, informe, immense et aveuglé dont parle le poète. G. DUHAMEL, Récits des temps de guerre, III, XXXVII.

Vx. *Chose horrible à qqn,* pour qqn.

Spécialt. Qui inspire une horreur* sacrée.

9 Éclairée par les lueurs douces du couchant, elle resplendissait d'une horrible beauté. BALZAC, le Curé de village, Pl., t. VIII, p. 746.

Poétique (dans un sens voisin du spécialt ci-dessus) :

9.1 La campagne que j'aime, il faut les mots les plus ordinaires pour l'évoquer. Hugo le savait (...) Ô souvenir! Ô forme horrible des collines! car cette campagne ordinaire doit être horrible, mais comme l'est notre vie.
F. MAURIAC, Bloc-notes 1952-1957, p. 257.

N. m. (1827). Ce qui est horrible (→ Artistement, cit. 3; grotesque, cit. 13).

10 (...) la soif de l'inconnu, et le goût de l'horrible.
BAUDELAIRE, Essais, notes et fragments, Maximes sur l'amour.

♦ **2.** (XVIIe). Cour. Très laid*, très mauvais. ⇒ **Affreux, détestable, exécrable.** — REM. La plupart des synonymes cités plus haut (1.) sont susceptibles de cet affaiblissement de sens. *Un temps horrible.* ⇒ **Dégueulasse** (fam.), **infect** (→ Un temps de chien*). *On nous servit une horrible tambouille. Cocher qui conduit un horrible canasson* (cit. 1). *Quelques feuilles* (cit. 9) *d'un horrible papier à lettres. Vous avez une écriture horrible. Elle était coiffée d'un horrible petit chapeau.*

11 Quel solécisme horrible! MOLIÈRE, les Femmes savantes, II, 6.

12 (...) j'ai écrit dans les interlignes de si horribles galimatias et des coq-à-l'âne si ridicules, que cela ne ressemble plus à un ouvrage.
VOLTAIRE, Lettre au roi de Prusse, 8, 20 juil. 1740.

♦ **3.** (1534, Rabelais). Qui est excessif (d'une chose désagréable ou dangereuse). ⇒ **Excessif, extrême, terrible.** *Il fait une chaleur horrible. Un horrible mal de tête.* ⇒ **Intolérable.** *Il règne là-bas une horrible confusion* (→ Captif, cit. 2). *Horrible chaos. Faire une horrible dépense* (Académie). ⇒ **Extraordinaire.** — REM. Cet emploi hyperbolique s'est restreint depuis le XVIIe s.; on ne dirait plus *une «horrible grandeur»* (Vaugelas).

13 (...) elle *(la longueur de nos réponses)* fait bien comprendre l'horrible distance qu'il y a entre nous (...) Mme DE SÉVIGNÉ, Lettres, 484, 29 déc. 1675.

14 (...) les horribles dépenses qu'il allait faire. RACINE, Notes historiques, II.

15 (...) une soif horrible le fait geindre. R. DORGELÈS, les Croix de bois, XII.

CONTR. Beau, charmant, joli, merveilleux; léger.
DÉR. Horriblement.

HORRIBLEMENT [ɔʀibləmɑ̃] adv. — V. 1175; de *horrible.*

♦ **1.** D'une manière horrible. *Un homme horriblement contrefait. Une fille horriblement méchante. Il s'est horriblement conduit envers moi* (Académie).

1 Sans un tel contrepoids, cette élévation le rendrait horriblement vain, ou cet abaissement le rendrait terriblement abject. PASCAL, Pensées, VII, 537.

2 (...) j'eus le désagrément (...) de voir horriblement mutiler mon ouvrage (...)
ROUSSEAU, les Confessions, X.

♦ **2.** Cour. (sens affaibli). ⇒ **Extrêmement.** *Le temps fut horriblement mauvais. Souffrir horriblement* (→ Froid, cit. 5). *Cette idée l'attriste* (cit. 8) *horriblement. Vous êtes horriblement mal coiffée. C'est horriblement cher.*

3 Mathilde (...) dansa jusqu'au jour, et enfin se retira horriblement fatiguée.
STENDHAL, le Rouge et le Noir, II, IX.

4 Germain se sentit horriblement jaloux. G. SAND, la Mare au diable, X.

5 (...) ses mains s'avançaient dans la manche d'Emma, pour lui palper le bras. Elle sentait contre sa joue le souffle d'une respiration haletante. Cet homme la gênait horriblement. FLAUBERT, Mme Bovary, III, VII.

REM. Certains emplois sont ambigus; seule l'intention du locuteur et le contexte permettent alors de distinguer les emplois 1. et 2.

6 La jeune femme devint horriblement pâle. Elle resta comme clouée au sol. Elle se raidissait, les yeux agrandis. ZOLA, Thérèse Raquin, XI.

CONTR. Joliment, merveilleusement.

HORRIFIANT, ANTE [ɔʀifjɑ̃, ɑ̃t] adj. — 1862, Villiers de L'Isle-Adam; p. prés. de *horrifier.*

♦ Souvent iron. Qui horrifie. ⇒ **Épouvantable, terrifiant.** *Un tableau horrifiant. Des histoires horrifiantes.*

Il est probable que des excès de ce genre *(luxurieux)* se produisirent aussi chez les Cathares, et plus encore chez leurs disciples, les troubadours. Des accusations horrifiantes figurent à cet égard dans les registres de l'Inquisition.
D. DE ROUGEMONT, l'Amour et l'Occident, p. 97.

HORRIFICATION [ɔʀifikasjɔ̃] n. f. — 1896, Verlaine, *in* T. L. F.; de *horrifier.*

♦ Rare. Action d'horrifier, fait d'être horrifié.

Son panneau du dernier Salon d'automne était une des plus belles pièces de peinture de ce temps. Son nu sur fond rouge a fixé l'attention des peintres et exalté l'horrification des badauds.
A. ARTAUD, Littérature et Arts plastiques, Visite au peintre Fraye, 1921, Œ. compl., t. II, p. 211.

HORRIFIER [ɔʀifje] v. tr. — Mil. XIXe, G. Sand; lat. *horrificare,* de *horrificus* (→ Horrifique), et *facere* «faire».
Rare.

♦ **1.** Remplir, frapper (qqn) d'horreur*. ⇒ **Épouvanter, terrifier.**

♦ **2.** Scandaliser*. — Au passif :

1 Le capucin était tellement horrifié de ces menaces qu'il était comme pétrifié sur sa chaise. G. SAND, *in* DURRIEU, Parlons correctement, p. 208.

♦ **3.** Rare. Rendre horrible. *« Horrifier son visage »* (A. France).

▶ **HORRIFIÉ, ÉE** p. p. adj. *Des témoins horrifiés.* — Par ext. *Elle se récria, horrifiée.*

2 Il y a un détail terrible, donné par madame du Hausset, un peu horrifiée, sur le chocolat triplement vanillé et les épices dont la favorite chargeait son régime (...)
Émile HENRIOT, Portraits de femmes, p. 172.

DÉR. Horrifiant, horrification.
HOM. Aurifier.

HORRIFIQUE [ɔʀifik] adj. — Av. 1500; lat. *horrificus* «qui cause de l'horreur», de *horror,* et *facere.*

♦ Vieilli ou plais. Qui cause ou est de nature à causer l'horreur*. — Littér. (avec l'orth. archaïque). *La Vie très horrificque du grand Gargantua, père de Pantagruel,* de Rabelais.

1 Pour moi, je suis maintenant perdu dans la politique *(théorique)* et je commence la seconde moitié de mon horrifique bouquin.
FLAUBERT, Correspondance, 1742, 24 juil. 1878, t. VIII, p. 129.

2 Costumes aussi peu couleur locale ou chronologiques que possible (ce qui rend mieux l'idée d'une chose éternelle), moderne de préférence, puisque la satire est moderne; et sordide, parce que le drame en paraît plus misérable et horrifique.
A. JARRY, Lettre à Lugué-Poe, 1896, Pl., p. 1043.

HORRIPILANT, ANTE [ɔʀipilɑ̃, ɑ̃t] adj. — Av. 1806; p. prés. de *horripiler.*

♦ Qui horripile. ⇒ **Agaçant, crispant, exaspérant, irritant.** *Un enfant horripilant.*

1 (...) soit les intonations de la voix, rude, suave, terrible, lascive, horripilante, séductrice tour à tour et qui vibre dans le cœur.
BALZAC, Louis Lambert, Pl., t. X, p. 98.

2 Vous n'imaginez pas combien cette grande bringue est mollasse, docteur! Pour moi qui ai toujours eu du vif-argent dans les veines, c'est horripilant!
MARTIN DU GARD, les Thibault, t. III, p. 150.

3 Elle s'est mise à sourire, horripilante au possible, comme si elle m'avait trouvé ridicule et bien négligeable (...) CÉLINE, Voyage au bout de la nuit, p. 423.

HORRIPILATEUR [ɔʀipilatœʀ] adj. et n. m. — 1824; de *horripiler.*

♦ Anat. Se dit du muscle qui redresse chaque poil.

HORRIPILATION [ɔʀipilɑsjɔ̃] n. f. — 1495; bas lat. *horripilatio,* du lat. impérial *horripilare.* → Horripiler.

♦ **1.** Physiol. Érection des poils dans le frisson. ⇒ **Chair** (de poule), **hérissement.** *Le froid provoque l'horripilation. Horripilation causée par l'effroi, la répulsion.*

♦ **2.** (XIXe). Cour. État d'agacement, d'exaspération de ce qui horripile. *L'horripilation de qqn. L'horripilation causée par qqch.*

1 Si toutes ces considérations étaient levées, je passerais sur la première de toutes, qui est une répugnance, une horripilation extrême à me laisser juger par M. Lévy.
FLAUBERT, Correspondance, 719, juin 1862, t. V, p. 21.

2 J'étais horripilé, mais je bravais mes horripilations (...)
BARBEY D'AUREVILLY, les Diaboliques, «Le dessous de cartes...»

La var. *horripilement* est attestée (1885, Goncourt, *in* T. L. F.).

HORRIPILER [ɔʀipile] v. — 1843, sens 1 et 2, le sens 2 est antérieur (→ Horripilant); lat. impérial *horripilare* «avoir le poil hérissé» (de *horrere* «se hérisser» (→ Horreur, étym.), et *pilus* «poil».

♦ **1.** Didact. (physiol.). Causer l'horripilation* de (la peau). *Horripiler la peau.* — *Horripiler qqn,* sa peau. — Absolt. → ci-dessous, cit. 0.1.

0.1 Alors le Suffète mit sa main dans les mains des dix Barbares tour à tour, en serrant leurs pouces; puis il la frotta sur son vêtement, car leur peau visqueuse causait au toucher une impression rude et molle, un fourmillement gras qui horripilait.
FLAUBERT, Salammbô, Pl., t. I, p. 998.

0.2 (...) les frissons recommencèrent. Délicatement d'abord, affleurant sa peau comme un souffle d'air; puis de plus en plus brutalement, de plus en plus profondément, horripilant sa peau d'une série de morsures féroces, secouant ses nerfs, s'épanouissant en chaos électriques (...) J.-M. G. LE CLÉZIO, la Fièvre, p. 20.

♦ **2.** Cour. (Compl. n. de personne). Exaspérer, agacer fortement (qqn). ⇒ **Agacer, énerver, exaspérer, impatienter;** → Prendre à contre-poil. *Sa lenteur m'horripile; il m'horripile par sa lenteur. Tu commences à m'horripiler, avec tes simagrées.* — Passif et p. p. *Je suis horripilé par cette manie* (→ Élision, cit.). *Être horripilé* → Horripilation, cit. 2. — *Horripiler l'opinion, les lecteurs. Cette émission a horripilé de nombreux téléspectateurs.*

Joseph a commencé de m'agacer, de m'horripiler même, enfin de me faire amèrement regretter de l'avoir suivi dans cette expédition commémorative. 1
G. DUHAMEL, Chronique des Pasquiers, X, VI.

Je vous disais : sa bonne conscience m'enrage. Le mot n'est pas exact. Ce qui m'horripile est plutôt son idée des liens indestructibles du mariage (...) 2
J. CHARDONNE, les Destinées sentimentales, p. 166.

DÉR. Horripilant, horripilateur.

HORS [ˈɔʀ] adv. et prép. — V. 1050, prép. *hors de...;* var. phonét. de *fors**; de *dehors.*

Defors et *fors* ont (...) cédé au XVIIe s., soit comme adverbes, soit comme prépositions à *hors* (...) F. BRUNOT, la Pensée et la Langue, p. 426. 1

★ **I.** (V. 1135). Adv. de lieu (vx). Dehors. → Céans, cit. 1; délivrance, cit. 8.

Je hais plus que la mort un jeune casanier,
Qui ne sort jamais hors, sinon aux jours de fête (...) 2
DU BELLAY, les Regrets, XXIX.

★ **II.** Prép. À l'extérieur* de, au delà de...
(Mil. XIIe). **HORS** construit directement avec son régime.

a Vx. À l'extérieur de. *Habiter hors la ville. Les fonds ont été remis hors la vue du notaire.*

Nulle des sœurs ne faisait long séjour 3
Hors le logis (...) LA FONTAINE, Contes, «Mazet de Lamporechio».

On goûtait dans un cabaret hors la ville. ROUSSEAU, les Confessions, VI. 4

(...) la langue tirée hors la bouche (...) FRANCE, le Livre de mon ami, II, V. 5

Hors l'Église, un peuple sera toujours un peuple de bâtards, un peuple d'enfants trouvés. BERNANOS, Journal d'un curé de campagne, p. 28-29. 6

b Mod. Dans des expressions. — (Concret). *Église de Saint-Paul, de Saint-André hors-les-murs.* — *Skier hors piste.* ⇒ **Hors-piste.**

De longues discussions ont eu lieu sur la façon de construire *hors* avec ou sans *de :* hors la ville ou hors de la ville? Ce dernier tour a prévalu au sens propre, à la fin du XVIIe s. F. BRUNOT, la Pensée et la Langue, p. 426. 7

(Avec un compl. abstrait). *Fonctionnaire, officier hors cadre** ou *hors cadres. Ingénieur hors classe**. *Préfet hors classe. Restaurant, hôtel hors catégorie,* de classe exceptionnelle. *Sujet hors concours.* ⇒ **Hors-concours.** — *Modèle hors série**. Fig. *Destin hors série.* ⇒ **Hors-série.** — *Hors ligne**; *hors pair** : exceptionnel. → ci-dessous, cit. 10. — *Exemplaires hors commerce. Illustration hors texte.* ⇒ **Hors-texte.** — Milit. *Compagnie, section hors rang* (infirmiers, téléphonistes...). — Sports. *Joueur hors jeu* (football, rugby, etc.), qui se met «hors du jeu», contrevient aux règles du jeu par sa position au delà de la ligne permise. ⇒ **Hors-jeu.** Fig. *Être hors jeu :* être, se tenir à l'écart. → Hors du coup; et ci-dessous, cit. 11. — Techn. (mégisserie). *Hors l'eau,* se dit des peaux quand elles ont perdu tout humidité. — Équit. *Cheval hors la main,* qui n'obéit pas à la bride. — *Hors service** (même sens que *hors de service* ou *hors d'usage*). ⇒ **Hors-service.** — Dr. *Mettre* (qqn) *hors la loi** : décréter qu'il ne bénéficiera plus de la protection des lois et sera passible d'exécution sans jugement. — Par ext. *Être, se mettre hors la loi,* en marge de la société, des disciplines, des règles... (⇒ **Hors-la-loi**).

Un conventionnel lui faisait un peu l'effet d'être hors la loi, même hors la loi de charité. HUGO, les Misérables, I, I, X. 8

Cela le relevait à ses propres yeux, d'avoir pris ce parti, cela le grandissait de se sentir hors la loi (...) LOTI, Mon frère Yves, LXXX. 9

Il se révélait, à 26 ans, par le coup d'œil, un observateur hors pair. 10
Henri MONDOR, Pasteur, II.

Mais je suis hors jeu; ils font le bilan sans s'occuper de moi (...) 11
SARTRE, Huis clos, 5.

Littér. (sens restrictif). À l'exclusion de... ⇒ **Dehors** (en dehors de), **excepté, fors** (vx), **hormis, sauf.**

HORS devant un nom (précédé ou non d'un adjectif) : en exceptant... → Appartenir, cit. 5; arrêter, cit. 35; asseoir, cit. 14, certitude, cit. 5; ennuyeux, cit. 9.

(...) hors les fils d'Horace il n'est point de Romains. CORNEILLE, Horace, II, 1. 12

(...) hors Marianne, je lui laisse la liberté de choisir celle qu'il voudra. 13
MOLIÈRE, l'Avare, IV, 4.

(...) il faut toujours songer à être intéressant plutôt qu'exact : car le spectateur pardonne tout, hors la langueur (...) VOLTAIRE, Lettre sur Œdipe, V. 14

Ces mariages (...) qu'on appelle de convenance et où tout se convient en effet, hors les goûts et les caractères (...) 15
LACLOS, les Liaisons dangereuses, Lettre XCVIII.

Hors la *Méduse* de Géricault et le *Déluge* du Poussin, je ne connais point de tableau qui produise une impression pareille (...) 16
A. DE MUSSET, Beaux-arts, Salon 1836, III.

(...) il m'est facile de passer un an et plus sans prendre aucune nourriture, hors un certain élixir dont la composition n'est connue que des philosophes. 17
FRANCE, la Rôtisserie de la reine Pédauque, Œ., t. VIII, p. 40.

18 Mais, hors les moments d'aveuglement signalés, on ne peut lui refuser la justesse et la profondeur du coup d'œil. Émile HENRIOT, les Romantiques, p. 269.

HORS devant un pronom. *Hors nous et nos amis...* (cit. 28). → aussi Côté, cit. 47; guider, cit. 13.

19 Ce Lévrier, ces trois Spectres, ces yeux ardents,
Hors toi, nul ne les voit (...)
LECONTE DE LISLE, Poèmes tragiques, « Lévrier de Magnus », III.

20 Je mettais, disait-on, assez bien l'orthographe pour mon âge, hors ce qui concernait les participes. FRANCE, le Petit Pierre, XXIX.

Vx. HORS devant un adj. numéral. *Ils y sont tous allés, hors deux ou trois* (Académie).

21 Il en est de même d'un corps dont on presse toutes les parties hors une seulement (...) PASCAL, Équilibre des liqueurs..., VI.

Vx. HORS devant une autre préposition (→ Commander, cit. 35).

★ **III.** Loc. prép. (V. 1050). Cour. **HORS DE.** ♦ **1.** (Sens local d'extériorité, d'exclusion). — REM. Au XVIIIe s., *hors* peut, suivant Girard, « régir » dix-neuf autres prépositions... » (Brunot, H. L. F., VI, 2, p. 1525). — En dehors* de. *Hors de la maison* (→ Ajuster, cit. 9; efforcer, cit. 9). *Hors de Paris* (→ Honnête, cit. 22). *Mourir hors de France* (→ Assister, cit. 16). *Être banni, exilé hors de son pays* (→ Ban, cit. 3; bannissement, cit. 2). *La faim chasse le loup hors du bois* (cit. 20). *Il courut hors de la ville* (→ Élan, cit. 3). *Un jardin hors de la ville.* ⇒ **Extra-muros.** *Il s'élança* (cit. 5) *hors de sa chambre. L'épée* (cit. 9) *jaillit hors du fourreau. Le poignard luit hors de l'étui* (cit. 3). *Mettre une porte hors de ses gonds.* → ci-dessous, cit. 33, par métaphore. *Poisson qui saute hors de l'eau* (→ Happer, cit. 5). *Plante qui se fane* (cit. 14), *animal qui souffre hors de son élément* (cit. 17). *S'ennuyer hors de chez soi.*

22 *(Elle)* allait puiser de l'eau à une fontaine hors de la ville. RACINE, Remarques sur l'Odyssée.

23 (...) on ordonnait, sous peine de la vie, à tous les citoyens de sortir en armes hors de leurs maisons (...) VOLTAIRE, le Siècle de Louis XIV, XXI.

24 Nous fûmes conduits ainsi hors du centre de la ville moderne (...) CHATEAUBRIAND, Itinéraire..., I, p. 184.

25 (...) une atmosphère hors de laquelle elle ne pouvait plus vivre, non plus que les poissons hors de l'eau. Th. GAUTIER, les Grotesques, III, p. 82.

26 C'était la première fois, depuis dimanche, que Jenny mettait le pied hors de la clinique (...) MARTIN DU GARD, les Thibault, t. VI, p. 77.

27 Mais Rieux trouva son malade à demi versé hors du lit (...) CAMUS, la Peste, p. 31.

REM. Au XVIIe s., *hors de* pouvait être suivi des prépositions *auprès* (Mlle de Scudéry), *avec* (Malherbe), *dessus* (Mme de Sévigné). De nos jours, *hors de* n'est plus suivi que de la préposition *chez. Enfant qui s'enfuit hors de chez ses parents.*

Ellipt. *Hors d'ici! Hors de là!,* interjections exprimant l'ordre de sortir.

28 Hors d'ici tout à l'heure, et qu'on ne réplique pas. MOLIÈRE, l'Avare, I, 3.

29 Hors de là, canaille! laissez passer la justice du duc (...) A. DE MUSSET, Lorenzaccio, III, 3.

Par exagér. *Les yeux hors de la tête.* ⇒ **Exorbité** (→ Colonne, cit. 12).

Par anal. *« Hors de l'Église, pas de salut »* (→ Gargouille, cit. 2). *Pratiquer l'ascétisme* (cit. 2) *hors du monde.* ⇒ **Écart** (à l'), **loin.** — *Hors d'atteinte** (cit. 1 à 5). ⇒ **Abri** (à l'), **inaccessible.** *Hors de vue**. — *Hors de portée** *de la voix. Objet placé hors de notre portée* (→ Atteindre, cit. 43 et, fig., goûter, cit. 5). — Par métaphore. *Épisode* (cit. 1) *hors du sujet.* ⇒ **Côté** (à côté de). *Nous cherchons notre bonheur hors de nous-mêmes* (→ Bizarrerie, cit. 2). *Âmes, événements hors de l'ordre commun* (→ Excessif, cit. 5; fortune, cit. 31). *Être hors de sa sphère**. *Être hors du jeu.* → ci-dessus, Hors-jeu. *Expériences* (cit. 16) *faites avant nous et hors de nous* (⇒ **Sans**). *Hors de la présence de qqn.* — Jurisprudence. *Mettre qqn hors de cause**. — Par ext. *Cela est hors de cause**.

30 (...) quand un homme était cité en jugement, et qu'il ne se présentait point (...) il était appelé devant le roi; et, s'il persistait dans sa contumace, il était mis hors de la protection du roi (...) MONTESQUIEU, l'Esprit des lois, XXXI, VIII.

30.1 La jouissance le flatte, elle est en lui, l'effet du crime ne l'affecte pas, il est hors de lui (...) SADE, Justine..., t. I, p. 50.

31 J'ai voulu trop en mettre, n'omettre aucun détail, parler de mille choses hors du sujet. Paul LÉAUTAUD, Journal littéraire, 1er oct. 1906, t. I, p. 303.

32 Je ne parle pas pour moi, bien entendu. Croyez même que je me place tout à fait hors de la question. G. DUHAMEL, Salavin, V, XIV.

Loc. fam. *Être hors du coup* (opposé à *dans le coup*). ⇒ **Coup,** cit. 66.1 et *supra.*

(Sens temporel d'exclusion, d'extériorité). *Nous voilà hors de l'hiver* (Académie). — Fig. *Hors du temps* (→ Blessure, cit. 3; équipage, cit. 4). — Loc. *Hors de saison** (*supra* cit. 11) : à un mauvais moment, à contretemps.

*Hors d'âge** : suranné, archaïque; et aussi très vieux (d'un alcool). *Armagnac hors d'âge.*

♦ **2.** Loc. métaphorique ou fig. (Fin XIIe). **HORS DE** et subst. formant des expressions adjectivales à valeur négative. (Sens d'exclusion sans rapport concret au lieu ni au temps). Vx (par métaphore). → ci-dessous, cit. 33. *Hors de qqch.* : à part*... (→ cit. 34). *Être hors d'une affaire,* ne pas (plus) être concerné par elle (→ cit. 36). — Loc. mod. *Hors d'affaire** (cit. 45). *Hors de danger** (→ Asile, cit. 19) : sauf, sauvé. — *Hors d'état**. (cit. 35) *d'agir* (cit. 9), *hors d'état de nuire, d'écrire,* dans l'incapacité de... → Conversation, cit. 13. *Navire hors d'état de naviguer* (→ Fret, cit. 2). — *Être mis hors de combat** (→ Chandelle, cit. 4). — *Hors d'haleine** (cit. 12 et 13). *Hors de service**, *hors d'usage**. — *Hors de mode* (→ Antique, cit. 6). — *Hors de mesure**, *hors de proportion**. — *Hors de comparaison**. *Hors de pair** : sans rival (syn. : *hors pair*). *Hors de place** (vieilli), *hors de propos** : qui ne convient pas dans une situation donnée. — *Hors de prix** : cher, inabordable. → ci-dessous, cit. 36.1. — *Il est hors de doute** *que... :* il n'est pas douteux, il est certain que... — *Hors de là* : sorti de là, à part cela (→ Génie, cit. 30, et ci-dessous, cit. 34). *Être hors de sens**, *de son bon sens* (→ Convulsif, cit. 1).

(...) prendre garde que le deuil de ma perte ne pousse ce bon homme et cette bonne femme hors des gonds de la raison. 33
MONTAIGNE, Essais, I, Append., Montaigne et La Boétie, B, I.

Car enfin, hors de là, que peut-il m'imputer? CORNEILLE, Nicomède, IV, 2. 34

Que dis-je? En ce moment mon cœur, hors de lui-même, 35
S'oublie et se souvient seulement qu'il vous aime. RACINE, Bérénice, IV, 5.

(...) je ne puis avoir aucun repos que M. de Grignan ne soit hors de cette ridicule affaire. Mme DE SÉVIGNÉ, Lettres, 350, 24 nov. 1673. 36

— Le poisson est-il cher? 36.1
— Hors de prix! Ch. PAUL DE KOCK, la Grande Ville, t. I.

Loc. **HORS DE SOI (DE LUI, D'ELLE, DE MOI,** etc.). **a** Vx. En proie à une grande agitation, à l'extase.

(...) l'enfant s'écrie et tressaillit d'aise. Aux battements de mains, aux acclamations de l'assemblée la tête lui tourne, il est hors de lui. ROUSSEAU, Émile, III. 37

Fabrice était tellement hors de lui d'enthousiasme et de bonheur, qu'il avait renoué la conversation. STENDHAL, la Chartreuse de Parme, III. 38

b Mod. Dans une colère, une fureur extrême. *Il était complètement hors de lui.* ⇒ **Furieux.** *Hors de soi.* ⇒ **Colère** (en), **furieux.** *Vous la mettez hors d'elle, hors de ses gonds* (cit. 4 et 5).

HORS DE, suivi d'un inf. (vx). ⇒ **Hormis, moins** (à moins de). *Hors de le battre, il ne pouvait le traiter plus mal* (Académie).

(...) hors de se trouver au Conseil, il n'avait aucune fonction (...) 39
SAINT-SIMON, Mémoires, I, XXX.

★ **IV.** Loc. conj. (1666). Littér. **HORS QUE,** avec l'indicatif ou le conditionnel. ⇒ **Excepté, hormis, sauf, sinon** (que). Avec le subjonctif. ⇒ **Moins** (à moins que).

Hors qu'un commandement exprès du Roi me vienne 40
De trouver bons les vers dont on se met en peine (...)
MOLIÈRE, le Misanthrope, II, 6.

Hors que de mon château démoli pierre à pierre 41
On ne fasse ma tombe, on n'aura rien. HUGO, Hernani, III, 6.

(...) ignorant tout du monde, hors que s'y brassaient d'obscures affaires (...) 42
A. DE CHATEAUBRIANT, M. des Lourdines, IV, 73.

CONTR. Dans, dedans, en; compris (y).
DÉR. Horsain ou **horsin.**
COMP. Hormis.
HOM. 1. **Or** (n. m.), 2. **or** (conj.).

HORSAIN ['ɔʀsɛ̃] n. m. — XIIIe; de *hors,* et suff. *-ain,* d'après *forain* (T. L. F.).

♦ Hist. ou régional (Normandie). Étranger. *« Gilles Perrault, horsain de tous lieux, homme sans patrie ni frontière, sans accent »* (*le Nouvel Obs.,* n° 866, 15 juin 1981, p. 83).

Var. graphique : *horsin.*

Au IXe siècle, la quasi-totalité de la population, de haut en bas de la hiérarchie, est paysanne, ou liée étroitement à la vie agricole. Une tendance au conservatisme local, l'amour du lieu héréditaire, pousse à méjuger le « horsin », le venu-d'ailleurs, fût-il un Limousin émigré en Champagne.
Paul ZUMTHOR, Charles le Chauve, p. 15.

HORS-BORD ['ɔʀbɔʀ] n. m. invar. — 1930, *in* Petiot; adapt. angl. *out board* « à l'extérieur de la coque »; de *hors,* et *bord.*

♦ **1.** Moteur, généralement amovible, placé en dehors de la coque d'une embarcation. *Des hors-bords.* — Appos. *Un moteur hors-bord.*

Il est vrai que Gonzague (...) a un biplace à moteur hors-bord (...) 1
Hervé BAZIN, Cri de la chouette, p. 122.

♦ **2.** Petit canot automobile, léger et rapide, propulsé par un moteur hors-bord. *Des courses de hors-bords.*

(...) les jeunes Favre-Libert — ceux des conserves (...) grosse fortune — nous ont dépassés en trombe avec leur hors-bord en nous faisant le signe d'amitié de ces gens très contents de vous voir chavirer dans leur remous. 2
Pierre DANINOS, Un certain Monsieur Blot, p. 109.

Roulet nous attendait à l'aéroport; nous avons fendu en hors-bord la lagune. 3
S. DE BEAUVOIR, Tout compte fait, p. 244.

♦ **3.** *Le hors-bord :* la pratique du nautisme en hors-bords. *Faire du hors-bord.*

HORS-CASTE ['ɔʀkast] n. — Déb. XXe (*in* Larousse, 1907); de *hors,* et *caste.*

♦ Personne n'appartenant à aucune caste, dans l'ancien système social de l'Inde. ⇒ **Paria.** *Des hors-castes.*

Métis, hors-caste, dédaigné des blancs et plus encore des blanches, Kyo n'avait pas tenté de les séduire : il avait cherché les siens et les avait trouvés.
MALRAUX, la Condition humaine, p. 55.

HORS CHAMP [ˈɔʀʃɑ̃] adj. invar. — V. 1970; de *hors,* et *champ.*

♦ Cin. En dehors du champ* (II., B.) de la caméra. ⇒ (anglic.) **Off.** *Voix hors champ.*

HORS CONCOURS [ɔʀkɔ̃kuʀ] n. m. invar. — 1884; de *hors,* et *concours,* dans l'expression *être hors concours.* → Concours.

♦ Personne qui ne peut participer à un concours, pour avoir été lauréat ou membre du jury. *Les hors concours qui exposent au Salon.* — Personne qui ne peut concourir à cause d'une supériorité écrasante sur ses concurrents.

Monsieur Mazel, il y a eu une erreur hier. On a refusé un hors concours... vous savez le numéro 2530, un femme nue sous un arbre.
ZOLA, l'Œuvre, I, p. 18 (1886).

HORS-COTE [ˈɔʀkɔt] adj. et n. m. ⇒ **Cote** (*infra* cit. 2).

HORS-D'ŒUVRE [ˈɔʀdœvʀ] n. m. invar. — 1596; de *hors, de,* et *œuvre.*

♦ **1.** Archit. Pièce en saillie détachée du corps d'un bâtiment, et qui ne se rattache pas à l'ordonnance générale de la construction. — Littér. et arts. Morceau accessoire ou superflu qu'on pourrait retrancher sans nuire à l'ensemble.

1 Ceci, monsieur Crevel, est encore un hors-d'œuvre, et nous éloigne du sujet.
BALZAC, la Cousine Bette, Pl., t. VI, p. 140.

2 Je veux bien qu'on soit exact en fait de couleur locale, et même je le désire ; mais il faut qu'alors le narrateur (...) soit exact d'un air naturel, sans paraître y viser et sans se piquer de trop faire attention à des hors-d'œuvre ; il faut qu'il nous donne ces détails accessoires comme involontairement (...)
SAINTE-BEUVE, Chateaubriand, t. I, p. 184.

Loc. adv. *En hors-d'œuvre.*

3 Ces bâtiments *(du château de Fontainebleau)* comportaient (...) autour de la cour une sorte de colonnade continue en hors-d'œuvre et un portique à double étage en avant du grand escalier, véritable placage comme Jean Bullant en disposera plus tard en Écouen. P. VITRY, *in* A. MICHEL, Hist. de l'art, t. IV, p. 524.

Adj. *Un bâtiment hors-d'œuvre.* — Adv. *Construire hors-d'œuvre.* ⇒ **Œuvre.**

♦ **2.** (1690). Cour. Petit plat que l'on sert au début du repas, après le potage et avant les entrées* (ainsi appelé, d'après Littré, « parce que, originairement, ils ne faisaient pas partie de l'ordre régulier dans lequel les plats principaux étaient rangés »). *Il n'oublie pas les hors-d'œuvre* (→ Assiette, cit. 19). *Hors-d'œuvre froids* (crevettes, crudités, coquillages, radis, charcuterie...). *Hors-d'œuvre chauds* (coquilles*, croustades, escargots...). *Prendre un hors-d'œuvre, deux hors-d'œuvre. Disposer les hors-d'œuvre sur les raviers. Plateau, buffet, table de hors-d'œuvre. Les zakouski, hors-d'œuvre russes ; la kémia, hors-d'œuvre algérien. Hors-d'œuvre variés. Servir qqch. en hors-d'œuvre.* — Collectif. *Vous prendrez du hors-d'œuvre.*

4 Il résulte de l'examen des cartes de divers restaurateurs de première classe (...) que le consommateur qui vient s'asseoir dans le salon a sous la main, comme éléments de son dîner, au moins 12 potages, 24 hors-d'œuvre, 15 ou 20 entrées de bœuf (...) A. BRILLAT-SAVARIN, Physiologie du goût, XXVIII, 145.

5 (...) des anchois, du fromage, des olives, des tranches de saucisson, du bœuf fumé de Hambourg et autres hors-d'œuvre qu'on mange avec des petits pains pour s'ouvrir l'appétit. Th. GAUTIER, Voyage en Russie, X.

5.1 Elle ne voulut point toucher à ces hors-d'œuvre, servis à part, tels que caviar, harengs coupés en petites tranches, eau-de-vie de seigle anisée, destinés à stimuler l'appétit, suivant un usage commun à tous les pays du Nord, en Russie comme en Suède ou en Norvège. J. VERNE, Michel Strogoff, p. 115 (1876).

6 Les Russes mangent presque exclusivement des hors-d'œuvre : des concombres salés, des champignons secs, des œufs de poisson.
G. DUHAMEL, Salavin, III, XVII.

Par métaphore et fig. *Ce petit discours n'est qu'un hors-d'œuvre, nous allons encore subir trois allocutions.*

CONTR. Dessert.

HORSE-GUARD [ɔʀsgwaʀd] n. m. — 1851, *in* Höfler ; attestation isolée, 1792 ; mot angl., de *horse* « cheval », et *guard* « garde ».

♦ Soldat de l'armée britannique, appartenant au régiment des gardes à cheval.

HORSE-POWER [ɔʀspɔwœʀ] n. m. invar. — V. 1820 ; mot angl. « cheval-puissance », de *horse* « cheval », et *power* « puissance ; pouvoir ».

♦ Anglic., techn. Unité de puissance adoptée en Angleterre et équivalent à 75,9 kilogrammètres par seconde (→ Cheval*-vapeur). — Par abrév. : *HP* (1907, *in* Höfler).

HORSE-POX [ɔʀspɔks] n. m. — 1863, *in* Höfler ; mot angl., de *horse* « cheval », et *pox* « variole ».

♦ Anglic., vétér. Vaccine* du cheval.

Que la variole de l'homme, le cowpox de la vache, la maladie éruptive du cheval, dissimulée jusque-là sous des apparences diverses, et désignée sous des noms différents, et qu'on pourrait appeler désormais, comme l'a proposé M. Bouley, du nom de horse-pox (...)
L. FIGUIER, l'Année scientifique et industrielle, 1865, p. 369 (1864).

HORS-GEL [ɔʀʒɛl] adj. invar. — V. 1960 ; de *hors,* et *gel.*

♦ Techn. (Qualifie un nom de voie, de chaussée). Qui est à l'abri des effets du gel et du dégel. *Route hors-gel.*

HORSIN [ɔʀsɛ̃] n. m. ⇒ **Horsain.**

HORS-JEU [ɔʀʒø] n. m. invar. — 1897 ; de *hors** (II., b), et *jeu.*

♦ Sports. Dans certains sports d'équipe, Faute commise par un joueur qui se place sur le terrain d'une manière interdite par les règles. *Position de hors-jeu. Commettre un hors-jeu. Être sanctionné pour un hors-jeu.* → Coup franc* (au football) ; coup de pied de pénalité* (au rugby). *Siffler un hors-jeu, le hors-jeu.* — Adj. invar. Qui est en position de hors-jeu (d'un joueur). *Des attaquants hors-jeu.*

N'étaient les hors-jeu près des buts, l'association pourrait presque se passer d'arbitre, mais non pas le rugby. C'est pourquoi l'association est plus facile à acclimater dans les coins perdus. Jean PRÉVOST, Plaisirs des sports, p. 145.

HORS-LA-LOI [ˈɔʀlalwa] n. invar. — Fin XIXe ; « situation de qui est hors la loi », 1832 ; adj. et adv., 1774 ; de *hors, la,* et *loi* ; pour traduire l'angl. *outlaw.* → Outlaw.

♦ **1.** Personne qui est mise ou se met hors la loi (souvent, parce qu'elle est poursuivie par la justice). ⇒ **Desperado, outlaw.** *Une hors-la-loi.*

Comme il les aimait, tous ces hommes qui avaient fait à l'idéal révolutionnaire le don total d'eux-mêmes, et dont il connaissait en détail les existences combatives et traquées (...) et, pendant un instant, cette réunion de hors-la-loi, venus des quatre coins de l'Europe, ne fut plus à ses yeux qu'une image de cette humanité malmenée, qui avait pris conscience de son asservissement et qui, s'insurgeant enfin, rassemblait toutes ses énergies pour rebâtir un monde.
MARTIN DU GARD, les Thibault, t. V, p. 85.

Or, sans l'homme, chez Villon, le poète n'aurait pas pris son véritable essor. Dans l'homme lâche et jouisseur est le voleur, le criminel, le hors-la-loi, et c'est chez lui que le génie trouve ses élans splendides, ses sursauts d'épouvante, ses appels, ses regrets et sa peur de la mort. Francis CARCO, Nostalgie de Paris, p. 79.

♦ **2.** Personne qui s'affranchit de la loi commune, vit en marge des règles. ⇒ **Marginal** ; → Génial, cit. 3.

HORS-LIGNE [ɔʀliɲ] n. m. invar. — 1867, *Rev. des cours sc.,* t. IV, p. 584 ; de *hors,* et *ligne.*

♦ Techn. Portion de terrain restée en dehors de la ligne tracée pour la construction d'une voie publique.

HORS-PISTE [ɔʀpist] n. m. invar. — V. 1970 ; de *hors,* et *piste.*

♦ Ski. Ski pratiqué en dehors des pistes balisées. « *Randonnée, fond, hors-piste* » (*l'Express,* 2 oct. 1978, p. 82). *Faire du hors-piste.* « *Sur les pistes, pas de problèmes ou presque : tous les couloirs menaçants étant purgés de leurs avalanches à la dynamite avant l'arrivée des skieurs. Mais en ce qui concerne le hors-piste (...) Mise à part la station des Arcs qui a prévu "le domaine du ski total", un périmètre de hors-piste surveillé, protégé et fermé chaque soir par des pisteurs, ailleurs, le problème reste entier. L'évolution hors des balises et des pentes damées demeurant sous la totale responsabilité des skieurs* » (*Contact,* no 220, janv. 1983, p. 18). — Appos. *Ski hors-piste.*

HORS-PROFIL [ˈɔʀpʀɔfil] n. m. invar. — Mil. XXe (*in* Larousse, 1968) ; de *hors,* et *profil.*

♦ Techn. Partie d'une excavation qui déborde le profil prévu au cahier des charges.

HORS-SÉRIE [ɔʀseʀi] adj. invar. — XXe (1935, Duhamel, *in* T. L. F.) ; de *hors,* et *série.*

♦ **1.** Qui ne ressemble pas aux autres, qui est à part. *Une personnalité hors-série.*

♦ **2.** Qui n'est pas fabriqué en série. *Voiture hors-série.*

HORS-SERVICE [ɔʀsɛʀvis] adj. invar. — D. i. (mil. XXe ?) ; de *hors,* et *service.*

♦ **1.** (Qualifiant une chose). Qui n'est pas ou qui n'est plus en service, temporairement ou définitivement; qui n'est pas disponible pour l'utilisation qu'on en fait habituellement. *L'escalier mécanique a été mis hors-service pour la visite d'entretien. Machine hors-service.* — (Souvent employé en mot-phrase dans un écriteau disposé sur ce dont on veut consigner l'usage). *Hors-service.* — Abrév. : *H. S.* [aʃɛs].

♦ **2.** (Qualifiant une personne). Fig., fam. Qui n'est pas disponible pour agir, par suite de fatigue, de maladie, etc. *Il a la grippe, il est hors-service pour au moins dix jours.* — REM. Dans cet emploi familier, l'abréviation *H. S.* est plus fréquente. *On a marché toute la journée, je suis H. S.*

HORS-SOL [ˈɔʀsɔl] adj. invar. — V. 1980; de *hors,* et *sol.*

♦ Techn. (élevage). Se dit d'un type d'élevage dans lequel la nourriture des animaux ne provient pas de l'exploitation elle-même, mais d'une exploitation voisine ou d'une fabrique industrielle d'aliments. *Les exploitations hors-sol ne disposent pas de surfaces fourragères.*

N. m. *Le hors-sol :* l'élevage hors-sol. « *Bref, au Crédit agricole (...) aujourd'hui on n'est plus chaud pour financer du "hors-sol". Ce retour à la sagesse se mesure dans les modèles proposés par les techniciens (...) À l'initiative d'un groupe de travailleurs-paysans, s'est créé dans les Côtes-du-Nord, en 1982, le Centre d'études pour un développement agricole plus autonome (CEDAPA). Ce centre propose un modèle d'installation avec vingt-quatre truies seulement. Il n'y a plus de "hors-sol", c'est-à-dire qu'on ne dépend plus du prix des aliments achetés et souvent importés, payables en dollars* » (*le Monde,* 3 févr. 1984).

HORST [ˈɔʀst] n. m. — 1902; mot all. « butoir », introduit par Suess.

♦ Géol. Espace de terrain soulevé entre deux failles (opposé à *graben*). ⇒ **Môle.**

HORS TAXE [ˈɔʀtaks] adj. ⇒ **Taxe** (*supra* cit. 3).

HORS-TEXTE [ˈɔʀtɛkst] n. m. invar. — 1907; comme adj., 1882; de *hors,* et *texte.*

♦ Illustration tirée à part, intercalée ensuite dans un livre, et non comprise dans la pagination. *Des hors-texte en couleur.* — Adj. *Illustration, gravure hors-texte.*

HORS-TOUT [ˈɔʀtu] adj. invar. — Mil. XXe; de *hors,* et *tout.*

♦ Techn. Se dit de la plus grande longueur d'un véhicule, qui se mesure sans que rien dépasse. *Une voiture de 3,50 m hors-tout.*

HORTENSIA [ɔʀtɑ̃sja] n. m. — 1801; mot du lat. des botanistes, créé à la fin du XVIIIe (Jussieu), du prénom *Hortense.*

♦ **1.** Plante dicotylédone *(Saxifragées),* scientifiquement appelée *hydrangea* (⇒ **Hydrangelle**); arbrisseau ornemental cultivé pour ses grosses inflorescences en corymbes arrondis. *L'hortensia, originaire d'Extrême-Orient, est nommé aussi* rosier du Japon. — Ces inflorescences. *Hortensias roses, lilas, blancs.*

Toujours sous le palmier du tombeau de Virgile
Le pâle hortensia s'unit au laurier vert.
NERVAL, Autres Chimères, À J. Colonna.

♦ **2.** Adj. invar. (1920, Proust). De la couleur de l'hortensia. *Une* « *jupe hortensia* » (Proust, *Du côté de Guermantes*).

HORTI- Élément de mots savants, tiré du lat. *hortus* « jardin ». Voir les comp. à l'ordre alphabétique.

HORTICOLE [ɔʀtikɔl] adj. — 1829; dér. sav. du lat. *hortus,* d'après *agricole.*

♦ Relatif à la culture des jardins* (⇒ **Horticulture**). *Établissement horticole. Produits horticoles. Exposition horticole.* — *Ingénieur horticole.*

HORTICULTEUR, TRICE [ɔʀtikyltœʀ, tʀis] n. — 1825, Brillat-Savarin; du lat. *hortus;* d'après *agriculteur,* p.-ê. de *horticulture* (attesté en même temps).

♦ Personne qui pratique l'horticulture. ⇒ **Cultivateur, jardinier, maraîcher.** — Spécialt. Personne qui cultive des plantes d'ornement (arbres, fleurs). ⇒ **Arboriculteur, fleuriste** (jardinier fleuriste), **rosiériste.**

Il avait (...) en horticulteur plein de diligence, pratiqué, d'un sécateur tremblant, quelques émondages respectueux. Léon BLOY, le Désespéré, p. 45.

HORTICULTURAL, ALE, AUX [ɔʀtikyltyʀal, o] adj. — 1839; de *horticulture.*

♦ Didact. Relatif à l'horticulture*.

HORTICULTURE [ɔʀtikyltyʀ] n. f. — 1825, *in* D. D. L.; du lat. *hortus* « jardin », et *cultura* « culture », d'après *agriculture.*

♦ Culture des jardins. ⇒ **Arboriculture, floriculture.** *L'horticulture s'applique à des espaces relativement petits et fournit des rendements élevés. Horticulture en jardin d'agrément, en jardin potager* (⇒ **Maraîcher**). *Pratiquer l'horticulture.* ⇒ **Arboriser** (vx), **jardinier; cultiver.** *Horticulture forcée,* en serres, etc. (⇒ **Primeur**). *École nationale d'horticulture.*

Le bonhomme *(M. Blondet)* aimait passionnément l'horticulture, il était en correspondance avec les plus célèbres amateurs, il avait l'ambition de créer de nouvelles espèces, il s'intéressait aux découvertes de la botanique, il vivait enfin dans le monde des fleurs. BALZAC, le Cabinet des Antiques, Pl., t. IV, p. 432.

Termes d'horticulture. ⇒ **Ados, bâche, billon, couche, hortillonnage, pépinière, planche, plate-bande, semis, serre; arrosage, arroser, baguer, biner, bouturage, bouture, butter, chausser** (4.), **cultiver, décaisser, éclaircir, empoter, encaisser, enchausser, forçage, forcer, fumer, greffe, greffer, ligature, marcotte, pailler, paillis, palisser, plant, praliner, repiquer, sarcler, semer, semis; arrosoir, bêche, binette, binot, charrue** (à main), **râteau, sécateur; bruyère** (terre de), **engrais, fumier;** et aussi **agricole** (instruments, opérations agricoles).

DÉR. Horticultural.

HORTILLON [ɔʀtijɔ̃] n. m. — 1492, « jardinier »; de l'anc. franç. *ortillier,* de *ortil, orteil* « jardin », de l'anc. franç. *hort* « jardin », du lat. *hortus.* → Horti-.

♦ Régional. Horticulteur, maraîcher qui cultive un hortillonage.

DÉR. Hortilloneur, hortillonnage.

HORTILLONEUR [ɔʀtijɔnœʀ] n. m. — 1873, *in* P. Larousse; de *hortillon* ou de *hortillonnage.*

♦ Régional. ⇒ **Hortillon.**

HORTILLONNAGE [ɔʀtijɔnaʒ] n. m. — 1870, mot picard; de *hortillon, ortillon,* dér. de *ortillier* « cultiver ». → Hortillon.

♦ Régional. En Picardie, Marais* utilisé pour la culture des légumes; mode de culture qui y est pratiqué. *Les hortillonnages sont divisés par des canaux.*

Les tourbières assainies des environs d'Amiens sont converties en hortillonnages, et elles produisent annuellement de beaux et nombreux légumes.
HEUZÉ, la France agricole, *in* LITTRÉ, Suppl.

HOSANNA [ˈoza(n)na] n. m. — Fin Xe, exclam.; *osanne,* 1276; lat. ecclés. *hosanna* venu, par grec *hosanna,* de l'hébreu *hôschî a-nâ* « sauve (-nous) de grâce ».

♦ **1.** Liturgie. Acclamation religieuse utilisée dans les cérémonies, les processions, certaines prières juives. — Hymne catholique, chantée le jour des Rameaux. — (1752). Expression employée dans le Sanctus*.

Les mots *sauvez-moi* de la Vulgate correspondent à l'hébreu *Hoshianna* (d'où le 1
grec *Hosanna*) qui signifie : sauvez donc, rachetez, aidez donc. C'est du moins le sens primitif de cette expression étrangère, qui, dans la langue liturgique, est devenue un cri de joie, une interjection de triomphe et de jubilation : « Salut, bénédiction, gloire, louange à Lui ». R. LESAGE, Dict. de liturgie romaine, art. *Sanctus.*

♦ **2.** (1672, exclam.; *un hosanna,* déb. XIXe). Littér. Chant, cri de triomphe, de joie, de glorification. ⇒ **Hymne.**

Quelque chose de grand s'épandra dans les cieux! 2
Ce sera l'hosanna de toute créature!
HUGO, les Chants du crépuscule, XXXII, III.

REM. On écrit parfois *hosannah.*

DÉR. Hosannière.

HOSANNIÈRE [ˈozanjɛʀ] adj. f. — XVIe, *(croix) osanière;* de *hosanna.*

♦ Archéol. *Croix hosannière :* croix votive ornée de l'inscription « Hosanna ».

HOSPICE [ɔspis] n. m. — 1690; *prendre hospice* « refuge », 1294 (→ Hôpital, cit. 2); du lat. *hospitium,* de *hospes, hospitis.* → Hôte.

♦ **1.** Vx. Lieu où l'on donne, où l'on reçoit l'hospitalité*. ⇒ **Asile, refuge.**

♦ **2.** (1690). Vx. Maison appartenant à un couvent et destinée à recevoir les étrangers du même ordre. ⇒ **Hôpital** (1.). — Maison où des religieux donnent l'hospitalité aux pèlerins*, aux voyageurs (⇒ **Hospitalier,** I.). *L'hospice du Grand Saint-Bernard.*

♦ **3.** (1770). Mod. Établissement public ou privé destiné à recevoir et à entretenir des orphelins, des enfants abandonnés, des vieillards, des infirmes, des malades incurables. ⇒ **Asile** (cit. 32), **aumône** (vx). *Régime administratif des hospices et hôpitaux.* ⇒ **Assistance** (publique), **hôpital** (2.). *Hospice des incurables, des enfants trouvés. Les tours des hospices d'enfants trouvés* (où l'on déposait des enfants) *ont été supprimés en 1860.* — Vx. *Hospice d'aliénés.* ⇒ **Asile, hôpital** (psychiatrique). — Mod. *Hospice de vieillards, d'invalides.* — Spécialt. Hospice de vieillards. *Finir à l'hospice, dans un hospice,* dans la misère. ⇒ **Hôpital** (1.); → Crasseux, cit. 2.

1 J'ai donc par mon testament donné ma maison pour fonder un hospice où les malheureux vieillards sans asile, et qui seront moins fiers que ne l'est Moreau, puissent passer leurs vieux jours.
BALZAC, le Médecin de campagne, Pl., t. VIII, p. 395.

2 (...) une large casquette lui tombait sur les yeux et contribuait à lui donner l'air d'un vieil invalide qui a obtenu de l'hospice sa permission de faire sa promenade en ville (...) J. GREEN, Léviathan, I, XIII.

REM. Littré (1866) soutient que cette acception d'*hospice* est du «langage administratif», et que la distinction entre *hospice* et *hôpital* est, elle aussi, «purement administrative». Pourtant, le sens moderne et spécialisé d'*hospice* — par rapport à *hôpital* — est attesté aux XVIIIe et XIXe s. : Raynal, 1770 (*Histoire philosophique,* XII, 11), Étienne, 1810 (→ Bureau, cit. 5), Balzac, 1839 (→ Dénuer, cit. 6), Sand, 1848 (→ Bravement, cit. 1), etc.

HOM. 1. **Auspice,** 2. **auspice.**

HOSPITALIER, IÈRE [ɔspitalje, jɛʀ] adj. et n. — 1174, relig.; lat. médiéval *hospitalarius,* du bas lat. *hospitale, hospitalis.* → Hôpital.

★ **I.** ♦ **1.** Anciennt. Qui recueille, abrite, nourrit les voyageurs, les indigents... (en parlant des religieux et religieuses de certains ordres). *Religieux, frères hospitaliers.* — N. *Les hospitaliers, les hospitalières :* membres de certains ordres charitables ou militaires. *Les hospitaliers de Saint-Jean de Jérusalem; hospitaliers de la Trinité et des Captifs. Rue des Hospitalières Saint-Gervais,* à Paris. — *Sœurs hospitalières :* les filles de la Charité et, en général, les religieuses des ordres charitables. — *Elle s'est faite hospitalière* (Académie).

N. m. (Vx). Celui qui s'occupe d'un hôpital, donne des soins aux malades (→ Exercice, cit. 16, La Fontaine).

♦ **2.** Mod. Relatif aux hôpitaux* et aux hospices*. *Établissements, services hospitaliers.* — Spécialt. D'un hôpital (2.). *Soins hospitaliers.* ⇒ **Hospitalisation.** — Avec jeu sur les sens I et II :

1 (...) je ne trouvai qu'un seul endroit définitivement désirable : l'Hôpital. Je me promenais autour de ces pavillons hospitaliers et prometteurs, dolents, retirés, épargnés, et je ne les quittais qu'avec regret, eux et leur emprise d'antiseptique.
CÉLINE, Voyage au bout de la nuit, p. 133.

Service hospitalier : ensemble des activités médicales des hôpitaux. *Équipement hospitalier. La médecine hospitalière. Législation hospitalière. Réforme hospitalière.* — *Centre hospitalier; centre hospitalier régional :* centre regroupant divers services hospitaliers (souvent dans les villes possédant une faculté de médecine). ⇒ **Hospitalo-universitaire.** — *Plein temps hospitalier :* exercice de l'enseignement et de la fonction hospitalière à plein temps par les membres du corps médical. — (Personnes). *Le personnel hospitalier. Médecin hospitalier.*

★ **II.** (1488; de *hospitalité*). Cour. ♦ **1.** Qui pratique volontiers l'hospitalité*. ⇒ **Accueillant.** *Il est très hospitalier :* sa maison est ouverte à tous. ⇒ **Charitable.** *La Légende de saint Julien l'Hospitalier,* un des *«Trois contes»,* de Flaubert. *Peuple hospitalier; peuplade, tribu hospitalière.* — Par ext. Qui annonce l'hospitalité. *Air hospitalier. Manières hospitalières.*

2 (...) rien ne rend plus hospitalier que de n'avoir pas souvent besoin de l'être : c'est l'affluence des hôtes qui détruit l'hospitalité. ROUSSEAU, Émile, V.

3 Soyez hospitalier, même à votre ennemi (...)
HUGO, la Légende des siècles, XVII, «L'aigle du casque».

♦ **2.** (1671). Où l'hospitalité est pratiquée. *Demeure, maison, retraite hospitalière. Une table hospitalière.* → Tenir table ouverte. — *Pays hospitalier; ville hospitalière.*

4 Ils virent à l'écart une étroite cabane,
Demeure hospitalière, humble et chaste maison.
LA FONTAINE, Philémon et Baucis (1685).

5 En quittant l'hospitalier territoire de Weimar, je vais rentrer dans un monde où je ne rencontrerai plus cette bienveillance dont j'ai contracté l'habitude.
B. CONSTANT, Journal, 18 mars 1804.

5.1 D'ailleurs, à défaut de relais, la maison du paysan russe n'eût pas été moins hospitalière. Dans ces villages, qui se ressemblent presque tous, avec leur chapelle à murailles blanches et à toitures vertes, le voyageur peut frapper à toutes les portes. Elles lui seront ouvertes. Le moujik viendra, la figure souriante, et tendra la main à son hôte (...) J. VERNE, Michel Strogoff, p. 129.

(Déb. XIXe, Mme de Staël). Par ext. (D'un lieu). Accueillant, agréable pour l'étranger; engageant, plaisant.

5.2 Peu de temps après la mort de Jules César, le chef gaulois Péponas émigra avec toute sa famille vers une terre plus hospitalière, car en Arvernie, cette année-là, la récolte des châtaignes fut extrêmement mauvaise.
R. QUENEAU, le Chiendent, p. 209.

Fig. *Un cœur hospitalier,* volage. — Par plais. *Avoir la cuisse* hospitalière.* → La cuisse légère.

Il (...) devait avoir plusieurs successeurs dans le cœur hospitalier de la prin- 6
cesse (...) Émile HENRIOT, Portraits de femmes, p. 424.

(1488). Poét. *Dieux hospitaliers :* les dieux de l'hospitalité.

Ô dieux hospitaliers, que vois-je ici paraître? 7
Dit l'animal chassé du paternel logis. LA FONTAINE, Fables, VII, 16.

CONTR. Hostile. — Inhospitalier.
DÉR. Hospitalièrement.
COMP. Inhospitalier.

HOSPITALIÈREMENT [ɔspitaljɛʀmɑ̃] adv. — XVIe; de *hospitalier* (II.).

♦ Littér. D'une manière hospitalière* (II.), accueillante.

Des pêcheurs aléoutiens, accourus à leur secours, les accueillirent hospitalièrement. J. VERNE, le Pays des fourrures, t. II, p. 326.

HOSPITALISATION [ɔspitalizasjɔ̃] n. f. — 1866; de *hospitaliser.*

♦ **1.** Action d'hospitaliser; admission dans un établissement hospitalier. *L'hospitalisation d'un blessé dans un service d'urgence. Hospitalisation pour mise en observation. Formalités d'hospitalisation.*

♦ **2.** Séjour dans un établissement hospitalier (hôpital, hospice, clinique). *Jours d'hospitalisation remboursés* (en France) *par la Sécurité sociale. Un traitement ambulatoire permet au malade d'éviter l'immobilisation d'une hospitalisation.* — *Hospitalisation à domicile :* soins à domicile délivrés sous contrôle de la médecine hospitalière. *«Apporter la technologie au chevet du patient (...) c'est développer l'hospitalisation à domicile. C'est aussi apporter une solution, au moins partielle, aux handicaps qui sont liés à la vieillesse»* (*l'Express,* 4 nov. 1983, p. 126). *«Des formes mieux adaptées de distribution des soins (l'hôpital de jour, l'hospitalisation à domicile)»* (*l'Express,* 2 févr. 1984, p. 50).

HOSPITALISER [ɔspitalize] v. tr. — 1801, «soigner les indigents»; sens mod., 1875; dér. sav. du lat. *hospitalis,* de *hospes, itis.* → Hôpital, hôte.

♦ Faire entrer, admettre (qqn) dans un établissement hospitalier (asile, hospice, etc.) et, spécialt, dans un hôpital. *Hospitaliser un vieillard indigent, un infirme dans un hospice. Hospitaliser un malade, un blessé, les victimes d'un accident.*

▶ **HOSPITALISÉ, ÉE** p. p. adj. (1875, *in* Littré). *Malades, blessés hospitalisés ou traités à domicile.*

N. *Les hospitalisés.*

DÉR. Hospitalisation.

HOSPITALISME [ɔspitalism] n. m. — 1949, *Revue franç. de psychanalyse,* XIII, p. 397; trad. de Spitz; anglo-amér. *hospitalism,* Spitz, 1945; de *hospital* «hôpital», de même orig. que *hôpital.*

♦ Psychol. Troubles psychosomatiques présentés par un enfant élevé hors de sa famille naturelle, ou par un adulte à la suite d'une longue hospitalisation. — Par anal. *«En prison, la vie de groupe favorise (...) le retour à la vie végétative, l'engrenage de l'hospitalisme»* (*la Croix,* 7 janv. 1976).

(Abusif; anglic.). Trouble causé par un séjour prolongé à l'hôpital. *L'«accroissement de séjour dû à l'hospitalisme infectieux»* (*l'Express,* 9 juin 1979, p. 123).

HOSPITALITÉ [ɔspitalite] n. f. — V. 1206, au sens 1; lat. *hospitalitas,* de *hospitalis* «d'hôte, hospitalier», de *hospis* «hôte».

♦ **1.** Vx. Charité* qui consiste à recueillir, à loger et nourrir gratuitement les indigents, les voyageurs dans un établissement prévu à cet effet (⇒ **Hôpital,** 1.; **hospice,** 2.; **hospitalier,** I.). *«Les hôpitaux et maladreries où l'hospitalité n'était point gardée»* (Furetière, 1690).

Obligation où étaient certaines abbayes de recevoir les voyageurs. *Il y avait hospitalité dans telle abbaye* (Académie).

♦ **2.** (1538, R. Estienne). Didact. (Dans l'antiquité). Droit réciproque de trouver logement et protection les uns chez les autres. *L'hospitalité, institution de l'antiquité grecque et latine. Hospitalité entre les personnes, les familles, les villes. Droit d'hospitalité entre deux villes. Violer l'hospitalité, les droits, les lois de l'hospitalité. «Pâris viola l'hospitalité en ravissant Hélène, la femme de son hôte»* (Furetière, *Dict.*).

(...) les anciens croyaient que toute nourriture préparée sur un autel et partagée 1
entre plusieurs personnes établissait entre elles un lien indissoluble et une union sainte (...) Cette même opinion est le principe de l'hospitalité antique. Il n'est pas de notre sujet de décrire cette curieuse institution. Disons seulement que la religion y eut une grande part. L'homme qui avait réussi à atteindre le foyer ne pouvait plus être regardé comme un étranger (...) Celui qui avait partagé le repas sacré était pour toujours en communauté religieuse avec son hôte (...)
FUSTEL DE COULANGES, la Cité antique, III, 1.

♦ **3.** (1530). Cour. Le fait de recevoir quelqu'un chez soi en le logeant éventuellement, en le nourrissant gratuitement (⇒ **Hôte**). *Exercer, pratiquer l'hospitalité, l'hospitalité envers quelqu'un* (→ Commande, cit. 5). *Donner, offrir l'hospitalité à quelqu'un.* ⇒ **Abriter, accueillir, héberger, loger, recevoir, traiter** (→ Partager le pain et le sel). *Demander, accepter, recevoir l'hospitalité* (⇒ **Abri, asile, logement, refuge**). *Exilé qui reçoit l'hospitalité d'un pays. Abuser de l'hospitalité de qqn. Avoir le sens de l'hospitalité. Maison où l'on pratique une large, une généreuse hospitalité.* → La maison du Bon Dieu. *Hospitalité affable, amicale, cordiale* (→ Cordialité, cit. 3). *L'hospitalité traditionnelle des musulmans. Pays, terre de l'hospitalité* (→ Ensanglanter, cit. 5).

2 *(Une magnificence)* que ce patriarche *(Abraham)* faisait paraître principalement en exerçant l'hospitalité envers tout le monde.
BOSSUET, Histoire universelle, I, 3.

3 Les femmes nous servirent un repas. L'hospitalité est la dernière vertu restée aux sauvages au milieu de la civilisation européenne; on sait quelle était autrefois cette hospitalité; le foyer avait la puissance de l'autel.
Lorsqu'une tribu était chassée de ses bois, ou lorsqu'un homme venait demander l'hospitalité, l'étranger commençait ce qu'on appelait la danse du suppliant; l'enfant touchait le seuil de la porte et disait : « Voici l'étranger ! » Et le chef répondait : « Enfant, introduis l'homme dans la hutte. » L'étranger, entrant sous la protection de l'enfant, s'allait asseoir sur la cendre du foyer.
CHATEAUBRIAND, Mémoires d'outre-tombe, t. I, p. 296.

4 La célèbre bibliothèque d'Alexandrie n'était ouverte qu'aux savants ou aux poètes connus par des ouvrages d'un mérite quelconque. Mais aussi l'hospitalité y était complète, et ceux qui venaient y consulter les auteurs étaient logés et nourris gratuitement pendant tout le temps qu'il leur plaisait d'y séjourner.
NERVAL, les Filles du feu, « Angélique », I.

Action de recevoir chez soi, d'accueillir avec bonne grâce. *Je vous remercie de l'hospitalité que vous m'avez donnée, de l'hospitalité que j'ai reçue chez vous* (Académie). ⇒ **Accueil, réception.** *Merci de votre aimable hospitalité.*

5 Vous êtes bien bon de m'offrir dans votre Bretagne une hospitalité qu'il me serait si doux d'accepter.
SAINTE-BEUVE, Correspondance, 329, 16 nov. 1833, t. I, p. 397.

HOSPITALO- Élément, du lat. *hospitalis* (⇒ **Hôpital**), entrant dans la composition de termes didactiques.

HOSPITALO-UNIVERSITAIRE [ɔspitaloynivɛʀsitɛʀ] adj. — 1958, *Journ. off.*; de *hospitalo-*, et *universitaire*, pour *(centre) hospitalier et universitaire.*

♦ Hospitalier (I., 2.) et universitaire; qui concerne l'enseignement de la médecine et son exercice dans les hôpitaux. *Enseignement hospitalo-universitaire. Centre hospitalo-universitaire* (abrév. : *C. H. U.*). *« Des services de plus en plus spécialisés où officient des spécialistes hospitalo-universitaires dont beaucoup ne cachent pas leur mépris pour la médecine de ville »* (*Libération*, n° 106, 16 sept. 1981, p. 18).

HOSPODAR [ɔspɔdaʀ] n. m. — 1663; mot ukrainien « maître, seigneur », var. *gospodar;* cf. russe *gospodine* « monsieur ».

♦ Hist. Ancien titre des princes vassaux du sultan de Turquie. *L'hospodar de Valachie.*

HOST [ɔst] n. m. Féod. ⇒ **Ost.**

HOSTAU, HOSTEAU [ɔsto] n. m. ⇒ **Hosto.**

HOSTELLERIE [ɔstɛlʀi] n. f. — 1130, repris XXe; forme archaïque de *hôtellerie.*

♦ Hôtellerie* (cit. 4).

HOSTIE [ɔsti] n. f. — XIIIe; *oiste,* XIIe, au sens II; du lat. *hostia* « victime », sens chrétien au IVe siècle.

★ **I.** (XIVe; répandu XVIe, sens postérieur au sens religieux et moderne; repris au lat. class. *hostia*). ♦ **1.** Victime offerte en sacrifice aux dieux, à Dieu (⇒ **Holocauste, immolation, sacrifice, victime**). *Immoler des hosties à Dieu. Hostie vivante.*

1 Il mettra la main sur la tête de l'hostie, et elle sera reçue *de Dieu*, et lui servira d'expiation (...)
BIBLE (SACY), Lévitique, I, 4.
REM. Les traductions plus récentes portent *holocauste* au lieu d'*hostie.*

2 Que les temples des idoles seraient abattus, et que parmi toutes les nations et en tous les lieux du monde, lui serait offerte une hostie pure, non pas des animaux.
PASCAL, Pensées, XI, 730.

♦ **2.** (Emploi courant chez les prédicateurs du XVIIe siècle; cf. Bossuet, Fléchier, Bourdaloue, Massillon, *in* Littré). Personne qui se consacre à Dieu.

3 Si votre corps est une hostie, consacrez à Dieu une hostie vivante (...)
BOSSUET, Oraison funèbre du R. P. Bourgoing, II.

♦ **3.** Liturgie. Jésus-Christ en tant que victime immolée. *« "O salutaris hostia" : "Hostie du salut"* signifie victime de la rédemption. P. Corneille traduit : *"Ô salutaire Hostie, adorable Victime" »* (R. Lesage, *Dict. pratique de liturgie romaine*).

♦ **4.** (XVIIe). Poét. et vx. ⇒ **Victime.**

Le funeste succès de leurs armes impies 4
De tous les combattants a-t-il fait des hosties (...)
CORNEILLE, Horace, III, 2.
REM. Voltaire, commentant ce passage, remarque qu'*hostie* ne se dit plus et le regrette (cf. Voltaire, *Commentaires sur Corneille*).

Ce mot n'était pas fort bien compris de tout le monde, même au dix-septième 5
siècle, s'il faut en croire l'anecdote (...) de ces spectateurs qui (...) se levèrent en tumulte à ce passage de la scène IV du IVe acte *(de la* Mort d'Agrippine, *de Cyrano) :*
Frappons ! Voilà l'hostie, et l'occasion presse,
et s'écrièrent : Oh ! le méchant, il veut tuer Notre-Seigneur !
Ch. MARTY-LAVEAUX, Lexique de la langue de P. Corneille, *in* CORNEILLE, Œuvres (Grands écrivains de la France), t. I, p. 486.

★ **II.** (XIIe, *oiste;* du lat. ecclés. *hostia,* IVe). Mod. (Liturgie cathol. et cour.). L'Espèce eucharistique du pain, consistant de nos jours en une petite rondelle de pain de froment, généralement azyme (dans les Églises latine, arménienne, maronite). ⇒ **Eucharistie; communion.** *Dans les premiers siècles, l'hostie était assez grande « pour qu'on pût la partager pour la communion des fidèles »* (R. Lesage, *Dict. pratique de liturgie romaine*). *De nos jours les hosties sont très minces, petites et distribuées une à une aux communiants; seule l'hostie du célébrant est de grande dimension. Consécration* de l'hostie. Hostie consacrée. La sainte hostie. Vase sacré servant à recevoir l'hostie, à contenir des hosties.* ⇒ **Ciboire** (cit. 1), **patène.** *Élévation* de l'hostie. Exposition de l'hostie.* ⇒ **Ostensoir** (→ Arche, cit. 7; dais, cit. 5). — *Déposer l'hostie sur la langue d'un communiant. Accepter* (cit. 13), *recevoir l'hostie. Prendre soi-même l'hostie.* — *Dogme de la présence réelle du Christ dans l'hostie.* ⇒ **Transsubstantiation.** *Profanation* de l'hostie.*

(...) on consacrait beaucoup d'hosties à cause de la prodigieuse multitude des com- 6
muniants (...) BOSSUET, Tradition défendue sur la matière de la communion, II, XI.

On dit que vous avez communié avec lui (...) en rompant tous une hostie. 7
FÉNELON, Dial. Henri III, *in* LITTRÉ.

Par ext. Pain azyme préparé pour être consacré au cours de la messe* (→ Pain à chanter). *Les hosties sont généralement fabriquées par des religieuses. Découpage des hosties. Fer à hostie,* formé de deux plaques métalliques ornées de symboles et de caractères en creux. *Linge sur lequel on dépose les hosties avant la consécration.* ⇒ **Corporal.**

REM. *Hostie* fait partie des *sacres* (« jurons ») en français du Québec (souvent prononcé [sti]).

HOSTILE [ɔstil] adj. — 1450; var. *hostif,* mil. XVe; rare XVIIe-XVIIIe; admis par le dict. de l'Académie en 1798, considéré comme « vieux » dans le dict. de Trévoux (1771); lat. *hostilis* de *hostis* « étranger » (→ Hôte), et au fig. « ennemi ». — REM. Un ex. de Mme de Sévigné (12 juin 1675) semblait accréditer l'adj. au XVIIe dans la construction *hostile pour...*; le manuscrit portait en fait *« qu'il ait* (changé ?) *de stile pour vous »*, transformé par l'éditeur Monmerqué en *« qu'il ait* (été) *hostile ».*

♦ **1.** Qui est ennemi, se conduit en ennemi. *Pays, puissance hostile* (→ Frontière, cit. 4). *Groupes hostiles qui se font la guerre** (cit. 1). ⇒ **Adverse, ennemi.** *Voyageur égaré parmi des peuplades hostiles. Foule* (cit. 8) *hostile et menaçante.*

Le premier couple humain y vit en paix au milieu des espèces que le péché et la 1
mort, sa conséquence, doivent plus tard rendre hostiles.
Th. GAUTIER, Voyage en Russie, XV.

(...) nous fendions avec lenteur une foule hostile (...) 2
A. MAUROIS, Climats, II, VIII.

(Choses). *Une nature hostile et cruelle.* ⇒ **Contraire, ingrat** (→ Cruauté, cit. 13). — *Forces* (cit. 72) *hostiles.* ⇒ **Néfaste.**

Absolt, en parlant des choses qui s'opposent, se contrarient par nature. *Caractères, naturels hostiles.* ⇒ **Antagonique, opposé** (→ Fraterniser, cit. 6).

Les cahiers de ces deux ordres *(le clergé et la noblesse)* étaient opposés, hostiles. 3
La Révolution, qui devait les rapprocher, les avait brouillés encore.
MICHELET, Hist. de la Révolution franç., III, VII.

HOSTILE À... ⇒ **Défavorable;** 1. **anti-** (et comp.), **contraire, opposé** (à). — (Personnes; groupes humains). *Il est hostile à ce projet, à cette opinion, à ce candidat; il lui est hostile.* ⇒ **Contre** (il est contre). *Peuples hostiles à certaines lois* (→ Conservateur, cit. 1). *Être hostile à un pays.* ⇒ suff. **-phobe.** *Talleyrand était hostile à la guerre de propagande* (→ Expansionnisme, cit.). *Hostile à l'art religieux, aux tableaux pieux* (→ Fermer, cit. 39).

(...) clos ton manteau royal, Saül ! tout alentour t'assiège ! Bouche tes oreilles à sa 4
voix ! Tout ce qui vient à moi m'est hostile ! Fermez-vous, portes de mes yeux ! Tout ce qui m'est délicieux m'est hostile.
GIDE, Saül, III, 8.

(...) ne me jugez surtout pas hostile par principe à (...) 5
F. MAURIAC, la Pharisienne, II.

(Choses). *Le sort, la fortune lui est hostile.* — Par ext. *Élection, vote hostile à un régime* (→ Ajourner, cit. 1), *à un gouvernement.*

♦ **2.** (Choses). Qui est d'un ennemi*, annonce, caractérise un ennemi. *Action, entreprise hostile. Procédés, intentions hostiles. Accueil hostile.* ⇒ **Froid, glacé.** *Silence hostile* (→ Agitation, cit. 15), *attitude hostile. Regard hostile.* ⇒ **Inamical.** *Propos hos-*

tiles. ⇒ **Malveillant.** *Jugement hostile. Article, critique hostile et injuste.* ⇒ **Cruel.**

6 Le régisseur se banda contre l'injustice de la foule; il se roidit et prit une attitude hostile. BALZAC, Une ténébreuse affaire, Pl., t. VII, p. 453.

7 La vieille, à son tour, baisa sa belle-fille avec une réserve hostile. Non, ce n'était point la bru de ses rêves (...) MAUPASSANT, Bel-Ami, II, I, p. 254.

8 Jerphanion chercha une réponse, n'en trouva pas d'assez dure, serra un peu les mâchoires, et se contenta de promener sur le crâne et la face de Sidre un regard parfaitement hostile. J. ROMAINS, les Hommes de bonne volonté, t. III, II, p. 27.

9 Ils lui marquèrent donc cette déférence hostile que l'ambition déçue réserve au triomphe d'autrui. G. DUHAMEL, Salavin, III, XXIX.

Fig. *Ambiance* (cit. 1), *milieu hostile. Les manifestations hostiles de la nature.*

10 (...) il y avait dans la nature quelque chose d'hostile (...) Mme DE STAËL, Corinne, XIV, I (1807).

11 (...) quand la bourrasque se déchaîne sur la vaste plaine, fait craquer le vieux toit, et menace de submerger la sainte ville de Bels, quand au dehors tout est hostile et glacé, quand on ne voit à travers les petits carreaux gelés qu'un noir corbeau qui vole (...) Jérôme et Jean THARAUD, l'Ombre de la croix, X.

CONTR. Affectueux, aimable, amical, bienveillant, complice, cordial, enclin (à).
DÉR. Hostilement.

HOSTILEMENT [ɔstilmɑ̃] adv. — 1418; de *hostile.*

♦ Littér. D'une manière hostile*, en ennemi.

Ils *(les Français en Russie)* trouvaient (...) tous les villages habités et n'y étaient pas reçus trop hostilement. Ph. P. SÉGUR, Hist. de Napoléon, VII, 1.

Plus cour. Avec un comportement hostile. *Il la regardait hostilement.*

CONTR. Aimablement, amicalement, cordialement.

HOSTILITÉ [ɔstilite] n. f. — 1353; bas lat. *hostilitas,* de *hostilis.* → Hostile.

★ **I.** ♦ **1.** Vx. Acte d'un ennemi en guerre*. *« Cette ville est neutre, et n'a fait aucune hostilité à l'un ni à l'autre parti »* (Furetière). *« Commettre (...) des hostilités »* (Académie, 1935).

1 La Russie possédait quelques forts vers le fleuve d'Amour, à trois cents lieues de la grande muraille. Il y eut beaucoup d'hostilités entre les Chinois et les Russes au sujet de ces forts (...) VOLTAIRE, Hist. de l'Empire de Russie, I, VII.

Mod. *Acte d'hostilité :* acte hostile, acte de guerre.

♦ **2.** (V. 1500, O. de Saint-Gelais). Plur. LES HOSTILITÉS : opérations de guerre. ⇒ **Guerre, lutte** (armée). *Commencer, engager les hostilités. Cessation des hostilités. Arrêter, suspendre les hostilités.* ⇒ **Armistice.** *Interruption des hostilités.* ⇒ **Trêve.** *Pendant la durée des hostilités.* ⇒ **Conflit.**

2 La paix de 1748 suspendit un moment ces malheurs (...) dès l'année 1755 recommencèrent les hostilités; elles s'ouvrirent par le tremblement de terre de Lisbonne, où périt le petit-fils de Racine. CHATEAUBRIAND, Mémoires d'outre-tombe, t. IV, p. 577 (éd. Levaillant).

3 Pour l'instant, les hostilités sont heureusement suspendues. Les peuples européens vainqueurs se partagent la dépouille ottomane. ARAGON, les Beaux Quartiers, III, III.

★ **II.** ♦ **1.** (1606). Disposition hostile, inamicale. ⇒ **Haine, malveillance.** *Hostilité d'un pays envers un autre, contre un autre. Hostilité permanente, sourde, déclarée entre deux États, deux personnes.* ⇒ **Inimitié.** *Un fond* (cit. 43) *d'hostilité. Regarder qqn avec hostilité, colère.* → Regarder de travers*. *Hostilité féroce, cruelle...* (⇒ **Cruauté**). *Hostilité marquée.* ⇒ **Antipathie.** *S'attirer l'hostilité de qqn.* ⇒ **Défaveur, ressentiment.**

4 (...) cette maussaderie toujours retrouvée à la même place et qui semblait une hostilité. BARBEY D'AUREVILLY, les Diaboliques, « Le plus bel amour... », V.

5 (...) cette désunion lente, grandie invinciblement entre elle et sa cadette, cette hostilité aggravée par les petites blessures de chaque jour, un sourd ferment de jalousie et de haine couvant depuis qu'un homme était là (...) ZOLA, la Terre, III, VI.

♦ **2.** (1835). ⇒ **Opposition.** *Hostilité à une idée, à un projet. Avoir de l'hostilité pour qqch.* ⇒ **Contre** (être contre).

6 (...) il ne nourrit contre la guerre aucune hostilité de principe? J. ROMAINS, les Hommes de bonne volonté, t. IV, XVI, p. 183.

7 *(Il)* était redevenu intraitable et d'autant plus que les Filhot affectaient eux aussi une vive hostilité à ce projet. F. MAURIAC, la Fin de la nuit, II, p. 36.

CONTR. Affection, amitié, appui, bienveillance, complicité, cordialité, fraternité, protection.

HOSTO [ɔsto] n. m. — 1886; de *hôpital, s* d'après *hospitalier;* cf. anc. franç. et dial. *hostau, osto* « maison, logis ».

♦ Fam. Hôpital. *Il est resté huit jours à l'hosto. Un mois d'hosto.*

1 Ils vont me conduire à l'hosto et j'aurai tout un tas de p'tites mignonnes pour me souaigner *(soigner)*...
— J'vais me la couler doucette, à l'hosto, je te prie de le croire. Roger NIMIER, le Hussard bleu, p. 131 (1950).

2 Je lui ai pas fait de cadeaux, à celui-là; je l'ai estoqué en moins de rien, à coups de boules et à coups de pompes (...) Il aura eu de quoi raconter, à son atelier, en sortant de l'hosto! A. SIMONIN, Touchez pas au grisbi, p. 39.

Var. graphique : *hostau* (cit. 3), *hosteau, osto.*

3 Nous sortons justement de l'hosteau, Zizi et moi, pour une histoire d'apophyses, côtelettes et têtes fracturées, avec homicide involontaire et tout le toutim : ça ne pouvait pas mieux tomber. A. SARRAZIN, la Cavale, p. 10.

HOT ['ɔt] adj. invar. — 1930, *in* Höfler; mot angl., « chaud ».

♦ Anglic. Se dit d'un style rapide et vif de jazz. *Jazz hot. Style hot. « Les Ballets jazz de Montréal viennent faire éclater leurs bombes joyeuses tout en éclats colorés, en rythmes swing, en cadences hot... »* (*les Nouvelles littéraires,* n° 2901, 19 oct. 1983, p. 36).

Rubiadzan siffle un air hot. R. QUENEAU, Loin de Rueil, p. 187.

N. m. (1934). Le jazz hot (opposé notamment à *cool*).

HOM. Hotte.

HOT-DOG ['ɔtdɔg] n. m. — 1929, *in* Höfler; expression d'argot américain, littéralt « chien *(dog)* chaud *(hot)* ».

Anglicisme.

♦ **1.** Saucisse de Francfort servie chaude dans un petit pain. Plur. *Des hot-dog* ou *des hot-dogs.*

C'est un coin de petites échoppes, de boutiques de crème à la glace, où l'on vend aussi ces saucisses populaires sortes de l'eau bouillante et servies en sandwich, dans un pain, que l'on nomme des « chiens chauds », *hot-dogs,* et que Chaplin a rendues célèbres dans *Une Vie de Chien.* Paul MORAND, New-York, 1930, p. 97. 1

(À Montréal) Mais elle avait refusé de prendre autre chose qu'un hot-dog et une bouteille de liqueur douce. Gabrielle ROY, Bonheur d'occasion, 1947 (*in* D. D. L., II, 9). 2

Après, comme ils étaient fatigués, ils étaient restés assis sur la plage. Le Gitan avait acheté des hot-dogs et ils avaient mangé en regardant la mer. J.-M. G. LE CLÉZIO, Mondo et Autres Histoires, p. 48. 3

La trad. littérale *chien chaud* se rencontre parfois au Canada francophone.

♦ **2.** (Amér. *hot-dog skying*). Ski acrobatique.

HÔTE, HÔTESSE [ot, otɛs] n. m. — Déb. XIIe, *oste,* au sens I; *hoste,* v. 1195; fém. *hostesse, ostesce* « aubergiste », v. 1150; du lat. *hospitem,* accusatif de *hospes* « celui qui donne ou reçoit l'hospitalité ». → Otage.

★ **I.** ♦ **1.** Personne qui donne l'hospitalité*, qui reçoit qqn. ⇒ **Amphitryon, maître** (de maison). *Hôte généreux, attentionné. Notre hôte; nos hôtes* (→ Épanchement, cit. 6). *Fausser* (cit. 3) *politesse à ses hôtes. Hôtesse charmante, avenante, cordiale* (→ Énormité, cit. 4). *Notre hôtesse, l'hôtesse... Il prend chez son hôte bien des libertés* (→ Boire, cit. 2). *Remercier ses hôtes. La cigogne, hôtesse du renard, dans la fable de La Fontaine* (→ Cuire, cit. 15).

Chez les de Champcenais, s'achevait un dîner brillamment servi. Les invités eussent été bien embarrassés de dire ce qu'il y manquait (...) Pourtant aucun d'entre eux ne s'en irait, ce soir, avec le sentiment d'avoir été comblé (...) Au vrai, tous les invités de ce soir-là... se sentaient jaloux de leur hôtes (...) J. ROMAINS, les Hommes de bonne volonté, t. III, XIII, p. 174, 176. 1

Fig. et poét. (Vx). *Beau corps, hôte d'une belle âme* (cit. 22).

♦ **2.** Vieilli. ⇒ **Aubergiste, cabaretier, hôtelier, restaurateur** (→ Abreuver, cit. 2; 1. écot, cit. 1; énoncer, cit. 9). *L'hôte, l'hôtesse d'une auberge* (cit. 1). → Écarter, cit. 7.

(...) Belle hôtesse *et qui rit vaut autant que* bon vin *en une hôtellerie.* ROTROU, Deux Puc., II, 1, *in* BRUNOT, la Pensée et la Langue, p. 140. 2

(Watteville) s'arrête pour dîner à un méchant cabaret seul dans la campagne (...) met pied à terre, demande ce qu'il y a au logis. L'hôte lui répond : « Un gigot et un chapon ». SAINT-SIMON, Mémoires, II, I. 3

(...) je retournai loger à mon ancien hôtel Saint-Quentin (...) Nous avions une nouvelle hôtesse qui était d'Orléans. Elle prit pour travailler en linge une fille de son pays (...) qui mangeait avec nous ainsi que l'hôtesse. ROUSSEAU, les Confessions, VII (→ aussi Avancer, cit. 23; balai, cit. 7). 4

Nous nous étions attablés à boire du cidre dans une auberge sur la place de l'Église, et, là encore, nous interrogions l'hôtesse, qui était une très vieille femme. LOTI, Mon frère Yves, X. 5

Loc. (1606, *in* D. D. L.). *Table d'hôte :* table où plusieurs personnes réunies mangent à prix fixe, dans une auberge, une hôtellerie, une pension de famille et certains restaurants. *Manger à table d'hôte* (→ Garçon, cit. 25).

Décoré, je ne demande plus à être servi à part, dans les restaurants : la table d'hôte me suffit. J. RENARD, Journal, 7 juin 1901. 5.1

(...) les quelques dix ou douze personnes qui étaient entrées se mettaient à table. Toutes (...) étaient des habitués du restaurant (...) Deux garçons en tablier blanc circulaient autour de la table d'hôte et servaient la soupe (...) À mi-voix elle *(la patronne)* compta les clients; dix à la table d'hôte et un tout seul, à la petite table (...) depuis que la table d'hôte était au complet, il disparaissait dans son coin. J. GREEN, Léviathan, I, III. 6

Vx. Personne qui loge quelqu'un moyennant un loyer. ⇒ **Logeur, propriétaire.** — REM. On emploie encore *hôtesse* dans ce sens.

(...) le Père dut laisser l'appartement où son ordre l'avait placé pour venir loger chez une vieille personne (...) Pendant le déménagement, le Père avait senti croître sa fatigue et son angoisse. Et c'est ainsi qu'il perdit l'estime de sa logeuse (...) Et, tous les soirs avant de regagner sa chambre (...) il devait contempler le dos de son hôtesse (...) CAMUS, la Peste, p. 250. 7

♦ **3.** N. f. HÔTESSE. [a] (V. 1950). *Hôtesse de l'air,* et, absolt, *hôtesse :* jeune femme, jeune fille chargée de veiller au confort, à la sécurité des passagers, de leur servir les repas, les boissons, de s'occuper des enfants voyageant seuls, etc., dans les appareils des compagnies de transport aérien. *Les hôtesses et les stewards* font partie de l'équipage. Uniforme d'hôtesse de l'air.*

7.1 En avion (...) je suis immobile, tassé, aveugle; mon corps, et partant mon intellect, sont morts : je n'ai à ma disposition que le passage du corps vernissé et absent de l'hôtesse, circulant comme une mère indifférente entre les berceaux d'une garderie. R. BARTHES, Roland Barthes, p. 145.

b Jeune fille ou femme chargée de l'accueil (dans des centres, des gares, des congrès, etc.). *Hôtesse d'accueil. Hôtesse d'agence, de grand magasin. Renseignements, conseils donnés par l'hôtesse.* ⇒ **Réceptionniste...** *Adressez-vous aux hôtesses. Elle a trouvé un job d'hôtesse au salon des arts ménagers.*

♦ **4.** N. m. **HÔTE.** **a** (1897, ex. ci-dessous). Organisme animal ou végétal qui héberge un parasite. → Parasite, cit. 8. *Hôte définitif. Hôte intermédiaire. « Les commensaux naturels des Fourmis et Termites offrent de belles preuves de la toute-puissance de la sélection (...) la similitude trompeuse qui existe entre le commensal et l'hôte appartenant à des ordres différents, ne peut s'expliquer par un "développement parallèle" »* (A. Ménegaux, *Compte rendu 1897*, in *l'Année biol.*, t. XIX, p. 737 [1899]).

b Sujet qui reçoit une greffe (2. Greffe, cit. 2).

★ **II.** N. m. (V. 1175). **HÔTE** (*hôtesse*, au fém., est vx en ce sens).

♦ **1.** Personne qui reçoit l'hospitalité. — REM. Dans ce sens, on dira *hôte* au féminin et non *hôtesse* comme le fait Corneille : *« L'honneur de recevoir une si grande hôtesse »* (*Médée*, IV, 5). *Recevoir, loger, nourrir, régaler, traiter un hôte, ses hôtes.* ⇒ **Invité.** *Notre hôte est une femme remarquable. Réserver à ses hôtes un accueil amical, chaleureux. Recevoir un hôte.* → Faire les honneurs* de la maison. *Entrez, vous êtes notre hôte, vous êtes ici chez vous. Hôte de passage. Hôte de marque. Être l'hôte à déjeuner de qqn. De nombreux hôtes* (→ Affluence, cit. 2). *Hôtes réunis chez quelqu'un.* ⇒ **Commensal, convive** (→ Circonstance, cit. 13). *Renvoyer, retenir un hôte* (→ Échapper, cit. 2). *L'ambassadeur d'Angleterre a été l'hôte du premier ministre. En Grèce, le proxène* recevait les hôtes publics. — Les membres de la délégation ont été les hôtes de la municipalité, de la ville. Ces réfugiés politiques sont les hôtes de la France. Durant ses vacances, l'ancien Premier ministre britannique sera l'hôte de notre pays.*

8 Pour boire à Jupiter qui nous daigne envoyer
L'étranger, devenu l'hôte de mon foyer.
André CHÉNIER, Bucoliques, « Le mendiant ».

9 (...) ne faut-il pas déployer pour son hôte et pour son ami toutes les chatteries, toutes les câlineries de la vie?
BALZAC, le Médecin de campagne, Pl., t. VIII, p. 374.

10 Un empressement affectueux et ce mélange de boissons, plus que britannique, lui firent sentir avec délicatesse qu'il était, pour ce dernier soir, non plus un membre, mais l'hôte du mess. A. MAUROIS, les Discours du Dr O'Grady, XVII.

Hôte payant, qui prend pension chez qqn, moyennant redevance.

11 Je dois donc me résoudre, modula Mrs Pigott, à prendre des hôtes payants. Je vous demanderai trente et un shillings par semaine et mes filles vous apprendront l'anglais. A. MAUROIS, les Dicours du Dr O'Grady, III (1922).

Client (d'une auberge, d'un hôtel). *Les hôtes d'un aubergiste* (→ Éventer, cit. 2).

12 C'est un hôtel très vieux; on dirait un ancien manoir (...) Le patron, M. Bonnabel, n'est pas là aujourd'hui (...) D'ordinaire, il va et vient d'un pas majestueux, prêt à converser avec ses hôtes et à vanter (...) la nourriture (...) le climat (...)
J. CHARDONNE, les Destinées sentimentales, p. 211-212.

Par ext. Occupant (d'un lieu). *Les hôtes successifs d'une chambre d'hôtel, d'un appartement meublé.* ⇒ **Habitant, locataire.**

13 L'âme n'est pas logée dans un corps comme l'hôte transitoire d'une chambre anonyme : elle est l'âme d'un corps. DANIEL-ROPS, Ce qui meurt..., IV, p. 130.

Littér. Visiteur. *Les rats sont des hôtes fort incommodes* (Académie). Fig. *Avoir pour hôtes les soucis, les alarmes* (cit. 7, La Fontaine).

♦ **2.** (1646, Rotrou). Fig. et poét. Être qui vit dans un lieu. ⇒ **Habitant.** *Les hôtes de l'air* : les oiseaux. *Les hôtes des bois* (cit. 16). → aussi Bruit, cit. 1, La Fontaine.

14 Remplissons de nouveaux hôtes
Les cantons de l'univers. LA FONTAINE, Fables, VIII, 20.

15 Chaque saison nous ramenait ses hôtes, et chacun d'eux choisissait aussitôt ses logements, les oiseaux de printemps dans les arbres à fleurs, ceux d'automne un peu plus haut, ceux d'hiver dans les broussailles, les buissons persistants et les lauriers. E. FROMENTIN, Dominique, III.

♦ **3.** (Fin XIIIe). Par métaphore. Réalité psychique qui réside en qqn. *L'âme, considérée comme l'hôte du corps. « Les vices en nous sont des hôtes qui deviennent des maîtres »* (Sainte-Beuve, *in* G. L. L. F.). — REM. L'emploi du fém. *hôtesse* (→ suff. -et, -ette, cit. 3, Ronsard), est archaïque, dans ce sens comme au sens propre. *« L'âme* (cit. 43) *est un hôte de passage »* (Durkheim).

HOM. (Du masc.) **haute**; formes du v. **ôter.** — (Du fém.) **hautesse.**

HÔTEL [ɔtɛl; otɛl] n. m. — V. 1050, *ostel* « hébergement »; « campement », 1080; *hostel* « demeure, logis », 1226; *hôtel*, mil. XVIIe; du bas lat. *hospitale* « chambre pour les hôtes », neutre substantivé de l'adj. *hospitalis* (→ Hôpital), de *hospes, hospitis.* → Hôte.

♦ **1.** Vx. Logis, maison, et, par ext., résidence, séjour. *Gouverner un hôtel* (→ Économie, cit. 1).

(V. 1225). Vx. Logis des hôtes (d'un monastère).

Spécialt. ⇒ **Hôtel-Dieu.**

♦ **2.** (XIIIe, dans le Nord; répandu XVIIe-XVIIIe). Maison meublée où on loge et où l'on trouve toutes les commodités du service (à la différence du *meublé**). ⇒ **Auberge, hôtellerie** (→ Habitation, cit. 4). — REM. Ce sens « semble s'être formé dans les riches villes du Nord (au XIIIe), il ne devient général que vers la fin du XVe » (Bloch); au XVIIIe, il évince progressivement *auberge* (cf. Brunot, *H. L. F.*, t. VI, p. 359), mais jusqu'au XIXe, il reste concurrencé par le sens 3 (on disait *hôtel meublé, hôtel garni*) pour éviter l'ambiguïté; → ci-dessous, cit. 2 et 3. — *De nos jours, juridiquement « l'hôtel se caractérise par le fait que l'exploitant loue, au jour et même au mois, des chambres (...) Il est donc théoriquement distinct du restaurant (...) et du café (...) mais, dans la pratique, la distinction est moins nette (...) L'hôtel se distingue de la maison louée à des particuliers par le caractère moins prolongé de l'occupation des lieux loués »* (*Nouveau Répertoire Dalloz*; « hôtelier-logeur »). *Catégories, classes d'hôtel. Hôtel de première catégorie, hôtel trois, quatre étoiles.* → Un trois, un quatre, un cinq étoiles*. *Le confort* (cit. 1) *d'un hôtel. Hôtel luxueux; grand hôtel international.* ⇒ **Palace.** *Hôtel de tourisme. Hôtels saisonniers d'une ville d'eau, d'une plage, d'une station de sports d'hiver* (→ Établissement, cit. 8; exploitation, cit. 11). *Petit hôtel bon marché, très simple.* ⇒ **Pension** (de famille; → Bordure, cit. 3). *Hôtel de tourisme. Hôtel borgne, mal famé, sordide. Échouer dans un hôtel malpropre. — Hôtel avec, sans restaurant. Hôtel-restaurant. Café-hôtel* : café auquel est adjoint une série de chambres d'hôtel (généralement modestes). ⇒ **Cabaret, estaminet.** *Hôtel où l'on prend pension.* ⇒ **Pension.** — (Dans des noms). *Grand Hôtel, Hôtel Moderne, Hôtel de la Gare, de la Poste. Le Grand Hôtel. En 1690, Furetière cite (à Paris) les Hôtels d'Anjou, du Pérou, de Provence. Hôtel du Nord*, roman d'E. Dabit (et film de Marcel Carné tiré de ce roman). *Hôtel spécialement conçu et aménagé pour les automobilistes.* ⇒ **Motel.** *Hôtel traditionnel, au Japon.* ⇒ **Riokan.** *Hôtel d'État, en Espagne.* ⇒ **Parador.** *Chaîne d'hôtels. Hôtel banal, sans personnalité. — Le hall, la réception*, la conciergerie*, les salons, la salle à manger d'un hôtel. Restaurant d'hôtel*, attaché à un hôtel. *Le bar de l'hôtel. Garage, remises d'un hôtel* (→ Garer, cit. 4). *Les chambres d'un hôtel; hôtel de cent chambres. Chambre d'hôtel* (→ Border, cit. 4; étudiant, cit. 6; frelaté, cit. 6). — *Propriétaire, gérant, directeur d'hôtel* (⇒ **Hôtelier,** fam. **taulier**). *Personnel d'un hôtel.* ⇒ **Domestique, service; chasseur, concierge, femme** (de chambre), **garçon, groom** (cit. 3), **liftier, portier, réceptionnaire, valet, veilleur** (de nuit). *Le chef, les cuisiniers d'un hôtel. Garçon* d'hôtel* (→ Balle, cit. 12). *Portier d'hôtel* (→ Galon, cit. 1). — *Les clients, les habitués* (cit. 15), *les pensionnaires d'un hôtel. La clientèle* (cit. 1) *des grands hôtels. Aller, descendre, coucher, vivre à l'hôtel* (→ Camp, cit. 8). *Retenir, louer, prendre une chambre, un appartement à l'hôtel. Hôtel complet. Prendre ses repas à son hôtel. Payer la note* en quittant l'hôtel. Publicité pour un hôtel* (→ Flèche, cit. 15). *Guide* (cit. 9) *des hôtels. Racoler des voyageurs pour un hôtel* (⇒ **Pister; pisteur**).

On sait bien mieux vivre à Paris, dans ces hôtels dont la mémoire doit être si chère. 1
Cet hôtel de Mouhy, Madame, cet hôtel de Lyon, cet hôtel de Hollande! les agréables demeures que voilà! MOLIÈRE, la Comtesse d'Escarbagnas, 2.

Il y a des appartements magnifiquement garnis pour les grands seigneurs à l'Hôtel 2
de la reine Marguerite, rue de Seine, et à l'Hôtel de Bouillon, rue des Théatins... *(et)* plusieurs autres hôtels meublés (...) par exemple l'Hôtel de Hollande et le grand Hôtel de Luyne (...)
Livre... contenant les adresses de la ville de Paris pour l'année 1692, art. *Hôtels garnis et tables d'auberge, in* MOLIÈRE, la Comtesse d'Escarbagnas, Œ. compl., t. VIII, p. 571, note 3.

Il vint (...) un vieillard qui me dit : Que souhaitez-vous, seigneur! tous vos gens 3
sont sortis de ma maison avant le jour. Comment, de votre maison? (...) est-ce que je ne suis pas ici chez don Raphaël? Je ne sais ce que c'est que ce cavalier, me répondit-il, vous êtes dans un hôtel garni, et j'en suis l'hôte. Hier au soir (...) la dame qui a soupé avec vous vint ici, arrêta cet appartement pour un grand seigneur, disait-elle (...) Elle m'a même payé d'avance.
A. R. LESAGE, Gil Blas, I, XVI.

(...) j'allai loger à l'hôtel Saint-Quentin, rue des Cordiers (...) vilaine rue, vilain 4
hôtel, vilaine chambre, mais où cependant avaient logé des hommes de mérite, tels que Gresset, Bordes, les abbés de Mably, de Condillac (...)
ROUSSEAU, les Confessions, VII.

(...) une de ces ignobles chambres qui sont la honte de Paris, où, malgré tant de 5
prétentions à l'élégance, il n'existe pas encore un seul hôtel où tout voyageur riche puisse retrouver son chez soi. BALZAC, Illusions perdues, Pl., t. IV, p. 595.

La gêne domestique l'obligea à tenir quelque hôtel ou table d'hôte, circonstance 6
qui fut tant reprochée depuis à Rivarol (...)
SAINTE-BEUVE, Causeries du lundi, 27 oct. 1851, t. V, p. 63.

Je m'étonnais qu'il y eût des gens assez différents de moi pour que (...) le lieu de 7
supplice qu'est une demeure nouvelle pût paraître à certains « un séjour de délices » comme disait le prospectus de l'hôtel (...) Il est vrai qu'il invoquait, pour la faire venir *(la clientèle)* au Grand Hôtel de Balbec, non seulement « la chère exquise » et le « coup d'œil féerique des jardins du Casino » mais encore les *arrêts de Sa Majesté la Mode* (...) PROUST, À la recherche du temps perdu, t. IV, p. 81.

(...) la population, d'ordinaire banalement riche et cosmopolite, de ces sortes 8
d'hôtels de grand luxe (...) PROUST, À la recherche du temps perdu, p. 94.

Les pauvres locataires des hôtels meublés n'ont pas de chez soi. 9
Ch.-L. PHILIPPE, Bubu de Montparnasse, I, p. 21.

— Mais quelle est donc cette maison? (...) — Oh! C'est un hôtel? Vous n'allez 10

pas me mener à l'hôtel? — Pas un hôtel, ma chérie. Une maison de famille, tout à fait discrète et convenable (...)
J. ROMAINS, les Hommes de bonne volonté, t. III, XX, p. 277.

11 Elle jeta un coup d'œil sur la façade où des lettres d'une grandeur indécente proclamaient le nom de l'hôtel (...)
J. GREEN, Adrienne Mesurat, II, V (→ Fragilité, cit. 1).

11.1 Je connais tous les hôtels de Paris, les louches, les borgnes, les myopes, les palaces, les bordels, les pensions de famille, les foyers du jeune homme, les asiles de nuit. J'ai dormi partout. Geneviève DORMANN, le Chemin des dames, p. 124.

Loc. *Hôtel meublé* (vieilli). → ci-dessus, cit. 9. — *Hôtel garni.* ⇒ **Garni,** n. m. — REM. Dans les cit. 2 et 3, ci-dessus, ces syntagmes ont la valeur de *hôtel* employé seul de nos jours. — *Hôtel de passe.* ⇒ 2. **Passe,** cit. 3 et *supra.*

Second élément de mots composés. **-HÔTEL.** *Appartement-hôtel. Château-hôtel* (ou *hôtel château*) : hôtel de luxe aménagé dans un château, une gentilhommière. — *Foyer-hôtel.*

Loc. fam. (1840). Vx. *L'hôtel des haricots :* la prison (d'un collège, dit *Collège des Haricots,* remplacé par une prison militaire en 1792).

Loc. *Rat d'hôtel.* ⇒ **Rat,** cit. 9 et *supra.*

♦ **3.** (V. 1135, «maison, logis»; *tenir ostel,* v. 1165; sens mod., fin XIVe; sens issu «de l'expression jurid. *juger en l'ostel le roi,* à la résidence [momentanée] du roi» [Bloch] où *hôtel* a le sens 1). Vieilli ou didact. (hist., archit., etc.). Demeure citadine d'un grand seigneur (anciennt) ou d'un riche particulier. ⇒ **Château, palais.** *L'hôtel d'un prince, d'un grand seigneur. Hôtel appartenant à une famille, à un particulier* (→ Archétype, cit. 4; habitation, cit. 8). *L'hôtel de Lauzun, de Luynes; l'hôtel Crillon. Vieil hôtel du XVIIe siècle. Quartier d'hôtels anciens. Les grands hôtels du faubourg Saint-Germain* (→ Emménager, cit. 1), *du Marais. Hôtel classé monument historique. Hôtel princier* (→ Auréole, cit. 12), *magnifique* (→ Billet, cit. 5). *Hôtels faisant partie d'un palais* (→ Galerie, cit. 2). *Les appartements, les salons d'un hôtel* (→ Feston, cit. 3). *Se faire bâtir, construire un hôtel* (→ Bâtiment, cit. 6).

12 Madame de Sommervieux ne connaissait pas encore les antiques et somptueux hôtels du faubourg Saint-Germain. Quand elle parcourut ces vestibules majestueux, ces escaliers grandioses, ces salons immenses ornés de fleurs malgré les rigueurs de l'hiver, et décorés avec ce goût particulier aux femmes qui sont nées dans l'opulence ou avec les habitudes distinguées de l'aristocratie, Augustine eut un serrement de cœur (...) BALZAC, la Maison du chat-qui-pelote, Pl., t. I, p. 62.

12.1 L'hôtel de Verne était l'ancien hôtel Joyeuse, rue Jacob. Le bâtiment, flanqué d'ailes neuves, s'élevait entre la cour ronde et le jardin. Des pièces du rez-de-chaussée grandes ouvertes, on apercevait ce jardin, une pelouse et des plates-bandes. COCTEAU, Thomas l'imposteur, éd. Folio, p. 9-10.

Mod. et cour. **HÔTEL PARTICULIER.** *Il possède un hôtel particulier à Paris, à Lyon. Louer, acheter un hôtel particulier* (⇒ **Immeuble).**

13 (...) Neuilly, plein d'hôtels particuliers, et dont la nostalgique chevelure d'avenues vient traîner jusqu'aux quais retrouvés de la Seine, et aux confins de la métallurgie de Levallois-Perret. ARAGON, les Beaux Quartiers, II, I.

Hist. littér. *Théâtre de l'Hôtel de Bourgogne,* élevé sur l'emplacement de l'hôtel des ducs de Bourgogne à Paris, et célèbre au XVIIe siècle. *On joua à l'Hôtel de Bourgogne la plupart des pièces de Corneille et de Racine. La troupe de l'Hôtel de Bourgogne compta des acteurs célèbres tels que Floridor, La Champmeslé.*

14 Il y avait depuis quelque temps des comédiens établis à l'Hôtel de Bourgogne. Ces comédiens assistèrent au début de la nouvelle troupe. Molière, après la représentation de *Nicomède,* s'avança sur le bord du théâtre, et prit la liberté de faire au roi un discours par lequel il remerciait Sa Majesté de son indulgence, et louait adroitement les comédiens de l'Hôtel de Bourgogne, dont il devait craindre la jalousie : il finit en demandant la permission de donner une pièce d'un acte qu'il avait jouée en province. La mode de représenter ces petites farces après de grandes pièces était perdue à l'Hôtel de Bourgogne. Le roi agréa l'offre de Molière (...)
VOLTAIRE, Mélanges littéraires.

Absolt, hist. L'hôtel du roi. ⇒ **Palais.** *Grand prévôt, maître des requêtes de l'hôtel.*

♦ **4.** (Fin XIVe). **MAÎTRE D'HÔTEL.** a Anciennt. Celui qui dirige le service de table, chez un riche particulier (⇒ **Majordome**). *Le maître d'hôtel et l'intendant* (→ Bout, cit. 16).

15 Grandchamp (...) semblait ne s'occuper que des apprêts du dîner; il remplissait les devoirs importants de maître-d'hôtel, et jetait le regard le plus sévère sur les domestiques, pour voir s'ils étaient tous à leur poste, se plaçant lui-même derrière la chaise du fils aîné de la maison, lorsque tous les habitants du château entrèrent (...) A. DE VIGNY, Cinq-Mars, I, t. I, p. 39.
REM. L'orthographe *maître-d'hôtel* n'est plus en usage.

b Mod. Celui qui dirige le service dans un restaurant.

16 Ce petit groupe de l'hôtel de Balbec regardait d'un air méfiant chaque nouveau venu, et (...) tous interrogeaient sur son compte leur ami le maître d'hôtel. Car c'était le même (...) qui revenait tous les ans faire la saison et leur gardait leurs tables (...) PROUST, À la recherche du temps perdu, t. IV, p. 95.

Cuis. *(À la) maître d'hôtel,* qualifie une préparation à base de beurre et de persil.

♦ **5.** a Anciennt ou dans des dénominations. Grand édifice* destiné à un établissement public. *L'hôtel des monnaies, de la Monnaie. Hôtel des postes. Hôtel des ventes.* ⇒ **Salle** (des ventes). *L'Hôtel des Invalides,* à Paris.

b (1538; *hostel commun,* 1478). Mod. **HÔTEL DE VILLE :** édifice où siège l'autorité municipale. ⇒ **Mairie** (→ Fonctionnaire, cit. 4). *L'hôtel de ville de Lyon, de Compiègne. L'hôtel de ville de Toulouse :* le Capitole. *L'Hôtel de Ville de Paris, siège du conseil municipal et de la préfecture de la Seine.* — REM. *Hôtel de ville* s'écrit sans trait d'union à la différence d'*Hôtel-Dieu.*

La mairie est par ici, sans doute? — L'hôtel de ville? (...) Qu'est-ce que vous allez 17
faire à l'hôtel de ville à minuit moins le quart? Tous les bureaux sont fermés (...) Il n'était pas loin de minuit quand ils lurent sous le pan d'une maison : «Place de l'Hôtel-de-Ville». J. ROMAINS, les Copains, IV.

c ⇒ **Hôtel-Dieu.**

DÉR. Hôtelier, hôtellerie.
COMP. Hôtel-Dieu.

HÔTEL-DIEU [otɛldjø; ɔtɛldjø] n. m. — V. 1250, *hostel* «maison de Dieu»; de *hôtel* (5.), et *Dieu,* avec la syntaxe ancienne (mod. «hôtel de Dieu»).

♦ Anciennt ou dans une dénomination. Hôpital* principal (de certaines villes). *L'Hôtel-Dieu de Beaune.* ⇒ **Hospice.** *Des hôtels-Dieu.* Absolt. *L'Hôtel-Dieu :* l'un des grands hôpitaux de Paris.

Vous avez dans Paris un Hôtel-Dieu où règne une contagion éternelle, où les mala- 1
des, entassés les uns sur les autres, se donnent réciproquement la peste et la mort.
VOLTAIRE, Lettre à Paulet, 3320, 22 avr. 1768.

(...) par elle l'Hôtel-Dieu sera réformé, par elle disparaîtront ces lits où étaient 1.1
entassés huit hommes, où la maladie, l'agonie, la mort couchaient ensemble sous le même drap! Ed. et J. DE GONCOURT, la Femme au XVIIIe s., t. II, p. 188.

Nous allons recevoir des blessés civils (...) Quand l'Hôtel-Dieu sera comble, nous 2
serons bien forcés de trouver quelque bâtisse où loger tous ces malheureux.
G. DUHAMEL, Récits des temps de guerre, III, II.

HÔTELIER, IÈRE [otəlje, jɛʀ] n. et adj. — V. 1138, *osteler; hostellier,* XVe, au sens 2; *hostelier,* v. 1268, au sens 1; *hôtelier,* 1680; de *hôtel.*

★ **I.** N. ♦ **1.** a Personne qui tient un hôtel, une hôtellerie, une auberge. ⇒ **Aubergiste, hôte, logeur;** fam. et péj. **taulier.** *L'hôtelier est tenu d'inscrire sur un registre les noms, qualités... de ses clients* (Code pénal, art. 475, 2°), *il répond, «comme dépositaire, des vêtements, bagages et objets divers apportés (...) par le voyageur»* (Code civil, art. 1952); *il est privilégié sur ces effets, pour les fournitures faites par lui* (Code civil, art. 2102, 5°).

As-tu beaucoup de monde dans ton auberge? dit Vallombreuse (...) Bilot allait 1
répondre, mais le jeune duc prévint la phrase de l'hôtelier et continua (...)
Th. GAUTIER, le Capitaine Fracasse, VIII, t. I, p. 272.

Si intimidants que fussent toujours pour moi les repas, dans ce vaste restaurant 2
(...) du Grand-Hôtel, ils le devenaient davantage encore quand arrivait (...) le propriétaire (ou directeur général...) non seulement de ce palace mais de sept ou huit autres (...) cet homme (...) était connu (...) à Londres aussi bien qu'à Monte-Carlo pour un des premiers hôteliers de l'Europe.
PROUST, À la recherche du temps perdu, t. IV, p. 113.

b Professionnel de l'hôtellerie (II.).

♦ **2.** N. m. (vx). Religieux chargé de recevoir les hôtes, les voyageurs, dans certaines abbayes. — Adj. (mod.). *Le père hôtelier.*

Nous recevrons très volontiers, pour huit jours, à notre hôtellerie, le retraitant que 3
vous voulez bien nous recommander (...) Dans l'espoir, monsieur l'abbé, que nous aurons également bientôt le plaisir de vous revoir dans notre solitude, je vous prie d'agréer... F.-M. ÉTIENNE, hôtelier. HUYSMANS, En route, p. 162.

Nota : (...) 7° Le père hôtelier est seul chargé de pourvoir aux besoins de MM. 4
les hôtes (...) HUYSMANS, En route, p. 195.

★ **II.** Adj. (1906, *in* D. D. L.; «hospitalier» en anc. franç.). Relatif aux hôtels, à l'hôtellerie* (II.). *L'industrie hôtelière. Publicité hôtelière. Crédit hôtelier. École hôtelière,* formant ses élèves aux diverses professions de l'hôtellerie. *Enseignement hôtelier. Syndicats hôteliers. La profession hôtelière. Chaîne hôtelière. L'équipement hôtelier d'un pays, d'une région.*

HÔTELLERIE [otɛlʀi] n. f. — V. 1130, *hostelerie,* au sens I, 2; au sens I, 1, mil. XIIIe; *hôtellerie,* XVIIe; de *hostel, hôtel.*

★ **I.** ♦ **1.** Anciennt. Maison où les voyageurs peuvent être logés et nourris moyennant rétribution. ⇒ **Auberge** (cit. 4), **hôtel** (2.).
REM. Du XVIIe au XIXe s., l'*hôtellerie* se distingue de l'*hôtel* par son caractère modeste, rustique (*hôtel* se disant «des célèbres hôtelleries et auberges» Furetière, 1690); et par le fait qu'on y loge moins longtemps («l'une est un pied-à-terre, l'autre un séjour habituel» (Lafaye, *Dict. des synonymes*). — *Descendre, se loger dans une hôtellerie* (→ Gravelle, cit. 2). *Hameau sans une hôtellerie* (→ Consteller, cit. 3). *Cuisine* (cit. 1) *d'hôtellerie. Écuries des anciennes hôtelleries* (→ On loge* à pied et à cheval). *Hôtellerie destinée au logement des domestiques, des visiteurs, près d'un château.* ⇒ **Tournebride.**

La Rancune entra dans l'hôtellerie, un peu plus que demi-ivre. La servante de la 1
Rappinière, qui le conduisait, dit à l'hôtesse qu'on lui dressât un lit.
SCARRON, le Roman comique, VI.

Tout cela mangeant et buvant, sans visible souci de quoi que ce soit. Enfin, la 2
tablée vulgaire de n'importe quelle hôtellerie provinciale.
Léon BLOY, la Femme pauvre, I, XIV.

♦ **2.** Anciennt ou didact. Bâtiment d'une abbaye destiné à recevoir les hôtes (→ Hôtelier, cit. 3).

Après avoir roulé lentement sur l'allée de platanes aboutissant à l'hôtellerie, la 2.1
voiture s'arrêta devant le judas du frère portier qui, la reconnaissant, se précipita pour annoncer au Révérendissime la visite familiale.
Georges BORGEAUD, le Voyage à l'étranger, II, p. 154.

♦ **3.** Vieilli. Auberge. — Mod. Hôtel ou restaurant d'apparence rustique mais confortable ou même luxueux, généralement situé à la campagne. → Gastronomique, cit. 3. — Souvent écrit *hostellerie**.

3 Des papillons de nuit voletaient autour des lampions (...) L'orchestre s'était tu. Dans l'« hostellerie », la plupart des fenêtres s'étaient éteintes.
MARTIN DU GARD, les Thibault, t. VI, p. 26.

4 (...) tout baignera dans une nuit offensée de lueurs; — hostelleries, faux mas, dancings, bars champêtres, enseignes américaines pour snobisme français, Searwood-Lodge, Hollywood-Beach, sèment la lumière en ballons, en tubes blafards (...)
COLETTE, Prisons et Paradis, p. 57.

★ **II.** (1498). Métier, profession d'hôtelier; industrie hôtelière. *École d'hôtellerie. Travailler dans l'hôtellerie. L'hôtellerie française, suisse, italienne. Crise de l'hôtellerie.*
Hôtellerie de plein air : organisation des campings aménagés.

HÔTESSE [otɛs] n. f. ⇒ Hôte (I.).

HOT MONEY [ˈɔtmɔnɛ] n. f. — 1962, *in* Höfler; expression anglo-américaine, de *hot* « chaud », et *money* « argent ».

♦ Anglic. Fin. Capitaux spéculatifs qui se placent à court terme. — Syn. franç. : *capitaux fébriles.*

(Hot money) fait image pour les capitaux spéculatifs prêts à se placer à court terme, suivant les variations d'intérêt. Les gens qui ont commencé à employer une telle expression s'amusaient. Capitaux fébriles, qui doit légalement la remplacer, n'est pas mal, mais plus abstrait, plus morose. Pourquoi pas — la spéculation est un jeu, n'est-ce pas? — mise ardente? (...) Ou encore mise à chaud?
Claude DUNETON, *in* Elle, 18 févr. 1974, p. 112.

HOTTAGE [ˈɔtaʒ] n. m. — XIVe; de *hotter.*

♦ Rare. Transport au moyen d'une hotte. *Le hottage des raisins.*

HOTTE [ˈɔt] n. f. — Fin XIIIe; *hote,* v. 1230; francique **hotta,* même sens.

★ **I.** ♦ **1.** Grand panier* ou cuve*, portée sur le dos au moyen de bretelles (ou brassières). *Hotte en osier, en bois. Porter du pain, du linge dans une hotte. Transporter au moyen de hottes.* ⇒ **Hotter, hotteur.** *Hotte de chiffonnier*. Le fléau* du vitrier se porte comme une hotte. — Hotte de vendangeur,* pour le transport des raisins du lieu de cueillette aux bennes* (cit. 1). ⇒ 2. **Bouille.** — *La hotte du père Noël.*

1 Il y a partout une chaumière auprès d'un palais (...) un chiffonnier qui porte sa hotte auprès d'un roi qui perd son trône (...)
CHATEAUBRIAND, Mémoires d'outre-tombe, t. IV, p. 1.

Loc. fig. *Porter la hotte :* avoir le dos voûté, être épuisé, à bout de force (se dit d'une bête chassée).

1.1 Un animal, comme vous le dites, m'a passé au nez, tout à l'heure. Il portait la hotte et tirait la langue. M. DRUON, le Roi de fer, p. 257.

♦ **2.** (1611). Construction en forme de hotte renversée, se raccordant à un tuyau de cheminée, à un conduit d'aération. *Hotte de brique, de tôle. Hotte de pierre d'une cheminée gothique. Hotte d'une cheminée de cuisine, hotte aspirante. Hotte à évacuation. — Hotte de forge. Hotte de laboratoire.*

2 (...) ce parfum (...) m'évoque la vision d'une cheminée à hotte dans laquelle des sarments de genévrier pétillent (...) HUYSMANS, Là-bas, XXII.

♦ **3.** (XIXe). Techn. Fermeture de planches ne laissant passer le jour que par en haut. *Les cellules de prisons avaient des hottes.*

★ **II.** (1924, « taxi »; métaphore, cf. normand *hotte,* désignant un petit tombereau, *in* Littré). Fam. Automobile. ⇒ **Bagnole.**

3 — Les papiers de cette voiture!... la carte grise ... votre permis de conduire! (...) — La carte grise, je l'ai pas encore!... J'ai acheté la hotte ce matin! ...
Albert SIMONIN, Hotu soit qui mal y pense, p. 129.

DÉR. Hottée, hotter, hottereau ou **hotteret, hottier.**

HOTTÉE [ˈɔte] n. f. — 1496, *hostee;* de *hotte.*

♦ **1.** Rare. Capacité d'une hotte; contenu d'une hotte. *Une pleine hottée de bois, de raisins.*

1 Vigneau emprunta du bois pour chauffer son four, il alla sans doute chercher ses matériaux la nuit par hottées et les manipula pendant le jour (...)
BALZAC, le Médecin de campagne, Pl., t. VIII, p. 404.

♦ **2.** (1546). Vieilli. Grande quantité (de personnes, de choses entassées).

♦ **3.** (XIXe). Fig. et vx. Grosse quantité. *« Des hottées d'injures »* (Maupassant).

2 Le soir, un valet du château lui apporta une hottée d'opuscules, relatant des paroles pieuses du grand Napoléon, des bons mots de curé dans les auberges, des morts effrayantes advenues à des impies. Mme de Noaris savait tout cela par cœur, avec une infinité de miracles. FLAUBERT, Bouvard et Pécuchet, éd. Folio, p. 355.

HOM. Formes du v. **hotter.**

HOTTENTOT, OTE [ˈɔtɑ̃to, ɔt] adj. — 1685, *in* D. D. L.; mot hollandais « bégayeur », à cause des sons inconnus des Européens (clicks) dans les langues khoins.

♦ Relatif à une population de pasteurs nomades de l'Afrique du Sud-Ouest (parfois appliqué abusivt aux Boschimans, leurs voisins). *La population hottentote. Dialectes hottentots. Le boschiman, langue du groupe hottentot.*

Spécialt. *Vénus hottentote :* type de femme boschimane stéatopyge.

N. *Un Hottentot, une Hottentote.*

N. m. (1799, *in* D. D. L.). *Le hottentot :* ensemble des langues khoin (ou khoinides), parlées par les Hottentots.

HOTTER [ˈɔte] v. tr. — 1412; de *hotte.*

♦ Rare. Transporter dans une hotte. *Hotter des raisins.*

DÉR. Hottage, hotteur.
HOM. V. **Hottée.**

HOTTEREAU [ˈɔtʀo] n. m. — 1359; de *hotte.*

♦ Vx ou régional. Petite hotte.

Var. : *hotteret* [ˈɔtʀɛ] n. m. (1743).

HOTTEUR, EUSE [ˈɔtœʀ, øz] n. — XVe; *hosteur,* 1307; de *hotter.*

♦ Vx. Personne qui porte une hotte. Syn. : *hottier.*

HOTTIER [ˈɔtje] n. m. — 1220; de *hotte.*

♦ Vx. Personne qui porte une hotte. ⇒ **Hotteur.**

HOTU [ˈɔty] n. m. — XIXe (*in* Larousse, 1873); mot wallon, var. du wallon *hôtike, hotitche,* désignant ce poisson (sous ce nom après l'âge de deux ans, sous celui de *balowe,* avant), du moy. néerl. *houtic* désignant un autre poisson, le corégone.

★ **I.** Poisson d'eau douce de la famille des *Cyprinidés (Chondrostome),* à dos brunâtre, à lèvres cornées et coupantes, à chair fade et molle.

J'ai fermé les yeux lorsque mon père ou mon frère décrochaient les goujons ou les hotus de l'hameçon. Yanny HUREAUX, la Prof, p. 26. 1

★ **II.** (1944; « venant de la région de Namur, var. *hotiche,* le *hotu,* I., s'est répandu dans la Seine et l'Yonne à partir de 1940, dépeuplant ces rivières » [J. Cellard, *in* D. F. N. C.]; à noter qu'un syn. de *hotu,* I. est *nase,* mot repris péjorativement en argot. → 2. Nase). Argot. Péj. Personne stupide, laide, sans intérêt. ⇒ **Minable.** *Un, une hotu.*

(...) y *(il)* peut pas se défarguer d'un hotu, qu'il croit être son pote; à nous autres, ce mec, fait plutôt l'effet d'être une flotte! 2
Albert SIMONIN, Hotu soit qui mal y pense, p. 110.

HOU [ˈu; hu] interj. — V. 1285; onomatopée. → Ho.

♦ **1.** Vén. Cri pour exciter les chiens. *Hou! hou!*

♦ **2.** (1507). Cour. Interjection pour railler, faire peur ou honte. *Hou! la vilaine! Hou! hou! gare au loup! —* Cri de réprobation, d'hostilité contre qqn (⇒ **Huer**). *Hou! Hou! à la porte!*

(...) La Fontaine gronde : « Cet âge est sans pitié ». Il a des mots terribles, le poète. Je ne lui reproche pas son « petit peuple ». Voilà qui reste aimable. Adoptons « petit peuple ». Mais « maudite engeance ». Hou! Quelle colère!
G. DUHAMEL, les Plaisirs et les Jeux, III, VI.

♦ **3.** *Hou! hou!,* interjection redoublée servant à appeler (var. de *ho!*).

♦ **4.** Représente un son, un appel sourd, prolongé.

COMP. 1. **Houhou.**
HOM. Houe, houx, ou, où.

HOUA [ˈwa] interj. — 1888, ex. ci-dessous; onomatopée.

♦ Onomatopée pour exprimer le cri du chien (souvent redoublée). ⇒ **Ouah.** *« Tandis qu'il traversait les nuages, une voix bien connue se fait entendre : houa! houa! houa! L'aéronaute cherche partout dans l'opacité nuageuse sans parvenir à rien distinguer. Il se tait, mais son chien le sent : houa! houa! houa!... »* (*la Science illustrée,* t. II, 1888).

HOUACHE ['waʃ] n. f. — 1643; adapt. de l'angl. *wake* «sillage».

♦ Mar. Sillage d'un navire en marche. — «Bout de ligne, fixé entre la ligne de loch proprement dite et le bateau de loch*» (Gruss). Var. : *houaiche* [wɛʃ] (1690) ou *ouaiche* [wɛʃ] (1691).

HOUAGE ['waʒ] n. m. — 1363; de *houer.*

♦ Vx. Fait de travailler la terre à la houe. ⇒ **Houement.**

HOUARI ['waʀi] n. f. — 1773; adapt. de l'angl. *wherry* «bachot». Marine.

♦ **1.** Embarcation des mers du Nord.

♦ **2.** (1873, *voile en houari*). *Voile à houari :* voile triangulaire à vergues légères. *Baleinière gréée en houari.*

HOUBLON ['ublɔ̃] n. m. — 1600; *houbelon* et *oubelon,* 1413; du néerl. *hoppe,* avec sonorisation de la consonne finale et influence de l'anc. franç. *homlon;* lat. médiéval *humlone,* du francique **humilo.*

♦ **1.** Plante dicotylédone grimpante *(Urticacées cannabinacées)* herbacée, vivace, à tige dure, anguleuse, volubile, à fleurs dioïques. *Les fleurs femelles du houblon forment des cônes ovoïdes écailleux* (⇒ **Strobile),** *couverts d'une résine poussiéreuse, jaune, odorante, à saveur amère* (⇒ **Lupuline).** *Culture, champ de houblon.* ⇒ **Houblonnière.** *Perches à houblon. Houblon du Japon,* variété ornementale du houblon (→ Enguirlander, cit. 1). *Tonnelle de houblon* (→ Guinguette, cit. 1). *Se promener dans les houblons. — Les jeunes pousses* (jets) *de houblon sont comestibles.*

(...) quand il faisait beau, nous allions derrière la maison prendre le café dans un cabinet frais et touffu, que j'avais garni de houblon, et qui nous faisait grand plaisir durant la chaleur (...) ROUSSEAU, les Confessions, VI.

♦ **2.** Cônes de cette plante utilisés pour aromatiser la bière. ⇒ **Houblonnage, houblonner.** *Chaudière à houblon. — Extraits concentrés de houblon,* à fort pouvoir amérisant.

DÉR. Houblonner, houblonnier, houblonnière.

HOUBLONNAGE ['ublɔnaʒ] n. m. — 1874; de *houblonner.*

♦ Techn. Action de houblonner; troisième opération dans la fabrication de la bière (⇒ **Brasserie),** avant la fermentation. *Chaudière de houblonnage. Brasser la bière avant le houblonnage du moût.*

HOUBLONNER ['ublɔne] v. tr. — 1694; de *houblon.*

♦ Techn. Aromatiser avec du houblon. *Houblonner la bière.* — P. p. adj. Qui contient du houblon (plus ou moins de houblon). *Le stout*, bière fortement houblonnée. Le lambic** (→ Gueuze), *bière faiblement houblonnée.*

DÉR. Houblonnage.

HOUBLONNIER, IÈRE ['ublɔnje, jɛʀ] n. et adj. — 1873; de *houblon.* Technique.

♦ **1.** Agric. Personne qui cultive le houblon, généralement pour l'utilisation en brasserie.

♦ **2.** Adj. (1877). Qui produit du houblon. *Pays houblonnier. Région houblonnière.*

HOUBLONNIÈRE ['ublɔnjɛʀ] n. f. — 1535; de *houblon.*

♦ Agric. Champ de houblon. *Les houblonnières d'Alsace, de Belgique.*

Le colonel Bramble, le major Parker et l'interprète Aurelle s'en allèrent à pied vers leur cantonnement parmi les houblonnières et les champs de betteraves.
A. MAUROIS, les Silences du colonel Bramble, I.

HOUDAN ['udɑ̃] n. f. — 1896; de *Houdan,* nom de ville.

♦ Agric. Poule*, poulet d'une race élevée à Houdan. *Des houdans.*

HOUE ['u] n. f. — V. 1170; du francique **hauwa.* Technique.

♦ **1.** Agric. (relativement cour.). Pioche à lame assez large dont on se sert pour les binages. *Houe à main.* ⇒ **Bêchard, bêchoir, bêchon, fossoir, hoyau, marre.** *Biner, sarcler à la houe.* ⇒ **Houer; houage, houement.**

(...) il *(Gudin)* aperçut une femme d'une trentaine d'années, occupée à labourer la terre à la houe, et qui, toute courbée, travaillait avec courage (...)
BALZAC, les Chouans, Pl., t. VII, p. 1020.

(1755). Par ext. *Houe à cheval* (cit. 2) : charrue légère à un ou plusieurs petits socs triangulaires. ⇒ **Bineuse.**

Houe rotative : instrument agricole comportant plusieurs rangs de disques à dents incurvées, tournant dans les deux sens.

♦ **2.** (1676). Techn. anc. Instrument pour corroyer le mortier.

♦ **3.** (1866). Techn. Outil de métal droit ou courbe, servant à remuer la glaçure, en faïencerie.

DÉR. Houer.

HOM. Hou, houx, ou, où.

HOUEMENT ['umɑ̃] n. m. — 1538; de *houer.*

♦ Vx. Labour à la houe*. ⇒ **Houage.**

HOUER ['we] v. tr. — V. 1100, *hoër;* de *houe.*

♦ Agric. Vx. Labourer, travailler (la terre) à la houe*.

Son hôte la menait tantôt fendre du bois,
Tantôt fouir, houer (...) LA FONTAINE, Fables, III, 8.

DÉR. Houage, houement.

HOUGNETTE ['uɲɛt] n. f. — 1902; altér. de *honguette,* 1676; ital. *ugnetto,* dér. de *ugna* «ongle», du lat. *ungula* «ongle», de *unguis.*

♦ Techn. Ciseau cintré. *Hougnette de marbrier, de sculpteur.*

1. HOUHOU ['uu; huhu] n. m. et onomat. — XVIe, «vieille sorcière»; de l'onomat. *hou.*

♦ **1.** (XVIe). Cri du hibou, du chat-huant.

Il va rôdant comme un loup
Et s'élance tout à coup
Poussant un sombre hou-hou. VERLAINE, Chair, Prologue.

♦ **2.** (Fin XVIIIe). Régional. Par métonymie. Hibou, chat-huant (mot employé par Chateaubriand).

HOM. Hou répété, 2. **houhou.**

2. HOUHOU ['uu] n. m. — 1873, P. Larousse; p.-ê. mot arabe ou onomatopée.

♦ Rare. Coucou d'Afrique, d'Algérie.

HOM. Hou répété, 1. **houhou.**

HOUILLE ['uj] n. f. — 1661, Cotgrave; *houle,* 1596; *oille,* 1510; *oille de charbon,* 1502; du wallon *hoye; hulhes,* mot liégeois, signalé en 1278 (aujourd'hui en wallon *hoge*), du francique **hukila* «bosse, tas».

♦ **1.** Combustible minéral de formation sédimentaire (densité moyenne 1,3), généralement noir, à facettes plus ou moins brillantes, renfermant de 70 à 95 % de carbone pur. *La houille, charbon naturel fossile, autrefois nommée* «charbon de terre, charbon de pierre» (opposé à *charbon de bois*). ⇒ **Charbon.** — REM. *Houille* s'emploie surtout dans le langage didactique; dans le langage courant, on lui préfère *charbon* employé absolument, la houille étant le meilleur des charbons naturels, qu'on utilise de préférence à tout autre. — *La houille provient de végétaux* (calamite, cordaïte, fougère, prêle, sigillaire) *qui se sont décomposés.* ⇒ **Houillification.** *Composition de la houille :* matière combustible : carbone, hydrogène, oxygène, azote, soufre (pyrites, sulfates); silicates à bases multiples, alumine, oxyde de fer, chaux; eau. *Variétés de houilles classées d'après leur teneur en carbone. Houille sèche* (70 à 80 % de carbone), *houille grasse* (80 à 85 %) et *houille demi-grasse; houille maréchale** (84 à 88 %), *houille à coke* (88 à 92 %), *houille à anthracite** (93 à 95 %). *Gisement de houille :* gisement, bassin houiller*. *Filon, veine de houille* (⇒ **Airure, sillage).** *Extraction de la houille.* ⇒ **Houillère, mine, mineur.** *Les installations, les puits, les corons d'une mine de houille. Haveur qui attaque la houille avec son pic* (→ Charbon, cit. 2). *Gaz inflammable dans les mines de houille.* → Grisou (cit. 1), méthane. *Épierrage, criblage, triage, lavage de la houille. Aspect des morceaux de houille après l'extraction, dans le commerce.* ⇒ **Fin** (fines de houille), **gailletin, gaillette, poussier** (aggloméré, boulet, briquette), **tête-de-moineau, tout-venant.** *Utilisation de la houille. Emploi de la houille comme combustible.* → Foyer, cit. 6. *Résidus de la combustion de la houille.* ⇒ **Escarbille, mâchefer, scorie, senisse.** *Produits de la distillation de la houille.* ⇒ **Coke, gaz** (d'éclairage), **goudron.** *Gaz de houille, gazéification de la houille dans la mine; goudron** (cit. 4) *de houille.* ⇒ **Coaltar.** *La distillation du goudron de houille donne de nombreux sous-produits* (→ Extraire, cit. 11; goudron, cit. 4) : *le benzène, l'acridine, etc. Hydrogénation de la houille.* ⇒ **Essence** (synthétique).

Ces fameux amas de charbons de terre ou de houille, ressource de l'âge présent 1
et reste des premières richesses végétales qu'aient orné la face du globe (...)
CUVIER, Discours sur la révolution, 293, *in* LITTRÉ.

Et, au milieu du silence lourd, de l'écrasement des couches profondes, on aurait 2
pu, l'oreille collée à la roche, entendre le branle de ces insectes humains en marche, depuis le vol du cable qui montait et descendait la cage d'extraction, jusqu'à la morsure des outils entamant la houille, au fond des chantiers d'abattage.
ZOLA, Germinal, I, III.

2.1 Les échantillons de minerai que j'ai recueillis dans la montagne sont sensiblement analogues à nos bons fers. Les spécimens de houille sont assurément très beaux et de qualité éminemment métallurgique (...)
J. VERNE, les Cinq Cents Millions de la Bégum, V, p. 86.

3 La transformation des végétaux en houille est certainement due à des actions comparables à celles qui donnent naissance à la tourbe, aux lignites, aux bogheads, etc. Elle est le résultat d'une macération dans l'eau et ce phénomène semble dû à des actions microbiennes (...) Les nombreux ferments apportés par les végétaux prolifient *(sic)*... Ensuite, le milieu devenant anaérobie, ils dédoublent les hydrates de carbone en gaz (CO^2 et CH^4) et en hydrocarbures liquides ou solides qui forment le combustible fossile. Émile HAUG, Traité de géologie, t. I, p. 135-136.

4 Pour en séparer et en extraire les gaz, les goudrons et le coke qui la composent, la houille est soumise en vase clos (four ou cornue), pour éviter la combustion, à l'action de la chaleur pendant un certain temps (de quatre à vingt-quatre heures). C'est ce qu'on appelle *carbonisation, cokéfaction* ou *distillation*... Avant d'être enfournée, la houille est concassée si elle n'est pas déjà en poussier (dit «fines de houille») ou en petits morceaux. Jean BECK, le Goudron de houille, p. 9-10.

Loc. *Houille noire :* la houille en tant que combustible.

♦ **2.** Par anal. d'utilisation, dans des syntagmes. (1889, *in* D. D. L.). Cour. **HOUILLE BLANCHE :** énergie* hydraulique fournie par les chutes d'eau en montagne et transformée en énergie électrique (comme la houille). ⇒ **Hydro-électricité, hydro-électrique** (installation, usine hydro-électrique).

(1906, ex. ci-dessous). Didact. **HOUILLE VERTE :** énergie hydraulique fournie par le courant des fleuves et des rivières. *« La houille verte, mise en valeur des (...) chutes d'eau en France »* (*Rev. gén. des sc.*, 30 nov. 1906, n° 22, p. 994).

Didact. **HOUILLE BLEUE :** énergie hydraulique fournie par les vagues et les marées. ⇒ **Marémoteur** (usine marémotrice).

5 (...) l'eau, obéissant à la pesanteur et dévalant de la montagne vers la mer, est une force et peut devenir une source d'énergie. Cette force, employée selon des techniques aussi variées qu'ingénieuses, a depuis des siècles actionné roues de moulins, roues d'irrigation, scies verticales, etc. Puis, l'heure est venue de l'accroissement et du perfectionnement quasi infini des modes d'utilisation de la «houille blanche», et de la «houille verte», voire de la «houille bleue». «Cette eau si rebelle, dit Gabriel Hanotaux, pourquoi ne pas la bâillonner dès sa naissance?» Et durant ces quarante dernières années, par le développement des usines hydro-électriques et le transport de la force, une grande révolution industrielle (...) s'est déjà manifestée, qui rend à des pays privés de houille comme la Suisse une puissance économique et un rang qu'il eût été impossible d'imaginer et de prévoir.
Jean BRUNHES, la Géographie humaine, t. I, p. 76.

Didact. et rare. **HOUILLE INCOLORE :** énergie obtenue à partir du vent. ⇒ **Éolienne, moulin** (à vent).

Rare. **HOUILLE ROUGE :** énergie obtenue des couches internes et chaudes de la terre.

DÉR. Houiller, houillère, houilleur, houilleux, houillification.
HOM. Ouille; formes du v. **ouiller.**

HOUILLER, ÈRE ['uje, ɛʀ] adj. — 1793; de *houille.*

♦ **1.** Qui renferme des couches de houille. *Terrain, bassin houiller. Zone houillère.*

♦ **2.** Relatif à la houille. *Industries houillères.*

Géol. *Période houillère :* période de l'ère primaire, dite période anthrocolithique, pendant laquelle s'est formée la houille. ⇒ **Carbonifère.** — N. m. Vx. *Le houiller* (même sens).

HOM. Formes du v. **ouiller.** — (Du fém.) **houillère, ouillère.**

HOUILLÈRE ['ujɛʀ] n. f. — 1811; réfection, d'après la forme moderne *houille,* de *oullière,* 1590, de l'anc. wallon *huilhier,* de *hulhe.* → Houille.

♦ Mine de houille. *Les houillères du Nord de la France. Exploitation d'une houillère.* ⇒ **Charbonnage.**

Ah! elle la connaissait bien, cette houillère, ce grand trou noir d'où son mari n'était pas revenu! Que de fois elle avait attendu, auprès de cette gueule béante, de dix-huit pieds de diamètre, suivi du regard, le long du muraillement en pierres de taille, la double cage en chêne dans laquelle glissaient les bennes accrochées à leur câble et suspendues aux poulies d'acier, visité la haute charpente extérieure, le bâtiment de la machine à vapeur, la cabine du marqueur, et le reste!
J. VERNE, les Cinq Cents Millions de la Bégum, VI, p. 93.

HOUILLEUR ['ujœʀ] n. m. — V. 1360; de *houille.*

♦ Vx. Ouvrier travaillant aux mines de houilles. ⇒ **Mineur.**

1 Le soir, sortant des puits comme des nuées de rats de leurs trous, les houilleurs, le dos arrondi, le pas lourd, rentrent dans leurs familles, brisés, silencieux (...)
Louise MICHEL, la Misère, t. III, p. 620.

2 Madame Bauer, la bonne femme qui donnait l'hospitalité à Marcel Bruckmann, Suissesse de naissance, était la veuve d'un mineur tué quatre ans auparavant dans un de ces cataclysmes qui font de la vie du houilleur une bataille de tous les instants. J. VERNE, les Cinq Cents Millions de la Bégum, VI, p. 89.

HOUILLEUX, EUSE ['ujø, øz] adj. — 1835; de *houille.*

♦ Vx. Qui contient de la houille. *Roche houilleuse.*

HOUILLIFICATION ['ujifikasjɔ̃] n. f. — 1907; dér. sav. de *houille,* et *(i)fication,* du lat. *facere* «faire».

♦ Didact. Transformation en houille (de matières végétales). *« Une des façons les plus courantes de classer ces charbons est de considérer leur évolution ou "houillification" »* (*Sciences et Avenir,* n° 411, mai 1981, p. 56).

HOUKA ['uka] n. m. — 1812, Jouy; *hoka,* 1771; hindi *hukka,* arabe *ḥūqqăh,* probablt par l'anglais.

♦ Aux Indes, Pipe* à réservoir, analogue au narguilé.

Sur ses genoux était le bec d'ambre d'un magnifique houka de l'Inde (...) 1
BALZAC, la Peau de chagrin, Pl., t. IX, p. 170.

Le houka, comme le narguilé, est un appareil très élégant (...) C'est un réservoir ventru comme un pot du Japon, lequel supporte une espèce de godet en terre cuite où se brûle le tabac, le patchouli, les substances dont vous aspirez la fumée (...) La fumée passe par de longs tuyaux en cuir de plusieurs aunes, garnis de soie, de fil d'argent, et dont le bec plonge dans le vase au-dessus de l'eau parfumée qu'il contient. 2
En passant par cette eau, la fumée (...) s'y rafraîchit, s'y parfume (...) et vous arrive au palais, pure et parfumée. BALZAC, Traité des excitants modernes, VI, *in* Œ. diverses, t. III, p. 189-190.

Var. : *hooka* ['uka] n. f. (mil. XIXe, Gautier).

HOULE ['ul] n. f. — 1484; de l'anc. germanique *hol* (all. *hohl*) «creux», probablt à cause du creux des vagues; cf. all. *hohle See* «houle, grosse mer», proprt «mer creuse».

♦ **1.** Mouvement ondulatoire qui agite la mer sans faire déferler les vagues (→ Fuyant, cit. 3; onde, cit. 13). *Forte, grosse houle* (→ Fatiguer, cit. 16; est, cit. 1, Chateaubriand). *Houle d'ouragan. Le balancement de la houle* (→ Électricité, cit. 2). *Canot* (cit. 2) *soulevé par la houle. Navire balancé par la houle.* ⇒ **Roulis.** — *Hauteur de la houle :* dénivellation entre le creux et la crête. — *Période de la houle :* temps qui sépare le passage de deux crêtes successives.

Les formes élancées des navires, au gréement compliqué, auxquels la houle imprime des oscillations harmonieuses (...) BAUDELAIRE, le Spleen de Paris, XLI. 1

La houle s'amusait obstinément à balancer le *Cyclone* et l'embarcation dans des montées et des descentes opposées : on les eût dit aux deux bouts d'une bascule. 2
Roger VERCEL, Remorques, V, p. 111.

Au plur. Grosses vagues d'une mer agitée. *Le frisson* (cit. 31) *des houles. Navire ballotté par les houles.* ⇒ **Tangage.**

Quelquefois le soleil se couchait que nous étions encore assis sur la côte élevée, occupés à regarder mourir à nos pieds les longues houles qui venaient d'Amérique. 3
E. FROMENTIN, Dominique, XI (1862).

Joshua roule éperdument dans une mer hachée par deux systèmes de houle, l'une venant du nord-est (direction de l'alizé) et l'autre du nord-ouest après avoir contourné l'île Gran Canaria. Il faut border toutes les voiles pour amortir un peu ce roulis infernal. Bernard MOITESSIER, Cap Horn à la voile, p. 91. 3.1

♦ **2.** (Après 1850). Par métaphore ou par anal. *La houle d'un champ de blé sous la brise* (→ Haleine, cit. 31). *Des houles de feuillages* (→ Bois, cit. 11, Leconte de Lisle).

De son cabinet, il contemplait (...) l'énorme houle des verdures forestières. 4
Louis BERTRAND, Louis XIV, III, II.

La houle des pins entourait la métairie abandonnée d'une lamentation infinie. 5
F. MAURIAC, la Fin de la nuit, XI, p. 227.

Par métaphore ou fig. (→ Foule, cit. 10). *Une houle humaine* (→ Battre, cit. 41). *La houle des passions.*

Un grand esprit en marche a ses rumeurs, ses houles, 6
Ses chocs, et fait frémir profondément les foules (...)
HUGO, la Légende des siècles, XXXVIII, «Les esprits» (1859).

De grands élans le parcouraient en profondeur, dont il épiait curieusement l'éveil, suivait la houle puissante et secrète. Cette houle, quelquefois, débordait tout son corps; il la sentait sortir de lui, avec un tressaillement qui lui glaçait la peau. 7
M. GENEVOIX, Raboliot, IV, I.

♦ **3.** Littér. Mouvement qui forme des vagues; surface ondulée. ⇒ 1. **Vague; ondulation.** *La houle d'une chevelure. La houle des montagnes à l'horizon.*

Ô toison, moutonnant jusque sur l'encolure (...) 8
Fortes tresses, soyez la houle qui m'enlève!
BAUDELAIRE, les Fleurs du mal, «Spleen et idéal», La chevelure (→ Ébène, cit. 3).

La mode voulait les cheveux très ondulés, formant au-dessus de la tête une houle volumineuse, qui allait s'appuyer sur un chignon lui-même épais et remontant. 9
J. ROMAINS, les Hommes de bonne volonté, t. III, X, p. 135.

DÉR. Houler, houleux.
COMP. Houlographe.

HOULER ['ule] v. intr. — 1852, Gautier; de *houle.*

♦ **1.** Rare. Être agité par la houle* (1.), en parlant de la mer, d'un bateau. ⇒ **Rouler, tanguer.**

♦ **2.** (1879, Huysmans). Onduler. *Un champ qui houle doucement.*

(...) une espèce d'onde me parcourut les reins, et le ventre, faisant houler ma chair au passage, comme une gorge de pigeon que traverse un roucoulement (...)
J. ROMAINS, le Dieu des corps, VII.

♦ **3.** (Déb. XXe; infl. possible de *rouler*). Littér. Balancer (son corps). *« Houler des épaules »* (J. Lorrain, *in* G. L. L. F.).

HOULETTE ['ulɛt] n. f. — 1278; de l'anc. franç. *houler* (XIIIe) «jeter, lancer»; probablt du francique; cf. moy. néerl. *hollen* «courir très vite».

♦ **1.** Ancienntt (vx ou didact.). Bâton (cit. 3) de berger, muni à son extrémité d'une plaque de fer en forme de gouttière servant à jeter des mottes de terre ou des pierres aux moutons qui s'écartent du troupeau (→ Flageolet, cit. 1). *La houlette, emblème* (cit. 1) *des bergers. Houlette enrubannée des bergers de pastorale.* — Fig. et poét. Le métier de berger. *Porter, prendre, quitter la houlette.*

1 Ce berger et ce roi sont sous même planète;
L'un d'eux porte le sceptre, et l'autre la houlette (...)
LA FONTAINE, Fables, VIII, 16.

2 Un petit berger Watteau, azur et argent comme un clair de lune, choquait sa houlette contre la thyrse d'une Bacchante (...)
FLAUBERT, l'Éducation sentimentale, II, I.

Par métaphore. ⇒ **Bâton** (2.).
(1530, *hollette*). Vx. *La houlette de l'évêque,* sa crosse*. — Loc. **SOUS LA HOULETTE DE... :** sous la conduite de...

3 Troupeau chéri que le ciel a confié à mes soins, c'est peut-être la dernière fois que votre pasteur vous rassemble sous sa houlette!
CHATEAUBRIAND, les Martyrs, XIV.

♦ **2.** (1680). Techn. Petite bêche de jardinier en forme de houlette pour lever de terre les oignons de fleurs. ⇒ **Bêche.**
(1753). Techn. Cuiller servant à la préparation des sorbets.

♦ **3.** (1832). Coquille bivalve d'un mollusque des mers chaudes. ⇒ **Pédum,** 2.

HOULEUX, EUSE ['ulø, øz] adj. — 1716; de *houle.*

♦ **1.** Agité par la houle. *Mer* houleuse* (→ Glauque, cit. 2).

1 Le vent courait sans obstacle sur leur contrée plate et sur leur océan houleux (...)
TAINE, Philosophie de l'art, t. I, p. 257.

♦ **2.** (Fin XIXe). Par anal., littér. *Un champ de blé houleux. Des feuillages houleux.*

♦ **3.** (1870). Fig. Agité par des mouvements collectifs. *Assemblée, foule, salle houleuse* (→ Effervescence, cit. 2). *La séance était houleuse. Débat houleux.* ⇒ **Mouvementé, orageux, tumultueux.**

2 La petite salle était houleuse. Les journaux du soir, les nouvelles apportées par les rédacteurs de l'*Humanité*, éveillaient des commentaires contradictoires et passionnés.
MARTIN DU GARD, les Thibault, t. VI, p. 103.

CONTR. Calme, paisible.

HOULIER ['ulje] n. m. — 1216, *holier;* altér. de l'anc. franç. *hourier;* de l'anc. haut all. *huorâri,* même sens.

♦ Vx ou hist. Proxénète, maquereau.

HOULIGAN ['uligan; 'uligɑ̃] n. m. — 1912, *Kouligane,* G. Leroux (*in* T. L. F., art. *Kopeck*); 1926 (→ ci-dessous, cit. 2) écrit *hooligan;* adapt. angl. *hooligan* (1898), d'orig. incert. (d'un nom propre irlandais, ou de *Hooley's gang* «la bande à Hooley»); par le russe, langue où le mot est fréquent.

♦ Jeune asocial qui exerce la violence, le vandalisme dans les lieux publics — ou est censé le faire (le mot est surtout connu par ses emplois en U. R. S. S., le russe l'ayant adopté pour désigner un jeune hostile au régime et coupable de comportements jugés asociaux). *« Un inconnu entre et leur donne 100 roubles. Est-ce un fou, un escroc, un agent provocateur, un houligan subversif...? »* (*l'Express,* 4 août 1979, p. 12).

1 (...) les «houligans», ces jeunes Soviétiques qui préfèrent écouter du jazz et boire de la vodka plutôt que d'étudier le marxisme-léninisme.
Guy SITBON, *in* l'Express, 23 nov. 1964, p. 31 (*in* D. D. L.).

Écrit à l'anglaise *hooligan. « Un chômeur, un parasite, un hooligan »* (*le Nouvel Obs.,* 19 août 1978, p. 41).

2 (...) des têtes creuses s'abouchèrent avec des criminels de droit commun, constituèrent des bandes de pillards et de hooligans.
Il ne se commettait plus un crime en Russie qui ne nous fût imputé et cela nous fit la plus mauvaise des publicités.
B. CENDRARS, Moravagine, Œ. compl., t. IV, p. 122.

DÉR. Houliganisme.

HOULIGANISME ['uliganism] n. m. — 1958, *in* D. D. L.; de *houligan,* et suff. *-isme.*

♦ Comportement du houligan (le plus souvent, dans des contextes ayant trait à la Russie soviétique). *Dissident condamné à cinq ans de goulag pour houliganisme.* — Var. : *hooliganisme.*

HOULOGRAPHE ['ulɔgʀaf] n. m. — Mil. XXe; de *houle, -graphe,* et *-o-* de liaison.

♦ Techn., sc. Appareil pour l'enregistrement de la houle (enregistrements *houlographiques* [ulɔgʀafik]).

HOULQUE ['ulk] n. f. — 1778; lat. impérial *holcus* «orge sauvage», d'orig. incertaine.

♦ Bot. Plante monocotylédone *(Graminées),* herbacée, vivace, à tige souterraine, à feuilles velues, qui pousse en grosses touffes. → Prairie, cit. 1.1. *La houlque laineuse, excellent fourrage.*
Var. : *houque* ['uk] n. f.

HOUP ['up; hup] interj. — 1652; onomatopée.

♦ ⇒ **Hop.** *Allez, houp!*

Allons, houp! débarrassez le plancher! ZOLA, l'Assommoir, I, p. 203.

HOM. Houppe.

HOUPPE ['up] n. f. — Mil. XIVe; p.-ê. du francique **huppo* «touffe»; croisement probable avec *huppe** (déb. XIXe, au moins au sens «touffe de plumes»).

★ **I.** ♦ **1.** Assemblage d'éléments souples et fins (brins de fil, de laine, de soie...) formant un bouquet*, une touffe*, et servant généralement d'ornement. ⇒ **Floche, houppette, pompon.** *La houppe d'un gland*.* ⇒ **Freluche.** *Capuchon à grosses houppes de fil d'or* (→ Flamand, cit.). — Blason. *Houppes de soie qui ornent les chapeaux des dignitaires ecclésiastiques.*

(...) le pied lui glissa et comme, en ces occasions, on tâche à se retenir à ce qu'on 1
trouve, il se prit aux houppes des cordons qui tenaient le miroir attaché (...)
FURETIÈRE, le Roman bourgeois, I, p. 53.

La mule est enjolivée d'autant de plumets, de pompons, de houppes, de franges 2
et de grelots qu'il est possible d'en accrocher aux harnais d'un quadrupède quelconque.
Th. GAUTIER, Voyage en Espagne, p. 50.

Il défendit la cocarde blanche, et condamna les signataires de la déclaration de 3
Nîmes. Ceux-ci en furent quittes pour substituer à leur cocarde la houppe rouge des anciens ligueurs.
MICHELET, Hist. de la Révolution franç., III, IX.

Le camp de Féofar présentait un spectacle superbe. De nombreuses tentes, fai- 3.1
tes de peaux, de feutre ou d'étoffes de soie, chatoyaient aux rayons du soleil. Les hautes houppes, qui empanachaient leur pointe conique, se balançaient au milieu de fanions, de guidons et d'étendards multicolores.
J. VERNE, Michel Strogoff, p. 263.

♦ **2.** (XVIe). Spécialt. *Houppe à poudrer, houppe à poudre.* ⇒ **Houppette.** — *Se poudrer avec une houppe.*

Je suis rouge... je n'aurais pas dû parler si longtemps, c'est vrai... Tire un peu la 4
persienne, et puis écoute, Minet-Chéri, prête-moi ta houppe à poudre (...)
COLETTE, la Maison de Claudine, p. 163.

★ **II.** (1559; par anal. de forme). ♦ **1.** Touffe, bouquet (d'éléments fins et allongés). *Une houppe de cheveux.* ⇒ **Toupet.** *Riquet à la houppe,* personnage d'un conte de Perrault. — *Houppe* (de plumes) *du cacatoès, du goura.* ⇒ **Aigrette, huppe.** — *Houppe* (de poils) *sur une partie du corps d'un animal, aux extrémités d'une graine.* — *La houppe d'un arbre,* sa cime. *Fleurs en houppes* (→ Fleurir, cit. 3).

J'oubliais de dire qu'il vint au monde avec une petite houppe de cheveux sur la 5
tête, ce qui fit qu'on le nomma Riquet à la houppe (...)
Ch. PERRAULT, Contes, «Riquet à la houppe».

(...) dans les pays froids, les houppes nerveuses sont moins épanouies : elles s'enfon- 6
cent dans leurs gaines, où elles sont à couvert de l'action des objets extérieurs. Les sensations sont donc moins vives.
MONTESQUIEU, l'Esprit des lois, XIV, 2.

Cet arbre *(l'arbousier)* aimé du soleil projette au-dessus du mur ses branches revê- 7
tues de houppes parfumées. NERVAL, Voyage en Orient, «Vers l'Orient», VI.

Sur les sureaux fuse, à chaque aisselle de branche, une houppe neuve de verdure 8
tendre. COLETTE, la Maison de Claudine, p. 184.

(...) le premier lapin. Il apparaissait à quelques mètres, assis de flanc, immobile 9
comme une motte. La clarté crue pâlissait son pelage, la houppe de sa queue était plus blanche que neige.
M. GENEVOIX, Raboliot, III, VI.

Littér. (en parlant d'un liquide). ⇒ **Panache.**

(...) la contre-lame (...) rebondissait sur la muraille du large, essayant de défon- 10
cer, formant dans sa fuite panique une houppe bruyante où deux forces liquides s'écrasaient l'une contre l'autre (...) J.-M. G. LE CLÉZIO, le Déluge, p. 171.

♦ **2.** (1748). Anat. Papilles nerveuses terminant certains nerfs.

DÉR. Houpper, houppette, houppier.
HOM. Houp.

HOUPPELANDE ['uplɑ̃d] n. f. — Mil. XIVe; *hopelande,* v. 1280; probablt de l'anc. angl. *hop-pâda* «pardessus» ou, selon P. Guiraud, de même orig. que *houppe**; cf. moy. franç. *houppelé* «garni de houppe», la houppelande étant un vêtement ouaté dont la destination («garnir de houppe») expliquerait le suffixe.

♦ Anciennt ou littér. Long vêtement de dessus, très ample et ouvert par devant, souvent ouaté et fourré, à col plat, à larges manches flottantes très évasées. ⇒ **Cape, douillette, pelisse, robe** (de chambre). *La houppelande, mise à la mode au XVe siècle, se caractérisait alors par sa coupe en dalmatique, fendue latéralement depuis les hanches jusqu'en bas; sa forme a beaucoup varié ensuite selon les époques.*

Le cocher à grosse houppelande bleue brodée de rouge vint déplier le marche- 1
pied (...) BALZAC, le Père Goriot, Pl., t. II, p. 900.

2 (...) l'aspect de la houppelande (on nommait ainsi une redingote ornée d'un seul collet en façon de manteau à la Crispin) acheva de me convaincre que mon ami était tombé dans le malheur.
BALZAC, Madame de La Chanterie, Pl., t. VII, p. 275.

3 Il était vêtu d'une houppelande noire usagée, qui lui descendait jusqu'à mi-jambes (...) MONTHERLANT, les Célibataires, I.

4 (...) j'ai mon bâton à la main, tout en allant mon chemin. Mais pas ma houppelande, rien que ma veste, je n'ai jamais pu souffrir la houppelande, me flottant et claquant autour des jambes, ou plutôt un jour soudain je me pris à la haïr, d'une haine soudaine et violente. S. BECKETT, Têtes-mortes, p. 24.

HOUPPER ['upe] v. tr. — 1611 ; au p. p., *hopé,* v. 1280 ; *houppé,* v. 1530 ; de *houppe.*
Technique.

♦ **1.** Disposer en houppes*, garnir de houppes. *Houpper de la laine,* la peigner.

♦ **2.** Garnir, orner de houppes.

HOUPPETTE ['upɛt] n. f. — 1399 ; dimin. de *houppe.*

♦ **1.** Petite houppe (→ Chasuble, cit.). *Houppette de cheveux* (→ Fantaisie, cit. 37).

(Déb. xxe). Spécialt. *Houppette à poudre de riz.* ⇒ **Houppe** (spécialt).

1 Au même endroit, l'humidité avait collé et raidi quelques brins de duvet habituellement invisibles, dont la pointe brune retenait un peu de la neige rose et frisée de la houppette à poudre. M. AYMÉ, Maison basse, p. 165.

2 Elles faisaient le geste de secouer la houpette avant de se poudrer.
J. GIONO, Jean le Bleu, VIII, p. 241.

♦ **2.** Anat. Houppe (3.). → Goût, cit. 2.

HOUPPIER ['upje] n. m. — 1343 ; de *houppe.*

♦ **1.** Techn. Sommet d'un arbre ébranché. — Par ext. Cet arbre.

♦ **2.** (1377). Vx. Fabricant de houppes.

HOUQUE ['uk] n. f. ⇒ **Houlque.**

HOURA ['uʀa] interj. et n. m. ⇒ **Hourra.**

HOURAILLER ['uʀaje] v. intr. — 1690 ; du rad. de *houret.*

♦ Vén. (vx). Chasser avec des hourets*.

DÉR. **Houraillis.**

HOURAILLIS ['uʀaji] n. m. — 1690 ; de *hourailler.*

♦ Vén. (vx). Meute de mauvais chiens courants (hourets).

HOURD ['uʀ] n. m. — XIIIe, au sens 1 ; francique **hura.*

♦ **1.** Anciennt. Palissade. — Estrade pour les spectateurs d'un tournoi. Scène de théâtre en charpente (au moyen âge).

♦ **2.** (XIVe). Techn. (fortif.). Charpente* en encorbellement au sommet d'une tour, d'une muraille. *Les hourds d'un château féodal.*

(Dans le château fort) Pour atteindre le pied de la muraille et surplomber directement l'adversaire, on aménage des *hourds,* échafaudages en saillie. Le hourd était en bois. Plus tard, on établit une galerie sur des corbeaux en pierre ; des ouvertures, les *mâchicoulis,* permettaient le jet vertical des projectiles.
P. LAVEDAN, l'Architecture franç., p. 145.

DÉR. (Du même rad.) **Hourder.**

HOURDAGE ['uʀdaʒ] n. m. — Fin XVe ; de *hourder.*
Technique.

♦ **1.** Constr. Action de hourder*.

Par métonymie. Maçonnage* grossier (d'une cloison). ⇒ **Hourdis.**

♦ **2.** Constr. Couche de plâtre étendue sur un lattis* pour former l'aire d'un plancher*.

♦ **3.** (Mil. XXe). Dispositif de soutènement, dans une mine.

HOURDER ['uʀde] v. tr. — V. 1160, « consolider » ; de *hourd.*
Technique (construction).

♦ **1.** (Fin XIIe). Garnir de hourds*.

♦ **2.** Maçonner* grossièrement avec du plâtre. *Hourder une cloison.*

♦ **3.** (1676). Préparer (un plancher) en garnissant l'aire de lattes et d'un hourdis de plâtre.

▶ **HOURDÉ, ÉE** p. p. adj.

♦ **1.** *Chemin de ronde hourdé. — Cloison hourdée.*

♦ **2.** (1905). Argot. Ivre, soûl (var : *ourdé*).

DÉR. **Hourdage, hourdis.**

HOURDIS ['uʀdi] n. m. — Fin XIIe, *hordeï ;* de *hourder.*

★ **I.** Techn. (constr.). ♦ **1.** ⇒ **Hourdage.**

♦ **2.** (1553). Maçonnerie légère de remplissage qui garnit un colombage*, une armature en pans de bois.

Cette carcasse ou armature *(de bois)* une fois construite, tous les vides sont remplis d'une maçonnerie légère appelée *hourdis.* Le hourdis se compose de brique, de torchis ou de blocage enduit ou non de plâtre (...)
Camille ENLART, Manuel d'archéologie franç., t. I, p. 48.

Corps creux en terre cuite (brique).

★ **II.** (Attesté XIXe : 1831, *in* T. L. F. ; orig. incert. ; le rattachement au sens I n'est pas certain). Mar. Élément de l'arcasse qui renforce la poupe. — On écrit aussi *hourdi.* « *La lisse de hourdi* » (Hugo).

HOM. Formes du v. **ourdir.**

HOURET ['uʀɛ] n. m. — 1661, Molière ; orig. obscure, p.-ê. de l'onomat. *hour, hur,* cri pour exciter les chiens.

♦ Vén. (vx). Mauvais chien* courant. *Meute de hourets.* ⇒ **Houraillis.** *Chasser avec des hourets.* ⇒ **Hourailler.**

De ces gens qui, suivis de dix hourets galeux,
Disent « ma meute » et font les chasseurs merveilleux !
MOLIÈRE, les Fâcheux, II, 6.

DÉR. V. **Hourailler.**

HOURI ['uʀi] n. f. — 1654 ; *hora, horhin,* 1574 ; persan *houri,* arabe *hăwrāɔ* « femme qui a le blanc et le noir des yeux très tranchés ».

♦ **1.** Beauté céleste que le Coran promet au musulman fidèle, dans le paradis d'Allah (→ Enchanteur, cit. 5).

(...) ils *(les Turcs)* se voient dans le neuvième ciel entre les bras de leurs houris (...) 1
VOLTAIRE, la Princesse de Babylone, III.

Une blanche houri qui, par ses longues tresses, 2
Jetait aux quatre vents tous les parfums d'Ophir (...)
Th. DE BANVILLE, Odes funambulesques, « Opéra turc ».

(...) ce serkis dont le koran fait la nourriture des houris célestes (...) 2.1
Ed. et J. DE GONCOURT, la Femme au XVIIIe s., t. II, p. 46.

♦ **2.** (1794). Femme très attrayante (dans un contexte évoquant plus ou moins l'Orient). ⇒ **Odalisque.** *Une croupe* (cit. 7) *de houri.*

Je me vis entouré d'un sérail de houris, de mes anciennes connaissances pour qui 3
le goût le plus vif ne m'était pas un sentiment nouveau.
ROUSSEAU, les Confessions, IX.

Vx (appellatif galant). « *Mon bel ange, ma péri, ma houri...* » (Anicet-Bourgeois, 1840, *in* D. D. L.).

HOURQUE ['uʀk] n. f. — 1470, *hurque ; hulke,* 1326 ; moy. néerl. *hulke ; hourque* par croisement avec *hoeker,* nom d'un type de navire.
Marine.

♦ **1.** Bâtiment de transport à varangues plates et à flancs renflés, en usage en Hollande. *Les hourques sont très lentes.*

Ô les détroits de Malaisie (...) où naviguaient les vieilles hourques hollandaises, grosses et dures comme une noix vernie !
CLAUDEL, Cinq Grandes Odes, V, p. 155.

♦ **2.** Par ext. Navire mauvais marcheur.

Var. : *ourque** (notamment chez Hugo).

HOURRA ['uʀa] interj. et n. m. — 1824, *hourra, hurra, in* D. D. L. ; *houra,* 1722 ; angl. *hussa, huzza* (XVIe), var. *hurrah* (XVIIe) ; empr. au russe.

A. Exclam. *Hourra pour X ! Hourra ! Hip hip hip, hourra !* ⇒ **Hip.**

B. N. m. ♦ **1.** Cri d'acclamation poussé par les marins. *L'amiral fut salué d'un triple hourra.*

Un hourra d'acclamations joyeuses retentit sur le tillac et monta vers le ciel (...) 1
BALZAC, la Femme de trente ans, Pl., t. II, p. 820.

Sous la forme *houzza :*

(...) un bateau en amont de la Tamise m'aperçut sur la rive ; les rameurs avisant 2
un Français poussèrent des houzzas (...)
CHATEAUBRIAND, Mémoires d'outre-tombe, t. I, p. 521 (éd. Levaillant).

REM. On trouve aussi l'orthographe *huzza,* t. I, p. 248, 359...).

Var. : *hurra* (1830, Mérimée), *hurrah* (Littré).

Quels cris ! quelles vociférations ! quelle succession de grognements, de hurrahs, 2.1
de « hip ! hip ! hip ! » et de toutes ces onomatopées qui foisonnent dans la langue américaine ! J. VERNE, De la terre à la lune, p. 33.

Cour. Cri d'enthousiasme, d'acclamation. *Les hourras et les bravos de la foule.*

3 (...) le taureau se précipita dans l'arène au milieu d'un hourra immense.
Th. GAUTIER, Voyage en Espagne, p. 55.

4 Des bordées de gros rires succédaient à la danse, puis des hourras et des applaudissements retentirent frénétiquement.
Francis CARCO, les Belles Manières, III, 11.

♦ **2.** (Après 1812; souvent sous la forme *houra*). Vx. Cri de guerre des cosaques.

5 (...) on prit d'abord ces clameurs pour des acclamations, et ces hourras pour des cris de vive l'empereur; c'était Platof et six mille cosaques (...)
Ph. P. SÉGUR, Hist. de Napoléon, IX, 3, *in* LITTRÉ.

(1802, «émeute»). Vx. Attaque (d'une troupe de cosaques, etc.).
Fig. et vx. Vive critique (Lamartine, Balzac, *in* T. L. F.).

HOURRITE [ˈuʀit] adj. et n. m. — XXe; de *Our,* ancienne ville de Chaldée.
Didactique.

♦ Relatif à la région, à la civilisation chaldéenne d'Our.
N. m. Langue parlée en Mésopotamie au IIe millénaire avant l'ère chrétienne.

HOURVARI [ˈuʀvaʀi] n. m. — 1561, *horvari;* probablt croisement entre *hour, hari* «cri pour exciter les chiens», et *charivari.*

♦ **1.** Vén. **a** Cri des chasseurs, sonnerie de trompe pour ramener des chiens tombés en défaut.

b Ruse d'une bête traquée qui revient à son point de départ pour mettre les chiens en défaut.

1 (...) le limier a coupé la voie, l'a retrouvée en deux pirouettes rapides, affairées (...) Un hourvari : ce n'est que le premier... *(le cerf)* a longé la lisière jusqu'à la joncheraie d'en haut; mais, au lieu de la traverser, il est rentré dans le taillis (...)
M. GENEVOIX, la Dernière Harde, III, V.

♦ **2.** (1676). Fig. et vx (langue class.). Contretemps, désagrément imprévu.

2 (...) on fut bien aise de le visiter *(Versailles)* avant que la cour y vienne. Ce sera dans peu de jours, pourvu qu'il n'y ait point de hourvaris.
Mme DE SÉVIGNÉ, Lettres, 557, 10 juil. 1676.

♦ **3.** **a** (Fin XVIIe; du sens 1, a). Grand tumulte*. *Un hourvari de cris, de clameurs, de hurlements. Un grand hourvari.*

3 Par moments il s'élevait un hourvari de clameurs. La grosse voix du canon couvrait tout. C'était épouvantable. HUGO, Quatre-vingt-treize, III, II, III.

b Agitation confuse, chaotique. ⇒ **Tourbillon.**

4 (...) dans le hourvari d'un déplacement, je ne sais où appuyer ma main, ni presque où poser ma tête. MIRABEAU, Lettre à Chamfort, 23 juin 1784.

5 (...) les canonniers coupèrent les traits des attelages et s'enfuirent, vite comme le vent. Ce fut un hourvari, un tourbillon, une mêlée, un éclair (...)
J.-A. DE GOBINEAU, Nouvelles asiatiques, p. 199.

6 C'est un hourvari de lumière, une émeute, une mêlée. Le triomphe de la discordance et du désordre. G. DUHAMEL, Scènes de la vie future, X.

♦ **4.** (1691). Vx. Tempête, grain, aux Antilles.

CONTR. **Calme, silence.**

HOUSARD [ˈuzaʀ] n. m. ⇒ **Hussard.**

HOUSCHE [ˈuʃ] n. f. ⇒ **Ouche.**

1. HOUSEAU [ˈuzo] n. m. — V. 1170, *housel;* de l'anc. franç. *huese* «botte», du francique **hosa.* → Heuse.

♦ Généralt au plur. Jambière*, haute guêtre* simulant la tige de la botte, et sans pied. *Houseaux lacés, boutonnés. Des houseaux de toile, de cuir pour la chasse.*

1 (...) le fermier (...) petit rouge, obèse, portant une veste grise et des houseaux armés d'éperons. FLAUBERT, Trois Contes, «Un cœur simple», II.

2 (...) les houseaux de cuir jadis noirs, presque roux maintenant entre les éclaboussures de boue sèche (...) M. GENEVOIX, Raboliot, I, 1.

Loc. fig. et vx. *Laisser ses houseaux :* mourir (La Fontaine, *Fables,* XII, 23).

2. HOUSEAU [ˈuzo] ou **HOUSSEAU** [ˈuso] n. m. — 1752, *houseau; housseau,* 1803; même mot que 1. *houseau.*

♦ Techn. Grande épingle servant à réunir des doubles d'étoffes.

HOUSE-BOAT [ˈawsbot] n. m. — Mil. XXe; comp. angl., de *house* «maison», et *boat* «bateau».

♦ Anglic. Bateau (souvent immobilisé) aménagé pour y vivre (le concept est plus large que *péniche**). *«Du haut des ponts, on les voit qui s'égrènent, serrés le long des quais : péniches longues et solides sur leurs fonds plats, house-boats de luxe ou clippers (...) Vivre sur un bateau? L'aventure tente de plus en plus de citadins. C'est en Ile-de-France qu'est concentrée la majorité des bateaux-logements»* (*l'Express,* n° 1706, 16 mars 1984, p. III.).

HOUSPILLER [ˈuspije] v. tr. — V. 1450; *houssepignier,* XIIIe; de *housser,* de *housse* «manteau», et *pigner, peigner,* au fig. «battre».

♦ **1.** Vieilli. Brutaliser (qqn) en le secouant, en le tiraillant. ⇒ **Battre, maltraiter, sabouler, tourmenter.**

On ne pouvait entrer aux spectacles sans être bourré par ses soldats *(du roi de Prusse)*... Demandez à Darget comme il fut un jour repoussé et houspillé : il avait beau crier, je suis secrétaire; on le bourrait toujours. 1
VOLTAIRE, Lettre à d'Argental, 1512, 3 déc. 1757.

Tout à l'heure Bill White *(le boxeur)* semblait un taureau maladroit qu'on houspille; maintenant il ne ressemblait plus qu'à une bête d'abattoir, en partie estropiée, qui attend le dernier coup. Louis HÉMON, Battling Malone, II, p. 27. 2

Une autre fois, par une nuit obscure, la patrouille faisant halte sous la hêtrée entendit quelqu'un devant elle. 2.1
— Qui vive?
Pas de réponse!
On laissa l'individu continuer sa route, en le suivant à distance, car il pouvait avoir un pistolet ou un casse-tête — mais quand on fut dans le village, à portée des secours, les douze hommes du peloton, tous à la fois se précipitèrent sur lui, en criant : «Vos papiers!» Ils le houspillaient, l'accablaient d'injures. Ceux du corps de garde étaient sortis. On l'y traîna; — et à la lueur de la chandelle brûlant sur le poêle, on reconnut enfin Gorgu.
FLAUBERT, Bouvard et Pécuchet, éd. Folio, p. 239-240.

Fig. et vieilli. ⇒ **Malmener, tourmenter.**

Un malheur continuel *(au jeu)* pique et offense; on est honteux d'être houspillé par la fortune (...) Mme DE SÉVIGNÉ, Lettres, 255, 9 mars 1672. 3

Il ne faut pas s'étonner, monsieur, qu'un pauvre homme houspillé par quatre-vingt-deux ans, par quatre-vingt-deux maladies, et par autant d'affaires désagréables, ait tant tardé à lui répondre. VOLTAIRE, Lettre à Villevieille, 4369, 10 nov. 1776. 4

♦ **2.** (XVe). Mod. et littér. Attaquer, maltraiter (qqn) en paroles; harceler* de reproches, de critiques. ⇒ **Critiquer, quereller.** *Il s'est fait houspiller durement.* ⇒ **Réprimander.** — Pron. *«Ils sont continuellement à se houspiller dans leurs écrits»* (Académie).

(...) je n'avais fait cette pièce que pour mon petit théâtre et pour mes chers Genevois, qui y sont un peu houspillés. 5
VOLTAIRE, Lettre à Florian, 3062, 4 mars 1767.

DÉR. **Houspilleur.**

HOUSPILLEUR, EUSE [uspijœʀ, øz] n. et adj. — 1873; de *houspiller.*

♦ Littér. Personne qui houspille. — Adj. (V. 1920). *Elle est quelque peu houspilleuse.*

HOUSSAGE [usaʒ] n. m. — 1743; de 2. *housser.*

♦ Vx. Action de housser; nettoyage avec un houssoir.

HOUSSAIE [ˈusɛ] n. f. — Mil. XIIIe, *hulseie;* de *hous,* anc. forme de *houx**.

♦ Régional. Lieu planté de houx*, de buissons de houx (on dit aussi *houssière*).

HOM. **Housset;** formes des v. 1. **housser,** 2. **housser.**

HOUSSARD [ˈusaʀ] n. m. ⇒ **Hussard.**

HOUSSE [ˈus] n. f. — V. 1280; *huche,* v. 1155; *houce,* fin XIIIe; orig. incert., p.-ê. du francique **hulftia* «couverture», par une forme **hultia.*

♦ **1.** Techn. Couverture attachée à la selle et qui couvre la croupe du cheval. *Housse faisant partie du harnois de guerre. Au moyen âge, les housses couvraient tout le corps du cheval. Housses de pied, housses traînantes.* ⇒ **Caparaçon.** *Housse de drap, de velours. Housse brodée.*

(...) le cheval blanc avec sa housse de velours pourpre ayant aux coins des N couronnés et des aigles (...) HUGO, les Misérables, II, I, IV. 1

Loc. Vx. *En housse :* à cheval. *Housse de carrosse,* qui recouvrait l'impériale des carrosses des princesses et duchesses.

♦ **2.** (1538). Cour. Enveloppe souple recouvrant et protégeant certains objets (meubles, vêtements, etc.) dont elle épouse la forme. ⇒ **Enveloppe, gaine** (cit. 3). *Housse de protection que l'on met sur les meubles* (→ Ensevelir, cit. 13). *Mettre un fauteuil, un canapé, un lit, un piano sous une housse. Housse de coutil, de cretonne.* — *Housse à vêtement :* grand sac de toile, de matière plastique dans lequel on enferme les vêtements. *Housse en papier, en toile, en matière plastique. Automobile, motocyclette recouverte d'une housse.* — *Expédier un objet dans une housse.*

Le «salon de compagnie» dort derrière les persiennes fermées et sous des housses éternelles. F. MAURIAC, la Province, p. 29. 2

Le silence des bureaux lui plut (...) Les machines à écrire dormaient sous les housses. Sur les dossiers en ordre les grandes armoires étaient fermées. 3
SAINT-EXUPÉRY, Vol de nuit, VIII.

Les housses donnaient aux meubles un caractère d'objets morts, séparés de la vie 4

par une protection plus lugubre que la poussière, par une sorte de linceul terne dont les longs plis tombaient comme ils l'eussent fait autour de monstres engourdis.
Edmond JALOUX, les Visiteurs, XXVI.

Housse de couette, protégeant la couette* d'un lit. — Appos. *Drap-housse.* ⇒ **Drap.**

(1538). Vx. Garniture de tissu recouvrant le bois d'un lit (XVIe-déb. XVIIe siècle).

Mod. Enveloppe de protection d'un siège (d'automobile). *Housses avant, arrière. Housses en simili-cuir. Faire mettre des housses à sa voiture.*

♦ **3.** Techn. Pièce de cuir recouvrant la tête d'un collier de cheval. — Peau de mouton fourrée de laine, pour certains colliers (⇒ **Houssée**).

♦ **4.** (XXe). Techn. Ébauche d'une poterie.

DÉR. Houssée, 1. **housser, housset.**

HOM. Formes des v. 1. **housser,** 2. **housser.**

HOUSSÉE ['use] n. f. — 1845; de *housse,* ou de 1. *housser.*

♦ Techn. anc. Peau de mouton utilisée notamment pour les housses de collier.

HOM. Formes des v. 1. **housser,** 2. **housser.**

1. HOUSSER ['use] v. tr. — V. 1265, *houchier;* de *housse.*

♦ Couvrir d'une housse*. *Housser des meubles.* «*Housser d'éponge des sièges de voiture*» (*l'Express,* 31 juil. 1972, p. 76). «*Machine automatique à housser les charges palettisées*» (Tecmo, in *la Clé des mots,* 1973, 12).

▶ **HOUSSÉ, ÉE** p. p. adj.

Couvert d'une housse.

1 (...) il s'affala sur le bout de la chaise longue, houssée de toile blanche, qui était devant lui. MARTIN DU GARD, les Thibault, t. VII, p. 264.

2 (...) un salon vaste, au plafond très bas, au meuble houssé, dont tout le panneau du fond est occupé par une inestimable tapisserie de verdure, du XVIe siècle.
J.-R. BLOCH, l'Aigle et Ganymède, p. 45.

Blason. *Cheval houssé d'argent,* portant une housse (1.) d'argent.

DÉR. V. **Houssée.**

HOM. Houssée, 2. **housser.**

2. HOUSSER ['use] v. tr. — V. 1200, *houcer* «maltraiter»; de *houx.*

♦ Rare. Épousseter, nettoyer avec un houssoir*. ⇒ **Houssiner.** *Housser des meubles, une tapisserie.*

(...) jamais il ne fallait battre les habits ni les meubles de peur de les user, mais les housser légèrement avec un plumeau. SADE, Justine..., t. I, p. 30.

DÉR. Houssage.

HOM. Houssée, 1. **housser.**

HOUSSET ['usɛ] n. m. — 1765; *houssette,* XVe; de *housse.*

♦ Techn. (ancienn. ou archéol.). Petite serrure qui se ferme lorsqu'on rapproche ses deux éléments (fixés aux deux bords d'un sac de voyage, etc.).

HOM. Houssaie.

HOUSSIÈRE ['usjɛʀ] n. f. ⇒ **Houssaie.**

HOUSSINE ['usin] n. f. — XVe; *hussine* «baguette de houx»; de *hous,* forme anc. de *houx**.

♦ Vieilli. Baguette flexible. *Battre un tapis avec une houssine. Donner des coups de houssine à un cheval pour le faire aller* (⇒ **Cravache**).

(...) elle sauta sur la selle avec sa prestesse ordinaire, et donna un coup de houssine à son cheval qui partit comme un trait. Th. GAUTIER, Mlle de Maupin, VII.

DÉR. Houssiner.

HOUSSINER ['usine] v. tr. — 1611; de *houssine.*

♦ Vx. Battre, frapper avec une houssine*. ⇒ 2. **Housser.** *Houssiner un tapis.*

HOUSSOIR ['uswaʀ] n. m. — XVe; de *hous,* forme anc. de *houx** («balai de houx»).

♦ Vieilli. Balai de branchages, de crin, de plumes (⇒ **Plumeau**), de fibres synthétiques.

Cette chambre n'était pas de celles que harcèlent le houssoir, la tête-de-loup et le balai. HUGO, les Misérables, V, VIII, I.

HOUST ['ust] interj. ⇒ **Oust.**

HOUSURE ['uzyʀ] n. f. — 1701; de l'anc. franç. *house, hose* «botte». → 1. Houseau.

♦ Chasse. Trace de boue que le sanglier laisse sur les arbres, les haies, et qui permettent de juger de sa taille.

HOUX ['u] n. m. — V. 1200, *hos, hous;* du francique **hulis,* cf. anc. haut all. *hulis,* puis *huls,* moy. néerl. *huls.*

♦ Plante dicotylédone *(Ilicacées, aquifoliacées)* scientifiquement appelée *Ilex;* arbre ou arbuste à feuilles aiguës, coriaces, luisantes et persistantes; à fleurs isolées ou en grappes; à fruits sphériques d'un rouge vif (drupes). *Piquants d'une feuille de houx; feuille de houx luisante, vernie* (→ Fors, cit. 2). *Feuille vergetée de jaune du houx panaché. Branches, bouquets de houx décorant une table* (aux fêtes du Nouvel An, etc.). *Buisson, bosquet* (cit. 2) *de houx. Lieu planté de houx, où pousse le houx.* ⇒ **Houssaie** (→ Garrigue, cit. 2). — *L'ilicine, principe amer extrait des feuilles de houx. Feuilles de houx en décoction, utilisées comme sudorifique. Bois de houx. Tige de houx, baguette de houx* (⇒ **Houssine**). *Balai de houx* (⇒ **Houssoir**). *L'écorce de houx fournit la glu**.

Variétés de houx. Houx commun. Houx maté (⇒ **Maté**); *houx des Apalaches* (⇒ **Apalachine**). *Petit houx, houx-frelon* (⇒ **Fragon**).

Noël approchait (...) on offrait du houx, des touffes de gui sur de longues gaules.
J. CHARDONNE, les Destinées sentimentales, p. 184.

DÉR. Houssaie, 2. **housser, houssine, houssoir.**

HOM. Hou, houe, ou, où.

HOUZZA ['uza] interj. et n. m. ⇒ **Hourra.**

HOVERCRAFT ['ɔvœʀkʀaft] n. m. — 1960, *in* Höfler; mot angl., de *to hover* «être en suspension, flotter», et *craft* «petit bateau».

♦ Anglic. Véhicule amphibie à coussin d'air (⇒ **Aéroglisseur**), utilisé essentiellement sur la mer, pour le transport de passagers et de véhicules. — REM. Se dit notamment de ceux qui sont en service entre Calais et l'Angleterre. «*Denny a construit un hovercraft marin naviguant sur des «murs» d'air, l'un à l'avant et l'autre à l'arrière (...) Cette version est considérée comme étant la plus prometteuse pour le transport transocéanique à grande vitesse*» (*France-Europe,* n° 16, p. 50).

COMP. Hoverport.

HOVERPORT ['ɔvœʀpɔʀt] n. m. — 1973, *in* Höfler; de *hover(craft),* et *port.*

♦ Anglic. Port accueillant les hovercrafts*. *L'hoverport de Calais.*

HOYA [ɔja] ou HOYER [ɔje] n. m. — D. i. (XXe); de *Hoy,* n. d'un horticulteur anglais.

♦ Bot. Plante dicotylédone arbustive et grimpante, cultivée comme ornementale dans les serres chaudes.

HOM. Oyat. — (De *hoyer*) V. **Hoyé.**

HOYAU ['ɔjo] n. m. — XIVe; *hael,* fin XIIIe; *heviaux,* 1312; *hewel,* 1335; dér. de *houe,* sous la forme ancienne *hoe,* et suff. *-eau* (lat. *-ellus*).

♦ Agric. Petite houe à lame courbe taillée en biseau. *Défoncer la terre avec un hoyau* (→ Fellah, cit. 1). *Planter, arracher des pommes de terre avec le hoyau.*

(...) le rustique (...) a toujours un héritage sûr à laisser à ses enfants qui est son hoyau (...) MONTESQUIEU, Lettres persanes, CXXIII. 1

J'aurais dû plutôt être frappé de l'indépendance et de la virilité de cette terre où les femmes maniaient le hoyau, tandis que les hommes maniaient le mousquet. 2
CHATEAUBRIAND, Mémoires d'outre-tombe, t. II, p. 169.

HOYÉ, ÉE ['ɔje] adj. — 1561; var. du moy. franç. *ohié* (1549), de *ohie* «faiblesse, maladie», mot scandinave, du préf. négatif *o-,* et *hju*

« serviteur, troupe », d'où « absence de serviteurs », et fig. « disette, faiblesse ».

♦ **1.** Chasse (vx). *Cerf hoyé,* blessé.

♦ **2.** (1829). Pêche. *Poisson hoyé,* malmené par le filet.

HOM. Hoyer; forme du v. **ouïr.**

HP Abrév. de *horse-power** (cheval* vapeur). ⇒ **CV.**

H. S. [aʃɛs] adj. invar. ⇒ **Hors-service.**

HUARD ou **HUART** [ʼɥaʀ] n. m. — V. 1400, « milan »; « busard », 1611; de *huer,* à cause du cri perçant de l'oiseau.

♦ **1.** Régional. Pygargue. ⇒ **Aigle** (de mer), **orfraie, pygargue.**

♦ **2.** (1613, Canada). Plongeon arctique (oiseau palmipède). « *Ils trouvaient les nids énormes des huards* » (L.-P. Desrosiers).

HUBLOT [ʼyblo] n. m. — 1773; *huvelot,* 1382; altér. *hulot,* 1694; dimin. de l'anc. franç. *huve* « bonnet, couvercle » d'orig. francique.

♦ **1.** **a** Vx. Ouverture percée dans la muraille d'un navire (sabords, jaumière et hublots au sens mod.).

b Mod. Fenêtre généralement ronde, munie d'un verre épais pour donner du jour à l'intérieur du navire tout en assurant l'étanchéité. *Dormant, porte-verre métallique, verre lenticulaire d'un hublot. Hublot fixe,* où le verre est encastré dans le dormant (verre mort). *Hublot mobile ou pivotant,* s'ouvrant de l'intérieur, grâce à un porte-verre mobile autour d'un axe. *Tape amovible, tape à charnières d'un hublot,* disque ou couvercle métallique protégeant le verre. *Les hublots d'une cabine. Rangées de hublots d'un transatlantique. Cabines ventilées par hublots et bouches* (⇒ **Ventouse**) *d'aération.*

1 (...) le grand Tartarin couché dans son tiroir de commode sous le jour blafard et triste qui tombait des hublots, parmi (...) l'écœurante odeur du paquebot (...)
Alphonse DAUDET, Tartarin de Tarascon, II, 1.

2 Une nuit, je m'arrêtai devant une cabine de pont, éclairée, dont le hublot n'était pas fermé. Paul MORAND, l'Europe galante, p. 79.

3 Je me tenais devant de grands hublots. Ils étaient cerclés de cuivre. Vraisemblablement ils donnaient sur un salon ou un fumoir (...)
H. BOSCO, Un rameau de la nuit, p. 58.

♦ **2.** (Déb. XXe). Fenêtre (circulaire à l'origine) dans un avion de transport. — On dit aussi *fenêtre.*

4 Ils regardaient tour à tour par l'œil du hublot; l'avion en possède une ceinture, rangés à la manière de sabords. A. ARNOUX, Royaume des ombres, V, p. 172.

♦ **3.** (V. 1960). Ouverture ronde permettant de surveiller l'intérieur d'un appareil ménager. *Le hublot d'une machine à laver, d'un four de cuisinière.*

♦ **4.** Fam., au plur. Lunettes. — Yeux.

5 Ouvrez grand vos hublots, tas de caves, dit Fédor Balanovitch. À droite vous allez voir la gare d'Orsay. R. QUENEAU, Zazie dans le métro, p. 127.

HUCHE [ʼyʃ] n. f. — V. 1170, var. *huge;* du lat. médiéval *hutica* (VIIIe), probablt d'orig. germanique : selon P. Guiraud, dér. gallo-roman de l'anc. haut all. **hutta* (→ Hutte), la huche (coffre, boutique, réservoir...) étant essentiellement « quelque chose où l'on met à l'abri » (cf. anc. franç. *huche* « arche de Noé »).

♦ **1.** Grand coffre de bois rectangulaire à couvercle plat (à la différence du bahut*). ⇒ **Coffre.** *La huche « tenait lieu, au moyen âge, à la fois d'armoire, de table, de siège, de malle »* (Réau, *Dict. d'art*). *Huche à vêtements, à provisions. Huche sculptée.* — *Huche à pétrir* (⇒ **Maie, pétrin**); *huche où le boulanger mettait la farine* (⇒ **Farinière**), *la braise étouffée* (⇒ **Braisier**).

Huche au pain, à pain : huche où l'on garde le pain, à la campagne.

1 Denise était appuyée contre la huche au pain, regardant le notaire qui se servait de ce meuble comme d'une table à écrire (...)
BALZAC, le Curé de village, Pl., t. VIII, p. 618.

2 Comme la servante, une grosse fille laide, avait cuit le matin, une bonne odeur de pain chaud montait de la huche, laissée ouverte. ZOLA, la Terre, II, I.

♦ **2.** **a** (1573). Techn. *Huche d'un moulin :* coffre où tombe la farine.

b Réservoir à poisson, formé d'une caisse percée de trous, que l'on immerge.

DÉR. Huchier.

HUCHÉE [ʼyʃe] n. f. — Av. 1841, Chateaubriand; très antérieur dans des usages régionaux (Savoie, Bretagne); *huchie* « portée de la voix », XIIIe; var. *huc* « cri », XVe; de 1. *hucher.*

♦ Vx ou régional (notamment Suisse). Long cri modulé, appel. — REM. Cet emploi est aujourd'hui plutôt littéraire.

De temps à autre, on poussait une bonne huchée et, vis-à-vis ou par en-bas, il y avait toujours quelqu'un pour nous faire la réponse.
Alfred CÉRÉSOLE, Contes et Croquis vaudois, p. 238.

HOM. 1. **Hucher,** 2. **hucher.**

HUCHEMENT [ʼyʃmɑ̃] n. m. — XVe; de 1. *hucher.*

♦ Vx. Action d'appeler en criant, en sifflant. — Spécialt, régional. Appel de berger.

1. HUCHER [ʼyʃe] v. — V. 1130, *huchier;* du lat. pop. *huccare;* p.-ê. onomatopée d'orig. germanique (**hukk-*).

♦ **1.** Vx ou vén. **a** V. intr. Appeler en criant, en sifflant. ⇒ **Héler.**

b V. tr. (V. 1160). Appeler (qqn) en criant.

♦ **2.** V. intr. Régional (Ouest, Suisse...). Pousser de longs cris modulés, appeler à pleine voix (⇒ **Huchée**).

(...) et, aux douces heures du soir, quand ils revenaient, c'était en huchant, la voix poussée à plein entre leurs mains d'une pente à l'autre; — la voix allant au loin par-dessus les creux et les combes, d'un versant à l'autre versant.
C.-F. RAMUZ, Terre du ciel, Œ. compl., t. IX, p. 155.

DÉR. Huchée, huchement, huchet.
HOM. Huchée, 2. **hucher.**

2. HUCHER [ʼyʃe] v. tr. — 1746; var. de *jucher;* du francique **hukan* « s'accroupir ».

♦ Vx ou régional. Placer (qqch., qqn) sur un lieu élevé. — Passif et p. p. *Être huché sur un toit.*

La femme de trente-six ans, grosse de six mois, ainsi que je vous l'ai dit, est huchée par eux, sur un piédestal de huit pieds de haut; ne pouvant y poser qu'une jambe, elle est obligée d'avoir l'autre en l'air. SADE, Justine..., t. I, p. 155.

► **SE HUCHER** v. pron. *Les minots se sont huchés sur le toit de la remise.*

HOM. Huchée, 1. **hucher.**

HUCHERIE [ʼyʃʀi] n. f. — 1414; *heucerie,* v. 1300; de *huchier.*

♦ Vx. Art du huchier; fabrication des coffres; sculpture des meubles en bois.

HUCHET [ʼyʃɛ] n. m. — 1382; de 1. *hucher.*

♦ Anciennt. Petit cor* de chasse. ⇒ **Cornet.**

(...) un porteur de huchet qui mal à propos sonne. MOLIÈRE, les Fâcheux, II, 6.

Blason. Trompe de chasse figurée sans attache. *Porter d'or à trois huchets de gueules.*

HUCHIER [ʼyʃje] n. m. — 1226, *huichier;* de *huche.*

♦ Anciennt. Fabricant de huches.

DÉR. Hucherie.

HUE [ʼy] interj. — V. 1180, sens obscur; *hu,* 1653; onomatopée.

♦ Mot dont on se sert pour faire avancer un cheval, pour le faire tourner à droite (on dit *dia* pour la gauche). *Charretier, cocher, voiturier, qui crie hue! à son cheval* (→ Fouailler, cit. 3). *Hue cocotte! Allez, hue!* — Loc. prov. (1721, *n'entendre ni à hue ni à dia*). *À hue et à dia.* ⇒ **Dia** (→ Franchir, cit. 10).

Par ext. *Allons, hue! les gosses, arrivez!*

N. m. (invar.). *Des hue sonores.*

DÉR. V. **Huer.**
COMP. Huhau.
HOM. Eu (p. p. du v. **avoir**), **u.**

HUÉE [ʼɥe] n. f. — 1119, « clameur de la foule »; de *huer.*

♦ **1.** (1376). Vén. Cri des chasseurs pour faire lever, pour rabattre le loup, pour indiquer que le sanglier est pris, etc.

♦ **2.** Cour. ou littér. Cri* de dérision, de réprobation poussé par une assemblée, une réunion de personnes.

a Vieilli ou littér. Au sing. « *Une grande huée* » (Scarron). « *Il se fit une telle huée* » (La Fontaine, *Fables,* V, 5). « *Une huée de polissons* » (Voltaire, *Lettres,* 23 sept. 1750).

b (Déb. XVIIe, d'Aubigné). Mod. Au plur. *Être accueilli par des huées; s'enfuir sous les huées. Orateur interrompu par des sifflets et des huées. Voix couverte par des huées* (→ Bredouillement, cit.). *Au milieu des rires et des huées.* ⇒ **Bruit, charivari** (cit. 2); → Grimper, cit. 21. *Un concert de huées.* ⇒ **Tollé.**

D'un vil amas de peuple attirer les huées. BOILEAU, l'Art poétique, III. 1

2 (...) je me promenais tranquillement dans le pays avec mon cafetan et mon bonnet fourré, entouré des huées de la canaille et quelquefois de ses cailloux.
ROUSSEAU, les Confessions, XII.

3 Les habits modernes étaient en fort petit nombre, et ceux qui les portaient étaient accueillis avec des rires, des huées et des sifflets (...)
Th. GAUTIER, Voyage en Espagne, p. 207.

CONTR. Acclamation, applaudissement, bravo, hourra, ovation, vivat.
HOM. Huer.

HUER ['ɥe] v. — V. 1160, «appeler en criant»; «crier pour rabattre le gibier» (→ ci-dessous, I., 1.), mil. XVIe; du rad. onomatopéique de *hue.*

★ **I.** V. tr. ♦ **1.** Vén. Poursuivre (le loup, etc.) avec les huées (1.).

♦ **2.** (V. 1190). Cour. Pousser des cris de dérision, des cris hostiles contre (qqn). ⇒ **Huée** (2.); **conspuer, siffler.** *L'assemblée le hua. Il s'est fait huer* (→ Grâce, cit. 41). *Huer un orateur, un acteur, un auteur. Huer qqn pour manifester sa désapprobation, son mépris, sa colère, sa haine* (⇒ **Désapprouver**). — Par ext. *Huer une pièce, un spectacle.*

1 Figurez-vous que *Zaïre* fut huée dès le second acte, que *Sémiramis* tomba tout net, qu'*Oreste* fut à peu près sifflé (...)
VOLTAIRE, Lettre à Chabanon, 2992, 22 déc. 1766.

2 Comme il rejoignait à pied son carrosse, il est hué, menacé; on lui jette de la boue, puis des pierres.
TAINE, les Origines de la France contemporaine, t. I, III, p. 29.

★ **II.** V. intr. (1273). Pousser son cri, en parlant de la chouette, du hibou (⇒ **Chat-huant, huette**). — Syn. : *hôler.*

3 (...) un hibou plus proche qui hue dans un peuplier.
Hervé BAZIN, Cri de la chouette, p. 254.

CONTR. (Du sens I, 2) **Acclamer, applaudir, ovationner.**
DÉR. Huard, huée, huette.
COMP. Forhuer; chat-huant.
HOM. Huée.

HUERTA ['wɛʀta] n. f. — Déb. XXe (1907, Claudel, *in* T. L. F.); mot esp.; du lat. *hortus* «jardin».

♦ Géogr. Plaine irriguée très fertile, en Espagne. *Les huertas d'Andalousie.*

(...) la civilisation du riz exigeait un système d'irrigation qui suppose une société bien organisée. Il en était d'ailleurs de même dans les huertas espagnoles, société attestée au XIIIe siècle par les règlements d'eau, comme au XIXe siècle par le roman de Blasco Ibanez.
Bertrand GILLE, Technique et Sociologie, (Hist. des techniques), *in* Encycl. Pl., p. 1253.

HUETTE ['ɥɛt] n. f. — 1555; de *huer.*

♦ Régional. Hulotte.

HUGH ['yg] interj. — 1851; exclam. américaine, prononcée [u] et adoptée graphiquement, mais non phonétiquement en français.

♦ Anglic. Cri de guerre des Indiens d'Amérique (dans les récits populaires, les bandes dessinées, etc.).

Hugh! fit le concierge d'une voix gutturale, ce sont des scalps, des chevelures enlevées par des guerriers dans le sentier de la guerre.
A. ROBIDA, le Vingtième Siècle, p. 390 (1892).

HUGOLIEN, IENNE ['ygɔljɛ̃, jɛn; ygɔljɛ̃, jɛn] adj. — 1862, Goncourt; 1885, Boyer d'Agen, *la Légende hugolienne;* du nom de *Victor Hugo.*

♦ Qui appartient, est propre à V. Hugo. *Inspiration hugolienne. «Le syndrome hugolien»* (*l'Express,* 21 mars 1981, p. 71).

Il y a un culte lamartinien; il n'y a pas de culte hugolien, mais une pompe hugolienne.
A. THIBAUDET, Hist. de la littérature franç., p. 152.

Var. (péj.) : *hugolesque.*

REM. Plusieurs dérivés ont été tirés du nom de Hugo : *hugocentrisme,* n. m. (1929, A. Thibaudet); *hugolâtre* ['ygɔlɑtʀ], adj. et n. (1830, J. Sandeau) «adorateur de Hugo»; *hugolâtrie* ['ygɔlɑtʀi], n. f. (1833, Th. Gautier); *hugotique* ['ygɔtik], adj. (1896, Verlaine, *in* T. L. F.); *hugotisme* ['ygɔtism], n. m. (1869, Barbey d'Aurevilly, *in* D. D. L.).

HUGUENOT, OTE ['ygno, ɔt] n. et adj. — 1550; *esquenotz,* 1483; *aguynos,* 1519; *eidgnot, eyguenet,* 1520; altér. de *Eidgenossen* «confédérés» (employé en parlant de l'alliance de Genève, Fribourg et Berne contre le duc de Savoie), d'après *Hugues (de Besançon),* nom d'un chef genevois; appliqué aux Réformés à partir de 1532.

♦ **1.** Péj. (à l'origine). Protestant* calviniste, en France. — (XVIe-XVIIIe). *Les papistes et les huguenots* (→ Éterniser, cit. 9). — Adj. *Parti huguenot, faction huguenote. Croix huguenote* (→ Cou, cit. 9).

1 Ôtons ces mots diaboliques, noms de partis, factions et séditions, luthériens, huguenots, papistes (...)
Michel DE L'HOSPITAL, Harangue, 13 déc. 1560, *in* GUERLAC.

2 Que si les termes de papiste et de huguenot se lisent en quelque lieu, ce sera en faisant parler quelque partisan passionné et non du style de l'auteur.
D'AUBIGNÉ, Hist., I, 49, *in* LITTRÉ.

Il y avait depuis longtemps deux partis dans la ville *(de Genève),* celui des protestants et celui des Romains : les protestants s'appelaient *egnots,* du mot *eidgnossen, alliés* par serment. Les egnots, qui triomphèrent, attirèrent à eux une partie de la faction opposée, et chassèrent le reste : de là vint que les réformés de France eurent le nom d'*egnots* ou d'*huguenots* (...) 3
VOLTAIRE, Essai sur les mœurs, CXXXIII.

Ces huguenots, vois-tu, sont une vraie république dans l'État (...) si une fois ils avaient la majorité en France, la monarchie serait perdue (...) ils établiraient quelque gouvernement populaire qui pourrait être durable. 4
A. DE VIGNY, Cinq-Mars, t. I, VII, p. 232.

Dans la fréquentation de ses cousines huguenotes, son esprit s'était émancipé, et elle avait été par moments jusqu'à balancer en idée les deux communions romaine et calviniste. 5
SAINTE-BEUVE, Port-Royal, t. I, p. 50.

♦ **2.** (1660). Vx. *Marmite huguenote* et, absolt (n. f.), *huguenote :* marmite de terre sans pieds ou à pieds très bas; petit fourneau surmonté de cette marmite.

Une vieille femme tranquille, qui tricotait toujours, faisait, sans bouger de sa chaise, notre festin dans une huguenote. Je n'avais pas perdu l'habitude du repas du rat des champs. 6
CHATEAUBRIAND, Mémoires d'outre-tombe, t. IV, p. 215.

Loc. *À la huguenote.* (1640). *Œufs à la huguenote,* cuits dans du jus de mouton.

HUHAU ['yo] interj. — D. i. (1866, *in* T. L. F.); de *hu (hue),* et *hau, ho.*

♦ ⇒ **Hue;** → Claquement, cit. 1.

HUI [ɥi] adv. — V. 980; du lat. *hodie.*

♦ Vx. ⇒ **Aujourd'hui** (I., 1.). *Dès hui.*

Loc. *Ce jour d'hui.*

Ce n'est pas d'hui que ce proverbe court;
On ne l'a fait de mon temps ni du vôtre (...)
Promettre est un, et tenir est un autre.
LA FONTAINE, Ballades, À Mr...

Dr. *D'hui à... :* de ce jour à...

COMP. V. **Aujourd'hui.**
HOM. Huis.

HUILAGE [ɥilaʒ] n. m. — 1838; de *huiler.*

♦ **1.** Action de tremper dans un bain d'huile. *L'huilage des limes, du coton.*

♦ **2.** (1845). Action d'enduire, de frotter d'huile. *L'huilage des machines* (⇒ **Graissage**).

HUILE [ɥil] n. f. — V. 1112, *oile,* var. *olie; uile,* puis *huile* (1260) pour éviter la lecture *vile,* le *u* servant aussi à noter *v* [v]; du lat. *oleum* «huile». → Oléo-.

A. ♦ **1.** Substance grasse*, onctueuse et inflammable, liquide à la température ordinaire et insoluble dans l'eau, d'origine végétale, animale ou minérale. ⇒ **Graisse** (cit. 19). *Huile d'olive. Huile de ricin. Huile de baleine* (→ Article, cit. 17). *Huile de goudron* (cit. 4).

L'expérience a appris qu'on ne doit se servir d'huile d'olive que pour les opérations qui peuvent s'achever en peu de temps ou qui n'exigent pas une grande chaleur, parce que l'ébullition prolongée y développe un goût empyreumatique et désagréable. 1
BRILLAT-SAVARIN, Physiologie du goût, Méditation, VII, 48 (→ Empyreumatique, cit. 1).

(...) je prônerai l'excellence de quelque vieux plat provençal, les vertus de l'ail, la transcendance de l'huile d'olive (...) 2
COLETTE, Prisons et Paradis, p. 51.

Il alla même jusqu'à chiper à sa mère de l'huile de ricin et à en boire à la dérobade pour se punir. 3
ARAGON, les Beaux Quartiers, I, X.

Huiles grasses, huiles animales, huiles végétales, corps gras* saponifiables, à base d'oléine*. ⇒ **Olé(i)-.** — *Huiles végétales alimentaires : huile d'arachide* (1801, *in* D. D. L.), *huile de noix, huile d'olive, huile de tournesol, de lin, d'œillette...* (⇒ **Arachide, coco, coprah, navette, noix, œillette, olive, sésame, soja, tournesol**). *Huiles industrielles* (⇒ **Cameline, colza, coton, lin, madi, palme**). *Huiles médicinales.* ⇒ **Amande** (amère, douce), **cade, croton, ricin.** *Palmier à huile.* ⇒ **Éléis.** *Graines, pulpes dont on tire des huiles végétales.* ⇒ **Oléagineux; émulsif.** *Défruiter de l'huile d'olive. Extraction des huiles par pression et épuisement, par dissolvant* (⇒ **Huilerie; tourteau**). *Moulin** (⇒ **Oliverie**), *pressoir à huile.* — *Huiles animales industrielles; huile de baleine, de phoque, huile de pied de bœuf, huile de poisson. Huiles* (de bœuf, de mouton) *médicinales.* — (1836). *Huile de foie* de morue.* — (1831). *Huile de ricin**, utilisée comme laxatif. — *Utilisation des huiles grasses, dans les industries de conserves alimentaires et de saponification, pour la préparation des matières plastiques, des peintures et des vernis** (huiles siccatives), *le travail du cuir, en pharmacie* (⇒ **Cérat, embrocation, émulsion, friction**), *parfumerie* (⇒ **Brillantine, cold-cream, cosmétique, musc, rosat**).

Les huiles végétales sont extraites : 1° De la chair ou pulpe de certains fruits, ceux-ci sont toujours des fruits à noyaux ou drupes telle la drupe de l'olivier ou olive et celle du palmier à huile; 2° Des graines d'un grand nombre de végétaux supérieurs. Les fruits à huile sont rares; l'olive est restée pendant une longue suite de siècles à peu près le seul fruit de ce genre (...) la famille des Palmiers compte un assez grand nombre d'espèces (...) Une seule d'entre elles, le palmier à huile ou palmier Éléide est exploitée par l'homme pour produire une huile de pulpe. 4
Émile ANDRÉ, les Corps gras, p. 42.

5 Il n'existe pas de procédés généraux pour extraire les huiles animales, car on ne les tire pas toutes des mêmes organes. P. POIRÉ, Dict. des sciences, art. *Huile.*

Huiles minérales : hydrocarbures liquides. — (1857, *Année sc. et industr.* 1858, p. 223). *Huiles lourdes :* hydrocarbures distillant à haute température (⇒ **Gas-oil**). *Huile de schiste; huile sulfureuse* (⇒ **Ichtyol**). *Huile minérale brute* ou *huile de naphte.* ⇒ **Pétrole.** *Huiles de goudrons de bois* (⇒ **Créosote**), *de goudrons de houille. Huiles légères* (⇒ **Benzène**; → Extraire, cit. 11), *huiles phénoliques**. *Huiles anthracéniques. Huile de pétrole,* tirée du pétrole et de ses dérivés (⇒ **Fuel-oil, gas-oil, mazout**). *Huile lampante**. *Huiles de graissage* (cit. 4) *classées selon leur indice de viscosité* (épaisses, fluides, extra-fluides). ⇒ **S.A.E.** *Huiles de vidange**. *Huile de paraffine**, *de vaseline**. — Vx. *Huile détonante.* ⇒ **Nitroglycérine.** — *Emploi des huiles minérales pour l'éclairage, le chauffage industriel et domestique, comme combustibles dans les moteurs à explosion ou à combustion interne* (moteur Diesel à *huile lourde*), *comme lubrifiants** (⇒ **Graissage; cambouis**), *et comme insecticides.* — REM. Au Québec (loc. critiquée; angl. *oil*), *huile de chauffage, huile de, à fournaise :* **mazout.**

6 L'huile anthracénique a été, durant les hostilités, à la base de l'industrie des *lubrifiants de remplacement.* Maintenant que les produits pétroliers sont largement utilisés, la fabrication des huiles de graissage, depuis les huiles de houille, peu abondantes et plus chères, n'offre plus d'autre intérêt que d'économiser des devises. Jean BECK, le Goudron de houille, p. 51.

Absolt et vx. *L'huile :* le pétrole, les hydrocarbures naturels.

6.1 On sait que le sol de l'Asie centrale est comme une éponge imprégnée de carbures d'hydrogène liquides. Au port de Bakou, sur la frontière persane, à la presqu'île d'Apchéron, sur la Caspienne, dans l'Asie Mineure, en Chine, dans le Youg-Hyan, dans le Birman, les sources d'huiles minérales sourdent par milliers à la surface des terrains. C'est le « pays de l'huile », semblable à celui qui porte maintenant ce nom dans le Nord-Amérique. J. VERNE, Michel Strogoff, p. 435.

REM. Cet emploi semble ici être un calque de l'angl. *oil* (*oil country* « pays du pétrole »).

♦ **2.** (Qualifié : adj. ou *de* et subst.). Produit obtenu par macération ou décoction de substances végétales ou animales dans de l'huile fine. *Huile de camomille**, *de jusquiame. Huile camphrée** (→ Hasarder, cit. 9), *huile goménolée**, *iodée, phosphorée**. — *Huile de roses**. *Huiles aromatiques* (→ Étoile, cit. 30). *Athlètes antiques oints** *d'huiles parfumées* (→ Badigeonner, cit. 2). — *Huile solaire,* pour protéger la peau de l'action du soleil et faire bronzer (→ Huiler, cit. 3).

7 (...) j'ai découvert une essence pour faire pousser les cheveux, une *Huile Comagène!* Livingston m'a posé là-bas une presse hydraulique pour fabriquer mon huile avec des noisettes qui, sous cette forte pression, rendront aussitôt toute leur huile (...) Voilà trois mois que le succès de l'*Huile de Macassar* m'empêche de dormir. BALZAC, César Birotteau, Pl., t. V, p. 333.

Huiles essentielles, huiles volatiles, obtenues par distillation de substances aromatiques contenues dans diverses plantes. ⇒ **Essence** (II.), **oléolat.** *Huile d'aspic* (cit. 6), *de bouleau* (⇒ **Dioggot**), *de cajeput, de cardamome, de citron* (cit. 1), *d'eucalyptus* (⇒ **Eucalyptol**), *de fleurs d'oranger* (⇒ **Néroli**), *de rose.*

8 L'huile essentielle du jus d'oignon s'oppose complètement à la formation de la levure de bière : elle paraît nuire également aux infusions. PASTEUR, cité par Henri MONDOR, Pasteur, IV.

♦ **3.** Cour. **a** Absolt. Huile (1.) combustible ou servant de lubrifiant. *Bouteille, jarre, tonneau d'huile. Bidon à huile.* ⇒ **Estagnon.** *Burette** *à huile. Tache d'huile. Lampe à huile* (⇒ **Quinquet**). — Loc. *Le temps des lampes à huile. Veilleuse à huile* (→ Fil, cit. 27). *Lampe qui s'éteint* (cit. 35) *faute d'huile. Huile qui se fige* (→ Geler, cit. 7). *Congélation de l'huile.* — Loc. *Huile bouillante,* servant de projectile (→ Forteresse, cit. 1) ou pour infliger des supplices (→ ci-dessous, cit. 11). — *Grésillement* (cit. 1) *de l'huile. Bistouris* (cit. 1) *graissés à l'huile.*

9 Vous savez bien, Monsieur, qu'un des devants de mon pourpoint est couvert d'une grande tache de l'huile de la lampe. MOLIÈRE, l'Avare, III, 1.

10 (...) je me dépouillai de mes habits : on fit couler des flots d'huile douce et luisante sur tous les membres de mon corps; et je me mêlai parmi les combattants. FÉNELON, Télémaque, V.

11 On lui versa du plomb fondu avec de la poix-résine et de l'huile bouillante sur toutes ses plaies. Ces supplices réitérés lui arrachaient les plus affreux hurlements. VOLTAIRE, Hist. du parlement de Paris, LXVII.

12 Je consommais plus d'huile que de pain : la lumière qui m'éclairait pendant ces nuits obstinées me coûtait plus cher que ma nourriture. BALZAC, la Messe de l'athée, Pl., t. II, p. 1158.

13 Ils faisaient aussi des guérisons, soit par l'imposition des mains, soit par l'onction de l'huile, l'un des procédés fondamentaux de la médecine orientale. RENAN, Vie de Jésus, XVIII, Œuvres, t. IV, p. 269.

Spécialt, mod. Huile servant de lubrifiant, notamment pour les moteurs, les machines. → Articulation, cit. 3. *Faire le plein d'huile.* → Halte, cit. 3. *Vérifier le niveau d'huile. Indice de viscosité d'une huile. Huile toutes températures. Bidon, burette d'huile.*

14 Il en était venu à proposer aux pétroliers la combinaison suivante : ils fabriqueraient pour lui une huile, non pas vraiment spéciale, mais d'une viscosité un peu autre que celle de l'huile courante; ils la logeraient dans des bidons de forme particulière (...) J. ROMAINS, les Hommes de bonne volonté, XVI, t. I, p. 167.

b (1560). Absolt ou dans des syntagmes ne spécifiant pas la nature de l'huile (→ ci-dessus, 1. : Huile d'olive, etc.). Huile comestible ou entrant dans une préparation culinaire. → Beurre* de Marseille (régional). *Huile de table,* à consommer froide (salades, etc.). *Huile à friture**. *De l'excellente huile* (→ Beurre, cit. 2). *Huile vierge,* obtenue après premier pressurage des olives. *Huile fruitée, surfine. Huile rance.* — *Cuisine à l'huile. Assaisonner** *une salade avec de l'huile et du vinaigre.* ⇒ **Vinaigrette.** *Pommes à l'huile. Manger des artichauts à l'huile. Sauces froides à l'huile.* ⇒ **Mayonnaise, rémoulade.**

Ils nous rapportaient toujours, pour le repas de midi, quelques crabes ou quelques anguilles de mer (...) La mère les faisait frire dans l'huile des oliviers. 15
LAMARTINE, les Confidences, VIII, I.

Ensuite viennent les poulets à l'huile, car le beurre est une chose inconnue en Espagne (...) Th. GAUTIER, Voyage en Espagne, p. 12. 16

Il fait observer que son estomac ne digère pas l'ail et que son médecin lui interdit la cuisine à l'huile. COLETTE, Prisons et Paradis, p. 51. 17

Sardines à l'huile; thon à l'huile : conserves de sardines, de thon, dans l'huile (opposé à : *au naturel, à la tomate,* etc.).

♦ **4.** Absolt. **a** Mélange d'huile (de lin, d'œillette) et d'une matière colorante. — (Dans *à l'huile*). *Peindre à l'huile. Étude* (cit. 46), *portrait à l'huile.* — (1847, Delacroix). *Peinture à l'huile* (→ Azur, cit. 1; gouache, cit. 1).

Le mat de la détrempe ou de la fresque ne peut montrer que les colorations. L'huile sait reproduire toutes les combinaisons par lesquelles la lumière jouant sur les volumes permet de discerner ce qui les constitue. En empâtement, l'huile imite les matières opaques et réfléchissantes; elle est assez grasse pour se prêter aux caprices du pinceau et devenir à souhait rugueuse ou lisse, calme ou agitée. En glacis, elle se laisse pénétrer à des profondeurs variables et traduit les matières translucides où le rayon, au lieu de rebondir, s'infiltre et se réfracte. Ainsi toute la gamme qui peut s'offrir à l'œil devient susceptible d'être rendue. La totalité de la perception optique se rend sans conditions. 18
René HUYGHE, Dialogue avec le visible, p. 139-140.

*Enduit***à l'huile* (huile de lin et céruse*). *Vernis à l'huile* (huile de lin et résine).

b (Fin XIXe). *L'huile :* la peinture à l'huile. *L'huile a détrôné la détrempe* (→ 1. Détrempe, cit.) *dès le XVe siècle.* — *Une huile :* un tableau peint à l'huile (opposé à *une aquarelle, une gouache*). *Embu** *qui dépare une huile.*

♦ **5.** (XVIIe; *saint huile* « extrême onction », XVIe). Liturgie *Huile sainte :* huile à onction utilisée pour sacrer les rois dans les religions juive et chrétienne.

Samuel prit donc la corne d'huile *qu'il avait apportée,* et le sacra *(David)* au milieu de ses frères. BIBLE (SACY), les Rois, I, XVI, 13. 19

(...) Joas vient d'être couronné. 20
Le grand prêtre a sur lui répandu l'huile sainte. RACINE, Athalie, V, 1.

Charles VII fut oint par l'archevêque de l'huile de la Sainte-Ampoule qu'on apporta de Saint-Rémy. MICHELET, Hist. de France, X, III. 21

Liturgie romaine. Vx. *L'huile sainte, sacrée.* ⇒ **Chrême, extrême-onction** (cit. 2).

Elle demande d'elle-même les sacrements de l'Église (...) la sainte Onction des mourants avec un pieux empressement (...) on lui voit paisiblement présenter son corps à cette huile sacrée (...) 22
BOSSUET, Oraison funèbre de Henriette d'Angleterre.

Mod. (au plur.). *Les saintes huiles* (→ Dais, cit. 5). *Les burettes qui contiennent les saintes huiles.*

B. ♦ **1.** Loc. compar. ou fig. **a** (Par allus. à la fluidité, à l'onctuosité de l'huile). *Doux comme de l'huile* (→ Absinthe, cit. 1). *Couler comme de l'huile.*

(...) on voyait la foule couler comme une huile et s'arrêter soudain, contenue par d'invisibles parois. C'est ainsi que s'aligna la compagnie. 23
G. DUHAMEL, Récits des temps de guerre, V, La Belle-Étoile.

... D'HUILE. Loc. *Mer d'huile,* très calme, sans vagues (comme une nappe d'huile).

Un jour, nous partîmes de la Margellina par une mer d'huile, que ne ridait aucun souffle (...) LAMARTINE, Graziella, I, Épisode VII. 24

Tache d'huile : ce qui se propage, gagne du terrain de manière insensible mais continue. *Politique de la tache d'huile. Faire tache d'huile. Idée qui fait tache d'huile.* → Faire boule* de neige.

Je flétris tout ce que je touche; ainsi que la tache d'huile, la flétrissure s'étend, et elle gagne de proche en proche et de génération en génération. 25
BALZAC, Souvenirs d'un paria, I, Œuvres diverses, t. I, p. 220.

Partant de ces centres il rayonne de tribu en tribu, fait la politique de la tache d'huile, gagne de proche en proche et après de longs efforts réduit la dissidence à n'être plus qu'une frange mince. A. MAUROIS, Un art de vivre, III, 1. 26

b Loc. prov. (allus. à *l'huile d'éclairage,* anciennt). *Il n'y a plus d'huile dans la lampe* (fam.), se dit d'une personne qui s'éteint (cit. 4) de vieillesse, d'épuisement. — *La dernière goutte d'huile :* le dernier souffle de vie.

Ses médecins disent (...) que (...) elle *(Mme de La Fayette)* pourrait être du nombre de ceux qui traînent leur misérable vie jusqu'à la dernière goutte d'huile. 27
Mme DE SÉVIGNÉ, Lettres, 623, 9 juil. 1677.

Loc. vieillie. *Sentir l'huile :* porter la marque de longs et laborieux efforts (par allus. aux nombreuses veilles qu'il semble en avoir coûté à son auteur). *Cet ouvrage sent l'huile.*

Nous disons d'aucuns ouvrages qu'ils puent l'huile et la lampe, pour certaine âpreté et rudesse que le travail imprime en ceux où il a grande part. 28
MONTAIGNE, Essais, I, X.

Quand un ouvrage sent la lime, c'est qu'il n'est pas assez poli; s'il sent l'huile, c'est qu'on a trop peu veillé. Joseph JOUBERT, Pensées, XXIII, XLIX. 29

c (Allus. aux propriétés lubrifiantes). Vieilli. *Mettre de l'huile dans les rouages.* ⇒ **Huiler** (les rouages). — *Mettre, verser de l'huile sur* *les plaies de quelqu'un,* l'apaiser*. → Verser un baume* sur une blessure.

0 (...) c'est par des insinuations perfides qu'il *(Chateaubriand)* invite à la concorde : il dit qu'il faut verser de l'huile sur les plaies, pendant que sa main y répand des poisons. SAINTE-BEUVE, Chateaubriand, t. II, p. 336.

Fam. *Dans l'huile :* avec une grande aisance. *« La première* (représentation) *s'est déroulée dans l'huile et sans la moindre anicroche »* (*le Monde,* 21 mars 1954, *in* P. Gilbert). — *Baigner dans l'huile :* se dérouler parfaitement. *Tout baigne dans l'huile.* ⇒ **Baigner** (II., 1.)

d (Allus. au caractère combustible de l'huile). *Jeter de l'huile, une goutte* (cit. 11) *d'huile sur le feu.* ⇒ **Attiser, envenimer, exciter; dispute** (inciter à, pousser à la dispute).

1 Vos paroles sont tranchantes, et mettent de l'huile dans le feu. Mme DE SÉVIGNÉ, Lettres, 345, 13 nov. 1673.

2 Le goût que Lucile m'avait inspiré pour la poésie fut de l'huile jetée sur le feu. Mes sentiments prirent un nouveau degré de force (...) CHATEAUBRIAND, Mémoires d'outre-tombe, t. I, p. 123.

3 Mais ces difficultés, loin d'abattre mon désir, furent comme de l'huile sur le feu. BAUDELAIRE, Trad. E. POE, « Les aventures d'A. G. Pym », II.

e Fam. *Huile de bras, de coude*, de poignet.* ⇒ **Force.** *Il n'épargne pas l'huile de bras. — Huile de cotret*.*

4 Dites-donc, madame Coupeau! cria Virginie qui suivait le travail de la laveuse (...) vous laissez de la crasse, là-bas, dans ce coin. Frottez-moi donc un peu mieux ça! — Gervaise obéit (...) — Plus on met de l'huile de coude, plus ça reluit, dit sentencieusement Lantier (...) ZOLA, l'Assommoir, II, p. 186.

4.1 Mais après tout ce genre de sport ne demandait ni génie ni originalité, n'exigeait qu'un peu d'huile de rotule rien de quoi se vanter. R. QUENEAU, Loin de Rueil, p. 64.

♦ **2.** (1887; *nager dans les huiles* « être en relation avec des personnages influents »). Fig. Fam. *Les huiles :* personnages importants, autorités (⇒ **Légume**); spécialt, officiers supérieurs. — Au sing. *Une huile.*

5 (...) ne restez pas ici. Vous comptez pour zéro à l'hôpital. Tout le monde, dans les huiles, est contre vous. MONTHERLANT, les Célibataires, II.

6 Le père est un grand manitou dans les chemins de fer... C'est une huile (...) CÉLINE, Voyage au bout de la nuit, p. 102.

7 Hier, « inspection » de la clinique par une « Commission ». Toutes *les huiles* de la région. MARTIN DU GARD, les Thibault, t. IX, p. 182.

DÉR. Huiler, huilerie, huileux, 1. huilier, 2. huilier.

HUILER [ɥile] v.

— XIVe, *huyler* (les plaies); *s'huyler* « se frotter d'huile », 1488; *huiler* « assaisonner avec de l'huile », 1546; de *huile.*

♦ **1.** Frotter*, oindre avec de l'huile. ⇒ **Graisser, lubrifier.** *Huiler une serrure, des gonds* (cit. 3), *des pièces d'horlogerie. Huiler les rouages d'une machine pour faciliter le glissement*, éviter le grippage*. S'huiler la peau à l'huile d'amandes douces.* — Au p. p. *Cuir huilé, papier huilé,* enduit d'une huile qui l'imperméabilise. *Étoffe, soie huilée.* — Pron. *S'huiler avant un bain de soleil* (→ ci-dessous, cit. 3).

(...) il nous restera quelques précautions à prendre contre le bruit de la porte et de la serrure (...) Vous trouverez, sous la même armoire où j'avais mis votre papier, de l'huile et une plume. Vous allez quelquefois chez vous à des heures où vous êtes seule : il faut en profiter pour huiler la serrure et les gonds. LACLOS, les Liaisons dangereuses, Lettre LXXXIV.

Les portes d'acajou massif tournent sans bruit,
Leurs serrures étant, comme leurs gonds, huilées.
VERLAINE, Poèmes saturniens, « Mort de Philippe II ».

(...) les journaux qui (...) renient cyniquement ce qu'en juillet ils prônèrent. Où elle lisait en juin : « Huilez-vous, Mesdames! Hors de l'huile point de salut! », la petite dame sans nez voit que l'usage de l'huile a néfastement obstrué les pores, tous les pores de toute sa peau. COLETTE, Belles Saisons, p. 37.

(...) deux cents ans auparavant, pendant les grandes pestes du Midi, les médecins revêtaient des étoffes huilées pour leur propre préservation. CAMUS, la Peste, p. 255.

Par compar. (→ ci-dessous, cit. 5) ou par métaphore. Au p. p. Dont la surface est lisse ou humide et grasse. ⇒ **Huileux** (3.).

(...) des cloches d'un airain gras, comme huilé, qui absorbait, sans les réfracter, les rayons du jour. HUYSMANS, Là-bas, III.

Jaurès répond à Clemenceau. Il s'essuie le front dès le début. Son lorgnon glisse sur son front huilé par la sueur. M. BARRÈS, Cahiers, 19 juin 1906, t. V, p. 34.

Par métaphore. *Bien huilé :* dont le fonctionnement est parfait. *Un régime politique aux mécanismes bien huilés.*

.1 (...) la grosse mécanique bien huilée qu'aucun de ces désastres nationaux, dont ils furent les auteurs, durant les dernières années, n'a arrêtée ni même troublée dans son fonctionnement. F. MAURIAC, Bloc-notes 1952-1957, p. 141.

Loc. *Huiler les rouages* (→ Adoucir*, arrondir* les angles).

Dans son esprit timoré, il craignait qu'il n'emportât de toutes ces discussions un souvenir un peu aigre. Il tint à huiler les rouages. Pierre BENOIT, Mlle de la Ferté, III, p. 184.

♦ **2.** (1546). Rare, sauf au p. p. Assaisonner avec de l'huile. *La salade est trop huilée, mets un peu plus de vinaigre.*

♦ **3.** V. intr. (1771). Agric. *Plante qui huile :* plante malade (de la maladie dite *huilure*), qui suinte un liquide gras.

▶ **HUILÉ, ÉE** p. p. adj. Voir à l'article, ci-dessus (cit. 2, 4, 5 et 6).

CONTR. Sécher. — (Du p. p.) Sec.
DÉR. Huilage.

HUILERIE [ɥilʀi] n. f.

— 1547; de *huile.* Technique.

♦ **1.** Anciennt. Moulin à huile. — Mod. Usine où l'on fabrique les huiles (→ Avoir, cit. 3). *Les huileries de Marseille.*

♦ **2.** Commerce des huiles. *S'enrichir dans l'huilerie.*

♦ **3.** Industrie de la fabrication des huiles végétales. *Les différentes opérations d'huilerie* (broyage, concassage, pressurage, hydrogénation...).

HUILEUSEMENT [ɥiløzmɑ̃] adv.

— 1905, *in* T. L. F.; de *huileux.*

♦ Rare. De manière huileuse.

HUILEUX, EUSE [ɥilø, øz] adj.

— 1538 (1474, selon Bloch et Wartburg); de *huile.*

♦ **1.** Rare. Qui est de la nature de l'huile; qui en contient. *Liquide huileux. Substance huileuse.*

Le pain de pur froment, les olives huileuses (...) 1
André CHÉNIER, Bucoliques, « L'aveugle ».

Formé par l'huile, par un liquide gras. *Des taches huileuses* (syn. : *tache d'huile*).

(...) le fusil dont la culasse graisseuse avait marqué le rebord du siège (...) d'un rond huileux, gris jaune (...) Claude SIMON, le Palace, 10/18, p. 83. 1.1

Pharm. *Médicament injectable en solution huileuse.*

♦ **2.** Qui évoque l'huile par son aspect ou sa consistance. ⇒ **Onctueux, visqueux.** *Sirop huileux. Mer huileuse* (→ Bitume, cit. 1).

Cette respiration calme de la mer faisait naître et disparaître des reflets huileux à la surface des eaux. CAMUS, la Peste, p. 277. 2

♦ **3.** Qui est ou semble frotté, imbibé d'huile. ⇒ **Graisseux, gras.** *Cheveux huileux. Peau huileuse.*

Le premier président, qui était veuf, n'avait que deux filles. Elles étaient riches, et (...) l'une était noire, huileuse et laide à effrayer (...) 3
SAINT-SIMON, Mémoires, IV, XXXIX.

Un singulier personnage, mon voisin de gauche : huileux, râpé, luisant, avec un grand front chauve et une longue barbe où couraient toujours quelques fils de vermicelle. Alphonse DAUDET, le Petit Chose, II, VIII. 4

DÉR. Huileusement.

1. HUILIER [ɥilje] n. m.

— 1260; de *huile.*

★ **I.** Rare. Fabricant, marchand d'huile.

★ **II.** (1693). Cour. Ustensile de table contenant deux burettes pour l'huile et le vinaigre.

(...) elle l'aida complaisamment à déballer et ranger les louches, les cuillers à ragoût, les couverts, les huiliers, les saucières, plusieurs plats, des déjeuners en vermeil (...) BALZAC, le Père Goriot, Pl., t. II, p. 861.

HOM. 2. Huilier; forme du v. huiler.

2. HUILIER, IÈRE [ɥilje, jɛʀ] adj.

— 1867, in *Année sc. et industr.* 1868, p. 352; cf. en moy. franç. *poisson huilier,* 1490; de *huile.*

♦ Qui a rapport à la fabrication des huiles. *Industrie huilière :* huilerie.

HOM. 1. Huilier; forme du v. huiler.

HUIPIL ['ɥipil] n. m.

— D. i. (attesté mil. XXe); mot indien du Mexique.

♦ Vêtement porté par les Indiens du Mexique, du Guatemala.

Nous avons débarqué un jeudi au milieu du marché de Chichicastenango (...) des femmes vêtues de corsages brodés et de jupes chatoyantes vendaient des graines, des farines, des pains (...) et des kilomètres d'étoffes aux couleurs de vitrail et de céramique (...) Les plus merveilleuses de toutes ces merveilles, c'étaient les très vieux huipils que portaient certaines paysannes. Je montrai à Lewis une de ces blouses aux broderies antiques où le bleu de Chartres se fondait tendrement avec des rouges et des ors éteints (...) S. DE BEAUVOIR, les Mandarins, p. 431.

HUIS [ɥi] n. m.

— V. 1050, *us;* du bas lat. *ustium,* lat. class. *ostium* « porte »; l'*h* pour éviter la lecture [vis], le *u* initial servant aussi à noter *v* [v].

♦ **1.** (Déjà au XVIIe). Vx ou littér. Porte* (d'une maison). *Ouvrir, fermer l'huis. Gratter* (cit. 18) *à l'huis de qqn.* — Blason. *Bris d'huis :* pièce de fer soutenant une porte sur son pivot.

On frappe à l'huis. Le logis aux verrous 1
Était fermé; la femme à la fenêtre
Court en disant : Celui-là frappe en maître!
Serait-ce point par malheur mon époux? LA FONTAINE, Contes, « Les Rémois ».

Il ouvrit brusquement l'huis garni de ferrures, et surprit le comte de Saint-Vallier aux écoutes. BALZAC, Maître Cornélius, Pl., t. IX, p. 940. 2

(Le vent) pour qui nul huis n'est clos (...) COLETTE, la Naissance du jour, p. 26. 3

Littéraire. Archaïsme plaisant :

Il donne des coups de pieds dans l'huis, des coups d'épaule, et finalement chevillette et gonds cèdent, la porte décrit une trajectoire de quatre-vingt-dix degrés (...) R. QUENEAU, les Fleurs bleues, p. 135. 3.1

♦ **2.** (1549). Loc. mod. **À HUIS CLOS :** toutes portes fermées. — Par ext. En petit comité. ⇒ **Secrètement ;** → Bouc, cit. 3.

4 Sortez, canaille, je vous chasse ! dit le général en lui donnant des coups de cravache que le régisseur a toujours niés, les ayant reçus à huis clos.
BALZAC, les Paysans, Pl., t. VIII, p. 100.

5 Les étudiants et les soldats huguenots, pour qui la journée n'est pas finie, passent tout simplement du dehors dans l'intérieur des cabarets, afin d'y continuer à huis clos leurs libations et leurs jeux.
Th. GAUTIER, Souvenirs de théâtre..., p. 82.

5.1 L'idée de construire un drame très bref tenta Sartre. Il pensa tout de suite à une situation à huit clos : des gens murés dans une cave pendant un long bombardement (...)
S. DE BEAUVOIR, la Force de l'âge, p. 568.

Dr. Sans que le public soit admis. *Juger, délibérer à huis clos. Audience à huis clos.*

6 (...) chacun n'a-t-il sa manie ? — Et celle de monsieur est de ne plaider qu'à huis clos.
BEAUMARCHAIS, la Mère coupable, IV, 2.

7 Les plaidoiries seront publiques, excepté dans le cas où la loi ordonne qu'elles seront secrètes. Pourra cependant le tribunal ordonner qu'elles se feront à huis clos, si la discussion publique devait entraîner ou scandale ou des inconvénients graves (...)
Code de procédure civile, art. 87.

N. m. (1835). Dr. *Le huis-clos* (opposé à *publicité*, I., 1.). *Demander, obtenir le huis clos. — Huis-clos,* pièce de Sartre.

8 Les demandes reconventionnelles en divorce peuvent être introduites par un simple acte de conclusions. Les tribunaux peuvent ordonner le huis-clos.
Code civil, art. 239.

DÉR. Huisserie, huissier.
HOM. Hui.

HUISSERIE [ɥisʀi] n. f. — 1260 ; *uisserie,* en judéo-français, déb. XIIe ; *oiseries,* v. 1160 ; de *huis.*

♦ **1.** Vx. Porte.

1 Depuis un moment, le jour d'une croisée de l'autre salle qui éclairait le dessous de l'huisserie lui avait permis de voir l'ombre des pieds d'un curieux projetée dans sa chambre.
BALZAC, Maître Cornélius, Pl., t. IX, p. 940.

♦ **2.** Techn. Bâti formant l'encadrement d'une porte, d'une fenêtre. *Huisserie en bois, huisserie métallique. Entreprise chargée des huisseries sur un chantier de construction.* — Collectif. *L'huisserie d'un immeuble.*

2 (...) elle se contenta de crier, par la baie d'une grande porte béante, sans huisserie ni vantaux.
ZOLA, Rome, p. 329.

HUISSIER [ɥisje] n. m. — 1320 ; *ussier,* v. 1140 ; « fabricant de portes et fenêtres », 1260 ; « navire de transport à grande porte située à la poupe », 1188 ; de *huis.*

★ **I.** ♦ **1.** Vx. Gardien d'une porte, d'une entrée. ⇒ **Portier.** — REM. On a dit *huissière* au fém. dans ce sens. — Figuré :

1 Deux portes sont au cœur ; chacune a sa valvule.
Le sang, source de vie, est par l'une introduit ;
L'autre huissière permet qu'il sorte (...)
LA FONTAINE, Quinquina, I.

2 Le Hadjeb de l'Empire, huissier du seuil auguste,
Qui tient le sceau, l'épée et le sceptre (...)
LECONTE DE LISLE, Poèmes tragiques, « Apothéose de Mouça-al-Kébyr ».

♦ **2.** [a] Hist. Officier dont la principale charge était d'ouvrir et de fermer une porte. *Huissier de la chambre du roi.*

[b] Mod. Celui qui a pour métier d'accueillir, d'annoncer et d'introduire les visiteurs (dans un ministère, une administration). ⇒ **Gardien, introducteur.** *Huissier en uniforme* (→ Cagibi, cit. 1). *Chaîne d'huissier. Table, bureau d'huissier. Donner son nom, le motif de sa visite à l'huissier. L'huissier le fit attendre dans l'antichambre* (cit. 4), *ouvrit la porte* (→ Cannelure, cit. 2). *Les huissiers d'un ministère.*

3 (...) il avait été convenu que le docteur viendrait régulièrement au ministère (...) Plusieurs personnes attendaient audience dans la galerie et dans le petit salon voisin. Mais l'huissier connaissait le docteur, et il l'introduisit par une porte de service.
MARTIN DU GARD, les Thibault, t. VII, p. 87.

Dr. *Huissier audiencier* ou *huissier-audiencier :* « huissier qui introduit le tribunal dans la salle d'audience, fait l'appel des causes et assure la police de l'audience » (Capitant). *« (...) les huissiers-audienciers du tribunal de police. À Paris, ils sont une trentaine »* (*le Nouvel Obs.,* 2 févr. 1981, p. 41).

★ **II.** (1320). ♦ **1.** Celui qui est préposé au service de certains corps, de certaines assemblées. *Les huissiers du Palais-Bourbon. Huissiers d'un institut, d'une faculté.* ⇒ **Appariteur.**

4 Un huissier du Parlement les attend *(les pairs)* au débouché de la séance, et, son bonnet à la main, marche devant eux, et leur fait faire place jusque par delà la grand salle (...) Les présidents trouvent deux huissiers au sortir du parquet, qui marchent devant eux et leur font faire place jusque près de la Sainte-Chapelle, frappant de leurs baguettes, en traversant la grand salle, sur les boutiques.
SAINT-SIMON, Mémoires, IV, XXXI.

5 La beauté des grandes séances *(de la chambre des députés)* est accessible à tout le monde.
L'huissier passe dans les couloirs : « En séance, Messieurs, en séance ». Qu'y a-t-il donc ? M. Deschanel vient de monter à la tribune.
M. BARRÈS, Cahiers, 21 juin 1906, t. V, p. 39.

♦ **2.** (XVIe). Officier ministériel chargé de signifier les actes de procédure et de mettre à exécution les décisions de justice et les actes authentiques ayant force exécutoire (ainsi nommé à cause des fonctions de l'huissier audiencier). *De nos jours, les huissiers sont nommés par le Premier ministre sur la proposition du ministre de la Justice et la présentation d'un titulaire ; ils ne peuvent instrumenter* que dans leur arrondissement* (⇒ **Immatricule**). *Étude de Maître Un Tel, huissier. Clerc* d'huissier. Acte d'huissier.* ⇒ **Assignation, commandement, constat, exploit** (cit. 8), **procès-verbal, protêt, saisie, signification, sommation ;** → aussi Authentique, cit. 4 ; copie, cit. 4 ; exproprier, cit. 3. *Citation signifiée par huissier, par ministère d'huissier* (→ Commettre, cit. 8). — Anciennt. *Huissier à verge* :* sergent royal au Châtelet (→ Attirer, cit. 14.2). *Huissier à la chaîne.*

(...) M. de Bouillon étant allé à Évreux, son fils y envoya lui signifier un exploit par un huissier à la chaîne, qui sont ceux qui peuvent exploiter indifféremment partout et que chacun qui veut emploie quand on veut faire une signification délicate et forte, parce que ceux-là sont toujours fort respectés et instrumentent avec une grosse chaîne d'or au col, d'où pend une médaille du Roi ; ils sont en même temps huissiers du Conseil, et y servent avec cette chaîne. 6
SAINT-SIMON, Mémoires, I, XXXVIII.

Toutes citations, notifications et significations requises pour l'instruction des procès, ainsi que tous actes et exploits nécessaires pour l'exécution des ordonnances de justice, jugements et arrêts, seront faits concurremment par les huissiers audienciers et les huissiers ordinaires, chacun dans l'étendue du ressort du tribunal civil de première instance de sa résidence, sauf les restrictions portées par les articles suivants. 7
Décret du 14 juin 1813, art. 24.

Mais le lendemain, à midi, elle reçut un protêt ; et la vue du papier timbré, où s'étalait à plusieurs reprises et en gros caractères « Maître Hareng, huissier à Buchy », l'effraya si fort, qu'elle courut en toute hâte chez le marchand d'étoffes. 8
FLAUBERT, Mme Bovary, III, VI.

Après tout, ne payez pas, je m'en fiche, moi ! Je vous enverrai l'huissier. 9
ZOLA, la Terre, IV, III.

HUIT [ɥit] adj. et n. — Fin XIe, *uit ; oit,* v. 1130 ; l'*h* pour éviter la prononc. [vit] ; cf. au XIXe la prononc. pop. [vɥit], ainsi notée chez H. Monnier « ... *et voilà pour mes vuit sous* » (*le Roman chez la portière,* in *Scènes populaires,* t. I, p. 25) ; du lat. *octo.*

★ **I.** ♦ **1.** Adj. numéral cardinal invar. (prononcé [ɥi] devant un nom commençant par une consonne, [ɥit] dans tous les autres cas). Sept plus un. ⇒ **Octo-.** *Huit enfants. Huit kilomètres. Journal qui paraît sur huit pages. Journée* de huit heures. Huit dizaines.* ⇒ **Quatre-vingts, octante** (vx) ; **huitante.** *Strophe de huit vers.* ⇒ **Huitain ;** → Envoi, cit. 2. *Intervalle de huit notes.* ⇒ **Octave.** *Figure à huit côtés, huit angles.* ⇒ **Octaèdre, octogone.**

HUIT JOURS. *Dans huit jours. — D'aujourd'hui* (cit. 13) *en huit :* au huitième jour en comptant aujourd'hui, le même jour de la semaine suivante. ⇒ **Huitaine.** *Ce mardi 4, il lui donne rendez-vous pour jeudi en huit (jeudi 13). Tous les huit jours.* ⇒ **Hebdomadaire.** — *Huit jours :* semaine, bien qu'elle n'ait que sept jours. ⇒ **Semaine ;** → Arrêt, cit. 7 ; arrêter, cit. 57 ; beau, cit. 32 ; foncier, cit. 1. *Voilà des provisions pour huit jours.* — Loc. *Donner ses huit jours à un domestique,* le renvoyer et lui payer une semaine de travail de dédommagement.

Je venais, dit Lucien, vous prier de la part de Coralie. À souper d'aujourd'hui en huit, dit Lucien en continuant. 1
BALZAC, Illusions perdues, Pl., t. IV, p. 757.

Mademoiselle, faites votre malle, et partez tout de suite. Je vous payerai vos huit jours. 2
ZOLA, la Terre, II, VII.

♦ **2.** Adj. numéral ordinal invar. ⇒ **Huitième.** *Se lever à huit heures. Le huit mai,* et, ellipt., *le huit du mois. Tome huit. Henri huit* (VIII). *Huit ou neuvième.*

★ **II.** N. m. invar. [ɥit] même devant une consonne. (XIe). *Le nombre huit. Cinq et trois font huit. Dix-huit* [dizɥit], *vingt-huit* [vɛ̃tɥit]. — (1690). Spécialt. Carte à jouer marquée de huit points. *Le huit de pique. Les quatre huit.*

(Attesté XIXe). Chiffre qui représente ce nombre. *Un huit romain* (VIII), *arabe* (8). — Par ext. Forme du huit arabe. *Les infinis* sont notés par un huit couché* (∞). *Avancer en cercles, en ellipses* (cit. 5), *en huit. Roue de bicyclette en huit après un accident. Ivrogne qui zigzague et fait des huit.*

Un vieux Belge, débraillé, coiffé d'un képi, faisait, avec un arrosoir, des huit sur le dallage poussiéreux. 3
MARTIN DU GARD, les Thibault, L'été 14, XVII.

Un vieux poêle de fonte refroidissait depuis des mois, au milieu des décalques en huit de vieux arrosages. 4
CAMUS, la Peste, p. 128.

(1895, *in* Petiot). Sports. Au patinage, Figure de base en forme de huit. — (1906, *in* Petiot). Aviron. Embarcation de huit rameurs en pointe et un barreur. *Une course à huit. Sélectionner un huit.*

DÉR. Huitain, huitaine, huitième.
COMP. Dix-huit. — Six-huit, trois-huit (mus.). **— Huit-en-huit, huit-reflets, huit-ressorts.**

HUITAIN [ʼɥitɛ̃] n. m. — 1500, *vers huytains ; uitain* « huitième », v. 1160 ; de *huit.*

♦ Didact. Petit poème de huit vers. — Strophe de huit vers.

En ce moment même, des refrains de ballades et des commencements de huitains me remontent en foule à la mémoire.
Jules LEMAÎTRE, Impressions de théâtre, Villon, III, p. 19.

HUITAINE ['ɥitɛn] n. f. — 1437; *huitene,* 1260; de *huit.*

♦ **1.** Ensemble de huit choses, d'environ huit choses de même sorte (⇒ **Octave**). *Une huitaine de jours.*

♦ **2.** Absolt. *Une huitaine :* huit jours, et, par ext., une semaine. *Il part dans une huitaine.* Dr. *La cause a été remise à huitaine. Jugement à huitaine.*

1 (...) l'âge, le malheur, la misère, rien ne trouva grâce devant eux : ils ordonnèrent aux Jésuites de quitter le royaume *sous huitaine* (...)
BALZAC, Hist. des jésuites, Œuvres diverses, t. I, p. 40.

2 (...) le ronron du tribunal appelant, expédiant les causes, le monotone : « À huitaine... à huitaine... » tombant comme un éclair de guillotine (...)
Alphonse DAUDET, l'Immortel, p. 359.

HUITANTAINE ['ɥitɑ̃tɛn] n. f. — D. i.; de *huitante.*

♦ Régional (Suisse, Vaud). Environ quatre-vingts. — Âge d'environ quatre-vingts ans.

HUITANTE ['ɥitɑ̃t] adj. et n. — V. 1140, *oitante;* de *huit.* → Soixante, etc.

♦ Régional (Suisse; officiel dans le Canton de Vaud). Quatre-vingts. ⇒ **Octante.**

À Pailly une vieille fille de huitante-trois ans vivait seule dans une ferme isolée.
Jacques CHESSEX, Portrait des Vaudois, p. 91.

REM. À la différence de *septante* et de *nonante,* ce mot n'est plus usité en Belgique, où il l'a été avant le XIXᵉ s., comme emprunt au wallon *ûtante,* de *ût'* « huit » (un ex. de 1779, in *la Vie wallonne,* t. XLVI, p. 79).

DÉR. Huitantaine, huitantième.

HUITANTIÈME ['ɥitɑ̃tjɛm] adj. — 1606; de *huitante.*

♦ Régional (Suisse, Vaud). Quatre-vingtième.

HUIT-EN-HUIT ['ɥitɑ̃ɥit] n. m. invar. — 1873, *in* P. Larousse; de *huit, en,* et *huit.*

♦ Techn. Papier pour la mise en carte des dessins Jacquard, à grands carrés divisés en soixante-quatre cases (huit horizontalement, huit verticalement).

HUITIÈME ['ɥitjɛm] adj. et n. — V. 1170, *huitiesme;* de *huit.*

★ **I.** Qui succède au septième. ♦ **1.** Adj. numéral ordinal. *La huitième page, le huitième chapitre. Psaume huitième* (→ Approprier, cit. 1). *La huitième paire de nerfs crâniens* ou *huitième nerf crânien.* — Loc. *La huitième merveille du monde,* se dit d'une chose merveilleuse qui paraît pouvoir s'ajouter aux sept merveilles* traditionnelles.

1 Le roi n'avait eu de son premier mariage qu'une fille, qui passait pour la huitième merveille du monde (...) Mᵐᵉ D'AULNOY, Deux Contes de fées, « L'oiseau bleu ».

2 (...) n'en soyez point la dupe *(de ces gens),* et ne vous croyez point sur leur parole la huitième merveille du monde. A. R. LESAGE, Gil Blas, I, II.

♦ **2.** N. (XIIᵉ). *Arriver le, la huitième dans une compétiton. — Élève de la classe de huitième. Entrer en huitième.*

★ **II.** Se dit d'une fraction d'un tout divisé également en huit.

♦ **1.** Adj. *La huitième partie de leur poids* (→ Frayer, cit. 11).

♦ **2.** N. m. (V. 1283). *Un huitième :* la huitième partie. *Le huitième d'une surface. Trois huitièmes.* — (1932, *in* Petiot). Sports. *Huitième de finale*.*

COMP. Huitièmement.

HUITIÈMEMENT ['ɥitjɛmmɑ̃] adv. — 1480, *huytiesmement;* de *huitième.*

♦ En huitième lieu.

HUÎTRE [ɥitʀ] n. f. — 1538; *uistre, oistre,* v. 1270; l'*h* (d'abord *huistre*) pour éviter la lecture [vistʀ, vitʀ]; du lat. *ostrea,* du grec *ostreon.*

♦ **1.** Cour. Mollusque lamellibranche à coquille feuilletée ou rugueuse, comestible ou recherché pour sa sécrétion minérale (nacre, perle [cit. 4]). *Huître qui s'ouvre, baîlle* (cit. 5), *boude* (cit. 3.1). *Huître laiteuse,* pleine d'œufs. *Jeunes huîtres.* ⇒ **Naissain.** *Huître perlière*.* ⇒ **Méléagrine, pintadine.** — *Huîtres comestibles pêchées ou élevées.* ⇒ **Ostréiculture.** *Huîtres de drague,* pêchées. *Huîtres d'élevage. — Huîtres communes, huîtres pied-de-cheval, huîtres portugaises** (ou *gryphées*), *huîtres de pleine mer. Petites huîtres de la Manche.* ⇒ **Perlot.** *Élevage des huîtres dans des parcs* (⇒ **Acul, clayère, parc** [et cit. 4]; **amareyeur, ostréiculteur**) *pour protéger leur croissance et les faire verdir* (⇒ **Claire**). — *Huîtres de claires,* et, absolt, *des fines de claires, des claires. — Désignation des huîtres d'après leur lieu d'élevage : huîtres d'Arcachon, d'Ostende; huîtres de Belon* (⇒ **Belon**), *de Marennes* (⇒ **Marenne**), *de la baie de Cancale* (⇒ **Cancale**). — *Transport des huîtres en bourriches, en cloyères*. Les huîtres se vendent à la douzaine. Ouvrir des huîtres.* ⇒ **Écaillage;** 1. **écailler;** → 2. Écailler; gruger, cit. 1. *Couteau, fourchette à huîtres. Manger, gober des huîtres* (→ Faiseur, cit. 9). *Dégustation d'huîtres. Plateau d'huîtres, d'oursins, de palourdes, de praires.* ⇒ **Fruit** (de mer). *Huîtres consommées crues, au poivre* (⇒ **Mignonnette**), *au citron, à la vinaigrette et aux échalotes* (cit.). *Potage aux huîtres.* (Dans la cuisine chinoise). *Sauce d'huître :* sauce épaisse à base d'extrait d'huîtres et de sauce de soja. *Bœuf, champignons à la sauce d'huître. Huîtres consommées cuites, grillées* (cit. 2). *Huîtres Rockefeller. Huîtres au gratin. Soupe aux huîtres. Mois en R, où l'on peut manger des huîtres. Une douzaine d'huîtres.*

Les huîtres d'Ostende furent apportées, mignonnes et grasses, semblables à de petites oreilles enfermées en des coquilles, et fondant entre le palais et la langue ainsi que des bonbons salés. MAUPASSANT, Bel-Ami, I, V, p. 99. 1

D'un tas d'huîtres vidé d'un panier couvert d'algues
Monte l'odeur du large et la fraîcheur des vagues. 2
Albert SAMAIN, le Chariot d'or, Roses dans la coupe, La cuisine, p. 39.

(...) elle posa sur la table une bouteille de vin blanc et des assiettes garnies d'huîtres rondes et luisantes. — C'est le vin des vignes qui pousse à l'abri des dunes, dit René. Il est âpre, mais convient aux huîtres, comme une goutte de citron. Les huîtres sont meilleures encore à l'aube (...) Ah! la première huître! (...) Il respira voluptueusement, la mâchoire serrée : — N'est-ce pas? quelle fraîcheur! (...) ce fruit salé (...) 3
J. CHARDONNE, les Destinées sentimentales, p. 381.

Les huîtres naissent de la mer. Elles demeurent quelques années dans les parcs sur le rivage, puis elles font un séjour dans les claires où elles prennent leur teinte verte et je crois plus de saveur. Elles doivent ces vertus au mélange de l'eau de mer et de l'eau douce qui suinte des marais, et aussi à une algue inconnue. C'est une culture très simple, mystérieuse, et qui n'a pas changé depuis l'antiquité. 4
J. CHARDONNE, les Destinées sentimentales, p. 378.

L'huître et les plaideurs, fable de La Fontaine (→ Écaille, cit. 11).

Par compar. *Se fermer comme une huître :* se replier sur soi. — Par analogie :

(...) M. Alidor de Boismouchy est une huître dans laquelle il y a une perle... 4.1
E. LABICHE, Deux Merles blancs, II, 6.

♦ **2.** (1894, Courteline). Fam. et vieilli. Personne stupide. → Moule.

Un homme (...) simple d'esprit *(est un) niais* (...) un *béjaune,* un *serin,* une *moule,* une *huître* (...) F. BRUNOT, la Pensée et la Langue, p. 78. 5

DÉR. 1. **Huîtrier,** 2. **huîtrier, huîtrière.**

HUIT-REFLETS ['ɥiʀəflɛ] n. m. invar. — 1907; de *huit,* et *reflet.*

♦ Chapeau* de soie haut de forme très brillant, sur le fond duquel on peut distinguer huit reflets (→ Garder, cit. 36).

Aussitôt qu'il entendit dire que Ribot se présentait à la présidence de la République, mossieur Poincaré se rendit avec son huit-reflets chez Ribot pour un échange de vues. Ils les échangèrent, leurs vues, et puis mossieur Ribot, à son tour, se saisit de son chapeau-claque et se rendit chez Poincaré pour un échange de vues. 1
ARAGON, les Beaux Quartiers, II, VII.

(...) le mot « nickelé », dont la giration de phare ou de porte à tambour jette les mêmes froids éclairs que le stellaire huit-reflets qu'au vrai il m'est égal de n'avoir jamais possédé. Michel LEIRIS, Frêle bruit, p. 225. 2

HUIT-RESSORTS ['ɥiʀəsɔʀ] n. m. invar. — 1866; de *huit,* et *ressort.*

♦ Vx. Voiture à chevaux de luxe, suspendue sur huit ressorts.

(...) il s'installait derrière la glace de ce monocle dans une position aussi hautaine, distante et confortable que si ç'avait été la glace d'un huit-ressorts (...)
PROUST, le Temps retrouvé, Pl., t. III, p. 953.

1. HUÎTRIER [ɥitʀije] n. m. — 1718; de *huître.*

♦ **1.** Rare. Ostréiculteur. *Les huîtriers de Marennes. Les huîtriers belges.* → Huîtrière, cit. 2. — REM. Dans ce sens, le fém. *huîtrière* est virtuel.

♦ **2.** (1770, Buffon). Oiseau échassier *(Charadriidés),* appelé aussi *bécasse* ou *pie de mer,* qui est friand d'huîtres. — On dit souvent *huîtrier-pie.*

On a aussi donné à cet huîtrier ou mangeur d'huîtres le nom de *pie de mer,* non seulement à cause de son plumage noir et blanc, mais encore parce qu'il fait, comme la pie, un bruit ou cri continuel, surtout lorsqu'il est en troupe; ce cri aigre et court est répété sans cesse en repos et en volant.
BUFFON, Hist. nat. des oiseaux, L'huîtrier.

HOM. 2. **Huîtrier.**

2. HUÎTRIER, IÈRE [ɥitʀije, jɛʀ] adj. — 1801, *in* T.L.F.; de *huître.*

♦ Relatif aux huîtres, à leur élevage. *Industrie huîtrière.* ⇒ **Ostréiculture.**

(1857, in *Année sc. et industr.* 1858, p. 9). *Perles huîtrières*, provenant des huîtres.

HOM. 1. **Huîtrier.** — (Du fém.) **Huîtrière.**

HUÎTRIÈRE [ɥitʀijɛʀ] n. f. — 1546, *huistriere; de huître.*

♦ **1.** Banc d'huîtres.

1 Mais ce qui devait être plus utile, ce fut une vaste huîtrière, découverte à mer basse (...)
— Nab n'aura pas perdu sa journée, s'écria Pancroff, en observant le banc d'ostracées qui s'étendait au large. J. VERNE, l'Île mystérieuse, t. I, p. 182.

♦ **2.** (1867). Établissement où se fait l'élevage des huîtres.

2 (...) depuis quelque temps, des Anglais ont imaginé de créer, dans de vieux bateaux, des *huîtrières mobiles*, qu'ils appellent des parcs flottants (...) Sur quoi les *huîtriers* belges ont offert de prouver au ministère que l'huître conservée dans des bateaux était malsaine, maigre et pouvait même causer des empoisonnements.
NERVAL, Notes de voyage, III.

HOM. Fém. de 2. **huîtrier.**

HULA-HOOP ['ulaup] n. m. — 1958; mot anglo-amér., marque déposée; de *hula*, nom d'une danse de Tahiti (1899, *hula hula*), et *hoop* «cerceau», par allus. à la jupe de paille des danseuses de hula (*hula skirt*).

♦ Anglic. Vx. Jeu consistant à faire tourner autour de son corps un cerceau par des mouvements appropriés. *Le hula-hoop fut à la mode aux États-Unis, puis en Europe autour de 1960.*

HULAN ['ylɑ̃] n. m. ⇒ **Uhlan.**

HULOT ['ylo] n. m. ⇒ **Hublot.**

HULOTTE ['ylɔt] n. f. — 1530; de l'anc. franç. *huler* «hurler», v. 1165; du lat. *ululare.*

♦ Oiseau rapace nocturne (*Strigidés* ou *Bubonidés*), scientifiquement appelé *strix*, de la taille d'un corbeau, qui se nourrit principalement d'insectes et de petits rongeurs. ⇒ **Chat-huant, chouette effraie**; → Chevêche, cit. 1. *Cri de la hulotte.* ⇒ **Hôler.**

1 La hulotte (...) est la plus grande de toutes les chouettes (...) c'est son cri *hoû oû oû ou ou ou*, qui ressemble assez au hurlement du loup, qui lui a fait donner par les Latins le nom d'*ulula*, qui vient d'*ululare*, hurler ou crier comme le loup (...)
BUFFON, Hist. nat. des oiseaux, La hulotte.

2 Une hulotte a loué le moulin vide. J. RENARD, Journal, 10 oct. 1903.

HULULEMENT ['ylylmɑ̃] n. m. — 1541; de *hululer.*

♦ Cri des oiseaux de nuit (écrit aussi *ululement*).

Dans nos landes, une noce de métayers en route pour l'église, s'annonce bien avant d'arriver au bourg par un mélopée sauvage, une sorte de hululement qui jaillit du plus noir des époques oubliées. F. MAURIAC, la Province, p. 27.

Var. morphologique : *hululation* ['ylylɑsjɔ̃] ou *ululation* [ylylɑsjɔ̃] n. f.

HULULER ['ylyle] v. intr. — XVe; lat. *ululare.* → Ululer.

♦ Crier, en parlant des oiseaux de nuit. *La chouette hulule.* — On écrit aussi *ululer* (2.).

DÉR. Hululement.

HUM ['œm; hœm] interj. — 1611, Cotgrave, *humhum*; var. *hom**; onomatopée.

♦ Interjection qui exprime généralement le doute, la réticence... *Hum! Cela cache quelque chose. Hum! Nous verrons, nous verrons.* — *Faire «hum!» pour s'affermir* (cit. 1) *la voix.* — N. m. *Un «hum!» dubitatif.*

0.1 (...) pendant un moment il y eut entre eux un échange de mines, de grimaces convenues, des «hé! hé!» des «hum! hum!» toute la pantomime des sous-entendus.
Alphonse DAUDET, Fromont jeune et Risler aîné, p. 182.

1 (...) trois «hum!» sonores tombèrent dans le silence, tels, derrière le rideau baissé, les trois coups de l'avertisseur donnant le signal de la farce.
COURTELINE, Messieurs les ronds-de-cuir, V, II.

2 Barbentane rajustait sa cravate papillon : «... Hum! qu'est-ce que je te disais? ah! oui...» ARAGON, les Beaux Quartiers, II, VII.

HUMAGE ['ymaʒ] n. m. — 1530; de *humer.*

♦ **1.** Rare. Action de humer. *Le humage de vapeurs.*

♦ **2.** Méd. Introduction de gaz et de vapeurs dans les voies respiratoires. *Salle de humage d'un établissement thermal.*

Celui qui se respecte ne saurait verser le muscat, la rèze ou l'humage que dans des gobelets en étain ou en noyer Jean FOLLONIER, les Greniers vides, p. 97.

HUMAGNE ['ymaɲ] n. f. — 1313, *humagny*; orig. incert., p.-ê. du lat. **hylomanea (vitis)* «(vigne) qui pousse tout en bois».

♦ Régional (Suisse). Cépage blanc du Valais central (devenu très rare).

HUMAIN, AINE [ymɛ̃, ɛn] adj. et n. m. — V. 1150; lat. *humanus*, de *homo* «homme».

★ **I.** Adj. ♦ **1.** De l'homme (I.), propre à l'homme. *La nature* humaine* (→ Absurde, cit. 4; essence, cit. 8; gouffre, cit. 12). *Vie humaine* (→ Aguerrir, cit. 2; assimilation, cit. 2; biologie, cit. 2; guerre, cit. 1). *Corps** (cit. 15) *humain, organisme humain* (→ Âme, cit. 25; anthropologie, cit. 2; assemblage, cit. 17; balancement, cit. 6; harmonie, cit. 47). *Chair humaine. Aspect peu humain d'un cadavre* (cit. 4). *Forme, face, figure humaine.* Loc. *N'avoir plus figure* humaine.* — *Sang humain* (→ Bataille, cit. 6; guerre, cit. 36). *Chaleur humaine. Voix humaine* (→ Aubade, cit. 1; et, par métaphore, bramer, cit. 1). *La voix humaine*, texte (monologue) de Cocteau. *Regard*, cri* humain. Les forces humaines. C'est au-dessus des forces humaines. Plus qu'humain.* ⇒ **Surhumain.** *L'âme* humaine. L'esprit** (cit. 42, 43, 46, 47 et 95) *humain. Le cœur* humain* (→ Aspirer, cit. 4; goûter, cit. 5). *Grandeur et misère humaine* (→ Affliction, cit. 5). *Faiblesse humaine. L'énigme humaine. Conscience, raison, sagesse humaine* (→ Abêtir, cit. 2) *La bêtise humaine* (→ Absurdité, cit. 3). *Les passions humaines* (→ Agacer, cit. 6; assigner, cit. 5). *La souffrance humaine* (→ Attendrissement, cit. 6). *Valeur humaine* (→ Assigner, cit. 13). *La dignité humaine. Le moi humain* (→ Amour-propre, cit. 2). *La personne* humaine* (→ Gouvernement, cit. 15).

Loc. *Respect* humain.* — *Choses, œuvres humaines* (→ Ariane, cit.; enjoué, cit. 3). *Un outil* (cit. 2) *humain*, fait par l'homme. *Les objets naturels et les objets humains* (⇒ **Artefact**). — *La destinée*, la condition* humaine. Point de vue humain* (→ Anachronique, cit. 1). *Mesure, échelle humaine* (→ Écrasant, cit. 3). *À l'échelle* humaine. À visage* humain* (peut être compris au sens 2). *Relations humaines* (→ Frontière, cit. 3; grandeur, cit. 30). *Conventions, institutions humaines. Fraternité* (cit. 5) *humaine.* — Spécialt (par oppos. à *divin**). *Moyens, voies humaines. Justice divine et justice humaine* (→ Attribut, cit. 5; contrition, cit. 2).

(...) chaque homme porte la forme entière de l'humaine condition. 1
MONTAIGNE, Essais, III, II.

Ces malheureux, qui, à force de misère, n'ont presque plus figure humaine, cette déplorable armée de fantômes ou de squelettes qui font peur plus que pitié, Loustalot trouve un cœur pour eux, des paroles touchantes et d'une compassion douloureuse. MICHELET, Hist. de la Révolution franç., II, VII. 2

Les uns ont à peine face humaine, les autres sont doués de toutes les finesses de la race. J. CHARDONNE, l'Amour du prochain, VII, p. 171. 3

Rieux n'avait plus devant lui qu'un masque désormais inerte où le sourire avait disparu. Cette forme humaine qui lui avait été si proche (...) brûlée par un mal surhumain (...) CAMUS, la Peste, p. 311. 4

(XIIe). Qui a les caractères de l'homme, qui est l'homme. *«Frères* (cit. 17) *humains...»* (Villon). *Créature humaine* (→ Épancher, cit. 1; grâce, cit. 35). *Animal* (cit. 10) *humain. Bête humaine* : un être humain, en tant qu'il manifeste les instincts, les tendances de l'animal. *La bête humaine*, roman d'É. Zola. — *Être* humain.* ⇒ **Individu, personne**; → Âge, cit. 17; causer, cit. 6; comptable, cit. 3. *Être humain mâle* (⇒ **Homme,** II.), *femelle* (cit. 7; ⇒ **Femme**). *Les êtres humains* (→ Bigarrer, cit. 5; frisson, cit. 34). *Deux êtres humains l'un près de l'autre...* (→ Amarrer, cit. 4). Fig. *«L'immense être humain appelé France»* (→ Affronter, cit. 7, Proust). — REM. *Homme**, au sens I, est souvent remplacé par *être humain* dont l'emploi supprime toute confusion avec *homme* au sens II (mâle).

(...) par les quais coulait un fleuve d'êtres humains se dirigeant vers le Nil. 5
Th. GAUTIER, le Roman de la momie (1858), II (→ Barioler, cit. 2).

(...) depuis qu'il la possédait, la pensée du meurtre ne l'avait plus troublé. Était-ce donc que la possession physique contentait ce besoin de mort? Posséder, tuer, cela s'équivalait-il, dans le fond sombre de la bête humaine? 6
ZOLA, la Bête humaine, VI, p. 197.

(...) maintenant qu'un être humain se tenait devant elle et la regardait, elle se sentait reprise par son orgueil, par son dédain du monde (...) 7
J. GREEN, Léviathan, II, XII.

Un être humain, comme n'importe quel animal ou végétal, reçoit de ses parents un certain héritage substantiel, un certain patrimoine héréditaire. 8
Jean ROSTAND, l'Homme, III.

(V. 1165). Formé, composé d'hommes. *L'espèce* humaine* (→ Béat, cit. 6; caractère, cit. 13; grégaire, cit. 3); *la race* (I., 2.) *humaine. Les races humaines* (→ Abrégé, cit. 3; homme, cit. 17). *Le genre humain* : l'humanité*. ⇒ **Genre** (cit. 2 à 5). — Péj. *Troupeau, bétail* (cit. 3 et 4), *gibier humain.* — *La masse humaine.* — *Sociétés humaines* (→ Abuser, cit. 15; extérioriser, cit. 1). *Groupes humains, groupements humains.* ⇒ **Ethnique**; → Ethnologie, cit.; géographie, cit. 5.

Il s'avisa un beau jour de printemps de s'aller promener, marchant tout droit devant lui, croyant que c'était un privilège de l'espèce humaine, comme de l'espèce animale, de se servir de ses jambes à son plaisir. VOLTAIRE, Candide, II. 9

Les renseignements que fournissent les ethnographes sur la forme primitive de la société humaine sont terriblement contradictoires. 10
S. DE BEAUVOIR, le Deuxième Sexe, I, p. 107.

Relatif à l'homme, de l'homme. *Expérience* (cit. 8) *humaine. Anatomie, physiologie humaine* (opposé à *animal*). *Géographie* (cit. 2

et 4) *humaine* (→ Homme, cit. 91). *La Comédie* humaine,* de Balzac. → ci-dessous, 4., Sciences humaines.

♦ **2.** (V. 1200). Personnes. Qui est compréhensif et compatissant. ⇒ **Bienfaisant, bienveillant, bon, charitable, clément, compatissant, doux, généreux, pitoyable, secourable, sensible.** *Un vainqueur, un juge, un jury humain. Prince humain et débonnaire* (→ Attitude, cit. 4; gagner, cit. 30). *Un Dieu humain et charitable* (→ Cristalliser, cit. 11). *N'être pas humain, être inaccessible à la pitié.* — Vx (en parlant d'une femme; par oppos. à *prude, cruelle, inhumaine...*). ⇒ **Accessible.**

11 — Rends-la pour moi plus humaine,
— Dompte pour moi ses mépris. MOLIÈRE, le Grand divertissement royal.

12 Le seigneur Harpagon est de tous les humains l'humain le moins humain (...)
MOLIÈRE, l'Avare, II, 4.

13 Qui sait combien d'enfants périssent victimes de l'extravagante sagesse d'un père ou d'un maître (...) Hommes, soyez humains, c'est votre premier devoir (...)
ROUSSEAU, Émile, II.

14 On ne peut être juste si on n'est humain.
VAUVENARGUES, Réflexions et Maximes, 28.

15 (...) Danton, quoiqu'il fût humain, n'était point sentimental.
JAURÈS, Hist. socialiste..., t. VII, p. 144.

16 (...) il était sincèrement « humain » (sa principale qualité); il sympathisait avec tout ce qui était homme.
R. ROLLAND, Jean-Christophe, La foire sur la place, II, p. 755.

Choses. *Sentiments humains.* ⇒ **Humanitaire.** *Souffle généreux et humain* (→ Coopération, cit. 3). *N'avoir rien d'humain* (→ Altérer, cit. 18; armure, cit. 3). *Est-il plus humain d'agir ainsi?* (→ Guerre, cit. 8). *Religion éclairée et humaine* (→ Étroit, cit. 14).

17 (...) leur dévotion est humaine, est traitable (...) MOLIÈRE, Tartuffe, I, 5.

Une politique plus humaine. Le socialisme à visage humain.

♦ **3.** (Fin XIXe). En parlant d'une personne en qui se réalise pleinement la nature humaine dans ce qu'elle a d'essentiel et d'universel (opposé à *artificiel, inhumain, surhumain*). *Hamlet est humain parce qu'il est complexe* (cit. 4).

18 Je tiens de ma patrie un cœur qui la déborde,
Et plus je suis Français, plus je me sens humain.
SULLY PRUDHOMME, Vaines Tendresses, IX, La France.

19 Ce que je pense de Napoléon, puisque vous voulez bien le savoir, c'est que, fait pour la gloire, il s'y montre dans la simplicité brillante d'un héros d'épopée. Un héros doit être humain. Napoléon fut humain (...) Il était violent et léger; et par là profondément humain. Je veux dire semblable à tout le monde.
FRANCE, le Lys rouge, III.

20 De quelque nationalité que vous soyez, le caractère, les façons de tous ces personnages de Molière vous sont accessibles. Ils sont bien devant vous, entiers, vrais, vivants, dans leurs traits essentiels, le misanthrope, l'avare, le tartuffe. C'est qu'ils sont humains, et qu'être humain cela ne consiste pas seulement à être Espagnol, ou Anglais ou Français, ou Russe, mais à être ce que nous sommes tous pour une part égale et fondamentale, en dépit des nationalités, à savoir : un homme.
Paul LÉAUTAUD, le Théâtre de M. Boissard, XXXIV.

21 Au fond, ces exceptionnels romantiques avaient le cœur fait comme tout le monde. Ils ne voulaient le droit à l'amour et la liberté que pour eux. Après tout, Liszt est très humain. Émile HENRIOT, Portraits de femmes, p. 334.

Choses. *C'est humain, c'est une réaction bien humaine. — Humain, trop humain,* ouvrage de Nietzsche.

22 (...) ce vieillard immobile vivait en réalité, d'une vie plus profonde, plus humaine et plus générale que l'amant qui étrangle sa maîtresse, le capitaine qui remporte une victoire ou « l'époux qui venge son honneur ».
MAETERLINCK, le Trésor des humbles, IX.

♦ **4.** (1552, Rabelais, *les Lettres humaines* « la littérature profane »; spécialisation du sens I, *infra* cit. 10). Qui concerne l'homme, en tant qu'objet de savoir. *Les sciences humaines.* → Science (cit. 9.1).

★ **II.** N. m. ♦ **1.** (Déb. XVIIe, d'Aubigné). Ce qui est humain; l'homme et ce qui appartient à l'homme. *L'humain et le divin. Rapports de dimensions entre la nature et l'humain* (→ Écrasant, cit. 3). *Réduire le monde à l'humain* (→ Comprendre, cit. 35). *Philosophie, religion qui a, qui perd le sens de l'humain.*

23 Sans doute vos chrétiens, qu'on persécute en vain,
Ont quelque chose en eux qui surpasse l'humain (...) CORNEILLE, Polyeucte, V, 6.

24 D'un génie, à vrai dire, au-dessus de l'humain (...)
MOLIÈRE, l'École des femmes, III, 4.

25 Sous l'influence des mêmes idées, la Littérature s'orientait de plus en plus vers l'humain et le vrai sans négliger la grave poésie qui s'en dégage.
Georges LECOMTE, Ma traversée, p. 70.

26 (...) ranimer le culte de l'humain sous le mode universel (...)
Julien BENDA, la Trahison des clercs, p. 238.

26.1 (...) il *(Lafleur)* portera témoignage de la grandeur impérissable, de notre France éternellement jeune dont l'intelligence, le génie inventif, la vitalité, la force, le sens de l'humain font l'admiration et l'envie des autres peuples (...)
M. AYMÉ, le Vin de Paris, La bonne peinture, p. 212.

♦ **2.** (1340). Littér. Être humain. **a** Au plur. *Les humains.* ⇒ **Homme** (I.). — REM. Comme *être humain* au sing., *les humains* s'emploie souvent pour éviter les ambiguïtés inhérentes à l'emploi de *homme,* au sens I. *Les humains* (→ An, cit. 10; attacher, cit. 19; avatar, cit. 3; exposer, cit. 25; farouche, cit. 13; friand, cit. 4). *L'ensemble des humains.* ⇒ **Humanité.** *Les dieux et les humains* (→ 1. Être, cit. 71). *L'esprit des humains* (→ Approfondir, cit. 10). *Vivre séparé des humains* (→ Attendre, cit. 68), *fuir l'approche* (cit. 9) *des humains, du reste des humains.* ⇒ **Gens.**

27 Puisque entre humains ainsi vous vivez en vrais loups (...)
MOLIÈRE, le Misanthrope, V, 1.

28 Si les dieux se mettent à engager avec les humains des conversations et des disputes individuelles, les beaux jours sont finis. GIRAUDOUX, Amphitryon 38, III, 4.

b Rare au sing. *Un humain, une humaine. Chaque humain...* (→ Culpabilité, cit. 1).

29 Devenir immortel, c'est trahir, pour un humain.
GIRAUDOUX, Amphitryon 38, II, 2.

29.1 (...) la seule humaine que mon sort me prescrit pourtant d'approcher et de circonvenir, de défendre et de protéger (...) Kateb YACINE, Nedjma, p. 139.

CONTR. Céleste, divin. — Barbare, brutal, brute, cruel, dur, impitoyable, méchant.
DÉR. Humainement, humaniser. — Cf. Humanité.
COMP. A-humain, antéhumain, antihumain, inhumain, sous-humain, surhumain.

HUMAINEMENT [ymɛnmɑ̃] adv. — V. 1180, *humeinement;* de *humain.*

D'une manière humaine.

♦ **1.** En homme, pour l'homme, du point de vue de l'homme. *Il a fait tout ce qui était humainement possible pour l'aider, pour le sauver. N'admettre* (cit. 11) *que ce qui est humainement vérifiable.*

1 Elle (...) qui de ses hautes pensées et de ses importantes occupations descend si humainement dans le plaisir de nos spectacles (...)
MOLIÈRE, Épître à la Reine mère.

2 (...) l'enfer, tel qu'il est humainement concevable.
P. MAC ORLAN, Quai des brumes, VIII.

Loc. *Humainement parlant :* d'un point de vue humain.

3 (...) pour parler plus humainement (car ce langage sent un peu trop le poète).
RACINE, Lettres.

♦ **2.** (Fin XIIe; correspond à *humain,* I., 2.). Avec humanité*, bonté, générosité. ⇒ **Charitablement.** *Traiter humainement un inférieur, un ennemi, un coupable* (→ Damner, cit. 14).

4 (...) Brutus Hugo fait très humainement cette affreuse guerre de Vendée (...) et il se fait justement gré, dans ses *Mémoires,* d'avoir soustrait à la fureur républicaine vingt-quatre jeunes filles royalistes tombées aux mains de son parti.
Émile HENRIOT, les Romantiques, p. 26.

CONTR. Cruellement, durement, inhumainement, méchamment.

HUMANISABLE [ymanizabl] adj. — 1834, Sainte-Beuve; de *humaniser.*

♦ Que l'on peut humaniser.

HUMANISATION [ymanizɑsjɔ̃] n. f. — 1845; de *humaniser.*

♦ **1.** Action d'humaniser; résultat de cette action.

« Je suis heureux de voir que les hommes se refusent absolument à vouloir penser à la mort! ». Kirilov *(personnage de Dostoïevski)* voudrait aussi nous dire cela : il pense, lui, constamment à mourir, mais pour nous délivrer d'y penser. C'est l'extrême limite de l'humanisation, c'est l'éternelle exhortation d'Épicure : Si tu es, la mort n'est pas; si elle est, tu n'es pas.
M. BLANCHOT, l'Espace littéraire, p.122.

♦ **2.** Action d'aménager l'environnement afin de le rendre plus conforme aux exigences humanitaires, à la prise en considération de la personne humaine. *« L'humanisation d'un hôpital commence dès l'instant où le malade franchit le portail d'entrée »* (*l'Express,* 3 déc. 1973).

HUMANISER [ymanize] v. tr. — 1554, au sens 2; de *humain,* d'après le lat. *humanus.*

♦ **1.** (1559). Mettre à la portée de l'homme. *Humaniser une doctrine, une philosophie.* — Pron. *Art, religion qui s'humanise.*

1 Ne paraissez point si savant, de grâce. Humanisez votre discours, et parlez pour être entendu. MOLIÈRE, Critique de l'École des femmes, 6.

2 Le hardi jeune homme simplifiait, expliquait, popularisait, humanisait. À peine laissait-il quelque chose d'obscur et de divin dans les plus formidables mystères.
MICHELET, Hist. de France, IV, IV.

3 (...) un exemple célèbre, que j'humanise un peu pour votre usage (...)
Julien BENDA, Lettres à Mélisande, p. 64.

♦ **2.** Littér. Donner la nature humaine à. → Hominiser. *Humaniser qqn, un être bestial, un animal.* — Pron. *Dieu qui s'humanise,* qui se fait homme.

4 Et vous n'ignorez pas que ce vieux maître des dieux
Aime à s'humaniser pour des beautés mortelles (...)
MOLIÈRE, Amphitryon, Prologue.

5 (...) je crus dans ce pain que notre foi consomme
Humaniser le Christ et diviniser l'homme! LAMARTINE, Jocelyn, V.

Conférer (par l'imagination, etc.) des caractères humains à... *Humaniser les plantes, les animaux.* ⇒ **Anthropomorphisme.**

♦ **3.** Mettre à la portée de l'homme, rendre sensible à l'homme. *« Humaniser sa poésie »* (Sainte-Beuve). ⇒ **Passionner.**

5.1 Le plus grand charme de la culture littéraire, c'est qu'elle humanise l'amour.
A. MAUROIS, Ariel..., p. 169.

♦ **4.** (Mil. XVIIe). Rendre plus humain (⇒ **Humain,** 2.), plus sociable, plus civilisé. ⇒ **Adoucir, apprivoiser, civiliser.** *Humaniser qqn, un peuple.* — Pron. *Personne qui s'humanise,* devient plus sociable, plus traitable, plus favorable.

6 — Ô cœur barbare et tyrannique!
Souffre qu'au moins je sois ton ombre.
— Point du tout.
— Que d'un peu de pitié ton âme s'humanise (...) MOLIÈRE, Amphitryon, 6.

7 (...) un ou deux Anglais pensants qui sont ici, et qui, dit-on, s'humanisent jusqu'à parler. VOLTAIRE, Lettre à Thiriot, 293, 15 mai 1735.

8 (...) ils ravagèrent les provinces entre la mer Noire et l'Adriatique (...) mais dans ces courses même ils s'humanisèrent encore, et par les jouissances du luxe et par leur mélange avec les familles de vaincus. MICHELET, Hist. de France, II, I.

(Compl. n. de chose). *Tenter d'humaniser une dictature, une société, un pays. Humaniser les conditions de travail, les hôpitaux, les prisons.* — Pronominal :

9 Le pays bientôt, semble s'humaniser (...) c'est-à-dire que les plis du terrain sont moins vastes et les terres plus cultivées.
GIDE, Journal, 1914, Marche turque, De Koniah à Ouchak.

10 — Attention..., reprit Antoine. Codifier la guerre, vouloir la limiter, l'organiser (l'*humaniser*, comme on dit!), décréter : «Ceci est barbare! Ceci est immoral!» — ça implique qu'il y a une autre manière de faire la guerre... Une manière parfaitement civilisée... Une manière parfaitement morale...»
MARTIN DU GARD, les Thibault, t. IX, p. 90.

▶ **HUMANISÉ, ÉE** p. p. adj.

11 Je reconnaissais à peine en elle la jeune fille du médaillon. Non moins belle sans doute, elle était d'une beauté très différente, plus terrestre et comme humanisée.
GIDE, Isabelle, Romans, Pl., p. 654.

CONTR. Diviniser. — Bestialiser.
DÉR. Humanisable, humanisation.

HUMANISME [ymanism] n. m. — 1765, «philanthropie»; repris v. 1840 (1846, Proudhon) sous l'infl. de l'all. *Humanismus; de humaniste.*

♦ **1.** (1877). Hist. «Mouvement d'esprit représenté par les "humanistes" de la Renaissance, et caractérisé par un effort pour relever la dignité de l'esprit humain et le mettre en valeur, en renouant, pardessus le moyen âge et la scolastique, la culture moderne à la culture antique» (Lalande). *L'humanisme italien, français.*

1 Marguerite *(de Navarre)* elle-même unit la poésie, le mysticisme, l'humanisme, le zèle de la morale (...) on sent dans cette période comme un effort pour réaliser l'idéal italien de l'homme complet, dont le libre développement physique et moral ne souffre point de restriction et de limites.
Gustave LANSON, Hist. de la littérature franç., p. 226.

2 L'humanisme oppose donc au formalisme grandissant de la scolastique une culture plus vivante, un ensemble d'études plus humaines, «humaniores disciplinæ». Par lui se répand le meilleur de la sagesse antique. Fort de la philosophie païenne, il aide à secouer le joug de la théologie et révèle le monde des idées pures (...) à l'esprit de soumission il substitue l'esprit d'examen, le goût de la recherche critique. De là un vaste effort de rénovation spirituelle et esthétique.
R. JASINSKI, Hist. de la littérature franç., t. I, p. 115.

♦ **2.** (1846). Philos. Théorie, doctrine qui prend pour fin la personne humaine et son épanouissement. — Doctrine qui s'attache à «la mise en valeur de l'homme» par les seules forces humaines. *L'humanisme d'un écrivain* (→ Eudémonisme, cit.). *Humanisme, humanitarisme*, et cosmopolitisme* (cit.). *Humanisme libéral, réformiste; révolutionnaire, marxiste.* — REM. *Humanisme* et *humanitisme* ont été employés dès 1765 au sens d'«estime et amour général de l'humanité»; *humanisme* seul a survécu mais reste rare jusqu'au mil. du XIXe s. (1873, *in* Proudhon).

3 Ma conviction intime est que la religion de l'avenir sera le pur *humanisme,* c'est-à-dire le culte de tout ce qui est de l'homme, la vie entière sanctifiée et élevée à une valeur morale. *Soigner sa belle humanité* sera alors la Loi et les Prophètes, et cela sans aucune forme particulière, sans aucune limite qui rappelle la secte et la confraternité exclusive (...) La science large et libre, sans autre chaîne que celle de la raison, sans symbole clos, sans temples, sans prêtres, vivant bien à son aise dans ce qu'on appelle le monde profane, voilà la forme des croyances qui seules désormais entraîneront l'humanité.
RENAN, l'Avenir de la science, Œuvres, t. III, p. 809 et 811.

4 L'humanisme moderne est une doctrine qui, appuyée solidement sur le réel, ou ce qu'elle croit tel, entend élucider les problèmes que la conscience se pose, et les élucider seule, en dehors de toute intervention religieuse (...) elle veut utiliser à de telles fins les découvertes scientifiques, et, en somme, expliquer l'homme par l'homme seul. DANIEL-ROPS, le Monde sans âme, V, p. 144.

5 Par humanisme on peut entendre une théorie qui prend l'homme comme fin et comme valeur supérieure. SARTRE, l'Existentialisme est un humanisme, p. 90.

6 En prenant le mot humanisme dans son sens le plus étroit, comme signifiant le culte des lettres antiques restituées par les érudits de la Renaissance, on a dit des Essais qu'ils étaient le couronnement de l'humanisme français (...) on peut dire aussi justement qu'ils en sont le point de départ, si, donnant au mot son sens le plus large, on entend par humanisme la philosophie morale qui se fonde sur la connaissance de l'homme et cherche à le rendre pleinement humain.
BRUNOLD et JACOB, De Montaigne à L. de Broglie, p. 4.

6.1 (...) la critique de la vie quotidienne prétendait renouveler le vieil humanisme libéral, le remplacer par un humanisme révolutionnaire. Cet humanisme n'avait pas pour but d'adjoindre une rhétorique et une idéologie à quelques modifications dans les superstructures (constitutions, État, gouvernement) mais de «changer la vie».
Henri LEFEBVRE, la Vie quotidienne dans le monde moderne, p. 68.

♦ **3.** (1877, en hist.). Formation de l'esprit humain par la culture* littéraire ou scientifique. (→ Humanité, 5.).

7 Une culture générale vraiment digne de ce nom devra donc toujours comporter, en dehors de l'acquisition des connaissances scientifiques, une réflexion approfondie sur la complexité de la personne humaine et sur les divers aspects qu'elle présente, une initiation aussi à l'art de sentir et de vouloir. C'est là l'essence de l'humanisme et la signification même de ce mot. Un humanisme moderne, même s'il doit devenir tout à fait indépendant de la culture gréco-latine, devra conserver ce caractère et pour cette raison il devra toujours réserver une place importante aux études littéraires. L. DE BROGLIE, la Culture scientifique, *in* Nouvelles Perspectives en microphysique, p. 249.

HUMANISTE [ymanist] n. m. et adj. — 1539; lat. médiéval *humanista,* de *humanus* «humain».

★ **I.** N. m. ♦ **1.** Lettré qui a une connaissance approfondie des langues et littératures grecques et latines (les *humanités**; → Aiguiser, cit. 14). *Un bon, un savant humaniste* (Littré).

1 L'adversaire de Julien était un académicien des Inscriptions, qui, par hasard, savait le latin (...) il trouva en Julien un très bon humaniste, n'eut plus la crainte de le faire rougir, et chercha réellement à l'embarrasser.
STENDHAL, le Rouge et le Noir, II, II.

(1677). Spécialt. Lettré de la Renaissance qui se consacrait à l'étude des écrivains antiques et à en faire connaître les œuvres et les idées. *Lefèvre d'Étaples, Guillaume Budé, Robert Estienne, grands humanistes français.*

2 Il *(le terme d'humanisme)* a désigné tout d'abord, dans l'esprit de ceux qui l'ont inventé, une attitude intellectuelle qui, historiquement, s'était manifestée au temps de la Renaissance (...) Il s'agissait, au début, d'une discipline de l'intelligence plutôt que d'une conception philosophique. Le mot se rattachait étroitement à un autre, voisin par l'étymologie : les humanités (...) L'humaniste était, dans cette vue, l'homme qui a cultivé son esprit, qui a extrait de certaines disciplines (en particulier de celles qu'enseigne l'étude des langues anciennes) des principes de pensées. DANIEL-ROPS, Ce qui meurt..., II, p. 49-50.

♦ **2.** (1873). Partisan de l'humanisme* philosophique. *Le chrétien* (cit. 11) *et l'humaniste. Ce philosophe est un humaniste.*

3 (...) je vois réapparaître, pendant qu'il parle, tous les humanistes que j'ai connus (...) l'humaniste qui aime les hommes tels qu'ils sont, celui qui les aime tels qu'ils devraient être, celui qui veut les sauver avec leur agrément et celui qui les sauvera malgré eux, celui qui veut créer des mythes nouveaux et celui qui se contente des anciens, celui qui aime dans l'homme sa mort, celui qui aime dans l'homme sa vie (...) SARTRE, la Nausée, p. 149.

★ **II.** Adj. (1848). ♦ **1.** Relatif à l'humanisme, aux humanistes de la Renaissance, aux humanités. *Mouvement, doctrine humaniste. Études humanistes* (⇒ **Humanité** [5.]).

4 Sans doute la simple culture patriotique et vraie est supérieure à cette culture artificielle des derniers temps de l'Empire, et si quelque chose pouvait inspirer des craintes pour l'avenir de la civilisation moderne, ce serait de voir combien l'éducation prétendue humaniste qu'on donne à notre jeunesse ressemble à celle de cette triste époque. RENAN, l'Avenir de la science, Œuvres, t. III, p. 785 (1848).

5 Je ne comprenais pas, je ne pouvais pas comprendre les raisons secrètes des études humanistes et j'ai vu, par la suite, un grand nombre de gens tirer profit de telles études sans jamais s'interroger sur les raisons de ce profit.
G. DUHAMEL, Inventaire de l'abîme, XI.

6 Le mouvement humaniste se précise à Paris dès le dernier tiers du XVe siècle. Puis les guerres d'Italie *(à partir de 1494)* révèlent les splendeurs d'une éclatante civilisation. R. JASINSKI, Hist. de la littérature franç., t. I, p. 119.

♦ **2.** Relatif, conforme à l'humanisme philosophique. *Conception humaniste. Philosophies humanistes.*

7 Plus on étudie cette période *(le moyen âge),* plus on se rend compte de la richesse *humaniste* qu'elle contient (...) DANIEL-ROPS, Ce qui meurt..., II, p. 52.

8 Nous dépassons l'étroitesse nationaliste ou ethnique, pour nous élever à une notion, proprement humaniste, de l'homme, et c'est par là que notre capacité de rayonnement, notre faculté de libérer les esprits, d'ouvrir les fenêtres apparaissent vraiment incomparables. André SIEGFRIED, l'Âme des peuples, p. 54.

(Personnes). Qui se réclame de l'humanisme au sens large; qui prend l'homme pour fin.

9 Si les marxistes peuvent se prétendre humanistes, les différentes religions, les chrétiens, les hindous et beaucoup d'autres, se prétendent aussi et avant tout humanistes, et l'existentialiste à son tour, et d'une manière générale, toutes les philosophies. Actuellement, beaucoup de courants politiques se réclament également d'un humanisme.
P. NAVILLE, *in* SARTRE, l'Existentialisme est un humanisme, p. 118.

COMP. Antihumaniste.

HUMANISTIQUE [ymanistik] adj. — 1924; de *humaniste.*

♦ Didact. *Écriture humanistique :* écriture utilisée par les humanistes de la Renaissance italienne, pour transcrire les œuvres antiques. — Par ext. *Manuscrits humanistiques du XVIe siècle.*

HUMANITAIRE [ymanitɛʀ] adj. — 1835, Lamartine; de *humanité.*

♦ Qui vise au bien de l'humanité (4.). *Philosophie, système humanitaire* (→ Fouriériste, cit., Chateaubriand). *Organisation philanthropique* et humanitaire* (→ Franc-Maçonnerie, cit. 3). *Sentiments humanitaires.* ⇒ **Bon, humain.** — *Philosophe sensible et humanitaire* (→ Affranchissement, cit. 3). — REM. Le mot a souvent été péjoratif, surtout dans la deuxième moitié du XIXe s. (→ ci-dessous, cit. 3 et 4).

1 (...) l'art humanitaire, l'art social (...) D'abord, pour ce qui est du mot *humanitaire,* je le révère, et quand je l'entends, je ne manque jamais de tirer mon chapeau (...) puissent les dieux me le faire comprendre!
A. DE MUSSET, Lettres de Dupuis et Cotonet, 1re lettre, 18 sept. 1836.

2 «*Humanitaire,* en style de préface, veut dire : homme croyant à la perfectibilité du genre humain et travaillant de son mieux, pour sa quote-part, au perfectionne-

ment dudit genre humain». Amen. (...) les dictionnaires n'en parlent point, il est vrai, pas même Boiste qui fut un habile homme, indulgent au néologisme (...)
A. DE MUSSET, Lettres de Dupuis et Cotonet, 2e lettre, 25 nov. 1836.

3 Ruminant de Fourier le rêve humanitaire (...)
A. DE MUSSET, Poésies nouvelles, «Dupont et Durand».

4 (...) votre génération à congrès de la paix et à pantalonnades philosophiques et humanitaires (...) BARBEY D'AUREVILLY, les Diaboliques, «Le rideau cramoisi».

5 *(Ils)* semblaient hors d'eux, le premier avec son 89, sa devise humanitaire de liberté, égalité, fraternité, le second avec son organisation sociale, autoritaire et scientifique. ZOLA, la Terre, V, IV.

Péj. D'une sensiblerie à prétexte humaniste. ⇒ **Humanitairerie.**

6 (...) il faut une part de réalisme à toute morale (...) la vertu toute pure est meurtrière; et (...) une part de morale à tout réalisme : le cynisme est meurtrier. C'est pourquoi le verbiage humanitaire n'est pas plus fondé que la provocation cynique.
CAMUS, l'Homme révolté, p. 366.

N. Vx. *Un, une humanitaire.* ⇒ **Humanitariste.**

DÉR. Humanitarisme, humanitariste.

HUMANITAIRERIE [ymanitɛʀʀi] n. f. — 1836, Musset; de *humanitaire.*

♦ Vx. Péj. Sentimentalisme humanitaire.

Lorsqu'ils causaient ensemble, ils avaient des communautés d'idées, des coins d'humanitairerie qui les faisaient se comprendre à demi-mot.
ZOLA, Son Excellence Eugène Rougon, t. I, p. 207.

HUMANITARISME [ymanitaʀism] n. m. — 1837, cit. Balzac; de *humanitaire.*

♦ Didact. (souvent péj.). Conceptions humanitaires (jugées utopiques ou dangereuses).

1 Son cœur s'enflait de ce stupide amour collectif qu'il faut nommer l'humanitarisme, fils aîné de défunte Philanthropie, et qui est à la divine Charité catholique ce que le Système est à l'Art, le Raisonnement substitué à l'Œuvre.
BALZAC, les Employés, Pl., t. VI, p. 952 (1837).

2 Cette forme sentimentale de l'humanitarisme et l'oubli qu'on fait de sa forme conceptuelle expliquent l'impopularité de cette doctrine près de tant d'âmes élégantes, celles-ci trouvant dans l'arsenal de l'idéologie politique deux clichés qui leur répugnent également : la «scie patriotique» et l'«embrassade universelle».
Julien BENDA, la Trahison des clercs, p. 148.

HUMANITARISTE [ymanitaʀist] adj. et n. — 1837, Balzac; de *humanitaire.*

♦ Didact. (Souvent péj.). Humanitaire. *Utopies humanitaristes. Un humanitariste bêlant.*

HUMANITÉ [ymanite] n. f. — 11ç0, *humaniteit*; lat. *humanitas*, de *humanus.* → Humain.

♦ **1.** [a] Philos., théol. Caractère de ce qui est humain, nature humaine. *Humanité et animalité* (cit. 3) *de l'homme. Humanité et divinité de Jésus-Christ* (→ Glorieux, cit. 19). *Toute humanité s'était effacée de cette bouche exsangue* (cit. 4).

1 Donc(ques), si de parler le pouvoir m'est ôté,
Pour moi, j'aime autant perdre aussi l'humanité,
Et changer mon essence en celle d'une bête. MOLIÈRE, le Dépit amoureux, II, 6.

2 (...) son Humanité glorieuse *(de Jésus)* réside dans les Tabernacles de l'Église, sous les espèces du Pain qui le couvrent visiblement (...) sachant que nous sommes grossiers, il nous conduit ainsi à l'adoration de sa Divinité présente en tous lieux par celle de son Humanité présente en un lieu particulier (...)
SAINT-CYRAN, *in* PASCAL, les Provinciales, Lettre XVI.

3 (...) cette humanité qui est commune à tous les hommes sous l'inégalité de leurs rangs et de leurs états. Julien BENDA, la Trahison des clercs, p. 169.

4 (...) il peut arriver à n'importe lequel d'entre nous, fût-il d'ailleurs prince ou évêque, de se trouver brusquement face à face avec la Sainte Humanité du Christ, car le Christ n'est pas au-dessus de nos misérables querelles — à l'exemple du Dieu géomètre ou physicien — il est dedans, il s'est revêtu de nos misères, nous ne sommes pas sûrs de le reconnaître du premier coup.
BERNANOS, les Grands Cimetières sous la lune, p. 216.

[b] Anthropol. Caractère humain. *«Les critères fondamentaux de l'humanité»* (→ Outil, cit. 2.1, Leroi-Gourhan).

♦ **2.** (V. 1170, *humanited*; correspond à *humain* I., 2.). Cour. Sentiment de bienveillance envers son prochain, compassion pour les malheurs d'autrui. ⇒ **Bienveillance, bonté, charité, compassion, pitié, sensibilité**; → Amour, cit. 50; grandeur, cit. 22. *L'humanité de qqn, d'un acte, d'une réaction. Sentiment d'humanité* (→ Effacer, cit. 11), *mouvement, geste d'humanité* (→ Générosité, cit. 6). *Un homme plein d'humanité, qui comprend ses semblables, fait le bien.* (→ Philanthrope). *Siècle sans humanité* (→ Fer, cit. 8). *Traiter un coupable, un prisonnier avec humanité.* ⇒ **Clémence** (cit. 4), **douceur, indulgence; humainement.**

5 Un loup rempli d'humanité
(S'il en est de tels dans le monde) LA FONTAINE, Fables, X, 5.

6 Hommes, soyez humains, c'est votre premier devoir (...) Quelle sagesse y a-t-il pour vous hors de l'humanité? ROUSSEAU, Émile, II.

7 Mais il y avait, chez cet homme *(Bonaparte)*, qui passait pour dur, une profonde humanité qui, chez lui, tempérait cette aspiration à l'autorité et qui, en particulier, le portait à se préoccuper beaucoup des «droits» des enfants, particulièrement des mineurs.
Louis MADELIN, Hist. du Consulat et de l'Empire, Le Consulat, XII, p. 193.

♦ **3.** Caractère d'une personne en qui se réalise pleinement la nature humaine. ⇒ **Humain** (3.). *La riche humanité qui se révèle chez un homme, une femme; qui caractérise un héros de roman.*

Ce n'est pas l'intensité du sentiment qui est favorable à l'individu, mais l'amour, lien du couple, parce qu'il met face à face deux êtres vite dénudés, et suscite des exigences utiles, des tourments indispensables, une source vive d'humanité. Celui (...) qui est approuvé au dehors, vient échouer devant une femme (...) elle réclame un être réel. Alors l'homme s'aperçoit (...) 8
J. CHARDONNE, l'Amour du prochain, II, p. 28.

♦ **4.** (V. 1450; rare av. XVIIe). Cour. *(L'humanité).* Le genre humain, les hommes en général. ⇒ **Homme, humain.** *L'humanité et l'individu* (→ Bienveillant, cit. 3). *L'humanité entière* (→ Absolu, cit. 16). *Épreuves* (cit. 23 et 29), *souffrances de l'humanité. L'humanité souffrante* (→ Gueux, cit. 2). *Pour l'amour* (cit. 4) *de l'humanité. Se dévouer au service de l'humanité* (→ Anachorète, cit. 2). *Bienfaiteur de l'humanité. Le savoir, patrimoine de l'humanité* (→ Flambeau, cit. 13). *Défendre la cause* (cit. 58) *de l'humanité. Traiter l'humanité comme une fin* (cit. 34). *Culte* (cit. 14) *de l'humanité. — Les débuts de l'humanité* (→ Art, cit. 2). *Passé* (→ Affranchir, cit. 18), *histoire de l'humanité.* ⇒ **Civilisation;** → Culture, cit. 19. *L'humanité, constante* (cit. 5) *dans sa nature. Évolution* (cit. 13) *de l'humanité. Perfectionnement, progrès de l'humanité* (→ Fataliste, cit. 2). *L'humanité s'est émancipée* (cit. 8, Renan). *Civiliser l'humanité* (→ Exploiteur, cit.). *Les Grecs initiateurs de l'humanité* (→ Génie, cit. 14). *Une humanité évoluée* (cit. 5), *supérieure, meilleure. L'humanité et la société** (→ Édicter, cit. 1). *Gouverner* (cit. 32) *l'humanité. L'esclavage* (cit. 3), *honte de l'humanité.* — (Qualifié). *Une humanité misérable* (dans cet emploi, le plur. est possible).

(...) un Prince *(Condé)* qui a honoré la Maison de France, tout le nom français, son siècle et pour ainsi dire l'humanité tout entière. 9
BOSSUET, Oraison funèbre de Louis de Bourbon.

(...) pour qui sait lire dans l'histoire, se développe cette admirable loi logique qui présente l'humanité tout entière, s'aimant comme un seul être, raisonnant comme un seul esprit, et procédant comme un seul bras, à l'accomplissement de ses actes. 10
BALZAC, le Feuilleton, XIX, Œuvres diverses, t. I, p. 394.

Il faut être optimiste pour l'individu comme pour l'humanité, malgré la perpétuelle opposition des faits isolés. RENAN, Souvenirs d'enfance..., Appendice. 11

L'humanité homérique, cette humanité dont nous sommes séparés, dans le temps, par une trentaine de siècles, est-elle si différente de nous qu'il nous soit difficile, aujourd'hui de retrouver dans ces peintures quelque chose de consubstantiel et même de fraternel? G. DUHAMEL, Refuges de la lecture, I. 12

(...) l'humanité a fait ses plus grands changements sans être sûre d'avance qu'elle en tirerait plus de justice et sutout plus de bonheur (...) 13
J. ROMAINS, les Hommes de bonne volonté, t. V, XXIV, p. 235.

♦ **5.** N. f. pl. (1671; au sing., 1615, Pasquier; lat. *studia humanitatis*, déb. XVIe, du lat. class. *humanitas* «culture»). [a] Étude de la langue et de la littérature grecques et latines. *Faire ses humanités scolaires. Les chefs-d'œuvre gréco-latins, fleur des humanités scolaires.* ⇒ aussi **Humaniste**; → Classique, cit. 5; culture, cit. 14.

Quand j'eus fini mes humanités, mon père me laissa sous la tutelle de monsieur Lepitre : je devais apprendre les mathématiques transcendantes, faire une première année de Droit et commencer de hautes études. 14
BALZAC, le Lys dans la vallée, Pl., t. VIII, p. 779.

Huet, enfant, et déjà poète latin, avait terminé à treize ans le cours de ses humanités (...) SAINTE-BEUVE, Causeries du lundi, 3 juin 1850, t. II, p. 169. 15

Faut-il rappeler que les «humanités», telles que les ont instituées les Jésuites au XVIIe s, les *studia humanitatis*, sont *les études de ce qu'il y a de plus essentiellement humain (...)* Julien BENDA, la Trahison des clercs, p. 158, *note.* 16

On dit bien «les humanités» pour désigner ce colloque de tous les jours avec les grands ancêtres. 16.1
ALAIN, les Passions et la Sagesse, Mars ou la guerre jugée, XCII, Pl., p. 701.

L'affaire du maître, ce n'est pas de dénoncer la barbarie, mais de noter les barbarismes. Il ne faut pas confondre l'humanité avec les humanités. 16.2
Edmond GILLIARD, l'École contre la vie, *in* Littératures de langue franç. hors de France, p. 549.

[b] Langue et littérature grecques et latines (⇒ **Lettre**). *L'étude des humanités gréco-latines* (→ Éducateur, cit. 2).

Ils *(les médecins)* savent la plupart de fort belles humanités, savent parler en beau latin, savent nommer en grec toutes les maladies (...) 17
MOLIÈRE, le Malade imaginaire, III, 3.

(...) l'étude des lettres antiques, des humanités, lesquelles comme leur nom le dit, enseignent essentiellement (...) le culte de l'humain sous le mode universel. 18
Julien BENDA, la Trahison des clercs, p. 238.

[c] En Belgique, Études secondaires (classiques, modernes ou techniques).

CONTR. Barbarie, bestialité, brutalité, cruauté, dureté, méchanceté.
DÉR. Humanitaire.
COMP. Inhumanité, sous-humanité.

HUMANO- Premier élément de mots didactiques et rares. Ex. : *humano-animal, ale, aux* adj. (1927, Du Bos, *in* T.L.F.); *humano-divin, ine* adj. (1949, Vuillemin, *in* T.L.F.).

HUMANOÏDE [ymanɔid] adj. et n. — Mil. XXe; du lat. *humanus*, et *-oïde.*

♦ **1.** Adj. Didact. Qui rappelle l'homme (du point de vue zoologique). *Un primate à face humanoïde.*

♦ **2.** N. m. Plus cour. Être voisin de l'homme (notamment en parlant d'êtres imaginaires, dans un contexte d'imaginaire scientifique). *Les humanoïdes associés*, nom d'un éditeur de bande dessinée et de science-fiction. *« (...) s'il s'agit vraiment d'un extra-terrestre écrasé au sol dans sa soucoupe, chacun sait qu'"un humanoïde ressemble beaucoup plus à un singe qu'à un éléphant" »* (*la Recherche*, juil. 1981, p. 885).

HUMANT, ANTE ['ymɑ̃, ɑ̃t] adj. — 1936, par métaphore, *in* T. L. F.; p. prés. de *humer*.

♦ Rare. Qui hume, aspire. *« Ce nez tout palpitant, tout humant »* (La Varende, *in* T. L. F.).

HUMBLE [œbl] adj. — Déb. XVIe; *huemble*, v. 1170; *humele*, adj. et adv., 1080; du lat. *humilis* « bas, près de la terre ». → Humus.

★ **I.** (Personnes). ♦ **1.** Qui s'abaisse volontairement, par humilité. ⇒ **Effacé, modeste**; → Généreux, cit. 5.

1 Cette épithète (...) s'applique à celui qui a un sentiment modéré de soi-même, sans orgueil et plein de déférence et de soumission pour ses supérieurs. La comparaison que nous faisons de peu de bonnes qualités que nous avons, avec le grand nombre de défauts que les étouffent nous rend humbles à nos propres yeux. La connaissance et l'aveu de la supériorité que les autres ont sur nous, nous rend humbles devant eux. Dict. de Trévoux, art. *Humble.*

Une personne humble (→ Cabinet, cit. 4). *Être doux et humble de cœur, d'esprit.* — Spécialt. Qui pratique l'humilité chrétienne (→ Approcher, cit. 37; bon-chrétien, cit.). *Être humble devant Dieu.* — N. (Rare au fém., au sing.). *Les humbles.* ⇒ **Simple**; → Glorifier, cit. 10; hausser, cit. 10.

2 Le Seigneur est près de ceux dont le cœur est affligé, et il sauvera les humbles d'esprit. BIBLE (SACY), Psaumes de David, XXXIII, 18.

3 Dieu a aboli la mémoire des superbes, et il a établi celle des humbles de cœur. BIBLE (SACY), Ecclésiastique, X, 21.

4 (...) il *(Jésus-Christ)* a été humble, patient, saint, saint, saint à Dieu, terrible aux démons, sans aucun péché. PASCAL, Pensées, XII, 793.

5 Achab était roi et un roi très absolu. Il ne voulait être contredit de personne (...) Cependant, dès qu'il a écouté la voix de sa conscience, qui lui reproche la violence de son procédé contre un de ses sujets, le voilà triste, abattu, confus, couché par terre, sans lever les yeux ni regarder le ciel. Jamais il ne parut plus humble, ni plus petit devant Dieu. BOURDALOUE, Dominic., 9e dimanche après Pentecôte.

6 Cette humble Princesse se sentait dans son état naturel quand elle était comme pécheresse aux pieds d'un prêtre, y attendant la miséricorde et la sentence de Jésus-Christ. BOSSUET, Oraison funèbre de Marie-Thérèse d'Autriche.

7 Un sage Religieux, qu'il appelle exprès, règle les affaires de sa conscience : il obéit, humble chrétien, à sa décision (...) BOSSUET, Oraison funèbre de Louis de Bourbon.

8 Il renverse l'audacieux
Il prend l'humble sous sa défense. RACINE, Esther, I, 5.

9 (...) le premier pas pour sortir de notre misère est de la connaître. Soyons humbles pour être sages; voyons notre faiblesse, et nous serons forts. ROUSSEAU, Julie ou la Nouvelle Héloïse, Lettre VI.

10 Il serait mieux d'être plus humble, plus prosterné, plus chrétien. Malheureusement je suis sujet à faillir; je n'ai point la perfection évangélique : si un homme me donnait un soufflet, je ne tendrais pas l'autre joue. CHATEAUBRIAND, Mémoires d'outre-tombe, t. IV, p. 261.

11 Humble, et du saint des saints respectant les mystères,
J'héritai l'innocence et le Dieu de mes pères;
En inclinant mon front, j'élève à lui mes bras (...)
LAMARTINE, Premières méditations, Philosophie.

12 (...) et cette dénomination revient sans cesse, *le petit Gueneau;* non qu'il fût petit de taille, mais il était humble, modeste, contenu, se retirant, s'effaçant volontiers et ne craignant point de se faire *petit.* SAINTE-BEUVE, Chateaubriand, t. II, p. 264.

Qui donne à autrui les témoignages d'une très grande déférence, d'un grand empressement à lui être agréable. ⇒ **Soumis.** *On est humble devant ceux qu'on aime* (→ Fierté, cit. 5).

13 Une amante moins belle aime mieux, et du moins,
Humble et timide, à plaire elle est pleine de soins (...)
André CHÉNIER, Élégies, XXI.

14 (...) avec cet air de supériorité masculine qui n'abandonne point nos humbles adorateurs (...) ROUSSEAU, Julie ou la Nouvelle Héloïse, Lettre XLVI.

15 Tu seras humble, entends-tu, et soumise à son désir (...) FLAUBERT, Salammbô, X.

Vx. (Formule de politesse). *J'ai l'honneur d'être, Monsieur, votre très humble serviteur** (→ Considération, cit. 11).

16 (...) je serai toute ma vie la plus reconnaissante comme la plus ancienne de vos très humbles servantes. Mme DE SÉVIGNÉ, 37, 23 juin 1656.

17 Je suis très humble serviteur de Son Altesse Turque.
MOLIÈRE, le Bourgeois gentilhomme, IV, 4.

Péj. ⇒ **Plat, servile, souple.** *Des gratte-papier* (cit. 7) *humbles et intrigants. Se faire humble devant les riches, les puissants.* ⇒ **Aplatir** (s'), **humilier** (s'), **ramper**; → Faire des courbettes*, courber l'échine*, avoir les reins souples*.

♦ **2.** (1564). Qui est d'une condition sociale inférieure. ⇒ **Obscur, pauvre, simple.** *Une humble bergère* (cit. 5). *Un humble valet de chambre* (→ État, cit. 89).

18 Dieu a renversé les trônes des princes superbes, et il y a fait asseoir en leur place ceux qui étaient humbles. BIBLE (SACY), Ecclésiastique, X, 17.

19 Et le Salut ayant béni l'humble troupeau
Des fidèles, on rejoint meilleurs le hameau. VERLAINE, Liturgies intimes, XIX.

20 Dans un village, parmi les plus humbles habitants, on voit les coteries, les fiertés, les préjugés des gens du monde.
J. CHARDONNE, l'Amour du prochain, VII, p. 167.

N. (Souvent au plur.). *Les humbles.* ⇒ **Petit** (les petits, les petites gens); → Classe, cit. 4; comprendre, cit. 41; cynique, cit. 6.

★ **II.** (Choses). ♦ **1.** (Souvent avant le n., en épithète). Qui marque de l'humilité, de la déférence. *D'humbles et ferventes* (cit.) *supplications. Aveu, confession humble. Air, contenance, manières, ton humble.* ⇒ **Embarrassé, timide**; → Aise, cit. 6. *Implorer d'une voix humble.* ⇒ **Humblement.** *Une humble douceur* (→ Armer, cit. 16). *Une humble bonne grâce* (→ Hacher, cit. 15). *« La foi* (cit. 36), *sœur de l'humble espérance »* (Hugo).

21 Par de profonds respects, par d'humbles sacrifices (...)
CORNEILLE, Sertorius, II, 4.

22 Qui d'une sainte vie embrasse l'innocence
Ne doit point tant prôner son nom et sa naissance,
Et l'humble procédé de la dévotion
Souffre mal les éclats de cette ambition. MOLIÈRE, Tartuffe, II, 2.

23 Ainsi parle un esprit languissant de mollesse,
Qui, sous l'humble dehors d'un respect affecté,
Cache le noir venin de sa malignité. BOILEAU, Satires, IX.

24 Un auteur à genoux, dans une humble préface,
Au lecteur qu'il ennuie a beau demander grâce (...) BOILEAU, Satires, IX.

25 Il est velouté comme nous,
Marqueté, longue queue, une humble contenance;
Un modeste regard (...) LA FONTAINE, Fables, VI, 5.

26 (...) jamais pécheur ne demanda un pardon plus humble, ni ne s'en crut plus indigne. BOSSUET, Oraison funèbre de Michel Le Tellier.

27 (...) l'humble regard de ce tendre épagneul
Qui conduisait l'aveugle et meurt sur son cercueil!!!
LAMARTINE, Jocelyn, IX, 12 oct. 1800.

28 (...) s'ils se faisaient une idée plus humble et plus vraie de la nature humaine, ils seraient plus doux à autrui et plus doux à eux-mêmes.
FRANCE, les Opinions de Jérôme Coignard, Œuvres, t. VIII, p. 319.

29 Son regard n'avait plus sa dureté de tout à l'heure; quelque chose de presque implorant s'y glissait à présent, un air plus humble, comme si elle suppliait qu'on lui répondît, qu'on lui dît toute la vérité. J. GREEN, Adrienne Mesurat, III, I.

Vx. (Formule de politesse). *Nous vous assurons* (cit. 40) *de nos très humbles services.*

30 Je rends mille humbles grâces à V. A. S. de toutes ses bontés (...)
BOSSUET, Lettre à Condé, CXXXVII, 24 sept. 1686.

31 L'Académie Française (...) me charge, sire, de mettre à vos pieds sa très humble reconnaissance et son profond respect.
D'ALEMBERT, Lettre au roi de Prusse, 12 août 1770.

Mod. (Par modestie réelle ou affectée). *À mon humble avis,* à mon avis. ⇒ **Humblement.**

♦ **2.** (1576). Littér. (Avant le n., en épithète). Qui est sans éclat, sans prétention. ⇒ **Modeste.** *D'humbles vertus* (Académie). *Un humble présent* (→ Cœur, cit. 74). *L'humble marguerite* (→ Épanouir, cit. 2). *Une humble demeure.* ⇒ **Pauvre.** *L'humble chaume, l'humble toit.* — Qui a peu d'élévation, de valeur. ⇒ **Médiocre.** *L'humble esprit des hommes* (→ Approfondir, cit. 10). — Qui a peu d'importance. ⇒ **Simple.** *Une humble aventure* (→ Généralisation, cit. 1).

32 Ils virent à l'écart une étroite cabane,
Demeure hospitalière, humble et chaste maison.
LA FONTAINE, Philémon et Baucis.

33 On n'a point élevé de marbres sur leurs humbles tertres, ni gravé d'inscriptions à leurs vertus (...) BERNARDIN DE SAINT-PIERRE, Paul et Virginie, p. 149.

34 Ne connaissant personne, inconnu, seul, tranquille,
Ma voix humble à l'écart essayait des concerts (...)
André CHÉNIER, Élégies, XVII.

35 Pourquoi suis-je au Capitole? pourquoi mon humble front va-t-il recevoir la couronne que Pétrarque a portée (...) Mme DE STAËL, Corinne, II, III.

36 Et l'humble giroflée, aux lambris suspendue,
Attachant ses pieds d'or dans la pierre fendue (...)
LAMARTINE, Nouvelles méditations, La liberté.

37 Notre vie est semblable au fleuve de cristal
Qui sort, humble et sans nom, de son rocher natal (...)
LAMARTINE, Harmonies..., II, XXIII.

38 C'était une humble église au cintre surbaissé (...)
HUGO, les Chants du crépuscule, XXXIII.

39 La servante au grand cœur dont vous étiez jalouse,
Et qui dort son sommeil sous une humble pelouse,
Nous devrions pourtant lui porter quelques fleurs.
BAUDELAIRE, Tableaux parisiens, C.

40 Il faut que tout homme trouve pour lui-même une possibilité particulière de vie supérieure dans l'humble et inévitable réalité quotidienne.
MAETERLINCK, le Trésor des humbles, XII.

41 Debout derrière cet humble catafalque un nain à lunettes et à cheveux blancs, se tenait, les bras croisés (...) MARTIN DU GARD, les Thibault, t. VIII, p. 212.

♦ **3.** (1564). Avant le n., en épithète. Dont la médiocrité est caractéristique d'une condition sociale inférieure. ⇒ **Obscur.** *L'humble labeur de gâcheur* (cit. 1) *de plâtre. Une humble existence de paysan* (→ Gîter, cit. 4). *Être satisfait de son humble fortune* (→ Heureux, cit. 46). *« La vie humble, aux travaux ennuyeux et faciles »* (cit. 3, Verlaine). *Végéter dans d'humbles fonctions.*

42 Des affronts attachés à mon humble fortune
C'est le seul dont je garde une idée importune.
VOLTAIRE, l'Orphelin de la Chine, II, 6.

CONTR. Ambitieux, arrogant, audacieux, dominateur, fier, glorieux, orgueilleux, prétentieux, superbe, vaniteux.
DÉR. Humblement.

HUMBLEMENT [œbləmɑ̃] adv. — XIIe, *humelement; de humble.*

♦ **1.** Avec humilité; d'une manière humble. ⇒ **Modestement.** *Remercier Dieu humblement* (→ Faire, cit. 135). *S'offrir humblement au châtiment* (→ Haire, cit. 2). *Endurer* (cit. 8) *humblement la souffrance. Parler humblement de soi* (→ Feinte, cit. 7), *de sa laideur* (→ Émotionner, cit. 2). *Aborder qqn humblement* (→ Compliment, cit. 1). — Spécialt. Vx. (Formule de politesse). *Je vous baise* (cit. 12) *très humblement les mains.* — Mod. (Par modestie affectée). *Je vous ferai humblement remarquer...*

1 Très humblement requerrant votre grâce
De pardonner à ma trop grande audace (...)
Clément MAROT, Épîtres, XIII, Au Roy, pour le délivrer de prison.

2 Alors le noble altier, pressé de l'indigence,
Humblement du faquin rechercha l'alliance (...)
BOILEAU, Satires, V.

3 Je me confie pour MADAME en cette miséricorde, qu'elle a si sincèrement et si humblement réclamée. BOSSUET, Oraison funèbre de Henriette d'Angleterre.

4 (...) le célèbre comte de Boulainvilliers, et un Italien (...) me prédirent l'un et l'autre que je mourrais infailliblement à l'âge de trente-deux ans. J'ai eu la malice de les tromper déjà de près de trente années, de quoi je leur demande humblement pardon. VOLTAIRE, Dict. philosophique, Astrologie.

5 (...) je quitte les régions éthérées de ma prétendue force, je me fais humblement petite, je me courbe à la manière des pauvres femelles de toutes les espèces (...)
BALZAC, Séraphîta, Pl., t. X, p. 479.

6 Gardez un silence religieux, que rien n'interrompe; croisez humblement vos mains sur la poitrine, et dirigez vos paupières sur le bas.
LAUTRÉAMONT, les Chants de Maldoror, II, p. 78.

♦ **2.** Vx. Dans l'humilité. — Littér. *Vie qui s'écoule humblement* (→ Entêter, cit. 8).

CONTR. Ambitieusement, arrogamment, fièrement, glorieusement, orgueilleusement, prétentieusement, superbement (vieilli).

HUMBUG [ʼœmbœg] n. m. et adj. — 1830; mot angl. (1736) d'orig. inconnue.

♦ Vx. Farce, mystification (Mérimée, J. Verne, *in* Rey-Debove et Gagnon). — Adj. Amusant, farcesque. *« Ce sera très plaisant, très humbug, de le faire acclamer président »* (Paul d'Ivoi, *les Cinq sous de Lavarède, in* Rey-Debove et Gagnon).

Par reprise d'un sens américain :

C'est l'atmosphère, bien new-yorkaise, du « humbug » ou chiqué.
Paul MORAND, New-York, p. 152.

HUMECTAGE [ymɛktaʒ] n. m. — 1873; de *humecter.*

♦ Action d'humecter; son résultat. — Techn. *Humectage des étoffes, du papier,* à l'aide d'un appareil dit *humecteur**.

HUMECTANT, ANTE [ymɛktɑ̃, ɑ̃t] adj. — V. 1560; p. prés. de *humecter.*

♦ Méd. Vx. Qui rend le sang plus fluide, et humecte ainsi les organes. *Tisane humectante.* — N. m. (1721). Vx. *Un humectant.*

HUMECTATION [ymɛktasjɔ̃] n. f. — V. 1314; bas lat. *humectatio,* du supin de *humectare.* → Humecter.

♦ Vx. Action d'humecter.

HUMECTER [ymɛkte] v. tr. — 1503; lat. *humectare,* du rad. de *humectus, humere.* → Humide.

♦ **1.** [a] (Sujet n. de personne). Rendre humide, mouiller* légèrement au moyen d'un liquide versé. ⇒ **Imbiber, imprégner.** *Humecter du linge en l'arrosant*, en le trempant* dans un liquide. Humecter une plaie.* ⇒ **Bassiner.** — *Humecter de larmes...* (⇒ **Abreuver** [fig.]; → Feuillet, cit. 2).

[b] (Sujet n. de chose : liquide, récipient...). *Rosée, pluie fine qui humecte l'herbe. — Larmes qui humectent l'œil, la paupière* (→ Externe, cit. 1). — Passif et p. p. *Herbe humectée de rosée* (→ Foudre, cit. 10). *Parquet, sol humecté par l'arrosoir* (→ Employé, cit. 3). *Murs humectés de vapeurs* (⇒ **Imprégné;** → Capiteux, cit. 1).

1 (...) la rosée humectait l'herbe flétrie (...) ROUSSEAU, les Confessions, IV.

2 Genestas serra vivement les deux mains de Benassis dans les siennes, sans pouvoir réprimer quelques larmes qui humectèrent ses yeux et roulèrent sur ses joues tannées. BALZAC, le Médecin de campagne, Pl., t. VIII, p. 516.

♦ **2.** Rendre humide par un liquide organique autre que les larmes (salive, sueur).

3 Elle humecta ses lèvres sèches, puis reprit sa place auprès de lui (...)
J. CHARDONNE, les Destinées sentimentales, III, I.

(Sujet n. de chose) :

4 Elle voyait distinctement les fines gouttelettes de sueur qui humectaient les tempes (...) MARTIN DU GARD, les Thibault, t. VI, p. 80.

S'humecter les lèvres. — Par ext. Fam. *S'humecter le gosier.* ⇒ **Boire.**

5 Cerbelot tourne les feuillets de mon livre en s'humectant le pouce et l'index à coups de langue. G. DUHAMEL, Salavin, Journal, 10 mai.

▶ **S'HUMECTER** v. pron.

Devenir humide. *Ses yeux s'humectèrent* (→ Envenimer, cit. 6).

Fam. (Sujet n. de personne). Boire (du vin, de l'alcool) → ci-dessus : s'humecter le gosier.

6 Les adversaires ont déjà plusieurs bouteilles vides, rangées symétriquement contre leurs dominos, et qui prouvent que les combattants ont eu fréquemment besoin de s'humecter. Ch. PAUL DE KOCK, la Grande Ville, éd. 1842, t. I, p. 131.

▶ **HUMECTÉ, ÉE** p. p. adj. *Yeux humectés* (de larmes).

CONTR. Essorer, essuyer, sécher.
DÉR. Humectage, humectant, humecteur.

HUMECTEUR [ymɛktœʀ] n. m. — 1842, Académie, *Compl.;* de *humecter.*

Technique.

♦ **1.** Humidificateur, saturateur*.

♦ **2.** Appareil pour humecter les étoffes, le papier.

HUMER [ʼyme] v. tr. — Fin XIe, en judéo-franç.; d'un rad. onomat. *hum-* exprimant l'aspiration. P. Guiraud suggère une parenté avec le lat. *humere* « être humide ».

♦ **1.** Vx ou littér. Avaler (un liquide) en l'aspirant. ⇒ **Absorber, avaler.** *Humer un œuf, un bouillon, du vin. Humer à longs traits.* ⇒ **Boire.** — Loc. *Humer le pot (le piot) :* boire du vin.

1 Je humais à peine quelques gouttes d'eau et de citron, et, quand le mauvais temps nous força de relâcher à Guernesey, on crut que j'allais expirer (...)
CHATEAUBRIAND, Mémoires d'outre-tombe, t. II, p. 67.

2 Je fume un cigare à Tarascon en humant un café.
APOLLINAIRE, Ombre de mon amour, X.

Par métaphore. (→ Gourde, cit. 3).

3 Superbe, elle humait voluptueusement
Le vin de son triomphe (...) BAUDELAIRE, les Épaves, III.

Par anal. *Humer l'air, le vent.* ⇒ **Aspirer;** → Épanouir, cit. 10; grille, cit. 14. *Humer avec délices l'air frais du matin.* ⇒ **Respirer.** *Humer le brouillard, l'embrun* (cit.), *une gorgée* (cit. 5) *d'air.*

4 Je ne manquais point à mon lever, lorsqu'il faisait beau, de courir sur la terrasse humer l'air salubre et frais du matin, et planer des yeux sur l'horizon de ce beau lac, dont les rives et les montagnes qui le bordent enchantaient ma vue.
ROUSSEAU, les Confessions, XII.

5 Elle se penchait des deux mains par le vasistas, en humant la brise (...)
FLAUBERT, Mme Bovary, III, V.

♦ **2.** (1575). Cour. Aspirer par le nez pour sentir. *Humer une odeur, un parfum* (→ Embaumer, cit. 6; flotter, cit. 5; gourmandise, cit. 8; hareng, cit. 3). *Humer les effluves* (cit. 4), *le fumet* (cit. 2). — Par ext. *Humer un plat,* l'odeur d'un plat. ⇒ **Flairer.**

6 Il ouvrait les narines pour mieux humer le parfum s'exhalant de sa personne.
FLAUBERT, Salammbô, II, p. 221.

7 Et il humait dans son souvenir, en ouvrant les narines, le pétillement à odeur de roses d'un vieux champagne de mil huit cent quatre-vingt-neuf que Léa gardait pour lui seul (...) COLETTE, Chéri, p. 109.

8 Lorsqu'il *(le chien)* apercevait un tas de crottin au milieu de la chaussée, il devait se défendre contre l'envie d'aller le humer de tout près.
J. ROMAINS, les Hommes de bonne volonté, t. IV, VIII, p. 80.

8.1 (...) elle hume avec délices sur son bras nu sa propre odeur, celle pour toujours de ce printemps, de ce bonheur, l'odeur fraîche et fade de sa peau d'enfant, de la manche de sa robe en coton neuf... N. SARRAUTE, le Planétarium, p. 67.

Spécialt. *Humer une prise de tabac.*

8.2 Quelle joie, le lendemain en se réveillant! Bouvard fuma une pipe, et Pécuchet huma une prise, qu'ils déclarèrent la meilleure de leur existence. Puis ils se mirent à la croisée, pour voir le paysage. FLAUBERT, Bouvard et Pécuchet, Folio, p. 74.

9 (...) mon bon maître, levant le nez pour humer une prise de tabac (...)
FRANCE, la Rôtisserie de la reine Pédauque, Œ., t. VIII, p. 146.

♦ **3.** (1644). Fig. Littér. ⇒ **Respirer.** *Humer l'encens de la gloire.*

10 Il est difficile, pour un auteur à qui l'on cite quelques vers de ses poésies et quelques lignes de sa prose, si loin du boulevard des Italiens, de ne pas se rengorger un peu en humant cet encens, le plus délicat de tous aux narines d'un écrivain.
Th. GAUTIER, Voyage en Russie, XIX, p. 320.

DÉR. Humage, humant.

HUMÉRAL, ALE, AUX [ymeʀal, o] adj. — 1541; dér. sav. du lat. *humerus.* → Humérus.

♦ **1.** Anat. Relatif à l'humérus. *Artère humérale. Ligament huméral.*

♦ **2.** Liturgie cathol. *Voile huméral :* bande d'étoffe couvrant les épaules du prêtre.

Madeleine priait en bas, les épaules et les mains nues enveloppées de ses cheveux comme du voile huméral d'or.
M. JOUHANDEAU, la Jeunesse de Théophile, p. 160-161.

HUMÉRO- Élément, du lat. *humerus*, servant à former des adj. en anatomie (ex. : *huméro-cubital, huméro-métacarpien*).

HUMÉRUS [ymeʀys] n. m. — 1579; lat. *humerus* «épaule».

♦ Anat. Os long constituant le squelette du bras, de l'épaule* au coude*. *Le corps de l'humérus a trois faces et trois bords. Extrémité supérieure* (articulée avec l'omoplate), *extrémité inférieure* (articulée avec le radius et le cubitus; ⇒ **Coude**, cit. 1) *de l'humérus. Saillies de l'extrémité supérieure* (⇒ **Trochin, trochiter**), *inférieure* (⇒ **Condyle, épicondyle, épitrochlée, trochlée**) *de l'humérus. Col de l'humérus :* partie de l'humérus entre le corps et l'extrémité supérieure. *Tête de l'humérus :* surface articulaire arrondie, à l'extrémité supérieure de l'humérus. *Coulisse*, gouttière* de l'humérus. — Fracture de l'humérus.*

Voyez, c'est très mauvais, commentait-il. Tête de l'humérus fendue par blessure. Pas de recollement. Joseph PEYRÉ, Sang et Lumières, p. 218.

DÉR. Huméral, huméro-.

HUMEUR [ymœʀ] n. f. — 1119, en parlant de l'eau; au sens I, 1, v. 1175; les *quatre humeurs*, B. Latini, 1265; lat. *humor* «liquide», sens lat. jusqu'au XVIe; de *humere* «être humide». → Humide.

★ **I.** Vx. Substance élaborée par un corps organisé. — Anc. méd. Liquide organique du corps humain. *Relatif aux humeurs* ⇒ **Humoral.** *Principales humeurs.* ⇒ **Atrabile, bile, chassie, chyle, flegme, glaire** (2.), **ichor, larme, lymphe, mélancolie** (vx), **morve, mucosité, pituite, pus, roupie, salive, sang, sanie, sueur, synovie.** *Les quatre humeurs, les humeurs cardinales, fondamentales, de l'ancienne médecine* (bile, atrabile, flegme et sang). *Théorie des quatre humeurs* ⇒ **Humorisme.** *Humeur albuginée, blanchâtre. Humeurs séreuses.* ⇒ **Sérosité.** — Vx. *Humeurs subtiles.* ⇒ **Vapeurs.** *Humeur sèche, séchée.* ⇒ **Croûte.** *Humeur atrabilaire* (cit. 2), *humeur noire* (1631, *in* D.D.L.). ⇒ **Atrabile.** *Circulation des humeurs. Écoulement, épanchement, excrétion, extravasation, flux, fluxion d'humeurs. Humeurs affluentes. — Les humeurs viciées, les mauvaises humeurs étaient tenues pour causes de maladies. Humeurs âcres, aigries* (cit. 14.1), *corrompues* (cit. 24), *mordicantes, peccantes* (→ Entre, cit. 26). *Évacuer* (cit. 1) *les mauvaises humeurs. Atténuer* les humeurs. Médicaments pour dépurer, éliminer les humeurs malignes* (→ aussi Attractif, n. m.).

1 Les humeurs du corps ont un cours ordinaire et réglé, qui meut et qui tourne imperceptiblement notre volonté; elles roulent ensemble, et exercent successivement un empire secret en nous, de sorte qu'elles ont une part considérable à toutes nos actions, sans que nous le puissions connaître.
LA ROCHEFOUCAULD, Maximes, 297.

2 Il lui fallait son chocolat tous les matins, des égards à n'en plus finir. Elle se plaignait sans cesse de ses nerfs, de sa poitrine, de ses humeurs.
FLAUBERT, Mme Bovary, I, I.

Humeurs froides. ⇒ **Écrouelles, scrofule.**

Mod. *Humeur aqueuse* (cit. 1), *humeur vitrée de l'œil* : substance semi-liquide, transparente, qui remplit en arrière du cristallin la cavité oculaire (syn. : *corps vitré;* → Chambre, cit. 15; cristallin, cit. 4).

★ **II.** (XVe [mil. XVIe, Ronsard, selon T.L.F.]). Mod. Littér. (Abstrait). ♦ **1.** Ensemble des dispositions, des tendances dominantes qui forment le tempérament, le caractère, que l'on attribuait autrefois à la composition, au rapport des humeurs du corps (→ Charrier, cit. 4, Alain) et qui sont liés à la physiologie endocrinienne. (Syn. : *état thymique*). ⇒ **Caractère** (cit. 51), **complexion, disposition, naturel, tempérament** (→ Action, cit. 14; face, cit. 38). *«La fortune et l'humeur gouvernent* (cit. 20) *le monde»* (La Rochefoucauld). *S'enquêter* (cit. 2, Marivaux) *de l'humeur de qqn. — Rapports d'humeur. Compatibilité, conformité d'humeur. Contrariété, incompatibilité d'humeur* (souvent compris au sens purement psychique).

3 (*Deux amis*) Qu'un doux rapport d'humeurs sut joindre dès l'enfance (...)
MOLIÈRE, Psyché, I, 3.

4 Nous agissons par humeur et non par raison; c'est pourquoi l'ambition ni l'avarice ne se changent pas pour avoir ce qu'elles demandent, parce que l'humeur demeure toujours. BOSSUET, Pensées détachées, 30, *in* LITTRÉ.

5 Il y a plus de défauts dans l'humeur que dans l'esprit.
LA ROCHEFOUCAULD, Maximes, 290.

6 C'est le même moraliste, contemporain de Cromwell, qui a dit cet autre mot si vrai et qu'oublient trop les historiens systématiques : «La fortune et l'humeur gouvernent le monde». Entendez par *humeur* le tempérament et le caractère des hommes, l'entêtement des princes, la complaisance et la présomption des ministres, l'irritation et le dépit des chefs de parti, la disposition turbulente des populations, et dites, vous qui avez passé par les affaires, et qui ne parlez plus sur le devant de la scène, si ce n'est pas là en très grande partie la vérité.
SAINTE-BEUVE, Causeries du lundi, 4 févr. 1850, t. I, p. 325.

7 Ce qui m'a profondément (...) navré (...) c'est que j'y ai vu plus que jamais l'incompabilité native de nos humeurs.
FLAUBERT Correspondance, 189, 20 mars 1847, t. II, p. 12.

8 Le pessimisme est d'humeur; l'optimisme est de volonté.
ALAIN, Propos sur le bonheur, p. 272.

8.1 L'humeur, ou comme on dit encore l'état thymique, oscille entre deux pôles, l'exaltation ou hyperthymie et l'atonie ou hypothymie. L'exaltation de l'humeur peut se faire dans le sens de la joie, de l'expansion, de l'activité, ce qui à un degré pathologique constitue l'état maniaque, ou dans le sens de la douleur, de l'anxiété, de l'inhibition, ce qui à un degré pathologique constitue l'état mélancolique.
Jean DELAY, la Psycho-physiologie humaine, p. 44.

(Qualifié). *Humeur acariâtre, acerbe, acrimonieuse* (⇒ **Acrimonie**), *aigre, aigre-douce, aigrelette* (⇒ **Aigreur**). *Humeur atrabilaire, bilieuse* (métaphore du sens 1), *bourrue, caustique* (cit. 2; ⇒ **Causticité**). — Vx. *Une humeur colère* (cit. 20), *contentieuse. Humeur contrariante* (→ Bizarrerie, cit. 1), *criarde, difficile* (→ Désaccord, cit. 3), *insupportable, tatillonne. Humeur batailleuse* (cit. 1) *brouillonne, brusque* (⇒ **Brusquerie**), *querelleuse, violente. Humeur chagrine, inquiète* (→ Fantasque, cit. 3), *maussade, mélancolique, quinteuse, rechignée, rétive, revêche, sauvage, solitaire, sombre, taciturne, triste.* (⇒ **Chagrin, maussaderie, mélancolie, misanthropie, sauvagerie, tristesse**). *Humeur altière,* (vx) *haute* (cit. 55), *hautaine* (cit. 7 et 8). *Humeur bizarre, étrange* (→ Esclave, cit. 18), *extrême* (cit. 8). *Humeur vagabonde* (→ Caprice, cit. 11). *Humeur ardente, prompte, vive.* ⇒ **Ardeur**; → Fréquentation, cit. 5. *Humeur bavarde, enjouée, folâtre, gaie, joviale, piquante.* ⇒ **Gaieté, jovialité**; → Éplucher, cit. 7; forme, cit. 60. *Humeur accomodante, bénigne* (cit. 4), *calme, commode, conciliante, débonnaire* (cit. 3), *douce, égale* (cit. 33), *endurante,* (vx) *souffrante, facile* (→ Caprice, cit. 5; engageant, cit. 2; explosion, cit. 8). *Humeur accorte, agréable* (cit. 13), *amène.* ⇒ **Accortise** (vx), **aménité.** — Plus cour. (Non qualifié, dans quelques expressions). *Égalité, facilité d'humeur.* ⇒ **Composition** (bonne). *Gaieté d'humeur* (⇒ **Alacrité**). *Garder la même humeur; constance d'humeur* (→ Changer, cit. 63).

Toutes trois de contraire humeur : 9
Une buveuse, une coquette,
La troisième avare parfaite.
LA FONTAINE, Fables, II, 20.

Les tempéraments ne sont pas les mêmes, et rien n'est plus différent que les humeurs. Il y a des humeurs douces et paisibles, et il y en a de violentes et d'impétueuses (...) 10
BOURDALOUE, Exhortations, Instructions, sur la paix avec le prochain, § 2. I.

Dire d'un homme colère, inégal, querelleux, chagrin, pointilleux, capricieux : «c'est son humeur», n'est pas l'excuser, comme on le croit, mais avouer sans y penser que de si grands défauts sont irrémédiables. 11
LA BRUYERE, les Caractères, XI, 9 (→ Chose, cit. 1).

Enjouée jadis, expansive et toute aimante, elle était, en vieillissant, devenue (à la façon du vin éventé qui se tourne en vinaigre) d'humeur difficile, piaillarde, nerveuse. 12
FLAUBERT, Mme Bovary, I, I.

La tristesse de mon humeur habituelle s'accrut jusqu'à la haine de toutes choses et de toute humanité (...) 13
BAUDELAIRE, Trad. E. POE. Nouvelles histoires extraordinaires, «Le chat noir».

L'agitation (cit. 10), *le caprice* (cit. 12), *la mobilité de notre humeur. L'humeur change, se transforme avec l'âge.* (→ Éternel, cit. 30). — Vx. *Effervescences* (cit. 2) *d'humeur.* — Mod. *Inégalités d'humeur. Saute* d'humeur.*

Par la diversité de son humeur, tour à tour mystique ou joyeuse, babillarde, taciturne, emportée, nonchalante, elle allait rappelant en lui mille désirs, évoquant des instincts ou des réminiscences. 14
FLAUBERT, Mme Bovary, III, 5.

Certes, il y a de bons et de mauvais moments, mais notre humeur change plus souvent que notre fortune. 15
J. RENARD, Journal, 30 janv. 1905.

En réalité, les motifs qu'on a d'être heureux ou malheureux sont sans poids; tout dépend de notre corps et de ses fonctions, et l'organisme le plus robuste passe chaque jour de la tension à la dépression, de la dépression à la tension, et bien des fois, selon les repas, les marches, les efforts d'attention, la lecture et le temps qu'il fait; votre humeur monte et descend là-dessus, comme le bateau sur les vagues. 16
ALAIN, Propos, 1908, Neurasthénie.

Du reste, il avait des sautes d'humeur. Un jour où l'épicier s'était montré moins aimable, il était revenu chez lui dans un état de fureur (...) démesurée (...) 17
CAMUS, La Peste, p. 68.

♦ **2.** Littér. [a] *(L'humeur).* Ensemble des tendances spontanées, irréfléchies (opposé à *raison*, à *volonté*). ⇒ **Caprice, fantaisie, impulsion.** *Agir par humeur et non par raison, par volonté. L'humeur de qqn. Se livrer à son humeur* (→ Force, cit. 13). *S'abandonner, résister à son humeur* (→ Austérité, cit. 15). *Contraindre* (cit. 3), *gouverner* (cit. 47) *son humeur.*

Il ne vous eût pas été permis de vivre d'humeur, de tempérament et ne prendre que ce qui vous plait pour la règle de ce que vous devez faire. 18
MASSILLON, Profession religieuse. Sermon 3.

Je ne comprends pas comment un mari qui s'abandonne à son humeur et à sa complexion, qui ne cache aucun de ses défauts, et se montre au contraire par ses mauvais endroits, qui est avare, qui est trop négligé dans son ajustement (...) 19
LA BRUYÈRE, les Caractères, III, 74 (→ Ajustement, cit. 4).

(...) les meilleurs conseils (*sont*) rejetés d'abord par présomption et par humeur, et suivis seulement par nécessité ou par réflexion. 20
LA BRUYÈRE, les Caractères, XII, 76.

(...) une femme (...) esclave de son humeur. LA BRUYÈRE, les Caractères, III, 36. 21

On ne pouvait prendre un plus mauvais prétexte : mais nulle femme n'a, mieux que la Vicomtesse, ce talent commun à toutes, de mettre l'humeur à la place de la raison, et de n'être jamais si difficile à apaiser que quand elle a tort. 22
LACLOS, les Liaisons dangereuses, LXXI.

Vx. *Un homme d'humeur :* «un homme capricieux, inégal» (Littré). *C'est un homme qui n'a point d'humeur, qui est sans humeur* (Académie).

(...) un auteur né copiste (...) doit (...) éviter (...) de vouloir imiter ceux qui écrivent par humeur, que le cœur fait parler (...) LA BRUYÈRE, les Caractères, I, 64. 23

Loc. *Critique, article d'humeur,* écrit subjectivement, selon l'humeur du moment.

[b] *(Une, des humeurs).* Caprice, fantaisie, impulsion brusque et irraisonnée. *De brusques humeurs. Des humeurs imprévisibles.*

24 Car aussi ce sont ici mes humeurs et opinions; je les donne pour ce qui est en ma créance, non pour ce qui est à croire. MONTAIGNE, Essais, I, XXVI.

25 À la cour, à la ville, mêmes passions (...); partout des humeurs, des colères, des partialités (...) LA BRUYÈRE, les Caractères, IX, 53.

26 D'une sincérité exacte, pénétrante, et de caractère changeant, il inquiétait comme certaines femmes. Ses brusques humeurs surprenaient.
A. MAUROIS, la Vie de Byron, I, VII, p. 42.

♦ **3.** (1578). Disposition particulière, momentanée, dans laquelle se trouve une personne et qui ne constitue pas un trait de caractère. ⇒ **Disposition, état** (d'esprit, d'âme). *L'humeur du moment, de l'instant; notre humeur présente* (→ Correspondre, cit. 6). *Selon, suivant son humeur...* — Vx. *Être dans une humeur...* (→ Avis, cit. 12, Molière). Mod. *Être d'une humeur...* (→ ci-dessous, 4. et 5.), bonne, mauvaise humeur.

27 Vous êtes aujourd'hui dans une humeur désobligeante (...)
MOLIÈRE, le Sicilien, 6.

28 Si vous êtes encore de l'humeur dont vous étiez (...)
Mme DE SÉVIGNÉ, 27, *in* LITTRÉ.

29 Tu peux donc, suivant ton humeur, comprendre, ne pas comprendre; trouver beau, trouver ridicule, à ton gré? VALÉRY, Eupalinos, l'âme et la danse, p. 157.

Vieilli. **HUMEUR DE** (et n. ou inf.) : disposition, tendance à... *L'humeur l'a pris de faire cela.* ⇒ **Envie.**

30 Et *(je)* trouverai pour vous quelques autres vengeances,
Quand l'humeur me prendra de punir tant d'offenses. CORNEILLE, Attila, V, 3.

EN HUMEUR DE (et inf.). ⇒ **Disposé** (à). *Nous ne sommes pas en humeur de vous écouter. En humeur de parler, de raconter des histoires.* ⇒ **Veine, verve.** « *Êtes-vous en humeur d'aller vous promener, de travailler...?* » (Académie).

31 J'étais sur le théâtre, en humeur d'écouter. MOLIÈRE, les Fâcheux, I, 1.

32 On n'est pas en humeur de se promener. Mme DE SÉVIGNÉ, 185, *in* LITTRÉ.

33 Devant une telle âme, nous ne nous sentons en humeur que de respect. La conscience du juste doit être crue sur parole. HUGO, les Misérables, I, I, XIII.

34 (...) la jeune fille (...) avait toutes les qualités pour mettre les hommes en humeur de confidences. J. GREEN, Léviathan, I, VIII.

Vx. *En humeur de bien faire, en bonne humeur* : en bonne disposition intellectuelle, en verve* (en parlant d'un écrivain, d'un artiste).

35 Pour marquer l'heureuse disposition d'esprit de ceux qui travaillent de génie et d'imagination, on dit qu'ils sont en bonne humeur de travailler, en humeur de bien faire, en bonne humeur (...) TRÉVOUX, Dict. (1771), art. *Humeur.*

(1643, Corneille). **D'HUMEUR À...** ⇒ **Disposé, enclin** (à). *Être, se sentir d'humeur à faire qqch.* (→ Avoir le coeur* à...). *Il n'est pas d'humeur à rire, à plaisanter, à écouter un fâcheux* (cit. 12, Lemaître). — REM. Dans la langue classique, *être d'humeur à* s'employait plutôt en parlant d'une disposition habituelle, d'un trait de caractère (→ ci-dessus, 1.) et *être en humeur de...* en parlant d'une disposition accidentelle, passagère. Cette distinction, faite par Bouhours (cf. Brunot, H.L.F., t. IV, p. 532) et qui se trouve encore chez Littré et dans Académie 8e éd., ne correspond plus à l'usage actuel. *Lui, si jovial d'ordinaire, n'était pas, ce matin, d'humeur à plaisanter.*

36 Comme *(la favorite)* avait peu de tempérament, elle n'était pas toujours disposée à recevoir les caresses du sultan, ni le sultan toujours d'humeur à lui en proposer.
DIDEROT, les Bijoux indiscrets, III.

♦ **4.** (Déb. XVIIe). Cour. **BONNE HUMEUR** : disposition à la gaieté, à l'optimisme, à l'alacrité, qui se manifeste dans l'air, le ton, les manières. ⇒ **Enjouement** (cit. 9), **entrain, gaieté**; → Correctif, cit. 2; généreux, cit. 16. *La bonne grâce* (cit. 95) *et la bonne humeur. Une bonne humeur factice* (cit. 8), *forcée, moqueuse, narquoise* (→ Entendre, cit. 85; fantaisie, cit. 36). *Caractère enjoué* (cit. 3), *plein de bonne humeur. Un garçon* (cit. 12), *une personne de bonne humeur* (→ Fier, cit. 13). *Un fond de bon sens et de bonne humeur* (→ Ardent, cit. 24). *Il a une bonne humeur inaltérable. La bonne humeur de qqn. Il les émoustillait* (cit. 3) *par sa bonne humeur. — Réunion, endroit où règne la bonne humeur* (→ 2. Foudre, cit.). *Ouvrage, récit plein de bonne humeur* (→ Farcir, cit. 5).

37 (...) sa bonne humeur qui montrait à tout propos de belles dents blanches et retentissait en éclats sonores (...) Th. GAUTIER, Portraits contemporains, p. 204.

38 Si j'avais, par aventure, à écrire un traité de morale, je mettrais la bonne humeur au premier rang des devoirs. ALAIN, Propos, 1909, Bonne humeur.

39 (...) il avait le visage tranquille et volontaire de ceux qui ne permettent pas à la vie de les troubler et qui tiennent à leur bonne humeur comme un avare à son trésor.
J. GREEN, Adrienne Mesurat, I, II.

Être de bonne humeur, en bonne humeur (moins cour.) ⇒ **Content, luné** (bien luné); **joyeux, réjoui**; → Badiner, cit. 10 : gêné, cit. 3. *Se mettre en bonne humeur* (→ Fanfaron, cit. 5). *Il est arrivé de bonne humeur, de très bonne humeur. Reprendre, retrouver sa bonne humeur.* ⇒ **Calmer** (se), **défâcher** (se). *Il n'est pas de très bonne humeur.* — (Dans le même sens). *Être d'excellente, de joyeuse, de charmante humeur.*

40 Son ton léger, son chapeau de travers, son air d'enfant prodigue en joyeuse humeur, vous eussent fait revenir en mémoire quelque « talon rouge » du temps passé. A. DE MUSSET, Nouvelles, « Les deux maîtresses », I.

(1636). Vieilli ou littér. **BELLE HUMEUR** (→ Gai, cit. 5; glace, cit. 8). *Il a perdu sa belle humeur. Être de belle humeur, en belle humeur.* — Vx. *Être dans sa belle humeur, dans ses belles humeurs, — Parler, écrire avec la plus libre belle humeur* (→ Agile, cit. 7).

41 Je ne suis pas en belle humeur : les affaires de Flandres prennent un mauvais tour.
Mme DE MAINTENON, Lettre au duc de Noailles, 15 août 1711.

(...) il avait toujours remarqué que cette belle humeur est incompatible avec la cruauté. VOLTAIRE, L'Ingénu, XIX. 42

Jamais fâché, toujours en belle humeur (...) 43
BEAUMARCHAIS, le Mariage de Figaro, I, 4.

♦ **5.** (Déb. XVIIe, Malherbe). Cour. **MAUVAISE HUMEUR** : disposition à la tristesse, à l'irritation, à la colère* (→ Attention, cit. 29; chagrin, cit. 17; couvrir, cit. 27). *Avoir l'air de mauvaise humeur.* ⇒ **Mécontent.** *Manifester de la mauvaise humeur.* ⇒ **Bisquer; bouder; fâcher** (se), **pester; rager, râler**...; → Faire la mine*, la tête*, la gueule*; (fam.) être en rogne*. *Il est de mauvaise humeur aujourd'hui, il a dû se lever du pied gauche. C'est de la mauvaise humeur pour huit jours* (→ Foncier, cit. 1). *Mettre qqn en mauvaise humeur* (→ Compagnie, cit. 8). Plus cour. *Être de mauvaise humeur, être de fort* (cit. 63) *mauvaise humeur.* ⇒ **Cran** (à), **crin** (comme un crin). *Accès, mouvement de mauvaise humeur* (→ Bêtise, cit. 14). *Sa mauvaise humeur s'apaisa, tomba* (→ Gouaillerie, cit. 2). — (Dans le même sens). *Méchante humeur; humeur massacrante* (cit. 1, 2), *exécrable* (cit. 9), *épouvantable. Humeur de chien, de dogue.*

(...) j'étais de méchante humeur de votre fortune qui n'est pas heureuse. 44
Mme DE SÉVIGNÉ, 1035, 2 sept. 1687.

Chateaubriand, dans ses relations avec Béranger, avec Carrel, était charmant : c'étaient des adversaires. Chateaubriand ressemblait à ces maris qui gardent toute leur mauvaise humeur pour la maison, pour leur femme. Sa femme, c'était le parti royaliste. SAINTE-BEUVE, Chateaubriand, t. II, p. 318. 45

(...) il était d'une humeur massacrante (...) 46
BARBEY D'AUREVILLY, les Diaboliques, « À un dîner d'athées ».

Mais elle était née de mauvaise humeur et elle avait continué à être mécontente de tout. Fâchée contre le monde entier, elle en voulait principalement à son mari. 47
MAUPASSANT, Toine, p. 12.

Les amours, ça ne devait pas marcher sur des roulettes. D'où cette humeur de dogue. ARAGON, les Beaux quartiers, II, XXXII. 48

Fréquemment éclatent des scènes dues à la seule mauvaise humeur, qui devient chronique. CAMUS, la Peste, p. 136. 49

Nommez-moi donc, dit Werther, l'homme qui, étant de mauvaise humeur, est assez honnête pour le dissimuler, le supporter tout seul, sans détruire la joie autour de lui! Cet homme est évidemment introuvable, car la mauvaise humeur n'est rien d'autre qu'un message. 49.1
R. BARTHES, Fragments d'un discours amoureux, p. 201.

(1666, Molière). **HUMEUR NOIRE** : mélancolie profonde; tristesse, abattement. ⇒ **Cafard** (fam.); → Chagrin, cit. 16; contradiction, cit. 2.

Mes jours de jalousie et mes nuits d'humeur noire (...) 50
VERLAINE, le Livre posthume, Fragments, I.

♦ **6.** (Fin XVIIe; au plur., 1538). Absolt. Littér. Mauvaise humeur. ⇒ **Colère, irritation**; → Employer, cit. 8; galant, cit. 5; gronder, cit. 20. *Cela me donne de l'humeur. Avoir, garder de l'humeur contre qqn.* ⇒ **Rancune.** *Concevoir, prendre de l'humeur.* ⇒ **Froisser** (se). *Accès, mouvement, trait d'humeur.* ⇒ **Bourrasque, boutoir** (coup de), **quinte**; → Excuser, cit. 24.

L'humeur est de tous les poisons le plus amer (...) 51
VOLTAIRE, Lettre à d'Argens, 1100, 1752.

En lui (*M. de Marigny*) l'humeur gâtait tout, et cette humeur était quelquefois hérissée de rudesse et de brusquerie. MARMONTEL, Mémoires, V. 52

Notre Salomon a de l'humeur et je le crois mécontent ou malade. 53
D'ALEMBERT, Lettre à Voltaire, 27 déc. 1777.

La jolie Prude arriva seulement au moment du dîner, et annonça une forte migraine; prétexte dont elle voulut couvrir un des plus violents accès d'humeur que femme puisse avoir. LACLOS, les Liaisons dangereuses, XL 54

Des foules d'adversaires m'attaquèrent sans m'entendre, avec une étourdie qui me donna de l'humeur, et avec un orgueil qui m'en inspira peut-être. 55
ROUSSEAU, Lettre à Mgr de Beaumont.

On rit peu de la gaieté d'autrui, quand on a de l'humeur pour son propre compte. 56
BEAUMARCHAIS, le Barbier de Séville, Lettre sur la critique.

Pendant deux mois, il parla avec humeur de la hardiesse qu'on avait eue de faire, sans le consulter, une réparation aussssi importante, mais Madame de Rênal l'avait exécutée à ses frais, ce qui le consolait un peu. 57
STENDHAL, le Rouge et le Noir, VIII.

Voilà le malheur de la Province : prendre l'humeur. On ne prend point d'humeur aux colonies. STENDHAL, Mémoires d'un touriste, t. I, p. 27. 57.1

Il était sévère, calme, réservé, bien qu'à ses moments d'humeur il traitât son meilleur ami ou même sa femme de « sale denrée » 58
G. DUHAMEL, Salavin, Deux hommes, p. 210.

♦ **7.** Vx. Disposition à la plaisanterie, à la facétie, à l'ironie. ⇒ **Humour.**

Cet homme a de l'humeur. — C'est un vieux domestique, 59
Qui, comme vous voyez, n'est pas mélancolique (...)
CORNEILLE, la Suite du Menteur, III, 1.

Ils (*les Anglais*) ont un terme pour signifier cette plaisanterie, ce vrai comique, cette gaieté, cette urbanité, ces saillies qui échappent à un homme sans qu'il s'en doute; et ils rendent cette idée par le mot humeur, *humour* (...); et il croient qu'ils ont seuls cette humeur (...) Cependant c'est un ancien mot de notre langue, employé en ce sens dans plusieurs comédies de Corneille. 60
VOLTAIRE, Mélanges littéraires, Lettre à d'Olivet, 20 août 1761.

La gaieté, chez M. de Chateaubriand, n'a rien de naturel et de doux; c'est une sorte d'humeur ou de fantaisie qui se joue sur un fond triste. 61
SAINTE-BEUVE, Causeries du lundi, 18 mars 1850.

HUMICOLE [ymikɔl] adj. — Mil. XXe; de *humus*, et *-cole.*

♦ Didact. Qui est dans l'humus, les matières végétales composées.

HUMIDE [ymid] adj. — XIVe, *humiz*, fém. *humide; humide*, 1495; lat. *humidus*, et au neutre *humidum*, de *humere* «être humide».

♦ **1.** Poét. Vx. Qui est, en tout ou en partie, de la nature de l'eau. ⇒ **Aqueux, fluide, liquide;** → Basalte, cit.; cataplasme, cit. 1. *L'humide élément* : l'eau. *L'humide empire* : la mer, l'océan.

1 Cependant sur le dos de la plaine liquide
S'élève à gros bouillons une montagne humide (...) RACINE, Phèdre, V, 6.

N. m. (1636). Un des quatre principes actifs d'Aristote. *L'humide et le sec.* — (Fin XVe). Anc. méd. *L'humide radical* : le fluide unique que l'on supposait être le principe de la vie.

2 L'humide radical dans mon cœur se dissipe,
Mon esprit s'en altère, et mon corps s'en constipe. SCARRON, Don Japhet, I, 4.

♦ **2.** (V. 1550, Du Bellay). Mod. Chargé, imprégné sans en être pénétré de substance aqueuse, de liquide, de vapeur. — REM. *Mouillé, trempé** sont plus forts. — *Rendre humide.* ⇒ **Humecter, humidifier.** *Murs humides qui suintent.* ⇒ **Suintant.** *Les flancs humides d'un rocher* (→ Capillaire, cit. 3). *Cavité* (cit. 1), *cave, souterrain humide. Herbe, mousse humide* (→ Couvrir, cit. 18). — *Humide de... Fleur humide de rosée* (→ Fondant, cit. 2; grenu, cit. 2). *Sol, terre humide de pluie* (⇒ **Détrempé**). — *Pavé humide et gras.* — *Linges, draps humides. Essorer, faire sécher du linge encore humide. Nettoyer avec un chiffon, une serpillière, une éponge humide. Pâte humide* (→ Cylindre, cit. 1). *Pain humide et mou* (→ Exécrable, cit. 7). — *Chevelure humide* (→ Briller, cit. 6). *Lèvres humides* (→ Goulot, cit. 1). *Mains humides.* ⇒ **Moite.** — *Front humide de sueur**.

3 Les pièces pyrotechniques envoyées à l'adresse du sieur Tuvache avaient, par excès de précaution, été enfermées dans sa cave; aussi la poudre humide ne s'enflammait guère et le morceau principal qui devait figurer un dragon se mordant la queue, rata complètement (...) FLAUBERT, Mme Bovary, II, 8.

4 Puis il passa dans sa chambre à coucher, rafraîchit avec une éponge humide le marbre de la commode (...) HUYSMANS, Là-bas, p. 151.

Loc. *La paille humide des cachots* (cit. 4) : la prison (par plais.).

5 Je danse sur la paille humide des cachots. VERLAINE, Invectives, XXXVI.

Où l'humidité règne (d'un lieu, d'un milieu). *Pièce, chambre humide et malsaine* (→ Germer, cit. 3). *Pièce froide* (cit. 4) *et humide. Le remugle d'une pièce humide et longtemps fermée.* — *Air humide* (→ Épais, cit. 12). *Atmosphère humide et brumeuse. La fraîcheur humide de l'aube, du crépuscule* (→ Courir, cit. 30; gouttelette, cit. 1). *Nuit humide, ténèbres humides* (→ Gras, cit. 27; halo, cit. 3). Poét. (placé avant le n.). *Humides senteurs* (→ Bien-être, cit. 2). — *Vent froid et humide* (→ Enfiler, cit. 5). *Temps humide. Climat humide et tiède, et chaud, et mou. Chaleur humide. Saison humide. Il fait très humide* : l'hygrométrie est forte. — *Pays humide*, où le climat est humide (→ Erg, cit. 2; glissement, cit. 6). *Lieu bas et humide* (⇒ **Crapaudière, marécage, mouillère**). *Plantes uligineuses, croissant dans les lieux humides.*

6 Le presbytère de Saint-Symphorien est froid, humide et la paroisse n'est pas assez riche pour le réparer. Le pauvre vieillard va donc se trouver enterré dans un véritable sépulcre. BALZAC, le Curé de Tours, Pl., t. III, p. 844.

7 Nous passâmes cette première soirée chez nous, assis au coin du feu comme en hiver, car la chambre était humide et la brume du jardin nous pénétrait jusqu'à la moelle des os. Alphonse DAUDET, le Petit Chose, XIV, p. 364.

8 La forêt, presque dépouillée, était humide comme une salle de bains. MAUPASSANT, Clair de lune, «Une veuve,» p. 145.

9 La chaleur humide de ce printemps faisait souhaiter les ardeurs de l'été. CAMUS, la Peste, p. 43.

N. m. (Mil. XVIe) :

10 Les murs du pavillon se gardaient encore bien secs autrefois quand l'air tournait encore tout autour, mais à présent que les hautes maisons de rapport le cernaient, tout suintait l'humide chez eux, même les rideaux qui se tachaient en moisi. CÉLINE, Voyage au bout de la nuit, p. 230.

Yeux humides de larmes, de pleurs...* (⇒ **Embrumé, embué**). *Regards humides.* ⇒ **Mouillé;** → Élégie, cit. 2.

11 (...) de quel front j'ose aborder son père (...)
L'œil humide de pleurs, par l'ingrat rebutés (...) RACINE, Phèdre, III, 3.

12 (...) les yeux, tapis sous les sourcils, brillaient comme s'ils eussent été phosphorescents : très noirs, presque sans blanc, toujours humides et d'une mobilité surprenante (...) MARTIN DU GARD, les Thibault, t. V, p. 55 (éd. La Gerbe).

CONTR. **Sec. — Aride.**
COMP. **Humidifuge, humidimètre.**

HUMIDIFICATEUR [ymidifikatœʀ] adj. et n. m. — 1895, Encycl. Berthelot; de *humidifier*.

♦ Techn. Se dit d'un appareil utilisé pour augmenter le degré hygrométrique de l'air (syn. : *humecteur*, 1.). ⇒ **Saturateur.** *Appareil humidificateur.* — N. m. *Un humidificateur.* — Spécialt. Appareil servant à conserver une substance (notamment du tabac) au meilleur degré hygrométrique.

1 Le temps d'un court silence, il ouvre un coffret humidificateur en ébène. Roger BORNICHE, le Ricain, p. 63.

2 Le loufiat, bien stylé, passe les cigares en humidificateur d'acajou. SAN-ANTONIO, T'est beau, tu sais!, p. 174.

HUMIDIFICATION [ymidifikasjɔ̃] n. f. — 1875; de *humidifier*.

♦ Techn. Action d'humidifier.

HUMIDIFIER [ymidifje] v. tr. — 1649, Scarron; de *humide*.

♦ Techn. ou didact. Rendre humide, plus humide ⇒ **Humecter, mouiller.**

Chez les rotifères, la dessication arrête complètement la nutrition. Et cependant, si au bout de plusieurs semaines de vie latente on humidifie ces petits animaux, ils ressuscitent, et le rythme de leurs échanges chimiques redevient normal. Alexis CARREL, l'Homme, cet inconnu, p. 95.

CONTR. **Sécher; dessécher.**
DÉR. **Humidificateur, humidification.**

HUMIDIFUGE [ymidifyʒ] adj. — 1829; de *humide*, et *-fuge*.

♦ Didact. Qui absorbe, neutralise l'humidité. *Le mâchefer est humidifuge.*

HUMIDIMÈTRE [ymidimɛtʀ] n. m. — 1972, art. *Bâtir*, in *la Clé des mots*; de *humide*, et *-mètre*.

♦ Techn. Appareil de mesure du taux d'humidité (d'un subjectile : plâtre, etc.).

HUMIDITÉ [ymidite] n. f. — 1361; bas lat. *humiditas*, de *humidus*. → Humide.

♦ **1.** Caractère de ce qui est humide*, chargé d'eau, de liquide, de vapeur. *Les plantes ont besoin d'humidité. Humidité d'un sol. Taux d'humidité du sol. L'humidité d'une maison, d'une pièce. Traces, taches d'humidité.* ⇒ **Mouillure.** *Humidité pénétrante, malsaine* (→ Alcool, cit. 1). *Métal rouillé, rongé par l'humidité* (⇒ **Oxydation;** → Guimbarde, cit. 2). *Bois qui se gondole*, poutres qui se pourrissent à l'humidité* (→ Fil, cit. 28). *Vêtements, objets moisis par l'humidité. Cave sentant le moisi et l'humidité* (→ Guitoune, cit. 1). *Grâce à ces fondations de béton, il n'y aura pas d'humidité* (→ Fonder, cit. 1). *Assainir en supprimant l'humidité. Qui préserve de l'humidité.* ⇒ **Hydrofuge.** *Lutter contre l'humidité et le froid* (→ Aménagement, cit. 2). *Bruits amortis* (cit. 10) *par l'humidité. Humidité chaude* (⇒ **Lourdeur;** → Équatorial, cit.), *glacée* (→ Germe, cit. 13).

Qu'il fait ici d'humidité! 1
Foin! votre habit sera gâté;
Il est beau, ce serait dommage :
Souffrez, sans tarder davantage,
Que j'aille quérir un tapis. LA FONTAINE, Contes, «Nicaise.»

Dans la lumière diminuée, dans l'humidité pénétrante qu'on sentait descendre comme un manteau glacé sur les épaules, c'était sinistre de s'enfoncer, à une tombée de nuit, dans ces régions incertaines (...) LOTI, Matelot, XLIX, p. 188. 2

Les articulations s'étirent avec des crissements de bois qui joue et de vieux gonds (...) L'humidité rouille les hommes comme les fusils, plus lentement mais plus à fond. H. BARBUSSE, le Feu, t. I, II, p. 12. 3

(...) les murs de la maison, pourtant fraîchement crépis et retapissés, mais où la terrible humidité mettait déjà partout ses hideuses lézardes, ses traînées salpêtrées et verdâtres (...) Pierre BENOIT, Mlle de la Ferté, I, p. 67. 4

♦ **2.** Eau, vapeur présente (dans un lieu, un milieu). *L'humidité filtrait à travers les pierres.* (→ Détacher, cit. 14). *Murailles, parois qui rendent leur humidité.* ⇒ **Ressuer, suer, suinter.** *Ôter, enlever l'humidité, les taches d'humidité* (en essuyant, en séchant...). — *Nuages porteurs d'humidité* (→ Ballonné, cit. 1).
Proportions d'eau ou de vapeur d'eau. *L'humidité de l'air, du climat* (cit. 1), *de l'atmosphère* (⇒ **Brouillard, brouillasse, bruine, brume, serein; moiteur**). *Mesure de l'humidité atmosphérique* (⇒ **Hygromètre, hygrométrie;** → Évaporation, cit. 2). *Humidité absolue* : nombre de grammes de vapeur d'eau par mètre cube d'air. *Humidité relative* : proportion entre la quantité de vapeur d'eau effectivement contenue dans l'air et la capacité d'absorption de l'air à une température donnée. *Une humidité relative de 100 %.* ⇒ **Saturation.**

CONTR. **Sécheresse. — Aridité.**

HUMIFÈRE [ymifɛʀ] adj. — XXe (*in* Larousse 1931); de *humus*, et *-fère*.

♦ Didact. Qui est riche en humus.

HUMIFICATION [ymifikasjɔ̃] n. f. — 1922, in *Larousse*; de *humus*, et *-fication*, du lat. *-ficatio*, de *ficare* «faire».

♦ Didact. Transformation (de matières végétales) en humus.

HUMILIANT, ANTE [ymiljɑ̃, ɑ̃t] adj. — 1668, *in* D. D. L.; «humble», 1160; p. prés. de *humilier*.

♦ Qui cause ou est de nature à causer de l'humiliation*, à rabaisser dans son estime et dans l'estime des autres. ⇒ **Abaissant, avilissant, dégradant, mortifiant.** *Emploi, joug, humiliant. Démarche humiliante. Brimade* (cit. 1) *humiliante. Aveu humiliant* (→ Égarement, cit. 3). *Le succès des sots est humiliant pour qui a échoué* (cit. 6). *Il est humiliant de se laisser surprendre par les événements* (cit. 14). *C'est humiliant pour lui. L'évolution du monde a qqch. d'humiliant pour l'Européen* (cit. 3). *Essuyer un échec humiliant.* ⇒ **Écrasant.**

1 (...) si cette douceur (...) vous met désormais à couvert des justes chagrins que vous aviez, et des peines humiliantes d'avoir toujours à demander (...)
Mme DE SÉVIGNÉ, 1337, 27 oct. 1691.

2 Les bienfaits des hommes sont accompagnés d'une maladresse si humiliante pour les personnes qui les reçoivent ! MARIVAUX, la Vie de Marianne, I, p. 22.

3 Il *(Lothaire)* imagina de le dégrader *(Louis le Débonnaire)* en lui imposant une pénitence publique et si humiliante, qu'il ne s'en pût jamais relever. Les évêques de Lothaire présentèrent au prisonnier une liste de crimes dont il devait s'avouer coupable. MICHELET, Hist. de France, II, III.

4 (...) il n'y a rien d'humiliant, — pourvu que ce soit honnête, — à gagner sa vie en travaillant. R. ROLLAND, Jean-Christophe, VI, p. 112 (éd. Ollendorf).

5 (...) c'est très pénible lorsqu'il faut revenir sur ces jugements téméraires, très humiliant. Valery LARBAUD, Barnabooth, III, Journal, p. 239.

6 (...) la douleur la plus humiliante : celle qu'on se méprise d'éprouver.
MALRAUX, la Condition humaine, I, 21 mars 1927, 1 h. du matin.

7 L'esclave, à l'instant où il rejette l'ordre humiliant de son supérieur, rejette en même temps l'état d'esclave lui-même. CAMUS, l'Homme révolté, p. 27.

8 À quarante ans, Rousseau *(Jean-Jacques)* était déjà presque un vieillard, en tout cas un malade, astreint à des soins humiliants.
Émile HENRIOT, Portraits de femmes, p. 186.

CONTR. Exaltant, flatteur, glorieux.

HUMILIATEUR, TRICE [ymiljatœʀ, tʀis] adj. et n. — 1904, Claudel, *in* D. D. L. ; de *humilier.*

♦ Littér. Rare. (Personne) qui humilie (qqn).

HUMILIATION [ymiljɑsjɔ̃] n. f. — Av. 1450, « action d'humilier » ; lat. ecclés. *humiliatio,* du bas lat. *humiliare.* → Humilier.

♦ **1.** (1495). Relig. Le fait de s'humilier volontairement, de s'abaisser devant Dieu. *L'humiliation de l'âme. — (Une, des humiliations).* Attitude, pratique par laquelle qqn s'humilie (→ Austérité, cit. 16).

1 (...) s'offrir par les humiliations aux inspirations, qui seules peuvent faire le vrai et salutaire effet (...) PASCAL, Pensées, IV, 245.

2 (...) qui serait si superbe, qui voyant l'apôtre saint Paul ainsi vivement attaqué, ne confesserait pas devant Dieu dans l'humiliation de son âme que vraiment notre maladie est extrême, et que les plaies de notre nature sont bien profondes ?
BOSSUET, 1er sermon pour la Pentecôte, 1er point.

♦ **2.** Action d'humilier ou de s'humilier ; fait de se rabaisser ou d'être abaissé dans l'estime. ⇒ **Abaissement** (cit. 6), **aplatissement** (fam.), **avilissement, dégradation, diminution, honte, mortification.** *L'humiliation de qqn par qqn, par qqch. Travailler à l'humiliation d'un rival. Humiliation volontaire* (→ Exorciser, cit. 5). — État d'une personne qui est humiliée. *C'est le comble de l'humiliation* (Académie). *Les affres et l'amertume de l'humiliation* (→ Adoucir, cit. 4). *L'épreuve de l'humiliation* (→ Éprouver, cit. 9). *L'humiliation des mauvaises gens* (→ Haïssable, cit. 2), *des réprouvés. Vivre dans l'humiliation. Descendre au dernier degré de l'humiliation.*

3 (...) il *(ce discours)* est imprimé et, à la honte du siècle comme pour l'humiliation des bons auteurs, réimprimé. LA BRUYÈRE, les Caractères, XV, 23.

4 Ô ciel ! un barbare m'a outragé jusque dans la manière de me punir ! il m'a infligé (...) ce châtiment qui met dans l'humiliation extrême (...)
MONTESQUIEU, Lettres persanes, CLVII.

5 (...) j'apprends, pour comble de malheur et d'humiliation, que le procureur du roi, auquel il s'est adressé, est mon ennemi déclaré, et cherche partout de quoi me perdre. VOLTAIRE, Lettre à d'Argental, 573, 12 févr. 1739.

6 Le ris malin (...) est autre chose ; c'est la joie de l'humiliation d'autrui (...)
VOLTAIRE, Dict. philosophique, Rire.

7 Dix-huit ans, il y exécutera son dessein sombre : l'humiliation et l'anéantissement de ceux dont il a été, dans son enfance, la victime.
Émile HENRIOT, Portraits de femmes, p. 418.

♦ **3.** (XVIIe). Sentiment d'une personne humiliée. ⇒ **Confusion, honte** (2.). *L'humiliation qui suit une faute* (→ Atténuer, cit. 8). *Orgueil qui grandit* (cit. 7) *dans l'humiliation. Avoir, éprouver l'humiliation de...* (→ Embrasement, cit. 6). *Il conçut une vive humiliation de cet échec. Rougir d'humiliation. Elle en fut quitte pour l'humiliation.* → Pour sa courte honte*.

8 (...) elle y eût lu *(dans ce regard)* comme un espoir vague de la plus atroce vengeance. Ce sont sans doute de tels moments d'humiliation qui ont fait les Robespierre. STENDHAL, le Rouge et le Noir, IX, p. 56.

9 Nos morts du XIIe siècle n'auraient pas vu sans humiliation, que dis-je sans horreur, leurs successeurs du XIVe siècle (...) MICHELET, Extraits historiques, p. 117.

9.1 Fallait-il en arriver à ce degré d'humiliation ? S'appeler Schultze, être le maître absolu de la plus grande usine et de la première fonderie de canons du monde entier, voir à ses pieds les rois et les parlements, et s'entendre dire par un petit dessinateur suisse qu'on manque d'invention, qu'on est au-dessous d'un artilleur français !... J. VERNE, les Cinq Cents Millions de la Bégum, VIII, p. 128.

10 L'homme que l'humilité inclinait, au contraire, l'humiliation le fait se regimber. L'humilité ouvre les portes du paradis ; l'humiliation, celles de l'enfer.
GIDE, Dostoïevsky, II, p. 106.

11 (...) si l'humilité est un renoncement à l'orgueil, l'humiliation au contraire amène un renforcement de l'orgueil. GIDE, Dostoïevsky, II, p. 108.

12 Plutôt que de survivre à l'humiliation atroce d'un refus, elle se serait tiré un coup de revolver dans la cervelle (...) J. GREEN, Léviathan, p. 235.

13 (...) un genre d'humiliation dont il est admis que les hommes ont le privilège : l'humiliation de l'impuissance sexuelle.
ROMAINS, les Hommes de bonne volonté, V, I, p. 8.

L'humiliation, sentiment luciférien, naît d'une comparaison avec l'extérieur, c'est l'individu toisant la société et rejetant sur elle sa bassesse (...) les libertins Rousseau, Voltaire, Beaumarchais, en sont obsédés : aveux humiliants, refus humiliants, reproches humiliants, ces mots se retrouvent à chaque instant sous leur plume. Le complexe d'infériorité est l'originalité du XVIIIe siècle et le vice suprême du jacobinisme. Paul MORAND, *in* Tableau de la littérature franç., Beaumarchais. 14

♦ **4.** *(Une, des humiliations ; l'humiliation).* Ce qui humilie, blesse l'amour-propre. ⇒ **Affront, avanie** (cit. 5), **blessure, camouflet, dégoût, gifle** (fig.), **honte** (par ext.), **mortification, vexation.** *Essuyer* (cit. 13), *recevoir, subir une cuisante, cruelle humiliation* (→ Exagérer, cit. 3). *Il endura l'humiliation jusqu'au bout* (→ Boire* un affront, le calice* jusqu'à la lie ; avoir toute honte* bue). *Dévorer son humiliation* (→ Fureur, cit. 33). *Infliger une humiliation à qqn. Accabler qqn d'humiliations. Être cuirassé* (cit. 4) *contre les humiliations.*

(...) après de si étranges humiliations, elle fut encore contrainte de paraître au monde et d'étaler pour ainsi dire à la France même et au Louvre, où elle était née avant tant de gloire, toute l'étendue de sa misère. 15
BOSSUET, Oraison funèbre de Henriette-Marie de France.

Apprendre à vivre chez vous en étranger est une humiliation que je n'ai pas méritée. ROUSSEAU, Julie ou la Nouvelle Héloïse, VI, Lettre VII. 16

(...) l'énorme besoin de vengeance qu'existaient chez lui le sentiment de sa supériorité et la vue de ses humiliations. 17
RENAN, Vie de Jésus, IV, *in* Œ, compl., t. IV, p. 117.

Debout dans sa chaire, pâle de rage, le pauvre On écoutait toutes ces injures, dévorait toutes ces humiliations et se gardait bien de répondre. 18
Alphonse DAUDET, le Petit Chose, I, IX.

(...) depuis sa bastonnade, son embastillement, sa fuite à Londres, jusqu'aux insolences du roi de Prusse, la vie de Voltaire est une suite de triomphes et d'humiliations. SARTRE, Situations II, p. 147. 19

CONTR. Exaltation, flatterie, gloire, glorification.

HUMILIÉ, ÉE [ymilje] p. p. adj. ⇒ **Humilier.**

HUMILIER [ymilje] v. tr. — V. 1120 ; bas lat. ecclés. *humiliare,* du lat class. *humilis.* → Humble.

♦ **1.** (Fin XIIe). Vx. Abaisser, incliner (la tête, le front) avec respect, avec soumission. ⇒ **Prosterner.** — Pron. Fig. ⇒ **Incliner** (s'), **soumettre** (se).

Quand tu verras tous ses vassaux 1
S'humilier sous sa couronne.
RONSARD, les Mascarades, « Prophétie de la seconde sereine (*sirène*) ».

Tu le vois tous les jours, devant toi prosterné, 2
Humilier ce front de splendeur couronné,
Et confondant l'orgueil par d'augustes exemples,
Baiser avec respect le pavé de tes temples. RACINE, Esther, Prologue.

On ne peut que s'humilier devant la profondeur de vos vues, si on en juge par le succès de vos démarches. LACLOS, les Liaisons dangereuses, LXVI. 3

♦ **2.** (V. 1120). Vx ou relig. Rendre humble*, remplir d'humilité. *Dieu humilie les superbes* (Académie). ⇒ **Abaisser, rabaisser.**

Humiliez votre cœur, et attendez avec patience (...) 4
BIBLE (SACY), Ecclésiastique, II, 2.

(...) humiliez votre âme devant les anciens, et baissez la tête devant les grands. 5
BIBLE (SACY), Ecclésiastique, IV, 7.

Cette impuissance ne doit donc servir qu'à humilier la raison, qui voudrait juger de tout (...) PASCAL, Pensées, IV, 282. 6

Sévérité d'autant plus chrétienne et par conséquent d'autant plus agréable à Dieu qu'elle humilie plus l'homme, et qu'elle rabaisse plus les enflures de son orgueil (...) BOURDALOUE, Dominicales, II, 3e dimanche après Pentecôte, I. 7

V. pron. (Mil. XIIe). **S'HUMILIER** : devenir, se faire humble (→ Apaisement, cit. 7). *Il est dur à l'orgueilleux de s'humilier.* ⇒ **Humiliation** (1.).

Plus vous êtes grand, plus vous vous humilierez en toutes chose, et vous trouverez grâce devant Dieu (...) BIBLE (SACY), Ecclésiastique, III, 20. 8

Quiconque donc s'humiliera comme cet enfant, celui-là sera le plus grand dans le royaume des cieux. BIBLE (SACY), Évangile selon saint Matthieu, XVIII, 4. 9

Humiliez-vous, raison impuissante ; taisez-vous nature imbécile (...) 10
PASCAL, Pensées, VII, 434.

À la faveur de cette nouvelle lumière, je découvre ce que dit le Prophète : « Vraiment vous êtes un Dieu caché, un Dieu sauveur, » un Dieu qui s'est humilié, un Dieu qui s'est épuisé lui-même dans ses abaissements, un Dieu abaissé dans un profond néant. BOSSUET, Sermons, Entretien pour fête Visitation. 11

Ignores-tu qu'il est des tentations déshonorantes qui n'approchèrent jamais d'une âme honnête, qu'il est même honteux de les vaincre, et que se précautionner contre elles est moins s'humilier que s'avilir ? 13
ROUSSEAU, Julie ou la Nouvelle Héloïse, IV, Lettre XIII.

L'homme est tellement machine, que le vin donne quelquefois cette imagination que l'ivresse anéantit ; il y a là de quoi s'humilier, mais de quoi admirer. 13
VOLTAIRE, Dict. philosophique, Imagination.

Barrès dit de la jeunesse que c'est le temps où nous avons le goût d'admirer, de nous humilier. F. MAURIAC, le Jeune Homme, p. 43. 14

S'humilier de (qqch.).

(...) tu veux t'humilier de tes fautes passées sous prétexte d'en prévenir de nouvelles (...) ROUSSEAU, Julie ou la Nouvelle Héloïse, IV, Lettre XIII. 15

S'humilier devant Dieu, sous la loi divine. ⇒ **Anéantir** (s'), **prosterner** (se).

Il entre une autre fois dans un lieu saint, perce la foule, choisit un endroit pour se recueillir et où tout le monde voit qu'il s'humilie (...) 16
LA BRUYÈRE, les Caractères, XIII, 24.

Aux pieds de l'Éternel je viens m'humilier. RACINE, Esther, I, 1. 17

♦ **3.** (Sujet n. de personne ou de chose). Abaisser (cit. 17), rabaisser (qqn) d'une manière outrageante ou avilissante, faire baisser dans l'estime. ⇒ **Dégrader, écraser, mortifier, rabaisser, rabattre.** *La joie honteuse d'humilier son semblable* (→ Aumône, cit. 14). *Travail qui humilie.* ⇒ **Humiliant**; → Bagnard, cit. *Despote qui humilie ses sujets.* ⇒ **Accabler, opprimer.** *Humilier qqn par,* (vx) *de...* (une action; → ci-dessous, cit. 20). — Absolt. (→ ci-dessous, cit. 22).

18 Ainsi Nabuchodonosor avait abusé de sa puissance et s'était élevé contre Dieu; Dieu l'humilie, le réduit à la condition des bêtes, l'oblige de manger l'herbe qui croît dans la campagne (...)
BOURDALOUE, Pensées, I, De l'humilité..., Caract. de l'humilité.

REM. Cet emploi joint le sens 2 au 3.

19 (...) il me mit quelques louis d'or dans la main. Je les refusai d'abord, (...) mais (...) il me força de les prendre. Je les pris donc avec honte, car cela m'humiliait (...)
MARIVAUX, la Vie de Marianne, I, p. 27-28.

20 L'impétueuse Électre a mérité l'outrage
Dont j'humilie enfin cet orgueilleux courage. VOLTAIRE, Oreste, I, 5.

21 (...) le plaisir secret de mortifier, d'abaisser ces petites gens qui, aux élections, avaient fait les rois, de les rappeler à leurs basses origines (...) La faiblesse se jouait au dangereux amusement d'humilier une dernière fois les forts.
MICHELET, Hist. de la Révolution franç., I, II.

22 (*Le rire*) a pour fonction d'intimider en humiliant. Il n'y réussirait pas si la nature n'avait laissé à cet effet dans les meilleurs d'entre les hommes, un petit fonds de méchanceté, ou tout au moins de malice. H. BERGSON, le Rire, p. 201.

23 Votre rêve le plus ardent est d'humilier l'homme qui vous a offensé.
PROUST, À la recherche du temps perdu, III, p. 54.

Pron. (→ Aumône, cit. 14). — Sans compl. (→ ci-dessous, cit. 24, 27). *S'humilier devant qqn, sous un pouvoir... S'humilier servilement, s'humilier devant la richesse, devant les puissants.* → Courber le front*; fléchir, plier, ployer le genou; baiser les pieds de ...; fam. se mettre à plat ventre*; lécher* les bottes; baisser* son froc, son pantalon.

24 Vous voulez que le roi s'abaisse et s'humilie? RACINE, Mithridate, III, 1.

25 (...) ces malheurs auxquels sont condamnés les natures supérieures avant d'être reconnues, contrainte de s'humilier sous les médiocrités dont le patronage leur est nécessaire (...) CHATEAUBRIAND, Mémoires d'outre-tombe, t. III, p. 85.

26 Pour Laurence, s'humilier devant cet homme, objet de sa haine et de son mépris, emportait la mort de tous ses sentiments généreux.
BALZAC, Une ténébreuse affaire, Pl., t. VII, p. 621.

27 Il serait plutôt mort de faim et de colère chez les Buteau, que de retourner s'humilier chez les Delhomme. ZOLA, la Terre, IV, 2.

Vx. (Compl. n. de chose). *Humilier l'audace, la fierté de qqn.*

♦ **4.** Couvrir de confusion, de honte. ⇒ **Confondre, offenser, vexer; honte** (faire honte à); → Être, cit. 92. *Humilier publiquement un menteur.* — (Sujet n. de chose). *Le souvenir de ses erreurs l'humilie encore. Vos railleries l'ont humilié.*

28 Rien ne devrait plus humilier les hommes qui ont mérité de grandes louanges, que le soin qu'ils prennent encore de se faire valoir par de petites choses.
LA ROCHEFOUCAULD, Réflexions et maximes, 272.

29 (...) je ne tourne point sans répugnance les yeux sur le passé; il m'humilie jusqu'au découragement et je suis trop sensible à la honte pour en supporter l'idée sans retomber dans une sorte de désespoir.
ROUSSEAU, Julie ou la Nouvelle Héloïse, IV, Lettre XIII.

30 Enfin je crois que, si elle s'en va en se déchirant le cœur, c'est par l'espérance qu'elle a de revenir digne de lui dans l'esprit de tout le monde, et de pouvoir être sa femme, sans désoler et sans humilier sa famille.
G. SAND, la Petite Fadette, XXIX, p. 199.

31 Pascal accroît son ennemi, pour l'accabler. Il attend d'avoir si mal aux dents qu'il trouve la cycloïde; et, du reste, il en propose le problème à toute l'Europe, dans le dessein qu'on ne peut nier, d'humilier tout le monde.
André SUARÈS, Trois hommes, I, «Pascal», III, p. 56.

▶ **S'HUMILIER** v. pron. → ci-dessus à l'article.

▶ **HUMILIÉ, ÉE** p. p. adj. (XIIIe).

♦ **1.** Vx. Abaissé dans sa fierté, rendu humble. *L'homme superbe sera abaissé, l'homme humilié sera élevé* (→ Avènement, cit. 1).

32 Ô Ciel! puis-je plus bas me voir humilié? MOLIÈRE, Amphitryon, III, 5.

33 Que j'aime à voir cette superbe raison humiliée et suppliante!
PASCAL, Pensées, VI, 388.

♦ **2.** Qui a subi une humiliation, une mortification. *Peuple vaincu et humilié. Homme humilié dans sa dignité. Il est cruellement humilié de son échec. Se sentir humilié autant qu'indigné de qqch.* (→ Graveleux, cit. 3). *Le Père humilié,* pièce de Claudel. — *Il s'en retourna, très humilié d'avoir été dupé.* ⇒ **Confus, honteux, penaud; bas** (l'oreille, la tête basse). — Par ext. *Il courbait* (cit. 10) *sa tête humiliée. Contenance humiliée* (→ Bas, cit. 11). — *Susceptible, vanité humiliée.*

34 Avec plaisir sans doute il verrait à ses pieds
Des sénateurs tremblants les fronts humiliés (...) VOLTAIRE, Brutus, II, 2.

35 Un homme est humilié de la longueur du siège (*amoureux*); elle fait au contraire la gloire d'une femme. STENDHAL, De l'amour, VIII.

36 Il y a des lieux dans le monde où je suis comme humilié d'avoir promené des chagrins si ordinaires et versé des larmes si peu viriles.
E. FROMENTIN, Dominique, XIII.

37 Tout l'humiliait : il était humilié si on ne lui parlait pas, humilié si on lui parlait, humilié si on lui donnait des bonbons, comme à un enfant, humilié surtout si le grand-duc, avec un sans-façon princier, le renvoyait en lui mettant une pièce d'or dans la main. R. ROLLAND, Jean-Christophe, Le matin, I, p. 115.

Humilié dans son amour-propre.

Nous voici vaincus et captifs, humiliés dans notre légitime orgueil national, souffrants dans notre corps, sans nouvelles des êtres qui nous sont chers. 38
SARTRE, la Mort dans l'âme, p. 237.

N. (Surtout n. m. pl.). *Un humilié. Revanche des humiliés. Humiliés et offensés,* œuvre de Dostoïevsky.

L'histoire (...) gardera (...) ses sévérités inexorables pour ceux qui n'ont pu leur pardonner (*à ces hommes*) d'avoir fait à la grande humiliée de 1870 l'aumône d'un peu de gloire. 39
WALDECK-ROUSSEAU, Plaidoirie pour l'ingénieux Eiffel, *in* GUERLAC.

Le Père disait au même instant que la vertu d'acceptation totale dont il parlait ne pouvait être comprise au sens restreint qu'on lui donnait d'ordinaire, qu'il ne s'agissait pas de la banale résignation, ni même de la difficile humilité. Il s'agissait d'humiliation, mais d'une humiliation où l'humilié était consentant. 40
CAMUS, la Peste, p. 245.

CONTR. Élever, enorgueillir, exalter, glorifier, relever.
DER. Humiliateur.

HUMILIS [ymilis] adj. — Mil. XXe; mot lat., «humble».

♦ Didact. (météor.). *Cumulus humilis* : cumulus aplati, de faible extension verticale, appelé communément *nuage de beau temps.*

HUMILITÉ [ymilite] n. f. — Xe, *humilitiet;* lat. *humilitas* «peu d'élévation, bassesse», de *humilis.* → Humble.

♦ **1.** Sentiment qu'une personne éprouve de sa faiblesse, de son insuffisance, et qui la pousse à s'abaisser volontairement en réprimant l'orgueil. ⇒ **Modestie.** *Grande, profonde, sincère humilité. L'humilité vertueuse des hommes généreux* (cit. 5, Descartes). *L'humilité des forts* (→ Circonvenir, cit. 3). *Souffrir les mépris, les affronts avec humilité* (Académie). *La fausse humilité* (→ Arracher, cit. 18), *artifice* (cit. 6) *de l'orgueil. L'humilité et l'orgueil peuvent coexister chez le même individu* (→ Cynisme, cit. 4). *Humilité et humiliation** (cit. 11 et 12). — *Accès d'humilité* (→ Grand, cit. 78). *Manifestations d'humilité. S'agenouiller, courber le dos, fléchir le genou, se prosterner en signe d'humilité et de soumission. Air, attitude, ton d'humilité.* ⇒ **Componction.** *Ses fautes le remplissent d'humilité.* ⇒ **Honte.**

Toujours l'humilité gagne le cœur de tous;
Au contraire l'orgueil attise le courroux. RONSARD, le Bocage royal, I.

Pour la bassesse ou humilité vicieuse, elle consiste principalement en ce qu'on se sent faible ou peu résolu, et que, comme si on n'avait pas l'usage entier de son libre arbitre, on ne se peut empêcher de faire des choses dont on sait qu'on se repentira par après; puis aussi en ce qu'on croit ne pouvoir subsister par soi-même, ni se passer de plusieurs choses dont l'acquisition dépend d'autrui. Ainsi elle est directement opposée à la générosité (...)
DESCARTES, les Passions de l'âme, art. 159 (→ Artifice, cit. 6).

(...) et bien qu'il (*l'orgueil*) se transforme en mille manières, il n'est jamais mieux déguisé et plus capable de tromper que lorsqu'il se cache sous la figure de l'humilité. LA ROCHEFOUCAULD, Maximes, 254.

Il se connaît lui-même, et cette connaissance qu'il a de lui-même est le fondement de son humilité. Il sait de quelle manière il s'est comporté pendant de longues années; (...) il le sait, et c'est ce qui lui fait sentir toute son indignité. Or ce sentiment de son indignité, c'est en même temps ce qui le porte à se ravaler autant qu'il peut et à se mettre au plus bas rang.
BOURDALOUE, Pensées, I, De l'humilité..., Caract. de l'humilité.

(...) l'humilité est la modestie de l'âme. C'est le contre-poison de l'orgueil. L'humilité ne pouvait pas empêcher Rameau de croire qu'il savait plus de musique que ceux auxquels il l'enseignait; mais elle pouvait l'engager à convenir qu'il n'était pas supérieur à Lulli dans le récitatif. VOLTAIRE, Dict. philosophique, Humilité.

Je comprends le sens de l'humilité. Elle n'est pas dénigrement de soi. Elle est le principe même de l'action. Si, dans l'intention de m'absoudre, j'excuse mes malheurs par la fatalité, je me soumets à la fatalité. Si je les excuse par la trahison, je me soumets à la trahison. Mais si je prends la faute en charge, je revendique mon pouvoir d'homme. Je puis agir sur ce dont je suis. Je suis part constituante de la communauté des hommes. SAINT-EXUPÉRY, Pilote de guerre, XXV, p. 213.

L'humilité a sa source dans la conscience d'une indignité, parfois aussi dans la conscience éblouie d'une sainteté.
COLETTE, Belles saisons, Discours de réception, p. 212.

L'humilité est un abaissement intérieur, un consentement de pieuse reconnaissance envers l'ordre du monde, inégal en apparence, une position morale où la dignité vraie de l'homme n'est jamais en jeu.
Paul MORAND, *in* Tableau de la littérature franç., Beaumarchais.

Relig. *L'humilité évangélique, vertu chrétienne* (→ Autel, cit. 18; courbatu, cit. 3). *Pratiquer l'humilité.* ⇒ **Pénitence**; → Abaissement, cit. 7. *Donner des marques d'une humilité édifiante. Confesser ses péchés avec humilité.* ⇒ **Humblement.** *L'améthyste* (cit. 1), *la chalcédoine, gemmes* (cit. 1) *qui symbolisent l'humilité. L'âne, image de l'humilité dans l'iconographie chrétienne médiévale.*

En sorte que vous ne fassiez rien par un esprit de contention ou de vaine gloire, mais que chacun, par humilité, croie les autres au-dessus de soi (...)
BIBLE (SACY), Épître aux Philippiens, II, 3.

Comme il a eu l'humilité, il a eu toutes les autres vertus dont elle est le fondement (...) pratiquez l'humilité comme lui, aimez l'obscurité comme il l'a aimée. 10
BOSSUET, Oraison funèbre de Nicolas Cornet.

L'humilité est la véritable preuve des vertus chrétiennes; sans elle nous conservons tous nos défauts, et ils sont seulement couverts par l'orgueil, qui les cache aux autres, et souvent à nous-mêmes. LA ROCHEFOUCAULD, Maximes, 358. 11

La vraie religion enseigne nos devoirs, nos impuissances : orgueil et concupiscence; et les remèdes : humilité, mortification. PASCAL, Pensées, VII, 493. 12

(...) saint Chrysostome ne craint point de dire, que l'état même du péché avec l'humilité, vaut mieux que l'état de justice avec l'orgueil; parce que l'orgueil détruit dans peu toute la piété du juste, au lieu que l'humilité efface le péché et sanctifie le pécheur par une parfaite conversion. 13
BOURDALOUE, Pensées, I, De l'humilité..., Caract. de l'humilité.

4 (...) un sentiment intérieur qui avilit l'homme à ses propres yeux, et qui est une vertu surnaturelle qu'on appelle humilité. LA BRUYÈRE, les Caractères, XI, 69.

5 (...) la véritable humilité du chrétien, c'est de trouver toujours sa tâche au-dessus de ses forces, bien loin d'avoir l'orgueil de la doubler.
ROUSSEAU, Julie ou la Nouvelle Héloïse, VI, Lettre VI.

6 L'humilité est aussi convenable à l'homme devant Dieu que la modestie à l'enfant devant les hommes. Joseph JOUBERT, Pensées, I, 98.

7 Et devant Dieu, caché dans sa fatalité,
Notre seule science est notre humilité! LAMARTINE, Jocelyn, Sixième époque.

8 (...) leur humilité (*de ces saints*) tient plus de la faiblesse que celle de Pascal, qu'il tire de sa force. André SUARÈS, Trois hommes, I, « Pascal », III, p. 53.

♦ **2.** Grande déférence. ⇒ **Soumission.** *Témoigner d'humilité envers qqn. S'effacer, s'incliner devant qqn par humilité. Esprit d'humilité. Acte, geste d'humilité.* — Par ext. *L'humilité de son maintien, de sa requête.* ⇒ **Timidité.**

9 Le premier devoir des petits est l'humilité devant les grands.
FRANCE, Les dieux ont soif, VII.

0 Il lui semblait quelquefois qu'il eût préféré l'acrimonie d'une femme jalouse à l'éternelle douceur de Marie, et il détestait l'humilité avec laquelle elle acceptait qu'il la rudoyât, ses manières obéissantes, sa bonté, jusqu'à sa bonté qu'il voyait, croyait-il, dans tous ses gestes. J. GREEN, Léviathan, IV, p. 35.

Fam. *En toute humilité :* le plus humblement possible. *Je crains de ne pouvoir vous satisfaire, je vous l'avoue en toute humilité.* ⇒ **Humblement.**

1 (...) et ma joie est extrême
De pouvoir saluer en toute humilité
Un homme dont le nom est partout si vanté (...) MOLIÈRE, l'Étourdi, I, 4.

2 (...) voici le nouveau thème que Raton pourrait essayer, et que Bertrand lui propose en toute humilité.
D'ALEMBERT, Correspondance, Lettre à Voltaire, 9 févr. 1773.

Péj. ⇒ **Bassesse** (2.), **obséquiosité, servilité.** *Une dégradante, lâche, vile humilité. Courtisans qui font assaut d'humilité.*

3 Je vis des colporteurs juifs avec des yeux de faucons étincelants dans des physionomies dont le reste n'était qu'abjecte humilité (...)
BAUDELAIRE, Trad. E. POE, Nouv. histoires extraordinaires, « L'homme des foules ».

4 (...) elle, attentive à me plaire, empressée jusqu'à l'humilité (...)
F. MAURIAC, la Pharisienne, XIV, p. 225.

Vx. *(Une, des humilités). S'abaisser à des humilités.* ⇒ **Platitude.**

5 Non, ne descendez point dans ces humilités,
Et laissez-nous juger ce que vous méritez. MOLIÈRE, Mélicerte, I, 5.

♦ **3.** (1606). Littér. État d'infériorité de la nature humaine (⇒ **Bassesse**) ou d'une condition sociale (⇒ **Obscurité**). *Connaître l'humilité de sa condition* (→ Gentilhomme, cit. 2).

♦ **4.** Littér. Caractère humble*, obscur d'une chose. *L'humilité d'un emploi, d'une tâche.*

♦ **5.** Littér. Rare. Caractère de ce qui est modeste, peu élevé. « *L'humilité des enchères* » (A. France, *in* G. L. L. F.).

CONTR. Agressivité, amour-propre. — Ambition, approbativité, arrogance, forfanterie, gloriole, hauteur, morgue, orgueil, superbe, vanité.

HUMINE [ymin] n. f. — 1866, Littré; de *humus,* et suff. *-ine.*

♦ Didact. Partie non acide de l'humus.

HUMIQUE [ymik] adj. — 1834, *in* T. L. F.; de *humus.*

♦ Rare. Relatif à l'humus. *Produits, matières humiques.* Spécialt. *Acide humique,* provenant de l'oxydation de substances végétales.

HUMIRIACÉES [ymiʀjase] n. f. pl. — XXe; de *humiria* (1846, Bescherelle; mot péruvien *umiri,* même sens), et *-acée.*

♦ Bot. Famille de plantes dicotylédones dialypétales comprenant de nombreux arbres ou arbrisseaux qui produisent une résine balsamique ressemblant au *baume du Pérou,* et dont le type est le genre *humiria,* à grandes fleurs en corymbe.

HUMMOCK [ymɔk] n. m. — 1851; mot angl., d'orig. obscure; probablt dimin. Cf. *hillock,* de *hill,* racine obscure.

♦ Géogr. Monticule formé par des plaques de glace qui se rencontrent sur la banquise et chevauchent les unes sur les autres.

(...) cet icefield océanique, ce n'était plus le miroir uni du lac. L'agitation des flots avait altéré sa pureté. Çà et là ondulaient de longues pièces solidifiées, imparfaitement réunies par leurs bords, quelques-unes de ces glaces flottantes, connues sous la dénomination de « drift-ices », et enfin, en maint endroit, des protubérances, des extumescences souvent très accusées, produites par la pression, et que les baleiniers appellent « hummocks ». J. VERNE, le Pays des fourrures, t. I, p. 224.

La « route » que nous suivions pour nous rendre du navire à la terre fut nivelée aussi bien que possible, et les hummocks qui nous obligeaient à de trop grands détours reçurent quelques cartouches de dynamite qui les émiettèrent.
La Science illustrée, 1890, t. II, p. 316.

Au cours de l'hiver polaire, la jeune glace s'épaissit et subit des modifications dues aux propriétés physiques particulières de la glace marine. Ainsi un brusque abaissement de la température a pour effet de dilater la couche de glace, celle-ci se disloque en immenses plaques qui chevauchent les unes sur les autres, formant des *monticules* que les Anglais appellent des *hummocks.*
Vsevolod ROMANOVSKY et André CAILLEUX, la Glace, les Glaciers, p. 33.

HUMORAL, ALE, AUX [ymɔʀal, o] adj. — 1490 (v. 1370, selon T. L. F.); lat. médiéval *humoralis,* de *humor.* → Humeur, I.

Didactique.

♦ **1.** Relatif aux humeurs (I.) du corps; causé par les humeurs. *Maladies humorales. Trouble humoral* (→ Fièvre, cit. 5).

♦ **2.** Qui interprète la physiologie par le système des humeurs. *Théorie humorale.* ⇒ **Humorisme, humoriste** (I.).

HUMORISME [ymɔʀism] n. m. — 1825, Broussais; lat. *humor* « humeur ».

♦ Didact. Doctrine médicale ancienne des quatre humeurs. *Galien, Avicenne, Averrhoès furent des partisans de l'humorisme.*

(...) la médecine hippocratique considérait le tempérament comme la résultante du mélange de quatre *humeurs,* le sang, l'atrabile, la bile, la pituite, et distinguait le sanguin, le bilieux, l'atrabilaire et le pituiteux. Le renouveau de l'humorisme a ramené certains médecins de tendance néohippocratique à la doctrine des tempéraments évidemment conçue sur un mode moins archaïque.
Jean DELAY, la Psycho-physiologie humaine, p. 68.

HUMORISTE [ymɔʀist] n. et adj. — 1578; ital. *umorista,* du lat. sav. *humorista* (Van Helmont); de *humor* au sens médical.

★ **I.** N. ♦ **1.** Vx. Personne d'humeur maussade, fâcheuse (⇒ **Mélancolique**). Adj. *Il est un peu humoriste.*

Que si l'humoriste répond *qu'un bienfaiteur fait cent ingrats,* on répliquera justement *qu'il n'y a peut-être pas un ingrat qui n'ait été plusieurs fois bienfaiteur* (...) 1
BEAUMARCHAIS, le Mariage de Figaro, Préface.

Le philosophe Saint-Lambert, naturellement sévère et même un peu humoriste. 2
LA HARPE, Correspondance, *in* LITTRÉ.

♦ **2.** (1725; sens spécial du lat. sav. *humorista*). Hist. méd. Médecin partisan de l'humorisme.

★ **II.** Adj. (1795; angl. *humorist,* de *humour.* → Humour). Qui a de l'humour*; qui s'exprime avec humour. *Écrivain humoriste.* — N. (1842; *humouriste,* 1840, *in* Höfler; la forme angl. *humorous* est attestée en franç. en 1788). *Un, une humoriste. Swift, Lewis Carroll, Alphonse Allais, Alfred Jarry, célèbres humoristes.*

La France n'a jamais manqué d'écrivains humoristes, mais il y sont moins appréciés que partout ailleurs (...) On a beaucoup parlé des hardiesses de Pétrus Borel (...) et des divagations de Lassailly; elles sont toutes dépassées par M. Xavier Forneret. Ch. MONSELET, *in* le Figaro, cité par A. BRETON, Anthologie de l'humour noir, p. 101. 3

(...) l'humour est tout entier dans la vie, on n'a point la peine de l'y mettre; pour le découvrir, il suffit de voir, d'ouvrir les yeux au bon moment, et c'est là la vertu essentielle de l'humoriste. 4
Émile HENRIOT, Maîtres d'hier et contemporains, A. France, V.

Spécialt. Auteur de dessins satiriques ou comiques. *Salon des humoristes.* ⇒ **Caricaturiste.**

HUMORISTIQUE [ymɔʀistik] adj. — 1801; angl. *humoristic,* de *humour.* → Humour.

★ **I.** Relatif à l'humour; qui s'exprime avec humour; empreint d'humour. *La veine humoristique. Un comique humoristique. Écrivain, conteur humoristique. Récit humoristique.* — Dans un sens plus vague. Amusant, drôle.

(...) l'auteur d'une nouvelle a à sa disposition une multitude de tons (...) le ton raisonneur, le sarcastique, l'humoristique (...) qui sont comme des dissonnances, des outrages à l'idée de beauté pure.
BAUDELAIRE, Trad. E. POE, Notes nouvelles sur E. Poe, Pl., p. 1 069.

Spécialisé dans l'humour ou le comique. *Journal, dessin humoristique* (ou *d'humour*).

(Personnes). *Conteur, dessinateur humoristique* (Sainte-Beuve, *in* T. L. F.). — REM. Une var. anc., *humouristique,* est attestée.

★ **II.** (1847, Balzac; dér. sav. du lat. *humor* ou de *humoriste* [I., 2.]). Vx. Relatif aux humeurs. « *Le mécanisme humouristique* » (Balzac, *le Cousin Pons, in* T. L. F.). — REM. Ce sens a été éliminé par le succès du sens I.

CONTR. Ennuyeux, sérieux, triste.
DÉR. Humoristiquement.

HUMORISTIQUEMENT [ymɔʀistikmɑ̃] adv. — 1874, J. Verne, *in* T. L. F.; de *humoristique.*

♦ Rare. De manière humoristique; avec humour.

HUMOUR [ymuʀ] n. m. — 1745, *in* Höfler; attestation isolée, 1725; angl. *humour,* lui-même empr. au franç. *humeur; humeur* s'est employé dans ce sens, 1693. → Humeur (cit. 60 et *supra*).

♦ Forme d'esprit qui consiste à présenter la réalité de manière à en dégager les aspects plaisants et insolites, parfois absurdes, avec une attitude empreinte de détachement et souvent de formalisme. ⇒ **Esprit** (*supra* cit. 143). *L'humour et l'ironie** (→ ci-dessous, cit. 8). *Les définitions modernes de l'humour en font une notion très proche du « comique absolu » dont parle Baudelaire (Curiosi-*

tés esthétiques, Rire, VI). « *La célèbre formule attribuée tantôt à Wilde, tantôt à Giraudoux, tantôt à Vian :* “L'humour, c'est la politesse du désespoir” » (*Nouvelles littéraires,* 15 mars 1978). *L'humour, qualité traditionnelle de l'esprit britannique* (→ Entrain, cit. 4, Hugo). *Humour bruxellois.* ⇒ **Zwanze.** *Humour froid, flegmatique, pince-sans-rire. Humour fantastique, débridé.* ⇒ **Fantaisie.** *L'humour de Lewis Carroll. Humour tendre, aimable, plaisant. L'humour de Dickens, de Mark Twain. Humour sarcastique, cinglant* ⇒ **Raillerie, sarcasme, satire.** *Humour anticonformiste, révolté, destructeur.* — (1940, *in* Höfler). *Humour noir :* forme d'humour qui exploite des thèmes désespérés, évoque la mort et crée des effets comiques avec la froideur et le détachement caractéristiques de l'humour en général. — *L'humour de Swift, de Lautréamont de Goya. L'humour en peinture, au cinéma. L'humour de Magritte.* — *Avoir de l'humour, le sens de l'humour :* être capable de s'exprimer avec humour, de comprendre l'humour (→ Fin, cit. 14). Vieilli. *Avoir le sens de la blague* et de l'humour. Manquer d'humour. Parler, agir avec humour. Un humour imperturbable. Une pointe d'humour.*

1 Les Anglais ont pris leur *humour,* qui signifie chez eux plaisanterie naturelle, de notre mot *humeur* employé en ce sens dans les premières comédies de Corneille (...) VOLTAIRE, Dict. philosophique, Langues.

2 (...) de petites notations féroces, de petites assimilations sans pitié des laideurs et des infirmités de la vie, grossies, outrées par l'humour de terribles caricaturistes (...) Ed. DE GONCOURT, les Frères Zemganno, XXXV, p. 161.

2.1 (...) « l'humour » ne lui manquait pas. Ce fut lui qui, après l'affaire de la Rivière-Noire, voulant à tout prix conserver sa place au guichet du bureau télégraphique, afin d'annoncer à son journal le résultat de la bataille, télégraphia pendant deux heures les premiers chapitres de la Bible. Il en coûta deux mille dollars au *New York Herald,* mais le *New York Herald* fut le premier informé.
J. VERNE, l'Île mystérieuse, t. I, p. 15 (1874).

2.2 Humour : pudeur, jeu d'esprit. C'est la propreté morale et quotidienne de l'esprit. Je me fais une haute idée morale et littéraire de l'humour.
J. RENARD, Journal, 23 fév. 1910.

3 Tantôt (...) on décrira minutieusement et méticuleusement ce qui est, en affectant de croire que c'est bien là ce que les choses devraient être : ainsi procède souvent l'humour. H. BERGSON, le Rire, p. 129.

4 Le mot humour est intraduisible. S'il ne l'était pas, les Français ne l'emploieraient pas. Mais ils l'emploient précisément à cause de l'indéterminé qu'ils y mettent (...)
VALÉRY, *in* Revue Aventure, nov. 1921.

5 L'humour n'est pas du tout le sens du ridicule : il va bien au delà. L'humour est la possession exquise et légère de l'objet par l'esprit. Rien n'est plus désintéressé que le véritable humour. L'humour ne vas pas sans une libre critique de soi-même.
André SUARÈS, Valeurs, Forme, VII, p. 269.

6 Pas d'ironie! Elle vous dessèche et dessèche la victime; l'humour est bien différent; c'est une étincelle qui voile les émotions, répond sans répondre, ne blesse pas et amuse. Max JACOB, Conseils à un jeune poète, p. 81.

7 L'humour se distingue du comique véritable, qui vise d'abord à provoquer le rire, qui comporte un style, une langue, un vocabulaire, et qui voisine difficilement avec le dramatique. L'humour se distingue de la simple gaîté qui est une disposition plus ou moins fugitive de l'âme et qui n'a pas de force détectrice en psychologie. L'humour consiste dans certaines variations de l'éclairage qui permettent de découvrir l'objet sous tous ses aspects, certains de ces aspects pouvant se trouver contradictoires et, par ce fait même, révélateurs. Il y a, dans l'humour véritable, une pudeur, une réserve, une contention que n'observe pas le franc comique (...) Le comique est résolu dès l'abord à rire. L'humour ne rit pas toujours et, quand il le fait, c'est qu'il n'y peut manquer. G. DUHAMEL, la Défense des lettres, III.

8 (...) l'humour se pourrait définir : une gaîté gratuite, n'engageant rien, mise là pour le seul plaisir de la plaisanterie. Alors que l'ironie (...) comporte un jugement et fait toujours une victime.
Émile HENRIOT, Maîtres d'hier et contemporains, A. France, V.

9 (...) *conserver en toute circonstance un sens de l'humour* qui sache se moquer de soi-même, apercevoir la puérilité de la plupart des dissentiments et *ne pas attacher une importance tragique à ces collections de griefs qui remplissent les vitrines de toute vie conjugale.* A. MAUROIS, Un art de vivre, II, L'art d'aimer, p. 80.

10 M. Léon Pierre-Quint (...) dans son ouvrage *Le Comte de Lautréamont et Dieu,* présente l'humour comme une manière d'affirmer (...) une *révolte supérieure de l'esprit.* A. BRETON, Anthologie de l'humour noir, Préface, p. 11.

11 L'humour *(dit Freud)* a non seulement quelque chose de libérateur, analogue en cela à l'esprit et au comique, mais encore *quelque chose de sublime et d'élevé* (...) Le sublime tient (...) à l'invulnérabilité du moi (...) on sait qu'au terme de l'analyse qu'il a fait porter sur l'humour, il déclare voir en celui-ci un mode de pensée tendant à l'épargne de la *dépense nécessitée par la douleur.*
A. BRETON, Anthologie de l'humour noir, Préface, p. 14.

12 La qualité poétique d'un film comme *Animal Crackers* pourrait répondre à la définition de l'humour, si ce mot n'avait depuis longtemps perdu son sens de libération intégrale, de déchirement de toute réalité dans l'esprit.
A. ARTAUD, le Théâtre et son double, Deux notes, Les frères Marx, *in* Œ. compl., t. IV, p. 165.

CONTR. Sérieux.

HUMUS [ymys] n. m. — 1755, *Encyclopédie;* mot lat. *humus* « sol ».

♦ Matière organique du sol, provenant de la décomposition des végétaux par les bactéries ou les champignons. ⇒ **Sol, terre** (végétale), **terreau.** *De l'humus* ⇒ **Humique.** *Épais humus, humus forestier* (→ Forêt, cit. 3; gratter, cit. 8). *Partie acide, non acide* (⇒ **Humine**) *de l'humus. Couche d'humus. Terre riche en humus. Terres humifères, trop riches en humus et peu fertiles. Qui est dans l'humus* ⇒ **Humicole.**

1 Là commence l'humus de l'Ukrayne *(sic),* une terre noire et grasse d'une profondeur de cinquante pieds, et souvent plus, qu'on ne fume jamais, et où l'on sème toujours du blé. BALZAC, Lettre sur Kiew, *in* Œ. diverses, t. III, p. 681.

2 Une proportion de cinq à six centièmes d'humus dans le sol constitue un élément très important de fertilité. Quand elle n'existe pas, il importe d'y suppléer par l'apport d'engrais organiques : fumier ou engrais verts. Quand, au contraire, une terre contient trop d'humus, elle est peu fertile ou même infertile. Telles sont celles qui en renferment plus du quart de leur poids.
P. POIRÉ, Dict. des sciences, art. *Humus.*

DÉR. Humine, humique.

COMP. Humicole, humifère, humification.

HUNE [yn] n. f. — V. 1180; anc. scandinave *hûnn,* même sens.

♦ **1.** Plate-forme arrondie à l'avant, et qui repose sur les élongis et les barres transversale d'un bas-mât (→ Armada, cit.). *La hune sert à maintenir l'écartement des haubans; à déposer le matériel de service de la mâture; elle servait de lieu de repos aux hommes chargés des manœuvres hautes* (⇒ **Gabier;** → Hauban, cit. 1). *Haubans de hune. Mâts de hune :* les mâts qui surmontent les bas-mâts. *Voile d'un mât de hune* (⇒ **Hunier**). *Vergue de hune. Hune de misaine, d'artimon* (⇒ 2. **Fougue**). — *Grande hune,* celle du grand mât (→ Fanal, cit. 1). *Demi-hune en forme de hotte* (⇒ **Gabie** [vx]). *Arc-boutant de hune. Rambarde, garde-fou d'une hune. Hune primitive, formée d'un tonneau fixé au mât. Hune métallique de tir, sur les navires de guerre du* XIX*e siècle.* — *Hune de vigie* sur une voilier.* — *Chef de hune :* quartier-maître qui dirige les gabiers (d'un mât).

Yves habitait là-haut, dans sa hune (...) C'est moi qui montais de temps en temps lui faire visite (...) j'aimais assez ce domaine d'Yves, où l'on était éventé par un air encore plus pur. Dans cette hune, il avait ses petites affaires (...)
LOTI, Mon frère Yves, p. 49.

Hune de télépointage, hune de tir : tourelle de direction de tir. *Hune télescopique d'un sous-marin en surface.*

♦ **2.** Techn. Poutre terminée par deux tourillons et qui supporte une cloche.

DÉR. Hunier.

HUNGARO- Premier élément de mots composés, tiré du lat. *Hungarus* « Hongrois ».

HUNIER [ynje] n. m. — 1557, *in* T. L. F.; de *hune.*

♦ **1.** Voile du mât de hune, voile carrée située au-dessus des basses voiles. *Grand hunier :* hunier du grand mât (→ Gabier, cit. 1). *Petit hunier :* hunier du mât de misaine. *Le hunier d'artimon s'appelle perroquet* de fougue. Amener, carguer, serrer les huniers* (→ Cape, cit. 6). *Huniers doubles; huniers pleins* (d'une seule pièce). *Huniers à rouleau des goélettes d'Islande.*

♦ **2.** Pêche. Carrelet manœuvré à bord d'un bateau (voc. de la pêche fluviale).

HUNNIQUE [ˈynik] adj. — 1606, *epee hunisque* « des Turcs »; du lat. *Hunni, Hunnorum* « les Huns ».

♦ Didact. Des Huns.

HUNTER [ˈœntœʀ] n. m. — 1828, *in* Höfler; attestation isolée, 1802; mot angl., de *to hunt* « chasser ».

♦ Anglic. Hippol. Cheval de chasse, exercé à franchir les obstacles.

1883 fut une année d'influence d'outre-Manche. Cette année-là, Saumur importait massivement des hunters, les selliers de l'École se mettaient à fabriquer des selles anglaises. Edmond CHARLES-ROUX, l'Irrégulière..., p. 49.

HUPPE [yp] n. f. — 1120; bas lat. *uppa,* du lat. class. *upupa* (cf. anc. franç. *hupupe*), même sens, onomat; infl. possible quant au vocalisme [y] de l'anc. v. *huper, hupper* « crier haut et loin » (on attendrait *ouppe;* cf. P. Guiraud); a été altéré en *dupe.* → Dupe.

★ **I.** Zool. Oiseau coraciiforme *(Passereaux, upupidés),* percheur syndactyle portant une huppe érectile de plumes rousses tachées de noir à l'extrémité. *La huppe est insectivore; elle vit dans les lieux boisés. Cri de la huppe.* ⇒ **Pupuler.** *On appelle communément la huppe* coq* des champs, coq héron.

On a dit (...) que la huppe enduisait son nid des matières les plus infectes (...) mais le fait n'est pas (...) vrai (...); d'un autre côté il est très vrai qu'un nid de huppe est très sale est très infect (...); c'est de là, sans doute, qu'est venu le proverbe : sale comme une huppe; mais ce proverbe induirait en erreur si l'on voulait en conclure que la huppe a le goût ou l'habitude de la malpropreté (...)
BUFFON, Hist. nat. des oiseaux, La huppe (→ Fiente, cit. 2).

Loc. vx. *Sale comme une huppe :* très sale.

★ **II.** (Déb. XIVe, *hupe;* p.-ê. antérieur, → Huppé (dupé), et aussi Houppe). Cour. Touffe de plumes que certains oiseaux (dont la huppe) ont sur la tête. ⇒ **Crête.** *Alouette à huppe :* cochevis.

Bien que ta tête (...) soit sans huppe et sans cimier, tu n'es certes pas un poltron, lugubre et ancien corbeau (...)
BAUDELAIRE, Trad. E. POE, Histoires grotesques et sérieuses, Genèse d'un poème.

(1598). Par anal. *Cheveux dressés en huppe.*

3 (...) une chevelure drue, bouclée et rebelle, hérissée en huppe au sommet de la tête (...) Th. GAUTIER, le Capitaine Fracasse, IV.

Figuré, familier :

4 — Ce restaurant est fréquenté par les gens les plus huppés.
— Toutes ces huppes, répondit M. Bergeret, n'étaient peut-être pas du plus haut prix. FRANCE, M. Bergeret à Paris, p. 123.

DÉR. Huppé.

HUPPÉ, ÉE [ˈype] adj. — V. 1420, «de haute taille»; dialect. *dupé* «portant une houppe», 1280 (*in* Guiraud, *Huppe*); de *huppe*.

♦ **1.** (1532). Qui porte une huppe. *Oiseaux huppés. Alouette huppée. grèbe* (cit. 4), *martin-pêcheur huppé* (→ Goutte, cit. 45). *Poule huppée* (→ Coquin, cit. 9).
Coiffé de manière à former une sorte de huppe.

1.1 Dans le *Jules César* de Mankiewicz, tous les personnages ont une frange de cheveux sur le front. Les uns l'ont frisée, d'autres filiforme, d'autres huppée, d'autres huilée, tous l'ont bien peignée (...) R. BARTHES, Mythologies, p. 27.

♦ **2.** (Déb. XVe). Fig. De haut rang; haut placé, et, spécialt, riche*. — REM. Dans la langue classique, *huppé* ne s'employait guère qu'au comparatif et au superlatif relatif : *les plus huppés; il est des plus huppés* (→ Garçon, cit. 8, Musset). On employait aussi *haut huppé*. — Mod. *Des gens, des bourgeois huppés; quelqu'un de huppé.*

1 (...) d'un prince ou d'un héros
Des plus huppés et des plus hauts. LA FONTAINE, Fables, XII, 12.

2 Pourquoi, si sensible à la modeste générosité de ce libraire, le suis-je si peu aux bruyants empressements de tant de gens haut huppés, qui remplissent pompeusement l'univers du bien qu'ils disent m'avoir voulu faire, et dont je n'ai jamais rien senti ! ROUSSEAU, les Confessions, XI.

3 Bonnes gens tout court ! (...) c'est quelqu'un de huppé.
BALZAC, Paméla Giraud, III, 3.

4 (...) il était un des gentilshommes riches du sud-ouest, et en mesure de choisir pour sa fille un mari dans ce qu'il y avait de plus huppé.
J. ROMAINS, les Hommes de bonne volonté, III, XI, p. 144.

4.1 (...) donc, ce qui paraissait à Mathieu Lelièvre une attitude hautaine n'était peut-être que l'effet naturel d'une éducation huppée, séparée du reste du monde.
Marie-Claire BLAIS, Une liaison parisienne, p. 56.

HUQUE [ˈyk] n. f. — 1404; du moy. néerl. *huik* «cape, manteau».

♦ Didact. (hist., archéol.). Manteau à capuchon, aux XVe et XVIe siècles. *Une huque fourrée.*

Elle (*Jeanne d'Arc*) n'a eu qu'un tort : (...) repartir pour Compiègne pour se faire tirer par la huque à bas de son cheval. Hervé BAZIN, Cri de la chouette, p. 191.

HURDLER [ˈœʀdlœʀ] n. m. — 1930; mot angl., de *hurdle* «haie (de course)».

♦ Anglic. Sports. Coureur de haies. *Des hurdlers.*

HURE [ˈyʀ] n. f. — V. 1175, «tête hérissée»; orig. inconnue, sans doute germanique. P. Guiraud suppose *urus** «taureau sauvage», par l'intermédiaire de l'anc. v. *hurer* «hérisser la crinière (comme un urus)». Cf. aussi le dial. *hourer, se heurer* «se ruer tête baissée». → Heurter.

♦ **1.** Tête (du sanglier, du cochon). *Sanglier pendu la hure en bas* (→ Groin, cit. 2). — Par anal. Tête (de certains fauves). *La terrible hure du lion* (→ Épouvanter, cit. 2).

1 (...) leur engeance (*des lions*)
Valait la nôtre en ce temps-là,
Ayant courage, intelligence,
Et belle hure outre cela ! LA FONTAINE, Fables, IV, 1.

2 Le sanglier a les défenses plus grandes, le boutoir plus fort et la hure plus longue que le cochon domestique (...) BUFFON, Hist. nat. des animaux, Le cochon.

♦ **2.** [a] Tête coupée de sanglier, etc., et, par ext., de certains poissons à tête allongée (saumon, brochet, esturgeon...). *Hures de sangliers décorant un pavillon de chasse. Servir une hure d'esturgeon.*

3 Anaxandrides (...) déclare que Nérée seul a pu le premier imaginer de manger la hure de cet excellent poisson (*le glaucus*). CHATEAUBRIAND, Itinéraire.., I, p. 173.

4 (...) il y avait (...) pour le premier service : une hure d'esturgeon mouillée de champagne (...) FLAUBERT, l'Éducation sentimentale, II, IV.

Représentation d'une hure.

5 L'autre moitié de la scène figurait une rive gazonneuse. Au premier plan, un homme paraissant courir à toutes jambes portait sur ses épaules une hure de carton, qui, en cachant complètement sa tête, lui donnait l'aspect d'un sanglier à corps humain. Raymond ROUSSEL, Impressions d'Afrique, p. 106.

Blason. Tête de sanglier (ou de dauphin). *Hure de sable défendue* (défenses), *allumée* (yeux) *de gueules.*

[b] (1866, Littré). Préparation de charcuterie faite avec des morceaux de hure (de porc, de sanglier; → Museau* de bœuf).

6 Et il y avait encore des plats ronds et ovales, les plats de la langue fourrée, de la galantine truffée, de la hure aux pistaches. ZOLA, le Ventre de Paris, t. I, p. 102.

♦ **3.** [a] Littér. Tête humaine dont les traits grossiers, l'apparence hérissée, hirsute font penser à la hure d'un animal (⇒ **Mufle**). «*On ne connaît pas la toute-puissance de ma laideur. Quand je secoue ma terrible hure, il n'y a personne qui osât m'interrompre*» (phrase attribuée à Mirabeau).

[b] (1920; cf. moy. franç. *hure* «tête hirsute»). Tête.

(...) entre hommes, on continue à se marteler la hure et à se piétiner les parties. 7
R. QUENEAU, Pierrot mon ami, éd. L. de Poche, p. 97.

♦ **4.** Bot. *Hure crépitante* (n. sc. : *hura*; n. vulg. : *arbre du diable*). ⇒ **Sablier.**

DÉR. Huron.
COMP. Ahurir.

HURLADE [ˈyʀlad] n. f. — 1680, Richelet; de *hurler*.

♦ Littér. Rare. (Sujet n. de personne). Fait de hurler (crier, vociférer). — Ensemble des cris proférés, grands cris.

Elle rentre ici pour manger et dormir ! Comme à l'hôtel, quoi ! Bourrique ! Papoue ! J'ai dix ans, je baisse le nez sous la hurlade et le mot «partir» se dessine sous mon front. A. SARRAZIN, la Traversière, p. 116.

HURLANT, ANTE [ˈyʀlɑ̃, ɑ̃t] adj. — XVIe; p. prés. de *hurler*.

♦ **1.** Qui hurle. *Chiens, loups hurlants. Bêtes hurlantes* (⇒ **Crier** [cit. 4]). *Meute hurlante* (→ au fig. Églogue, cit. 3). *Monstres hurlants* (→ Grognant, cit. 1). — *Une voix hurlante* (→ Grondant, cit. 1). — Personnes. *Actrice, chanteuse hurlante. Hurlant, hurlante de rire, de douleur.*

La neige, la bise, le brouillard, les ouragans hurlants, 1
Font une sombre fête à tes fiers cheveux blancs (...)
HUGO, la Légende des siècles, XIX, «Welf, castellan d'Osbor», II.

♦ **2.** (Choses). Qui produit un son très fort et prolongé, souvent aigu. *Sirène hurlante. Tempête hurlante.* — *Béton hurlant* (des pistes de planche à roulettes). *Métal hurlant*, titre d'une publication de science-fiction.

♦ **3.** Qui produit un effet violent, comparé à celui d'un hurlement sur l'ouïe. *Couleurs hurlantes. Une cravate hurlante, d'un mauvais goût hurlant.* ⇒ **Criard, gueulard.**

(...) quelques charmants paysages d'eau, de pacages et de rochers : ils sont défigurés par de hurlants panneaux-réclame. 2
G. DUHAMEL, Scènes de la vie future, VII, p. 115.

Hurlant de vérité. ⇒ **Criant.**

HURLÉE [ˈyʀle] n. f. — V. 1350, *urlee*; de *hurler*.

♦ Vx ou littér. Cri fort et prolongé d'une personne, d'un animal qui hurle. *La hurlée, les hurlées des loups.* ⇒ **Hurlement.**

Par anal. *Une hurlée de sirène.*

HURLEMENT [ˈyʀləmɑ̃] n. m. — 1509, *urlement; uslement*, XIIe; de *usler*, puis *hurler*. → Hurler.

♦ **1.** Cri aigu et prolongé (que poussent parfois le loup, le chien, l'ours...). ⇒ **Cri** (cit. 11 et 27). *Des hurlements plaintifs. Les hurlements d'un loup affamé, d'un chien blessé. Un long hurlement.* ⇒ 2. **Brame** (fig.).

(...) le chien flaire mes vêtements et s'éloigne la queue basse, en poussant vers le ciel ces hurlements prolongés que l'habitant des campagnes regarde comme un présage sinistre. BALZAC, Souvenirs d'un paria, I, *in* Œ. diverses, t. I, p. 220. 1

Les hurlements intermittents de quelque loup lointain, accompagnaient l'obscurité de notre marche incertaine, à travers la campagne. 2
LAUTRÉAMONT, les Chants de Maldoror, V.

♦ **2.** Cri d'une personne qui hurle. ⇒ **Clameur.** *Hurlements de rage, de colère, de frayeur, de terreur* (→ Gosier, cit. 6). *Hurlements de douleur, de souffrance.* ⇒ **Plainte.** *Hurlements inhumains, horribles* (→ Étouffer, cit. 22). *Les hurlements d'une bacchante* (cit. 1). *Hurlements effrayants, terribles.* ⇒ **Vocifération.** *Concert de hurlements. Pousser de véritables hurlements.*

Jérusalem pleura de se voir profanée; 3
Des enfants de Lévi la troupe consternée
En poussa vers le ciel des hurlements affreux. RACINE, Athalie, III, 3.

Alors ce sont des cris, des hurlements, des vociférations, des trépignements, des explosions de bravos dont on ne peut se faire une idée (...) 4
Th. GAUTIER, Voyage en Espagne, p. 211.

Par ext. *Des hurlements de rire.*

Spécialt. (D'un enfant très jeune). *Les hurlements d'un nouveau-né.*

Le Dabiou fourre ses doigts dans l'orifice de la prise de courant. Hurlement. C'est une aventure désagréable. G. DUHAMEL, les Plaisirs et les Jeux, III, VIII. 5

(...) Mathieu s'était souvent agité dans les draps, les oreilles percées par les hurlements du dernier-né. SARTRE, le Sursis, p. 267. 6

♦ **3.** Ce qui est dit, proféré en hurlant. *Les hurlements d'un adjudant à l'instruction. Des «hurlements au vol et au plagiat»* (L. Febvre, *in* T. L. F.). *Les hurlements d'un critique contre un auteur.*

♦ **4.** Fig. *Les hurlements du vent, de la tempête.*

La mer, fumante encor, reprit son hurlement 7
Monotone, le long des rochers et des sables (...)
LECONTE DE LISLE, Poèmes barbares, Massacre de Mona.

HURLER [ˈyʀle] v. — V. 1385; *usler, uller,* XIIe; du lat. *ululare* (→ Hululer), devenu en bas lat. *urulare* par dissimilation, le *h* est d'origine expressive.

★ **I.** V. intr. ♦ **1.** (Animaux). Pousser des cris aigus et prolongés (en parlant du chien, du loup...). ⇒ **Aboyer;** → Chien, cit. 9; foyer, cit. 1. *Loup, chien qui hurle à la lune. Chien blessé qui se sauve en hurlant* (→ Griffon, cit. 3). *Hurler à la mort.*

1 Les maigres chiens, vaguant par la nuit en tourmente,
Qui flairent tous les seuils de la cité dormante
Et hurlent, comme ils font à la piste des morts.
LECONTE DE LISLE, Poèmes barbares, « Les deux glaives ».

2 Les chiens hurlent à la lune d'une façon lamentable (...)
LOTI, Aziyadé, « Eyoub à deux », XXVI.

3 Pyrame *(le chien)* hurle à plat ventre, le nez bas, par peur des coups, et on dirait que, rageur, la gueule heurtant le paillasson, il casse sa voix en éclats.
J. RENARD, Poil de Carotte, p. 8.

(Fin XIVe). Loc. fig. *Hurler avec les loups* : faire comme ceux avec qui l'on se trouve, se conformer à leurs opinions, à leurs attitudes. *« On apprend à hurler, dit l'autre* (cit. 74), *avec les loups »* (Racine).

4 On dit qu'avec les loups, Bourdin, il faut hurler,
Et se former aux mœurs des hommes que l'on hante (...)
RONSARD, Pièces retranchées, « À Monsieur Bourdin ».

5 Comme on apprend à hurler avec les loups, malgré la terrible vie que ces bandits menaient, je ne laissai pas de m'accoutumer à vivre avec eux.
A.-R. LESAGE, Guzman d'Alfarache, IV, 9.

6 On sentait qu'il encourageait notre amour, en tant que divertissement, mais qu'il hurlerait avec les loups le jour d'un scandale.
R. RADIGUET, le Diable au corps, p. 152.

7 Je n'ai aucunement l'idolâtrie du succès. Au contraire. Hurler avec les loups? Voler au secours de la victoire? Rien qui me ressemble moins. J'aurais plutôt l'esprit de contradiction. Je descends d'ancêtres non conformistes.
J. ROMAINS, les Hommes de bonne volonté, t. III, p. 24.

♦ **2.** (Sujet n. de personne). Pousser des cris prolongés et violents (sous l'effet de la douleur, de la colère). ⇒ **Crier.** *Hurler de rage, de colère. Hurler de douleur, de peur, de terreur, d'effroi* (→ Ensanglanté, cit. 2; épouvante, cit. 5). *Enfant qui hurle* (→ Gifle, cit. 2). — *Voix qui hurle* (→ Essaim, cit. 7).

8 Parfois, l'aiguillon des désirs charnels les déchirait *(les ascètes)* si cruellement qu'ils en hurlaient de douleur et que leurs lamentations répondaient sous le ciel plein d'étoiles, aux miaulements des hyènes affamées. FRANCE, Thaïs, Le lotus.

9 Elle hurla comme une bête qui ne peut rien faire d'autre pour exprimer sa douleur. ARAGON, les Beaux Quartiers, p. 240.

10 On a d'abord entendu une voix aiguë de femme (...) Quelques bruits sourds et la femme a hurlé, mais de si terrible façon qu'immédiatement le palier s'est empli de monde. CAMUS, l'Étranger, p. 56.

Hurler (d'indignation) : protester violemment. — Loc. *À hurler* : qui incite à hurler d'indignation. *C'est d'une laideur à hurler! Quelle horreur, cette musique : c'est à hurler!* ⇒ **Horrible.**

Loc. fam. *Hurler de rire* : rire bruyamment, intensément. *C'était à hurler de rire.*

♦ **3.** (Mil. XVIIe). Parler, crier, chanter de toutes ses forces. ⇒ **Crier** (cit. 7); **beugler, brailler, gueuler** (fam.), **vociférer.** *Hurler et gesticuler* (cit. 2). *Guide* (cit. 3) *qui hurle dans un porte-voix. Il ne peut pas parler sans hurler. Ce n'est pas la peine de hurler, j'entends. Arrête de hurler! Hurler comme un sourd. Foule qui hurle* (→ Coudoyer, cit. 5).

11 Ce fiacre, devenu démesuré par son chargement, a un air de conquête (...) On y vocifère, on y vocalise, on y hurle, on y éclate, on s'y tord de bonheur (...)
HUGO, les Misérables, V, VI, I.

♦ **4.** (1672). Choses. Produire un son, un bruit semblable à un hurlement. *Machines, freins* (cit. 12) *qui hurlent. Sirène, avertisseur qui hurle. Le vent qui hurle dans la cheminée. L'ouragan, la tempête hurle.*

12 (...) l'eau s'engage
Et déferle en hurlant le long du bastingage (...)
HUGO, La Légende des siècles, LVIII, « Vingtième siècle », I.

13 Dehors le vent hurle sans trêve (...) VERLAINE, Parallèlement, « Mains ».

14 Novembre hurle, ainsi qu'un loup.
VERHAEREN, les Campagnes hallucinées, « Les plaines », p. 19.

15 (...) voici Tchataldja où, l'hiver dernier, la mort hurlait, furieuse, dans le vent glacé et les rafales de neige. LOTI, Suprêmes visions d'Orient, p. 193.

16 Bientôt une agitation inaccoutumée emplit tout le bateau. La sirène se met à hurler longuement, avec insistance, comme pour appeler à l'aide ou signaler un danger invisible. Louis BERTRAND, le Livre de la Méditerranée, p. 168.

♦ **5.** (1778, Voltaire). Fig. (Sujet n. de chose). *Hurler de se trouver ensemble* (→ Accoupler, cit. 3; façon, cit. 33), et, absolt, *hurler* : produire un effet violemment discordant, en parlant de deux ou plusieurs choses incompatibles. ⇒ **Jurer; discordant, disparate.** *Couleurs qui hurlent.*

★ **II.** V. tr. ♦ **1.** Exprimer par des hurlements. ⇒ **Crier** (II.). *Hurler sa douleur, sa colère.*

17 (...) *un petit monde de souffrants qui* **hurlaient leur douleur** (Zola, Dr Pascal, 123).
F. BRUNOT, la Pensée et la Langue, p. 312.

♦ **2.** (Mil. XVIe, Du Bellay). Dire, prononcer avec emportement, fureur..., en criant très fort. ⇒ **Clamer; beugler** (cit. 4). *Hurler des injures* (⇒ **Injurier**), *des menaces à qqn. Forain qui hurle son boniment. Cocher qui hurle : « Hue! »* (→ Fouailler, cit. 3). *Acteur qui hurle son rôle. Hurler une chanson, un refrain* (→ Frigo, cit. 1). *Hurler un mot, une phrase.* — Dire en hurlant. *Viens! hurla-t-il. Il lui hurla qu'il ne voulait plus le voir chez lui.*

Mme de Roquelaure (...) dès la porte se met à hurler les reproches les plus amers. 1
SAINT-SIMON, Mémoires, II, LXII.

Il le hurla, ce « jamais », les doigts allongés dans le vide, avec l'ample geste tragique d'un conspirateur d'opéra qui jure la mort du tyran. 1
COURTELINE, Messieurs les ronds-de-cuir, III, III.

Les tramways suivants ont ramené les joueurs que j'ai reconnus à leurs petites valises. Ils hurlaient et chantaient à pleins poumons que leur club ne périrait pas. 2
CAMUS, l'Étranger, II, p. 37.

DÉR. Hurlade, hurlant, hurlée, hurlement, hurleur.

HURLEUR, EUSE [ˈyʀlœʀ, øz] n. et adj. — 1606; « crieur public », 1350; de *hurler.*

★ **I.** N. ♦ **1.** Personne qui hurle, pousse des hurlements. ⇒ **Braillard** (fam.). *Un hurleur perpétuel. Une troupe de hurleurs.* — *Les Hurleurs,* poème de Leconte de Lisle.

(...) tandis que deux ou trois cents hurleurs, à qui des nouveaux venus se joignaient sans cesse, répétaient devant la grille, sur l'air des lampions : Rends l'argent, Rends l'argent (...) P.-J. TOULET, la Jeune Fille verte, V, L'émeute.

Pauvre Isa qui avait passé tant de nuits au chevet de cette petite hurleuse, qui l'avait prise dans sa chambre parce que ses parents voulaient dormir et qu'aucune nurse ne la supportait plus (...) F. MAURIAC, le Nœud de vipères, II, XII.

♦ **2.** Techn. Appareil de signalisation électrique muni d'un puissant haut-parleur.

♦ **3.** (1766, Buffon). Zool. *Hurleur,* et, par appos., *singe hurleur.* ⇒ **Alouate.**

Ces animaux *(l'ouarine et l'alouate)* ont dans la gorge une espèce de tambour osseux dans la concavité duquel le son de leur voix grossit, se multiplie et forme des hurlements par écho; aussi a-t-on distingué ces sapajous de tous les autres par le nom de *hurleurs.*
BUFFON, Hist. nat. des animaux, Singes nouv. continent, L'ouarine...

★ **II.** Adj. (1766). *Derviche* hurleur.* — *Enfants hurleurs.* ⇒ **Bruyant.** — *Animaux, chiens hurleurs* (→ Débusquer, cit. 2).

Par les fentes de ton sourire s'envole un animal hurleur (...)
ÉLUARD, À la flamme des fouets, *in* Œ. compl., t. I, p. 180.

CONTR. Calme, silencieux.

HURLUBERLU [yʀlybɛʀly] n. m. — 1562, *hurlubulu,* n. d'un saint (imaginaire), *in* Rabelais; aussi adv., 1718; *hurlubrelu,* adj. et adv., 1690; *hurlu-burlu,* interj.; orig. obscure; selon Wartburg, de *hurelu* « ébouriffé », du rad. de *hure,* et *berlu* « qui a la berlue ».

♦ Personne extravagante, qui parle et agit d'une manière bizarre, brusque, inconsidérée. ⇒ **Écervelé, étourdi;** fam., **dingue, loufoque, maboul, toqué.** *Des hurluberlus pleins d'entrain* (cit. 2); *de joyeux hurluberlus. C'est un hurluberlu et un fantaisiste* (cit. 1). *Il agit comme un hurluberlu, en hurluberlu* (→ Échauder, cit. 3).

— Eh! bien, votre voisin est un hurluberlu (...) — Mais qu'a-t-il? demanda la comtesse. — Il a trop étudié, répondit la Gobain; il est devenu sauvage. Enfin, il a des raisons pour ne plus aimer les femmes (...) — Eh! bien, reprit Honorine, les fous m'effraient moins que les gens sages (...)
BALZAC, Honorine, Pl., t. II, p. 283.

Teston dansait comme un hurluberlu sous l'averse. 1.
HUYSMANS, les Sœurs Vatard, t. II, p. 34.

Edmond écrivit (...) que cet hurluberlu d'Armand se conduisait d'une façon bizarre (...) ARAGON, les Beaux Quartiers, XXXVII, p. 381.

REM. On emploie parfois *hurluberlu* en parlant d'une femme.

Mademoiselle, grand hurluberlu (...) écrivit à Rancé et lui demanda quelques religieux. CHATEAUBRIAND, Vie de Rancé, III, p. 153.

Adj. *Il, elle est un peu hurluberlu.*

CONTR. Sage, sérieux.

HURLUPÉ, ÉE [yʀlype] adj. — 1671, Mme de Sévigné; var. de *hulepé* (XIIIe), *hurepé* (v. 1170); de *hure,* finale obscure.

♦ Vx (langue class.). Ébouriffé.

HURON, ONNE [ˈyʀɔ̃, ɔn] n. et adj. — 1360, « qui a la tête hérissée »; de *hure.*

★ **I.** (1380). Vx. Personne grossière. ⇒ **Grossier, malotru.** — (1360). Paysan insurgé dans une jacquerie.

★ **II.** (XVIIe; d'abord *hurone,* au fém.). Membre d'un peuple d'Amérique du Nord (Canada), de la famille des Algonquins. — Allus. littér. *Le Huron* (ou *l'Ingénu*), héros du conte de Voltaire qui porte ce nom.

Il était nu-tête et nu-jambes, les pieds chaussés de petites sandales, le chef orné de longs cheveux en tresses (...) Monsieur le prieur (...) prit la liberté de lui demander de quel pays il était. Je suis Huron, lui répondit le jeune homme.
VOLTAIRE, l'Ingénu, I.

N. m. *Le huron* : la langue des Hurons. — Adj. *La langue huronne* (langue de la famille de l'iroquois).

L'abbé de Saint-Yves (...) lui demanda laquelle des trois langues lui plaisait davantage, la hurone, l'anglaise, ou la française. La hurone, sans contredit, répondit l'Ingénu. VOLTAIRE, l'Ingénu, I.

Adj. Des Hurons. *Tribus huronnes.*

DÉR. Huronien.

HURONIEN, IENNE [ʼyʀɔnjɛ̃, jɛn] adj. — V. 1890, du n. du lac *Huron,* même orig. que *huron.*

♦ Géogr. *Plissement huronien :* plissement antécambrien, représenté en Amérique du Nord, en Scandinavie. — *Terrains huroniens.*

HURRAH [ʼuʀa] n. m. ⇒ **Hourra.**

HURRICANE [ʼyʀikan] n. m. — 1840; mot angl. (1693), du caraïbe, comme l'esp. *huracan.*

♦ Anglic. Cyclone (cit. 1), en Amérique centrale.

HURTEBILLER [ʼyʀtəbije] v. tr. — XIIIe; de *hurter* «heurter», et *biller,* de *bille.*

♦ Régional ou techn. (zootechn.). Vx. Accoupler* (une brebis) avec un bélier.

HUSO [ʼyzo] n. m. — 1873, Larousse; lat. mod, d'orig. obscure.

♦ Zool. Esturgeon de la plus grande espèce.

HUSSARD [ʼysaʀ] n. m. — 1605; var. *housard, houssari* (1532), *houssar* (1624), *housart* (1660), *houssard;* all. *Husar* du hongrois *huszar,* «vingtième» de *husz* «vingt» (un homme sur vingt entrait dans la cavalerie).

★ **I.** ♦ **1.** Ancienn. [a] Cavalier de l'armée hongroise.

[b] Soldat de la cavalerie légère, dans diverses armées. *Les hussards noirs, les hussards de la mort allemands. Il y eut des hussards dans l'armée française dès le XVIIIe siècle. Le Hussard sur le toit,* roman de J. Giono (1951). *Le Hussard bleu,* roman de R. Nimier (1950). — *Hussards envoyés en éclaireurs. Charge de hussards* (→ Entrailles, cit. 1). *Régiments de hussards.* Ellipt. *Le quatrième hussards.* — REM. On a dit et écrit *housar* (→ ci-dessous, cit. 3, Hugo).

M. de Savoie emmena toute sa cour, ses équipages, et ses trois mille chevaux et n'y en laissa *(à Turin)* que cinq cents et vingt hussards.
SAINT-SIMON, Mémoires, II, XXXIX.

Peut-être mon 27e de lanciers chargera-t-il un jour ces beaux *hussards de la mort,* dont Napoléon dit du bien dans le bulletin d'Iéna (...)
STENDHAL, Lucien Leuwen, I, II.

Mon père, ce héros au sourire si doux,
Suivi d'un seul housard qu'il aimait entre tous (...)
HUGO, la Légende des siècles, XLIX, Temps présent, «Après la bataille».

(...) le hussard chargeant au galop?
J. ROMAINS, les Hommes de bonne volonté, III, XV, p. 201.

(...) la mobilisation fut aussitôt décrétée (...) Bobislas, qui atteignait sa vingt-huitième année, fut mobilisé sur place au régiment de hussards qui tenait garnison dans la ville. Tout flambant sous son uniforme et ses buffleteries, le bonnet à poil sur la tête et quatre pieds de sabre battant au jarret, il prit aussitôt une conscience exagérée de son importance et de ses prérogatives de glorieux défenseur du territoire poldève. Son audace et son insolence ne connurent presque plus de borne (...) Il n'y avait en ville femme ou fille sur laquelle il n'osât porter le regard et la main, les poursuivant et les pressant jusqu'à l'église et dans leurs maisons-mêmes (...)
M. AYMÉ, le Passe-muraille, «Légende poldève».

Les Allemands étaient à nos trousses. On signalait, à tout instant, des patrouilles de uhlans et de hussards de la mort; les plus effrayants, ceux qui, par pur divertissement, coupent les mains des petits garçons.
Henri CALET, la Belle Lurette, p. 84.

(1841, Balzac). Loc. Vx. *Hussards de la guillotine :* gendarmes.

♦ **2.** Adj. invar. *Bleu hussard :* bleu noir.

♦ **3.** À LA HUSSARDE [alaysaʀd] : à la manière des hussards.

[a] *Pantalon à la hussarde,* ample aux cuisses et étroit aux chevilles. — Var. graphique :

Du gilet gris-perle fort moulé, le pantalon à la houssarde, l'accroche-cœur plat lisse au front (...) il faisait encore son bel effet. CÉLINE, Guignol's band, p. 57 (1951).

[b] *Danse à la hussarde,* et, ellipt., *hussarde,* sorte de danse hongroise.

[c] Fig. Brutalement, sans retenue ni délicatesse. *Faire l'amour à la hussarde* (Académie) ⇒ **Cavalièrement.** — REM. Huysmans emploie dans ce sens un v. *hussarder.*

★ **II.** Techn. (À cause du chapeau à plumes de certains hussards). Grain de malt dont la plumule dépasse le grain. *Quand les hussards apparaissent, la germination du malt s'arrête.*

HUSSISME [ʼysism] n. m. — D. i.; de *Hussite.*

♦ Hist. relig. Doctrine des Hussites.

HUSSITE [ʼysit] n. m. — XVe; de Jean *Huss,* nom propre.

♦ Hist. relig. Chrétien de Bohême partisan de Jean Huss, réformateur brûlé comme hérétique (XVe siècle). *Les calixtins, les ultraquistes et les taborites, sectes de hussites.*

Leur doctrine consistait d'abord en quatre articles. Le premier concernait la coupe *(la communion sous les deux espèces);* les trois autres regardaient la correction des péchés publics et particuliers, qu'ils portaient à certains excès; la libre prédication de la parole de Dieu, qu'ils ne voulaient pas qu'on pût défendre à personne; et les biens d'Église (...) Mais une partie des hussites, qui ne voulut pas se contenter de ces articles, commença sous le nom des *taborites,* ces sanglantes guerres dont nous venons de parler; et les calixtins, l'autre partie des hussites qui avaient accepté l'accord; ne s'y tint pas (...)
BOSSUET, Hist. des Variations, XI, CLXIX.

DÉR. Hussisme.

HUTIN [ʼytɛ̃] adj. m. — XIVe, comme n. m., *hustin,* déverbal de l'anc. franç. *hustiner, hutiner* «chercher querelle», de *hustin* «querelle, bruit» (XIIe); anc. scandinave *hus-thing,* «réunion de vassaux».

♦ Vx ou archaïsme médiéval. Querelleur, tapageur. — *Louis le Hutin :* surnom de Louis X, roi de France.

HUTINET [ʼytinɛ] n. m. — 1583; de l'anc. franç. *hustin, hutin* «querelle» (→ Hutin), de l'anc. scandinave *hus-thing.*

♦ Techn. anc. Petit maillet de tonnelier.

HUTTE [ʼyt] n. f. — 1358; moy. haut all. *hütte,* du francique **hutta,* même sens.

♦ Abri rudimentaire (fait principalement de bois, de terre, de paille...) et servant parfois d'habitation. ⇒ **Ajoupa, baraque, buron, cabane, cagna, cahute, case, gourbi** (cit. 1), **iourte, loge, paillote, wigwam.** *Hutte de chaume. Les Gaulois habitaient des huttes.* — *Hutte de chasseur :* hutte portative où le chasseur se dissimule.

(...) on trouva quelques sortes de haches de pierres dures et tranchantes qui servirent à couper du bois, creuser la terre, et faire des huttes de branchages qu'on s'avisa ensuite d'enduire d'argile et de boue. 1
ROUSSEAU, De l'inégalité parmi les hommes.

(...) on les enfermait seulement la nuit, dans une grande cabane de bois, où ils dormaient sur des hamacs tendus entre deux barres. (...) Ils s'étaient construit des huttes avec des troncs d'arbre, pour s'abriter contre le soleil, dont la flamme brûle tout dans ce pays-là; mais les huttes ne pouvaient les préserver des moustiques (...) 1.1
ZOLA, le Ventre de Paris, t. I, p. 133.

Velbar vécut tranquille dans la sûre retraite que lui offrait le Vorrh, ne se risquant jamais au dehors dans la crainte d'être repris par les féroces anthropophages. Il s'était construit une petite hutte de branchages et se nourrissait de fruits ou de racines, gardant précieusement son fusil et ses cartouches en prévision de quelque attaque de fauves. 1.2
Raymond ROUSSEL, Impressions d'Afrique, p. 280-281.

Il est bon nombre de faits dont la dépendance vis-à-vis du cadre géographique est saisissante : les huttes de neige ou *iglous* des Esquimaux américains (...) les huttes rondes couvertes de chaumes de Harrar au pied du massif abyssin (...) 2
Jean BRUNHES, la Géographie humaine, t. III, p. 101-102.

Une hutte d'osier et de roseaux m'apparut sur des pilotis au milieu d'une grande étendue liquide (...) H. BOSCO, Hyacinthe, p. 74. 3

DÉR. Hutteau, hutter, huttier.
HOM. Ut.

HUTTEAU [ʼyto] n. m. — 1877; de *hutte.*

♦ Techn. Petite hutte de chasse, abri (de toile, etc.) installé en bord de mer ou d'eau.

HUTTER [ʼyte] v. tr. — 1594, au p. p. *hutté;* de *hutte.*

♦ Rare. Abriter sous une hutte (Chateaubriand, *in* T. L. F.).

HUTTIER [ʼytje] n. m. — 1874, cit.; de *hutte.*

♦ Techn. (chasse). Chasseur à la hutte.

Au-dessus des herbes aquatiques, à la surface des eaux stagnantes, voltigeait un monde d'oiseaux. Chasseurs au marais et huttiers de profession n'auraient pu y perdre un seul coup de fusil. J. VERNE, l'Île mystérieuse, t. I, p. 278.

hW Symbole de l'*hectowatt**.

HYACINTHE [jasɛ̃t] n. f. — 1532; lat. *hyacinthus,* grec *huakinthos,* même sens, désignant aussi diverses choses (fleurs, étoffes, pierres...) de couleur bleue ou rouge; une légende fait naître la fleur du sang du jeune lacédémonien *Huakinthos,* aimé d'Apollon qui le tue involontairement avec son disque. → Jacinthe.

♦ **1.** Vx. Jacinthe*.

La terre se couvre de marguerites, de pensées, de jonquilles, de narcisses, d'hyacinthes (...) CHATEAUBRIAND, Mémoires d'outre-tombe, t. II, p. 62. 1

♦ **2.** (1530). Minér. Pierre précieuse, variété de zircon jaune rougeâtre. ⇒ **Zircon, jacinthe** (1.).

2 Le jaspe guérit les maladies de langueur; l'hyacinthe chasse l'insomnie (...)
HUYSMANS, là-bas, XXI, p. 293.

3 (...) l'*Hyacinthe* est rousse. *(Elle)* se trouve dans les placers indochinois et fournit quand on la chauffe une exquise coloration azurée (...)
N. et A. METTA, les Pierres précieuses, p. 85.

♦ **3.** Teinture, couleur d'un jaune rougeâtre. — **(1672).** Littér. Étoffe jaune. *Une robe d'hyacinthe soufrée* (→ Étinceler, cit. 12). — Fig. (→ Endormir, cit. 21).

4 De l'hyacinthe, de la pourpre, de l'écarlate teinte deux fois (...)
BIBLE (SACY), Exode, XXV, 4.

5 Anges revêtus d'or, de pourpre et d'hyacinthe (...)
BAUDELAIRE, Poèmes divers, I, Pl., p. 256.

6 Enfin, il se trouve au bas d'une salle terminée au fond par des rideaux d'hyacinthe.
FLAUBERT, la Tentation de saint Antoine, II, p. 27.

DÉR. Hyacinthine.

HYACINTHINE [jasɛ̃tin] n. f. — 1792; de *hyacinthe.*

♦ Minér. Variété de grenat. — Variété de topaze.

HYADES [jad] n. f. pl. — 1562; grec *Huades* «nymphes changées en astres», de *huein* «pleuvoir».
Didactique.

♦ **1.** Mythol. Nymphes, filles d'Atlas, qui pleurèrent leur frère Hyas et furent changées en astres par Jupiter.

♦ **2.** Astron. Nom des sept étoiles qui forment le front de la constellation du Taureau*. *Les Anciens croyaient que le lever et le coucher des Hyades étaient accompagnés de pluie.*

HYAL-, HYALO- Élément, du grec *hualos* «verre». Voir à l'ordre alphabétique.

HYALE [jal] n. f. — 1805, Cuvier; grec *hualos* «verre, matière transparente».

♦ Zool. Mollusque opisthobranche ptéropode, à coquille très réduite et à corps transparent. *Pélagique, l'hyale vit par bandes dans les mers chaudes.*

HYALIN, INE [jalɛ̃, in] adj. — 1866, Littré; *ialin* «vert», v. 1450; bas lat. *hyalinus,* grec *hualinos,* de *hualos* «verre».

♦ Minér. Qui a la transparence du verre. *Quartz* hyalin,* ou *cristal* de roche.*

CONTR. Opaque.
DÉR. V. Hyalite.

HYALITE [jalit] n. f. — 1827; du rad. de *hyalin.*

♦ **1.** Minér. Variété transparente d'opale.

♦ **2.** Méd. Inflammation du corps vitré de l'œil.

HYALOGRAPHE [jalɔgʀaf] n. m. — 1839; de *hyalo-,* et *-graphe.*

♦ Didact. Instrument formé d'un carreau de vitre servant à dessiner selon la perspective.

HYALOGRAPHIE [jalɔgʀafi] n. f. — 1866, Littré, aux sens 1 et 2; de *hyalo-,* et *-graphie.*
Didactique.

♦ **1.** Gravure sur verre.

♦ **2.** (1866; de *hyalographe*). Dessin à l'aide du hyalographe.

HYALOÏDE [jalɔid] adj. — 1541; grec *hualoidês,* de *hualos* «verre». → Hyalo-.

♦ Anat. Qui ressemble à du verre. *Humeur hyaloïde :* humeur vitrée de l'œil. *Membrane hyaloïde :* fine membrane transparente qui entoure le corps vitré de l'œil.

HYALOPLASME [jalɔplasm] n. m. — 1903, in *Rev. gén. des sc.,* nº 21, p. 1102; *hyaloplasma,* 1908, in *Rev. gén. des sc.,* nº 8, p. 335; de *hyalo-,* et *-plasme.*

♦ Didact. Substance du cytoplasme formée d'une masse gélatineuse transparente et homogène. «*Dans le cytoplasme, de nombreux petits organes ou organites (...) baignent dans une substance plus ou moins visqueuse, le hyaloplasme. (...) le hyaloplasme de la cellule animale est (...) le siège d'un va-et-vient continuel qui déplace les organites d'une région à l'autre*» (*Sciences et Avenir,* mai 1979, p. 77).

HYBRIDATION [ibʀidasjɔ̃] n. f. — 1826; de *hybride.*

♦ **1.** Biol. Croisement fécond entre sujets différant au moins par la variété. *Pratiquement, les hybridations entre variétés, espèces différentes, sont courantes, celles entre genres différents extrêmement rares.* ⇒ **Espèce, variété; hybridisme.** — REM. En zootechnie, on réserve spécialement ce mot pour les croisements entre espèces. → Croisement (cit. 4), mendélisme, métissage. — *Produit de l'hybridation.* ⇒ **Hybride, métis.** *Hybridation naturelle des plantes, grâce au transport du pollen de variétés voisines par le vent, les insectes. Hybridation du maïs par semis de deux variétés alternées en rangées. Hybridation artificielle par castration de la fleur et apport de pollen étranger. Hybridation des animaux par accouplement ou par insémination artificielle. L'hybridation, champ d'expérience pour la génétique* (⇒ **Hérédité**).

On associe dans l'œuf fécondé deux constitutions différentes, introduisant ainsi une perturbation dans la continuité du patrimoine héréditaire des génotypes en cause; cette perturbation permet de démontrer le mécanisme héréditaire. L'hybridation est donc la clé de voûte de l'analyse de ce patrimoine.
Louis GALLIEN, la Sélection animale, II, p. 26-27.

Une légende, très répandue dans les milieux populaires, explique l'origine des monstres par des hybridations fantastiques qu'attestent des récits dont la précision augmente dans la mesure même où ils s'éloignent de leur source. Les gamètes humains ne s'intéressent pas plus aux gamètes d'autres espèces qu'à des grains de poussière (...) Et ceci est vrai, non seulement des animaux domestiques, mais aussi du singe, quoi que puissent en dire les journaux du soir (...)
Jules CARLES, la Fécondation, V, p. 103.

Jusqu'au début du XIXe siècle, on ne se faisait qu'une idée extrêmement vague des bornes qu'impose la nature à la fusion des formes animales. RÉAUMUR envisageait comme possible l'hybridation de la Poule et du Lapin, et il se demandait gravement si ce serait du poil ou de la plume qui revêtirait les produits d'une telle conjonction. Quant à l'abbé SPALLANZANI, il fondait de grandes espérances sur le mariage d'une Chatte et d'un Barbet.
Nous savons aujourd'hui que les espèces vivantes sont généralement séparées les unes des autres par des obstacles naturels, qui s'opposent à leur mélange.
Jean ROSTAND, Idées nouvelles de la génétique, p. 96.

Hybridation cellulaire : développement de noyaux hybridés dans un même cytoplasme. — REM. La var. *hybridisation* [ibʀidizasjɔ̃] n. f., est empruntée à l'angl. *hybridization.*

♦ **2.** Fig. *Hybridation de caractères qui donnent à l'art* (cit. 2) *un aspect magique.*

Car il est à considérer que nos plus grands artistes sont le plus souvent des produits d'hybridation et le résultat de déracinements, de transplantations veux-je dire.
GIDE, Nouveaux prétextes, p. 70.

♦ **3.** Phys., chim. *Hybridation des orbitales atomiques :* combinaison linéaire orthogonale des orbitales atomiques de niveaux énergétiques différents. *Hybridation trigonale, tétraédrique.*

HYBRIDE [ibʀid] adj. et n. m. — 1596, *hibride* «qui provient de deux espèces différentes»; lat. *ibrida* «de sang mêlé» spécialt «produit du sanglier et de la truie», altéré en *hybrida,* par rapprochement avec le grec *hubris* «excès», de *huper.* → Hyper-.

♦ **1.** Biol. Se dit d'un individu provenant du croisement de variétés ou d'espèces différentes (⇒ **Hybridation, hybridité**). *Plantes, animaux hybrides.* — N. m. *Un hybride. Hybrides plus vigoureux que leurs parents* (⇒ **Bâtard**). *Les hybrides de variétés sont féconds* (⇒ **Métis**), *et les hybrides d'espèces, généralement inféconds (leur stérilité n'étant pas de règle absolue).* — REM. En zootechnie, on réserve le nom d'*hybrides* aux hybrides d'espèce (ex. : *le mulet, hybride de l'âne et de la jument*). *Générations d'hybrides qui redonnent des individus semblables aux parents hybridés* (lois de Mendel). *Générations d'hybrides qui engendrent à nouveau une espèce naturelle dont ils sont issus.* ⇒ **Atavisme** (bot.).

Il lui donna soudain une plante hybride que ses yeux d'aigle lui avaient fait apercevoir parmi des silènes acaulis et du saxifrages (...)
BALZAC, Séraphîta, Pl., t. X, p. 468.

Naudin a hybridé des espèces nombreuses (...) et variées (...), cherchant surtout à obtenir ainsi des formes spécifiques nouvelles et stables, ce à quoi il n'a pas réussi. Il a constaté, de façon générale, une uniformité des hybrides de premières génération (F_1.) et, aux générations suivantes ($F_2 F_3 F_4$...), un polymorphisme plus ou moins étendu, avec de nombreux cas de retour aux parents (...)
Maurice CAULLERY, Génétique et Hérédité, p. 30-31.

Chez les végétaux, nous trouvons parmi les hybrides d'espèces un certain nombre de plantes déséquilibrées et qui n'arrivent pas à produire de graines. Ce déficit est grave pour les plantes annuelles qui se reproduisent par graines; il l'est déjà beaucoup moins pour les vivaces et ne compte plus pour celles qui se reproduisent par bouture ou par greffe : ainsi multiplie-t-on les oranges sans pépins, les pommes de terre, les rosiers, les azalées.
Jules CARLES, la Fécondation, V, p. 99.

♦ **2.** (1647). Ling. *Mots hybrides :* mots formés d'éléments empruntés à deux langues différentes. *Bicyclette, hypertension, monocle, mots hybrides, tirés du grec et du latin.*

Ce sont des noms hybrides, mi-grecs, mi-latins (...)
FRANCE, le Crime de S. Bonnard, II, VI.

♦ **3.** (1832, Hugo). Cour. Composé de deux éléments de nature différente anormalement réunis; qui participe de deux ou plusieurs ensembles, genres, styles... *Les faunes, les sirènes, les chimères, créatures hybrides* (→ Gargouille, cit. 2). *Œuvre hybride, Solution hybride.* — *Machines hybrides* (en inform.). — *Moteur hybride :* moteur fusée à propergol solide et liquide.

5 (...) le vieux génie gothique (...) pénètre encore quelque temps de ses derniers rayons tout cet entassement hybride d'arcades latines et de colonnades corinthiennes. HUGO, Notre-Dame de Paris, V, 2.

5.1 Il savait qu'un « solicitor » est le congénère anglais d'un avoué, ou plutôt homme de loi hybride, intermédiaire entre le notaire, l'avoué et l'avocat, — le procureur d'autrefois. J. VERNE, les Cinq cents Millions de la Bégum, I, p. 4.

6 Il apportait l'exactitude du naturaliste dans les folies de la caricature (...) malgré tout le soin et toute la précision de Granville *(illustrateur du XIXe s.)*, l'homme et l'animal se confondent dans une création hybride dont il est difficile de démêler les types (...) Th. GAUTIER, Portraits contemporains, Granville, 24 mars 1847.

7 Ce sont des sauvages qui font de l'esprit, des brutes extrêmement subtiles, comme on en a vu beaucoup dans cet hybride XVIe siècle, où les hommes, sanguins, robustes et pleins d'appétits, étaient tout ivres du renouveau des sciences et des arts, tout fumeux de la doctrine récemment, acquise, mais où sans cesse la brutalité foncière reparaissait sous la culture trop neuve. Jules LEMAITRE, Impressions de théâtre, III, Shakespeare, p. 54.

8 Ce n'est pas bien écrire que de laisser sa prose se vermouler d'alexandrins. Voici qui crée une langue hybride et de séduction ambiguë. GIDE, Journal (1925), Feuillets, p. 806.

N. m. « *L'homme d'affaires, hybride du danseur et du calculateur* » (cit. 2, Valéry). « *Cet hybride appelé indépendant* (cit. 9.1) *-paysan* ».

CONTR. Pur.

DÉR. Hybrider, hybridisme, hybridité.

COMP. V. Hybridome, polyhybride.

HYBRIDER [ibʀide] v. tr. — 1862, *in* T. L. F.; de *hybride*.

♦ Biol. Pratiquer l'hybridation de. ⇒ **Croiser**; → Hybride, cit. 2. *Hybrider l'âne et la jument. Hybrider deux espèces.* — Pron. *Plante qui s'hybride,* fécondée naturellement par un pollen d'une autre espèce ou variété.

Fig. *Une civilisation qui s'hybride.*

REM. La var. *hybridiser* est empruntée à l'anglais.

▶ **HYBRIDÉ, ÉE** p. p. adj. *Espèces hybridées.*

(Au sens 3 de *hybridation*). Phys., chim. *Orbitales (moléculaires) hybridées,* formées par la fusion d'orbitales atomiques ⇒ **Hybridation** (3.), **mésomérie.**

DÉR. Hybridation, hybrideur.

HYBRIDEUR, EUSE [ibʀidœʀ, øz] n. — 1925, Pesquidoux, *in* T. L. F.; de *hybrider.*

♦ Techn. Agric. Personne qui pratique l'hybridation des fleurs femelles de raisin par le pollen des fleurs mâles d'une autre variété.

HYBRIDISME [ibʀidism] n. m. — 1826, *in* T. L. F.; « d'hybridité », 1866; de *hybride.*

♦ Biol. Hybridation entre variétés très voisines. — État caractérisant les hybrides.

(Mendel) chercha des pois qui différaient entre eux par un seul caractère héréditaire (...) Une telle expérience n'est-elle pas une hybridation, puisque les deux parents sont différents? Ce mot n'a pourtant pas ici son sens ordinaire (...) ordinairement les parents ne sont jamais si semblables (...) On emploie ici le mot d'hybridisme, monohybridisme, dihybridisme ou polyhybridisme suivant que la différence porte sur un ou plusieurs caractères. Jules CARLES, la Fécondation, V, p. 90-91.

HYBRIDITÉ [ibʀidite] n. f. — 1828, en bot.; de *hybride.*

♦ **1.** Biol. Caractère d'hybride*. *Hybridité du mulet.*

♦ **2.** Gramm. *Hybridité de certains mots savants.*

♦ **3.** Méd. Double nature de certaines lésions. *Hybridité cancéro-syphilitique d'une tumeur.*

♦ **4.** Didact. Caractère hybride (3.).

(...) l'hybridité tend toujours à disparaître, de sorte que les formes mixtes reviennent aux types qui les avaient engendrées. Émile BURNOUF, la Science des religions, p. 392.

HYBRIDOME [ibʀidom] n. m. — Av. 1980; mot créé en angl. par Milstein et Köhler, 1975; du rad. grec de *hybride**, et suff. *-ome* caractérisant les tumeurs.

♦ Biol. Formation cellulaire hybride, constituée par la fusion de cellules vivantes de provenances différentes et, spécialt, d'une cellule tumorale et d'une cellule normale. *Hybridome constitué par une cellule humaine et une cellule cancéreuse de souris. Hybridome humain.* « *Le principe de l'hybridome, cette "machine à produire des anticorps", est en effet de "marier" deux cellules dont l'une est tumorale et l'autre capable de produire un anticorps particulier* » (J.-Y. Nau, in *le Monde,* 25 juil. 1980, p. 1). « *Depuis 1975, il est possible d'obtenir en culture des lignées de ces cellules hybrides, appelées hybridomes, constituées par la fusion des cellules productrices d'anticorps : leur particularité est de fournir en quantité illimitée des anticorps ne reconnaissant qu'un seul signal antigénique à la fois (anticorps monoclonaux)* » (*la Recherche,* nov. 1980, p. 1303). « *(...) les scientifiques se sont rendu compte qu'en provoquant la fusion d'une cellule cancéreuse et d'une cellule productrice d'anticorps, ils obtenaient des cellules hybrides, baptisées hybridomes, capables de synthétiser une grande variété d'anticorps* » (*Libération,* 9 sept. 1983).

HYDARTHROSE [idaʀtʀoz] n. f. — 1824, Nysten; comp. sav. du grec *hudôr* « eau », *arthron* « articulation », et suff. *-ose.*

♦ Didact. Épanchement d'un liquide séreux dans une cavité articulaire (⇒ **Hydropisie**). *L'hydarthrose s'observe surtout au genou.* ⇒ **Synovie** (épanchement de synovie).

Ce qu'on appelle hydarthrose, vulgairement épanchement de synovie, n'est que l'exagération de cette sécrétion, à la suite d'un chute sur le genou par exemple. P. VALLERY-RADOT, Notre corps, III, p. 25.

HYDATIDE [idatid] n. f. — 1680; *hydatite,* 1538; grec *hudatis, -idos,* de *hudôr* « eau ».

♦ **1.** Pathol. Forme larvaire du ténia échinocoque qui consiste en petites vésicules remplies de liquide incolore. *L'hydatide peut être le point de départ d'un kyste hydatique.*

♦ **2.** (1894, *in* T. L. F.). Anat. Vésicule annexée au testicule ou à l'épididyme et qui constitue un vestige embryonnaire.

DÉR. Hydatique.

HYDATIQUE [idatik] adj. — 1795; du rad. de *hydatide.*

♦ Pathol. Relatif aux hydatides. *Kyste hydatique,* formé d'une hydatide, qui se localise surtout dans le foie, le poumon, chez les hommes. — *Frémissement* hydatique* (ou *signe de Récamier*).

HYDATISME [idatism] n. m. — 1752; grec *hudatismos,* de *hudôr* « eau ».

♦ Pathol. Bruit produit par la fluctuation d'un liquide dans une cavité (→ Hydropisie).

HYDNE [idn] n. m. — 1783, *in* T. L. F.; grec *hudnon* « tubercule, truffe ».

♦ Bot. Genre de champignons basidiomycètes *(Hydnées),* charnu ou coriace, avec ou sans pied, aux nombreuses variétés dont quelques-unes sont comestibles (→ Champignon, cit. 1). *Les hydnes poussent à terre ou sur les arbres. Hydne bosselé,* dit couramment *barbe de vache* ou *pied de mouton.*

DÉR. Hydnées.

HYDNÉES [idne] n. f. pl. — XIXe; de *hydne.*

♦ Bot. Famille de champignons basidiomycètes hyménomycètes, dont le type principal est l'hydne. — Au sing. *Une hydnée.*

HYDR-, HYDRO-, -HYDRE

♦ **1.** Affixe tiré du grec *hudôr* « eau », qui entre comme premier élément sous la forme *hydr-, hydro-,* ou comme élément terminal sous la forme *-hydre,* dans la formation de composés; → les emprunts du grec Clepsydre, hydarthrose.

♦ **2.** Chim. Élément correspondant à « hydrogène » (et non pas à « eau »). ⇒ suff. **-hydrie, -hydrique.**

HYDRACIDE [idʀasid] n. m. — 1816, Gay-Lussac; de *hydr-* (2.), et *acide**.

♦ Chim. Nom générique des acides résultant de la combinaison d'un métalloïde avec un ou plusieurs atomes d'hydrogène acide et dont la molécule ne comporte pas d'oxygène. *La terminaison* -hydrique *sert à désigner les hydracides.* ⇒ **-hydrie, -hydrique.** *Les acides se divisent en hydracides et oxacides* selon l'absence ou la présence d'oxygène dans la molécule. *Aux hydracides ne correspond aucun anhydride. Principaux hydracides :* acides chlorhydrique, bromhydrique, iodhydrique, cyanhydrique (*ou* prussique), sulfhydrique, tellurhydrique, phosphydrique (⇒ **Phosphine**).

HYDRAGOGUE [idʀagɔg] adj. et n. m. — 1575; grec *hudragôgos* « qui amène l'eau », de *hudôr.* → Hydr-.

♦ Méd. Se dit de tout agent capable de provoquer une évacuation de liquide. N. m. *Un hydragogue. Les sudorifiques, les diurétiques, les purgatifs sont des hydragogues* (⇒ **Drastique**).

HYDRAIRES [idʀɛʀ] n. f. pl. — 1845, Dujardin; de *hydr-* (1.), et suff. *-aire.*

♦ Zool. Classe d'hydrozoaires* *(Cnidaires)* qui vivent isolés ou en colonies gazonnantes, arborescentes, comprenant des polypes seuls ou des polypes et des méduses. *Colonies d'hydraires.* — Au sing. *Une hydraire.*

HYDRAMNIOS [idʀamnjɔs] n. m. — Mil. xxe; de *hydr-* (1.), et *amnios.*

♦ Pathol. Anomalie de la grossesse caractérisée par la présence d'une quantité anormalement grande de liquide dans la cavité amniotique.

HYDRANGELLE [idʀɑ̃ʒɛl] ou **HYDRANGEA** [idʀɑ̃ʒa] n. f. — 1777, *Encyclopédie;* lat. mod. *hydrangella, hydrangea,* du grec *hudôr* «eau», et *aggos* «coupe».

♦ Bot. Nom scientifique de l'hortensia*.

HYDRANT [idʀɑ̃] n. m. ou **HYDRANTE** [idʀɑ̃t] n. f. — 1872, *hydrant; hydrante,* 1876; mot all., «bouche d'incendie», du grec *hudôr* → Hydr-.

♦ Régional (Suisse). Borne d'incendie.

Oh les verrées des pompiers après l'exercice aux hydrants, les litres qui descendent, les bramées quand on se sent les coudes à la pinte (...)
Jacques CHESSEX, Portrait des Vaudois, p. 169.

Adj. *Borne hydrante.*

HOM. (De *hydrante*) **Hydranthe.**

HYDRANTHE [idʀɑ̃t] n. m. — 1889, Encycl. Berthelot, art. *Calyptoblestes;* de *hydr-* (1.), et grec *anthos* «fleur».

♦ Didact. (zool.). Individu d'une colonie d'hydroïdes, chacun des polypes terminant les ramifications de l'hydrocaule*.

HOM. Hydrante.

HYDRARGIE [idʀaʀʒi] n. m. ⇒ **Hydrargyrisme.**

HYDRARGYRE [idʀaʀʒiʀ] n. m. — 1548, *hidrargir;* grec *hudrarguros,* de *hudôr* (→ Hydr-), et *arguros* «argent».

♦ Chim. anc. Mercure* (d'où le symb. de ce corps, *Hg*).

DÉR. Hydrargyrie, hydrargyrique, hydrargyrisme.

HYDRARGYRIE [idʀaʀʒiʀi] ou **HYDRARGYROSE** [idʀaʀʒiʀoz] n. f. — 1839, *hydrargyrie; hydrargyrose,* 1752; de *hydrargyre.*

♦ Méd. Éruption due à des préparations mercurielles.

L'*hydrargyrie* ou eczéma mercuriel, maladie assez rare en France, ne doit pas être confondue avec l'éruption de pustules (...) dont chaque médecin a souvent observé le développement pendant l'emploi d'une pommade mercurielle rance.
Journal de médecine et de chirurgie pratique, x, 117 (1839), *in* D. D. L., II, 8.

HYDRARGYRIQUE [idʀaʀʒiʀik] adj. — 1838; de *hydrargyre.*

♦ **1.** ⇒ **Mercuriel.**

♦ **2.** Méd. Provoqué par l'hydrargyrie. *Accidents hydrargyriques.*

HYDRARGYRISME [idʀaʀʒiʀism] n. m., ou **HYDRARGIE** [idʀaʀʒi] n. f. — 1856, *hydrargyrisme; hydrargie,* 1924; de *hydrargyre.*

♦ Méd. Intoxication par les préparations mercurielles.

HYDRASTINE [idʀastin] n. f. — Fin xixe; de *hydraste,* lat. sc. *hydrastis,* du grec *hudôr* (→ Hydr-), et suff. *-ine.*

♦ Didact. (chim., pharm.). Alcaloïde ($C_{21}H_{21}NO_6$) extrait des rhizomes d'une renonculacée, l'*hydrastis canadensis,* avec la berbérine et la canadine. *L'hydrastine est utilisée comme antihémorragique* (traitement des hémorragies utérines) *et comme purgatif.*

HYDRATABLE [idʀatabl] adj. — 1846; de *hydrater.*

♦ Sc. Susceptible d'être hydraté.

HYDRATANT, ANTE [idʀatɑ̃, ɑ̃t] adj. et n. m. — Av. 1877; p. prés. de *hydrater.*

♦ Qui fixe l'eau, qui permet l'hydratation. Spécialt. *Crème hydratante* (pour le visage). — N. m. *Un hydratant.*

1 Je leur achète des boucles d'oreilles, des corsages avec de la dentelle, les dernières crèmes hydratantes et vitaminées pour soins de nuit, des fleurs, des poudriers.
J. CAU, la Pitié de Dieu, p. 45.

2 (...) mesdames, apprenez à préserver votre beauté (...), et pour cela, utilisez chaque matin la crème hydratante Pollen (...), qui maintiendra votre visage dans son quotient normal d'humidité pour toute la journée, Pollen, la crème hydratante pour tous les temps (...)
J.-M. G. LE CLÉZIO, le Déluge, VIII, p. 162.

REM. La phrase, dans le roman, est tirée d'une publicité radiophonique.

HYDRATASE [idʀataz] n. f. — Mil. xxe; de *hydraté,* et *-ase.*

♦ Biochim. Enzyme qui active le transfert d'une molécule d'eau d'une substance à une autre.

HYDRATATION [idʀatasjɔ̃] n. f. — 1846; de *hydrater.*

♦ **1.** Chim. Transformation (d'un corps) en hydrate. *L'hydratation de la chaux vive donne de la chaux éteinte.*

♦ **2.** Méd. Introduction d'eau dans l'organisme.

CONTR. Dessiccation. — Déshydratation.

HYDRATE [idʀat] n. m. — 1802, écrit *hidrate; de hydr-* (1.), et *-ate.* Chimie.

♦ **1.** Hist. de la chim. Vx. Hydroxyde.

♦ **2.** Composé contenant de l'eau. *Hydrate de chlore, de chlorate. Les sels* contenant de l'eau de cristallisation sont des hydrates.*

Les chimistes ont été longtemps à concevoir que l'eau peut agir d'une manière chimique. Cette combinaison si éminemment neutre semblait inoffensive. Proust a pensé que cette neutralité devait faire présumer, pour l'eau, l'existence de certaines affections chimiques indépendantes de sa composition. C'est ce qui a conduit ce chimiste à créer l'étude des *hydrates,* envisagés comme une sorte de sels nouveaux où l'eau joue, à l'égard des alcalis, le rôle d'acide hydrique.
A. COMTE, Philosophie positive, II, p. 123.

♦ **3.** (1890, Larousse, *Deuxième Suppl.*). *Hydrate de carbone :* composé organique constitué uniquement de carbone, d'hydrogène et d'oxygène. ⇒ **Glucide.** *Les sucres*, les amidons*, la cellulose* sont des hydrates de carbone.* Spécialt. *Les hydrates de carbone ou aliments hydrocarbonés sont nécessaires à la nutrition* (féculents, sucre... → Chyle, cit. 2).

DÉR. Hydrater.

HYDRATER [idʀate] v. tr. — 1836; au p. p., 1805; de *hydrate.*

♦ Combiner avec de l'eau (→ Extraction, cit. 3). — Spécialt. Introduire de l'eau dans les tissus organiques. — Pron. *S'hydrater :* passer à l'état d'*hydrate.*

▶ **HYDRATÉ, ÉE** p. p. adj. *Le gypse*, sulfate de calcium hydraté. Le chrysocolle*, silicate de cuivre hydraté. Carbonate hydraté* (hydrocarbonate); *phosphate hydraté* (hydrophosphate); *silicate hydraté* (hydrosilicate).

CONTR. Déshydratrer. — (De *hydraté*) Déshydraté, anhydre.

DÉR. Hydratable, hydratant, hydratation, hydrateur. — (De *hydraté*) Hydratase.

COMP. Déshydrater.

HYDRATEUR [idʀatœʀ] n. m. — xxe (1934, *in* T. L. F.); de *hydrater.*

♦ Techn. Appareil ajoutant de l'eau à une matière, dans certaines industries (notamment, industries alimentaires).

HYDRAULICIEN, IENNE [idʀolisjɛ̃, jɛn] n. — 1803; de *hydraulique.*

♦ Techn. Spécialiste de l'hydraulique, ingénieur qui s'occupe d'hydraulique.

HYDRAULICITÉ [idʀolisite] n. f. — 1928, *in* T. L. F.; de *hydraulique.*

♦ Sc., techn. Caractère des mortiers et ciments hydrauliques.

HYDRAULIQUE [idʀolik] adj. et n. f. — Déb. xvie, *orgues ydraulicques;* lat. *hydraulicus,* grec *hudraulikos,* adj. de *hudraulis* «orgue hydraulique», de *hudôr* (→ Hydr-), et *aulein* «jouer de la flûte», de *aulos* «flûte, tuyau» (se disait d'un orgue mû par l'eau), et suff. *-ique.*

★ **I.** Adj. ♦ **1.** Mû par l'eau; qui utilise l'énergie statique ou dynamique de l'eau. *Tourniquet hydraulique. Roue hydraulique.* ⇒ **Aube, tympan; moulin** (à eau). *Moteur, turbine hydraulique.* ⇒ **Hydromoteur.** *Usine hydraulique. Presse* hydraulique. Cisaille hydraulique. Freins* hydrauliques. Ascenseur, funiculaire* (cit. 1) *hydraulique.*

Le Roi de l'Acier et son compagnon, quittant alors la casemate, redescendirent à l'étage inférieur, qui était mis en communication avec la plate-forme par des monte-charges hydrauliques. J. VERNE, les Cinq cents Millions de la Bégum, VIII, p. 132. 0.1

Elle poussa la bonté et l'autorité jusqu'à m'aider à pousser le capitaine en chaise roulante vers l'ascenseur hydraulique. Jacques LAURENT, les Bêtises, p. 499. 0.2

♦ **2.** *Énergie hydraulique :* énergie fournie par les chutes d'eau, les courants, les marées. ⇒ **Houille** (blanche, verte, bleue). *L'éner-*

gie hydraulique est transformée en énergie dans les usines hydro-électriques (⇒ **Barrage, turbine**).

♦ **3.** Relatif à la circulation, la distribution de l'eau. *Architecture, travaux hydrauliques en bois, en acier, en béton* (→ Aune, cit.). *Ouvrage, installation hydraulique.* ⇒ **Adducteur, aqueduc, barrage, bassin, canal, canalisation, château** (d'eau), **colonne, déchargeoir, déversoir, digue, écluse, épi, levée, réservoir, risberme, siphon, tuyau, vanne.** *Appareils, machines hydrauliques.* ⇒ **Ajutage, bélier, éjecteur, pompe, vis** (d'Archimède); **moulinet.** *Chapelet hydraulique.* ⇒ **Chapelet, noria.**

1 On n'entendait plus le grincement des roues hydrauliques qui apportaient l'eau au dernier étage des palais (...) FLAUBERT, Salammbô, III, p. 47.

♦ **4.** Qui durcit sous l'eau. *Chaux*, ciment*, mortier* hydraulique* (→ Galerie, cit. 14). ⇒ **Hydraulicité.**

★ **II.** N. f. (1690). Science qui traite des lois du mouvement des liquides et de leurs applications (⇒ **Hydrodynamique, hydrostatique**). — Branche de la technique qui comporte essentiellement les applications pratiques de l'hydrodynamique (⇒ **Hydrotechnique**). *Hydraulique agricole.*

2 Je ne crois pas qu'un ingénieur sorti de l'École puisse jamais bâtir un de ces miracles d'architecture que savait élever Léonard de Vinci, à la fois mécanicien, architecte, peintre, un des inventeurs de l'hydraulique, un infatigable constructeur de canaux. BALZAC, le Curé de village, Pl., t. VIII, p. 696.

DÉR. Hydraulicien, hydraulicité, hydrauliquement.

HYDRAULIQUEMENT [idʀolikmɑ̃] adv. — D. i.; de *hydraulique.*

♦ Didact. Quant à l'hydraulique (II.); sur le plan des phénomènes hydrauliques.

Certains pays resteront largement pourvus *(en eau)*, alors que dans d'autres, la pénurie est déjà là. Le bilan devrait se faire par régions hydrauliquement indépendantes. Il serait particulièrement utile en Algérie et dans la plupart des pays arabes, où déjà le manque d'eau freine l'irrigation des terres et l'industrialisation. A. SAUVY, Croissance zéro?, p. 195.

HYDRAVION [idʀavjɔ̃] n. m. — 1913, in *Larousse mensuel;* de *hydr-* (1.), et *avion.*

♦ Avion spécialement construit pour décoller sur l'eau et y amerrir* (→ Fanal, cit. 4). *Hydravions à flotteurs. Hydravions à coque. Base d'hydravions.* ⇒ **Hydrobase.**

Il regarda (...) la côte espagnole qui fuyait, le rocher d'Algésiras, le bateau-transport d'hydravions qui lâchait, un à un ses appareils, comme s'il eût donné la liberté à des colombes. P. MAC ORLAN, la Bandera, IV, p. 44.

REM. 1. Ce terme a été un temps concurrencé par *hydroaéroplane* [idʀoaeʀɔplan] (1912, Max Jacob, *in* D. D. L.; cf. *le Miroir,* 15 nov. 1914, p. 4 : *«on a très peu parlé encore du rôle joué dans la guerre maritime par les hydroaéroplanes»*).

2. Le mot a donné lieu à la formation de deux dérivés : *hydraviation* [idʀavjasjɔ̃] n. f., «aviation pratiquée avec les hydravions» et *hydroclub* [idʀoklœb] n. m. «aéroclub groupant des pratiquants de l'hydraviation».

HYDRAZIDE [idʀazid] n. f. — 1902; de *hydraz(ine),* et suff. *-ide* de noms de dérivés chimiques. (Attesté 1888 en angl.).

♦ Chim. Composé dérivé de l'hydrazine par substitution d'un ou de radicaux acides à un ou plusieurs atomes d'hydrogène.

COMP. V. **Isoniazide.**

HYDRAZINE [idʀazin] n. f. — 1890; de *hydr-* (2.), *az-* (de *azote*), et suff. *-ine.*

♦ Chim. Composé basique, gaz formé d'hydrogène et d'azote ($H_2N—NH_2$). *L'hydrazine s'obtient en oxydant l'ammoniac par l'hypochlorite de sodium. Utilisation de l'hydrazine comme combustible dans les fusées V2 et dans certains engins spatiaux.*

DÉR. V. **Azine.**

COMP. Hydrazide.

HYDRE [idʀ] n. f. — XIIIe, *ydre* et *idre;* rare jusqu'au XVIIe; lat. *hydra,* grec *hudra* «serpent d'eau», de *hudôr* «eau» → Hydr-. — REM. *Hydre* a longtemps été masculin : chez Desportes, La Fontaine, et encore parfois chez V. Hugo.

★ **I.** ♦ **1.** Mythol. Animal fabuleux. *L'hydre de Lerne :* serpent à sept têtes, auquel il en renaissait plusieurs dès qu'on lui en avait coupé une (⇒ **Dragon,** cit. 1). *Hercule parvint à trancher d'un seul coup les sept têtes de l'hydre de Lerne.*

1 (...) il *(Hercule)* n'est pas homme à craindre les abois d'un chien qui veille à la porte de ma prison : c'est un monstre qui n'a que trois têtes, et l'hydre qu'il sut dompter en avait sept, dont chacune renaissait en sept autres.
CYRANO DE BERGERAC, Œuvres diverses, Lettres, Thésée à Hercule.

2 Et l'hydre, déroulant ses torsions farouches
Et se dressant, parla par une de ses bouches (...)
HUGO, la Légende des siècles, VI, Après les dieux, les rois, II, «L'hydre».

3 Jadis les premières races humaines voyaient avec terreur passer devant leurs yeux l'hydre qui soufflait sur les eaux, le dragon qui vomissait du feu, le griffon qui était le monstre de l'air (...) HUGO, les Misérables, V, I, V.

♦ **2.** Fig. et littér. Ce qui rappelle une hydre par la forme (→ Géant, cit. 15). *Une hydre de troncs d'arbres* (→ Haut, cit. 71). — (1628). Mal qui se développe ou se renouvelle en dépit des efforts qu'on fait pour s'en débarrasser. *L'incendie, hydre immense* (→ Aile, cit. 14). *L'hydre de l'anarchie.*

Rome a pour ma ruine une hydre trop fertile : 4
Une tête coupée en fait renaître mille (...) CORNEILLE, Cinna, IV, 2.

(...) l'hydre de la chicane (...) dévore une nation. 5
ROUSSEAU, le Gouvernement de Pologne, X.

J'ai fait un jacobin du pronom personnel, 6
Du participe, esclave à la tête blanchie,
Une hyène, et du verbe une hydre d'anarchie.
HUGO, les Contemplations, I, VII, Réponse à un acte d'accusation.

Au-dessous du diaphragme se trouve le ventre insatiable dont parle le mendiant d'Homère; et nous le nommerons hydre, non point au hasard, mais afin de rappeler les mille têtes de la fable, et les innombrables désirs qui sont comme couchés et repliés les uns sur les autres, dans les rares moments où tout le ventre dort. 6.1
ALAIN, Platon, Le sac, *in* les Passions et la Sagesse, Pl., p. 905.

(...) les absurdes feuilles de «déclarations» qu'exige l'hydre fiscale. 7
G. DUHAMEL, Manuel du protestataire, II, p. 91.

★ **II.** (1562; lat. sc. *hydra*). Zool. ♦ **1.** Vx. Serpent* d'eau douce.

♦ **2.** (1762; lat. mod. *hydra*). Mod. Animal *(Cnidaires; hydraires)* de la classe des hydroméduses, polype de petite taille portant une couronne de tentacules filiformes autour de la bouche, qui vit en eau douce et se reproduit par bourgeonnement. *Hydre verte, hydre grise, hydre brune* (hydrides). *Les hydres, animaux carnassiers; si on les coupe, chaque tronçon donne rapidement un nouvel individu.*

DÉR. Hydrides.

-HYDRE ⇒ **Hydr-.**

HYDRÉMIE [idʀemi] ou **HYDROHÉMIE** [idʀoemi] n. f. — 1846, *hydrémie; hydrohémie,* 1855; de *hydr-, hydro-,* et suff. *-émie.*

♦ **1.** Méd. Quantité d'eau contenue dans le sang.

♦ **2.** Pathol. (au sens d'*hyperhydrémie*). Excès d'eau, prédominance du plasma dans le sang.

HYDRIDES [idʀid] n. m. pl. — Fin XIXe, *hydridés; de hydre.*

♦ Didact. (zool.). Ordre d'hydrozoaires (*Cnidaires; Hydroïdes**), comprenant des animaux fixés, ne formant pas de colonies permanentes. *Le type des hydrides est l'hydre brune vivant dans le fond des ruisseaux ou sur certaines plantes aquatiques. Les hydrides se reproduisent à l'état de polype, soit par reproduction sexuée, soit par reproduction asexuée (bourgeonnement).* — Au sing. *Un hydride.*

HYDRIE [idʀi] n. f. — 1360; *idre* «cruche à eau», 1190; du grec *hudria,* de *hudôr* «eau».

♦ Archéol. Vase grec à trois anses.

D'autres *(vases)* sont des objets importés; ainsi cette très amusante hydrie du Louvre, d'origine inconnue, où un imagier plein de verve a traité en scène de comédie une donnée de la fable. 1
G. CONTENAU et V. CHAPOT, l'Art antique, p. 169.

L'hydrie (...) affecte une forme assez voisine de celle du stamnos, mais présente trois anses, une grande anse verticale à hauteur du col servant au transport du vase et deux anses latérales permettant de verser le contenu. On rencontre ce genre de vase depuis l'époque archaïque jusqu'à la fin du IVe siècle. 2
Henri METZGER, la Céramique grecque, p. 17.

-HYDRIE, -HYDRIQUE Suffixe chimique servant à désigner les hydracides (⇒ **Hydracide**), leur présence dans l'organisme (ex. : *hypochlorhydrie, hyperchlorhydrie*). ⇒ **préf. Hydr-** (2.).

HYDRIQUE [idʀik] adj. — 1826, Berzélius; de *hydr-,* et *-ique* (→ Hydrate, cit.).

♦ **1.** Qui a rapport à l'eau; de l'eau. Qui se fait par l'eau.

♦ **2.** (1874). Méd. *Diète* hydrique :* diète dans laquelle l'eau seule est permise.

COMP. Azothydrique.

HYDRO- ⇒ **Hydr-.**

HYDROACOUSTIQUE [idʀoakustik] adj. — XXe; de *hydro-,* et *acoustique.*

♦ Didact. (sc., techn.). Qui concerne, qui utilise les vibrations acoustiques en milieu liquide. *La «détection de la position du banc* (de maquereaux) *par des moyens hydroacoustiques* » (A. Boyer, *les Pêches maritimes*, p. 67).

HYDROBASE [idʀɔbaz] n. f. — 1949; de *hydro-*, dans *hydravion*, et *base*.

♦ Techn. Plan d'eau aménagé pour recevoir des hydravions*.

HYDROBIE [idʀɔbi] adj. et n. m. — Mil. xxe; de *hydro-* (→ Hydr-), et *-bie*.

♦ Biol. Se dit d'un organisme qui vit dans l'eau. — N. m. *Un hydrobie.*

HYDROBIOLOGIE [idʀɔbjɔlɔʒi] n. f. — xxe; de *hydro-*, et *biologie*. Didactique.

♦ **1.** Science qui étudie les organismes aquatiques, sous tous leurs aspects, et, en particulier, les organismes vivant dans les eaux continentales, douces ou saumâtres. ⇒ **Écologie** (marine). *Hydrobiologie des eaux courantes* (⇒ **Potamobiologie**), *des lacs, des mers intérieures.*

♦ **2.** Techn. Étude des méthodes capables d'augmenter le rendement en poisson dans les lacs, les étangs, les rivières. ⇒ **Pisciculture.**

HYDROCARBONATE [idʀokaʀbɔnat] n. m. — 1809, Thomson, *in* T. L. F.; de *hydro-*, et *carbonate*.

♦ Chim. Carbonate hydraté. *Le vert-de-gris, hydrocarbonate de cuivre.*

HYDROCARBONÉ, ÉE [idʀokaʀbɔne] adj. — 1842; de *hydro-*, et *carbone*.

♦ **1.** Chim. Composé d'hydrogène et de carbone. *Les substances organiques sont hydrocarbonées.*

♦ **2.** Vx. *Substances hydrocarbonées :* les hydrates de carbone (aujourd'hui appelées *glucides*). *Aliments hydrocarbonés.* ⇒ **Hydrate** (de carbone).

HYDROCARBURE [idʀokaʀbyʀ] n. m. — 1809, *hydro-carbure*, Thomson, *in* T. L. F.; de *hydro-*, et *carbure*.

♦ Chim. et cour. Composé contenant seulement du carbone et de l'hydrogène. ⇒ **Carbure** (d'hydrogène). *On classe les hydrocarbures d'après la forme de la chaîne carbonée* (hydrocarbures acycliques ou aliphatiques et hydrocarbures cycliques ou alicycliques) *et le degré de saturation des atomes de carbone* (hydrocarbures saturés et hydrocarbures insaturés).
Hydrocarbures aliphatiques : a) saturés (ou *alcanes*, autrefois paraffines ou *hydrocarbures forméniques*) C_nH_{2n+2} (ex. : *méthane, éthane, propane, butane... octane;* ⇒ élément **-ane**); b) insaturés (⇒ élément **-ène**) : **éthyléniques** (ou *alcène* autrefois oléfines) C_nH_{2n} (ex. : *éthylène, propylène, butène*); acétyléniques (ou *aleynes*) C_nH_{2n-2} (ex. : *acétylène*). — *Hydrocarbures alicycliques* (⇒ préf. **Cyclo-**) : a) *cyclanes* ou *cyclo-alcanes* $(CH_2)_n$ (ex. : *cyclopropane, cyclobutane*); b) *cyclènes* ou *cyclo-alcènes* (ex. : *cyclopropène, cyclobutène...; terpène*). — *Hydrocarbures benzénoïdes* ou *aromatiques* (⇒ 2. **Arène**) : a) *hydrocarbures monocycliques* (ex. : *benzène, styrène, toluène*); b) *hydrocarbures polycycliques* à noyaux séparés (ex. : *stilbène*); à noyaux condensés (ex. : *naphtalène, anthracène*).
Hydrocarbures caractérisés par une double liaison (alcènes), *deux doubles liaisons* (diènes; ⇒ **Allène, butadiène, isoprène**), *par plusieurs doubles liaisons* (polyènes; ⇒ **Carotène, polyprène**), *par une triple liaison* (alcynes). *Les huiles minérales* (⇒ **Pétrole**), *l'essence sont des hydrocarbures.* ⇒ **Carburant;** → Éruption, cit. 1.

HYDROCAULE [idʀokol] n. m. — 1890; de *hydro-* (1.), et *-caule* « tige ».

♦ Zool. Axe de certains hydroïdes (gymnoblastides) recouvert d'un périderme, et portant les colonies de polypes. *Les hydrantes* terminent les ramifications de l'hydrocaule.*

HYDROCÈLE [idʀɔsɛl] n. f. — 1538; lat. *hydrocele*, du mot grec *hudrokêlê;* → Hydro-, et suff. -cèle.

♦ Pathol. Collection de liquide ayant l'aspect d'une tumeur du scrotum, de la tunique vaginale du testicule ou des tuniques du cordon spermatique. *L'hydrocèle est un épanchement séreux.*

HYDROCELLULOSE [idʀoselyloz] n. f. — 1881, A. Girard; de *hydro-*, et *cellulose*.

♦ Chim. Matière produite par hydratation de la cellulose, à chaud, au moyen d'acides étendus.

HYDROCÉPHALE [idʀosefal] adj. — 1782; n. f. au sens d'« hydrocéphalie », xvie; grec *hydrokephalon*, de *hudro-*, de *hudôr* « eau », et *kephalê* « tête ».

♦ Qui est atteint d'hydrocéphalie (cette affection se traduisant parfois par une augmentation du volume du crâne). *Enfant hydrocéphale.*

(...) il est puni dans ses enfants, qui sont horribles, rachitiques, hydrocéphales. 1
BALZAC, Ursule Mirouët, Pl., t. III, p. 479.

Sur le quai du Pirée, je vis un môme hydrocéphale, qui avait en guise de tête une 1.1
monstrueuse protubérance, où se dessinait à peine un visage.
S. DE BEAUVOIR, la Force de l'âge, p. 312.

N. Personne hydrocéphale. *Un, une hydrocéphale.*

Au physique, Isidore était un homme âgé de trente-sept ans, grand et gros, qui 2
transpirait facilement, et dont la tête ressemblait à celle d'un hydrocéphale.
BALZAC, les Employés, Pl., t. VI, p. 905.

(...) une hydrocéphale dont le crâne énorme, trop lourd, se renversait en arrière. 2.1
ZOLA, Lourdes, p. 75.

Un autre poison, que je n'ai pas besoin de nommer, corrode encore la race. On lui 3
doit, ainsi qu'à l'alcool, ces enfants que vous voyez là : ce nabot, ce scrofuleux, ce cagneux, ce bec-de-lièvre et cet hydrocéphale.
MAETERLINCK, la Vie des abeilles, XI, p. 247.

DÉR. Hydrocéphalie.

HYDROCÉPHALIE [idʀosefali] n. f. — 1814, *in* D. D. L.; de *hydrocéphale*.

♦ Pathol. Présence d'une quantité anormalement élevée de liquide céphalo-rachidien dans les cavités du cerveau. Syn. (vx) : *hydropisie* de la tête.* — On dit aussi *hydrencéphalie.* — *L'hydrocéphalie, souvent congénitale, consiste en un épanchement de liquide séreux dans la cavité des ventricules cérébraux, ou entre les méninges, provoquant parfois une augmentation du volume du crâne.*

HYDROCHARIDACÉES [idʀokaʀidase] ou **HYDROCHARIDÉES** [idʀokaʀide] n. f. pl. — 1931, *hydrocharidacées; hydrocharidées*, 1816; de *hydrocharis, hydrokharis.* → Hydrocharis.

♦ Bot. Famille de plantes phanérogames angiospermes *(Monocotylédones)*, herbacées, aquatiques, les unes d'eau douce, les autres marines. *Genres principaux d'hydrocharidacées :* élodée, halophile hydrocharis ou morrène, stratiote, thalassie, vallisnérie. — Au sing. *Une hydrocharidacée, une hydrocharidée.*

HYDROCHARIS [idʀokaʀis] n. f. — Av. 1839 (→ Hydrocharidacées); du grec *hudrokharis*, proprt « qui aime l'eau », de *hudro-* de *hudôr* « eau », et *khairein* « être heureux, se réjouir ».

♦ Bot. Plante monocotylédone *(Hydrocharidées*)* aquatique, d'eau douce, appelée aussi *morrène* ou *mors de grenouille*, à feuilles flottantes, à fleurs blanches tripétales qui rentrent dans l'eau à la tombée de la nuit.

HYDROCHLORATE [idʀoklɔʀat] n. m. — 1816, Gay-Lussac, *in* T. L. F.; de *hydro-*, et *chlorate*.

♦ Chim. Vx. Chlorure.

HYDROCHLORIQUE [idʀoklɔʀik] adj. — 1816, Gay-Lussac, *in* T. L. F.; de *hydro-*, et *chlorique*.

♦ Chim. Vx. Chlorhydrique.

HYDROCHOC [idʀoʃɔk] n. m. — 1973, *Science et Vie*, in *la Clé des mots;* de *hydro-*, et *choc;* mot hybride.

♦ Didact. Réaction physiologique brutale à l'immersion dans l'eau froide. ⇒ **Hydrocution.**

HYDROCLIMATISME [idʀoklimatism] n. m. — Mil. xxe; de *hydro-*, *climat*, et suff. *-isme*.

♦ Didact. Ensemble des conditions climatiques en fonction de l'humidité de l'air.

Sur ce fond constitutionnel que l'homme apporte à sa naissance, apparaissent ensuite des types acquis de tempéraments qui se développent en rapport avec les conditions d'hydroclimatisme, de nutrition, d'éducation.
Pierre VANNIER, l'Homéopathie, p. 74 (1955).

HYDROCOMBUSTIBLE [idʀokɔ̃bystibl] n. m. — 1973, *in la Clé des Mots;* de *hydro-*, et *combustible*.

♦ Techn. Corps chimique qui réagit au contact de l'eau pour produire une forme quelconque d'énergie. *Des appareils utilisés à la surface de la mer fonctionnent avec des hydrocombustibles.*

HYDROCORALLIAIRES [idʀokɔʀaljɛʀ] n. m. pl. — 1933; de *hydro-*, et *coralliaire*.

♦ Zool. Ordre de cnidaires hydrozoaires comprenant des formes polypes (ex. : le millepore) et des formes méduses (⇒ **Hydrozoaires**). Au sing. *Un hydrocoralliaire.*

HYDROCORTISONE [idʀokɔʀtizɔn] n. f. — 1959; de *hydro-*, et *cortisone*.

♦ Biochim. Hormone principale sécrétée, avec la cortisone, par les cortico-surrénales, et prescrite principalement comme médicament anti-inflammatoire.

Le second groupe d'hormones *(cortico-surrénales)*, dont le type est l'hydrocortisone, agit sur le métabolisme des protides, qu'il transforme en glucides (néoglycogenèse). A. GALLI et R. LELUC, les Thérapeutiques modernes, p. 96 (1961).

HYDROCOTYLE [idʀokɔtil] n. f. — 1694; de *hydro-*, du grec *hudôr* (→ Hydro-), et grec *kotulê* «écuelle».

♦ Bot. Plante dicotylédone vivace *(Ombellifères)*, appelée «cotyliole» ou «écuelle d'eau» à cause de la forme de ses feuilles, et qui croît dans les lieux humides.

HYDROCRAQUAGE [idʀokʀakaʒ] n. m. — 1968, *in* Höfler; de l'angl. *hydrocracking*, de *hydro-*, et *cracking*, d'après *craquage**.

♦ Techn. Procédé de raffinage du pétrole par craquage en présence d'hydrogène. *L'hydrocraquage permet la transformation des produits lourds du pétrole* (mazout, gaz-oil) *en essence.*

HYDROCUTÉ, ÉE [idʀokyte] adj. et n. — Mil. XXe; de *hydrocution*, d'après *électrocuté*.

♦ Qui a subi une hydrocution. — REM. Le v. *hydrocuter* est virtuel.

HYDROCUTION [idʀɔkysjɔ̃] n. f. — 1950; de *hydro-*, et *(électro)cution*.

♦ Méd. Syncope par inhibition des centres nerveux due au contact trop brutal avec l'eau (ou à un changement de pression, de température, etc., trop brusque) et pouvant aboutir à la mort par noyade. ⇒ **Hydrochoc.** *Baigneur victime d'une hydrocution.* ⇒ **Hydrocuté.**

Faisant de petites manières, évitant de plonger par crainte de l'hydrocution, Marie-Christine s'était décidée à entrer dans l'eau où Marc s'ébrouait bruyamment. Cécil SAINT-LAURENT, la Bourgeoise, p. 210.

DÉR. Hydrocuté.

HYDROCYON [idʀɔsjɔ̃] n. m. — 1846, *hydrocyn;* du grec *hudôr* «eau» (→ Hydro-), et grec *kunos* «chien» (→ Cynique, cyno-).

♦ Zool. Poisson osseux *(Choracinidés)* long, de couleur verdâtre et argentée, à dents très puissantes, répandu dans quelques fleuves d'Afrique (Nil, Sénégal). — Nom courant (en franç. d'Afrique) : *poisson-chien* (parfois *poisson-chat*).

HYDRODYNAMIQUE [idʀodinamik] adj. et n. f. — 1738, comme adj.; de *hydro-*, et *dynamique*.

♦ **1.** N. f. Phys. Partie de la mécanique qui étudie la circulation, l'énergie, la pression des liquides (→ Hydrostatique). *Application des lois de l'hydrodynamique.* ⇒ **Hydraulique.**

1 L'hydrodynamique n'est donc qu'à sa naissance, même relativement aux liquides, et à plus forte raison aux gaz. A. COMTE, Philosophie positive, I, p. 203.

♦ **2.** Adj. (1866, Littré). Relatif aux mouvements des liquides. — Spécialt (correspond à *aérodynamique*). Qui offre le minimum de résistance à l'avancement sur l'eau, dans l'eau. *Formes hydrodynamiques.*

2 (...) le maquereau est plus satisfaisant, du point de vue mécanique, que le singe, c'est un volume hydrodynamique presque idéalement adapté au déplacement très rapide et aux mouvements instantanés (...)
A. LEROI-GOURHAN, le Geste et la Parole, t. II, p. 123.

COMP. Magnétohydrodynamique.

HYDRO-ÉLECTRICITÉ ou **HYDROÉLECTRICITÉ** [idʀoelɛktʀisite] n. f. — Mil. XXe; de *hydro-(électrique)*, et *électricité*.

♦ Électricité produite par l'énergie hydraulique. *Production d'hydroélectricité.*

HYDRO-ÉLECTRIQUE ou **HYDROÉLECTRIQUE** [idʀoelɛktʀik] adj. — 1781, *in* D. D. L.; de *hydro-*, et *électrique*. Didactique.

♦ **1.** Vx. Qui concerne à la fois l'eau et l'électricité.

J'appelle ces pics ou pyramides hydro-électriques, parce qu'ils attirent à la fois le feu et l'eau. 1
BERNARDIN DE SAINT-PIERRE, Harmonies de la nature, t. II, p. 268, *in* D. D. L., II, 15.

Hist. des sc. *Courants hydro-électriques et courants thermo-électriques.*

Le courant thermo-électrique le plus intense n'agit plus que très faiblement sur le galvanomètre, lorsqu'on coupe le circuit, et qu'on immerge séparément les deux bouts libres, armés ou non de plaques métalliques, dans un même vase contenant de l'eau, dont la conductibilité est augmentée par des sels ou des acides; et si la distance des plaques ou l'épaisseur de la couche liquide est suffisante, tout indice de courant cesse. Cette propriété négative permet de séparer l'un de l'autre un courant voltaïque, et un courant thermo-électrique, qui suivent un même conducteur. On donne généralement le nom de courants *hydro-électriques*, à ceux qui ne sont pas arrêtés par les liquides. 2
G. LAMÉ, Cours de physique, t. II, p. 264 (éd. Bachelier, 1837).

♦ **2.** (1823, *in* T. L. F.). Mod. Relatif à la production d'électricité par l'énergie hydraulique*. ⇒ **Houille** (blanche), **hydraulique.** *Installation, usine hydro-électrique. Énergie hydro-électrique :* énergie électrique qui provient de la transformation de l'énergie hydraulique.

DÉR. Hydro-électricité.

HYDROFOIL [idʀofɔjl] n. m. — 1955, *in* Höfler; mot angl., de *hydro-*, et *foil* «feuille, surface plane».

♦ Anglic. Techn. Embarcation à ailes portantes (à grande vitesse, la coque sort de l'eau). *« Jusqu'ici, presque tous les systèmes d'hydrofoils, ou bateaux à ailes sous-marines, étaient propulsés par des hélices marines. Mais quand on a voulu employer des turbines à gaz à grande puissance, on s'est heurté au problème des réducteurs de vitesse nécessaires pour adapter la très grande vitesse de rotation des turbines à la faible vitesse de rotation des hélices. »* (*Science et Vie*, n° 590, p. 52 [article : Science flash]).

HYDROFORMAGE [idʀofɔʀmaʒ] n. m. — V. 1970; de *hydro-*, et *formage*.

♦ Techn. Procédé de mise en forme de feuilles ou de tôles métalliques par un liquide sous pression.

HYDROFUGATION [idʀɔfygasjɔ̃] n. f. — 1973, in *la Clé des Mots;* de *hydrofuger*.

♦ Techn. Action de rendre hydrofuge.

HYDROFUGE [idʀɔfyʒ] adj. — 1826; de *hydro-*, et suff. *-fuge*.

♦ Didact. (techn.). Qui préserve de l'eau, de l'humidité. *Mastic, vernis hydrofuge. Tissu hydrofuge* (⇒ **Imperméable**).

DÉR. Hydrofuger.

HYDROFUGER [idʀɔfyʒe] v. tr. — 1933; de *hydrofuge*.

♦ **1.** Didact. (techn.). Rendre hydrofuge.

♦ **2.** Enduire d'une matière hydrofuge. ⇒ **Imperméabiliser.** — Au p. p. *Tissu hydrofugé.*

DÉR. Hydrofugation.

HYDROGÉNATION [idʀɔʒenasjɔ̃] n. f. — 1832; de *hydrogéner*.

♦ Chim., techn. Action d'hydrogéner; résultat de cette action. *Hydrogénation de la houille*, qui permet la fabrication d'huiles minérales artificielles.

HYDROGÈNE [idʀɔʒɛn] n. m. — 1787, Lavoisier-Guyton de Morveau; de *hydro-*, et suff. *-gène*, proprt «qui produit de l'eau».

♦ Corps simple, métalloïde (symb. *H;* masse at. 1,008; n° at. 1), gaz incolore, inodore, sans saveur, le plus léger de tous les gaz (dens. 0,089 g/l; temp. de fusion -259,2 °C). *L'hydrogène, le plus abondant des éléments de l'Univers, existe sur Terre à l'état naturel comme constituant de l'eau* dans les composés organiques* et les êtres vivants, dans un grand nombre de substances inorganiques; l'air en contient des traces. Préparation de l'hydrogène à partir de l'eau, des hydrocarbures.*

Hydrogène diatomique (ou *hydrogène moléculaire* H_2), *hydrogène naissant ou actif* (ou *hydrogène atomique* H). — Appos. *Ion hydrogène* (H^+). *Combinaison de l'hydrogène avec un autre corps* (⇒ **Hydrure**), *avec les métalloïdes* (⇒ **Hydracide**), *avec l'oxygène* (synthèse de l'eau [⇒ **Eau**], réduction des oxydes* [→ Réducteur*]); *avec l'azote* (⇒ **Ammoniac, hydrazine**); *avec le carbone**

(⇒ **Carbure** [d'hydrogène], **hydrocarbure**). *Antimoniure* d'hydrogène* (ou *hydrogène antimonié*). *Hydrogène phosphoré*, ou acide phosphorique*. ⇒ **Phosphine.** *Hydrogène sulfuré*, ou acide sulfhydrique*. *Hydrogène bicarboné.* ⇒ **Éthylène** (cit.). — *Isotopes de l'hydrogène; hydrogène lourd.* ⇒ **Deutérium, tritium.** — *Utilisation de l'hydrogène pour le gonflement des dirigeables, des ballons-sondes; pour la fabrication du gaz ammoniac synthétique, de l'essence synthétique* (⇒ **Hydrogénation**). *Concentration en ions hydrogène.* (⇒ **Acidité, pH**). *Ion hydrogène hydraté* (ou *proton hydraté*) : ion hydronium (H_3O^+). *Noyau d'hydrogène.* ⇒ **Proton.** *Liaison hydrogène. Oxyde d'hydrogène* (eau), *peroxyde d'hydrogène* (eau oxygénée). *Hydrogène arsénié, silicié, telluré.* — *Hydrogène et oxygène liquides* (utilisés comme propergol*). *Maser, horloge atomique à hydrogène; chambre à bulles à hydrogène liquide. Électrode à hydrogène* (utilisée pour la mesure de l'acidité des solutions aqueuses et non aqueuses). *Addition d'hydrogène* (⇒ **Hydrogénation**), *soustraction d'hydrogène* (⇒ **Déshydrogénation**).
Liaison hydrogène (ou *pont hydrogène*) : liaison inter- ou intramoléculaire faible, établie par attraction électrostatique entre un groupement composé d'un atome d'hydrogène associé à un atome fortement électronégatif et de faible diamètre (O, N, S, C) et un groupement porteur d'une paire d'électrons.
L'hydrogène forme avec l'air un mélange détonant; sa combustion se fait avec grand dégagement de chaleur (⇒ **Oxhydrique** [chalumeau]). *La transformation de l'hydrogène en hélium est la source de l'énergie solaire. Bombe à hydrogène* dite «*bombe H*» : bombe atomique qui utilise le tritium dans la synthèse partielle de l'hélium. ⇒ **Thermonucléaire.**

L'analyse et la synthèse concourent donc à nous prouver que l'eau est composée de 0,85 parties d'oxigène *(sic)*, et de 0,15 d'une autre substance particulière, qui, réduite à l'état gazeux par le calorique, forme l'air inflammable. Cette substance est combustible, puisqu'elle se combine si facilement avec l'oxigène qu'elle enlève au calorique ou même à l'air commun, et elle est d'ailleurs un principe élémentaire et constituant de l'eau qui est le produit de cette combinaison : c'est là ce qui lui a fait donner le nom d'*hydrogène*, des mots *hudôr* eau, et *geinomaï* j'engendre.
J. IZARN, Explication du nouveau langage des chimistes, (Brumaire, an XII, 1803), p. 27.

Hydrogène acide, constitué de chacun des atomes d'hydrogène qui, dans une molécule d'acide, peut être substitué par un atome de métal monovalent.

DÉR. Hydrogéné, hydrogéner, hydrogénite.
COMP. Hydrogénoduc.

HYDROGÉNÉ, ÉE [idʀɔʒene] adj. — 1802; de *hydrogène*.

♦ Chim. Combiné avec l'hydrogène; qui contient de l'hydrogène. *Substances hydrogénées.*

HOM. Hydrogéner.

HYDROGÉNER [idʀɔʒene] v. tr. — Conjug. *céder.* — 1804; de *hydrogène*.

♦ Chim. Combiner avec de l'hydrogène.

DÉR. Hydrogénation.
HOM. Hydrogéné.

HYDROGÉNITE [idʀɔʒenit] n. f. — 1922; de *hydrogène*, et *-ite*.

♦ Chim. Mélange de ferro-silicium et de soude caustique qui dégage de l'hydrogène sous l'influence de la chaleur.

HYDROGÉNODUC [idʀɔʒenɔdyk] n. m. — V. 1974; de *hydrogène*, d'après *oléoduc*.

♦ Techn. Pipe-line pour le transport de l'hydrogène. *Des réseaux d'hydrogénoducs.*

HYDROGÉOLOGIE [idʀoʒeɔlɔʒi] n. f. — 1802, Lamarck, *Hydrogéologie, ou recherches sur l'influence qu'ont les eaux sur la surface du globe terrestre*; de *hydro-*, et *géologie*.

♦ Sc. Partie de la géologie traitant de la recherche et du captage des eaux souterraines. «*(...) la passion de sa vie, ce sera l'hydrogéologie, l'étude des eaux souterraines; il voudra s'enfoncer toujours plus profondément dans les gouffres verticaux, parcourir, toujours plus loin, les cavernes horizontales*» (*Science et Vie*, nº 590, p. 80).

DÉR. Hydrogéologique.

HYDROGÉOLOGIQUE [idʀoʒeɔlɔʒik] adj. — XIXe; de *hydrogéologie*.

♦ Sc. Qui se rapporte à l'hydrogéologie, en a les caractères.

On entend par percée hydrogéologique, le trajet souterrain d'une rivière avec perte et résurgence.
Félix TROMBE, la Spéléologie, p. 119.

HYDROGÉOLOGUE [idʀoʒeɔlɔg] n. — D. i. (XXe); de *hydrogéologie*, d'après *géologue*.

♦ Sc. Spécialiste d'hydrogéologie.

HYDROGLISSEUR [idʀoglisœʀ] n. m. — 1914, *Larousse mensuel*; de *hydro-*, et *glisser*.

♦ Bateau à fond plat et à faible tirant d'eau, mû par une hélice aérienne ou un moteur à réaction. — On dit aussi *hydroplane*.

HYDROGRAPHE [idʀogʀaf] n. — 1548; de *hydro-*, et *graphe*, ou de *hydrographie*.

♦ Personne qui s'occupe d'hydrographie. Spécialt, mar. Par appos. *Ingénieur-hydrographe.*

HYDROGRAPHIE [idʀɔgʀafi] n. f. — 1551; de *hydro-*, et *-graphie*.

♦ **1.** Géogr. Partie de la géographie physique qui traite des océans (⇒ **Océanographie**), des mers, des lacs et des cours d'eau (⇒ **Bassin, étang, fleuve, lac, ligne** [de partage], **marais, mer, nappe, océan, relief** [sous-marin], **rivière, source...**; → Géodynamique, cit.). — Mar. «Topographie* maritime qui a pour objet de lever le plan du fond des mers et des fleuves, et de déterminer les diverses profondeurs de l'eau, la force des courants et des marées, dans le but d'établir les cartes marines» (Gruss, *Dict. de marine*). *Cours* (cit. 24), *professeur d'hydrographie. Faire, dresser l'hydrographie d'un fleuve, d'un bassin. Hydrographie et hydrologie*.*

♦ **2.** Ensemble des cours d'eau et des lacs d'une région. *Étudier, décrire l'hydrographie de la France, du Massif central.*

DÉR. Hydrographique. — V. Hydrographe.

HYDROGRAPHIQUE [idʀɔgʀafik] adj. — 1551; de *hydrographie*.

♦ **1.** Relatif à l'hydrographie. *Carte hydrographique de l'Europe, de la Méditerranée.* — (1890). Mar. *Service hydrographique et océanographique de la Marine* (abrév. : *S. H. O. M.*) : service de la Marine nationale formé d'officiers de marine et d'ingénieurs-hydrographes, affecté à l'établissement et à la mise à jour des cartes marines et des documents nautiques (*Instructions nautiques*, notamment).

♦ **2.** Relatif aux eaux et à leur répartition à la surface de la Terre, et, spécialt, aux eaux courantes. ⇒ **Cours** (d'eau), **fleuve, rivière.** *Réseau* hydrographique, bassin* hydrographique.*

DÉR. Hydrographiquement.

HYDROGRAPHIQUEMENT [idʀɔgʀafikmɑ̃] adv. — 1845, *in* D. D. L.; de *hydrographique*.

♦ Didact. Par l'hydrographie; du point de vue hydrographique.

HYDROÏDES [idʀɔid] n. m. pl. — 1890, Larousse, *Deuxième Suppl.*; 1865, Agassiz; de *hydr(e)*, et *-oïde*.

♦ Zool. Classe d'hydrozoaires* comprenant des animaux à formes fixées (ou hydraires) formant des colonies, et quelques formes libres et pélagiques. *Les hydroïdes se divisent en deux ordres : les hydrides et les leptolides.* ⇒ **Hydraires.** — Au sing. *Un hydroïde.*

HYDROJET [idʀodʒɛt] n. m. — 1976; de *hydro-*, et de l'angl. *jet*.

♦ Anglic. Techn. Dispositif de propulsion fonctionnant par jet d'eau vers l'arrière.

HYDROL [idʀɔl] n. m. — V. 1960; «eau minérale», 1840; de *hydr(o-)*, et suff. *-ol*, de *alcool*.

♦ Chim. Monomère de l'eau, de formule H_2O, dont on trouve des polymères dans l'eau liquide et la glace.

DÉR. Hydrolat, hydrolé.

HYDROLASE [idʀɔlaz] n. f. — 1899; de *hydro-*, et *-ase*, d'après *hydrolyse*.

♦ Biochim. Enzyme qui active des hydrolyses (ex. : pepsine).

HYDROLAT [idʀɔla] n. m. — 1842; de *hydrol**, et suff. *-at*.

♦ Pharm., parfumerie. Eau chargée, par distillation, de principes végétaux volatils. *Hydrolat de roses, de fleurs d'oranger.* ⇒ **Eau** (de...).

Un hydrolat lacrymal lave
Les cieux vert-chou (...)
RIMBAUD, Poésies, XXIX, «Mes petites amoureuses».

HYDROLÉ [idʀɔle] n. m. — 1866; de *hydrol.*

♦ Méd. (Vieilli). Médicament dont le véhicule est un hydrolat (solution, émulsion, suspension dans l'eau). *On range les potions, les collyres, les tisanes parmi les hydrolés.*

HYDROLITHE [idʀɔlit] n. f. — 1827; de *hydro-*, et *-lithe.*

♦ Chim. Hydrure de calcium (CaH_2) dont la décomposition par l'eau donne de l'hydrogène.

HYDROLOGIE [idʀɔlɔʒi] n. f. — 1614; de *hydro-*, et *-logie.*
Didactique.

♦ **1.** Étude des eaux, de leur composition, de leurs propriétés (⇒ **Hydrotimétrie**). *Hydrologie marine* (⇒ **Océanographie**), *hydrologie continentale* (potamologie : *hydrologie fluviale;* hydrogéologie; glaciologie, etc.). *Hydrologie et hydrographie.*

♦ **2.** Étude des eaux naturelles ou non, du point de vue de leurs propriétés thérapeutiques. ⇒ **Eau** (minérale), **hydrothérapie.**

On ne peut manquer en particulier d'être frappé par la présence, à l'état de traces très sensibles, de substances que la première analyse avait laissées de côté, et qui sont, il est vrai, peu fréquentes en hydrologie (...)
J. ROMAINS, les Hommes de bonne volonté, V, XXII, p. 176.

DÉR. Hydrologique, hydrologiste.

HYDROLOGIQUE [idʀɔlɔʒik] adj. — 1832, Raymond; de *hydrologie.*

♦ Didact. Relatif à l'hydrologie. *Études hydrologiques.* — Qui concerne les eaux, notamment les eaux terrestres.

(...) le pays possède alors les plus grandes réserves d'uranium de la planète. Son potentiel hydrologique est le plus puissant d'Afrique. À elles seules les chutes de l'Inga ont un potentiel de 1 600 000 mégawatts.
Jean ZIEGLER, Main basse sur l'Afrique, p. 103.

HYDROLOGISTE (vx) [idʀɔlɔʒist] ou **HYDROLOGUE** [idʀɔlɔg] n. — 1753, *hydrologiste; hydrologue,* 1827; de *hydrologie.*

♦ Didact. Spécialiste de l'hydrologie.

HYDROLYSABLE [idʀɔlizabl] adj. — 1902; de *hydrolyse.*

♦ Chim. Qui peut être décomposé par hydrolyse.

HYDROLYSAT [idʀɔliza] n. m. — Mil. XXe; de *hydrolyse,* et *-at.*

♦ Chim. Produit obtenu par hydrolyse. *Hydrolysat de protéines :* préparation qui remplace les protéines alimentaires chez les malades qui ne peuvent pas se nourrir normalement.

HYDROLYSE [idʀɔliz] n. f. — 1895; de *hydro-*, et suff. *-lyse;* cf. angl. *hydrolysis,* 1880.

♦ Chim. Décomposition chimique d'un corps sous l'action de l'eau, dont il fixe les éléments en se dédoublant. *L'hydrolyse d'un ester donne un alcool et un acide. Hydrolyses provoquées par la digestion, catalysées par les enzymes.*

DÉR. Hydrolysat, hydrolyser.

HYDROLYSER [idʀɔlize] v. tr. — 1898; de *hydrolyse.*

♦ Chim. Dédoubler par hydrolyse. — V. pron. *La cellulose a la propriété de s'hydrolyser sous l'action de l'acide sulfurique étendu et chaud.*

Les saccharides ou sucres en C^{12} (...) qui, s'ils ne sont pas directement digérables, s'« hydrolysent », c'est-à-dire se divisent en deux pour donner deux molécules de sucres en C^6.
Alain BOMBARD, Naufragé volontaire, p. 29.

DÉR. Hydrolysable.

HYDROMAGNÉSITE [idʀɔmaɲezit] n. f. — D. i.; de *hydro-*, et *magnésite.*

♦ Minér. Carbonate hydraté naturel de magnésium (minerai de ce métal).

HYDROMANCIE [idʀɔmɑ̃si] n. f. — XVIe; *ydromancie,* mil. XIVe; de *hydro-*, et *-mancie.*

♦ Didact. Divination par l'eau, par les courants.

HYDROMÉCANIQUE [idʀɔmekanik] adj. — 1846; de *hydro-*, et *mécanique.*

♦ Didact. Mû par l'eau. ⇒ **Hydraulique.**

HYDROMÉDUSES [idʀɔmedyz] n. f. pl. — 1890; d'abord en all., C. Vogt; de *hydro-*, et *méduse.*
Zoologie.

♦ **1.** Anciennt. Ordre de cœlentérés (*Hydrozoaires;* considérés aujourd'hui comme des *cnidaires**) comprenant des animaux à forme hydraire, composés de polypes vivant en colonies, et des méduses craspédotes.

♦ **2.** Mod. Hydrozoaires* de forme méduse.

HYDROMEL [idʀɔmɛl] n. m. — 1314, *ydromel;* lat. *hydromeli,* du grec *hudôr* (→ Hydr-), et *meli* « miel ».

♦ Didact. ou régional. Boisson faite d'eau et de miel*, qui se boit fraîche ou fermentée *(hydromel vineux). Hydromel des Anciens, des Scandinaves. Le chouchenn, hydromel fabriqué en Bretagne.*

HYDROMÉTÉORE [idʀɔmeteɔʀ] n. m. — 1842; de *hydro-*, et *météore.*

♦ Didact. Météore aqueux. ⇒ **Pluie, neige, brouillard.** *La troposphère* (cit.) *est le siège des hydrométéores.*

COMP. V. Hydrométéorologie.

HYDROMÉTÉOROLOGIE [idʀɔmeteɔʀɔlɔʒi] n. f. — Mil. XXe; de *hydro(météore),* et *météorologie.*

♦ Didact. Étude des hydrométéores. ⇒ **Météorologie.**

HYDROMÈTRE [idʀɔmɛtʀ] n. — 1751; de *hydro-*, et *-mètre.*

♦ **1.** N. m. Phys. Instrument qui sert à mesurer la densité, la pesanteur, la pression des liquides et en particulier de l'eau.

♦ **2.** N. f. (1803). Zool. Araignée d'eau.

HYDROMÉTRIE [idʀɔmetʀi] n. f. — 1710; de *hydro-*, et *-métrie.*

♦ Didact. Science qui étudie les propriétés physiques des liquides, et, spécialt, de l'eau.

DÉR. Hydrométrique.

HYDROMÉTRIQUE [idʀɔmetʀik] adj. — 1771; de *hydrométrie.*

♦ Didact. Relatif à l'hydrométrie.

HYDROMINÉRAL, ALE, AUX [idʀɔmineʀal, o] adj. — 1839; de *hydro-*, et *minéral.*

♦ Relatif aux eaux minérales. *Établissement* (cit. 8) *hydrominéral.* ⇒ **Thermal;** → Cri, cit. 17; engouffrer, cit. 2; équipe, cit. 1.

HYDROMOTEUR [idʀɔmɔtœʀ] n. m. — 1890; de *hydro-*, et *moteur.*

♦ Techn. Vieilli. Moteur hydraulique*. *Les roues de moulins, les turbines sont des hydromoteurs.*

HYDRONÉPHROSE [idʀɔnefʀoz] n. f. — 1866, Littré; de *hydro-*, *-néphr(o)-*, et *-ose.*

♦ Méd. Distension des calices* et du bassinet* par l'urine aseptique, en cas d'obstruction des uretères.

HYDRONYME [idʀɔnim] n. m. — XXe; de *hydro-*, et *-nyme.*

♦ Didact. Nom propre (toponyme) de cours d'eau ou d'étendue d'eau.

HYDRONYMIE [idʀɔnimi] n. f. — Déb. XXe, *in* G. L. L. F.; de *hydro-* et *-nymie,* d'après *toponymie.*

♦ Didact. Toponymie des noms de cours d'eau et d'étendues d'eau. *L'hydronymie gauloise* (adj. : *hydronymique*).

HYDROPATHE [idʀɔpat] adj. et n. — 1843, Reybaud; de *hydro-*, et *-pathe,* probablt par l'allemand.

♦ Didact. Qui soigne et prétend guérir uniquement par l'eau. *Médecin hydropathe.*

Hist. littér. *Les Hydropathes :* groupe littéraire formé autour du journal *l'Hydropathe* et d'Émile Goudeau son fondateur, et qui comptait notamment parmi ses membres — lesquels « professaient une sainte horreur de l'eau, lui préférant le jus de la treille » (N. Richard) — Charles Cros, André Gill, Sarah Bernhardt, etc.

REM. Ce mot-programme était pris au rebours de son sens médical par les membres du mouvement, qui lui attribuaient plaisamment (sur le modèle de *névropathe*, «malade des nerfs», etc.) la signification habituellement assignée à *hydrophobe*.

HYDROPATHIE [idʀɔpati] n. f. — 1843; de *hydro-*, et *-pathie*.

♦ Vx. Hydrothérapie.

HYDROPÉRICARDE [idʀopeʀikaʀd] n. m. — 1808; de *hydro-*, et *péricarde*.

♦ Méd. Accumulation de sérosité dans le péricarde.

HYDROPHANE [idʀɔfan] adj. — 1765, *Encyclopédie;* de *hydro-*, et *-phane*, du grec *phainein* «faire paraître».

♦ **1.** Didact. Vx. Translucide dans l'eau.

♦ **2.** N. f. (1866, Littré). Minér. Variété d'opale qui devient plus translucide en s'imprégnant d'eau (Huysmans, *À rebours, in* T. L. F.).

1. HYDROPHILE [idʀɔfil] n. m. — 1762, Geoffroy, *in* T. L. F.; de *hydro-*, et *-phile*, proprt «qui aime l'eau». → 2. Hydrophile.

♦ Zool. Insecte coléoptère *(Hydrophilidés)* noir verdâtre, brillant, de grande taille, qui vit dans les eaux stagnantes.

DÉR. Hydrophilidés.
HOM. 2. **Hydrophile.**

2. HYDROPHILE [idʀɔfil] adj. — 1859; même orig. que 1. *hydrophile*.

♦ **1.** Vx. Qui aime l'eau, vit dans l'eau. *Plante hydrophile.*

♦ **2.** (1902). Mod. Choses. Qui est capable d'absorber l'eau, un liquide. *Coton, gaze, ouate hydrophile,* préparé pour absorber les liquides et utilisé pour les soins courants, l'hygiène. *Le coton hydrophile a remplacé la charpie*.*

1 *(Il)* tira d'un stérilisateur deux masques de gaze hydrophile, en tendit un à Rambert et l'invita à s'en couvrir. CAMUS, la Peste, p. 226.

Rendre un textile hydrophile. ⇒ **Hydrophiliser.** Par plais. Qui absorbe l'eau. *« Des chaussures* (cit. 7) *hydrophiles »* (Duhamel).
N. m. *De l'hydrophile :* du coton hydrophile. — Par plais. *En hydrophile :* en coton*.

2 Tu me prétends que le joueur sérieux ne joue pas Tringlette, soi-disant qu'elle aurait les intérieurs en hydrophile. M. AYMÉ, Maison basse, p. 198.

DÉR. Hydrophiliser.
HOM. 1. **Hydrophile.**

HYDROPHILIDÉS [idʀɔfilide] n. m. pl. — 1845; de 1. *hydrophile*, et suff. *-idé*.

♦ Zool. Famille d'insectes coléoptères vivant pour la plupart dans l'eau, dont le type principal est l'hydrophile (1. Hydrophile). Au sing. *Un hydrophilidé.*

HYDROPHILISATION [idʀɔfilizasjɔ̃] n. f. — 1974, in *la Clé des mots;* de *hydrophiliser*.

♦ Didact. Opération par laquelle on rend hydrophile. *Hydrophilisation d'une matière textile synthétique.*

HYDROPHILISER [idʀɔfilize] v. tr. — 1967, au p. p., in *l'Express,* 2 janv. 1967, p. 45; de 2. *hydrophile*.

♦ Didact. Rendre hydrophile (une substance). *Matière hydrophilisée.*

DÉR. Hydrophilisation.

HYDROPHOBE [idʀɔfɔb] adj. — 1640; lat. *hydrophobus*, du grec *hudôr* (→ Hydr-), et suff. *-phobe*.
Didactique.

♦ **1.** Méd. (Êtres animés). Qui a une peur morbide de l'eau. — Par ext. Vieilli. Qui est atteint de la rage* (l'hydrophobie en étant un symptôme).
Fig. Par plais. Vx. *Un « républicain hydrophobe »* (Balzac). ⇒ **Enragé.**

♦ **2.** Chim. (Choses). Que l'eau ne mouille pas, ne modifie pas. *Une substance hydrophobe.*

Parmi les radicaux amino-acides constituant la séquence, la moitié environ sont «hydrophobes» c'est-à-dire se comportent comme de l'huile dans l'eau : ils tendent à se rassembler en libérant les molécules d'eau immobilisées à leur contact. Jacques MONOD, le Hasard et la Nécessité, p. 123.

HYDROPHOBIE [idʀɔfɔbi] n. f. — 1314, *ydroforbie* (sic); lat. *hydrophobia*, du grec *hudrophobia*, de *hudôr* (→ Hydr-), et *phobia* (→ Phobie).

♦ Méd. Peur morbide de l'eau. — Par ext. ⇒ **Rage.**

L'hydrophobie, le symptôme principal, domine dans la majorité des cas, et elle est due aux spasmes extrêmement douloureux dont les organes de déglutition et de respiration sont le siège, chaque fois que le malade essaie de manger ou de boire. J.-M. G. LE CLÉZIO, le Déluge, p. 186.

HYDROPHOBIQUE [idʀɔfɔbik] adj. et n. — 1314; bas lat. *hydrophobicus*, de *hydrophobia*. → Hydrophobie.
Médecine.

♦ **1.** Personnes. Atteint d'hydrophobie. ⇒ **Enragé.** — N. *Un, une hydrophobique.*

♦ **2.** Adj. De l'hydrophobie, notamment dans la rage. *Spasme hydrophobique.*

HYDROPHONE [idʀɔfɔn] n. m. — Mil. xxe; de *hydro-*, et *-phone*.

♦ Techn. Détecteur adapté aux recherches sismologiques en mer, utilisé aussi pour la prospection du pétrole et pour déceler la présence des sous-marins (⇒ aussi **Sonar**). *« Pour les enregistrer* (les ondes), *des capteurs (hydrophones) reliés entre eux par des câbles électriques avaient été montés dans une gaine immergée de 2 400 mètres le long »* (*Sciences et Avenir*, juin 1981, p. 89).

HYDROPHORE [idʀɔfɔʀ] n. — 1922; de *hydro-*, et *-phore*.

♦ Didact. (arts). Personnage représenté portant un vase. *Les hydrophores de Jean Goujon.*

HYDROPHOSPHATE [idʀɔfɔsfat] n. m. — 1866, Littré; de *hydro-*, et *phosphate*.

♦ Chim. Phosphate hydraté.

HYDROPHTALMIE [idʀɔftalmi] n. f. — 1773, *in* Trévoux; de *hydr-*, et *ophtalmie*.

♦ Méd. Distension des enveloppes oculaires par accroissement des liquides aqueux de l'œil.

HYDROPIGÈNE [idʀɔpiʒɛn] adj. — Mil. xxe; des trois premières syllabes de *hydropisie*, et *-gène*.

♦ Méd. Qui produit une rétention de liquide dans les tissus ou les cavités organiques. *Néphrite hydropigène. Action hydropigène du sel.*

HYDROPIQUE [idʀɔpik] adj. et n. — 1174, comme n.; comme adj., v. 1270; lat. *hydropicus*, grec *hudrôpikos*, de *hudrôps* «hydropisie», de *hudôr* «eau» → Hydr-.

♦ Méd. Qui est atteint d'hydropisie. — Fig. (→ Bedon, cit.).

Vous vous livrez à la débauche des femmes, vous serez hydropiques (...) 1
DIDEROT, le Neveu de Rameau, Pl., p. 475.

N. *Un, une hydropique.*

On l'a vu *(Pierre le Grand)*, dans un besoin, faire la ponction à un hydropique (...) 2
VOLTAIRE, Hist. de Charles, XII, I.

Celui-là fait plus pour un hydropique, qui le guérit de la soif, que celui qui lui 3
donne un tonneau de vin. Appliquez cela aux richesses (...)
CHAMFORT, Maximes et pensées, Sur la noblesse, L.

HYDROPISIE [idʀɔpizi] n. f. — 1174, *ydropisie;* lat. *hydropisis*, du grec *hudrôps* même sens, de *hudôr* «eau» → Hydr-.

♦ Pathol. Épanchement de sérosité* dans une cavité naturelle du corps (spécialt l'estomac) ou entre les éléments du tissu conjonctif (→ régional Gonfle, cit.). *Hydropisie générale. Hydropisie particulière.* ⇒ **Ascite, hydarthrose, hydrocèle, hydrocéphalie, hydrothorax, leucophlegmasie, œdème;** → Bon, cit. 30. *Diagnostic de l'hydropisie* (⇒ **Hydatisme**). *L'hydropisie, maladie circulatoire. Corps déformé, visage bouffi par l'hydropisie. Traitement de l'hydropisie par les diurétiques, les purgatifs, les ponctions.*

Et je veux (...) que vous tombiez (...) de la dysenterie dans l'hydropisie (...) et de 1
l'hydropisie dans la privation de la vie (...) MOLIÈRE, le Malade imaginaire, III.

(...) la mère, plus petite, semblait être restée grasse, le ventre gros d'un commen- 2
cement d'hydropisie (...) ZOLA, la Terre, I, 2.

L'hydropisie avait réduit à rien son buste au profit du ventre énorme et avait amai- 3
gri ses jambes déjà trop longues pour le corps.
M. JOUHANDEAU, la Jeunesse de Théophile, p. 180.

Mod. Cet épanchement, quand l'accumulation de liquides entraîne des œdèmes généralisés. ⇒ **Anasarque.**

COMP. Hydropigène.

HYDROPLANAGE [idʀɔplanaʒ] n. m. — Déb. xxe; de *hydroplaner.*

♦ Aéron. Action d'hydroplaner. *La phase d'hydroplanage d'un hydravion.*

Par ext. Mar. « *Dans le cas des croiseurs modernes qui possèdent une carène à l'arrière large et peu profond, la vitesse limite coïncide avec un autre phénomène : l'hydroplanage. La vitesse de rencontre de l'eau avec la carène provoque une poussée ascendante importante qui soulève partiellement la coque : on dit alors qu'elle "déjauge". La résistance à l'avancement augmente alors moins vite et le bateau, si la force propulsive reste constante, accélère. Ce phénomène utilisé depuis longtemps dans les vedettes à moteur et les dériveurs de sport ne se produit que si le rapport du poids à la surface projetée des fonds est inférieur à 0,16* » (*la Recherche,* juin 1982, p. 762).

HYDROPLANE [idʀɔplan] n. m. — 1907; de *hydro-,* et *plane.*

♦ Didact. Vx. Hydroglisseur.

Des zouaves désœuvrés regardaient les hydroplanes labourer la Seine stérile, revenir, la moissonner. GIRAUDOUX, Simon le pathétique, p. 197.

DÉR. Hydroplaner.

HYDROPLANER [idʀɔplane] v. intr. — 1925, *in* D. D. L.; de *hydroplane.*

♦ Aéron. Glisser à la surface de l'eau, en parlant d'un hydravion. *L'appareil est amené à hydroplaner.*

DÉR. Hydroplanage.

HYDROPNEUMATIQUE [idʀɔpnømatik] adj. — 1808; *hydropneumatique,* 1803; de *hydro-,* et *pneumatique.*

♦ Techn. Qui fonctionne à l'aide d'eau et d'un gaz comprimé. *Freins hydropneumatiques des canons. Machine hydropneumatique. Suspension hydropneumatique d'une automobile.* ⇒ **Oléopneumatique.**

HYDROPONIQUE [idʀɔponik] adj. — 1951, *Larousse mensuel;* de *hydro-,* du lat. *ponere* « poser », et suff. *-ique* (mot hybride).

♦ Techn. (agric.). Culture de plantes dans l'eau, sans avoir recours au sol (⇒ aussi **Aquaculture**). *Agriculture, culture hydroponique.* « *On pourrait injecter de l'asphalte dans la surface du désert, pour préparer certaines zones à la culture hydroponique de plantes génétiquement adaptées aux eaux saumâtres de la région* » (*Journal de Genève,* 16 juin 1975). « *(...) cultures hydroponiques stricto sensu, c'est-à-dire sur solutions nutritives sans substrat solide* » (*Science et Vie,* no 146 p. 72).

HYDROPTÈRE [idʀɔptɛʀ] n. m. — V. 1960; de *hydro-,* et *-ptère,* grec *pteron* « aile ».

♦ Techn. (mar.). Navire rapide dont la coque est munie d'ailes sustentatrices immergées ou semi-immergées. « *Un hydroptère rouvre la liaison* (de Dieppe) *avec Newhaven* » (*le Monde,* 18 août 1982, titre). « *Le voilier devait se comporter en véritable "hydroptère" et sortir complètement de l'élément liquide à partir d'une vitesse critique pour ne plus progresser que sur ses seuls foils* » (*Sciences et Avenir,* no 43, 1983, p. 74).

REM. L'administration recommande ce mot à la place de l'angl. *hydrofoil.*

HYDROPTÉRIDES [idʀɔpteʀid] n. f. pl. — 1846, Bescherelle; du grec *hudôr* (→ Hydr-), *pteris* « fougère », et suff. *-ide.*

♦ Bot. Classe de fougères aquatiques *(Marsiliacées)* comprenant quatre genres : *salvinia, azola, marsilia* et *pilularia. Les hydroptérides sont caractérisées par la présence de deux types de prothalles, mâle ou femelle.* — Au sing. *Une hydroptéride.*

HYDROPULSEUR [idʀɔpylsœʀ] n. m. — V. 1975; de *hydro-,* et *pulseur.*

♦ Techn. Appareil qui pulse de l'eau. Spécialt. Appareil qui projette de l'eau sous pression sur et entre les dents. « *Les hydropulseurs délogent les détritus alimentaires coincés entre les dents* » (*l'Express,* 12 mai 1979, p. 219).

HYDROQUINONE [idʀokinɔn] n. f. — 1866; de *hydro-,* et *quinone.*

♦ Chim. Diphénol qu'on obtient en réduisant la quinone par le gaz sulfureux. *Utilisation de l'hydroquinone comme révélateur photographique.*

HYDRORAFFINAGE [idʀoʀafinaʒ] n. m. — Mil. xxe; de *hydro-* et *raffinage.*

♦ Techn. Raffinage d'un produit pétrolier à l'hydrogène, par épuration sous pression dans des réacteurs catalytiques clos. — REM. Les dér. *hydroraffiner* v. tr., *hydroraffineur* n. m., et *hydroraffinat* n. m., sont attestés.

HYDRORRHÉE [idʀɔʀe] n. f. — Mil. xxe; de *hydro-,* et *-rrhée.*

♦ Didact. Écoulement de liquide clair par les conduits naturels, dû à l'inflammation de ces conduits. *Hydrorrhée nasale,* en cas de rhume, de sinusite.

HYDROSCOPE [idʀɔskɔp] n. m. — 1776, au sens mod.; « instrument pèse-liquides », 1721; de *hydro-,* et *-scope.*

♦ Didact. Rare. Personne qui possède l'art de découvrir les sources. ⇒ **Radiesthésiste, sourcier** (cour.).

DER. Hydroscopie.

HYDROSCOPIE [idʀɔskɔpi] n. f. — 1732; de *hydro(scope),* et *-scopie.*

♦ Didact. Rare. Art de découvrir les sources.

HYDROSILICATE [idʀosilikat] n. m. — 1842; de *hydro-,* et *silicate.*

♦ Chim. Silicate hydraté.

HYDROSILICEUX, EUSE [idʀosilisø, øz] adj. — xixe, *in* La Châtre; de *hydro-,* et *siliceux.*

♦ Minér. Qui contient de l'eau et de la silice*.

HYDROSOLUBLE [idʀosɔlybl] adj. — 1933; de *hydro-,* et *soluble.*

♦ Didact. Soluble dans l'eau. *Les vitamines B, C sont hydrosolubles.*

HYDROSPHÈRE [idʀɔsfɛʀ] n. f. — 1897, trad. de Suess, *in* T. L. F., all. *Hydrosphaer,* d'après *hydro-,* et *sphère.*

♦ Géogr. Ensemble de l'élément liquide de la terre. *L'atmosphère, l'hydrosphère et la lithosphère. L'hydrosphère est comprise dans la biosphère*. Étude de l'hydrosphère.* ⇒ **Hydrographie**; → Géodynamique, cit.

HYDROSTATICIEN, IENNE [idʀɔstatisjɛ̃, ɛn] n. — 1911, n. m.; de *hydrostatique.*

♦ Didact. Rare. Spécialiste de l'hydrostatique.

HYDROSTATIQUE [idʀɔstatik] n. f. et adj. — 1691; de *hydro-,* et *statique.*

♦ **1.** Phys. Partie de la mécanique qui étudie l'équilibre et la pression des liquides (→ Hydrodynamique).

Des lois aussi précises que celles de l'hydrostatique maintiennent la superposition 1
des images que nous formons dans un ordre fixe que la proximité de l'événement bouleverse. PROUST, À l'ombre des jeunes filles en fleurs, Folio, p. 516.

♦ **2.** Adj. (1802). Relatif à l'hydrostatique. *Balance* hydrostatique,* fondée sur le principe d'Archimède. *Lampe hydrostatique :* lampe à huile dans laquelle le combustible est amené à la mèche par la pression d'une colonne d'eau. — *Niveau hydrostatique :* surface de la nappe phréatique*.

Madame de La Chanterie avait près d'elle une vieille table à pieds de biche, sur 2
laquelle étaient ses pelotons de laine dans un panier d'osier. Une lampe hydrostatique éclairait cette scène. BALZAC, Madame de La Chanterie, Pl., t. VII, p. 245.

DER. Hydrostaticien.

HYDROSULFATE [idʀosylfat] n. m. — 1816, Gay-Lussac; de *hydro-,* et *sulfate.*

♦ Chim. Vx. Sulfure.

HYDROSULFURE [idʀosylfyʀ] n. m. — 1787; de *hydro-,* et *sulfure.*

♦ Hist. de la chim. Vx. Sulfure acide.

HYDROSULFUREUX [idʀosylfyʀø] adj. m. — Fin XIXe ; de *hydro-*, et *sulfureux*.

♦ Chim. *Acide hydrosulfureux :* acide de formule $H_2 S_2 O_4$.

HYDROSULFURIQUE [idʀosylfyʀik] adj. — 1816, Gay-Lussac ; de *hydro-*, et *sulfurique*.

♦ Chim. Vx. Sulfhydrique.

HYDROTACTISME [idʀotaktism] n. m. — 1897, in *l'Année biol.*, p. 37 ; de *hydro-*, et *tactisme*.

♦ Didact. Influence de l'eau sur les mouvements des organismes (notamment des micro-organismes) qui y vivent.

HYDROTAXIE [idʀotaksi] n. f. — Mil. XXe ; de *hydro-*, et *-taxie*, du grec *taxis*.

♦ Didact. Hydrotropisme.

HYDROTECHNIQUE [idʀotɛknik] n. f. et adj. — 1866, Littré ; de *hydro-*, et *technique*.

♦ **1.** N. f. Étude de la direction et de la conduite des eaux ; hydraulique* appliquée, technique des adductions* d'eau, de la distribution des eaux courantes, etc.

♦ **2.** Adj. (XXe). Qui concerne l'écoulement, la conduite, la distribution des eaux.

HYDROTHÈQUE [idʀotɛk] n. f. — 1890, Larousse, *Deuxième Suppl.* ; de *hydro-*, et *-thèque*.

♦ Zool. Enveloppe chitineuse des hydrantes d'une colonie d'hydroïdes.

HYDROTHÉRAPEUTE [idʀoteʀapøt] n. — 1912 ; de *hydro-*, et *thérapeute*.

♦ Méd. Médecin qui traite par l'hydrothérapie.

HYDROTHÉRAPIE [idʀoteʀapi] n. f. — 1840 ; de *hydro-*, et *-thérapie*.

Médecine.

♦ **1.** Emploi thérapeutique de l'eau* sous toutes ses formes, à des températures variables, et de toutes les manières (⇒ **Ablution, affusion, bain, balnéation, douche, enveloppement, inhalation, injection, pulvérisation ; hydrologie**). *Hydrothérapie pratiquée dans les établissements thermaux*.* ⇒ **Crénothérapie.** *Hydrothérapie caractérisée par l'emploi méthodique des bains.* ⇒ **Balnéothérapie, thalassothérapie.**

♦ **2.** Traitement par usage externe de l'eau. *Appareils d'hydrothérapie.* ⇒ **Baignoire, douche, palette.**

(...) À Paris, il avait dû suivre des traitements d'hydrothérapie, pour des tremblements des doigts, pour des douleurs affreuses, des névralgies qui lui coupaient en deux la face (...) HUYSMANS, À rebours, VII, p. 113.

DÉR. Hydrothérapique, hydrothérapiste.

HYDROTHÉRAPIQUE [idʀoteʀapik] adj. — 1844 ; de *hydrothérapie*.

♦ Méd. Relatif à l'hydrothérapie. *Traitement hydrothérapique.*

« Un bain ! enfin un bain ! demain un bain ! » entendait-on de toutes parts (...) rêve hydrothérapique (...) Claude LÉVI-STRAUSS, Tristes tropiques, p. 15.

HYDROTHÉRAPISTE [idʀoteʀapist] n. — 1955, in *Dict. des Métiers* ; de *hydrothérapie*.

♦ Employé, employée d'un établissement d'hydrothérapie.

HYDROTHERMAL, ALE, AUX [idʀotɛʀmal, o] adj. — 1866, in *Rev. des cours sc.*, t. III, p. 695 ; de *hydro-*, et *thermal*.

Didactique.

♦ **1.** Méd. Qui se rapporte aux eaux thermales. *Cure hydrothermale.*

♦ **2.** Géol. Qui résulte de l'action des eaux thermales. *Gîte métallifère hydrothermal. Roche formée par voie hydrothermale* (→ Granit, cit. 4).

DÉR. Hydrothermalisme.

HYDROTHERMALISME [idʀotɛʀmalism] n. m. — Mil. XXe ; de *hydrothermal*.

Didactique.

♦ **1.** Méd. Ensemble des activités concernant les eaux thermales et leur exploitation. ⇒ **Thermalisme.**

♦ **2.** Géol. Ensemble des phénomènes concernant l'état thermique de l'eau dans la nature. *« La cause de ce déficit* (du flux de chaleur) *est un phénomène d'hydrothermalisme : l'eau de mer s'infiltre dans les nombreuses fractures de la croûte océanique très chaude ; elle s'y réchauffe et revient finalement en surface »* (*la Recherche*, avril 1978, p. 318).

HYDROTHORAX [idʀotɔʀaks] n. m. — 1795, Bosquillon, trad. Cullen, t. II, p. 574 ; angl. *hydrothorax*, de *hydro-* (→ Hydr-), et *thorax* (→ Thorax).

♦ Pathol. Épanchement de liquide clair, non inflammatoire, dans la plèvre. *L'hydrothorax s'accompagne généralement d'autres hydropisies. Hydrothorax dans la néphrite chronique accompagnée d'œdèmes.*

HYDROTIMÈTRE [idʀɔtimɛtʀ] n. m. — 1859 ; de *hydroti-*, du grec *hudrotês* « qualité d'un liquide », et *-mètre*.

♦ Didact. Techn. Burette graduée servant en hydrotimétrie.

HYDROTIMÉTRIE [idʀɔtimetʀi] n. f. — 1855 ; du grec *hudrotês* (→ Hydrotimètre), et *-métrie*.

♦ Didact. Détermination de la dureté* d'une eau (dosage des sels de calcium, de magnésium).

Ayant eu à faire un grand nombre d'essais des eaux potables par l'hydrotimétrie, M. Robinet a voulu reconnaître jusqu'à quel point les petites quantités de sels calcaires contenues dans ces eaux, sont éliminées par la congélation.
L. FIGUIER, l'Année scientifique et industrielle 1863, p. 131 (1862).

DÉR. Hydrotimétrique.

HYDROTIMÉTRIQUE [idʀɔtimetʀik] ajd. — 1862, *essais hydrotimétriques*, in *Année sc. et industr.* 1863, p. 131 ; de *hydrotimétrie*.

♦ Didact. De l'hydrotimétrie.

HYDROTROPIQUE [idʀɔtʀɔpik] adj. — 1902 ; de *hydrotropisme*.

♦ Didact. Relatif à l'hydrotropisme.

HYDROTROPISME [idʀɔtʀɔpism] n. m. — 1890 ; de *hydro-*, et *tropisme*.

♦ Didact. Réaction déterminée par la teneur en eau du milieu (syn. vx : *hydrotaxie*). *Hydrotropisme animal, positif ou négatif* (suivant que l'animal recherche ou évite les zones les plus humides). *Hydrotropisme végétal :* influence de l'eau sur la courbe de croissance d'un organe végétal.

DÉR. Hydrotropique.

HYDROXY- Élément tiré de *hydroxyle*, servant à former des mots comp. de chimie, pour indiquer la présence du radical hydroxyle -OH (ex. : *hydroxycaféine* n. f., *hydroxycitrique* adj.).

HYDROXYDE [idʀɔksid] n. m. — 1842 ; de *hydr-*, et *oxyde*.

♦ Chim. Composé formé par l'union d'un métal avec un ou plusieurs radicaux hydroxyles -OH (syn. : *base*). *La dénomination d'hydroxyde remplace aujourd'hui celle d'hydrate*. La potasse* (KOH), *la soude* (NaOH), *l'alumine* $[Al(OH)_3]$, *la chaux* $[Ca(OH)_2]$ *sont des hydroxydes.*

DÉR. Hydroxydé.
COMP. Hydroxyéthylcellulose.

HYDROXYDÉ, ÉE [idʀɔkside] adj. — 1893, *in* T. L. F. ; de *hydroxyde*.

♦ Chim. Qui est à l'état d'hydroxyde. Qui contient un hydroxyde.

HYDROXYÉTHYLCELLULOSE [idʀɔksietilselyloz] n. m. — XXe ; de *hydroxy(de)*, *éthyl(e)*, et *cellulose*.

♦ Chim. Éther cellulosique, soluble dans l'eau. *L'hydroxyéthylcellulose est préparé par action de l'oxyde d'éthyline sur l'alcalicellu-*

lose. Var. : *hydroxyde-éthyl-cellulose.* « *Cette eau visqueuse* (contre les incendies) *a la consistance d'une huile de moteur. Il suffit pour l'obtenir d'additionner à de l'eau ordinaire quelques gouttes d'un dérivé de la cellulose : l'hydroxyde-éthyl-cellulose* » (*Science et Vie*, n° 595, p. 42).

HYDROXYLAMINE [idʀɔksilamin] n. f. — 1873; de *hydroxyle*, et *-amine*.

♦ Chim. Base dérivée de l'ammoniaque (NH_2 OH). — On dit aussi *oxyammoniaque*.

HYDROXYLATION [idʀɔksilɑsjɔ̃] n. f. — 1906, in *Rev. gén. des Sc.* n° 13, p. 621; de *hydroxyle*.

♦ Chim. organique. Fixation de groupes hydroxyles sur une molécule organique. « *L'hydroxylation de la praline dépend d'une enzyme qui a besoin de vitamine C comme co-facteur* » (*la Recherche*, n° 120, mars 1981, p. 315). « *Il existe une demi-douzaine de mécanismes chimiques d'inactivation (par acétylation, adénylation hydroxylation, etc.)* » (*Sciences et Avenir*, n° 416, oct. 1981, p. 95).

HYDROXYLE [idʀɔksil] n. m. — 1872, *in* T.L.F.; de *hydr(o)-*, et *oxyle*.

♦ Chim. Radical univalent -OH (ou *oxhydryle*), qui figure dans l'eau, les hydroxydes, les alcools. *Le groupe renfermant le radical hydroxyle est appelé* groupe hydroxyl.

DÉR. Hydroxylation, hydroxylé, hydroxylique.
COMP. Hydroxy-, hydroxylamine. — V. Alcoyle.

HYDROXYLÉ, ÉE [idʀɔksile] adj. — Mil. xxe; de *hydroxyle*.

♦ Chim. Qui renferme le radical hydroxyle. *Combinaison hydroxylée.* « *Cet acide alminé* (la lysine) *peut être hydroxylé sur son cinquième atome de carbone et ce groupe hydroxyl permet alors l'attachement, sur la molécule de collagène, de molécules de sucres (glucose et galactose) par des liaisons covalentes* » (*la Recherche*, n° 120, mars 1981, p. 314).

HYDROXYLIQUE [idʀɔksilik] adj. — Mil. xxe; de *hydroxyle*.

♦ Chim. Des hydroxyles.

HYDROZOAIRES [idʀozɔɛʀ] n. m. pl. — 1878; de *hydro-*, et *-zoaire*.

♦ Zool. Une des deux super-classes de l'embranchement des Cnidaires*, comprenant quatre classes, les Hydraires et les Hydrocoralliaires (formes méduses et formes polypes), les Siphonophores et les Automéduses (méduses seulement).

HYDRURE [idʀyʀ] n. m. — 1789, Lavoisier; de *hydr-*, et *-ure*.
Chimie.

♦ **1.** (Au sens large). Tout composé que forme l'hydrogène avec un corps simple ou composé. *L'ammoniac, les hydrocarbures sont des hydrures. Hydrure métalloïdique, métallique.*

♦ **2.** (Au sens étroit). Composé binaire d'un métal avec l'hydrogène. *Hydrure de sodium, de calcium.*

DÉR. Hydruré.

HYDRURÉ, É [idʀyʀe] adj. — xxe; de *hydrure*.

♦ Chim. Qui est à l'état d'hydrure. *Composé hydruré d'un métal.*

HYÉMAL, ALE, AUX [jemal, o] adj. ⇒ **Hiémal.**

HYÈNE [ˈjɛn] n. f. — Av. 1150; lat. *hyæna*, grec *huaina*. — REM. La prononc. [jɛn] sans hiatus : *l'hyène* [ljɛn], *des hyènes* [dezjɛn], est normale, mais on trouve plus souvent [ˈjɛn] : *la hyène, des hyènes* (sans liaison) [lajɛn; dejɛn].

♦ **1.** Mammifère carnassier digitigrade* (*Hyénidés*) d'Afrique et d'Asie de la taille d'un grand loup, à longues oreilles, à museau triangulaire. *L'hyène a, un pelage grossier gris ou fauve mêlé de brun, avec une crinière fournie et rude sur le cou; ses pattes postérieures plus courtes que les antérieures lui font la croupe plus basse que le garrot* (→ Boiteux, cit. 5). *L'hyène se nourrit de charogne et de cadavres qu'elle déterre la nuit. Odeur infecte de l'hyène. Le cri de l'hyène. L'hyène gronde* (→ Chacal, cit.), *hurle, ricane.* Par compar. et péj. → ci-dessous cit. 3. *Hyène rayée, tachetée.*

1 Lousteau reprit la lecture (...) « Alors il lui échappa un sourd rugissement d'hyène (...) » — Hé! bien, nous croyions avoir récemment inventé les cris de hyène? dit Lousteau, la littérature de l'Empire les connaissait déjà (...)
BALZAC, la Muse du département, Pl., t. IV, p. 128.

Ils portaient (...) des chaussures en peau d'hyène (...) 2
FLAUBERT, Salammbô, VI, p. 96.

Mais elle continua de rire comme une hyène. 3
BARBEY D'AUREVILLY, les Diaboliques, « À un dîner d'athées ».

Puis d'autres cris s'éveillent, des glapissement grêles : ce sont les chacals qui arrivent; et parfois on n'entend plus qu'une voix plus forte et singulière, celle de l'hyène, qui imite le chien pour l'attirer et le dévorer. 4
MAUPASSANT, Au soleil, p. 40.

L'hyène, symbole de la laideur et de la cruauté sournoise (→ Effluve, cit. 1).

Non, notre âme n'est pas tout à coup une hyène. 5
HUGO, l'Année terrible, XVI, Juin 1871.

♦ **2.** (1835, Balzac). Fig. Personne qui s'attaque aux gens sans défense; personne féroce et vile.

DÉR. Hyénidés.

HYÉNIDÉS [ˈjenide] n. m. pl. — 1866; de *hyène*, et *-idé*, du grec *eidos* « forme ».

♦ Zool. Famille de mammifères carnassiers dont le type est l'hyène et qui comprend aussi le protèle. — Au sing. *Un hyénidé.*

HYGIAPHONE [iʒjafɔn] n. m. — Mil. xxe; composé du grec *hugiês* « sain » (→ Hygiène), et *-phone*; nom déposé.

♦ Techn. Dispositif formé de deux plaques transparentes dont les perforations sont disposées en chicane, utilisé pour protéger le personnel des guichets publics des germes microbiens propagés par l'haleine. *Un hygiaphone entre l'employé et le public. Parlez devant l'hygiaphone.*

Pas un mot n'atteindra le guichetier du métropolitain, dans sa guérite climatisée, qu'il n'ait subi la chicane d'un étrange filtre. Comment le décrire? L'ouverture désignée au commerce des voix, afin de garantir l'employé d'une infection, fut ménagée en zigzag, de manière que le seul son touche l'oreille laborieuse, l'air de millions de souffles peut-être pas sains se heurtant au bouclier de plexiglas, marqué, au-dessus d'une flèche impérieuse : « Parlez ici, devant l'hygiaphone. » 1
Jean LAROSE, *in* Liberté Montreau, déc. 1981, p. 65.

L'hôtesse réintègre sa cage de verre, applique ses lèvres contre l'hygiaphone : « La cafeteria est tout au bout du couloir, première porte sur votre droite, une porte couleur pervenche. » 2
Didier DECOIN, John l'Enfer, p. 27.

HYGIÈNE [iʒjɛn] n. f. — 1575, Paré, *hygiaine*; grec *hugieinon* « santé », de *hugiês* « sain, bien portant ».

♦ **1.** Partie de la médecine qui traite des mesures propres à conserver et à améliorer la santé. — Par ext. Ensemble des principes et des pratiques relatifs à cette fin. *L'hygiène tend à prévenir les maladies, alors que la thérapeutique les soigne. Les découvertes de Pasteur relatives à l'antisepsie* (cit.) *et à l'asepsie ont transformé l'hygiène en une science véritable* (→ 1. Général, cit. 22). *L'oubli des règles les plus élémentaires de l'hygiène favorise la propagation des épidémies* (→ Abrutissement, cit. 3). *Pratiques, prescriptions d'hygiène. Articles, instruments, soins d'hygiène. Leçon, manuel, traité d'hygiène.*

La seule partie utile de la médecine est l'hygiène (...) encore l'hygiène est-elle moins une science qu'une vertu. 1
ROUSSEAU, Émile, I, p. 31.

(...) il faut posséder à fond tous les principes d'hygiène, pour diriger, critiquer la construction des bâtiments, le régime des animaux, l'alimentation des domestiques! 2
FLAUBERT, Mme Bovary, I, VIII.

Ils se mirent à pratiquer, l'un avec espoir, l'autre par défi, Bouvard étant convaincu qu'il ne serait jamais un dévot. Un mois durant, il suivit régulièrement tous les offices, mais, à l'encontre de Pécuchet, ne voulut pas s'astreindre au maigre. Était-ce une mesure d'hygiène? on sait ce que vaut l'Hygiène! une affaire de convenance? à bas les convenances! une marque de soumission envers l'Église? il s'en fichait également! bref, déclarait cette règle absurde, pharisaïque, et contraire à l'esprit de l'Évangile. 2.1
FLAUBERT, Bouvard et Pécuchet, Folio, p. 328.

Quoique l'hygiène moderne ait beaucoup allongé la durée moyenne de la vie, elle est loin d'avoir supprimé les maladies. Elle s'est contentée de changer leur nature. 3
Alexis CARREL, l'Homme, cet inconnu, III, XV, p. 135.

Louis Pasteur n'a été ni médecin, ni chirurgien, mais nul n'a fait pour la médecine, la chirurgie et pour l'hygiène des foules ou des troupeaux, autant que lui. 4
Henri MONDOR, Pasteur, I, p. 13.

C'est ainsi que ces hommes en vinrent à négliger de plus en plus souvent les règles d'hygiène qu'ils avaient codifiées, à oublier quelques-unes des nombreuses désinfections qu'ils devaient pratiquer sur eux-mêmes (...) 5
CAMUS, la Peste, IV, p. 212.

L'hygiène dans ses applications. Avoir grand souci de l'hygiène. Personne qui néglige l'hygiène. Hygiène individuelle, privée. Hygiène corporelle : ensemble des soins du corps, et, spécialt, fait de se laver fréquemment ⇒ **Baigner** (se), **bain, douche, laver** (se); **propreté; soin** (du corps). *Hygiène du cuir chevelu, de la peau. Hygiène générale, locale. Hygiène intime* (euphémisme) : hygiène des parties génitales, notamment de la femme (⇒ **Hygiénique**, 3., b). — (xxe). *Hygiène alimentaire* (⇒ **Diététique; régime**), *vestimentaire. Hygiène sexuelle*, du comportement sexuel. *Faire l'amour par hygiène! L'hygiène domestique* (→ Froid, cit. 12). *L'hygiène de l'habitat* (aération, exposition...).

Il n'avait que le souffle et il atteignit la vieillesse par des prodiges de soin et de sobre hygiène. 6
RENAN, Souvenirs d'enfance..., IV, II.

Chaque dimanche, l'abbé Godard faisait donc à pied les trois kilomètres qui sépa- 7

raient Bazoches-le-Doyen de Rogne. Gros et court, la nuque rouge, le cou si enflé que la tête s'en trouvait rejetée en arrière, il se forçait à cet exercice, par hygiène.
ZOLA, la Terre, I, 4.

8 On ne saurait trop insister sur l'hygiène sévère à la fois préventive et curative qui s'impose à la puberté. A. BINET, Vie sexuelle de la femme, p. 76.

Cour. Hygiène corporelle et de la vie physique; spécialt, pratique de la propreté corporelle, fait de se laver* fréquemment. *Le développement de l'hygiène au XIXe siècle. Avoir beaucoup, peu d'hygiène* (→ Corset, cit.). *Manquer d'hygiène. Hygiène défectueuse, rigoureuse. Se baigner, prendre sa douche, faire sa gymnastique quotidienne par hygiène, par souci d'hygiène. L'hygiène d'une maison.* ⇒ **Propreté, salubrité.**

(1833). *Hygiène publique :* ensemble des moyens mis en œuvre par les pouvoirs publics pour la sauvegarde et l'amélioration de la santé à l'intérieur d'un pays. *La législation et l'organisation de l'hygiène publique* (⇒ **Salubrité, santé**). — (Autres syntagmes). *Dispensaire* d'hygiène préventive. Hygiène rurale, urbaine, scolaire. Mesures, opérations d'hygiène collective.* ⇒ **Assainissement** (cit. 1), **désinfection, prophylaxie.**

♦ **2.** (1808, *hygiène morale*). *Hygiène mentale :* ensemble de mesures qui sont destinées à conserver l'intégrité des fonctions psychiques et à les développer.

♦ **3.** Par métaphore ou figuré :

9 (...) l'opium n'est pas encore devenu pour lui une hygiène quotidienne.
BAUDELAIRE, les Paradis artificiels, Un mangeur d'opium, IV.

Figuré :

10 (...) le spectacle, le voisinage, la fréquentation d'un homme actif, alerte, d'humeur vive, un peu chaude, vous donne du cœur et de l'esprit au travail. Il y a certainement une hygiène de société comme il y a une hygiène de lecture, — ces livres qu'il faut bien se garder de lire, si admirables qu'ils soient ou qu'on dise qu'ils soient. Paul LÉAUTAUD, Journal littéraire, 4 janv. 1904.

DÉR. Hygiénique, hygiénisme, hygiéniste.
COMP. Hygiéno-diététique.

HYGIÉNIQUE [iʒjenik] adj. — 1791; de *hygiène.*

♦ **1.** Vx ou didact. Relatif à l'hygiène. *Conseils hygiéniques* (ou *d'hygiène*). *Éducation hygiénique. «Au point de vue hygiénique ou prophylactique»* (J. Romains, *Knock*). — Plus cour. De l'hygiène corporelle. *De bonnes conditions hygiéniques.*

1 Nous avons, sous le rapport médical (...) peu de graves choses, rien de spécial à citer, si ce n'est beaucoup d'humeurs froides, et qui tiennent sans doute aux déplorables conditions hygiéniques de nos logements de paysans.
FLAUBERT, Mme Bovary, I, II.

1.1 Jusqu'ici, grâce à Dieu, à notre sagesse et à vos excellents conseils hygiéniques, nos santés ont été fort bonnes.
FLAUBERT, Lettre au Dr Jules Cloquet, 7 sept. 1850.

1.2 Messieurs, parmi les causes de maladie, de misère et de mort qui nous entourent, il faut en compter une à laquelle je crois rationnel d'attacher une grande importance : ce sont les conditions hygiéniques déplorables dans lesquelles la plupart des hommes sont placés. J. VERNE, les Cinq cent Millions de la Bégum, III, p. 41.

♦ **2.** [a] Vieilli ou didact. Où les conditions d'hygiène sont bonnes; qui est conforme aux principes de l'hygiène. *« Un hôtel hygiénique et confortable »* (Proust, *la Prisonnière*).

[b] Bon pour la santé. Vieilli. *Boisson, friction* (cit. 1) *hygiénique.* Mod. *Une vie sédentaire et peu hygiénique.* ⇒ **Sain.** *Faire une promenade hygiénique.*

2 (...) nous avons pris notre récréation hygiénique, la chienne et moi, au Bois, entre onze heures et midi. COLETTE, la Vagabonde, p. 38.

3 La plus parfaite des eaux minérales. Et dans l'autre coin : « La plus hygiénique. »
J. ROMAINS, les Hommes de bonne volonté, t. V, X, p. 81.

♦ **3.** Cour. (euphémisme; dans quelques syntagmes). [a] Relatif à la propreté, à l'hygiène, en ce qui concerne l'évacuation des excréments. *Seau* hygiénique. — Papier* hygiénique.* Syn. fam. : *papier de cabinets;* très fam. : *papier cul, papier toilettes.*

[b] Qui concerne l'hygiène intime de la femme. *Serviette*, tampon hygiénique,* utilisés pendant les règles. ⇒ **Périodique.**

CONTR. Antihygiénique. — Négligé, sale.
DÉR. Hygiéniquement, hygiéniser.
COMP. Antihygiénique.

HYGIÉNIQUEMENT [iʒjenikmɑ̃] adv. — 1837, *in* D. D. L.; de *hygiénique.*

♦ Didact. D'une manière hygiénique (1. ou 2.). *Vivre hygiéniquement.*

(...) nous menons, comme à plaisir, beaucoup par le fait d'un esprit de routine qui nous est particulier, la vie la plus anormale, la plus parfaitement antihygiénique qui soit. Dr Pierre VACHET, Connaissance de la vie sexuelle, II, p. 34.

HYGIÉNISER [iʒjenize] v. tr. — 1913, *in* D. D. L.; de *hygiénique.*

♦ Rare. Rendre hygiénique, plus hygiénique. *Hygiéniser les conditions de vie.*

HYGIÉNISME [iʒjenism] n. m. — Mil. XXe; de *hygiène.*

♦ Didact. Tendance (souvent excessive) à respecter strictement les règles d'hygiène. *« Il y a dix ans à peine, quand l'hygiénisme battait son plein, on ne voyait son enfant que pour un baiser quotidien et c'était atrocement frustrant. L'écologie a mis bon ordre à cette rigidité. »* (*Marie-Claire,* no 370, juin 1983, p. 93). *« La platitude d'un hygiénisme sexuel et relationnel aujourd'hui dominant »* (*les Nouvelles littéraires,* no 2901, 19-25 oct. 1983, p. 75).

HYGIÉNISTE [iʒjenist] n. — 1830, Balzac; de *hygiène.*

♦ Médecin spécialiste des questions d'hygiène. *Suivre les conseils des hygiénistes* (→ Esclave, cit. 8).

En effet, son prêtre catholique voit bien le mal, et cherche même à le réparer; mais jamais il ne pense à le prévenir, jamais il n'a l'idée de remonter un peu plus haut pour en trouver la cause et tâcher de la détruire; en un mot il fait ce que les médecins appellent la médecine du symptôme; et ce n'est pas ce qu'il faut aujourd'hui à la société : pour la guérir il faut des hygiénistes. 1
BALZAC, le Feuilleton, XLIX, Œuvres diverses, t. I, p. 444.

Pourquoi les hygiénistes se comportent-ils comme si l'homme était un être exposé seulement aux maladies infectieuses, tandis qu'il est menacé de façon aussi dangereuse par les maladies nerveuses et mentales, et par la faiblesse de l'esprit? 2
Alexis CARREL, l'Homme, cet inconnu, I, V, p. 29-30.

HYGIÉNO-DIÉTÉTIQUE [iʒjenodjetetik] adj. — 1925, *in* T. L. F.; de *hygiène,* et *diététique.*

♦ Didact. Relatif à l'hygiène et à la diététique. *Cure hygiéno-diététique.*

HYGR-, HYGRO- Éléments, tirés du grec *hugros* «humide», qui entrent dans la composition de mots savants.

HYGROBAROSCOPE [igʀobaʀɔskɔp] n. m. — 1839; de *hygro-,* et *baroscope.*

♦ Didact. Aréomètre.

HYGROLOGIE [igʀɔlɔʒi] n. f. — 1866; de *hygro-,* et *-logie.*

♦ Phys. Partie de la physique qui étudie ce qui a trait à l'eau et à l'humidité.

HYGROMA [igʀɔma] n. m. — 1827; *hygrome,* 1808; de *hygr(o)-,* et *-ome.*

♦ Méd. Inflammation des bourses séreuses. *Hygroma du genou, du coude. Des hygromas.*

HYGROMÈTRE [igʀɔmɛtʀ] n. m. — 1687; de *hygro-,* et *-mètre.*

♦ Phys. Instrument servant à mesurer avec précision le degré d'humidité de l'air (⇒ **Hygrométrique**). *Hygromètre chimique. Hygromètre à double thermomètre.* ⇒ **Psychromètre.** *Hygromètre à condensation, à absorption. Utilisation des hygromètres en météorologie.* — Par ext. Instrument indiquant (sans la mesurer) l'hygrométrie. *Hygromètre d'absorption.* ⇒ **Hygroscope.** *Hygromètre à cheveu.*

DÉR. Hygrométrie.

HYGROMÉTRICITÉ [igʀɔmetʀisite] n. f. — 1850; de *hygrométrique.*

♦ Didact. Caractère d'une substance plus ou moins sensible aux variations de l'hygrométrie (2.) atmosphérique. *Hygrométricité du chlorure de cobalt.* — État hygrométrique (1.) d'un corps, d'un milieu.

HYGROMÉTRIE [igʀɔmetʀi] n. f. — 1783, H. B. de Saussure, *Essais sur l'hygrométrie;* de *hygromètre.*

♦ **1.** Partie de la physique qui a pour objet de déterminer le degré d'humidité de l'atmosphère. ⇒ **Hygroscopie, psychrométrie.** *Instrument d'hygrométrie.* ⇒ **Hygromètre.**

♦ **2.** Teneur en vapeur d'eau (d'un gaz; spécialt, de l'atmosphère). *L'hygrométrie est généralement élevée dans les zones tropicales près du niveau de la mer.* ⇒ cour. **Humidité.**

DÉR. Hygrométrique.

HYGROMÉTRIQUE [igʀɔmetʀik] adj. — 1783, H. B. de Saussure; de *hygrométrie.*

Didactique.

♦ **1.** Qui a rapport à l'hygrométrie. *État hygrométrique de l'air* (⇒ **Hygrométricité**) : rapport entre la pression partielle de la vapeur d'eau contenue dans un certain volume d'air et la pression de la vapeur d'eau saturante à la même température. ⇒ **Humidité** (relative).

♦ **2.** *Corps, substances hygrométriques,* particulièrement sensibles aux variations de l'*état hygrométrique* de l'air.

DÉR. Hygrométricité.

HYGRONOME [igʀɔnɔm] n. f. — 1873, P. Larousse; lat. sc. *hygronoma,* 1840, Erichson; du grec *hugros* «humide», et *nomê* «pâture».

♦ Zool. Coléoptère (famille des *Staphylinidés*) vivant dans les marécages.

HYGROPHILE [igʀɔfil] adj. — 1873; de *hygro-,* et *-phile.*

♦ Biol. Se dit d'un organisme qui a une préférence pour les lieux humides.

(...) on remarque alors dans le sol des tourbières l'absence de mousses hygrophiles.
Georges DUBY, Guerriers et Paysans, p. 16.

CONTR. Hygrophobe.

HYGROPHOBE [igʀɔfɔb] adj. — Fin XIXe; de *hygro-,* et *-phobe.*

♦ Biol. Qui fuit l'humidité, qui ne peut s'adapter à un habitat humide.

CONTR. Hygrophile.

HYGROPHORE [igʀɔfɔʀ] n. m. — 1892, Guérin; de *hygro-,* et *-phore,* à cause du caractère humide, visqueux, du chapeau de ce champignon.

♦ Bot. Champignon basidiomycète *(Agaricinacées),* à chapeau souvent visqueux, de couleur vive, et à épaisses lames blanches, dont de nombreuses espèces sont comestibles.

HYGROSCOPE [igʀɔskɔp] n. m. — 1666; de *hygro-,* et *-scope.*

♦ Phys. Hygromètre* d'absorption indiquant approximativement le degré d'humidité de l'air, sans toutefois donner la mesure de l'état hygrométrique. *Les hygroscopes reposent tous sur la propriété qu'ont certaines substances, dites* hygroscopiques*, *d'absorber l'humidité atmosphérique et de changer d'aspect ou de longueur par suite de cette absorption. Hygroscope à boyau, à corne. Hygroscope à couleurs variables.*

La danseuse de l'hygroscope
Se balance entre mauve et bleu (...)
ARAGON, le Voyage de Hollande et autres poèmes, p. 44.

DÉR. Hygroscopie, hygroscopique.

HYGROSCOPICITÉ [igʀɔskɔpisite] n. f. — 1839; de *hygroscopique.*

♦ Didact., sc. Faculté d'absorber (plus ou moins) de l'humidité; propriété de ce qui est hygroscopique. *Degré d'hygroscopicité de l'air. Hygroscopicité de la laine.*

HYGROSCOPIE [igʀɔskɔpi] n. f. — 1839; de *hygroscope.*

♦ Phys. Vx. ⇒ **Hygrométrie.**

HYGROSCOPIQUE [igʀɔskɔpik] adj. — 1803, *in* D.D.L.; de *hygroscope* ou de *hygroscopie.*
Physique.

♦ **1.** Qui a rapport à l'hygroscope ou à l'hygroscopie. *Le chlorure de cobalt, substance hygroscopique.*

♦ **2.** (XXe). Qui absorbe l'humidité de l'air. *Substances hygroscopiques utilisées dans les hygroscopes.*

DÉR. Hygroscopicité.

HYGROSTAT [igʀɔsta] n. m. — V. 1960; de *hygro-,* et *-stat,* du grec *statos* «stationnaire».

♦ Didact., techn. Dispositif servant à maintenir dans un local un degré d'humidité constant. → Humidificateur.

HYGROTE [igʀɔt] ou HYGROTUS [igʀɔtys] n. m. — 1930 (Larousse du XXe s.); du grec *hugros* «humide» (→ Hygro-), à cause de l'habitat de l'insecte.

♦ Zool. Petit coléoptère aquatique (*Dyticidés,* → Dytique), vivant dans les eaux stagnantes (n. sc. : *Hygrotus inæqualis*).

HYL-, HYLÉ-, HYLO- Éléments tirés du grec *hulê* «matière» et, spécialt «bois», qui entrent dans la composition de mots savants.

HYLÉ [ile] n. f. — 1316, *hyle;* v. 1230, *yle;* grec *hulê* «matière». → Hyl-.

♦ Didact. (philos.). Matière, en tant que support (terme fréquent chez Ricœur).

DÉR. V. Hylétique.

HYLÉMORPHIQUE [ilemɔʀfik] adj. — 1931, Gilson, *in* T.L.F.; de *hylé,* et *-morphique.* → Hylémorphisme.

♦ Philos. De l'hylémorphisme. *La conception hylémorphique.*

Le schème hylémorphique ne décrit pas seulement la genèse des êtres vivants; peut-être même ne la décrit-il pas essentiellement.
Gilbert SIMONDON, Du mode d'existence des objets techniques, p. 171.

HYLÉMORPHISME [ilemɔʀfism] n. m. — 1904, *in* T.L.F.; de *hylé,* et *morphê* «forme».

♦ Philos. Théorie d'après laquelle les êtres corporels sont le résultat de deux principes distincts et complémentaires, la matière et la forme (Aristote).

HYLÉSINE [ilezin] n. m. — 1865; de *hylé-,* et grec *sinein* «endommager».

♦ Zool. Insecte coléoptère *(Scotylidés*)* de petite taille, cylindrique, brun ou roux, parasite du frêne, de l'olivier.

HYLIDÉS [ilide] n. m. pl. — XXe; du lat. sav. *hyla,* créé par Laurenti, du grec *hulê* «bois, forêt» (parce que ces rainettes sont arboricoles), et suff. *-idés.*

♦ Zool. Groupe d'amphibiens anoures, batraciens appelés communément *rainettes.*

La plupart des Hylidés sont des arboricoles : l'extrémité des doigts et des orteils est dilatée en disque adhésif (...) Jean GUIBÉ, les Batraciens, p. 122.

HYLOBATIDÉS [ilobatide] n. m. pl. — 1892, Guérin; *hylobates,* 1829, *in* Dict. de l'Académie, *Suppl.*; lat. mod. *hylobates,* du grec *hulobatês* «qui parcourt les forêts», de *hulê* «bois, forêt», et *bateô* «je marche».

♦ Zool. Famille d'anthropoïdes dont le type est le gibbon. «*Chez les catarrhiniens, les hylobatidés ou gibbons occupent une place à part. On les croyait proches d'*Homo, *mais, en fait, leurs caryotypes sont très différents et il est encore difficile de les situer exactement dans l'arbre phylétique des primates.*» (*Sciences et Avenir,* hors-série, no 38, 1982, p. 74). — Au sing. *Un hylobatidé.*

HYLOBE [ilɔb] ou HYLOBIE [ilɔbi] n. m. — 1877, *hylobe; hylobie,* 1872; de *hylo-,* et grec *bios* «vie».

♦ Zool. Insecte coléoptère *(Curculionidés*),* dit *charançon* du pin,* qui dévaste les souches des conifères.

HYLOCHARIS [ilokaʀis] n. m. — 1873, P. Larousse; de *hylo-,* et grec *charis* «agrément».

♦ Zool. Oiseau passeriforme (famille des *Trochilidés*), colibri d'Amérique tropicale à livrée ordinairement bleue.

HYLOTOME [ilotom; ilotɔm] n. m. — 1839; grec *hulotomos,* de *hulê* (→ Hyl-), et *tomê* «section». → -tome.

♦ Zool. Insecte hyménoptère dont les larves, semblables à des chenilles, dévorent les feuilles des églantiers et des rosiers.

HYLOZOÏSME [ilozɔism] n. m. — 1765, *Encyclopédie;* grec *hulê,* au sens de «matière», et *zôê* «vie».

♦ Philos. Doctrine philosophique d'après laquelle la matière elle-même ou l'univers dans son ensemble sont doués de vie. *L'hylozoïsme de Thalès, des Stoïciens.*

(Selon Thalès) la substance des choses est l'eau ou, d'une façon plus générale, l'élément humide. Mais cet élément n'est pas purement matériel, il a une âme (...) Il n'est pas non plus proprement spirituel, car cette âme est comme une puissance vague d'attraction et de mouvement, analogue à l'aimant. La conception de Thalès est donc un hylozoïsme assez confus.
JANET et SÉAILLES, Hist. de la philosophie, p. 714.

DÉR. Hylozoïste.

HYLOZOÏSTE [ilozɔist] adj. et n. — Déb. XXe; de *hylozoïsme.*

♦ Philos. Qui soutient l'hylozoïsme. *Philosophe grec hylozoïste.* — N. *Un hylozoïste.* — Adj. Qui concerne l'hylozoïsme. *L'hypothèse hylozoïste.*

1. HYMEN [imɛn] ou **HYMÉNÉE** [imene] n. m. — Av. 1560, *hymen,* du Bellay; *hyménée,* 1580, Garnier; *Hymen,* et *Hymenée,* 1548, nom du dieu du mariage; lat. *hymen,* au sens I, du grec *Humên,* nom du dieu du mariage.

★ **I.** ♦ **1.** Dans la poésie classique; littér. Mariage, union conjugale. *Hymen qui s'apprête, auquel on s'apprête* (cit. 7 et 14), *que l'on célèbre* (→ Conquérant, cit. 4). *Projet d'un hymen* (→ Avencer, cit. 69). *Un parfait hymen* (→ Conjoint, cit. 3). *L'hymen et l'amour** (→ Couronner, cit. 11; épouser, cit. 8; état, cit. 127). *Les plaisirs, les joies, les douceurs de l'hymen* (→ Assaisonner, cit. 8). *« L'hymen a ses alarmes »* (cit. 8). *La loi de l'hymen* (→ Assembler, cit. 33). *Les liens, les nœuds de l'hymen, de l'hyménée* (→ Asservir, cit. 23; attacher, cit. 7; de, cit. 7; enchaîner, cit. 3). *Le flambeau* (cit. 6 et 7) *de l'hymen, de l'hyménée* (→ Étinceler, cit. 2). — (1670). *Les fruits* (cit. 28) *de l'hymen :* les enfants. — *Le dieu d'hymen, le dieu d'hyménée.*

1 Cet hymen m'est fatal, je le crains (...) CORNEILLE, le Cid, I, 2.

2 J'ai vu beaucoup d'hymens, aucuns d'eux ne me tentent (...) LA FONTAINE, Fables, VII, 2.

3 Ainsi que ses chagrins, l'hymen a ses plaisirs. BOILEAU, Satires, X.

Sous la forme *hyménée* (plus rare). *Fatal, funeste hyménée* (→ Avant, cit. 28; célébrer, cit. 1).

4 Hélas! chez ton amant tu n'es point ramenée,
Tu n'as point revêtu ta robe d'hyménée (...) André CHÉNIER, Bucoliques, XXI, I.

♦ **2.** (Fin XVIIe). Fig., littér. Alliance, association, union. ⇒ **Mariage, réunion.**

5 *(En 1815, Bonaparte)* se voit forcé d'annuler le divorce prononcé sous l'Empire entre le despotisme et la démagogie, et de favoriser leur nouvelle alliance : de cet hymen doit naître, au Champ de mai, une liberté, le bonnet rouge et le turban sur la tête, le sabre du mameluck à la ceinture et la hache révolutionnaire à la main (...) CHATEAUBRIAND, Mémoires d'outre-tombe, t. IV, p. 3.

(Choses). Vx. Association; union.

★ **II.** *Hyménée* seult (lat. *hymenæus,* grec *humenaios* « chant nuptial », de *humen*). Littér., vieilli. Chant de mariage.

6 Mais le chanvreur (...) aime à faire rire, il est moqueur et sentimental au besoin, quand il faut chanter l'hyménée (...) G. SAND, la Mare au diable, Appendice, I.

CONTR. Divorce, séparation; désunion.
DÉR. (De la forme *hyménée*) **Hyménéen.**

2. HYMEN [imɛn] n. m. — V. 1520; bas lat. *hymen,* grec *humên* « membrane ».

♦ Anat. Membrane de forme variable qui obstrue partiellement l'orifice vaginal, chez la vierge* (⇒ **Pucelage, virginité**). *Débris de l'hymen après défloration :* débris hyménaux; caroncules* myrtiformes. *Examen médico-légal de l'hymen, dans les diagnostics de la défloration et du viol. Interventions chirurgicales pratiquées sur l'hymen :* hyménotomie (incision) et dilatation de l'hymen; hyménoraphie (reconstitution chirurgicale de l'hymen).

1 Il en est de même, reprit *Rombeau,* de la membrane qui assure la virginité; il faut nécessairement une jeune fille pour cet examen. Qu'observe-t-on dans l'âge de puberté? rien; les menstrues déchirent l'*hymen,* et toutes les recherches sont inexactes; ta fille est précisément ce qu'il nous faut; quoiqu'elle ait quinze ans, elle n'est pas encore réglée (...) SADE, Justine..., t. I, p. 126.

2 Chez la vierge, l'orifice vaginal est, en partie, occlus par l'hymen. Cette barrière, qui doit être forcée lors du premier rapport sexuel, avait déjà attiré la curiosité des Anciens. Le mot ὑμήν *(humen),* membrane, est un terme grec. A. BINET, les Régions génitales de la femme, V, p. 77.

DÉR. Hyménal.

HYMÉN-, HYMÉNO- Premier élément de mots savants de médecine, tirés du grec *humên* « membrane ». Ex : *hyménotomie,* n. f., « incision de l'hymen » (→ 2. Hymen). ⇒ **Hyménomycètes, hyménoptères.**

HYMENÆA [imenea] n. m. ou **HYMÉNÉE** [imene] n. f. — XXe, *hymenæa; hyménée,* 1873; de *hymen-,* et suff. *-ée,* ou lat. mod. *hymenæa.*

♦ Bot. Plante dicotylédone *(Légumineuses papilionacées)* exotique, utilisée pour son bois (⇒ **Courbaril**) et sa résine (⇒ **Copal**).

HYMÉNAL, ALE, AUX [imenal, o] ou **HYMÉNÉAL, ALE, AUX** [imeneal, o] adj. — XIXe; de 2. *hymen.*

♦ Anat., physiol. De la membrane hymen. *Orifice hyménéal. Lobules hyménéaux* ou *hyménaux. Débris hyménaux.*

HYMÉNÉE [imene] n. m. ⇒ **Hymen.**

HYMÉNÉEN, ENNE [imeneɛ̃, ɛn] adj. — Fin XVIe; de *hyménée.*

♦ Vx ou plais. De l'hyménée, du mariage.

À force d'assister à cette orgie de noces, Vincent avait fini par remarquer un monsieur aussi amateur que lui de fêtes hyménéennes (...) A. ALLAIS, Contes et Chroniques, p. 36.

HYMÉNIUM [imenjɔm] n. m. — 1816, Candolle; var. *hyménion,* grec *humenion* « petite membrane », de *humen.* → 2. Hymen.

♦ Bot. Chez la plupart des champignons (ascomycètes, basidiomycètes), tissu fertile du carpophore qui sert d'assise aux cellules reproductrices (⇒ **Asque, baside**), productrices des pores (Ascospores*, basidiospores) et de cellules stériles (⇒ **Paraphyse**). *L'hyménophore, organe qui porte l'hyménium. L'hyménium des angiocarpes est enfermé dans une enveloppe.*

On peut distinguer dans ces plantes trois parties assez distinctes, le pédicule, la chair du chapeau, et l'hyménium ou la partie de ce chapeau qui porte les graines et qui forme des feuillets dans les agarics (...) Lorsque l'hyménium n'est pas séparable de la chair du chapeau, on recherche de préférence comme comestibles toutes les espèces qui ont la chair fort épaisse proportionnellement à l'hyménium.
A. P. DE CANDOLLE, Essai sur les propriétés médicales des plantes, p. 328 (1816).

HYMÉNOMYCÈTES [imenomisɛt] n. m. pl. — 1855; de *hyméno-,* et grec *mukês* « champignon ».

♦ Bot. Groupe de champignons basidiomycètes chez lesquels l'hyménium tapisse l'extérieur de l'appareil sporifère (⇒ **Champignon**). *La plupart des grandes espèces de champignons* (oronge, bollet, girolle, agaric...) *sont des hyménomycètes.* — Au sing. *Un hyménomycète.*

HYMÉNOPTÈRES [imenɔptɛʀ] n. m. pl. — 1765; grec *humenopteros* « aux ailes membraneuses », de *humen* « membrane » (→ Hyméno-), et *pteron* « aile » (→ -ptère).

♦ Zool. Ordre d'animaux arthropodes antennifères de la classe des insectes, caractérisés par quatre ailes membraneuses transparentes. *Les hyménoptères ont la tête reliée au thorax (corselet) par un cou mince; leur thorax est formé de trois segments, leur abdomen de huit ou neuf anneaux terminés par une tarière ou un aiguillon; leurs métamorphoses sont complètes; ils sont végétariens, omnivores ou entomophages; ils sont sociaux* (⇒ **Essaim, ruche**) *ou solitaires. Hyménoptères aculés, térébrants.* — Classification des *Hyménoptères :* a) *Symphytes :* Céphides; Siricides (⇒ **Sirex**); Tenthrédinides (⇒ **Hylotome, tenthrède**). b) *Apocrites* ou *Petiolata :* Cynipoïdes (130 genres, 1 600 espèces), ⇒ **Cynips;** Ichneumonoïdes, tous parasites, ⇒ **Ichneumon, ophion, pimple, trogue;** Chalcidiens; Serphoïdes ou Proctotrypoïdes; Béthyloïdes (dont les Béthylides et les Chrysides ou « guêpes coucous »); Dryinides; Scolioïdes (dont les Scollides et les Mutillides); Formicoïdes (6 000 espèces décrites, dont les Formicides; ⇒ **Fourmi**); Pompiloïdes; Vespoïdes (Euménides, Vespides. ⇒ **Guêpe**); Sphécoïdes ou Sphégides (guêpes fouisseuses); Apoïdes inférieurs (Halictides, → Halicte), Apoïdes supérieurs (Apidés; ⇒ **Abeille, anthophore, bourdon**). — Appos. *Insectes hyménoptères.* — Au sing. *Un hyménoptère* (individu ou espèce, genre...).

On sait que les diverses espèces d'Hyménoptères paralyseurs déposent leurs œufs dans des Araignées, des Scarabées, des Chenilles qui continueront à vivre immobiles pendant un certain nombre de jours, et qui serviront ainsi de nourriture fraîche aux larves (...) H. BERGSON, l'Évolution créatrice, p. 173.

HYMNAIRE [imnɛʀ] n. m. — 1721; bas lat. *hymnarium,* de *hymnus* (→ Hymne); on a dit *hymnier,* de *hymne,* au moyen âge (XIIe).

♦ Liturg. anc. Recueil d'hymnes de l'office.

HYMNE [imn] n. — XIVe; *ymne,* déb. XIIe, au sens 2, var. anc. *hynne* (XVIe); lat. *hymnus,* du grec *humnos,* au sens 1.

♦ **1.** N. m. (1545; déb. XIVe, écrit *ine*). Chant, poème à la gloire des dieux, des héros. *Hymnes babyloniens, égyptiens; hymnes védiques. Hymnes grecs : hymne en l'honneur d'Apollon* (⇒ **Péan**), *de Zeus. Hymnes orphiques. Hymnes homériques,* attribués à Homère *(Hymne à Apollon, à Déméter, à Hermès). Hymnes de Callimaque, de Proclos. Les livres d'Hymnes* (écrit *Hynnes*), de Ronsard.

Les Hynnes sont des Grecs invention première 1
Callimaque beaucoup leur donna de lumière,
De splendeur, d'ornement. RONSARD, Pièces posthumes, Les hymnes.

À la vue d'un petit temple (...) le pilote sonna de la trompette, et à ce signal l'équipage entonna l'hymne à la déesse protectrice de l'Attique : « Écoute-nous, aimable Minerve! (...) » BAUDELAIRE, le Jeune Enchanteur, Appendice, Pl., p. 1310. 2

♦ **2.** N. m. et f. (1680; « cantique »). Chant (chrétien) à la louange de Dieu. ⇒ **Cantique, psaume; antienne, chœur** (3.), **choral, prose, séquence.** — REM. Dans la langue liturgique catholique, *hymne* est généralement employé au féminin. — *Hymnes de saint Ambroise, de Fortunat, d'Hilaire de Poitiers. Hymnes de Jean Damascène. Les grands compositeurs d'hymnes* (hymnographes). *Chanter une hymne. Le « Dies iræ », hymne désespérée* (→ Désolation, cit. 7, Huysmans). *Hymne grandiose* (→ Geyser, cit. 2). *Hymne de matines, de laudes, de complies; hymnes des petites heures. Recueil d'hymnes.* ⇒ **Hymnaire.** *Hymnes historiques,* ayant pour objet les « circonstances historiques du mystère célébré » (Lesage). *Doxologie* d'une hymne. L'« hymne angélique »* (⇒ **Gloria**); *l'« hymne triomphale, séraphique »* (⇒ **Sanctus; hosanna**).

3 C'est donc avec raison que nos chœurs aujourd'hui
Font résonner un hymne et des vœux à sa gloire. CORNEILLE, Hymnes, 14.

4 Et Pâques enfin, aux hymnes matinales et joyeuses (...)
Aloysius BERTRAND, Gaspard de la nuit, Silves, III.

5 Toutes les hymnes de cet admirable office (...)
F. MAURIAC, le Jeudi-Saint, p. 136, *in* GREVISSE.

Hymnes protestants. Les hymnes sacrés de Luther. ⇒ **Choral.**

♦ **3.** N. m. (1537). On trouve rarement le fém. dans des textes poétiques; le mot est souvent qualifié : *hymne à..., de...* Chant, poème lyrique exprimant la joie, l'enthousiasme*, célébrant une personne ou une chose. ⇒ **Hosanna.** *Un hymne à la nature, à l'amour, à l'homme. L'hymne que chantent, gazouillent les oiseaux* (→ Frais, cit. 37). *Hymne de joie, de reconnaissance. — Entonner* (cit. 5) *un hymne en son propre honneur.* — Fig. *L'hymne de la couleur* (cit. 4, Baudelaire). ⇒ **Concert, harmonie, symphonie** (fig.). *La nature, hymne au Créateur.*

6 Que parlez-vous de lettres, de style épistolaire. En écrivant à ce qu'on aime, il est bien question de cela! ce ne sont plus des lettres que l'on écrit, ce sont des hymnes.
ROUSSEAU, Julie ou la Nouvelle Héloïse, Entretien sur les romans...

7 Dans l'hymne de la nature,
Seigneur, chaque créature
Forme à son heure, en mesure,
Un son du concert divin (...) LAMARTINE, Harmonies..., I, 3.

8 Tous deux s'étaient promenés en se redisant au matin un hymne d'amour comme en chantaient les oiseaux nichés dans les arbres.
BALZAC, Massimila Doni, Pl., t. IX, p. 317.

9 Tout va bien. Salavin entonne, dans le secret de son âme, un hymne de gratitude et de triomphe. G. DUHAMEL, Salavin, Deux hommes, IX, p. 249.

Hymnes à la nuit, hymnes sacrés, de Novalis. — *L'hymne à la joie,* de Schiller, terminant la IXe symphonie de Beethoven.

N. m. Chant solennel en l'honneur de la patrie, de ses défenseurs. *L'hymne national français* (la Marseillaise), *anglais* (God save the King). *Hymne révolutionnaire* (→ Drolatique, cit. 3). *Hymnes alliés. L'hymne et le drapeau d'un pays.*

10 L'orchestre joua les hymnes alliés bout à bout. Ils prenaient feu l'un à l'autre.
COCTEAU, Thomas l'imposteur, p. 137.

DÉR. Hymnique.
COMP. Hymnologie. — (Du grec) V. **Hymnode, hymnographe.**

HYMNIQUE [imnik] adj. — 1839, Académie; de *hymne.*

♦ Didact. Qui a rapport à l'hymne, en a la nature.

Il semble qu'il y ait, au cours du temps, comme une «dialectique» de l'œuvre et une transformation du sens de l'art (...) C'est cette dialectique qui conduit l'œuvre de la pierre dressée, du cri rythmique et hymnique où elle annonce le divin, à la statue où elle donne forme aux dieux, jusqu'aux ouvrages où elle représente les hommes, avant de se figurer elle-même.
M. BLANCHOT, l'Espace littéraire, p. 312.

HYMNODE [imnɔd] n. — 1765; grec *humnodos,* de *humnos* (→ Hymne), et *odos* «chanteur».

♦ Didact. Dans l'antiquité, Personne qui chantait des hymnes (1.) dans les cérémonies religieuses.

HYMNOGRAPHE [imnɔgʀaf] n. m. — 1765; grec *humnographos,* de *humnos* (→ Hymne), et *graphein* (→ -graphe).

♦ Didact. Auteur des paroles d'un (d'une) hymne (1., 2. ou 3.).

DÉR. Hymnographie.

HYMNOGRAPHIE [imnɔgʀafi] n. f. — 1832; de *hymnographe,* ou de *hymne,* et *-graphie.*

Didactique.

♦ **1.** Composition ou étude des hymnes. ⇒ **Hymnologie.**

♦ **2.** (1842). Recueil d'hymnes.

HYMNOLOGIE [imnɔlɔʒi] n. f. — 1832; «récitation, chant des hymnes», 1721; de *hymne,* et *-logie.*

♦ **1.** Syn. de *hymnographie.*

♦ **2.** Ensemble d'hymnes (d'une période, d'un rite).

HYO- Premier élément d'adjectifs, en anatomie. Outre les mots traités à l'ordre alphab., on peut signaler : *hyopharyngien, ienne,* adj. (XVIIIe); *hyothyroïdien, ienne,* adj.

HYOGLOSSE [jɔglɔs] adj. et n. m. — 1752; de *hyo-* (dans *hyoïde*), et *-glosse.*

♦ Anat. *Muscle hyoglosse,* ou *hyoglosse* (n. m.) : muscle pair entrant dans la constitution de la langue, qui est implanté sur les grandes cornes de l'os hyoïde.

HYOÏDE [jɔid] adj. et n. m. — 1541; grec *huoeidês (ostoûn)* «(os) en forme d'u, de upsilon», du nom de la lettre, et de *eidos.* → -oïde.

♦ Anat. *Os hyoïde* ou *hyoïde* (n. m.) : os impair, médian, symétrique, situé à la partie antérieure du cou, «au-dessous de la langue*, dont il constitue pour ainsi dire le squelette» (Testut, *Traité d'anatomie*). *Corps* (partie centrale), *grandes cornes* (cornes thyroïdiennes), *petites cornes* (cornes styloïdiennes) *de l'hyoïde.*

DÉR. Hyoïdien.

HYOÏDIEN, IENNE [jɔidjɛ̃, jɛn] adj. — 1654; de *hyoïde.*

♦ Anat. Relatif à l'os hyoïde. *Appareil hyoïdien* : double chaîne d'osselets reliant l'hyoïde à la base du crâne (*chaîne hyoïdienne,* en forme d'arc : *arc hyoïdien*).

Outre le calvarium, le crâne du Vertébré terrestre comporte la mandibule et le squelette hyoïdien. L'un et l'autre sont issus du dispositif branchial des poissons primitifs; la mandibule très anciennement, l'arc hyoïdien au moment où s'établit la respiration aérienne. Le squelette hyoïdien est très important puisqu'il sert de base osseuse à la musculature qui abaisse la mâchoire et qui meut la langue.
A. LEROI-GOURHAN, le Geste et la Parole, t. I, p. 69.

COMP. Sous-hyoïdien.

HYOSCYAMINE [josjamin] n. f. — XIXe; lat. *hyoscyamus* «jusquiame», du grec *huoskuamos,* de *hûs, huos* «porc», et *kuamos* «fève». → Jusquiame.

♦ Méd. Alcaloïde de formule $C_{27}H_{22}NO_3$, isomère de l'atropine*, extrait des semences de jusquiame, de la belladone, employé pour dilater la pupille et comme calmant. *L'hyoscyamine amorphe est appelée* hyoscine [josin] n. f.

HYPALLAGE [ipa(l)laʒ] n. f. — Av. 1596; lat. *hypallage,* grec *hupallagê* «échange, interversion», de *hupalattein, hupallassein,* de *hupo* (→ Hypo-), et *allattein* ou *allassein,* de *allos* «autre».

♦ Rhét. Figure de style qui consiste à attribuer à certains mots d'une phrase ce qui convient à d'autres mots (de la même phrase) «sans qu'il soit possible de se méprendre au sens» (Littré). ⇒ **Métonymie.** Ex. : *rendre qqn à la vie,* pour *rendre la vie à qqn; avoir des souliers dans les pieds,* pour *avoir les pieds dans des souliers,* etc. — REM. Ce mot est du fém. dans les dictionnaires (Littré, Académie...); on le trouve au masc. chez quelques auteurs.

À force d'entendre répondre : — rue Notre-Dame-de-Lorette — à la question : — où demeurez-vous, où allons-nous? — si naturelle à la fin d'un bal public (...) l'idée est sans doute venue à quelque grand philosophe, sans prétention, de transporter, par un hypallage hardi le nom du quartier à la personne, et le mot Lorette a été trouvé. Th. GAUTIER, Souvenirs de théâtre..., Gavarni, p. 188.

REM. Des constructions comme *blessés crâniens, aliéné mental, prix alimentaires, médaillé militaire,* etc. ont été qualifiées d'hypallages (Georgin, *Pour un meilleur français,* p. 213).

HYPER- Préfixe tiré du grec *huper* «au-dessus, au delà», qui entre dans la composition de nombreux mots scientifiques (en physiologie, psychologie, médecine, etc.), pour exprimer en général l'exagération*, l'excès*, le plus haut degré (⇒ **Super-, sur-, ultra-**).
REM. Outre les mots traités ci-dessous, *hyper-* entre dans de très nombreuses formations libres, avec des adjectifs et des noms, ainsi que dans des formations scientifiques moins courantes ou archaïques.

a Avec des adj. et des adj. substantivés :

(...) une méchanceté hyperdiabolique (...) pénétra chaque fibre de mon être. 1
BAUDELAIRE, Trad. E. POE, Nouvelles histoires extraordinaires, «Le chat noir».

Ceci est le comble du sublime. Mais dans l'ivresse il y a de l'hyper-sublime, comme 2
vous allez voir. BAUDELAIRE, Du vin et du haschisch, II.

(Ils) faisaient un ultime cortège à l'un des meilleurs d'entre eux, à l'un de leurs 2.1
modèles les plus achevés, les plus conscients, à un hyper-civilisé (...)
M. DRUON, Rendez-vous aux enfers, III, XVI, p. 278.

(...) *l'américanisme,* cette forme parachevée de la civilisation hypercapitaliste. 2.2
Ph. LAMOUR, *in* Plans, no 9, nov. 1931, p. 7, *in* D. D. L., II, 15.

Le Rosso décore de fresques et de stucs la galerie François-Ier, peint pour le con- 2.3
nétable de Montmorency la belle Pietà aujourd'hui au Louvre, crée à travers le style bellifontain une variante singulière, hyper-raffinée, hyper-culturelle du maniérisme international, variante dont l'influence sera considérable dans toute l'Europe du XVIe siècle. A. FERMIGIER, *in* le Nouvel Obs., no 409, 11-17 sept. 1972, p. 12.

Outre ceux qui sont traités ci-après, on peut signaler de nombreux termes didactiques, notamment de médecine, de biologie, de physique. Ex. : *espace hyperdense* (*Science et Vie,* mars 1976, p. 18), *hyperorganique* (Maine de Biran, *in* D. D. L.); *hypermassif* (in *Année sc. et industr.* 1897, p. 275), etc.

b Avec des noms, surtout dans les vocabulaires scientifiques et techniques, mais aussi dans la langue courante, avec une valeur proche, mais une fréquence beaucoup moins grande, que *super-.*

Durant les six mois que je venais de passer au Copacabana, ce palace d'hyper- 2.4
grand luxe (...) B. CENDRARS, Bourlinguer, IV, p. 46.

L'acier inoxydable ne se façonne aisément à froid qu'après avoir subi une «hyper- 2.5
trempe» à 1 100° : la structure du métal lui assure alors le maximum de malléabilité. Gaston COHEN, le Cuivre et le Nickel, p. 80.

c Employé seul.

Comme adjectif (invar.), pour indiquer l'excès, le degré très élevé. *« Pendant l'euphorie conquérante des années 60, les tours n'étaient jamais assez hautes, les villes assez nouvelles, les centres commerciaux assez "hyper" »* (*l'Express*, 28 août 1978, p. 39).

Comme nom masculin :

3 Tous les degrés entre (...) l'hypo et l'hyper, entre n'importe quel sentiment et son contraire, comme, en physiologie, entre le trop et le pas-assez.
GIDE, Journal, févr. 1932.

REM. L'opposition *hyper-/hypo-* est assez régulière, mais non systématique (selon le sémantisme).

HYPERACIDITÉ [ipɛʀasidite] n. f. — 1889 ; de *hyper-*, et *acidité*.

♦ Méd. Acidité excessive (notamment du suc gastrique). *L'hyperacidité gastrique est due à un excès d'acide chlorhydrique* (d'où l'emploi comme syn. d'*hyperchlorhydrie**).

HYPERACOUSIE [ipɛʀakuzi] n. f. — 1896 ; *hyperacusie*, 1855 ; de *hyper-*, et grec *akousis* « action d'entendre ».

♦ Méd. Exagération de l'acuité auditive, avec sensation de gêne douloureuse au moindre bruit.

CONTR. Hypoacousie.

HYPERACTIF, IVE [ipɛʀaktif, iv] adj. — D. i. (probablt déb. XXe, → Hyperactivité) ; de *hyper-*, et *actif*.

♦ Qui a une activité supérieure à la normale.

HYPERACTIVITÉ [ipɛʀaktivite] n. f. — 1903, in *Rev. gén. des sc.*, n° 16, p. 847 ; de *hyper-*, et *activité*.

♦ Méd. et cour. Activité supérieure à la normale.

HYPERACUITÉ [ipɛʀakɥite] n. f. — 1887 ; de *hyper-*, et *acuité*.

♦ Méd. Augmentation de l'acuité d'un organe des sens.

HYPERALGÉSIE [ipɛʀalʒezi] n. f. — 1890, in *Année sc. et industr.* 1891, p. 405 ; de *hyper-*, grec *algos* « douleur » (→ Algie), et suff. *-ie*.

♦ Méd. Augmentation anormale de la sensibilité à la douleur. → Hyperalgie.

CONTR. Hypoalgésie.
DÉR. Hyperalgésique.

HYPERALGÉSIQUE [ipɛʀalʒezik] adj. et n. — 1897 ; de *hyperalgésie*.

♦ Méd. Qui se rapporte à l'hyperalgésie. — Qui est atteint d'hyperalgésie.

HYPERALGIE [ipɛʀalʒi] n. f. — 1957 ; de *hyper-*, et *-algie*.

♦ Méd. Sensibilité accrue à la douleur. → Hyperalgésie.
DÉR. Hyperalgique.

HYPERALGIQUE [ipɛʀalʒik] adj. et n. — XXe ; de *hyperalgie*.

♦ Méd. Qui se rapporte à l'hyperalgie. *Sciatique hyperalgique.* — Qui est atteint d'hyperalgie.

HYPERANDRIE [ipɛʀɑ̃dʀi] n. f. — 1897 ; de *hyper-*, et *-andrie*.

♦ Biol. Nombre plus grand de naissances d'individus mâles par rapport aux femelles, normal dans certaines espèces animales.

HYPERAPHRODISIE [ipɛʀafʀɔdizi] n. f. — 1971, Manuila ; de *hyper-*, *aphrodis(iaque)* et suff. *-ie*.

♦ Exaltation pathologique des désirs sexuels. ⇒ **Nymphomanie, satyriasis.**

HYPERAZOTÉMIE [ipɛʀazɔtemi] n. f. — 1922 ; de *hyper-*, et *azotémie*.

♦ Méd. Augmentation anormale de la quantité des produits d'excrétion azotés. *Hyperazotémie des nourrissons.*

HYPERBARE [ipɛʀbaʀ] adj. — XXe ; de *hyper-*, et *-bare*.
Didactique, technique.

♦ **1.** Se dit d'un espace clos où la pression est plus élevée que la pression atmosphérique ambiante. *Caisson hyperbare. Installation hyperbare. « Le centre expérimental hyperbare de la COMEX »* (*la Recherche*, mars 1973, p. 273).

♦ **2.** Dont le poids spécifique est supérieur à celui d'un liquide de référence. — Méd. *Solution hyperbare :* solution anesthésique de poids spécifique plus élevé que celui du liquide céphalorachidien dans lequel elle est destinée à être injectée.

DÉR. Hyperbarisme.

HYPERBARISME [ipɛʀbaʀism] n. m. — XXe ; de *hyperbare*.

♦ Méd. Ensemble de troubles entraînés par le passage rapide à une pression ambiante trop élevée par rapport à celle qui existe à l'intérieur du corps.

CONTR. Hypobarisme.

HYPERBATE [ipɛʀbat] n. f. — 1545 ; lat. *hyperbaton*, grec *huperbaton*, de *huperbatos*, adj. « renversé », de *huperbainein* « faire passer au dessus », de *huper* (→ Hyper-), et *bainein* « marcher ».

♦ Rhét. Figure* de grammaire qui consiste à intervertir l'ordre naturel des mots (⇒ **Inversion ; anastrophe**) ou, « dans un sens plus correct » (Marouzeau), à disjoindre deux termes habituellement réunis. — Littré cite comme exemple d'*hyperbate* ces deux vers de Racine :

Que malgré la pitié dont je me sens saisir,
Dans le sang d'un enfant je me baigne à loisir ? RACINE, Andromaque, I, 2.

HYPERBOLE [ipɛʀbɔl] n. f. — XIIIe, *yperbole ;* rare jusqu'au XVIIe ; lat. *hyperbole*, grec *huperbolê*, de *huperballein* « jeter au dessus », de *huper* (→ Hyper-), et *ballein* « jeter, lancer ».

★ **I.** Rhét. (relativement courant). Figure de style qui consiste à mettre en relief une idée « au moyen d'une expression qui la dépasse » (Marouzeau). ⇒ **Hyperbolique.** *Parler simplement, sans hyperbole.* ⇒ **Emphase** (cit. 2), **exagération** (opposé à *litote*), **excès, grandiloquence.** *L'hyperbole est un peu forte* (Académie). *Employer l'hyperbole pour forcer l'attention* (cit. 34). *Hyperboles ronflantes, ridicules. Hyperboles expressives, ironiques* (→ Charmer, cit. 9). *Manier la métaphore et l'hyperbole.*

L'hyperbole exprime au delà de la vérité pour ramener l'esprit à la mieux connaître. 1
LA BRUYÈRE, les Caractères, I, 55.

L'hyperbole. Plusieurs estiment, non sans raison, que (...) nous avons perdu le sens de la mesure (...) On dit à propos du moindre événement que *les conséquences en seront immenses*, qu'*il a une portée incalculable.* On vend dans mon quartier du macaroni *extra sublime* (...) Le moindre député a *des projets gigantesques. On éprouve une joie infinie* à revoir ses amis, etc. Notre littérature, nos journaux surtout ont poussé les mots à l'extrême. La « litote » n'est plus connue de personne, nous sommes sous le règne de l'« hyperbole ». Tout y contribue, la réclame commerciale d'abord, mais aussi les surenchères de la politique et de la presse. 2
F. BRUNOT, la Pensée et la Langue, p. 694.

(...) l'hyperbole orientale (...) magnifie les êtres et les choses à la façon des mirages du désert. 3
DANIEL-ROPS, le Peuple de la Bible, III, I, p. 167.

★ **II.** (1637, Descartes). Géom. Courbe géométrique formée par les points d'un plan dont les distances à deux points fixes de ce plan (les foyers) ont une différence constante. *L'hyperbole peut être considérée comme la section d'un cône de révolution par un plan coupant les deux nappes* (les deux parties séparées par le sommet). ⇒ **Conique.** *L'hyperbole comprend deux branches symétriques par rapport au centre. Axes de symétrie, asymptotes* (cit. 3, fig.), *directrices d'une hyperbole. Hyperbole équilatère, dont les deux asymptotes sont perpendiculaires.*

CONTR. Litote ; affaiblissement, mesure.
DÉR. Hyperboliser, hyperbolisme, hyperboloïde.

HYPERBOLIQUE [ipɛʀbɔlik] adj. — 1541 ; lat. *hyperbolicus*, grec *huperbolikos*, de *huperbolê*. → Hyperbole.

★ **I.** ♦ **1.** Rhét. Caractérisé par l'hyperbole (I.). *Discours, langue, langage, style hyperbolique.* ⇒ **Emphatique, grandiloquent.** — Cour. *Compliment, éloge, flatterie hyperbolique.* ⇒ **Exagéré, excessif ;** → Éclabousser, cit. 5.

Sérieusement quand ils se seraient défiés tous trois à qui me louerait davantage, ils n'auraient pas employé d'expressions plus hyperboliques. Ma modestie ne fut point à l'épreuve de tant d'éloges. 1
A.-R. LESAGE, Gil Blas, VII, 7.

Un grand danger résultait pour l'avenir de cette morale exaltée, exprimée dans un langage hyperbolique et d'une effrayante énergie. 2
RENAN, Vie de Jésus, XIX, Œuvres, t. IV, p. 281.

Dans la loge de Féraudy. On commence par des compliments hyperboliques. Tout à coup, l'un de nous ayant dit : « La seule chose que je n'aime pas, le seul reproche que je fasse (...) », ça devient dangereux (...) 2.1
J. RENARD, Journal, 4 déc. 1908.

(...) une partie des journaux parlant de Patrice avec une aigreur polie, l'autre le célébrant en termes hyperboliques. 3
G. DUHAMEL, le Voyage de P. Périot, III, p. 52.

♦ **2.** (1690). Par ext., rare. *Un auteur hyperbolique.*

(...) le père Pierre de Saint-Louis est hyperbolique, enflé jusqu'à l'hydropisie, excessif, touffu et plantureux ; chez lui les métaphores poussent en tous sens leurs branchages noueux. 4
Th. GAUTIER, les Grotesques, IV.

♦ **3.** (1546). Par anal. Qui a un caractère démesuré, excessif. ⇒ **Énorme, excessif.** — Par plais. (choses concrètes). *Un chapeau hyperbolique* (→ Épithète, cit. 2, Gautier).

5 On dit que Moscou renferme plus de trois cents églises et couvents ; nous ne savons si ce chiffre est exact ou purement hyperbolique, mais il paraît très vraisemblable quand on regarde la ville du haut du Kremlin.
Th. GAUTIER, Voyage en Russie, XVII, p. 272.

♦ **4.** Philos. *Doute* hyperbolique de Descartes* (⇒ **Méthodique**).

★ **II.** (1646). Géom. ♦ **1.** Relatif à l'hyperbole (II.). *Figure hyperbolique. — Fonctions hyperboliques :* famille de fonctions définies à partir de la fonction exponentielle*. *Cosinus hyperbolique* (ch), *sinus hyperbolique* (sh), *tangente hyperbolique* (th), *cotangente hyperbolique* (coth). *Fonctions hyperboliques complexes. Fonctions hyperboliques inverses.*

♦ **2.** Qui a la forme de l'hyperbole. *Courbe hyperbolique. Miroir, verre hyperbolique.* — Dont les sections planes sont des hyperboles. *Paraboloïde hyperbolique.* ⇒ **Hyperboloïde.**

CONTR. (Du sens I) **Mesuré, simple.**
DÉR. Hyperboliquement.

HYPERBOLIQUEMENT [ipɛʀbɔlikmɑ̃] adv. — XVIe ; de *hyperbolique.*

♦ Rhét. D'une manière hyperbolique. *S'exprimer, parler hyperboliquement.*

CONTR. Simplement.

HYPERBOLISER [ipɛʀbɔlize] v. intr. — XVIe ; de *hyperbole.*

♦ Vx. Employer un style hyperbolique.

HYPERBOLISME [ipɛʀbɔlism] n. m. — 1829, Boiste ; de *hyperbole.*

♦ Didact., rare. Emploi excessif de l'hyperbole, du style hyperbolique. — REM. Sainte-Beuve emploie le mot *hyperboliste,* n. m. (*Port-Royal, in* T. L. F.).

HYPERBOLOÏDAL, ALE, AUX [ipɛʀbɔlɔidal, o] adj. — XVIIIe ; de *hyperboloïde.*

♦ Qui a la forme d'un hyperboloïde. *Surface hyperboloïdale.*

HYPERBOLOÏDE [ipɛʀbɔlɔid] adj. et n. m. — 1765 ; de *hyperbole,* et suff. *-oïde.*
Didactique.

♦ **1.** Adj. (rare). En forme d'hyperbole.

♦ **2.** N. m. (1830, Cauchy, *in* T. L. F.). Math. Quadrique à centre dont les sections planes sont des hyperboles. *Hyperboloïde de révolution :* surface engendrée par une hyperbole tournant autour d'un de ses axes.

DÉR. Hyperboloïdal.

HYPERBORÉAL, ALE, AUX [ipɛʀbɔʀeal, o] adj. — 1891, Loti ; de *hyperborée, et boréal.*

♦ Littér. Hyperboréen.

HYPERBORÉE [ipɛʀbɔʀe] adj. — 1728 ; n. m., 1372 ; lat. *hyperboreus,* grec *huperboreos,* de *huper* (→ Hyper-), et *boreas* « vent du Nord ».

♦ Vx ou littér. Situé à l'extrême nord ; de l'extrême nord. ⇒ **Hyperboréen, septentrional.** *Un soir d'été hyperborée* (→ Crépuscule, cit. 2, Loti).

DÉR. Hyperboréal.

HYPERBORÉEN, ENNE [ipɛʀbɔʀeɛ̃, ɛn] adj. et n. — 1542, n. m. pl. ; bas lat. *hyperboreanus,* de *hyperboreus.* → Hyperborée.
Didactique ou littéraire.

★ **I.** Adj. Des régions du Grand-Nord. ⇒ **Arctique, hyperborée, polaire.** Syn. rare : *hyperboréal. Régions, contrées, zones hyperboréennes. « Montagnes hyperboréennes »* (Chateaubriand). *Peuples hyperboréens, peuplades hyperboréennes.*

1 Quel chien d'hiver ! J'ai vu la Seine à Rouen complètement prise ; c'est la troisième fois seulement que, dans ma longue carrière, je jouis de ce spectacle hyperboréen. FLAUBERT, Correspondance, 5e série, Lettre à Jules Duplan, p. 354.

2 (...) ce phénomène s'explique par la conformation plate des territoires qui confinent au pôle, et sur lesquels aucune intumescence du sol n'oppose d'obstacles aux bises hyperboréennes (...) J. VERNE, l'Île mystérieuse, t. II, p. 773.

★ **II.** N. Habitant du Grand-Nord. — Chez les Grecs, *les Hyperboréens :* peuples mythiques du Nord de l'Europe.

HYPERCALCÉMIE [ipɛʀkalsemi] n. f. — 1927, Garnier ; de *hyper-,* et *calcémie.*

♦ Méd. Augmentation anormale du taux de calcium dans le sang.

CONTR. Hypocalcémie.

HYPERCAPNIE [ipɛʀkapni] n. f. — Mil. XXe ; de *hyper-,* et grec *kapnos* « vapeur, fumée ».

♦ Méd. Excès de gaz carbonique dans le sang (par ex., dans l'asphyxie).

CONTR. Hypocapnie.

HYPERCHARGE [ipɛʀʃaʀʒ] n. f. — 1959, *Sciences,* no 1, juin, p. 49 ; angl. *hypercharge,* J. Schwinger, 1956, pour *hyperonic charge* « charge d'hypérons ». → Hypéron.

♦ Phys. nucl. Grandeur scalaire servant à caractériser certaines particules instables (hadrons), et qui se conserve au cours des interactions fortes (symb. *Y*). *L'« étrangeté » est fonction de l'hypercharge.*

HYPERCHLORHYDRIE [ipɛʀklɔʀidʀi] n. f. — Fin XIXe ; de *hyper-, chlorhydr(ique),* et suff. *-ie.*

♦ Méd. Excès d'acide chlorhydrique dans le suc* gastrique, se manifestant par des aigreurs, des douleurs d'estomac, des éructations acides. *Dyspepsie* acide produite par l'hyperchlorhydrie. Soigner l'hyperchlorhydrie par des gels gastriques.* — REM. On dit aussi en ce sens *hyperacidité gastrique.*

CONTR. Hypochlorhydrie.

HYPERCHLORURIE [ipɛʀklɔʀyʀi] n. f. — 1896 ; de *hyper-, chlorure,* et suff. *-ie.*

♦ Chim., physiol. Augmentation de la quantité des chlorures éliminés par les urines.

CONTR. Hypochlorurie.

HYPERCHOLESTÉROLÉMIE [ipɛʀkɔlɛsteʀɔlemi] n. f. — 1912, Garnier-Delamare ; de *hyper-, cholestérol,* et *-émie,* du grec *haima* « sang ».

♦ Méd. Élévation de la quantité de cholestérol dans le sang (à plus de 3 g par litre). *L'hypercholestérolémie, facteur favorisant des complications cardio-vasculaires. « Découverte le plus souvent par les examens de laboratoire chez le sujet autour de la cinquantaine, l'hypercholestérolémie est un facteur de risque important, prédisposant à l'athérosclérose. Elle est combattue par un régime pauvre en graisses et la prise de médicaments spécifiques »* (*Prima,* no 15, déc. 1983, p. 129).

CONTR. Hypocholestérolémie.

HYPERCHOLIE [ipɛʀkɔli] n. f. — 1901, *in* D. D. L. ; de *hyper-,* grec *kholê* « bile », et suff. *-ie.*

♦ Méd. Augmentation anormale de la sécrétion de bile.

CONTR. Hypocholie.

HYPERCHROME [ipɛʀkʀom] adj. — 1962 ; de *hyper-,* et *-chrome.*

♦ Didact. (biol.). Qui est caractérisé par une forte coloration, qui est fortement pigmenté. — Méd. *Anémie hyperchrome.* ⇒ **Hyperchromie,** 2.

CONTR. Hypochrome.

HYPERCHROMIE [ipɛʀkʀomi ; ipɛʀkʀɔmi] n. f. — 1901 ; de *hyper-,* et *-chromie.*
Médecine.

♦ **1.** Pigmentation accrue, locale ou étendue, de la peau. *Hyperchromie d'un nævus. Hyperchromie diffuse.* ⇒ **Mélanisme.**

♦ **2.** (1962). Augmentation relative de l'hémoglobine du sang (observée dans certaines anémies s'accompagnant d'une augmentation du volume des globules rouges, appelées *anémies hyperchromes*).

CONTR. Hypochromie.

HYPERCINÉSIE [ipɛʀsinezi] n. f. — 1873, Larousse ; de *hyper-,* et grec *kinêsis* « mouvement ».

♦ Méd. Accélération ou rapidité anormale des mouvements, des fonctions motrices.

CONTR. Hypocinésie.

HYPERCOAGULABILITÉ [ipɛʀkɔagylabilite] n. f. — 1933; de *hyper-*, et *coagulabilité*.

♦ Méd. Augmentation de la coagulabilité normale du sang.

D'autre part l'hypercoagulabilité sanguine par ses conséquences *(infarctus, embolie)* est un gros problème de la pathologie actuelle.
A. GALLI et R. LELUC, les Thérapeutiques modernes, p. 70.

CONTR. Hypocoagulabilité.

HYPERCOAGULANT, ANTE [ipɛʀkɔagylɑ̃, ɑ̃t] adj. — 1958, Garnier; de *hyper-*, et *coagulant*.

♦ Méd. Qui augmente la coagulabilité sanguine. *Médicaments hypercoagulants.* — N. m. *Les hypercoagulants.*

HYPERCORRECT [ipɛʀkɔʀɛkt] adj. — XXe (1933, Marouzeau); de *hyper-*, et *correct*.

♦ Ling. « Se dit d'une forme reconstruite avec la préoccupation de substituer à un état qu'on suppose altéré un état supposé correct » (Marouzeau). *Forme, graphie hypercorrecte* (et fautive).

Par ext. Se dit de formes linguistiques extrêmes, anormales ou fautives, substituées aux formes normales par un locuteur pour acquérir un statut social plus élevé.

DÉR. Hypercorrection.

HYPERCORRECTION [ipɛʀkɔʀɛksjɔ̃] n. f. — Mil. XXe; de *hypercorrect*, et *correction*.

♦ Ling. Reconstruction fautive d'une forme linguistique produisant une forme hypercorrecte. « Dont auquel » *est une hypercorrection.*

Par ext. Le fait de produire des formes linguistiques anormales ou fautives par souci de manifester une maîtrise du discours (style recherché, etc.) signalant un statut social valorisé. ⇒ **Prétentionnisme.**

HYPERCORTICISME [ipɛʀkɔʀtisism] n. m. — Mil. XXe; de *hyper-*, et *corticisme*, de *cortic(osurrénale)*, et *-isme*.

♦ Méd. Sécrétion exagérée d'hormones de la corticosurrénale et ensemble de troubles consécutifs à la présence en excès de ces hormones.

CONTR. Hypocorticisme.

HYPERCRINIE [ipɛʀkʀini] n. f. — 1855, Nysten; de *hyper-*, lat. *crinus* (du grec *krinein* « séparer » et « évacuer, sécréter »), et suff. *-ie*.

♦ Méd. Augmentation anormale de la sécrétion d'une ou plusieurs glandes, et ensemble de troubles qui s'ensuivent.

CONTR. Hypocrinie.

HYPERCRITIQUE [ipɛʀkʀitik] adj. et n. — 1638, Ménage; de *hyper-*, et *critique*.

Didactique ou littéraire.

★ **I.** N. Vx ou littér. (rare au fém.). Critique rigoureux, excessif, qui ne pardonne rien. ⇒ **Censeur.**

1 La lettre que vous m'avez fait l'honneur de m'écrire, monsieur, doit vous valoir le nom d'hypercritique, qu'on donnait à Scaliger. Vous me paraissez bien redoutable (...) VOLTAIRE, Mérope, Réponse de Voltaire à M. de La Lindelle.

★ **II.** N. f. (1833, E. Quinet, *in* T. L. F.). Critique minutieuse; exercice systématique du doute. *Les thèses excessives de l'hypercritique dans la question homérique, shakespearienne.*

2 — Vous étiez prévenu. Seule une « scientificité », dont il fut montré qu'elle figure parmi les formes prétendument pures et les archétypes semi-platoniciens de ce petit monde, interdit à la fois l'intervention et la critique. Selon la démarche suivie dans cet ouvrage (qui tente de faire le point, de déterminer une orientation et d'ouvrir un horizon), la connaissance scientifique inclut et l'action et la critique et le combat théorique. Au surplus, l'hypercritique vaut mieux que l'absence de critique. Henri LEFEBVRE, la Vie quotidienne dans le monde moderne, p. 351.

★ **III.** Adj. (1789). Très, trop critique. *« Journal hypercritique »* (C. Desmoulins, 1789, *in* Brunot, *H. L. F.*, t. IX, p. 807).

HYPERDULIE [ipɛʀdyli] n. f. — 1488, *yperdulie*; lat. ecclés. *hyperdulia* (1345), de *hyper-*, et *dulia*. → Dulie.

♦ Liturgie cathol. Culte rendu à la Vierge Marie, supérieur au culte de dulie*, rendu aux saints.

HYPERÉMÈSE [ipɛʀemɛz] n. f. — Mil. XXe; de *hyper-*, et grec *emesis* « vomissement ».

♦ Méd. Vomissements abondants, prolongés et fréquents. *Hyperémèse au cours de la grossesse.*

HYPERÉMIE ou **HYPERHÉMIE** [ipɛʀemi] n. f. — 1833, *hyperémie; hyperhémie*, 1903, in *Rev. gén. des sc.*, no 17, p. 907; de *hyper-*, et *-(h)émie*, du grec *haima* « sang ».

♦ Méd. Congestion locale généralement provoquée par un moyen physique ou chimique, par une ligature, etc. ⇒ **Congestion.**

DÉR. Hyperémier.

HYPERÉMIER ou **HYPERHÉMIER** [ipɛʀemje] v. tr. — 1866; de *hyperémie*.

♦ Méd. Produire l'hyperémie. ⇒ **Congestionner.** — Au p. p. *Organe hyperémié.*

HYPERÉMOTIF, IVE [ipɛʀemɔtif, iv] adj. et n. — Attesté 1933, mais antérieur; de *hyper-*, et *émotif*.

♦ Qui est exagérément émotif. ⇒ **Hypersensible.**

CONTR. Apathique, insensible.

HYPERÉMOTIVITÉ [ipɛʀemɔtivite] n. f. — 1926; de *hyper-*, et *émotivité*.

♦ Psychol. Exagération de l'émotivité; susceptibilité extrême aux émotions.

Mouchette, dit gravement l'homme de l'art, qui s'était levé, une dernière fois, ton hyperémotivité m'effraie.
BERNANOS, Sous le soleil de Satan, 1926, *in* Œ. roman., Pl., p. 98.

HYPERERGIE [ipɛʀɛʀʒi] n. f. — Mil. XXe; de *hyper-*, et *-ergie*.

♦ Méd. Allergie à manifestations très intenses.

HYPERESPACE [ipɛʀɛspas] n. m. — Fin XIXe; de *hyper-*, et *espace*.

♦ Géom. Espace de plus de trois dimensions.

Un esprit non prévenu distingue mal les modèles de fil de laiton ou de matière plastique par quoi les mathématiciens dessinent les courbures de leurs hyperespaces, et les sculptures contemporaines où un artiste a poursuivi une pure harmonie de volumes. Roger CAILLOIS, Esthétique généralisée, III, p. 31.

HYPERESTHÉSIE [ipɛʀɛstezi] n. f. — 1808; du lat. méd. *hyperæstheses*, 1795; de *hyper-*, et grec *aisthêsis* « sensibilité ». → -esthésie.

♦ Méd. Sensibilité exagérée, pathologique (on dit aussi *algésie*). *Hyperesthésie de la vue, de l'ouïe, du toucher.* — Fig. *Hyperesthésie affective, morale.*

Elle avait une hyperesthésie morale : tout la faisait souffrir : sa conscience était à nu. R. ROLLAND, Jean-Christophe, Les amies, p. 1114.

Hier soir, injection intra-trachéale d'huile goménolée. Mais l'infiltration et l'hyperesthésie laryngée ont rendu la manœuvre difficile.
MARTIN DU GARD, les Thibault, t. IX, VIII, p. 263.

— Pareillement aux aveugles, lesquels, comme l'indique leur nom, sont dénués de la vue et suppléent à ce manque par une sorte d'hyperesthésie de leurs quatre autres sens au point de remplacer le manquant, de même moi, pauvre sourde, je suis arrivée à remplacer le sens de l'ouïe par une extraordinaire subtilité de la vue (...) A. ALLAIS, Contes et Chroniques, p. 257.

CONTR. Hypoesthésie, insensibilité.

DÉR. Hyperesthésier, hyperesthésique.

HYPERESTHÉSIER [ipɛʀɛstezje] v. tr. — 1905, Barrès, *in* T. L. F.; de *hyperesthésie*.

♦ Didact., rare. Affecter d'hyperesthésie. — Fig., littér. Exagérer fortement (qqch., une émotion...).

CONTR. Anesthésier.

HYPERESTHÉSIQUE [ipɛʀɛstezik] adj. — 1907, in *Rev. gén. des sc.*, no 5, p. 211; *hyperesthétique*, 1873; de *hyperesthésie*.

♦ Méd. Relatif à l'hyperesthésie. — (Personnes). Qui manifeste de l'hyperesthésie. — N. *Un, une hyperesthésique.*

HYPERFOCAL, ALE, AUX [ipɛʀfɔkal, o] adj. — V. 1900; de *hyper-*, et *focal*.

♦ Techn. Se dit de la plus petite distance à laquelle un appareil photographique mis au point sur l'infini donne l'image nette d'un objet. — N. f. *Une hyperfocale.*

HYPERFOLLICULINÉMIE [ipɛʀfɔlikylinemi] n. f. — xxe; de *hyper-, folliculine,* et suff. *-émie.*

♦ Méd. Excès de folliculine dans le sang. *Syndrome d'hyperfolliculinémie.*

On constate que la laxité n'est pas toujours égale pour toutes les articulations chez un même individu, et que, en particulier, un côté est parfois plus souple que l'autre. En outre, la laxité est toujours plus marquée chez la femme et souvent en rapport avec l'hyperfolliculinémie. Pierre VANNIER, l'Homéopathie, p. 72.

HYPERFOLLICULINIE [ipɛʀfɔlikylini] n. f. — Mil. xxe; de *hyper-,* et *folliculine.*

♦ Physiol. Hypersécrétion de folliculine. *Syndrome d'hyperfolliculinie* ou *d'hyperfolliculinisme.*

Ménopause. Les dosages chimiques montrent qu'il se produit généralement une poussée d'hypersécrétion gonadotrope hypophysaire, puis une poussée d'hyperfolliculinie et une phase d'aménorrhée ou d'hémorragies utérines.
BECLÈRE et SIMONNET, *in* A. POROT, Manuel de psychiatrie (1952).

CONTR. Hypofolliculinie.
DÉR. Hyperfolliculinique, hyperfolliculinisme.

HYPERFOLLICULINIQUE [ipɛʀfɔlikylinik] adj. — xxe; de *hyperfolliculinie.*

♦ Physiol. Qui se rapporte à l'hyperfolliculinie.

(...) notre étude biologique et expérimentale de la folliculine nous permettait d'éclairer la psychologie même des malades atteints de psychoses hyperfolliculiniques : en effet, ces malades présentent d'abord une excitation sexuelle qui les choque et les scandalise; cette excitation érotique est ensuite refoulée par suite de la réaction de la conscience morale, mais (...) le sentiment de culpabilité qui en résulte est dérivé et transféré (...) et c'est ainsi que se constituent de véritables délires de persécution hallucinatoires ou interprétatifs.
Henri BARUK, Psychoses et Névroses, p. 102.

CONTR. Hypofolliculinique.

HYPERFOLLICULINISME [ipɛʀfɔlikylinism] n. m. — xxe; de *hyperfolliculinie.*

♦ Physiol. Trouble dû à une sécrétion excessive de folliculine. *L'hyperfolliculinisme est le fait d'une hyperfolliculinie répétée. Syndrome d'hyperfolliculinisme.* — Méd. Trouble provoqué par l'injection multipliée de fortes doses de folliculine dans les organes génitaux de la femme, à titre thérapeutique ou expérimental.

Toutes les recherches *(sur les psychoses hyperfolliculiniques)* devaient avoir des conséquences thérapeutiques et nous amener à essayer de neutraliser l'action de l'hyperfolliculinisme par le corps jaune.
Henri BARUK, Psychoses et Névroses, p. 102.

CONTR. Hypofolliculinisme.

HYPERFONCTIONNEMENT [ipɛʀfɔ̃ksjɔnmɑ̃] n. m. — 1903, in *Rev. gén. des sc.,* no 21, p. 1110; de *hyper-,* et *fonctionnement.*

♦ Didact. (biol.). Fonctionnement anormalement important. *Hyperfonctionnement glandulaire.*

CONTR. Hypofonctionnement.

HYPERFRÉQUENCE [ipɛʀfʀekɑ̃s] n. f. — 1949; de *hyper-,* et *fréquence.*

♦ Radio. Onde ultra-courte* de la portion du spectre comprise entre 1 000 mégahertz et 300 000 mégahertz.

HYPERGAMIE [ipɛʀgami] n. f. — xxe; de *hyper-,* et *-gamie,* dans *bigamie, polygamie.*

♦ Didact. Règle de mariage qui interdit à une personne appartenant à un statut déterminé de prendre un conjoint dans un groupe hiérarchiquement inférieur.

HYPERGENÈSE [ipɛʀʒənɛz] n. f. — 1843; de *hyper-,* et *genèse.*

♦ Biol. Développement exagéré d'une structure anatomique. *Hypergenèse physiologique* (par ex., de la musculature utérine au cours de la grossesse). *Hypergenèse pathologique* (formation des tumeurs).

CONTR. Hypogenèse.
DÉR. Hypergénétique.

HYPERGÉNÉTIQUE [ipɛʀʒenetik] adj. — 1866; de *hypergenèse.*

♦ Biol. Relatif à l'hypergenèse.

HYPERGÉNITALISME [ipɛʀʒenitalism] n. m. — xxe; de *hyper-, génital,* et *-isme.*

♦ Méd. Développement exagéré des caractères sexuels secondaires, dû à une sécrétion excessive d'hormones sexuelles (par l'ovaire, le testicule ou la corticosurrénale).

Quant à l'instinct sexuel, on a remarqué *(S. Belym)* qu'il semble exister une corrélation entre l'hypergénitalisme et la délinquance pour mœurs.
Pierre GRAPIN, l'Anthropologie criminelle, p. 93.

CONTR. Hypogénitalisme.

HYPERGLOBULIE [ipɛʀglɔbyli] n. f. — 1892; de *hyper-,* et *globulie.*

♦ Méd. Augmentation anormale des globules rouges du sang. ⇒ **Érythrémie.**

CONTR. Hypoglobulie.
DÉR. Hyperglobulinémie.

HYPERGLOBULINÉMIE [ipɛʀglɔbylinemi] n. f. — 1958, Garnier; de *hyper-, globuline,* et suff. *-émie.*

♦ Méd. Augmentation anormale de la quantité de globuline du sérum sanguin.

CONTR. Hypoglobulinémie.

HYPERGLYCÉMIANT, ANTE [ipɛʀglisemjɑ̃, ɑ̃t] adj. — Mil. xxe; de *hyperglycémie.*

♦ Méd. Qui produit l'hyperglycémie. *Sécrétion d'une hormone hyperglycémiante.*

CONTR. Hypoglycémiant.

HYPERGLYCÉMIE [ipɛʀglisemi] n. f. — 1877; de *hyper-,* et *glycémie.*

♦ Méd. Excès de sucre dans le sang. ⇒ **Diabète.**

CONTR. Hypoglycémie.
DÉR. Hyperglycémiant.

HYPERGLYCISTIE [ipɛʀglisisti] n. f. — xxe; de *hyper-,* et de *glycose,* anc. forme de *glucose.*

♦ Méd. Élévation du taux de glucose dans les tissus. ⇒ **Hyperglycémie.**

HYPERGUEUSIE [ipɛʀgøzi] n. f. — 1906, Garnier; de *hyper-,* et grec *geusis* « action de goûter ».

♦ Exagération de la sensibilité gustative. — On dit aussi *hypergueustie* [ipɛʀgøsti] n. f. (1873).

HYPERHÉMIE [ipɛʀemi] n. f. ⇒ **Hyperémie.**

HYPERHYDRATATION [ipɛʀidʀatasjɔ̃] n. f. — xxe; de *hyper-,* et *hydratation.*

Médecine.

♦ **1.** Accumulation excessive de liquide, d'eau dans l'organisme. ⇒ **Œdème.**

♦ **2.** Administration thérapeutique de liquides en grande quantité.

CONTR. Déshydratation.

HYPÉRICACÉES [ipeʀikase] n. f. pl. — Déb. xxe; *hypéricées,* 1873; de *hypericum**.

♦ Bot. Famille de plantes dicotylédones dialypétales (ordre des *Guttiférales*) dont le type est le millepertuis.

HYPERICUM [ipeʀikɔm] n. m. — 1572; *ypericom,* 1314, Mondeville; lat. *hypericum, hypericon* « millepertuis », grec *huperikon.*

♦ Bot. Plante dicotylédone dialypétale appelée couramment *millepertuis**.

DÉR. V. Hypéricacées.

HYPÉRIDÉS [ipeʀide] n. m. pl. — 1892, Guérin; de *hypérie,* et *-idés.*

♦ Zool. Famille de crustacés amphipodes au céphalothorax très développé et dont le type est l'*hypérie**. — Au sing. *Un hypéridé.*

HYPÉRIE [ipeʀi] n. f. — 1846, Bescherelle; orig. incert., p.-ê. de *Hyperion,* grec *Huperion,* nom du père d'Apollon.

♦ Zool. Crustacé marin amphipode (famille des *Hypéridés*), aux yeux très développés, présentant un dimorphisme sexuel accusé. *L'hypérie vit à l'état libre ou en commensal dans certaines méduses.*

DÉR. Hypéridés.

HYPERIMMUN, UNE [ipɛʀi(m)mœ̃, yn] adj. — XXe; de *hyper-*, et *immun(iser).*

♦ Méd. Se dit d'une substance douée d'un grand pouvoir d'immunisation (⇒ **Hyperimmunité**). *Sérum hyperimmun.*

HYPERIMMUNITÉ [ipɛʀi(m)mynite] n. f. — XXe; de *hyper-*, et *immunité.*

♦ Méd. Immunité très grande qu'on obtient généralement par l'injection de sérums préparés artificiellement.

HYPERINSULINISME [ipɛʀɛ̃sylinism] n. m. — Mil. XXe; de *hyper-*, et *insulinisme.*

♦ Méd. Ensemble de manifestations dues à une sécrétion exagérée d'insuline dans le pancréas (tumeur, prolifération anormale du tissu sécréteur), liées à une baisse importante du sucre dans le sang (⇒ **Hypoglycémie**) : palpitations, sueurs abondantes, tremblements, malaise (⇒ **Lipothymie**).

HYPERKÉRATOSE [ipɛʀkeʀatoz] n. f. — 1897; de *hyper-*, et *kératose.*

♦ Méd. Épaississement anormal de la couche cornée de l'épiderme, caractéristique de certaines dermatoses. ⇒ **Ichtyose, kératodermie.**

HYPERLEUCOCYTOSE [ipɛʀløkɔsitoz] n. f. — 1902; de *hyper-*, et *leucocytose.*

♦ Méd. Augmentation anormale des globules blancs du sang. ⇒ **Leucémie.**

CONTR. Hypoleucocytose.

HYPERLIPIDÉMIE [ipɛʀlipidemi] ou **HYPERLIPÉMIE** [ipɛʀlipemi] n. f. — 1958; de *hyper-*, et *lipidémie* ou *lipémie.*

♦ Méd. Excès de lipidémie* dans le sang. ⇒ **Lipide.**

CONTR. Hypolipémie ou hypolipidémie.

HYPERMARCHÉ [ipɛʀmaʀʃe] n. m. — V. 1968; de *hyper-*, et *marché.*

♦ Cour. Magasin à libre-service, offrant une superficie de plus de 2500 m² et garantissant des aires de stationnement. ⇒ **Supermarché.** — REM. Ce mot, composé hybride gréco-français, correspond surtout à une classification commerciale et administrative; dans la langue courante, on dit plutôt *supermarché.* — « *L'hypermarché est un piège à clients* » (*le Nouvel Obs.*, 9 oct. 1972, p. 56). « *33 % des hypermarchés et 46 % des supermarchés sont exploités par d'anciens petits commerçants* » (*le Monde*, 14 nov. 1973, p. 38).

(...) on entend le carillon des boutiques de ma jeunesse (...) quand les mammouths *(nom déposé : chaîne de supermarchés)* et autres hypermarchés n'existaient pas.
Christine DE RIVOYRE, le Voyage à l'envers, p. 208.

Abrév. fam. (1972, *in* D. D. L.) : *un hyper.*

HYPERMASTIE [ipɛʀmasti] n. f. — XXe; de *hyper-*, grec *mastos* « mamelle », et suff. *-ie.*

♦ Pathol. Augmentation anormale du volume des seins ou présence de glandes mammaires surnuméraires. *Hypermastie chez l'homme.* ⇒ **Gynécomastie.**

CONTR. Hypomastie.

HYPERMÉNORRHÉE [ipɛʀmenɔʀe] n. f. — 1950, *in* D. D. L.; de *hyper-*, et *ménorrhée.*

♦ Méd. Excès de l'écoulement menstruel. ⇒ **Ménorragie.**

HYPERMÈTRE [ipɛʀmɛtʀ] adj. et n. m. — 1573, de la Taille, *in* Huguet (adj.); grec *hupermetros* « démesuré, excessif » et « qui dépasse la mesure (d'un vers) », de *huper-* (→ Hyper-), et *metron* « mesure, mesure d'un vers » (→ Mètre).

♦ Prosodie grecque et lat. *Vers hypermètre :* vers « dont la syllabe finale est en dehors de la mesure du vers », par élision sur l'initiale du vers suivant, etc. (Marouzeau). — N. m. *Un hypermètre.*

HYPERMÉTRIE [ipɛʀmetʀi] n. f. — 1916, Garnier-Delamare; dér. sav. du grec *hupermetros* « démesuré, excessif ». → Hypermètre.

♦ Méd. Mauvaise coordination des mouvements qui dépassent leur but, surtout lorsqu'il s'agit de mouvements exécutés sur commande. ⇒ **Dysmétrie.**

HYPERMÉTROPE [ipɛʀmetʀɔp] adj. et n. — 1866; du grec *hupermetros* « qui passe la mesure » (→ Hypermètre), et *-ôpos* « qui voit ». → -ope; emmétrope. (L'angl. est attesté en 1864).

♦ Didact. (relativement courant). Atteint d'hypermétropie; qui ne distingue pas avec netteté les objets très rapprochés. *Œil hypermétrope.* — N. *Un, une hypermétrope* (⇒ **Presbyte**).

CONTR. Emmétrope, myope.

DÉR. V. Hypermétropie.

HYPERMÉTROPIE [ipɛʀmetʀɔpi] n. f. — 1866; de *hypermétrope,* ou lat. sav. *hypermetropia,* du grec *hupermetros* (→ Hypermètre) et *-ôpia* (→ -opie).

♦ Didact. État de l'œil dans lequel les rayons parallèles provenant d'une source éloignée vont converger au-delà de la rétine (par oppos. à *emmétropie,* à *myopie**). ⇒ **Amétropie, presbytie.** *Corriger l'hypermétropie par l'utilisation de lentilles convergentes. Souffrir d'hypermétropie.* ⇒ **Hypermétrope.**

HYPERMIMIE [ipɛʀmimi] n. f. — XXe; de *hyper-*, et du grec *mimos* « mime ».

♦ Méd. Exagération des gestes et de l'expression mimique. ⇒ **Amimie, hypomimie.**

CONTR. Hypomimie.

HYPERMNÉSIE [ipɛʀmnezi] n. f. — 1890; de *hyper-*, et *amnésie.*

♦ Méd. Fonctionnement excessif et incontrôlé de la mémoire. — Spécialt. Rappel incontrôlé de nombreux souvenirs fragmentés et hétérogènes, accompagnés de fausses reconnaissances.

CONTR. Hypomnésie.

HYPERMOLÉCULE [ipɛʀmɔlekyl] n. f. — 1972, in *la Clé des mots;* de *hyper-*, et *molécule.*

♦ Chim. Molécule possédant des propriétés d'association dépassant les liaisons chimiques normales.

HYPERNEIGEUX, EUSE [ipɛʀnɛʒø, øz] adj. — Mil. XXe; de *hyper-*, et *neigeux.*

♦ Didact. (géogr.). *Régimes hyperneigeux :* régimes « pour lesquels un froid assez soutenu permet aux précipitations de s'effectuer de dix à douze mois par an sous forme solide » (Charles-Pierre Péguy, *la Neige,* p. 39).

HYPERNERVEUX, EUSE [ipɛʀnɛʀvø, øz] adj. et n. — 1926; de *hyper-*, et *nerveux.*

♦ Cour. D'une nervosité excessive, pathologique. ⇒ **Nerveux.** *Cet enfant est hypernerveux.* — N. *Un hypernerveux, une hypernerveuse.*

HYPERNUTRITION [ipɛʀnytʀisjɔ̃] n. f. — 1897, in *Année biol.;* de *hyper-*, et *nutrition.*

♦ Biol. Nutrition excessive ou anormalement importante (d'un tissu, etc.).

HYPÉRON [ipeʀɔ̃] n. m. — 1953, *Congrès international sur le rayonnement cosmique,* in *Oxford Dict.*, Suppl.; de *hyper-*, et *-on* de *électron;* l'angl. *hyperon* est contemporain.

♦ Phys. Particule élémentaire, peu stable, de masse supérieure à celle des nucléons. *Réactions avec production d'hypérons.*

DÉR. Hypéronique.

HYPÉRONIQUE [ipeʀɔnik] adj. — Mil. XXe (cf. angl. *hyperonic,* 1956, in *Oxford Dict.*, Suppl.); de *hypéron.*

♦ Phys. Relatif aux hypérons. « *L'étude des résonances hypéroniques* » (*la Recherche,* juil. 1970, p. 259). *Charge hypéronique.* → Hypercharge.

HYPERONYME [ipeʀɔnim] n. m. — V. 1960; de *hyper-*, et *-onyme.*

♦ Ling. Mot (et notamment, nom) dont le sens (compréhension logique) inclut celui d'autres mots (noms). « *Cheval* » *est l'hyperonyme* de « canasson », « destrier », etc. ⇒ **Générique.** *« Fleur » est l'hyperonyme de tous les noms de fleurs.*

CONTR. Hyponyme.

HYPERONYMIE [ipɛʀɔnimi] n. f. — V. 1960; de *hyperonyme.*

♦ Caractère d'un hyperonyme, superordination, inclusion par un signifié du signifié d'autres mots.

CONTR. Hyponymie.

HYPEROODON [ipeʀoodɔ̃] n. m. — V. 1795, Lacépède (*in* T. L. F.); comp. sav. du grec *huperoos* « au-dessus de la bouche, du palais », et *odous, odontos* « dent ».

♦ Zool. Mammifère cétacé *(Odontocètes),* caractérisé par un front proéminent, et l'existence d'une seule dent conique de chaque côté de la mâchoire. *L'hyperoodon peut atteindre huit ou neuf mètres de long.*

HYPEROSMIE [ipɛʀɔsmi] n. f. — 1901, Garnier; de *hyper-,* du grec *osmê* « odeur », et suff. *-ie.*

♦ Méd. Exagération de la sensibilité olfactive.

HYPEROSTOSE [ipɛʀɔstoz] n. f. — 1846, Bescherelle; de *hyper-,* du grec *ostoun* « os », et suff. *-ose.*

♦ Pathol. Épaississement circonscrit ou diffus d'un os. ⇒ **Exostose.**

HYPERPARASITE [ipɛʀpaʀazit] adj. et n. m. — xxᵉ; de *hyper-,* et *parasite;* probablt par l'angl. (1889; *hyperparasitic,* 1833, in *Oxford Dict.,* Suppl.).

♦ Biol. Parasite d'un autre parasite (par ex., larve d'un insecte qui se développe dans les œufs d'un autre insecte, eux-mêmes déposés dans les larves d'un hôte).

HYPERPARATHYROÏDIE [ipɛʀpaʀatiʀɔidi] n. f. — D. i. (xxᵉ); cf. angl. *hyperparathyroidism,* 1917, in *Oxford Dict.,* Suppl.; de *hyper-,* et *parathyroïde.*

♦ Méd. Fonctionnement exagéré de la glande parathyroïde, dont la manifestation principale est la décalcification des os avec fractures et déformations osseuses.

CONTR. Hypoparathyroïdie.

HYPERPEPSIE [ipɛʀpɛpsi] n. f. — 1894; de *hyper-,* et du grec *pepsis* « cuisson, digestion ».

♦ Méd. Exagération du fonctionnement de la muqueuse gastrique.

CONTR. Hypopepsie.
DÉR. Hyperpeptique.

HYPERPEPTIQUE [ipɛʀpɛptik] adj. et n. — 1896; de *hyperpepsie.*

♦ Méd. Relatif à l'hyperpepsie. *Gastrite hyperpeptique.* — Qui est atteint d'hyperpepsie. — N. *Un, une hyperpeptique.*

HYPERPHAGIE [ipɛʀfaʒi] n. f. — 1951, Piéron; de *hyper-,* et *-phagie.*

♦ Biol. Tendance à s'alimenter de manière anormalement importante. *« L'hyperphagie intense qui apparaît conduit le rat à doubler son poids en quelques semaines. Chez l'homme obèse, aucune preuve sérieuse n'a été apportée en faveur de dérèglements métaboliques qui seraient la cause première d'une hyperphagie »* (*la Recherche,* juin 1979, p. 654).

CONTR. Anorexie, jeûne.
DÉR. Hyperphagique.

HYPERPHAGIQUE [ipɛʀfaʒik] adj. et n. — 1973, in *la Clé des mots;* de *hyperphagie.*

♦ Biol. De l'hyperphagie. *« Fait curieux, l'obésité déclenchée par lésion de l'hypothalamus peut apparaître chez de jeunes rats sevrés sans comportement hyperphagique ou chez certains rats adultes, sans que l'on augmente leur nourriture »* (*la Recherche,* nᵒ 121, avr. 1981, p. 468).
Atteint d'hyperphagie. — N. *Un, une hyperphagique.*

HYPERPHOSPHATÉMIE [ipɛʀfɔsfatemi] n. f. — 1959, Garnier; de *hyper-, phosphate,* et suff. *-émie.*

♦ Méd. Augmentation anormale de la quantité de phosphates contenus dans le sang.

CONTR. Hypophosphatémie.

HYPERPHRÉNIE [ipɛʀfʀeni] n. f. — Mil. xxᵉ; de *hyper-,* grec *phrên* « esprit, intelligence », et suff. *-ie.*

♦ Psychol. Activité mentale intense, considérée comme pathologique chez les malades atteints de psychose maniaque.

CONTR. Hypophrénie.

HYPERPITUITARISME [ipɛʀpitɥitaʀism] n. m. — 1938, *in* D. D. L.; de *hyper-, pituitaire* (glande), et suff. *-isme.*

♦ Méd. Fonctionnement exagéré du lobe antérieur de l'hypophyse, à manifestations diverses selon l'hormone qui est sécrétée en excès (diabète, ostéoporose, gigantisme, acromégalie).

HYPERPLASIE [ipɛʀplazi] n. f. — 1902; « engorgement », 1866; de *hyper-,* et *-plasie.*

♦ Pathol. Augmentation importante du nombre de cellules (d'un tissu ou d'un organe), sans modification pathologique de la structure de ces cellules (par oppos. à *aplasie*). ⇒ **Hypertrophie.**

CONTR. Hypoplasie.
DÉR. Hyperplasier, hyperplasique.

HYPERPLASIER (S') [ipɛʀplazje] v. pron. — 1925, *in* T. L. F.; de *hyperplasie.*

♦ Pathol. Devenir anormalement gros par hyperplasie. *Tissus, cartilages qui s'hyperplasient.*

▶ **HYPERPLASIÉ, ÉE** p. p. adj. (1904, in *Rev. gén. des sc.,* nᵒ 22, p. 1035). — On trouve aussi l'adj. *hyperplasiant, ante* [ipɛʀplazjɑ̃, ɑ̃t].

HYPERPLASIQUE [ipɛʀplazik] adj. — 1867; de *hyperplasie.*

♦ Physiol., méd. De l'hyperplasie. *Les « malformations hyperplasiques générales* (des dents) » (P.-L. Rousseau, *les Dents,* p. 57).

CONTR. Hypoplasique.

HYPERPNÉE [ipɛʀpne] n. f. — 1927, *in* D. D. L.; de *hyper-,* et du grec *pnein* « respirer ».

♦ Méd. Accélération du rythme de la respiration et augmentation de l'amplitude des mouvements respiratoires. ⇒ **Hyperventilation.**

CONTR. Apnée, dyspnée, hypoventilation.

HYPERPRESSION [ipɛʀpʀesjɔ̃] n. f. — 1926; de *hyper-,* et *pression.*

♦ Didact. Pression excessive ou anormalement élevée. *« On créait (...) dans cette salle d'opération en miniature, une hyperpression d'oxygène »* (Cl. d'Allaines, *Chirurgie du cœur,* p. 69).

HYPERPROSEXIE [ipɛʀpʀozɛksi] n. f. — 1898; de *hyper-,* et grec *prosexie* « attention ».

♦ Psychol. Attention exagérée, parfois obsessionnelle, portée exclusivement sur un fait, un objet, une idée.

CONTR. Hypoprosexie.

HYPERRÉALISME [ipɛʀʀealism] n. m. — V. 1972; d'après l'angl. des États-Unis, de *hyper-,* et *réalisme.*
Didactique.

♦ **1.** École de peinture issue des États-Unis, qui privilégie les procédés liés aux illusionnismes figuratifs, en s'inspirant notamment des effets des procédés photographiques.

L'hyperréalisme est à la mode, l'hyperréaliste attire les foules. Le jour du vernissage de l'exposition « Hyperréalistes américains », la galerie des Quatre-Mouvements (...) était trop petite pour accueillir les visiteurs venus admirer ces nouvelles merveilles (...) A. FERMIGIER, *in* le Nouvel Obs., 6 nov. 1972, p. 22. 1

(Le travail de peindre) ne consiste pas du tout à créer un objet, pas du tout à interpréter la nature, pas du tout à faire voir l'invisible; au contraire dans l'hyperréalisme il ne fait que *répliquer* le plus visible, le moins naturel (photos, affiches) et le déjà donné. J.-F. LYOTARD, Des dispositifs pulsionnels, p. 112. 2

♦ **2.** Rare. Réalisme extrême (en littérature, en philosophie).

J'entends m'en tenir à un réalisme qui ne rejoint le fantastique que par un paroxysme de précision et de rationalisme, par hyperréalisme, hyperrationalisme. C'est 3 peut-être l'occasion de prendre position face au surréalisme, celui des écrivains et celui des peintres. M. TOURNIER, le Vent Paraclet, p. 111.

DÉR. Hyperréaliste.

HYPERRÉALISTE [ipɛʀʀealist] adj. et n. — V. 1972; de *hyperréalisme.*

♦ Qui concerne l'hyperréalisme. *La technique hyperréaliste. Illustrations hyperréalistes. La peinture hyperréaliste.* — N. *Un, une hyperréaliste.*

Ce qui est athlétique et huilé dans notre production industrielle moderne et dans la production hyperréaliste, c'est l'*objet,* la caravane et la photo de la caravane et la peinture de la caravane sur photo.

J.-F. LYOTARD, Des dispositifs pulsionnels, p. 112.

HYPERSÉBORRHÉIQUE [ipɛʀsebɔʀeik] adj. — XXe; de *hyper-, séborrhée,* et suff. *-ique.*

♦ Didact. Caractérisé par un excès de séborrhée.

HYPERSÉCRÉTION [ipɛʀsekʀesjɔ̃] n. f. — 1845; de *hyper-,* et *sécrétion.* Cf. *supersécrétion,* 1834, Broussais.

♦ Physiol. Sécrétion excessive par une glande. *Hypersécrétion de larmes.* ⇒ **Larmoiement.** *Hypersécrétion de salive.* ⇒ **Ptyalisme, sialorrhée.** — (Le compl. désigne la glande). *Hypersécrétion des glandes sébacées* (de sébum par ces glandes). ⇒ **Séborrhée.**

CONTR. Hyposécrétion.

HYPERSENSIBILISATION [ipɛʀsɑ̃sibilizasjɔ̃] n. f. — 1924, *in* T. L. F.; de *hyper-,* et *sensibilisation,* d'après *hypersensible.* Didactique.

♦ **1.** Sensibilisation excessive (d'un organe, d'un organisme).

♦ **2.** En photographie, Augmentation de la sensibilité (par des *sensibilisateurs*).

HYPERSENSIBILITÉ [ipɛʀsɑ̃sibilite] n. f. — 1896, *in* T. L. F.; de *hyper-,* et *sensibilité,* d'après *hypersensible.*

♦ Didact. Sensibilité extrême ou exagérée. *L'hypersensibilité d'un instrument. L'hypersensibilité du foie, d'un tissu.* — (Personnes). *Il est d'une hypersensibilité maladive.*

HYPERSENSIBLE [ipɛʀsɑ̃sibl] adj. — 1907, in *Rev. gén. des sc.,* no 14, p. 602; de *hyper-,* et *sensible.*

♦ **1.** Cour. D'une sensibilité extrême, exagérée. *Un enfant hypersensible.*

1 (...) les justes chagrins de l'homme *(Sainte-Beuve)* laid et hypersensible (...)

Émile HENRIOT, les Romantiques, p. 255.

2 Jouve a des traits de ressemblance morale avec Chateaubriand (...) Très nerveux, hypersensible (...) affectueux, débordant.

R. ROLLAND, Journal des années de guerre, 1914-1919, p. 730.

N. *Un, une hypersensible.*

Physiol. *Tissu, organe hypersensible, hypersensible à...* (une excitation, une stimulation, un allergène spécifique).

♦ **2.** Littér. (Choses). *Un instrument hypersensible.*

CONTR. (De 1.) **Calme, froid, insensible.** — (De 2.) **Approximatif, grossier.**

HYPERSEXUEL, ELLE [ipɛʀsɛksyɛl] adj. — 1948, Mounier; de *hyper-,* et *sexuel.*

♦ Méd. D'une sexualité excessive, dont les besoins sexuels sont déréglés. — N. *Un hypersexuel.* ⇒ **Obsédé** (sexuel). *Une hypersexuelle.* ⇒ **Nymphomane.**

CONTR. Hyposexuel.

HYPERSIALIE [ipɛʀsjali] n. f. — D. i. (XXe); de *hyper-,* grec *sialon* «salive», et suff. *-ie.*

♦ Méd. Augmentation excessive du flux salivaire.

HYPERSOMNIAQUE [ipɛʀsɔmnjak] adj. et n. — Mil. XXe; de *hypersomnie,* d'après *insomniaque.*

♦ Méd. (Personnes). Qui souffre d'hypersomnie. *Il, elle est hypersomniaque.* — N. *« On a reconnu (...) l'existence de véritables hypersomniaques, c'est-à-dire d'individus qui passent 10, 12, 15 heures de la journée endormis »* (*la Recherche,* févr. 1974, p. 124).

CONTR. Insomniaque.

HYPERSOMNIE [ipɛʀsɔmni] n. f. — 1927, Garnier; de *hyper-,* et lat. *somnus* «sommeil».

♦ Méd. Exagération du besoin de dormir, survenant par accès ou sans interruption. ⇒ **Narcolepsie.** *Hypersomnie et maladie du sommeil. Hypersomnie dans les cas d'encéphalites, de tumeurs cérébrales.*

(...) les modifications fonctionnelles ou lésionnelles de la base entraînent par l'intermédiaire du centre régulateur de la veille et du sommeil, des excitations corticales avec excitation psychique et insomnie ou des inhibitions corticales avec inhibition psychique et hypersomnie.

Jean DELAY, Introd. à la médecine psychosomatique, Notes et observations, p. 58.

CONTR. Hyposomnie, insomnie.
DÉR. Hypersomniaque.

HYPERSONIQUE [ipɛʀsɔnik] adj. — Mil. XXe (cf. angl. *hypersonic,* 1946, in *Oxford Dict.,* Suppl.); de *hyper-,* d'après *supersonique;* un autre sens *(ondes hypersoniques)* a existé en physique.

♦ *Vitesses hypersoniques,* plusieurs fois supérieures à celle du son (mesurées en *machs*). → Supersonique. *« Un avion "hypersonique" pourrait fort bien surclasser à son tour le supersonique »* (*Science et Vie,* no 593, p. 128).

HYPERSPLÉNISME [ipɛʀsplenism] n. m. — 1958, Garnier-Delamare; de *hyper-,* du rad. de *splénique,* et suff. *-isme.*

♦ Méd. Fonctionnement exagéré de la rate, responsable de certaines maladies du sang qu'il appauvrit en globules rouges et même en globules blancs, et qui diminue les défenses de l'organisme. *L'hypersplénisme peut être cause d'hémorragies importantes au cours d'une cirrhose du foie.*

HYPERSTATIQUE [ipɛʀstatik] adj. — 1955; de *hyper-,* et *statique.*

♦ Phys. Qui est soumis à des forces qu'on ne peut calculer par les méthodes de mécanique rationnelle (il faut faire intervenir les déformations élastiques).

HYPERSTHÉNIE [ipɛʀsteni] n. f. — 1820; de *hyper-,* et *-sthénie.*

♦ **1.** Pathol. Fonctionnement exagéré (de certains tissus ou organes). *Hypersthénie gastrique.*

♦ **2.** Physiol. Accroissement des forces de l'organisme, de ses possibilités de lutte contre l'infection. — Psychol. Élévation de la tension psychologique.

CONTR. Asthénie, hyposthénie.
DÉR. Hypersthénique.

HYPERSTHÉNIQUE [ipɛʀstenik] adj. — 1826, Broussais; de *hypersthénie.*

♦ Physiol., pathol. Qui s'accompagne d'un excès de forces, d'hypersthénie. *Évolution hypersthénique. Troubles hypersthéniques.*
Qui est atteint d'hypersthénie. — N. *Un, une hypersthénique.*

CONTR. Hyposthénique.

HYPERSUSTENTATEUR, TRICE [ipɛʀsystɑ̃tatœʀ, tʀis] adj. et n. m. — Mil. XXe; de *hyper-,* et *sustentateur.*

♦ Techn. (aviat.). Se dit d'un dispositif destiné à assurer l'hypersustentation. *Volets hypersustentateurs.*

HYPERSUSTENTATION [ipɛʀsystɑ̃tasjɔ̃] n. f. — V. 1959; de *hyper-,* et *sustentation.*

♦ Techn. (aviat.). Augmentation momentanée de la portance des ailes.

HYPERTÉLIE [ipɛʀteli] n. f. — Mil. XXe, *hypertélisme;* du grec *hupertelês,* de *telos* «fin, terme», et suff. *-ie.*

♦ Biol. Développement exagéré d'un caractère morphologique, d'une structure anatomique, pouvant aller jusqu'à constituer une gêne (ex. : bois de certains cervidés).

Par anal. (en parlant des choses) :

Le planeur autonome est adapté très finement au vol sans moteur, alors que le planeur de transport n'est qu'une des deux parties asymétriques d'une totalité technique dont l'autre moitié est le remorqueur; de son côté, le remorqueur se désadapte (...)
On peut donc dire qu'il existe deux types d'hypertélie : l'une qui correspond à une adaptation fine à des conditions définies, sans fractionnement de l'objet technique et sans perte d'autonomie, l'autre qui correspond à un fractionnement de l'objet technique, comme dans le cas de la division d'un être primitif unique en remorqueur et remorqué.

Gilbert SIMONDON, Du mode d'existence des objets techniques, p. 51.

HYPERTÉLORISME [ipɛʀtelɔʀism] n. m. — 1924 (1959, Garnier-Delamare); de *hyper-,* grec *tēlouros* «éloigné», et suff. *-isme.*

♦ Pathol. (rare). Écartement anormal de deux organes symétriques, en particulier des yeux.

HYPERTENDU, UE [ipɛʀtɑ̃dy] adj. — 1907; de *hyper-*, et *tendu.*

♦ Méd. Qui souffre d'hypertension. — N. *Un hypertendu, une hypertendue.*

CONTR. Hypotendu.

HYPERTENSIF, IVE [ipɛʀtɑ̃sif, iv] adj. — 1903, in *Rev. gén. des sc.*, n° 2, p. 108; de *hyper-*, et *tension.*

♦ Méd. Qui relève, qui augmente la tension vasculaire. *Maladie hypertensive* (hypertension essentielle). *Médicament hypertensif*, et, n. m., *un hypertensif.*

CONTR. Hypotensif.

HYPERTENSINE [ipɛʀtɑ̃sin] n. f. — 1959, Garnier-Delamare; mot formé par Houssay; de *hyper-*, rad. de *tens(ion)*, et suff. *-ine.*

♦ Méd. ⇒ **Angiotensine.**

HYPERTENSION [ipɛʀtɑ̃sjɔ̃] n. f. — 1895; de *hyper-*, et *tension.*

♦ **1.** Méd. Tension artérielle supérieure à la normale; augmentation de la tension. *Hypertension vasculaire, artérielle. Hypertension intra-crânienne du liquide céphalo-rachidien dans la méningite.*

Dans les embolies cérébrales minimes, par exemple, vous savez comme moi que c'est par l'hypertension et la tachycardie que le cœur lutte victorieusement contre l'obstruction des alvéoles pulmonaires.
MARTIN DU GARD, les Thibault, t. IX, VIII, p. 114.

♦ **2.** (1913, Barrès). État de tension extrême ou excessive.

CONTR. Hypotension.
DÉR. (Du même rad.) **Hypertendu, hypertensif.**

HYPERTHERMIE [ipɛʀtɛʀmi] n. f. — 1877; de *hyper-*, et *-thermie* (→ -therme).

♦ Didact. Fièvre. *Des accès d'hyperthermie.*

CONTR. Hypothermie.
DÉR. Hyperthermique.

HYPERTHERMIQUE [ipɛʀtɛʀmik] adj. — 1904, in *Rev. gén. des sc.*, n° 6, p. 315; de *hyperthermie.*

♦ Didact. Relatif à l'hyperthermie. *Une poussée hyperthermique* : une poussée de fièvre.

HYPERTHYMIE [ipɛʀtimi] n. f. — XXᵉ; de *hyper-*, et *-thymie.*

♦ Psychol. Augmentation exagérée du tonus affectif vers la gaieté (⇒ **Euphorie**) ou vers la tristesse (⇒ **Mélancolie**).

CONTR. Hypothymie.

HYPERTHYROÏDIE [ipɛʀtiʀɔidi] n. f. ou **HYPERTHYROÏDISME** [ipɛʀtiʀɔidism] n. m. — 1906, *in* D. D. L., *hyperthyroïdie; hyperthyroïdisme*, 1922; de *hyper-*, *thyroïde*, et suff. *-ie* ou *-isme.*

♦ Méd. Exagération de la sécrétion de la thyroïde. *« On observe l'hyperthyroïdie dans certains goitres, dans les thyroïdites aiguës et les néoplasmes malins du corps thyroïde »* (Garnier et Delamare).

CONTR. Hypothyroïdie.
DÉR. Hyperthyroïdien.

HYPERTHYROÏDIEN, ENNE [ipɛʀtiʀɔidjɛ̃, ɛn] adj. — XXᵉ (1924, *in* T. L. F.); de *hyperthyroïdie.*

♦ Méd. Qui concerne l'hyperthyroïdie, en présente les caractères. *Troubles hyperthyroïdiens.* — N. *Un hyperthyroïdien, une hyperthyroïdienne* : un, une malade atteint(e) de ces troubles.

CONTR. Hypothyroïdien.

HYPERTONIE [ipɛʀtɔni] n. f. — 1803; du grec *hupertonos* « tendu à l'excès », de *huper* (→ Hyper-), *tonos* (→ Tonique), et suff. *-ie.*

♦ **1.** Méd. Excès de tension musculaire. ⇒ **Hypertension.** *Hypertonie musculaire.*

♦ **2.** Biol. Excès de tension osmotique d'un liquide. *Hypertonie osmotique.*

CONTR. Hypotonie.
DÉR. Hypertonique.

HYPERTONIQUE [ipɛʀtɔnik] adj. et n. — 1878, cit. ci-dessous; de *hypertonie.*

♦ **1.** Caractéristique de l'hypertonie. *Instabilité hypertonique* (en caractérologie).

♦ **2.** Dont le tonus est trop élevé, à la suite d'une affection qui provoque l'hypertonie. *Organe hypertonique.* — (Personnes). Qui souffre d'hypertonie. — N. *Un, une hypertonique.*

♦ **3.** (1926). En état d'hypertonie. *Solution, milieu organique hypertonique.*

Les sérums artificiels se divisent en isotoniques, dont la concentration est aussi voisine que possible de celle du sérum sanguin, — en hypertoniques, de concentration moléculaire plus forte.
A. MARTINET, Thérapeutique clinique, 1878, p. 71, *in* D. D. L., II, 8.

CONTR. Hypotonique.

HYPERTRICHOSE [ipɛʀtʀikoz] n. f. — 1902; *hypertrichosis*, 1878; de *hyper-*, du grec *thriks, trikhos* « cheveu », et *-ose.*

♦ Pathol. Développement exagéré des poils dans les parties où ces poils se présentent normalement comme un duvet (on dit aussi *hyperpilosité*). ⇒ **Hirsutisme, pilosité.**

HYPERTROPHIE [ipɛʀtʀɔfi] n. f. — 1819, *in* D. D. L.; de *hyper-*, et de *-trophie*, proprt « augmentation, excès de nutrition ».

♦ **1.** Méd. Augmentation de volume (d'un organe) avec ou sans altération anatomique. *Hypertrophie cellulaire.* ⇒ **Hyperplasie.** *Hypertrophie du cœur, du foie, des ganglions* (cit. 2) *lymphatiques.* ⇒ **Gonflement.** *Hypertrophie de la face et des extrémités.* ⇒ **Acromégalie.** — *Hypertrophie compensatrice*, d'un tissu, d'un organe (quand l'organe pair homologue est absent).

♦ **2.** (1865). Abstrait. Développement excessif, anormal. ⇒ **Exagération, excès.** *Hypertrophie d'un sentiment* (→ Éclatement, cit. 2). *Hypertrophie du moi, de la personnalité.* — *Hypertrophie de l'expression* (⇒ **Hyperbole**).

Si l'on examine l'âme moderne, on y rencontre des altérations, des disparates, des maladies, et, pour ainsi dire, des hypertrophies de sentiment et de facultés dont son art est la contre-épreuve. TAINE, Philosophie de l'art, t. II, p. 157.

CONTR. Atrophie, hypotrophie.
DÉR. Hypertrophier, hypertrophique.

HYPERTROPHIER [ipɛʀtʀɔfje] v. tr. — 1833, *in* D. D. L.; de *hypertrophie.*

♦ Produire l'hypertrophie de...

▶ **S'HYPERTROPHIER** v. pron.

Se développer* exagérément, anormalement. *S'hypertrophier par hyperplasie.* ⇒ **Hyperplasier** (s'). *Malade dont le cœur s'est hypertrophié.*

(...) l'évolution qui part du même membre, pour arriver à la main de l'Homme, à 1
l'aile de la Chauve-Souris, au pied du Cheval n'utilise pas tous les éléments donnés au départ : un tel s'hypertrophie tandis que tel autre régresse.
Jules CARLES, le Transformisme, p. 30.

Fig. *Homme dont une fonction s'est hypertrophiée* (→ Génie, cit. 45). *Ville, État qui s'hypertrophie.*

Il est né dans cette ville. De jour en jour, il l'a vue s'hypertrophier, délirer, deve- 2
nir folle. G. DUHAMEL, Scènes de la vie future, VII, p. 108.

▶ **HYPERTROPHIÉ, ÉE** p. p. adj.

Atteint d'hypertrophie. ⇒ **Enflé, énorme, gros.** *Cœur, organe hypertrophié.* — Fig. *Sentiments hypertrophiés.*

Il nous faut donc nous intégrer dans l'armature d'un État hypertrophié, à la fois 3
trop puissant à l'égard des hommes et trop faible par rapport aux immenses problèmes qu'il aurait à résoudre. André SIEGFRIED, l'Âme des peuples, II, p. 22.

HYPERTROPHIQUE [ipɛʀtʀɔfik] adj. — 1832, Raymond; de *hypertrophie.*

♦ **1.** Didact. Qui est relatif à l'hypertrophie. *Déformation hypertrophique.* — Qui est accompagné d'hypertrophie. *Cirrhose hypertrophique.*

♦ **2.** Littér. Qui a pris une importance excessive. *Une bureaucratie hypertrophique.* ⇒ **Hypertrophié.**

CONTR. Atrophique, hypotrophique.

HYPERVENTILATION [ipɛʀvɑ̃tilasjɔ̃] n. f. — XXᵉ; de *hyper-*, et *ventilation.*

♦ Méd. Augmentation du débit respiratoire, par accélération du rythme de la respiration ou de l'ampleur des inspirations (ou des deux processus à la fois). ⇒ **Hyperpnée.**

CONTR. Hypoventilation.

HYPERVITAMINOSE [ipɛʀvitaminoz] n. f. — 1938, *in* D. D. L.; de *hyper-, vitamine,* et suff. *-ose,* d'après *avitaminose.*

♦ Méd. Troubles provoqués dans l'organisme par l'ingestion excessive d'aliments vitaminés. *Hypervitaminose D* : excès de vitamine D.

(...) un excès d'une vitamine déterminée peut-il entraîner des troubles sérieux, ou autrement dit y a-t-il des cas d'hypervitaminoses?
Il est à noter que les vitamines C et B ne déterminent pas d'hypervitaminose (...) Il n'en est point de même des vitamines liposolubles, qui, dans certaines conditions, peuvent s'accumuler dans les cellules et engendrer des désordres très graves.
Suzanne GALLOT, les Vitamines, p. 85.

CONTR. Avitaminose, hypovitaminose.

HYPÈTHRE [ipɛtʀ] adj. et n. m. — 1694; *hipetros,* 1545, trad. de Vitruve; grec *hupaîthros,* mot à mot «sous le ciel», de *hupo* «au-dessous» (→ Hypo-), et *aithra* «ciel pur». → Éther.

Didactique (archéologie).

♦ **1.** À ciel ouvert, sans toit. *Temple hypèthre.* — N. m. *Un hypèthre.*

♦ **2.** N. m. Imposte grillagée au-dessus de la porte d'entrée des temples romains.

HYPHE [if] n. m. — 1840; lat. mod. *hypha* (1813, Candolle, *in* T. L. F.); du grec *huphos* «tissu».

♦ Bot. Filament cloisonné dépourvu de chlorophylle, constitutif du mycélium (⇒ **Thalle**) des champignons supérieurs et des lichens. *Hyphe ascogène**.

HYPHOLOME [ifɔlɔm] n. m. — Déb. XXe; lat. mod. *hypholoma,* de *hyphos* (→ Hyphe), et grec *lôma* «frange».

♦ Bot. Champignon basidiomycète hyménomycète* *(Agaricacées)* possédant une membrane réunissant le haut du pied au bord supérieur du chapeau. *Hypholome en touffes ou fasciculé* (champignon vénéneux). *Des hypholomes.*

HYPN-, HYPNO- Éléments tirés du grec *hupnos* «sommeil», et entrant dans la composition de mots savants tels que : *hypnagogique, hypnose, hypnotique, hypnotiser, hypnotisme, hypnotiseur.*

HYPNAGOGIQUE [ipnagɔʒik] adj. — 1855, Nysten; du grec *hupnos* (→ Hypno-), suff. *-agogie,* et *-ique.*

♦ Didact. Qui précède ou suit immédiatement l'endormissement (opposé à *hypnopompique**). *État, hallucination* (cit. 5) *hypnagogique.*

1 Souvent cette vision *(la vision poétique)* se fait lentement, pièce à pièce, comme les diverses parties d'un décor que l'on pose; mais souvent aussi elle est subite, fugace comme les hallucinations hypnagogiques.
FLAUBERT, Correspondance, 5e série, Lettre à Taine, p. 350.

REM. Certains auteurs ne distinguent pas entre *hypnagogique* et *hypnopompique,* faisant d'*hypnagogique* un terme générique :

2 *Hypnagogiques (états)*... États psychiques intermédiaires entre ceux de la veille et ceux du sommeil (ceux du réveil sont quelquefois appelés *états hypnopompiques*).
CUVILLIER, Nouveau voc. philosophique, Hypnagogiques (états).

DÉR. Hypnagogisme.

HYPNAGOGISME [ipnagɔʒism] n. m. — 1940, Sartre, *in* T. L. F.; de *hypnagogique.*

♦ Didact. État hypnagogique (on dit aussi *hypnagogie* [ipnagɔʒi] n. f.).

HYPNE [ipn] n. f. — 1771, Trévoux; grec *hupnon* «mousse qui pousse sur les arbres».

♦ Bot. Plante cryptogame muscinée *(Bryacées)*; mousse très commune, qui croît sur la terre, les troncs d'arbre. *L'hypne, ou* mousse des jardiniers, *sert à la garniture des jardinières d'appartements; on s'en servait pour emballer les objets fragiles.*

HYPNIQUE [ipnik] adj. — 1905, in *Rev. gén. des sc.,* no 3, p. 101; du grec *hupnikos,* de *hupnos* «sommeil». → Hypno-.

♦ Didact. Relatif au sommeil.

Au second stade *(de l'absorption d'un hypnotique)* il s'agit d'un état hypnoïde qui n'est pas encore le sommeil mais peut déjà s'accompagner de modifications légères des électro-encéphalogrammes. Au troisième stade, il s'agit d'un état hypnique ayant tous les caractères cliniques et électro-encéphalographiques du sommeil.
Jean DELAY, Introd. à la médecine psychosomatique, Notes et observations, p. 65.

HYPNO- ⇒ **Hypn-.**

HYPNO-ANALYSE [ipnoanaliz] n. f. — XXe; de *hypno-,* et *analyse.*

♦ Psychiatrie. Méthode de psychothérapie pratiquée sur un sujet mis en état d'hypnose. ⇒ **Narco-analyse.**

Sous le nom d'hypno-analyse, on a essayé une technique dans laquelle l'hypnose est utilisée pour explorer les résistances dont l'existence est supposée sur des bases analytiques; dans l'intervalle des séances d'hypnose, on poursuit «l'analyse» en se guidant sur les observations faites pendant l'état hypnotique.
Daniel LAGACHE, la Psychanalyse, p. 104.

HYPNOGÈNE [ipnɔʒɛn] n. m. — 1939, *in* D. D. L.; de *hypno-,* du grec *hupnos* «sommeil», et *-gène.*

♦ Méd. Produit qui provoque le sommeil. ⇒ **Hypnotique, narcotique, somnifère.** *Action hypnogène d'un somnifère.*

À onze heures du matin, Paoli sortit d'un très long sommeil, d'un sommeil étouffant et torride, accablant, qu'il avait provoqué neuf heures auparavant à l'aide d'une dose trop forte d'hypnogènes. J.-M. G. LE CLÉZIO, la Fièvre, p. 107.

HYPNOGRAMME [ipnɔgʀam] n. m. — 1974, *la Recherche;* de *hypno-,* et *(encéphalo)gramme.*

♦ Didact. Encéphalogramme* enregistré pendant une période de sommeil. *L'hypnogramme permet de distinguer les phases du sommeil et d'étudier objectivement l'activité onirique.*

HYPNOÏDE [ipnɔid] adj. — D. i. (attesté mil. XXe); all. *hypnoid* (Breuer et Freud, 1893, in *Oxford Dict.,* Suppl.); de *hypn(o)-,* et *-oïde.*

♦ Psychiatrie. Qui a l'apparence du sommeil; qui se rapproche du sommeil par le fait que les facultés de perception et l'activité intellectuelle sont ralenties. *L'état hypnoïde est un état de sommeil artificiel obtenu par l'administration de certaines drogues. État préfigurant un état hypnoïde.* ⇒ **Hyponoïde.**

L'état hypnoïde désigne un fléchissement de la vigilance qui entraîne une diminution de l'activité intellectuelle ou noétique; l'état hypnoïde appartient déjà au domaine d'Hypnos, qui est celui du sommeil.
Jean DELAY, Introd. à la médecine psychosomatique, Notes et observations, p. 60 (1961).

HYPNOPOMPIQUE [ipnopɔ̃pik] adj. — D. i. (XXe); angl. *hypnopumpic,* 1901, Myers; de *hypno-,* et grec *pompê* «retour».

♦ Méd. Qui se produit dans l'état de demi-sommeil précédant le réveil (parfois opposé à *hypnagogique**, parfois considéré comme syn.; → Hypnagogique, cit. 2). *Hallucinations hypnopompiques.*

HYPNOSE [ipnoz] n. f. — V. 1870 (1873, *in* P. Larousse), postérieur à *hypnotisme,* pris à l'angl.; «maladie du sommeil», 1862, Dangais, in *Année sc. et industr.* 1863, p. 360; *hypnotique* (dans ce sens) et *hypnotiser* sont antérieurs; du grec *hupnoein* «endormir» ou de *hypnotique;* on parlait auparavant de *magnétisme, magnétisation.*

♦ **1.** État voisin du sommeil, provoqué par des manœuvres de suggestion, des actions physiques ou mécaniques (⇒ **Hypnotisme, magnétisme, suggestion**) ou par des médicaments hypnotiques. ⇒ **Catalepsie, léthargie, narcose, somnambulisme.** *États d'hypnose. Être, tomber en état d'hypnose, dans l'hypnose.* ⇒ **Transe** (en). *Hypnose provoquée par des agents chimiques.* ⇒ **Narcose.** *Docilité du sujet en état d'hypnose à l'égard de l'hypnotiseur. Utilisation thérapeutique de l'hypnose.*

(...) l'hypnose, la possession de l'âme d'un être par un autre qui le voue au crime! 1
HUYSMANS, Là-bas, XV, p. 206.

Sauf dans des cas tout particuliers, à la suite de suggestions spéciales, on ne trouve 2
pas pendant l'hypnose la réduction des fonctions qui caractérise le sommeil : la respiration reste celle de la veille et ne baisse pas dans ces proportions énormes qui caractérisent le sommeil. Mais surtout l'activité mentale reste susceptible de tension élevée : dans la plupart des cas le sujet reste capable de se mouvoir et d'agir spontanément, en tous les cas il comprend la parole et il parle.
P. JANET, les Médications psychologiques, t. I, IV, p. 266.

Le bar était à peu près vide. Machinalement, comme en hypnose, elle se dirigea 3
vers Fontranges, s'assit près de lui, et tout recommença.
GIRAUDOUX, Bella, p. 233.

L'état d'hypnose existe chez certains animaux *(poule).* Chez l'homme, les procédés 4
par lesquels il peut être provoqué sont : la prise du regard, la fixation d'un point brillant, la compression des globes oculaires associés à des mouvements respiratoires lents et profonds (...) Au cours de l'état d'hypnose, le sujet manifeste à l'égard de son hypnotiseur une très grande docilité, répond à ses questions et peut libérer son subconscient; il reçoit également toutes ses suggestions avec une certaine facilité, accomplit des actes au commandement, peut recevoir des ordres à retardement qui seront exécutés après son réveil (...) Mentionnons aussi les cas d'hypnose collective provoquée dans certaines sectes religieuses (...) par des pratiques rituelles : psalmodies, balancements et flexions rythmées du tronc, fumées d'aromates, musique monotone, etc. A. POROT, Manuel de psychiatrie, art. *Hypnose.*

♦ **2.** (1895, J. Lorrain, *in* T. L. F.). Cour. État d'engourdissement ou d'abolition de la volonté, qui rappelle l'*hypnose.* ⇒ **Enchantement, ensorcellement, envoûtement.** *L'auditoire était en état d'hypnose.* → Sous le charme*.

5 Il n'est pas toujours facile *(pour un poète)* de produire l'hypnose, mais il est très facile de procurer le sommeil. CLAUDEL, Positions et Propositions, p. 17.

6 À peine eut-elle prononcé ces mots qu'elle parut sortir de son hypnose, sa figure s'anima, ses yeux perdirent quelque chose de leur limpidité, mais elle ne recula pas d'un pouce. H. BOSCO, le Sanglier, VI, p. 190.

COMP. Auto-hypnose.

HYPNOTIQUE [ipnotik] adj. — 1549; bas lat. *hypnoticus,* du grec *hupnotikos,* de *hupnos* «sommeil». → Hypnose.

♦ **1.** Méd. Qui provoque le sommeil. ⇒ **Narcotique, somnifère, soporifique; calmant.** *Médicament hypnotique* (→ Excitant, cit. 9). *Propriétés hypnotiques de l'acétophénone.* — N. m. *Un hypnotique. Prendre une dose d'hypnotique, des hypnotiques. Les barbituriques, les anxiolytiques, l'hydrate de chloral sont des hypnotiques.*

♦ **2.** (1855). Qui a rapport au sommeil incomplet provoqué (appelé plus tard *hypnose*), à l'hypnotisme. *État, sommeil, catalepsie hypnotique.* — Qui provoque l'hypnose. *Pratiques hypnotiques. Suggestion hypnotique.*

1 (...) la suggestibilité est fort variable dans l'état hypnotique (...) les caractères psychologiques de l'état hypnotique sont exactement les mêmes que ceux des somnambulismes qu'on observe spontanément au cours de l'hystérie (...) P. JANET, les Médications psychologiques, t. I, IV, p. 261 et 275.

2 (...) la suggestion presque hypnotique d'un beau livre qui, comme toutes les suggestions, a des effets très courts. PROUST, À la recherche du temps perdu, t. XIII, II, p. 176.

3 À la suite de certaines manœuvres psychologiques (...) un engourdissement apparaît avec suspension des fonctions psycho-motrices. C'est la catalepsie hypnotique. Dr H. BARUK, Psychoses et Névroses, p. 58.

4 (...) telle est donc aussi en définitive la cause première qui explique la suggestibilité hypnotique : état de fatigue ou de faiblesse comme celui que créent la plupart des maladies débilitantes (...) la *multiplication des consciences* qui caractérise si curieusement les *états seconds* des hypnotiques n'est qu'une sorte de corollaire de cette pulvérisation de l'esprit dans les idées fixes qui annonce la démence. M. PRADINES, Traité de psychologie générale, t. I, I, p. 21.

(Personnes; êtres animés). Qui est accessible à l'état d'hypnose. *Sujet hypnotique.* — N. (1882, Goncourt). *Un, une hypnotique.*

DÉR. Hypnotiquement, hypnotiser. — V. Hypnotisme.

HYPNOTIQUEMENT [ipnotikmɑ̃] adv. — 1924, Valéry; de *hypnotique.*

♦ Didact. Par l'hypnose; en état d'hypnose. *Fixer hypnotiquement un objet.*

HYPNOTISABLE [ipnɔtizabl] adj. — 1886, ex. ci-dessous; de *hypnotiser.*

♦ Didact. Qui peut être hypnotisé. *Un sujet facilement, difficilement hypnotisable. «Dans la même ville, une femme hypnotisable était insensible à l'action des médicaments»* (*Année sc. et industr.* 1887, p. 394; 1886). — REM. Le dér. *hypnotisabilité* [ipnɔtizabilite] n. f., est attesté.

HYPNOTISANT, ANTE [ipnɔtizɑ̃, ɑ̃t] adj. — 1886, cit.; p. prés. de *hypnotiser.*

♦ **1.** Qui produit un état d'hypnose ou analogue à l'hypnose. *Produits hypnotisants.* — (Personnes). Qui hypnotise (1.).

Qu'un médecin hypnotisant demande à un sujet hypnotisé quel sera le cours de la Bourse du lendemain, et s'il devine juste, je croirai à sa clairvoyance. L. FIGUIER, l'Année scientifique et industrielle 1887, p. 395 (1886).

♦ **2.** Littér. Fascinant.

HYPNOTISATION [ipnɔtizasjɔ̃] n. f. — 1894, cit.; de *hypnotiser;* on parlait auparavant de *magnétisation.*

♦ Didact. Action d'hypnotiser. ⇒ **Hypnose.**

(...) si on introduit dans l'estomac d'un chien 4 à 6 grammes de cette substance, on détermine une hypnotisation très marquée (...) L. FIGUIER, l'Année scientifique et industrielle 1895, p. 257 (1894).

HYPNOTISER [ipnɔtize] v. tr. — 1855; du rad. de *hypnotique,* et suff. *-iser;* on disait auparavant *magnétiser.*

♦ **1.** (Sujet n. de personne; compl. n. d'être animé). Endormir artificiellement par les procédés de l'hypnotisme; mettre en état d'hypnose. ⇒ **Magnétiser.**

1 Je suis convaincu que même en employant les procédés les plus doux, nous déterminons toujours une violente émotion dès que nous cherchons à hypnotiser une personne et il ne serait pas bon de chercher à diminuer trop cette émotion car nous perdrions en même temps une grande partie de notre influence. P. JANET, les Médications psychologiques, t. I, IV, p. 280.

2 Il me regarde comme s'il voulait m'hypnotiser (...) G. DUHAMEL, Scènes de la vie future, XIII, p. 200.

3 *(Il était)* comme relié à elle, même absent, par un fil secret (...) par une télépathie mystérieuse, comme si elle l'eût galvanisé, hypnotisé à distance, à chaque seconde et comme s'il eût été exposé, privé tout d'un coup de cette aide incessante, à tomber en catalepsie. M. JOUHANDEAU, Tite-le-Long, III, p. 37.

Sujet n. de chose :

Vaucorbeil (...) fit tomber sa casquette. Pécuchet recouvra ses facultés. «Je m'en doutais», dit le médecin, «la visière vernie vous hypnotise comme un miroir; et ce phénomène n'est pas rare chez les personnes qui considèrent un corps brillant avec trop d'attention». FLAUBERT, Bouvard et Pécuchet, VIII. 3.1

Au participe passé :

(...) un visage inerte au regard fixe et comme hypnotisé. J. CHARDONNE, les Destinées sentimentales, III, p. 471. 4

♦ **2.** (Sujet n. de chose ou de personne; compl. n. de personne). Fasciner (qqn) au point qu'il oublie tout le reste ⇒ **Éblouir, obnubiler.** *Les penseurs du XIXe siècle ont été hypnotisés par le Cogito* (cit.) *cartésien.*

Vous savez que la musique m'hypnotise, elle boit mes pensées. MAUPASSANT, Fort comme la mort, p. 261. 5

Les Allemands sont hypnotisés par le péril russe. MARTIN DU GARD, les Thibault, t. VI, VII, p. 47. 6

▶ **S'HYPNOTISER** v. pron. (1897, *in* D. D. L.).

S'hypnotiser sur (qqch.) : être absorbé, fasciné par (qqch.), au point que l'attention accaparée ne peut se porter ailleurs (→ Disperser, cit. 10). *S'hypnotiser devant qqch.*

Marchenoir se jeta au souvenir de sa Véronique comme à un autel de refuge. Il voulut s'hypnotiser sur cette pensée unique. Il commande à la chère figure de lui apparaître et de le fortifier. Léon BLOY, le Désespéré, p. 118. 7

L'habitude de ne pas s'analyser et la rêvasserie active de Guillaume ne l'aidaient pas à voir clair. À force d'entretenir du chien-et-loup, il s'encombrait de ténèbre. Au lieu de se dire qu'il aimait Henriette, ce qui sortait de son jeu, il s'hypnotisait sur ce jeu et attribuait son malaise à l'inaction, au manque d'aventures. COCTEAU, Thomas l'imposteur, Folio, p. 80. 8

▶ **HYPNOTISÉ, ÉE** p. p. adj. *Des sujets hypnotisés. Regard hypnotisé.* → ci-dessus, cit. 4. — *Des auditeurs hypnotisés.* — N. (1873). Celui, celle qui est hypnotisé(e).

(...) les besoins et les émotions refoulés exercent sur le Moi une pression inaperçue, d'où (...) les justifications tendancieuses d'actions dont la motivation efficace reste inconsciente (rationalisation) : le Moi «aliéné» se trouve des raisons, comme l'hypnotisé réveillé pour accomplir l'ordre qu'il a reçu pendant l'hypnose. Daniel LAGACHE, la Psychanalyse, p. 44. 9

DÉR. Hypnotisable, hypnotisant, hypnotisation, hypnotiseur.

HYPNOTISEUR [ipnɔtizœʀ] n. m. — 1860; de *hypnotiser.*

♦ Personne qui hypnotise. ⇒ **Magnétiseur.** *L'hypnotiseur et l'hypnotisé.* — Par appos. *Guérisseur, thérapeute hypnotiseur.* ⇒ **Hypnotiste.**

Et en effet, sans doute, les médecins ont pu constater que les gens de lettres dorment mal, souffrent de maux qu'on guérit difficilement, sont difficiles à soigner et désireux d'être drogués, qu'ils sont une proie facile pour les hypnotiseurs et les charlatans. PROUST, Jean Santeuil, Pl., p. 733. 1

On constate parfois entre un sujet hypnotisé et l'hypnotiseur un lien invisible qui les met en rapport l'un avec l'autre. Ce lien paraît être une émanation du sujet. Quand l'hypnotiseur est ainsi en rapport avec l'hypnotisé, il peut lui suggérer, à distance, certains actes à accomplir. Alexis CARREL, l'Homme, cet inconnu, VII, p. 315. 2

REM. Le fém. *hypnotiseuse* est virtuel.

HYPNOTISME [ipnɔtism] n. m. — 1845, «sommeil produit par la vue d'un objet brillant»; par l'interm. de l'angl. *hypnotism,* J. Braid, 1841, de *hypnotic,* lui-même empr. au franç. *hypnotique**.

♦ **1.** (V. 1860). Ensemble des phénomènes qui constituent le sommeil artificiel provoqué (⇒ **Hypnose**) : raideurs musculaires (⇒ **Catalepsie**), actes exécutés inconsciemment sur commande (⇒ **Somnambulisme**). *État, phénomènes d'hypnotisme.*

(...) le magicien se sert d'une voyante, d'une femme qui s'appelle, dans ce monde-là, «un esprit volant»; c'est une somnambule qui, mise en état d'hypnotisme, peut se rendre en esprit où l'on veut qu'elle aille. HUYSMANS, Là-bas, p. 202. 1

L'hypnotisme qui est sorti graduellement de l'ancien magnétisme animal n'est pas autre chose que la production artificielle du somnambulisme. Il peut se définir comme une transformation momentanée de l'état mental d'un individu, déterminée artificiellement par un autre homme et suffisante pour amener des dissociations de la mémoire personnelle. P. JANET, les Médications psychologiques, t. I, IV, p. 270-271. 2

♦ **2.** Ensemble des procédés physiques ou psychiques mis en œuvre pour déclencher les phénomènes d'hypnose*. ⇒ **Fascination, magnétisme.** *Séance d'hypnotisme.*

Au point de vue médico-légal, l'hypnotisme a soulevé des problèmes délicats; on a pu penser que l'on pouvait suggérer à un sujet endormi des actes délictueux ou criminels qu'il accomplirait ultérieurement. En fait, disait Rogues de Fursac, il est remarquable que, depuis beaucoup plus d'un siècle qu'on se préoccupe des méfaits de l'hypnotisme au point de vue social, il n'existe pas dans la littérature un seul cas probant de crime commis sous l'influence de l'hypnotisme. A. POROT, Manuel de psychiatrie, art. *Hypnotisme.* 3

♦ **3.** Science qui traite des phénomènes hypnotiques. *Richet, Char-*

cot, Bernheim, Janet, théoriciens de l'hypnotisme. Babinski, Dupré, détracteurs de l'hypnotisme.

DÉR. **Hypnotiste.**

HYPNOTISTE [ipnɔtist] n. — 1890; de *hypnotisme.*

♦ Didact. Personne qui s'occupe d'hypnotisme, qui utilise l'hypnotisme à des fins scientifiques, thérapeutiques (→ Hypnotiseur).

Mais il s'agit d'une méthode *(l'hypno-analyse)* non analytique, puisque l'hypnotiste induit activement un transfert parental, alors que le psychanalyste évite soigneusement de jouer le rôle parental projeté sur lui par le patient.
Daniel LAGACHE, la Psychanalyse, p. 105.

HYPNOTOXINE [ipnotɔksin] n. f. — 1906, in *Rev. gén. des sc.,* nº 8, p. 356; de *hypno-,* et *toxine.*

♦ Biol. Toxine paralysante sécrétée par les tentacules des cœlentérés.

Ils *(Portier et Richet)* étudiaient le poison sécrété par diverses variétés de méduses. En injectant ce poison, ils mirent en évidence ses propriétés toxiques entraînant une hypnose et une analgésie, d'où le nom d'hypnotoxine que ces savants proposèrent.
A. GALLI et R. LELUC, les Thérapeutiques modernes, p. 28.

HYPO- Préfixe tiré du grec *hupo* « au-dessous, en deçà », qui entre dans la composition de nombreux mots scientifiques pour exprimer la diminution, l'insuffisance, la situation inférieure (au propre et au figuré).

REM. 1. En chimie, l'idée d'insuffisance, de petite quantité, que marque *hypo-* ne s'applique pas à la racine du mot, mais à l'oxygène qui se trouve dans le corps. Ex. : un acide *hypochloreux,* un *hypochlorite* ne contient pas moins de *chlore,* mais moins d'*oxygène* qu'un acide *chloreux, chlorique,* qu'un *chlorate,* etc.

2. *Hypo-* semble moins productif que *hyper-* auquel il correspond en général. Il est cependant très fréquent en médecine et en biologie.

CONTR. **Hyper-.**

HYPOACOUSIE [ipoakuzi] n. f. — 1900, *in* D. D. L.; de *hypo-,* grec *akousis* « action d'entendre », et suff. *-ie.*

♦ Méd. Diminution de l'acuité auditive.

CONTR. **Hyperacousie.**

HYPOALGÉSIE [ipoalʒezi] n. f. — 1897, in *Année biol.*; de *hypo-,* grec *algesis* « douleur », et suff. *-ie.*

♦ Méd. Diminution anormale de la sensibilité à la douleur.

CONTR. **Hyperalgésie.**

HYPOALLERGÉNIQUE [ipoalɛʀʒenik] adj. — V. 1970; de *hyp(o)-, allergène,* et suff. *-ique.*

♦ Pharm. Dont la composition minimise les risques d'allergie. *Une crème hypoallergénique. Produits hypoallergéniques. « Un produit hypoallergénique est un produit mis au point et testé en laboratoire pour minimiser les risques d'allergie et être toléré même par les peaux les plus fragiles »* (*Cosmopolitan,* nº 118, sept. 1983, p. 165).

REM. On trouve aussi la var. *hypoallergique* [ipoalɛʀʒik] : « dont l'indice allergisant est faible » (CILF, nº 7, 1974, *in* T. L. F.).

CONTR. **Allergénique.**

HYPOAZOTEUX [ipoazɔtø] adj. m. — XIXᵉ; de *hypo-,* et *azoteux.*

♦ Chim. Se dit d'un acide $H_2N_2O_2$, dont le sel est *l'hypoazotite* (n. m.).

HYPOBARISME [ipobaʀism] n. m. — XXᵉ; de *hypo-,* grec *baros* « lourd », et suff. *-isme.* Cf. angl. *hypobaric,* 1930, in *Oxford Dict.,* Suppl.

♦ Méd. Ensemble de troubles entraînés par une baisse rapide de pression ambiante au-dessous de celle de l'intérieur de l'organisme. → Dysbarisme.

CONTR. **Hyperbarisme.**

HYPOBAROPATHIE [ipobaʀopati] n. f. — Mil. XXᵉ; de *hypo-,* grec *baros* « lourd », et *-pathie.*

♦ Physiol., méd. Ensemble de troubles provoqués par un séjour dans des conditions de faible pression atmosphérique (par ex., en haute altitude).

HYPOCAGNE [ipɔkaɲ] n. f. ⇒ **Hypokhâgne.**

HYPOCALCÉMIE [ipokalsemi] n. f. — 1927, *in* D. D. L.; de *hypo-,* et *calcémie.*

♦ Méd. Diminution de la quantité de calcium contenue dans le sang.

CONTR. **Hypercalcémie.**

HYPOCALORIQUE [ipokalɔʀik] adj. — Répandu v. 1970-80; de *hypo-* et *calorique.*

♦ D'abord didact. (méd.); devenu relativement cour. avec la vogue de la diététique. *Régime hypocalorique,* dans lequel les aliments n'apportent que peu de calories. *Prescrire un régime hypocalorique à un obèse.* — Par ext. *Aliments hypocaloriques.*

HYPOCAPNIE [ipokapni] n. f. — XXᵉ; de *hypo-,* du grec *kapnos* « fumée », et suff. *-ie.*

♦ Méd. Diminution du taux de gaz carbonique dans le sang. *Hypocapnie provoquée par l'hyperventilation pulmonaire.*

CONTR. **Hypercapnie.**

HYPOCARPOGÉ, ÉE [ipokaʀpɔʒe] adj. — 1866, Littré; de *hypo-,* du grec *karpos* « fruit », et *gê* « terre ».

♦ Bot. Dont les fruits mûrissent sous la terre. *L'arachide, plante hypocarpogée.*

HYPOCAUSTE [ipokost] n. m. — 1547; grec *hupokauston,* de *hupo* (→ Hypo-), et *kaiein* « brûler ».

♦ Archéol. Fourneau souterrain pour chauffer les bains, les chambres (dans les thermes*, etc.).

(...) la précision complexe du système de fours (...) d'hypocaustes (complétés ou non par les tubulures montant à l'intérieur des murs évidés dont elles remplissaient les parois), qui transportait, répartissait, dosait la chaleur dans les salles *(des thermes romains).*
J. CARCOPINO, la Vie quotidienne à Rome..., p. 296.

Pièce qui renfermait ce fourneau.

HYPOCENTRE [iposɑ̃tʀ] n. m. — 1922; de *hypo-,* et *centre.*

♦ Géol. Foyer réel d'un séisme, situé dans les profondeurs de la Terre (par oppos. au *foyer apparent.* ⇒ **Épicentre**).

HYPOCHLOREUX [ipoklɔʀø] adj. m. — 1866; de *hypo-,* et *chloreux.*

♦ Chim. Se dit d'un acide (HOCl) et d'un anhydride (Cl_2O) du chlore (contenant moins d'oxygène que l'acide chloreux, que l'anhydride chloreux).

HYPOCHLORHYDRIE [ipoklɔʀidʀi] n. f. — Fin XIXᵉ; de *hypo-,* du rad. de *chlorhydr(ique),* et suff. *-ie.*

♦ Méd. Diminution de la quantité d'acide chlorhydrique dans la sécrétion* stomacale (suc gastrique).

CONTR. **Hyperchlorhydrie.**

HYPOCHLORIQUE [ipoklɔʀik] adj. — XIXᵉ; de *hypo-, chlore,* et *-ique.*

♦ Chim. (vx). *Acide hypochlorique* : peroxyde de chlore*.

HYPOCHLORITE [ipoklɔʀit] n. m. — 1855, Nysten; de *hypo-, chlore,* et *-ite.*

♦ Chim. Sel de l'acide hypochloreux. *Hypochlorites de sodium, de potassium* (eau de Javel), *de calcium,* employés comme désinfectants.

HYPOCHLORURIE [ipoklɔʀyʀi] n. f. — 1896, *in* D. D. L.; de *hypo-,* et de *chlorure.*

♦ Méd. Diminution ou insuffisance de la quantité de chlorures contenus dans l'urine. *Souffrir d'hypochlorurie.*

CONTR. **Hyperchlorurie.**

HYPOCHOLESTÉROLÉMIE [ipokɔlesteʀɔlemi] n. f. — 1912, Garnier et Delamare; de *hypo-, cholestérol,* et *-émie,* du grec *haima* « sang ».

♦ Méd. Diminution de la quantité de cholestérol contenue dans le sang.

CONTR. **Hypercholestérolémie.**

HYPOCHOLIE [ipokɔli] n. f. — Mil. xxe; de *hypo-*, et *-cholie*, du grec *kholê* «bile».

♦ Méd. Diminution de la sécrétion de bile.

CONTR. **Hypercholie.**

HYPOCHROME [ipokʀɔm] ou **HYPOCHROMIQUE** [ipokʀɔmik] adj. — Mil. xxe; de *hypo-*, *-chrome*, du grec *khrôma* «couleur», et suff. *-ique*.

♦ Méd. Se dit d'une anémie caractérisée par une diminution du nombre des hématies avec abaissement du taux d'hémoglobine, sans variation sensible du nombre des globules. *Anémie hypochrome* ou *hypochromique*.

CONTR. **Hyperchrome.**

HYPOCHROMIE [ipokʀɔmi] n. f. — 1931, Larousse; de *hypo-*, et *-chromie*.

♦ Didact. Diminution de la pigmentation cutanée (quelle qu'en soit la cause).

CONTR. **Hyperchromie.**

HYPOCINÉSIE [iposinezi] n. f. — D. i. (xxe); de *hypo-*, et grec *kinêsis* «mouvement».

♦ Méd. Lenteur anormale des mouvements, des fonctions motrices.

CONTR. **Hypercinésie.**

HYPOCOAGULABILITÉ [ipokɔagylabilite] n. f. — 1933, J. Carles, *in* D. D. L.; de *hypo-*, et *coagulabilité*.

♦ Méd. Diminution anormale de l'aptitude à coaguler. *L'hypocoagulabilité sanguine se traduit par la diminution de la vitesse de coagulation du sang.*

CONTR. **Hypercoagulabilité.**

1. HYPOCONDRE [ipɔkɔ̃dʀ] n. m. — xive; bas lat. (plur. neutre) *hypochondria*, du grec *hupo* (→ Hypo-), et *khondros* «cartilage des côtes».

♦ Anat. Chacune des parties latérales de la région supérieure de l'abdomen, à droite et à gauche de l'épigastre*. *Hyponcondre droit, gauche.* — Méd. anc. Organes situés au niveau des hypocondres.

(...) cette maladie, procédante du vice des hypocondres (...)
MOLIÈRE, Monsieur de Pourceaugnac, I, VIII.

HOM. 2. **Hypocondre.**

2. HYPOCONDRE [ipɔkɔ̃dʀ] adj. — 1653; au sens de «hypocondrie», 1609; de *hypocondriaque*.

♦ **1.** Rare. Atteint d'hypocondrie*. ⇒ **Hypocondriaque.** — N. *Un, une hypocondre.*

1 Vallette nous parlait aussi du caractère de Barrès. C'est un hypocondre, qui a de grands moments d'abattement, des moments où il lui faut absolument quelqu'un qui le remonte, en l'assurant de sa valeur, de son talent, en lui assurant qu'il réussira.
Paul LÉAUTAUD, Journal littéraire, 29 janv. 1906, I, p. 259.

♦ **2.** Vx. Déraisonnable, fou.

2 Est-ce (...) par un goût hypocondre, que cette femme aime un valet?
LA BRUYÈRE, les Caractères, III, 32.

CONTR. **Gai.**
HOM. 1. **Hypocondre.**

HYPOCONDRIAQUE [ipɔkɔ̃dʀijak] adj. et n. — V. 1560; grec *hupokhondriakos* «malade des hypocondres», de *hupokhondria.* → Hypocondrie.

♦ **1.** Méd. anc. Qui a rapport aux hypocondres, provient des hypocondres (1. Hypocondre). → Atrabilaire, cit. 3. *Maladie hypocondriaque.* ⇒ **Hypocondrie.**

1 (...) cette sorte de folie que nous nommons fort bien mélancolie hypocondriaque, espèce de folie très fâcheuse (...) laquelle procède du vice de quelque partie du bas-ventre et de la région inférieure (...)
MOLIÈRE, Monsieur de Pourceaugnac, I, VIII.

♦ **2.** (Après 1550, Paré). Méd. Qui a rapport à l'hypocondrie*. *Idées hypocondriaques,* fondées sur l'anxiété devant la maladie (cf. Idées noires).

2 (...) cette aventure effroyable l'a guérie pendant deux ans d'un état de dépression hypocondriaque extrêmement grave avec troubles circulatoires des plus étranges qui durait depuis des années.
P. JANET, les Médications psychologiques, t. III, p. 170.

Qui est atteint d'hypocondrie. *Sujet hypocondriaque.* ⇒ **Hypocondre; dépressif, neurasthénique.** — N. *Un, une hypocondriaque, qui passe son temps à consulter des médecins et à collectionner les médicaments.*

Tuquedenne s'approcha de cette troisième année avec la ferme volonté d'«en sortir», ce qui signifiait pour lui détruire toute une série de comportements aux couleurs successives de la paresse et de la lâcheté. Il s'y prit d'une façon particulière : en devenant hypocondriaque. Il s'aperçut qu'il était affligé d'une demi-douzaine de maladies et d'infirmités (...) 2.1
R. QUENEAU, les Derniers Jours, p. 176.

♦ **3.** Vx. D'humeur triste et capricieuse. ⇒ **Acariâtre, bilieux, chagrin, morose;** → Atrabilaire, cit. 9. — N. *Un, une hypocondriaque.*

Le génie Cucufa est un vieil hypocondriaque, qui craignant que les embarras du monde et le commerce des autres génies ne fissent obstacle à son salut, s'est réfugié dans le vide pour (...) s'ennuyer, enrager et crever de faim. 3
DIDEROT, les Bijoux indiscrets, IV.

CONTR. **Gai.**
DÉR. 2. **Hypocondre, hypocondrie.**

HYPOCONDRIE [ipɔkɔ̃dʀi] n. f. — Attestation isolée, av. 1478; *ipocondrie,* xve; repris 1781, d'Alembert; de 2. *hypocondre,* ou du bas lat. *hypocondria,* de même origine.

♦ **1.** Méd. Disposition obsessionnelle caractérisée par un état d'anxiété habituelle et excessive du sujet à propos de sa santé. ⇒ **Atrabile, bile** (noire), **mélancolie, neurasthénie;** 1. **vapeur** (3., vx). *Les anciens attribuaient l'hypocondrie à un trouble des organes situés dans les hypocondres. Être atteint d'hypocondrie.* ⇒ **Hypocondriaque.** *Tourner à l'hypocondrie* (→ Hanter, cit. 15).

Les excellentes leçons que Votre Majesté veut bien me donner sur *l'hypocondrie* ou *hypocondrerie,* plus élégamment appelée *vapeurs,* me font craindre, pour l'honneur de ma raison, que Votre Majesté ne me croie attaqué de cette maladie (...) 1
D'ALEMBERT, Lettre au roi de Prusse, 29 juin 1781.

Ce fut l'objet d'une querelle commencée doucement, mais qui s'envenima par degrés, et où l'hypocondrie du comte, apaisée depuis quelques jours, demanda ses arrérages à la pauvre Henriette. 2
BALZAC, le Lys dans la vallée, Pl., t. VIII, p. 872.

Ta grand-mère passe maintenant d'assez bonnes nuits; en somme, elle va mieux (...) Mais elle s'ennuie! elle s'ennuie! elle s'ennuie! (...) elle a grand besoin de distraction pour ne pas tomber dans l'hypocondrie. 3
FLAUBERT, Correspondance, 5e série, Lettre à sa nièce Caroline, p. 177.

Car il sait *(le médecin)* qu'un homme qui écrit de beaux livres est quelqu'un qui ne dort pas, qui se croit malade, qui a des crises d'asthme qu'on ne peut soigner, qui consulte les médecins, et que cela fait partie du talent. Néanmoins, il aime bien avoir un tel homme pour client, car s'il ne compte rien faire à son asthme, à ses insomnies, à son hypocondrie, choses qu'on n'a jamais pu guérir et qui sont l'effet même de son génie (...) 3.1
PROUST, Jean Santeuil, Pl., p. 732.

Il se rattachait au type du Méridional maigre, dont la mine n'est pas toujours brillante, et qui, fort sensible à la douleur, ferait volontiers de l'hypocondrie, mais finalement, d'inquiétude en inquiétude, atteint un âge avancé. 4
J. ROMAINS, les Hommes de bonne volonté, III, VIII, p. 125.

♦ **2.** Vx. Humeur mélancolique (⇒ **Chagrin, ennui, spleen**) ou acariâtre, sans fixation particulière sur l'anxiété à propos de la santé. REM. Cette valeur ancienne du mot est difficile à distinguer du sens moderne. → ci-dessus, cit. 1, 2.

HYPOCORISTIQUE [ipɔkɔʀistik] adj. — 1893; l'angl. *hypocoristic* est antérieur (1796); grec *hupokoristikos,* même sens, de *hypokorizesthai* «parler avec des diminutifs», de *hupo* (→ Hypo-), et *korizesthai* «cajoler», de *korê* «jeune fille». → Koré.

♦ Ling. Qui exprime une intention affectueuse par un procédé linguistique et notamment lexical spécifique (ex. : *fifille* pour «fille»). *Diminutifs*, redoublements hypocoristiques.* ⇒ **Affection,** 2. *Usage, valeur hypocoristique d'un mot.* — N. m. *Un hypocoristique.*

N. m. (collectif). Le langage hypocoristique.

Les frontières de l'hypocoristique sont cependant floues, et il n'est pas toujours facile de l'isoler des langages voisins : le familier ou l'enfantin (sans même parler du «langage bébé», qui est encore autre chose), l'argotique ou même le dialectal, voire, exceptionnellement, le langage poétique.
Jacques POHL, la Faune hypocoristique, *in* Vie et Langage, janv. 1974.

HYPOCORTICISME [ipokɔʀtisism] n. m. — xxe; de *hypo-*, et *corticisme,* par abrév. de *cortic(osurrénale),* et suff. *-isme.*

♦ Physiol., méd. Insuffisance de l'activité corticosurrénale et troubles qui s'ensuivent.

CONTR. **Hypercorticisme.**

HYPOCRAS [ipɔkʀas] n. m. — 1377, *ipocras;* du nom d'*Hippocrate* auquel on attribuait l'invention de ce breuvage; altér. probable de l'anc. franç. *bogerastre, borgerastre* «boisson aromatique», var. *boucraste,* p.-ê. altér. du grec byzantin *hypokeraston,* ou encore d'un bas lat. **hippocrasticum (vinum)* «(vin) hippocratique».

♦ Anciennt. Vin sucré où l'on a fait infuser de la cannelle, du girofle. *L'hypocras, boisson tonique très estimée au moyen âge* (→ Expédier, cit. 4).

(...) des vins secs ou tannés et cuits, des capiteux hypocras, chargés de cannelle, d'amandes et de musc (...)
HUYSMANS, Là-bas, VIII, p. 117.

HYPOCRINIE [ipɔkʀini] n. f. — 1908, *Encyclopédie universelle du XXe s.*; de *hypo-*, et du rad. de *endocrine*.

♦ Méd. Diminution anormale de la sécrétion d'une ou plusieurs glandes endocrines et ensemble des troubles qui s'ensuivent.

CONTR. Hypercrinie.

HYPOCRISIE [ipɔkʀizi] n. f. — V. 1175, *ypocrisie*; bas lat. *hypocrisia*, grec *hupokrisis*, proprt «jeu de l'acteur», d'où «mimique», de *hupokrinesthai* «jouer un rôle, mimer», de *hupokrinein* «distinguer approximativement», de *hupo* (→ Hypo-), et *krinein* «séparer, distinguer». → Crise, critique.

♦ **1.** Caractère et attitude d'une personne qui déguise son véritable caractère, cache ses véritables tendances et pensées, feint des opinions, des sentiments, des vertus qu'elle n'a pas. ⇒ **Affectation, déloyauté, dissimulation, duplicité, fausseté, fourberie, fraude; jésuitisme, patelinage** (vx); → Fier, v., cit. 4. *Le masque de l'hypocrisie* (→ Arborer, cit. 8; cœur, cit. 84). *L'hypocrisie des âmes basses* (cit. 38). *Inventions qui encouragent l'hypocrisie* (→ Glacer, cit. 17). *Âme pure et naïve, sans aucune hypocrisie* (→ Égarer, cit. 9). *Convaincre qqn d'hypocrisie.* ⇒ **Imposture.** *Reproche* (→ Autoriser, cit. 9), *soupçon d'hypocrisie* (→ Emporter, cit. 44). *Des employés qui font assaut d'hypocrisie. Circonvenir qqn en usant d'hypocrisie.* → Faire patte* de velours. *L'hypocrisie de qqn, son hypocrisie. Il, elle est d'une hypocrisie totale, révoltante. Avoir l'hypocrisie de...* (et inf.). — *Hypocrisie de langage, de mœurs, de moralité* (→ Cant, cit.). *Hypocrisie cauteleuse* (cit. 3), *doucereuse, sournoise.* — Comportement hypocrite (d'un groupe d'humain). → ci-dessous, cit. 5, 6, 7, 9. *L'hypocrisie d'une époque. La férocité de l'hypocrisie bourgeoise* (→ Envi, cit. 4). *L'hypocrisie puritaine de l'époque victorienne* (→ Glacial, cit. 5). *Les formes de l'hypocrisie sociale* (→ Fraternité, cit. 8).

1 Ce n'est plus rien que fard, qu'hypocrisie,
Que brigandage et rien qu'apostasie,
Qu'erreur, que fraude, en ce temps obscurci (...)
RONSARD, Pièces posthumes, «Caprice».

2 L'hypocrisie est un hommage que le vice rend à la vertu.
LA ROCHEFOUCAULD, Maximes, p. 218.

3 Le voile de la modestie couvre le mérite, et le masque de l'hypocrisie cache la malignité. LA BRUYÈRE, les Caractères, XII, 27.

4 Fleury la reçut *(la barrette)* avec la même simplicité apparente qu'il avait reçu la place de premier ministre, et qu'il dirigea toutes les actions de sa vie, sans jamais laisser entrevoir sur son visage ni les sourcils de la fierté ni les grimaces de l'hypocrisie. VOLTAIRE, le Siècle de Louis XV, III.

5 Aussi (...) la femme comme il faut vit-elle entre l'hypocrisie anglaise et la gracieuse franchise du dix-huitième siècle (...)
BALZAC, Autre étude de femme, Pl., t. III, p. 233.

6 Les mœurs sont l'hypocrisie des nations; l'hypocrisie est plus ou moins perfectionnée. BALZAC, Physiologie du mariage, Pl., t. X, p. 630.

7 Le manteau d'hypocrisie catholique dont ils furent forcés de recouvrir leur sensualité si naturellement païenne, servit aux fins de l'art (...)
GIDE, Nouveaux prétextes, p. 37.

8 En Allemagne, nous avons l'hypocrisie de parler toujours d'idéalisme, en poursuivant toujours notre intérêt; et nous nous persuadons que nous sommes idéalistes, en ne pensant qu'à notre égoïsme.
R. ROLLAND, Jean-Christophe, La foire sur la place, I, p. 719.

9 L'hypocrisie est une nécessité des époques où il faut de la simplicité dans les apparences, où la complexité humaine n'est pas admise, où la jalousie du pouvoir ou bien la stupidité de l'opinion impose un modèle aux personnes. Le modèle est promptement pris pour masque. VALÉRY, Variété II, p. 69.

Spécialt. Attitude trompeuse qui consiste à affecter des sentiments religieux. *Hypocrisie du faux dévot.* ⇒ **Bigoterie, bigotisme, cafardise** (rare), **dévotion** (cit. 3 et 5), **papelardise, pharisaïsme, tartuferie.** *Faire la distinction* (cit. 1) *entre l'hypocrisie et la dévotion.* — *L'Hypocrisie* (1767), satire de Voltaire.

10 (...) l'hypocrisie est un vice à la mode, et tous les vices à la mode passent pour vertus. Le personnage d'homme de bien est le meilleur de tous les personnages qu'on puisse jouer aujourd'hui, et la profession d'hypocrite a de merveilleux avantages (...) Tous les autres vices des hommes sont exposés à la censure (...) mais l'hypocrisie est un vice privilégié, qui, de sa main, ferme la bouche à tout le monde (...) Combien crois-tu que j'en connaisse qui, par ce stratagème, ont rhabillé adroitement les désordres de leur jeunesse, qui se sont fait un bouclier du manteau de la religion et, sous cet habit respecté, ont la permission d'être les plus méchants hommes du monde? MOLIÈRE, Dom Juan, V, II.

11 Quant au reste, je parle de l'hypocrisie, ne pensez pas que je la borne à cette espèce particulière qui consiste dans l'abus de la piété, et qui fait les faux dévots. Je la prends dans un sens plus étendu, et (...) peut-être malgré vous-mêmes serez-vous obligé de convenir que c'est un vice qui ne vous est que trop commun (...)
BOURDALOUE, Sermon 2e Avent, Sur jugement dernier, II
(→ Hypocrite, cit. 3).

12 L'hypocrisie des Pharisiens, qui en priant tournaient la tête pour voir si on les regardait, qui faisaient leurs aumônes avec fracas, et mettaient sur leurs habits des signes qui les faisaient reconnaître pour personnes pieuses, toutes ces simagrées de la fausse dévotion le révoltaient.
RENAN, Vie de Jésus, V, Œ. compl., t. IV, p. 139.

♦ **2.** (1775). Caractère de ce qui est hypocrite*. *L'hypocrisie d'un argument, d'un procédé.* ⇒ **Jésuitisme.** *Voilà qui est d'une hypocrisie insupportable* (→ Fonction, cit. 6). *L'hypocrisie de son regard, de sa voix.* — *L'hypocrisie des lois, des institutions familiales, de la vie politique.*

13 (...) un siècle où l'hypocrisie de la décence est poussée presque aussi loin que le relâchement des mœurs.
BEAUMARCHAIS, le Barbier de Séville, Lettre... sur la critique.

14 (...) on lui sait gré d'avoir noté d'un trait spirituel qu'il y a des chefs-d'œuvre ennuyeux que les gens se croient obligés d'admirer de confiance : ce qu'il appelle «l'hypocrisie du goût». Émile HENRIOT, les Romantiques, p. 436.

♦ **3.** Par métonymie. Les hypocrites. *Démasquer, combattre l'hypocrisie.*

♦ **4.** (1669). Littér. *Une, des hypocrisies.* Acte, manifestation hypocrite. ⇒ **Comédie, feinte, fraude, grimace, jonglerie, mascarade, mensonge, pantalonnade, simagrée, tromperie.** *Commettre une hypocrisie. Ne vous laissez pas prendre à ces hypocrisies. Tout cela est pure hypocrisie. Quelle hypocrisie! Trêve d'hypocrisie!*

Tout son fait, croyez-moi, n'est rien qu'hypocrisie. MOLIÈRE, Tartuffe, I, 1. 15

(...) les déguisements et les artifices, pour ne pas dire les hypocrisies de l'amour- 16
propre (...) BOURDALOUE, Sermon 1er Avent, Sur jugement dernier, II.

Mais si tout cela n'est qu'hypocrisie, si je dois voir en vous un serpent que j'aurai 17
réchauffé dans mon sein, vous seriez une infâme, une horrible créature!
BALZAC, Pierrette, Pl., t. III, p. 730.

CONTR. Franchise, loyauté, sincérité.

HYPOCRITE [ipɔkʀit] n. et adj. — V. 1175, *ipocrite*; bas lat. *hypocrita*, grec *hupokritès* «acteur, mime, imitateur (qui accompagnait l'acteur parlant par des gestes)», de *hupokrinesthai* «feindre, jouer un rôle». → Hypocrisie.

★ **I.** N. Personne qui a de l'hypocrisie, fait preuve d'hypocrisie, qui affecte des sentiments, des opinions qu'elle n'a pas et cache ses pensées. ⇒ **Comédien, fourbe, grimacier, imposteur, jésuite, jeton** (faux), **Judas, patte-pelu** (vx), **sournois** (→ Fanfaron, cit. 7).

Ce mot se dit généralement de tout homme qui cache ce qu'il est, pour paraître 1
ce qu'il n'est pas, qui se montre avec un caractère qui n'est pas le sien (...) La vie des *hypocrites* est une comédie perpétuelle; ils sont presque toujours sur le théâtre et ne quittent guère le masque. Dict. de Trévoux, art. *Hypocrite.*

Les ruses et les astuces (cit. 2) *d'un hypocrite adroit, habile, rusé* (→ Enfieller, cit. 2). *Les multiples déguisements de l'hypocrite* (⇒ **Caméléon**). *Un théologien hypocrite.* ⇒ **Escobar** (vx). *Cromwell, hypocrite raffiné* (→ Entreprendre, cit. 3). *Faire l'hypocrite.* ⇒ **Bonhomme, saint** (petit). *C'est une petite hypocrite; on lui donnerait le bon Dieu sans confession*.* → Nitouche (sainte). *Hypocrite qui cache* (cit. 6), *farde son jeu. Agir en hypocrite* (→ Sans avoir l'air d'y toucher*). *Traiter qqn d'hypocrite* (→ Condamner, cit. 13).

(...) il n'eût pu la cacher *(sa joie)*, quand même il eût été le plus grand hypocrite 2
du monde. SCARRON, le Roman comique, IX, p. 40.

(...) car j'appelle hypocrite quiconque, sous de spécieuses apparences, a le secret 3
de cacher les désordres d'une vie criminelle. Or, en ce sens, on ne peut douter que l'hypocrisie ne soit répandue dans toutes les conditions, et que, parmi les mondains, il ne se trouve encore bien plus d'imposteurs et d'hypocrites que parmi ceux que nous nommons dévots (...) l'espérance de l'hypocrite était qu'on ne le connaîtrait jamais à fond, et qu'éternellement le monde serait la dupe de sa damnable politique; et son désespoir (...) sera de ne pouvoir se déguiser, de n'avoir plus de ténèbres où se cacher, de voir malgré lui le voile de son hypocrisie levé, ses artifices découverts (...)
BOURDALOUE, Sermon 2e Avent, Sur jugement dernier, II
(→ Hypocrisie, cit. 11).

Un hypocrite est un patient dans la double acception du mot; il calcule un 4
triomphe et endure un supplice. HUGO, les Travailleurs de la mer, I, VI, VI.

De même que l'on doit porter le costume de tout le monde, chacun a ses gants 5
d'hypocrite vis-à-vis de tous les autres, et jusque dans son lit.
André SUARÈS, Trois hommes, «Ibsen», III.

Un hypocrite de (suivi du nom du sentiment affecté).

Je suis (...) le contraire d'une hypocrite d'amitié (...) 6
Mme DE SÉVIGNÉ, 1115, 1688.

L'homme que le feu du canon prussien ne fait pas sourciller ne peut point être un 7
hypocrite de bravoure (...) STENDHAL, Lucien Leuwen, VIII, p. 817.

Spécialt. Faux dévot. ⇒ **Béat** (vx), **bigot** (cit. 6), **cafard, cagot, papelard, pharisien, tartufe.** *Distinguer le véritable hypocrite du vrai dévot* (cit. 5). *Les aumônes* (cit. 2) *et les prières des hypocrites* (→ Barboter, cit. 7). *Hypocrites et libertins à la cour* (cit. 13). *Tartuffe, comédie de Molière contre* (cit. 18) *les hypocrites et leurs grimaces* (→ Effaroucher, cit. 6).

(...) lorsque vous priez, ne soyez pas comme les hypocrites, qui aiment à prier 8
debout dans les synagogues et au coin des rues, afin d'être vus des hommes.
BIBLE (CRAMPON), Évangile selon saint Matthieu, VI, 5.

(...) si je faisais une comédie qui décriât les hypocrites, et mît en vue comme il 9
faut toutes les grimaces étudiées de ces gens de bien à outrance, toutes les friponneries couvertes de ces faux-monnayeurs en dévotion, qui veulent attraper les hommes avec un zèle contrefait et une charité sophistique.
MOLIÈRE, Tartuffe, 1er placet au roi.

Ah! Chrétiens, que d'hypocrites à qui Dieu tout à coup lèvera le masque! Que de 10
vertus chimériques et plâtrées, dont nous recevrons plus de confusion que de nos vices mêmes reconnus de bonne foi et confessés!
BOURDALOUE, Sermon 1er Avent, Sur jugement dernier, II.

Quand je lis le *Tartuffe*, je me dis : Sois hypocrite si tu veux, mais ne parle pas 11
comme l'hypocrite. DIDEROT, le Neveu de Rameau, Pl., p. 467.

Votre Majesté n'a pas d'idée du déchaînement général des hypocrites et des fana- 12
tiques contre la malheureuse philosophie (...) Toute la basse littérature est à leurs ordres, et crie sans cesse, *religion*, dans les brochures, dans les dictionnaires, dans les sermons. D'ALEMBERT, Lettre au roi de Prusse, 11 mai 1773.

Avez-vous donc pu croire, hypocrites surpris, 13
Qu'on se moque du maître, et qu'avec lui l'on triche (...)
BAUDELAIRE, les Épaves, XVIII.

(...) le mot de Tartuffe deviendra un nom commun et signifiera en effet un hypo- 14
crite, un imposteur (...) G. DUHAMEL, Refuges de la lecture, VIII, p. 255.

★ **II.** Adj. [a] (Personnes). Qui se comporte avec hypocrisie, cache ses sentiments et ses tendances, en affecte d'autres. ⇒ **Artificieux, cauteleux, déloyal, dissimulé, double, faux** (cit. 27), **menteur** (→ Ennemi, cit. 4; exalter, cit. 25; frère, cit. 19). *Âme, caractère, homme hypocrite.* ⇒ **Face** (à double). *Courtisan hypocrite.* ⇒ **Flatteur.** *Être, se faire hypocrite auprès de qqn.* → Tout sucre*, tout miel. *Il est hypocrite et sournois*.* *Hypocrite et capable de trahison.* ⇒ **Félon** (littér.).

5 Malheur à vous, scribes et Pharisiens hypocrites; parce que vous ressemblez à des tombeaux blanchis, qui au dehors paraissent beaux, mais au dedans sont remplis d'ossements de morts et de toute immondice.
BIBLE (CRAMPON), Évangile selon saint Matthieu, XXIII, 27.

6 Faire poser le masque à cette âme hypocrite (...) MOLIÈRE, Tartuffe, IV, 4.

7 (...) on ne peut être hypocrite que par une expresse perfidie et une malice déterminée. BOSSUET, 6e Avertissement aux protestants, III, LXXVI.

8 Du rigorisme embouche la trompette;
Sois hypocrite, et ta fortune est faite. VOLTAIRE, Satires, Le pauvre diable.

9 Lettré, lâche, hypocrite et charlatan (...) poli, complimenteur, adroit, fourbe et fripon; qui met tous les devoirs en étiquettes, toute la morale en simagrées, et ne connaît d'autre humanité que les salutations et les révérences.
ROUSSEAU, Julie ou la Nouvelle Héloïse, IV, Lettre III.

10 Je n'écris que pour cent lecteurs, et de ces êtres malheureux, aimables, charmants, point hypocrites, point «moraux», auxquels je voudrais plaire (...)
STENDHAL, De l'amour, p. IX.

11 Là est la différence qui se trouve entre les mœurs du grand monde et les mœurs du peuple : l'un est franc, l'autre est hypocrite; à l'un le couteau, à l'autre le venin du langage ou des idées (...)
BALZAC, le Contrat de mariage, Pl., t. III, p. 160.

11.1 — Hypocrite lecteur, — mon semblable, — mon frère!
BAUDELAIRE, les Fleurs du mal, Au lecteur.

12 Je trouvai la force d'être hypocrite avec toupet. Je fis : «Tiens! Je croyais que vous sortiez tous les soirs à quatre heures?»
J. ROMAINS, les Hommes de bonne volonté, t. III, p. 267.

b (Choses). Qui est empreint d'hypocrisie, dénote de l'hypocrisie. *Air, maintien, sourire, ton hypocrite.* ⇒ **Affecté, mielleux, patelin.** *Minois hypocrite d'un chat* (cit. 2). *Assez de manières, de mines hypocrites.* ⇒ **Cabotinage, momerie, simagrée, singerie.** *L'attitude hypocrite du fourbe* (→ Componction, cit. 1). *Larmes hypocrites.* ⇒ **Crocodile** (de). *Gentillesse hypocrite.* ⇒ **Félin.** *Bienséance hypocrite.* ⇒ **Cant.** *Menées hypocrites.* ⇒ **Jésuitique, sourd, tortueux.** *Louanges, promesses hypocrites.* ⇒ **Fallacieux.** *Camaraderie* (cit. 5) *hypocrite et méfiante. Les dehors hypocrites de la vie familiale* (→ Changer, cit. 74).

13 Fausse beauté qui tant me coûte cher,
Rude en effet, hypocrite douceur (...) VILLON, le Testament, Ballade à s'amie.

14 Souvent un visage moqueur
N'a que le beau semblant d'une mine hypocrite. CORNEILLE, Mélite, III, 2.

15 De ces femmes pourtant l'hypocrite noirceur,
Au moins pour un mari garde quelque douceur. BOILEAU, Satires, X.

16 (...) tout son extérieur contraint, gêné, affecté; l'odeur hypocrite, le maintien faux et cynique, des révérences lentes et profondes; allant toujours rasant les murailles, avec un air toujours respectueux (...) et des propos toujours composés (...)
SAINT-SIMON, Mémoires, II, XLVII.

17 C'est trahir à la fois, sous un masque hypocrite,
Et le Dieu qu'on préfère, et le Dieu que l'on quitte (...) VOLTAIRE, Alzire, V, 5.

18 (...) la *modestie* est quelquefois *hypocrite*, et la *simplicité* ne l'est *jamais*.
D'ALEMBERT, Dialogue entre Descartes et Christine.

19 Je viens de trouver un moyen simple de mettre ces fripons au pied du mur : je répondrai à leur doctrine sublime, à leurs appels hypocrites à la conscience par ce mot bien humble : que me donnez-vous? STENDHAL, Lucien Leuwen, VIII.

CONTR. **Cordial, droit, franc, loyal, sincère.**
DÉR. **Hypocritement.**

HYPOCRITEMENT [ipɔkʀitmɑ̃] adv. — 1584; de *hypocrite*.

♦ D'une manière hypocrite; avec hypocrisie. ⇒ **Déloyalement.** *Répondre hypocritement. Singer hypocritement la pudeur.*

C'est toujours quand les femmes ont quelque pensée importante qu'elles disent hypocritement : je n'ai rien (...) BALZAC, les Paysans, Pl., t. VIII, X, p. 157.

CONTR. **Franchement; droitement, loyalement.**

HYPOCYCLOÏDE [iposiklɔid] n. f. — 1863; de *hypo-*, et *cycloïde*.

♦ Géom. Courbe engendrée par un point d'un cercle qui roule sans glisser à l'intérieur d'un autre cercle (opposé à *épicycloïde*).

1. HYPODERME [ipodɛʀm] n. m. — 1818, Latreille; de *hypo-*, et *derme*.

♦ Zool. Insecte diptère *(Œstridés)* dont les larves vivent sous la peau des ruminants chez lesquels ils peuvent provoquer des maladies (⇒ **Hypodermose**) et qui peut provoquer chez l'homme des lésions cutanées appelées *myiases. Hypoderme du bœuf, du chevreuil, du cerf.*

DÉR. **Hypodermose.**
HOM. 2. **Hypoderme.**

2. HYPODERME [ipodɛʀm] n. m. — 1884, Van Tieghem, en bot.; terme créé en all. par Pfitzer (1877), selon P. Larousse; l'angl. *hypoderma* est attesté en anat. en 1826 (→ en franç. Hypodermique, 1854). Didactique.

♦ **1.** Tissu sous-cutané, situé sous le derme (chez les vertébrés). *Injection dans l'hypoderme.* ⇒ **Hypodermique.**

♦ **2.** Bot. Tissu situé sous l'épiderme (de certaines tiges ou feuilles).

COMP. **Hypodermite.**
HOM. 1. **Hypoderme.**

HYPODERMIQUE [ipodɛʀmik] adj. — 1854, *in* D. D. L.; de *hypo-*, *derme*, et suff. *-ique*.

Médecine.

♦ **1.** Qui concerne le tissu sous-cutané. ⇒ 2. **Hypoderme.** *Méthode hypodermique*, par injection de médicament liquide sous la peau. *Piqûre, injection hypodermique.* ⇒ **Sous-cutané;** → Cacodylate, cit.

♦ **2.** *Seringue, aiguille hypodermique*, servant à faire les piqûres hypodermiques.

Quel côté, la piqûre? demande-t-elle, en empoignant une aiguille hypodermique et un coton qu'elle inonde d'éther. A. SARRAZIN, l'Astragale, p. 79.

HYPODERMITE [ipodɛʀmit] n. f. — XXe; de 2. *hypoderme*, et *dermite*.

♦ Méd. Inflammation du tissu sous-cutané. ⇒ **Cellulite.**

HYPODERMOSE [ipodɛʀmoz] n. f. — 1910; de 1. *hypoderme*, et *-ose*.

♦ Vétér. Affection causée aux animaux ruminants (bovins) par les larves d'hypodermes. → 1. Hypoderme.

HYPOESTHÉSIE [ipoɛstezi] n. f. — 1873; de *hypo-*, et du grec *aisthêsis* «sensation».

♦ Méd. Diminution de la sensibilité; anesthésie partielle.

CONTR. **Hyperesthésie.**

HYPOFOLLICULINIE [ipofɔlikylini] n. f. — 1938, *in* D. D. L.; de *hypo-*, *folliculine*, et suff. *-ie*.

♦ Méd. Hyposécrétion de folliculine. *Syndrome d'hypofolliculinie :* ensemble des troubles (à la puberté, la ménopause) dus à l'hypofolliculinie.

CONTR. **Hyperfolliculinie.**
DÉR. **Hypofolliculinique, hypofolliculinisme.**

HYPOFOLLICULINIQUE [ipofɔlikylinik] adj. — Mil. XXe; de *hypofolliculinie*.

♦ Méd. De l'hypofolliculinie. *Troubles hypofolliculiniques de la puberté.*

HYPOFOLLICULINISME [ipofɔlikylinism] n. m. — 1945, *in* D. D. L.; de *hypofolliculinie*.

♦ Méd. Ensemble des troubles dus à l'hypofolliculinie.

CONTR. **Hyperfolliculinisme.**

HYPOFONCTIONNEMENT [ipofɔ̃ksjɔnmɑ̃] n. m. — 1933, *in* D. D. L.; de *hypo-*, et *fonctionnement*.

♦ Méd. Fonctionnement anormalement réduit. *Hypofonctionnement des glandes endocrines.*

CONTR. **Hyperfonctionnement.**

HYPOGALACTIE [ipogalakti] n. f. — 1959, Garnier-Delamare; de *hypo-*, et grec *gala, galaktos* «lait».

♦ Méd. Sécrétion insuffisante de lait pendant la période de l'allaitement.

HYPOGASTRE [ipogastʀ] n. m. — 1536; grec *hupogastrion*, de *hupogastrios* «qui est sous (*hupo*, → Hypo-) le ventre», du grec *gastêr*. → -gastre.

♦ Anat. Région médiane inférieure de l'abdomen, située entre les fosses iliaques. ⇒ **Bas-ventre.** *L'épigastre* est situé au-dessus de l'hypogastre.*

DÉR. **Hypogastrique.**

HYPOGASTRIQUE [ipogastʀik] adj. — V. 1560; de *hypogastre*.

♦ Anat. Relatif à l'hypogastre. *Région hypogastrique. Douleurs hypogastriques. Ceinture hypogastrique.*

Ça ne tient debout, ça ne marche, ça ne vit qu'au moyen de ceintures, de bandages hypogastriques, de pessaires, un tas d'horreurs secrètes et de mécanismes compliqués (...) Ce qui ne les empêche pas de faire leur poire dans le monde (...)
O. MIRBEAU, le Journal d'une femme de chambre, p. 26.

1. HYPOGÉ, ÉE [ipɔʒe] adj. — 1831 ; bas lat. *hypogæus ;* du grec *hupogaios,* de *hupo* (→ Hypo-), et *gaia* «terre».

♦ **1.** Bot. Qui se développe sous la terre. *Cotylédons hypogés. — Germination hypogée.*

♦ **2.** Situé au-dessous du niveau du sol. *Une salle hypogée.* ⇒ 2. **Hypogée.**

HOM. 2. **Hypogée.**

2. HYPOGÉE [ipɔʒe] n. m. — 1564, Rabelais ; lat. *hypogeum,* grec *hupogeion,* de *hupo* (→ Hypo-), et *gê* «terre».

♦ **1.** Archéol. Construction souterraine (⇒ **Crypte**), et, spécialt, sépulture souterraine, voûte funéraire (⇒ **Caveau, tombeau**). *Hypogées égyptiens décorés de fresques. Chambres sépulcrales d'un hypogée. Hypogée creusé dans le sol, recouvert d'un tumulus, ménagé sous une construction. Les hypogées d'une nécropole.*

1 Écoutez! la nymphe Égérie chante au bord de sa fontaine ; le rossignol se fait entendre dans la vigne de l'hypogée des Scipions (...)
CHATEAUBRIAND, Mémoires d'outre-tombe, VI, v, p. 117.

2 Dans de vastes souterrains, creusés sous les hypogées et sous les pyramides, ils avaient accumulé tous les trésors des races passées et certains talismans qui les protégeaient contre la colère des dieux. NERVAL, Aurélia, VIII.

3 Ainsi le grain de blé, retrouvé dans un hypogée, germe, dit-on, après trois mille ans d'un sec sommeil. VALÉRY, Analecta, LX.

3.1 Les sculptures barbares prolifèrent dans le Hauran, couvrent la Syrie. Palmyre, grecque par ses temples, est parthe par ses hypogées. Les formes souterraines investissent l'art impérial qui les a longtemps contenues ; le Musée Imaginaire du IVe siècle est un vaste musée rebelle, où l'art chrétien paraît seulement l'insurgé vainqueur. MALRAUX, la Métamorphose des dieux, p. 116.

♦ **2.** Par métaphore ou fig. Abri souterrain. ⇒ **Cave, souterrain.**

4 J'avais vécu jusque-là dans un hypogée, éclairé de lampes fumeuses ; maintenant, le soleil et la lumière allaient m'être montrés.
RENAN, Souvenirs d'enfance..., p. 124.

5 Et dans ce jour d'août 1915 le plus chaud de l'année
Bien abrité dans l'hypogée que j'ai creusé moi-même
C'est à toi que je songe Italie mère de mes pensées (...)
APOLLINAIRE, Calligrammes, p. 149.

DÉR. Hypogéen.
HOM. 1. **Hypogée.**

HYPOGÉEN, ENNE [ipɔʒeɛ̃, ɛn] adj. — XXe ; de 2. *hypogée.*

♦ Didact. Propre à un hypogée, à une construction souterraine.

(...) si la «marquise» avait du goût pour les jeunes garçons, en leur ouvrant la porte hypogéenne de ces cubes de pierre (...)
PROUST, À l'ombre des jeunes filles en fleurs, Pl., t. I, p. 493.

HYPOGENÈSE [ipɔʒənɛz] n. f. — 1901, *Nouveau Larousse illustré ;* de *hypo-,* et *-genèse.*

♦ Biol. Développement insuffisant d'un organe, d'une partie de l'organisme ou de l'organisme dans sa totalité.

CONTR. Hypergenèse.

HYPOGÉNITALISME [ipɔʒenitalism] n. m. — XXe ; de *hypogénital,* et *-isme.*

♦ Méd. Ensemble de manifestations consécutives à une sécrétion diminuée d'hormones par les ovaires ou les testicules (anomalie de ces glandes ou insuffisance de la sécrétion hormonale de l'hypophyse qui active normalement la sécrétion des hormones sexuelles). — REM. On dit aussi *hypogonadisme* [ipogɔnadism] n. m.

HYPOGLANDULAIRE [ipoglɑ̃dylɛʀ] adj. — 1959, Garnier ; de *hypo-,* et *glandulaire.*

♦ Méd. Relatif à une insuffisance fonctionnelle des glandes endocrines (⇒ **Hyposécrétion**). *Troubles hypoglandulaires.*

HYPOGLOBULIE [ipoglɔbyli] n. f. — 1925, Guiart, *in* T. L. F., art. *Hypo- ;* de *hypo-, globule,* et suff. *-ie.*

♦ Méd. Insuffisance ou diminution (anormale) du nombre de globules. ⇒ **Hypoleucocytose** (globules blancs).

CONTR. Hyperglobulie.

HYPOGLOBULINÉMIE [ipoglɔbylinemi] n. f. — Mil. XXe ; de *hypo-, globuline,* et suff. *-émie.*

♦ Méd. Diminution anormale de la quantité de globuline du sérum sanguin.

CONTR. Hyperglobulinémie.

HYPOGLOSSE [ipoglɔs] adj. — 1752 ; grec *hupoglossios,* de *hupo* «sous», et *glossa* «langue».

♦ Anat. Qui est sous la langue*. — Spécialt. *Nerf grand hypoglosse :* nerf crânien qui «se distribue... aux muscles de la langue et à un certain nombre de muscles sus ou sous-hyoïdiens» (Testut, *Anatomie,* t. III, p. 187). — N. m. *Le grand hypoglosse.*

DÉR. Hypoglossite.

HYPOGLOSSITE [ipoglɔsit] n. f. — XIXe ; de *hypoglosse,* et suff. *-ite.*

♦ Méd. Inflammation de la partie inférieure de la langue.

HYPOGLYCÉMIANT, ANTE [ipoglisemjɑ̃, ɑ̃t] adj. — Mil. XXe (1963, *in* T. L. F.) ; de *hypoglycémie,* d'après les p. prés. en *-ant.*

♦ Méd. Qui diminue le taux de glucose du sang. *Hormone, insuline hypoglycémiante.*

CONTR. Hyperglycémiant.

HYPOGLYCÉMIE [ipoglisemi] n. f. — 1893, *in* T. L. F. ; de *hypo-,* et *glycémie.*

♦ Méd. Diminution ou insuffisance du taux de glucose (sucre) du sang.

CONTR. Hyperglycémie.
DÉR. Hypoglycémiant, hypoglycémique.

HYPOGLYCÉMIQUE [ipoglisemik] adj. — XXe (1953, *in* T. L. F.) ; de *hypoglycémie.*

♦ Méd. De l'hypoglycémie. *Syndrome hypoglycémique :* ensemble des troubles dus à l'hypoglycémie. *Coma hypoglycémique :* coma «avec contractions généralisées, secousses musculaires, signe de Babinski bilatéral» (Garnier et Delamare).

Injectée à dose trop forte, elle *(l'insuline)* peut provoquer une baisse si importante de la glycémie qu'on assiste à un coma hypoglycémique.
A. GALLI et R. LEDUC, les Thérapeutiques modernes, p. 93.

Un jour, après avoir grimpé une vingtaine de fois le maudit escalier qui menait du restaurant aux cuisines, elle s'assit brusquement sur une chaise, son visage et ses lèvres devinrent gris ; elle pencha un peu la tête de côté, ferma les yeux et mit la main sur sa poitrine ; tout son corps se mit à trembler. Nous eûmes la chance que le diagnostic du médecin fût rapide et sûr : il s'agissait d'une crise de coma hypoglycémique, due à une trop forte piqûre d'insuline.
R. GARY, la Promesse de l'aube, p. 174.

HYPOGONADISME [ipogɔnadism] n. m. ⇒ **Hypogénitalisme.**

HYPOGYNE [ipɔʒin] adj. — 1801 ; de *hypo-,* et *-gyne,* du grec *gunê* «femelle».

♦ Bot. Qui est inséré sous l'ovaire d'une plante (pistil). *Corolle hypogyne, verticilles hypogynes.*

HYPOGYNISME [ipoʒinism] n. m. — 1959, Garnier-Delamare ; de *hypo-,* grec *gunê* «femme», et suff. *-isme.*

♦ Méd. Faible développement des caractères sexuels chez une jeune fille ou une jeune femme.

HYPOKHÂGNE [ipokɑɲ] n. f. — V. 1890 ; de *hypo-,* et de *khâgne**.

♦ Fam. Lettres supérieures, classe précédant la khâgne*, classe de préparation à l'École Normale Supérieure.

Une élève d'hypokhâgne m'a écrit, au printemps 1960, qu'elle souhaitait me rencontrer ; sa lettre, brève et simple, m'a persuadée qu'elle aimait sincèrement la philosophie et mes livres. S. DE BEAUVOIR, Tout compte fait, p. 69.

On écrit aussi *hypocagne.*

HYPOLEUCOCYTOSE [ipoløkositoz] n. f. — 1903, in *Rev. gén. des sc.,* no 16, p. 863 ; de *hypo-,* et *leucocytose.*

♦ Méd. Diminution du nombre de globules blancs du sang.

CONTR. Hyperleucocytose.

HYPOLIPÉMIANT, ANTE [ipolipemjɑ̃, ɑ̃t] adj. — 1973, in *la Clé des mots ;* de *hypolipémie,* d'après les p. prés. en *-ant.*

♦ Méd. Qui diminue le taux des lipides dans le sang.

HYPOLIPÉMIE [ipolipemi] ou **HYPOLIPIDÉMIE** [ipolipidemi] n. f. — 1959, Garnier-Delamare; de *hypo-*, et *lipémie* ou *lipidémie*.

♦ Méd. Diminution anormale de la lipidémie (ou lipémie), taux de graisse dans le sang.

CONTR. Hyperlipémie ou **hyperlipidémie.**
DÉR. Hypolipémiant.

HYPOLOGIE [ipɔlɔʒi] n. f. — 1930, in *Larousse du xxe s.* (terme dû à Rouma, 1907); de *hypo-*, et *-logie*.

♦ Méd. Incapacité d'articuler des mots comportant plus de deux syllabes.

HOM. Hippologie.

HYPOMANIAQUE [ipomanjak] adj. — 1934, *in* D. D.L.; de *hypo-*, et *maniaque*, d'après *hypomanie* et *manie, maniaque*.

♦ Psychiatrie. Relatif à l'hypomanie; qui représente une forme atténuée de la manie. *La phase hypomaniaque du début de l'accès maniaque.*

HYPOMANIE [ipomani] n. f. — 1933, in *Larousse du xxe s.*; de *hypo-*, et *manie** (1.).

♦ Psychiatrie. Forme atténuée de manie, d'excitation maniaque (exubérance, activité désordonnée, loquacité excessive) ordinairement sans délire.

DÉR. V. **Hypomaniaque.**

HYPOMASTIE [ipomasti] n. f. — D. i. (xxe); de *hypo-*, grec *mastos* «mamelle», et suff. *-ie*.

♦ Méd. Développement insuffisant des glandes mammaires.

CONTR. Hypermastie.

HYPOMIMIE [ipomimi] n. f. — 1975, *in* Porot; de *hypo-*, grec *mimos* «mime», et suff. *-ie*.

♦ Méd. Inexpressivité, ou faible expressivité mimique. ⇒ **Amimie.**

CONTR. Hypermimie.

HYPOMNÉSIE [ipomnezi] n. f. — 1971, Manuila; de *hypo-*, et *-mnésie*.

♦ Psychol. Affaiblissement de la mémoire. *Hypomnésie et amnésie.*

CONTR. Hypermnésie.

HYPONOÏDE [ipɔnɔid] adj. — Mil. xxe; de *hypo-*, rad. de *noèse, noétique*, et suff. *-oïde*.

♦ Didact. (rare). Qui se rapporte à un état de la pensée préfigurant un état hypnoïde (cit.).

Il y a des différences d'amplitude et de fréquence entre les rythmes électriques du cerveau au repos, sans être endormi, et ceux du cerveau pendant l'effort intellectuel, mais les corrélations restent extrêmement grossières. Elles ne peuvent donc servir pour apprécier les degrés nuancés de la tension psychologique, hormis certaines limites qui comportent déjà un tel relâchement de la vigilance qu'elles s'apparentent aux «sommeils de la pensée» (Maine de Biran), état hyponoïde sinon véritablement hypnoïde.

Jean DELAY, Introd. à la médecine psychosomatique, Notes et observations, p. 60 (→ Hypnoïde, cit.).

HYPONOMEUTE [ipɔnɔmøt] n. m. — 1878, P. Larousse; grec *huponomeutês* «mineur», de *huponomos*, proprt «qui creuse en dessous».

♦ Zool. Insecte lépidoptère *(Tinéidés)* qui pond ses œufs sur les branches des arbres fruitiers et dont les chenilles *(chenilles fileuses)* causent de grands dégâts à ces arbres (⇒ **Teigne**). *Hyponomeute du pommier, du poirier.* — Var. orthographique : *yponomeute*.

HYPONYME [iponim] n. m. — V. 1960; de *hypo-*, et *-onyme*.

♦ Ling. Mot, et, notamment, nom, dont le sens (compréhension logique) est inclus dans le sens d'un autre mot. *« Cheval » est un hyponyme d'« animal »; « étalon » et « destrier » sont des hyponymes de « cheval ».*

CONTR. Hyperonyme.
DÉR. Hyponymie.

HYPONYMIE [iponimi] n. f. — V. 1960 (1966, Greimas, *Sémantique structurale*); de *hyponyme*.

♦ Rapport de subordination (inclusion unilatérale) d'un signifié à un autre; fait, pour un mot, un nom, d'être l'hyponyme d'un autre.

HYPOPARATHYROÏDIE [ipopaʀatiʀɔidi] n. f. — xxe; de *hypo-*, *parathyroïde*, et suff. *-ie*.

♦ Méd. Ensemble de manifestations dues à un déficit d'hormone de la glande parathyroïde dont la plus importante est la tendance aux convulsions tétaniques. ⇒ **Tétanie.**

CONTR. Hyperparathyroïdie.

HYPOPEPSIE [ipopɛpsi] n. f. — xxe (1931, Larousse); de *hypo-*, et du grec *pepsis* «cuisson, digestion».

♦ Méd. Insuffisance du fonctionnement de la muqueuse gastrique.

CONTR. Hyperpepsie.

HYPOPHOSPHATÉMIE [ipofɔsfatemi] n. f. — 1959, Garnier-Delamare; de *hypo-*, *phosphate*, et suff. *-émie*.

♦ Méd. Diminution anormale de la quantité de phosphates contenus dans le sang.

CONTR. Hyperphosphatémie.

HYPOPHOSPHOREUX, EUSE [ipofɔsfɔʀø, øz] adj. — 1823, *in* D. D. L.; de *hypo-*, et *phosphoreux*.

♦ Chim. Se dit de l'acide le moins oxygéné du phosphore* (H_3PO_2). *Les hypophosphites, sels de l'acide hypophosphoreux, sont employés en médecine comme toniques.*

HYPOPHOSPHORIQUE [ipofɔsfɔʀik] adj. — 1843; de *hypo-*, et *phosphorique*.

♦ Chim. Se dit d'un des oxacides du phosphore, $H_4P_2O_6$. *Les hypophosphates, sels de l'acide hypophosphorique.*

HYPOPHRÉNIE [ipofʀeni] n. f. — 1971, Manuila; de *hypo-*, grec *phrên* «esprit, intelligence», et suff. *-ie*.

♦ Psychol. Ralentissement, déficience des activités mentales.

CONTR. Hyperphrénie.

HYPOPHYSAIRE [ipɔfizɛʀ] adj. — 1894; de *hypophyse*. Biologie.

♦ **1.** Qui concerne l'hypophyse, est produit par l'hypophyse. *Fonctions, sécrétions hypophysaires. Extraits, produits hypophysaires. — Déficience hypophysaire.*

♦ **2.** Spécialt, méd. Qui est dû à une déficience hypophysaire. *Maladie hypophysaire. Nanisme hypophysaire. Acromégalie, gigantisme hypophysaire. Cachexie hypophysaire.*

HYPOPHYSE [ipɔfiz] n. f. — 1818, *in* T. L. F.; du grec *hupophusis* «croissance en dessous», de *hupophuein* «naître, croître», de *hupo* (→ Hypo-), et *phuein* «pousser».

♦ Biol. Organe neuro-glandulaire *(glande endocrine)* ellipsoïde, situé à la base du crâne (selle turcique) et rattaché au cerveau par la tige pituitaire. *Lobes antérieur, intermédiaire, inférieur de l'hypophyse. L'hypophyse, « glande pituitaire » de l'ancienne médecine, est considérée comme un véritable « cerveau endocrinien ». Sécrétions de l'hypophyse.* → Gonade, cit. *L'hypophyse sécrète plusieurs hormones qui agissent sur le fonctionnement d'autres glandes endocrines.* ⇒ **Gonadotrope, mélanostimuline, ocytocine, prolactine, somatotrope.**

L'hypophyse antérieure peut être actuellement considérée, selon l'expression de Cushing, comme un véritable *cerveau endocrinien.* Elle sécrète en effet une multitude d'hormones, les stimulines, qui tiennent sous leur dépendance la sécrétion de toutes les autres glandes endocrines; ovaires et testicules, thyroïde et parathyroïde, pancréas, cortico-surrénale et médullo-surrénale lui sont subordonnés (...) l'expression bien frappée qu'a employée Cushing est doublement justifiée : l'hypophyse est le cerveau endocrinien, non seulement parce qu'elle est la *glande maîtresse* mais parce qu'elle est la *glande cérébrale.* Sa situation à la base du cerveau, reliée à l'hypothalamus par la tige pituitaire, laissait présager d'étroites corrélations hypophyso-hypothalamiques qu'a confirmées l'étude histo-physiologique faite en particulier par Roussy et Mosinger et par Rémy Collin. 1

Jean DELAY, la Psycho-physiologie humaine, p. 55-56.

L'hypophyse, par ses stimulines, règle le concert endocrinien; elle est le cerveau «végétatif» (...) «Là, écrivait Harvey Cushing, dans cette petite zone médiane et archaïque de la base du cerveau que pourrait cacher l'ongle du pouce, se dissimule le ressort essentiel de la vie instinctive et affective, que l'Homme s'est efforcé de recouvrir d'un manteau, d'une écorce (...) d'inhibitions». Des réflexes hypophyso-sexuels peuvent avoir des origines : cutanée, olfactive, auditive, optique, psychique. 2

R. KEHL, les Glandes endocrines, p. 14.

DÉR. Hypophysaire.
COMP. Antéhypophyse, hypophysectomie. — V. **Hypophyso-.**

HYPOPHYSECTOMIE [ipofizɛktomi] n. f. — 1907, in *Rev. gén. des sc.*, n° 9, p. 380; de *hypophyse*, et *-ectomie*.

♦ Méd. Ablation chirurgicale de l'hypophyse (dér. : *hypophysectomisé, ée* [ipɔfizɛktɔmize] adj. et n.).

HYPOPHYSO- Premier élément de mots de médecine, tiré de *hypophyse.* Ex. : *hypophyso-hypothalamique* (→ Hypophyse, cit. 1); *hypophyso-sexuel* (→ Hypophyse, cit. 2).

HYPOPITUITARISME [ipopitɥitaʀism] n. m. — xxe; de *hypo-*, et de *(glande) pituitaire.*

♦ Méd. Insuffisance de la sécrétion d'hormones hypophysaires et troubles qui en résultent.

CONTR. Hyperpituitarisme.

HYPOPLASIE [ipoplazi] n. f. — 1907, in *Rev. gén. des sc.*, no 10, p. 471; *hypoplastie*, 1878, P. Larousse, *Premier Suppl.*; 1870, en all. (Virchow); de *hypo-*, et *-plasie.*

♦ Didact. Diminution de l'activité formatrice (des tissus vivants). → Dysplasie. « *L'hypoplasie du ventricule gauche. Du fait d'une cavité minuscule et d'une paroi très épaisse, le ventricule gauche est privé de toute communication avec l'aorte. Pour passer, le sang utilisera donc une persistance anormale du foramen ovale pour passer de l'oreillette gauche vers l'oreillette droite, et aller ensuite de l'artère pulmonaire vers l'aorte par le canal artériel* » (*Science et Vie*, no 797, févr. 1984, p. 42).

CONTR. Hyperplasie.
DÉR. Hypoplasique.

HYPOPLASIQUE [ipoplazik] adj. — D. i. (déb. xxe? → Hypoplasie); de *hypoplasie.*

♦ Qui concerne l'hypoplasie.

Les troubles du follicule dentaire donnent des malformations hyperplasiques générales (gigantisme), des malformations hypoplasiques (nanisme), des malformations dysplasiques (érosions). P.-L. ROUSSEAU, les Dents, p. 57.

CONTR. Hyperplasique.

HYPOPROSEXIE [ipopʀɔzɛksi] n. f. — 1898, in *Année biol.*; de *hypo-*, et grec *prosexis* « attention ».

♦ Psychol. Affaiblissement de la capacité de concentration mentale.

CONTR. Hyperprosexie.

HYPOPROTHROMBINÉMIE [ipopʀotʀɔ̃binemi] n. f. — 1959, Garnier-Delamare; de *hypo-*, *prothrombine*, et *-émie.*

♦ Méd. Diminution de la quantité de prothrombine du plasma sanguin (trouble congénital, carence en vitamine K, traitement par les anticoagulants).

HYPOPYON [ipopjɔ̃] n. m. — xxe; du grec *hupopuon* « ulcère purulent ».

♦ Méd. Petit amas de pus dans la partie inférieure de la chambre antérieure de l'œil. — Var. : *hypopion* (graphie incorrecte).

HYPOSCENIUM [ipɔsenjɔm] n. m. — 1771, *hyposcène;* grec *huposkênion*, de *hupo* (→ Hypo-), et *skênê.* → Scène.

♦ Archéol. Le dessous de la scène d'un théâtre antique. — Spécialt. Mur soutenant la scène (proscenium); partie de l'orchestre* située devant ce mur.

HYPOSÉCRÉTION [iposekʀesjɔ̃] n. f. — 1896, *in* D. D. L.; de *hypo-*, et *sécrétion.*

♦ Méd. Sécrétion insuffisante ou inférieure à la normale. *Hyposécrétion de folliculine* (hypofolliculinie). *Hyposécrétion hypophysaire et hypogénitalisme*.*

CONTR. Hypersécrétion.

HYPOSEXUEL, ELLE [iposɛksɥɛl] adj. — 1948, Mounier; de *hypo-*, et *sexuel.*

♦ Méd. D'une sexualité diminuée ou inexistante. — N. *Un hyposexuel, une hyposexuelle.*

CONTR. Hypersexuel.

HYPOSOMNIE [iposɔmni] n. f. — 1959, Garnier; de *hypo-*, et lat. *somnus* « sommeil ».

♦ Méd. Insuffisance du besoin de dormir. ⇒ **Insomnie.**

CONTR. Hypersomnie.

HYPOSPADE [ipɔspad] n. m. — 1855, Nysten; de *hypospadias.*

♦ Pathol. Individu affecté d'hypospadias. ⇒ **Épispadias.**

Amaury est le jeune romantique, sinon laid, du moins qui s'est cru laid et peut-être n'a cessé de se croire laid, et dont, pour comble de disgrâce, une anomalie physique accroît la timidité et aggrave les refoulements, mot que l'on s'étonne que Sainte-Beuve n'ait pas employé. Comme Jean-Jacques Rousseau, il était hypospade. A. BILLY, Sainte-Beuve, p. 197.

HYPOSPADIAS [ipɔspadjas] n. m. — 1855; grec *hupospadias*, de *hupo* (→ Hypo-), et *span* « déchirer ».

♦ Pathol. « Malformation congénitale de l'urètre de l'homme, caractérisée par la division (...) de sa paroi inférieure, avec un orifice anormal situé à une distance variable de l'extrémité du gland » (Garnier et Delamare). *Homme atteint d'hypospadias.* ⇒ **Hypospade.**

DÉR. Hypospade.

HYPOSTASE [ipɔstɑz] n. f. — V. 1560, Paré; *ypostasie*, 1398; lat. *hypostasis*, du grec *hupostasis*, de *huphisthanai* « placer sous ». → -stase.

Didactique.

★ **I.** Méd. Dépôt d'un liquide organique (urines...). — Spécialt. Accumulation de sang dans les parties déclives (basses) du poumon (le plus souvent, complication d'une insuffisance cardiaque).

★ **II.** (1541, Calvin). Théol., philos. Substance* et, spécialt (dans le dogme chrétien), chacune des trois personnes de la Trinité*, en tant que substantiellement distincte des deux autres. *Il y a en Dieu trois hypostases.*

On ne saurait méconnaître dans ces affirmations de Jésus le germe de la doctrine qui devait plus tard faire de lui une hypostase divine, en l'identifiant avec le Verbe, ou « Dieu second », ou fils aîné de Dieu, ou *Ange métatrône*, que la théologie juive créait d'un autre côté.
RENAN, Vie de Jésus, XV, Œ. compl., t. IV, p. 238.

(...) l'école d'Alexandrie développait sa théorie des *hypostases*, terme qui fut adopté par les philosophes de cette école, comme par les chrétiens, pour signifier ce qu'on nomma en latin les *personnes* de la trinité.
Émile BURNOUF, la Science des religions, p. 121.

Figuré :

Jour après jour, j'ai compris qu'il adorait en Cécile une hypostase parfaite de son être enchaîné, de son être à lui (...) Il disait, avec une ferveur colorée d'extravagance : « C'est elle qui a mes mains (...) Alors il faut qu'elle obéisse ! ».
G. DUHAMEL, Chronique des Pasquier, III, VIII.

Spécialt. « Entité fictive, abstraction faussement considérée comme une réalité » (Lalande). ⇒ **Hypostasier.**

★ **III.** (xxe; Marouzeau, 1933). Ling. Substitution d'une catégorie grammaticale à une autre (adjectif employé en fonction de substantif, etc.).

DÉR. Hypostasier.

HYPOSTASIER [ipɔstazje] v. tr. — 1906, Bergson; de *hypostase* « substance ».

♦ Didact. Considérer comme une substance (ce qui n'est qu'un accident ou une idée); prendre (une idée) pour un fait, une réalité. *Hypostasier un concept, un mythe, une métaphore.*

(...) la tentation devait être grande, pour le philosophe, d'hypostasier cette espérance ou plutôt cet élan de la nouvelle science, et de convertir une règle générale de méthode en loi fondamentale des choses (...) on supposait la physique achevée et embrassant la totalité du monde sensible.
H. BERGSON, l'Évolution créatrice, p. 347 (1906).

Au participe passé :

La métaphore hypostasiée fut la plaie des premières tentatives de sociologie « scientifique » (exemple : « la société est un organisme », ou « la conscience collective existe »). J. MONNEROT, *in* FOULQUIÉ, Dict. de la langue philosophique.

HYPOSTATIQUE [ipɔstatik] adj. — 1474, *ypostatique;* lat. médiéval *hypostaticus*, grec *hupostatikos*, de *hypostasis.* → Hypostase.

♦ **1.** Théol. Relatif à la personne divine, aux formes substantielles. ⇒ **Hypostase** (II.). *Union hypostatique des personnes divine et humaine en Jésus-Christ.*

(...) le Verbe divin est homme par ce genre d'union que les théologiens appellent *personnelle* ou *hypostatique.* BOSSUET, Hist. des variations..., II, 3.

♦ **2.** (1833). Méd. Dû à une hypostase. ⇒ **Hypostase** (I.). *Pneumonie hypostatique.*

DÉR. Hypostatiquement.

HYPOSTATIQUEMENT [ipɔstatikmɑ̃] adv. — 1605; *ypostaticquement,* xve; de *hypostatique.*

♦ Théol. D'une manière hypostatique.

Il n'y en a aucune *(âme)* qui n'eût été au même état de perfection où est celle de Jésus-Christ si elle avait été unie hypostatiquement au Verbe dans l'instant de sa création. FÉNELON, Œuvres, t. III, p. 8, *in* LITTRÉ.

HYPOSTHÉNIE [ipɔsteni] n. f. — 1866; de *hypo-*, du grec *sthenos* «force», et suff. *-ie.*

♦ Méd. Affaiblissement général des forces, ou diminution de l'activité d'un organe.

CONTR. Hypersthénie.
DÉR. Hyposthénique.

HYPOSTHÉNIQUE [ipɔstenik] adj. — 1866; de *hyposthénie.*

♦ Méd. Relatif à l'hyposthénie.

CONTR. Hypersthénique.

HYPOSTYLE [ipostil] adj. — 1824, Champollion; grec *hupostulos,* de *hupo* (→ Hypo-), et *stulos* «colonne». → -style.

♦ Archéol. Dont le plafond est soutenu par des colonnes*. *Salle, portique, temple hypostyle.*

L'oëris (...) la conduisit, à travers l'allée de colonnes et la salle hypostyle, dans la seconde cour, où s'élève le sanctuaire (...)
Th. GAUTIER, le Roman de la momie, p. 164.

HYPOSULFATE [iposylfat] n. m. — 1819; de *hypo-*, et *sulfate.*

♦ Chim., vx. Sel de l'acide hyposulfurique.

Cet appareil, muni d'un puissant objectif, était très complet. Substances nécessaires à la reproduction photographique (...) hyposulfate de soude pour fixer l'image obtenue (...) J. VERNE, l'Île mystérieuse, t. II, p. 564-565.

HYPOSULFITE [iposylfit] n. m. — 1843; de *hypo-*, et *sulfite.*

♦ Chim., vx. Sel de l'acide thiosulfurique. *L'hyposulfite de sodium* ($Na_2S_2O_3$, $5H_2O$) *ou thiosulfate de sodium, utilisé en photographie, pour fixer l'image* (⇒ **Fixatif**).

HYPOSULFUREUX, EUSE [iposylfyʀø, øz] adj. — 1817, Gay-Lussac, *in* T. L. F.; de *hypo-*, et *sulfureux.*

♦ Chim., vx. Acide instable thiosulfurique ($H_2S_2O_3$).

HYPOTAUPE [ipotop] n. f. — D. i. (xxe, → cit. ci-dessous); de *hypo-*, et 2. *taupe,* comme *hypokhâgne.*

♦ Argot scol. Dans les lycées, Classe précédant la classe de mathématiques spéciales, ou taupe*. — Syn. : *mathématiques supérieures (maths sups). «Une famille de scientifiques (...) Ma mère avait fait hypotaupe et taupe avant de se marier» (le Nouvel Obs.,* nº 865, 8 juin 1981, p. 37).

Je passai donc mes deux bachots de sciences (et même, en supplément, celui de philosophie) et entrai en taupe aussitôt après, en octobre 1926, pour préparer le concours de l'X, en sautant la classe de mathématiques spéciales préparatoires, dite d'hypotaupe. Raymond ABELLIO, Ma dernière mémoire, t. I, p. 189.

HYPOTAXE [ipɔtaks] n. f. — 1840, au sens 1; grec *hupotaxis* «subordination», de *hupo* (→ Hypo-), et *taxis* «mise en ordre».
Didactique.

★ **I.** Manœuvre militaire des anciens Grecs, pour protéger une phalange.

★ **II.** (1933). Ling. (opposé à *parataxe*). Subordination d'une proposition (par rapport à une autre).

HYPOTENDU, UE [ipotɑ̃dy] adj. et n. — 1907; de *hypo-*, et *tendu.*

♦ Méd. Qui a une tension artérielle insuffisante. *Des malades hypotendus.* — N. *Des hypotendus.*

CONTR. Hypertendu.

HYPOTENSEUR [ipotɑ̃sœʀ] adj. et n. m. — 1906, in *Rev. gén. des sc.,* nº 1, p. 57; de *hypotension.*

♦ Méd. Propre à diminuer la tension artérielle (en parlant d'un remède). *Médicament hypotenseur,* et, n. m., *un hypotenseur.*

HYPOTENSIF, IVE [ipotɑ̃sif, iv] adj. — 1903, in *Rev. gén. des sc.,* nº 15, p. 835; de *hypotension.*
Médecine.

♦ **1.** Qui fait baisser la tension artérielle (en parlant d'un trouble physiologique, d'une maladie). *«Endocrinonévrose hypotensive»* (Garnier et Delamare). — N. m. *Un hypotensif.*

♦ **2.** (1962). Qui a trait à l'hypotension, qui est causé par une hypotension.

CONTR. Hypertensif.

HYPOTENSION [ipotɑ̃sjɔ̃] n. f. — 1895, *in* D. D. L.; de *hypo-*, et *tension.*

♦ Méd. Tension artérielle inférieure à la normale; diminution de la tension. *Hypotension artérielle permanente.* — Absolt. Hypotension artérielle. *Souffrir d'hypotension.* ⇒ **Hypotendu.**

CONTR. Hypertension.
DÉR. Hypotenseur, hypotensif.

HYPOTÉNUSE [ipotenyz] n. f. — 1520; lat. *hypotenusa,* grec *hupoteinousa,* proprt «se tendant sous (les angles)», en parlant du côté, du v. *hupoteino* «je tends au-dessous», de *hupo-* (→ Hypo-), et *teino, teinein* «tendre».

♦ Géom. Dans un triangle rectangle, Le côté opposé à l'angle droit. *L'hypoténuse est le plus grand côté. Le carré de l'hypoténuse est égal à la somme des carrés des deux autres côtés* (théorème de Pythagore).

Pythagore immola cent bœufs pour avoir découvert la propriété du carré de l'hypoténuse. DIDEROT, Opinions des anciens philosophes, Égyptiens.

HYPOTHALAMIQUE [ipɔtalamik] adj. — 1953; de *hypothalamus.*

♦ Anat. Qui se rapporte à l'hypothalamus. *Syndrome hypothalamique,* provoqué par une lésion des centres nerveux sous-thalamiques.

(...) le rôle des structures hypothalamiques et lombiques dans la régulation de l'humeur et du tonus émotionnel, donc dans les dérèglements de l'humeur (...)
Jean DELAY, Introd. à la médecine psychosomatique, Notes et observations, p. 115.

HYPOTHALAMUS [ipɔtalamys] n. m. — 1933, *in* T. L. F.; on disait «région *sous-thalamique*» (1929); de *hypo-*, et *thalamus;* cf. angl. *hypothalamus,* 1896.

♦ Anat. Région du diencéphale située sous le thalamus, siège de centres supérieurs du système neuro-végétatif.

DÉR. Hypothalamique.

HYPOTHÉCABLE [ipotekabl] adj. — 1675; de *hypothéquer.*

♦ Dr. Qui peut être hypothéqué. ⇒ **Affectable** (2.). *Bien, immeuble hypothécable.*

HYPOTHÉCAIRE [ipɔtekɛʀ] adj. — 1305; bas lat. *hypothecarius,* de *hypotheca.* → Hypothèque.
Droit.

♦ **1.** Relatif à l'hypothèque; qui existe, est garanti par une hypothèque. *Les matières réelles et hypothécaires* (→ Garant, cit. 12). *Garantie hypothécaire. Obligation, charge hypothécaire. Créance hypothécaire,* garantie par une hypothèque. *Action hypothécaire,* par laquelle le créancier hypothécaire non payé à l'échéance procède à la saisie de l'immeuble. *Inscription, transcription hypothécaire.*

♦ **2.** (Personnes). Titulaire d'un droit d'hypothèque. *Créanciers hypothécaires et créanciers chirographaires*.*

♦ **3.** (Organismes). Qui prête moyennant hypothèque. *Banque, caisse hypothécaire,* qui prête aux propriétaires moyennant hypothèque sur leurs immeubles.

Les assignats furent d'abord des obligations hypothécaires garanties par les biens nationaux et qui représentaient une avance sur le produit des ventes.
J. BAINVILLE, Hist. de France, p. 337.

DÉR. Hypothécairement.

HYPOTHÉCAIREMENT [ipɔtekɛʀmɑ̃] adv. — 1414, Wartburg; de *hypothécaire.*

♦ Par une hypothèque. *Garantir hypothécairement une créance. Être obligé hypothécairement. «Les héritiers sont tenus des faits et obligations du défunt, personnellement chacun pour sa part, et hypothécairement pour le tout»* (Loysel).

HYPOTHÉNAR [ipɔtenaʀ] n. m. — 1541 ; grec *hupothenar* «creux *(hupo)* de la main» ; de *hupo* (→ Hypo-), et *thenar* «paume de la main».

♦ Anat. Éminence, saillie que forment les muscles moteurs du petit doigt à la partie interne (du côté cubital) de la paume de la main. ⇒ **Thénar.**

HYPOTHÈQUE [ipɔtɛk] n. f. — XIIIe, *ipoteque ;* lat. *hypotheca,* grec *hupothêkê,* mot à mot «ce qu'on met en dessous» d'où «gage», de *hupotithenai,* de *hupo* «sous» (→ Hypo-), et *tithenai* «placer».

♦ **1.** Dr. et cour. (la plupart des syntagmes sont du langage juridique ; le mot employé seul appartient aussi à l'usage courant). Droit réel accessoire (conférant droit de préférence* et droit de suite*) accordé à un créancier sur un bien (en principe immeuble), sans que le propriétaire du bien grevé en soit dépossédé. ⇒ **Gage, garantie, privilège ; charge, servitude.** *L'hypothèque, accessoire de la créance* (→ Cession, cit. 2). *L'hypothèque est un droit indivisible. Hypothèque légale,* accordée par la loi aux personnes dont les biens sont administrés par un tuteur (mineurs ; interdits) ; aux femmes mariées (*hypothèque générale,* accompagnant toutes les créances de la femme et grevant tous les immeubles du mari) ; et enfin à l'État, aux départements, aux communes, aux établissements publics (sur les immeubles de leurs receveurs et administrateurs comptables). *Subrogation de l'hypothèque de la femme au profit d'un créancier du mari. — Hypothèque judiciaire,* résultant des jugements de reconnaissance et de vérification d'écriture, ou des jugements de condamnation (Code civil, art. 2133) ; *hypothèque conventionnelle* (→ ci-dessus, cit. 1 ; cf. aussi Code civil, art. 2124-2133). — *Biens susceptibles d'hypothèque :* «les biens immeubles* qui sont dans le commerce..., l'usufruit des mêmes biens» (Code civil, art. 2118). *L'emphytéose* confère au preneur un droit réel susceptible d'hypothèque. Parmi les meubles, les navires et aéronefs sont susceptibles d'hypothèque* (cf. la règle : *Meubles n'ont pas de suite pour hypothèque*). *Hypothèque maritime, fluviale, aérienne* (Lois de 1874, 1885, 1917, 1924). *Le régime du warrant* est comparable à celui de l'hypothèque. — Emprunter sur hypothèque. Constituer une hypothèque sur un immeuble ; consentir une hypothèque ; grever un immeuble d'une hypothèque, affecter un immeuble à une hypothèque.* ⇒ **Hypothéquer.** *Le constituant d'une hypothèque doit être propriétaire de l'immeuble et être capable d'aliéner. Contrat de constitution d'hypothèque, par acte notarié. Hypothèque au porteur* (de la grosse*), *à ordre* (transfert de la créance par simple endossement). *Tiers détenteur* (cit. 2) *d'un immeuble grevé d'une hypothèque. — Effets de l'hypothèque :* droit de préférence* du créancier hypothécaire sur les autres créanciers (l'inscription déterminant le rang de l'hypothèque) ; droit de suite* (Code civil, art. 2166). *Être premier en hypothèque. — Déclaration d'hypothèque. Inscription*, transcription* ; conservation, conservateur des hypothèques. Bordereau* d'inscription des privilèges et hypothèques. — Extinction des hypothèques, par voie accessoire* (extinction de la créance), *par voie principale* (⇒ **Prescription, renonciation**). *Mainlevée* d'une hypothèque. Dégager des terres, des immeubles de toute hypothèque.* — Vx. *Purger une hypothèque* (Chateaubriand, *in* T. L. F.). ⇒ **Purge.**

1 L'hypothèque est un droit réel sur les immeubles affectés à l'acquittement d'une obligation. Elle est, de sa nature, indivisible (...) Elle les suit *(les immeubles)* dans quelques mains qu'ils passent.
L'hypothèque légale est celle qui résulte de la loi. L'hypothèque judiciaire est celle qui résulte des jugements ou actes judiciaires. L'hypothèque conventionnelle est celle qui dépend des conventions, et de la forme extérieure des actes et des contrats.
Code civil, art. 2114 et 2117.

2 Quand le notaire avait à Grassou mille écus, il les plaçait par première hypothèque, avec subrogation dans les droits de la femme, si l'emprunteur était marié, ou subrogation dans les droits du vendeur, si l'emprunteur avait un prix à payer.
BALZAC, Pierre Grassou, Pl., t. VI, p. 123.

3 Son hôtel, son seul bien visible, était grevé d'une somme d'hypothèques qui en dépassait la valeur. BALZAC, les Marana, Pl., t. IX, p. 839.

4 La maison de Dieppe se trouva vermoulue d'hypothèques jusque dans ses pilotis (...) FLAUBERT, Mme Bovary, I, II, p. 17.

5 (...) la propriété de votre mère est grevée d'hypothèques (...) Ne serait-il pas souhaitable que la somme obtenue par la vente de la villa Thibault serve à vous libérer définitivement de ces hypothèques?
MARTIN DU GARD, les Thibault, t. IX, XV, p. 150.

♦ **2.** Fig. ⇒ **Gage.** — Loc. *Prendre une hypothèque sur l'avenir :* disposer d'une chose avant de la posséder.

6 Qui n'eût donné à Reb Eljé une hypothèque sur sa destinée? Quelle avance, quel prêt plus sûr, quel placement plus avantageux?
Jérôme et Jean THARAUD, l'Ombre de la croix, p. 269.

♦ **3.** (1829). Dans le langage politique. Obstacle*, difficulté qui entrave ou empêche l'accomplissement de qqch. *Hypothèque qui pèse sur les relations entre deux pays. L'hypothèque est enfin levée.*

DÉR. Hypothéquer.

HYPOTHÉQUER [ipɔteke] v. tr. — Conjug. *céder.* — 1369, *ypothequer ;* de *hypothèque.*

A. ♦ **1.** Dr. Affecter (un bien) à une hypothèque* ; grever d'une hypothèque. *Hypothéquer un immeuble, tous ses immeubles, ses terres* (→ Emprunter, cit. 5). Absolt. *La femme mariée ne peut hypothéquer sans le concours* (cit. 10) *de son mari.*

(...) la mère du jeune comte avait, au moment de l'insurrection, hypothéqué ses biens d'une somme immense prêtée par deux maisons juives et placées dans les fonds français. BALZAC, la Fausse Maîtresse, Pl., t. II, p. 15. 1

On croyait savoir qu'il avait emprunté, ce jour-là, en hypothéquant sa dernière pièce de terre. Il riait tout seul, des pièces de cent sous tintaient dans ses grandes poches. ZOLA, la Terre, II, VI. 2

(...) il la suppliait de contracter pour lui un nouvel emprunt sur la villa de Maisons, dont elle était seule propriétaire — (et que déjà, pour lui, elle avait dû partiellement hypothéquer). MARTIN DU GARD, les Thibault, t. V, XX, p. 260. 3

♦ **2.** Entamer (ses réserves). *États qui hypothèquent leurs fonds.* ⇒ **Dépenser** (→ Extraordinaire, cit. 5).

♦ **3.** (1580). Fig. S'engager par un acte qui compromet (les chances, les possibilités, l'avenir...). ⇒ **Engager, lier.** *Hypothéquer l'avenir. Hypothéquer les chances qu'on a.*

La triste nécessité qui m'a toujours tenu le pied sur la gorge, m'a forcé de vendre mes *Mémoires.* Personne ne peut savoir ce que j'ai souffert d'avoir été obligé d'hypothéquer ma tombe... Ah ! si, avant de quitter la terre, j'avais pu trouver quelqu'un d'assez riche, d'assez confiant pour racheter les actions de la *Société,* et n'étant pas, comme cette Société, dans la nécessité de mettre l'ouvrage sous presse sitôt que tintera mon glas ! 4
CHATEAUBRIAND, Mémoires d'outre-tombe, Avant-propos, 14 avr. 1846.

B. Dr. Garantir* par une hypothèque. *Hypothéquer une créance. Hypothéquer une somme sur un immeuble.*

▶ **HYPOTHÉQUÉ, ÉE** p. p. adj.

Grevé d'une hypothèque, d'hypothèques. → Amélioration, cit. 6 ; député, cit. 2. *Acheter, vendre un immeuble hypothéqué. Biens, terrains hypothéqués.*

Fam. et vx. Mal en point, malade, dans l'embarras. *Il est bien hypothéqué* (Académie).

DÉR. Hypothécable.

HYPOTHERMIE [ipɔtɛʀmi] n. f. — 1889, *in* D. D. L. ; de *hypo-,* et *-thermie.*

Médecine.

♦ **1.** Abaissement de la température du corps au-dessous de la normale.

♦ **2.** Abaissement provoqué de la température du corps, dans une intention thérapeutique. *L'hypothermie a pour effet de diminuer les besoins de l'organisme en oxygène et permet d'arrêter plus longtemps la circulation sanguine, en cas d'intervention sur le cœur.*

Le cœur-poumon artificiel (...) a aussi à peu près complètement éliminé l'hypothermie, dont (...) les adeptes sont de plus en plus rares.
Claude D'ALLAINES, Chirurgie du cœur, p. 70.

CONTR. (Du sens 1) **Fièvre, hyperthermie.**

HYPOTHÈSE [ipɔtɛz] n. f. — 1538, Canappe ; lat. *hypothesis,* grec *hupothesis,* de *hupotithenai* (→ Hypothèque), de *hupo* (→ Hypo-), et *tithenai.* → Thèse.

★ **I.** Sc. ♦ **1.** Math. Proposition admise, soit comme donnée* d'un problème, soit pour la démonstration d'un théorème (⇒ **Axiome, condition, définition, postulat, prémisse**). *Hypothèse conventionnelle.* ⇒ **Convention.** *Science basée sur l'hypothèse et la déduction.* ⇒ **Hypothético-déductif.**

Il *(Lobatchevsky)* suppose au début que : *l'on peut par un point mener plusieurs parallèles à une droite donnée (...)* 1
Et il conserve d'ailleurs tous les autres axiomes d'Euclide. De ces hypothèses, il déduit une suite de théorèmes entre lesquels il est impossible de relever aucune contradiction et il construit une géométrie dont l'impeccable logique ne le cède en rien à celle de la géométrie euclidienne.
H. POINCARÉ, la Science et l'Hypothèse, III.

Par hypothèse. Le segment AB étant par hypothèse égal à BC...

♦ **2.** (XVIIe). Proposition relative à l'explication de phénomènes naturels, admise provisoirement avant d'être soumise au contrôle de l'expérience (incluant l'observation). ⇒ **Assomption, conjecture ; a priori** (cit. 3, idée a priori). *Rôle de l'hypothèse dans les sciences expérimentales, en physique, en astronomie* (cit. 2) ; *dans les sciences jeunes, commençantes* (→ Balbutier, cit. 10) ; *dans les sciences humaines. «L'hypothèse est essentiellement une méthode, c'est-à-dire un principe d'action»* (Boisse, *in* Lalande). *Hypothèse heuristique, directrice ; hypothèse de travail. Facteurs externes* (observations, expériences «pour voir») *et facteurs internes* (divination, intuition ; réflexion ; induction, déduction) *qui sont à l'origine des hypothèses. Hypothèse géniale, heureuse, lumineuse ; mauvaise, fausse hypothèse. Hypothèse vérifiée, en cours de vérification. Vérifier, falsifier une hypothèse. Échafauder* (cit. 2) *des hypothèses sans base expérimentale. Les hypothèses qu'une observation suggère à un savant* (→ Graine, cit. 14). *L'hypothèse doit avoir un point d'appui dans la réalité observée, ne pas être contradictoire, être vérifiable expérimentalement. L'hypothèse, une fois vérifiée, prend valeur de loi* scientifique. — Hypothèse nouvelle, révolu-*

tionnaire. Hypothèse encore vague (→ Électron, cit. 1). *Hypothèse sur l'origine du granit* (cit. 4). *Hypothèse de la continuité du plasma* (→ Germinal, cit. 1). — *Grandes hypothèses scientifiques, ou hypothèses générales, sur l'électromagnétique, la nature de la lumière, l'univers en expansion. Hypothèses de Newton; hypothèse cosmologique de Laplace.* — REM. En ce sens, on dit plutôt *théorie**. → Théorie; système. — *La Science et l'Hypothèse,* ouvrage de H. Poincaré.

2 (...) une *hypothèse* étant une fois posée, on fait souvent des expériences pour s'assurer si elle est bonne. Si on trouve que ces expériences la confirment, et que non seulement elle rende raison du phénomène, mais encore que toutes les conséquences qu'on en tire s'accordent avec les observations, la probabilité croît à un tel point, que nous ne pouvons lui refuser notre assentiment, et qu'elle équivaut à une démonstration. Encyclopédie (DIDEROT), art. *Hypothèse.*

3 Une idée anticipée ou une hypothèse est (...) le point de départ nécessaire de tout raisonnement expérimental. Sans cela on ne saurait faire aucune investigation ni s'instruire; on ne pourrait qu'entasser des observations stériles.
(...) L'hypothèse expérimentale (...) doit toujours être fondée sur une *observation* antérieure. Une autre condition essentielle de l'hypothèse, c'est qu'elle soit aussi probable que possible et qu'elle soit vérifiable expérimentalement.
Cl. BERNARD, Introd. à l'étude de la médecine expérimentale, I, II, p. 70-71.

4 Nous verrons (...) qu'il y a plusieurs sortes d'hypothèses, que les unes sont vérifiables et qu'une fois confirmées par l'expérience, elles deviennent des vérités fécondes; que les autres, sans pouvoir nous induire en erreur, peuvent nous être utiles en fixant notre pensée, que d'autres enfin ne sont des hypothèses qu'en apparence et se réduisent à des définitions ou à des conventions déguisées.
H. POINCARÉ, la Science et l'Hypothèse, Introd.

5 Il y a longtemps que personne ne songe plus à devancer l'expérience, ou à construire le monde de toutes pièces sur quelques hypothèses hâtives. De toutes ces constructions où l'on se complaisait encore naïvement il y a un siècle, il ne reste plus aujourd'hui que des ruines. H. POINCARÉ, Valeur de la science, p. 140.

REM. Jusqu'à la fin du XVIIIe s., le mot a désigné toute proposition reçue pour en déduire d'autres, sans souci de sa vérité ou de sa fausseté. → Principe.

6 (...) je désire que ce que j'écrirai soit seulement pris pour une hypothèse, laquelle est peut-être fort éloignée de la vérité; mais encore que cela fût, je croirais avoir beaucoup fait si toutes les choses qui en sont déduites sont entièrement conformes aux expériences. DESCARTES, Principes, III, 44.

★ **II.** (XVIIe). ♦ **1.** Cour. Conjecture* concernant l'explication ou la possibilité d'un événement. ⇒ **Supposition; éventualité.** *Émettre, énoncer* (cit. 3), *faire des hypothèses, à propos de..., sur..., quant à.... Suggérer une hypothèse. Examiner une hypothèse. Hypothèse vraisemblable, raisonnable, judicieuse* (→ Âme, cit. 32). *Hypothèse absurde, fantaisiste* (cit. 5), *fragile* (cit. 12), *gratuite, hasardée, improbable, invraisemblable* (→ Apôtre, cit. 2; émission, cit. 5), *qui ne mérite pas examen. Hypothèse angoissante* (cit.), *rassurante. Ces accusations, ces charges* (cit. 26) *ne reposent que sur des hypothèses.* ⇒ **Présomption.** *En être réduit aux hypothèses.* ⇒ **Conjecturer** (cit. 3). *C'est une simple, une pure hypothèse* (→ Commodité, cit. 3). *Le champ des hypothèses. Hypothèse émise par association* d'idées, par induction, par analogie.* — *Par hypothèse. Il est jeune et, par hypothèse, inexpérimenté* (⇒ **Censé, présumé, supposé...**). *Dans, selon cette hypothèse. Dans l'hypothèse où...* — *En toute hypothèse :* en tout cas.

7 Malgré les sondages de la police, l'Instruction s'était arrêtée sur le seuil de l'hypothèse sans oser pénétrer le mystère (...)
BALZAC, le Curé de village, Pl., t. VIII, p. 585.

8 Dans cette hypothèse, plus ingénieuse à mon avis que fondée en vérité.
MÉRIMÉE, Hist. du règne de Pierre le Grand, p. 295.

9 Et puis, peu importe qu'un client, médiocre par hypothèse, vous escroque une commission. J. ROMAINS, les Hommes de bonne volonté, t. IV, IV, p. 29.

10 Il répondit qu'assurément, pour la clarté de l'exposé, on pouvait envisager certaines hypothèses. Mais faire une hypothèse n'était pas faire une prévision.
J. ROMAINS, les Hommes de bonne volonté, t. IV, XVI, p. 181.

11 (...) à ce tribunal, l'Autriche serait infailliblement condamnée par trois voix contre une (...) C'est l'hypothèse la moins désobligeante (...) et la plus plausible.
MARTIN DU GARD, les Thibault, t. VI, XLI, p. 211.

♦ **2.** Gramm., ling. *Proposition exprimant une hypothèse.* ⇒ **Assomptif, hypothétique.** *Les diverses expressions de l'hypothèse dans le langage.*

12 (...) tout fait peut devenir donnée d'hypothèse. Il suffit qu'on se place au cas de sa réalisation éventuelle. Le cas le plus commun est dans l'existence d'un être, d'une chose, d'un fait, qui, en se produisant, entraînerait la conséquence énoncée : **S'il avait fait un pas,** *il était perdu* (...) Mais il y a bien d'autres données. Prenons par exemple une circonstance de temps : **Deux jours plus tôt,** *l'opération l'eût sauvée* (...) Voici un exemple pris à la manière : **De cette façon,** *on n'aurait rien à supposer* (MAUPASS., Bel-Ami, 361)... Ailleurs la donnée est dans la quantité, le degré d'une qualité : **Moins âgée,** *elle aurait (...) plus de résistance* (...) Ailleurs, on suppose une substitution de la personne sujet : *Moi,* **à ta place,** *je lèverais le masque* (FLAUB., Corresp., 2e série, 207)... Tous les autres éléments de pensée (...) peuvent, à l'occasion, devenir données d'hypothèse.
F. BRUNOT, la Pensée et la Langue, XXV, 2, p. 872.

CONTR. Conclusion; certitude, évidence.

HYPOTHÉTICO-DÉDUCTIF, IVE [ipɔtetikodedyktif, iv] adj. — Mil. XXe; de *hypothétique,* et *déductif.*

♦ Didact. Qui part de propositions hypothétiques et en déduit toutes les conséquences logiques. *Raisonnement hypothético-déductif dans les sciences expérimentales. L'axiomatique, considérée comme un système hypothético-déductif* (⇒ **Assomption,** cit. 4). *Sciences hypothético-déductives* (opposé à *sciences inductives*).

Quant aux «essences» *(chez Husserl),* elles (...) ne se réduisent pas à des hypothèses ou fictions (comme le sont les axiomes en une science hypothético-déductive).
J. PIAGET, Logique et Connaissance scientifique, *in* Encycl. Pl., p. 34.

HYPOTHÉTIQUE [ipɔtetik] adj. — 1290, *ypotetique;* lat. impérial *hypotheticus,* grec *hupothêtikos,* de *hupothesis.* → Hypothèse.

★ **I.** Didact. ♦ **1.** Log. (par oppos. à *catégorique**). *Proposition hypothétique,* «où l'assertion est subordonnée à une condition» (Cuvillier). ⇒ **Conditionnel.** Ex. : Si deux droites sont parallèles, elles sont équidistantes. — *Syllogisme hypothétique,* dont l'une des prémisses* au moins est une proposition* hypothétique (on dit aussi *conditionnel**). — Philos. *Impératif* hypothétique, dans la morale de Kant* (par oppos. à *impératif catégorique*).

♦ **2.** Sc. Qui est de la nature de l'hypothèse, n'existe qu'à l'état d'hypothèse. *Jugement hypothétique.* ⇒ **Conjectural.** — (Rare). *La méthode hypothétique.* — *Conception, explication; construction, situation hypothétique. Cas, événement, fait hypothétique.* ⇒ **Imaginé, présumé, supposé.** — *Forme hypothétique d'un mot* (par oppos. à *attestée*), reconstituée, virtuelle... *Particule hypothétique.*

(...) ainsi, guidé par une idée hypothétique qui devait se révéler fausse, l'habile physicien *(Becquerel)* se mit à rechercher une hypothétique émission de rayons X par des sels d'uranium (...) il eut bientôt la joie de constater que le phénomène attendu existait réellement (...)
L. DE BROGLIE, H. Becquerel, *in* Bulletin de l'Association des anciens élèves de Polytechnique, janv. 1948.

N. m. *L'hypothétique et le vérifié.*

★ **II.** ♦ **1.** (XIXe). Cour. Qui n'est pas certain. ⇒ **Douteux, incertain, problématique.** *Le résultat hypothétique de cette entreprise. Bénéfices hypothétiques. Compter sur un héritage hypothétique.* — *Passants, visiteurs hypothétiques* (→ Engouffrer, cit. 7). *Attendre des clients hypothétiques.* — REM. Dans cet emploi, l'adj. est parfois antéposé en épithète. *Nous attendons une hypothétique visite de X. «Traînant un hypothétique sac d'écus»* (Léon Bloy, *la Femme pauvre,* p. 245).

♦ **2.** (1922). Gramm., ling. Relatif à l'hypothèse (II., 2.), à la supposition; qui exprime l'hypothèse. *Proposition hypothétique,* et, n. f., *une hypothétique.* ⇒ **Conditionnel.** *Subjonctif hypothétique. Ligatures hypothétiques :* les conjonctions *si, quand,* etc. (cf. Brunot, *la Pensée et la Langue,* XXV, 4).

CONTR. Certain, effectif, évident, indubitable, sûr. — Assertif.
DÉR. Hypothétiquement.
COMP. Hypothético-déductif.

HYPOTHÉTIQUEMENT [ipɔtetikmɑ̃] adv. — XVIe; de *hypothétique.*

♦ Didact. ou rare. D'une manière hypothétique.

a (Au sens I de *hypothétique*). *Raisonner hypothétiquement. Procéder hypothétiquement et déductivement.* — *«L'avocat (...) admit hypothétiquement la préméditation du vol»* (Balzac, *le Curé de village, in* T. L. F.). Syn. : *par hypothèse.*

b (Au sens II, 1). *Une entreprise hypothétiquement bénéficiaire.*

c (Au sens II, 2). *Exprimer hypothétiquement une idée en employant le subjonctif.*

CONTR. Certainement, effectivement, indubitablement.

HYPOTHREPSIE [ipotʀɛpsi] n. f. — XXe; de *hypo-,* et grec *threpsis* «nutrition».

♦ Méd. Amaigrissement important chez le nourrisson qui peut aboutir à l'athrepsie*. ⇒ **Hypotrophie.**

HYPOTHYMIE [ipɔtimi] n. f. — XXe; de *hypo-,* et *-thymie.*

♦ Psychol. Affaiblissement anormal du tonus affectif, de l'élan vital, se traduisant par un état d'apathie et d'indifférence.

CONTR. Hyperthymie.

HYPOTHYROÏDIE [ipotiʀɔidi] n. f. ou HYPOTHYROÏDISME [ipotiʀɔidism] n. m. — 1906, *hypothyroïdie,* in *Rev. gén. des sc.,* n° 15, p. 718; *hypothyroïdisme,* 1904, in *Rev. gén. des sc.,* n° 2, p. 56; de *hypo-, thyroïde,* et suff. *-ie* ou *-isme.*

♦ Méd. Insuffisance de la sécrétion de la thyroïde. *Syndrome de l'hypothyroïdie.* ⇒ **Crétinisme, myxœdème.**

CONTR. Hyperthyroïdie.
DÉR. Hypothyroïdien.

HYPOTHYROÏDIEN, ENNE [ipotiʀɔidjɛ̃, ɛn] adj. — 1907, in *Rev. gén. des sc.,* n° 9, p. 379; de *hypothyroïdie.*

♦ Qui concerne l'hypothyroïdie. *Troubles hypothyroïdiens.* — N. *Un hypothyroïdien, une hypothyroïdienne.*

CONTR. Hyperthyroïdien.

HYPOTONIE [ipɔtɔni] n. f. — 1898, in *l'Année biol.*; de *hypo-*, et rad. de *tonique.*

♦ **1.** Physiol. Diminution de l'excitabilité nerveuse, de la tonicité musculaire (⇒ aussi **Atonie**).

♦ **2.** Syn. de *hypotension.*

♦ **3.** Phys. État d'un liquide, d'une solution dont la tension osmotique est inférieure à celle d'un liquide de référence, notamment, à celle du sang (⇒ **Hypotonique**).

CONTR. Hypertonie.
DÉR. Hypotonique.

HYPOTONIQUE [ipɔtɔnik] adj. — 1904, in *Rev. gén. des sc.*, nº 9, p. 468; de *hypotonie.*

♦ Didact. Dont la pression osmotique est inférieure à une autre (notamment, à celle du sang), prise comme référence. *Solution hypotonique, sérum hypotonique. «À l'inverse, si on stimule avec une solution saline hypotonique cette même zone* (la partie latérale de l'hypothalamus) *chez un animal assoiffé, celui-ci ne boira pas»* (*Sciences et Avenir*, nº 414, p. 65).

CONTR. Hypertonique.

HYPOTROPHIE [ipɔtʀɔfi] n. f. — 1855; de *hypo-*, et *-trophie.*

♦ Physiol. Développement insuffisant de l'organisme avec retard de la croissance. ⇒ **Atrophie.**

CONTR. Hypertrophie.
DÉR. Hypotrophique.

HYPOTROPHIQUE [ipɔtʀɔfik] adj. — XXe; de *hypotrophie.*

♦ Physiol. Relatif à l'hypotrophie. *Insuffisance, trouble hypotrophique.* — (Êtres vivants). Qui souffre d'une insuffisance de développement (d'un organe, d'un membre, ou du corps tout entier). — N. Personne atteinte d'hypotrophie. *«(...) mise au monde d'enfants hypotrophiques (200 grammes de moins en moyenne)»* (*F. Magazine*, nº 40, juil.-août 1981, p. 77). *«Les enfants hypotrophiques sont, bien plus que les autres, victimes des infections de toutes sortes et de la malnutrition»* (*le Monde*, 2 avr. 1984, p. 4).

CONTR. V. Hypertrophique.

HYPOTYPOSE [ipɔtipoz] n. f. — 1555, *hipotypose*; lat. *hypotyposis*, grec *hupotuposis*, mot à mot «ce qui frappe *(tuptein)* en dessous *(hupo)*». → Type.

♦ Rhét. Description* animée et frappante.

HYPOVENTILATION [ipovɑ̃tilasjɔ̃] n. f. — XXe; de *hypo-*, et *ventilation.*

♦ Méd. Diminution de la ventilation pulmonaire qui peut entraîner une augmentation du gaz carbonique (⇒ **Hypercapnie**) et une diminution de l'oxygène (⇒ **Hypoxémie**) du sang.

CONTR. Hyperpnée, hyperventilation.

HYPOVITAMINOSE [ipovitaminoz] n. f. — 1955, *Larousse mensuel*; de *hypo-*, *vitamine*, et suff. 2. *-ose.*

♦ Méd. Carence d'une ou plusieurs vitamines associées. ⇒ **Avitaminose.**

Ces malaises peuvent (...) n'apparaître qu'au bout de plusieurs années de déficience vitaminique et se déclencher alors brusquement avec une particulière violence. Ce sont là des cas d'hypovitaminoses, d'avitaminoses frustes qui réclament un examen précis et minutieux. Suzanne GALLOT, les Vitamines, p. 85.

CONTR. Hypervitaminose.

HYPOXÉMIE [ipɔksemi] n. f. — 1854, *in* D.D.L.; de *hypo-*, *ox(ygène)*, grec *haima* «sang», et suff. *-ie.*

♦ Physiol., méd. Diminution de la quantité d'oxygène contenue dans le sang. ⇒ **Anoxémie.** *Hypoxémie par diminution de la ventilation pulmonaire.* ⇒ **Hypoventilation.**

Cette description du mal des aéronautes diffère sensiblement du tableau classique du mal des montagnes : le syndrome d'hypoxémie n'est pas un, il affecte des formes différentes selon les modes de l'accès en altitude. Les conditions dans lesquelles l'homme gravit une cime ou s'élance en avion ne sont, en effet, guère comparables (...) Jacques GUILLERME, la Vie en haute altitude, p. 77.

DÉR. Hypoxémique.

HYPOXÉMIQUE [ipɔksemik] adj. — XXe; de *hypoxémie.*

♦ Physiol., méd. De l'hypoxémie. *«Les états hypoxémiques»* (J. Guillerme, *la Vie en haute altitude*, p. 85).

HYPOXIE [ipɔksi] n. f. — XXe; de *hypo-*, *oxy(gène)*, et suff. *-ie.*

♦ Méd. Syn. de *anoxie.* ⇒ **Anoxémie.**

Il est juste de dire que pour de telles hypoxies légères il existe une accoutumance : le fait que de nombreuses populations vivent sur terre à des altitudes correspondant à ces pressions partielles d'oxygène suffit à le prouver. J. COLIN et Y. HOUDAS, Physiologie du cosmonaute, p. 67.

HYPSO- Premier élément de mots savants, tiré du grec *hupsos* «hauteur».

HYPSOGRAPHIE [ipsɔgʀafi] n. f. — 1831; de *hypso-*, et *-graphie.*

♦ Didact., vx. Description du relief.

DÉR. Hypsographique.

HYPSOGRAPHIQUE [ipsɔgʀafik] adj. — 1831; de *hypsographie.*

♦ Didact., vx. Qui présente le relief. *Carte hypsographique.*

HYPSOMÈTRE [ipsɔmɛtʀ] n. m. — 1856; de *hypso*, et *-mètre.*

♦ **1.** Phys. Instrument qui indique l'altitude d'un lieu d'après la température à laquelle l'eau y entre en ébullition.

♦ **2.** Électr. Appareil servant à mesurer les niveaux de transmission électrique.

HYPSOMÉTRIE [ipsɔmetʀi] n. f. — 1839; de *hypso-*, et *-métrie.*
Géographie.

♦ **1.** Détermination de l'altitude (d'un lieu). *L'hypsométrie utilise le baromètre, l'hypsomètre, les calculs trigonométriques.* — Par ext. Relief (d'une zone).

♦ **2.** Représentation des altitudes sur une carte. ⇒ **Altimétrie.**

DÉR. Hypsométrique.

HYPSOMÉTRIQUE [ipsɔmetʀik] adj. — 1836; de *hypsométrie.*

♦ Phys. Relatif à l'hypsométrie. *Courbe hypsométrique* : courbe représentant les altitudes. → Courbe* de niveau. *Carte hypsométrique.*

HYRACIENS [iʀasjɛ̃] ou **HYRACOÏDES** [iʀakɔid] n. m. pl. — Mil. XXe (1953, Quillet); du grec *huraks, akos* «souris», et *-ien* ou *-oïde.*

♦ Zool. Ordre de mammifères placentaires d'Afrique et d'Asie Mineure, plantigrades herbivores de petite taille appelés communément *damans**, ou *marmottes du Cap*, qui vivent par petites bandes. — Au sing. *Un hyracien, un hyracoïde.*

HYRCANIEN, ENNE [iʀkanjɛ̃, ɛn] adj. et n. — 1572, n. m. pl.; de *Hyrcanie.*
Didactique.

♦ **1.** De l'Hyrcanie, région du sud-est de la mer Caspienne, dans l'Antiquité. *Les tigres hyrcaniens.*

♦ **2.** (1835, Gautier). Littér. Cruel, farouche, terrible (par allus. à la réputation de férocité des animaux d'Hyrcanie).

HYSOPE [izɔp] n. f. — 1120, *ysope*; *hysope*, 1535; lat. *hysopum*, *hyssopum*, grec *hussôpos*, d'un mot sémitique; cf. l'hébreu *ézôb.*

♦ Bot. Plante dicotylédone *(Labiées)* scientifiquement appelée *hyssopus*, arbrisseau vivace à feuilles persistantes, à fleurs bleues, provenant des régions méditerranéennes. *L'hysope, plante aromatique et mellifère, a des propriétés stimulantes, pectorales et stomachiques. L'hysope est fréquemment mentionnée dans la Bible* (→ Éponge, cit. 1). *Anachorètes qui se nourrissent de pain et d'hysope* (→ Abstinence, cit. 1). — Spécialt. *L'hysope considérée dans la Bible comme une plante très petite, et en ce sens opposée au cèdre.* — (V. 1170). Fig., vx. *Depuis le cèdre jusqu'à l'hysope* : du plus grand au plus petit.

Il *(Salomon)* traita aussi de tous les arbres, depuis le cèdre qui est sur le Liban 1
jusqu'à l'hysope qui sort de la muraille (...) BIBLE (SACY), Rois, III, IV, 33.

2 (...) les comédiens et les auteurs, depuis le cèdre jusqu'à l'hysope, sont diablement animés contre lui. MOLIÈRE, l'Impromptu de Versailles, V.

3 *Christine* a réussi, après un bon nombre de coupures ; il y a du talent aux deux derniers actes ; mais c'est du second ordre, et autant au-dessous d'*Hernani* que l'hysope est au-dessous du cèdre, — quoique avec assez de prétention de l'égaler.
SAINTE-BEUVE, Correspondance, 11 avr. 1830, t. I, p. 186.

4 Moi qui ne suis qu'un brin d'hysope dans la main
Du Seigneur tout-puissant qui m'octroya la grâce (...)
VERLAINE, Liturgies intimes, I.

HYSTÉR-, HYSTÉRO- Élément, du grec *hustera* « utérus ».

HYSTÉRALGIE [isteʀalʒi] n. f. — 1800, *in* D. D. L. ; de *hystér-*, et *-algie*.

♦ Méd. Douleur de l'utérus.

HYSTÉRECTOMIE [isteʀɛktɔmi] n. f. — 1879, cit. ; de *hystér-*, et *-ectomie*.

♦ Méd. Ablation de l'utérus. *Hystérectomie totale,* et, fam., *la totale,* n. f. (→ Total, cit. 0.1).

Dans ses descriptions, M. Duplay accepte un néologisme proposé par M. Tillaux. Au lieu de dire hystérotomie, ce qui signifierait à ce compte incision de l'utérus, il dit hystérectomie, ce qui veut dire excision de l'utérus. Peut-être ce néologisme n'était-il pas nécessaire. Journal de médecine et de chirurgie pratiques, L, 482 (1879), *in* D. D. L., II, 8.

HYSTÉRÉSIS [isteʀezis] n. f. — 1890 ; *hystérèse,* 1903, in *Rev. gén. des sc.,* n° 23, p. 1232 ; angl. *hysteresis,* mot dû à Ewing (1881) ; comp. sav. du grec *husterein* « être en retard ».

♦ **1.** Phys. Retard de l'effet sur la cause dans le comportement des corps soumis à une action (élastique ou magnétique) croissante, puis décroissante. *Hystérésis mécanique.* — (1925). *Hystérésis diélectrique, magnétique. L'aimantation rémanente ou retard d'aimantation, manifestation d'hystérésis. Cycle d'hystérésis.*

(...) l'emploi de tôles au silicium, ayant une perméabilité magnétique plus grande et une hystérésis plus réduite que les tôles de fer a permis de diminuer le volume et le poids des moteurs de traction tout en augmentant le rendement (...)
Gilbert SIMONDON, Du mode d'existence des objets techniques, p. 53.

REM. La var. francisée *hystérèse* [isteʀɛz] semble peu usitée.

♦ **2.** Retard d'une réaction.

DÉR. **Hystérétique.**

HYSTÉRÉTIQUE [isteʀetik] adj. — 1904, in *Rev. gén. des sc.,* n° 5, p. 280 ; de *hystérésis.*

♦ Didact. De l'hystérésis. *Pertes hystérétiques.*

HYSTÉRIE [isteʀi] n. f. — 1731 ; de *hystérique.*

♦ **1.** Vx. Ensemble de troubles psychiques, neurologiques et fonctionnels très divers, généralement attribués à la simulation (⇒ **Pithiatisme,** cit.). — Fureur érotique des femmes.

♦ **2.** (V. 1880, Charcot). Mod. **a** Ensemble de symptômes, surtout neurologiques, prenant l'apparence d'affections organiques, sans lésion organique décelable.

1 L'hystérie ! Pourquoi ce mystère physiologique ne ferait-il pas le fond et le tuf d'une œuvre littéraire, ce mystère que l'Académie de médecine n'a pas encore résolu, et qui, s'exprimant dans les femmes par la sensation d'une boule ascendante et asphyxiante (je ne parle que du symptôme principal), se traduit chez les hommes nerveux par toutes les impuissances et aussi par l'aptitude à tous les excès.
BAUDELAIRE, l'Art romantique, Mme Bovary, XVII, V.

2 Ils *(les matérialistes)* ont retrouvé dans (...) l'histoire même des miraculés de Saint-Médard, les symptômes de la grande hystérie, ses contractures généralisées, ses résolutions musculaires, ses léthargies, enfin jusqu'au fameux arc de cercle (...) ils mettent tout sur le compte de la grande hystérie et ils ne savent même pas ce qu'est cet affreux mal et quelles en sont les causes ! Oui, sans doute, Charcot détermine très bien les phases de l'accès, note les attitudes illogiques et passionnelles, les mouvements clowniques *(sic)* ; il découvre les zones hystérogènes, peut, en maniant adroitement les ovaires, enrayer ou accélérer les crises (...) mais quant à les guérir c'est autre chose ! Tout échoue sur cette maladie inexplicable (...) car il y a de l'âme là-dedans, de l'âme en conflit avec le corps, de l'âme renversée dans de la folie de nerfs ! HUYSMANS, Là-bas, IX, p. 146-148.

b Psychiatrie. Névrose caractérisée par une exagération des modalités d'expression psychique et affective *(névrose d'expression),* qui peut se traduire par des symptômes d'apparence organique (convulsions, paralysies, douleurs, catalepsie) et par des manifestations psychiques pathologiques (hallucinations, délire, mythomanie, angoisse). *Aura* qui précède l'attaque d'hystérie. Phénomènes d'extase dans l'hystérie. Spasmes de l'hystérie* (→ Érotomane, cit. 1).

3 Si l'émotion est génératrice de désordres somatiques, l'imagination ne l'est pas moins : son domaine morbide se confond avec celui de l'hystérie. Cette névrose où l'on a pu voir l'incarnation du mensonge, la réalisation plastique et physique de la toute-puissance de l'image, engendre comme autant de fictions corporelles tous les doubles des maladies (...) La médecine psychosomatique a annexé le domaine de l'hystérie, car les manifestations de cette névrose sont toujours chargées d'intentions psychologiques. Cette intentionnalité n'est pas volontaire et consciente, comme elle l'est chez un simulateur, elle est involontaire et inconsciente. Le simulateur dupe, l'hystérique se dupe.
Jean DELAY, la Psycho-physiologie humaine, p. 114-116.

Ethnol. *Hystérie arctique.* ⇒ **Piblokto.**

c Psychan. (concepts freudiens, dérivés du sens b). *Hystérie d'angoisse,* « où l'angoisse est fixée de façon plus ou moins stable à tel ou tel objet extérieur (phobies) » (Laplanche et Pontalis). ⇒ **Angoisse.** — *Hystérie de conversion,* « où le conflit psychique vient se symboliser dans les symptômes corporels les plus divers, paroxystiques (exemple : crise émotionnelle avec théâtralisme) ou plus durables (exemple : anesthésies, paralysies hystériques, sensation de "boule" pharyngienne, etc.) » (Laplanche et Pontalis). — *Hystérie de défense,* qui « se spécifie par l'activité de défense que le sujet exerce contre des représentations susceptibles de provoquer des affects déplaisants » (Laplanche et Pontalis).

♦ **3.** (1834, Sainte-Beuve). Cour. *C'est de l'hystérie,* de la folie, de la rage. — REM. Cet emploi semble moins usuel que l'emploi équivalent de *hystérique.*

DÉR. **Hystérisme, hystéroïde.**
COMP. **Hystériforme, hystéro-épilepsie, hystérogène.**

HYSTÉRIFORME [isteʀifɔʀm] adj. — 1834 ; de *hystérie,* et *-forme.*

♦ Didact. Dont les manifestations rappellent l'hystérie. *Troubles hystériformes. Attaques hystériformes dues au sevrage forcé d'un toxicomane.*

HYSTÉRIQUE [isteʀik] adj. et n. — 1568 ; lat. *hystericus,* grec *husterikos,* de *hustera* « utérus », l'attitude des malades étant autrefois considérée comme un accès d'érotisme morbide spécifiquement féminin.

♦ **1.** Didact., vx. Qui est atteint d'hystérie (au sens 1). — REM. S'est dit à l'origine uniquement des femmes. — *Une femme, un homme hystérique.*

(Lecteur) Jette ce livre saturnien 1
Orgiaque et mélancolique...
Jette ! tu n'y comprendrais rien,
Ou tu me croirais hystérique (...)
BAUDELAIRE, Nouvelles Fleurs du mal, I, Épigraphe...

♦ **2.** Atteint d'hystérie (au sens 2). *Les malades hystériques soignés par la psychiatrie, la psychanalyse.*

N. Personne atteinte d'hystérie. *Un, une hystérique. Extases* (cit. 3) *des hystériques.*

Quant à la Barbée, elle souriait comme dans un rêve, et un filet de sang lui coulait sous la mâchoire. Foureau, pour l'éprouver lui-même, voulut saisir la lancette, et le Docteur l'ayant refusée, il pinça la malade fortement. Le Capitaine lui chatouilla les narines avec une plume, le Percepteur allait lui enfoncer une épingle sous la peau. 1.1
« Laissez-la donc » dit Vaucorbeil, « rien d'étonnant, après tout ! une hystérique ! le diable y perdrait son latin ». FLAUBERT, Bouvard et Pécuchet, VIII.

Babinski (...) considéra que tous ces symptômes si extraordinaires décrits chez les hystériques n'étaient que le produit de la suggestion ; on pouvait à volonté les faire apparaître par suggestion et les faire disparaître par contre-suggestion, par persuasion (...) Mais par contre-coup, le domaine de l'hystérie fut en quelque sorte vidé de son contenu (...) Les divers symptômes curables par persuasion (d'où le nom de pithiatisme créé par Babinski) furent considérés comme artificiels, comme une sorte de demi-simulation, ou, comme on disait, de « simulation inconsciente ». Hystérique devint alors synonyme de comédien, de menteur, de mythomane (Dupré), d'exploiteur. Henri BARUK, Psychoses et Névroses, p. 19. 2

♦ **3.** **a** Psychiatrie. Qui a rapport à l'hystérie (2.). *Accidents, manifestations hystériques. Anesthésie hystérique. Amnésie hystérique. Hémiplégie, contracture hystérique.*

Chez la femme, des conflits affectifs refoulés sont à l'origine de beaucoup de névroses, dont la névrose d'expression hystérique est une forme fréquente. L'accident hystérique apparaît alors comme un phénomène de dérivation et de conversion. A. POROT, Manuel de psychiatrie, art. *Hystérie.* 3

b De l'hystérie, au sens psychanalytique.

♦ **4.** Cour. (Correspond à *hystérie,* 3.). **a** (Personnes). Nerveux, exalté. *Elle est un peu hystérique dans sa joie, son rire. Il est complètement hystérique.*

b Qui rappelle l'hystérie, qui semble digne d'une personne hystérique. *Gesticulations, rires hystériques. Une voix hystérique* (→ Enroué, cit. 1).

Elle fut insolente, ironique, riant du rire hystérique de la haine dans son paroxysme le plus aigu (...) 4
BARBEY D'AUREVILLY, les Diaboliques, « À un dîner d'athées ».

c (Choses). *Une publicité hystérique.*

CONTR. (Du sens 4) **Calme, flegmatique, froid.**
DÉR. **Hystérie, hystériquement, hystériser.**

HYSTÉRIQUEMENT [isteʀikmɑ̃] adv. — 1893, Verlaine, *in* T. L. F. ; de *hystérique.*

♦ De manière hystérique. — (Au sens 4). *Crier, rire hystériquement.*

Nous étions très affaiblis, mais hystériquement exaltés (...) Depuis des semaines, nous vivions de son et de menace. MALRAUX, Antimémoires, Folio, p. 257.

CONTR. Calmement, flegmatiquement.

HYSTÉRISER [isteʀize] v. tr. — 1872, Goncourt; de *hystérique.*

♦ Littér. Exprimer de façon hystérique (4.). « *La fameuse Christine, lourdement métaphorisée en femme fatale qui aligne ses galbes roux et hystérise la jalousie jusqu'au meurtre* » (*Libération,* 30 janv. 1984).

▶ **S'HYSTÉRISER** v. pron. (1864, Goncourt). S'exciter jusqu'à l'hystérie (3).

Femmes s'hystérisant sur des pianos (...) HUYSMANS, l'Oblat, t. II, 1903, p. 276, *in* T. L. F.

HYSTÉRISME [isteʀism] n. m. — 1772; de *hystérie,* et suff. *isme.*

♦ Didact. et vx. Tempérament, prédisposition hystérique (1.). — REM. Le synonyme *hystéricisme* [isteʀisism] (de *hystérique,* et suff. *isme*) est attesté.

HYSTÉRITE [isteʀit] n. f. — 1810; de *hystér-,* et *-ite.*

♦ Méd. Rare. Inflammation de l'utérus.

HYSTÉRO- ⇒ **Hystér-.**

HYSTÉROCÈLE [isteʀɔsɛl] n. f. — 1752; de *hystéro-,* et *-cèle.*

♦ Méd. Hernie de l'utérus.

HYSTÉRO-ÉPILEPSIE [isteʀoepilɛpsi] n. f. — D. i. (XXe); de *hystéro-,* de *hystérie,* et *épilepsie.*

♦ Méd. Grande hystérie à forme épileptoïde.

HYSTÉRO-ÉPILEPTIQUE [isteʀoepilɛptik] adj. et n. — 1891, Huysmans, *Là-bas;* de *hystéro-épilepsie,* d'après *épileptique.*

♦ Méd. De l'hystéro-épilepsie. — Adj. et n. Atteint d'hystéro-épilepsie.

1. HYSTÉROGÈNE [isteʀɔʒɛn] adj. — 1874, Havet, *in* T. L. F.; grec *husterogenês,* de *husteros* « qui vient derrière, après », et *gennân* « engendrer, produire ». → -gène.

♦ Didact., vx. « Né, engendré postérieurement » (Littré).

2. HYSTÉROGÈNE [isteʀɔʒɛn] adj. — 1886; de *hystérie,* et *-gène.*

♦ Méd. Qui provoque l'hystérie, une crise d'hystérie.

HYSTÉROGRAPHIE [isteʀɔgʀafi] n. f. — 1945, *in* D. D. L.; « description des maladies de l'utérus », 1843; de *hystéro-,* et *(radio)graphie.*

♦ Méd. Radiographie de l'utérus.

HYSTÉROÏDE [isteʀɔid] adj. — XXe; de *hystérie,* et *-oïde.*

♦ Méd. Qui a les caractères de l'hystérie, rappelle l'hystérie par ses effets. *Crise hystéroïde. États hystéroïdes d'origine médicamenteuse,* ouvrage de J. Delay et P. Deniker.

Si nous admettons qu'il n'y a pas identité entre les troubles hystéroïdes et l'hystérie, il n'en reste pas moins que l'analogie de ces accidents mène à considérer que les mêmes structures ou fonctions nerveuses sont en jeu dans les deux cas, sur des modes différents. Jean DELAY, Introd. à la médecine psychosomatique, Notes et observations, p. 93.

Caractère hystéroïde : émotivité excessive, manque de maturité affective, propension à la mythomanie.

HYSTÉROLOGIE [isteʀɔlɔʒi] n. f. — 1704; lat. *hysterologia,* grec *husterologia,* de *husteros* « postérieur », et suff. *-logie.*

♦ Rhét. Figure qui consiste à renverser l'ordre chronologique ou logique de deux expressions. Ex. : Laissez-nous mourir et nous précipiter au milieu des ennemis (Virgile, *Énéide,* II, 353). — On a dit aussi *hystéron-protéron* [isteʀɔnpʀɔteʀɔn] n. m. (du grec *husteron,* neutre de *husteros,* et *proteron* « ce qui vient en avant ») et *hystéro-protéron* [isteʀopʀɔterɔ̃].

HYSTÉROMÈTRE [isteʀɔmɛtʀ] n. m. — 1866; de *hystéro-,* et *-mètre.*

♦ Méd. Instrument qui permet de sonder et de mesurer la longueur (hauteur) de la cavité utérine. → Nullipare, cit.

HYSTÉROPEXIE [isteʀɔpɛksi] n. f. — Déb. XXe; de *hystéro-,* et *-pexie,* du grec *pêxis* « action de fixer ».

♦ Chir. Fixation de l'utérus aux tissus voisins, destinée à corriger une déviation anormale de l'organe.

HYSTÉROTOMIE [isteʀɔtɔmi] n. f. — 1792; « dissection de la matrice », 1721; de *hystéro-,* et *-tomie.*

♦ Méd. Incision pratiquée sur l'utérus, par voie vaginale ou abdominale (⇒ **Césarienne**) lors des accouchements difficiles. *Hystérotomie et hystérectomie* (cit.).

HYSTRICIDÉS [istʀiside] n. m. pl. — 1892, Guérin; *Hystriciens,* 1846, Bescherelle; du grec *hustriks, ikhos* « hérisson », et *-idés.*

♦ Zool. Famille de rongeurs nocturnes, au corps recouvert de forts piquants, dont le type est le porc-épic* commun *(Hystrix cristata).* — Au sing. *Un hystricidé.*

Hz Symbole du *hertz*,* unité de fréquence (nombre de cycles par seconde).

I

I [i] n. m.

♦ **1.** Neuvième lettre et troisième voyelle de l'alphabet. *I majuscule; i minuscule* (toujours surmonté d'un point*). *Un ï tréma**; *un î circonflexe. I bref; i long, en latin.*

REM. 1. En phonétique, on distingue le i voyelle palatale écartée (dans p*i*le [pil], b*i*ble [bibl]...) et le i consonne (ou semi-voyelle, ou semi-consonne) noté *j* et appelé *yod** (ex. : dans p*i*ed [pje], h*i*érarchie [jeʀaʀʃi]).

2. Le son *i* est aussi noté *y* (anciennt I grec, → Y).

3. Les groupes *in* (à la fin des mots; devant consonne) et *im* (dans *imb*, *imp*...) se prononcent ɛ nasalisé [ɛ̃]. Ex. : br*in* [bʀɛ̃], f*in* [fɛ̃], pr*in*temps [pʀɛ̃tɑ̃], *im*prudent [ɛ̃pʀydɑ̃], *im*bécile [ɛ̃besil]...; il ne l'est pas lorsque *n* ou *m* sont suivis d'une voyelle, d'un h muet (ex. : *in*imitable [inimitabl], *in*humain [inymɛ̃]) ou dans *imm* (ex. : *imm*oral [im(m)ɔʀal]), sauf, par exception *imm*angeable [ɛ̃mɑ̃ʒabl]. *In* est dénasalisé dans certains mots étrangers (ex. : g*in* [dʒin]).

4. Les groupes *ai* (*ai*mer), *aî* (il conn*aî*t), *ei* (b*ei*gnet) servent à noter [ɛ]. Le groupe *oi* est prononcé [wa] (b*oi*s [bwa]). — Le tréma sert à redonner sa pleine valeur vocalique au i dans *aï* (l*aï*que [laik]), *oï* (ég*oï*ste [egɔist]), *ouï* (*ouï*r [wiʀ]), *uï* (exig*uï*té [egzigɥite]).

5. Groupe *il*, *ill*. → L.

6. Hist. Le signe I a longtemps servi à noter le son J [ʒ], appelé i consonne. *Dans les anciens dictionnaires, les mots commençant par I et par J sont mêlés et traités sous la même lettre* (I).

1 Le grammairien Meigret, en 1542, proposa d'allonger l'*i* pour distinguer le *j* de l'*i* (on écrivait alors *iurer, jurer; desia, déjà*).
F. BRUNOT et Ch. BRUNEAU, Grammaire historique, p. 28.

Écrire un i, des i. Oublier de mettre le point sur le i.

Par métaphore. *« Un point rose qu'on met sur l'i du verbe aimer »* (→ Baiser, cit. 24, Rostand).

2 C'était dans la nuit brune,
Sur le clocher jauni,
La Lune,
Comme un point sur un i.
A. DE MUSSET, Premières poésies, « Ballade à la Lune ».

Loc. fig. *Mettre les points sur les i :* s'expliquer* nettement, clairement, de façon qu'il n'y ait pas de doute, d'équivoque possible. *Il comprend tout à demi-mot : inutile de lui mettre les points sur les i.*

3 Vous n'avez aucune idée de la façon dont ma femme traite les affaires. Elle a horreur de mettre les points sur les I. Et pourtant elle est très franche.
J. ROMAINS, Lucienne, p. 188.

*Droit** (1. Droit, cit. 4) *comme un I :* très droit.

4 Droite comme un i et ne perdant pas un pouce de sa taille, elle avait l'importance et l'allure d'une grande Dame. M. JOUHANDEAU, Tite-le-Long, 14, p. 113.

5 (...) la gouvernante nous ignore et s'en va, droite comme un i et le chapeau dessus comme un accent circonflexe. Hervé BAZIN, Cri de la chouette, p. 59.

♦ **2.** Dans les chiffres romains, I signifie 1 (placé après un autre chiffre, il s'y ajoute; placé avant, on l'en retranche). Ex. : VI (6); IV (4).

Math. *i :* nombre complexe* dont le carré est égal à −1 (⇒ **Imaginaire,** 1.).

♦ **3.** Symb. chimique de l'*iode.*

HOM. Hi, hie, 1., 2., 3. **y.**

-IA Suffixe d'origine latine servant à former des noms masculins désignant des plantes, sur une base venant d'un nom propre (ex. : *bégonia, fuchsia*...).

IAKOUTE ['jakut] adj. et n. — 1846, Bescherelle; du n. pr. *Iakoutsk,* ville de Sibérie.

♦ De la Iakoutie, région de Sibérie. *Les populations iakoutes sont semi nomades.* — N. *Un, une Iakoute.*

N. m. *Le iakoute :* langue de la famille turque (türk) parlée en Iakoutie.

IAMBE [jɑ̃b] n. m. — 1555, *pié iambe; jambus,* 1532, Rabelais (attestation douteuse quant au sens); lat. *iambus,* grec *iambos.*

REM. Tous les dictionnaires écrivent *ïambe* (ainsi que ses dérivés et composés) avec un tréma; cet usage, suivi par la plupart des écrivains jusqu'à nos jours, tend à être abandonné par les spécialistes (cf. A. Waltz, in *Grande Encyclopédie;* Marouzeau, *Voc.*; P. Guillon, in *Encycl. de la Pléiade*). Littré notait déjà que « ce tréma est tout à fait inutile ».

Didactique.

♦ **1.** (Fin XVIe, d'Aubigné). Dans la versification antique, Pied* de deux syllabes, la première brève, la seconde longue. *L'ïambe. Vers composé d'ïambes.* ⇒ **Iambique; choliambe, mimiambe, scazon.** *Pied de quatre syllabes, formé d'un trochée* (1. Trochée) *et d'un iambe.* ⇒ **Choriambe.**

♦ **2.** (Avant 1589). Vers grec ou latin de six pieds, dont les deuxième, quatrième et sixième pieds étaient des iambes (à l'origine). *Les iambes étaient des vers satiriques ou tragiques.* — Adj. Vx. *Vers ïambes.* ⇒ **Iambique.**

(...) dans mon front évoque, 1
Mètre de clous armé, l'ïambe d'Archiloque!
L'ïambe est de saison, l'ïambe et sa fureur,
Pour peindre dignement ces spectacles d'horreur
Et les sombres détails de ce cloaque immense.
Th. DE BANVILLE, Odes funambulesques, p. 88.

Poème formé d'iambes. *Les iambes d'Archiloque de Paros.*

(...) on retrouverait à travers les fragments d'Archiloque et de Saphô (...) deux aspects (...) de la lyrique monodique (...) et dans les iambes de l'un et les chansons de l'autre, deux aspects de l'inspiration de l'Ionie et de l'Éolide. 2
P. GUILLON, *in* Encycl. Pl., Hist. des littératures, t. I, p. 378.

♦ **3.** (Av. 1794, Chénier). Pièce de vers satiriques (à l'époque moderne). *Les ïambes d'André Chénier, d'Auguste Barbier.*

L'auteur a compris sous la dénomination générale d'ïambes toute satire d'un sentiment amer et d'un mouvement lyrique; cependant ce titre n'appartient réellement qu'aux vers satiriques composés à l'instar de ceux d'André Chénier; le mètre employé par ce grand poète n'est pas précisément l'ïambe des anciens, mais quelque chose qui en rappelle l'allure franche et rapide : c'est le vers de douze syllabes, suivi d'un vers de huit, avec croisement de rimes; cette combinaison n'était pas inconnue à la poésie française, l'élégie s'en était souvent servie, mais en forme de stances; c'est ainsi que Gilbert a exhalé ses dernières plaintes. 3
BARBIER, Iambes, *in* LITTRÉ.

Après la révolution de 1830, Eugène Delacroix fit la *Liberté guidant le peuple sur les barricades,* comme une réplique à l'ïambe célèbre d'Auguste Barbier. 4
Th. GAUTIER, Portraits contemporains, Eugène Delacroix, p. 321.

La Curée a été un pur accident dans la vie d'Auguste Barbier; il n'a fait, dans cette pièce (...) qu'imiter et transporter de 93 à 1830 l'ïambe d'André Chénier, avec ses crudités, avec ses ardeurs (...) 5
SAINTE-BEUVE, Causeries du lundi, Notes et pensées, XIII, t. XI, p. 447.

COMP. Iambélégiaque, iambo-trochaïque.

IAMBÉLÉGIAQUE [jɑ̃beleʒjak] adj. — 1867, Littré; de *iambe,* et *élégiaque.*

♦ Didact. Dans la versification antique, Qui est composé d'un dimètre iambique et de la seconde moitié d'un pentamètre dactyle (vers élégiaque). *Les lyriques et les tragiques grecs employaient le vers iambélégiaque. Les vers iambélégiaques d'Horace.*

IAMBIQUE [jɑ̃bik] adj. — 1466; lat. *iambicus,* grec *iambikos,* de *iambos.* → lambe.

♦ Didact. Composé d'iambes (2.). *Vers iambique. Trimètre** *iambique.* — N. m. (1867, Littré). *Un iambique.*

IAMBO-TROCHAÏQUE [jɑ̃botʀɔkaik] adj. — 1893, *in* D.D.L.; de *iambe,* et *trochaïque.*

♦ Didact. Dans la versification antique, se dit d'un tétramètre iambique* ayant perdu le premier demi-pied du deuxième dimètre.

IATR-, IATRO-; -IATRE; -IATRIE Éléments tirés du grec *iatros* « médecin », qui entrent dans la composition de mots scientifiques. ⇒ **Iatrochimie, iatrogène, iatrogénie, iatrogénique, iatromanie, iatrophysique; archiatre; gériatie, gériatrie, hippiatre, hippiatrie; pédiatre, pédiatrie; phoniatre, phoniatrie; psychiatre, psychiatrie.**

Outre les composés traités, on rencontre dans les textes didactiques (notamment au XIXe siècle) d'autres termes formés sur *iatro-* (ex. : *iatromantique* [jatʀɔmɑ̃tik] adj. et n. m. (1879, *in* D. D. L.); *iatromathématicien* [jatʀomatematisjɛ̃] n. m., syn. de *iatromécanicien* [jatʀomekanisjɛ̃] n. m.; *iatromécanisme* [jatʀomekanism] n. m., « doctrine médicale expliquant la vie par des forces mécaniques »; *iatrosophiste* (1858, *in* D. D. L.).

Je le demande aux animistes (...) aux organicistes, aux iatro-chimistes, aux iatromécaniciens, à tous les iatro!

Ed. et J. DE GONCOURT, Sœur Philomène, p. 257, *in* T. L. F.

IATROCHIMIE [jatʀoʃimi] n. f. — 1752, Trévoux, *in* D. D. L.; de *iatro-*, et *chimie*.

♦ Hist. des sc. Doctrine médicale opposée à l'*iatromécanisme**, et selon laquelle les phénomènes de la vie dépendent de combinaisons chimiques.

(...) deux grandes écoles, qui s'épanouirent à la fin du XVIIe siècle, celle de l'*iatromécanisme*, élaborée en Italie par Borelli (1608-1670), et celle de l'*iatrochimie* due à Sylvius (... 1614-1672), en Hollande.

Maurice CAULLERY, les Étapes de la biologie, p. 84.

DÉR. **Iatrochimique.**

IATROCHIMIQUE [jatʀoʃimik] adj. — 1803, Boiste, *in* D. D. L.; de *iatrochimie*.

♦ Hist. des sc. Relatif à l'iatrochimie.

IATROGÈNE [jatʀɔʒɛn] ou **IATROGÉNIQUE** [jatʀɔʒenik] adj. — Av. 1970; de *iatro-*, et *-gène* ou *-génique*.

♦ Didact. (méd.). Qui est provoqué par le médecin. *Psychose iatrogène. Maladie iatrogénique.*

(...) Babinski a été incontestablement le père des *maladies psychosomatiques* d'une part, des *maladies iatrogéniques* d'autre part.

H. BARUK, De Freud au néo-paganisme moderne, *in* la Nef, no 31, p. 139.

IATROGÉNIE [jatʀɔʒeni] n. f. — D. i. (après 1950); de *iatro-*, et *-génie*; cf. angl. *iatrogenicity*, 1950, Ebaugh.

♦ Didact. (méd.). Pathogénie d'origine médicale. *Dans l'iatrogénie, le médecin est la cause involontaire de troubles de caractère affectif.*

DÉR. V. **Iatrogène** ou **iatrogénique.**

IATROMANIE [jatʀɔmani] n. f. — XXe; de *iatro-*, et *-manie*.

♦ Didact. Tendance immotivée, morbide, à changer souvent de médecin.

IATROPHYSIQUE [jatʀofizik] n. f. — 1803, Boiste, *in* D. D. L.; de *iatro-*, et *physique*.

♦ Sc., vx. La physique, dans ses applications à la médecine. « *L'iatrophysique ou physique médicale* » (Littré).

IBALIA [ibalja] n. f. — 1802, Latreille; aussi *ibalie*; lat. mod. *ibalia*.

♦ Zool. Insecte hyménoptère *(Apocrites; Cynipoïdes)* dont la larve est parasite d'une larve de xylophage.

IBÈRE [ibɛʀ] adj. et n. — Av. 1661, Brébeuf, *in* Trévoux; de *Ibérie*.

♦ Didact. Relatif à l'Ibérie (ancien nom de la péninsule hispanique), et au peuple originaire du Caucase ou d'Afrique septentrionale, qui, après s'être répandu en Europe à l'époque proto-historique, habitait le Sud de la Gaule et le Nord de l'Espagne vers le Ve siècle av. J.-C. (→ Autochtone, cit. 2). *La race, la langue ibère. Civilisation ibère.* — N. *Un, une Ibère. Les Ibères.*

Est-il possible de nommer les porteurs de la culture mégalithique en Europe occidentale? On peut avancer, sous toutes réserves, le nom des Ibères, « le dernier qui nous reste pour l'attacher à cette civilisation surtout côtière de l'Europe occidentale, dont les monuments mégalithiques sont les plus illustres témoins » (Henri Hubert). Le nom d'ibères, au sens le plus étroit, est appliqué aux habitants de l'Almérie, à partir du Ve siècle *(avant J.-C.)*. Mais des noms ibériques ont été relevés fort loin de là et les Ibères, loin de rester cantonnés dans la péninsule qui porte leur nom, ont occupé, d'après le témoignage des auteurs anciens, les Îles Britanniques, une partie de la Gaule, la Corse, la Sardaigne, la presque totalité de l'Italie et la Sicile (...) Quant à la souche à laquelle rattacher les Ibères, caucasiques (...) ou chamitiques, apparentés (...) aux Berbères actuels, le problème est ardemment discuté (...) Jean NAUDOU, *in* Encycl. Pl., Hist. universelle, t. I, p. 81.

COMP. V. **Celtibère.**

IBÉRIDE [ibeʀid] n. f. — 1778, Lamarck, *in* D.D.L.; *iberis* en 1615; lat. *iberis, idis*, du grec *ibêris* « cresson ».

♦ Bot. Plante dicotylédone *(Crucifèracées)*, scientifiquement appelée *iberis* et communément *corbeille d'argent*, annuelle, bisannuelle ou vivace et que l'on cultive pour ses fleurs. *L'ibéride diffère très peu du thlaspi**; on l'appelle aussi *téraspic*. ⇒ **Thlaspi.**

IBÉRIEN, ENNE [ibeʀjɛ̃, ɛn] adj. et n. — Fin XVIIIe, Chateaubriand; de *Ibérie*.

♦ Vx. Ibérique.

IBÉRIQUE [ibeʀik] adj. — 1767, *Encyclopédie*; de *Ibérie*, et *-ique*.

♦ **1.** Relatif à l'Espagne et au Portugal. ⇒ **Hispanique, lusitanien.** Cour. *La péninsule ibérique.* — Didact. *Les États ibériques. Art, civilisation ibérique.* — N. *Un Ibérique.* ⇒ **Espagnol, portugais.** — On a dit aussi *ibérien**.

♦ **2.** Espagnol.

♦ **3.** Didact. (hist.). De l'Ibérie antique.

DÉR. **Ibériser, ibérisme.**

IBÉRISER [ibeʀize] v. tr. — XXe; de *ibérique*.

♦ Didact. Transformer par une influence ibérique. — P. p. adj. *Populations ibérisées.*

IBÉRISME [ibeʀism] n. m. — 1839, Mérimée, *in* T. L. F.; de *ibérique*, et *-isme*.

♦ Didact. Influence, particularité ibérique.

IBÉRO- Premier élément de composés, représentant l'adj. *ibérique*. Ex. : *ibéro-africain, aine* [ibeʀoafʀikɛ̃, ɛn] adj. (René Huyghes, *in* T. L. F.); *ibéro-américain, aine* [ibeʀoameʀikɛ̃, ɛn] (syn. : *hispano-américain, latino-américain*); *ibéro-roman, ane* [ibeʀoʀɔmɑ̃, an] adj. « à la fois roman et ibérique »; n. m. « ensemble des parlers romans de la péninsule ibérique (espagnol, portugais, catalan...) ».

IBEX [ibɛks] n. m. — 1561, attestation isolée, *in* T. L. F., puis 1750; *ibice*, 1548, Rabelais, *in* D. D. L.; *ibicis*, v. 1215; lat. *ibex, ibicis*, même sens.

♦ Zool. Nom scientifique du bouquetin*. *L'ibex des Alpes.*

IBIDEM [ibidɛm] adv. — 1693; adv. lat., « ici même ».

♦ Didact. Au même endroit, dans le même ouvrage, dans le même passage (d'un ouvrage cité). — Abrév. : *ibid., ib. Remplacer par Idem* et Ibidem le nom d'un auteur et le titre d'un ouvrage déjà cités.*

IBIDIDÉS [ibidide] n. m. pl. — XIXe; de *ibis*, et *-idés*.

♦ Zool. Famille d'Échassiers ciconiiformes comprenant l'Ibis, la Spatule*, etc. — Au sing. *Un ibididé.*

IBIOCÉPHALE [ibjɔsefal] adj. — 1842, Académie, *in* D. D. L.; de *ibis*, et *-céphale*.

♦ Didact. Qui a une tête d'ibis. *Dieu égyptien ibiocéphale.* → Ibis, cit. 2.

IBIS [ibis] n. m. — 1537; *ibe*, v. 1265; mot lat., grec *îbis*, même sens.

♦ **1.** Oiseau des régions chaudes d'Afrique et d'Amérique, caractérisé par son bec long, mince et arqué (ordre des *Échassiers*, famille des *Ibididés*). *Ibis sacré, au plumage blanchâtre, habitant le Soudan, la haute Égypte* (→ Fond, cit. 40). *L'ibis était un des oiseaux sacrés de l'ancienne Égypte. Dieu égyptien à tête d'ibis.* ⇒ **Ibiocéphale.** *Ibis rose* (→ Gypaète, cit. 1). *Ibis rouge d'Amérique centrale.*

Des essaims de petits serpents venimeux, nous disent les premiers historiens (...) *eussent causé la ruine de l'Égypte, si les ibis ne fussent venus à leur rencontre pour les combattre et les détruire*. N'y a-t-il pas toute apparence que ce service (...) fut le fondement de la superstition qui supposa dans ces oiseaux tutélaires quelque chose de divin? 1

(...) Hérodote avait très bien caractérisé l'ibis, en disant qu'il a le *bec fort arqué et la jambe haute comme la grue*; il en distingue deux espèces (...)

BUFFON, Hist. nat. des oiseaux, L'ibis.

2 (...) Rymphius n'était pas beau (...) son crâne, entièrement dénudé (...) surplombait un nez d'une prodigieuse longueur (...) configuration qui, jointe aux disques bleuâtres formés par les lunettes à la place des yeux, lui donnait une vague apparence d'ibis, encore augmentée par l'enfoncement des épaules : aspect tout à fait convenable (...) et presque providentiel pour un déchiffreur d'inscriptions (...) hiéroglyphiques. On eût dit un dieu ibiocéphale, comme on en voit sur les fresques funèbres (...) Th. GAUTIER, le Roman de la momie, Prologue, p. 10.

3 Au loin passaient des hérons gris ou des ibis d'Égypte, le bec allongé, les pieds tendus, le corps aminci comme des javelots.
E. FROMENTIN, Une année dans le Sahel, p. 251.

♦ **2.** Héron crabier.

DÉR. Ibididés.
COMP. Ibiocéphale.

IBISCUS [ibiskys] n. m. ⇒ **Hibiscus.**

-IBLE Élément, tiré du lat. *-ibilis,* qui exprime la possibilité d'être, et qui sert à former des adjectifs (*comestible, éligible,* etc.) sur le modèle des emprunts tels que *corruptible, susceptible...*

Pour les adjectifs, le sens passif se rencontre dans ceux qu'on forme à l'aide de (...) *ible* (...) *Ex. : Un emprunt* **inconvertible,** *une contribution* **exigible,** *des exigences* **irréductibles,** *une armée* **invincible;** *une étoile à peine* **visible.**
F. BRUNOT, la Pensée et la Langue, p. 364.

DÉR. -ibilité, suff. de substantifs; **-ibiliser,** suff. de verbes.

IBOGA [ibɔga] n. m. — 1889, E.H. Baillon, in *Bulletin de la société linnéenne de Paris,* I, 782; d'une langue du Congo.

♦ Bot. Plante d'Afrique équatoriale, de la famille des *Apocynacées,* n. sc. *Tabernanthe iboga,* dont les alcaloïdes sont des stimulants musculaires et nerveux. *« Mais la préparation végétale la plus fameuse est de loin l'*iboga, *plante sacrée aux vertus stupéfiantes prononcées : c'est de la dynamite, un L. S. D. des bois, qui propulse les initiés hors le monde des hommes durant quatre ou cinq jours. L'iboga est le véhicule du rite de passage de la société secrète du Bwiti qui existe dans toutes les ethnies du Gabon »* (*le Nouvel Obs.,* nº 856, 6 avr. 1981, p. 112). *« Depuis la plus haute antiquité et sous toutes les latitudes, l'homme a exploité la flore locale pour remédier à divers maux. Dans le domaine de la psychopharmacologie préscientifique, on trouve par exemple (...) en Afrique, l'iboga pour stimuler le système nerveux durant les longues nuits de chasse »* (*la Recherche,* nº 116, nov. 1980, p. 1237).

IBSÉNIEN, IENNE [ibsenjɛ̃, jɛn] adj. — 1894, Maurras, *in* T. L. F.; du nom de Henrik *Ibsen,* écrivain norvégien (1828-1906), et *-ien.*

Didactique.

♦ **1.** Qui est propre à Ibsen. *Le théâtre ibsénien.*

♦ **2.** Qui rappelle l'œuvre d'Ibsen.

(...) les soupirs d'ennui d'une héroïne ibsénienne dégoûtée de tout.
M. YOURCENAR, le Coup de grâce, p. 151.

REM. Le n. m. *ibsénisme* est attesté dès 1892 (*in* D. D. L.).

ICAQUE [ikak] n. f. — 1658; *hicaco,* 1555; esp. *icaco,* mot de la langue caraïbe.

Botanique ou régional (franç. des Antilles).

♦ **1.** Fruit de l'icaquier, appelé aussi *prune de coton, de coco.*

Et un nuage violet et jaune, couleur d'icaque, s'il s'arrêtait soudain à couronner le volcan d'or (...) SAINT-JOHN PERSE, Éloges, « Pour fêter une enfance », III.

♦ **2.** (1555). Icaquier. *Prune d'icaque.*

DÉR. Icaquier.

ICAQUIER [ikakje] n. m. — 1770, *in* D. D. L.; de *icaque,* et *-ier.*

♦ Bot. Plante dicotylédone *(Rosacées),* scientifiquement appelée *Chrysobalanus icaco,* arbrisseau d'Amérique tropicale dont les fruits globuleux et sucrés sont comestibles.

ICARIEN, IENNE [ikaʀjɛ̃, jɛn] adj. — 1839, Boiste; de *Icare,* et *-ien.*

Didactique.

★ **I.** Relatif à Icare ou à sa légende.

(1868, J. Verne). Rare. *Jeux icariens :* exercices de voltige.

On se hissait à force de poignets sur des plateaux presque inaccessibles; on sautait des crevasses larges et profondes; les bras ajoutés aux bras remplaçaient les cordes, et les épaules servaient d'échelons; ces hommes intrépides ressemblaient à une troupe de clowns livrés à toute la folie des jeux icariens.
J. VERNE, les Enfants du capitaine Grant, I, XI.

★ **II.** (1878). De l'Icarie (île de la mer Égée). *« Les mers icariennes »* (Leconte de Lisle).

ICAROSCOPE [ikaʀɔskɔp] n. m. — 1931, Larousse; de *Icare,* et *-scope.*

♦ Didact. Appareil permettant de repérer les avions volant dans le champ du soleil.

ICAUNAIS, AISE [ikonɛ, ɛz] adj. et n. — 1962, Larousse; de *Icauna,* nom lat. de l'Yonne, et *-ais.*

♦ Didact., rare. Qui est relatif au département de l'Yonne. — Qui habite l'Yonne ou en est originaire.

ICEBERG [ajsbɛʀg; isbɛʀg] n. m. — 1843, *in* Höfler; attestation isolée, 1819; *ysbergh,* 1715, *in* Arveiller; angl. *iceberg,* du norvégien *ijsberg* « montagne *(berg)* de glace ».

♦ Cour. Masse de glace flottante, détachée de la banquise* ou d'un glacier* polaire. *Iceberg tabulaire de l'Antarctique.* — REM. Les géologues écrivent parfois *ice-berg.*

Ainsi le glacier est un immense fleuve de glace, et bien que son extrémité, emprisonnée sous les eaux, ait une tendance à s'élever, elle est longtemps retenue par 0.1
l'action de la masse à laquelle elle appartient; elle continue à plonger jusqu'à ce que la force d'émersion, augmentant toujours, fasse éclater des fragments qui remontent aussitôt à leur niveau naturel; ces fragments peuvent être des cubes solides d'un demi-mille de côté ou même davantage. La disruption ne s'accomplit pas sans un grand tumulte des eaux, et un fracas qu'on entend au loin. La masse de glace flotte en liberté; les oscillations que lui avait imprimées cette soudaine rupture finissent par se calmer, puis le bloc de cristal s'abandonne au courant et dérive avec lenteur vers la haute mer. C'est une montagne de glace, un *iceberg,* maintenant : le glacier a accompli le rôle que lui assigne, dans les régions polaires, la grande loi de la circulation.
J.-J. HAYES, Voyage à la mer libre du pôle Arctique, *in* le Tour du Monde, 1868, t. I, p. 138.

On sait que la partie d'un ice-berg qui émerge de l'eau n'atteint qu'environ 1/8 1
de la hauteur totale. Comme il en existe qui s'élèvent à 70 m au-dessus du niveau de la mer, leur hauteur totale est de 500 à 600 m (...) Les ice-bergs provenant de glaciers encaissés débouchant dans les fjords affectent des formes déchiquetées souvent très bizarres. Par contre, ceux qui se détachent de l'immense calotte glaciaire du continent antarctique sont régulièrement prismatiques et la partie qui émerge présente un aspect tabulaire.
Émile HAUG, Traité de géologie, t. I, p. 450.

Le 14 mars, j'aperçus des glaces flottantes par 55º de latitude, simples débris bla- 2
fards de vingt à vingt-cinq pieds, formant des écueils sur lesquels la mer déferlait. Le *Nautilus* se maintenait à la surface de l'océan. Ned Land, ayant déjà pêché dans les mers arctiques, était familiarisé avec ce spectacle des icebergs.
J. VERNE, Vingt mille lieues sous les mers, p. 472.

Ces *icebergs,* pittoresquement entassés, étaient magnifiques. Ici, on eût dit les rui- 3
nes blanchies d'une ville, avec ses monuments, ses colonnes, ses courtines abattues; là, une contrée volcanique, au sol convulsionné, un entassement de glaçons formant des chaînes de montagnes, avec leur ligne de faîte, leurs contreforts, leurs vallées, toute une Suisse de glace!
J. VERNE, le Pays des fourrures, t. I, p. 230.

Icebergs, sans garde-fou, sans ceinture, où de vieux cormorans abattus et les âmes 4
des matelots morts récemment viennent s'accouder aux nuits enchanteresses de l'hyperboréal.
Icebergs, icebergs, cathédrales sans religion de l'hiver éternel, enrobés dans la calotte glaciaire de la planète Terre.
Combien hauts, combien purs sont tes bords enfantés par le froid.
Henri MICHAUX, La nuit remue, « Icebergs ».

REM. J.-B. Charcot (1906, *in* D. D. L.) emploie le terme *icebloc* [ajsblɔk], désignant « les petits icebergs de la Nouvelle Zemble ».

Loc. *La partie cachée de l'iceberg :* ce qui est caché et plus important que la partie visible d'une chose.

ICE-BOAT [ajsbot] n. m. — 1921, *in* Höfler; attestation isolée, 1879; mot amér. « bateau à glace », de *boat* « bateau », et *ice* « glace ».

♦ Rare. (Anglic.). Voilier muni de patins, pour avancer sur la glace.

ICE-CREAM [ajskʀim] n. m. — 1905, cit. 1; *ice cream,* 1895; mot amér. « crème glacée », de *ice* « glace (eau congelée) », et *cream* « crème, lait ».

♦ Anglic. Glace à base de crème (franç. *crème glacée* [calque de l'angl.; *crème* ayant une valeur différente de l'angl. *cream*], ou mieux *glace* au sens strict [opposé à *sorbet*]). — Au plur. *Des ice-creams.* — *Préférez-vous un ice-cream ou un soda?*

Il y avait, comme c'est l'usage, à cette occasion, garden-party toute l'après-midi 1
et les petites jeunes filles (...) vendaient des ice-creams (glaces).
ALAIN-FOURNIER, Lettre à J. Rivière, 1905, p. 24, *in* T. L. F.

(...) le droguiste qui commande, de tous ses leviers nickelés, à autant de parfums 2
et de couleurs d'*ice creams* (...) Paul MORAND, Rien que la Terre, p. 18.

ICEFIELD [ajsfild] n. m. — 1864, J. Verne, *le Capitaine Hatteras;* var. *field,* 1851, *in* D. D. L.; mot angl., de *ice* « glace », et *field* « champ ».

REM. Parfois encore *ice-field* (ancienne graphie).

♦ Didact. (géogr.). Anglic. Vaste champ de glace dans les régions polaires. *Les géographes distinguent les icefields et les iceström.*

S'ils avaient eu à leur disposition les outils qu'emploient ordinairement les balei- 1
niers pour s'ouvrir des canaux à travers les ice-fields, s'ils avaient pu couper ce champ jusqu'à l'endroit où s'élargissait la rivière, peut-être le temps ne leur eût-il pas manqué? J. VERNE, Michel Strogoff, p. 442.

Cependant, dans la journée du 16 mars, les champs de glace nous barrèrent abso- 2 lument la route. Ce n'était pas encore la banquise, mais de vastes ice-fields cimentés par le froid. J. VERNE, Vingt mille lieues sous les mers, p. 475.

3 (...) l'étrave *(d'un brise-glace)* épaisse et coupante comme un coin d'acier, une étrave faite pour labourer les icefields (...)
Roger VERCEL, Remorques, II, p. 27.

ICELUI [isəlɥi], **ICELLE** [isɛl], (plur.) **ICEUX** [isø], **ICELLES** [isɛl] pron. et adj. dém. — V. 1050. → Celui.

♦ Vx (ne s'emploie plus qu'en style de procédure et par plaisanterie). Celui-ci, celle-ci. *La maison et les prés attenant à icelle* (Académie). *« Pourra (...) le mari, du consentement de sa femme, et après avoir pris l'avis des quatre plus proches parents d'icelle »* (Code civil, art. 2144). *Le « propriétaire des objets saisis, ou de partie d'iceux... »* (Code de procédure civile, art. 608 ; → aussi Copie, cit. 4). Var. graphique du plur. : *iceulx.*

1 *(Je vais)* Exposer, à vos yeux, l'idée universelle
De ma cause, et des faits, renfermés, en icelle. RACINE, les Plaideurs, III, 3.

2 Vous vous serez, ami, sur nos vers égayé (...)
Qu'est-ce que vous voulez que je fasse d'iceulx,
Qui ne sont même pas de ces papiers graisseux ?
G. NOUVEAU, le Calepin du mendiant, Pl., p. 697.

3 (...) il y a sous presse, de moi en ce moment conjointement avec deux romans Fasquelle, *six* petits volumes baroques, chez Sansot, formant une série que j'intitule *Théâtre mirlitonesque,* trois desdits tomes (...) contenant des inédits d'*Ubu* et un *raccourci* (justement) d'icelui pour guignol (...)
A. JARRY, Correspondance, Lettre à F. Kolney, Pl., p. 1078.

4 (...) tous se rassemblèrent alors, et suivirent Chloé qui pénétra la première dans l'ascenseur. Les câbles d'icelui s'allongèrent tant sous le poids de sa trop lourde charge, qu'il n'y eut pas besoin d'appuyer sur le bouton (...)
Boris VIAN, l'Écume des jours, XXI, p. 72.

5 C'était un triporteur. Mais un triporteur décédé (...) La tige de selle portait le deuil d'icelle. René FALLET, le Triporteur, p. 35.

ICE-SHELF [ajsʃɛlf] n. m. — 1973 ; mot angl., de *ice* « glace », et *shelf* « planche, rayon ».

♦ Anglic. Didact. Glace d'eau douce qui coule depuis le continent et constitue une plate-forme flottante sur la mer. *« Une fusion partielle des glaces de mer arctique et de l'ice-shelf de la partie occidentale de l'Antarctique est envisagée avec des effets imprévisibles »* (*la Recherche,* n° 91, juil.-août 1978, p. 698). — Au plur. *Des ice-shelves* (*le Monde,* 16 mai 1973, p. 19).

-ICHE Suffixe familier servant à former des adj. et des n., sur un nom ou un adj. ⇒ **Barbiche, bonniche.**

ICHNEUMON [iknømɔ̃] n. m. — 1547, au sens I ; au sens II, 1562 ; lat. *ichneumon,* grec *ikhneumôn,* proprt « qui suit la piste », de *ikhneuien* « suivre à la piste », de *ikhnos* « trace de pas ».

Zoologie.

★ **I.** Didact. Mangouste* (dans l'Antiquité). *Les Égyptiens révéraient l'ichneumon, parce qu'il détruit les œufs des reptiles.*

★ **II.** Insecte hyménoptère *(Ichneumonidés)* dont la larve est parasite des lépidoptères. *Les ichneumons (femelles) sont des térébrants, ou porte-tarières.*

Ce corps mort, dit-il, de la charogne duquel tu vois des barbons blancs (...) donner la becquée à des oiseaux grivolés, de la couleur de l'écriture, comme l'ichneumon taraude pour réserver son œuf, n'est pas seulement une île, mais un homme (...)
A. JARRY, Gestes et Opinions du docteur Faustroll, pataphysicien, Pl., p. 675-676.

DÉR. **Ichneumonidés.**

ICHNEUMONIDÉS [iknømɔnide] n. m. pl. — 1803, Latreille ; *ichneumonidés,* 1829 ; de *ichneumon* (II.), et *-idés.*

♦ Zool. Famille d'insectes hyménoptères* apocrites *(Ichneumonoïdes),* dont les larves sont parasites de divers insectes. *Il existe près de 5 000 espèces d'ichneumonidés* (⇒ **Ichneumon, ophion, pimple** [ou pimpline], **trogue**). — REM. On dit aussi *ichneumonidæ.* — Au sing. *Un ichneumonidé.*

ICHNEUMONOÏDES [iknømɔnɔid] n. m. pl. — XXe ; de *ichneumon* (II.), et *-oïdes.*

♦ Zool. Super-famille d'insectes hyménoptères apocrites, comprenant les ichneumonidés et les braconidés. — Au sing. *Un ichneumonoïde.*

ICHNOGRAPHIE [iknɔgʀafi] n. f. — 1547 ; lat. *ichnographia,* mot grec, de *ikhnos* « trace », et *graphia.* → -graphie.

♦ Didact. (archit.). Projection horizontale ; plan horizontal et géométral (d'un édifice). ⇒ **Plan.** *On oppose l'ichnographie à l'orthographie, à la stéréographie.*

DÉR. **Ichnographique.**

ICHNOGRAPHIQUE [iknɔgʀafik] adj. — 1721, Trévoux ; de *ichnographie.*

♦ Didact. (archit.). Relatif à l'ichnographie. *Plan ichnographique.* ⇒ **Horizontal.**

ICHNOLOGIE [iknɔlɔʒi] n. f. — 1968, Larousse ; du grec *ikhnos* « marque du pied, trace », et *-logie.*

♦ Didact. Étude des traces fossiles (traces de pas, trous de vers, etc.).

ICHOR [ikɔʀ] n. m. — 1538, *ichore ;* grec *ikhôr,* proprt « sang des dieux ».

Didactique.

♦ **1.** Méd. (vx). Pus* sanguinolent. ⇒ **Sanie.** *Ichor coulant d'un ulcère.*

♦ **2.** (XXe). Géol. Émanation provenant du magma, composante de certaines roches métamorphiques.

DÉR. **Ichoreux.**

ICHOREUX, EUSE [ikɔʀø, øz] adj. — V. 1560, Paré ; de *ichor,* et *-eux.*

♦ Didact. (méd.). De la nature de l'ichor. *Liquide, écoulement, pus ichoreux.*

ICHTHYS ou **ICHTYS** [iktis] n. m. — 1765, *Encyclopédie ;* grec *ikhthus* « poisson ».

♦ Didact. Transcription du monogramme grec figurant le Christ, composé des initiales des mots *Iêsous Christos, Theou Uios, Sôtêr* « Jésus-Christ, Fils de Dieu, Sauveur » et formant le mot grec *Ikhthus* « poisson ».

ICHTY-, ICHTYO- Éléments, tirés du grec *ikhthus* « poisson », et servant à former des mots savants. Voir à l'ordre alphabétique.

REM. 1. Outre les composés traités ci-dessous, on trouve d'autres termes plus rares, comme : *ichtyobiologiste* [iktjobjɔlɔʒist] n. (1975, in *la Clé des mots*) ; *ichtyomasse* [iktjomɑs] n. f., « biomasse formée de poissons » ; *ichtyophylle* [iktjɔfil] adj. et n. (1825, *in* D. D. L.).

2. La graphie *ichthyo-,* encore courante au XIXe s. (→ Ichtyophagie, cit. Brillat-Savarin) est aujourd'hui abandonnée.

ICHTYOCOLLE [iktjɔkɔl] n. f. — 1694, *in* D. D. L. ; *ictiocole,* 1770, *in* D. D. L. ; de *ichtyo-,* et *colle.*

♦ Techn. Colle de poisson, gélatine (tirée notamment de la vessie natatoire de certains poissons, et, spécialt, de l'esturgeon).

ICHTYOGRAPHIE [iktjɔgʀafi] n. f. — 1832, *in* D. D. L. ; de *ichtyo-,* et *-graphie.*

♦ ⇒ **Ichtyologie.** — REM. Les comp. *ichtyographe* [iktjɔgʀaf] n. (1832), et *ichtyographique* [iktjɔgʀafik] adj. (1832) sont également attestés.

ICHTYOÏDE [iktjɔid] adj. — 1842 ; nom d'une sous-classe zoologique, 1817, chez Blainville ; de *ichty-,* et *-oïde.*

♦ Didact. Qui ressemble à un poisson. *Animal ichtyoïde.* ⇒ **Pisciforme.**

ICHTYOL [iktjɔl] n. m. — 1877, *in* D. D. L. ; de *ichty-,* et *-ol.*

♦ Techn. Huile sulfureuse d'apparence goudronneuse, extraite de roches bitumeuses enfermant de nombreux poissons fossiles. *L'ichtyol est employé en solution, en pommade, contre les maladies de peau, en pansements contre la métrite.*

ICHTYOLITHE [iktjɔlit] n. m. — 1762 ; de *ichtyo-,* et *-lithe.*

♦ Didact., vx. Poisson fossile ; empreinte de poisson.

ICHTYOLITHOLOGIE [iktjɔlitɔlɔʒi] n. f. — 1842, *in* D. D. L. ; de *ichtyo-, litho-,* et *-logie.*

♦ Didact., vx. Étude des poissons fossiles.

ICHTYOLOGIE [iktjɔlɔʒi] n. f. — 1649; de *ichtyo-*, et *-logie*.

♦ Didact. Partie de la zoologie qui traite des poissons. — REM. On a dit aussi *ichtyographie*.

DÉR. Ichtyologique, ichtyologiste.

ICHTYOLOGIQUE [iktjɔlɔʒik] adj. — 1765; de *ichtyologie*, et *-ique*.

♦ Didact. Relatif à l'étude des poissons. — REM. On a dit aussi *ichtyographique*.

ICHTYOLOGISTE [iktjɔlɔʒist] n. — 1765, *Encyclopédie;* de *ichtyologie*, et *-iste*.

♦ Didact. Personne, zoologiste qui s'occupe d'ichtyologie.

Aussitôt l'ichtyologiste Martignon s'avança jusqu'au milieu de la scène, tenant à deux mains un aquarium d'une parfaite transparence, dans lequel évoluait doucement certain poisson blanchâtre de forme étrange.
Raymond ROUSSEL, Impressions d'Afrique, p. 84.

ICHTYOMORPHE [iktjɔmɔʀf] adj. — 1842; n. m. pl., désignant un ensemble animal, 1803; de *ichtyo-*, et *-morphe*.

♦ Didact. En forme de poisson.

ICHTYOPHAGE [iktjɔfaʒ] adj. et n. — 1552; de *ichtyo-*, et *-phage*.

♦ Didact. Qui se nourrit principalement ou exclusivement de poisson. *Peuplade de pêcheurs ichtyophages.* ⇒ **Piscivore.** — N. *Un, une ichtyophage.*

Il condamna (...) à l'amande *(sic)* un avocat qui, en plaidant devant lui contre des Chartreux, pour faire le beau parleur, les avait appelés ichtyophages (voulant dire qu'ils ne mangeaient que du poisson)...
FURETIÈRE, le Roman bourgeois, II, p. 180.

(...) ils *(les Groenlandais)* paraissaient affectés de cette sorte de lèpre particulière aux tribus ichtyophages. J. VERNE, Un hivernage dans les glaces, p. 247.

ICHTYOPHAGIE [iktjɔfaʒi] n. f. — XVIe; de *ichtyo-*, et *-phagie*.

♦ Didact. Habitude de se nourrir principalement ou exclusivement de poisson.

D'où il suit que l'ichtyophagie est une diète échauffante : ce qui pourrait légitimer certaines louanges données jadis à quelques ordres religieux, dont le régime était directement contraire à celui de leurs vœux déjà réputé le plus fragile.
A. BRILLAT-SAVARIN, Physiologie du goût, t. I, p. 91.

ICHTYORNIS [iktjɔʀnis] n. m. — 1890, Larousse; angl. *ichthyornis* (Marsh, 1872), mot lat. sc.; de *ichtyo-*, et grec *ornis* «oiseau».

♦ Didact. Oiseau fossile du crétacé, à bec muni de dents coniques.

ICHTYOSAURE [iktjozɔʀ] n. m. — 1828; lat. sav. *ichtyosaurus* (1824, en franç.); de *ichtyo-*, et *-saure*. → Saurien.

♦ Didact. Grand reptile fossile de l'époque secondaire (lias, jurassique, crétacé). *Les ichtyosaures, selon Cuvier, ont « le museau d'un Dauphin, les dents d'un Crocodile, la tête et le sternum d'un Lézard, les nageoires d'une Baleine et les vertèbres d'un Poisson ». Les espèces d'ichtyosaures se distinguent surtout par l'allongement du museau et par la taille.*

DÉR. Ichtyosauriens.

ICHTYOSAURIENS [iktjosɔʀjɛ̃] n. m. pl. — Av. 1834, Blainville, *in* D. D. L.; de *ichtyo-*, et *sauriens*.

♦ Didact. Ordre de reptiles fossiles du secondaire, dont l'ichtyosaure est le type. *Tous les ichtyosauriens étaient des animaux marins.* — Au sing. *Un ichtyosaurien.*

ICHTYOSE [iktjoz] n. f. — 1813, *in* D. D. L.; *ichtyosis*, 1810; mot lat. sav. formé en angl. (1801, Willon); de *ichtyo-*, et 2. *-ose*.

♦ Méd. Maladie congénitale de la peau (caractérisée par la sécheresse des téguments épaissis, rugueux et couverts de grosses écailles (⇒ **Xérodermie**).

ICHTYOSISME [iktjozism] n. m. — 1833, Larousse; de *ichtyo-*, et *-isme*.

♦ Méd. Intoxication alimentaire par des poissons avariés.

ICHTYOSTEGALIA [iktjostegalja] ou **ICHTYOSTÉGALIENS** [iktjostegaljɛ̃] n. m. pl. — XXe; de *ichtyo-*, et *stego-*.

♦ Didact. (paléont.). Famille de Vertébrés amphibiens du dévonien.

(...) ancêtres des Tétrapodes (...) les *Ichtyostegalia*, qui, en raison de leurs caractères mixtes, font le passage avec les Stégocéphales.
Andrée TÉTRY, *in* Encycl. Pl., Zoologie, t. I, p. 49.

REM. On trouve aussi la forme *ichtyostégidés*. — Au sing. *Un ichtyostégalien.*

ICHTYOTOXINE [iktjotɔksin] n. f. — Mil. XXe; de *ichtyo-*, et *toxine*.

♦ Méd. Toxine contenue dans le corps de certains poissons (notamment de l'anguille). — REM. On trouve aussi l'adj. *ichtyotoxique*, le n. m. *ichtyotoxisme* («intoxication due aux poissons avariés»; → Ichtyosisme).

ICHTYS [iktis] n. m. ⇒ **Ichthys.**

ICI [isi] adv. — V. 1050; du lat. pop. *ecce hic*, forme renforcée de *hic* «ici». → Ci.

★ **I.** ♦ **1.** (V. 1050). Dans ce lieu, dans cet endroit (en parlant du lieu où se trouve la personne qui parle); par oppos. à *là**, *là-bas.* ⇒ **Céans** (vx), 1. **ci** (vx). *Ici et là.* ⇒ **Çà** (et là). *Je suis ici, dans ma chambre; il est ici, avec moi. Monsieur X ici présent*. Allons dans mon cabinet* (cit. 7) *de travail, nous serons mieux qu'ici. Venez, entrez ici. Qu'aucun* (cit. 41) *n'entre ici.* Allus. littér. *Vous qui entrez ici, laissez toute espérance* (cit. 17). *«Nous sommes ici par la volonté du peuple...»* (→ Arracher, cit. 40). — *Je vous rencontre ici à propos. Je reviendrai ici demain. On est bien ici. On s'ennuie, ici. Arrêtons-nous ici; c'est ici. Ici, c'est la frontière.* — (XXe). Sur une inscription. *Ici repose, ici gît.* ⇒ **Ci.** — (En parlant d'une maison). *Il habite ici. Chez lui et ici* (→ Fou, cit. 23). *Dehors* (cit. 4) *et ici. Vous êtes ici chez vous. Tout le monde ici...* (→ Gens, cit. 15). *On entre ici comme dans un moulin. Vous toucherez le même salaire qu'ici* (→ Assurer, cit. 14). *Je suis resté ici....* (→ Honneur, cit. 36; honte, cit. 35). *On l'a reçu ici par charité* (→ Honte, cit. 14). — (En parlant d'une ville, d'un pays). *Ici et ailleurs* (→ Exil, cit. 10). *Mon arrivée* (cit. 2) *ici; notre retour ici* (→ Cellule, cit. 4). *Mon séjour ici, la vie que je mène ici* (→ Farniente, cit. 1; fatigant, cit. 5). *À l'étranger et ici; en Europe et ici* (→ Asservir, cit. 17). *Ici, le fleuve* (cit. 8) *n'est encore qu'un ruisseau. Il fait plus frais ici qu'à Paris. Il y a ici des gens...* (→ Calomnie, cit. 5).

Ô dieux hospitaliers, que vois-je ici paraître? LA FONTAINE, Fables, VII, 16. 1

Vous savez quel sujet conduit ici leurs pas (...) RACINE, Iphigénie, II, 7. 2

Non, je ne veux pas être récompensé de ma sagesse ici par des faveurs là-bas. 3
BALZAC, le Lys dans la vallée, Pl., t. VIII, p. 842.

Ici, tu t'asseyais c'était ici ta place (...) 4
ARAGON, les Yeux d'Elsa, Le cantique d'Elsa, V, p. 73.

(XIIe). À cet endroit (en parlant d'un endroit précis que l'on désigne). *Il y a une faute d'orthographe, une tache ici. Veuillez signer ici. Où souffrez-vous? Ici* (→ Gratter, cit. 11). — (1668, Molière). Ellipt. *Ici! :* viens ici! (s'emploie surtout pour appeler un chien). — (XXe). *Ici, Untel...,* s'emploie au téléphone, en radio pour indiquer l'identité de celui qui appelle. *Ici Paris* (titre de publication).

Ici, Valère. Nous t'avons élu pour nous dire qui a raison de ma fille ou de moi. 5
MOLIÈRE, l'Avare, I, 5.

— Allo Madrid? Ici Oviedo. Aranda vient de se soulever. On se bat... Manuel appelait... Allo Mayorga? Ici Madrid. — Qui? — Conseil ouvrier... 6
MALRAUX, l'Espoir, I, I, 1, 1.

(V. 1265). **D'ICI :** de ce lieu (→ 2. Flanquer, cit. 2; horizon, cit. 13). *Sortez d'ici! Hors d'ici! — Près d'ici* (→ Apparaître, cit. 1). — *D'ici :* de ce pays. *Vous n'êtes pas d'ici? Les gens* (cit. 19), *les enfants d'ici* (→ Grandement, cit. 2).

— Vous n'êtes pas d'ici, que je crois? — Non, je n'y suis venu que pour voir la fête de demain. MOLIÈRE, George Dandin, I, 2. 7

D'ici là : d'ici à cet endroit-là (→ Foi, cit. 28). *D'ici là, il y a bien dix kilomètres.* — Loc. (XXe). Iron. *Je vois* cela, je vois ça d'ici :* j'imagine la chose. *Tu vois ça d'ici?*

Déjà il devait «lécher une casserole» sous le regard attendri de l'Autrichienne. Je le vois d'ici (...) F. MAURIAC, le Sagouin, p. 3. 8

(Fin XVIIe, Mme de Sévigné). **PAR ICI :** par cet endroit, dans cette direction (→ Hôtel, cit. 17). *Il a, il est passé par ici... Par ici la sortie.* Ellipt. *Par ici!* — (1668, Molière). Dans les environs, dans ce pays. *Il habite par ici. Ils sont arriérés, par ici* (→ Bloc, cit. 3).

Est-ce par ici? MOLIÈRE, George Dandin, III, 1. 9

C'est ici que... — Vx. *C'est ici où...*

C'est ici où les bohémiennes poussent leurs agréments. 10
Mme DE SÉVIGNÉ, 539, 20 mai 1676.

(1580, Montaigne). Vx. **ICI** (joint à un substantif que l'on désigne par un pronom démonstratif). ⇒ **Ci.** — REM. Au XVIIe s., selon Vaugelas (*Remarques sur la langue française*, 1647), cet usage se maintenait surtout dans le langage parlé.

(...) sa charité n'est point perdue, même en ce monde ici. 11
Mme DE SÉVIGNÉ, 1284, juin 1690.

(1265). Vx ou dial. **ICI** (joint à un adv. de lieu). *« Ici dedans »* (Molière, *les Précieuses ridicules,* 7). *Ici bas* (vx) : ici, en bas. *« Ici autour »* (Molière, *Dom Juan,* III, 2).

Allons vite, ici-bas. MOLIÈRE, George Dandin, III, 4. 12

Loc. adv. **ICI-BAS** : sur la terre (par oppos. à *là-haut*, désignant le paradis, l'« au-delà »...). → Dans ce bas* monde. *« Ce que l'homme ici-bas appelle le génie* (cit. 30) ». *Les choses* (cit. 13) *d'ici-bas.*

13 Ici-bas, tous les lilas meurent,
Tous les chants des oiseaux sont courts :
Je rêve aux étés qui demeurent
Toujours. SULLY PRUDHOMME, Stances et Poèmes, Ici-bas.

14 Tout n'est ici-bas que symbole et que songe.
RENAN, Souvenirs d'enfance..., II, I.

N. m. (par oppos. à l'*au-delà*).

15 Mais, hélas! Ici-bas est maître : sa hantise
Vient m'écœurer parfois jusqu'en cet abri sûr (...)
MALLARMÉ, Du Parnasse contemporain, Les fenêtres, p. 33.

REM. (*Ici* et *là**) :

16 Ici est le lieu même où est la personne qui parle; là est un lieu différent. Ici marque un endroit déterminé; là est plus vague : Venez ici, allez là. L'un est plus près, l'autre plus éloigné. LITTRÉ, Dict., art. *Ici*.

17 Deux adverbes surtout sont en usage : *ici, là*, qui s'opposent l'un à l'autre : *Fort à propos, messieurs, vous vous trouvez* **ici** (MOL., Mis., 1671)... Fig. : *Il faut montrer* **ici** *ton zèle et ta prudence* (RAC., Iph., 126)... *Ici et là* ont fini par n'être pas très distincts. On dit : *Nous ne sommes pas là pour enfiler des perles.* Le sens est « ici ». F. BRUNOT, la Pensée et la Langue, p. 423.

♦ **2.** (1668, Molière). Employé avec *là**. Désigne deux lieux que l'on oppose (sans idée de présence ou d'éloignement). *Ici, une forêt; là, des champs. Ici et là, des nappes de brume* (cit. 2). ⇒ **Çà** (et là), **delà** (deçà, delà).

(Mil. XVIe, Ronsard). Fig. (pour désigner des circonstances, des actions successives et opposées). *Ici il pardonne, là il punit* (Littré). *Le hasard qui a détruit ici, et là sauvegardé les vestiges du passé* (→ Histoire, cit. 22).

♦ **3.** (1637, Descartes). À l'endroit où l'on se trouve, que l'on désigne dans un discours, un écrit... (opposé à *ailleurs*). *Ce que j'ai voulu faire ici* (dans ce livre). *Il faut le répéter ici* (→ Anticipation, cit. 1). *Arrêtons* (cit. 51), *terminons ici. J'aborderai ici, je considérerai ici...* (→ Aspect, cit. 26). *Évitez ici la grandiloquence* (cit. 1). *Je me sers ici de ce mot...* (→ Hiérarchie, cit. 5). *Plaçons ici une histoire* (→ Héros, cit. 37). *Ce n'est pas ici le lieu de montrer comment...* (→ Bonté, cit. 4). *Ce serait ici le cas* (cit. 9) *de...*

18 C'est ce qu'ici l'on a voulu faire, et ce prologue est un essai de louanges de ce grand prince *(le Roi)*. MOLIÈRE, le Malade imaginaire, Prologue.

19 Je serais bien aise de poursuivre et de faire voir ici toute la chaîne des autres vérités (...) DESCARTES, Disc. de la méthode, V.

20 (...) le récit que je rapporte ici mot pour mot (...)
FRANCE, le Petit Pierre, XIX, p. 127.

(1674, Racine). Dans ce domaine, dans cette matière... (→ Habitude, cit. 48; homme, cit. 11).

21 Un second groupe d'éléments dans l'œuvre littéraire, ce sont les situations et les événements (...) En cela, l'art est encore supérieur à la nature (...) Il reste un dernier élément, le style (...) Ici encore l'art est supérieur à la nature (...)
TAINE, Philosophie de l'art, t. II, p. 319-322.

♦ **4.** N. m. (Rare et littér.). *L'ici* : le lieu de la présence (par oppos. à *l'ailleurs*).

21.1 Erreur signifie le fait d'errer, de ne pouvoir demeurer parce que, là où l'on est, manquent les conditions d'un ici décisif (...)
M. BLANCHOT, l'Espace littéraire, p. 323.

★ **II.** Adv. de temps. ♦ **1.** (1661, Molière). Vx. En ce moment*; en ce temps même. ⇒ **Maintenant.**

♦ **2.** (1667, Racine). Mod. **JUSQU'ICI** : jusqu'à présent, jusqu'à aujourd'hui (→ Appréciable, cit.; frein, cit. 4; fréquenter, cit. 19).

22 Il l'aime. Mais enfin cette veuve inhumaine
N'a payé jusqu'ici son amour que de haine (...) RACINE, Andromaque, I, 1.

REM. *Ici*, adv. de temps, ne s'emploie plus guère que dans *jusqu'ici* et les expressions où il est combiné avec *de*. Il n'en était pas de même au XVIIe s. et notamment chez Molière, où l'on rencontre fréquemment *ici* au sens de « maintenant, à cet instant » (cf. *Amphitryon*, II, 1, vers 703; *Tartuffe*, III, 7, vers 1159; *Dom Garcie*, V, 6, vers 1876, etc.). → aussi Herculéen, cit. Sand.

23 Dom Juan n'a plus qu'un moment à pouvoir profiter de la miséricorde du Ciel; et s'il ne se repent ici, sa perte est résolue. MOLIÈRE, Dom Juan, V, 5.

(XIIe). **D'ICI.** « Combiné avec *de*, *ici* marque le point de départ dans le temps, le point d'aboutissement étant énoncé par une date, une subordonnée temporelle ou un adverbe » (G. et R. Le Bidois). — Vx. *« Dans un moment d'ici »* (Molière, *Dom Garcie*, IV, 2). — Mod. *D'ici à demain, d'ici demain. D'ici à trois jours.* ⇒ **Dans** (→ Aboucher, cit. 2). *D'ici à ce qu'il vienne... D'ici à* (et inf.). *D'ici à réussir, il y a une marge. D'ici à la fin du mois.* — (Sans *à*). *D'ici demain.* → ci-dessous, cit. 27, 28. *« D'ici que l'on donne le nom de Régis Lalande à une rue... »* (E. Triolet, *in* Grevisse). — (Av. 1850, Balzac). **D'ICI LÀ** (→ Confirmer, cit. 10; grabuge, cit. 1). — (1869, Flaubert). **D'ICI PEU** : dans peu de temps.

24 On conçoit que dans pareilles phrases (*où* ici *marque le point de départ dans le temps*), le point d'aboutissement ou d'achèvement dans la durée puisse se faire précéder de *à*, qui marque essentiellement le terme d'un mouvement (...) « Vous pouvez avoir le contrat de vente signé *d'ici à huit jours* ». Stendh., *Chartr. de Parme*, VII, 124 (...) Bien qu'elle soit parfaitement logique, cette construction ne s'emploie guère, surtout devant *là* et *peu*; on évite instinctivement de dire *« d'ici à là »*, et Flaubert, qui avait d'abord écrit : « Le parti conservateur, *d'ici à peu*, prendrait sa revanche » (*Éduc. sentim.*, 431) a corrigé, dans son édition définitive, en : *d'ici peu.* G. et R. LE BIDOIS, Syntaxe du franç. mod., t. II, p. 626, 1732.

Il faudrait que d'ici à Pâques Mlle de Méri demandât une chambre à l'abbé d'Effiat. Mme DE SÉVIGNÉ, 467, 13 nov. 1675. 25

Mais d'ici à quinze jours, dois-je aller demeurer dans une autre maison? 26
G. SAND, Elle et Lui, p. 145.

(...) Si vous renoncez à votre incognito, je puis vous assurer que, d'ici quelques minutes, je l'aurai convaincue de vous attendre (...) 27
GIRAUDOUX, Amphitryon 38, II, 3.

On parle du treize. D'ici le treize, tout a le temps de sauter. 28
J. ROMAINS, les Hommes de bonne volonté, t. I, XIV, p. 154.

D'ici à ce que ton neveu ait l'âge de Péclet, la condition des travailleurs peut s'être améliorée. J. ROMAINS, les Hommes de bonne volonté, XXIV, p. 281. 29

REM. On trouve régionalement (Ouest de la France, Canada) la forme phonique [isit], parfois écrite *icite* ou *icitte* (notamment en français québécois).

CONTR. Ailleurs; là.

ICIGO [isigo] adv. — 1862, Hugo, *les Misérables*, où l'on trouve aussi *icicaille*; de *ici*, et suff. argotique *-go*.

♦ Argot. Ici.

Hein? les aminches, rigolait le monte-en-l'air arrivé en bas, croyez-vous qu'c'est d'la belle ouvrage?.... Maintenant s'agit pas d'moisir icigo... 1
L. FORTON, les Aventures des Pieds-Nickelés, *in* l'Épatant, 1909, p. 57.

Pour une surprise, c'en est une! Mon gars est venu dans la journée... Il a câblé un message... Et moi, j'étais icigo. 2
SAN-ANTONIO, le Secret de Polichinelle, p. 101.

ICOGLAN [ikɔglɑ̃] n. m. — 1710, Richelet, *in* D. D. L.; *ichoglan*, 1653; *ichioglan*, 1586; turc *itchoghlân*, proprement « page, écuyer *(oghlân)* de l'intérieur *(itch)* ».

♦ Hist. Officier du palais du sultan, dans l'Empire ottoman.

(...) on traverse les cours entourées d'espèces de cloîtres à arcades moresques, où sont les logements et les classes des icoglans, ou pages du sérail (...)
Th. GAUTIER, Constantinople, p. 284.

ICON-, ICONO- Élément, tiré du grec *eikôn* « image », et servant à former des mots savants. ⇒ **Iconogène, iconographie, iconologie, iconomètre, iconophile, iconoscope, iconothèque.** — REM. Outre ces composés, on peut signaler des formes occasionnelles ou plus rares, comme *iconomane* [ikɔnɔman] adj. et n., « qui a la passion des images ».

1. ICÔNE ou **ICONE** [ikon] n. f. — 1838, Académie; russe *ikona*, du grec byzantin *eikona* (prononcé *ikona*), du grec class. *eikôn* « image »; cf. anc. franç. *icoine* « image sainte ».

♦ Dans l'Église d'Orient, « Peinture religieuse exécutée sur un panneau de bois, par opposition à la fresque » (Réau). *Icônes byzantines, russes. Peintres d'icônes.* → Recueillir, cit. 11. *L'art des icônes a eu son apogée en Russie aux XIVe et XVe siècles* (Écoles de Novgorod, de Moscou). *Icônes exposées dans une église orthodoxe* (⇒ **Iconostase**).

Ce groupe (...) offre une particularité remarquable : les personnages sont en ronde bosse, à l'exception des têtes et des mains peintes sur une découpure d'argent ou d'autre métal taillée d'après le contour. Cette composition de l'icone byzantin *(sic)* avec la sculpture produit un effet d'une puissance extraordinaire (...) 1
Th. GAUTIER, Voyage en Russie, XV, p. 226.

La technique des icones (...) n'a guère varié depuis les origines. La première opération consiste à enduire une planchette (...) d'une préparation blanche (...) qui se compose d'une poudre fine de plâtre ou d'albâtre délayée dans de la colle. Sur ce fond (...) le peintre trace sa composition (...) après quoi il colorie ce dessin à la détrempe (...) L'icone une fois peinte est enduite d'un vernis à base d'huile (...) 2
Louis RÉAU, Dict. d'art, art. *Icone*.

Même pour les historiens de l'art, les icônes symbolisaient le style byzantin; et lorsqu'on eut cessé d'appeler byzantines toutes les images qui n'étaient plus antiques et n'étaient pas encore médiévales, on commença d'appeler antiques celles qui ne ressemblaient pas aux icônes. 3
MALRAUX, la Métamorphose des dieux, p. 127.

Collectif. *L'art de l'icône. Le développement de l'icône en Russie.*

REM. L'Académie écrit *icône* avec un accent circonflexe. Mais la plupart des auteurs ne la suivent pas (→ ci-dessus; cf. aussi Valery Larbaud, *Barnabooth*, p. 332).

DÉR. Iconiser.

2. ICONE [ikon] n. m. ou f. — V. 1970; angl. *icon*, employé par le philosophe américain Ch. S. Peirce à la fin du XIXe; du grec *eikona*. → 1. Icône.

♦ Didact. (chez Peirce). Signe qui renvoie à ce qu'il dénote (l'objet) en vertu de ses caractères propres et qui a donc avec l'objet des caractères (abstraits, relationnels) communs. — Spécialt (plus cour.). Signe qui a avec son objet une similitude (chez Peirce, il s'agit alors d'un *hypo-icone*). *L'icone appartient à l'une des classifications des signes* (en icones, indices* et symboles*). *L'icone échappe à l'arbitraire du signe. Icones visuels, acoustiques ou auditifs, gestuels.* ⇒ 2. **Iconique** (2.). — REM. Le mot est parfois employé (erronément s'il s'agit de théorie sémiotique) pour « signe visuel constituant une image ». → Image.

1. ICONIQUE [ikɔnik] adj. — 1562, Du Pinet, attestation isolée, puis 1765; lat. *iconicus* « fait d'après nature », grec *eikonikos* « qui reproduit les traits », de *eikôn*. → 1. Icône.

♦ Antiq. Se dit d'une statue de grandeur naturelle, érigée en l'honneur d'un vainqueur de jeux.

2. ICONIQUE [ikɔnik] adj. — V. 1970; angl. *iconic*, de *icon*, chez Peirce. → 2. Icone.
Didactique.

♦ **1.** De l'image, en général.

♦ **2.** Sémiotique (chez Peirce). Relatif à l'icone. ⇒ 2. **Icone.** *Signes iconiques et signes symboliques. « L'onomatopée, les équations, le discours direct sont iconiques »* (J. Rey-Debove, *Sémiotique*, Lexique). *Les signes visuels représentatifs (images) ont un caractère iconique.*

DÉR. Iconiquement.

ICONIQUEMENT [ikɔnikmɑ̃] adv. — Mil. xxe; de 2. *iconique*.
Didactique.

♦ **1.** Par des images.

♦ **2.** Par des signes iconiques. ⇒ 2. **Icone.**

ICONISER [ikɔnize] v. tr. — 1901, Saint-Pol Roux, *in* D. D. L.; de 1. *icône*.

♦ Didact., rare. Représenter figurativement.

ICONO- ⇒ **Icon-.**

ICONOCLASME [ikɔnɔklasm] n. m. — 1832, Dict. de Raymond; de *iconoclaste*.

♦ Didact. (hist.). Doctrine, mouvement religieux et politique des iconoclastes, à Byzance. *L'iconoclasme se traduisit par une lutte des empereurs contre le pouvoir des moines et contre l'indépendance de l'Église face à l'État.*

Les images ne mourront pas. Les Anglais feront venir leurs peintres, du Continent; les Allemands, d'Autriche. En outre — l'iconoclasme byzantin nous l'avait enseigné — nous comprenons assez bien pourquoi on chasse les tableaux, mal pourquoi ils reviennent, et à peine comment.
MALRAUX, l'Homme précaire et la Littérature, p. 41.

ICONOCLASTE [ikɔnɔklast] n. et adj. — 1557, *in* Bloch-Wartburg; grec byzantin *eikonoklastês* « briseur d'images », du grec class. *eikôn* (→ 1. Icône), et *klân* « briser ».
Didactique ou littéraire.

♦ **1.** (1557). Hist. Partisan des empereurs byzantins qui, aux VIIIe et IXe siècles, s'opposèrent à l'adoration et au culte des images saintes. *Léon III l'Isaurien, Clément V, Léon l'Arménien, Michel le Bègue, Théophile, chefs des iconoclastes.* — On a dit aussi *iconomaque*.

0.1 (...) les iconoclastes, secte animée de l'esprit exclusif des Sémites, portèrent le même jugement sur leurs rivaux et commencèrent à briser les images.
Émile BURNOUF, la Science des religions, p. 134.

Adj. *Les conciles iconoclastes de 730, 753, 815 (Constantinople). Les empereurs iconoclastes de Byzance.* — Par ext. *La querelle, la lutte iconoclaste.*

1 (...) le mouvement iconoclaste apparaît (...) d'abord, comme une réaction contre l'adoration et le culte des images saintes; puis contre certaines pratiques jugées superstitieuses (...) enfin, parfois, contre le culte même de la Vierge et des saints (...)
P. LEMERLE, Hist. de Byzance, p. 79.

♦ **2.** Personne qui condamne, proscrit ou détruit les images saintes, la représentation des personnes divines, des saints, et, par ext., les œuvres d'art. — Adj. (1690, Furetière). *Fureur iconoclaste.*

2 Son cœur de Latin était soulevé de dégoût par leur intolérance *(des Juifs)*, leur rage iconoclaste (...)
FLAUBERT, Trois contes, « Hérodias », p. 236.

3 En 1566, des bandes d'iconoclastes avaient dévasté les cathédrales d'Anvers, de Gand, de Tournay, et brisé partout, dans les églises et les abbayes, les images et les ornements qu'ils croyaient idolâtriques.
TAINE, Philosophie de l'art, t. II, III, p. 41.

♦ **3.** Fig., péj. Qui est hostile aux formes héritées du passé, aux traditions, jusqu'à les détruire. *« Notre radicalisme iconoclaste »* (Amiel, *in* T. L. F.). — N. *Des iconoclastes.* ⇒ **Vandale.**

4 Comme toute religion neuve, le camping a ses excès, son offensant fanatisme, ses iconoclastes pilleurs de bois vert, de fruits et de légumes.
COLETTE, Belles saisons, p. 10.

CONTR. Iconolâtre.
DÉR. Iconoclasme, iconoclastie, iconoclastique.

ICONOCLASTIE [ikɔnɔklasti] n. f. — Av. 1868, Bürger; de *iconoclaste*.

♦ Didact. ⇒ **Iconoclasme.**

ICONOCLASTIQUE [ikɔnɔklastik] adj. — 1705, *in* D. D. L.; de *iconoclaste*.

♦ Didact. D'une manière iconoclaste.

ICONOGÈNE [ikɔnɔʒɛn] n. m. — 1889, *Année sc. et industr.* 1890, p. 205; all. *Iconogene* (1889, Andressen); de *icono-*, et *-gène*.

♦ Techn. Sel (de sodium) employé comme révélateur photographique. *Développement à l'iconogène.*

ICONOGRAPHE [ikɔnɔgʀaf] n. — 1803, *in* D. D. L.; de *iconographie*.
Didactique.

♦ **1.** Spécialiste de l'iconographie.

♦ **2.** Personne chargée de l'iconographie dans l'édition. *Iconographe chargé(e) de la recherche des illustrations d'un livre. L'iconographe et le (la) maquettiste ont fait un travail remarquable.* — En appos. *Documentaliste iconographe.*

ICONOGRAPHIE [ikɔnɔgʀafi] n. f. — 1680; de *icono-*, et *-graphie*.
Didactique.

♦ **1.** Étude des représentations figurées d'un sujet (individu, époque, thème...); étude des sujets, des thèmes, des attributs, des allégories, dans l'art figuratif. *Iconographie et iconologie**. *Iconographie d'un personnage célèbre, de François Ier, de Louis XIV. Iconographie d'une époque, d'un événement historique, de la Révolution française. Iconographie religieuse (égyptienne, bouddhique, chrétienne) :* étude des thèmes, symboles, dogmes, personnages propres à chaque religion, tels qu'ils sont représentés dans l'art. *L'iconographie du Christ, de la Vierge, de saint Jean-Baptiste, de saint Sébastien. Iconographie de l'Ancien, du Nouveau Testament.*

(...) maître Denys d'Agrapha énonce ainsi le but de son livre. « Cet art de la peinture (...) j'ai voulu le propager (...) J'ai indiqué aussi toute la suite de l'Ancien et du Nouveau Testament, la manière de représenter les faits naturels et les miracles de la Bible, et en même temps les paraboles du Seigneur, les légendes (...) le nom et le caractère du visage des apôtres et des principaux saints (...) » 1
Ce manuscrit, véritable manuel d'iconographie chrétienne et de technique picturale (...)
Th. GAUTIER, Voyage en Russie, XIX, p. 306.

L'iconographie est une branche essentielle de l'histoire de l'art, mais ne se confond pas avec elle. Elle étudie, en effet, les sujets représentés dans les œuvres d'art, leurs sources, leur signification historique ou symbolique. Il reste ensuite à compléter cette analyse iconographique par une analyse stylistique (...) L'iconographie ne peut faire complètement abstraction de la forme, sous peine de se dessécher (...) 2
Louis RÉAU, Dict. d'art, art. *Iconographie.*

♦ **2.** (1873, Larousse). Ensemble de ces représentations. *Iconographie abondante et variée d'un saint, d'un thème allégorique.*

Je suis convaincu que l'iconographie du moyen âge lui doit autant *(à l'église de Saint-Denis)* que l'architecture, la sculpture et la peinture sur verre. L'abbé Suger fut, dans le domaine du symbolisme, un créateur; il proposa aux artistes des types nouveaux (...) Plusieurs chapitres de l'iconographie du XIIIe siècle se sont élaborés à Saint-Denis. 3
Émile MÂLE, l'Art religieux, Du XIIe au XVIIIe s., p. 18.

L'iconographie chrétienne, bouddhique.

♦ **3.** Ensemble d'images, de représentations visuelles, dans un livre. *Documentaliste chargé de l'iconographie d'un livre d'art.* — Abrév. fam. : *icono. C'est toi qui t'occupes de l'icono de ce bouquin?* — Recueil de ces représentations. *L'Iconographie ancienne de Visconti,* « recueil des portraits authentiques des empereurs, rois et hommes illustres de l'antiquité ».
Connaissance et pratique de l'illustration (recherche, choix...).

♦ **4.** Sémiotique. Code iconographique* (3.).

DÉR. Iconographe, iconographique.

ICONOGRAPHIQUE [ikɔnɔgʀafik] adj. — 1762, Académie; de *iconographie*, et *-ique*.

♦ **1.** Relatif à l'iconographie (1. et 2.). *Ouvrages, études iconographiques. Connaissances iconographiques. Documents iconographiques.*

L'abbé Grozier possédait un livre chinois, ouvrage à la fois iconographique et technologique (...) 1
BALZAC, Illusions perdues, Pl., t. IV, p. 560.

(...) mes études iconographiques m'ont habitué de longue date à reconnaître la pureté d'un type et le caractère d'une physionomie. 2
FRANCE, le Crime de S. Bonnard, II, p. 355.

Comme moment de transition, le visage de Garbo concilie deux âges iconographiques, il assure le passage de la terreur au charme. 3
R. BARTHES, Mythologies, p. 71.

♦ **2.** De l'iconographie (3.).

♦ **3.** Didact. (sémiotique). *Code iconographique :* code des représentations visuelles (images) en usage dans un groupe social à une époque donnée. *« Le code iconographique est différent à chaque période du développement de la société (comme un état de langue) »* (J. Rey-Debove, *Sémiotique*, Lexique).

ICONOLÂTRE [ikɔnɔlɑtʀ] n. — 1701, Furetière ; du grec ecclés. *eikonolatrês*, de *eikon, eikonos* (→ 1. Icône), et *latreuein* « adorer ». → -lâtre.

♦ Didact. Personne qui rend un culte à des images (nom donné aux catholiques par les iconoclastes).

DÉR. Iconolâtrie.

ICONOLÂTRIE [ikɔnɔlɑtʀi] n. f. — 1769, *in* T. L. F. ; de *iconolâtre*, p.-ê. par l'angl. *iconolatry*, 1624.

♦ Didact. Culte, adoration des images.

DÉR. Iconolâtrique.

ICONOLÂTRIQUE [ikɔnɔlɑtʀik] adj. — 1832, Raymond ; de *iconolâtrie*, et *-ique*.

♦ Didact. Qui est caractéristique des iconolâtres, de l'iconolâtrie.

ICONOLOGIE [ikɔnɔlɔʒi] n. f. — 1636, *in* D. D. L. ; ital. *iconologia* (Cesare Ripa), du grec *eikonologia*, de *eikôn, eikonos* (→ 1. Icône), et *logia*. → -logie.

♦ **1.** Art de représenter des figures allégoriques avec leurs attributs distinctifs ; connaissance des attributs permettant de reconnaître l'allégorie représentée. *L'iconologie « a été très en faveur aux* XVII*e et* XVIII*e siècles »* (Réau, *Dict. d'art*). *Almanach iconologique*, ou *Iconologie par figures*, ou *Traité complet de la science des allégories*, de Gravelot et Cochin (1781).

♦ **2.** Étude des modes de la représentation en art ; science de l'interprétation du contenu des arts figuratifs. *L'iconologie se base sur la description des figures, sur l'iconographie** (première interprétation) *pour proposer une interprétation globale, liée aux mythes, aux idéologies. L'iconologie de Panofsky.*

Je propose de ressusciter le bon vieux mot d' « iconologie » dans tous les cas où l'iconographie s'affranchit de son isolement et s'unit organiquement à quelque autre méthode que ce soit (historique, psychologique ou critique) [...] Car de même façon que le suffixe « graphie » désigne quelque démarche d'ordre descriptif, de même le suffixe « logie » (dérivé de *logos* qui signifie : raison) désigne quelque démarche d'ordre interprétatif.

Trad. de E. PANOFSKY, Essais d'iconologie, p. 22.

DÉR. Iconologiste ou **iconologue.**

ICONOLOGISTE [ikɔnɔlɔʒist] ou **ICONOLOGUE** [ikɔnɔlɔg] n. — 1834, *iconologiste*, Landais ; *iconologue*, 1756, Trévoux ; de *iconologie*, et *-iste, -logue*.

♦ Didact. Spécialiste d'iconologie.

ICONOMÈTRE [ikɔnɔmɛtʀ] n. m. — 1856, *in* D. D. L. ; de *icono-*, et *-mètre*.

♦ Techn. (photogr.). Viseur servant à évaluer la distance focale d'un objectif pour qu'une image ait la dimension voulue.

ICONOPHILE [ikɔnɔfil] adj. et n. — 1801, adj., *in* D. D. L. ; de *icono-*, et *-phile*.

♦ **1.** Qui est favorable aux représentations figuratives, aux images. « " La mort est iconophile ", *écrit Philippe Ariès dans son dernier livre,* " *Images de l'homme devant la mort* " : " L'image reste le mode d'expression le plus dense et le plus direct de l'homme devant le mystère du passage. " *Elle dit ce que l'on ne peut pas ou ne veut pas exprimer autrement* » (*le Nouvel Obs.*, nº 1009, 9 mars 1984, p. 103).

♦ **2.** Vx. Amateur, collectionneur d'images, d'estampes.

CONTR. (Du sens 1) **Iconophobe.**

ICONOPHOBE [ikɔnɔfɔb] adj. et n. — 1927, E. Faure, *in* T. L. F. ; de *icono-*, et *-phobe*.

♦ Didact. Qui est hostile aux représentations, aux images (dans un contexte religieux en général). ⇒ **Iconoclaste.**

CONTR. Iconophile (1.).

ICONOSCOPE [ikɔnɔskɔp] n. m. — 1902 ; pour désigner un appareil d'optique donnant l'impression de relief, 1866 ; de *icono-*, et *-scope*.

Technique.

♦ **1.** Photogr. (Anciennt). Dispositif à lentilles divergentes d'un viseur.

♦ **2.** (1947 ; angl. *iconoscope*). Télév. Dispositif (tube) qui analyse l'image. « *Dans les années 1930, Vladimir Zworynkin, de R. C. A., réalise un tube prise de vue permettant l'obtention d'images de bonne qualité par des moyens électroniques : c'est l'iconoscope* » (*Sciences et Avenir*, nº spécial Einstein, nº 26, p. 83).

ICONOSTASE [ikɔnɔstɑz] n. f. — 1843, X. Marmier ; *ikonostas*, 1822, *in* D. D. L. ; *iconastus*, 1786, *in* D. D. L. ; russe *ikonostas*, n. m., du grec *eikôn* (→ 1. Icône), et *stasis* « action de poser ».

♦ Didact. Dans les églises orthodoxes, Cloison décorée d'images, d'icônes, qui sépare la nef du sanctuaire où le prêtre officie.

L'iconostase, haute muraille de vermeil à cinq étages de figures (...) éblouit l'œil 1
par sa fabuleuse magnificence. À travers les découpures de l'orfèvrerie, les mères de Dieu, les saints et les saintes passent leurs têtes brunes et leurs mains aux tons de bistre (...) Quel beau motif de décoration que ces iconostases, voile d'or et de pierreries tendu entre la foi des fidèles et les mystères du Saint-Sacrifice !

Th. GAUTIER, Voyage en Russie, XVII, p. 276.

Par ext. Rassemblement d'icônes.

Sa chambre (...) rappelait assez les intérieurs des pieuses isbas, éclairés par de 2
perpétuelles lampes allumées devant les figures propices des iconostases.

Léon BLOY, le Désespéré, p. 172.

ICONOTHÈQUE [ikɔnɔtɛk] n. f. — 1968, *in* Larousse ; de *icono-*, et *-thèque*.

♦ Didact. Collection d'images. — Spécialt. Cabinet d'estampes (d'une bibliothèque, d'un musée).

ICOPHONE [ikɔfɔn] n. m. — 1970 ; de *icono-*, réduit à *ico-*, et *-phone*.

♦ Techn. (acoust., inform.). Appareil qui permet une représentation graphique de la parole.

ICOS- ⇒ **Icosi-**

ICOSAÈDRE [ikozaɛdʀ] n. m. — 1558 ; *icocedron*, 1377 ; lat. *icosahedrum*, mot grec tiré de *eikosi* « vingt », et *edra* « face ».

♦ Géom. Polyèdre limité par vingt faces. *Icosaèdre régulier*, dont les faces sont des triangles équilatéraux égaux entre eux.

DÉR. V. **Icosi-**; **icos-** (du grec *eikosi*).

ICOSAGONE [ikozagon ; ikozagɔn] n. m. — 1873, Larousse ; grec *eikosagônos* « à vingt angles ou côtés », de *eikosi* « vingt », et *gônia* « angle, coin ».

♦ Géom. Polygone possédant vingt angles, vingt côtés. — REM. On dit aussi *icosigone*.

ICOSANDRE [ikozɑ̃dʀ] adj. — 1787, *in* D. D. L. ; de *icos-*, et *-andre*.

♦ Bot. Qui a vingt étamines. *Fleur icosandre.*

ICOSI-, ICOS- Élément, tiré du grec *eikosi* « vingt », servant à former des mots savants tels que *icosandre**, *icosigone**.

ICOSIGONE [ikozigon ; ikozigɔn] adj. et n. m. — 1834, *in* D. D. L. ; de *icosi-*, et *-gone*.

♦ Géom. (vx). ⇒ **Icosagone.**

ICTÈRE [iktɛʀ] n. m. — 1578 ; lat. *icterus*, du grec *ikteros* « jaunisse ».

♦ **1.** Méd. Coloration jaune de la peau et des muqueuses, et qui révèle la présence de pigments biliaires dans les tissus. ⇒ **Cholémie.** *L'ictère est un symptôme, non une maladie. Ictère par hépatite. Ictère dû à la cirrhose, à l'hémolyse* (ou *ictère hémolytique*). *Relatif à l'ictère.* ⇒ **Ictérique, ictéro-hémorragique.**

♦ **2.** (Abusif en méd.). Maladie dont le symptôme est la coloration jaune de la peau. ⇒ **Jaunisse** (cour.). *Ictère bénin, grave, malin.*

(...) madame Cibot usa d'artifices pour introduire le *médecin du quartier* auprès de Schmucke. Ce médecin craignit un *ictère* et il laissa madame Cibot foudroyée par ce mot savant dont l'explication est *jaunisse !*

BALZAC, le Cousin Pons, Pl., t. VI, p. 585.

COMP. Ictérigène. — V. **Ictéro-.**

ICTÉRIDÉS [ikteride] n. m. pl. — 1892, Guérin ; *Ictérinés*, 1873, P. Larousse ; du grec *ikteros* « loriot », même mot que *ikteros* « jaunisse », et *-idés*.

♦ Zool. Famille d'oiseaux passeriformes, au corps allongé, au bec conique, au plumage très coloré, qui vivent en groupe. — Au sing. *Un ictéridé.*

ICTÉRIGÈNE [ikteʀiʒɛn] adj. — 1938, *in* D. D. L.; de *ictère,* et *-gène.*

♦ Méd. Qui provoque un ictère. *Cirrhose ictérigène.*

ICTÉRIQUE [ikteʀik] adj. — V. 1560, Paré; *ithérique,* XIIIe; var. *itérite,* XIIIe; lat. *ictericus,* grec *ikterikos,* de *ikteros.* → Ictère.

♦ Méd. Relatif à l'ictère. *Symptômes ictériques. Teinte ictérique.* — N. *Un, une ictérique :* malade présentant un ictère.

ICTÉRO- Élément, tiré de *ictère* et servant à former des mots savants relatifs à la couleur jaune (vx) ou en méd., relatifs à l'ictère. Ex. : *ictérocéphale* [ikteʀosefal] n. m. (1779, *in* D. D. L.), « qui a une tête jaune ». ⇒ **Ictéro-hémorragique.**

ICTÉRO-HÉMORRAGIQUE [ikteʀoemɔʀaʒik] adj. — 1931, *Larousse du XXe s.*; de *ictéro-,* et *hémorragique.*

♦ Méd. Qui est caractérisé par l'ictère et des hémorragies.

ICTUS [iktys] n. m. invar. — 1861, *in* D. D. L.; *icte* « coup », 1558, Rabelais; lat. *ictus* « coup », de *ictum,* supin de *icere* « frapper ».

★ **I.** (1867, Littré). Versification antiq. Battement de la mesure dans le vers. — Par ext. Temps fort marqué sur une syllabe. — Mus. Note très accentuée au premier ou au dernier temps fort d'un rythme.

★ **II.** (1861). Pathol. Manifestation morbide violente et soudaine. *Ictus apoplectique,* ou, absolt, *ictus.* ⇒ **Apoplexie, attaque, bouffée, raptus.**

— Un ptit ictus, qu'il dit. Restera probablement paralysée.
R. QUENEAU, le Dimanche de la vie, p. 247.

Psychol. *Ictus émotif :* « brusque obscurcissement de la conscience sous l'influence d'une émotion violente » (P. Sivadon, *in* Piéron, *Voc. psychol.*). — Psychiatrie. *Ictus amnésique,* ou *suspension mnésique transitoire,* ou *éclipse amnésique :* trouble mnésique brutal qui survient chez des sujets n'ayant aucun antécédent particulier, qui dure de quelques minutes à quelques heures, et qui disparaît sans laisser d'autre déficit qu'un « trou de mémoire » intéressant la durée de l'ictus.

-ICULE, -CULE Élément, tiré du lat. *culus,* figurant dans des mots hérités du latin comme *pédicule, pédoncule, ventricule...,* et qui sert à former quelques diminutifs savants *(animalcule, principicule...).*

ID. Abrév. graphique de *idem**.

IDE [id] n. m. — 1785, *in* D. D. L.; lat. zool. *idus;* du suédois *id.*

♦ Zool. Poisson physostome *(Cyprinidés*)* au corps fusiforme pouvant atteindre 40 cm, de couleur pourpre. *L'ide, poisson d'ornement.*

HOM. Ides.

1. -IDE Élément, tiré du grec *eidos* « forme » (⇒ **Idée**), qui entre dans la composition de nombreux adjectifs désignant des formes* (sous la forme *-oïde,* ex. : *cardioïde, sphéroïde,* etc.). — REM. En méd., le suff. *-ide* désigne généralement les manifestations cutanées d'une maladie... *(allergide, arthritide, syphilide...);* en chimie, il indique des composés dérivés (du corps désigné par la base), désigne certains groupements d'homologues *(glucides, lipides...* et aussi *alkyd).* → -ides, -idés.

2. -IDE Suffixe patronymique indiquant la descendance, l'appartenance (ex. : *Abbassides, Napoléonides*), notamment, en mythologie (ex. : *Danaïdes, Euménides*).

3. -IDE Élément, de *(ac)ide,* indiquant dans des noms de composés chimiques la présence d'un acide ou d'un radical acide.

1. IDÉAL, ALE [ideal] adj. — 1551, *in* D. D. L.; bas lat. *idealis,* de *idea.* → Idée.

REM. « L'adjectif fait *idéaux* au pluriel », note Littré dans son *Dictionnaire,* mais il est moins affirmatif dans son *Supplément :* « On peut penser qu'il est préférable de dire, comme M. Taine, *idéaux* au plur. de l'adj. ». L'Académie ne paraît soulever la question que pour le pluriel du substantif. En fait, comme pour beaucoup d'adjectifs en *al,* le masculin pluriel est peu usité. → cependant cit. 4. 1.

♦ **1.** Qui est conçu et représenté dans l'esprit sans être ou pouvoir être perçu par les sens. ⇒ **Idéal, théorique** (s'oppose à *concret, matériel, réel*). *Notions idéales. Un être, un monde idéal.* ⇒ **Imaginaire** (→ Bouc, cit. 3). *Schème idéal.* ⇒ **Abstrait.** *Type idéal, à valeur purement opératoire* (Max Weber, en sociologie).

L'impossibilité d'atteindre aux êtres réels me jeta dans le pays des chimères, et 1
ne voyant rien d'existant qui fût digne de mon délire, je le nourris dans un monde
idéal que mon imagination créatrice eut bientôt peuplé d'êtres selon mon cœur.
ROUSSEAU, les Confessions, IX.

Au reste, le domaine de la poésie est illimité. Sous le monde réel, il existe un 2
monde idéal, qui se montre resplendissant à l'œil de ceux que des méditations graves ont accoutumés à voir dans les choses plus que les choses.
HUGO, Odes et Ballades, Préface de 1822.

La géométrie ne s'occupe pas de solides naturels; elle a pour objets certains soli- 3
des idéaux, absolument invariables, et qui n'en sont qu'une image simplifiée et bien lointaine.
Henri POINCARÉ, la Science et l'Hypothèse, IV.

(...) à l'attente de l'être idéal que nous aimons, chaque rendez-vous nous apporte, 4
en réponse, une personne de chair qui tient déjà si peu de notre rêve.
PROUST, À la recherche du temps perdu, t. XIII, p. 49.

Celle-ci est ce féminin de l'être, ce tendre et ce tiède idéaux (...) 4.1
VALÉRY, Cahiers, t. II, Pl., p. 1276.

À ma libération, on me conduisit à la frontière autrichienne, que je franchis près 4.2
de Willach. Radé fit bien en refusant de partir. Durant mon voyage en Europe centrale sa présence idéale m'accompagne. Non seulement il marche et dort près de moi mais dans mes décisions je veux être digne de l'image audacieuse que de lui je m'étais formée.
Jean GENET, Journal du voleur, p. 124.

Un amour idéal. ⇒ **Platonique.**

Math. *Nombres idéaux :* classe de nombres possédant les propriétés de divisibilité.

Par plais. Littér. (D'une chose concrète). Dépourvu de matière sensible.

Mon paletot aussi devenait idéal (...) RIMBAUD, Poésies, « Ma bohème ». 4.3

♦ **2.** [a] (Mil. XVIIIe, Buffon). Qui atteint toute la perfection ou réunit toutes les perfections que l'on peut concevoir ou souhaiter. ⇒ **Accompli, merveilleux, parfait, surnaturel.** *Beauté, formes idéales* (→ Apparence, cit. 4; éthéré, cit. 3; divination, cit. 4). *L'amour dans sa plénitude idéale* (→ Bercement, cit. 2). *Perfection idéale.* ⇒ **Absolu.** — (En parlant de choses concrètes). *Rêver de retraites idéales* (→ Asile, cit. 23). *« Une machine idéale, qui fonctionnerait sans frottement »* (Lalande, *Voc. de la philosophie*).

Et ce bien idéal que toute âme désire, 5
Et qui n'a pas de nom au terrestre séjour!
LAMARTINE, Premières méditations, « L'isolement ».

Quel être idéal que cet Albert, sombre, souffrant, éloquent, travailleur, comparé 6
par mademoiselle de Watteville à ce gros comte joufflu, crevant de santé, diseur de fleurettes (...)
BALZAC, Albert Savarus, Pl., t. I, p. 768.

[b] (1812). Cour. ⇒ **Parfait, rêvé.** *C'est un mari idéal. Ils forment un couple idéal. Un séjour de vacances absolument idéal. Un ciel d'une pureté idéale. C'est la solution idéale.*

Elle était sentimentale : elle voyait dans Edmond et Carlotta le couple idéal, 7
l'amour heureux.
ARAGON, les Beaux Quartiers, p. 448.

(XXe). *Produit idéal, idéal pour la lessive. — C'est l'appartement idéal pour un jeune couple. — Idéal pour* (et nom d'activité ou infinitif).

♦ **3.** (1760). Aux sens 1 et 2, a. *Le beau idéal :* la beauté parfaite dans l'art, telle qu'on ne peut la concevoir et l'imaginer (par oppos. aux beautés naturelles). *Fins idéales de l'art* (cit. 2).

Toujours *cachant* et *choisissant, retranchant* ou *ajoutant,* ils se trouvèrent peu à 8
peu dans des formes qui n'étaient plus naturelles, mais qui étaient plus parfaites que la nature : les artistes appelèrent ces formes *le beau idéal.* On peut donc définir *le beau idéal* l'art *de choisir et de cacher.* Cette définition s'applique également au beau idéal *moral* et au beau idéal *physique.* Celui-ci se forme en cachant avec adresse la partie infirme des objets; l'autre, en dérobant à la vue certains côtés faibles de l'âme (...)
CHATEAUBRIAND, le Génie du christianisme, II, 2, 11.

(...) une de celles qui rêvent le beau idéal et veulent que tout soit complet (...) 9
BALZAC, le Curé de village, Pl., t. VIII, p. 593.

♦ **4.** Psychan. *Le Moi idéal,* idéal de toute-puissance narcissique (distinct de l'*idéal** [2. Idéal] *du moi*).

CONTR. Matériel, réel; concret, imparfait, prosaïque, relatif, terrestre.
DÉR. 2. **Idéal, idéalement, idéaliser, idéalisme, idéaliste, idéalité.**

2. IDÉAL, ALS ou **AUX** [ideal, o] n. m. — 1765, Diderot; de 1. *idéal.*

REM. Entre les deux pluriels *idéals* et *idéaux,* tous deux admis par l'Académie, « l'usage n'a pas prononcé », comme le note justement Littré et comme le confirment les exemples donnés par Grevisse (§ 278, rem. 4).

♦ **1.** Vx. Conception que l'artiste a dans l'esprit, idée de l'œuvre à réaliser (par oppos. au *faire,* VII., 2.). ⇒ 3. **Sujet** (I., 5.).

Le sujet de ce tableau *(« L'enfant gâté », de Greuze)* n'est pas clair. L'idéal n'en 1
est pas assez caractéristique : c'est, ou l'enfant, ou le chien gâté.
DIDEROT, Salon de 1765.

Scène froide et mauvaise, où la misère de l'idéal n'est point rachetée par le faire. 2
DIDEROT, Salon de 1767.

♦ **2.** (1802, Chateaubriand). Ce qu'on se représente ou se propose comme type parfait ou modèle absolu dans l'ordre pratique, esthétique ou intellectuel. *Un idéal de beauté* (→ Canon, cit. 3). *L'idéal du calme* (cit. 15). *L'idéal moral* (→ Beau, cit. 101). *Idéal politique, démocratique* (→ Aile, cit. 20), *internationaliste* (→ Adhérer, cit. 3), *bourgeois* (→ Ascension, cit. 9), *libertaire* (→ Communisme, cit. 2), *socialiste* (→ Égalisation, cit.), *pacifiste* (→ Grandeur, cit. 29). — *Concevoir des idéaux* (→ Homme, cit. 85). *Avoir un idéal* (→ Coopératif, cit. 1; gueuleton, cit. 2). *Chercher à réaliser son idéal, un idéal* (→ Forger, cit. 11). *Idéal irréalisable.* ⇒ **Utopie.** *Atteindre* (cit. 35 et 36) *l'idéal que l'on poursuit.* — *L'idéal du poète, du critique* (→ Coïncider, cit. 2), *de certains philosophes, de M. Prudhomme* (→ 1. Feu, cit. 21). *L'idéal des jeunes filles de bonne famille* (→ 1. Patron, cit. 14.2). — *Cette femme est son idéal.* ⇒ **Genre, type** (fam.). — *Idéaux conformes à la nature d'une nation* (→ Hétérogène, cit. 2).

3 Il règne ici *(dans une scène d'«Alzire», de Voltaire)* un *idéal de vérité* au-dessus de tout *idéal poétique.* Quand nous disons un *idéal de vérité,* ce n'est point une exagération; on sait que ces vers :
Des dieux que nous servons connais la différence, etc.
sont les paroles mêmes de François de Guise.
CHATEAUBRIAND, le Génie du christianisme, II, 2, 7.

4 Toi, femme que j'aimerai, viens, que je ferme sur toi mes bras ouverts depuis si longtemps (...) Si tu viens trop tard, ô mon idéal! je n'aurai plus la force de t'aimer (...) Th. GAUTIER, Mlle de Maupin, II, p. 74.

5 (...) le dessin du grand dessinateur doit résumer l'idéal et le modèle (...) Je n'affirme pas qu'il y ait autant d'idéals primitifs que d'individus, car un moule donne plusieurs épreuves; mais il y a dans l'âme du peintre autant d'idéals que d'individus, parce qu'un portrait est un modèle compliqué d'un artiste. Ainsi l'idéal n'est pas cette chose vague, ce rêve ennuyeux et impalpable qui nage au plafond des académies; un idéal, c'est l'individu redressé par l'individu, reconstruit et rendu par le pinceau ou le ciseau à l'éclatante vérité de son harmonie native.
BAUDELAIRE, Curiosités esthétiques, III, «Salon de 1846», VII.

6 *(L'abbé de Retz)* caressait l'idéal du conspirateur et du séditieux grandiose (...)
SAINTE-BEUVE, Causeries du lundi, 20 oct. 1851, t. V, p. 42.

7 (...) quoique les mariages d'inclination et les bonheurs qu'ils donnent soient en province l'idéal de toutes les mères de famille (...)
BARBEY D'AUREVILLY, les Diaboliques, «Le bonheur dans le crime».

8 Mais il n'y a pas d'idéal dont le charme n'ait son péril, et pourtant on ne saurait priver la vie d'idéal sans la condamner à la platitude et au morne désespoir.
J. BÉDIER, Préface à Tristan et Iseut.

9 (...) on demande à ceux qui gouvernent les hommes autre chose et mieux encore que l'intelligence : la sensibilité qui les rend humains et la conscience d'un grand idéal qui les fait supérieurs. Louis MADELIN, Talleyrand, p. 449.

10 Par-dessus les frontières, les mains de tous les travailleurs se tendaient vers le même idéal fraternel (...) MARTIN DU GARD, les Thibault, t. VII, p. 65.

10.1 Je ne vais pas (...) raconter pourquoi les adeptes les plus ardents de la pure Maria Spiridonowa ou de l'héroïque lieutenant Schmitt perdirent de vue leurs idéals révolutionnaires et de rénovation sociale pour commettre par bandes des délits de droit commun (...) B. CENDRARS, Moravagine, *in* Œ. compl., t. IV, p. 109.

(1935, Acad.). Par ext. Individu qui est le modèle (d'un genre). *Cet homme est l'idéal du fonctionnaire* (Académie), le fonctionnaire idéal, exemplaire*. *Cette femme est un idéal de vertu.* ⇒ **Modèle, parangon.**

Philos. (chez Kant). Être individuel dont tous les caractères sont déterminés par l'idée*. *«Le sage, l'homme vertueux est un idéal, tandis que la sagesse, la vertu sont des idées»* (E. Boutroux, *in* T. L. F.).

Psychan. *Idéal du moi :* selon Freud, «instance de la personnalité résultant de la convergence du narcissisme (idéalisation du moi) et des identifications aux parents, à leurs substituts et aux idéaux collectifs. En tant qu'instance différenciée, l'idéal du moi constitue un modèle auquel le sujet cherche à se conformer» (Laplanche et Pontalis).

♦ **3.** (1843, Balzac). Absolt. **L'IDÉAL** : ensemble de valeurs esthétiques, morales ou intellectuelles (par oppos. aux intérêts de la vie matérielle). *Avoir toujours le même amour, le même goût pour l'idéal.* → Abandonner, cit. 1.1. *Aspirations éthérées et élancements vers l'idéal* (→ Effusion, cit. 7). *Invoquer l'idéal* (→ Frange, cit. 4). *Tendre vers l'idéal* (→ Alourdir, cit. 4). *L'idéal, aimant* (cit. 1) *de la conscience. Une envolée vers l'idéal. Le genre* (cit. 4) *humain s'élevant des ténèbres à l'idéal. Drogues propres à créer l'idéal artificiel.* → Paradis, cit. 7.

11 À l'idéal ouvre ton âme;
Mets dans ton cœur beaucoup de ciel,
Aime une nue, aime une femme,
Mais aime! — C'est l'essentiel! Th. GAUTIER, Émaux et Camées, «La nue».

12 L'absolu doit être pratiqué. Il faut que l'idéal soit respirable, potable et mangeable à l'esprit humain. HUGO, les Misérables, II, VII, VI.

13 Ils voyageaient sans pain, sans bâton et sans urnes,
Mordant au citron d'or de l'idéal amer.
MALLARMÉ, Premiers poèmes, «Le guignon».

14 Les bourgeois ne m'ont su aucun gré de mes concessions; ils ont vu plus clair que moi en moi-même; ils ont bien senti que j'étais un faible conservateur, et qu'avec la meilleure foi du monde, je les aurais trahis vingt fois, par faiblesse pour mon ancienne maîtresse, l'idéal. RENAN, Souvenirs d'enfance..., II, VII.

15 M. Gaston Devore a appelé sa pièce *l'Envolée* (...) Vous sentez tout ce qu'il contient *(ce mot)*, tout ce qu'il veut dire? C'est un désir vers l'idéal.
Paul LÉAUTAUD, le Théâtre de M. Boissard, XLIV, p. 245.

16 Dans la vie sociale, c'est encore l'*idéal* qui rassemble les âmes autour d'un but commun; hors de là, il n'y a qu'utilité, et l'utilité, loin de concentrer et d'unir, sépare et disperse.
LIARD, Science positive et Métaphysique, p. 484, *in* LALANDE.

(1862, Hugo). Ce qui, dans quelque domaine que ce soit, donnerait une parfaite satisfaction aux aspirations du cœur ou de l'esprit (par oppos. à une réalité jugée décevante). *Le contraste entre l'idéal et la triste réalité* (→ Folie, cit. 18). *Rêveurs candides* (cit. 2), *coureurs d'idéal. Croire atteindre l'idéal en étreignant* (cit. 6) *le réel.*

(...) empêchez-la de cultiver dans son cœur la mystérieuse fleur de l'Idéal, cette perfection céleste à laquelle j'ai cru, cette fleur enchantée, aux couleurs ardentes, et dont les parfums inspirent le dégoût des réalités. 17
BALZAC, Honorine, Pl., t. II, p. 315.

Quand on parle de l'idéal, c'est avec son cœur; on pense alors au beau rêve vague par lequel s'exprime le sentiment intime (...) 18
TAINE, Philosophie de l'art, t. II, p. 223.

— Vous pensez alors, comme Hegel, que Dieu n'est pas, mais qu'il sera? — Pas précisément. L'idéal existe; il est éternel; mais il n'est pas encore matériellement réalisé; il le sera un jour. 19
RENAN, Dialogues philosophiques, II, *in* Œ. compl., t. I, p. 597.

(...) cet idéal que l'homme ne se lasse pas de faire planer au-dessus du réel, et dont les aspects multiples et opposés ne sont que des manifestations diverses de son aspiration obstinée vers le bonheur. 20
J. BÉDIER, Tristan et Iseut, Préface, p. 9.

L'idéal, c'est de... : ce qui peut pleinement satisfaire, c'est de...

L'idéal pour Javert, ce n'était pas d'être humain, d'être grand, d'être sublime; c'était d'être irréprochable. HUGO, les Misérables, V, IV. 21

Aimer et être aimé, voilà l'idéal. COCTEAU, le Grand Écart, p. 34. 22

(Av. 1902, Zola). Fam. *L'idéal, ce serait de..., que... :* ce qu'il y aurait de mieux*, de plus souhaitable, ce serait... (cf. Le rêve, ce serait que...).

L'idéal, je crois, ce serait que nous puissions envisager avec vous quelque autre opération immobilière absolument distincte, qui ne touche en rien aux biens du clergé (...) J. ROMAINS, les Hommes de bonne volonté, t. V, VI, p. 56. 23

(XXe). *Ce n'est pas l'idéal, évidemment, mais...*

♦ **4.** (1903, in *Rev. gén. des sc.*, n° 6, p. 334). Math. Ensemble dans un anneau commutatif formant un sous-groupe additif du groupe de celui-ci et tel que le composé, par la deuxième loi de l'anneau, d'un élément de l'anneau et d'un élément de cet ensemble appartienne à celui-ci. *«L'ensemble (0) réduit au seul élément 0 est un idéal fractionnaire»* (*la Recherche,* n° 103, sept. 1979, p. 874). *Idéal à gauche, à droite de l'anneau A* (selon le sens dans lequel on compose les éléments de l'anneau et les éléments de l'idéal). *Idéal à gauche et à droite* (dit *bilatère*). *Toute intersection d'idéaux à gauche* (respectivement *à droite*) *d'un anneau A est un idéal à gauche* (respectivement *à droite*) *de A. Idéal engendré par une partie P de l'anneau A :* l'intersection de tous les idéaux contenant P. *Idéal premier d'un anneau commutatif unitaire A :* idéal tel que, pour tout couple d'éléments de l'anneau, si leur composé par la seconde loi de l'anneau appartient à l'idéal, alors l'un de ces éléments appartient à l'idéal.

CONTR. Réalité, réel n. m.; **positif** n. m.

IDÉALEMENT [idealmɑ̃] adv. — 1551; de 1. *idéal,* et *-ment.*

♦ **1.** (Fin XVIIIe; de 1. *idéal,* 1.). D'une manière idéale.

Il *(Balzac)* ne les copiait pas *(les personnages de la Comédie humaine),* il les vivait idéalement, revêtait leurs habits, contractait leurs habitudes, s'entourait de leur milieu (...) Th. GAUTIER, Portraits contemporains, Balzac, p. 63. 1

♦ **2.** (1551; de 1. *idéal,* 2.) ⇒ **Parfaitement.** *Elle est idéalement belle.*

Imaginez, au milieu des horreurs du siècle, un lieu privilégié, une sorte de retraite angélique idéalement silencieuse et fermée (...) 2
E. FROMENTIN, les Maîtres d'autrefois, Belgique, p. 342.

CONTR. Concrètement, matériellement.

IDÉALISABLE [idealizabl] adj. — V. 1840, A. Comte; de *idéaliser.*

♦ Didact. Que l'on peut idéaliser.

IDÉALISANT, ANTE [idealizɑ̃, ɑ̃t] adj. — Attesté XXe (1942, Bachelard, *in* T. L. F.); p. prés. de *idéaliser.*

♦ Didact. Qui idéalise. *Fonction idéalisante.*

IDÉALISATEUR, TRICE [idealizatœʀ, tʀis] adj. et n. — 1845, Bescherelle; de *idéaliser.*

♦ Didact. Qui idéalise. *La vertu idéalisatrice de l'absence, de l'éloignement.* — N. *Un idéalisateur, une idéalisatrice du passé.*

Tel artiste allemand ou anglais est plus ou moins propre au comique absolu, et en même temps il est plus ou moins idéalisateur. 1
BAUDELAIRE, Curiosités esthétiques, Pl., p. 176.

Le modèle de tout art réaliste n'est qu'un des moyens de l'artiste contre le style idéalisateur ou religieux qui précède le sien. 2
MALRAUX, l'Homme précaire et la Littérature, p. 97.

IDÉALISATION [idealizɑsjɔ̃] n. f. — 1794, *in* D. D. L.; de *idéaliser.*

♦ Action d'idéaliser; résultat de cette action. ⇒ **Embellissement, stylisation.** *L'idéalisation de faits ou de personnages historiques dans l'épopée. Processus, travail d'idéalisation.* ⇒ **Idéalisant.**

Ce travail quotidien d'idéalisation la lui montrait à peu près telle qu'il l'aurait rêvée. MAUPASSANT, Notre cœur, p. 62. 1

L'idéalisation devient alors *(pour Delacroix)* ce sourd travail par lequel ce que nous recevons du monde extérieur, avec l'illusion de l'objectivité, se trouve pénétré de notre propre sensibilité, dominé par elle, grâce à la mémoire, et surtout à l'imagination. René HUYGHE, Dialogue avec le visible, p. 266. 2

Psychan. Processus par lequel le sujet idéalise un objet (alors que la *sublimation** porte sur un instinct du sujet).

IDÉALISER [idealize] v. tr. — 1794; de 1. *idéal,* et *-iser.*

♦ Revêtir d'un caractère idéal. ⇒ **Embellir, ennoblir, flatter, magnifier.** *Le peintre a idéalisé son modèle. Idéaliser un thème en stylisant*. Les écrivains irréguliers du XVIIe siècle ont été idéalisés et parés d'une auréole romantique* (→ Grotesque, cit. 12). *Légitimer et idéaliser certains vices* (→ Cultiver, cit. 14).

(...) ce n'est pas ainsi que je peux entrer tout à fait dans la nature, même en l'idéalisant. G. SAND, François le Champi, Avant-propos, p. 17.

Beaucoup de personnes me trouveront sans doute bien indulgent. « Vous innocentez l'ivrognerie, vous idéalisez la crapule. »
BAUDELAIRE, Du vin et du haschisch, II.

L'absence l'avait idéalisé dans son souvenir; il revenait avec une sorte d'auréole, et elle se livrait ingénument au bonheur de le voir.
FLAUBERT, l'Éducation sentimentale, II, V, p. 282.

Lamartine a beaucoup varié dans ses explications à l'égard de la petite corailleuse napolitaine *(Graziella),* qu'il a idéalisée en son délicieux roman.
Émile HENRIOT, les Romantiques, p. 103.

L'homme se monte le coup. Il idéalise la femme. Mais elle, ne le lui rend pas. Elle apporte aux choses de l'amour un sens forcené du réalisme. On ne la trompe pas avec des mots. ARAGON, les Beaux Quartiers, II, XXXIII.

De David, la Bible nous donne trois figures (...) dans les *Chroniques,* idéalisé à tel point que ses crimes sont passés sous silence, statue plus qu'homme vivant.
DANIEL-ROPS, le Peuple de la Bible, III, I, p. 198.

En donnant aux personnages de l'Évangile les traits de ses compagnons, il pensait les faire apparaître avec plus de vérité qu'en les idéalisant.
MALRAUX, les Voix du silence, p. 374.

En emploi absolu → ci-dessous, cit. 9.

▶ **S'IDÉALISER** v. pron. (1835, Vigny).

(Réfl.). Se représenter sous un aspect idéal. *Napoléon a composé* (cit. 14) *son personnage et s'est idéalisé dans ses entretiens de Sainte-Hélène. Lamartine s'est idéalisé dans les Méditations* (→ Généraliser, cit. 6).

(1859, Gautier). Passif. *Visage qui se fond* (cit. 34) *et s'idéalise.*

Quand elle représente la dryade, elle s'idéalise, se détache, s'enlève, se fait plus transparente et plus légère encore (...)
Th. GAUTIER, Voyage en Russie, XX, p. 339.

(...) ils avaient menti, menti comme toujours, ils s'étaient menti à eux-mêmes; ils avaient voulu s'idéaliser... Idéaliser! c'est-à-dire : avoir peur de regarder la vie en face, être incapable de voir les choses comme elles sont.
R. ROLLAND, Jean-Christophe, La révolte, I, p. 395.

▶ **IDÉALISÉ, ÉE** p. p. adj. (1828). *Modèle idéalisé. Figures idéalisées.*

CONTR. Concrétiser. — Rabaisser; caricaturer, enlaidir.
DÉR. Idéalisable, idéalisant, idéalisateur, idéalisation.

IDÉALISME [idealism] n. m. — 1749, Diderot, *Lettre sur les aveugles;* → Idéaliste (cit. 1); de 1. *idéal,* et *-isme.*

♦ **1.** Philos. (sens général). Système philosophique qui, sur le plan de l'existence ou de la connaissance, ramène l'être à la pensée, et les choses à l'esprit. — À distinguer de *spiritualisme**. — REM. « Cette indétermination qui laisse en suspens la question de savoir si l'on parle de l'esprit *individuel,* ou de l'esprit *collectif,* ou de l'esprit *en général,* se rencontre dans la plupart des définitions de l'idéalisme (...) Il semblerait donc qu'il y ait lieu de faire le moindre usage possible d'un terme dont le sens est aussi indéterminé » (Lalande).

(Des vues nouvelles) concernent l'appréhension de la matière par l'esprit et devraient mettre fin à l'antique conflit du réalisme et de l'idéalisme en déplaçant la ligne de démarcation entre le sujet et l'objet, entre l'esprit et la matière.
H. BERGSON, la Pensée et le Mouvant, Introd., II.

(...) nous savons par quelle pente inéluctable l'idéalisme théorique, en niant le réel, aboutit à une négation du spirituel.
DANIEL-ROPS, Ce qui meurt et ce qui naît, p. 124.

Idéalisme platonicien. ⇒ **Idée** (I.). *Idéalisme spiritualiste* (de Leibniz), *immatérialiste* (de Berkeley). — (1801, *in* D. D. L.). *Idéalisme transcendantal* (de Kant), *subjectif* (de Fichte), *objectif* (de Schelling), *absolu* ou *dialectique* (de Hegel).

(...) pour le philosophe l'idéalisme est une philosophie de l'idée, tandis que dans la langue commune ce terme évoque plutôt une philosophie de l'idéal.
R. BLANCHÉ, les Attitudes idéalistes, IV, p. 101.

♦ **2.** (1863, Renan; concurrencé par *idéalité;* → Idéalité, II.). Attitude d'esprit ou forme de caractère qui pousse à faire une large place à l'idéal (⇒ 2. **Idéal,** 3.) en accordant foi à la puissance de l'idée et du sentiment pour améliorer la nature et les sociétés humaines. *Des caractères, des âmes d'un idéalisme absolu* (cit. 3). *Le parfait idéalisme de Jésus* (→ Anarchiste, cit. 1). *Voir dans les Croisades* (cit. 1) *un magnifique mouvement d'idéalisme. L'idéalisme d'un peuple, d'une race* (→ Erroné, cit. 2). *Idéalisme et cynisme* (cit. 4) *coexistant dans un individu. Idéalisme déçu* (→ Autel, cit. 17).

(...) des biens non moins précieux; l'idéalisme et l'intransigeance de la jeunesse (...)
J. ROMAINS, les Hommes de bonne volonté, t. V, XXIII, p. 227.

(1904, Rolland). Péj. Tendance à négliger le réel, à se nourrir d'illusions, de chimères. *Idéalisme couard* (cit. 3) *qui se détourne du spectacle du mal. Se réfugier dans l'idéalisme. Un idéalisme utopique.*

(...) chaque peuple a son mensonge, qu'il nomme son idéalisme; tout être l'y respire, de sa naissance à sa mort : c'est devenu pour lui une condition de vie (...) 5
R. ROLLAND, Jean-Christophe, La révolte, I, p. 386.

Ces considérations vous paraîtront inspirées, je le crains, par un idéalisme insensé. 6
Tant pis pour vous. BERNANOS, les Grands Cimetières sous la lune, p. 111.

Il n'est ni pessimiste par rancune ou par mélancolie; ni optimiste par niais 7
idéalisme. Émile HENRIOT, les Romantiques, p. 334.

♦ **3.** (1828, Villemain). Didact. (Par oppos. à *réalisme, naturalisme,* mais moins cour.). Conception esthétique qui donne pour fin à l'art non l'imitation fidèle de la réalité, mais la représentation d'une nature idéale plus satisfaisante pour l'esprit ou pour le cœur. *L'idéalisme de certains symbolistes.*

(...) il aimait un corps humain comme une harmonie matérielle, comme une 8
belle architecture, plus le mouvement; et ce matérialisme absolu n'était pas loin de l'idéalisme le plus pur. BAUDELAIRE, la Fanfarlo, p. 393.

CONTR. Réalisme, matérialisme. — Empirisme. — (Du sens 2) Cynisme. — (Du sens 3) Naturalisme, réalisme.

IDÉALISTE [idealist] adj. et n. — Av. 1716, Leibniz, *in* Lalande; de 1. *idéal.*

A. Adj. ♦ **1.** Propre à l'idéalisme, attaché à l'idéalisme* (1. ou 2.). À distinguer de *spiritualiste.* — *Philosophie, théories idéalistes. Un philosophe idéaliste.*

On appelle *idéalistes* ces philosophes qui, n'ayant conscience que de leur existence 1
et des sensations qui se succèdent au dedans d'eux-mêmes, n'admettent pas autre chose *(Ce système)* exposé avec autant de franchise que de clarté dans trois dialogues du docteur Berkeley (...) il faudrait inviter l'auteur de l'*Essai* sur nos connaissances *(Condillac)* à examiner cet ouvrage (...) L'idéalisme mérite bien de lui être dénoncé (...) DIDEROT, Lettre sur les aveugles, Pl., p. 866.

Ces difficultés tiennent, pour la plus grande part, à la conception tantôt réaliste, 2
tantôt idéaliste, qu'on se fait de la matière.
H. BERGSON, Matière et Mémoire, Avant-propos 7e éd., p. 1.

♦ **2.** (Av. 1865, Proudhon). Cour. Qui a un idéal (2. Idéal, 3.). → Idéalisme, 2. *Aspirations idéalistes* (→ Griserie, cit. 10). *Avoir des vues idéalistes, une vue trop idéaliste du problème.*

Péj. Qui se nourrit d'illusions, de chimères.

♦ **3.** (→ Idéalisme, 3.). *Courant, tendances idéalistes en littérature, dans l'art.*

B. N. *Un, une idéaliste* (aux sens 1, 2 ou 3 de l'adj.). *Un idéaliste naïf. Il n'a pas le sens pratique, c'est un idéaliste* (→ Un doux rêveur*).

C'est un idéaliste qui a une foi sans bornes dans le pouvoir souverain de l'esprit 3
et de l'art libérateur. R. ROLLAND, Musiciens d'aujourd'hui, p. 139.

CONTR. Matérialiste, réaliste. — Charnel, pratique. — Naturaliste, réaliste.

IDÉALITÉ [idealite] n. f. — 1770, Restif de la Bretonne; de 1. *idéal,* et *-ité.*

★ **I.** ♦ **1.** Caractère de ce qui est idéal*. — (1789; au sens philos., c'est-à-dire de ce qui est *idéel**). *L'idéalité du temps et de l'espace.* — (1801, *in* D. D. L.). *Paralogisme* de l'idéalité* (Kant).

(Les) discussions sur la réalité ou l'idéalité du monde extérieur. 1
H. BERGSON, Matière et Mémoire, p. 11.

(Au sens large). *Art qui dépouille* (cit. 16) *toute idéalité. Le sens de l'idéalité, sens esthétique* (cit. 10) *par excellence.*

Les anges qui tiennent l'orgue sur lequel la sainte en extase laisse errer ses doigts, 2
ne sont que jolis; ils n'ont pas cette idéalité séraphique des figures de Fiesole, du Pérugin et de Gian-Bellini.
Th. GAUTIER, Portraits contemporains, Paul Delaroche, p. 300.

(...) qu'est-ce que l'art grec : c'est le réalisme du beau, la traduction rigoureuse 2.1
du d'*après nature* antique, sans rien d'une idéalité que lui prêtent les professeurs d'art de l'Institut (...) Ed. et J. DE GONCOURT, Journal, t. II, p. 6.

C'est par cette double exigence qu'il *(Rilke)* conserve à l'existence poétique la ten- 2.2
sion sans laquelle elle s'évanouirait peut-être dans une idéalité assez fade.
M. BLANCHOT, l'Espace littéraire, p. 197.

♦ **2.** (1839, Vigny). Être, objet idéal.

(...) au lieu de poursuivre des fantômes, je me colletterais avec des réalités; je ne 3
demanderais aux femmes que ce qu'elles peuvent donner : — du plaisir, — et je ne chercherais pas à embrasser je ne sais quelle fantastique idéalité parée de nuageuses perfections. Th. GAUTIER, Mlle de Maupin, II, p. 96.

Les idéalités mathématiques. ⇒ **Abstraction.**

★ **II.** Vx. Disposition de l'esprit à donner aux choses un caractère idéal. ⇒ **Idéalisme** (2.).

CONTR. Réalité.

IDÉAT [idea] n. m. — 1894; lat. scolast. *ideatum,* de *idea.* → Idée.

♦ Philos. (chez Spinoza). Objet auquel correspond une idée.

IDÉATION [ideasjɔ̃] n. f. — 1870, Th. Ribot; de *idée,* d'après l'angl. *ideation* « formation des idées », de *idea* « idée », de même orig. que *idée.*

♦ Didact. Formation et enchaînement des idées (conçues comme une sorte de fonction naturelle de l'esprit).

DÉR. Idéationnel.

IDÉATIONNEL, ELLE [ideasjɔnɛl] adj. — 1890, *in* D. D. L.; de *idéation,* et *-el.*

♦ Didact. Qui se rapporte à l'idéation.

IDÉE [ide] n. f. — V. 1119; lat. philos. *idea,* mot grec, proprt «forme visible, aspect», d'où «forme distinctive, espèce», et enfin, chez Platon et Aristote, «idée»; de *idein* «voir».

★ **I.** Philos. ♦ **1.** (Sens originel en franç.). Essence* éternelle et purement intelligible des choses sensibles (chez Platon et les philosophes platoniciens). ⇒ **Archétype** (cit. 6). — REM. Dans cette acception, le mot s'écrit parfois avec une majuscule. *La doctrine platonicienne des Idées exposée dans le mythe de la caverne* (cf. Platon, *la République,* Livre VII).

1 Là, ô mon âme, au plus haut ciel guidée,
Tu y pourras reconnaître l'Idée
De la beauté, qu'en ce monde j'adore. DU BELLAY, l'Olive, 113.

2 (...) Platon admettant la réalité des Idées comme principes exemplaires et originels des choses, au moins de ce qu'elles comportent d'intelligible, est dit idéaliste (...) R. LE SENNE, Introd. à la philosophie, p. 86.

(Philos. de Kant). *Les idées de la raison : le moi ou l'âme, le monde, Dieu :* concepts nécessaires de la raison, dont les objets ne sont pas accessibles à nos sens.

♦ **2.** Absolt. *L'Idée* (chez Hegel) : identité fondamentale entre la réalité extérieure et l'esprit. *L'idée, chez Hegel, est objective en soi; c'est la pensée absolue dont procèdent par développement dialectique la Nature et l'Esprit.*

2.1 L'idée logique, principe et expression métaphysique de toute existence et de toute connaissance, s'est élevée de l'indétermination abstraite à la réalisation parfaite de tout le contenu logique qu'il lui fût possible d'engendrer et d'acquérir. Il faut encore qu'elle sorte de son isolement, qu'elle s'extériorise dans la *nature,* qu'elle se retrouve enfin et achève son développement dans l'*esprit.*
Lucien HERR, *in* Grande Encycl. (BERTHELOT), art. *Hegel.*

★ **II.** (À partir du XVIIe). Représentation intellectuelle*, distinguée des phénomènes d'affectivité (émotions, sentiments...) ou d'activité (mouvements, actes volontaires...). ⇒ **Conscience.** — Vx. *La science des idées.* ⇒ **Idéologie,** 1. — REM. Le mot, dans la langue philosophique, reçoit tantôt une acception très stricte (→ ci-dessous, 1.) tantôt une acception plus large qui est d'ailleurs celle que l'usage courant a consacrée, et qui se retrouve dans la suite de l'article (2.).

3 Entre mes pensées, quelques-unes sont comme les images des choses, et c'est à celles-là seules que convient proprement le nom d'*idées,* comme lorsque je me représente un homme, ou une chimère, ou le ciel, ou un ange, ou Dieu même. D'autres, outre cela, ont quelques autres formes; comme lorsque je veux, que je crains, que j'affirme ou que je nie (...) DESCARTES, Méditations métaphysiques, III.

♦ **1.** Psychol., log. *Idée générale* ou *idée :* représentation abstraite et générale d'un être, d'une manière d'être ou d'un rapport, qui est formée par l'entendement*. — REM. Dans ce sens, les philosophes emploient, de préférence, l'expression *idée générale* ou les mots *concept** et *notion,* la première ayant surtout un usage psychologique, le second un usage logique, le troisième un emploi terminologique. → aussi Notion. — *Idées scientifiques de nombre, d'étendue, de force, formées par l'abstraction* (cit. 1), *la généralisation*. Idée plus ou moins abstraite* (cit. 2). → 1. Penser, cit. 5. *Généraliser* (cit. 3) *des idées. Signe, symbole d'une idée. Le mot et l'idée. Le signifié* et l'idée. Mot qui désigne, éveille, donne, implique une idée, l'idée de...* (→ Abandonner, cit. 6; adulation, cit. 1; apprêter, cit. 1; aspect, cit. 10...). *Forme, locution, tour syntaxique exprimant, traduisant une idée de..., l'idée de...* (→ Antérieur, cit. 5; antériorité, cit.). — *Compréhension* (cit. 6) *et extension* (cit. 13) *d'une idée, de l'idée générale* (→ Genre, cit. 6). *Problème de la nature, de la génération, de l'origine des idées; des rapports de l'idée générale et de l'image. Idées a priori. Idées innées*.*

4 Qu'est-ce qu'une idée? C'est une image qui se peint dans mon cerveau. Toutes vos pensées sont donc des images? Assurément : car les idées les plus abstraites ne sont que les suites de tous les objets que j'ai aperçus (...) je n'ai des idées que parce que j'ai des images dans la tête. VOLTAIRE, Dict. philosophique, Idée.

5 Avant l'âge de raison, l'enfant ne reçoit pas des idées, mais des images; et il y a cette différence entre les unes et les autres, que les images ne sont que des peintures absolues des objets sensibles, et que les idées sont des notions des objets, déterminées par des rapports. ROUSSEAU, Émile, II, p. 103.

6 (...) les idées générales ne peuvent s'introduire dans l'esprit qu'à l'aide des mots, et l'entendement ne les saisit que par des propositions.
ROUSSEAU, De l'inégalité parmi les hommes.

7 Toute idée, simple ou complexe, se traduit par des sons, des groupes de sons, et des bruits, qui forment des mots, signes des idées : *encrier, vivre, demain* (...)
F. BRUNOT, la Pensée et la Langue, p. 3.

7.1 (...) je comprenais ce que signifiaient la mort, l'amour, les joies de l'esprit, l'utilité de la douleur, la vocation, etc. Car si les noms avaient perdu pour moi de leur individualité, les mots me découvraient tout leur sens. La beauté des images est logée à l'arrière des choses, celle des idées à l'avant. De sorte que la première cesse de nous émerveiller quand on les a atteintes, mais qu'on ne comprend la seconde que quand on les a dépassées.
PROUST, le Temps retrouvé, Pl., t. III, p. 932.

L'idée de mérite (→ Achoppement, cit. 2), *du devoir* (→ Adventice, cit. 2), *de justice, de loi* (→ Concept, cit. 2), *d'ordre* (→ Éclair, cit. 18). *L'idée d'âme* (cit. 42), *de création* (cit. 4); *de quantité* (→ Environ, cit 6), *du mouvement* (→ Grammaire, cit. 7), *de genre* (→ Généralité, cit. 1). *Avoir, former l'idée de... :* penser; se représenter...

En analysant l'idée de hasard, proche parente de l'idée de désordre, on y trouverait les mêmes éléments. H. BERGSON, l'Évolution créatrice, p. 234.

Nous rappellerons à ce professeur de philosophie le mot de Spinoza : «Le cercle est une chose, l'idée du cercle est une autre chose, qui n'a pas de centre ni de périphérie». Julien BENDA, la Trahison des clercs, p. 39.

Le nombre n'a dans la nature sensible ni modèle, ni image. L'idée de nombre est rationnelle. Henri DELACROIX, les Grandes Formes de la vie mentale, XII.

♦ **2.** (1637, Descartes). Cour. (Au sens large). Toute représentation élaborée par la pensée individuelle, qu'elle soit générale ou particulière, qu'il existe ou non un objet qui lui corresponde. — REM. En ce sens, les philosophes eux-mêmes ne font pas toujours la distinction entre *idée* et *image* (→ ci-dessus, cit. 3, Descartes, et l'expression *association* [cit. 16] *des idées*).

J'ai souvent remarqué en beaucoup d'exemples qu'il y avait une grande différence entre l'objet et son idée; comme par exemple je trouve en moi deux idées du soleil toutes diverses; l'une tire son origine des sens (...) par laquelle il me paraît extrêmement petit; l'autre est prise des raisons de l'astronomie (...) Certes les deux idées que je conçois du soleil ne peuvent pas être toutes deux semblables au même soleil (...) DESCARTES, Méditations métaphysiques, III.

Problème de l'expression (cit. 19) *des idées par le langage. Exprimer* (cit. 8 et 25) *des idées. Expression imagée d'une idée dans la littérature, les arts* (⇒ **Allégorie, emblème, symbole**). *L'idée et le mot, la phrase, le style, la forme* (→ Agréer, cit. 14; enveloppe, cit. 12; forme, cit. 52). *«Nous avons plus d'idées que de mots»* (Diderot).

L'esprit ne peut se passer d'idées, et les idées ne peuvent se passer de talent; c'est lui qui leur donne l'éclat et la vie : or les idées ne demandent qu'à être bien exprimées, et s'il est permis de le dire, elles mendient l'expression.
RIVAROL, Littérature, p. 106.

(...) Et je dis : Pas de mot où l'idée au vol pur
Ne puisse se poser, toute humide d'azur! HUGO, les Contemplations, I, VII.

Écrire était déjà pour moi une opération toute distincte de l'expression instantanée de quelque «idée» par le langage immédiatement excité. Les idées ne coûtent rien, pas plus que les faits et les sensations. Celles qui paraissent les plus précieuses, les images, les analogies, les motifs et rythmes qui naissent de nous sont des accidents plus ou moins fréquents dans notre existence inventive.
VALÉRY, Variété V, p. 86.

Qu'une «idée» blesse, plaise, étreigne, surprenne, se fasse caresser, domine, glace, 14
échauffe, fasse pâlir, fasse vivre plus vite — ou qu'une blessure, une douceur, un émoi, un malaise inexpliqués se trouvent une idée — Ou l'idée semble agir comme un corps étranger, poison, poignard, liqueur... et me travaille (...)
VALÉRY, Cahiers, t. II, Pl., p. 345.

Tout ça fait un parfait avocat; — ce qu'il est resté d'ailleurs; plus habile à manier les mots que les idées. MARTIN DU GARD, les Thibault, t. V, p. 188.

Même dans la science des physiciens, il y a une sombre et inquiétante poésie. Pour s'exprimer, cette poésie a besoin, comme l'autre, de métaphores, d'illuminations, d'éclairs, de vocables frappants qui sont, eux aussi, créateurs. Les idées créent les mots et les mots créent les idées. G. DUHAMEL, le Voyage de P. Périot, p. 278.

a (Relativement à la qualité, au degré d'intensité, d'ampleur de l'idée). *Idée claire* (cit. 13), *distincte, nette, précise, complexe, simple, juste, exacte* (cit. 15), *vraie. Idées fausses* (cit. 4), *obscures, confuses, vagues, puériles. Se faire une idée exagérée* (→ Avancement, cit. 44) *de qqch. L'idée qu'il se fait* (cit. 273) *de la destinée humaine. Donner une haute idée* (→ Éprendre, cit. 8), *avoir une grande idée de...* (→ Estime, cit. 6). *Avoir une haute idée de soi :* être prétentieux.

Vous croyez que je vous trompe, et que je vous dis ce qui n'est pas! vous avez là une jolie idée de moi! LACLOS, les Liaisons dangereuses, XCIV.

Le grand-maître de la garde-robe a la plus haute idée de lui-même : maladie française. CHATEAUBRIAND, Mémoires d'outre-tombe, t. VI, p. 78.

Mais pour moi, c'est un événement étrange que de me trouver assez brusquement en présence du devoir ambigu de me faire une idée, assez nette pour être expliquée, assez vague pour n'être point toute fausse, d'un personnage transfiguré par la renommée, et comme absorbé dans sa gloire. VALÉRY, Variété IV, p. 97.

On ne peut mettre en doute que dans notre pays, qui est non seulement celui de Descartes, mais aussi celui des moralistes, chacun ne considère comme l'idéal suprême de l'existence (...) de réduire toutes ses opinions à des idées claires et distinctes (...)
L. LAVELLE, *in* R. LE SENNE, Introd. à la philosophie, Avant-propos.

À vrai dire, M. Delobelle n'était pas très ferré en ces matières, et il se faisait sur les attributions des syndicats des idées très superficielles.
ARAGON, les Beaux Quartiers, I, VII.

(...) vous auriez à apprendre sur lui, sur son caractère, que sais-je, sur sa vie (...) bien des choses dont vous n'avez peut-être qu'une vague idée (...) il répéta : «oui, qu'une vague idée». J. ROMAINS, Une femme singulière, 3, p. 30.

Je ne suis jamais parvenu à m'en former une idée bien claire.
J. ROMAINS, Une femme singulière, 4, p. 39.

(Mil. XVIe, Ronsard). Sans adj. qualificatif. Vue élémentaire, approximative, sommaire. *Vous aurez une idée de sa mauvaise foi, quand vous saurez que...* ⇒ **Aperçu, notion.** *Pour vous en donner une idée, je vous dirai seulement que...* ⇒ **Échantillon, exemple.** *Donner une idée du paradis* (→ Haschischin, cit. 1). — (Dans les expr. négatives). *Vous ne sauriez vous faire une idée de ce que j'ai souffert* (Académie). ⇒ **Figurer** (se), **imaginer** (s'). *On ne saurait avoir, donner une idée, l'idée de* (→ Extravagance, cit. 4). *N'avoir aucune idée de...* (→ Ameuter, cit. 2). *Elle n'a pas seulement l'idée de la pudeur* (→ Cabotinage, cit. 1). — *N'avoir pas la moindre idée de... :* être tout à fait ignorant en la matière.

24 (...) le cardinal de Retz, qui commence ses Mémoires par donner une idée des personnages qu'il va faire paraître sur la scène (...)
VOLTAIRE, Observations sur les Mémoires du duc de Noailles.

25 (...) ajoutez à ces peines mortelles mon inquiétude sur les vôtres, et vous aurez une idée de ma situation. LACLOS, les Liaisons dangereuses, LXXX.

26 La coupe de sa figure, la régularité de ses traits donnaient une idée, faible à la vérité, de la beauté dont elle avait dû être orgueilleuse (...)
BALZAC, la Femme de trente ans, Pl., t. II, p. 838.

27 Regardez tout ce que vous avez appris depuis deux semaines, et dont vous n'aviez pas la moindre idée. J. ROMAINS, Une femme singulière, 13, p. 109.

(Vieilli). *Avoir peu d'idées d'une chose,* n'être guère capable d'y songer, de se la représenter, de la comprendre. Dans le même sens. *Ne pas se faire d'idée de...* — Loc. *On n'a pas d'idée de cela,* «se dit de ce qui paraît extraordinaire, excessif, offensant, etc.» (Littré). — Mod. *Je n'ai pas bien idée de cela... :* je me le représente mal, j'en suis mal informé. *On n'a pas idée de cela :* on ne peut même pas se représenter une chose pareille (tant c'est extraordinaire, extravagant). ⇒ **Inimaginable; inconcevable.** — Ellipt. *A-t-on idée de se mettre dans des états pareils! On n'a pas idée!*

28 Aussi a-t-on idée! disait Madame Magloire toute seule en allant et venant, recevoir un homme comme cela! et le loger à côté de soi! et quel bonheur encore qu'il n'ait fait que voler! HUGO, les Misérables, I, II, XII.

(1775, Beaumarchais). *J'ai idée que... :* il me semble que, j'ai l'impression (ou le pressentiment) que... ⇒ **Imaginer, penser** (→ Brillant, cit. 17). — *J'ai comme une idée que... :* je soupçonne que...

29 (...) j'ai idée qu'en cachant cette histoire je n'aurais fait que reculer pour mieux sauter. COLETTE, la Chatte, p. 199.

b (Relativement à la nature affective de l'idée). *Avoir des idées gaies. Mes idées étaient paisibles et douces* (→ Empyrée, cit. 3). *Idées désagréables, tristes. Se faire des idées noires** (→ 1. Fixe, cit. 6).

30 Elle le savait, elle se le répétait, sans parvenir à détacher cette idée terrible du fond confus de ses pensées. MARTIN DU GARD, les Thibault, t. V, p. 264.

31 Je mettais en toute hâte un peu d'ordre entre une foule d'idées qui ne me semblaient pour la plupart, ni claires, ni consolantes.
G. DUHAMEL, Chronique des Pasquier, II, XII.

Loc., vx (par infl. de *avoir dans l'idée,* ci-dessous, III.). *Être dans ses idées :* avoir des idées sombres, noires, être mélancolique (Murger, *in* T. L. F.).

c (Relativement aux rapports de l'idée avec d'autres, à sa place dans la vie de l'esprit). *Association** (cit. 15 à 21) *d'idées, des idées. Liaison, enchaînement, ordre dans les idées* (→ Ailleurs, cit. 9; habitude, cit. 41). *Suivre, perdre le fil de ses idées. La suite, la cohérence, la combinaison, la coordination des idées. Idées sans suite. Chaos d'idées. Idées qui s'ordonnent, s'arrangent* (cit. 16), *s'assemblent, se décomposent, s'embrouillent* (cit. 5), *s'entre-heurtent* (→ Fièvre, cit. 13), *s'entrechoquent. Brouiller les idées de qqn, à qqn. Chasser une idée de son esprit. Le cours* (cit. 15), *la marche* (→ Folie, cit. 3) *des idées. Incapable de réunir deux idées* (→ Esquinter, cit. 3). — Loc. *Rassembler ses idées.* — *Idées analogues* (cit. 4), *contiguës, voisines... Idées différentes, incohérentes. Sauter d'une idée à l'autre. Idées qui s'animent* (cit. 32), *s'avivent* (cit. 7 et 14). — *Dynamisme des idées; les idées et l'action.*

32 Enfin les idées, ces créations du cerveau dont la naissance est d'une fantaisie si entière, et qui vous étonnent souvent par le «on ne sait comment» de leur venue, les idées d'ordinaire si peu simultanées et si peu parallèles dans les ménages de cœur entre homme et femme, les idées naissaient communes aux deux frères, qui, bien souvent, après un silence, se tournaient l'un vers l'autre pour se dire la même chose, sans qu'ils trouvassent aucune explication au hasard singulier de la rencontre dans deux bouches de deux phrases qui n'en faisaient qu'une.
Ed. DE GONCOURT, les Frères Zemganno, XLVII.

33 Ce grand esprit *(Voltaire),* c'est un chaos d'idées claires.
Émile FAGUET, Études littéraires, XVIIIe s., Voltaire.

34 Il avait baissé les paupières; mais la même idée stagnait dans son cerveau somnolent. MARTIN DU GARD, les Thibault, t. III, p. 71.

35 (...) elle ferma les yeux, prise d'un dégoût subit et tenta de rassembler ses idées.
J. GREEN, Adrienne Mesurat, I, V.

(1885, Fouillée). **IDÉE-FORCE :** état mental correspondant «à la fois à un *discernement* (germe de l'idée) et à une *préférence* (germe de l'action)» (Fouillée).

35.1 L'armée nouvelle, une armée régénérée et «dépolitisée» pourrait devenir, il me semble, la grande pensée d'une nouvelle gauche. C'est autour de cette idée-force que la gauche devra se reconstituer.
F. MAURIAC, le Nouveau Bloc-notes 1958-1960, p. 192.

(1830, Balzac). **IDÉE FIXE :** idée ou état mental, qui semble attaché à un référent stable. ⇒ **Dada, hantise, manie, marotte** (→ Aboutir, cit. 4; entretenir, cit. 17; haleur, cit. 2). — Spécialt (psychopathol.). Idée dominante dont l'esprit est obsédé. ⇒ **Monomanie, obsession** (→ 1. Fixe, cit. 9). — *L'Idée fixe,* œuvre de P. Valéry.

36 Luttant, voulant s'arracher de cette hantise, il perdait à chaque seconde un peu de sa volonté, comme submergé par l'idée fixe, à ce bord extrême où, vaincu, l'on cède aux poussées de l'instinct. ZOLA, la Bête humaine, VIII.

37 Le classer *(Gilles de Rais)* dans la série des monomanes, rien de plus juste, car il l'était, si par le mot de monomane l'on désigne tout homme que domine une idée fixe. HUYSMANS, Là-bas, VIII.

38 L'idée fixe. Un mur, contre lequel je me jette. Je me relève, je me précipite, je me heurte encore, et je retombe, pour recommencer.
MARTIN DU GARD, les Thibault, t. IX, p. 164.

d (Relativement à l'objet de l'idée). *Avions* (cit. 6) *évoquant des idées de bombardement. Désordre éveillant l'idée d'un cambriolage* (cit.). *Idée de la femme vêtue, de la femme nue* (→ Corset, cit. 2).

Adieu, Madame; jamais ce mot ne m'a tant coûté à écrire que dans ce moment où il me ramène à l'idée de notre séparation. 39
LACLOS, les Liaisons dangereuses, XLII.

Ceux qui ont vécu pendant la guerre de 1870, par exemple, disent que l'idée de la guerre avait fini par leur sembler naturelle, non parce qu'ils ne pensaient pas assez à la guerre mais parce qu'ils y pensaient toujours. 40
PROUST, À la recherche du temps perdu, t. XIII, p. 146.

L'idée de (suivi de l'infinitif). ⇒ **Pensée, perspective.** *L'idée de déchoir* (cit. 5), *de se retrouver dans une chambre vide* (→ Attrister, cit. 8). *L'idée seule de...* (→ Envier, cit. 5). — *L'idée que...* (et indic.) : le fait de se représenter que... (en parlant d'une chose passée, présente ou future). → Arbitre, cit. 15; atavisme, cit. 2; croix, cit. 18; écouler, cit. 14. *L'idée ne vient à personne que...* (→ Football, cit. 1; grave, cit. 26).

L'idée de me revoir commençait à prendre consistance dans son esprit et la rendait plus calme. LOTI, Aziyadé, p. 192. 41

À L'IDÉE, À LA SEULE IDÉE... *À l'idée de..., à la seule idée de qqch :* en pensant à..., rien que de penser à... (→ Envers, cit 2). — Avec l'infinitif. → Fatal, cit. 8; go (tout de), cit. 1. — *À l'idée, à la seule idée que...* (→ Assaisonner, cit. 12; cabrer, cit. 11).

Il souffrait surtout à l'idée qu'elle pût se méprendre sur ses sentiments, et supposer que la gêne dans laquelle il se trouvait fût une des raisons de son retour au foyer. MARTIN DU GARD, les Thibault, t. III, p. 50. 42

♦ **3.** Conception imaginaire, fausse ou irréalisable. ⇒ **Chimère, fantaisie, imagination, rêve, rêverie, vision.** — Vx. *Il se repaît d'idées* (Littré). *Il nous a entretenus de ses idées* (Académie). — REM. On préciserait aujourd'hui en disant, par exemple, *idées creuses.* — Loc. mod. **SE FAIRE DES IDÉES :** s'imaginer des choses qui n'ont en général aucun rapport avec le réel ou le possible. — *Quelle idée! En voilà une idée! Une drôle d'idée.*

Mon Dieu! mon frère, ce sont de pures idées, dont nous aimons à nous repaître; et, de tout temps, il s'est glissé parmi les hommes de belles imaginations, que nous venons à croire, parce qu'elles nous flattent et qu'il serait à souhaiter qu'elles fussent véritables. MOLIÈRE, le Malade imaginaire, III, 3. 43

Ce n'est pas drôle d'attendre quand on se fait des idées. 44
SARTRE, Morts sans sépulture, I, 1.

Loc. fam. **CETTE IDÉE!** [setide; stide] : naturellement, bien sûr, évidemment (=«l'idée va de soi, est évidente»; ou bien «quelle idée [II., 3.] absurde de poser cette question»). *Où il est? Mais à son travail, cette idée!*

Ma petite, d'où prenez-vous ce langage? 44.1
— Vous le demandez? Mais de vous, cette idée! — elle s'est mise à rire (...)
ARAGON, Blanche..., II, X, p. 333.

Pure construction de l'esprit, dépourvue de fondement réel. ⇒ **Invention,** et aussi **mythe.**

Comme il *(le sujet)* ne m'a fourni aucune femme, j'ai été obligé de recourir à l'invention pour en introduire deux (...) L'une a vécu de ce temps là (...) L'autre femme est une pure idée de mon esprit (...) CORNEILLE, Sertorius, Au lecteur. 45

La mort, le chômage, la répression d'une grève, la misère et la faim ne sont pas des idées. Ce sont des réalités de tous les jours qui sont vécues dans l'horreur. 46
SARTRE, Situations III, p. 210.

Spécialt. Idée inconvenante, image érotique. *Ça pourrait lui donner des idées. N'allez pas vous faire des idées...*

«Si vous avez ce qu'on appelle des "idées..." ou plutôt ce qu'on appelle vulgairement des idées...» Il ne savait pas au juste ce qu'elle voulait dire. Peut-être la baiser sur la bouche, ou même faire le mal avec elle. 46.1
J. GREEN, Moïra, p. 220, *in* T. L. F.

Être qui semble dépourvu des attributs de l'existence, de toute réalité. ⇒ **Apparence, fantôme, ombre.** — Par plais. *Des idées de chevaux* (→ Exténuer, cit. 1, Molière).

Lélia n'est pas un être complet, dit Syténio. Qu'est-ce donc que Lélia? Une ombre, un rêve, une idée tout au plus. Allez, là où il n'y a pas d'amour, il n'y a pas de femme. G. SAND, *in* A. MAUROIS, Lélia, III, 5, p. 165. 47

EN IDÉE : en imagination (par oppos. à *en réalité, en fait*). *Tout cela n'était vrai qu'en idée* (→ Fictif, cit. 2, Renan). *Mariage dont on se berce en idée* (→ Froideur, cit. 4, Sainte-Beuve).

Fam. (La chose étant en si petite quantité qu'elle semble à peine réelle). *Une idée de... :* un tout petit peu de. ⇒ **Soupçon.**

J'avais au menton une idée de barbe follette (...) 48
G. DUHAMEL, Biographie de mes fantômes, V, p. 90.

La Mère de famille ne buvait que de l'eau, que son Mari n'avait pas eu peu de peine à l'engager à rougir seulement par une idée de vin. 48.1
RESTIF DE LA BRETONNE, la Vie de mon père, p. 227.

En emploi adverbial. — (Avec un verbe). *«La porte s'entrebâilla; oh! à peine! un rien, une idée...»* (Courteline, *in* T. L. F.). — (Avec un adj.). Régional. *«Ça allait une idée trop vite...»* (Willy, *in* T. L. F.), un peu trop vite.

♦ **4.** Vue, plus ou moins originale, que l'intelligence élabore dans le domaine de la connaissance, de l'action ou de la création artistique. ⇒ **Dessein, plan, projet.** *Il me vient une idée. Avoir, se mettre, se coller, se fourrer une idée dans la tête. Une idée qui lui trottait dans la cervelle.* — *Renoncer, se cramponner à une idée. Se faire* (cit. 242) *à une idée. Changer d'idée, changer d'idées comme de chemise. Suivre son idée. Revenir, s'attacher* (cit. 84) *à sa première idée. C'est lui qui a lancé cette idée* (→ Gouvernement, cit. 8). *C'est une bonne, une heureuse, une lumineuse, une excellente, une* *riche idée. Une idée de génie* (cit. 41). *C'est une mine d'or que cette idée* (→ Exploiter, cit. 4). *Laissez-moi faire, j'ai une idée, j'ai mon idée. Il a une idée de derrière la tête,* qu'il ne dévoile pas, mais qui détermine son action. *Idée essentielle, générale, principale, d'un ouvrage, d'un chapitre. Idée première, directrice, de l'œuvre à réaliser.* ⇒ **Inspiration.** *Idée mère**. *Prendre l'idée d'un roman dans une vieille chronique, dans un fait divers.* ⇒ **Donnée, fond, source, sujet.** *L'embryon* (cit. 5) *de l'idée est de vous. L'idée de ce tableau est originale, sublime* (→ Froid, cit. 24). *Jeter une idée sur le papier.* ⇒ **Ébauche, esquisse.** — Spécialt. Idée directrice guidant la recherche. ⇒ **Hypothèse** (→ Expérience, cit. 43). *Les idées organisées d'une théorie**. — Mus. *Idée musicale.* ⇒ **Thème.** — *Avoir l'idée de* (avec l'inf.) : concevoir le projet ou imaginer* de... ⇒ **Intention; conception** (→ Cabale, cit. 6; chanter, cit. 21; ensorcellement, cit. 3; faire, cit. 127). *La fichue* (cit. 16) *idée que j'ai eue de... La bonne idée de... Il a beaucoup d'idées* (⇒ **Créativité, imagination, inventivité**).

49 J'eus l'heureuse et simple idée de tenter de voir à travers la serrure, et je vis en effet cette femme adorable à genoux, baignée de larmes, et priant avec ferveur.
LACLOS, les Liaisons dangereuses, XXIII.

50 Un sot disait au milieu d'une conversation : « Il me vient une idée ». Un plaisant dit : « J'en suis bien surpris ».
CHAMFORT, Caractères et Anecdotes, « Idée d'un sot ».

51 L'idée première de *La Comédie humaine* fut d'abord chez moi comme un rêve, comme un de ces projets impossibles que l'on caresse et qu'on laisse s'envoler (...) Cette idée vint d'une comparaison entre l'Humanité et l'Animalité.
BALZAC, Œuvres, t. I, Avant-propos, p. 3.

52 (...) il vécut paisible (...) n'ayant plus que deux pensées : cacher son nom, et sanctifier sa vie (...) Jamais les deux idées qui gouvernaient le malheureux homme (...) n'avaient engagé une lutte si sérieuse. HUGO, les Misérables, I, VII, III.

Au plur. (en insistant sur le caractère d'originalité). Pensées neuves, fortes, heureuses. *Écrivain, artiste qui a des idées. Ouvrage plein d'idées. Idées qui abondent* (→ Effervescence, cit. 5), *qui viennent en foule* (cit. 22) *au bout de la plume. Écrits vides d'idées* (→ Harmonie, cit. 23). *Disette* (cit. 3), *pauvreté d'idées* (→ Bigoterie, cit.). *Esprit dépourvu d'idées.* ⇒ **Borné.** *Les idées manquent* (→ Creuser, cit. 23), *ne viennent pas* (→ Écrire, cit. 7). — *Il manque d'idées.* — *Ce décor, le livret de cet opéra est plein d'idées.* ⇒ **Trouvaille.**

53 Horrible sensation! avoir l'esprit fourmillant d'idées, et ne plus pouvoir franchir le pont qui sépare les campagnes imaginaires de la rêverie des moissons positives de l'action! BAUDELAIRE, les Paradis artificiels, Mangeur d'opium, IV.

Collectif. Fam. *Y a de l'idée, là-dedans!* : c'est intelligent, imaginatif.

♦ **5.** (1656, Pascal). Façon particulière de se représenter le réel, de voir les choses, d'envisager ou de résoudre les problèmes. *J'ai mon idée sur la question.* ⇒ **Opinion.** *Cette idée ancrée* (cit. 4) *en moi, que... Cette idée de Pascal, que...* (→ Atome, cit. 17). *Une idée raisonnable, sensée, bizarre, biscornue, neuve, originale, préconçue, toute faite* (→ Extérieur, cit. 7; faire, cit. 270). *Idée reçue**, *communément reçue.* ⇒ **Préjugé, prénotion.** *Le Dictionnaire des idées reçues,* de Flaubert. *C'est l'idée d'un fanatique* (→ Existence, cit. 16). Loc. *Juger, agir à son idée,* selon sa manière de voir, sans s'occuper des opinions d'autrui. — *Ne faire, n'agir qu'à son idée,* à sa guise*. *Il vit à son idée.*

54 Il en juge arbitrairement, selon son goût et son caprice, à son idée, en artiste enfin! (...) FRANCE, le Crime de S. Bonnard, II, VI.

55 (...) ni sa voix ni son regard ne répondaient à l'idée que Mathilde Cazalis se faisait d'un austère théoricien socialiste des pays du Nord.
J. ROMAINS, les Hommes de bonne volonté, t. IV, IX, p. 87.

55.1 On dit q[ue] les Amér[icains] sont idéalistes parce q[ue] ce sont des grands consommateurs de lieux-communs. Les idées, soit, mais surtout les idées toutes faites, satisfaisant à la fois la paresse et la médiocrité de l'esprit.
CLAUDEL, Journal, 8 nov. 1933.

55.2 Chantal haussa les épaules et dit, confirmant ainsi sa précédente phrase :
— Fais à ton idée.
— Tu n'as rien d'autre à me dire? R. QUENEAU, le Dimanche de la vie, p. 13.

(1764, Voltaire). Au plur. Ensemble des opinions (d'un individu ou d'un groupe social). *Aller jusqu'au bout* (cit. 39) *de ses idées. Constance dans les idées.* — *Communauté* (cit. 1), *communion* (cit. 3) *d'idées. Antagonisme, choc, contraste d'idées.* — *Approuver* (cit. 15) *les idées de qqn. Partager les idées du public* (→ Créateur, cit. 6). *Entrer* (cit. 53) *dans les idées de qqn. Avoir les mêmes idées sur toutes choses* (→ Exclure, cit. 7). *Chacun a ses idées* (→ Grouper, cit. 6). *Emprunter à qqn ses idées. Défendre, propager, communiquer ses idées.* ⇒ **Apostolat.**

56 Les idées des hommes sont comme les cartes et autres jeux. Des idées que j'ai vu autrefois regarder comme dangereuses et trop hardies sont maintenant devenues communes et presque triviales, et ont descendu jusqu'à des hommes peu dignes d'elles. Quelques-unes de celles à qui nous donnons le nom d'audacieuses seront vues comme faibles et communes par nos descendants.
CHAMFORT, Maximes et Pensées, XLIII.

57 Les idées qu'elle a sur la générosité et le sacrifice ont plus de prix chez elle que chez d'autres, parce qu'elles lui sont venues toutes seules, et que personne ne s'est inquiété de les lui donner. LOTI, Aziyadé, III, XXII, p. 101.

58 Quand un Français a des idées, il veut les imposer aux autres. Quand il n'en a pas, il le veut tout de même. Et quand il voit qu'il ne le peut, il se désintéresse d'agir. R. ROLLAND, Jean-Christophe, Dans la maison, I, p. 980.

59 Un raisonnement n'a jamais convaincu personne. Mais croire qu'un raisonnement de père puisse changer les idées d'un fils est le comble de la folie raisonnante.
A. MAUROIS, Ariel, p. 29.

Fam. *Être dans les idées de qqn,* correspondre à ses opinions, à ses convictions. *Ce n'est pas dans mes idées.*

59.1 (...) elle n'a pas, dans le choix de son mari par exemple, ou en ne se mariant pas, faute de trouver un mari « dans ses idées », laissé un témoignage quelconque des généreuses aspirations de sa nature (...) PROUST, Jean Santeuil, Pl., p. 658.

Les idées d'un écrivain, d'un philosophe, d'un penseur. ⇒ **Doctrine, idéologie, philosophie, système, théorie, vue.** *Idées politiques, morales, religieuses, littéraires, esthétiques.* ⇒ **Croyance, opinion** (→ Ambiant, cit. 2; englober, cit. 2; essai, cit. 22). *Idées nouvelles en politique, en art* (→ Filtrer, cit. 9). *Idées avancées, progressistes, nouvelles, révolutionnaires. Idées conservatrices, réactionnaires. Des idées exaltées* (cit. 27), *folles, absurdes. Idées qui courent les rues, qui traînent partout, idées rebattues.* ⇒ **Commun** (lieu), **vieillerie.** *Avoir des idées étroites**, *larges** (surtout dans le domaine moral et religieux). *Être large** *d'idées* (→ Grave, cit. 12). *Avoir les mêmes idées, des idées opposées. Une absolue parité* (→ 1. Parité, cit. 3) *d'idées.*

Nos idées morales ne sont pas le produit de la réflexion, mais la suite de l'usage. 6
FRANCE, le Mannequin d'osier, XVII, *in* Œ. compl., t. XI, p. 431.

Ce sont les vues du sociologue et du moraliste qu'il (*Balzac*) a définies dans son *Avant-propos,* où, ayant dit le plan général de son œuvre, il expose en outre ses idées de philosophe et de politique. Émile HENRIOT, les Romantiques, p. 328. 6

Absolt. *Les idées* : les spéculations touchant aux problèmes les plus généraux, considérées comme le symbole du génie humain. *Idées qui sont dans l'air* (cit. 27). *Courant d'idées. L'histoire, l'évolution, le progrès des idées. Le jeu des idées. Production, publication, circulation, commerce des idées* (→ Concentration, cit. 2). « *On ne tire pas des coups* (cit. 26) *de fusil aux idées* » (Rivarol). *Croire aux idées* (→ Foi, cit. 21). *Croire que les idées mènent le monde.* ⇒ **Idéologue.** — *Littérature** *d'idées.*

Ils confondent les *passions* et les *idées* : les premières sont les mêmes dans tous les siècles, les secondes changent avec la succession des âges. 6
CHATEAUBRIAND, Mémoires d'outre-tombe, t. VI, p. 88.

Le vrai Dieu, le Dieu fort est le Dieu des idées! 6
A. DE VIGNY, les Destinées, « la Bouteille à la mer ».

C'est énoncer une vérité désormais banale que de dire que ce sont les idées qui mènent le monde. RENAN, l'Avenir de la science, *in* Œ. compl., t. III, p. 746. 6

Les idées ont une violence qui laisse loin derrière l'effet de la dynamite. 6
André SUARÈS, Trois hommes, « Ibsen », IV, p. 123.

★ **III.** (Au sing. seulement). **L'IDÉE.**

♦ **1.** (1666, La Fontaine). L'esprit qui élabore les idées. *J'ai dans l'idée qu'il ne viendra pas. Il s'est mis dans l'idée de faire cela,* il s'y est décidé. *Il s'est mis dans l'idée que...,* il y croit. *Mets-toi bien dans l'idée que... Personne ne m'ôtera de l'idée que...* (→ Galerie, cit. 10). *Je ne peux pas m'ôter* (cit. 3) *de l'idée... Il me revient à l'idée, en idée que...* ⇒ **Songer.** *C'est une chose qui ne vient même pas à l'idée.*

Dans les monarchies et les États despotiques, personne n'aspire à l'égalité; cela ne vient même pas dans l'idée (...) MONTESQUIEU, l'Esprit des lois, V, 4. 6

J'ai dans l'idée qu'il va pleuvoir (...) 66.
Ch. PAUL DE KOCK, la Grande Ville, t. I, p. 228.

♦ **2.** Rare. La fonction d'élaboration des idées; la pensée. — REM. Littré appuie cet « emploi néologique » de deux citations de Hugo, qui semble bien en effet l'avoir vulgarisé en son temps; mais cet emploi paraît aujourd'hui peu naturel. — *Les penseurs sont les serviteurs de l'idée* (Littré).

Le mystère, en Grèce, en Chaldée, 6
Penseurs, grave à vos fronts l'idée (...)
Oh! tous à la fois, aigles, âmes,
Esprits, oiseaux, essors, raisons (...)
De la montagne et de l'idée,
Envolez-vous! envolez-vous! HUGO, les Contemplations, VI, XXIII.

Le génie, comme un fort cheval, traîne à son cul l'humanité sur les routes de l'idée. FLAUBERT, Correspondance, 368, 27-28 févr. 1853. 6

DÉR. **Idéal, idéer.**

IDÉE- Élément servant à former des substantifs composés (ex. : *idée-force,* ⇒ **Idée,** cit. 35.1 et *supra*) spécialt. dans le domaine de la publicité. Ex. : *idée-rangement* « idée pour ranger des objets »; *idées-vacances* « idées pour les vacances ».

IDÉEL, ELLE [ideɛl] adj. — 1671; de *idée,* et *-el.*

♦ Didact. De l'idée, des idées. ⇒ **Conceptuel,** 1. **idéal** (1.).

On peut penser que pendant des centaines de millénaires, l'évolution idéelle n'a précédé que de peu l'évolution physique qui la contraignait par le faible développement d'un cortex capable seulement d'anticiper des événements directement liés à la survie immédiate. Jacques MONOD, le Hasard et la Nécessité, p. 203-204.

IDÉER [idee] v. tr. — 1800, Bonald, *in* T. L. F.; de *idée.*

♦ Didact., rare. Former l'idée de (qqch.). ⇒ **Concevoir.**

Le Beau! la splendeur du vrai... Platon, Plotin... la qualité de l'idée se produisant sous une forme symbolique... un produit de la faculté d'idéer... la perfection perçue d'une manière confuse... la réunion aristotélique des idées d'ordre et de grandeur. Ed. et J. DE GONCOURT, Manette Salomon, p. 437 (1867).

IDEM [idɛm] adv. — V. 1501; mot lat. signifiant « la même chose ».

♦ **1.** Le même (être, objet). — REM. S'emploie généralement (et surtout sous la forme abrégée *id.*) pour éviter la répétition d'un nom dans une énumération, une liste... → Item. — *Table en sapin, 10 francs; idem en chêne, 25 francs* (Littré). *Un lit en acajou, une armoire idem* (Hatzfeld). — Spécialt. Dans une suite de citations, s'emploie pour ne pas répéter le nom de l'auteur qu'on vient de citer.

♦ **2.** (Av. 1850, Balzac). Fam. De même, pareillement. *Le père est idiot, les fils idem.*

— Voici la lettre. Tu sais ce que tu as à faire. Un fiacre est en bas. Pars tout de suite, et reviens idem. HUGO, les Misérables, III, VIII, XX.

Un pied hors de la pantoufle, gilet de marin et manches idem.
E. DELACROIX, Journal, 21 févr. 1832, t. I, p. 156.

REM. San-Antonio atteste un adverbe plaisant, formé sur le sens 2 :

Il paraît prendre peur. Il nous regarde idèmement que nous serions deux messieurs de la Gestapo dans une synagogue.
SAN-ANTONIO, J'ai essayé : on peut!, p. 52.

IDEMPOTENT, ENTE [idɛmpɔtɑ̃, ɑ̃t] adj. — Mil. XXe; de *idem*, et lat. *potens*. → Omnipotent.

♦ Didact. (math.). Se dit d'une matrice carrée qui est égale à toutes ses puissances. *Une matrice égale à son carré est idempotente.*

IDENTIFIABLE [idɑ̃tifjabl] adj. — 1845; de *identifier*.

♦ Qui peut être identifié. *Un corps mutilé, carbonisé, difficilement identifiable.*

(...) à mesure qu'il approchait de ce verger, il percevait une rumeur étrange qui bientôt grandit, devint identifiable et le fit s'arrêter de surprise.
Pierre GASCAR, les Bêtes, p. 13.

IDENTIFICATION [idɑ̃tifikasjɔ̃] n. f. — 1610; lat. scolast. *identificatio*, du lat. scolast. *identificare*. → Identifier.

♦ **1.** (1610). Action d'identifier; résultat de cette action. — (Au sens 1 de *identifier*). *L'identification de Dieu et de l'univers dans la doctrine panthéiste. L'identification, par Halley, de la comète de 1759 avec celle de 1607 décrite par Kepler.* — (1883, Renan). Au sens 2 de *identifier*. *Identification de vestiges de l'Antiquité.* — *L'identification d'un criminel, d'un cadavre par la police judiciaire.*

J'ai donc changé plusieurs noms propres. D'autres fois, au moyen d'interversions légères de temps et de lieu, j'ai dépisté toutes les identifications qu'on pourrait être tenté d'établir. RENAN, Souvenirs d'enfance..., Préface, p. 40.

(Les) divers modes de la déduction mathématique ou logique (...) se ramènent tous au fond, comme Leibniz l'avait bien aperçu, à des substitutions d'équivalents, c'est-à-dire à des identifications (...) J. LAPORTE, l'Idée de nécessité, p. 137.

♦ **2.** (1847, Michelet). Le fait de s'identifier. *L'étonnante identification d'un acteur avec son personnage.* — Spécialt (psychol., psychan.). « Processus psychologique par lequel un individu A transporte sur un autre B, d'une manière continue, et plus ou moins durable, les sentiments qu'on éprouve ordinairement pour soi... » (Lalande). ⇒ **Transfert.** *L'identification au père* (cit. 12), *à la mère* (ou *identification œdipienne*). *Identification et projection**. *Système de défense psychologique par « identification à l'agresseur »* (Anna Freud). *Identification introjective, projective* (M. Klein).

La psychanalyse est familière avec ces processus d'identification dont la pensée artistique offre de nombreux exemples : le malade, qui, pour s'évader, a besoin de la clé de l'asile, arrive à croire qu'il est lui-même cette clé.
SARTRE, Situations II, p. 169.

COMP. Photo-identification.

IDENTIFIER [idɑ̃tifje] v. tr. — 1610; du lat. scolast. *identificare*, du lat. *idem* « le même », et *facere* « faire ».

♦ **1.** Considérer comme identique (1.), comme assimilable à autre chose (identité* qualitative). ⇒ **Assimiler, confondre.** *Identifier une chose avec une autre. Identifier le parfait avec l'absolu* (Académie). *Identifier une chose et une autre, identifier deux choses. Les panthéistes identifient Dieu et le monde. Identifier la lumière et l'onde électromagnétique.* — (Passif et p. p.). *Le contemplateur* (cit. 1) *se sent identifié avec le système des choses.*

Sacré par la Révolution, identifié avec elle, avec nous par conséquent, nous ne pouvons dégrader cet homme *(Mirabeau)* sans nous dégrader nous-mêmes, sans découronner la France. MICHELET, Hist. de la Révolution franç., IV, X.

Car lorsque les êtres qui, par leur méchanceté, leur nullité, étaient arrivés malgré nous à détruire nos illusions (...) notre âme les élève de nouveau, les identifie, pour les besoins de notre analyse de nous-même, à des êtres qui nous auraient aimé (...) PROUST, À la recherche du temps perdu, t. XV, p. 55.

Bien des croyants ont une fâcheuse tendance à identifier leur tranquillité personnelle, leur amour de l'ordre établi, et leur désir d'être sauvés (...)
DANIEL-ROPS, le Monde sans âme, VI, p. 180.

(1784). *Identifier qqch., qqn à, avec qqch., qqn :* reconnaître*, à certains signes, à certains traits non équivoques, comme ne faisant qu'un (avec tel être, tel objet connu). *Identifier un passant avec un ancien camarade de collège. Statue antique qu'on réussit à identifier avec telle statue décrite par un historien ancien. Peut-on identifier Alésia à Alise-Sainte-Reine?*

Dans la musique entendue chez Madame Verdurin (...) des phrases, distinctes la première fois, mais que je n'avais pas alors reconnues là, je les identifiais maintenant avec des phrases des autres œuvres, comme cette phrase de la Variation religieuse pour orgue (...) PROUST, le Temps retrouvé, Pl., t. III, p. 374.

♦ **2.** (1864; sans compl. second). Reconnaître la nature de... *Je me disais bien que je connaissais cette personne, mais je n'arrivais pas à l'identifier.* ⇒ **Reconnaître.** *Archéologue qui réussit à identifier un temple en ruines.*

En effet, « reconnaître » quelqu'un, et plus encore, après n'avoir pas pu le reconnaître, l'identifier, c'est penser sous une seule dénomination deux choses contradictoires, c'est admettre que ce qui était ici l'être qu'on se rappelle n'est plus, et que ce qui y est, c'est un être qu'on ne connaissait pas; c'est avoir à penser un mystère presque aussi troublant que celui de la mort (...) 5
PROUST, le Temps retrouvé, Pl., t. III, p. 939.

(Le moyen qui permet d'identifier est le sujet du verbe) :

(...) Comme un spirite essayant en vain d'obtenir d'une apparition une réponse qui l'identifie (...) PROUST, le Temps retrouvé, Pl., t. III, p. 943. 6

(Fin XIXe). Spécialt. Reconnaître du point de vue de l'état civil. ⇒ **Identité** (3., b). *Identifier un voleur, un déserteur. L'anthropométrie permet d'identifier avec certitude les criminels* (Larousse). — Par ext. *Identifier un cadavre, un squelette de femme. Identifier une mèche de cheveux, des empreintes digitales.*

Eh bien! depuis l'autre jour, demanda l'une, n'avez-vous pas fait quelques perquisitions pour nous « identifier » ? LOTI, les Désenchantées, p. 96. 7

Ainsi, cette femme assassinée près du canal Saint-Martin, on allait sûrement l'identifier, et de là aux assassins, il n'y avait qu'un pas. 8
ARAGON, les Beaux Quartiers, III, II.

♦ **3.** (Av. 1935, Académie; abusif, selon Académie). Reconnaître comme appartenant à une certaine espèce ou classe d'individus. ⇒ **Déterminer.** *Enfant qui considère un objet sans pouvoir l'identifier* (par ex. : comme étant une clef, une pièce mécanique, etc.). *Identifier des plantes, des échantillons de pierres... Ce fragment a été identifié histologiquement* (→ Histologiquement, cit.). *Je ne parviens pas à identifier cet accent* (comme étant d'un homme de telle province, de tel pays...).

(...) un grand gaillard d'une carrure et d'un aspect si germaniques, que même ceux qui n'avaient sur l'Allemagne que les idées les plus vagues n'hésitèrent pas à l'identifier. J. ROMAINS, les Hommes de bonne volonté, t. IV, IX, p. 87. 9

Encore une fois le bruit lugubre d'une sirène lointaine domina tous les autres bruits si faibles que Gilieth ne pouvait les identifier. 10
P. MAC ORLAN, la Bandera, p. 11.

Milit. *Identifier un avion :* reconnaître si c'est un avion ami ou ennemi.

♦ **4.** (1836, Montalembert, *in* T. L. F.). Rare. Rendre identique à... ⇒ **Confondre.** — REM. Lalande remarque avec raison que le verbe *identifier* « ne présente que très rarement cette acception »; c'est pourtant la seule définition qu'en donne Littré en dehors du sens pronominal.

(...) c'était peut-être cette absence de branche collatérale et la transmission constante de père en fils du patrimoine et du nom qui avaient à la longue si bien identifié les deux, que le nom primitif du domaine s'était fondu dans la bizarre et équivoque appellation de *Maison Usher* (...) 11
BAUDELAIRE, Trad. E. POE, Histoires extraordinaires, « La chute de la maison Usher ».

▶ **S'IDENTIFIER** v. pron. (1766, Rousseau, *Confessions*).

Se faire ou devenir identique, se confondre, en pensée ou en fait. *La législation avait fini par s'identifier avec les mœurs* (Académie). *Loi de la gravitation* (cit. 1) *d'après laquelle la pesanteur s'identifie avec la force qui s'exerce entre les astres.* — (Personnes). *Auteur, acteur qui s'identifie avec son personnage. Il s'identifie à son père.*

Je dispose en maître de la nature entière; mon cœur, errant d'objet en objet, s'unit, s'identifie à ceux qui le flattent, s'entoure d'images charmantes, s'enivre de sentiments délicieux. ROUSSEAU, les Confessions, I, IV. 12

Quand on commence à s'identifier avec la nature ou avec l'histoire, on en est arraché tout à coup de façon à vous faire saigner les entrailles. 13
FLAUBERT, Correspondance, 92, fin avr. 1845.

(...) on sait que le lecteur commence sa lecture en s'identifiant au héros du roman. 14
SARTRE, Situations I, p. 133.

▶ **IDENTIFIÉ, ÉE** p. p. adj. → ci-dessus cit. 1, et *supra*. — (Au sens 2). *Lieu identifié à, avec un site archéologique. Voleur, gangster identifié par la police.* — (Au sens 3). *Objet mal identifié. Avions ennemis identifiés.* — Loc. *Objet volant non identifié.* ⇒ **O. V. N. I.**

(Au sens 4). Confondu, rendu identique.

CONTR. Différencier, discerner, distinguer.
DÉR. Identifiable.

IDENTIQUE [idɑ̃tik] adj. — 1610; lat. scolast. *identicus*, du lat. class. *idem* « le même ». → Identité.

« On pourrait, ce me semble, définir directement l'identité : est identique ce qui, paraissant plusieurs ou apparaissant sous plusieurs aspects, est en réalité et dans son fond, un » (J. Lachelier). — N'y aurait-il pas à cette définition une double difficulté logique? La copule *est*, d'une part, suppose elle-même la notion d'identité; et le mot *un*, d'autre part, paraît n'être dans ce cas qu'un synonyme du terme à définir. LALANDE, Voc. de la philosophie, art. *Identique*. 1

♦ **1.** Se dit d'objets ou d'êtres parfaitement semblables, tout en restant distincts *(idem, nec unum)*. — REM. Cette acception, aujourd'hui la plus courante, représente une sorte de superlatif de *semblable* ou de *pareil*. ⇒ **Analogue, égal, équivalent, même, pareil, semblable.** — *Il n'y a pas dans le monde « deux objets ou deux êtres rigoureuse-*

ment identiques» (Leibniz). *Les électrons* (cit. 1) *sont tous identiques* (→ Fluide, cit. 13). *Espace* (cit. 8) *homogène en ce que tous ses points sont identiques entre eux. Figures géométriques identiques. L'homme* (cit. 102) *et la femme sont identiques. Ramener les sentiments à des formules* (cit. 9) *identiques. Aboutir à des conclusions* (cit. 7) *identiques. Choses pratiquement identiques quant aux usages qu'on peut en faire. Exemplaires d'un livre pratiquement identiques. — Identique à... Objet, être... identique à un autre.* ⇒ **Analogue, conforme** (→ Athée, cit. 10; chébec, cit.; forçat, cit. 5; futur, cit. 13; greffe, cit. 2). — Vx. *Identique avec...*

2 (...) les cloches maintenant sont créées à la grosse; elles ont des voix sans âme personnelle, des sons identiques (...) HUYSMANS, Là-bas, IX.

3 Les «deux gouttes d'eau» de la locution populaire ne sont identiques que si on ne leur demande pas autre chose que d'être des gouttes d'eau. Tous les objets de notre expérience sont dans le même cas, parfois identiques pour une expérience rapide et superficielle, c'est-à-dire identiques en apparence (...) mais seulement semblables si on les considère plus attentivement.
EGGER, *in* LALANDE, Voc. de la philosophie, art. *Identité.*

Absolt (désignant un seul objet, l'autre ou les autres étant sous-entendus). *Cas* (cit. 14) *exceptionnel sans précédent identique. Instant ancien rappelé à la mémoire par un instant identique* (→ Fond, cit. 28). *Au couvent la cellule est identique pour tous,* toutes les cellules sont identiques (→ Égal, cit. 18). *Un plaisir toujours identique* (→ Abstraire, cit. 2).

♦ **2.** (Mil. XVIIIe, Buffon). Didact. Qui est unique, quoique perçu, conçu ou nommé de manières différentes, ou représenté par des individus différents. ⇒ **Même** (le), **un** (tout un; ne faire qu'un avec); cf. l'adage lat. *Unum, nec idem. Le lac Léman est identique au lac de Genève. L'ethnie* (cit. 1) *est caractérisée notamment par une langue identique.* ⇒ **Commun.** *Graphie identique servant à noter certains sons empruntés au grec* (→ H, cit. 6). *Leur date de naissance est identique.* — Math. *Identique à...* (représenté par le signe ≡). *Le lieu géométrique des points équidistants d'un point et d'une droite ≡ (est identique à) la section conique parallèle à une génératrice* (Lalande).

4 Pour transférer un nom *(d'un animal à un autre),* il faut au moins que le genre soit le même; et, pour l'appliquer juste, il faut encore que l'espèce soit identique.
BUFFON, Hist. nat. des animaux, Les quadrupèdes, VII, 17, *in* LITTRÉ, art. *Transférer.*

♦ **3.** (1823, Maine de Biran). Dans le temps. Se dit d'un individu «identique à lui-même», c'est-à-dire qui reste le même individu à différents moments de son existence, en dépit des changements survenus entre-temps *(unum et idem). Notre moi reste-t-il identique à travers les changements physiques et psychologiques?*

5 Sans doute, nous avons beau changer de milieu, de genre de vie, notre mémoire, en retenant le fil de notre personnalité identique, attache à elle, aux époques successives, le souvenir des sociétés où nous avons vécu (...)
PROUST, le Temps retrouvé, Pl., t. III, p. 964.

♦ **4.** (1867, Littré). Log. *Proposition identique* (⇒ **Analytique**), ou (XXe) ellipt., *une identique,* «celle dont le sujet et le prédicat représentent un même être ou un même concept, soit par le même terme, soit par des termes synonymes» (Lalande). ⇒ **Tautologie.**

CONTR. Autre, contradictoire, contraire, différent, dissemblable, distinct, divers, opposé.
DÉR. Identiquement.

IDENTIQUEMENT [idɑ̃tikmɑ̃] adv. — 1574; de *identique.*

♦ D'une manière identique. *Les deux accidents se sont produits identiquement.*

Les conditions de la propriété artistique ne sont pas identiquement les mêmes que les conditions de la propriété littéraire.
LAMARTINE, Rapport sur la propriété littéraire, *in* LITTRÉ, Dict., art. *Propriété.*

CONTR. Différemment.

IDENTITÉ [idɑ̃tite] n. f. — 1370; *ydemtité,* 1327; bas lat. *identitas,* du lat. *idem* «le même».
Caractère de ce qui est identique*.

♦ **1.** (Correspond à *identique,* 1.). Caractère de deux objets de pensée identiques. *Identité qualitative* ou *spécifique* (philos.). ⇒ **Similitude.** *Identité parfaite entre deux choses. L'identité d'une chose avec une autre, d'une chose et d'une autre. Identité de deux pièces neuves de même valeur. Ils furent frappés de l'identité de leurs vues sur la question.* ⇒ **Accord, coïncidence.** — *Identité d'esprit, de goûts entre deux êtres.* ⇒ **Communauté.** — Philos. *Identité des indiscernables*.*

1 (...) que son sourire ressemblât au sourire de sa mère, je pouvais l'admettre; mais cette ressemblance était une *identité* qui me donnait le frisson (...)
BAUDELAIRE, Trad. E. POE, Histoires extraordinaires, «Morella».

2 L'homme, en vertu de la raison dont il est doué, a la faculté de sentir sa dignité dans la personne de son semblable comme dans sa propre personne, et d'affirmer, sous ce rapport, son identité avec lui.
THAMIN et LAPIE, Lectures morales, p. 416.

3 Les profondes identités d'esprit, les ressemblances fraternelles de pensées devinées chez elle (...) Paul BOURGET, Un divorce, p. 95.

4 (...) un être qui n'apparaissait que quand, par une de ces identités entre le présent et le passé, il pouvait se trouver dans le seul milieu où il pût vivre, jouir de l'essence des choses, c'est-à-dire en dehors du temps.
PROUST, le Temps retrouvé, Pl., t. III, p. 871.

L'un dit une chose, l'autre allait justement dire la même chose et répète cette même chose. Il semble qu'il était impossible de parler autrement. On est strictement jumeaux. Se distinguer, on n'y songe plus. Identité! Identité!
Henri MICHAUX, La nuit remue, p. 73.

♦ **2.** (1797). Philos., log. (Correspond à *identique,* 2.). *Identité numérique :* caractère de ce qui est un. ⇒ **Consubstantialité, unité.** *Identité de l'étoile du berger, de l'étoile du soir et de l'étoile du matin* (c'est-à-dire Vénus). *Identité ou fusion* (cit. 9) *des arts.* — Ling. *Relation, rapport d'identité.*

Il a fallu sans doute une longue suite d'observations pour reconnaître l'identité de deux astres que l'on voyait le matin et le soir s'éloigner et se rapprocher alternativement. LAPLACE, Exposition du système du monde, I, 5, *in* LITTRÉ.

Une détermination parfaite est celle qu'on obtient par le rapport d'identité; si je dis, *vous avez* **la même robe** *que vous aviez dimanche,* cette robe est strictement déterminée; — *j'ai déjà trouvé* **la même opinion** *chez Rousseau.*
F. BRUNOT, la Pensée et la Langue, p. 159.

Sans doute certaines femmes étaient encore très reconnaissables (...) Mais pour d'autres, et pour des hommes aussi, la transformation était si complète, l'identité si impossible à établir — par exemple entre un noir viveur qu'on se rappelait et le vieux moine qu'on avait sous les yeux — que plus même qu'à l'art de l'acteur, c'était à celui de certains prodigieux mimes, dont Fregoli reste le type, que faisaient penser ces fabuleuses transformations.
PROUST, le Temps retrouvé, Pl., t. III, p. 946.

♦ **3.** (1756, Voltaire). **a** (Correspond à *identique,* 3.). Psychol. (*Identité personnelle,* dans la terminologie philosophique). Caractère de ce qui demeure identique à soi-même. *Problème psychologique de l'identité du moi*. Le sentiment de l'identité* (→ Existence, cit. 17). *Au cœur de son identité* (→ Centre, cit. 15). — Par ext. ⇒ **Permanence.** *Identité des choses* (→ Confronter, cit. 3).

(Locke) est le premier qui ait fait voir ce que c'est que l'identité, et ce que c'est que d'être la même personne, le même *soi* (...)
VOLTAIRE, Poème sur la loi naturelle, Note 16.

Vieil océan, tu es le symbole de l'identité : toujours égal à toi-même. Tu ne varies pas d'une manière essentielle (...)
LAUTRÉAMONT, les Chants de Maldoror, I, p. 26.

Si la substance du moi était multiple, l'unité du moi ne serait qu'une apparence (...) Chacun de nous sait bien qu'il demeure le même à chacun des instants qui composent son existence, et c'est là ce qu'on appelle identité.
Paul JANET, Traité de philosophie, 5e éd., 674, 675.

La mémoire de l'être le plus successif établit chez lui une sorte d'identité et fait qu'il ne voudrait pas manquer à des promesses qu'il se rappelle (...)
PROUST, le Temps retrouvé, Pl., t. III, p. 692.

b (1801). Dr., cour. *(Identité juridique).* Le fait, pour une personne, d'être un individu donné et de pouvoir être légalement reconnue pour tel sans nulle confusion grâce aux éléments (état civil, signalement) qui l'individualisent; ces éléments. *Établir, consulter, vérifier l'identité de qqn, son identité. Preuve de l'identité d'un condamné* (→ Bannir, cit. 35). *Justifier de son identité. Interrogatoire* d'identité.* ⇒ **Anthropométrie, anthropométrique; médecine** (légale). *Signes permettant d'établir l'identité d'un individu ayant participé à des actes délictueux ou criminels* (marques, empreintes, taches, vestiges matériels, etc.).

Qui était cet homme? Une enquête avait eu lieu, des témoins venaient d'être entendus, ils avaient été unanimes (...) L'accusation disait : — Nous ne tenons pas seulement un voleur de fruits, un maraudeur; nous tenons là, dans notre main (...) un malfaiteur appelé Jean Valjean que la justice recherche depuis longtemps, et qui, il y a huit ans, en sortant du bagne de Toulon, a commis un vol de grand chemin à main armée (...) crime prévu par l'article 383 du code pénal, pour lequel nous nous réservons de le poursuivre ultérieurement, quand l'identité sera judiciairement acquise (...) l'accusé paraissait surtout étonné (...) Cependant il y allait pour lui de l'avenir le plus menaçant (...) Une éventualité laissait même entrevoir, outre le bagne, la peine de mort possible, si l'identité était reconnue (...)
HUGO, les Misérables, I, VII, IX.

(...) toute une volumineuse description de l'endroit de la voie ferrée où la victime gisait, de la position du corps, du costume, des objets trouvés dans les poches, ayant permis d'établir l'identité (...) ZOLA, la Bête humaine, p. 108.

(XXe). **D'IDENTITÉ.** *Pièce d'identité :* pièce* officielle (passeport, permis de conduire, etc.) prouvant l'identité d'une personne. — (1931). *Carte d'identité :* en France, Pièce officielle portant le signalement, l'état civil, la photo (et naguère, l'empreinte de l'index), délivrée par les commissariats de police, les mairies. — *Papiers d'identité,* toutes pièces de ce genre. ⇒ **État** (*supra* cit. 69 : état civil). *Photo d'identité* (→ Examiner, cit. 10). — (1907). *Plaque d'identité :* plaque métallique portant le nom, le numéro matricule, le lieu de recrutement d'un militaire. Se dit aussi de la plaque gravée portant le nom et l'adresse du propriétaire d'un véhicule.

J'attendis trois jours avant de me rendre à la poste restante, pour être sûr de trouver une lettre. Il y en avait déjà quatre. Je ne pus les prendre : il me manquait un des papiers d'identité nécessaires. R. RADIGUET, le Diable au corps, p. 94.

La «Carte d'identité de Français» est valable pendant dix ans à dater du jour de sa délivrance.
Un arrêté du ministre *(de l'Intérieur)* fixera la date à compter de laquelle la production de cette carte sera obligatoire.
Loi du 27 oct. 1940, art. 2 (Loi du 28 mars 1942).

Par métonymie. **IDENTITÉ JUDICIAIRE :** service de la police judiciaire chargé de la recherche et de l'établissement de l'identité des personnes convaincues ou soupçonnées de délits graves.

Quant à l'Identité judiciaire, elle est en train de vérifier s'il y a des traces de sang sur les vêtements que portait Liliane le jour du drame. 16
René FLORIOT, La vérité tient à un fil, p. 72.

♦ **4.** (1840, en math. ; en log., 1851, Cournot). Log. « Relation, au sens logique, qu'ont entre eux deux termes identiques ; formule énonçant cette relation » (Lalande). *Principe d'identité,* énoncé généralement sous la forme : « Ce qui est, est ; ce qui n'est pas, n'est pas » (en notations : $a = a$). ⇒ **Axiome** (cit. 2), **contradiction.**

(...) le sens du *principe d'identité* n'est pas toujours entendu de la même manière. Il peut signifier : 1° que les concepts logiques doivent être déterminés, c'est-à-dire fixes (...) 2° que le vrai et le faux sont intemporels, non variables (...) 3° enfin E. MEYERSON, et à sa suite quelques auteurs contemporains entendent par là l'assertion que ce qui existe véritablement demeure sans changement.
LALANDE, Voc. de la philosophie, art. *Identité.*

(...) le principe d'identité est la *loi de la pensée cohérente.* Aussi est-ce à juste titre qu'on l'appelle souvent : *principe de l'accord de la pensée avec elle-même.*
J. LAPORTE, l'Idée de nécessité, p. 137.

(1840). Math. (alg.). Égalité* qui demeure vraie quelles que soient les valeurs attribuées aux termes qui la constituent. Ex. : $(a + b)^2 = a^2 + 2ab + b^2$. — REM. Ne pas confondre avec *équation**. → Équivalence. — *Identités remarquables. Fonction identité :* fonction prenant, quelle que soit celle-ci, la même valeur que la variable.

CONTR. Altérité ; contradiction, contraste, différence, dissemblance, distinction, opposition.

IDÉO- Élément, du grec *idea* « idée », servant à former de nombreux mots savants. ⇒ **Idéogramme, idéographie, idéologie, idéomoteur, idéophone.** — REM. Outre ces composés, sont attestés des mots occasionnels ou plus rares, comme : *idéocratie* [ideɔkʀasi] n. f. (in *la Clé des mots*) ; *idéodynamisme* [ideodinamism] n. m. (mil. XXe, Bernheim), « tendance de l'idée à se traduire en acte » ; *idéoplastique* [ideoplastik] adj. (1946, Mounier, *in* T. L. F.), syn. rare de *psychosomatique** ; *idéotype* [ideɔtip] n. m. (mil. XXe [1972, in *la Clé des mots*]), « type de plante capable de se développer mieux que les types connus, dans les mêmes conditions de culture ».

IDÉOGRAMME [ideɔgʀam] n. m. — 1859, Renan, *in* D. D. L. ; de *idéo-,* et *-gramme.*

Didactique.

♦ **1.** Signe graphique représentatif d'un sémantisme, et pouvant « avoir une valeur d'image et figurer un objet, ou une valeur phonétique et représenter le mot qui désigne l'objet » (Marouzeau). ⇒ **Hiéroglyphe.** *Les idéogrammes, « éléments des écritures idéographiques ». Pictogramme* et idéogramme.* ⇒ **Picto-idéogramme,** cit. *Conférer à un idéogramme la valeur phonétique de la première syllabe du mot qu'il représente* (⇒ **Acrophonie**).

Les idéogrammes représentant des choses concrètes (soleil, montagne, eau), des actions (manger, aller, combattre) ou des abstractions (le Sud, la vieillesse) [...] sont restés la base du système *(hiéroglyphique égyptien).*
Ch. HIGOUNET, l'Écriture, p. 27.

1 (...) j'ai eu aussi mon cycle scientifique. Les chiffres, vous comprenez. Les chiffres sont des idéogrammes et, dans ce sens, ils me trouvaient beaucoup plus attentif. L'abstraction de l'algèbre et de la trigonométrie, c'était pour moi quelque chose de grand, dont on pouvait se satisfaire. J.-M. G. LE CLÉZIO, la Fièvre, p. 144.

Fig. Objet considéré comme le signe d'une idée.

Les hommes, pour lesquels je ressens toujours une bien pressante curiosité, m'apparaissent ici comme de purs idéogrammes, comme les signes d'une civilisation abstraite, algébrique et pourtant déjà fabuleuse.
G. DUHAMEL, Scènes de la vie future, IV, p. 67.

♦ **2.** Arts. Représentation stylisée, plus ou moins symbolique.

(V. 1970, Hans Hartung). Spécialt. Signe évoquant un contenu mental, une expérience, dans une œuvre picturale « abstraite ».

COMP. Picto-idéogramme.

IDÉOGRAPHIE [ideɔgʀafi] n. f. — 1839, Académie ; de *idéo-,* et *-graphie.*

♦ Didact. (ling.). Système d'écriture, représentation idéographique*.

(...) comme si le fin de l'art d'écrire était ce retour à l'image pure, qui ne serait qu'une régression à l'idéographie primitive, laquelle consistait à représenter une idée par des signes qui en figuraient l'objet !
Émile HENRIOT, les Romantiques, p. 469.

La phrase chinoise n'est qu'une juxtaposition de mots dont la fonction grammaticale est déterminée par la place qu'ils occupent. L'évolution vers le syllabisme a été impossible puisque les mots ne peuvent pas être décomposés. L'idéographie a, par conséquent, suffi pour tout écrire. Ch. HIGOUNET, l'Écriture, p. 33.

Le premier plaisir que l'enfant a de l'exercice de l'intelligence est loin d'être le jugement ou la mémoire. Non, c'est l'idéographie. Ils mettent une planche sur la terre, et cette planche devient un bateau, ils conviennent qu'elle est un bateau (...) Henri MICHAUX, Un barbare en Asie, p. 195.

DÉR. Idéographique.

IDÉOGRAPHIQUE [ideɔgʀafik] adj. — 1822, Champollion, *in* D. D. L. ; de *idéographie.*

♦ Didact. Se dit d'une écriture* (cit. 3), d'un système de signes, qui traduit directement les idées par des signes (dits *idéogrammes**) susceptibles de suggérer les objets. ⇒ **Hiéroglyphique, pictographique.** *Écriture idéographique* (par oppos. à *écriture alphabétique*). *Les écritures chinoise, égyptienne, cunéiforme sont, dans une diverse mesure, des écritures idéographiques.*

Ces deux espèces d'écriture sont, l'une et l'autre, non pas alphabétiques, ainsi qu'on l'avait pensé si généralement, mais *idéographiques,* comme les hiéroglyphes mêmes, c'est-à-dire peignant les *idées* et non les *sons* d'une langue. 1
CHAMPOLLION, Lettres à M. Dacier, p. 205, *in* D. D. L., II, 4.

(...) alors le Christ est remplacé par une croix ou par une inscription ayant de chaque côté un symbole idéographique. 2
Émile BURNOUF, la Science des religions, p. 249 (1876).

(...) cet autre aspect du langage théâtral pur, qui échappe à la parole, de ce langage par signes, par gestes et attitudes ayant une valeur idéographique tels qu'ils existent dans certaines pantomimes non perverties. 3
A. ARTAUD, le Théâtre et son double, La mise en scène et la métaphysique, p. 56.

Même indéchiffrée, l'écriture est dialogue. L'image, comme la musique, ne nous transmet parfois que la louange, ou l'inconnu. Quelle écriture, fût-elle idéographique, nous interrogerait comme les bisons de la préhistoire ? 4
MALRAUX, l'Homme précaire et la Littérature, p. 236.

CONTR. Phonétique.

DÉR. Idéographiquement.

IDÉOGRAPHIQUEMENT [ideɔgʀafikmɑ̃] adv. — 1822, Champollion, *in* D. D. L. ; de *idéographique.*

♦ Didact. D'une manière idéographique, à l'aide d'idéogrammes.

IDÉOLOGIE [ideɔlɔʒi] n. f. — 1796, Destutt de Tracy ; de *idéo-,* et *-logie.*

♦ **1.** Hist. de la philos. (chez Destutt de Tracy et ses disciples). Science qui a pour objet l'étude des idées (au sens général de faits de conscience), de leurs caractères, de leurs lois (→ Psychologie), de leur rapport avec les signes qui les représentent (→ Sémantique), et de leur origine (d'après Lalande). *Rapports entre l'idéologie et la grammaire générale, et la logique. Projet d'Éléments d'idéologie,* œuvre de Destutt de Tracy (1801). *Enthousiasme du jeune Stendhal pour l'idéologie* (→ Idéologue, cit. 2). — Par ext. Le mouvement intellectuel dû aux promoteurs de cette science. *L'idéologie influença fortement l'enseignement supérieur français au début du XIXe siècle.*

(...) les lumières de deux sciences, non seulement différentes, mais opposées, et que l'on s'obstine trop à confondre, savoir : l'ancienne métaphysique théologique ou la métaphysique proprement dite, et la moderne métaphysique philosophique ou l'idéologie. DESTUTT DE TRACY, Mémoires, 2e classe de l'Instit. (1796). 1

(...) Condillac, que l'on peut regarder comme le fondateur de l'idéologie, et qui malgré les gênes dont il était environné, a entrepris de porter une lumière directe dans les opérations de notre intelligence, Condillac lui-même n'a pas mis la dernière main à ce grand ouvrage. Ses idées à cet égard sont disséminées dans ses nombreux écrits, et elles se ressentent de cette dispersion. Plus réunies, elles se lieraient mieux. Mais entraîné par les circonstances, ou rebuté par les obstacles, il a fait sa Grammaire et sa Logique avant d'avoir invariablement fixé son idéologie (...) DESTUTT DE TRACY, Éléments d'idéologie, t. II, Grammaire, Introduction, p. 9. 1.1

Où découvrira-t-elle *(l'Église)* la vérité ? Sera-ce dans Locke placé si haut par Condillac ? dans Leibniz, qui trouvait Locke si faible en *idéologie,* ou dans Kant, qui a, de nos jours, attaqué et Locke et Condillac ? 2
CHATEAUBRIAND, le Génie du christianisme, III, II, 2.

♦ **2.** (V. 1800, Brunot). Péj. Chez les adversaires des idéologues (par ex. chez Napoléon). Analyses, développements, discussions portant sur des idées creuses, sur des abstractions sans rapport avec les faits et la réalité positive ; philosophie vague et nébuleuse, idéalisme naïf (→ Avenir, cit. 19 ; humanitarisme, cit. 2).

(Fontanes) détestait les journaux, la philosophaillerie, l'idéologie, et il communiqua cette haine à Bonaparte, quand il s'approcha du maître de l'Europe. 3
CHATEAUBRIAND, Mémoires d'outre-tombe, II, VIII, p. 122.

C'était ce dernier qui avait créé le mot d'« Idéologie », — titre d'un de ses ouvrages — dont Bonaparte devait s'emparer pour accabler ses adversaires. 4
Louis MADELIN, Hist. du Consulat et de l'Empire, Le Consulat, p. 126.

Il est vrai qu'ils savent parer leurs désirs d'une idéologie assez belle et qui fait illusion, mais il est facile au spécialiste de reconnaître l'instinct sous la pensée. 5
A. MAUROIS, les Discours du Dr O'Grady, p. 154.

Les mots d'idéologue et d'idéologie ont pris, de nos jours, un sens nettement péjoratif et le public les oppose avec mépris à d'autres mots tels que réaliste et réalisme. G. DUHAMEL, la Défense des lettres, III, p. 252. 6

♦ **3.** (1842, Reybaud « doctrine d'un parti » ; repris et diffusé par le marxisme, vers la fin du XIXe). Dans la terminologie marxiste, Ensemble des idées, des croyances propres à une époque, à une société, ou à une classe (par oppos. aux *faits économiques* et à l'*infrastructure**, seule déterminante selon le marxisme). *L'idéologie est une vision du monde non critique, une construction intellectuelle émanant de la fraction dominante de la société, et destinée à justifier l'ordre social existant.* — REM. Les cit. 7 et 8, étrangères au concept marxiste, ont cependant une valeur plus générale que le sens ci-dessous, par extension.

Une idéologie nouvelle, génératrice, à son tour, de pensée et d'action, dont l'humanité se nourrira, s'enivrera, un certain temps (...) jusqu'à ce que tout change, encore une fois. MARTIN DU GARD, les Thibault, t. IX, XIII, p. 125. 7

Si l'humanité n'est plus à l'âge théologique, elle est sûrement encore à l'âge métaphysique : les guerres modernes sont moins des guerres d'intérêt que d'idéologies. 8
André SIEGFRIED, La Fontaine..., p. 36.

(...) il y a, au-dessus d'elle *(la petite bourgeoisie hongroise),* un groupe social qui possède le confort et le pouvoir bourgeois (...) c'est la bureaucratie socialiste : puissance et richesse lui viennent de son adhésion à une pratique et une idéologie qui répugnent encore aux petits-bourgeois. 9
SARTRE, le Fantôme de Staline, *in* les Temps modernes, janv. 1957.

9.1 Ces biens bourgeois que sont par exemple, la messe du dimanche, la xénophobie, le bifteck-frites et le comique de cocuage, bref ce qu'on appelle une idéologie.
R. BARTHES, Mythologies, p. 161.

9.2 Il n'est pas très utile de dire « idéologie dominante », car c'est un pléonasme : l'idéologie n'est rien d'autre que l'idée en tant qu'elle domine. Mais je puis renchérir subjectivement et dire : *idéologie arrogante.*
R. BARTHES, Roland Barthes, p. 51.

L'idéologie et la science. — L'idéologie opposée à la science.

9.3 Il n'est pas jusqu'à la distinction théoriquement essentielle et pratiquement décisive entre la science et l'idéologie, qui n'y reçoive *(dans les travaux de M. Foucault)* de quoi se garder des tentations dogmatistes ou scientistes qui la menacent directement — puisque nous devons apprendre, dans ce travail d'investigation et de conceptualisation, à ne pas faire de cette distinction un usage qui restaure l'idéologie de la philosophie des Lumières, mais au contraire à traiter l'idéologie, qui constitue par exemple la préhistoire d'une science, comme une histoire réelle, possédant ses lois propres, et comme la préhistoire réelle dont la confrontation réelle avec d'autres pratiques techniques, et d'autres acquisitions idéologiques ou scientifiques, a pu produire, dans une conjoncture théorique spécifique, l'avènement d'une science non comme sa fin, mais sa surprise (...) Qu'à l'occasion de l'étude de ce problème, nous soyons conviés à penser d'une façon toute nouvelle le rapport de la science à l'idéologie dont elle naît, et qui continue plus ou moins de l'accompagner sourdement dans son histoire ; qu'une telle recherche nous mette en face de ce constat que toute science ne peut être, dans son rapport avec l'idéologie dont elle sort, pensée que comme « science de l'idéologie », voilà qui pourrait nous déconcerter, si nous n'étions prévenus de la nature de l'*objet* de la connaissance, qui ne peut exister que dans la forme de l'idéologie lorsque se constitue la science qui va en produire, sur le mode spécifique qui la définit, la connaissance.
L. ALTHUSSER et E. BALIBAR, Lire le « Capital », t. I, p. 53.

Par ext. Système d'idées, philosophie du monde et de la vie. *Les hommes dont les idéologies sont irréductibles* (→ Français, cit. 5). *Idéologie pacifiste, anarchiste. Les idéologies politiques.* → 1. Politique, cit. 14.

10 De tous les romanciers qui ont fait agir des personnages lucides et prémédités, Laclos est celui qui place le plus haut l'idée qu'il se fait de l'intelligence. Idée telle qu'elle le mènera à cette création sans précédent : *faire agir des personnages de fiction en fonction de ce qu'ils pensent.* La marquise et Valmont sont les deux premiers dont les actes soient déterminés par une idéologie.
MALRAUX, Choderlos de Laclos, *in* Tableau de la littérature franç., p. 421.

11 La révolution du XXe siècle, au contraire, prétend s'appuyer sur l'économie, mais elle est d'abord une politique et une idéologie.
CAMUS, l'Homme révolté, p. 368.

12 La demande d'idéologies plus subtiles est considérable, autant en Amérique qu'en Europe. Ce qui oblige à affiner le concept lui-même d'idéologie. À notre avis, le concept aujourd'hui couvre d'une part des représentations qui se donnent pour non idéologiques, pour « rigoureuses » et, d'autre part, une bonne partie de l'imaginaire social, entretenu par la publicité (qui tend à devenir idéologie et pratique, simultanément). Une idéologie aujourd'hui ne peut plus se permettre d'apparaître comme idéologie : de faire appel à l'affectif, de régir l'appartenance à un groupe dirigeant. Il lui faut prendre l'allure scientifique. À moins qu'elle ne mise hardiment sur l'irrationnel, comme une certaine psychanalyse, un certain occultisme.
Henri LEFEBVRE, la Vie quotidienne dans le monde moderne, p. 183.

DÉR. Idéologique, idéologiser, idéologue.

IDÉOLOGIQUE [ideɔlɔʒik] adj. — 1801, Destutt de Tracy ; de *idéologie.*

♦ **1.** Relatif à l'idéologie (1.). *L'école idéologique. Vues idéologiques.*

♦ **2.** Péj., vieilli. Qui relève d'une idéologie (2.), d'idées vagues et creuses.

Avec l'âge, son fonds germain *(de Madame d'Agoult)* reparaissait, idéologique et sentimental — pour recevoir, en 1870, le rude contrecoup du réel sur l'imaginaire.
Émile HENRIOT, les Romantiques, p. 443.

♦ **3.** (Au sens 3 de *idéologie.*). Sociol. *Explication idéologique :* explication par l'idéologie, celle qui s'appuie sur des idées et non sur les faits matériels. — *Actes dictés par des motifs d'ordre idéologique. Convictions tout idéologiques* (→ Ardeur, cit. 26).

DÉR. Idéologiquement.

IDÉOLOGIQUEMENT [ideɔlɔʒikmɑ̃] adv. — Déb. XXe ; de *idéologique.*

Didactique.

♦ **1.** Du point de vue idéologique (1. et 2.). ⇒ **Doctrinalement.**

J'estime qu'il eût été de toute nécessité (...) que chacun de ceux qui se détachaient ainsi du surréalisme mît idéologiquement celui-ci en cause (...)
A. BRETON, 2e Manifeste du surréalisme, p. 121, *in* T. L. F.

♦ **2.** Du point de vue de l'idéologie (3.).

IDÉOLOGISATION [ideɔlɔʒizasjɔ̃] n. f. — Av. 1968 ; de *idéologiser.*

♦ Fait d'idéologiser, de rendre idéologique (3.) ; son résultat.

Le processus d'idéologisation est pourtant assez clair ; il consiste en une extrapolation-réduction. L'idéologie transforme en absolu un concept partiel et une vérité relative.
Henri LEFEBVRE, la Vie quotidienne dans le monde moderne, p. 185.

IDÉOLOGISER [ideɔlɔʒize] v. tr. — Av. 1964 ; de *idéologie,* et *-iser.*

♦ Donner à qqch. une valeur idéologique (3.). *« "Idéologiser" la notion de société industrielle » (le Monde,* 29 janv. 1964). Donner une idéologie à (qqn, un groupe).

▶ **IDÉOLOGISÉ, ÉE,** p. p. adj. *Des électeurs idéologisés et motivés.*

DÉR. Idéologisation.

IDÉOLOGUE [ideɔlɔg] n. — V. 1800, *in* Brunot ; *idéologiste,* chez Destutt de Tracy, 1801 ; de *idéologie.*

♦ **1.** (1802, Chateaubriand). Hist. de la philos. Adepte de l'idéologie (1.). *Les idéologues ont constitué un groupe philosophique et politique dont les principaux représentants furent Destutt de Tracy, Cabanis, de Gérando, Volney, Garat et Daunou.*

Nos derniers *idéologues* sont tombés dans une grande erreur, en séparant l'histoire de l'esprit humain de l'histoire des choses divines, en soutenant que la dernière ne mène à rien de positif, et qu'il n'y a que la première qui soit d'un usage immédiat. Où est donc la nécessité de connaître les opérations de la pensée de l'homme, si ce n'est pour les rapporter à Dieu ?
CHATEAUBRIAND, le Génie du christianisme, III, II, III.

Le jeune Beyle est convaincu que la méthode des idéologues permet de comprendre comment se forment, évoluent et disparaissent les idées et les sentiments qui existent, à un moment donné, dans un esprit humain. Mais il est convaincu aussi qu'une application judicieuse de cette méthode lui permettra de faire naître une idée ou un sentiment chez autrui (...) il y a donc pour Stendhal deux applications majeures de l'idéologie, l'une littéraire, l'autre pratique.
Maurice BARDÈCHE, Stendhal romancier, p. 17-18.

♦ **2.** (V. 1800). Péj. Doctrinaire imbu d'idéologie (2.), dépourvu de tout réalisme (→ Croire, cit. 71 : jugement de Napoléon sur Sieyès). ⇒ **Assembleur** (de nuées), **idéaliste, métaphysicien, rêveur, songe-creux...** *Des rêveries d'idéologue. Idéologue aux vues chimériques* (→ Idéologie, cit. 6).

(...) les choses humaines ne commencèrent à mieux aller que quand les idéologues cessèrent de s'en occuper.
RENAN, Souvenirs d'enfance..., II, VII.

Ce qui n'empêche pas ces idéologues au sourire féroce et aux yeux candides, de répéter, paraît-il, à toute occasion, qu'ils viennent de se battre pour la Justice et pour le Droit.
MARTIN DU GARD, les Thibault, t. IX, p. 200.

Napoléon responsable de ces folies sans nom qui s'appellent l'expédition d'Égypte, celle d'Espagne et celle de Russie, et de bien d'autres, est l'homme qui n'a pas assez de mépris pour les chimères des « idéologues » !
CLAUDEL, Journal, p. 184.

♦ **3.** (Déb. XXe). Homme qui croit à la puissance des idées, qui professe avec foi une idéologie. *Des idéologues qui prétendent intervenir dans le cours des choses, de l'histoire.* ⇒ **Doctrinaire.**

(...) elle montrait cette témérité des idéologues qui laisseront périr le monde plutôt que de renoncer à un seul iota de leur programme.
G. DUHAMEL, les Plaisirs et les Jeux, VII, 3, p. 121.

Dans la mesure où, pour lui *(Hegel),* ce qui est réel est rationnel, il justifie toutes les entreprises de l'idéologue sur le réel.
CAMUS, l'Homme révolté, p. 170.

Cette société « est » fonctionnaliste, formaliste, structuraliste. Elle tire sa représentation (idéologique) des concepts de fonction, de forme, de structure pris isolement et interprétés avec adjonction d'une philosophie. Les représentations que cette société se donne (que ses idéologues fournissent et jettent sur le marché des idées) à partir de ses propres concepts opérationnels, ces représentations finissent mal (...)
Henri LEFEBVRE, la Vie quotidienne dans le monde moderne, p. 238.

CONTR. (Du sens 2) **Réaliste.**

IDÉOMOTEUR, TRICE [ideomɔtœʀ, tʀis] adj. — 1879 ; de *idéo-,* et *moteur,* d'après l'angl. *ideo-motor* (1874, Carpenter).

♦ Psychophysiol. Se dit d'un mouvement déclenché directement par une représentation mentale (opposé à *sensorimoteur*). *Phénomène idéomoteur ; action idéomotrice,* par laquelle toute représentation d'un mouvement tend à produire ce mouvement (exemple : dans le vertige). — REM. On écrit aussi *idéo-moteur.*

Les impressions sensitives perçues par la protubérance peuvent provoquer des mouvements complexes sans la participation du cerveau proprement dit et, par conséquent, sans intervention de la volonté : aussi a-t-on très heureusement proposé d'appliquer à ces phénomènes le nom de *sensitivo-moteurs* ou *sensori-moteurs* (Carpenter, Vulpian), par opposition à l'expression de phénomènes *idéo-moteurs,* réservés pour les mouvements que provoquent les idées, c'est-à-dire le fonctionnement des hémisphères cérébraux.
M. DUVAL, Cours de physiologie, p. 102 (1879), *in* D. D. L., t. II, 8.

IDÉOPHONE [ideɔfɔn] n. m. — Mil. XXe ; de *idéo-,* et *-phone.*

♦ Ling. Vocable exclamatif transmettant une impression par des moyens onomatopéiques.

(...) un autre cas fameux de symbolisme phonique, celui des idéophones, est largement attesté en coréen, en mon-khmer, dans de nombreuses langues bantoues, soudanaises, dravidiennes, austronésiennes, etc.
Claude HAGÈGE, la Grammaire générative, Réflexions critiques, p. 146.

IDES [id] n. f. pl. — V. 1119 ; lat. *idus.*

♦ Didact. Dans le calendrier romain antique, Division du mois qui tombait le 15 en mars, mai, juillet, octobre et le 13 dans les autres mois. *Les calendes*, les ides et les nones*. Jules César fut assassiné aux ides de mars.*

(Veuillez) dater par les mots d'ides et de calendes.
MOLIÈRE, les Femmes savantes, V, 3.

HOM. Ide.

-IDÉS ou **-IDES** Suffixe taxinomique, du lat. sav. *-idæ*, du grec *-idai* (plur. de *-idês* → 2 -ide), utilisé en sc. nat. pour former des noms de familles d'êtres vivants (ex. : *fringillidés, mustélidés*). Comparer à *-inées, -inés.*

ID EST [idɛst] loc. conj. — Mil. XXe; loc. lat. empruntée à l'angl.; attestée dans cette langue depuis 1598.

♦ C'est-à-dire. (Abrév. : *i. e.*).

IDIE [idi] ou **IDIA** [idja] n. f. — 1809, *in* D. D. L.; lat. *idia.*

♦ Zool. Insecte diptère *(Brachycères, Muscidés)*, petite mouche noire, verte, bronzée ou jaune des régions chaudes et tempérées.

-IDIE Élément, du lat. scientifique *-idium*, grec *-idion* (suffixe diminutif), entrant dans des termes de sciences naturelles désignant principalement des animaux ou des organes de très petites dimensions. Ex. : *anthéridie, ascidie, conidie.* ⇒ aussi **Baside.**

IDIO- Élément, du grec *idios* «propre, spécial», qui entre dans la composition de mots savants. ⇒ **Idioglossie, idiogramme, idiolecte, idiologie, idiomorphe, idiopathie, idiophone, idiorythmie.**

IDIOGLOSSIE [idjɔglɔsi] n. f. — 1912, Garnier-Delamare, *in* D. D. L.; de *idio-*, et *-glossie.*

♦ Méd. Langage incohérent, incompréhensible, en général réduit à l'articulation de sons sans signification verbale. *L'idioglossie de psychopathes, de personnes atteintes de surdité congénitale.*

IDIOGRAMME [idjɔgʀam] n. m. — XXe; de *idio-*, et *-gramme.*

♦ Biol. Schéma représentant l'arrangement des chromosomes d'une cellule, avec numérotation permettant de les identifier facilement. ⇒ **Caryotype.**

IDIOLECTAL, ALE, AUX [idjɔlɛktal, o] adj. — V. 1960; de *idio-*, d'après *dialectal.*

♦ Ling. De l'idiolecte. *Tournure idiolectale.*

IDIOLECTE [idjɔlɛkt] n. m. — V. 1960; angl. *idiolect*, B. Bloch; de *idio-*, d'après *dialecte.*

♦ Ling. Utilisation personnelle d'une langue par une seule personne; usage d'une langue que l'on peut induire de l'ensemble des discours d'une seule personne. *Dans mon idiolecte, on dit..., on ne dit pas...* — REM. R. Barthes, dans les *Éléments de sémiologie*, donne au terme un sens différent, qui n'a pas été adopté en linguistique («le langage d'une communauté linguistique, c'est-à-dire d'un groupe de personnes interprétant de la même façon tous les énoncés linguistiques»).

DÉR. Idiolectal.

IDIOLOGIE [idjɔlɔʒi] n. f. — 1962; de *idio-*, et *-logie.*

♦ Philos. (Rare). Science de l'individu.

CONTR. Typologie.

IDIOMATIQUE [idjɔmatik] adj. — 1547, Budé, au sens de «particulier»; *idiômatikos*, de *idioma* (→ Idiome), 1845, en grammaire, de *idiome.*

♦ Didact. (mais usuel). Propre à un idiome. *Expression idiomatique.* ⇒ **Expression,** 1. **idiotisme, locution.** — Au sens 3 de *idiome :*

Elle *(la division sujet-prédicat)* est nécessaire également à une théorie des expressions idiomatiques. Nicolas RUWET, Introd. à la grammaire générative, p. 413.

IDIOME [idjom] n. m. — V. 1534; *ydiomat*, v. 1527; lat. *idioma*, mot grec, proprt «particularité propre à une langue, idiotisme*», sens conservé jusqu'au XVIIe et repris en ling. par l'anglais.

Didactique (linguistique).

♦ **1.** Ensemble des moyens d'expression d'une communauté correspondant à un mode de pensée spécifique (grammaire). ⇒ **Langue** (→ Copte, cit. 1; former, cit. 41; grammaire, cit. 6 et 9). *L'idiome français* (→ Fixer, cit. 16). *Idiomes germaniques.*

1 Les mots sont les signes des idées, et naissent avec elles, de manière qu'une nation formée et distinguée par son idiome ne saurait faire l'acquisition d'une nouvelle idée, sans faire en même temps celle d'un mot nouveau qui la représente (...)
Encycl. (DIDEROT), art. *Langue.*

La langue du musicien a sur celle du poète l'avantage qu'une langue universelle a sur un idiome particulier. 2
CHAMFORT, Maximes et pensées, Sur l'art dramatique, XXX.

Nul, dans une littérature vivante, n'est juge compétent que des ouvrages écrits dans sa propre langue. En vain vous croyez posséder à fond un idiome étranger, le lait de la nourrice vous manque, ainsi que les premières paroles qu'elle vous apprit à son sein et dans vos langes; certains accents ne sont que de la patrie. 3
CHATEAUBRIAND, Mémoires d'outre-tombe, t. II, p. 143.

Le grand caractère commun des sujets parlant un même idiome, c'est qu'ils portent tous en eux, d'une façon surtout inconsciente d'ailleurs, un même système de notions d'après lesquelles s'ordonnent toutes les pensées qu'ils viennent à formuler en langage. J. DAMOURETTE et É. PICHON, Essai de grammaire..., t. I, p. 13. 4

Il faut donc, pour qu'un esprit saisisse réellement tout le contenu sémantique d'un discours qu'il ait, dès l'infantile époque de sa formation, été modelé selon le système taxiématique *(grammatical)* de l'idiome dans lequel la pensée de son interlocuteur s'exprime. Telle est la véritable raison de ce fait bien connu (Cf. le proverbe italien *Traduttore, traditore*) qu'il est absolument impossible de jamais comprendre parfaitement un idiome autre que le sien propre. Tel est aussi le secret de la valeur éducative des langues étrangères (...) 5
J. DAMOURETTE et É. PICHON, Essai de grammaire..., t. I, p. 14.

♦ **2.** Langue*; parler propre à une région (⇒ **Dialecte, patois**), à un groupe social. *L'idiome normand* (→ Fruste, cit. 3), *anglo-normand* (→ Français, cit. 14). — Type de discours. *L'idiome révolutionnaire* (→ Fanatisme, cit. 8).

La littérature qui exprime l'ère nouvelle n'a régné que quarante ou cinquante ans après le temps dont elle était l'idiome. 6
CHATEAUBRIAND, Mémoires d'outre-tombe, t. II, p. 207.

Aujourd'hui la résistance expire, la Bretagne devient peu à peu toute France. Le vieil idiome, miné par l'infiltration continuelle de la langue française, recule peu à peu. MICHELET, Hist. de France, III, Tableau de la France, p. 97. 7

— Il va parler, dit la dame polyglotte à ses congénères en leur idiome natif. 7.1
R. QUENEAU, Zazie dans le métro, p. 97.

Fig., vx. Langage (au sens figuré).

(...) dites que les poiriers rompent de fruit cette année (...) c'est pour lui un idiome inconnu : il s'attache aux seuls pruniers. 8
LA BRUYÈRE, les Caractères, XIII, 2.

♦ **3.** (Angl. *idiom*, Ch. Hockett; ce sens correspond aux emplois étym. du mot grec *idioma*). Unité linguistique qui n'est pas analysable selon une règle générale de la langue (morphème; mot ou groupe de mots, expression idiomatique).

DÉR. Idiomatique.

IDIOMORPHE [idjɔmɔʀf] adj. — 1817, «fossile», *in* D. D. L.; de *idio-*, et *-morphe.*

♦ Didact. (minér.). Se dit des cristaux intégrés à une roche qui ont leur forme propre et toutes leurs faces développées.

IDIOPATHIE [idjɔpati] n. f. — 1586; grec *idiopatheia*, de *idios* «propre», et *patheia.* → -pathie.

♦ Méd. (vieilli). Maladie qui existe par elle-même, ne peut être rapportée à aucune autre.

DÉR. Idiopathique.

IDIOPATHIQUE [idjɔpatik] adj. — 1602; de *idiopathie.*

♦ Méd. Qui constitue une idiopathie, dont la cause n'est pas connue (opposé à *symptomatique*). ⇒ **Essentiel.** *Anémie, névralgie idiopathique.*

CONTR. Symptomatique.

IDIOPHONE [idjɔfɔn] n. m. — XXe (mot créé en all. en 1913); de *idio-*, et *-phone.*

♦ Didact. (mus., ethnol.). Instrument de musique dans lequel le son est produit par la mise en vibration du corps même de l'instrument, et non par un élément rapporté tel que corde ou membrane. *Les cloches, les castagnettes, les cymbales sont des idiophones.*

IDIORYTHMIE [idjɔʀitmi] n. f. — 1962, Larousse; de *idio-*, *rythme*, et *-ie.*

♦ Relig. Genre de vie religieuse où les moines peuvent posséder des biens propres. *L'idiorythmie est pratiquée en Orient.*

IDIOSYNCRASIE [idjosɛ̃kʀazi] n. f. — 1581, *in* D. D. L.; grec *idiosugkrasia* «tempérament particulier», de *idios* «propre», et *sugkrasis* «mélange».

♦ **1.** (1581). Méd. Disposition personnelle particulière, généralement innée, à réagir à l'action des agents extérieurs (physiques, chimiques). ⇒ **Anaphylaxie.** *Idiosyncrasie d'un malade exagérément sensible à tel médicament, manifestant de l'intolérance à certains aliments. L'idiosyncrasie est «souvent une modalité de l'anaphylaxie»* (Garnier).

1 En effet, le médecin n'est pas le médecin des êtres vivants en général, pas même le médecin du genre humain, mais bien le médecin de l'*individu* humain, et de plus le médecin d'un individu dans certaines conditions morbides qui lui sont spéciales et qui constituent ce qu'on a appelé son idiosyncrasie.
Cl. BERNARD, Introd. à la médecine expérimentale, p. 139.

1.1 Ayant reconstitué, comme il dit son «idiosyncrasie», il a pu constater qu'aucun appareil ne fonctionne convenablement, ni le digestif, ni le respiratoire, le cardio-vasculaire, etc. (...) A. SAUVY, Croissance zéro?, p. 167.

♦ **2.** (1856, Baudelaire). Didact. Tempérament* personnel, ensemble des réactions propres à chaque individu.

2 (...) il *(Henry Monnier)* ne représente pas une action dramatique, mais des idiosyncrasies particulières, des types observés, des natures spéciales (...).
Th. GAUTIER, Portraits contemporains, Henry Monnier, p. 34.

3 Tel est le mode par lequel l'esprit de la vie rudimentaire communique avec le monde extérieur, et ce monde extérieur est, dans la vie rudimentaire, limité par l'idiosyncrasie des organes (...)
BAUDELAIRE, Trad. E. POE, Histoires extraordinaires, «Révélation magnétique».

4 Nous avons essayé des décors *héraldiques*, c'est-à-dire désignant d'une teinte unie et uniforme toute une scène ou un acte, les personnages passant harmoniques sur ce champ de blason. Cela est un peu puéril, ladite teinte s'établissant seule (et plus exacte, car il faut tenir compte du daltonisme universel et de toute idiosyncrasie) sur un fond qui n'a pas de couleur.
A. JARRY, Ubu roi (Présentation), Pl., p. 407.

5 La santé ne me paraît pas un bien à ce point enviable. Ce n'est qu'un équilibre, une médiocrité de tout; c'est l'absence d'hypertrophies. Nous ne valons que par ce qui nous distingue des autres; l'idiosyncrasie est notre maladie de valeur; — ou en d'autres termes : ce qui importe en nous, c'est ce que nous seuls possédons, ce qu'on ne peut trouver en aucun autre, ce que n'a pas votre *homme normal*, — donc ce que vous appelez maladie. GIDE, Paludes, *in* Romans, Pl., p. 120.

DÉR. Idiosyncrasique.

IDIOSYNCRASIQUE [idjosɛ̃kʀazik] adj. — 1832, Raymond; de *idiosyncrasie.*

♦ **1.** Méd. Relatif à l'idiosyncrasie. *Sensibilité idiosyncrasique à un médicament.*

♦ **2.** Didact. Propre au tempérament de quelqu'un.

(...) son aversion des prêtres était idiosyncrasique. Il n'avait pas besoin, pour les haïr d'en être haï. HUGO, les Travailleurs de la mer, III, XII.

REM. On trouve la variante *idiosyncratique* [idjosɛ̃kʀatik].

IDIOT, IDIOTE [idjo, idjɔt] adj. et n. — V. 1361; *ydiotes,* v. 1225; *idiote* «ignorant», v. 1180; encore au XVIIe; lat. *idiotes* «sot», du grec *idiôtês* proprt «particulier; individu quelconque», par ext. «étranger à un métier, ignorant».

★ **I.** Adj. ♦ **1.** Qui manque d'intelligence, de bon sens, de finesse. ⇒ **Bête, sot, stupide**; (fam.) **con, crétin, débile, taré**; → Âne, cit. 9, et ci-dessous, cit. 8. *Ce garçon est idiot. Une élève complètement idiote. Il est bien trop idiot pour profiter de l'occasion. Les gens sont idiots de faire courir ce bruit.* ⇒ 1. **Fou.**

1 (...) ordonnant quels soins on emploierait
Pour la rendre idiote autant qu'il se pourrait.
MOLIÈRE, l'École des femmes, I, 1.

2 (...) ces journaux que je suis idiot de relire (...)
RIMBAUD, Illuminations, «Enfance», V.

(1612, écrit *diot[te]*). Par ext. *Un air idiot. Rire idiot. Une question, une réflexion idiote. Roman, film complètement idiot.* ⇒ **Inepte.** *Faire un travail idiot.* Impers. *C'est idiot de s'arrêter si près du but. Il serait idiot de refuser. C'est trop idiot! Un accident idiot.* ⇒ **Absurde.** — *Histoires idiotes :* histoires qui amusent par leur côté absurde. → Histoires de fou*.

3 (...) parmi les chrétiens, il y a eu plus de cent mille victimes de cette jurisprudence idiote et barbare *(les procès de sorcellerie).*
VOLTAIRE, Politique et législation, Avis au public, Ex. de fanatisme.

4 (...) bien qu'ici je doive confesser mon faible pour les films français complètement idiots. A. BRETON, Nadja, p. 43.

5 Je ne devrais pas m'exciter ainsi (...) C'est idiot de céder à son tempérament.
CÉLINE, Voyage au bout de la nuit, p. 121.

N. m. *L'idiot de l'histoire, c'est que...*

♦ **2.** Méd. Atteint d'idiotie. *Avoir un enfant idiot.*

★ **II.** N. ♦ **1.** (1660). Personne dénuée d'intelligence, de bon sens, de finesse, par nature ou accidentellement. *Un idiot* (→ Examinateur, cit. 2), *une idiote* (→ Buter, cit. 7). ⇒ **Crétin, imbécile**; fam. **abruti, ahuri, andouille, ballot, brèle, brute** (2.), **con, crétin, cruche, débile, manche.** *C'est une idiote. Un pauvre idiot. Me prenez-vous pour un idiot? Ah l'idiot! Quel idiot!* (→ Épithète, cit. 9). — Terme d'injure, sans contenu précis. *Pauvre idiote! Espèce* (cit. 14) *d'idiot! Bande d'idiots, vous avez fait du beau travail!*

6 On veut à la ville que bien des idiots et des idiotes aient de l'esprit (...)
LA BRUYÈRE, les Caractères, III, 57.

7 (...) en fait de maîtresse il était mal tombé,
Ayant pour tout potage une belle idiote (...)
A. DE MUSSET, Premières poésies, «Suzon».

8 — Mon petit, c'est idiot, déclara-t-il à Fauchery, d'un air tranquille. — Comment! idiot! s'écria l'auteur devenu très pâle. Idiot vous-même, mon cher! Du coup, Bordenave commença à se fâcher. Il répéta le mot idiot, chercha quelque chose de plus fort, trouva imbécile et crétin. ZOLA, Nana, IX.

9 — Là, là... disait-elle. En voilà un idiot. On lui annonce qu'il n'ira plus en classe et il pleure. COCTEAU, les Enfants terribles, p. 50.

FAIRE L'IDIOT. a Agir de manière absurde. *Il a fait l'idiot en ne se présentant pas à son examen.*

b Simuler la bêtise, la naïveté, l'ignorance. *Il fait l'idiot quand on l'interroge; on ne peut rien en tirer.*

Je trouve simplement navrant, sous le prétexte que mon fils a effectivement fait l'idiot, d'être privé du plaisir de faire la connaissance d'une jeune fille qui est encore ravissante, malgré son cœur brisé. J. ANOUILH, Ornifle, III, p. 174. 10

♦ **2.** (1690, Furetière). Méd. Personne atteinte d'idiotie*. *Un idiot congénital* (→ Absorption, cit. 3; gâteux, cit. 1). *Les idiots, les imbéciles et les débiles.* ⇒ **Dégénéré** (cit. 12).

Il y a quelques jours, j'ai rencontré trois pauvres idiotes qui m'ont demandé l'aumône. Elles étaient affreuses, dégoûtantes de laideur et de crétinisme, elles ne pouvaient pas parler; à peine si elles marchaient. 11
FLAUBERT, Correspondance, 96, 26 mai 1845.

Avec la meilleure volonté du monde, il ne pouvait pas considérer ce garçon comme normal. Il ne pouvait pas non plus voir en lui un idiot, ni même un simple arriéré. 12
J. ROMAINS, les Hommes de bonne volonté, t. V, XXIII, p. 206.

(1660, Retz). Personne qui sans être atteinte d'idiotie au sens médical, semble d'un niveau intellectuel anormalement bas. ⇒ **Arriéré, innocent, simple.** *L'idiot du village, en butte aux moqueries, aux méchancetés des enfants.* — *L'Idiot,* roman de Dostoïevsky (→ Briser, cit. 2). *L'Idiot de la famille,* de J.-P. Sartre (1971).

CONTR. Intelligent, malin.

DÉR. Idiotement, idiotie, idiotifier, idiotiser, 2. **idiotisme.**

IDIOTEMENT [idjɔtmɑ̃] adv. — 1845; de *idiot.*

♦ D'une façon idiote. *Il riait idiotement.* ⇒ **Imbécilement.** *Il a répondu idiotement. J'étais surpris, j'ai réagi assez idiotement.* — Littér. ou rare. *Un garçon idiotement prétentieux.*

Nuit détestable; pas arrêté de *causer,* de me remémorer interminablement des foutaises (l'obsession de membres de phrases, de mots, qu'on se répète idiotement, irrésistiblement, je ne sais combien de fois). GIDE, Journal, 2 févr. 1908.

CONTR. Intelligemment.

IDIOTIE [idjɔsi] n. f. — 1818, *in* T. L. F.; de *idiot,* et suff. *-ie;* créé pour remplacer *idiotisme* (→ 2. Idiotisme) à cause de l'homonymie avec 1. *idiotisme.*

♦ **1.** (1836). Méd. Forme la plus grave d'arriération mentale, d'origine congénitale, habituellement associée à diverses malformations et à des déficiences sensorimotrices. ⇒ **Crétinisme, débilité, imbécillité.** *Idiotie mongolienne* (mongolisme), *variété d'idiotie congénitale. Idiotie amaurotique*.*

L'*idiotie* coïncide presque toujours avec un arrêt du développement de l'encéphale qui peut se produire soit dans la vie intra-utérine, soit après la naissance, et avoir pour cause l'hérédité ou une maladie quelconque. 1
M. GARNIER et J. DELAMARE, Dict. des termes techniques de médecine, art. *Idiotie.*

♦ **2.** (1893). Cour. Manque d'intelligence, de vivacité d'esprit. ⇒ **Bêtise, sottise, stupidité**; (fam.) **connerie, imbécillité.** *L'idiotie d'une personne, d'un public. Il est d'une totale idiotie. — L'idiotie d'un livre, d'un film.* ⇒ **Niaiserie, nullité.**

(...) ces gens-là trouvent des rires qui mériteraient des gifles immédiates, des réflexions qui sont une quintessence d'idiotie. 2
LOTI, Figures et Choses..., p. 111.

♦ **3.** (XXe). *Une, des idioties.* Action, parole qui traduit un manque d'intelligence, de bon sens. ⇒ **Bêtise, crétinerie, sottise**; (fam.) **connerie.** *Faire une idiotie. Quelle idiotie! Ne dites pas d'idioties! Ce journal est rempli d'idioties.* ⇒ **Ineptie.** *Vous croyez à ces idioties?* — Fam. Œuvre stupide. *Ne lisez pas cette idiotie. Quelle idiotie que ce film!*

Événement absurde et déplaisant. *On se laisse ennuyer par un tas d'idioties.*

CONTR. Intelligence.

IDIOTIFIANT, ANTE [idjɔtifjɑ̃, ɑ̃t] adj. — 1835; de *idiotifier,* ou de *idiot* (le v. n'étant pas attesté av. 1886).

♦ Fam. Qui rend idiot. *Une propagande, une publicité idiotifiante.*

IDIOTIFIER [idjɔtifje] v. tr. — Fin XIXe (1886, au p. p.), mais antérieur (→ Idiotifiant); de *idiot,* et *-ifier.*

♦ Abêtir, rendre idiot. — Syn. : *idiotiser.*

(...) l'imbécile auteur du *Maître de Forges,* qu'une stricte justice devrait contraindre à pensionner les gens de talent dont il vole le salaire et idiotifie le public.
Léon BLOY, le Désespéré, p. 13.

DÉR. V. **Idiotifiant.**

IDIOTISER [idjɔtize] v. tr. — 1845; mais antérieur; p. prés. 1835, *in* Balzac; de *idiot,* et *-iser.*

♦ Fam. et vieilli. Rendre idiot. ⇒ **Idiotifier.**

1 Manifestement idiotisé, Marjalet se tourna vers la Valmonbrée (...)
COURTELINE, les Gaîtés de l'escadron, p. 77 (1874).

2 Ils sont tous les deux, n'ont pas d'enfants, veulent en adopter un qu'ils sont en train d'idiotiser. À table, il n'a pas le droit d'avoir envie de pisser.
J. RENARD, Journal, 21 mars 1892.

Pron. *S'idiotiser.*

3 L'homme emprisonné depuis déjà longtemps commençait à s'idiotiser (...)
Louise MICHEL, la Misère, t. III, p. 671 (1881).

1. IDIOTISME [idjɔtism] n. m. — V. 1534; lat. *idiotismus,* du grec *idiôtismos* «langage particulier», d'abord «genre de vie, habitude, langage d'une personne simple», de *idiôtes* «individu quelconque». → Idiot.

♦ Ling. Forme ou locution propre à une langue, impossible à traduire littéralement dans une autre langue de structure analogue. *Idiotisme français* (⇒ **Gallicisme,** cit. 2), *anglais* (⇒ **Anglicisme; aussi américanisme, britannisme, briticisme**), *allemand* (⇒ **Germanisme**), *espagnol* (⇒ **Hispanisme**), *grec* (⇒ **Hellénisme**), *latin* (⇒ **Latinisme**), *arabe* (⇒ **Arabisme**), etc. — Par ext. Locution, tournure propre à quelqu'un.

1 Mais, monsieur le philosophe, il y a une conscience générale, comme il y a une grammaire générale, et puis des exceptions dans chaque langue, que vous appelez je crois, vous autres savants, des... aidez-moi donc... des... — Idiotismes.
DIDEROT, le Neveu de Rameau, p. 449.

2 Son langage devait surprendre d'autant plus qu'il parlait plus rarement. Il disait : *Cet homme n'est pas de mon ciel,* là où les autres disaient : *Nous ne mangerons pas un minot de sel ensemble.* Chaque homme de talent a ses idiotismes particuliers.
BALZAC, Louis Lambert, Pl., t. X, p. 440.

3 L'encre a pâli, le papier a jauni, l'orthographe est peu sûre, l'écriture, pleine de paraphes et de queues compliquées, est difficile à déchiffrer, la langue est pleine d'idiotismes, de termes de dialecte bâlois, d'amerenglish.
B. CENDRARS, l'Or (La merveilleuse histoire du Général Johann August Suter), *in* Œ. compl., t. II, p. 185.

2. IDIOTISME [idjɔtism] n. m. — 1611, «absence de culture»; de *idiot,* et *-isme.*

♦ **1.** État d'idiot; stupidité. → Équilibre, cit. 14; timide, cit. 1, Labiche.

1 Puisque *idiot* signifiait autrefois *solitaire,* le vieillard avoue qu'il est un grand idiot; et, comme les organes de l'âme s'affaiblissent avec ceux du corps, il avoue encore qu'il est idiot dans le sens qu'on attache aujourd'hui à ce terme. Il pense que l'idiotisme est l'état d'un idiot, comme le pédantisme est l'état d'un pédant (...)
VOLTAIRE, Lettres, 4016, 28 juin 1773.

1.1 Taine, vous me semblez donner dans l'idiotisme bourgeois.
Th. GAUTIER, cité par Ed. et J. DE GONCOURT, Journal, 22 juin 1863.

♦ **2.** Méd. (vx). Arriération mentale de l'idiot (2.).

2 Enfin l'absence de tout mouvement dans le corps, de toute chaleur dans le regard, s'accordait avec une certaine expression de démence, triste, avec les dégradants symptômes par lesquels se caractérise l'idiotisme.
BALZAC, le Colonel Chabert, Pl., t. II, p. 1096.

IDOCRASE [idokʀaz] n. f. — 1796, Haüy; du grec *eidos* «forme», et *krasis* «mélange».

♦ Minér. Pierre fine d'origine volcanique, genre de grenat* composé de silicate hydraté naturel d'aluminium, de calcium, de magnésium et de fer.

Toi qui m'écrases
De corindons, de calcédoines, d'idocrases.
Edmond ROSTAND, *in* G. L. L. F.

IDOINE [idwan] adj. — V. 1160, *aoine;* lat. *idoneus* «propre à».

♦ **1.** Vx ou dr. Propre à qqch. ⇒ **Approprié, convenable.** *Prêtres aptes* et idoines à posséder des bénéfices* (cit. 10). *Idoine à un emploi.* ⇒ **Capable.**

1 Ceux qui discutent et votent les lois, ceux qui sont les défenseurs naturels des libertés publiques, les gardiens de la constitution, ne sont pas aptes et idoines à composer une commission administrative de censure.
CHATEAUBRIAND, la Liberté de la Presse, 1827, p. 91-92, *in* T. L. F.

♦ **2.** (xxe). Mod. (par plais.). *Voilà l'homme idoine,* celui qui convient parfaitement en l'occurrence (→ Ad hoc). *C'est idoine et adéquat.*

2 Ils choisirent l'endroit idoine. Jacquot nettoya sa place de toutes les brindilles qui eussent pu gêner le confort de son assiette et s'installa.
R. QUENEAU, Loin de Rueil, 1944, p. 49, *in* T. L. F.

DÉR. Idonéité.

IDOLÂTRE [idɔlatʀ] adj. et n. — xvie; *idolastre,* v. 1265, pour *idololatre;* lat. ecclés. *idololatres,* du grec *eidôlolatrês,* de *eidôlon* «image», et *latreuein* «servir, adorer». → suff. -lâtre.

♦ **1.** Didact. Qui rend un culte divin aux idoles. ⇒ **Ethnique.** *Populations idolâtres de l'antiquité* (→ Épreuve, cit. 9; hermaphrodite, cit. 3). *Auteur idolâtre et païen* (→ Approuver, cit. 19). *Mieux vaut être athée* (cit. 5) *qu'idolâtre.*

1 Ne devenez point idolâtres, comme quelques-uns (...)
BIBLE (SEGOND), Ire épître aux Corinthiens, 10, 7.

2 (...) les Romains et les Grecs se mettaient à genoux devant des statues, leur donnaient des couronnes, de l'encens, des fleurs, les promenaient en triomphe dans les places publiques. Les catholiques ont sanctifié ces coutumes, et ne se disent point idolâtres.
VOLTAIRE, Dict. philosophique, Idolâtre.

(...) les images des dieux n'étaient point des dieux. Jupiter, et non pas son image, lançait le tonnerre (...) Les Grecs et les Romains étaient des gentils, des polythéistes, et n'étaient point des idolâtres. 3
VOLTAIRE, Dict. philosophique, Idolâtre.

N. *Un, une idolâtre.* ⇒ 1. **Gentil, païen.** *Les idolâtres et les infidèles* (→ État, cit. 57). *Abraham environné* (cit. 3) *d'idolâtres.*

(...) ni les impudiques ni les idolâtres (...) ni les ravisseurs n'hériteront le royaume de Dieu. 4
BIBLE (SEGOND), Ire épître aux Corinthiens, 6, 9.

Sur l'idolâtre impur, mille fois combattu, 5
Tu nous as déchaînés, ivres de ta vertu,
Glorieux fils d'Amer, ô Souffle du Prophète!
LECONTE DE LISLE, Poèmes tragiques, «Le suaire de Mohammed-ben-Amer...»

Par ext. (Choses) :

Jusque sur notre autel votre injuste marâtre 5.1
Veut offrir à Baal un encens idolâtre.
RACINE, Athalie, I, 2.

♦ **2.** (Mil. xvie, Ronsard). Littér. et vieilli. Qui voue un culte, une adoration (à qqn, à qqch.). *Il est idolâtre de cette femme, de sa beauté.* ⇒ **Fou; idolâtrer.** *Un mélomane idolâtre de Mozart.* ⇒ **Fanatique.** *L'amour-propre* (cit. 1) *rend les hommes idolâtres d'eux-mêmes.* ⇒ **Autolâtre** (littér.). *Un avare* (cit. 16) *idolâtre de son argent.*

(...) le baron d'Arques les reçut en père idolâtre de ses enfants. 6
SCARRON, le Roman comique, I, XV.

(...) aux nouveautés, dont je suis idolâtre. MOLIÈRE, le Misanthrope, III, 1. 7

(...) Marcas portait la France dans son cœur; il était idolâtre de sa patrie; il n'y avait pas une seule de ses pensées qui ne fût pour le pays. 8
BALZAC, Z. Marcas, Pl., t. VII, p. 756.

(Choses). *Le culte* (cit. 9) *idolâtre d'un grand homme.*

Nous avons tous, presque tous, autrefois professé pour Béranger plus que de l'admiration, c'était un culte; ce culte, il nous le rendait en quelque sorte, puisque lui-même il était idolâtre de l'opinion et de la popularité. 9
SAINTE-BEUVE, Causeries du lundi, 15 juil. 1850.

DÉR. Idolâtrement, idolâtrer, idolâtrie.

IDOLÂTREMENT [idɔlatʀəmɑ̃] adv. — 1851, Landais; *idolatrement,* av. 1606, Desportes; *ydolatrement,* déb. xvie; de *idolâtre.*

♦ Rare. Avec idolâtrie.

Qu'il s'agisse des femmes ou des choses, l'*esprit* de nos lois est idolâtrement attaché à un seul objet qui est la propriété matérielle.
VALÉRY, Cahiers, t. II, Pl., p. 629.

IDOLÂTRER [idɔlatʀe] v. — 1544; *ydolatrer,* fin xive; de *idolâtre.*

♦ **1.** V. intr. Vx. Adorer les idoles.

♦ **2.** V. tr. (1547, Ronsard). Mod. (littér.). Aimer* avec passion (qqn) en lui rendant une sorte de culte. ⇒ **Adorer.** *Idolâtrer ses enfants.* — Au p. p. *Garçon idolâtré par sa mère. Une maîtresse idolâtrée* (→ Hormis, cit. 5). — Pron. *Amants qui s'idolâtrent* (→ Bêtement, cit. 2).

J'aime, que dis-je aimer? j'idolâtre Junie. RACINE, Britannicus, II, 2. 1

Idolâtré par sa tante, idolâtré par son père, ce jeune héritier était, dans toute l'acception du mot, un enfant gâté (...) 2
BALZAC, le Cabinet des Antiques, Pl., t. IV, p. 353.

Il y a des pères qui n'aiment pas leurs enfants; il n'existe point d'aïeul qui n'adore son petit-fils. Au fond, nous l'avons dit, M. Gillenormand idolâtrait Marius. Il l'idolâtrait à sa façon, avec accompagnement de bourrades et même de gifles; mais, cet enfant disparu, il se sentit un vide noir dans le cœur (...) 3
HUGO, les Misérables, III, V, III.

Vieilli. Compl. n. de chose. *Idolâtrer l'argent.* ⇒ **Déifier, diviniser.**

CONTR. Détester, mépriser.

IDOLÂTRIE [idɔlatʀi] n. f. — 1310, au sens 1 et sous cette forme; *ydolatrie,* v. 1170, au sens 1 pour **idololatrie;* lat. ecclés. *idololatria,* du grec *eidôlolatreia,* de *eidôlolâtrês.* → Idolâtre.

♦ **1.** Didact. Culte rendu à l'image d'un dieu comme si elle était le dieu en personne. ⇒ **Animisme, fétichisme, totémisme, xylolâtrie.** *Les Juifs accusaient les gentils d'idolâtrie. Salomon tomba dans l'idolâtrie* (→ Baisser, cit. 26). *Idolâtrie et fétiches* (→ Bouture, cit. 2). *Idolâtrie des anciens Égyptiens* (→ Entraîner, cit. 12).

(Il est prédit) Qu'alors l'idolâtrie serait renversée; que ce Messie abattrait toutes les idoles, et ferait entrer les hommes dans le culte du vrai Dieu. 1
PASCAL, Pensées, XI, 730.

♦ **2.** (Fin xiiie). Littér. Amour passionné, admiration outrée. ⇒ **Adoration, culte, passion.** *Aimer qqn jusqu'à l'idolâtrie. L'idolâtrie du peuple pour les grands* (→ Entêtement, cit. 1). *Louis XIV, Napoléon Ier furent l'objet de l'idolâtrie des foules.*

Il *(Arnauld d'Andilly)* me dit (...) que j'étais une jolie païenne; que je faisais de vous une idole dans mon cœur; que cette sorte d'idolâtrie était aussi dangereuse qu'une autre (...) 2
Mme DE SÉVIGNÉ, 162, 29 avr. 1671.

(Un homme) qui vous chérissait avec idolâtrie (...) 3
MOLIÈRE, le Misanthrope, V, 4.

Antoine, qui l'aima jusqu'à l'idolâtrie (...) RACINE, Bérénice, II, 2. 4

(...) en 1814, devant ces maréchaux trahissant, devant ce sénat passant d'une fange à l'autre, insultant après avoir divinisé, devant cette idolâtrie lâchant pied et crachant sur l'idole (...) 5
HUGO, les Misérables, I, I, XI.

6 (...) dans ce culte du regret pour nos morts, nous vouons une idolâtrie à ce qu'ils ont aimé. PROUST, À la recherche du temps perdu, t. IX, p. 218.

7 Je n'allais certes pas expliquer à ce camarade à quel degré d'idolâtrie de ma femme j'étais arrivé. J. ROMAINS, le Dieu des corps, p. 187.

♦ **3.** Vx. *(Une, des idolâtries).* Acte idolâtre.

CONTR. Haine.
DÉR. Idolâtrique.

IDOLÂTRIQUE [idɔlatʀik] adj. — 1556; de *idolâtrie.*

♦ Relatif à l'idolâtrie; qui tient de l'idolâtrie. *Culte idolâtrique.* ⇒ **Idolâtre.** *Aspect idolâtrique de l'art* (cit. 2) *primitif.* — Fig. *Attachement idolâtrique du peuple pour ses rois* (→ Garder, cit. 48).

1 Je faisais des orgies de souvenirs; je me délectais dans sa pureté, dans sa sagesse (...) dans son amour passionné, idolâtrique.
BAUDELAIRE, Trad. E. POE, Histoires extraordinaires, « Ligeia », p. 263.

2 Pour ma part j'ai aimé extrêmement la beauté, mais dans cette adoration idolâtrique il y avait malgré tout quelque chose de bon et de sain.
J. GREEN, Journal, 24 juil. 1971, Ce qui reste de jour, p. 314.

DÉR. Idolâtriquement.

IDOLÂTRIQUEMENT [idɔlatʀikmɑ̃] adv. — 1883, Barbey d'Aurevilly, *in* D. D. L.; de *idolâtrique.*

♦ Rare. Avec idolâtrie.

M. Vacquerie, que j'aime parce qu'il a aimé M. Hugo avec idolâtrie et qu'il est toujours beau d'aimer idolâtriquement quelque chose.
BARBEY D'AUREVILLY, Théâtre contemporain, 20 mars, p. 312 (1883).

IDOLE [idɔl] n. f. — 1538; *idolle,* 1530; *ydole,* v. 1220; *idle,* v. 1120; *ydele,* 1080, *Chanson de Roland; idole* a signifié « image, dans un miroir » (v. 1270); lat. ecclés. *idolum,* du grec *eidôlon* « image »; parfois au masc. au XVIIe à cause de l'étymologie.

♦ **1.** Image* représentant une divinité (figure, statue), adorée comme si elle était la divinité elle-même. ⇒ **Fétiche.** *Idole en bois, en pierre, en or. Idole à forme humaine, animale. Adoration, culte des idoles dans les temples. Offrandes faites aux idoles. Promener des idoles. L'idole de Jupiter* (→ Caractère, cit. 23), *d'Astarté* (→ Brûler, cit. 7). *Idole étrangère rapportée par les soldats vainqueurs* (→ Béton, cit. 1). *Le judaïsme, le christianisme luttèrent contre le culte des idoles* (→ Avoir, cit. 74). *Le veau* d'or, idole des Juifs* (Bible, *Exode,* XXXII). *Jésus vient détruire les idoles* (→ Église, cit. 3; hostie, cit. 2). — REM. Le mot ne s'emploie guère que dans un contexte chrétien, monothéiste, où cet objet de culte est critiqué.

1 Ils n'ont point d'intelligence, ceux qui portent leur idole de bois. Et qui invoquent un dieu incapable de sauver. BIBLE (SEGOND), Ésaïe, 45, 20.

2 Cet ami l'ayant résolu à se faire chrétien, il déchira ces édits qu'on publiait, arracha les idoles des mains de ceux qui les portaient sur les autels pour les adorer, les brisa contre terre (...) CORNEILLE, Examen de Polyeucte.

3 Ami, peux-tu penser que d'un zèle frivole
Je me laisse aveugler pour une vaine idole,
Pour un fragile bois, que malgré mon secours
Les vers sur son autel consument tous les jours? RACINE, Athalie, III, 3.

4 Une idole chinoise, quoiqu'elle soit un objet de vénération, ne diffère guère d'un poussah ou d'un magot de cheminée.
BAUDELAIRE, Curiosités esthétiques, De l'essence du rire..., p. 719.

5 Les VIIe et VIIIe s. virent le développement d'une tendance, au sein de l'Église d'Orient, visant à proscrire l'usage des images (→ *Iconoclaste).* Le second Concile de Nicée (787) jugea nécessaire de faire une distinction entre *latria,* adoration, et *dulia,* honneur ou respect, cette dernière forme de culte devant être seule offerte aux images; les catholiques ont conservé cette attitude jusqu'à nos jours : un décret du Concile de Trente affirme que les images ne sont pas adorées comme des idoles par les catholiques (« comme si la Divinité résidait en elles, ou comme si nous leur demandions une faveur, ou y mettions notre confiance, à la manière des païens avec leurs idoles »). E. ROYSTON PIKE, Dict. des religions, art. *Image.*

Femme qui a l'impassibilité, la cruauté (cit. 7) *des idoles.*

6 À tort ou à raison, je lui prêtais des indifférences et des impassibilités d'idole (...)
E. FROMENTIN, Dominique, VII.

Par métaphore. *Il ne faut pas toucher aux idoles, la dorure en reste aux mains* (Flaubert. → Dénigrement, cit. 2).

Vx. Image, ombre, fantôme.

7 N'étant pas corps, mais une vaine idole,
Qu'on veut serrer et prendre bien souvent,
Mais en lieu d'elle on ne prend que du vent.
RONSARD, Épitaphes, « Dialogue de Beaumont... »

Fig., vx. Personne dénuée d'esprit, de sensibilité. ⇒ **Statue.**

8 Angélique n'a point de charmes
Pour me défendre de vos coups;
Ce n'est qu'une idole mouvante;
Ses yeux sont sans vigueur, sa bouche sans appas (...)
CORNEILLE, la Place royale, I, 2.

♦ **2.** (1631). Fig. Personne ou chose qui est l'objet d'un amour passionné, d'une sorte d'adoration, de dévotion, de culte. ⇒ **Déité.** *Faire* (cit. 149) *de qqn son idole. L'aimée, l'idole de son cœur* (→ Avilir, cit. 8; façonner, cit. 17). *La passion voit son objet parfait et en fait son idole* (→ Enthousiasme, cit. 17). *Écrivain, peintre à la mode, qui est l'idole du jour. Des âmes vaines qui sont les idoles du monde* (→ Ennemi, cit. 12). *Idole des foules, des jeunes* (→ ci-dessous cit. 16 et *supra*). *Exempt* (cit. 9) *de tout fanatisme, il n'a point d'idole.*

Quelle créature fut jamais plus propre à être l'idole du monde? Mais ces idoles que le monde adore, à combien de tentations délicates ne sont-elles pas exposées? 9
BOSSUET, Oraison funèbre de la duchesse d'Orléans.

Il était l'idole d'une mère pauvre qui l'avait élevé au prix des plus dures privations. 10
BALZAC, la Bourse, Pl., t. I, p. 331.

Ah! Laurette, ah! Laurette, idole de ma vie (...) 11
A. DE MUSSET, Premières poésies, « À Laure ».

Marat commençait à être une idole pour le peuple, un fétiche. 12
MICHELET, Hist. de la Révolution franç., IV, VI.

Ils *(les Français)* n'aiment point la liberté; l'égalité seule est leur idole. 13
CHATEAUBRIAND, Mémoires d'outre-tombe, t. IV, p. 62.

La femme est bien dans son droit, et même elle accomplit une espèce de devoir 14
en s'appliquant à paraître magique et surnaturelle; il faut qu'elle étonne, qu'elle charme; idole, elle doit se dorer pour être adorée.
BAUDELAIRE, Curiosités esthétiques, XVI, XI.

Où le caractère n'est pas grand, il n'y a pas de grand homme, il n'y a même pas 15
de grand artiste, ni de grand homme d'action; il n'y a que des idoles creuses pour la vile multitude (...) R. ROLLAND, Vie de Beethoven, p. VII.

Chanteur, chanteuse à la mode au point d'être l'objet d'un véritable culte (d'abord dans l'expression *idole des jeunes*). *Une idole et ses fans.*

Comment vous fabrique-t-on, IDOLES? (...) un imprésario prend un garçon ou une 16
fille, sans voix, sans idées, sans culture, sans personnalité, sans fierté, sans réflexes. Il pétrit cette serpillère, et lui fait éructer devant un micro des lambeaux de sons dits chansons yé-yé (...) P. GUTH, Lettre ouverte aux idoles, p. 12.

Les Idoles symbolisent l'unité de cet ensemble, ces Idoles qui ont le privilège 17
remarquable d'être parfaitement quelconques (ni trop laides ni trop belles, ni trop vulgaires ni trop fines, ni dépourvues de talent ni trop douées), d'avoir la même vie (quotidienne) que n'importe qui, de donner à chacun une image de sa vie (quotidienne) métamorphosée du fait que ce n'est pas sa vie (quotidienne), mais la quotidienneté d'un ou d'une autre (riche, célèbre parce qu'Idole). De sorte qu'il est passionnant de voir une Idole, figurant parmi les constellations, prendre un bain, embrasser son enfant, conduire sa bagnole, faire ce que fait le premier venu mais pas comme le premier venu.
Henri LEFEBVRE, la Vie quotidienne dans le monde moderne, p. 322-323.

Avec une simplicité grandiloquente, elle se convainc que chantant, elle remplit un 18
rôle, elle dirait presque « une mission ». Le mot si répandu d'idole ne lui convient pas, mais pour un peu elle se croirait prêtresse.
F. MALLET-JORIS, le Jeu du souterrain, p. 160.

IDONÉITÉ [idɔneite] n. f. — XVIe; *ydonéité,* av. 1525; *idoinéité,* v. 1380; bas lat. *idoneitas,* du lat. class. *idoneus.* → Idoine.

♦ Didact., rare. Convenance; capacité.

IDYLLE [idil] n. f. — 1638; *idillie,* 1555; ital. *idillio,* du lat. *idyllium,* grec *eidullion* « petit poème lyrique »; parfois au masc. au XVIIe.

♦ **1.** Petit poème ou petite pièce, à sujet pastoral et généralement amoureux. ⇒ **Églogue, pastorale** (→ Épigramme, cit. 2; gothique, cit. 1). *Les idylles de Théocrite, d'André Chénier, de Gessner. Le groupe des idylles,* poèmes de la *Légende des siècles,* de Hugo.

Telle qu'une bergère, au plus beau jour de fête, 1
De superbes rubis ne charge point sa tête
Et, sans mêler à l'or l'éclat des diamants,
Cueille en un champ voisin ses plus beaux ornements :
Telle, aimable en son air, mais humble dans son style,
Doit éclater sans pompe une élégante idylle. BOILEAU, l'Art poétique, II.

(1867, Littré). Peinture, pièce musicale, etc., inspirée du même sujet. *Idylle de Bouguereau. Idylle de Chabrier.*

(1721, Montesquieu). Écrit, poème en prose inspiré de ce même sujet.

Par métaphore. *L'idylle rue Plumet et l'épopée rue Saint-Denis,* titre de la quatrième partie des *Misérables,* de Hugo (1862).

♦ **2.** (1851). Fig. Petite aventure amoureuse naïve et tendre, généralement chaste. ⇒ **Amourette.** *Une idylle s'ébauche entre ces enfants. Une tendre idylle.*

Ils furent de merveilleux amis et des amants très platoniques. Cette idylle dura 2
quarante ans (...) Émile HENRIOT, Portraits de femmes, p. 39.

(1871, G. Sand). Relation caractérisée par une bonne entente (dans un contexte social, politique).

Je ne veux pas tomber dans l'idylle et m'imaginer que nous allons désormais pas- 3
ser notre temps à nous congratuler. L.-H. LYAUTEY, Paroles d'action, p. 161.

CONTR. Drame.
DÉR. Idyllique.

IDYLLIQUE [idilik] adj. — 1845, Bescherelle; de *idylle.*

♦ **1.** Littér. Relatif à l'idylle, genre littéraire. *Poésie idyllique.*

♦ **2.** (1863). Cour. Qui rappelle l'idylle par le décor champêtre, l'amour tendre et partagé. *Paysage idyllique. Scène, tableau idyllique.* ⇒ **Arcadien, bucolique, pastoral.**

En moins de vingt-cinq années, les Badeuil économisèrent trois cent mille francs, 1
et ils songèrent alors à contenter le rêve de leur vie, une vieillesse idyllique en pleine nature, avec des arbres, des fleurs, des oiseaux. ZOLA, la Terre, I, III.

Entre ses enfants, sa maison, le mari aimé et respecté, elle goûte un bonheur à peu 2

près sans mélange. Ce tableau idyllique mérite d'être étudié de plus près... qu'arriverait-il si Pierre cessait d'aimer Natacha?
S. DE BEAUVOIR, le Deuxième Sexe, t. II, p. 271.

DÉR. Idylliquement.

IDYLLIQUEMENT [idilikmɑ̃] adv. — 1905, Gide, *in* T. L. F.; de *idyllique.*

♦ Rare. D'une manière idyllique.

i.e. Abrév. écrite de *id est* [idɛst] « c'est-à-dire ».

-IE Suffixe, du lat. *-ia,* qui se joint à des noms et des adjectifs pour former des noms désignant la qualité comme *courtoisie, idiotie, jalousie...,* le lieu de profession comme *mairie, mercerie, boucherie, boulangerie.* Le suffixe double *-erie (-er + -ie)* s'emploie comme suffixe simple dans *gendarmerie, fourberie...* (cf. pop. *mairerie,* pour « mairie », de *maire)* avec les mêmes sens.

-IÈME Suffixe, du lat. *-imus, -esimus,* servant à former les nombres ordinaux, sauf *premier.*
Dès le moyen âge, on a refait les nombres ordinaux *second, tiers, quart, quint, sixte, etc...* sur le nombre cardinal avec le suffixe *-ième : deuxième, troisième, quatrième, cinquième, sixième,* etc.

IEMSCHIK [jɛmʃik] n. m. — 1794, *yamshic, in* D. D. L.; mot russe.

♦ Conducteur de chevaux, de voitures ou de traîneaux à chevaux, en Russie (cf. J. Verne, *Michel Strogoff,* I, ch. 9), au XIXᵉ siècle.

-IEN, -IENNE Suffixe, dér. du lat. *-anus,* par l'intermédiaire de mots contenant un *yod* (i, y consonne), comme « moyen, doyen, ancien ». Le suffixe *-ien, -ienne* se joint à des noms pour former des adjectifs ou des noms désignant la profession, l'école, la nationalité... comme ***politicien, mécanicien, voltairien, autrichien, vosgien, parisien...*** → Pasteurien, cit. 2.
Ce suffixe d'adjectif produit des formations libres, notamment avec des noms propres. Ex. : *bernanosien, copernicien, einsteinien, hitchcockien.*

1 (...) il se pourrait que nous vissions *Anna Karénine* ou *Résurrection* sous l'architrave odéonienne. PROUST, Sodome et Gomorrhe, Pl., t. II, p. 935.

2 De mauvaises langues prétendaient que le locataire n'était pas nécessairement et par définition un parangon de générosité. D'accord! Mais il y a du brave monde partout, même dans la gent locatairienne.
Francis JOURDAIN, De mon temps, p. 22.

3 On s'est étonné du caractère prophétique de ce livre, qui prophétise un personnage plus que des événements — portrait d'un héros plutarquien créé dans l'imaginaire par les valeurs qui créeront dans l'Histoire le destin de ce héros, et lui ressemble par là. MALRAUX, Antimémoires, Folio, p. 153.

En histoire, en politique. Ex. : *gaullien, hitlérien, stalinien.* — REM. La presse et les média offrent d'innombrables exemples de ces composés, dont la fréquence est fonction de l'actualité; certains requièrent un traitement formel (ex. : *pompidolien,* de G. *Pompidou).*

-IER, -IÈRE Suffixe, du lat. *-arius, -arium, -aria,* se joignant à des noms pour former des noms de métier comme *barbier, cordonnier, épicier, banquier, magasinier, chaisière...,* des noms d'arbres fruitiers comme *prunier, cerisier...,* des noms exprimant un contenant tels : *cendrier, encrier, cafetière, bonbonnière, tabatière, glacière...,* des adjectifs comme *printanier, hospitalier, buissonnière, grossier, coutumier.* — REM. Le suffixe *-ier* s'est réduit en *-er* après *g* et *ch (mensongier* [vx], *mensonger).*

(...) un suffixe peut exprimer diverses idées fort différentes : *ier* est dans ce cas : un *chapelier* fait des chapeaux, mais un *voiturier* conduit les voitures, un *cuirassier* porte une cuirasse, un *geôlier* tient en geôle les *prisonniers* qui sont dans la prison, comme les pigeons et les colombes dans le *colombier.*
F. BRUNOT, la Pensée et la Langue, p. 66, note.

IF [if] n. m. — 1080, *Chanson de Roland;* du gaulois **ivos,* attesté par l'irlandais, le kymrique (le breton *ivin* étant peut-être emprunté au français) et par plusieurs langues germaniques.

♦ **1.** Plante phanérogame gymnosperme *(Conifères; Taxinées),* scientifiquement appelée *Taxus,* arbre* décoratif, à fruits rouges *(arille). Les ifs d'un jardin à la française, d'un cimetière. Ifs taillés en boules, en cônes, en pyramides. Le bois de l'if, très dur, est employé en ébénisterie.*

1 Quelques hauts sapins plantés derrière la maison (...) et quelques ifs, taillés pour en décorer les angles (...) BALZAC, les Chouans, Pl., t. VII, p. 886.

2 Les petits ifs du cimetière,
Frémissent au vent hiémal (...) VERLAINE, Poèmes saturniens, « Sub urbe ».

3 Les parterres et le parc *(de Versailles)* sont encore un salon en plein air; la nature n'y a plus rien de naturel (...) Ces charmilles droites sont des murailles et des tentures. Ces ifs tondus figurent des vases et des lyres.
TAINE, les Origines de la France contemporaine, II, t. I, p. 139.

♦ **2.** (1835). « Triangle en charpente légère monté sur un pied et rappelant la forme d'un if taillé sur lequel on dispose des lampions pour les illuminations ou des cierges dans les églises » (Réau).

♦ **3.** (1858). *If à bouteilles :* cône garni de pointes utilisé pour égoutter les bouteilles. ⇒ **Égouttoir.**

-IF, -IVE Suffixe, du lat. *-ivus,* qu'on joint à des adjectifs, des verbes, des noms pour former des adjectifs comme : *pensif, suggestif, tardif, productif...* On se sert de la même façon du suffixe *-atif, -ative* (lat. *-ativus)* pour composer des adjectifs : *alternatif, préservatif, quantitatif...*

-IFIER Suffixe, du lat. *-ificare.* ⇒ **-fier.**

I. F. O. P. [ifop] n. m. — 1959.

♦ Sigle de l'Institut français d'opinion publique. *Enquêtes, sondages de l'I. F. O. P.* — En appos. *« D'après un sondage Ifop » (le Point,* 28 août 1978, p. 26).

Au fond, les écrivains ont suivi le même chemin que les truands. Adieu Bonnot, Borsalino, mitraillettes et traction avant! Mandrin consulte l'Ifop, Villon est à la Sécurité Sociale et fait de l'immobilier...
F. MALLET-JORIS, le Jeu du souterrain, p. 77.

IFTAR [iftaʀ] n. m. — 1878, Larousse; mot arabe « rupture du jeûne ».

♦ Didact. Chez les musulmans, Repas du soir pendant le ramadan.

IGAME [igam] n. m. — 1948; sigle, → ci-dessous.

♦ Admin. En France, Inspecteur général de l'Administration en mission extraordinaire; préfet chargé de coordonner l'action des préfets dans une vaste circonscription *(igamie)* et rattaché directement au ministère de l'Intérieur.
En apposition :

Son immense autorité lui vient surtout de ses récentes fonctions de patron de la sûreté nationale et de préfet igame de Marseille.
Philippe BERNERT, S. D. E. C. E. Service 7, p. 56.

DÉR. Igamie.

IGAMIE [igami] n. f. — 1957, *le Monde, in* Gilbert; de *igame.*

♦ Admin. En France, Circonscription d'un igame.

I. G. F. [iʒeɛf] n. m. — 1982; sigle.

♦ Impôt sur les grandes fortunes.

IGLOO ou **IGLOU** [iglu] n. m. — 1873, J. Verne (cit. 1); *iglou,* 1880, *in* D. D. L. répandu XXᵉ (1925, in Höfler); angl. *igloo,* de l'inuit (eskimo) *iglo* « maison ».

♦ Abri en forme de dôme, construit avec des blocs de glace ou de neige.

Kalumah accourut au-devant de son amie de la veille, et lui montra la hutte d'un air satisfait. C'était un gros cône de neige, percé d'une étroite ouverture à son sommet, qui donnait issue à la fumée d'un foyer intérieur, et dans lequel ces Esquimaux avaient creusé leur demeure passagère. Ces « snow-houses » qu'ils établissent avec une extrême rapidité se nomment « igloo » dans la langue du pays. 1
J. VERNE, le Pays des fourrures, 1873, t. I, p. 262.

Certaines demeures réunissent trois iglous autour d'une rotonde centrale. Chaque iglou a 3 m 75 de diamètre et abrite deux familles. Deux lampes à huile de phoque de près d'un mètre de longueur les éclairent (...) 2
Gontran DE PONCINS, Kablouna, 1947.

La topographie des iglous de ménages esquimaux répond aussi de manière précise à la délimitation des domaines respectifs de l'homme et de la femme. Au caractère fondamental des sociétés à économie primitive répond une organisation spatiale où la coupure sociale dominante est celle que commandent les fonctions techno-économiques du couple. 3
A. LEROI-GOURHAN, le Geste et la Parole, t. II, p. 152.

REM. On trouve aussi le fém. *une iglou,* chez les spécialistes, qui utilisent aussi le mot dans son sens originel, le sens emprunté correspondant à l'inuit *iglouliak,* de *liak* « neige ».

Une iglou : désigne la maison traditionnelle de pierre ou de tourbe ou la cabane ceinturée de tourbe, parfois de neige. L'*iglouliak* ou maison de neige n'est ici utilisée que dans les raids de chasse. 4
J. MALAURIE, les Derniers Rois de Thulé, p. 50 (note).

Par anal. *« Une salle de forme ronde, d'un diamètre de 36 mètres, où se faisaient des expériences utilisant l'accélérateur linéaire. Son apparence hémisphérique l'avait fait surnommer l'"igloo" » (le Monde,* 9 févr. 1977, p. 15).

IGNACIEN, IENNE [iɲasjɛ̃, jɛn] adj. ⇒ **Ignatien.**

IGNAME [iɲam] n. f. — 1515, n. m.; var. anc. *inhame,* 1602, *iniamo,* 1605; port. *inhame,* probablt d'une langue bantoue; la plante a été introduite au Brésil par les Portugais.

♦ Bot. Plante tropicale monocotylédone *(Dioscorées)*, vivace et grimpante, à gros tubercules farineux ; ce tubercule, utilisé en Afrique pour l'alimentation (rôti ou cuit à l'eau). *Igname de Chine. L'arrow-root de la Guyane, fécule extraite de l'igname. Purée d'igname.*

REM. Selon l'I. F. A., le mot est fréquent au masculin, en franç. d'Afrique.

IGNARE [iɲaʀ] adj. — V. 1361 ; lat. *ignarus.*

♦ **1.** Littér. ou style soutenu. Qui n'a reçu aucune instruction. ⇒ **Ignorant, illettré, inculte.** *Un garçon ignare, dont l'intelligence reste en friche.* — N. *Un, une ignare.*

♦ **2.** (Déb. XXe). Péj. D'une ignorance complète. *Des chefs ignares* (→ Amputer, cit. 1.). *Il est complètement ignare en musique* (→ Il n'entend* rien à la musique). — (1664, Molière). Vx. *Ignare de...* (→ Bannissable, cit.).

1 Vous allez voir un peu l'esprit de cette classe dans Taboureau, homme simple en apparence, ignare même, mais certainement profond dès qu'il s'agit de ses intérêts. BALZAC, le Médecin de campagne, Pl., t. VIII, p. 369.

2 Je regrette souvent d'être tellement ignare dans ce domaine (...) SARTRE, l'Âge de raison, p. 154.

REM. Le mot a deux dérivés attestés et rares : *ignardise* n. f. (1886, Vallès) et *ignarerie* n. f. (1906, Alain-Fournier, *in* T. L. F.).

CONTR. Érudit, instruit, lettré, savant.

IGNATIE [iɲasi] n. f. — 1867 ; de *Ignace*, la plante étant nommée *févier de Saint-Ignace.*

♦ Bot. Plante dicotylédone *(Loganiacées, strychnées)*, arbrisseau ou grande liane d'Asie du Sud-Est (Viêt-Nam, Philippines), dont les fruits ovoïdes, assez gros, renferment, dans leur pulpe, des graines brunâtres vénéneuses, de la taille d'un gland, dites *fèves de Saint-Ignace* et contenant les mêmes alcaloïdes que la noix vomique. Syn. : *vomiquier amer.*

IGNATIEN, IENNE [iɲasjɛ̃, jɛn] adj. — 1655, Guy Patin, comme nom, « jésuite » ; 1920, adj. (un homonyme : 1877, Renan, *in* T. L. F. « de Ignace d'Antioche ») ; du lat. *Ignatius* « Ignace ».

♦ Relig. De saint Ignace (de Loyola). — REM. La var. graphique *ignacien, ienne,* est signalée par le T. L. F.

C'est même une méditation ignatienne avec représentation du lieu (...) J. GREEN, Journal, Vers l'invisible, 10 juil. 1961.

N. m. Disciple de saint Ignace, jésuite.

IGNÉ, ÉE [iɲe, igne] adj. — Mil. XVe, *ignée*, masc. et fém. ; *igné*, masc., 1596 ; lat. *igneus.*

♦ **1.** Littér. Qui est de feu, qui a les caractères du feu. ⇒ **Ardent, ignescent, incandescent.** *Matière, substance ignée.* Vx. *Fluide igné :* lave.

1 L'air même brûlait, et des bouffées de vent semblaient charrier des molécules ignées. Th. GAUTIER, Voyage en Espagne, p. 231.

Figuré, littéraire :

2 (...) pour en refléter éternellement les teintes érubescentes, pour en rapporter, contractés à jamais, l'éclat igné et le goût brûlant! BARBEY D'AUREVILLY, Une vieille maîtresse, II, XVII.

Myth., relig. *Principe igné.*

2.1 La nature ignée et lumineuse du Christ est également prouvée par une foule de passages des livres saints, des Pères et des rituels, aussi bien que par des monuments figurés. Émile BURNOUF, la Science des religions, p. 244.

♦ **2.** (1835). Géol. Produit par l'action du feu. *Couches de formation ignée. Hypothèse de l'origine ignée du granit* (cit. 4). *Roches ignées* (→ Croûte, cit. 7).

3 Dans certains cas extrêmes, les températures *(des géosynclinaux)* étaient peut-être assez élevées pour amener à l'état de fusion ignée les silicates les plus difficilement fusibles. Émile HAUG, Traité de géologie, t. I, p. 181.

IGNESCENT, ENTE [iɲesɑ̃, ɑ̃t ; ignesɑ̃, ɑ̃t] adj. — 1798 ; av. 1789, Beaumarchais, au fig. ; du lat. *ignescens*, p. prés. de *ignescere* « brûler ».

♦ Didact., rare. Qui prend feu ; qui est en feu. ⇒ **Enflammé.**

Il ne fit que traverser, au péril de sa vie, la salle emplie de fumée, sous une averse de brandons ignescents, de poutres calcinées, qui, par miracle, ne l'atteignirent pas, et, au moment où le toit s'effondrait au milieu d'un feu d'artifice d'étincelles, que le vent emportait jusqu'aux nuages, il s'échappait par une porte opposée qui s'ouvrait sur le parc. J. VERNE, les Cinq cents Millions de la Bégum, IX, p. 156.

IGNI- Élément, du lat. *ignis* « feu », de composés formés en français (⇒ **Ignicole, ignifère, ignifuge, ignipuncture, ignitron, ignitubulaire, ignivome, ignivore**) ou en latin.

IGNICOLE [iɲikɔl ; ignikɔl] adj. et n. — 1732 ; de *igni-*, et *-cole.*

♦ Didact. Adorateur du feu. *Peuplades ignicoles. Rites des ignicoles.*

IGNIFÈRE [iɲifɛʀ ; ignifɛʀ] adj. — 1817 ; de *igni-*, et *-fère.*

♦ Didact. Qui transmet le feu. — Vx. *Sel ignifère*, produit par l'ébullition de l'eau (Littré).

IGNIFUGATION [iɲifygasjɔ̃] n. f. — 1900, *Année sc. et industr.* 1901, p. 254 ; de *ignifuger.*

♦ Techn. Action d'ignifuger ; résultat de cette action. Syn. : *ignifugeage.*

IGNIFUGE [iɲifyʒ ; ignifyʒ] adj. — 1890 ; de *igni-*, et *-fuge.*

♦ Techn. Qui rend ininflammables les objets naturellement combustibles. *Matière ignifuge. « Les substances ignifuges et les décors ignifugés »* (*Année sc. et industr.* 1895, p. 262 [1894]). — N. m. (1890). *Un ignifuge efficace.*

DÉR. Ignifuger.

IGNIFUGEAGE [iɲifyʒaʒ] n. m. — 1906 ; de *ignifuger.*

♦ ⇒ **Ignifugation.**

IGNIFUGEANT, ANTE [iɲifyʒɑ̃, ɑ̃t] adj. et n. m. — 1907, in *Rev. gén. des sc.*, no 14, p. 567 ; p. prés. de *ignifuger.* → Igni-.

♦ Techn. Qui a la propriété de rendre ininflammable. — N. m. *Un ignifugeant.*

Les ignifugeants sont destinés à rendre ininflammables les substances auxquelles ils sont incorporés. Jean BECK, le Goudron de houille, p. 71-72.

IGNIFUGER [iɲifyʒe] v. tr. — Conjug. *bouger.* — 1894, au p. p. (→ Ignifuge, ex.) ; emploi actif, 1900 ; de *ignifuge.*

♦ Rendre ininflammable ; imprégner de substances ignifuges.

▶ **IGNIFUGÉ, ÉE** p. p. adj.

Cour. Rendu ininflammable. *Carton ignifugé.*

(...) tout l'effort, accru par l'altitude, est troué par ces cages ignifugées que traversent une vingtaine d'ascenseurs et tant de faisceaux de fils électriques qu'on dirait des chevelures... Paul MORAND, New York, p. 37.

(...) j'entendais crépiter les charpentes ignifugées et je voyais flamber celles qui ne l'étaient pas. R. QUENEAU, Pierrot mon ami, L. de Poche, p. 156.

DÉR. Ignifugation, ignifugeage, ignifugeant.

IGNIGÈNE [iɲiʒɛn ; igniʒɛn] adj. — 1840, « né du feu (d'une divinité) » ; sens mod. 1922 ; lat. *ignigena*, de *ignis* « feu ». → Igni-, -gène.

♦ Didact. Qui est obtenu par évaporation. *Sel ignigène*, provenant d'une saumure, et raffiné dans une *saline* dite *ignigène.*

IGNIPUNCTURE [iɲipɔ̃ktyʀ ; ignipɔ̃ktyʀ] n. f. — 1870, *in* D. D. L. « cautérisation par aiguilles rougies à blanc » ; de *igni-*, et *-puncture.*

♦ Méd. Méthode de cautérisation par pointes de feu appliquées par un thermocautère ou un galvanocautère.

IGNITEUR [iɲitœʀ] n. m. — 1962 ; angl. *ignitor* ou *igniter*, de *ignition*, de même orig. que le franç. *ignition.*

♦ Techn. Électrode servant à l'allumage périodique de l'arc, dans certains tubes redresseurs (ignitrons).

IGNITION [iɲisjɔ̃, ignisjɔ̃] n. f. — V. 1370, « brûlure » ; 1611, en chim. ; du bas lat. *ignitum*, supin de *ignire* « brûler », de *ignis* « feu ».

♦ Phys. État d'un corps en combustion. *Corps susceptible d'ignition.* — *En ignition :* en combustion vive, en feu*. ⇒ **Ignescent.** *« Les lancettes en ignition des cierges »* (Huysmans, *l'Oblat*, *in* T. L. F.).

C'est le cercle de feu engendré par un point en ignition — dont la rétine garde quelque temps l'impression (...) VALÉRY, Cahiers, t. II, Pl., p. 1140.

IGNITRON [iɲitʀɔ̃] n. m. — 1931 ; de *igni-*, et suff. *-tron.*

♦ Techn. Tube redresseur à gaz dans lequel l'amorçage est renouvelé périodiquement par une électrode spéciale *(igniteur).*

IGNITUBULAIRE [iɲitybylɛʀ] adj. — 1931, Larousse ; de *igni-*, et *tubulaire.*

♦ Techn. *Chaudière ignitubulaire*, où les gaz de combustion circulent à l'intérieur de tubes (opposé à *aquatubulaire*).

IGNIVOME [iɲivɔm; ignivɔm] adj. — 1599; en parlant d'un volcan, 1776; de *igni-*, et *-vome*, du lat. *vomere* «vomir».

♦ Didact., rare. Qui vomit du feu.

1 La paroi de la caverne Dakkar avait évidemment cédé sous la pression des gaz, et la mer, se précipitant par la cheminée centrale dans le gouffre ignivome, se vaporisa soudain. J. VERNE, l'Île mystérieuse, p. 858.

2 (...) par delà les falaises de l'Ouest, au-delà de la baie des Mores, l'horizon était en feu. On ne pouvait apercevoir le sommet des collines ignivomes, situées à trente mètres du cap Bathurs, mais la gerbe de flamme, s'épanouissant à une prodigieuse hauteur, couvrait tout le territoire de ses fauves reflets. J. VERNE, le Pays des fourrures, t. I, p. 269.

N. m. (1877, Hugo, *la Légende des siècles*). Rare. *Un ignivome :* un dragon.

IGNIVORE [iɲivɔʀ; ignivɔʀ] adj. — 1812; de *igni-*, et *-vore*.

♦ Didact. Qui avale ou feint d'avaler des matières enflammées. *Fakir ignivore.*

IGNOBILITÉ [iɲɔbilite] n. f. — 1509; *innobilité*, 1482; lat. *ignobilitas*, de *in-* (1. *in-*), et *nobilitas* «noblesse», de *nobilis* «noble».

♦ **1.** Vx. Condition ignoble (A., 1.), non noble.

♦ **2.** (Mil. XVIe). Mod. (littér., rare). Caractère ignoble (A., 2. ou 3.). «*Une certaine ignobilité de visage et d'esprit*» (Sainte-Beuve, *Mes poisons, in* T. L. F.).

IGNOBLE [iɲɔbl] adj. — Fin XIVe, *innoble* «roturier»; lat. *ignobilis* «roturier, non noble», de *in-*, et *nobilis* (→ Noble), sens conservé en franç. jusqu'au XVIIe; fig. «grossier, sans distinction», 1694.

A. ♦ **1.** Vx. Qui a la bassesse sociale des roturiers. ⇒ **Roturier.**

1 (...) le terme de *mon père* est trop ignoble, trop grossier (...) au lieu de dire rustiquement *mon père*, comme le menu peuple, on dit *monsieur*; cela a plus de dignité. MARIVAUX, le Paysan parvenu, I, p. 5.

♦ **2.** Mod. (Personnes). Qui est moralement bas, vil. ⇒ **Abject, bas, infâme.** *Caractère ignoble.* ⇒ **Ignobilité** (rare). *Un ignoble individu. Gangster* (cit. 2) *ignoble. Des hommes* (cit. 122) *ignobles sous tous les rapports. Les calomnies d'une presse ignoble* (→ Exagérer, cit. 4). *L'humanité serait trop ignoble sans la douleur qui la purifie* (→ Exhausser, cit. 3). — (Choses, actions). Qui dénote la bassesse, l'infamie. *Conduite ignoble qui n'inspire que du dégoût.* ⇒ **Dégoûtant, déshonorant, odieux.** *La goinfrerie a quelque chose d'ignoble et de repoussant* (→ Gourmand, cit. 4). *Procédé, ruse ignoble* (→ Étrenne, cit. 4). *Abolir* (cit. 3) *l'ignoble pratique de la peine de mort. L'ignoble abrutissement* (cit. 3) *des peuplades sauvages. D'ignobles injures.* ⇒ **Ordurier** (→ Haut, cit. 31).

2 Un aboyeur des théâtres, Hébert, a l'heureuse idée de réunir dans un journal tout ce qu'il y a de bassesses, de mots ignobles, de jurons, dans tous les autres journaux. MICHELET, Hist. de la Révolution franç., IV, VIII.

3 M. Grosgeorge lui offrait le spectacle d'une des formes de la gourmandise humaine qu'elle jugeait la plus ignoble. J. GREEN, Léviathan, II, V.

4 Et ces affaires louches, ces causes iniques, ces intérêts ignobles, dont je deviendrai le défenseur et le mandataire. Bien la peine d'avoir fait le paladin pour arriver à ça. J. ROMAINS, les Hommes de bonne volonté, t. II, XV, p. 184.

5 Si l'homme veut se faire Dieu, il s'arroge le droit de vie ou de mort sur les autres. Fabricant de cadavres, et de sous-hommes, il est sous-homme lui-même et non pas Dieu, mais serviteur ignoble de la mort. CAMUS, l'Homme révolté, p. 302.

Spécialt. Qui est très nuisible, d'une manière basse, intéressée. *Des procédés ignobles. C'est ignoble, cette façon d'accabler un homme ruiné.*

N. *Le goût pervers de l'ignoble.* ⇒ **Ignominie.**

♦ **3.** Cour. D'une laideur affreuse ou d'une saleté repoussante. ⇒ **Dégoûtant, effrayant, hideux** (cit. 3), **immonde, répugnant.** *Spectacle ignoble.* ⇒ **Vomir** (à faire). *Blouse ignoble de taches* (→ Gris, cit. 18). *Taudis ignoble.* ⇒ **Infect.** — Par exagér. Très déplaisant (par sa laideur, son apparence déplaisante). *Une architecture ignoble* (→ Calotte, cit. 4; écraser, cit. 16). *Un ignoble accent faubourien* (cit. 2). *Un ignoble châle de laine noire* (→ Épingler, cit. 1). *Une ignoble chambre d'hôtel* (cit. 5).

6 (...) sa figure ignoble était devenue hideuse par l'effet de la terreur. STENDHAL, le Rouge et le Noir, III.

7 (...) tout ce qui est utile est laid; car c'est l'expression de quelque besoin; et ceux de l'homme sont ignobles et dégoûtants, comme sa pauvre et infirme nature. Th. GAUTIER, Préface de Mlle de Maupin, éd. critique MATORÉ, p. 31-32. (→ Beau, cit. 5).

REM. Le mot est beaucoup plus fort en franç. mod. (sens A, 2 et 3) que dans l'usage ancien.

Par ext. ⇒ **Affreux, horrible.** *Il fait un temps ignoble.* ⇒ **Infect.**

(Personnes). *Un acteur, un chanteur ignoble,* très mauvais. ⇒ **Infect.**

B. (XVe). Techn. (fauconn.). Se dit des oiseaux de proie qui refusent de se laisser dresser pour la chasse. *L'aigle, le milan, par opposition au faucon sont qualifiés d'oiseaux ignobles.*

CONTR. Beau, distingué, éminent, noble, relevé, remarquable.
DÉR. Ignoblement.

IGNOBLEMENT [iɲɔbləmɑ̃] adv. — 1576, *ignobilement;* sens mod., 1762; de *ignoble.*

♦ **1.** D'une manière ignoble (A., 2.). *Il s'est conduit ignoblement dans cette affaire. Ils ont ignoblement traité leur mère. — Ignoblement sale, lâche.*

Littér. (avec un adj. de valeur positive). «*J'étais ignoblement heureux...*» (J. Guéhenno, *in* T. L. F.).

♦ **2.** Par exagér. (→ Ignoble, A., 3.). ⇒ **Affreusement, horriblement.** «*Il était ignoblement myope*» (Céline, *in* T. L. F.). «*Je m'ennuie ignoblement*» (S. de Beauvoir, *l'Invitée,* p. 353). — REM. Le mot reste plus fort, plus stylistique que ses synonymes.

IGNOMINIE [iɲɔmini] n. f. — V. 1460; lat. *ignominia* «déshonneur», de 1. *in-*, et *gnomen,* anc. forme de *nomen* «nom».
Littéraire ou style soutenu.

♦ **1.** Déshonneur extrême, causé par un outrage public, une peine, une action infamante. ⇒ **Abjection, déshonneur, honte** (cit. 5), **infamie, opprobre** (→ Assiéger, cit. 11). *Plein d'ignominie.* ⇒ **Ignominieux.** *Tomber, verser dans l'ignominie* (→ Église, cit. 9). *Se couvrir d'ignominie. S'exposer à l'ignominie. Traîner qqn dans l'ignominie.* ⇒ **Fange.** *Châtiment qui imprime une grande ignominie sur le coupable* (→ Effigie, cit. 6). ⇒ **Flétrissure.** *Être traité avec ignominie.* ⇒ **Ignominieusement.** *L'ignominie du forçat.* ⇒ **Dégradation.** — Caractère de ce qui déshonore. *L'ignominie d'une condamnation, d'un crime. L'ignominie d'une telle conduite.* ⇒ **Bassesse, turpitude.** — Par métaphore. *L'ignominie des âmes privées de la grâce* (→ Apologie, cit. 4).

Mais, quant à la couardise, il est certain que la plus commune façon est de la châtier par honte et ignominie. MONTAIGNE, Essais, I, XVI. 1

(...) j'en veux à genoux souffrir l'ignominie, 2
Comme une honte due aux crimes de ma vie. MOLIÈRE, Tartuffe, III, 6.

Qu'est-ce donc ici qui l'humilie, et de quoi a-t-il *(Jésus)* plus de honte? est-ce d'avoir à subir un châtiment qui ne convient qu'aux esclaves? En consentant à prendre la forme d'un esclave, il a consenti à en porter toute l'ignominie. BOURDALOUE, Exhortation sur la flagellation de J.-C., I. 3

N'espérez pas pouvoir être heureux si j'étais déshonorée, ni pouvoir, d'un œil satisfait, contempler mon ignominie et mes larmes. ROUSSEAU, Julie ou la Nouvelle Héloïse, I, Lettre XI. 4

Ne te suffit-il pas de m'avoir tourmentée, dégradée, avilie (...) dans ce séjour de ténèbres où l'ignominie m'a forcée de m'ensevelir, les peines sont-elles sans relâche, l'espérance est-elle méconnue? LACLOS, les Liaisons dangereuses, CLXI. 5

(...) il y aura quelqu'un qui aura ta casaque rouge, qui portera ton nom dans l'ignominie et qui traînera ta chaîne au bagne! HUGO, les Misérables, I, VII, III. 6

♦ **2.** *Une, des ignominies.* **a** Acte, situation qui cause l'ignominie. ⇒ **Affront;** → Cabale, cit. 3. *Les ignominies que la guerre* (cit. 35) *procure à l'humanité* (⇒ **Honte**). *On l'a chassé comme un chien, quelle ignominie!*

Un homme tel que moi voit sa gloire ternie, 7
Quand il tombe en péril de quelque ignominie (...) CORNEILLE, Horace, V, 2.

Seule dans son palais la modeste Junie 8
Regarde leurs honneurs comme une ignominie. RACINE, Britannicus, II, 2.

Il vit tranquillement dans les ignominies, 9
Simple jésuite et triple gueux. HUGO, les Châtiments, IV, VII.

b Action ignoble. ⇒ **Turpitude.** *Tolérer les ignominies de qqn* (→ Félonie, cit. 1). *Commettre une ignominie. S'abaisser aux pires ignominies.*

CONTR. Gloire, grandeur, honneur, noblesse.

IGNOMINIEUSEMENT [iɲɔminjøzmɑ̃] adv. — 1455; de *ignominieux.*

♦ Littér. Avec ignominie, d'une manière ignominieuse. ⇒ **Honteusement.** *Mourir ignominieusement* (→ Arbre, cit. 50).

(...) faut-il voir massacrer mon Père devant moi ou mourir ignominieusement par les mains de la Justice (...) CYRANO DE BERGERAC, le Pédant joué, IV, 3.

IGNOMINIEUX, EUSE [iɲɔminjø, øz] adj. — 1455; lat. *ignominiosus,* de *ignominia.* → Ignominie.

♦ Littér. Qui apporte, cause de l'ignominie. ⇒ **Abject, honteux.** «*Supplice ignominieux*» (Académie). *Condamnation ignominieuse.* ⇒ **Flétrissant.** *Conduite ignominieuse.* ⇒ **Infâme, méprisable.** — (Personnes). Rare. Couvert d'ignominie. → ci-dessous, cit. 3.

(...) pour rendre sa défaite plus ignominieuse (...) 1
MOLIÈRE, l'Impromptu de Versailles, 5.

(...) la passion de Jésus-Christ, quelque douloureuse et ignominieuse qu'elle nous paraisse (...) BOURDALOUE, 1er Sermon sur la Passion de J.-C., II. 2

On jugera si, à moins d'être le dernier des infâmes, j'ai pu tenir des arrangements qu'on a toujours pris soin de me rendre ignominieux, en m'ôtant avec soin toute autre ressource, pour me forcer de consentir à mon déshonneur. ROUSSEAU, les Confessions, XII. 3

(...) s'apprêter à subir le pire et le plus ignominieux des destins. 4
CÉLINE, Voyage au bout de la nuit, p. 86.

CONTR. Glorieux.
DÉR. Ignominieusement.

IGNORAMMENT [iɲɔʀamɑ̃] adv. — V. 1283; de *ignorant.*

♦ Vx (anc., moy. franç. et langue class.). Par ignorance.

IGNORANCE [iɲɔʀɑ̃s] n. f. — 1120, relig., « faute commise par manque de connaissance, par négligence »; sens mod., XIIIe; lat. *ignorantia,* de *ignorans.* → Ignorant.

♦ **1.** État, situation d'une personne qui ignore*; le fait de ne pas connaître (qqch.). *L'ignorance de qqn quant à qqch., sur qqch. L'ignorance de qqch.* (par qqn). *Une coupable, une impardonnable ignorance du devoir. Notre ignorance de l'histoire* (→ Calomnier, cit. 5). *Ignorance crasse,* complète, totale. *Une crasse* (cit. 3) *ignorance de la géographie. L'ignorance des vérités chrétiennes* (→ Hérésie, cit. 1). (ÊTRE) DANS L'IGNORANCE DE... : ignorer... *Tenir qqn dans l'ignorance de ce qu'on fait. Les hommes vivent dans l'absolue* (cit. 11) *ignorance de ce qu'ils sont* (→ Éclaircissement, cit. 1). *« L'homme sans Dieu* (cit. 3) *est dans l'ignorance de tout »* (Pascal). *Il était alors dans une complète ignorance de l'amour* (→ Coquetterie, cit. 7). ⇒ **Inconscience.** *L'ignorance dans laquelle j'étais, où j'étais de cette affaire. Il a échoué par ignorance de la situation, des conditions réelles. — S'aventurer par ignorance du danger.* ⇒ **Méconnaissance** (→ Endormir, cit. 16). *Commettre une bévue, une gaffe par ignorance des règles du savoir-vivre.*

1 Nous sommes (...) dans une grande ignorance de toutes les affaires publiques (...)
Mme DE SÉVIGNÉ, 1283, 25 juin 1690.

2 C'est cette ignorance de la nature de l'homme qui jette tant d'incertitude et d'obscurité sur la véritable définition du droit naturel (...)
ROUSSEAU, De l'inégalité parmi les hommes, Préface.

3 (...) je vais accuser plus que jamais mon ignorance de l'allemand qui ne m'a jamais permis que de l'épeler à peine.
SAINTE-BEUVE, Correspondance, 1331, 17 avr. 1842.

4 (...) une demoiselle qui avait reçu tant d'instruction! une pureté si absolue, élevée dans l'ignorance de tout! ZOLA, la Terre, V, V.

5 L'ignorance des dangers *(chez les jeunes gens)* fait leur force.
GIDE, les Faux-monnayeurs, III, XII.

Vx. *Être dans l'ignorance si...,* suivi de l'indic. (→ Enfer, cit. 7). *Ignorance en, sur* (rare), *en matière de... :* défaut de connaissances ou de pratique (dans un domaine déterminé). ⇒ **Impéritie, incapacité, incompétence, insuffisance.** *Ignorance en mathématiques, en musique. Faire preuve d'une ignorance flagrante, inqualifiable en matière de... Reconnaissez votre ignorance sur ce chapitre.*

6 L'ignorance où il était sur la plupart des choses de la vie lui donnait cette naïveté, qui est un agrément quand elle n'est pas un ridicule (...)
D'ALEMBERT, Éloge de J. Terrasson, Œ., t. III, p. 373.

7 Je me suis un peu mêlé du passé, mais j'avoue en général ma profonde ignorance sur l'avenir. VOLTAIRE, Lettre à Courtivron, 1296, 22 juil. 1755.

Absolt. Absence de connaissance, inexpérience totale. ⇒ aussi 2. **Amathie** (rare).

8 *L'ignorance* consiste proprement dans la privation de l'idée d'une chose, ou de ce qui sert à former un jugement sur cette chose. Il y en a qui la définissent *privation ou négation de science;* mais comme le terme de science, dans son sens précis et philosophique, emporte une connaissance certaine et démontrée, ce serait donner une définition incomplète de l'ignorance, que de la restreindre au défaut des connaissances certaines. On n'ignore point une infinité de choses qu'on ne saurait démontrer. Encyclopédie (DIDEROT), art. *Ignorance.*

Nous vivons en aveugles dans une entière ignorance (→ 1. Bon, cit. 2). *Les ténèbres de l'ignorance* (→ Erreur, cit. 14). *Vous n'en jugez ainsi que par ignorance* (→ Contingent, cit. 2). *Pécher* par ignorance. Aborder qqn en feignant l'ignorance* (→ Comme si de rien* n'était). — *Dans l'ignorance. Laisser qqn dans l'ignorance (de qqch., sur qqch.). Agir en tenant qqn dans l'ignorance.* ⇒ **Insu** (à l'insu de...). — *L'ignorance de qqn. Être honteux de son ignorance* (→ Béer, cit. 15). *L'ignorance de l'apprenti, du novice.* ⇒ **Inexpérience.** *Affecter l'ignorance.*

9 Oh! que c'est un doux et mol chevet, et sain, que l'ignorance et l'incuriosité, à reposer une tête bien faite! MONTAIGNE, Essais, III, 13.

10 Je lui demandai s'il ne savait rien, je le tournai (...) pour lui faire honte de son ignorance, qui si souvent l'avait jeté dans des panneaux et des périls (...) Quand je l'eus bien promené sur son ignorance, je lui appris ce que je venais de savoir. Mon homme fut interdit (...) SAINT-SIMON, Mémoires, III, V.

11 *(L'homme)* est sujet à l'ignorance et à l'erreur, comme toutes les intelligences finies; les faibles connaissances qu'il a, il les perd encore.
MONTESQUIEU, l'Esprit des lois, I, I, p. 3.

12 Qui es-tu? d'où viens-tu? que fais-tu? que deviendras-tu? C'est une question qu'on doit faire à tous les êtres de l'univers, mais à laquelle nul ne répond (...) Ces êtres insensibles et muets (...) me laissent à mon ignorance et à mes vaines conjectures.
VOLTAIRE, le Philosophe ignorant, I.

13 (...) souviens-toi sans cesse que l'ignorance n'a jamais fait de mal, que l'erreur seule est funeste, et qu'on ne s'égare point par ce qu'on ne sait pas, mais par ce qu'on croit savoir. ROUSSEAU, Émile, III.

14 L'ignorance et l'incuriosité sont deux oreillers fort doux, mais pour les trouver tels, il faut avoir la tête aussi bien faite que Montaigne.
DIDEROT, Pensées philosophiques, XXVII, *in* GUERLAC.

15 Nous ne pouvons savoir! — Nous sommes accablés
D'un manteau d'ignorance et d'étroites chimères! RIMBAUD, Poésies, V.

(Qualifié par un adj.). *Une ignorance aveugle, partielle, totale, inexcusable, volontaire.*

Spécialt. État d'un enfant, d'une personne qui n'est pas averti(e) des réalités de la vie, notamment de la vie sexuelle. *Ignorance candide.* ⇒ **Ingénuité, innocence.** *Ignorance du jeune homme* (cit. 150), *ignorance amoureuse, sexuelle.* ⇒ **Inexpérience.**

(...) cette honnête et pudique ignorance. MOLIÈRE, l'École des femmes, I, 3. 16

(...) le mariage m'avait laissée dans l'ignorance qui donne à l'âme des jeunes filles la beauté des anges. BALZAC, le Lys dans la vallée, Pl., t. VIII, p. 1018. 17

(Mérimée) comme son ami Stendhal en semblable occasion, fit un complet fiasco. À sa grande surprise, il trouva une femme prude, qui manqua d'adresse secourable; tant par ignorance que par fierté. A. MAUROIS, Lélia, III. 18

♦ **2.** (1611). Manque d'instruction*, de savoir*; absence ou insuffisance de connaissances intellectuelles, de culture générale (→ Défaut, cit. 3, Vauvenargues). *L'aveuglement de l'ignorance* (→ Bévue, cit. 2). *Fakirs* (cit. 2) *qui vivent de l'ignorance et de la crédulité des masses.* ⇒ **Naïveté.** *L'ignorance accroît la corruption* (cit. 6) *des mœurs. Le mal vient de l'ignorance* (→ Dégât, cit. 3). *L'ignorance qui fait les grands sots* (→ Croire, cit. 29). *Des empiriques* (cit. 3) *qui se font gloire de leur ignorance. Épaisse croûte* (cit. 10) *d'ignorance* (→ Épaisseur, cit. 2). *Être d'une ignorance extrême* (→ Corbillon, cit. 2). *Croupir* (cit. 1), *s'encroûter, s'enfoncer* (cit. 27) *dans l'ignorance. Tirer qqn de son ignorance* (⇒ **Décrasser, décrotter**). *Montrer à qqn son ignorance.* ⇒ **Béjaune** (vx). — *Ignorance crasse* (cit. 2). ⇒ **Ânerie, bêtise, idiotisme** (vx). *Ignorance poussée jusqu'à l'hébétement* (cit. 3). — (Dans un contexte social). *L'ignorance d'un peuple, d'une société, de certaines couches sociales.* → Ébranler, cit. 9; écrivain, cit. 4; glissement, cit. 8. *Ignorance grossière, totale des premiers âges de l'humanité.* ⇒ **Barbarie, ilotisme;** → Aïeul, cit. 6; barbare, cit. 10; expérience, cit. 33; habitant, cit. 8.

(...) je me trouvais embarrassé de tant de doutes et d'erreurs qu'il me semblait n'avoir fait autre profit, en tâchant de m'instruire, sinon que j'avais découvert de plus en plus mon ignorance. DESCARTES, Discours de la méthode, I. 19

(...) les grandes âmes, qui, ayant parcouru tout ce que les hommes peuvent savoir, trouvent qu'ils ne savent rien et se rencontrent en cette même ignorance d'où ils étaient partis; mais c'est une ignorance savante qui se connaît. 20
PASCAL, Pensées, V, 327.

Il fait profession de chérir l'ignorance 21
Et de haïr surtout l'esprit et la science. MOLIÈRE, les Femmes savantes, IV, 3.

L'ignorance vaut mieux qu'un savoir affecté. BOILEAU, Épîtres, IX. 22

Comme l'ignorance est un état paisible et qui ne coûte aucune peine, l'on s'y range en foule, et elle forme à la cour et à la ville un nombreux parti, qui l'emporte sur celui des savants. LA BRUYÈRE, les Caractères, XII, 18. 23

Il ne manquait pas d'esprit, mais il était d'une ignorance crasse; à peine savait-il lire et écrire. A.-R. LESAGE, Gil Blas, XII, 5. 24

Ainsi, le premier pas que j'ai fait pour sortir de mon ignorance a franchi les bornes de tous les siècles. Mais quand j'ai voulu marcher dans cette carrière infinie ouverte devant moi, je n'ai pu ni trouver un seul sentier, ni découvrir pleinement un seul objet; et du saut que j'ai fait pour contempler l'éternité, je suis retombé dans l'abîme de mon ignorance. 25
VOLTAIRE, Dict. philosophique, art. *Ignorance.*

Conservons un peu d'ignorance, pour conserver un peu de modestie et de déférence à autrui : sans ignorance point d'amabilité. Quelque ignorance doit entrer nécessairement dans le système d'une excellente éducation. 26
Joseph JOUBERT, Pensées, XIX, XX.

(...) l'ignorance, cette couche obscure où l'humanité a dormi pesamment son premier âge. ZOLA, le Docteur Pascal, I, p. 37. 27

Sur son visage affleura soudain le masque du grand homme, que le savoir sépare de l'ignorance des simples. MARTIN DU GARD, les Thibault, t. V, p. 171. 28

Loin d'entraîner aussitôt l'assentiment et le progrès, il a dû combattre de près l'ignorance et la routine. L'incurie regimbait avec ses affronts habituels. 29
Henri MONDOR, Pasteur, Avant-propos, p. 9.

♦ **3.** *(Une, des ignorances).* Manifestations, preuves d'ignorance. *Ignorances puériles.* ⇒ **Ingénuité, naïveté.** *Montrer de graves ignorances en* (un domaine). ⇒ **Lacune.** *Ses ignorances font de lui un objet de risée. Avouer* (cit. 20.1), *confesser, manifester une ignorance. Une ignorance bien excusable.*

(...) je crois que vous avez imprimé des sottises énormes. Je pourrais transcrire ici un gros volume de vos ignorances, et plusieurs de celles de vos confrères. 30
VOLTAIRE, Dict. philosophique, Ignorance.

Au sens spécial (*supra* cit. 16).

(les) célestes ignorances d'un jeune cœur qui s'éveille à l'amour. 31
Th. GAUTIER, Mlle de Maupin, V.

CONTR. Connaissance, culture, érudition, expérience, instruction, savoir, science.

IGNORANT, ANTE [iɲɔʀɑ̃, ɑ̃t] adj. — Av. 1250, « qui ignore qqch., n'en tient pas compte »; sens 1, v. 1340; lat. *ignorans,* p. prés. de *ignorare.* → Ignorer.

♦ **1.** a *Ignorant (de).* Qui n'a pas la connaissance (de qqch.); qui n'est pas au courant, pas informé de (qqch.). → Effigie, cit. 2. *Être ignorant des événements contemporains* (→ Curieux, cit. 2). *Être ignorant de l'heure* (cit. 21). *Un homme ignorant des usages. Il est complètement ignorant de ce qui se passe* (→ Ne savoir rien* de rien; avoir la tête dans un sac* (vx); ne pas être dans le coup*, ne pas être branché*). *Comment pouvez-vous être ignorant de la nouvelle?* (→ D'où sortez*-vous?). *Elle tient à rester totalement ignorante de ces machinations.* ⇒ **Étranger** (à).

Mais, sans cesse ignorants de nos propres besoins,
Nous demandons au ciel ce qu'il nous faut le moins. BOILEAU, Épîtres, V.

Longtemps, elle piétina, ignorante de l'heure et du chemin.
ZOLA, l'Assommoir, t. II, XII, p. 239.

(...) la jeune fille exaltée, ignorante de l'abîme sans fin que peut devenir un cœur d'homme (...) Émile HENRIOT, Portraits de femmes, p. 287.

(Sans compl.). Qui est dans l'ignorance*. *L'homme, être ignorant et borné* (→ Conscience, cit. 14). — Par ext. *Prendre un air ignorant.* — Prov. *J'en suis aussi ignorant que l'enfant qui vient de naître* : j'ignore tout de l'affaire en question.

b *Ignorant en, sur, à propos de, quant à...* Qui manque de connaissances ou de pratique dans un certain domaine. *Ignorant en histoire, en médecine... Il est très ignorant là-dessus.* — (Sans compl.). *Il est jeune et ignorant.* → fam. C'est jeune, et ça ne sait* pas; il n'a encore rien vu*. *Jeune homme ignorant, qui se laisse entortiller* (cit. 1) *par une femme.* ⇒ **Inexpérimenté, ingénu, novice; béjaune.** Spécialt (dans l'exercice d'une fonction, d'une profession). ⇒ **Incapable, incompétent, inhabile.** *Juge, magistrat ignorant* (→ Corruptible, cit.; fomenter, cit. 3). *Musiciens ignorants qui estropient* (cit. 7) *un morceau.*

D'un magistrat ignorant
C'est la robe qu'on salue. LA FONTAINE, Fables, V, 14.

Oui, j'ai dit dans mes vers qu'un célèbre assassin,
Laissant de Galien la science infertile,
D'ignorant médecin devint maçon habile (...) BOILEAU, Épigrammes, IX.

Et certes, rien pour l'ordinaire de plus ignorant en matière de religion, que ce qu'on appelle les libertins du siècle.
BOURDALOUE, Sermon 1er Avent, Sur le jugement dernier, I.

N. *Quel ignorant!* ⇒ **Croûte, croûton, nullard.** *Vous parlez en ignorant. Les estampes* (cit. 3) *de Rembrandt sont goûtées même des ignorants.* ⇒ **Béotien, profane.** *Faire l'ignorant* : feindre de ne pas savoir de quoi il s'agit. *C'est une ignorante.*

En cadence, violons, en cadence. Oh! quels ignorants! Il n'y a pas moyen de danser avec eux. Le diable vous emporte! ne sauriez-vous jouer en mesure? (...)
MOLIÈRE, les Précieuses ridicules, XII.

Il *(saint Paul)* ira, cet ignorant dans l'art de bien dire, avec cette locution rude, avec cette phrase qui sent l'étranger, il ira en cette Grèce polie, la mère des philosophes et des orateurs (...) BOSSUET, Panégyrique de saint Paul.

L'archevêque fit l'ignorant, le piteux, le désespéré d'avoir déplu au Roi pour une bagatelle qu'il avait crue innocente (...) SAINT-SIMON, Mémoires, II, XXIX.

10 J'avouerai mon incompétence à l'égard des travaux scientifiques de la marquise du Châtelet, fondements de l'impressionnante gloire dont elle jouit encore chez les ignorants. Émile HENRIOT, Portraits de femmes, p. 179.

♦ **2.** Qui manque d'instruction, de savoir. ⇒ **Illettré, ignare, ignorantin, inculte** (→ Ami, cit. 5; barbarie, cit. 4; endormir, cit. 5; frotter, cit. 22; générateur, cit. 3). *Un homme* (cit. 108) *ignorant et grossier* (⇒ **Barbare**), *ignorant et stupide.* ⇒ **Aliboron, âne** (cit. 9), **baudet, bête, bourrique, sot.** *Il est ignorant mais fort intelligent.* ⇒ **Inculte.** *Élève doué, mais ignorant.* — Loc. Vx. *Être ignorant à vingt-trois carats* (cit. 2). — *Ignorant comme une carpe* (→ Piller, cit. 10), *une cruche* : très ignorant. ⇒ **Ignorantissime** (vx). *Une cervelle ignorante* (→ Esculape, cit.). (Contexte social). *Une population ignorante. Classe sociale ignorante.* → Faillite, cit. 6. — Par métonymie. *Les siècles ignorants* (→ Gothique, cit. 4).

11 (...) un sot savant est sot plus qu'un sot ignorant.
MOLIÈRE, les Femmes savantes, IV, III.

12 Il faut être ignorant comme un maître d'école
Pour se flatter de dire une seule parole
Que personne ici-bas n'ait pu dire avant vous.
A. DE MUSSET, Premières poésies, « Namouna », II, IX.

13 Bien qu'elle fût ignorante comme une carpe, elle s'amusait à opposer la culture française à la culture allemande (...)
R. ROLLAND, Jean-Christophe, La révolte, p. 526.

N. (XIVe). *Un ignorant, une ignorante. Quel ignorant!* ⇒ **Âne** (bâté). *Ignorant! Espèce d'ignorant!* (→ Gravité, cit. 13). *Vous êtes de grands* (cit. 33), *de fieffés, de francs ignorants. L'ignorant ne s'enquiert* (cit. 3) *de rien. Dégrossir* un ignorant.*

14 (...) ayant appris comme chose très assurée que le chemin *(du ciel)* n'en est pas moins ouvert aux plus ignorants qu'aux plus doctes, et que les vérités révélées qui y conduisent sont au-dessus de notre intelligence (...)
DESCARTES, Disc. de la méthode, I.

15 Mais j'aimerais mieux être au rang des ignorants,
Que de me voir savant comme certaines gens.
MOLIÈRE, les Femmes savantes, IV, 3.

16 Taisez-vous, ignorante (...) MOLIÈRE, le Malade imaginaire, I, 2.

17 Nous étions de grands ignorants et de misérables barbares, quand ces Arabes se décrassaient. Nous nous sommes formés bien tard en tout genre, mais nous avons regagné le temps perdu(...) VOLTAIRE, Lettre à M. Paulet, 3320, 22 avr. 1768.

18 (...) on en distinguera mieux un ignorant d'un homme instruit (...)
BEAUMARCHAIS, la Mère coupable, I, 12.

19 C'était, nous l'avons dit, un ignorant; mais ce n'était pas un imbécile.
HUGO, les Misérables, I, II, VII.

CONTR. Averti, clerc, complice, connaisseur, cultivé, désabusé, docte, éclairé, entendu, érudit, expérimenté, fort, instruit, lettré, savant.

DÉR. Ignoramment, ignorantin, ignorantisme, ignorantissime.

IGNORANTIN, INE [iɲɔʀɑ̃tɛ̃, in] n. m. et adj. — 1752; de *ignorant*, d'après l'ital. *Ignorantelli* ou par anal. avec d'autres adj., comme *augustin, ine.*

★ **I.** *Frères ignorantins*, et n. m., *les ignorantins*, nom qu'avaient pris, par humilité, les religieux de l'ordre de Saint-Jean-de-Dieu. — Péj. Frère de la doctrine chrétienne.

On a encouragé l'esprit prêtre, on a laissé les couvents envahir la France et les sales ignorantins s'emparer de l'éducation.
G. SAND, Correspondance, t. V, p. 195, *in* T. L. F.

Il établissait des comparaisons entre les écoles primaires et les frères ignorantins, au détriment de ces derniers (...) FLAUBERT, Mme Bovary, III, XI. 2

★ **II.** Adj. (De *ignorant*, et du sens I). Ignorant, sans culture (et en même temps prétentieux).

(...) cette sorte de phonation à la fois déclamatoire, familière, condescendante, ignorantine et maniérée. Jacques PERRET, Bâtons dans les roues, p. 115. 3

Choses. « *Une tradition ignorantine* (...) *ne propose plus aujourd'hui que les œuvres les moins pures de Liszt...* » (Guy de Pourtalès, *Vie de Liszt*, p. 129, *in* T. L. F.).

IGNORANTISME [iɲɔʀɑ̃tism] n. m. — 1829; de *ignorant.*
Didactique ou littéraire.

♦ **1.** Doctrine de ceux qui considèrent que l'instruction est nuisible. ⇒ **Obscurantisme.**

♦ **2.** Attitude d'une personne qui se complaît dans l'ignorance.

DÉR. Ignorantiste.

IGNORANTISSIME [iɲɔʀɑ̃tisim] adj. et n. — 1593; calque de l'ital. *ignorantissimo*, superl. de *ignorante* « ignorant ».

♦ Vx (langue class.) Fam. Très ignorant.

Oui, je te soutiendrai par vives raisons que tu es un ignorant, ignorantissime (...)
MOLIÈRE, le Mariage forcé, IV.

IGNORANTISTE [iɲɔʀɑ̃tist] adj. et n. — 1842, *in* D. D. L.; de *ignorantisme.*

♦ Didact. ou littér. Partisan de l'ignorantisme.

IGNORÉ, ÉE [iɲɔʀe] adj. ⇒ **Ignorer.**

IGNORER [iɲɔʀe] v. tr. — 1330; lat. *ignorare* « ne pas connaître », de *ignarus* (→ Ignare), de 1. *in-*, et *gnarus* « qui sait ».

♦ **1.** (Le compl. est un nom ou un pronom).

a (Sens objectif). Ne pas connaître (cit. 8), ne pas savoir (⇒ **Ignorance** [être dans l'], **ignorant** [être]). *Ignorer les prophéties* (→ Arriver, cit. 49), *les événements* (→ Atteindre, cit. 9). *Ignorer les rudiments de la médecine* (→ Corps, cit. 16), *les langues étrangères* (→ Enrichir, cit. 5), *l'histoire* (cit. 1 et 33). « *Nul n'est censé* (cit. 3) *ignorer la loi* ». *Ignorer les idées neuves* (→ Ambiant, cit. 2). *Le désir d'apprendre* (cit. 7) *ce que les autres ignorent.* — *J'ignore tout de cette affaire* (→ Ne pas connaître, ne pas savoir le premier mot* de...). *N'ignorer rien, ne rien ignorer de qqch. J'en ignore tout. Il n'en ignore rien.* — *Ignorer le comment et le pourquoi de qqch. J'ignore les raisons de son acte, de son silence. Feindre d'ignorer ce qu'on sait* (→ Entendre, cit. 17). *Je veux bien ignorer vos sottises* (→ Fermer les yeux* sur). *Ignorer l'issue d'une entreprise* (cit. 10). *J'ai des enfants, vous ne l'ignorez pas* (→ Gêner, cit. 24).

b (Sens subjectif). *Homme qui ignore son mérite.* ⇒ **Méconnaître** (→ Enfler, cit. 13). *L'homme* (cit. 45) *ignore ses propres richesses. Candeur* (cit. 5) *d'une enfant qui ignore sa beauté.* — Pron. (à sens réfléchi). *S'ignorer soi-même* : ne pas connaître sa nature, ses possibilités (→ ci-dessous, cit. 3). *C'est un sadique qui s'ignore.* ⇒ **Inconscient** (→ ci-dessous, cit. 14). *La grâce* (cit. 68) *qui s'ignore*, qui n'a pas conscience de son charme. *Sentiment qui s'ignore soi-même* (→ aussi Aimer, cit. 58; auteur, cit. 7; avalanche, cit. 7; blasphémer, cit. 7; croissance, cit. 1; écriture, cit. 18; esseulé, cit. 2).

Dans l'amitié comme dans l'amour, on est souvent plus heureux par les choses qu'on ignore que par celles que l'on sait. LA ROCHEFOUCAULD, Maximes, 441. 1

J'ignore le destin d'une tête si chère; 2
J'ignore jusqu'aux lieux qui le peuvent cacher. RACINE, Phèdre, I, 1.

Mais souvent un esprit qui se flatte et qui s'aime 3
Méconnaît son génie, et s'ignore soi-même (...) BOILEAU, l'Art poétique, I.

Il ne faut pas juger d'un homme par ce qu'il ignore, mais par ce qu'il sait. 4
VAUVENARGUES, Réflexions et maximes, 615.

J'ai ignoré absolument pendant le quart de ma vie les raisons de tout ce que j'ai vu, entendu et senti, et je n'ai été qu'un perroquet sifflé par d'autres perroquets. 5
VOLTAIRE, Dict. philosophique, Ignorance.

Si nous savions ignorer la vérité, nous ne serions jamais les dupes du mensonge. 6
ROUSSEAU, Émile, I.

Sommes-nous des soldats qui tuent et se font tuer pour des intérêts qu'ils ignorent? 7
BEAUMARCHAIS, le Mariage de Figaro, V, 12.

La plus belle fille ne donne que ce qu'elle a, et l'ami le plus dévoué se tait sur ce qu'il ignore. A. DE MUSSET, Carmosine, III, 3. 8

J'ignore tout de toi! Qu'es-tu donc devenue? 9
APOLLINAIRE, Ombre de mon amour, XXII.

Il y a ce que l'on sait et il y a ce que l'on ignore. Entre deux, ce que l'on suppose. 10
GIDE, Journal, Novembre 1924.

Combien on s'ignore, on le mesure en se relisant. VALÉRY, Rhumbs, p. 159. 11

Les gens bien portants sont des malades qui s'ignorent. J. ROMAINS, Knock, I, 1. 12

(...) vous êtes tous envoyés à la mort par le jeu d'alliances secrètes, anciennes, arbi- 13 traires, dont vous ignoriez la teneur, et que jamais aucun de vous n'aurait contresignées! (...) MARTIN DU GARD, les Thibault, t. VIII, p. 107.

14 Tout homme est un criminel qui s'ignore CAMUS, l'Homme révolté, p. 299.

c Vieilli. Ne pas connaître (*connaître* a la même nuance). *Chercher à se faire ignorer* (→ 1. Farder, cit. 7), à ne pas être reconnu. *Le public ignore cet auteur.* ⇒ **Méconnaître.** — Spécialt. *Ignorer qqn,* le traiter comme si sa personne, son existence, ses sentiments ne méritaient aucune considération. *La société moderne ignore l'individu* (→ Homme, cit. 88). — Faire semblant de ne pas connaître. *Quand je le croise dans la rue, il m'ignore.* Pron. (récipr.). *Ils s'ignorent, ils ne se saluent plus.* → ci-dessous S'ignorer.

15 (...) je ne prétends plus ignorer ni souffrir
Le ministre insolent (...) RACINE, Britannicus, II, 1.

16 (...) je l'ignore profondément et me garderai bien de lui donner signe de vie. SAINTE-BEUVE, Correspondance, 300, 13 juil. 1833, t. I, p. 370.

♦ **2.** Ne pas avoir l'expérience de, n'avoir pas éprouvé... *Ignorer les malheurs* (→ Accabler, cit. 13). *Ignorer la sensation de l'attente* (cit. 2), *les puissances de l'amour-propre* (→ Enivrer, cit. 12).

17 J'ignore jusques à présent l'usage des lunettes (...) MONTAIGNE, Essais, III, XIII.

18 Mais, hélas! de l'amour ignorons-nous l'empire? RACINE, Bajazet, III, 7.

19 Ceux qui n'ont jamais souffert ne savent rien; ils ne connaissent ni les biens ni les maux; ils ignorent les hommes; ils s'ignorent eux-mêmes. FÉNELON, Télémaque, XII.

20 (...) elle *(la Vierge Marie)* ignore les saintes colères du Seigneur : elle est toute bonté, toute compassion, toute indulgence. CHATEAUBRIAND, le Génie du christianisme, I, I, V.

21 (...) sa simplicité ignorait les complications de la vie contemporaine (...) LOTI, Matelot, XXVIII.

22 *(Les optimistes)* ignorent les délices tremblantes de la possession très précaire, qui la font goûter cent fois dans le cœur et dans la pensée comme par le fait de la chair même. André SUARÈS, Trois hommes, II, « Ibsen », IX.

♦ **3.** Absolt. Être dans l'ignorance intellectuelle (→ sens 1, ci-dessus) ou psychique et globale (→ sens 2, ci-dessus; → 1. Goûter, cit. 14).

23 (...) nous sentons une image de la vérité, et ne possédons que le mensonge; incapables d'ignorer absolument et de savoir certainement, tant il est manifeste que nous avons été dans un degré de perfection dont nous sommes malheureusement déchus! PASCAL, Pensées, VII, 434.

24 Votre crime est d'être homme et de vouloir connaître :
Ignorer et servir, c'est la loi de notre être.
LAMARTINE, Premières Méditations, « L'homme ».

25 Le savant sait qu'il ignore. HUGO, Post-Scriptum de ma vie, Tas de pierres, II.

♦ **4.** Trans. ind. (avec *de*). Vx ou archaïsme littér. *Ignorer de* (qqch.). *Il ignorait de vous avoir fait tant de peine.* — *En ignorer* : n'en rien savoir. — *Ne pas ignorer de* (qqch.).

26 La musique m'embête. La peinture, j'en ignore (...) J. RENARD, Journal, 21 févr. 1890.

Mod. (littér. ou dr.). En emploi négatif. *Pour que nul n'en ignore :* pour que tout le monde le sache.

27 Va! Préviens qui tu veux. Je voudrais que nul n'en ignore. GIDE, Œdipe, III.

28 — Pourquoi me dis-tu tout cela? fit enfin Patrice Périot dans un souffle. — Pour que tu n'en ignores. G. DUHAMEL, le Voyage de P. Périot, XIII.

♦ **5.** (Avec une proposition pour complément). **a** Rare. Suivi d'une proposition infinitive. *Il ignorait vous avoir fait tant de peine. Il n'ignore pas être haï* (ou, vx, *d'être haï*).

28.1 (...) une de ces fautes de participes qu'il ignorait être chères à Mme de Sévigné et au duc de Saint-Simon. J. GIRAUDOUX, Juliette au pays des hommes, p. 75.

b Cour. Suivi d'une proposition interrogative indirecte. (→ Astre, cit. 19; épidémie, cit. 1). *Il ignore qui je suis* (→ Enchaîner, cit. 4). *J'ignore comment il est venu, où et quand il repartira. J'ignore comment il a pu s'y prendre.* ⇒ **Demander** (se). *On ignore encore quelle est la nature de leur action sur les cellules* (→ Hormone, cit. 2). *J'ignore où il va. J'ignore sur quoi il se base.* — **IGNORER SI,** suivi de l'indic. ou du cond. (→ Étincelant, cit. 10). *Il ignore si vous avez reçu sa lettre. J'ignorais si vous viendriez.*

29 Mais Rome ignore encor comme on perd des batailles. CORNEILLE, Horace, I, 1.

30 (...) il *(Le Tellier)* persiste dans sa paisible retraite (...) encore qu'il n'ignorât pas ce qu'on machinait contre lui durant son absence (...) BOSSUET, Oraison funèbre de Michel Le Tellier.

31 Il s'aperçut bien, à la surprise qu'on (...) fit paraître en le revoyant, que l'on n'ignorait pas pourquoi il s'était éclipsé (...) A.-R. LESAGE, le Diable boiteux, XX.

32 J'ignore comment j'ai été formé, et comment je suis né, VOLTAIRE, Dict. philosophique, Ignorance.

33 (...) j'ignore s'ils *(ces reproches et ces larmes)* étaient vrais ou feints (...) LACLOS, les liaisons dangereuses, XCVI.

34 Ignorant d'où je viens, incertain où je vais (...) LAMARTINE, Premières méditations, « L'homme ».

35 Lorsque tout me ravit, j'ignore
Si quelque chose me séduit.
BAUDELAIRE, les Fleurs du mal, « Spleen et idéal », XLI.

36 Je ne peux pas vous faire ce certificat parce qu'en fait, j'ignore si vous avez ou non cette maladie (...) CAMUS, la Peste, p. 101.

c Cour. **IGNORER QUE,** suivi d'une complétive à l'indic. ou au subj. — REM. « Selon Littré, *ignorer que* amènerait l'indicatif, s'il est employé négativement : *"Je n'ignore pas qu'il a voulu me nuire"*; mais le subjonctif si le tour est affirmatif : *"Il ignorait qu'on fît des informations contre lui"*. Cependant, même si la phrase est affirmative, l'indicatif est possible dans la subordonnée : *"Il ignorait que vous étiez là"*; cet indicatif met dans tout son jour la réalité de la présence » (G. et R. Le Bidois, *Syntaxe du franç. moderne*, II, III, p. 346). *Vous n'ignorez pas que je suis helléniste* (cit. 2) *par goût. Ignorez-vous que Dieu fixât* (cit. 1) *le soleil au milieu du ciel pour Josué? Ils ignorent que ce sont de fausses étoiles* (cit. 27).

Mais vous n'ignorez pas que dans les affaires importantes, on ne reçoit de preuves que par écrit. LACLOS, les Liaisons dangereuses, XX. 3

Jusqu'à l'instant du bal, le comte ignorera que vous soyez au château. BEAUMARCHAIS, le Mariage de Figaro, II, 5. 3

(...) elle ignorera que pour elle, à cause d'elle, j'ai usé ma vie et tout sacrifié (...) E. FROMENTIN, Dominique, IX. 3

Il n'ignorait pas non plus qu'elle pouvait être brusque et inégale comme une rivière de montagne. COLETTE, la Chatte, p. 6. 4

(...) on est confondu de les voir ignorer que le moraliste est par essence un utopiste et que le propre de l'action morale est précisément de créer son objet en l'affirmant. Julien BENDA, la Trahison des clercs, p. 194. 4

Certes, il n'ignorait pas que dans les affaires de contre-espionnage la police collabore avec les militaires (...) J. ROMAINS, les Hommes de bonne volonté, t. IV, XIX, p. 206. 4

Littér. (En proposition coordonnée : *ignorer qqch. et que...*) :

Anne ignorait son abaissement soudain, et que sa hauteur, son mépris, ne m'en imposaient plus. J. GIRAUDOUX, Simon le pathétique, p. 231. 42

▶ S'IGNORER v. pron.

Réfl. → ci-dessus, cit. 3 et *supra* cit. 1; cit. 14; cit. 19. — Passif. *Ce trafic ne pourra pas s'ignorer bien longtemps.* — Récipr. (au sens 1, c). *S'ignorer mutuellement.* → Escorter, cit. 9.

▶ IGNORÉ, ÉE p. p. adj.

Qui n'est pas su, connu. ⇒ **Inconnu.** *Plaisir ignoré* (→ Abhorrer, cit. 1). *Un nom longtemps ignoré* (→ Enfant, cit. 28). *Des cieux ignorés* (→ Caravelle, cit. 1). *Faits, événements ignorés* (→ 1. Faux, cit. 9; → horizon, cit. 16). *Sans l'histoire* (cit. 15) *le passé resterait ignoré. Les causes de la fièvre* (cit. 2) *étaient jadis ignorées. Ces problèmes sont complètement ignorés chez nous.* ⇒ **Étranger.** — *Vivre ignoré.* ⇒ **Obscur.** *Rôle ingrat et ignoré.* ⇒ **Effacé.** *Visiteur de marque qui souhaite que son séjour reste ignoré* (⇒ **Incognito**).

(Octavie) Inutile à la cour, en était ignorée. RACINE, Britannicus, III, 4. 4

Cette ardeur, jusqu'ici de vos yeux ignorée (...) MOLIÈRE, les Femmes savantes, V, 1. 4

(...) il n'y a rien de pire pour sa fortune que d'être entièrement ignoré. LA BRUYÈRE, les Caractères, XV, 16. 4

On surprend un regard, une larme qui coule; 4
Le reste est un mystère ignoré de la foule,
Comme celui des flots, de la nuit et des bois!
A. DE MUSSET, Poésies nouvelles, « Lucie ».

(...) sans le malheur d'Abailard, Héloïse eût été ignorée; elle fût restée obscure et dans l'ombre (...) MICHELET, Hist. de France, IV, IV. 4

(...) le silence répandu sur les grands espaces est plutôt une sorte de transparence aérienne, qui rend les perceptions plus claires, nous ouvre le monde ignoré des infiniment petits bruits, et nous révèle une étendue d'inexprimables jouissances. E. FROMENTIN, Un été dans le Sahara, p. 70. 4

(...) Sigeau en avait fait sa maîtresse. Situation ignorée d'abord par Mme Sigeau, puis tolérée avec résignation. J. ROMAINS, les Hommes de bonne volonté, t. III, XXIII, p. 308. 4

(...) un amour déguisé, peut-être ignoré d'elle-même (...) Émile HENRIOT, Portraits de femmes, p. 339. 5

CONTR. Apprendre (cit. 6, 54 et 56), **connaître, considérer, distinguer, 2. entendre, entrevoir, pratiquer, savoir.** — **Courant** (être au), **informé** (être). — (Du p. p.) **Célèbre, fameux.**

IGUANE [igwan] n. m. — 1658; *iuana,* 1533; *iguanné,* 1579; esp. *iguano,* mot empr. à l'arawak, langue indienne des Caraïbes.

♦ **1.** Reptile saurien* *(Crassilingue;* famille des *Iguanidés),* de l'Amérique tropicale, semblable au basilic*, ayant l'aspect d'un lézard de grande taille (jusqu'à 2 mètres), de couleur vive. *Les iguanes ont généralement une crête, parfois munie de piquants, et un fanon sous la gorge; ils sont arboricoles, se nourrissent de bourgeons, de feuilles, de fruits et aussi d'insectes. La chair et les œufs d'iguane sont comestibles. Iguanes de mer* (⇒ **Amblyrhynque**), *de terre. Les iguanes des îles Galapagos.*

De grands iguanes épineux se gorgent de soleil sur les roches. Claude COURCHAY, La vie finira bien par commencer, p. 186.

♦ **2.** (Abusif en zool.). Varan* d'Afrique.

DÉR. Iguanidés, iguanodon.

IGUANIDÉS [igwanide] n. m. pl. — 1907; *iguanides,* 1834; cf. *iguaniens,* 1817; de *iguane,* et *-idés.*

♦ Zool. Famille de reptiles sauriens crassilingues dont le type est l'iguane commun. ⇒ **Amblyrhynque.** « *La disposition des côtes ventrales des iguanes de Madagascar les distinguait de tous les autres iguanidés* » (*la Recherche,* n° 139, déc. 1982, p. 1405). — Au sing. *Un iguanidé.*

IGUANODON [igwanɔdɔ̃] n. m. — 1825, *in* D. D. L.; de *iguan(e),* et grec *odous* « dent ».

♦ Paléont. Reptile dinosaurien fossile, qui vivait à l'époque crétacée. *Les iguanodons pouvaient atteindre 10 mètres.*

IGUE [ig] n. f. — 1889, Martel, *in* T. L. F.; mot du Quercy *(igo); yga,* fin XIVe; comme nom de lieu, XIe; p.-ê. de *eiga* «arroser», ou d'un préroman **ika* «ravin».

♦ Régional. ⇒ **Aven** (cit. 1, Haug), **tindoul.**

IHRAM [iʀam] n. m. — 1878, Pierre Larousse; mot arabe. Didactique.

♦ **1.** Vêtement traditionnel du pèlerin musulman allant à La Mecque.

♦ **2.** (XXe). État sacré dans lequel se trouve le musulman en prière ou au cours d'un pèlerinage.

I. H. S.

♦ Abrév. du lat. *Iesus, hominum salvator* «Jésus Sauveur des hommes», parfois écrit *J. H. S.*

IKEBANA [ikebana] n. m. — D. i. (v. 1960); mot japonais.

♦ Art traditionnel japonais de l'arrangement floral, comportant plusieurs écoles, et dont la valeur symbolique est en rapport avec le bouddhisme. *«Chaque plante, chaque fleur ayant son propre symbole, le bouquet devient message. Dans ce domaine, les Japonais sont incontestablement les maîtres. Leur ikebana est à notre bouquet de fleurs des champs, anarchique et bigarré, ce que le judo représente au regard d'une empoignade de garnements : un art millénaire raffiné, rigoureux et régi par des rites qui nous paraissent souvent hermétiques. Cet art floral, qui fait, aujourd'hui, fureur en France, est apparu avec l'introduction du bouddhisme au Japon, vers le VIe siècle. Développé et codifié par les moines zens* (sic), *il n'est sorti des monastères qu'à partir du XVIe siècle, pour se répandre chez les samouraïs et les riches marchands. L'ikebana populaire est plus récent»* (*l'Express,* no 1708, 30 mars-5 avr. 1984, p. XVIII). *Un maître d'ikebana.*

(...) dans un bouquet japonais, «rigoureusement construit» (selon le langage de l'esthétique occidentale), et quelles que soient les intentions symboliques de cette construction, énoncées dans tout guide du Japon et dans tout livre d'art sur l'*Ikebana,* ce qui est produit, c'est la circulation de l'air, dont les fleurs, les feuilles, les branches (mots bien trop botaniques) ne sont en somme que les parois, les couloirs, les chicanes, délicatement tracés selon l'idée d'une *rareté* (...)
R. BARTHES, l'Empire des signes, p. 60.

IKSE [iks] adj. numéral. — Attesté 1950, Queneau; graphie phonétique du nom de la lettre X employée pour désigner un nombre indéterminé.

♦ Rare (formation d'auteur) et plais. X. ⇒ aussi **Ixe.**

On ne saurait jamais prévoir ce que peut écrire un individu; qu'on le connaisse depuis ikse années, et c'est toujours surprenant.
R. QUENEAU, Bâtons, Chiffres et Lettres, p. 132.

IL, ILS [il] pron. pers. masc. — 842, *Serments de Strasbourg;* du lat. *ille* «celui-là», devenu *illi* sous l'infl. de *qui;* le plur. a pris un *s* analogique au XIVe.

REM. Dans la langue classique, *il* se prononçait [i] devant consonne : *il dit* [idi]; *ils ont* [izɔ̃]; marquer le *l* étant considéré comme provincial ou pédant (cf. Hindret, *in* Brunot). De nos jours, au contraire, la prononciation du *l* de *il* devant une consonne appartient au langage soigné ou à la lecture (cf. Damourette et Pichon, § 2335; Nyrop, *Manuel phonétique du langage parlé,* p. 35; Martinon, *Comment on prononce le français,* p. 259) et la transcription graphique de la prononciation *i* ou *y* [i] connote un usage familier (→ ci-dessous, cit. 0.1). Dans les interrogations, l'usage normal fait sonner le *l (où va-t-il?* [uvatil]), ce qui n'était pas encore le cas du temps de Littré : *Quelle heure est-il* [ɛti]*? Quel temps fait-il* [fɛti]*?*

1 — Alors, l'est content Dominique?
— Oh oui, y a bien la crise, mais i compte quand même s'acheter bientôt un claque. Ça fait qu'son gosse, i pourra aller au lycée. Dominique y voudrait que son Clovis i soye ingénieur.
R. QUENEAU, le Chiendent, p. 64.

★ **I.** ♦ **1.** Pronom personnel masculin, représentant un nom masculin de personne ou de chose qui vient d'être exprimé, ou qui va suivre. — À la différence de *elle*, il (ils)* ne peut être que sujet. Pour les autres fonctions (attribut, complément, apposition), → Lui; eux, leur.

En un mot, l'homme connaît qu'il est misérable : il est donc misérable, puisqu'il l'est, mais il est bien grand, puisqu'il le connaît. PASCAL, Pensées, VI, 416.

Il est si beau, l'enfant, avec son doux sourire
HUGO, les Feuilles d'automne (→ Enfant, cit. 4).

Ils ne sont pas morts, ces obscurs enfants du hameau (...)
RENAN, l'Avenir de la Science, XII, Œ. compl., t. III, p. 904.

Ils s'en revenaient joyeusement, les contrebandiers, leur entreprise terminée.
LOTI, Ramuntcho, I, II.

REM. 1. (Emploi pléonastique de *il [ils]*). La langue classique employait souvent *il* pléonastiquement. *«Quiconque ne résiste pas à ses volontés, il est injuste au prochain»* (Bossuet); *«Un noble, s'il vit chez lui dans sa province, il vit libre, mais sans appui»* (La Bruyère). Cette construction se rencontre encore si le nom et le verbe sont assez éloignés ou s'il convient d'insister fortement sur le nom sujet. — À noter que des formes de français régionaux (français d'Afrique du Nord, par exemple) utilisent systématiquement cette construction. La langue parlée a tendance à ajouter le pronom *il* même quand le nom sujet est tout proche du verbe : *Le patron, il va en faire une tête!*

Il faut que le bœuf, il devienne comme une éponge (...) 5
(...) les soufflés ils avaient bien de la crème
PROUST, À la recherche du temps perdu, t. III, p. 73.

2. (Place de *il [ils]*). *a)* Le pronom *il* ne peut se séparer du verbe auquel il sert de sujet qu'en phrase négative *(il ne viendra pas),* avec un pronom complément *(il vous parle, il en a),* et les adverbes *en* et *y (il y est, il en vient).*

b) Dans certains tours interrogatifs, et dans toutes les phrases qui admettent l'inversion* du sujet, *il (ils)* se place immédiatement après le verbe. *D'où viennent-ils? À peine était-il parti qu'il revint sur ses pas. Si grand soit-il. Dût-il en mourir. Peut-être le croit-il vraiment.*

N. B. Si la troisième personne du verbe se termine par une voyelle, on ajoute un *«t»,* dit euphonique : *Ira-t-il? A-t-il fini? Puisse-t-il ne pas s'en repentir! De quoi demain sera-t-il fait? Voilà-t-il pas?* Cette combinaison *t-il* souvent prononcée [ti], en est venue dans l'usage populaire de la 1re moitié du XXe s. (car cette construction semble avoir vieilli) à former une particule interrogative qui s'emploie même avec un autre sujet que *il : on y va-ti? J'y va-ti, j'y va-ti-pas?*

c) Il (ils), peut s'employer comme substantif et être disjoint du verbe (pour préciser la personne; etc.) *«Il vous a parlé? — Qui, il?».*

Et il était bien étonné d'apprendre qu'il ou elle avait jugé à propos d'écrire tout spécialement au présentateur (...) et qu'il ou elle espérait bien vous revoir. 6
PROUST, le Côté de Guermantes, t. II, p. 124.

— Il n'est plus bien loin, n'est-ce pas, Électre — Oui. Elle n'est plus bien loin. 7
— Je dis Il. Je parle du jour. GIRAUDOUX, Électre, II, 1.

— Il travaille au bout du grand pré, avec son fils Claude. «Il», c'était le beau-frère, le mâle survivant. 8
J. ROMAINS, les Hommes de bonne volonté, t. XXI, XI, p. 203.

3. (Omission de *il [ils]*). Jusqu'au XVIIe s., le pronom *il (ils)* pouvait s'omettre, en particulier après *et* et *tant.* — Dans la langue d'aujourd'hui, cette omission est régulière dans les citations à l'ordre du jour et les motifs de punition, où le nom de l'intéressé est généralement placé en tête et détaché du contexte : *«Médecin de bataillon..., n'a pas cessé de donner des soins aux blessés. S'est imposé par son dévouement et son patriotisme à l'admiration de tous...»* (*Journ. off.* 5-6 oct. 1953).

4. (Non-répétition de *il [ils]* en phrases juxtaposées ou coordonnées). Quand deux ou plusieurs verbes ont le même sujet de la troisième personne, on ne répète généralement pas le pronom si les verbes sont coordonnés ou s'ils expriment des actions successives, surtout s'ils sont au même temps. *Il ferma la fenêtre et alluma le feu. Ils descendirent, prirent un taxi et arrivèrent bientôt chez l'avocat.* On répète généralement le pronom sujet si les verbes sont assez éloignés l'un de l'autre, ou s'ils sont à des temps différents, ou si l'un est positif et l'autre négatif. *Il allait sortir, mais il changea d'idée.*

(...) il classait des articles, décachetait des lettres, alignait des comptes; au bruit du marteau dans le magasin, sortait pour surveiller les emballages, puis reprenait sa besogne : et, tout en faisant courir sa plume de fer sur le papier, il ripostait aux plaisanteries. FLAUBERT, l'Éducation sentimentale, I, IV. 9

(...) les spectateurs n'auraient pu dire s'il souffrait, dormait, nageait, était en train de pondre ou respirait seulement. 10
PROUST, À la recherche du temps perdu, t. VI, p. 51.

Il ne dit pas un mot; il regarde. G. DUHAMEL, Vie des martyrs, p. 53. 11

5. *Ils* peut représenter plusieurs noms de personnes ou d'objets masculins, ou un masculin et un féminin.

Il en est de notre esprit comme de notre chair : ce qu'ils sentent de plus important, ils l'enveloppent de mystère, ils se le cachent à eux-mêmes. 12
VALÉRY, Variété, Au sujet d'Adonis, p. 68.

— Et votre bon papa et votre bonne maman? — Ils sont morts. 13
MAETERLINCK, l'Oiseau bleu, I, 1.

6. Représentant la personne à qui l'on parle (pour exprimer la tendresse, la moquerie...). → On.

— Vous voilà, mon beau chéri. Comme il est en retard! Déjà en retard. Entrez vite. 14
J. ROMAINS, les Hommes de bonne volonté, t. II, X, p. 103.

♦ **2.** Au plur. **ILS,** désigne un nombre indéterminé de personnes qu'on préfère ne pas mentionner, ou qu'il est inutile de nommer, mais qu'on tient pour responsables de l'action désignée par le verbe (gouvernement, administration, riches, etc.). *Ils veulent encore nous avoir.*

Vous ne changerez pas ses idées *(celles du monde).* Conformez-vous-y donc. 15
— Ils auront tout renversé, tout gâté, subordonné la nature à leurs misérables conventions, et j'y souscrirais? DIDEROT, le Père de famille, II, 6.

La Science!... Elle est jolie, leur science! (...) 16
Quand ils auront tout démoli, ils seront bien avancés!
ZOLA, le Docteur Pascal, p. 18.

Il se disait vaguement : «Ils ont peur». «Ils auront peur». Qui, ils? tout le monde : les ennemis, les faibles, ceux qu'il faut écraser (...) Qui, ils? Clanricard, lui-même; ses ancêtres, ses descendants, à travers les siècles. 17
J. ROMAINS, les Hommes de bonne volonté, t. I, XVI, p. 172.

18 On disait « Ils l'ont arrêté », et ce « Ils » semblable à celui dont usent parfois les fous pour nommer leurs persécuteurs fictifs, désignait à peine des hommes : plutôt une sorte de poix vivante et impalpable qui noircissait tout, jusqu'à la lumière. La nuit, on *les* entendait. SARTRE, Situations III, p. 22.

19 Le pronom ILS a été aussi très anciennement pris dans un sens indéterminé : (...) **Ils ont laissé** *par escrit de l'orateur Curio que...* (MONT. III, 9, note 4) [...] Il faut remarquer toutefois que souvent l'idée des personnes représentées par le pronom *ils* n'est pas complètement indéterminée : *Mais Pied d'Alouette parla et dit :* — **Ils m'ont pris** *mon couteau. — Qui cela? Le chemineau, levant le bras, tourna la main du côté de la ville et ne fit point d'autre réponse. Cependant il suivait le cours de sa lente pensée, car un peu de temps après, il dit :* **Ils** *ne me* **l'ont** *pas* **rendu** (A. FRANCE, Mannequin, 65) [...]
F. BRUNOT, la Pensée et la Langue, p. 275.

19.1 L'autre en général, c'est « ils ». Ils ont fait ça, ils sont venus. « Ils », c'est l'intervention, l'autorité, l'administration, la bureaucratie, les pouvoirs (devant lesquels les mots se désarment et deviennent à l'avance suppliants).
Henri LEFEBVRE, la Vie quotidienne dans le monde moderne, p. 229.

★ **II.** Pron. pers. neutre, 3e pers. (du lat. *illud* « cela »; *el, al, ol,* en anc. français).

♦ **1.** *Il,* sert à introduire les verbes impersonnels, et tous verbes employés impersonnellement. — REM. Pour les grammairiens classiques, *il* est alors « sujet apparent », « pseudo-sujet » (Bruneau), ce qui suit le verbe (la « séquence ») étant le sujet logique ou « sujet réel ». Ce point de vue est contesté par Le Bidois.

20 Si le sujet, c'est comme l'a dit Vaugelas (...) « ce qui donne la loi au verbe », nul doute qu'en ce genre de phrases le nominal personnel *il* ne soit véritablement le sujet. Et nous n'en exceptons pas même les tours du type « *il est* des circonstances, *il y a* des occasions ». M. Brunot est d'avis que, dans la phrase « *il y a* un Dieu », *il* n'est pas le sujet, que là « ce mot ne joue aucun rôle véritable » (*Pensée,* p. 13). Ce n'est pas notre opinion. *Il,* en cette phrase, joue un rôle véritable, et des plus utiles : c'est le sujet nécessaire, et, croyons-nous, incontestable, du groupe verbal qui suit.
G. et R. LE BIDOIS, Syntaxe du franç. moderne, t. I, § 320, p. 178.

a Introduisant des verbes impersonnels énonçant des phénomènes naturels, c'est-à-dire qui n'ont pas proprement d'agent. *Il a neigé toute la nuit. Il ventait. Il tonne. Il fait froid* (⇒ 1. **Faire,** V., 1.). « *Il pleut, il pleut bergère...* ». « *Il pleure dans mon cœur* (cit. 40) *comme il pleut sur la ville* » (Verlaine).

b Introduisant des verbes énonçant l'existence, la nécessité, l'opportunité. *Il faut* (⇒ **Falloir,** III. et IV.), *il convient** (cit. 22, 23, 24), *il sied*, il importe*. Il est* (⇒ 1. **Être,** I., 2.). *Il était une fois. Il y a* ⇒ 1. **Avoir** (7.). — *Il y va de.* ⇒ 1. **Aller** (IV., 5.). *Il ne manquerait* plus que.*

c Introduisant des verbes d'état (*être, paraître, devenir, sembler,* etc.) construits avec un adjectif et suivis d'un infinitif ou d'une proposition conjonctive. *Il est bon** (cit. 103, 104, 105) *de. Il est beau, il est vrai, il est probable que. Il semble naturel que vous acceptiez. Il fait bon* (cit. 121, 122) *se promener* (⇒ 1. **Faire,** V., 2.).

21 Je conviens qu'il est bon, je conviens qu'il est juste
Que mon cœur ait saigné, puisque Dieu l'a voulu!
HUGO, les Contemplations, IV, XV.

22 Il paraît que vous avez été étonnant d'esprit. Émile AUGIER, les Effrontés, IV, 9.

→ aussi Il est temps*, il est l'heure*, il est question*, il n'est bruit* (cit. 36) que...

d Introduisant des verbes intransitifs, suivis d'un nom, pronom (ou d'une préposition). *Il est venu deux personnes pour vous voir. Il arrive tous les jours des touristes. Il ne tient qu'à vous de. Il me déplaît* que.*

23 Il vint à Genève un charlatan italien (...) ROUSSEAU, les Confessions, I.

24 S'il en demeure dix, je serai le dixième;
Et s'il n'en reste qu'un, je serai celui-là! HUGO, les Châtiments, VII, XVI.

25 Nous savons qu'il naît sans cesse et qu'il meurt des astres.
FRANCE, le Jardin d'Épicure, p. 55.

26 (...) il est venu alors la nuit, la vieille nuit qu'ils connaissent, celle qu'ils aiment (...) J. GIONO, Regain, p. 199.

27 Alors voilà qu'il arrive des balles (...)
G. DUHAMEL, Récits des temps de guerre, I, p. 120.

e Introduisant des verbes pronominaux impersonnels. *Il s'agit de s'entendre* (⇒ **Agir,** cit. 35, 36 et 37). *Il se peut* qu'elle n'ait pas compris. Il se fait tard* (⇒ 1. **Faire,** VII., 2.). *Il s'en faut.* ⇒ **Falloir** (I., 2.).

28 Il ne se parlait parmi eux que des faux Christs.
BOSSUET, Disc. sur l'Hist. universelle, p. 348, *in* BRUNOT.

29 Il se fit un bruit de pas sur le trottoir. FLAUBERT, Mme Bovary, II, XI.

30 Se peut-il imaginer rien de plus morne que Port-Vendres?
GIDE, Journal, 19 août 1930.

31 Nous sommes entrés dans la grande quinzaine des prix littéraires. Au 18 décembre, il s'en sera donné six (...) A. BILLY, *in* le Figaro, 30 nov. 1948.

f Introduisant des impersonnels passifs. *Il ne sera pas dit que je vous ai abandonné.*

32 Je donnai à dîner, il y a deux jours (...) et il fut très affectueusement et très solennellement bu à votre santé. BOILEAU, Lettre à Brossette, 27 sept. 1703.

33 Et comme il avait été dit, il fut fait baron de Fierdrap!
BARBEY D'AUREVILLY, le Chevalier des Touches, VII, p. 185.

34 Il fut donné notamment, le quatre août, une très belle réunion dans la vieille halle aux grains (...) Il était venu là deux mille personnes, à l'estimation des républicains, et six mille au compte des dracophiles.
FRANCE, l'Île des pingouins, p. 214.

35 On ne prend que les orphelins, lui fut-il répondu.
G. DUHAMEL, les Plaisirs et les Jeux, p. 201.

(Avec des intransitifs). *Il sera satisfait à votre demande* (tournure fréquente dans la langue administrative et juridique).

Hors de cas il sera procédé de suite à la lecture de l'arrêt de l'envoi à la cour d'assises (...) Code d'instruction criminelle, art. 470.

Jusqu'à la réunion de l'Assemblée de l'Union française (...) il sera sursis à l'application des articles 71 et 72 de la présente Constitution.
Constitution du 27 oct. 1946, art. 104.

♦ **2.** Employé avec une valeur démonstrative, concurremment avec *ce* (⇒ 2. **Ce,** I., 8.), *cela, ça* (ex. : le tour populaire *ça pleut,* pour *il pleut*).

REM. 1. La langue littéraire emploie encore à peu près indifféremment *il* ou *ce* dans certains tours (*c'est vrai, il est vrai; c'est possible, il est possible; il me semble, ce me semble,* etc.). On comparera de même : *il est honteux de mentir ainsi* et *mentir ainsi, c'est honteux; il en est ainsi et c'est ainsi...* D'une façon générale, on pourrait dire que *ce* est plus affectif, plus insistant, *il* plus abstrait, plus objectif. — Dans l'ancienne langue, l'emploi de *il,* en valeur de démonstratif était beaucoup plus fréquent qu'aujourd'hui. Jusqu'au XVIIe s., *il* pouvait renvoyer à un pronom neutre *(ce qui, ce que),* à un indéfini *(tout, rien)* : cet archaïsme est encore fréquent dans la langue littéraire.

Je sens qu'il m'ennuie de ne vous plus avoir.
Mme DE SÉVIGNÉ, 136, 18 févr. 1671.

On doit louer ce qu'ils disent autant qu'il mérite d'être loué.
LA ROCHEFOUCAULD, Réflexions diverses, V, De la conversation.

Un dernier point détruit tout comme si jamais il n'avait été.
BOSSUET, Sermon sur la mort.

Ce qu'ils prisaient le plus, peut-être nous échappe-t-il.
VALÉRY, Variété, Au sujet d'Adonis, p. 89.

Mais il me vexait que, dans une lettre de rupture, Marthe ne me parlât pas de suicide. R. RADIGUET, le Diable au corps, p. 177.

Ce et *Il* ont été longtemps en concurrence devant les impersonnels. Aujourd'hui encore on peut dire : *ce me semble* et : *il me semble.* Mais jamais on n'emploie *ce* quand il y a un objet qui vient après *sembler :* **il** *me semble que vous vous trompez.* F. BRUNOT, la Pensée et la Langue, p. 286.

2. En ancien français et jusqu'au XVIIe s., *il,* neutre, était souvent omis. « *De tous côtés lui vient des donneurs de recettes* » (La Fontaine, *Fables,* VIII, 3). Cet usage s'est perpétué, en français moderne, dans de nombreuses locutions figées : *tant y a* (→ Avoir, cit. 91), *m'est avis** (cit. 18 à 21), *pas (point) n'est besoin, peu me chaut* (→ Chaloir, cit. 1, à 3), *advienne* que pourra, comme si de rien n'était* (→ Être, III.), *n'empêche** (cit. 26, 27 et *supra*), *peu importe*, n'importe, mieux vaut* (→ Valoir), *peu (tant) s'en faut* (→ Falloir, I., 2.), *si bon vous semble* (→ 1. Bon, cit. 115 à 117), *à Dieu ne plaise*, ne vous en déplaise*, reste* que, d'où vient que?, à quoi sert* (*rien ne sert de;* → Servir).

3. L'usage parlé familier supprime souvent *il* devant l'impersonnel *il faut : Faut pas s'en faire; faut réfléchir avant de parler* (→ Falloir, IV.).

★ **III.** N. m. (emploi autonyme). *Un il, les il.* → ci-dessus, *Ce « ils »* (cit. 18).

Affinité possible de la paranoïa et de la distanciation, par le relais du récit : le « il » est épique. Cela veut dire : « il » est méchant : c'est le mot le plus méchant de la langue : pronom de la non-personne, il annule et mortifie son référent; on ne peut l'appliquer sans malaise à qui l'on aime; disant de quelqu'un « il », j'ai toujours en vue une sorte de meurtre par le langage, dont la scène entière, parfois somptueuse, cérémonielle, est le *potin.* R. BARTHES, Roland Barthes, p. 171.

DÉR. et **COMP.** V. **Elle,** 1. **le,** 2. **le, oui.**
HOM. Hile, île, iles.

IL- Variante du préfixe *in-**, devant un *l.*

1. -IL Suffixe tiré du lat. *-ile* et indiquant le dépôt, l'abri (pour des animaux). Ex. *fenil, fournil, chenil.*

2. -IL Suffixe tiré du lat. *-iculus* (⇒ **-icule**) et servant à former quelques diminutifs. Ex. : *outil, coutil, grésil.*

ILANG-ILANG [ilɑ̃ilɑ̃; ilɑ̃gilɑ̃g] n. m. — 1899; *hilan-hilan, alangilan,* 1873, *Année sc. et industr.* 1874, p. 229; *ylang-ylang,* 1874, cit.; probablt mot indonésien.

♦ **1.** Arbre des Moluques (nom sc. : *Cananga;* famille des *Magnoliacées*) dont la fleur est employée en parfumerie. — REM. On écrit aussi *ylang-ylang.*

♦ **2.** Parfum tiré de cette fleur.

Je propose (...) l'*ylang-yland* ou le *nard celtique :* goûts étranges, mais délicieux, dont, respirée, la senteur fait rêver comme, simplement prononcé, le nom.
MALLARMÉ, la Dernière Mode (1874), *in* Œ., Pl., p. 834.

-ILE Suffixe, du lat. *-(i)lis,* qui se rencontre dans des mots empr. du lat. (ex. : *docile, fissile*) ou formés par dérivation savante (ex. : *projectile, rétractile*) exprimant la possibilité de faire ou subir l'action dont il est question. Le suffixe latin s'ajoutait à un thème verbal de présent (ex. : *agilis* → Agile; *habilis* → Habile) ou de participe passé (ex. : *missilis* → Missile; *versatilis* → Versatile; *volatilis* → Volatile), d'où l'apparence en français d'un suffixe *-atile* reproduisant des types latins fictifs de la première conjugaison (ex. :

vibratile). — REM. Le français *-ile* ou *-il* correspond quelquefois au même suffixe d'adjectifs latin *-lis* ajouté à un thème nominal (sans idée de possibilité). Ex. : *édile, viril*. Comparer à *animalis* → Animal, *vitalis* → Vital.

ÎLE [il] n. f. — V. 1138, *isle*; du lat. *insula*.

♦ **1.** Étendue de terre ferme émergée d'une manière durable dans les eaux d'un océan, d'une mer, d'un lac ou d'un cours d'eau. — REM. On réserve, généralement, le nom d'*île* aux territoires subissant l'influence du climat maritime sur toute leur étendue. *L'Australie n'est pas une île, mais un continent. Une grande île. Petite île.* ⇒ **Îlot (îlet,** vx**); banc, bas-fond, écueil** (cit. 1 et 3), **haut-fond** (cit. 1 et 2), **récif, rocher.** *Île élevée, montagneuse, rocheuse. Île plate. Île côtière* (→ Bordée, cit. 2); *île en haute mer. Île lacustre, îles d'une lagune* (→ Canal, cit. 3). *Groupe d'îles.* ⇒ **Archipel.** *Île rattachée à la terre par un cordon littoral* (⇒ **Presqu'île**), *par le gel* (→ Gelée, cit. 3). — *Îles formées par l'effondrement des régions voisines* (ex. : la Grande-Bretagne), *par les montagnes de régions affaissées* (ex. : îles de la mer Égée), *par les restes d'un ancien littoral détruit par l'érosion* (ex. : îles de Bretagne), *par des éruptions volcaniques, des colonies coralliaires formées sur des hauts-fonds.* (⇒ **Atoll**). *Île peuplée, habitée. Les habitants d'une île.* ⇒ **Îlien, insulaire.** *L'Islande, l'Indonésie, la Nouvelle-Zélande, le Japon, Sri-Lanka, pays formés d'une ou plusieurs îles.* — Loc. *Île déserte* : île inhabitée (notamment dans le contexte imaginaire d'aventures). → Effroi, cit. 1. *Être abandonné sur une île déserte.* — *L'Île mystérieuse,* roman de J. Verne. *L'Ile au trésor,* roman de R. L. Stevenson. *L'Île des pingouins,* roman d'A. France. *Les Îles d'or,* recueil de poèmes de Mistral. *Explorer* (cit. 2) *une île. Être exilé, abandonné sur une île, dans une île. Expédition de flibustiers* (cit. 1) *dans une île.* — (Dans des noms). *Les îles des épices* : les Moluques; *les îles du Vent, Sous-le-Vent* : les petites Antilles; *l'île de Pâques. L'île de France* (l'île Maurice). *Les îles Fortunées* (les Canaries). *L'île de Beauté* (la Corse). *Les îles Féroé* (→ Goéland, cit. 1); *l'île de Ceylan* (→ Halte, cit. 2). *Les îles Britanniques* (Grande-Bretagne et Irlande). *Belle-Île* (en Bretagne).

De toutes les habitations où j'ai demeuré (...) aucune ne m'a rendu si véritablement heureux (...) que l'île de Saint-Pierre, au milieu du lac de Bienne. Cette petite île (...) est bien peu connue (...) Cependant elle est très agréable, et singulièrement située pour le bonheur d'un homme qui aime à se circonscrire (...)

ROUSSEAU, Rêveries..., 6e promenade.

Un jour, j'étais monté au sommet de l'Etna, volcan qui brûle au milieu d'une île. Je vis le soleil se lever dans l'immensité de l'horizon au-dessous de moi, la Sicile resserrée comme un point à mes pieds, et la mer déroulée au loin dans les espaces.

CHATEAUBRIAND, René, p. 184.

L'île d'Ischia, qui sépare le golfe de Gaëte du golfe de Naples, et qu'un étroit canal sépare elle-même de l'île de Procida, n'est qu'une seule montagne à pic (...) Ses flancs abrupts (...) sont revêtus du haut en bas de châtaigniers d'un vert sombre. Ses plateaux les plus rapprochés de la mer (...) portent des chaumières, des villas rustiques et des villages (...) Chacun de ces villages à sa *marine*. On appelle ainsi le petit port où flottent les barques des pêcheurs de l'île (...)

LAMARTINE, Graziella, Épisode, V.

Seules les petites îles isolées méritent une mention spéciale dans l'étude des formes littorales. Les grandes îles sont en réalité des continents réduits (...) Les petites îles voisines du continent ne sont que les détails de la topographie littorale (...) fragment de flèche barrant une lagune (...) drumlin ou butte morainique (...) îlot rocheux détaché d'une pointe (...)

E. DE MARTONNE, Traité de géographie physique, t. II, p. 1032.

Îles des fleuves et des rivières. ⇒ **Atterrissement** (cit. 1 et 2), **javeau** (→ Canal, cit. 10; dérouler, cit. 9; froncer, cit. 7; halage, cit. 2). *L'île de la Cité, berceau de Paris; l'île Saint-Louis* (→ Écaillé, cit. 2; haschischin, cit. 2). *Saint-Louis-en-l'Île. Îles flottantes, dérivantes.* — Par analogie :

(...) on voit sur les deux courants latéraux remonter, le long des rivages, des îles flottantes de pistias et de nénuphars (...) CHATEAUBRIAND, Atala, Prologue.

Ce pont, qui n'est pas à la mode, conduit à une île de la Loire. Ce fleuve est ridicule à force d'îles : une île doit être une exception chez un fleuve bien appris; mais, pour la Loire, l'île est la règle, de façon que le fleuve, toujours divisé en deux ou trois branches, manque d'eau partout.

STENDHAL, Mémoires d'un touriste, I, p. 27.

Paris est né, comme on sait, dans cette vieille île de la Cité qui a la forme d'un berceau. La grève de cette île fut sa première enceinte, la Seine son premier fossé. Paris demeura plusieurs siècles à l'état d'île, avec deux ponts, l'un au nord, l'autre au midi (...) Puis (...) trop à l'étroit dans son île, et ne pouvant plus s'y retourner, Paris passa l'eau. HUGO, Notre-Dame de Paris, I, III, II.

L'Yeniseï, en cet endroit, ne mesure pas moins d'une verste et demie, et forme deux bras, d'importance inégale, que les eaux suivaient avec rapidité. Entre ces bras reposent plusieurs îles, plantées d'aunes, de saules et de peupliers, qui semblaient être autant de navires verdoyants, ancrés dans le fleuve.

J. VERNE, Michel Strogoff, p. 371.

Allus. littér. « *Monsieur de l'Isle...* » (→ Fossé, cit. 1, Molière). — *L'île de Cythère.*

Quelle est cette île triste et noire? — C'est Cythère,
Nous dit-on, un pays fameux dans les chansons.

BAUDELAIRE, les Fleurs du mal, « Fleurs du mal », CXVI.

Loc. *L'Île-de-France,* nom donné à la province qui forma le premier centre politique de la France et qui s'étend entre la Seine, l'Oise, la Marne et les affluents de ces deux dernières.

Par métaphore. *Île flottante* : entremets formé de blancs d'œufs battus flottant sur de la crème.

Par métaphore et littér. *Les oasis sont les îles du désert* — Abstrait. *Une île engloutie* (en parlant d'une réalité disparue). Cf. Une atlantide (littér.), un continent perdu...

♦ **2.** (XVIIe; *in* Furetière, 1690). *Les Îles* : les Antilles. *Il est allé chercher fortune aux Îles.* — REM. Cet emploi est archaïque, sauf dans les expressions *oiseau des îles, bois des îles* (→ Cuivre, cit. 6).

Il *(Bonaparte)* a (...) fréquenté ce groupe si nombreux des Créoles venus « des îles » 8
et dans lequel il a pris femme (...)

Louis MADELIN, Hist. du Consulat et de l'Empire, Le Consulat, XVII.

♦ **3.** (1520). Ensemble isolé, entouré (dans les terres). *Une île de maisons.* ⇒ **Îlot** (mod.).

DÉR. Îlet, îlette, îlien, îlot.
COMP. Presqu'île.
HOM. Hile, il, iles.

ILÉAL, ALE, AUX [ileal, o] adj. — V. 1970; de *iléon,* et *-al.*

♦ Anat., méd. Relatif à l'iléon. *Artères iléales. Résection iléale.*

ILÉITE [ileit] n. f. — 1839; de *iléon,* et *-ite.*

♦ Méd. Inflammation de l'iléon. *Iléite régionale, terminale.*

ILÉO- Élément tiré de *iléon,* et servant à former des mots en médecine, en anatomie. — REM. Outre les mots traités ci-dessous, on peut signaler des composés rares ou vieillis, comme : *iléologie* [ileɔlɔʒi] n. f. (1819), « traité des intestins »; *iléo-lombaire* [ileolɔ̃bɛʀ] adj. et n. m. (1903), etc.

ILÉO-CÆCAL, ALE, AUX [ileosekal, o] adj. — 1846; *iléo-cœcal,* 1818, *in* D. D. L.; de *iléon,* et *-cæcal.*

♦ Anat. Relatif à la fois à l'iléon et au cæcum. *Valvule iléo-cæcale. Appendice iléo-cæcal.*

ILÉO-COLIQUE [ileokɔlik] adj. — 1765, *in* D. D. L.; aussi *iléocolique,* 1770; de *iléo-,* et 2. *colique.*

♦ Anat., méd. Qui appartient à l'iléon et au côlon.

ILÉO-COLITE [ileokɔlit] n. f. — XXe; de *iléo-, côl(on),* et *-ite.*

♦ Méd. Inflammation concomitante de l'iléon et du gros intestin.

ILÉON [ileɔ̃] n. m. — 1562, Paré; *yleon,* XVe; lat. médiéval *ileum,* grec *eilein* « enrouler ». → Iléus.

♦ Anat. Troisième segment de l'intestin* grêle (ou deuxième segment du *jéjuno-iléon,* considéré comme deuxième segment de l'intestin grêle), situé entre le *jéjunum** et le *gros intestin** (valvule iléo-cæcale).

DÉR. Iléal, iléite.
COMP. Iléo-cæcal, iléo-colique, iléo-colite, iléostomie. — V. Iléo-

ILÉOSTOMIE [ileɔstɔmi] n. f. — 1938, Garnier-Delamare; de *iléo-,* et *-stomie.*

♦ Méd. Création d'un anus artificiel au niveau de l'iléon.

ILES [il] n. m. pl. — 1562; *illes,* XIIIe; lat. *ilia* « flancs, entrailles ».

♦ Anat. Parties latérales et inférieures du bas-ventre. ⇒ **Ilion, flanc, hanche.** *Des iles.* ⇒ **Iliaque.**

HOM. Hile, il, île.

ÎLET [ilɛ] n. m. — V. 1155; de *île.*

♦ **1.** Vx ou régional (franç. des Antilles). Petite île. ⇒ **Îlot.**

Cet estuaire portait le nom de Golfe-du-Couronnement, et ses eaux étaient semées 1
d'îles, îlets, îlots, qui constituaient l'Archipel du Duc-d'York.

J. VERNE, le Pays des fourrures, t. I, p. 135.

(...) des langoustes en eau profonde à s'en casser le cœur, du côté de l'anse 2
Tarare, vers l'îlet.

Claude COURCHAY, La vie finira bien par commencer, p. 177.

REM. Le récit se passe aux Antilles.

♦ **2.** (1780). Vx. *Un îlet de maisons.* ⇒ **Îlot.**

ÎLETTE [ilɛt] n. f. — V. 1155; *illette, islette,* XVIe; de *isle, île.*

♦ Vx. Petite île. ⇒ **Îlot.**

ILÉUS [ileys] n. m. — 1795, cit.; *ylios,* XVe; grec *ileos, eileos,* de *eilein* « tordre ».

♦ Méd. Obstruction, occlusion* intestinale. *Iléus biliaire* (dû à un calcul biliaire), *dynamique* (provoqué par un spasme), *paralytique* (arrêt du péristaltisme). *Iléus mécanique, par strangulation* (étranglement : colique* de miserere; invagination* intestinale [⇒ **Volvulus**]), *par obturation* (corps étranger, rétrécissement, compression).

L'usage est de parler sous le titre d'entéritis, des remèdes propres pour la colique; et pour la maladie appelée iléus, qui n'est qu'un degré plus considérable de colique.
BOSQUILLON, trad. de G. CULLEN, Elemens de médecine pratique, t. I, p. 280. (1795).

ILIAQUE [iljak] adj. — XIIIe, «souffrance causée par l'iléus»; adj. déb. XVIe, *yliaque passion;* en anat., v. 1370; *veine iliaque,* 1562; *fosse iliaque,* 1805; lat. *iliacus,* de *ilia.* → Iles.

♦ Anat. Relatif aux iles*, aux flancs; qui est voisin de l'ilion*. *Os iliaque* (ou *coxal**) formé de trois parties soudées (⇒ **Hanche, ilion, ischion, pubis**), chacun des deux os formant avec le sacrum, le *bassin osseux,* et présentant sur sa face externe : *la cavité cotyloïde, la fosse iliaque externe* (insertion des muscles fessiers), *le trou ischio-pubien;* sur sa face interne : *la fosse iliaque interne* (insertion du *muscle iliaque*), *la tubérosité iliaque;* sur ses bords : *l'épine du pubis, les épines iliaques, l'échancrure* et *l'épine sciatique*, la crête iliaque, la facette* et *l'arcade pubienne*.* — *Artères iliaques :* branches terminales latérales de l'aorte : *artère iliaque primitive, interne, externe.* — *Veine iliaque.* — (1825, Broussais, *in* D. D. L.). *L'S iliaque du côlon* (→ Cæcum, cit.).

N. f. Artère iliaque. *La fémorale continue l'iliaque externe.*

COMP. Sacro-iliaque, vertébro-iliaque.

ILICACÉES [ilikase] ou cour. **ILICINÉES** [ilisine] n. f. pl. — 1897, *ilicacées; ilicinées,* 1867; dér. sav. du lat. *ilex, ilicis* «houx».

♦ Bot. Famille de plantes phanérogames angiospermes *(Dicotylédones Dialypétales)* comprenant des arbres et arbrisseaux à feuilles persistantes. ⇒ **Houx.** — Syn. : *Aquifoliacées.* — Au sing. *Une ilicacée, une ilicinée.*

ÎLIEN, ÎLIENNE [iljɛ̃, iljɛn] adj. et n. — 1808; de *île.*

♦ Qui habite une île (spécialt, sur le littoral breton). ⇒ **Insulaire.** — N. *Un îlien, une îlienne. Les îliens. Les îliens de Sein. Les îliens et les continentaux.*

Quand il *(Thomas)* acceptait le poisson d'un îlien, il était remercié pour l'honneur et la joie qu'il accordait au donateur; et ce même poisson, qu'il offrait plus tard à une famille de l'île, lui valait encore toutes sortes de bénédictions. On avait l'air de le considérer comme le propriétaire de l'île.
Henri QUEFFÉLEC, Un recteur de l'île de Sein, p. 99.

ILIO- Préfixe tiré de *ilion,* et servant à former des adjectifs en anatomie.

ILIO-FÉMORAL, ALE, AUX [iljofemɔʀal, o] adj. — 1866; de *ilio-,* et *fémoral.*

♦ Anat. *Ligament ilio-fémoral,* inséré sous l'épine iliaque antéro-inférieure et sur la ligne oblique du fémur.

ILION [iljɔ̃] ou **ILIUM** [iljɔm] n. m. — 1562, *os ilion,* Paré; attestation isolée, XIVe; lat. *ilium,* sing. rare, de *ilia* (→ Iles), pris pour un mot grec.

♦ Anat. Segment supérieur de l'os de la hanche (⇒ **Iliaque**).

COMP. V. **Ilio-, ilio-fémoral.**

ILLABOURABLE [i(l)labuʀabl] adj. — 1545, *in* D. D. L.; de *il-* (→ 1. In-), et *labourable.*

♦ Rare. Qui n'est pas labourable.

ILLACÉRABLE [i(l)laseʀabl] adj. — 1846, Bescherelle; de *il-* (→ 1. In-), et *lacérable.*

♦ Rare. Qui n'est pas lacérable.

ILLASSABLE [i(l)lasabl] adj. Vx. ⇒ **Inlassable.**

ILLATIF, IVE [ilatif, iv] adj. — 1617; lat. *illativum,* de *illatum,* supin de *inferre.* → Inférer.

♦ **1.** Log. (Vx). Dont on peut inférer quelque chose.

♦ **2.** (1902). Ling. **a** Vx. *Conjonction, particule illative,* de conséquence.

b N. m. Mod. Cas indiquant la pénétration dans un lieu (dans certaines langues finno-ougriennes).

ILLATION [ilasjɔ̃] n. f. — 1521, *illacion;* bas lat. *illatio,* de *illatum,* supin de *inferre* «porter dans, vers», de *in-,* et *ferre* «porter».
Didactique (religion).

♦ **1.** (1721). Liturgie. Prière du rite mozarabe, correspondant à la préface du rite romain.

♦ **2.** (XIXe). Dr. canon. Apport des biens d'un(e) novice à la communauté religieuse où il (elle) entre. *Registre d'illation.*

ILLATIONNISME [ilasjɔnism] n. m. — XXe; du lat. *illatio.* → Illation.

♦ Philos. Théorie d'après laquelle la connaissance du monde extérieur n'est pas immédiate, mais se fait par inférence.

CONTR. Intuitionnisme.

-ILLE Suffixe diminutif de noms féminins, représentant le lat. *-icula.* Ex. : *brindille, fibrille, ramille.*

ILLEC [ilɛk, illɛk] adv. — V. 1050, *iluec; illo,* fin Xe; dér. du lat. *ille* «ce..., celui (-là)».

♦ Vx (ancienne langue, jusqu'au XVIIe [La Fontaine, où il est archaïque]). Dans cet endroit.

ILLÉGAL, ALE, AUX [i(l)legal, o] adj. — 1361, Oresme; lat. médiéval *illegalis,* de *il-* (→ 1. In-), et *legalis.* → Légal.

♦ Qui n'est pas légal*; qui est contraire à la loi. ⇒ **Illicite, irrégulier; défendu, interdit, prohibé.** *Ce contrat est illégal* (⇒ **Annulable, attaquable**). *Actes, procédés illégaux; mesures illégales.* ⇒ **Arbitraire, usurpatoire.** *Exercice illégal d'une profession* (⇒ **Marron** [médecin, courtier marron]). *Port illégal de décorations. Détention, révocation illégale. C'est tout à fait illégal. Cette mesure est non seulement illégale, mais anticonstitutionnelle.*

La tutelle et la surveillance que les Guise imposaient à la royauté et que Catherine subissait impatiemment, contre lesquelles Charles IX et Henri III se défendront plus tard, étaient fort illégales. Toutefois, sans cette dictature, la France eût couru de bien plus grands périls.
J. BAINVILLE, Hist. de France, p. 161.

CONTR. Légal.
DÉR. Illégalement, illégalité.

ILLÉGALEMENT [i(l)legalmɑ̃] adv. — 1789; de *illégal.*

♦ D'une manière illégale, contraire à la loi. *Agir, procéder illégalement.*

CONTR. Légalement.

ILLÉGALITÉ [i(l)legalite] n. f. — 1361, Oresme; de *illégal.*

♦ **1.** Caractère de ce qui est illégal. *L'illégalité d'une convention, d'une mesure administrative.* ⇒ **Irrégularité.** *L'illégalité d'un gouvernement, d'un pouvoir de fait.*

(...) l'illégalité punissable avec laquelle un procureur (...) soi-disant avocat (...) a osé se porter pour juge en une affaire criminelle (...)
VOLTAIRE, Lettre à d'Argental, 4194, 16 avr. 1775.

♦ **2.** *(Une, des illégalités).* Acte illégal. *Des illégalités dans l'exercice du pouvoir.* ⇒ **Abus, arbitraire, excès, iniquité.**

♦ **3.** Situation d'une ou plusieurs personnes qui contreviennent ouvertement à la loi (⇒ **Hors-la-loi**) et risquent des sanctions pénales. *Ils sont entrés dans l'illégalité.*

Le parti est dans l'illégalité depuis 39 et son action restera clandestine.
SARTRE, la Mort dans l'âme, p. 242.

CONTR. (Du sens 1) **Légalité.**

ILLÉGITIME [i(l)leʒitim] adj. — 1458; lat. jurid. *illegitimus,* de *il-* (→ 1. In-), et *legitimus.* → Légitime.

♦ **1.** Né hors du mariage. *Enfant, fils, fille illégitime.* ⇒ **Adultérin, naturel; bâtard** (→ Fruit, cit. 28, Racine). — Par ext. *Amours illégitimes; passion, union illégitime.* ⇒ **Adultérin, coupable, illicite, incestueux.**

Elle est engagée par sa destinée, et par la colère des dieux, dans une passion illégitime (...)
RACINE, Phèdre, Préface.

Louis XI, étant dauphin, avait épousé la fille d'un duc de Savoie malgré le roi son père, et avait fui du royaume avec elle, sans que jamais Charles VII entreprît de traiter cette union d'illégitime.
VOLTAIRE, Hist. du parlement de Paris, LI.

Dr. Qui ne remplit pas les conditions que la loi requiert.

♦ **2.** (1549). Cour. Qui n'est pas conforme au bon droit, à la loi, à la règle morale. *Acte illégitime.* ⇒ **Illégal, irrégulier** (→ Conflit, cit. 4). *Prétention, requête, demande illégitime.* ⇒ **Déraisonnable, injuste.**

(...) les Dieux trouveront sa peine illégitime,
Puisqu'elle confondra l'innocence et le crime.
CORNEILLE, Polyeucte, V, 3.

♦ **3.** Qui n'est pas justifié, qui n'est pas fondé. *Conclusion illégitime. Colère, exaspération* (cit. 3) *illégitime.*

4 Il est complice de tout ce qu'il voit, des superstitions, des frayeurs illégitimes (...)
CAMUS, la Peste, p. 215.

CONTR. Légitime, légitimé, reconnu (enfant). — **Fondé, raisonnable, régulier.**
DÉR. Illégitimement, illégitimité.

ILLÉGITIMEMENT [i(l)leʒitimmɑ̃] adv. — XVe; de *illégitime.*

♦ Didact. (dr.). D'une manière illégitime. ⇒ **Indûment.** *Acquérir qqch. illégitimement* (⇒ **Usurper**).

CONTR. Légitimement.

ILLÉGITIMITÉ [i(l)leʒitimite] n. f. — Av. 1615, Pasquier; de *illégitime.*

Didactique (droit).

♦ **1.** Caractère de ce qui est illégitime (1. ou 2.). *L'illégitimité d'un enfant, de sa naissance.*

1 *(Une faction qui)* arrachera sa couronne de lis, et, prenant le bonnet rouge pour diadème, offrira cette pourpre à l'illégitimité.
CHATEAUBRIAND, De la monarchie selon la Charte, II, 45.

Caractère illégitime (3.).

♦ **2.** Rare. *(Une, des illégitimités).* Acte illégitime.

2 Il suffit de tenir bon dans la vie, pour que les illégitimités deviennent des légitimités. CHATEAUBRIAND, Mémoires d'outre-tombe, t. II, p. 221.

CONTR. Légitimité.

ILLETTRÉ, ÉE [i(l)letʀe] adj. et n. — 1560, rare av. XVIIIe (cf. Trévoux, « ce mot n'est pas encore bien accrédité »); lat. *illitteratus,* de *il-* (→ 1. In-) et *litteratus* « lettré, savant », de *littera.* → Lettre.

♦ **1.** Vieilli. Qui n'est pas lettré, « qui n'a aucune connaissance des Belles-Lettres » (Trévoux). ⇒ **Ignorant.** *Un homme illettré,* qui n'a pas fait d'études. *Moine illettré.* ⇒ **Frater** (vx). — N. *Les illettrés. « J'avais assez fréquenté les gens du monde pour savoir que ce sont eux les véritables illettrés »* (→ Art, cit. 93, Proust).

1 Les gens illettrés haïssent moins violemment, mais les lettrés savent mieux aimer (...) BERNARDIN DE SAINT-PIERRE, Harmonies, 7, De l'amitié.

2 La musique, pas plus qu'aucune des expressions de la pensée, ne veut des illettrés.
R. ROLLAND, Musiciens d'aujourd'hui, p. 263.

3 (...) on me compare à des faiseurs, à des illettrés, à des pasticheurs, à des gens qui ne savent pas regarder un tableau, qui n'en ont jamais vu un seul!
Valery LARBAUD, Barnabooth, Journal, p. 345.

♦ **2.** Mod. Qui ne sait ni lire ni écrire (⇒ **Analphabète, analphabétisme**), et, spécialt, qui est partiellement incapable de lire et d'écrire (⇒ **Illettrisme**). *Il est complètement illettré. Une population en partie illettrée.*

4 La fillette veut savoir si le jeune homme qui l'a courtisée au bal, l'aime d'un amour sincère, et comme elle est, en sa qualité de grisette, parfaitement illettrée, elle se fait lire par le prétendu nécromancien le billet qu'elle tient de Cléofas lui-même.
Th. GAUTIER, Souvenirs de théâtre..., p. 135.

5 Avec cela presque illettré; il lisait péniblement, et n'apprit à écrire que vers la fin de l'année quatorze. ALAIN, Propos, 1921, Le canonnier sans peur.

6 Bien qu'il ne soit pas illettré, son orthographe est aussi capricieuse que son langage (...) G. DUHAMEL, Salavin, IV, Journal, p. 25.

7 (...) les 99 pour 100 du peuple marocain étant parfaitement illettrés (...)
F. MAURIAC, Bloc-notes 1952-1957, p. 19.

N. *Un illettré. Alphabétiser des illettrés.* — REM. Par rapport à *analphabète,* descriptif et neutre, *illettré* suppose assez souvent un jugement de valeur négatif.

CONTR. Lettré; érudit, savant. — Alphabétisé.
DÉR. Illettrisme.

ILLETTRISME [i(l)letʀism] n. m. — 1983; de *illettré.*

♦ Didact. État de l'illettré (2., spécialt), incapacité de maîtriser la lecture d'un texte simple. *Analphabétisme* et illettrisme. Un dispositif de lutte contre l'illettrisme. « "Plusieurs millions de Français sont gênés, dans leur vie quotidienne et professionnelle, par une insuffisante maîtrise de la lecture et de l'écriture", explique Véronique Espérandieu et Antoine Lion, auteurs de l'étude. Analphabétisme? Le rapport préfère parler d' "illettrisme", un mot encore inconnu du Petit Robert ».* (*l'Express,* no 1698, 20-26 janv. 1984, p. 42). *« S'appuyant essentiellement sur des données statistiques du ministère de la Défense, ces travaux nous apprennent que l'illettrisme, entendu au sens où l'UNESCO le définit actuellement* ("Incapacité de lire, en le comprenant, un texte simple et bref en rapport avec la vie quotidienne"), *frappe en premier lieu les familles d'origine étrangère. On le retrouve dans les professions du bâtiment, de l'alimentation, chez les ruraux, les forains et les bateliers »* (*la Vie mutualiste,* no 88, févr. 1984, p. 15).

ILLIBÉRAL, ALE, AUX [i(l)libeʀal, o] adj. — V. 1361; lat. *illiberalis,* de *il-* (→ 1. In-), et *liberalis.* → Libéral.

Rare.

♦ **1.** Vx. Qui n'est pas généreux, libéral.

♦ **2.** (1840). Qui n'est pas libéral*; qui est opposé au libéralisme. ⇒ aussi **Antilibéral.**

Rien n'avait plus contribué à accélérer leur ruine que leur opinion illibérale sur les droits des hommes de couleurs. Les Lameth avaient des habitations aux colonies, des esclaves. MICHELET, Hist. de la Révolution franç., IV, XI.

CONTR. Libéral.

ILLICITE [i(l)lisit] adj. — 1364; lat. *illicitus,* de *il-* (→ 1. In-), et *licitus.* → Licite.

♦ Qui n'est pas licite*, qui est défendu par la morale ou par la loi. ⇒ **Défendu, interdit, prohibé.** *Amour, commerce, plaisir illicite.* ⇒ **Adultère; clandestin, coupable; illégitime.** — Dr. *Fait illicite.* ⇒ **Délit.** *Moyens illicites. Activité illicite d'un contrebandier* (→ Gitan, cit. 1), *d'un médecin marron.* ⇒ **Illégal.** *Vente illicite de photos, de revues, de drogues. Grève* (2. Grève, cit. 17) *illicite. Grâces, concessions illicites.* ⇒ **Subreptice.** *Cause* (cit. 43) *illicite d'un contrat. Gains, profits, trafics illicites. Spéculation illicite* (hausse ou baisse artificielle des prix). *Concurrence* illicite.*

(...) une violente tentation à la fraude, au mensonge et aux gains illicites (...) 1
LA BRUYÈRE, les Caractères, VI, 61.

(...) les surveillances avaient redoublé cette année, autour de toutes les femmes en général, — et peut-être en particulier autour de celle-là, que l'on soupçonnait (...) d'allées et venues illicites. LOTI, les Désenchantées, p. 208. 2

CONTR. Licite.
DÉR. Illicitement, illicité ou **illicéité.**

ILLICITÉ [i(l)lisite] ou **ILLICÉITÉ** [i(l)liseite] n. f. — Fin XIXe, cit. ci-dessous; de *illicite;* la forme *illicéité* sur le modèle des mots en *-éité,* comme *étanchéité, velléité.*

♦ Dr. ou didact. Caractère de ce qui est illicite. ⇒ **Illégitimité.** *« L'illicéité dans la responsabilité civile extracontractuelle »* (Thèse, par Marc Puech, 1973).

De tels sentiments existaient, je vous assure, entre Marie et ses acolytes qui croyaient ne rien commettre de bien mal, agir dans un intérêt politique, provisoirement d'ailleurs et jusqu'à ce que la fortune qui était nécessaire à leurs desseins fût faite, qui cachaient à leur conscience leur dissimulation (seul signe qui eût pu leur révéler l'illicité de leurs actes) sous le nom de prudence (...)
PROUST, Jean Santeuil (écrit entre 1895 et 1900), Pl., p. 585.

ILLICITEMENT [i(l)lisitmɑ̃] adv. — 1491; de *illicite.*

♦ Dr. ou rare. D'une manière illicite.

CONTR. Licitement.

ILLICO [i(l)liko] adv. — Av. 1435; mot lat., de *in loco* « en cet endroit; sur-le-champ ».

♦ Fam. Sur-le-champ. ⇒ **Aussitôt, immédiatement, promptement, suite** (tout de suite). *Il faut partir illico.* — Loc. *Illico presto* (même sens). ⇒ **Rapido-presto.**

(...) il lui ferait le plaisir de ne plus s'occuper de ces niaiseries, de se mettre *illico* à son piano, et de jouer des exercices pendant quatre heures. 1
R. ROLLAND, Jean-Christophe, L'Aube, p. 86.

J'ai compris *illico presto,* et d'un! avant-tout! que « jouer le jeu », c'était passer à la Radio... toutes affaires cessantes! (...) 2
CÉLINE, Entretiens avec le professeur Y, p. 11.

ILLIMITABLE [i(l)limitabl] adj. — 1807, Destutt de Tracy, *in* T. L. F.; de *illimité,* ou de *il-* (→ 1. In-), et *limitable.*

♦ Rare. Qui ne peut être limité; auquel on ne peut assigner de limites.

ILLIMITANT, ANTE [i(l)limitɑ̃, ɑ̃t] adj. — Attesté 1935, Valéry; p. prés. de *illimiter.*

♦ Didact. ou littér. Qui abolit les limites, rend illimité.

Quant à la Synthèse du Rêve — elle consiste à développer un état de veille en appliquant un mode de transformation de cet état, qui soit *illimitant.*
VALÉRY, Cahiers, t. II, Pl., p. 167.

ILLIMITATION [i(l)limitɑsjɔ̃] n. f. — Av. 1622, saint François de Sales; repris 1815; de *illimit(é),* et *(limitat)ion.*

♦ Didact. Absence de limites, caractère illimité. *L'illimitation du cercle, de la sphère.* (→ Illimité, 1., REM.)

CONTR. Limitation.

ILLIMITÉ, ÉE [i(l)limite] adj. et n. m. — 1611; bas lat. *illimitatus,* de *il-* (→ 1. In-), et *limitare.* → Limiter.

♦ **1.** Qui n'a pas de bornes, de limites; dont on ne distingue pas les limites. *Espace illimité.* ⇒ **Grand, indéfini.** *L'étendue* (cit. 10) *illimitée des savanes. Horizon* (cit. 16) *illimité. Le champ illimité des horizons* (cit. 18) *nouveaux. Le domaine* (cit. 5) *de la poésie est illimité. Pouvoirs, moyens d'action illimités* (→ Absolutisme, cit. 1). *Autorité illimitée.* ⇒ **Discrétionnaire.** *Ses ressources sont illimitées.* ⇒ **Immense, incalculable, incommensurable.** *Les convoitises illimitées de l'homme moderne* (→ Fiévreux, cit. 2). ⇒ **Démesuré, effréné.** — Géom. *Espace illimité, mais fini des géométries non euclidiennes, de la physique relativiste.* — REM. Il convient de distinguer *illimité* et *infini**. Une circonférence, un espace sphérique sont *illimités* (on n'en rencontre pas les limites*), mais non *infinis.*

1 (...) le domaine de la poésie est illimité. Sous le monde réel, il existe un monde idéal, qui se montre resplendissant à l'œil de ceux que des méditations graves ont accoutumés à voir dans les choses plus que les choses.
HUGO, Odes et Ballades, Préface, 1822.

2 L'esprit admet l'idée d'un espace illimité à cause de l'*impossibilité plus grande* de concevoir celle d'un espace limité.
BAUDELAIRE, Trad. E. POE, « Eurêka », III

3 « (...) ils étaient bien d'avis que l'aviation avait un avenir illimité, et que son progrès serait foudroyant. » J. ROMAINS, les Hommes de bonne volonté, t. I, I, p. 29.

4 Il a eu ces jours-ci de grandes douleurs dans la tête; des élancements dans tout le corps (...) D'ailleurs ces élancements se font encore moins redouter par la souffrance précise qu'ils donnent que par la détresse illimitée dont ils sont l'origine, l'affreux signal. J. ROMAINS, les Hommes de bonne volonté, IV, XXII, p. 245.

5 L'univers de la vie intime est illimité. Nous ignorons où le cœur nous mène et la portée d'une émotion. J. CHARDONNE, l'Amour du prochain, p. 31.

♦ **2.** (1804). Qui n'est pas limité, dont la grandeur, la longueur, la dimension, le nombre n'est pas fixé(e). ⇒ **Indéfini, indéterminé.** *Le nombre des candidats pouvant être reçus à un examen est illimité, alors qu'il est préalablement fixé pour un concours. Être en congé illimité. Pour une durée illimitée.*

♦ **3.** N. m. (1849). *L'illimité. L'illimité des distances* (→ Étouffer, cit. 49).

6 L'opium agrandit ce qui n'a pas de bornes,
Allonge l'illimité,
Approfondit le temps, creuse la volupté,
BAUDELAIRE, les Fleurs du mal, XLIX, p. 83.

7 L'illimité (...) savez-vous que c'est précisément le drame de Goethe? son drame constant et secret : la lutte contre l'illimité vers quoi son génie trop vaste et trop universel l'entraîne (...) GIDE, Attendu que..., p. 99.

CONTR. Borné, fini, limité, mesuré; déterminé.
DÉR. Illimitable, illimitation, illimiter.

ILLIMITER [i(l)limite] v. tr. — V. 1792, « faire durer indéfiniment », C. Desmoulins; de *illimité.*

♦ (1880). Rare, littér. Rendre illimité.

1 (...) pour avoir entendu dire, ou lu, que la magie permet d'entrer mystérieusement en possession de ce que l'on désire, qu'elle illimite la puissance (...)
GIDE, les Faux-monnayeurs, II, 5, *in* Romans, Pl., p. 1097.

Pron. Devenir illimité.

2 À travers la buée de lait qui baignait les champs, l'horizon s'illimitait, et le silence léger, le silence vivant de ce grand espace lumineux et tiède était plein de l'inexprimable espoir, de l'indéfinissable attente qui rendent si douces les nuits d'été.
MAUPASSANT, Fort comme la mort, éd. 1889, p. 192.

ILLISIBILITÉ [i(l)lizibilite] n. f. — 1801; de *illisible.*

♦ Caractère de ce qui est matériellement illisible. *Illisibilité d'une signature.*

CONTR. Lisibilité.

ILLISIBLE [i(l)lizibl] adj. — 1778; *inlisible,* 1671, Mme de Sévigné; de *il-* (→ 1. In-), et *lisible.*

♦ **1.** Qu'on ne peut lire, qui est très difficile à lire. ⇒ **Indéchiffrable.** *Manuscrit, écrit illisible* (⇒ **Grimoire, hiéroglyphe**). *Gribouillage* (cit. 2) *illisible. Médecin qui griffonne* (cit. 3) *une ordonnance illisible. Avoir une écriture illisible.* → Écrire comme un chat*, faire des pattes de mouche*. *Signature* illisible. Signé : illisible* (dans la copie d'un acte). *Écriteau* (cit. 2) *devenu illisible avec le temps.*

1 (...) une main y a écrit au crayon ces quatre vers qui sont devenus peu à peu illisibles sous la pluie et la poussière (...) HUGO, les Misérables, V, IX, VI.

2 ILLISIBLE. Une ordonnance de médecin doit l'être; toute signature, *id.*
FLAUBERT, Dict. des idées reçues.

3 Il avait une calligraphie à lui, une bâtarde fantaisiste, pétaradante d'enjolivements et d'arabesques, à la fois superbe et illisible.
COURTELINE, Messieurs les ronds-de-cuir, 2e tableau, I.

♦ **2.** (1789). Dont la lecture est insupportable. *Compilation illisible. Roman illisible.*

4 Chacun sait qu'il y a, de nos jours, deux littératures : la mauvaise, qui est proprement illisible (on la lit beaucoup). Et la bonne, qui ne se lit pas.
J. PAULHAN, les Fleurs de Tarbes, p. 18.

5 Commencé *Obermann* de Sénancour. Illisible. Non, vraiment, je ne peux pas aller jusqu'au bout. J. RENARD, Journal, 24 sept. 1889.

CONTR. Lisible.
DÉR. Illisibilité, illisiblement.

ILLISIBLEMENT [i(l)liziblәmɑ̃] adv. — 1842; de *illisible.*

♦ D'une manière illisible. *Il gribouille illisiblement. Ordonnance rédigée illisiblement.*

CONTR. Lisiblement.

ILLITE [ilit] n. f. — 1937, R. E. Grim, *in* Oxford; 1969, Quillet; angl. *Illite,* de *Illinois,* État des États-Unis, et suff. *-ite.*

♦ Minér. Minéral argileux riche en potassium, à structure feuilletée.

ILLOCUTIONNAIRE [i(l)lɔkysjɔnɛʀ] adj. — 1965; angl. *illocutionary,* 1962, Austin, de *illocution,* de *locution* « action de parler », de même orig. que le franç. *locution.*

♦ Didact. (ling.). ⇒ **Illocutoire.** *Actes illocutionnaires et perlocutoires*.*

ILLOCUTOIRE [i(l)lɔkytwaʀ] adj. et n. m. — 1970; angl. *illocutory,* 1955, Austin; de *illocution.* → Illocutionnaire.

Didactique (linguistique).

♦ **1.** Adj. Qui produit un effet par l'acte de parole même. — Syn. : *illocutionnaire.*

(...) l'activité illocutoire, l'ensemble des actes qui s'accomplissent immédiatement et spécifiquement par l'exercice de la parole.
Oswald DUCROT, Dire et ne pas dire, p. 76.

♦ **2.** N. m. Ce qui s'accomplit par l'exercice de la parole. *« Cet aspect de l'interlocution incite à considérer davantage l'énonciation que l'énoncé, à revenir à la rhétorique, cette discipline centrale de la culture antique, trop longtemps réduite chez nous à une théorie pauvre des figures de style. Priorité à l'illocutoire, à ce qui ne concerne ni le mot ni la phrase : la personne des locuteurs, les circonstances de lieu et de temps, la " matérialité sonore " des paroles échangées, l'interprétation contextuelle. Il s'y glisse toute la diversité des jeux de langage, leur inventivité et leur créativité multiformes, toute une mise en scène de conflits et d'intérêts opposés signalés à demi-mot »* (*le Français dans le monde,* n° 181, nov.-déc. 1983, p. 21).

ILLOGIQUE [i(l)lɔʒik] adj. — 1819; de *il-* (→ 1. In-), et 2. *logique*.*

♦ Qui n'est pas logique. ⇒ (didact.) **Antilogique** et aussi **alogique** (cit. 1). *Raisonnement illogique.* ⇒ **Absurde,** 1. **faux.** *Plan, classification illogique. Il est illogique de dire « à bicyclette »* (cit. 1) *alors qu'on dit « en voiture »* (⇒ **Anomalie**). *Conduite illogique.* ⇒ **Incohérent, irrationnel.** *C'est un peu illogique de sa part. Je ne vois là rien d'illogique. Il est, il n'est pas illogique de...*

Le protestantisme n'est, en religion, qu'une hérésie illogique (...)
CHATEAUBRIAND, Mémoires d'outre-tombe, t. III, p. 51 (éd. Levaillant).

— Que voulez-vous, Niklausse, répondit le digne bourgmestre, il n'y a rien d'illogique comme les accidents. Ils n'ont aucun lien entre eux, et l'on ne peut pas, comme on le voudrait, profiter de l'un pour atténuer l'autre.
J. VERNE, le Docteur Ox, p. 15.

Par ext. (En parlant d'une personne). *Il est illogique dans son argumentation.*

Pour protester contre le mal et la mort, il *(Karamazov)* choisit donc, délibérément, de dire que la vertu n'existe pas plus que l'immortalité et de laisser tuer son père. Il accepte sciemment son dilemme; être vertueux et illogique, ou logique et criminel. CAMUS, l'Homme révolté, p. 80.

CONTR. Logique; cohérent.
DÉR. Illogiquement, illogisme.

ILLOGIQUEMENT [i(l)lɔʒikmɑ̃] adv. — 1842, Académie, *Compl.*; de *illogique.*

♦ Rare. D'une manière illogique. *Vous répondez illogiquement. Son récit est articulé illogiquement.*

CONTR. Logiquement.

ILLOGISME [i(l)lɔʒism] n. m. — 1852, Proudhon; de *illogique.*

Didactique.

♦ **1.** Caractère de ce qui est illogique, de ce qui manque de logique. *Illogisme d'un raisonnement.*

L'amoureuse, en elle, par un illogisme trop légitime, avait secrètement attendu et désiré cette périlleuse présence que les portions raisonnables de son être redoutaient (...) Paul BOURGET, Un divorce, p. 170.

L'illogisme irrite. Trop de logique ennuie. GIDE, Journal, 12 mai 1927.

♦ **2.** Rare. *(Un, des illogismes).* Chose illogique. *C'est un illogisme flagrant.*

♦ **3.** Manque de logique (d'une personne). « *Toujours l'illogisme féminin!* » (Léautaud, *In Memoriam, in* T. L. F.).

ILLUMINABLE [i(l)lyminabl] adj. — 1866; de *illuminer.*

♦ **1.** Théol. Qui peut recevoir une lumière divine. « *L'âme est illuminable* » (Littré).

Qui peut recevoir une inspiration soudaine, être illuminé.

♦ **2.** Qui peut être illuminé (2.). *Le parc est illuminable.*

ILLUMINANT, ANTE [i(l)lyminɑ̃, ɑ̃t] adj. — XVIe; p. prés. de *illuminer.*

♦ **1.** Vx. Qui illumine, éclaire. « *Le corps illuminant et le corps illuminé* » (Bossuet). « *La grande lune illuminante des pays chauds* » (Maupassant, *in* G. L. L. F.).

♦ **2.** Mod. Qui éclaire l'esprit. ⇒ **Éclairant.**

L'homme de questions et de combinaisons, le voici devant ses idoles. Mais parfois elles sont à ses yeux des poupées inertes, et des pièces mortes, et de bois, d'un jeu qu'on ne joue pas, comme elles furent, d'autres jours, des puissances ailées et illuminantes. VALÉRY, Cahiers, t. II, Pl., p. 1278.

ILLUMINATEUR, TRICE [[i(l)lyminatœʀ, tʀis] adj. et n. — 1403 (1447, selon T. L. F.); bas lat. *illuminator,* du supin du lat. class. *illuminare.* → Illuminer.

★ **I.** N. ♦ **1.** Vx. Personne, chose qui illumine. *Le soleil,* « *céleste illuminateur* » (Bossuet).

♦ **2.** (1803). Vx. Personne qui s'occupe des éclairages.

REM. Les sens 1 et 2 ne sont attestés qu'au masculin.

★ **II.** Adj. ♦ **1.** Rare. Qui illumine, éclaire vivement.

♦ **2.** Fig., littér. Qui éclaire, rend plus clair, plus compréhensible. *Un* « *principe illuminateur de bien des choses* » (Villiers de L'Isle-Adam, *in* T. L. F.).

ILLUMINATIF, IVE [i(l)lyminatif, iv] adj. — Av. 1429; du rad. de *illuminer.*

♦ Théol. Qui illumine (de la lumière céleste). *La vie illuminative* (→ Ascèse, cit. 3).

ILLUMINATION [i(l)lyminɑsjɔ̃] n. f. — 1361, Oresme; lat. *illuminatio,* du supin de *illuminare,* → Illuminer.

★ **I.** ♦ **1.** Relig. Lumière extraordinaire que Dieu répand dans l'âme d'un homme. *Par l'illumination du Saint-Esprit. Illumination divine. L'illumination de la foi,* que procure la foi (→ 2. Farce, cit. 8).

1 Cette illumination que Dieu ne leur refuse point et qu'il leur accorde par bonté (...) NICOLE, Essais, *in* LITTRÉ.

2 Alors, par une soudaine illumination, elle se sentit si éclairée et tellement transportée de joie (...) BOSSUET, Oraison funèbre d'Anne de Gonzague.

♦ **2.** Cour. *(Une, des illuminations;* collectif *l'illumination).* Inspiration subite, lumière soudaine qui se fait dans l'esprit. ⇒ **Découverte; idée, trait** (de génie); **inspiration.** *Illuminations du chercheur* (→ Griser, cit. 10), *du poète.*

3 L'un *(Turenne)* paraît agir par des réflexions profondes, et l'autre *(Condé)* par de soudaines illuminations. BOSSUET, Oraison funèbre de Louis de Bourbon.

4 Je connais plusieurs autres exemples de ces illuminations de l'esprit, succédant à de longues luttes intérieures, à des tourments analogues aux douleurs de l'enfantement. Tout à coup la vérité de quelqu'un se fait et brille en lui. La comparaison lumineuse s'impose, car rien ne donne une image plus juste de ce phénomène intime que l'intervention de la lumière dans un milieu obscur où l'on ne pouvait se mouvoir qu'à tâtons. Avec la lumière apparaît la marche en ligne droite et la relation immédiate des coordinations de la marche avec le désir et le but. Le mouvement devient une fonction de son objet. Dans les cas dont je parlais, comme dans celui de Descartes, c'est toute une vie qui s'éclaire, dont tous les actes seront désormais ordonnés à l'œuvre qui sera leur but. La ligne droite est jalonnée. Une intelligence a découvert ou a projeté ce pour quoi elle était faite : elle a formé, une fois pour toutes, le modèle de tout son exercice futur. VALÉRY, Variété V, p. 217.

5 Une illumination soudaine semble parfois faire bifurquer une destinée. Mais l'illumination n'est que la vision soudaine, par l'Esprit, d'une route lentement préparée. SAINT-EXUPÉRY, Pilote de guerre, p. 67.

6 Il faut avoir vécu dans les laboratoires pour comprendre qu'une découverte suppose une illumination, d'abord, puis l'ordonnance la plus sévère. G. DUHAMEL, Manuel du protestataire, p. 136.

★ **II.** (XVIe). Concret. Cour. Action d'éclairer, de baigner de lumière; résultat de cette action. ⇒ **Éclairement; éclairage.** *L'illumination de la terre par le soleil. Illumination d'un monument, d'un château historique avec des projecteurs. L'illumination de Notre-Dame de Paris. Illumination à giorno*. L'illumination d'un monument, d'un parc par des projecteurs.* — (Vx). *L'illumination de Paris sous Louis XIV* (→ Fanal, cit. 7).

7 (...) des centaines de lustres descendaient du plafond en constellations ignées au milieu d'une brume phosphorescente. Et toutes ces clartés, croisant leurs rayons, formaient la plus éblouissante illumination *a giorno* qui ait jamais fait tournoyer son soleil au-dessus d'une fête. Th. GAUTIER, Voyage en Russie, p. 140.

8 Cependant la lune se levait à l'Est... La pointe des grands hêtres, la première, s'illumina; il passa un soupçon de brise dans leurs feuilles délicates; la clarté baigna d'autres branches et enveloppa d'autres frondaisons. De l'Est glissait en nappes bleuâtres et lentes l'onde magnétique de l'aube lunaire. Par ma fenêtre je voyais l'illumination progressive des feuillages, et de l'ombre sortir des ombres inconnues, à l'apparition de cette clarté. H. BOSCO, Un rameau de la nuit, p. 138.

Spécialt. Action d'illuminer occasionnellement par de nombreuses lumières décoratives; résultat de cette action. *Faire des illuminations un jour de fête* (cit. 12). *Les illuminations d'un spectacle* « *son* et lumière* ». *Illuminations prévues pour le 14 juillet. Illuminations aux lampions, au gaz, à l'électricité* (Académie). Ensemble de ces lumières. ⇒ **Lumière** (→ If, lampion, lanterne, girandole, fontaine lumineuse...). *Les illuminations d'une place, d'une rue. On apercevait les illuminations de la fête dans le lointain.*

On fit des illuminations à toutes les fenêtres (...) 9
VOLTAIRE, Hist. de Charles XII, 7, *in* LITTRÉ.

L'illumination, cachée sous les feuillages, ne donnait que la faible lumière d'un 10
beau clair de lune (...) Mme DE GENLIS, Mlle de La Fayette, p. 283, *in* LITTRÉ.

« Chaque soir, une illumination électrique fait de Nuage-Palace une sorte d'astre 10.1
dont le rayonnement fantastique s'aperçoit à dix lieues à la ronde, et attire magnétiquement, pour ainsi dire, tout ce que Paris renferme de viveurs, d'oisifs, d'étrangers en quête de distractions. A. ROBIDA, le Vingtième Siècle, p. 45.

(...) la veille du quatorze juillet, elle est venue me chercher (...) et nous sommes 11
parties; sans manger, pour avoir plus le temps de voir les bals, les illuminations, les retraites aux flambeaux. J. ROMAINS, les Hommes de bonne volonté, t. IV, XXI, p. 225.

★ **III.** (Sens ancien, repris à l'angl.; cf. Verlaine, Lettre à Sivry, 27 oct. 1878 : « *Les Illuminécheunes* »; angl. *illumination* « enluminure », de *to illuminate* « enluminer »). *Les Illuminations,* recueil de poèmes en vers et en prose d'A. Rimbaud, où « *Illuminations* veut dire *Enluminures (Painted plates).* Rien d'autre » (Étiemble et Y. Gauclère).

Le mot *Illuminations* est anglais et veut dire des gravures coloriées — *coloured* 12
plates : c'est même le sous-titre que M. Rimbaud avait donné à son manuscrit. VERLAINE, Préface à l'édition originale des Illuminations.

CONTR. Obscurcissement, obscurité.

ILLUMINÉ, ÉE [i(l)lymine] p. p. adj. et n. ⇒ **Illuminer.**

ILLUMINER [i(l)lymine] v. tr. — V. 1200, « rendre la vue (à un aveugle) »; aussi « enluminer », au XVIe; lat. *illuminare,* de *il-* (→ 2. In-), et *lumen, inis* « lumière ».

♦ **1.** Relig. Éclairer (qqn, son âme) de la lumière de la vérité (→ cidessous, *illuminé,* p. p. adj.

Ce n'est pas tout, Seigneur : une céleste flamme 1
D'un rayon prophétique illumine mon âme. CORNEILLE, Cinna, V, 3.

Et priez que toujours le Ciel vous illumine. MOLIÈRE, Tartuffe, III, 2. 2

♦ **2.** (Mil. XIVe). Éclairer d'une vive lumière. ⇒ **Enflammer** (fig. et littér.). *Le soleil couchant illumine les flots* (→ Figement, cit.). *Éclair qui illumine le ciel, la campagne* (→ 1. Foudre, cit. 5). *Flammes d'une torche, d'un foyer qui illuminent une salle* (→ Agonisant, cit. 1; flamboyant, cit. 4). *Des lustres de cristal illuminaient le salon. Fusée* (cit. 5) *lâchée par un aviateur pour illuminer le terrain.*

Mais quel nouveau soleil illumine les airs? ROTROU, Hercule mourant, V, 3. 3

Au passif et p. p. *La ville était illuminée.* ⇒ **Illumination.** *Un monument illuminé. Averse illuminée de soleil* (→ Briller, cit. 6). *Armure illuminée de reflets* (→ Fourbir, cit. 1).

(...) les carreaux illuminés par les rayons d'agonie du soir brûlaient d'une lueur 4
intense (...) VILLIERS DE L'ISLE-ADAM, Contes cruels, « L'Intersigne », p. 203.

Certain matin, nous quittâmes enfin ce sale canot sauvage pour entrer dans la 5
forêt par un sentier caché qui s'insinuait dans la pénombre verte et moite, illuminé seulement de place en place par un rais de soleil plongeant du plus haut de cette infinie cathédrale de feuilles. CÉLINE, Voyage au bout de la nuit, p. 151.

Pronominal :

De son lit (...) il regardait par les fenêtres carrées et basses les étoiles poindre 6
dans le ciel et Limoges s'illuminer. J. CHARDONNE, les Destinées sentimentales, p. 503.

(1694). Sujet humain. Orner de lumières (un monument, une rue, une place...) à l'occasion d'une fête, d'un spectacle. ⇒ **Illumination.** Absolt. *On pavoisait le jour et on illuminait la nuit.*

Il *(le cardinal Alberoni)* fut le seul des ministres étrangers qui illumina sa maison 7
pour la prise de Cagliari. SAINT-SIMON, Mémoires, t. V, XLII.

♦ **3.** Sujet n. de chose. Mettre une lumière, un reflet, un éclat lumineux sur. *Une flamme de colère illuminait ses yeux, son regard.* ⇒ **Allumer, embraser.** — Fig. *Des yeux, un sourire qui illuminait un visage* (→ Brouiller, cit. 30). *Sa beauté illumine tout.* ⇒ **Ensoleiller.** — Au p. p. *Des yeux illuminés de joie.*

(...) ses yeux illuminés d'un reste de fièvre (...) NERVAL, Aurélia, II, I. 8

Un ineffable éclair de joie illuminait sa face sanglante. 9
HUGO, Quatre-vingt-treize, III, II, IV.

(...) cette divine créature que je voyais resplendir à son bras et dont la présence 10
illuminait le vieux salon fané (...) FRANCE, le Crime de S. Bonnard, Œuvres, t. II, IV, p. 391.

(...) elle s'approcha de nous avec ce sourire qui semblait l'illuminer tout 11
entière (...) F. MAURIAC, la Pharisienne, p. 97.

Pron. Devenir brillant, lumineux, radieux. *Ses prunelles s'illuminent d'un flamboiement* (cit. 2). ⇒ **Briller.** *Ses yeux s'illuminèrent* *de joie* (→ Animer, cit. 41). *Son visage s'illumine à l'annonce de cette nouvelle.*

12 Mais je fus bien surpris de voir s'illuminer le visage de mon jeune juge (...)
SAINT EXUPÉRY, le Petit Prince, p. 14.

♦ **4.** Par **métaphore**. Rendre lumineux (fig.), plus beau. ⇒ **Éclairer, embellir.**

13 L'éclat de telles actions semble illuminer un discours (...)
BOSSUET, Oraison funèbre de P. Bourgoing.

14 Le soleil de Louis XIV illuminera le règne de Louis XV.
J. BAINVILLE, Hist. de France, XIII, p. 221.

15 Le monde nous est-il perceptible quand aucun amour ne l'illumine plus à nos yeux? Edmond JALOUX, le Dernier Jour de la création, XIII, p. 182.

16 C'est l'idéal révolutionnaire qui a soudain élargi, illuminé mon horizon, donné une raison de vivre à cet être réfractaire et inutile que j'étais, depuis mon enfance (...) MARTIN DU GARD, les Thibault, t. VI, p. 225.

▶ **ILLUMINÉ, ÉE** p. p. adj. et n.

Au p. p. → ci-dessus, cit. 5 et *supra;* cit. 8 et *supra.*

Adj. ♦ **1.** Éclairé d'une vive lumière, de nombreuses lumières. *Eaux illuminées, moirées d'argent* (→ Hélice, cit. 3). *Salle illuminée d'un restaurant* (→ Amaigrissement, cit.). *Palais illuminé* (→ Fond, cit. 19). *Paquebot tout illuminé.*

17 (...) elle se rappela, brillant à travers les arbres des deux jardins contigus, une fenêtre illuminée qu'elle avait aperçue de son lit, quand par hasard elle s'était éveillée pendant la nuit (...) BALZAC, Albert Savarus, Pl., t. I, p. 769.

18 La façade illuminée de l'établissement jetait une grande lueur (...)
MAUPASSANT, Bel-Ami, p. 18.

19 (...) le teint de sa figure était si doré et si rose qu'elle avait l'air d'être vue à travers un vitrail illuminé. PROUST, À la recherche du temps perdu, t. IV, p. 72.

Spécialt. Orné d'illuminations. *Ville illuminée.*

20 Cependant Toulon accueillait l'escadre russe; le port était pavoisé et le soir une étrange liesse emplissait la ville illuminée (...) GIDE, Si le grain ne meurt, p. 290.

21 Au loin, un noir rougeoiement indiquait l'emplacement des boulevards et des places illuminées (...) Du port obscur montèrent les premières fusées des réjouissances officielles. CAMUS, la Peste, p. 331.

♦ **2.** (1653; «intelligent», 1654). Fig. Dont l'esprit reçoit une vision. *Être comme illuminé* (→ 1. Garde, cit. 42).

N. **a** (1625, *in* D. D. L.). Hist. des relig. Mystique croyant à l'illumination intérieure. *Un illuminé, une illuminée.* Personne qui a des visions, en matière de religion. ⇒ **Inspiré, mystique, visionnaire.** *Un illuminé qui se dit prophète. Les Rose-Croix, secte d'illuminés.* ⇒ **Illuminisme.**

22 Il y a trois classes d'illuminés : les illuminés mystiques, les illuminés visionnaires, et les illuminés politiques (...) Les illuminés visionnaires, à la tête desquels on doit placer le Suédois Swedenborg, croient que par la puissance de la volonté, ils peuvent faire apparaître des morts et opérer des miracles.
Mme DE STAËL, De l'Allemagne, IV, VIII (1810).

23 (...) la révolution a eu de tout temps ses *mystiques,* ainsi que la monarchie. La race des *illuminés* n'est pas éteinte. Toutefois, le sol de France lui a toujours été moins favorable que celui de l'Allemagne.
NERVAL, Illuminés et Illuminisme, Pl., t. II, p. 1220.

24 Quelques années avant la Révolution, le château d'Ermenonville était le rendez-vous des Illuminés qui préparaient silencieusement l'avenir. Dans les *soupers* célèbres d'Ermenonville, on a vu successivement, le comte de Saint-Germain, Mesmer et Cagliostro, développant, dans des causeries inspirées, des idées et des paradoxes dont l'école dite de Genève hérita plus tard.
NERVAL, les Filles du feu, «Angélique».

25 Le visage tourmenté, ravagé, les yeux ardents et fixes semblaient, par instants, d'un illuminé. A. MAUROIS, Olympio, VIII, II, p. 401.

26 (...) en réaction contre l'esprit scientifique se propagent des crédulités singulières, et comme le vertige de l'irrationnel. Ce «siècle des lumières» est aussi celui des illuminés. Il a ses rêveurs, ses égarés, ses charlatans. La secte proprement dite des Illuminés se fonde seulement en 1776 en Allemagne, à l'instigation d'Adam Weisshaupt. Mais les frères de la Rose-Croix, nombreux en Allemagne dès le début du XVIIe siècle, forment au milieu du XVIIIe un groupe agissant de francs-maçons tournés vers le mysticisme, et qui se croit en communication avec les esprits. Le Suédois SWEDENBORG (1688-1772) ... a des révélations, converse avec les anges, les morts, les démons. R. JASINSKI, Hist. de la littérature franç., t. II, p. 124.

b Cour. «Esprit sans critique, qui suit aveuglément ses inspirations ou qui prend ce qu'il imagine pour des intuitions révélatrices» (Lalande). *C'est un illuminé. Les illuminés qui voulaient l'armistice* (cit. 2).

CONTR. Obscurcir, assombrir. — (De l'adj., sens 1) **Sombre.** — (Du p. p. adj.) **Aveuglé.**

DÉR. Illuminisme, illuminable, illuminatif, illuminisme. — V. aussi **Illuné.**

ILLUMINISME [i(l)lyminism] n. m. — V. 1750 (1798, *in* D. D. L.), au sens 2; de *illuminé.*

♦ **1.** Didact. (De l'ital. *illuminismo*). Courant rationaliste du XVIIIe siècle italien, correspondant à la philosophie des lumières* en France. ⇒ **Illuministe.**

♦ **2.** (V. 1750). Hist. des relig. Doctrine, mouvement de certains mystiques (Swedenborg, Böhme...) dits illuminés. *Illuminés et Illuminisme,* ouvrage de Nerval.

1 (...) je ne puis entendre de sang-froid, dans le monde, des étourdis de l'un et l'autre sexe crier à l'*illuminisme,* au moindre mot qui passe leur intelligence (...)
J. DE MAISTRE, les Soirées de Saint-Pétersbourg, XIe Entretien.

2 Madame de Croislin s'est fait un illuminisme à sa guise. Crédule et incrédule, le manque de foi la portait à se moquer des croyances dont la superstition lui faisait peur. CHATEAUBRIAND, Mémoires d'outre-tombe, t. II, p. 339.

Attitude mystique exaltée.

3 Et, dans cette foi très sincère, dans son illuminisme de rédempteur, entrait aussi l'orgueil du martyre, la joie d'être un des saints rayonnants et adorés de la naissante Église révolutionnaire. ZOLA, Paris, t. I, p. 224.

♦ **3.** Psychiatrie. Exaltation pathologique accompagnée de visions de phénomènes surnaturels.

DÉR. (Du sens 1) **Illuministe.**

ILLUMINISTE [i(l)lyminist] adj. et n. — XXe (1951, J. Gracq, *in* T. L. F.); de *illuminisme* (1.).

♦ Didact. Propre à la philosophie des lumières en Italie.

Imbu des principes encyclopédistes «illuministes» et humanitaires, il *(Giuseppe Parini)* salue avec enthousiasme la Révolution (...)
Paul ARRIGHI, la Littérature italienne, p. 64.

ILLUNÉ, ÉE [i(l)lyne] adj. — 1871, Rimbaud; de *il(luminé),* et *lune.*

♦ Littér. (mot d'auteur). Éclairé par la lune. — REM. Rimbaud emploie aussi le v. pron. *s'illuner.*

ILLUSION [i(l)lyzjɔ̃] n. f. — Déb. XIIIe; *illusiun* «moquerie», v. 1120; lat. *illusio,* de *illusum,* supin de *illudere* «se jouer, se moquer de», de *il-* (→ 1. In-), et *ludere* «jouer». → Ludique.

★ **I. A.** ♦ **1.** Erreur de perception causée par une fausse apparence (⇒ **Aberration, erreur** [1., 2.], **leurre**). *Les illusions des sens,* que les sens produisent. *L'illusion de qqch.,* que qqch. est visible, perçu, présent (→ Aspect, cit. 33). *Avoir un instant l'illusion de... Une illusion de chaleur, de fraîcheur* (→ Bruissement, cit. 3). — *Être le jouet d'une illusion, d'illusions* (→ Erreur, cit. 38). — *Produire, causer une illusion. Donner l'illusion de la vie* (→ Agencement, cit. 4). *Donner l'illusion de qqch.,* par une habile simulation, par l'imitation.

1 (...) ses yeux *(d'un pendu),* tout grands ouverts avec une fixité effrayante, me causèrent d'abord l'illusion de la vie. BAUDELAIRE, le Spleen de Paris, XXX.

2 (...) les marionnettes de Pothin devaient être sculptées, machinées, peintes et vêtues de manière à produire une illusion complète (...)
Th. GAUTIER, Souvenirs de théâtre..., p. 220.

3 (...) sachant imiter jusqu'à l'illusion le chant de tous les oiseaux (...)
J. BÉDIER, Tristan et Iseut, Préface, p. VII.

4 (...) des illusions, forgées par nous de toutes pièces, se défendent bien plus longtemps de l'invraisemblance que les illusions des sens, où le monde extérieur a sa part (...)
J. PAULHAN, Entretien sur des faits divers, p. 114.

Peinture, décor qui donne l'illusion du relief, de la réalité (⇒ **Trompe-l'œil**). *L'art moderne est indifférent à l'illusion, méprise l'illusion.* ⇒ **Illusionisme** (2.; → Esquisse, cit. 2). — *L'illusion théâtrale, scénique,* par laquelle «nous attribuons une certaine réalité à ce que nous savons n'être pas vrai» (Littré). *La vraisemblance crée l'illusion du vrai.*

5 L'orateur conduit la persuasion; l'*illusion* marche à côté du poète. L'orateur et le poète sont deux grands magiciens, qui sont quelquefois les premières dupes de leurs prestiges. Je dirai au poète dramatique : voulez-vous me faire *illusion,* que votre sujet soit simple, et que vos incidents ne soient point trop éloignés du cours naturel des choses! (...) Encycl. (DIDEROT), art. *Illusion.*

6 On se rappelle cette admirable décoration du *Juif-Errant* (...) Quel style, quelle noblesse, quelle poésie et quelle illusion!
Th. GAUTIER, Portraits contemporains, p. 343.

♦ **2.** Psychol. Interprétation erronée de la perception sensorielle de faits ou d'objets réels. ⇒ **Paréidolie.** *L'illusion résulte des caractères primitifs et universels de la perception*, ce qui la distingue de l'erreur de perception proprement dite. Illusion qui fait paraître brisée une droite interrompue par des bandes parallèles. Illusion stroboscopique. Illusions visuelles, illusions tactiles, de la cénesthésie.* — (1879). *Illusion des amputés* (sensation localisée dans le membre perdu). — *Illusions pathologiques de la vue, dans les intoxications. Illusions du déjà-vu, de fausse reconnaissance* (troubles de la mémoire). *Illusion de sosie ou de non-reconnaissance. Illusion de jamais vu.*

ILLUSIONS D'OPTIQUE, provenant des lois de l'optique (réfraction : illusion du bâton brisé, etc.). *Illusions optico-géométriques.* — Fig. *Illusion d'optique,* erreur de point de vue (→ Grand, cit. 23). — Var. : *illusions optiques* (→ Perspective, cit. 1).

7 Il y a des illusions du toucher. L'une des plus connues est l'expérience d'Aristote : en croisant le médius et l'index et en plaçant entre les extrémités de ces deux doigts une petite boule, on croit toucher deux objets.
A. BURLOUD, Psychologie, XII, p. 206.

♦ **3.** Apparence* dépourvue de réalité (→ Écoulement, cit. 5, Pascal). *Cette oasis que vous croyez voir n'est qu'une illusion.* ⇒ **Mirage, vision.** *Illusion trompeuse, fallacieuse. Ce n'est pas une illusion, c'est une vérité* (→ 1. Barbe, cit. 5). — *Les illusions du sommeil.* ⇒ **Rêve, songe.**

8 Je n'étais pas sûr que ce ne fût une illusion, une fantasmagorie, un rêve, ou que je n'eusse lu cela quelque part, ou même que ce ne fût une histoire composée par moi, comme je m'en suis fait bien souvent. Je craignais d'être la dupe de ma crédulité et le jouet de quelque mystification.
Th. GAUTIER, Mlle de Maupin, III, p. 109.

Spécialt. *Illusions créées, suscitées par artifice, magie, sortilège.* ⇒ **Charme, enchantement, fantasmagorie, prestige.** — *L'illusion comique* (théâtrale), comédie de Corneille.

9 ALCANDRE *(magicien)* : Je vais de ses amours
Et de tous ses hasards vous faire le discours.
Toutefois, si votre âme était assez hardie,
Sous une illusion vous pourriez voir sa vie,
Et tous ses accidents devant vous exprimés
Par des spectres pareils à des corps animés (...) CORNEILLE, l'Illusion, I, 2.

(1611, «trucage»). *Illusions produites par des tours d'adresse, des trucages* (⇒ **Illusionnisme, prestidigitation**). *Théâtre d'illusion; palais de l'Illusion.*

B. Concret. ♦ **1.** Pierre précieuse de très petite dimension.

♦ **2.** En appos. TULLE ILLUSION : tulle de soie extrêmement fine, presque invisible.

9.1 Elle avait une robe de tulle illusion à mailles sur satin blanc, avec la ceinture de *bleu Mademoiselle* à la mode de cet hiver-là, l'hiver de 1836.
Ed. et J. DE GONCOURT, Madame Gervaisais, p. 118.

★ **II.** (1611). ♦ **1.** Opinion fausse, croyance erronée que forme l'esprit et qui l'abuse par son caractère séduisant. ⇒ **Amusement** (vieilli), **chimère, fantasme** (ou **phantasme**), **leurre, rêve, songe, utopie.** *Les illusions de qqn, ses illusions. Vaines, trompeuses illusions. Agréables, douces, flatteuses illusions. Illusions apaisantes, consolantes. Des illusions généreuses, nobles, respectables, sublimes* (→ Courage, cit. 16; erreur, cit. 5; fourberie, cit. 4). *De patriotiques illusions* (→ Animer, cit. 26). *Dangereuses, coûteuses, funestes illusions. La sincérité, la naïveté de ses illusions* (→ Aléatoire, cit. 1). *Les illusions de l'artiste, de l'écrivain* (→ Dada, cit. 3). *Narcisse mourut de l'illusion qui l'avait charmé* (→ Amoureux, cit 9.1). — *Ils croyaient s'aimer, mais l'illusion dura peu* (→ Épris, cit. 17). — *L'illusion de qqch.,* que qqch. existe. *L'illusion d'une fraternité humaine* (→ Coudoiement, cit. 2). *«L'illusion des amitiés de la terre»* (→ Amusement, cit. 6, Bossuet).

10 Flatteuse illusion, erreur douce et grossière (...)
Que tu sais peu durer, et tôt t'évanouir! CORNEILLE, Horace, III, 1.

11 Je serai bien aise qu'il *(mon fils)* vienne ici pour voir un peu par lui-même ce que c'est que l'illusion de croire avoir du bien, quand on n'a que des terres.
Mme DE SÉVIGNÉ, 454, 9 oct. 1675.

12 Il savait combien les illusions sont trompeuses, et il préférait ses illusions à la réalité. A. DE MUSSET, les Caprices de Marianne, II, 6.

13 Grimm est un homme judicieux, droit, sûr, ferme, formé de bonne heure au monde, estimant peu les hommes en général, les jugeant, n'ayant rien des fausses vues et des illusions philanthropiques du temps.
SAINTE-BEUVE, Causeries du lundi, 10 juin 1850.

14 Les illusions (...) sont aussi innombrables, peut-être, que les rapports des hommes entre eux, ou des hommes avec les choses. Et quand l'illusion disparaît, c'est-à-dire quand nous voyons l'être ou le fait tel qu'il existe en dehors de nous, nous éprouvons un bizarre sentiment, compliqué moitié de regret pour le fantôme disparu, moitié de surprise agréable devant la nouveauté, devant le fait réel.
BAUDELAIRE, le Spleen de Paris, XXX.

15 Nous sommes les jouets éternels d'illusions stupides et charmantes toujours renouvelées. MAUPASSANT, les Sœurs Rondoli, Suicides, p. 261.

16 Cette illusion, lorsqu'elle entraînera tout le reste, c'est elle qui fera d'une utopie la réalité. GIDE, Pages de journal 1929-32, p. 172.

17 (...) cet orgueil, ils le tiraient de l'illusion de leur puissance.
SAINT-EXUPÉRY, Terre des hommes, p. 101.

18 Ne nous étonnons pas que les illusions de l'esprit soient plus difficiles à réduire que les autres : elles ne sont même pas aperçues.
J. PAULHAN, Entretien sur des faits divers, III, p. 110.

19 Se marier... Voilà qui répondait tout à fait au désir de Byron lui-même. Il croyait au mariage. C'était sa dernière illusion. A. MAUROIS, la Vie de Byron, II, XVI.

Les illusions de la jeunesse, que cause la jeunesse; ou propres à la jeunesse (→ Assagir, cit. 2; 1. feu, cit. 30). *Les illusions de l'amour.*

20 Mme de Tourvel m'a rendu les charmantes illusions de la jeunesse. Auprès d'elle, je n'ai pas besoin de jouir pour être heureux.
LACLOS, les Liaisons dangereuses, VI.

S'aveugler, s'éblouir (cit. 18) *d'une illusion; se complaire* (cit. 7) *dans une illusion. Caresser*, goûter* (cit. 7) *une illusion. Vivre enveloppé* (cit. 16) *d'un voile d'illusions.* — *Donner à qqn l'illusion de...* (→ Enfiévrer, cit. 4). *Flatter* (cit. 28), *nourrir une illusion* (→ Empire, cit. 7). *Entretenir* (cit. 11) *qqn dans une illusion. Bercer quelqu'un d'illusions* (⇒ **Endormir**).

21 Quelque neuf que je fusse en 1821 (j'avais toujours vécu dans les illusions de l'enthousiasme et des passions)... STENDHAL, Souvenirs d'égotisme, p. 46.

22 L'âme a des illusions comme l'oiseau a des ailes; c'est ce qui la soutient.
HUGO, Post-Scriptum de ma vie, Tas de pierres, VI.

23 (...) mais l'univers ne connaît pas le découragement; il recommencera sans fin l'œuvre avortée; chaque échec le laisse jeune, alerte, plein d'illusions.
RENAN, Souvenirs d'enfance..., Préface, p. 19.

23.1 Il faut avoir de grosses illusions bien grasses : on a moins de peine à les nourrir.
J. RENARD, Journal, 6 sept. 1893.

Les illusions fuient, s'envolent, se dissipent (cit. 22). *Détruire, dissiper* les illusions de qqn.* (⇒ **Dégriser, désenivrer**). *Dépouiller qqn de ses illusions* (→ Demander, cit. 31). *Dire adieu* (cit. 12) *à ses illusions, perdre ses illusions au sujet de qqn* (→ Élémentaire, cit. 2). *Ses illusions sont tombées, se sont écroulées, effondrées. Cela ne lui laisse aucune illusion; il n'a plus d'illusions.* ⇒ **Blasé, désillusionné** (→ Émigration, cit. 3). — SANS ILLUSIONS. *Être sans illusions. Regarder la vie en face, sans illusions* (→ Évoluer, cit. 4). (En fonction d'adj.). *Un homme sans illusions.* — *Illusions perdues,* roman de Balzac.

On ne peut y vivre *(dans le monde)* qu'avec des illusions; et, dès qu'on a un peu vécu, toutes les illusions s'envolent. 24
VOLTAIRE, Correspondance, Lettre à Mme du Deffand, 2 juil. 1754.

Les illusions tombent l'une après l'autre, comme les écorces d'un fruit, et le fruit, c'est l'expérience. NERVAL, les Filles du feu, Sylvie, XIV. 25

(...) quelle abondance d'illusions! Il n'en restait plus maintenant! 26
FLAUBERT, Mme Bovary, II, X.

(...) il était conscient de ce qu'il y a de stérile dans une vie sans illusions. 27
CAMUS, la Peste, p. 318.

LOC. SE FAIRE DES ILLUSIONS. ⇒ **Idée** (se faire des idées), **imagination; abuser** (s'), **aveugler** (s'), **flatter** (se), **illusionner** (s'), **leurrer** (se). → Illusionniste, cit. 1. Abrév. fam. (1947, Genet) : *illuse(s). Vous vous imaginez qu'il va tenir ses promesses; vous vous faites des illusions! Ne pas se faire d'illusions :* voir les choses en face (→ Handicaper, cit. 2). — *Se faire des illusions sur soi-même.*

(Gluck) ne jouait pas l'idéaliste. Il ne se faisait d'illusion ni sur les hommes ni sur les choses. R. ROLLAND, Musiciens d'autrefois, p. 227. 28

ÉCON. *L'illusion monétaire :* surestimation du revenu par négligence des effets de l'inflation.

♦ **2.** Absolt. L'ILLUSION, considérée comme une entité active. *La puissance, le pouvoir de l'illusion. Les mirages de l'illusion* (→ Attrayant, cit. 4). *L'homme a besoin de l'illusion; se nourrit, vit de l'illusion.*

L'illusion féconde habite dans mon sein. 29
D'une prison sur moi les murs pèsent en vain,
J'ai les ailes de l'espérance. André CHÉNIER, Odes, II, XIV, La jeune captive.

Sans l'illusion, où irions-nous? Elle donne la puissance de manger la *vache enragée* des Arts, de dévorer les commencements de toute science en nous donnant la croyance. L'illusion est une foi démesurée! 30
BALZAC, les Employés, Pl., t. VI, p. 912.

À cette heure, l'illusion règne despotiquement, peut-être se lève-t-elle avec la nuit! l'illusion n'est-elle pas pour la pensée une espèce de nuit que nous meublons de songes? L'illusion déploie alors ses ailes elle emporte l'âme dans le monde des fantaisies, monde fertile en voluptueux caprices et où l'artiste oublie le monde positif, la veille et le lendemain, l'avenir, tout jusqu'à ses misères, les bonnes comme les mauvaises. BALZAC, la Bourse, Pl., t. I, p. 328. 31

(...) l'illusion est le pain du songe (...) HUGO, l'Homme qui rit, II, II, VII. 32

(...) le désir embellit les objets sur lesquels il pose ses ailes de feu (...) sa satisfaction, décevante le plus souvent, est la ruine de l'illusion, seul vrai bien des hommes; elle tue le désir, qui fait seul le charme de la vie. 33
FRANCE, la Vie en fleur, XXI, p. 241.

La forme que revêt l'illusion importe peu. Mais il faut l'illusion, il faut cette ivresse légère et permanente qui rend possible une vie même empoisonnée par tous les périls et toutes les erreurs. 34
G. DUHAMEL, Récits des temps de guerre, IV, XLII, p. 155.

L'illusion, effet des passions. ⇒ **Aveuglement** (cit. 11; → Égarer, cit. 7).

L'amour n'est qu'illusion; il se fait, pour ainsi dire, un autre univers; il s'entoure d'objets qui ne sont point, ou auxquels lui seul a donné l'être, et comme il rend tous ces sentiments en images, son langage est toujours figuré. 35
ROUSSEAU, Julie ou la Nouvelle Héloïse, Entretien sur les romans, p. XI.

(..) ôter l'illusion à l'amour, c'est lui ôter l'aliment. 36
HUGO, l'Homme qui rit, II, II, VII.

Le monde, la vie n'est qu'illusion. ⇒ **Irréel, rêve, songe.** *La gloire n'est qu'illusion. Illusion que tout cela!* ⇒ **Fumée** (fig.), **vanité.**

J'ai deviné que les êtres n'étaient que des images changeantes dans l'universelle illusion, et j'ai été dès lors enclin à la tristesse, à la douceur et à la pitié. 37
FRANCE, le Livre de mon ami, II, X.

FAIRE ILLUSION : duper, tromper*, en donnant de la réalité une apparence flatteuse, avantageuse. ⇒ **Flatter** (→ Avoué, cit. 2; homme, cit. 93). *Il cherche à faire illusion.* ⇒ **Imposer** (en); **bluff.** *Ce livre peut faire illusion à première lecture, mais il n'a pas grande valeur.* — *Se faire illusion à soi-même.* ⇒ **Abuser** (s'), **illusionner** (s'). → Génie, cit. 32.

(...) rien ne sert de rêver, si ce n'est à se faire illusion à soi-même. 38
BERTHELOT, *in* RENAN, Dialogues et Fragments philosophiques, Œuvres, t. I, p. 658.

REM. *Faire illusion,* ne s'emploie plus guère au sens concret (→ ci-dessus, cit. 5 [avec un compl. en *à*; vx] *faire illusion à qqn*).

CONTR. Certitude, réalité, réel, vérité. — Déception, désillusion (cit.).
DÉR. Illusionnel, illusionner.
COMP. Désillusion.

ILLUSIONNANT, ANTE [i(l)lyzjɔnɑ̃, ɑ̃t] adj. — 1881, Goncourt, *in* D. D. L.; p. prés. de *illusionner.*

♦ Littér. Qui crée une illusion, des illusions.

ILLUSIONNEL, ELLE [i(l)lyzjɔnɛl] adj. — Av. 1886, Villiers de l'Isle-Adam; de *illusion.*

♦ Littér. Qui correspond à une illusion.

ILLUSIONNER [i(l)lyzjɔne] v. tr. — 1801; de *illusion.*

♦ Séduire ou tromper (qqn) par l'effet d'une illusion. *Décor, trucage qui illusionne le spectateur. Chercher à illusionner qqn.* ⇒ **Éblouir**; (fam.) **épater.** → En mettre, en foutre plein la vue*. *Ne* *vous laissez pas illusionner par ses déclarations. Illusionner qqn sur, quant à quelque chose.*

1 Puisque nous sommes seuls, nous n'avons pas besoin d'avoir de l'esprit ; cela est bon devant des bourgeois qu'on veut illusionner.
Th. GAUTIER, les Jeunes-France, *in* G. MATORÉ.

2 La première condition d'un roman est d'intéresser. Or, pour cela, il faut illusionner le lecteur à tel point qu'il puisse croire que ce qu'on lui raconte est réellement arrivé. BALZAC, le Feuilleton, XLVIII, Œuvres diverses, t. I, p. 441.

3 L'intérêt qu'il portait à cette enfant ne l'avait-il pas illusionné sur son talent de chanteuse? Alphonse DAUDET, Numa Roumestan, p. 165.

3.1 (...) les cinq hectares du haut ne forment qu'un « tout » avec les cent hectares du bas et ils sont destinés précisément à illusionner sur ces cent hectares, ils servent à faire croire qu'il en est du reste de la concession comme de ces cinq hectares-là. Et en saison sèche en effet, lorsque la mer se retire tout à fait, qui pourrait croire le contraire? M. DURAS, Un barrage contre le Pacifique, p. 288.

▶ **S'ILLUSIONNER** v. pron. (1834).
Plus cour. Se faire une illusion, des illusions. ⇒ **Abuser** (s'), **bercer** (se), **endormir** (s'), **flatter** (se), **leurrer** (se), **tromper** (se). → Se monter le bourrichon*. *S'illusionner sur ses chances de succès. S'illusionner sur quelqu'un.*

4 L'opération de cet hiver, l'ablation du rein droit, n'a servi qu'à une chose : à ce qu'on ne puisse plus s'illusionner sur la nature de la tumeur.
MARTIN DU GARD, les Thibault, t. III, p. 168.

5 Ou je m'illusionne beaucoup, ou c'est un filon de premier ordre.
J. ROMAINS, les Hommes de bonne volonté, t. II, VI, p. 70.

▶ **ILLUSIONNÉ, ÉE** p. p. adj. (Mil. XIXe, Baudelaire).
Victime d'une illusion, d'illusions.

6 On ne lit jamais un livre. On se lit à travers les livres, soit pour se découvrir, soit pour se contrôler. Et les plus objectifs sont les plus illusionnés.
R. ROLLAND, le Voyage intérieur, p. 43.

CONTR. Désabuser.
DÉR. Illusionnant, illusionnisme, illusionniste.

ILLUSIONNISME [i(l)lyzjɔnism] n. m. — 1892, Barrès, au sens 3 ; attestation isolée, 1845 ; de *illusionner.*

♦ **1.** Art de créer l'illusion par des tours de prestidigitation, des artifices, des trucages. *L'illusionnisme de Robert Houdin.*

♦ **2.** Didact. (arts). Recherche de l'illusion du réel dans la représentation figurative (par la perspective, le modelé, etc.). ⇒ **Illusion, trompe-l'œil.**

Encore Vermeer ne rompt-il pas avec l'illusionnisme, avec la trompeuse apparence qui légitime ses tableaux. Il faudra que la découverte de l'art universel les sépare de modèles qu'ils semblent imiter de près, comme elle sépare DJOSER d'un modèle qu'il imite de plus loin, pour que toutes les œuvres deviennent à nos yeux l'expression d'un même pouvoir. MALRAUX, la Métamorphose des dieux, p. 29.

En littérature. *L'illusionnisme narratif.* ⇒ **Réalisme.**

♦ **3.** Tendance à produire des illusions, à illusionner les autres ou à s'illusionner.

ILLUSIONNISTE [i(l)lyzjɔnist] n. — 1888, Maupassant, *in* T. L. F. ; de *illusionner.*

♦ **1.** N. (1890). Personne qui pratique l'illusionnisme. ⇒ **Escamoteur, prestidigitateur.** *Matériel d'illusionniste.*

1 (...) Qui es-tu? — Je suis illusionniste, Excellence. — Où est ton matériel? — Je suis illusionniste sans matériel. — (...) on ne fait point surgir (...) Vénus toute nue, sans matériel! *Vénus toute nue surgit...* (LE CHAMBELLAN, *éberlué*) Je me suis toujours demandé quelles sont ces femmes que vous faites ainsi paraître, vous autres magiciens... Des commères? — Ou Vénus elle-même. Cela dépend de la qualité de l'illusionniste (...) je peux (...) faire se trouver face à face un homme et une femme qui, depuis trois mois, s'évitent. — Ici même? — À l'instant même (...) — Tu te fais des illusions. Il est vrai que c'est ton métier (...)
GIRAUDOUX, Ondine, II, 1.

♦ **2.** Personne qui cherche à produire, qui produit l'illusion, des illusions. — Art, littérature. Réaliste* qui cherche à créer l'illusion.

♦ **3.** Adj. Didact. Qui cherche à produire l'illusion de la réalité, en art. *Des procédés illusionnistes. Un réalisme illusionniste. Une œuvre illusionniste. «Artifices de mise en scène illusionniste»* (Thibaudet, *in* T. L. F.).

2 Il faudra que l'Europe soit fascinée par la découverte de l'indépendance des personnages et par le saisissant mouvement du DISCOBOLE, pour qu'elle parle comme de nus illusionnistes — idéalisés, mais illusionnistes — de l'APOLLON DU TIBRE et du DORYPHORE, dont la musculature semble une cuirasse. Et l'illusionnisme du DISCOBOLE est assez épisodique pour rester sans postérité jusqu'à l'époque hellénistique. Aux yeux d'un Chinois, ces statues sont plus arbitraires que RÊNÉFER, KAEMQUÉD ou KAROMAMA ; et la signification du DORYPHORE et du DISCOBOLE est la même que celle des Apollons, la même que celle de la PERSÉPHONE de Sélinonte.
MALRAUX, la Métamorphose des dieux, p. 66.

ILLUSOIRE [i(l)lyzwaʀ] adj. — Fin XIVe ; lat. *illusorius,* de *illusio.* → Illusion.

♦ **1.** Vx. Qui est propre à engendrer l'illusion, à tromper les sens, la raison. ⇒ 1. **Faux.**

1 Ce n'est que parce qu'une foule d'expériences a démenti les prédictions que les hommes se sont aperçus que l'art *(de l'astrologie)* est illusoire.
VOLTAIRE, Dict. philosophique, Astrologie.

Le sens de la vue est le moins juste et le plus illusoire (...) BUFFON, *in* LITTRÉ. 2

Littér. Imaginaire.

(...) ces ingénieux guerriers, posant à terre leurs sacs fictifs couraient dans le vide 2.1
décocher à d'illusoires ennemis, d'illusoires estocades. Ils constituaient, après avoir fait semblant de se déboutonner, d'invisibles faisceaux et sur un autre signe se passionnaient en abstractions de mousqueterie.
CÉLINE, Voyage au bout de la nuit, *in* Romans, Pl., p. 189.

♦ **2.** Mod. Qui peut faire illusion, mais ne repose sur rien de réel, de sérieux. ⇒ **Apparent, chimérique,** 1. **faux, trompeur, vain.** *Richesse, utilité apparente* (cit. 7) *et illusoire* (→ Épuiser, cit. 4). *Espérance illusoire,* qui ne peut se réaliser. *Il est illusoire d'espérer...* (→ Force, cit. 46).

Je regardais Sénac *(c'est Laurent Pasquier qui parle)* et j'étais étreint par le sen- 3
timent de l'irréductible et de l'irrachetable. Non, non, le sacrifice du Christ est illusoire puisqu'il est admis, dès le début de l'aventure, que les anges des ténèbres ne peuvent pas être sauvés.
G. DUHAMEL, Chronique des Pasquier, t. VI, X, p. 370.

CONTR. Certain, effectif, réel, sûr, vrai.
DÉR. Illusoirement.

ILLUSOIREMENT [i(l)lyzwaʀmɑ̃] adv. — V. 1530 ; de *illusoire.*

♦ Littér. D'une manière illusoire. ⇒ **Fallacieusement, vainement.**

Leurs mains étaient si froides qu'elles se touchèrent illusoirement.
M. DURAS, Moderato cantabile, p. 149.

CONTR. Certainement, effectivement, réellement, sûrement, vraiment.

ILLUSTRATEUR, TRICE [i(l)lystʀatœʀ, tʀis] n. — XIIIe ; lat. *illustrator,* du supin de *illustrare.* → Illustrer.

★ **I.** Vx. Celui qui donne du lustre, de l'éclat. — REM. Dans ce sens, le mot n'est attesté qu'au masculin.

★ **II.** ♦ **1.** (1845, Gautier). Artiste spécialisé dans l'illustration*. ⇒ **Dessinateur, graveur, peintre.** *Les illustrateurs de La Fontaine. L'illustratrice d'un poème, d'un livre d'enfants.*

Ce travail où le crayon repasse sur le trait de la plume demande un talent tout particulier. Il faut que l'artiste comprenne le poète (...) Il ne s'agit pas (...) de copier la réalité comme on la voit (...) Ceci est l'affaire du peintre. L'illustrateur, qu'on nous permette ce néologisme, qui n'en est presque plus un, ne doit voir qu'avec les yeux d'un autre (...) Comme le journaliste, l'illustrateur doit être toujours prêt sur tout (...) Th. GAUTIER, Portraits contemporains, p. 227.

♦ **2.** Fig. Personne qui illustre qqch. par une œuvre d'art (littéraire, musicale).

ILLUSTRATIF, IVE [i(l)lystʀatif, iv] adj. — 1846, sens inconnu, *in* Mackenzie ; angl. *illustrative,* de *to illustrate* « illustrer », de même orig. que le franç. *illustrer ;* repris XXe, de *illustration.*

♦ **1.** Qui sert d'illustration, qui sert à l'illustration (3.). ⇒ **Explicatif.** *C'est un exemple illustratif de ce processus.* ⇒ **Caractéristique, exemplaire.** *Les éléments illustratifs d'une situation. « Tout théâtre illustratif est un théâtre mort. Au cinéma, ce n'est pas exactement pareil, ce sont quand même de vieilles images dans une boîte. C'est très perfide ces vieilles images qui font revivre des fantasmes cachés, des mémoires »* (Peter Brook, *in Libération,* 7 nov. 1983).
Philos., vx. *Les jugements illustratifs* (ou *explicatifs*) *chez Kant.*

♦ **2.** (1942, A. Lhote, *in* T. L. F.). Rare. Relatif à l'illustration, en tant que genre. *Le dessin illustratif.*

ILLUSTRATION [i(l)lystʀasjɔ̃] n. f. — XIIIe, *illustration* « apparition » ; « forte lumière », XIVe ; lat. *illustratio,* de *illustratum,* supin de *illustrare.* → Illustrer.

♦ **1.** (XVe). Vieilli. Action d'illustrer, de rendre illustre ; état de ce qui est illustre. ⇒ **Célébrité, éclat, gloire, honneur** (→ Amoindrissement, cit. 1). *« Les victoires qui contribuèrent à l'illustration du règne de Louis XIV, à l'illustration du nom français »* (Dict. de l'Académie). — Spécialt. Vx. Marque d'honneur qui illustre une famille, une personne... *« C'est une famille noble et ancienne, mais sans illustration »* (Académie).

(Mme Geoffrin) Née d'un père et d'un aïeul illustre pour avoir fait du bien, la plus 1
belle des illustrations (...)
VOLTAIRE, Lettre à E. de Beaumont, 20 mars 1767.

Faites une brillante fortune, soyez un des hommes remarquables de votre pays, je 2
le veux. L'illustration est un pont-volant qui peut servir à franchir un abîme. Soyez ambitieux, il le faut. BALZAC, Albert Savarus, Pl., t. I, p. 788.

La célébrité la plus complète ne vous assouvit point et l'on meurt presque tou- 3
jours dans l'incertitude de son propre nom, à moins d'être un sot. Donc l'illustration ne vous classe pas plus à vos yeux que l'obscurité.
FLAUBERT, Correspondance, 327, 26 juin 1852.

Allus. littér. *Deffence et illustration de la langue française,* de J. du Bellay.

Vx ou littér. *Une illustration :* personnage illustre, célèbre. ⇒ **Célébrité, gloire, sommité.**

À un concert donné par la comtesse vers la fin de l'hiver, apparut chez elle une 4
des illustrations contemporaines de la littérature et de la politique, Raoul Nathan (...) BALZAC, Une fille d'Ève, Pl., t. II, p. 86.

5 (...) elle vivait, du reste, dans la fréquentation assidue de toutes les illustrations contemporaines qui s'y trouvaient (...)
Th. GAUTIER, Portraits contemporains, p. 453.

5.1 (...) ils accueillent plus volontiers les personnages décoratifs, les illustrations de la politique, de l'armée, de l'Église, de la diplomatie et du monde.
F. MAURIAC, Bloc-notes 1952-1957, p. 34.

♦ **2.** (1636). Théol. « Espèce de lumière que Dieu répand dans l'esprit » (Littré). *« Les illustrations de l'entendement »* (Bossuet). *« Ce n'est pas que Dieu ne nous prévienne (...) par des illustrations »* (Fénelon).

♦ **3.** (1611). Didact. Action d'éclairer, d'illustrer par des explications, des commentaires, des exemples.

6 J'ajouterai, pour l'illustration de ce passage, une petite exhortation aux philosophes (...) VOLTAIRE, Dict. philosophique, Enfer.

REM. *Illustration* ne se dit plus au sens de « note ». *Cette nouvelle édition de Tite-Live est enrichie des illustrations de tel savant* (Littré). Mais il s'emploie toujours au sens d'« action d'éclairer par des exemples ». *Illustration des divers sens d'un mot dans un dictionnaire à l'aide d'exemples littéraires bien choisis.* ⇒ **Exemplification.** — Par ext. *Cette œuvre est l'illustration et le couronnement* (cit. 8) *d'une philosophie.*

(1870 ; angl. *illustration*). Ce qui éclaire en confirmant, en rendant plus clair.

6.1 Une confirmation, et pour employer l'expression anglaise, une illustration singulièrement curieuse de la théorie de l'humour.
A. ANGELIER, Robert Burns, t. II, p. 116, *in* MACKENZIE, p. 251, note.

♦ **4.** Cour. [a] (1825 ; d'abord anglic.). Figure (gravure, reproduction, photographie...) illustrant un texte imprimé. ⇒ **Dessin, gravure, photographie** — REM. Au sens étroit, *illustration* ne désigne que les figures incluses dans le texte et s'oppose à *estampe** et à *hors-texte**. — *Auteur d'illustrations.* ⇒ **Illustrateur.** *Ouvrage, livre, journal, revue comprenant des illustrations.* ⇒ **Album, illustré.** *Texte et illustrations de X... Illustrations en couleur. Sélectionner les illustrations pour un livre dans une agence de photo. Le maquettiste dispose les illustrations. Illustration « in texte ».* — (Sing. collectif). *Une abondante, une remarquable illustration.* ⇒ **Iconographie.**

7 (...) il y avait renoncé *(à la peinture)* pour se livrer à la caricature, aux vignettes, aux dessins de livres, connus, vingt ans plus tard, sous le nom d'*illustrations*.
BALZAC, les Employés, Pl., t. VI, p. 940.

8 M. Thackeray, qui (...) est très curieux des choses d'art, et qui dessine lui-même les illustrations de ses romans (...) BAUDELAIRE, Curiosités esthétiques, XVI, III.

Par ext. Figure tracée à la main, illustrant un texte. *Les illustrations d'un manuscrit médiéval.* ⇒ **Enluminure, miniature.**

[b] Le fait d'illustrer (un texte). *Confier l'illustration d'un texte à un dessinateur, à un aquarelliste.*

Le fait de réaliser l'iconographie d'une publication (journal, revue, livre).

L'illustration : le genre artistique, l'ensemble des techniques mises en œuvre pour illustrer les textes. *Les métiers du livre et de l'illustration. Il a abandonné la peinture pour la décoration et l'illustration. Illustration de livres d'enfants, de livres de luxe.*

9 Tony Johannot est sans contredit le roi de l'illustration. Il y a quelques années, un roman, un poème ne pouvait paraître sans une vignette sur bois signée de lui (...) toute la poésie et toute la littérature ancienne et moderne lui ont passé par les mains (...) Ses dessins figurent dans ces volumes admirables, et nul ne les y trouve déplacés. Th. GAUTIER, Portraits contemporains, p. 229 (1845).

10 L'illustration du livre de luxe, après avoir redonné un prestige considérable à la gravure sur bois (...) a recommencé d'utiliser les divers procédés de la gravure sur cuivre (...) La lithographie vint à son tour (...) La perfection sans cesse accrue des procédés mécaniques de reproduction donne désormais un champ à peu près illimité à l'illustration (...)
R. COGNIAT, *in* Encycl. franç. (DE MONZIE), XVII, 17*14-4.

ILLUSTRE [i(l)lystʀ] adj. — 1441 ; lat. *illustris,* de *il-,* (→ 2. In-), et **lustrum,* dérivé non attesté de *lux, lucis* « lumière », avec infl. de *illustrare.* → Illustrer.

♦ **1.** Dont le renom* est éclatant du fait d'un mérite ou de qualités extraordinaires. ⇒ **Célèbre, fameux, grand ; glorieux.** — REM. Sans être archaïque, *illustre* est du style soutenu ou de l'usage écrit ; le mot non marqué est *célèbre. Les hommes illustres* (→ Affubler, cit. 4 ; associer, cit. 7 ; glorification, cit. 1). *Statues d'hommes illustres* (→ Forum, cit. 2). *Vies des hommes illustres,* de Plutarque. *Héros* (cit. 26), *prince, roi illustre. Guerrier illustre* (→ Estime, cit. 9). *Don Quichotte, l'illustre hidalgo* (→ Haridelle, cit. 2). *Praticien ; écrivain, philosophe illustre* (→ Encyclopédiste, cit. 4 ; gain, cit. 5 ; ganacherie, cit. 1). *Un mort illustre* (→ Funèbre, cit. 8). — (Antéposé). Littér. *L'illustre Racine* (→ Facile, cit. 12). *Illustre vaincu, illustre captif* (→ Assurer, cit. 17). — Iron. *Un illustre filou* (→ Filer, cit. 11). — (Par plais.). *Un illustre inconnu.*

1 Puisqu'il faut que je meure illustre ou criminel,
Couvert ou de louange, ou d'opprobre éternel (...) CORNEILLE, Héraclius, IV, 3.

2 Pendant que ce grand Roi la rendait la plus illustre de toutes les reines, vous la faisiez, Monseigneur, la plus illustre de toutes les mères.
BOSSUET, Oraison funèbre de Marie-Thérèse d'Autriche.

3 Rancé eut le bonheur de rencontrer aux études un de ces hommes auprès desquels il suffit de s'asseoir, pour devenir illustre, Bossuet.
CHATEAUBRIAND, Vie de Rancé, I, p. 9.

4 (...) je rentrerai dans ma tanière où je crèverai obscur ou illustre, manuscrit ou imprimé. FLAUBERT, Correspondance, 307, 1er févr. 1852.

Les Illustres Fées, contes de Mme d'Aulnay. *Les Illustres Françaises,* roman de Challes (1713). *L'Illustre Servante,* nouvelle de Cervantès. *L'Illustre Gaudissart,* roman de Balzac (1834).

Il se nommait Gaudissart, et sa renommée, son crédit, les éloges dont il était accablé, lui avaient valu le surnom d'illustre. 5
BALZAC, l'Illustre Gaudissart, Pl., t. IV, p. 14.

N. m. (Mil. XVIIe, Scarron). Vieilli ou iron. (→ cit. 6.1). *Un illustre* (→ Fortune, cit. 26). *« C'est* (au milieu du XVIIe siècle) *le moment de la vogue des "illustres", successeurs éphémères des précieux... »* (Brunot, *Histoire de la langue franç.,* t. IV, p. 452). *La salle des Illustres,* du Capitole de Toulouse (salle où se trouvent les statues des célébrités toulousaines).

Madame, voilà un illustre (...) c'est le héros de notre siècle pour les exploits dont il s'agit (...) MOLIÈRE, M. de Pourceaugnac, I, 2. 6

(...) une déclaration du « Comité national d'entente pour la démocratie chrétienne », signée des meilleurs parmi les M. R. P. et aussi des illustres qui ont mené nos affaires depuis douze ans. 6.1
F. MAURIAC, le Nouveau Bloc-notes 1958-1960, p. 82.

Hist. Titre de haut fonctionnaire, dans les derniers temps de l'empire romain.

Par ext. *Illustre assemblée* (→ Balbutier, cit. 1 ; funérailles, cit. 2). — Allus. littér. *L'Illustre Théâtre :* troupe que fonda Molière et où il débuta comme acteur. *L'illustre compagnie :* l'Académie française.

♦ **2.** (Choses). *Un nom illustre* (→ Appliquer, cit. 13 ; fleuron, cit. 3 ; habiller, cit. 19). *Famille* (cit. 9), *maison illustre* (→ Fleur, cit. 24). *Être d'une origine illustre, d'une illustre origine, d'illustre origine, d'illustre lignée, d'illustre naissance.* ⇒ **Noble.** *« Il est né d'un sang illustre »* (Académie). *Objets d'illustre provenance* (→ Généalogie, cit. 4). — *Actions, exploits illustres.* ⇒ **Éclatant.** *Ne faire rien d'illustre* (→ Hasarder, cit. 1). *Réputation illustre.* ⇒ 1. **Brillant ; renommée.**

(...) tout ce qu'ils ont fait d'illustre ne vous donne aucun avantage (...) 7
MOLIÈRE, Dom Juan, IV, 4.

J'ai fait illustre un nom qu'on m'a transmis sans gloire. 8
A. DE VIGNY, les Destinées, « L'esprit pur ».

Elle aurait voulu que ce nom de Bovary qui était le sien, fût illustre, le voir étalé chez les libraires, répété dans les journaux, connu dans toute la France. Mais Charles n'avait point d'ambition ! FLAUBERT, Mme Bovary, I, IX. 9

Comme les noms illustres s'inscrivent au coin des rues et nous enseignent où nous sommes, ils s'inscrivent aussi aux carrefours et aux points multiples de notre mémoire intellectuelle. VALÉRY, Variété IV, p. 13. 10

♦ **3.** Vx (langue class.). « Bien en vue, manifeste, éclatant » (Cayrou), aussi bien en mauvaise qu'en bonne part. *Illustres malheurs* (La Fontaine, *Fables,* X, 9). *Illustres cruautés* (Molière, *Psyché,* 282).

En parlant de choses, d'événements célèbres. *Illustres batailles* (Racine, *Poésies,* 76), *chansons illustres* (Racine, *Remarques sur Pindare*). *Une illustre colère* (Racine, *Alexandre,* vers 73), *illustre vertu* (Racine, *la Thébaïde,* vers 665).

CONTR. 1. Bas, vil ; obscur.
DÉR. Illustrement, illustrissime.

ILLUSTRÉ, ÉE [i(l)lystʀe] adj. et n. ⇒ **Illustrer** (p. p. adj.).

ILLUSTREMENT [i(l)lystʀəmɑ̃] adv. — 1893, *l'épée illustrement trempée,* Heredia, *les Trophées ;* de *illustre.*

♦ Littér. et rare. D'une manière illustre. ⇒ **Glorieusement, noblement.**

ILLUSTRER [i(l)lystʀe] v. tr. — 1508, au sens 1 ; « éclairer », 1486, en relig. ; lat. *illustrare,* de *il-,* (→ 2. In-), et *lustrare* « purifier », de *lustrum* « sacrifice expiatoire », de *luere* « délier », d'où « effacer, racheter en expiation ».

♦ **1.** Vx ou littér. Rendre illustre, rendre célèbre. ⇒ **Rehausser** (l'éclat). *Les hauts faits, les exploits qui ont illustré ce prince, qui ont illustré son règne. Illustrer son nom, sa famille, son pays.* ⇒ **Honneur** (faire). *Illustrer sa mémoire* (→ Besoin, cit. 59). *Livre qui illustre son auteur* (→ Fouiller, cit. 14). — Pron. *S'illustrer par de grandes actions. S'illustrer dans le métier des armes.* ⇒ **Distinguer** (se). → Cueillir des lauriers*.

Rocroi (...) c'en serait assez pour illustrer une autre vie que celle du prince de Condé (...) BOSSUET, Oraison funèbre de Louis de Bourbon. 1

Deux fois déjà, sous Henri IV et sous Louis XIV, les habitants de Rethel s'étaient illustrés par des défenses héroïques. MAUPASSANT, Toine, p. 121. 2

(...) dans l'âge le plus tendre, je nourrissais le désir de m'illustrer sans retard et de durer dans la mémoire des hommes. FRANCE, le Livre de mon ami, II, I. 3

Vx. *Illustrer la langue, son œuvre d'expressions nouvelles.* ⇒ **Enrichir, orner ; illustration.**

Tu enrichiras ton poème par variétés prises de la nature (...) Tu dois (...) illustrer ton œuvre de paroles recherchées et choisies et d'arguments renforcés, tantôt par fables, tantôt par vieilles histoires (...) 4
RONSARD, Œuvres en prose, la Franciade.

♦ **2.** Mod. Rendre plus clair. ⇒ **Éclaircir, éclairer, expliquer.** *Illustrer de notes, de gloses* (cit. 3), *de commentaires un texte difficile.*

5 Il est vrai que M. von der Hardt donne ces pièces sur les meilleurs manuscrits, et les illustre de notes (...) BAYLE, Lettre à M***, 2 mai 1697.

Mettre en lumière, rendre saisissant (par un exemple démonstratif). « *La défaite d'Annibal illustre la faute commise après Cannes* » (Académie). — *Illustrer la définition d'un mot, l'évolution des sens par des citations, des remarques d'usage.* ⇒ **Exemplifier.** *Illustrer un dictionnaire d'exemples, de citations.* — *Illustrer une maxime morale en la vivant, en l'appliquant. Illustrer une idée, une proposition par des figures* (cit. 26), *des métaphores.*

6 Je pourrais illustrer cette doctrine d'un grand nombre d'exemples admirables. FRANCE, la Rôtisserie de la reine Pédauque, XV, t. VIII, p. 127.

♦ **3.** (1825; angl. *to illustrate,* 1638). Cour. Orner de figures, d'images en rapport avec un texte (⇒ **Illustration**). *Dessinateur, graveur dont le métier est d'illustrer des livres.* ⇒ **Illustrateur** (II.). *Illustrer des livres de luxe, des livres d'enfants.*

7 (...) l'usage s'est conservé d'illustrer (c'est le mot dont on se sert) les livres précieux et de traduire une page par un dessin. Th. GAUTIER, Portraits contemporains, p. 227.

Enluminer (un manuscrit).

▶ **ILLUSTRÉ, ÉE** p. p. adj. et n. m.

♦ **1.** Adj. Orné d'illustrations. *Édition illustrée, publication illustrée avec goût* (→ Copieux, cit. 5). *Journal illustré* (→ Accompagnement, cit. 4). *Supplément illustré d'un journal. Dictionnaire illustré.*

8 Madame Cardot avait désiré voir les gravures de Gil Blas, un de ces livres illustrés que la librairie française entreprenait alors, et Lousteau la veille en avait remis les premières livraisons à madame Cardot. BALZAC, la Muse du département, Pl., t. IV, p. 160.

♦ **2.** N. m. (1894, *in* D. D. L.). UN ILLUSTRÉ : périodique qui comporte de nombreuses illustrations, des images, des photographies. *Acheter un illustré. — Le Petit Illustré,* titre d'un périodique.

9 Sur la petite table du kiosque il y a les journaux du soir pliés et empilés. Mais tout autour, les illustrés pendent à des ficelles (...) J. ROMAINS, les Hommes de bonne volonté, t. IV, XV, p. 153.

(En librairie). Livre illustré. *Vente aux enchères d'illustrés romantiques.*

ILLUSTRISSIME [i(l)lystʀisim] adj. — 1481; de *illustre,* d'après l'ital. *illustrissimo.*

♦ Vx ou plais. Très illustre*. — REM. S'emploie encore comme titre donné à certains dignitaires ecclésiastiques. *Illustrissime seigneur.*

ILLUTATION [i(l)lytɑsjɔ̃] n. f. — 1747; de *in-* (→ 2. In-), et *luter,* de *lut**.

♦ Didact. (méd.). Bain de boue; traitement par la boue médicinale (⇒ **Illuter**).

ILLUTER [i(l)lyte] v. tr. — 1856, La Châtre; dér. régressif de *illutation**.

♦ Méd. Baigner* dans une boue médicinale (⇒ **Illutation**); enduire de boue. *Illuter un membre malade, un malade.*

ILLUVIAL, ALE, AUX [i(l)lyvjal, o] adj. — 1946; du lat. *illuvio,* d'après *alluvial, éluvial.*

♦ Géol. (pédologie). Qui résulte de l'illuviation*. *Zone illuviale,* d'accumulation.

ILLUVIATION [i(l)lyvjɑsjɔ̃] n. f. — Mil. XXe (1946, *in* T. L. F.); dér. sav. du lat. *illuvio* « débordement ».

♦ Géol. (pédologie). Processus d'accumulation d'éléments étrangers dans un horizon du sol.

ILLUVION [i(l)lyvjɔ̃] ou **ILLUVIUM** [i(l)lyvjɔm] n. m. — Mil. XXe (1956, Baulig); lat. mod. *illuvium;* suff. *-on* d'après *alluvion.*

♦ Géol. (pédologie). Accumulation d'éléments dissous dans l'horizon d'un sol.

ILLYRIEN, IENNE [iliʀjɛ̃, jɛn] adj. et n. — 1627, *in* D. D. L.; *la coste illirienne,* 1583, *in* T. L. F.; de *Illyrie.*

♦ De l'Illyrie, région littorale de l'Adriatique. — Hist. *Les Provinces illyriennes.* — N. *Un Illyrien, une Illyrienne.* — N. m. *L'illyrien :* groupe de langues anciennes du nord-ouest des Balkans. *Filiation probable entre l'albanais et l'illyrien.*

ILLYRIQUE [iliʀik] adj. — 1902, *in* Larousse; lat. *illyricus,* grec *illurikos,* de *Illuria* « Illyrie ».

♦ Rare. Relatif à l'Illyrie. ⇒ **Illyrien.**

ILMÉNITE [ilmenit] n. f. — 1873, *Larousse XIXe;* du nom du lac *Ilmen'* en U. R. S. S.

♦ Minér. Oxyde naturel de fer et de titane, cristallisé dans le système rhomboédrique. « *Le bioxyde de titane (...) est fabriqué à partir de l'ilménite, un minerai noir comme de la poussière de charbon* » (*l'Express,* 19 févr. 1973, p. 76).

ILOMBA [ilɔ̃ba] n. m. — XXe; angl. *ilumba,* fin XIXe; mot australien selon *Oxford dictionary.*

♦ Techn. Bois du Cameroun et du Gabon, « utilisé pour la fabrication du contre-plaqué » (J.-C. Reggiani, *Industries et Commerce du bois,* p. 50).

ÎLOT [ilo] n. m. — XVIIe; *islot,* 1529, Parmentier, au sens 1; de *île* et *-ot.*

♦ **1.** Très petite île. ⇒ **Îlot** (→ Broder, cit. 5; eldorado, cit. 2). *Îlot dans un lac, un étang* (cit. 4), *une rivière* (→ Atterrissement, cit. 1). *Îlot inhabité* (→ Fleur, cit. 37).

Le grand Meschascébé, fier de ses joncs sacrés, 1
Charrie augustement ses îlots mordorés (...)
VERLAINE, Poèmes saturniens, « Nocturne parisien ».

Les naufragés avaient été jetés, non sur un continent, pas même sur une île, mais 1.1
sur un îlot qui ne mesurait pas plus de deux milles de longueur, et dont la largeur était évidemment peu considérable. J. VERNE, l'Île mystérieuse, t. I, p. 29.

♦ **2.** **a** (1886, Loti). Objet, petit espace isolé dans un ensemble d'une autre nature (qui est souvent comparé à la mer, à l'océan). → Bambou, cit. 1; battre, cit. 41; fresque, cit. 6. *Des îlots de verdure.* — (Abstrait). *Des îlots de mémoire.*

Des villages faisaient des îlots de pierre, un clocher au loin émergeait d'un pli de 2
terrain, sans qu'on vît l'église, dans les molles ondulations de cette terre du blé. ZOLA, la Terre (1887), I, I.

Le boulevard est sombre du côté du ciel, lumineux par places du côté du sol. Seu- 3
lement par places. Le passant navigue d'îlots de clarté en îlots de clarté. J. ROMAINS, les Hommes de bonne volonté, t. IV, XV, p. 155.

(...) puis, comme une mer verte, la plaine sans vagues de Lombardie où de belles 4
villas formaient des îlots baignés dans l'air vaporeux (...) A. MAUROIS, Ariel ou la vie de Shelley, VIII, p. 231.

b (1871, *îlots hépatiques*). Anat. *Îlots pancréatiques,* ou (1905), *îlots de Langerhans :* cellules plus petites, dans le tissu pancréatique, de structure irrégulière, et sécrétant l'insuline.

Le *pancréas* est un organe mixte constitué par deux glandes différentes : l'une est 4.1
une annexe du tube digestif (...) l'autre, celle qui nous intéresse ici, est formée par une série de masses cellulaires isolées en îlots arrondis au milieu de la glande principale, les *îlots de Langerhans.* Pierre REY, les Hormones, p. 20.

Amas de cellules se développant dans un tissu de nature différente.

c Abstrait. *Un îlot de dilettantes, de gens cultivés* (→ Dépasser, cit. 5). *Des îlots d'hellénisme* (cit. 2) *en terre barbare. Des îlots de résistance.*

♦ **3.** (1834). Petit groupe de maisons, isolé des autres constructions par des rues, des espaces non bâtis. ⇒ **Île** (vx); **bloc** (I., 5.); **pâté** (de maisons). *Démolir un îlot insalubre.*

Les îlots de maisons et de palais se détachent par tranches ombrées ou lumineuses. 5
Th. GAUTIER, Mlle de Maupin, p. 20.

(...) le long des rues larges et aérées, leurs hangars alternaient avec des îlots de 6
vieilles maisons, des jardins mutilés et des terrains à lotir. MARTIN DU GARD, les Thibault, t. V, III, p. 27.

(V. 1942-43). *Chef d'îlot :* responsable de la défense passive d'un groupe d'immeubles. ⇒ aussi **Îlotage, îlotier.**

À Pâques, nous allâmes à La Pouèze; pendant notre absence, Paris fut bombardé 7
presque chaque nuit et avec tant de fracas que Bost rêva, nous écrivit-il, à se faire chef d'îlot (...) S. DE BEAUVOIR, la Force de l'âge, p. 589.

Îlot administratif (police). ⇒ **Îlotage, îlotier.**

♦ **4.** (Espace réservé). **a** Comm. *Îlot de vente :* meuble de présentation isolé dans l'allée de circulation d'un magasin, pour mieux mettre en valeur la marchandise proposée. *Îlots de vente et gondoles.*

b Admin. *Îlot directionnel :* terre-plein servant à canaliser la circulation automobile. — Cour. Refuge.

DÉR. (Du sens 3) **Îlotage, îlotier.**

ÎLOTAGE [ilɔtaʒ] n. m. — 1972; de *îlot,* et *-age.*

♦ Admin. Division d'une ville, d'un quartier, en unités administratives (*îlots*) placées chacune sous la surveillance d'un policier (*îlotier**). « *Nouvelles armes contre la délinquance : l'îlotage et l'animation* » (*le Monde,* 1er avr. 1981, p. 35).

ILOTE [ilɔt] n. — 1568; lat. *ilota,* grec *heilôs, ôtos,* même sens. Didactique ou littéraire.

♦ **1.** Antiq. grecque. Habitant de Laconie réduit en esclavage par les Spartiates, envahisseurs doriens (on écrit aussi *hilote*). *Les ilotes (hilotes) étaient astreints à cultiver les champs de leurs maîtres, à leur verser des prestations, à les suivre à la guerre comme serviteurs. Une ilote. Les révoltes des ilotes.*

1 L'abus extrême de l'esclavage est lorsqu'il est, en même temps, personnel et réel. Telle était la servitude des ilotes chez les Lacédémoniens; ils étaient soumis à tous les travaux hors de la maison, et à toutes sortes d'insultes dans la maison : cette ilotie est contre la nature des choses. MONTESQUIEU, l'Esprit des lois, XV, 10.

2 (...) Sparte était forcée d'armer (...) même ses hilotes; elle savait bien (...) qu'il lui faudrait, au retour de l'armée, ou subir la loi de ses hilotes, ou (...) les faire massacrer sans bruit. FUSTEL DE COULANGES, la Cité antique, p. 386.

2.1 Un riche Lacédémonien nommé Kténas avait à son service un grand nombre d'ilotes. Raymond ROUSSEL, Impressions d'Afrique, p. 423.

Les Spartiates enivraient leurs ilotes pour inciter leurs enfants à la sobriété. — Loc. fig. (1794). *L'ilote ivre :* personne qui a un vice dont le spectacle en préserve les autres.

3 Il est permis de soûler les ilotes pour guérir de l'ivrognerie les gentilshommes. BAUDELAIRE, l'Art romantique, XXIII.

4 (...) il joue pour moi le rôle de l'ilote, ivre du vin dont j'aurais tendance à me soûler. GIDE, Attendu que..., p. 19.

♦ **2.** (1823, Boiste; «opprimé», 1793, Robespierre). Littér. Personne asservie, réduite au dernier degré de la misère, de l'ignorance*. *De pauvres ilotes absolument incultes.* ⇒ **Béotien.**

5 Insensiblement, Céleste prit une attitude passive et fut ce que Brigitte la voulait, une ilote. BALZAC, les Petits bourgeois, Pl., t. VII, p. 85.

6 Je suis un ilote. Qui me donnera la liberté? Qui me sauvera de la déchéance? Qui pourra me rendre la grâce perdue? G. DUHAMEL, Salavin, I, XXI.

DÉR. Ilotie, ilotisme.

ILOTIE [ilɔti] n. f. — 1568; repris 1748, Montesquieu; grec *heilôteia,* de *heilôs, lotos.* → Ilote.

♦ Vx. ⇒ **Ilotisme.**

ÎLOTIER [ilɔtje] n. m. — 1893; de *îlot,* et *-ier.*

♦ Admin. Policier chargé de la surveillance d'un îlot (3.). ⇒ **Îlotage.** *« Dans les mairies de quartier, plus propices aux relations humaines, la ville installe ses "îlotiers", qui ont aussi la mission de se mettre au service de la population»* (*le Monde,* 1er avr. 1981, p. 35).

ILOTISME [ilɔtism] n. m. — 1819, Boiste, *in* D. D. L.; de *ilote.* Didactique.

♦ **1.** Condition d'ilote*, à Sparte, dans l'antiquité.

♦ **2.** (1833, Balzac). État d'abjection, de misère, d'ignorance auquel sont réduits les éléments opprimés (d'une société), les éléments qui ne bénéficient pas d'une éducation.

1 Tout en remarquant l'ilotisme auquel est condamnée la jeunesse, nous étions étonnés de la brutale indifférence du pouvoir pour tout ce qui tient à l'intelligence, à la pensée, à la poésie. BALZAC, Z. Marcas, Œ., t. VII, p. 739.

2 C'est sans doute un lamentable spectacle que celui des souffrances physiques du pauvre. J'avoue pourtant qu'elles me touchent infiniment moins que de voir l'immense majorité de l'humanité condamnée à l'ilotisme intellectuel, de voir des hommes semblables à moi, ayant peut-être des facultés intellectuelles et morales supérieures aux miennes, réduits à l'abrutissement, infortunés traversant la vie, naissant, vivant et mourant sans avoir un seul instant levé les yeux du servile instrument qui leur donne du pain, sans avoir un seul moment respiré Dieu. RENAN, l'Avenir de la science, *in* Œ. compl., t. III, XVII, p. 987.

IM- Forme du préfixe négatif *in-* devant un *m,* un *b,* un *p.* (⇒ 1. **In-,** REM.). Exemples de formations libres, avec la valeur de *non-, pas :*

1 Une championne de 1re catégorie, imbattue jusque-là, sera renversée et malmenée par une petite championne de 3e ordre (...) MICHAUX, Un barbare en Asie, p. 171.

2 (...) des herbiers touffus, des emplacements impêchables (...) Au bord de l'eau, no 366, p. 38.

3 Il y a dans cette momie une perte de chair, il y a dans le sombre parler de sa chair intellectuelle tout un impouvoir à conjurer cette chair. A. ARTAUD, Bilboquet, *in* Œ. compl., t. I, p. 242.

IMAGE [imaʒ] n. f. — V. 1160; *imagiene* «statue», v. 1050; lat. *imago, inis* «portrait; ombre d'un mort; copie; comparaison; apologue».

★ **I.** ♦ **1.** (1180). Reproduction inversée qu'une surface polie donne d'un objet qui s'y réfléchit. ⇒ **Reflet** (→ Étage, cit. 10). *Cristal qui reflète une image* (→ 1. Baiser, cit. 16). *Renvoyer une image* (→ Home, cit. 2). *Image dans une glace* (cit. 19, 24 et 27), *dans une eau calme. Narcisse était amoureux de son image. Image claire, nette, trouble.*

Se mire-t-on près un rivage, 1
Ce n'est pas soi qu'on voit, on ne voit qu'une image (...)
LA FONTAINE, Fables, VIII, 13.

Ce chien, voyant sa proie en l'eau représentée, 2
La quitta pour l'image, et pensa se noyer. LA FONTAINE, Fables, VI, 17.

Les étoiles étincelaient au ciel, et se réfléchissaient au sein de la mer, qui répétait leurs images tremblantes. 3
BERNARDIN DE SAINT-PIERRE, Paul et Virginie, p. 78.

Est-ce un vain rêve? est-ce ma propre image 4
Que j'aperçois dans ce miroir?
A. DE MUSSET, Poésies nouvelles, «Nuit de décembre».

Il se tenait devant un miroir long, appliqué au mur entre les deux fenêtres, et contemplait son image de très beau et très jeune homme, ni grand, ni petit, le cheveu bleuté comme un plumage de merle. COLETTE, Chéri, p. 6. 5

En ne se penchant pas trop, en se tenant presque droit, il réussissait à se voir; l'eau n'était pas claire, mais la lune en faisait un miroir; peu à peu les rides qui jouaient à sa surface s'atténuaient et l'image qu'il discernait devenait de plus en plus nette (...) J. GREEN, Léviathan, I, XIII. 6

(Phys.). «Ensemble des points (réels ou virtuels) où vont converger, après passage dans un système optique, les rayons lumineux issus des divers points d'un corps donné, choisi comme objet» (*Dict. des sciences,* d'après E. B. Uvarov et D. R. Chapman).

(En optique corpusculaire). Ensemble des points (dits *points images*) provenant des corpuscules focalisés émis par un ensemble de points objets. *Image réelle,* qui peut être reçue sur un écran. *Projection d'images réelles et renversées sur l'écran d'une chambre* noire. Calquer une image à la chambre claire. Image virtuelle,* qui n'a pas d'existence réelle dans l'espace. *Image au miroir*,* telle qu'elle est vue dans un miroir plan (*image virtuelle*). *Image déformée* (⇒ **Anamorphose**). *Image de réfraction, image illusoire.* ⇒ **Mirage.** *Images vues derrière un corps transparent.* ⇒ 1. **Ombre** (ombres chinoises). *Images changeantes d'un kaléidoscope*.* — (1843, *image daguerrienne*). *Image photographique.* ⇒ **Cliché, épreuve, photo, photographie;** et ci-dessous le sens 2 (où l'accent est mis sur ce qui est représenté). *Image brouillée, nette. Image négative.* ⇒ **Négatif.** *Image latente* (avant le développement). — *Image radiologique, radioscopique. Les images d'un film.* ⇒ **Photogramme.** *Enregistrement des images sur la pellicule. Film pris image par image* (⇒ **Animation**). — (En télévision). Ensemble des lignes horizontales décrites au cours d'une analyse complète du sujet transmis. — *Images vidéo. La qualité d'image d'un téléviseur, d'un magnétoscope. Image magnétique. Transmission à distance des images.* ⇒ **Télévision.** — (Anat. et physiol.). *Image rétinienne** (⇒ **Œil, vision, vue**).

Mais aussi si l'on rectifie 7
L'image de l'objet sur son éloignement,
Sur le milieu qui l'environne,
Sur l'organe et sur l'instrument,
Les sens ne tromperont personne. LA FONTAINE, Fables, VII, 18.

Un trait de lumière qui passe à travers un prisme, se rompt et se divise de façon qu'il produit une image colorée, composée d'un nombre infini de couleurs (...) 8
BUFFON, Introd. à l'hist. nat. des minéraux, 7e mémoire.

C'est un des problèmes les plus difficiles de l'optique que de déterminer le lieu apparent de l'image d'un objet que l'on voit dans un miroir ou à travers un verre (...) Encycl. (DIDEROT), art. *Image.* 9

(...) il faudrait (...) songer au parti *véridique* que tire le kinétoscope, ou le cinéma, de la durée illusoire sur la rétine des images visuelles. 10
J. PAULHAN, les Fleurs de Tarbes, p. 139.

On peut voir, sur son écran *(du radar),* à leur place relative, les objets environnants, et même une «image radio-électrique» du sol (...) comme sur une carte, un peu bizarre et grossière (...) Pierre DAVID, le Radar, p. 115. 11

Nous voyons les objets dans leur position normale, bien que l'appareil optique de l'œil donne sur la rétine une image renversée (...) 12
R. FABRE et G. ROUGIER, Physiologie médicale, mécanisme de la vision, p. 436.

Une définition primaire du cinéma pourrait être la suivante : «L'art des images en mouvement». L'image de cinéma est en effet par essence une réalité en mouvement (...) toute image extraite d'un film est, à des degrés divers, un non-sens, car elle n'est qu'un fragment statique et inerte d'une continuité en acte qui ne revêt toute sa signification que dans un déroulement temporel (...) 13
M. MARTIN, le Langage cinématographique, I, p. 12.

(Au sing.). *L'image :* l'élément formé par les images, au cinéma, à la télévision. *L'image et le son. Dispositif d'arrêt sur l'image d'un projecteur.* (Cin.). *À l'image.*

♦ **2.** (V. 1160, *ymage*). Représentation (d'un objet, d'une personne) par les arts graphiques ou plastiques (⇒ **Chromo, dessin, effigie, figure, peinture, portrait, sculpture**), les procédés d'enregistrement photographique (⇒ **Daguerréotype, photographie**). *Image dessinée, gravée, moulée. Image fidèle, ressemblante. Image approximative, grossière. Image déformée de manière expressive.* ⇒ **Caricature.** *Cadrer* (cit. 8) *une image. Images funéraires. Médaille frappée à l'image, à l'effigie d'un souverain* (→ Denier, cit. 1). *Envoûter* (cit. 1 et 2) *qqn à l'aide d'images de cire. Science, description des images.* ⇒ **Iconographie, iconologie.** *Personnage popularisé par l'image* (→ 1. Barbeau, cit. 2). *Chérir, contempler l'image d'une personne aimée* (→ Frapper, cit. 18). *C'est la dernière image qu'on a prise de lui.* ⇒ **Photo** (→ Emplir, cit. 9). *Chasseur* d'images. Rhétorique de l'image* (→ Ancrage, cit. 3, Barthes).

Vous avez vu cent fois nos soldats en courroux 14
Porter en murmurant leurs aigles devant vous,
Honteux de rabaisser par cet indigne usage
Les héros dont encore elles portent l'image. RACINE, Britannicus, IV, 2.

Je vous jure que je suis aussi laid que mon portrait; croyez-moi. le peintre n'est pas 15

bon, je l'avoue; mais il n'est pas flatteur (...) Qu'importe, après tout, que l'image d'un pauvre diable qui sera bientôt poussière, soit ressemblante ou non?
VOLTAIRE, Lettre à d'Argental, 1555, 16 juin 1758.

15.1 Un ravissant effet de soleil par Harrisson — toile qu'il avait donnée à l'hôte en quittant Penmarch et où, par le pouvoir qu'ont la tendresse et le talent, le peintre montrait ce pays à celui qui ne le connaissait pas encore avec tout ce que révèle seulement à la longue un attachement de tous les instants, une sympathie qui doit nous suivre après l'avoir quitté et comme dans le jour du souvenir — fut touché par le soleil, qui, venant jouer avec son image, porta à une intensité inconnue la lumière visible dans cette toile. PROUST, Jean Santeuil, Pl., p. 374.

15.2 L'image est, certes, plus impérative que l'écriture, elle impose la signification d'un coup, sans l'analyser, sans le disperser. R. BARTHES, Mythologies, p. 195.

Par métaphore. *Graver* (cit. 11 et 13) *une image dans le cœur, le souvenir de qqn. L'image qui pourra subsister de nous* (→ Poussière, cit. 7.1). — Loc. (vx). *Une belle image :* une femme au visage froid, inexpressif (par allus. à l'immobilité, à l'impassibilité de l'image). → Attendrir, cit. 12.

(Antiq. rom.). *Droit d'images :* privilège accordé aux nobles d'exposer dans leur atrium les *images* (généralement des bustes en cire peinte) de leurs ancêtres ayant exercé des magistratures curules.

Les images des dieux. ⇒ **Idole, simulacre** (→ Enthousiasme, cit. 9). *Les images du Christ, des saints. Les images des madones, de saints, dans l'art byzantin.* ⇒ **Icône** (→ Fanal, cit. 8). *Images décorant les iconostases. Images allégoriques.* — Absolt (au plur.). — Vx. *Culte des images.* ⇒ **Iconolâtrie, idolâtrie.** *Briseur d'images.* ⇒ **Iconoclaste.** Hist. des relig. *La querelle des images. Décrets des empereurs romains contre les images* (→ Exécuter, cit. 13).

16 (...) la belle pensée de faire punir un Turc, parce qu'il n'a pas salué l'image de la Vierge! Mme DE SÉVIGNÉ, 649, 13 sept. 1677.

17 Comme il est aveuglé du culte de ses dieux! (...)
Tout son palais est plein de leurs images. RACINE, Esther, II, 8.

18 Il *(Léon Isaurien)* entreprit de renverser comme des idoles les images de Jésus-Christ et de ses saints (...) on lui vit d'abord briser une image de Jésus-Christ, qui était posée sur la grande porte de l'église de Constantinople. Ce fut par là que commencèrent les violences des iconoclastes, c'est-à-dire des brise-images.
BOSSUET, Disc. sur l'hist. universelle, I, XI.

19 (...) jamais aucun gouvernement n'ordonna qu'on adorât une image, comme le dieu suprême de la nature. Les anciens Chaldéens, les anciens Arabes, les anciens Perses, n'eurent longtemps ni images ni temples (...) Ils révéraient ce qu'ils voyaient : mais certainement révérer le soleil et les astres, ce n'est pas adorer une figure taillée par un ouvrier (...) VOLTAIRE, Essai sur les mœurs, De l'idolâtrie.

♦ **3.** Petite estampe*, reproduisant un sujet. *Images pieuses, saintes. Image porte-bonheur* (⇒ **Talisman**). *Image de première communion. Bible* (cit. 8) *en images. — Album, livre d'images. Images qui illustrent* un texte.* ⇒ **Gravure, illustration.** *Images en noir, en couleurs. Collection, commerce d'images.* ⇒ **Imagerie.** *Marchand d'images.* ⇒ **Imagier.** *Accrocher des images au mur* (→ Gravure, cit. 5). *Image de chevet*. Enfant qui s'amuse à colorier, à décalquer* (⇒ **Décalcomanie**), *à découper, à regarder* (→ Grand, cit. 19) *des images. Il ne sait pas bien lire, mais il regardera les images. Récompenser un enfant par une image.* — Loc. fam. (1674, Mme de Sévigné). *Un enfant sage comme une image,* calme, posé (par allus. à l'immobilité des personnages figurant sur les images).

20 (...) une étroite bibliothèque pendue au mur; puis, des images du haut en bas, des bonshommes découpés, des gravures coloriées fixées à l'aide de quatre clous, des portraits de toutes sortes de personnages, détachés des journaux illustrés. Madame Goujet disait, avec un sourire, que son fils était un grand enfant; le soir, la lecture le fatiguait; alors, il s'amusait à regarder ses images.
ZOLA, l'Assommoir, I, p. 134.

21 (...) vers la droite, c'est bien encore l'antique Jérusalem, comme sur les images des naïfs missels. LOTI, Jérusalem, p. 59.

22 Quand j'avais été docile, Mademoiselle de Goecklin me faisait cadeau d'une image... *(je)* la collais dans un album, à côté d'autres images que les grands magasins donnaient aux enfants de leur clientèle (...) GIDE, Si le grain ne meurt, p. 20.

(1873). **IMAGE D'ÉPINAL :** image populaire, coloriée, de facture souvent naïve, produite au XIXe siècle à Épinal; image populaire et naïve. *Cela fait image d'Épinal,* se dit d'un tableau aux tons criards (par allus. au bariolage des images d'Épinal). — Abstrait. Lieu commun largement répandu et naïf; cliché populaire.

22.1 Images d'Épinal ou cruelle et grossière ironie : les Algériens voulaient à tel point se libérer des colons français que dès la fin de la guerre d'Algérie, des cargaisons entières les ramenaient en France pour y retrouver du travail et un peu de pain.
E. IONESCO, Journal en miettes, p. 152.

REM. Dans cet emploi, le côté naïf ou religieux, qui est traditionnellement lié à l'emploi du mot, reste attaché à *image* par rapport à ses quasi-synonymes, *illustration, reproduction, dessin, photo...* Mais la connotation naïve peut disparaître dans la construction *image de...*

L'image de qqch., de qqn, sa représentation au moyen d'un procédé graphique (dessin), pictural (peinture, tableau) ou technique (photo, etc.).

Par ext. ⇒ **Description, tableau.** *Cet écrivain présente l'image de la condition humaine* (→ Engager, cit. 48). *Les hommes ne goûtent plus l'image de la félicité* (→ Corruption, cit. 8). *Orateur qui doit retracer l'image des malheurs de son pays. Image complète, exacte, précise* (→ Empreindre, cit. 4). *Image impartiale, objective, pittoresque.*

23 Chez vous le mariage est fâcheux et pénible,
Et vos discours en font une image terrible (...) MOLIÈRE, l'École des femmes, V, 4.

24 Puisqu'il m'a été donné de tracer de Jésus une image qui a obtenu quelque attention (...) RENAN, Vie de Jésus, Avertissement.

25 Son ébauche de procès-verbal offrait donc de la séance une image assez infidèle.
J. ROMAINS, les Hommes de bonne volonté, t. IV, XIX, p. 203.

Jean est persuadé que je ne lui rends pas sa tendresse; il croit que je le juge d'après l'image que son oncle me retrace de lui (...) 26
F. MAURIAC, la Pharisienne, III.

♦ **4.** (XIIe). **UNE, L'IMAGE DE... a** Aspect* particulier que prend (qqch.). ⇒ **Apparence, face, figure, manifestation, visage.** *Dans cette bataille, une nouvelle image de la guerre lui apparaît* (→ Artillerie, cit. 3). *Il ne connaissait pas cette image du Paris nocturne.* — En parlant de choses abstraites :

Comme les proportions sont mieux gardées dans les états médiocres, parce qu'ils sont aussi éloignés des grandes prospérités que des grandes infortunes (...) c'est là qu'on trouve souvent quelque image du bonheur. 27
RIVAROL, Fragments et pensées philosophiques, Du bonheur.

b Reproduction exacte ou représentation analogique (d'un être, d'une chose). ⇒ **Portrait, reflet, réplique.** *« Cet enfant est l'image de son père »* (Académie). → Fruit, cit. 32. — *La peinture hollandaise* (cit.), *image fidèle, complète de la Hollande. Image approchante* (cit. 9), *frappante, parfaite, véridique.*

(V. 1180). **À L'IMAGE DE...** *Être fait à l'image de...* ⇒ **Modèle** (sur le). → 1. Fumer, cit. 9. *Dieu créa l'homme* (cit. 62 et 69) *à son image.* ⇒ **Ressemblance.** *Régler sa conduite à l'image de quelqu'un.* ⇒ **Exemple; imiter.**

(...) de cela seul que Dieu m'a créé, il est fort croyable qu'il m'a en quelque façon produit à son image et semblance (...) DESCARTES, Méditations, III. 28

Sans la science, la vie est presque une image de la mort. 29
MOLIÈRE, le Bourgeois gentilhomme, II, 4.

Ce fils victorieux que vous favorisez, 30
Cette vivante image en qui vous vous plaisez,
Cet ennemi de Rome, et cet autre vous-même (...) RACINE, Mithridate, III, 5.

Si Dieu nous a faits à son image, nous le lui avons bien rendu. 31
VOLTAIRE, le Sottisier, XXXII.

Il serait d'ailleurs faux de prétendre que ce sont *(nos personnages)* des créatures à notre image (...) F. MAURIAC, le Romancier et ses personnages, p. 130. 32

Ce qui offre une représentation d'un être, d'une chose, sans en reproduire exactement l'aspect. *La figure* (cit. 14) *est l'image du corps tout entier. L'hélianthe* (cit.), *image du soleil. L'atome* (cit. 17) *image diminuée de l'infiniment grand.* ⇒ **Analogue.**

Ô douce métamorphose! Ce temple délicat, nul ne le sait, est l'image mathématique d'une fille de Corinthe, que j'ai heureusement aimée. 33
VALÉRY, Eupalinos, p. 54.

(Phys.). Phénomène où l'on observe une correspondance analogique entre les points de deux ensembles physiques. *Image électrique. Image du sol, d'un avion,* sur un écran de radar.

c (1550). Manifestation* sensible (de qqch. d'invisible ou d'abstrait). ⇒ **Expression** (cit. 47). *Le Christ, image vivante de Dieu.* ⇒ **Incarnation** (→ Engendrer, I., cit. 3). *Une image du génie français* (→ Grisaille, cit. 4). ⇒ **Représentation.** — (1795). Aspect particulier. *Offrir l'image de la candeur* (→ Fausseté, cit. 7), *de la gaieté* (→ Folâtre, cit. 1), *du désespoir. Paysage d'automne qui offre l'image de la solitude* (→ Défeuiller, cit. 1).

Partout du désespoir je rencontre l'image, 34
Je ne vois que des pleurs (...) RACINE, Bérénice, V, 7.

— Hélas! sur son visage 35
J'entrevois de la mort la douloureuse image (...) VOLTAIRE, Mérope, III, 4.

Mais, dans sa source vive, le romantisme défie d'abord la loi morale et divine. Voilà pourquoi son image la plus originale n'est pas, d'abord, le révolutionnaire mais, logiquement, le dandy. CAMUS, l'Homme révolté, p. 71. 36

d Ce qui évoque ou figure (une réalité de nature différente) en raison d'un rapport de similitude, d'analogie. ⇒ **Emblème, figure, signe, symbole.** *Le déluge, image du baptême* (cit. 1). *Les danses des corybantes* (cit.), *image de la guerre* (→ aussi Échec, cit. 13). *Le berger* (cit. 14) *et son troupeau, image du roi et de ses sujets. La fuite* (cit. 9) *de l'eau, image du temps qui s'écoule. La fumée, image de la vie qui s'éteint* (cit. 66). *Ces fleurs fanées* (cit. 17) *sont l'image de sa destinée.*

Qu'on s'imagine un nombre d'hommes dans les chaînes, et tous condamnés à la mort, dont les uns étant chaque jour égorgés à la vue des autres, ceux qui restent voient leur propre condition dans celle de leurs semblables, et, se regardant les uns et les autres avec douleur et sans espérance, attendent à leur tour. C'est l'image de la condition des hommes. PASCAL, Pensées, III, 199. 37

Ce chien est à moi, disaient ces pauvres enfants; c'est là ma place au soleil. — Voilà le commencement et l'image de l'usurpation de toute la terre. 38
PASCAL, Pensées, V, 295.

Les roues, les ressorts, les mouvements sont cachés; rien ne paraît d'une montre que son aiguille, qui insensiblement s'avance et achève son tour : image du courtisan, d'autant plus parfaite qu'après avoir fait assez de chemin, il revient souvent au même point d'où il est parti. LA BRUYÈRE, les Caractères, VIII, 65. 39

Elle voit paraître ce que Jésus-Christ n'a pas dédaigné de nous donner comme l'image de sa tendresse, une poule devenue mère, empressée autour des petits qu'elle conduisait. BOSSUET, Oraison funèbre de Anne de Gonzague. 40

La République des moutons est l'image fidèle de l'âge d'or. 41
VOLTAIRE, Dict. philosophique, Lois.

♦ **5.** (V. 1265, B. Latini). Évocation dans le discours d'une réalité (souvent abstraite) différente de celle à laquelle renvoie le sens propre littéral du texte, mais liée à elle par une relation de similitude, d'analogie. ⇒ **Allégorie, comparaison** (cit. 12), **figure, métaphore.** *Image banale, usée.* ⇒ **Cliché** (→ Aurore, cit. 20). *Images de style* (→ Coloris, cit. 5; essentiellement, cit. 2). *Images bibliques, évangéliques* (→ Axiome, cit. 5). *Écrivain qui s'exprime* (cit. 24) *par des images. Forger* (cit. 5) *une image. Hardiesse* (cit. 22), *justesse, profusion* (→ Enfiévrer, cit. 5), *puissance des images* (→ Excrément, cit. 6). *Images descriptives. Images colorées, fortes, frappantes* (→ Exagération, cit. 1), *savoureuses, grandiloquentes* (cit. 1), *forcées* (→ aussi Accent, cit. 5; agneau, cit. 3; chandelle, cit. 5; emprunter, cit. 16; flux, cit. 9; fortune, cit. 36; français, cit. 5; homme, cit. 130).

42 Ces «images», que d'autres appellent «peintures» ou «fictions», sont aussi d'un grand artifice pour donner du poids, de la magnificence et de la force au discours. Ce mot d'«image» se prend en général pour toute pensée propre à produire une expression, et qui fait une peinture à l'esprit de quelque manière que ce soit; mais il se prend encore, dans un sens plus particulier et plus resserré, pour ces discours que l'on fait «lorsque, par un enthousiasme et un mouvement extraordinaire de l'âme, il semble que nous voyons les choses dont nous parlons, et quand nous les mettons devant les yeux de ceux qui écoutent.»
BOILEAU, le Longin, Traité du sublime, XIII.

43 Il faut toujours se souvenir que les modifications de l'âme ne peuvent s'exprimer que par des images physiques : on dit *la fermeté de l'âme, de l'esprit* (...)
VOLTAIRE, Dict. philosophique, Fermeté.

44 On peut concevoir et s'expliquer par les images, mais non pas juger et conclure.
Joseph JOUBERT, Pensées, XXII, CXI.

45 (...) elle abondait en plaisants dictons, en sages proverbes, en images populaires et rustiques FRANCE, le Petit Pierre, XXIV.

45.1 Peut-être Mérimée est-il l'écrivain qui restera le plus longtemps. En effet, il se sert moins que tout autre de l'image, cette cause de vieillesse du style. La postérité appartiendra aux écrivains secs, aux constipés.
J. RENARD, Journal, 12 août 1890.

Poétique de l'image. Théorie surréaliste de l'image. Abuser de l'image (→ Comme, cit. 13.1, Breton).

46 L'image est une création pure de l'esprit. Elle ne peut naître d'une comparaison mais du rapprochement de deux réalités plus ou moins éloignées. Plus les rapports des deux réalités rapprochées seront lointains et justes, plus l'image sera forte — plus elle aura de puissance émotive et de réalité poétique (...)
P. REVERDY, Nord-Sud, mars 1918 (repris dans *le Gant de crin*)
A. BRETON, Manifeste du surréalisme.

47 Il en va des images surréalistes comme de ces images de l'opium que l'homme n'évoque plus, mais qui «s'offrent à lui, spontanément...» Si l'on s'en tient (...) à la définition de Reverdy, il ne semble pas possible de rapprocher volontairement ce qu'il appelle «deux réalités distantes» (...) Il est faux, selon moi, de prétendre que «l'esprit a saisi les rapports» des deux réalités en présence (...) C'est du rapprochement en quelque sorte fortuit des deux termes qu'a jailli une lumière particulière, *lumière de l'image*, à laquelle nous nous montrons infiniment sensibles. La valeur de l'image dépend de la beauté de l'étincelle obtenue; elle est, par conséquent, fonction de la différence de potentiel entre les deux conducteurs. Lorsque cette différence existe à peine comme dans la comparaison(1), l'étincelle ne se produit pas. A. BRETON, Manifeste du surréalisme, p. 58.
(1) N. D. L. A. Cf. l'image chez Jules Renard.

48 L'image, c'est l'évocation d'un spectacle de la nature ou d'une vérité de l'homme, dans la peinture d'une situation. C'est, en somme, le rattachement de l'émotion que l'artiste veut faire naître d'un certain concours de choses, nouveau pour le lecteur, à des émotions généralement éprouvées par l'homme. Véritable induction de l'art. Appel au général pour faire ressentir le particulier, au connu pour que surgisse dans l'attrait de la chose découverte cette relation nouvelle entre les choses qu'est une création de l'esprit (...)
Bernard GRASSET, *in* René GEORGIN, la Prose d'aujourd'hui, p. 253.

Loc. *Faire* (1. Faire, cit. 117) *image* : évoquer qqch. en tant qu'image. ⇒ **Imagé.**

♦ **6.** Math. Élément ou ensemble des éléments d'un ensemble qui, par une relation* (une correspondance, une application...), correspondent à un élément d'un premier ensemble (⇒ **Antécédent**). *L'image d'un élément x de l'ensemble de départ par une application f* (ou *transformée de x par f*) *est réduite à un seul élément de l'ensemble d'arrivée, noté f (x). — Image d'une partie d'un ensemble*, ou *image directe* (par oppos. à *image réciproque*, ci-dessous) : l'ensemble des images des éléments de cette partie. *Image réciproque d'une partie d'un ensemble* : l'ensemble des éléments de l'ensemble de départ qui ont une image appartenant à cette partie. *Image d'une relation (d'un ensemble dans un autre ensemble)* : l'ensemble des images par cette relation des éléments de l'ensemble de départ. *Si la relation est une application f d'un ensemble E dans un ensemble F, l'image de f se note Im(f) ou f(E). L'image d'une application surjective* est égale à son ensemble d'arrivée.* — En appos. *Ensemble-image, espace-image. L'ensemble-image d'une application* (ensemble de définition) *est un sous-ensemble de l'ensemble d'arrivée.*

★ **II.** (V. 1160, d'abord «apparition en rêve»; sens psychol. moderne, lié à *imagination*, 1647, Descartes). Représentation* mentale d'origine sensible. — REM. Jusqu'au milieu du XVIIIe s. on a utilisé indistinctement les mots *idée* et *image*. Depuis cette époque, le mot *image* s'oppose d'une part au *concept* ou à l'*idée* abstraite (→ Idée, cit. 5), d'autre part à la *réalité* ou aux *choses* qui existent indépendamment de l'esprit qui les pense (→ ci-dessous, cit. 50, Bergson).

49 (...) l'esprit agissant est un polypier d'images mutuellement dépendantes (...)
TAINE, De l'intelligence, t. I, p. 124.

50 Me voici donc en présence d'images, au sens le plus vague où l'on puisse prendre ce mot, images perçues quand j'ouvre mes sens, inaperçues quand je les ferme.
H. BERGSON, Matière et Mémoire, p. 11.

Psychologie et courant.

♦ **1.** Reproduction mentale d'une perception ou d'une impression* antérieure, en l'absence de l'objet qui lui avait donné naissance. *Image visuelle, auditive, tactile. L'image, en général moins vive, moins nette, plus faible* (cit. 29), *plus changeante que la perception*. Avoir une image dans l'esprit. Chasser une image de son esprit. Localisation des images dans le cerveau* (→ Entendement, cit. 4). *Lois de l'association* (cit. 16) *des images. — Image d'un être, d'un objet, d'un lieu. — Image rémanente*. Rémanence* des images visuelles. — Image éidétique*, caractérisée, dans des cas souvent pathologiques, par son extrême netteté, et sa persistance presque obsédante.

REM. En ce premier sens, le mot *image* s'est d'abord appliqué exclusivement aux images de la vue : *«Le sens de la vue fournit seul des images»* (Voltaire, *Dict. philosophique*, Imagination). Son usage ne s'est étendu aux autres impressions sensorielles qu'à la fin du XIXe s., non sans rencontrer une forte résistance.

Je vois des images, je me souviens des effets sur mon cœur, mais pour les causes et la physionomie néant. STENDHAL, Vie de Henry Brulard, 17. 51

(1883). *Image sonore, auditive.*

C'est hier que j'ai eu ce spectacle, et aujourd'hui, à mesure que j'écris, je le revois faiblement, mais je le revois (...) C'est une demi-résurrection de mon expérience; on pourra employer divers termes pour l'exprimer, dire qu'elle est un arrière goût, un écho, un simulacre, un fantôme, une *image* de la sensation primitive (...) Les sensations de l'ouïe, du goût, de l'odorat, du toucher, et, en général, toutes les sensations (...) ont aussi leurs images. TAINE, De l'intelligence, t. I, p. 78 et 84. 52

Problèmes psychologiques des rapports entre l'image et le concept, de la pensée sans images. Peut-on penser sans images?

(...) prenant à la lettre cette expression de *pensée sans images*, qui ne peut signifier honnêtement (...) qu'une pensée *non faite d'images*, on a voulu que la pensée vraie ne fût *même pas accompagnée d'images*, ce qui conduirait à chercher une pensée incapable même de s'exercer. 53
M. PRADINES, Traité de psychologie générale, III, p. 162.

Ling. (Saussure). *L'image acoustique, l'image graphique d'un signe*, sa face matérielle, sensible.

♦ **2.** (Sens élargi). Vision* intérieure plus ou moins exacte (d'un être ou d'une chose). *Se faire une image de qqch.* (⇒ **Imaginer**; et aussi **idée**). *Les images, peintures absolues des objets sensibles* (→ Idée, cit. 4). *L'image d'un être aimé, une chère image. — Garder gravées dans la mémoire les images du passé. Conserver l'image d'un être* (→ Correspondre, cit. 3; empreindre, cit. 9). ⇒ **Souvenir.** *Images isolées de notre enfance* (→ Cadre, cit. 9). *Évoquer* (cit. 18) *une image. Image qui s'efface, s'estompe. L'image obsédante d'un être, d'un événement.*

Et pourquoi vous en faire une image si noire? RACINE, Bajazet, II, 3. 54

L'image de l'amour éteint effraye plus un cœur tendre que celle d'un amour malheureux, et le dégoût de ce qu'on possède est un état cent fois pire que le regret de ce qu'on a perdu. ROUSSEAU, Julie ou la Nouvelle Héloïse, Lettre VII. 55

Toute la soirée ton image m'a poursuivi comme une hallucination. 56
FLAUBERT, Correspondance, 324, 9 juin 1852.

Dans sa mémoire à lui seul, mais rien que là, persistait encore la jeune image, et, quand il serait mort, aucun reflet ne resterait nulle part de ce que fut sa beauté, aucune trace au monde de ce que fut son âme anxieuse et candide. 57
LOTI, les Désenchantées, II, V.

Au grand jour de la mémoire habituelle, les images du passé pâlissent peu à peu, s'effacent, il ne reste plus rien d'elles, nous ne les retrouverons plus. 58
PROUST, À la recherche du temps perdu, t. IV, p. 55.

Pourquoi certaines images demeurent-elles pour nous aussi nettes qu'au moment de la vision, alors que d'autres, en apparence plus importantes, s'estompent puis s'effacent si vite? A. MAUROIS, Climats, I, II. 59

Que de fois, tandis qu'elle rêvait en regardant les tilleuls dorés de Nohant, l'image de ce beau visage était venue danser au bout de la plume de George et l'avait empêchée d'écrire, rare et redoutable signe. A. MAUROIS, Lélia, VI, p. 295. 60

♦ **3.** Produit de l'imagination. *Ces images sont de purs produits de l'imagination*, de la fantaisie, de la rêverie. Images qui accompagnent une lecture. — Images érotiques, fantastiques, incohérentes du rêve*, du délire.* ⇒ **Fantasme, vision** (→ aussi Hallucination). *Images trompeuses.* ⇒ **Illusion** (→ Cher, cit. 18). *Image effrayante.* ⇒ **Spectre.** *Les images du rêve*. — Image embellie par la passion, par le souvenir. Se forger une image fantaisiste du réel. Les brillantes images qui entourent* (cit. 6) *la réalité de l'amour. Substituer aux êtres l'image qu'on se fait* (cit. 249) *d'eux. Être abusé* (cit. 13) *par de vaines images.*

On aime bien plus l'image qu'on se fait que l'objet auquel on l'applique. Si l'on voyait ce qu'on aime exactement tel qu'il est, il n'y aurait plus d'amour sur la terre. ROUSSEAU, Émile, IV. 61

À la parole de Philoxène, les images les plus singulières défilaient devant les yeux et faisaient vivre avec sa pensée, sa forme et sa couleur, l'auteur qu'il interprétait. Th. GAUTIER, Portraits contemporains, p. 157. 62

(...) les noms présentent des personnes — et des villes qu'ils nous habituent à croire individuelles, uniques comme des personnes — une image confuse qui tire d'eux, de leur sonorité éclatante ou sombre, la couleur dont elle est peinte uniformément (...) quand je pensais à Florence c'était comme à une ville miraculeusement embaumée et semblable à une corolle, parce qu'elle s'appelait la cité des lys et sa cathédrale, Sainte-Marie-des-Fleurs (...) Ces images étaient fausses pour une autre raison encore; c'est qu'elles étaient forcément très simplifiées (...) Peut-être même la simplification de ces images fut-elle une des causes de l'empire qu'elles prirent sur moi. PROUST, À la recherche du temps perdu, t. II, p. 229-231. 63

Psychan. *Image parentale.* ⇒ **Imago.** *Image de soi.* — Psychiatrie. *Images hallucinatoires.*

♦ **4.** IMAGE DE MARQUE : représentation qu'a le public (d'un produit, d'une firme, d'une marque commerciale). ⇒ **Réputation.** *«Une société dont l'image de marque est réputée»* (*l'Express*, 4 déc. 1972). — Par ext. Représentation collective (d'une personne, d'une institution). *«L'image de marque du Premier ministre»* (*le Monde*, 1er janv. 1971). *Avoir une bonne image de marque. Soigner son image de marque.*

Image publicitaire : représentation qu'une firme, une marque commerciale veut donner d'elle-même ou d'un de ses produits.

64 Dans la deuxième moitié du XXe siècle, en Europe, en France, rien (un objet, un individu, un groupe social) ne vaut que par son double : son image publicitaire qui l'auréole. Cette image double non seulement la matérialité sensible de l'objet mais le désir, le plaisir.
Henri LEFEBVRE, la Vie quotidienne dans le monde moderne, p. 200.

(Employé seul). Façon dont une personne est perçue par la collectivité, par un groupe. *L'image d'une vedette. Le nouveau président a une bonne image. Ce ministre soigne son image.* — (Avec un compl.). *Une image d'homme de gauche.*

DÉR. **Imager, imagerie, imagier.** — V. **Imagisme.**
COMP. **Image-orthicon.**

IMAGÉ, ÉE [imaʒe] adj. ⇒ Imager (p. p. adj.).

IMAGEANT, ANTE [imaʒɑ̃, ɑ̃t] adj. — 1940, Sartre, *l'Imaginaire*; p. prés. de *imager.*

♦ Philos. Qui produit des images (II.). *La conscience imageante* (→ Imaginaire, cit. 12, Sartre).

IMAGE-ORTHICON [imaʒɔʀtikɔ̃] n. m. — 1962; de *image*, et *orthicon(oscope).*

♦ Techn. Tube de prise de vues très sensible, dont sont équipées les caméras de télévision.

IMAGER [imaʒe] v. tr. — Conjug. *bouger.* — 1481, «sculpter, représenter par l'image»; *ymagié*, XIVe; de *image.*

Rare.

♦ **1.** Orner d'images; représenter par l'image.

♦ **2.** (1842; *imagier*, 1829, Boiste). Orner d'images, de métaphores. *«Imager son style»* (Littré).

▶ **IMAGÉ, ÉE** p. p. adj. (1611; *ymaigié*, 1481; *hymaigié*, fin XIIe).
Cour. Orné d'images (I., 5.), de métaphores. *Langage, style imagé.* ⇒ **Coloré, chatoyant, figuré.** *La prose imagée de Chateaubriand.*

DÉR. **Imageant.**

IMAGERIE [imaʒʀi] n. f. — 1371; *ymagerie* «sculptures», fin XIIIe; de *image.*

♦ **1.** Ensemble d'images provenant de la même origine. *L'imagerie d'Épinal.* — (Au propre et au fig., avec souvent une légère nuance péj.). Ensemble d'images de même inspiration (→ 2. Clinquant, 3.). *Une imagerie naïve, pieuse, populaire. Imagerie romantique* (→ Héroïsme, cit. 13), *sentimentale.*

1 (...) toute l'horreur qu'imprimaient dans mon esprit ces rêves d'imagerie orientale et de tortures mythologiques.
BAUDELAIRE, les Paradis artificiels, Mangeur d'opium, IV.

2 Shakespeare. Le roi Lear, un fou qui commence la folie par la niaiserie. C'est de l'imagerie d'Épinal trop rouge. Enthousiasme à froid.
J. RENARD, Journal, 29 nov. 1904.

3 Les imageries religieuses (...) gravures pleines de petits garçons à genoux, de femmes prosternées, d'anges bouffis et montrant le ciel.
HUYSMANS, les Sœurs Vatard, p. 26.

♦ **2.** (1829, Boiste). Création d'images.

4 Les créations de l'imagerie ne sont pas plus accidentelles que celles des maîtres; et leurs créateurs connaissent leur public. C'est l'art des pauvres, quand il existe un art des riches.
MALRAUX, les Voix du silence, p. 499.

♦ **3.** Ensemble d'images (I., 5.) dans les discours (figures; métaphores, comparaisons).

5 En lisant votre livre *(le Parti pris des choses)*, je puis dire déjà : si ce sont là les choses, que les choses sont passionnantes! Mais vous ne seriez alors qu'un poète (et vous vous y refusez). Ce qui m'intéresse aussi bien, c'est que vous me démontrez que l'illustration, l'imagerie dernière du monde absurde, c'est l'objet.
CAMUS, Lettre à Francis Ponge, *in* Textes complémentaires à *l'Homme révolté*, *in* Essais, Pl., p. 1664.

♦ **4.** Didact. Ensemble d'images mentales. *L'imagerie du rêve.*

IMAGIER, IÈRE [imaʒje, jɛʀ] n. et adj. — 1530; *ymagier* «sculpteur», v. 1268; var. (vieilli), *imager, ère*, mil. XVIe, Ronsard; de *image.*

♦ **1.** Sculpteur, peintre du moyen âge. *Les chefs-d'œuvre des imagiers.*

1 (...) ces précieux manuscrits à miniatures où s'épuisait la patience des imagiers (...)
Th. GAUTIER, Portraits contemporains, p. 287.

2 (...) l'Art de Rodin continuait les belles traditions de l'art séculaire français et, par-delà Carpeaux, Barye, Rude, Clodion, Houdon, qui furent les vrais maîtres de Rodin, rejoignait Michel-Ange, les maîtres imagiers de nos cathédrales et la parfaite sculpture grecque.
Georges LECOMTE, Ma traversée, p. 215.

♦ **2.** (1636). Personne qui fait, enlumine ou vend des images. *Le métier d'imagier.*

3 (...) ce conteur *(Th. Gautier)* est un imagier, doublé d'un ouvrier d'art littéraire de première force.
Émile HENRIOT, les Romantiques, p. 202.

♦ **3.** Adj. (Fin XIXe). Qui fait des images. *Artiste imagier.* — Qui concerne les images, l'illustration. ⇒ **Iconique.** *Industrie imagière.*

♦ **4.** Rare. Qui utilise beaucoup d'images dans son style.

IMAGINABLE [imaʒinabl] adj. — 1377, *ymaginable*; bas lat. *imaginabilis*, de *imaginari.* → Imaginer.

♦ Que l'on peut imaginer*, concevoir*. ⇒ **Concevable.** *Une chose difficilement imaginable. Au-delà des espaces imaginables* (→ Atome, cit. 1). *Des pratiques actuelles qui n'étaient pas imaginables autrefois* (→ Appartement, cit. 6).

Valeur intensive (avec *tous* et un plur.). *Tous les timbres de voix imaginables* (→ Aigu, cit. 4). *Endurer* (cit. 6) *toutes les souffrances, tous les coups* (cit. 43) *imaginables.* — Loc. *Possible et imaginable. Toutes les couleurs possibles* et imaginables.*

(...) je vous avoue que j'en ai toutes les joies imaginables. 1
MOLIÈRE, Impromptu de Versailles, 5.

(...) la société humaine (...) porte nécessairement les hommes (...) à se rendre mutuellement des services apparents, et à se faire en effet tous les maux imaginables. 2
ROUSSEAU, De l'inégalité parmi les hommes, Note (i).

(Avec un substantif abstrait, désignant une qualité, précédé de *tout*). *Toute la force, la patience imaginable* : la plus grande force, patience possible*. → Faussaire, cit. 1. — (Même valeur). *C'est incroyable ce qu'il est menteur, ce n'est pas (c'est pas) imaginable.*

CONTR. **Inconcevable, inimaginable.**
COMP. **Inimaginable.**

IMAGINAIRE [imaʒinɛʀ] adj. — Fin XVe; lat. *imaginarius*, de *imago, inis.* → Image.

♦ **1.** (Objets, personnes, réalités abstraites). Qui n'existe que dans l'imagination (I. 2.), qui est sans réalité. ⇒ **Illusoire, irréel; fictif.** *Objet imaginaire* (→ Embellir, cit. 5). *Le palais imaginaire d'un rêve.* ⇒ **Onirique** (→ Eldorado, cit. 1). *Frapper une balle imaginaire* (→ Éphèbe, cit. 4), *fouetter* (cit. 2) *un coursier imaginaire* : faire mine, faire semblant de frapper une balle, de fouetter un coursier. *Le musée* imaginaire. Animaux imaginaires.* ⇒ **Fabuleux** (cit. 2), **fantastique.** *Être, personne imaginaire.* ⇒ **Inventé, légendaire, mythique.** *Personnage imaginaire et personnage réel* (→ Appropriation, cit. 1; arrière-pensée, cit. 1). *Le romancier utilise des éléments réels pour créer un personnage imaginaire* (→ Fondre, cit. 7). *Vivre dans un monde imaginaire. Des ennemis imaginaires* (→ Foncer, cit. 2). *Un danger* (cit. 8) *imaginaire. Ses craintes, ses soucis sont imaginaires, sans fondement.* ⇒ **Absurde.** *Fautes imaginaires* (→ Grand, cit. 76). *Chercher dans la lecture des assouvissements* (cit. 1) *imaginaires. Raisonner sur des faits imaginaires.* ⇒ 1. **Faux** (→ Parler en l'air*). *Système, solution imaginaire.* ⇒ **Chimérique, utopique.** *Pouvoir, crédit imaginaire* (→ Escroquer, cit. 4). *Il allègue des raisons imaginaires.* ⇒ **Feint.**

Il faut (...) travailler tout le jour et se fatiguer, pour des biens reconnus pour imaginaires, et quand le sommeil nous a délassés des fatigues de notre raison, il faut incontinent se lever en sursaut pour aller courir après les fumées et essuyer les impressions de cette maîtresse du monde *(l'imagination).* 1
PASCAL, Pensées, II, 82.

(...) on était loin de concevoir à quel point je puis m'enflammer pour des êtres imaginaires. 2
ROUSSEAU, les Confessions, XI.

Snob, Balzac l'était aussi, mais le travail lui faisant passer tellement plus d'heures avec des personnages imaginaires, c'est-à-dire avec lui-même qu'avec des personnages réels, cela n'avait pas pour lui grande importance. 2.1
PROUST, Jean Santeuil, Pl., p. 487.

On place son rêve si loin, tellement loin, tellement hors des possibilités de la vie, qu'on ne pourrait rien trouver dans la réalité qui le satisfasse; alors, on se fabrique, de toutes pièces, un objet imaginaire! 3
MARTIN DU GARD, Jean Barois, p. 117.

La vie des créatures imaginaires dépasse bien souvent, en intensité morale, celle des êtres de chair et de sang (...) 4
G. DUHAMEL, Défense des lettres, p. 232.

(Grâce aux reproductions) nous disposons de plus d'œuvres significatives pour suppléer aux défaillances de notre mémoire, que n'en pourrait contenir le plus grand musée. Car un musée imaginaire s'est ouvert, qui va pousser à l'extrême l'incomplète confrontation imposée par les vrais musées (...) 5
MALRAUX, les Voix du silence, p. 14.

(Av. 1650, Descartes). Vx. *Espaces imaginaires.* ⇒ **Espace.**

(1637, Descartes). Math. Vx. *Nombre imaginaire :* nombre complexe*.

Mod. *Partie imaginaire d'un nombre complexe :* le nombre b, dans l'écriture a + ib de ce nombre (écriture algébrique, où a et b sont des nombres réels et où $i^2 = -1$; ⇒ **Complexe,** I., 1.). *La partie imaginaire d'un nombre complexe z, comme sa partie réelle, est un nombre réel; elle se note* Im (z). *Si la partie imaginaire d'un nombre complexe est nulle, ce nombre est un nombre réel.*

Nombre imaginaire : nombre complexe dont la partie imaginaire n'est pas nulle. *Un nombre imaginaire s'écrit sous la forme* z = a + ib, *avec b différent de zéro. Nombre imaginaire pur,* ou, n. m., *imaginaire pur :* nombre imaginaire dont la partie réelle est nulle. *Un imaginaire pur s'écrit sous la forme* z = ib.

Application de l'opération de l'extraction de la racine carrée aux nombres négatifs (cette généralisation étant imposée entre autres par la solution des équations du deuxième degré), la notion du nombre imaginaire $\sqrt{-1}$ fournit le modèle d'une «expérience mentale» qui n'aurait point d'objet, puisqu'il n'existe pas de carré négatif (...) 6
J. PIAGET, Introd. à l'épistémologie génétique, p. 120.

♦ **2.** (1658, Pascal). Qui n'est tel que dans sa propre imagination. *Un malade* imaginaire. Le Malade Imaginaire,* comédie de Molière (1673).

7 (...) cette gaîté de visage leur donne souvent l'avantage dans l'opinion des écoutants, tant les sages imaginaires ont de faveur auprès des juges de même nature.
PASCAL, Pensées, II, 82.

8 (...) l'inventeur imaginaire, l'homme qui se figurait avoir fait, sur l'évier de sa cuisine, une des grandes découvertes de la science (...)
G. DUHAMEL, Salavin, V, IV, p. 185.

♦ **3.** N. m. (1820, Maine de Biran). (→ Casier, cit. 1, Hugo). Ensemble des produits, domaine de l'imagination (2.). *Le réel et l'imaginaire. Les inventions de l'imaginaire* (→ Fantastique, cit. 2). *Le mythe et l'imaginaire collectif.* ⇒ **Inconscient.**

9 Il est aussi quantité de gens qui sont plus sensibles à l'imaginaire qu'au réel, et qui compatissent plus volontiers aux souffrances d'un héros de roman, si tant est qu'elles soient bien peintes, qu'à celles qui sont à leurs côtés et que, en vérité, ils ne savent pas voir.
GIDE, Ainsi soit-il, p. 180.

10 Le vocable fondamental qui correspond à l'imagination, ce n'est pas *image,* c'est *imaginaire.* La valeur d'une image se mesure à l'étendue de son auréole *imaginaire.* Grâce à l'*imaginaire,* l'imagination est essentiellement *ouverte, évasive.* Elle est dans le psychisme humain l'expérience même de l'*ouverture,* l'expérience même de la *nouveauté.*
G. BACHELARD, l'Air et les Songes, p. 7.

11 C'est l'imaginaire toujours qui est notre ennemi, parce que nous n'y trouvons rien à prendre. Que faire contre des suppositions?
ALAIN, Propos, 10 août 1923, Sur la mort.

12 Tout imaginaire paraît «sur fond de monde», mais réciproquement toute appréhension du réel comme monde implique un dépassement caché vers l'imaginaire. Toute conscience imageante maintient le monde comme fond néantisé de l'imaginaire et réciproquement toute conscience du monde appelle et motive une conscience imageante comme saisie du sens particulier de la situation.
SARTRE, l'Imaginaire, p. 238.

13 L'imagination est un domaine de rêves, l'imaginaire, un domaine de formes.
MALRAUX, l'Homme précaire et la Littérature, p. 179.

Psychanalyse :

14 Un des trois registres essentiels (le réel, le symbolique, l'imaginaire) du champ psychanalytique. Ce registre est marqué par la prévalence de la relation à l'image du semblable.
J. LAPLANCHE et J.-B. PONTALIS, Voc. de la psychanalyse.

CONTR. Effectif, exact, historique, réel, véritable, vrai.

DÉR. Imaginairement.

IMAGINAIREMENT [imaʒinɛʀmɑ̃] adv. — 1540, M. d'Amboise; de *imaginaire.*

♦ Didact. ou littér. D'une manière imaginaire. *Des «perversions sexuelles qui trouvent le moyen de se satisfaire imaginairement»* (*Noir et Blanc,* juil. 1967).

CONTR. Historiquement, réellement, vraiment.

IMAGINAL, ALE, AUX [imaʒinal, o] adj. — 1893, *in* T.L.F.; dér. sav. du lat. *imago, inis.*

♦ Didact. (biol.). De l'imago* (I.). *Forme imaginale de l'insecte. Disques imaginaux :* groupes de cellules qui se développent pendant la nymphose de l'insecte et qui président au développement des organes de l'insecte définitif. — Dernière mue de la métamorphose. *Mue imaginale.*

IMAGINANT, ANTE [imaʒinɑ̃, ɑ̃t] adj. — V. 1360, «fin, habile»; sens mod., av. 1662, Pascal; p. prés. de *imaginer.*

♦ Vx. Qui imagine (en parlant des facultés). *Faculté, fonction imaginante.* ⇒ **Imagination.** *«La conscience imaginante»* (Bachelard). ⇒ **Imageant.**

1 Qui dispense la réputation? Qui donne le respect et la vénération aux personnes, aux ouvrages, aux lois, aux grands, sinon cette faculté imaginante?
PASCAL, Pensées, II, 82.

2 L'homme ne gouverne pas son imagination comme son esprit, mais aléatoirement, comme sa sexualité. Il ne décide point d'imaginer, comme de danser : il est un animal imaginant.
MALRAUX, l'Homme précaire et la Littérature, p. 191.

IMAGINATEUR, TRICE [imaʒinatœʀ, tʀis] n. — 1578, H. Estienne; repris XIXe; de *imaginer, imagination.*

♦ Rare. Personne qui imagine. ⇒ **Inventeur.**

(...) Berthelot, un grand et brillant imaginateur d'hypothèses (...)
Ed. et J. DE GONCOURT, Journal, 24 oct. 1865.

IMAGINATIF, IVE [imaʒinatif, iv] adj. et n. — V. 1360 «rusé, habile», Froissart; sens mod., av. 1563, La Boétie; lat. médiéval *imaginativus,* du lat. class. *imaginatum,* supin de *imaginari.* → Image.

★ **I.** ♦ **1.** Adj. Qui a l'imagination fertile, qui imagine aisément. *Esprit imaginatif. Personne émotive et imaginative. Les moins imaginatifs pourront se représenter cela* (→ Haquenée, cit. 2).

1 (...) j'éprouve, en le lisant, un sentiment qui, dans une nature plus imaginative que la mienne, mériterait le nom de rêverie.
FRANCE, le Crime de S. Bonnard, I, *in* Œ., t. II, p. 269.

2 Nous devenons imaginatifs sur le tard, en même temps qu'optimistes, pour déformer en les dépeignant ces violents chagrins, ces mélancolies (...)
COLETTE, Belles Saisons, p. 46.

♦ **2.** N. Personne imaginative. ⇒ **Rêveur.** *Un grand imaginatif. Une imaginative.*

Les grands imaginatifs connaissent ce prodigieux travail de l'esprit qui va chercher jusqu'au fond de leur jeunesse des visages depuis longtemps disparus ou détruits (...) 3
F. MAURIAC, Souffrances et bonheur du chrétien, p. 91.

On y voit *(dans les lettres de Balzac à Mme Hanska)* un de ces amours d'imaginatif se nourrir lui-même hors de la présence de l'être chéri et désiré, plus beau peut-être d'être aimé en rêve (...) 4
Émile HENRIOT, Portraits de femmes, p. 346.

★ **II.** N. f. (1314; lat. *imaginativa,* v. 1270 en angl.). Vx. *L'imaginative.* Faculté, puissance d'imaginer. ⇒ **Imagination.**

— (...) quand je veux, j'ai l'imaginative 5
Aussi bonne en effet que personne qui vive (...)
MOLIÈRE, l'Étourdi, II, 11.

Archaïsme plaisant :

— Mais pourquoi parlez-vous de façon peu hâtive? 6
Auriez-vous donc la goutte à l'imaginative?
Edmond ROSTAND, Cyrano de Bergerac, III, 6.

DÉR. Imaginativement.

IMAGINATION [imaʒinasjɔ̃] n. f. — V. 1160, «image venant dans un rêve»; lat. impérial *imaginatio,* du lat class. *imaginatum,* supin de *imaginari.* → Imaginer.

★ **I.** L'IMAGINATION. ♦ **1.** Faculté que possède l'esprit de se représenter des images (II., 1.), d'imaginer (I. 1.). ⇒ **Connaissance, expérience** (sensible). *Notre imagination ni nos sens ne nous assurent de rien* (→ Entendement, cit. 2). *Le domaine des idées et celui de l'imagination* (→ Concevoir, cit. 9). *C'est par l'imagination que les mots deviennent pour nous des choses* (→ Abstrait, cit. 5). *Le style figuré* (cit. 15) *ébranle l'imagination et se grave dans la mémoire. Avoir l'imagination frappée par une lecture* (→ Autosuggestion, cit. 2). *Distinction entre imagination passive ou reproductrice et imagination active ou créatrice,* au XVIIIe siècle (→ ci-dessous, cit. 3 et 22; et aussi cit. 4). *L'imagination de qqn, son imagination. La guerre n'était plus une abstraction* (cit. 9), *elle s'imposait à son imagination dans sa réalité sanglante.* — REM. En ce sens large, le plus usuel jusqu'au début du XVIIIe s., le mot *imagination* désigne à la fois l'impression actuelle que les objets provoquent dans l'esprit et celle que l'esprit conserve (→ ci-dessous, cit. 1, Bossuet). — La distinction entre *imagination passive* et *imagination active* n'est pas toujours nette dans l'usage littéraire (→ par ex. : Grandir, cit. 3, et ci-dessous, cit. 8, Stendhal), mais elle reste utilisée par les psychologues (→ ci-dessous, cit. 4, Guillaume).

(...) l'imagination est affectée de l'objet, soit qu'il soit ou qu'il ne soit pas présent, et même quand il a cessé d'être absolument, pourvu qu'une fois il ait été bien senti. 1
BOSSUET, Traité de la connaissance de Dieu..., I, V.

(...) si les médecins avaient le vrai art de guérir, ils n'auraient que faire de bonnets carrés... Mais n'ayant que des sciences imaginaires, il faut qu'ils prennent ces vains instruments qui frappent l'imagination à laquelle ils ont affaire; et par là, en effet, ils s'attirent le respect. 2
PASCAL, Pensées, II, 82.

IMAGINATION : C'est le pouvoir que chaque être sensible sent en soi de se représenter dans son cerveau les choses sensibles (...) Il y a deux sortes d'imagination : l'une qui consiste à retenir une simple impression des objets : l'autre qui arrange ces images reçues, et les combine en mille manières. La première a été appelée *imagination passive;* la seconde, *active.* 3
VOLTAIRE, Dict. philosophique, Imagination, I.

(...) il faudrait sentir, chère Thérèse, que les objets n'ont de prix à nos yeux que celui qu'y met notre imagination; il est donc très possible, d'après cette vérité constante, que non seulement les choses les plus bizarres, mais même les plus viles et les plus affreuses, puissent nous affecter très sensiblement. L'imagination de l'homme est une faculté de son esprit où vont, par l'organe des sens, se peindre, se modifier les objets et se former ensuite ses pensées, en raison du premier aperçu de ces objets. Mais cette imagination, résultative elle-même de l'espèce d'organisation dont est doué l'homme, n'adopte les objets reçus que de telle ou telle manière, et ne crée ensuite les pensées que d'après les effets produits par le choc des objets aperçus. 3.1
SADE, Justine..., t. I, p. 188.

Nous avons étudié jusqu'ici un aspect de ce développement, celui qui mène de la reconnaissance des objets à l'évocation de souvenirs et qu'on peut appeler, avec les réserves nécessaires, imagination *reproductrice.* Mais l'imagination a encore d'autres fonctions : elle est constructive ou *créatrice* d'objets nouveaux. 4
Paul GUILLAUME, Manuel de psychologie, XIII, p. 110.

Littér., arts. Art d'utiliser les images (I., 5.) pour exprimer sa pensée.

C'est surtout dans la poésie que cette imagination de détail et d'expression doit régner. Elle est ailleurs agréable mais là elle est nécessaire. Presque tout est image dans Homère, dans Virgile, dans Horace, sans même qu'on s'en aperçoive. La tragédie demande moins d'images, moins d'expressions pittoresques, de grandes métaphores, d'allégories, que le poème épique ou l'ode : mais la plupart de ces beautés, bien ménagées, font dans la tragédie un effet admirable. 5
VOLTAIRE, Dict. philosophique, Imagination, I.

J'appelle imagination le don de concevoir les choses d'une manière figurée et de rendre ses pensées par des images. Ainsi l'imagination parle toujours à nos sens : elle est l'inventrice des arts et l'ornement de l'esprit. 6
VAUVENARGUES, De l'esprit humain, II.

Notre grand modèle, la nature, est-elle donc sans images, le printemps sans fleurs, et les fleurs et les fruits sans couleurs? Aristote a rendu à l'imagination un témoignage éclatant, d'autant plus désintéressé qu'il en était lui-même dénué, et que Platon, son rival, en était richement pourvu. Les belles images ne blessent que l'envie. 7
RIVAROL, Littérature, Fragments et pensées littéraires, Notes.

♦ **2.** (XVIe, Montaigne). Faculté d'évoquer les images des objets qu'on a déjà perçus (loc. didact. *imagination reproductrice*). ⇒ **Fantaisie** (cit. 3) **mémoire.** *L'imagination représente, évoque, embellit le passé. Les impressions de l'imagination* (→ Effacer, cit. 21).

Revoir quelqu'un par l'imagination. Se transporter en imagination dans une maison où l'on a vécu. Souvenirs qui s'éveillent (cit. 27) *dans l'imagination. Vision qui reste dans l'imagination* (→ Bleu, cit. 13; étude, cit. 13).

8 S'il est si difficile d'oublier une femme auprès de laquelle on a trouvé le bonheur, c'est qu'il est certains moments que l'imagination ne peut se lasser de représenter et d'embellir. STENDHAL, De l'amour, XXXIX bis.

9 Les bords de la Brenta trompèrent mon attente : ils étaient demeurés plus riants dans mon imagination : les digues élevées le long du canal enterrent trop les marais. CHATEAUBRIAND, Mémoires d'outre-tombe, t. VI, p. 162.

♦ **3.** (XVIe). Faculté de former des images d'objets qui n'ont pas été perçus ou de faire des combinaisons nouvelles d'images (*imagination créatrice*). ⇒ **Imaginaire.** *La créativité, l'inventivité de l'imagination. L'imagination de qqn, son imagination. L'imagination* (selon le contexte), celle d'une personne ou l'imagination humaine, en général. *Avoir recours à l'imagination pour se représenter un objet décrit, une époque à laquelle on n'a pas vécu, un voyage que l'on va faire. Se représenter qqch. par l'imagination.* ⇒ **Imaginaire.** *L'imagination du lecteur* (→ Crédit, cit. 4). *L'imagination déforme, colore* (cit. 12) *la réalité et y supplée.* ⇒ **Fantaisie, invention.** *Laisser vaguer son imagination. L'imagination brode* (cit. 9) *sur des faits historiques. L'imagination forge des êtres, des figures* (→ Création, cit. 11; fantaisie, cit. 2). *L'imagination embellit tout* (→ Égarer, cit. 7), *pare ce qu'on désire* (→ Espérance, cit. 5). — *L'amour et l'imagination* (→ Ardent, cit. 35; broder, cit. 4) — *Passions, désirs* (cit. 15) *excités, irrités par l'imagination. Jalousie avivée* (cit. 10) *par l'imagination — L'imagination évite l'ennui* (→ Désœuvrement, cit. 1). ⇒ **Évasion** (cit. 6), **rêverie.** *Son imagination lui fait prévoir de funestes conséquences* (→ Avenir, cit. 22; effaroucher, cit. 8). *Imagination et raison* (→ Devant, cit. 25); *imagination et expérience* (→ Éprouver, cit. 28). *Les inventions*, les fictions*, les fantômes* de l'imagination* (→ Arracher, cit. 47; épuiser, cit. 27). *Être un fruit* (cit. 42) *de l'imagination. Caprices, écarts de l'imagination.* → *Son imagination se déchaîne, se dévergonde. Délices* (cit. 10), *enchantements* (cit. 8) *de l'imagination. Imagination qui travaille* (→ Guerre, cit. 35), *ne chôme* (cit. 4) *pas, qui s'exalte* (cit. 23), *s'échauffe* (→ Délire, cit. 5), *s'enflamme* (cit. 18), *galope* (cit. 5), *construit des châteaux* en Espagne. Imagination fertile; fertilité* (cit. 4) *d'imagination. Imagination trop vive, vagabonde* (→ Errer, cit. 21), *divagatrice, débordante, débridée, déréglée, détraquée, sans frein* (→ Essor, cit. 11), *exaltée, passionnée* (→ Exagérer, cit. 16); *délirante. Imagination ardente* (→ Brasier), *volcanique. L'imagination romanesque de Madame Bovary. Gouverner son imagination* (→ Anticiper, cit. 4). *Agir sur l'imagination des foules. Se laisser emporter par son imagination. S'abandonner à son imagination.*

DANS L'IMAGINATION, EN IMAGINATION. *Voir qqn dans son imagination,* l'imaginer. *N'exister que dans l'imagination,* d'une manière imaginaire. ⇒ **Esprit** (dans l'), **pensée** (dans la). — *Connaître qqch. seulement en imagination.*

9.1 Il est singulier de voir les lieux que nous ne connaissons qu'en imagination. Il est peut-être plus singulier encore de revoir les lieux que nous avons vus mais comme s'ils avaient changé de place, là où nous ne nous attendions pas à les trouver (...) PROUST, Jean Santeuil, Pl., p. 392.

Absolt. *Avoir de l'imagination :* avoir l'imagination fertile. ⇒ **Imaginatif.** *Être dénué d'imagination. Il, elle n'a aucune imagination. Manquer totalement d'imagination. Courageux par manque d'imagination* (→ Affronter, cit. 3; échapper, cit. 26).

10 *Imagination.* — C'est cette partie décevante dans l'homme, cette maîtresse d'erreur et de fausseté, et d'autant plus fourbe qu'elle ne l'est pas toujours : car elle serait règle infaillible de vérité, si elle l'était infaillible du mensonge. Mais, étant le plus souvent fausse, elle ne donne aucune marque de sa qualité, marquant du même caractère le vrai et le faux. PASCAL, Pensées, II, 82.

11 Le plus grand philosophe du monde, sur une planche plus large qu'il ne faut, s'il y a au-dessous un précipice, quoique sa raison le convainque de sa sûreté, son imagination prévaudra. Plusieurs n'en sauraient soutenir la pensée sans pâlir et suer. PASCAL, Pensées, II, 82.

12 L'imagination est la folle du logis. MALEBRANCHE, De la recherche de la vérité, II, De l'imagination.

13 (...) j'avais une intempérance d'imagination, si l'on peut parler ainsi, qui ne mettait point de bornes à ma fortune. Tant de bien peu à peu m'assoupit, et je m'endormis en bâtissant des châteaux en Espagne. A.-R. LESAGE, Gil Blas, VII, 10.

14 C'est l'imagination qui étend pour nous la mesure des possibles, soit en bien, soit en mal, et qui, par conséquent, excite et nourrit les désirs par l'espoir de les satisfaire. ROUSSEAU, Émile, II.

15 (...) quand une fois l'imagination est en train, malheur à l'esprit qu'elle gouverne. MARIVAUX, la Vie de Marianne, I.

16 En vérité, quand la tête se monte, l'imagination la mieux réglée devient folle comme un rêve! BEAUMARCHAIS, le Mariage de Figaro, III, IV.

17 L'imagination d'une jeune-fille n'étant glacée par aucune expérience désagréable, et le feu de la première jeunesse se trouvant dans toute sa force, il est possible qu'à propos d'un homme quelconque, elle se crée une image ravissante (...) Plus tard, détrompée de cet amant et de tous les hommes, l'expérience de la triste réalité a diminué chez elle le pouvoir de la cristallisation, la méfiance a coupé des ailes à l'imagination. STENDHAL, De l'amour, VIII.

18 La dimension d'un palais ou d'une chambre ne fait pas l'homme plus ou moins libre. Le corps se remue où il peut; l'imagination ouvre parfois des ailes grandes comme le ciel dans un cachot grand comme la main. A. DE MUSSET, Fantasio, II, 5.

19 Pour se représenter une situation inconnue l'imagination emprunte des éléments connus et à cause de cela ne se la représente pas (...) PROUST, À la recherche du temps perdu, t. XIII, p. 14.

Mais d'abord il en est de la vieillesse comme de la mort. Quelques-uns les affrontent avec indifférence, non pas parce qu'ils ont plus de courage que les autres, mais parce qu'ils ont moins d'imagination. 19.1
PROUST, le Temps retrouvé, Pl., t. III, p. 930.

(...) on prend la première venue, la plus proche (...) On se garde bien de chercher quel est son véritable caractère! Non... On l'enferme comme une idole dans le cercle clos de son imagination, on la pare de toutes les qualités que l'on souhaite à l'Élue, — et puis on s'agenouille devant, avec un bandeau sur les yeux (...) 20
MARTIN DU GARD, Jean Barois, IV, p. 117.

Par l'imagination, nous abandonnons le cours ordinaire des choses. Percevoir et imaginer sont aussi antithétiques que présence et absence. Imaginer c'est s'absenter, c'est s'élancer vers une vie nouvelle. 21
G. BACHELARD, l'Air et les Songes, p. 10.

L'IMAGINATION est pire qu'un bourreau chinois; elle dose la peur; elle nous la fait goûter en gourmets. Une catastrophe réelle ne frappe pas deux fois au même point; le coup écrase la victime; l'instant d'avant elle était comme nous sommes quand nous ne pensons point à la catastrophe. 21.1
ALAIN, Propos, 12 déc. 1910, Maux d'esprit.

Formes pathologiques de l'imagination : fabulation, rêverie morbide, onirisme, mythomanie. *Délires d'imagination.*

(XIVe). Par ext. Faculté de créer en combinant des idées*. *L'imagination, élaboration* (cit. 5) *spontanée. L'imagination échafaude des idées. Les trouvailles* de l'imagination. Avec un peu d'imagination, il aurait pu se tirer d'affaire.* ⇒ **Intelligence.** *Deviner par imagination* (→ Analyser, cit. 1; graver, cit. 14). *Imagination de l'individu inventif*, ingénieux* (→ Asthénique, cit.). ⇒ **Invention.** *L'imagination en politique. L'imagination au pouvoir,* slogan de mai 1968. *L'imagination du mathématicien, du financier. L'imagination des malfaiteurs, des détectives.*

L'imagination active est celle qui joint la réflexion, la combinaison à la mémoire (...) elle semble créer quand elle ne fait qu'arranger; car il n'est pas donné à l'homme de se faire des idées; il ne peut que les modifier. 22
VOLTAIRE, Dict. philosophique, Imagination.

Que dit-on d'un diplomate sans imagination? Qu'il peut très bien connaître l'histoire des traités et des alliances dans le passé, mais qu'il ne devinera pas les traités et les alliances contenus dans l'avenir. D'un savant sans imagination? Qu'il a appris tout ce qui, ayant été enseigné, pouvait être appris, mais qu'il ne trouvera pas les lois non encore devinées. L'imagination est la reine du vrai, et le *possible* est une des provinces du vrai. Elle est positivement apparentée avec l'infini. 23
BAUDELAIRE, Curiosités esthétiques, Salon de 1859, III.

Spécialt (littér., arts). Inspiration artistique ou littéraire. ⇒ **Création,** et aussi **improvisation, inspiration.** *L'imagination poétique* (→ Arlequin, cit. 5; gaz, cit. 2). *L'imagination du romancier.* ⇒ **Fabulation** (cit. 2), **fiction.** *Certains grands écrivains manquent d'imagination. L'imagination abondante* (cit. 3) *de Goethe; exubérante* (cit. 4) *de Rabelais; forcenée de Flaubert* (→ Cristalliser, cit. 1). *Imagination brillante, pleine de verve, de chaleur, de feu. Force de l'imagination. Peindre d'imagination,* sans avoir de modèle. ⇒ **Chic** (de chic). *Roman d'imagination* (→ Genre, cit. 15). — *L'imagination musicale de Beethoven* (→ Fugue, cit. 2). *L'imagination de Delacroix* (→ Élire, cit. 10; escalader, cit. 8; faculté, cit. 6).

Celui qui a de l'imagination sans érudition a des ailes et n'a pas de pieds. 24
Joseph JOUBERT, Pensées, IV, XXXIX.

Imagination. Elle est la première qualité de l'artiste. 25
E. DELACROIX, Écrits, II, p. 37.

(...) des projets, des compositions qui témoignent d'une imagination variée et féconde, sachant mêler le sérieux du style à la grâce ornementale. 26
Th. GAUTIER, Souvenirs de théâtre..., p. 288.

(...) *tout dépend de l'imagination.* La sensibilité elle-même, au point de vue littéraire, n'est que l'*art de se rendre ému par l'imagination.* 27
Antoine ALBALAT, l'Art d'écrire, IX, p. 166.

★ **II.** (V. 1370). Littér. ou style soutenu. **UNE, DES IMAGINATIONS.** Ce que quelqu'un imagine (⇒ **Idée, pensée**); chose imaginaire*. *Des imaginations sombres ou riantes* (→ Bourse, cit. 7). *Être maîtresse de ses craintes et de ses imaginations* (→ Brouiller, cit. 8). *Discerner ce qui est vérité d'avec* (cit. 93) *ce qui est imagination romanesque. Souvent échaudé* (cit. 2) *par le fait de ses imaginations.* ⇒ **Illusion.** *Folles imaginations. Un songe-creux qui se repaît de ses imaginations.* ⇒ **Chimère, rêve, songe** (→ [vx] Viande* creuse). *Ceci dépasse* (cit. 14) *toute imagination,* tout ce qui peut être imaginé à ce sujet. ⇒ **Inimaginable;** → La réalité dépasse la fiction. *Défigurer, enjoliver qqch., un récit par des imaginations. Imaginations grotesques* (cit. 5). ⇒ **Divagation, extravagance.** *Les imaginations des commentateurs de textes* (→ Gloser, cit. 3). *C'est une pure imagination!* ⇒ **Absurdité, conte, fable, fantaisie, folie, invention, mensonge.**

— C'est peu d'aller au ciel, je veux vous y conduire 28
— Imaginations! — Célestes vérités! CORNEILLE, Polyeucte, IV, 3.

Je ne sais point sur quoi cette imagination leur est venue; mais quand j'ai vu qu'à toute force ils voulaient que je fusse médecin (...) 29
MOLIÈRE, le Médecin malgré lui, III, 1.

(...) ces imaginations fantastiques *(des contes de fées),* dépourvues d'ordre et de bon sens, ne peuvent être estimées; on les lit par faiblesse, et on les condamne par raison. 30
VOLTAIRE, Dict. philosoptique, Imagination.

Cette imagination d'une terre étroite et plate à longtemps prévalu parmi les chrétiens. 31
VOLTAIRE, la Philosophie de Newton, III, IX.

Je n'ai pas pris la peine de réfléchir un moment, les folles imaginations de l'amour absorbaient tout mon temps. 32
STENDHAL, le Rouge et le Noir, p. 156.

Le grand autel de la chapelle du duc d'Abrantès est une des plus singulière imaginations que l'on puisse voir : il représente l'arbre généalogique de Jésus-Christ. 33
Th. GAUTIER, Voyage en Espagne, p. 29.

« Marié »? dis-je en sursautant... C'est absurde. C'est tout à fait le genre d'imagi- 34 nations naturalistes que tu me reprochais autrefois. Tu sais : quand je t'imaginais veuve et mère de deux garçons. Et toutes ces histoires que je te racontais sur ce que nous deviendrons. SARTRE, la Nausée, p. 177-178.

35 Cependant les imaginations les plus parfaites ne sont point toujours récompensées par une réalisation aussi mathématique! G. LEROUX, Rouletabille chez Krupp, p. 99.

CONTR. (Du sens I) **Raison.** — (Du sens II) **Réalité, vérité.**

IMAGINATIVE [imaʒinativ] n. f. ⇒ **Imaginatif** (II.).

IMAGINATIVEMENT [imaʒinativmɑ̃] adv. — 1847, *concevoir l'espace imaginativement* « par l'imagination », V. Cousin; de *imaginatif.*

♦ Didact. ou rare D'une manière imaginative; par l'imagination; avec beaucoup d'imagination.

IMAGINÉ, ÉE [imaʒine] p. p. adj. ⇒ **Imaginer.**

IMAGINER [imaʒine] v. tr. — 1290; lat. *imaginari,* de *imago, inis.* → Image.

♦ **1.** (1290). Se représenter* (qqch.) dans l'esprit, former l'image de... ⇒ **Image** (II.), **imagination.** *Imaginez un pays inconnu, battu par des vents arides* (cit. 2). ⇒ **Figurer** (se). *Imaginez ces genêts* (cit. 2) *en fleur, leur couleur, leur parfum. Michelet excelle à décrire ce qu'il imagine* (→ 2. Ensemble, cit. 14). ⇒ **Évoquer.** *Imaginer un être* (→ Enter, cit. 6), *une personne* (→ Enchanteur, cit. 5). ⇒ **Rêver.** *J'imagine très bien la scène.* ⇒ **Voir.** *On l'imagine bien ainsi* (→ Grâce, cit. 87). *Les choses sont rarement telles qu'on les avait imaginées. Imaginer la vie qu'on pourrait avoir* (→ Analogue, cit. 6). *Imaginer ce qui va arriver.* ⇒ **Anticiper.** *Grandeur impossible à imaginer* (→ Corps, cit. 15). *Vous n'imaginez pas comme, ce* (cit. 26) *que c'est douloureux. « Tu ne peux pas t'imaginer comme je t'aime »* (chanson). *Vous ne pouvez l'imaginer. Au delà de ce qu'on peut imaginer.* — Absolt. (→ ci-dessous, cit. 1 et 6.1). *Imaginer avec exagération* (→ Passionner, cit. 3).

1 (...) imaginer n'est rien autre chose que contempler la figure ou l'image d'une chose corporelle (...) DESCARTES, Méditations métaphysiques, II.

2 Ce matin j'ai vu l'Alhambra (...) j'ai beaucoup de plaisir à voir les choses que j'avais imaginées. VOITURE, Lettres, 38, *in* LITTRÉ.

3 (...) si vous proposez à cent personnes également ignorantes d'imaginer telle machine nouvelle, il y en aura quatre-vingt-dix-neuf qui n'imagineront rien malgré leurs efforts. Si le centième imagine quelque chose, n'est-il pas évident que c'est un don particulier qu'il a reçu? VOLTAIRE, Dict. philosophique, Imagination.

4 Mes sens émus depuis longtemps me demandaient une jouissance dont je ne savais pas même imaginer l'objet. J'étais aussi loin du véritable que si je n'avais point eu de sexe. ROUSSEAU, les Confessions, I, p. 56.

5 L'amour d'un homme qui aime bien *jouit* ou *frémit* de tout ce qu'il s'imagine, et il n'y a rien dans la nature qui ne lui parle de ce qu'il aime. STENDHAL, De l'amour, XXXIX bis.

6 Elle se demandait s'il n'y aurait pas eu moyen, par d'autres combinaisons du hasard, de rencontrer un autre homme; et elle cherchait à imaginer quels eussent été ces événements non survenus, cette vie différente, ce mari qu'elle ne connaissait pas (...) Il aurait pu être beau, spirituel, distingué, attirant (...) FLAUBERT, Mme Bovary, I, VII.

6.1 IMAGINER, c'est toujours penser un objet et se représenter son action possible sur tous nos sens. ALAIN, De l'imagination..., *in* les Passions et la Sagesse, Pl., p. 1097.

7 Nous entrâmes. Imaginez une grande salle éclairée par trois fenêtres aux vitres troubles et larmoyantes. G. DUHAMEL, Salavin, I, XIII.

8 (...) j'imagine si bien la scène : elle m'a hanté tout l'après-midi. SARTRE, l'Âge de raison, p. 163.

9 — Vous me décrirez votre maison, votre chambre. Je voudrais pouvoir vous imaginer là-bas. SARTRE, l'Âge de raison, p. 267.

(Avec un attribut du compl.). *Un homme qu'on n'imagine pas abattu, ni même découragé. Je ne l'imagine pas dans cette situation, faisant cela. Tu l'imagines en uniforme?*

(1314). Concevoir comme existant. ⇒ **Concevoir, envisager, figurer** (se). *L'homme* (cit. 87) *est impossible à imaginer hors de la société. Ils sont incapables d'imaginer d'autre vie que la leur* (→ Finir, cit. 21). *Imaginer une société sans hiérarchie* (cit. 9). *Impossibilité d'imaginer une grande civilisation sans une grande* (cit. 71) *littérature. Jamais nos pères n'eussent imaginé de pareilles horreurs* (→ Excitation, cit. 11). *Une puissance qu'il eût été impossible d'imaginer et de prévoir** (→ Houille, cit. 5). *Imaginer un dieu, un abri* (cit. 3) *divin. Ne pouvoir imaginer un dieu vindicatif et courroucé* (cit. 2). *Sa paresse dépasse tout ce qu'on peut imaginer, tout ce qu'il est possible d'imaginer.* ⇒ **Inimaginable.** *Ce qu'on peut imaginer de plus grossier et de plus fourbe* (→ Factum, cit. 6). *Est-il possible d'imaginer rien de si ridicule que...* (→ Homme, cit. 50). *Contrairement à ce que j'avais imaginé.* ⇒ **Croire, penser.** *On imagine aisément son dépit. Vous n'imaginez pas ce qu'on a écrit sur mon compte. Vous imaginez aisément ce que j'ai pu répondre.* ⇒ **Deviner.** *Qu'allez-vous imaginer là!* ⇒ **Chercher, pêcher.** → Où avez-vous été chercher, pêcher cela?

10 J'imagine fort bien la nécessité de vos dépenses (...) Mme DE SÉVIGNÉ, 810, 18 mai 1680.

11 S'il n'est pas de conseil qui ne tourne au lieu commun, ni d'élégance au cliché, l'on n'imagine guère ce qui resterait à dire aux maîtres de style. J. PAULHAN, les Fleurs de Tarbes, p. 41.

Tu n'imagines pas ce que ce lyrique, tout enclin à la nonchalance, déploie d'ingéniosité, de ténacité, pour faire vivre son recueil. 12
J. ROMAINS, les Hommes de bonne volonté, t. IV, XXII, p. 241.

(...) mais, plein de lui, comme tout être jeune et fort, il n'imaginait pas de jouissance plus authentique que de s'analyser ainsi devant ces yeux attentifs (...) 13
MARTIN DU GARD, les Thibault, t. II, p. 262.

(...) que vous ayez pensé à moi comme... comme époux, n'est-ce pas? c'est vraiment ce que l'on pouvait imaginer de plus déraisonnable. 14
J. GREEN, Adrienne Mesurat, p. 256.

IMAGINER QUE... *Imaginons que la terre soit un sphéroïde homogène* (cit. 1). ⇒ **Supposer.** *Imaginer que l'âme* (cit. 5) *des bêtes est semblable à la nôtre.* ⇒ **Croire.** *Elle avait imaginé que son frère serait heureux avec elle* (→ Fraternel, cit. 2). *J'avais imaginé qu'il finirait par céder.* ⇒ **Conjecturer, penser.** *J'imagine qu'il a voulu plaisanter. Ne lui laissez pas imaginer que vous prétendiez avoir aucune autorité sur lui* (→ 1. Fort, cit. 34). *Nous n'imaginions pas que nous puissions être séparés* (→ Attachement, cit. 17). *N'allez pas vous imaginer qu'il vous fait la cour* (→ Se faire des idées*). *Imaginez vous surprenne.* ⇒ **Admettre.** *J'imagine que vous avez su quoi répondre.* — Fam. (par inversion). *Vous n'allez tout de même pas accepter, j'imagine! Il est venu en voiture, j'imagine!,* je pense, je suppose.

S'il y avait quelque chose de vrai dans toutes ces ribauderies, il serait plus simple d'imaginer que le déchiffreur a voulu s'amuser et amuser ses maîtres. 15
CHATEAUBRIAND, Vie de Rancé, III, p. 227.

Imaginez par exemple que cesse demain tout contrôle (...) 16
BERNANOS, les Grands Cimetières sous la lune, p. 64.

(...) Gauguin (...) est resté un rond-de-cuir jusqu'à quarante ans (...) — Eh bien! j'imagine qu'il ne doit pas y avoir beaucoup de ronds-de-cuir de son espèce. 17
SARTRE, l'Âge de raison, VI, p. 83.

— (...) Qu'est-ce qui me prouve qu'elle ne va pas rejoindre Boris? 18
— Et puis après? dit Mathieu. Elle est libre, j'imagine.
SARTRE, l'Âge de raison, XVIII, p. 299.

Imaginer combien... Vous imaginez combien je suis étonné. — *Vous ne pouvez imaginer à quel point j'y suis sensible.* ⇒ **Savoir.**

(Vx). IMAGINER DE, suivi de l'infinitif.

Que Mme de Seignelai est à plaindre, et qu'elle a perdu de choses à quoi elle s'était attachée, et dont elle n'avait pas imaginé d'être jamais séparée! 19
Mme DE GRIGNAN, *in* Mme DE SÉVIGNÉ, 1312, 17 déc. 1690.

♦ **2.** (V. 1460). ⇒ **Inventer.** *Curion imagina l'amphitheatrum* (cit. 1) *romain. Imaginer un outil, une méthode de travail, un système, une théorie.* ⇒ **Construire, créer, trouver.** *Imaginer un expédient* (cit. 10). ⇒ **Combiner, former** (cit. 13). *Toutes les cruautés* (cit. 14) *qu'il pourra imaginer. On n'a jamais imaginé d'autres moyens pour conduire* (cit. 15), *élever les enfants. Ils n'imaginèrent rien de mieux que de...* (→ Échanger, cit. 1).

Si l'épidémie ne s'arrêtait pas d'elle-même, elle ne serait pas vaincue par les mesures que l'administration avait imaginées. CAMUS, la Peste, p. 74. 20

(1690, Furetière). Littér., arts. *Imaginer une pièce, un roman. Il a imaginé pour son roman des personnages exceptionnels.* Absolt. *Artiste qui imagine trop vite* (→ Caduc, cit. 5).

La ressource de ceux qui n'imaginent pas est de conter. 21
VAUVENARGUES, Maximes et Réflexions, 116.

IMAGINER DE (et l'inf.). Avoir, concevoir l'idée* de... ⇒ **Aviser** (s'). *« Pour réussir, j'ai imaginé de m'y prendre de telle manière »* (Académie). *Imaginer de filtrer* (cit. 1) *l'eau. Les Anglais ont imaginé de créer des huîtrières* (cit. 2) *mobiles. Il imagina de créer un cours d'escrime* (cit. 4). *Il imagina d'aller goûter* (2. Goûter, cit. 2) *avec elle.* ⇒ **Venir** (à l'esprit).

▶ **S'IMAGINER** v. pron. (1553).

♦ **1.** Concevoir. ⇒ **Représenter** (se).

a (Réfl.). Se représenter soi-même en esprit. ⇒ **Voir** (se). — Rare (sans attribut) : *il ne parvient pas à s'imaginer lui-même.* — (Avec attribut). *Elle s'imaginait à quarante ans, avec deux ou trois enfants. Il s'était imaginé rentrant à la tête d'une flotte* (1. Flotte, cit. 2) *de guerre.*

b (Passif). Se concevoir*. *Cela s'imagine aisément.*

c (1553). Se représenter, concevoir (qqch. ou qqn) [syn. : *imaginer*]. ⇒ **Figurer** (se). *Imaginez-vous une salle tapissée d'armes* (→ Carabine, cit. 1). *Qu'on s'imagine les apôtres* (cit. 2) *après la mort de Jésus. Qu'on s'imagine des hommes dans les chaînes* (→ Image, cit. 37). *Je me l'imaginais différemment.* → Je m'en faisais une tout autre idée*. *Tu peux t'imaginer comme on était à l'aise* (→ Boston, cit.). — *S'imaginer que...* (→ Autrement, cit. 3). *On s'imaginait facilement que c'était le matin* (→ Étale, cit. 4). *Imaginez-vous que les X... sont impliqués dans cette affaire.*

(...) je m'imaginais dans la divinité 22
Beaucoup moins d'injustice, et bien plus de bonté. CORNEILLE, Horace, III, 5.

Quel est-il cet amant? Qui dois-je soupçonner? 23
— Avez-vous tant de peine à vous l'imaginer? RACINE, Mithridate, II, 6.

Il restait (...) des heures à écouter la chanson et à s'imaginer (...) cette Marguerite de Provence (...) qui se consumait d'amour pour un poète qu'elle n'avait jamais vu (...) 24
ARAGON, les Beaux Quartiers, I, X.

♦ **2.** (1636). Croire* à tort, être persuadé, convaincu. → Se mettre en tête*. *Tout ce qu'on s'imagine* (→ 1. Chagrin, cit. 6). — Absolt.

On n'est jamais si heureux (cit. 27) *ni si malheureux qu'on s'imagine.*

S'IMAGINER QUE... *Ils s'imaginent que la religion consiste simplement en ceci* (→ Déisme, cit.). *S'imaginer qu'on vous adore* (cit. 5). *Il s'imagine que le hasard agira* (cit. 9) *pour lui. Je m'imaginais que toutes les femmes galantes étaient effrontées* (cit. 3). *Vous imaginez-vous qu'il soit affamé* (cit. 9) *de femmes? Elle s'imagine qu'il viendra.* ⇒ **Attendre** (s'attendre à). *Si tu t'imagines que je vais céder, tu te fais des illusions!*

25 (...) certains esprits, qui s'imaginent qu'ils savent en un jour tout ce qu'un autre a pensé en vingt années (...)
DESCARTES, Discours de la méthode, VI.

26 (...) ils s'imaginent qu'ils sont supérieurs à nous, parce qu'ils sont les maîtres; ils ne savent pas et ne sauront jamais apprécier cette vérité que l'esprit est bien au-dessus de la matière.
J.-A. DE GOBINEAU, Nouvelles asiatiques, p. 208.

27 Avec la superstition des âmes que la solitude a rendues farouches, elle s'imaginait confusément que tous les actes de sa vie étaient prescrits d'avance par une volonté inconnue (...)
J. GREEN, Adrienne Mesurat, p. 170.

27.1 Si tu t'imagines,
Fillette, fillette
Qu'ça qu'ça va qu'ça
Va durer toujours
Les saisons des a
Saisons des amours (...)
Ce que tu te goures!
R. QUENEAU, Chanson.

Suivi d'un inf. *L'homme éprouve* (cit. 24) *ce qu'il s'imagine éprouver. On ne souffre point tant que l'on ne s'imagine souffrir* (→ Exagérer, cit. 13). *Je m'imaginais avoir créé* (cit. 19) *ma destinée. Elle s'est imaginé être promptement veuve* (→ Grièvement, cit.). *S'imaginer avoir surpris un secret* (→ Aggraver, cit. 5).

Vx. *(S'imaginer de...). Ne t'imagine point de contraindre une sœur* (→ Gausseur, cit. 1, Corneille).

▶ **IMAGINÉ, ÉE** p. p. adj.

Inventé. *Histoire imaginée de toutes pièces.* ⇒ **Fabriquer, forger.** *Événement imaginé.* ⇒ **Imaginaire.** *Cas imaginé.* ⇒ **Hypothétique.**

28 (...) de peur que (...) ils *(mes portraits)* ne parussent feints ou imaginés.
LA BRUYÈRE, Disc. à l'Acad., Préface.

29 (...) dans cette passion terrible, *toujours une chose imaginée est une chose existante.*
STENDHAL, De l'amour, XXXIV.

30 (...) les aspects de chair féminine, qu'il voit réellement dans le lit, se complètent de formes devinées, imaginées (...)
J. ROMAINS, les Hommes de bonne volonté, t. V, VIII, p. 67.

Moyens d'évasions imaginés par des prisonniers. Un plan bien imaginé.

DÉR. Imaginant, imaginateur.

IMAGISME [imaʒism] n. m. — 1931, Larousse; angl. *imagism* ou *imagisme* (1912, Ezra Pound); de *image,* de même orig. que le franç. *image.*

♦ Littér. École des imagistes anglo-saxons.

IMAGISTE [imaʒist] adj. et n. — 1931; de l'angl. *imagist,* de *image,* «image»; «vendeur d'images», 1775; de *image,* de même orig. que le franç. *image.*

♦ Littér. Se dit d'un mouvement poétique anglo-saxon en réaction contre la poésie symboliste. *Poésie imagiste. — Un poète imagiste.* — N. *Un, une imagiste :* poète appartenant à ce mouvement. «*Quand les "imagistes" américains, Ezra Pound et Amy Lowell, découvrent le haïku, c'est encore avec une maladresse rhétorique, et comme une forme d'art insolite*» (Claude Roy, in *le Nouvel Obs.,* 12 juin 1978, p. 96).

IMAGO [imago] n. f. — 1866; *image,* 1845, Bescherelle; mot lat. «image».

Didactique.

★ **I.** Biol. Forme adulte, définitive de l'insecte sexué à métamorphoses complètes ou incomplètes. *Imago du hanneton, de la sauterelle.* — Au plur. *Des imagos.*

★ **II.** (1929; en all., av. 1915, Freud; 1911, Jung). Psychan. Prototype inconscient acquis dans l'enfance par le sujet, survivance imaginaire d'un participant de sa situation interpersonnelle. *L'imago paternelle, maternelle, fraternelle.*

REM. (Pour l'origine du mot chez Freud) :

Dans mon roman Imago *(en allemand 1906),* j'avais pris pour sujet l'influence exercée sur un homme pendant tout le cours de sa vie, par la femme qu'il a aimée la première (...) Freud, à la lecture du livre, s'écria que j'avais merveilleusement mis en lumière (...) un des cas les plus extraordinaires que la psycho-analyse pût relever. Il en prôna partout la lecture : il donna même Imago pour titre à la publication périodique où s'enregistraient les observations et celles de ses élèves.
C. SPITTELER (interviewé par Thiebault-Sisson), *in* le Temps, 1er mars 1915 (*in* D. D. L., II, 12).

DÉR. Imagoïque. — (Du même rad.) **Imaginal.**

IMAGOÏQUE [imagɔik] adj. — Mil. XXe; de *imago**, et *-ique.*

♦ Psychan. Qui a les caractères de l'imago (II.).

Là encore il s'agit d'un idéal inatteignable en son absolu, puisque le processus de projection demeure toujours actif et que donc, sur un plan inconscient, les liens imagoïques viennent toujours doubler les relations objectales.
G. MENDEL, Psychanalystes, médecins et rationalité, *in* la Nef, no 31, p. 41.

IMAM [imam] n. m. — 1559, *iman;* arabe *ɔīmām.*

♦ **1.** Fonctionnaire employé dans une mosquée comme chef de prière. *L'iman n'est pas un prêtre, mais un fonctionnaire laïc. Pendant les prières, l'imam s'installe dans le mihrab.* — Fig. (au XVIIIe). Prêtre.

(...) les imans et les muphtis de toutes les sectes me paraissent plus faits qu'on ne 1
croit pour s'entendre; leur but commun est de subjuguer, par la superstition, la pauvre espèce humaine (...)
D'ALEMBERT, Lettre au roi de Prusse, 14 juin 1771.

♦ **2.** (1721). Hist. Chef de l'une de quatre écoles de droit sunnite. (1653). Titre donné au successeur de Mahomet et à ceux d'Ali, chez les schiites. ⇒ **Calife.** *L'imam Khomeiny* (ex-ayatollah).

REM. On écrit *imam* ou *imâm;* la graphie *iman* semble archaïque.

Ensuite l'iman et les autres ministres de la mosquée s'assirent en rond sur des 2
tapis, sous la principale tente, et récitèrent le reste des prières.
A. GALLAND, les Mille et une Nuits, t. II, p. 352.

Un iman lui faisait de petits saluts du haut de son minaret. 3
J. GREEN, Journal, 7 janv. 1977, La terre est si belle.

♦ **3.** (1752). Vx. Souverain du Yémen.

DÉR. Imamat.

IMAMAT [imama] n. m. — 1697; *imanat,* 1765, Académie; de *imam.*

♦ **1.** Dignité, titre, charge d'imam. Fonction de chef d'une communauté musulmane.

♦ **2.** (1867, Littré). Territoire dépendant de l'autorité d'un imam.

REM. La graphie *imanat* [imana] semble archaïque.

IMAN [imɑ̃] n. m. ⇒ **Imam.**

I. M. A. O. [imao] — D. i. (av. 1970); sigle.

♦ Méd. Inhibiteur* de la mono-amino-oxydase. — Écrit sans points *(imao).* «*À peine ose-t-on se souvenir que l'immense, l'écrasante majorité des médecins se moquent comme d'une guigne de la psychologie et soignent la dépression à grands coups d'"imao" et d'antidépresseurs...*» (N. Bensaid, in *le Nouvel Obs.,* no 421, 4-10 déc. 1972, p. 64).

IMBASCULABLE [ɛ̃baskylabl] adj. — XXe; de *im-* (→ 1. In-), *bascu(ler),* et suff. *-able.*

♦ Impossible à basculer. *Sièges imbasculables.*

IMBATTABLE [ɛ̃batabl] adj. — 1806, écrit *inbattable, in* D. D. L.; de *im-* (→ 1. -In), et *battable.*

♦ **1.** (1806). Qui ne peut être battu, vaincu. *Un champion, un coureur, un cheval de course imbattable.* ⇒ **Invincible.** *Il est imbattable aux échecs, à la belote.* ⇒ 1. **Fort.** — Fig. *Il est imbattable en matière de méchanceté, de platitude* (→ Il n'a pas son rival*). — (1909, *in* Petiot). Par ext. *Record imbattable.*

Quand je connus Mlle de Plémeur, elle était la gloire de son club : championne 1
du «trois cents mètres», et imbattable alors en France sur ce parcours.
MONTHERLANT, les Olympiques, p. 89.

Record imbattable.

♦ **2.** Qui ne peut être abaissé, inférieur à la concurrence (d'un prix). *Des prix imbattables.* — Que la concurrence ne peut pas battre.

— Jamais la collection n'a été plus jolie, madame; nous avons des tissus imbatta- 2
bles!
COLETTE, Belles saisons, p. 103.

CONTR. Battable.

IMBATTU, UE [ɛ̃baty] adj. — 1794, *in* Pougens; de *im-* (→ 1. In-), et *battu.*

♦ Qui n'a pas été battu. *Champion imbattu.* — (1895, *in* Petiot). Par ext. *Record imbattu.*

Après la belle, Lecca reste imbattu, mais les efforts du vaillant champion l'ont épuisé.
A. JARRY, Spéculations, Le tir dans Paris, *in* Œ. compl., t. VI, p. 309.

IMBÉCILE [ɛ̃besil] adj. et n. — 1495, «faible»; lat. *imbecillus,* de *im-,* (→ 1. In-), et *bacillum,* dimin. de *baculum,* proprt «sans soutien, sans bâton», d'où «faible».

★ **I.** Adj. ♦ **1.** (1495). Vx. Faible. *Le sexe imbécile :* le sexe faible, les femmes. «*Les enfants au-dessous de sept ans (...) sont dans un âge imbécile*» (Furetière, *Dict.,* 1690). «*L'homme, imbécile ver de terre*» (Pascal; → Chaos, cit. 4). ⇒ **Débile** (1.).

1 (...) on a vu la vieillesse la plus décrépite et l'enfance la plus imbécile (...) y courir *(à la mort)* comme à l'honneur du triomphe.
BOSSUET, 1er Sermon, Exaltation de la croix, 1.

Qui manque de force intellectuelle, morale.

2 Leur esprit est méchant, et leur âme fragile;
Il n'est rien de plus faible et de plus imbécile (...)
MOLIÈRE, l'École des femmes, V, 4.

Imbécile à..., pour... ⇒ **Incapable** (de); **impuissant** (à).

3 Voilà une partie des causes qui rendent l'homme si imbécile à connaître la nature.
PASCAL, *in* LITTRÉ.

4 (...) ce défaut, qui rend un homme imbécile pour le gouvernement.
FÉNELON, Télémaque, XVII.

♦ **2.** Méd. Qui est atteint d'imbécillité*. *Un enfant imbécile.* ⇒ **Arriéré.** — Par ext. Dont l'intelligence est anormalement peu développée (→ Enfance, cit. 11, Racine).

5 Le fils (...) était imbécile; ils le firent interdire juridiquement et enfermer à Paris, à Saint-Lazare (...) La fille n'avait guère le sens commun, mais n'était pas imbécile.
SAINT-SIMON, Mémoires, I, VIII.

6 Le cerveau peut tomber en paralysie et l'individu vivre encore. Un homme reste imbécile et vit (...) ROUSSEAU, Du contrat social, III, XI.

♦ **3.** (1509, *imbecile de sens;* emploi absolu, av. 1595, Montaigne). Cour. Qui est dépourvu d'intelligence, qui parle, agit sottement. ⇒ **Abêti, bête** (II., 2.), **idiot, sot.** *Il faut être imbécile pour ne pas comprendre cela.* ⇒ **Bouché.** *Il est devenu imbécile.* ⇒ **Ramolli.** *Des fêtards* (cit. 1), *des noceurs imbéciles. Il est tout à fait imbécile* (→ Échapper, cit. 24). — *Un peuple imbécile.*

7 C'était sans doute l'intérêt de Rome que les peuples fussent imbéciles (...)
VOLTAIRE, Essai sur les mœurs, XCIV.

8 Elle parlait vite et gaiement, et, en donnant une petite tape sur la joue de Pierrette, elle nous laissa là tous les deux tout interdits et tout imbéciles, ne sachant que faire (...) A. DE VIGNY, Servitude et Grandeur militaires, II, VII.

(Dans une circonstance particulière). *Il a été imbécile de faire ça. Elle le rend imbécile. — Être imbécile de... « Un grand père (...) abruti et imbécile d'adoration pour ces chers petits êtres... »* (Hugo, *in* T. L. F.).

Par ext. *Un air imbécile.* ⇒ **Idiot.** *Remarque imbécile. Mener une vie imbécile* (→ Affolement, cit. 1). *Agitation* (cit. 4) *imbécile. Une imbécile tyrannie* (→ Famine, cit. 2).

9 Sa raison, trop supérieure à l'imbécile joug qu'on lui voulait imposer, le secoua bientôt avec mépris (...) ROUSSEAU, Julie ou la Nouvelle Héloïse, Lettre V.

10 (...) bientôt, sans plus d'application, par désœuvrement, imbécile besoin de détruire, je commençai de taillader au hasard. GIDE, Isabelle, p. 86.

11 Elle, si délicate, se croit tenue de me poser des questions balourdes, imbéciles, comme en poserait une bonne prise en faute.
CÉLINE, Voyage au bout de la nuit, p. 75.

★ **II.** N. ♦ **1.** Rare et littéraire (au sens I, 1) :

11.1 Tityre, c'est l'imbécile; c'est moi, c'est toi — c'est nous tous... Et ne rigole donc pas comme ça — tu m'agaces; — je prends imbécile dans le sens d'impotent; il ne se souvient pas toujours de sa misère; c'est ce que je te disais tout à l'heure. On a ses moments d'oubli; mais comprends donc que ce n'est là rien qu'une pensée poétique (...) GIDE, Paludes, *in* Romans, Pl., p. 114.

♦ **2.** Méd. Arriéré dont l'âge mental est intermédiaire entre celui de l'idiot (2 ans) et celui du débile (7 ans). ⇒ **Débilité, idiotie; arriéré** (I., 3.), **faible** (d'esprit). → Dégénéré, cit. 12. *Imbécile impulsif, agressif. Imbécile pervers.*

12 Qu'un philosophe ait un écu à partager avec le plus imbécile de ces malheureux en qui la raison humaine est si horriblement obscurcie, il est sûr que, s'il y a un sou à gagner, l'imbécile l'emportera sur le philosophe.
VOLTAIRE, Pot pourri, *in* LITTRÉ.

♦ **3.** Cour. Personne sans intelligence. ⇒ **Abruti, âne, bête, crétin** (cit. 3 et 4), **idiot, niais, sot, stupide**; et aussi, fam., **andouille, anchois** (régional), **ballot, brèle, buse, con, conard, corniaud, cornichon, couenne** (cit. 3 et 4), **couillon, croûte, cul, enflé, fourneau** (vx), **ganache** (vx), **gourde, manche, melon, moule, noix, panouille, pochetée, poire, saucisse, tourte**; → les noms propres fictifs : *Ducon, Duconaud, Duglandard, Duschnock... Un imbécile, une imbécile* (→ Acheter, cit. 5; buter, cit. 7; croupir, cit. 7). *C'est un ignorant* (cit. 19), *mais pas un imbécile. C'est un imbécile, le dernier, le roi des imbéciles* (→ Conversation, cit. 8; enfantement, cit. 4; éreintement, cit. 1). *Grand, fameux, franc imbécile* (→ Guenipe, cit.). *Vieil imbécile. Imbécile prétentieux* (→ Exister, cit. 6). *Passer pour un imbécile* (→ Exciter, cit. 34). *Conduite* (cit. 17) *d'imbécile. Tu n'es qu'un imbécile, un propre à rien.* ⇒ **Incapable** (→ 1. Foutre, cit. 3). *Tête d'imbécile. Il me prend pour un imbécile!* — Loc. *Imbécile heureux,* satisfait de lui. — (Terme d'injure, plus ou moins vidé de son sens). *Espèce* (cit. 19) *d'imbécile! Tas, bande d'imbéciles!* — REM. Dans cet emploi, *imbécile* est moins courant que *idiot* et surtout que ses synonymes plus brefs et plus énergiques.

13 Quel magnifique imbécile! Jamais la fleur de la bêtise humaine ne s'est plus candidement épanouie. Th. GAUTIER, Portaits contemporains, p. 36.

14 (...) le propre de l'imbécile est de croire qu'il ne l'est pas!
HUYSMANS, la Cathédrale, X, p. 221.

Cet imbécile de X. Ton grand imbécile de frère. ⇒ **Crétin, idiot.**

CONTR. 1. **Fort,** 3. **fort.** — (De I., 1.) **Capable.** — (De I., 3.) **Intelligent, spirituel.**
DÉR. Imbécilement. — REM. Les verbes dérivés *imbécilliser* (L. Bloy; 1888, *in* D. D. L.) et *imbécillifier* (Goncourt, *Journal,* 1875) n'ont pas vécu.

IMBÉCILEMENT [ɛ̃besilmɑ̃] adv. — Déb. XVIIIe, Saint-Simon; «faiblement», 1542; de *imbécile,* et *-ment.*

♦ D'une manière imbécile*. *Il s'est comporté imbécilement.* ⇒ **Bêtement, sottement.**

(...) des esprits faibles et féroces, imbécilement persuadés que Dieu leur ordonnait le meurtre. VOLTAIRE, Essai sur les mœurs, CLXIV. 1

Les deux capucins riaient imbécilement dans leur barbe, trouvant tout cela absurde. Th. GAUTIER, Constantinople, p. 153. 2

CONTR. Intelligemment.

IMBÉCILLITÉ [ɛ̃besilite] n. f. — V. 1355; sens mod., 1509; lat. *imbecillitas,* de *imbecillus.* → Imbécile.

♦ **1.** (V. 1355). Vx. Faiblesse. *« L'imbécillité de l'âge et du sexe attire la compassion des plus fiers* (féroces) *tyrans »* (Furetière, 1690). — REM. Ce sens était encore vivant au XVIIIe s. (cf. Brunot, *Hist. de la langue franç.,* t. VI, p. 1352, qui cite Diderot, Marmontel, Rousseau).

Notre imbécillité, maîtresse de nos sens, 1
Conserve en tous les cœurs un tel penchant aux vices,
Que l'homme tout entier dès ses plus jeunes ans
Glisse et court aisément vers leurs molles délices.
CORNEILLE, Imitation de J.-C., IV, 481.

Il n'est pas exagéré de dire que l'imbécillité de la nature humaine amuse Montaigne; Pascal en souffre. Montaigne trouve l'homme petit; Pascal trouve l'homme petit et misérable. Émile FAGUET, Études littéraires, XVIIe s., p. 194. 2

♦ **2.** (1744, Duclos). Méd. Deuxième degré de l'arriération mentale, entre l'idiotie* et la débilité*. ⇒ **Faiblesse** (d'esprit); **crétinisme.** *Imbécillité mongolienne* (mongolisme). — *Interdiction légale du majeur en état d'imbécillité ou de démence* (cit. 1).

♦ **3.** (1509). Cour. Grave manque d'intelligence; état de l'imbécile (II. 2.). ⇒ **Abrutissement, bêtise, idiotie, niaiserie, sottise.** *Vieillard tombé dans l'imbécillité.* ⇒ **Gâtisme, ramollissement.** *Imbécillité croupissante* (cit. 7), *complète.*

Déplorer sa propre imbécillité (→ Honte, cit. 43). *Il a eu l'imbécillité de fuir après avoir pris de l'argent dans la caisse. — L'imbécillité qui présida à ces actions* (→ Aveuglement, cit. 13).

Mon imbécillité fut telle, que je ne doutais pas qu'elle ne fût enchantée de mon procédé. Elle ne me fit pas là-dessus les grands compliments que j'en attendais (...) ROUSSEAU, les Confessions, X. 3

Vous êtes une petite singesse, rien de plus (...) Sachez que vous êtes enfoncée en pleine grimace, en plein ridicule, et en pleine imbécillité.
MONTHERLANT, le Maître de Santiago, II, 2. 4

♦ **4.** (1756, Voltaire). Par ext. *(Une, des imbécillités).* Acte ou parole imbécile; idée imbécile. ⇒ **Ânerie, bêtise, faute, idiotie, niaiserie, sottise** (→ fam. Connerie, couillonnade). *Faire, dire des imbécillités. Quelle imbécillité! Ils sont prêts pour toutes les imbécillités* (→ Fureur, cit. 36).

CONTR. Intelligence.

IMBELLE [ɛ̃bɛl] adj. — V. 1490; lat. *imbellis,* de *im-* (→ 1. In-), et *bellum* «guerre».

♦ Littér. et rare. Qui n'aime pas la guerre. *Un peuple imbelle.* ⇒ (vx) **Imbelliqueux.**

Grandeurs, belles oui, mais imbelles armes.
VERLAINE, Épigrammes, *in* Œ. compl., 3, p. 235.

IMBELLIQUEUX, EUSE [ɛ̃belikø, øz; ɛ̃bɛllikø, øz] adj. — Fin XVe; de *im-* (→ 1. In-), et *belliqueux.*

♦ Vx. Qui n'est pas belliqueux. ⇒ **Imbelle.**

IMBERBE [ɛ̃bɛʀb] adj. — 1509; lat. *imberbis,* de *im-* (→ 1. In-), et *barba.* → 1. Barbe.

A. ♦ **1.** Qui est sans barbe. *Jeune homme, garçon imberbe,* qui n'a pas encore de barbe. — *Menton imberbe.* ⇒ **Glabre.** — REM. À la différence de *glabre, imberbe* indique l'absence naturelle des poils de barbe. *Un menton rasé est glabre mais non imberbe.*

Les Américains (...) n'ont ni barbe au menton ni aucun poil sur le corps, excepté les sourcils et les cheveux (...) J'avais cru longtemps que les Esquimaux étaient exceptés de la loi générale du Nouveau-Monde; mais on m'assure qu'ils sont imberbes comme les autres. VOLTAIRE, Dict. philosophique, Barbe. 1

(Dans ce poème, « Typhon », de Scarron) Vénus (...) fait l'œil à quelque jeune dieu encore imberbe qu'elle veut déniaiser. Th. GAUTIER, les Grotesques, p. 359. 2

♦ **2.** Zool. *Poisson imberbe,* sans barbillons.

B. Abstrait. Rare. Très jeune, sans expérience, comme un jeune homme qui n'a pas encore de barbe. ⇒ **Blanc-bec.** *« Ces critiques imberbes veulent tout régenter »* (Académie).

CONTR. Barbu.

IMBERLINE [ɛ̃bɛʀlin] n. f. — 1922, Larousse; orig. obscure.

♦ Techn. Tissu d'ameublement à chaîne de soie et trame de fil, à rayures ou à ramages.

IMBIBER [ɛ̃bibe] v. tr. — 1555; au p. p., 1478; lat. *imbibere, de im-* (→ 2. In) «dans», et *bibere* «boire».

♦ Pénétrer d'eau, d'un liquide. ⇒ **Emboire, imprégner, mouiller, tremper.** *Imbiber la terre en l'arrosant. Imbiber une compresse* (cit. 1), *un linge; imbiber une éponge. Imbiber un tissu légèrement* (⇒ **Humecter**), *complètement* (⇒ **Détremper**). — *Imbiber qqch. de* (un liquide, un fluide). *Imbiber une étoffe de vapeur.* ⇒ **Bruir.**

1 (...) le marchand Coursom a trouvé moyen de me faire tenir du papier (...) de l'encre. Mes larmes imbibent tout, ma main tremble (...)
VOLTAIRE, Lettres d'Amabed, 1re lettre d'Adaté.

(1694). Le sujet désigne un liquide. ⇒ **Mouiller, pénétrer.** *L'eau, la pluie ont imbibé la terre.*

Au p. p. *Roches imbibées d'eau* (→ Gel, cit. 5). *Terre imbibée de sang* (→ au fig. Autel, cit. 19). *Éponge* (cit. 6) *imbibée. Tampon imbibé.*

2 Je retirai mes chaussures imbibées d'eau. G. DUHAMEL, Salavin, I, XI.

Fig. Imprégner, pénétrer.

3 (...) tes habits mouillés transpirent les odieuses rigueurs de la vie nécessiteuse et de l'hiver, tu reviens tout imbibé de stoïcisme, de misère et d'orgueil (...)
E. FROMENTIN, Dominique, XIV.

4 Et lentement m'imbibait un ennui douloureux, lourd de larmes.
GIDE, Isabelle, p. 85.

▶ **S'IMBIBER** v. pron.

♦ **1.** (V. 1500). Absorber* un liquide. *Terre qui s'imbibe d'eau de pluie, d'infiltration.* ⇒ **Abreuver** (s'). *Éponge* (cit. 4) *qui s'imbibe. Les corps poreux* s'imbibent par capillarité* (cit.). *Matière qui s'imbibe facilement.* ⇒ **Spongieux.**

5 (...) ces tuiles, rongées de lichens, semblaient s'être imbibées d'eau comme du feutre. MARTIN DU GARD, les Thibault, t. IV, VII, p. 63.

♦ **2.** (1873, *in* P. Larousse). Fam. Sujet n. de personne. *S'imbiber de vin, d'alcool...*, en boire* à l'excès (sans donner à l'organisme le temps d'éliminer ce qu'on absorbe).

6 — Le docteur Johnson a raison, m'a dit le colonel : quiconque veut être un héros doit s'imbiber de brandy. A. MAUROIS, les Silences du colonel Bramble, p. 148.

Au p. p. *Il est complètement imbibé. Alcoolique imbibé de vin.* ⇒ **Aviné.**

6.1 Le papa de Violette, qui aime une certaine concordance entre les paroles et l'action, même chez un homme imbibé d'alcool, se permet, avec quelque fermeté, de marquer son désaccord : on ne devrait pas parler religion avec tant de légèreté.
A. BOSQUET, les Bonnes Intentions, p. 72.

♦ **3.** Sujet n. de personne, n. humain. S'imprégner. — Figuré :

7 *(Un fils)* qu'(...) elle avait laissé s'imbiber de tout ce que les préjugés de l'orgueil et de la vanité ont de plus sot et de plus méprisable (...)
MARIVAUX, la Vie de Marianne, XI.

8 Alors le visage de Lucienne, tourné vers le mien, s'imbibait peu à peu d'un sourire. Puis elle souriait franchement. J. ROMAINS, le Dieu des corps, p. 194.

▶ **IMBIBÉ, ÉE** p. p. adj. Voir à l'article, ci-dessus.

CONTR. Assécher, dessécher, essuyer, sécher.

DÉR. Imbibition.

IMBIBITION [ɛ̃bibisjɔ̃] n. f. — 1721, Trévoux; *imbibicion*, v. 1377; dér. sav. du lat. *imbibitum*, supin de *imbibere*. → Imbiber.

♦ **1.** Action d'imbiber, de s'imbiber. — État d'un corps imbibé. ⇒ **Imprégnation.** — Géol. *L'imbibition des roches par l'eau. Eau d'imbibition* (→ Gel., cit. 5). — *Imbibition par capillarité.*

1 Il est probable (...) que les chromosomes géants sont très fortement gonflés par imbibition de leur squelette protéique.
J. ROSTAND, Idées nouvelles de la génétique, p. 16.

♦ **2.** Fam. État d'une persomme imbibée (d'alcool).

♦ **3.** (1860, Michelet). Imprégnation. Fig. *Imbibition par l'amertume, la tristesse, l'ennui* (→ Gratuité, cit. 3).

2 Il ne faut pas l'embellir *(la femme)* d'ornements surajoutés; mais, par une douce imbibition, faire que peu à peu du dedans fleurisse une beauté nouvelle.
MICHELET, la Femme, p. 123.

3 Toute la gratuité, l'insouciance, le détachement qu'il pourrait y avoir sans cette amertume, sans cette imbibition de tout par l'amertume.
J. ROMAINS, les hommes de bonne volonté, t. II, XV, p. 184.

CONTR. Dessiccation.

IMBLOCATION [ɛ̃blɔkasjɔ̃] n. f. — 1765, *Encyclopédie;* lat. médiéval *imblocatio*, de *im-* (→ 2. In-), *bloc*, et suff. *-ation*.

♦ Anciennt. Mode de sépulture des excommuniés, dont le corps était recouvert de terre ou de pierres au milieu d'un champ.

IMBOIRE [ɛ̃bwaʀ] v. tr. — Conjug. *boire*. — 1572, Amyot; réfection d'après *imbu** du v. *emboire**.

♦ **1.** Techn. Syn. d'*emboire*.

♦ **2.** Fig. Imbiber, imprégner (d'une influence). *M. de Larnaud «a imbu mon imagination de ces grandes scènes...»* (Lamartine, *in* T. L. F.). — Pron. Devenir imbu (de quelque chose).

(...) un solitaire qui, vivant peu avec les hommes, a moins d'occasions de s'imboire de leurs préjugés, et plus de temps pour réfléchir sur ce qui le frappe quand il commerce avec eux. ROUSSEAU, Émile, II.

IMBOUCHABLE [ɛ̃buʃabl] adj. — 1842, Richard de Radonvilliers; de *im-* (→ 1. In-), et *bouchable*.

♦ Qui ne peut être bouché. *«La pipe positivement imbouchable»* (*Science et vie*, publicité, sept. 1921, p. 195).

CONTR. Bouchable.

IMBRIAQUE [ɛ̃bʀijak] adj. et n. — 1653, Scarron; provençal *embriac*, ou ital. *imbriaco*, du lat. *ebriacus* «ivre». → Ébriété.

♦ Vx (encore régional au XIXe, cf. G. Sand, *les Maîtres sonneurs*). (Personne) ivre, ou qui se conduit comme si elle était ivre.

IMBRICATION [ɛ̃bʀikɑsjɔ̃] n. f. — 1812; de *imbriqué* ou *imbriquer*.

♦ **1.** Disposition des choses imbriquées. *L'imbrication des tuiles d'un toit, des plaques d'acier d'une armure, des écailles d'une carapace.* — Archit. Ensemble de lamelles de pierre, de bois..., taillées en chevauchement.

♦ **2.** (Av. 1922, Proust). Fig. *L'imbrication des chapitres d'un récit.* ⇒ **Articulation** (figuré).

(...) l'imbrication contingente et indissoluble de mes souvenirs.
PROUST, À la recherche du temps perdu, t. XIII, p. 171.

IMBRIQUÉ, ÉE [ɛ̃bʀike] adj. — 1584; n. f., 1555; lat. *imbricatus*, p. p. de *imbricare, de imbrex* «tuile».

♦ **1.** Formé d'éléments qui se recouvrent partiellement, à la manière des tuiles d'un toit. *Carapace imbriquée.* Par métonymie. *Le caret, tortue imbriquée.* — *Armure imbriquée. «Les clochers des églises romanes du Poitou et de la Saintonge sont souvent imbriqués»* (Réau). *Imbriqué de* (le compl. désigne les éléments).

(...) les unes *(des coupoles)* sont martelées à facettes (...) d'autres enfin imbriquées d'écailles, losangées, gaufrées en gâteau d'abeille (...) 1
Th. GAUTIER, Voyage en Russie, XVI, p. 259.

Il avait ce jour-là un maillot qui était comme imbriqué de petites écailles d'ablette, et sur lequel chaque remuement d'un muscle faisait courir du vif-argent dans des lueurs nacrées (...) Ed. DE GONCOURT, les Frères Zemganno, LXVI. 2

♦ **2.** (Mil. XIXe). Au plur. Qui se recouvrent partiellement (en parlant d'éléments attachés les uns aux autres). *Tuiles, ardoises, plaques de ciment imbriquées.*

Sc. nat. *Écailles, plumes imbriquées. Les feuilles d'artichaut sont imbriquées.*

♦ **3.** (Mil. XXe). Fig. (du sens 2). En étroite liaison; dans des rapports d'étroite dépendance. *Une suite d'événements imbriqués.*

Nous étions «imbriqués» dans la pire de toutes les républiques, voilà le fait. 3
F. MAURIAC, le Nouveau Bloc-notes 1958-1960, p. 234.

DÉR. Imbriquer.

IMBRIQUER [ɛ̃bʀike] v. tr. — 1836, Landais; de *imbriqué*, et suff. verbal.

♦ Disposer (des choses) de façon à les faire se chevaucher.

▶ **S'IMBRIQUER** v. pron. Plus courant. *Tuiles qui s'imbriquent parfaitement.* ⇒ **Ajuster** (s'), **emboîter** (s').

Fig. S'enchevêtrer, s'entremêler. *Les événements se sont imbriqués de telle sorte qu'on ne distingue plus les causes des effets.*

Au passif. *Être imbriqué dans qqch. «La nouvelle physique* (...) *ne conçoit plus* (...) *l'idée de temps qu'imbriquée dans celle d'espace».* (J. Benda, *la France byzantine, in* T. L. F.). ⇒ **Imbriqué.**

DÉR. Imbrication.

IMBRISABLE [ɛ̃bʀizabl] adj. — 1886, Bourget, *in* T. L. F.; de *im-* (→ 1. In-), et *briser*.

♦ Rare. Que l'on ne peut briser. ⇒ **Incassable.** — Fig. *«Une imbrisable volonté»* (L. Daudet, *in* T. L. F.).

IMBROGLIO [ɛ̃bʀɔljo; et plus couramment ɛ̃bʀɔglijo] n. m. — 1698, Bossuet; mot ital. [ɛ̃bʀɔljɔ], de *imbrogliare* «embrouiller».

♦ **1.** Situation confuse, embrouillée. ⇒ **Complication, confusion, désordre, enchevêtrement, mélange.** *Un imbroglio inextricable, compliqué. Démêler un imbroglio. Quel imbroglio!* ⇒ fam. **Pastis, sac** (de nœuds). *Faire un imbroglio à quelqu'un.*

Jeter d'un balcon d'or une échelle de soie, 1
Suivre l'imbroglio de ces amours mignons,
Poussés en une nuit comme des champignons (...)
A. DE MUSSET, Premières poésies, Don Paez, I.

Comment y voir clair dans cet imbroglio infernal? 2
MARTIN DU GARD, les Thibault, t. VII, LVI, p. 95.

♦ **2.** Pièce de théâtre dont l'intrigue est très compliquée, obscure (→ Facétie, cit. 2). *Les imbroglios de Beaumarchais.*

3 Première représentation de *l'Alcade dans l'embarras*, imbroglio en trois actes.
BALZAC, Illusions perdues, Pl., t. IV, p. 729.

4 C'étaient des inventions burlesques, des canevas sans queue ni tête, d'amusants *imbroglios* entremêlés de soufflets retentissants et de coups de pied au derrière qui ont le privilège de faire rire le monde depuis qu'il existe (...)
Ed. DE GONCOURT, les Frères Zemganno, V.

IMBRÛLABLE [ɛ̃bʀylabl] adj. — 1838, Académie; de *im-* (→ 1. In-), et *brûlable.*

♦ Qui ne peut pas brûler. *Ce bois est imbrûlable.*

CONTR. Brûlable.

IMBRÛLÉ, ÉE [ɛ̃bʀyle] adj. et n. m. — 1840, Académie; de *im-* (→ 1. In-), et *brûlé.*

♦ Didact. Qui n'a pas complètement brûlé.

CONTR. Brûlé, consumé.

IMBU, UE [ɛ̃by] adj. — 1640, «imbibé»; sens mod., 1507; réfection d'*embu* (→ Emboire), d'après le lat. *imbutus*, de *imbuere* «imbiber». → Imboire.

♦ **1.** (Personnes). Qui est imprégné, pénétré de (sentiments, idées...). ⇒ **Plein, rempli** (de). *Être imbu de bons, de faux principes, de préjugés. Imbu, dès l'enfance, de cette haine...* → Avoir sucé avec le lait. *Imbu de l'esprit* (cit. 183) *de clan. Imbu d'une théorie, d'une doctrine politique* (→ Fédération, cit. 1). *Il en est imbu.*

1 (...) les individus y étaient tous instruits, disciplinés par le sentiment religieux, imbus du même système, sachant bien ce qu'ils voulaient et où ils allaient.
BALZAC, le Médecin de campagne, Pl., t. VIII, p. 439.

2 Un ennemi, un envieux, un Genevois imbu de tous les préjugés anglais (...)
MICHELET, Hist. de la Révolution franç., I, V.

3 À cette date (...) Saint-Just est encore imbu des doctrines philanthropiques du XVIIIe siècle en matière pénale (...)
SAINTE-BEUVE, Causeries du lundi, 26 janv. 1852, t. V, p. 342.

Être imbu de soi-même, de sa supériorité : être pénétré de son importance, se croire supérieur aux autres. ⇒ **Infatué.**

♦ **2.** (Choses humaines). Didact. ou littér. Imprégné de... *Une philosophie imbue de matérialisme, de croyances religieuses.*

DÉR. V. Imboire.

IMBUVABLE [ɛ̃byvabl] adj. — 1600, O. de Serres; de *im-* (→ 1. In-), et *buvable.*

♦ **1.** Qui n'est pas buvable. *Ce vin, cet alcool, cette eau est imbuvable.* ⇒ **Mauvais.**

♦ **2.** (1952, *une voix imbuvable*, H. Bazin). Fig. et fam. ⇒ **Insipide, insupportable**; (fam.) **infumable,** 2. *Un spectacle imbuvable. Ce type est imbuvable, je ne veux plus le voir. — Il est d'une prétention imbuvable.*

CONTR. 1. Bon, buvable.

IMIDE [imid] n. m. — 1835, *in* T. L. F.; modification de *amide.*

♦ Chim. Composé de structure analogue à l'anhydride d'un diacide, mais où le radical NH remplace l'oxygène (ex. : carbimide, saccharine).

COMP. V. Imido-.

IMIDO- Élément de mots de chimie, tiré de *imide**. Ex. : *imidoacide* [imidoasid], *imidoéther* [imidoetɛʀ].

IMINE [imin] n. f. — 1904, *in Rev. gén. des sc.*, n° 11, p. 540; all. *imin*, 1883, Ladenburg; modification de *amin* «amine», comme *imide* l'est de *amide.*

♦ Chim. Composé dérivant d'un aldéhyde ou d'un cétone dans lequel le radical + NH ou = NR se substitue à l'oxygène.

IMINO- Élément de mots de chimie, tiré de *imine**.

IMITABILITÉ [imitabilite] n. f. — Attesté XXe (1931, Gilson, *in* T. L. F.); de *imitable.*

♦ Didact. Caractère de ce qui peut être imité.

IMITABLE [imitabl] adj. — Av. 1520; lat. *imitabilis*, de *imitari* (→ Imiter), ou de *imiter.*

♦ **1.** Qui peut être imité. *Un style aisément imitable. Son accent est difficilement imitable. Sa signature est facilement imitable.* ⇒ **Inimitable.**

Le petit gosse de 20 mois qui trotte, parle, — diminutif d'actes, de notions — Il comprend tout ce qu'il voit faire comme actes imitables.
VALÉRY, Cahiers, t. II, Pl., p. 97.

N. m. *L'imitable.*

♦ **2.** Rare. Qui est digne d'être imité. *Une conduite imitable.*

♦ **3.** Didact. Simulable.

CONTR. Inimitable.

IMITATEUR, TRICE [imitatœʀ, tʀis] n. et adj. — 1422; au fém., 1530; lat. *imitator, toris*, fém. *imitatrix, tricis* de *imitatum*, supin de *imitaris.* → Imiter.

Personne qui imite.

♦ **1.** ⓐ Personne qui imite les actes, le comportement d'autrui. *L'imitateur, les imitateurs de qqn. Ils furent les disciples et les imitateurs de ce grand homme. Ses imitateurs le suivent en vrais moutons*.* — (Sans compl.). *Ce n'est qu'un pâle imitateur. Un mauvais imitateur*, bon seulement à contrefaire, à singer son modèle. ⇒ **Singe.** *Fraude d'un imitateur.* ⇒ **Contrefacteur, plagiaire.** — *Une entreprise* (cit. 7) *dont l'exécution n'aura point d'imitateur.*

Des plus fameux héros fameux imitateur (...) ROTROU, Saint-Genest, V, 6. 1

(Choses) :

La ville, l'imitatrice éternelle de la cour, en copia le faste. 2
MASSILLON, Oraison funèbre de Louis le Grand.

ⓑ Personne qui imite les gestes, la voix, l'apparence de qqn pour amuser une assistance. *Un excellent imitateur.* ⇒ **Mime.**

♦ **2.** Adj. *Esprit imitateur* (→ Émulation, cit. 2). *La foule imitatrice, le peuple imitateur* (→ Attendre, cit. 72). ⇒ **Moutonnier.** *Les nations inventrices et les nations imitatrices* (→ Exactitude, cit. 10). *Le singe est imitateur. — Les «trois arts imitateurs de la nature»* (Diderot). ⇒ **Imitation** (3.).

Enfin — contrairement à l'opinion courante, et comme l'avaient déjà signalé divers observateurs — l'enfant humain est beaucoup plus imitateur que l'enfant singe, d'où, en partie, sa grande perfectibilité et son aptitude à la parole. 3
J. ROSTAND, l'Homme, p. 26.

♦ **3.** (1658, La Fontaine). Personne qui imite (les œuvres d'autrui), qui produit des œuvres sans originalité, par imitation (d'œuvres antérieures). ⇒ **Épigone, suiveur.** → Frelon, cit. 6. *Les créateurs, les novateurs et les imitateurs* (→ Expression, cit. 10). *Les imitateurs de Virgile* (→ Bétail, cit. 2), *de Malherbe* (→ Finement, cit. 1). *Imitateurs sans talent et sans scrupule.* ⇒ **Copiste, plagiaire.** *Avoir d'innombrables imitateurs.* ⇒ **École** (faire école). *L'auteur* (cit. 17) *et son imitateur.*

Nous insistons longtemps sur tous ces côtés humains et ordinaires du talent d'Hoffmann, parce qu'il a malheureusement fait école, et que des imitateurs sans esprit, des imitateurs enfin, ont cru qu'il suffisait d'entasser absurdités sur absurdités et d'écrire au hasard les rêves d'une imagination surexcitée, pour être un conteur fantastique et original (...) Th. GAUTIER, Souvenirs de théâtre..., p. 48. 4

On peut dire de Rubens, de Raphaël, qu'ils ont beaucoup imité, et l'on ne peut sans injure les qualifier d'*imitateurs.* On dira plus justement qu'ils ont eu beaucoup d'imitateurs (...) occupés à calquer leur style dans de médiocres ouvrages (...) E. DELACROIX, Journal, 1er mars 1859. 5

(...) le peintre moderne se dit : «Qu'est-ce que l'imagination? Un danger et une fatigue (...)» Il peint, il peint (...) jusqu'à ce qu'il ressemble enfin à l'artiste à la mode (...) L'imitateur de l'imitateur trouve ses imitateurs, et chacun poursuit ainsi son rêve de grandeur. BAUDELAIRE, Curiosités esthétiques, Salon de 1859. 6

(La culture) impliquait une continuité, et par conséquent des disciples, des imitateurs, des suiveurs qui fissent la chaîne, en un mot : une tradition. 7
GIDE, Attendu que..., p. 64.

CONTR. Créateur, inventeur, novateur; exemple, modèle, original.

IMITATIF, IVE [imitatif, iv] adj. — 1466; bas lat. *imitativus*, de *imitatum*, supin de *imitari.* → Imiter.

A. ♦ **1.** (Actes, attitudes). Qui imite (un acte, qqn). *Gestes imitatifs.* — Qui imite consciemment, volontairement (qqn, un acte). *Avoir l'esprit imitatif.* — Art. Qui imite la nature. *Réalisme imitatif.*

♦ **2.** (1764, Voltaire). Plus cour. Qui imite les sons de la nature. *Musique, harmonie** (cit. 15 et 27) *imitative — Mots imitatifs.* ⇒ **Onomatopée.**

Tohu-bohu (...) est un de ces mots imitatifs qu'on trouve dans toutes les langues, comme (...) tintamarre, trictrac, tonnerre (...) 1
VOLTAIRE, Dict. philosophique, Genèse.

Ils croiront qu'il s'agit d'harmonie imitative, de timbres et de sonnailles dans les mots, d'allitérations et d'autres fadaises (...) 2
André SUARÈS, Trois hommes, «Dostoïevski», p. 223.

♦ **3.** (XXe). Qui imite une personne (dans ses attitudes, son comportement). *Mimique, attitude imitative.*

B. Rare. Qui suscite l'imitation. *«La colère est imitative»* (Léon Gozlan, *in* T. L. F.).

IMITATION [imitasjɔ̃] n. f. — XVe; *imitacion*, v. 1220; lat. *imitatio* du supin de *imitari.* → Imiter.

A. ♦ **1.** (V. 1220). Action de reproduire volontairement ou de chercher à reproduire (une apparence, un geste, un acte d'autrui); résultat de cette action (⇒ **Imiter**). *Imitation des attitudes, des gestes, de l'accent de quelqu'un. Imitation fidèle, habile, réussie. Imitation outrée, comique* ⇒ **Caricature, charge, parodie, singerie.** *Imitation par le geste.* ⇒ **Mimique, mimologie.** — *Imitation du jeu d'un acteur, des particularités physiques de quelqu'un.* — Absolt. *Il excelle dans l'imitation. Il a le don d'imitation.* ⇒ **Imitateur.** — *Imitation visant à tromper, à donner le change.* ⇒ **Affectation** (II.), **simulacre, simulation.**

1 L'imitation est toujours malheureuse, et tout ce qui est contrefait déplaît, avec les mêmes choses qui charment lorsqu'elles sont naturelles.
LA ROCHEFOUCAULD, Maximes supprimées, 618.

2 Octave, qui possède un petit talent d'imitation, faisait revivre à nos yeux, à nos oreilles, une foule de personnages falots, déformés par vingt ans de récits.
G. DUHAMEL, Salavin, I, VI.

(Ce qui est imité n'étant pas forcément humain) :

2.1 Avec une maîtrise inouïe et un talent d'une miraculeuse précocité, le charmant bambin commença une série d'imitations accompagnées de gestes éloquents ; bruits divers d'un train qui s'ébranle, cris de tous les animaux domestiques, grincements de la scie sur une pierre de taille, saut brusque d'un bouchon de champagne, glouglou d'un liquide versé, fanfares du cor de chasse, solo de violon, chant plaintif de violoncelle, formaient un répertoire étourdissant pouvant donner, à qui fermait un moment les yeux, l'illusion complète de la réalité.
Raymond ROUSSEL, Impressions d'Afrique, p. 41.

Absolt. *Faire des imitations.*

3 Pour prendre comme exemple l'exercice qu'on appelle (...) « faire des imitations » (ce qui se disait chez les Guermantes « faire des charges »). Mme de Guermantes avant beau le réussir à ravir, les Courvoisier étaient aussi incapables de s'en rendre compte que s'ils eussent été une bande de lapins (...) parce qu'ils n'avaient jamais su remarquer le défaut ou l'accent que la duchesse cherchait à contrefaire.
PROUST, À la recherche du temps perdu, t. VIII, p. 99.

Spécialt. Spectacle où un artiste (⇒ **Imitateur**) contrefait un personnage connu, un type, etc.

(1762, Rousseau). Reproduction volontaire ou involontaire, consciente ou inconsciente (de gestes, d'actes...). *Esprit, faculté, instinct d'imitation.* ⇒ **Contagion** (mentale), **mimétisme.** → Férocité, cit. 1. *L'imitation automatique chez les animaux.*

L'évolution de l'imitation chez l'enfant. Rôle de l'imitation dans la société, *les manifestations collectives, les mœurs et coutumes, la mode...* (→ Conformisme, grégarisme, instinct grégaire). ⇒ **Contagion.** *Les Lois de l'imitation,* ouvrage de Tarde (→ ci-dessous, cit. 6). *Rôle de l'imitation en pédagogie* (⇒ **Exemple**). *Hystérie collective par imitation. Jeux d'imitation.* — *Imitation volontaire. Agir, penser par imitation.*

4 L'imitation est de tous les résultats de la machine animale le plus admirable, c'en est le mobile le plus délicat et le plus étendu, c'est ce qui copie de plus près la pensée (...) Cependant les singes sont tout au plus des gens à talents que nous prenons pour des gens d'esprit : quoiqu'ils aient l'art de nous imiter, ils n'en sont pas moins de la nature des bêtes, qui toutes ont plus ou moins le talent de l'imitation. À la vérité, dans presque tous les animaux, ce talent est borné à l'espèce même, et ne s'étend point au delà de l'imitation de leurs semblables (...)
BUFFON, Hist. nat. des animaux, Disc. sur la nature des animaux.

5 L'homme est imitateur, l'animal même l'est ; le goût de l'imitation est de la nature bien ordonnée ; mais il dégénère en vice dans la société. ROUSSEAU, Émile, II.

6 *(L')* unanimité de cœur et d'esprit est bien le caractère des sociétés achevées (...) D'ailleurs, la conformité de desseins et de croyances dont il s'agit, cette similitude mentale que se trouvent revêtir à la fois des dizaines et des centaines de millions d'hommes, elle n'est pas née *ex abrupto ;* comment s'est-elle produite ? Peu à peu, de proche en proche, par voie d'imitation. C'est donc là toujours qu'il faut en venir.
G. TARDE, les Lois de l'imitation, p. 67.

7 Il y a imitation quand un acte a pour antécédent immédiat la représentation d'un acte semblable antérieurement accompli par autrui (...)
DURKHEIM, le Suicide, p. 115, *in* BURLOUD, Psychologie, L'imitation.

8 (...) l'instinct d'imitation et l'absence de courage gouvernent les sociétés comme les foules. Et tout le monde rit de quelqu'un dont on voit se moquer, quitte à le vénérer dix ans plus tard dans un cercle où il est admiré.
PROUST, À la recherche du temps perdu, t. X, p. 92.

9 Si l'on fait abstraction de certains instincts spéciaux (instinct de suivre, instinct d'imitation vocale chez les oiseaux chanteurs) on ne trouve pas, même chez les animaux supérieurs, de tendance générale à l'imitation (même chez les singes, en dépit de l'expression populaire : singer). C'est essentiellement une conduite *humaine.* Chez l'enfant, un grand nombre de modèles d'action exercent une séduction particulière ; mais un apprentissage lui est nécessaire pour arriver à *copier des actes nouveaux.* P. GUILLAUME, Manuel de psychologie, IV, p. 59.

♦ **2.** (V. 1220). *L'imitation de qqn :* le fait de prendre quelqu'un pour modèle (dans l'ordre intellectuel, moral, social). *L'imitation d'un maître, d'un chef d'école par ses disciples. L'imitation des ancêtres. La mode est à l'imitation des Américains, des anglais.* ⇒ **-manie** (anglomanie, etc.).

(1651, Corneille). *L'Imitation de Jésus-Christ,* et, absolt, *L'Imitation,* célèbre ouvrage de piété attribué souvent à Thomas a Kempis (XVe siècle) et qui a été adapté en vers par Corneille, traduit (en prose) par Lamennais.

♦ **3.** (XVIIe, Chapelain et les Théoriciens du théâtre ; lat. *imitatio,* traduisant le grec *mimesis*). Reproduction des aspects sensibles de la réalité par l'art* (cit. 76 et 77). ⇒ **Mimesis.** *Théories esthétiques de l'imitation (de la nature). Imitation et récit* (« *mimesis* » et « *diegesis* »), *au théâtre. L'imitation dans les arts plastiques* (→ Grandeur, cit. 35). *Expression* (cit. 26) *et imitation dans l'art.* — (1857, Delacroix). *Arts d'imitation* (vx) : les arts figuratifs (⇒ **Figuration**), le dessin, la peinture, la sculpture ; la poésie. *Dessin* d'imitation. La comédie, le comique, imitation exagérée.* ⇒ **Charge** (→ Caractériser, cit. 4 ; grotesque, cit. 15). *Le théâtre, imitation des sentiments d'un peuple* (→ École, cit. 21).

10 Les hommes, dans leurs travaux, ne font rien de beau que par imitation. Tous les vrais modèles du goût sont dans la nature. Plus nous nous éloignons du maître, plus nos tableaux sont défigurés. ROUSSEAU, Émile, IV.

11 *Imitation.* On donne particulièrement le nom d'arts d'imitation à la peinture et à la sculpture ; les autres arts, comme la musique, la poésie, n'imitent pas la nature directement, quoique leur but soit de frapper l'imagination (...)
E. DELACROIX, Journal, 25 janv. 1857.

12 Nous avons cru d'abord que son but *(de l'art)* est d'*imiter l'apparence sensible.* Puis, séparant l'imitation matérielle de l'imitation intelligente, nous avons trouvé que, ce qu'il veut reproduire dans l'apparence sensible, ce sont les *rapports des parties.* TAINE, Philosophie de l'art, I, I, V.

Vx. Œuvre imitée de la nature.

13 (...) je veux qu'il *(Émile)* n'ait d'autre maître que la nature, ni d'autre modèle que les objets. Je veux qu'il ait sous les yeux l'original même et non pas le papier qui le représente, qu'il crayonne une maison sur une maison, un arbre sur un arbre, un homme sur un homme, afin qu'il s'accoutume à bien observer les corps et leurs apparences, et non pas à prendre des imitations fausses et conventionnelles pour de véritables imitations. ROUSSEAU, Émile, II.

REM. Dans cet emploi, les textes classiques, qui se réfèrent souvent aux concepts aristotéliciens, prennent la notion dans une valeur plus active : l'art produit des signes comme la nature produit les objets auxquels ces signes renvoient. → Mimesis.

♦ **4.** (1549, du Bellay). **a** Action, fait de prendre l'œuvre d'un autre pour modèle, de s'en inspirer plus ou moins étroitement. *L'imitation des grands œuvres du passé. L'imitation des grands maîtres, des anciens* (cit. 15). → Fanatisme, cit. 9. — *Imitation plaisante du style, de la manière d'un auteur.* ⇒ **Pastiche.** *Le pastiche* (cit. 3), *c'est l'imitation étroite et servile. Imitation d'un thème, d'une idée.* ⇒ **Emprunt.** *Imitation des tours oratoires* (→ Harmonie, cit. 23). — (Sans compl.). *L'imitation et l'invention. L'imitation est une assimilation* (cit. 5), *une imprégnation* (→ Assimiler, cit. 6). *Banalité* (cit. 8) *de forme acquise par imitation.* — *Imitation plate, servile.*

14 Se compose *(se mette)* donc celui qui voudra enrichir sa langue à l'imitation des meilleurs auteurs grecs et latins (...) Tout ainsi que ce fut le plus louable aux anciens de bien inventer, aussi est-ce le plus utile de bien imiter, même à *(surtout)* ceux dont la langue n'est encore bien copieuse et riche. Mais entende celui qui voudra imiter, que ce n'est chose facile que de bien suivre les vertus d'un bon auteur, et quasi comme se transformer en lui (...)
DU BELLAY, Défense et illustration de la langue franç., I, VIII.

15 Mon imitation n'est point un esclavage :
Je ne prends que l'idée, et les tours, et les lois,
Que nos maîtres suivaient eux-mêmes autrefois.
LA FONTAINE, Pièces diverses, IV, l'Académie, À Mgr l'évêque de Soissons.

16 Raphaël, le plus grand des peintres, a été le plus appliqué à imiter : imitation de son maître (...) imitation de l'antique et des maîtres qui l'avaient précédé (...) — et enfin de ses contemporains tels que l'Allemand Albert Dürer, le Titien, Michel-Ange, etc. E. DELACROIX, Journal, 1er mars 1859.

17 L'imitation consiste à transporter et à exploiter dans son propre style les images, les idées ou les expressions d'un autre style.
Antoine ALBALAT, la Formation du style, II, p. 28.

18 Les conditions matérielles *(d'une culture originale)* étant rassemblées, à quel genre d'exercice convient-il de se livrer ? Je réponds sans une ombre d'incertitude : à l'imitation. Je dis bien à l'imitation des grands esprits et des chefs-d'œuvre éprouvés. L'imitation est jusqu'à nouvel ordre la seule école de l'originalité.
G. DUHAMEL, Défense des lettres, p. 210.

b (1690, Furetière). *Une, des imitations :* œuvre qui est le produit d'une imitation ; (et, spécialt, péj.), œuvre sans originalité imitée d'un modèle. — *Une imitation étroite, servile, plate.* ⇒ **Calque, contre-épreuve** (fig.), **copie** (3.), **décalquage, démarcage, plagiat, reproduction.** *Imitation frauduleuse, inavouée, portant atteinte aux droits de l'auteur.* ⇒ **Contrefaçon,** 1. **faux.** *Ce personnage n'est qu'une pâle imitation de Don Quichotte, de Hamlet.*

19 Les deux peintres virent dans ces toiles une servile imitation des paysages hollandais, des intérieurs de Metzu, et dans la quatrième une copie de la *Leçon d'anatomie* de Rembrandt. BALZAC, Pierre Grassou, Pl., t. VI, p. 120.

(Sans valeur péjorative). « *Cet ouvrage est une imitation de l'anglais, de l'allemand* » (Littré), est l'imitation d'un ouvrage anglais, allemand (⇒ **Adaptation**).

♦ **5.** (1845). Reproduction artificielle (d'un objet, d'une matière...) ; l'objet imité d'un autre. ⇒ **Copie, reproduction.** « *On croirait que ces fleurs sont naturelles, tant l'imitation en est parfaite* » (Académie). *Imitation du marbre, de la pierre, par le staff. L'original et ses imitations.* — *Fabriquer des imitations de meubles anciens.*

Par appos. *Une reliure imitation cuir* (⇒ **Fantaisie**). *Une veste imitation vison.*

(XXe). EN IMITATION : en matière imitée. *Bijoux en imitation.* ⇒ **Simili, toc.** *Peigne en imitation d'écaille* (→ Envie, cit. 27). Appos. *Manteau en imitation fourrure.* — Style imité. *Tapis en imitation de Perse.*

20 Au bout de ce salon se trouvait un magnifique cabinet meublé de tables et d'armoires en imitation de Boule. BALZAC, la Cousine Bette, Pl., t. VI, p. 235.

21 (...) le geste qu'il a eu de ramener sur le cou de la femme une cravate en imitation de renard, dont un bout pendait sur l'épaule.
J. ROMAINS, les Hommes de bonne volonté, t. III, VI, p. 100.

♦ **6.** (En parlant de choses abstraites). ⇒ **Image, reflet.** *Le succès, imitation frelatée* (cit. 5) *de la gloire.*

♦ **7.** a (1721, Trévoux). Mus. Répétition par une partie d'un motif, d'un thème musical énoncé par une autre partie. *Imitation régulière, canonique, contrainte,* où le motif reparaît strictement identique. *Imitation libre, irrégulière,* où le motif musical est reproduit sous une forme altérée (par transposition, harmonisation, variation rythmique). *Imitation par mouvement semblable, contraire, rétrograde (en écrevisse). Formes musicales procédant par imitations.* ⇒ 2. **Canon, fugue.**

22 *L'imitation* proprement dite consiste dans le fait musical d'une partie quelconque reproduisant plus ou moins fidèlement le dessin mélodique qu'une autre partie a énoncé précédemment. Quand cette reproduction est absolument exacte (...) l'imitation est dite *régulière* (...) Il n'est pas difficile de combiner ainsi des imitations régulières à trois ou quatre parties.
LAVIGNAC, la Musique et les Musiciens, p. 290-292.

b Rhét. Figure de construction qui consiste à altérer l'ordre normal des mots par imitation d'une phrase voisine (⇒ **Attraction**).

♦ **8.** Sc. Simulation (d'un processus, d'un phénomène). *« L'imitation du vivant par l'inorganisé* (en chimie) » (Bergson).

B. Loc. prép. (1549, du Bellay). **À L'IMITATION DE...** ⇒ **Façon** (à la façon, en façon de...), **modèle** (sur le). → Aveugle, cit. 2; gazette, cit. 2. *Faire quelque chose à l'imitation d'une autre. Dessin à l'imitation d'un antique* (cit. 10). *Épître* (cit. 3) *à l'imitation de l'élégie,* imitant* une élégie. — Agir à l'imitation de quelqu'un.* ⇒ **Exemple** (à l'), **instar** (à l'); **manière** (à la manière de). → Cercle, cit. 0.1; étendre, cit. 14.

23 Peut-être, à l'imitation du divin, mon amour pour ma cousine s'accommodait-il par trop facilement de l'absence. GIDE, Si le grain ne meurt, I, VIII, p. 215.

CONTR. Création, originalité. — Authenticité. — Originalité.

IMITÉ, ÉE [imite] ⇒ Imiter (p. p. adj.).

IMITER [imite] v. tr. — Av. 1525; *immiter,* fin xve; lat. *imitari,* de même racine que *imago* « image ».

♦ **1.** (1611; le sujet désigne une personne ou un animal supérieur). Faire ou s'efforcer de faire la même* chose que (qqn), chercher à reproduire (les attitudes, les gestes d'une personne, d'un animal, des voix, des sons, des bruits...). ⇒ **Contrefaire, copier** (cit. 8), **mimer, répéter, reproduire, simuler.** *Imiter maladroitement, grossièrement quelqu'un.* ⇒ **Singer.** *Élèves qui imitent leurs professeurs dans une revue de fin d'année.* ⇒ **Caricaturer, charger, parodier.** *Imiter un animal; imiter le chien, le cheval.* ⇒ 1. **Faire** (III., 4.), **mimer.** *Imiter les grands séducteurs, les hommes d'affaires.* ⇒ **Jouer.** — *Le singe imite l'homme,* se dit pour qualifier un imitateur fastidieux. — (Compl. n. de chose : action humaine ou animale, son...). *Imiter les gestes* (cit. 1), *les manières, les attitudes, les façons de parler, le ton de voix, l'accent de quelqu'un* (→ Arrêter, cit. 58; culte, cit. 4; déniaiser, cit. 2). *Imiter le bruit des castagnettes* (cit. 2) *avec ses doigts. Imiter le cri d'un animal, le son d'un instrument, les bruits.* ⇒ **Bruiter** (→ Conviction, cit. 6). *Le perroquet imite la voix humaine* (→ Gazouiller, cit. 4).
Enfant qui imite, cherche à imiter tout ce qu'il voit faire. Imiter le comportement des Anglais, des Américains (→ S'angliciser, s'américaniser, etc., et le suff. -manie : anglomanie...).

1 (...) tantôt s'égosillant et contrefaisant le fausset, il déchirait le haut des airs, imitant de la démarche, du maintien, du geste, les différents personnages chantants; successivement furieux, radouci, impérieux, ricaneur. Ici c'est une jeune fille qui pleure, et il en rend toute la minauderie; là il est prêtre, il est roi, il est tyran, il menace, il commande, il s'emporte, il est esclave, il obéit. Il s'apaise, il se désole, il se plaint, il rit (...) DIDEROT, le Neveu de Rameau, Pl., p. 484.

2 Il imitait, soit volontairement, ou à son insu, les gestes, le ton, l'humeur de son camarade et, avec une servilité naïve, jusqu'à sa façon de s'habiller. Il avait même usurpé quelque chose de cette beauté physique et de cette force qui sont les splendides prérogatives de la race anglaise (...)
A. HERMANT, l'Aube ardente, X, p. 142.

3 Je veux dire qu'on ne peut imiter de nos gestes que ce qu'ils ont de mécaniquement uniforme et, par là même, d'étranger à notre personnalité vivante.
H. BERGSON, le Rire, p. 25 (→ Automatisme, cit. 2).

4 Afin de distraire l'assemblée, Fernando Lucas mima (...) une chasse au lapin. Tout d'abord, il fut le chasseur qui sort de son domicile. Il siffla ses chiens, leur marcha sur la patte et imita parfaitement les cris aigus des braques douillets. Puis, en se pinçant le nez entre deux doigts, il imita la trompe de chasse. Cette fanfare terminée, il simula la marche du chasseur (...) P. MAC ORLAN, la Bandera, IV.

Psychol. *Imiter autrui, le comportement social dominant.* Absolt. *« Imiter c'est comprendre »* (Rabaud). *L'enfant doit imiter. Les hommes en société imitent et se laissent entraîner comme les moutons* de Panurge.*

5 Une fois engagés dans la vie sociale, nous imitons autrui à chaque instant, à moins que nous n'innovions, ce qui est rare (...) Encore nos innovations restent-elles étrangères à la vie sociale tant qu'elles ne sont pas imitées.
G. TARDE, les Lois sociales, p. 15.

Pronominal (Réciproque) :

6 Un sociologue *(Tarde)* a pu définir une société humaine : un ensemble d'individus qui s'imitent les uns les autres.
Paul GUILLAUME, Manuel de psychologie, IV, p. 60.

(1671, Boileau; sujet et compl. n. de personne). Faire comme* (qqn), sans intention de reproduire exactement ses gestes. *Il leva son verre, il but et tout le monde l'imita* (→ Cruche, cit. 1). *Il quitta aussitôt la séance et ses compagnons l'imitèrent.* ⇒ **Suivre.**

♦ **2.** (Av. 1525; sujet n. de personne). Prendre pour modèle*, pour exemple* (cit. 13). → Aller sur les brisées*, les erres*, les traces* de...; marcher sur les pas, sur la piste de..., suivre l'exemple, la trace de... *Imiter un maître, un chef. Imiter qqn dans tout ce qu'il fait, en tout.* ⇒ **Conformer** (se). *Imiter la conduite, les vertus de qqn.* ⇒ **Adopter.** *Il imite toutes ses attitudes, ses prises de positions.* ⇒ **Écho** (se faire l'écho). *Imiter les goûts de qqn.* ⇒ **Former** (se former sur qqn).

Imitez vos aïeux, afin que la noblesse 7
Vous anime le cœur de pareille prouesse.
RONSARD, Discours des misères de ce temps, Remontr. peuple de France.

Les vrais amis n'imitent que les vertus dans leurs amis. Les flatteurs imitent les vices. RACINE, Livres annotés, Plutarque. 8

(...) je veux imiter mon père, et tous ceux de ma race, qui ne se sont jamais voulu marier. MOLIÈRE, le Mariage forcé, VIII. 9

Nous imitons les bonnes actions par émulation, et les mauvaises par la malignité de notre nature, que la honte retenait prisonnière, et que l'exemple met en liberté. 10
LA ROCHEFOUCAULD, Maximes, 230 (→ Exemple, cit. 7).

Imitez sa justice ainsi que sa vaillance (...) VOLTAIRE, Mérope, I, 3. 11

Relig. *Imiter Jésus, son saint patron.* ⇒ **Imitation** (de Jésus-Christ).
IMITER (qqch.) DE (qqn). *Un peuple qui a beaucoup imité, tout imité d'un autre.* ⇒ **Emprunter** (à; → Hébraïser, cit., Voltaire).
Pron. *Qualité, coutume qui peut s'imiter.* ⇒ **Transmettre** (se).

La raison et la vérité se transmettent, l'industrie peut s'imiter mais le génie ne s'imite point. MARMONTEL, Œuvres, t. V, p. 220, *in* LITTRÉ. 12

♦ **3.** Arts (vieilli ou péj., le mot ayant perdu les connotations de *imitation** au sens de *mimésis*). Reproduire, par les moyens de l'art, l'aspect sensible de la réalité, d'un être ou d'un objet pris pour modèle. *Le peintre, le sculpteur réaliste, le poète descriptif imitent les couleurs, les formes de la nature.* ⇒ **Imitation** (3.). *Sculpteur qui imite un modèle, une forme naturelle* (→ Corinthien, cit. 1). *Imiter l'apparence des objets* (→ Enluminer, cit. 1), *les figures des corps* (→ Grandeur, cit. 35). *Imiter la nature. — Musique imitant le bruit du tonnerre, d'une source.* ⇒ **Imitatif** (harmonie).

Il n'est point de serpent ni de monstre odieux 13
Qui, par l'art imité, ne puisse plaire aux yeux (...) BOILEAU, l'Art poétique, III.

(À la fin de sa vie, Corneille) se copiait et s'exagérait lui-même; la science, le calcul et la routine remplaçaient pour lui la contemplation directe et personnelle des grandes émotions (...) Ce n'est pas seulement l'histoire de tel ou tel grand homme qui nous prouve la nécessité d'imiter le modèle vivant et de demeurer les yeux fixés sur la nature; c'est encore l'histoire de chaque grande école. 14
TAINE, Philosophie de l'art, t. I, p. 18.

Par ext. *Imiter la nature* (→ Art, cit. 76; gâter, cit. 11).

Imiter Shakespeare, ou plutôt la nature. STENDHAL, Journal, p. 37. 15

Absolument :

Modèle. Asservissement au modèle dans David. Je lui oppose Géricault, qui imite également, mais plus librement, et met plus d'intérêt. 16
E. DELACROIX, Journal, 25 janv. 1857.

♦ **4.** (1549, Du Bellay). Prendre pour modèle (une œuvre) en utilisant soit des éléments concrets, soit des relations (style, manière) présentes dans une œuvre existante. → Faussaire, cit. 5. *Imiter le plan général d'un ouvrage.* ⇒ **Emprunter, inspirer** (s'). *Imiter Atala* (→ Honneur, cit. 81). *Imiter un original platement, servilement, sans goût.* ⇒ **Copier, plagier** (→ Copiste, cit. 3). *Imiter un écrivain, un style pour l'évoquer plaisamment.* ⇒ **Pasticher.** *Imiter un maître, un novateur, un chef d'école* (cit. 28). *Admirer* (cit. 5) *un maître sans l'imiter. Être imité par de nombreux disciples. Imiter l'art populaire, folklorique* (cit. 1). — Absolt. *Ceux qui ne font qu'imiter.* ⇒ **Imitateur.**

Celui qui imite toujours ne mérite assurément pas d'être imité. 17
VOLTAIRE, Utile examen des 3 dernières épîtres du sieur (J.-B.) Rousseau.

(...) ces grands hommes (...) ont dû, pour former leur talent ou pour le tenir en haleine, imiter leurs devanciers et les imiter presque sans cesse, volontairement ou à leur insu. Raphaël, le plus grand des peintres, a été le plus appliqué à imiter (...) Rubens a imité sans cesse (...) 18
E. DELACROIX, Journal, 1er mars 1859 (→ Création, cit. 12).

On a dit l'an passé que j'imitais Byron : 19
Vous qui me connaissez, vous savez bien que non.
Je hais comme la mort l'état de plagiaire;
Mon verre n'est pas grand, mais je bois dans mon verre.
A. DE MUSSET, Premières poésies, « La coupe et les lèvres ». Dédicace à M. Alfred T***.

C'est imiter quelqu'un que de planter des choux. 20
A. DE MUSSET, Premières poésies, « Namouna », II, 9 (→ Ignorant, cit. 12).

Car j'imite. Plusieurs personnes s'en sont scandalisées. La prétention de ne pas imiter ne va pas sans tartuferie, et camoufle mal le mauvais ouvrier. Tout le monde imite. Tout le monde ne le dit pas. 21
ARAGON, les Yeux d'Elsa, Préface, p. XIII.

♦ **5.** (1663, Boileau). S'efforcer de reproduire (une chose, l'apparence d'une chose), dans l'intention de faire passer la reproduction pour authentique. ⇒ **Contrefaire.** *Des contrefacteurs ont imité ces billets de la Banque de France. Faussaire* (cit. 3) *qui imite une écriture, une signature. Imiter un acte, un document* (→ Authenticité, cit. 1). — *Imiter le style, l'orthographe de qqn dans une lettre anonyme.*

(...) je l'ai décidée à en écrire une autre *(lettre)* sous ma dictée : où, en imitant du mieux que j'ai pu son petit radotage, j'ai tâché de nourrir l'amour du jeune homme (...) LACLOS, les Liaisons dangereuses, CXV. 22

(...) trois lignes et une signature, qu'il est facile d'imiter. 23
J. ROMAINS, les Hommes de bonne volonté, t. II, VIII, p. 88.

♦ **6.** (1690, Furetière ; sujet n. de chose). Produire le même effet, la même impression que... ⇒ **Ressembler** (à). *Forme nerveuse imitant l'épilepsie* (cit. 3). *Objet qui imite la laque* (→ Étrenne, cit. 2). *Fond d'or imitant la mosaïque* (→ Fur, cit. 5). *Géranium* (cit. 2) *imitant la rose. L'huile* (cit. 18), *en peinture, peut imiter les matières opaques. — Automate, figurine* (cit. 2) *imitant la nature. Automatisme qui imite la vie* (→ Automatiquement, cit.).

24 Le bonheur est un mensonge dont la recherche cause toutes les calamités de la vie. Mais il y a des paix sereines qui l'imitent et qui sont supérieures peut-être.
FLAUBERT, Correspondance, 206, oct. 1847.

♦ **7.** Mus. *L'antécédent* (cit. 4) *du canon* est imité par les conséquents.* ⇒ **Imitation** (7.).

▶ **IMITÉ, ÉE** p. p. adj. *Sujet, style, thème imité.* ⇒ **Emprunté.** *Signature, écriture imitée.* ⇒ 1. **Faux.** *Marbre imité.* ⇒ **Factice.** IMITÉ DE... *Tableau imité de Raphaël.* — Vieilli : Adapté, traduit librement. *Roman imité de l'anglais.*

25 (...) le langage imité des livres est bien froid pour quiconque est passionné lui-même (...) ROUSSEAU, Julie ou la Nouvelle Héloïse, 1re partie. Lettre XII.

CONTR. **Créer, innover, inventer.** — (Du p. p.) **authentique, original, véritable, vrai.**

IMMACULÉ, ÉE [i(m)makyle] adj. — V. 1400 ; lat. *immaculatus,* de *im-* (→ 1. In-) négatif, et *macula* « tache ».

♦ **1.** Relig. Qui est sans tache de péché. *Jésus-Christ, l'agneau* immaculé. La Vierge immaculée.* — Loc. (V. 1525). Cour. *Dogme de l'Immaculée Conception*.*

1 Marie immaculée, amour essentiel. VERLAINE, Sagesse, II, II.

(Mil. XVIe). Littér. Qui est exempt de toute souillure morale (→ 1. Angélique, cit. 1). *L'innocence immaculée de la première enfance.* ⇒ **Blanc, pur.**

2 Mon âme immaculée au sortir du tombeau !
LECOMTE DE LISLE, Poèmes tragiques, « Romance de Doña Blanca ».

♦ **2.** (1839, Balzac ; choses concrètes). Sans une tache. ⇒ **Net, propre.** *Blancheur immaculée.* — (XXe). D'une blancheur parfaite. *Linge immaculé. Neige immaculée. — Un ciel d'une limpidité immaculée, sans un nuage.*

3 D'autres *(singes)* sont en bronze, vert et noir, une houppe immaculée sous la gorge.
COLETTE, Prisons et Paradis, Singes.

CONTR. **Maculé, souillé, taché.**

IMMAÎTRISABLE [imɛtrizabl] adj. — 1846 ; de *im-* (→ 1. In-), et *maîtrisable.*

♦ Rare. Qu'on ne peut maîtriser.

On ne commence à écrire que lorsque momentanément (...) on a réussi à se dérober à cette poussée que la conduite ultérieure de l'œuvre doit sans cesse réveiller et apaiser, abriter et écarter, maîtriser et éprouver dans sa force immaîtrisable (...)
M. BLANCHOT, l'Espace littéraire, p. 52 (1955).

CONTR. **Maîtrisable.**

IMMANENCE [i(m)manɑ̃s] n. f. — 1840, P. Leroux ; de *immanent.*

♦ Philos. Caractère de ce qui est immanent*. *L'immanence de Dieu à l'univers,* dans le panthéisme. *L'immanence des mathématiques dans le réel.* — (1893). *Principe d'immanence,* selon lequel « tout est intérieur à tout », ou « un au-delà de la pensée est impensable ». *Doctrine de l'immanence.*

1 Cette suffisance de l'esprit humain, cette croyance qu'il trouve en lui-même la force et le principe de son invention, c'est ce qu'on peut appeler la doctrine de l'immanence. L. BRÉHIER, Thèmes actuels de la philosophie, VIII, p. 53.

2 Jean-Paul pimente ses discours d'un grain de modernisme, s'exalte sur l'immanence et la révélation intérieure.
F. MAURIAC, l'Enfant chargé de chaînes, p. 19.

3 Hegel détruit définitivement toute transcendance verticale, et surtout celle des principes, voilà son originalité incontestable. Il restaure, sans doute, dans le devenir du monde, l'immanence de l'esprit.
CAMUS, l'Homme révolté, *in* Essais, Pl., p. 550.

Ling. (Saussure). *Principe d'immanence,* selon lequel la langue peut et doit être étudiée en elle-même, sans recourir à des explications externes.

CONTR. **Transcendance.**

IMMANENT, ENTE [i(m)manɑ̃, ɑ̃t] adj. — 1370, Oresme ; du lat. scolast. *immanens,* p. prés. de *immanere* « résider dans », de *in-* (→ 2. In-), et *manere* « rester, être dans ».

♦ **1.** Philos. (Vx). *Action, cause immanente,* qui réside dans le sujet agissant. *Pour Spinoza, Dieu est la cause immanente de toutes choses, et non la cause transitive*.*

♦ **2.** Mod. Qui est contenu dans la nature d'un être. *Le panthéisme stoïcien se représente Dieu comme immanent au monde, ne faisant qu'un avec lui. L'Encyclique « Pascendi » condamne l'opinion selon laquelle Dieu serait immanent à l'homme.*

1 Singulier « nominalisme » que celui *(de Berkeley)* qui aboutit à ériger bon nombre d'idées générales en essences éternelles, immanentes à l'intelligence divine !
H. BERGSON, la Pensée et le Mouvant, p. 126.

♦ **3.** (1867, Littré). IMMANENT À. *L'insatisfaction immanente à la condition humaine.* ⇒ **Inhérent.** — Sans compl. en *à. L'évidence* (cit. 6) *immanente des lois de la nature.*

La révolution est une forme de phénomène immanent qui nous presse de toutes 2
parts et que nous appelons la nécessité.
HUGO, Quatre-vingt-treize, II, III, I, XI.

(Av. 1865, Proudhon). *Justice immanente,* dont le principe est contenu dans les choses elles-mêmes ; qui se dégage du cours naturel des événements.

(...) c'est pour que nous puissions compter sur l'avenir et savoir s'il y a dans les 3
choses ici-bas une justice immanente qui vient à son jour et à son heure.
GAMBETTA, Disc. aux fêtes de Cherbourg, août 1880.

Le temps est venu de retirer notre adhésion à l'injustice immanente de la nature. 4
Il y va de la dignité humaine.
G. DUHAMEL, Récits des temps de guerre, IV, XLIII.

Psychol. *Activité immanente, mouvement immanent,* qui s'achève dans le milieu abstrait d'où elle (il) émane (opposé à *transitif*).

CONTR. (Des sens 1 et 3) **Transitif.** — (Du sens 2) **Transcendant.**
DÉR. **Immanence, immanentisme.**

IMMANENTISME [i(m)manɑ̃tism] n. m. — 1907, Bergson ; de *immanent,* et *-isme.*

♦ Philos. Doctrine qui affirme l'immanence de Dieu ou d'un absolu à la nature en général *(immanentisme de Spinoza),* ou à l'homme en particulier *(immanentisme des philosophes modernistes).*

(...) cette situation *(la conciliation superficielle entre la science et la foi)* n'est plus possible dès que l'immanentisme prétend tenir toute la place et résoudre par lui-même le problème religieux.
L. BRÉHIER, Thèmes actuels de la philosophie, p. 54.

CONTR. **Transcendantalisme.**
DÉR. **Immanentiste.**

IMMANENTISTE [i(m)manɑ̃tist] adj. et n. — 1920, *in* T. L. F. ; de *immanent(isme),* et *-iste.*

♦ Philos. Partisan de l'immanentisme. — Adj. (1936, *in* D. D. L.). Relatif à l'immanentisme.

IMMANGEABLE [ɛ̃mɑ̃ʒabl] adj. — 1600, O. de Serres ; de *im-* (→ 1. In-), et *mangeable.*

♦ Qui n'est pas bon à manger, qui n'est pas mangeable, pas comestible. — Très mauvais (en parlant d'une nourriture).

Les plus naïfs faisaient des petits pâtés les plus adroits bâtissaient des châteaux de 1
sable ou jouaient à la cuisine avec des dînettes de poupées et du sable des algues un ragoût de coquillages immangeables (...)
Tony DUVERT, Paysage de fantaisie, p. 216.

(...) la pauvre Antoinette n'était pas une fameuse cuisinière ! Après qu'elle s'était 2
donné beaucoup de peine, elle avait la mortification de lui entendre déclarer que sa cuisine était immangeable. R. ROLLAND, Jean-Christophe, p. 874.

Comment ne les avais-je pas identifiés sous leur déguisement de sauce rare ! les 3
aurais-je reconnus à temps que (me solidarisant avec mon vague dégoût), j'aurais déclaré ce plat, ou du moins sa garniture immangeable.
Claude MAURIAC, le Dîner en ville, p. 193.

CONTR. **Comestible, mangeable.**

IMMANIABLE [ɛ̃manjabl] adj. — Déb. XVIe, Pasquier (1624, Nostradamus, selon T. L. F.) ; de *im-* (→ 1. In-), et *maniable.*

♦ Rare. Qu'on ne peut manier, en raison de sa taille, de son poids. *« D'immaniables in-folios »* (Huysmans, *En route*).

CONTR. **Maniable.**

IMMANQUABLE [ɛ̃mɑ̃kabl] adj. — 1652 ; de *im-* (→ 1. In-), *manquer,* et *-able.*

♦ **1.** Qui ne peut manquer d'arriver. ⇒ **Fatal, inéluctable, inévitable, nécessaire, obligé.** *Conséquence immanquable. Triomphe immanquable.*

♦ **2.** Vieilli. Qui ne peut manquer d'atteindre son but. *Un moyen immanquable.* ⇒ **Infaillible, sûr.**

Il ne faut pas penser à gouverner un homme tout d'un coup (...) il secouerait le 1
joug par honte ou par caprice : il faut tenter auprès de lui les petites choses, et de là le progrès jusqu'aux plus grandes est immanquable.
LA BRUYÈRE, les Caractères, IV, 71.

(...) ce scandale est le principe général, mais immanquable, de tous les désordres 2
particuliers de la vie d'un chrétien (...)
BOURDALOUE, Sermons, Sur le scandale de la Croix...

CONTR. **Douteux, incertain.**
DÉR. **Immanquablement.**

IMMANQUABLEMENT [ɛ̃mɑ̃kabləmɑ̃] adv. — 1664, Chapelain ; de *immanquable.*

♦ D'une manière obligée, inévitable. ⇒ **Assurément, infailliblement, sûrement ; faute** (sans) ; → À coup sûr*. *Cela arrivera* (cit. 58) *immanquablement. Cette faute attire immanquablement la honte* (cit. 8) *sur le coupable. Il est immanquablement le dernier de sa classe.* ⇒ **Invariablement.**

1 (...) ils allaient se trouver acculés au bord de la mer, et toutes ces forces réunies les écraseraient. Voilà ce qui arriverait immanquablement.
FLAUBERT, Salammbô, XII, p. 242.

2 Et Louise, maladroite, — d'autant plus maladroite qu'elle savait qu'elle l'était et faisait immanquablement ce qu'il ne fallait pas faire (...)
R. ROLLAND, Jean-Christophe, éd. Ollendorf, t. IV, p. 300.

IMMARCESCIBLE [i(m)maʀsesibl] adj. — 1482; bas lat. ecclés. *immarcescibilis,* de *im-* (→ 1. In-), et *marcescibilis,* de *marcescere* «se flétrir».

♦ Qui ne peut se flétrir (au propre et au fig.). *Gloire immarcescible.* — REM. L'Académie a abandonné dès 1878 (septième éd.) l'orthographe *immarcessible* que l'on rencontre encore (→ cit. 1, Mauriac).

1 (...) le génie, c'est la jeunesse plus forte que le temps, la jeunesse immarcessible.
F. MAURIAC, le Jeune homme, p. 15.

Par plais. Éternel, qui ne peut se modifier.

2 À travers cette fantastique diversité culinaire, un fait certain se dégage, immarcescible, c'est qu'il n'y coupera pas, le pauvre contribuable, il sera boulotté.
A. ALLAIS, Contes et Chroniques, p. 227.

3 (...) le regard perdu à travers des superficies vitreuses qui le réfléchissent suivant les lois immarcescibles de l'optique géométrique.
R. QUENEAU, Loin de Rueil, p. 95.

CONTR. Marcescible. — Effaçable, périssable.

IMMARIABLE [ɛ̃maʀjabl] adj. — 1611; de *im-* (→ 1. In-), et *mariable.*

♦ Non mariable, difficile à marier.

T'épouser? t'épouser, toi! mais tu es folle, mais tu ne t'es pas regardée dans une glace, mais tu es immariable, laide, idiote! (...)
COCTEAU, les Enfants terribles, p. 142.

CONTR. Mariable.

IMMATÉRIALISER [i(m)mateʀjalize] v. tr. — 1800, Boiste; de *immatériel,* d'après *matérialiser.*

♦ Didact. et rare. Rendre ou supposer immatériel*. «*Immatérialiser les forces de la nature*» (Littré). — Pron. (XXe). *S'immatérialiser :* devenir immatériel.

IMMATÉRIALISME [i(m)mateʀjalism] n. m. — 1753, Le Camus; de *im-* (→ 1. In-), et *matérialisme.*

♦ Didact. (philos.). Doctrine métaphysique qui nie l'existence de la matière, «ce qu'on nomme ordinairement matière n'ayant d'autre existence que d'être perçue, et cette perception ayant pour cause directe la volonté de Dieu» (Lalande). *L'immatérialisme de Berkeley.* ⇒ **Idéalisme.**

Il faut donc conclure qu'il n'y a pas de matière : *c'est l'immatérialisme* (...) Qu'est-ce qu'un objet sinon la somme des qualités sensibles que nous en avons, sa couleur, la résistance qu'il nous oppose, sa grandeur, et le reste? De toutes il nous faut reconnaître qu'elles sont inconcevables en dehors d'un esprit qui soit affecté par elles; c'est donc le tout de l'objet qui est dans l'esprit. Il n'y a par conséquent pas de substance matérielle.
R. LE SENNE, Introd. à la philosophie, II, p. 62.

CONTR. Matérialisme.
DÉR. Immatérialiste.

IMMATÉRIALISTE [i(m)mateʀjalist] n. et adj. — 1713, Fénelon; angl. *immaterialist,* de *im-* (→ 1. In-), et *materialist* «matérialiste».

♦ Didact. (philos.). Partisan de l'immatérialisme. — Adj. (1873, Larousse). Relatif à l'immatérialisme. *Système immatérialiste.*

CONTR. Matérialiste.

IMMATÉRIALITÉ [i(m)mateʀjalite] n. f. — 1648, Pascal; de *immatériel,* d'après *matérialité.*

♦ Didact. Qualité, état de ce qui est immatériel. *L'immatérialité de l'âme* (→ Grâce, cit. 70).

1 Si l'âme est immatérielle, elle peut survivre au corps; et si elle lui survit, la Providence est justifiée. Quand je n'aurais d'autre preuve de l'immatérialité de l'âme que le triomphe du méchant et l'oppression du juste en ce monde, cela seul m'empêcherait d'en douter.
ROUSSEAU, Émile, IV.

2 (...) cette immatérialité séraphique de Fra Beato Angelico (...)
Th. GAUTIER, Portraits contemporains, p. 323.

CONTR. Matérialité.

IMMATÉRIEL, ELLE [i(m)mateʀjɛl] adj. — Fin XIVe; bas lat. ecclés. *immaterialis,* de *im-* (→ 1. In-), et *materialis.* → Matériel.
Didactique.

♦ **1.** (Déb. XIVe). Qui n'est pas formé de matière, n'a pas de consistance matérielle. ⇒ **Incorporel, spirituel.** *L'âme* (cit. 14) *immatérielle. Esprit* immatériel.* ⇒ **Pur.** *Les anges, êtres immatériels. Des vérités immatérielles et éternelles* (cit. 10).

(...) pour bien concevoir les choses immatérielles ou métaphysiques, il faut éloigner son esprit des sens (...) DESCARTES, Réponse aux 2emes objections, p. 175. 1

Qu'est-ce qui sent du plaisir en nous? est-ce la main? est-ce le bras? est-ce la chair? est-ce le sang? on verra qu'il faut que ce soit quelque chose d'immatériel. 2
PASCAL, Pensées, VI, 339 bis.

Qu'il y ait des substances immatérielles et intelligentes, c'est de quoi je ne doute pas (...) VOLTAIRE, Micromégas, VII. 3

Bouvard tirait ses arguments de La Mettrie, de Locke, d'Helvétius; Pécuchet de M. Cousin, Thomas Reid et Gérando. Le premier s'attachait à l'expérience, l'idéal était tout pour le second. Il y avait de l'Aristote dans celui-ci, du Platon dans celui-là — et ils discutaient. 3.1
— «L'âme est immatérielle» disait l'un.
— «Nullement!» disait l'autre; «la folie, le chloroforme, une saignée la bouleversent et puisqu'elle ne pense pas toujours, elle n'est point une substance ne faisant que penser.» FLAUBERT, Bouvard et Pécuchet, p. 300 (Folio).

Je ne sais quoi d'immatériel, d'harmonieux, de radieux, qu'il faut bien nommer âme, et qu'importe le mot? GIDE, Et nunc manet in te, p. 64. 4

C'est de lui *(le désert)* qu'est sortie la conception antisociale (...) des deux mondes méconciliables de l'âme immatérielle et du corps matériel. 5
Élie FAURE, Histoire de l'art, p. 263.

♦ **2.** (1870, Verlaine). Qui est étranger à la matière, ne concerne pas la chair, les sens. *Plaisir immatériel.*

Dans ta première épître tu prétends ne connaître les Viennoises que de vue, ce qui est bien immatériel, tu dois maintenant être passé à d'autres exercices (...) 6
Th. GAUTIER, Lettre à G. de Nerval, janv. 1840, *in* NERVAL, Œuvres, Pl., p. 796.

Ses yeux, qui sont les yeux d'un ange, 7
Savent pourtant, sans y penser,
Éveiller le désir étrange
D'un immatériel baiser. VERLAINE, la Bonne Chanson, II.

♦ **3.** (Av. 1872, Gautier). Qui ne semble pas de nature matérielle. *Elle semble immatérielle à force de grâce et de légèreté.* ⇒ **Aérien, ailé, léger.** *Un tissu immatériel,* extrêmement fin.

Elle appartenait à cette chaste école de Taglioni, qui fait de la danse un art presque immatériel à force de grâce pudique, de réserve décente et de virginale diaphanéité. Th. GAUTIER, Portraits contemporains, p. 429. 8

Brague s'étire devant une glace, devenu, sous son masque blanc, dans sa flottante souquenille de Pierrot, d'une minceur immatérielle (...) 9
COLETTE, la Vagabonde, p. 49.

CONTR. Charnel, consistant, matériel.
DÉR. Immatérialité, immatériellement.

IMMATÉRIELLEMENT [i(m)mateʀjɛlmɑ̃] adv. — 1587; de *immatériel.*

♦ Rare. D'une manière immatérielle.

CONTR. Matériellement.

IMMATRICULATION [imatʀikylɑsjɔ̃] n. f. — 1636; de *immatriculer.*

♦ Admin., dr. et cour. «Action d'inscrire le nom et le numéro d'une personne, d'un animal, ou d'une chose (mobilière ou immobilière) sur un registre, en vue d'identifier la personne, l'animal ou la chose pour des fins diverses» (Capitant, *Vocabulaire juridique*); résultat de cette action. ⇒ **Inscription.** *Immatriculation d'un prisonnier, d'un navire.*

Enfin, le Service géographique de l'Armée ayant bien voulu nous prêter son concours, nous allons avoir les brigades topographiques nécessaires; et je puis aujourd'hui vous donner l'assurance que, dès le début de l'année judiciaire, au mois d'octobre prochain, les premières demandes d'immatriculation pourront être reçues. L.-H. LYAUTEY, Paroles d'action, p. 118.

(Mil. XXe). Cour. *Numéro, plaque d'immatriculation d'une automobile* (⇒ **Minéralogique**). *L'immatriculation d'un avion. Carte d'immatriculation d'un avion. Carte d'immatriculation à la Sécurité Sociale.*

Numéro sous lequel une personne, un véhicule est immatriculé(e). *J'ai oublié l'immatriculation.*

IMMATRICULE [imatʀikyl] n. f. — 1690, Furetière; déverbal de *immatriculer.*
Administration, droit.

♦ **1.** Enregistrement sur un registre public appelé matricule.

♦ **2.** (1835, Académie). Numéro d'ordre d'un huissier sur la liste d'inscription de ceux qui ont le droit d'instrumenter près d'un tribunal.

IMMATRICULER [imatʀikyle] v. tr. — 1485; lat. médiéval *immatriculare* de *im-* (→ 2. In-), «dans», et *matricula* «registre». → Matricule.

♦ Admin., dr. et cour. Inscrire* sur un registre public (dit matricule*). *Immatriculer un soldat. Étudiant qui se fait immatriculer à la Faculté de Droit. Immatriculer un travailleur à la Sécurité sociale.*

▶ **IMMATRICULÉ, ÉE** p. p. adj. *Huissier immatriculé. Voiture* *immatriculée dans le département de la Seine. Ce camion est immatriculé* 2567 AE 75.

CONTR. **Biffer, radier, rayer.**
DÉR. **Immatriculation, immatricule.**

IMMATURATION [i(m)matyʀasjɔ̃] n. f. — 1952; de *im-* (→ 1. In-), et *maturation,* fig. → Immature.

♦ Psychol. Absence ou manque de maturation. *L'immaturation des idées, des sentiments. « Immaturation affective »* (A. Porot).

Dans sa plus haute acception, la psychothérapie vise à faire évoluer le développement psycho-affectif, de l'état d'immaturation vers la maturation, et à permettre une meilleure intégration de la vie émotionnelle, qui améliore l'équilibre psychosomatique. Jean DELAY, Introd. à la médecine psychosomatique, p. 28.

CONTR. **Maturation.**

IMMATURE [i(m)matyʀ] adj. — 1504, « prématuré », lat. *immaturus,* de *im-* (→ 1. In-), et *maturus* (→ Mûr); repris 1897, *l'Année biol.,* p. 94; angl. *immature,* du lat. *immaturus* « qui n'est pas mûr ». → Immaturité.

♦ **1.** Sc. (En parlant d'un animal). Qui n'a pas atteint la maturité, qui n'est pas à l'âge où il se reproduit. *« Les stocks* (de poisson) *existants ne se maintiendront à un niveau normal que si la pêche industrielle ne détruit pas un trop grand nombre de poissons immatures »* (A. Boyer, *Pêches maritimes,* p. 16, nº 199).

♦ **2.** Cour. Qui manque de maturité intellectuelle, affective.

(...) le docteur lui écrivit trois fois, et son écriture large, malhabile, titubante, tout à fait immature surprit Ferrier. René FALLET, Y a-t-il un docteur dans la salle?, p. 74.

IMMATURÉ, ÉE [i(m)matyʀe] adj. — Mil. xxᵉ (1959, H. Bazin); du lat. *immaturus.*

♦ Rare. Qui n'a pas acquis sa maturité biologique ou psychologique, qui manque de maturité. — N. *« L'alcoolique est un faible, un immaturé... »* (Hervé Bazin, *la Fin des asiles, in* T. L. F.).

(...) deux garçons en maillot de bain pendus au portique d'agrès l'un au trapèze tête en bas l'autre aux anneaux il y exécute des rétablissements la contraction des bras maigres tire sur chaque muscle immaturé (...) Tony DUVERT, Paysage de fantaisie, p. 146.

IMMATURITÉ [i(m)matyʀite] n. f. — xviᵉ, lat. *immaturitas, de im-,* (→ 1. In-), et *maturitas.* → Maturité.
Littéraire.

♦ **1.** Défaut de maturité*.

(1783). Par métaphore. *L'immaturité d'un fruit.*

1 La Révolution du 24 février ayant éclaté quelques mois après, je sentis dès le premier jour toute son importance, mais aussi son *immaturité* (...) SAINTE-BEUVE, Chateaubriand, t. I, p. 1.

♦ **2.** (xxᵉ; 1783, en parlant de l'esprit). Personnes. Absence de maturité biologique ou psychologique. ⇒ **Immature, immaturé.**

2 De par son immaturité biologique, l'enfant humain dépend de son entourage, dont l'action tend à modeler le développement instinctuel conformément à ses propres besoins. Daniel LAGACHE, la Psychanalyse, p. 32.

3 Au fond elle ne désirait pas guérir, car sortir de la maladie eût été pour elle sortir de l'enfance et, comme tant de névrosées, elle souhaitait inconsciemment persévérer dans une immaturité affective, conditionnée dans le cas particulier par des fixations* infantiles. Jean DELAY, Introd. à la médecine psychosomatique, p. 102.

IMMÉDIAT, ATE [i(m)medja, at] adj. et n. m. — 1382, au sens II; bas lat. *immediatus,* de *im-* (→ 1. In-), et lat. class. *medius* « central, intermédiaire ».

★ **I.** Didact. Qui opère, se produit ou est atteint sans intermédiaire*.

♦ **1.** (1474, *seigneur immédiat* « qui relève directement d'un suzerain »; av. 1662, dans l'abstrait). Philos. *Cause immédiate.* ⇒ **Direct** (→ Atavisme, cit. 3). *Effet* (cit. 4) *immédiat* (→ Hasard, cit. 2). *Conséquence, suite immédiate d'un raisonnement* (→ Heure, cit. 1). *Déduction, inférence immédiate :* raisonnement dans lequel, d'une seule prémisse, on tire une conclusion (par oppos. à *syllogisme, sorite). — Sentiment immédiat ; évidence, intuition immédiate,* qui ne semblent résulter d'aucune élaboration, d'aucune réflexion. *Données immédiates de l'expérience,* simples et primitives, ayant valeur de témoignage irrécusable. ⇒ **Brut** (4.). — *Essai sur les données immédiates de la conscience,* ouvrage de Bergson (1888). — REM. Le mot *immédiat* prend tantôt le sens de : « qui est donné à la conscience sans intermédiaire », tantôt celui de : « qui représente le réel sous son aspect authentique ». Le glissement de l'un à l'autre est souvent imperceptible (→ ci-dessous, cit. 2, Bergson).

1 Prophétiser, c'est parler de Dieu, non par preuves du dehors, mais par sentiment intérieur *et immédiat.* PASCAL, Pensées, XI, 732.

2 Si le temps, tel que la conscience immédiate l'aperçoit, était comme l'espace un milieu homogène, la science aurait prise sur lui comme sur l'espace. H. BERGSON, Essai sur les données immédiates..., Conclusion.

3 Une inférence est immédiate quand une proposition se déduit d'une seule autre proposition sans avoir recours à une troisième (V. *Opposition* et *Conversion*), le syllogisme, au contraire, est une inférence médiate. Edmond GOBLOT, Voc. de la philosophie, art. *Immédiat.*

Gramm. *Passé, futur immédiat.*

♦ **2.** (1835, Académie). Chim. *Principe immédiat :* corps qui peut être extrait d'une substance par simple procédé mécanique, sans intervention chimique (→ Asclépiade, cit. 1; cuvage, cit. 1). *Analyse immédiate :* série d'opérations par lesquelles sont isolés les *principes immédiats* des mélanges.

★ **II.** ♦ **1.** (1382, spatial). Qui précède ou suit sans intermédiaire, dans l'espace ou le temps. *Le prélude immédiat de qqch. Successeur immédiat. Ses aïeux immédiats* (→ Croquant, cit. 3). — *Au voisinage immédiat de...* (→ Fécondation, cit. 3). *Animation* immédiate* (par oppos. à *médiate*).

♦ **2.** Cour. Qui suit sans délai; qui est du moment présent, a lieu tout de suite. *Les conséquences immédiates, les effets immédiats d'une décision. Intérêt immédiat.* ⇒ 1. **Présent** (→ Abstention, cit. 2). *Danger immédiat* (→ Flancher, cit. 2). ⇒ **Imminent.** *Rappel immédiat de réservistes* (→ Engager, cit. 38). *Éventualité d'une guerre immédiate.* ⇒ **Prochain** (→ Axiome, cit. 6). *Crise, mort immédiate.* ⇒ **Subit.** *Évacuation* (cit. 4) *immédiate des contagieux.* ⇒ **Prompt.** *Conseiller le transport immédiat d'un malade à l'hôpital* (→ Hasarder, cit. 12). *Injure qui appelle* (cit. 31) *la réplique immédiate.* ⇒ **Instantané.**

(...) c'est pourquoi, ne considérant que la volupté immédiate, il a, sans s'inquiéter de violer les lois de sa constitution, cherché dans la science physique, dans la pharmaceutique (...) les moyens (...) « d'emporter le paradis d'un seul coup ». BAUDELAIRE, les Paradis artificiels, « Poème du haschisch », I. 4

Les clientes furent l'objet de l'empressement immédiat du personnel entier. CÉLINE, Voyage au bout de la nuit, p. 347. 5

(...) il est du caractère anglais de ne pas voir très au-delà de l'intérêt de l'heure et du résultat immédiat (...) Louis MADELIN, Hist. du Consulat et de l'Empire. Ascens. de Bonaparte, XXII, p. 313. 6

(D'un temps). *L'avenir immédiat.*

♦ **3.** N. m. (1864, Sainte-Beuve). *L'immédiat. Pensez d'abord à l'immédiat.* — DANS L'IMMÉDIAT : dans un avenir bref. → À court terme*. *Rien ne presse, du moins dans l'immédiat,* pour le moment.

(...) un jugement qui, dans la suite des jours, devait servir de fondement à ma confiance dans l'immédiat, à mon espérance pour l'avenir. G. DUHAMEL, la Pesée des âmes, VII, p. 151. 7

CONTR. (Du sens I) **Indirect, médiat.** — (Du sens II) **Distant, éloigné; lent, long.**
DÉR. **Immédiatement, immédiateté, immédiation.**

IMMÉDIATEMENT [i(m)medjatmɑ̃] adv. — 1534, au sens I; de *immédiat.*
D'une manière immédiate.

★ **I.** (Correspond à *immédiat,* I.) **a** Philos. *Substance qui émane immédiatement d'un principe.* ⇒ **Directement** (→ Éon, cit. 1).

Par le nom de *pensée,* je comprends tout ce qui est tellement en nous que nous l'apercevons immédiatement par nous-mêmes et en avons une connaissance intérieure (...) DESCARTES, Réponses aux 2ᵉˢ objections, p. 193. 1

b (Spatial). Sans que rien ne s'interpose entre (deux éléments). — REM. Cet emploi peut être interprété au sens II, 1.

(...) ayez soin (...) de marcher immédiatement sur mes pas, afin qu'on voie bien que vous êtes à moi. MOLIÈRE, le Bourgeois gentilhomme, III, 1. 2

c (Dans le domaine des relations concrètes).

(...) l'abbaye de Port-Royal (...) avait longtemps dépendu immédiatement de lui (...) RACINE, Port-Royal, 1ʳᵉ partie. 3

(...) ils *(les peuples d'Afrique)* ont en abondance des métaux précieux qu'ils tiennent immédiatement des mains de la nature. MONTESQUIEU, l'Esprit des lois, XXI, II. 4

d (Domaine des relations abstraites, psychologiques).

(...) qui veut être heureux et développer son génie, doit, avant tout, bien choisir l'atmosphère dont il s'entoure immédiatement. Mᵐᵉ DE STAËL, Corinne, XIV, 1. 5

★ **II.** (1602; au sens spatial, 1616). Cour. ♦ **1.** Tout de suite avant ou après (dans le temps ou dans l'espace). *Précéder* (→ Apparition, cit. 5), *suivre immédiatement* (→ Autodafé, cit. 1). *L'exécution* (cit. 14) *du poème suivit immédiatement sa conception. Les temps immédiatement antérieurs à l'écriture* (→ Histoire, cit. 32).

(...) cette fatigue est grande; mais elle ne se manifeste pas immédiatement (...) BAUDELAIRE, les Paradis artificiels, « Poème du haschisch », III. 6

♦ **2.** (Adv. de temps). Dans le futur le plus proche et, par ext., dans la quasi simultanéité, le présent. ⇒ **Abord** (dès l'), **aussitôt, champ** (sur-le-champ), **délai** (sans), **heure** (sur l'), **incontinent, instantanément, suite** (tout de). *Il avait immédiatement aperçu quel parti on pouvait tirer de l'affaire* (→ Force, cit. 32). *L'odeur de la viande attire immédiatement les rapaces* (→ Bigot, cit. 3). *Prononcer immédiatement la mise en liberté d'un prévenu* (→ Habeas corpus, cit. 2). *Il a filé immédiatement.* ⇒ **Illico, séance** (tenante). *Il est entré immédiatement dans le vif du sujet* (→ Tout de go*). *Faire* *une imprudence et tomber malade immédiatement après* ⇒ **Consécutivement.** — Dans un ordre. *Reviens, obéis immédiatement! Sortez immédiatement!*

CONTR. **Indirectement, médiatement.** — **Longtemps** (après).

IMMÉDIATETÉ [i(m)medjatte] n. f. — 1721, Trévoux; 1688, en histoire féodale; de *immédiat.*

♦ **1.** Didact. ou littér. Qualité de ce qui est immédiat (I., 1.). — (1829, philos.). *L'immédiateté d'une conséquence.*

1 Par sa facilité même et par l'immédiateté du lien qui unissait la cause et la conséquence, s'enrichir devint le but direct, simple, commode et définitif de tout fils de bonne mère. J.-R. BLOCH, Moscou-Paris, p. 185.

♦ **2.** Caractère immédiat (II.).

2 Ce qu'il représente par-dessus tout est encore la conscience que l'homme a de soi et du Cosmos. Je parle d'une conscience *directe, proprement psychique.* Ils en ont augmenté la pénétration, l'immédiateté, la fréquence, mais très peu la durée. Henri MICHAUX, Ailleurs, p. 219.

IMMÉDIATION [i(m)medjasjɔ̃] n. f. — 1800, Boiste; de *immédiat,* et *-ation.*

Didact. (philosophie).

♦ **1.** Vieilli. Qualité de ce qui est immédiat. ⇒ **Immédiateté.**

♦ **2.** Acte qui met en rapport immédiat. ⇒ **Médiation.**

CONTR. **Médiateté, médiation.**

IMMÉMORABLE [i(m)memɔrabl] adj. — Av. 1453, «qui sert à perpétuer la mémoire»; lat. *immemorabilis* «indicible», de *im-* (→ 1. In-) et *memorabilis* «qu'on peut raconter, glorieux», de *memor, oris* «qui se souvient».

♦ (V. 1570). Rare. Dont on ne peut se rappeler. Qui ne mérite pas d'être rappelé à la mémoire.

J'assistai au baptême de cet enfant, qui ne devait voir son père et sa mère qu'à l'âge où la vie n'a point de souvenir et apparaît de loin comme un songe immémorable. CHATEAUBRIAND, Mémoires d'outre-tombe, t. II, p. 25.

CONTR. **Mémorable.**

IMMÉMORÉ, ÉE [i(m)memɔre] adj. — Av. 1841, Chateaubriand; du lat. *immemoratus* de *im-* (→ 1. In-), et *memorare.*

♦ Rare et littér. Dont le souvenir est perdu. ⇒ **Oublié.**

Je jette un regard attendri sur ces livres qui renferment mes heures immémorées (...) CHATEAUBRIAND, Mémoires d'outre-tombe, t. II, p. 163 (Manuscrit de 1847).

IMMÉMORIAL, ALE, AUX [i(m)memɔrjal, o] adj. — 1509; de *im-* (→ 1. In-), et de l'anc. adj. *memorial* «qui se souvient, dont on se souvient», du lat. *memorialis,* de *memoria* (→ Mémoire); cf. le lat. médiéval *immemorialis.*

♦ **1.** Qui remonte à une époque très ancienne, dont l'origine est sortie de la mémoire*. *Usage immémorial* (→ Eunuque, cit. 3). ⇒ **Ancestral.** *Fête* (cit. 6) *célébrée de temps immémorial.* ⇒ **Antiquité, éternité** (de toute). — REM. On emploie quelquefois, dans le même sens, *immémorable*.*

1 Les pyramides construites d'équerre, et correspondant juste aux quatre points cardinaux, font voir assez que la géométrie était connue en Égypte de temps immémorial (...) VOLTAIRE, Dict. philosophique, Antiquité.

2 Mes années à Crivitz, qui, sitôt rentré en France, furent comme rejetées hors de ma vie en des temps immémoriaux, ont réintégré ici mon existence et me paraissent toutes proches. J. CHARDONNE, Éva, p. 183.

♦ **2.** Très vieux, dont l'origine se perd dans le passé.

3 Un petit chat se réfugie précipitamment sous le fourneau près duquel coud une vieille, immémoriale comme un conte de fées. J.-R. BLOCH, l'Aigle et Ganymède, 5.

N. m. (Littér.). *L'immémorial :* ce qui est sorti du souvenir, de la mémoire; ce dont nul ne se souvient.

4 Et comme il n'est aucunement prouvé que, ce faisant, la «réalité» qui m'occupe subsiste à l'état de rêve, qu'elle ne sombre pas dans l'immémorial, pourquoi n'accorderais-je pas au rêve ce que je refuse parfois à la réalité, soit cette valeur de certitude en elle-même (...)? A. BRETON, Manifeste du surréalisme, p. 21.

DÉR. **Immémorialement.**

IMMÉMORIALEMENT [i(m)memɔrjalmã] adv. — 1539; repris 1840, Académie; de *immémorial.*

♦ Didact. ou littér. Depuis un temps immémorial. *Coutume consacrée immémorialement.*

IMMENSE [i(m)mɑ̃s] adj. — 1360, «total»; lat. *immensus,* de *im-* (→ 1. In-), et *mensum,* supin de *metiri* «mesurer».

♦ **1.** (XVIe). Didact. et vx. Qui n'a pas de bornes, de mesure. ⇒ **Illimité, infini.** *L'immense avenir* (cit. 27) *des peuples.* — Relig. *Dieu est immense* (Académie).

(...) sachant déjà que ma nature est extrêmement faible et limitée, et que celle de 1
Dieu au contraire est immense, incompréhensible et infinie (...) DESCARTES, Méditations..., IV.

La nature n'est point une chose, car cette chose serait tout; la nature n'est point 2
un être, car cet être serait Dieu; mais on peut la considérer comme une puissance vive, immense, qui embrasse tout, qui anime tout (...) BUFFON, Hist. nat. des animaux, Vue de la nature, I.

L'âme, l'âme aux yeux noirs, touche aux ténèbres mêmes, 3
Elle se fait immense et ne rencontre rien (...) VALÉRY, Poésies, «Charmes», III.

♦ **2.** (V. 1450). Cour. Dont l'étendue, les dimensions sont considérables. ⇒ **Ample, grand, vaste.** *La mer immense* (→ Aire, cit. 4; cercle, cit. 3; engloutir, cit. 7). *Ciel immense* (→ Alentour, cit. 2; cadran, cit. 3; gris, cit. 21). *Espace* (cit. 19) *immense. Immense panorama vu d'avion* (→ Fresque, cit. 6). *Plaine immense* (→ Colline, cit. 2; horizonner, cit.). *D'immenses amas de sel gemme* (cit. 2). *Esplanade* (cit. 4) *immense. Les voûtes immenses du pont du Gard* (→ Étage, cit. 7). *Cathédrale* (cit. 2) *immense. Une immense cité* (cit. 5). *Les halles* (cit. 3) *immenses d'une gare. Salons immenses d'un hôtel* (cit. 12). — *Une glace* (cit. 24) *immense. Abîme immense* (→ Cœur, cit. 72).

J'ai même remarqué qu'ils *(les enfants)* mettent l'infini moins au delà qu'en deçà 4
des dimensions qui leur sont connues. Ils estimeront un espace immense bien plus par leurs pieds que par leurs yeux; il ne s'étendra pas pour eux plus loin qu'ils ne pourront voir, mais plus loin qu'ils ne pourront aller. ROUSSEAU, Émile, IV.

Lorsque les glaces sur lesquelles les manchots sont gîtés viennent à flotter, ils voya- 5
gent avec elles et sont transportés à d'immenses distances de toute terre. BUFFON, Hist. nat. des oiseaux, Pingouins et manchots...

Cette salle, qui malheureusement n'existe plus, était immense; elle pouvait conte- 6
nir, outre les douze cents députés, quatre milliers d'auditeurs. MICHELET, Hist. de la Révolution franç., I, II.

L'ample monde, au delà de l'immense horizon (...) 7
VALÉRY, Poésies, «Vers anciens», César.

(V. 1450). Qui est très considérable en son genre, par la taille, la force, l'importance, la quantité. ⇒ **Colossal, démesuré, énorme, géant, gigantesque, gros.** (Taille). *Un immense poisson. Un immense chapeau. Un frêne* (cit. 2) *immense. Il est immense; un type immense,* très grand.

(Nombre). *Foule* (cit. 2) *immense. D'immenses troupeaux humains* (→ Guerre, cit. 39). *Une immense troupe de poissons* (→ Banc, cit. 9).

(Force, intensité). *Clameur, cri immense.* ⇒ **Effrayant** (→ Effarer, cit. 9; faiblir, cit. 4). *Les flamboiements* (cit. 3) *d'un immense incendie.* — *Immenses ressources d'un pays. Des gains immenses.*

(Importance). *Une immense fortune* (cit. 45). *Changements immenses. Un immense succès. Un immense effort. Une force immense. Immense instruction. Œuvre immense. Rôle immense de l'éducateur* (cit. 1). — (Importance ou intensité abstraite). *Exercer une immense influence.* ⇒ **Profond.** *Immense avantage. Une immense bonté. Espérance* (cit. 9), *foi* (cit. 21) *immense. Lassitude, regret immense. Un immense besoin d'aimer* (cit. 12).

Le Roi fait des libéralités immenses (...) Mme DE SÉVIGNÉ, 771, 12 janv. 1680. 8

Le maréchal de Villeroy faisait remarquer au Roi cette multitude prodigieuse, 9
et sentencieusement lui disait : «Voyez, mon maître, voyez tout ce peuple, cette affluence, ce nombre de peuple immense, tout cela est à vous, vous en êtes le maître (...)» SAINT-SIMON, Mémoires, V, XXXVII.

(...) les conciles étaient composés de prélats de tous les pays, et partant, ils avaient 10
l'immense avantage d'être comme étrangers aux peuples pour lesquels ils faisaient des lois. CHATEAUBRIAND, le Génie du christianisme, IV, VI, X.

Une immense bonté tombait du firmament (...) 11
HUGO, la Légende des siècles, «Booz endormi».

Il faut que le cœur le plus triste cède 12
À l'immense joie éparse dans l'air. VERLAINE, la Bonne Chanson, XXI.

N. m. (Fin XVIe, «énormité»). *L'immense chez Hugo* (→ Excessif, cit. 12; génie, cit. 28).

CONTR. **Exigu, infime, microscopique, minime, minuscule, petit.**

DÉR. **Immensément.**

IMMENSÉMENT [i(m)mɑ̃semɑ̃] adv. — Déb. XVIIIe, Saint-Simon; de *immense.*

♦ D'une manière immense*. ⇒ **Énormément, extrêmement, terriblement** (fam.). *Un homme immensément riche. Être immensément supérieur à quelqu'un.* ⇒ **Beaucoup** (vx). → Grand, cit. 55.

On ne finirait point sur les défauts monstrueux d'un palais si immense et si immensément cher (...) SAINT-SIMON, Mémoires, IV, LIV.

REM. Rare sauf dans quelques syntagmes (dont *immensément riche*).

IMMENSITÉ [i(m)mɑ̃site] n. f. — 1372; lat. *immensitas,* de *immensus.* → Immense.

♦ **1.** Didact. État, caractère de ce qui est immense*; grandeur sans bornes ni mesure. *L'immensité de Dieu* (→ Atome, cit. 10; extase, cit. 1). *Immensité de la nature, de l'univers.* ⇒ **Amplitude** (cit. 1). → aussi Contemplateur, cit. 1; 1. enceinte, cit. 5. *L'immensité du chaos originel.*

Ô la courageuse faculté, que l'espérance qui, en un sujet mortel, et en un moment, 1
va usurpant l'infinité, l'immensité, l'éternité (...) MONTAIGNE, Essais, I, XLVI.

2 (...) abîmé dans l'infinie immensité des espaces que j'ignore et qui m'ignorent (...)
PASCAL, Pensées, III, 205.

3 L'étendue créée est à l'immensité divine ce que le temps est à l'éternité.
MALEBRANCHE, Entretiens, VIII, 4, *in* CUVILLIER, Voc. de la philosophie, art. *Immensité.*

4 (...) je m'anéantis (...) devant la Providence divine, sachant qu'on n'apporte devant Dieu que trois choses qui ne peuvent entrer dans son immensité, notre néant, nos fautes et notre repentir.
VOLTAIRE, Lettre à l'évêque d'Annecy, 3321, 29 avril 1768.

5 L'homme n'a pas besoin de voyager pour s'agrandir ; il porte avec lui l'immensité. Tel accent échappé de votre sein ne se mesure pas et trouve un écho dans des milliers d'âmes : qui n'a point en soi cette mélodie, la demandera en vain à l'univers.
CHATEAUBRIAND, Mémoires d'outre-tombe, t. VI, p. 323.

♦ **2.** (1495). Cour. Étendue* trop vaste pour être facilement mesurée. *Explorateurs* (cit. 1) *qui parcourent l'immensité du Sahara. L'immensité de la mer* (→ Fuyant, cit. 2).

6 Grand délice que celui de noyer son regard dans l'immensité du ciel et de la mer !
BAUDELAIRE, le Spleen de Paris, III.

7 Il était arrivé en haut de la côte, il restait immobile, à regarder l'immensité plate et grise de la Beauce (...)
ZOLA, la Terre, IV, 4.

Absolt. ⇒ **Espace.** *Dieu anime l'immensité* (→ Créateur, cit. 2). — Étendue illimitée ou qui paraît telle (ciel, mer, nature...). ⇒ **Abîme, infini.** *Les étoiles* (cit. 3) *scintillent dans l'immensité. Se fondre, se perdre dans l'immensité* (→ Enivrer, cit. 28 ; guère, cit. 14).

8 Et moi, pour te louer, Dieu des soleils, qui suis-je ?
Atome dans l'immensité
Minute dans l'éternité (...)
LAMARTINE, Harmonies, I, II.

9 Toute l'immensité n'avait pas une ride ;
Le ciel réverbérait autour d'eux leur beauté (...)
HUGO, la Légende des siècles, XXII, « Le satyre », I.

♦ **3.** (1671). Grandeur considérable (de qqch.) ; caractère immense. *L'immensité de ses richesses, de sa fortune* (Académie). *Il y a une immensité de gens qui pensent comme vous* (rare). ⇒ **Infinité, multitude, quantité.** — *L'immensité des sentiments, des désirs de l'homme.*

10 Vous me priez de vous écrire doublement de grandes lettres (...) je suis quelquefois épouvantée de leur immensité.
Mme DE SÉVIGNÉ, 237, 13 janv. 1672.

11 (...) je me considère, avec une sorte de frémissement, jeté, perdu dans ce vaste univers, et comme noyé dans l'immensité des êtres, sans rien savoir de ce qu'ils sont, ni entre eux, ni par rapport à moi.
ROUSSEAU, Émile, IV.

12 (...) il y a dans le sentiment maternel je ne sais quelle immensité qui permet de ne rien enlever aux autres affections (...)
BALZAC, Mémoires de deux jeunes mariées, Pl., t. I, p. 297.

13 Ce qui donne au romancier le sentiment de l'échec, c'est l'immensité de sa prétention.
F. MAURIAC, le Romancier et ses personnages, p. 125.

CONTR. Exiguïté, petitesse.

IMMENSURABLE [im(m)ɑ̃syʀabl] adj. — V. 1350 ; lat. impérial *immensurabilis,* de *im-* (→ 1. In-), et *mensurabilis,* de *mensurare.* → Mesurer.

♦ Didact. Impossible à mesurer, à évaluer, et, spécialt, trop grand pour être mesuré. ⇒ **Immense ; incommensurable.** — N. m. *L'immensurable :* l'infini. — REM. On dit aussi *immesurable* [ɛ̃məzyʀabl].

1 On ne connaît point la hauteur d'une étoile ; elle est, si j'ose ainsi parler, *immensurable.*
LA BRUYÈRE, les Caractères, XVI, 43.

2 (...) l'œil se détournait, déçu, de ce ciel qui avait perdu l'illimité de ses profondeurs, l'immensurable de ses étendues (...)
HUYSMANS, la Cathédrale, I.

CONTR. Mesurable, petit.

IMMERGÉ, ÉE [i(m)mɛʀʒe] p. p. adj. ⇒ **Immerger.**

IMMERGENCE [i(m)mɛʀʒɑ̃s] n. f. — 1853, *in* T. L. F. ; de *immerger.*

♦ Didact. Immersion. Philos. *Rapports d'émergence et d'immergence* (cf. Ricœur, *Philosophie de la volonté,* p. 308).

IMMERGENT, ENTE [i(m)mɛʀʒɑ̃, ɑ̃t] adj. — 1873, P. Larousse ; de *immerger,* et *-ent.*

♦ Opt. Qui pénètre dans un milieu, en parlant d'un rayon lumineux. ⇒ **Immersif.**

CONTR. Émergent.

IMMERGER [i(m)mɛʀʒe] v. tr. — Conjug. *bouger.* — 1501 ; repris 1648, Pascal, au p. p. ; à l'actif, 1823, lat. *immergere,* de *im-* (→ 2. In-) « dans », et *mergere* « plonger ».

♦ **1.** Plonger dans un liquide. ⇒ **Baigner, plonger.** *Action d'immerger.* ⇒ **Immersion.** *Immerger une pierre dans l'eau. Immerger le corps d'un matelot mort en mer. Immerger un animal pour le noyer*.* — Par ext. *Les cellules sont immergées dans un milieu nutritif* (→ Encombrer, cit. 9).

♦ **2.** Par métaphore ou fig. ⇒ **Plonger** (fig.). *Immerger qqn dans un milieu nouveau.*

▶ **S'IMMERGER** v. pron.

♦ **1.** *Sous-marin qui s'immerge.* ⇒ **Plonger.** *Navire qui s'immerge après avoir heurté un récif.* ⇒ **Couler.**

♦ **2.** Par métaphore ou fig. (Sujet n. de personne). *S'immerger dans un milieu, une atmosphère.*

Rare, absolt. « *Agglutinés dans les hôtels, parqués dans les campings, tassés jusque dans les cellules vacantes de la prison fédérale, les pèlerins ont prié, parlé, se sont immergés* » (*l'Express,* nº 1095, 3-9 juil. 1972, p. 62).

(...) ils plongeaient dans la foule sombre des crépuscules ou des nuits, épaule contre épaule. S'immergeant dans une masse blanche et noire (...) et accompagnant le troupeau humain (...)
CAMUS, la Peste, p. 215.

▶ **IMMERGÉ, ÉE** p. p. adj. (1648).

Plongé*, noyé dans un liquide, dans la mer. *Tuyau, câble immergé.* ⇒ **Sous-marin.** *Caillou immergé dans un ruisseau* (→ Cours, cit. 2). *Parties immergées d'un navire :* la carène*, la quille... — Bot. *Plantes immergées,* qui croissent sous l'eau. — Géogr. *Terres immergées, récifs immergés. Rocher immergé à marée haute. Terres immergées pendant une crue.* ⇒ **Inonder.**

Par anal. (Astron.). *Planète immergée,* plongée dans l'ombre d'un astre.

CONTR. Émerger, flotter, remonter. — Surface (faire surface, en parlant d'un sous-marin). — **Émergé, flottant.**

DÉR. Immergent.

IMMÉRITÉ, ÉE [i(m)meʀite] adj. — Fin XVe ; rare av. 1794 ; de *im-* (→ 1. In-), et *mérité,* p. p. de *mériter.*

♦ **1.** Qui n'est pas mérité. ⇒ **Injuste.** *Reproches, malheurs immérités.*

Même à l'heure où elle se manifestait par cette grâce, la conduite de mon père à mon égard gardait ce quelque chose d'arbitraire et d'immérité qui la caractérisait, et qui tenait à ce que généralement elle résultait plutôt de convenances fortuites que d'un plan prémédité.
PROUST, Du côté de chez Swann, Pl., t. I, p. 37.

♦ **2.** Qui ne doit rien au mérite*. *Triomphes, honneurs immérités. Un succès en partie immérité.*

CONTR. Mérité.

IMMERSIF [i(m)mɛʀsif] adj. — 1690, Furetière ; de *immers(ion),* ou du lat. *immersum,* et *-if.*

♦ Sc., techn. Qui agit, se produit par immersion. *Calcination immersive de l'or,* plongé dans l'acide azotique. *Débouillissage immersif.*

IMMERSION [i(m)mɛʀsjɔ̃] n. f. — 1372 ; lat. *immersio,* de *immersum,* supin de *immergere.* → Immerger.

♦ **1.** Action d'immerger*, de plonger (qqch., qqn dans un liquide) (⇒ **Bain, enfoncement, plongeon**). *L'immersion d'un câble dans la mer. Immersion de blocs de béton. L'immersion d'un cadavre en pleine mer.* — *L'immersion d'aliments dans l'huile bouillante* (→ Friture, cit. 1). *Immersion de l'or dans l'acide azotique :* calcination immersive*. — (Personnes). Le fait de mettre, de plonger, de se plonger dans l'eau. *Baptême* (cit. 4, 8 et 9) *par immersion* (par oppos. à *par aspersion*), *sans immersion.* ⇒ **Ablution, baptême** (→ Baptiste, cit. ; baptistère, cit.).

Présumant qu'un bain d'eau de mer pourrait avoir un heureux effet, je m'avisai de lui attacher un bout de corde autour du corps, et puis, le conduisant au capot d'échelle (...) je l'y poussai et l'en retirai immédiatement (...) Cette idée d'immersion soudaine m'avait été suggérée par quelque vieille lecture médicale sur les heureux effets de l'affusion et de la douche dans les cas où le malade souffre du *delirium tremens.* 1
BAUDELAIRE, Trad. E. POE, les Aventures d'A. Gordon Pym, XI.

À l'eau, maintenant (...) L'eau du Sausseron est trop froide, le courant trop fort, les cailloux piquants (...) Gérard, accroché aux herbes, se refuse à toute immersion. 2
G. DUHAMEL, les Plaisirs et les Jeux, II, VIII.

♦ **2.** État de ce qui est immergé. *L'immersion des terres pendant une inondation*.*

(...) dans les efforts d'une personne qui n'a pas la pratique de la natation, les bras se jettent invariablement en l'air (...) le résultat est l'immersion de la bouche et des narines, et, par suite des efforts pour respirer sous l'eau, l'introduction de l'eau dans les poumons. 3
BAUDELAIRE, Trad. E. POE, Histoires grotesques et sérieuses, Mystère M. Roget.

♦ **3.** (1902, Larousse). Emplois spéciaux. [a] Opt. *Objectif à immersion :* objectif de microscope immergé dans un liquide à fort indice de réfraction.

[b] Fig. *Point d'immersion :* point où un rayon lumineux pénètre dans un milieu réfringent.

[c] (1691). Astron. Entrée d'une planète dans l'ombre d'un astre (⇒ **Éclipse**).

♦ **4.** Par métaphore ou fig. Le fait de plonger, de se plonger, d'aller au fond de... ⇒ **Enfoncement, plongeon.**

Il me plongeait dans les livres, me les faisait lire et relire, me faisait traduire, 4

analyser, copier, et ne me lâchait en plein air que lorsqu'il me voyait trop étourdi par cette immersion violente dans une mer de mots.
E. FROMENTIN, Dominique, III.

5 (...) l'immersion sans fond de la rêverie.
HUGO, les Travailleurs de la mer, I, IV, VII.

CONTR. **Émersion.**
DÉR. **Immersif.**

IMMESURABLE [i(m)məzyʀabl] adj. ⇒ **Immensurable.**

IMMESURÉ, ÉE [i(m)məzyʀe] adj. — 1406; « hors du commun, remarquable », fin xve; de *im-* (→ 1. In-), et *mesuré.*

♦ Littér. et rare. Qui n'a pas été mesuré.

CONTR. **Mesuré.**

IMMETTABLE [ɛ̃mɛtabl] adj. — 1845; *inmettable,* 1797, *in* D. D. L. : de *im-* (→ 1. In-), *mettre,* suff. *-able.*

♦ Qu'on ne peut ou n'ose mettre (en parlant d'un vêtement trop usé, ou ridicule...). *Des souliers percés absolument immettables. Un chapeau grotesque et immettable.*

(...) un petit galurin (...) qui (...) était devenu immettable. Il est de fait qu'il se faisait un peu remarquer, et moi dessous; qu'il était un peu ridicule.
GIDE, Ainsi soit-il, p. 90 (cf. Galurin, cit.).

CONTR. **Mettable, portable.**

IMMEUBLE [i(m)mœbl] adj. et n. m. — V. 1200, *immoble* « immobile »; lat. *immobilis* (→ Immobile), de *im-* (→ 1. In-), et *mobilis.* → Mobile.

♦ **1.** (1473; *immoble,* 1258). Dr. Qui ne peut être déplacé (ou qui est réputé tel par la loi), en parlant de biens. ⇒ 2. **Bien** (I., 2.), **bien-fonds, fonds** (I., 1.), **propriété.** *Biens immeubles par nature :* le sol et ce qui lui est incorporé, bâtiments (cit. 8), etc. *Biens immeubles par destination :* biens mobiliers attachés par le propriétaire à un immeuble par nature (biens mobiliers attachés au fond à perpétuelle demeure [cf. Code civil, art. 525]; affectés à l'exploitation* [cit. 1] d'un immeuble par nature : animaux de culture, ustensiles, semences... [cf. Code civil, art. 524]). — *Accessoires de biens, droits réputés immeubles.* ⇒ **Immobilier** (→ Expropriation, cit. 1). *Les actions de la Banque de France peuvent devenir immeubles par déclaration du propriétaire* (→ ci-dessous, *immeubles fictifs*). *Biens meubles déclarés immeubles* (⇒ **Immobilisation**).

1 Les biens sont immeubles, ou par leur nature, ou par leur destination, ou par l'objet auquel ils s'appliquent.
Les récoltes pendantes par les racines, et les fruits des arbres non encore recueillis, sont (...) immeubles. Dès que les grains sont coupés et les fruits détachés (...) ils sont meubles.
Code civil, art. 517 et 520.

2 Sont immeubles, par l'objet auquel ils s'appliquent : L'usufruit des choses immobilières; Les servitudes ou services fonciers; Les actions qui tendent à revendiquer un immeuble.
Code civil, art. 526.

3 (...) au nom de Séchard, Petit-Claud prétendit que les presses étant scellées devenaient d'autant plus immeubles par destination que, depuis le règne de Louis XIV, la maison servait à une imprimerie.
BALZAC, Illusions perdues, Pl., t. IV, p. 937.

♦ **2.** N. m. (1319). UN IMMEUBLE. **a** Dr. Un bien immeuble. *Acquérir, acheter; affermer, louer; céder, vendre un immeuble, des immeubles. Location, valeur locative, bail* (cit. 6) *d'un immeuble. Fortune*, patrimoine* composé de meubles et d'immeubles. Vente d'immeubles appartenant à des mineurs, des interdits* (→ Avis, cit. 24). *Immeubles dans la communauté*.* ⇒ **Acquêt** (cit. 1), **conquêt** (cit.). → Ameublir, cit. 1; 2. ameublissement, cit.; échoir, cit. 3. *Nantissement d'un immeuble.* ⇒ **Antichrèse** (cit. 2). *Accessoires d'un immeuble.* ⇒ **Circonstance, dépendance.** *Droit réel dont est grevé un immeuble* (⇒ **Hypothèque**); *charge établie sur un immeuble* (⇒ **Servitude**). *Immeuble en usufruit.* — Par ext. Droit portant sur un immeuble. *Immeubles par l'objet auquel ils s'appliquent* (Code civil, art. 526). *Immeubles fictifs,* par déclaration du propriétaire (ex. : actions de la Banque de France).

4 Les immeubles, même ceux possédés par des étrangers, sont régis par la loi française.
Code civil, art. 3.

REM. L'emploi courant du mot *immeuble* (→ ci-dessous, 2.) fait préférer l'adjectif au substantif, du moins quand il s'agit de biens très différents d'une construction ou d'une terre. Le Code civil écrit (art. 524) que *« sont immeubles par destination (...) les pigeons des colombiers; les lapins des garennes (...) les pailles et engrais »,* mais on pourrait difficilement écrire que *« ces biens sont des immeubles ».*

b (1846, Balzac, *Correspondance;* sens absent de Littré). Cour. Maison, et, spécialt, grand bâtiment (surtout urbain) à plusieurs étages. ⇒ **Bâtiment, building, construction, édifice, habitation** (→ Habitat, cit. 5). *Il possède une maison de campagne et plusieurs immeubles à Paris.* ⇒ **Propriétaire.** *Acheter, vendre, louer un immeuble. Placer de l'argent dans un immeuble* (→ Entrepreneur, cit. 6). *Un immeuble de cinq étages. Immeuble en hauteur, de trente étages.* ⇒ **Gratte-ciel,** 1. **tour.** *Immeuble en bande.* ⇒ **Barre** (II., 1.). *Immeuble à usage locatif, immeuble de rapport*. Immeuble d'habitation, de bureaux. Habiter une chambre, un appartement dans un immeuble. Occuper régulièrement, occuper sans titre* (⇒ **Squatter**) *un immeuble. Grand, vaste immeuble* (→ Bruit, cit. 17). *Cet immeuble est un hôtel, une banque, un garage* (cit. 4). *Construction d'un immeuble. Immeuble en construction, en réfection. Faire démolir un immeuble. Immeuble détruit par une explosion. Gérant, syndic d'immeubles.*

Chaque famille bien posée à Plassans a sa maison, les immeubles s'y vendant à très bas prix. 5
ZOLA, la Fortune des Rougon, p. 82.

(...) il s'opère continuellement des changements sur place : on achète un immeuble pour le démolir et bâtir un immeuble plus grand sur le même terrain; au bout de cinq ans, on revend ce dernier à un entrepreneur qui le jette bas pour en construire un troisième. 6
SARTRE, Situations III, p. 98.

CONTR. (Du sens 1) **Meuble** (adjectif).

IMMEUBLE- Élément servant à former des noms composés dont le second élément indique une caractéristique de l'immeuble. — Ex. : *immeuble-tour* (1968); *immeuble-barre* (1972). ⇒ **Barre.** *« Les immeubles anciens étaient lovés autour d'une cour intérieure; alors que l'urbanisme moderne implante des immeubles-barres ou des tours ouvertes à tous les bruits »* (*Science et Vie,* n° 106, p. 103, 1974). *Immeuble-miroir* (dont la façade est revêtue de glaces réfléchissantes).

IMMIGRANT, ANTE [i(m)migʀɑ̃, ɑ̃t] adj. et n. — 1787; p. prés. de *immigrer.*

♦ **1.** Adj. Rare. Qui immigre. *La population immigrante.*

♦ **2.** N. Cour. Qui immigre dans un pays ou qui y a immigré récemment. ⇒ **Migrant;** et aussi **émigrant.** *Les immigrants qui peuplèrent l'Australie, les États-Unis* (→ Angliciser, cit.). *L'assimilation* (cit. 10) *des immigrants* (→ Assimiler, cit. 10). *Les immigrants* (⇒ **Étranger**) *et les autochtones. Immigrants assimilés, définitivement installés dans un pays.* ⇒ **Habitant, immigré.**

Le vent vivant des peuples, soufflant du Nord et de l'Est (...) a porté vers l'Ouest (...) des éléments ethniques très divers (...) Ces arrivants se sont établis, juxtaposés ou superposés aux groupes déjà installés (...) Les immigrants ne vinrent pas seulement du Nord et de l'Est; le Sud-Est et le Sud fournirent leurs contingents. Quelques Grecs par les rivages du Midi; des effectifs romains, assez faibles, sans doute, mais renouvelés pendant des siècles; plus tard, des essaims de Maures et de Sarrasins. Grecs ou Phéniciens, Latins et Sarrasins par le Sud, comme les Northmans par les côtes de la Manche et de l'Atlantique, ont pénétré dans le territoire par quantités assez peu considérables. 1
VALÉRY, Regards sur le monde actuel, Images de la France.

L'analyse des statistiques de l'état civil a permis de préciser les conditions de l'accroissement naturel de la population (...) Mais la population d'un pays varie également par l'apport des immigrants venus de l'étranger (...) 2
HUBER, BUNLE et BOVERAT, Population de la France, p. 197.

(En parlant de mouvements de population à l'intérieur d'un État). *Les immigrants venant de Sicile, de Sardaigne, en Italie du Nord.*

CONTR. **Autochtone.** — **Émigrant.**

IMMIGRATION [i(m)migʀasjɔ̃] n. f. — 1768; de *immigrer.*

♦ **1.** Entrée dans un pays de personnes non autochtones qui viennent s'y établir, généralement pour y trouver un emploi. *Émigration* et immigration sont les deux aspects d'un même phénomène.* ⇒ **Migration.** *Immigration permanente* (⇒ **Immigrant**) *et immigration temporaire* (« travailleurs étrangers »). *Courant** (cit. 11), *mouvement d'immigration. Terres, pays d'immigration. Immigration exotique* (cit. 6). *Colonie*, territoire peuplé par l'immigration.* ⇒ **Peuplement** (colonie de). *Excédent d'immigration. Immigration brute :* nombre total des immigrants dans un pays donné. *Immigration nette :* nombre obtenu après déduction de celui des émigrants. — *Lois sur l'immigration, restreignant et contrôlant l'immigration par sélection individuelle, contingentement* (système du quota*), *etc. Office national d'immigration* (Ordonnance du 2 nov. 1945, complétée par les dispositions de la loi du 29 oct. 1981), « chargé du recrutement pour la France et de l'introduction en France des immigrants étrangers ».

Sans doute il y avait eu constamment par le Rhin une immigration des peuples germaniques. Ils passaient en grand nombre pour trouver fortune dans la riche contrée de l'Ouest. Ces recrues fortifiaient et renouvelaient sans cesse les armées des Francs. 1
MICHELET, Hist. de France, III, II.

Pendant la plus grande partie du XIXe siècle le principe de la libre immigration avait prédominé aux États-Unis. C'est seulement à partir de 1882 qu'une sélection individuelle avait été instituée; la loi de 1907 (...) fermait (...) la porte aux indésirables (...) tout en maintenant (...) la sélection individuelle, la nouvelle législation introduit la doctrine (...) de l'origine ethnique. La loi de 1917 (...) détermine une certaine section de la surface terrestre, d'où l'immigration est purement et simplement interdite (...) le but non dissimulé est d'exclure les races jaune et brune, considérées comme inassimilables. Dans les lois de 1921 et 1924, cette préoccupation de défense (...) on l'étend (...) partiellement à l'Europe. 2
André SIEGFRIED, les États-Unis d'aujourd'hui, I, VIII.

(À l'intérieur d'un même État). *Immigration interne, régionale. « L'immigration provinciale à Paris »* (Huber, *Population de la France,* p. 208).

♦ **2.** Par métonymie. Ensemble d'immigrés (de même origine). *Les mauvaises conditions de vie de l'immigration africaine en Europe.*

♦ **3.** Administration qui s'occupe de l'immigration (notamment aux

États-Unis). *Les fonctionnaires de l'immigration. Être arrêté pour contrôle par l'immigration.*

CONTR. Départ, émigration, exode.

IMMIGRER [i(m)migʀe] v. intr. — 1840; *immigré,* 1769; lat. *immigrare,* de *im-* (→ 2. In-), et *migrare* « changer de séjour ».

♦ Rare. Entrer dans un pays étranger pour s'y établir. *Ce sont les descendants de Français qui avaient immigré en Amérique au siècle dernier.*

▶ **IMMIGRÉ, ÉE** p. p. adj. et n. (1769).

Qui est venu de l'étranger. — (Mil. xxe). Mod. Se dit d'un ouvrier étranger, souvent originaire d'un pays peu développé et travaillant dans un pays industrialisé. *Des travailleurs immigrés. La population immigrée.* — N. *Un(e) immigré(e).* ⇒ **Immigrant, migrant.** *Des immigrés récents, de fraîche date. Les immigrés sont comptés parmi les habitants du pays. Les immigrés maghrébins, portugais, africains en France. Les immigrés algériens et leurs enfants* (la « deuxième génération »; ⇒ **fam. Beur**). *Les immigrés italiens, grecs, turcs au Canada* (cf. Les néo-Canadiens). *Carte de séjour, carte de travail d'un immigré* (en France). *L'intégration, l'acculturation des immigrés. Hostilité, xénophobie, racisme à l'égard des immigrés. Exploitation politique des rapports difficiles entre la population autochtone et les immigrés.*

Le premier immigré demeure, sa vie durant, un homme de son pays d'origine : sans doute peut-il (...) s'habiller comme un Américain et tenter de vivre comme un Américain, mais on voit bien vite qu'il n'en est pas un (...)
André SIEGFRIED, l'Âme des peuples, p. 167.

CONTR. Émigrer. — Autochtone.
DÉR. Immigrant, immigration.

IMMINENCE [i(m)minɑ̃s] n. f. — 1787, Ferraud; bas lat. *imminentia,* de *imminens.* → Imminent.

♦ Didact., littér. ou style soutenu. Caractère de ce qui est imminent. ⇒ **Approche, proximité.** *L'imminence d'un danger, d'un péril* (→ Grandeur, cit. 4). — *L'imminence d'une arrivée, d'un départ, d'une décision. — Devant l'imminence de... Devant l'imminence de cette menace, il est urgent* de prendre des mesures.* — Loc. prép. (Vx). *À l'imminence de... :* au moment où qqch. est imminent.

1 À peine eus-je articulé ces mots que je devinai l'imminence de la grande crise. Je n'avais plus à revenir sur mes pas. La guerre était déclarée.
G. DUHAMEL, Salavin, III, p. 57.

2 La malade allait fort mal et le médecin ne cachait pas l'imminence d'une issue fatale. A. ARNOUX, Royaume des ombres, V, p. 145.

IMMINENT, ENTE [i(m)minɑ̃, ɑ̃t] adj. — Fin XIVe; repris fin XVIe, Sully; lat. *imminens,* de *imminere* « menacer », de *im-* (→ 2. In-), et *minere* « avancer, être en saillie ».

♦ **1.** Qui va se produire dans un avenir très proche, dans très peu de temps (en parlant de ce qui menace). ⇒ **Instant, prochain, proche; près.** *Danger, péril imminent.* ⇒ **Menaçant.** *Sans danger imminent.* ⇒ **Immédiat** (→ Endormir, cit. 37). *Malade menacé d'une attaque, d'une crise imminente* (→ Flamber, cit. 11). *Moment où une crise devient imminente.* ⇒ **Critique.** *Rupture, brouille; attaque, guerre; arrestation imminente* (→ Enquête, cit. 5; heurt, cit. 5; 2. garde, cit. 13). *Sa ruine est probable, mais pas imminente.*

1 (...) c'était le danger de sombrer que je considérais (...) comme le plus imminent.
BAUDELAIRE, Trad. E. POE, les Aventures d'A. Gordon Pym, IX.

♦ **2.** (1831; sans idée de menace). *L'instant imminent de son arrivée* (→ Contretemps, cit. 3). *L'imminent achèvement de son ouvrage* (→ Escompter, cit. 8).

2 Marius avait trop peu vécu encore pour savoir que rien n'est plus imminent que l'impossible, et que ce qu'il faut toujours prévoir, c'est l'imprévu.
HUGO, les Misérables, IV, XIV, V.

3 (...) l'affaire est dans le sac (...) ce sera pour le 14 Juillet (...) Ou pour le 1er janvier. Pour cette année enfin (...) ou l'autre. C'est imminent, en tout cas.
COURTELINE, Messieurs les ronds-de-cuir, 2e tableau, III, p. 87.

CONTR. Éloigné, lointain.
DÉR. Imminer.

IMMINER [i(m)mine] v. intr. — 1896, Willy, *Notes sans portée;* de *immin(ent),* et *-er.*

♦ Littér. et rare. Être imminent. ⇒ **Urger** (de *urgent*).

Les danseurs russes sont partis (...) D'autres numéros sont venus prendre leur place, engagés qui pour sept jours, qui pour quatre jours, car la revue immine.
COLETTE, la Vagabonde, p. 80, éd. L. de Poche.

IMMISCER [imise] v. tr. — Conjug. *placer.* — 1549, pron.; *soy immiscer,* 1482; lat. *immiscere,* de *im-* (→ 2. In-), et *miscere* « mêler ».

♦ (1599). Rare. Mêler (qqn) à une affaire. *Pourquoi l'avez-vous immiscé dans cette affaire?* (P. Larousse). ⇒ **Entrer** (faire entrer), **introduire.**

▶ **S'IMMISCER** v. pron. (1482).

Cour. (didact. ou style soutenu). S'intégrer, s'introduire mal à propos ou indûment (dans une affaire...). ⇒ **Fourrer** (se), **ingérer** (s'), **intervenir, mêler** (se), **participer.** *S'immiscer dans les affaires* (cit. 22) *de qqn, dans le privé, la vie privée de qqn.* ⇒ **Indiscret, indiscrétion** (→ Défensive, cit. 5). *Pays qui s'immisce dans les affaires intérieures d'un autre État.* ⇒ **Immixtion.**

Leurs usurpations administratives, la surveillance des subsistances, dans laquelle ils s'immisçaient, leur fournissaient mille occasions de faire planer sur le pouvoir une accusation terrible. MICHELET, Hist. de la Révolution franç., III, III. 1

Son fort, pourtant, sa véritable spécialité, c'était de s'immiscer sournoisement dans les choses qui ne le regardaient pas (...) 2
COURTELINE, Messieurs les ronds-de-cuir, 1er tableau, III, p. 45.

(1732). Dr. *S'immiscer dans une succession*.*

▶ **IMMISCÉ, ÉE** p. p. adj.

(...) plus on percera les origines de l'esprit humain, plus on trouvera des merveilles, merveilles d'autant plus admirables qu'il n'est pas besoin pour les produire d'un Dieu-machine toujours immiscé dans la marche des choses (...) 3
RENAN, l'Avenir de la science, Œuvres, t. III, XIV, p. 937.

IMMISCIBLE [imisibl] adj. — 1765, *Encyclopédie;* de *im-* (→ 1. In-), et *miscible.*

♦ Chim. Se dit d'un corps qui ne peut pas se mélanger à un autre corps. — REM. Le dér. *immiscibilité* [imisibilite] n. f., est attesté.

Lorsque des êtres sont essentiellement ennemis l'un de l'autre, c'est qu'il existe entr'eux une correspondance et une sorte de communion presque parfaites. Il ne faut pas confondre cette inimitié-identité avec la haine qui résulte de l'incompréhension ou incompatibilité ou immiscibilité — comme différence d'espèce.
VALÉRY, Cahiers, t. II, Pl., p. 448.

IMMISÉRICORDIEUX, EUSE [i(m)mizeʀikɔʀdjø, øz] adj. — 1508; de *im-* (→ 1. In-), et *miséricordieux.*

♦ Didact. (relig.) et rare. Qui est sans miséricorde.

IMMIXTION [imiksjɔ̃] n. f. — 1573; repris 1701, Furetière; bas lat. *immixtio,* de *immixtum,* supin de *immiscere.* → Immiscer.

♦ Action d'immiscer*, de s'immiscer. ⇒ **Ingérence, intervention.** *Immixtion dans les affaires, dans la vie privée de qqn. Immixtion dans les affaires intérieures d'un pays.*

À l'exemple du Cardinal, il fut constamment en garde contre les entreprises des dévôts, il défendit énergiquement l'état laïque contre les suggestions ou les immixtions ultramontaines. Louis BERTRAND, Louis XIV, II, II. 1

Cette immixtion de gens avait éteint, effarouché l'entrain de la société (...) 2
Ed. et J. DE GONCOURT, Manette Salomon, p. 247.

Dr. Fait de s'immiscer dans une succession*.

IMMOBILE [i(m)mɔbil] adj. — V. 1361; *immobil,* n. m., v. 1265; lat. *immobilis,* de *im-* (→ 1. In-), et *mobilis.* → Mobile.

♦ **1.** Qui ne se déplace pas, reste en un même lieu. ⇒ **Fixe.** **a** (En parlant des êtres vivants ou de parties de leur corps). *Rester, demeurer, se tenir immobile* (→ Acuité, cit. 1; armoirie, cit. 2; cylindre, cit. 2; hancher, cit. 1). *Il restait complètement immobile, planté* comme un piquet (une borne, un terme* [vx]*), sans remuer ni pied* ni patte, sans bouger d'une semelle*.* ⇒ **Place** (sur), **repos** (en). *Ne bougez pas, restez parfaitement immobile. Être, rester immobile comme un cadavre, comme une souche. Être immobile comme une statue.* ⇒ **Hiératique** (fig.). *Rester immobile sous l'effet du froid.* ⇒ **Engourdi** (→ Amortir, cit. 1; frissonner, cit. 1). *Corps immobile dans le sommeil, la paralysie, l'extase* (cit. 1), *la mort.* ⇒ **Gisant, inanimé, inerte** (→ Frapper, cit. 24). *Animal en danger qui se tient immobile.* ⇒ **Mort** (faire le). *En apparence immobile* (→ Blinder, cit. 2; fourmillement, cit. 1). *Immobile et impotent.* — Qui n'avance pas (mais peut bouger). *Troupe immobile,* qui marque le pas*, qui piétine sur place. — *Visage immobile* (→ Apercevoir, cit. 22; 1. fumer, cit. 27). ⇒ **Pierre** (de). — Philos. *Dieu, le moteur* immobile* (Aristote).

L'insolent devant moi ne se courba jamais (...) 1
Lorsque d'un saint respect tous les Persans touchés
N'osent lever leurs fronts à la terre attachés,
Lui, fièrement assis, et la tête immobile (...) RACINE, Esther, II, 1.

Ils avaient jeté les yeux sur le Cardinal qui demeurait immobile comme une statue équestre (...) A. DE VIGNY, Cinq-Mars, X. 2

Tous les paysans avaient écouté, le visage immobile, sans qu'un pli indiquât leur pensée secrète. ZOLA, la Terre, IV, V. 3

Elle baissa le visage sur cette main qui tenait la sienne. Et elle appuya sa bouche, ne la bougea plus, lèvres immobiles, lèvres immobiles, ne baisant pas. 4
MONTHERLANT, le Songe, I, VIII.

Marie-Louise demeurait presque parfaitement immobile, sa poitrine était à peine émue par sa respiration, ses paupières battaient à de très longs intervalles malgré le grand ciel blanc, et ses yeux de pierre bougeaient faiblement (...) 5
P. NIZAN, le Cheval de Troie, p. 31.

Par ext. (Personnes). Qui ne se déplace pas. ⇒ **Sédentaire.** — Qui bouge peu, n'agit pas. ⇒ **Inactif, passif.** *Rester immobile dans le malheur.*

5.1 (...) notre erreur était de nous arrêter ainsi dans la vie, et, restant immobiles, de regarder couler toutes choses (...)
Marcel SCHWOB, Monelle, p. 152, *in* T. L. F.

(1636, Corneille). Qui reste sans mouvement, notamment sous l'effet d'une émotion violente; qui est saisi d'étonnement, de peur, d'admiration... ⇒ **Cloué, figé, médusé, paralysé, pétrifié, sidéré** (→ Battre, cit. 60). *Immobile et frappé* (cit. 37) *de stupeur.* ⇒ **Stupéfait, stupéfié, stupide.** *Interdit, immobile, muet. Il restait immobile, n'osant faire un mouvement, remuer le petit doigt.*

6 Je demeure immobile, et mon âme abattue
Cède au coup qui me tue.
CORNEILLE, le Cid, I, 6.

7 Je restais immobile et stupide, sans pouvoir agir ni penser.
ROUSSEAU, les Confessions, IX.

8 Il n'a pas la force de crier; la terreur le cloue immobile, les yeux, la bouche ouverte, soufflant du fond de la gorge.
R. ROLLAND, Jean-Christophe, L'aube, p. 4.

b (Choses). Que rien ne fait mouvoir, n'agite. *Brouillard, air immobile* (→ Brancher, cit. 1; chaleur, cit. 3). *Mer, lac, onde immobile* (→ Cascade, cit. 4; embarcation, cit. 2; étoile, cit. 10; fatiguer, cit. 6). *L'eau immobile d'une mare.* ⇒ **Croupi, croupissant, dormant, stagnant.** *Branches qui pendent immobiles* (→ Gris, cit. 8). *Aérostat maintenu immobile* (→ Fanfreluche, cit.).

9 (...) une atmosphère tellement immobile que le mouvement de la marche n'y produisait pas le plus petit souffle d'air.
E. FROMENTIN, Un été dans le Sahara, p. 41.

10 (...) ce rideau, d'une forte étoffe de soie croisée, que j'avais ôté de sa patère et qui tombait devant la fenêtre, perpendiculaire et immobile.
BARBEY D'AUREVILLY, les Diaboliques, « Le rideau cramoisi ».

11 Tes yeux sont comme des lys d'eau bleus sans tiges, immobiles sur des étangs.
Pierre LOUŸS, Aphrodite, p. 23.

12 Des voiles blanches comme des papillons seraient posées sur l'eau immobile, sans plus vouloir bouger, comme pâmées de chaleur.
PROUST, les Plaisirs et les Jours, p. 237.

13 En plein midi, l'été, quand les champs, les jardins, les bois, sont immobiles de chaleur; et que rien n'est en vie, rien que la source dans les herbes, avec sa voix cachée; ou bien cet oiseau, le martin-pêcheur, qui ressemble à un bijou bleu, lancé sur la rivière, — alors, il y a tant de choses qu'on devine autour de soi.
P.-J. TOULET, la Jeune Fille verte, p. 136.

Qui n'est pas en mouvement (véhicules). *Le train était immobile depuis dix minutes.* ⇒ **Arrêt** (à l'). *Voiture immobile et en panne*.* ⇒ **Immobilisé.**

c (Choses). Qui, par nature, ne se meut pas; non mobile. *Articulations* (cit. 2) *immobiles. Eau de la mer Morte, immobile et chargée d'asphalte* (cit. 1). *Objets éternellement immobiles* (→ Catacombe, cit. 1). *Statues de dieux immobiles* (→ Entablement, cit. 2). *On croyait la terre immobile* (→ Émersion, cit.).

d Par métonymie. *Attente immobile* (→ Assoupir, cit. 7). *Raideur immobile* (→ Fixe, cit. 5). *Immobile contraction au coin de la bouche* (→ Garder, cit. 54).

14 Comment aurait-elle pu connaître le bonheur par cette immobile contemplation?
A. MAUROIS, Climats, p. 130.

♦ **2.** (Abstrait). Fixé une fois pour toutes, définitivement figé. ⇒ **Invariable.** *Dogmes considérés comme immobiles* (→ Évolution, cit. 11). *L'immobile éternité* (cit. 4).

15 Il y a peu de relation de nos actions, qui sont en perpétuelle mutation, avec les lois fixes et immobiles.
MONTAIGNE, Essais, III, XIII.

16 Mais j'ai si peur de tout fausser en exprimant. Vous ne trouvez pas que les mots déforment tout? Ils sont tellement plus immobiles et plus solides que les sentiments (...)
A. MAUROIS, le Cercle de famille, p. 253.

17 L'esprit critique s'attaque à ce qui est réalisé, à ce qui est immobile, par conséquent, à ce qui est mort (...)
Edmond JALOUX, le Dernier Jour de la création, p. 198.

Vx (langue classique). *Immobile à...* ⇒ **Insensible.**

18 Immobile à leurs coups, en lui-même il rappelle
Ce qu'eut de beau sa vie, et ce qu'on dira d'elle (...)
CORNEILLE, Pompée, II, 2.

19 Je demeure immobile à tant de nouveautés.
MOLIÈRE, l'Étourdi, V, 9.

(Par métaphore du sens 1). Qui ne bouge pas, qui refuse de bouger, de fuir. ⇒ **Ferme, inébranlable.**

20 Quelques carrés de la garde, immobiles dans le ruissellement de la déroute comme des rochers dans de l'eau qui coule, tinrent jusqu'à la nuit. La nuit venant, la mort aussi, ils attendirent cette ombre double, et, inébranlables, s'en laissèrent envelopper.
HUGO, les Misérables, II, I, XIV.

♦ **3.** N. m. *L'immobile :* ce qui est immobile.

21 (...) il n'y a que l'immobile qui soit immuable, la nature est éternelle; mais nous autres nous sommes d'hier.
VOLTAIRE, Singularités de la nature, XVIII.

22 L'immobile c'est l'inexorable.
HUGO, l'Homme qui rit, I, II, XVII.

CONTR. **Mobile. — Actif, ambulant, branlant, ébranlé, flottant, fluctuant, grouillant, mouvant.**
DÉR. **Immobilement, immobiliser, immobilisme.**

IMMOBILEMENT [i(m)mɔbilmɑ̃] adv. — XVe; de *immobile.*

♦ Rare. Sans bouger. « *Non pas entraînés, mais immobilement affermis...* » (Pascal).

IMMOBILIER, IÈRE [i(m)mɔbilje, jɛʀ] adj. et n. m. — 1721, dr.; *immobiliaire,* 1453; de *im-* (→ 1. In-), et *mobilier*.*

♦ **1.** (Déb. XVIe). Dr. Qui est immeuble, composé d'immeubles, ou considéré comme immeuble. *Propriété, nantissement d'une chose immobilière* (→ Accession, cit. 3; antichrèse, cit. 1). *Biens immobiliers* (→ Bilan, cit. 2; expropriation, cit. 1). *Fonds, effets immobiliers. Succession, fortune immobilière.*

N. m. (1867). Dr. *L'immobilier :* l'ensemble des immeubles.

♦ **2.** (1804). Dr. et cour. Qui concerne, qui a pour objet un immeuble, des immeubles. *Vente, saisie immobilière* (→ Commandement, cit. 5; enchère, cit. 2; étude, cit. 52; exécution, cit. 16). *Action immobilière* (→ Assistance, cit. 4). *Bourse immobilière.* ⇒ 2. **Bourse** (4.). *Transmission des droits immobiliers* (→ Enregistrement, cit. 1). *Sociétés de crédit immobilier* (→ Habitabilité, cit. 3).

♦ **3.** Cour. (Au sens de *immeuble,* 2., b). Qui concerne les immeubles, les constructions. *Entreprise, société immobilière,* s'occupant de la construction, de la vente, de l'achat d'immeubles. *Agent, promoteur immobilier. Opérations immobilières. Rubrique immobilière dans un journal. Le secteur immobilier.*

La faute essentielle des administrateurs (...) est de ne pas avoir prévu la crise immobilière qui a entraîné la chute de la valeur des immeubles.
J. BAINVILLE, la Fortune de la France, p. 108.

N. m. (XXe). *L'immobilier :* le commerce d'immeubles, de maisons, d'appartements. *Travailler dans l'immobilier. L'immobilier est en crise.*

CONTR. **Mobilier.**

IMMOBILISABLE [i(m)mɔbilizabl] adj. — XXe; de *immobiliser.*

♦ Que l'on peut immobiliser.

Ces espaces ne s'ajustent pas exactement; ils ne composent pas un ensemble parfait, cohérent, immobilisable à un instant donné. Les pièces de l'espace mental et social n'épuisent pas leurs rapports dans leur juxtaposition formelle et leur opposition structurale. Qu'est-ce qui les rassemble et les lie? Un « sujet »? Une conscience?
Henri LEFEBVRE, la Vie quotidienne dans le monde moderne, p. 300.

Fin. *Capitaux immobilisables.*

IMMOBILISANT, ANTE [i(m)mɔbilizɑ̃, ɑ̃t] adj. — XXe (1933, H. Malègue, *in* T. L. F.); p. prés. de *immobiliser.*

♦ Qui immobilise. *Une fracture immobilisante.*

IMMOBILISATION [i(m)mɔbilizasjɔ̃] n. f. — 1819, Boiste, *in* D. D. L.; de *immobiliser.*

★ **I.** Dr. Attribution (à un bien meuble) de certains caractères juridiques des immeubles. *Immobilisation d'actions de la Banque de France.*

★ **II.** (1832). Action d'immobiliser; son résultat. ♦ **1.** Action de rendre immobile; résultat de cette action. *Immobilisation d'un objet par des moyens mécaniques. L'immobilisation des blindés ennemis lui assura la victoire.*

(1861, *in* D. D. L.). Méd. *Immobilisation du corps, d'un membre blessé,* permettant notamment la réduction des luxations et des fractures, la cicatrisation des plaies.

♦ **2.** (1819; abstrait). Fin. *Immobilisation des capitaux* (⇒ **Gel**), *des actions.*

Par métonymie. Bien corporel ou incorporel, meuble ou immeuble, acquis ou créé par une entreprise pour être utilisé de manière durable comme moyen de production ou pour être conservé à titre de placement. *Les immobilisations d'une entreprise sont des éléments de l'actif*. Immobilisations incorporelles, corporelles. Immobilisations amortissables. Immobilisations brutes*.*

♦ **3.** Sc. Fait de fixer (une substance chimique). *Immobilisation de l'azote* (par la microflore).

♦ **4.** (Abstrait). Action d'immobiliser (4.).

IMMOBILISER [i(m)mɔbilize] v. tr. — 1771, au sens II, 1; dér. sav. du lat. *immobilis* « immobile; immeuble ». → Immobile.

★ **I.** (1802). Dr. Convertir fictivement en immeuble* par le procédé de l'immobilisation* (I.). *Immobiliser des rentes sur l'État.*

★ **II.** Cour. ♦ **1.** (1771). Rendre immobile, maintenir dans l'immobilité ou l'inactivité. ⇒ **Arrêter, fixer.** *Immobiliser une pièce de bois, de métal.* ⇒ **Assujettir, assurer, attacher, bloquer, clouer, coincer, river, visser.** *Immobiliser un corps en mouvement, qui se balance. Immobiliser un navire en l'amarrant. Immobiliser un véhicule, un convoi. Voiture immobilisée par un accident mécanique. Épidémie, pénurie de vivres, immobilisant une armée. La maladie, une fracture l'avait immobilisé pendant plusieurs jours.*

⇒ **Tenir** (au lit). — Passif et p. p. *Être immobilisé par le froid. Voyageurs immobilisés par une grève.*

1 (...) j'étais étendu moi-même dans un fauteuil, immobilisé par la goutte (...)
MAUPASSANT, Contes de la Bécasse, La folle, p. 44.

2 (...) une machine, la Lison, qui, le jeudi et le samedi, faisait le service de l'express de six heures trente, avait eu sa bielle cassée, juste comme le train entrait en gare; et la réparation devait immobiliser là-bas, pendant deux jours, le mécanicien Jacques Lantier (...) et son chauffeur Pecqueux (...)
ZOLA, la Bête humaine, p. 33.

3 (...) une quinte de toux l'immobilisa, plié en deux, les mains sur le dossier de son fauteuil. MARTIN DU GARD, les Thibault, t. VIII, p. 204.

♦ **2.** (Sujet n. de chose; compl. n. de personne). Rendre incapable d'agir, de réagir (sous l'effet d'une émotion). ⇒ **Clouer, figer, paralyser, pétrifier.** *La terreur l'immobilisait à cette place d'où il aurait voulu fuir.* — *« Une hébétude* (cit. 4) *l'immobilisait, les yeux ouverts »* (Zola).

4 Cette récurrence perpétuelle l'hypnotisait, l'immobilisait, la faisait paraître stupide quelquefois (...) Léon BLOY, la Femme pauvre, p. 40 (cf. Atténuer, cit. 8).

5 Le présent, c'était l'anxiété qui l'immobilisait sur le pavé de la vieille rue.
Paul BOURGET, Un divorce, p. 3.

♦ **3.** (1864). Méd. Rendre immobile (le corps, un membre) au moyen de bandages, d'appareils spéciaux, etc. ⇒ **Assujettir.** *Immobiliser un membre fracturé.*

6 Qu'est-ce qui pourrait me donner un tuyau sur le diagnostic des fractures du pied? Ce charretier m'a l'air de n'avoir pas été immobilisé comme il faut par le type de garde, hier soir. ARAGON, les Beaux Quartiers, II, XXVII.

♦ **4.** (Sujet et compl. n. de chose abstraite). *Législation tyrannique qui immobilise le commerce.* ⇒ **Paralyser** (→ Famine, cit. 2).

♦ **5.** (Av. 1902, Zola). Fin. *Immobiliser ses capitaux,* les rendre indisponibles par le placement qu'on en fait. ⇒ **Geler** (cit. 23); **immobilisation.**

♦ **6.** Fixer (une substance chimique).

♦ **7.** (Abstrait; compl. n. de chose). Rendre stationnaire, priver de possibilités de progrès. ⇒ **Cristalliser, enchaîner, figer, fixer, freiner, scléroser.** *Tyrannie d'une école, d'une doctrine, qui risque d'immobiliser l'art, la pensée. Immobiliser... dans une situation difficile.*

7 L'ancienneté a l'inconvénient d'immobiliser le travail et la pensée.
PROUDHON, *in* P. LAROUSSE.

8 Oui, cette façon d'immobiliser l'histoire, tout le passé et tout l'avenir, autour de deux idées abstraites, l'individu et l'État, répugne profondément à nos conceptions essentielles de la société changeante et de l'univers mouvant.
JAURÈS, Hist. socialiste, t. II, p. 80.

▶ **S'IMMOBILISER** v. pron. (Av. 1896, Goncourt).
Devenir, se tenir immobile (→ Aplomb, cit. 12). *Soldat qui s'immobilise dans un garde-à-vous irréprochable.* — S'arrêter (→ Étage, cit. 9). *Les voyageurs se demandaient pourquoi le train s'était immobilisé en pleine campagne. Les rouages se sont immobilisés.*

9 Pendant que la procession s'immobilise longuement à un angle du temple, où l'avenue tourne et où il s'agit de faire tourner le char (...)
LOTI, l'Inde (sans les Anglais), p. 177.

(1857, Flaubert). Par métaphore :

10 (...) il lui semblait que son amour, qui, depuis deux heures bientôt, s'était immobilisé dans l'Église comme les pierres, allait maintenant s'évaporer telle qu'une fumée (...) FLAUBERT, Mme Bovary, III, I.

11 Ces paroles me donnaient bien le sentiment de cette stagnation du passé qui dans certains lieux, par une sorte de pesanteur spécifique, s'immobilise indéfiniment, si bien qu'on peut le retrouver tel quel.
PROUST, À la recherche du temps perdu, t. XV, p. 150.

▶ **IMMOBILISÉ, ÉE** p. p. adj. Voir ci-dessus à l'article.

CONTR. Mobiliser. — Acheminer, actionner, agiter, balancer, bercer, mouvoir, pousser. — Débloquer, libérer. — Bondir, bouger, remuer.
DÉR. Immobilisable, immobilisant, immobilisation.

IMMOBILISME [i(m)mɔbilism] n. m. — 1830; de *immobile.*

♦ Disposition à se satisfaire de l'état présent des choses, à conserver plus qu'à innover, à refuser le mouvement ou le progrès. *Immobilisme artistique, politique. L'opposition se plaint de l'immobilisme gouvernemental.* ⇒ **Attentisme, conservatisme, inertie, stagnation.**

On les a travesties *(les trois vertus théologales)* pour les plier aux convenances du chaos social, on a transformé (...) L'ESPÉRANCE en *immobilisme* et *fatalisme* (...) Au lieu d'une espérance judicieuse, allant du connu à l'inconnu (...) nous n'avons qu'une espérance faussée, fataliste, résignée à croupir dans l'immobilisme, dans l'océan de misères, d'injustices (...)
Charles FOURIER, la Fausse Industrie, p. 512.

DÉR. Immobiliste.

IMMOBILISTE [i(m)mɔbilist] adj. et n. — 1829, Fourier; de *immobilisme.*

♦ Marqué d'immobilisme; partisan de l'immobilisme.

IMMOBILITÉ [i(m)mɔbilite] n. f. — 1314; lat. impérial *immobilitas,* de *immobilis.* → Immobile.

État de ce qui est immobile.

♦ **1.** (Personnes, choses concrètes). *Immobilité complète, totale, absolue. Garder quelque temps une immobilité profonde* (→ Attrait, cit. 12). *L'immobilité frémissante d'un animal, d'une danseuse* (→ Caresse, cit. 12; frémissement, cit. 7). *Immobilité qui s'établit dans une foule* (→ Effervescence, cit. 6). *Immobilité dans les états de catalepsie, d'extase, de stupeur. Immobilité de la mort. Blessé, impotent, malade cloué au lit, condamné à l'immobilité, à l'immobilité forcée* (cit. 33). ⇒ **Inactivité, inertie, repos** (→ Paralysie, cit. 2). *Bras ankylosé par l'immobilité* (→ Fourmillant, cit. 4). ⇒ **Ankylose, paralysie.** — *Immobilité des traits, du visage.* ⇒ **Fixité, impassibilité.** *Une immobilité absolue, de mort. Les hérons* (cit. 2) *attendent le poisson dans une immobilité complète.*

(...) ce qu'il lisait devait rabattre de son triomphe, car son visage peu à peu se glaçait, reprenait sa morne immobilité. ZOLA, la Bête humaine, p. 132. 1

Durant le repas, il gardait sa place aux pieds du maître, dans le silence et l'immobilité. FRANCE, M. Bergeret à Paris, I, Œuvres, t. XII, p. 281. 2

Je fus tout au contraire frappé de l'immobilité qui succéda à la détonation. La foule, durant un intervalle de quatre minutes peut-être, resta comme figée de stupeur. GIDE, Journal, mai 1905. 3

La maladie que j'ai me condamne à l'immobilité absolue au lit. 4
Henri MICHAUX, La nuit remue, p. 134.

Techn. (hippol.). Maladie du cheval, caractérisée par un assoupissement permanent.

(Choses). *L'immobilité de l'air, de l'eau, de la nature...* (→ Argent, cit. 3; évanouir, cit. 28; fixité, cit. 2).

Immobilité, sommeil profond de la nature : le chant du coq monte tout droit. 5
J. RENARD, Journal, 13 févr. 1905.

On eût dit que les trois chaises autour de la table, la desserte, le plancher, tout était plongé dans un indescriptible sommeil, tant l'immobilité de la vie était profonde. J. GREEN, Léviathan, p. 96. 6

♦ **2.** (1656). Abstrait. État de ce qui ne change pas. *Uniformité et immobilité d'une situation, de certaines fonctions* (cit. 3).

La force ne se révèle point par un déplacement perpétuel, par des métamorphoses indéfinies, mais bien par une majestueuse immobilité. 7
HUGO, Littérature et philosophie mêlées, p. 62.

(...) c'est l'éternelle immobilité de la vie divine; au ciel, tout est accompli, le temps ne s'écoule plus. TAINE, Philosophie de l'art, t. II, p. 20. 8

Spécialt. ⇒ **Immobilisme, piétinement.**

L'immobilité politique est impossible; force est d'avancer avec l'intelligence humaine. CHATEAUBRIAND, Mémoires d'outre-tombe, t. I, p. 310. 9

CONTR. Action, agitation, course, déplacement, ébranlement, fluctuation, mobilité, mouvement. — Devenir, évolution, progrès.

IMMODÉRATION [i(m)mɔdeʀasjɔ̃] n. f. — V. 1500; lat. *immoderatio,* de *im-* (→ 1. In-), et *moderatio.* → Modération.

♦ Littér. et vieilli. Manque de modération, de mesure. ⇒ **Excès; démesure.** *Il faut se garder de l'immodération, même dans le bien* (Académie). *Donner de scandaleux exemples d'immodération. Immodération dans l'usage de certains biens, dans les désirs, les plaisirs.* ⇒ **Intempérance.**

Aristote lui donne *(à la gloire)* le premier rang entre les biens externes : Évite comme deux extrêmes vicieux l'immodération et à la rechercher et à la fuir. 1
MONTAIGNE, Essais, II, XVI.

L'immodération (...) est une ardeur inaltérable et sans délicatesse, qui mène quelquefois à de grands vices. VAUVENARGUES, De l'esprit humain, XLV. 2

L'immodération lui a toujours paru la plus grande des fautes politiques (...) 3
Louis MADELIN, Hist. du Consulat et de l'Empire, Vers l'empire d'Occident, III.

CONTR. Modération. — Continence, tempérance.

IMMODÉRÉ, ÉE [i(m)mɔdeʀe] adj. — XVe; lat. *immoderatus,* de *im-* (→ 1. In-), et *moderatus.* → Modéré.

♦ Littér. ou style soutenu. Qui n'est pas modéré; qui dépasse la mesure, la normale. ⇒ **Abusif, démesuré, excessif, outré.** *Dépenses immodérées. Ingestion immodérée d'alcool. Faire un usage immodéré du tabac. Étude immodérée* (→ Gauchir, cit. 5). *Exaspération* (cit. 3) *immodérée. Voluptés immodérées* (→ Fortifiant, cit. 1). *Désirs immodérés* (→ Cupidité, cit. 1; étourdissement, cit. 8). ⇒ **Déréglé, effréné.** *Envie, passion, goût, appétit, zèle immodérés.*

(...) un ris *(rire)* immodéré (...) LA BRUYÈRE, les Caractères, I, 50. 1

Le goût immodéré de la forme pousse à des désordres monstrueux et inconnus. 2
BAUDELAIRE, l'Art romantique, XI.

(...) les explosions d'une joie immodérée couvraient par intervalles le cri des poulets égorgés qui se débattaient sous le couteau des servantes. 3
E. FROMENTIN, Une année dans le Sahel, p. 273.

Il la regardait sans cesse, et je sentais frémir en lui un désir immodéré de cette femme. MAUPASSANT, les Sœurs Rondoli, p. 188. 4

(...) les troubles dont il s'agissait étaient de nature goutteuse. Il en faisait remonter l'origine à un usage immodéré de l'alcool et du gibier (...) 5
Pierre BENOIT, Mlle de La Ferté, p. 12.

(Personnes). Qui manque de modération.

(...) les gens immodérés changent tous les jours d'affections, de goûts, de sentiments et n'ont pour toute constance que l'habitude du changement; mais l'homme 6 réglé revient toujours à ses anciennes pratiques, et ne perd pas même dans sa vieillesse le goût des plaisirs qu'il aimait enfant. ROUSSEAU, Émile, V.

CONTR. Modéré.
DÉR. Immodérément.

IMMODÉRÉMENT [i(m)mɔdeʀemɑ̃] adv. — V. 1282; de *immodéré*, et *-ment*.

♦ Littér. ou style soutenu. D'une manière immodérée, avec excès. ⇒ **Démesurément, excessivement, mesure** (sans), **modération** (sans). *Boire immodérément. Être immodérément prétentieux.*

1 Pour noyer les sinistres pressentiments qui le tourmentaient, il se remit à table, et but immodérément, ainsi que ses compagnons.
BALZAC, la Muse du département, Pl., t. IV, p. 112.

2 Quant aux trois maisons que nous avons habitées... Le souvenir les avait immodérément embellies.
J. GREEN, Journal, 30 mai 1977, La terre est si belle, p. 145.

CONTR. Modérément, peu.

IMMODESTE [i(m)mɔdɛst] adj. — 1541, Calvin; lat. *immodestus*, de *im-* (→ 1. In-), et *modestus*. → Modeste.

♦ **1.** Vieilli ou relig. Qui manque à la pudeur. *Fille immodeste.* ⇒ **Impudique, indécent.** *Tenue, posture, attitudes, regards immodestes.* ⇒ **Inconvenant** (→ Agitation, cit. 2; capitan, cit.). *Des « robes immodestes »* (Colette, *in* T. L. F.). *Propos immodestes.* ⇒ **Grivois, licencieux.**

Les saturnales de Boucher et de Voltaire, qui, à ce que dit le professeur, ne préférait décidément que les peintures immodestes, suffisent pour faire haïr tout ce côté malheureusement inséparable de l'antique, des satyres, des nymphes poursuivies et de tous les sujets érotiques. E. DELACROIX, Journal, 4 mai 1853.

REM. Cet adjectif n'est plus guère usité que dans la langue de l'Église et dans les ouvrages pieux.

♦ **2.** (1543, « excessif »). Vx. Qui manque de modestie. ⇒ **Prétentieux, suffisant.** *Des déclarations immodestes.*

CONTR. Bienséant, décent, pudique.
DÉR. Immodestement.

IMMODESTEMENT [i(m)mɔdɛstəmɑ̃] adv. — 1546; de *immodeste*.

♦ Vieilli. D'une manière immodeste. *Être immodestement vêtu.* ⇒ **Indécemment.**

CONTR. Pudiquement.

IMMODESTIE [i(m)mɔdɛsti] n. f. — 1546; lat. *immodestia*, de *immodestus*. → Immodeste.

♦ **1.** Vieilli. Manque de pudeur. ⇒ **Impudicité.** *Immodestie dans la manière de s'habiller, de se tenir.* — Vx. *(Une, des immodesties).* Acte ou propos contraire à la pudeur. ⇒ **Indécence.**

(...) vous ne me persuaderez point de souffrir les immodesties de cette pièce (...)
MOLIÈRE, Critique de l'École des femmes, VI.

♦ **2.** Manque de modestie, de réserve. ⇒ **Prétention.**

CONTR. Bienséance, chasteté, décence, honnêteté, modestie, pudeur.

IMMODIFIABLE [ɛ̃mɔdifjabl] adj. — Av. 1715, Fénelon; repris 1844, Nodier; de *im-* (→ 1. In-), *modifier*, et suff. *-able*.

♦ Impossible à modifier. ⇒ **Inchangeable.**

1 Blanche? Elle n'est pas, je vous dis, je vous redis, un roman, mais une donnée, une immodifiable donnée (...) ARAGON, Blanche..., III, I, p. 352.

2 (...) l'inévitable vieux château sur une butte rocheuse, et l'église romane et une fabrique de quelque chose aux longs ateliers bas, aux deux ou trois hautes cheminées de briques portant un millésime du début du siècle, tournant lentement avec la ville entière, comme un plateau, au centre de la longue courbe que fait la voie : quelque chose d'intemporel, d'immodifiable et d'indestructible (...)
Claude SIMON, le Vent, p. 73.

IMMOLATEUR [i(m)mɔlatœʀ] n. m. — 1534; lat. *immolator*, de *immolare*. → Immoler.

♦ Vx. Celui qui immole. ⇒ **Sacrificateur.**

REM. Le fém. *immolatrice* [i(m)mɔlatʀis] est virtuel.

IMMOLATION [i(m)mɔlɑsjɔ̃] n. f. — XIIIe; lat. *immolatio*, de *immolatum*, supin de *immolare*. → Immoler.

Didact. ou littéraire.

♦ **1.** Action d'immoler; résultat de cette action. ⇒ **Sacrifice.** *L'immolation des victimes.* ⇒ **Hécatombe, holocauste, hostie.** *Immolation et effusion* (cit. 3) *du corps et du sang du Christ.*

1 (...) l'immolation des bêtes et des victimes (...)
RACINE, Appendice aux Traductions, Des Esséniens, p. 554.

(1851, Sainte-Beuve). Par ext. ⇒ **Massacre, mort** (mise à).

2 Telle qu'elle est, victime de la plus odieuse et de la plus brutale des immolations, exemple de la plus épouvantable des vicissitudes, elle n'a point besoin que le culte des vieilles races subsiste pour soulever un sentiment de sympathie et de pitié délicate chez tous ceux qui liront le récit de ses brillantes années et de ses dernières tortures. SAINTE-BEUVE, Causeries du lundi, 14 juil. 1851.

♦ **2.** Action de s'immoler, sacrifice de soi-même. *L'immolation de Jésus. L'immolation des abeilles aux dieux de la race* (→ Essaimage, cit.).

(1835, Balzac). Fait de se sacrifier. *Elle pressentait que le bonheur viendrait justifier son immolation* (→ Cri, cit. 24).

Le mariage (...) est la plus sotte des immolations sociales; nos enfants seuls en profitent (...) BALZAC, le Contrat de mariage, Pl., t. III, p. 86. 3

(...) la plupart des vivants n'attend rien de l'homme supérieur, qu'une immolation ou des services. André SUARÈS, Trois hommes, « Ibsen », p. 88. 4

IMMOLER [i(m)mɔle] v. tr. — V. 1460; lat. *immolare*, de *im-* (→ 2. In-), et *mola* « meule », d'où « farine », désignant la farine de blé torréfiée mêlée de sel qu'on répandait sur la tête des victimes, au cours du sacrifice.

Littér. ou didact. (dans toutes ses acceptions).

♦ **1.** (1538). Tuer en sacrifice à une divinité. ⇒ **Sacrifier; sacrifice** (offrir en). *Immoler une victime sur l'autel.* ⇒ **Égorger** (→ aussi Assemblée, cit. 8; assumer, cit. 1; holocauste, cit. 1 et 3). *La terre, immense autel* (cit. 19) *où tout ce qui vit doit être immolé. Agamemnon laissant immoler sa fille* (→ Approuver, cit. 10; bûcher, cit. 2). — Au p. p. *Victimes humaines immolées à Dieu dans un autodafé* (cit. 1).

Jamais Iphigénie, en Aulide immolée, 1
N'a coûté tant de pleurs à la Grèce assemblée (...) BOILEAU, Épître, VII.

Si l'on t'immole un bœuf, j'en goûte devant toi. LA FONTAINE, Fables, IV, 3. 2

Il n'y a guère de peuples dont la religion n'ait été inhumaine et sanglante : vous savez que les Gaulois, les Carthaginois, les Syriens, les anciens Grecs, immolèrent des hommes. VOLTAIRE, Essai sur les mœurs, CXLVII. 3

(1460). Relig. En parlant du sacrifice de Jésus, renouvelé dans le saint sacrifice de la messe. Surtout passif et p. p. *Le fils de Dieu immolé pour le salut des hommes.*

(...) cette hostie divine qui devait être immolée pour eux et pour nous. 4
BOURDALOUE, Sermon, Sur le sacrifice de la messe.

♦ **2.** (1691, Racine). Vx. Faire périr. ⇒ **Exterminer, massacrer, mort** (mettre à), **tuer** (→ Différer, cit. 2). *Immoler les innocents et les coupables* (→ Extermination, cit. 2). *« La Convention immola des milliers d'ouvriers »* (Chateaubriand, *Mémoires d'outre-tombe*, *in* T. L. F.).

(...) on disait, on tâchait de croire que Robespierre allait inaugurer une politique nouvelle, qu'il n'avait immolé des *indulgents* que pour reprendre leurs idées (...) N'était-ce pas assez de sang? (...) 5
MICHELET, Hist. de la Révolution franç., XVIII, II.

IMMOLER (une, des personnes) À (qqn) : faire périr à l'intention de, en dédiant les victimes à (comme pour rendre hommage à une divinité).

Vos ennemis par moi vont vous être immolés (...) RACINE, Andromaque, IV, 3. 6

Par ext. Faire mourir ou laisser mourir dans l'intérêt supérieur de. *Immoler qqn à la patrie, à l'État.* (→ Amphore, cit.).

IMMOLER (qqn) À (qqch.) : faire périr (qqn) pour satisfaire (un sentiment), parvenir à (une fin). *Certains conquérants ont immolé des milliers d'hommes à leur ambition. Ils l'ont immolé à leur haine, à leur colère, à leur ressentiment.*

Vengez-la *(cette mort)* par une autre, et le sang par le sang. 7
Immolez, non à moi, mais à votre couronne,
Mais à votre grandeur, mais à votre personne;
Immolez, dis-je, Sire, au bien de tout l'État
Tout ce *(celui quel qu'il soit)* qu'enorgueillit un si haut attentat.
CORNEILLE, le Cid, II, 3.

Elle allait immoler Joad à son courroux. RACINE, Athalie, III, 3. 8

(...) la mort de Virginie, immolée par son père à la pudeur et à la liberté (...) 9
MONTESQUIEU, l'Esprit des lois, XI, XV.

Rare. *Immoler qqn pour qqch.*

♦ **3.** Fig. et vieilli. ⇒ **Sacrifier** (à un intérêt, à une passion). *Immoler des rivaux à sa haine, à son ambition. Immoler ses meilleurs amis aux caprices d'une femme.*

Vous laisserez sans honte immoler votre fille 10
Aux folles visions qui tiennent la famille (...)?
MOLIÈRE, les Femmes savantes, II, 9.

La princesse Bénédicte (...) fut la première immolée à ces intérêts de famille. 11
BOSSUET, Oraison funèbre d'Anne de Gonzague.

À ces martyrs de l'intelligence, impitoyablement immolés sur la terre, les adversités sont comptées en accroissement de gloire (...) 12
CHATEAUBRIAND, Mémoires d'outre-tombe, t. VI, p. 208.

Dans l'ennui des grandes assemblées, il y a toujours quelqu'un (souvent ce n'est pas le moins raisonnable) que l'on immole ainsi à l'amusement de tous. 13
MICHELET, Hist. de la Révolution franç., IV, V.

(Compl. n. de chose). Vx. Abandonner dans un esprit de sacrifice ou d'obéissance. ⇒ **Offrir, renoncer** (à). *Immoler sa fortune, ses intérêts, son ambition.* ⇒ **Fouler** (aux pieds). *Immoler son amour au devoir. Immoler qqch. en soi,* le détruire, le sacrifier.

(...) mais c'est à ses beautés 14
Que je viens immoler toutes mes volontés. CORNEILLE, Polyeucte, II, 1.

REM. Les emplois où la métaphore du sens 1 est sensible sont encore possibles, mais restent archaïques ou plaisants.

15 (...) la longanimité qu'il avait déployée depuis le jour où sa foi ardente lui avait fait tout immoler sur les autels de la mère patrie.
COURTELINE, Messieurs les ronds-de-cuir, p. 222.

▶ **S'IMMOLER** v. pron.

♦ **1.** (1640, Corneille). Faire le sacrifice de sa vie (en se donnant la mort ou en l'acceptant). *Aux Thermopyles, les Spartiates se sont immolés pour la patrie. Enfant d'Israël qui s'immole pour Dieu* (→ Héritage, cit. 7). — Spécialt. *Jésus s'est immolé pour le salut des hommes.*

16 La mort seule aujourd'hui peut conserver ma gloire (...)
Permettez, ô grand roi, que de ce bras vainqueur
Je m'immole à ma gloire, et non pas à ma sœur. CORNEILLE, Horace, V, 2.

♦ **2.** (1668, Molière). Faire le sacrifice de ses intérêts. *Sa carrière s'annonçait brillante, il s'est immolé par fidélité à ses principes. S'immoler à sa conscience, à son devoir.*

17 Ils *(les grands)* veulent que pour eux tout soit, dans la nature,
Obligé de s'immoler. MOLIÈRE, Amphitryon, I, 1.

18 Ce prêtre, qui depuis quarante années s'immolait chaque jour au service de Dieu et des hommes dans ces montagnes, ne te rappelle-t-il pas ces holocaustes d'Israël, fumant perpétuellement sur les hauts lieux, devant le Seigneur?
CHATEAUBRIAND, Atala, p. 127.

19 Et, chose étrange! dans cette ardeur généreuse à me pousser dehors, les hommes qui me signifiaient leur volonté n'étaient ni mes amis, ni les copartageants de mes opinions politiques. Je devais m'immoler sur-le-champ au libéralisme, à la doctrine qui m'avait continuellement attaqué (...)
CHATEAUBRIAND, Mémoires d'outre-tombe, t. III, p. 564 (éd. Levaillant).

20 Monter, c'est s'immoler. Toute cime est sévère.
L'Olympe lentement se transforme en calvaire;
Partout le martyre est écrit (...) HUGO, les Contemplations, VI, XVII.

21 De là ces partis pris sublimes, celui des saints ou de Tolstoï, qui fait la bonne bête. Quelque forts qu'ils soient, ils s'immolent; ils veulent croire en Dieu ou à ce monde, à tout prix. Et comme la volonté d'une parfaite croyance est déjà la moitié d'une foi, bientôt ils s'y immolent.
André SUARÈS, Trois hommes, « Pascal », p. 27.

▶ **IMMOLÉ, ÉE** p. p. adj. Voir ci-dessus à l'article (sens 1).

IMMONDE [i(m)mɔ̃d] adj. — V. 1220, au sens 3; lat. *immundus,* de *im-* (→ 1. In-), et *mundus* « propre ». → Émonder.

♦ **1.** (1526). Cour. D'une saleté ou d'une hideur qui soulève le dégoût ou l'horreur. ⇒ **Dégoûtant, sale.** *Chose immonde.* ⇒ **Immondice** (1.). *Cloaque* (cit. 3) *immonde. Bouge, taudis immonde* (→ Galetas, cit. 3). *Plaie immonde* (→ Gangrène, cit. 1). *Mets, débris immondes* (→ Beau, cit. 24).

1 On visitait ces tours sinistres, ces cachots noirs, profonds, fétides, où le prisonnier, au niveau des égouts, vivait assiégé, menacé des crapauds, des rats, de toutes les bêtes immondes. MICHELET, Hist. de la Révolution franç., II, III.

2 (...) ils effraient le mauvais riche, comme, au temps de la *danse macabre,* on lui montrait sa fosse béante et la mort prête à l'enlacer dans ses bras immondes.
G. SAND, la Mare au diable, p. 12.

2.1 Marcel reparut le lendemain à trois heures, la face verte, les yeux rouges, une bigne au front, le pantalon déchiré, empestant l'eau-de-vie, immonde.
FLAUBERT, Bouvard et Pécuchet, Folio, p. 326.

3 À Azar-Kapou, je dus le suivre dans d'immondes ruelles de truands, boueuses, noires, sinistres (...) LOTI, Aziyadé, III, LVII.

♦ **2.** (Fin XIIIe). Relig. [a] Impur* selon la loi religieuse. *Animaux immondes* (par exemple le porc, selon la loi de Moïse, de Mahomet).

4 (...) il faut remarquer que selon la loi toutes les femmes accouchées étaient réputées immondes (...)
BOSSUET, 3e Sermon pour la fête de la Purification, *in* LITTRÉ.

[b] (V. 1220). Qui a un caractère d'impureté morale. — Loc. (1541, Calvin). *L'esprit immonde :* le démon. — (1767, Voltaire). *Le péché immonde :* le péché de la chair. *La nature immonde, mauvaise en l'homme,* par oppos. à la *spiritualité,* à la *bonté* (→ Ailé, cit. 3; alourdir, cit. 4, Hugo). — Allus. littér. *« La bête immonde » :* le nazisme (allus. à la dernière phrase de la pièce de Bertold Brecht, *la Résistible Ascension d'Arturo Ui :* « il est encore fécond, le ventre d'où est sortie la bête immonde »).

5 (...) le condamné avait une femme en qui Dieu avait mis la beauté et la prudence. Un vieux richard promit de donner une livre d'or et même plus à la dame, à condition qu'il commettrait avec elle le péché immonde. La dame ne crut point faire mal en sauvant son mari. VOLTAIRE, l'Ingénu, XVI.

6 La journée et le soir du lendemain redoublèrent mes angoisses; de mortels ennuis m'obsédèrent, les ténébreux désirs, les pensées immondes naissaient pour moi de toutes parts dans ces sites austères où je m'étais promis pureté d'âme et constance.
SAINTE-BEUVE, Volupté, p. 54.

7 (...) leur sagesse est humiliée devant ils ne savent quoi d'immonde, qui ricane et se moque d'eux.
F. MAURIAC, Souffrances et bonheur du chrétien, Préface, p. 15.

N. (Vx). *« Les immondes, les fornicateurs »* (Massillon).

♦ **3.** (Av. 1841, Chateaubriand). D'une extrême immoralité ou d'une bassesse qui révolte la conscience. *C'est un être immonde!* ⇒ **Dégoûtant, ignoble.** *Vice immonde* (→ Ennui, cit. 27). *« Le noir océan de l'immonde cité »* (Baudelaire). *Commerce immonde, honteux* (→ Drôle, cit. 5). *Trafic immonde. Propos, rumeurs, refrains immondes* (→ Catholicisme, cit. 2; gaillardise, cit. 2). ⇒ **Obscène.** *Les gestes les plus immondes* (→ Fille, cit. 37).

Et, alors, il s'acharna sur la scène, il voulut la connaître jusqu'au bout, il descendit aux mots crus, aux interrogations immondes. ZOLA, la Bête humaine, p. 24. 8

CONTR. Propre, pur.

DÉR. On trouve chez Albertine Sarrazin le dér. *immonderie,* n. f. (*la Traversière,* 1966, p. 252) au sens de « caractère immonde » (3.).

IMMONDICE [i(m)mɔ̃dis] n. f. — V. 1265, sing.; *immondeces,* plur., v. 1220; lat. *immunditia, immunditiæ,* de *immundus.* → Immonde.

♦ **1.** Vieilli ou didact. (Au sing.). Chose immonde* (au sens 1). — Vx (cf. La Fontaine, *Contes,* « On ne s'avise jamais de tout »).

Son corps gît délaissé sur un grabat, d'où le juge est obligé de le faire enlever, non comme le corps d'un homme, mais comme une immondice dangereuse aux vivants. CHATEAUBRIAND, le Génie du christianisme, I, V, VII. 1

Au sing. collectif :

(...) l'étouffement lent par l'immondice, une boîte de pierre où l'asphyxie ouvre sa griffe dans la fange et vous prend à la gorge; la fétidité mêlée au râle (...)
HUGO, les Misérables, V, III, V. 2

(1564). Caractère de ce qui est immonde. — (1662, Bossuet). Vx. (Au sens 2). *Immondice légale :* impureté résultant, selon la loi des Juifs, du contact de qqch. d'immonde.

(La sainte Vierge qui) obéit comme les autres à la loi de la purification, et offre avec tant de simplicité le sacrifice pour le péché, c'est-à-dire pour les immondices légales qu'elle n'avait nullement contractées (...)
BOSSUET, 3e Sermon pour la fête de la Purification, I, *in* LITTRÉ. 3

♦ **2.** (V. 1220). Au plur. Mod. « Déchets de la vie humaine et animale, résidus du commerce et de l'industrie » (Poiré). ⇒ **Balayure, boue, excrément, fange, gadoue, ordure** (→ Engrais, cit. 3). *Immondices déposées dans les rues et enlevées par les boueurs. Cloaque, égouts, recevant les immondices. Enlèvement des immondices par les services de la voirie conformément aux règlements d'hygiène publique.* ⇒ **Voirie.** *Tombereau chargé d'immondices.*

Les rues de Paris, étroites, mal pavées et couvertes d'immondices dégoûtantes (...)
VOLTAIRE, le Siècle de Louis XIV, II. 4

Une chienne y vagabondait, flairant et retournant les menus tas d'immondices.
G. DUHAMEL, Salavin, VI, IV. 5

Par métaphore (→ Bibliothèque, cit. 4).

(1778, Diderot). Figuré :

(...) les immondices des peuples entrent dans l'âme des saints pour s'y perdre comme dans un puits. FRANCE, Thaïs, p. 242. 6

DÉR. Immondicité. — REM. Hugo a utilisé dans *les Misérables* l'adj. *immonditiel* (*in* T. L. F.).

IMMONDICITÉ [i(m)mɔ̃disite] n. f. — V. 1380, plur., « saletés, ordures » (→ Immondice, 2.); de *immondice,* et *-ité.*

Rare et littéraire.

♦ **1.** (1541, Calvin; *immundicité,* av. 1525). *L'immondicité de qqch.,* caractère contraire à la morale, aux bonnes mœurs.

Je viens de passer une partie de ma nuit à lire un roman de Scribe. La Maîtresse anonyme. C'est complet. Procure-toi cette œuvre. L'immondicité ne va pas plus loin, rien n'y manque. FLAUBERT, Lettre à Louis Bouilhet, 29 juin 1850.

♦ **2.** (1561, *in* D. D. L.). Vx. *Une, des immondicités.* [a] Excrément. ⇒ **Immondice.**

[b] Chose immonde (sur le plan moral, sexuel...). *« Les adultères et les immondicités »* (Flaubert, *Correspondance,* 1846, p. 295, *in* T. L. F.).

IMMORAL, ALE, AUX [i(m)mɔʀal, o] adj. — V. 1660, Pascal; en parlant des personnes, n'est attesté qu'en 1770, Raynal; de *im-* (→ 1. In-), et *moral.*

♦ **1.** (Personnes). Qui viole les principes de la morale, agit de manière contraire à la morale, à une morale donnée. *Un homme, un être immoral, foncièrement immoral.* ⇒ **Corrompu, dépravé, vicieux** (→ Courtisane, cit. 3). *Des gens immoraux, sans foi* ni loi. Rendre immoral.* ⇒ **Démoraliser.** *Immoral avec affectation.* ⇒ **Cynique.** *Il est amoral, mais non pas immoral.* — N. m. (Fin XIXe). *L'immoral et l'amoral* (cit. 2). — *Les Immoraux,* nom donné par les partisans de Robespierre aux Dantonistes.

Le soir du 21, aux Jacobins, il *(Robespierre)* assura froidement (...) qu'il n'y avait plus de fanatisme que celui des hommes immoraux, *soudoyés par l'étranger* pour donner à notre Révolution le vernis de l'immoralité. 1
MICHELET, Hist. de la Révolution franç., XIV, IV.

♦ **2.** (Choses). Contraire à la morale. *Existence* (cit. 26), *conduite immorale.* ⇒ **Déréglé, honteux.** *Actions, choses immorales* (→ Approuver, cit. 14). ⇒ **Malhonnête, malpropre.** *Le caractère immoral du haschisch* (cit. 7). *Opinions, conceptions, doctrines immorales* (→ Conduire, cit. 28). *Écrits, ouvrages immoraux* (→ Hardiesse, cit. 19). *C'est immoral, profondément immoral* (→ Humaniser, cit. 10). *Il est immoral de...*

Dans le système de la révolution française, ce qui est immoral est impolitique, ce qui est corrupteur est contre-révolutionnaire. La faiblesse, les vices, les préjugés sont le chemin de la royauté. ROBESPIERRE, Discours du 7 févr. 1794. 2

Beaucoup de bons esprits blâment la démission de biens, qu'ils regardent comme immorale, car ils l'accusent de détruire les liens de famille (...) 3
ZOLA, la Terre, I, II.

♦ **3.** Spécialt (dans le domaine des mœurs sexuelles). Contraire aux « bonnes mœurs ». ⇒ **Impur, licencieux, obscène.** *Un homme immoral et débauché.* ⇒ **Dépravé, dévergondé, vicieux.** *Une conduite immorale et scandaleuse.* — REM. Cette connotation spéciale du mot tend à vieillir, du fait de l'évolution des mœurs.

4 Il s'agissait, en 1834, de distinguer les ouvrages sciemment immoraux, dont l'obscénité était la raison d'être, de ceux où, pour des raisons de sujet, quelques scènes pouvaient sembler osées, certains détails scabreux, mais qui restaient des œuvres d'art.
G. MATORÉ, *in* Th. GAUTIER, Préface Mlle de Maupin, Introd., p. XXVII.

CONTR. **Honnête, moral, vertueux.**
DÉR. **Immoralement, immoralisme, immoraliste, immoralité.**

IMMORALEMENT [i(m)mɔʀalmɑ̃] adv. — 1836, Académie; de *immoral,* et *-ment.*

♦ Littér. D'une manière immorale. *Agir immoralement.*

CONTR. **Moralement.**

IMMORALISME [i(m)mɔʀalism] n. m. — 1845; de *immoral.*

♦ Didact. Doctrine qui propose des règles d'action différentes, voire inverses de celles qu'admet la morale courante. *L'immoralisme de Nietzsche.*
(XXe). Tendance à mettre en doute les valeurs morales et à les contredire systématiquement; mépris pour la morale établie.

1 (...) il ne pouvait souffrir sa manie de raisonner, son analyse perpétuelle, je ne sais quel immoralisme intellectuel, surprenant chez un homme aussi épris qu'Olivier de la pureté morale, et qui avait sa source dans la largeur de son intelligence (...)
R. ROLLAND, Jean-Christophe, Dans la maison, II, p. 1008.

2 Ces savants semblent oublier que la valeur morale de la science n'est pas dans ses résultats, lesquels peuvent faire le jeu du pire immoralisme, mais dans sa méthode, précisément parce qu'elle enseigne l'exercice de la raison au mépris de tout intérêt pratique. Julien BENDA, la Trahison des clercs, p. 90.

IMMORALISTE [i(m)mɔʀalist] adj. et n. — 1874, Barbey d'Aurevilly; de *immoral,* sur *moraliste.* → Immoralisme; amoraliste.

♦ Caractérisé par l'immoralisme. *Thèses immoralistes.* — N. Partisan, dans son idéologie ou dans sa vie, de l'immoralisme.

1 Le vieux médecin, le vieux *(sic)* observateur, le vieux moraliste (...) ou *immoraliste* — (reprit-il, voyant mon sourire), — est déconcerté par le spectacle auquel il assiste depuis tant d'années (...)
BARBEY D'AUREVILLY, les Diaboliques, « Le bonheur dans le crime » (1874).

L'Immoraliste, roman d'André Gide (1902).

2 J'ai voulu lire *L'immoraliste* avidement, comme on regarde un paysage de haut (...) Ton héros n'a qu'un défaut qui me le rend antipathique, c'est l'absence complète d'immoralité. Il la recherche sans jamais la trouver. Il commet des actions qui n'*aboutissent* pas. Il poignarderait comme un somnambule qui ne se souviendrait pas.
Francis JAMMES, Lettre à A. Gide, juin 1902 (Corresp., no 162).

IMMORALITÉ [i(m)mɔʀalite] n. f. — 1777; de *immoral.*

♦ **1.** Caractère immoral (d'une personne, d'une chose). ⇒ **Corruption.** *L'immoralité d'un homme* (→ Fange, cit. 8), *d'un peuple* (→ Frivolité, cit. 4), *d'une société* (→ Blesser, cit. 15). *Être accusé, suspect d'immoralité* (→ Culpabilité, cit. 3). *Affectation d'immoralité.* ⇒ **Cynisme** (cit. 3). *Morale et immoralité* (→ Conformité, cit. 6). ⇒ **Amoralité.** *Une parfaite immoralité en affaires.*

1 Si l'on était vertueux, où placeriez-vous vos articles sur l'immoralité du siècle? Vous voyez bien que le vice est bon à quelque chose.
Th GAUTIER, Mlle de Maupin, Préface, p. 4.

2 La femme Sand est [illegible]
Elle a toujours été moraliste.
Seulement elle faisait autrefois de la contre-morale.
BAUDELAIRE, Journaux intimes, Mon cœur mis à nu, XXVI.

3 L'immoralité, c'est la révolte contre un état de choses dont on voit la duperie.
RENAN, Dialogues philosophiques, Certitudes, Œuvres, t. I, p. 575.

(1784, Beaumarchais). *L'immoralité d'une conduite, d'un acte. Immoralité d'une doctrine, d'un ouvrage, d'un tableau. Rousseau a dénoncé l'immoralité du théâtre de Molière. L'immoralité d'une politique, de certaines conventions* (→ Immoral, cit. 1; fraude, cit. 2). — Spécialt, dans le domaine des mœurs sexuelles (→ ci-dessous, cit. 5). ⇒ **Dépravation, dévergondage, licence, obscénité, vice.**

4 Est-ce mon page, enfin, qui vous scandalise? et l'immoralité qu'on reproche au fond de l'ouvrage serait-elle dans l'accessoire?
BEAUMARCHAIS, le Mariage de Figaro, Préface, p. 161.

5 (...) nous voulions simplement démontrer aux pieux feuilletonistes qu'effarouchent les ouvrages nouveaux et romantiques, que les classiques anciens, dont ils recommandent chaque jour la lecture et l'imitation, les surpassent de beaucoup en gaillardise et en immoralité.
Th. GAUTIER, Préface de Mlle de Maupin, p. 14 (éd. critique MATORÉ).

6 Le reproche d'immoralité, qui n'a jamais failli à l'écrivain courageux, est d'ailleurs le dernier qui reste à faire quand on n'a plus rien à dire à un poète.
BALZAC, Avant-propos, Pl., t. I, p. 10.

7 Ce m'est une douleur de contredire M. Larroumet; mais cette immoralité est-elle bien une des nouveautés du Mariage de Figaro? Vous trouverez dans maintes comédies de l'ancien répertoire, des ramas de coquins beaucoup plus accomplis, ce me semble.
Jules LEMAÎTRE, Impressions de théâtre, 3e série, Beaumarchais, p. 130.

8 Ce n'était pas leur immoralité *(de ces œuvres)* qui le choquait. Moralité, immoralité, amoralité, — ces mots ne veulent rien dire. Christophe ne s'était jamais fait de théories morales; il aimait dans le passé de très grands poètes et de très grands musiciens, qui n'étaient pas de petits saints (...)
R. ROLLAND, Jean-Christophe, La foire sur la place, I, p. 718.

♦ **2.** (1777). Vx. *(Une, des immoralités).* Action, parole immorale. *Sa conduite n'est qu'une suite d'immoralités* (Littré).

CONTR. **Moralité.** — **Honnêteté, morale, pureté, vertu.**

IMMORTALISATION [i(m)mɔʀtalizasjɔ̃] n. f. — 1580, Montaigne; de *immortaliser.*

♦ Littér. Action d'immortaliser; résultat de cette action.

IMMORTALISER [i(m)mɔʀtalize] v. tr. — 1544, Maurice Scève; du lat. *immortalis.* → Immortel.

♦ **1.** Rendre immortel dans la mémoire des hommes. — (Sujet n. de chose). Être la cause de l'immortalité de. *Les hauts faits, les chefs-d'œuvre qui immortalisent qqn, son nom, sa mémoire.* ⇒ **Conserver, éterniser, perpétuer.** *Des qualités suffisantes pour immortaliser un ouvrage* (cf. lat. Ex ungue leonem). — (Sujet n. de personne). Vieilli. Célébrer de manière à rendre immortel. *Les poètes ont immortalisé les héros, les grands hommes.* — Pron. *S'immortaliser par des actions mémorables, par ses œuvres.*

Si bien que le siècle à venir 1
Ne connaîtra que Marguerite
Immortalisant ton mérite
Par un éternel souvenir.
RONSARD, Odes, V, III.

Mourir pour son pays n'est pas un triste sort; 2
C'est s'immortaliser par une belle mort.
CORNEILLE, le Cid, IV, 5.

Les provinces conquises, les batailles gagnées (...) voilà ce que publient les titres et les inscriptions, et à quoi le monde consacre des éloges et des monuments publics, pour en immortaliser la mémoire (...) 3
MASSILLON, Petit carême, Gloire, *in* LITTRÉ.

(...) Alonzo conçut le dessein d'immortaliser ses ennemis en s'immortalisant lui-même. Il fut en même temps le conquérant et le poète (...) 4
VOLTAIRE, Essai sur la poésie épique, VIII.

Bien des questions, sur lesquelles on ne peut insister, lui doivent *(à Pasteur)* leurs solutions et chacune de celles-ci suffirait à immortaliser un auteur (...) 5
Henri MONDOR, Pasteur, VII, p. 214.

♦ **2.** (1585). Rare. Rendre immortel (en préservant de la mort).

(...) la panacée (...) la transfusion du sang et les autres moyens qui ont été proposés pour rajeunir ou immortaliser le corps, sont au moins aussi chimériques que la fontaine de Jouvence est fabuleuse. 6
BUFFON, Hist. nat. de l'homme, De la vieillesse et de la mort.

DÉR. **Immortalisation.**

IMMORTALITÉ [i(m)mɔʀtalite] n. f. — V. 1225; *immortaliteit,* fin XIIe; lat. *immortalitas,* de *immortalis.* → Immortel.

♦ **1.** (Fin XIIe). État d'une personne ou d'une chose qui est immortelle ou considérée comme telle (1.). *Immortalité des dieux de l'Olympe. Héros mythologique auquel les dieux ont conféré l'immortalité.* ⇒ **Apothéose auguste** (cit. 1). *Immortalité des bienheureux. Le* [illegible] *l'immortalité.* — ([illegible] 1662 Pascal). Spécialt. *L'immortalité de l'âme* (cit. 29). ⇒ **Immortel.** *Doctrine, dogme de l'immortalité de l'âme.* — Absolt. *Croyance à l'immortalité,* à la vie future. ⇒ **Futur** (vie future); **survivance** (de l'âme). *L'Immortalité,* poème de Lamartine *(Méditations).*

Ce qui est très singulier, c'est que dans les lois du peuple de Dieu il n'est pas dit un mot de la spiritualité et de l'immortalité de l'âme (...) il est indubitable que Moïse en aucun endroit ne propose aux Juifs des récompenses et des peines dans une autre vie, qu'il ne leur parle jamais de l'immortalité de leurs âmes, qu'il ne leur fait point espérer le ciel, qu'il ne les menace point des enfers; tout est temporel. 1
VOLTAIRE, Dict. philosophique, art. *Âme,* XI.

Notre immortalité nous est révélée d'une révélation innée et infuse dans notre esprit. 2
Joseph JOUBERT, Pensées, I, XVII.

Témoin de ta puissance et sûr de ta bonté, 3
J'attends le jour sans fin de l'immortalité.
La mort m'entoure en vain de ses voiles funèbres.
Ma raison voit le jour à travers ses ténèbres (...)
LAMARTINE, Premières méditations, XIX.

Ce n'est point par le sentiment de son néant que l'homme a élevé un tel sépulcre *(les Pyramides),* c'est par l'instinct de son immortalité : ce sépulcre n'est point la borne qui annonce la fin d'une carrière d'un jour, c'est la borne qui marque l'entrée d'une vie sans terme (...) 4
CHATEAUBRIAND, Itinéraire..., VI.

La liberté de l'âme implique son immortalité. 5
HUGO, Post-scriptum de ma vie, p. 57.

Il *(Hugo)* croyait à l'immortalité des âmes, à leurs migrations successives, à une échelle continue allant de la chose inanimée à Dieu, de la matière à l'idéal. Pourquoi ne pas admettre que flottaient dans l'espace des êtres dématérialisés, cherchant à s'exprimer (...) 6
A. MAUROIS, Olympio, VIII, III.

Maigre immortalité noire et dorée, 7
Consolatrice affreusement laurée,
Qui de la mort fais un sein maternel,
Le beau mensonge et la pieuse ruse!
VALÉRY, Poésies, Charmes, « Le cimetière marin ».

(1902, *in* Larousse). Durée, survivance dont on ne voit pas le terme. ⇒ **Continuité, pérennité.** *La nature a assuré l'immortalité à l'espèce* (cit. 31).

8 L'homme qui haïssait la mort et le dieu de la mort, qui désespérait de la survivance personnelle, a voulu se délivrer dans l'immortalité de l'espèce.
CAMUS, l'Homme révolté, p. 303.

♦ **2.** (1532, Rabelais). Littér. Qualité de ce qui survit pendant très longtemps dans la mémoire des hommes. *Aspirer, aller à l'immortalité* (→ Flatter, cit. 50). *Entrer dans l'immortalité* (→ Génie, cit. 43). *Être voué, consacré* (cit. 11) *à l'immortalité. Les mérites qui donnent, qui confèrent l'immortalité aux héros, aux génies. Des vers marqués au coin* (cit. 2) *de l'immortalité. — Écrivain qui travaille pour l'immortalité.* ⇒ **Éternité, postérité.**

9 Que le naturel n'est suffisant à celui qui en poésie veut faire œuvre digne de l'immortalité.
DU BELLAY, Défense et Illustration de la langue franç., III (titre).

10 (...) cette immortalité que donne un beau trépas (...) CORNEILLE, Polyeucte, II, 2.

11 Trois mille ans ont passé sur la cendre d'Homère,
Et depuis trois mille ans Homère respecté
Est jeune encor de gloire et d'immortalité (...)
M.-J. DE CHÉNIER, Épître à Voltaire.

12 (...) il *(Saint-Simon)* avait un tour à lui; il écrivait à la diable pour l'immortalité.
CHATEAUBRIAND, Vie de Rancé, III, p. 156.

13 C'est le style qui fait la durée de l'ouvrage et l'immortalité du poète.
HUGO, Littérature et philosophie mêlées, p. 11.

14 Si j'avais pu, je serais allé conquérir l'immortalité sur les champs de bataille (...)
FRANCE, le Livre de mon ami, Livre de Pierre, II, I.

15 (...) ce n'est que la sagesse des Nations qu'il *(La Fontaine)* nous transmet, mais dans une forme qui lui a valu l'immortalité.
André SIEGFRIED, La Fontaine..., p. 62.

Plais. État d'immortel (4.), d'Académicien.

CONTR. Mortalité.

IMMORTEL, ELLE [i(m)mɔʀtɛl] adj. et n. — Déb. XIVe; lat. *immortalis,* de *im-* (→ 1. In-), et *mortalis* (→ Mortel), de *mors, mortis* (→ Mort).

♦ **1.** (Déb. XIVe). Qui n'est pas sujet à la mort. *Dieu, les anges, les démons sont conçus comme immortels. L'Olympe était le séjour des dieux immortels. Vénus, l'immortelle déesse* (→ Fou, cit. 12). *Les hommes semblent parfois se croire immortels* (→ Aujourd'hui, cit. 38). — N. (1578, Ronsard). Vx ou littér. *Un immortel, une immortelle :* un dieu, une déesse. *Les immortels se nourrissaient d'ambroisie** (→ Apologue, cit. 3; autel, cit. 11).

1 (...) votre bouche était belle,
Votre front et vos mains dignes d'une Immortelle (...)
RONSARD, Pièces retranchées, Sonnet.

2 Nous craignons toutes choses comme mortels, et nous désirons toutes choses comme si nous étions immortels.
LA ROCHEFOUCAULD, Maximes posthumes, 511.

3 Veuillent les Immortels, conducteurs de ma langue (...)
LA FONTAINE, Fables, XI, 7.

4 Si nous étions immortels, nous serions des êtres très misérables. Il est dur de mourir, sans doute; mais il est doux d'espérer qu'on ne vivra pas toujours et qu'une meilleure vie finira les peines de celle-ci. ROUSSEAU, Émile, II.

Âme (cit. 31) *immortelle* (→ Agenouiller, cit. 2; délivrer, cit. 13; guérir, cit. 28). *Vie immortelle.* ⇒ **Éternel, futur.**

5 (...) il importe à toute la vie de savoir si l'âme est mortelle ou immortelle.
PASCAL, Pensées, III, 218.

6 (...) un être souverainement parfait (...) dont notre âme est (...) une portion, comme esprit et comme immortelle? LA BRUYÈRE, les Caractères, XVI, 1.

7 Je voudrais bien que l'âme de l'homme bon et infortuné lui survécût pour un bonheur immortel. Mais si l'idée de cette félicité céleste a quelque chose de céleste elle-même, cela ne prouve point qu'elle ne soit pas un rêve.
É. DE SENANCOUR, Oberman, XLIV.

8 La foi mène à la vie immortelle. Mais la foi suppose l'acceptation du mystère et du mal, la résignation à l'injustice. Celui que la souffrance des enfants empêche d'accéder à la foi ne recevra donc pas la vie immortelle. Dans ces conditions, même si la vie immortelle existait, Ivan *(Karamazov)* la refuserait.
CAMUS, l'Homme révolté, p. 77.

Par métonymie. *Paix immortelle de l'âme* (→ Attester, cit. 4). *Immortelle beauté se substituant à la beauté mortelle* (→ Changer, cit. 2). *Immortelle et céleste voix* (→ Conscience, cit. 14). *L'immortelle égide* (cit. 1). *L'immortelle espérance* (cit. 26).

9 Une immortelle main de sa perte est chargée.
Neptune me la doit (...) RACINE, Phèdre, IV, 4.

10 La plus magnifique, la plus triomphante, la plus glorieuse de nos œuvres éphémères n'est jamais que l'indigne contrefaçon, que le rayonnement éteint de la moindre de ses œuvres immortelles *(de Dieu).*
Aloysius BERTRAND, Gaspard de la nuit, p. 46.

11 Toute idée est, par elle-même, douée d'une vie immortelle, comme une personne. Toute forme créée, même par l'homme, est immortelle.
BAUDELAIRE, Journaux intimes, Mon cœur mis à nu, LXXX.

N. m. (1662, Bossuet). *L'immortel et le corruptible, le spirituel et le charnel* (cit. 3).

♦ **2.** (Av. 1525, Guillaume Crétin). Qu'on suppose ne devoir jamais finir, que rien ne pourra détruire ou entamer. ⇒ **Éternel, impérissable** (cf. Braver le temps). *Un monument immortel.* ⇒ **Durable.** *Créer* (cit. 5) *des choses immortelles. Amitié, nœuds immortels* (→ Engager, cit. 14). *Un amour immortel* (→ Fidèle, cit. 16; heureux, cit. 55).

12 Ma haine va mourir, que j'ai crue immortelle;
Elle est morte, et ce cœur devient sujet fidèle (...) CORNEILLE, Cinna, V, 3.

Mon cœur vous consacrait une flamme immortelle (...) 13
MOLIÈRE, les Femmes savantes, I, 2.

L'un par l'autre entraînés, nous courons à l'autel 14
Nous jurer, malgré nous, un amour immortel. RACINE, Andromaque, IV, 5.

Par plaisanterie :

J'ai dit à M. de Pompone que vous étiez jalouse de l'immortelle vie de Monsieur d'Angers *(il avait alors plus de 92 ans).* 15
Mme DE SÉVIGNÉ, 1153, 21 mars 1689.

(...) j'osai, dans un accès de familiarité qui ne parut pas lui déplaire, m'écrier, en m'emparant d'une coupe pleine jusqu'au bord : À votre immortelle santé, vieux Bouc! BAUDELAIRE, le Spleen de Paris, XXIX. 16

N. m. pl. (1730). *Les Immortels,* corps d'élite des anciens Perses.

Mais la garde, jamais mêlée à la cohue (...) 17
Marchait seule. Et d'abord venaient les Immortels,
Semblables aux lions secouant leurs crinières (...)
HUGO, la Légende des siècles, VI, I, Les trois cents, III.

♦ **3.** (1352). Qui survit et doit survivre éternellement dans la mémoire des hommes. ⇒ **Célèbre, glorieux.** *L'immortel auteur de Don Quichotte. Byron, le barde* (1. Barde, cit. 2) *immortel. Tartuffe, l'immortelle création de Molière. Ouvrage, poèmes, chants* (cit. 12) *immortels. Actions, exploits immortels* (→ Gloire, cit. 37). *C'est une page, une réponse immortelle* (→ Célèbre, cit. 7; empreinte, cit. 12). *Un nom, une gloire, un honneur immortels. D'immortelle mémoire*. « Les immortels principes » de 1789.*

Tu jouis, mon Ronsard, même durant ta vie, 18
De l'immortel honneur que tu as mérité (...) DU BELLAY, Regrets, XX.

(...) on trouve chez le même libraire l'impertinente déclamation *(du Père Le Brun)* contre nos spectacles, à côté des ouvrages immortels de Corneille, de Racine, de Molière (...) VOLTAIRE, Lettres philosophiques, XXIII. 19

Monsieur, d'après les immortels principes de 89, tous les hommes sont égaux en droits; donc je possède le droit de me mirer; avec plaisir ou déplaisir, cela ne regarde que ma conscience. BAUDELAIRE, le Spleen de Paris, XL. 20

♦ **4.** N. (1833; à cause du sceau portant la formule *« à l'immortalité »,* donné par Richelieu à l'Académie). *Un immortel, une immortelle :* un académicien, une académicienne. — (Parfois écrit avec la majuscule). *Les Immortels en séance* (→ Fluxion, cit. 4). *L'Immortel,* roman d'A. Daudet (1888).

Dans leur salle des réunions privées, devant la grande cheminée que surmonte le portrait en pied du cardinal de Richelieu, les immortels discutaient avant d'entrer en séance. Alphonse DAUDET, l'Immortel, p. 340. 21

Par un système de compensation, pour racheter la profondeur et le poids de l'éminent historien, l'Académie lui a tout de suite adjoint deux romancières d'un talent exquis. Après la lourdeur, nous avons la délicatesse, la finesse, je dirai même la ténuité! Les journaux de modes se disputent les œuvres de ces deux immortelles, c'est tout dire. A. ROBIDA, le Vingtième Siècle, p. 194. 22

REM. L'ouvrage est un roman d'anticipation (assez antiféministe) publié en 1892.

CONTR. Mortel, périssable.
DÉR. Immortaliser, immortelle, immortellement.
HOM. Immortelle.

IMMORTELLE [i(m)mɔʀtɛl] n. f. — 1665; de *immortel.*

♦ Plante (*Composées ;* n. sc. : *Helichryrum*) dont l'involucre, aux bractées colorées et scarieuses, ne change pas avec le temps quand la fleur se dessèche. ⇒ **Xéranthème** (→ Aromate, cit. 5). *L'immortelle jaune est souvent employée à la confection des couronnes funéraires. Immortelle blanche* ou *de Virginie. — Immortelle des neiges, des Alpes.* ⇒ **Edelweiss.**

On lui a mis sa robe de noce, avec des bouquets de roses, d'immortelles et de violettes. FLAUBERT, Correspondance, 105, 23 (ou 24) mars 1846. 1

(...) une demi-douzaine de voyageurs harassés, dont le marchand de couronnes mortuaires, retour du chef-lieu pour ses commandes d'immortelles. 2
ARAGON, les Beaux Quartiers, I, I.

HOM. Immortel.

IMMORTELLEMENT [i(m)mɔʀtɛlmɑ̃] adv. — XVe; de *immortel.*

Littéraire

♦ **1.** D'une manière immortelle. ⇒ **Éternellement.**

Est-ce bien toi *(Dante),* grande âme immortellement triste (...) 1
A. DE MUSSET, Poésies nouvelles, « Souvenir ».

♦ **2.** Constamment, indéfectiblement.

L'amour est immortellement jeune (...) les façons de l'exprimer sont et demeureront éternellement vieilles. 2
A. DE MUSSET, Il faut qu'une porte soit ouverte ou fermée, *in* T. L. F.

♦ **3.** D'une manière digne de passer à la postérité. *Il a exprimé cela immortellement.*

IMMORTIFICATION [i(m)mɔʀtifikasjɔ̃] n. f. — Av. 1622, François de Sales; lat. ecclés. médiéval *immortificatio,* de *im-* (→ 1. In-), et *mortificatio.*

♦ Vx. Défaut de mortification; état d'une personne qui n'est pas mortifiée.

IMMOTIVÉ, ÉE [i(m)mɔtive] adj. — 1866, Amiel; de *im-* (→ 1. In-), et *motivé.*

♦ **1.** Littér. Qui n'a pas de motif. *Action immotivée.* ⇒ **Gratuit** (*supra* cit. 6); → Gratuitement, cit. 7. *Réclamation immotivée.* ⇒ **Injustifié.**

1 Bizarrerie des conversions (...) que fait jaillir souvent un accident, un hasard, le rien immotivé qui décide et enlève!
Ed. et J. DE GONCOURT, Madame Gervaisais, p. 205.

2 Cet acte, pour être gratuit, n'est pourtant point immotivé.
GIDE, Dostoïevski, p. 213.

♦ **2.** Ling. Qui n'est pas motivé (⇒ **Motiver**), en parlant d'un signe, d'une expression. *Saussure a posé le signe linguistique comme immotivé.* ⇒ **Arbitraire** (cit. 9.1 et 12). — Par ext. (avec une valeur assez imprécise) :

3 Immotivés, dépourvus de sens, ils *(les mots)* se suivent et se répètent continuellement, traçant toujours la même image.
J.-M. G. LE CLÉZIO, le Déluge, p. 267.

CONTR. Motivé.

IMMUABILITÉ [i(m)mɥabilite] n. f. — 1701, Pomey; *immuableté*, mil. XVIe, Ronsard; de *immuable.*

♦ Didact. Caractère de ce qui est immuable. ⇒ **Immutabilité.**

L'insensibilité de la mer, l'immuabilité du spectacle me révoltent (...) Ah! faut-il... fuir éternellement le beau? BAUDELAIRE, le Spleen de Paris, III.

IMMUABLE [i(m)mɥabl] adj. — 1327; de *im-* (→ 1. In-), et l'anc. adj. *muable*, d'après le lat. *immutabilis*, de *im-* (→ 1. In-), et *mutabilis*, de *mutare* «changer».

♦ **1.** (1327). Didact. Qui reste identique à soi-même; qui ne peut éprouver aucun changement. ⇒ **Immutabilité.** *Les idées platoniciennes sont éternelles* et immuables. Dans les religions monothéistes, Dieu est éternel et immuable* (→ Gouffre, cit. 10). *Croire en une vérité absolue* (cit. 15) *et immuable* (→ Grand, cit. 60). *Les règles du beau* (cit. 99), *de la morale, les lois de la science considérées comme immuables* (→ Échelle, cit. 14; éternel, cit. 9; géométrie, cit. 1). *Les lois* immuables de la nature. — La succession immuable du jour et de la nuit* (→ Écouler, cit. 15).

1 Ce sont, pour vrai, choses déterminées
Par l'immuable arrêt des destinées. Clément MAROT, Opuscules, V.

2 Adorez l'Être éternel, mon digne et sage ami; d'un souffle vous détruirez ces fantômes de raison qui n'ont qu'une vaine apparence, et fuient comme une ombre devant l'immuable vérité. Rien n'existe que par celui qui est (...)
ROUSSEAU, Julie ou la Nouvelle Héloïse, Lettre XVIII.

3 Si tout languit et meurt, renaît et recommence
Toi seul es immuable et toi seul immortel!
LECONTE DE LISLE, Poèmes barbares, «Les deux glaives», II.

♦ **2.** (Mil. XVIe). Cour. Qui ne change pas; qui continue*, dure longtemps. ⇒ **Constant, continu, fixe, inaltérable, invariable** (→ Changeable, cit.). *Ardeur, passion immuable.* ⇒ **Durable** (→ Attacher, cit. 13). *Pensée, idée immuable* (→ Garer, cit. 7). *Volonté immuable.* ⇒ 1. **Ferme.** *Bonheur, félicité immuable* (→ Altérer, cit. 4). *Un art hiératique* (cit. 3) *et immuable. — Un sourire, un visage immuable.* ⇒ **Figé, stéréotypé.** — *Les mots ne sont immuables ni dans leur forme ni dans leur emploi* (cit. 6).

4 Qu'il vive cependant, et jouisse du jour
Que lui conserve encor mon immuable amour. CORNEILLE, Médée, II, 1.

5 Ces images sont identiquement pareilles à celles qu'ont révérées les ancêtres. Immuables comme le dogme, elles se sont perpétuées de siècle en siècle; l'art n'a pas eu de prise sur elles, et les corriger, malgré leur barbarie et leur naïveté, lui eût paru un sacrilège. Th. GAUTIER, Voyage en Russie, XIII, p. 160.

6 Aucune des formes sociales que l'homme imagine et établit n'est immuable.
FUSTEL DE COULANGES, la Cité antique, p. 282.

7 Rien de plus immuable que la nullité, qui n'a jamais vécu de la vie de l'intelligence, ou l'esprit lourd, qui n'a jamais vu qu'une face des choses.
RENAN, l'Avenir de la science, Œ. compl., t. III, p. 777.

(1553; personnes). Qui reste le même*, sans changement. *Elle est immuable dans ses convictions.* ⇒ **Constant, ferme.**

8 (...) les révoltes de l'Angleterre et celles de l'Espagne et du Portugal faisaient admirer d'autant plus le calme dont jouissait la France; Straffort et Olivarès, renversés ou ébranlés, grandissaient l'immuable Richelieu.
A. DE VIGNY, Cinq-Mars, XIV.

9 (...) immuable dans le refus, même quand il se dérobe, il refuse à jamais le consentement. André SUARÈS, Trois hommes, «Ibsen», p. 107.

10 (...) un seul être qui me semble incapable de changement. C'est ma mère. Immuable dans l'âme, car pour ce qui est du corps, elle vieillit beaucoup en ce moment. G. DUHAMEL, Chronique des Pasquier, t. VIII, IV, p. 323.

CONTR. Altérable, changeant, convertible, divers, mouvant...
DÉR. Immuabilité, immuablement.

IMMUABLEMENT [i(m)mɥabləmɑ̃] adv. — 1470; de *immuable.*

♦ D'une manière immuable. ⇒ **Constamment, invariablement** (→ Casuiste, cit. 1). *Un ciel immuablement bleu* (→ Envergure, cit. 2).

1 Impossible d'exprimer le jour mat produit par le ciel immuablement gris (...) et la neige éternelle du sol. RIMBAUD, Illuminations, XIX.

2 Jean pensait vaguement qu'on était arrivé enfin à ces jours où rien ne changerait plus, à partir desquels sa mère resterait éternellement jeune et lui éternellement libre et gai, dans le même soleil ardent immuablement établi sur la terre.
PROUST, Jean Santeuil, Pl., p. 325.

IMMUN, UNE [i(m)mœ̃, yn] adj. et n. m. — 1916; angl. *immune*, du lat. *immunis* (cf. moy. franç. *immun*, 1431, «non soumis à [une obligation]»; «indemne», fin XVe); lat. *immunis.* → Immuniser.

♦ Didact. (biol.). Se dit d'un sujet, d'un organisme immunisé, d'une substance immunisante. *Agglutinines* irrégulières ou immunes.* — N. m. *Un immun.* **a** Sujet ou organisme immunisé.

b Substance immunisante.

COMP. Immunigène. — Auto-immune.

IMMUNIGÈNE [i(m)myniʒɛn] adj. — 1953, Quillet; de *immun*, et *-gène.*

♦ Didact. (biol.). Qui engendre l'immunité (II., 1.). *Substance, produit immunigène. Pouvoir immunigène des antigènes*.*

IMMUNISANT, ANTE [i(m)mynizɑ̃, ɑ̃t] adj. et n. m. — 1895, *Année sc. et industr.* 1896, p. 127; p. prés. de *immuniser.*

♦ Didact. Qui immunise. *Remède, sérum immunisant.* « *L'aptitude vaccinale ou immunisante* (d'un bacille)» (*Année sc. et industr.* 1896, p. 127). — N. m. *Un immunisant.*

IMMUNISATION [i(m)mynizasjɔ̃] n. f. — 1894, A. Calmette; de *immuniser.*

♦ Didact. (biol.). Action d'immuniser; résultat de cette action. ⇒ **Antisepsie.** *Immunisation active* (⇒ **Vaccination**), *passive* (⇒ **Sérothérapie**). *Immunisation naturelle du convalescent après une maladie infectieuse.*

IMMUNISER [i(m)mynize] v. tr. — 1894, A. Calmette, au p. p. (*in* T. L. F.); dér. sav. du lat. *immunis* «exempt».

♦ **1.** Didact. et cour. Rendre réfractaire aux agents pathogènes, à une maladie infectieuse. ⇒ **Immunité** (II.). *Immuniser par le vaccin, par une injection de sérum.* ⇒ **Vacciner.** *Accoutumer* l'organisme à un produit toxique pour l'immuniser.* ⇒ **Mithridatiser.**

♦ **2.** Fig. *Immuniser qqn (contre qqch.).* ⇒ **Protéger.** — Passif. *Personne n'est immunisé contre certaines tentations.* ⇒ **Abri** (à l'abri de), **blindé** (fam.), **exempt.**

Une douce habitude l'immunisait contre de telles réceptions. Elles ne l'impressionnaient plus (...) COCTEAU, les Enfants terribles, p. 61. 1

Les hommes n'ont pas de subtilité; leur condition servile les blinde et les immunise. A. ARNOUX, le Royaume des ombres, II, p. 60. 2

Un biologiste dirait : de tels hommes ne sont pas immunisés, ils sont vulnérables. 3
G. DUHAMEL, Chronique des Pasquier, t. IV, II, p. 265.

► **IMMUNISÉ, ÉE** p. p. adj. *Organisme immunisé contre une maladie. Utiliser le sérum d'un animal immunisé* (→ Antitoxique, cit.).

CONTR. Contaminer. — (Du p. p.) Vulnérable.
DÉR. Immunisant, immunisation, immunisine.

IMMUNISINE [i(m)mynizin] n. f. — 1933, *in* D. D. L.; de *immuniser*, et *-ine.*

♦ Didact. (biol.). Anticorps supposé capable de déclencher l'immunité contre un agent pathogène.

Il convient (...) d'admettre, à la base du processus immunitaire, l'existence d'une «sensibilisatrice» particulière (...) qui, dénommée immunisine, survivra définitivement à certaines maladies, s'opposant à toute récidive.
V. VIC-DUPONT, la Maladie infectieuse, p. 59-60.

IMMUNITAIRE [i(m)mynitɛʀ] adj. — Mil. XXe; de *immunité*, sur le modèle de *communauté-communautaire.*

♦ Didact. (biol.). Relatif à l'immunité (II., 1.). *Le processus immunitaire* (→ Immunisine, cit.). *Stimuler, au moyen de vaccins, les réactions immunitaires de l'organisme.*

IMMUNITÉ [i(m)mynite] n. f. — 1276, *in* Bloch-Wartburg, «sûreté»; lat. *immunitas* «exemption de charge», de *im-* (→ 1. In-), et *munus* «charge».

★ **I.** (1474). Exemption de charge, prérogative accordée par la loi à une catégorie de personnes. ⇒ **Dispense, exemption, franchise, liberté, privilège.** *Immunité de charges, d'impôts.* — Hist. du dr. *Immunité de la noblesse, de la magistrature*, consistant en exemptions de certaines charges publiques. *Immunités accordées à l'Église : immunité personnelle* (honneur dû aux clercs, préséance sur les laïcs, exemptions de corvée, de service militaire...), *immunité de juridiction* (privilège de clergie*), *immunité des abbayes* (autonomie de certains monastères). *Congrégation de l'immunité*, jugeant des cas relatifs aux immunités ecclésiastiques.

(...) franchises, immunités, exemptions, privilèges, que manque-t-il à ceux qui ont un titre? LA BRUYÈRE, les Caractères, XIV, 13. 1

2 Pertinax avait assuré la propriété et l'immunité des impôts pour dix ans à ceux qui occuperaient les terres désertes en Italie (...)

MICHELET, Hist. de France, I, III.

(À l'époque franque). *L'immunité est une des institutions qui annoncent la féodalité. Charte, diplôme d'immunité,* conférant l'immunité à un propriétaire.

3 L'immunité est un privilège accordé par le roi à un grand propriétaire ou à un établissement ecclésiastique et qui consiste à interdire ses domaines à l'action des agents royaux. OLIVIER-MARTIN, Hist. du droit, § 175 (éd. Dalloz).

Dr. mod. Exemption des règles générales en matière juridictionnelle, fiscale... *Immunité accordée aux parents, aux époux, exemptés des peines du vol.*

(1890). Dr. constit. IMMUNITÉ PARLEMENTAIRE, accordée au parlementaire pour sauvegarder « l'indépendance d'exercice (de son) mandat » (Prélot), et lui assurant une protection contre les actions pénales exercées contre lui. ⇒ **Inviolabilité, irresponsabilité.** *Les immunités sont valables pendant la durée du mandat, en matière criminelle et correctionnelle, et sauf flagrant délit; elles peuvent être levées par la Chambre dont l'accusé fait partie* (levée d'immunité).

Dr. internat. publ. *Immunité de juridiction,* en vertu de laquelle les États ne peuvent être soumis contre leur volonté à la juridiction d'un État tiers. *La règle de l'immunité absolue souffre des exceptions* (actes de gestion, matières commerciales...). — *Immunité diplomatique :* ensemble des privilèges résultant de l'exterritorialité* et qui soustraient les diplomates étrangers, leurs familles, le personnel officiel des ambassades, aux juridictions du pays où ils résident.

★ **II.** (1866, *in* Littré). ♦ **1.** Biol. Propriété que possède un organisme d'être réfractaire à certains agents pathogènes. *Immunité naturelle, congénitale.* — (1867, *in* D. D. L.). *Immunité acquise.* ⇒ **Immunisation.** *Immunité spontanée* (à la suite d'une maladie infectieuse; syn. : *auto-immunisation, immunation**), *immunité provoquée.* ⇒ **Vaccination.** *Substances qui confèrent l'immunité.* ⇒ **Immunigène; anticorps, antigène, complément** (4.), **sérum, vaccin; immuniser.** *L'immunité provoquée peut être active ou passive. Immunité aux substances toxiques acquise par ingestion progressive.* ⇒ **Accoutumance, mithridatisme.**

4 C'est vers la recherche des facteurs de l'immunité naturelle que les sciences médicales devraient, dès aujourd'hui, s'orienter.

Alexis CARREL, l'Homme, cet inconnu, p. 248.

5 La pénétration dans notre corps d'un germe infectieux, même très virulent, ne détermine pas toujours une maladie. On dit alors que l'organisme est immunisé. Le cas de l'homme auquel on ne peut transmettre la peste bovine, celui de la poule réfractaire au charbon, comme le chien l'est à la syphilis, nous offrent plusieurs exemples d'immunité dite naturelle, c'est-à-dire d'organismes qui se trouvent spontanément à l'abri d'une infection déterminée, grâce à une active phagocytose.

P. VALLERY-RADOT, Notre corps, p. 59.

♦ **2.** Littér. Ce qui préserve d'un mal. ⇒ **Abri** (fig.), **préservation, protection.**

6 Les journaux (...) avaient rapporté que deux cents ans auparavant, pendant les grandes pestes du Midi, les médecins revêtaient des étoffes huilées, pour leur propre préservation. Les magasins en avaient profité pour écouler un stock de vêtements démodés grâce auxquels chacun espérait une immunité.

CAMUS, la Peste, p. 255.

CONTR. (Du II.) **Allergie, anaphylaxie, sensibilisation.**
DÉR. **Immunitaire, immunition.**

IMMUNITION [i(m)mynisjɔ̃] n. f. — XXe, Ch. Nicolle; de *immuni(té),* et *-tion.*

♦ Didact. (méd.). Auto-immunisation faisant suite à une maladie. *État d'immunition de l'organisme. Processus d'immunition. Vaccin établissant une « barrière protectrice avant le déclenchement du processus d'immunition »* (*Guérir,* juil. 1967).

IMMUNO- Élément, tiré du lat. *immunis* (⇒ **Immunité**), servant à former des mots savants dans les domaines de la biologie, de la médecine. ⇒ **Immun, immunité.** — REM. Outre les comp. traités à l'ordre alphabétique, on rencontre d'autres termes plus rares. Ex. : *immuno-allergologie* [i(m)mynoalɛʀgɔlɔʒi] n. f.; *immuno-adsorption* [i(m)mynoatsɔʀpsjɔ̃] n. f. (*la Recherche,* juil. 1978, p. 684); *immunodéficitaire* [i(m)mynodefisitɛʀ] adj., « qui est caractérisé par une chute des défenses immunitaires » (ex. : SIDA); *immuno-dominant* [i(m)mynodɔminɑ̃] adj., se dit d'un caractère immunologique dominant; *immuno-effecteur* [i(m)mynoefɛktœʀ] n. m., « stimulateur des réactions immunitaires » (opposé à *immunodépresseur**); *immunosélection* [i(m)mynoselɛksjɔ̃] n. f. (*la Recherche,* janv. 1974, p. 80); *immuno-modulateur* [i(m)mynomɔdylatœʀ] n. m.

IMMUNOCHIMIE [i(m)mynoʃimi] n. f. — 1959; de *immuno-,* et *chimie.*

♦ Didact. Application des techniques biochimiques à l'étude qualitative et quantitative des processus immunitaires.

IMMUNOCOMPÉTENT, ENTE [i(m)mynokɔ̃petɑ̃, ɑ̃t] adj. — V. 1970; de *immuno-,* et *compétent.*

♦ Biol. Se dit de cellules susceptibles d'intervenir dans les processus immunitaires. *Lymphocytes immunocompétents.*

IMMUNODÉPRESSEUR [i(m)mynodepʀesœʀ] adj. et n. — 1967; de *immuno-,* et rad. du lat. *depressus* « abaissé ». → **Dépresseur.**

♦ Didact. (biol., méd.). Se dit des substances ou des procédés thérapeutiques qui inhibent les réactions de l'organisme aux éléments exogènes (⇒ **Immunosuppresseur**). *Traitement immunodépresseur accompagnant une transplantation d'organe.*

IMMUNODÉPRESSIF, IVE [i(m)mynodepʀesif, iv] adj. — 1968, *le Monde;* de *immuno-,* et *dépressif.*

♦ Didact. (méd.). Relatif à l'action des immunodépresseurs*. *Action immunodépressive ou immunosuppressive. Médicaments immunodépressifs ou immunosuppressifs.* ⇒ **Immunodépresseur.**

IMMUNOÉLECTROPHORÈSE [i(m)mynoelɛktʀɔfɔʀɛz] n. f. — Mil. XXe; de *immuno-,* et *électrophorèse.*

♦ Chim., biol. Séparation des constituants antigéniques d'un mélange sous l'effet d'un champ électrique, suivie de leur précipitation au moyen des anticorps correspondants. — REM. On trouve aussi l'adj. *immunoélectrophorétique* (in *la Recherche,* oct. 1979, p. 1044).

IMMUNOFLUORESCENCE [i(m)mynoflyɔʀesɑ̃s] n. f. — 1965, Garnier; de *immuno-,* et *fluorescence.*

♦ Didact. (méd.). Méthode utilisée pour dépister les antigènes grâce à des corps fluorescents. « *Contrairement à ce que les techniques d'immunofluorescence laissaient croire, les cellules sécrétrices ne seraient pas (...) les hépatocytes cancéreux* » (*la Recherche,* nov. 1973, p. 983).

IMMUNOGÈNE [i(m)mynɔʒɛn] adj. — 1906, Garnier-Delamare; de *immuno-,* et *-gène.*

♦ Didact. (biol.). Qui est propre à engendrer une réaction immunitaire. *Qualité immunogène des antigènes.*

IMMUNOGÉNÉTIQUE [i(m)mynoʒenetik] n. f. — Mil. XXe (1969, *le Monde*); de *immuno-,* et *génétique.*

♦ Didact. (biol.). Étude des réactions immunitaires portant sur les facteurs génétiques qui jouent un rôle dans ces réactions. « *Le prix Nobel de médecine a couronné cette année des travaux fondamentaux d'immunologie, ou plus exactement d'immunogénétique, qui ont apporté des connaissances essentielles sur le fonctionnement de chaque organisme* » (*Sciences et Avenir,* n° 405, nov. 1980, p. 8).

IMMUNOGLOBINE [i(m)mynoglɔbin] n. f. — 1959; de *immuno-,* et *globuline.*

♦ Biochim. Globuline du plasma sanguin qui agit comme anticorps*.

IMMUNOLOGIE [i(m)mynɔlɔʒi] n. f. — 1924, *in* T. L. F.; de *immuno-,* et *-logie.*

♦ Didact. (biol., méd.). Étude de l'immunité (II.), apparition, développement, conséquences d'ordre prophylactique et thérapeutique. ⇒ aussi **Immunogénétique.** *Importance de l'immunologie en pathologie, dans le domaine des transplantations d'organes* (reactions de rejet »). « *L'allergie* (cit. 2), *branche de l'immunologie* ». ⇒ **Allergologie.**

Même quand triomphèrent les dogmes de l'organicisme intégral et de la spécificité étiologique, même à l'époque des découvertes (...) bactériologiques de Pasteur, la théorie des tempéraments et des diathèses gardait des défenseurs obstinés, devenus beaucoup plus nombreux avec les progrès de l'endocrinologie, de l'immunologie, de la génétique (...)

Jean DELAY, Introduction à la médecine psychosomatique, p. 5.

DÉR. **Immunologique, immunologiste.**

IMMUNOLOGIQUE [i(m)mynɔlɔʒik] adj. — 1928, *in* T. L. F.; de *immunologie* et *-ique.*

♦ Didact. (biol., méd.). Relatif à l'immunologie. « *Leurs défenses immunologiques* (des cosmonautes) *se sont considérablement affaiblies* » (*Science et Vie,* n° 594, p. 41). *Réaction immunologique.*
REM. Le dér. *immunologiquement* [i(m)mynɔlɔʒikmɑ̃] adv., est attesté (→ Immunologiste).

IMMUNOLOGISTE [i(m)mynɔlɔʒist] n. — Mil. XXe (1946, *in* T. L. F.); de *immunologie,* et *-iste.*

♦ Didact. (biol., méd.). Spécialiste de l'immunologie. « *Les réactions d'hypersensibilité sont également responsables de fièvre : les immunologistes ont en effet montré que, lorsqu'un individu a été une première fois en contact avec une substance étrangère (on dit qu'il est immunologiquement sensibilisé), un nouveau contact peut non seulement conduire à une seconde stimulation de la réaction immunitaire, mais peut aussi causer des réactions dommageables pour les tissus* » (*la Recherche*, n° 123, juin 1981, p. 692).

IMMUNOSUPPRESSEUR [i(m)mynosypʀesœʀ] n. m. — 1967 ; de *immuno-*, et *suppresseur*, de *supprimer*.

♦ Biol. ⇒ **Immunodépresseur.**

IMMUNOSUPPRESSIF, IVE [i(m)mynosypʀesif, iv] adj. — Mil. XXe ; de *immuno-*, et *suppressif*.

♦ Biol. ⇒ **Immunodépressif.**

IMMUNOSUPPRESSION [i(m)mynosypʀesjɔ̃] n. f. — Mil. XXe ; de *immuno-*, et *suppression*.

♦ Didact. (biol., méd.). Processus par lequel les réactions immunitaires sont inhibées ou supprimées. ⇒ **Immunodépresseur.** « *Il serait intéressant de voir si cet antibiotique ne pourrait pas être utile pour l'immunosuppression recherchée dans le cas des greffes d'organes* » (*la Recherche*, juil.-août 1978, n° 91, p. 671).

IMMUNOTHÉRAPIE [i(m)mynoteʀapi] n. f. — 1938, Garnier-Delamare ; de *immuno-*, et *-thérapie*.

♦ Didact. (méd.). Administration prétentive de sérums spécifiques. *Traitement de tumeurs malignes par immunothérapie. Immunothérapies passive, active, adoptive.*

Dans l'histoire des maladies infectieuses, les sérums, les vaccins, les méthodes appelées actuellement immunothérapies ont précédé et de loin les chimiothérapies. Quarante ans séparent la découverte du sérum antidiphtérique (1894) de la découverte des sulfamides (1938).
Jean BERNARD, Grandeur et Tentations de la médecine, p. 110.

IMMUNO-TOLÉRANT, ANTE [i(m)mynotɔleʀɑ̃, ɑ̃t] adj. — V. 1970 ; de *immuno-*, et *tolérant*.

♦ Didact. Se dit d'un organisme qui ne réagit pas par une production d'anticorps aux antigènes qui y sont introduits.

IMMUNOTRANSFUSION [i(m)mynotʀɑ̃sfyzjɔ̃] n. f. — Mil. XXe ; *immuno-transfusion*, 1927, *in* D. D. L. ; de *immuno-*, et *transfusion*.

♦ Méd. Transfusion de sang provenant d'un sujet immunisé contre la maladie dont est atteint le malade qui la reçoit.

IMMUTABILITÉ [i(m)mytabilite] n. f. — 1470 ; lat. *immutabilitas*, de *im-* (→ 1. In-), et *mutabilis*. → Immuable.

♦ **1.** Didact. ou littér. Caractère, état de ce qui est immuable*. ⇒ **Immuabilité.** *L'immutabilité des idées platoniciennes, de Dieu, de la règle morale, des éléments* (→ Atome, cit. 7). ⇒ **Constance, fixité.** *L'immutabilité d'un sentiment, d'une idée.*

1 Comme tout change d'un moment à l'autre (...) ce que l'on mande aujourd'hui n'est plus vrai demain ; c'est un pays (*la cour*), bien opposé à l'immutabilité.
Mme DE SÉVIGNÉ, 317, *in* LITTRÉ.

2 (...) l'immutabilité n'appartient point aux hommes.
VOLTAIRE, Hist. du parlement de Paris, Avant-propos.

3 À quoi tenait le mystère de sa puissance (*de Robespierre*) ? À l'opinion qu'il avait su imprimer à tous de sa probité incorruptible et de son immutabilité. Tous les autres personnages de la Révolution furent naïvement mobiles, au gré des événements. Lui seul (...) manœuvra de manière à soutenir le renom de cette immutabilité.
MICHELET, Hist. de la Révolution franç., XV, III.

♦ **2.** (1804). Dr. *Immutabilité des conventions matrimoniales*, en vertu de laquelle ces conventions ne peuvent recevoir aucun changement après la célébration du mariage (*Code civil*, art. 1395).

CONTR. **Adaptation, changement, mutabilité, variabilité.**

IMMUTABLE [i(m)mytabl] adj. — 1410 ; repris XIXe (1829, Boiste) ; lat. *immutabilis*, de *im-* (→ 1. In-), et *mutabilis*, de *mutare* « changer ».

♦ Rare et littér. Qui ne peut changer. ⇒ **Immuable** (plus cour.).

1 Ou l'attraction de la Lune finirait par l'emporter, et les voyageurs atteindraient leur but ; ou le projectile, maintenu dans un orbe immutable, graviterait autour du disque lunaire jusqu'à la fin des siècles. J. VERNE, Autour de la Lune, p. 7.

2 Elle revoyait alors toute sa route retracée depuis le lieu d'hivernage, cette route que la fatalité ou plutôt l'immutable direction des courants avait dessinée à travers tant d'îles au large de deux continents, sans y toucher nulle part, et devant elle s'ouvrait maintenant l'infini de l'océan Pacifique !
J. VERNE, le Pays des fourrures, t. II, p. 288.

IMPACT [ɛ̃pakt] n. m. — 1824, *Dict. de Raymond* ; lat. *impactus*, p. p. de *impingere* « heurter ».

♦ **1.** Rare (sauf dans *point d'impact*). **POINT D'IMPACT** : collision, heurt ; endroit où le projectile vient frapper, et, par ext., trace qu'il laisse. *Relever les points d'impact du tir d'une batterie.*

Admettant alors un coup anormal sur cent, on conclut que les points d'impact se 1
répartissent autour du point central, symétriquement par rapport à ce point (...)
A. DELACHET, la Balistique, p. 116.

Les yeux, figés, agrandis, étaient déjà posés sur le lieu de l'impact ; ils palpaient 2
déjà la surface dure et ondulée de la mer, ils se fondaient au milieu des tourbillons comme de grandes algues nonchalantes.
J.-M. G. LE CLÉZIO, la Fièvre, p. 223.

Sous l'impact de... Sous l'impact d'un projectile, « *des électrons* » (*Sciences*, juil.-août 1959, p. 22), *des neutrons.*

♦ **2.** (V. 1965). Fig. Effet d'une action forte, brutale. *L'impact de la nouvelle a été terrible.*

Comme eux (*les aèdes*), vous chantez des textes, œuvres de poètes, qui méritent 3
de figurer dans l'histoire de la littérature. Pour accroître leur force d'impact, ou simplement pour obéir à ce qu'exigent leurs mots, pour les graver plus profondément dans l'esprit et les sens de vos auditeurs, vous les accompagnez de gestes et de jeux de physionomie. P. GUTH, Lettre ouverte aux idoles, p. 109.

Effet, influence (emploi critiqué). « *L'impact de la recherche sur le développement économique* » (*le Monde*, 31 déc. 1968). *L'impact de la publicité, de la propagande. Impact psychologique, technique. Avoir de l'impact, un impact. Force d'impact.*

Dès la sortie de la série, en mars, Élodie put se rendre compte de l'impact sur le 4
public. Jacqueline MONSIGNY, le Miroir aux pingouins, p. 304.

(1968, *in* Larousse ; personnes). ⇒ **Effet, influence.** « *Le Premier ministre a plus d'impact en province qu'à Paris* » (*Paris-Match*, 20 déc. 1969).

Psychol. *Impact d'un test psychologique*, ce qu'il révèle.

IMPACTER [ɛ̃pakte] v. tr. — Mil. XXe (*in* Larousse, 1962) ; de *impact(ion)*, et *-er*.

♦ Chir. Solidariser avec force (deux organes anatomiques rigides ou un organe et une prothèse) de manière à rendre l'ensemble résistant.

DÉR. **Impacteur.**

IMPACTEUR [ɛ̃paktœʀ] n. m. — 1962, *in* Larousse ; de *impacter*.

♦ Chir. Instrument servant à impacter.

IMPACTION [ɛ̃paksjɔ̃] n. f. — 1821, autre sens ; du lat. *impactio* « choc », de *impactus*. → Impact.

Médecine.

♦ **1.** Rupture d'un os avec déviation.

♦ **2.** Forte application de deux éléments anatomiques rigides ou d'un élément anatomique et d'une prothèse. ⇒ **Impacter.**

DÉR. **Impacter.**

IMPAIR, AIRE [ɛ̃pɛʀ] adj. et n. m. — 1521 ; *impar*, 1484, au sens 1 ; lat. *impar*, refait en *impair*, d'après *pair*.

★ **I.** ♦ **1.** Qui n'est pas pair, qui ne peut être divisé par deux en donnant des nombres entiers. *Un, trois, cinq, sept..., quarante-neuf sont des nombres impairs. Tout nombre est pair ou impair. Côté des numéros impairs* (dans une rue). — Math. *Fonction impaire*, dont la valeur change de signe en même temps que la variable.

(1798). Qui porte un numéro impair. *Jours impairs* (se disait autrefois du premier, du troisième et du cinquième jour de la semaine : lundi, mercredi, vendredi) : jours du mois qui portent un numéro impair. *Le 17 avril est un jour impair. Stationnement interdit les jours impairs.*

Rythmes impairs en musique. Vers impairs en poésie, d'un nombre de syllabes impair. *Les vers de sept, de neuf syllabes sont impairs.*

N. m. *L'impair* : ce qui est impair.

De la musique avant toute chose, 1
Et pour cela préfère l'Impair
Plus vague et plus soluble dans l'air,
Sans rien en lui qui pèse ou qui pose.
VERLAINE, Jadis et Naguère, Art poétique.

♦ **2.** Jeux. *Numéros impairs de la roulette* et d'autres jeux.* — N. m. *Jouer les impairs. Impair et manque* (→ 2. Pair, cit. 2). — Spécialt. *Jouer à pair ou impair*, à deviner si les objets cachés dans la main du partenaire sont en nombre pair ou impair.

J'ai connu un enfant de huit ans, dont l'infaillibilité au jeu de pair ou impair fai- 2
sait l'admiration universelle. Ce jeu est simple, on y joue avec des billes. L'un des joueurs tient dans sa main un certain nombre de ses billes, et demande à l'autre : « Pair ou non ? » Si celui-ci devine juste, il gagne une bille ; s'il se trompe, il en perd une.
BAUDELAIRE, Trad. E. POE, Histoires extraordinaires, « La lettre volée ».

♦ **3.** Sc. nat. Qui est unique, qui n'a pas de double. — Bot. *Foliole* *impaire* : foliole unique et terminale, dans une feuille composée. — Anat. *Organe impair,* qui n'a pas son symétrique (cœur, foie, etc.).

♦ **4.** Techn. *Voie impaire,* la voie dite montante. — *Train impair :* train s'éloignant du point d'origine et portant un numéro impair.

★ **II.** N. m. ♦ **1.** (1765 ; du sens I, 2). *Faire un double impair* (dans le jeu de pair et impair) : prendre deux fois de suite l'impair (par erreur, imprudence...). — Par métaphore (vx) :

3 Il est inexact (...) que la préfecture de Seine-et-Oise soit décidément donnée à M. de K... (du parti républicain), qui serait remplacé à Marseille par M. V... (du même parti) ; ce serait là un double impair (...)
la Patrie, 25 avril 1872, *in* LITTRÉ, Suppl.

♦ **2.** (1858, E. Augier ; de *faire un double impair*). Fig. et cour. Maladresse choquante. ⇒ **Gaffe.** *Faire, commettre un impair.*

4 En lui demandant s'il n'avait pas fini de faire l'âne pour avoir du son, tout fut dit : il ne douta plus qu'il eût commis un impair, et il se fit petit, le pauvre, mais petit!
COURTELINE, Boubouroche, p. 55.

5 Le plus souvent sa précaution aboutissait à quelque impair énorme, dont il restait penaud (...)
GIDE, Si le grain ne meurt, I, X.

CONTR. Pair.

IMPALA [impala] n. m. — XXe ; mot zoulou, *i-mpalaj.*

♦ Antilope du Sud et de l'Ouest africain (Bovidés ; genre æpycéros). *« L'impala (...) trouve dans des feuillages son mets principal et les graminées ne lui apportent qu'un complément »* (*Science et Vie,* mai 1974, nº 681, p. 61). *Des impalas bondissants.*

IMPALPABILITÉ [ɛ̃palpabilite] n. f. — 1800, Boiste ; de *impalpable.*

♦ Didact. ou littér. Caractère de ce qui est impalpable. ⇒ **Inconsistance, ténuité.** *« Ces fantômes que l'impalpabilité de leur nature aérienne soulève »* (Lamartine, *Raphaël, in* T. L. F.).

IMPALPABLE [ɛ̃palpabl] adj. — V. 1440, du bas lat. *impalpabilis,* de *im-* (→ 1. In-), et *palpabilis* « qu'on peut toucher », de *palpare.* → Palper.

♦ **1.** Qu'on ne peut palper, sentir au toucher ; sans consistance. *« Les substances spirituelles sont impalpables »* (Furetière, *Dictionnaire*). *Déités impalpables* (→ Fée, cit. 3). ⇒ **Immatériel, insaisissable.** *Les flots impalpables de la lumière* (→ Baigner, cit. 4).

1 Quel dommage, en effet, que les femmes de Raphaël, de Corrège et de Titien ne soient que des ombres impalpables ! Et pourquoi leurs modèles n'ont-ils pas reçu comme leurs peintures le privilège de l'immortalité ?
Th. GAUTIER, Fortunio, « La toison d'or », II.

Fig. Insensible, indiscernable.

2 (...) l'impalpable péril des routes aériennes semées de surprises (...)
SAINT-EXUPÉRY, Vol de nuit, Préface.

♦ **2.** (1549). Qui est très ténu ; dont les éléments séparés sont si petits que le toucher ne peut les percevoir. ⇒ **Délié, fin, ténu.** *Germe impalpable. Poussière impalpable au fond* (cit. 5) *d'un gouffre. Sable, limon impalpable* (→ Feuilleté, cit. 5).

3 (...) rien ne périt, tout change ; les germes impalpables des animaux et des végétaux subsistent, se développent et perpétuent les espèces. VOLTAIRE, Jenni, XI.

4 L'immobile soleil emplit l'espace mort,
Et fait se dilater, telle qu'une buée,
L'impalpable poussière où l'horizon s'endort.
LECONTE DE LISLE, Poèmes tragiques, « Le lévrier de Magnus », II.

N. m. (XIXe). *L'impalpable.*

5 On lève au ciel les yeux et l'on voit l'ombre horrible.
On est dans l'impalpable, on est dans l'invisible (...)
HUGO, la Légende des siècles, « La vision de Dante », IV.

6 (...) par la fenêtre ouverte (...) je contemplais les mouvantes architectures que Dieu fait avec les vapeurs, les merveilleuses constructions de l'impalpable.
BAUDELAIRE, le Spleen de Paris, XLIV.

♦ **3.** Méd. Se dit d'un organe, d'une partie du corps qui ne peut être perçu par palpation. *Le foie normal est impalpable.*

CONTR. Palpable, préhensible, saisissable.

DÉR. Impalpabilité, impalpablement.

IMPALPABLEMENT [ɛ̃palpabləmɑ̃] adv. — XXe ; de *impalpable.*

♦ Littér. De manière impalpable.

Le sommeil, la fraîcheur, l'aube grise s'étaient glissés dans la salle, impalpablement, le dancing sentait le petit matin. SARTRE, l'Âge de raison, p. 203.

IMPALPÉ, ÉE [ɛ̃palpe] adj. — 1894 ; de *im-* (→ 1. In-), et *palpé.*

♦ Rare. Qui n'a pas été palpé.

Les plus hautes feuilles des arbres impalpées.
J. RENARD, Journal, 11 mai 1894.

IMPALUDATION [ɛ̃palydasjɔ̃] n. f. — 1844, *in* D. D. L., « paludisme » ; de *impalud(isme),* et *-ation.*

♦ Méd. **a** Inoculation du parasite du paludisme par la piqûre d'anophèle et envahissement de l'organisme par les parasites qui s'y multiplient.

b Inoculation thérapeutique du paludisme (notamment, dans le traitement de la paralysie générale d'origine syphilitique, avant la découverte des antibiotiques).

IMPALUDÉ, ÉE [ɛ̃palyde] adj. et n. — 1844, *in* D. D. L. ; de *impalud(isme),* et *-é.*

♦ Méd. Atteint de paludisme. *Sujet impaludé.* — N. *Un(e) impaludé(e).*

Le soleil a été aussi invoqué dans la pathogénie du paludisme ; mais l'insolation (...) n'agit d'ordinaire que sur des gens impaludés. Il en est de même du froid, qui par lui-même ne saurait causer les fièvres, mais provoquera leur retour chez les impaludés.
G.-M. DEBOVE et Ch. ACHARD, Manuel de médecine, 1897, VIII, p. 407.

Régions impaludées, où sévit le paludisme. *Zones impaludées* (*la Recherche,* mars 1975, p. 233).

IMPALUDISME [ɛ̃palydism] n. m. — 1873, *in* Larousse ; de *im-* (→ 2. In-) « dans », et *paludisme.*

♦ Vx. ⇒ **Paludisme.**

DÉR. Impaludation, impaludé.

IMPANATION [ɛ̃panasjɔ̃] n. f. — XVIe ; lat. ecclés. *impanatio,* de *im-* (→ 2. In-) « dans », et *panis* « pain ».

♦ Relig. (théol. chrét.). Coexistence du pain et du corps de Jésus-Christ dans l'Eucharistie*. *L'impanation, doctrine luthérienne.*

IMPARABLE [ɛ̃paʀabl] adj. — 1604, Montchrestien ; de *im-* (→ 1. In-), *parer,* et *-able.*

♦ Impossible à éviter, à parer (mot courant en sport). *Un coup imparable. Botte imparable.*

(...) la précision, la netteté, la force imparable du geste furent horribles. 1
BERNANOS, l'Imposture, *in* Œ. roman., Pl., p. 372.

Ce n'était pas une raison parce que Delatouche venait d'inscrire d'un tir impa- 2
rable du gauche le deuxième but du Racing pour ne pas respecter la douleur d'un pauvre homme. René FALLET, le Triporteur, p. 263.

IMPARDONNABLE [ɛ̃paʀdɔnabl] adj. — V. 1360 ; rare av. XVIIe ; de *im-* (→ 1. In-), et *pardonnable.*

♦ **1.** (Sens fort). Qui ne mérite pas de pardon. — (Choses). *Crime, outrage impardonnable. Faute impardonnable.* ⇒ **Irrémissible.**

Quoi ! Vous ne trouvez pas ce crime impardonnable ? 1
MOLIÈRE, les Femmes savantes, II, 6.

REM. Même avec des mots comme *crime,* le mot est souvent employé ironiquement et dans un sens affaibli.

♦ **2.** (Sens affaibli). Inexcusable. *Défaut, travers impardonnable. Oubli, négligence impardonnable. Erreurs* (cit. 36) *impardonnables.*

(...) elle avait dû (...) colporter mille choses qu'elle avait eu l'impardonnable 2
naïveté de lui confier. J. GREEN, Adrienne Mesurat, p. 168.

Impers. *Il serait impardonnable de laisser passer cette occasion. « Il serait impardonnable et honteux à moi de jamais attaquer Hugo »* (Sainte-Beuve, *Mes Poisons, in* T. L. F.).

(Personnes). *Vous êtes sans excuxe et impardonnable* (→ Ébranler, cit. 21).

C'est précisément parce que le cinéma a l'avenir devant lui qu'on serait impar- 3
donnable de s'en désintéresser (...)
G. DUHAMEL, Manuel du protestataire, p. 142.

Tu aurais dû me parler de cela. Tu es impardonnable. Nous aurions évité un mal- 4
heur ! G. LEROUX, le Mystère de la chambre jaune, p. 42.

CONTR. Excusable, pardonnable.

DÉR. Impardonnablement.

IMPARDONNABLEMENT [ɛ̃paʀdɔnabləmɑ̃] adv. — XXe (1926, Jouhandeau, *in* T. L. F.) ; de *impardonnable.*

♦ Rare. De manière impardonnable. *Il est impardonnablement bête.*

IMPARDONNÉ, ÉE [ɛ̃paʀdɔne] adj. — 1883, Rollinat ; de *im-* (→ 1. In-), et *pardonné.*

♦ Rare. Qui n'a pas été pardonné, n'a pas reçu le pardon. *Des péchés impardonnés.*

CONTR. Pardonné.

IMPARFAIT, AITE [ɛ̃paʀfɛ, ɛt] adj. et n. m. — 1370, Oresme, au sens 2 ; de *im-* (→ 1. In-), et *parfait,* d'après le lat. *imperfectus.*

★ **I.** Adj. Qui n'est pas parfait. ♦ **1.** (1372, Corbichon). **a** Vx. Qui n'est pas terminé. *Laisser un travail imparfait. Certaines choses gagnent à demeurer imparfaites* (→ Achevé, cit. 2).

b Mod. Qui n'est pas achevé, pas complet, et de ce fait présente des défauts. ⇒ **Ébauché, inachevé, incomplet.** *Avorton* (cit. 1) *aveugle et imparfait. Guérison imparfaite. Une science encore imparfaite* (→ Géométrie, cit. 2). *Il a de cette langue une connaissance très imparfaite.* ⇒ **Insuffisant; lacune** (plein de lacunes).

1 (...) il *(ce miroir)* convient à votre chambre, qui est encore bien imparfaite.
Mme DE SÉVIGNÉ, 964, 13 juin 1685.

2 Quelle morale puis-je inférer de ce fait?
Sans cela toute fable est un œuvre imparfait. LA FONTAINE, Fables, XII, 2.

3 Toutes les joies de nos sens ont été imparfaites comme des mensonges.
GIDE, les Nourritures terrestres, p. 116.

4 Victor Hugo ne laissait jamais derrière lui la moindre rédaction imparfaite, et le manuscrit atteste par ses repentirs et ses variantes (...) que le poète avait revisé tout ce début avec le plus grand soin. Émile HENRIOT, les Romantiques, p. 56.

Emplois spéciaux. **a** Bot. *Fleur imparfaite,* à laquelle il manque une partie essentielle à la fructification.

b Mus. (Vx). *Accord imparfait,* qui porte une dissonance* ou une sixte.

c Gramm. *Prétérit imparfait, passé imparfait* (vx), qui exprime une action inachevée. *Subjonctif imparfait* ou *imparfait* (→ ci-dessous, II.) *du subjonctif.*

♦ **2.** Qui manque de fini, n'est pas absolument achevé (en parlant d'une œuvre humaine). ⇒ **Grossier, imprécis.** *Dessin, crayon* (cit. 4) *imparfait. Travail d'une exécution imparfaite.* — Qui ne remplit pas absolument son objet. *La plus imparfaite des imitations* (→ Architecture, cit. 8). *Ne donner qu'une idée imparfaite de qqch.* ⇒ **Approximatif, rudimentaire, vague.**

(Fin XIVe). Dont un ou plusieurs éléments ne sont pas ce qu'ils devraient être, présentent des défauts*, des imperfections*. ⇒ **Défectueux, inégal, manqué, mauvais, médiocre.** *Solution imparfaite. Son plan est bien imparfait.* ⇒ **Boiteux.** *Œuvre imparfaite.* ⇒ **Attaquable, critiquable, discutable.** *Ce premier essai est encore bien imparfait.* — *« L'œuvre imparfaite de Dieu »* (→ Face, cit. 12). *Ce monde si imparfait et qui pourrait être si beau* (→ Carence, cit. 1).

♦ **3.** (1370, Oresme). Qui, par essence, ne saurait être parfait. *Dieu est parfait, l'homme est imparfait* (→ Christianisme, cit. 7; créer, cit. 3). ⇒ **Fautif** (vx). *Une créature imparfaite* (→ Faire, cit. 149). *Vérité imparfaite de la science et vérité absolue* (cit. 15) *de la religion. Toute philosophie est imparfaite* (→ Cadre, cit. 6). *Nos connaissances* (cit. 14) *sont superficielles et imparfaites.*

5 (...) tout exemple cloche, et la relation qui se tire de l'expérience est toujours défaillante et imparfaite. MONTAIGNE, Essais, III, XIII.

N. m. Rare. *Le parfait et l'imparfait.*

★ **II.** N. m. (1606; d'emplois adj. comme *prétérit imperfet* [XIVe], *passé imparfait* [mil. XVIe]). Gramm. « Système de formes temporelles dont la fonction essentielle dans les langues indo-européennes était d'énoncer une action en voie d'accomplissement dans le passé et conçue comme non achevée... » (Marouzeau). ⇒ **Temps, verbe.**

♦ **1.** IMPARFAIT DE L'INDICATIF. *En français, l'imparfait et le passé simple* (ou *défini,* ou *prétérit*) *sont les temps simples du passé. « Je mangeais », « il pleuvait » sont des imparfaits. L'imparfait de l'indicatif est « le plus expressif, le plus affectif des temps du passé »* (A. Dauzat). *L'imparfait marque essentiellement la durée, la continuité dans le passé* (« Elle était malade; il neigeait »). ⇒ **Parfait.** *Il a aussi d'autres fonctions : imparfait de simultanéité* (« Il lisait pendant que je dormais »); *d'habitude* (« Que faisiez-vous au temps chaud? — Je dansais. — Vous dansiez? »); *de répétition* (« Chaque matin, il prenait le train »); *d'explication* (« Elle entendit un bruit : c'était la voiture »); *de cause* (« Il faisait froid, elle ferma les fenêtres »); *de description* (« L'ombre était nuptiale, auguste et solennelle »). — *Emplois figurés : imparfait du style indirect libre* (« Le marchand s'écria qu'elle avait tort; ils se connaissaient; est-ce qu'il doutait d'elle? », Flaubert); *imparfait d'atténuation,* « qui semble retenir la demande en même temps qu'on la présente » (Brunot; « Écoute, je voulais te demander si tu sors ce soir »); *imparfait hypocoristique* (« Oh! il avait bien des misères, le petit ange! »); *imparfait énonçant une action inachevée ou non commencée* (« Il était temps, je partais! » : j'allais* partir). — *Imparfait employé pour le conditionnel passé, en corrélation avec une hypothétique amenée par si,* ou après *sans* (« Si tu n'étais pas venue me surprendre, je repartais sans t'avoir vue », Gide; « Sans toi, je tombais »). — *Après si, en phrase indépendante (exclamative), l'imparfait marque le souhait, le regret* (« Si jeunesse savait! si vieillesse pouvait! »), *une interrogation détournée ou atténuée* (« Si on y allait? » « Si monsieur voulait descendre? Mademoiselle pleure », Flaubert).

En subordonnée, après si, en relation avec un conditionnel dans la principale, l'imparfait énonce un fait présent ou futur* (« Si je la haïssais, je ne la fuirais pas », Racine; « S'il venait demain, je le recevrais ». ⇒ **Si.**

6 L'imparfait vous fait voir successivement les divers moments de l'action qui, pareille à un panorama vivant, se déroule devant vos yeux, c'est le présent dans le passé. C.-M. ROBERT, Grammaire franç. (1909), p. 330.

Le passé simple ou composé semble nous faire regarder les choses d'autrefois au moment actuel. L'imparfait nous les fait voir en nous reportant à leur époque. 7
F. BRUNOT, la Pensée et la Langue, p. 776.

Tandis que le passé indéfini associe au présent une chose passée, la considère comme un fait de mémoire, une réalité du souvenir (...) l'imparfait joue un rôle plus objectif (...) Bien qu'il s'appuie aussi sur la mémoire, il objective les notions qu'elle contient, et les associe au temps (...) Si je dis : *Hier, mon oncle était malade,* j'associe *oncle* et *malade* au temps dans la mesure où le terme *hier* le permet. Je m'exprime non dans mon passé subjectif, mais dans le passé social universel. 8
J.-M. BUFFIN, Rem. sur les moyens d'expression de la durée et du temps en français, p. 37-38 (1925).

J'avoue que certain emploi de l'imparfait de l'indicatif — de ce temps cruel qui nous présente la vie comme quelque chose d'éphémère à la fois et de passif, qui, au moment même où il retrace nos actions, les frappe d'illusion, les anéantit dans le passé sans nous laisser, comme le parfait, la consolation de l'activité — est resté pour moi une source inépuisable de mystérieuses tristesses. 9
PROUST, Mélanges, Journées de lecture, Note.

L'imparfait énonce une action (ou un état) qui se situe dans le passé; mais il l'énonce d'une façon spéciale, et qui le différencie profondément de tous les autres passés. Il offre en effet cette particularité remarquable d'énoncer toujours l'action (ou l'état) sous l'aspect de continuité (...) 10
Si une action est présentée comme continue, c'est qu'on la considère comme n'ayant pas pris fin (au moment du passé auquel elle se rapporte). De là, ce caractère d'*inachevé* qui consomme l'essence de cette forme verbale. Il a vivement frappé l'esprit des grammairiens; aussi lui ont-ils donné le nom d'*imperfectum,* imparfait. G. et R. LE BIDOIS, Syntaxe du franç. moderne, t. I, p. 427-428.

L'imparfait est le temps de la fascination : ça a l'air d'être vivant et pourtant ça ne bouge pas : présence imparfaite, mort imparfaite; ni oubli ni résurrection; simplement le leurre épuisant de la mémoire. 10.1
R. BARTHES, Fragments d'un discours amoureux, p. 258.

♦ **2.** IMPARFAIT DU SUBJONCTIF, l'un des quatre temps du mode subjonctif*. *Dans la phrase : « Je craignais qu'il ne fût trop tard », « fût » est à l'imparfait du subjonctif.* **a** *En proposition subordonnée, après une principale au passé, l'imparfait du subjonctif exprime un fait présent ou futur par rapport au fait énoncé dans la principale :* « Elle voulait (voulut, a voulu, avait voulu, eût voulu) que sa fille fît un beau mariage ». « Il était généreux quoiqu'il fût économe » (Hugo). — REM. Après un verbe principal au conditionnel présent, l'imparfait du subjonctif tend de plus en plus à céder la place au présent du subjonctif. — *En valeur de conditionnel, marquant l'éventualité :* « On craint que la guerre, si elle éclatait, n'entraînât des maux incalculables » (Littré); « En est-il un seul parmi vous qui consentît? » (Académie).

b *En phrase juxtaposée à une principale, l'imparfait du subjonctif de certains verbes* (avoir, être, devoir, etc.) *marque l'opposition ou la concession :* « J'accepte l'âpre exil, n'eût-il ni fin ni terme » (Hugo); « Je préfère vous laisser voir l'envers du décor, cela dût-il nuire à votre émotion » (Gide). Cf. les locutions figées Fût-ce, ne fût-ce que. ⇒ **Ce, être** (cit. 79). — REM. Dans ces tours, le sujet et le verbe sont toujours intervertis (cf. Plût aux dieux que...!).

Les grammairiens accepteront malaisément *il faudrait que nous parlions;* leur goût est de dire *il faudrait que nous parlassions.* Cette forme, pour régulière, devient inusitée et n'est plus, en presque tous les cas, qu'une affirmation de pédantisme. On ne peut le nier : l'imparfait du subjonctif est en train de mourir. 11
R. DE GOURMONT, *in* NYROP, Grammaire historique de la langue franç., VI, p. 338.

L'emploi de l'imparfait du subjonctif n'est pas seulement une affaire de syntaxe, mais aussi une affaire de tact. 12
NYROP, Grammaire historique de la langue franç., VI, p. 342.

(...) j'estime qu'il est absurde d'employer systématiquement l'imparfait (...) après n'importe quel premier verbe au passé; que l'oreille et la raison sont ici seuls juges; qu'il est bon de dire : Je voudrais qu'il devienne un honnête homme — et non : qu'il *devînt* (un honnête homme)... 13
Une mère dira : Je souhaitais qu'il fasse ses devoirs avant d'aller se promener, exprimant un souhait encore réalisable — et qu'il fît ses devoirs avant d'être allé se promener; mais dans ce cas mieux vaut dire : J'avais souhaité qu'il fît ses devoirs avant de (...) GIDE, Journal, oct. 1927.

L'imparfait du subjonctif n'est plus employé dans la langue parlée. Mais, dans la langue écrite soignée, il s'impose encore, non seulement pour les livres, mais pour les journaux. Comme le passé simple, il n'a plus qu'une existence littéraire. Mais il ne faudrait pas en conclure que sa disparition y est prochaine (...) Les formes de l'imparfait du subjonctif sont précieuses pour l'écrivain (...) 14
F. BRUNOT et Ch. BRUNEAU, Précis de grammaire historique de la langue franç., p. 386.

L'imparfait du subjonctif est en danger. Heureusement il tient encore. Nombre de gens l'honorent sans affectation comme sans ridicule. 15
G. DUHAMEL, Discours aux nuages, p. 44.

L'exemple le plus célèbre de cette évolution du français est la disparition de l'imparfait du subjonctif tué par le ridicule et l'almanach Vermot. Les que je susse, que je visse, n'ont pas résisté aux plaisanteries les plus élémentaires et l'enseignement officiel a même éliminé ce malheureux temps. 16
R. QUENEAU, Bâtons, Chiffres et Lettres, p. 71.

CONTR. Parfait. — Achevé (cit. 2), **complet, fini, formé, précis. — Excellent. — Absolu, accompli, idéal.**

DÉR. Imparfaitement.

IMPARFAITEMENT [ɛ̃paʀfɛtmɑ̃] adv. — 1372; de *imparfait,* et *-ment.*

♦ D'une manière imparfaite. ⇒ **Approximativement, grossièrement, incomplètement, insuffisamment, mal.** *Faire qqch. imparfaitement. Il n'est guéri qu'imparfaitement* (Académie). ⇒ **Demi** (à). *Connaître imparfaitement un pays* (→ Façade, cit. 8). — *Génie imparfaitement compris de la foule* (→ Fatalement, cit. 2).

Si l'on s'est tant battu pour la religion (...) il faut donc que Dieu en ait bien imparfaitement bâti l'édifice. Une institution divine ne doit-elle pas frapper les hommes par son caractère de vérité?
BALZAC, le Médecin de campagne, 1833, p. 332, *in* T. L. F.

CONTR. Bien, entièrement, fond (à), **parfaitement.**

IMPARI- Élément, du lat. *impar, imparis,* qui signifie «impair» et qui entre dans la composition de quelques mots savants. ⇒ **Imparidigité, imparinervé, imparipenné, imparisyllabe** ou **imparisyllabique.**

IMPARIDIGITÉ [ɛ̃paʀidiʒite] adj. m. — XXe; de *impari-,* lat. *digitus* «doigt», et suff. *-é.*

♦ Anat. Dont les doigts sont en nombre impair. — *Mammifère imparidigité.* ⇒ **Périssodactyles.** — N. m. pl. *Les imparidigités :* les ongulés à un, trois ou cinq doigts.

IMPARINERVÉ, ÉE [ɛ̃paʀinɛʀve] adj. — 1838, Académie; de *impari-, nerv(ure),* et *-é.*

♦ Bot. Qui a un nombre impair de nervures.

IMPARIPENNÉ, ÉE [ɛ̃paʀipɛnne; ɛ̃paʀipene] adj. — 1838, Académie; de *impari-,* et *penné.*

♦ Bot. Se dit des feuilles pennées terminées par une foliole impaire*.

IMPARISYLLABE [ɛ̃paʀisi(l)lab] ou **IMPARISYLLABIQUE** [ɛ̃paʀisi(l)labik] adj. et n. m. — 1748, *imparisyllabe; imparisyllabique,* 1812; de *impari-,* et *syllabe, syllabique.*

♦ Gramm. grecque et lat. Qui n'a pas le même nombre de syllabes aux cas obliques qu'au nominatif singulier (ex. : *soror, sororis*). *Mot imparisyllabique.* — N. m. *Un imparisyllabique.* — Par ext. *Déclinaison imparisyllabique.*

CONTR. Parisyllabique.

IMPARITÉ [ɛ̃paʀite] n. f. — V. 1382 (déb. XVIe, selon T. L. F.), «inégalité»; 1837, sens actuel; bas lat. *imparitas,* du lat. class. *impar, imparis.* → Impair.

♦ Didact. Caractère de ce qui est impair. ⇒ **Impair.**

1 *Tu me rappelles ceux qui traduisent* Numero Deus impare gaudet *par : «Le numéro Deux se réjouit d'être impair» et qui trouvent qu'il a bien raison. — Or s'il était vrai que l'imparité porte en elle quelque promesse de bonheur — je dis de liberté, on devrait dire au nombre Deux : «Mais, pauvre ami, vous ne l'êtes pas, impair; pour vous satisfaire de l'être tâchez au moins de le devenir».*
GIDE, Paludes, *in* Romans, Pl., p. 114.

2 Bref, en raison de l'imparité du nombre quinze, sept couples seulement peuvent se former, une personne restant solitaire. R. QUENEAU, le Chiendent, p. 264.

CONTR. Parité.

IMPARTAGEABLE [ɛ̃paʀtaʒabl] adj. — 1570; de *im-* (→ 1. In-), et *partageable.*

♦ Qui ne peut être partagé.

1 (...) la dilapidation d'une partie de ses richesses ayant portionnément accru la valeur du fertile potager d'amour, que l'infortuné Marchenoir avait si malencontreusement ensemencé de l'impartageable concupiscence du ciel.
Léon BLOY, le Désespéré, p. 156.

2 Ce n'est pas l'absurde, le non-sens (...) non, c'est au contraire une clarté insoutenable et impartageable (...) Ph. SOLLERS, Femmes, p. 21.

N. m. Ce qui ne peut être partagé.

3 On partage l'impartageable : la division n'attente pas au total inchangé.
Claude MAURIAC, le Dîner en ville, 1959, p. 265.

CONTR. Partageable.

IMPARTI, IE [ɛ̃paʀti] p. p. adj. ⇒ **Impartir.**

IMPARTIAL, ALE, AUX [ɛ̃paʀsjal, o] adj. et n. — 1576; de *im-* (→ 1. In-), et *partial.*

♦ **1.** (Personnes). Qui n'est pas partial*, qui est sans parti* pris. ⇒ **Juste, neutre** (→ 1. Parti, cit. 24; parti pris). *On ne fut pas assez impartial* (→ Balance, cit. 24). *Se montrer impartial dans l'arbitrage d'une querelle.* ⇒ **Égal** (vx). → Tenir la balance* égale entre deux personnes. *Un juge impartial.* ⇒ **Équitable, impassible, intègre.** *Critique impartial. S'efforcer d'être impartial pour juger avec équité* (cit. 11). *Esprits impartiaux* (→ Attaquer, cit. 35). *Personne éclectique* (cit. 2) *et impartiale.*

1 Également impartial, quand je loue et que je me dédis d'un éloge, quand je blâme et que je me départs de ma critique.
DIDEROT, Salon de 1767, *in* LITTRÉ, art. *Dédire.*

2 La postérité n'est impartiale que si elle est indifférente.
FRANCE, l'Anneau d'améthyste, p. 125.

3 (...) l'abbé Langlois, biographe impartial et qui n'écrit pas avec une plume d'hagiographe, loin de là, remarque qu'aucun texte n'apporte la preuve que cet ordre ait été donné (...) Émile HENRIOT, Portraits de femmes, p. 118.

N. Rare. *Un impartial, une impartiale.*

Hist. *Les Impartiaux,* au début de la Révolution, Partisans du maintien du pouvoir exécutif royal et des privilèges du clergé (syn. : *modérés, modérateurs*).

♦ **2.** (V. 1776; choses). *Verdict impartial* (→ Arbitrer, cit. 3), *justice impartiale* (→ Enrichir, cit. 14, Rousseau). *Une critique très impartiale.* ⇒ **Objectif.** *Laissez-moi vous donner un avis impartial.* ⇒ **Désintéressé.**

L'intérêt des faibles, c'est la justice; c'est pour eux que des lois humaines et impartiales sont une sauvegarde nécessaire.
ROBESPIERRE, *in* JAURÈS, Hist. socialiste..., t. III, p. 399.

Il *(cet écrivain)* a abandonné le rêve impossible de faire une peinture impartiale de la Société et de la condition humaine. L'homme est l'être vis-à-vis de qui aucun être ne peut garder l'impartialité, même Dieu. SARTRE, Situations II, p. 73.

CONTR. Injuste, partial. — Chauvin, fanatique.
DÉR. Impartialement, impartialité.

IMPARTIALEMENT [ɛ̃paʀsjalmɑ̃] adv. — 1740, Académie; de *impartial.*

♦ Littér. ou style soutenu. D'une manière impartiale, sans parti pris. *Il nous a rapporté les faits très impartialement.* ⇒ **Objectivement.** *Juger impartialement.* ⇒ **Équitablement.** *Un compliment* (cit. 3) *n'est pas un jugement qu'on porte impartialement. Il est impartialement critique.*

L'auteur croit la juger impartialement *(la religion catholique),* et il la juge en protestant (...) BALZAC, le Feuilleton, XIX, *in* Œ. diverses, t. I, p. 396.

Il n'est que de lire le beau et triste livre de François Porché, qui a très impartialement fait le départ entre le prodigieux chanteur et l'épouvantable anormal *(Verlaine)*... Émile HENRIOT, Portraits de femmes, p. 430.

CONTR. Partialement.

IMPARTIALITÉ [ɛ̃paʀsjalite] n. f. — 1576; de *impartial.*

♦ Caractère d'une personne impartiale. ⇒ **Droiture, équité.** *L'impartialité du juge, de l'historien, du critique. Critiquer avec impartialité.* ⇒ **Justice, objectivité.** *Sortir de son impartialité* (→ Échauffer, cit. 11).

Meyerbeer, grâce à sa position d'israélite, put conserver son impartialité entre les deux partis, et faire chanter également bien les partisans du Pape et ceux de Luther. Th. GAUTIER, Souvenirs de théâtre..., p. 72.

On ne réclame pas d'un génie créateur l'impartialité critique.
R. ROLLAND, Vie de Tolstoï, p. 122.

(Déb. XXe; choses). *L'impartialité d'un jugement, d'un arbitrage, d'une exégèse.*

Et si peut-être mes conclusions étaient acquises d'avance, les réflexions qui m'y amenaient gardaient un air d'impartialité.
J. ROMAINS, le Dieu des corps, p. 161.

CONTR. Partialité, parti (pris). **— Fanatisme.**

IMPARTIR [ɛ̃paʀtiʀ] v. tr. — Conjug. *finir* (usité seulement à l'inf., à l'ind. prés. et au p. p.). — 1374; bas lat. *impartire* «donner une part», de *im-* (→ 2. In-), et *partire* «partager».

♦ **1.** Cour. Donner en partage. ⇒ **Départir, donner.** *Nous devons nous contenter des dons que la nature nous a impartis* (Académie).

♦ **2.** (1800, Boiste). Dr. ⇒ **Accorder, attribuer.** *Impartir un délai à qqn. Le gouvernement ne pourra résoudre le problème dans les délais que l'Assemblée lui a impartis.*

Tout arrêt, jugement ou ordonnance commettant un expert en matière criminelle ou correctionnelle lui impartit un délai pour remplir sa mission (...)
Décret du 8 août 1935, art. 1er.

▶ **(ÊTRE) IMPARTI, IE** passif et p. p. *Les biens impartis à qqn. Dans les délais qui vous sont impartis.* — P. p. adj. *Les délais impartis.*

CONTR. Refuser.
DÉR. Impartition.

IMPARTITION [ɛ̃paʀtisjɔ̃] n. f. — 1973, *in* Larousse; de *impartir.*

♦ Techn. (gestion des entreprises). Sous-traitance partielle à plusieurs entreprises.

IMPASSABLE [ɛ̃pɑsabl] adj. — 1584; de *im-* (→ 1. In-), et *passable* «où l'on peut passer».

♦ Vx ou régional (Canada). Infranchissable. *Montagnes impassables.* — Où l'on ne peut passer (en parlant d'une voie).

IMPASSE [ɛ̃pɑs] n. f. — 1730, au jeu; de *im-* (→ 1. In-), et *passer.*

♦ **1.** (1761, Voltaire). Petite rue qui n'a pas d'issue. ⇒ **Accul** (vx), **cul-de-sac.** *Habiter une impasse, au fond d'une impasse* (→ Écaillé, cit. 1). *S'engager dans une impasse* (→ Groupe, cit. 6). *Impasse calme et tranquille, impasse obscure, déserte, mal famée* (cit.).

On trouve le mot de cul partout et très mal à propos; une rue sans issue ne ressemble en rien à un cul-de-sac; un honnête homme aurait pu appeler ces sortes de rues des impasses (...)
VOLTAIRE, Dict. philosophique, art. *Langues* (1761).

Derrière, vous verrez s'ouvrir une impasse un peu obscure, bordée de maisons grillées, avec des balcons fermés qui débordent (...)
LOTI, les Désenchantées, I, XII.

En impasse. La rue se termine en impasse. — Fig. *Finir en impasse.*

♦ **2.** (1845). Fig. Situation sans issue favorable. ⇒ **Danger, difficulté** (→ Glissade, cit. 6; homme, cit. 10). *Être dans une impasse, acculé à une impasse. Il faut sortir de cette impasse.*

(Cette pensée) me conduisit à une autre qui me parut le salut même dans l'impasse où je me tordais!
BARBEY D'AUREVILLY, les Diaboliques, «Rideau cramoisi».

Le roi, pour avoir penché du côté de Coligny, était dans une impasse.
J. BAINVILLE, Hist. de France, p. 168.

Ce drame français de l'inadaptation, l'impasse de la guerre d'Algérie l'illustre tragiquement. F. MAURIAC, le Nouveau Bloc-notes 1958-1960, p. 365.

♦ **3.** (1953). *Impasse budgétaire* (absolt, *impasse*) : déficit dont la couverture est attendue de l'emprunt ou de ressources de trésorerie.

Cette méthode qui consiste à dresser irréparablement l'une contre l'autre deux communautés qu'il s'agissait de réconcilier pour qu'elles coexistent et qu'elles cohabitent, coûte à la France un milliard et demi par jour. Si j'en crois M. Gilbert Mathieu qui donne ce chiffre dans *Témoignage Chrétien*, il représente les deux tiers de l'«impasse» budgétaire actuelle (...)
F. MAURIAC, Bloc-notes 1952-1957, p. 349.

♦ **4.** (1730). Jeux (bridge, belote...). *Faire, tenter une impasse :* jouer la carte inférieure d'une fourchette* lorsqu'on suppose que l'adversaire qui a joué en premier lieu détient la carte intermédiaire (on tente ainsi de faire une levée avec une carte qui, normalement, devrait être perdue). *Faire l'impasse au roi,* lorsqu'on a en mains l'as et la dame. *Impasse qui échoue,* lorsque la carte intermédiaire se trouvait en réalité aux mains du second adversaire, qui fait alors la levée.

(1936, Smet, *Nouvel argot de l'X*). Par anal. des jeux de cartes. Partie du programme qu'un étudiant n'apprend pas (jouant sur les probabilités de sortie d'un sujet, à l'examen). *Faire des impasses. Faire l'impasse sur qqch. :* ne pas prendre en considération, parmi d'autres choses, en prenant un risque. *Tu n'as pas fait d'impasse?*

IMPASSIBILITÉ [ɛ̃pasibilite] n. f. — V. 1361; *impasibiliteit,* XIIIe; bas lat. ecclés. *impassibilitas,* de *impassibilis.* → Impassible.

♦ **1.** (1799, Senancour). Théol., vx. Caractère d'un être qui n'est pas susceptible de souffrance. *L'impassibilité des corps glorieux.*

♦ **2.** Cour. Qualité de celui qui ne donne aucun signe d'émotion, de trouble. ⇒ **Calme, fermeté, flegme, froideur, imperturbabilité, indifférence** (→ Idole, cit. 6), **insensibilité, sang-froid, stoïcisme.** *L'impassibilité des stoïciens, des sages.* ⇒ **Apathie** (1.), **ataraxie.** *L'impassibilité d'un homme d'État, d'un diplomate, d'un chef militaire; l'impassibilité de Napoléon* (→ Froidement, cit. 4, Chateaubriand). *Accusé qui écoute le verdict avec une grande impassibilité. Sans se départir* (cit. 11) *de son impassibilité. Martyr qui garde son impassibilité jusqu'à la mort.*

Par ext. (en parlant des choses). *Impassibilité du visage, du regard, de l'expression.* ⇒ **Immobilité.**

(...) sa figure possédait déjà l'éclat immobile du fer-blanc, l'une des qualités indispensables aux diplomates et qui leur permet de cacher leurs émotions, de déguiser leurs sentiments, si toutefois cette impassibilité n'annonce pas en eux l'absence de toute émotion et la mort des sentiments.
BALZAC, la Paix du ménage, Pl., t. I, p. 1000.

(...) à certaines natures d'écoliers, les châtiments inspirent une sorte de rébellion stoïque, et ils opposent aux professeurs exaspérés la même impassibilité dédaigneuse que les guerriers sauvages captifs aux ennemis qui les torturent.
Th. GAUTIER, Portraits contemporains, p. 52.

(...) des visages d'une impassibilité monacale (....)
TAINE, Philosophie de l'art, t. II, p. 303.

(...) il n'était pas un homme d'une rudesse naturelle. C'est surtout à l'impassibilité qu'il s'efforçait, et même dans son service d'hôpital, quand il débitait quelques-uns de ces calembours (....) il le faisait toujours sans qu'un muscle bougeât dans sa figure (...) PROUST, À la recherche du temps perdu, t. III, p. 11.

(...) ce regard indéfinissable dont l'impassibilité me glaçait.
BERNANOS, Journal d'un curé de campagne, p. 203.

CONTR. Agitation, anxiété, attendrissement, emportement, énervement, excitation, fièvre, impatience, trouble.

IMPASSIBLE [ɛ̃pasibl] adj. — V. 1361; *impesible,* déb. XIVe; bas lat. ecclés. *impassibilis,* de *im-* (→ 1. In-), et du rad. de *pati* «souffrir».

♦ **1.** Vx. Qui n'est pas susceptible de souffrance. *Les corps glorieux sont impassibles* (opposé à *passible*).

L'homme né pour mourir ne pouvait pas plus être soustrait aux douleurs qu'à la mort. Pour qu'une substance organisée et douée de sentiment n'éprouvât jamais de douleur, il faudrait que toutes les lois de la nature changeassent (...) L'homme impassible est donc aussi contradictoire que l'homme immortel.
VOLTAIRE, Dict. philosophique, art. *Bien.*

♦ **2.** (1764, Voltaire). Mod. Qui n'éprouve ou ne trahit aucune émotion, aucun sentiment, aucun trouble. ⇒ **Calme, dur, ferme, flegmatique, froid, imperturbable, indifférent, inébranlable; impassibilité** (→ Apaiser, cit. 29; effaroucher, cit. 5). *Une infanterie impassible* (→ 1. Froid, cit. 14). *Juge impassible.* ⇒ **Impartial.** *Examinateur* (cit. 1) *impassible qui intimide le candidat. Être impassible devant le danger.* ⇒ **Impavide.** *Inquiet, mais impassible* (→ Héroïque, cit. 27). *Le sage est impassible devant la mort; elle ne le surprend* pas.* ⇒ **Stoïque.** *Rester impassible à l'annonce d'une bonne nouvelle.*

(1797; choses). Qui exprime l'impassibilité. *Visage impassible.* ⇒ **Fermé, immobile, impénétrable** (→ Emmêler, cit. 1; exprimer, cit. 15). *Coup d'œil impassible* (→ Horloge, cit. 5). *Un air impassible.* ⇒ **Apathique, insensible.**

Le sang pétille dans mes vieilles veines, en vous parlant de lui *(Letourneur, tra-* 2
ducteur de Shakespeare). S'il ne vous a pas mis en colère, je vous tiens pour un homme impassible (...) VOLTAIRE, Lettre à d'Argental, 4343, 19 juil. 1776.

(...) son front resta blanc et impassible comme celui d'une statue de marbre (...) 3
BALZAC, Séraphîta, Pl., t. X, p. 467.

(...) on ne pouvait la remarquer que pour l'air qu'elle avait et qui était singulier 4
dans une jeune fille aussi jeune qu'elle, car c'était une espèce d'air impassible, très difficile à caractériser (...) cet air (...) qui la séparait, non pas seulement de ses parents, mais de tous les autres, dont elle semblait n'avoir ni les passions ni les sentiments, vous clouait (...) de surprise, sur place (...) *L'Infante à l'épagneul,* de Velasquez, pourrait, si vous la connaissez, vous donner une idée de cet air-là, qui n'était ni fier, ni méprisant, ni dédaigneux, non! mais tout simplement impassible. BARBEY D'AUREVILLY, les Diaboliques, «Rideau cramoisi».

Encore qu'il parût complètement impassible et détendu, Aufrère, comme un 5
homme livré aux rêveries, tenait sa main gauche devant sa bouche; et Salavin vit avec étonnement qu'il se mordait la peau des doigts tout autour des ongles.
G. DUHAMEL, Salavin, V, XIV.

(1791, Volney; en parlant de choses auxquelles on prête une personnalité humaine). Indifférent, insensible. *La nature impassible* (→ Acteur, cit. 6, Vigny). *Des fleuves impassibles...* (→ Haleur, cit. 1, Rimbaud).

Quoi donc! c'est vainement qu'ici nous nous aimâmes! 6
Rien ne nous restera de ces coteaux fleuris (...)
Où nous fondions notre être en y mêlant nos flammes!
L'impassible nature a déjà tout repris.
HUGO, les Rayons et les Ombres, «Tristesse d'Olympio».

CONTR. Agité, colère, emporté, ému, énervé, éperdu, exalté, excité, fiévreux, fougueux, impatient, impressionnable, troublé.

DÉR. Impassiblement.

IMPASSIBLEMENT [ɛ̃pasibləmɑ̃] adv. — 1842; «sans souffrir», 1551; de *impassible,* et *-ment.*

♦ Littér. Avec impassibilité. *Il reçut impassiblement la nouvelle. Elle était impassiblement calme.*

IMPASTATION [ɛ̃pastasjɔ̃] n. f. — 1690, Furetière; comp. sav. du lat. *pasta.* → Pâte.

Technique.

♦ **1.** En maçonnerie, Composition faite de substances broyées et mises en pâte. *Le stuc et divers enduits sont des impastations.*

♦ **2.** Pharm. Mise en pâte pharmaceutique (d'une ou de plusieurs substances).

IMPATIEMMENT [ɛpasjamɑ̃] adv. — Fin XIIIe, *impacienment;* de *impatient.*

♦ **1.** Vx. Difficilement, péniblement.

♦ **2.** (1672, Molière). Mod. et littér. Avec impatience (2.). *Souffrir, supporter impatiemment la critique* (→ Condamnation, cit. 5).

♦ **3.** Cour. Avec impatience (3.); avec le besoin d'avoir, d'obtenir qqch. ou que qqch. arrive. *Attendre impatiemment une nouvelle, qqch.* (→ Flatteur, cit. 12). *Vouloir, désirer impatiemment qqch. Un événement impatiemment attendu.* ⇒ **Coléreusement.** *Parler, répondre impatiemment.*

Qu'impatiemment, il veut ce qu'il dé...(...) 1
MOLIÈRE, les Femmes savantes, II, 1.

Son pas se faisait plus saccadé, sa voix plus brève; avec sa canne, il frappait le 2
sol impatiemment. GIDE, Isabelle, *in* Romans, Pl., p. 645.

CONTR. Facilement. — Calmement, sereinement.

IMPATIENCE [ɛ̃pasjɑ̃s] n. f. — V. 1190, *impacience,* dans un contexte social, «absence de résignation, disposition à la révolte»; la valeur psychologique se répand aux XVIe et XVIIe; lat. *impatientia,* de *impatiens.* → Impatient.

♦ **1.** Manque de patience*; incapacité habituelle de se contenir, de patienter. *L'impatience, agitation qui gâte* (cit. 19) *tout. L'impatience, trait de caractère qui se manifeste à la moindre contradiction* (cit. 5). ⇒ **Irascibilité, irritabilité.** *Une impatience brouillonne.* ⇒ **Précipitation** (→ Embroussailler, cit. 1). *Impatience ardente* (cit. 24), *nerveuse, passionnée.*

Il faut être patient pour devenir maître de soi et des autres hommes; l'impatience, 1 qui paraît une force et une vigueur de l'âme, n'est qu'une faiblesse et une impuissance de souffrir la peine. Celui qui ne sait pas attendre et souffrir est comme celui qui ne sait pas se taire sur un secret; l'un et l'autre manquent de fermeté pour se retenir (...) FÉNELON, Télémaque, XVIII (cf. Impatient, cit. 2).

♦ **2.** (1580, Montaigne). Manque de patience* (de la part de qqn) pour supporter qqch. ou qqn. ⇒ **Agacement** (cit. 3), **colère, énervement, exaspération, irritation** (→ Acculer, cit. 4). *L'impatience de qqn, son impatience. Avoir, faire un mouvement d'impatience* (→ Froisser, cit. 17). *Répondre avec impatience.* ⇒ **Impatiemment** (→ État, cit. 85). *Donner des marques, des signes d'impatience. Être bouillant, bouillir d'impatience* (→ Le sang* bout; cela fait bouillir). *Être au comble de l'impatience.* ⇒ **Tenir** (ne plus y). *Apaiser* (cit. 1), *calmer l'impatience de qqn. Contenir, maîtriser, réprimer son impatience* (→ Ronger son frein*). — *L'impatience* (rare) *de qqch.*; (plus cour.) *de faire qqch.* — *L'impatience de qqn quant à qqch.* «*Son impatience de toute contradiction*» (E. Sue, *in* T. L. F.).

2 Ce qui nous fait souffrir avec tant d'impatience la douleur (...)
MONTAIGNE, Essais, I, XIV.

3 Comme un taureau (...) supporte avec impatience la piqûre du taon, sous les ardeurs du midi (...) CHATEAUBRIAND, les Martyrs, t. I, p. 239.

4 Il lui demanda pardon de sa mauvaise humeur, la supplia d'oublier cette scène fâcheuse, et s'accusa d'un de ces accès d'impatience dont il est impossible de dire la raison. A. DE MUSSET, Nouvelles, «Les deux maîtresses», IX.

5 Jenny n'aimait pas que l'on s'imposât; elle eut un sentiment d'impatience à ne pouvoir se défaire de son compagnon au moment qu'elle le souhaitait.
MARTIN DU GARD, les Thibault, t. II, p. 214.

Relig. Manque de résignation.

(Déb. XVIIe, Malherbe). Manque de patience* pour attendre (qqch. ou qqn). ⇒ **Avidité, désir, fièvre, inquiétude** (→ Fondre, cit. 15). *L'impatience de qqch., de...* (et inf.; → ci-dessous, cit. 8). — *Attendre* (cit. 1 et 39) *avec impatience.* ⇒ **Impatiemment**; → Hérisser, cit. 8), *avec une grande, une vive impatience* (→ Empressement, cit. 4), *avec une impatience fébrile, grandissante* (cit. 1). *L'impatience dans l'attente* (cit. 20). *Cœur qui bat* (cit. 64) *d'impatience. Tremblement d'impatience. Être dévoré* (cit. 35), *haletant, pris d'impatience* (→ Bivouac, cit. 2). *L'impatience le ronge* (→ Il se ronge les sangs*). *Piétiner, piaffer, trépigner d'impatience* (→ Ne pas tenir en place*). *Griller d'impatience* (→ Être sur de la braise*, sur des charbons* ardents, sur des épines*). *Mortelle impatience. Vous me faites mourir d'impatience.* ⇒ **Supplice, torture** (mettre au, à la). *Il languit, il sèche d'impatience.* ⇒ **Ennui** (→ Le temps lui dure*; il compte* les heures, les jours). *J'éprouve une profonde impatience de vous voir.* ⇒ **Tarder** (il me tarde de...). ⇒ **Empressement, hâte.** *Brûler* d'impatience de faire qqch.* (→ Essayer, cit. 15). *L'impatience d'habiter une nouvelle maison, de terminer une lecture* (→ Ermitage, cit. 2; halte, cit. 9). — *Être dans l'impatience, dans l'impatience de* (qqch.). *Être dans l'impatience de* (et inf.). *Être dans l'impatience de partir, de s'en aller* (→ ci-dessous, cit. 7).

6 Mais, quand on attend quelqu'un avec impatience, les plus sages sont assez sots pour regarder souvent du côté qu'il doit venir (...)
SCARRON, le Roman comique, II, VI.

7 (...) dans l'impatience de me voir à son aise, elle tira sa montre à plusieurs reprises, et dit l'heure qu'il était, pour conseiller honnêtement la retraite à nos convives. MARIVAUX, le Paysan parvenu, IV, p. 211.

8 (...) si j'avais eu autant d'impatience qu'ils *(mes amis)* en avaient eux-mêmes de me voir à l'académie, j'aurais été bien malheureux. MARMONTEL, Mémoires, VII.

9 Mon impatience se changea tout à coup en timidité; je m'habillai lentement; je ne me sentais plus pressé d'arriver (...) B. CONSTANT, Adolphe, p. 21.

10 Il fallait encore attendre deux jours. Jamais jours ne me semblèrent plus longs, et je relus plus de dix fois, pour tromper mon impatience, l'affiche apposée au coin des principales rues (...) Th. GAUTIER, Voyage en Espagne, p. 49.

11 (...) une telle envie de s'approcher d'elle et de lui parler, que, jusqu'à la fin de la messe, le cœur lui en sauta d'impatience. G. SAND, la Petite Fadette, XXII.

12 (...) cet héritage autour duquel ils séchaient d'impatience, suaient d'angoisse.
F. MAURIAC, le Nœud de vipères, XII.

♦ **3.** (Fin XVIe, Palissy). *Une, des impatiences* (le plus souvent au plur.), manifestation, mouvement d'impatience (→ Attendre, cit. 114). *Des impatiences folles.*

13 Je ne dirai pas que des impatiences de finir ne me prissent en certains moments de lassitude physique ou mentale.
LITTRÉ, Comment j'ai fait mon dictionnaire, p. 28.

(1764, Brunot). Fam. et vieilli. Irritation nerveuse (dans un membre, un muscle, au niveau de la peau). *Avoir des impatiences dans les jambes.* ⇒ **Fourmi(s).**

14 Des impatiences nous fourmillaient dans les genoux.
R. DORGELÈS, les Croix de bois, p. 67.

CONTR. Calme, endurance, impassibilité, patience.
HOM. Impatiens.

IMPATIENS [ɛ̃pasjɑ̃s] ou **IMPATIENTE** [ɛ̃pasjɑ̃t] n. f. — 1795; lat. mod. *Impatiens (Balsamina),* Linné, du lat. class. *impatiens* (→ Impatient), la plante réagissant au moindre contact.

♦ Bot. ⇒ **Balsamine.**

HOM. Impatience.

IMPATIENT, ENTE [ɛ̃pasjɑ̃, ɑ̃t] adj. et n. — 1190, «qui ne supporte pas, ne peut endurer» (sens 2); le sens 1 ne semble pas antérieur à l'époque classique, mais *s'impatienter,* avec la même valeur, est antérieur; lat. *impatiens,* de *im-* (→ 1. In-), et *patient.*

♦ **1.** Qui manque de patience; qui est incapable de se contenir, de patienter (→ Élancer, cit. 3). *Un homme jeune et impatient.* ⇒ **Ardent** (cit. 40), **bouillant, fougueux, nerveux, vif.** *Être d'un naturel impatient. Avoir l'humeur impatiente.* ⇒ **Brusque.** — N. *Les impatients sont difficiles à vivre.*

Et ne craignez-vous point l'impatient Achille? RACINE, Iphigénie, I, 1.

(...) l'homme impatient est entraîné par ses désirs indomptés et farouches dans un abîme de malheurs. Plus sa puissance est grande, plus son impatience lui est funeste : il n'attend rien, il ne se donne le temps de rien mesurer; il force toutes choses pour se contenter (...) il brise les portes, plutôt que d'attendre qu'on les lui ouvre (...) FÉNELON, Télémaque, XVIII (cf. Impatience, cit. 1).

♦ **2.** Vieilli ou littér. Qui supporte ou souffre avec impatience* (2.). *Malade impatient* (→ Exercice, cit. 16).

(...) je succombai au désir d'aller consoler l'impatient prisonnier.
LACLOS, les Liaisons dangereuses, LXXXV.

IMPATIENT DE... (suivi d'un nom) : qui ne peut supporter (qqch.). *Caractère fier* (cit. 17), *impatient du joug, de la servitude* (→ Asservir, cit. 21).

(...) Pierre, impatient de toute contradiction.
MÉRIMÉE, Hist. du règne de Pierre le Grand, p. 123.

♦ **3.** (1643, Corneille). Mod. Qui attend, désire avec impatience* (3.), qui supporte mal l'attente de qqch. ⇒ **Agacé, énervé** (→ Avance, cit. 17). *Être follement impatient. Ne soyez pas si impatient! Il était extrêmement impatient dans l'attente de votre réponse.* ⇒ **Gril** (être sur le). — N. *Un impatient, une impatiente. Pour ne pas décourager les impatients.*

Quel que soit le transport d'une âme impatiente,
Ma parole m'engage à rester en attente (...) MOLIÈRE, l'Étourdi, V, 4.

— Parce que vous êtes un impatient, parce que vous exigez de la science des résultats immédiats, complets (...) ZOLA, la Terre, IV, V.

(...) les difficultés sont les mêmes; insurmontables pour l'impatient, nulles pour qui a patience et n'en considère qu'une à la fois.
ALAIN, Propos, 28 avril 1921, Épreuves pour le caractère.

Il se promenait au beau milieu de la chaussée et puis de long en large parmi les trajectoires aussi simplement que s'il avait attendu un ami sur le quai de la gare, un peu impatient seulement. CÉLINE, Voyage au bout de la nuit, p. 18.

Vieilli. *Impatient de...* (suivi d'un nom). *Être impatient de la fin, du résultat.*

Il y aurait quelque curiosité à mourir (...) l'homme cependant impatient de la nouveauté, n'est point curieux sur ce seul article (...)
LA BRUYÈRE, les Caractères, XVI, 32.

Mod. *Impatient de...* (suivi de l'inf.). ⇒ **Avide, désireux, empressé, inquiet.** *Il est impatient d'agir, de partir, de vous revoir.* ⇒ **Hâte** (avoir).

Ni son oncle ni sa tante, bien qu'ils fussent impatients de se débarrasser d'elle, ne l'avaient poussée à cette folie (...) F. MAURIAC, le Sagouin, I. 1

♦ **4.** (1640, Corneille; choses). Qui témoigne d'impatience (2. ou 3.). *Une attente* (cit. 25) *impatiente. Désir impatient* (→ Enfant, cit. 42). *Geste impatient.*

Transportés à la fois de douleur et de rage, 1
Nos bras impatients ont puni son forfait (...) RACINE, Bajazet, V, 11.

D'impatientes mains avaient saisi les poignets de Thérèse, l'obligeaient à découvrir son visage. F. MAURIAC, la Fin de la nuit, II, p. 43. 1

CONTR. Calme, endurant, impassible, patient.
DÉR. Impatiemment, impatienter.

IMPATIENTANT, ANTE [ɛ̃pasjɑ̃tɑ̃, ɑ̃t] adj. — 1704, Maintenon; p. prés. de *impatienter.*

♦ Qui impatiente*. *Des politesses impatientantes* (→ Confondre, cit. 14).

La nuit vous paraît vide et impatientante, ainsi qu'à un homme qui a quelque chose devant lui qu'il voudrait hâter.
Ed. et J. DE GONCOURT, Journal, t. II, p. 249.

Je n'ai jamais vu regards plus impatientants que ces longs regards tranquilles qui tombaient sur vous comme sur une chose.
BARBEY D'AUREVILLY, les Diaboliques, «Rideau cramoisi».

IMPATIENTER [ɛ̃pasjɑ̃te] v. tr. — 1584, *s'impatienter;* forme active, 1671; de *impatient.*

♦ (Sujet n. de personne ou de chose; compl. n. de personne). Rendre impatient, faire perdre patience à (qqn). ⇒ **Agacer, contrarier, crisper, énerver, ennuyer, exaspérer, horripiler, irriter.** *C'est une femme tracassière qui impatiente tout le monde* (→ Fléau, cit. 9). *Impatienter son auditoire* (cit. 5). ⇒ **Lasser.** *Épisodes* (cit. 3) *d'un roman* *qui impatientent le lecteur. Vous m'impatientez avec vos raisonnements.* ⇒ **Échauffer** (les oreilles, la tête). *Ses lenteurs m'impatientent au plus haut point.* ⇒ **Damner** (faire damner), **fou** (faire devenir, rendre); **mourir** (faire).

Passif et p. p. *Être impatienté par qqn. Impatientée de* (ou *par*) *tant d'insolence, elle l'a giflé. Impatienté, il envoya* (cit. 24) *tout au diable.*

1 Oh! vous m'impatientez avec vos terreurs. Eh! que diantre! un peu de confiance; vous réussirez, vous dis-je. MARIVAUX, les Fausses Confidences, I, 2.

2 Hier, à trois heures du soir (...) impatienté de n'avoir pas de nouvelles, je me suis présenté chez la belle délaissée (...) LACLOS, les Liaisons dangereuses, CXLIV.

3 — Est-ce que je ne t'ai jamais vue? dit Landry impatienté; est-ce que je ne te vois pas, à présent? G. SAND, la Petite Fadette, XX.

4 Ce qui l'impatientait, c'était d'être là, prisonnière, et comme au secret. FRANCE, le Lys rouge, XXXIII.

Absolument :

5 Quand on préfère les preuves aux explications, la casuistique des discoureurs impatiente vite. Henri MONDOR, Pasteur, IV, p. 64.

Littér. (Compl. n. de chose abstraite). *L'attente impatiente le désir.* ⇒ **Exacerber.**

▶ **S'IMPATIENTER** v. pron. (Réfl.). (1584).

Perdre patience*, manifester de l'impatience (→ 1. Foudre, cit. 4). *Méfiez-vous : il commence à s'impatienter* (→ La moutarde* lui monte au nez). *Dépêchez-vous, il s'impatiente, il commence à s'impatienter. S'impatienter contre qqn. S'impatienter contre le mauvais temps* (→ Éviter, cit. 27), *pour des riens* (→ Étale, cit. 3). — *S'impatienter de... S'impatienter des moindres contrariétés* (→ Expiation, cit. 10). *Il s'impatiente de vous voir gaspiller votre temps. Ne vous impatientez pas trop en m'attendant.*

6 Ne vous impatientez pas, mademoiselle. M. de... est enfermé avec quelqu'un, et on viendra vous chercher dès qu'il sera libre. MARIVAUX, la Vie de Marianne, VI.

7 Tu t'impatientes de savoir à quoi j'en veux venir. ROUSSEAU, Julie ou la Nouvelle Héloïse, II, Lettre V.

8 (...) mes amis qui croyaient les honneurs littéraires usurpés par tous ceux qui les obtenaient avant moi, s'impatientaient de voir dans une seule année quatre nouveaux académiciens me passer sur le corps (...) MARMONTEL, Mémoires, VII.

9 Je lis les *Mémoires d'outre-Tombe*, et je m'impatiente de tant de grandes poses et de draperies. G. SAND, *in* SAINTE-BEUVE, Chateaubriand, t. II, p. 356.

10 Depuis un instant, M. Charles s'impatientait, désolé de voir les alouettes noircir, tandis que la bonne, lasse de battre l'omelette, attendait, les bras ballants. ZOLA, la Terre, I, III.

11 (...) les vains ornements de son front ne se détachent pas sans peine et Phèdre s'impatiente contre tous ces nœuds qui les retiennent. GIDE, Attendu que..., p. 188.

CONTR. Adoucir, amuser. — (Du pron.) Patienter.
DÉR. Impatientant.

IMPATRONISATION [ɛ̃patʀɔnizɑsjɔ̃] n. f. — 1611, Cotgrave; de *impatroniser.*

♦ Rare. Action d'impatroniser ou de s'impatroniser.

Le père Rouget se trouva très heureux de l'impatronisation de Max au logis, car il eut une personne qui fut aux petits soins pour lui. BALZAC, la Rabouilleuse, p. 181, *in* D. D. L., II, 2.

IMPATRONISER [ɛ̃patʀɔnize] v. tr. — 1552, «rendre maître»; comp. du lat. *im-* (→ 2. In-), et *patronus* «patron»; cf. ital. *impatronare.*

♦ **1.** Vx. (Compl. n. de personne). Introduire, établir en maître.

1 (...) la liaison très intime de madame de Watteville avec l'archevêque avait impatronisé chez elle les trois ou quatre abbés remarquables et spirituels de l'archevêché (...) BALZAC, Albert Savarus, Pl., t. I, p. 753.

♦ **2.** (1828). Littér. (Compl. n. de chose). Faire adopter, imposer avec autorité. *Impatroniser une mode.*

▶ **S'IMPATRONISER** v. pron. (Av. 1613, Régnier; «s'emparer de», 1552).

Plus cour. S'établir comme chez soi.

2 Certes c'est une chose aussi qui scandalise,
De voir qu'un inconnu céans s'impatronise (...) MOLIÈRE, Tartuffe, I, 1.

3 Insensiblement Pauline s'impatronisa chez moi, voulut me servir et sa mère ne s'y opposa point. BALZAC, la Peau de chagrin, Pl., t. IX, p. 94.

4 Elle prétend s'impatroniser dans cette riche maison, avoir la clef de tous les secrets, et en tirer double parti au besoin. SAINTE-BEUVE, Causeries du lundi, 10 juin 1850, t. II, p. 195.

Fig. (En parlant d'une chose). Être adopté. *Cette mode s'est impatronisée.*

DÉR. Impatronisation.

IMPAVIDE [ɛ̃pavid] adj. — 1801, Mercier; lat. *impavidus,* même sens, de *im-* (→ 1. In-), et *pavidus* «craintif, effrayé», de *pavere* «redouter», de *pavor.* → Peur.

♦ Littér. ou style soutenu. Qui n'éprouve ou ne trahit aucune peur. ⇒ **Impassible, inébranlable, intrépide.** *Impavide devant le danger. Rester impavide.*

Ce héros civique *(le général Mercier)* si ferme, impavide, sous la pluie d'outrages et de menaces (...) Léon DAUDET, Vers le roi, p. 81, *in* T. L. F.

Une attitude impavide. ⇒ **Calme, tranquille.** *Un regard impavide,* sans peur.

CONTR. Apeuré, ému, troublé.
DÉR. Impavidement, impavidité.

IMPAVIDEMENT [ɛ̃pavidmɑ̃] adv. — 1886, Bloy; de *impavide.*

♦ Littér. D'une manière impavide, sans manifester de peur, d'inquiétude.

(...) incapable de s'asseoir dans un granitique parti pris de paillarder impavidement (...) Léon BLOY, le Désespéré, p. 41. 1

Il faut croire à un sens de la vie renouvelé par le théâtre, et où l'homme impavidement se rend le maître de ce qui n'est pas encore, et le fait naître. A. ARTAUD, le Théâtre et son double, 1938, Préface, Idées/Gallimard, p. 18. 2

IMPAVIDITÉ [ɛ̃pavidite] n. f. — 1884, Péladan, *in* T. L. F.; de *impavide,* et *-ité.*

♦ Littér. Absence de peur, d'inquiétude. *«(...) cette impavidité... cette fureur rentrée qui peuvent effectivement caractériser les réactions intimes de prolétaires accablés par le malheur»* (le Nouvel Obs., 27 nov. 1978, p. 91).

CONTR. Peur.

IMPAYABLE [ɛ̃pɛjabl] adj. — 1376; rare jusqu'au XVIIe; 1622, Molière, au sens 1; de *im-* (→ 1. In-), et *payable.*

♦ **1.** Vx. Qu'on ne saurait payer trop cher, qui est d'une valeur inestimable. *Un service impayable* (Académie).

♦ **2.** Vx, fig. Admirable (→ Heureux, cit. 22, Molière).

♦ **3.** (1735, La Chaussée). Mod. D'une bizarrerie extraordinaire, incroyable ou très comique*. *Une aventure, une histoire impayable.* ⇒ **Cocasse, désopilant, tordant** (fam.). *C'est impayable!*

Ce qu'il y avait d'impayable était que j'étais moi-même excessivement ému (...) J'étais au supplice : j'avais déjà quitté mes propos de Céladon, dont je sentais tout le ridicule en si beau chemin (...) ROUSSEAU, les Confessions, VI. 1

(Êtres animés). *Un type, un bonhomme impayable.*

Le seul personnage vraiment vivant *(dans Polyeucte de Corneille)* est Félix. Il est impayable. C'est un bourgeois de Labiche. CLAUDEL, Journal, 28 nov. 1939. 1.1

Monsieur! Monsieur! appelle Clémence. Venez voir Roû *(le chat),* il est impayable. M. GENEVOIX, Roû, VI. 2

IMPAYÉ, ÉE [ɛ̃peje] adj. et n. m. — 1793, Pougens, puis 1830, Balzac; de *im-* (→ 1. In-), et *payé.*

♦ (Choses). Qui n'a pas été payé. *Billet, effet impayé. Traite impayée. Montant des dettes impayées.* ⇒ **Arriéré.**

(...) dès qu'un effet transmis de la place de Paris à la place d'Angoulême est impayé, les banquiers se doivent à eux-mêmes de s'adresser ce que la loi nomme un *Compte de Retour.* BALZAC, Illusions perdues, Pl., t. IV, p. 918.

N. m. *Un impayé. Les impayés :* les effets, billets, valeurs impayés.

CONTR. Payé.

IMPEACHMENT [impitʃmɛnt] n. m. — 1778; mot angl., de *to impeach* «empêcher», de même orig. que *empêcher.*

♦ Polit. Anglic. En Grande-Bretagne, aux États-Unis, Procédure de mise en accusation d'un élu devant le Parlement, le congrès. *Se prononcer en faveur de l'impeachment. «Bien que beaucoup d'éminents Américains soient persuadés que le destin du président Nixon sera scellé soit par sa démission, soit par le processus de l'impeachment, je trouve cet optimisme désolant»* (le Nouvel Obs., 13 avr. 1974, p. 39).

Le mot impeachment pourrait se traduire par accusation, dénonciation publique, mais comme il est consacré uniquement aux accusations intentées en Parlement contre un des Membres qui ne peut être jugé que par ses Pairs, afin qu'on ne confondît pas les objets, nous avons cru ce mot nécessaire. Les impeachments sont toujours portés et jugés à la Chambre des Pairs. Courrier de l'Europe, 20 mars 1778, *in* G. VON PROCHWITZ, le Vocabulaire politique au XVIIIe s., p. 249.

REM. La francisation par *empêchement* entraînant une incertitude quant au sens, dans la terminologie du droit international et en parlant des institutions américaines, on conserve cet anglicisme.

IMPEC [ɛ̃pɛk] adj. invar. — Mil. XXe; abrév. de *impeccable* (3.).

♦ Fam. ⇒ **Impeccable** (3.).

Mon calot était impec, grâce à une nouvelle feuille de carton. R. NIMIER, le Hussard bleu, p. 125 (1950).

IMPECCABILITÉ [ɛ̃pekabilite] n. f. — 1578; de *impeccable.*

♦ **1.** Vx ou relig. État d'un être humain qui est impeccable, qui ne peut pêcher, et, par ext., qui n'a aucun défaut.

♦ **2.** (1921, Aragon). Didact. ou littér. Aspect impeccable (d'une chose).

À la lueur de ma lampe électrique, je m'assurai dans le miroir de l'impeccabilité de ma coiffure et de la séduction qui émanait de toute ma personne (...)
ARAGON, Anicet, III, p. 50 (1921).

IMPECCABLE [ɛ̃pekabl] adj. — 1479; lat. impérial *impeccabilis*, de *im-* (→ 1. In-), et *peccare* «commettre une faute».

♦ **1.** Relig. Incapable de pécher.

1 (...) le bon peuple, qui ne voit ni les derniers moments du défunt, ni l'installation du successeur, croit toujours que son grand lama est immortel, infaillible, et impeccable.
VOLTAIRE, Lettres chinoises..., XI.

♦ **2.** (1667, Racine). Littér. Incapable de faillir, de commettre une erreur. ⇒ **Infaillible, parfait.** *«Ces femmes impeccables au-dessus de toute faiblesse...»* (→ Espérance, cit. 16, Chamfort). *Poète impeccable* (→ Ès, cit. 2). *Un dialecticien* (cit. 2) *merveilleux, impeccable logicien.*

2 Je trouve leur intention fort bonne de vouloir qu'on ne mette sur la scène que des hommes impeccables.
RACINE, Andromaque, 1re préface.

3 (...) la femme de César ne doit pas être soupçonnée, et je devais rester aux yeux de tous l'impeccable duchesse d'Arcos de Sierra Leone.
BARBEY D'AUREVILLY, les Diaboliques, «Vengeance d'une femme».

4 (...) il *(Th. Gautier)* a joué de tous les genres, toujours avec un brio magistral, une perfection accomplie (...) versificateur étourdissant (...) maître impeccable de la forme (...)
Émile HENRIOT, les Romantiques, p. 199.

♦ **3.** [a] (1856, Baudelaire). Choses. Sans défaut. *Formes impeccables.* ⇒ **Pur.** *Linge d'une blancheur impeccable. J'ai vu son travail : c'est impeccable !* ⇒ **Irréprochable; impec** (fam.). *«Sa conduite fut impeccable. Tenue impeccable. Toilette impeccable»* (Académie).

5 Les revers des manches, les gants sont impeccables.
J. ROMAINS, les Hommes de bonne volonté, t. III, XII, p. 167.

6 (...) l'ordonnance bondissait à trois pas derrière lui et se tenait pétrifié dans un impeccable garde-à-vous.
Francis CARCO, les Belles Manières, I, I.

7 (...) je ne suis pas très sûr que la documentation des deux frères *(les Goncourt)* soit absolument impeccable (...)
Émile HENRIOT, Portraits de femmes, p. 170.

[b] (1926). Personnes. D'une propreté, d'une tenue parfaite. *Il est toujours impeccable, tiré à quatre épingles.*

[c] (Abstrait). Fam. Parfait, remarquable (mélioratif). ⇒ **Formidable, sensationnel.** *Un truc impeccable, très chouette. C'était impeccable, ton laïus. — C'est un type impeccable.* — REM. Dans cet emploi vague, mélioratif, *impeccable*, en tant que mot à la mode, cède la place à d'autres synonymes *(extra, super...).*

CONTR. Défectueux, incorrect, négligé.
DÉR. Impeccabilité, impeccablement. — Impec.

IMPECCABLEMENT [ɛ̃pekabləmɑ̃] adv. — 1887, Laforgue; de *impeccable.*

♦ D'une manière impeccable, parfaite. *Il a impeccablement réussi son travail. Il était habillé impeccablement.*

REM. L'adverbe, à la différence de *impeccabilité*, est courant.

Il portait du linge très blanc, ses mains étaient soignées, il était impeccablement rasé.
S. DE BEAUVOIR, les Mandarins, p. 44.

IMPÉCUNIEUX, EUSE [ɛ̃pekynjø, øz] adj. — 1677, Miège; de *im-* (→ 1. In-), et *pécunieux* (vx), du lat. *pecuniosus* «riche», de *pecunia* «argent» et d'abord «richesse en bétail», de *pecus, pecoris* «bétail».

♦ Littér. Qui manque d'argent*. ⇒ **Besogneux, dépourvu, pauvre.**

(...) le groupe des jeunes gens vautrés devant les guéridons nus (ils ne commandaient rien, se contentaient de rester là, renversés en arrière sur leurs chaises, hâbleurs, impécunieux et bruyants...
Claude SIMON, le Vent, p. 53.

CONTR. Riche.
DÉR. Impécuniosité.

IMPÉCUNIOSITÉ [ɛ̃pekynjozite] n. f. — 1677, Miège; dér. sav. du rad. de *impécunieux* (lat. *pecuniosus*), et *-ité.*

♦ Littér. Manque d'argent. ⇒ **Pauvreté.**

1 Scarron, bien qu'il se prétendît logé à l'*hôtel de l'impécuniosité*, habitait réellement une assez jolie maison (...)
Th. GAUTIER, les Grotesques, X, p. 379.

2 Nous étions tous remarquablement dépourvus, sinon de ressources, du moins de réserves et c'est ce que, dans le style du temps, nous appelions notre impécuniosité.
G. DUHAMEL, le Temps de la recherche, p. 33.

CONTR. Richesse.

IMPÉDANCE [ɛ̃pedɑ̃s] n. f. — 1892, *in* Höfler; angl. *impedance* (1886), du lat. *impedire* «empêcher».

♦ Électr. Grandeur qui mesure le quotient de la tension par l'intensité (ainsi que le déphasage de ces grandeurs lorsque cette grandeur est définie par un nombre complexe). *L'impédance est, pour les courants alternatifs, l'équivalent de la résistance pour les courants continus. L'impédance d'un circuit. L'impédance s'exprime en ohms. Impédance acoustique. Impédance cinétique. Inverse de l'impédance.* ⇒ **Admittance.**

COMP. Impédancemètre.

IMPÉDANCEMÈTRE [ɛ̃pedɑ̃smɛtʀ] n. m. — 1952, *in* Höfler; de *impédance*, et *-mètre.*

♦ Sc., techn. Appareil destiné à la mesure des impédances.

IMPEDIMENTA [ɛ̃pedimɛ̃ta; impedimɛnta] n. m. pl. — 1876, cit. 0.1; au fig., *les impedimenta de la logique*, Sainte-Beuve, 1859; mot lat., de *impedire* «entraver».

♦ **1.** Milit. Véhicules, bagages encombrants, qui embarrassent la marche d'une armée.

Pillant, ravageant, enrôlant ceux qui se soumettaient, capturant ceux qui résistaient, il se transportait d'une ville à l'autre, suivi de ces impedimenta de souverain oriental, qu'on pourrait appeler sa maison civile, ses femmes et ses esclaves. 0.1
J. VERNE, Michel Strogoff, p. 30.

Fantassin léger, sans impedimenta, on poursuivra plus aisément l'adversaire. 1
MONTHERLANT, les Lépreuses, II, XXII.

Couchés sur le ventre et chacun chargé de ses impedimenta, nous étions sortis de notre trou, attendant l'heure. 1.1
B. CENDRARS, la Main coupée, *in* Œ. compl., t. X, p. 111.

♦ **2.** (1907). Fig. et littér. Ce qui entrave le déplacement, le mouvement, l'activité.

REM. 1. La forme francisée *impédiments*, notée par Littré dans son *Supplément*, est inusitée.

Deux impedimenta gênent la petite dame : son faux mari, ses bébés. 2
J. ROMAINS, Une femme singulière, XXIII.

2. La forme *impedimentum*, au sing., est attestée (1859, *in* Sainte-Beuve, T. L. F.).

IMPEIGNABLE [ɛ̃pɛɲabl] adj. — Av. 1842; de *im-* (→ 1. In-), et *peindre.*

♦ Rare. Qui est impossible à peindre, à décrire. ⇒ **Indescriptible.**

IMPÉNÉTRABILITÉ [ɛ̃penetʀabilite] n. f. — Av. 1662, Pascal; de *impénétrable*, et *-ité.*

♦ **1.** Didact. (phys.). Propriété en vertu de laquelle deux corps ne peuvent occuper en même temps le même lieu dans l'espace. *Impénétrabilité de la matière* (→ ci-dessous, cit. 1 et 3). — Abstrait (→ ci-dessous, cit. 2).

L'impénétrabilité est une propriété des corps. 1
PASCAL, Pensées, VII, 512.

Mutation sans terme, action sans but, impénétrabilité universelle, voilà ce qui nous est connu de ce monde où nous régnons. 2
É. DE SENANCOUR, Oberman, LXXV.

On érige parfois l'impénétrabilité en propriété fondamentale des corps, connue de la même manière et admise au même titre que la pesanteur ou la résistance par exemple (...) Or, si l'impénétrabilité était réellement une qualité de la matière, connue par les sens, on ne voit pas pourquoi nous éprouverions plus de difficulté à concevoir deux corps se fondant l'un dans l'autre qu'une surface sans résistance ou un fluide impondérable. 3
H. BERGSON, Essai sur les données immédiates de la conscience, II.

♦ **2.** (1690). État de ce qui est impénétrable (au propre et au fig.). *L'impénétrabilité d'un maquis, d'un fourré. L'impénétrabilité d'une région, d'un pays.*

Trois caractéristiques marquent le pays russe : son immensité, son uniformité, son absence de défenses naturelles contre les invasions, et cependant, en même temps, son impénétrabilité. 4
André SIEGFRIED, l'Âme des peuples, VI, I, p. 138.

Abstrait. *L'impénétrabilité d'un mystère, d'une intrigue.*

♦ **3.** (1832; personnes). Qui ne s'exprime pas, ne laisse pas percevoir ses sentiments, ses intentions. *Un homme impassible, secret, d'une parfaite impénétrabilité.*

CONTR. Pénétrabilité.

IMPÉNÉTRABLE [ɛ̃penetʀabl] adj. — V. 1390; lat. *impenetrabilis*, de *im-* (→ 1. In-), et du rad. de *penetrare.* → Pénétrer.

♦ **1.** (V. 1390). Où l'on ne peut pénétrer; qui ne peut être traversé. ⇒ **Inaccessible.** *Clôture impénétrable* (→ Grille, cit. 2). *Brume* (cit. 3), *fourré* (cit. 41), *hallier* impénétrable.* ⇒ **Dense.** — *Impénétrable à* : qui ne peut être pénétré par. *Substance impénétrable à la chaleur* (⇒ **Adiabatique**), *à l'eau* (⇒ **Imperméable**). *Blindé impénétrable aux balles.*

(...) un mur (...) impénétrable à un corps solide (...) 1
MONTAIGNE, Essais, II, XII.

(...) lorsqu'ils *(les ours)* ne peuvent trouver une grotte pour se gîter, ils cassent et ramassent du bois pour se faire une loge qu'ils recouvrent d'herbes et de feuilles, au point de la rendre impénétrable à l'eau. 2
BUFFON, Hist. nat. des animaux, L'ours.

Les vaisseaux anglais (...) ne devaient pas résister au choc de ces citadelles mouvantes, dont quelques-unes avaient leurs œuvres vives de trois pieds d'épaisseur, impénétrables au canon. 3
VOLTAIRE, Essai sur les mœurs, CLXVI.

Je rencontrais de temps en temps des touffes obscures, impénétrables aux rayons du soleil, comme dans la plus épaisse forêt (...) 4
ROUSSEAU, Julie ou la Nouvelle Héloïse, IV, Lettre XI.

5 Ces murs, impénétrables comme la tombe, ne peuvent laisser filtrer l'air des vivants à travers leurs épaisses parois.
Th. GAUTIER, Voyage en Espagne, p. 92.

6 Ceux-ci se mettent en marche, et, comme ils devaient le prévoir, sont arrêtés par les masses impénétrables du peuple, par des femmes assises, couchées devant les portes sacrées. MICHELET, Hist. de la Révolution franç., III, X.

Par métaphore. *Une âme impénétrable à la grâce.*

7 (...) je te permets, en cas d'alarme, de te mettre à couvert sous le bouclier impénétrable de mon terrible nom. CYRANO DE BERGERAC, le Pédant joué, V, 9.

8 (...) Est-il dessous les cieux
Un cœur impénétrable au pouvoir de vos yeux? CORNEILLE, Pulchérie, III, 2.

9 L'huile coulant sur le marbre offre l'image d'un caractère impénétrable aux douceurs de la persuasion. Joseph JOUBERT, Pensées, VII, LVII.

10 (...) sûr de mon jugement, je ferme les yeux et, dans mon esprit bien étanche, impénétrable, incorruptible, j'instruis paisiblement le procès.
G. DUHAMEL, Scènes de la vie future, III.

Fig. et vieilli. (Personnes; cœur...). Inaccessible à des sentiments tendres. ⇒ **Insensible.**

11 Mais n'es-tu point surpris de cette dureté?
Vois-tu, comme le sien, des cœurs impénétrables,
Ou des impiétés à ce point exécrables? CORNEILLE, Polyeucte, V, 4.

♦ **2.** (Av. 1662, Pascal). Abstrait. Qu'il est difficile ou impossible de connaître, d'expliquer ou d'interpréter. ⇒ **Caché, incompréhensible, inexplicable, inscrutable, insondable, mystérieux, obscur, profond, secret, ténébreux.** *Les desseins* (cit. 9) *impénétrables de la Providence. Intentions, voies impénétrables. Essence* (cit. 3) *impénétrable des êtres. Énigme, mystère impénétrable.* ⇒ **Abîme** (cit. 25). → aussi Avenir, cit. 2. *Langage, poème impénétrable.* ⇒ **Abstrus, hermétique.**

12 Ô profondeur des trésors de la sagesse et de la science de Dieu! Que ses jugements sont impénétrables, et ses voies incompréhensibles!
BIBLE (SACY), Épîtres aux Romains, XI, 33.

13 Infiniment éloigné de comprendre les extrêmes, la fin des choses et leurs principes sont pour lui invinciblement cachés dans un secret impénétrable, également incapable de voir le néant d'où il est tiré, et l'infini où il est englouti.
PASCAL, Pensées, II, 72.

14 (...) en proie à l'une de ces fatales méditations de jeune fille, souvent impénétrables à l'observation d'un père ou même à la sagacité des mères (...)
BALZAC, la Femme de trente ans, Pl., t. II, p. 791.

15 Je suis de mon mieux ces études de fermentation, qui ont un grand intérêt pour leur liaison avec l'impénétrable mystère de la vie et de la mort (...)
PASTEUR, *in* Henri MONDOR, Pasteur, IV, p. 60.

16 J'ai compris, dès cette première rencontre, que le mystère de sa pensée intime demeurerait pour moi aussi impénétrable que le grand temple. Entre nous, il y a la différence essentielle des races, des hérédités, des religions.
LOTI, l'Inde (sans les Anglais), IV, p. 72.

16.1 Ses sourcils *(de M. Santeuil)* étaient froncés, sa bouche faisait la moue, mais maintenant qu'il ne regardait plus, on n'en démêlait pas le sens, qu'on devinait caché sous les paupières exactement fermées de ses yeux, et toute la figure restait saisissante et obscure, comme une intention forte mais impénétrable.
PROUST, Jean Santeuil, Pl., p. 878.

17 Et, quand bien même Ses raisons seraient impénétrables à nos facultés imparfaites, nous devrions nous incliner et vouloir avec Lui cette souffrance que nous ne comprenons pas, mais qu'Il a voulue.
MARTIN DU GARD, Jean Barois, Le goût de vivre, IV.

♦ **3.** (1679, Bossuet). Qui ne laisse rien deviner de lui-même. — (Personnes). *Personnage impénétrable.* ⇒ **Énigmatique; sphinx** (→ Face, cit. 16). — Par ext. *Réserve impénétrable* (→ Commandement, cit. 3). *Air impénétrable* (→ Angle, cit. 5). *Visage impénétrable.* ⇒ **Hermétique, impassible.**

18 Lui seul (...) savait dire et taire ce qu'il fallait. Seul il savait épancher et retenir son discours : impénétrable, il pénétrait tout; et pendant qu'il tirait le secret des cœurs, il ne disait, maître de lui-même, que ce qu'il voulait.
BOSSUET, Oraison funèbre de Michel Le Tellier.

19 (...) il y a des hommes qui sont impénétrables dans leurs projets, dans leurs pensées; leurs actions, les événements seuls les révèlent ou les expliquent; ceux-là sont des hommes forts (...) BALZAC, Paméla Giraud, V, 4.

20 Quelle étrange enfant c'était alors : brune, menue, nerveuse, avec son air impénétrable de jeune sphinx (...) E. FROMENTIN, Dominique, VII.

21 J'ai en moi la puissante dissimulation de ma race qui est italienne (...) Je fus absolument impénétrable. Grâce à cette dissimulation, qui boucha tous les jours de mon être par lesquels mon secret aurait pu filtrer, je préparai ma fuite (...)
BARBEY D'AUREVILLY, les Diaboliques, « Vengeance d'une femme ».

22 (...) et je pensais que rien ne rend plus impénétrable un visage que le masque de la bonté. GIDE, Isabelle, II, p. 41.

23 *(Le regard)* aisément empreint d'amabilité volontaire, mais aussi intraduisible, aussi impénétrable que le regard des oiseaux.
COLETTE, Belles saisons, Mes cahiers, p. 181.

CONTR. Accessible, pénétrable.
DÉR. Impénétrabilité, impénétrablement.

IMPÉNÉTRABLEMENT [ɛ̃penetʀabləmɑ̃] adv. — 1636; de *impénétrable.*

♦ Littér. De façon impénétrable.

IMPÉNÉTRÉ, ÉE [ɛ̃penetʀe] adj. — Déb. XVIe; de *im-* (→ 1. In-), et *pénétré.* → Impénétrable.

♦ Didact. ou littér. Qui n'a jamais été pénétré.

Dix mois avaient passé, mois consacrés à la préparation et à la mise en train des opérations militaires ayant pour objet l'occupation des zones impénétrées et insoumises. L.-H. LYAUTEY, Paroles d'action, p. 19.

IMPÉNITENCE [ɛ̃penitɑ̃s] n. f. — 1372; bas lat. ecclés. *impænitentia, de im-* (→ 1. In-), et *pænitentia.* → Pénitence.

♦ Théol. État du pécheur impénitent; endurcissement* dans le péché, persistance dans l'erreur ⇒ **Errement.** *Mourir dans l'impénitence finale,* sans confession ni repentir de ses fautes. *Sermon sur l'impénitence finale,* de Bossuet.

Dieu punit les pécheurs (...) de peur qu'ils ne se délectent dans le péché et que devenus incorrigibles, ils ne meurent dans l'impénitence (...) 1
BOSSUET, Pensées chrétiennes et morales, IX.

Un véritable chagrin pour elle était de savoir à son mari des opinions peu chrétiennes, elle pleurait quelquefois en pensant que si son époux venait à périr, il mourrait dans l'impénitence finale, sans que jamais elle pût espérer de l'arracher aux flammes éternelles de l'enfer. BALZAC, Une double famille, Pl., t. I, p. 973. 2

CONTR. Contrition, pénitence, repentir.

IMPÉNITENT, ENTE [ɛ̃penitɑ̃, ɑ̃t] adj. et n. — 1570; lat. ecclés. *impænitens,* de *im-* (→ 1. In-), et *pænitens.* → Pénitent.

♦ **1.** Relig. Qui ne se repent pas de ses péchés; qui vit dans l'impénitence*. *Pécheur impénitent.* ⇒ **Endurci.** *Mourir impénitent.* — N. (rare au fém.). *Un impénitent.*

Et comme un contrit sans sacrement est plus disposé à l'absolution qu'un impénitent avec le sacrement, ainsi les filles de Loth, par exemple, qui n'avaient que le désir des enfants étaient plus pures sans mariage que les mariés sans désir d'enfants. PASCAL, Pensées, XIV, 923. 1

(...) il n'y a rien sur la terre qui doive nous donner plus d'horreur que des hommes frappés de la main de Dieu et impénitents tout ensemble (...) puisqu'ils portent déjà sur eux le caractère essentiel de la damnation. 2
BOSSUET, 2e Sermon pour dimanche des Rameaux, Sur la nécessité des souffrances, III.

Torquemada croit que le supplice a une efficacité propre, qu'il sauve la victime, même impénitente, et que le bûcher éteint l'enfer. 3
J. LEMAÎTRE, Impressions de théâtre, 3e série, p. 152.

Par ext. *Attitude, mort impénitente.* ⇒ **Impie.**

♦ **2.** (1860, Goncourt). Cour. Qui ne renonce pas à une habitude. ⇒ **Incorrigible, invétéré.** *Buveur, chasseur impénitent.*

Voilà, cher Docteur Brooke, une de ces supputations illusoires dont je laisse le privilège à ces rêveurs impénitents que l'on nomme les hommes d'affaires. 4
G. DUHAMEL, Scènes de la vie future, X, p. 163.

REM. L'adjectif est postposé en épithète.

CONTR. Contrit, pénitent, repenti.

IMPENSABILITÉ [ɛ̃pɑ̃sabilite] n. f. — 1914, G. Marcel, *Journal, in* T. L. F.; de *impensable* (1.).

♦ Didact. Caractère de ce qui est impensable (1.).

IMPENSABLE [ɛ̃pɑ̃sabl] adj. — 1845, Richard de Radonvilliers (mot virtuel); ne semble pas en usage av. le troisième tiers du XIXe; de *im-* (→ 1. In-), *penser* (trans. dir. : *penser qqch.*), et *-able.*

♦ **1.** Qui ne peut être conçu ou saisi par la pensée. ⇒ **Inconcevable.**

(Ces mots) qui imposent à la raison de penser des pensées impensables (...) 0.1
Paul JANET, Revue des Deux-Mondes, 15 mai 1877, *in* LITTRÉ, Suppl., additions.

(...) après deux siècles et bientôt deux siècles et demi on a fini par s'apercevoir que les lois de l'attraction et de la gravitation universelle étaient généralement applicables et parfaitement calculables mais que l'hypothèse même de l'attraction à distance et de la gravitation à distance était parfaitement impensable, c'est-à-dire enfin que Newton est métaphysiquement impensable. 1
Ch. PÉGUY, Note conjointe, Sur Bergson, p. 29.

Que l'on a du mal à imaginer. ⇒ **Inimaginable, invraisemblable.**

C'était du moins ce que Paule croyait avoir compris. Mais tout cela appartenait pour elle à un monde absurde, impensable. F. MAURIAC, le Sagouin, p. 30. 2

(1947, Aymé). N. m. *L'impensable.*

Fallait-il croire que nous étions tous le jouet d'une hallucination? Non. L'incroyable, l'invraisemblable, l'impensable, était une réalité sensible (...) 2.1
M. AYMÉ, le Vin de Paris, « La bonne peinture », p. 212.

♦ **2.** (XXe). Fam. Qui est difficile ou impossible à admettre. ⇒ **Insensé; inacceptable.**

Qu'un garçon de mon âge et de ma formation ait pu rester dupe d'une imposture pareille, c'est invraisemblable, c'est impensable. 3
J. ROMAINS, Une femme singulière, p. 62.

Moi ça me dépasse complètement, je l'avoue, ce n'est pas pour me vanter (...) mais chez moi, dans ma famille, c'est impensable, tout ça... Je ne parle même pas d'employer des procédés pareils (...) N. SARRAUTE, le Planétarium, p. 242. 4

REM. Le mot, enregistré par Littré en 1877 (additions au *Supplément*), a été critiqué par certains puristes.

DÉR. Impensabilité, impensablement.

IMPENSABLEMENT [ɛ̃pɑ̃sabləmɑ̃] adv. — XXe; de *impensable.*

♦ Rare. D'une manière impensable ou inadmissible. ⇒ **Impensable** (2.).

IMPENSE [ɛ̃pɑ̃s] n. f. — Fin XVe; lat. *impensa* « dépense ».

♦ Dr. civ. (Au plur.). Dépenses* faites par un possesseur pour la conservation, l'amélioration ou l'embellissement d'un immeuble dont il a la jouissance. *Impenses nécessaires, utiles, voluptuaires.*

On distingue les *impenses nécessaires*, les *impenses utiles* et les *impenses voluptuaires*. Les premières sont celles qui ont été nécessitées par la conservation de l'immeuble. Elles doivent être toujours restituées intégralement au possesseur, même de mauvaise foi, et sans qu'il y ait lieu de rechercher s'il en subsiste encore quelque profit. Le propriétaire eût été forcé de les faire. — Les impenses utiles sont celles dont on aurait pu se dispenser, mais qui ont en fait augmenté la valeur de l'immeuble. La restitution en est due même au possesseur de mauvaise foi, jusqu'à concurrence de la plus-value existante au moment de la restitution. — Enfin les impenses voluptuaires, faites pour satisfaire les goûts personnels du possesseur sans aucun profit pour l'immeuble, ne nécessitent aucune restitution.
M. PLANIOL, Droit civil, t. I, nº 2457.

IMPENSÉ, ÉE [ɛ̃pɑ̃se] adj. et n. m. — XXe (1939, Éluard); de *im-* (→ 1. In-), et *pensé*. → Impensable.

♦ Didact. Qui n'a pas été pensé, conçu. *Un concept impensé, mais probablement très pensable.*

1 Une espèce qu'aucun naturaliste n'a osé supposer, n'a osé prévoir? Une espèce comme nous n'en avons jamais vue, même dans nos rêves, une espèce hors-Genèse, une espèce impensée? Vous êtes bien d'accord?
Pierre GASCAR, les Bêtes, p. 134.

2 Nous sommes dans un monde impensé, impensable auparavant.
ÉLUARD, Donner à voir, *in* Œ. compl., t. I, Pl., p. 959.

N. m. (1931, J.R. Bloch, *in* T. L. F.). *L'impensé. Un impensé radical.*

IMPER [ɛ̃pɛʀ] n. m. — D. i.; abrév. de *imperméable*.

♦ Fam. Imperméable (n. m.). *Mets ton imper. Des impers.*

(...) il avait déjà disparu dans le couloir où il enfilait maladroitement son imper.
F. MALLET-JORIS, le Jeu du souterrain, p. 179.

IMPÉRANT [ɛ̃peʀɑ̃] adj. m. — XVIe, « qui commande »; sens mod., déb. XXe; lat. *imperans*, p. prés. de *imperare* « commander ».

♦ Astrol. *Signes impérants* : signes (du zodiaque) qui sont censés déterminer ce qu'ils présagent.

IMPÉRATIF, IVE [ɛ̃peʀatif, iv] n. m. et adj. — Av. 1250, subst. grammatical; bas lat. *imperativus*, du supin de *imperare* « commander ».

★ **I.** N. m. ♦ **1.** (Déb. XIIIe). Mode* du verbe qui exprime le commandement (« Gardes, obéissez sans tarder davantage », Racine), la défense (« Mais après le combat, ne pensez plus au mort », Corneille), la prière (« Donnez-nous aujourd'hui notre pain quotidien »), l'exhortation (« Sois sage, ô ma douleur... », Baudelaire), le conseil (« Étudiez la cour et connaissez la ville », Boileau), le souhait (« Toi, sois bénie à jamais... », Hugo)... *Les trois personnes de l'impératif* (« Sors, sortons, sortez »). *Temps de l'impératif : impératif présent* (« Travaillez, prenez de la peine », La Fontaine), *impératif composé*, improprement appelé *impératif passé* (« Soyez parti demain », Hugo). *Impératif futur* (en latin). *Conjuguer un verbe au présent de l'impératif.*

1 Ce qui caractérise l'impératif, c'est d'unir à l'idée de l'action l'idée de la volonté de celui qui parle... *(cette volonté)*, c'est le ton de la voix, c'est l'aspect de la physionomie, c'est l'attitude du corps qui sont chargés de l'exprimer.
Michel BRÉAL, Essai de sémantique, p. 261.

2 Cette forme verbale, exprimant par manière d'ordre ou de conseil quelque chose qui, au moment de la parole, est encore à réaliser, a donc, malgré son apparence de présent, regard sur l'avenir. Par là, c'est l'équivalent d'un futur. Aussi bien le futur et l'impératif se prennent-ils souvent l'un pour l'autre (Tu ne *tueras* point = ne *tue* point)... *(De même)* l'impératif où entre l'un des auxiliaires *être, avoir*, correspond au futur antérieur de l'indicatif; comme ce temps, il situe l'accompli dans le plan de l'avenir : *Ayez fini* avant midi; *soyez rentré*, quand nous arriverons.
G. et R. LE BIDOIS, Syntaxe du franç. moderne, t. I, p. 463-464.

3 L'impératif ne possède donc, à proprement parler, qu'une seconde personne (singulier ou pluriel)... En français, nous avons créé une première personne du pluriel (qui a une valeur d'exhortation : c'est un ordre qu'on se donne à soi-même), et développé une troisième personne (singulier et pluriel) qui emprunte les formes du subjonctif (...)
F. BRUNOT et Ch. BRUNEAU, Précis de grammaire historique de la langue franç., p. 369.

♦ **2.** (1801). Philos. « Proposition ayant la forme d'un commandement (en particulier d'un commandement que l'esprit se donne à lui-même) » (Lalande). — (1801). *Impératif catégorique**, *hypothétique** (→ ci-dessous, cit. 5, Le Senne). *Impératif catégorique fondamental de la morale de Kant* ou *impératif kantien* : « Agis toujours d'après une maxime telle que tu puisses vouloir en même temps qu'elle devienne une loi universelle ».

4 Est-il étonnant alors que, dans le court moment qui sépare l'obligation purement vécue de l'obligation pleinement représentée et justifiée par toute sorte de raisons, l'obligation prenne en effet la forme de l'impératif catégorique : il faut parce qu'il faut?
H. BERGSON, les Deux Sources de la morale et de la religion, p. 20.

5 Il apparaît tout de suite que ces impératifs *(de l'action)* sont de deux sortes : 1º Les uns sont faciles à comprendre : ce sont les impératifs hypothétiques qui commandent sous condition, ne font que prescrire des moyens pour une fin (...) Qui veut la fin veut les moyens (...) 2º Il suffit en opposition avec ces impératifs hypothétiques de reconnaître ce qui leur manque à tous pour savoir ce qui appartient par essence à l'impératif moral. On l'exprime en l'appelant *catégorique*, ce qui veut dire inconditionné... tel qu'on ne doit pas se refuser à y obéir.
R. LE SENNE, Traité de morale, I, VII.

(1904, R. Rolland). Par anal. Prescription d'ordre moral. *C'est pour vous un impératif moral* (→ Analyser, cit. 2; grisâtre, cit. 2).

Je n'admettais plus que morales particulières et présentant parfois des impératifs opposés.
GIDE, Si le grain ne meurt, I, X, p. 274.

Jamais l'impératif d'une génération politique n'aura coûté si cher. On n'en connaîtra jamais le prix : les charniers n'ont pas d'histoire; les camps de regroupement n'en auront pas non plus. 6.
F. MAURIAC, le Nouveau Bloc-notes 1958-1960, p. 301.

(1924, Montherlant). Cour. *Les impératifs de la mode. Se soumettre aux impératifs de l'heure.*

Laissons à la femme son mystère. De quelque façon que je tourne cet impératif inénarrable, je n'arrive pas à lui signifier autre chose que : Cachons aux trois quarts la femme si nous voulons qu'elle paraisse belle. Pour l'amour du sexe, laissez ces enveloppes en place et ne regardez pas de près.
MONTHERLANT, les Olympiques, p. 92.

★ **II.** Adj. ♦ **1.** (1486; choses). Qui exprime ou impose un ordre. *Consigne* (cit. 3) *impérative.*

L'image est, certes, plus impérative que l'écriture, elle impose la signification d'un coup, sans l'analyser, sans la disperser. 7.
R. BARTHES, Mythologies, p. 195.

(1718, Académie). Dr. *Disposition, loi impérative* (par oppos. à *facultative*). → Fraude, cit. 2. — (1789). Polit. *Mandat* impératif.*

Philos. *Caractère impératif du devoir dans la morale de Kant* (→ ci-dessus, I. 2., *l'impératif*).

(1607). Gramm. *Mode impératif. Proposition impérative, à valeur impérative. Forme impérative.* — Ling. *Phrase impérative* (par oppos. à *assertive**).

♦ **2.** (1690). Littér. Qui est empreint d'autorité, qui a le caractère du commandement. ⇒ **Autoritaire, impérieux.** *Un air impératif. Parler d'un ton impératif.* ⇒ **Bref.** *Geste impératif. La voix, l'attitude impérative d'une personne impérieuse, autoritaire.* — Rare, critiqué. (Personnes). *Il était très impératif* (→ ci-dessous, cit. 9).

L'éléphant (...) distingue le ton impératif, celui de la colère ou de la satisfaction (...)
BUFFON, Hist. des animaux, L'éléphant.

— Allez-vous-en! — continua l'homme toujours sombre, impératif comme pour une manœuvre à bord (...)
LOTI, Matelot, XXXVI.

Il voudrait être le chef qui dicte des plans, rature et redresse les projets, indique au crayon bleu des tracés impératifs (...)
J. ROMAINS, les Hommes de bonne volonté, t. V, XVIII, p. 137.

(...) une voix de crécelle que M. l'Archiprêtre fait taire d'un geste impératif (...)
M. JOUHANDEAU, Chaminadour, II, XIII, p. 218.

♦ **3.** (XXe). Qui s'impose, qui a le caractère de la nécessité. ⇒ **Impérieux, pressant.** *Besoins impératifs.*

(...) ce climat méditerranéen facile, qui ne rend pas impératives les préoccupations de la vie pratique.
André SIEGFRIED, l'Âme des peuples, p. 197.

CONTR. (Du II) **Docile, humble, modeste, soumis, timide.**
DÉR. Impérativement, impérativité.

IMPÉRATIVEMENT [ɛ̃peʀativmɑ̃] adv. — 1589; de *impératif.*

♦ **1.** Littér. ou style soutenu. D'une manière impérative. *Commander impérativement. Il lui montra impérativement la porte.*

♦ **2.** Plus cour. Obligatoirement (employé avec un futur). *Vous devrez impérativement avoir terminé ce travail dans un mois.*

♦ **3.** D'une manière nécessaire. ⇒ **Nécessairement.**

C'étaient de vieilles connaissances qui l'attiraient impérativement.
BAUDELAIRE, Trad. E. POE, Histoires extraordinaires, p. XXVIII, *in* T. L. F.

IMPÉRATIVITÉ [ɛ̃peʀativite] n. f. — 1928, cit.; de *impératif.*

♦ Littér. et rare. Caractère impératif.

Si maintenant je considère une expression humaine de la sorte qui est blâmée, je vous demande quel caractère d'impérativité comporte au juste une phrase pour celui qui l'émet.
ARAGON, Traité du style, 1928, p. 222-223, *in* D. D. L., II, 7.

1. IMPÉRATOIRE [ɛ̃peʀatwaʀ] adj. — Av. 1453, « impérial »; du lat. *imperatorius*, de *imperator.*

♦ Relig. Qui a une valeur absolue.

Je sais ce dont il s'agit quand on parle d'après saint Paul de la théologie de la souffrance et d'après Bossuet de la participation des fidèles au sacrifice latreutique, eucharistique et impératoire de la messe.
A. BILLY, Sur les bords de la Veule, p. 204.

HOM. 2. **Impératoire.**

2. IMPÉRATOIRE [ɛ̃peʀatwaʀ] n. f. — XVIe; de l'adj. *impératoire*, comme le lat. sc. *imperatoria*, 1623, Tournefort, à cause des propriétés efficaces de la plante.

♦ Bot. Plante de la famille des ombellifères, à grandes feuilles dentées, à fleurs blanches en aubelles, dont la racine était utilisée naguère pour ses propriétés médicinales. *Essence d'impératoire* (tirée de la racine).

HOM. 1. **Impératoire.**

IMPERATOR [ɛ̃peʀatɔʀ] n. m. — 1559, Amyot; mot lat., de *imperium.* → Impérial.

♦ Hist. Sous la République romaine, Titre décerné par l'armée ou le sénat à un général victorieux, et porté jusqu'à son triomphe. *Pas, démarche d'imperator,* solennel(le).

Et sur elle courbé, l'ardent Imperator
Vit dans ses larges yeux étoilés de points d'or
Toute une mer immense où fuyaient des galères.
J.-M. DE HEREDIA, les Trophées, « Antoine et Cléopâtre ».

Je gagnai le petit local d'un pas d'imperator. Je n'avais que quelques mètres à parcourir. Mais la majesté de ma démarche me donna l'impression de passer un Rubicon. P. GUTH, le Naïf sous les drapeaux, I, I, p. 8.

IMPÉRATRICE [ɛ̃peʀatʀis] n. f. — 1527; adj., 1482; *empereriz,* v. 1160; lat. *imperatrix,* fém. de *imperator* (→ Empereur; forme correspondant au fém., en anc. franç., *emperiere*), de *imperium* « empire ».

♦ **1.** Épouse d'un empereur*. *Élever une femme au rang d'impératrice* (→ Associer, cit. 4). *Marie-Louise, impératrice des Français. L'impératrice Eugénie.*

Peut-être avant la nuit l'heureuse Bérénice
Change le nom de reine au nom d'impératrice. RACINE, Bérénice, I, 3.

Elle *(Joséphine)* était vraiment née Impératrice — belle, pleine de doigté, tantôt aimable et tantôt majestueuse, avec un à-propos charmant, et cette mémoire des noms et des visages si précieuse aux souverains : elle était aimée. Napoléon en tirait un grand orgueil.
Louis MADELIN, Hist. du Consulat et de l'Empire, Avènement de l'Empire, XIV.

(En comp.). *Impératrice-mère, impératrice-régente.*

♦ **2.** (1766, Voltaire). Souveraine d'un empire. *Catherine II, impératrice de Russie* (→ Gêner, cit. 35). *La reine Victoria, impératrice des Indes.*

Je connais trois têtes couronnées du nord qui feraient honneur à notre académie, l'impératrice de Russie, le roi de Pologne et le roi de Prusse.
VOLTAIRE, Lettre à Marmontel, 2988, 20 déc. 1766.

Loc. (1853). *Prendre des airs d'impératrice,* des airs supérieurs (infl. probable de *impérieux*). *Un profil d'impératrice. — L'impératrice, une impératrice de... :* une femme qui domine, régente (un milieu, etc.). — Var. plus rare de *reine** (figuré).

Nelly devint comme une impératrice de la rue. Elle en connaissait les arcanes les plus secrets (...) P. MAC ORLAN, Quai des brumes, XI.

Loc. *À l'impératrice* (s'est dit de préparations culinaires). *« Riz à l'impératrice »* (Proust).

IMPERCEPTIBILITÉ [ɛ̃pɛʀsɛptibilite] n. f. — 1836, Académie; de *imperceptible.*

♦ Didact. ou littér. Caractère de ce qui est imperceptible (au propre et au figuré).

(...) courtes *(semaines),* si je pense à la rapide imperceptibilité des heures qui les remplissaient! LAMARTINE, Raphaël, XXVII.

IMPERCEPTIBLE [ɛ̃pɛʀsɛptibl] adj. — 1377; lat. scolast. *imperceptibilis,* de *im-* (→ 1. In), et *perceptible.*

♦ **1.** (1377). Qu'il est impossible de percevoir* par les seuls organes des sens. ⇒ **Invisible; inaudible; insensible.** *Un point presque imperceptible. Le monde imperceptible des infiniment petits. Son imperceptible.* ⇒ **Infra-son, ultra-son.** *Goût, odeur imperceptible. — Imperceptible à qqn, aux sens, à l'ouïe, à la vue.*

(...) une vapeur pestilente se coule au milieu des airs, et imperceptible à nos sens insinue son venin dans nos cœurs (...) BOSSUET, 1er Sermon pour le premier dimanche de carême, Sur les démons, II.

(...) le pouls était imperceptible, la respiration douce, à peine sensible (...)
BAUDELAIRE, Trad. E. POE, Histoires extraordinaires, La vérité sur le cas de M. Valdemar.

Lorsque le jour parut, des terres basses et plates, lignes presque imperceptibles entre le ciel et l'eau, qu'on pouvait prendre à l'œil nu pour le brouillard du matin (...) Th. GAUTIER, Voyage en Russie, V, p. 61.

(...) on distinguait tout au fond, dans cette épaisse obscurité, une multitude de fils métalliques, fins comme des aiguilles et presque imperceptibles (...)
HUGO, les Misérables, IV, XIV, I.

Elle ne sourcilla pas. Un petit tremblement, presque imperceptible, avait seulement passé dans les mains qui tenaient le plateau.
BARBEY D'AUREVILLY, les Diaboliques, « Bonheur dans le crime ».

L'homme, se retournant à moitié, regarda Quinette, et, d'un mouvement d'épaule presque imperceptible, lui fit signe qu'il n'avait qu'à le suivre.
J. ROMAINS, Les Hommes de bonne volonté, t. I, XIX, p. 216.

Par métaphore (→ Fil, cit. 17).

♦ **2.** (1425). Qu'il est impossible ou très difficile d'apercevoir*, d'apprécier par l'esprit; qui échappe à l'attention (→ Atome, cit. 9). *Notre corps « imperceptible dans le sein du tout »* (→ Perceptible, cit. 1). *Degrés, gradations, nuances imperceptibles.* ⇒ **Insensible** (→ Espèce, cit. 26; homme, cit. 4). *S'attacher* (cit. 48) *par d'imperceptibles liens. Ironie imperceptible* (→ Attique, cit. 8). *La fuite imperceptible du temps* (→ Grignoter, cit. 4). — *Imperceptible à...* (qqn).

(...) pour voir (...) ce point imperceptible au commun des hommes. 7
PASCAL, les Provinciales, III.

Cette ironie n'était pas si imperceptible qu'il le croyait; elle était très marquée et constituait un travers qui barrait bien de bonnes qualités, et qui brisait même le talent. SAINTE-BEUVE, Causeries du lundi, 2 janv. 1854, t. IX, p. 306. 8

Vous savez apprécier un tel cognac et démêler ses nuances parce que vous avez un goût très cultivé (...) c'est par ses qualités très fines, imperceptibles au profane, que cette liqueur dépasse la matière. 9
J. CHARDONNE, les Destinées sentimentales, p. 429.

♦ **3.** (XVIe, repris 1771). Qui est à peine perceptible. ⇒ **Minuscule** (→ Étoile, cit. 3; 1. frais, cit. 36). *Escarbille* (cit. 1), *grains de sable imperceptibles.* ⇒ **Microscopique.** *Caresse* (cit. 13), *mouvement* (→ Caricaturiste, cit. 1), *salut, sourire imperceptible.* ⇒ **Léger.** — (Antéposé stylistique). *Un imperceptible détail, un imperceptible mouvement.*

(...) tout est à jour dans la nature, et il n'y a grain de sable si imperceptible qui n'ait plus de cinq cents pores. VOLTAIRE, les Oreilles de Chesterfield, VII. 10

(...) elle se rehaussa, et s'inclina pour répondre au salut du jeune homme, mais d'une manière imperceptible et presque sans se lever de son siège où son corps resta plongé. BALZAC, la Femme abandonnée, Pl., t. II, p. 218. 11

Elle tâchait de ressaisir les plus imperceptibles détails de cette journée disparue. 12
FLAUBERT, Mme Bovary, III, II.

Abstrait (souvent avant le nom, en épithète). Qui est de peu d'intensité ou de peu d'importance. *Une imperceptible émotion* (→ Effleurement, cit. 1). *Exha er* (cit. 24) *un imperceptible soupir.* ⇒ **Faible.** *D'imperceptibles nuances de langage* (→ Apercevoir, cit. 16). *Des changements imperceptibles. Une nuance imperceptible, une imperceptible nuance d'ironie.*

(...) une imperceptible modification du cerveau fait un fou, un imbécile ou un homme de génie (...) TAINE, Philosophie de l'art, t. II, p. 269. 13

Thérèse la suivait des yeux et déjà, à d'imperceptibles signes, découvrait que c'était une ennemie qui était entrée dans sa chambre : une ennemie mortelle. 14
F. MAURIAC, la Fin de la nuit, XII, p. 233.

CONTR. Apercevable, appréciable, perceptible. — Considérable, important.

DÉR. Imperceptibilité, imperceptiblement.

IMPERCEPTIBLEMENT [ɛ̃pɛʀsɛptibləmɑ̃] adv. — XIVe, Godefroy; de *imperceptible.*

♦ D'une manière imperceptible*. *Murmurer imperceptiblement qqch.* (→ Bachique, cit. 2). *Changer* (cit. 59) *imperceptiblement. Les humeurs* (cit. 1) *qui règlent imperceptiblement toutes nos actions. Le péché se glisse* (cit. 48) *imperceptiblement dans la conscience. Alluvions qui grossissent imperceptiblement le lit d'un fleuve.* ⇒ **Peu** (à peu). → Accroissement, cit. 7. *Le fléau de la balance s'inclina imperceptiblement.* ⇒ **Peine** (à).

(...) la vue d'un objet agréable répandant imperceptiblement en nous la flamme d'une émotion fiévreuse. MONTAIGNE, Essais, I, XXI. 1

Nous avons vu, très loin, un petit chalutier qui avançait, imperceptiblement, sur la mer éclatante. CAMUS, l'Étranger, *in* Romans, Pl., p. 1159. 2

CONTR. Vue (à vue d'œil). — **Brusquement, fortement.**

IMPERDABLE [ɛ̃pɛʀdabl] adj. — 1721, Trévoux; de *im-* (→ 1. In-), et *perdable.*

♦ **1.** Se dit d'un procès, d'une partie, d'un match qu'on ne pense pas pouvoir perdre. *Partie, bataille imperdable,* gagnée d'avance.

♦ **2.** (1831, Hugo). Vx. Dont la possession ne peut être contestée.

♦ **3.** Qui ne peut pas être perdu.

Dieu, toujours intérieur à l'homme, et réfractaire, lui la vraie conscience, à la fausse, défense à l'étincelle de s'éteindre, ordre au rayon de se souvenir du soleil, injonction à l'âme de reconnaître le véritable absolu quand il se confronte avec l'absolu fictif, l'humanité imperdable, le cœur humain inamissible, ce phénomène splendide, le plus beau peut-être de nos prodiges intérieurs.
HUGO, les Misérables, Jean Valjean, V, p. 179.

CONTR. Perdable.

IMPERFECTIBILITÉ [ɛ̃pɛʀfɛktibilite] n. f. — 1814, Jouy; de *imperfectible.*

♦ Didact. ou littér. Caractère de ce qui est imperfectible.

IMPERFECTIBLE [ɛ̃pɛʀfɛktibl] adj. — 1819, Boiste; de *im-* (→ 1. In-), et *perfectible.*

♦ **1.** Qui ne peut se perfectionner; qui n'est pas perfectible*.

♦ **2.** (Fin XIXe, Huysmans). Qui a atteint le plus haut degré de perfection.

DÉR. Imperfectibilité.

IMPERFECTIF, IVE [ɛ̃pɛʀfɛktif, iv] adj. et n. m. — 1920, Meillet; de *im-* (→ 1. In-), et *perfectif.*

♦ Ling. Qui exprime une action envisagée « dans son cours, sans considération de son début ni de son terme » (Marouzeau). *Aspect, verbe imperfectif,* exprimant la durée (par oppos. à *perfectif*). — N. m. *Un imperfectif.*

(...) le russe s'est saisi d'une catégorie verbale de l'indo-européen pour la développer à l'extrême : l'aspect. Renonçant à préciser le moment de la durée où telle action est considérée, il tient à faire connaître si cette action elle-même est affectée ou non d'une durée, si c'est une action-point ou une action-ligne, étant entendu qu'achèvement ou apparition subite, ou unicité de cette action équivalent à l'absence de durée, et que tendance ou effort, habitude ou répétition signifient durée. Il a donc ordonné son système verbal de telle sorte que chaque action est exprimée par une paire de verbes : l'un *perfectif* exprimant l'aspect-point, l'autre *imperfectif* exprimant l'aspect-ligne. Tout verbe russe appartient à l'un de ces deux aspects.
P. PASCAL, Cent-cinquantenaire de l'École des langues orientales, p. 219.

IMPERFECTION [ɛ̃pɛʀfɛksjɔ̃] n. f. — V. 1190; *imperfectiun,* v. 1120; bas lat. *imperfectio,* de *im-* (→ 1. In-), et *perfectio.* → Perfection.

État de ce qui est imparfait.

♦ **1.** (XIVe). État de ce qui est inachevé*, incomplet*. ⇒ **Imparfait** (1.). *L'état d'imperfection dans lequel cet ouvrage est resté* (Académie). ⇒ **Incomplétude.**

0.1 Aimer la perfection parce qu'elle est le seuil,
Mais la nier aussitôt connue, l'oublier morte,
L'imperfection est la cime.
Yves BONNEFOY, Poèmes, p. 117.

♦ **2.** (V. 1120). État de ce qui est imparfait, par essence ou par accident. ⇒ **Imparfait** (2. ou 3.), **défectuosité, grossièreté, médiocrité.** *L'imperfection d'une exécution, d'un travail, d'une solution. L'imperfection du monde. Imperfection de l'homme* (→ Avancement, cit. 1).

1 (...) espérant tout du temps et de l'imperfection des hommes, qui finissent toujours, même les scélérats, à plus forte raison les honnêtes gens, par oublier quelque précaution.
BALZAC, les Marana, Pl., t. IX, p. 799.

♦ **3.** (Mil. XVIe). *Une, des imperfections :* ce qui rend imparfait (qqn, qqch.). ⇒ **Défaut, faute, mal, tare, vice** (→ Hébreu, cit. 2). *Imperfections physiques, morales.* ⇒ **Infirmité.** *Les imperfections d'un ouvrage. Les imperfections d'une machine, d'un moteur.* ⇒ **Malfaçon.** *Corriger une imperfection. Une grave imperfection.*

2 (...) quand j'imagine l'homme tout nu (...) ses tares, sa subjection naturelle et ses imperfections, je trouve que nous avons eu plus de raison que nul autre animal de nous couvrir.
MONTAIGNE, Essais, II, XII.

3 (*Les*) préceptes Stoïques, qui nous ordonnent bien de corriger les imperfections et vices que nous reconnaissons en nous (...)
MONTAIGNE, Essais, III, II.

4 Il semble que la nature, qui a si sagement disposé les organes de notre corps pour nous rendre heureux, nous ait aussi donné l'orgueil pour nous épargner la douleur de connaître nos imperfections.
LA ROCHEFOUCAULD, Réflexions morales, 36.

5 Quand une machine avait des tiroirs comme les siens, d'un réglage parfait, coupant à miracle la vapeur, on pouvait lui tolérer toutes les imperfections, comme qui dirait à une ménagère quinteuse, ayant pour elle la conduite et l'économie.
ZOLA, la Bête humaine, p. 209.

CONTR. **Achèvement, perfection. — Qualité, vertu.**

IMPERFORATION [ɛ̃pɛʀfɔʀasjɔ̃] n. f. — 1611 ; de *im-* (→ 1. In-), et *perforation.*

♦ Pathol. Occlusion* complète et congénitale d'un canal, d'un orifice naturel. *Imperforation de l'œsophage, de l'hymen.*

CONTR. **Ouverture, perforation.**

IMPERFORÉ, ÉE [ɛ̃pɛʀfɔʀe] adj. — 1707, Dionis, *in* T. L. F. ; de *im-* (→ 1. In-), et *perforé.*

♦ Pathol. Qui présente une occlusion anormale. *Anus imperforé.*

CONTR. **Ouvert, percé, perforé.**

IMPÉRIAL, ALE, AUX [ɛ̃peʀjal, o] adj. et n. — V. 1176 ; *emperïaus,* mil. XIIe, au sens fig. « superbe, digne d'un empereur » ; bas lat. *imperialis,* de *imperium.* → Empire.

★ **I.** ♦ **1.** Qui appartient à un empereur*, à son autorité, à ses États. ⇒ **Empire** (2.). *La personne, la majesté, la dignité impériale. Sa Majesté*, Son Altesse Impériale. Famille impériale* (→ Frondeur, cit. 4). *Bustes* (cit. 7) *impériaux et consulaires romains. Gladiateurs* (cit. 2) *devant la loge impériale. Harem impérial turc* (→ Bisaïeul, cit.). — *Autorité impériale, pouvoir impérial* (→ Attentat, cit. 9 ; autonome, cit. 1). *L'hégémonie* (cit. 2) *impériale romaine. Régime impérial* (→ Caractère, cit. 16). *Partisan d'un régime impérial.* ⇒ **Impérialiste** (1.). *La jurisprudence impériale. Troupes impériales. La garde** (cit. 73 et 74) *impériale de Napoléon Ier* (→ Guêtre, cit. 1 ; grognard, cit. 3). — *Ornements impériaux. Aigle* impériale* (→ Force, cit. 76). *Manteau, sceptre, trône impérial. Couronne impériale,* surmontée du globe et de la croix. (Blason). *Couronne impériale :* mitre abaissée surmontée du globe et de la croix. — Spécialt. *Médaille impériale,* et, n. f., *une impériale :* médaille, monnaie frappée sous l'empire romain.

1 Un certain respect pour les ornements impériaux fit que l'on jeta d'abord les yeux sur ceux qui osèrent s'en revêtir (*dans l'empire d'Orient*).
MONTESQUIEU, Grandeur et décadence des Romains, XXI.

2 (...) le 13 floréal (...) le Tribunal votait le vœu suivant : « 1° *Que Napoléon Bonaparte (...) fût nommé Empereur (...) 2° Que le titre d'Empereur et le pouvoir impérial fussent héréditaires dans sa famille (...)* »
Louis MADELIN, Hist. du Consulat et de l'Empire, Avènement de l'Empire, VIII.

(1867). Hist. Relatif à l'Empire germanique. *Les villes impériales* (→ Aliéner, cit. 6). — *Diètes impériales. Les troupes impériales, les soldats impériaux,* et, n. m. pl. (1552), *les Impériaux :* les troupes de l'empereur d'Allemagne, ainsi appelées de la fin du XVe siècle à 1806. ⇒ **Kaiserlick.**

(...) la chancellerie impériale traite les rois de Majestés dans le protocole de l'Empire.
VOLTAIRE, Suppl. au Siècle de Louis XIV, I. 3

(1600). Bot. *Couronne impériale.* ⇒ **Fritillaire.**

♦ **2.** **a** (1817). *Barbe* à l'impériale.*

b N. f. (1830, Balzac). *Impériale :* « petite touffe de poils qu'on laisse pousser sous la lèvre inférieure » (Littré). Coupe de barbe comprenant cette touffe de poils. *La mode de l'impériale fut répandue par Napoléon III.* ⇒ **Barbiche** (cit.).

Sa figure pleine de vie, de jeunesse, et déjà fort expressive, était encore animée par de petites moustaches relevées en pointe et noires comme du jais, par une impériale bien fournie, par des favoris soigneusement peignés et par une forêt de cheveux noirs assez en désordre. 4
BALZAC, la Maison du chat-qui-pelote, Pl., t. I, p. 64.

(...) les accourus gardiens de cette paix, se caressent silencieusement l'impériale au narré des confidences, trémolantes encore, de tous ces voyageurs qu'ils écoutent d'une oreille distraite, en les enveloppant de regards obliques et soupçonneux ! 4.1
VILLIERS DE L'ISLE-ADAM, Tribulat Bonhomet, p. 22.

♦ **3.** Ling. *Latin impérial,* parlé sous l'Empire.

★ **II.** ♦ **1.** (Premier sens attesté). Qui évoque la grandeur impériale. *Un front impérial. « L'éclat impérial des bâtisses »* (Rimbaud).

♦ **2.** Supérieur par sa qualité, son importance, sa taille... (dans des désignations figées). **a** *Papyrus impérial, japon* impérial.* — *Eau impériale* (vx) : cordial fait d'eau-de-vie distillée sur des plantes, des épices.

b *Serge impériale,* et, n. f., *impériale :* serge de laine fine.

c (Plantes, animaux). *Pékinois impérial. Pingouin impérial* (variété de grande taille).

Quelques pingouins semblent nous attendre sur le bord ; ce sont de simples Adélies, mais trompés par le mirage nous les avions pris pour des pingouins impériaux. 4.2
J.-B. CHARCOT, Expédition antarctique franç., 1903-1905, IV, p. 250, *in* D. D. L., II, 4.

Prune impériale : grosse prune violette et allongée. — N. f. *Une impériale.*

d (1884). Archit. *Dôme impérial, comble impérial,* en forme de couronne impériale.

e Vx. *Pierre impériale :* opiat pour les dents.

f (Dans la cuisine chinoise). *Pâté impérial* et *« rouleau de printemps ». Poulet impérial.*

♦ **3.** N. f. IMPÉRIALE. **a** (1545). Jeu de carte dans lequel la série as, roi, dame, valet de la même couleur (dite *série impériale*) est gagnante. *L'impériale tenait « du piquet et du triomphe »* (Littré).

Je vivais la plus grande partie de mon temps chez moi, couché sur un grand diable de canapé de maroquin bleu sombre (...) et je ne m'en relevais que pour aller faire des armes et quelques parties d'impériale chez mon ami d'en face. 4.3
BARBEY D'AUREVILLY, les Diaboliques, « Le rideau cramoisi ».

b (1589). Vx. Dais en forme de couronne impériale qui surmonte le ciel d'un lit à colonnes.

c (1648). Dessus d'une voiture pouvant recevoir des voyageurs ; galerie, couverte ou non, sur certains véhicules publics. *Impériale d'un carrosse*, d'un wagon ; autobus anglais à impériale. Impériale garnie de banquettes. Les Voyageurs de l'impériale,* roman d'Aragon.

En 1815, j'allais de Paris à Moulins. L'état de ma bourse m'obligeait à voyager sur l'impériale de la diligence. Les Anglais, vous le savez, regardent les places situées dans cette partie aérienne de la voiture comme les meilleures. Durant les premières lieues de la route, j'ai trouvé mille excellentes raisons pour justifier l'opinion de nos voisins. 5
BALZAC, le Message, Pl., t. II, p. 170.

Angèle, à moitié morte de douleur, monta avec sa mère, son amie et ses sœurs sur l'impériale du tramway. 6
Louise MICHEL, la Misère, t. II, p. 303.

Comment n'ai-je pas décrit, dans *Partir avant le jour,* une scène à laquelle j'ai assisté avec ma mère, alors que nous étions elle et moi sur l'impériale du tramway Passy-Hôtel-de-Ville. 7
J. GREEN, Journal, Vers l'invisible, 13 janv. 1964.

d Cuis. Garniture à l'impériale.

♦ **4.** Loc. adj. À L'IMPÉRIALE. *Bâtiment galbé à l'impériale,* en forme d'impériale (couronne). — *Garniture à l'impériale,* comportant du foie gras, des truffes, etc. (→ aussi ci-dessus, I., 2.).

DÉR. **Impérialement, impérialisé, impérialisme, impérialiste.**

IMPÉRIALEMENT [ɛ̃peʀjalmɑ̃] adv. — Déb. XVIe ; *imperialment,* v. 1207 ; de *impérial.*

♦ Rare. D'une manière impériale, en empereur. ⇒ **Royalement.**

IMPÉRIALISÉ, ÉE [ɛ̃peʀjalize] adj. — Av. 1841, Chateaubriand; dér. sav. de *impérial.*

♦ Vx. Devenu partisan de l'Empereur.

REM. On trouve aussi la forme pron. *s'impérialiser*, mais la forme active n'est pas attestée.

IMPÉRIALISME [ɛ̃peʀjalism] n. m. — 1832, *in* D. D. L.; de *impérial.*

♦ **1.** Tendance favorable à l'Empire, à un régime impérial.

♦ **2.** (1880; angl. *imperialism*, de *imperial* «de l'empire [britannique]»). Politique d'un État visant à «réduire d'autres États sous sa dépendance politique ou économique» (Capitant), notamment par la colonisation. ⇒ **Colonialisme, expansion, expansionnisme; empire** (colonial). *L'impérialisme britannique, français, américain, russe. Formes politiques* (⇒ **Colonisation**), *formes économiques de l'impérialisme. Impérialisme politique, économique, religieux.* — Doctrine, théorie des partisans de cette politique. — Spécialt (dans la terminologie marxiste). «Stade du capitalisme au cours duquel le capital financier a pris la suprématie sur toutes les autres formes du capital» (Romeuf, *Dict. des Sciences économiques*). *L'Impérialisme, stade suprême du capitalisme*, œuvre de Lénine.

1 L'Europe commençait à ne plus savoir s'entendre à l'amiable en ce qui regardait la conquête et l'exploitation paternaliste du monde. Le mot d'impérialisme se prononçait beaucoup. Et comme la notion qu'il implique est à la fois dynamique et agressive, la politique européenne, dans son expansion planétaire, après avoir été un gentleman's agreement entre concurrents qui tâchaient de rester courtois, tendait à devenir un conflit d'impérialismes.
J. ROMAINS, les Hommes de bonne volonté, t. XXVII, p. 258.

2 (...) il allait ainsi fournir, non seulement à la Grande-Bretagne, mais à ses anciens alliés, un instant pacifiés, les prétextes qu'on cherchait peut-être, de Londres à Pétersbourg, pour crier de nouveau à l'hégémonisme et, comme nous dirions aujourd'hui, à «l'impérialisme».
Louis MADELIN, Hist. du Consulat et de l'Empire, Le Consulat, XVIII.

3 Sous la pression (...) des impérialismes adverses naît (...) avec Lénine, l'impérialisme de la justice. Mais l'impérialisme, même de la justice, n'a d'autre fin que la défaite, ou l'empire du monde. CAMUS, l'Homme révolté, p. 287.

♦ **3.** (V. 1960). Fig. Tendance à la domination morale, psychique (personnes), intellectuelle (personnes; abstractions).

4 Il risquait de gâcher notre amitié par son impérialisme, et je ne m'y opposais pas!
S. DE BEAUVOIR, la Force de l'âge, p. 265.

5 Déjà le conflit entre les valeurs officielles et celles des écrivains s'effaçait devant l'*impérialisme* provocateur de toute *histoire* de la littérature.
MALRAUX, l'Homme précaire et la Littérature, p. 8.

IMPÉRIALISTE [ɛ̃peʀjalist] n. m. et adj. — 1525; de *impérial*, et *-iste.*

♦ **1.** Hist. ou vx. Partisan d'un empereur, du régime politique impérial, surtout en parlant des partisans de l'empereur d'Allemagne (XVIe-XVIIe siècles), puis de ceux de Napoléon Ier (1823). — Adj. *Parti impérialiste.*

Pauvre, intelligent, ambitieux et habile, Antoine Desroches était devenu au régiment l'ami intime du jeune Frédéric de Breslau, prince de Brême, fils d'une des personnalités les plus considérables du monde impérialiste, et de la famille même de l'empereur. PROUST, Jean Santeuil, Pl., p. 426.

♦ **2.** (1893, adj.; n., 1901; angl. *imperialist*). Partisan de l'impérialisme* politique ou économique.

♦ **3.** Adj. Relatif à l'impérialisme. *Visées impérialistes d'un État sur une partie du monde.*

CONTR. et COMP. **Anti-impérialiste.**

IMPÉRIEUSEMENT [ɛ̃peʀjøzmɑ̃] adv. — 1512; de *impérieux.*

♦ **1.** D'une manière impérieuse. *Commander* (cit. 9.1), *ordonner impérieusement*, avec hauteur. ⇒ **Absolument, tyranniquement.**

0.1 L'amour... conjugal! dit-il en séparant lentement ces deux mots. Ah! très bien! très bien! très joli! Et des gravures!... Ah! c'est trop fort!
Madame Homais s'avança.
— Non, n'y touche pas!
Les enfants voulurent voir les images.
— Sortez! fit-il impérieusement.
Et ils sortirent. FLAUBERT, Mme Bovary, III, 2.

Par métaphore :

1 Ne t'abandonne au plaisir que quand la nature viendra te le demander impérieusement, mais ne le cherche pas comme un remède à l'ennui et au chagrin.
G. SAND, Lettres à Musset, 29 avril 1834.

♦ **2.** D'une manière irrésistible.

2 Je veux dire les mots d'un langage et certaines règles qui président impérieusement à l'ordonnance de ces mots. G. DUHAMEL, Discours aux nuages, p. 9.

IMPÉRIEUX, EUSE [ɛ̃peʀjø, øz] adj. — V. 1420, «pressant»; «qui commande», 1544; lat. *imperiosus*, de *imperium.* → Empire.

♦ **1.** (1640). Vieilli. (Personnes). Qui commande d'une façon absolue, n'admettant ni résistance ni réplique. ⇒ **Autoritaire, dictatorial, tyrannique.** *Chef, maître impérieux. Enfant impérieux* (→ Choquant, cit. 3; criard, cit. 1). — Qui commande avec hauteur. ⇒ **Altier, dédaigneux, hautain** (cit. 8). *Un homme impérieux, plein de morgue, d'orgueil*.*

L'homme *impérieux* tient plus aux apparences *(que l'homme «absolu»)*, a le goût de la domination, prétend qu'on lui cède, qu'on plie devant lui : on dit (...) un homme altier et *impérieux* (BOSS., VOLT., ROLL., COND.), hautain et *impérieux* (ROLL.), une femme *impérieuse* et vaine (MARM.)... *(Impérieux)* dénote de l'orgueil, de la fierté, quelque chose... qui est plus pressant et choque davantage (...) LAFAYE, Dict. des synonymes, p. 681. 1

Qui sous la loi du riche impérieux, 2
Ne souffre point que le peuple gémisse (...) RACINE, Esther, III, 3.

Dans l'éducation façonnière des riches on ne manque jamais de les rendre *(les enfants)* poliment impérieux, en leur prescrivant les termes dont ils doivent se servir pour que personne n'ose leur résister (...) ROUSSEAU, Émile, II. 3

— Monsieur de Gondi, vous savez ce qui vient de se passer; le Roi a dit tout haut : — Que notre impérieux Cardinal le veuille ou non, la veuve de Henri-le-Grand ne sera pas plus longtemps exilée. *Impérieux*, monsieur l'abbé, sentez-vous cela? Le Roi n'avait encore rien dit d'aussi fort contre lui. *Impérieux!* c'est une disgrâce complète. Vraiment, personne n'osera plus parler; il va quitter la cour aujourd'hui certainement. A. DE VIGNY, Cinq-Mars, I, VIII. 4

♦ **2.** (V. 1570). Mod. (Style soutenu). *Caractère, esprit impérieux; humeur impérieuse. — Allure, mine impérieuse, manières impérieuses.* ⇒ **Autoritaire.** *Air, ton impérieux.* ⇒ **Cassant, impératif, tranchant.** *Le ton impérieux d'un maître.* ⇒ **Magistral.** *Voix impérieuse.*

Son caractère est impérieux; elle n'aime véritablement que ceux qu'elle gouverne (...) Mme DE GENLIS, Mlle de La Fayette, p. 143, *in* LITTRÉ. 5

Judith avait l'esprit impérieux. Elle était habituée à pétrir à sa guise les pensées assez molles des jeunes gens qu'elle connaissait. 6
R. ROLLAND, Jean-Christophe, La révolte, I, p. 427.

Commandement, ordre impérieux. Lettre impérieuse, billet impérieux* (→ Gorgée, cit. 6).

Le mari voulut alors s'arrêter dans une auberge, la faire soigner, mais la femme s'y opposa avec un non impérieux de la tête (...) 7
Ed. DE GONCOURT, les Frères Zemganno, XIV.

♦ **3.** (Choses). Qui force à céder; auquel on ne peut résister. ⇒ **Irrésistible, pressant, tyrannique.** *Une nécessité*, une obligation* impérieuse.* ⇒ **Impératif.** *Céder à un besoin*, à un désir* (cit. 9) *impérieux. Circonstances impérieuses. Fatalité* (cit. 12), *loi impérieuse* (→ Attacher, cit. 20). *Les exigences impérieuses de la forme* (cit. 74).

Ce qu'il y a de plus beau, de plus noble et de plus impérieux dans la raison, est manié par le premier *(Corneille).* LA BRUYÈRE, les Caractères, I, 54. 8

Je ne vous reproche rien, je sens trop par moi-même combien il est difficile de résister à un sentiment impérieux. LACLOS, les Liaisons dangereuses, XC. 9

Mais la réalité présente parlait plus haut que les rêves du passé; elle s'imposait, impérieuse. R. ROLLAND, Vie de Tolstoï, p. 34. 10

CONTR. **Hésitant, humble, obéissant, soumis. — Facultatif.**

DÉR. **Impérieusement.**

IMPÉRIOSITÉ [ɛ̃peʀjozite] n. f. — V. 1584, Brantôme; dér. sav. du lat. *imperiosus.* → Impérieux.

♦ Didact. et rare. Caractère d'une personne impérieuse. — REM. En français moderne, le mot ne semble guère utilisé que par Barrès (*in* T. L. F.).

IMPÉRISSABLE [ɛ̃peʀisabl] adj. — 1528; de *im-* (→ 1. In-), et *périssable.*

♦ **1.** Qui ne peut périr. ⇒ **Éternel, immortel, perpétuel.**

♦ **2.** Qui continue, dure très longtemps. ⇒ **Durable, éternel** (par ext.). *Valeur, loi impérissable. Écrit* (cit. 9), *inscription, monument impérissable. Laisser un souvenir impérissable. Gloire, renommée impérissable. Amour, sentiment impérissable.*

Ô toi *(la poésie)* des vrais penseurs impérissable amour! 1
A. DE VIGNY, Poèmes philosophiques, «La maison du berger», II.

C'est là que je suis venu au monde et que j'ai passé les premières, les seules bonnes années de ma vie. Aussi ma mémoire reconnaissante a-t-elle gardé du jardin, de la fabrique et des platanes un impérissable souvenir (...) 2
Alphonse DAUDET, le Petit Chose, I, I.

Tout ce qui nous semble impérissable tend à la destruction (...) 3
PROUST, À la recherche du temps perdu, t. XIII, p. 307.

(...) la liberté, seule valeur impérissable de l'histoire. 4
CAMUS, l'Homme révolté, p. 359.

(...) seul compte pour un écrivain de laisser derrière soi, ne serait ce qu'un livre, qu'une page impérissable, je veux dire qui eussent mérité de ne pas périr; car tout périra. F. MAURIAC, le Nouveau Bloc-notes 1958-1960, p. 316. 5

DÉR. **Impérissablement.**

IMPÉRISSABLEMENT [ɛ̃peʀisabləmɑ̃] adv. — 1838; de *impérissable.*

♦ Rare. D'une manière impérissable.

IMPÉRITIE [ɛ̃peʀisi] n. f. — V. 1490; lat. *imperitia*, de *imperitus*, de *im-* (→ 1. In-), et *peritus* «adroit».

♦ Littér. Manque d'aptitude, d'habileté, notamment dans l'exercice de sa profession. ⇒ **Ignorance, inaptitude, incapacité, inhabileté.**

L'impéritie d'un médecin, d'un général, d'un fonctionnaire. L'impéritie des gouvernants. Dangereuse, criminelle impéritie.

1 Tel accident vient de l'impéritie ou inadvertance du chirurgien (...)
Ambroise PARÉ, VIII, 23, *in* LITTRÉ.

2 Cet art *(la médecine)*, qui dans tous les temps a respecté la vie des hommes, est présentement en proie à la témérité, à la présomption et à l'*impéritie* (...)
A.-R. LESAGE, Gil Blas, X, I.

3 Grâce aux biais évasifs que j'avais, jusque-là, favorisés avec une feinte étourderie et par la docte frivolité de mes interrogats, Lenoir (s'il était parvenu à faire valoir l'ingéniosité de son intelligence), n'avait, en revanche, rendu que plus éclatante son impéritie en ces matières transcendentales. Je l'avais, évidemment, entraîné sur un terrain où, malgré tous ses efforts, je pouvais désormais, à loisir, creuser à ses illusions une fosse définitive.
VILLIERS DE L'ISLE-ADAM, Tribulat Bonhomet, p. 109.

4 Imprévoyance, impéritie, négligences, toutes les criminelles erreurs de ceux qui dirigeaient les opérations. J. GREEN, Journal, Vers l'invisible, 14 oct. 1961.

CONTR. Adresse, aptitude, capacité, habileté, savoir, science.

IMPERIUM [ɛ̃peʀjɔm] n. m. — 1841 ; mot lat., « ordre, commandement ». → Impérial.

Didactique.

♦ **1.** Hist. Pouvoir suprême (de quelques magistrats romains, dans l'antiquité).

♦ **2.** Pouvoir, puissance. « *La puissance native d'un imperium sur (le) corps...* » (J. Ricœur, *in* T. L. F.).

IMPERMANENCE [ɛ̃pɛʀmanɑ̃s] n. f. — 1794 ; de *impermanent*, d'après *permanence*.

♦ Didact. Caractère de ce qui ne dure pas. « *La peinture du climat tropical (...) de l'inexorable sentiment de disgrâce et d'impermanence qui étreint les Blancs (...)* » (*l'Express*, nº 1562, 12-18 juin 1981, p. 79).

Philos. *Le bouddhisme est une philosophie de l'impermanence.*

CONTR. Permanence.

IMPERMANENT, ENTE [ɛ̃pɛʀmanɑ̃, ɑ̃t] adj. — 1794 ; de *im-* (→ 1. In-), et *permanent*.

♦ Didact. Qui, par sa nature, ne doit pas durer toujours (ou très longtemps).

CONTR. Permanent.
DÉR. Impermanence.

IMPERMÉABILISATION [ɛ̃pɛʀmeabilizasjɔ̃] n. f. — 1857, *l'imperméabilisation des tissus, Année sc. et industr.* 1858, p. 481 ; de *imperméabiliser*.

♦ Opération par laquelle on rend imperméable un tissu, un papier. *Imperméabilisation par enduit*, de caoutchouc (caoutchoutage), de liège pulvérisé, de certains hydrocarbures solides (paraffine...), de produits à base d'huile (toiles cirées), ou de goudron (toiles et papiers goudronnés). *L'imperméabilisation par enduit se fait sur des tissus lisses, à trame et chaîne serrées. Imperméabilisation par imprégnation*, d'acétate d'alumine, de sulfate de cuivre, d'oxyde de cuivre ammoniacal (solution cupro-ammoniacale*). *Imperméabilisation électrolytique.*

COMP. Réimperméabilisation.

IMPERMÉABILISER [ɛ̃pɛʀmeabilize] v. tr. — 1858 ; dér. sav. de *imperméable*.

♦ Rendre imperméable (une substance : tissu, papier) au moyen de matières hydrofuges. *On imperméabilise les toiles et papiers de protection, d'emballage, certains tissus d'habillement.*

▶ **IMPERMÉABILISÉ, ÉE** p. p. adj.

Apprêté spécialement pour être imperméable à l'eau. *Tissus imperméabilisés pour la confection des vêtements de pluie.* ⇒ **Imperméable.** *Toile, serge imperméabilisée.*

DÉR. Imperméabilisation.
COMP. Réimperméabiliser.

IMPERMÉABILITÉ [ɛ̃pɛʀmeabilite] n. f. — 1779 ; de *imperméable*.

Didactique ou littéraire.

♦ **1.** Caractère de ce qui est imperméable. *Imperméabilité d'un sol, d'un sous-sol. Imperméabilité d'un tissu, d'un vêtement.*

♦ **2.** (1862). Rare. Fait d'être imperméable (2.) à (un sentiment, une impression). ⇒ **Incompréhension, insensibilité.** *L'imperméabilité de qqn à un sentiment.*

Ah ! vous voulez savoir pourquoi je vous hais aujourd'hui. Il vous sera sans doute moins facile de le comprendre qu'à moi de vous l'expliquer ; car vous êtes (...) le plus bel exemple d'imperméabilité féminine qui se puisse rencontrer.
BAUDELAIRE, le Spleen de Paris, XXVI (1862).

IMPERMÉABLE [ɛ̃pɛʀmeabl] adj. et n. m. — V. 1770, Buffon (*in* Brunot, H. L. F., t. VI, p. 254) ; « inaccessible, qu'on ne peut comprendre », 1546, Rabelais (→ Impénétrable) ; lat. *impermeabilis* « qu'on ne peut pénétrer, traverser » ; de *im-* (→ 1. In-), et *permeabilis*. → Perméable.

♦ **1.** [a] Adj. Qui ne se laisse pas traverser par un liquide, et, spécialt, par l'eau. *Imperméable à l'eau, à la pluie* (→ Contenir, cit. 2). ⇒ **Étanche.** — Spécialt. *Terrains imperméables*, arrêtant les eaux de pluie et les retenant ou les forçant à s'écouler. ⇒ **Écoulement** (cit. 1), **ruissellement.** *Couche, sous-sol imperméable* (→ Cavité, cit. 1). *Les terrains contenant de l'argile* (cit. 2) *sont imperméables.*

Cour. (En parlant de tissus, de vêtements, etc.). *Cuir, drap, toile imperméable. Le linoleum, la toile cirée sont imperméables. Tissu, étoffe imperméable. Bâche, sac, toile de tente, housse imperméable. Chaussures imperméables.* — (1788). Spécialt. Apprêté* de manière à ne pouvoir être traversé par l'eau. ⇒ **Imperméabilisé.** *Manteau, veste, vêtement imperméable.*

(...) j'avais préparé un sac de caoutchouc très flexible, très solide, absolument imperméable.
BAUDELAIRE, Trad. E. POE, Histoires extraordinaires, « Aventure... Hans Pfaall ».

Le sol de cette vaste dépression est entièrement argileux, par conséquent 1.
imperméable, de telle sorte que les eaux y séjournent et en font une région très difficile à traverser pendant la saison chaude.
J. VERNE, Michel Strogoff, p. 216 (1876).

[b] N. m. (1838, Töpffer). UN IMPERMÉABLE, vêtement, manteau de pluie en tissu imperméabilisé. ⇒ **Caoutchouc, ciré, gabardine** ; et aussi **macfarlane, pèlerine, trench-coat, water-proof.** *Imperméable en toile huilée, en popeline de coton... Revêtir, mettre un imperméable.* — Abrév. fam. ⇒ **Imper.**

Au moment où nous quittons le pont couvert, voici les cataractes du ciel qui 1.
s'ouvrent, et la nature qui passe du diaphane au diluvien. Gervais, qui a déjà son imperméable sur le dos depuis une heure, est au comble de ses vœux ; Régnier déploie le sien et y donne l'hospitalité à Blanchard : on dirait Paul et Virginie. Les autres se font petits, enfoncent leurs chapeaux, ferment les écoutilles, ce qui n'empêche pas qu'ils ne soient permées *(sic)* à fond (...)
Rodolphe TÖPFFER, Voyages en zig-zag, Saint-Gothard, Vallée de Misocco..., 1838, 3ᵉ journée, p. 98.

Robert, mine rose, jouet trempé, qui rit sans éclat (...) jouit d'un imperméable 1.
qu'il porte quand le soleil luit, qu'il offre quand vient la pluie.
Rodolphe TÖPFFER, Voyages en zig-zag, Milan, Côme, Splugen, 1839, p. 151.

Départ ! l'auto ronronne (...) Du fond d'un imperméable verdâtre, de dessous une paire de lunettes bombées, la voix de Marthe vitupère le zèle maladroit des domestiques (...) COLETTE, les Vrilles de la vigne, p. 229.

Il avait plu toute la journée, j'étais vêtu comme tant d'autres. Un chapeau de feutre, un imperméable, c'est presque un uniforme.
M. AYMÉ, la Tête des autres, I, VIII.

J'imaginais sa main crispée sur le goumi [1], dans la poche de son imper, prête 3.
sans doute à lui caresser le cervelet au passage, à notre petit pote (...)
A. SIMONIN, Touchez pas au grisbi, p. 193.

1. Matraque en caoutchouc.

♦ **2.** (Repris 1836, Stendhal, *Lucien Leuwen*). Fig. Qui ne se laisse pas atteindre, émouvoir ; qui est absolument étranger* à (qqch.). *Être imperméable aux sentiments d'autrui* (→ Buter, cit. 6), *à la vie extérieure* (cit. 4), *aux émotions esthétiques, à l'art.* ⇒ **Inaccessible, insensible.** *Il y est totalement imperméable.*

Qui sait même si nous ne devenons pas, à partir d'un certain âge, imperméables à la joie fraîche et neuve (...) H. BERGSON, le Rire, p. 52.

Mᵐᵉ de Séryeuse continuait ses reproches. La révélation de son bonheur rendait François imperméable. Les paroles de sa mère glissaient sur lui sans l'atteindre, sans même qu'il les entendît. R. RADIGUET, le Bal du comte d'Orgel, p. 175.

DÉR. Imper, imperméabiliser, imperméabilité.

IMPERMUTABLE [ɛ̃pɛʀmytabl] adj. — 1800, Boiste ; *impermuable*, XIVᵉ ; lat. chrétien *impermutabilis*, de *im-* (→ 1. In-), et *permutabilis*. → Permutable.

♦ Didact. Qui ne peut être permuté.

IMPERSÉVÉRANCE [ɛ̃pɛʀseveʀɑ̃s] n. f. — XIXᵉ ; de *im-* (→ 1. In-), et *persévérance*.

♦ Didact. et rare. Absence de persévérance.

IMPERSONNALISER [ɛ̃pɛʀsɔnalize] v. tr. — 1638, en grammaire ; repris 1866, Amiel ; du rad. de *impersonnel*, lat. *impersonalis*.

♦ Rare. Rendre impersonnel.

Le dessein de la poésie étant de nous rendre souverain en nous impersonnalisant, nous touchons, grâce au poème, à la plénitude de ce qui n'était qu'esquissé ou déformé par les vantardises de l'individu. R. CHAR, les Matinaux, p. 116.

IMPERSONNALITÉ [ɛ̃pɛʀsɔnalite] n. f. — 1765, *Encyclopédie*, art. *Impersonnel*, en gramm. ; du rad. de *impersonnel*, lat. *impersonalis*.

♦ **1.** Gramm. (Rare). Caractère de ce qui exprime une action impersonnelle. *L'impersonnalité d'un verbe, d'une tournure, d'une phrase.*

♦ **2.** (1852, Leconte de Lisle ; « fait de ne pas appartenir à la personne, en parlant d'une faculté », 1846, Proudhon). Caractère de ce qui n'est pas personnel. ⇒ **Impersonnel** (2.). *L'impersonnalité de la loi, de la science.* ⇒ **Objectivité.**

Un poète contemporain a caractérisé ce sentiment de la personnalité de l'art et de l'impersonnalité de la science par ces mots : l'art, c'est *moi;* la science, c'est *nous.*
Cl. BERNARD, Introd. à l'étude de la médecine expérimentale, p. 82.

Sa vertu doit être une froide et haute impersonnalité, qui fasse de lui, non un homme, mais un instrument des dieux.
FUSTEL DE COULANGES, la Cité antique, p. 164.

♦ **3.** (1852, Flaubert). Littér. Objectivité d'une personne qui se refuse à prendre parti, à exprimer ses sentiments. *Affecter une impersonnalité complète. — La théorie de l'impersonnalité dans la poésie parnassienne.*

(...) il avait aussi, à son insu, l'étrange curiosité de l'artiste, cette impersonnalité passionnée, que porte en lui tout être doué vraiment du pouvoir créateur. Il avait beau aimer, souffrir, se donner tout entier à ses passions : il les voyait. Elles étaient en lui, mais elles n'étaient pas lui.
R. ROLLAND, Jean-Christophe, L'adolescent, p. 366.

REM. Dans un sens très voisin, Péguy emploie *impersonnalisme* [ɛ̃pɛʀsɔnalism] n. m., et *impersonnaliste* [ɛ̃pɛʀsɔnalist] adj.

CONTR. Personnalité. — Originalité.

IMPERSONNEL, ELLE [ɛ̃pɛʀsɔnɛl] adj. et n. m. — 1606, n. m., «verbe impersonnel»; *impersonal,* XIIe, en gramm.; bas lat. *impersonalis,* du bas lat. *personalis* «personnel», mots de grammaire, du lat. class. *persona.* → Personne.

♦ **1.** Ling. Qui exprime une action sans sujet réel (d'après les grammairiens classiques) ou dont le sujet est vague et ne peut être déterminé. *Verbes impersonnels,* exprimant une telle action, et ne s'employant qu'à la troisième personne du singulier et à l'infinitif (on les appelle parfois *unipersonnels**). *Verbes impersonnels proprement dits, essentiellement impersonnels* (ex. : falloir; neiger, pleuvoir, tonner, etc.).

N. m. (1606). *Un impersonnel. La conjugaison défective* des impersonnels. — Verbes accidentellement impersonnels :* formes, tournures, constructions impersonnelles de verbes personnels (ex. : peu importe, n'importe, mieux vaut, reste, suffit...; v. intr. : il souffle un vent...; v. passif : il est venu quelqu'un; v. pron. : il se trouve...). *«Il a été trouvé une montre» est un passif impersonnel. L'ancienne langue admettait l'emploi impersonnel de nombreux verbes* (→ Ennuyer, cit. 3; fâcher, etc.).

Il existe (...) une façon spéciale de concevoir l'action ou l'état, où la pensée part de l'idée de l'acte, non du sujet qui le fait. On a plusieurs fois parlé de verbes *«unipersonnels» : il neige,* c'est *«impersonnels»* qu'il faut dire. Ils n'ont point de personnes, pas même une. Ces verbes étaient très nombreux en a. f. *(ancien français).* Quelques-uns ont disparu tout à fait (...) D'autres sont archaïques : *il appert* (...) *il me souvient, il me fâche* (...) Mais il en reste qui sont en pleine vie : *il faut, il advient.* Les phénomènes de la nature sont exprimés pour la plupart sous cette forme : *il pleut, il neige* (...) Elle sert aussi à l'expression de toutes sortes d'idées abstraites : *il convient, il est, il y a* (...)
F. BRUNOT, la Pensée et la Langue, p. 285.

REM. 1. Les verbes impersonnels expriment les phénomènes naturels *(il pleut),* certaines idées abstraites (nécessité, évidence : *il faut...*), des actions présentées d'une manière impersonnelle *(il me souvient)...* La forme impersonnelle est aussi un procédé de style destiné à mettre en valeur l'action, le verbe, en diminuant ou en supprimant l'importance du sujet.

2. La plupart des verbes impersonnels peuvent s'employer figurément avec un sujet personnel, se mettre au pluriel, se conjuguer à l'impératif, au participe présent (→ Pleuvoir, neiger, tonner...).

3. Sujet* des verbes impersonnels. → Il (II.); ça (cit. 4), ce, cela.

(1765). *Modes impersonnels,* les formes nominales du verbe (p. prés. et p. gérondif; infinitif).

♦ **2.** (1833, Michelet). Qui ne constitue pas une personne. *Le dieu des panthéistes, de Spinoza, est impersonnel.*

La personnalité est faible en lui *(le roi de France);* c'est moins un homme qu'une idée; être impersonnel, il vit dans l'universalité, dans le peuple, dans l'Église, fille du peuple : c'est un personnage profondément *catholique,* dans le sens étymologique du mot.
MICHELET, Hist. de France, IV, V.

(1829, V. Cousin). Didact. (Assez courant). Qui n'appartient pas à une personne; qui ne s'adresse pas à une personne en particulier. *Composition impersonnelle, où l'auteur disparaît* (→ Évangile, cit. 5). *Exécution* (cit. 3) *uniforme d'actes impersonnels. — Règle générale et impersonnelle. La loi* est impersonnelle. Avis impersonnel.*

Nous ne saisissons de nos sentiments que leur aspect impersonnel, celui que le langage a pu noter une fois pour toutes parce qu'il est à peu près le même, dans les mêmes conditions, pour tous les hommes.
H. BERGSON, le Rire, p. 118.

(1844). Philos. *Raison impersonnelle,* la raison d'un homme, considérée comme le reflet de la raison universelle à laquelle il participe. *De la raison impersonnelle,* œuvre de F. Bouillier (1844).

♦ **3.** (1830, en art). Cour. «Indépendant de toutes particularités individuelles» (Lalande, *Vocabulaire philosophique*). *Jugement impersonnel; opinion impersonnelle.* ⇒ **Objectif.** *Un ton impersonnel et froid.* — (1884). Qui manque (volontairement ou non) d'originalité. *Un style impersonnel et froid. Une écriture impersonnelle.* ⇒ **Banal** (→ Fixer, cit. 3), **blanc** (écriture blanche).

Sa politesse était (...) froide, impersonnelle. C'était une conséquence de ces bon- 4
nes manières qu'on doit avoir avec tous, non pour eux, mais pour soi.
BARBEY D'AUREVILLY, les Diaboliques, «Dessous de cartes».

La conversation était restée jusque-là courtoise et impersonnelle. Ils avaient mis 5
une animation complaisante à parler de choses dont ils savaient bien l'un et l'autre qu'elles n'étaient pas l'objet de leur rencontre.
J. ROMAINS, les Hommes de bonne volonté, t. II, XX, p. 214.

CONTR. Personnel. — Original.
DÉR. Impersonnaliser, impersonnalité. — Impersonnellement.

IMPERSONNELLEMENT [ɛ̃pɛʀsɔnɛlmɑ̃] adv. — XVe; de *impersonnel.*

♦ D'une manière impersonnelle. — (1606). Gramm. *Employer impersonnellement un verbe personnel.*

CONTR. V. Personnellement.

IMPERSONNIFIÉ, ÉE [ɛ̃pɛʀsɔnifje] adj. — 1895, Mallarmé, *Variations sur un sujet;* de *im-* (→ 1. In-), et *personnifié.*

♦ Rare et littér. Non personnifié.

De ce caractère de l'œuvre, c'est Mallarmé qui a eu la plus ferme conscience. «Impersonnifié, le volume, autant qu'on s'en sépare comme auteur, ne réclame approche de lecteur. Tel, sache, entre les accessoires humains, il a lieu tout seul (...)». Et son défi au hasard est une transposition de ce «a lieu tout seul» (...) une expérience pour saisir comme à sa source, non pas ce qui rend l'œuvre réelle, mais ce qui est en elle la réalité «impersonnifiée», ce qui la fait être au-delà ou en deçà de toute réalité.
M. BLANCHOT, l'Espace littéraire, p. 298.

CONTR. Personnifié.

IMPERTINEMMENT [ɛ̃pɛʀtinamɑ̃] adv. — V. 1400; de *impertinent.*

♦ **1.** D'une manière impertinente. — Vx. Mal à propos, d'une manière sotte, extravagante.

Je ne m'arrête pas (...) à réfuter les lieux où vous me faites parler impertinem- 1
ment, parce qu'il me suffit d'avoir une fois averti le lecteur que vous ne gardez pas toute la fidélité qui est due au rapport des paroles d'autrui.
DESCARTES, Réponses aux 5es objections, VII.

♦ **2.** (XVIIe). Mod. D'une manière impertinente (2.), avec effronterie. ⇒ **Effronterie.**

Vous donnez sottement vos qualités aux autres. 2
Fort impertinemment vous me jetez les vôtres.
MOLIÈRE, les Femmes savantes, III, 3.

(Il) lorgna fort impertinemment madame des Grassins (...) 3
BALZAC, Eugénie Grandet, Pl., t. III, p. 508.

♦ **3.** Littér. De manière à évoquer l'effronterie.

(...) son nez un peu gros, impertinemment retroussé (...) 4
R. ROLLAND, Jean-Christophe, L'adolescent, III, p. 319.

IMPERTINENCE [ɛ̃pɛʀtinɑ̃s] n. f. — 1533; de *impertinent.*

♦ **1.** Vx. Caractère de ce qui n'est pas pertinent*, de ce qui est déplacé, contraire à la raison, au bon sens. ⇒ **Absurdité, extravagance, stupidité.** — (1555). *Une, des impertinence(s) :* action(s), discours qui dénote(nt) de l'ignorance, de l'étourderie ou de la sottise.

(...) il y a (...) deux choses dans les erreurs *(touchant la religion) :* l'impiété qui 1
les rend horribles, et l'impertinence qui les rend ridicules.
PASCAL, les Provinciales, XI.

On a bien vu dans la suite l'impertinence de ces calomnies. 2
RACINE, Port-Royal.

(...) faut-il que le rang (...) 3
De cent sots tous les jours nous oblige à souffrir,
Et nous fasse abaisser jusques aux complaisances
D'applaudir bien souvent à leurs impertinences?
MOLIÈRE, les Fâcheux, I, 3.

Je suis une sotte; j'ai offensé la géographie : vous ne passez point par Moulins, 4
la Loire n'y va point. Je vous demande excuse de mon impertinence; mais venez m'en gronder et vous moquer de moi.
Mme DE SÉVIGNÉ, 591, 23 oct. 1676.

REM. Au sens moderne et logique de *pertinence,* on emploiera *non-pertinence* ou, parfois, la graphie *im-pertinence.*

♦ **2.** (Mil. XVIIe). Attitude, manière d'une personne impertinente (4.) qui ne respecte pas les règles hiérarchiques dans les rapports sociaux, montre une familiarité excessive (selon les critères culturels en usage). ⇒ **Arrogance, audace, effronterie, impolitesse, inconvenance, incorrection, insolence, irrévérence, outrecuidance.** *Sa désinvolture* frise l'impertinence. Une impertinence inadmissible, insupportable de la part d'un inférieur. L'impertinence d'un enfant vis-à-vis de ses parents. Une impertinence de blanc-bec* (cit. 1). *Caustique* (cit. 3), *ironique, moqueur jusqu'à l'impertinence. Se conduire avec impertinence et grossièreté* (cit. 9).

L'*impertinence,* effet d'une sotte confiance, peut n'être pas volontaire : l'*insolence,* 5
provocation injurieuse, est toujours faite à dessein.
LAFAYE, Dict. des synonymes, p. 682.

— Mais... — Apprenez qu'un *mais* est une offense. 6
Il vous sied bien d'avoir l'impertinence
De refuser un mari de ma main!
VOLTAIRE, Nanine, I, 5.

Caractère de ce qui est impertinent. *L'impertinence du ton, du regard. L'impertinence d'une réponse, d'un jugement.*

7 (...) certaines phrases dont l'impertinence ne l'avait pas tout d'abord surpris, le froissaient maintenant. HUYSMANS, Là-bas, XI.

8 (...) un ton qui visait à l'impertinence, mais qui n'était que désobligeant et incongru. MARTIN DU GARD, les Thibault, t. II, p. 203.

(1660). *Une, des impertinences.* Parole, action impertinente. ⇒ **Écart** (de langage); **moquerie, offense.** *Est-ce une gageure* (cit. 5) *ou une impertinence?*

9 (...) une mijaurée, chez laquelle elle n'avait jamais été invitée, et qui, deux fois, lui fit l'impertinence de ne pas venir à ses concerts. BALZAC, les Petits Bourgeois, Pl., t. VII, p. 91.

10 (...) le jeune de Mussy (...) était en tout pour la tradition, pour le maintien de l'adoration ou de l'admiration et du respect. Il y avait alors des révoltés en littérature (...) qui se permettaient sur Boileau, Racine (...) des impertinences à peu près aussi fortes que celles qu'on a pu ouïr depuis. Un jour qu'il avait entendu de tels blasphèmes contre Racine (...) SAINTE-BEUVE, Chateaubriand, t. II, p. 263.

REM. Au sens 2, le mot tend à vieillir ou du moins à s'atténuer, comme plusieurs de ses analogues, par suite de l'évolution des mœurs.

CONTR. Pertinence. — Convenance, exactitude, justesse. — Bienséance, correction, courtoisie, politesse. — Égard.

IMPERTINENT, ENTE [ɛ̃pɛʀtinɑ̃, ɑ̃t] adj. et n.

— 1327, au sens 1; «inconvenant», après 1450; bas lat. *impertinens* «qui ne convient pas»; de *im-* (→ 1. In-), et *pertinens, pertinentis*, p. prés. de *pertinere* «user à, aboutir», d'abord «s'étendre jusqu'à...», de *per*, et *tenire* «tenir».

♦ **1.** Vx. Qui n'est pas pertinent*, ne convient pas à l'objet dont il s'agit; qui est contre la raison, le bon sens, le sens commun. *Il n'y a rien de si impertinent, de si inepte, de si ridicule qu'on ne fasse admettre par la flatterie* (→ Assaisonner, cit. 6; 1. car, cit. 2; conclusion, cit. 5; franc-parler, cit. 1).

1 (...) c'était un fou tout plein d'esprit : façon de parler à mon avis impertinente, et pourtant en usage (...) LA BRUYÈRE, Lettres, XVIII.

2 *Qu'il mourût* serait détestable dans *Zaïre;* et *Zaïre, vous pleurez*, serait impertinent dans *Horace.* VOLTAIRE, Lettre à Formont, 166, 15 déc. 1732.

3 (...) les questions d'authenticité et d'intégrité, impertinentes quand il s'agit des littératures primitives, ont *(ici)* leur pleine signification. RENAN, l'Avenir de la science, XV, Œ. compl., t. III, p. 940.

♦ **2.** (1622). Vx. (Personnes). Qui agit ou parle mal à propos, inconsidérément, à tort et à travers, sottement.

4 Ô fils impertinent, as-tu envie de me ruiner? MOLIÈRE, l'Avare, III, 9.

5 — J'entendrai prononcer aux mortels prévenus :
«Elle est plus belle que Vénus!»
— (...) c'est le style des hommes :
Ils sont impertinents dans leurs comparaisons. MOLIÈRE, Psyché, Prologue.

N. «*Un bon* (cit. 57) *nigaud, un bon impertinent*» (Molière). *Un impertinent qui se mêle de ce qui ne le regarde pas* (→ Battre, cit. 2). «*Vous êtes un impertinent (...), un homme ignare*» (→ Bannissable, cit., Molière). *Petite impertinente!*

6 De l'impertinent ou du diseur de rien. LA BRUYÈRE, les Caractères de Théophraste, 3e sous-titre.

♦ **3.** (1633). Vieilli. Qui joint la vanité et l'effronterie à la sottise. ⇒ **Arrogant, outrecuidant; faquin, fat** (2.). «*Je vous trouve (...) bien impertinents de parler devant moi avec cette arrogance*» (cit. 2, Molière).

7 *Impertinent* (...) qui agit *(ou parle)* contre la raison et contre les bienséances (...) L'usage a joint à cette idée principale une idée accessoire qui rend ce caractère plus odieux. L'homme *impertinent* est celui qui affiche sans pudeur une vanité dédaigneuse, qui rebute et qui offense (...) il confond l'air libre avec une familiarité excessive... *(il a)* une hardiesse insolente qui le rend ridicule. Dict. de Trévoux, art. *Impertinent* (1771).

8 L'impertinent est un fat outré. Le fat lasse, ennuie, dégoûte, rebute; l'impertinent rebute, aigrit, irrite, offense : il commence où l'autre finit. LA BRUYÈRE, les Caractères, XII, 46.

9 Le sot est embarrassé de sa personne; le fat a l'air libre et assuré; l'impertinent passe à l'effronterie (...) LA BRUYÈRE, les Caractères, XII, 53.

♦ **4.** (1670, Molière). Qui montre de l'irrévérence, une familiarité déplacée, choquante; qui ne respecte pas les règles du comportement hiérarchisé, selon les critères sociaux en usage. ⇒ **Impertinence** (2., REM.); **audacieux, cavalier, désinvolte, effronté, impudent, inconvenant, incorrect, insolent, irrespectueux, irrévérencieux.** *Un enfant mal élevé et impertinent. Un moqueur*, un plaisantin impertinent.* ⇒ **Plaisant** (mauvais plaisant). *Être impertinent avec, à l'égard de ses supérieurs.* — N. *C'est une impertinente. Petit impertinent!*

10 C'est une friponne, une impertinente, une effrontée, que je mettrai dans un couvent avant qu'il soit deux jours. MOLIÈRE, le Malade imaginaire, II, 9.

(1707, Lesage; choses). Qui dénote l'impertinence. *Air, rire impertinent. Manières impertinentes. Regard impertinent.* ⇒ **Effronté** (→ Euphorie, cit. 5). *Plaisanteries impertinentes.* ⇒ **Blessant.**

11 Son nez, qui décrit un quart de cercle, est pincé des narines et plein de finesse, mais impertinent. BALZAC, Béatrix, Pl., t. II, p. 396.

(Choses). *Un petit nez impertinent.* ⇒ **Effronté.**

CONTR. Adéquat, convenable, pertinent. — Judicieux, raisonnable, sensé... — Réfléchi, sage. — Honteux, humble. — Bienséant, civil, correct, poli, respectueux. — Obséquieux.

DÉR. Impertinemment, impertinence.

IMPERTURBABILITÉ [ɛ̃pɛʀtyʀbabilite] n. f.

— 1682; de *imperturbable.*

♦ Caractère d'une personne imperturbable. ⇒ **Apathie,** 1. (cit. 1, Bossuet); **ataraxie, calme, fermeté, flegme, froideur, impassibilité.** *L'imperturbabilité du candidat a frappé les examinateurs.* — (Choses). *L'imperturbabilité de ses réponses, de sa voix.*

Ne se point émouvoir et savoir attendre ont donc été les deux pivots de sa conduite *(de Louis XV).* Il a conservé cette imperturbabilité jusque dans l'affreuse maladie qui l'a enlevé à la France (...) VOLTAIRE, Éloge funèbre de Louis XV.

Cette imperturbabilité, tout admirable qu'elle est, ne suffit pourtant pas à un chef, dont le but doit être moins de montrer du courage que d'en inspirer. P.-L. COURIER, Correspondance, Pl., p. 724.

Et cet homme, le calme et la pondération en personne, ne sort de son imperturbabilité qu'à propos du domino, et non au café, mais au lit. Ed. et J. DE GONCOURT, Journal, t. I, p. 63.

M. Couve était orthodoxe jusque dans le ton de sa voix, égale et forte comme son âme; et rien ne rebutait plus ma frémissante inquiétude que son imperturbabilité. GIDE, Si le grain ne meurt, I, VIII.

CONTR. Émotion, excitabilité, trouble.

IMPERTURBABLE [ɛ̃pɛʀtyʀbabl] adj.

— V. 1400; lat. *imperturbabilis*, de *im-* (→ 1. In-), et *perturbare* «troubler».

♦ **1.** (Personnes). Que rien ne peut troubler, ébranler, émouvoir. *Il est imperturbable dans les résolutions qu'il a prises, dans les desseins qu'il a formés* (Académie). ⇒ **Inébranlable; constant.** *Rester imperturbable.* ⇒ **Apathique, calme, ferme, flegmatique,** 1. **froid, impassible, placide.**

(...) Arthur resta froid et imperturbable, en gentleman qui a pris la gravité pour base de son caractère. BALZAC, la Femme de trente ans, Pl., t. II, p. 716.

Et la Grande, muette, imperturbable, restait là, comme si sa présence eût suffi à la politesse qu'on devait au curé. ZOLA, la Terre, III, VI.

Eh! que diable! Il faut bien bouillir quelquefois! Dieu nous aurait mis de l'eau dans les veines et non du sang, s'il nous eût voulus toujours et partout imperturbables! J. VERNE, le Tour du monde en 80 jours, III.

(1486). Qui fait preuve de maîtrise de soi, d'imperturbabilité, qui manifeste l'attitude d'une personne imperturbable (1.). *Calme, froideur, sang-froid*, sérieux imperturbable. Confiance*, résolution, fermeté imperturbable. Sourire, gaieté imperturbable. Un aplomb imperturbable. Elle a en elle je ne sais quoi d'imperturbable et de glacial* (cit. 3). ⇒ **Indifférent, insensible.**

(...) il me prit tout à coup un tel ennui de son imperturbable froideur (...) Mme DE STAËL, Corinne, XIV, 3.

L'imperturbable sourire que la jeune femme fit contracter à son visage en regardant Granville, paraissait être chez elle une formule jésuitique de bonheur par laquelle elle croyait satisfaire à toutes les exigences du mariage (...) BALZAC, Une double famille, Pl., t. I, p. 973.

Par cet imperturbable sérieux dont il vernit sa pensée sceptique, on voit bien qu'il se propose d'augmenter son autorité (...) M. BARRÈS, Leurs figures, p. 238.

(Attitudes intellectuelles, mentales) :

Que de leçons, quelle finesse, parfois quelle effrayante profondeur et quelles extrémités dans ce positivisme de l'appréciation et de l'observation, dans ce scepticisme imperturbable et qui paraît naturel! Ed. et J. DE GONCOURT, la Femme au XVIIIe siècle, II, p. 114.

Une mémoire imperturbable (Académie).

Cet art *(du comédien)* demande tous les dons de la nature, une grande intelligence, un travail assidu, une mémoire imperturbable (...) VOLTAIRE, le Siècle de Louis XIV, Écrivains, Baron.

♦ **2.** (1848). Fig. et littér. (Choses). Dont rien ne peut modifier le cours. *Le cycle* (cit. 2) *imperturbable de l'année. La science imperturbable.*

La haute placidité de la science n'est possible qu'à la condition de l'impartiale critique, qui, sans aucun égard pour les croyances d'une portion de l'humanité, manie avec l'inflexibilité du géomètre, sans colère comme sans pitié, son imperturbable instrument. RENAN, l'Avenir de la science, XV, Œ. compl., t. III, p. 947.

Ainsi constants, imperturbables, recommencent en juillet les paisibles miracles d'un jardin de Provence, et la tutélaire amitié des fleurs. COLETTE, Belles saisons, p. 19.

CONTR. Ébranlable, excitable. — Changeant, ému. — Troublé.

DÉR. Imperturbabilité, imperturbablement.

IMPERTURBABLEMENT [ɛ̃pɛʀtyʀbabləmɑ̃] adv.

— 1548; de *imperturbable.*

♦ D'une manière imperturbable; sans éprouver ni marquer d'émotion, de trouble.

Quand vous êtes à table, un domestique en habit noir, cravaté et ganté de blanc, irréprochable dans sa tenue comme un diplomate anglais, se tient derrière vous d'un air imperturbablement sérieux, prêt à contenter vos moindres désirs. Th. GAUTIER, Voyage en Russie, X, p. 136.

IMPERTURBÉ, ÉE [ɛ̃pɛʀtyʀbe] adj.

— 1886; de *im-* (→ 1. In-), et *perturbé.* → Imperturbable.

♦ Littér. Qui n'est pas troublé (personnes).

(...) conjecturer le trouble sublime dont la physionomie imperturbée de la trépassante gardait le secret. Léon BLOY, le Désespéré, p. 231.

(Choses) :

Le Paradis est toujours à refaire; il n'est point en quelque lointaine Thulé. Il

demeure sous l'apparence. Chaque chose détient, virtuelle, l'intime harmonie de son être, comme chaque sel, en lui, l'archétype de son cristal; — et vienne un temps de nuit tacite, où les eaux plus denses descendent : dans les abîmes imperturbés fleuriront les trémies secrètes...
GIDE, le Traité du Narcisse, *in* Romans, Pl., p. 7.

IMPÉTIGINEUX, EUSE [ɛpetiʒinø, øz] adj. et n. — 1812; bas lat. *impetiginosus*, du lat. class. *impetigo, impetiginis*. → Impetigo.

♦ Méd. Qui a les caractères de l'impétigo. *Eczéma impétigineux.* (Êtres animés). Atteint d'impétigo. *Enfant impétigineux.* — N. *Un impétigineux, une impétigineuse.*

IMPÉTIGINISATION [ɛpetiʒinizasjɔ̃] n. f. — Mil. xxe; dér. sav. du lat. *impetigo, impetiginis*, et suff. *-ation*.

♦ Méd. Infection par des germes pyogènes d'une maladie cutanée ou d'une plaie, ressemblant à l'impétigo.

IMPÉTIGO [ɛpetigo] n. m. — V. 1240, Roger de Salerne; *impetige, impetigine*, v. 1300 (encore *in* Huysmans, *l'Oblat*); lat. méd. *impetigo, impetiginis*, du lat. class. *impetere* «attaquer», de *im-* (→ 2. In-), et *petere* «chercher à atteindre».

♦ Méd. et cour. Maladie de la peau caractérisée par la formation de vésico-pustules dont l'humeur se durcit en croûtes jaunâtres. — Plur. *Impétigos. L'impétigo, affection cutanée microbienne* (streptocoques, staphylocoques) *auto-inoculable. Impétigo larvé des enfants.* ⇒ **Gourme.** *Impétigo granulé.* ⇒ **Teigne** (granulée). *Impétigo figuré, disséminé, érysipélateux. Impétigo herpétiforme.*

DÉR. V. **Impétiginisation.**

IMPÉTRABLE [ɛpetʀabl] adj. — 1406; de *impétrer*.

♦ Dr. (Vx). Qu'on peut impétrer. *Bénéfice impétrable.*

IMPÉTRANT, ANTE [ɛpetʀɑ̃, ɑ̃t] n. — 1347; p. prés. subst. de *impétrer*.

♦ Dr., admin. Personne qui impètre, obtient qqch. ⇒ **Bénéficiaire.** — (1834). Spécialt. Personne qui a obtenu un diplôme. *Signature de l'impétrant.*

Le duché de Chaulnes n'était que pour l'impétrant et les mâles issus de lui.
SAINT-SIMON, Mémoires, III, LI.

REM. C'est un abus d'employer *impétrant* au sens de «candidat, postulant».

IMPÉTRATION [ɛpetʀasjɔ̃] n. f. — 1345; lat. jurid. *impetratio*, du supin de *impetrare*. → Impétrer.

♦ Didact. et rare. Action d'impétrer; fait d'obtenir une faveur, un privilège.

IMPÉTRER [ɛpetʀe] v. tr. — Conjug. *céder*. — 1268; *empetrer* «réclamer», v. 1155; lat. *impetrare* «obtenir», de *im-* (→ 2. In-), et *patrare*, de *pater*, «prononcer un serment en tant que *pater patratus* (titre du chef des fétiaux)». → Patricien.

♦ Dr. (Rare). Obtenir* (qqch.) de l'autorité compétente, à la suite d'une requête. *Impétrer un bénéfice* (ecclésiastique), *un titre, une grâce.*

(...) afin qu'en tout cas, s'il vient quelque chapelle, il la puisse impétrer (...)
RACINE, Lettres, 32, 6 juin 1662.

C'est ainsi que nous fûmes appelés il y a deux ans environ, quand sœur Marie de l'Espérance impétra une prorogation de sa retraite, qui doit être renouvelée bientôt, je crois. P.-J. TOULET, la Jeune Fille verte, VII, p. 247.

(Fin xve). Relig. Obtenir de Dieu. *Impétrer la grâce.*

DÉR. **Impétrable, impétrant.**

IMPÉTUEUSEMENT [ɛpetɥøzmɑ̃] adv. — V. 1370, Oresme (le passage de B. Latini — XIIIe — est une interpolation, selon T. L. F.); de *impétueux*.

♦ D'une manière impétueuse, avec impétuosité. *Ce fleuve coule impétueusement* (Académie). *Cheval qui se débat impétueusement* (→ Hérisser, cit. 2). *Se jeter impétueusement entre deux personnes* (→ Châtier, cit. 3). *Arriver impétueusement, comme un ouragan*. Sortir impétueusement.* ⇒ **Jaillir, saillir.**

Le vin fumeux de la santé et de la joie coule impétueusement dans leurs corps trop nourris. TAINE, Philosophie de l'art, t. II, p. 308.

CONTR. **Calmement, nonchalamment, tranquillement.**

IMPÉTUEUX, EUSE [ɛpetɥø, øz] adj. — V. 1220; bas lat. *impetuosus*, du lat. class. *impetus* «élan, attaque», de *impes*, même sens, de *im-* (→ 2. In-), et *petere* «chercher à atteindre».

♦ **1.** Littér. Dont l'impulsion est violente et rapide. *Un vent impétueux.* ⇒ **Déchaîné, fort** (→ Agiter, cit. 1; envelopper, cit. 24). *Souffle impétueux* (→ Force, cit. 65). *Torrent impétueux. Le cours* (cit. 4) *impétueux d'un fleuve.* ⇒ **Torrentueux** (→ Bourbeux, cit. 1).

(Êtres animés). Vx. *Aigle impétueux.* ⇒ **Prompt** (→ Aspect, cit. 16). *Coursiers impétueux et bondissants d'Amphitrite* (cit.). *Attaque, charge impétueuse; assaut impétueux.* ⇒ **Furieux.** *Mouvement, rythme impétueux.* ⇒ **Endiablé.** *Course impétueuse.* ⇒ **Randon** (vx).

Leur fougue impétueuse *(des chevaux)* enfin se ralentit (...) 1
RACINE, Phèdre, V, 6.

Le vent impétueux qui soufflait dans ses voiles (...) 2
André CHÉNIER, Bucoliques, XXI, «Jeune Tarentine».

Par métaphore. «*L'impétueux bouillon* (cit. 5) *d'un courroux féminin*» (Corneille). *Sa volonté si impétueuse à sauter les obstacles* (→ Cabrer, cit. 15). *La marche impétueuse des passions* (→ Éloquence, cit. 7). *Un élan impétueux vers la gloire* (→ Frémissement, cit. 16). *Les impétueux assauts du génie* (→ Exténuer, cit. 5).

♦ **2.** (Personnes). Vieilli ou littér. Qui a de la rapidité et de la violence dans son comportement (physique ou moral). ⇒ **Ardent** (cit. 20), **fougueux, pétulant, vif, violent.** *L'impétueux Ajax. Soldats impétueux* (→ Furie, cit. 12; gaillard, cit. 8). *Il a qqch. de brusque** (cit. 2) *et d'impétueux.* ⇒ **Emporté.** *Orateur puissant, impétueux* (→ Éloquence, cit. 9). — Par ext. *Caractère impétueux* (→ Folâtrer, cit. 4). *Tempérament impétueux.* ⇒ **Bouillant, emporté, exalté; feu** (de); **volcanique** (→ Caractère, cit. 51). *Sensibilité ardente* (cit. 24) *et impétueuse. Un impétueux génie* (→ Gâter, cit. 29), *un génie impétueux et facile* (→ Familiarité, cit. 16). *Mouvement, sentiment impétueux* (→ Fagot, cit. 4). ⇒ **Véhément.** *Désirs impétueux.* ⇒ **Effréné.** «*Impatients* désirs, enfants* (cit. 42) *impétueux de mon ressentiment*» (Corneille). — *Style impétueux.*

Au récit imprévu de l'horrible insolence, 3
Le prélat hors du lit, impétueux, s'élance. BOILEAU, le Lutrin, V.

C'est donc une chose incontestable que l'amour même, ainsi que toutes les autres passions, n'a acquis que dans la société cette ardeur impétueuse qui le rend si souvent funeste aux hommes (...) ROUSSEAU, De l'inégalité parmi les hommes, I. 4

Impétueux dans ses souhaits et néanmoins patient; brave dans les batailles, lâche devant l'au-delà, il fut despotique et violent (...) HUYSMANS, Là-bas, XVI. 5

(...) toutes deux (...) aimantes, impétueuses, véhémentes et maladroites en face d'un amant (...) Émile HENRIOT, Portraits de femmes, p. 236. 6

CONTR. **Calme, mou, nonchalant.**

DÉR. **Impétueusement.**

IMPÉTUOSITÉ [ɛpetɥozite] n. f. — V. 1223; bas lat. *impetuositas*, de *impetuosus*. → Impétueux.

Littéraire.

♦ **1.** Caractère de ce qui est impétueux. *L'impétuosité des flots, du vent, de la tempête. L'impétuosité du Rhône* (→ Fleuve, cit. 6). *Impétuosité d'un assaut*, d'un élan*.*

♦ **2.** (Personnes). Caractère impétueux, très vif, qui se traduit par une activité fougueuse. ⇒ **Ardeur, fougue, vivacité** (→ Grippe, cit. 2). *L'impétuosité d'Ajax.* ⇒ **Fureur** (cit. 20). *Se jeter en avant, s'élancer avec impétuosité.* ⇒ **Déferler, ruer** (se). → Prendre le mors* aux dents. *Énergie qui prend la forme de l'impétuosité, de la rébellion* (→ Force, cit. 25). *Impétuosité qu'on ne peut contenir, maîtriser.* ⇒ **Emportement, précipitation.** *L'impétuosité de la jeunesse. Impétuosité conquérante de Voltaire* (→ Cassant, cit. 3). — Par ext. *L'impétuosité de sa nature* (→ Homme, cit. 106). *L'impétuosité d'un tempérament, d'une passion, d'un désir.* ⇒ **Violence.** *Réprimer l'impétuosité d'un premier mouvement. L'impétuosité de l'indignation* (→ Astuce, cit. 2), *de la colère.*

Il n'est rien qui puisse arrêter l'impétuosité de mes désirs (...) 1
MOLIÈRE, Dom Juan, I, 2.

Les Français fondent sur les ennemis avec leur impétuosité ordinaire. 2
RACINE, les Campagnes de Louis XIV.

J'ai des passions très ardentes, et tandis qu'elles m'agitent, rien n'égale mon impétuosité : je ne connais plus ni ménagement, ni respect, ni crainte, ni bienséance; je suis cynique, effronté, violent, intrépide; il n'y a ni honte qui m'arrête, ni danger qui m'effraie : hors le seul objet qui m'occupe, l'univers n'est plus rien pour moi. ROUSSEAU, les Confessions, I. 3

Cette violence, cette impétuosité des désirs, il ne nous semble point tant qu'elle soit en nous, mais plutôt en l'objet même de nos désirs et qu'elle en constitue l'attrait. GIDE, Journal, 8 déc. 1929. 4

Le ton des lettres qu'elle écrira plus tard à Benjamin révèle sa nature ardente, qui correspond si pleinement à l'impétuosité d'Ellénore, et fait en même temps comprendre qu'elle ait été assez portée aux coups de tête. 5
Émile HENRIOT, Portraits de femmes, p. 231.

CONTR. **Calme, mollesse, nonchalance.**

IMPETUS [ɛpetys] n. m. — D. i.; lat. *impetus* «élan» (→ Impétueux), employé dans les sciences au XVIe.

♦ Didact. (hist. des sc.). Élan moteur, puissance motrice. «*Afin de comparer les "impetus" (disons les élans moteurs) de deux jets orientés verticalement vers le bas, Léonard* (de Vinci) *conçoit une sorte de balance...*» (*la Recherche*, nov. 1979, p. 1108).

IMPEUPLÉ, ÉE [ɛ̃pœple] adj. — 1842; de *im-* (→ 1. In-), et *peuplé.*

♦ Vx. Qui n'est pas peuplé. ⇒ **Désert, vide.**

CONTR. Peuplé.

IMPIE [ɛ̃pi] adj. et n. — XVe; lat. *impius,* de *im-* (→ 1. In-), et *pius* «pieux».

♦ **1.** Adj. [a] Vieilli ou littér. (Personnes). Qui n'a pas de religion; qui offense la religion. ⇒ **Impénitent, irréligieux.** *L'impie Aman* (→ Apprêter, cit. 5). *Légions impies* (→ Assoupir, cit. 18). — Par ext. (Littér.). *La tête impie des ennemis* (cit. 11) *de Dieu. Armes impies* (→ Hostie, cit. 4). — REM. Le mot *impie* emporte généralement une idée de condamnation de la part du croyant contre celui qui ne partage pas sa croyance ou lui paraît insulter à sa foi.

1 La seule religion chrétienne (...) crie aux plus impies qu'ils sont capables de la grâce de leur Rédempteur. PASCAL, Pensées, VII, 435.

2 Rions, chantons, dit cette troupe impie;
De fleurs en fleurs, de plaisirs en plaisirs,
Promenons nos désirs.
Sur l'avenir insensé qui se fie.
De nos ans passagers le nombre est incertain.
Hâtons-nous (...) RACINE, Athalie, II, 9 (→ Demain, cit. 4).

(1636; choses). Qui marque le mépris de la religion, ou des croyances qu'elle enseigne. *Action impie.* ⇒ **Impiété, sacrilège, scandale.** *Règne impie* (→ Après, cit. 6). *Une pompe obscène et impie* (→ Cynisme, cit. 1). *Dire des paroles, des mots impies.* ⇒ **Blasphème; blasphémer; blasphématoire** (cit. 2). *Anathématiser* (cit. 1) *une opinion impie. Livre impie* (→ Avidement, cit. 4). *Les œuvres impies de Voltaire* (→ Corrosif, cit. 3).

3 (...) et *le Tartuffe* (...) offense la piété (...) Toutes les syllabes en sont impies (...) MOLIÈRE, Tartuffe, Préface.

4 Non, je ne demande pas le martyre. Je crois qu'un tel vœu serait impie, même au regard de la stricte religion. On ne postule pas ces choses-là. G. DUHAMEL, Salavin, IV, Journal, 27 janvier.

[b] (1606). Vx. Qui offense ce que tout le monde respecte; qui contrevient aux coutumes reçues (dans une société). *Une ruse impie* (→ Cabrer, cit. 2). *Acquiescement impie* (→ Carence, cit. 1).

5 (...) Pourquoi ta bouche impie
A-t-elle, en l'accusant, osé noircir sa vie? RACINE, Phèdre, IV, 6.

6 Tu viens d'incendier la bibliothèque? (...)
Ce que ta rage impie et folle ose brûler
C'est ton bien, ton trésor, ta dot, ton héritage!
HUGO, l'Année terrible, Juin (1871), VIII.

♦ **2.** N. (Av. 1636; «personne impitoyable», 1544). Relig. ou littér. et style soutenu. Athée, incroyant. ⇒ **Incrédule, infidèle, irréligieux, libertin** (vx), **mécréant, païen.** *Les impies qui vivent dans l'indifférence de la religion* (→ Ennemi, cit. 10). *Dieu ne veut point la mort de l'impie* (→ Convertir, cit. 1). — Qui insulte à la religion, aux choses sacrées. *Un homme impie.* — *Un, une impie.* ⇒ **Apostat, blasphémateur, profanateur, renégat, sacrilège** (→ Ennemi des autels*). *Un impie déclaré* (→ Attaque, cit. 4). *Le juste et l'impie* (→ Anéantissement, cit. 1). *Un impie digne d'un supplice exemplaire* (cit. 4). *Peines éternelles préparées aux impies* (→ Gouffre, cit. 1).

7 (...) le Ciel punit tôt ou tard les impies (...) MOLIÈRE, Dom Juan, I, 2.

8 Les impies, qui font profession de suivre la raison, doivent être étrangement forts en raison. PASCAL, Pensées, III, 226.

9 J'étais plein de religion et je raisonnais en *impie;* mon cœur aimait Dieu, et mon esprit le méconnaissait (...) CHATEAUBRIAND, René, p. 195.

10 (...) Par ses crimes prospère
L'impie heureux insulte au fidèle souffrant (...) HUGO, Odes et Ballades, I, II, III.

11 (...) c'étaient des impies, — des impies de haute graisse et de crête écarlate, de mortels ennemis du prêtre, dans lequel ils voyaient toute l'Église, des athées, — absolus et furieux, — comme on l'était à cette époque (...)
BARBEY D'AUREVILLY, les Diaboliques, «À un dîner d'athées».

12 Je suis incroyant, je ne serai jamais un impie. GIDE, Journal, 6 nov. 1927.

CONTR. Croyant, dévot, fidèle, pieux.

IMPIÉTÉ [ɛ̃pjete] n. f. — V. 1120, *une impiété;* rare av. le XVIe (sens 1); lat. *impietas,* de *impius.* → Impie.

Vieilli, littéraire ou religieux.

♦ **1.** Caractère d'une personne impie*; mépris pour les choses de la religion. *L'impiété de Don Juan* (→ Gage, cit. 19). *L'impiété d'un peuple barbare* (→ Brutalité, cit. 8). *Philosophie qui soutient l'impiété* (→ Emploi, cit. 2). *Il y a quelque impiété à faire, à penser cela* (→ Absolu, cit. 15). — (Au sens 1, b de *impie*). *L'impiété d'une opinion, d'un ouvrage.*

1 Dieu fera une Église pure au dedans, qui confonde par sa sainteté intérieure et toute spirituelle l'impiété intérieure des sages superbes et des pharisiens (...)
PASCAL, Pensées, XIV, 905.

2 Deux choses arrêtaient la littérature à la date du XVIIIe siècle : l'impiété qu'elle tenait de Voltaire et de la Révolution, le despotisme dont la frappait Bonaparte.
CHATEAUBRIAND, Mémoires d'outre-tombe, t. II, p. 207.

(1606). Vx. Mépris de ce que tout le monde respecte. *L'impiété d'un enfant ingrat.*

3 Et quelle impiété de haïr un époux
Pour avoir bien servi les siens, l'État et vous! CORNEILLE, Horace, V, 3.

♦ **2.** *(Une, des impiétés).* Parole, action impie. ⇒ **Hérésie, sacrilège.** *Commettre, dire des impiétés. Le doute n'est pas une impiété.* ⇒ **Blasphème** (cit. 2).

Et c'est aux plus saints lieux que leurs mains sacrilèges
Font plus d'impiétés. MALHERBE, Grandes odes, XXIX.

(...) tandis que nous chantions vêpres ensemble dans ma chambre, vous avez jeté votre livre dans le feu avec colère, ce qui était une impiété (...)
A. DE VIGNY, Cinq-Mars, XIX.

CONTR. Dévotion, piété.

IMPITOYABILITÉ [ɛ̃pitwajabilite] n. f. — 1870; de *impitoyable.*

♦ Littér. et rare. Caractère d'une personne impitoyable.

Dans mon malheur, il me vient une dureté pour le malheur des autres, que je n'ai jamais eue. J'ai maintenant pour le mendiant, un : «Je n'ai rien!» dont l'impitoyabilité m'étonne. Ed. et J. DE GONCOURT, Journal, t. III, p. 250.

IMPITOYABLE [ɛ̃pitwajabl] adj. — V. 1550; *impitoiable,* v. 1500; de *im-* (→ 1. In-), et *pitoyable;* a remplacé *impiteux* (1482).

♦ **1.** Qui est sans pitié*. ⇒ **Cruel, dur, féroce, implacable, inexorable, inflexible, inhumain** (→ Sans merci*, sans entrailles* [vx]). *Ennemi, bourreau, homme impitoyable. «Aussi barbare époux qu'impitoyable père»* (→ Arracher, cit. 25). *L'impitoyable Pluton* (→ Aborder, cit. 5). *La vieillesse est impitoyable* (→ Flatter, cit. 48). *Être impitoyable à qqn* (vx), *pour qqn, à l'égard de qqn :* se montrer sans pitié pour qqn. — (Choses). *Cœur impitoyable* (→ Cœur de fer, de granit, de pierre). ⇒ **Endurci.** *Haine impitoyable.* ⇒ **Implacable.** *Visage impitoyable de la justice* (→ Facile, cit. 28). *Loi impitoyable* (→ Loi d'airain*). *Impitoyable tyrannie. Destin, sort impitoyable.*

Ce cœur impitoyable à ma perte s'obstine (...) CORNEILLE, Horace, II, 5.

Le ciel s'est donc lassé de m'être impitoyable! CORNEILLE, Sertorius, V, 3.

Impitoyable Dieu, toi seul as tout conduit. RACINE, Athalie, V, 6.

Ce maître syrien est-il impitoyable? Est-ce une tigresse dont il a sucé les mamelles dans son enfance? FÉNELON, Télémaque, IV.

Et comme la peur est cruelle, on fut impitoyable pour Jacques Roux.
MICHELET, Hist. de la Révolution franç., XV, IV.

(...) je savais bien maintenant que le monde est l'organisation continuelle d'une impitoyable justice. Edmond JALOUX, Fumées dans la campagne, XIX.

Par anal. *La nature est impitoyable.* ⇒ **Insensible** (→ Abomination, cit. 4). *Ciel de feu, ciel impitoyable.* ⇒ **Accablant** (→ Fourbi, cit. 1).

♦ **2.** (1606). Qui observe, juge sans indulgence, ne fait grâce de rien. *Un critique, un censeur impitoyable.* ⇒ **Sévère.** *Chamfort, observateur impitoyable des travers de ses contemporains* (→ Fonds, cit. 16). *Il est impitoyable pour ce genre de faiblesse, sur cette question.* ⇒ **Intraitable.**

Par hyperbole. *Un impitoyable bavard :* un bavard intarissable.

(...) le public est impitoyable sur la réputation.
Mme DE SÉVIGNÉ, Lettres, 642, 25 août 1677.

(...) il était devenu un de ces impitoyables observateurs qui ne peuvent pas ne point être des misanthropes.
BARBEY D'AUREVILLY, les Diaboliques, «Bonheur dans le crime», p. 127.

♦ **3.** (Choses). [a] Abstrait. *Un œil, un regard impitoyable* (→ Critique, cit. 16). *Une ironie corrosive* (cit. 5) *et impitoyable. Une argumentation* (cit. 1) *impitoyable. L'impitoyable besoin d'analyser* (cit. 2), *de critiquer. L'impitoyable dictature de l'opinion* (→ Élasticité, cit. 7).

(...) voilà une église impitoyable qui ne connaît que des fidèles soumis ou des hérétiques (...) André SUARÈS, Trois hommes, «Ibsen», III.

[b] Concret. *Une lumière impitoyable.* ⇒ **Cru, violent.**

CONTR. Attendri, bon, charitable, clément, doux. — Bienveillant, compréhensif, indulgent.

DÉR. Impitoyabilité, impitoyablement.

IMPITOYABLEMENT [ɛ̃pitwajabləmɑ̃] adv. — 1538; de *impitoyable.*

D'une manière impitoyable.

♦ **1.** *Traiter qqn impitoyablement.*

♦ **2.** *Œuvre impitoyablement critiquée dans la presse* (→ Corruption, cit. 9; création, cit. 8; haut, cit. 99).

♦ **3.** *«Le ciel impitoyablement bleu»* (Maxime du Camp, *in* T. L. F.).

IMPLACABILITÉ [ɛ̃plakabilite] n. f. — 1743; de *implacable.*

♦ Littér. et rare. Caractère d'une personne, d'une chose implacable.

Ni l'Italie du XVIe s., ni la Corse de tous les âges, ces pays renommés pour l'implacabilité de leurs ressentiments (...)
BARBEY D'AUREVILLY, les Diaboliques, «Vengeance d'une femme».

IMPLACABLE [ɛ̃plakabl] adj. — 1455; lat. *implacabilis,* «qui ne peut être apaisé», de *im-* (→ 1. In-), et *placabilis,* de *placare* «apaiser».

♦ **1.** Vieilli ou littér. Dont on ne peut apaiser la fureur, le ressentiment, la violence. ⇒ **Cruel, dur, impitoyable, inapaisable, inexorable, inflexible** (→ Hécatombe, cit. 6). *L'implacable Athalie* (→ Animer, cit. 9). *D'implacables ennemis* (→ Équité, cit. 9). ⇒ **Acharné.** *Il fut implacable contre ses adversaires* (Académie). *Être implacable pour qqn, à l'égard de qqn* (→ Déduire, cit. 1). *Cette querelle les a rendus implacables l'un pour l'autre* (→ Bagatelle, cit. 12). — N. (Rare). *Un, une implacable* (→ ci-dessous, cit. 1). — (Choses). *Haine* (cit. 13 et 15) *implacable.* ⇒ **Endurci** (→ Allumer, cit. 5; fermenter, cit. 4; 1. garde, cit. 37).

1 L'*implacable* est *inflexible,* parce qu'il est en proie à une passion qui ne peut être apaisée *(placare,* apaiser)... L'*implacable* est emporté et dominé par une passion, la colère, la haine, la vengeance, la jalousie, la fureur, la rage. Vous chercheriez vainement à le faire revenir; vous n'obtiendrez ni paix, ni trêve.
LAFAYE, Dict. des synonymes, Inflexible...

2 Maintenant chassée, poursuivie par ses ennemis implacables (...)
BOSSUET, Oraison funèbre de la reine d'Angleterre.

3 Un courroux implacable, un orgueil endurci (...) CORNEILLE, Sertorius, IV, 2.

4 Implacable Vénus, suis-je assez confondue? RACINE, Phèdre, III, 2.

5 Les sentences que nous venons de rapporter montrent l'implacable cruauté du despote à venger son autorité méconnue (...)
MÉRIMÉE, Hist. du règne de Pierre le Grand, p. 226.

6 (...) Je sais quelle est sa violence :
Il est fier, implacable, aigri par son malheur;
Digne du sang d'Atrée, il en a la fureur. VOLTAIRE, Oreste, I, 5.

♦ **2.** (XVIIe). Mod. (Style soutenu). Sans pitié, sans humanité, sans indulgence. ⇒ **Impitoyable, insensible, rigoureux, sévère, terrible.** *Il a été implacable dans sa vengeance. Un critique implacable. Une implacable répression. Un implacable coup de fouet* (→ Haridelle, cit. 1, Hugo). — REM. L'accent est mis non plus sur l'idée de passion inapaisable, comme au sens 1, mais sur celle de froide rigueur, de dureté réfléchie ou de cruelle indifférence.

7 L'amitié pardonne l'erreur, le mouvement irréfléchi de la passion; elle doit être implacable pour le parti pris de trafiquer de son âme, de son esprit et de sa pensée. BALZAC, Illusions perdues, Pl., t. IV, p. 664.

8 Ah! Déesse! ayez pitié de ma tristesse et de mon délire! Mais l'implacable Vénus regarde au loin je ne sais quoi avec ses yeux de marbre.
BAUDELAIRE, le Spleen de Paris, VII.

9 Ce portrait est tracé de main de maître, et La Rochefoucauld, cet implacable analyste de l'égoïsme humain, n'a pas un scalpel plus tranchant et plus aigu.
Th. GAUTIER, Souvenirs de théâtre..., p. 38.

10 L'état habituel d'Athènes, c'était la terreur. Jamais les mœurs politiques ne furent plus implacables, jamais la sécurité des personnes ne fut moindre.
RENAN, Questions contemporaines, Œ. compl., t. I, p. 210.

11 (...) ce jugement si implacable, si irrévocable, que sont disposés à porter ceux qui ne connaissent rien de la vie. GIDE, Si le grain ne meurt, I, V, p. 151.

♦ **3.** (Mil. XVIIIe; choses). À quoi l'on ne peut se soustraire; que rien ne peut arrêter ou modifier. ⇒ **Fatal, inéluctable, infaillible, irrésistible.** *L'implacable supplice de l'enlisement* (cit. 1). → Sans rémission*. *Les forces implacables du destin* (→ Fatalisme, cit. 3). *Mal implacable. Implacable exactitude.* ⇒ **Rigoureux** (→ Consistance, cit. 3). *Logique implacable. Un matérialisme implacable et glaçant* (cit. 3).

12 La vertu absolue est impossible, la république du pardon amène par une logique implacable la république des guillotines. CAMUS, l'Homme révolté, p. 157.

Inhumain, cruel (en parlant des aspects de la nature). *Un soleil implacable,* très fort, terrible (→ Effriter, cit. 4, Gautier).

13 Il semble que, par cette profusion de verdure, l'œil cherche à se consoler de l'implacable blancheur de l'hiver (...) Th. GAUTIER, Voyage en Russie, X, p. 129.

14 (...) le ciel bleu de la France n'est point implacable ni sublime comme le regard d'un dieu (...) André SUARÈS, Trois hommes, «Pascal», p. 14.

15 Cet été implacable! le délire de cet été, la férocité des cigales (...)
F. MAURIAC, le Nœud de vipères, IX, p. 112.

CONTR. Clément, doux. — Compréhensif, indulgent.
DÉR. Implacabilité, implacablement.

IMPLACABLEMENT [ɛ̃plakabləmɑ̃] adv. — 1546; de *implacable.*

♦ D'une manière implacable. *Des combats implacablement acharnés* (→ Arène, cit. 11). — *Une physionomie implacablement douce et sereine* (→ Blasement, cit.).

1 Pas un nuage, pas un souffle, rien qui plisse
Ou ride cet Azur implacablement lisse
Où le silence bout dans l'immobilité. VERLAINE, Jadis et Naguère, «Allégorie».

2 Aux États-Unis, la science des marchés est strictement machiavélique dans son inspiration et ses méthodes, dès l'instant qu'elle analyse implacablement les conditions du recrutement d'une clientèle (...)
André SIEGFRIED, La Fontaine..., p. 19.

IMPLANT [ɛ̃plɑ̃] n. m. — 1932, R. M. May, *in* T. L. F.; de *implanter.* Médecine.

♦ **1.** Comprimé d'hormone, fragment de tissu, prothèse ou substance radioactive destiné(e) à se résorber, qu'on introduit sous la peau ou dans un autre tissu en vue d'un effet thérapeutique. ⇒ **Pellet** (1.). *Introduction d'un implant.* ⇒ **Implantation** (2.), **implanter** (3.). *Implant hormonal, endocrinien. Implant de radium dans une tumeur cancéreuse. «Les implants métalliques peuvent engendrer un autre risque : ils fragilisent l'os. Lorsque le chirurgien les enlève, les membres se brisent de nouveau en d'autres points chez trois malades sur cent»* (*l'Express,* n° 1689, 18-24 nov. 1983, p. 137).

♦ **2.** En prothèse dentaire, «Élément prothétique placé à demeure dans l'épaisseur de l'os mandibulaire ou maxillaire et utilisé pour le maintien des prothèses fixes ou amovibles» (*Dict. odonto-stomatologique,* Suppl. n° 21, 19 oct. 1967).

IMPLANTABLE [ɛ̃plɑ̃tabl] adj. — Mil. XXe; de *implanter.*

♦ Qui peut être implanté. *Industries implantables dans les pays du tiers monde.* — (Au sens 3 de *implanter*). *Prothèses implantables, destinées à remplacer telle ou telle partie déficiente de l'organisme.*

IMPLANTATEUR, TRICE [ɛ̃plɑ̃tatœʀ, tʀis] adj. et n. — 1901, Claudel, *in* T. L. F.; repris mil. XXe; de *implanter,* ou de *implantation.*

♦ Qui implante (qqch. quelque part). ⇒ **Implanteur.**

IMPLANTATION [ɛ̃plɑ̃tasjɔ̃] n. f. — 1541; de *implanter.*

A. ♦ **1.** Action d'implanter, de s'implanter. *L'implantation d'immigrants dans un pays. L'implantation des Arabes en Espagne. L'implantation d'une industrie nouvelle dans une région.* ⇒ **Établissement, installation.** *L'implantation d'un parti politique dans un pays.* ⇒ **Ancrage** (fig.).

(...) ces mêmes commerçants viennent me dire aujourd'hui que l'affaire est bonne et que c'est une nouvelle et décisive étape pour l'implantation, en ce pays, du commerce français. L.-H. LYAUTEY, Paroles d'action, p. 204.

Spécialt. [a] Techn. Opération qui consiste à tracer sur le terrain l'emplacement d'une construction. — Archit. Répartition (de bâtiments, d'éléments d'urbanisme).

[b] Écon. Mise en place (d'une unité de production) dans un lieu déterminé. — Spécialt. Disposition matérielle des éléments d'une entreprise.

[c] Comm. Localisation et présentation des objets en vente, ou d'une unité de vente. *L'implantation des stands dans un supermarché.*

♦ **2.** (1904, in *Rev. gén. des sc.,* n° 12, p. 578). Méd. Introduction sous la peau (d'un implant). ⇒ **Implant.** Spécialt (chir. dent.). Introduction d'un élément dentaire (implant) dans l'alvéole d'une dent qui vient d'être extraite. *«L'implantation en odonto-stomatologie est un acte opératoire qui consiste à disposer dans les maxillaires des inclusions métalliques qui serviront de rétention à des prothèses restauratrices»* (Cherchève).

Position des dents sur l'arcade dentaire. *Mauvaise implantation des dents.*

♦ **3.** Biol. Nidation*.

B. Manière dont des éléments sont implantés. *L'implantation des cheveux.*

DÉR. V. **Implantateur.**

IMPLANTÉ [ɛ̃plɑ̃te] n. m. — 1911, *in* T. L. F., art. *Implanter;* de *implanter.*

♦ Techn. Travail de postiche qui consiste à planter un à un des cheveux sur une soie qui imite la peau dans une matière (cire, etc.) imitant une tête humaine, etc. ⇒ **Implanteuse.**

REM. Pour *implanté,* adj., → Implanter.

HOM. Implanter.

IMPLANTER [ɛ̃plɑ̃te] v. tr. — 1539, *s'implanter;* trans., 1611; ital. *impiantare,* du bas lat. *implantare,* de *im-* (→ 2. In-), et *plantare.*

♦ **1.** Rare. Planter (une chose dans une autre). ⇒ **Fixer, insérer.**

♦ **2.** Cour. Introduire et faire se développer d'une manière durable dans (un nouveau milieu). ⇒ **Introduire.** *Implanter une idée dans le cerveau de qqn.* ⇒ **Ancrer, enraciner.** *Il est difficile de déraciner un préjugé aussi solidement implanté.* — *Implanter une industrie dans une région, une usine dans une ville.* ⇒ **Établir, installer.**

(...) son caractère le plus frappant *(du paille-en-queue)* est un double long brin qui ne paraît que comme une paille implantée à sa queue (...) 1
BUFFON, Hist. nat. des oiseaux, Le paille-en-queue.

Pour implanter un gouvernement au cœur d'une nation, il faut savoir y rattacher des *intérêts* et non des *hommes.* BALZAC, les Employés, Pl., t. VI, p. 874. 2

(...) la Révolution continue, elle est implantée dans la loi, elle est écrite sur le sol, elle est toujours dans les esprits; elle est d'autant plus formidable qu'elle paraît vaincue à la plupart de ces conseillers du trône qui ne lui voient ni soldats ni trésors. BALZAC, Mémoires de deux jeunes mariées, Pl., t. I, p. 173. 3

Il avait fallu, par de patientes manœuvres, implanter vingt idées nouvelles dans le cerveau rétif de sa tante. MARTIN DU GARD, les Thibault, t. III, p. 172. 4

♦ **3.** (1719; au sens mod. de *implantation,* mil. xxe). Chir. Pratiquer l'implantation* de (un élément thérapeutique). ⇒ **Implant.**

▶ **S'IMPLANTER** v. pron.

♦ **1.** Se fixer*, être fixé à..., dans... *L'appendice s'implante dans le cæcum* (cit. 1). *L'œuf s'implante alors dans la trompe* (→ Grossesse, cit. 4). *Famille qui s'est implantée sur une terre* (→ Approprier, cit. 6). ⇒ **Établir** (s').

♦ **2.** (Sujet n. de personne). Fam. et vx. *S'implanter chez qqn,* y prendre racine*, ne plus s'en aller.

Mod. S'installer définitivement dans un pays. (Sujet n. de chose). *Régime, usage qui n'a pu s'implanter dans un pays.* ⇒ **Prendre; enraciner** (s').

5 (...) ce n'est pas seulement sous la forme impériale, mais catholique romaine, que l'esprit de la latinité s'est implanté dans le fonds de barbarie initiale du continent (...) André SIEGFRIED, l'Âme des peuples, II, IV.

Abstrait :

6 (...) une idée blessante s'implanta : Noémie n'avait jamais été aussi malade qu'on le lui avait fait croire, et ils ne l'avaient fait venir que pour cet argent! MARTIN DU GARD, les Thibault, t. II, p. 229.

♦ **3.** (Au sens A, 1, b de *implantation*). *Ce groupe automobile s'est implanté dans une région peu développée.* ⇒ **Établir** (s'), **installer** (s').

▶ **IMPLANTÉ, ÉE** p. p. adj.

♦ **1.** (Concret). Rare (→ ci-dessus, cit. 1). — *Cristaux implantés,* dont une extrémité est insérée dans une excavation minérale. — *Cheveux postiches implantés.* ⇒ **Implanté.**

♦ **2.** *Usage implanté, bien implanté. Idée mal implantée. Préjugés implantés.* — *Industrie, firme implantée* (quelque part).

♦ **3.** (Personnes; de *s'implanter*). Fixé dans un lieu de manière durable. *Immigrés implantés.*

CONTR. Arracher, déraciner.

DÉR. Implant, implantable, implantateur, implantation, implanté, implanteur.

IMPLANTEUR, EUSE [ɛ̃plɑ̃tœʀ, øz] n. et adj. — 1938, Claudel, *in* T. L. F.; repris mil. xxe; de *implanter.*

♦ Rare. Personne (physique ou morale) qui implante (qqch.). — Appos. ou adj. *Les firmes implanteuses d'industries dans les pays du tiers monde.*

Techn. IMPLANTEUSE : professionnelle qui insère des éléments fins (cheveux, etc.) sur une surface. ⇒ **Implanté.** « *La tête* (de cire...) *transpire : l'implanteuse lui pique les cheveux un à un dans la cire amollie* » (*l'Express,* 16 févr. 1980, p. 111).

IMPLEXE [ɛ̃plɛks] adj. et n. m. — 1660; lat. *implexus* «entremêlé», p. p. de *implectere,* de *im-* (→ 2. In-), et *plectere* «plier».

♦ **1.** Vx et littér. Dont l'intrigue est compliquée (→ Embarrasser, cit. 23). ⇒ **Complexe.** *Situation dramatique implexe.* — *Phrase, style implexe.*

♦ **2.** (xxe). Mod., philos. Qui ne peut se réduire à un schème, en parlant d'un concept. « *Outil* » *est un concept implexe.* — (Chez Valéry). *Le psychisme implexe* (→ ci-dessous, Implexe, n. m.).

N. m. Ensemble complexe résultant de la combinaison d'éléments hétérogènes. — REM. Cet emploi, illustré par un exemple de Claudel *in* T. L. F., est surtout notable par l'emploi qu'en fait Valéry.

1 J'appelle Implexe, l'ensemble de tout ce que quelque circonstance que ce soit peut tirer de nous. VALÉRY, Cahiers, t. II, Pl., p. 329.

2 D'où une sorte de liberté *(dans le rêve)* mais une nécessité différente de celle de la veille intervient. C'est une nécessité de l'implexe ou espace psychique — qui consiste dans la complémentarité par moindre action. VALÉRY, Cahiers, t. II, Pl., p. 188.

3 Il faut admettre un implexe combinatoire — une secrète présence d'éventuels, que l'on sent plus ou moins entière, et ses éléments plus ou moins déliés (staccato) et indistincts — Pluralité infraprésente. VALÉRY, Cahiers, t. II, Pl., p. 318.

IMPLIABLE [ɛ̃plijabl] adj. — Av. 1622; de *im-* (→ 1. In-), et *pliable.*

♦ Rare. Qui ne peut être plié. — Fig. « *La vérité est une chose (...) bien impliable...* » (B. Constant, *Journaux,* p. 147, *in* T. L. F.). ⇒ **Inflexible.**

IMPLICATION [ɛ̃plikɑsjɔ̃] n. f. — Mil. xve, «fait d'être embrouillé»; lat. *implicatio,* du supin de *implicare.* → Impliquer.

♦ **1.** (1611). Dr. Action d'impliquer (qqn) dans une affaire criminelle; résultat de cette action. *Implication de X... dans l'affaire Y...* ⇒ **Accusation.**

♦ **2.** Log. **a** (1718). Vx. ⇒ **Contradiction.**

b Mod. «Relation logique consistant en ce qu'une chose en implique une autre» (Lalande). ⇒ **Impliquer.** *Implication d'une proposition par une autre.* ⇒ aussi **Antériorité** (logique). *Implication matérielle et implication formelle* (Couturat, 1904).

On dit qu'une idée en implique une autre si la première ne peut être pensée sans la seconde : « La relation implique le nombre; le nombre implique l'espace. » L'implication, en ce sens, est très souvent réciproque : « Grand implique petit; identique implique différent; père implique enfant, etc. » LALANDE, Voc. de la philosophie, art. *Impliquer.*

Opérateur (connectif binaire) d'une proposition complexe correspondant à «si... alors» (symb. ⊂), par lequel la proposition complexe est vraie dans tous les cas, sauf celui où la première proposition élémentaire est vraie et la seconde fausse. *Double implication :* équivalence. ⇒ **Antécédent, conséquent.**

Par ext., cour. Ce qui est impliqué, contenu (mais non exprimé). *Je me demande quelles sont les implications de cette déclaration.*

L'expression de son regard était celle d'une ruse profonde, dont les implications m'échappaient. J. GRACQ, le Rivage des Syrtes, p. 135, *in* T. L. F.

♦ **3.** (Mil. xxe; au plur.). Didact. et cour. Conséquences. *Tenir compte des implications financières d'une politique sociale.* ⇒ **Incidences, retombées.**

♦ **4.** Fait de s'impliquer, d'être impliqué (pour une personne). « *Le degré d'implication par lequel une personne se trouve entraînée dans un événement particulier* » (A. Moles, *Micropsychologie de la vie quotidienne,* p. 30). *L'* « *implication du sujet dans ses tâches* » (J. Cosnier, *Clefs pour la psychologie,* p. 145). *L'implication de la personnalité dans le travail professionnel.*

IMPLICITE [ɛ̃plisit] adj. et n. m. — 1488, *foy implicite;* «compliqué», 1549; «obscur», 1671; lat. *implicitus,* proprt «enveloppé», d'où «sous-entendu», forme du p. p. de *implicare.* → Impliquer.

♦ **1.** (1690). Qui est virtuellement contenu (dans une proposition, un fait), sans être formellement exprimé, et peut en être tiré par voie de conséquence, par déduction, induction. ⇒ **Tacite.** *Clause, condition implicite. Réponse implicite* (→ Faux, cit. 31). — Log. *Compréhension implicite :* ensemble de la définition et des caractères qui se déduisent de cette définition. — *Proposition implicite ou elliptique.*

Volonté implicite : volonté non formulée mais que la conduite de la personne permet de supposer. ⇒ **Tacite.** *Vouloir implicite* (même sens). — N. m. *L'implicite :* ce qui est implicite, non formulé. *À l'implicite :* sans expliciter (sa pensée, ses intentions).

♦ **2.** Relig. *Foi implicite :* foi, confiance absolue que l'on accorde à un dogme sans chercher à le comprendre.

Après plusieurs mois d'application de tous les instants, Julien avait encore l'air de *penser.* Sa façon de remuer les yeux et de porter la bouche n'annonçait pas la foi implicite et prête à tout croire (...) STENDHAL, le Rouge et le Noir, XXVI.

Les études de ces hommes distingués avaient été très faibles. Leur foi était vive et sincère; mais c'était une foi implicite, ne s'occupant guère des dogmes qu'il faut croire (...) RENAN, Souvenirs d'enfance..., III, II.

CONTR. Distinct, explicite, exprès, formel, manifeste.

DÉR. Implicitement.

IMPLICITEMENT [ɛ̃plisitmɑ̃] adv. — 1488, «par une combinaison complexe»; sens mod., XVIIe; de *implicite.*

♦ D'une manière implicite. *Condition implicitement contenue dans un texte. Sujet implicitement contenu dans un déterminatif* (→ Gérondif, cit. 2). *Cela fut implicitement convenu entre nous* (Académie). → aussi Fait, cit. 22. ⇒ **Tacitement.**

(L'homme) fait (...) intervenir implicitement un jugement de valeur, et si peu gratuit, qu'il le maintient au milieu des périls. CAMUS, l'Homme révolté, p. 26.

CONTR. Explicitement.

IMPLIQUER [ɛ̃plike] v. tr. — 1377; «être contradictoire», 1381; aussi «enchevêtrer, compliquer», jusqu'au XVIIe (→ Éloigner, cit. 26); lat. *implicare* «plier *(plicare)* dans *(in);* envelopper». → Employer.

♦ **1.** (1611, en dr.; en emploi général, 1596; *empliquer* «engluer», fin XIVe; sujet n. de chose ou de personne; compl. n. de personne). Engager (qqn) dans une affaire fâcheuse; mettre en cause dans une accusation*. ⇒ **Compromettre, engager, mêler.** *Impliquer une personne dans une affaire.* ⇒ **Implication.** *Être impliqué dans un procès* (→ Commettre, cit. 18; galvaniser, cit. 2).

Il n'y a guère eu (...) de procès criminels de sorciers, sans qu'on y ait impliqué quelque Juif. VOLTAIRE, Essai sur les mœurs, De la magie.

Nous apprenons que ce garçon venait d'être impliqué dans un procès pour complot contre la sûreté de l'État! G. DUHAMEL, Salavin, VI, XX.

♦ **2.** (1803, Chateaubriand; sujet et compl. n. de chose). Comporter de façon implicite, entraîner comme conséquence (du point de vue logique ou dans l'ordre des faits). ⇒ **Comporter, comprendre, contenir, enfermer, renfermer, supposer.** *Toute sélection implique la suppression des malvenus* (→ Haras, cit. 4, Gide). *L'expérience implique une certaine somme de bévues* (cit. 4). *La subtilité que l'analyse implique* (→ Corriger, cit. 13). *Cette méthode implique une confiance fondamentale* (cit. 2) *en soi-même.* ⇒ **Nécessiter.** *La propriété implique le droit d'user, de jouir et de disposer d'une chose* (→ Esclave, cit. 5). *L'association* (cit. 12) *implique un rapport de droit entre tous les associés. Devoir qui implique un droit.*

⇒ **Emporter.** *Les risques qu'implique une exploitation* (cit. 4). ⇒ **Entraîner.** *La guerre politique implique la guerre des cultures* (cit. 19). ⇒ **Inclure.** — *La considération n'implique pas le mérite* (Académie). *Mot, notion, expression qui implique l'idée, l'action de...* (→ Ascendant, cit. 3; attribuer, cit. 18; expédier, cit. 14; génie, cit. 32).

3 La lutte et la révolte impliquent toujours une certaine quantité d'espérance, tandis que le désespoir est muet.
BAUDELAIRE, les Paradis artificiels, « Mangeur d'opium », VI.

4 Il imaginait trop bien ce qu'un tel sauvetage impliquerait pour lui de charges nouvelles, accaparantes. MARTIN DU GARD, les Thibault, t. VI, p. 17.

(1381). *Impliquer contradiction,* et absolt (XIVe; vx), *impliquer :* être contradictoire. — REM. Cet emploi plus ancien est aujourd'hui compris comme rattaché au sens 2.

5 C'est un spectacle d'incidents divers qui n'impliquent point contradiction (...)
DIDEROT, Salon de 1676.

6 Que peut requérir la demanderesse? mariage à défaut de payement; les deux ensemble impliqueraient. BEAUMARCHAIS, le Mariage de Figaro, III, 15.

IMPLIQUER QUE... : supposer (par conséquence logique) que... *La déclaration que vous avez faite implique nécessairement que vous connaissiez cette personne* (Académie). ⇒ **Découler, résulter** (il résulte de votre déclaration que...). *Parole qui semble impliquer que...* (→ Enregistreur, cit.). *Dire qu'un moyen de guerre est immoral, cela implique qu'il peut y avoir une manière morale de faire la guerre* (→ Humaniser, cit. 10). ⇒ **Signifier, vouloir** (vouloir dire). *Cela implique, selon vous, que...* (→ Écrivain, cit. 12).

7 (...) le directeur d'une revue (...) à chaque objection répondait : « C'est ici le parti des honnêtes gens », ce qui implique que tous les autres journaux sont rédigés par des coquins (...) BAUDELAIRE, le Spleen de Paris, X.

Log. Entraîner l'implication* (2., b) de... *La proposition A implique la proposition B.*

♦ **3.** Didact. et cour. Engager (qqn, qqch.) dans une action, un processus. ⇒ **Concerner; implication** (3.); et → ci-dessous, S'impliquer, impliqué.

▶ **S'IMPLIQUER** v. pron. (1482, *se impliquer*). (Au sens 4 de *implication*). Réfl.

S'engager (dans une action). *Il ne s'est pas impliqué personnellement dans ce travail.*

▶ **IMPLIQUÉ, ÉE** p. p. adj. (Au sens 1 de *implication*). *Administrateurs impliqués dans une faillite* (→ Gestion, cit. 5). *Les personnes impliquées. « Ce qui se passe entre les deux partenaires impliqués »* (Dupuy et Karsenty, *l'Invasion pharmaceutique,* p. 96). — (Au sens 2 de *implication*). *Idée impliquée dans un mot* (→ État, cit. 1). *Les causes impliquées.*

(Au sens 3 de *impliquer*). Qui est engagé (dans un processus). *Mécanismes impliqués dans un processus.* ⇒ **Cause** (en). — (Personnes). *Impliqué dans son travail.* ⇒ **Concerné; implication** (4.). *Il ne se sent pas impliqué.*

CONTR. Exclure.

IMPLORABLE [ɛ̃plɔʀabl] adj. — 1557, « qui implore »; de *implorer.*

♦ Rare. Qu'on peut implorer.

IMPLORANT, ANTE [ɛ̃plɔʀɑ̃, ɑ̃t] adj. — Av. 1763; de *implorer.*

♦ Littér. Qui implore. *Voix implorante.* ⇒ **Suppliant.** *Regards, gestes implorants.*

(...) elle entendait leurs voix geignardes, furieuses, implorantes.
J. GREEN, Léviathan, VIII.

IMPLORATEUR, TRICE [ɛ̃plɔʀatœʀ, tʀis] n. et adj. — XVe; de *implorer.*

♦ Rare. Qui implore.

IMPLORATION [ɛ̃plɔʀasjɔ̃] n. f. — 1549; *imploracion,* 1317; de *implorer.*

♦ Littér. Action d'implorer. ⇒ **Prière, supplication.**

Avec quel accent d'imploration, ces foules en marche chantaient « Sauvez Rome et la France au nom du Sacré-Cœur! » Georges LECOMTE, Ma traversée, p. 21.

IMPLORER [ɛ̃plɔʀe] v. tr. — V. 1280, au sens 2 (*sa grâce implorer*); lat. *implorare,* de *im-* (→ 2. In-), et *plorare* « pleurer ».

♦ **1.** (1549). Supplier d'une manière humble et touchante. ⇒ **Adjurer, conjurer, prier, supplier.** *Implorer qqn* (→ Appeler à l'aide*; se jeter, tomber aux pieds* de qqn; embrasser* les genoux de qqn, tendre les bras* vers qqn). *Implorer un maître, un magistrat* (→ Ameuter, cit. 3). *Implorer Dieu, les dieux, le Ciel* (→ Entendre, cit. 71; geignard, cit. 1). *Implorer qqn, le Ciel pour qqn, pour qqch., pour qu'il fasse qqch. Implorer qqn de faire qqch.*

1 J'ose vous implorer, et pour ma propre vie,
Et pour les tristes jours d'un peuple infortuné (...) RACINE, Esther, III, 4.

♦ **2.** Demander (une aide, une faveur) avec insistance. ⇒ **Réclamer, solliciter.** *Implorer qqch. de qqn* (→ Équipée, cit. 5), *auprès de qqn. Implorer du secours, de l'aide, une aide. Implorer l'appui* (cit. 28), *le secours d'autrui* (→ Enfant, cit. 3), *l'assistance* (cit. 10) *de qqn.* ⇒ **Déprécation, obsécration.** *Nous venons implorer votre aide* (→ Adresser, cit. 4). *Implorer l'aide* (cit. 3), *la bénédiction* (cit. 3) *d'un dieu, la miséricorde de Dieu* (→ Délivrer, cit. 5). *Ils implorèrent la pitié, la merci de leurs vainqueurs. Implorer la clémence* (cit. 2), *l'indulgence* (→ Fuir, cit. 3). *N'implorez de l'opinion ni charité ni indulgence* (→ Élasticité, cit. 7).

Au moins, par vos bontés, qu'à vos genoux j'implore, 2
Sauvez-moi du tourment d'être à ce que j'abhorre (...) MOLIÈRE, Tartuffe, IV, 3.

(...) ces empereurs qui venaient à genoux implorer le pardon d'un pontife (...) 3
CHATEAUBRIAND, Mémoires d'outre-tombe, t. V, p. 96.

J'implorai d'elle un rendez-vous, 4
Le soir, sur une route obscure. BAUDELAIRE, les Fleurs du mal, « Le vin », CVI.

Implorer (de qqn) que... (et subjonctif).

♦ **3.** Absolt. *Il implorait sans résultat.* — En incise. *Pitié, implorait-il...*

(...) il demande sans habileté, sans fierté, sans ironie; il demande et il ne sait pas 5
demander. Il implore; il presse; il y revient, insiste, détaille ses besoins (...)
GIDE, Dostoïevski, p. 11.

CONTR. Repousser.
DÉR. Implorable, implorant, implorateur, imploration.

IMPLOSER [ɛ̃ploze] v. intr. — V. 1960; de *im-* (→ 2. In-), et *exploser.*

♦ Techn. Faire implosion. *Son téléviseur a implosé.*

Vous savez ce qu'on dit d'un poste de télé : qu'il implose... Il faudrait, voyez-vous, 1
quelque chose comme cela, quelque chose qui implose et qui soit notre monde : mon propre immeuble peut-être.
Maurice CLAVEL, le Tiers des étoiles, p. 36.

Peter se précipita sur le chien en bois et le jeta dans le récepteur. Le tube catho- 2
dique implosa. Du verre pilé chaud, des lampes, des transistors, des bouts de ferraille et de matière plastique giclèrent bruyamment. Le tuner rebondit contre le mur. J.-P. MANCHETTE, Folle à tuer, p. 35.

IMPLOSIF, IVE [ɛ̃plozif, iv] adj. et n. f. — 1888, *in* T. L. F.; angl. *implosive* (1877), de *im-* (→ 2. In-), et *explosive.*

♦ **1.** Phonét. Se dit d'une consonne qui se trouve avant le noyau vocalique dans la syllabe. — Se dit d'une consonne glottalisée produite sans expiration, avec une légère entrée de l'air (opposé à *éjectif*). → Implosion, cit. 1.

N. f. *Une implosive :* une consonne implosive.

♦ **2.** Relatif à l'implosion (2.). *Phénomènes implosifs.*

IMPLOSION [ɛ̃plozjɔ̃] n. f. — 1897, au sens 1, Abbé Rousselot; de *im-* (→ 2. In-), et *(ex)plosion.*

Didactique ou technique.

♦ **1.** Phonét. Première phase de l'émission d'une consonne occlusive.

Quand on prononce un groupe *appa,* on perçoit une différence entre les deux *p,* 1
dont l'un correspond à une fermeture, le second à une ouverture (...) On a appelé la fermeture *implosion* et l'ouverture *explosion*; un *p* est dit implosif ou explosif.
F. DE SAUSSURE, Cours de linguistique générale, p. 80 (av. 1915).

♦ **2.** (V. 1960). Phys. Explosion ou série d'explosions dirigées vers l'intérieur. *« L'implosion des bombes H, c'est-à-dire une série d'explosions dirigées vers l'intérieur pour précipiter brusquement les matériaux fissiles les uns contre les autres » (Science et Vie,* no 571, p. 72).

Irruption très brutale d'un fluide dans une enceinte dont la pression est beaucoup plus faible que la pression extérieure. *Implosion d'un tube à vide, d'un tube de télévision. « Pendant les jours ou les semaines qui précèdent l'implosion* (d'un poste de télévision) *l'image augmente d'intensité lumineuse et s'élargit excessivement » (France-Soir,* 24 sept. 1968). *Une violente implosion. Faire implosion.* ⇒ **Imploser.**

Par extension :

Un vent léger, un rien, pouvait déclencher à chaque seconde l'incendie (...) don- 2
ner le signal de départ d'un cataclysme infini, d'une implosion où toutes les choses entreraient en elles-mêmes, s'évanouiraient, disparaîtraient dans un gouffre de violences enchaînées. J.-M. G. LE CLÉZIO, la Fièvre, p. 21.

Astron. Effondrement d'une masse gazeuse (étoile), lorsque les pressions internes sont insuffisantes pour équilibrer les pressions externes.

IMPLOYABLE [ɛ̃plwajabl] adj. — XVIe (1552, concret; au fig., 1549); de *im-* (→ 1. In-), et *ployable*.*

♦ Qu'on ne peut ployer, fléchir. — (1580). Figuré. (Vx) :

(...) une âme forte et imployable, ayant en affection et en honneur une vigueur mâle et obstinée. MONTAIGNE, Essais, I, 1.

IMPLUVIUM [ɛ̃plyvjɔm] n. m. — 1837, Dumas; mot lat., de *impluere* «pleuvoir dans», de *im-* (→ 2. In-), et *pluere* «pleuvoir».

♦ Antiq. rom. Bassin creusé au milieu de l'atrium* des maisons romaines pour recueillir les eaux de pluie. *Des impluviums.*

1 Ce sont de véritables préaux, peut-être un souvenir de l'atrium des romains. On y retrouve en quelque sorte le prothyrum et le cavoedium; le puits du milieu y tient évidemment la place de l'impluvium.
G. SAND, Un hiver au midi de l'Europe, *in* Revue des Deux-Mondes, XXV, p. 501.

2 Une petite villa dans le goût de Pompéï avec un impluvium et une cella, quelque chose comme la maison du poète tragique.
NERVAL, Promenades et souvenirs, I (1841).

IMPOLARISABLE [ɛ̃pɔlaʀizabl] adj. — Av. 1878, Chaveau, *in* Littré *Suppl.*; de *im-* (→ 1. In-), et *polarisable, de polariser.*

♦ Électr. Qui ne peut être polarisé. *Piles impolarisables.* « *Les applications principales des piles impolarisables à un seul liquide de MM. Buchin et Tricoche sont la galvanoplastie, la lumière électrique, les sonneries et les signaux* » (*Année sc. et industr.* 1886, p. 114, 1885).

CONTR. Polarisable.

IMPOLI, IE [ɛ̃pɔli] adj. — 1588, Montaigne; «peu orné», 1380; de *im-* (→ 1. In-), et *poli**.

♦ **1.** Vx. Qui n'est pas civilisé, qui est fruste*, grossier (3.). ⇒ **Rude.**

1 (...) cette tourbe rustique d'hommes impolis (...) MONTAIGNE, Essais, III, XII.

♦ **2.** (1679). Qui manque, volontairement ou non, à la politesse*. ⇒ **Discourtois, grossier** (4.), **incivil, inconvenant, incorrect, malhonnête, poli** (mal), **gêne** (sans). *Enfant impoli qui tient tête à ses parents.* ⇒ **Impertinent, insolent, irrespectueux, irrévérencieux.** *Il est impoli, il n'a que de gros mots à la bouche* (→ Mal embouché*). *Homme impoli avec les femmes.* ⇒ **Goujat.** *Être impoli envers qqn.* ⇒ **Manquer** (à). *Ne l'invitez pas, il est trop impoli.* ⇒ **Désagréable.**

2 Comme il était révérencieux, et comme, un moment après, il était violent, emporté, bourru, impoli! DIDEROT, Lettre à Mlle Volland, 25 nov. 1760.

N. *Quel impoli! Vous êtes un impoli.* ⇒ **Malappris, malotru** (→ Mal élevé*).

(1718; choses). Qui dénote un manque de politesse. *Langage impoli. Manières impolies.* ⇒ **Impolitesse.** *C'est très impoli à vous de ne pas lui répondre. Il est impoli d'arriver en retard à un rendez-vous. C'est très impoli.*

3 (...) je me suis toujours révolté contre cette coutume impolie qu'ont prise plusieurs jeunes gens d'appeler par leur simple nom des auteurs illustres qui méritent des égards.
VOLTAIRE, Mélanges littéraires, Aux auteurs du nouvelliste du Parnasse.

CONTR. Affable, civil, courtois, élevé (bien), **galant, honnête** (vieilli), **obséquieux, poli, respectueux, révérencieux.**
DÉR. Impoliment.

IMPOLIMENT [ɛ̃pɔlimɑ̃] adv. — 1761, Rousseau; de *impoli.*

♦ D'une manière impolie; avec impolitesse. *Répondre impoliment. Il a été impoliment moqueur.*

Faut-il quitter impoliment sans lui rien dire? faut-il lui déclarer le sujet de ma retraite? ROUSSEAU, Julie ou la Nouvelle Héloïse, I, Lettre I.

CONTR. Poliment.

IMPOLITESSE [ɛ̃pɔlitɛs] n. f. — 1646, Vaugelas, cf. Vaugelas en 1687, «*je m'apperçoy qu'impolitesse commence fort à s'établir*»; de *im-* (→ 1. In-), et *politesse**.

♦ **1.** Manque de politesse*; faute volontaire ou involontaire contre les règles du savoir-vivre. ⇒ **Grossièreté** (cit. 6), **incivilité, inconvenance, incorrection, malhonnêteté, sans-gêne.** *Sa franchise* (cit. 8) *frise l'impolitesse. Savoir prendre congé sans impolitesse.* ⇒ **Impoliment.** *Rabrouer, traiter qqn avec impolitesse.* ⇒ **Brutalité** (→ Citadelle, cit. 2). *Il est d'une impolitesse choquante envers les femmes.* ⇒ **Goujaterie.** *Gamin mal élevé qui répond avec impolitesse.* ⇒ **Impertinence, insolence, irrévérence.**

Marcher sur le pied de quelqu'un est violence si on le fait volontairement; si c'est involontairement, c'est impolitesse. ALAIN, Propos, Savoir-vivre.

Par ext. Caractère de ce qui est impoli. *L'impolitesse d'un procédé, d'une réponse. Je ne supporte pas l'impolitesse de son attitude.*

♦ **2.** (1694). *Une, des impolitesses.* Acte, manifestation d'impolitesse. *Commettre une impolitesse légère, grave, impardonnable. Il ne sait dire que des impolitesses.* ⇒ **Goujaterie.** *J'en ai assez de ses impolitesses.* ⇒ **Muflerie.**

CONTR. Civilité, correction, éducation, égard, galanterie, honnêteté (vieilli), **politesse, savoir-vivre.**

IMPOLITIQUE [ɛ̃pɔlitik] adj. — 1738, d'Argeusan; de *im-* (→ 1. In-), et *politique**.

♦ Rare. Qui est contraire à la bonne politique; qui manque d'habileté, d'opportunité. ⇒ **Inopportun, maladroit.** « *Ce qui est immoral* (cit. 2) *est impolitique* » (Robespierre).

Je suis bon Français *(dit le duc de Vicence)*; je l'ai prouvé: je le prouverai encore, en répétant que cette guerre est impolitique, dangereuse, qu'elle perdra l'armée, la France et l'empereur.
CHATEAUBRIAND, Mémoires d'outre-tombe, t. III, p. 198.

DÉR. Impolitiquement.
CONTR. Politique.

IMPOLITIQUEMENT [ɛ̃pɔlitikmɑ̃] adv. — 1791; de *impolitique.*

♦ Littér. D'une manière impolitique (Sainte-Beuve, *in* T. L. F.). Par ext. Maladroitement.

IMPOLLU, UE [ɛ̃pɔly] adj. — Av. 1475; lat. *impollutus*, de *im-* (→ 1. In-), et *pollutus* «souillé».

♦ Vx. Pur, sans tache (Martin du Gard, *in* T. L. F.).

IMPOLLUABLE [ɛ̃pɔlɥabl] adj. — XXe; de *im-* (→ 1. In-), *polluer*, et suff. *-able.*

♦ Rare. Qui ne peut être pollué.

(...) en relevant les yeux ne découvrant que le visage d'ange, la transparente auréole des cheveux blonds, la jeune chair impétueuse, impolluée, impolluable, et alors les rabaissant précipitamment (...) puis regardant Corinne de nouveau...
Claude SIMON, la Route des Flandres, p. 126 (1960).

IMPOLLUÉ, ÉE [ɛ̃pɔlɥe] adj. — 1794; *impolut*, 1508; de *im-* (→ 1. In-), et *pollué*, d'après le lat. *impollutus*; de *im-* (→ 1. In-), et *pollué.*

♦ Rare. Qui n'est pas pollué (⇒ **Impolluable,** cit.).

La nuit sidérale, impolluée, le noir absolu, lisse, vide, stérile.
BERNANOS, la Joie, *in* Œ. roman., Pl., p. 642.

CONTR. Pollué.

IMPONDÉRABILITÉ [ɛ̃pɔ̃deʀabilite] n. f. — 1834; de *impondérable.*

Didactique.

♦ **1.** Phys. Caractère de ce qui est impondérable.

♦ **2.** (1962). ⇒ **Apesanteur.**

IMPONDÉRABLE [ɛ̃pɔ̃deʀabl] adj. — 1795; de *im-* (→ 1. In-), et *pondérable**.

♦ **1.** Didact. (phys.). Qui ne peut être pesé, qui n'a pas de poids appréciable, ne produit aucun effet notable sur l'instrument le plus sensible. *Particules impondérables.* Phys. anc. *Fluides* (cit. 9) *impondérables* (chaleur, électricité, lumière...). → Impénétrabilité, cit. 3, Bergson. — Par exagér. ⇒ **Impalpable, léger, subtil.**

Les lois de votre Statique sont souffletées par mille accidents de la physique, car 1
un fluide renverse les plus pesantes montagnes, et vous prouve ainsi que les substances les plus lourdes peuvent être soulevées par des substances impondérables.
BALZAC, Séraphita, Pl., t. X, p. 551.

Sous la dénomination générale d'impondérables, on peut grouper un ensemble de 2
substances qui possèdent la remarquable propriété d'intervenir de façon active dans la digestion, la nutrition et la croissance (...) tout en n'agissant qu'à doses infinitésimales. (*En note :* Si nous employons ce terme *(impondérables)*, incorrect à propos de substances que l'on peut aujourd'hui peser et doser, du moins en partie, c'est pour mieux faire ressortir leur volume infinitésimal, relativement à leur extraordinaire activité). P. VALLERY-RADOT, Notre corps, VIII, p. 98.

♦ **2.** (1883, Rollinat). Abstrait. Dont l'action, quoique déterminante, ne peut être exactement appréciée ni prévue. *Facteurs* impondérables* (→ Emporter, cit. 34). — N. m. *L'impondérable :* ce qui est impondérable. — Plus cour. *Les impondérables.* « *Les impondérables de la politique* » (d'après Bismarck). *Le poids des impondérables* (Académie).

Nulle part, l'impondérable n'est si puissant que dans nos élections. 3
VALÉRY, Regards sur le monde actuel, p. 293.

CONTR. Pesant, pondérable; lourd.
DÉR. Impondérabilité.

IMPONDÉRÉ, ÉE [ɛ̃pɔ̃deʀe] adj. — 1834; de *impondérable*, par substitution de suffixe.

♦ **1.** Phys., vx. Impondérable.

♦ **2.** Littér., rare. « *Une petite ombre falote, légère, impondérée* » (Daudet, *le Nabab*).

IMPOPULAIRE [ɛ̃pɔpylɛʀ] adj. — 1780; de *im-* (→ 1. In-), et *populaire**.

♦ **1.** (Personnes). Qui déplaît au peuple, lui inspire de la défiance (→ Ébahir, cit. 2). *Un ministre impopulaire. Il est devenu impopulaire, son image* est mauvaise, les sondages lui sont défavorables. — Un gouvernement impopulaire* (→ Autant, cit. 21). — Par anal. Qui est mal vu* (dans tel milieu). *Sa vanité l'a rendu impopulaire parmi ses confrères.*

Ce que j'aime de lui, c'est que s'il devient ministre un jour, il mettra sa gloire à être impopulaire. Je ne connais pas d'être qui jette le gant à l'Opinion mieux que lui. BARBEY D'AUREVILLY, Une vieille maîtresse, II, XVIII, p. 365.

Talleyrand disait un jour à Lamartine : « Mirabeau était un grand homme, mais il lui manquait le courage d'être impopulaire. Sous ce rapport, voyez, je suis plus homme que lui : je livre mon nom à toutes les interprétations et à tous les outrages de la foule. On me croit immoral et machiavélique, je ne suis qu'impassible et dédaigneux. » SAINT-AULAIRE, Talleyrand, p. 386.

Rien n'était donc plus facile que de rendre impopulaire aux habitants de Ribamourt un homme qu'ils n'avaient jamais aimé. P.-J. TOULET, la Jeune Fille verte, V, p. 175.

♦ **2.** (Choses). *Décret, loi impopulaire. Guerre impopulaire. Des mesures fiscales très impopulaires. Attitude impopulaire. Caractère impopulaire.* ⇒ **Impopularité.**

CONTR. Populaire.
DÉR. Impopulairement.

IMPOPULAIREMENT [ɛ̃pɔpylɛʀmɑ̃] adv. — 1835, Lamartine, *in* T. L. F.; de *impopulaire.*

♦ Rare. De manière impopulaire.

IMPOPULARITÉ [ɛ̃pɔpylaʀite] n. f. — 1780; de *im-* (→ 1. In-), et *popularité**.

♦ Caractère de ce qui est impopulaire. *L'impopularité du Directoire* (→ Discrédit, cit. 1). — *L'impopularité d'une doctrine* (→ Humanitarisme, cit. 2), *d'une décision, d'une mesure. L'impopularité d'une guerre, d'un conflit.*

(...) je ne voudrais pas affirmer toutefois que l'eau-forte soit destinée prochainement à une totale popularité. Pensons-y : un peu d'impopularité, c'est consécration. BAUDELAIRE, Curiosités esthétiques, XIII.

L'antipathie des esprits superficiels étant une marque sûre pour discerner les sages, les âmes fières croient voir dans l'impopularité une contre-épreuve de leur valeur morale. RENAN, Questions contemporaines, Œ. compl., t. I, p. 56.

(...) sans doute redoutait-il l'impopularité de cette guerre. ARAGON, les Beaux Quartiers, II, XX.

CONTR. Gloire, popularité, vogue.

IMPORT [ɛ̃pɔʀ] n. m. — 1907, Claudel; déverbal de *importer,* ou angl. *import,* spécialt « contenu, sens », de *to import* « importer ». → Import-export.

♦ Didact. Ce qu'apporte (un signe) en tant que signification.

Tous les vocables couchés aux pages de la nature ont pour elle une valeur propre, un sens indispensable, un import typique, sacramentel, une authenticité. CLAUDEL, Art poétique, Pl., p. 133.

1. IMPORTABLE [ɛ̃pɔʀtabl] adj. — 1802; de 1. *importer.*

♦ Rare. Qu'il est permis ou possible d'importer. *Denrée, produit importable.*

CONTR. Exportable; prohibé.
HOM. 2. Importable.

2. IMPORTABLE [ɛ̃pɔʀtabl] adj. — XXe; de 1. *im* (→ 1. In-), et *portable.*

♦ Impossible à porter (vêtement). ⇒ **Immettable.**

Je mettais toujours au-dessous de la pile le maillot qui avait rétréci, qui m'arrivait au nombril, importable maintenant, et je me demandais pourquoi je ne l'avais pas jeté. Jean HOUGRON, la Gueule pleine de dents, p. 331-332.

HOM. 1. Importable.

IMPORTANCE [ɛ̃pɔʀtɑ̃s] n. f. — Après 1361, Chastellain; ital. *importanza* (fin XIVe), selon Wartburg, de *importare;* du lat. *importare.* → Importer.

♦ **1.** Caractère de ce qui est important* (relativement à une norme, à un point de comparaison). ⇒ **Intérêt, valeur.** *L'importance intrinsèque d'un fait* (→ Accident, cit. 4). *Calculer* (cit. 5), *mesurer l'importance d'un événement.* ⇒ **Étendue, gravité, portée** (→ Gouvernement, cit. 29). *Événements d'importance inégale* (→ Catégorie, cit. 5). *On peut juger de l'importance de cette cérémonie par...* (→ Exorbitant, cit. 3). *L'importance d'un argument.* ⇒ **Poids** (→ Histoire, cit. 36). *N'oubliez pas de faire ressortir, de souligner l'importance de ce geste.* ⇒ **Valoir** (faire). *Importance de la mémoire.* ⇒ **Rôle** (→ Bref, cit. 9). — (Loc. avec *de*...). *Affaire de grande importance.* ⇒ **Considérable, important.** *Événement* (cit. 16) *de petite importance. Communication* (cit. 5) *de la plus haute importance. Un projet d'une telle importance.* ⇒ **Grandeur** (→ Balance, cit. 14). — *Offrir, présenter de l'importance. Être de peu d'importance* (→ Autorité, cit. 1), *d'une importance capitale** (→ Bulbe, cit. 2; épargne, cit. 8). *Avoir de l'importance* (→ Épreuve, cit. 6; gêner, cit. 14). *Je ne pensais pas que cela pouvait avoir une telle importance* (→ Grondement, cit. 5). *N'avoir pas d'importance* (→ Faire, cit. 65). *Il est de toute première importance que...* ⇒ **Chef** (il importe* au premier chef). — (Dans des constructions négatives). *Cela n'a aucune importance* (→ Hésiter, cit. 27), *c'est sans importance.* ⇒ **Rien** (cela ne fait rien). *Pas d'importance! Aucune importance! Cela n'a pas grande importance, c'est peu de chose* (→ Cela ne tire* pas à conséquence). — *Commerce qui prend de l'importance.* ⇒ **Essor, extension.** — *Apprécier, grossir, s'exagérer, nier l'importance de quelque chose.*

La grandeur d'un telle offense n'est pas dans l'importance des choses que l'on fait : elle est à transgresser les ordres qu'on nous donne (...) MOLIÈRE, le Sicilien, XV. 1

Les Fourbins ont une affaire de bien plus grande importance que celle-là, qui est celle du Petit Janson, qui a tué en duel le neveu de M. de la Feuillade (...) Mme DE SÉVIGNÉ, Lettres, 482, 25 déc. 1675. 2

(...) comme j'ai des choses à dire qui sont de la dernière importance pour la mémoire du défunt, je serais bien aise de ne les révéler qu'à sa discrète veuve. A. R. LESAGE, le Diable boiteux, IV. 3

Ces questions de langage me paraissent de haute importance. GIDE, Attendu que..., p. 46. 4

Par le nombre et l'importance des ouvrages, la langue française est la première des langues dites romanes. G. DUHAMEL, Refuges de la lecture, V. 5

Spécialt. Valeur numérique, quantitative. *Ville de moyenne importance. Importance variable des groupes* (cit. 9) *sociaux. Être renseigné sur l'importance des effectifs ennemis.* ⇒ **Force** (II., 1.).

(Fin XVe). Valeur que l'on attribue (à une chose) [en compl. de quelques verbes : *accorder, attacher, donner, prêter...*]. *Accorder* (cit. 21), *attacher* (cit. 36 à 38) *de l'importance, une importance primordiale à qqch.* ⇒ **Compte** (tenir compte de); **tenir** (à). → Dernier, cit. 3; famille, cit. 29. *N'attacher aucune importance à...* → N'avoir garde (cit. 60) de... *Il fait grand bruit* de sa conquête : c'est lui donner trop d'importance.* ⇒ **Prix.** *Importance donnée à l'étude* (cit. 29) *des mots* (→ Faire une large place* à).

(Les) querelles du jansénisme, auxquelles on attachait encore, il y a trente ans, quelque espèce d'importance. D'ALEMBERT, Éloge de Saint-Aulaire, Notes, Œ., t. III, p. 308. 6

Elle ne pouvait concevoir qu'on donnât tant d'importance à ce qui n'en avait point pour elle. ROUSSEAU, les Confessions, V. 7

Ce n'est rien, un méchant propos rien de plus. Il n'y a aucune importance à attacher à tout cela. A. DE MUSSET, Lorenzaccio, II, 1. 8

Une chose ne vaut que par l'importance qu'on lui donne. GIDE, Journal, 15 mai 1892. 9

L'Église, toujours si sage et si humaine, attache plus d'importance aux œuvres qu'à la foi. A. MAUROIS, les Disc. du Dr O'Grady, XXI. 10

Sociol. *Jugement d'importance :* jugement, basé sur un système de valeurs propre à chaque groupe social, qui accorde plus ou moins d'importance aux faits et aux objets de la culture.

♦ **2.** [a] (1662). Personnes. Autorité que confèrent (à une personne) un rang social élevé, des talents notoires, de grandes responsabilités. ⇒ **Crédit, influence, prestige.** *Cette place lui donne beaucoup d'importance* (Académie). *Longtemps le roi n'eut guère* (cit. 9) *plus d'importance qu'un duc ordinaire. Accorder, donner à qqn une importance qu'il n'a pas, qu'il ne mérite pas* (→ Faire grand cas* de...). *En agissant ainsi il veut se donner de l'importance.* — Vx. *D'importance. Un médecin d'importance, de classe** (→ Cure, cit. 3). *Faire l'homme d'importance* (→ Croire, cit. 72). ⇒ **Important** (faire l'). *Être gonflé, pénétré* de son importance. Prendre, se donner des airs d'importance.*

C'est une personne d'importance plus que vous ne pensez (...) il a été reçu (...) comme un seigneur d'importance. MOLIÈRE, le Bourgeois gentilhomme, III, 3; et cf. IV, 3. 11

De quelle importance, de quel éclat, de quelle réputation au dedans et au dehors d'être le maître du sort du prince de Condé? BOSSUET, Oraison funèbre de Michel Le Tellier. 12

(...) je suis devenu brusquement un grand avocat d'assises, comme disent les journaux. Plus j'étais enclin à croire à mon importance, plus tu me donnais le sentiment de mon néant (...) F. MAURIAC, le Nœud de vipères, I, I. 13

(Choses). *Un genre* (cit. 18) *artistique qui a perdu de son importance.* ⇒ **Force** (II., 3.).

[b] (1772). Péj. et vieilli. Orgueil d'une personne qui veut paraître plus qu'elle n'est. ⇒ **Arrogance, suffisance, vanité.** *Il a un ton d'importance qui m'exaspère.*

Plusieurs bons bourgeois, plusieurs grosses têtes, qui se croient de bonnes têtes, vous disent avec un air d'importance, que les livres ne sont bons à rien. VOLTAIRE, l'Homme aux quarante écus, X. 14

(...) j'ai entrevu de petits finauds de ministres de divers petits États, tout scandalisés du bon marché que je fais de mon ambassade : leur importance boutonnée, gourmée, silencieuse, marche les jambes serrées et à pas étroits : elle a l'air prête à crever de secrets, qu'elle ignore. CHATEAUBRIAND, Mémoires d'outre-tombe, t. V, p. 19. 15

♦ **3.** (1636). Loc. adv. Vieilli ou littér. **D'IMPORTANCE :** beaucoup, fortement, très fort (→ Dauber, cit. 3). *Battre, frotter, rosser qqn d'importance* (→ Bâton, cit. 1; bois, cit. 26). — REM. Cette locution ne s'emploie plus de nos jours qu'à propos de châtiments, de réprimandes.

Un ordre du chef de l'exploitation l'appelait à Paris, on venait de le sermonner d'importance. Heureux encore de n'y avoir pas laissé sa place. ZOLA, la Bête humaine, I. 16

D'importance, en adj. ⇒ **Conséquence** (de); **important.** *Affaire, opération d'importance* (→ 1. Bien, cit. 62; épointer, cit.). *L'erreur* *est d'importance.* ⇒ **Dimension, taille.** *Voilà qui est d'importance* → fam. Ce n'est pas de la petite bière*.

REM. Cette locution, très fréquente au XVIIe s. n'est plus employée de nos jours avec un adverbe de quantité *(assez, trop)* ni avec une négation (*« C'est un intérêt qui n'est pas d'importance »,* Molière).

17 C'est une nouvelle que l'on saura dans quatre jours ; elle est d'importance, et sera d'un grand poids pour le côté qu'elle sera.
Mme DE SÉVIGNÉ, Lettres, 368, 8 janv. 1674.

18 La révélation est d'importance (...) Émile HENRIOT, Portraits de femmes, p. 229.

CONTR. Futilité, insignifiance, médiocrité.

IMPORTANT, ANTE [ɛ̃pɔʀtɑ̃, ɑ̃t] adj. — 1476 ; ital. *importante* (XVe au superlatif), du lat. *importans,* de *importare.* → Importer.

★ **I.** (Choses ; en général postposé, en épithète ; l'antéposition est stylistique). Qui importe* ; qui a un grand intérêt, des conséquences notables ; qui est jugé comme tel selon les critères de la société. ⇒ **Considérable, grand.**

♦ **1.** (Qualitatif). *Occupations importantes* (→ Attacher, cit. 103 ; humainement, cit. 1). *D'importantes vérités* (→ Éminent, cit. 1 ; enveloppe, cit. 11). *Question importante* (→ Faire, cit. 33). *Un objet important* (→ Fer, cit. 9). *Assumer, jouer un rôle important* (→ Certainement, cit. 2). *Devoirs importants ; d'importants devoirs* ⇒ **Grave, sérieux.** *Exercer* (cit. 37) *une charge importante.* ⇒ **Haut** (→ Décent, cit. 1). *Une matière aussi* (cit. 32) *importante* (→ Glisser, cit. 32). *Une question extrêmement importante pour la vie de la nation.* ⇒ **Capital, essentiel, vital.** *Une affaire importante* (→ Entretenir, cit. 29). *Ne riez pas, c'est assez important pour qu'on en parle.* ⇒ **Valoir** (la peine que...). *Ce n'est qu'une bagatelle* (cit. 13) : *vous en faites une affaire trop importante !* ⇒ **État** (affaire d'). *Un secret important, un important secret. Le point important.* ⇒ **Crucial.** *Facteur* (cit. 3) *important.* ⇒ **Poids** (de). *Des progrès importants.* ⇒ **Appréciable, sensible.** *Il m'a rendu des services très importants.* ⇒ **Insigne.** *Date importante, événement* (→ Fable, cit. 2) *important.* ⇒ **Mémorable.** *Les circonstances les moins importantes en apparence* (→ Décider, cit. 3). *Rien d'important à signaler.* ⇒ **Intéressant, notable** (→ Ascendant, cit. 1). *Fouilles* (cit. 1) *qui amènent d'importantes découvertes.* — (Au superlatif relatif). ⇒ **Principal** (→ Contredire, cit. 5). *Ce sont les hommes* (cit. 143) *qui détiennent les postes les plus importants, les postes clés. La partie la plus importante de l'éducation* (→ Gymnase, cit. 2). ⇒ **Essentiel, fondamental, majeur.** *Le point le plus important d'un débat.* ⇒ **Vif** (le vif du débat). *L'examen* (cit. 3) *des questions les plus importantes. Le fait le plus important de l'histoire naturelle.* ⇒ **Dominant ; pierre** (angulaire) ; → Fixité, cit. 6. *L'acte le plus important du gouvernement en cette matière.* ⇒ **Décisif.** *C'est le chapitre le plus important de l'ouvrage.* ⇒ **Substantiel.** *La pièce la plus importante d'une exposition,* la pièce maîtresse (→ Beau, cit. 119).

1 Il est possible qu'à ceux qui emploient bien le temps, la science et l'expérience croissent avec la vie ; mais la vivacité, la promptitude, la fermeté, et autres parties bien plus nôtres, plus importantes et essentielles, se fan(iss)ent et s'alanguissent.
MONTAIGNE, Essais, I, LVII.

2 (...) il n'est jamais permis aux particuliers de demander la mort de personne (...) la vie des hommes est trop importante, on y agit avec plus de respect (...)
PASCAL, les Provinciales, XIV.

3 De soins plus importants je l'ai crue agitée (...) RACINE, Andromaque, I, 2.

4 (...) la mort, qui est la plus importante action de notre vie (...)
Mme DE SÉVIGNÉ, Lettres, 1008, 15 janv. 1687.

5 (...) notre habitude de traiter sérieusement les choses les plus futiles, et de tourner les plus importantes en plaisanterie (...)
D'ALEMBERT, Éloge de Montesquieu, Œ., t. III, p. 442.

6 J'ai entre les mains des papiers importants qui la concernent, qui ne peuvent être confiés à personne, et que je ne dois ni ne veux remettre qu'entre ses mains.
LACLOS, les Liaisons dangereuses, Lettre CXX.

7 (...) dans certains milieux, on ne dit plus d'un roman ou d'un poème qu'il est beau ou plaisant ou émouvant. On prend une voix riche et soucieuse pour conseiller : « Lisez-le : c'est très *important* ». Important, comme un discours de Poincaré (...) comme l'interview d'un leader travailliste. Imaginez Mme de Sévigné écrivant à sa fille : « J'ai vu *Esther :* c'est très important. » Les littérateurs vont-ils devenir des importants ? SARTRE, Situations II, p. 35.

IMPORTANT À (et inf.), POUR (qqch. ou qqn). ⇒ **Utile.** *C'est important à savoir. Rien n'est plus important à savoir. Rien n'est plus important pour vous* (→ Hésiter, cit. 14). ⇒ **Nécessaire.**

8 Je voudrais qu'un homme judicieux nous donnât un traité de l'art d'observer les enfants. Cet art serait très important à connaître : les pères et les maîtres n'en ont pas encore les éléments. ROUSSEAU, Émile, III.

Vx. *Important à qqn* (mod. *pour qqn*), qui le concerne. *On vous a montré ce qui vous était important* (→ Histoire, cit. 1).
Cela seul est important (→ 1. Être, cit. 51). ⇒ **Compter,** 2. **importer.** *Le présent seul est important* (→ Encombrer, cit. 6).

Impers. *Il est important de,* suivi de l'inf. *Il est important que,* suivi du subj. *Il est important d'agir vite, que nous agissions vite.*

9 (...) je me mêle de lui apprendre les manèges des conversations ordinaires, qu'il est important de savoir (...) Mme DE SÉVIGNÉ, Lettres, 1102, 10 déc. 1688.

10 Il est important que l'on confronte tous les témoins (...)
VOLTAIRE, Politique et Législation, Procédure criminelle (→ Confrontation, cit. 1).

N. m. (1792). Ce qui importe. *L'important est de,* suivi d'un inf. *L'important est que,* suivi d'un subj. ⇒ **Tout** (le tout). *L'important est de savoir vivre avec ses maux* (→ Guérir, cit. 33). *L'important est qu'il vienne vite. L'important, c'est... C'est là l'important.* — *Parer au plus important.* ⇒ **Pressé, urgent.** *Le plus important est fait.* → Voilà un grand point* de gagné, une bonne chose de faite.

L'important n'est pas de savoir ce qui est vrai ou ce qui est faux (...)
Edmond JALOUX, les Visiteurs, VIII. 11

Mais l'important m'effraie, renfermé comme il est en ses frontières ; attentif à lui comme centre (...) ALAIN, les Passions et la Sagesse, Pl., p. 598. 11.1

♦ **2.** (Quantitatif ; en général postposé). ⇒ **Fort, grand, gros.** *Un nombre important de milliards* (→ Réévaluation, cit.). *Héritage important, somme importante.* ⇒ **Beau, élevé.** *Une importante majorité. Importante proportion. Les stocks importants constitués par un grossiste* (cit.). *La section la plus importante du monde anglo-saxon* (→ Garant, cit. 7). *Retard important du courrier* (cit. 5). → Beaucoup* de retard. *Il est pour une part importante dans ce résultat.* ⇒ **Beaucoup** (pour).

Il en vint à exhaler toute son amertume contre le testament de son beau-père. Comprenait-on cela ? des legs si nombreux, si importants, qu'ils atteignaient presque la moitié de la fortune (...) ZOLA, la Bête humaine, p. 110. 12

REM. Souvent *important* est utilisé en un sens à la fois qualitatif et quantitatif. *Savant qui fournit une importante contribution aux recherches linguistiques. L'humanisme* (cit. 7) *réserve une place importante aux études littéraires. Exploration* (cit. 2) *qui donne d'importants résultats.* — *Produit qui tient une importante place, une place importante dans l'industrie alimentaire* (→ Fécule, cit. 2), *auquel on assure un débouché important* (→ Fonte, cit. 3). ⇒ **Large.**

(...) ce livre a fait partie du choix des douze meilleurs romans élus pour une nouvelle collection qui s'annonce assez importante. GIDE, Ainsi soit-il, p. 17. 13

★ **II.** (Fin XVIe). Personnes. ♦ **1.** (Plus souvent antéposé). Qui a de l'importance* par sa position, sa situation. ⇒ **Considérable, influent.** *D'importants personnages.* ⇒ **Grand** (cit. 46), **haut ; gros** (n. m.), **notable ; personnalité ;** fam. **bonnet** (gros bonnet), **huile ;** argot **grossium ;** → Gredin, cit. 1. *Un important commanditaire.* ⇒ **Gros** (→ Fonds, cit. 4). *C'est un monsieur tout ce qu'il y a de plus important* (→ fam. Ce n'est pas de la petite bière*). *Devenir important.* ⇒ **Quelqu'un.** *Se prendre pour qqn d'important.* ⇒ **Chose** (se croire quelque). → Gober (se).

Comme si d'occuper ou plus ou moins de place 14
Nous rendait, disait-il, plus ou moins importants. LA FONTAINE, Fables, VIII, 15.

Cette Mme Tambonneau était riche, bien logée et meublée, et avait trouvé le moyen de voir chez elle la meilleure et la plus importante compagnie de la cour et de la ville sans donner à jouer ni à manger. SAINT-SIMON, Mémoires, I, XXVII. 15

♦ **2.** (XVIIIe). Péj. (En parlant des airs, des manières de celui qui croit ou veut faire croire à son importance ; toujours postposé, en épithète). ⇒ **Arrogant** (cit. 7, La Bruyère), **infatué, vain.** *Prendre, se donner des airs importants.* ⇒ **Affecté, avantageux, glorieux, gourmé.**

Puis il passa vivement, d'un air important et pressé, comme s'il allait rédiger aussitôt une dépêche de la plus extrême gravité. MAUPASSANT, Bel-Ami, p. 69. 16

N. m. (1651 ; *faire de l'important,* av. 1630). *Faire l'important :* ⇒ **Affecter** (de grands airs), **pontifier, rengorger** (se), **trôner ; monsieur** (faire le), **volume** (faire du). *Ce n'est pas la peine de faire l'important ; on te connaît.*

CONTR. Accessoire, anodin, bas, dérisoire, frivole (cit. 5), **futile, insignifiant, léger, maigre, ordinaire, vain. — Bagatelle, bêtise, broutille, détail, vétille.**

IMPORTATEUR, TRICE [ɛ̃pɔʀtatœʀ, tʀis] n. et adj. — 1756 ; de 1. *importer.*

♦ **1.** Personne qui fait le commerce* d'importation. *Importateur de fruits et légumes. Importateur de produits exotiques. Importateur-exportateur,* qui fait de l'import-export*. Adj. *Firme importatrice. Pays importateur,* qui importe. ⇒ **Client.**

(Des richesses) que le pays importateur pourrait produire s'il le fallait, mais qu'il ne pourrait produire qu'avec plus de peine et plus de frais que le pays d'origine, parce que celui-ci se trouve dans des conditions de supériorité naturelle ou acquise (...) En ce cas, l'avantage de l'importation consiste dans l'*économie de travail* réalisée par le pays importateur et se mesure par la différence entre le prix à payer pour la marchandise importée et le prix auquel elle reviendrait s'il fallait la produire sur place. Charles GIDE, Cours d'économie politique, II, p. 22.

♦ **2.** Fig. Personne qui introduit une chose nouvelle (dans un pays, un lieu). *L'importateur d'une coutume.*

CONTR. Exportateur.

IMPORTATION [ɛ̃pɔʀtasjɔ̃] n. f. — 1734, *in* Brunot ; angl. *importation,* de *to import,* de même orig. que *importer.* → 1. Importer.

♦ **1.** Action d'importer, de faire entrer dans un pays (des marchandises, des produits, etc., provenant d'autres pays). *L'importation d'un produit par un pays, par un industriel. Une importation massive de... Importation de marchandises prohibées. Importation de devises.* → Banquier, cit. 3. *Importation de produits alimentaires, manufacturés...* — Au plur. *Augmentation, diminution des importations de tel produit en provenance de l'étranger, des territoires d'outre-mer.* — Sans compl. *Balance* des importations et des exportations* (cit. 5). ⇒ **Commerce** (extérieur). *Réduction, des* *achats à l'étranger par le contingentement, la limitation des importations. Prohibition d'importations. Importation en franchise. Importation soumise aux droits de douane* (cit. 1). *Importation en contrebande, sans déclaration. Licence* d'importation. Articles d'importation. Avantages de l'importation* (→ Importateur, cit.). *Pays tributaire des importations.*

1 En période d'équipement et de construction d'une économie, les considérations de besoins l'emportent sur celles de disponibilités. L'acte essentiel pour la réalisation du plan est l'importation. Il s'agit d'assurer à l'économie nationale les matières premières et des produits de consommation essentiels qui lui manquent (...)
P. GEORGE, les Grands Marchés du monde, p. 51-52.

♦ **2.** (1780, Raynal). Ce qui est importé. *Une importation d'origine étrangère. Importations de luxe. Coût des importations.* — Par métaphore :

2 Les églises gothiques dans le Midi ne sont que des importations très mal assorties avec les êtres qui les peuplent et avec le ciel d'un bleu véhément qui les gâte.
HUYSMANS, la Cathédrale, III.

♦ **3.** **a** Action d'introduire (une race animale, une espèce végétale) dans un pays pour l'y acclimater. *L'importation de la pomme de terre en Europe.* — *D'importation* (et adj.). *La chèvre angora, d'importation assez récente en France.*

Par anal. Transport (d'une maladie contagieuse) d'un pays dans un autre. *L'importation du choléra en Europe* (Littré). *L'importation de la myxomatose en France.*

b (1770, cit.). Action d'introduire (qqch.) de l'étranger. ⇒ **Apport, introduction.** *L'importation de modes, de thérapeutiques étrangères. Danse de fraîche importation* (→ Cake-walk, cit. 2).

3 Il me paraît qu'on maltraite un peu en France les pensées et les bourses. On craint l'exportation du blé et l'importation des idées.
VOLTAIRE, Lettre à Chabanon, 3689, 28 sept. 1770.

CONTR. Exportation.

1. IMPORTER

1. IMPORTER [ɛ̃pɔʀte] v. tr. — 1369, en Normandie; 1382, t. de fin., puis 1396; ital. *importare;* repris 1669, Colbert, angl. *to import* (1508), du lat. *importare.*

♦ **1.** Introduire sur le territoire national (des produits en provenance de pays étrangers) → Fréter, cit. 1; importateur, cit. *La France importe du café, du coton, des machines... qu'elle achète à l'étranger.* — Absolt. *Importer en contrebande.* — Pron. (réfl.). *Les bois de Norvège s'importent en France.* — Au p. p. :

1 Il va de soi que le commerçant qui importe des marchandises devra ajouter à la valeur d'origine de cette marchandise le montant des droits payés à la douane (...) si la majoration de prix ne portait que sur les marchandises importées, ce ne serait que peu de chose, mais cette même majoration se répercute nécessairement sur toutes les marchandises similaires produites dans le pays parce que naturellement leurs producteurs ne veulent pas les vendre à un prix inférieur à celui des marchandises importées. Charles GIDE, Cours d'économie politique, II, p. 37-38.

♦ **2.** (1893). Introduire dans un pays (une race animale, une espèce végétale pour l'y acclimater). *Le crosne a été importé du Japon.*

♦ **3.** Introduire qqch. d'étranger. *Importer un brevet de fabrication, de la main-d'œuvre.* — Fig. *Importer une habitude, une mode dans son pays.* ⇒ **Rapporter.** — Au p. p. *L'anglo-normand, idiome importé en Angleterre par Guillaume le Conquérant* (→ Français, cit. 14). *La habanera, danse importée de La Havane.*

2 (...) les deux mots importés par madame de Staël *(classique* et *romantique...)*
HUGO, Odes et ballades, Préface de 1824.

3 Elle fut accusée (...) de vouloir importer sur des habitudes d'outre-Rhin et d'outre-Pyrénées, des castagnettes, des éperons, des talons de bottes (...)
BAUDELAIRE, la Fanfarlo.

▶ **IMPORTÉ, TÉE** p. p. adj. (Au p. p. → ci-dessus, cit. 1 et 2). Adj. *Marchandises importées.* → D'importation. — *Espèces, plantes importées et autochtones. Habitude importée, mal acclimatée.*

CONTR. Exporter.
DÉR. Importable, importateur.
COMP. Réimporter.

2. IMPORTER

2. IMPORTER [ɛ̃pɔʀte] v. intr. et tr. ind. — 1536, Rabelais «nécessiter, comporter»; ital. *importare,* du lat. *importare* «porter dans», de *im-* (→ 2. In-), et *portare,* et par ext. «causer, entraîner».

REM. *Importer* ne s'emploie qu'à l'infinitif, au participe présent et aux troisièmes personnes.

♦ **1.** (Choses). **IMPORTER À** (**qqn,** ou, vieilli ou littér., **qqch.**) : avoir de l'importance*, présenter de l'intérêt pour qqn ou pour qqch. ⇒ **Intéresser.** *Cette affaire* (cit. 7) *t'importe. Une chose qui nous importe si fort* (→ Âme, cit. 29). *Le passé m'importe moins que le futur* (cit. 2). *Cela ne nous importait guère* (→ Hâle, cit. 4).

1 Allez : cet ordre importe au salut de l'Empire. RACINE, Britannicus, II, 1.

2 (...) la nature se moque des individus. Pourvu que la grande machine de l'univers aille son train, les cirons qui l'habitent ne lui importent guère.
VOLTAIRE, Lettre à Mme du Deffand, 3278, 8 févr. 1768.

3 Nymphes! si vous m'aimez, il faut toujours dormir! (...)
Votre sommeil importe à mon enchantement (...)
VALÉRY, Poésies, «Charmes», Fragm. du Narcisse, I, p. 135-136.

Absolt. ⇒ **Compter; important** (être). *La seule chose qui importe* (→ Affranchissement, cit. 2). *Ce qui importe avant tout* (→ Borne, cit. 16). *Cela importe peu* (→ Cohérence, cit. 3).

La pureté du dessin, la force ou la finesse du modelé, l'harmonie de la couleur, l'imitation de la nature, idéalisée par le style, importent autrement que la curiosité ou le choix du fait. Th. GAUTIER, Portraits contemporains, p. 295. 4

Qu'est-ce qui importe en ce monde, sinon de faire naître le bonheur sur un beau visage? A. MAUROIS, Bernard Quesnay, XXXI. 5

(1611). Impers. *Il importe de,* suivi d'un inf. *Il importe de ne pas heurter* (cit. 16) *la vérité. Les femmes* (cit.) *dont il lui importait d'être aimé.* — (1636). *Il importe que,* suivi d'un subj. (→ Fonder, cit. 26). *Il importait qu'il vînt seul.*

Il m'importe qu'on soit une fois éclairci à fond de vos déportements. 6
MOLIÈRE, George Dandin, III, 6.

Tout cela nous est inutile à savoir pour en sortir; et tout ce qu'il nous importe de connaître est que nous sommes misérables, corrompus, séparés de Dieu, mais rachetés par Jésus-Christ (...) PASCAL, Pensées, VIII, 560. 7

Il n'importe pas que le czar se soit enivré (...) il importe de connaître un pays qui a vaincu les Suédois et les Turcs (...) 8
VOLTAIRE, Lettre à d'Argental, 1493, 19 août 1757.

(...) elle *(la maladie)* risque de tuer la moitié de la ville avant deux mois. Par conséquent, il importe peu que vous l'appeliez peste ou fièvre de croissance. Il importe seulement que vous l'empêchiez de tuer la moitié de la ville. 9
CAMUS, la Peste, p. 62.

Il importe, suivi d'une interrogative indirecte. *Il m'importe assez peu par qui je suis gouverné* (cit. 31, Renan).

REM. En ce cas, la construction avec le subjonctif est vieillie. On ne dirait plus comme Montesquieu (*Dissertation sur la politique des Romains,* XI) : *«À un homme qui n'a rien, il importe assez peu, à certains égards, en quel gouvernement il vive.»*

Cet emploi impersonnel a donné naissance dans la langue populaire du XIXe s. à un pronominal aberrant : *«Je m'importe peu que tu tombes ou que tu ne tombes pas»* (Henri Monnier, *Scènes populaires,* t. I, p. 112).

♦ **2.** (Dans des locutions interrogatives ou négatives de valeur ou de forme marquant l'indifférence à l'égard d'une chose, le peu de cas qu'on en fait).

QU'IMPORTE? loc. interrog.; **QU'IMPORTE!** loc. exclam. ; **PEU IMPORTE** (loc. affirmative de forme mais où l'adv. *peu** prend un sens négatif). *Qu'importe l'avenir?* (→ Assouvir, cit. 10). *Qu'importe la gloire?* (→ Embaumer, cit. 1, et aussi à quoi bon?). *«Qu'importe le flacon* (cit. 6), *pourvu qu'on ait l'ivresse»* (Musset). *Que lui importent ces querelles?* (→ Éterniser, cit. 9). *Peu m'importe son avis.* ⇒ **Chaloir** (peu me chaut). *Peu m'importent les classes sociales* (→ Bourgeois, cit. 12, Gide). — REM. *Qu'importe* et *peu importe* peuvent rester invariables, même devant un sujet pluriel.

Qu'importe sa pitié, sa joie, et sa vengeance? VOLTAIRE, Mérope, IV, 1. 10

Vous n'êtes pas à lui, mais à moi. Que m'importe 11
Tous vos autres serments! HUGO, Hernani, V, 6.

Que m'importe le jour? Que m'importe le monde? 12
Je dirai qu'ils sont beaux quand tes yeux l'auront dit.
A. DE VIGNY, Poèmes philosophiques, «La maison du berger», I.

(...) mais qu'importent toutes les choses qu'on possède, si l'on n'a pas la seule qu'on souhaite? Th. GAUTIER, le Roman de la momie, p. 60. 13

(...) que m'importe un bonheur édifié sur l'ignorance? 14
GIDE, Nouvelles nourritures, I, IV.

(...) et d'ailleurs qu'importaient les paroles? Il jouissait de cette présence harmonieuse (...) A. MAUROIS, Chateaubriand, X, III. 15

Peu importe les noms. Il ne s'agit pas du tout de noms, ni de personnes. 16
VERCORS, le Sable du temps, I, L'art et l'imposture.

(1595). Avec une complétive introduite par *que* au subjonctif (→ Après, cit. 85; hasard, cit. 29). *Qu'importe; qu'importe* et pron. compl. (*que m'importe, que nous importe,* etc.). *«Qu'importe que ce soit un sabre... qui vous gouverne!»* (cit. 30, Gautier). *Que ce soit lui ou vous, peu m'importe* (→ Ça m'est égal). — Avec une interrogative indirecte à l'indicatif, au conditionnel, ou (vx) au subjonctif. *Peu importe où nous irons. Qu'importe ce qui m'arrive!* (→ Exiler, cit. 4). *Peu lui importait si elle vous verrait ou non. Que m'importe combien vous gagnez!*

Et que m'importe donc, dit l'âne, à qui je sois? (...) 17
Notre ennemi, c'est notre maître (...) LA FONTAINE, Fables, VI, 8.

(...) peu m'importe qu'elles *(les femmes)* me haïssent, si je les force à m'estimer. 18
ROUSSEAU, Émile, V.

Que m'importe après tout que depuis six années 19
Ce roi fût retranché des têtes couronnées, HUGO, les Voix intérieures, II, III.

Absolt. *La foule* (cit. 15) *raille le penseur. Qu'importe!* ⇒ **Faire** (qu'est-ce que cela peut faire?). *D'ailleurs, peu importe* (→ Détenir, cit. 4).

(...) vous ne courez donc pas 20
Où vous voulez? — Pas toujours; mais qu'importe? LA FONTAINE, Fables, I, 5.

Je jouai et je perdis à peu près tout ce que je possédais, en quelques heures (...) mais que m'importait! BARBEY D'AUREVILLY, Une vieille maîtresse, I, VII. 21

Littér. **IL N'IMPORTE** (→ Cavalier, cit. 10), et ellipt., cour., **N'IMPORTE** : cela a peu d'importance (→ Falloir, cit. 23; gouverneur, cit. 5). *Quand voulez-vous partir? N'importe, j'ai tout mon temps. Lequel préfères-tu? Oh! n'importe.* → Cela m'est égal.

Tourmentés, déchirés, assassinés, n'importe (...) CORNEILLE, Polyeucte, III, 3. 22

Mais il n'importe, il faut suivre ma destinée (...) 23
MOLIÈRE, le Misanthrope, IV, 3.

Soit qu'ainsi l'ordonnât mon amour ou mon père, 24
N'importe (...) RACINE, Andromaque, IV, 3.

25 Des conciliateurs se sont présentés avec de sages paroles entre les deux fronts d'attaque. Ils seront peut-être les premiers immolés, mais n'importe!
HUGO, Odes et ballades, Préface de 1824.

(Il) n'importe, exprimant l'opposition (→ Malgré cela, n'empêche que...). *Ce film est un peu long; n'importe, il m'a bien plu.*

26 (...) ma fille ne comprend pas qu'ayant de la santé, vous n'ayez point eu la pensée de nous venir voir (...) J'ai beau lui représenter que nous n'en sommes pas là (...) il n'importe, elle veut que je hasarde de vous en faire la proposition.
Mme DE SÉVIGNÉ, Lettres, 1421, 29 juin 1695.

♦ **3.** Loc. pron. indéf. (Mil. XVIIIe). **N'IMPORTE QUI, QUOI**. Une personne, une chose, qui* que ce soit, quoi que ce soit. *Les sentiments qu'aurait n'importe qui. N'importe qui :* le premier venu. *N'importe qui pourrait entrer. Ce n'est pas n'importe qui. Il achète n'importe quoi. N'importe quoi de lourd. Il raconte n'importe quoi. Mais tu dis n'importe quoi!*

Loc. pron. indéf. **N'IMPORTE LEQUEL, LAQUELLE.** *N'importe lequel d'entre nous.*

Loc. adj. indéf. **N'IMPORTE QUEL, QUELLE** (chose, personne) : une chose, une personne quelconque. *N'importe quel genre. N'importe quelle autre femme.*

Loc. adv. **N'IMPORTE COMMENT, OÙ, QUAND.** *Je te suivrai n'importe où. Avion qui atterrit n'importe où.* ⇒ **Partout.** *Il travaille n'importe comment. Il peut arriver n'importe quand.* — REM. *N'importe*, suivi d'un interrogatif au pluriel, reste invariable. « *Quelles fleurs dois-je lui offrir? N'importe lesquelles.* »

27 *N'importe,* ancien verbe, est devenu une formule qui s'ajoute à *quel,* suivi d'un nom, ou bien à *qui, quoi,* nominaux, pour les indéterminer. On se rappelle la fameuse formule donnée à une certaine politique française : *Mettre* **n'importe qui n'importe où,** *pour* **n'importe quoi.** F. BRUNOT, la Pensée et la Langue, p. 140.

28 Enfin, mon âme fait explosion, et sagement elle me crie : « N'importe où! pourvu que ce soit hors de ce monde! » BAUDELAIRE, le Spleen de Paris, XLVIII.

29 De tous les mouvements désordonnés qu'elle soulevait en moi, le plus fougueux, le plus irrésistible était de répondre, n'importe comment, à cet air de défi qui respirait en toute sa personne (...)
BARBEY D'AUREVILLY, Une vieille maîtresse, I, VII.

30 Autant celui-là, du moment qu'elle n'en aimait pas d'autre et qu'elle en prenait un, n'importe lequel, pour qu'il la défendît et pour que Buteau enrageât. Elle aussi aurait un homme à elle. ZOLA, la Terre, IV, VI.

31 Il voudrait trouver des accents capables de convaincre, d'émouvoir (...) n'importe quel homme, même un ennemi de son idéal, qui se serait égaré dans ce meeting.
J. ROMAINS, les Hommes de bonne volonté, t. IV, XXIII, p. 255.

32 — C'est dur, hein, de se sentir n'importe qui?
— On s'y fait, dit Odette. SARTRE, le Sursis, p. 26.

REM. D'autres constructions sont attestées, certaines dans l'usage populaire ancien : *« Ça leur est bien égal que vous soyez n'importe avec qu'est-ce* (Henri Monnier, *Scènes populaires,* t. I, p. 14); on dirait : *avec n'importe qui.*

(Avec une préposition placée devant la locution). *Gagner* (cit. 46) *à n'importe quel prix; sortir à n'importe quelle heure* (→ Galant, cit. 18). *Il y a de braves gens sous n'importe quels costumes* (→ Étage, cit. 17). — REM. On rencontre encore la tournure vieillie avec préposition intercalée entre *importer* et le pronom, adjectif ou adverbe régime. *Foncer* (cit. 2, Taine) *n'importe sur qui, sur quoi. Nuire n'importe à qui* (→ Haine, cit. 33, Hugo).

33 Un jour, dit un auteur, n'importe en quel chapitre (...) BOILEAU, Épître, II.

34 (...) ils causaient de n'importe quoi, de choses qu'ils savaient parfaitement, de personnes qui ne les intéressaient pas, de mille niaiseries.
FLAUBERT, l'Éducation sentimentale, III.

35 Chacune des deux sœurs jurait qu'elle rachèterait la maison n'importe à quel prix, quitte à y laisser sa dernière chemise. ZOLA, la Terre, IV, VI.

36 Dans la lueur des réverbères, il voit deux messieurs en chapeau haut de forme, décorés, encadrant un monsieur barbu qui fume une cigarette et qui n'a pas l'air de n'importe qui. J. ROMAINS, les Copains, p. 163.

CONTR. Indifférent (être).

IMPORT-EXPORT

[ɛ̃pɔʀɛkspɔʀ] n. f. — 1885, *import et export,* J. Lafargue; angl. *import* « importation », et *export* « exportation »; de *importation-exportation.*

♦ Comm. (anglic.). Commerce de produits importés et exportés. *Une société d'import-export.*

En appos. *Le déséquilibre import-export.*

IMPORTUN, UNE

[ɛ̃pɔʀtœ̃, yn] adj. — 1540; « pressant », 1327; « qui ne se conduit pas selon son rang », 1450; lat. *importunus* « inabordable » et au fig. « incommode, désagréable », de *im-* (→ 1. In-), et *portus* « ouverture, port ».

♦ **1.** Littér. ou style soutenu. Qui déplaît, ennuie, gêne par une présence ou une conduite hors de propos*. ⇒ **Indiscret;** (fam.) **casse-pied, bassinant, collant, embêtant; ennuyeux, envahissant, fatigant, gluant** (fig.), **insupportable, tannant** (fam.). *Se rendre importun en cherchant à s'imposer dans une maison. — Être importun à qqn* (vx). *Il craint de vous être importun* (Académie). ⇒ **Importuner.** *Se sentir importun.* ⇒ **Trop** (de). → Gêner, cit. 10. *Ces gens importuns qui se mêlent de tout.* ⇒ **Ardélion** (vx); **empressé** (cit. 1); **mouche** (du coche); **officieux** (faire l'). *Être harcelé par des quémandeurs importuns. Débarrassez-moi de ce personnage importun.* ⇒ **Embarrassant, encombrant.**

Un fâcheux et vous c'est tout un : 1
Vous êtes le plus importun
Que jamais je vis. Clément MAROT, Opuscules, II, Œ., t. I, p. 27.

(...) j'aime mieux être importun et indiscret que flatteur et dissimulé. 2
MONTAIGNE, Essais, II, XVII.

Prétendez-vous longtemps me cacher l'Empereur? 3
Ne le verrai-je plus qu'à titre d'importune? RACINE, Britannicus, I, 2.

N. cour. ⇒ **Assommeur (rare), fâcheux** (cit. 13), **gêneur;** fam. **canule, casse-cul, casse-pieds, colique, crampon, emmerdeur, fléau, glu, lavement, raseur, rasoir.** *Dieu nous garde des importuns* (→ Bas, cit. 9). *Éviter* (cit. 11) *un importun. Un importun dont la visite ennuie* (cit. 12).

Un importun est celui qui choisit le moment que son ami est accablé de ses propres affaires, pour lui parler des siennes. 4
LA BRUYÈRE, les Caractères de Théophraste, Du contretemps.

Au reste, on ne nous laissait guère(s) le soin d'éviter l'ennui par nous-mêmes; et les importuns nous en donnaient trop par leur influence, pour nous en laisser quand nous restions seuls. ROUSSEAU, les Confessions, V. 5

Elle feignit un mal de tête, et l'on sait qu'un mal de tête pour une jolie femme est une manière civile de congédier les importuns. 6
MARMONTEL, Contes moraux, « L'heureux divorce », p. 181.

Adj. (Animaux) :

(...) il *(Élie)* avait en effet ce regard tendre et mouillé des chiens qui se savent importuns (...) F. MAURIAC, l'Enfant chargé de chaînes, p. 103. 7

Vx. *Être importun à soi-même :* être pour soi-même une cause d'embarras, de peine.

Captive, toujours triste, importune à moi-même (...) RACINE, Andromaque, I, 4. 8

Par anal. Qui poursuit, tracasse d'une manière continue, répétée. *Bétail assailli par les taons importuns.* — Fig. et vx. (→ Fleur, cit. 2). *Être obsédé d'un souci importun.* ⇒ **Accablant, obsédant.** — Qui est incommode par sa continuité, sa fréquence ou son excès. ⇒ **Agaçant, assommant, excédant.** *Affluence* (cit. 1), *attente* (cit. 3) *importune. Une pluie importune* (Académie). *Babil* (cit. 1), *caquet importun.* ⇒ **Étourdissant, tuant.** *Plaintes importunes.* ⇒ **Jérémiade.**

Par des vœux importuns nous fatiguons les dieux (...) 9
LA FONTAINE, Fables, VIII, 5.

Non, quoi que vous disiez, mon âme inquiétée 10
De soupçons importuns n'est pas moins agitée. VOLTAIRE, Œdipe, IV, 1.

Les premières notes effleurèrent, comme des mouches importunes, le sommeil de la bête endormie. COLETTE, Histoires pour Bel-Gazou, p. 49. 11

♦ **2.** (Choses). Littér. ⇒ **Désagréable, gênant, incommode, inopportun, intempestif** (→ Éteindre, cit. 20). *Une présence importune. Manifestation importune d'empressement* (cit. 7). *Une joie presque importune* (→ Furtif, cit. 12). *Attitude importune au plus haut point.* ⇒ **Intolérable.** *Circonstance importune. Tenir des propos importuns* (⇒ **Lantiponner**). *Épargnez* (cit. 10) *-lui des détails importuns.*

Je ne veux point, Monsieur, d'une flamme importune 12
Troubler aucunement votre bonne fortune. MOLIÈRE, le Misanthrope, V, 2.

Ses amis lui déplaisaient, leur société lui était importune (...) 13
MARMONTEL, Contes moraux, « L'heureux divorce », p. 165.

(...) je m'amusais à deviner les contours et les formes à travers un vêtement léger, mais toujours importun. LACLOS, les Liaisons dangereuses, Lettre LXXVI. 14

Toute curiosité dont il peut être l'objet lui est importune. 15
E. FROMENTIN, Un été dans le Sahara, p. 12.

Nulle présence importune ne pouvait interrompre l'entretien de leurs cœurs amoureux; la contrainte ne faisait que le rendre plus intense et plus doux. 16
R. ROLLAND, Jean-Christophe, Le matin, III, p. 203.

CONTR. Discret; opportun; utile. — Agréable.
DÉR. Importunément, importuner.

IMPORTUNÉMENT

[ɛ̃pɔʀtynemɑ̃] adv. — XIIIe; de *importun.*

♦ Littér. et rare. D'une manière importune. *Il revient importunément à la charge* (Académie). *Vous arrivez bien importunément.*

CONTR. Discrètement; propos (à).

IMPORTUNER

[ɛ̃pɔʀtyne] v. tr. — V. 1462; de *importun.*

♦ **1.** Littér. (Sujet et compl. n. de personne). Ennuyer, fatiguer par ses assiduités; gêner par une présence ou un comportement lassant. ⇒ **Agacer, assommer, embarrasser, ennuyer, excéder** (cit. 14), **fatiguer, gêner** (cit. 20), **persécuter, tracasser** (→ Ennuyer* pour les équivalents fam.). *Il est toujours à m'importuner.* ⇒ **Après** (être après qqn); → Être accroché*, pendu aux basques*; être toujours sur le dos*, les talons* de qqn. *Ne m'importune pas davantage. Être importuné par ses créanciers.* ⇒ **Harceler, poursuivre, talonner.** *Ce terrible bavard est venu m'importuner juste au moment où j'allais sortir* (→ Tomber sur les bras*, sur le poil*; tenir la jambe*). *Je ne veux pas vous importuner plus longtemps.* ⇒ **Déranger** (→ Prendre le temps* de qqn). *Importuner qqn de ses réclamations, de ses récriminations, de ses criailleries.* ⇒ **Aboyer, assaillir, assourdir, obséder,** (fam.) **tarabuster** (→ Cœur, cit. 71). — *Importuner les yeux, l'esprit... de qqn.*

Si tu m'importunes davantage de tes sottes moralités (...) 1
MOLIÈRE, Dom Juan, IV, 1.

De ma présence encore j'importune vos yeux. RACINE, Bérénice, III, 3. 2

Ne m'importune plus de tes raisons forcées. 3
Je vois combien tes vœux sont loin de mes pensées. RACINE, Bajazet, II, 1.

4 *(Cette race)* Qui m'importune et me lasse. LA FONTAINE, Fables, VIII, 20.

5 (...) on ne le voit guère dans les temples importuner les dieux, et leur faire des vœux ou des sacrifices (...)
LA BRUYÈRE, les Caractères de Théophraste, De la brutalité.

6 Je vous prie de me laisser en repos, et de ne m'importuner plus de vos querelles.
MONTESQUIEU, Lettres persanes, XI.

7 Je fais scrupule de l'importuner trop souvent par mes lettres (...)
D'ALEMBERT, Lettre au roi de Prusse, 18 déc. 1769.

8 (...) je m'éloignerai des sacrifices et des danses, afin de ne point importuner de ma tristesse ceux qui peuvent avoir du plaisir.
É. DE SENANCOUR, Oberman, XXXII.

9 — Je voudrais, dit-il en pénétrant dans l'atelier, je voudrais être sûr, monsieur Aufrère, que je ne vous importune pas. G. DUHAMEL, Salavin, V, I.

10 Tu ne me verras pas. Je ne t'importunerai pas. Je vivrai dans ton ombre. Je t'entourerai d'une protection dont tu n'auras même pas conscience.
F. MAURIAC, Génitrix, X.

Spécialt. *Importuner une femme*, la poursuivre d'assiduités*.

♦ **2.** (Sujet n. de chose; compl. n. de personne). Vieilli ou littér. ⇒ **Incommoder, indisposer** (→ Anéantir, cit. 4). *Choses dont l'aspect* (cit. 3), *la vue importune.* ⇒ **Déplaire.** *Il est si affligé que tout l'importune.* ⇒ **Peser** (→ Arc, cit. 2). *La fumée ne vous importune pas?* ⇒ **Gêner.**

11 (...) quitte un entretien dont le cours m'importune. RACINE, Bérénice, I, 3.

Passif et p. p. *Être importuné par le bruit, la fumée* (→ Figurer, cit. 13). *Jeune fille importunée par un projet de mariage* (→ Feindre, cit. 15).

12 (...) les continuelles petites sueurs dont je suis importunée (...)
Mme DE SÉVIGNÉ, Lettres, 531, 4 mai 1676.

13 (...) il y avait quatre ans que Rancé n'existait plus. Bossuet se plaignait d'être importuné de sa mémoire (...) CHATEAUBRIAND, Vie de Rancé, III, p. 160.

CONTR. **Amuser, divertir; repos** (laisser en).

IMPORTUNITÉ [ɛ̃pɔʀtynite] n. f.

— 1572; «supplication», 1326; lat. *importunitas* «difficulté d'accès» (d'un lieu), de *importunus* (→ Importun), d'où au fig. «caractère désagréable, rigueur», sens développé en français à la fin du XIVe.

♦ **1.** Vieilli. Action, fait d'importuner. Spécialt (vieilli ou littér.). *Une, des importunités.* Sollicitation pressante, prière instante (⇒ **Instance**). *Extorquer* (cit. 2) *un consentement à force d'importunités.*

1 Et je sais que d'un prompt trépas
Cette importunité bien souvent est punie. LA FONTAINE, Fables, IV, 3.

2 (...) ce que le cœur donne vaut mieux que ce qu'arrache l'importunité.
ROUSSEAU, Julie ou la Nouvelle Héloïse, Lettre XIII.

3 Accordez avec plaisir, ne refusez qu'avec répugnance; mais que tous vos refus soient irrévocables; qu'aucune importunité ne vous ébranle; que le *non* prononcé soit un mur d'airain, contre lequel l'enfant n'aura pas épuisé cinq ou six fois ses forces, qu'il ne tentera plus de le renverser. ROUSSEAU, Émile, II.

4 Lorsque les sénateurs se furent retirés, la signora Dorothée, malgré les prières et les importunités de son filleul, ne voulut jamais s'expliquer davantage.
A. DE MUSSET, Nouvelles, «Le fils du Titien», III.

♦ **2.** Caractère de ce qui est importun*. *L'importunité d'une démarche, d'une requête.*

(V. 1600). *Une, des importunités.* Chose désagréable, ennui. ⇒ **Incommodité, inconvénient.**

5 Que d'importunités! — Quoi donc? Qui vous arrête (...)
RACINE, Britannicus, II, 2.

5.1 Par un sentiment assez singulier, le docteur Sarrasin fut contrarié de voir la nouvelle rendue publique. Ce n'était pas seulement à cause des importunités que son expérience des choses humaines lui faisait déjà prévoir, mais il était humilié de l'importance qu'on paraissait attribuer à cet événement.
J. VERNE, les Cinq Cents Millions de la Bégum, III, p. 38 (éd. Hetzel).

6 Mademoiselle de Launay avait d'ailleurs d'excellents meubles dans la sienne *(sa geôle)*, où son ami Valincour les lui avait fait mettre, afin qu'elle supportât plus confortablement les importunités de sa prison.
Émile HENRIOT, Portraits de femmes, p. 135.

CONTR. **Discrétion; commodité; amusement.**

IMPOSABLE [ɛ̃pozabl] adj.

— 1454; de *imposer.*

♦ Qui peut être imposé, assujetti à l'impôt. *Liste des personnes imposables.* ⇒ **Contribuable, passible, redevable.** — N. *Les imposables.* — *Revenus imposables. Matière imposable :* l'assiette* de l'impôt.

1 La matière imposable serait accrue (...)
MONTESQUIOU, Rapport 27 août 1790, *in* LITTRÉ, Dict., art. *Matière.*

2 (...) en Angleterre pendant la guerre (...) les revenus distribués ont augmenté considérablement, au point que presque tous les Anglais sont devenus imposables (...)
Maurice DUVERGER, Finances publiques, p. 65.

3 Fiscs, qui détruisez aveuglément la matière imposable, rappelez-vous ce catoblépas auquel vous ressemblez tant! André SIEGFRIED, La Fontaine..., p. 161.

IMPOSANT, ANTE [ɛ̃pozɑ̃, ɑ̃t] adj.

— 1715, Lesage, → *infra*, cit. 3; p. prés. de *imposer.*

♦ **1.** (En général postposé, en épithète; l'antéposition, assez fréquente, est stylistique). Qui inspire le respect*, une admiration* respectueuse. ⇒ **Majestueux.** *Un monsieur, un vieillard imposant* (→ Effet, cit. 19). *Un magistrat imposant.* ⇒ **Solennel** (→ Fondeur, cit. 10). *Une femme belle et imposante. Un personnage imposant.* ⇒ **Auguste.**

(...) lorsqu'une actrice imposante fait valoir le rôle de Médée, cette pièce («*Médée*», *de Longepierre)* a quelque éclat aux représentations (...) 1
VOLTAIRE, Commentaires sur Corneille, Rem. s. Médée, Préface.

Ah! Suzon, qu'elle est noble et belle! mais qu'elle est imposante! 2
BEAUMARCHAIS, le Mariage de Figaro, I, 7.

Air, aspect (cit. 14) *imposant.* ⇒ **Grave, noble.** *Sa beauté a quelque chose de noble et d'imposant* (→ Expirer, cit. 6). *Un ton imposant* (→ Haut, cit. 99). ⇒ **Magistral.** *Une façon* (cit. 16) *d'être imposante, digne et altière. Port imposant; démarche, taille imposante.*

Il *(ce docteur)* s'était mis en réputation dans le public par un verbiage spécieux, soutenu d'un air imposant (...) A. R. LESAGE, Gil Blas, I, III. 3

Sa manière extraordinaire elle-même, paraissait bien celle d'un prophète de l'Orient : mais peut-être elle n'était pas aussi grande, aussi auguste, aussi imposante qu'il l'eût fallu pour un législateur conquérant, un envoyé du ciel destiné à convaincre par l'étonnement, à soumettre, à triompher, à régner. 4
É. DE SENANCOUR, Oberman, XXXIV.

La maréchale était une femme d'une taille imposante (...) 5
A. DE VIGNY, Cinq-Mars, I.

Ce costume d'apparat, qui jure d'ordinaire avec une beauté plastique, donnait à miss Bell un air imposant, un port royal. A. HERMANT, l'Aube ardente, VI. 6

REM. *Imposant* s'applique souvent, et parfois d'une manière plaisante ou ironique, à des personnes qui «en imposent» par leur taille élevée, leur corpulence (→ Grand, gros). → ci-dessous 4. *Une imposante douairière.*

♦ **2.** Vieilli. (Choses). En général postposé. Dont la grandeur frappe l'imagination. *Appareil* (cit. 7), *faste, spectacle imposant; un imposant spectacle. Manifestation, scène imposante.* ⇒ **Grandiose, pompeux, solennel, superbe.** *Un site imposant. Édifice dont l'architecture est imposante* (Académie). ⇒ **Monumental.** *Monument imposant.*

La religion s'y montrait au peuple *(en Italie)* sous un appareil imposant, nécessaire aux imaginations sensibles. VOLTAIRE, Essai sur les mœurs, CLXXXIII. 7

Cette campagne était silencieuse, ces sites imposants et solennels. 8
LOTI, Aziyadé, IV, XXXI.

♦ **3.** Mod. Qui impressionne par l'importance, la quantité, la dimension. ⇒ **Considérable, formidable.** *Des forces militaires imposantes. Un imposant service d'ordre. Une somme imposante.*

(...) Thuillier fut proclamé membre du Conseil général du département de la Seine, à la plus imposante majorité, car il ne s'en fallut que de soixante voix qu'il eût l'unanimité. BALZAC, les Petits Bourgeois, Pl., t. VII, p. 184. 9

♦ **4.** (Souvent antéposé). Grand, important. *D'imposantes coques* (cit. 6) *de cheveux. Un imposant paquetage. Un imposant in-folio.*

(...) les seize volontaires territoriaux (...) se distinguaient (...) par le fini de l'astiquage, par l'imposant édifice du sac et l'attitude résolue. 10
J. CHARDONNE, les Destinées sentimentales, p. 343.

CONTR. **Comique, insignifiant, ridicule. — Petit.**

IMPOSÉ, ÉE [ɛ̃poze] adj.; IMPOSÉES [ɛ̃poze] n. f. pl.

⇒ **Imposer.**

IMPOSER [ɛ̃poze] v. tr.

— 1302, «imputer à tort à qqn», sens III, 1; *emposer*, v. 1120; Oresme «frapper de (une peine)», 1370; de *im-* (→ 2. In-) «sur», et *poser*, sur le modèle du lat. *imponere.*

★ **I.** (1530). Poser, mettre (sur). ♦ **1.** Liturgie. *Imposer les mains*, pour bénir, conférer certains sacrements (⇒ **Imposition**). — Par ext. *Guérisseur, hypnotiseur qui impose les mains.* — *Imposer les cendres*, lors de la cérémonie de la distribution des cendres. «*L'officiant impose (...) les cendres au prêtre qui les lui a imposées, à ses Ministres (...) et aux fidèles*» (Robert Lesage, *Dict. de liturgie*).

(...) après lui avoir imposé les mains sur la tête, il lui déclara ce que le Seigneur avait commandé. BIBLE (SACY), Nombres, XXVII, 23. 1

Après avoir imposé ses mains au-dessus du front de Wilfrid (...) 2
BALZAC, Séraphîta, Pl., t. X, p. 482.

♦ **2.** (1690). Techn. (imprim.). *Imposer une feuille :* grouper les pages* de composition et les serrer dans le châssis de façon à obtenir, après pliage de la feuille imprimée, un cahier présentant des marges correctes et une pagination suivie (⇒ **Forme**).

♦ **3.** (1499). Vx. *Imposer un nom à une chose, à une idée...* (→ Géomètre, cit. 3), la désigner par un nom spécial.

(...) dans toutes les sciences on a eu la petite vanité d'imposer des noms fastueux aux choses les plus communes. VOLTAIRE, Des singularités de la nature, VII. 3

★ **II.** ♦ **1.** [a] (1342; *imposer silence*). IMPOSER QQCH. À QQN. : prescrire à qqn (une action, une attitude pénible, difficile, désagréable...). ⇒ **Commander, demander** (impérativement), **exiger, prescrire; astreindre, contraindre, enjoindre, forcer, obliger.** *Imposer un travail, une tâche* (→ Griserie, cit. 6) *à qqn. La charge, le fardeau, le travail qui lui est imposé* (⇒ **Incomber**). *Imposer un châtiment, une peine, une punition à un coupable.* ⇒ **Infliger; condamner** (à). → Expiatoire, cit. 2. *Imposer le silence, imposer silence* à qqn*, le faire taire* (→ Avocat, cit. 5; étaler, cit. 41; face, cit. 7). — (1736). Fig. *Imposer silence à ses passions, à ses scrupules. Imposer le secret.* ⇒ **Enjoindre.** — (Avec ou sans compl. en *à*). *Imposer une loi, sa loi.* ⇒ **Dicter, donner, faire.** *Imposer son autorité* à qqn.*

⇒ **Soumettre** (à). *Imposer sa volonté, sa domination, son caprice* (cit. 8 et 10). *Savoir imposer le respect de ses arrêts, de ses décisions* (→ Arbitre, cit. 9). *Imposer un joug, des chaînes* (→ Faveur, cit. 19). *Imposer à des vaincus des conditions sévères, draconiennes.* ⇒ **Fixer.** *Imposer à tous les citoyens l'obligation, la nécessité de...* (→ Exposition, cit. 14). *Imposer des règles, un régime.*

4 Puisque Sertorius m'impose ce devoir. CORNEILLE, Sertorius, II, 5.

5 Quelque(s) dures que soient, Madame, les conditions que vous m'imposez, je ne refuse pas de les remplir. LACLOS, les Liaisons dangereuses, Lettre XLII.

6 En vous soumettant à des privations légères, que je ne vous impose point, mais que je vous demande (...) LACLOS, les Liaisons dangereuses, Lettre XC.

7 Surtout, sa grande idée *(de Charlemagne)* était d'en finir avec la Germanie, de dompter et de civiliser ces barbares, de leur imposer la paix romaine.
J. BAINVILLE, Hist. de France, III.

8 (...) aussi le général entendait-il imposer, plus que faire agréer, les conditions qu'il avait signées.
Louis MADELIN, Hist. du Consulat et de l'Empire, Ascension de Bonaparte, IX.

9 (...) les hommes supportent mal les restrictions qui leur sont imposées par le tyran national ou par la domination étrangère (...)
G. DUHAMEL, Scènes de la vie future, IV.

(Sujet n. de chose). *Devoir*, obligations qu'impose la conscience* (→ Engagement, cit. 2), *la foi* (→ Fréquentation, cit. 7). ⇒ **Impératif.** *Les mesures que la nécessité avait imposées* (→ Généraliser, cit. 1). *La civilisation du XVIIIe siècle avait imposé sa forme à l'Europe* (→ Hiérarchie, cit. 10).

10 Le fort fait ses événements, le faible subit ceux que la destinée lui impose.
A. DE VIGNY, Journal d'un poète, p. 25.

11 En fait de souvenirs nationaux, les deuils valent mieux que les triomphes, car ils imposent des devoirs, ils commandent l'effort en commun.
RENAN, Discours et conférences, Qu'est-ce qu'une nation? Œ. compl., t. I, p. 904.

12 La liberté a les limites que lui impose la justice.
J. RENARD, Journal, 9 août 1905.

13 Les hommes (...) ont besoin d'un mode de vie qui impose à chacun un effort constant, une discipline physiologique et morale, et des privations.
Alexis CARREL, l'Homme, cet inconnu, III, XIV.

Spécialt. *Imposer le respect.* ⇒ **Inspirer** (→ ci-dessous, III., 3.).

14 (...) ce magistrat, dont la vieillesse vénérable impose le respect à tout un peuple (...) PASCAL, Pensées, II, 82.

(1541). Faire accepter, admettre (qqch.) par une pression, une contrainte morale. *Imposer aux autres son opinion, son point de vue, ses façons de voir* (→ Catéchiser, cit. 1). *Imposer au public ses théories* (→ Faire, cit. 267). *Imposer son nom par la réclame* (→ Concurrent, cit. 6). — *Imposer une idée à son propre esprit.*

15 La science lui impose la foi dans l'unité de la raison.
R. ROLLAND, Au-dessus de la mêlée, p. 1.

16 Le premier homme qui a su imposer à l'esprit d'un adolescent le respect d'une force morale plus haute conserve sur lui une autorité que l'orgueil même ne détruit pas. A. MAUROIS, Vie de Byron, I, VIII.

b Pron. (Réfl.). **S'IMPOSER qqch.** (à soi-même), s'en faire une loi, une obligation. — Littér. (le compl. désigne une contrainte extérieure). *S'imposer l'obligation de... S'imposer une contrainte, une discipline* (cit. 8), *une loi* (→ Dérober, cit. 26; éviter, cit. 49). — Cour. (Le compl. désigne une action, un comportement). *S'imposer un effort de volonté* (→ Ascèse, cit. 2), *un sacrifice. S'imposer un exercice, une promenade, un exil* (cit. 1). *S'imposer une attitude, un comportement* (→ Candeur, cit. 7). *S'imposer de faire qqch., en surmontant ses répugnances* (→ Se faire violence*).

17 (...) quiconque s'impose un devoir que la nature ne lui a point imposé, doit s'assurer auparavant des moyens de le remplir; autrement il se rend comptable même de ce qu'il n'aura pu faire. ROUSSEAU, Émile, I.

18 Quand tu t'imposes le silence, tu trouves des pensées; quand tu te fais une loi de parler, tu ne trouves rien à dire. STENDHAL, Journal, p. 303.

19 Ce garçon *(Lousteau)*, habitué à ne rien dissimuler, s'imposait au logis un sourire semblable à celui du débiteur devant son créancier. Cette obligation lui devenait de jour en jour plus pénible.
BALZAC, la Muse du département, Pl., t. IV, p. 187.

20 (...) elle s'était imposé, pour qu'au moins il réussît, des privations constantes et extrêmes. LOTI, Matelot, III.

21 Une méthode, c'est là ce que je ne puis parvenir à m'imposer (...)
GIDE, Journal, 3 mai 1906.

22 La première règle que les maîtres doivent s'imposer, s'ils veulent imposer les autres aux enfants, c'est de respecter le langage réel, la vérité du langage.
F. BRUNOT, la Pensée et la Langue, p. 10.

23 (...) l'aptitude que possède l'être humain de s'imposer à lui-même une règle de conduite (...) crée en lui le sentiment d'une obligation, d'un devoir.
Alexis CARREL, l'Homme, cet inconnu, IV, III.

c **S'IMPOSER** v. pron. (Passif). Sujet n. de chose. Devoir être accepté, ne pas pouvoir être refusé. *Choix, solution, nécessité qui s'impose* (→ Café, cit. 5; fédérer, cit.). *Le recours à l'analyse* (cit. 6) *s'impose. Les croyances qui s'imposent à l'homme* (cit. 86). *Ces déductions* (cit. 5) *s'imposèrent à son esprit. Cette notion ne s'est pas imposée sans lutte* (→ Homme, cit. 7). *Les maximes d'équité* (cit. 19) *qui s'imposent au législateur lui-même. Technique qui s'impose à une époque donnée* (→ Gouvernail, cit. 3). *Cette tournure s'est imposée dès le moyen âge* (→ Gérondif, cit. 3). *Cela ne s'impose pas* : ce n'est pas indispensable. — **S'IMPOSER À...** *Passé, image qui s'impose au souvenir, à la mémoire* (→ Film, cit. 2). *S'imposer à l'imagination* (→ Abstraction, cit. 9). *Scène qui s'impose à l'œil, à l'esprit* (→ Assiette, cit. 10). *Œuvre qui s'impose à tous. Les estampes* (cit. 3) *de Rembrandt s'imposent même aux ignorants.* — Absolt. *La vérité s'impose par l'évidence.* ⇒ **Triompher.** *Le génie s'impose, n'est pas contesté* (cit. 5).

Mais la réalité présente parlait plus haut que les rêves du passé; elle s'imposait, impérieuse. R. ROLLAND, Vie de Tolstoï, p. 34. 24

Mme de Fontanin faisait de vains efforts pour se ressaisir, et ne parvenait pas à accepter le spectacle qui s'imposait à sa vue. 25
MARTIN DU GARD, les Thibault, t. II, p. 237.

♦ **2.** **a** (1664). Faire accepter (qqn) par force, autorité, prestige, etc. *Imposer qqn* (à qqn, à un groupe, etc.) *pour chef, pour maître, comme chef, en tant que chef.* ⇒ **Impatroniser** (→ Efflanquer, cit. 2). — Passif ou p. p. *Maître imposé par la force* (→ Exécrer, cit. 5). — Par ext. *Imposer sa présence dans un lieu, quelque part, chez quelqu'un.*

Elle l'imposerait dans un petit rôle, pour commencer (...) 26
ARAGON, les Beaux Quartiers, I, XIV.

b (1829). **S'IMPOSER** v. pron. (Réfléchi). Sujet n. de personne. Se faire admettre, reconnaître... *S'imposer comme chef. S'imposer comme épouse* (→ Ascendant, cit. 9). *Il s'imposa pour remplir cet emploi. Dans cette circonstance, c'est lui qui s'impose,* qui est le plus qualifié. — Absolt. *S'imposer par le talent, la compétence...* (→ Gagner, cit. 41). — Péj. *S'imposer d'une façon indiscrète. Il n'aime pas les gens qui s'imposent* (→ Défaire, cit. 17).

Barère d'ailleurs persuadait d'autant mieux qu'il ne paraissait pas vouloir s'imposer. JAURÈS, Hist. socialiste..., t. VI, p. 330. 27

C'est alors que Bennigsen se décida à agir pour s'imposer par un éclatant succès. 28
Louis MADELIN, Hist. du Consulat et de l'Empire, Vers l'Emp. d'Occident, XX.

Qu'isolé dans les premières semaines, l'homme se soit, par un mélange de dignité et d'habileté, de fermeté et de tact, *imposé* aux puissances, puis *insinué* entre elles pour briser leur union contre la France, c'est là évidemment une de ces belles *parties de jeu* qui ravissent les connaisseurs. Louis MADELIN, Talleyrand, XXX. 29

♦ **3.** (1422; *imposer à qqn*, 1332). Faire payer autoritairement. ⇒ **Charger, frapper, grever.** *Imposer une charge, un tribut, une taxe, une contribution, des droits* (à qqn).* ⇒ **Imposition, impôt.** *Indemnités imposées au vaincu* (→ Boucher, cit. 3). — Passif et p. p. *Gabelle* (cit. 1) *imposée sur...*

Faire payer à (qqn). *Imposer qqn* (XVe), l'assujettir à l'impôt, déterminer le montant de son imposition (→ 3. Forfait, cit. 2). *Ceux que l'on impose.* ⇒ **Contribuable, imposable** (→ ci-dessous Imposé, p. p.). *Imposer exagérément, excessivement.* ⇒ **Surcharger, surimposer.**

(1690). *Imposer une marchandise,* percevoir sur elle des taxes, des droits. ⇒ **Taxer.**

(...) le roi avait le cens et la taille, l'évêque avait la dîme, le seigneur imposait tout, battait monnaie avec tout. Plus rien n'appartenait au paysan, ni la terre, ni l'eau, ni le feu, ni même l'air qu'il respirait. ZOLA, la Terre, I, V. 30

★ **III.** ♦ Vx. **1.** (1302 : premier emploi attesté du mot). Mettre sur le compte de, attribuer faussement à quelqu'un. ⇒ **Imputer.**

(...) l'on a voulu très méchamment m'imposer une extravagance, pour me tourner en ridicule (...) Ch. DE SÉVIGNÉ, *in* Mme DE SÉVIGNÉ, Lettres, 1478, 31 août 1697. 31

Absolument :

Il n'est ni calomniateur ni faussaire, et vous ne vous plaignez point qu'il lui impose *(à l'auteur qu'il cite).* PASCAL, les Provinciales, XI. 32

♦ **2.** Vieilli ou littér. Mettre dans l'esprit, faire croire (une chose fausse). — (1596). Trans. ind. **IMPOSER À** : en faire accroire à (qqn). ⇒ **Abuser, tromper.** *Celui qui impose à qqn.* ⇒ **Imposteur.** *Apparence* (cit. 10) *qui impose au vulgaire.* ⇒ **Illusion** (faire illusion). *Imposer aux yeux* (→ Farder, cit. 7, La Bruyère).

(...) pour puissant et rusé qu'il soit, il ne me pourra jamais rien imposer. 33
DESCARTES, Méditations, I, XI.

Le fourbe qui longtemps a pu vous imposer (...) MOLIÈRE, Tartuffe, V, 6. 34

L'on ne cherche jamais d'imposer qu'à défaut de preuves. Ne t'en laisse pas accroire. Ne te laisse pas imposer. GIDE, Nouvelles nourritures, IV. 35

Vieilli. **EN IMPOSER** (même sens) :

Qu'elle ne pense pas que, par de vaines plaintes, 36
Des soupirs affectés, et quelques larmes feintes,
Aux yeux d'un conquérant on puisse en imposer (...)
VOLTAIRE, l'Orphelin de la Chine, III, 1.

Le discours affectueux de Néron n'en imposa point à Sénèque. 37
DIDEROT, Essai sur les règnes de Claude et Néron, I, 90.

♦ **3.** (1538). Trans. ind. **a** Vx ou littér. **IMPOSER À (qqn)**, faire une forte impression, commander le respect, l'admiration, inspirer une sorte de soumission craintive... (⇒ **Imposant**). *Son allure, sa prestance, son ton imposent à tous. Il leur impose par ses façons* (cit. 45) *de grand seigneur. Il impose par la fierté de son regard, par son aspect majestueux* (Académie). ⇒ **Impressionner, subjuguer.** — Absolt. *Esprit éblouissant* (cit. 5) *qui impose.*

De bien des gens il n'y a que le nom qui vale *(vaille)* quelque chose. Quand vous les voyez de fort près, c'est moins que rien; de loin ils imposent. 38
LA BRUYÈRE, les Caractères, II, 2.

Le monde est rempli de ces hommes qui imposent aux autres, par leur réputation ou leur fortune (...) VAUVENARGUES, Réflexions et maximes, DXX. 39

(...) il imposait tellement à cette jeune et touchante créature, qu'en sa présence, ou en tête-à-tête, elle tremblait. 40
BALZAC, la Maison du chat-qui-pelote, Pl., t. I, p. 55.

Froides, sérieuses et soignées dans leur mise, respectables aux étrangers et à leurs familles, elles *(ces femmes)* vivent au milieu des soldats et leur imposent. 41
MICHELET, Hist. de France, III.

42 — Si je vous entends bien, Protos a eu sur vous de l'influence. — Peut-être. Il m'imposait.
GIDE, les Caves du Vatican, II, VI.

[b] Mod. EN IMPOSER À (même sens). *La multitude à qui un cordon* (cit. 6, d'Alembert) *en impose plus qu'un bon ouvrage. Force de caractère* (cit. 56) *qui en impose* (Rousseau). *Son apparence, son extérieur* (cit. 13) *en impose* (Rousseau). *S'en laisser imposer. L'éloquence en impose* (Gilbert). — REM. «Des grammairiens» constatait Littré «ont essayé de distinguer *imposer* et *en imposer.* Mais l'usage des auteurs et aussi l'usage du public ne permettent aucune distinction.» Malgré l'opinion de l'Académie (8e éd.) pour qui *en imposer* «signifie plus exactement *tromper, abuser, surprendre, en faire accroire*», cette construction tend, au contraire, de plus en plus à remplacer *imposer* au sens de «faire impression, inspirer le respect».

43 Ils n'auraient point cédé aux évêques; mais le cardinal légat leur en imposait.
VOLTAIRE, Hist. du Parlement de Paris, XXXVII.

44 Il est sûr que de hautes montagnes, que d'antiques forêts, que des ruines immenses en imposent.
DIDEROT, Essai sur la peinture, III.

45 L'ascendant de son génie *(de Buffon)* lui soumit tous les esprits (...) son nom seul en imposait aux factieux de la littérature.
P.-L. COURIER, Lettres, II, 310, *in* LITTRÉ.

46 Il vous regardait si fixement, de ses gros yeux, qu'on baissait la tête tout de suite. J'ai vu des gens se troubler, ne pas pouvoir lui adresser un mot, tellement il leur en imposait, avec son grand renom de sévérité et de sagesse (...)
ZOLA, la Bête humaine, I, p. 15.

47 Un grand nom en impose à tout le monde. Mais il agit singulièrement sur celui qui le porte, et qui s'en trouve gêné pour être *quelqu'un*, enhardi pour être *quelque chose.*
VALÉRY, Rhumbs, p. 104.

48 Elle aimait les œuvres de Brahms, et elle le soupçonnait en secret d'être un artiste de second ordre; mais sa gloire lui en imposait (...)
R. ROLLAND, Jean-Christophe, La révolte, p. 430.

49 (...) l'espèce de gravité qui régnait ici finissait par en imposer.
J. ROMAINS, les Hommes de bonne volonté, t. IV, XXII, p. 240.

▶ **S'IMPOSER** v. pron. Voir ci-dessus à l'article.

▶ **IMPOSÉ, ÉE** p. p. adj. et n.

♦ **1.** Obligatoire. *Des règles imposées.* — (Sport). *Figures imposées,* ou (1928) n. f. pl., *imposées :* épreuves imposées dans les compétitions de patinage artistique ou de gymnastique. *Le patineur ne disposait que d'une faible avance, acquise en imposées.* S'oppose à *figures libres.* — *Prix* imposé,* qui doit être observé strictement, sans réduction ni majoration.

50 L'été, ce qui marchait bien, c'était les chapeaux de pêche, en paille non bordée : ça ne rapportait guère, bien qu'il n'y eût pas de prix imposé.
ARAGON, les Beaux Quartiers, I, II.

♦ **2.** Soumis à l'impôt. *Les artisans, les commerçants imposés. « Monsieur Grandet (...) devint le plus imposé de l'arrondissement »* (Balzac). — N. (1845). *Les imposés.* ⇒ **Assujetti, contribuable.** — *Marchandises imposées.*

51 Un règlement spécial, donné après convocation, appelait comme électeurs primaires, non pas tous les imposés, mais ceux-là seulement qui payaient six livres d'impôt.
MICHELET, Hist. de la Révolution franç., I, I.

CONTR. Affranchir, dégrever, dispenser, épargner.
DÉR. Imposable, imposant, imposeur.
COMP. Réimposer, surimposer.

IMPOSEUR [ɛ̃pozœʀ] n. m. — 1802; «celui qui règle la répartition de l'impôt», 1340; de *imposer.*

♦ Techn. Ouvrier imprimeur qui impose la feuille. — REM. Le fém. *imposeuse* est virtuel.

IMPOSITION [ɛ̃pozisjɔ̃] n. f. — V. 1288, au sens III; lat. *impositio,* de *impositum,* supin de *imponere,* de *im-* (→ 2. In-), et *ponere.* → Imposer.

Action d'imposer.

★ **I.** (1317, «apposition d'un sceau»). ♦ **1.** Action de poser sur (qqch. ou qqn). — Ne se dit guère que des mains. — (1535). Liturgie. *L'imposition des mains « se rencontre dans presque toutes les religions »* (Robert Lesage, *Dict. de liturgie*). *Imposition des deux mains, de la main droite. Guérison par l'imposition des mains* (→ Huile, cit. 13). Liturgie cathol. *L'imposition des mains dans certains sacrements.* ⇒ **Baptême** (cit. 3), **confirmation** (→ Évêque, cit. 5). — *Imposition des cendres.*

1 Le véritable médecin sait que la médecine, même la plus sévèrement scientifique, doit, pour être efficace, conserver quelque chose des vieilles magies humaines et que l'imposition des mains peut compléter utilement l'action d'une piqûre hypodermique.
G. DUHAMEL, Inventaire de l'abîme, p. 106.

♦ **2.** (1690). Techn. (imprim.). Opération par laquelle on impose* (I., 2.) une feuille d'imprimerie. *Ouvrier qui fait l'imposition.* ⇒ **Imposeur.**

♦ **3.** (1317). Vx. Action de donner un nom. *L'imposition d'un nom, d'un dénomination à quelque chose.*

2 On ne reconnaît en géométrie que les seules définitions que les logiciens appellent définitions de nom, c'est-à-dire, que les seules impositions de nom aux choses qu'on a clairement désignées en termes parfaitement connus.
PASCAL, De l'esprit géométrique, I.

★ **II.** ♦ **1.** (XVIIe). Vx. Action d'imposer, d'infliger. *L'imposition d'une pénitence à qqn. « L'imposition de petits devoirs matériels »* (Goncourt, *Journal, in* T. L. F.). — *Imposition d'un secret.* ⇒ **Injonction.**

♦ **2.** (Correspond à *imposer,* II., 3.; semble être le premier emploi attesté du mot). Action d'imposer une charge financière, des droits, un tribut... Spécialt. «Procédé technique d'assiette et de liquidation d'un impôt» (Capitant). ⇒ **Imposer** (II., 3.). *Les conditions de l'imposition* (→ Contribuable, cit.). *Imposition bien proportionnée* (→ Fraude, cit. 6). — *Quotité d'imposition dans les régimes censitaires* (⇒ **Cens**). *Taux* d'imposition.*

Par ext., cour. (vieilli dans la langue technique). ⇒ **Impôt; charge, contribution, droit, taxe.** *Payer les impositions. Le recouvrement des impositions* (→ Financier, cit. 1). *Imposition foncière, personnelle.*

Les impositions sur le peuple ont été excessives (...) pendant ces deux races. 3
RACINE, Notes historiques, V.

Sévèrement, Carnot dira plus tard : «Toutes les agitations du peuple, quelles qu'en soient les causes apparentes ou immédiates, n'ont jamais au fond qu'un seul but, celui de se délivrer du fardeau des impositions.» 4
J. BAINVILLE, Hist. de France, p. 323.

CONTR. Indemnité.
COMP. Réimposition. — (Du sens II) **Auto-imposition.**

IMPOSSIBILITÉ [ɛ̃pɔsibilite] n. f. — Fin XIIIe, *impossibleté;* lat. impérial *impossibilitas,* de *impossibilis.* → Impossible.

♦ **1.** Caractère de ce qui est impossible; défaut de possibilité. *Impossibilité d'une réussite, d'une solution, d'une action. Impossibilité évidente, manifeste* (→ Faillite, cit. 1). *Je ne vois nulle impossibilité dans ce projet* (→ Existence, cit. 3). *Il n'y a aucune impossibilité à cela.* — *Impossibilité de faire qqch.* (→ Aboulie, cit. 1; apparent, cit. 4; bonde, cit. 1; 1. grief, cit. 2; harem, cit. 5; homogène, cit. 6). *Impossibilité de connaître* (cit. 6), *de douter d'une proposition évidente* (cit. 4). *Impossibilité de forfaire* (cit. 2) *à une vocation.*

Une respectueuse excuse fondée sur l'impossibilité de la chose (...) 1
MOLIÈRE, l'Impromptu de Versailles, I.

L'homme est ainsi bâti : quand un sujet l'enflamme 2
L'impossibilité disparaît à son âme. LA FONTAINE, Fables, VIII, 25.

(...) il confessait l'impossibilité presque absolue de dénicher un véritable moine qui ne fût ni un trappiste ni un chartreux. Léon BLOY, le Désespéré, p. 85. 3

Le mot d'impossibilité revient souvent sous sa plume *(de Georges Bataille)* : ce n'est pas par hasard. Il appartient sans aucune doute à cette famille d'esprits qui sont par-dessus tout sensibles au charme acide et épuisant des tentatives impossibles. SARTRE, Situations I, p. 186. 4

(XVIIe). DANS L'IMPOSSIBILITÉ. ⇒ **Impuissance, incapacité.** *Être, se trouver, sembler dans l'impossibilité de* (et inf.). → Assistance, cit. 12; épave, cit. 1; gorge, cit. 20. *Être dans l'impossibilité matérielle* (selon l'ordre naturel des choses), *morale* (étant donné le caractère ou les principes que l'on a) *de faire telle chose.* → Hors d'état* de... *Mettre dans l'impossibilité de...* (→ Engagement, cit. 1). *L'impossibilité où l'on est, où l'on se trouve* (→ Acquitter, cit. 10; existence, cit. 1).

(...) l'impossibilité où ils nous ont mis de nous fier à leurs serments. 5
FÉNELON, Télémaque, IX.

(...) dans l'impossibilité de remédier au mal, contentons-nous de nous en garantir. 6
LACLOS, les Liaisons dangereuses, IX.

Vous ne pensez pas (...) qu'un homme, du fait qu'il est riche, soit dans l'impossibilité pour ainsi dire congénitale de souhaiter sincèrement le triomphe du socialisme? J. ROMAINS, les Hommes de bonne volonté, t. III, XXII, p. 290. 7

Loc. Vx. *Il est de toute impossibilité que... :* il est absolument impossible que...

♦ **2.** (1664). *Une, des impossibilités.* Chose impossible. *C'est pour lui une impossibilité. Se heurter à des impossibilités. Les impossibilités de l'amour* (Stendhal). ⇒ **Fiasco; impuissance.**

Faire de la peine à quelqu'un a toujours été pour moi une impossiblité. 8
RENAN, Souvenirs d'enfance..., II, VI.

Les impossibilités étaient entassées comme à plaisir entre cette jeune femme et moi (...) 9
LOTI, Aziyadé, I, VI.

Toutes les entreprises, les petites comme les grandes, ont des difficultés à éviter ou à dominer, des obstacles à franchir! Des difficultés soit, mais pas d'impossibilités! A. ROBIDA, le Vingtième Siècle, p. 413. 10

(1676). Vieilli. Obstacle. ⇒ **Empêchement.** *Son ardeur lui fit surmonter toutes les impossibilités* (Académie).

CONTR. Facilité, licence, possibilité, pouvoir, puissance.

IMPOSSIBLE [ɛ̃pɔsibl] adj. et n. m. — 1227; lat. *impossibilis,* de *im-* (→ 1. In-), et *possibilis.* → Possible.

Qui ne peut être*, exister; qui n'est pas possible.

★ **I.** Adj. ♦ **1.** Qui ne peut se produire, être atteint ou réalisé, dont l'existence est exclue ou très improbable. *Événement impossible. La guerre lui paraît impossible* (→ Crier, cit. 18). *Lieu d'accès impossible.* ⇒ **Inabordable, inaccessible.** *Solution, résultat impossible. Projet d'exécution, de réalisation impossible.* ⇒ **Irréalisable.** *Conditions* (cit. 29) *impossibles dans un contrat. Hypothèse, croyance, supposition, espoir impossible.* ⇒ **Absurde, chimérique, insensé, utopique, vain** (→ C'est un défi* à la raison, au bon sens...).

Cela est impossible, c'est impossible (→ Frein, cit. 6). *Rendre impossible, devenir impossible* (→ Arbitraire, cit. 11; culture, cit. 18; exterminer, cit. 6). *Presque impossible* (→ Fragilité, cit. 3). *Difficile, pénible ou même impossible* (→ Croisement, cit. 1; étonnament, cit.). — *Ça n'est pas impossible* : c'est possible. *Une autre solution n'est pas impossible* (→ Couler, cit. 30). *Ce n'est pas impossible, mais c'est improbable**. *Minute où rien n'est impossible, ne paraît impossible* (→ Exaltant, cit. 3). — Qui ne peut avoir de résultat, de solution. *Problème impossible.* ⇒ **Insoluble** → La quadrature* du cercle. *Recherche impossible.* ⇒ **Infaisable, irréalisable.**

1 Tout ce qui n'est pas aisé, ils *(les lâches conseillers)* le nomment impossible.
GUEZ DE BALZAC, De la cour, 5e disc.

2 Une hardiesse sage et réglée (...) qui entreprend les choses difficiles et ne tente pas les impossibles. FLÉCHIER, Oraison funèbre de Turenne.

3 (...) c'est souvent pour nous excuser à nous-mêmes que nous nous imaginons que les choses sont impossibles. LA ROCHEFOUCAULD, Réflexions morales, 30.

4 Il y a peu de choses impossibles d'elles-mêmes, et l'application pour les faire réussir nous manque plus que les moyens.
LA ROCHEFOUCAULD, Réflexions morales, 243.

5 Du coup, je me persuadai qu'il est bien des choses qui ne paraissent impossibles que tant qu'on ne les a pas tentées. GIDE, Si le grain ne meurt, I, III, p. 93.

6 (...) elle croyait impossible, ou déraisonnable, de contrarier la volonté des siens.
J. ROMAINS, les Hommes de bonne volonté, III, XXIII, p. 307.

7 Le héros byronien, incapable d'amour, ou capable seulement d'un amour impossible, souffre de spleen. CAMUS, l'Homme révolté, p. 70.

REM. Le sens strict du mot «dont l'existence est exclue» est didactique et rare. *Absolument, logiquement impossible.* ⇒ **Contradictoire, impensable, inconcevable.** *Physiquement impossible; moralement impossible.* — Dans cet emploi, *impossible* s'applique aussi aux personnes.

7.1 Pourquoi M. Teste est-il impossible? — C'est son *âme* que cette question. *Elle vous change en M. Teste.* Car il n'est point autre que le démon même de la possibilité. VALÉRY, la Soirée avec M. Teste, p. 11.

Chose impossible à qqn, pour qqn. Ce qui est impossible à l'un est aisé pour l'autre.

8 (...) si vous aviez de la foi (...) rien ne vous serait impossible.
BIBLE (SACY), Évangile selon saint Matthieu, XVII, 19 (→ Foi, cit. 28).

9 À qui sait bien aimer, il n'est rien d'impossible. CORNEILLE, Médée, V, 7.

10 Ce qui est impossible à ma nature si faible, si bornée (...), est-il impossible dans d'autres globes, dans d'autres espèces d'êtres?
VOLTAIRE, le Philosophe ignorant, XII.

(Fin XVIIe). *Impossible à* (suivi de l'inf.). *Impossible à admettre* (⇒ **Inadmissible**), *à excuser* (⇒ **Inexcusable**), *à croire* (⇒ **Incroyable**), etc. → les adj. formés du préf. *In-* (ou *-im, ir-*) et d'un adj. exprimant la possibilité (→ -able). *Impossible à conserver* (→ Agir, cit. 38), *à imaginer* (→ Corps, cit. 15; homme, cit. 87), *à penser, à confondre* (→ Finalité, cit. 1). *Impossible à guérir* (cit. 20). *Heures* (cit. 66) *impossibles à vivre. Innocence impossible à prouver* (→ Apparaître, cit. 18); *conditions impossibles à remplir* (→ Fixité, cit. 1). *Impossible à concilier.* — REM. *Impossible à* construit avec un pronominal, tournure condamnée par la plupart des grammairiens, manque d'élégance, mais ne présente rien d'illogique (→ Facile, REM. 1, *infra* cit. 21). *Ce produit est impossible à se procurer, à obtenir.*

(Mil. XVIIe). *Il est impossible de...,* suivi de l'inf. (→ Confusion, cit. 2; ensevelir, cit. 11; foi, cit. 27; grand, cit. 71; homogène, cit. 6). *Il m'est impossible, il lui est impossible de...* (→ Étroit, cit. 16; familiarité, cit. 5; feinte, cit. 3; frapper, cit. 34). *Il paraît, il lui paraît, il lui apparaît, il lui semble impossible de...* (→ Acte, cit. 4; espèce, cit. 20; grand-mère, cit. 1; harmonie, cit. 31).

Ellipt. *Impossible de le dire, de le savoir* (→ 2. Air, cit. 25; amorcer, cit. 4; attention, cit. 36; avalanche, cit. 6; 1. garde, cit. 88). — (1798). Absolt. *Impossible!* : cela ne se peut pas (→ fam. C'est midi*; il n'y a pas mèche*).

11 Et ces raisons, me les direz-vous? reprit Oswald. — Impossible! s'écria Corinne, impossible! Mme DE STAËL, Corinne, VI, IV.

12 (...) malgré mon respect pour l'opinion des gens du monde, il m'est impossible, sur ce point, d'être de leur avis.
RENAN, Essais de morale..., Œ. compl., t. II, p. 116.

C'est impossible (même sens). Spécialt. Ce n'est pas acceptable. *On peut pardonner* (cit. 7), *mais oublier, c'est impossible.*

(Mil. XVIe). *Il est, il semble impossible que,* suivi du subj. (→ Absolument, cit. 3; âme, cit. 20; arrérages, cit. 1; esprit, cit. 125; excuse, cit. 8; exiger, cit. 22). *Il n'est pas impossible que...* (→ Devoir, cit. 39). *Il semble impossible que...* (→ Élasticité, cit. 1. fantaisie, cit. 20). *Il n'est pas impossible que...* (→ Devoir, cit. 39). *«Il n'y a rien d'impossible à ce qu'il réussisse»* (Hanse).

13 (...) des particuliers avaient des richesses immenses, et (...) il est impossible que les richesses ne donnent du pouvoir (...)
MONTESQUIEU, Grandeur et Décadence des Romains, VIII.

Allus. hist. *Si c'est possible, c'est fait; si c'est impossible, cela se fera* : mot de Calonne à Marie-Antoinette. — *Impossible n'est pas français,* phrase attribuée à Napoléon. — *À cœur vaillant rien d'impossible,* devise de Jacques Cœur.

14 Un chef russe n'admet pas le mot impossible; tout ce qu'il commande, on doit le tenter. MÉRIMÉE, le Règne de Pierre le Grand, p. 79.

15 Croyait-il vraiment la fameuse descente possible avant que le continent eût passé aux gestes décisifs? On sait qu'il avait rayé le mot *impossible* de son dictionnaire.
Louis MADELIN, Hist. du Consulat et de l'Empire, Avènement de l'Empire, p. 243.

On lui a prêté le mot : «Impossible n'est pas un mot français». Ce qui est sûr, 16
c'est qu'il ne s'est jamais opposé à lui-même le mot «impossible». «L'impossible, dira-t-il à Molé, est un mot dont la signification est toute relative... C'est le fantôme des humbles et le refuge des poltrons. *Dans la bouche du pouvoir, ce mot, croyez-moi, n'est qu'une déclaration d'impuissance!*
Louis MADELIN, Hist. du Consulat et de l'Empire, De Brumaire à Marengo, p. 78.

REM. *Impossible* est parfois employé au comparatif et au superlatif, malgré sa signification absolue. Selon Hanse, le sens 2 («très difficile») suffit à justifier ces emplois. *«Rien n'est plus impossible que cela»* (Pascal). *«Il n'y a rien de plus impossible»*; *«Il m'est impossible, très impossible de...»* (Mme de Sévigné). *«Cela est plus impossible que vous ne l'imaginez»* (d'Alembert). *«Un attendrissement* (cit. 5)... *impossible à motiver, plus impossible encore à contenir»* (Fromentin).

♦ **2.** (Fin XIVe, Froissart). Par exagér. **a** Très difficile*, très pénible (à faire, à imaginer, à supporter...). *Il m'est impossible, absolument impossible de venir, de vous recevoir. C'est un travail, un problème impossible, qu'on lui a donné à faire.*

b Fam. Pénible. *Il nous rend la vie, l'existence impossible,* très désagréable. *Il nous a mis dans une situation impossible, inextricable.*

♦ **3.** (1843, Gautier). Qui semble ne pas pouvoir exister; fantastique, irréel. *Chapiteau orné de feuillages, d'animaux, de monstres impossibles. Les Mondes impossibles,* ouvrage d'André Maurois.

Sur des fonds noirs encadrés d'or, brillent les oiseaux multicolores, les feuillages 17
verts impossibles, les fantastiques dessins des Chinois.
BALZAC, Modeste Mignon, Pl., t. I, p. 365 (→ aussi Enroulement, cit. 2, Bloy).

(...) et Charles lui semblait aussi détaché de sa vie, aussi absent pour toujours, 18
aussi impossible et anéanti, que s'il allait mourir et qu'il eût agonisé sous ses yeux.
FLAUBERT, Mme Bovary, III, XI.

♦ **4.** (1867). Fam. Absurde, bizarre. ⇒ **Extravagant, inimaginable, invraisemblable, ridicule, possible** (pas possible). *Des goûts impossibles. Il lui arrive toujours des aventures impossibles. Se mettre dans des états impossibles. Faire des scènes impossibles.* → ci-dessous 6., b, pour les personnes. *«(...) ce farfadet aux cheveux longs et ébouriffés, accoutré de façon impossible» (le Nouvel Obs.,* no 997, 16-22 déc. 1983, p. 12).

Quand passe cette pièce anglaise, chez Pitoëff? Cette pièce, voyons, qui a un titre 19
impossible? COLETTE, Belles saisons, p. 41.

♦ **5.** (1862). Qui ne peut pas avoir d'issue. *Il nous met dans une situation impossible.*

♦ **6.** (1838). Personnes. **a** Qui ne peut être employé dans telle ou telle position. — REM. Littré, qui signale ce sens, ne le donne que comme terme de politique. *Un candidat impossible.*

L'ambition vulgaire, qui préfère à la gloire solide les honneurs officiels, et qui fait 20
consentir celui qui en est possédé à ne pas vivre pour ne pas se rendre *impossible,* ainsi que l'on dit aujourd'hui, n'entra jamais dans son cœur *(il s'agit de Lamennais).* RENAN, Essais de morale, Œ. compl., t. II, p. 129.

Des partis s'étaient présentés (...) mais ces hommes (...) fils de notaires ou de com- 21
merçants, avaient paru impossibles et leurs demandes étranges comme des demandes de fous. J. GREEN, Adrienne Mesurat, p. 22.

b (1857, Renan). Correspond au sens 4. Insupportable. ⇒ **Invivable.** *Il est devenu impossible. Ces enfants sont impossibles. C'est un garçon pittoresque, mais impossible.*

(...) profondément artiste du sport, inégale, fantasque, prompte au découragement 22
comme à la griserie, et si excentrique de manières que, n'eût été sa valeur, on l'eût écartée du club comme «impossible».
MONTHERLANT, les Olympiques, p. 89.

Le monde qu'il *(le philosophe)* voulait voir à sa façon, tragique ou plate, s'est 22.1
révélé «impossible» comme on dit d'un enfant qu'il est «impossible» (...)
R. QUENEAU, Bâtons, Chiffres et Lettres, p. 166.

★ **II.** N. m. (1553). ♦ **1.** Ce qui n'est pas possible. *Alléguer* (cit. 5), *croire l'impossible* (→ Agir, cit. 9). *Espérer** (cit. 3), *vouloir, tenter l'impossible* (→ Extravaguer, cit. 2). *«Utopistes, amis de l'impossible»* (→ Absolu, cit. 9, Renan). *La frontière* (cit. 8) *du possible et de l'impossible. L'impossible et l'imprévu* (→ Imminent, cit. 2). *Demander, promettre l'impossible* (→ Demander, promettre la lune*).

(...) elle enchérit en leur faveur au-dessus des forces de la Nature, elle fait pour 23
eux l'impossible (...)
CYRANO DE BERGERAC, Lettres diverses, La fontaine d'Arcueil.

L'impossible qui, par manière de parler, à deux degrés de néant, puisque ni il 24
n'est ni il ne peut être (...) BOSSUET, États d'orais., IX, 2, *in* LITTRÉ.

Dieu vous ordonne-t-il de tenter l'impossible? RACINE, Athalie, V, 4. 25

Le beau feu dont pour vous ce cœur est embrasé 26
Trouvera tout possible, et l'impossible aisé. ROTROU, Venceslas, V, 2.

(...) vous leur demandez l'impossible (...) LA BRUYÈRE, les Caractères, V, 8. 27

L'impossible est une frontière toujours reculante. 28
HUGO, les Travailleurs de la mer, Appendice, éd. Ollendorf, p. 191.

(Une jeune fille) en cherchant l'impossible, passe bien souvent à côté du bonheur. 29
A. DE MUSSET, Carmosine, III, 8.

Il possédait la logique de tous les bons sentiments et la science de toutes les roue- 29.1
ries, et néanmoins n'a jamais réussi à rien, parce qu'il croyait trop à l'impossible. — Quoi d'étonnant? il était toujours en train de le concevoir.
BAUDELAIRE, la Fanfarlo.

♦ **2.** (1636, *faire l'impossible*). Par exagér. *Nous tenterons, nous ferons l'impossible,* tout le possible.

30 Si vous m'aimez, ma fille, et si vous croyez vos amis, vous ferez l'impossible pour venir cet hiver (...) Mme DE SÉVIGNÉ, Lettres, 350, 24 nov. 1673.

Prov. *À l'impossible nul n'est tenu**.

♦ **3.** (1694). Loc. adv. **PAR IMPOSSIBLE :** en supposant que se réalise une chose que l'on tient pour impossible. *Si, par impossible, cette affaire réussissait, vous en auriez tout le mérite* (Académie).

31 Si, par impossible, le cœur lui défaille, tant pis, elle fera ce qu'elle n'a jamais fait devant personne, elle pleurera.
BERNANOS, Monsieur Ouine, Œ. roman., Pl., p. 142.

♦ **4.** (1852, Nerval). Vx. Nom d'une couleur à la mode à la fin du XVIIIe siècle.

CONTR. Aisé, exécutable, facile, faisable (cit. 2), **possible, réalisable. — Acceptable, convenable, supportable, tolérable.**
DÉR. V. Impossibilité.

IMPOSTE [ɛ̃pɔst] n. f. — 1545; ital. *imposta*, proprt « placée sur », du v. *imporre*, du lat. *imponere*. → Imposer.

Technique.

♦ **1.** Archit. Tablette saillante posée sur le pied-droit* d'une porte, sur un pilier de nef (au-dessous du sommier de l'arc). *Les impostes d'une arcade, d'un arc. Imposte de pierre.*

1 (...) une grande porte de pierre cintrée, avec imposte rectiligne, dans le grave style de Louis XIV (...) HUGO, les Misérables, II, I, I.

♦ **2.** (1828). Menuis. Partie supérieure, dormante ou mobile (d'une baie de porte ou de fenêtre). *Imposte pivotante, tournante, fixe. Imposte en bois, vitrée, grillagée.*

2 (...) une porte vermoulue ayant une imposte à claire-voie.
BALZAC, le Médecin de campagne, Pl., t. VIII, p. 324.

Spécialt. Partie vitrée dormante (d'une porte pleine, d'une cloison).

IMPOSTEUR [ɛ̃pɔstœʀ] n. m. — 1542, Rabelais; *emposteur* en 1532; lat. *impostor*, de *imponere*, au sens de « tromper ». → Imposer, III., 3.

Celui qui cherche à tromper, à imposer* (III., 3.) pour son profit.

♦ **1.** Personne qui abuse de la confiance, de la crédulité d'autrui par des discours mensongers, des promesses fallacieuses, dans le dessein d'en tirer profit. ⇒ **Affronteur** (vx), **charlatan, menteur.** *Démasquer* (cit. 1) *un imposteur. Les mensonges* d'un imposteur.* ⇒ **Imposture.** *Cette femme est un imposteur* (Grevisse).

1 Vous me traitez d'imposteur! et pourquoi? Dans votre manière de penser, j'erre; mais où est mon imposture? Raisonner et se tromper, est-ce en imposer? Un sophiste même qui trompe sans se tromper n'est pas un imposteur encore (...) Un imposteur veut être cru sur sa parole, il veut lui-même faire autorité. Un imposteur est un fourbe qui veut en imposer aux autres pour son profit... Les imposteurs sont, selon Ulpien, ceux qui font des prestiges, des imprécations, des exorcismes : or, assurément, je n'ai jamais rien fait de tout cela.
ROUSSEAU, Lettre à Mgr de Beaumont.

Figuré :

2 Je voudrais qu'on pût dire du talent qu'il est un *enchanteur* toujours, et jamais un *imposteur.* SAINTE-BEUVE, Chateaubriand, t. I, p. 168.

♦ **2.** Vx. « Celui qui charge qqn d'imputations odieuses, mais mensongères » (Littré). ⇒ **Calomniateur.**

3 Un roi sage, ennemi du langage menteur,
Écarte d'un regard le perfide imposteur. RACINE, Esther, III, 3.

♦ **3.** (1669). Vx (langue class.). Celui qui cherche à en imposer par de fausses apparences, des dehors de vertu. ⇒ **Faux** (faux dévot, etc.), **hypocrite** (cit. 14), **tartufe.** — Littér. *Le Tartuffe ou l'Imposteur,* comédie de Molière (→ Consacrer, cit. 10).

4 On me reproche d'avoir mis des termes de piété dans la bouche de mon Imposteur.
MOLIÈRE, Tartuffe, Préface.

4.1 Je n'entends pas le mot ici au sens sinistre où il figure dans le titre de *Tartuffe : Tartuffe ou l'imposteur.* Mais Don Juan est lui aussi un imposteur. C'est de cette imposture-là qu'il s'agit, celle qui tient d'abord au style.
F. MAURIAC, le Nouveau Bloc-notes 1958-1960, p. 310.

♦ **4.** (1668). Mod. Personne qui usurpe le nom, la qualité d'un autre, ou qui affecte des titres, des capacités qu'elle n'a pas. *Imposteur, religieux, faux prophète* (⇒ **Antéchrist**). *Imposteur qui prend un nom illustre* (→ Habiller, cit. 19), *s'empare du pouvoir.* ⇒ **Usurpateur.** *Thomas l'imposteur,* roman de Cocteau.

5 Ciel! me faut-il ainsi renoncer à moi-même,
Et par un imposteur me voir voler mon nom? MOLIÈRE, Amphitryon, I, 2.

6 Un imposteur qui prit le nom de Zoroastre déjà révéré dans la Perse (...)
DIDEROT, Opinions des anciens philosophes (Perses).

6.1 Guillaume Thomas, malgré son nom d'incrédule, était un imposteur. Il n'était ni le neveu du général de Fontenoy (...)
Vous verrez de quelle race d'imposteurs relève notre jeune Guillaume. Il faut leur faire une place à part. Ils vivent une moitié dans le songe. L'imposture ne les déclasse pas, mais les surclasse plutôt. Guillaume dupait sans malice. La suite montrera qu'il était sa propre dupe. Il se croyait ce qu'il n'était pas, comme n'importe quel enfant, cocher ou cheval.
On l'eût bien surpris en lui démontrant qu'il risquait la prison.
COCTEAU, Thomas l'imposteur, p. 26 et 28.

REM. La forme féminine, très rare, est attestée :

Mais oui, continuait l'imposteuse, vous laissez votre pharmacienne pour suivre une malheureuse vieille fille, et vous ne pourrez même pas lui dire adieu car elle part au train de deux heures trente. GIRAUDOUX, Provinciales, p. 174. 6.2

Fig., littér. (Choses abstraites) :

(...) prenez garde (...) à la malice du temps; voyez comme ce subtil imposteur tâche de sauver (...) les apparences, comme il affecte toujours l'imitation de l'éternité. BOSSUET, 4e Sermon p. 1er dimanche de Carême, Sur la Pénit., III. 7

♦ **5.** (1759). Zool., vx. Poisson d'Amérique du Nord, qui ressemble par la tête à une carpe.

CONTR. Droit, franc, loyal. — Honnête, sincère, vrai.

IMPOSTURE [ɛ̃pɔstyʀ] n. f. — 1546, réemprunt au lat.; *emposture*, v. 1190; bas lat. *impostura*, de *imponere*. → Imposer.

♦ **1.** Vieilli. Action, fait d'en imposer*, de tromper par des discours mensongers, de fausses apparences. ⇒ **Fausseté, mensonge, tromperie.** « *Mentir pour son avantage à soi-même est imposture* » (Rousseau, → Calomnie, cit. 2; imposteur, cit. 1). *Religion fondée sur l'imposture* (→ Convention, cit. 6; fonder, cit. 12). *Recourir à l'imposture* (→ Fonder, cit. 23). *Mépriser le mensonge et l'imposture* (→ Fonder, cit. 23). *Mépriser le mensonge et l'imposture* (→ Haine, cit. 34). — *Cette déclaration est une grossière imposture. Cette religion est une imposture* (→ Comédie, cit. 10).

L'imposture est le masque de la vérité; la fausseté, une imposture naturelle; la dissimulation, une imposture réfléchie : la fourberie, une imposture qui veut nuire; la duplicité, une imposture à deux fins. VAUVENARGUES, De l'esprit humain, XLV. 1

(...) l'erreur est toujours imposture quand on donne ce qui n'est pas pour la règle de ce qu'on doit faire ou croire. ROUSSEAU, Rêveries..., 4e promenade. 2

Ô triste humanité, je fuis dans la nature! 3
Et, pendant que je dis : — Tout est leurre, imposture,
Mensonge, iniquité, mal de splendeur vêtu! (...)
HUGO, les Contemplations, V, XI.

♦ **2.** (1643). Vx. Imputation mensongère, calomnieuse. ⇒ **Calomnie.** *Avancer* (cit. 4) *des impostures* (Pascal).

Vous les verrez bientôt, féconds en impostures, 4
Amasser contre vous des volumes d'injures (...) BOILEAU, Satires, XI.

♦ **3.** (1670). Littér. Tromperie d'une personne qui se fait passer pour ce qu'elle n'est pas. ⇒ **Hypocrisie** (→ Affecter, cit. 13; haut-le-cœur, cit. 3). *Dévoiler* (cit. 2) *les impostures des faux dévots. — L'imposture d'un faux prophète, d'un escroc.*

Ce nom *(de gentilhomme)* ne fait aucun scrupule à prendre, et l'usage aujourd'hui semble en autoriser le vol. Pour moi (...) je trouve que toute imposture est indigne d'un honnête homme, et qu'il y a de la lâcheté à déguiser ce que le Ciel nous a fait naître (...) MOLIÈRE, le Bourgeois gentilhomme, III, 12 (→ Dérober, cit. 27). 5

(...) pour certaines âmes, il y a le bonheur de l'imposture. Il y a une effroyable, mais enivrante félicité dans l'idée qu'on ment et qu'on trompe; dans la pensée qu'on *se* sait *seul soi-même,* et qu'on joue à la Société une comédie dont elle est la dupe, et dont on se rembourse les frais de mise en scène par toutes les voluptés du mépris (...) Les natures *au cœur sur la main* ne se font pas l'idée des puissances solitaires de l'hypocrisie, de ceux qui vivent et peuvent respirer, la tête lacée dans un masque. BARBEY D'AUREVILLY, les Diaboliques, « Le dessous de cartes ». 6

♦ **4.** (1658). Fig., vx. Fausse apparence. ⇒ **Illusion.** « *Le souvenir confus d'une douce imposture* » (La Fontaine, *Adonis*). « *Il est difficile de se défendre de l'imposture des sens* » (Académie, 1934).

Mod. (péj.). Apparence trompeuse.

Dans votre éternel silence, ô tombeaux, si vous êtes des tombeaux, n'entend-on qu'un seul rire moqueur et éternel? Ce rire est-il le Dieu, la seule réalité dérisoire, qui survivra à l'imposture de cet univers? 7
CHATEAUBRIAND, Mémoires d'outre-tombe, t. III, p. 332.

CONTR. Droiture, franchise. — Honnêteté, sincérité, vérité.

IMPÔT [ɛ̃po] n. m. — 1399, *impost;* du lat. *impositum*, p. p. de *imponere*, sur le modèle de *dépôt*. → Imposer.

♦ **1.** Prélèvement* (pécuniaire, de nos jours) que l'État opère sur les ressources des particuliers afin de subvenir aux charges publiques; ensemble de ces prélèvements. *Noms donnés aux impôts, en France.* ⇒ **Charge** (II., 2.), **contribution**; 3. **droit** (I., 4.), **imposition, patente, taxe.** *Anciens impôts.* ⇒ **Aide** (III., 2.), **capitation, dîme, droit** (droits féodaux), **gabelle, redevance, taille; tribut.** *L'impôt est le plus important des prélèvements publics.* ⇒ **Finance** (finances publiques); **douane, emprunt** (cit. 7). *Relatif à l'impôt.* ⇒ **Fiscal, fiscalité.** *Administration chargée des impôts.* ⇒ **Contribution, fisc, régie** (financière). — *Territorialité* de l'impôt. Répartition de l'impôt entre les communes* (→ Arrondissement, cit. 5). *Périodicité, annualité* (cit.) *de l'impôt.* ⇒ **Budget.** — *Productivité, rendement de l'impôt.* ⇒ **Produit, recette, rentrée, revenu.** *Plus-value* des impôts. Justice de l'impôt. L'égalité devant l'impôt. Le principe de la progressivité de l'impôt. Théorie de l'impôt,* œuvre de Proudhon (1868).

L'impôt est un prélèvement d'argent fait sur les choses ou sur les personnes sous des déguisements plus ou moins spécieux; ces déguisements, bons quand il fallait extorquer l'argent, ne sont-ils pas ridicules dans une époque où la classe sur laquelle pèsent les impôts sait pourquoi l'État les prend et par quel mécanisme il 1

les lui rend. En effet, le budget n'est pas un coffre-fort, mais un arrosoir; plus il puise et répand d'eau, plus un pays prospère.
BALZAC, les Employés, Pl., t. VI, p. 880.

2 L'impôt ne détruit (...) jamais la richesse nationale : il en modifie seulement la répartition et l'emploi. Maurice DUVERGER, les Finances publiques, p. 44.

3 (...) la boutade traditionnelle «les impôts productifs ne sont pas justes; les impôts justes ne sont pas productifs» n'est pas dépourvue de vérité.
Maurice DUVERGER, les Finances publiques, p. 48.

4 La conception romaine de l'impôt considéré comme un devoir, a fini par s'imposer en France après la période féodale de contributions volontaires (aides) soit aux seigneurs soit au roi. Le partage entre la préoccupation de justice et le souci de productivité a fait varier à partir du XIXe et du début du XXe siècle, la place respective de l'impôt personnel et de l'impôt réel, des contributions sur la fortune et le revenu, d'une part, sur les transactions et la consommation, d'autre part. Mais à partir de 1920, surtout, l'impôt, considéré par les classiques comme un instrument purement financier appelé à fournir des ressources au budget, présente (...) un nouvel aspect. Politique, il est mis au service soit des changements de structure économique ou sociale, soit de la direction de la production, de la circulation ou de la répartition. Henry LAUFENBURGER, Histoire de l'impôt, p. 7.

Créer, voter un impôt, un nouvel impôt (→ Antisocial, cit. 1; assentiment, cit. 2; garantie, cit. 8). — *Base de l'impôt.* ⇒ **Assiette** (II., 3.). *Le cadastre* sert à établir l'assiette de l'impôt foncier. Déclaration* d'impôts. — Fixation, liquidation* de l'impôt. Taux, tarif de l'impôt. Surtaxes ajoutées au principal* de l'impôt.* ⇒ **Additionnel** (centime, décime* additionnel). — *Répartition des impôts, de l'impôt.* ⇒ **Coéquation, contingent, péréquation, répartement; capitation.** *Répartir les impôts* (⇒ **Assesseur,** au Canada). *Être sujet, assujetti à l'impôt, redevable de l'impôt.* ⇒ **Contribuable** (cit.), **imposable, redevable.** *Faire sa déclaration* d'impôts. Remplir sa feuille d'impôts. Montant de l'impôt pour chaque contribuable.* ⇒ **Cote, cotisation, quotepart; avertissement.** — *Levée, perception, recouvrement de l'impôt* (→ Convocation, cit. 1). *Lever, percevoir, recouvrer les impôts* (⇒ **Collecteur, percepteur, receveur**). Anciennt. *Recouvrement des impôts par fermage.* ⇒ **Ferme** (I., 2.), **fermier** (1.), **publicain, traitant...** *Perception illégale d'impôts.* ⇒ **Maltôte** (vx). — *Contentieux des impôts. Contrôle, vérification de la répartition de l'impôt.* ⇒ **Contrôleur, inspecteur.**

5 (...) la façon de lever les impôts est cent fois plus onéreuse que le tribut même.
VOLTAIRE, Lettre à Bastide, 1604, décembre 1758.

6 Rabourdin imposait la consommation par le mode des contributions directes, en supprimant tout l'attirail des contributions indirectes. La recette de l'impôt se résolvait par un rôle unique composé de divers articles (...) Diminuer la lourdeur de l'impôt n'est pas en matière de finance diminuer l'impôt, c'est le mieux répartir; l'alléger, c'est augmenter la masse des transactions en leur laissant plus de jeu; l'individu paye moins et l'État reçoit davantage.
BALZAC, les Employés, Pl., t. VI, p. 879.

Augmenter, hausser les impôts. Augmentation d'impôts, de l'impôt. ⇒ **Regrèvement; surimposer, surimposition** (→ Bestiaux, cit. 2; fournir, cit. 14). *Aggraver* (cit. 2) *l'impôt. Multiplier les impôts* (→ Argent, cit. 57). *Lourds impôts. Excès d'impôts. Impôts abusifs, excessifs, exorbitants, vexatoires.* ⇒ **Exaction** (→ Croix, cit. 2; extorsion, cit. 1). *Impôts qui accablent, écrasent, surchargent le contribuable.* ⇒ **Pressurer, tondre** (le contribuable); → Épuisement, cit. 5. *Frapper* une marchandise d'un impôt. — Alléger, diminuer, réduire les impôts* (dégrèvement fiscal). ⇒ **Dégrèvement** (cit.), **dégrever.** *Détaxe d'impôts* (→ Haras, cit. 1). *Affranchir, exonérer* (cit. 2), *décharger d'impôts; exemption d'impôts.* ⇒ **Exonération** (cit. 2), **immunité; affidavit.**

7 Plus un pays est riche, plus les impôts y sont lourds.
VOLTAIRE, Dict. philosophique, Impôt.

Payer l'impôt (→ Esquiver, cit. 9). *Paiement de l'impôt* (→ Convenir, cit. 23; fonction, cit. 7). *Satisfaire aux obligations de l'impôt* (→ État, cit. 118). *Refuser l'impôt. Fraude* (cit. 7) *à l'impôt.*

Par ext. (au plur.). *Les impôts de qqn, que paie qqn. Les impôts que paie le propriétaire d'un domaine* (→ Entretien, cit. 2). *Il n'a pas encore payé ses impôts. Il paie, il ne paie pas d'impôts.*

8 (...) tu paies des impôts, mais tu sais ce qu'on fait de ton argent. Tous les ans le percepteur t'envoie une lettre : Monsieur, vous avez payé tant, eh! bien, ça représente tant de médicaments pour les malades ou tant de mètres carrés d'autostrade. - SARTRE, la Mort dans l'âme, p. 275.

REM. Dans la langue courante, *impôt, impôts* désignent le plus souvent les impôts directs sur le revenu.

(Qualifié). *Impôt en nature* (⇒ **Corvée, dîme** [hist.], **prestation**), *en argent. — Impôt national, départemental, communal. — Impôt global. Impôt général sur le revenu. Impôt cédutaire* (atteignant une catégorie de revenus : aujourd'hui «taxes proportionnelles»; ⇒ **Cédule,** 2.). — *Impôt de quotité,* établi par application d'un taux à la matière imposable. *Impôt de répartition,* perçu par division du contingent. *Impôt forfaitaire.*

9 L'impôt de répartition est celui dont le législateur fixe *ne varietur* le produit total à recouvrer qu'on appelle le contingent sans établir le tarif (...) L'impôt de quotité est celui dont la loi de finance fixe le tarif, sans déterminer autrement le produit total. André ALLIX, *in* ROMEUF, Dict. des sciences économiques.

Nature de l'impôt : impôts personnels (dont l'assiette et la liquidation dépendent de la situation personnelle du contribuable); *impôts réels* (où seule la matière imposable détermine assiette et liquidation).

10 Tous les impôts sont personnels parce qu'ils sont toujours destinés à grever un contribuable, c'est-à-dire une personne. En un autre sens, tous les impôts sont réels car ils ne frappent pas une personne pour le fait de son existence, mais pour les revenus dont elle jouit, les biens qu'elle possède (...)
André ALLIX, Science des finances, p. 527.

IMPÔTS DIRECTS : impôts assis sur la matière imposable et perçus par rôles*. *Administration des impôts directs :* contributions* directes (appelées *«Droits* réunis»* sous l'Empire). — *Impôt sur le revenu des personnes physiques* (I. R. P. P.), *sur les bénéfices industriels et commerciaux* (I. B. I. C.). — (1768). IMPÔTS INDIRECTS : impôts perçus à l'occasion d'un événement concernant la matière imposable (production, circulation, consommation) et par application d'un tarif. *Les impôts sur les actes civils, judiciaires* (⇒ **Timbre**), *sur les boissons, les spectacles, les transports sont des impôts indirects. Impôt de circulation, de consommation* (⇒ **Accise**). *Circulation des marchandises soumises à l'impôt indirect.* ⇒ **Acquit-à-caution, congé** (5.).

(...) l'impôt direct consiste à prélever au profit du fisc une fraction de ce revenu à intervalles réguliers, la plupart du temps annuellement. Dans l'impôt indirect, au contraire, on frappe le revenu à l'occasion des divers emplois qu'en fait le contribuable : lorsqu'il achète un objet ou un service (...) il y a dans la somme qu'il débourse (...) une part qui est versée au fisc à titre d'impôt. 11
Maurice DUVERGER, les Finances publiques, p. 42.

*Impôt sur le revenu** (global ou cédulaire; direct ou indirect). *Principaux impôts sur le revenu : impôt sur les bénéfices, sur le chiffre d'affaires, sur les traitements et salaires* (→ Fisc, cit. 3). *Impôt sur le revenu en Grande-Bretagne.* ⇒ **Income-tax.** *L'impôt foncier*, impôt sur les revenus de la propriété immobilière. Impôts indiciaires* sur le revenu* (→ 2. Frais, cit. 15). — Anciennt. *Impôt des portes et fenêtres.* — Mod. *Impôt sur le capital. — Impôt sur les plus-values* ou *sur les gains de fortune,* qui frappe les accroissements exceptionnels du capital. — *Impôt sur les grandes fortunes* (I. G. F.).

Sous Louis XV, Mme du Deffand dira : «On taxe tout, hormis l'air que nous respirons», ce qui viendra d'ailleurs sous la Révolution, avec l'impôt des portes et fenêtres. J. BAINVILLE, Hist. de France, p. 281. 12

Ne parlait-on pas déjà de l'impôt sur le revenu? Et comment allait-on l'établir cet impôt? En mépris du secret de la vie privée des gens! On allait entrer chez chacun, inventorier ce qu'il avait dans ses tiroirs, à sa banque! 13
ARAGON, les Beaux Quartiers, I, VII.

(...) pour qu'il y ait véritablement impôt sur le capital, il faut non seulement que la somme à verser au fisc par le contribuable soit calculée d'après le capital, mais encore que son montant soit tel qu'il faille amputer le capital lui-même pour l'atteindre. Maurice DUVERGER, les Finances publiques, p. 43. 14

Impôt proportionnel (à taux constant), *impôt dégressif** (cit.), *impôt progressif* (à taux croissant). *Impôt progressif sur le revenu. Progressivité globale, par tranches, d'un impôt. Impôt discriminatoire.*

La progressivité de l'impôt est (...) une des conséquences directes de sa personnalisation. A l'ancien impôt proportionnel, dont le taux restait invariable (...) on a substitué un système dans lequel le taux augmente en même temps qu'augmente la quantité de matière imposable détenue par les contribuables (...) On estime en effet que les titulaires de petits revenus affectent aux dépenses de première nécessité une proportion de leurs ressources plus grande que celle dépensée pour le même objet par les titulaires de gros revenus (...) 15
Maurice DUVERGER, les Finances publiques, p. 47.

*Impôts perçus par l'administration de l'enregistrement** (cit. 1) : droits de succession*, de mutation*, de timbre*.

♦ **2.** (V. 1820, Lamennais). Obligation imposée. ⇒ **Contribution, tribut.**

Chaque année, la France faisait présent à cet homme *(Napoléon)* de trois cent mille jeunes gens; c'était l'impôt payé à César (...) 16
A. DE MUSSET, la Confession d'un enfant du siècle, I, II.

(1842, Balzac, *Un début dans la vie*). Spécialt (vx ou littér.). *L'impôt du sang :* l'obligation du service militaire.

Et c'était pis pour le recrutement des armées, pour cet impôt du sang, qui, longtemps, ne frappa que les petits des campagnes : ils fuyaient dans les bois, on les ramenait enchaînés, à coups de crosse, on les enrôlait comme on les aurait conduits au bagne. ZOLA, la Terre, I, V. 17

Nous sommes, dit-il, résolument contre tout ce qui peut mener à la guerre, contre l'aggravation de ce qu'on appelle d'une façon sinistre l'impôt du sang. 18
ARAGON, les Beaux Quartiers, I, XIX.

IMPOTABLE

IMPOTABLE [ɛ̃pɔtabl] adj. — 1791, *in* D. D. L.; de *im-* (→ 1. In-), et *potable.*

♦ Rare. Non potable.

C'est à William Elson que l'on dut l'invention philanthropique de dénaturer l'eau portée par les conduites à domicile de façon à la rendre impotable, tout en la laissant propre aux usages de la toilette.
A. JARRY, le Surmâle, V, Œ. compl., t. III, p. 156.

CONTR. Potable.

IMPOTENCE

IMPOTENCE [ɛ̃pɔtɑ̃s] n. f. — V. 1265; lat. *impotentia,* de *impotens, impotentis.* → Impotent.

♦ **1.** État d'une personne impotente. *L'impotence d'un vieillard.*

On a sonné. Je n'en suis pas à une telle impotence que je ne puisse, repoussant le maniable établi planté à califourchon sur mon divan, aller ouvrir.
COLETTE, l'Étoile Vesper, p. 73.

♦ **2.** (1894). Méd. *Impotence fonctionnelle* : impossibilité ou difficulté de se servir d'un membre paralysé, fracturé.

CONTR. Validité.

IMPOTENT, ENTE [ɛ̃pɔtɑ̃, ɑ̃t] adj. et n. — 1319; lat. *impotens* «impuissant»; de *im-* (→ 1. In-), et *potens, potentis* «puissant; maître», de même famille que *potere* «pouvoir».

♦ (Personnes). Qui, par une cause naturelle ou par accident, ne peut se mouvoir; qui ne se meut qu'avec une extrême difficulté. ⇒ **Estropié, infirme, invalide, paralytique, perclus.** *Être impotent par maladie, par accident. Vieillard faible* et impotent* (→ Foudroyer, cit. 16). *« Qu'on me rende impotent, cul-de-jatte, goutteux, manchot... »* (→ Cul, cit. 14, La Fontaine). *La goutte, les rhumatismes l'ont rendu impotent.* ⇒ **Podagre.**

1 (...) je travaillerai jusqu'à ce que je devienne tout à fait aveugle et impotent, deux bénéfices dont je pourrai bientôt être pourvu.
VOLTAIRE, Lettre à d'Argental, 2300, 23 mai 1763.

2 (...) un vieillard impotent, incapable de quitter sa voiture, la priait de descendre pour un instant. BALZAC, la Cousine Bette, Pl., t. VI, p. 432.

3 Ce roi impotent *(Louis XVIII)* avait le goût du grand galop ne pouvant marcher, il voulait courir (...) HUGO, les Misérables, II, III, VI.

4 (...) elle se plaignait doucement de sa santé, de ses mains et de ses pieds gonflés, de ses jambes qui s'ankylosaient : elle exagérait son mal, elle se disait une vieille impotente, qui n'est plus bonne à rien.
R. ROLLAND, Jean-Christophe, La révolte, III, p. 600.

5 (...) même si réduite, pour le vieillard immobile et impotent, la vie restait entière dans les moindres choses (...) À l'heure du déjeuner, on transportait le fauteuil dans la (...) salle à manger (...)
J. CHARDONNE, les Destinées sentimentales, p. 136.

N. (1798). *Un impotent, une impotente. Un impotent condamné à l'immobilité.*

(1835). Par ext. *Jambe impotente, membre impotent. — Bras impotent. Il est impotent d'un bras* (Académie).

6 Il ordonna que celui qui aurait été mutilé et rendu impotent de quelque membre à la guerre, fût nourri tout le temps de sa vie aux dépens de la chose publique.
J. AMYOT, Sol. 65, *in* LITTRÉ.

CONTR. Ingambe, valide.

IMPOUVOIR [ɛ̃puvwaʀ] n. m. — 1801, Mercier; de *im-* (→ 1. In-), et *pouvoir.*

♦ Vx. Absence de pouvoir. ⇒ **Impuissance.** *Impouvoir à* (et inf.).

Un impouvoir à cristalliser inconsciemment, le point rompu de l'automatisme à quelque degré que ce soit. A. ARTAUD, le Pèse-nerfs, Œ. compl., t. I, p. 90.

CONTR. Pouvoir.

IMPRATICABILITÉ [ɛ̃pʀatikabilite] n. f. — 1791, Mirabeau; de *impraticable.*

♦ Rare. Caractère de ce qui est impraticable.

IMPRATICABLE [ɛ̃pʀatikabl] adj. — 1627, *impratiquable*; de *im-* (→ 1. In-), et *praticable.*

♦ **1.** (1688). Littér. Qu'on ne peut mettre en pratique, à exécution. ⇒ **Difficile, impossible, inapplicable, inexécutable, irréalisable.** *Projet, entreprise, méthode, moyen impraticable. Ce que vous me proposez est tout à fait impraticable* (Académie).

1 (...) les autres devoirs, qu'on ne prescrit aux enfants qu'en les leur rendant non seulement haïssables, mais impraticables. ROUSSEAU, Émile, II.

2 (...) des vues superficielles, des projets utiles, mais impraticables (...)
ROUSSEAU, les Confessions, IX.

3 (...) le signe le plus assuré de médiocrité que puisse donner un homme, c'est de trouver à chaque projet qu'on propose des objections qui le rendent impraticable.
STENDHAL, Journal, p. 26.

♦ **2.** (1680). Cour. Où l'on ne peut passer, où l'on passe très difficilement. *Rue, chemin, piste impraticable pour les voitures* (→ Établir, cit. 2). *Col impraticable en hiver. Ce quartier est impraticable les jours d'affluence. Impraticable à... Ville impraticable aux voitures* (→ Circuler, cit. 4).

4 (...) à chaque printemps les eaux de pluie sillonnaient la promenade, y creusaient des ravins et la rendaient impraticable. STENDHAL, le Rouge et le Noir, I, II.

4.1 En sortant du bouillon, Pierre emmena Narcense en auto pour faire une petite balade dans la vallée de Chevreuse. Paris déversait des milliers d'autos sur la campagne. Les routes étaient impraticables. R. QUENEAU, le Chiendent, p. 91.

♦ **3.** Vx. Pénible, peu supportable (lieux, temps, situations). *« (...) un hiver est impraticable à Grignan, et très ruineux à Aix »* (Mme de Sévigné, Lettres, 783, 21 févr. 1680). *« La fumée rend cette chambre impraticable »* (Littré). ⇒ **Invivable.**

♦ **4.** (1694). Vx. (Personnes). Difficile à vivre, insociable. ⇒ **Infréquentable, insupportable.**

5 La princesse Mathilde se rabattit (...) sur le richissime Anatole Demidoff, dont il lui fallut rapidement se séparer, vu le caractère impraticable de ce Russe.
Émile HENRIOT, Portraits de femmes, p. 393.

CONTR. Possible, praticable.
DÉR. Impraticabilité.

IMPRATIQUE [ɛ̃pʀatik] adj. — 1902-1903, Valéry; de *im-* (→ 1. *in-*), et *pratique.*

♦ Rare. Qui n'est pas pratique.

La décadence de la logique — due aux journaux, à la politique bête, à l'infusion du peuple — c'est-à-dire à l'inutilité de la logique même, aussi impratique à l'égard des masses que le discours à l'égard d'un bœuf.
VALÉRY, Cahiers, t. II, Pl., p. 1450.

CONTR. Pratique.

IMPRATIQUÉ, ÉE [ɛ̃pʀatike] adj. — 1821, *in* T.L.F.; de *im-* (→ 1. In-), et *pratiqué.*

♦ Rare. Qui n'est pas pratiqué, exécuté, fait ou fréquenté.

On appelle toujours chez nous impraticable ce qui est impratiqué.
BERLIOZ, les Grotesques de la musique, p. 218, *in* T.L.F.

IMPRÉCATEUR, TRICE [ɛ̃pʀekatœʀ, tʀis] n. — 1864, Daniel Stern; de *imprécation.*

♦ Rare. Personne qui profère des imprécations. *L'Imprécateur,* roman de R.-V. Pilhes.

Adj. *« La Bête imprécatrice »* (Colette, *Dialogue des bêtes*).

IMPRÉCATION [ɛ̃pʀekɑsjɔ̃] n. f. — V. 1355, *imprecacion* «prière par laquelle on vouait qqn aux dieux de l'enfer»; lat. *imprecatio,* de *im-* (→ 2. In-), et *precari* «prier».

♦ **1.** Didact. (Antiq.). Prière solennelle appelant (sur qqn) la colère des divinités infernales, des furies.

Malédiction solennelle. *Les imprécations d'Oreste, des héros tragiques.*

C'était une espèce d'imprécation parmi les Hébreux, de souhaiter à un homme que le sang d'un autre homme retombât sur lui. 1
BOURDALOUE, Exhortation sur le jugement du peuple contre J.-C., II.

(...) les imprécations et les exécrations prononcées par les prêtres et par tous les autres ministres de la religion contre Alcibiade, et même contre ceux qui proposeraient de le rappeler (...) ROLLIN, Hist. ancienne, t. IV, p. 17, *in* LITTRÉ. 2

♦ **2.** (1564). Littér. Souhait de malheur (contre qqn). ⇒ **Anathème, exécration, malédiction.** *Faire des imprécations, prononcer, proférer des imprécations. « Que le diable l'emporte ! », « Malheur à toi ! », imprécations familières. L'air retentit de leurs imprécations* (→ Forclore, cit. 1). *Imprécations sacrilèges.* ⇒ **Blasphème, jurement.** *Lancer, proférer des imprécations contre qqn.*

Le désespoir, les cris, les éternels reproches, 3
Les imprécations d'une mère en fureur. VOLTAIRE, l'Orphelin de la Chine, II, 2.

Tandis qu'il parlait, une sombre colère couvait dans le cœur du moine; elle éclata en imprécations. FRANCE, Thaïs, p. 202. 4

♦ **3.** (Des sens 1 et 2). Hist. littér. Ensemble de malédictions proférées par un personnage, dans une tragédie. *Les imprécations d'Agrippine* (→ Employer, cit. 5), *dans Racine; de Camille, dans Corneille* (⇒ **Anaphore,** cit.).

Ces imprécations de Camille ont toujours été un beau morceau de déclamation et ont fait valoir toutes les actrices qui ont joué ce rôle. 5
VOLTAIRE, Théâtre choisi de Corneille, p. 335.

Ce que certains jugent, dans la tragédie classique, comme le comble de l'artifice : les fureurs, les imprécations, voilà qui, dans Racine, paraît le plus humain (...) 6
F. MAURIAC, Vie de Racine, p. 110.

CONTR. Bénédiction.
DÉR. Imprécateur, imprécatoire.

IMPRÉCATOIRE [ɛ̃pʀekatwaʀ] adj. — Fin XVIe; de *imprécation.*

♦ Littér. Qui a rapport à l'imprécation. *Formules imprécatoires* (→ Bouc, cit. 2; exclamation, cit. 2). *Le style imprécatoire.*

La colère dégrade la femme, même si elle s'appelle Camille ou Hermione, et le mode imprécatoire ne lui va pas. Léon DAUDET, la Femme et l'Amour, p. 103.

IMPRÉCIS, ISE [ɛ̃pʀesi, iz] adj. et n. m. — Fin XIXe; proposé en 1845 par Richard de Radonvilliers; de *im-* (→ 1. In-), et *précis.*

A. Adj. ♦ **1.** Qui n'est pas précis*; qui manque de netteté. (Concret). *Couleur, forme imprécise. Des contours imprécis.* ⇒ **Indistinct** (→ Espace, cit. 21). *Ombre imprécise qui flotte* (cit. 3). — (Abstrait). *Rêve, souvenir imprécis* (→ Fasciste, cit. 4). ⇒ **Flou, incertain, indéfini, indécis.** *Lutter contre des peurs imprécises* (→ Esprit, cit. 82). *La description de ces lieux, de ces faits demeure très imprécise. N'obtenir que des renseignements imprécis. Se faire une idée imprécise de qqch.* ⇒ **Confus, grossier.**

Une succession de pâleurs imprécises, imprécisées et apâlies de plus en plus, marquait des portes ouvertes sur le vide des bureaux où traînait un reste de lumière. 1
COURTELINE, Messieurs les ronds-de-cuir, IIIe tableau, II.

Les yeux, de nuance imprécise et d'une mobilité inconcevable (...) 2
Léon BLOY, la Femme pauvre, p. 247.

(...) c'est beau dans sa rigueur comme une démonstration d'algèbre. Rien de vague; rien d'imprécis; tout mot porte, et un seul suffit. 3
Émile HENRIOT, les Romantiques, p. 476.

♦ **2.** Qui n'est pas exprimé avec précision. *Termes imprécis.* ⇒ **Approximatif.** *Discours imprécis* (→ Épancher, cit. 11). ⇒ **Confus.** — *À une date, à une heure imprécise,* non précisée. ⇒ **Indéterminé.**

♦ **3.** Qui n'est pas effectué avec précision (geste, acte). *Mouvements, gestes imprécis et mal adaptés.* ⇒ **Imparfait, vague.** *Un tir imprécis. Mesures imprécises.* ⇒ **Approximatif.**

B. N. m. *L'imprécis :* ce qui est vague. ⇒ **Flou** (cit. 6), **indécis.**

4 Elle fait de l'infini avec l'imprécis et l'inachevé.
GIDE, les Faux-monnayeurs, III, II, p. 303.

5 (...) l'imprécis grandiose des horizons urbains.
Valery LARBAUD, Barnabooth, Poésies, Matin de novembre...

CONTR. Déterminé, net, précis.
DÉR. Imprécisément.

IMPRÉCISABLE

IMPRÉCISABLE [ɛ̃pʀesizabl] adj. — 1899, Gide; de *im-* (→ 1. In-), *préciser,* et suff. *-able.*

♦ Rare. Qui ne peut être précisé. *Une position, un moment imprécisable.*

IMPRÉCISÉ, ÉE

IMPRÉCISÉ, ÉE [ɛ̃pʀesize] adj. — 1793; de *im-* (→ 1. In-), et *précisé.*

♦ Littér. Qui n'a pas été précisé. ⇒ **Imprécis.** *Pensée, idée imprécisée.* — REM. Dans de nombreux cas, on dira plutôt *imprécis* ou *non précisé.*

IMPRÉCISÉMENT

IMPRÉCISÉMENT [ɛ̃pʀesizemɑ̃] adv. — XXe; proposé par Richard de Radonvilliers, 1845; de *imprécis,* d'après *précisément.*

♦ Littér. D'une manière imprécise. ⇒ **Vaguement.**

Siegfried qui ne se souvenait jamais des événements récents — la mort même de François avait mis plus d'un mois à lui entrer dans la tête et encore la situait-il imprécisément dans le temps (...)
M. DRUON, les Grandes Familles, V, IV, p. 297.

CONTR. Précisément.

IMPRÉCISER (S')

IMPRÉCISER (S') [ɛ̃pʀesize] v. pron. — 1897; de *im-* (→ 1. In-), et *se préciser.*

♦ Rare. Devenir imprécis. — REM. Le mot a été littérairement à la mode à l'époque du symbolisme (Gide, 1897; Léautaud, 1906, *in* T. L. F.).

IMPRÉCISION

IMPRÉCISION [ɛ̃pʀesizjɔ̃] n. f. — 1845, «manque de précision»; de *im-* (→ 1. In-), et *précision,* l'angl. *imprecision* est attesté dès 1803.

♦ **1.** Caractère de ce qui est imprécis; manque de précision. ⇒ **Flou, vague.** *L'imprécision d'une forme, d'un dessin. L'imprécision d'un rêve, d'un souvenir* (→ Effacement, cit. 2).

1 (...) les musiciens, demeurent plongés dans l'imprécision de l'ombre.
LOTI, l'Inde (sans les Anglais), III, V.

Manque de netteté (dans l'expression). *Imprécision de la pensée, du vocabulaire, d'un texte, d'un récit. Ne rien laisser dans l'imprécision.*

Manque de sûreté, d'exactitude (dans l'exécution). *L'imprécision des gestes, d'un tir. La marge d'imprécision d'une opération.*

♦ **2.** *Une, des imprécisions.* Donnée, information imprécise.

2 (...) il suffit d'une très faible imprécision, inévitable par nature, dans la connaissance de ce coin d'Univers, pour entraîner une ignorance de plus en plus complète quand on s'en éloigne de plus en plus.
J. PERRIN, Espace et Temps, *in* DAVAL et GUILLEMAIN, Philosophie des sciences, p. 229.

CONTR. Détermination, exactitude, netteté, précision.

IMPRÉGNABLE

IMPRÉGNABLE [ɛ̃pʀeɲabl] adj. — 1803; de *imprégner.*

♦ Rare. Qui peut être imprégné (II.).

IMPRÉGNANT, ANTE

IMPRÉGNANT, ANTE [ɛ̃pʀeɲɑ̃, ɑ̃t] adj. — D. i. (XXe); de *imprégner.*

♦ Qui est capable d'imprégner (II.) qqch., qqn. *Des résines imprégnantes.* — Fig. *« (Une) mélancolie imprégnante »* (J. Romains, 1939, *in* T. L. F.).

IMPRÉGNATION

IMPRÉGNATION [ɛ̃pʀeɲasjɔ̃] n. f. — V. 1390, «fait d'engendrer»; dér. sav. du lat. *imprægnare* «féconder», de *im-* (→ 2. In-), et *prægnans, prægnantis* «enceinte».

★ **I.** ♦ **1.** Didact., vx. Action de féconder, de rendre prégnant; résultat de cette action. ⇒ **Fécondation.**

(...) lorsqu'on les laisse joindre *(l'âne et l'ânesse)* dans d'autres temps, et surtout en hiver, il est rare que l'imprégnation suive l'accouplement (...) 1
BUFFON, Hist. nat. des animaux, De la génération des anim.

♦ **2.** (1858). Hist. sc. (biol.). «Influence qui serait exercée par une première fécondation sur les produits des fécondations ultérieures dérivant d'autres géniteurs» (Garnier).

À l'hérédité de l'acquis se rattache la prétendue hérédité d'imprégnation, ou *télégonie* (...) On a soutenu parfois qu'une femme (...) ayant eu un enfant avec un nègre pourrait ensuite, avec un blanc, produire des enfants à caractères négroïdes. Il n'y a là qu'un préjugé de pure fantaisie entretenu par beaucoup d'éleveurs, qui croient obstinément à l'hérédité d'imprégnation chez les animaux domestiques. La biologie, en fait de paternité, ne connaît que la paternité directe. 2
Jean ROSTAND, l'Hérédité humaine, p. 114.

★ **II.** ♦ **1.** a (1690). Didact., vx. Pénétration d'une substance dans une autre. *« Imprégnation des sels dans l'eau »* (Furetière, *Dict.*).

b (1765). Mod. Pénétration (d'un fluide) dans un corps quelconque. ⇒ **Imbibition.**

Les odeurs du pavot et de l'encens s'exhalaient de ces meubles, de ces tapis, de ces tentures favorables à l'imprégnation des vapeurs aromatiques (...) 3
H. BOSCO, Un rameau de la nuit, p. 104.

(1859). Techn. *Imprégnation des bois :* infiltration de certains produits liquides destinés à les colorer, à les rendre imperméables, imputrescibles. — *Imprégnation d'un liant, d'un agent de finissage dans un sol textile.*

c Techn. Procédé de remplissage des pores d'un métal par un autre métal porté à l'état liquide.

d (1923). Biol. Méthode de coloration des cellules qui permet de rendre visibles certaines structures.

♦ **2.** (1933; de *imprégner*). Pathol. Pénétration d'un agent nocif dans l'organisme. — (1933). *Imprégnation alcoolique.* ⇒ **Alcoolémie.** *Taux d'imprégnation.*

♦ **3.** (1858, Michelet; de *imprégner*). Pénétration (d'une influence, d'une idée, etc.) dans l'esprit de qqn, dans un groupe social. ⇒ **Assimilation.**

La culture et l'imprégnation sont évidemment deux choses différentes; mais la culture agonise et le temps de l'imprégnation est venu. 4
G. DUHAMEL, Manuel du protestataire, p. 159.

Non qu'il n'y ait une imprégnation à la base : le militant communiste qui professe dans sa cellule que l'intérêt du parti est l'unique loi et que le mal c'est ce qui nuit au parti, professe déjà la morale d'Aragon. 5
F. MAURIAC, Bloc-notes 1952-1957, p. 254.

Spécialt. a Action de stimuli externes sur la personnalité, et spécialt, sur le subconscient.

b Chez les animaux, Influence déterminante d'un être (ou d'un objet en mouvement) perçue au début du développement comportemental, sur le comportement futur (par ex. un objet mobile, une personne, qui joue dès lors le rôle de la mère); phase du développement qui correspond à cette influence.

♦ **4.** *Une, des imprégnations.* Résultat d'une imprégnation (II., 1., ou 3.); chose, substance qui imprègne qqch. ⇒ **Tache.**

Par milliers cependant les miettes blondes et de grandes imprégnations roses sont en même temps apparues sur le linge épars ou tendu. 6
Francis PONGE, le Parti pris des choses, p. 72.

IMPRÉGNER

IMPRÉGNER [ɛ̃pʀeɲe] v. tr. — Conjug. *céder.* — V. 1140, *empreignier* «devenir enceinte»; «rendre enceinte», 1125; bas lat. *imprægnare* «féconder», de *im-* (→ 2. In-), *et prægnans, prægnantis* «qui est près de produire; enceinte; gros, gonflé», de *præ* «avant» et *gnasci,* archaïsme pour *nasci* «naître».

★ **I.** (Sujet et compl. n. de personne). Vx. Rendre fécond, prégnant. ⇒ **Féconder; imprégnation** (I.).

★ **II.** Mod. ♦ **1.** (1620; par confusion avec *empreindre**, dont beaucoup de formes étaient communes avec celles d'*imprégner*). *Imprégner qqch. de qqch.,* pénétrer (un corps) dans toutes ses parties, en parlant d'une matière. ⇒ **Imprégnation** (II.). — (Vx, sauf en parlant de liquides : 1762). ⇒ **Humecter, imbiber, tremper.** *Imprégner un tissu d'eau, de teinture. Teinture dont on imprègne les cuirs* (→ Cirage, cit. 1). — Au p. p. *Tampon imprégné d'alcool; mouchoir imprégné de parfum.*

(...) on obtient *(la soude)* par la combustion et l'incinération des plantes qui croissent près de la mer, et qui, par conséquent, sont imprégnées de sel marin (...) 1
BUFFON, Hist. nat. des minéraux, Alcalis et leurs combinaisons.

Tout était imprégné d'eau; tout était ruisselant de sel et de saumure. 2
LOTI, Pêcheur d'Islande, III, X.

(...) des cigarettes dont l'encens imprégnait ses vêtements, ses papiers et toutes choses autour de lui. 3
G. DUHAMEL, le Temps de la recherche, p. 182.

Par anal. (Sujet n. de chose). *La brise imprégnait l'atmosphère du parfum des fleurs.* — (Passif et p. p.). *Être imprégné d'une odeur.*

Et des esclaves nus, tout imprégnés d'odeurs (...) 4
BAUDELAIRE, les Fleurs du mal, «Spleen et idéal», XII.

La tombée du soir imprégnait le parc de fraîcheur, faisait frissonner les arbres et s'exhaler de la terre des vapeurs imperceptibles qui jetaient sur l'horizon un léger voile transparent. 5
MAUPASSANT, Fort comme la mort, II, II.

(Le sujet désigne ce qui imprègne) :

6 Le parfum de la résine brûlée imprégnait ce jour torride et le soleil était comme sali. F. MAURIAC, Thérèse Desqueyroux, VIII.

Imprégner (un lieu) de lumière. ⇒ **Baigner** (→ Fondant, cit. 2).
Fig. (rare à l'actif). *Chant imprégné de tristesse.* ⇒ **Plein** (→ aussi Entremêler, cit. 9).

7 Une allégresse infinie égayait la terre et le ciel. Tout respirait la joie et l'amour partagé; l'atmosphère était imprégnée de jeunesse et de bonheur. Th. GAUTIER, Fortunio, XV.

8 Je m'exprime ici sans ironie, mon petit Louis, et vous avoue que je goûte peu celle dont est imprégnée votre lettre. F. MAURIAC, la Pharisienne, XIV.

♦ **2.** (V. 1740, Saint-Simon). Abstrait. *Imprégner qqn de qqch.*, pénétrer, influencer profondément. ⇒ **Envahir, pénétrer; impression,** II. *Imprégner qqn d'une idée, d'une conviction.* ⇒ **Inculquer.** *Imprégner qqn de son esprit.* ⇒ **Animer, déteindre** (sur), **imprimer, marquer.** — Passif et p. p. *Être imprégné de préjugés.* ⇒ **Imbu.** *Animés* (cit. 42) *par le vin, imprégné de cette chaude atmosphère. Cette femme le hante, il en est comme imprégné* (→ Fada, cit. 1).

9 (...) pour avoir le temps aussi de le sonder *(le Dauphin)* partout, et de l'imprégner doucement et solidement de mes sentiments et de mes vues (...) SAINT-SIMON, Mémoires, III, LVII.

10 Mes premières années ont été trop imprégnées des idées issues de la Révolution, mon éducation a été trop libre, ma vie trop errante, pour que j'accepte facilement un joug qui sur bien des points offenserait encore ma raison. NERVAL, Aurélia, IV.

11 (...) je me sens aujourd'hui un peu plus imprégné que jamais de cette vague tristesse que distille la vie. FRANCE, le Crime de S. Bonnard, I, Œ., t. II, p. 284.

12 Dans ses moments bien lucides, son désespoir de plus en plus gagnait en profondeur, l'imprégnait plus mortellement jusqu'aux moelles (...) LOTI, Matelot, LIII.

13 L'homme qui, sans désir précis, sans besoin, sans programme surtout, ouvre chaque jour, pendant quelques heures, le robinet de musique et de mots, se trouvera finalement imprégné. G. DUHAMEL, Manuel du protestataire, p. 159.

♦ **3.** Didact. (éthol.). *Imprégner un animal à (qqch., qqn),* l'exposer au début de son développement comportemental à (un objet, un animé, une personne qui conditionne son comportement futur). ⇒ **Imprégnation** (II., 3., spécialt).

▶ **S'IMPRÉGNER** v. pron.

♦ **1.** (Sujet et compl. n. de chose). S'imbiber. ⇒ **Absorber, boire, prendre** (l'eau). *Bois qui s'imprègne d'eau.* Par anal. *Aliments qui se sont imprégnés d'une mauvaise odeur.*

♦ **2.** Fig. (Sujet n. de personne; compl. n. de chose abstraite). *S'imprégner d'une idée, d'un sentiment. S'imprégner de connaissances.* ⇒ **Assimiler; apprendre** (→ Faire entrer).

14 (...) nous le trouvâmes à Londres vivant de la vie anglaise pour bien s'imprégner du sentiment shakespearien et en mieux comprendre le sens intime. Th. GAUTIER, Portraits contemporains, p. 155.

15 (...) il s'était imprégné d'elle comme une éponge se gonfle d'eau (...) MAUPASSANT, Fort comme la mort, I, I.

16 Nous n'allons pas au collège pour nous instruire, mais pour nous imprégner des préjugés de notre classe sans lesquels nous serions dangereux et malheureux. A. MAUROIS, les Silences du colonel Bramble, I, p. 14.

▶ **IMPRÉGNÉ, ÉE** p. p. adj.

Au p. p. → ci-dessus cit. 1, 2, 4; *supra* cit. 7; cit. 11, 13.

Adj. *Tampon imprégné.*

DÉR. Imprégnable, imprégnant.

IMPRENABILITÉ [ɛ̃pʀənabilite] n. f. — 1931; de *imprenable.*

♦ Rare. Caractère de ce qui est imprenable. *L'imprenabilité d'une place forte; d'une vue.*

IMPRENABLE [ɛ̃pʀənabl] adj. — V. 1365; de *im-* (→ 1. In-), et *prenable.*

♦ **1.** Qui ne peut être pris. *Château, citadelle, forteresse, fortification imprenable. Ville, place de guerre réputée imprenable.* ⇒ **Inexpugnable.**

1 Cette forteresse *(la citadelle de Besançon)* imprenable fut prise (...) RACINE, les Campagnes de Louis XIV.

2 La Bastille, pour être une vieille forteresse, n'en était pas moins imprenable, à moins d'y mettre plusieurs jours, et beaucoup d'artillerie. MICHELET, Hist. de la Révolution franç., I, VII.

(1690). Par métaphore ou fig. Qu'on ne peut conquérir, séduire.

3 (...) une de ces vertus fortifiées qui ne pardonnent pas (...) elle avait été jolie, mais imprenable (...) Léon BLOY, la Femme pauvre, I, XVII.

4 Il s'imagine, tant il est godiche, qu'il m'a offensé gravement et que je suis une imprenable vertu (...) O. MIRBEAU, le Journal d'une femme de chambre, p. 112.

♦ **2.** (1948). Cour. *Vue* imprenable :* vue qu'on a d'un lieu d'habitation et qui ne peut être masquée par de nouvelles constructions.

CONTR. Prenable.
DÉR. Imprenabilité.

IMPRÉPARATION [ɛ̃pʀepaʀasjɔ̃] n. f. — 1794, Pougens; de *im-* (→ 1. In-), et *préparation.*

♦ Didact. ou littér. Manque de préparation*. *Dangers de l'impréparation militaire. Cette opération souffre d'une certaine impréparation. — L'impréparation des hommes.*

IMPRÉPARÉ, ÉE [ɛ̃pʀepaʀe] adj. — D. i. (1924, du Bos, *in* T. L. F.); de *im-* (→ 1. In-), et *préparé.*

♦ Rare. Qui n'a pas été préparé.

IMPRESARIO [ɛ̃pʀezaʀjo] n. m. — 1753, Grimm; mot ital., « entrepreneur » (déb. XVIIIe, au sens emprunté), de *impresa* « entreprise », du p. p. du v. *imprendere,* du lat. pop. **imprehendere,* de *prehendere.* → Prendre.

♦ **1.** Anciennt. Directeur d'une entreprise théâtrale. *L'Impresario de Smyrne,* pièce de Goldoni. *Des impresarios* (on emploie parfois *impresarii* [impresaʀii] à l'italienne → ci-dessous au sens 2, la cit. 3).

Manelli (...) a été peint en pastel supérieurement en impresario, rôle qu'il a joué dans l'intermède du *Maître de musique.* 0.1
GRIMM, Correspondance littéraire, philosophique et critique, II, p. 259 (1753).

L'*impresario* engage un maestro *(compositeur),* qui lui fait un opéra nouveau (...) 0.2
L'impresario achète le poëme *(libretto).* STENDHAL, Vie de Rossini, VI, p. 137 (1823).

Parmi les directeurs de ce théâtre, se trouvait alors un riche et fastueux officier- 1
général amoureux d'une actrice, et qui s'était fait impresario pour elle. BALZAC, la Rabouilleuse, Pl., t. III, p. 892.

♦ **2.** (Déb. XXe). Mod. Celui qui s'occupe de l'organisation matérielle d'un spectacle, d'un concert, de la vie professionnelle d'un artiste (contrats, représentations, récitals...), moyennant un pourcentage sur les bénéfices. *L'impresario d'un pianiste, d'un acteur de cinéma. Le métier d'impresario. Il est venu avec son impresario.*

À la première pause de l'orchestre, il alla trouver l'impresario qui s'était chargé de 2
l'organisation matérielle du concert, et qui avec Sylvain assistait à la répétition. R. ROLLAND, Jean-Christophe, La foire sur la place, II, p. 777.

Les premiers grands impresarii s'annexent à coups de dollars les étoiles européen- 3
nes. Paul MORAND, New York, p. 168.

REM. On écrit aussi *imprésario,* avec un accent (Sadoul, 1949, *in* T. L. F.).

IMPRESCRIPTIBILITÉ [ɛ̃pʀɛskʀiptibilite] n. f. — 1721; de *imprescriptible.*

♦ **1.** Dr. Caractère de ce qui est imprescriptible. *L'imprescriptibilité d'un droit.*

♦ **2.** Didact. ou littér. Caractère de ce qui est imprescriptible (2.).

IMPRESCRIPTIBLE [ɛ̃pʀɛskʀiptibl] adj. — 1481, en dr. fiscal; de *im-* (→ 1. In-), et *prescriptible.*

♦ **1.** Dr. Qui n'est pas susceptible de prescription*. *Biens inaliénables et imprescriptibles.*

Les immeubles dotaux non déclarés aliénables par le contrat de mariage, sont 1
imprescriptibles pendant le mariage, à moins que la prescription n'ait commencé auparavant.
Il deviennent néanmoins prescriptibles après la séparation de biens (...) Code civil, art. 1561.

♦ **2.** (1782, Rousseau). Qui a une existence, une valeur immuables. *Les droits naturels et imprescriptibles de l'homme* (→ Association, cit. 8; 3. droit, cit. 7; entreprendre, cit. 24). — Par anal. *Les lois imprescriptibles de la nature. Avantage imprescriptible.*

Quand une femme a inspiré une passion à un homme, elle lui est toujours sacrée, 2
elle est, à ses yeux, revêtue d'un privilège imprescriptible. Chez l'homme, la reconnaissance pour les plaisirs passés est éternelle. BALZAC, Honorine, Pl., t. II, p. 291.

(...) nos deux nations ne se font pas la même idée de la liberté (...) Pour nous 3
(Anglais) les droits imprescriptibles de l'homme sont le droit à l'humour, le droit aux sports et le droit d'aînesse. A. MAUROIS, les Silences du colonel Bramble, p. 22.

CONTR. Prescriptible.
DÉR. Imprescriptibilité.

IMPRESSE [ɛ̃pʀɛs] adj. fém. — 1674, Malebranche; lat. *impressa,* proprt « imprimée », p. p. au fém. de *imprimere.* → Imprimer.

♦ Philos. (vx). *Idée impresse,* imprimée en nous par la sensation.

IMPRESSIBILITÉ [ɛ̃pʀesibilite] n. f. — 1867; de *impressible.*

♦ Didact., vx. Disposition à recevoir une impression.

IMPRESSIBLE [ɛ̃pʀesibl] adj. — 1832, Balzac, *Louis Lambert;* angl. *impressible* « susceptible de recevoir des impressions », de *to impress.* → Impressif.

♦ Didact. ou littér. Qui reçoit facilement une impression, les impressions. ⇒ **Impressionnable.**

DÉR. **Impressibilité.**

IMPRESSIF, IVE [ɛ̃pʀesif, iv] adj. — 1817, Mme de Staël; angl. *impressive* «sensible, impressionnable», de *to impress* «empreindre, graver», de *impressum,* supin de *imprimere.* → Imprimer.

★ **I.** ♦ **1.** Vx, littér. Propre à causer des impressions. *Un «effet impressif»* (J. Péladan, *in* T. L. F.).

♦ **2.** Littér. Propre à traduire les impressions. — Spécialt (ling.). Qui évoque une impression. *Certaines onomatopées sont impressives.* — N. m. Terme transmettant une impression complexe. → Idéophone.

★ **II.** Littér., rare. Impressionnable (personnes). — N. *«Les imaginatifs et les impressifs»* (Mounier, *Traité du caractère*). — REM. Les dérivés *impressivement* adv. (1836, Barbey), et *impressivité* n. f., sont attestés (Mounier, *Traité du caractère,* 1946) dans le T. L. F.

IMPRESSION [ɛ̃pʀesjɔ̃] n. f. — 1259, «empreinte»; lat. *impressio* «action de presser; empreinte», de *impressum,* supin de *imprimere.* → Imprimer.

★ **I.** ♦ **1.** Vx. Action de presser, d'appuyer sur. ⇒ **Poussée, pression.** *Liqueurs* (liquides) *qui font impression par leur poids* (→ Équilibre, cit. 1, Pascal).

(1588). Vx. Action d'un corps sur un autre. ⇒ **Action, effet, influence.** *L'impression des éléments humides sur le basalte* (cit.). *Pierre qui fond à l'impression de l'air* (→ Bâtir, cit. 7).

1 (...) ces parties organiques, toujours actives, ont fait de fortes impressions sur la matière brute et passive, elles en ont travaillé toutes les surfaces et quelquefois pénétré l'épaisseur (...)
BUFFON, Hist. nat. des minéraux, Figuration des minéraux.

♦ **2.** Vieilli. Fait de laisser une marque, en parlant d'une chose qui appuie sur une autre; résultat de cette action. ⇒ **Empreinte, marque, trace.** *L'impression des doigts, d'un cachet sur la cire. Impression des pas sur le sable, la neige. L'impression de qqch. dans qqch.* Par anal. *L'impression des affections de l'âme sur le visage* (→ Habituel, cit. 3).

2 On voit dans les ardoises (...) des impressions de poissons et de plantes.
BUFFON, Hist. nat., Époques de la nature.

3 Répandrait-il à minuit, après que tout le monde serait couché, une légère couche de son devant la porte de la chambre de Julien : le lendemain matin, au jour, il verrait l'impression des pas. STENDHAL, le Rouge et le Noir, XXI.

Vx. *Une, des impressions. Impressions laissées par le chevreuil* (cit. 2), ses traces* odorantes.

♦ **3.** (Mil. XVIe). Mod. **a** Techn. Procédé de reproduction par pression d'une surface sur une autre qui en garde l'empreinte*. — Par ext. Action d'imprimer* à la surface d'objets des caractères d'écriture ou des dessins, par des procédés variés; résultat de cette action. ⇒ **Décalque, gravure, imprimerie, reproduction.** *Impression à la main, impression mécanique.* — (1723). *Impression des étofffes par réserve en utilisant un mordant, par application* (cliché, rouleau). *Impression sur chaîne :* impression de la chaîne seule avant le tissage. — *Impression des papiers peints. Impression sur céramique...* — *Impression des billets de banque* (→ Gonflement, cit. 4).

b (1475; *impression d'écriture*). Reproduction d'un texte par l'imprimerie; (1483) technique de l'imprimerie*. *Caractère** (cit. 6) *pour l'impression. Impression d'un manuscrit* (→ Décri, cit.; écueil, cit. 5; faveur, cit. 26). *Éditeur qui se charge de l'impression d'un ouvrage. Livre à l'impression.* ⇒ **Presse** (sous presse). *Surveiller l'impression d'un livre. Frais de papier et d'impression* (→ Éditeur, cit. 3). *Fautes* (cit. 28) *dans l'impression d'un livre, fautes d'impression.* ⇒ **Coquille, errata** (cit.), **faute** (→ Édition, cit. 3). *Impression en noir et blanc. Impression en une, deux, plusieurs couleurs.* ⇒ **Bichromie, monochromie, polychromie.** *Impression offset*. Procédés d'impression.* ⇒ **Héliogravure, offset, typographie;** aussi **phototypie, plexographie, sérigraphie, xérographie.** *Impression d'un texte déjà imprimé* (⇒ **Anastatique**). *Impression électrostatique :* procédé d'impression reposant sur l'attraction mutuelle de corps et de particules ayant reçu des charges électriques de signes contraires. — *Impression aux encres magnétiques :* impression de caractères qui, magnétisés, peuvent être lus par une machine. — *Impression par jet d'encre.*

4 Si pourtant il fait imprimer un petit ouvrage, il y fait, pendant l'impression, de continuels changements (...) VAUVENARGUES, Caractères, 7.

5 En lisant et relisant son article, il en sentait mieux la portée et l'étendue. L'impression est aux manuscrits ce que le théâtre est aux femmes, elle met en lumière les beautés et les défauts; elle tue aussi bien qu'elle fait vivre; une faute saute alors aux yeux aussi vivement que les belles pensées.
BALZAC, Illusions perdues, Pl., t. IV, p. 785.

c (1495). *Une, des impressions.* Résultat de l'impression; ce qui est imprimé. *Des impressions sur étoffe.* — Spécialt :

6 (...) il mit en train lui-même une forme que Kolb dut tirer avec Marion, tandis que lui-même tira l'autre avec Cérizet, en surveillant les impressions en encres de diverses couleurs. Chaque couleur exige une impression séparée. Quatre encres différentes veulent donc quatre coups de presse.
BALZAC, Illusions perdues, t. IV, p. 898.

(Déb. XVIe). Spécialt, vx. ⇒ **Édition.**

(Camille doit) recevoir le coup derrière le théâtre, comme je le marque dans cette impression. CORNEILLE, Examen d'Horace. 7

(...) les cinq chapitres (...) qui manquaient aux anciennes impressions. 8
LA BRUYÈRE, Disc. sur Théophraste.

♦ **4.** (1636). Art. En peinture, «Première couche de peinture à l'huile qu'on étend sur du bois ou sur une toile» (Réau). *Impressions à l'huile* (→ Colle, cit. 2).

♦ **5.** (Déb. XXe). Techn. Image photographique.

Si l'on dispose derrière l'écran un film ayant la forme d'un hémisphère, on pourra enregistrer par une impression photographique la localisation du corpuscule en un point P de cet hémisphère. 9
L. DE BROGLIE, Nouvelles perspectives en microphysique, Physique quantique.

★ **II.** (1269; repris 1630; d'abord métaphore du sens I, 1). Abstrait.
♦ **1.** Vx. Action qu'exerce sur qqn un objet, un sentiment. ⇒ **Action, influence** (→ Fatal, cit. 1). *L'impression de qqch. sur qqn, sur l'esprit. Être ému par l'impression d'un objet* (→ Excitatif, cit.). *Recevoir des impressions* (→ Amortir, cit. 6). *Être sensible aux impressions.* ⇒ **Impressionnable, influençable, irritable, réceptif, sensible; réceptivité, sensibilité.** *Esprit ouvert à toutes les impressions* (→ Éclectique, cit. 2). — Vx. *Une, des impressions. Les impressions de l'amour, de la jalousie.* ⇒ **Entraînement, impulsion.**

Suivre l'impression d'un premier mouvement (...) CORNEILLE, Héraclius, V, 2. 10

La jalousie a des impressions 11
Dont bien souvent la force nous entraîne (...) MOLIÈRE, Amphitryon, II, 6.

(...) les impressions de la coutume, de l'éducation, des mœurs des pays (...) entraînent la plus grande partie des hommes (...) PASCAL, Pensées, VII, 434. 12

Ainsi que moi, ma tendre amie, tu éprouvais, sans le connaître, ce charme impérieux qui livrait nos âmes aux douces impressions de la tendresse (...) 13
LACLOS, les Liaisons dangereuses, CXLVIII.

♦ **2.** (1677). Mod. **a** Littér. Empreinte, marque spirituelle, morale. ⇒ **Empreinte, marque, teinture, trace; imprégner,** II., 2. (vx). *Impressions laissées dans le cœur de quelqu'un* (→ Foudroiement, cit.).

Le monde se renouvelle, et la terre sort encore une fois du sein des eaux : mais dans ce renouvellement, il demeure une impression éternelle de la vengeance divine. BOSSUET, Hist. universelle, II, 1. 14

(...) il est des impressions éternelles que le temps ni les soins n'effacent point. La blessure guérit, mais la marque reste : et cette marque est un sceau respecté qui préserve le cœur d'une autre atteinte. 15
ROUSSEAU, Julie ou la Nouvelle Héloïse, VI, Lettre VII.

b (Mil. XVIe). Cour. Effet qu'une cause extérieure produit dans l'esprit de qqn; modification psychique exercée sur qqn. *Faire une vive impression sur qqn.* ⇒ **Émouvoir, frapper, piquer, toucher.** *Causer une impression soudaine.* ⇒ **Étonnement, saisissement.** *Ce récit lui a fait beaucoup d'impression, une forte impression.* ⇒ **Émotion; impressionner, retourner, tourner** (le sang), **troubler.** — *Elle produit sur lui une étrange impression* (→ Flatter, cit. 15). ⇒ **Fascination.** *Air d'autorité fait pour produire une vive impression* (→ Gentleman, cit. 1). *Vos menaces ne lui font aucune impression* (→ Ne lui font ni chaud* ni froid). *Spectacle éblouissant, qui fait une grande impression. Impression produite par un tableau* (→ Hors, cit. 16). *Décrire ses impressions.* — *Impression, soleil levant,* titre d'un tableau de Monet. → Impressionniste, étym.

(...) peut-on craindre que des choses si généralement détestées fassent quelque impression dans les esprits (...)? MOLIÈRE, Tartuffe, Préface. 16

(...) des paroles extrêmement molles et efféminées, capables de faire des impressions dangereuses (...) RACINE, Esther, Préface. 17

(...) ce discours ne lui fit alors qu'une légère impression. 18
Mme DE SÉVIGNÉ, Lettres, 126, 31 déc. 1670.

Ce sentiment continu tient à l'impression vive et profonde que vos chagrins vous ont laissée (...) D'ALEMBERT, Portrait de Mlle de Lespinasse. 19

Une des plus vives jouissances que les arts puissent donner : elle m'a épuisé et je la décrirai d'autant moins bien qu'elle m'a fait plus d'impression, pour parler à la Jean-Jacques (...) STENDHAL, Journal, p. 131. 20

L'impression fut forte sur elle *(la reine Marie-Antoinette)*, elle pensa s'évanouir, on la soutint; mais elle se remit bien vite, relevant sa tête hautaine, belle encore. 21
MICHELET, Hist. de la Révolution franç., I, II.

Je suis loin d'avoir dit tout ce que j'aurais à dire sur les mémoires de M. de Chateaubriand. Leur succès s'est fort ranimé depuis les derniers mois, ou du moins l'impression qu'ils ont causée, de quelque nature qu'elle soit, a été vive. 22
SAINTE-BEUVE, Causeries du lundi, 27 mai 1850, Chateaubriand, Œ., t. II, p. 143.

(1639, Rotrou). Absolt. FAIRE IMPRESSION. ⇒ **Effet** (faire de l'effet). *Susciter un vif intérêt, attirer vivement l'attention. Son entrée fit impression* (→ Faire sensation*). *Chaque fois qu'il prend la parole, il fait impression* (Académie). — Vx. *«Et la chair sur vos sens fait grande impression»* (→ Chair, cit. 51, Molière).

♦ **3.** (Mil. XVIIe, Pascal). Psychol., cour. Forme de connaissance élémentaire, immédiate et vague que l'on a d'un être, d'un objet, d'un événement; état de conscience plus affectif qu'intellectuel (opposé à *connaissance réfléchie*). ⇒ **Sensation, sentiment.** *Éprouver, ressentir, avoir une impression. Procurer une impression agréable à qqn* (⇒ **Caresser, chatouiller, flatter**), *peu agréable, désagréable* (⇒ **Irriter;** → 1. Flétrir, cit. 12), *pénible, douloureuse* (→ Castel, cit.), *poignante. Impression apaisante, délicieuse, exquise, enivrante, divine* (→ Exulter, cit. 1). *Impression fugace* (cit. 5), *vague, indé-*

finissable, indescriptible. Impression ineffaçable, profonde, durable. Ressentir une impression de chaleur, de sécurité, de chez-soi, de bien-être (cit. 3). — *Impression de crainte, de chagrin, de terreur.* (→ Consumer, cit. 14). *Ce spectacle lui a laissé une impression de tristesse. Sa sollicitude cause une impression de douceur* (→ Baigner, cit. 8). *Récit qui fait une impression de joie* (→ Avidité, cit. 5). *Une impression d'étrangeté* (cit. 5). *Impression de beauté* (→ Analogie, cit. 11), *de progrès* (→ Amélioration, cit. 2). *Impression, opinion qu'on a d'une chose, d'une personne.* ⇒ **Appréciation, opinion.** *Première impression, impression générale, d'ensemble* (→ Frapper, cit. 42; gâter, cit. 21). — *Bonne, mauvaise impression. Avoir une bonne impression de qqn, de qqch.* — **FAIRE BONNE IMPRESSION; (1669) FAIRE MAUVAISE IMPRESSION (à, sur qqn).** *Donner bonne, mauvaise impression* (à...). *Quelle est votre impression? Quelle impression vous fait-il?* → Qu'en pensez-vous? Que vous en semble? Comment l'avez-vous trouvé? *Entretien qui fortifie* (cit. 13) *l'impression qu'on avait de quelqu'un. Impressions et réalité* (→ Amoindrir, cit. 4). *Se fier à ses impressions, leur accorder* (cit. 21) *de l'importance.* — *Approfondissement* (cit. 7) *d'une impression; évocation* (cit. 8) *d'impressions anciennes. La tête bourrée* (cit. 5) *d'impressions et de souvenirs*. Noter, fixer, exprimer* (cit. 30) *des impressions. Faire part de ses impressions à qqn. Échanger ses impressions avec qqn* (→ Deçà, cit. 3). ⇒ **Pensée.** *Ils échangeaient leurs impressions* (→ Boutade, cit. 2). *Parfaite communion* (cit. 3) *d'idées et d'impressions. Raconter ses impressions d'enfance* (→ Fredaine, cit. 3). *Impressions de voyage. Impressions de lecture* (→ Entrecouper, cit. 2). *Impressions de théâtre,* chronique théâtrale de Jules Lemaître.

3 Ma première impression, à son aspect, ne fut ni la surprise, ni l'étonnement, ni la tristesse, ni l'intérêt, ni la pitié, mais une curiosité qui tenait de tous ces sentiments. BALZAC, Z. Marcas, Pl., t. VII, p. 741.

4 Alors il ne comprenait pas, ayant l'habitude, comme les simples et les enfants, de subir ses impressions sans en démêler le sens. LOTI, Mon frère Yves, III.

5 Plus les impressions nouvelles seront nombreuses ou fortes et plus vite les impressions anciennes vieilliront.
Valery LARBAUD, Amants, heureux amants..., III, VII.

6 Son réveil avait été brusque. Sa tête, immédiatement disponible. Nulle souffrance errante dans le corps. L'impression d'une circulation aisée, et d'un très léger spasme viscéral (...) J. ROMAINS, les Hommes de bonne volonté, t. IV, XX, p. 215.

7 Resté seul avec Mme de Fontanin, Antoine retrouva des impressions qu'il avait éprouvées jadis, dépaysement, curiosité, attirance.
MARTIN DU GARD, les Thibault, t. I, p. 150.

8 *(Ils)* ne pensaient qu'à échanger leurs impressions, à manger, à se coucher, à dormir. A. MAUROIS, Bernard Quesnay, XIV.

9 *(Ces choses dont nous parle l'écrivain)* se défont doucement sous sa vue, gerbes dénouées de sensations exquises. C'est l'époque des impressions : impressions d'Italie, d'Espagne, d'Orient. SARTRE, Situations II, p. 263.

0 À la voir ainsi, les cheveux enveloppés d'un torchon (...) on l'eût prise d'abord pour une servante, mais elle avait un regard dominateur qui corrigeait tout de suite cette impression. J. GREEN, Adrienne Mesurat, I, 1.

Par ext. *Impression qui se dégage d'une chose, d'une personne,* celle qu'on éprouve en sa présence.

1 (...) de tout cela se dégageait une impression austère et auguste (...)
HUGO, les Misérables, I, VII, IX.

2 Jean leva les yeux pour la regarder : une impression de repos moral, de sécurité, et aussi de séduction se dégageait de ses gestes (...)
J. CHARDONNE, les Destinées sentimentales, p. 245.

Loc. **DONNER UNE IMPRESSION, L'IMPRESSION DE...** [a] (1656, Pascal). Vieilli. Communiquer, transmettre (à qqn) telle ou telle façon de juger une personne ou une chose. *Prendre, recevoir l'impression qu'on vous donne* (vx). → Facile (cit. 23). *« On a voulu me donner de mauvaises impressions de vous. Je ne prends pas si facilement ces impressions-là »* (Académie, 8e éd.).

3 Les maudites femmes s'étaient proposé de tenter toutes sortes de moyens pour engager leur sœur à se perdre, soit en lui donnant de mauvaises impressions de son mari, soit (...) LA FONTAINE, Psyché, I.

4 (...) si M. le chevalier de Grignan voulait me dire ce qu'il en pense *(de Revel),* je suis encore toute prête à prendre l'impression qu'il voudra me donner.
Mme DE SÉVIGNÉ, Lettres, 1209, 24 août 1689.

5 Permettez-moi de vous le dire, je retrouve ici la trace des impressions défavorables qu'on vous a données sur moi.
LACLOS, les Liaisons dangereuses, Lettre XCI.

[b] Mod. Donner la sensation, le sentiment, l'illusion (de qqch. dont on suggère l'image, dont on éveille l'idée). *Cet écrivain donne l'impression vraie du temps par l'évocation* (cit. 11) *des souvenirs. Poète lyrique qui donne une impression de grandeur* (cit. 32). *Rabelais donne l'impression des ensembles par l'entassement des détails* (→ Calculer, cit. 8).

6 Sans se presser, selon son habitude (...) Gilieth s'efforçait toujours de donner une impression de calme et de puissance, il vint au-devant du clairon (...)
P. MAC ORLAN, la Bandera, VI.

(Sujet n. de personne ou de chose). Faire l'effet de... (⇒ **Paraître, sembler**). *Personne qui donne l'impression d'être paralysée* (→ Ataxique, cit. 1). *Quand on est jeune, le temps donne l'impression d'être sans limites* (→ Grandir, cit. 2). *Les esquisses* (cit. 2) *ne nous donnent pas l'impression de représentations inachevées* (→ aussi Élément, cit. 13).

7 Des jets d'eau, des grottes en rocaille (...) achevaient de donner l'impression d'une grande richesse au service de grandes prétentions.
J. GREEN, Léviathan, I, I.

(XXe). **AVOIR L'IMPRESSION DE** (suivi de l'inf.) : avoir la sensation, le sentiment, l'illusion de... (→ Acharner, cit. 8; cyclopéen, cit. 2; flamber, cit. 5; force, cit. 55). *Avoir l'impression de glisser, de tomber, de s'envoler. Avoir l'impression d'être sourd, aveugle. Elle avait l'impression d'atteindre au sublime* (→ Crabe, cit. 2). ⇒ **Croire, imaginer** (s').

Mais elle a l'impression de pâlir, et qu'une affreuse idée monte le long d'elle et la dévore. J. ROMAINS, les Hommes de bonne volonté, t. IV, XVII, p. 189. 38

Que lui voulaient ces gens autour de lui (...)? Il eut l'impression d'être l'inculpé dans un tribunal, dénoncé au juge par une foule de témoins. 39
J. GREEN, Léviathan, I, III.

Les régimes avaient beau changer, les mœurs demeuraient pareilles, l'esprit suivait sa même pente : et le personnel de ce temps avait l'illusion charmante de durer, mais non point la triste impression de vieillir. 40
Émile HENRIOT, Portraits de femmes, p. 307.

(Suivi d'un nom ou d'un pronom). *Avoir l'impression de la réalité à la lecture d'un roman. Avoir l'impression du « déjà vu ». L'Asiatique a l'impression d'impudeur devant notre art* (→ Gothique, cit. 14). *Croyez-vous que cette parole l'ait blessé? J'en ai l'impression, j'en ai bien l'impression.*

Louys dit qu'en lisant ces lignes, il eut l'impression d'une dissonance (...) 41
Émile HENRIOT, Portraits de femmes, p. 256.

AVOIR L'IMPRESSION QUE... (→ Enseigner, cit. 3; expédier, cit. 9; formuler, cit. 9; grâce, cit. 21). *Avoir l'impression qu'on va s'évanouir. Il a l'impression que ses efforts sont vains. J'ai l'impression qu'elle se moque de vous* (→ Il me semble* que...; elle a l'air* de...) *J'ai bien l'impression que c'est un pur hasard* (→ Faufiler, cit. 4). *Je n'ai pas l'impression qu'il ait compris.*

La vue de son sang l'avait mise hors d'elle-même et elle eut l'impression que sa raison s'en allait. J. GREEN, Adrienne Mesurat, I, VII. 42

On avait seulement l'impression que la maladie s'était épuisée elle-même ou peut-être qu'elle se retirait après avoir atteint tous ses objectifs. 43
CAMUS, la Peste, p. 291.

Cela ne t'intéresse pas ce que je raconte? — Si. — J'avais l'impression que tu n'écoutais pas. J. CHARDONNE, les Destinées sentimentales, p. 275. 44

★ **III.** (1678). Psychol. « Ensemble des états physiologiques qui provoquent dans la conscience l'apparition d'une sensation » (Lalande, *Voc. de la philos.*). *Impressions rétiniennes, auditives* (cit. 1)... *transmises au cerveau par des nerfs spécifiques* (→ Excitabilité, cit. 3). *Les impressions dont les organes des sens sont le siège ne franchissent* (cit. 12) *pas toutes le seuil de la conscience.* ⇒ **Perception, sensation,** et aussi **image.**

(...) si la sensation n'est pas toujours accordée à l'excitant physique, elle dépend étroitement en revanche de l'impression nerveuse à laquelle elle succède. 45
A. BURLOUD, Psychologie, XI, p. 180.

(...) la perception est beaucoup plus qu'une *impression des organes des sens :* elle est la *représentation,* par le moyen de cette *impression,* d'un objet externe en un lieu de l'espace. M. PRADINES, Traité de psychologie générale, I, p. 400. 46

Cet excitant *(le son)* produit dans l'organe sensoriel, ici l'organe de l'ouïe, un ensemble de phénomènes, d'ordre *physiologique* (...) nous désignerons tout cet ensemble par le terme d'**impression.** Un organe sensoriel est essentiellement constitué par des *terminaisons nerveuses sensitives* (...) qui reçoivent l'*impression* proprement dite faite par l'excitant. Cette impression est *conduite* au cerveau par le nerf sensitif. C'est ainsi que les impressions auditives se projettent dans la région temporale; les impressions visuelles dans la région occipitale (...) 47
CUVILLIER, Précis de philosophie, t. I, Psychologie, IV, p. 99-100.

L'impression tactile est « interprétée » compte tenu de la nature et du nombre des appareils mis en jeu et même des circonstances physiques dans lesquelles elle apparaît; et c'est ainsi que des impressions en elles-mêmes très différentes, comme une pression sur la peau du front et une pression sur la main, médiatisent la même perception de poids. 47.1
M. MERLEAU-PONTY, Phénoménologie de la perception, p. 362.

REM. 1. Le terme *impression* désigne parfois l'action d'un agent extérieur qui atteint un organe sensoriel ou un tissu vivant, et y provoque une modification. Cet emploi classique serait aujourd'hui un archaïsme littéraire (→ Ensuite, cit. 3, Bossuet; endurcir, cit. 10, Rousseau; excitabilité, cit. 1, Maupassant). Selon Lalande, le terme d'*excitation* convient mieux ici (→ Excitation, 3.).
2. Même chez des psychologues et philosophes modernes on rencontre des acceptions du mot proches des sens II, 2, b et II, 3. Mais cet emploi est plus littéraire que technique.

Quand je me promène pour la première fois, par exemple, dans une ville où je séjournerai, les choses qui m'entourent produisent en même temps sur moi une impression qui est destinée à durer, et une impression qui se modifiera sans cesse. 48
H. BERGSON, Essai sur les données immédiates de la conscience, p. 98.

DÉR. Impressionner; impressionnisme, impressionniste.
COMP. Réimpression, surimpression.

IMPRESSIONNABILITÉ [ɛ̃pʀesjɔnabilite] n. f. — 1803; de *impressionnable.*

♦ **1.** Didact., vx. Capacité à recevoir une impression (III.).

♦ **2.** Caractère d'une personne impressionnable. *Impressionnabilité d'une personne.* ⇒ **Émotivité.**

Mais je me persuadai vite, pour ma quiétude, que je divaguais, que je cédais à une impressionnabilité maladive, à un surmenage de la sensibilité (...)
A. ARNOUX, Royaume des ombres, V, p. 158.

♦ **3.** (1857). Photogr. Caractère de ce qui peut être impressionné. *Impressionnabilité d'une plaque photographique.* ⇒ **Sensibilité.**

IMPRESSIONNABLE [ɛ̃pʀesjɔnabl] adj. — 1780; de *impressionner.*

★ **I.** ♦ **1.** Qui est susceptible de recevoir de vives impressions. ⇒ **Sensible; impressible.**

[a] Vx (impressions physiques). ⇒ **Douillet, sensitif.**

1 Mais il se pourrait que les abricots eussent occasionné la syncope! Il y a des natures si impressionnables à l'encontre de certaines odeurs! *(C'est M. Homais qui parle).* FLAUBERT, Mme Bovary, II, XIII.

[b] Mod. (impressions morales) :

2 Christophe regardait, avec une curiosité affectueuse, cette figure impressionnable, qui rosissait et pâlissait, d'un instant à l'autre. Les sentiments y passaient comme des nuages sur l'eau.
R. ROLLAND, Jean-Christophe, Dans la maison, I, p. 930.

♦ **2.** Cour. Qui est facilement impressionné. ⇒ **Émotif, sensible; impressif** (vx). *Enfant nerveux et impressionnable. Esprit, nature impressionnable.*

3 Ayant tué volontairement en lui *(Mallarmé)* la spontanéité de l'être impressionnable, les dons de l'artiste remplacèrent peu à peu en lui les dons du poète (...)
R. DE GOURMONT, Livre des masques, p. 59.

4 Être seule, au milieu de ce paysage blafard, dans une maison mal fermée, seule avec une femme qui délirait et une paysanne endormie, Mlle de la Ferté, si peu impressionnable pourtant, frissonna. Pierre BENOIT, Mlle de la Ferté, p. 202.

★ **II.** (1857, *Année sc. et industr.* 1858, p. 123). Photogr. ⇒ **Sensible.** *Papier, plaque impressionnable.*

CONTR. Calme, impassible, imperturbable, indifférent, insensible.
DÉR. Impressionnabilité.

IMPRESSIONNANT, ANTE [ɛ̃pʀesjɔnɑ̃, ɑ̃t] adj. — Fin XVIIIe; Restif; p. prés. de *impressionner.*

♦ **1.** Qui impressionne, qui frappe ou étonne. ⇒ **Émouvant, étonnant, frappant** (→ Européen, cit. 3). *Site, spectacle impressionnant.* ⇒ **Grandiose.** *La guerre* (cit. 15) *est redoutable et impressionnante.* ⇒ **Effrayant.** *Discours impressionnant.* ⇒ **Brillant, éloquent.** *Mouvement impressionnant.* ⇒ **Imposant.** *Il a une fortune impressionnante. Un nombre impressionnant de :* une grande quantité de.

(Personnes). *C'est un homme assez impressionnant par son aspect, par son activité, son courage.*

♦ **2.** Très remarquable (sans forcément provoquer l'admiration ou l'étonnement). *Présenter des caractères impressionnants de régularité.* «*Une impressionnante analyse du capitalisme primitif*» (Camus, *in* T. L. F.). — *Impressionnant de... Une description impressionnante de justesse, de subtilité.*

REM. L'adj. peut même s'employer dans un contexte péjoratif : *ce film est impressionnant de bêtise, de nullité.*

♦ **3.** (Quantitatif). Considérable. ⇒ **Imposant.**

1 (...) un total impressionnant de plusieurs millions.
Émile HENRIOT, Portraits de femmes, p. 353.

♦ **4.** Rare. Qui impressionne, fait de l'effet.

2 (...) ils me donnaient des raisons souvent impressionnantes, pour me faire avaler ce que je n'arrivais pas à déglutir. CAMUS, la Peste, p. 272.

REM. Le mot a été critiqué par des puristes; Littré (*Suppl.* 1877) et l'Académie (8e éd., 1935) l'ont admis et il est aujourd'hui usuel.

3 (...) Un monument *impressionnant?* non, il est imposant. Ma démonstration *impressionnante?* j'espère qu'elle est troublante ou convaincante (...)
A. THÉRIVE, Querelles de langage, t. I, p. 131.

IMPRESSIONNER [ɛ̃pʀesjɔne] v. tr. — 1741, Gaudet : *Elle* (Cidalise) *impressionne tous les cœurs;* au sens I, 1, 1762; de *impression.*

★ **I.** ♦ **1.** Affecter (qqn) d'une vive impression. ⇒ **Affecter, émouvoir, étonner** (vx), **frapper, toucher.** *Il a été impressionné* «*par cette mort*» (Hatzfeld), *par cette tragique nouvelle.* ⇒ **Bouleverser.** «*Il a été vivement impressionné par un tel spectacle*» (Littré). «*Ce discours m'a vivement impressionné*» (P. Larousse). → Faire de l'effet*, faire impression*. *Ces gens m'ont désagréablement impressionné. Il imagine qu'elle sera favorablement impressionnée à l'aspect de son habit* (cit. 11, Balzac). *Ne te laisse pas impressionner ni séduire.* ⇒ **Influencer** (→ Enregistrer, cit. 4; garde, cit. 34). *Son air de gravité* (cit. 7) *impressionne tout le monde.* ⇒ **Imposer** (à), **intimider.** *Impressionner la galerie* (cit. 11). *Vos menaces ne m'impressionnent pas.* ⇒ **Troubler.** — Absolt. *Spectacle qui impressionne,* fait impression, une grande impression (→ Godiveau, cit.). ⇒ **Impressionnant.** *Quand on voit un tel monument, ça impressionne.* ⇒ **Éblouir, imposer** (en).

1 Terme nouveau (...) dont se servent fréquemment les petits maîtres en disant que telle ou telle femme les a impressionnés.
CARACCIOLI, Dict. critique de 1768, *in* BRUNOT, Hist. de la langue franç., t. VI, p. 1062, Note 4.

2 (...) un homme positif, une de ces têtes de fer que la réalité seule impressionne (...)
Alphonse DAUDET, le Petit Chose, II, XV.

3 Je crains tout de même que cela l'impressionne trop, dit-elle à mon père.
R. RADIGUET, le Diable au corps, p. 21.

Une douce habitude l'immunisait contre de telles réceptions. Elles ne l'impressionnaient plus et même il en savourait la caresse.
COCTEAU, les Enfants terribles, p. 61.

♦ **2.** (Déb. XIXe, Mme de Staël, *in* Boiste). Physiol. Affecter (un organe) de manière à produire une sensation. ⇒ **Agir** (sur). *Cellules auditives* (cit. 1) *impressionnées par les vibrations sonores.*

(...) enfin, considéré dans sa cause matérielle, le goût est la propriété qu'a un corps d'impressionner l'organe et de faire naître la sensation *(gustative).*
A. BRILLAT-SAVARIN, Physiologie du goût (1825), t. I, p. 49.

★ **II.** (1859). Photogr. *Impressionner une plaque, une pellicule photographique,* y laisser une image.

Sous l'influence de la chaleur *(dans l'héliochromie),* on voit les couleurs prendre généralement plus d'intensité, surtout si la lumière a impressionné toute l'épaisseur de la couche de chlorure d'argent (...)
NIEPCE DE SAINT-VICTOR (1805-1870), cité par LITTRÉ (1862).

REM. Dans leur désir de proscrire *impressionner* (I.) comme *impressionnant*, des puristes (Thérive, *Querelles de langage*, t. I, p. 130) ont soutenu à tort que le mot était apparu et devait être employé seulement dans ce sens.

DÉR. Impressionnable, impressionnant.

IMPRESSIONNISME [ɛ̃pʀesjɔnism] n. m. — 1874, Castagnary, *in* D. D. L.; de *impression* ou de *impressionniste.*

♦ **1.** Œuvres des peintres impressionnistes*, courant artistique qu'ils représentent (→ Batailler, cit. 2). *L'impressionnisme s'annonçait par les œuvres de certains peintres dès 1860.* — Par ext. Façon de peindre, manière* qui caractérise ou rappelle les peintres impressionnistes (souvent opposé à *expressionnisme*).

(...) tout l'impressionnisme est né de la contemplation et de l'imitation des *impressions claires* du Japon. Ed. et J. DE GONCOURT, Journal, 19 avr. 1884.

En réalité l'Impressionnisme est multiple : le terme si critiqué est surtout mauvais parce qu'on l'emploie tantôt dans un sens large, tantôt dans un sens étroit. Il y a l'impressionnisme de Manet qui peint clair. Il y a celui de Manet encore et de Degas qui spécule sur l'emploi d'une nouvelle perspective. Il y a celui de Pissarro et de Renoir qui se fondent sur le plein air et l'emploi des tons purs. Il y a enfin celui de Monet qui unit une conception lyrique de la vision avec une analyse quasi scientifique des sensations colorées et qui substitue au dessin classique la notation des ombres et des reflets.
Toutes ces tendances ont un caractère commun : elles se fondent sur une tentative pour substituer aux conventions de l'école l'analyse des données pures des sens. Et c'est par là qu'elles méritent finalement toutes, en commun, le nom d'Impressionnisme. P. FRANCASTEL, Nouveau dessin, nouvelle peinture, III, p. 58-59.

♦ **2.** Didact., littér. Style, manière d'écrivains, de musiciens qui se proposent de rendre par le langage, les sons les impressions fugitives, les nuances délicates du sentiment sans recourir à l'analyse intellectuelle. *L'impressionnisme des Goncourt.*

(...) Giraudoux, épanouissant une incomparable maturité, laisse tressaillir toutes les inquiétudes contemporaines à travers l'impressionnisme subtil de ses romans (...)
René JASINSKI, Hist. de la littérature franç., t. II, p. 746.

L'impressionnisme d'un récit, d'un rapport. ⇒ **Subjectivisme.** — *Impressionnisme philosophique :* attitude qui privilégie la psychologie phénoménologique au détriment des problèmes de l'être.

COMP. Néo-impressionnisme, post-impressionnisme.

IMPRESSIONNISTE [ɛ̃pʀesjɔnist] n. et adj. — Mot créé par la critique L. Leroy dans un article du *Charivari* du 25 avril 1874, «*L'exposition des impressionnistes*»; forgé par dérision d'après le titre d'un tableau de Monet, *Impression, soleil-levant,* il perdit très vite sa valeur péjorative.

♦ **1.** Se dit des peintres qui, à la fin du XIXe siècle, s'efforcèrent d'exprimer dans leurs œuvres les impressions* que les objets et la lumière suscitent dans la conscience. *Un, une impressionniste.* — Adj. Qui se rapporte ou appartient à l'impressionnisme*. *Un peintre impressionniste. — Les théories impressionnistes. L'école impressionniste.*

Indifférents à la philosophie comme à la poésie, les impressionnistes ne veulent que peindre ce qu'ils voient et comme ils le voient, peindre sans arrière-pensée, peindre «comme l'oiseau chante», et tendre à l'impersonnalité.
(...) persuadés que les choses sont un devenir, non une essence, les impressionnistes en montrent les natures successives et peignent des séries où le même motif réapparaît à des saisons, des jours, des moments différents.
B. DORIVAL, la Peinture française, XI, p. 188-189.

Je crois pourtant qu'en peinture, l'éducation du public a porté sur un point précis et dont bénéficient seuls les impressionnistes : ce qui le retient, ce n'est plus une histoire, une anecdote, mais une heure du jour, l'heure d'un certain jour, la représentation non d'un être, mais d'un instant.
F. MAURIAC, Bloc-notes 1952-1957, p. 176.

♦ **2.** Didact. ou littér. Écrivain, musicien qui se rattache à l'impressionnisme (2.). — Adj. *Les Goncourt, France, Loti, écrivains impressionnistes.*

MM. de Goncourt (...) ont créé vraiment le style *impressionniste :* un style très artistique, qui sacrifie la grammaire à l'impression, qui, par la suppression de tous les mots incolores, inexpressifs (...) ne laisse subsister, juxtaposés, dans une sorte de *pointillé,* que les termes producteurs de sensations.
Gustave LANSON, Hist. de la littérature franç., p. 1082.

Il a une manière impressionniste d'en parler. De l'histoire impressionniste et anecdotique. ⇒ **Subjectif.** — Spécialt. *Critique impres-*

sionniste, qui ne se fonde que sur l'impression et récuse l'analyse objective. *Jules Lemaître, tenant de la critique impressionniste.*

Ce recueil modestement appelé *Tableau* montrait qu'une vue d'ensemble pouvait n'obéir qu'incidemment à l'histoire, et pourtant échapper, plus même qu'une histoire écrite par un seul auteur, à la critique subjective ou impressionniste.
MALRAUX, l'Homme précaire et la Littérature, p. 8.

REM. Le mot, comme *impressionnisme,* n'est courant qu'au sens 1.

DÉR. Impressionnisme.
COMP. Néo-impressionniste, post-impressionniste.

IMPRÉVISIBILITÉ [ɛ̃pʀevizibilite] n. f. — 1907, Bergson; de *imprévisible.*

♦ Didact. ou littér. Caractère de ce qui est imprévisible. *L'imprévisibilité d'un accident.*

CONTR. Prévisibilité.

IMPRÉVISIBLE [ɛ̃pʀevizibl] adj. — 1832, Raymond; de *im-* (→ 1. In-), et *prévisible.*

♦ Qui ne peut être prévu. ⇒ **Imprévoyable (vx).** *Événements imprévisibles.* ⇒ **Déroutant, inattendu.** *Les hausses et les baisses imprévisibles d'une marchandise* (→ Étirer, cit. 2). — N. m. *Attendre l'imprévisible.*

J'ai remarqué que tout ce qui arrive d'important à n'importe qui était imprévu et imprévisible. Lorsqu'on s'est guéri de la curiosité, il reste sans doute à se guérir aussi de la prudence. ALAIN, Propos, 14 avril 1908, Prédictions.

N. m. *Un, des imprévisibles :* événement, chose imprévisible. — Collectif. *L'imprévisible. La zone d'imprévisible.*

Être seul, au pôle, savoir que la mort n'est pas loin, que toutes sortes d'imprévisibles vous séparent déjà du monde (...)
G. BAUËR, Billets de Guermantes, mars 1936, p. 43.

CONTR. Prévisible.
DÉR. Imprévisibilité, imprévisiblement.

IMPRÉVISIBLEMENT [ɛ̃previziblәmɑ̃] adv. — XXe (1936, Céline); de *imprévisible.*

♦ Rare. De façon imprévisible.

IMPRÉVISION [ɛ̃pʀevizjɔ̃] n. f. — 1845; de *im-* (→ 1. In-), et *prévision.*

♦ **1.** Littér. Défaut, manque de prévision. ⇒ **Imprévoyance.** *L'imprévision de gouvernement, du ministère, de la direction.*

♦ **2.** (1936, Capitant). Dr. admin. *Théorie de l'imprévision,* en vertu de laquelle la révision ou la résiliation des contrats de longue durée doit être admise lorsque des perturbations imprévisibles ont modifié la valeur des prestations promises. *Les contrats conclus avant le 2 septembre 1939 sont résiliables pour cause d'imprévision* (Loi du 22 avril 1949).

CONTR. (Sens 1) **Prévoyance.**

IMPRÉVOYABLE [ɛ̃pʀevwajabl] adj. — 1572, repris v. 1790; de *im-* (→ In-), *prévoir,* et suff. *-able.*

♦ Vx. Qui ne peut être prévu. — REM. Le mot a été remplacé par *imprévisible;* il est encore attesté chez Lamartine (1831) et même, comme n. m., au XXe s. (Maeterlinck, 1932), *in* T. L. F.

CONTR. Prévisible.

IMPRÉVOYANCE [ɛ̃pʀevwajɑ̃s] n. f. — 1611; de *im* (→ 1. In-), et *prévoyance.*

♦ **1.** Défaut, absence de prévoyance. ⇒ **Étourderie, insouciance, irréflexion.** *L'imprévoyance de qqn, son imprévoyance. C'est un prodigue, un dépensier qui vit dans l'imprévoyance* (→ Au jour* le jour). *Une imprévoyance dangereuse, criminelle. Être d'une grande imprévoyance.* ⇒ **Légèreté, négligence.**

Si Valentin eût été plus sage, il aurait fait comme les autres, et serait parti de son côté; mais les plaisirs avaient été chers, et sa bourse vide le retenait à Paris. Regrettant son imprévoyance, aussi triste qu'on peut l'être à vingt-cinq ans, il songeait à passer l'été (...) A. DE MUSSET, Nouvelles, « Les deux maîtresses », II.

2 Qu'importait, à une nation distraite de ses défauts et de ses revers par son inconstance, l'avertissement d'un homme de génie! Trop de mauvais journaux avaient à nourrir de balivernes (...) un public que les catastrophes ne guérissent jamais de son imprévoyance. Henri MONDOR, Pasteur, V, p. 86.

Littér. *L'imprévoyance de qqch.,* quant à qqch. — *L'imprévoyance que...*

Il me semblait qu'on pouvait interpréter le décret en question non comme une preuve que la guerre serait courte, mais comme l'imprévoyance qu'elle le serait, et de ce qu'elle serait, chez ceux qui l'avaient rédigé et qui ne soupçonnaient ni ce que serait dans une guerre stabilisée l'effroyable consommation du matériel de tout genre, ni la solidarité de divers théâtres d'opérations.
PROUST, le Temps retrouvé, Pl., t. III, p. 744.

♦ **2.** Vx. Impossibilité d'être prévu (événements). ⇒ **Imprévisibilité.**

CONTR. Circonspection, prévoyance, prudence.

IMPRÉVOYANT, ANTE [ɛ̃pʀevwajɑ̃, ɑ̃t] adj. et n. — 1596; de *im-* (→ 1. In-), et *prévoyant.*

♦ Qui manque de prévoyance. ⇒ **Étourdi, insouciant, irréfléchi, léger.** *Un jeune homme imprévoyant.*

Le plus libéral, le plus imprévoyant des hommes avait, pour ses véritables amis, le défaut de ne jamais vouloir écouter leurs avis sur l'article de sa dépense. 1
MARMONTEL, Mémoires, IX.

On peut dire que toute la société est en guerre contre lui *(l'homme supérieur)...* 2
Sa politesse, on l'appelle froideur (...) son économie, avarice. Mais si (...) le malheureux se montre imprévoyant, bien loin de le plaindre, la société dira : C'est bien fait; sa pénurie est la punition de sa prodigalité.
BAUDELAIRE, Curiosités esthétiques, XV, VIII.

N. *Un imprévoyant qui ne voit pas plus loin que le bout* de son nez. Le prévoyant et l'imprévoyant* (→ Démonter, cit. 11).

L'imprévoyant, dit Valéry, est moins accablé et démonté par l'événement catastrophique, que le prévoyant. GIDE, Journal, 16 juin 1932. 3

(Choses). Qui manifeste de l'imprévoyance. *Attitude, vie imprévoyante. Des actes imprévoyants et légers.* ⇒ **Imprévoyance.**

CONTR. Avisé, circonspect, prévoyant, prudent.

IMPRÉVU, UE [ɛ̃pʀevy] adj. et n. m. — 1535; de *im-* (→ 1. In-), et *prévu.*

♦ **1.** Adj. Qui n'a pas été prévu; qui arrive lorsqu'on ne s'y attend pas. ⇒ **Fortuit, inattendu, inopiné.** *Cas* imprévu* (⇒ **Hasard**). *Survenir d'une manière imprévue* (⇒ **Survenant**). *Événement rapide et imprévu.* ⇒ **Brusque** (cit. 5), **soudain, subit.** → 1. Barrer, cit. 3.1; imprévisible, cit. 1. *Contretemps** (cit. 3), *coup, dérangement* (cit. 4), *ennui, malheur imprévu.* ⇒ **Accidentel; accroc, tuile** (→ Anéantir, cit. 12). *Ce qui frappe de façon imprévue.* ⇒ **Foudre** (coup de foudre). *Le malheur est toujours imprévu* (→ Exaltant, cit. 4). *Bonheur, plaisir imprévu.* ⇒ **Inespéré.** *Affaire, histoire imprévue* (→ Engager, cit. 16). *Circonstances, péripéties imprévues* (→ Génie, cit. 4; histoire, cit. 12). *Obstacle, piège imprévu* (→ Aveugle, cit. 15; génie, cit. 47). *C'est un cas imprévu, la loi est muette sur ce point.* ⇒ **Silence** (de la loi). — *Des dépenses* (cit. 5) *imprévues.* ⇒ **Extraordinaire.** — *Sensations fortes et imprévues; jouissances imprévues* (→ Effet, cit. 33; heureux, cit. 41). *Idées imprévues, avis imprévu.* ⇒ **Déconcertant** (→ Convenir, cit. 28; entendre, cit. 19).

Percé jusques au fond du cœur 1
D'une atteinte imprévue aussi bien que mortelle (...) CORNEILLE, le Cid, I, 6.

(...) le moindre accident produit une grande révolution, souvent aussi imprévue de ceux qui la font que de ceux qui la souffrent. 2
MONTESQUIEU, Lettres persanes, LXXXI.

Les rues de Venise sont un labyrinthe si compliqué, elles se croisent de tant de façons, par des caprices si variés et si imprévus, que Pippo, après avoir laissé échapper la jeune fille, ne put parvenir à la rejoindre. 3
A. DE MUSSET, Nouvelles, « Le fils du Titien », II.

(...) le garder *(cet argent)* pour un cas imprévu, pour un de ces accidents arrivant si souvent dans leur profession. Ed. DE GONCOURT, les Frères Zemganno, XXIX. 4

Personnes. Rare. « *Vous fûtes imprévus, je suis inattendu* » (cit. 10, Hugo).

(...) voyez pourtant, major, comme vous êtes des êtres imprévus. Vous méprisez les forts en thème et vous citez Hérodote. 5
A. MAUROIS, les Silences du colonel Bramble, I.

♦ **2.** N. m. (1796, Restif). *L'imprévu :* ce qui est imprévu. *L'imprévu et le hasard, et l'arbitraire* (cit. 10, Taine), *et l'exceptionnel* (cit. 9), *et l'inconnu, et la nouveauté* (→ Agir, cit. 9, Michelet; exigeant, cit. 1). *« Assommé* (cit. 19) *par l'imprévu »* (Hugo). *Gaieté pleine d'imprévu* (→ Brio, cit. 1, Stendhal). *L'attrait, la saveur de l'imprévu* (→ Course, cit. 10). *Aimer l'imprévu, un peu d'imprévu dans la vie. Manque d'imprévu* (→ Engrener, cit. 2). *Pays d'où l'imprévu est exclu* (cit. 12, Baudelaire). *Amour sans imprévu* (→ Goût, cit. 40, Stendhal). *Un imprévu total, limité* (→ Gros, cit. 33). *« Ce qu'il faut toujours prévoir, c'est l'imprévu »* (→ Imminent, cit. 2, Hugo). *En cas d'imprévu, écrivez-moi.*

Elle était si fort habituée à se jouer de tout, à marcher au hasard! Elle aimait tant l'imprévu et les orages de la vie! BALZAC, les Chouans, Pl., t. VII, p. 884. 6

(...) l'imprévu la charmait, mais la gênait un peu : elle était méthodique (...) 7
R. ROLLAND, l'Âme enchantée, p. 65.

Il a, pendant bien des années, rêvé de la science, de la science libératrice, d'une profession miraculeuse, faite d'imprévu, de nouveauté, d'incessantes découvertes, d'inventions de coups de vent, de belles bourrasques (...) 8
G. DUHAMEL, Chronique de Pasquier, t. III, XII.

(Un imprévu, des imprévus). Circonstance imprévue, événement inattendu.

CONTR. Prévisible, prévu.

IMPRIMABLE [ɛ̃pʀimabl] adj. — 1583 ; de *imprimer.*

♦ Qui peut être imprimé, qui le mérite (→ Publiable). *Sa prose n'est pas imprimable.*

COMP. et **CONTR. Inimprimable.**

IMPRIMAGE [ɛ̃pʀimaʒ] n. m. — 1765 ; de *imprimer.*

♦ Techn. Opération par laquelle le tireur d'or passe le lingot dans la filière.

IMPRIMANT, ANTE [ɛ̃pʀimɑ̃, ɑ̃t] adj. — xxe ; p. prés. de *imprimer.*

♦ Qui imprime. *Cylindre imprimant. Les éléments imprimants d'une planche lithographique. — Machine imprimante.* ⇒ **Imprimante.**

DÉR. Imprimante.

IMPRIMANTE [ɛ̃pʀimɑ̃t] n. f. — V. 1962 ; de *imprimant.*

♦ Inform. Dispositif qui imprime (en général en langage clair) le produit de sortie d'un ordinateur. *Ordinateur muni d'un terminal sur écran et d'une imprimante* (éléments périphériques). *Imprimante à bande, à boule, à laser, à jet d'encre. Imprimante matricielle, thermique, xérographique. Imprimantes en parallèle, en série.*

IMPRIMATUR [ɛ̃pʀimatyʀ] n. m. — 1844, au fig. Mérimée ; mot lat., « qu'il soit imprimé », de *imprimere.* → Imprimer.

♦ Didact. (relig.). Autorisation d'imprimer (accordée par l'autorité ecclésiastique ou par l'Université à un ouvrage soumis à son approbation). *L'imprimatur d'un catéchisme, d'un missel, d'un ouvrage approuvé* par l'évêque. Demander, obtenir, donner l'imprimatur* (→ Hardi, cit. 10). *Des imprimatur* ou *des imprimaturs. Nihil obstat, formule qui figure dans l'imprimatur ecclésiastique. — Cette thèse a obtenu l'imprimatur.*

1 L'imprimatur avait été accordé dans le délai le plus court, et il avait néanmoins reçu, comme d'habitude, les félicitations d'un grand nombre de jeunes prêtres qu'enthousiasmaient sa réputation de hardiesse (...)
BERNANOS, l'Imposture, *in* Œ. roman., Pl., p. 445.

2 (...) les traductions de la Bible, bonnes et mauvaises, vont se multipliant dans les vitrines des libraires, toutes blasonnées d'imprimaturs.
J. GREEN, Journal, 11 déc. 1959, Vers l'invisible, p. 164.

IMPRIMÉ, ÉE [ɛ̃pʀime] p. p. adj. ⇒ **Imprimer.**

IMPRIMER [ɛ̃pʀime] v. tr. — 1302 ; *emprimer,* 1270 ; lat. *imprimere* (→ Empreindre) ; de *im-* (→ 2. In-), et *premere* « presser ».

★ **I.** ♦ **1.** (1487 ; « transmettre, communiquer », 1356). Vx ou archaïsme. Faire pénétrer profondément (dans le cœur, l'esprit de qqn) en laissant une marque, une empreinte durable. ⇒ **Communiquer, imprégner** (de), **insuffler ; impression** (II.). *Imprimer la crainte, l'effroi, la haine.* ⇒ **Inspirer** (→ Atroce, cit. 1 ; belle-mère, cit. 2 ; but, cit. 16). *Imprimer des goûts, un désir* (→ Extirper, cit. 3 ; heureux, cit. 35). *Imprimer une idée, des principes.* ⇒ **Donner, inculquer** (→ Flèche, cit. 11). — *Imprimer une chose dans l'esprit, dans l'âme de qqn* (→ Égyptien, cit. 1 ; habitude, cit. 5). — (Passif et p. p.). *Idées, pensées imprimées dans l'esprit. Souvenirs imprimés dans la mémoire.* ⇒ **Fixer, graver.**

1 Une lionne vient, monstre imprimant la crainte (...)
LA FONTAINE, les Filles de Minée.

2 Sachez donc que vos vœux sont trahis
Par l'amour qu'une esclave imprime à votre fils. MOLIÈRE, l'Étourdi, I, 7.

3 Il y aura toujours la raison et la vertu imprimées par la nature dans les cœurs des hommes. FÉNELON, Dialogues des morts anciens, 32, *in* LITTRÉ.

4 Cet art mensonger *(la médecine),* plus fait pour les maux de l'esprit que pour ceux du corps, n'est pas plus utile aux uns qu'aux autres : il nous guérit moins de nos maladies qu'il ne nous en imprime l'effroi ; il recule moins la mort qu'il ne la fait sentir d'avance ; il use la vie, au lieu de la prolonger (...) ROUSSEAU, Émile, I.

5 Cette maxime fortement imprimée au fond de mon cœur, et mise en pratique, quoiqu'un peu tard, dans toute ma conduite (...) ROUSSEAU, les Confessions, II.

6 Pour obtenir la tranquillité dans l'Ouest, déjà plein de réfractaires, il parut nécessaire à Napoléon d'imprimer une profonde terreur.
BALZAC, Madame de La Chanterie, Pl., t. VII, p. 327.

7 Voilà mes souvenirs du 24 février 1848, tels qu'ils sont imprimés dans mes faibles esprits, et tels que ma mère les a maintes fois rafraîchis.
FRANCE, le Petit Pierre, XI.

V. pron. *S'imprimer. Idée, pensée qui s'imprime dans l'esprit.* ⇒ **Graver** (se).

8 L'on ne peut guère charger l'enfance de la connaissance de trop de langues (...) Un si grand fonds ne se peut bien faire que lorsque tout s'imprime dans l'âme naturellement et profondément. LA BRUYÈRE, les Caractères, XIV, 71.

♦ **2.** Vx. (Compl. n. de personne). *Imprimer qqn de qqch.* ⇒ **Animer, imprégner, pénétrer.** — *Être imprimé d'une chose.* ⇒ **Marqué.**

Quelle facilité est la nôtre pour perdre tout d'un coup le sentiment et la mémoire des choses dont nous nous sommes vus le plus fortement imprimés !
LA BRUYÈRE, Disc. de réception à l'Acad.

♦ **3.** (1580, Montaigne). Donner, imposer (une marque, un caractère) à... ⇒ **Communiquer, donner** (→ Huile, cit. 28). *L'air de majesté que le temps a imprimé à sa personne* (→ Glacial, cit. 2). *L'inertie qu'une pensée imprime à l'attitude* (cit. 12).

La tyrannie imprime un caractère de bassesse à toutes sortes de productions.
DIDEROT, Essai sur les règnes de Claude et Néron, I, 10.

Les sentiments du jeune abbé, loin d'animer sa figure, y imprimèrent un air sévère (...) BALZAC, le Curé de village, Pl., t. VIII, p. 621.

Une rivière, faite à coups de ruisseaux, traverse le parc dans sa partie basse par un mouvement serpentin, et y imprime une tranquillité fraîche, un air de solitude qui rappelle (...) les Chartreuses (...) BALZAC, les Paysans, Pl., t. VIII, p. 19.

♦ **4.** (1674). Communiquer, transmettre (un mouvement). *Imprimer un mouvement, une impulsion, des oscillations* (→ Houle, cit. 1, Baudelaire), *des saccades* (→ Bouche, cit. 7, Cocteau), *des secousses* (→ Grincer, cit. 8, Sand). *Imprimer une vitesse, une énergie...* (→ Cyclotron, cit. ; étoile, cit. 17). — Fig. *Direction* à imprimer à des recherches* (→ Expérience, cit. 43, Cl. Bernard).

C'est Dieu qui imprime à la matière son mouvement (...)
MALEBRANCHE, De la recherche de la vérité, I, I, 2.

La gravitation qui imprime le mouvement à tous les corps vers un centre (...)
VOLTAIRE, Doutes sur mesure des forces motrices, II, 10°.

Une forte puissance imprime à la mer un mouvement périodique et réglé.
BUFFON, Théorie de la terre, 2e disc.

La pierre (...) après une longue désuétude, était comme ankylosée dans sa charnière. Impossible, désormais, de lui imprimer un mouvement.
HUGO, Quatre-vingt-treize, III, IV, XII.

L'homme continue toujours le mouvement que lui imprime d'abord la nature (...)
TAINE, Philosophie de l'art, t. II, p. 120.

REM. Littré condamne cet emploi qui, selon lui, contient « une métaphore fautive et incohérente ». *« Imprimer c'est d'abord et proprement, presser sur, puis faire une empreinte, une impression... ; or, rien de cela ne s'applique au mouvement. »* Ni l'histoire du mot ni la « logique » n'autorisent cette sévérité, et l'on ne peut proscrire cet emploi sans condamner l'exemple suivant de Boileau, donné par Littré lui-même :

(...) le son des flûtes émeut l'âme de ceux qui l'écoutent, et les remplit de fureur, comme s'ils étaient hors d'eux-mêmes (...) leur imprimant dans l'oreille le mouvement de sa cadence, il les contraint de la suivre, et d'y conformer en quelque sorte le mouvement de leurs corps (...) BOILEAU, Traité du sublime, XXXII.

Imprimer se dit aussi des (...) qualités que les corps se communiquent. Un fût gâté *imprime* sa mauvaise qualité au vin qu'on y met. En Physique *imprimer* et communiquer du mouvement sont termes synonymes (...) *Movere, motum imprimere.*
Dict. de TRÉVOUX, art. *Imprimer.*

★ **II.** Mod. ♦ **1.** (1487). Faire, laisser (une marque, une empreinte, une trace) par pression. *Les dents impriment leur marque sur, dans... Pied qui imprime sa forme** (cit. 5) *sur le sable, sur la neige. Imprimer ses doigts, la marque de ses doigts sur une substance molle. Imprimer une empreinte sur qqch. en pressant*, en appuyant.*

(...) à peine il imprimait la trace de ses pas dans le sable (...)
FÉNELON, Télémaque, XV.

Des vieillards aux fronts blancs massacrés sur leurs portes
Imprimaient à leurs seuils leurs doigts ensanglantés.
HUGO, la Légende des siècles, LIV, VII.

Au p. p. *Traces de pas imprimées dans le sable.*

C'est un crime que d'effacer les empreintes successives imprimées dans la pierre par la main et l'âme de nos aïeux. Les pierres neuves taillées dans un vieux style sont de faux témoins. FRANCE, le Lys rouge, V.

Par métaphore. ⇒ **Marquer.** *Les rides que l'étude imprime au front* (cit. 16). *Imprimer une marque ignominieuse, imprimer l'ignominie sur...* ⇒ **Stigmatiser** (→ Effigie, cit. 6 ; farine, cit. 6). *Imprimer un affront* (cit. 11 et 12) *au front, sur le front de quelqu'un.*

Aurait-il imprimé sur le front des étoiles
Ce que la nuit des temps enferme dans ses voiles ? LA FONTAINE, Fables, II, 13.

♦ **2.** (1630). Reproduire* (une figure, une image) par l'application et la pression d'une surface sur une autre. *Imprimer une lettre sur le tronc d'un arbre à abattre, sur le front d'un criminel* (→ Accusateur, cit. 2). *Imprimer la marque d'un cachet*, d'un sceau* sur de la cire, à l'aide d'un timbre. Imprimer un visa à l'aide d'une griffe* (cit. 13). ⇒ **Apposer.** *Imprimer un dessin en le décalquant*. — Imprimer à l'aide d'une presse** (⇒ **Impression,** I., 2.). *Imprimer un motif en relief, en creux.* ⇒ **Estamper.** *Imprimer des ornements sur une étoffe, un cuir.* ⇒ **Gaufrer.** — *Imprimer une image, une estampe, une lithographie* (⇒ **Lithographier**) *à l'aide d'une planche encrée ; imprimer une image en taille douce, en taille de bois* (⇒ **Imprimerie**). *Imprimer des dessins, des fleurs sur un tissu, une étoffe.* ⇒ **Appliquer.** — *Imprimer une couleur sur un tissu,* teindre* ce tissu. — (Sujet n. de chose). *La fumée imprime une teinte fuligineuse* (cit. 1) *sur...*

Par ext. (Le compl. désigne la surface, la matière sur laquelle on agit). *Imprimer une étoffe, un tissu* (→ *infra* Imprimé). — Peint. *Imprimer le bois, la toile d'une première couche.*

Ils font venir du Bengale des toiles blanches qu'ils teignent ou impriment (...)
G.-T. RAYNAL, Hist. philosophique, III, 24.

24.1 Il m'a donné sa recette pour imprimer les panneaux, cartons ou toiles : colle de peau et blanc d'Espagne, appliqués à la brosse et unis au papier de verre.
E. DELACROIX, Journal, 7 févr. 1847.

♦ **3.** (1476). Cour. Reproduire (les caractères d'une écriture, des signes graphiques...) par la technique de l'imprimerie* (→ Faute, cit. 30). *Imprimer des caractères*, des lettres, des chiffres, une phrase, un texte, un ouvrage. Le numéroteur, instrument servant à imprimer les numéros à la main. Imprimer un manuscrit, un texte... après l'avoir composé** (→ Compte, cit. 22).

25 (...) je priai maître Sébastien Gryphius, excellent homme en l'art de l'imprimerie, d'y vouloir mettre la main, ce qu'il a fait, et (...) vous *(l')* a imprimé bien correct et sur la copie de l'auteur (...)
Clément MAROT, Traductions, X, Marot aux lecteurs.

26 Il fallait imprimer sans faute ni retard les décrets républicains (...) Monsieur le comte de Maucombe endossa donc l'humble veste d'un prote de province : il composa, lut et corrigea lui-même les décrets (...)
BALZAC, Illusions perdues, Pl., t. IV, p. 465.

27 Le grand poème, le grand édifice, la grande œuvre de l'humanité ne se bâtira plus, elle s'imprimera. HUGO, Notre-Dame de Paris, I, V, II.

Techn. Effectuer le tirage de (un texte composé). ⇒ **Tirer.** — (Le sujet désigne l'imprimeur). *Qui est-ce qui imprime cet ouvrage?* Absolt. *L'atelier X a assuré la composition, mais n'imprime pas.* — *Achevé* d'imprimer.*

Faire imprimer une comédie, un essai, des remarques... (→ Célèbre, cit. 7; examen, cit. 1; faiblesse, cit. 21).

28 J'en retiens un exemplaire au moins, si vous le faites imprimer.
MOLIÈRE, les Précieuses ridicules, 9.

29 (...) on fera imprimer vos ouvrages entiers et en français, et on en fera tout le monde juge. PASCAL, Pensées, XIV, 921.

Par ext. Faire paraître sous forme d'ouvrage imprimé. ⇒ **Éditer.** *Éditeur* (cit. 2 et 3) *qui imprime un essai* (cit. 19), *un roman. Imprimer un livre à dix mille exemplaires.* ⇒ **Tirer.** *Imprimer un livre à ses frais* (→ Cénacle, cit. 2). *Pouvoir tout imprimer librement* (→ Censeur, cit. 5). *Imprimer une gazette* (cit. 2). *Journaux imprimés clandestinement* (cit. 1). *Mémoires frauduleux* (cit. 1) *imprimés sous le nom de...*

30 (...) ce sera (...) une *rouerie* de plus à mettre dans vos Mémoires : oui, dans vos Mémoires, car je veux qu'ils soient imprimés un jour, et je me charge de les écrire.
LACLOS, les Liaisons dangereuses, Lettre II.

31 (...) Balzac, polygraphe par nécessité autant que par excès de verve, a imprimé sans retenue tout ce qui lui passait par la tête ou fusait de son encrier au seul contact de sa plume. Émile HENRIOT, les Romantiques, p. 319.

Absolt (le sujet désigne l'auteur ou l'éditeur). Faire imprimer, faire paraître des œuvres (→ Aveu, cit. 3). *Imprimer librement* (→ Abus, cit. 3). *Il écrit, mais n'a pas encore imprimé.* ⇒ **Publier.** *Imprimer sans arrêt* → Faire gémir* la presse (vx).

32 (...) n'imprimez plus : le public vous demande quartier.
LA BRUYÈRE, les Caractères, VIII, 61.

Par ext. ⇒ **Publier.** *Imprimer un auteur, un écrivain. Personne ne veut l'imprimer. Se faire imprimer. « Être imprimé tout vif »* (→ Esprit, cit. 121, Beaumarchais; gredin, cit. 1, Molière).

33 C'est une chose étrange qu'on imprime les gens malgré eux.
MOLIÈRE, les Précieuses ridicules, Préface.

34 Et qui diantre vous pousse à vous faire imprimer? MOLIÈRE, le Misanthrope, I, 2.

35 Quant à écrire? je parierais bien que je ne me ferai jamais imprimer ni représenter. FLAUBERT, Correspondance, 28, 24 févr. 1839.

Pron. (passif). *Cela se dit mais ne s'imprime pas.*

▶ **IMPRIMÉ, ÉE** p. p. adj. et n. m.

★ **I.** ♦ **1.** Reproduit par impression. *Lithographie, gravure, image imprimée.*

♦ **2.** Orné d'un motif imprimé. *Étoffe, indienne, mousseline imprimée. Tissu imprimé.* — N. m. *Un imprimé :* un tissu imprimé. *Un imprimé à fleurs, à pois.*

35.1 Elle était nue sous sa robe, une petite robe d'été imprimée. Il avait fait si chaud hier. Robert MERLE, Week-end à Zuydcoote, p. 11.

★ **II.** ♦ **1.** Adj. [a] Reproduit par l'imprimerie. *Livre, ouvrage, exemplaire imprimé* (opposé à *manuscrit...*). → Auteur, cit. 37; fragment, cit. 4; grimoire, cit. 1. *Ouvrage imprimé sur vélin. Feuille, page imprimée. Mémoire imprimé* (→ Factum, cit. 2). *La chose imprimée :* les livres (→ Érudit, cit. 8).

[b] Sur lequel qqch. est imprimé. *Papiers imprimés* (→ ci-dessous, *un imprimé*). *En-tête* imprimé d'un papier. — Formule imprimée pour la déclaration des revenus.*

♦ **2.** N. m. (1532, Marot). *Un imprimé :* impression ou reproduction sur papier ou sur une matière assimilable au papier. *Le département des imprimés à la Bibliothèque nationale. Dépôt** (cit. 3) *légal des imprimés. L'administration des Postes considère comme imprimés les « livres brochés ou reliés, prospectus, catalogues, avis divers, circulaires, prix courants, cartes de visite, gravures, photographies, dessins, morceaux de musique, imprimés en relief à l'usage des aveugles (...) épreuves d'imprimerie (...) plans, cartes géographiques (...) journaux et écrits périodiques »* (Dalloz, *Répertoire*, t. III, p. 460). *Les imprimés bénéficient d'un tarif réduit* (dans les limites de dimension des lettres). *La boîte des imprimés. Recevoir des imprimés dans son courrier* (cit. 8). ⇒ **Brochure, catalogue, faire-part, journal.**

Feuille, formule imprimée. *Remplissez lisiblement les imprimés.*

(...) je copiai de ce manuscrit ce qui manquait dans les imprimés. 36
P.-L. COURIER, Lettre à M. Renouard, libraire.

(1856). Collectif. *L'imprimé :* les caractères imprimés. *Il ne sait lire que l'imprimé.*

Voyons, dit Fouan, qui est-ce qui va nous dire ça, pour finir la veillée (...) Caporal, vous devez très bien lire l'imprimé, vous. ZOLA, la Terre, I, V. 37

Le livre, la chose imprimée.

Pas une de nos émotions n'est franche. 38
Joies, douleurs, amours, vengeances, nos sanglots, nos rires, les passions, les crimes; tout est copié, tout! (...)
Combien j'en sais dont tel passage lu un matin a dominé, défait ou refait, perdu ou sauvé l'existence! (...)
Tyrannie comique de *l'imprimé!* (...)
Joignez à cette autorité de l'imprimé, l'intérêt du roman.
J. VALLÈS, les Réfractaires, Chronique : les victimes du Livre (1865).

CONTR. Inédit, manuscrit. — Blanc (tissu, papier).

DÉR. Imprimable, imprimage, imprimant, imprimante, imprimerie, imprimeur, imprimeuse.

COMP. Réimprimer, surimprimer.

IMPRIMERIE [ɛ̃pʀimʀi] n. f. — V. 1500 (1523, *in* T. L. F.); de *imprimer.*

♦ **1.** Technique de la composition et de l'impression des imprimés (⇒ **Imprimer,** II., 2.); ensemble des techniques permettant la reproduction d'un texte par impression* (d'abord d'un assemblage de caractères mobiles, puis d'un texte composé par divers procédés optiques). *L'imprimerie succéda au XV*[e] *siècle à l'impression par planches gravées* (⇒ **Tabellaire, xylographie**). *L'imprimerie, moyen de diffusion de la pensée* (→ Artillerie, cit. 8; édifice, cit. 10; gravure, cit. 3). *Techniques utilisées en imprimerie : imprimerie typographique* (⇒ **Typographie**), *lithographique* (⇒ **Lithographie, offset, phototypie**); *imprimerie en taille-douce*, imprimerie en photocomposition programmée. — L'imprimerie et les arts du livre**. ⇒ **Édition, librairie, presse.** *L'influence de l'imprimerie sur la société, la culture.* → la Galaxie* Gutenberg.

L'imprimerie fut inventée par eux *(les Chinois)* dans le même temps. On sait que cette imprimerie est une gravure sur des planches de bois, telle que Gut(t)enberg la pratiqua le premier à Mayence, au quinzième siècle. 1
VOLTAIRE, Essai sur les mœurs, I.

L'invention de l'imprimerie est le plus grand événement de l'histoire (...) C'est le mode d'expression de l'humanité qui se renouvelle totalement, c'est la pensée humaine qui dépouille une forme et qui en revêt une autre (...) Sous la forme imprimerie, la pensée est plus impérissable que jamais (...) Et quand on observe que ce mode d'expression est non seulement le plus conservateur, mais encore le plus simple, le plus commode (...) comment s'étonner que l'intelligence humaine ait quitté l'architecture pour l'imprimerie? HUGO, Notre-Dame de Paris, I, V, II. 2

L'imprimerie est apparue, le livre a commencé de voyager parmi les peuples, et notre humanité, presque tout de suite, a changé de visage, de démarche, de propos et de pouvoirs. G. DUHAMEL, Défense des lettres, Préface. 3

Caractères d'imprimerie. ⇒ **Cadrat, cadratin, caractère*** (I., *supra,* cit. 5), **espace, filet, fonte** (3.), **garniture, interligne, lettre, lettrine, ligne, marge, mobile** (n. m.), **signe** (typographique)...; **cul-de-lampe, vignette.** *Formes, dimensions des caractères d'imprimerie.* ⇒ **Type** (aldin, antique, égyptienne, elzévir, gothique, italique, normande, romain...), **point** (canon, cicero*, diamant, gaillarde [II., 2.], mignonne, nonpareille, parangon, perle, texte), **œil** (gros œil, petit œil). *Empreinte d'un caractère d'imprimerie noirci à la fumée.* ⇒ **Fumé.** — *Opérations d'imprimerie :* fonte des caractères (ancient) à la main (⇒ **Biveau, fonderie**), à la machine (⇒ **Monotype, linotype; frappe...**); composition des caractères (⇒ **Composer, composition; apprêter, approche, assembler; blanc, blanchir; créner, débloquer, éclaircir, espacement, justification, justifier, marger, taquer; bardeau,** 3. **casse, casseau, cassetin,** 2. **cassier, composteur, galée, lignomètre, picamètre, taquoir, taquon, typomètre...**), confection et correction des épreuves (⇒ 2. **Bon** [à tirer], **épreuve, morasse, placard, tierce; coquille** [III.], **correction, deleatur**), mise en page* (des textes, titres, notes, folios, clichés, marges, etc. ⇒ **Habillage; réclame, signature**), imposition* (⇒ **Imposer, réimposer; châssis, forme, marbre, ramette; format**), clichage* (⇒ **Cliché; clicher; empreinte, flan, stéréotype**), approvisionnement en papier (⇒ **Passe**), préparation du papier (⇒ **Trempage**), encrage de la composition ou de l'empreinte (⇒ **Encrage, encrer**), impression et tirage (⇒ **Tirage, tirer; presse** [frisquette, tympan; encrier, platine, pointure, rouleau, train]; **blanc** [machine en blanc], **minerve, retiration** [presse à retiration], **rotative**). — *Défauts de tirage en imprimerie.* ⇒ **Bavoché, bavure, foulage, gris** (page grise), **larron,** 1. **mâchurer, maculage, maculer, moine, surimpression.** — *Papier d'imprimerie. Encre d'imprimerie.* — *Pliage et assemblage des feuilles d'imprimerie* (⇒ **Assemblage, brochure, cahier, carton, collationner, encartage, encarter, encartonner, feuille, feuillet, livraison, onglet, page, pliage, pliure**), *rognage* (⇒ **Massicot**). — *Travaux d'imprimerie.* ⇒ **Labeur, ville** (ouvrages de ville). → Assujettir, cit. 10. *Métiers d'imprimerie.* ⇒ **Assembleur, clicheur, compositeur, conducteur, correcteur** (cit. 3), **imposeur, justificateur, linotypiste, metteur** (en page), **prote, typographe.**

4 Sous le titre : « Analyse », qui est en grosses lettres d'imprimerie bien noires et arrondies, un paquet de lignes manuscrites (...)
J. ROMAINS, les Hommes de bonne volonté, V, XIII, p. 95.

♦ **2.** (1523). *Une, des imprimeries.* Établissement, lieu où on imprime (des livres, des journaux...). → 1. Embarras, cit. 10; espérer, cit. 21. *Grande imprimerie, imprimerie moderne. Cette imprimerie intègre un atelier de composition, un atelier de reliure. Le matériel, le personnel d'une imprimerie. Envoyer un manuscrit, des épreuves à l'imprimerie. Registres de l'imprimerie* (⇒ **Grébiche**). — (En France). *L'Imprimerie nationale,* affectée à l'impression des actes officiels, d'ouvrages publiés par l'État.

5 L'imprimerie (...) s'était établie dans cette maison vers la fin du règne de Louis XIV. Aussi depuis longtemps les lieux avaient-ils été disposés pour l'exploitation de cette industrie. Le rez-de-chaussée formait une immense pièce éclairée sur la rue par un vieux vitrage (...)
BALZAC, Illusions perdues, Pl., t. IV, p. 469.

6 *La Sanction* s'imprimait (...) au premier étage des *Imprimeries associées* (...) Gureau (...) longeait l'allée centrale entre les machines (...) L'odeur d'imprimerie — cette odeur de papier moite, d'encre, d'huile chauffée, de métal mou — (...) l'inquiétait. Les bruits : ronronnements, roulements, cliquetis, achevaient de le mettre mal à l'aise (...)
J. ROMAINS, les Hommes de bonne volonté, t. V, XXV, p. 241.

♦ **3.** (1566). Matériel servant à l'impression. *Une imprimerie portative.*

♦ **4.** Par métonymie. Le personnel d'une imprimerie. *Une partie de l'imprimerie s'est mise en grève.* — Le personnel des imprimeries; les ouvriers et employés d'imprimerie.

IMPRIMEUR [ɛ̃pʀimœʀ] n. m. et adj. — 1485; *impremeur,* 1478; de *imprimer.*

♦ **1.** Propriétaire, directeur d'une imprimerie. *Imprimeur-libraire, imprimeur-éditeur. Envoyer un manuscrit, des épreuves à l'imprimeur. Maître imprimeur. Gutenberg, Laurent Coster, les Alde, les Estienne, Plantin, les Elzévir, célèbres imprimeurs* (XVe et XVIe siècles). *L'imprimeur d'un journal* (→ Courtier, cit. 3). — *Imprimeur éditeur. Imprimeur-libraire**.

1 Mon imprimeur crie à tue-tête
Que sa machine est toujours prête,
Et que la mienne n'en peut mais. A. DE MUSSET, Premières poésies, « À Julie ».

2 J'avais peur d'arriver trop tard, et pestais contre Dumoulin, l'imprimeur, à qui j'avais envoyé le bon à tirer depuis longtemps et qui ne me livrait point le volume.
GIDE, Si le grain ne meurt, I, IX, p. 248.

Imprimeur en taille douce, imprimeur lithographe, imprimeur sur étoffes...

REM. On trouve parfois le fém. *imprimeuse**, mais on dira plutôt *Mme X, imprimeur; elle est imprimeur.*

♦ **2.** (1498). Anciennt. Ouvrier qui travaille à la presse (on réserve ce nom à l'ouvrier qui imprime à la presse à bras, et celui de *conducteur** à l'ouvrier chargé d'une machine moderne). ⇒ **Pressier.**

(1793). Mod. Ouvrier travaillant dans une imprimerie (⇒ **Typographe; imprimerie**). — Appos. *Ouvrier imprimeur.*

♦ **3.** Adj. (XIXe). Qui sert à imprimer. « *Le mécanisme imprimeur consiste en deux petits claviers...* », *Année sc. et industr.* 1881, p. 159 (1880). ⇒ **Imprimant.**

IMPRIMEUSE [ɛ̃pʀimøz] n. f. — 1651; de *imprimer.*

★ **I.** (1651). Vx. Femme possédant une imprimerie; femme imprimeur. — REM. Cette forme est parfois reprise dans la langue moderne. « *Elles étaient quatre intellectuelles qui n'avaient jamais vu une presse de leur vie et qui sont devenues imprimeuses...* » (*F. Magazine,* janv. 1980, p. 42).

★ **II.** (1872). Techn. Machine qui sert à imprimer.

Une imprimeuse rotative, mon petit Frantz, rotative et dodécagone, pouvant donner d'un seul tour de roue l'empreinte d'un dessin de douze à quinze couleurs (...) Alphonse DAUDET, Fromont jeune et Risler aîné (1874), p. 186.

IMPROBABILITÉ [ɛ̃pʀɔbabilite] n. f. — 1610; de *improbable.* Didactique.

A. *L'improbabilité (de qqch.).* ♦ **1.** Caractère de ce qui est improbable. *L'improbabilité d'une hypothèse, d'un gain à la loterie.*

Cette hypothèse est théoriquement concevable, comme on l'a montré avec précision dans ces derniers temps; mais, d'après les calculs de Boltzmann, elle est d'une improbabilité mathématique qui passe toute imagination et qui équivaut, pratiquement, à l'impossibilité absolue. H. BERGSON, l'Évolution créatrice, p. 245.

♦ **2.** (Correspond à *improbable,* 2. et 3.). Caractère de ce qui est invraisemblable (vx) ou douteux. *L'improbabilité d'un récit.*

B. (1772). Événement improbable. *Tout ce calcul se fonde sur des improbabilités* (Académie). *Une, des improbabilités.* ⇒ **Invraisemblance.**

CONTR. **Crédibilité, évidence, probabilité.**

IMPROBABLE [ɛ̃pʀɔbabl] adj. — 1606; « réprouvable, que l'on doit réprouver », XVe; de *im-* (→ 1. In-), et *probable.*

♦ **1.** Vx. Qui ne peut pas être prouvé. ⇒ **Improuvable.** « *Il y a bien des vérités qui sont improbables, qui sont au-dessus de la raison* » (Furetière, 1690). — REM. Ce sens n'était plus compris au XVIIIe; cf. le dict. de Trévoux (1771) : « Qui n'a point de probabilité (...) Il ne se dit point de ce qui ne peut pas être prouvé. »

♦ **2.** Vx. Invraisemblable* (mot qui n'apparaît qu'en 1775).

Les choses prodigieuses et improbables doivent être quelquefois rapportées, mais comme des preuves de la crédulité humaine (...) 1
VOLTAIRE, Dict. philosophique, Histoire, I.

Je ne vois d'autre réponse à cet argument que de bâtir un roman à la façon de Calprenède, et de supposer un tas d'aventures improbables (...) 2
VOLTAIRE, Lettre à Chauvelin, 2096, 26 févr. 1762.

♦ **3.** (1815). Mod. Qui n'est pas probable*; qui a peu de chances de se produire. ⇒ **Douteux.** *Éventualité, hypothèse improbable* (→ Émission, cit. 5). *L'événement, le cas, la chance la plus improbable* (→ Épi, cit. 4). *Il est improbable, bien improbable que,* et subj. (→ Former, cit. 29). *C'est plus qu'improbable, c'est impossible*. Il n'est pas invraisemblable que je gagne à la loterie, mais c'est très improbable.*

L'hypothèse de la simulation me devenait d'autant plus nécessaire qu'elle était plus improbable et gagnait en force ce qu'elle perdait en vraisemblance. 3
PROUST, À la recherche du temps perdu, t. XIII, p. 26.

À partir du point où l'on quitte l'assurance, puis la probabilité, l'on en vient à douter, à considérer la chose énoncée comme *improbable* ou *invraisemblable.* Une foule d'expressions correspondent à cet état de la pensée; ce sont d'abord les phrases impersonnelles où entrent les divers adjectifs : *il est douteux, peu probable (...) qu'il fasse beau.* F. BRUNOT, la Pensée et la Langue, p. 536. 4

(...) D'ailleurs, pourquoi parler de moi, chétif, qui ne verrai pas la révolution? — Et pourquoi donc? dit Salavin. Est-ce parce que vous la jugez improbable? 5
G. DUHAMEL, Salavin, V, XIII.

Il n'est (...) pas *impossible,* au sens absolu du terme, mais seulement hautement improbable que l'eau mise sur le feu se gèle, de même que la reconstitution de la Bibliothèque nationale par une armée de singes dactylographes ne peut pas être déclarée impossible, mais seulement hautement improbable (...) il est probable et non certain, que ces miracles ne se produiront pas. 6
Émile BOREL, le Hasard, X, 118.

Cela n'est pas improbable : c'est possible, c'est probable.

CONTR. **Probable.**
DÉR. **Improbabilité, improbablement.**

IMPROBABLEMENT [ɛ̃pʀɔbabləmɑ̃] adv. — 1931, Valéry, *in* T. L. F.; de *improbable.*

♦ Rare. D'une manière improbable.

IMPROBATEUR, TRICE [ɛ̃pʀɔbatœʀ, tʀis] n. et adj. — Av. 1654, Guez de Balzac; lat. *improbator,* de *improbare.* → Improuver.

♦ **1.** N. Personne qui improuve, désapprouve.

Ne croyez pas que je sois de ces improbateurs (...) 1
GUEZ DE BALZAC, Lettres inédites, 88, *in* HATZFELD.

♦ **2.** Adj. (XVIIIe). ⇒ **Désapprobateur, réprobateur.** *Regard, silence sévère et improbateur.*

Le maire avait un air improbateur et sévère, et son commis regardait les deux époux avec une curiosité malveillante. BALZAC, la Vendetta, Pl., t. I, p. 911. 2

CONTR. **Apologétique, approbateur, approbatif.**

IMPROBATIF, IVE [ɛ̃pʀɔbatif, iv] adj. — 1792, *in* Brunot; dér. sav. de *improbation.*

♦ Rare. Improbateur (2.); d'improbation. *Remarque improbative.*

IMPROBATION [ɛ̃pʀɔbasjɔ̃] n. f. — 1458; lat. *improbatio,* du supin de *improbare.* → Improuver.

♦ Littér., vieilli. Action d'improuver, de désapprouver. ⇒ **Désapprobation, réprobation; animadversion, blâme, censure, critique.** *Cris d'improbation.* ⇒ **Huée.** *Manifester son improbation par des exclamations, des sifflets*.*

Quoiqu'il soit pénétré de son mérite, la plus légère improbation l'aigrit. 1
VAUVENARGUES, l'Important, *in* LITTRÉ.

Toutes les dames parurent se consulter en se jetant le même coup d'œil; et alors, le silence le plus profond ayant tout à coup régné dans le salon, leur attitude fut prise comme un indice d'improbation. 2
BALZAC, la Femme abandonnée, Pl., t. II, p. 212.

Les signes d'approbation et d'improbation sont défendus. Faites entrer l'accusé. 3
Henri MONNIER, la Cour d'assises, *in* Scènes populaires, t. I, p. 96.

CONTR. **Approbation** (cit. 11); **apologie.**
DÉR. **Improbatif.**

IMPROBE [ɛ̃pʀɔb] adj. — 1796; attestation isolée fin xve, *improbre ;* lat. *improbus ;* de *im-* (→ 1. In-), et *probus.* → Probe.

♦ Rare. Qui manque de probité. ⇒ **Malhonnête, véreux.** *Caractère, action improbe.* ⇒ **Improbité.**

(...) il passait aussi pour profondément rusé, sans être improbe.
BALZAC, Ursule Mirouët, Pl., t. III, p. 292.

CONTR. Honnête, intègre, probe.

IMPROBITÉ [ɛ̃pʀɔbite] n. f. — V. 1350 ; repris fin xviiie ; lat. *improbitas ;* de *improbus,* et *probitas.* → Probité.

♦ Littér. Manque de probité ; caractère d'une personne, d'une action improbe*, malhonnête. ⇒ **Canaillerie, gredinerie, malhonnêteté** (→ Escroc, cit. 3, Hugo). *Improbité de Talleyrand.* → Fange, cit. 8.

1 Il flétrit l'improbité... des employés amateurs (...) COURTELINE, Messieurs les ronds-de-cuir, 1er tableau, II, p. 35 (→ Déconsidération, cit. 2).

2 On s'interdit de se répondre, tout en pressentant la réponse, et là s'installe l'improbité caractéristique. VALÉRY, Cahiers, t. II, Pl., p. 593.

CONTR. Droiture, honnêteté, honneur, probité.

IMPRODUCTIF, IVE [ɛ̃pʀɔdyktif, iv] adj. — 1785 ; de *im-* (→ 1. In-), et *productif.*

♦ Qui ne produit, ne rapporte rien. *Terre improductive.* ⇒ **Aride, stérile.** *Force improductive* (→ Contradiction, cit. 6). *Travail improductif, lecture improductive* (→ Fastidieux, cit. 3). *Laisser improductif un capital, des richesses.* → Croupir, laisser dormir* ; laisser en friche* (fig.).

1 (...) quinze mille francs remis à titre d'indemnité de ses recherches (...) quand même la découverte serait improductive (...)
BALZAC, Illusions perdues, Pl., t. IV, p. 1035.

(En parlant des personnes). Qui ne contribue pas à la production des biens. *Pour la théorie marxiste, un travailleur improductif fournit des services, mais ne produit pas de plus-value du capital.* — N. *Un improductif. « La Société* (une entreprise d'horlogerie) *compte 47 % d'"improductifs" (administration, contrôle, recherche) »* (*l'Express,* 2 juil. 1973, p. 32).

2 Nous pourrions simplement (...) conclure que la société est suffisamment riche pour assurer la vie d'un certain nombre d'improductifs.
A. SAUVY, Croissance zéro ?, p. 275.

CONTR. Fécond, fertile, fructueux, productif.
DÉR. Improductivement, improductivité.

IMPRODUCTIVEMENT [ɛ̃pʀɔdyktivmɑ̃] adv. — 1840, Proudhon ; de *improductif.*

♦ Rare. De manière improductive.

IMPRODUCTIVITÉ [ɛ̃pʀɔdyktivite] n. f. — 1840, Proudhon ; de *improductif,* d'après *productivité.*

♦ Rare. Caractère de ce qui est improductif.

CONTR. Fertilité, productivité.

IMPROMPTU, UE [ɛ̃pʀɔ̃pty] ou, fautif mais cour. [ɛ̃pʀɔmpty] n. m., adj. et adv. — 1651, en mus. ; de la loc. adv. lat. *in promptu* « en évidence, sous la main ».

★ **I.** N. m. ♦ **1.** Hist. littér. Petite pièce poétique de circonstance, en principe sans préparation.

1 Je fais des impromptus, rondeaux et bouts rimés,
Bref, je suis bel esprit, et des plus renommés (...)
SCARRON, Don Japhet, I, 5 (1653).

2 (...) il faut que je vous die *(dise)* un impromptu que je fis hier chez une duchesse de mes amies que je fus visiter ; car je suis diablement fort sur les impromtus. — L'impromptu est justement la pierre de touche de l'esprit. — Écoutez donc (...) *Oh, oh ! je n'y prenais pas garde* (...)
MOLIÈRE, les Précieuses ridicules (→ Garde, cit. 35).

3 Au reste, j'ai supputé, vous aurez achevé dans cinquante ans de traduire le Pétrarque, à un sonnet par mois ; cet ouvrage est digne de vous ; ce ne sera pas un impromptu. Mme DE SÉVIGNÉ, Lettres, 200, 6 sept. 1671.

4 (...) il demandait hardiment la permission de se promener pendant dix minutes pour faire un impromptu, quelque quatrain plat comme un soufflet, et où la rime remplaçait l'idée. BALZAC, Illusions perdues, Pl., t. IV, p. 500.

Iron. *« Impromptu à loisir »* (Molière, *les Précieuses ridicules,* XII) : pièce composée à loisir et donnée pour un impromptu.

5 (...) je mettais le matin sur mon agenda des bons mots que je donnais l'après-dînée pour des impromtu*(s).* A. R. LESAGE, Gil Blas, V, 1.

Spécialt. Courte pièce de théâtre traitant d'un sujet d'actualité ou composée pour une occasion précise. *L'Impromptu de Versailles,* comédie de Molière (1663). *L'Amour Médecin, de Molière, est un « petit impromtu »* (→ Commander, cit. 14). *L'Impromptu de Paris,* pièce de Giraudoux (1937). *L'Impromptu de l'Alma,* pièce de Ionesco.

♦ **2.** (1669). Vx. Ce qui est fait ou dit sans préparation. *Il ne nous attendait pas, le dîner qu'il donna était un impromptu* (Académie).

Madame, le mariage en impromptu étonne l'innocence, mais ne l'afflige pas. 6
MARIVAUX, l'Épreuve, XIV.

♦ **3.** (1851, Delacroix, *Journal,* 28 févr.). Mus. « Petite pièce instrumentale (...) dont la structure (...) emprunte le plus souvent le schéma AB A » (A. Hodeir). *L'Impromptu hongrois,* de Schubert. *La plupart des impromptus sont composés pour le piano. Les impromptus de Chopin.*

Malgré son nom, l'*impromptu* est rarement composé à l'improviste. Il est aussi travaillé et préparé qu'un autre morceau, mais sa forme brillante est libre. Célèbres sont ceux de Schubert (...) et de Chopin (...) Ceux de Fauré sont élégants, ceux de Poulenc savoureux. André CŒUROY, la Musique et ses formes, III, p. 116. 7

♦ **4.** En psychologie, en psychiatrie de groupe, Happening*.

★ **II.** Adj. (1673). Improvisé. *Pièce impromptue, vers impromptus. Concert, bal impromptu. Dîner impromptu,* sans apprêt (→ 1. Colon, cit. 6).

C'est proprement ici un petit opéra impromptu (...) 8
MOLIÈRE, le Malade imaginaire, II, 5.

★ **III.** Adv. (Av. 1755, Saint-Simon). Littér. ou style soutenu. À l'improviste, sans préparation (→ Au pied levé*, sur-le-champ). *Parler, répondre impromptu.*

(...) et parler impromptu sans avoir une seule minute pour me préparer (...) 9
ROUSSEAU, les Confessions, IV.

(...) au lieu de répondre en suivant le texte latin, j'essaierai de le traduire impromptu. STENDHAL, le Rouge et le Noir, XXII. 10

IMPRONONÇABLE [ɛ̃pʀɔnɔ̃sabl] adj. — 1542 ; repris xixe ; de *im-* (→ 1. In-), *prononcer,* et *-able,* ou *prononçable.*

♦ **1.** Impossible à prononcer. *Groupe de consonnes, mot imprononçable.*

♦ **2.** Qu'on répugne à prononcer comme peu harmonieux, choquant, etc.

En vain la grammaire voudrait nous imposer comme *correctes* d'imprononçables bouillies, le bourbeux *Je pars pour Paris,* au lieu du direct et prompt *Je pars à...*
CLAUDEL, Positions et Propositions, t. I, p. 83.

CONTR. Prononçable.

IMPRONONCÉ, ÉE [ɛ̃pʀɔnɔ̃se] adj. — xxe ; de *im-* (→ 1. In-), et *prononcé.*

♦ Littér. Qui n'a pas été prononcé, dit.

CONTR. Prononcé (p. p. du verbe).

IMPROPÈRES [ɛ̃pʀɔpɛʀ] n. m. pl. — 1771 ; *improperie* « opprobre », v. 1120 ; bas lat. ecclés. *improperium,* du lat. class. *improperare* « faire des reproches à », de *im-* (→ 2. In-) et *properare* « se hâter d'entrer ».

♦ **1.** Relig. (anc. liturgie romaine). Chant exécuté le Vendredi saint exprimant les reproches adressés par Jésus à son peuple.

♦ **2.** (N. m. sing.). Littér., rare. Reproche.

IMPROPRE [ɛ̃pʀɔpʀ] adj. — 1372 ; lat. gramm. *improprius,* de *im-* (→ 1. In), et *proprius.* → Propre.

♦ **1.** Qui ne convient pas, n'exprime pas exactement l'idée. *Mot, terme, expression impropre* (→ Bannir, cit. 21 ; biscuit, cit. 2 ; 2. cru, cit. 8 ; gothique, cit. 10). ⇒ **Incorrect, vicieux.** *Usage impropre et abusif** (cit. 1) *de certains mots.* ⇒ **Impropriété** (cit. 3). — (1893). Ling. *Dérivation* impropre.*

En vain vous me frappez d'un son mélodieux, 1
Si le terme est impropre, ou le tour vicieux (...) BOILEAU, l'Art poétique, I.

On (...) trouva *(dans le style de Houtteville)* plusieurs expressions impropres ou recherchées (...) D'ALEMBERT, Éloge de Houtteville. 2

Le titre donné par M. Coulmann à ses Mémoires est donc assez impropre (...) Je ne l'aurais pas remarqué si cette incertitude dans l'expression ne se rattachait à beaucoup d'autres incertitudes et indécisions de l'honorable auteur-amateur (...) 3
SAINTE-BEUVE, Nouveaux lundis, t. IX, 28 nov. 1864.

♦ **2.** (1676). IMPROPRE À... : qui n'est pas propre, adapté à... ⇒ **Inapte.** *Jeune homme impropre au service militaire* (⇒ **Réformé**). *Être impropre à un travail, à faire qqch.* ⇒ **Incapable** (de). — (Choses). Qui ne convient pas, ne se prête* pas à. *Cette eau est impropre à la cuisson des légumes.*

(...) son frère fut réformé comme impropre au service militaire, à cause d'une prétendue maladie dans les muscles du bras droit (...) 4
BALZAC, les Paysans, Pl., t. VIII, p. 169.

Le poumon gauche était depuis dix-huit mois dans un état semi-osseux ou cartilagineux, et conséquemment tout à fait impropre à toute fonction vitale. 5
BAUDELAIRE, Trad. E. POE, Histoires extraordinaires, « La vérité sur cas M. Valdemar ».

(...) j'étais sédentaire, impropre par ma faiblesse musculaire à tous les exercices du corps. RENAN, Souvenirs d'enfance..., III, I. 6

7 Un mariage même fut un moment sérieusement envisagé, et ceci semblerait démontrer que Juliette n'était pas si sûre d'être impropre à cet état.

Émile HENRIOT, Portraits de femmes, p. 274.

CONTR. Apte, convenable, propre.
DÉR. Improprement.

IMPROPREMENT [ɛ̃pʀɔpʀəmɑ̃] adv. — 1366; de *impropre.*

♦ D'une manière impropre (1.). *Appeler, désigner improprement une chose* (→ Argot, cit. 5; graphique, cit. 5; haut-relief, cit. 1). *S'exprimer improprement. Ce qu'on appelle assez improprement...*

Avec les radicaux-socialistes improprement classés comme socialistes, on ne courait pas un grand danger (...) Ch. PÉGUY, la République..., p. 26.

CONTR. Proprement.

IMPROPRIÉTÉ [ɛ̃pʀɔpʀijete] n. f. — 1488; lat. gramm. *improprietas*; de *improprius,* d'après *proprietas.* → Propriété.

Linguistique et courant (mais style soutenu).

♦ **1.** Caractère de ce qui est impropre (1.) ⇒ **Incorrection.** *L'impropriété du langage, du style. Terme d'une impropriété choquante* (→ Bienfait, cit. 1). *L'impropriété d'un mot bas* (cit. 41).

1 La nouveauté (...) l'impropriété des termes dont ils se servent (...)

LA BRUYÈRE, les Caractères, V, 6.

2 On est toujours étonné de cette foule d'impropriétés, de cet amas de phrases louches, irrégulières, incohérentes, obscures, et de mots qui ne sont point faits pour se trouver ensemble (...)

VOLTAIRE, Commentaires sur Corneille, Remarques sur Pertharite, I, 1.

♦ **2.** (1541). *Une, des impropriétés.* Emploi impropre d'un mot. *Une impropriété de langage* (→ Gaucherie, cit. 5). *De grossières impropriétés.* ⇒ **Barbarisme.**

3 À coup sûr l'impropriété est le vice capital du style (...) prenez (...) une page de quelque prosateur célèbre encore vivant, d'un de ces romanciers chargés d'honneurs, dont les critiques vantent volontiers « le style incomparable » (...) cinq mots sur dix sont impropres. Si vous lisez vite, ça ne se voit pas trop, et il arrive même que cette suite d'impropriétés fasse aux yeux un papillotage assez agréable. Ce n'est pas sans raison que les bibliothèques des chemins de fer sont vouées à ces auteurs (....) L'impropriété générale est le signe d'une maladie constitutionnelle de l'esprit.

J. ROMAINS, *in* l'Humanité, déc. 1920, cité par René GEORGIN, la Prose d'aujourd'hui, p. 23.

♦ **3.** (1731). Vx. Inaptitude.

CONTR. Convenance, propriété.

IMPROUVABLE [ɛ̃pʀuvabl] adj. — 1554, Huguet; *improvable,* 1444; de *im-* (→ 1. In-), et *prouvable.*

♦ Rare. Qu'on ne peut pas prouver. ⇒ **Improbable,** 1. (vx). — REM. L'homonyme dérivé d'*improuver* (« condamnable », « critiquable ») ne semble pas usité.

CONTR. Prouvable.

IMPROUVER [ɛ̃pʀuve] v. tr. — 1370; lat. *improbare,* de *im-* (→ 1. In-), et *probare.* → Prouver.

♦ Vx. Blâmer, ne pas approuver. ⇒ **Condamner, critiquer, désapprouver** (cit. 4). *Notre facilité* (cit. 7) *à improuver autrui. Action d'improuver.* ⇒ **Improbateur, improbation.**

1 (...) on aurait eu peur de paraître improuver mes persécuteurs en ne les imitant pas. ROUSSEAU, les Confessions, XII.

2 Pour éviter de l'approuver ou de l'improuver par mon regard (...)

BALZAC, le Lys dans la vallée, Pl., t. VIII, p. 816.

CONTR. Approuver.

IMPROVISADE [ɛ̃pʀɔvizad] n. f. — 1731; de *improviser,* d'après l'ital. *improvisata.*

♦ Vx. Œuvre d'improvisation. ⇒ **Impromptu.** — *À l'improvisade* : de manière improvisée.

En ferraillant je vais — hop! — à l'improvisade
Vous composer une ballade.

Edmond ROSTAND, Cyrano de Bergerac, I, p. 45.

IMPROVISATEUR, TRICE [ɛ̃pʀɔvizatœʀ, tʀis] n. — 1776, au fém.; 1787; *improvisteur,* 1765; de *improviser,* d'après ital. *improvvisatore, -trice.*

♦ **1.** Personne qui improvise. *Un talent d'improvisateur.* — Par métaphore (choses). → ci-dessous cit. 2.

1 (...) Rivarol, le grand improvisateur, le *dieu de la conversation* à cette fin d'un siècle où la conversation était le suprême plaisir et la suprême gloire. On n'avait qu'à le toucher sur un point, qu'à lui donner la note, et le merveilleux clavier répondait à l'instant par toute une sonate.

SAINTE-BEUVE, Chateaubriand..., t. II, p. 137.

2 Les révolutions sont de magnifiques improvisatrices, un peu échevelées quelquefois. HUGO, Littérature et philosophie mêlées, Journal..., septembre 1830.

3 Un improvisateur sait se faire une arme d'une interruption qui a voulu le blesser.

Louis BARTHOU, Danton, p. 226.

(...) je n'ai jamais écrit que lorsque « cela me prend ». Si j'ai eu un talent, c'est celui d'improvisateur. Paul LÉAUTAUD, Propos d'un jour, p. 114. 4

Spécialt. Musicien, musicienne qui improvise.

Ceux donc qui se figurent que l'improvisateur s'abandonne sans contrôle aux hasards de l'inspiration, qu'il se lance à corps perdu dans l'inconnu, ont de son art la plus fausse notion qu'on s'en puisse faire; la plus mesquine aussi; le grand improvisateur est au contraire un musicien pondéré, sage, équilibré par excellence; c'est la condition même de son existence. 5

Albert LAVIGNAC, la Musique et les musiciens, IV, p. 332.

(...) jusqu'à ce qu'une musique ait cessé, elle reste, en partie, plongée dans l'avenir. Il y a quelque chose d'émouvant, pour l'improvisateur, dans cette élection de la note qui va suivre. M. YOURCENAR, Alexis, p. 120. 6

♦ **2.** Adj. Qui improvise. — (Choses). *Fantaisie improvisatrice. Aptitudes improvisatrices.* — Spécialt. *Musiciens improvisateurs.*

IMPROVISATION [ɛ̃pʀɔvizɑsjɔ̃] n. f. — 1807, Mme de Staël, *Corinne,* III, 3; de *improviser*.*

♦ **1.** Action, art d'improviser (1.). **a** Dans le domaine de l'expression langagière. *L'improvisation d'un discours, d'un poème par un orateur, un écrivain. — Être doué pour l'improvisation. Talent d'improvisation* (→ 2. Griot, cit. 1). *Parler au hasard* (cit. 39) *de l'improvisation.* ⇒ **Imagination.** *L'élan, le feu, l'ivresse de l'improvisation* (→ Électriser, cit. 4). *Brillante improvisation* (→ Évocation, cit. 7). — (*Une, des improvisations.* → ci-dessous cit. 4 et 5). Ce qui est improvisé (discours*, vers...). *Se lancer dans une improvisation éloquente, maladroite.*

Enhardi bientôt, il s'est mis à parler sur de simples notes, et, si je ne me trompe, aujourd'hui il combine ensemble ces diverses manières, en y ajoutant ce que la pure improvisation ne manque jamais de lui fournir. 1

SAINTE-BEUVE, Causeries du lundi, 5 nov. 1849.

Il *(Rivarol)* y primait *(dans les salons)* par son talent naturel d'improvisation, dont tous ceux qui l'ont entendu n'ont parlé qu'avec admiration et comme éblouissement. C'était un virtuose de la parole. 2

SAINTE-BEUVE, Causeries du lundi, 27 oct. 1851.

Une lettre, si nette, si sèche soit-elle, garde son origine, qui est celle de l'aveu, de l'improvisation, de la confidence, c'est-à-dire du lyrisme ou du poème. 3

GIRAUDOUX, Littérature, p. 78.

(...) ces cours, qui étaient de longues improvisations lyriques, pleines de vues hardies, de digressions, de brusques confidences, de mots crus (...) 4

MARTIN DU GARD, les Thibault, t. IV, p. 93.

Je me défie des improvisations : on ne dit jamais exactement ce que l'on veut. 5

G. DUHAMEL, le Voyage de P. Périot, I, p. 30.

C'est dans l'improvisation que vous laissez aller votre cœur à sa guise. 6

G. DUHAMEL, le Voyage de P. Périot, II, p. 36.

b Mus. Exécution musicale où les interprètes improvisent (sur un thème, des harmonies). *Une belle improvisation à l'orgue. — Improvisation collective,* notamment en jazz (argot mus. ⇒ **Bœuf**). *Improvisation sur les harmonies du thème.* ⇒ **Chorus.**

Il *(Rubinstein)* jouait les yeux clos, et comme ignorant du public. Il ne semblait point tant présenter un morceau que le chercher, le découvrir, ou le composer à mesure, et non point dans une improvisation, mais dans une ardente vision intérieure (...) GIDE, Si le grain ne meurt, VI, p. 168. 7

(...) maintenant elle tient l'orgue de la chapelle chaque dimanche et prélude au chant des cantiques par de courtes improvisations. 8

GIDE, la Symphonie pastorale, p. 130.

L'improvisation, c'est de la composition instantanée et qui ne laisse de traces que dans le souvenir (...) Mais, dans l'improvisation plus encore peut-être que dans la composition écrite, se fait sentir l'importance d'un plan logique servant de guide à l'inspiration, la maintenant dans les limites du bon sens musical et l'empêchant de s'égarer dans les voies issues de la divagation. 9

Albert LAVIGNAC, la Musique et les musiciens, IV, p. 330.

c Dans d'autres domaines artistiques. *Une improvisation chorégraphique, picturale. « La rapide improvisation de son crayon »* (Lamartine, *in* T. L. F.).

L'improvisation de la main succédait aux improvisations de l'esprit. 10

E. FROMENTIN, les Maîtres d'autrefois, p. 107.

(Une, des improvisations). Œuvre, notamment peinture, improvisée. ⇒ **Pochade.**

♦ **2.** (Au sens 2 de *improviser*). Fait de réaliser qqch. en hâte, sans préparation, sans plan. *Tout laisser à l'improvisation. « La France a le génie de l'improvisation »* (formule citée par Gide, in *Journal,* 27 oct. 1915). *Le gouvernement semble se livrer à l'improvisation.*

(Une, des improvisations). Ce qui est exécuté sans préparation, impromptu. *Une improvisation politique. Sa petite réception était une improvisation réussie.*

IMPROVISER [ɛ̃pʀɔvize] v. tr. — 1642; ital. *improvvisare,* du lat. *improvisus* « imprévu »; de *im-* (→ 1. In-), et *provisus,* de *providere* « prévoir », de *pro-,* et *videre.*

♦ **1.** Composer sur-le-champ et sans préparation — (Le compl. désigne une création langagière). *Improviser un discours* (→ Habitude, cit. 28), *une harangue* (→ Hésitant, cit. 7), *un madrigal* (→ Flatteur, cit. 12). *Les acteurs de la* commedia dell'arte *improvisaient leur texte* (→ Gag, cit. 1). — (1810). Absolt. *Orateur qui improvise avec brio.* ⇒ **Abondance** (parler d'). *Acteurs qui improvisent.* — (Le compl. désigne une création musicale). *Pianiste qui improvise de brillantes fioritures* (cit. 3). *Improviser la cadence* *d'un concerto.* Absolt. *Improviser à l'orgue avant d'attaquer un morceau* (⇒ **Préluder**). — (Le sujet n'est pas un nom de personne) → ci-dessous, cit. 4.

1 Eh! quoi, improviser, c'est-à-dire ébaucher et finir dans le même temps, contenter l'imagination et la réflexion du même jet, de la même haleine, sans hésitation ni faiblesse, ce serait, pour un mortel, parler la langue des dieux comme sa langue de tous les jours! E. DELACROIX, Écrits, 1er juil. 1862.

2 (...) l'un des deux jouait une de ses compositions, et l'autre improvisait à côté de lui une variation, un accompagnement, un dessous. BAUDELAIRE, Du vin et du haschisch, p. 410.

3 Il nous fit la galanterie d'improviser une composition sur un sujet tiré du *Roi Candaule* (...) Th. GAUTIER, Voyage en Russie, XIV, p. 174.

4 Sur le clavier, ses petites mains nerveuses, rapides, d'ailleurs merveilleusement exercées et assouplies, se mirent à improviser d'abord de vagues choses extravagantes, sans queue ni tête (...) LOTI, les Désenchantées, I, III.

5 Il l'avait improvisé *(le discours)* rapidement, comme il improvisait, en marchant dans la cour des récréations, ses meilleures compositions françaises : il les portait «dans sa tête» pendant plusieurs jours (...) Valery LARBAUD, Fermina Marquez, XVII.

REM. À la différence de *improvisation,* le verbe ne semble pas usité dans le domaine de la création.

Fig. (Le compl. désigne un contenu de pensée). «*Sa conversation (...) n'improvise rien. Il récite des vérités qu'il a patiemment élaborées*» (Gide, *Journal, in* T. L. F.). Spécialt. Trouver* à la dernière minute. ⇒ **Inventer.** *Improviser une excuse.*

♦ **2.** (1829). Organiser sur-le-champ, à la hâte. *Improviser un repas, un déjeuner, un pique-nique. Improviser un laboratoire dans une pièce.* «*Il fut résolu qu'on improviserait pour moi une chambre à coucher...*» (Baudelaire, *les Paradis artificiels*). — P. p. adj. *Repas improvisé* (→ À la bonne franquette*, à la fortune* du pot). *Un atelier de mécanique improvisé, dans un hangar.*

6 (...) c'était si charmant, cette dînette improvisée, au fond de cette chambre où ils étaient seuls, bien mieux qu'au restaurant. ZOLA, la Bête humaine, I, p. 9.

Improviser une affaire, une entreprise, une solution politique, la développer sans programme, sans plan préalable.

7 D'abord, j'estime qu'on n'improvise pas une pareille affaire. Il faut de la réflexion, de l'étude. J. ROMAINS, les Copains, p. 37.

♦ **3.** (Avec deux compl. n. de personne). *Improviser qqn* (et nom désignant un rôle, une fonction) : pourvoir inopinément qqn d'une fonction, d'une mission à laquelle il n'est pas préparé. *On l'improvisa maître d'hôtel pour la circonstance.*

♦ **4.** Passif et p. p. (Choses; personnes). *Moyens improvisés.* ⇒ **Fortune** (de). *Service d'ordre improvisé* (→ Attroupement, cit. 7).

8 Cependant, tout croulait autour de Napoléon. Avec ses soldats improvisés, presque des enfants, les derniers que la France avait pu lui fournir, il tenta encore d'arrêter l'ennemi (...) J. BAINVILLE, Hist. de France, p. 427.

9 Les réformes improvisées par une révolution et mal adaptées au milieu, échouent bientôt. J. CHARDONNE, l'Amour du prochain, p. 110.

10 Pour toutes ces opérations, il fallait du personnel et l'on était toujours à la veille d'en manquer. Beaucoup de ces infirmiers et de ces fossoyeurs d'abord officiels, puis improvisés, moururent de la peste. CAMUS, la Peste, p. 194.

▶ **S'IMPROVISER** v. pron.

(Sens passif). Être fait sans préparation. *Des assemblées s'improvisent* (→ Fermentation, cit. 3). *Une organisation pareille ne s'improvise pas* (→ Équipement, cit. 5). — (Sens réfléchi). Devenir subitement. *Adolescent qui s'improvise un homme* (→ Anticiper, cit. 8). *Il a voulu s'improviser financier. On ne s'improvise pas chef d'entreprise.*

11 (...) une marine, instrument de précision, ne s'improvise pas, la nôtre était ruinée par l'anarchie, et, comme disait Villaret-Joyeuse, «le patriotisme ne suffit pas à diriger les vaisseaux». J. BAINVILLE, Hist. de France, p. 369.

▶ **IMPROVISÉ, ÉE** p. p. adj. *Pièce improvisée. Poème improvisé.* ⇒ **Impromptu, improvisation.** — (Au sens 2). → ci-dessus cit. 6. — (Au sens 3) → cit. 9, 10.

CONTR. Méditer, planifier, préparer.
DÉR. Improvisateur, improvisation.

IMPROVISTE (À L') [alɛ̃pʀɔvist] loc. adv. — 1528; ital. *improvvisto* «imprévu», de *provvisto,* p. p. de *provvedere,* du lat. *providere* (→ Prévoir); cf. lat. *improvisus.*

♦ D'une manière imprévue, inattendue, au moment où on s'y attend le moins. ⇒ **Inopinément, subitement.** *Arriver* (cit. 19) *à l'improviste* (⇒ **Survenir**). → Étranglement, cit. 3. *Attaquer qqn à l'improviste.* ⇒ **Surprise** (par). *Prendre qqn à l'improviste,* le surprendre. ⇒ **Court** (de), **débotté** (au), **dépourvu** (au). *Rencontrer qqn à l'improviste,* par hasard (→ Évocation, cit. 8). *Nous y avons déjeuné à l'improviste, sans apprêt, à la bonne franquette** (→ À la fortune* du pot).

1 Me venir faire, à l'improviste, un affront comme celui-là! MOLIÈRE, les Fourberies de Scapin, II, 4.

2 Des agents de police, pénétrant à l'improviste à cinq heures du matin chez un nommé Pardon (...) le trouvaient debout près de son lit, tenant à la main des cartouches qu'il était en train de faire. HUGO, les Misérables, IV, I, V.

3 (...) le service est trop compliqué pour être exécuté à l'improviste par le premier venu. TAINE, Philosophie de l'art, t. II, p. 141.

4 Je suis bien aise qu'il *(Lembach)* soit parti à l'improviste et sans pouvoir me dire adieu. A. HERMANT, l'Aube ardente, XIV.

5 Elle l'aime, pensa Daniel; et cette conclusion le prit tellement à l'improviste qu'il demeura muet, frappé de stupeur. MARTIN DU GARD, les Thibault, t. II, p. 272.

Il a dû faire un discours à l'improviste, en improvisant*. — REM. La loc. *d'improviste* (in Cendrars) est anormale.

IMPRUDEMMENT [ɛ̃pʀydamɑ̃] adv. — 1508; de *imprudent.*

♦ D'une manière imprudente. *Parler imprudemment* (→ Hardiesse, cit. 5). ⇒ **Inconsidérément.** *Traverser imprudemment un carrefour. Il conduit très imprudemment. Le conflit qu'il a imprudemment déclenché. Suivre imprudemment qqn.* ⇒ **Aveuglément.**

CONTR. Prudemment.

IMPRUDENCE [ɛ̃pʀydɑ̃s] n. f. — 1370; rare jusqu'au XVIe; lat. *imprudentia,* de *im-* (→ 1. In-), et *prudentia.* → Prudence.

♦ **1.** Manque, absence de prudence. ⇒ **Irréflexion, légèreté** (→ Agitation, cit. 18; armistice, cit. 1; balayer, cit. 16; fréter, cit. 3). *Un contraste de réserve et d'imprudence* (→ Art, cit. 36). *Son imprudence l'expose à bien des dangers.* ⇒ **Hardiesse, témérité.** *Quelle imprudence de se lancer tête baissée dans une telle aventure! Être d'une grande, d'une extrême imprudence.* — *Avoir l'imprudence de* (et inf.).

Imprudence, babil, et sotte vanité,
Et vaine curiosité,
Ont ensemble étroit parentage (...) LA FONTAINE, Fables, X, 2. 1

(...) ils avaient fait parade, dans plusieurs maisons, du premier volume de l'*Émile* que j'avais eu l'imprudence de leur prêter. ROUSSEAU, les Confessions, XI. 2

(1804). Dr. Manque de prévoyance ou de précaution qui engage la responsabilité civile ou même, dans certains cas, la responsabilité pénale de celui qui a commis une faute involontaire. ⇒ **Faute** (→ Fait, cit. 10). *Délits d'imprudence. Blessures, homicide* (2. Homicide, cit. 3), *incendie par imprudence.*

♦ **2.** (1669). Caractère de ce qui est imprudent. *L'imprudence d'une action, d'une équipée* (cit. 4).

Après avoir réfléchi quelques secondes, il ramassa un caillou et le lança contre le volet; l'imprudence de ce geste lui apparut dès qu'il l'eut accompli. J. GREEN, Léviathan, XI, p. 101. 3

♦ **3.** (1609). *Une, des imprudences.* Parole, action imprudente. ⇒ **Étourderie, maladresse.** *Commettre, faire une imprudence* → Faire un pas de clerc*; donner la brebis* à garder au loup (vx), donner des verges* pour se faire fouetter; enfermer le loup* dans la bergerie. *Excès de zèle qui conduit à une dangereuse, fâcheuse, regrettable imprudence. Les imprudences qu'emporte* (cit. 43) *la précipitation dans le travail. Cette imprudence vous serait fatale* (cit. 12). *Ne faites pas d'imprudences.*

(Il) admira la petite Fadette pour avoir si bien su se défendre de toute faiblesse et de toute imprudence, depuis le temps qu'elle aimait Landry et qu'elle en était aimée. G. SAND, la Petite Fadette, XXX, p. 200. 4

(...) il se laissa donc aller une ou deux fois, devant des personnes de son entourage, à des imprudences de paroles qui furent immédiatement saisies, interprétées, commentées, comprises (...) J.-A. DE GOBINEAU, les Pléiades, III, VII, p. 277. 5

Spécialt. *Faire, commettre une imprudence, des imprudences :* compromettre sa santé en agissant imprudemment.

CONTR. Circonspection, prudence, réserve, sérieux.

IMPRUDENT, ENTE [ɛ̃pʀydɑ̃, ɑ̃t] adj. — V. 1450, «déraisonnable, qui ignore»; sens mod., 1538; lat. *imprudens,* de *im-* (→ 1. In-), et *prudens.* → Prudent.

♦ **1.** Qui manque de prudence*. ⇒ **Audacieux, aventureux, écervelé, étourdi, inconsidéré, malavisé, téméraire** (→ Expédition, cit. 15). *Des chefs imprudents* (→ Accident, cit. 11). *Automobiliste imprudent. Vous êtes bien imprudent, je vous trouve très imprudent de faire cela* (→ Conviction, cit. 1). — N. (1651). Personne imprudente. ⇒ **Casse-cou, risque-tout** (→ Accident, cit. 7). *Un incorrigible imprudent. Une imprudente.*

(...) Ragotin (...) se trouva sur le col du cheval et s'y froissa le nez, le cheval ayant levé la tête pour une furieuse saccade que l'imprudent lui donna (...) 1
SCARRON, le Roman comique, I, XIX.

♦ **2.** (1672). Choses. Qui indique un manque de prudence. *Un zèle imprudent. Une attitude imprudente. Son comportement est assez imprudent.* ⇒ **Dangereux.** — Vx (→ Aucun, cit. 42). *Projet imprudent.* ⇒ **Hasardé, hasardeux, osé.** — *Il est imprudent de confier à cet homme une telle responsabilité* (→ État-major, cit. 3). *C'est très imprudent, ce que vous faites là.*

J'écoute trop peut-être une imprudente audace (...) RACINE, Bajazet, II, 5. 2

Alors je compris, mais trop tard, ce que l'ardeur d'une jeunesse imprudente m'avait empêché de considérer attentivement. FÉNELON, Télémaque, I. 3

Combien de talents enfouis et d'inclinations forcées par l'imprudente contrainte des pères! ROUSSEAU, De l'inégalité parmi les hommes, I, Note i. 4

(En emploi impersonnel). *Il est imprudent de...., c'est très imprudent.*

Plus calme et moins amoureux, il trouva qu'il était imprudent d'aller voir madame de Rênal dans sa chambre. STENDHAL, le Rouge et le Noir, I, XVII. 5

L'amour de la vérité n'est pas le besoin de certitude, et il est bien imprudent de confondre l'un avec l'autre. GIDE, Pages de journal, 1929-1932, p. 5. 6

CONTR. Avisé, circonspect (cit. 1), **prudent.**
DÉR. Imprudemment.

IMPUBÈRE [ɛ̃pybɛʀ] n. — 1488, n.; adj. 1544, en dr.; rare jusqu'au XVIIe; lat. *impubes, impuberis,* de *im-* (→ 1. In-), et *pubes, puberis.* → Pubère.

♦ Didact. (dr.) ou littér. Personne, être humain qui n'a pas encore atteint l'âge ou l'état de puberté*, et spécialt (dr.), l'âge requis par la loi pour le mariage (⇒ **Nubilité**). *Un, une impubère. Nullité du mariage contracté par les impubères. Les impubères de moins de seize ans ne peuvent aucunement tester.* ⇒ **Mineur.** — Adj. (→ Battre, cit. 4). *Fille, garçon impubère. La gracilité* (cit. 2) *d'un corps impubère.*

CONTR. Pubère; nubile.

IMPUBERTÉ [ɛ̃pybɛʀte] n. f. — 1832, Raymond; de *im-* (→ 1. In-), et *puberté**.

♦ Didact. ou littér. État d'un être humain impubère. — Dr. *L'impuberté légale de l'homme cesse à dix-huit ans révolus, celle de la femme à quinze ans révolus.*

CONTR. Puberté; nubilité.

IMPUBLIABLE [ɛ̃pyblijabl] adj. — 1588, Montaigne; de *im-* (→ 1. In-), et *publiable.*

♦ Qui n'est pas publiable. *Un article impubliable.* ⇒ **Inimprimable.**

(...) ses vers étaient effroyablement mauvais; à mon avis très net : impubliables.
GIDE, Ainsi soit-il, p. 31.

CONTR. Publiable; bon.

IMPUDEMMENT [ɛ̃pydamɑ̃] adv. — 1461, *impudamment;* de *impudent.*

♦ Littér. D'une manière impudente; avec impudence (→ Arrogance, cit. 2; art, cit. 57). *Mentir, nier impudemment. Prendre impudemment un ton de maître* (→ Choquant, cit. 3).

De quel front cependant faut-il que je confesse
Que ton effronterie a surpris ma vieillesse,
Qu'un homme de mon âge a cru légèrement
Ce qu'un homme du tien débite impudemment? CORNEILLE, le Menteur, V, 3.

CONTR. Discrètement, modestement.

IMPUDENCE [ɛ̃pydɑ̃s] n. f. — 1539; lat. *impudentia,* de *impudens.* → Impudent.
Vieilli, littéraire ou style soutenu.

♦ **1.** Effronterie* audacieuse ou cynique qui choque, indigne, révolte. ⇒ **Audace, cynisme, effronterie, impudeur** (→ Entrant, cit. 2). *Une impudence de fat, de gandin* (cit. 2). *Il a l'impudence de soutenir une chose qu'il sait être fausse* (Académie). *« On n'a jamais débité des mensonges avec une impudence aussi effrontée »* (Voltaire, *in* Lafaye). *Il a eu l'impudence de se présenter chez vous?* ⇒ **Aplomb, cœur, front, hardiesse, insolence** (→ aussi Convenir, cit. 20).

1 — LE COMTE. Ton impudence,
Téméraire vieillard, aura sa récompense.
(Il lui donne un soufflet). CORNEILLE, le Cid, I, 3.

2 — Qui te donne, dis-moi, cette témérité
De prendre le nom de Sosie?
— Moi, je ne le prends point, je l'ai toujours porté.
— Ô le mensonge horrible! et l'impudence extrême!
Tu m'oses soutenir que Sosie est ton nom! MOLIÈRE, Amphitryon, I, 2.

3 Ah! que ton impudence excite mon courroux! RACINE, Phèdre, IV, 2.

4 *(Elle)* osa lui nier le fait dont il était témoin : « Quoi, lui dit-il, vous poussez à ce point l'impudence (...) C.-A. HELVÉTIUS, De l'esprit, I.

5 Laurent, avec une audace et une impudence parfaites, glissa sa main le long des jupes de la jeune femme et lui prit les doigts. ZOLA, Thérèse Raquin, XII.

6 (...) avec toute leur impudence, les amateurs de scandale finiront bel et bien (...) en posture de calomniateurs. M. BARRÈS, Leurs figures, p. 41.

Caractère de ce qui est impudent*. *L'impudence de ses mensonges.*

♦ **2.** (1694). *Une, des impudences.* Action, parole impudente. *Ces impudences grossières me révoltent.*

CONTR. Discrétion, modestie, pudeur, réserve, retenue.

IMPUDENT, ENTE [ɛ̃pydɑ̃, ɑ̃t] adj. — V. 1500; lat. *impudens,* de *im-* (→ 1. In-), et *pudens* « modeste, réservé ». → Pudeur.
Vieilli ou littéraire.

♦ **1.** Qui montre de l'impudence*. ⇒ **Audacieux, cynique, effronté, éhonté, hardi, impertinent, insolent.** *Un impudent flatteur.* ⇒ **Assuré** (→ Adulateur, cit. 1). *Société corrompue* (cit. 28) *et impudente.* — N. (1664). Personne impudente. *Vous n'êtes qu'une impudente.*

1 Oui, vous êtes un sot et un impudent, de vouloir disputer contre un docteur (...)
MOLIÈRE, le Mariage forcé, 4.

2 Allez, fripier d'écrits, impudent plagiaire. MOLIÈRE, les Femmes savantes, III, 3.

3 De quoi te mêles-tu, coquine, impudente que tu es?
MOLIÈRE, le Malade imaginaire, I, 5.

4 De l'impudent ou de celui qui ne rougit de rien.
LA BRUYÈRE, les Caractères de Théophraste, Titre.

(...) une autre gouvernante qui ne valait pas mieux (...) avec de l'esprit, de l'audace, une effronterie sans pareille, des propos de garnison (...) C'était une commère au-dessus des scandales (...) Cette dangereuse et impudente créature était fille de Besmaus, gouverneur de la Bastille (...) 5
SAINT-SIMON, Mémoires, II, XXIII.

♦ **2.** (Mil. XVIe). Choses. Qui marque de l'impudence. *Propos impudents.* ⇒ **Choquant, puant.** *Vanité impudente* (→ Caquet, cit. 5). *D'impudentes calomnies.*

D'où lui vient, cher ami, cette impudente audace? RACINE, Esther, II, 1. 5.1

Quand les premières fureurs furent passées, et que la Convention eut légué la France au Directoire, c'est alors qu'on vit, ce me semble, tout ce qu'il *(y)* a de plus impudent dans le vice. 6
SAINTE-BEUVE, Correspondance, 12, 11 sept. 1823.

CONTR. Discret, honteux, modeste, réservé.

IMPUDEUR [ɛ̃pydœʀ] n. f. — 1659; les premiers emplois sont très proches de *impudence;* de *im-* (→ 1. In-), et *pudeur.*
Littéraire ou style soutenu.

♦ **1.** Manque de pudeur*, de réserve, de discrétion. *Discours pleins d'impudeur.* — (Répandu déb. XIXe). Cour., sur le plan sexuel. ⇒ **Immodestie, impudicité.** *Il y a de l'impudeur dans son geste, dans son attitude* (Académie). *Impudeur d'un nu* (→ Gothique, cit. 6).

Pour atténuer l'impudeur de la mode, Marie couvrit d'une gaze ses blanches épaules que la tunique laissait à nu beaucoup trop bas. 1
BALZAC, les Chouans, Pl., t. VII, p. 983.

Elle s'étalait, elle s'offrait avec une impudeur souveraine. 2
ZOLA, Thérèse Raquin, VII.

(Abstrait). Absence de discrétion dans la façon de s'exprimer, de parler de soi. *Franchise, sincérité poussée jusqu'à l'impudeur. L'impudeur naturelle au lyrisme romantique* (→ Généraliser, cit. 6).

Tant d'impudeur, cette facilité à se livrer, que cela me changeait de la discrétion provinciale, du silence que, chez nous, chacun garde sur sa vie intérieure! 3
F. MAURIAC, Thérèse Desqueyroux, p. 116.

♦ **2.** Rare. Impudence, manque de retenue. ⇒ **Cynisme, indécence** (→ Frère, cit. 4, Beaumarchais). *« Gorgés de biens, ils ont l'impudeur de demander encore »* (Académie).

Lorsque la question de la succession s'est posée avec celle du Consulat à vie, ils ont *(les frères de Napoléon),* avec une incroyable impudeur, laissé apercevoir leurs âpres ambitions, leurs prétentions à profiter de sa grandeur, puis, un jour, de sa mort. 4
Louis MADELIN, Hist. du Consulat et de l'Empire, Avènement de l'Empire, V.

♦ **3.** Rare. *Une, des impudeurs.* Acte, attitude impudique. *Des « impudeurs esquissées »* (Mounier, *Traité du caractère, in* T. L. F.).

CONTR. Bienséance, décence, pudeur, réserve, retenue. — Chasteté, confusion, honte.

IMPUDICITÉ [ɛ̃pydisite] n. f. — Fin XIVe; de *impudique.*
Vieilli ou littéraire.

♦ **1.** Absence de pudeur (d'une personne); attitude impudique. ⇒ **Dévergondage, impudeur** (spécialt), **impureté, lasciveté, lubricité, luxure.** *L'impudicité de Messaline. Dans la fureur de son impudicité elle ne songe même pas à se cacher* (→ Accouplement, cit. 2). *L'impudicité et la fornication* (cit. 1), *œuvres de la chair.*

Croira-t-on, sur votre parole, que ceux qui sont plongés (...) dans l'impudicité (...) aient véritablement le désir d'embrasser la chasteté (...) 1
PASCAL, les Provinciales, IV.

♦ **2.** Caractère de ce qui est impudique. ⇒ **Immodestie, indécence, obscénité.** *Geste plein d'impudicité* (→ Attirer, cit. 29). *L'impudicité de sa conduite. L'impudicité des mœurs.* ⇒ **Débauche, licence.**

♦ **3.** (1657, Pascal). Par ext. *Une, des impudicités.* Acte ou parole impudique. *Les impudicités des Bacchantes.*

(...) après avoir éteint les flambeaux, ils commettaient les plus énormes impudicités. 2
VOLTAIRE, Dict. philosophique, Zèle.

♦ **4.** Littér., vx (*l'impudicité,* personnifiée) :

(...) l'homme moral parmi nous est bien supérieur à l'homme moral des anciens (...) l'impudicité ne marche pas le front levé chez les chrétiens (...) 3
CHATEAUBRIAND, le Génie du christianisme, III, III, II.

IMPUDIQUE [ɛ̃pydik] adj. — V. 1378; lat. *impudicus;* de *im-* (→ 1. In-), et *pudicus.* → Pudique.

♦ **1.** (Personnes). Qui outrage la pudeur en étalant l'immoralité de ses mœurs, de sa conduite. ⇒ **Dévergondé, dissolu, effronté, éhonté, immodeste, immoral, impur.** — N. ⇒ **Débauché.**

Et prenant toutes deux leur passion pour guide, 1
L'une fut impudique, et l'autre est parricide. CORNEILLE, Cinna, V, 1.

Qui manque de pudeur par son attitude, son comportement.

On dort çà et là, des couples se chatouillent et des femmes rient très fort. Théo glisse un coup d'œil vers une jeune fille couchée, assez impudique. Le voilà terriblement troublé. R. QUENEAU, le Chiendent, p. 55. 1.1

♦ **2.** (V. 1550). Choses. Qui blesse la pudeur. *Gestes, manières impudiques.* ⇒ **Hardi, indécent, obscène.** *Contes, propos impudiques.* ⇒ **Licencieux, sale.**

(...) en contentant nos impudiques désirs (...)
BOSSUET, Oraison funèbre de Marie-Thérèse d'Autriche.

Voudriez-vous, que je montrasse mes formes comme ces femmes effrontées qui se décollètent de manière à laisser plonger des regards impudiques sur leurs épaules nues (...) BALZAC, Une double famille, Pl., t. I, p. 970.

♦ **3.** Loc. Didact. *La Vénus impudique,* allusion à Vénus, déesse de la beauté et de l'amour, et aux fêtes licencieuses célébrées en son honneur par les Romains.

On eût dit un portrait de la débauche antique
Un de ces soirs fameux chers au peuple romain,
Où des temples secrets la Vénus impudique
Sortait échevelée, une torche à la main.
A. DE MUSSET, Poésies nouvelles, « Lettre à Lamartine ».

CONTR. Chaste, honnête, pudique.
DÉR. Impudicité, impudiquement.

IMPUDIQUEMENT [ɛ̃pydikmɑ̃] adv. — 1488 ; de *impudique.*

♦ Littér. D'une manière impudique (→ Éclater, cit. 13). ⇒ **Indécemment.** *Étaler impudiquement sa nudité.* — (Moral). Avec impudeur. ⇒ **Impudemment.** *Se vanter impudiquement de sa richesse.*

IMPUISSANCE [ɛ̃pɥisɑ̃s] n. f. — 1361 ; de *im-* (→ 1. In-), et *puissance.*

♦ **1.** Littér. ou style soutenu. Manque de puissance*, de pouvoir, de moyens suffisants pour faire qqch. *L'impuissance de qqn. L'impuissance humaine.* ⇒ **Faiblesse, misère** (→ Appui, cit. 10 ; chose, cit. 20 ; 2. être, cit. 16). *Le sentiment de son impuissance* (→ Épaule, cit. 22), *d'une impuissance totale* (→ Exiger, cit. 18) *l'écrasait* (cit. 9), *l'étreignait* (→ Fil, cit. 39). *Frapper qqn d'impuissance.* ⇒ **Paralyser.** — Loc. (avec *à*). *Être réduit à l'impuissance.* ⇒ **Lier** (avoir les mains liées, pieds et poings liés). — *Être captif, prisonnier de son impuissance. Avouer, reconnaître son impuissance.* — *Impuissance à...,* suivi d'un inf. (→ Amer, cit. 11 ; cécité, cit. 1 ; équivoque, cit. 9). *Impuissance à sauver qqn* (→ Capitulation, cit. 3). *Impuissance à exprimer qqch.* (→ Débattre, cit. 10), *à résoudre les difficultés* (→ Dénouer, cit. 11). — *Dans l'impuissance de* (et inf.). ⇒ **Impossibilité, incapacité.** *L'impuissance où l'on se trouve, où l'on est de faire qqch.* (→ Exaspération, cit. 2 ; faiblesse, cit. 16). — (1636). Caractère de ce qui est impuissant*. *L'impuissance de leurs efforts* (→ Excuser, cit. 2), *de sa haine* (→ ci-dessous, cit. 3).

1 (...) votre impuissance à croire (...) ne vient que du défaut de vos passions.
PASCAL, Pensées, III, 233.

2 Mais comme nous nous trouvons dans l'impuissance d'adorer ce que nous ne connaissons pas, et d'aimer autre chose que nous, il faut que la religion qui instruit de ces devoirs nous instruise aussi de ces impuissances, et qu'elle nous apprenne aussi les remèdes. PASCAL, Pensées, VII, 489.

3 Heureux si sur son temple achevant ma vengeance,
Je puis convaincre enfin sa haine d'impuissance (...) RACINE, Athalie, III, 3.

4 (...) qu'est-ce qu'un poème en prose, sinon un aveu de son impuissance?
VOLTAIRE, Disc. aux Welches.

5 (...) nous ne dirons plus que le drame est un genre décoloré, né de l'impuissance de produire une tragédie ou une comédie.
BEAUMARCHAIS, la Mère coupable, Préface.

6 (...) mécontent de moi-même et pénétré de mon impuissance.
G. SAND, François le Champi, p. 18.

6.1 (...) Samuel *(Cramer)* fut, plus que tout autre, l'homme des belles œuvres ratées ; — créature maladive et fantastique, dont la poésie brille bien plus dans sa personne que dans ses œuvres, et qui, vers une heure du matin, entre l'éblouissement d'un feu de charbon de terre et le tic-tac d'une horloge, m'est toujours apparu comme le dieu de l'impuissance, — dieu moderne et hermaphrodite, — impuissance si colossale et si énorme qu'elle en est épique ! BAUDELAIRE, la Fanfarlo.

7 Mais le flot toujours montant des questions sociales forcera la politique d'avouer son impuissance. RENAN, Questions contemporaines, Œuvres, t. I, p. 227.

8 (...) la terrible impuissance où se trouve tout homme de partager vraiment une douleur qu'il ne peut pas voir (...) CAMUS, la Peste, p. 155.

♦ **2.** (1558, Bonaventure des Périers). Spécialt. *Impuissance sexuelle,* ou, absolt, *impuissance :* incapacité physique d'accomplir l'acte sexuel* normal et complet, pour un homme. ⇒ **Ataraxie** (génitale). *Impuissance par vice de conformation génitale, par troubles fonctionnels ou psychologiques (impuissance fonctionnelle).* ⇒ **Humiliation,** cit. 13. — Dr. *Impuissance naturelle, accidentelle. Impuissance absolue, relative, temporaire, permanente. Cas d'impuissance. Preuve du fait d'impuissance dans l'ancien droit* (→ Congrès, cit. 3). *Soigner, guérir l'impuissance. Thérapies psychologiques, psychanalytiques de l'impuissance.* — REM. Littré confond l'*impuissance* avec l'« incapacité d'avoir des enfants », qui en est la conséquence (→ Stérilité). Si l'impuissant est stérile par incapacité de consommer l'acte sexuel, les hommes stériles ne sont pas des impuissants.

9 (...) qui sut *(ce)* que vaut la femme en amour offensée,
Lorsque, par impuissance, ou par mépris, la nuit
On fausse compagnie, ou qu'on manque au déduit.
Mathurin RÉGNIER, Satires, XI.

10 La plus grande épreuve à laquelle on ait mis les gens accusés d'impuissance a été le congrès. Le président Bouhier prétend que ce combat en champ clos fut imaginé, en France, au quatorzième siècle.
VOLTAIRE, Dict. philosophique, Impuissance.

Le mari ne pourra, en alléguant son impuissance naturelle, désavouer l'enfant (...) 11
Code civil, art. 313.

L'impuissance naturelle ou accidentelle n'entraîne pas la nullité du mariage (...) 12
et peut seulement, si elle a été cachée à l'autre conjoint, constituer une cause de divorce. DALLOZ, Nouveau répertoire, art. *Mariage,* n° 4.

L'impuissance dépendant de troubles psychiques purs peut être soit la traduction 13
de la frigidité (...) soit l'impuissance dite psychique dans laquelle le désir subsiste malgré l'impossibilité d'accomplir le rapprochement normal. Il s'agit, le plus souvent, d'une inhibition émotive dont sont victimes des obsédés ou des phobiques (phobie de l'impuissance) et qui s'exagère volontiers en proportion directe du désir de possession et des échecs subis au cours d'expériences antérieures. Il est souvent dans ce cas électif, à l'égard d'une femme déterminée, objet d'une trop ardente convoitise. Ch. BARDENAT, *in* A. POROT, Manuel alphabétique de psychiatrie, art. *Impuissance.*

Rare (en parlant d'une femme). ⇒ **Frigidité** (cit. 3, 4). — REM. Certains emplois au sens 1 sont en fait des métaphores du sens sexuel, qui « colore » tous les emplois du mot.

CONTR. Aptitude, capacité, commandement, efficacité, force, pouvoir, puissance. — Fécondité.

IMPUISSANT, ANTE [ɛ̃pɥisɑ̃, ɑ̃t] adj. — 1474 ; de *im-* (→ 1. In-), et *puissant.*

♦ **1.** Littér. ou style soutenu. Qui n'a pas de puissance*, de pouvoir ; qui n'a pas de moyens suffisants pour faire qqch. *Des dieux impuissants* (→ Entendre, cit. 71). *La police est impuissante* (→ Agent, cit. 12). *Il reste impuissant devant ce désastre, contre ces menaces.* ⇒ **Désarmé, faible.** *Rendre impuissant un ennemi, un rival.* ⇒ **Confondre.** — Rare. *Impuissant à* (et subst.). *Être impuissant à la réussite.* — Cour. *Impuissant à,* suivi d'un inf. ⇒ **Imbécile** (à vx), **incapable** (de). *Être impuissant à se décider.* ⇒ **Aboulique.** *Être impuissant à trahir* (→ Exemple, cit. 19). *Elle était impuissante à exprimer son trouble* (→ Cri, cit. 10). *Esprit impuissant à raisonner* (→ Établir, cit. 21).

(...) nos semblables, misérables comme nous, impuissants comme nous (...) 1
PASCAL, Pensées, III, 211.

Auprès d'eux sont couchés tous ces rois fainéants, 2
Sur un trône avili fantômes impuissants. VOLTAIRE, la Henriade, VII.

Vous qui êtes médecin (...) vous pouvez attester que la science humaine était 3
impuissante à me guérir (...) HUYSMANS, Là-bas, XX.

(...) le père, conscient d'être l'unique responsable, et qui, ravagé de remords, 4
assiste, impuissant, au destin qu'il a déchaîné.
MARTIN DU GARD, les Thibault, t. III, p. 186.

N. Personne qui est incapable d'agir. — REM. L'emploi de cette acception comme celui de l'adjectif sans complément, avec un nom de personne au masculin, est limité par la fréquence du sens 2.

(...) les militants sérieux se dégoûtaient (...) les groupes (...) devenaient des parlo- 5
tes de bavards et d'impuissants.
J. ROMAINS, les Hommes de bonne volonté, t. IV, XVI, p. 178.

♦ **2.** Adj. m. (1558, Bonaventure des Périers). En parlant d'un homme. Qui est incapable d'accomplir l'acte sexuel* ; qui n'a pas d'érection ou pas d'érection suffisante pour pratiquer le coït. *Un individu impuissant est incapable de procréer, mais un individu stérile* n'est pas impuissant.*

(...) elle disait à qui la voulait entendre qu'il était impuissant, ce qui était ou vrai, 6
ou presque vrai ; qu'il ne lui avait jamais demandé le bout du doigt ; qu'il n'était amoureux que de son âme (...) RETZ, Mémoires, II, p. 315.

(...) tous les canonistes conviennent qu'un mari, à qui on a jeté un sort pour le 7
rendre impuissant, ne peut en conscience détruire ce sort (...) Il fallait absolument, du temps des sorciers, exorciser.
VOLTAIRE, Dict. philosophique, Impuissance.

(...) il en arrivait à s'accuser de mâle impuissant ou maladroit : la faute en devait 8
être à lui, s'il ne lui avait pas fait un enfant. ZOLA, la Terre, II, I.

Il hésita longtemps sur la catégorie d'anormaux où il se rangerait. Était-il impuis- 9
sant ou simplement frigide ? Il pencha pour la deuxième hypothèse.
J. ROMAINS, les Hommes de bonne volonté, t. I, IX, p. 82.

N. m. (1774). *C'est un impuissant* (→ Goujat, cit. 7). ⇒ **Babilan** (vx).

Il y a beaucoup plus d'impuissants qu'on ne croit, affirme Stendhal (...) Après quoi 10
il envisage en termes sans équivoques les expédients auxquels peut avoir recours un impuissant qui se marie.
H. MARTINEAU, l'Œuvre de Stendhal, XX, p. 339.

REM. 1. À la différence de *impuissance,* qui peut s'employer pour « frigidité », *impuissant,* dans ce sens, ne se dit que des hommes.
2. *Impuissant* convient théoriquement aux hommes privés d'organes génitaux (→ Eunuque), mais ne s'emploie en fait qu'en parlant des hommes normalement constitués qui ne parviennent pas à l'acte sexuel complet.

♦ **3.** (1823, Stendhal). Par métaphore ou fig. (littér.). Qui manque de puissance créatrice. *Un impuissant folliculaire* (cit. 2).

Le poète impuissant qui maudit son génie 11
À travers un désert stérile de Douleurs. MALLARMÉ, Poésies, « L'azur ».

Mais, quel que soit le genre dans lequel ils exercent leur activité, les critiques sont 12
(et Gautier ne semble pas admettre d'exceptions à cette règle générale) envieux, ignorants et impuissants.
G. MATORÉ, *in* Th. GAUTIER, Préface de Mlle de Maupin, Introduction, p. LVII.

REM. Cet emploi, en français moderne, est souvent une métaphore du sens 2.

♦ **4.** (1642). Vieilli ou littér. (Choses). Qui est sans effet, sans efficacité. *Un mouvement, un geste impuissant* (Gide, Martin du Gard, *in* T. L. F.). — (Avec des noms abstraits). *Assouvir* (cit. 3) *une rage impuissante* (→ aussi Forcené, cit. 3). *Des armes impuissantes*

(→ Honteux, cit. 7). *Un courroux impuissant* (→ Acquitter, cit. 3). *Des charmes impuissants* (→ Étaler, cit. 12). *« La justice sans la force* (cit. 45) *est impuissante »* (Pascal). ⇒ **Débile, inefficace, inopérant.** *Faculté* (cit. 6) *impuissante. Vos beaux raisonnements sont tout à fait impuissants auprès de lui* (→ Ne faire ni chaud* ni froid, ne faire rien).

13 Tous ceux qui ont prétendu connaître Dieu et le prouver sans Jésus-Christ n'avaient que des preuves impuissantes. PASCAL, Pensées, VII, 547.

14 Dire des courtisans les clameurs et la peine
Serait se consumer en efforts impuissants. LA FONTAINE, Fables, XII, 12.

15 Hélas! je me consume en impuissants efforts (...) RACINE, Iphigénie, V, 4.

16 Nous avons pour les grands et pour les gens en place une jalousie stérile ou une haine impuissante, qui ne nous venge point de leur splendeur et de leur élévation (...) LA BRUYÈRE, les Caractères, IX, 51.

17 Sentir son âme, usée en impuissant effort,
Se ronger lentement sous la rouille du sort (...)
LAMARTINE, Nouvelles méditations, XV.

18 Quand on le ramena, il ne soufflait plus un mot, les dents serrées, tout le corps raidi, laissant s'accomplir le destin, dans la muette protestation de sa rage impuissante. ZOLA, la Terre, IV, VI.

19 Le goût de la possession n'est qu'une autre forme du désir de durer; c'est lui qui fait le délire impuissant de l'amour. CAMUS, l'Homme révolté, p. 323.

CONTR. Capable, efficace, puissant. — Fécond.

IMPULSER [ɛ̃pylse] v. tr. — V. 1500, au p. p.; 1531; du bas lat. *impulsare* « pousser contre », de *im-* (→ 2. In-), et *pulsare.*

★ **I.** (1542). Vx. Diriger dans un certain sens.

★ **II.** (Repris après 1945, de l'angl. *to impulse*). Animer, donner une impulsion à. *Il faut impulser une politique hardie d'investissements.*

Et nous pourrions impulser aujourd'hui, parmi les scientifiques européens et américains, une politique commune (...)
L. SCHWARTZ, Autour des témoignages de deux scientifiques juifs d'U. R. S. S., déc. 1972.

IMPULSEUR [ɛ̃pylsœʀ] n. m. — 1975, in *la Clé des mots;* de *impulsion.*

♦ Techn. Dispositif fournissant des impulsions (1., spécialt, ou c). ⇒ **Booster,** 2.

IMPULSIF, IVE [ɛ̃pylsif, iv] adj. — XVe (la réf. de 1390 semble antidatée); bas lat. *impulsivus,* de *im-* (→ 2. In-), et *pellere* « pousser ». → Impulsion.

♦ **1.** Vx. Qui donne, produit une impulsion*. *Force impulsive.*

1 Nous avons démontré que cette force qui nous paraît attractive n'est, dans le réel, qu'une force impulsive.
BUFFON, Hist. nat. des minéraux, t. IX, p. 121, *in* LITTRÉ, art. *Réel.*

♦ **2.** (1876, Goncourt). Mod. (Personnes). Qui agit sous l'impulsion de mouvements spontanés, irréfléchis ou plus forts que sa volonté. *Un gamin* (cit. 8) *impulsif. Danton était impulsif* (→ Clairvoyance, cit. 1). — (Actes, qualités). *Caractère impulsif.* ⇒ **Emporté, fougueux, violent.** *Une réaction impulsive. Acte impulsif.*

2 (...) l'adjectif *impulsif* (...) se prend toujours en un sens défavorable (= *insuffisamment* gouverné par la volonté); on l'applique soit aux actes : « un geste impulsif »; soit aux caractères : « un caractère impulsif », c'est-à-dire chez qui l'inhibition volontaire est trop faible, ou les impulsions trop fortes; enfin aux individus qui présentent ce caractère : on dit même substantivement, en ce sens, « un impulsif ». A. LALANDE, Voc. de la philosophie, art. *Impulsion.*

3 (...) Verlaine (...) accepta d'attendre, et sut attendre sagement quatorze ou quinze mois avant d'obtenir la main de la belle : ce qui est méritoire d'un tel homme, qu'on imagine plus impulsif et moins patient.
Émile HENRIOT, Portraits de femmes, p. 428.

Psychol. *Obsession impulsive.*

N. (1886). *Un impulsif, une impulsive :* une personne impulsive. *Les réactions vives, spontanées d'un impulsif.* — Méd. « Individu chez lequel la volonté est profondément lésée et qui est incapable de résister à ses impulsions » (Garnier).

CONTR. Calme, réfléchi.

DÉR. Impulsivement, impulsivité.

IMPULSION [ɛ̃pylsjɔ̃] n. f. — 1315; lat. *impulsio,* de *impellere* « pousser vers », de *im-* (→ 2. In-), et *pellere* « mouvoir ».

♦ **1.** (Concret). Action de pousser; ce qui pousse. ⇒ **Impression** (I., 1.), **motion** (vx), **poussée.** *Force* d'impulsion* (⇒ **Impulsif,** 1.). *Donner, transmettre, communiquer une impulsion.* ⇒ **Mouvoir, pousser** (→ Mettre en branle*, en mouvement*). *Impulsion transmise par un choc, par un mobile. Mouvement d'impulsion* (→ Hasarder, cit. 21). *Résister à une impulsion* (→ Appui, cit. 13). *Jusqu'à Newton, on expliquait toute la dynamique par le principe d'impulsion.*

1 On entend dire partout : pourquoi Newton ne s'est-il pas servi du mot d'impulsion que l'on comprend si bien, plutôt que du terme d'attraction (...)? Newton aurait pu répondre à ces critiques : (...) je n'ai pas pu admettre l'impulsion; car il faudrait pour cela que j'eusse connu qu'une matière céleste pousse en effet les planètes; or, non seulement je ne connais point cette matière, mais j'ai prouvé qu'elle n'existe pas. VOLTAIRE, Lettres sur les Anglais, XV (→ Attraction, cit. 2).

C'est un principe admis en dynamique que tout corps, recevant une impulsion, une disposition à se mouvoir, se meut en ligne droite dans la direction donnée par la force impulsive, jusqu'à ce qu'il soit détourné ou arrêté par quelque autre force.
BAUDELAIRE, Trad. E. POE, Eurêka, VII.

Quelqu'un l'avait pris par le bras, l'entraînait. Une femme. Il suivait l'impulsion (...) ARAGON, les Beaux Quartiers, XXXI.

(1830, *in* Petiot). Sports. Tension provoquée par un mouvement de bras, de jambes et utilisée pour déclencher un saut, un lancer (de poids, javelot, etc.), un virage à skis. ⇒ **Appel, fouetté, poussée.** *Extension et impulsion. Impulsion, suspension et réception.* — (Lancer). *Chemin d'impulsion :* courbe décrite par l'engin avant le lancer.

Spécialt. [a] Sc. Force créant un mouvement.

[b] Mécan. Produit d'une force* constante par son temps d'application.

[c] Signal de grande amplitude et de courte durée; variation brusque d'une grandeur physique avec retour à l'état initial produisant un tel signal. *Excitation par impulsion* (ou par choc) : excitation d'un système d'oscillations au moyen d'apports périodiques d'énergie (principe appliqué au radar*).

♦ **2.** (1686). Abstrait. Le fait de pousser, d'inciter; ce qui anime. *Impulsion donnée aux affaires, au commerce.* ⇒ **Animation.** *L'entreprise a prospéré sous cette impulsion* (⇒ **Promoteur**). *Recevoir une impulsion favorable.* ⇒ **Essor.**

M. Le Tellier se voit élevé aux plus grandes places, non par ses propres efforts, mais par la douce impulsion d'un vent favorable.
BOSSUET, Oraison funèbre de Michel Le Tellier.

La paix n'arrêta pas l'impulsion reçue; ce mouvement rapide a continué, et les productions de la colonie sont de près d'un tiers plus considérables qu'elles ne l'étaient il y a trente ans. G.-T. RAYNAL, Hist. philosophique, XIV, 23.

Je seconderai Marseille de tous mes efforts dans la grande impulsion qu'elle va donner. MIRABEAU, Collection, t. I, p. 57, *in* LITTRÉ.

♦ **3.** (1370). [a] Vieilli. Action de pousser (qqn) à faire qqch. *L'impulsion de qqn, qu'il ou elle donne. « Il agit ainsi par l'impulsion d'un tel. Obéir, céder aux impulsions d'une volonté étrangère »* (Académie). ⇒ **Influence.** — Vx. *« Dieu nous donne une impulsion à l'aimer »* (Mme de Sévigné).

(...) cet homme, nul par lui-même, ne pense et n'agit que par l'impulsion d'autrui.
ROUSSEAU, les Confessions, XI.

En embrassant cette opinion (préférer les sciences aux talents frivoles), M. de Maurepas ne fit qu'obéir un des premiers à une impulsion qui commençait dès lors à entraîner les esprits et qui depuis a produit une révolution presque générale.
CONDORCET, Maurepas, *in* LITTRÉ.

[b] Mod., littér. *L'impulsion des sentiments, de l'humeur, de l'instinct du cœur* (cit. 160). ⇒ **Appel, élan, entraînement, force.** *L'impulsion de la vengeance, de la raison.* ⇒ **Conseil, voix** (fig.). *Impulsion qui porte l'âme, l'esprit* aux choses élevées.* ⇒ **Essor.**

(...) l'être instinctif qui n'agit que par l'impulsion d'une conscience obscure. 9
RENAN, Souvenirs d'enfance..., Préface.

Même l'intelligence ne fonctionne pleinement que sous l'impulsion du désir. 10
CLAUDEL, Positions et Propositions, p. 97.

Pour certains, soumis à l'impulsion victorieuse de la chair, le christianisme existe encore, mais il est inerte. 11
F. MAURIAC, Souffrances et Bonheur du chrétien, p. 102.

♦ **4.** (Déb. XVIIIe). *Une, des impulsions.* Tendance spontanée à l'action. ⇒ **Mouvement, penchant, tendance.** *Impulsions audacieuses, aveugles* (→ Austérité, cit. 9; conduire, cit. 22). *Impulsions violentes, irrésistibles. Impulsions contraires* (cit. 8 et 14), *contradictoires. La diversité de nos impulsions* (→ Écart, cit. 8). *Impulsions sexuelles* (⇒ **Instinct;** → Frigidité, cit. 1). *Impulsion créatrice* (cit. 12). *Impulsion charitable* (→ Don, cit. 4). *Être ébranlé, ému par une impulsion* (→ Excitatif, cit.). *Ne pas se laisser aller à ses impulsions* (→ Conduite, cit. 19). *Obéir, céder à ses impulsions* (⇒ **Impulsif**). *Docilité* (cit. 3) *aux impulsions. Diriger*, modifier les impulsions de quelqu'un.*

Pour les après-dînées, je les livrais totalement à mon humeur oiseuse et nonchalante, et à suivre sans règle l'impulsion du moment. 12
ROUSSEAU, les Confessions, XII.

Les gens prudents agissent d'après les lois de la saine raison. Je ne suis pas ainsi; je suis un homme qui agit d'après ses impulsions. 13
R. ROLLAND, Jean-Christophe, La révolte, I, p. 448.

Quelle que soit la vigueur de l'impulsion qui pousse un Français à écrire, elle aboutit, le premier mot tracé, non à une œuvre d'écrivain, mais de lettré. 14
GIRAUDOUX, Littérature, p. 105.

Psychol. *Défaut, insuffisance d'impulsion dans l'aboulie; excès d'impulsion.* ⇒ **Volonté** (maladies de la volonté). *Impulsion et pulsion*, et compulsion*.*

Psychiatrie. *Impulsion morbide, impulsion :* tendance irrésistible à l'accomplissement d'un acte. ⇒ aussi **Raptus.** *Impulsion au vol* (kleptomanie), *à l'homicide, à mettre le feu* (pyromanie). *Comportement de défense contre une impulsion.* ⇒ **Conjuratoire** (rite). *Impulsions inoffensives. Impulsions verbales. Impulsions spontanées* (Kretschmer). — En appos. *Obsession-impulsion,* poussant à des actions criminelles.

CONTR. Barrière, frein, inhibition.

DÉR. Impulsionnel.

IMPULSIONNEL, ELLE, ELS [ɛ̃pylsjɔnɛl] adj. — xxᵉ (1948, Bachelard, *in* T. L. F.); de *impulsion*.

♦ Didact. Qui correspond à une impulsion (en physique, électricité, psychologie). *« Or la puissance impulsionnelle (toujours exprimée en watts), c'est cela. L'estimation d'une réserve de puissance. La mesure de l'énergie que l'ampli est capable de libérer instantanément pour amplifier correctement un signal très fort qui apparaît dans le message sonore. »* (*Contact*, nᵒ 218, oct. 1982, p. 11).

IMPULSIVEMENT [ɛ̃pylsivmɑ̃] adv. — 1881, trad. de Darwin, *in* D. D. L.; de *impulsif*.

♦ D'une manière impulsive. *Il a répondu impulsivement, sans réfléchir.*

CONTR. Calmement.

IMPULSIVITÉ [ɛ̃pylsivite] n. f. — 1907; de *impulsif*.

♦ Didact. ou littér. Caractère impulsif (3.). — Psychol. Disposition à agir par impulsion.

L'impulsivité qui manifeste la puissance de l'instant sur le sujet résulte immédiatement de l'émotivité (...) Chez les sujets qui vivent dans le présent, l'impulsivité est (...) *immédiate, réactive :* sous le choc du présent le sujet réagit sans retard et vivement (...) Dans l'autre cas, l'impulsivité est une *explosivité :* le choc paraît plutôt l'occasion que la cause de l'impulsion, car elle manifeste l'influence d'expériences antérieures et accumulées, comme il arrive chez celui qui a plusieurs fois inhibé un mouvement de colère (...) et enfin éclate.
René LE SENNE, Traité de caractérologie, p. 71.

CONTR. Calme (n. m.), **réflexion.**

IMPUNÉMENT [ɛ̃pynemɑ̃] adv. — 1554, Le Caron; *impuniment*, 1553, Ronsard; de *impuni* (probablt par *impuniement, impuneement*).

♦ **1.** Sans être puni, sans subir de punition. → Dans l'impunité*, en toute impunité. *Voler, tuer impunément* (→ Baigner, cit. 25). *Exercer* (cit. 39) *impunément la piraterie. Être impunément méchant* (→ Bon, cit. 67). *Se moquer impunément de qqn* (→ Canaille, cit. 9). *Hypocrite qui abuse, trompe impunément* (→ Grimace, cit. 11).

On ne s'attaque point à lui *(Dieu)* impunément, et l'on n'échappe point au bras de sa justice. BOURDALOUE, Exhort. crucif. et mort de J.-C., *in* LITTRÉ.

On fait souvent du bien pour pouvoir impunément faire du mal.
LA ROCHEFOUCAULD, Réflexions et maximes, 121.

D'où vous vient, lui dit-elle, cette témérité d'aborder en mon île? Sachez, jeune étranger, qu'on ne vient point impunément dans mon empire.
FÉNELON, Télémaque, I.

Je pouvais faire ce coup impunément, je n'avais qu'à voyager cinq ou six jours et m'en retourner ensuite comme si je me fusse acquitté de ma commission.
A.-R. LESAGE, Gil Blas, VII, 1.

Iron. (en parlant d'une action louable qui mériterait récompense). *« Il ne m'est pas permis de vaincre impunément »* (→ Hautement, cit. 2, Corneille).

Pensez-vous être saint et juste impunément? RACINE, Athalie, I, 1.

♦ **2.** (1667). Sans dommage pour soi, sans s'exposer à aucun risque, à aucun danger, à aucun inconvénient (→ Cœur, cit. 76; feutrer, cit. 4; fourche, cit. 7). *À son âge, on ne peut faire impunément des excès de table.*

(...) cette veuve qui maniait si impunément des barres de fer rouge (...)
VOLTAIRE, Essai sur les mœurs, XLV.

(...) la Thénardier ne fut plus qu'une grosse méchante femme ayant savouré des romans bêtes. Or, on ne lit pas impunément des niaiseries. Il en résulta que sa fille aînée se nomma Éponine (...) HUGO, les Misérables, I, IV, II.

C'était la rançon d'une enfance trop studieuse, d'une adolescence malsaine; un garçon en pleine croissance ne vit pas impunément courbé sur une table, les épaules ramenées, jusqu'à une heure avancée de la nuit, dans le mépris de tous les exercices du corps. F. MAURIAC, le Nœud de vipères, II.

Mᵐᵉ de Sainte-Selve, c'était indéniable, allait vers une maladie. On ne passe pas impunément de la vie qu'elle avait menée au bord de la mer des Antilles à celle qui était la sienne depuis trois ans sur les rives de la Tamise.
Pierre BENOIT, Mˡˡᵉ de la Ferté, p. 86.

Impunément pour... : sans causer de dommages à... *Impunément pour soi, pour les autres.*

1 Schultze, tel qu'il le lui avait dépeint, n'était pas homme à disparaître impunément pour les autres, à s'ensevelir seul sous les ruines de toutes ses espérances (...) On était en droit de tout redouter de la dernière pensée d'un tel personnage (...) Elle ne pouvait rappeler que l'agonie terrible du requin! (...)
J. VERNE, les Cinq Cents Millions de la Bégum, p. 235 (éd. Hetzel).

♦ **3.** (1669). Vx. Sans punir, sans tirer vengeance.

0 Néron impunément ne sera pas jaloux.
RACINE, Britannicus, II, 2 (cf. aussi Iphigénie, IV, 1).

1 Julien avait compris que se laisser offenser impunément une seule fois par cette fille si hautaine, c'était tout perdre. STENDHAL, le Rouge et le Noir, I, X.

IMPUNI, IE [ɛ̃pyni] adj. — 1320; lat. *impunitus*, de *im-* (→ 1. In-), et *punitus*, de *punire*.

♦ **1.** Qui n'est pas puni, ne reçoit pas de punition.

[a] (Actions). *Un crime impuni* (→ Désintéresser, cit. 2; énorme, cit. 1). *Une faute impunie, audace impunie. Vengeance impunie* (→ Brimade, cit. 2). *« Ce vice impuni, la lecture »* (titre de V. Larbaud).

Faut-il laisser un affront impuni? CORNEILLE, le Cid, I, 6. 1

[b] (Personnes). *Le coupable ne restera pas impuni* (Académie).

(Junon parle à Callisto) 2
Mais impunie or ne te laisserai,
Car pour jamais ta forme effacerai,
Qui trop te plaît, et qui trop fut prisée
De mon mari, garce mal avisée.
Clément MAROT, Traductions, Métamorphoses d'Ovide, II.

(...) je préfère (...) ne pas laisser impunie la vache qui m'aura contraint à me tirer une balle dans le crâne. P. MAC ORLAN, la Bandera, p. 156. 3

♦ **2.** Rare. *Impuni par... :* qui n'est pas puni par... *« Un crime impuni par les lois »* (Balzac, *in* T. L. F.). ⇒ **Impunissable.**

CONTR. Puni.
DÉR. Impunément.

IMPUNISSABLE [ɛ̃pynisabl] adj. — 1604; de *im-* (→ 1. In-), et *punissable*.

♦ Qui n'est pas punissable, ne peut être puni (Proudhon, *in* T. L. F.).

CONTR. Punissable.

IMPUNITÉ [ɛ̃pynite] n. f. — 1352; lat. *impunitas*, de *impunitus*. → Impuni.

♦ Didact., admin. ou style soutenu. Caractère de ce qui est impuni; absence de punition, de châtiment. *L'impunité de qqn, son impunité. Impunité du délinquant absous* (→ Absolutoire, cit.). — (Sans compl.). Situation où personne n'est puni, où aucune punition méritée ne s'exerce. *Chercher l'impunité dans un lieu protégé, une retraite, un asile* (cit. 2). *Meurtre qui s'exerce avec impunité* (→ Équité, cit. 1). *L'impunité encourage, au crime, enhardit* (cit. 2), *gâte* (cit. 45) *les enfants. Être assuré de l'impunité, jouir de l'impunité, d'une impunité absolue.*

Tous les jours à la cour, un sot de qualité 1
Peut juger de travers avec impunité (...)
BOILEAU, Satires, IX (→ Clinquant, cit. 3).

(...) l'hypocrisie est un vice privilégié, qui (...) jouit en repos d'une impunité souveraine. MOLIÈRE, Dom Juan, V, 2. 2

Lorsque la peine est sans mesure, on est souvent obligé de lui préférer l'impunité. 3
MONTESQUIEU, l'Esprit des lois, VI, 13.

C'est trop vrai que nous sommes grisés d'impunité, et que nous croyons la justice endormie. Mais ne nous fions pas à ce silence. 4
F. MAURIAC, Souffrances et Bonheur du chrétien, p. 63.

IMPUR, E [ɛ̃pyʀ] adj. — xivᵉ; attestation isolée xiiiᵉ, « sale, taché »; lat. *impurus*, de *im-* (→ 1. In-), et *purus*. → Pur.
Qui n'est pas pur*.

♦ **1.** (1516). Concret. Didact. ou littér. Altéré par un mélange; corrompu par des éléments étrangers. *Métal, minerai impur*, contenant des impuretés*. *Liquide impur; eau impure.* — (Abstrait). Vx. *Joie impure, chargée de remords* (→ Béatitude, cit. 10). *Race, naissance impure* (→ Habilité, cit.). — (1690). Par métaphore. *Sang impur*, naissance, noblesse impure. — REM. Dans ce sens, *impur* signifie non seulement « qui n'est pas pur », mais « qui est corrompu, souillé »; on ne dirait pas une *eau impure* en parlant d'une eau mélangée de vin, ni un *métal impur* en parlant d'un alliage.

(...) lorsque ce suc calcaire ou gypseux s'est mêlé avec le suc vitreux, leur mélange a produit des concrétions qui participent de la nature des deux, telles que les marnes, les grès impurs (..) BUFFON, Hist. nat. des minéraux, Génésie des minér. 1

(1908). *Genre littéraire impur :* genre hybride et jugé inférieur.

Le théâtre musical était pour eux un genre littéraire, donc impur (...) toute musique qui voulait dire quelque chose, était taxée d'impure (...) Les grands critiques français n'admettaient que la musique pure (...) 2
R. ROLLAND, Jean-Christophe, La foire sur la place, p. 687.

Par ext., vx. Qui est malsain. ⇒ **Empesté, infect, sale, souillé.** *Une haleine impure.*

♦ **2.** (1672). Relig. Dont la Loi commande de fuir le contact comme une souillure, un péché; qui s'est souillé en commettant certains actes défendus par la Loi. *Animaux impurs.* ⇒ **Immonde.** *Selon le Lévitique, tout homme qui touche à une chose impure, qui mange d'un animal impur, etc., est lui-même impur. « La femme* (cit. 7), *enfant malade et douze fois impur »* (Vigny).

Si un homme touche à une chose impure, comme serait un animal tué par une bête, ou qui soit mort de soi-même, ou un reptile (...) il a commis une faute (...) Et s'il a touché quelque chose d'un homme qui soit impur, selon toutes les impuretés dont l'homme peut être souillé, et que n'y ayant pas pris garde d'abord, il le reconnaisse ensuite, il sera coupable de péché. BIBLE (SACY), Lévitique, V, 2-3. 3

(...) je suis persuadé, selon la doctrine du Seigneur Jésus, que rien n'est impur de soi-même et qu'il n'est impur qu'à celui qui le croit impur. 4
BIBLE (SACY), Épître aux Romains, XIV, 14.

Si les corps de ceux qui ne se lavent point ne blessaient ni l'odorat ni la vue, comment aurait-on pu s'imaginer qu'ils fussent impurs? 5
MONTESQUIEU, Lettres persanes, XVII.

La plupart des sorciers officiels en sont encore à des voies et moyens qui avouent 6 l'ignorance et la perplexité (...) les classiques excréments de crapauds, le sang de la femme impure (...) COLETTE, Belles saisons, Mes cahiers, p. 191.

♦ **3.** (1611). Vx ou littér. Qui est mauvais (moralement). ⇒ **Immoral, indigne, infâme, vil; boueux, bourbeux** (fig.). *Âme impure. Un cœur impur.* ⇒ **Bas** (*supra* cit. 24).

7 Loin du monde railleur, loin de la foule impure (...)
BAUDELAIRE, les Fleurs du mal, CX.

(1728). *Les esprits impurs :* les esprits du mal*, les démons.

8 Tous ces impurs esprits qui troublent l'univers,
Et le feu de la foudre, et celui des enfers. VOLTAIRE, la Henriade, V.

(Choses). *« Qu'un sang impur abreuve* (cit. 3) *nos sillons » (La Marseillaise).*

♦ **4.** (1611). Personnes; actes. Qui manifeste de l'impudeur. ⇒ **Charnel, déshonnête, impudique.** *Mœurs impures. Pensées impures.* ⇒ **Lascif, sensuel.** *Paroles, plaisanteries, conversations impures.* ⇒ **Indécent, obscène** (→ Adoucir, cit. 11). *Amours, embrassements* (cit. 5) *impurs.* Par ext. *Une Babylone impure* (→ Entendre, cit. 73).

8.1 Tu mettrais l'univers entier dans ta ruelle,
Femme impure (...) BAUDELAIRE, les Fleurs du mal, XXV.

9 (...) l'un de ces gestes impurs de volupté qu'il y a dans les danses espagnoles (...)
M. BARRÈS, Leurs figures, p. 213.

N. f. (1768). Vx. *Une impure :* une courtisane. ⇒ **Fille** (cit. 39). → Futilité, cit. 5; horizontal, cit. 6 (une horizontale).

10 En 1815, est morte aux Aigues l'une des *impures* les plus célèbres du dernier siècle, une cantatrice oubliée par la guillotine et par l'aristocratie, par la littérature et par la finance (...) BALZAC, les Paysans, Pl., t. VIII, p. 21.

11 Par les chanteuses, les danseuses, les comédiennes, toutes les femmes de théâtre qui, avec leurs talents et leur renom, lui donnaient un si grand lustre, ce monde des impures fameuses est entré, dès le commencement du siècle, dans la société même et au plus haut de la bonne compagnie.
Ed. et J. DE GONCOURT, la Femme au XVIIIe siècle, II, p. 24.

CONTR. Pur. — Chaste, continent, pudique.
DÉR. Impurement.

IMPUREMENT [ɛ̃pyʀmɑ̃] adv. — 1576; de *impur.*

♦ Rare. D'une manière impure. *Vivre impurement.*

CONTR. Purement.

IMPURETÉ [ɛ̃pyʀte] n. f. — Fin XIVe; *impurté,* 1380; lat. *impuritas,* de *impurus* (→ Impur); d'après *pureté.*

Caractère de ce qui est impur; chose impure.

♦ **1.** Corruption résultant d'une altération, d'un mélange. ⇒ **Corruption, souillure.** *L'impureté d'un liquide, d'un minerai. Impureté de l'air, de l'atmosphère.* — (Av. 1590, Paré). Anc. méd. *Impureté du sang.*

(1660). *Une, des impuretés.* Ce qui rend impur; élément étranger qui altère qqch. *Liquide rempli d'impuretés.* ⇒ **Immondice, saleté.** *Filtrer, cribler les impuretés. Éliminer les impuretés.* ⇒ **Purger.** — Anc. méd. *Les impuretés du sang, du corps.* ⇒ **Humeur, poison.**

1 Nous avons vu (...) la malade, et sans doute qu'il y a beaucoup d'impuretés en elle. — Ma fille est impure? — Je veux dire qu'il y a beaucoup d'impuretés dans son corps (...) MOLIÈRE, l'Amour médecin, II, 2.

2 On se rétablissait, mais toujours lentement (...)
S'il restait des impuretés,
Les remèdes alors de nouveau répétés (...)
Et surtout la diète, achevaient le surplus (...)
LA FONTAINE, Poème du quinquina, I.

3 La mine *(minerai)* de fer (...) achève de se fondre au-dessus du creuset qui la reçoit, et dans lequel on la tient (...) pour la laisser se purger des matières hétérogènes qui s'écoulent en forme de verre impur (...) plus on tient la fonte dans cet état, en continuant le feu, plus elle se dépouille de ses impuretés (...)
BUFFON, Hist. nat. des minéraux, Du fer.

4 Dodiner le vin, en Bourgogne, c'est l'agiter aux fins de collage, lorsqu'on vient de verser le blanc d'œuf qui aimante et précipite toutes les impuretés d'un vin neuf.
COLETTE, Prisons et Paradis, p. 74.

(Abstrait). Caractère hybride (implique un jugement de valeur négatif). *L'impureté de sa langue, de son style. L'impureté d'un artiste.*

♦ **2.** (1672). Relig. *Impureté (légale) :* état de ce qui est déclaré impur par la loi religieuse (→ Fornication, cit. 3); acte impur.

5 (...) qu'il purifie le sanctuaire des impuretés des enfants d'Israël, des violations qu'ils ont commises contre la loi, et de tous leurs péchés.
BIBLE (SACY), Lévitique, XVI, 16.

♦ **3.** (1611). Vieilli ou littér. Bassesse, corruption morale. ⇒ **Boue, bourbe, ordure** (fig.).

6 (...) j'avais déjà pu remarquer l'impureté des mœurs politiques (...)
Georges LECOMTE, Ma traversée, p. 290.

♦ **4.** Littér. Impudicité. ⇒ **Immoralité** (→ Fornication, cit. 1). *Vivre dans l'impureté. Les chemins, les routes de l'impureté* (→ Battre, cit. 19). *Impureté d'une pensée, d'une conversation.*

7 Pour X : il faudrait apprendre à détourner son attention de chaque pensée, de chaque regard, ne plus s'épuiser à y déceler l'embryon de désir, l'impureté en puissance. F. MAURIAC, Souffrances et Bonheur du chrétien, p. 166.

(1679). Vx ou relig. *(Une, des impuretés).* Acte impur; chose impure. ⇒ **Obscénité, péché** (de la chair), **souillure, tache.** *Haine* (cit. 34), *horreur de toute impureté. Confesser des impuretés.*

La gravité romaine n'a pas traité la religion plus sérieusement, puisqu'elle consacrait à l'honneur des dieux les impuretés du théâtre et les sanglants spectacles des gladiateurs (...) BOSSUET, Discours sur l'histoire universelle, II, XVI. 8

CONTR. Pureté; honnêteté; continence.

IMPUTABILITÉ [ɛ̃pytabilite] n. f. — 1759; de *imputable.*

Didactique.

♦ **1.** Caractère de ce qui est imputable, de ce que l'on peut imputer à qqn (⇒ **Responsabilité**).

♦ **2.** (1872). Dr. « Possibilité de considérer une personne, du point de vue matériel et du point de vue moral, comme l'auteur d'une infraction » (Capitant). — Dr. fiscal. *Imputabilité d'un dégrèvement :* prise en charge du dégrèvement d'un contribuable par l'État ou une collectivité publique.

IMPUTABLE [ɛ̃pytabl] adj. — V. 1361; de *imputer.*

Didactique (droit, administration...).

♦ **1.** *Imputable à...* Qui peut, qui doit être imputé, attribué. ⇒ **Attribuable.** *Ces abus ne sont imputables qu'à la mauvaise administration du pays* (Académie). *On ne saurait le rendre responsable d'un fait qui ne lui est pas imputable.*

(...) la mauvaise organisation dont on se plaint ici sans cesse, n'est imputable le plus souvent qu'à la négligence ou qu'au défaut de conscience des employés (...)
GIDE, Journal, févr. 1918.

♦ **2.** (1829). Fin. Qui doit être imputé, prélevé (sur un compte, un crédit, une recette). *Somme imputable sur tel chapitre, tel crédit...* (→ Hic, cit. 3).

DÉR. Imputabilité.

IMPUTATION [ɛ̃pytɑsjɔ̃] n. f. — Av. 1450; lat. *imputatio,* de *imputare.* → Imputer.

Littéraire, didactique ou style soutenu.

★ **I.** ♦ **1.** Action, fait d'imputer à qqn, de mettre sur le compte de qqn (une action blâmable, une faute...). ⇒ **Accusation, allégation, inculpation.** *L'imputation (par qqn) d'une faute à qqn, à son honneur* (→ ci-dessous, cit. 3). *Une imputation de chantage. Imputation de vol, de cruauté, de haine* (→ Crédit, cit. 14). *Imputations fausses, calomnieuses* (⇒ **Calomnie**), *diffamatoires* (cit. 3). ⇒ **Chantage, diffamation.** *Imputation injurieuse. Imputation atroce, odieuse. Imputation gratuite, sans fondement. Accueillir sans preuve toutes les imputations. L'imputation de qqn* (sans autre compl.), par qqn. *Se défendre contre les imputations d'un ennemi.* ⇒ **Attaque.** — *Se laver, se justifier d'une imputation.*

Vous verrez dans Minucius Felix les imputations abominables dont les païens chargeaient le mystères chrétiens. VOLTAIRE, Dict. philosophique, Initiation. 1

En entassant des imputations contradictoires, la calomnie se découvre elle-même : mais la malignité est aveugle, et la passion ne raisonne pas. 2
ROUSSEAU, Lettre à Mgr de Beaumont.

J'ignore ce que devint cette victime de la calomnie; mais il n'y a pas d'apparence qu'elle ait après cela trouvé facilement à se bien placer. Elle emportait une imputation cruelle à son honneur de toutes manières. Le vol n'était qu'une bagatelle, mais enfin c'était un vol (...) ROUSSEAU, les Confessions, II. 3

Le grief imaginaire l'emportait sur l'imputation précise. Ah, que la vie serait belle et notre misère supportable si nous nous contentions des maux réels sans prêter l'oreille aux fantômes et aux monstres de notre esprit. 4
GIDE, la Symphonie pastorale, p. 64-65.

Ne cherchez pas les raisons de notre rupture autre part que dans les deux abominables lettres que vous venez de m'écrire, ainsi sans raison, gratuitement, me couvrant d'imputations injurieuses et non motivées. 4.1
A. ARTAUD, À Jean Paulhan, Œ. compl., t. III, p. 136.

♦ **2.** (1541). Relig. chrét. *Imputation des mérites de Jésus-Christ,* leur application, leur attribution aux hommes.

★ **II.** (1690). Dr., fin., affaires. Affectation*, application* (d'une somme) à un compte déterminé. *Imputation d'une somme au débit, au crédit d'un compte. — Imputation des libéralités sur la réserve ou la quotité disponible. Imputation d'une donation sur la part d'un héritier* (en vue d'en déduire le montant).

(1804). Dr. *Imputation d'un payement :* le fait d'affecter spécialement une somme au règlement d'une dette, lors d'un payement partiel fait par le débiteur de plusieurs dettes. *De l'imputation des payements* (art. 1253 à 1256 du Code civil).

Lorsque le débiteur de diverses dettes a accepté une quittance par laquelle le créancier a imputé ce qu'il a reçu sur l'une de ces dettes spécialement, le débiteur ne peut plus demander l'imputation sur une dette différente (...)
Code civil, art. 1255.

Imputation rationnelle : méthode de calcul des coûts tendant à éliminer les conséquences des variations d'activité sur les coûts unitaires.

IMPUTER [ɛ̃pyte] v. tr. — V. 1361; *emputer*, XIIIe; lat. *imputare* «porter au compte», de *im-* (2. In-), et *putare* au sens de «compter». Littéraire, didactique ou style soutenu.

★ **I.** IMPUTER À : mettre (qqch.) sur le compte de qqn. ⇒ **Attribuer** (cit. 18).

Imputer une action à quelqu'un, c'est la lui attribuer comme à son véritable auteur, la mettre, pour ainsi parler, sur son compte, et l'en rendre responsable.
Dict. de Trévoux (1771), art. *Imputer*.

♦ **1.** (V. 1398). Attribuer (à qqn) une chose digne de blâme. ⇒ **Attribuer** (cit. 11); **accuser, charger** (de). *Imputer un crime, une faute, une mauvaise action à qqn* (→ 1. De, cit. 48; 1. faux, cit. 56; 2. fourgon, cit. 2). *Attaquer* qqn en lui imputant des fautes, des torts* (⇒ **Incriminer**). *On lui impute cette erreur. — Imputer à un écrivain un livre condamnable* (cit. 4).

La faute à votre amant doit-elle être imputée? MOLIÈRE, Tartuffe, II, III.

Seigneur, je crois surtout avoir fait éclater
La haine des forfaits qu'on ose m'imputer. RACINE, Phèdre, IV, 2.

(...) je ne veux pas (...) vous imputer mon malheur, et je n'en accuse que moi (...)
A. R. LESAGE, le Diable boiteux, V.

On lui attribuait *(au spéculateur Foulon)* une parole cruelle : «S'ils ont faim, qu'ils broutent l'herbe (...) Patience! que je sois ministre, je leur ferai manger du foin, mes chevaux en mangent» (...) On lui imputait encore ce mot terrible : «Il faut faucher la France.» MICHELET, Hist. de la Révolution franç., II, II.

Ce qu'il y a de plus singulier, c'est que ces savants sont d'une sincérité parfaite. Leur imputer la moindre mauvaise foi serait les calomnier.
FUSTEL DE COULANGES, Questions contemporaines, p. 16.

L'imagination populaire a besoin de personnes vivantes auxquelles elle puisse imputer ses maux et sur lesquelles elle puisse décharger ses ressentiments (...)
TAINE, les Origines de la France contemporaine, t. III, p. 20.

Ainsi bâti, Flick se savait hideux comme déjà il se savait imbécile, et il imputait à tout le monde la responsabilité de cette double disgrâce.
COURTELINE, le Train de 8 h 47, I, II, p. 20.

Cependant, sous ses artifices, Necker avait caché d'énormes trous. Son successeur Joly de Fleury révéla la vérité : c'est à lui qu'on imputa le déficit. Il tomba à son tour (...) J. BAINVILLE, Hist. de France, XV, p. 311.

Pron. (Passif). *De tels forfaits ne s'imputent pas à la légère* (→ Avérer, cit. 2). — (Récipr.). *S'imputer mutuellement des fautes.*

Par ext. *Imputer qqch. à qqch.* : rendre (qqch.) responsable de... *Imputer un malheur à l'influence, à l'action de qqn; l'imputer à la malchance, au hasard.*

10 Telle était son habileté que (...) lorsqu'il était vaincu, on ne pouvait en imputer la faute qu'à la fortune. FLÉCHIER, Oraison funèbre de Turenne.

11 Cependant, loin d'imputer la mort du chanoine à la boisson et aux saignées, il sortit en disant d'un air froid qu'on ne lui avait pas tiré assez de sang ni fait boire assez d'eau chaude. A. R. LESAGE, Gil Blas, II, II.

12 (...) une lettre injurieuse dans laquelle il imputait à mon influence occulte le rejet de son travail (...) SAINTE-BEUVE, Chateaubriand, t. I, p. 4.

♦ **2.** Vx (langue class.). En bonne part. Attribuer (à qqn) qqch. de louable, de favorable. — REM. Ce sens, disparu du dictionnaire de l'Académie (l'édition de 1835 ne le mentionne plus), est abondamment illustré dans Littré.

13 Ils voudraient bien, s'ils pouvaient, imputer à leur mérite ce qu'ils doivent à l'assistance de leur ami. MALHERBE, Traité des bienfaits de Sénèque, II, 23.

14 Mais je sais que chacun impute, en pareil cas,
Son bonheur à son industrie (...) LA FONTAINE, Fables, VII, 14.

15 Le croirai-je, Seigneur, qu'un reste de tendresse
Vous fasse ici chercher une triste princesse?
Ou ne dois-je imputer qu'à votre seul devoir
L'heureux empressement qui vous porte à me voir? RACINE, Andromaque, II, 2.

(1541). Relig. Mettre au compte de l'homme, attribuer à l'homme (les mérites de Jésus-Christ). *«La justice de Jésus-Christ qui nous était imputée»* (Bossuet), dont les mérites nous étaient attribués.

♦ **3.** (Av. 1628). Vx. Attribuer (qqch. à qqn) sans idée de blâme ni d'éloge. *Imputer une idée, un sentiment à quelqu'un* (→ Auteur, cit. 5, Corneille). *Imputer des vers à un auteur* (→ Acrostiche, cit. 2, Voltaire).

16 Ils diront qu'on impute un faux nom à Léonce. CORNEILLE, Héraclius, III, 4.

17 Vous m'imputez (...) un poème sur *la religion naturelle*. Je n'ai jamais fait de poème sous ce titre. J'en ai fait un, il y a environ trente ans, sur *la Loi naturelle*, ce qui est très différent. VOLTAIRE, Lettre à l'abbé Cogé, 3155, 27 juil. 1767.

♦ **4.** (V. 1370, Oresme : *imputer à mal*). Vieilli ou littér. IMPUTER À, (suivi d'un nom sans article). Considérer (l'action que l'on impute) comme... *Imputer qqch. à crime* (Corneille; → Capital, cit. 2), *à faiblesses* (Bossuet), *à forfait* (Corneille), *à lâcheté* (Voltaire)... *Imputer à négligence, à oubli* (Académie). *Imputer à..., à qqn. On lui impute à crime d'avoir fait cela. On lui impute à erreur de...* → ci-dessous, cit. 22. — Pron. *S'imputer qqch. à crime, à péché* (→ Bagatelle, cit. 7; et ci-dessous cit. 20, 21). — Vx. *Imputer à gloire* (Bossuet).

18 (...) une action qui fut imputée à grandeur de courage par ceux qui en furent les témoins. CORNEILLE, le Cid, Avertissement.

19 Je crains, Sire, dit-il, qu'un rapport peu sincère
Ne m'ait à mépris imputé
D'avoir différé cet hommage;
Mais j'étais en pèlerinage (...) LA FONTAINE, Fables, VIII, 3.

20 Je m'imputais à honte, et presque à crime, le silence qui régnait trop souvent à la cour d'un vieux bourgeois despote et ennuyé tel qu'était M. Daru le père.
STENDHAL, Vie de Henry Brulard, 39.

21 (...) il répondit d'abondance de cœur aux questions empressées de Julien, puis s'arrêta tout court, désolé d'avoir toujours du mal à dire de tout le monde, et se l'imputant à péché. STENDHAL, le Rouge et le Noir, IV.

Vous m'imputez à erreur d'avoir avancé que vous n'auriez pris que sur le tard la détermination d'écrire vos mémoires. 22
F. PORCHÉ, Lettre à Gide, *in* GIDE, Corydon, Appendice, p. 200.

Vx. *Imputer pour crime* (Corneille), *pour une faute* (Domat). *Imputer (qqch.) comme un crime.*

(...) un manque d'imagination m'a été imputé comme un crime (...) 23
BAUDELAIRE, Trad. E. POE, Histoires extraordinaires, «Manuscrit trouvé dans une bouteille».

(1636). Vx. IMPUTER À QQN DE (suivi de l'inf.).

(1688). IMPUTER... QUE (suivi de l'indic.). ⇒ **Reprocher.**

Endurer que l'Espagne impute à ma mémoire 24
D'avoir mal soutenu l'honneur de ma maison! CORNEILLE, le Cid, I, 6.

Imputer à de telles gens qu'ils sont soumis par faiblesse *(... c'est...)* vouloir obscurcir la vérité même (...) BOSSUET, Hist. des variations, 5e avertissement, § 16. 25

★ **II.** (1587, «porter au compte de qqn en déduction»; sens mod., 1636). Dr., fin. Porter en compte, appliquer à un compte déterminé. ⇒ **Imputation** (II.); **affecter, appliquer** (à), **porter.** *Imputer un paiement sur telle ou telle dette. L'avancement d'hoirie doit être imputé sur la quotité disponible, sur la part de l'héritier. Imputer les revenus sur les intérêts et le capital d'une créance* (→ Antichrèse, cit. 2). *Imputer une dépense sur les frais généraux, sur un chapitre du budget.*

(...) à convaincre ses associés de la nécessité d'épargner un temps aussi précieux que le sien, et à faire imputer son équipage sur les frais généraux du journal. 26
BALZAC, Une fille d'Ève, Pl., t. II, p. 124.

(...) savoir s'il fallait imputer les frais d'hôpital au budget de la ville (...) 27
CAMUS, la Peste, p. 123.

CONTR. Excuser; disculper, laver (d'une accusation).
DÉR. Imputable.

IMPUTRESCIBILITÉ [ɛ̃pytʀesibilite] n. f. — 1859; de *imputrescible.*

♦ Didact. Caractère de ce qui est imputrescible.

CONTR. Putrescibilité.

IMPUTRESCIBLE [ɛ̃pytʀesibl] adj. — V. 1490 (on disait surtout *imputrible*); rare av. 1796; lat. *imputrescibilis*, puis de *im-* (→ 1. In-), et *putrescible.*

♦ Didact. Qui ne peut putréfier*. *Matière, substance imputrescible. Bois, cuir, imputrescible. Rendre un aliment imputrescible.* — REM. Hugo *(le Rhin)* emploie le syn. *imputréfiable.*

Fig. *«Une race paysanne invincible, immortelle, imputrescible...»* (Giono, *in* T. L. F.).

CONTR. Putrescible.
DÉR. Imputrescibilité.

In [iɛn] Symb. chimique de l'*indium**.

1. IN [in] parfois [ɛ̃] Préposition lat. signifiant «dans, en» et entrant dans quelques locutions d'origine latine ou italienne : *in pace, in petto, in-douze, in-folio.*

2. IN [in] adj. invar. — 1965; mot angl., de *in* «dans, dedans». Anglicisme.

♦ **1.** À la mode. ⇒ **Chic, vent** (dans le). Opposé à *out* ou *off. «Les petits ports les plus "in" de la Méditerranée»* (*le Nouvel Obs.*, 9 juil. 1973, p. 43). *Êtes-vous «in»? «Carole, 14 ans, veut absolument telle robe à la mode, et passe des heures dans la salle de bain à se faire le dernier maquillage* in, *au lieu de bosser son problème de maths»* (*F. Magazine*, n° 40, juil.-août 1981, p. 96).

♦ **2.** (1972, *in* Höfler). Cin., télév. *Voix in* : voix d'une personne visible sur l'écran (opposé à *voix off*). — REM. Les recommandations officielles proposent de dire : *une voix dans le champ* (opposé à *hors champ*).

♦ **3.** *Spectacle in* : dans un festival, Représentation officielle (opposé aux *spectacles «off»*, présentés en marge du festival). *«Qu'est-ce qui est "in", qu'est-ce qui est "off"? Seuls les organisateurs le savent»* (*l'Express*, n° 1100, 7 août 1972, p. 42).

-IN, -INE (lat. *-inum, -inam*).

♦ **1.** Suffixe d'adjectifs indiquant la provenance, l'origine (ex. : *angevin, florentin*), la composition, la matière (ex. : *ivoirin*), l'espèce (ex. : *bovin, félin*), le caractère (ex. : *blondin, chevalin, cristallin, enfantin*).

♦ **2.** Suffixe de noms, diminutif (ex. : *bottine, oursin, tambourin*) ou péjoratif (ex. : *plaisantin, routine*).

Spécialt. -INE. Suffixe du vocabulaire de la chimie et de la biologie, très productif dans des appellations commerciales, et indiquant l'origine, la nature d'un produit ou une de ses propriétés (ex. : *caféine, dextrine, glycérine, morphine, pepsine, quinine...*).

1. IN- Élément négatif, du lat. *in-*, préfixe.

Ce préfixe négatif (variantes *im-, il-, ir-*) est surtout productif avec des adjectifs et participes, notamment avec les adjectifs en *-able*. La combinaison qui en résulte, formée à partir du positif ou du radical verbal qui lui sert de support, marque l'impossibilité. Cette combinaison, pratiquement sans limite, admet des mots de formation très libre dont l'emploi reste isolé ou restreint, comme en témoignent les exemples ci-après.

1 Si certaines des nouveautés proposées (par Pougens, dans son *Vocabulaire des privatifs français*, en 1794) surprennent (...) imblessé, indéplorable, indéshonoré (...) illumineux, improgrès, inhumble, illatiniste, illittérature, il n'en manque pas qui agréent plus ou moins : immariable, inadouci, inassorti, ingouverné, ingravement, (...), inassouvi (...) inavoué, incohérence, incompris, inestimé, inharmonieux, inhospitalier, ininflammable, inintelligent, irréel, irréfléchi, irrespect, insincère, instable, insuccès, intenable. Certains de ces mots, le lecteur l'a déjà remarqué, sont aujourd'hui d'usage courant.
F. BRUNOT, Hist. de la langue franç., t. X, II, p. 603.

2 *Impeccable, impavide, indifférente, inaccessible.* Juliette semblait illustrer la liste complète des adjectifs commençant par *in*.
« Inamovible ! » murmurai-je un jour (...)
« Inamovible ?... demanda-t-elle
— Inaccordable, inaccostable, inaccusable... »
P. GUTH, le Mariage du naïf, XVII, p. 182.

3 J'aimais les maths mais, dans ma famille, on disait que ce n'était pas féminin. Une fille qui fait des maths c'était, paraît-il, « incasable » ou alors avec un prof de maths. Marie CARDINAL, les Mots pour le dire, p. 51-52.

4 (...) quand (...) elle avait vu sa mère, jusque-là comme elle-même incernable, infinie, projetée brusquement à distance, se pétrifier tout à coup en une forme inconnue aux contours très précis (...) elle avait eu envie de fermer les yeux (...)
N. SARRAUTE, le Planétarium, p. 71.

5 (...) comme une pervenche incueillissable et refleurie, ses yeux ensoleillés d'un sourire bleu. PROUST, le Côté de Guermantes, Pl., t. II, p. 12.

6 (...) toujours le même calme, la même absence de peur, de doute, faite non pas de courage mais de cette indynamitable certitude d'être physiquement et moralement hors d'atteinte (...) Claude SIMON, le Vent, p. 114.

7 (...) je ne sais quel angoissant besoin de m'élever, sans pouvoir y atteindre, jusqu'à des idées et des formes inétreignables (...)
O. MIRBEAU, le Journal d'une femme de chambre, p. 173.

8 Détesté des autres joueurs, redouté des directeurs et prêteurs, à cause de sa formidable situation au *Figaro*, il règne en despote, là comme ailleurs, abhorré, mais inexpulsable. Léon BLOY, le Désespéré, p. 249.

9 Je dirai qu'elle était « inhumiliable », parce qu'elle était fort humble de nature (...)
J. DUTOURD, les Horreurs de l'amour, p. 245.

10 (...) à le supposer gratuit, l'acte mauvais, le crime, le voici tout inimputable ; et imprenable celui qui l'a commis.
GIDE, les Caves du Vatican, IV, 7, *in* Romans, Pl., p. 818.

11 (...) c'est après que Marc *(Allégret)* a cessé de tourner (...) que le geste naïf, exquis, ininventable, irrefaisable est donné.
GIDE, le Retour du Tchad, IV, *in* Souvenirs, Pl., p. 925.

12 Parvenu enfin à la plénitude de sa force intellectuelle et physiologique, il était, de tous les hommes, le plus tendre et le plus inséductible.
Léon BLOY, le Désespéré, p. 53.

13 Ce n'est pas parce que Mesnard a renoncé à divorcer (...) que je puis lui demander de partager avec moi le fardeau des dettes de Georges. Au contraire. Il me semble qu'il est encore plus *intapable*, si j'ose risquer ce néologisme (...)
J. DUTOURD, Pluche, XIII, p. 226.

14 Les experts sont incorruptibles et invampables. A. SARRAZIN, la Cavale, p. 51.

15 Ah, ah ! Monsieur se vexe. Où la vanité littéraire ne va-t-elle se nicher !
— Non, mon vieux ! Je suis invexable.
J. DUTOURD, les Horreurs de l'amour, p. 185.

Les composés de *in-* négatif avec une base substantive sont, en revanche, plus rares, et souvent anormaux (quand il ne s'agit pas d'un substantif verbal).

16 (...) je bâtis, au-delà du rêve confortable, des illimites de tendresse et de joie (...)
A. SARRAZIN, la Cavale, p. 313.

17 (...) le plus touchant, c'était, aux heures de l'extase sans frémissement, de l'inagitation absolue familière aux contemplatifs un crépuscule de lune diamanté de pleurs, inexprimable et divin (...) Léon BLOY, le Désespéré, p. 154.

18 (...) cette inéclosion surprenante de l'œuf (...) Léon BLOY, le Désespéré, p. 86.

L'emploi du préfixe sous la forme *in-*, à la place des formes assimilées *il-, ir-*, est de plus en plus courant pour les formations nouvelles (*inracontable*, etc.). On rencontre des réfections destinées à introduire une variante de sens (⇒ **Inréel,** par rapport à *irréel*).

2. IN- Préfixe locatif, du lat. *in*, prép., « en, dans, sur » : *incorporer, infiltrer, inspecter...* Var. : *il-, im-, ir-*.

INABOLI, IE [inabɔli] adj. — Av. 1922 ; de 1. *in-*, et *aboli*.

♦ Littér. Qui est toujours actif (malgré son ancienneté).

(...) ce morcellement bizarre de l'opinion des gens du peuple, où le mépris moral le plus profond s'enclave dans l'estime la plus passionnée, laquelle chevauche à son tour de vieilles rancunes inabolies (...)
PROUST, Sodome et Gomorrhe, Pl., t. II, p. 918.

CONTR. Aboli.

INABORDABLE [inabɔʀdabl] adj. — 1611 ; de 1. *in-*, et *abordable*.

♦ **1.** Littér. Où l'on ne peut aborder. *Rivage inabordable.* — (1732). Par anal. Qu'il est impossible ou très difficile d'atteindre, d'approcher. ⇒ **Inaccessible.**

En hiver, le port de Cochin est inabordable (...) parce que (...) le vent d'ouest, qui y souffle avec fureur, amène à l'embouchure du fleuve de Cochin une si grande quantité de sable, qu'il est impossible aux navires, et même aux barques, d'y entrer pendant six mois de l'année (...)
BUFFON, Hist. nat., Preuves de la théorie de la terre, art. XIV.

Vous imaginez aisément, me dit Dom *Sévérino*, qu'il ne servirait à rien d'essayer des résistances dans la retraite inabordable où vous voilà.
SADE, Justine..., t. I, p. 145.

Ce pays ténébreux comme un antre est construit,
Et nous avons ici notre aire inabordable (...)
HUGO, la Légende des siècles, XV, Petit roi de Galice, V.

(...) à l'ouest, une mer sans ports, des plages inabordables où les brisants déferlent (...) LOTI, l'Inde (sans les Anglais), III, II.

♦ **2.** (V. 1679). Personnes. Vx. D'un abord, d'accès difficile*. *Un grand seigneur hautain, distant, inabordable. Un monde inabordable, fermé* (→ Fortune, cit. 37). — Fam. *Il est inabordable ce matin,* il est d'humeur revêche. → Il n'est pas à prendre avec des pincettes*.

(...) un assez grand fat qui est plus inabordable qu'un Napoléon à Sainte-Hélène.
SAINTE-BEUVE, Correspondance, 200, 9 nov. 1831.

(...) il déployait en tout une sorte de dignité qui venait sans doute de la conscience d'une vie occupée par quelque chose de grand, et qui le rendait inabordable.
BALZAC, Illusions perdues, Pl., t. IV, p. 645.

Songeur jusqu'à l'heure où il courait au-devant d'elle avec une anxieuse exactitude, alors pressé, inabordable, fiévreux, sa vie semblait dévorée par les ennuis et réglée par la discipline. PROUST, Jean Santeuil, Pl., p. 823.

♦ **3.** (1847). Cour. D'un prix* élevé, qui n'est pas à la portée de toutes les bourses. ⇒ **Cher** (II.), **exorbitant ; hors** (de prix). *Les asperges sont inabordables cette année.*

CONTR. Abordable, accessible ; facile ; bon marché.

INABRITÉ, ÉE [inabʀite] adj. — 1823, Boiste ; de 1. *in-*, et *abrité*.

♦ Rare. Qui n'est pas protégé par un abri. *Côte inabritée.* — (1836, *in* D. D. L.). Au fig. :

Ô ma muse inabritée contre les orages de la vie.
Aloysius BERTRAND, Gaspard de la nuit, p. 170.

CONTR. Abrité.

INABROGEABLE [inabʀɔʒabl] adj. — 1791, cit. ; de 1. *in-*, *abroger*, et *-able*.

♦ Dr. Qui ne peut être abrogé. *Lois inabrogeables.*

Ainsi *l'égalité* et *la liberté* sont *deux attributs essentiels de l'homme ;* deux *lois* de la *Divinité, inabrogeables* et *constitutives* comme les *propriétés* physiques des éléments.
VOLNEY, les Ruines, ou Méditation sur les révolutions des empires, p. 139 (1791).

CONTR. Abrogeable.

IN ABSENTIA [inapsɛ̃sja] loc. adv. — XXe ; mot lat., « en l'absence (de) ».

♦ Admin., didact. En l'absence (de la personne intéressée ; de ce qui est concerné).

À dix heures et demie, ce matin, dans un amphithéâtre de l'Académie des Sciences, soutenance de thèse in absentia de Maurice Audin, disparu.
F. MAURIAC, Bloc-notes 1952-1957, p. 390.

IN ABSTRACTO [inapstʀakto] loc. adv. et adj. — 1903, in *Rev. gén. des sc.*, n° 11, p. 628 ; du lat. *abstractus* « abstrait ».

♦ Didact. Dans l'abstrait, abstraitement ; sans tenir compte de la réalité. *Raisonner in abstracto. Des raisonnements in abstracto.*

CONTR. Concrètement.

INACCENTUÉ, ÉE [inaksɑ̃tɥe] adj. — 1846 ; au fig., 1829, Hugo ; de 1. *in-*, et *accentuer*, au participe passé.

♦ Ling. Qui ne porte pas d'accentuation. ⇒ **Atone.** *Voyelle, syllabe inaccentuée. Phonème inaccentué.* Je, me, te, se, *formes inaccentuées du pronom personnel.*

CONTR. Accentué, tonique.

INACCEPTABLE [inaksɛptabl] adj. — 1779 ; de 1. *in-*, et *acceptable*.

♦ Qu'on ne peut, qu'on ne doit pas accepter. ⇒ **Inadmissible, irrecevable.** *Offre, projet, proposition, dilemme* (cit. 3) *inacceptable. C'est absolument inacceptable. — Inacceptable pour qqn. La proposition est inacceptable pour nous.*

1 (...) le chef de bureau m'a tenu des propos inacceptables.
G. DUHAMEL, Salavin, III, XVIII.

2 Elle m'a dit que ses gages n'étaient plus payés depuis six mois, que le notaire de M. le comte lui proposait une transaction inacceptable, qu'elle n'osait s'éloigner d'Arches, vivait à l'hôtel.
BERNANOS, le Journal d'un curé de campagne, *in* Œ. roman., Pl., p. 1202.

CONTR. Acceptable, admisssible, approuvable.

INACCEPTATION [inaksɛptɑsjɔ̃] n. f. — 1872, Littré *(Additif)*; de 1. *in-*, et *acceptation**.

♦ Didact. ou littér. Refus d'accepter. « *L'inacceptation des conditions proposées* » (Littré, *Dict.*).

INACCEPTÉ, ÉE [inaksɛpte] adj. — 1859; de 1. *in-*, et *accepté*.

♦ Littér. Qui n'est pas, qui n'a pas été accepté. *Une difficulté inacceptée. Son attitude est inacceptée.*

Le schizophrène et le « totalitaire » se caractérisent par un *arrêt*, un décret d'immobilité : ils prétendent se baigner toujours dans la même eau du même fleuve. D'une part l'antinomie inacceptée (qu'ils refusent de voir) crée en eux un antagonisme insupporté, qui crée à son tour un dédoublement insupportable.
Claude ROY, Nous, p. 395-396.

CONTR. Accepté.

INACCESSIBILITÉ [inaksesibilite] n. f. — 1522; de *inaccessible*.

♦ Littér. Caractère de ce qui est inaccessible.

(Concret) :

1 L'inaccessibilité de cette île (...) SULLY, Économie royale, p. 87, *in* HUGUET.

Par métaphore ou abstrait. *L'inaccessibilité d'un but, d'un objectif.*

(Personnes) :

2 Autour d'elles ne flottait plus comme ce grand remous qui nous séparait et qui n'était que la traduction du désir en perpétuelle activité, mobile, urgent, alimenté d'inquiétudes, qu'éveillaient en moi leur inaccessibilité *(des jeunes filles)*, leur fuite peut-être pour toujours. Mon désir d'elles, je pouvais maintenant le mettre au repos, le garder en réserve, à côté de tant d'autres dont, une fois que je la savais possible, j'ajournais la réalisation.
PROUST, À l'ombre des jeunes filles en fleurs, Folio, p. 526-527.

CONTR. Accessibilité.

INACCESSIBLE [inaksesibl] adj. — 1372, abstrait; bas lat. *inaccessibilis*, de *in-*, et *accessibilis*, d'après *accessible**.

♦ **1.** (1496). Qui n'est pas accessible; dont l'accès est impossible. ⇒ **Impénétrable, inabordable.** *Endroit, lieu inaccessible. Montagne inaccessible* (→ 2. Ce, cit. 1). — *Inaccessible à* (qqn, un animal; → ci-dessous, cit. 3). *Maison gardée* (cit. 9) *et inaccessible aux visiteurs* (→ Farouche, cit. 3; funeste, cit. 4). — Par anal. *Forêt inaccessible aux rayons du soleil* (Hatzfeld).

1 Laisse tout là; que veux-tu entreprendre?
Veux-tu monter un roc inaccessible? Clément MAROT, Épigrammes, LXXXII.

2 (...) ce soleil inaccessible (...) RACINE, Poésies diverses, I, IX, I.

3 (...) l'île de Calypso était inaccessible à tous les mortels.
FÉNELON, Télémaque, VI.

4 (...) on parvient, au moyen de quelques sentiers difficiles, jusqu'au pied de ce cône de rochers incliné et inaccessible, qu'on appelle le Pouce.
BERNARDIN DE SAINT-PIERRE, Paul et Virginie, p. 84.

5 Rien n'avait transpiré dans la ville sur le nom des prisonniers; les murs inaccessibles de la forteresse ne laissaient rien sortir ni rien pénétrer que dans la nuit (...)
A. DE VIGNY, Cinq-Mars, XXV.

6 (...) les Alpujarras, inaccessibles solitudes, chaînes escarpées et farouches, d'où les Mores, à ce que l'on dit, ne purent jamais être complètement expulsés (...)
Th. GAUTIER, Voyage en Espagne, p. 198.

(Concret). Qu'on ne peut atteindre. ⇒ **Hors** (d'atteinte).

7 Sur le haut d'une armoire un livre inaccessible.
HUGO, les Contemplations, V, X.

(Abstrait). *Les sommets inaccessibles de l'amour éternel* (→ Envergure, cit. 9). *Chant* (cit. 10) *qui monte aux notes les plus inaccessibles de la gamme. — Inaccessible à... Un bien inaccessible à ceux qui ne l'ont pas reçu en naissant* (→ Fragile, cit. 11). *Inaccessible pour... Chose inaccessible pour quelqu'un.*

8 Tous pensaient qu'ils vivaient dans une sphère inaccessible au reste de l'humanité.
RENAN, Vie de Jésus, Œ., t. IV, p. 187.

9 (...) on n'aime que ce en quoi on poursuit quelque chose d'inaccessible, on n'aime que ce qu'on ne possède pas (...)
PROUST, À la recherche du temps perdu, t. XII, p. 227.

10 (...) on regrette moins ce qu'on a toujours su inaccessible et qui est resté à cause de cela comme irréel (...)
PROUST, À la recherche du temps perdu, t. XIII, p. 110.

11 Aucun but ne lui avait jamais paru, ne lui paraîtra jamais inaccessible.
Louis MADELIN, Hist. du Consulat et de l'Empire, De Brumaire à Marengo, VI.

12 Il est vain et dangereux de se proposer un objectif inaccessible. L'échec risque de tuer la foi et de paralyser les efforts. A. MAUROIS, Un art de vivre, III, I.

♦ **2.** (1580, Montaigne). Abstrait. Qu'on ne peut atteindre, connaître, comprendre. ⇒ **Incognoscible**; → Attirance, cit. 1. *Le fond* (cit. 30) *des choses est inaccessible à l'esprit. Mystère inaccessible. Science inaccessible aux enfants* (→ Enjoué, cit. 1).

(...) l'imagination qu'on prend (...) que les bonnes choses *(de la science)* sont inaccessibles, en leur donnant le nom de grandes, hautes, élevées, sublimes. 13
PASCAL, Opuscules, III, XV, De l'esprit géométrique.

(...) les notions les plus abstraites, celles que le commun des hommes regarde comme les plus inaccessibles, sont souvent celles qui portent avec elles une plus grande lumière (...) 14
D'ALEMBERT, Disc. préliminaire à l'Encyclopédie, Œ., t. I, p. 31.

D'ailleurs Brahma, Jehovah ou Allah, le dieu unique, ou multiple si l'on veut, au fond de l'incommensurable et de l'inaccessible, nous dépasse tellement, qu'un peu plus ou un peu moins d'erreur importe à peine dans nos conceptions de lui. 15
LOTI, l'Inde (sans les Anglais), III, VI.

N. m. (Av. 1885). *L'inaccessible* : ce qu'on ne peut atteindre, comprendre.

♦ **3.** (1580). Personnes. Qui est d'un abord très difficile. ⇒ **Inabordable.** *Personnage guindé* (cit. 4) *et inaccessible. Ses multiples occupations le rendent inaccessible même à ses amis.* — Par métonymie. *Vertu austère* (cit. 15) *et inaccessible.*

(...) si j'ai un cor qui me presse l'orteil, me voilà renfroigné, mal plaisant et inaccessible. 16
MONTAIGNE, Essais, II, XII.

— Quelle folie! se disait-il, et comment arriver jusqu'à elle? Elle lui parut donc si vertueuse et inaccessible que toute espérance, même la plus vague, l'abandonna. 17
FLAUBERT, Mme Bovary, II, V.

« Je ne vous demande rien! », s'écria-t-elle, retrouvant, avec la parole, ce ton coupant qui la rendait inaccessible. 18
MARTIN DU GARD, les Thibault, t. VI, p. 155.

Nom. Rare. *Un, une inaccessible.*

(...) une aventure larmoyante comme on en voit au ciné ou dans les feuilletons lorsque des gars dépérissent pour l'amour d'une inaccessible, qu'à la fin on veut faire croire qu'ils épousent. R. QUENEAU, Pierrot mon ami, p. 87. 18.1

(1639). Fig. *Inaccessible à* (qqch.) : qui ne se laisse ni convaincre ni toucher par (un sentiment, une influence...), qui est fermé* (à certains sentiments). ⇒ **Imperméable** (à), **insensible** (à). *La foule* (cit. 9) *inaccessible au raisonnement. Être inaccessible à la pitié, à la tendresse.* — (1638). Absolt. Que rien ne peut atteindre. *Un cœur inaccessible* (→ Attaquer, cit. 22).

C'était une âme sereine, inaccessible à l'envie, à l'amour des richesses et à la crainte du supplice. VOLTAIRE, le Siècle de Louis XIV, XXIV. 19

Libre, seul, inaccessible même au souvenir! 20
MARTIN DU GARD, les Thibault, t. IV, p. 52.

CONTR. Abordable, accessible.
DÉR. Inaccessibilité.

INACCOMPLI, IE [inakɔ̃pli] adj. — 1834, Sainte-Beuve; de 1. *in-*, et *accompli*.

♦ **1.** Littér. Qui n'est pas accompli.

Lorsque la Parole incarnée saignait et criait pour cette rédemption inaccomplie et que sa Mère, la seule créature qui ait véritablement enfanté (...) 1
Léon BLOY, le Désespéré, p. 114.

(...) ce cercle inaccompli qu'est sa vie *(de Kafka)*. 2
M. BLANCHOT, l'Espace littéraire, p. 70.

♦ **2.** (1933). Ling. *Aspect inaccompli*, et, n. m. *l'inaccompli :* aspect verbal correspondant à une action envisagée dans son développement, et non dans ses effets. ⇒ **Imperfectif.**

L'inaccompli étant l'aspect de ce dont on ne précise ni le commencement ni l'achèvement ou du moins l'un des deux, il peut s'agir (...) aussi bien d'un processus passé que d'un procès futur. 3
Paul IMBS, l'Emploi des temps verbaux en français moderne, p. 152.

CONTR. Accompli, réalisé.

INACCOMPLISSEMENT [inakɔ̃plismɑ̃] n. m. — 1845; de 1. *in-*, et *accomplissement*.

♦ Littér. Défaut d'accomplissement. *L'inaccomplissement d'une clause, d'un désir, d'un vœu.*

CONTR. Accomplissement.

INACCORDABLE [inakɔʀdabl] adj. — 1776; de 1. *in-*, et *accordable**.

♦ **1.** Rare. Qu'on ne peut mettre d'accord. *Caractères, divergences inaccordables.* ⇒ **Incompatible, inconciliable.**

Rien n'est plus capable de fausser l'esprit, que cet accord que l'on tâche ici d'établir entre des éléments inaccordables — le fausser irrémédiablement.
GIDE, Journal, 6 juin 1933.

♦ **2.** Qu'on ne peut accorder, octroyer. *Demande inaccordable.* ⇒ **Irrecevable.**

♦ **3.** Qui ne peut être accordé, en parlant d'un instrument de musique. *Les chevilles jouaient dans le sommier, ce piano était inaccordable.*

CONTR. Accordable.

INACCOSTABLE [inakɔstabl] adj. — 1569; de 1. *in-*, et *accostable.*

♦ Rare. Qu'on ne peut accoster. ⇒ **Inabordable.**

INACCOUTUMANCE [inakutymɑ̃s] n. f. — 1602, *inaccoustumance;* 1677, repris XIXe; de 1. *in-*, et *accoutumance.*

♦ Rare. Absence d'accoutumance (à qqch.). *L'inaccoutumance à un climat. L'inaccoutumance à un médicament.*

Beaucoup de ces jeunes soldats arrivaient de Toulon, de Rochefort, ou de Brest, à peine instruits, sans avoir jamais fait le coup de feu; et depuis le matin, ils se battaient avec une bravoure, une solidité de vétérans. Eux qui, de Reims à Mouzon, avaient marché si mal, alourdis d'inaccoutumance, se révélaient comme les mieux disciplinés, les plus fraternellement unis d'un lien de devoir et d'abnégation, devant l'ennemi. ZOLA, la Débâcle, t. I, p. 280.

CONTR. Accoutumance.

INACCOUTUMÉ, ÉE [inakutyme] adj. — V. 1380, *inacoustumé;* rare jusqu'au XVIIe; de 1. *in-*, et *accoutumé.*

♦ **1.** Qui n'a pas coutume de se produire, de se faire. ⇒ **Anormal, inhabituel, insolite, nouveau.** *Accorder à qqn une attention* (cit. 30) *inaccoutumée. Avoir l'oreille choquée par un terme inaccoutumé* (→ Archaïsme, cit. 1). *Une agitation inaccoutumée.*

1 Il y a des êtres dont la face prend une beauté et une majesté inaccoutumées pour peu qu'ils n'aient plus de regard. PROUST, À la recherche du temps perdu, t. XI, p. 86.

2 (...) c'est dans sa chambre qu'on leur servait le breakfast. Marie en aimait l'abondance, l'ordonnance inaccoutumée pour elle, et mangeait de tout par excitation. J. ROMAINS, les Hommes de bonne volonté, t. V, XXVI, p. 261.

♦ **2.** (1764). Qui n'est pas accoutumé* (à qqch.). *Être inaccoutumé à un genre de vie, à certains procédés.*

3 On connaît les kermesses de la Flandre : elles étaient portées dans le siècle passé jusqu'à une indécence qui pouvait révolter des yeux inaccoutumés à ces spectacles. VOLTAIRE, Dict. philosophique, Délits locaux.

CONTR. Commun, coutumier, habituel. — Accoutumé, habitué.

INACCUSABLE [inakyzabl] adj. — 1856, Michelet; de 1. *in-*, *accuser*, et *-able.*

♦ Impossible à accuser, qui ne peut être accusé. ⇒ **Insoupçonnable.**

INACHETABLE [inaʃtabl] adj. — 1773, cit. Beaumarchais; de 1. *in-*, et *achetable.*

♦ Qui ne peut être acheté.

1 N'est-ce pas dans la vue d'établir qu'en faisant un sacrifice d'argent, je voulais moins acheter des audiences, que le suffrage inachetable d'un rapporteur? BEAUMARCHAIS, Mémoires, Additions, III, 188, *in* PROSCHWITZ.

2 L'affaire semble compromise par cette histoire d'incendie; mais elle n'est pas inachetable. Je vous ferai une proposition la semaine prochaine. G. DUHAMEL, la Passion de Joseph Pasquier, p. 206.

(Personnes). Incorruptible.

CONTR. Achetable.

INACHEVABLE [inaʃvabl] adj. — 1845, Michelet; de 1. *in-*, et *achevable.*

♦ Rare. Qui ne peut être achevé, s'achever.

Cette digue qui semble inachevable, comme la cathédrale de Cologne. MICHELET, Journal, 1845, p. 614, *in* T. L. F.

INACHEVÉ, ÉE [inaʃve] adj. — 1783, Mercier; de 1. *in-*, et *achevé.*

♦ **1.** Qui n'est pas achevé, mené jusqu'à son terme. *Esquisse* (cit. 2) *inachevée. Statue inachevée.* ⇒ **Brut.** *Route inachevée* (→ Amorce, cit. 7). *Travail inachevé.* ⇒ **Imparfait, incomplet.** *L'imperfection* d'une œuvre inachevée.* — Mus. *La Symphonie inachevée*, ou (n. f.) *l'Inachevée*, œuvre de Schubert (1822).

(Contenu psychique). Qui n'est pas arrivé à sa fin. *Pensée inachevée. Rêve inachevé.*

1 Si ce qu'on prétend traduire n'est pas même une pensée, si ce n'est qu'une impression fugitive, un rêve inachevé de l'imagination ou de l'âme du poète, un son vague et inarticulé de sa lyre (...) que restera-t-il sous la main du traducteur? LAMARTINE, Disc. de réception à l'Académie franç.

2 Le lien qui s'était noué alors entre eux, je ne le saurais dire dans sa vraie nuance; c'était quelque chose de vague, de tremblant, d'inachevé. SAINTE-BEUVE, Chateaubriand, t. II, p. 184.

3 (...) la base d'une pyramide inachevée, qui aurait été quelque chose de terrifiant (...) LOTI, l'Inde (sans les Anglais), IV, II.

Soyez béni, mon Dieu, qui ne laissez pas vos œuvres inachevées Et qui avez fait de moi un être *fini* à l'image de votre perfection. 4
CLAUDEL, Cinq grandes odes, 5e ode, p. 150.

N. m. *L'inachevé* (→ Imprécis, cit. 4)

Mot inachevé, phrase inachevée, prononcé(e), écrit(e), entendu(e) ou lu(e) incomplètement.

(Êtres animés). « *L'homme, créature inachevée* » (Vigny).

♦ **2.** Rare. Qui n'est pas entièrement consommé. *La table n'était pas desservie, et les plats étaient restés inachevés.*

CONTR. Accompli, achevé, complet, fini, parfait.
HOM. Inachever.

INACHÈVEMENT [inaʃɛvmɑ̃] n. m. — 1836, Balzac; de 1. *in-*, et *achèvement.*

♦ État de ce qui n'est pas achevé, pas fini (cit. 30).

(...) c'est un monde incomplet que le cinéma nous présente, et par un seul bout; — et il est fort heureux que ce monde soit à jamais fixé dans son inachèvement (...) A. ARTAUD, À propos du cinéma, Œ. compl., t. III, p. 97.

CONTR. Achèvement.

INACHEVER [inaʃve] v. tr. — XXe (1935, L. Daudet, *in* T. L. F.); de 1. *in-*, et *achever.* → Inachevé.

♦ Littér. Laisser (qqch.) inachevé. *Inachever un ouvrage.*

HOM. Inachevé.

INACTIF, IVE [inaktif, iv] adj. — 1717; de 1. *in-*, et *actif.*

♦ **1.** Phys. anc. (Choses). ⇒ **Inerte.** *Substance inactive.*

Le minéral n'est qu'une matière brute, inactive, insensible, n'agissant que par la contrainte des lois de la mécanique, n'obéissant qu'à la force généralement répandue dans l'univers (...) BUFFON, Hist. nat. des animaux, I.

(1840, Biot). Qui ne polarise pas la lumière.

♦ **2.** (XIXe). Mod. (Personnes). Qui n'a pas d'activité. ⇒ **Désœuvré, fainéant, oisif, paresseux.** *Femme casanière* (cit. 1) *et inactive.* ⇒ **Endormi.** *Rester inactif après un succès* (→ Se croiser les bras*, se reposer sur ses lauriers*). *Il ne demeure jamais inactif.* ⇒ **Immobile, repos** (en). — (Choses). *Esprit, cerveau inactif.* ⇒ **Perclus** (fig.). *Arracher qqn à son existence inactive.* ⇒ **Croupissant, végétatif; léthargie.** — *Commerce inactif,* qui ne prend aucun essor. ⇒ **Stagnant.** *Marché inactif.*

Plus j'insiste sur ma méthode inactive, plus je sens les objections se renforcer. Si votre élève n'apprend rien de vous, il apprendra des autres. Si vous ne prévenez l'erreur par la vérité, il apprendra des mensonges (...) ROUSSEAU, Émile, II. 2

Car jamais il *(Mirabeau)* ne resta inactif. Son cerveau était dans une ébullition continuelle. Louis BARTHOU, Mirabeau, p. 47. 3

♦ **3.** (V. 1794). Qui n'agit pas, est sans action. *Remède inactif* (Académie). ⇒ **Inefficace.** — (Abstrait). *Une estime bienveillante mais inactive* (→ Célébrité, cit. 5, Chamfort).

♦ **4.** Qui ne travaille pas (de manière régulière et payée) sans toutefois être chômeur. *Les personnes inactives.* — N. m. *Un inactif, une inactive* (rare); *les inactifs,* enfants, vieillards, femmes au foyer, etc. (opposé à *actif).*

♦ **5.** Techn. Se dit d'un élément technique qui n'agit pas.

CONTR. Actif, agissant, alerte, entreprenant, occupé.

INACTINIQUE [inaktinik] adj. — 1904; de 1. *in-*, et *actinique.*

♦ Phys. Se dit d'un rayonnement qui n'a aucune action chimique notable sur un milieu donné (notamment sur une surface sensible). *Rayon, lumière inactinique de la chambre noire, en photographie.*

INACTION [inaksjɔ̃] n. f. — 1647; de 1. *in-*, et *action.*

♦ **1.** Absence ou cessation de toute action; état de ce qui est inactif. ⇒ **Inactivité** (cit. 3); **désœuvrement, fainéantise, oisiveté.** *Condamner, réduire qqn à l'inaction.* ⇒ **Lier** (les mains). *L'inaction me pèse. Scepticisme qui mène à l'inaction* (→ Agir, cit. 13). *Esprit qui s'appesantit, s'engourdit, se paralyse* dans l'inaction* (→ Exercer, cit. 9). *Vivre dans l'inaction.* ⇒ **Végéter.** *Croupir, dormir, s'engraisser, s'hébéter* (cit. 5, Mme de Sévigné) *dans l'inaction. Sortir de son inaction* (⇒ **Assoupissement, engourdissement, torpeur**).

Les armées russes et suédoises furent quelques semaines dans l'inaction, tant le froid fut violent au mois de janvier 1709 (...) 1
VOLTAIRE, Hist. de l'Empire de Russie, I, XVII.

(...) ma faiblesse enfin devint telle que j'avais peine à me mouvoir (...) j'étais réduit à l'inaction la plus tourmentante pour un homme aussi remuant que moi. 2
ROUSSEAU, les Confessions, VI.

Entrée dans le monde dans le temps où, fille encore, j'étais vouée par état au silence et à l'inaction, j'ai su en profiter pour observer et réfléchir. 3
LACLOS, les Liaisons dangereuses, LXXXI.

L'inaction me tue. Je veux faire quelque chose de bien et de grand. Je suis dans l'obligation d'attendre... Toujours attendre. Cette attente m'épuise. 4
G. DUHAMEL, Salavin, IV, 30 juin.

(...) Solange Garansol qui était étendue sur une chaise longue, le regard perdu du côté du jardin, un livre ouvert sur les genoux (...) se consolait de son inaction en racontant ses souvenirs d'infirmière pendant la guerre (...)
J. CHARDONNE, les Destinées sentimentales, p. 376.

♦ **2.** (1873). Dr. État d'une personne qui n'use pas d'un droit lui appartenant.

♦ **3.** Rare. (D'après *une action*). *Une inaction,* moment d'inaction ; situation où l'on n'agit pas.

J'ai eu un moment l'idée de lui acheter, à Kuchiouk, une grande écharpe terminée par des glands d'or dont elle s'entourait la taille en dansant. Je ne l'ai pas fait par une de ces *inactions* qui sont un mystère effrayant de l'homme.
FLAUBERT, Correspondance, 4 mai 1851.

CONTR. Action, activité, ardeur, emploi, exercice, occupation.

INACTIVATION [inaktivasjɔ̃] n. f. — 1907, in *Rev. gén. des sc.*, nº 19, p. 810 ; de *inactiver.*

♦ Biol. Suppression de l'activité (d'une substance biochimique, d'un micro-organisme) sous l'effet de causes diverses : chaleur, substances chimiques.

INACTIVER [inaktive] v. tr. — 1911 ; de 1. *in-*, et *activer.* → Inactif.

♦ Didact. (biol., méd.). Rendre inactif. « *Les vaccins* (contre la rougeole) *inactivés par le formol sont également utilisés* » (V. Vic-Dupont, *la Maladie infectieuse,* p. 75). — Au p. p. adj. Plus cour. *Vaccins atténués et vaccins inactivés. Virus inactivé,* dont on a détruit le pouvoir infectieux.

Il faut souligner que les deux interactions du répresseur sont non-covalentes et réversibles, et que l'inducteur, notamment, n'est pas modifié par son association avec le répresseur. Ainsi, la logique de ce système est d'une extrême simplicité : le répresseur inactive la transcription ; il est à son tour inactivé par l'inducteur. De cette double négation résulte un effet positif, une « affirmation ».
Jacques MONOD, le Hasard et la Nécessité, p. 101.

DÉR. Inactivation.

INACTIVITÉ [inaktivite] n. f. — 1726 ; de 1. *in-*, et *activité.*

♦ **1.** Manque d'activité*. ⇒ **Inaction.** *Le chômage, inactivité forcée. Inactivité totale.* ⇒ **Inertie.** *Inactivité d'un malade.* ⇒ **Immobilité.** — Fig. *L'inactivité de la nature en hiver.* ⇒ **Sommeil.** *La désespérante inactivité des recherches.* ⇒ **Lenteur, stagnation.**

(...) la force centrifuge, ou plutôt la force d'inertie, d'inactivité, par laquelle un corps suit toujours une droite s'il n'en est empêché (...)
VOLTAIRE, Éléments de la philosophie de Newton, III, IV.

Involontairement je comparais entre elles ces deux existences, celle du comte, tout action, tout agitation, tout émotion ; celle de la comtesse, tout passivité, tout inactivité, tout immobilité. BALZAC, Honorine, Pl., t. II, p. 291.

L'*inaction* est passagère et ordinairement occasionnée par un obstacle, par quelque chose d'extérieur (...) L'*inactivité,* au contraire, est permanente et caractéristique du sujet auquel on l'attribue (...) L'*inaction* a lieu par accident ; l'*inactivité* est un défaut constant et qui tient à la nature.
LAFAYE, Dict. des synonymes, Inaction.

♦ **2.** (1893). Dr. admin. Situation d'un fonctionnaire, d'un militaire qui n'est pas momentanément en service actif. *Être, se faire mettre en inactivité.* ⇒ **Congé.**

Quel que soit son caractère juridique (rente, retraite, famille, contrat, etc.), tout revenu d'inactivité est assuré par un prélèvement sur le fruit du travail des actifs (...) A. SAUVY, Croissance zéro ?, p. 229.

CONTR. Activité, besogne, emploi, occupation.

INACTUALISABLE [inaktɥalizabl] adj. — 1920, G. Marcel, *Journal, in* T. L. F. ; de *inactuel, inactualité,* suff. *-able,* d'après *actualisable.*

♦ Didact. et rare. Qui n'est pas actualisable, ne peut pas s'actualiser, passer du virtuel au réel.

REM. L'adj. *inactualisé, ée* est également attesté (G. Marcel, *in* T. L. F.).

INACTUALITÉ [inaktɥalite] n. f. — 1883, cit. ; de 1. *in-*, et *actualité.*

♦ Rare. Caractère de ce qui est inactuel. *L'inactualité d'un problème, d'un discours.*

Revenir sur un tel sujet devra paraître aujourd'hui le comble de l'in-actualité *(sic)* et le cynisme du rabâchage.
Léon BLOY, Propos d'un entrepreneur de démolitions, p. 18 (1883), *in* D. D. L., II, 12.

CONTR. Actualité.

INACTUEL, ELLE [inaktɥɛl] adj. — 1893, trad. de Nietzsche *(unzeitgemäss)* ; de 1. *in-*, et *actuel.*

Didactique.

♦ **1.** Qui n'est pas d'actualité, n'est pas conforme aux exigences du présent. *Préoccupations inactuelles.* → D'un autre âge*.

Je reste toujours sensible au monde inactuel de James.
J. GREEN, Journal, 15 févr. 1969, Ce qui reste de jour, p. 147.

♦ **2.** Qui n'est pas d'actualité. ⇒ **Caduc, périmé.** *Une idée inactuelle, désuète, démodée.*

N. m. *L'inactuel.*

CONTR. Actuel, contemporain, moderne.

INADAPTABLE [inadaptabl] adj. — 1842 ; de 1. *in-*, et *adaptable.*

♦ Qui ne peut s'adapter, s'intégrer à un milieu.

Depuis trente ans, on semble avoir tout mis en œuvre pour faire perdre le sens de cette communauté aux paysans, soit en les ignorant le plus souvent comme s'ils n'existaient pas, soit en ne s'occupant d'eux que pour les déclarer tout de suite avec mépris inadaptables, insauvables.
André SOUBIRAN, les Hommes en blanc, t. III, p. 383-384.

Inadaptable à... : qui ne peut s'adapter à... *Il est inadaptable.*

REM. Le dér. *inadaptabilité,* n. f., est attesté (1906, *in* T. L. F.).

CONTR. Adaptable.

INADAPTATION [inadaptasjɔ̃] n. f. — 1843 ; repris 1900, Bergson ; de 1. *in-*, et *adaptation.*

♦ Défaut d'adaptation. *L'inadaptation des voies de communication.* — Psychol. *Inadaptation au milieu. Inadaptation sociale.* ⇒ **Asocialité.** *Inadaptation passagère ou permanente d'un enfant à la vie familiale ou scolaire* (⇒ **Inadapté**). *Inadaptation scolaire.*

(...) *bien des déficients scolaires* (...) *sont en réalité des élèves intelligents.* Mais 1
leur intelligence s'est perdue par suite de leur inadaptation à l'école, ou plutôt de l'inadaptation de l'école à leur personnalité et à la situation.
André LE GALL, les Insuccès scolaires, p. 93.

Ce drame français de l'inadaptation, l'impasse de la guerre d'Algérie l'illustre tra- 2
giquement. F. MAURIAC, le Nouveau Bloc-notes 1958-1960, p. 365.

Toute adaptation de la main des premiers Anthropiens en outil proprement dit 3
n'aurait créé qu'un groupe de Mammifères hautement adaptés à des actions restreintes et non pas l'homme dont l'inadaptation physique (et mentale) est le trait génétique significatif. A. LEROI-GOURHAN, le Geste et la Parole, t. II, p. 48.

CONTR. Adaptation.

INADAPTÉ, ÉE [inadapte] adj. et n. — 1845 ; de 1. *in-*, et *adapté.*

♦ **1.** *Inadapté à... :* qui n'est pas adapté à... *Mener une vie inadaptée à ses besoins. Vieillard inadapté aux exigences de la vie moderne.* — (1957). *Enfant inadapté à la vie scolaire.*

♦ **2.** Absolt. *Enfant inadapté :* enfant qui présente un déficit intellectuel, physique, ou des troubles affectifs qui le rendent incapable de faire face aux conditions normales de la vie. ⇒ **Anormal, arriéré, caractériel ; handicapé.** *L'enfance inadaptée.*

Qui est incapable de s'intégrer au milieu social. ⇒ **Antisocial, asocial, délinquant, marginal.**

N. *Un inadapté* (→ Famille, cit. 3), *une inadaptée. Rééducation des inadaptés.*

Mais donnez-moi une bonne raison, une seule, pour laquelle je devrais me taire, 1
cacher cette révélation que j'ai reçue. Pourquoi ? (...) Parce que sa veste était trop étroite, son pantalon trop large, et son allure, celle, fuyante, humble, de tant d'instables, d'inadaptés, de demi-clochards et d'apatrides qui s'en vont sans autre gîte que Dieu ? F. MALLET-JORIS, le Jeu du souterrain, p. 268.

(...) tandis qu'elle, courbée, pliée en deux, le conduira doucement... sur le terrain 2
où elle règne, où enfin il sera à sa merci, acceptant d'abandonner ses divagations de vieil « idéaliste », d'inadapté, et de se soumettre comme elle aux lois du bon sens, de la bonne et solide réalité, de marcher droit, de rentrer dans le rang...
N. SARRAUTE, le Planétarium, p. 278.

(1957). *Avoir un genre de vie, un mode de vie inadapté.*

CONTR. Adapté.

INADÉQUAT, ATE [inadekwa, at] adj. — 1760 ; probablt par l'angl. *inadequate* (1675) ; de 1. *in-*, et *adéquat.*

♦ Didact. Qui n'est pas adéquat. *Cette tournure est inadéquate.*

(...) je suis convaincu que les solides qualités de cet habile ministre étaient inadé- 1
quates à l'heure de son ministère : il est venu trop tôt sous la restauration.
CHATEAUBRIAND, Mémoires d'outre-tombe, t. IV, p. 260.

Spinoza est fort quand il prouve que nous n'avons de l'existence à venir, soit des 2
autres choses, soit de nous-mêmes, qu'une connaissance inadéquate (...)
ALAIN, les Passions et la Sagesse, Jules Lagneau, Pl., p. 778.

N. m. Ce qui est inadéquat.

(...) ainsi je constatai la fâcheuse incompréhension de son âme ; mais de son 3
ombrelle couleur cerise dans le paysage éploré je ne lui dis pourtant rien, réservant la question des inadéquats pour des causeries ultérieures.
GIDE, le Voyage d'Urien, *in* Romans, Pl., p. 43.

CONTR. Adéquat, congru, convenable.
DÉR. Inadéquatement, inadéquation.

INADÉQUATEMENT [inadekwatmɑ̃] adv. — Mil. XXᵉ ; de *inadéquat.*

♦ Didact. D'une manière inadéquate. *Traiter un sujet inadéquatement.*

CONTR. Adéquatement.

INADÉQUATION [inadekwasjɔ̃] n. f. — 1907, Bergson; de *inadéquat.*

♦ Didact. Caractère de ce qui n'est pas adéquat. *L'inadéquation d'une mesure législative.*

Bref l'enseignement qui était pour moi un plaisir est devenu un travail à tout le moins ingrat et souvent épuisant. C'est qu'il y a une radicale inadéquation entre les besoins des jeunes et la nourriture qui leur est offerte.
S. DE BEAUVOIR, Tout compte fait, p. 233.

CONTR. Adéquation.

INADMIS, ISE [inadmi, iz] adj. — 1794, Pougens (mot virtuel); 1842, Académie, *Compl.*; de 1. *in-*, et *admis.*

♦ Rare. Qui n'est pas admis. ⇒ **Inaccepté.** *« Une mathématique inadmise par les mathématiciens »* (Cocteau, *in* T. L. F.).

CONTR. Admis.

INADMISSIBILITÉ [inadmisibilite] n. f. — 1789; de *inadmissible.*

♦ Caractère de ce qui est inadmissible. *L'inadmissibilité d'une déposition, d'une preuve.* — (1867, Littré). Spécialt. *L'inadmissibilité d'un candidat à un concours, à un examen,* situation d'un candidat qui n'est pas admissible.

CONTR. Admissibilité.

INADMISSIBLE [inadmisibl] adj. — 1475; de 1. *in-*, et *admissible.*

♦ **1.** Qu'il est impossible d'admettre, de recevoir. ⇒ **Inacceptable, irrecevable.** *Des prétentions inadmissibles. Un sans-gêne, une impertinence inadmissible.* ⇒ **Insupportable, intolérable.** *Il est inadmissible que tu aies pu consentir à cela.* ⇒ **Inconcevable.** *C'est inadmissible. Cela paraît inadmissible. Rendre qqch. inadmissible. Opinion inadmissible.* ⇒ **Insoutenable.**

— Il est inadmissible... — Quoi, quoi, qu'est-ce qui est inadmissible? Qu'un assassin que vous venez de faire condamner à mort ait le front de prétendre qu'il a couché avec votre maîtresse? Il faudra pourtant que vous en preniez votre parti, procureur Maillard.
M. AYMÉ, la Tête des autres, I, 8.

Employé seul. *Inadmissible!*

♦ **2.** (1819). Vx. *Candidat inadmissible,* non-admissible (⇒ **Inadmissibilité**).

♦ **3.** Vx. (Personnes). Qui n'est pas admis, autorisé (à faire qqch.). *Individus « inadmissibles à voter »* (texte de 1792, *in* T. L. F.).

CONTR. Acceptable, recevable, valable. — Excusable. — Admissible.
DÉR. Inadmissibilité.

INADMISSION [inadmisjɔ̃] n. f. — 1839, Boiste; de 1. *in-*, et *admission.*

♦ Rare. Refus d'admission.

CONTR. Admission.

INADVERTANCE [inadvɛʀtɑ̃s] n. f. — Mil. XIVe, *inadvertence;* lat. *inadvertentia,* de *in-* (→ 1. In-), et *advertere.*

♦ **1.** Rare. Défaut d'attention, d'application à une chose déterminée. ⇒ **Inattention.** *Fautes que l'inadvertance fait commettre à un écrivain* (→ Épreuve, cit. 34). *L'inadvertance ou l'impéritie* (cit. 1) *d'un chirurgien.*

♦ **2.** *(Une, des inadvertances). Commettre des inadvertances.* ⇒ **Erreur** (cit. 36), **étourderie.**

(1764). *Des inadvertances de langage, de style.* ⇒ **Lapsus, négligence;** → Gaucherie, cit. 4.

1 Malheureusement, les inadvertances sont ici déplorables (...)
CHATEAUBRIAND, Mémoires d'outre-tombe, t. II, p. 316.

2 Quelques inadvertances de souvenirs ne surprendront personne parmi ceux qui connaissent l'habitude à la fois grandiose et négligente, le procédé composite et poétique de M. de Chateaubriand.
SAINTE-BEUVE, Chateaubriand, t. I, p. 105.

♦ **3.** Loc. adv. Cour. PAR INADVERTANCE. ⇒ **Mégarde, méprise, oubli.** *Bévue* commise par inadvertance. Oublier qqch. par inadvertance. C'est par pure inadvertance,* ce n'est pas voulu.

3 (...) un badaud de Paris, qui ayant par inadvertance demeuré un an et un jour dans une maison (...) y était mort au bout de l'année.
VOLTAIRE, l'Homme aux quarante écus, IV.

4 Et, selon l'opinion connue des personnes qu'il rencontrait, *(il)* exhibait négligemment, comme par inadvertance l'une ou l'autre de ces feuilles contradictoires.
Georges LECOMTE, Ma traversée, p. 23.

CONTR. Advertance (littér.), **attention, soin.**
DÉR. Inadvertant.

INADVERTANT, ANTE [inadvɛʀtɑ̃, ɑ̃t] adj. — 1761; de *inadvertance.*

♦ Vx. Qui fait preuve d'inadvertance.

INAFFECTÉ, ÉE [inafɛkte] adj. — 1794; de 1. *in-*, et *affecté.*

♦ **1.** Rare. (Personnes). Qui n'est pas affecté par qqch. (Malègue, Mounier, *in* T. L. F.).

♦ **2.** Dr. Qui n'est pas affecté à un usage. *Locaux, capitaux inaffectés.*

INAFFECTION [inafɛksjɔ̃] n. f. — 1855, Gobineau, *in* T. L. F.; de 1. *in-*, et *affection.*

♦ Littér. et rare. Manque d'affection. ⇒ **Froideur.**

CONTR. Affection.

INAFFECTUEUX, EUSE [inafɛktɥø, øz] adj. — 1794; de 1. *in-*, et *affectueux.*

♦ Rare. Qui n'est pas affectueux, ne montre aucune affection. *Des enfants inaffectueux.* — REM. Le dérivé *inaffectuosité* est attesté (Paul Arène, *in* T. L. F.).

CONTR. Affectueux.

INAJOURNABLE [inaʒuʀnabl] adj. — 1790; de 1. *in-*, et *ajournable.*

♦ Didact. (admin., dr.). Qui ne peut pas ou ne doit pas être ajourné. *Une décision inajournable.*

CONTR. Ajournable.

INALIÉNABILITÉ [inaljenabilite] n. f. — 1722; de *inaliénable.*

♦ Dr. Caractère de ce qui est inaliénable. *L'inaliénabilité d'un immeuble dotal.* — Anc. dr. *Inaliénabilité du domaine de la couronne, du domaine public.*

INALIÉNABLE [inaljenabl] adj. — 1539; de 1. *in-*, et *aliénable.*

♦ **1.** Dr. Qui ne peut être aliéné. *Immeubles dotaux imprescriptibles* et inaliénables. Droits, valeurs, titres inaliénables.* ⇒ **Incessible.** *Biens inaliénables des communautés religieuses.* ⇒ **Main-morte** (de). *Bien de famille inaliénable et insaisissable.* ⇒ **Homestead** (cit.). *Les biens du domaine public sont inaliénables et imprescriptibles*.*

Par la même raison que la souveraineté est inaliénable, elle est indivisible (...)
ROUSSEAU, Du contrat social, II, 2.

Les objets classés appartenant à l'État sont inaliénables.
Loi du 31 déc. 1913, art. 18.

(...) deux cent quarante francs par trimestre; un titre dont j'ai la nue propriété, un titre incessible et inaliénable, sur lequel on ne peut même pas emprunter, une idée baroque d'un oncle mort paralytique.
G. DUHAMEL, Salavin, I, X.

♦ **2.** (1699). Fig. Littér. Qui ne peut être enlevé, de par sa nature; qui appartient de manière essentielle à... *La dignité inaliénable de chaque homme* (cit. 69). *Un bien inaliénable. Je crois « toutes les valeurs auxquelles je tiens parfaitement inaliénables »* (Gide, *Journal,* 1941, p. 77, *in* T. L. F.).

DÉR. Inaliénabilité, inaliénablement.

INALIÉNABLEMENT [inaljenabləmɑ̃] adv. — Attesté XXe (1936, Maritain); de *inaliénable.*

♦ Rare. De manière inaliénable.

INALIÉNATION [inaljenasjɔ̃] n. f. — 1764; de 1. *in-*, et *aliénation.*

♦ Dr. État de ce qui n'est pas aliéné.

INALLIABLE [inaljabl] adj. — 1671; de 1. *in-*, et *alliable.*

♦ **1.** Techn. Qui ne peut être allié avec autre chose. *Métaux inalliables,* dont on ne peut faire un alliage.

♦ **2.** Fig. *Inalliable à, avec :* qui ne peut être uni à, avec. ⇒ **Incompatible.**

(...) vous ôter votre tristesse, comme une chose inalliable et incompatible avec votre santé.
Mme DE SÉVIGNÉ, 1296, 20 août 1690.

Deux choses presques inaliables *(sic)* s'unissent en moi, sans que j'en puisse concevoir la manière : un tempérament très ardent, des passions vives, impétueuses, et des idées lentes à naître, embarrassées et qui ne se présentent jamais qu'après coup.
ROUSSEAU, les Confessions, III.

INALPAGE [inalpaʒ] n. m. — 1867; de *s'inalper* « s'installer pour la saison d'été avec les troupeaux », du valaisan *inalpa*, du lat. *in-* marquant le mouvement vers, et *alpe*.

♦ Régional (Savoie, Valais). Action de s'installer avec les troupeaux dans les chalets, pour la saison d'été. ⇒ **Estivage.**

Jean-Baptiste avait dit que si l'on était deux ménages pour faire les fruitiers, dans la bonne saison, à l'inalpage de Croix-Maudite, on pourrait se ramasser de l'argent.
Thyde MONNIER, Nans le berger, p. 98.

REM. Le verbe *inalper* (v. tr. et pron.) et le substantif *inalpe* (syn. de *inalpage*) sont également attestés.

INALTÉRABILITÉ [inalteʀabilite] n. f. — 1724; de *inaltérable*.

♦ Didact. Caractère de ce qui est inaltérable. *L'inaltérabilité d'un métal. L'inaltérabilité d'un principe.* ⇒ **Immutabilité.** *Une inaltérabilité absolue.*

Les trois propriétés communes à l'or et à l'argent, qu'on a toujours regardés comme les seuls métaux parfaits, sont la ductilité, la fixité au feu, et l'inaltérabilité à l'air et dans l'eau. BUFFON, Hist. nat. des minéraux, De l'argent.

CONTR. Altérabilité, fragilité.

INALTÉRABLE [inalteʀabl] adj. — V. 1361; de 1. *in-*, et *altérable*, d'après le lat. médiéval *inalterabilis*.

♦ **1.** Qui ne peut être altéré; qui garde ses qualités. *Corps, matière inaltérable au feu* (⇒ **Apyre**), *à la chaleur, à l'humidité, à l'air, au frottement.* ⇒ **Imputrescible, incorruptible, inoxydable, inusable.** — (Sans compl. en *à*). *L'or est inaltérable. Éléments inaltérables de la matière* (→ Atome, cit. 7). *Revêtement, peinture inaltérable. Couleur inaltérable.* ⇒ **Fixe;** → Grand teint*, bon teint*.

(Le diamant) est inaltérable, ou du moins plus durable (...) qu'aucune autre substance.
BUFFON, Hist. nat. des minéraux, t. IV, p. 244, *in* LITTRÉ, art. *Impassible.*

Les couleurs presque inaltérables dont on avait peint tout ce monde, toutes ces bêtes, toutes ces nudités, toutes ces robes, toutes ces parures, ont résisté aux siècles, gardé leur éclat (...) LOTI, l'Inde (sans les Anglais), IV, II.

♦ **2.** *Ciel inaltérable.* ⇒ **Immuable;** → Bourdonnement, cit. 3. *L'inaltérable pureté de l'air* (→ Éthéré, cit. 2).
Les mots ne sont inaltérables ni dans leur forme ni dans leur emploi (cit. 6).

♦ **3.** (1691). Abstrait. Que rien ne peut modifier. *Des principes inaltérables.* ⇒ **Invariable, permanent, perpétuel;** → Honnêteté, cit. 12. *Une inaltérable douceur* (cit. 29). ⇒ **Constant;** → aussi Avantage, cit. 56; exprimer, cit. 17. *Patience, calme, placidité inaltérable* (→ Boutoir, cit.). *Sentiments inaltérables.* ⇒ **Éternel, stable.**

Ce que le bon goût approuve une fois est toujours bien (...) il tire de la convenance des choses des règles inaltérables et sûres, qui restent quand les modes ne le sont plus. ROUSSEAU, Julie ou la Nouvelle Héloïse, V, Lettre II.

(...) il y avait, à travers le calme inaltérable de sa voix et de ses manières, un fond de tristesse qui me frappa (...)
A. DE VIGNY, Servitude et Grandeur militaires, III, VI.

(...) une gaieté qui, sans aller jusqu'à la joie, était inaltérable.
A. DE MUSSET, la Confession d'un enfant du siècle, III, V.

CONTR. Altérable, changeant, fragile.
DÉR. Inaltérabilité, inaltérablement.

INALTÉRABLEMENT [inalteʀabləmɑ̃] adv. — 1770; de *inaltérable*.

♦ Littér. D'une manière inaltérable. *Une voix inaltérablement égale, douce. « La voix est inaltérablement douce, le ton insinuant, le regard teinté d'une douloureuse inquiétude »* (*le Nouvel Obs.*, 8 juin 1981, p. 36).

(...) voir subsister en eux *(leurs visages)*, à travers les expressions successives, quelque chose d'inaltérablement matériel.
PROUST, À l'ombre des jeunes filles en fleurs, Pl., t. I, p. 797.

INALTÉRÉ, ÉE [inalteʀe] adj. — 1794; de 1. *in-*, et *altéré*.

Littéraire. Rare.

♦ **1.** (Concret). Qui n'a subi aucune altération. ⇒ **Intact, pur.**

(Couleurs, sons, voix). Qui n'a pas été modifié par la perte d'une caractéristique. *Des « ors inaltérés »* (Huysmans). *Le bleu inaltéré du ciel.*

J'aurais bien voulu reconnaître mon ami, mais, comme dans *l'Odyssée* Ulysse s'élançant sur sa mère morte, comme un spirite essayant en vain d'obtenir d'une apparition une réponse qui l'identifie, comme le visiteur d'une exposition d'électricité qui ne peut croire que la voix que le phonographe restitue inaltérée soit tout de même spontanément émise par une personne, je cessai de reconnaître mon ami.
PROUST, le Temps retrouvé, Pl., t. III, p. 942.

♦ **2.** (Abstrait) :

Pour retrouver ce moi fondamental, tel qu'une conscience inaltérée l'apercevrait, 2
un effort vigoureux d'analyse est nécessaire (...)
H. BERGSON, Essai sur les données immédiates de la conscience, p. 96.

CONTR. Altéré, changé.

INAMENDABLE [inamɑ̃dabl] adj. — Av. 1595, Montaigne; de 1. *in-*, et *amendable*.

♦ Rare. Qui ne peut être rendu meilleur. *« Les Allemands semblent inamendables »* (Gide, *Journal*, 1944, *in* T. L. F.).

Spécialt. Agric. *Terre inamendable.* — Dr. *Loi, décret inamendable.*

CONTR. Amendable.

INAMICAL, ALE, AUX [inamikal, o] adj. — 1795; de 1. *in-*, et *amical*.

♦ Qui n'est pas amical. ⇒ **Hostile, malveillant;** → Fourniture, cit. *Geste inamical. Attitude inamicale. Regarder qqn d'une manière inamicale.*

(Personnes). *Il a été inamical avec nous.* — Par ext. *Un animal plutôt inamical.*

CONTR. Amical, bienveillant.
DÉR. Inamicalement.

INAMICALEMENT [inamikalmɑ̃] adv. — 1867; de *inamical*.

♦ D'une manière inamicale. *Recevoir qqn inamicalement.*

INAMISSIBILITÉ [inamisibilite] n. f. — 1688; de *inamissible*.

♦ Théol. Caractère de ce qui est inamissible. *Inamissibilité de la grâce.*

INAMISSIBLE [inamisibl] adj. — 1617; de 1. *in-*, et *amissible*.

♦ Théol. Qui ne peut se perdre. *« Grâce inaltérable et inamissible »* (Bourdaloue).

Didact. ou littér. Inaliénable (→ Imperdable, cit. Hugo). — REM. Les emplois non religieux sont rares et proviennent d'auteurs familiers avec le vocabulaire de la théologie.

DÉR. Inamissibilité.

INAMOVIBILITÉ [inamɔvibilite] n. f. — 1774, Beaumarchais; de *inamovible*.

♦ Dr. admin. Prérogative en vertu de laquelle les magistrats et certains fonctionnaires ne peuvent être déplacés, ou privés ou suspendus de leurs fonctions, sans la mise en œuvre de procédures protectrices exorbitantes du droit commun disciplinaire. *Inamovibilité des juges, d'un magistrat. L'inamovibilité des membres de la magistrature assise, l'un des principes fondamentaux du droit public.* — Par ext. *L'inamovibilité d'une fonction, d'un emploi. Inamovibilité des offices dans l'ancien droit.*

Mis à l'abri de toute destitution par l'inamovibilité judiciaire et ne se voyant pas 1
accueilli par l'aristocratie suivant l'importance qu'il se donnait, le président du Ronceret avait pris parti pour la bourgeoisie (...)
BALZAC, le Cabinet des Antiques, Pl., t. IV, p. 428.

On revint à peu près au système de 1771, celui des magistrats nommés par le gou- 2
vernement, la garantie des justiciables étant l'inamovibilité des juges.
J. BAINVILLE, Hist. de France, XVII, p. 394.

L'inamovibilité existait sous l'Ancien Régime comme conséquence de la vénalité 3
et de l'hérédité des offices de judicature. Les fonctions des magistrats étaient inamovibles comme la propriété elle-même. Aujourd'hui, l'inamovibilité existe pour des causes différentes. Elle correspond au besoin que ressent tout pays libre, d'assurer aux magistrats l'indépendance et la dignité de leur vie et constitue surtout une garantie de bonne justice pour les justiciables.
Paul CUCHE, Précis de procédure civile et commerciale, art. *Inamovibilité*, nº 82.

INAMOVIBLE [inamɔvibl] adj. — 1743, *in* D.D.L.; de 1. *in-*, et *amovible*.

♦ **1.** Dr. Qui n'est pas amovible, qui ne peut être destitué, suspendu ou déplacé dans les conditions administratives ordinaires. *Magistrat inamovible.* — (1875). *Sénateurs inamovibles, élus à vie par l'Assemblée nationale* (Constitution de 1875). — (XIXᵉ). *Charge, dignité, poste inamovible,* dont on ne peut être destitué par voie administrative.

Déjà, avant de se séparer, l'Assemblée nationale élue en 1871 et dont l'existence va 1
prendre fin, vient de pourvoir à la nomination des soixante-quinze sénateurs inamovibles. Georges LECOMTE, Ma traversée, p. 26.

Une fois nommés, les magistrats sont inamovibles, ce qui revient à dire qu'ils ne 2
peuvent être destitués, suspendus ou déplacés que dans des conditions prévues par la loi. Ils ne sont pas à la discrétion du pouvoir exécutif.
Paul CUCHE, Précis de procédure civile et commerciale, art. *Inamovibilité*, nº 82.

♦ **2.** (Personnes). Qui garde sa fonction, sa place, qu'on ne remplace pas; qui est toujours présent. ⇒ **Éternel.** — (Choses). → ci-dessous, cit. 4.

3 (...) j'oubliais Dujardin-Beaumetz. Sous-secrétaire d'État aux Beaux-Arts, devenu inamovible. Un de ces médiocres qui ont trouvé le filon.
J. ROMAINS, les Hommes de bonne volonté, t. I, XV, p. 160.

4 (...) jetant un coup d'œil de naufragé autour de lui, embrassant du regard la salle minable, les tables nues, les chaises dures, les inamovibles vieillards aux inamovibles casquettes, aux inamovibles mégots, qui maintenant les regardaient de leurs yeux morts, leurs cartes crasseuses suspendues (...)
Claude SIMON, le Vent, p. 62-63.

INAMUSABLE [inamyzabl] adj. — 1780; de 1. *in-*, *amuser*, et suff. *-able.*

♦ Rare. Qu'on ne peut amuser, divertir (Barrès, *in* T. L. F.). — Sévère, grave (en parlant de l'air, de l'apparence).

INANALYSABLE [inanalizabl] adj. — 1845; de 1. *in-*, et *analysable.*

♦ Qu'on ne peut analyser, expliquer. *Des sentiments inanalysables. « Un parfum subtil et inanalysable »* (Gobineau, *in* T. L. F.).

1 Il pesa un à un ses moindres mots, ses regards, mille choses inanalysables et cependant expressives. FLAUBERT, l'Éducation sentimentale, II, 2.

2 Il cherchait son essence mystérieuse et ne trouvait qu'une foule de petites actions humaines où il avait cherché à lui faire plaisir, à lui plaire, à la voir surtout, de petits sentiments qu'il avait remarqués chez elle, et qu'elle avait réveillés chez lui, tous sentiments très généraux, actions communes à tous et qui n'étaient pas du tout, comme son amour pour elle, quelque chose d'inanalysable et d'unique, comme si son amour eût été un dieu déchu, obligé de parler le langage des hommes (...) PROUST, Jean Santeuil, Pl., p. 832.

Didact. Qui ne peut être analysé, décomposé en éléments. *Des unités inanalysables.*

CONTR. Analysable.

INANALYSÉ, ÉE [inanalize] adj. — 1922, n. m., Proust; de 1. *in-*, et *analysé.*

♦ Didact. Qui n'est pas analysé. *Faits inanalysés.* — N. m. *L'inanalysé.*

CONTR. Analysé.

INANE [inan] adj. — 1838, Barbey; « sans force », déb. XVIe; lat. *inanis* « vide, vain ». → Inanité.

♦ Littér., rare. Sans intérêt, sans valeur.

Vrai Impotent (ou inane ou imbécile ou innocent ou immonde) Privilégié.
Michel LEIRIS, Frêle bruit, p. 302.

INANIMATION [inanimasjɔ̃] n. f. — 1801; de *inanimé*, d'après *animation.*

♦ Littér., rare. Absence d'animation (d'un lieu); caractère d'un lieu où aucune vie ne se manifeste.

Bientôt, les ouvriers s'éloignèrent (...)
Alors l'inanimation retomba sur les débris du chantier; on recommença à entendre les gargouillements tranquilles de l'eau (...)
J.-M. G. LE CLÉZIO, le Déluge, XI, p. 222.

(Correspond à *inanimé*, II.). Caractère peu animé (du visage, de la figure).

CONTR. Animation.

INANIMÉ, ÉE [inanime] adj. — 1478 (1529, *in* T. L. F.); de 1. *in-*, et *animé.*
Qui n'est pas animé*.

★ **I.** ♦ **1.** Qui, par essence, est sans vie. *La matière est inanimée* (→ Hommage, cit. 22). *Corps animés et corps inanimés* (→ Figure, cit. 2). *Objets inanimés, matériels* (→ Âme, cit. 8; grossièreté, cit. 9).

1 La matière inanimée n'a ni sentiment, ni sensation, ni conscience d'existence (...)
BUFFON, Hist. nat. des animaux, *in* LITTRÉ.

1.1 Ils ne nous demandèrent pas nos papiers, l'ancienne police n'assurant plus la surveillance que des objets inanimés, voitures, automobiles, ou pots de fleurs, et devant remettre à la nouvelle celle des êtres humains.
GIRAUDOUX, Siegfried et le Limousin, p. 239.

Par ext. *Genre* (cit. 23) *animé et* (1883) *genre inanimé classant les êtres en vivants et non-vivants. Classement en êtres animés et inanimés* (on dit plus souvent *non animés*). ⇒ **Animé.** *« Un genre inanimé qui correspond au neutre naturel »* (Marouzeau). — N. m. *L'inanimé abstrait, concret.* — *Un inanimé* : un être inanimé.

♦ **2.** (1765). Didact. *Médaille inanimée,* sans âme*, dépourvue de légende.

♦ **3.** (1677). Qui a perdu la vie, ou qui par son immobilité semble l'avoir perdue. *Le corps inanimé d'une personne morte, évanouie.* ⇒ **Immobile, inerte;** → Apaiser, cit. 29; désarroi, cit. 7. *On le ramassa inanimé, sans connaissance.* — *Bras inanimé* (→ Badigeonner, cit. 1).

Et froide, gémissante, et presque inanimée,
Aux pieds de son amant elle tombe pâmée. RACINE, Phèdre, V, 6.

Je demeurai longtemps immobile près d'Ellénore sans vie. La conviction de sa mort n'avait pas encore pénétré dans mon âme; mes yeux contemplaient avec un étonnement stupide ce corps inanimé. B. CONSTANT, Adolphe, X.

★ **II.** (1665). Fig. Qui manque d'âme, d'animation, de vivacité. ⇒ **Inexpressif, insensible; froid, languissant.** *Il y a qqch. de froid* (cit. 29) *et d'inanimé chez cet auteur.*

Elle est prude et dévote, et de là, vous la jugez froide et inanimée? Je pense bien différemment. Quelle étonnante sensibilité ne faut-il pas avoir pour la répandre jusques sur son mari, et pour aimer toujours un être toujours absent?
LACLOS, les Liaisons dangereuses, VI.

Il était d'une beauté accomplie, ce qui, au premier abord, lui donnait l'air inanimé propre aux figures régulières. G. SAND, Elle et Lui, II, p. 45.

Rare. (En parlant d'un lieu.). Qui manque d'animation. ⇒ **Calme, désert.**

(...) il y a quelques arbres par-ci par-là; puis des terrains vagues, une cité ouvrière, de nouveau des petits lotissements semés de cabanes, une usine par-ci par-là, on arrive à Blagny. La petite place inanimée à cette heure de la journée.
R. QUENEAU, le Chiendent, p. 175.

CONTR. Animé, conscient, vivant. — Sensible, vif.

INANISATION [inanizasjɔ̃] n. f. — 1867; du lat. *inanis* « vide », et suff. *-ation.*

♦ Méd. Sous-alimentation sévère entraînant un état proche de l'inanition.

INANITÉ [inanite] n. f. — 1495; lat. *inanitas,* de *inanis* « vide, vain ». → Inane.

♦ **1.** Rare. État de ce qui est vide. ⇒ **Néant, vide.**

(...) tout est devant lui *(Dieu)* comme n'étant point, tout est réputé comme un néant, comme un vide, comme une pure inanité (...)
BOSSUET, Élévation sur le mystère, I, IV.

« Nul ptyx Aboli bibelot d'inanité sonore » (Mallarmé).

Rare. Caractère vide, absent. *« L'insensibilité (...) l'inanité du regard »* (Proust, *À la recherche du temps perdu,* Pl., t. I, p. 731).

♦ **2.** (1580). Cour. Caractère de ce qui est futile, inutile. ⇒ **Futilité, vanité;** → Exaspérer, cit. 9. *L'inanité d'un espoir, d'une illusion. L'inanité de ses efforts.* ⇒ **Inutilité.** *Inanité des disputes, des chicaneries* (cit. 2). *Inanité d'une idée, d'une œuvre.*

Si les autres se regardaient attentivement, comme je fais, ils se trouveraient, comme je fais, pleins d'inanité et de fadaise (...) Nous en sommes tous confits (...)
MONTAIGNE, Essais, III, IX.

Fuis l'embarras du monde autant qu'il t'est possible :
Ces entretiens du siècle ont trop d'*inanité.*
CORNEILLE, Imitation de J.-C., I, 627.

À vrai dire, je demeure indifférent à vos disputes, parce que j'en sens l'inanité.
FRANCE, le Mannequin d'osier, XVII, Œ., t. XI, p. 431.

Heureusement, le Président Poincaré et M. Clemenceau, en bons réalistes, en bons Latins qu'ils sont, ont compris, non seulement l'inanité de ses chimères, mais aussi la secrète mégalomanie du Président Wilson (...)
MARTIN DU GARD, les Thibault, t. VIII, p. 257.

(...) l'inanité des conversations était effarante. GIDE, Journal, 26 janv. 1908.

Telle pièce (...) ne vous paraît plus si mauvaise à côté de celle-là qui se révèle décidément le comble de l'inanité.
Paul LÉAUTAUD, le Théâtre de Maurice Boissard, XXIX.

CONTR. Importance.

INANITIÉ, ÉE [inanisje] adj. — 1844; de *inaniti(on).*

♦ Rare. Qui souffre d'inanition. *Des animaux inanitiés. « Chez les animaux inanitiés, les toxines, arrivant dans un organisme appauvri (...) »* (*l'Année sc. et industr.* 1898, p. 183).

INANITION [inanisjɔ̃] n. f. — 1240; bas lat. *inanitio* « action de vider », de *inanire* (cf. lat. *inanis* « vide, à jeun, affamé »). → Inane, inanité.

♦ **1.** Vieilli. État résultant d'une insuffisance, d'un manque de nourriture.

(...) les hommes de l'état mitoyen, auxquels l'inanition et les excès sont également inconnus. BUFFON, Hist. nat. des animaux, Le bœuf.

Par métaphore :

L'amour (...)
Vit d'inanition et meurt de nourriture.
A. DE MUSSET, Premières poésies, « Mardoche », XVI.

♦ **2.** Cour. Épuisement par défaut de nourriture. ⇒ **Épuisement, faiblesse.** *« Les irritations perpétuelles de l'extrême inanition »* (Crèvecœur, 1801, *in* T. L. F.). Surtout : *d'inanition. Souffrir d'inanition. Bâiller d'inanition. Tomber d'inanition. Mourir d'inanition.* ⇒ **Faim.**

— Je doute que vous la trouviez vivante, me répondit-il. Elle meurt d'une affreuse mort, elle meurt d'inanition. BALZAC, le Lys dans la vallée, Pl., t. VIII, p. 995.

(...) comme le pauvre, mourant d'inanition, songe dans son dernier sommeil qu'il s'assied au haut bout de la table, pour un festin royal.
André SUARÈS, Trois hommes, « Ibsen », IX.

(Animaux). *Poissons morts d'inanition.*

♦ **3.** Fig. (littér. et rare). Accablement par privation. *« Je souffre d'inanition morale et d'asphyxie spirituelle »* (Amiel, *Journal,* 1866, *in* T. L. F.).

DÉR. Inanitié.

INAPAISABLE [inapɛzabl] adj. — 1841 ; de 1. *in-,* et *apaisable.*

♦ Littér. Qui ne peut être apaisé. *Faim, soif inapaisable.* ⇒ **Insatiable.** *Fureur inapaisable.* ⇒ **Implacable.** *Douleur inapaisable.*

(...) c'étaient d'inapaisables spasmes qui disaient seulement les tortures du corps.
MAUPASSANT, Fort comme la mort, II, VI.

1 Mais quoi qu'il fît, soit qu'il essayât de peindre, soit qu'il voulût se promener, soit qu'il traînât de maison en maison sa mélancolie, il était partout harcelé par la préoccupation inapaisable de ces deux femmes.
MAUPASSANT, Fort comme la mort, p. 253.

Maintenant, par une dérision satanique, cet éternel désir d'être heureux, — cette inapaisable soif d'une fontaine qui n'existe pas pour les êtres supérieurs, — se précisait, à deux pas de lui, sous la forme d'un objet palpable, dont la possession l'eût comblé d'horreur.
Léon BLOY, le Désespéré, p. 225.

Enfin je te vis morte,
Inapaisable éclair que le néant supporte,
Vitre sitôt éteinte, et d'obscure maison.
Yves BONNEFOY, Du mouvement et de l'immobilité de Douve, « le seul témoin », *in* Poèmes, p. 50.

INAPAISÉ, ÉE [inapeze] adj. — 1794 ; de 1. *in-,* et *apaisé.*

♦ Littér. Qui n'est pas apaisé. ⇒ **Insatisfait.**

Cependant elle était demeurée insatisfaite, inapaisée, incapable de conduire jusqu'à la finale résolution la symphonie inachevée qui chantait encore en elle.
A. MAUROIS, Terre promise, XXXV.

CONTR. Apaisé.

INAPAISEMENT [inapɛzmɑ̃] n. m. — 1866, Littré, *Suppl.* ; de 1. *in-,* et *apaisement.*

♦ Littér. État d'une personne, d'une chose qui n'est pas apaisée. *L'inapaisement des flots, de la tempête.* — Abstrait. *L'inapaisement de l'esprit.*

INAPERÇU, UE [inapɛʀsy] adj. — 1770 ; de 1. *in-,* et *aperçu.*

♦ Qui n'est pas aperçu, remarqué. *Objet inaperçu* (→ Glisser, cit. 34). *Un geste inaperçu* (→ Architecture, cit. 10 ; freudisme, cit.). *Sa mort survint, presque inaperçue de ses collègues* (→ Animalité, cit. 4). *Rester, demeurer inaperçu* (en parlant d'une chose, d'une personne). — Sujet n. de personne. PASSER INAPERÇU : ne pas être remarqué. ⇒ **Incognito.** *Avec ce costume il ne passera pas inaperçu* (→ Hétéroclite, cit. 5). *Jeune fille très discrète qui passe inaperçue* (→ Élever, cit. 73, et aussi beauté, cit. 35). — Choses. *Ces événements passèrent inaperçus* (→ Goutte, cit. 33).

Hélas ! j'aurai passé près d'elle inaperçu (...) A. ARVERS, Sonnet.

(...) révolutions profondes et cachées qui remuaient le fond de la société humaine sans qu'il en parût rien à la surface, et qui restaient inaperçues des générations mêmes qui y travaillaient.
FUSTEL DE COULANGES, la Cité antique, IV, VI, 1°.

.1 D'ailleurs, Michel Strogoff ne se montra que peu ou pas. Être inaperçu ne lui suffisait plus, il eût voulu être invisible.
J. VERNE, Michel Strogoff, p. 223.

(...) une grande personne maigre qui s'efforçait de passer inaperçue, mais qui n'était pas insignifiante.
MAUPASSANT, Contes, « Mademoiselle Perle », p. 178.

Éclatante sur la scène, elle passa toujours inaperçue en sortant, minuit sonné, du music-hall.
COLETTE, Belles saisons, Nudité, p. 116.

L'exercice qui va se dérouler ne pourra, sans doute, demeurer entièrement inaperçu de la population. Mais il importe qu'elle n'en soupçonne pas la nature véritable.
J. ROMAINS, les Copains, V, p. 175.

Je ne devais pas passer inaperçu, depuis le temps, et cependant on ne l'aurait pas dit, que je ne passais pas inaperçu. Je ne parle pas du bonjour, j'en aurais été le premier troublé, autant presque que par un signe de tête, ou de main. Mais les autres signes, irrépressibles, tressaillements et grimaces, par lesquels malgré eux les gens vous accusent, non plus, il me semble, sinon peut-être de la part des chevaux, pourtant bien stylés, et munis d'œillères, qui traînaient les corbillards, et encore, je me faisais sans doute trop d'honneur.
S. BECKETT, Textes pour rien, p. 179.

INAPPARENT, ENTE [inapaʀɑ̃, ɑ̃t] adj. — 1553 ; de 1. *in-,* et *apparent.*

Didactique ou littéraire.

♦ **1.** Qui n'est pas apparent. — Pathol. *Infection inapparente,* sans symptôme clinique.

♦ **2.** Fig. Non décelable, non manifeste.

À côté de la conscience qui s'exprime, il existe une conscience plus obscure qui marque la permanence même d'un psychisme inapparent.
Henri BARUK, Psychoses et Névroses, p. 73.

CONTR. Apparent, perceptible, visible.

INAPPÉTENCE [inapetɑ̃s] n. f. — 1549 ; de 1. *in-,* et *appétence.*

♦ **1.** Didact. Défaut d'appétit. ⇒ **Anorexie.**

L'appétit perdu ou inappétence par laquelle le malade perd tout à fait la volonté de manger. Ambroise PARÉ, Œuvres, XX bis, 13. 1

Que je souffre d'anorexie, c'est trop dire : le pire, c'est que je n'en souffre presque pas ; mais mon inappétence physique et intellectuelle est devenue telle que parfois je ne sais plus ce qui me maintient encore en vie sinon l'habitude de vivre. 2
GIDE, Ainsi soit-il, p. 14.

(...) les mêmes symptômes d'inappétence, de somnolence (...) 3
Henri MONDOR, Pasteur, p. 141.

L'état général s'altère, l'amaigrissement progresse. Le malade d'ailleurs s'alimente mal et garde depuis son entrée une inappétence prononcée. 3.1
B. CENDRARS, Moravagine, Œ. compl., t. IV, p. 258.

♦ **2.** Fig. Littér. Manque d'appétit, de besoin, de désir. ⇒ **Dégoût, indifférence.** *Inappétence sexuelle. Inappétence sentimentale* (→ Condiment, cit. 2), *intellectuelle.*

Ah oui, sa désillusion était complète ! L'assouvissement de l'après justifiait l'inappétence de l'avant. Elle le répugnait *(sic)* et il se faisait horreur ! 4
HUYSMANS, Là-bas, XIII, p. 187.

CONTR. Appétence, appétit, besoin, faim. — Avidité, désir.

INAPPLICABILITÉ [inaplikabilite] n. f. — 1829 ; de *inapplicable.*

♦ Didact. Caractère de ce qui n'est pas applicable. *L'inapplicabilité d'un test. L'inapplicabilité d'une règle, d'une opération.*

INAPPLICABLE [inaplikabl] adj. — 1762 ; de 1. *in-,* et *applicable.*

♦ **1.** Qui ne peut être appliqué. *Théorie inapplicable. Loi, décret inapplicable.* ⇒ **Impraticable.**

(...) ceux qui prendront votre suite ne douteront pas d'être des sacrifiés, et d'abord parce que vous aurez rendu inapplicable le plan qu'ils avaient conçu.
F. MAURIAC, Bloc-notes 1952-1957, p. 60.

♦ **2.** Impossible à employer, à utiliser. *C'est un procédé, un moyen inapplicable.* — *Inapplicable à qqch. Exemple inapplicable à un cas. Inapplicable dans une circonstance.*

♦ **3.** Vx. (Personnes). Qui ne peut pas s'appliquer (Proudhon, Sainte-Beuve, *in* T. L. F.).

CONTR. Applicable.
DÉR. Inapplicabilité.

INAPPLICATION [inaplikasjɔ̃] n. f. — 1671 ; de 1. *in-,* et *application.*

Didactique ou littéraire.

♦ **1.** Manque d'application, de soin. ⇒ **Étourderie, inattention.** *Inapplication d'un élève.* — Par ext. Faute, erreur qui en résulte.

(Je) tâche de réparer ses inapplications par mon opiniâtreté (...)
LA BRUYÈRE, Lettres, XVII.

♦ **2.** (1873). Défaut d'application, de mise en pratique. *L'application d'un système ne prouve pas qu'il soit inapplicable* (P. Larousse).

CONTR. Application.

INAPPLIQUÉ, ÉE [inaplike] adj. — 1677 ; de 1. *in-,* et *appliqué.*

♦ **1.** Personnes. Qui n'est pas appliqué, qui manque d'application. *Écolier inappliqué.* ⇒ **Étourdi, inattentif.**

(...) toutes les expériences sont inutiles aux princes amollis et inappliqués, qui vivent sans réflexion.
FÉNELON, Télémaque, XI.

♦ **2.** (1840). Choses. Qui n'a pas été appliqué, mis en pratique. *Procédé encore inappliqué. Cette découverte est restée longtemps inappliquée* (Académie).

CONTR. Appliqué, attentif.

INAPPRÉCIABLE [inapʀesjabl] adj. — Mil. XVe ; de 1. *in-,* et *appréciable.*

♦ **1.** (1835). Qui ne peut être apprécié, évalué. *Quantité, distance inappréciable. Différence, nuance inappréciable.*

(...) l'essentiel de la pensée, cet élément « confus, infiniment mobile, inappréciable, sans raison, délicat et fugitif, que le langage ne saurait saisir sans en fixer la mobilité ni l'adapter à sa forme banale ». 1
J. PAULHAN, les Fleurs de Tarbes, p. 66.

♦ **2.** Qu'on ne saurait trop apprécier, estimer ; qui a une grande valeur. ⇒ **Inestimable, précieux ;** → D'importance, sans prix*. *Service, aide inappréciable. D'inappréciables avantages. Bonheurs rares et inappréciables* (→ Espacer, cit. 4). — Personnes. *Un ami inappréciable.*

2 Et, là-dessus, c'est l'énuméré des inappréciables avantages auxquels il a renoncé par amitié pour moi (...) COURTELINE, Messieurs les ronds-de-cuir, III, III.

3 J'ai l'inappréciable bonheur de posséder encore ma mère.
G. DUHAMEL, Salavin, IV, 7 janv.

N. m. *L'inappréciable.*

CONTR. Appréciable. — Exécrable. — Modique.
DÉR. Inappréciablement.

INAPPRÉCIABLEMENT [inapʀesjabləmɑ̃] adv. — 1909, *in* T. L. F.; de *inappréciable.*

♦ Rare. D'une manière inappréciable.

INAPPRÉCIÉ, ÉE [inapʀesje] adj. — Av. 1830, Ségur, *in* Littré; de 1. *in-*, et *apprécié*, p. p. de *apprécier.*

♦ Littér. Qui n'est pas apprécié (ex. de Chateaubriand, Balzac, Gide *in* T. L. F.).

CONTR. Apprécié.

INAPPRIVOISABLE [inapʀivwazabl] adj. — 1765; de 1. *in-*, et *apprivoisable.*

♦ Didact. Qui ne peut être apprivoisé. ⇒ **Fier, sauvage.**

1 (...) l'oiseau solitaire, sauvage, inapprivoisable (...) commence son chant (...)
DIDEROT, Salon de 1765.

2 (...) l'île de Java, le pays du monde où la nature est le plus intense et semble elle-même quelque grande tigresse, inapprivoisable à l'homme, qui le fascine et qui le mord dans toutes les productions de son sol terrible et splendide.
BARBEY D'AUREVILLY, les Diaboliques, « Le bonheur dans le crime ».

CONTR. Apprivoisable.

INAPPRIVOISÉ, ÉE [inapʀivwaze] adj. — 1794; de 1. *in-*, et *apprivoisé.*

♦ Didact. Qui n'est pas apprivoisé. ⇒ **Sauvage.**

CONTR. Apprivoisé.

INAPPROCHABLE [inapʀɔʃabl] adj. — Fin XVe, *inapprouchable;* repris déb. XIXe (1817, Stendhal); de 1. *in-*, et *approchable.*

♦ **1.** Qu'on ne peut approcher. *Une personne inapprochable*, dont on ne peut s'approcher. — *Les abords inapprochables de cette contrée.*

♦ **2.** Fig. Littér. Dont on ne peut approcher, qu'on ne peut atteindre. ⇒ **Inaccessible, inatteignable.** *Profondeur inapprochable.*

CONTR. Approchable.

INAPPROPRIABLE [inapʀɔpʀijabl] adj. — 1900; de 1. *in-*, et *appropriable.*

♦ Dr. Qui ne peut être approprié.

(...) il existe dans la nature un grand nombre de choses qui n'appartiennent réellement à personne, *des choses qui n'ont pas de maître.* Il y a lieu de s'en occuper au point de vue du droit, soit parce que beaucoup d'entre elles peuvent devenir, d'un moment à l'autre, un objet de propriété (...) soit parce que la loi doit régler l'usage de celles qui sont en elles-mêmes inappropriables.
M. PLANIOL, Traité élémentaire de droit civil, t. I, n° 2185, p. 738.

INAPTE [inapt] adj. et n. — XVe, *inapt*, puis 1559; rare jusqu'à la fin du XVIIIe, on employait dans ce sens *inepte**; de 1. *in-*, et *apte.*

♦ **1.** a Qui n'est pas apte à..., qui manque d'aptitude pour... ⇒ **Incapable, inhabile.** *Personne inapte aux affaires, aux études. Inapte à diriger une affaire* (⇒ **Inaptitude**). *Être inapte à faire qqch.* — Sans compl. *Il, elle est inapte.* — N. *C'est un, c'est une inapte.*

1 (...) il avait pu remarquer combien petit était le crédit de l'aspirant, combien il était inapte à se faire apprécier, et presque installé dans cette inaptitude (...)
MONTHERLANT, le Songe, I, VII, p. 119.

Milit. Impropre au service en général, ou à une arme en particulier. *Il fut déclaré inapte.*

2 J'avais été déclaré « inapte », comme on disait (...) De temps en temps, tous les trois ou quatre mois, je passais devant une commission médicale.
JEAN GUÉHENNO, Journal d'un homme de 40 ans, p. 211, *in* T. L. F.

N. m. *Inaptes versés dans l'auxiliaire.*

b N. m. Biol. Individu physiquement incapable de vivre normalement. *Entraver la multiplication des inaptes* (→ Eugénique, cit. 1).

♦ **2.** Choses (rare). Qui n'est pas capable de, propre à. ⇒ **Impropre.**

CONTR. Adroit, apte, capable.

INAPTITUDE [inaptityd] n. f. — 1380, puis 1487; rare jusqu'au XVIIIe (1745, Diderot); de 1. *in-*, et *aptitude.*

Didactique ou littéraire.

♦ **1.** (Personnes). Défaut d'aptitude (à qqch.). ⇒ **Incapacité.** *L'inaptitude de qqn. Une inaptitude complète, absolue. Sa lamentable inaptitude.* — *Inaptitude physique, intellectuelle*, concernant l'activité physique, intellectuelle. *Inaptitude à un exercice physique. Inaptitude aux affaires, aux études. Mon inaptitude à rimer* (→ Gouverner, cit. 46, Renan). *Inaptitude à vivre en société. L'inaptitude à obéir :* l'impossibilité de se plier à une discipline. *Inaptitude pour faire qqch., pour qqch.*

Que pouvais-je espérer de moi, qui sentais si bien mon inaptitude à m'exprimer impromptu?
ROUSSEAU, les Confessions, XII.

(...) mon inaptitude pour tout ce qui touche la prosodie et la métrique.
Ch. DU BOS, Journal, 1922, p. 204, *in* T. L. F.

Absolt. Milit. État d'un soldat inapte.

♦ **2.** Rare. (Choses). État de ce qui n'a pas les caractères convenables.

CONTR. Adresse, aptitude, capacité, facilité.

INARRACHABLE [inaʀaʃabl] adj. — Fin XVe; de 1. *in-*, *arracher*, et suff. *-able.*

♦ Qu'on ne peut arracher. *Fiches électriques inarrachables.* — Fig. Qu'on ne peut arracher de soi. ⇒ **Inoubliable.**

(...) la voiture à bras du déménagement de ses vieilles illusions archi-décrépites, crevassées, poussiéreuses, grelottantes, mais cramponnées encore et inarrachables!
Léon BLOY, le Désespéré, p. 75.

Inarrachable de... : qu'on ne peut arracher, séparer violemment de...

— Oui. L'Allemagne est inarrachable de l'Europe.
— Je vous prie?
— On ne peut arracher l'Allemagne de l'Europe, ni du monde.
MALRAUX, Antimémoires, Folio, p. 240.

CONTR. Arrachable.

INARRANGEABLE [inaʀɑ̃ʒabl] adj. — 1813, B. Constant, *in* T. L. F.; de 1. *in-*, *arranger*, et *-able.*

♦ Qu'on ne peut arranger, réparer (concret et abstrait).

Les choses inarrangeables, surtout par la difficulté de mettre les pouces avec un gaillard comme Paul Astier (...)
Alphonse DAUDET, l'Immortel, p. 225 (1883).

Voilà le malentendu inarrangeable (...) Il aurait fallu que les prêtres ouvriers accomplissent le miracle, tout en demeurant des ouvriers pareils à tous les autres, de préserver en eux cette créature marquée d'un signe, chargée d'une puissance sacramentelle (...)
F. MAURIAC, Bloc-notes 1952-1957, p. 340.

INARTICULABLE [inaʀtikylabl] adj. — Av. 1787, Galiani, *in* Littré; de 1. *in-*, *articuler*, et *-able.*

♦ Impossible à articuler. ⇒ **Imprononçable.** *Un groupe de lettres inarticulable.* — Qui ne peuvent être articulés entre eux (en parlant d'éléments).

INARTICULATION [inaʀtikylasjɔ̃] n. f. — 1794; de *inarticulé*, d'après *articulation.*

♦ Didact. Caractère de ce qui est inarticulé. Impossibilité à articuler.

INARTICULÉ, ÉE [inaʀtikyle] adj. — Fin XVe; *main inarticulée*, 1380; de 1. *in-*, et *articulé.*

♦ **1.** Qui n'est pas articulé; qui est émis, prononcé sans netteté. *Émettre des sons inarticulés* (→ Inachevé, cit. 1). *Mots inarticulés d'un enfant, d'une personne qui rêve, qui délire...*

(...) le joli dormeur poussait de temps en temps quelques soupirs vagues et inarticulés, comme une personne qui va se réveiller (...)
Th. GAUTIER, Mlle de Maupin, VI, p. 174.

N. m. *L'inarticulé.*

♦ **2.** Littér. Flou, informe.

CONTR. Articulé, clair.

INASSERMENTÉ, ÉE [inasɛʀmɑ̃te] adj. — 1792; de 1. *in-*, et *assermenté.*

♦ ⇒ **Insermenté.**

INASSERVI, IE [inasɛʀvi] adj. — 1867; de 1. *in-*, et *asservi.*

♦ Rare. Qui n'a pas été asservi.

INASSIGNABLE [inasiɲabl] adj. — 1737, *in* Littré, *Suppl.*; de 1. *in-*, et *assignable.*

♦ Didact. ou littér. Rare. Qu'on ne peut déterminer, assigner avec précision.

INASSIMILABLE [inasimilabl] adj. — 1834, Broussais, *in* D. D. L.; de 1. *in-*, et *assimilable.*

♦ **1.** Qui n'est pas assimilable. *Substances inassimilables (par l'organisme).*

.1 (...) il pouvait toujours sentir au-dedans de lui la bière rebelle à toute digestion, inassimilable (...) Claude SIMON, le Palace, 10/18, p. 183.

♦ **2.** *Connaissances inassimilables,* que l'on ne peut comprendre, ni retenir intégralement. *Inassimilable à, pour.*

La place donnée dans l'éducation, au savoir inassimilable prouve que la société se rend compte de son impuissance. Il ne s'agit que de passer le temps.
J. CHARDONNE, l'Amour du prochain, II, p. 59.

.1 Or, l'appartenance doctrinale met en cause à la fois l'énoncé et le sujet parlant, et l'un à travers l'autre. Elle met en cause le sujet parlant à travers et à partir de l'énoncé, comme le prouvent les procédures d'exclusion et les mécanismes de rejet qui viennent jouer lorsqu'un sujet parlant a formulé un ou plusieurs énoncés inassimilables; l'hérésie et l'orthodoxie ne relèvent point d'une exagération fanatique des mécanismes doctrinaux; elles leur appartiennent fondamentalement.
M. FOUCAULT, l'Ordre du discours, p. 44-45.

♦ **3.** *Individu inassimilable,* qui ne peut se fondre dans une communauté. ⇒ **Inadapté.**

Il n'est pas bon, pour une société, de voir croître trop vite le nombre d'étrangers inassimilables, ni d'être envahie d'un coup par des notions qui s'accordent mal à son génie. DANIEL-ROPS, Jésus en son temps, III, p. 173.

(...) ces originaux inassimilables par une société policée et qui vivent en marge de la vie collective. SARTRE, Situations II, p. 140.

♦ **4.** Rare. *Inassimilable à qqch :* qui ne peut être assimilé à qqch. considéré comme semblable. ⇒ **Différent, incomparable.** *La situation actuelle est inassimilable à celle de l'an passé.*

CONTR. Assimilable.

INASSIMILATION [inasimilɑsjɔ̃] n. f. — 1928, *in* T. L. F.; de 1. *in-,* et *assimilation.*

♦ Didact. ou littér. Rare. Défaut d'assimilation.

CONTR. Assimilation.

INASSIMILÉ, ÉE [inasimile] adj. — 1933, *in* T. L. F.; de 1. *in-,* et *assimilé.*

♦ Didact. Qui n'est pas assimilé.

CONTR. Assimilé.

INASSOUVI, IE [inasuvi] adj. — 1794; de 1. *in-,* et *assouvi.*

♦ **1.** (Choses : sentiments, besoins). Qui n'est pas assouvi, satisfait. ⇒ **Insatisfait.** *Faim inassouvie.* ⇒ **Inapaisé.** — Fig. *Un appétit inassouvi de travail manuel* (→ Facilité, cit. 2). *Désir inassouvi qui hante* (cit. 13) *et obsède. Une haine inassouvie. Âme inquiète et inassouvie.*

1 (...) Soit. Qu'importe la mort des autres! J'ai la vie.
Je suis une faim vaste, ardente, inassouvie. HUGO, Torquemada, II, sc. 3.

Pauvres sœurs, je vous aime autant que je vous plains,
Pour vos mornes douleurs, vos soifs inassouvies,
Et les urnes d'amour dont vos grands cœurs sont pleins!
BAUDELAIRE, les Fleurs du mal, CXI.

2 La haine inassouvie et repue à la fois (...) VERLAINE, Sagesse, I, III.

3 Le barbare, en effet, représentant quelque chose d'inassouvi, est l'éternel trouble-fête des siècles satisfaits.
RENAN, Questions contemporaines, Œ., t. I, p. 215.

4 Penellan et les autres, à demi privés de nourriture, engourdis par le froid, pourraient-ils résister à ces bêtes redoutables, qu'excitait une faim inassouvie?
J. VERNE, Un hivernage dans les glaces, p. 312.

5 La province française est peuplée de jeunes êtres consumés d'appétits inassouvis. Toutes ces ambitions refoulées, et dont le refoulement décuple la puissance, assurent plus tard aux provinciaux les premières places dans la politique, dans la littérature, dans les affaires. F. MAURIAC, la Province, p. 33.

♦ **2.** (Personnes). Dont les aspirations, les désirs (notamment érotiques, sexuels) ne sont pas satisfaits.

6 Oui, il en a assez... Assez de se sentir glisser, s'accrochant à des points d'appui qui cèdent, assez de ces quêtes misérables qui le laissent plus inassouvi, plus démuni qu'avant... Quitter tout cela. Changer de peau. Changer de vie.
N. SARRAUTE, le Planétarium, p. 288.

Corps inassouvi, chair inassouvie.

Nom :

7 Deux façons (...) d'exciter les inquiets et les inassouvis, le genre « fichu » et le genre « garçonne ». CÉLINE, Voyage au bout de la nuit, XXXIV, p. 336.

CONTR. Apaisé, assouvi, comblé, repu, satisfait.

INASSOUVISSABLE [inasuvisabl] adj. — 1845; de 1. *in-, assouvir,* et *able.*

♦ Littér. Qui ne peut être assouvi. *Faim inassouvissable.* ⇒ **Insatiable.** *Désir, soif inassouvissable.* ⇒ **Inapaisable.**

Par ext. *Personne inassouvissable.*

(...) leur désir serait à jamais inassouvissable si l'argent ne leur livrait de vrais hommes, et si l'imagination ne finissait par leur faire prendre pour de vrais hommes les invertis à qui ils se sont prostitués.
PROUST, Sodome et Gomorrhe, Pl., t. II, p. 615.

INASSOUVISSEMENT [inasuvismɑ̃] n. m. — 1845; de 1. *in-,* et *assouvissement.*

Littéraire.

♦ **1.** État d'une personne inassouvie. ⇒ **Frustration, insatisfaction.** *L'inassouvissement de qqn. Son inassouvissement était perpétuel. Un inassouvissement pénible. Être en état d'inassouvissement.*

L'amour est en effet un désert, lorsque par le mot on n'entend rien autre chose que l'assouvissement ou l'inassouvissement, autrement dit quand l'amour ne reconnaît nul autre critère que la sensation.
Charles DU BOS, Journal, 1925, p. 332, *in* T. L. F.

♦ **2.** État de ce qui ne peut être assouvi. *L'inassouvissement d'un besoin, d'un désir.*

CONTR. Apaisement, assouvissement, satisfaction.

INATTAQUABLE [inatakabl] adj. — 1726; de 1. *in-,* et *attaquable.*

♦ **1.** Qu'on ne peut attaquer avec succès. *Poste militaire, position inattaquable.*

Il avait attaqué avec trop d'opiniâtreté un corps inattaquable. 1
VOLTAIRE, Correspondance avec le roi de Prusse, Notice sur le roi...

Une société très dure qui imposerait ses cadres, ses faveurs et sa hiérarchie, 2
sans ménagement, sans admettre une critique, serait inattaquable. La révolte ne vient jamais des victimes (...) J. CHARDONNE, l'Amour du prochain, VII, p. 176.

Par analogie :

La trouvant attachée à son mari, à ses devoirs, toujours froide, raisonnante, et inat- 3
taquable par les sens, il l'attaqua par des sophismes (...)
ROUSSEAU, les Confessions, V.

♦ **2.** Qui ne peut être attaqué, altéré. ⇒ **Inaltérable.** *Substance inattaquable par la rouille.*

Je vois ces traces de l'âge comme étrangères à toi (...) Un visage aimé est inatta- 4
quable (...) Il ne change pas, alors que tout change en nous.
J. CHARDONNE, les Destinées sentimentales, p. 417.

♦ **3.** Qui ne peut être mis en cause. *Droit inattaquable. Texte, preuve inattaquable.* ⇒ **Authentique, certain.** *Vertu inattaquable.* → Hors d'atteinte*. *L'honnêteté* (cit. 4) *inattaquable d'un critique.* (Personnes). Dont la conduite, la personnalité ne prêtent à aucune critique. *C'est un homme inattaquable. Elle est inattaquable sur le plan moral.*

Ce qui fit le charme d'Emmeline, ce fut son parti pris de n'attaquer personne, et 5
d'être elle-même inattaquable. A. DE MUSSET, Nouvelles, « Emmeline », III.

Mme Walter est une de celles dont on n'a jamais rien murmuré, mais tu sais, là, 6
jamais, jamais. Elle est inattaquable sous tous les rapports (...) C'est une honnête femme. MAUPASSANT, Bel-Ami, II, III.

REM. Renan emploi le dér. *inattaquabilité* n. f. (*Feuilles détachées,* p. 411, *in* T. L. F.) et Bloy l'adv. *inattaquablement* (*Histoires désobligeantes,* p. 35, *in* T. L. F.).

CONTR. Attaquable, critiquable, douteux.

INATTAQUÉ, ÉE [inatake] adj. — 1786; de 1. *in-,* et *attaqué.*

♦ Littér. Qui n'a jamais été mis en question, discuté, critiqué.

(...) il *(Cibot)* jouissait du privilège inattaqué de faire les raccommodages, les reprises perdues, les mises à neuf de tous les habits dans un périmètre de trois rues.
BALZAC, le Cousin Pons, Pl., t. VI, p. 561.

CONTR. Attaqué.

INATTEIGNABLE [inatɛɲabl] adj. — 1813, Stendhal, *Journal,* 18 mars; de 1. *in-,* forme de *atteindre,* et *-able.*

Littéraire.

♦ **1.** Qu'on ne peut atteindre. — REM. On trouve aussi la forme *inattingible* [inatɛ̃ʒibl] (v. 1922).

Peut-être les indigènes les ont-ils incendiés à leur base, encombrée de vieilles feuil- 1
les qui rendaient inatteignables les fruits?
GIDE, Voyage au Congo, *in* Souvenirs, Pl., p. 832.

♦ **2.** Fig. Que l'on ne peut maîtriser, séduire, etc. *Inatteignable à..., pour...* (quelqu'un).

Le Grand Meaulnes, Le Château des Carpathes, Les Hauts de Hurlevent... trois 2
histoires d'amour où la femme diversement est inatteignable à l'homme (...)
ARAGON, Blanche..., III, IV, p. 472.

Là encore il s'agit d'un idéal inatteignable en son absolu (...) 3
G. MENDEL, Psychanalystes, Médecins et Rationalité, *in* la Nef, nº 31, p. 41.

CONTR. Atteignable.

INATTENDU, UE [inatɑ̃dy] adj. — 1613; de 1. *in-,* et *attendu.*

♦ Qu'on n'attendait pas, à quoi on ne s'attendait pas. — (Personnes). Que l'on n'attendait pas. *L'arrivée de convives inattendus* (→ Fondu, cit. 3). *Personnage inattendu qui survient à l'improviste** (→ Félicité, cit. 7). — *Visite inattendue. Rencontre inattendue.* ⇒ **Fortuit, imprévu, inopiné.** *L'agression* (cit. 1), *attaque inattendue. Fusillade inattendue.* ⇒ **Brusque;** → Crépiter, cit. 1. *Une nouvelle inattendue.* ⇒ **Étourdissant, surprenant.** *C'est un profit inattendu.* ⇒ **Inespéré;** → Aubaine. *Une audace inattendue chez un homme craintif* (→ Étincelle, cit. 4). *Avec une fermeté inat-*

tendue. ⇒ **Insoupçonné;** → Gêne, cit. 13. *Cette réaction est inattendue chez lui.* ⇒ **Accidentel, exceptionnel.** *Dessins inattendus.* ⇒ **Étrange;** → Arabesque, cit. 8. *Un mélange inattendu de styles différents. Un ensemble réussi bien qu'assez inattendu.* Spécialt. Qui surprend, déconcerte. ⇒ **Déconcertant, déroutant.**

0.1 Tout un ordre de faits inattendus surgissait et le subjuguait. Tout un monde nouveau apparaissait à son âme. HUGO, les Misérables, Jean Valjean, IV, p. 172.

1 Une telle nouvelle si inattendue, si peu préparée par ces rumeurs de maladie qui accoutument à l'idée de la mort, nous jeta dans une stupeur morne. Th. GAUTIER, Portraits contemporains, p. 144.

2 Il avait peu de culture littéraire, mais sa parole était pleine de saillies inattendues. RENAN, Souvenirs d'enfance..., IV, p. 174.

3 *(Il)* demeura une seconde, interloqué, la porte une fois ouverte, devant cette visite inattendue. Paul BOURGET, Un divorce, I, p. 7.

4 Songez à des mots inattendus et essayez-les; tentez d'accoupler des épithètes disparates; elles donnent souvent des effets surprenants; changez l'adjectif en adverbe; le verbe en substantif et réciproquement. Antoine ALBALAT, l'Art d'écrire, p. 193.

5 Au printemps, mon jardin m'étonne par ses inventions; j'y trouve à peu près ce que j'attendais, mais je ne me doute pas après l'hiver, des germes cachés dans la terre : ils jaillissent en pousses inattendues (...) J. CHARDONNE, l'Amour du prochain, III, p. 79.

6 Cette simple phrase produisit un effet inattendu. G. DUHAMEL, Salavin, V, I.

7 Il y avait des cas où l'excès de malheur provoquait des réactions inattendues : le rire, par exemple (...) SARTRE, le Sursis, p. 323.

N. m. (1862, *un inattendu*, Hugo). *L'inattendu.* Un événement inattendu; l'ensemble des événements inattendus.

8 Le rire naît de l'inattendu, et rien de plus inattendu que ce dénoûment. HUGO, l'Homme qui rit, II, II, IX.

9 Elle vivait depuis l'avant-veille dans un désarroi qu'aucun surcroît d'inattendu ne pouvait plus aggraver. MARTIN DU GARD, les Thibault, t. IV, p. 146.

(Personnes). Qu'on n'attendait pas. *Un visiteur, un allié inattendu.*

10 Sans moi, vous périrez. Sans vous, j'étais perdu.
Vous fûtes imprévus, je suis inattendu.
Comment donc êtes-vous ici? Comment y suis-je?
Vous fûtes le miracle et je suis le prodige. HUGO, Torquemada, IV, 4.

CONTR. Attendu, prévu. — Coutumier. — Banal, normal.

INATTENTIF, IVE [inatɑ̃tif, iv] adj. — 1723, Massillon; de 1. *in-*, et *attentif.*

♦ Qui ne prête pas attention aux circonstances extérieures; qui manque d'attention. ⇒ **Absent, distrait, écervelé, étourdi, léger.** *Spectateur, auditeur inattentif. Élève inattentif dans son travail.* ⇒ **Inappliqué.** *Un esprit inattentif. — Un air inattentif.*

1 L'élévation est d'ordinaire ou dure ou inattentive. MASSILLON, Oraison funèbre de Madame.

2 Nous sommes trop inattentifs ou trop occupés de nous-mêmes pour nous approfondir les uns les autres. VAUVENARGUES, Réflexions et Maximes, 330.

(Choses). *Regard, examen inattentif.*

2.1 Naturellement, je ne laissais pas voir ce désir à Andrée et, quand je lui parlais de la famille d'Albertine, c'était de l'air le plus inattentif. PROUST, À l'ombre des jeunes filles en fleurs, Folio, p. 600.

Inattentif à... : qui ne prête pas attention à..., ne se préoccupe guère de... ⇒ **Indifférent.** — Rare. *Être inattentif pour qqn, pour quelque chose.*

3 (...) Tandis qu'autour de vous
Le monde, inattentif aux choses délicates,
Bruit ou gît en somnolences scélérates (...)
VERLAINE, Parallèlement, Lunes, Ces passions qu'eux seuls...

Spécialt. Qui manque de considération, d'intérêt réel. *« La sympathie inattentive et fugace de la haute société »* (Romain Rolland, *Beethoven, in* T. L. F.).

N. *Un inattentif, une inattentive,* personne inattentive.

CONTR. Appliqué, attentif, avide (avec des compléments tels que : de connaissance, de savoir, etc.), **circonspect.**
DÉR. Inattentivement.

INATTENTION [inatɑ̃sjɔ̃] n. f. — 1662; de 1. *in-*, et *attention.*

♦ **1.** Manque d'attention. **a** *Inattention à... L'inattention (de qqn) à qqch.* ⇒ **Indifférence;** → Goûter, cit. 12.

b Mod. (Sans compl. en *à*). *L'inattention de qqn, son inattention. Une profonde inattention.* ⇒ **Distraction, évagation;** → Highlander, cit. *Un instant, une minute d'inattention* (→ Homme, cit. 125). *Être imprudent par inattention.* ⇒ **Inadvertance, insouciance, légèreté, mégarde** (par mégarde), **négligence.** *Homicide* (2. Homicide, cit. 3) *par inattention* (⇒ **Imprudence**). *L'inattention, cause de désordre et d'erreur.* ⇒ **Inconséquence, incurie, irréflexion;** → Compte, cit. 23; fausser, cit. 5. *L'inattention et la dissipation d'un élève.*

1 Ce qui est trop fréquent dans Voltaire, c'est un certain degré d'*inattention,* qui, dans ce qu'il a de plus soigné, laisse toujours quelques défectuosités qu'on aurait fait disparaître sans peine. LAHARPE, cité par LAFAYE, Dict. des synonymes, Inattention.

Une inattention : un moment d'inattention; une attitude, un comportement qui implique l'inattention. *Une dangereuse inattention. Des inattentions répétées. La pire, la plus grave inattention.*

2 Si dans la nouvelle géographie d'Hubner on trouve que les bornes de l'Europe sont à l'endroit où le fleuve Oby se jette dans la mer Noire, et que l'Europe a trente millions d'habitants, voilà des inattentions que tout lecteur instruit rectifie. VOLTAIRE, Hist. de l'Empire de Russie, Préface.

Loc. (1740). *Faute, erreur d'inattention :* omission, oubli, étourderie. → Faute, *infra* cit. 34.

♦ **2.** (1768). Vx. Manque d'égards.

(...) son cœur altier, méprisant sans dépit les inattentions de Formosante, avait conçu pour elle plus d'indifférence que de colère. VOLTAIRE, la Princesse de Babylone, III.

CONTR. Attention. — Application, circonspection, contention. — Égard.

INATTENTIVEMENT [inatɑ̃tivmɑ̃] adv. — D. i. (1910, Péguy, *in* T. L. F.); de *inattentif.*

♦ Littér. D'une manière inattentive; en portant peu d'attention à (quelqu'un, quelque chose).

CONTR. Attentivement.

INATTRAPABLE [inatʀapabl] adj. — Mil. XIXe (1859, cit. ci-dessous); de 1. *in-, attraper,* et *-able.*

♦ Impossible à saisir, à retenir (abstrait et concret).

1 Je regrette toujours autant Le Launay et je ne sais comment je passerai les *2 mois et demi* que j'ai à attendre avant de le revoir, ils me paraîtront un siècle, et maintenant je regarde comme très éloigné et presque inattrapable le moment où je pourrais embrasser les habitants du Launay. Tristan CORBIÈRE, Lettre à Édouard Corbière, 18 mai 1859.

2 (...) j'ai compris de quelle manière ça t'échappait des salsifis *(doigts),* un objet. La fraction de seconde où il devient inattrapable. SAN-ANTONIO, J'ai essayé : on peut!, p. 64.

INATTRAYANT, ANTE [inatʀɛjɑ̃, ɑ̃t] adj. — 1936; de 1. *in-*, et *attrayant.*

♦ Rare. Qui n'a pas d'attrait, ne présente pas d'attrait.

Les marchandises sont, à bien peu près, rebutantes. On pourrait croire, même, que, pour modérer les appétits, étoffes, objets, etc., se fassent inattrayants au possible (...) GIDE, Retour de l'U.R.S.S., II, p. 39.

CONTR. Attrayant.

INAUDIBLE [inodibl] adj. — 1842; lat. *inaudibilis,* de *in-* (→ 1. In-), et du rad. de *audire.* → Audible.

♦ **1.** Que l'on ne peut entendre, que l'ouïe (humaine) ne peut percevoir. *Vibrations inaudibles* (moins de 15 hertz, plus de 20 000 hertz); *les infra-sons, les ultra-sons sont inaudibles. — Sons inaudibles pour qqn, inaudibles du fait de la distance.*

(...) le bruit a commencé à décroître, pour redevenir en peu de temps presque inaudible. A. ROBBE-GRILLET, Dans le labyrinthe, p. 165.

N. m. *« L'invisible et (...) l'inaudible »* (Bachelard, *in* T. L. F.).

♦ **2.** Que l'on entend difficilement; à peine audible. *Un murmure inaudible. Émission de radio, disque inaudible.*

♦ **3.** (Mil. XXe). Trop mauvais pour être écouté. *Ce film n'est pas mauvais, mais la musique, la bande sonore est fanchement inaudible.*

CONTR. Audible, écoutable.

INAUGURAL, ALE, AUX [inogyʀal, o; inɔgyʀal, o] adj. — V. 1670; de *inaugurer,* sur le modèle de *augural.*

♦ **1.** Qui a rapport à une inauguration. *Cérémonie inaugurale. — Discours inaugural. Séance inaugurale d'un congrès. — Leçon* inaugurale d'un professeur qui prend possession d'une chaire.*

(...) il est bien certain que, si mon cours se fût ouvert dans des circonstances calmes, j'eusse débuté par une leçon inaugurale. RENAN, Questions contemporaines, Œ., t. I, p. 156.

Didact. (Dans les pays germaniques). *Dissertation, thèse inaugurale :* thèse de doctorat.

♦ **2.** Qui marque un début, qui inaugure (4.) quelque chose.

INAUGURATEUR, TRICE [inogyʀatœʀ, tʀis; inɔgyʀatœʀ, tʀis] n. — Av. 1841, *in* D. D. L.; de *inaugurer.*

Rare.

♦ **1.** Personne qui inaugure (qqch.). *L'inaugurateur de la nouvelle salle de concerts. « L'inaugurateur de la fête de Virgile à Mantoue »* (Chateaubriand, *Mémoires d'outre-tombe, in* T. L. F.).

♦ **2.** Personne qui marque le début de qqch. *L'inaugurateur, l'inauguratrice d'une science, d'une activité.*

INAUGURATION [inogyʀasjɔ̃; inɔgyʀasjɔ̃] n. f. — V. 1355, t. d'antiq., « sacre »; rare jusqu'au XVIIIe; lat. *inauguratio,* du supin de *inaugurare.* → Inaugurer.

♦ **1.** Vx. Cérémonie accompagnant le couronnement d'un souverain. ⇒ **Sacre.**

Jusqu'à Pépin, l'inauguration des rois de France n'avait été qu'une cérémonie purement civile. MABLY, II, 62, *in* LITTRÉ.

♦ **2.** (1798, *discours d'inauguration*). Mod. Cérémonie par laquelle on consacre (un temple, un édifice), par laquelle on livre au public (un édifice, un monument nouveau). *L'inauguration d'un monument, d'une statue, d'une plaque commémorative par les autorités* (⇒ **Dédicace**). *L'inauguration d'un ouvrage d'art, d'une route, d'une usine* (⇒ **Ouverture**). *Discours, cérémonie d'inauguration.*

2 La veille, ou le matin de l'inauguration, Vercingétorix serait apporté place Sainte-Ursule, par les soins mêmes de l'artiste, et fixé sur sa monture. J. ROMAINS, les Copains, VII, p. 220.

♦ **3.** (1783, Restif). Le fait de se servir pour la première fois de qqch. (→ Gaudir [se], cit. 2).

♦ **4.** (1817, Mme de Staël). Fig. Littér. Commencement, début. *L'inauguration d'une nouvelle politique, d'un mouvement de réforme. « L'inauguration d'une période qui (...) deviendra vraiment prodigieuse »* (Proudhon).

CONTR. Désaffectation, fermeture.

INAUGURER [inogyʀe; inɔgyʀe] v. tr. — V. 1355, « sacrer »; rare jusqu'au XVIIIe; lat. *inaugurare* « prendre les augures, consacrer », de *in-*, et *augurare* « prédire », de *augur.* → Augure.

♦ **1.** Vx. Consacrer (un souverain) par une cérémonie solennelle. ⇒ **Sacrer.**

1 *(Soliman)* s'étant fait reconnaître et inaugurer roi de Perse par le calife de Bagdad. VOLTAIRE, Essai sur les mœurs, CXXIV.

♦ **2.** (1835). Consacrer ou livrer au public solennellement (un monument, un édifice nouveau). *Inaugurer un temple.* ⇒ **Consacrer.** *Le sous-préfet a inauguré un monument, une statue, une plaque commémorative.*

2 Le cirque neuf de Malaga était enfin terminé, après avoir coûté cinq millions de réaux à l'entrepreneur. Pour l'inaugurer solennellement par des exploits dignes des belles époques de l'art, le grand Montès de Chiclana avait été engagé avec son quadrille (...) Th. GAUTIER, Voyage en Espagne, p. 194.

3 Il y a à peu près deux mois, on inaugurait à Bourg-la-Reine, une plaque de marbre à la mémoire d'Évariste Galois. ALAIN, Propos, 10 avr. 1909, Évariste Galois.

♦ **3.** (1832, A. Karr). Utiliser pour la première fois. ⇒ **Étrenner.** *Inaugurer un nouveau logement* → Pendre la crémaillère*. *Aujourd'hui, j'inaugure ma nouvelle voiture.*

4 *(Ils)* furent enterrés, non loin de Bir Djedid (...) Ils inaugurèrent le petit cimetière militaire de Bou Jeloud. P. MAC ORLAN, la Bandera, XVIII, p. 215.

4.1 J'inaugure des robes ouvertes en carré, quelque chose de moyenâgeux. WILLY, Claudine à l'école, p. 182 (Ollendorff, 1900), *in* D. D. L., II, 16.

♦ **4.** (1817, Mme de Staël). Fig. Entreprendre, mettre en pratique pour la première fois. ⇒ **Entreprendre; commencer, entamer.** *Inaugurer une nouvelle politique* (→ Balance, cit. 20). *Les conventions* (cit. 12) *que la mode inaugure. Inaugurer une période, une époque par des réformes.* — Au p. p. *Genre littéraire inauguré par un écrivain* (→ Élégie, cit. 3).

5 Pour occuper son temps, il avait inauguré, et bientôt mis au point, avec beaucoup d'esprit d'organisation et de savoir-faire, une vie de fêtard modeste qui répondait à une vocation ancienne. J. ROMAINS, les Hommes de bonne volonté, t. V, XXV, p. 239.

(Sujet n. de chose). *Inaugurer qqch. en* (et p. prés.), *par...*, marquer le début de (quelque chose).

▶ **S'INAUGURER** v. pron. (au sens 4). *Époque, ère, période qui s'inaugure.* ⇒ **Commencer, débuter.** *S'inaugurer par...*

CONTR. Fermer. — Continuer, poursuivre.
DÉR. Inaugurateur.

INAUTHENTICITÉ [inotɑ̃tisite] n. f. — 1867, Littré; de *inauthentique.*

♦ **1.** Caractère inauthentique. *Le critique a prouvé l'inauthenticité de ce dessin, qui passait pour un Delacroix.*

♦ **2.** Philos., littér. Fait d'être inauthentique (2.).

CONTR. Authenticité.

INAUTHENTIQUE [inotɑ̃tik] adj. — 1769; de 1. *in-*, et *authentique.*

♦ **1.** Qui n'est pas authentique*. *Ouvrage inauthentique.* ⇒ **Apocryphe.** *Fait, rapport inauthentique.* ⇒ **Controuvé.**

♦ **2.** (1943, Sartre, *l'Être et le Néant*). Philos. (existentialisme) ou littér. Qui ne possède pas ou ne représente pas les formes authentiques de l'existence*. *Vie inauthentique. Être inauthentique.* — N. m. *Vivre dans l'inauthentique.* ⇒ **Inauthenticité.**

1 L'homme de l'existence inauthentique vit dans le monde de l'*on*, ou de l'impersonnel : culte de la banalité moyenne, nivellement du nouveau, de l'exceptionnel, du personnel, du secret (...) À force de se modeler sur les choses, l'être inauthentique finit par se considérer comme une chose parmi les choses (...) E. MOUNIER, Introd. aux existentialismes, p. 72.

Toute mon œuvre est donc « inauthentique », puisqu'elle se situe à l'opposé de la bonne foi sartrienne. J. GREEN, Journal, 27 août 1960, Vers l'invisible, p. 222. 2

CONTR. Authentique.
DÉR. Inauthenticité.

INAVERTI, IE [inavɛʀti] adj. — 1406, *in* Godefroy; de 1. *in-*, et *averti.*

♦ Littér. Qui n'est pas au courant, instruit, averti.

Je sais quelqu'un qui se tracasse pour des vétilles; il passerait pour sensible aux yeux d'un tiers inaverti, mais dans ses rapports avec les autres, cet homme est le pire des égoïstes (...) Robert PINGET, Graal Flibuste, p. 83.

CONTR. Averti.

INAVOUABLE [inavwabl] adj. — 1815; de 1. *in-*, et *avouable.*

♦ **1.** Qui n'est pas avouable (pour des raisons de contenu, ce dernier étant moralement condamnable). ⇒ **Coupable, honteux** (cit. 4). *Intentions, desseins, projets inavouables. Amour monstrueux, inavouable* (→ Déraciner, cit. 6). *Mœurs* inavouables.*

Ce ne serait pas la première fois que le bonheur d'un couple dépendrait de quelque chose d'inavouable, ou d'inavoué. COLETTE, la Chatte, p. 199. 1

(...) société de parvenus grossiers, enrichis par les bénéfices inavouables, mais énormes, que réservent aux trafiquants-nés les révolutions comme les guerres (...) Louis MADELIN, Talleyrand, I, V, p. 60. 2

♦ **2.** Rare. Que l'on ne peut avouer (en raison de circonstances, etc.).

♦ **3.** N. m. *L'inavouable* (au sens 1 ou 2).

CONTR. Avouable.
DÉR. Inavouablement.

INAVOUABLEMENT [inavwabləmɑ̃] adv. — 1911; de *inavouable.*

♦ Littér. D'une manière inavouable, par un procédé qu'on aimerait cacher. ⇒ **Honteusement.**

(...) j'admirais que les médisances de l'abbé eussent si peu fait pour me détacher d'Isabelle et que tout ce que je découvrais d'elle avivât inavouablement mon désir (...) GIDE, Isabelle, VII, *in* Romans, Pl., p. 666 (1911).

INAVOUÉ, ÉE [inavwe] adj. — 1794, Pougens, *Voc. des privatifs*; de 1. *in-*, et *avoué.*

♦ Qui n'est pas avoué. *Acte, crime inavoué*, caché, secret. — Cour. *Des sentiments inavoués*, qu'on ne s'avoue pas.

Alors, il prononça brusquement, comme s'il eût jeté hors de lui une pensée torturante, inavouée encore. MAUPASSANT, les Sœurs Rondoli, Un sage. 1

Rien ne donne plus de sottise apparente que la jalousie inavouée. A. MAUROIS, Ariel..., I, XVII. 2

IN-BORD ou INBORD [inbɔʀ] adj. invar. — 1954, *in* Höfler, *in-bord*; *inbord*, 1964; mot angl., de *in-*, et *board*, d'après *hors-bord.*

♦ Anglic. Se dit d'un moteur placé dans la coque (d'un bateau) (opposé à *hors-bord*).

INCA [ɛ̃ka] adj. invar. et n. — 1633, *ynca*; *inge*, 1558; mot quichua.

♦ **1.** Adj. Relatif à la puissance politique établie au Pérou par les chefs de clans de certaines tribus andines (avant la conquête espagnole). *L'empire inca. Les Aymaras succombèrent sous le joug inca. Civilisation, religion inca.*

N. m. pl. *Les Incas*, ou *les Inca* : les sujets de l'empire inca. *Les Incas se dénommaient « fils du Soleil ». Le quichua, langue des Incas. Système mnémotechnique tenant lieu d'écriture, chez les Incas.* ⇒ **Quipou.** — Au sing. (invar. au fém.). *Un Inca, une Inca.*

♦ **2.** N. m. (1622, *Inga*). *L'Inca* : le chef, le souverain de l'empire inca.

Du pays de Cusco (...) jusqu'à la hauteur de l'île des Perles (...) un seul roi étendait sa domination absolue (...) il était d'une race de conquérants qu'on appelait *Incas.* Le premier de ces Incas qui avait subjugué le pays, et qui lui imposa des lois, passait pour le fils du Soleil. VOLTAIRE, Essai sur les mœurs, CXLVIII. 1

Au début, l'Inca n'était que le chef d'une famille, ou d'un clan, qui avait acquis la prééminence dans une tribu. L'un après l'autre, les Incas fondèrent de nouveaux clans, accrurent leur pouvoir *(après la constitution d'un Empire).* L'Inca était à la fois le chef civil, religieux et militaire de l'État. Sa suprématie reposait sur le culte du soleil (...) Henri LEHMANN, les Civilisations précolombiennes, p. 98. 2

REM. On trouve aussi chez les spécialistes la graphie *Inka* et un plur. invar. *L'Empire socialiste des Inka,* ouvrage de L. Baudin. — J. Soustelle écrit *« les Aztèques, les Maya ou les Inca ».*

DÉR. Incasique.

INCAGUER [ɛ̃kage] v. tr. — 1552 ; ital. *incacare,* de *cacare* « chier ». Vieux.

♦ **1.** Couvrir d'excréments. ⇒ **Emmerder.**

♦ **2.** (1561). Fig. Traiter avec mépris.

Incague la mer de Sorrente
Où vont les Cygnes par milliers (...)
RIMBAUD, Poésies, « Ce qu'on dit au poète à propos de fleurs », IV.

INCALCULABILITÉ [ɛ̃kalkylabilite] n. f. — 1922 ; de *incalculable.*

♦ Didact. Caractère de ce qui est impossible à calculer.

INCALCULABLE [ɛ̃kalkylabl] adj. — 1779, au sens 2 ; de 1. *in-,* et *calculable.*

♦ **1.** (1797). Impossible à calculer. *Le nombre incalculable des étoiles, des grains de sable d'une plage.*

1 Soutient-on que le hasard n'a pu former le monde, parce qu'il n'y aurait eu qu'une seule chance favorable contre d'incalculables impossibilités : l'incrédule en convient. CHATEAUBRIAND, le Génie du christianisme, I, VI, IV.

♦ **2.** Cour. Impossible ou difficile à apprécier du fait de son nombre ou de son importance. ⇒ **Considérable, illimité.** *Conséquences, suites incalculables. Tenir une place incalculable dans la vie moderne* (→ Échange, cit. 5).

2 Petit, fatal événement qui eut d'incalculables conséquences.
MICHELET, Extraits historiques, Hist. de France, p. 177.

3 (...) les grands événements ont des suites incalculables.
HUGO, Notre-Dame de Paris, I, I, I.

CONTR. Calculable.
DÉR. Incalculabilité, incalculablement.

INCALCULABLEMENT [ɛ̃kalkylabləmɑ̃] adv. — 1846, Michelet, *in* T. L. F. ; de *incalculable.*

♦ Littér. D'une manière incalculable (au sens 2). *Il est incalculablement riche.*

INCANDESCENCE [ɛ̃kɑ̃desɑ̃s] n. f. — 1779 (1764, *in* Bloch-Wartburg) ; de *incandescent.*

♦ **1.** État d'un corps devenu lumineux sous l'effet de la chaleur (⇒ **Incandescent**). *Métal chauffé* jusqu'à l'incandescence.* ⇒ **Blanc** (chauffé à). *Porter un métal à l'incandescence. Être en incandescence.* ⇒ **Brûler.**

1 Je suis (...) convaincu que les matières incombustibles et même les plus fixes, telles que l'or et l'argent, sont, dans l'état d'incandescence, environnées d'une flamme dense (...) Cette couleur blanche ou rouge, qui sort de tous les corps en incandescence (...) est l'évaporation de cette flamme dense (...)
BUFFON, Hist. nat., Introd. à l'hist. des minéraux, Des éléments (1774).

2 Il faut en fait distinguer deux types d'émission de lumière, l'incandescence et la luminescence, selon le mécanisme d'excitation. On parlera d'*incandescence* si les excitations sont assurées par un apport d'énergie thermique. Plus la température est élevée, plus celles-ci seront fréquentes, d'où une intensité accrue. De plus, les niveaux d'énergie atteints par les électrons seront également fonction de la température : c'est pourquoi une substance « chauffée à blanc » est plus chaude qu'une substance « chauffée au rouge », car le blanc est plus riche en photons de courte longueur d'onde, donc plus énergétiques.
J. W. HASTINGS et A.-M. MICHELSON, la Bioluminescence, *in* la Recherche, nº 51, déc. 1974, p. 1037.

(1881 : *par ;* 1891 : *à ;* → ci-dessous). *Par* (vx), *à incandescence. Éclairage* par incandescence ; lampe à incandescence* (→ Bougie, cit. 3 ; électrique, cit. 2), *bec, manchon à incandescence,* qui éclaire par un filament porté à incandescence. *L'argon, gaz utilisé pour les ampoules à incandescence.* Vx. « *C'est sur ce principe que l'on vit paraître vers 1870, différentes* lampes par incandescence (...) » (*Année sc. et industr.* 1882, p. 71, 1881). — « *À incandescence* » (*Année sc. et industr.* 1892, p. 602, 1891).

♦ **2.** Rougeur très vive ; chaleur intense. — *Une, des incandescences* (même sens).

♦ **3.** (Déb. XIXe, J. de Maistre). Abstrait (littér.). Violente excitation. *L'incandescence des esprits, des imaginations.* ⇒ **Effervescence.** *L'incandescence des passions.* ⇒ **Ardeur, brasier, feu** (figuré).

3 Comment nommer ce temps qui s'ouvre devant Maria ? Cette exactitude dans l'espérance ? Ce renouveau de l'air respiré ? Cette incandescence, cet éclatement d'un amour enfin sans objet ?
M. DURAS, Dix heures et demie du soir en été, p. 146.

INCANDESCENT, ENTE [ɛ̃kɑ̃desɑ̃, ɑ̃t] adj. — 1781, Lavoisier ; lat. *incandescens,* p. prés. de *incandescere* « être en feu », de *in-, candere* « être enflammé, brûler », et infixe inchoatif *-sc-.*

♦ **1.** Chauffé à blanc* ou au rouge vif ; rendu lumineux par une chaleur intense. ⇒ **Ardent, igné ; éblouissant, lumineux.** *Charbon, métal incandescent. Lave incandescente. Fonte incandescente* (→ Fuser, cit. 9). *Les flammes sont des gaz incandescents.*

(...) il vit le soleil descendre à l'horizon sous des nuées pesantes, semblables à des montagnes de lave incandescente (...) FRANCE, Les dieux ont soif, III, p. 32. 1

Spécialt. *Filament incandescent d'une lampe électrique. Manchon incandescent* (⇒ **Incandescence**).

♦ **2.** Fig. et littér. Rouge vif ; d'une chaleur intense. *Des joues incandescentes,* très rouges. — Rare. (Personnes). « *Complètement essoufflée, congestionnée, incandescente* » (Céline, *Mort à Crédit, in* T. L. F.). — *Un rouge incandescent,* vif.

♦ **3.** (1819). Abstrait (littér.). Plein d'ardeur, d'exaltation. ⇒ **Ardent, brûlant.** *Cœur incandescent,* plein d'ardeur*, de feu*, de passion... — *Imagination incandescente,* pleine d'impétuosité et d'invention.

Il n'avait pas besoin (...) d'activer le feu de son imagination, toujours incandescente (...) BAUDELAIRE, Curiosités esthétiques, Delacroix, III. 2

CONTR. Froid. — Éteint.
DÉR. Incandescence.

INCANTATEUR, TRICE [ɛ̃kɑ̃tatœʀ, tʀis] n. et adj. — 1495, n. m., « sorcier » ; adj., v. 1900.

♦ **1.** N. Personne qui fait des incantations. ⇒ **Jeteur** (de sorts), **sorcier.** *Un incantateur, une incantatrice.* — Par ext. Personne qui captive, tient son public comme sous un charme*.

♦ **2.** Adj. Qui fait des incantations. *Magie incantatrice.*

(Au sens 2 de *incantation*). *La puissance incantatrice d'un poète.* ⇒ **Incantatoire.**

Bien désolé d'abord de rester à peu près insensible au charme de ce poème qui passait, auprès des meilleurs juges, pour incantateur. 1
GIDE, Journal, 4 août 1930.

Mais, par effort et comme incidemment, il parvient tout de même à cette vertu incantatrice dont je parlais, que Mallarmé cherche et obtient directement. 2
GIDE, Attendu que..., p. 141.

INCANTATION [ɛ̃kɑ̃tasjɔ̃] n. f. — XIIIe ; bas lat. *incantatio,* du supin de *incantare.* → Enchanter.

♦ **1.** Emploi de paroles, de formules magiques pour opérer un charme, un sortilège. ⇒ **Enchantement, évocation** (2.). *Les incantations de la magie*, de la goétie*. Les incantations de l'apprenti* (cit. 13) *sorcier, d'un sorcier* (⇒ **Sorcellerie**). *Des accents religieux qui ressemblent aux incantations* (→ Haine, cit. 22).

À peine retiré dans ma chambre, ouvrant mes fenêtres, fixant mes regards au ciel, je commençais une incantation. Je montais avec ma magicienne sur les nuages (...) 1
CHATEAUBRIAND, Mémoires d'outre-tombe, t. I, p. 129.

Sous cette haute nef blanche, où j'étais seul avec mes matelots, le *Dies iræ* chanté par un prêtre missionnaire résonnait comme une douce incantation magique. 2
LOTI, Pêcheur d'Islande, III, III.

On sait que le magicien opère parfois par l'intermédiaire des esprits (...) L'incantation peut participer à la fois du commandement et de la prière. 3
H. BERGSON, les Deux Sources de la morale et de la religion, II, p. 184.

Le charme, le sortilège qui résulte de ces paroles, de ces formules.

♦ **2.** (1836, E. Quinet). Action d'agir avec force par l'émotion. *Les incantations du poète,* que fait le poète (→ Enivrement, cit. 4). *La vertu d'incantation de certains désirs* (→ Forcer, cit. 18).

Les dieux de l'harmonie profonde, rivaux de l'orage, qui tonnaient du Rhin aux Alpes, ont eux-mêmes ressenti l'incantation toute-puissante de la douce mélodie, de la simple voix humaine, du petit chant matinal, chanté pour la première fois sous la vigne des Charmettes. 4
MICHELET, Hist. de la Révolution franç., Introd., II, § VI.

(...) à la fin, on ne dirait plus un chant humain (...) Par son étrangeté même et par sa persistance d'incantation, cela arrive à produire, dans nos âmes endormie, une sorte d'impression religieuse. LOTI, Mme Chrysanthème, XXVII. 5

J'entendais partout les échos de cette incantation coulée en des notes très tendres, voix assourdie d'un cœur sauvage caché dans les bois. Un cœur qui appelait ingénument. Un cœur qui soulevait les puissances vitales de la terre, la sève, le sang pur, l'eau latente, l'aube du feu. J'en subissais le charme avec ravissement. 6
H. BOSCO, le Jardin d'Hyacinthe, p. 206.

Faire la métaphysique du langage articulé, c'est faire servir le langage à exprimer ce qu'il n'exprime pas d'habitude : c'est s'en servir d'une façon nouvelle, exceptionnelle et inaccoutumée, c'est lui rendre ses possibilités d'ébranlement physique, c'est le diviser et le répartir activement dans l'espace, c'est prendre les intonations d'une manière concrète absolue et leur restituer le pouvoir qu'elles auraient de déchirer et de manifester réellement quelque chose, c'est se retourner contre le langage et ses sources bassement utilitaires, on pourrait dire alimentaires, contre ses origines de bête traquée, c'est enfin considérer le langage sous la forme de l'*Incantation.* A. ARTAUD, le Théâtre et son double (1938), p. 67. 7

DÉR. Incantatoire.

INCANTATOIRE [ɛ̃kɑ̃tatwaʀ] adj. — 1886, Mallarmé, au sens 2 ; de *incantation.*

♦ **1.** Qui forme une incantation. *Paroles incantatoires ; formule* (cit. 4) *incantatoire.*

Comment, dès lors, le sens incantatoire, proprement magique, des peintures, sculptures, danses, chants des modes primitifs pourrait-il totalement s'évanouir dans la spiritualisation poétique moderne?
R. DE SOUZA, Un débat sur la poésie, *in* A. BRÉMOND, la Poésie pure, p. 291.

♦ **2.** Qui a une vertu d'incantation (2.), qui agit avec force sur (qqn, un sentiment). *La force incantatoire d'un poème. La puissance incantatoire d'un amour.*

INCANTER [ɛ̃kɑ̃te] v. tr. — 1890, H. de Régnier; de *incantation* ou du lat. *incantare* «enchanter, ensorceler», de *in-*, et *cantare*. → Chanter.

♦ Didact. ou littér. Évoquer* par une incantation, par des procédés incantatoires.

1 Le Rhin le Rhin est ivre où les vignes se mirent
Tout l'or des nuits tombe en tremblant s'y refléter
La voix chante toujours à en râle-mourir
Ces fées aux cheveux verts qui incantent l'été.
APOLLINAIRE, Alcools (1913), p. 112.

2 Une autre manière d'incanter la période mythique consiste à retracer les peintures rupestres qui sur des rochers, dans des galeries écartées, représentent les ancêtres.
Roger CAILLOIS, l'Homme et le Sacré, p. 138 (→ la suite, Actualiser, cit. 4).

INCAPABLE [ɛ̃kapabl] adj. et n. — 1464, en dr.; de 1. *in-*, et *capable*.

♦ **1.** (1517). Qui n'est pas capable (par nature ou par accident, de façon temporaire, durable ou définitive). ⇒ **Imbécile** (vx), **impuissant, inapte, inepte** (vx), **inhabile** (à).

a INCAPABLE DE (et inf.). *Être incapable d'agir, de faire qqch.* (→ Être hors d'état*, ne pas être en mesure de...; être dans l'impossibilité* de...; ne pas pouvoir*; et, fam., ne pas être fichu*, foutu* de...). *Rendre qqn incapable de faire qqch.* ⇒ **Empêcher**; → Lier les mains* à qqn. *Corps que la maladie rend incapable de lutter* (→ Blesser, cit. 15). *Être incapable de se tenir debout, de marcher, de soulever un poids. Incapable de voir, d'entendre* (→ 1. Foudre, cit. 9). *Incapable de comprendre* (cit. 12), *de se faire* (cit. 248) *une opinion. Incapable de s'imaginer* (→ Autrement, cit. 3). *Être incapable de venir en aide à qqn, de soulager ses ennuis* (cit. 3). — *Être incapable de faire un travail par incompétence, maladresse.* ⇒ **Incompétent, maladroit, malhabile**; → Ne pas s'y entendre*, n'être pas qualifié* pour...; ne pas savoir*. *Il est incapable de traduire deux lignes de Virgile, de remplir cette fonction, de sauter plus d'un mètre dix. — Être incapable d'apprécier un geste* (cit. 19) *désintéressé, de résister à une envie* (→ Engouer, cit. 6). *Incapable d'aimer* (→ Expansif, cit. 3; frigide, cit. 5). — *Incapable de mentir* (→ Accuser, cit. 10), *de tuer* (→ Goût, cit. 36), *de faire une mauvaise action,* dans l'impossibilité morale de...

(Incapacité de nature). *Les animaux, incapables de former des associations* (cit. 15) *d'idées. Les hommes, incapables de ne pas souhaiter le bonheur* (cit. 11), *de concevoir le néant et l'infini* (→ Homme, cit. 51, Pascal).

1 L'homme n'est pas digne de Dieu, mais il n'est pas incapable d'en être digne.
PASCAL, Pensées, VII, 510.

2 On a l'impression qu'il *(l'homme)* est capable de tout (...) — Mais non, il est incapable de souffrir ou d'être heureux longtemps. Il n'est donc capable de rien qui vaille.
CAMUS, la Peste, p. 179.

b Vx ou littér. INCAPABLE DE (suivi d'un n.). *Être incapable de réflexion, d'une pensée, d'une objection* (→ Éreinter, cit. 7; fascination, cit. 4). *Incapable de travail* (→ Farouche, cit. 4), *d'héroïsme* (cit. 7), *de grandes choses* (→ Appliquer, cit. 21). *Être incapable d'originalité* (→ Fantaisiste, cit. 2), *de vie intérieure* (→ Affoler, cit. 4). *C'est un homme absolument incapable de générosité. Souffrances dont sont incapables les âmes vulgaires* (→ Élite, cit. 6). — *Incapable d'un mensonge, d'une feinte* (cit. 3), *d'une friponnerie* (cit. 3).

3 Il est temps de faire voir que tout ce qui est mortel (...) est par son fond incapable d'élévation.
BOSSUET, Oraison funèbre de Henriette d'Angleterre.

4 (...) l'ignorance qui est leur caractère, les rend incapables des principes les plus clairs et des raisonnements les mieux suivis.
LA BRUYÈRE, les Caractères, XVI, 36.

5 J'ai vu des hommes incapables de sciences *(dit Confucius)*, je n'en ai jamais vu incapables de vertus.
VOLTAIRE, Dict. philosophique, Philosophe, I.

6 Sa surprise fut si grande, si prompte la déception même de sa crainte, qu'il resta une seconde encore ridiculement accroupi dans la boue froide, incapable d'aucun mouvement, d'aucune pensée.
BERNANOS, Sous le soleil de Satan, I, III, p. 155.

7 Je ne pourrai jamais faire de ma vie quelque chose de pur, quelque chose de propre. Je suis incapable d'amour, incapable d'amitié, à moins qu'amour et amitié ne soient de bien pauvres, de bien misérables sentiments.
G. DUHAMEL, Salavin, I, XXI.

REM. 1. De nos jours, *incapable* ne s'emploie qu'avec des noms exprimant une action, une opération (intellectuelle, morale...), une qualité. On n'écrirait plus *«incapable de sciences, d'un principe»*, comme le font La Bruyère et Voltaire (cf. aussi *«Incapable d'un remède»*, Corneille, *Mélite*, 2; *«incapable de Dieu»*, Pascal, *Pensées*, IV, 286).

2. La tournure *incapable ni d'une chose ni d'une autre* est vieille (→ Bonheur, cit. 11).

♦ **2.** (1541). Vx. (Choses). Qui n'est pas susceptible* de... *Une terre incapable de rien produire* (Académie). *L'atome* (cit. 7), *particule «incapable d'être divisée»* (Voltaire). *La charité est incapable de suffire à cette tâche* (→ Chômeur, cit. 2). *Phrase incapable d'exprimer la passion* (→ Épurer, cit. 11). — *Peuple incapable de civilisation* (→ Biblique, cit. 3).

(...) il y a des mots incapables d'être définis (...) 8
PASCAL, Opuscules, III, XV, De l'esprit géométrique, I, I.

Ces terres trop remuées et devenues incapables de consistance, sont tombées de toutes parts, et n'ont fait voir que d'effroyables précipices. 9
BOSSUET, Oraison funèbre de la reine d'Angleterre.

Nos désirs qui souvent se portent à des choses incapables de nous contenter (...) 10
BOURDALOUE, Pensées, t. I, p. 378, *in* LITTRÉ.

Aujourd'hui, par un faux purisme, on hésite à employer *incapable* en ce sens, et l'on dit *non susceptible;* à tort, car l'usage des meilleurs écrivains et l'étymologie le justifient également. 11
LITTRÉ, Dict., art. *Incapable.*

♦ **3.** (1762). Absolt. (Personnes). Qui n'a pas l'adresse, l'aptitude, la capacité nécessaire. *Un homme incapable.*

Le fisc d'une part, la féodalité de l'autre, semblaient lutter pour l'abrutir *(le peuple)* sous la pesanteur des maux. La royauté lui avait ôté la vie municipale, l'éducation que lui donnaient les affaires de la commune. Le clergé, son instituteur obligé, depuis longtemps ne l'enseignait plus. Ils semblaient avoir tout fait pour le rendre incapable, muet, sans parole et sans pensée, et c'est alors qu'ils lui disaient «Lève-toi maintenant, marche, parle». 12
MICHELET, Hist. de la Révolution franç., I, I.

N. (1821). *Un incapable, une incapable.* ⇒ **Ganache** (2., vx), **ignorant, mazette, médiocre,** 2. **ringard** (fam.), **sire** (pauvre sire). *C'est un incapable, un parfait incapable. Vous êtes tous des incapables, des bons à rien.*

♦ **4.** (1464, premier sens attesté). Dr. Inapte à jouir d'un droit ou à l'exercer (⇒ **Incapacité**). *Majeurs incapables :* aliénés, faibles d'esprit, prodigues. *La femme mariée était considérée comme incapable jusqu'en 1938. Être incapable de contracter, de disposer de son bien.* — N. *Les incapables de contracter* (cit. 3, Code civil). Absolt. *Les incapables* (⇒ **Interdit, mineur**; → Assistance, cit. 6). *Le curateur, le tuteur d'un incapable* (⇒ **Curatelle, tutelle**). *Émancipation* d'un incapable.*

Les incapables de jouissance sont ceux qui ne peuvent, d'après la loi, jouir d'un droit, c'est-à-dire en être titulaires (...) notre droit a connu autrefois deux incapacités de jouissance générales, concernant les individus, celles qui résultaient de l'esclavage ou de la mort civile (...) il subsiste des incapacités de jouissance spéciales (...) 13
JULLIOT DE LA MORANDIÈRE, Précis de droit civil, t. I, p. 329.

(...) le code civil de 1804 considérait la femme une incapable. Cette règle a été abolie par la loi du 18 février 1938. Mais le principe nouveau a été rendu plus complet dans ses applications et plus efficace par la loi du 22 septembre 1942. 14
JULLIOT DE LA MORANDIÈRE, Précis de droit civil, t. I, p. 192.

CONTR. **Capable. — Apte, habile.**

INCAPACITANT, ANTE [ɛ̃kapasitɑ̃, ɑ̃t] adj. et n. m. — 1968; de *incapacité*.

♦ Milit. Qui est susceptible de rendre l'ennemi temporairement inapte au combat. *Bombe incapacitante.* — N. m. *Un incapacitant,* substance toxique non mortelle annihilant les moyens de résistance de l'ennemi (gaz lacrymogènes, hilarants..., barbituriques, hallucinogènes...).

INCAPACITÉ [ɛ̃kapasite] n. f. — V. 1525, au sens 3; de 1. *in-*, et *capacité*.

♦ **1.** (1544). État d'une personne qui est incapable (de faire qqch.). ⇒ **Impossibilité** (de), **impuissance** (à), **inaptitude** (à). *L'incapacité de qqn, son incapacité à faire qqch. — L'incapacité de marcher, de se mouvoir. Incapacité de comprendre* (cit. 32), *d'estimer, de juger, de jauger* (→ Crédit, cit. 13). *Incapacité d'engendrer, de procréer.* ⇒ **Agénésie, impuissance, stérilité.** *Être dans l'incapacité de...* → Hors* d'état de... *Incapacité en qqch., pour qqch., dans un domaine.*

Une si forte envie d'être heureux, une si grande incapacité de l'être. 1
FONTENELLE, Entretiens sur la pluralité des mondes, 2e soir.

(Le roi Éric) laissa au monde un nouvel exemple des malheurs qui peuvent suivre le désir d'être despotique, et l'incapacité de l'être. 2
VOLTAIRE, Essai sur les mœurs, CLXXXVIII.

Absolt. Défaut de capacité. ⇒ **Ignorance, impéritie, incompétence, inhabileté.** *L'incapacité des gouvernants* (→ Écœurer, cit. 4), *des subordonnés* (→ Entretenir, cit. 18). *«En fait de gouvernement, l'incapacité est une trahison»* (Chateaubriand). *Avoir honte* (cit. 18) *de son incapacité; cacher son incapacité* (→ Girouette, cit. 5). *Son incapacité l'exclut* (cit. 6) *de cette charge. Incapacité partielle* (⇒ **Insuffisance**), *totale. Incapacité notoire. Incapacité en matière de...* (→ 2. Politique, cit. 21).

L'incapacité est une franc-maçonnerie dont les loges sont en tout pays (...) 3
CHATEAUBRIAND, Mémoires d'outre-tombe, t. VI, p. 74.

L'incapacité de ce parti *(la Gironde)* se révélait tous les jours par le singulier contraste de sa position dominante et de sa complète impuissance. 4
MICHELET, Hist. de la Révolution franç., VIII, IV.

Ironiquement :

Il avait commencé sa carrière par la place de secrétaire des commandements d'une princesse impériale. Monsieur du Châtelet possédait toutes les incapacités exigées par sa place. 5
BALZAC, Illusions perdues, Pl., t. IV, p. 500.

♦ **2.** (1810). Admin. État d'une personne qui, à la suite d'une blessure, d'une maladie, est devenue incapable de travailler, d'accomplir certains actes, etc. *Incapacité de travail. Incapacité temporaire de huit jours, d'un mois* (jusqu'à la guérison ou la consolidation de la blessure). *Incapacité permanente* (après la consolidation de la blessure). *Incapacité absolue, totale* (empêchant tout travail rémunérateur); *incapacité partielle.* ⇒ aussi **Invalidité.**

♦ **3.** Dr. (premier sens attesté). « Inaptitude à jouir d'un droit (...) ou à l'exercer par soi-même » (Capitant). ⇒ **Déchéance.** *Assister* (II., 1.) *une personne frappée d'incapacité juridique* (ou *incapable* [4.]). *Incapacité de jouissance des personnes condamnées à des peines criminelles. Incapacité d'exercice* (cit. 20) *des mineurs, des interdits.* ⇒ **Minorité; interdiction.** *Incapacité de la femme mariée, jusqu'à la loi du 18 février 1938.* — Dr. constit. *Incapacité électorale :* situation entraînant la perte du droit de vote.

6 Le mineur et l'interdit ne peuvent attaquer, pour cause d'incapacité, leurs engagements, que dans les cas prévus par la loi.
Les personnes capables de s'engager ne peuvent opposer l'incapacité du mineur ou de l'interdit, avec qui elles ont contracté.
Code civil, art. 1125 (Loi du 18 févr. 1938).

7 L'incapacité d'une personne est parfois l'œuvre arbitraire de la loi : par exemple *l'incapacité des condamnés à une peine criminelle* (...) Il est d'autres incapables (...) dont l'incapacité est *réelle :* tels sont les *mineurs* et les *fous.* Le défaut d'âge, l'affaiblissement ou la perte des facultés intellectuelles sont des *causes physiques d'incapacité* (...)
M. PLANIOL, Traité élémentaire de droit civil, t. I, nº 1613, p. 563.

CONTR. Aptitude, capacité.

INCARCÉRABLE [ɛ̃kaʀseʀabl] adj. — 1784; de *incarcérer.*

♦ Dr. Qui peut être incarcéré (→ Corvéable, cit. 1).

INCARCÉRATEUR, TRICE [ɛ̃kaʀseʀatœʀ, tʀis] n. — 1788, n. m., Mercier; de *incarcérer.*

♦ Rare. Personne qui incarcère, fait incarcérer (quelqu'un).

INCARCÉRATION [ɛ̃kaʀseʀɑsjɔ̃] n. f. — 1418; « étranglement », méd., 1314; de *incarcérer.*

♦ **1.** Action d'incarcérer (⇒ **Emprisonnement**); état d'une personne incarcérée (⇒ **Captivité**). *Ordonner l'incarcération d'un inculpé. Ordre d'incarcération.* ⇒ **Mandat** (de dépôt). *L'incarcération d'un débiteur* (anciennt). ⇒ **Contrainte** (par corps).

(...) j'ai dressé procès-verbal, il y a mandat de dépôt; je ne puis rien. Quant à l'incarcération, nous mettrons votre petit-fils à la Conciergerie.
BALZAC, l'Initié, Pl., t. VII, p. 416.

Par métaphore ou fig. (Littér.). Le fait d'enfermer, de tenir enfermé (quelque chose)

♦ **2.** (1314). Méd. Vieilli. *Incarcération herniaire :* étranglement herniaire. ⇒ **Hernie.** — *Incarcération du placenta.* ⇒ **Enchatonnement.**

CONTR. Délivrance, élargissement, libération.

INCARCÉRER [ɛ̃kaʀseʀe] v. tr. — Conjug. *céder.* — XIIIe, *encarcere;* rare jusqu'au XVIIIe (1766, Voltaire); lat. médiéval *incarcerare,* de *in-* (→ 2. In-), et *carcer* « prison ».

♦ Mettre (qqn) en prison*. ⇒ **Emprisonner; (fam.) boucler, coffrer.** *Incarcérer un inculpé avant son jugement* (→ Ecclésiastique, cit. 3). — *Se faire incarcérer.* — (Passif). *Être incarcéré et maintenu captif** (⇒ **Captivité**).

1 Ce fut là que le cardinal de Richelieu, avare de sa proie, voulut bientôt incarcérer et conduire lui-même ses jeunes ennemis. A. DE VIGNY, Cinq-Mars, XXV.

2 Le roi (...) l'aurait, dans l'heure, fait arrêter, mener à Vincennes et, de là, en quelque lointaine prison, — à la manière d'un Louis XIV faisant incarcérer un Fouquet. Louis MADELIN, Talleyrand, III, XXIII.

Par ext. Enfermer (dans un lieu autre qu'une prison).

▶ **INCARCÉRÉ, ÉE** p. p. adj. (XIIIe, *encarcéré*).

♦ **1.** *Les personnes incarcérées.* — N. *Les incarcérés.* ⇒ **Captif;** → Bâillonner, cit. 1, Voltaire.

♦ **2.** (XIXe). Méd. Se dit d'un organe bloqué anormalement dans un espace restreint. ⇒ **Incarcération,** 2.

CONTR. Délivrer, élargir, libérer, relâcher.
DÉR. Incarcérable, incarcérateur, incarcération.
COMP. Réincarcérer.

INCARDINATION [ɛ̃kaʀdinɑsjɔ̃] n. f. — XXe; de *incardiné.*

♦ Relig. Incorporation d'un clerc à un diocèse.

INCARDINÉ [ɛ̃kaʀdine] adj. m. — XXe; de 2. *in-,* du lat. *cardo, -dinis* « pivot », suff. *-é.*

♦ Relig. Se dit d'un clerc incorporé à un diocèse.

Nous reconnaissons bien volontiers les obligations qui incombent à tout Ordinaire, envers les prêtres incardinés.
Michel DE SAINT PIERRE, la Passion de l'abbé Delance, p. 92.

DÉR. Incardination.

INCARNADIN, INE [ɛ̃kaʀnadɛ̃, in] adj. — 1580, *incarnatin;* ital. dial. *incarnadino* pour *incarnatino.* → Incarnat.

♦ Littér. D'une couleur d'incarnat* pâle. ⇒ **Chair.** *Ruban incarnadin* (→ Boucle, cit. 5).

Cinq ou six chaises recouvertes de velours qui avait pu jadis être incarnadin, mais que les années et l'usage rendaient d'un roux pisseux, laissaient échapper leur bourre par les déchirures de l'étoffe. 1
Th. GAUTIER, le Capitaine Fracasse, I, t. I, p. 9.

— Blonde en somme. Le nez mignon avec la bouche 2
Incarnadine, grasse, et divine d'orgueil
Inconscient. VERLAINE, Fêtes galantes, « L'Allée ».

N. m. (1611). Couleur rose chair. ⇒ **Chair** (I., 4). *Œillet d'un bel incarnadin.*

INCARNAT, ATE [ɛ̃kaʀna, at] adj. — 1528; *incarnade,* v. 1515; ital. *incarnato* « couleur de la chair »; de *in-,* et du rad. du lat. *caro, carnis* « chair ».

♦ Littér. (Rare ou affecté au fém.). D'un rose très vif, rappelant la couleur de la chair. *Velours incarnat. Une rose incarnate. Du rouge incarnat.* — Loc. *Trèfle* incarnat.* ⇒ **Farouch;** → ci-dessous, cit. 4. N. m. (1562). Plus cour. *Couleur incarnat* (→ ci-dessous, cit. 3 et 5). *L'incarnat éclatant d'une anémone* (cit. 1). *Un sein d'incarnat et d'albâtre* (cit. 5). *De l'incarnat pâle.* ⇒ **Incarnadin.**

Je vois naître dessus les lis 1
L'incarnat de la rose (...) RACINE, Poésies diverses, Ode VII.

(...) d'énormes pêches aux joues de velours incarnat (...) 2
Th. GAUTIER, Fortunio, XVI.

Ses petites dents de porcelaine relevaient la rougeur de ses lèvres fraîches sur lesquelles errait un sourire; l'incarnat de son teint était plus vif, et la blancheur en était pour ainsi dire plus blanche en ce moment qu'aux heures les plus amoureuses de la journée. BALZAC, la Peau de chagrin, Pl., t. IX, p. 208. 3

De légères pluies, en avril, avaient donné une belle poussée aux fourrages. Les trèfles incarnats le ravirent, il oublia le reste. ZOLA, la Terre, II, 1. 4

(...) il vit Mouchette se dresser devant lui, non pas livide, mais au contraire, le front et le cou même d'un incarnat si vif que, sous la peau mince des tempes, les veines se dessinèrent, toutes bleues. 5
BERNANOS, Sous le soleil de Satan, Prologue, p. 81.

INCARNATION [ɛ̃kaʀnɑsjɔ̃] n. f. — 1113; lat. ecclés. *incarnatio,* du supin de *incarnare.* → Incarner.

♦ **1.** Action par laquelle une divinité s'incarne* dans le corps d'un homme ou d'un animal. *Les incarnations de Jupiter.* ⇒ **Métamorphose.** *Les incarnations de Vichnou.* ⇒ **Avatar** (cit. 6).

Spécialt. Relig. chrét. Union intime en Jésus-Christ de la nature divine avec une nature humaine. *L'incarnation du Christ* (→ Époque, cit. 3), et, absolt, *l'Incarnation, dogme essentiel du christianisme. Noël, fête de l'Incarnation. Le mystère* de l'Incarnation* (→ Authenticité, cit. 8), *prédit par l'Annonciation*.*

Il *(Dieu)* est demeuré caché, sous le voile de la nature qui nous le couvre, jusques à l'Incarnation; et quand il a fallu qu'il ait paru, il s'est encore plus caché en se couvrant de l'humanité. PASCAL, Lettre à Mlle de Roannez, fin oct. 1656. 1

L'incarnation montre à l'homme la grandeur de sa misère, par la grandeur du remède qu'il a fallu. PASCAL, Pensées, VII, 526. 2

Le Verbe divin a été fait homme : (...) il s'était fait une véritable incarnation dans les entrailles de la sainte Vierge. BOSSUET, Hist. des variations, II, III. 3

Les Asiatiques ne peuvent croire que par la foi (...) les incarnations du dieu Fo, de Vistnou, de Xaca, de Brama, de Sammonocodom, etc. 4
VOLTAIRE, Dict. philosophique, Foi.

Le mystère de Jésus n'est rien de moins, rien de plus, que le mystère de l'Incarnation (...) DANIEL-ROPS, Jésus en son temps, Introd., p. 8. 5

Opération par laquelle l'esprit se fait chair*, apparaît sous une forme matérielle.

On pourrait dire que la plus exacte formule de l'humanisme, c'est l'*incarnation :* l'insertion d'une donnée spirituelle dans un corps de chair, qui gouvernera ce corps de chair, mais qui tendra sans cesse à retrouver ses hiérarchies propres, sa fin. Il n'y a pas de définition plus haute de l'humanisme que celle dont la base est dans la notion chrétienne de l'homme : une âme incarnée. 6
DANIEL-ROPS, Ce qui meurt..., II, p. 79.

Par métonymie. Forme incarnée (d'une divinité, d'un être surnaturel).

♦ **2.** (1831, Balzac). *L'incarnation de* (et subst. abstrait). Ce qui incarne, représente. ⇒ **Image** (4.), **personnification.** *Tolstoï, incarnation de l'amour fraternel* (→ Aveugle, cit. 10).

Depuis ce temps-là, le Gouvernement l'exaspérait, comme l'incarnation même de l'injustice. FLAUBERT, l'Éducation sentimentale, II, IV. 7

Agité, aventureux, fanfaron jusqu'à l'âge mûr, Thiers, dans sa vieillesse, apparaissait comme l'incarnation du bon sens. 8
J. BAINVILLE, Hist. de France, XXI, p. 512.

Elle *(Margaret Parker)* lui apparaissait comme l'incarnation d'une douceur inno- 9 cente, divine, qu'il avait toujours cherchée dans le monde pour rafraîchir une âme trop brûlante (...) A. MAUROIS, la Vie de Byron, I, IV.

COMP. Réincarnation.

INCARNÉ, ÉE [ɛ̃kaʀne] p. p. adj. ⇒ **Incarner.**

INCARNER [ɛ̃kaʀne] v. pron. et tr. — 1372; réfect. de l'anc. franç. *encharner,* d'après le lat. ecclés. *incarnare.*

★ **I. A.** V. pron. (1495). **S'INCARNER :** se revêtir d'un corps charnel, d'une forme humaine ou animale, en parlant d'un être de nature spirituelle. *Le Verbe, le Fils de Dieu s'est incarné dans un homme souffrant* (→ Faire, cit. 234). *Les divinités indiennes s'incarnaient successivement dans des corps différents.* ⇒ **Métamorphoser;** → Avatar, cit. 2. — (V. 1350). Au p. p. *Les gnostiques* (cit. 2) *prenaient Jésus pour un éon incarné. Zeus, incarné sous la forme d'un cygne, séduisit Léda.*

1 C'était une grande entreprise de rendre vénérables par toute la terre les abaissements du Verbe incarné (...) Le Fils de Dieu est né dans une étable (...) on a mis le Fils de Dieu dans des langes (...) le Fils de Dieu est dans une crèche (...) BOSSUET, Exorde sermon pour la semaine de Noël.

2 (...) l'adorable mystère d'un Dieu incarné. BOURDALOUE, Troisième sermon sur la Passion de J.-C., II.

3 (...) il s'intalla à Tiffauges, dans ce château où Satan (...) allait descendre, s'incarner en lui, sans même qu'il s'en doutât, pour le rouler, vociférant, dans les joies du meurtre. HUYSMANS, Là-bas, VIII.

(Fin XVIe). Fam. *C'est le démon, le diable* incarné* (→ Il a le diable dans la peau*).

B. V. tr. ♦ **1.** Littér. Représenter (une chose abstraite) sous une forme matérielle et sensible. *Incarner une idée dans une œuvre* (→ Art, cit. 2), *les idées dans les hommes* (→ Foi, cit. 21). — Représenter en soi, soi-même (une chose abstraite). ⇒ **Figurer; reproduire.** *Athènes et Sparte incarnaient des attitudes* (cit. 24) *adverses de l'esprit. Napoléon prétendait incarner la Révolution* (→ Héritier, cit. 17). *L'agent diplomatique incarne la souveraineté de l'État* (→ Exterritorialité, cit. 1). — Pron. (→ ci-dessous, cit. 11). *Tous nos espoirs s'incarnent en vous.* — P. p. adj. Qui est représenté sous une forme matérielle (→ ci-dessous, cit. 4, 5 et 9).

4 Louis XVIII était la légitimité incarnée; elle a cessé d'être visible quand il a disparu. CHATEAUBRIAND, Mémoires d'outre-tombe, t. III, p. 370.

5 C'eût été mal parler que de dire qu'il était grave; c'était la gravité incarnée. STENDHAL, le Rouge et le Noir, I, VI.

6 Quand un homme domine un siècle et incarne le progrès, il n'a plus affaire à la critique, mais à la haine. HUGO, l'Archipel de la Manche, X.

7 (...) sa rancune féroce contre les frais de justice et l'homme *(l'huissier)* qui les incarne, aux yeux des paysans. ZOLA, la Terre, IV, 3.

8 (...) celui qui incarnait l'ardent rêve de son cœur et de ses sens (...) LOTI, Ramuntcho, XI.

9 (...) Elstir aimait à voir incarnée devant lui, dans sa femme, la beauté vénitienne qu'il avait si souvent peinte dans ses œuvres (...) PROUST, À la recherche du temps perdu, XV, p. 158.

10 Les apôtres de l'ordre tiennent couramment que c'est eux qui incarnent la raison, voire l'esprit scientifique, parce que c'est eux qui respectent les différences réelles qui existent entre les hommes (...) Julien BENDA, la Trahison des clercs, Préface, p. 19.

11 L'inquiétude est logée dans le corps; elle s'empare du cerveau comme une migraine, elle pèse sur le cœur, serre la poitrine, tâte nos organes, cherchant le point faible, la maladie où elle pourra s'incarner. J. CHARDONNE, l'Amour du prochain, VI, p. 146.

♦ **2.** (XXe). Représenter un personnage dans un spectacle. ⇒ **Interpréter, jouer.** *Sarah Bernhardt incarna l'Aiglon. L'actrice qui devait incarner cette héroïne à l'écran.*

★ **II.** (1833, p. p. adj.; 1873, v. pron.; de *in-,* et lat. *caro, carnis* «chair»). Chir. Vx. *Incarner une plaie, un ulcère,* y favoriser la reproduction des chairs. — Pron. *Ongle qui s'incarne,* dont le bord latéral externe ou interne s'enfonce dans les chairs, par suite d'une inflammation de la matrice unguéale. — P. p. adj. (1833). *Ablation de l'ongle incarné d'un gros orteil.*

▶ **S'INCARNER** v. pron. Voir ci-dessus.

▶ **INCARNÉ, ÉE** p. p. adj. Voir ci-dessus.

CONTR. Désincarner.
COMP. Désincarner, réincarner.

INCARTADE [ɛ̃kaʀtad] n. f. — 1612; ital. *inquartata,* t. d'escr., «parade rapide qu'on porte à un coup droit de l'adversaire, en se jetant brusquement de côté»; botte ainsi nommée, soit parce que l'attaque décrit un *quart* (ital. *quarto*) de tour sur lui-même, soit parce que l'attaque a lieu dans la ligne de *quarte**, ital. *quarta.*

♦ **1.** Vx. Boutade blessante lancée brusquement et inconsidérément. ⇒ **Algarade, sortie; insulte.** *Faire une incartade à qqn.* — Par anal. Toute manifestation de brusquerie, d'étourderie, de maladresse.

1 Non : tout de bon, quittez toutes ces incartades
Le monde par vos soins ne se changera pas (...) MOLIÈRE, le Misanthrope, I, 1.

2 Une preuve bien sûre qu'Alceste n'est point misanthrope à la lettre, c'est qu'avec ses brusqueries et ses incartades il ne laisse pas d'intéresser et de plaire. ROUSSEAU, Lettre à d'Alembert.

Aussi, malgré les incartades qu'il *(Napoléon)* en essuya *(de Chateaubriand),* il lui conserva toujours une prédilection et lui rendit justice. 3
SAINTE-BEUVE, Chateaubriand, t. I, p. 321.

♦ **2.** (1643). Mod. Léger écart de conduite. ⇒ **Caprice, écart, extravagance, folie.** *J'en ai assez de vos incartades. Pardonnez-lui cette incartade. Les incartades d'un enfant gâté* (→ Exiger, cit. 11). *Punir un élève à la moindre incartade.* ⇒ **Peccadille;** → Foudroyer, cit. 13. — Spécialt. Écart* de langage, bévue.

Quand Modeste allait trop loin, elle se faisait de la morale à elle-même et attribuait ses légèretés, ses incartades à son esprit d'indépendance. 4
BALZAC, Modeste Mignon, Pl., t. I, p. 540.

Jacques, que la crainte des incartades de sa femme terrorisait par avance, lui avait trop souvent fait la leçon sur ce qu'elle aurait à dire ou à ne pas dire (...) 5
Pierre BENOIT, Mlle de la Ferté, p. 80.

(...) il avait d'abord passé trois semaines dans le pays de ses parents : un bourg minuscule où la moindre incartade eût fait scandale. 6
J. ROMAINS, les Hommes de bonne volonté, t. III, II, p. 45.

Ta dernière incartade prouve que ton éducation est à refaire. Ta mère a convenu tout à l'heure qu'elle avait été beaucoup trop faible. Maintenant c'est moi qui me charge de toi. 7
SARTRE, le Sursis, p. 336.

♦ **3.** (XXe). Équit. Écart brusque (d'un cheval). *Sa monture fit une incartade.*

INCASIQUE [ɛ̃kazik] adj. — 1888, «inca»; de *inca,* et suff.*-ique,* avec *s* épenthétique.

♦ Didact. Relatif aux Incas.

INCASSABLE [ɛ̃kɑsabl] adj. — 1801; de 1. *in-,* et *cassable*.*

♦ **1.** Littér. ou didact. Qui ne peut être brisé. *L'acier est incassable par la force d'un homme.* ⇒ **Infrangible.**

♦ **2.** Cour. Qui ne se casse pas facilement; qui résiste aux chocs ou aux efforts (traction, torsion). ⇒ **Solide.** *Verre incassable. Fil incassable.*

Julie pirouetta, l'étalage le plus proche contenait de la vaisselle, la jeune fille projeta sur le sol une pile d'assiettes incassables qui ne se cassèrent pas.
J.-P. MANCHETTE, Folle à tuer, p. 118.

CONTR. Cassable, cassant, fragile.

INCATALOGABLE [ɛ̃katalɔgabl] adj. — Mil. XXe; de 1. *in-, cataloguer,* et *-able.*

♦ Rare. Inclassable, impossible à définir avec précision. *Une œuvre, un personnage incatalogable.*

REM. On trouve la var. graphique *incataloguable.*

Il va falloir ajouter des lettres obséquieuses (...) du Houdinisme, du pédantisme classique, du ritualisme hébraïque, de la recherche scientifique, de l'éloquence parlementaire, du roman policier — et de la cryptographie pour faire déborder le vase. Pauvres érudits! Un Shakespeare encore plus incataloguable que jamais!
F. BONAC-MELVRAU, Défense de Will (1951), p. 128.

IN CAUDA VENENUM [inkodavenenɔm]

♦ Proverbe latin (signifiant «dans la queue le venin», par allus. au venin que renferme la queue du scorpion) que l'on applique à une lettre, à un discours, etc. qui, après un début inoffensif, s'achève sur un trait malicieux ou perfide.

INCENDIAIRE [ɛ̃sɑ̃djɛʀ] n. et adj. — XIIIe; lat. *incendiarius,* adj. et n., de *incendium.* → Incendie.

★ **I.** N. ♦ **1.** Personne qui allume volontairement un incendie*. ⇒ **Bandit, criminel; brûleur, pétroleur, pyromane.** *L'incendiaire a mis le feu à une maison habitée, à une grange.*

(...) les juges seraient presque réduits à la triste fonction d'envoyer au gibet les voleurs et les incendiaires. LA BRUYÈRE, les Caractères, XIV, 58. 1

C'est en vain que Néron prospère, Tacite est déjà né dans l'Empire; (...) bientôt il ne fera voir, dans le tyran déifié, que l'histrion, l'incendiaire, et le parricide (...) 2
CHATEAUBRIAND, cité par SAINTE-BEUVE, Chateaubriand, t. II, p. 81.

♦ **2.** (Déb. XVIIe, d'Aubigné). Littér. Personne qui agite les esprits, allume la révolte.

★ **II.** Adj. ♦ **1.** [a] Rare. Personnes. *Des «ouvriers incendiaires»* (A. France, *in* T. L. F.).

[b] (1400). Choses. Propre à causer l'incendie. ⇒ **Ardent** (cit. 11). *Mélange incendiaire. Brûlot* chargé de matières incendiaires. Balle, bombe, crayon, pastille, obus, torche incendiaire (au phosphore, au calcium, au napalm).*

(...) il était entré comme chimiste dans le complot des bombes incendiaires (...) 3
FLAUBERT, l'Éducation sentimentale, II, IV.

— Ça flambe; sans doute les fascistes emploient-ils des bombes incendiaires... 4
— Ce sont des bombes incendiaires? demanda le médecin.
— Les gens qui ont l'air de savoir quelque chose appellent ça des bombes au calcium. C'est vert, absinthe exactement. C'est terrible, vous savez : on ne peut pas l'éteindre. MALRAUX, l'Espoir, II, II, 1.

♦ **2.** [a] Littér. De teinte très vive; d'un rouge violent ⇒ **Incendie,** 2.

— REM. Avec d'autres couleurs que *rouge* (*«un bleu incendiaire»,* Laforgue, *in* T. L. F.) l'emploi du mot est stylistique ou anormal.

b Qui provoque une impression de brûlure. *« Les procédés incendiaires de la cuisine indigène »* (G. Sand, *Un Hiver à Majorque, in* T. L. F.). *Un alcool, un tord-boyaux incendiaire.*

♦ **3.** (V. 1777, Voltaire, *Dialogues,* XXVIII, 2, entre un mandarin et un jésuite). Fig. Propre à enflammer les esprits, à allumer la révolte. ⇒ **Séditieux.** *Un pamphlet incendiaire. Une doctrine incendiaire. Des propos, des déclarations incendiaires.*

5 (...) ce terrible Mirabeau, au caractère incendiaire, au sang en ébullition, l'homme des grands éclats et des grandes révoltes (...) Louis MADELIN, Talleyrand, I, II.

6 Mais d'ici là ne faites pas comme moi, jadis. Pas de ces déclarations inutilement incendiaires que les petits copains vous reservent pendant dix ans.
J. ROMAINS, les Hommes de bonne volonté, t. V, XXVIII, p. 302.

♦ **4.** (1830). Qui éveille les désirs amoureux. — (Personnes). *Une blonde incendiaire.* → Allumeuse. — (Actions). *Décocher* (cit. 3) *une œillade incendiaire.* → Œillade assassine*.

7 Nous venons de lire ces lettres. Chaleureuses, tendres, exprimant une vive ardeur, des lettres d'amour et du XVIIIe, certainement, mais qui n'ont rien d'incendiaire ou d'inavouable. Émile HENRIOT, Portraits de femmes, p. 211.

INCENDIE [ɛ̃sɑ̃di] n. m. — 1575; lat. *incendium,* de *incendere* «allumer», de *in-* (→ 2. In-), et *candere* «faire brûler, enflammer» (comparer à *candere,* marquant l'état; → Incandescent). Cf. anc. béarnais *incendy,* 1570 (aussi *encendy*), et anc. provençal *encendi,* mil. XIe. Le mot a été critiqué, au XVIIe s., comme vulgaire par rapport à *embrasement.*

♦ **1.** Grand feu qui se propage en causant des dégâts. ⇒ **Embrasement,** 1. **feu** (cit. 35 et 40); **brasier, sinistre.** *L'incendie d'une maison, d'une ville, d'une forêt. L'incendie de Rome, allumé, dit-on, par Néron. L'incendie de Moscou en 1813. L'incendie de Londres* (1666). *L'incendie de San Francisco* (1906). *Incendies allumés par un bombardement. Provoquer un incendie. Incendie volontaire, criminel; crime* (cit. 12) *d'incendie* (⇒ **Incendiaire**). *Incendie dû à l'imprudence*. Commencement d'incendie. Incendie qui éclate, se déclare, fait rage. Un violent incendie. Le flamboiement* (cit. 1), *les brandons*, les flammes d'un incendie* (→ Aile, cit. 14; amiral, cit. 2). *Foyer* d'incendie. Le bâtiment est la proie de l'incendie, est consumé, réduit en cendres par l'incendie* (→ Heure, cit. 12). *Destruction totale par l'incendie.* ⇒ **Combustion.** *Dévastations*, ravages causés par l'incendie. Défense, protection contre l'incendie* (⇒ **Pompier, sapeur; avertisseur, bateau-pompe, canadair, extincteur, pare-feu, pompe**). *Dispositif de projection de liquide contre l'incendie.* ⇒ **Sprinkler** (anglic.). *Parois coupe-feu* pour empêcher la propagation d'un incendie. Borne*, bouche* d'incendie. Piquet* d'incendie. Faire la chaîne* dans un incendie. Extinction* (cit. 2) *d'un incendie. Les pompiers* ont combattu, circonscrit* (cit. 3), *enrayé, éteint* (cit. 1), *maîtrisé l'incendie. Incendies de forêts. Bois* endommagé par l'incendie.* ⇒ **Arsin.** — *Prévention des incendies. Assurance* contre l'incendie. Responsabilité des locataires en cas d'incendie. Consignes de sécurité à suivre en cas d'incendie.*

1 Les torrents et les incendies nous ont fait découvrir que les terres contenaient des métaux. MONTESQUIEU, l'Esprit des lois, XVIII, XV.

2 (...) on garde le souvenir des mauvais princes, comme on se souvient des inondations, des incendies et des pestes.
VOLTAIRE, Hist. de Charles XII, Disc. sur l'hist...

3 On contient d'abord l'incendie *(de Moscou);* mais dans la seconde nuit il éclate de toutes parts; des globes lancés par des artifices crèvent, retombent en gerbes lumineuses sur les palais et les églises. Une bise violente pousse les étincelles et lance les flammèches sur le Kremlin (...) Les bouches des divers brasiers en dehors s'élargissent, se rapprochent, se touchent : la tour de l'Arsenal, comme un haut cierge, brûle au milieu d'un sanctuaire embrasé. Le Kremlin n'est plus qu'une île noire contre laquelle se brise une mer ondoyante de feu.
CHATEAUBRIAND, Mémoires d'outre-tombe, t. III, p. 216-217.

3.1 Puis, frottant une allumette qu'il tira de sa boîte, sans que sa main hésitât un instant, il porta la flamme dans un coin de la salle où étaient entassés des cartons d'épures et de légers modèles en bois de sapin.
Puis il sortit.
Un instant après, l'incendie, alimenté par toutes ces matières combustibles, projetait d'intenses flammes à travers les fenêtres de la salle. Aussitôt, la cloche d'alarme sonnait, un courant mettait en mouvement les carillons électriques des divers quartiers de Stahlstadt, et les pompiers, traînant leurs engins à vapeur, accouraient de toutes parts.
J. VERNE, les Cinq cents Millions de la Bégum, IX, p. 154.

4 Des semaines se succédèrent sans que tombât une goutte d'eau. Bernard vivait dans la terreur de l'incendie (...) Cinq cents hectares avaient brûlé du côté de Louchats (...) Un jour, toute la forêt crépiterait alentour (...)
F. MAURIAC, Thérèse Desqueyroux, VIII.

5 Il se retourna : d'autres halos d'incendie rougeoyaient de-ci, de-là, sur Levallois, sur Puteaux peut-être (...) MARTIN DU GARD, les Thibault, t. IX, p. 135.

♦ **2. a** (XVIIIe). Lumière intense, rougeoyante, éclairant une grande étendue. *L'incendie du soleil couchant. Ciel d'incendie* (→ Barbelé, cit. 1).

6 Le lendemain, pour respirer le frais, on retourne au même lieu avant que le soleil se lève. On le voit s'annoncer de loin par les traits de feu qu'il lance au-devant de lui. L'incendie augmente, l'orient paraît tout en flammes; à leur éclat on attend l'astre longtemps avant qu'il se montre; à chaque instant on croit le voir paraître; on le voit enfin. Un point brillant part comme un éclair et remplit aussitôt tout l'espace; le voile des ténèbres s'efface et tombe. ROUSSEAU, Émile, III (1762).

Le soir, je distingue (...) dans le ciel, vers l'est, des reflets d'incendie, un pâle embrasement d'aurore : la grande ville est proche. 7
J. CHARDONNE, l'Amour du prochain, III, p. 68.

b Sensation d'irritation. ⇒ **Brûlure.** *Le poivre, les piments lui mettaient un incendie dans le ventre.*

♦ **3.** (1671, sens b). Fig. **a** Explosion, flambée de sentiments violents, de passions ardentes. *L'incendie de la colère* (→ Fumer, cit. 18).

L'incendie rôdait dans nos âmes. À tout moment l'étincelle pouvait jaillir et nous embraser. Nos silences couvaient des flammes étouffées dont le déchaînement ne tenait qu'à un fil. Nous étions tous les deux enveloppés de puissantes menaces. 8
H. BOSCO, Un rameau de la nuit, p. 286.

b Bouleversement violent qui affecte l'ordre social, la paix. ⇒ **Conflagration, guerre, révolution;** → Fourniture, cit.

(...) si Paris apparaissait décidément le foyer où l'incendie général s'alimentait, la France serait derechef traitée en perturbatrice du monde. 9
Louis MADELIN, Talleyrand, V, XXXVII.

DÉR. Incendier.

INCENDIER [ɛ̃sɑ̃dje] v. tr. — 1596; de *incendie.*

♦ **1.** (Sujet n. de personne ou de chose). Mettre en feu*. ⇒ **Brûler, consumer.** *Incendier une maison, une bibliothèque* (→ Impie, cit. 6), *des meules de paille. Incendier une maison, un village.* ⇒ **Détruire.** — *« Des torches qui incendiaient les murs »* (Flaubert, *in* T. L. F.). *De nombreuses zones ont été incendiées et la région est sinistrée*.*

Le gros Santerre, un brasseur que le faubourg s'était donné pour commandant, proposait d'incendier la place en y lançant de l'huile d'œillet et d'aspic, qu'on avait saisie la veille et qu'on enflammerait avec du phosphore. 1
MICHELET, Hist. de la Révolution franç., I, VII.

♦ **2.** (Sujet n. de chose). Irriter en provoquant une impression de brûlure. *Liqueur qui incendie la gorge* (→ Flamber, cit. 4).

(...) dans nos assiettes le plus vif brasier de poivre — la «sauce forte» — qui ait jamais incendié des palais occidentaux... Je haletais. 2
COLETTE, l'Étoile Vesper, p. 79.

♦ **3.** (Sujet n. de chose). **a** (1833). Colorer d'une lueur ardente (→ Baigner, cit. 7). *La lueur rouge qui incendiait le ciel* (→ Feu, cit. 35).

Derrière lui, dans l'horizon, se couche un gros soleil rouge qui incendie nos vitres. 3
Alphonse DAUDET, le Petit Chose, II, IV.

Au p. p. *Buisson incendié par le soleil couchant* (→ Abattre, cit. 19). — *Visage incendié par l'alcool* (→ Enluminé).

(...) le visage de la comtesse, aux pommettes incendiées par la fièvre. 4
BARBEY D'AUREVILLY, les Diaboliques, «Le bonheur dans le crime».

b Chauffer fortement; procurer une sensation de brûlure à. *La chaleur lui incendiait les joues.*

Pécuchet avait peur des épices comme pouvant lui incendier le corps. 4.1
FLAUBERT, Bouvard et Pécuchet, *in* Œ., Pl., p. 672.

♦ **4.** (Fin XVIIIe). Fig. (Sujet n. de personne). Enflammer, exciter. ⇒ **Échauffer, exalter.** *Incendier l'esprit, le cœur, les sens.*

Mais il préférait les petites bonnes d'hôtel dont il incendiait l'imagination avec les récits mensongers de ses exploits (...) P. MAC ORLAN, la Bandera, V, p. 57. 5

♦ **5.** (Déb. XIXe). Mettre le trouble (→ Agitation, effervescence) dans (une société); pousser (un groupe de personnes) à des actes d'hostilité.

♦ **6.** (1905). Fam. (Sujet n. de personne). *Incendier qqn,* l'accabler de reproches. — *Se faire incendier.*

▶ **INCENDIÉ, ÉE** p. p. adj.

♦ **1.** (1783). *Ville incendiée.* — Par ext. *Des fermiers incendiés,* dont les fermes ont été détruites par l'incendie. — *Avoir la gorge incendiée,* en feu.

N. (1824, Balzac). *Un incendié :* une personne dont la maison a été détruite par l'incendie. ⇒ **Sinistré.**

♦ **2.** (Après 1850). Rendu ardent, très rouge (→ ci-dessus, cit. 4, et *supra*).

INCÉRATION [ɛ̃seʀasjɔ̃] n. f. — 1732; du lat. *inceratum,* supin de *incerare.* → Incérer.

♦ Didact. Action de donner à une matière la consistance de la cire. (1765). Action de mêler de la cire à une substance quelconque.

INCÉRER [ɛ̃seʀe] v. tr. — Conjug. *céder.* — 1516, t. d'alchimie ; lat. *incerare,* de *in-* (→ 2. In-), et *cera* «cire».

♦ Didact. Amener à la consistance de la cire molle.
(1845). Mêler (une substance) avec de la cire.

HOM. Insérer.

INCERTAIN, AINE [ɛ̃sɛʀtɛ̃, ɛn] adj. — 1329 ; de 1. *in-,* et *certain,* d'après le lat. *incertus* «qui n'est pas précis, fixé», de *in-* (→ 1. In-), et *certus.*

★ **I.** ♦ **1.** Qui n'est pas fixé, déterminé à l'avance. ⇒ **Indéterminé.** *Ce qui est incertain dans la mort* (→ Adoucir, cit. 10). *À une époque incertaine* (Académie).

1 De nos ans passagers le nombre est incertain. RACINE, Athalie, II, 9.

N. m. (1753). Cote de change* qui permet de calculer la quantité de monnaie française correspondant à une quantité fixe de monnaie étrangère. *Le certain* et l'incertain.*

2 Ils *(les banquiers)* vous disent (...) nous remettons de Berlin à Amsterdam : *l'incertain* pour le *certain* (...) VOLTAIRE, Dict. philosophique, Banque.

♦ **2.** Qui n'est pas certain*, qui peut ou non se produire, n'est pas sûr (dans l'avenir). ⇒ **Aléatoire, contingent, douteux, éventuel, hypothétique, problématique.** *Dépendre d'un événement incertain.* ⇒ **Conditionnel** ; → Assurance, cit. 21. *Éventualité incertaine. Résultat, succès incertain* (→ Attaque, cit. 2). — *Entreprise, affaire incertaine,* dont le résultat n'est pas certain, qui est soumise au hasard. ⇒ **Chanceux, hasardé, précaire** ; → Assez, cit. 47. — Dont la nature n'est pas connue. *Avenir incertain* (→ Baïonnette, cit. 4). — Dont la quantité n'est pas connue. *Un revenu incertain.*

3 J'entretins la Sultane, et, cachant mon dessein,
Lui montrai d'Amurat le retour incertain (...) RACINE, Bajazet, I, 1.

4 *(Un monde)* Où tout est fugitif, périssable, incertain ;
Où le jour du bonheur n'a pas de lendemain.
LAMARTINE, Premières méditations, XXI.

5 Paris, il faut le dire, vivait par hasard. Sa subsistance, toujours incertaine, dépendait de tel arrivage, d'un convoi de la Beauce ou d'un bateau de Corbeil.
MICHELET, Hist. de la Révolution franç., II, VI.

6 Il me paraissait que bien peu de bon sens suffisait pour comprendre combien notre œuvre et notre influence là-bas restaient précaires et incertaines, pour ne pas dire : désespérées. GIDE, Journal, 20 janv. 1917.

Sur lequel on ne peut compter. *Aide incertaine ; appui incertain* → Planche* pourrie (vx). — *Temps incertain.* ⇒ **Indécis, variable.**

7 (...) il a senti ce soir une fois de plus combien était incertain et changeant son seul appui au monde, l'appui de cet Arrochkoa sur qui il aurait pourtant besoin de pouvoir compter comme sur un frère (...) LOTI, Ramuntcho, I, VIII.

N. m. *Le certain et l'incertain.*

8 S'il ne fallait rien faire que pour le certain, on ne devrait rien faire pour la religion (...) Or, quand on travaille pour demain, et pour l'incertain, on agit avec raison ; car on doit travailler pour l'incertain, par la règle des partis qui est démontrée. Saint Augustin a vu qu'on travaille pour l'incertain, sur mer, en bataille, etc. ; mais il n'a pas vu la règle des partis, qui démontre qu'on le doit.
PASCAL, Pensées, III, 234.

♦ **3.** Qui n'est pas connu avec certitude. *La nouvelle est incertaine, attendons une confirmation. L'existence de ce personnage est incertaine ; du moins elle a été contestée et n'a pu jusqu'ici être prouvée. Les temps incertains de l'histoire.* ⇒ **Obscur, ténébreux.** *Traditions incertaines, fabuleuses* (cit. 4). *Textes dont la date et l'origine sont incertaines* (→ Hermétisme, cit. 1). *« Il n'est pas certain* (cit. 2) *que tout soit incertain »* (Pascal). ⇒ **Contestable, douteux.**

9 Cela est incertain, et nous devons douter de tout (...) Il m'apparaît que vous êtes là, et il me semble que je vous parle ; mais il n'est pas assuré que cela soit.
MOLIÈRE, le Mariage forcé, 5.

10 La noblesse de vos parents est incertaine, mais celle de votre cœur est incontestable (...) MARIVAUX, la Vie de Marianne, VII.

11 Ce qui est incertain doit être réputé faux jusqu'à plus ample informé.
Léon BRUNSCHVICG, Descartes, p. 31.

♦ **4.** (1556). Dont la forme, la nature n'est pas définissable, n'est pas nette, pas claire ⇒ **Changeant, confus, flou** (cit. 4), **indécis, indéfini, indéfinissable ; imprécis, obscur, vague.** *Contours, horizons* (cit. 18) *incertains.* ⇒ **Vaporeux** ; → Estomper, cit. 7. *Couleur incertaine* (→ Haïk, cit. 1). *Lueurs, lumières, ombres incertaines. Le début incertain d'une bataille.* ⇒ **Hésitant** (cit. 5). — (Domaine acoustique). *Une voix incertaine, des sons incertains. Mélodie incertaine* (→ Balancer, cit. 28). *Consonances* (cit. 5) *incertaines.* — *Terminologie incertaine,* peu précise (→ Gouvernemental, cit. 1). *Allusions, paroles incertaines.* ⇒ **Ambigu, équivoque, nébuleux** ; → Assombrir, cit. 8. *Rumeur incertaine.* ⇒ **Sourd.** *Sentiments troubles et incertains ; nostalgies incertaines* (→ Exigence, cit. 7). *État vague et incertain de la pensée.* ⇒ **Vacillant ; limbe** (figuré).

12 Mais, dans l'état chancelant, incertain, où se trouvait la pauvre France, ayant pour chef une assemblée de métaphysiciens, et contre elle des hommes d'exécution et de main (...) MICHELET, Hist. de la Révolution franç., III, V.

13 Sa croisée donnait sur la plaine, que la lune dans son premier quartier n'éclairait que d'une lumière incertaine (...) A. DE VIGNY, Cinq-Mars, I.

14 (...) Dans la pauvre âme humaine,
La meilleure pensée est toujours incertaine,
Mais une larme coule et ne se trompe pas.
A. DE MUSSET, Poésies nouvelles, « À M. Régnier ».

15 (...) tout ce qu'elle semblait posséder ici-bas de réel et de solide reposait sur la chose au monde la plus incertaine et la plus changeante : le goût de quelques hommes pour une femme. J. GREEN, Léviathan, II, IV.

★ **II.** ♦ **1.** (V. 1400, «ignorant de» ; sens mod., mil. XVIe). Personnes. Qui manque de certitude, de décision, de détermination ; qui est dans le doute. ⇒ **Embarrassé, faible** (cit. 21), **flottant** (cit. 10), **hésitant, indécis, irrésolu, vacillant.** *Demeurer incertain.* ⇒ **Suspendu.** *Être incertain dans ses jugements, ses appréciations...* → Dire tantôt noir, tantôt blanc*. *Ce coup, cette surprise l'a rendu incertain.* ⇒ **Ébranlé.**

Le traître Amour me conseille une chose, 16
Et la raison une autre me propose ;
Sans me résoudre incertain je suis,
Tant ma raison chancelle en mes ennuis ! RONSARD, la Franciade, IV.

À court de riposte, il demeurait un moment incertain, oscillant sur ses pieds fins, balancé par cette grâce volante de petit Mercure (...) COLETTE, Chéri, p. 45. 17

(...) la découverte, après coup, de son erreur, la trompe *(une femme)* sur son premier sentiment, et lui donne à imaginer qu'elle était incertaine, là où nous l'avons vue parfaitement calme et assurée (...) 18
J. PAULHAN, Entretiens sur des faits divers, p. 50.

Incertain de (suivi d'un n. ou d'un inf.). Qui est dans le doute* sur. — *Incertain de son sort, de ce qui va arriver* (→ Aborder, cit. 3). *Incertain de ce que l'on va faire.* → En suspens*, entre le zist* et le zest.

Je suis encore incertain du chemin que je prendrai. VOITURE, Lettres, 37. 19

Infortuné, proscrit, incertain de régner, 20
Dois-je irriter les cœurs au lieu de les gagner ? RACINE, Bajazet, II, 1.

Rome de votre sort est encore incertaine. RACINE, Bérénice, V, 6. 21

(...) le peuple en fuite dans le désert, incertain de sa condition, entre la mort et la vie (...) BOSSUET, Hist. universelle, II, X. 22

Pierre, abandonné de ses alliés, flotta assez longtemps incertain du parti qu'il devait prendre. MÉRIMÉE, Hist. du règne de Pierre le Grand, p. 134. 23

Vx ou littér. (Sans prép., avec une interrog. ind.). *« Incertains quel est le principe de son être »* (La Bruyère ; → Esprit, cit. 118 ; fortune, cit. 18). *Incertain si..., comment...*

Ignorant d'où je viens, incertain où je vais (...) 24
LAMARTINE, Premières méditations, II.

Par ext. *Âme incertaine entre la vie et le rêve* (→ Flotter, cit. 18). *Esprit incertain.*

♦ **2.** [a] Pensées, sentiments. ⇒ **Hésitant.** *Pensée incertaine et flottante, fuyante* (cit. 7 ; → Assoupir, cit. 13 ; fugace, cit. 5). *Humeur incertaine.* ⇒ **Journalier.** — Poét. *Sentiment, courroux incertain.* ⇒ **Chancelant** (cit. 5).

[b] Actes, comportements. *Une attitude incertaine. Ses façons de faire sont un peu incertaines.*

♦ **3.** (1820, Lamartine). Qui s'effectue avec hésitation, d'une manière peu assurée (mouvements coordonnés : marche, etc.). *Pas incertains ; marche incertaine* (→ Égarer, cit. 5 ; fond, cit. 12). — *Une voix incertaine,* mal posée, peu assurée (autre nuance, → ci-dessus, I., 4).

(...) il vit surgir (...) un gros rat à la démarche incertaine (...) La bête s'arrêta, sembla chercher un équilibre, prit sa course vers le docteur, s'arrêta encore, tourna sur elle-même (...) et tomba enfin (...) CAMUS, la Peste, p. 18. 25

Actions complexes. *La conduite, la direction incertaine d'un cheval* (→ Galop, cit. 3). *Il conduit trop vite, d'une manière incertaine.* — *Il a une façon incertaine de mener son affaire.*

CONTR. Certain. — Assuré, confirmé, démontré, déterminé, évident, flagrant, prouvé, sûr. — Authentique. — Fixe, stable. — Clair, défini, net, précis. — Certain, décidé, déterminé, ferme, résolu.

DÉR. Incertainement.

INCERTAINEMENT [ɛ̃sɛʀtɛnmɑ̃] adv. — 1539 ; de *incertain.*
Littéraire. Rare.

♦ **1.** D'une manière incertaine *Connaître qqch. incertainement.*

♦ **2.** D'une manière peu assurée, instable.

Marc, fort incertainement perché (...) avait perdu l'équilibre.
GIDE, Retour du Tchad, III, *in* Souvenirs, Pl., p. 903.

♦ **3.** D'une manière hésitante, irrésolue.

CONTR. Certainement.

INCERTITUDE [ɛ̃sɛʀtityd] n. f. — 1495 ; de 1. *in-,* et *certitude.*

★ **I.** ♦ **1.** État de ce qui est incertain. *L'incertitude de l'avenir, des événements, d'un résultat, d'un succès* (→ Affoler, cit. 5). *L'incertitude du gain* (→ Gagner, cit. 7 ; hasarder, cit. 2). *L'incertitude des choses humaines.* ⇒ **Fragilité, inconstance, précarité** ; → Heureux, cit. 1.

La guerre est journalière, et sa vicissitude, 1
Laisse tout l'avenir dedans l'incertitude. CORNEILLE, Sophonisbe, I, 3.

(...) Des événements l'incertitude est grande. MOLIÈRE, l'Étourdi, II, 3. 2

L'incertitude des événements, toujours plus difficile à soutenir que l'événement même (...) MASSILLON, Oraison funèbre de Conty, *in* LITTRÉ. 3

L'incertitude de l'avenir m'a toujours fait regarder les projets de longue exécution comme des leurres de dupe. ROUSSEAU, les Confessions, IV. 4

(...) l'incertitude de notre avenir donne aux objets leur véritable prix : la terre contemplée du milieu d'une mer orageuse, ressemble à la vie considérée par un homme qui va mourir. CHATEAUBRIAND, Mémoires d'outre-tombe, t. II, p. 375. 5

(1636). Didact. ou littér. (Correspond à *incertain*, I., 3.). *L'incertitude des anciennes histoires* (Littré); *l'incertitude de nos origines.* ⇒ **Obscurité; brume, clair-obscur** (fig.); → Enfermer, cit. 14; ignorance, cit. 2. *L'incertitude du témoignage, de l'opération des sens* (→ Erreur, cit. 7, Montaigne).

(XVIIIe). Sc. Majorant de la valeur absolue d'une erreur*, intervalle à l'intérieur duquel se trouvent la valeur exacte, inconnue, et la valeur calculée d'une grandeur (⇒ **Précision**). *Incertitude absolue, relative.*

(V. 1927). Phys. *Principe d'incertitude de Heisenberg*, formulé en 1927, d'après lequel il est impossible de déterminer avec précision à la fois la position et la vitesse (ou la quantité de mouvement) d'un corpuscule, en mécanique intra-atomique. *Relations d'incertitude de Heisenberg*, qui expriment numériquement cette imprécision. *Incertitude et complémentarité.* — REM. On dit aussi *principe, relations d'indétermination**.

6 (...) plus l'incertitude sur la position est petite, plus grande est l'incertitude sur la quantité de mouvement et réciproquement, et l'on obtient (...) les relations d'incertitude de Heisenberg (...)
Jean-Louis DESTOUCHES, la Mécanique ondulatoire, p. 56-57.

♦ **2.** Mil. XVIe. *(Une, des incertitudes).* **a** Vx. Chose incertaine, mal connue, qui prête au doute. *Les incertitudes d'une science* (→ Espèce, cit. 29). *« La plus grande partie de la philosophie n'est qu'un amas d'incertitudes »* (Nicole). *Existence pleine d'incertitudes.* ⇒ **Obscurité**; → Biographiquement, cit.

b Mod. Chose imprévisible. *Les incertitudes du sort, de la guerre, du lendemain.* ⇒ **Chance, hasard.**

7 Pour eux, les lendemains remplis d'incertitudes dépendaient entièrement de leur force de volonté et de travail (...) LOTI, Matelot, XXVII.

★ **II.** (XVIe). ♦ **1.** (1580). Vieilli ou littér. État d'une personne incertaine. ⇒ **Anxiété, doute, inquiétude.** *L'incertitude de qqn, son incertitude. L'incertitude humaine. L'homme « cloaque d'incertitude et d'erreur »* (→ Chaos, cit. 4, Pascal). *Être, demeurer dans l'incertitude* (→ Fin, cit. 3). *Cruelle, horrible incertitude.*

8 Nous avons pour notre part l'inconstance, l'irrésolution, l'incertitude, le deuil *(douleur)*, la superstition, la so*(l)*licitude *(inquiétude)* des choses à venir (...)
MONTAIGNE, Essais, II, XII.

9 Je ne respire pas dans cette incertitude. RACINE, Bérénice, II, 5.

10 Nous souhaitons la vérité, et ne trouvons en nous qu'incertitude.
PASCAL, Pensées, VII, 437.

11 L'incertitude devient un tourment dont notre âme se déchire par une erreur, si elle ne le peut par une vérité. CHAMFORT, Maximes et Pensées, XLVI.

12 L'incertitude est de tous les tourments le plus difficile à supporter, et dans plusieurs circonstances de ma vie je me suis exposé à de grands malheurs, faute de pouvoir attendre patiemment.
A. DE MUSSET, la Confession d'un enfant du siècle, V, II.

13 En proie à la plus cruelle incertitude, et voulant la faire cesser, dût-elle en mourir, Norma se dispose à aller trouver Pollion.
Th. GAUTIER, Souvenirs de théâtre..., Norma, p. 157.

14 Je songe à ce « peut-être » qui, dans le cœur de beaucoup d'hommes, infuse un subtil poison d'incertitude (...) G. DUHAMEL, Discours aux nuages, I, p. 20.

♦ **2.** (1538). État d'une personne incertaine de ce qu'elle fera. ⇒ **Embarras, flottement, hésitation, indécision, indétermination, irrésolution, perplexité.** *L'incertitude de qqn quant à, au sujet de qqch., touchant qqch. Son incertitude à ce sujet est complète, grande. Faire qqch. avec incertitude, sans aucune incertitude, sans une ombre d'incertitude* (→ Imitation, cit. 18). *Incertitude touchant un problème moral.* ⇒ **Scrupule.** *Incertitude perpétuelle.* ⇒ **Instabilité, versatilité.** *Être dans l'incertitude.* ⇒ **Balancer** (cit. 14), **hésiter, tâtonner.** — Vx. *Être dans l'incertitude si...* → ci-dessous, cit. 15. *Esprit en pleine incertitude.* ⇒ **Crise, désarroi.** *Incertitude du jugement* (→ Compromettre, cit. 3).

15 (...) et je suis dans l'incertitude si (...) je dois me battre avec mon homme, ou bien le faire assassiner. MOLIÈRE, le Sicilien, 12.

16 Vous êtes bien aise que ce ne soit pas votre affaire de résoudre; car une résolution est quelque chose d'étrange pour vous, c'est votre bête : je vous ai vue longtemps à décider d'une couleur; c'est la marque d'une âme trop éclairée, et qui voyant d'un coup d'œil toutes les difficultés, demeure en quelque sorte suspendue (...) pour moi (...) je hais l'incertitude, et j'aime qu'on me décide.
Mme DE SÉVIGNÉ, 369, 12 janv. 1674.

16.1 Il marchait la tête baissée, pour la première fois de sa vie, et, pour la première fois de sa vie également, les mains derrière le dos.
Jusqu'à ce jour, Javert n'avait pris, dans les deux attitudes de Napoléon, que celle qui exprime la résolution, les bras croisés sur la poitrine; celle qui exprime l'incertitude, les mains derrière le dos, lui était inconnue. Maintenant, un changement s'était fait; toute sa personne, lente et sombre, était empreinte d'anxiété.
HUGO, les Misérables, Jean Valjean, IV, p. 171.

17 (...) je lui avais peu à peu communiqué mon incertitude qui, le jour des décisions, l'empêcherait d'en prendre aucune. Je la sentais comme moi les mains molles, espérant que la mer épargnerait le château de sable, tandis que les autres enfants s'empressent de bâtir plus loin. R. RADIGUET, le Diable au corps, p. 123.

♦ **3.** (Déb. XIXe). Rare. *(Une, des incertitudes).* ⇒ **Hésitation.** *Un flux et reflux d'incertitudes.* ⇒ **Fluctuation, oscillation, tergiversation, vacillation**; → Hébéter, cit. 2. *Des incertitudes laborieuses* (→ 1. Frayer, cit. 9)

18 Un peu plus loin, il profita d'un croisement pour feindre une incertitude.
J. ROMAINS, les Hommes de bonne volonté, t. V, XXIII, p. 200.

CONTR. Certitude. — Assurance, décision, détermination, fermeté, netteté, précision, résolution, stabilité.

INCESSAMMENT [ɛ̃sesamɑ̃] adv.

— 1358; adapt. du bas lat. *incessanter*, même sens, de *in-* (→ 1. In-), et p. prés. de *cessare* (→ Cesser), suff. 1. *-ment* (*incessant* n'est attesté qu'au XVIe).

♦ **1.** Vx ou littér. D'une manière incessante. ⇒ **Assidûment, constamment, continuellement; cesse** (sans cesse). *La vieillesse amasse* (cit. 3) *incessamment. Incessamment, sans arrêt* (cit. 1). *Propos incessamment rebattus* (→ Cabale, cit. 7). *Creuser* (cit. 11), *fouir incessamment. Encourager* (cit. 9) *incessamment les méchants.*

REM. Cette acception de *incessamment* était déjà considérée comme vieillie au XVIIIe s. (cf. Brunot, H. L. F., t. VI, p. 1514). La langue littér. a continué à l'employer au XIXe s. (→ Arête, cit. 6; changeant, cit. 6; fouiller, cit. 18, Balzac; cascade, cit. 6, Hugo; file, cit. 2, Taine) et même au XXe s. (→ Changer, cit. 68, Giraudoux).

Ô montagne d'Etna que d'ici je regarde 1
Brûler incessamment d'une flamme qui garde
Sa nourriture en soi (...) RONSARD, Églogues, « Cyclope amoureux ».

Je veux jusqu'au trépas incessamment pleurer 2
Ce que tout l'univers ne peut me réparer. MOLIÈRE, Psyché, II, 1.

Une étude perpétuelle de la nature lui permet de varier incessamment ses types. 3
Th. GAUTIER, Souvenirs de théâtre..., Gavarni, p. 177.

Là, ils causaient, ils s'instruisaient les uns les autres, ils faisaient des plans, et la grosse bonne humeur du marin réjouissait incessamment ce petit monde, dans lequel la plus parfaite harmonie n'avait jamais cessé de régner. 3.1
J. VERNE, l'Île mystérieuse, t. I, p. 411.

♦ **2.** (1671, Pomey). Mod. Cour. Très prochainement, sans délai*, sans retard*. ⇒ **Bientôt, peu** (sous peu), **tôt** (au plus tôt), **suite** (tout de suite). *Il doit arriver, venir incessamment. Je vous répondrai incessamment. On l'attend incessamment.* — Par plais. (Avec un v. au futur). *J'irai incessamment si ce n'est avant. Incessamment sous peu...*

On me mande (...) que le roi revient incessamment (...) 4
Mme DE SÉVIGNÉ, Lettres, 539, 21 mai 1676.

Je vous conseille de sortir incessamment de cette ville. 5
A. R. LESAGE, *in* Louis DURRIEU, Parlons correctement, Incessamment.

Rare (dans le passé). *Il fut nommé préfet de Strasbourg et se rendit incessamment à son poste* (Académie).

INCESSANT, ANTE [ɛ̃sesɑ̃, ɑ̃t] adj.

— 1552; de 1. *in-*, et *cessant*, p. prés. de *cesser.*

Littéraire.

♦ **1.** (Avec un n. au sing.; → ci-dessous, cit. 2 et 3). Qui ne cesse pas, dure sans arrêt*, sans interruption. ⇒ **Continu, continuel, ininterrompu, perpétuel.** *Bruit* (cit. 5), *bruissement* (cit. 2), *fracas* (cit. 5), *tonnerre incessant* (→ Brisant, cit. 2). *Des cris incessants. Le choc incessant des glaçons* (cit.). *Incessante mobilité* (→ Girouette, cit. 4). *Étude, culture incessante* (→ Affirmer, cit. 10; approfondir, cit. 12; habitude, cit. 40). *Travail incessant*, sans relâche. — *Incessant désir* (→ Haine, cit. 33), *terreur incessante* (→ Épileptique, cit. 4). *Lutte incessante* (→ Cynique, cit. 6). — Cour. (Avec un n. au plur.). Qui se répète, se reproduit sans interruption. *Des cris incessants. D'incessantes récriminations.* ⇒ **Éternel** (IV.).

(...) les hommes, à travers leurs incessantes transformations, restent fidèles aux vieux usages! FUSTEL DE COULANGES, la Cité antique, III, IV. 1

(...) les mères causaient entre elles en surveillant la marmaille d'un coup d'œil incessant. MAUPASSANT, Monsieur Parent, I. 2

(...) la douce plainte incessante d'une source (...) 3
PROUST, les Plaisirs et les Jours, p. 123.

♦ **2.** Qui exerce son activité de manière continue, sans s'arrêter. *« Que fais-tu, toi, voyageur incessant... ? »* (Valéry, *in* T. L. F.). *Il fait un soleil incessant.*

CONTR. Discontinu, interrompu, rare.
DÉR. V. Incessamment.

INCESSIBILITÉ [ɛ̃sesibilite] n. f.

— 1819, Boiste; de *incessible.*

♦ Dr. Caractère de ce qui est incessible. ⇒ **Inaliénabilité.**

CONTR. Cessibilité.

INCESSIBLE [ɛ̃sesibl] adj.

— 1576; de 1. *in-*, et *cessible.*

♦ Dr. Qui ne peut être cédé*. *Droit, privilège, titre, créance, action incessible.* ⇒ **Inaliénable.**

Droits (...) qui sont de leur nature incessibles, inaliénables et imprescriptibles.
Jean BODIN, les Six Livres de la République, I, 11 (1576).

CONTR. Cessible.
DÉR. Incessibilité.

INCESTE [ɛ̃sɛst] n.

— Fin XIIIe; du lat. *incestum*, n., de *incestus*, adj., « impur; impudique, incestueux », de *in-* (→ 1. In-), et *castus* « pur, intègre, pieux ». → Chaste, châtier.

♦ **1.** N. m. Dr. Relations sexuelles entre un homme et une femme parents ou alliés à un degré qui entraîne la prohibition du mariage, et, cour., entre parents très proches (au premier degré). *Inceste entre* *la mère et le fils, le frère et la sœur, l'oncle et la nièce. Inceste fraternel* (cit. 1). *Commettre un inceste.* — **Par ext.** Amour incestueux.

1 — Chargé du crime affreux dont vous me soupçonnez
Quels amis me plaindront, quand vous m'abandonnez?
— Va chercher des amis dont l'estime funeste
Honore l'adultère, applaudisse à l'inceste (...)
— Vous me parlez toujours d'inceste et d'adultère (...) RACINE, Phèdre, IV, 2.

2 (...) les Tartares, qui peuvent épouser leurs filles, n'épousent (...) jamais leurs mères (...) Il a (...) fallu une barrière insurmontable entre ceux qui devaient donner l'éducation et ceux qui devaient la recevoir (...) L'horreur pour l'inceste du frère avec la sœur a dû partir de la même source. Il suffit que les pères et les mères aient voulu conserver les mœurs de leurs enfants, et leurs maisons pures, pour avoir inspiré à leurs enfants de l'horreur pour tout ce qui pouvait les porter à l'union des deux sexes. MONTESQUIEU, l'Esprit des lois, XXVI, XIV.

3 « Les Tartares, dit l'*Esprit des Lois*, qui peuvent épouser leurs filles, n'épousent jamais leurs mères ». On ne sait de quels Tartares l'auteur veut parler. Il cite trop souvent au hasard. Nous ne connaissons aujourd'hui aucun peuple (...) où l'on soit dans l'usage d'épouser sa fille (...) J'avoue que la loi qui prohibe de tels mariages est une loi de bienséance; et voilà pourquoi je n'ai jamais cru que les Perses aient épousé leurs filles (...) Il se peut que quelque prince de Perse eût commis un inceste, et qu'on imputât à la nation entière la turpitude d'un seul. VOLTAIRE, Dict. philosophique, Inceste.

3.1 (...) je suppose une société où il sera convenu que l'inceste (admettons ce délit comme tout autre), que l'inceste, dis-je, soit un crime, ceux qui s'y livreront seront malheureux, parce que l'opinion, les lois, le culte, tout viendra glacer leurs plaisirs; ceux qui désireront de commettre ce mal, et qui ne l'oseront, d'après ces freins, seront également malheureux; ainsi la loi qui proscrira l'inceste, n'aura fait que des infortunés. Que dans la société voisine, l'inceste ne soit point un crime, ceux qui ne le désireront pas ne seront point malheureux, et ceux qui le désireront seront heureux. SADE, Justine..., t. I, p. 119.

4 On pourrait presque dire que ce fut lui, et lui seul qui, baptisant inceste un amour assez naturel pour une demi-sœur inconnue, transforma la faute en crime (...) L'inceste violant une des lois les plus antiques des hommes, lui semblait donner aux joies de la chair le prestige de la révolte. Augusta, beaucoup plus simple, s'abandonnait. A. MAUROIS, la Vie de Byron, II, XVIII.

Sociol., anthrop. *Interdit, prohibition de l'inceste,* règle fondamentale gouvernant l'échange des femmes.

Psychan. Relation de désir entre le jeune enfant et le parent de sexe opposé (⇒ **Œdipe**), considérée comme la base du mythe de l'*interdit de l'inceste,* succédant au meurtre du père et engendrant l'interdit, la loi et la transgression (le désir) au sein de la « horde primitive » (notion freudienne contestée).

Droit :

5 Le mariage célébré entre personnes parentes ou alliées au degré prohibé est *nul,* et le vice qui l'atteint porte le nom d'*inceste.* M. PLANIOL, Traité élémentaire de droit civil, t. 1, § 722, p. 273.

Dr. canon. Relations coupables avec une religieuse. *Inceste spirituel,* entre personnes unies par un lien spirituel (parrain et filleule, etc.).

♦ **2.** N. (Fin XIVe, adj., de l'adj. lat. *incestus;* n., déb. XVIe). Vx. Personne qui a commis un inceste. — Adj. Personnes. ⇒ **Incestueux.** — (Fin XVe). Choses. Qui a le caractère d'un inceste. *Désir inceste* (Corneille, *Œdipe,* III, 5).

INCESTUEUSEMENT [ɛ̃sɛstɥøzmɑ̃] adv. — Fin XVe; de *incestueux.*

♦ Rare. D'une façon incestueuse.

Je voudrais que tu sois ma sœur pour t'aimer incestueusement (...) APOLLINAIRE, Ombre de mon amour, XXXVIII.

INCESTUEUX, EUSE [ɛ̃sɛstɥø, øz] adj. — XIIIe, sens 2; lat. *incestuosus* « impudique », de *incestus, -us,* n. m., syn. de *incestum.* → Inceste.

♦ **1.** (1594). Personnes. Coupable d'inceste. *Une mère incestueuse. Un fils incestueux. Un couple incestueux.*

1 (...) La douleur vertueuse
De Phèdre malgré soi perfide, incestueuse (...) BOILEAU, Épîtres, VII.

N. m. (1677). *Un incestueux, une incestueuse.*

2 Un seul jour ne fait pas d'un mortel vertueux
Un perfide assassin, un lâche incestueux. RACINE, Phèdre, IV, 2.

♦ **2.** [a] Qui constitue un inceste. *Amour, commerce incestueux* (→ Adultérin, cit. 2). *Passion incestueuse.* « *Un reste mal éteint d'incestueuse flamme* » (Corneille, *Héraclius,* III, 1).

[b] Qui tend à l'inceste. *Désirs incestueux.* Vx. *Regard incestueux* (→ Chaste, cit. 4).

3 Mais ce lien du sang qui nous joignait tous deux
Écartait Claudius d'un lit incestueux. RACINE, Britannicus, IV, 2.

♦ **3.** (1765). Issu d'un inceste. *Enfant, fils incestueux* (⇒ **Illégitime**). *Légitimation des enfants incestueux* (loi du 7 nov. 1907).

4 (...) la loi du 7 novembre 1907 a effacé de l'article 331 le membre de phrase exclusif de la légitimation des enfants incestueux. Il est même permis de penser que cette suppression sans réserve a rendu possible la légitimation des enfants incestueux *dans tous les cas.* Nous voulons dire par là que, si les deux parents, au degré prohibé sans dispense possible, contractent néanmoins mariage, il suffit que l'un d'eux soit de bonne foi (...) pour que (...) le mariage, bien que nul, entraîne, étant putatif, la légitimation. JULLIOT DE LA MORANDIÈRE, Précis de droit civil, t. I, no 518, p. 311.

DÉR. Incestueusement.

INCH ALLAH [inʃala] interj. et n. m. — D. i.; mots arabes, « comme il plaît à Dieu ».

♦ Advienne que pourra. *J'ai fait tout ce que j'ai pu pour sauver ce projet; maintenant, inch Allah!*

N. m. invar. *Un, des inch Allah.*

Comme je m'étonnais de la curieuse idée que la presse de Delhi se faisait du gouvernement français : « Oh! du gouvernement indien aussi!... » me répondit-il *(le pandit Nehru)* avec un geste d'espoir et de résignation, un inch Allah ironique. MALRAUX, Antimémoires, p. 199.

INCHANGÉ, ÉE [ɛ̃ʃɑ̃ʒe] adj. — 1794; de 1. *in-,* et *changé.*

♦ Qui n'a pas changé. *Il revient inchangé. La situation demeure inchangée. Cours d'une valeur inchangé.*

CONTR. Changé.

INCHANGEABLE [ɛ̃ʃɑ̃ʒabl] adj. — 1554; de 1. *in-,* et *changeable.*

♦ Que l'on ne peut pas changer. *Les données du problème sont absolument inchangeables. Règles, lois inchangeables.* ⇒ **Immuable.**

CONTR. Changeable.

INCHANTABLE [ɛ̃ʃɑ̃tabl] adj. — XVIIIe, Rousseau; de 1. *in-,* et *chantable.*

♦ Impossible, trop difficile à chanter. — Impossible à chanter, par son caractère inconvenant, etc.

Madame Branchu elle-même *(célèbre cantatrice)* m'a avoué ensuite, et non sans regretter ce coupable découragement, avoir un jour déclaré à Spontini qu'elle n'apprendrait jamais ses inchantables récitatifs. BERLIOZ, les Soirées de l'orchestre, 13, p. 171. 1

Je le reconnus *(l'aumônier)* à ce qu'il ne chantait pas la chanson vraiment inchantable de l'assemblée (...) Roger VERCEL, Capitaine Conan, XII, p. 191. 2

CONTR. Chantable.

INCHÂTIÉ, ÉE [ɛ̃ʃatje] adj. — 1867, *in* Littré; de 1. *in-,* et *châtié.* → Châtier.

♦ Littér. Vx. Qui n'est pas, n'a pas été châtié. ⇒ **Impuni.**

CONTR. Châtié.

INCHAUFFABLE [ɛ̃ʃofabl] adj. — XXe; de 1. *in-, chauffer,* et suff. *-able.*

♦ Impossible ou très difficile à chauffer. *Ces grandes pièces sont inchauffables.*

Plus loin, le living... Immense, bien entendu, et inchauffable l'hiver; mais l'hiver, je suis à Cannes. H.-F. REY, les Pianos mécaniques, p. 49. 1

Le château était une sottise gothique inchauffable, inéclairable, construite au XIXe siècle par un admirateur de Walter Scott. Jacques LAURENT, les Bêtises, p. 13. 2

INCHAVIRABLE [ɛ̃ʃaviʀabl] adj. — 1867, Littré; de 1. *in-, chavirer,* et suff. *-able* (attesté antérieurement à *chavirable*).

♦ Qui ne peut chavirer. *Canot de sauvetage inchavirable.* « *Leur lest les rend* (ces bateaux) *pratiquement inchavirables* » (*Bateaux,* no 100).

Les stars (ainsi dénommés parce que, fabriqués aux États-Unis, ils portent sur la voile une étoile), ont une quille en plomb qui les rend inchavirables. Jean DAUVEN, Technique du sport, Yachting, p. 65.

CONTR. Chavirable.

INCHIFFRABLE [ɛ̃ʃifʀabl] adj. — 1974, *in* Gilbert; de 1. *in-,* et *chiffrable.*

♦ Qui ne peut pas être chiffré, évalué avec des chiffres.

CONTR. Chiffrable.

INCHOATIF, IVE [ɛ̃kɔatif, iv] adj. et n. m. — V. 1380, « qui est au commencement »; bas lat. *inchoativus,* de *inchoatum,* supin du lat. class. *inchoare* « commencer ».

REM. Le syntagme *inchoativum verbum* existe en latin.

Didactique.

♦ **1.** (V. 1670; probablt antérieur : XIVe). Ling. Qui sert à exprimer une action commençante, un devenir, une progression. *Verbe, suffixe inchoatif.* — Propre à un morphème inchoatif. *Valeur inchoative d'une forme verbale, d'un infixe.* — Relatif à l'expression d'une action commençante. *Aspect* inchoatif.*

N. m. (1835). Verbe inchoatif. *Les mots tels que incandescent, sénescence dérivent des inchoatifs latins en -scere.* — (1557). Aspect inchoatif. *Expression de l'inchoatif à l'aide d'un auxiliaire modal* (ex. : se mettre à, et infinitif).

♦ **2.** Philos. Qui est à son commencement; propre à qqch. qui débute, s'ébauche. *L'« allure inchoative » de la phénoménologie* (Merleau-Ponty).

INCHOQUABLE [ɛ̃ʃɔkabl] adj. — Mil. xxe; de 1. *in-*, et *choquable.*

♦ Fam. Impossible à choquer (personnes).

Le clou, qui devait nous choquer, annoncèrent les présentateurs, était la conversation d'une mère et de son fils. Cette dame éclairée expliquait à son garçon de neuf ans comment on fait les enfants. Elle m'a choqué, en effet, non par l'audace de ses propos. Sur ce point je suis inchoquable, surtout en un temps qui, le plus souvent, sous des rodomontades de vocabulaire, cache un conformisme bêlant. Cette dame m'a choqué par la maladie qu'elle sécrétait, qui recouvre notre siècle de sa chape de plomb, et que n'avait pas prévue mon père : l'ennui.
P. GUTH, *in* le Figaro, 24 févr. 1968.

CONTR. **Choquable.**

INCICATRISABLE [ɛ̃sikatʀizabl] adj. — 1771; de 1. *in-*, *cicatriser*, et *-able.*

♦ Qui ne peut pas se cicatriser.

CONTR. **Cicatrisable.**

INCIDEMMENT [ɛ̃sidamɑ̃] adv. — V. 1310, *incidamment;* de *incident* (II.).

♦ **1.** D'une manière incidente*; sans y attacher une importance capitale. ⇒ **Accessoirement, accidentellement.** *Parler de qqch., de qqn incidemment.* ⇒ **Parenthèse** (entre); → Frère, cit. 29. *Je lui ai demandé incidemment si...* ⇒ **Passer** (en passant).

1 Il nous faut plus amplement traiter ce point, duquel nous n'avions pas ci-devant parlé, sinon incidemment et comme en passant.
CALVIN, Institution de la Religion chrétienne, 671, *in* LITTRÉ.

2 Une première fois, j'ai dû te nommer incidemment parmi les camarades que je fréquentais le plus. J. ROMAINS, Une femme singulière, p. 12.

♦ **2.** (xxe). D'une manière accidentelle; par hasard. *J'ai appris la nouvelle incidemment, en ouvrant la radio. Il a été mis au courant tout à fait incidemment.*

INCIDENCE [ɛ̃sidɑ̃s] n. f. — Fin xiiie, « ce qui arrive »; de *incident.*

★ **I.** Vx. Ce qui arrive, survient. ⇒ **Circonstance, incident.**

1 (...) lorsque de telles incidences entravent les débuts d'une entreprise déjà vague et douteuse, on diffère de se risquer en de nouvelles menées pour d'aussi hasardeux bénéfices (...) VILLIERS DE L'ISLE-ADAM, Axel, II, XIII.

★ **II.** (1626, Mydorge; d'après le lat. médiéval *incidentia*).

♦ **1.** Sc. Rencontre (d'une ligne, d'un corps et d'une autre ligne, d'une surface, etc.). — Spécialt. Rencontre d'un rayon* (lumineux, électromagnétique) et d'une surface.

2 Tous *(les rayons)* se brisent à leur incidence dans la boule; chacun d'eux se brise différemment (...) VOLTAIRE, Éléments de la philosophie de Newton, II, XI.

Point d'incidence : point de rencontre du rayon incident et de la surface. *Plan d'incidence.* — (1637, Descartes). *Angle d'incidence,* formé par le rayon incident et la normale à la surface frappée, au point d'incidence. — Par ext. Direction du rayon incident. *L'angle de réflexion* et l'angle de réfraction* dépendent de l'incidence. Incidence rasante. L'incidence de la lumière.*

3 En sortant du débit, il profite d'une incidence de lumière favorable pour se regarder encore une fois dans la glace.
J. ROMAINS, les Hommes de bonne volonté, t. IV, II, p. 12.

Aéron. Angle d'attaque, formé par l'aile et le fuselage.

♦ **2.** (1876). Écon. « Fait d'un impôt qui tombe, qui porte sur telle ou telle classe d'individus » (Littré, *Suppl.*). — (V. 1900). Spécialt. Effet de la charge fiscale sur une personne ou une classe qui la supporte finalement au lieu du contribuable qui, légalement, l'acquitte. *Incidence des impôts de consommation.*

4 M. Léon Say a remarqué avec beaucoup de finesse et de sagacité que la loi n'est pas aussi maîtresse qu'on le croit généralement de régler l'incidence des impôts.
Journal des Débats, 29 oct. 1876, *in* LITTRÉ, Suppl.

5 Il n'est presque pas d'impôt dont le poids ne retombe, dans une plus ou moins large mesure, sur d'autres que ceux qui le paient légalement. On appelle *incidence de l'impôt* le résultat final de toutes les translations par lesquelles la charge a passé de l'un à l'autre. Le problème de l'incidence est le plus complexe de tous ceux qu'étudie la science des finances. C'est de sa solution que dépend la distinction économique entre les impôts directs, dont l'incidence réelle est la même que l'incidence légale ou en diffère peu, et les impôts indirects, dont le débiteur légal ne garde presque aucune part à sa charge.
C. COLSON, Cours d'économie politique, t. V, p. 274.

♦ **3.** (xxe). Didact. ou style soutenu. Conséquence, effet, influence. ⇒ **Retombée.** *L'incidence des salaires sur les prix de revient. « L'incidence possible des déclarations du chancelier sur la ratification des accords »* (*le Monde,* 9 mars 1955, *in* Gilbert). *Être sans incidences sur... « Les incidences du spirituel dans le temporel »* (Jacques Maritain, *in* T. L. F.). — (Sans compl. prépositionnel). *Il est difficile de prévoir les incidences de cette nouvelle mesure. Avoir des incidences importantes. Un événement sans incidences.*

Je suis ce peintre maudit, condamné à planter un chevalet éternel au bord de la même mare à grenouilles *(l'Assemblée).* Comment les distinguer les unes des autres? Je n'arrive même plus à préférer celle-ci ou celle-là. Elles font leur métier de grenouille, elles ont leurs ambitions de grenouille. Ce qui se passe dans le reste du monde n'a pour elles que des incidences parlementaires. 6
F. MAURIAC, le Nouveau Bloc-notes 1958-1960, p. 20.

♦ **4.** (1966). Méd. Nombre de cas de maladie apparus pendant une période de temps donnée au sein d'une population (distinct de *prévalence**).

1. INCIDENT [ɛ̃sidɑ̃] n. m. — 1265; du lat. scolast. *incidens,* p. prés. de *incidere* « tomber sur, survenir », de *in-* (→ 2. In-), et *cadere* « tomber » (→ Caduc, décadent...).

♦ **1.** Petit événement* qui survient. *Un incident sans importance, sans gravité. Le moindre incident* (→ Acuité, cit. 3; assoupir, cit. 21). *Incident fortuit, providentiel* (→ Excitatif, cit.; haine, cit. 33). *Incident imprévu, inopiné.* ⇒ **Aventure.** *Les incidents qui figurent dans une biographie* (cit. 2). *Causer* (cit. 13), *parler d'un incident. Un incident récent, tout frais* (1. Frais, cit. 11), *déjà ancien. Tout incident passé fait partie de l'histoire* (→ Historique, cit. 10). *La rubrique des faits divers rend compte des incidents survenus dans la journée. Incident pénible, regrettable* (⇒ **Circonstance**). *Ce n'est qu'un incident, qu'un petit incident dans sa vie.* ⇒ **Épisode, péripétie.** *Raconter des incidents* (⇒ **Anecdote**).

Pour Javert, les incidents habituels de la voie publique étaient classés catégoriquement, ce qui est le commencement de la prévoyance et de la surveillance, et chaque éventualité avait son compartiment (...) HUGO, les Misérables, V, III, X. 1

Un moraliste, qui a le secret des accents pénétrants, a dit : « (...) La vie n'est qu'une succession d'incidents; l'individu, au point de vue de la société, n'y joue que le plus mince rôle (...) » 2
SAINTE-BEUVE, Chateaubriand..., t. II, p. 287 *(note).*

À l'église, il y eut un incident pénible, l'abbé Madeline s'évanouit, en disant sa messe. Il n'allait pas bien, il regrettait ses montagnes, depuis qu'il vivait dans la plate Beauce, navré de l'indifférence religieuse de ses nouveaux paroissiens (...) 3
ZOLA, la Terre, IV, VI.

(...) le café épais, après avoir désagréablement sali ses doigts, se répandit sur le plancher, et l'incident passa sans qu'aucun de nous fît mine de l'avoir remarqué. 4
LOTI, Aziyadé, IV, IX.

(xxe). Spécialt. Petite difficulté imprévue qui survient au cours d'une entreprise. ⇒ **Accroc, anicroche, difficulté.** *Incident technique. L'affaire s'est déroulée, le voyage s'est passé sans incident.* Loc. *Incident de parcours** (cit. 3).

♦ **2.** (Déb. xxe). Événement peu important en lui-même, mais capable d'entraîner de graves conséquences dans les relations internationales. *Incident diplomatique. Un grave incident de frontière.* — (Dans la vie politique, sociale). Désordre. *S'efforcer de créer, de provoquer des incidents dans une réunion, dans la rue.*

Sa nouvelle était un incident de frontière, peut-être un *casus belli,* entre la France et l'Allemagne (...) L'incident paraissait grave : un commissaire français avait été attiré dans un guet-apens et les Allemands ne le lâchaient point. 5
A. HERMANT, l'Aube ardente, XIV.

Les ponts sur la Moselle étaient occupés militairement par les troupes allemandes. On était à la merci d'un incident. 6
MARTIN DU GARD, les Thibault, t. VII, p. 148.

♦ **3.** (Mil. xviie; « digression », v. 1460, Villon). Hist. littér. Événement accessoire qui survient dans le cours de l'action principale (d'une pièce de théâtre, d'un roman). ⇒ **Épisode** (1.), **péripétie;** → Détruire, cit. 19 et 25.

N'offrez point un sujet d'incidents trop chargé! BOILEAU, l'Art poétique, III. 7

Les incidents *(dans une pièce de théâtre)* ne sont un mérite que quand ils sont naturels (...) VOLTAIRE, Correspondance, 2375, 22 déc. 1763. 8

♦ **4.** (Fin xive). Dr. Contestation* accessoire survenant au cours d'un procès*, venant en interrompre le déroulement. *Incident de saisie,* soulevé au cours d'une procédure de saisie. *Incident d'audience,* relatif à la compétence, l'administration de la preuve, la régularité de la procédure. *Soulever un incident* (⇒ **Incidenter**).

Autre incident : tandis qu'au procès on travaille, 9
Ma partie en mon pré laisse aller sa volaille. RACINE, les Plaideurs, I, 7.

(...) mais si on me paye bien, je ne ferai point d'incident et laisserai les choses comme elles sont. Mme DE SÉVIGNÉ, 1368, 18 janv. 1694. 10

(...) M. de Lamoignon (...) débrouillerait ce chaos d'incidents et de procédures dont on avait enveloppé leur cause (...) FLÉCHIER, Lamoignon, *in* LITTRÉ. 11

Dans un sens très général, le mot *incident* désigne tous les événements qui, se produisant au cours d'une instance, en modifient le cours ordinaire (exceptions, mesures d'instruction, reprise ou péremption d'instance, constitution de nouvel avoué, etc.). — Dans un sens plus restreint, qui est celui des articles 337 et suivants du code de procédure civile (...) il désigne les demandes additionnelles du demandeur, les demandes reconventionnelles du défendeur, et les demandes en intervention formées par ou contre des tiers. 12
DALLOZ, Nouveau répertoire, art. *Incident,* § 1.

Fig. Difficulté, objection qu'une personne soulève (dans un débat, au jeu...). ⇒ **Chicane, dispute.** *Au lieu de répondre à la question, il soulève des incidents. — Incidents de séance. — L'incident est clos :* la querelle est terminée.

— C'est très bien comme ça, approuve Saturnin. Du moment que ce meussieu accepte vos excuses, l'incident est clos. 12.1

— Mais oui, mais oui, j'accepte les excuses de Meussieu Pic ! L'incident est clos. Parlons d'aut'chose. R. QUENEAU, le Chiendent, p. 279.

DÉR. Incidentel, incidenter.

2. INCIDENT, ENTE [ɛ̃sidɑ̃, ɑ̃t] adj. et n. f. — 1468 ; → 1. Incident.

★ **I.** ♦ **1.** (1468). Dr. Qui survient accessoirement dans un procès, une affaire. ⇒ **Accessoire.** *Contestation, demande, question, requête incidente. — Faux incident* (par oppos. à *faux principal*). ⇒ **Faux** (III., 2.). *Appel* incident.*

13 Des discussions poussées dans un grand détail ne lèvent guère une difficulté sans en faire naître une autre ; cette nouvelle difficulté, qu'on veut suivre, produit aussi sa difficulté incidente, et on se trouve engagé dans un labyrinthe. FONTENELLE, Du Verney, *in* LITTRÉ.

14 Les demandes incidentes seront formées par un simple acte contenant les moyens et les conclusions, avec offre de communiquer les pièces justificatives (...) Code de procédure civile, art. 337.

♦ **2.** (1549). Cour. Qui est accessoire, non essentiel. ⇒ **Accidentel, secondaire.** *Des remarques incidentes. — Événement incident,* non essentiel (⇒ **Accidentel**). *D'une façon incidente.* ⇒ **Incidemment.** « *Ses allusions étaient toujours incidentes* » (Martin du Gard, *in* G. L. L. F.).

14.1 Un premier état incident ne finit pas par s'organiser — se rapporter à des repères — mais il évolue monstrueusement. VALÉRY, Cahiers, t. II, Pl., p. 84.

♦ **3.** (1732). Gramm. Se dit d'une proposition qui suspend le courant d'une phrase pour y introduire un énoncé accessoire. ⇒ **Incise.** *La proposition incidente joue le même rôle qu'une parenthèse.* INCIDENTE, n. f. (1765). *Une incidente. Mettre une incidente entre parenthèses, entre virgules, entre tirets... Phrase hachée* (cit. 13), *coupée d'incidentes.*

15 Il expliqua pourquoi, en phrases interrompues, coupées de continuelles incidentes. ZOLA, la Terre, I, II.

16 (...) je ne puis quitter Rotrou sans m'arrêter à une autre de ces beautés maudites (c'est un peu plus loin dans la tragédie de *Vencelas*)
Apprenons l'art, mon cœur, d'aimer sans espérance
qui provient toute de cette distorsion de l'expression *l'art d'aimer* par une incidente (...) ARAGON, les Yeux d'Elsa, p. XI.

★ **II.** (1720, Coste ; d'après l'angl. *incident*). Phys. Qui rencontre, tombe sur une surface réfléchissante ou réfringente (le substantif qualifié désigne un corps en mouvement, un rayon). ⇒ **Incidence** (II., 1.).

CONTR. Dominant, principal.
DÉR. Incidemment, incidence.

INCIDENTE [ɛ̃sidɑ̃t] n. f. ⇒ 2. Incident (I., 3.).

INCIDENTEL, ELLE, ELS [ɛ̃sidɑ̃tɛl] adj. — 1841 ; de *incident,* n. m.

♦ Didact. ou littér. Qui constitue un incident. *Un moyen incidentel.* « *Le cadavre incidentel de Bernier* » (Gaston Leroux, *in* T. L. F.)

INCIDENTER [ɛ̃sidɑ̃te] v. — 1649 ; de 1. *incident.*

♦ **1.** V. intr. Dr. Faire naître des incidents au cours d'un procès.

♦ **2.** V. intr. (1688). Vx. Soulever des difficultés, des objections. ⇒ **Chicaner.**

1 Deviez-vous incidenter sur des choses si communes ? VOLTAIRE, De quelques niaiseries, XXI.

2 Toujours plus disposé à incidenter à mesure qu'il distinguait un véritable empressement (...) STENDHAL, le Rouge et le Noir, I, V.

♦ **3.** V. tr. Rare et stylistique. Provoquer (ou entraîner) un, des incidents au cours de... « *Ce qui achevait d'incidenter notre excursion* » (A. Daudet, *Contes du lundi, in* T. L. F.).

▶ **INCIDENTÉ, ÉE,** p. p. adj. (1857, Michelet, *in* T. L. F.). *Une aventure incidentée. Un voyage incidenté de, par divers événements.*

INCINÉRATEUR [ɛ̃sineʀatœʀ] n. m. — 1894, *Année sc. et industr.* 1895, p. 379 ; de *incinérer.*

♦ Appareil où l'on incinère (qqch., et, spécialt, les ordures).

Techn. Four pour le brûlage des déchets ultimes du raffinage du pétrole (obtenus lors de l'épuration des eaux usées).

INCINÉRATION [ɛ̃sineʀasjɔ̃] n. f. — V. 1390, rare av. 1762 ; du lat. médiéval *incineratio,* de *incineratum,* supin du bas lat. *incinerare.* → Incinérer.

♦ **1.** Action d'incinérer. *L'incinération des plantes marines* (→ Imprégner, cit. 1, Buffon). *Fours d'incinération.* ⇒ **Incinérateur.** — *Incinération des morts, des cadavres.* → ci-dessous, 2.

♦ **2.** Spécialt. Opération par laquelle on réduit en cendre un cadavre, les cadavres. ⇒ **Crémation.** *Préférer l'incinération à l'enterrement. Transport, dépôt des cendres, après l'incinération.* ⇒ **Cimetière, cinéraire** (urne), **columbarium, funérailles.** *Formalités, procédures d'incinération.*

Un arrêté préfectoral expropria les occupants des concessions à perpétuité, et l'on achemina vers le four crématoire tous les restes exhumés. Il fallut bientôt conduire les morts de la peste eux-mêmes à la crémation. Mais on dut utiliser alors l'ancien four d'incinération (...) CAMUS, la Peste, p. 196.

Techn. Destruction des résidus solides ultimes de la distillation du pétrole par brûlage.

INCINÉRER [ɛ̃sineʀe] v. tr. — Conjug. *céder.* — 1488, repris v. 1830 ; bas lat. (médical) *incinerare,* de *in-* « vers, dans », et *cinis, cineris* « cendre » (→ Cinéraire).

♦ **1.** Réduire en cendres*, brûler complètement. *Incinérer des plantes marines.*

♦ **2.** (Déb. XVIe). Détruire (un cadavre) par le feu. *Il veut se faire incinérer, et non pas enterrer* (⇒ **Crémation, incinération,** 2).

Patrick Mahon fut un assassin qu'on oublie. Il faisait, dans sa paisible province anglaise, disparaître des jeunes filles, des jeunes femmes. On retrouva enfouis, incinérés, les restes de ses victimes. COLETTE, Belles saisons, Mes cahiers, p. 198. 1

(...) le bonhomme dut grimper jusqu'à la nécropole et comme, par une opiniâtre révérence pour les principes de sa jeunesse, il tenait à faire incinérer le petit corps, il dut, pendant une heure, supporter l'affreux silence de la fausse chapelle, pareille, en sa hideur, à quelque bâtisse d'exposition. G. DUHAMEL, Salavin, V, XXIII. 2

DÉR. Incinérateur.

INCIPIT [ɛ̃sipit ; insipit] n. m. invar. — 1840 ; mot lat., 3e pers. sing. indic. prés. de *incipere* « commencer ».

Didactique.

♦ **1.** Premiers mots (d'un manuscrit, d'un livre...). *Catalogue citant les incipit des ouvrages répertoriés.*

Il a bien fallu que je fisse, un jour, effort sur moi-même pour me convaincre que rien n'était pire qu'une visite en coup de vent à une œuvre, le regard jeté sur le pas d'une porte, l'abus des incipit, la manière de tourner autour des chefs-d'œuvre sans jamais les fréquenter de la cave au grenier. Georges BORGEAUD, le Voyage à l'étranger, II, p. 301. 1

(...) si je tiens de tout écrit pour sa clef signifiante la première phrase ou incipit, l'inexplicable choix d'une phrase dont la puissance est proportionnelle à sa banalité, il ne faut pas oublier que l'espace ouvert par cette clé, cet arrière-texte que je disais, tend à se refermer sur une phrase de désinence, comme si l'auteur, l'homme de création s'exaspérait de lui-même, et se sentait soudain pris du vertige de refermer le secret sur lui-même, comme une épreuve non virée qu'il aurait craint trop longtemps d'exposer au soleil. Si, pour moi, le début d'écrire est un mystère, plus grand est le mystère de finir. ARAGON, Je n'ai jamais appris à écrire ou les incipit, p. 145. 2

♦ **2.** Relig. Premiers mots (d'un document ecclésiastique).

♦ **3.** Mus. Premières notes, premières phrases (d'un ouvrage).

INCIRCONCIS, ISE [ɛ̃siʀkɔ̃si, iz] adj. et n. — 1530 ; fig., *cœur incirconcis,* XVe ; lat. ecclés. *incircumcisus,* de *in-* (→ 1. In-), et *circumcisus.* → Circoncire.

♦ **1.** Qui n'est pas circoncis* (cit. 1).

Ils circoncirent tous les enfants incirconcis qu'ils trouvèrent dans tout le pays d'Israël. BIBLE (SACY), Macchabées, I, II, 46. 1

(...) des enfants robustes, couverts de vermine, nus, incirconcis, donnaient aux passants *(les Carthaginois)* des coups dans le ventre avec leur tête, ou venaient par derrière, comme de jeunes tigres, les mordre aux mains. FLAUBERT, Salammbô, 1862, Pl., t. I, p. 793. 1.1

♦ **2.** (1541, Calvin). Relig. Qui n'appartient pas à la nation juive, à la religion israélite. *Les hommes, les peuples incirconcis.* N. *Les incirconcis.* ⇒ **Goy** (cit. 3).

(...) étant Gentils par votre origine, et du nombre de ceux qu'on appelle incirconcis, pour les distinguer de ceux qu'on appelle circoncis selon la chair (...) BIBLE (SACY), Épître aux Éphésiens, II, 11. 2

Quand saint Pierre et les apôtres délibèrent d'abolir la circoncision, où il s'agissait d'agir contre la loi de Dieu, ils ne consultent point les prophètes, mais simplement la réception du Saint-Esprit en la personne des incirconcis. PASCAL, Pensées, X, 672. 3

♦ **3.** Fig. Vx. (Surtout dans le style bibl. et le style de la chaire, aux XVIIe et XVIIIe ; déjà attesté XVe). « Qui pèche devant le Seigneur » (Littré) ; qui n'est pas mortifié. *Incirconcis de cœur.* Par ext. « *Des cœurs incirconcis* » (Bourdaloue).

Que les incirconcis de cœur seront jugés (Jér., IX, 26) : car Dieu jugera les peuples incirconcis et tout le peuple d'Israël, parce qu'il est « incirconcis de cœur ». PASCAL, Pensées, IX, 610. 4

INCIRCONCISION [ɛ̃siʀkɔ̃sizjɔ̃] n. f. — 1530 ; lat. *incirconcisio,* de *in-* (→ 1. In-), et bas lat. *circoncisio.* → Circoncision.

♦ **1.** Vx ou relig. État de celui qui est incirconcis.

♦ **2.** Fig. Vx. (Au sens 3 de *incirconcis*) :

(...) mondains qui vivent (...) dans une incirconcision générale de leurs passions (...) BOURDALOUE, Circoncision de J.-C., II.

INCISE [ɛ̃siz] n. et adj. f. — 1770, Rousseau; lat. *incisa* «coupée», p. p. fém. de *incidere*. → Inciser.
REM. Le lat. employait *incisum* au sens du franç. «incise».

♦ **1.** Mus. Groupe de notes formant une unité rythmique à l'intérieur d'une phrase musicale.

♦ **2.** (1771). Gramm. Proposition généralement courte, tantôt insérée dans le corps de la phrase, tantôt rejetée à la fin, pour indiquer qu'on rapporte les paroles de qqn ou pour exprimer une sorte de parenthèse, souvent d'insistance ou de politesse (ex. : «Un soir, *t'en souvient-il?* nous voguions en silence», Lamartine). ⇒ 2. **Incident** (3.). *Inversion du sujet de l'incise. Verbe déclaratif de l'incise* (→ Faire, cit. 117). *Élément, proposition en incise.* — Adj. *Proposition incise.*

1 (...) le verbe de l'incise est régulièrement un déclaratif, comme *dire, répondre, reprendre*, etc., ou *crier, s'écrier, murmurer*, etc. À ces verbes naturellement prédestinés à ce rôle s'en sont ajoutés d'autres plus ou moins voisins de sens : «Ma petite fille, *commença-t-il* sur un ton éploré, ne sois pas trop sévère pour ton pauvre père» P. BENOIT, *Déjeuner de S., III,* (= *commença-t-il à dire*)... Puis, certains écrivains, par affectation à la fois de brièveté et de relief, ont utilisé des «ersatz», où très souvent il n'y a rien pour la déclaration (...) les faux déclaratifs suivants : *tempêter, râler, plaisanter, s'égosiller...* sont pris évidemment, comme des substituts de *dire* accompagné d'un gérondif du sens exprimé par eux, (dit-il *en pleurnichant, en plaisantant*, etc.).
G. et R. LE BIDOIS, Syntaxe du franç. moderne, t. II, nº 1123, p. 231.

2 J'ai dénoncé dans un précédent ouvrage l'emploi abusif que font les écrivains contemporains dans les propositions incises (ou intercalées) du type *dit-il, pensait-il*, de toutes sortes de verbes d'action qui n'ont avec les verbes dire et penser que des rapports assez lointains (...) On peut admettre (...) l'emploi dans les incises de verbes qui expriment un sentiment, comme *protester, s'étonner, s'indigner*. Mais, dans cette voie, il ne faut pas aller trop loin.
René GEORGIN, la Prose d'aujourd'hui, p. 54-55.

♦ **3.** N. f. pl. Techn. *Les incises :* caractères typographiques s'inspirant des inscriptions des monuments antiques.

INCISÉ, ÉE [ɛ̃size] p. p. adj. ⇒ **Inciser.**

INCISER [ɛ̃size] v. tr. — 1418; réfection, d'après *incision* et le lat. class., de l'anc. verbe *enciser*, du lat. pop. **incisare*, de *incisum*, supin de *incidere* «couper», de *in-* «vers, dans», et *cædere* «frapper, fendre».

♦ Fendre avec un instrument tranchant. ⇒ **Couper, blesser** (techn.), **entailler; incision.** — *Inciser un pin pour recueillir la résine. Inciser l'écorce d'un arbre pour le greffage.* ⇒ **Écorcer, scarifier.**

0.1 Les deux espèces principales d'arbres à latex, *hevea* et *castilloa*, sont appelées dans le parler local, respectivement *seringa* et *caucha* (...) Le chercheur de caoutchouc (...) incise les *seringas* selon des techniques délicates, dites «en drapeau» ou «en arête de poisson», car l'arbre mal taillé risque, soit de rester sec, soit de s'épuiser.
Claude LÉVI-STRAUSS, Tristes tropiques, p. 329-330.

(1475). Spécialt. *Inciser un phlegmon au bistouri* (cit. 2). ⇒ **Débrider.** *Inciser les aines d'un pestiféré* (→ Écarteler, cit. 4). *Inciser la peau superficiellement.* ⇒ **Scarifier.**

1 (...) on incise et taille les tendres membres d'un enfant plus aisément que les nôtres (...)
MONTAIGNE, Essais, II, XII.

2 (...) le médecin ensuite se présente avec sa trousse pour inciser son panaris (...)
Henri MICHAUX, La nuit remue, p. 138.

Arts, techn. Entailler légèrement (une matière servant de support) pour inscrire un dessin. *Inciser une planche de gravure au burin.*

▶ **INCISÉ, ÉE** p. p. adj. (xvᵉ). *Arbre incisé.* — (1783). Bot. *Feuille incisée,* dont les bords présentent des découpures profondes et irrégulières. — *Abcès incisé.* — *Planche incisée au burin.*

DÉR. Inciseur.

INCISEUR [ɛ̃sizœʀ] n. m. — 1508, «chirurgien»; *instrument inciseur*, fin xviᵉ; de *inciser*.
Didactique ou technique.

♦ **1.** (1878). Instrument chirurgical servant à inciser.

♦ **2.** (1902). Arbor. Pince spéciale, sorte de sécateur, avec laquelle on pratique l'incision annulaire.

L'*incision annulaire* est également comprise parmi les opérations en vert. Elle consiste dans l'enlèvement d'un anneau d'écorce effectué de préférence sur le bois de l'année précédente. On utilise pour ce faire une pince spéciale appelée «inciseur» et dont il existe divers modèles.
Louis LEVADOUX, la Vigne et sa culture, p. 58.

INCISIF, IVE [ɛ̃sizif, iv] adj. et n. f. — Mil. xviᵉ, Paré; «propre à dissoudre les humeurs» (en parlant d'une drogue), 1314; du lat. médiéval *incisivus* «tranchant», ou du rad. de *incision**.

♦ **1.** Vx. Concret. Qui incise, qui est propre à couper. ⇒ **Tranchant.** *Dents* incisives.* — N. f. Cour. INCISIVE : dent aplatie et tranchante qui sert à couper les aliments. *Chez l'homme, les incisives, ou* dents de devant, *implantées à la partie antérieure des maxillaires, sont au nombre de huit, soit quatre par mâchoire. Incisives supérieures, inférieures. Incisives des rongeurs* (→ Grignotement, cit.).

1 Les petits museaux mobiles grimacent étrangement, découvrant les tranchantes incisives des rongeurs (...)
L. PERGAUD, De Goupil à Margot, p. 110.

1.1 Il est difficile, faute de documents, de se représenter comment l'incisive devient chopper, c'est-à-dire comment le seul outil organique d'action tranchante, porté au bout des mâchoires, se transporte dans la main par l'action incisive d'un caillou éclaté.
A. LEROI-GOURHAN, le Geste et la Parole, t. II, p. 44.

Groupe incisif, formé des incisives et des canines (par oppos. au *groupe molaire* qui comprend les prémolaires et les molaires). — Relatif aux incisives. *Os, conduits incisifs. Le canal palatin incisif.* — Vx. *Muscles incisifs,* et, n. m., *les incisifs* (Cuvier, *in* T. L. F.).

♦ **2.** (1827). Abstrait. Qui a un effet pénétrant, qui attaque ou touche profondément. ⇒ **Acerbe, acéré** (cit. 4), **affilé, aigu, mordant, tranchant.** *Un ton incisif. Une ironie incisive* (→ Caustique). *Critique incisive. Traits incisifs.* ⇒ **Emporte-pièce** (à l'). *Un style incisif et concis.*

Ce récit fut aussi aigrement incisif que l'est un coup de hache. 2
BALZAC, Un drame au bord de la mer, Pl., t. IX, p. 894.

(...) un rire grimaçant, effroyable, infernal — mais sarcastique — incisif, pittoresque. 3
Aloysius BERTRAND, Gaspard de la nuit, p. 42.

Nous prenons ce mot entre mille, tous plus incisifs, plus piquants et plus risibles les uns que les autres. 4
Th. GAUTIER, Souvenirs de théâtre..., Gavarni, p. 176.

Personnes. Qui emploie un langage, un ton incisif.

Avec cela, éloquent, passionné, étrange, parfois ironique, spirituel, incisif. Il avait peu de culture littéraire, mais sa parole était pleine de saillies inattendues. 5
RENAN, Souvenirs d'enfance..., IV, II.

CONTR. Mou, terne.
DÉR. Incisivement.

INCISION [ɛ̃sizjɔ̃] n. f. — 1314; bas lat. *incisio* «coupure, entaille» («incise, césure», en lat. class.), de *incisum*, supin de *incidere*. → Inciser.

A. Action d'inciser. ♦ **1.** Méd. et cour. **a** Opération par laquelle on tranche dans les parties molles (du corps, d'un organisme, d'un organe). *L'incision de la peau par le chirurgien. Faire, pratiquer une incision (sur..., dans...).* ⇒ **Couper, trancher** (dans le vif). *Petite incision pratiquée dans la peau.* ⇒ **Boutonnière.** *L'incision d'une plaie.* ⇒ **Contre-ouverture.** *L'incision d'un bubon* (cit. 1). ⇒ **Excision.** *Pratiquer l'incision de la trachée* (trachéotomie), *de la vessie* (cystotomie), *du périnée* (épisiotomie), etc. ⇒ **-tome, -tomie.** *Incision superficielle* (⇒ **Scarification**), *profonde.* — Loc. techn. (Chir.). *Incision cruciale** (→ ci-dessous, cit. 3). — *Instruments pour pratiquer des incisions.* ⇒ **Bistouri, scalpel, scarificateur.**

(...) mon humeur, qui trouve la santé digne d'être rachetée par tous les cautères et incisions les plus pénibles qui se fassent. 1
MONTAIGNE, Essais, II, XXXVII.

Un chirurgien (...) assura qu'en faisant de profondes incisions, il sauverait la jambe du roi. «Travaillez donc tout à l'heure, lui dit le roi; taillez hardiment, ne craignez rien». Il tenait lui-même sa jambe avec les deux mains, regardant les incisions qu'on lui faisait, comme si l'opération eût été faite sur un autre. 2
VOLTAIRE, Hist. de Charles XII, IV.

(...) un chirurgien acheta mon corps, m'emporta chez lui, et me disséqua. Il me fit d'abord une incision cruciale depuis le nombril jusqu'à la clavicule. 3
VOLTAIRE, Candide, XXVIII.

b Fente, séparation des tissus produite par cette opération.

Nous visitâmes soigneusement le corps pour trouver les incisions habituelles par où on extrait les entrailles (...) Aucune personne de la société ne savait alors qu'il n'est pas rare de trouver des momies entières et non incisées. Ordinairement, la cervelle se vidait par le nez; les intestins, par une incision dans le flanc (...) 4
BAUDELAIRE, Trad. E. POE, Nouvelles histoires extraordinaires, «Petite discussion avec une momie».

♦ **2.** (xvᵉ). En emploi général. Action d'inciser, de fendre. *L'incision d'une matière dure par le couteau. L'incision d'un arbre par qqn. Faire, pratiquer une incision sur un hévéa pour recueillir le latex. L'incision annulaire de l'écorce des arbres fruitiers hâte leur fructification.* ⇒ **Baguage** (cit. 1); **baguer, cerner.** — Spécialt. Baguage (des arbres fruitiers).

♦ **3.** Techn. Opération par laquelle le graveur pratique sur le support de petites entailles (indépendamment de la gravure proprement dite).

B. *(Une, des incisions).* ♦ **1.** Plus. cour. Fente produite par une incision. *Une incision légère, profonde. Incision longitudinale, transversale, annulaire* (arbres). *Écarter les bords, les lèvres* (II., 1.) *d'une incision.*

Les premiers témoins d'une expression rythmique sont des fragments d'os ou des pierres marqués d'incisions régulièrement espacées qui apparaissent vers la fin du Moustérien et qui, vers 30 000, au Chatelperronien, sont déjà très abondants. *(Il est)* vraisemblable (...) que ces séries de traits répondaient au rythme de paroles. 5
A. LEROI-GOURHAN, le Geste et la Parole, t. II, p. 143-144.

♦ **2.** Littér. Fente qui évoque une incision. ⇒ **Incisure.** « *Dans l'incision des paupières, son regard* » (Martin du Gard, *in* G. L. L. F.). ⇒ **Fente** (figuré).

DÉR. V. Incisif.

INCISIVE [ɛ̃siziv] n. f. ⇒ **Incisif** (1.).

INCISIVEMENT [ɛ̃sizivmɑ̃] adv. — 1845; de *incisif*.

♦ Rare. De manière incisive (2.). *Une parole «incisivement éloquente»* (Barbey d'Aurevilly, *in* T. L. F.).

INCISURE [ɛ̃sizyʀ] n. f. — 1638, «sillon de la main»; *inciseure* «incision», XVe; réfect. de *enciseure,* fin XIIIe, d'après le lat. *incisura* «fente, ligne de la main, nervure, contour (en peinture)», de *incisum,* supin de *incidere.* → Inciser.

♦ **1.** (Mil. XIXe). Bot. Découpure irrégulière.

♦ **2.** Anat. Échancrure à bords nettement délimités, à la surface d'un organe.

♦ **3.** Fig. Sillon semblable à une entaille (à la surface du corps).

INCITANT, ANTE [ɛ̃sitɑ̃, ɑ̃t] adj. et n. m. — 1834, adj., Balzac; p. prés. de *inciter.*

♦ Non techn. Vieilli. Qui pousse à l'action, stimule. — N. m. *« L'incitant du désir ou de la crainte »* (Boucher de Perthes, 1864, *in* T. L. F.).

(1835, Académie). Physiol., méd. Excitant. — N. m. *Un incitant :* un médicament excitant.

INCITATEUR, TRICE [ɛ̃sitatœʀ, tʀis] n. et adj. — 1470; bas lat. *incitator, trix,* de *incitatum,* supin de *incitare.* → Inciter.

Rare.

♦ **1.** N. Personne qui incite. ⇒ **Excitateur, instigateur.** *Un incitateur de troubles.*

♦ **2.** Adj. (1873). Qui incite (à qqch., à faire qqch.).

(...) l'oblation de l'Hostie et l'oblation du Calice suggéraient à cet exégète enflammé d'immédiates applications que les grondements de l'orgue, aux versets incitateurs du commencement de la Préface, avaient l'air de paraphraser.
Léon BLOY, le Désespéré, p. 229.

INCITATIF, IVE [ɛ̃sitatif, iv] adj. — 1481; du rad. de *incitation.*

♦ Didact. Qui incite à, provoque la venue de. *Causes incitatives.* — Écon., admin. *Aides incitatives de l'État. « Le règlement n'était pas assez incitatif à la recherche d'un emploi »* (*la Croix,* 5 sept. 1978, *in* Gilbert). *« 12 mesures accompagnent le projet de loi bancaire. La plupart d'entre elles cependant n'auront pas force de loi, restant purement incitatives »* (*50 Millions de consommateurs,* déc. 1983, p. 36).

Alors que les théories ne peuvent porter que sur le passé, les doctrines établissent, plus ou moins hardiment, un lien entre le passé et l'avenir. Elles sont *normatives* et *incitatives.* Gaston BOUTHOUL, Sociologie de la politique, p. 97.

INCITATION [ɛ̃sitasjɔ̃] n. f. — V. 1360; lat. *incitatio* «mouvement rapide; action de mettre en mouvement, excitation», de *incitatum,* supin de *incitare.* → Inciter.

♦ **1.** Action d'inciter*; ce qui incite. ⇒ **Conseil, encouragement** (de qqn à qqch.), **exhortation.** *L'incitation de qqn par qqn (à...). L'incitation (de qqn à qqch., à faire qqch.). Incitation à la révolte, à la violence.* ⇒ **Excitation, provocation.** *L'incitation de qqn,* faite par qqn. *Céder à l'incitation d'autrui.* ⇒ **Instigation.** — *L'incitation de qqch. Les « incitations de l'amour-propre »* (Gide, *in* T. L. F.). — *(Une, des incitations).* Acte, parole qui incite.

1 La douleur insupportable et une pire mort me semblent les plus excusables incitations *(au suicide).* MONTAIGNE, Essais, II, III.

2 (...) votre fille avait une vertu trop haute
Pour avoir jamais fait ce pas contre l'honneur,
Sans l'incitation d'un méchant suborneur (...)
MOLIÈRE, le Dépit amoureux, III, 4.

3 La nuit avait eu beau se faire désirable comme une prostituée, et l'entremetteuse municipalité parisienne avait eu beau multiplier ses incitations murales à la joie parfaite, on s'embêtait manifestement. Léon BLOY, le Désespéré, p. 237.

3.1 (...) tandis que toute ma vie passée à entretenir tant d'amitiés et de plaisirs, qui me semble offrir perpétuellement tant d'idées justes, de remarques générales, de faits permanents, ne m'inciterait (et m'inciter est trop fort, car je n'y sens aucune incitation) qu'à écrire des pages banales. PROUST, Jean Santeuil, Pl., p. 397.

4 Je trouvai chez lui, non point une incitation, mais bien un empêchement tout au contraire. GIDE, Journal, 4 nov. 1927.

Dr. Infraction qui résulte de l'action d'inciter qqn à un comportement contraire à la loi, à la morale sanctionnée. *Incitation au meurtre, aux violences* (⇒ **Apologie**). *« Incitation de mineurs à la débauche »* (Code pénal, art. 334 bis).

(V. 1964). Fin. Tentative pour orienter les choix des particuliers ou des entreprises dans leurs dépenses, leurs placements, leurs investissements.

♦ **2.** (1809). Physiol. Vx. Excitation. *Incitation motrice.*

CONTR. Apaisement.

INCITER [ɛ̃site] v. tr. — Fin XIVe; aussi, loc., *inciter la besogne* «la commencer»; réfect. de *enciter* (v. 1190) d'après le lat. *incitare* «lancer en avant, pousser vivement, exciter», de *in-* «vers», et *citare,* fréquentatif de *ciere* «faire mouvoir».

♦ **1.** Littér. Entraîner, pousser (qqn) à qqch., à faire qqch. ⇒ **Convier, déterminer, disposer, encourager, engager, entraîner, exciter, exhorter, incliner, instiguer, inviter, pousser, provoquer, solliciter; conseiller** (de). — (Sujet n. de personne). *Inciter qqn à l'action, à agir.* — Cour. Conduire (qqn) à un sentiment, un comportement, par une influence morale (surtout avec sujet n. de chose). *Sa réponse m'incite à penser qu'il est innocent. Un amour* (cit. 6) *qui incite à vouloir du bien à ceux qu'on aime. Sa confiance en son étoile* (cit. 25) *incitait Bonaparte aux pires audaces. Les foires* (cit. 3) *ont pour but d'inciter le public à un premier achat. C'est une personne nonchalante, qu'il faut sans cesse inciter à l'action.* ⇒ **Aiguillonner, stimuler; agir** (faire). — Passif et p. p. *Être incité (à...) par...* (→ ci-dessous, cit. 3).

Donc tout ce qui nous incite à nous attacher aux créatures est mauvais, puisque cela nous empêche, ou de servir Dieu, si nous le connaissons, ou de le chercher si nous l'ignorons. PASCAL, Pensées, VII, 479. 1

Ce sera donc par le plaisir et par la douleur, que Dieu poussera et incitera les animaux aux fins qu'il s'est proposées (...) 2
BOSSUET, Traité de la connaissance de Dieu, V, XIII.

(...) incité par le plaisir que j'avais senti, je cueillis un second et un troisième fruit, et je ne me lassais pas d'exercer ma main pour satisfaire mon goût (...) 3
BUFFON, Hist. nat. de l'homme, Des sens en général.

(...) la guerre (...) si elle fait naître de hautes vertus et incite à l'héroïsme les âmes fières, engendre aussi bien des laideurs (...) 4
Georges LECOMTE, Ma traversée, p. 16.

(...) de quoi inciter irrésistiblement une femme honnête à ne l'être plus. 5
Émile HENRIOT, les Romantiques, p. 272.

Rare. Compl. n. de chose humaine. *« Inciter l'estomac »* (Huysmans).

Spécialt. Dr. (Sujet n. de personne). Pousser (qqn) à une action, à un comportement sanctionné par la loi. *Inciter un mineur à la débauche.* ⇒ **Incitation.** *Inciter au crime, à la rebellion.*

♦ **2.** Vx. (Sans compl. en *à*). Mettre en mouvement, en action. ⇒ **Animer.** *Inciter le désir, l'imagination* (→ Acharner, cit. 2).

REM. En ce sens, le franç. mod. emploie *exciter.* «*Inciter* a essentiellement rapport au but; aussi dit-on toujours *inciter à,* et jamais, d'une manière absolue, *inciter* simplement, comme on dit *exciter*» (Lafaye).

CONTR. Détourner, empêcher. — Amortir, apaiser.
DÉR. Incitateur.
COMP. Incitomoteur.

INCITOMOTEUR, TRICE [ɛ̃sitomɔtœʀ, tʀis] adj. — Mil. XXe; de *inciter,* et *moteur.*

♦ Physiol. Se dit d'un centre nerveux qui détermine une activité musculaire.

INCIVIL, ILE [ɛ̃sivil] adj. — V. 1361; sens 2, de 1. *in-,* et *civil;* sens 1 directement empr. au lat. impérial *incivilis* «violent, brutal», de *in-* (→ 1. In-), et *civilis* «sociable, affable». → Civil.

♦ **1.** Vieilli ou littér. (Personnes; animaux personnifiés). Qui manque de civilité. ⇒ **Discourtois, grossier, impoli, malgracieux, malhonnête.** *Un homme incivil.*

J'ai vu souvent des hommes incivils par trop de civilité, et importuns de courtoisie. 1
MONTAIGNE, Essais, I, XIII.

Parmi de certains coqs incivils, peu galants, 2
Toujours en noise et turbulents (...) LA FONTAINE, Fables, X, 7.

Je ne comprends pas comment un mari qui (...) est (...) brusque dans ses réponses, incivil, froid et taciturne, peut espérer de défendre le cœur d'une jeune femme contre les entreprises de son galant (...) LA BRUYÈRE, les Caractères, III, 74. 3

(Il eut) envie de protester (...) mais il craignit de paraître incivil, sourit et prit patience. G. SAND, la Mare au diable, XII. 4

N. *« L'incivil qui n'affranchit pas ses lettres »* (Labiche, *in* T. L. F.).

(1549; actions). *Une attitude incivile. Il a répondu sur un ton incivil.* ⇒ **Incivilement.** *Il aurait été incivil de lui faire cette remarque.*

♦ **2.** (1456, probablt antérieur; → Incivilité). Vx. Contraire aux lois qui s'imposent au citoyen. ⇒ **Incivique.** — Par plais. *« Elle les secourt comme indigents avant de vérifier leur état incivil »* (Balzac, *in* G. L. L. F.).

CONTR. Civil, courtois, honnête, poli.
DÉR. Incivilement. — V. Incivilité.

INCIVILEMENT [ɛ̃sivilmɑ̃] adv. — 1462; de *incivil.*

♦ Vx ou littér. D'une manière incivile (1.).

Euryalus lui dit incivilement qu'il n'a point l'apparence d'un galant homme (...)
RACINE, Remarques sur l'Odyssée, VIII.

CONTR. Civilement.

INCIVILISABLE [ɛ̃sivilizabl] adj. — 1831, V. Jacquemont, *Lettres,* t. II, p. 86; de 1. *in-,* et *civilisable.*

♦ Rare. Qu'on ne peut civiliser. *On croyait cette population incivilisable.*

CONTR. Civilisable.

INCIVILISATION [ɛ̃sivilizasjɔ̃] n. f. — 1795, Sade; de 1. *in-,* et *civilisation.*

♦ Vx. État contraire à la civilisation ou sans civilisation. ⇒ **Sauvagerie.**

INCIVILISÉ, ÉE [ɛ̃sivilize] adj. — 1794; de 1. *in-*, et *civilisé.*

♦ Vx. Qui n'est pas civilisé. *Un peuple incivilisé.*

CONTR. Civilisé.

INCIVILITÉ [ɛ̃sivilite] n. f. — xve; «caractère de ce qui est contraire aux lois civiles», 1408; de *incivil*, ou du bas lat. *incivilitas* «brutalité, rusticité», du lat. impérial *incivilis.* → Incivil.

♦ (1566). Vx ou littér. *(L'incivilité).* Manque de civilité*. ⇒ **Discourtoisie, impolitesse, malhonnêteté.** *L'incivilité de qqn à l'égard de qqn. Son incivilité est totale. Il est d'une incivilité choquante* (cit. 4). — Absolt. (→ ci-dessous, cit. 2). — (1426). *Une, des incivilités,* action ou parole incivile. *Faire des incivilités à qqn* (→ Beau, cit. 110). *Commettre une incivilité* (→ Froideur, cit. 6).

1 Je vous prie de m'excuser de l'incivilité que je commets.
MOLIÈRE, Monsieur de Pourceaugnac, I, 7.

2 L'incivilité n'est pas un vice de l'âme, elle est l'effet de plusieurs vices : de la sotte vanité, de l'ignorance de ses devoirs, de la paresse, de la stupidité, de la distraction, du mépris des autres, de la jalousie. LA BRUYÈRE, les Caractères, XI, 8.

3 Je vois bien que j'ai commis une incivilité en demeurant ici plus que je ne devais (...) A. GALLAND, les Mille et Une Nuits, t. I, p. 95.

4 M. de Vogüé, qui fit le noble geste d'apporter à la France sur le plateau d'argent de son éloquence les clefs de fer de la littérature russe, s'excusait, lorsqu'il en vint à Dostoïevski, de l'incivilité de son auteur (...) GIDE, Dostoïevski, p. 2.

CONTR. Civilité, honnêteté, politesse.

INCIVIQUE [ɛ̃sivik] adj. et n. — 1792, *in* D. D. L.; de 1. *in-*, et *civique.*

♦ **1.** Vx. Qui manque de civisme, est indigne d'un citoyen (actions, propos). *Attitude, menées inciviques.*

♦ **2.** N. (En Belgique). Collaborateur* des Allemands, pendant la Deuxième Guerre mondiale.

CONTR. (Du 1) Civique.
DÉR. Inciviquement.

INCIVIQUEMENT [ɛ̃sivikmɑ̃] adv. — 1910, Péguy, *in* T. L. F.; de *incivique.*

♦ Rare. Contre le droit des citoyens.

INCIVISME [ɛ̃sivism] n. m. — 1790; de 1. *in-*, et *civisme.*

♦ **1.** Vieilli. Défaut de civisme*. *Reprocher à qqn son incivisme. Acte d'incivisme.*

♦ **2.** (En Belgique). Collaboration avec l'ennemi pendant la Deuxième Guerre mondiale. ⇒ **Incivique.**

CONTR. Civisme.

INCLAIRVOYANCE [ɛ̃klɛʀvwajɑ̃s] n. f. — Av. 1877; de *inclairvoyant*, d'après *clairvoyance.*

♦ Rare. Manque de clairvoyance. ⇒ **Aveuglement** (figuré).

CONTR. Clairvoyance.

INCLAIRVOYANT, ANTE [ɛ̃klɛʀvwajɑ̃, ɑ̃t] adj. — 1874; de 1. *in-*, et *clairvoyant.*

♦ Rare. Qui n'est pas clairvoyant, manque de clairvoyance.

(...) l'inclairvoyante opiniâtreté d'un tas de prêtres, engraissés d'identiques formules (...) Léon BLOY, le Désespéré, p. 151.

CONTR. Clairvoyant.
DÉR. Inclairvoyance.

INCLASSABLE [ɛ̃klɑsabl] adj. — Mil. xixe (attesté 1864, et déjà dans J.-B. Richard de Radonvilliers, 1842); de 1. *in-*, *classer*, et suff. *-able.* — REM. *Classable* est postérieur.

♦ **1.** Didact. Impossible à classer. *Cette espèce est inclassable dans un genre. Individu zoologique inclassable.*

♦ **2.** Cour. Qu'on ne peut définir, rapporter à un ensemble connu. *C'est une œuvre inclassable.*

1 Ils se connaissaient bien maintenant et un sentiment charmant, inclassable, les liait. Michel DÉON, les Vingt Ans du jeune homme vert, p. 299.

2 Il se leva à mon entrée. Le corps athlétique, la tête petite, carrée, toute en méplats, l'ossature apparente sous la peau rose et fine, les cheveux blonds, lisses, un peu longs, les yeux clairs et mauvais derrière des lunettes dorées, à pont. Inclassable.
Vladimir VOLKOFF, le Retournement, p. 122.

CONTR. Classable.

INCLASSÉ, ÉE [ɛ̃klɑse] adj. — 1884; de 1. *in-*, et *classé.*

♦ Rare. Qui n'est pas classé. — REM. On trouve dans la langue didactique la var. *inclassifié, ée* [ɛ̃klasifje]. — Didact. Qui n'appartient pas à une classe (II., A., 2.).

Cette définition de la diphtongue (...) montre qu'elle n'est pas, comme on pourrait le croire, une chose discordante, inclassée parmi les phénomènes phonologiques. F. DE SAUSSURE, Cours de linguistique générale, p. 92.

CONTR. Classé.

INCLÉMENCE [ɛ̃klemɑ̃s] n. f. — V. 1520; lat. *inclementia*, de *inclemens.* → Inclément.
Vieux.

♦ **1.** (Langue class.; littér. dès la fin du xviie). Manque de clémence*. *L'inclémence du destin. L'inclémence du jury. Inclémence d'un verdict.*

Tandis que pour fléchir l'inclémence des Dieux (...) RACINE, Iphigénie, II, 2. 1

♦ **2.** Fig. Littér. Caractère dur, pénible (des éléments, de l'atmosphère). ⇒ **Dureté, rigueur** (→ Dérangement, cit. 3). *L'inclémence de l'hiver, de la température. Plante qui se flétrit* (cit. 15) *sous l'inclémence de l'air.* — Vieilli. *(Une, des inclémences).* Intempérie (→ ci-dessous, cit. 2 et 3.1).

Voudriez-vous, faquins, que j'exposasse l'embonpoint de mes plumes aux inclémences de la saison pluvieuse (...) MOLIÈRE, les Précieuses ridicules, VII. 2

(...) il *(le Roi)* essuie l'inclémence du ciel et des saisons (...) 3
LA BRUYÈRE, Disc. de réception à l'Acad.

Ainsi se passèrent les quatre mois d'hiver, qui furent réellement rigoureux, c'est-à-dire juin, juillet, août et septembre. Mais, en somme, Granite-house ne souffrit pas trop des inclémences du temps. J. VERNE, l'Île mystérieuse, t. II, p. 591. 3.1

Rigueur, pénibilité (des conditions de vie).

Comment n'eût-il pas été frappé et mortifié de la gêne, de la misère dorée que l'avarice du Cardinal et l'inclémence des temps infligeaient à sa mère? 4
Louis BERTRAND, Louis XIV, I, 2.

CONTR. Bonté, clémence, indulgence, mansuétude. — Douceur.

INCLÉMENT, ENTE [ɛ̃klemɑ̃, ɑ̃t] adj. — 1546; lat. *inclemens, -entis*, de *in-* (→ 1. In-), et *clemens, -entis.* → Clément.

♦ **1.** Vx. Qui manque de clémence. *Des dieux incléments. Juges incléments.* — Littér. Rare. (Abstractions). Rigoureux, sans indulgence. *«Mes inclémentes méditations»* (Duhamel, *in* G. L. L. F.).

♦ **2.** (Mil. xixe). Fig. Littér. ⇒ **Dur, rigoureux.** *Température inclémente. Temps inclément. «La saison inclémente»* (Baudelaire).

Que veux-tu donc? — Sauver le monde simplement. 1
Comment? — Par le feu. — Crains ce remède inclément.
HUGO, Torquemada, Prologue, 7.

Dans l'inclément désert, sur l'âpre mer sonore (...) 2
HUGO, les Années funestes, VI, I.

CONTR. Bon, clément, indulgent. — Doux.

INCLINAISON [ɛ̃klinɛzɔ̃] n. f. — 1661 (1647, Pascal, selon G. L. L. F.); de *incliner.*

♦ **1.** Cour. État de ce qui est incliné*; obliquité d'une ligne droite ou d'une surface relativement au plan de l'horizon. ⇒ **Obliquité.** *L'inclinaison d'un terrain* (⇒ **Talus**), *d'un toit* (⇒ **Déclivité, penchant, pente**). *L'inclinaison d'une route, d'une voie ferrée.* ⇒ **Rampe.** *Inclinaison de la cale d'un quai. Inclinaison douce, légère, insensible des plans d'un paysage* (→ Fuyant, cit. 9). *Mesurer au clinomètre* l'inclinaison d'un plan. Geyser* (cit. 1) *aux jets d'inclinaisons diverses. L'inclinaison d'un tuyau de descente.* ⇒ **Dévoiement.** *Inclinaison d'une couche géologique* (→ Falun, cit. 2), *d'un filon minier.* ⇒ **Descente, pendage.** — *Inclinaison d'un navire qui penche, menace de couler* (cit. 21). ⇒ 3. **Bande, gîte.** — (Fin xviiie). Phys. **INCLINAISON MAGNÉTIQUE**, et, absolt, *inclinaison* : angle formé avec l'horizon par une aiguille aimantée mobile autour de son centre de gravité et suspendue dans le plan vertical du méridien magnétique. *Inclinaison et déclinaison* magnétiques en un lieu. Lieu aclinique*, où l'inclinaison est nulle (l'aiguille prend la position horizontale). Inclinaison en des points géographiques donnés.* ⇒ **Isocline.** *L'inclinaison est actuellement en France de 64°. Boussole* d'inclinaison.*

Cette inclinaison de l'aimant ou de l'aiguille aimantée démontre (...) que la force qui produit ce mouvement suit la courbure de la surface du globe, de l'équateur dont elle part, jusqu'aux pôles où elle arrive : si l'inclinaison de l'aiguille n'était pas dérangée par l'action des pôles magnétiques, elle serait donc toujours très petite ou nulle dans les régions voisines de l'équateur, et très grande ou complète, c'est-à-dire de 90 degrés dans les parties polaires. 1
BUFFON, Hist. nat. des minéraux, Traité de l'aimant..., I.

(...) je puis en effondrer le sol jusqu'à donner à ces sentiers une inclinaison telle (...) qu'elle rendrait tout à fait inexpugnable ce vieux donjon (...) 2
VILLIERS DE L'ISLE-ADAM, Axel, II, XIII.

(xxe; *in* Larousse, 1922). Spécialt. Direction oblique par rapport à la verticale. *Inclinaison d'un mur qui menace de tomber.* ⇒ 2. **Fruit** (2.). *L'inclinaison de la tour de Pise.*

♦ **2.** (1647). Didact. Relation d'obliquité. — Géom. *Inclinaison d'un plan, d'une surface, d'une ligne,* angle qu'ils font avec un autre plan, une autre surface ou ligne. *Angle d'inclinaison.* — (1721). Astron. Angle formé par le plan de l'orbite d'une planète avec le plan de l'écliptique. *Inclinaison de l'axe de la Terre* (→ Équinoxe, cit.). *Inclinaison de l'écliptique* (cit.). ⇒ **Obliquité** (→ Équateur, cit. 2). — Phys. *Inclinaison d'un pendule.* ⇒ **Amplitude.**

3 L'inclinaison de l'axe de la terre produisant, dans son mouvement annuel autour du soleil, des alternatives durables de chaleur et de froid (...)
BUFFON, Hist. nat. des animaux, Vue de la nature, II.

4 L'inclinaison de l'orbite sur l'écliptique est de 1°8 et la vitesse de Neptune sur son orbite n'est que de 5 km/sec. Pierre GUINTINI, les Planètes, p. 111.

♦ **3.** (Déb. XIXe). Position inclinée, penchée (d'une partie du corps). *L'inclinaison de la tête* (→ Forme, cit. 30). *L'inclinaison de l'écrivain sur la table de travail* (→ Courbature, cit. 3). — Par ext. Action de pencher (le corps), de se pencher.

5 (...) toute l'inclinaison (...) du corps en avant dénonce, trahit ce que je suis (...) un paysan (...) L'inclinaison commençante générale vers la terre nourricière, vers la terre mère, vers la terre tombeau. L'inclinaison générale en avant. C'est ainsi qu'on finit par se ramasser par terre.
Ch. PÉGUY, Victor-Marie comte Hugo, p. 23.

6 Heureusement les mannequins des devantures vous disent ce qu'il faut faire (...) Ils dictent l'étoffe, le sourire, l'ondulation des cheveux, le geste du bras, l'inclinaison de la tête.
J. ROMAINS, les Hommes de bonne volonté, t. III, XIII, p. 303-304.

7 Proprement, l'*inclinaison* est l'*action* d'incliner; l'*inclinaison* est l'*état* de ce qui est incliné. On parlera donc d'une *inclination* de tête pour marquer un salut, un geste de courtoisie ou de déférence, et d'une *inclinaison* de la tête, lorsque, par suite d'une déformation physique, la tête se porte habituellement de côté, comme c'était, paraît-il, le cas d'Alexandre le Grand.
Armand BOTTEQUIN, Subtilités et Délicatesses de langage, p. 208.

REM. Autrefois sémantiquement différenciés (→ ci-dessus, cit. 7), *inclinaison* et *inclination* le sont désormais moins systématiquement, surtout dans le syntagme *inclinaison de tête : inclinaison,* au sens de «action d'incliner (la tête, le buste); mouvement d'inclination», tend à remplacer *inclination.*

8 Elle salua le tabernacle du maître-autel d'une grande inclinaison de tête (...)
MAUPASSANT, Bel-Ami, éd. Conard, p. 401.

9 Et c'étaient des tours de hanche, des inclinaisons d'échine (...)
R. BOYLESVE, la Becquée, p. 131.

10 (...) il sut mettre une grâce spéciale dans l'inclinaison plus profonde qu'il eut pour prendre congé de la contessina. Paul BOURGET, Cosmopolis, p. 172.

11 (...) une toute petite inclinaison de tête très protectrice (...)
L.-H. LYAUTEY, Lettres, p. 118 (éd. A. Colin, 1947).

12 Que dire de ses regards, de ses inclinaisons de tête? GIRAUDOUX, Bella, p. 42.

13 Et sur une inclinaison de tête impertinente, M. Bordes sortit du bureau.
J.-J. GAUTIER, C'est pas d'jeu, p. 135
(Exemples communiqués par M. Glaëttli).

♦ **4.** Inclination (I., 2.). *Une «inclinaison sentimentale»* (Martin du Gard, *in* T. L. F.). — *«Légère inclinaison vers le désir»* (Senancour, *in* T. L. F.).

CONTR. Aplomb, rectitude.

INCLINANT [ɛ̃klinɑ̃] adj. m. — 1701; «enclin à», 1538; p. prés. de *incliner**.

♦ Astron. *Cadran inclinant :* cadran solaire tracé sur un plan oblique à l'horizon.

INCLINATION [ɛ̃klinasjɔ̃] n. f. — Fin XIIIe, J. de Meung (*inclinacion*, 1236), au sens I; lat. *inclinatio* «action de pencher, inclinaison; tendance, penchant», du supin de *inclinare.* → Incliner.

★ **I.** (Abstrait). ♦ **1.** Mouvement affectif, spontanément orienté vers un objet ou une fin (et généralement apprécié moralement, souvent négativement, selon les jugements portés sur la nature humaine). ⇒ **Appétit, désir, envie, penchant, pente** (vieilli), **propension, tendance.** *Inclination innée, naturelle.* ⇒ **Appétence, instinct.** *L'inclination naturelle qui lui fait admirer son oncle* (→ Brider, cit. 8). *Inclination au mal, à la vertu... Bonnes, mauvaises inclinations. Inclinations fâcheuses, mauvaises, vicieuses* (→ Honnête, cit. 2). *L'homme est prisonnier de ses inclinations* (→ Empêcher, cit. 13; enchaîner, cit. 6). *La société altère les inclinations naturelles de l'homme* (cit. 80; → Habitude, cit. 44). *Combattre ses inclinations* (→ Furtif, cit. 2). *Contrarier, violenter une inclination. Agir contre sa propre inclination.* ⇒ **Goût** (→ Flexible, cit. 5). *Suivre son inclination. Faire qqch. par inclination,* par goût, spontanément et volontiers. — *Avoir de l'inclination, une certaine inclination à mentir, à se mettre en colère.* ⇒ **Enclin** (être enclin à); **sujet** (être sujet à); **porter** (être porté à). *Montrer de l'inclination, une vive inclination pour l'aventure, les sciences.* ⇒ **Attrait, disposition; porter** (être porté sur). *Son inclination pour la carrière médicale s'est révélée, s'est affirmée.* ⇒ **Vocation.** *Il ne cache pas son inclination pour votre projet.* ⇒ **Préférence.** — Par ext. Vx. (Collectif). *L'inclination. L'inclination de qqn.* ⇒ **Complexion, nature, tempérament** (→ ci-dessous, cit. 2 et 3). *Forcer son inclination. Son inclination la porte à tous les excès.* — Vx. Penchant à, envie de (faire une action précise). → ci-dessous, cit. 5.

Socrate avouait à ceux qui reconnaissaient en sa physionomie quelque inclination au vice, que c'était à la vérité sa propension naturelle, mais qu'il avait corrigée par discipline. MONTAIGNE, Essais, II, XI. 1

(...) mon inclination, qui m'a toujours fait haïr le métier de faire des livres (...) 2
DESCARTES, Disc. de la méthode, VI.

(...) mon inclination ne me porterait pas à le prendre pour modèle (...) 3
RACINE, les Plaideurs, Au lecteur.

(...) une personne comme vous, qui êtes magnifique, et qui avez de l'inclination 4
pour les belles choses (...) MOLIÈRE, le Bourgeois gentilhomme, II, 1.

Ce n'est pas qu'elles *(ces colonies)* n'eussent quelque inclination à me secourir; 5
mais (...) FÉNELON, Télémaque, IX.

Ses grandes qualités restèrent les mêmes; mais ses bonnes inclinations s'altérèrent 6
et ne soutinrent plus ses grandes qualités; par la corruption de cette tache originelle sa nature se détériora.
CHATEAUBRIAND, Mémoires d'outre-tombe, t. II, p. 330.

Heureux de naissance, la vie n'avait pas trop contrarié son inclination naturelle au 7
bonheur. FRANCE, Pierre Nozière, II, p. 147.

Les êtres ne changent pas, c'est là une vérité dont on ne doute plus à mon âge; 8
mais ils retournent souvent à l'inclination que durant toute une vie ils se sont épuisés à combattre. Ce qui ne signifie point qu'ils finissent toujours par céder au pire d'eux-mêmes : Dieu est la bonne tentation à laquelle beaucoup d'hommes succombent à la fin. F. MAURIAC, la Pharisienne, XVI.

Tendance morale. *Inclinations égoïstes, altruistes, supérieures.*

Les inclinations des esprits sont au monde spirituel ce que le mouvement est au 9
monde matériel. MALEBRANCHE, De la recherche de la vérité, IV, 1.

Quand on définit l'inclination un mouvement, on ne fait pas une métaphore. En 10
présence de plusieurs plaisirs conçus par l'intelligence, notre corps s'oriente vers l'un d'eux spontanément, comme par une action réflexe. Il dépend de nous de l'arrêter, mais l'attrait du plaisir n'est point autre chose que ce mouvement commencé.
H. BERGSON, Essai sur les données immédiates de la conscience, p. 28-29.

♦ **2.** (Mil. XVIe). Littér. (Cour. dans la langue class.). Mouvement qui porte à aimer qqn. ⇒ **Affection** (cit. 2), **amitié, amour, sympathie.** *Inclination aveugle d'un père pour certains de ses enfants* (→ Effet, cit. 2). *Se prendre d'une tendre, d'une vive inclination pour qqn.* — Spécialt. Fait de se sentir attiré sentimentalement par qqn. *Inclination amoureuse. S'éprendre* (cit. 4) *d'inclination, sentir quelque inclination pour une femme* (→ Heure, cit. 58). *Contraindre* (cit. 1) *son inclination.* — Loc. *Mariage d'inclination* (→ ci-dessous, cit. 16), fait par inclination, éventuellement par amour* *(mariage d'amour),* et opposé à *mariage de convenance*, de raison* (→ 2. Idéal, cit. 7). *Avouez que vous avez une inclination de cœur* pour lui.* ⇒ **Faiblesse.** *Inclination brusque et passagère.* ⇒ **Toquade.**

Afin que vous compreniez mieux le dessein de Clélie, vous verrez qu'elle a imaginé 11
qu'on peut avoir de la tendresse par trois causes différentes : ou par une grande estime, ou par reconnaissance, ou par inclination; et c'est ce qui l'a obligée d'établir ces trois villes de Tendre sur trois rivières qui portent ces trois noms (...) Tendre sur Inclination, Tendre sur Estime et Tendre sur Reconnaissance.
G. et M. DE SCUDÉRY, Clélie, Hist. romaine, I.

Celui que vous aimez, ma voisine, a, dit-on, quelque inclination pour ma fille (...) 12
MOLIÈRE, l'Amour médecin, I, 1.

(...) ces deux jeunes cavaliers se sentirent tant d'inclination l'un pour l'autre, qu'en 13
peu de jours il se forma entre eux une amitié comparable à celle d'Oreste et de Pylade. A. R. LESAGE, le Diable boiteux, XIII.

Eh! mais oui, de l'amour, de l'inclination, comme tu voudras; le nom n'y fait rien. 14
Je l'aime mieux qu'une autre. Voilà tout. MARIVAUX, le Legs, IV.

(...) j'avais mis de la complaisance à m'abandonner à une inclination dont je con- 15
naissais l'insurmontable illégitimité.
CHATEAUBRIAND, Mémoires d'outre-tombe, t. II, p. 98.

Enfin, jamais amourette n'a si promptement tourné en mariage d'inclination, disait 16
le vieil oncle (...) BALZAC, le Bal de Sceaux, Pl., t. I, p. 112.

De tout temps la femme a dû inspirer à l'homme une inclination distincte du désir, 17
qui y restait cependant contiguë et comme soudée, participant à la fois du sentiment et de la sensation.
H. BERGSON, les Deux Sources de la morale et de la religion, p. 39.

Anne d'Autriche, pour donner une couleur innocente à sa passion, répondait à ses 18
amies, qui lui reprochaient son inclination pour le Cardinal, que ce bel homme n'avait aucun goût pour les dames (...) Louis BERTRAND, Louis XIV, II, 2.

(1650). Vx. La personne qui est l'objet de l'inclination.

N'est-ce pas une chose épouvantable, qu'un fils qui veut entrer en concurrence 19
avec son père? et ne doit-il pas, par respect, s'abstenir de toucher à mes inclinations? MOLIÈRE, l'Avare, IV, 4.

★ **II.** (Fin XIVe). Rare. (Concret). Action d'incliner*, de pencher*. — Cour. Action d'incliner la tête ou le corps en signe d'acquiescement ou de déférence. *Il fit une légère inclination de tête.* ⇒ **Inclinaison** (cit. 5 à 13, et REM.). *Faire une profonde inclination.* ⇒ **Courbette, révérence, salut.**

(...) une troupe de Nymphes la vint recevoir jusque par delà le perron; et, après 20
une inclination très profonde, la plus apparente lui fit une espèce de compliment (...) LA FONTAINE, les Amours de Psyché, I.

(...) il nous fit de son côté une inclination de tête, accompagnée de regards si gra- 21
cieux (...) A. R. LESAGE, Gil Blas, VII, XIV.

Il salua visiblement la comtesse, qui répondit par une de ces légères inclinations 22
de tête, pleines de mépris, avec lesquelles les femmes ôtent à leurs adorateurs l'envie de recommencer. BALZAC, Une fille d'Ève, Pl., t. II, p. 116.

Les hommes se levèrent pour répondre par une inclination polie, et les femmes 23
firent une révérence cérémonieuse. BALZAC, Eugénie Grandet, Pl., t. III, p. 507.

Spécialement (liturgie) :

24 Docre faisait les génuflexions, les inclinations médiocres ou profondes, spécifiées par le rituel (...) HUYSMANS, Là-bas, XIX.

CONTR. Antipathie, aversion.

INCLINÉ, ÉE [ɛ̃kline] p. p. adj. ⇒ **Incliner.**

INCLINER [ɛ̃kline] v. — 1213; au sens de l'anc. franç. *encliner* «saluer en s'inclinant», 1080; doublet de *encliner*, repris au lat. *inclinare* «pencher vers», de *in-* «vers», et *clinare*, d'une rac. indo-européenne **klei-* «incliner, pencher».

★ **I.** V. tr. ♦ **1.** [a] (Fin XIIIe; sujet n. de personne ou de chose; compl. n. de chose). Rendre oblique* (ce qui est naturellement droit); diriger, porter vers le bas ou de côté. ⇒ **Abaisser, baisser, courber** (cit. 7 et 9), **fléchir, pencher, plier.** *Incliner un piquet.* — (Le compl. désigne une partie du corps, de la tête). *Incliner le cou* (→ Brûler, cit. 9). *Incliner le front en signe de crainte, de découragement, d'humilité* (→ Humble, cit. 11). *Le cerf traqué incline la tête sous le poids de la fatigue* (→ 1. Garrot, cit.). *Le vent incline les épis.* ⇒ **Coucher.** — Au p. p. *Posture* inclinée du suppliant. Avoir la tête inclinée sur l'épaule* (→ Écouter, cit. 8). — (Le sujet désigne une chose; le compl. une partie de cette chose). *Les arbres inclinaient leurs branches* (→ ci-dessous, cit. 3).

1 (...) l'Église honore les images (...) ses enfants inclinent la tête devant le livre de l'Évangile (...) BOSSUET, Exposition de la doctrine de l'Église catholique, V.

2 (...) le cochon domestique a les oreilles beaucoup moins raides, beaucoup plus longues et plus inclinées que le sanglier (...)
BUFFON, Hist. nat. des animaux, Le cochon.

3 (...) les antiques ombrages
Mollement en cadence inclinaient leurs feuillages (...)
André CHÉNIER, Bucoliques, IV.

4 Cependant que, debout dans son antique salle,
Le Toscan sous sa lampe inclinait son front pâle (...)
A. DE MUSSET, Premières poésies, «Portia», I.

5 La reine du lieu (...) accroupie sur une chaise, chaussait sans pudeur sa jambe adorable (...) Dans cette agréable attitude, sa tête, inclinée vers son pied, étalait un cou de proconsul, large et fort (...) BAUDELAIRE, la Fafarlo.

6 Arthur (...) regarda les mouvements balancés des danseurs, les têtes inclinées l'une vers l'autre, les reins cambrés des femmes sous l'étreinte des jeunes hommes (...)
J. CHARDONNE, les Destinées sentimentales, III, IV.

7 (...) il avait la tête un peu inclinée sur l'épaule comme l'était celle du Christ en croix. MONTHERLANT, le Maître de Santiago, I, 2.

[b] (1596). Placer de manière à faire un angle d'inclinaison* avec un plan ou une direction donnée, et, spécialt, avec le plan de l'horizon. *Inclinez le flacon et versez doucement. Incliner qqch. vers la droite, vers la gauche. Poids qui incline le fléau de la balance* (→ par métaphore Estropier, cit. 8). — Au p. p. *Écriture* (cit. 8) *inclinée.* — Techn. *Incliner un mur.* ⇒ **Déverser.**

(1691). Au p. p. PLAN INCLINÉ : dispositif plan, oblique, utilisé pour faciliter la montée des corps lourds ou ralentir leur descente. — *Les déplacements inclinés de l'hélicoptère* (cit. 1). — Géol. *Couches inclinées* (→ 2. Faille, cit.). *Bancs de calcaire inclinés* (→ Glissement, cit. 5). — Mar. *Navire incliné,* à la bande*. *Goélette* (cit. 2) *à mâture inclinée sur l'arrière.* — Astron. *Le plan de l'équateur* (cit. 2) *terrestre est incliné de 23° 27' sur l'écliptique.*

8 (...) la masse entière de chaque portion de montagne, dont les bancs sont parallèles entre eux, a penché tout en bloc, et s'est assise dans le moment de l'affaissement sur une base inclinée de 45 degrés; c'est la cause la plus générale de l'inclinaison des couches dans les montagnes.
BUFFON, Hist. nat., Des tremblements de terre, I.

9 Nous voilà arrivés au plan incliné, comme machine à élever les fardeaux. Et je pose le problème suivant. Une voiture, après avoir fait un kilomètre sur une route inclinée, s'est élevée de deux mètres; serait-il aussi facile de l'élever de deux mètres verticalement, en tirant sur un câble? ALAIN, Propos, 16 avril 1911.

♦ **2.** (1327). Abstrait. (Sujet n. de chose; compl. n. de personne). Rendre enclin* (à). ⇒ **Inciter, porter, pousser.** *Sa gentillesse nous incline à l'indulgence.* ⇒ **Attirer.** — *Incliner qqn à...* (et inf.). *Cela m'incline à croire que vous avez raison. Les tendances qui l'inclinent à faire cela.* ⇒ **Prédisposer; inclination** (I.).

10 (...) cet attrait indélibéré qui nous incline vers le bien, et qui est dans les hommes enclins à mal faire, le secours médicinal du Sauveur.
BOSSUET, Élévation sur les mystères, IV, 3.

11 Ce qui m'inclinerait à croire que le roman historique est un mauvais genre : vous trompez l'ignorant, vous dégoûtez l'homme instruit, vous gâtez l'histoire par la fiction et la fiction par l'histoire.
DIDEROT, Essais sur les règnes de Claude et Néron, II, 101.

12 L'idée que Salavin souffrait autant et plus peut-être que lui-même, cette idée ne le consolait certes pas, mais l'inclinait à la décence dans l'exposé de ses propres griefs. G. DUHAMEL, Salavin, III, XXIX.

♦ **3.** (Fin XVIe). Littér. (Sujet n. de personne). Faire fléchir (métaphore du sens 1) en incitant (sens 2). *Incliner un esprit, la pensée de qqn. Incliner les volontés.* ⇒ **Influencer.**

13 (...) Balzac put être tenté de présenter une Catherine de Médicis pleinement consciente, non seulement de son rôle historique, mais de la théorie même de ce rôle; et, sans rien préciser imprudemment, d'incliner l'esprit du lecteur, de l'amener à penser que certaines théories de l'autorité (...) découlent d'une même utopie (...)
GIDE, Nouveaux Prétextes, Journal sans date, p. 163.

14 Je ne me reconnais aucun droit d'incliner en rien sa pensée et m'en voudrais si je pouvais croire que, par égard pour moi, André n'écrit pas exactement ce qu'il croit devoir écrire. GIDE, Et nunc manet in te, p. 18.

▶ **S'INCLINER** v. pron. (1532; «avoir un penchant amoureux», v. 1360).

A. (Personnes). ♦ **1.** (1532). Se courber, se pencher. *S'incliner de façon courtoise* (cit. 2) *devant une dame. Saluer* en s'inclinant profondément, très bas* (⇒ **Courbette, révérence** [faire une]), et, absolt, *s'incliner.* ⇒ **Saluer** (→ Imperceptible, cit. 11). *Prêtre qui s'incline devant l'autel* (cit. 24). ⇒ **Prosterner** (se). *Arabes qui s'inclinent pour la prière rituelle* (→ Gymnastique, cit. 12). — *Action de s'incliner.* ⇒ **Inclination** (II.). — (Choses assimilées à des personnes). → ci-dessous, cit. 17.

Si le hasard lui fait voir une bourse dans son chemin, il s'incline (...) 15
LA BRUYÈRE, les Caractères de Théophraste, De l'esprit chagrin.

À ce mot, tous s'inclinèrent, on le congratulait. 16
FLAUBERT, l'Éducation sentimentale, II, IV.

Quelques rares palmiers, échevelés et meurtris, s'inclinaient çà et là dans le même sens, ayant cédé, comme font les arbres de nos côtes, à l'effort continu du souffle marin. LOTI, l'Inde (sans les Anglais), VII. 17

(*Il*) joignait les talons, s'inclinait assez bas devant les hommes, très bas devant les dames (...) J. ROMAINS, les Hommes de bonne volonté, t. IV, IX, p. 87. 18

(Parties du corps). *Sa tête s'inclinait en signe d'aveu* (cit. 20). ⇒ **Pencher** (se).

(...) une somnolence s'emparait doucement de ses yeux qui se fermaient, de sa tête qui s'inclinait sur sa poitrine (...) J. GREEN, Léviathan, V, p. 37. 19

♦ **2.** (1683). Fig. *S'incliner devant qqn,* lui donner des marques de respect, d'humilité; reconnaître son autorité, sa supériorité. ⇒ **Soumettre** (se). *Il ne s'incline devant aucune autorité.* ⇒ **Courber** (le front...); → Antitotalitaire, cit. — *Je m'incline respectueusement devant votre chagrin.* — (Sans compl.). *Inclinez-vous; je m'incline.* ⇒ **Saluer** (→ Chapeau* bas).

Je m'incline devant un grand, mais mon esprit ne s'incline pas. 20
FONTENELLE, *in* P. LAROUSSE.

L'homme ne s'incline guère que devant ce qu'il croit être le droit ou ce que ses opinions lui montrent comme fort au-dessus de lui. 21
FUSTEL DE COULANGES, la Cité antique, IV, X.

Sa résignation, sa mine souriante, paraissaient une vision d'un autre monde. On ne comprenait pas, mais on sentait en lui quelque chose de supérieur; on s'inclinait. RENAN, Souvenirs d'enfance..., II, V. 22

Dans toute société d'hommes, un don, une qualité de l'individu impose sa reconnaissance et son autorité à tous. Cette chose qui fait autour de lui le respect et une disposition des autres à s'incliner sous ses idées : c'est le caractère. 23
Ed. et J. DE GONCOURT, Journal, p. 283.

Littér. (Sujet n. de chose : groupe, etc.). *L'univers s'incline devant l'auguste* (cit. 12) *reine.*

♦ **3.** (Fin XIXe; Académie, 1935). S'avouer vaincu, renoncer à lutter, à contester, à insister. ⇒ **Abandonner, céder, résigner** (se). *S'incliner devant la fatalité* (cit. 1). *S'incliner devant la force d'une argumentation* (cit. 3). *Inclinez-vous devant les faits* (→ Croire, cit. 17). — Absolt. *Vous avez raison, je m'incline.* ⇒ **Obéir.**

Je n'avais plus qu'à m'incliner, et je m'inclinai de bonne grâce (...) 24
COURTELINE, Messieurs les ronds-de-cuir, VI, tableau II.

(...) un alliage si résistant d'entêtement et de crainte qu'il fallait de toute évidence s'incliner ou partir. 25
J. ROMAINS, les Hommes de bonne volonté, t. II, XIV, p. 145.

Nous ne pouvions que nous incliner devant la pensée précise et les intentions qui avaient inspiré l'acte généreux du Prince. 26
Georges LECOMTE, Ma traversée, p. 509.

Les Orientaux sont des réalistes, qui s'inclinent devant la volonté des Dieux, c'est-à-dire devant les faits, aussitôt qu'ils en ont constaté la réalité, et de ce point de vue je crois bien que les Allemands se classent avec les Orientaux. 27
André SIEGFRIED, La Fontaine..., p. 26.

B. (1680; choses). Se placer, être placé obliquement par rapport à l'horizon ou à un plan donné. *Le bateau s'incline et coule* (cit. 22) *à pic. Avion qui s'incline à gauche* (→ Fuselage, cit.). *Chemin qui s'incline en pente douce, en pente raide*, rapide*.* ⇒ **Descendre.** *Faisceau lumineux qui s'incline.* ⇒ **Infléchir** (s').

(...) de ce point, il pouvait voir la plaine du Roussillon devant lui s'inclinant jusqu'à la Méditerranée (...) A. DE VIGNY, Cinq-Mars, X. 28

Connaissez-vous sur la colline 29
Qui joint Montlignon à Saint-Leu
Une terrasse qui s'incline
Entre un bois sombre et le ciel bleu? HUGO, les Contemplations, IV, IX.

Et des voiles au loin s'inclinaient toutes blanches. 30
VERLAINE, Romances sans paroles, Aquarelles, Beams.

(...) des faibles rayons d'un soleil qui s'incline (...) 31
M. BARRÈS, la Colline inspirée, VIII.

★ **II.** V. intr. ♦ **1.** (1671). Vx ou littér. (Choses). Aller en s'inclinant, en penchant légèrement. *La houle fait incliner insensiblement le mât* (→ Balancement, cit. 3).

Les clochers de Lubeck offrent cette particularité d'être tous hors d'aplomb et d'incliner à droite ou à gauche d'une manière sensible, sans cependant inquiéter l'œil comme la tour des Asinelli à Bologne, et la tour penchée de Pise. 32
Th. GAUTIER, Voyage en Russie, p. 51.

Enfin, le jour inclina sous l'horizon, et les premières ombres s'étendirent dans les rues (...) J.-A. DE GOBINEAU, Nouvelles asiatiques, p. 230. 33

Les lignes qui inclinent vers la terre font naître une impression de tristesse; celles qui montent vers le ciel, un sentiment de gaieté. 34
DAVID D'ANGERS, *in* H. GUERLIN, l'Art par les maîtres...

(1636). Par métaphore. Évoluer ou tendre vers. *Un gris qui incline vers le bleu. La fin de la pièce incline vers le bouffon.* ⇒ **Tourner** (à). *La victoire longtemps en balance inclina enfin de leur côté.* ⇒ **Pencher.**

5 (...) chacun, seul témoin des grands coups qu'il donnait,
Ne pouvait discerner où le sort inclinait. CORNEILLE, le Cid, IV, 3.

6 Aussi voyant mon âge incliner vers le soir (...)
J.-M. DE HÉRÉDIA, les Trophées, « Le vieil orfèvre ».

♦ **2.** (V. 1361). Mod. (Personnes). **INCLINER À** : avoir de l'inclination* pour qqch., ou (vieilli) pour qqn. ⇒ **Tendre** (à, vers). *Parti qui incline à l'absolutisme.* ⇒ **Désirer** (→ Amender, cit. 6). *Incliner à l'indulgence, vers l'indulgence.* ⇒ **Enclin** (être). *Il incline pour cette solution.* ⇒ **Pencher.** — *Incliner à* (suivi d'un inf.). → Entêter, cit. 8. *Il inclinait à suivre ce conseil* (→ Effrayer, cit. 9). *J'incline à penser que...* (→ Entrailles, cit. 16). — **INCLINER VERS.** *Son cœur, son esprit incline vers..., à...*

7 (...) tâcher d'apprendre de vous vers lequel des deux Princes peut incliner votre cœur. MOLIÈRE, les Amants magnifiques, II, 3.

8 Lamennais (...) incline, de plus en plus, à partir de 1830 (...) vers le libéralisme.
Georges MATORÉ, Introduction à la Préface de *Mlle de Maupin* de Th. Gautier, p. XIV.

▶ **INCLINÉ, ÉE** p. p. adj.

(Au sens I, 1, a). *Tête inclinée, etc.* (→ ci-dessus, cit. 2, 5, 6 et 7). — (Au sens I, 1, b). *Route inclinée, plan incliné* (→ ci-dessus, cit. 8, 9 et *supra*). *Toit, talus,* etc. *très incliné.* ⇒ **Pentu.**

(Au sens I, 2). Enclin*, prédisposé. *Être incliné à l'indulgence. Tempérament fortement incliné aux plaisirs sensuels* (→ Génération, cit. 8).

CONTR. Lever, relever. — Redresser.
DÉR. Inclinaison, inclinant.
COMP. Inclinomètre.

INCLINOMÈTRE [ɛ̃klinɔmɛtʀ] n. m. — 1902; de *incliner,* et *-mètre.*

♦ **1.** Phys. Instrument destiné à mesurer la valeur de l'inclinaison* magnétique.

♦ **2.** (1931). Techn. ⇒ **Clinomètre.**

INCLUANT [ɛ̃klyɑ̃] n. m. — Av. 1971; p. prés. de *inclure.*

♦ Didact. Mot ou groupe de mots qui, dans une définition, est dans une relation d'inclusion par rapport au défini (⇒ **Hypéronyme**); terme générique (par rapport aux *termes spécifiques*). *Un terme* (par ex. : *carré*) *peut être défini par un incluant plus ou moins large* (par ex. : *quadrilatère* ou *rectangle*) *complété par une qualification respectivement plus ou moins riche* (dans l'ex. choisi : *à angles droits et côtés égaux* ou *à côtés égaux*). *« Le synonyme est le dernier incluant de la chaîne, si étroit qu'il n'inclut plus que le défini auquel il s'identifie »* (J. Rey-Debove, *Étude linguistique et sémiotique des dictionnaires français contemporains,* p. 232, 1971).

INCLURE [ɛ̃klyʀ] v. tr. — Conjug. *conclure,* sauf p. p. *inclus.* — Fin XVIe, « comprendre, contenir »; repris XIXe; de *inclus**, d'après *exclure.*

♦ **1.** (1823). Mettre (qqch.) dans. ⇒ **Enfermer, insérer, introduire.** *Inclure un chèque, un billet dans une lettre. Inclure une clause dans un contrat. J'inclus votre nom dans la liste. Inclure le montant d'un prêt dans une somme* (→ Global, cit.); *il l'a inclus dans la somme. Vous inclurez cette remarque dans votre texte.* — Passif. *Être inclus dans...*

Ce n'est plus la recherche ni la peinture de l'objet qui nous sollicite : mais l'évocation de sa forme et de toute la grâce qu'il recèle, de la magie enfin qui y est incluse, pour nous faire croire à la vie.
André SUARÈS, Trois Hommes, « Dostoïevski », p. 224.

Spécialt. (Sc.). Faire l'inclusion (1., spécialt) de (un tissu, un fragment d'organe).

♦ **2.** (1866). Abstrait. Comprendre en soi; impliquer. ⇒ **Comporter, contenir, impliquer, intégrer, renfermer.** *Condition qui en inclut une autre. Le signifié de* fleur *inclut celui de* rose. ⇒ **Incluant, inclusion** (2.).

▶ **S'INCLURE** v. pron. (1827). *Cette clause doit s'inclure dans le contrat.*

▶ **INCLUS, USE** p. p. adj. ⇒ **Inclus.**

CONTR. Exclure, excepter.
DÉR. Incluant.

INCLUS, INCLUSE [ɛ̃kly, ɛ̃klyz] adj. — 1394; lat. *inclusus,* p. p. de *includere* « enfermer, renfermer », de *in-* « dans », et *claudere* (*-cludere* en composition) « fermer ». → Clore.

♦ **1.** Contenu, compris, inséré (dans). *Note incluse dans un envoi. Frais inclus. — Jusqu'au troisième chapitre inclus.* ⇒ **Inclusivement.** — REM. Le T. L. F. signale un emploi adv. chez Balzac : *« la (page) 12 inclus ».*

(...) son joli volume de *Souvenirs,* qu'elle *(Marie d'Agoult)* a menés jusqu'à son mariage inclus, et à la veille de sa liaison avec Liszt (...) 1
Émile HENRIOT, les Romantiques, p. 439.

De même que l'équation contient la courbe, la vie trouvait, incluse en elle-même, sa promesse, qui était s'accomplir et durer. 2
J.-R. BLOCH, Destin du siècle, 1931, p. 198, *in* T. L. F.

(1802). Bot. *Étamines incluses :* étamines courtes, enfermées dans la fleur.

(1925). *Dent incluse :* dent qui n'a pas évolué, mais est restée enfermée (⇒ **Inclusion**) dans son alvéole et son sac folliculaire. *Canine supérieure incluse.*

(Mil. XXe). Log., math. *Ensemble inclus dans l'ensemble E,* dont tous les éléments appartiennent à l'ensemble E (symb. ⊃). ⇒ **Inclusion; sous-ensemble.** *Ensembles réciproquement inclus* (F dans E, E dans F) : ensembles identiques.

♦ **2.** (1690; *si inclus,* adv., 1644). **CI-INCLUS, CI-INCLUSE** : placé ici, à l'intérieur. ⇒ **Joint.** *La lettre ci-incluse. Vous trouverez ci-inclus une lettre de votre père* (Académie, art. *Inclure*). *Vous trouverez ci-incluse la copie que vous m'avez demandée* (Académie, art. *Ci*). — REM. *Ci-inclus* peut être considéré comme un adverbe et rester invariable en tête de phrase *(ci-inclus les pièces demandées)* ou dans le corps de la phrase devant un nom sans article ni adjectif déterminatif *(vous trouverez ci-inclus réponse à votre demande).* Mais il est d'usage de faire l'accord lorsque *ci-inclus* est placé après le nom *(la lettre ci-incluse)* et de ne pas le faire lorsqu'il est avant le nom *(ci-inclus, une lettre).* → Ci.

Mon ami, n'ouvre la lettre ci-incluse qu'en cas d'accident. 3
STENDHAL, le Rouge et le Noir, II, XV.

Ci-inclus la note sur la botanique. 4
FLAUBERT, Correspondance, t. IX, p. 21.

CONTR. Exclu.
DÉR. Inclure.

INCLUSIF, IVE [ɛ̃klyzif, iv] adj. — 1688, repris XIXe; lat. médiéval *inclusivus* « qui inclut », de *inclusum,* supin de *includere.* → Inclure.

♦ **1.** (1823). Didact. Qui renferme (qqch.) en soi, qui est en relation d'inclusion* avec. *Proposition inclusive d'une autre. Ensemble inclusif et sous-ensemble inclus**. ⇒ **Inclusion.**

(Av. 1873). Ling. (D'un pron. pers. plur.). Qui inclut une autre personne. Nous, *pronom de la première personne du pluriel, peut être inclusif de la deuxième personne* (moi *et* toi, moi *et* vous) *et de la troisième* (moi *et* lui, moi *et* eux).

♦ **2.** (V. 1970; angl. *inclusive* « qui inclut »). Anglic. Tout compris. *Tour inclusif* (angl. *inclusive tour*). *« Fabriquer un* inclusive tour, *autrement dit un forfait comprenant transport aérien et prestations hôtelières »* (*le Point,* 9 oct. 1972, p. 20).

CONTR. Exclusif.

INCLUSION [ɛ̃klyzjɔ̃] n. f. — 1665, sens 2; « réclusion (d'un moine) », v. 1200; « action de déclarer inclus », v. 1580; lat. *inclusio* « emprisonnement » en lat. class., « procédé de style » en bas lat. (→ ci-dessous, 1., didact.), de *inclusum,* supin de *includere.* → Inclure.

♦ **1.** (1690). Action d'inclure, de mettre (qqch. dans...). *L'inclusion d'un chèque dans une lettre (par qqn). — L'inclusion d'une motion au procès-verbal.*

(Sans complément) :

(...) il faut plus que cela pour l'inclusion, mais pour l'exclusion cela suffit : je n'en veux pas davantage.
BOSSUET, Avertissements aux protestants, IIIe avertissement, XXVII.

(1907). Spécialt. (Sc.). Introduction dans la paraffine ou la colloïdine d'un tissu biologique fixé, en vue de sa coupe au microtome, et de son examen au microscope (on emploie aussi le verbe *inclure,* dans ce sens).

(1933, Marouzeau). Didact. Procédé stylistique qui consiste à inclure une phrase entre deux éléments identiques (mot, expression qui commence et finit la phrase complète).

♦ **2.** (1665, Retz). Situation, état de ce qui est inclus (dans autre chose); relation entre ce qui est inclus et ce qui l'inclut.

a Abstrait. *Toutes les classifications reposent sur la relation d'inclusion.* ⇒ **Taxinomie.** *« La relation d'inclusion est exprimée par le verbe "être"* (ex. : *un fauteuil est un siège*). *Les inclusions de classes d'objets correspondent aux inclusions inverses des signifiés des mots qui les désignent »* (J. Rey-Debove, *Sémiotique,* p. 79). ⇒ **Hypéronyme, incluant.** *Inclusion réciproque.* ⇒ **Identité.**

Log., math. Relation entre deux classes, entre deux ensembles, dont l'un est inclus dans l'autre. *L'espèce est en relation d'inclusion avec le genre. L'inclusion est une relation réflexive, antisymétrique et transitive d'ordre partiel. Inclusion réciproque.* ⇒ **Identité.** *Inclusion de classes* (logiques); *inclusion de relations. L'inclusion est à la base du syllogisme.*

b Concret. — (Xe). Anat. *Inclusion d'une dent de sagesse :* situation d'une dent enfermée dans le tissu osseux du maxillaire. —

(1902). Géol. *Gîte d'inclusion :* gîte dans lequel le minerai est disséminé dans une roche (et non pas disposé en filons ou en amas).

♦ **3.** (1897, *l'Année biol.*). Concret. Ce qui est inclus ; élément inclus dans un milieu de nature différente. *Inclusions protoplasmiques. Inclusions de Döhle :* corpuscules du cytoplasme des leucocytes neutrophiles. — *Inclusion d'air dans du verre.* ⇒ **Bulle** (II., 1.). — (1892). Minér. Corps étranger (solide, liquide ou gazeux) existant dans un cristal. *Ce diamant contient une inclusion.*

(1932). Techn. (métall.). Élément étranger dans un métal ou un alliage.

(1858). Biol. *Inclusion fœtale* (*monstruosité par inclusion,* de Geoffroy Saint-Hilaire) : présence d'une formation fœtale à l'intérieur d'un autre fœtus, due soit à la fécondation d'un seul ovule par deux spermatozoïdes, soit à l'emboîtement d'un ovule fécondé dans un autre. — (1897). *Inclusion cellulaire :* particule étrangère présente à l'intérieur d'une cellule.

INCLUSIVEMENT [ɛ̃klyzivmɑ̃] adv. — Fin XIVe ; du lat. médiéval *inclusivus* (→ Inclusif), puis de *inclusif* (attesté plus tard).

♦ Didact. ou littér. En comprenant (la chose dont on vient de parler) ; y compris*. *Depuis les origines jusqu'au quinzième siècle inclusivement* (→ Architecture, cit. 2).

Il y a longtemps qu'on a reproché aux poètes épiques de n'être prophètes, dans leurs descentes aux Enfers, que jusqu'à l'année où ils écrivaient, inclusivement.
BALZAC, le Feuilleton, XXXIII, *in* Œ. diverses, t. I, p. 417.

CONTR. Exclusivement.

INCOAGULABLE [ɛ̃kɔagylabl] adj. — 1731 ; de 1. *in-*, et *coagulable.*

♦ Sc. Qui ne se coagule pas. *Substances incoagulables.* — REM. On emploie aussi, en sciences, *incoagulabilité* [ɛ̃kɔagylabilite] n. f.

CONTR. Coagulable.

INCOERCIBILITÉ [ɛ̃kɔɛʀsibilite] n. f. — 1814 ; de *incoercible.*

♦ Didact. Caractère de ce qui est incoercible, irrépressible. « *L'incoercibilité de l'émotion-choc* » (Ricœur, *in* T. L. F.).

INCOERCIBLE [ɛ̃kɔɛʀsibl] adj. — 1765, sens 2 ; de 1. *in-*, et *coercible.*

♦ **1.** (1767, Diderot). Didact. ou littér. Qu'on ne peut contenir, retenir, arrêter. *Un rire incoercible. Toux incoercible,* qu'on a peine à réprimer. — (1857). Méd. *Vomissements incoercibles de la grossesse.*

1 (...) il se demandait encore où il avait bien pu l'attraper cette toux incoercible.
CÉLINE, Voyage au bout de la nuit, p. 270.

2 C'est un rire sans méchanceté, mais un fou rire incoercible, qui s'empara de nous à ces mots (...) GIDE, Si le grain ne meurt, I, V.

Sentiment, désir incoercible. ⇒ **Irrépressible.**

3 Malgré sa gravité et ses vêtements noirs, Serlon avait dans les yeux l'incoercible expression d'une immense félicité.
BARBEY D'AUREVILLY, les Diaboliques, « Le bonheur dans le crime ».

4 *(Il)* réclame à grands cris, de tous, une intervention profitable à son incoercible amour. Émile HENRIOT, Portraits de femmes, p. 423.

N. m. *L'incoercible.*

♦ **2.** Phys. Vx. Qui ne peut être comprimé. ⇒ **Incompressible.**

CONTR. Coercible.
DÉR. Incoercibilité, incoerciblement.

INCOERCIBLEMENT [ɛ̃kɔɛʀsibləmɑ̃] adv. — 1832 ; de *incoercible.*

♦ Rare. De manière incoercible.

(...) butins péniblement coltinés pendant des kilomètres par des hordes d'hommes épuisés (...) conservés malgré interdits et menaces, ressurgissant, réapparaissant incoerciblement pour des marchés furtifs, clandestins (...)
Claude SIMON, la Route des Flandres, p. 145 (1960).

INCOGNITO [ɛ̃kɔɲito] adv. et n. m. — 1581 ; mot ital., « inconnu » ; lat. *incognitus,* de *in-* (→ 1. In-), et *cognitus,* p. p. de *cognoscere* « connaître ». → Connaître.

♦ **1.** Adv. [a] En faisant en sorte qu'on ne soit pas connu, reconnu (dans un lieu). *Voyager incognito.* ⇒ **Secrètement.** *Souverain qui séjourne incognito dans une ville. Condé partit d'Agen incognito et déguisé* (→ Entrefaite, cit. 3).

1 Lui qui depuis un mois nous cachant sa venue,
La nuit, *incognito,* visite une inconnue. CORNEILLE, le Menteur, III, 2.

2 (...) pour aller incognito en des lieux de débauche (...)
PASCAL, les Provinciales, VI.

3 Il exprime *(le mot* incognito*)* qu'un homme est dans un lieu sans vouloir y être connu. Mais il se dit particulièrement des Grands qui entrent dans une ville, qui marchent dans les rues sans pompe, sans cérémonie, sans leur train ordinaire et sans les marques de leur grandeur. Ce Prince a passé par la France *incognito* (...) Ce n'est pas absolument parce qu'ils ne veulent point être connus ; c'est qu'ils ne veulent point être traités avec les cérémonies, ni recevoir les honneurs dus à leur rang. Par ce moyen on exempte d'une importune obligation, et ceux qui doivent recevoir les honneurs, et ceux qui les doivent rendre.
VAUGELAS, *in* Dict. de Trévoux, art. *Incognito.*

On entendait quelquefois rouler encore la voiture sans livrée qui emmenait inco- 4
gnito madame de Parnes (...)
A. DE MUSSET, Nouvelles, « Deux maîtresses », VIII.

[b] (1690). Vx. Sans être remarqué, sans que la chose soit sue. *Souffrir incognito* (→ Faible, cit. 4).

(...) nous disons aussi bien des sottises qui passent *incognito* (...) 5
MONTESQUIEU, Lettres persanes, LIV.

♦ **2.** N. m. (Av. 1750, Saint-Simon). Situation d'une personne qui n'est pas connue, qui cherche à n'être pas reconnue. *L'incognito de qqn ; son incognito. Garder l'incognito :* rester ignoré*. ⇒ **Anonymat.** *Jouir de son incognito* (→ Observateur, cit. 4). *Laisser à qqn son incognito.*

(...) je ferai une courte mention du voyage que vinrent faire en France (...) le frère 6
du duc de Parme, qui y fut *incognito,* et, quelque temps après, le prince Gaston (...) Ce dernier garda aussi l'*incognito* (...) SAINT-SIMON, Mémoires, I, XXXIII.

(...) la passion de l'*incognito,* l'un des plus grands plaisirs des princes, espèce 7
d'abdication momentanée qui leur permet de mettre un peu de vie commune dans leur existence (...) BALZAC, Maître Cornélius, Pl., t. IX, p. 942.

Laissez-moi mon incognito. D'ailleurs, mon masque est mieux mis que le vôtre, 8
et il me plaît à moi de le garder (...) BALZAC, les Chouans, Pl., t. VII, p. 870.

Mais, sans vous mettre au courant de notre état civil, monsieur Lhéry, permettez 9
qu'on vous apprenne nos noms vrais ; tout en nous laissant notre incognito, il me semble que cela nous rendra plus vos amies (...) LOTI, les Désenchantées, XI.

INCOGNOSCIBLE [ɛ̃kɔɲɔsibl] adj. et n. m. — XVIe ; *incongnoissible,* 1512 ; repris XIXe ; lat. *incognoscibilis,* de *in-* (→ 1. In-), et *cognoscibilis* « qu'on peut connaître ». → Cognoscible.

♦ Didact. Qui ne peut être connu, qui est inaccessible à l'intelligence humaine. ⇒ **Inconnaissable.**

N. m. *La troisième personne de la Trinité « est, par excellence, l'incognoscible »* (Huysmans, *in* T. L. F.).

CONTR. Cognoscible.

INCOHÉRENCE [ɛ̃kɔeʀɑ̃s] n. f. — 1700, P. Coste, trad. Locke ; angl. *incoherence,* 1611, et 1643, Milton, de *in-* (→ 1. In-), et *coherence,* lui-même du franç. *cohérence*.* — REM. L'angl. a aussi le syn. *incoherency* (1684), formé sur *coherency,* du lat. *cohærentia.*

A. ♦ **1.** Manque de lien logique, d'unité (dans les propos, les idées, les actes). *Incohérence d'un discours.* ⇒ **Décousu, désordre.** *Incohérence entre les parties d'un discours, d'un ouvrage.* ⇒ **Désaccord, différence.** *Il y a de l'incohérence dans ses idées* (cf. Il manque de suite dans les idées, d'esprit de suite). *L'incohérence d'un rêve. Incohérence dans la conduite de qqn* (→ Gage, cit. 15). *Mélange de rigueur et d'incohérence dans une œuvre musicale* (→ Découdre, cit. 8).

(...) les contradictions et l'incohérence entre les diverses parties de l'ouvrage 1
(Atala). Abbé MORELLET, *in* SAINTE-BEUVE, Chateaubriand, t. I, p. 216.

Nous marchions, et il lui échappait des phrases presque incohérentes. Malgré mes 2
efforts, je ne suivais ses paroles qu'à grand'peine, me bornant enfin à les retenir. L'incohérence d'un discours dépend de celui qui l'écoute. L'esprit me paraît ainsi fait qu'il ne peut être incohérent pour soi-même. Aussi me suis-je gardé de classer Teste parmi les fous. D'ailleurs, j'apercevais vaguement le lien de ses idées, je n'y remarquais aucune contradiction (...) VALÉRY, Monsieur Teste, p. 27.

Si j'ai désir de me contredire, je me chercherai sans scrupule : je ne chercherai 3
pas la « cohérence ». Mais n'affecterai pas l'incohérence non plus. Il y a, par-delà la logique, une sorte de psychologique cachée qui m'importe, ici, davantage.
GIDE, Ainsi soit-il, p. 11-12.

(1867, *in* Littré). Psychiatrie. Absence de cohérence dans les propos, les idées, les actes, qui se succèdent de façon désordonnée et insolite. ⇒ aussi **Ataxie** (3.). *Incohérence observée chez les épileptiques, les déments, les schizophrènes.*

Mais l'incohérence n'est pas le monopole des fous : toutes les idées essentielles 4
d'un homme sain sont des constructions irrationnelles (...)
A. MAUROIS, les Silences du colonel Bramble, p. 190.

L'incohérence apparaît chaque fois que le pouvoir de contrôle et de coordination 5
disparaît, soit par suite d'une dissolution passagère ou prolongée de la conscience, soit par suite une détérioration organique cérébrale.
A. POROT, Manuel alphabétique de psychiatrie, art. *Incohérence.*

Incohérence verbale (ou *aliénation du langage*) : trouble du langage caractérisé par l'emploi de néologismes, de formules énigmatiques, de mots abstraits et vagues, de soliloques incompréhensibles, etc., et manifestant la désagrégation schizophrénique de la personnalité. — Syn. : *schizophasie, schizographie* (langage écrit).

♦ **2.** (1775). *Une, des incohérences,* parole, idée, action incohérente. *Les incohérences d'un récit, d'une démonstration. La défense de l'accusé est pleine d'incohérences et de contradictions*. Les incohérences de sa conduite.*

Toutes ces incohérences, jeune, maniaque, malingre, joyeux, faisaient bon ménage 6
ensemble, et il en résultait un être excentrique et agréable (...)
HUGO, les Misérables, III, IV, I (1862).

Tout le paragraphe nous apparaît maintenant comme un tissu d'inconséquences et 7
d'incohérences. BAUDELAIRE, Trad. E. POE, Histoires grotesques et sérieuses, « Le mystère de M. Roget ».

B. (1787). Vx. (Concret). Caractère de ce qui manque de cohérence. ⇒ **Hétérogénéité.** *« L'incohérence des parties de l'eau »* (Littré).

CONTR. Cohérence, cohésion, unité.
DÉR. V. **Incohérent.**

INCOHÉRENT, ENTE [ɛ̃kɔeʀɑ̃, ɑ̃t] adj. — 1751, Voltaire; de 1. *in-*, et *cohérent,* d'après *incohérence,* ou empr. à l'angl. *incoherent,* déb. XVIIe.

Qui n'est pas cohérent*.

A. ♦ 1. Mod. (Abstrait). Qui manque de liaison, de suite, d'unité. *Gestes* (cit. 7) *incohérents.* ⇒ **Désordonné.** *Images, visions incohérentes qui peuplent le rêve, le délire* (cit. 3). ⇒ **Fantastique** (→ Assembler, cit. 10). *Propos incohérents de fou* (cit. 8). ⇒ **Absurde, extravagant, illogique, incompréhensible.** *Bafouiller, balbutier* (cit. 13) *des mots incohérents. Bribes de phrases incohérentes, qui reflètent le désordre* (cit. 18) *de la pensée* (→ Sans queue* ni tête). *Conversation incohérente* (→ Passer du coq* à l'âne). *Style incohérent.* ⇒ **Décousu.** *Conduite incohérente* (→ Folie, cit. 3, Voltaire).

1 Métaphores incohérentes, celles qui réunissent deux images incompatibles, par exemple, en parlant d'un orateur : C'est un torrent qui s'allume. Un torrent ne s'allume pas. LITTRÉ, Dict., art. *Incohérent.*

2 Un ivrogne ne cesse de rôder autour de notre table. Il prononce très haut des paroles incohérentes sur le ton de la protestation. Parmi ces paroles reviennent sans cesse un ou deux mots obscènes sur lesquels il appuie.
A. BRETON, Nadja, p. 106.

3 Alors, l'homme posa sa pipe, leva les mains et se prit à parler avec volubilité. Un discours incohérent, mêlé de français, d'italien et d'un jargon farouche (...)
G. DUHAMEL, Salavin, VI, IX.

(Personnes). Qui a un comportement, un discours incohérent. *Il a été assez incohérent dans ses déclarations. — Humeur incohérente.*

4 Le petit George n'oublia jamais son père; il l'avait admiré. Il restait seul dans la vie, avec une femme dont l'humeur incohérente faisait succéder une pluie de baisers à un déluge de coups. A. MAUROIS, la Vie de Byron, I, II.

(Fin XIXe). Spécialt. Qui manifeste une incohérence pathologique. ⇒ **Délirant.** *Le malade parlait normalement, puis il est devenu incohérent.*

♦ 2. (XXe). Littér. Anormal et étrange. *Une atmosphère incohérente.*

B. (Concret). **♦ 1.** (1779). Vx. Qui manque de cohérence, d'organisation cohérente entre ses éléments. — Géol. *Couches de terrain incohérentes.* ⇒ **Incohésion.**

♦ 2. (1873). Mod. Qui n'est pas homogène, manque d'unité (en parlant d'un groupe humain). *Une majorité incohérente. Un parti politique incohérent.* — (Abstrait, dans un sens voisin de A). *Une doctrine incohérente.*

♦ 3. (Mil. XXe). Sc. *Vibrations incohérentes,* émises par deux sources différentes, et dont la différence de phase n'est pas constante.

CONTR. Cohérent, conséquent, harmonieux, logique, ordonné.
DÉR. Queneau emploie le dér. **incohéremment,** adv. (*le Chiendent,* p. 423), et le v. **incohérer** « se comporter, parler de manière incohérente » (*le Chiendent,* p. 339).

INCOHÉSION [ɛ̃kɔezjɔ̃] n. f. — 1787; de 1. *in-*, et *cohésion.*

♦ 1. Didact. Manque de cohésion*. *Incohésion des molécules des gaz* (P. Larousse). ⇒ **Incohérence** (B.).

Littér. (Abstrait). Absence de cohésion.

L'œuvre de Robert Pinget (...) exige une lecture active, aventureuse, une lecture qui laboure le texte comme un sol (...) cherchant à découvrir la cohérence occulte sous l'éclatante incohésion de surface.
Olivier DE MAGNY, Robert Pinget ou le Palimpseste, *in* Robert PINGET, Graal Flibuste, p. 165.

♦ 2. Littér. Ensemble incohérent. *« Une naïve incohésion d'appétits, de gourmandises, de désirs »* (Gide, *Journal,* p. 779, 1923, *in* T. L. F.).

INCOIFFABLE [ɛ̃kwafabl] adj. — Mil. XXe; de 1. *in-*, *coiffer,* et suff. *-able.*

♦ Qu'on ne peut coiffer. *« Cheveux que l'eau de mer dessèche et rend incoiffables »* (*Guérir,* août 1967).

Il caressa sa tête afin de mieux sentir l'eau sur ses cheveux. L'endroit incoiffable, « l'épi », résista à sa main. Robert SABATIER, Alain et le Nègre, p. 247.

INCOLLABLE [ɛ̃kɔlabl] adj. — Mil. XXe; de 1. *in-*, *coller,* et suff. *-able.*

★ I. Fam. (Personnes). Qu'on ne peut coller (I., B., 4.); qui répond à toutes les questions. *Il est incollable en physique. « Elle est incollable sur leurs avantages, leurs spécialités* (des clubs de vacances) *»* (*le Point,* 25 mars 1974, *in* Gilbert). *Candidat incollable à l'oral. — Être incollable dans un concours, un jeu télévisé.* ⇒ **Imbattable.**

Il est incollable sur tous les faits et gestes (...) des courtisanes grecques.
Pierre-Jean RÉMY, Orient-Express, p. 349.

N. (1974, *in* Gilbert). *Un, une incollable.*

★ II. (1969, in *Elle*). Comm. Qui ne colle pas, n'attache pas pendant la cuisson. *Riz incollable.*

INCOLORE [ɛ̃kɔlɔʀ] adj. — 1797; bas lat. *incolor,* de *in-* (→ 1. In-), et *color, -oris.* → Couleur.

♦ 1. Qui n'est pas coloré; sans couleur. *Liquide incolore* (→ Herboriste, cit.). *Gaz incolore et inodore. Verre incolore.* ⇒ **Blanc.** *Crème, vernis incolore.*

Par ext. Qui a peu de couleur, n'est pas vif. *Un ciel incolore.* ⇒ **Pâle.** — REM. Gide emploie dans ce sens le syn. rare *incoloré.*

Cette nuit d'octobre, ce ciel incolore, cette musique sans mélodie marquée ou suivie, ce calme de la nature (...) G. SAND, François le Champi, p. 9. 1

♦ 2. (1840). Abstrait. Sans éclat. ⇒ **Terne.** *Style incolore,* abstrait, sans images. ⇒ **Insipide.** *Un regard incolore.* — Loc. plais. *Incolore, inodore* et sans saveur.*

Car son esprit n'était pas incolore comme celui des gens purement spirituels à la façon de Voltaire, de Chamfort et de Stendhal; il s'y mêlait beaucoup d'imagination, de poésie et de pittoresque. 2
Th. GAUTIER, Portraits contemporains, Léon Gozlan.

Simon me tend la main et me regarde avec un sourire incolore, fatigué. 3
G. DUHAMEL, Salavin, VI, XVIII.

♦ 3. (1873, *in* P. Larousse). Par plais. Sans couleur politique, neutre.

La politique, monsieur! Eh! comment ne s'en occuper point? Elle nous guette de toutes parts et nous presse (...) Tout spontanément nos pensées, selon la forme qu'elles ont, prennent coloration rouge ou blanche (...) Prétendez-vous n'avoir rien que des pensées incolores, peut-être? GIDE, Nouveaux Prétextes, p. 50-51. 4

CONTR. Coloré.

INCOMBER [ɛ̃kɔ̃be] v. — 1789; « concerner », trans., et « s'abattre, sur », trans. ind., fin XVe; lat. *incumbere,* en lat. class. « s'appuyer, peser, s'abattre sur », fig. « s'appliquer à »; en bas lat. « incomber à », de *in-* « dans, en, sur » (→ 2. In-), et *-cumbere* « se coucher », forme à infixe nasal indiquant l'action (par oppos. à *cubare* « être couché », indiquant l'état. → Incuber.

♦ V. tr. ind. INCOMBER À : peser*, retomber* sur (qqn), être imposé à (qqn), en parlant d'une charge, d'une obligation, d'une responsabilité. *Incomber à qqn. Les devoirs et les responsabilités qui lui incombent. La charge de la preuve incombe au demandeur. La charge qui leur incombe est très lourde.* — Impers. *C'est à vous qu'il incombe de faire cette démarche.* ⇒ **Appartenir, revenir.** *Il lui incombe de...*

La responsabilité du dommage causé par un animal incombe alternativement au propriétaire ou à celui qui s'en sert pendant qu'il est à son usage. 1
DALLOZ, Nouveau Répertoire, Responsabilité civile.

Se fût-on de même étonné, si l'on s'était rappelé *Le loup et l'agneau,* de ce scandale insupportable : la Pologne menaçant le Reich, la Finlande provoquant l'U. R. S. S.? En pareille circonstance, il incombe à l'Organisation internationale du moment de protester contre l'audace du loup, de défendre le faible contre le fort, mais qui s'en chargera? André SIEGFRIED, La Fontaine..., p. 27. 2

Dr. *(Incomber à qqch.).* Concerner. *Cette pièce incombe au dossier X.*

► **S'INCOMBER** v. pron.

Littér. et rare. (Au sens du lat.). Peser sur soi-même.

Saintement lourde, fagotée dans une toile d'emballage, puissance sans forme, si calmement intérieure elle s'incombe à coup sûr capable de se féconder. 3
Hélène CIXOUS, Souffles, p. 55.

INCOMBUSTIBILITÉ [ɛ̃kɔ̃bystibilite] n. f. — 1751; de *incombustible.*

♦ Didact. Caractère de ce qui est incombustible.

CONTR. Combustibilité.

INCOMBUSTIBLE [ɛ̃kɔ̃bystibl] adj. — 1361, rare av. XVIIIe; lat. médiéval *incombustibilis, de in-* (→ 1. In-), et *combustum,* supin de *comburere* « brûler complètement », de *com-* « complètement », et *urere* « brûler », avec *-b-* d'après le composé *amburere* « brûler autour », par mauvaise coupe *(am-burere).*

♦ 1. Qui n'est pas combustible*, qui ne brûle pas ou très mal. ⇒ **Apyre; aphlogistique.** *Il n'existe pas de substance absolument incombustible. L'amiante est pratiquement incombustible, mais s'altère par l'action prolongée de la chaleur.*

Cette ganse incombustible portait, pendus sur toute sa longueur, plusieurs charbons ardents qui, taillés comme des pierres précieuses et entièrement rougis par l'incandescence, ressemblaient à d'éclatants rubis.
Raymond ROUSSEL, Impressions d'Afrique, p. 155.

♦ **2.** Fig. Indestructible; inaccessible à la passion. *Un « enthousiasme incombustible »* (Léon Bloy, *in* T. L. F.).

CONTR. Combustible.
DÉR. Incombustibilité.

INCOMESTIBLE [ɛ̃kɔmɛstibl] adj. — 1875; de 1. *in-*, et *comestible.*

♦ Rare. Qui n'est pas comestible*. ⇒ **Immangeable, inconsommable.**

(...) pour moi, elle n'était pas une femme plus que des raisins de jade, décoration incomestible des tables d'autrefois, ne sont des raisins...
PROUST, le Côté de Guermantes, Pl., t. II, p. 361.

CONTR. Comestible.

INCOME-TAX [inkɔmtaks] n. m. — 1803-1804; *incometax*, attestation isolée, 1801, *in* Höfler; mot angl., de *income* « revenu », et *tax* « taxe, impôt ».

♦ Didact. Dans les pays de langue anglaise, Impôt* sur le revenu.

INCOMMENSURABILITÉ [ɛ̃kɔmɑ̃syʀabilite] n. f. — 1636; *incommensurableté*, XIVe; lat. médiéval *incommensurabilitas*, même sens, de *incommensurabilis* (→ Incommensurable), ou de *incommensurable.*

♦ **1.** Sc. Caractère de ce qui est incommensurable. *L'incommensurabilité d'une grandeur et d'une autre, de deux grandeurs.*

(...) cette stupeur qui frappa les Pythagoriciens devant l'incommensurabilité des côtés du triangle rectangle. SARTRE, Situations I, p. 211.

♦ **2.** Caractère incommensurable (2.).

CONTR. Commensurabilité.

INCOMMENSURABLE [ɛ̃kɔmɑ̃syʀabl] adj. et n. m. — 1361, rare av. XVIIIe; bas lat. *incommensurabilis*, de *in-* (→ 1. In-), et *commensurabilis.* → Commensurable.

♦ **1.** Sc. Se dit de grandeurs qui n'ont pas de mesure commune, dont le rapport ne peut donner de nombre entier ni fractionnaire. *Le côté d'un carré et sa diagonale sont incommensurables.* — (Avec un nom au sing.). *Incommensurable à, avec... La racine carrée de 2 est incommensurable avec l'unité.* — Spécialt. *Grandeur incommensurable* (avec l'unité).

1 Or il y a (...) deux sortes de rapports; les uns qui peuvent être exprimés exactement par des nombres, soit entiers, soit rompus *(fractionnaires)*; les autres, qu'on appelle incommensurables, et qui ne peuvent être exprimés par des nombres que d'une manière approchée, mais qui peuvent être représentés (...) par exemple, par les rapports d'une ligne à une autre.
D'ALEMBERT, Éléments de philosophie, XIV, XI, Œuvres, t. I, p. 262.

Absolt. *Nombres incommensurables :* nombres réels qui ne sont pas rationnels, comprenant les nombres irrationnels, les nombres algébriques généraux, et les nombres transcendants. $\sqrt{2}$ (= 1,414213...), π (= 3,141592...) *sont des nombres incommensurables. Un nombre incommensurable.*

2 (...) il existe *d'autres nombres* que les nombres naturels et que les fractions ordinaires; ce sont les nombres que nous appellerons provisoirement les « nombres incommensurables ». Ceux-ci peuvent être identifiés à des nombres décimaux, *qui ne se terminent jamais* et dont les chiffres ne se reproduisent jamais dans le même ordre. Marcel BOLL, Étapes des mathématiques, p. 32.

3 Les nombres algébriques non rationnels et les nombres transcendants forment la famille des nombres incommensurables, par opposition à la famille des nombres commensurables ou rationnels. *Dedekind*, utilisant la théorie des ensembles, précisa la notion d'incommensurable en montrant que tout nombre de cette espèce peut être considéré comme une *coupure* dans l'ensemble des nombres rationnels.
René TATON, Hist. du calcul, p. 65.

♦ **2.** (1738, Voltaire, *in* G. L. L. F.). Littér. Qu'on ne peut mesurer, évaluer, par manque de commune mesure. ⇒ **Irréductible.**

4 (...) j'ai pu apprécier à quel degré la sensation des littératures est chose personnelle, irréductible, incommensurable, pour emprunter un mot à sa science favorite, c'est-à-dire qu'il n'y a pas de commune mesure entre les raisons pour lesquelles deux esprits goûtent ou repoussent un même écrivain.
Paul BOURGET, le Disciple, p. 113.

5 Mais encore, réelle ou idéale, cette valeur est incommensurable : elle ne peut pas être mesurée par les unités de mesure dont dispose la société.
VALÉRY, Regards sur le monde actuel, p. 212.

Didact. *Incommensurable avec qqch.*

5.1 Au lieu d'une vie intérieure dont les phases successives, chacune unique en son genre, sont incommensurables avec le langage (...)
H. BERGSON, Essai sur les données immédiates de la conscience, p. 178.

♦ **3.** (1768, Diderot, *in* T. L. F.). Littér. (emploi non scientifique). Qui ne peut être mesuré, qui est très grand. ⇒ **Démesuré, énorme, illimité, immense, immensurable, infini.** *« L'amphithéâtre* (cit. 5) *incommensurable des neiges éternelles »* (Chateaubriand). *Une bêtise incommensurable.* — Souvent antéposé. *Une incommensurable pitié, colère, fureur...*

6 Une brume couvrit l'onde incommensurable (...)
HUGO, les Contemplations, V, XV.

7 (...) je fus pris subitement d'une incommensurable rage contre ce magnifique imbécile (...) BAUDELAIRE, le Spleen de Paris, IV.

♦ **4.** N. m. (1810, Mme de Staël). *L'incommensurable :* l'infini (→ Inaccessible, cit. 15).

CONTR. Commensurable, mesurable, petit.
DÉR. Incommensurablement. — V. Incommensurabilité.

INCOMMENSURABLEMENT [ɛ̃kɔmɑ̃syʀabləmɑ̃] adv. — 1850, Michelet, *in* T. L. F.; de *incommensurable.*

♦ **1.** Didact. D'une manière incommensurable, et, par ext., irréductible.

♦ **2.** Immensément, infiniment. *C'est incommensurablement plus grand.*

INCOMMODANT, ANTE [ɛ̃kɔmɔdɑ̃, ɑ̃t] adj. — 1690; p. prés. de *incommoder.*

♦ Qui incommode physiquement. ⇒ **Désagréable, gênant, incommode.** *Un bruit incommodant, une chaleur incommodante.*

CONTR. Agréable.

INCOMMODE [ɛ̃kɔmɔd] adj. — 1534; lat. *incommodus* « mal approprié, fâcheux, gênant », de *in-* (→ 1. In-), et *commodus.* → Commode.

Qui n'est pas commode.

♦ **1.** Qui est peu pratique à l'usage. *Outil, instrument incommode. Meuble incommode. Appartement incommode par l'agencement des pièces. Habits* (cit. 9), *accessoires incommodes.* ⇒ **Embarrassant, encombrant.**

Au milieu de ces meubles à la forme grecque, superbes et incommodes comme tout ce qui vient de l'Empire (...) 1
A. DE MUSSET, Nouvelles, « Deux maîtresses », III.

♦ **2.** Vx ou littér. Qui est désagréable; qui gêne, ennuie, indispose.

a Vx. Malencontreux.

Quand un quidam parut : c'était maître renard; 2
Rencontre incommode et fâcheuse. LA FONTAINE, Fables, IX, Les deux rats...

b *Une chaleur incommode* (⇒ **Accablant**), *un bruit incommode* (⇒ **Fatigant, gênant, incommodant**). *Position, posture incommode.* ⇒ **Inconfortable.** *Manière incommode de voyager.*

(Le renne) peut faire quatre ou cinq lieues par heure; mais plus cette manière de voyager est prompte, puis elle est incommode; il faut y être habitué et travailler continuellement pour maintenir son traîneau et l'empêcher de verser. 3
BUFFON, Hist. nat. des animaux, L'élan et le renne.

(...) la passion véritable est incommode à l'éloquence. 4
GIDE, Journal, 1er déc. 1905.

(...) les ustensiles bringuebalaient et se plaçaient peu à peu dans une position incommode : d'un coup d'épaules, il remontait son sac. 5
J. CHARDONNE, les Destinées sentimentales, p. 347.

Et soudain ce point de souffrance aiguë l'arrêtait net, le clouait sur place pour une longue minute, parfois dans l'attitude la plus incommode, les bras levés présentant l'hostie à la Croix, ou la main dressée pour bénir. 5.1
BERNANOS, l'Imposture, *in* Œ. roman., Pl., p. 447.

Dr. *Établissements dangereux, insalubres ou incommodes :* établissements industriels dont le fonctionnement et le voisinage présentent des dangers ou des inconvénients et qui font l'objet d'une réglementation particulière, dans un but de sécurité et de salubrité publiques (fabrique d'acides, abattoirs, usines à gaz, etc.). ⇒ aussi **Enquête** (de commodo et incommodo [dekɔmɔdoɛtɛ̃kɔmɔdo]).

♦ **3.** (Personnes). **a** Vx (langue class.) ou littér. Qui gêne par sa présence, ses paroles, qui est à charge* à qqn. ⇒ **Fâcheux, importun.** *Un jaloux incommode* (→ Côté, cit. 3). *Témoin incommode :* témoin gênant. — *Incommode à... « Le moi est incommode aux autres »* (→ Asservir, cit. 3, Pascal).

Importun à tout autre, à soi-même incommode (...) BOILEAU, Satires, VIII. 6

Il se persuadait que les yeux étrangers voyaient jusqu'au fond de lui aussi bien qu'il y savait lire. Il aurait voulu se dérober à tous ces témoins incommodes, au témoin plus incommode encore qui était son autre moi. 7
A. HERMANT, l'Aube ardente, XII.

b Vx. Qui n'est pas commode, facile de caractère. ⇒ **Acariâtre, ennuyeux, insupportable, persécuteur.** *L'atrabilaire* (cit. 7) *est méchant, incommode et violent. Humeur incommode et contrariante* (→ Bizarrerie, cit. 1).

CONTR. Commode, pratique. — Agréable, aisé, confortable. — Facile, sociable.
DÉR. Incommodément.

INCOMMODÉMENT [ɛ̃kɔmɔdemɑ̃] adv. — XVIe; *incommodeement*, 1505; de *incommode.*

♦ D'une manière incommode. *Être installé, être assis incommodément; être incommodément installé.* ⇒ **Inconfortablement.**

Les écrivains ne s'entendent guère, la plupart, à leur confort professionnel. Carco plante sa lampe à sa droite, projette incommodément sur son papier l'ombre de sa dextre (...) COLETTE, l'Étoile Vesper, p. 71.

CONTR. Commodément.

INCOMMODER [ɛ̃kɔmɔde] v. tr. — 1596; « mettre à mal », XVe; lat. *incommodare* « être à charge; gêner, incommoder », de *incommodus*. → Incommode.

♦ [a] Vx (langue class.). Gêner (de quelque manière que ce soit).

1 Cela vous incommodera-t-il, de me donner ce que je vous dis? (...) Si cela vous incommode, j'en irai chercher ailleurs (...) Vous n'avez qu'à me dire si cela vous embarrasse. MOLIÈRE, le Bourgeois gentilhomme, III, 4.

2 On incommode souvent les autres, quand on croit ne les pouvoir jamais incommoder. LA ROCHEFOUCAULD, Réflexions morales, 242.

[b] Mod. Causer une gêne physique à (qqn), mettre mal à l'aise. ⇒ **Gêner.** *Ce bruit m'incommode.* ⇒ **Déranger, étourdir, fatiguer, indisposer, troubler.** *Incommoder qqn en fumant,* le gêner par l'odeur, l'enfumer*. *Parfum tenace qui incommode. Être incommodé par la chaleur, par le soleil.* — Vx. *Être incommodé du soleil* (→ Fraîcheur, cit. 1). — *Ce long voyage pourrait l'incommoder. Il s'en est trouvé incommodé* (→ Guerre, cit. 35). *Incommoder les autres.* ⇒ **Empoisonner, importuner** (→ Celui, cit. 1). *La moindre chose l'incommode.*

3 Pendant le dîner, madame Vauquer alla tirer un rideau, pour empêcher que Goriot ne fût incommodé par le soleil dont un rayon lui tombait sur les yeux. BALZAC, le Père Goriot, Pl., t. II, p. 868.

4 (...) elle s'écartait des gens dont la personnalité étrangère l'incommodait, et elle recherchait un interlocuteur imaginaire capable de l'entendre. J. CHARDONNE, les Destinées sentimentales, p. 446.

Vieilli. (Passif et p. p.). *Être incommodé :* avoir une indisposition légère, se sentir un peu souffrant. ⇒ **Indisposé, malade.**

5 J'ai été un peu incommodé ces jours passés. RACINE, Lettres, 168, 27 févr. 1698.

6 Maman est incommodée, Madame; elle ne sortira point, et il faut que je lui tienne compagnie (...) LACLOS, les Liaisons dangereuses, XII.

7 La nuit, si madame est incommodée, elle sonnera de son côté (...) BEAUMARCHAIS, le Mariage de Figaro, I, 1.

Vx. *Être incommodé d'un bras, d'une jambe :* être gêné dans l'usage de ce bras, de cette jambe.

Vx. *Être incommodé dans ses affaires :* être gêné, sans argent.

▶ **S'INCOMMODER** v. pron.

Vx. Se gêner mutuellement (→ Déportement, cit. 3); se gêner soi-même (→ Aise, cit. 4); se rendre légèrement malade. *S'incommoder de qqch. :* s'en embarrasser.

8 (...) il en aurait pu manger six *(gâteaux)* sans s'incommoder (...) ROUSSEAU, Émile, II.

REM. On dirait aujourd'hui *sans en être incommodé.*

▶ **INCOMMODÉ, ÉE** p. p. adj. *Passagers, spectateurs incommodés* (→ aussi ci-dessus, cit. 5 à 7 et *supra*).

DÉR. Incommodant.

INCOMMODITÉ [ɛ̃kɔmɔdite] n. f. — 1389, au plur., désignant des immondices; lat. *incommoditas* « désavantage, inconvénient; dommage, perte », de *incommodus.* → Incommode.

♦ **1.** Littér. ou style soutenu. Caractère de ce qui n'est pas commode, pas pratique. *L'incommodité d'une installation, d'un appartement. L'incommodité d'un meuble* (→ 2. Commode, cit. 1).

♦ **2.** (1549). Littér. Gêne, désagrément causé par ce qui est incommode. ⇒ **Charge, désagrément, ennui, gêne, importunité, inconvénient.** *L'incommodité d'un voisinage bruyant. L'incommodité d'habiter loin de son lieu de travail.* ⇒ **Sujétion.** *L'incommodité de dormir à bord* (cit. 4).

Spécialt. (Vx). Gêne financière.

Plus cour. (*Une, des incommodités*). Ce qui cause un désagrément. *Souffrir ensemble d'une incommodité* (→ Endosmose, cit. 4).

1 (...) malgré les rigueurs et les incommodités de la saison (...) RACINE, les Campagnes de Louis XIV.

2 L'on a cette incommodité à essuyer dans la lecture des livres faits par des gens de parti (...) que l'on n'y voit pas toujours la vérité. LA BRUYÈRE, les Caractères, I, 58.

3 (...) certaines personnes s'arrangent aisément des incommodités qu'on éprouve à vivre parmi les grands. FRANCE, la Rôtisserie de la reine Pédauque, V, Œ., t. VIII, p. 33.

♦ **3.** Vx. *(Une, des incommodités).* Malaise, trouble, maladie légère. ⇒ **Indisposition, malaise.** *Petites incommodités très supportables* (→ par métaphore Guérison, cit. 9). *Les incommodités de la vieillesse.*

4 Il est un jour retenu au lit pour quelque incommodité (...) LA BRUYÈRE, les Caractères, XI, 7.

5 J'étais né presque mourant; on espérait peu de me conserver. J'apportai le germe d'une incommodité que les ans ont renforcée, et qui maintenant ne me donne quelquefois des relâches que pour me laisser souffrir plus cruellement d'une autre façon. ROUSSEAU, les Confessions, I.

6 Mon neveu est aussi un peu indisposé, mais sans aucun danger, et sans qu'il faille en prendre aucune inquiétude; c'est une incommodité légère, qui, à ce qu'il me semble, affecte plus son humeur que sa santé. LACLOS, les Liaisons dangereuses, CXII.

CONTR. Commodité, confort, convenance. — Agrément, avantage, facilité.

INCOMMUNICABILITÉ [ɛ̃kɔmynikabilite] n. f. — 1802; de *incommunicable.*

♦ Didact. Caractère de ce qui ne peut être communiqué. ⇒ **Communiquer** (I.). *Incommunicabilité d'une impression. Incommunicabilité d'une information.* ⇒ **Confidentialité.** — Littér. et cour. Impossibilité de communiquer.

Dans l'amour, comme dans presque toutes les affaires humaines, l'entente cordiale est le résultat d'un malentendu (...) ces deux imbéciles sont persuadés qu'ils pensent de concert. — Le gouffre infranchissable, qui fait l'incommunicabilité, reste infranchi. BAUDELAIRE, Mon cœur mis à nu, LV. 1

REM. Ce mot, d'abord littéraire, est devenu courant et à la mode après 1950-60. « *Le secret des êtres et cette peine insurmontable à s'expliquer l'un à l'autre (...) ce qu'on appelle aujourd'hui l'"incommunicabilité"* » (*le Nouvel Obs.*, 14 févr. 1968).

Je savais aussi combien tout est contagieux dans les rapports du couple. Une périlleuse symétrie où l'angoisse de l'un sollicite l'insécurité et l'anxiété de l'autre : tout va alors en s'aggravant jusqu'à l'incommunicabilité finale (...) R. GARY, Au-delà de cette limite votre ticket n'est plus valable, p. 62. 2

CONTR. Communicabilité.

INCOMMUNICABLE [ɛ̃kɔmynikabl] adj. — 1470, « intransmissible »; 1756, en parlant de Dieu; bas lat. *incommunicabilis,* de *in-* (→ 1. In-), et *communicabilis.* → Communicable.

♦ **1.** Qui n'est pas communicable, transmissible. ⇒ **Intransmissible.** *La toute-puissance de Dieu est incommunicable* (Académie). *Caractères, droits, privilèges incommunicables.*

(...) le peuple même ne peut, quand il le voudrait, se dépouiller de ce droit incommunicable *(le droit de faire des lois).* ROUSSEAU, Du contrat social, II, 7. 1

♦ **2.** (1588). Dont on ne peut faire part à personne; qui ne peut être exprimé, confié, livré. *Pensée incommunicable.* ⇒ **Inexprimable.** — (1863, Baudelaire). Par ext. *Personne incommunicable,* qui ne peut se livrer, s'ouvrir à autrui. ⇒ **Fermé.** *Êtres incommunicables les uns aux autres* (→ ci-dessous, cit. 5).

Misérable passion *(la jalousie),* qui a ceci encore, d'être incommunicable (...) car à quel ami osez-vous fier *(confier)* vos doléances (...) MONTAIGNE, Essais, III, V. 2

Tant il est difficile de s'entendre, mon cher ange, et tant la pensée est incommunicable, même entre gens qui s'aiment! BAUDELAIRE, le Spleen de Paris, XXVI. 3

J'apprenais ainsi, à peine né à la vie intellectuelle, qu'il y a en nous un obscur élément incommunicable. Paul BOURGET, le Disciple, p. 119. 4

Nous sommes destinés à demeurer incompréhensibles les uns aux autres, incommunicables, tout scellés dans notre tombeau vivant. Edmond JALOUX, la Chute d'Icare, p. 208. 5

(...) certaines choses inexplicables, incommunicables, qui m'étaient absolument personnelles, qui étaient mon secret farouchement gardé. G. DUHAMEL, Chronique des Pasquier, II, IV. 6

C'était le drame de sa vie intime que cette inaptitude au contact, cette condamnation à demeurer incommunicable! Même auprès de Jacques, elle n'avait pas su s'abandonner sans réticence. MARTIN DU GARD, les Thibault, t. IX, p. 101. 7

N. m. (1911). Caractère incommunicable. ⇒ **Incommunicabilité.** — Chose incommunicable.

(...) je me méfie des incommunicables, c'est la source de toute violence. Quand les certitudes dont nous jouissons nous semblent impossibles à faire partager, il ne reste plus qu'à battre, à brûler ou à pendre. SARTRE, Situations II, p. 305. 8

♦ **3.** (1690, Furetière, en emploi concret). Qui ne peut être mis en communication, qui n'a aucun rapport (avec autre chose). *La jeunesse et la maturité sont deux mondes incommunicables* (→ Fils, cit. 5).

(...) ces deux domaines sont incommunicables. Incommunicables, ça veut dire que le même homme est mauvais dans le privé, bon dans le public. Dans le privé il est voleur, menteur, ivrogne, lâche, noceur (...) Dans le public il est honnête, sobre comme un chameau, rangé comme un employé de chemin de fer. Ch. PÉGUY, la République..., p. 33. 9

CONTR. Communicable, exprimable, transmissible.
DÉR. Incommunicabilité.

INCOMMUNICATION [ɛ̃kɔmynikasjɔ̃] n. f. — 1786; de 1. *in,* et *communication.*

♦ Rare. Absence de communication (cf. Péguy, *in* T. L. F.).

INCOMMUTABILITÉ [ɛ̃kɔmytabilite] n. f. — 1570; lat. ecclés. *incommutabilitas,* de *incommutabilis.* → Incommutable.

♦ **1.** (1718, de *incommutable*). Dr. État de ce qui est incommutable.

♦ **2.** Didact. Caractère de ce qui ne peut changer ou être changé.

INCOMMUTABLE [ɛ̃kɔmytabl] adj. — 1381; « immuable », 1372; lat. *incommutabilis,* de *in-* (→ 1. In-), et *commutabilis,* de *commutare.* → Commuter.

♦ **1.** Dr. Qui ne peut changer de possesseur, de propriétaire. *Propriété incommutable.*

1 (...) l'expérience fait voir que ce qui est non seulement en commun, mais encore sans propriété légitime et incommutable, est négligé et à l'abandon.
BOSSUET, Politique tirée de l'Écriture sainte, VIII, II, III.

♦ **2.** Vx. Qui ne peut être dépossédé. *Propriétaire, possesseur incommutable.*

2 (...) la petite décoration dont vous serez à bon droit revêtu comme possesseur incommutable et propriétaire en titre et en effet.
Joseph JOUBERT, Lettre à Chênedollé, 11 nov. 1809.

♦ **3.** Littér. et rare. Qui ne peut changer, être aliéné. ⇒ **Inaliénable.**

N. m. :

3 Que le chauffeur de l'ordre, que le mécanicien de l'autorité, monté sur l'aveugle cheval de fer à voie rigide, puisse être désarçonné par un coup de lumière! que l'incommutable, le direct, le correct, le géométrique, le passif, le parfait, puisse fléchir! qu'il y ait pour la locomotive un chemin de Damas!
HUGO, les Misérables, Jean Valjean, V, p. 178-179.

DÉR. Incommutabilité.

INCOMPARABLE [ɛ̃kɔ̃paʀabl] adj. et n. m. — Attesté v. 1450; probablt déjà XIIe (→ Incomparablement); lat. *incomparabilis,* de *in-* (→ 1. In-), et *comparabilis.* → Comparable.

Qui n'est pas comparable.

♦ **1.** Rare ou didact. Qui ne peut être comparé à autre chose; qui n'a pas son semblable. ⇒ **Comparer** (1.). *Ce sont deux choses absolument incomparables* (entre elles); *incomparables l'une à l'autre,* complètement différentes. *Voilà des personnages incomparables que rapprochent leurs différences mêmes* (→ Commerce, cit. 17; fleuve, cit. 10, Valéry). *Chose, personne incomparable à, avec une autre.*

1 Pour peu qu'on ait réfléchi sur l'origine de nos connaissances, il est aisé de s'apercevoir que nous ne pouvons en acquérir que par la voie de la comparaison; ce qui est absolument incomparable est entièrement incompréhensible; Dieu est le seul exemple que nous puissions donner ici, il ne peut être compris parce qu'il ne peut être comparé (...) BUFFON, Hist. nat. de l'homme, Nature de l'homme.

1.1 Pour un moment les Guermantes m'avaient semblé de nouveau entièrement différents des gens du monde, incomparables avec eux, avec tout être vivant, fût-il souverain. PROUST, le Temps retrouvé, Pl., t. III, p. 856.

N. m. *Des incomparables.*

♦ **2.** (Fin XVe). Cour. (Style soutenu; parfois antéposé, en épithète). À qui ou à quoi rien ne semble pouvoir être comparé. ⇒ **Comparer** (p. p. adj.); **inégalable, supérieur, unique; pareil** (sans). *Beauté* (cit. 6) *incomparable, une incomparable beauté.* ⇒ **Accompli, admirable, parfait.** *Importance, puissance incomparable* (→ Énergie, cit. 8; fantasmagorique, cit. 3). *Capacités, facultés incomparables* (→ Humaniste, cit. 8). — *Incomparable anthologie; œuvre incomparable. Spectacle, exhibition incomparable* (→ Fourrure, cit. 2). — *Parfum incomparable* (→ 1. Fumer, cit. 23). *Variété, franchise* (cit. 16) *incomparable des couleurs* (→ Gaine, cit. 11). *Un bleu incomparable* (→ Enlacer, cit. 1). — *« L'égalité des esprits qui rend la société française incomparable »* (→ 1. Goûter, cit. 12, Chateaubriand).

2 La nature de l'homme se considère en deux manières : l'une selon sa fin, et alors il est grand et incomparable; l'autre selon la multitude comme on juge de la nature du cheval et du chien (...) PASCAL, Pensées, VI, 415.

3 La pensée est donc une chose admirable et incomparable par sa nature.
PASCAL, Pensées, VI, 365.

4 Le Paris de la fashion, celui du turf et des lorettes admirait les gilets ineffables de ce seigneur étranger, ses bottes d'un vernis irréprochable, ses sticks incomparables (...) BALZAC, la Cousine Bette, Pl., t. VI, p. 478.

5 Une des manches du peignoir, relevée jusqu'à l'épaule, laissait voir un bras de neige d'une incomparable pureté (...) DAUDET, le Petit Chose, II, X.

6 (...) il suffit qu'elle *(la sœur de Pascal)* en ait eu le modèle sous les yeux, et qu'elle en retînt des traits, pour donner l'idée de cette grandeur incomparable : un homme *(Pascal)* que la nature a créé pour son triomphe, et qui ne vit que pour triompher de la nature. André SUARÈS, Trois hommes, « Pascal », III.

N. m. *L'incomparable.*

(Personnes). *Un maître incomparable* (→ Former, cit. 23). *Mme de Sévigné, incomparable épistolière* (cit. 2). *Un incomparable illusionniste* (→ Escompter, cit. 8). *Artiste incomparable.* — *« L'incomparable Arthénice »* (Mme de Rambouillet).

7 (...) les airs et les symphonies de l'incomparable Monsieur Lully (...)
MOLIÈRE, l'Amour médecin, Au lecteur.

8 (...) il s'appelle Scapin; c'est un homme incomparable, et il mérite toutes les louanges qu'on peut donner. MOLIÈRE, les Fourberies de Scapin, III, 3.

9 *(Mirabeau)* le plus glorieux génie politique qu'ait eu ce pays depuis l'incomparable cardinal de Richelieu. GAMBETTA, *in* BARTHOU, Mirabeau, p. 287.

CONTR. Comparable. — Commensurable. — Exécrable, inférieur, médiocre.
DÉR. Incomparablement.

INCOMPARABLEMENT [ɛ̃kɔ̃paʀabləmɑ̃] adv. — V. 1200; de *incomparable.*

♦ Sans comparaison possible (suivi d'un compar.). ⇒ **Autrement, infiniment.** *Une humanité incomparablement plus évoluée* (cit. 5). *Incomparablement moins... Il joue incomparablement mieux.*

Il est remarquable que l'homme de talent ait eu sur l'homme de génie une influence incomparablement plus grande que l'homme de génie sur l'homme de talent. A. THIBAUDET, Flaubert, p. 37.

(Suivi d'un adj. au positif). Littér. Extrêmement. *Incomparablement gracieux, habile.*

(Déterminant un verbe). D'une manière incomparable, unique. *Chanter incomparablement.*

INCOMPATIBILITÉ [ɛ̃kɔ̃patibilite] n. f. — Fin XVe; de *incompatible.*

Caractère incompatible*.

♦ **1.** Impossibilité de s'accorder, d'exister ensemble, résultant d'une contrariété de caractères (personnes), de différences* essentielles (choses). ⇒ **Antagonisme, antipathie, contradiction, contrariété** (cit. 2), **désaccord, disconvenance, inconciliabilité, opposition.** *L'incompatibilité d'une chose et d'une autre, d'une chose avec une autre* (→ Homogène, cit. 8); *l'incompatibilité de deux choses.* — *Incompatibilité d'idées, de caractère, d'opinions entre deux personnes.* — Loc. *Incompatibilité d'humeur** (cit. 7). *Divorce** (cit. 1), *séparation pour incompatibilité d'humeur.* — *Incompatibilité réciproque. Adoucir, concilier les incompatibilités entre deux personnes.*

La sainteté est en Dieu une incompatibilité essentielle avec tout péché, avec tout 1
défaut, avec toute imperfection d'entendement et de volonté.
BOSSUET, Élévation sur les mystères, I, 11.

Elle était âgée de quarante-six ans, et il y en avait quinze qu'une extrême incom- 2
patibilité réciproque la séparait de son mari. VOLTAIRE, Hist. du parlement, XLI.

(...) des disproportions, des incompatibilités, employons le mot légal, trop fortes 3
entre ces deux personnes pour qu'il fût possible à la marquise d'aimer son mari.
BALZAC, la Femme de trente ans, Pl., t. II, p. 760.

Des incompatibilités d'idées, de races et d'époques les avaient séparées longue- 4
ment *(ces deux femmes)*; mais toutes deux étaient bonnes et maternelles, capables de tendresse et de spontané retour. LOTI, les Désenchantées, XI, VIII.

La clause d'*incompatibilité d'humeur* admise *(dans le divorce)*, on avait, dans une 5
certaine partie de la société, pris l'habitude de se prendre, de se quitter — parfois pour se reprendre et se requitter — suivant les plus étranges caprices.
Louis MADELIN, Hist. du Consulat et de l'Empire, Le Consulat, XII, p. 184.

Absolt. *(Une, des incompatibilités).* ⇒ **Contradiction.**

(...) il faut aimer la littérature française dans ses incompatibilités, pour l'aimer 6
dans sa richesse et dans sa vie. A. THIBAUDET, Flaubert, p. 264.

♦ **2.** (XVe). Dr. publ. Impossibilité légale de cumuler certaines fonctions ou occupations. ⇒ **Incompatible** (3.). *Incompatibilité entre le mandat parlementaire et la plupart des fonctions publiques, entre plusieurs mandats parlementaires, entre la situation de fonctionnaire et l'exercice d'une activité privée lucrative* (Décret du 29 oct. 1936, Loi du 19 oct. 1946).

La loi établit (...) entre le mandat parlementaire et la fonction publique rémuné- 7
rée une incompatibilité générale. Celle-ci qu'il ne faut pas confondre avec l'inéligibilité (...) ne vicie pas l'élection qui elle-même reste valable. Mais l'élu doit choisir entre le mandat qu'il a sollicité et la fonction (...)
Marcel PRÉLOT, Précis de droit constitutionnel, 314, p. 409.

♦ **3.** (Fin XIXe). Sc. *Incompatibilité des équations :* cas où plusieurs équations ne peuvent se trouver vérifiées par un même système de valeurs des inconnues.

Pharm. « Exclusion mutuelle et réciproque de substances médicamenteuses qui, introduites dans un même médicament, peuvent *(donner)* des produits nocifs ou peuvent contrecarrer leurs effets respectifs » (Poiré).

Méd. *Incompatibilité des groupes sanguins.*

♦ **4.** Log. Caractère de deux phénomènes qui ne peuvent se produire simultanément pour des raisons logiques. — Opérateur (connectif binaire) qui est la négation de la conjonction (symb. |).

♦ **5.** En sténographie, Procédé d'abrègement basé sur l'incompatibilité des sons ou des signes successifs.

CONTR. Accord, adaptation, association, coexistence, compatibilité, harmonie. — Cumul, simultanéité.

INCOMPATIBLE [ɛ̃kɔ̃patibl] adj. et n. m. — V. 1480, Chastellain; *incompassible,* v. 1370, Oresme (lat. *incompassibilis*); lat. médiéval *incompatibilis,* de *in-* (→ 1. In-), et *compatibilis.* → Compatible.

Qui n'est pas compatible.

Deux pensées, deux sentiments, deux actions sont incompatibles quand ils 1
s'excluent réciproquement, soit en fait, soit en droit. Il y a là une équivoque dont il faut se défier. LALANDE, Voc. de la philosophie, Incompatible.

♦ **1.** (Choses). Qui ne peut coexister, être associé, réuni avec (une autre chose). ⇒ **Contraire, inconciliable, opposé.** *Incompatible avec... La culture* (cit. 17), *la science n'est pas incompatible avec la foi,* n'exclut pas... ⇒ **Exclusif** (de). *Cette conduite n'est pas incompatible avec le salut* (→ Fortune, cit. 38). — *Choses incompatibles, incompatibles les unes avec les autres.* ⇒ **Contradictoire, discordant** (→ Honnête, cit. 19). *Caractères, humeurs incompatibles.* ⇒ **Antipathique.** *Qualités presque incompatibles* (→ Esprit, cit. 120 et 121). *Coutumes et croyances incompatibles* (→ Civilisation, cit. 14). *Affirmations, prétentions incompatibles,* de nature à créer une dispute*, une contestation. *L'homme, « composé* (cit. 30) *mons-*

trueux de choses incompatibles» (Bossuet). *Choses incompatibles étrangement réunies* (→ Fantastique, cit. 6).

2 (...) Jésus-Christ est Dieu et homme. Les Ariens, ne pouvant allier ces choses qu'ils croient incompatibles, disent qu'il est homme (...)
PASCAL, Pensées, XIV, 862.

3 *Cléante* est un très honnête homme; il s'est choisi une femme qui est la meilleure personne du monde (...) Ils se quittent demain (...) Il y a (...) de certaines vertus incompatibles. LA BRUYÈRE, les Caractères, V, 43.

4 La science et l'éloquence sont peut-être incompatibles; du moins je ne vois pas d'exemple d'un homme qui ait primé dans l'une et dans l'autre.
P.-L. COURIER, Lettre à M. Chlewaski, Pl., p. 667-668.

5 C'est toujours le système du monde moderne de vouloir toucher à deux guichets, de vouloir cumuler les avantages les plus contradictoires, et les plus incompatibles. D'adopter à volonté, et pour les besoins de sa bassesse, les situations les plus contradictoires, et les plus inconciliables. Ch. PÉGUY, Note conjointe..., p. 245.

6 (...) nous vivons tous (...) sur cet axiome que l'idée de révolution est incompatible avec l'idée d'ordre. MARTIN DU GARD, les Thibault, t. V, p. 101.

7 Ce qui prouve, ajouta-t-elle d'un ton sentencieux, que la corruption peut aller de pair avec la sottise et qu'elles ne sont nullement incompatibles.
F. MAURIAC, la Pharisienne, X, p. 152.

Vieilli. *Il est, il n'est pas incompatible que...*

8 (...) il n'est pas incompatible qu'une personne soit ridicule en de certaines choses et honnête homme en d'autres. MOLIÈRE, Critique de l'École des femmes, VI.

N. m. (Surtout au plur.). Chose incompatible (avec autre chose). *Les incompatibles :* les choses qui ne peuvent coexister. *«Le cœur admet les incompatibles»* (→ Contraire, cit. 3, La Bruyère).

8.1 Ô femmes, toujours excessives dans vos passions (...) à qui faut-il s'en remettre du soin d'accorder aux nôtres vos appels mystérieux, de pacifier nos incompatibles, d'ôter ce qui nous sépare et d'unir ce qui peut être uni et partagé?
Guy DE POURTALÈS, la Pêche miraculeuse, p. 410.

♦ **2.** Vx. (Personnes). Qui ne peut s'accommoder de qqch. ou s'entendre avec qqn.

9 *(Coriolan)* le plus grand homme de Rome (...) le plus incompatible avec l'injustice; mais le plus dur, le plus difficile et le plus aigri.
BOSSUET, Disc. sur l'Hist. universelle, III, VI.

Absolt. Qui ne peut s'entendre avec les autres.

10 (...) vaut-il mieux être farouche, dédaigneux, incompatible et toujours mordant?
FÉNELON, Dialogue des morts, Socrate, Alcibiade et Timon.

♦ **3.** Dr. Se dit des fonctions, mandats, emplois... dont la loi interdit le cumul. ⇒ **Incompatibilité** (2.). *Le mandat de député et la fonction de préfet sont incompatibles. Les fonctions de juge sont incompatibles avec celles de notaire* (Académie).

♦ **4.** Sc. *Équations incompatibles.* ⇒ **Incompatibilité** (3.). — Méd., pharm. *Médicaments, substances incompatibles,* que l'on ne peut mélanger sans inconvénient ou sans danger. *Maladies incompatibles,* qui ne peuvent coexister chez le même sujet.

Log. Caractère de deux ou plusieurs propositions qu'on ne peut affirmer simultanément, de deux ou plusieurs événements, situations qui ne peuvent coexister pour des raisons logiques.

CONTR. Alliable, compatible, convenable.
DÉR. Incompatibilité.

INCOMPÉTENCE [ɛ̃kɔ̃petɑ̃s] n. f. — 1537; *incompétance,* 1536, *in* D. D. L.; de *incompétent.*

♦ **1.** Dr. Inaptitude d'une autorité publique à accomplir un acte juridique (correspond à *incompétent,* 1.). *L'incompétence d'un préfet, d'un maire. — L'incompétence d'un tribunal, d'une juridiction, d'un juge. Incompétence matérielle* (lat. ratione materiæ), *personnelle* (lat. ratione personæ). *Incompétence relative, absolue. Moyen allégué pour prouver l'incompétence d'une juridiction.* ⇒ **Déclinatoire.** *Exception** (cit. 5) *d'incompétence.*

1 (...) en dehors *(des)* exceptions formellement établies par des textes, il y a incompétence absolue toutes les fois qu'on se trompe sur l'ordre des juridictions.
(...) Il y a incompétence absolue si le demandeur s'est trompé sur le degré de la juridiction à saisir.
(...) Il y a encore incompétence absolue si on se trompe sur la nature des juridictions, en soumettant à une juridiction d'exception une affaire dont la loi ne lui a pas expressément attribué la compétence.
Paul CUCHE, Précis de procédure civile, 163-164-165.

♦ **2.** (1787). Cour. Défaut des connaissances ou de l'habileté nécessaires (correspond à *incompétent,* 2.). ⇒ **Ignorance, incapacité.** *L'incompétence de qqn. Son incompétence en tant qu'homme d'affaires. Un homme d'affaires, un directeur incompétent. L'incompétence des théoriciens dans les questions de pratique. Parler de qqch. avec une incompétence totale* (→ Comme un aveugle* des couleurs). *Incompétence artistique, politique. — Avouer, déclarer, reconnaître son incompétence.* ⇒ **Récuser** (se); → Ignorant, cit. 10.

2 Quant aux femmes, leur éducation informe, leur incompétence politique et littéraire empêchent beaucoup d'auteurs de voir en elles autre chose que des ustensiles de ménage ou des objets de luxure.
BAUDELAIRE, Notices, Ed. Poe, sa vie et ses ouvrages, II.

3 La plupart des hommes, dans un État moderne, reconnaissent bénévolement leur incompétence en une multitude de matières et délèguent, avec modestie, tout pouvoir à des spécialistes, dont le zèle est d'autant plus vif qu'il est rarement gratuit.
G. DUHAMEL, Scènes de la vie future, IV, p. 71.

CONTR. Aptitude, compétence.

INCOMPÉTENT, ENTE [ɛ̃kɔ̃petɑ̃, ɑ̃t] adj. — 1505, *incompetans;* bas lat. *incompetens* «impropre, déplacé», de *in-* (→ 1. In-), et lat. impérial *competens.* → Compétent.

♦ **1.** Dr. Qui n'est pas compétent (en parlant d'une autorité publique, et, spécialt, d'une juridiction). ⇒ **Incompétence** (1.); → Conflit, cit. 7. *Tribunal, juge incompétent, qui se déclare incompétent. Être incompétent pour connaître* d'une affaire.*

Si (...) le tribunal était incompétent à raison de la matière, le renvoi pourra être demandé en tout état de cause (...) Code de procédure civile, art. 170. 1

Plusieurs juges *(aux États-Unis)* se déclaraient incompétents, quand les maîtres venaient réclamer leurs esclaves enfuis. 2
Élisée RECLUS, *in* la Revue des Deux Mondes, 15 mars 1863.

♦ **2.** (1611). Cour. Qui n'a pas les connaissances suffisantes, l'habileté requise pour juger, pour décider d'une chose. ⇒ **Ignorant, incapable; incompétence** (2.). *Être incompétent en musique, en politique, en matière de littérature* (→ Être nul*; ne rien y connaître*). *Il est incompétent sur ce sujet, dans ce domaine. Elle n'est pas incompétente en musique. Critique incompétent. Elle est incompétente, totalement incompétente.* — N. (V. 1930). *Les commentaires de quelques incompétents.*

(...) Louis Pasteur, oubliant que son compagnon était (...) faiblement initié aux sciences, l'entretenait (...) de la polarisation de la lumière (...) Le confident était distrait, incompétent, mais rassuré, et son affection (...) le faisait bon prophète : «Vous verrez, répétait-il, ce que sera Pasteur»! Henri MONDOR, Pasteur, p. 25. 3

CONTR. Apte, compétent, fort.
DÉR. Incompétence.

INCOMPLET, ÈTE [ɛ̃kɔ̃plɛ, ɛt] adj. et n. m. — 1372; repris XVIIe (1647, Descartes; → Évidence, cit. 1); lat. *incompletus* «non accompli», de *in-* (→ 1. In-), et *completus.* → Complet.

♦ **1.** Qui n'est pas complet*; auquel il manque qqch., un ou plusieurs éléments (pour être considéré comme un exemple achevé de son genre). ⇒ **Imparfait.** — (Choses concrètes). *Un monument incomplet,* non terminé. *Rendre une collection incomplète.* ⇒ **Décompléter.** *Collection incomplète.* ⇒ **Dépareillé.** *Énumération, liste incomplète; compte incomplet.* ⇒ **Défectueux.** *Ouvrage incomplet,* auquel il manque un tome, un volume. *Mon exemplaire est incomplet.* — (Œuvres, réalités langagières...). *Un récit incomplet. Une histoire* (cit. 20) *incomplète.* ⇒ **Inachevé.** *Vers incomplet.* ⇒ **Boiteux.** *Conjugaison incomplète.* ⇒ **Défectif.** — (Abstractions). *Idées, notions incomplètes. Vue incomplète des choses.* ⇒ **Court** (→ Blasphème, cit. 4, Renan). *Une définition incomplète.* ⇒ **Insuffisant** (→ Ignorance, cit. 8, Diderot). *Culture, instruction incomplète.* ⇒ **Demi-** (→ 2. Frais, cit. 8, Delacroix). *Mesures incomplètes.* ⇒ **Demi-mesure.** — (Processus matériels). *La fusion des sexes est toujours incomplète chez le même sujet* (→ Hermaphrodisme, cit. 2).

Ce que nous prenons pour l'histoire de la nature, n'est que l'histoire très incomplète d'un instant. DIDEROT, Interprétation de la nature, I. 1

(...) le nom général qu'on voudrait leur imposer *(aux êtres)* est une formule incomplète (...) BUFFON, Hist. nat. des animaux, Nomenclature des singes. 2

(Réalités humaines; personnes). À qui il manque un, plusieurs éléments pour être considéré comme un exemple achevé de son essence.

Rester original, se préserver de l'influence étrangère (...) c'est demeurer incomplet et faible. MICHELET, Hist. de France, I, IV. 3

L'esprit du travail est souvent incomplet en nous, et il est malheureux que tout le monde ait la faculté de travailler (...) C'est là ce qui fait des œuvres médiocres. 4
A. DE VIGNY, Journal d'un poète, p. 162.

Le caractère incomplet de ce jeune homme, qui ne régna que onze mois et qui avait quelques parties royales (...) 5
SAINTE-BEUVE, Causeries du lundi, 7 févr. 1853.

Milit. *Effectifs incomplets.*

(Réalités biologiques). Qui n'a pas la totalité des caractères que présentent les autres de même sorte. *Organisme incomplet* (→ Homuncule, cit. 2). *Fleur incomplète. Nymphe incomplète.*

♦ **2.** N. m. [a] Caractère de ce qui n'est pas complet.

[b] (1771, Trévoux). Vx. *L'incomplet :* ce qui manque à l'effectif.

[c] (1845). Objet concret incomplet, auquel manque un élément ou plusieurs. *L'un des cahiers manque dans ce livre, posez-le sur la pile des incomplets. Liste des incomplets et des défets.*

CONTR. Accompli, achevé, complet, entier, fini, intégral, parfait.
DÉR. Incomplètement, incomplétude.

INCOMPLÈTEMENT [ɛ̃kɔ̃plɛtmɑ̃] adv. — 1503; de *incomplet.*

♦ D'une manière incomplète. ⇒ **Imparfaitement.** *Il est incomplètement guéri. Faire qqch. incomplètement.*

(...) ce qui dominait alors en Lamennais, c'était le logicien (...) il n'y avait rien du poète qui n'est éclos que bien plus tard en lui, et toujours incomplètement.
SAINTE-BEUVE, Chateaubriand..., t. II, p. 315.

CONTR. Complètement.

INCOMPLÉTUDE [ɛ̃kɔ̃pletyd] n. f. — 1903, Paul Janet (→ cit.); de *incomplet*, par anal. avec les n. f. issus de n. lat. en *-tudo (désuétude, hébétude, solitude...)*.

Didactique.

♦ **1.** Psychol. *Sentiment d'incomplétude* : sentiment d'inachèvement que les malades dits «psychasthéniques» éprouvent dans les différents aspects de leur vie psychique (pensées, actes, sensations, émotions...). → Inconfort, cit. Jankélévitch.

Le mot «incomplétude» est un barbarisme (...) je n'ai pu désigner mieux le fait essentiel dont tous les sujets se plaignent, le caractère inachevé, insuffisant, incomplet qu'ils attribuent à tous leurs phénomènes psychologiques.
P. JANET, les Obsessions et la Psychasthénie, p. 264, *in* T. L. F.

♦ **2.** (1969; de 1. *in-*, et *complétude*). Caractère d'un système hypothético-déductif* qui contient des propositions indécidables*.

CONTR. Complétude.

INCOMPLEXE [ɛ̃kɔ̃plɛks] adj. — 1503; bas lat. *incomplexus;* de *in-* (→ 1. In-), et *complexus*. → Complexe.

♦ Log. Qui n'est pas complexe*, en parlant d'un terme, d'une proposition ou d'un syllogisme. ⇒ **Simple.**

CONTR. Complexe.

INCOMPRÉHENSIBILITÉ [ɛ̃kɔ̃pʀeɑ̃sibilite] n. f. — 1522; de *incompréhensible*, ou bas lat. *incomprehensibilitas*, même sens, de *incomprehensibilis*. → Incompréhensible.

♦ Littér. Caractère de ce qui est incompréhensible. *L'incompréhensibilité des mystères. L'incompréhensibilité d'un texte, d'un discours.*

(...) pour avoir une idée vraie de l'infini il ne doit en aucune façon être compris, d'autant que l'incompréhensibilité même est contenue dans la raison formelle de l'infini (...) DESCARTES, Réponses aux 5e object., Contre 3e médit., VII.

CONTR. Compréhensibilité.

INCOMPRÉHENSIBLE [ɛ̃kɔ̃pʀeɑ̃sibl] adj. — XIVe (1377; Mondeville, 1314, «qu'on ne peut prendre, saisir»); lat. *incomprehensibilis* «qu'on ne peut saisir», et fig. «qui ne peut être compris par la pensée», de *in-* (→ 1. In-), et *comprehensibilis*. → Compréhensible.

♦ **1.** Qui ne peut être compris; dont la pensée ne peut saisir l'essence. ⇒ **Inconcevable** (2.). *Dieu, l'infini, l'éternité sont des notions incompréhensibles* (→ Immense, cit. 1, Descartes). *L'homme est un «monstre incompréhensible»* (→ Abaisser, cit. 16, Pascal). *On peut admettre ce qui est incompréhensible, mais on ne peut l'expliquer. Mystères incompréhensibles.* ⇒ **Abîme; impénétrable** (cit. 12), **inscrutable, insondable.** *Contradiction* (cit. 10) *incompréhensible. Il est incompréhensible que... C'est incompréhensible, à peu près incompréhensible.* — **Ellipt.** (→ ci-dessous, cit. 1).

1 Incompréhensible que Dieu soit, et incompréhensible qu'il ne soit pas (...)
PASCAL, Pensées, III, 230.

2 (...) sans ce mystère, le plus incompréhensible de tous, nous sommes incompréhensibles à nous-mêmes. PASCAL, Pensées, VII, 434.

3 — Incompréhensible. — Tout ce qui est incompréhensible ne laisse pas d'être : Le nombre infini. Un espace infini, égal au fini. PASCAL, Pensées, VII, 430.

4 Voilà donc un être parfait : Voilà Dieu, nature parfaite et heureuse. Le reste est incompréhensible, et nous ne pouvons même pas comprendre jusqu'où il est parfait et heureux : pas même jusqu'à quel point il est incompréhensible.
BOSSUET, Élévations sur les mystères, I, II.

Littér. *Incompréhensible à...* (qqn).

Mod. *Incompréhensible pour...*

5 C'est une maladie naturelle à l'homme de croire qu'il possède la vérité directement; et de là vient qu'il est toujours disposé à nier tout ce qui lui est incompréhensible. PASCAL, Opuscules, III, XV, De l'espr. géom., I.

6 J'abuserais trop de ma faible raison, si je cherchais à comprendre pleinement l'Être qui, par sa nature et par la mienne, doit m'être incompréhensible.
VOLTAIRE, Homélies, I.

N. m. (1522). :

7 Qu'est-ce qu'un Dieu masqué dans l'incompréhensible?
Pourquoi le bien voilé? Pourquoi le mal visible?
HUGO, la Légende des siècles, XLIV, I.

7.1 Javert le comprenait-il? Javert le pénétrait-il? Javert s'en rendait-il compte? Évidemment non. Mais sous la pression de cet incompréhensible incontestable, il sentait son crâne s'entr'ouvrir. HUGO, les Misérables, Jean Valjean, IV, p. 173.

♦ **2.** (1689). Impossible ou très difficile à comprendre, à concevoir, à expliquer. ⇒ **Abstrus, inconcevable, inexplicable, inintelligible, mystérieux;** (fam.) **impigeable.** *Inscription, texte incompréhensible.* ⇒ **Indéchiffrable, obscur.** *Mots incompréhensibles* (→ Énoncer, cit. 7). *Faute* (cit. 32) *d'impression rendant une phrase incompréhensible. Allusions incompréhensibles* (→ Gril, cit. 5). *Poème incompréhensible* (→ Bouillie, cit. 4). *Employer un charabia incompréhensible.* ⇒ **Amphigourique;** et aussi **cabalistique.** *Énigme incompréhensible.* ⇒ **Ténébreux.** *Renoncer à comprendre, à expliquer un événement incompréhensible* (→ Y perdre son latin*). *Ce n'est pas incompréhensible. Incompréhensible à qqn* (vieilli), *pour qqn.*

8 (...) il a un procédé qui m'est entièrement incompréhensible (...)
Mme DE SÉVIGNÉ, 1218, 25 sept. 1689.

9 (...) ce qui afflige l'un fait la joie de l'autre; les cœurs ont des secrets divers, incompréhensibles à d'autres cœurs.
CHATEAUBRIAND, Mémoires d'outre-tombe, t. II, p. 345.

10 Il lui arrive de lâcher, avec l'accent espagnol, un bout de phrase qui a la tournure d'une malice, mais qui est incompréhensible. Les gens, en effet, ne comprennent pas. Mais ils évitent d'insister, de peur de passer pour des sots.
J. ROMAINS, les Hommes de bonne volonté, t. IV, XXII, p. 248.

11 (...) le récit de Max était incompréhensible pour lui. Cette force inépuisable de la jeunesse le déconcertait. J. CHARDONNE, les Destinées sentimentales, p. 487.

(1678; en parlant des personnes, de leurs caractères...). *Il est incompréhensible, son caractère, son comportement est incompréhensible.* ⇒ **Bizarre, curieux, déconcertant, étrange.** *«Rabelais (...) est incompréhensible : son livre est une énigme»* (→ Chimère, cit. 2, La Bruyère). *Une femme incompréhensible* (→ Excommunier, cit. 3). *Demeurer incompréhensibles les uns aux autres* (→ Incommunicable, cit. 5).

12 Elle me répondit avec une modestie si douce et si charmante, que je ne pus m'empêcher de faire, en sortant, mille réflexions sur le caractère incompréhensible des femmes. Abbé PRÉVOST, Manon Lescaut, p. 11.

13 Incompréhensible, lui qu'elle n'avait pas cessé, croyait-elle, de si bien comprendre, tant qu'il avait été au loin! MARTIN DU GARD, les Thibault, t. IV, p. 263.

CONTR. Clair, compréhensible.

DÉR. Incompréhensibilité, incompréhensiblement.

INCOMPRÉHENSIBLEMENT [ɛ̃kɔ̃pʀeɑ̃sibləmɑ̃] adv. — 1521; de *incompréhensible*.

♦ Littér. D'une manière incompréhensible.

1 (...) les trois ou quatre journalistes centenaires qu'on est toujours assuré d'y rencontrer, et qui forment incompréhensiblement la base essentielle des opérations commerciales de l'établissement. Léon BLOY, le Désespéré, p. 163.

2 (...) Georges se rappelant d'avoir été frappé par l'ombre (...) en train d'agiter incompréhensiblement ses deux pinces *(à la façon d'un crabe)* tandis que la voix lui parvenait d'un autre point (...) Claude SIMON, la Route des Flandres, p. 91.

INCOMPRÉHENSIF, IVE [ɛ̃kɔ̃pʀeɑ̃sif, iv] adj. — 1835; de 1. *in-*, et *compréhensif*.

♦ (Personnes). Qui ne comprend pas autrui, qui ne se met pas à la portée des autres. *Des parents incompréhensifs,* trop sévères. *Incompréhensif et intolérant.* ⇒ **Étroit** (esprit).

1 Aujourd'hui, quand on n'admire pas tout, dans un écrivain (...) on passe pour un mauvais esprit, dédaigneux, incompréhensif (...)
Émile HENRIOT, les Romantiques, p. 9-10.

2 Étienne se construisait lui-même, ne savait pas jouir, ne doutait jamais de ce qu'il croyait. Irréductible, vite cabré, il se montrait parfois cassant, incompréhensif.
Robert DE TRAZ, la Blessure secrète, p. 80.

Un air incompréhensif. «Des regards incompréhensifs» (Queneau, *le Chiendent*, p. 91). *«Des yeux incompréhensifs»* (Fauconnier, *in* G. L. L. F.).

CONTR. Compréhensif.

INCOMPRÉHENSION [ɛ̃kɔ̃pʀeɑ̃sjɔ̃] n. f. — 1860, Goncourt; de 1. *in-*, et *compréhension*.

♦ **1.** Incapacité ou refus de comprendre, de rendre justice à (qqn, qqch.), et, spécialt, de comprendre qqn en excusant certains aspects de son comportement; manque d'indulgence. ⇒ **Déni** (cit. 5), **imperméabilité, inintelligence, méconnaissance** (→ Dénigrer, cit. 2). *L'incompréhension de qqn, son incompréhension pour, envers (qqn, qqch.). Incompréhension (de qqn) à l'égard de qqn* (→ Expliquer, cit. 28). *Il souffre de l'incompréhension de son père, de sa famille.* ⇒ **Incompris.** *L'incompréhension entre deux personnes* (→ Froissement, cit. 9). *Artiste, poète qui souffre de l'incompréhension du public, de la critique. L'incompréhension de qqn, de qqch.,* à l'égard de qqn, de qqch. *Son incompréhension de l'art* (→ Enlever, cit. 14, Huysmans). *Ne rencontrer que froideur, incompréhension, indifférence.*

1 Il lui manquait la sérénité que donne au vrai artiste l'expérience d'une longue incompréhension des hommes et de leur bêtise incurable.
R. ROLLAND, Jean-Christophe, La révolte, I, p. 409.

2 En résumé, les œuvres de Christophe rencontrèrent chez les critiques le mieux disposés, une incompréhension totale; — chez ceux qui ne l'aimaient point, une hostilité sournoise; — enfin, dans le grand public, qu'aucun critique ami ou ennemi ne guidait, le silence. R. ROLLAND, Jean-Christophe, La révolte, I, p. 409.

(Une, des incompréhensions). Témoignage d'incompréhension.

3 (...) pour triompher d'une incompréhension, le meilleur moyen c'est de la tenir pour sincère et de tâcher de la comprendre. GIDE, Dostoïevski, p. 55.

♦ **2.** Didact. ou littér. Fait de ne pas comprendre intellectuellement qqch. *L'incompréhension d'une langue, de mots étrangers, diffi-*

ciles. — Vivre, mourir dans la plus complète incompréhension de son temps, de ce qui se passe.

CONTR. Compréhension.

INCOMPRESSIBILITÉ [ɛ̃kɔ̃pʀesibilite] n. f. — 1680; de *incompressible.*

♦ Phys. Caractère de ce qui est incompressible, très peu compressible.

CONTR. Compressibilité, compression.

INCOMPRESSIBLE [ɛ̃kɔ̃pʀesibl] adj. — 1680; de 1. *in-*, et *compressible.*

♦ **1.** Phys. Qui n'est pas compressible, dont le volume ne diminue pas par la pression*. ⇒ **Incoercible** (vx). *Aucun gaz, aucun fluide n'est incompressible.*

♦ **2.** (XIXe). Fig. Impossible à empêcher, à retenir, à réduire. *Une envie de rire incompressible. Dépenses incompressibles.*

Elle avait été élevée de manière à ce que tous ses instincts, bons ou mauvais, pussent se développer dans toute leur incompressible vigueur (...)
BARBEY D'AUREVILLY, Une vieille maîtresse, I, IX.

CONTR. Coercible, compressible, élastique.
DÉR. Incompressibilité.

INCOMPRIS, ISE [ɛ̃kɔ̃pʀi, iz] adj. et n. — Mil. XVe, sens 2; de 1. *in-*, et *compris.* → Comprendre.

♦ **1.** (1831). Cour. Qui n'est pas compris, apprécié à sa juste valeur; qui subit l'incompréhension (1.) de qqn. — (Choses). *Livre, ouvrage incompris.* — (Personnes). *Génie, poète incompris. Une femme incomprise. Se croire, se sentir incompris, se targuer d'être incompris* (→ Aliéné, cit. 9). *Être incompris de ses proches.* — REM. *Incompris*, dans ce sens, est souvent ironique.

1 (...) mais ce gentilhomme fut un roi d'autant plus incompris, que peut-être ne se comprenait-il pas bien lui-même. BALZAC, la Fausse Maîtresse, Pl., t. II, p. 12.

2 (...) une âme de mon choix, quelque chose d'analogue à ce que le XVIIIe siècle appelait l'*homme sensible*, à ce que l'école romantique nommait l'*homme incompris*, et à ce que les familles et la masse bourgeoise flétrissent généralement de l'épithète d'*original.*
BAUDELAIRE, les Paradis artificiels, « Poème du haschisch », IV.

2.1 Le pauvre enfant martyr s'est plaint à elle, évidemment... grand esprit incompris, génie méconnu, écrasé par son petit milieu, perle dans du fumier...
N. SARRAUTE, le Planétarium, p. 153.

N. *Un incompris, une incomprise.*

3 (...) il joue les grands incompris, les héros poursuivis par la fatalité tragique.
G. DUHAMEL, Chronique des Pasquier, V, XVII.

♦ **2.** Didact. ou littér. Qui n'est pas compris. *Ce texte est longtemps resté incompris. Écriture encore incomprise des archéologues.*

CONTR. Apprécié, compris.

INCOMPTABLE [ɛ̃kɔ̃tabl] adj. — 1587; de 1. *in-*, et *comptable* au sens anc. « qui peut être compté ».

♦ Impossible à compter, à énumérer. ⇒ **Incalculable.** — Spécialement :

Le pouls augmentait de vitesse jusqu'à devenir incomptable, et diminuait en force; plus une vibration électrique dans un fil qu'un battement d'artère.
M. DRUON, les Grandes Familles, IV, XI, p. 236.

REM. En linguistique, on emploie *non comptable*.*

CONTR. Nombrable.

INCONCEVABILITÉ [ɛ̃kɔ̃svabilite] n. f. — XIXe; de *inconcevable.*

♦ Rare. Caractère de ce qui est inconcevable. *L'inconcevabilité de qqch., de Dieu, de l'infini.* — Chose inconcevable. « *Les antipodes étaient une inconcevabilité pour ceux qui croyaient que la pesanteur avait une direction absolue, et que l'espace avait un haut et un bas* » (Goblot, *Voc. de la philosophie*).

INCONCEVABLE [ɛ̃kɔ̃svabl] adj. et n. m. — 1584; de 1. *in-*, et *concevable.*

♦ **1.** « Ce dont l'esprit ne peut se former aucune représentation, parce que les termes qui le désignent enveloppent une impossibilité ou une contradiction : la limite de l'espace; un rond carré » (Lalande). ⇒ **Contradictoire, impensable, impossible.** *Une chose inconcevable en elle-même.*

N. m. *L'inconcevable.*

1 Il ne faut pas confondre l'inconcevable avec ce qui est difficile à concevoir, c'est-à-dire contraire à nos habitudes intellectuelles.
Edmond GOBLOT, Voc. de la philosophie, art. *Inconcevable.*

♦ **2.** (1641). Impossible à saisir pleinement par l'esprit. ⇒ **Incompréhensible** (1.).

(...) lorsque Dieu est dit être *inconcevable*, cela s'entend d'une pleine et entière conception qui comprenne et embrasse parfaitement tout ce qui est en lui (...) 2
DESCARTES, Réponses aux 2e objections.

Elle *(l'âme)* ose mesurer le temps, l'immensité, 3
Aborder le néant, parcourir l'existence,
Et concevoir de Dieu l'inconcevable essence.
LAMARTINE, Premières Méditations, XXXIV.

♦ **3.** (1664). Cour. Impossible ou difficile à comprendre, à expliquer, à imaginer, à croire. ⇒ **Étonnant, étrange, extraordinaire, extravagant, incompréhensible** (2.), **incroyable, inexplicable, inimaginable, surprenant.** *De toutes les manières concevables et inconcevables* (→ Broncher, cit. 3). *Coup, choc imprévu et inconcevable* (→ Anéantir, cit. 12). *Sentiments, désespoirs* (cit. 19) *inconcevables.* ⇒ **Paradoxal.** *La plus inconcevable solitude* (→ Ensevelir, cit. 25). *Emporté* (cit. 18) *avec une rapidité inconcevable. Beauté, délicatesse inconcevable* (→ Affleurer, cit. 3; guillocher, cit. 3). *Produire des effets inconcevables* (→ Étinceler, cit. 11). — Spécialt. Inacceptable (en parlant d'une chose que l'on juge mal). *Il est d'une négligence inconcevable. De telles choses sont, paraissent inconcevables.* ⇒ **Impossible** (→ Arroger, cit. 5; hiérarchie, cit. 6). *Il est inconcevable que cet abus ne soit pas réformé* (Littré). ⇒ **Inadmissible.** *C'est inconcevable!*

(...) que les moments qui délivrent tout d'un coup le cœur et l'esprit d'une si terrible peine, font sentir un inconcevable plaisir! 4
Mme DE SÉVIGNÉ, 65, 21 déc. 1664.

Si l'extravagance de Croisilles lui paraissait inconcevable, elle n'y voyait du moins rien d'offensant (...) A. DE MUSSET, Nouvelles, « Croisilles », II. 5

(...) sans être paresseuse, elle vivait dans une oisiveté inconcevable. 6
A. DE MUSSET, Nouvelles, « Frédéric et Bernerette », VI.

Les boutiques de modistes étaient pleines de chapeaux inconcevables, qui semblaient être là moins pour la vente que pour l'étalage (...) 7
BALZAC, Illusions perdues, Pl., t. IV, p. 693.

Un homme qui dit tout ce qu'il pense et comme il le pense est aussi inconcevable dans une ville qu'un homme allant tout nu. 8
FRANCE, le Mannequin d'osier, XII, Œ., t. XI, p. 369.

N. m. *L'inconcevable s'est produit.* « *Ainsi l'impossible était survenu! L'inconcevable s'était réalisé! Pour la première fois, son destin* (de Ch. de Gaulle) *lui tournait le dos* » (*le Nouvel Obs.*, 11 mai 1981, p. 52).

Par ext. (Personnes). Dont le comportement est inconcevable (incompréhensible ou inadmissible). *Vous êtes inconcevable!*

CONTR. Concevable. — Banal. — Compréhensible.
DÉR. Inconcevabilité, inconcevablement.

INCONCEVABLEMENT [ɛ̃kɔ̃svabləmɑ̃] adj. — 1839; de *inconcevable.*

♦ Littér. D'une manière inconcevable. ⇒ **Extraordinairement.**

(L'enfant) se mit à hurler comme on peut le faire à cet âge, inconcevablement.
CÉLINE, Voyage au bout de la nuit, p. 250.

INCONCILIABILITÉ [ɛ̃kɔ̃siljabilite] n. f. — 1874; de *inconciliable.*

♦ Dr. ou littér. Caractère de ce qui est inconciliable. ⇒ **Contrariété** (cit. 2), **incompatibilité.**

Ce fut vers la fin de juin qu'entre eux l'inconciabilité s'établit comme une saison nouvelle, avec ses surprises et parfois ses agréments. COLETTE, la Chatte, p. 97.

INCONCILIABLE [ɛ̃kɔ̃siljabl] adj. et n. m. — 1752; de 1. *in-*, et *conciliable.*

♦ Qui n'est pas conciliable. ⇒ **Incompatible.** — (Choses). *Chose inconciliable avec une autre. Principes, maximes inconciliables,* qui s'excluent* réciproquement. *Le paradoxisme, figure de rhétorique unissant deux notions inconciliables. Loi inconciliable avec les principes de la Constitution* (→ Assemblée, cit. 12, Mirabeau). *Divergences* (cit. 1) *inconciliables. Intérêts inconciliables,* opposés (→ Crédit, cit. 17).

Composée de deux éléments en apparence inconciliables, la maison avait une parfaite unité. RENAN, Souvenirs d'enfance..., III, II. 1

L'amour, commença Phrasilas, est un mot qui n'a pas de sens ou qui les a tous à la fois, car il désigne tour à tour deux sentiments inconciliables : la Volupté et la Passion. Pierre LOUŸS, Aphrodite, III, II. 2

Comme les sirènes ou le minotaure, le pouvoir-des-mots *(sic)* est formé, par un étrange télescopage, de la jonction de deux corps étrangers et inconciliables. 3
J. PAULHAN, les Fleurs de Tarbes, p. 102.

N. m. *Un, des inconciliables. S'efforcer de concilier les inconciliables.*

L'un et l'autre *(Shakespeare et Goethe)* ont résolu la conciliation des inconciliables : rêve et action, pessimisme et optimisme, l'idéal et le réel. 4
R. ROLLAND, les Compagnons de route, p. 13.

Rare. (Personnes). *Il est inconciliable avec son frère* (Littré), il ne peut s'accorder, s'entendre avec lui. *Chercher à réconcilier des ennemis inconciliables. Ces deux plaideurs sont inconciliables* (Académie).

CONTR. Conciliable.
DÉR. Inconciliabilité, inconciliablement.

INCONCILIABLEMENT [ɛ̃kɔ̃siljabləmɑ̃] adv. — 1831, Balzac; de *inconciliable.*

♦ Rare. D'une manière inconciliable.

INCONCILIATION [ɛ̃kɔ̃siljɑsjɔ̃] n. f. — 1877; de 1. *in-,* et *conciliation.*

♦ Dr. Refus, absence de conciliation*. *Procès-verbal d'inconciliation.*

INCONCLUANT, ANTE [ɛ̃kɔ̃klyɑ̃, ɑ̃t] adj. — 1817, «qui n'aboutit pas à une conclusion», Stendhal, *Journal, in* D. D. L.; de 1. *in-,* et *concluant.*

♦ Qui n'est pas concluant.

CONTR. Concluant.

INCONDITIONNALITÉ [ɛ̃kɔ̃disjɔnalite] n. f. — 1831; de *inconditionnel.*

♦ **1.** Caractère de ce qui est inconditionnel. *L'inconditionnalité d'une situation, d'une adhésion.*

♦ **2.** Adhésion donnée sans réserve (par qqn). *On critique l'inconditionnalité des partisans de X.*

INCONDITIONNÉ, ÉE [ɛ̃kɔ̃disjɔne] adj. — 1794; de 1. *in-,* et *condition* (*conditionné* n'étant pas attesté auparavant dans le sens correspondant), probablt d'après l'all. *unbedingt* (1781, Kant) ou l'angl. *unconditioned.*

♦ **1.** Philos. Qui n'est soumis à aucune condition*. ⇒ **Absolu, inconditionnel.** *Impératif* (cit. 5) *catégorique, c'est-à-dire inconditionné.* — N. m. (1864, Renouvier, à propos de Kant). *L'inconditionné* : l'absolu.

♦ **2.** (D'après *conditionné;* personnes). Qui n'est pas conditionné, influencé (par ses caractéristiques sociales). ⇒ **Libre.**

C'était notre condition de jeunes intellectuels petits bourgeois qui nous incitait à nous croire inconditionnés. S. DE BEAUVOIR, la Force de l'âge, p. 25.

CONTR. Conditionné.

INCONDITIONNEL, ELLE [ɛ̃kɔ̃disjɔnɛl] adj. et n. — 1777; de 1. *in-,* et *conditionnel,* d'après l'angl. *unconditional.*

♦ **1.** (Choses). Qui n'est pas conditionnel, ne dépend d'aucune condition. ⇒ **Absolu, inconditionné** (philos.). *Consentement, soutien inconditionnel. Acceptation, adhésion, soumission, reddition inconditionnelle. Adoration, foi inconditionnelle* (→ Exiger, cit. 19). *Ordre inconditionnel.* ⇒ **Impératif.** — *Refus inconditionnel.* ⇒ **Systématique.** — *Reddition inconditionnelle,* sans conditions*.

Didact. Qui n'est pas conditionnel. *Stimulus inconditionnel. Réaction inconditionnelle.*

♦ **2.** (V. 1945; personnes). Qui suit en toute circonstance et sans discussion les décisions (d'un homme, d'un parti). *Il est le soutien inconditionnel du Premier ministre, de sa politique.*

N. (V. 1960). *Un inconditionnel (de...). Se comporter en inconditionnel du parti progressiste, gaulliste. Les inconditionnels du gaullisme.* ⇒ (fam. et péj.) **Godillot.** «*Restent quelques inconditionnels de Rossellini*» (*l'Express,* 21 nov. 1966).

Ils continuent à s'accrocher en s'opposant de plus en plus à l'absolutisme de Mao et de son entourage d'inconditionnels qui paralysent tout.
Guy DES CARS, la Vipère, p. 32.

(Dans des domaines non politiques). *Les partisans inconditionnels d'une théorie, d'une thèse. Les inconditionnels de Brassens, des Beatles.*

DÉR. Inconditionnalité, inconditionnellement.

INCONDITIONNELLEMENT [ɛ̃kɔ̃disjɔnɛlmɑ̃] adv. — 1845; de *inconditionnel.*

♦ De façon inconditionnelle. *Il exige que sa majorité le soutienne inconditionnellement.* «*S'opposer inconditionnellement au passage d'une autoroute*» (O. R. T. F., 30 janv. 1971, *in* Gilbert).

CONTR. Conditionnellement.

INCONDUITE [ɛ̃kɔ̃dɥit] n. f. — 1693; de 1. *in-,* et *conduite.*

♦ Mauvaise conduite sur le plan moral; conduite réprouvée. ⇒ **Débauche, vice.** *Une inconduite notoire, scandaleuse. Voilà où mène l'inconduite. Vivre dans l'inconduite. Inconduite grave.* — Vx. *Être perdu d'inconduite.* «*L'enfant de l'inconduite*» (Ponson du Terrail, *in* T. L. F.). ⇒ **Péché.**

1 C'est pourtant là, milord, que mène l'inconduite.
C. DELAVIGNE, les Enfants d'Édouard, II, 3.

1.1 Pour frapper son imagination, Pécuchet suspendit aux murs de sa chambre des images, exposant la vie du Bon Sujet, et celle du Mauvais Sujet. Le premier, Adolphe, embrassait sa mère, étudiait l'allemand, secourait un aveugle, et était reçu à l'École Polytechnique. Le mauvais, Eugène, commençait par désobéir à son père, avait une querelle dans un café, battait son épouse, tombait ivre-mort, fracturait une armoire — et un dernier tableau le représentait au bagne où un monsieur accompagné d'un jeune garçon disait, en le montrant : «Tu vois, mon fils, les dangers de l'inconduite».
FLAUBERT, Bouvard et Pécuchet, p. 389, éd. Folio.

L'action en reconnaissance de paternité ne sera pas recevable : 1° — S'il est établi que, pendant la période légale de la conception, la mère était d'une inconduite notoire ou a eu commerce avec un autre individu (...) Code civil, art. 340. 2

Rare. (*Une, des inconduites*). ⇒ **Faute, frasque.**

INCONFIANCE [ɛ̃kɔ̃fjɑ̃s] n. f. — 1790; de 1. *in-,* et *confiance.*

♦ Littér. Manque de confiance (en soi, en qqn d'autre). Cf. Gide, *in* T. L. F.

CONTR. Confiance.

INCONFORT [ɛ̃kɔ̃fɔʀ] n. m. — 1893; de 1. *in-,* et *confort.*

♦ Manque de confort*. *L'inconfort d'un logement.* ⇒ **Incommodité.** *Vivre dans l'inconfort.*

Vous ignorez l'inconfort, fils gâté (...) je vous raconterai (...) les retours à minuit vers l'hôtel (...) l'attente dans le brouillard fin, contre la porte (...) la chambre affreuse aux draps mal séchés, l'exigu pot d'eau chaude qui a eu le temps de refroidir. COLETTE, la Vagabonde, p. 194. 1

Ce qui est plus original dans notre ville est la difficulté qu'on peut y trouver à mourir. Difficulté, d'ailleurs, n'est pas le bon mot et il serait juste de parler d'inconfort (...) à Oran (...) tout demande la bonne santé. Un malade s'y trouve bien seul (...) On comprendra ce qu'il peut y avoir d'inconfort dans la mort (...) lorsqu'elle survient ainsi dans un lieu sec. CAMUS, la Peste, p. 15. 2

Fig. «*(...) cette espèce d'inconfort intellectuel et de mauvaise conscience, ce malaise né de l'incomplétude que Platon appelait* aporia» (Vladimir Jankélévitch, *le Je-ne-sais-quoi et le Presque-Rien,* p. 58, *in* T. L. F.).

CONTR. Confort.

INCONFORTABLE [ɛ̃kɔ̃fɔʀtabl] adj. — 1814; de 1. *in-,* et *confortable.*

♦ **1.** Qui n'est pas confortable. *Maison inconfortable* (→ Inconfort, cit. 1).

Si l'on excepte l'appartement de la dame et celui de Voltaire, le reste de la maison est d'une malpropreté extrême, et parfaitement *inconfortable,* comme nous dirions. SAINTE-BEUVE, Causeries du lundi, 17 juin 1850. 1

♦ **2.** Fig. *Attitude, situation inconfortable.* ⇒ **Incommode.**

Allons, allons, Mademoiselle Supo (...) Je sais bien que vous m'aimez depuis dix ans en silence — ce qui est extrêmement inconfortable — mais de là à vous obstiner à vouloir que j'aie du génie (...) J. ANOUILH, Ornifle..., I, p. 14. 2

CONTR. Confortable.
DÉR. Inconfortablement.

INCONFORTABLEMENT [ɛ̃kɔ̃fɔʀtabləmɑ̃] adv. — 1927, Gide, *in* T. L. F.; de *inconfortable.*

♦ D'une manière inconfortable. *Il est très inconfortablement installé.* ⇒ **Incommodément.**

CONTR. Confortablement.

INCONGÉDIABLE [ɛ̃kɔ̃ʒedjabl] adj. — 1778; de 1. *in-,* *congédier,* et suff. *-able.*

♦ Rare. Qu'on ne peut congédier.

CONTR. Congédiable.

INCONGELABLE [ɛ̃kɔ̃ʒlabl] adj. — 1611; de 1. *in-,* et *congelable.*

♦ Sc., techn. Qui n'est pas congelable.

CONTR. Congelable.

INCONGRU, UE [ɛ̃kɔ̃gʀy] adj. — V. 1370, Jean Le Fèvre; lat. *incongruus* «inconvenant, inconséquent, absurde», de *in-* (→ 1. In-), et *congruus.* → Congru.

♦ **1.** Vieilli ou littér. Qui n'est pas congru*, convenable. *Question, réponse incongrue.* ⇒ **Déplacé.**

Gramm. Vx (langue class.). Qui n'est pas conforme aux règles de la grammaire. ⇒ **Incongruité** (3.).

♦ **2.** Cour. Contraire à ce qui convient, à ce qui est considéré comme convenable. ⇒ **Déplacé, inconvenant, malséant, messéant.** *Un ton incongru* (→ Impertinence, cit. 8). *Des hoquets* (cit. 4) *incongrus. Caractère incongru.* ⇒ **Incongruité.**

Par euphémisme. *Un bruit incongru.* ⇒ **Pet, rot.**

Le moyen de bien recevoir des gens qui sont tout à fait incongrus en galanterie? 1
MOLIÈRE, les Précieuses ridicules, IV.

(...) un poème barbare et ridicule (...) plein d'inventions incongrues et singulières (...) Th. GAUTIER, les Grotesques, IX, p. 286. 2

(...) Proust tire parti du respect traditionnel, instinctif et pieux, qu'a tout Français 3 pour les classiques de sa langue, en appliquant des vers de Racine à des situations incongrues. A. MAUROIS, À la recherche de Marcel Proust, VIII, III.

♦ **3.** (1808). Vieilli. (Personnes). Qui a une attitude incongrue, qui manque de savoir-vivre. « (Crainquebille) *devenait incongru, mauvais coucheur, mal embouché...* » (A. France). ⇒ **Grossier, impertinent.**

Par euphémisme. Qui émet des « bruits incongrus » (cf. Zola, *la Terre, in* T. L. F.).

CONTR. Bienséant, congru, convenable, décent.
DÉR. Incongrûment.

INCONGRUITÉ [ɛ̃kɔ̃gʀyite ; ɛ̃kɔ̃gʀɥite] n. f. — Déb. XVIe ; lat. *incongruitas,* de *incongruus.* → Incongru.

♦ **1.** Vx. Caractère de ce qui est incongru (2.), déplacé, de ce qui ne convient pas.

1 (...) l'incongruité des humeurs opaques (...) MOLIÈRE, le Médecin malgré lui, III, 6.

(Mil. XVIIe). Caractère de ce qui est contraire à la bienséance, aux usages. *L'incongruité d'une conversation.*

2 Et peut-être quelque aventure particulièrement scabreuse éclaira-t-elle enfin M. Richard sur l'incongruité de ces visites (...) GIDE, Si le grain ne meurt, I, VII, p. 189.

♦ **2.** (1585). Action ou parole incongrue, déplacée, et, spécialt, contraire à la bienséance, aux convenances.

3 (...) vous avez vu ses deux genoux (...) — Mais non ! s'écria madame Mollot, vous me faites dire des incongruités. BALZAC, le Député d'Arcis, Pl., t. VII, p. 706.

Spécialt. Acte physiologique interdit : éructation, et, spécialt, pet. — (En parlant d'un animal). Déjection.

4 Kédi-bey *(un jeune chat),* le soir où il me fut offert, était emmailloté en outre dans une serviette de soie, où la frayeur du voyage lui avait fait commettre toute sorte d'incongruités. LOTI, Aziyadé, III, LV.

♦ **3.** (V. 1501). Gramm. Vx. Faute de grammaire, et, spécialt (XVIIe), faute contre la syntaxe, solécisme (→ au fig. Barbarisme, cit. 4, Molière).

5 (...) force pluriels pour singuliers, et plusieurs autres incongruités dont était plein le langage mal limé d'icelui *(de ce)* temps. Clément MAROT, Préface des Poésies de Villon, Œ., t. II, p. 420.

6 Je sais que vous aimez tout ce qui vient de moi, même jusques à mes barbarismes et à mes incongruités. GUEZ DE BALZAC, Lettres, 11 avr. 1652.

INCONGRÛMENT [ɛ̃kɔ̃gʀymɑ̃] adv. — 1361 ; de *incongru.*

♦ **1.** Rare. D'une manière incongrue. *Parler, agir incongrûment.*

♦ **2.** Didact. D'une façon non congrue.

CONTR. Congrûment.

INCONJUGABLE [ɛ̃kɔ̃ʒygabl] adj. — 1875 ; de 1. *in-,* et *conjugable.*

♦ Didact. Non conjugable. « *Verbe argotique inconjugable* » (Esnault). *Les verbes défectifs, tels que* gésir, *sont pratiquement inconjugables.*

CONTR. Conjugable.

INCONNAISSABILITÉ [ɛ̃kɔnɛsabilite] n. f. — Av. 1914, cit. ci-dessous ; de *inconnaissable.*

♦ Didact. Caractère de ce qui est inconnaissable.

Herber Spencer n'a pu maintenir cette absolue transcendance et inconnaissabilité du premier principe, où ses déductions le conduisaient. BOUTROUX, *in* LAROUSSE MENSUEL, 1914, p. 280.

INCONNAISSABLE [ɛ̃kɔnɛsabl] adj. et n. m. — 1675, *inconnessable ; incongnoissable,* 1393 ; rare jusqu'au mil. XIXe (1846, *in* Bescherelle) ; de 1. *in-,* et *connaissable.*

♦ Qui ne peut être connu. ⇒ **Incognoscible.** *L'avenir* (cit. 20) *inconnaissable. Le noumène, réalité inconnaissable* (chez Kant). — N. m. (1895). *Échafauder* (cit. 2) *des hypothèses pour expliquer l'inconnaissable.* — Philos. Ce qui échappe à la connaissance humaine. *L'inconnaissable, concept essentiel de l'évolutionnisme de Spencer.*

1 L'inconnaissable est ce qui, tout en étant réel, échapperait par hypothèse à tous les modes de connaissances soit intuitive, soit discursive, soit immédiate, soit médiate, soit fondée sur la conscience et l'expérience, soit fondée sur le raisonnement. A. FOUILLÉE, *in* LALANDE, Voc. de la philosophie, art. *Inconnaissable.*

2 (...) chaque découverte, en même temps qu'elle fait connaître à l'homme des phénomènes nouveaux, recule les limites de l'inconnaissable. DANIEL-ROPS, le Monde sans âme, V, p. 140.

3 (...) l'énigme que nous pose cet homme *(Jésus)* semblable à nous, dont les mots et les gestes engagent à tout instant des forces inconnaissables, ce visage crispé par l'agonie où transparaît la face de Dieu. DANIEL-ROPS, Jésus en son temps, Introd., p. 8.

4 C'est ainsi que mon sentiment du mystère avait pu s'appliquer successivement à Gilberte, à la duchesse de Guermantes, à Albertine, à tant d'autres. Sans doute l'inconnu, et presque l'inconnaissable, était devenu le connu, le familier, indifférent ou douloureux, mais retenant de ce qu'il avait été un certain charme. PROUST, le Temps retrouvé, Pl., t. III, p. 989.

CONTR. Connaissable.
DÉR. Inconnaissabilité.

INCONNAISSANCE [ɛ̃kɔnɛsɑ̃s] n. f. — 1801 ; *incongnoissance* « ingratitude », fin XIVe ; de 1. *in-,* et *connaissance.*

♦ Littér. Absence de connaissance. ⇒ **Inscience** (cf. Montaigne).

L'inconnaissance du temps à venir lui fit plus de peur *(au Champi)* que tout ce 1
que la Zabelle essayait de lui montrer pour le dégoûter de vivre avec elle. G. SAND, François le Champi, III.

Absence de sympathie = manque d'imagination. Cela va bien avec l'inconnais- 2
sance du vertige (...) GIDE, Journal, 13 déc. 1907.

Il me vient alors cette exaltation d'aimer à fond quelqu'un d'inconnu, et qui le 3
reste à jamais : mouvement mystique : j'accède à la connaissance de l'inconnaissance. R. BARTHES, Fragments d'un discours amoureux, p. 162.

REM. Péguy emploie l'adjectif rare *inconnaissant.*

CONTR. Connaissance.

INCONNU, UE [ɛ̃kɔny] adj. et n. — 1573 ; *incongneu,* XIVe ; de 1. *in-,* et *connu,* d'après le lat. *incognitus* « non examiné, inconnu, non reconnu », de *in-,* et p. p. de *cognoscere.* → Connaître.

♦ **1.** Qu'on ne connaît* pas. ⇒ **Ignoré.** **a** (Choses). Dont on ignore* l'existence. *Découvrir, révéler un trésor inconnu. À un dieu, au dieu inconnu* (lat. Deo ignoto). *Inconnu à qqn, de qqn ; inconnu dans un pays, une civilisation. Le gibbon* (cit. 1), *animal inconnu en Europe jusqu'au XVIIIe siècle. Les dunes ne sont pas totalement inconnues dans les pays humides.* ⇒ **Absent.** — Dont on ignore la nature. ⇒ **Mystérieux,** 1. **secret.** *L'homme, « assemblage* (cit. 13) *de parties inconnues »* (Beaumarchais). *Décès dont les causes restent inconnues.* ⇒ **Indéterminé.** *Les conditions de ce phénomène sont inconnues* (→ Exception, cit. 14). *Elle s'imaginait* (cit. 27) *obéir à une volonté inconnue.* ⇒ **Occulte.** — *Une demeure inconnue aux humains* (→ Assurer, cit. 5), *inconnue de tous.*

Paul, debout au milieu de l'Aréopage, dit : Hommes Athéniens, je vous trouve à 1
tous égards extrêmement religieux. Car, en parcourant votre ville et en considérant les objets de votre dévotion, j'ai même découvert un autel avec cette inscription : « À un dieu inconnu ! » Ce que vous révérez sans le connaître, c'est ce que je vous annonce. BIBLE (SEGOND), Actes des Apôtres, 17, 22-23.

Il faut qu'un honnête homme ait tâté de la cour : il découvre en y entrant comme 2
un nouveau monde qui lui était inconnu (...) LA BRUYÈRE, les Caractères, VIII, 9.

Le P. Gobien dit qu'avant l'arrivée des Européens, ils *(les habitants des îles* 3
Mariannes) n'avaient jamais vu de feu, que cet élément si nécessaire leur était entièrement inconnu (...) BUFFON, Hist. nat. de l'homme, Œ., t. II, p. 155.

Fuir ! là-bas fuir ! Je sens que des oiseaux sont ivres 4
D'être parmi l'écume inconnue et les cieux ! MALLARMÉ, Brise marine.

C'est ce que je porte d'inconnu à moi-même qui me fait moi. 5
VALÉRY, Monsieur Teste, p. 64.

(...) le prêche rendit plus sensible à certains l'idée, vague jusque-là, qu'ils étaient 6
condamnés, pour un crime inconnu, à un emprisonnement inimaginable. CAMUS, la Peste, p. 115.

Les prisonniers du camp de Baccarat sont destinés à demeurer en France. N'empê- 7
che que les voilà dans le train, emportés vers une destination inconnue. SARTRE, la Mort dans l'âme, p. 277.

Math. *Grandeur inconnue. Terme inconnu, quantité inconnue d'une équation** (cit. 1 et 2). — N. f. (Mil. XVIIIe). Variable à déterminer pour connaître la solution d'un problème. Racine d'une équation. *Système d'équations à deux inconnues.* — Fig. *Inconnues qui faussent les calculs* (cit. 4). *Les inconnues d'un problème social,* les éléments qu'on ignore.

L'usage que l'analyse mathématique fait de l'algèbre, pour trouver les inconnues 7.1
au moyen des connues, est ce qui la distingue de l'analyse logique, qui n'est autre chose en général que l'art de découvrir ce qu'on ne connaît pas par le moyen de ce qu'on connaît. D'ALEMBERT, Éléments de philosophie, XIV.

b (Personnes ; noms de personnes). Dont on ignore l'identité. *Ouvrage, crime dont l'auteur* (cit. 21) *est, demeure, reste inconnu. Bienfaiteurs* (cit. 6) *de noms inconnus.* ⇒ **Anonyme.** *Il désire demeurer inconnu durant ce voyage.* ⇒ **Incognito** (garder l'). *Inconnu sous un déguisement* (cit. 1). *Elle m'est inconnue de nom. Enfant né de père** (cit. 6) *inconnu. Tombeau du Soldat inconnu sous l'Arc de triomphe de l'Étoile* (→ aussi Homme, cit. 89). — Fam. *Inconnu au bataillon :* complètement inconnu (de la personne qui parle). — N. (1561, *incognu*). *Un inconnu, une inconnue* (→ ci-dessous, cit. 9, 13 et 14). *On a découvert le cadavre d'une inconnue. La police recherche deux inconnus soupçonnés de meurtre. Déposer une plainte contre un inconnu, contre inconnu.* ⇒ **X** (contre X). *L'inconnu qui décapita Charles Ier* (→ Hache, cit. 9). — Par exagér. Qui est peu connu ; sans réputation ni notoriété. ⇒ **Obscur** (→ Errer, cit. 11 ; gaélique, cit. ; humble, cit. 34). *Un auteur inconnu* (→ ci-dessous, cit. 11). *Un écrivain, un peintre inconnu. Cet enfant grandit inconnu sous le règne de Néron.* ⇒ 1. **Ombre** (dans l'ombre) ; → Abjection, cit. 1. *Vivre inconnu, caché* (cit. 53) *et tranquille* (→ Dépister, cit. 2).

N. Iron. *Un illustre inconnu :* un inconnu (qui voudrait se faire passer pour illustre).

8 Un passant inconnu, touché de cette enfance (...)
Sur le mont Cithéron reçut de lui mon fils (...) CORNEILLE, Œdipe, IV, 2.

9 (...) des infinités de portraits, entre autres celui que Mme de La Fayette fit de moi sous le nom d'un inconnu (...) Mme DE SÉVIGNÉ, 473, 1er déc. 1675.

10 (...) Une femme inconnue,
Qui ne dit point son nom, et qu'on n'a point revue. RACINE, Athalie, II, 7.

11 Cette faveur du public, nullement briguée, et pour un auteur inconnu, me donna la première assurance véritable de mon talent (...) ROUSSEAU, les Confessions, VIII.

12 S'il *(le chevalier)* voulait rester inconnu, il couvrait son écu d'une *housse*, ou d'un *voile vert* (...) CHATEAUBRIAND, le Génie du christianisme, IV, V, IV.

13 Des inconnus, des gars qui passent, déguisés en pésans *(sic)*, en ouvriers, en travailleurs des bois. M. GENEVOIX, Raboliot, II, IV.

14 (...) les lecteurs des *Mémoires d'Outre-Tombe* étaient intrigués par cette inconnue que Chateaubriand dit avoir rencontrée en 1829, à Cauterets (...) qu'il ne nomme pas autrement que l'Occitanienne, avec laquelle (...) il était en correspondance depuis deux ans (...) La mystérieuse anonyme se dévoila (...) Émile HENRIOT, Portraits de femmes, p. 283.

(Choses). *Être de naissance inconnue* (→ Cause, cit. 34). *Fredonner* (cit. 2) *un air inconnu. Un chef-d'œuvre pour ainsi dire inconnu* (→ Gravure, cit. 3).

♦ **2.** Qu'on ne connaît pas ou qu'on connaît très peu, faute d'étude, d'expérience, d'usage ou de pratique (→ Appel, cit. 18; avant, cit. 6). *Un idiome* (cit. 8) *inconnu. Langue et formules* (cit. 2) *inconnues. Demander l'explication* (cit. 1) *d'un mot inconnu. Examiner* (cit. 6) *un objet inconnu. Mers, terres inconnues.* ⇒ **Étranger, inexploré** (→ Fleuve, cit. 5; carte, cit. 22). *Être en pays inconnu* (au fig., par oppos. à *être en pays connu*). → Emprunter, cit. 27. *Arriver dans un hôtel inconnu* (→ Habituer, cit. 15). *Essais* (cit. 1) *scientifiques d'une ampleur inconnue jusqu'ici.* ⇒ **Inouï.** *Le beurre, chose à peu près inconnue en Espagne au XIXe siècle.* ⇒ **Rare** (→ Huile, cit. 16, Gautier). — *Un timbre de fanfare inconnu à nos cuivres d'Europe.* ⇒ **Étranger** (→ Hallali, cit. 2). *Figure inconnue aux anciens rhéteurs* (→ Égoïsme, cit. 1). *Genre inconnu à l'Antiquité* (→ Honorer, cit. 2). *Ces problèmes lui sont inconnus* (→ Face, cit. 69). — *Le dôme, encore inconnu des architectes anciens* (→ Hardi, cit. 19). — Spécialt. Qu'on n'a encore jamais connu, ressenti. ⇒ **Neuf, nouveau** (→ Envahissement, cit. 5; expirant, cit. 2). *Éprouver un frisson* (cit. 22) *inconnu, des scrupules d'une espèce inconnue* (→ Honnête, cit. 2). *Comment résister à cette tendresse inconnue?* (→ Fraternel, cit. 6). *Nostalgie des bonheurs inconnus* (→ 1. Fumer, cit. 23). *Goût* (cit. 5) *inconnu.* ⇒ **Savoir** (un je ne sais quel). *Ambition* assez neuve, inconnue en d'autres siècles* (→ Fresque, cit. 8).

15 Quelque découverte que l'on ait faite dans le pays de l'amour-propre, il y reste encore bien des terres inconnues. LA ROCHEFOUCAULD, Réflexions morales, 3.

16 Cet honneur étranger, parmi nous inconnu,
N'est qu'un fantôme vain qu'on prend pour la vertu (...) VOLTAIRE, Alzire, IV, 3.

17 Il glissait dans son cœur, en lui disant ces mots,
Un désir inconnu de plaire à ce héros. VOLTAIRE, la Henriade, IX.

18 Tout à coup des accents inconnus à la terre
Du rivage charmé frappèrent les échos (...)
LAMARTINE, Premières Méditations, XIV.

19 Des tiédeurs, des odeurs, des langueurs inconnues (...) LAMARTINE, Jocelyn, IV.

20 Vous vous servez là d'une parole dont le sens m'est resté jusqu'à ce jour inconnu. BAUDELAIRE, le Spleen de Paris, I.

21 (...) cette odeur inconnue ou plutôt méconnue de moi chatouillait mes narines inhabiles (...) FRANCE, le Petit Pierre, V.

22 Je demande à ton lit le lourd sommeil sans songes
Planant sous les rideaux inconnus du remords (...)
MALLARMÉ, Poésies, « Angoisse ».

23 Ô Chéri, n'as-tu pas quelquefois, aux heures où la vie s'élargit, senti en toi une voix inconnue donner comme un titre à ces instants? GIRAUDOUX, Amphitryon 38, III, 3.

♦ **3.** (Personnes). Dont on n'a jamais fait connaissance. ⇒ **Étranger.** *Il est inconnu de moi, de nous. Rêver d'une femme inconnue* (→ Aimer, cit. 22, Verlaine). *Il ne m'est pas complètement inconnu, mais je n'arrive pas à mettre un nom sur son visage*. Ce visage ne m'est pas inconnu* (→ ci-dessous, cit. 27). — N. *Un inconnu* (→ Gratitude, cit. 4), *une inconnue* (→ ci-dessous, cit. 24, 25, 26, 29 et 30). *Votre mari est un inconnu pour moi. Coudoyer* (cit. 1) *des inconnus, de belles inconnues* (→ Foisonner, cit. 3). *Une inconnue assez vulgaire* (→ Féru, cit. 1). — Personne qui n'appartient pas à un clan, une famille, un groupe social. ⇒ **Étranger, tiers.** *Couple qui a l'impudeur de se quereller devant des inconnus. Laisser un inconnu s'impatroniser* (cit. 2, Molière) *chez soi.*

24 Vivons et rions entre les nôtres, allons mourir et rechigner entre les inconnus. MONTAIGNE, Essais, III, IX.

25 Que de tout inconnu le sage se méfie. LA FONTAINE, Fables, XII, 17.

26 Dans ce moment Hasaël appela Mentor; je me prosternai devant lui. Il fut surpris de voir un inconnu en cette posture. FÉNELON, Télémaque, IV.

27 Je la rencontrai hier dans un fiacre avec une manière de jeune seigneur dont le visage ne m'est pas tout à fait inconnu (...) A. R. LESAGE, Turcaret, III, 9.

28 Que de fois, au moment où la femme inconnue dont j'allais rêver passait devant la maison, tantôt à pied, tantôt avec toute la vitesse de son automobile, je souffris que mon corps ne pût suivre mon regard qui la rattrapait (...)
PROUST, À la recherche du temps perdu, t. XI, p. 33.

29 (...) c'était un homme qu'elle n'avait jamais vu de sa vie... et, tout émue de surprise, elle examina l'inconnu (...) c'était quelqu'un dont elle ignorait tout... Son nom, sa profession, sa vie, autant de secrets qu'elle aurait voulu lui arracher.
J. GREEN, Léviathan, III.

30 Maintenant il *(Byron)* aurait toute sa vie près de lui cette inconnue *(Annabella)* grave et maladroite qui déjà l'observait, le jugeait. Une haine un peu folle montait en lui. Il se mit à chanter, sauvagement, comme il faisait quand il était malheureux. A. MAUROIS, Vie de Byron, II, XXIII.

♦ **4.** N. m. *(L'inconnu).* Ce qui est inconnu, ignoré (quelles que soient les formes, les causes et le domaine de cette ignorance). *Aller du connu* à l'inconnu* (→ Immobilisme, cit.). *L'inconnu, le hasard et l'imprévu* (→ Agir, cit. 9, Michelet). *L'appétit* (cit. 22, Flaubert), *l'attrait, la soif de l'inconnu* (→ Horrible, cit. 10, Baudelaire). *Haleter* (cit. 7, Balzac) *après l'inconnu. Avoir peur de l'inconnu* (→ Derrière, cit. 3). *L'inconnu épouvante* (cit. 5) *les hommes. À la recherche de l'inconnu.* ⇒ **Nouveau** (du); **innovation.** *Trouver de l'inconnu.* ⇒ **Innover.**

La profondeur, l'*inconnu* du caractère de Julien eussent effrayé, même en nouant avec lui une relation ordinaire. Et elle en allait faire son amant, peut-être son maître! STENDHAL, le Rouge et le Noir, II, XIV. 31

Plonger au fond du gouffre, Enfer ou Ciel, qu'importe? 32
Au fond de l'Inconnu pour trouver du *nouveau!*
BAUDELAIRE, les Fleurs du mal, « La mort », CXXVI, VIII.

(...) toute la haute puissance intellectuelle vient de ce souffle, l'inconnu. 33
HUGO, Post-scriptum de ma vie, Promontorium somnii, I.

Oh! ces départs, toujours rapides, changeant tout, jetant leur tristesse sur les choses qu'on va quitter, et vous lançant après dans l'inconnu! 34
LOTI, Mon frère Yves, XCV.

Il lui vint un trouble extrême : c'était le charme des grands voyages, de l'inconnu, de la guerre; aussi l'angoisse de tout quitter, avec l'inquiétude vague de ne plus revenir. LOTI, Pêcheur d'Islande, II, VI. 35

(...) si les hommes n'aiment pas souvent ce qu'ils ont, parce que ce qu'ils ont n'est pas souvent aimable, ils craignent le changement pour ce qu'il contient d'inconnu. L'inconnu est ce qui leur fait le plus peur. Il est le réservoir et la source de toute épouvante. FRANCE, M. Bergeret à Paris, IX, Œ., t. XII, p. 360. 36

(...) le but de sa passion n'était pas de transformer l'inconnu en connu, mais de rechercher l'inconnu pour lui-même et de vivre dans son voisinage. 37
J. GREEN, Léviathan, I, VIII.

Le rien, c'est ce qui n'existe pas du tout; l'inconnu, c'est ce qui n'existe aucunement pour moi. SARTRE, Situations I, p. 183. 38

CONTR. Célèbre, connu, éprouvé, fameux, familier, renommé.

INCONNUE [ɛ̃kɔny] n. f. ⇒ **Inconnu** (1., a; et → cit. 7.1).

INCONQUIS, ISE [ɛ̃kɔ̃ki, iz] adj. — XIXe; de 1. *in-*, et *conquis.* → Conquérir.

♦ Littér. Qui n'a pas été conquis. *Des forêts inconquises* (→ Évoquer, cit. 25).

CONTR. Conquis.

INCONSCIEMMENT [ɛ̃kɔ̃sjamɑ̃] adv. — 1862; de *inconscient.*

♦ **1.** De façon inconsciente (I., 1.; I., 2.). *Agir inconsciemment, en automate. Être inconsciemment la dupe de ses bons sentiments,* sans s'en rendre compte, sans s'en apercevoir. ⇒ **Insu** (à son). *Chacun de deux êtres qui s'aiment se façonne* (cit. 17) *inconsciemment selon l'exigence de l'autre.*

Donc deux classes d'influences, les influences communes, les influences particulières; celles que toute une famille, un groupement d'hommes, un pays subit à la fois; celles que dans sa famille, dans sa ville, dans son pays, l'on est seul à subir (volontairement ou non, consciemment ou inconsciemment, qu'on les ait choisies ou qu'elles vous aient choisi). GIDE, Prétextes, p. 11.

♦ **2.** Sans avoir réfléchi aux conséquences. *S'engager un peu inconsciemment dans une affaire délicate* (→ À la légère*; sans réflexion*).

CONTR. Consciemment, volontairement.

INCONSCIENCE [ɛ̃kɔ̃sjɑ̃s] n. f. — 1794; de 1. *in-*, et *conscience.*

♦ **1.** Absence de conscience. *L'inconscience du minéral, du végétal* (Académie). — Privation permanente ou abolition momentanée de la conscience*. *État d'inconscience provoqué par le chloroforme.* ⇒ **Anesthésie.** *Glisser, sombrer dans l'inconscience. Son inconscience dura plusieurs heures après l'accident.*

(...) elle plongeait soudain dans un brusque tunnel d'inconscience, où d'étranges visions se peignaient autour d'elle. Edmond JALOUX, les Visiteurs, XXII. 1

Soit d'abord la distraction, dont c'est toujours le caractère et l'effet de provoquer de l'*inconscience.* Mais cette inconscience peut être normale et saine (...) 2
M. PRADINES, Traité de psychologie générale, t. I, p. 19.

♦ **2.** (XIXe). Psychol. Caractère des phénomènes qui, par nature, échappent à la conscience. *L'inconscience de certains phénomènes psychologiques rend leur étude difficile. Normalement, on constate l'inconscience des fonctions physiologiques.* ⇒ **Inconscient** (I., 3.).

L'inconscience c'est le jeu même de la connaissance, son fonctionnement incessant et son entraînement. VALÉRY, Cahiers, t. II, Pl., p. 205. 2.1

♦ **3.** (1829). Cour. [a] Absence de jugement, de conscience claire, qui caractérise un être ou qui se marque dans certains de ses actes. *Courir un pareil risque, c'est de l'inconscience. Faire preuve d'inconscience.* ⇒ **Aveuglement, folie, irréflexion, légèreté.** — *Inconscience de :* état de celui qui ne perçoit pas nettement, n'imagine pas (qqch.). *Dans l'inconscience de la situation.* ⇒ **Ignorance** (→ Étirer, cit. 3).

(...) avec quelle sécurité, quelle inconscience de la minute qui va suivre, l'homme peut vivre les instants les plus chargés du destin.
MARTIN DU GARD, les Thibault, t. IV, p. 46.

b (1867). Manque de conscience morale, insensibilité réelle ou apparente, au bien et au mal. *Assassin dont le calme révèle une effrayante inconscience. Son cynisme marque le comble de l'inconscience.*

CONTR. **Connaissance, conscience, lucidité.**

INCONSCIENT, ENTE [ɛ̃kɔ̃sjɑ̃, ɑ̃t] adj. et n. — 1820; de 1. *in-*, et *conscient.*

★ **I.** Adj. ♦ **1.** (Mil. XIXe). À qui la conscience* fait défaut, de façon permanente ou temporaire. *La matière est généralement tenue pour inconsciente. Automate inconscient.* — (Personnes). *Sous le choc, il demeura inconscient durant quelques minutes.*

1 Ses bras dénoués, sa tête retombée, elle referma les yeux, inconsciente maintenant, — ou bien stoïque (...) LOTI, Ramuntcho, II, VII.

2 Elle n'était plus animée que de la vie inconsciente des végétaux, des arbres (...)
PROUST, À la recherche du temps perdu, t. XI, p. 84.

♦ **2.** **a** *Inconscient de qqch.* : qui n'a pas conscience de qqch., qui ne s'en rend pas compte, par insouciance, légèreté d'esprit, défaut de sens moral. *Être inconscient de ses actes. Ne lui en veuillez pas, il est inconscient de sa grossièreté. Enfant inconscient du danger. Inconscient et dupe de certaines énormités* (cit. 4). — Par ext. (Compl. n. de personne ou pronom). *Être inconscient de soi-même, des autres, de son entourage.*

3 Le véritable artiste reste toujours à demi inconscient de lui-même, lorsqu'il produit. GIDE, Dostoïevsky, p. 67.

b (Sans compl.). Qui n'a pas une conscience claire de ses actes. *Ne prêtez pas attention à ce qu'il fait, il est complètement inconscient.* ⇒ **Fou.**

♦ **3.** (Choses). Dont on n'a pas conscience; qui échappe à la conscience. *Mouvement, geste* (1.; cit. 5) *inconscient.* ⇒ **Automatique, instinctif, machinal.** *Réflexe* inconscient. Élan, effort inconscient.* ⇒ **Spontané** (→ 2. Bien, cit. 68). *Velléités inconscientes qui subitement cristallisent* (cit. 3). *Influences inconscientes qui s'exercent sur un artiste* (→ Apparaître, cit. 12). *Solidarité inconsciente des groupes humains* (→ Attacher, cit. 83). *Une large part de notre vie psychique demeure inconsciente* (→ ci-dessous, III.). *Sentiments et conduites dont les origines sont inconscientes.* ⇒ **Complexe.** *Simulation inconsciente de l'hystérique* (cit. 2).

4 Enfin l'activité humaine se présente quelquefois sous des formes anormales, mouvements incohérents et convulsifs, actes inconscients ignorés par celui-là même qui les accomplit, désirs impulsifs contraires à la volonté et auxquels le sujet ne peut résister. P. JANET, l'Automatisme psychologique, p. 4.

5 Nous avons comme eux ce génie secret, cette sagesse inconsciente, l'instinct, beaucoup plus précieux que l'intelligence (...) FRANCE, le Petit Pierre, XXVI.

6 (...) elle leva vers lui ses yeux suppliants qui demandaient grâce, en même temps que sa bouche avide, d'un mouvement inconscient et convulsif, redemandait des baisers. PROUST, les Plaisirs et les Jours, p. 28.

7 (...) un personnage comique est généralement comique dans l'exacte mesure où il s'ignore lui-même. Le comique est inconscient. H. BERGSON, le Rire, p. 17.

♦ **4.** Didact. (chez Freud et dans le freudisme; all. *unbewusst*). Qui appartient à l'inconscient (III., b). *Structures inconscientes. Les processus inconscients du ça.*

★ **II.** N. Personne qui n'a pas une conscience claire, qui juge ou agit sans réflexion. *Se conduire en inconscient. Les inconscients qui gouvernaient alors l'État. — Ce n'est qu'une pauvre inconsciente.* — Personne dépourvue de conscience morale. *Les inconscients ne peuvent être tenus pour responsables.*

★ **III.** N. m. (1877, *in* Littré; d'après l'all. *das Unbewusste*, Hartmann, 1869).

a (Avant Freud et dans les conceptualisations qui lui sont étrangères). Didact. et cour. **L'INCONSCIENT** : ce qui échappe entièrement à la conscience, même quand le sujet cherche à le percevoir et à y appliquer son attention; la partie inconsciente du psychisme. «*La notion d'inconscient est la plus importante découverte du XIXe siècle*» (W. James). *Désirs, sentiments inavoués, refoulés* dans l'inconscient. Méthodes cliniques d'investigation de l'inconscient. Inconscient et subconscient*.* — Par ext. *Idées qui s'ébauchent dans l'inconscient. Le travail de l'inconscient prépare la création ou la découverte chez l'artiste, le savant, l'inventeur. — Complaintes propitiatoires à l'inconscient,* poème de J. Laforgue.

8 Le travail de l'inconscient serait donc une combinaison ou composition de circonstances et de conditions qui dans la conscience sont représentées par des notions ou des images qui s'excluent. VALÉRY, Suite, p. 122 (Note).

9 Un projet qui, depuis quelques heures, cheminait dans son inconscient, jaillit enfin à la lumière et s'empara de tout son être.
MARTIN DU GARD, les Thibault, t. VIII, p. 53.

10 Le regard de Philip n'avait fait que lever une secrète interdiction, libérer une pensée claire enfouie, de longue date, dans les ténèbres de l'inconscient.
MARTIN DU GARD, les Thibault, t. IX, p. 136.

11 Le freudisme est un effort pour éclairer, à l'aide de techniques neuves, l'obscurité de l'inconscient humain. Étienne BORNE, l'Homme et le Péché, p. 61.

12 Ces profondeurs viscérales de l'être humain, ces infrastructures du spirituel, ces caves infernales du rêve et de l'inconscient que nos scaphandriers de la littérature se flattent d'explorer en long et en large, vous savez très bien qu'elles sont inaccessibles et qu'il est impossible d'établir un rapport certain entre ce qui s'y passe et ce que nous pensons ou faisons. M. AYMÉ, le Confort intellectuel, p. 95-96.

Tout le prix de l'inconscient est l'effet qu'il produit sur le conscient — et tout l'effet de la mort est celui qu'elle produit sur le vif. 12.1
VALÉRY, Cahiers, t. II, Pl., p. 231.

Quelle est la part de l'inconscient dans l'œuvre du romancier? Elle est, je pense, énorme. J. GREEN, Journal, Ce qui reste de jour, 21 févr. 1972. 12.2

b (All. *das Unbewusste*). Didact. (psychan.). Système psychique défini par Freud, dont les contenus sont les «représentants» des pulsions, régis par des mécanismes spécifiques («processus primaire»; ⇒ **Condensation, déplacement**) et qui cherchent à se manifester dans la conscience (*retour du refoulé;* ⇒ **Acte** [manqué], **lapsus**), où ils réapparaissent après avoir été traités par la censure*. — Abrév. didact. : *Ics*; all. *Ubw. Stades de la formation de l'inconscient.* — REM. Cette notion appartient à la première topique freudienne qui distinguait *l'inconscient*, le *préconscient* et le *conscient;* ses caractères ont été ensuite attribués au *ça* (→ Ça) et partiellement au *moi** et au *surmoi**; l'usage courant ne distingue pas cette notion de celle de subconscient* (non psychanalytique). — *Définitions formelles de l'inconscient par le structuralisme anthropologique. Pour J. Lacan «l'inconscient est structuré comme un langage» et «l'inconscient du sujet est le discours de l'autre»* («*l'autre*» étant le lieu de la structure, qui se dit). — (Chez Jung). *L'inconscient collectif* (opposé à *inconscient personnel*) : structure psychique inconsciente résultant des acquisitions ancestrales, qui se transmet héréditairement. ⇒ **Archétype** (I., 3.). *Éléments féminins de l'inconscient de l'homme* (⇒ **Anima**), *éléments masculins de l'inconscient de la femme* (⇒ **Animus**). — *Inconscient de groupe :* ensemble des éléments inconscients définissant en partie le groupe, conçu comme un agencement inconscient de désirs et de relations intersubjectives.

CONTR. (Du I) **Conscient.**

DÉR. **Inconsciemment.**

INCONSÉQUEMMENT [ɛ̃kɔ̃sekamɑ̃] adv. — Fin XVIIIe; *inconsequêment* (*ê* dans cette graphie représentant *en*, voyelle nasalisée [ɛ̃kɔ̃sekɑ̃mɑ̃]), 1551; de *inconséquent.*

♦ Rare. De manière inconséquente.

Sara n'avait pas «quelqu'un». Je protestai inconséquemment que non. Il dut bien en rire! Je croyais qu'il voulait s'assurer de la fidélité.
RESTIF DE LA BRETONNE, Monsieur Nicolas, XII, 1796, *in* D. D. L., II, 5.

CONTR. **Conséquemment.**

INCONSÉQUENCE [ɛ̃kɔ̃sekɑ̃s] n. f. — 1538; bas lat. *inconsequentia* «défaut de suite, de liaison entre les choses», de *inconsequens, -entis.* → Inconséquent.

♦ **1.** Manque de suite* dans les idées ou les actes, de réflexion dans la conduite. ⇒ **Étourderie, inattention, irréflexion, légèreté** (→ Dépiter, cit. 4). *Il y a beaucoup d'inconséquence dans ses propos. Vous êtes d'une inconséquence qui frise l'imprudence. C'est de l'inconséquence* (Académie). — Par anal. Caractère des propos, des actes inconséquents. *L'inconséquence de sa conduite.*

(...) varier dans l'Exposition de la foi «était une marque de fausseté et d'inconséquence dans la doctrine exposée» (...) 1
BOSSUET, Avertissement aux protestants, I, III.

Les passions que nous partageons nous séduisent; celles qui choquent nos intérêts nous révoltent, et, par une inconséquence qui nous vient d'elles, nous blâmons dans les autres ce que nous voudrions imiter. ROUSSEAU, Émile, IV. 2

(...) l'inconséquence d'une conversation, toujours si capricieuse en France (...) 3
BALZAC, Modeste Mignon, Pl., t. I, p. 534.

Cette sympathie universelle qui, d'abord, lui fit adopter, mêler indiscrètement tant d'éléments contradictoires, la menait *(la Révolution)* à l'inconséquence, à vouloir et ne pas vouloir, à faire, à défaire en même temps. 4
MICHELET, Hist. de la Révolution franç., Préface de 1847.

Mais, par ce choix même, l'inconséquence de Louis XVI éclatait. Turgot s'était fait connaître comme intendant et les intendants représentaient «le progrès par en haut» (...) Leur esprit était à l'opposé de l'esprit des Parlements que le roi restaurait. Il y avait là, dans le nouveau règne, une première contradiction. 5
J. BAINVILLE, Hist. de France, p. 302.

Par une étrange inconséquence dans une race si avertie, les Grecs voulaient que les hommes qui mouraient jeunes fussent aimés des dieux. 6
CAMUS, le Mythe de Sisyphe, p. 88.

♦ **2.** (XVIIIe). *Une, des inconséquences.* Action ou parole inconséquente; manifestation d'inconséquence. ⇒ **Caprice, contradiction** (cit. 8, Voltaire), **désaccord.** *Commettre une grave inconséquence. Un tissu d'inconséquences et d'incohérences* (cit. 7).

(...) des réflexions sur notre orthographe, sur ses bizarreries, ses inconséquences et ses variations. D'ALEMBERT, Éloge de Du Marsais (1756), Œ., t. III, p. 499. 7

Il nous serait impossible, dit-il, de supporter sur la scène les inconséquences des Grecs, ni les monstruosités de Shakespeare; les Français ont un goût trop pur pour cela. Mme DE STAËL, Corinne, VII, II. 8

Ainsi, soudain, contre son fils, elle invoquait l'autorité paternelle qu'elle avait sapée toute sa vie dans le cœur du jeune homme. Inconséquence dramatique, dont Armand perçut en frémissant toute l'amertume. 9
ARAGON, les Beaux Quartiers, II, XI.

Ces scrupules d'un libertin sentimental, qui se dit pourtant d'habitude assez peu scrupuleux à l'égard des femmes, voilà un exemple typique des inconséquences de Constant (...) Émile HENRIOT, les Romantiques, p. 474. 10

Vx. Imprudence, acte de légèreté (en parlant de la conduite d'une femme). *Elle n'a à se reprocher que des inconséquences.*

11 Mais (...) aucune (...) femme, n'oserait sans doute aller s'enfermer à la campagne, presque en tête-à-tête avec un tel homme. Il était réservé à la plus sage, à la plus modeste d'entre elles de donner l'exemple de cette inconséquence; pardonnez-moi ce mot (...) LACLOS, les Liaisons dangereuses, XXXII.

CONTR. Accord, logique, suite.

INCONSÉQUENT, ENTE [ɛ̃kɔ̃sekɑ̃, ɑ̃t] adj. — 1551, repris XVIIIe; lat. *inconsequens* «qui ne s'accorde pas avec, illogique», de *in-* (→ 1. In-), et *consequens, -entis.* → Conséquent.

♦ **1.** (Choses). Qui n'est pas conforme à la logique. ⇒ **Absurde.** *Comportement, raisonnement inconséquent.*

1 Je sais (...) que nos idées sont justes ou inconséquentes, obscures ou lumineuses (...) VOLTAIRE, Remarques sur les Pensées de Pascal, III (publié en 1834).

(Fin XIXe). Dont on n'a pas calculé les conséquences (qui risquent d'être fâcheuses). *Démarches, proposition inconséquente.* ⇒ **Inconsidéré, irréfléchi.**

♦ **2.** (Personnes). **a** Qui est en contradiction avec soi-même (→ Enchanter, cit. 7). *Un caractère inconséquent.* ⇒ **Discord** (vx).

2 (...) nous devons nous tolérer mutuellement, parce que nous sommes tous faibles, inconséquents, sujets à la mutabilité, à l'erreur (...) VOLTAIRE, Dict. philosophique, Tolérance, III.

3 Aussi léger dans vos démarches, qu'inconséquent dans vos reproches, vous oubliez vos promesses, ou plutôt vous vous faites un jeu de les violer (...) LACLOS, les Liaisons dangereuses, LXXVIII.

4 Il *(Chateaubriand)* a été inconséquent, il s'est beaucoup contredit, je le sais bien. SAINTE-BEUVE, Chateaubriand..., t. II, p. 318.

Vieilli. *Être inconséquent à qqch., à soi-même.* — Mod. *Inconséquent avec des principes, avec soi-même, avec ses intentions, ses paroles.*

b Mod. Qui ne calcule pas les conséquences de ses actes ou de ses paroles. ⇒ **Écervelé, étourdi, imprudent, irréfléchi, léger.** *Un homme assez inconséquent pour se lancer dans une telle aventure* (→ Croiser, cit. 3).

5 (...) cet homme, au moins inconséquent, qui exige de sa femme des sacrifices qu'il ne paye point, et qui la veut sage et inaccessible, tandis qu'il va perdre, dans des habitudes secrètes, l'attachement dont il l'assure (...) É. DE SENANCOUR, Oberman, LXIII.

6 Être inconsistant, inconséquent; on ne le retrouve jamais pareil à ce qu'on l'avait laissé la veille. GIDE, Journal, août 1910.

Spécialt (vieilli). Qui se compromet étourdiment par des inconséquences* (en parlant d'une femme). — N. f. *C'est une évaporée et une inconséquente.*

7 (...) madame d'Houdetot (...) flattée et inconséquente, avait tout fait pour entretenir Jean-Jacques dans son illusion passionnée. L'inconséquence était d'avoir aidé à l'illusion, alors que madame d'Houdetot était amoureuse de Saint-Lambert (...) Émile HENRIOT, Portraits de femmes, p. 185.

CONTR. Conséquent, logique. — Réfléchi, sérieux.
DÉR. Inconséquemment.

INCONSIDÉRATION [ɛ̃kɔ̃sideʀasjɔ̃] n. f. — 1488; bas lat. *inconsideratio* «défaut de réflexion», de *in-* (→ 1. In-), et lat. class. *consideratio.* → Considération.

Vieux (langue classique).

♦ **1.** Fait de ne pas porter attention à; de méjuger. — REM. Le mot était encore employé, dans certains milieux, au déb. du XXe s. *«Avec l'inconsidération de votre âge, me dit-il...»* (Proust, *Du côté de Guermantes,* Pl., p. 286).

♦ **2.** (Av. 1741; de 1. *in-,* et *considération*). **a** Manque d'égard, d'estime (envers qqn). ⇒ **Mépris.**

b État d'une personne, d'un groupe qui n'est pas considéré, estimé.

CONTR. Considération.

INCONSIDÉRÉ, ÉE [ɛ̃kɔ̃sideʀe] adj. — Fin XVe; lat. *inconsideratus* «irréfléchi», de *in-* (→ 1. In-), et *consideratus* «réfléchi, circonspect», p. p. de *considerare.* → Considérer.

♦ **1.** (Choses). Qui témoigne d'un manque de réflexion; qui n'a pas été considéré*, pesé. ⇒ **Imprudent, irréfléchi.** *Action* (cit. 13), *démarche, demande* (cit. 3) *inconsidérée. Propos inconsidérés. Zèle inconsidéré.* ⇒ **Indiscret, maladroit.** *Voilà un geste inconsidéré qui lui coûtera cher.* ⇒ **Incartade; tête** (coup de).

1 (...) si l'ivraie croît avec le bon grain (...) n'imite pas l'ardeur inconsidérée de ceux qui, poussés d'un zèle indiscret, voudraient arracher ces mauvaises herbes; c'est un zèle indiscret et précipité. BOSSUET, Sermon pour le 3e dimanche après Pâques, 1.

2 De plus, dans un placement inconsidéré, elle avait perdu une partie de l'argent donné par l'étranger pour son fils. LOTI, Ramuntcho, II, I.

3 (...) quelques mots inconsidérés de M. Desnos, dont mon imagination s'empara, me firent espérer de trouver là-bas une société avenante, qui tout aussitôt m'attira (...) GIDE, Isabelle, p. 17.

4 Ce *(les charbonnages)* sont, en général, d'excellentes valeurs, un peu spéculatives peut-être, sujettes à des hausses inconsidérées suivies de baisses inexplicables. J. ROMAINS, Knock, II, 5.

♦ **2.** (Déb. XVIIe). Vieilli. (Personnes). Qui se comporte sans considérer suffisamment les choses. ⇒ **Étourdi, imprudent, inconséquent, irréfléchi, léger, malavisé.** *Il est très inconsidéré, un vrai étourneau*. Une bavarde inconsidérée.*

Si vous êtes sot et inconsidéré (...) LA BRUYÈRE, les Caractères, XI, 77. 5

Mais moi, qu'ai-je de commun avec ces femmes inconsidérées? Quand m'avez-vous vue m'écarter des règles que je me suis prescrites et manquer à mes principes? LACLOS, les Liaisons dangereuses, LXXXI. 6

CONTR. Considéré, réfléchi. — Circonspect.
DÉR. Inconsidérément.

INCONSIDÉRÉMENT [ɛ̃kɔ̃sideʀemɑ̃] adv. — Déb. XVIe, Lemaire de Belges; de *inconsidéré.*

♦ D'une manière inconsidérée; sans réflexion suffisante. ⇒ **Étourdiment; légère** (à la). *Se reposer inconsidérément sur de trompeuses espérances* (cit. 4). *Agir inconsidérément.* ⇒ **Légèrement; vite** (trop); → fam. Y aller un peu vite*. *Bavarder inconsidérément.* ⇒ **Travers** (à tort et à travers). *Ne réponds pas inconsidérément.*

Nous raisonnons hasardeusement et inconsidérément (...) MONTAIGNE, Essais, I, XLVIII. 1

Il prit le vin et le but (...) Ulysse lui en donna par trois fois, et il en but inconsidérément par trois fois. RACINE, Remarques sur l'Odyssée, IX. 2

(...) la mort se mêle si inconsidérément partout, qu'il ne faut compter sur rien. Mme DE SÉVIGNÉ, 1188, 22 juin 1689. 3

Je reste patiemment à l'affût et surveille (...) mes pensées, un peu craintivement d'abord, sortir de leurs terriers, scruter le proche horizon, hasarder quelques bonds d'abord, et puis partir inconsidérément à l'aventure. GIDE, Journal, 13 janvier 1929. 4

(...) ce vieux fantassin, toujours prêt à donner inconsidérément l'assaut, l'ayant, en vain, à plusieurs reprises donné sans les préparations nécessaires et s'y étant jeté comme un jeune voltigeur (...) Louis MADELIN, Hist. du Consulat et de l'Empire, Vers l'Empire d'Occident, XXII. 5

CONTR. Considérément.

INCONSISTANCE [ɛ̃kɔ̃sistɑ̃s] n. f. — 1738, D'Argenson; de 1. *in-,* et *consistance;* sens I probablt d'après l'angl. *inconsistence* ou *inconsistency,* XVIIe.

Manque de consistance.

★ **I.** (Abstrait). ♦ **1.** Vieilli. Manque de fermeté, de force morale, de clarté intellectuelle (chez une personne).

(...) à moins qu'on ne l'accuse d'une versatilité et d'une inconsistance (...) D'ARGENSON, Journal, I, 323, *in* BRUNOT, Histoire de la langue française, t. VI, p. 1360. 1

(...) il est permis de faire observer que la légèreté, l'insouciance, l'inconsistance du caractère sarmate autorisèrent les médisances des Parisiens (...) BALZAC, la Fausse Maîtresse, Pl., t. II, p. 13. 2

♦ **2.** Manque de force et d'intérêt. *L'inconsistance de ses idées, de son raisonnement.* — Spécialt. Faiblesse logique, ou manque de bases (connaissances). *L'inconsistance d'une argumentation. Devant l'inconsistance des accusations portées contre lui, il a été relâché.* Manque d'intérêt, de profondeur. ⇒ **Légèreté.** *Ce film, ce roman est d'une complète inconsistance. L'inconsistance historique d'un récit.*

♦ **3.** Log. *Inconsistance d'une théorie,* propriété qu'elle a d'être inconsistante*.

★ **II.** (1761; concret). Manque de consistance. *L'inconsistance d'une pâte, d'une crème, d'une bouillie.*

CONTR. (Du sens I) **Fermeté. — Force, intérêt, profondeur.** — (Du sens II). **Consistance.**

INCONSISTANT, ANTE [ɛ̃kɔ̃sistɑ̃, ɑ̃t] adj. — 1544, repris XVIIIe; de 1. *in-,* et *consistant,* probablt (sens I) d'après l'angl. *inconsistent,* XVIIe.

★ **I.** (Abstrait). ♦ **1.** Littér. Vieilli. Qui manque de consistance* intellectuelle, de cohérence, de solidité. — (Personnes). *Un homme inconsistant.* ⇒ **Amorphe, indécis, mollasse, mou; cire** (cire molle), **pantin, polichinelle.** *Un être inconsistant, sans volonté, sans personnalité. — Caractère faible et inconsistant. Esprit léger* et inconsistant.* ⇒ **Changeant, inconstant; frivole, versatile** (→ Inconséquent, cit. 6).

(...) il était inconsistant, flâneur, prêt à blaguer les choses graves et à prendre au sérieux les fadaises (...) GIDE, Si le grain ne meurt, I, V, p. 141. 1

Plus cour. (Choses). *Projet inconsistant. Son programme politique est inconsistant. Idées inconsistantes. Espoirs inconsistants.* ⇒ **Fragile.**

(...) je crois que la vie est si poussiéreuse, si glissante, si inconsistante, que lorsqu'on veut se la représenter comme un tout, compact et vrai, on a le sentiment de ne rien toucher. Edmond JALOUX, le Dernier Jour de la création, X. 2

♦ **2.** Didact. Manque de cohérence logique, de bases (connaissances). *Une argumentation, des preuves inconsistantes.*

Qui manque d'intérêt, de profondeur. *Récit, roman, film inconsis-*

tant. Le film est bien réalisé, mais le scénario est un peu inconsistant.

♦ **3.** Log. *Théorie inconsistante,* dans laquelle une même formule est à la fois démontrable et réfutable (syn. : *contradictoire*). *Multiplicité inconsistante :* collection qui ne peut être considérée sans contradiction comme un ensemble.

★ **II.** (Concret). Qui manque de consistance. *Crème, bouillie inconsistante.*

CONTR. Consistant, constant, ferme, fixe, fort, solide.

INCONSOLABLE [ɛ̃kɔ̃sɔlabl] adj. — Attesté 1504, probablt antérieur (→ Inconsolablement); lat. *inconsolabilis,* de *in-* (→ 1. In-), et *consolabilis.* → Consolable.

♦ Qui n'est pas consolable. — (Personnes). *Être inconsolable d'une perte, d'une mort. Veuve, orphelin inconsolable.* ⇒ **Désespéré.** — (Sentiments). *Douleur, chagrin, peine inconsolable.*

1 Toi, sans qui mon malheur était inconsolable,
Ma douleur sans espoir, ma perte irréparable (...)
CORNEILLE, la Veuve, V, 8.

2 (...) elles *(les femmes ambitieuses)* s'efforcent de se rendre célèbres par la montre d'une inconsolable affliction. LA ROCHEFOUCAULD, Réflexions morales, 233.

3 C'est toujours même note et pareil entretien :
On dit qu'on est inconsolable;
On le dit, mais il n'en est rien.
LA FONTAINE, Fables, VI, 21.

4 J'emmène votre frère, et le dérobe à toute la honte de ses mauvais procédés. Vous jugez bien que ses maîtresses ne seront pas inconsolables (...)
Mme DE SÉVIGNÉ, 169, 18 mai 1671.

5 Toute l'Égypte parut inconsolable dans cette perte (...) FÉNELON, Télémaque, II.

6 La mère était inconsolable : elle disait qu'il était honteux de faire de sa fille une servante (...) A. DE MUSSET, Nouvelles, « Margot », II.

N. Rare. Personne inconsolable. *Les « grands inconsolables »* (Gautier, *in* T. L. F.).

Par exagér. Très affligé (→ Farder, cit. 9, La Bruyère). — (Avec un compl. en *de*). *Nous sommes inconsolables de vous avoir raté lors de votre dernier passage.*

CONTR. Consolable.
DÉR. Inconsolablement.

INCONSOLABLEMENT [ɛ̃kɔ̃sɔlabləmɑ̃] adv. — 1488; de *inconsolable.*

♦ Rare. D'une manière inconsolable. *« Ses yeux inconsolablement navrés »* (Baudelaire, *in* T. L. F.).

INCONSOLÉ, ÉE [ɛ̃kɔ̃sɔle] adj. — 1500; repris fin XVIIIe; de 1. *in-,* et *consolé,* p. p. de *consoler**.

♦ Littéraire. [a] (Personnes). Qui n'est pas consolé. *Mère, veuve inconsolée.*

1 Et tu seras semblable à la mère accablée,
Qui s'assied sur sa couche et pleure inconsolée,
Parce que son enfant n'est plus! HUGO, Odes et Ballades, Odes, I, VII, II.

Nom. *Un inconsolé, une inconsolée.*

2 Je suis le ténébreux, — le veuf — l'inconsolé,
Le prince d'Aquitaine à la tour abolie :
Ma seule *étoile* est morte — et mon luth constellé
Porte le *soleil* noir de la *Mélancolie.*
NERVAL, Poésies, « Les chimères », El Desdichado.

[b] (Choses : sentiments). *Douleur inconsolée. Regret inconsolé, mais non pas inconsolable.*

CONTR. Consolé.

INCONSOMMABLE [ɛ̃kɔ̃sɔmabl] adj. — 1840, Proudhon, *in* T. L. F.; de 1. *in-,* et *consommable.*

♦ Qui ne peut être consommé. *Un excès inconsommable de produits fabriqués.* — Plus cour. Impropre à la consommation alimentaire. *Denrées inconsommables.* ⇒ **Immangeable, incomestible.**

CONTR. Consommable.

INCONSTAMMENT [ɛ̃kɔ̃stamɑ̃] adv. — 1521; de *inconstant.*

♦ Vx ou didact. De façon inconstante.

CONTR. Constamment (vx).

INCONSTANCE [ɛ̃kɔ̃stɑ̃s] n. f. — 1220; lat. *inconstantia,* de *inconstans, -antis.* → Inconstant.

♦ **1.** Vieilli ou littér. Facilité à changer* (d'opinion, de résolution, de sentiment, de conduite...). ⇒ **Caprice, instabilité, mobilité, versatilité** (→ Errer, cit. 20). *L'inconstance du public. L'inconstance politique de qqn.*

1 Il y a une inconstance qui vient de la légèreté de l'esprit ou de sa faiblesse, qui lui fait recevoir toutes les opinions d'autrui, et il y en a une autre, qui est plus excusable, qui vient du dégoût des choses. LA ROCHEFOUCAULD, Maximes, 181.

Je te parlais l'autre jour de l'inconstance prodigieuse des Français sur leurs modes. 2
MONTESQUIEU, Lettres persanes, CI.

N'as-tu pas vu son inconstance *(du peuple),* 3
De l'héréditaire croyance
Éteindre les sacrés flambeaux,
Brûler ce qu'adoraient ses pères,
Et donner le nom de lumières
À l'épaisse nuit des tombeaux? LAMARTINE, Premières méditations, XXII.

(...) si j'examine ma vie, le trait dominant que j'y remarque, bien loin d'être l'inconstance, c'est au contraire la fidélité. 4
GIDE, les Nourritures terrestres, Préface (éd. de 1927).

(V. 1530). Plus cour. Tendance à l'infidélité, en amour*. ⇒ **Infidélité.** *L'inconstance d'un amant, d'une maîtresse.* ⇒ **Abandon, lâchage, trahison** (→ Cesser, cit. 13). *Inconstance assaisonnée* (cit. 9) *de perfidie. Il, elle est d'une grande inconstance; son inconstance est grande.*

La constance en amour est une inconstance perpétuelle, qui fait que notre cœur s'attache successivement à toutes les qualités de la personne que nous aimons, donnant tantôt la préférence à l'une, tantôt à l'autre : de sorte que cette constance n'est qu'une inconstance arrêtée et renfermée dans un même sujet. 5
LA ROCHEFOUCAULD, Maximes, 175.

Je dis : une preuve de l'inconstance des hommes, c'est l'établissement du mariage qu'il a fallu faire. MONTESQUIEU, Cahiers, p. 127. 6

(...) la voix publique (...) pour les hommes seulement, a distingué l'infidélité de l'inconstance : distinction dont ils se prévalent, quand ils devraient en être humiliés; et qui, pour notre sexe, n'a jamais été adoptée que par ces femmes dépravées qui en font la honte (...) LACLOS, les Liaisons dangereuses, CXXX. 7

(...) plus il entre de plaisir physique dans la base d'un amour, dans ce qui autrefois détermina l'intimité, plus il est sujet à l'inconstance et surtout à l'infidélité. 8
STENDHAL, De l'amour, XXXVI.

Les plaisirs des jeunes gens (...) t'absorbaient; tu étais gai, libre, heureux (...) l'inconstance, cette sœur de la folie, était maîtresse de tes actions; quitter une femme te coûtait quelques larmes; en être quitté te coûtait un sourire. 9
A. DE MUSSET, Nuit vénitienne, I.

Connaissez-vous le cœur des femmes, Perdican? Êtes-vous sûr de leur inconstance, et savez-vous si elles changent réellement de pensée en changeant quelquefois de langage? A. DE MUSSET, On ne badine pas avec l'amour, III, 6. 10

♦ **2.** (Déb. XVIIe). *Une, des inconstances,* acte d'inconstance (sentimentale, amoureuse). ⇒ **Infidélité.** *« Cette femme n'a plus voulu se fier à lui, après son inconstance »* (Littré). *La Double Inconstance,* de Marivaux (1723).

Une foi vive est le fondement de la stabilité que nous admirons *(dans la reine)*; car d'où viennent nos inconstances, si ce n'est de notre foi chancelante? 11
BOSSUET, Oraison funèbre de Marie-Thérèse d'Autriche (1683).

(Dans d'autres domaines). *Une inconstance politique.*

♦ **3.** (1538). Littér. Caractère changeant (d'une chose). ⇒ **Incertitude, instabilité, mobilité.** *L'inconstance du temps, de la fortune* (cit. 2), *du sort* (→ Chance, cit. 1). *L'inconstance de la gloire, de la puissance.* ⇒ **Fragilité.** *L'inconstance des choses humaines* (→ Exagérer, cit. 1).

Je n'ai jamais craint rien de ce qui vient des hommes, mais entre les choses divines, ce que j'ai toujours redouté, c'est l'extrême inconstance de la fortune, et l'inépuisable variété de ses coups (...) MAETERLINCK, Sagesse et Destinée, XLI. 12

CONTR. 1. **Constance, fidélité, stabilité.**

INCONSTANT, ANTE [ɛ̃kɔ̃stɑ̃, ɑ̃t] adj. — 1265; lat. *inconstans* « inconstant, inconséquent, changeant », de *in-* (→ 1. In-), et *constans, -antis.* → Constant.

♦ **1.** Vieilli ou littér. Qui n'est pas constant*, qui change facilement (d'opinion, de sentiment, de conduite...). ⇒ **Changeant, flottant, fluctuant** (cit. 1), **fuyant** (cit. 5), **instable, léger, mobile.** *Inconstant et capricieux* (→ Athénien, cit. 3). *Être inconstant en politique, dans ses goûts littéraires. Être inconstant dans ses idées, dans ses amitiés. Homme faible et inconstant.* ⇒ **Frivole; girouette, papillon** (→ Tourner à tous les vents). *Caractère, esprit inconstant. Humeur inconstante. Il y a qqch. d'inconstant en lui.*

Mais que sert un bon choix dans une âme inconstante? 1
CORNEILLE, Sophonisbe, IV, 2.

Ah! ne prononcez pas (...) ce mot d'*inconstance* (...) *Inconstant* avec vous, le pouvez-vous dire, hélas!... est-ce pour trop peu aimer que notre amitié cesse; et n'est-ce pas un excès plutôt qui l'a tuée? Je vous ai déjà expliqué mon inconstance en idées et d'où elle vient (...) elle vient de cette poursuite éternelle du cœur (...) vers un seul et même objet qui soit un amour capable de le remplir. Cet amour (...) je l'ai cherché uniquement (...) dans votre double amitié à Mme Hugo et à vous (...) SAINTE-BEUVE, Correspondance, 152, 7 déc. 1830. 2

Je ne sais quoi de si brusque, de si inconstant se fait remarquer dans le caractère français, qu'un changement est toujours probable (...) 3
CHATEAUBRIAND, Mémoires d'outre-tombe, t. VI, p. 148.

Le lien social n'est pas facile à établir entre ces êtres humains qui sont si divers, si libres, si inconstants. FUSTEL DE COULANGES, la Cité antique, III, III. 4

(Fin XVe). En amour. ⇒ **Infidèle, léger, volage...** *Un amant inconstant, une femme inconstante* (→ Aimer, cit. 43; 1. faux, cit. 27). *Cœur inconstant. Séducteur inconstant. Il est inconstant, mais ce n'est pas un coureur.*

Je t'aimais inconstant, qu'aurais-je fait fidèle? RACINE, Andromaque, IV, 5. 5

J'entends : il vous jurait une amour éternelle. 6
Ne vous assurez point sur ce cœur inconstant;
Car à d'autres que vous il en jurait autant.
— Lui, Seigneur? — Vous deviez le rendre moins volage :
Comment souffriez-vous cet horrible partage? RACINE, Phèdre, V, 3.

Inconstante Manon, repris-je encore, fille ingrate et sans foi, où sont vos promes- 7 ses et vos serments? Amante mille fois volage et cruelle, qu'as-tu fait de cet amour que tu me jurais encore aujourd'hui?

Abbé PRÉVOST, Manon Lescaut, p. 159.

8 (...) moi-même enfin je me crus inconstant, parce que j'étais délicat et sensible.

LACLOS, les Liaisons dangereuses, LII.

9 (...) d'un amant
Je serai le parfait modèle,
Trop bête pour être inconstant (...)

A. DE MUSSET, Poésies nouvelles, « À Madame G. », Rondeau.

N. (XVIe). Vieilli. *Un inconstant, une inconstante.*

10 Et que les inconstants ne donnent point de cœurs
Sans être encor tous prêts de les porter ailleurs.

CORNEILLE, Suréna, II, 3 (1674).

11 Quand ils sont près du bon moment,
L'inconstante aussitôt à leurs désirs échappe (...) LA FONTAINE, Fables, VII, 12.

♦ **2.** (XVIe). Vieilli ou littér. (Choses). Qui est sujet à changer. ⇒ **Changeant, fluctuant.** *La fortune est inconstante. Songes inconstants. Les étendues inconstantes du sommeil* (→ Frange, cit. 8). *Bonheur inconstant; gloire inconstante.* ⇒ **Fragile, fugitif.** — *Temps inconstant,* très variable.

12 Que de soucis flottants, que de confus nuages
Présentent à mes yeux d'inconstantes images!

CORNEILLE, Polyeucte, III, 1 (1640).

13 (...) la vie est un songe un peu moins inconstant. PASCAL, Pensées, VI, 386.

14 (...) cette inconstante et bizarre variété de mœurs et de créances dans les divers temps (...) PASCAL, Pensées, IX, 619.

CONTR. Constant, fidèle, fort, immuable, stable.
DÉR. Inconstamment.

INCONSTATABLE [ɛ̃kɔ̃statabl] adj. — Av. 1850, Balzac; proposé par Richard de Radonvilliers, 1845; de 1. *in-, constater,* et suff. *-able.*

♦ Didact. ou littér. Qui ne peut être constaté. *Faits inconstatables,* invérifiables.

CONTR. Constatable.

INCONSTITUTIONNALITÉ [ɛ̃kɔ̃stitysjɔnalite] n. f. — 1797; de *inconstitutionnel.*

♦ Dr. Caractère inconstitutionnel. *L'inconstitutionnalité d'un décret.*

CONTR. Constitutionnalité.

INCONSTITUTIONNEL, ELLE [ɛ̃kɔ̃stitysjɔnɛl] adj. — 1775; de 1. *in-,* et *constitutionnel,* probablt d'après l'angl. *unconstitutional,* 1765.

♦ Dr. Qui n'est pas constitutionnel, qui est en opposition avec la constitution* d'un État. ⇒ **Anticonstitutionnel.** *Mesure, loi inconstitutionnelle.*

CONTR. Constitutionnel.
DÉR. Inconstitutionnalité, inconstitutionnellement.

INCONSTITUTIONNELLEMENT [ɛ̃kɔ̃stitysjɔnɛlmɑ̃] adv. — 1783; de *inconstitutionnel.*

♦ Dr. D'une manière inconstitutionnelle. ⇒ **Anticonstitutionnellement.**

Le président de la république cosaque ayant choisi inconstitutionnellement ses ministres dans la minorité parlementaire, la Chambre venait, par un vote de défiance, de renverser le ministère. A. ROBIDA, le Vingtième Siècle, p. 376.

CONTR. Constitutionnellement.

INCONSTRUCTIBLE [ɛ̃kɔ̃stʀyktibl] adj. — Mil. XXe; de 1. *in-,* et *constructible.*

♦ Dr. admin. Inapte à recevoir des constructions, d'après la réglementation des permis de construire. *Ce terrain inondable a été reconnu inconstructible. « Le pont* (sur la Manche) *était (...) inconstructible. En effet, la Manche est une mer libre et nul n'a le droit d'y dresser des obstacles à la circulation »* (*Sciences et Avenir,* janv. 1981, p. 98).

CONTR. Constructible.

INCONTENTABLE [ɛ̃kɔ̃tɑ̃tabl] adj. — 1845, Sainte-Beuve; de 1. *in-, contenter,* et suff. *-able.*

♦ Rare. Impossible à contenter (cf. Sainte-Beuve, Renan, *in* T. L. F.). — REM. Sainte-Beuve emploie aussi *incontentabilité* [ɛ̃kɔ̃tɑ̃tabilite] n. f.

INCONTENTÉ, ÉE [ɛ̃kɔ̃tɑ̃te] adj. — 1891, Rodenbach, *in* T. L. F.; de *in-,* et p. p. de *contenter.*

♦ Littér. ⇒ **Insatisfait.**

INCONTESTABILITÉ [ɛ̃kɔ̃tɛstabilite] n. f. — 1718; de *incontestable.*

♦ Rare ou dr. Caractère de ce qui est incontestable. *Clause d'incontestabilité* : clause d'un contrat d'assurance sur la vie par laquelle l'assureur s'engage à ne pas contester la validité du contrat dans certaines circonstances (suicide, par exemple).

Qu'il soutienne avec vigueur l'incontestabilité des droits qu'il a.

DANCOURT, Déroute du pharaon, V, *in* LITTRÉ, *Suppl.*

CONTR. Contestabilité.

INCONTESTABLE [ɛ̃kɔ̃tɛstabl] adj. — 1611; de 1. *in-,* et *contestable* (indirectement attesté par *contestablement*).

♦ **1.** Qui n'est pas contestable, que l'on ne peut mettre en doute. ⇒ **Authentique** (3.), **avéré, certain, constant** (4.), **évident, flagrant, indéniable, indubitable; indiscutable, sûr; doute** (hors de). *Fait* (cit. 20) *réel et incontestable; vérité incontestable* (→ Assertion, cit. 3; fluide, cit. 8; fondre, cit. 15). *Il est incontestable que...* (et indicatif); *c'est incontestable* : cela tombe* sous le sens (→ Froissement, cit. 8; gazetier, cit.; homme, cit. 29). *La chose, le fait est incontestable. Principe, loi, axiome, postulat incontestable* (→ Chaîne, cit. 35). *Qualité, valeur incontestable; la supériorité incontestable de qqn, de qqch.* (→ Aménité, cit. 2; esthétique, cit. 4; incertain, cit. 10). *Preuve incontestable* (⇒ **Formel**); *argument incontestable* (⇒ **Apodictique**). *Droit incontestable* (→ État, cit. 131).

La vérité de l'astrologie est une chose incontestable (...) 1

MOLIÈRE, les Amants magnifiques, III, 1.

(...) loin de moi, cependant, la pensée de renoncer à des droits qui sont incontestables! LAUTRÉAMONT, les Chants de Maldoror, p. 160. 2

J'avais des appointements élevés, un pourcentage sur les bénéfices, une autorité morale incontestée, incontestable, indiscutable (...) 3

G. DUHAMEL, Cri des profondeurs, p. 72.

REM. L'adj. peut être antéposé en épithète : *un incontestable succès, une incontestable réussite.*

♦ **2.** Rare. Dont la qualité (exprimée par le nom) ne peut être contestée. *C'est un poète, un érudit incontestable. — Un chef-d'œuvre incontestable, un incontestable chef-d'œuvre.*

CONTR. Contestable, controversable, discutable, douteux, niable. — Erroné, faux.
DÉR. Incontestabilité, incontestablement.

INCONTESTABLEMENT [ɛ̃kɔ̃tɛstabləmɑ̃] adv. — 1660 (d'abord dans un contexte juridique; → cit. 1); de *incontestable.*

♦ Littér. ou style soutenu. D'une manière incontestable. ⇒ **Assurément, certainement; conteste** (sans), **indéniablement, indubitablement.** *Prouver incontestablement que... Il est incontestablement intelligent. Elle est incontestablement moins belle que sa sœur. « Vous pensez l'avoir reconnu? — Incontestablement! »*

Cette terre luy appartient incontestablement. FURETIÈRE, Dict. universel. 1

(...) il est incontestablement déchu de son droit (...) 2

LA BRUYÈRE, les Caractères, XIV, 50.

(...) c'est peut-être vrai. À ton point de vue, c'est incontestablement vrai. 3

G. DUHAMEL, Salavin, III, XXVI.

(Antéposé ou en incise). *Incontestablement, vous avez raison.*

CONTR. Contestablement, peut-être.

INCONTESTÉ, ÉE [ɛ̃kɔ̃tɛste] adj. — 1650; de 1. *in-,* et *contesté,* p. p. de *contester*.*

♦ Qui n'est pas contesté; que l'on ne met pas en doute, en question. *Droits, principes incontestés. Fait* (cit. 29) *incontesté. Autorité, suprématie incontestable et incontestée.* — (Personnes). Dont l'autorité, la qualité n'est pas contestée. *Chef, maître incontesté.*

La tombe leur a donné la consécration, ils sont à leur tour des maîtres incontestés (...) Th. GAUTIER, Souvenirs de théâtre..., p. 292. 1

(...) d'abord, il commande à tout ce qui l'approche, et son autorité n'est jamais mise en doute; ensuite sa probité est toujours incontestée, et il est rare qu'elle ne soit pas incontestable. J.-A. DE GOBINEAU, Nouvelles asiatiques, p. 284. 2

Ah! quelle place elle tenait chez vous dans la vie, et combien était incontestée sa royauté séculaire! LOTI, les Désenchantées, XXVI. 3

CONTR. Contesté.

INCONTINENCE [ɛ̃kɔ̃tinɑ̃s] n. f. — XIIe; lat. *incontinentia* « excrétion involontaire, incapacité de restreindre ses désirs », de *incontinens, -entis.* → 1. Incontinent.

♦ **1.** Vx ou littér. Défaut de continence* : activité sexuelle pratiquée en dépit des interdits et considérée comme coupable (notion chrétienne). ⇒ **Débauche, luxure.** *Être adonné, porté à l'incontinence* (→ Endurcissement, cit. 4).

(...) ils (*les Esséniens*) croient se devoir garantir de l'incontinence des femmes, qui, selon leur opinion, ne gardent presque jamais à leurs maris la fidélité qu'elles leur doivent. RACINE, Appendices aux Traductions, Des Esséniens. 1

2 Les dévots ne connaissent de crimes que l'incontinence, parlons plus précisément, que le bruit ou les dehors de l'incontinence.
LA BRUYÈRE, les Caractères, XIII, 22.

Vx. *Une, des incontinences.*

3 Ils paraissent épuisés de leurs incontinences.
VAUVENARGUES, les Jeunes Gens, *in* LITTRÉ.

♦ **2.** (1588). Absence de retenue (en matière de langage). *Incontinence de langue* (vx), *de langage..., de parole. Incontinence verbale.* ⇒ **Logorrhée.**

4 Il bondit sur son hamac pour nous souhaiter la bienvenue avec une volubile incontinence de paroles. CENDRARS, l'Homme foudroyé, p. 304, *in* T. L. F.

Psychol. *Incontinence mentale, émotionnelle :* incapacité de contrôler, de refréner ses réactions émotives. ⇒ **Émotivité.**

♦ **3.** (1584). Méd. « Émission involontaire de matières fécales ou d'urine » (Garnier). *Incontinence d'urine*, chez les enfants, les vieillards, les paralysés.* — Absolt. Incontinence d'urine. *Incontinence vraie,* due à la paralysie du sphincter. *Incontinence par regorgement. Incontinence intermittente ou essentielle.* ⇒ **Énurésie.**

CONTR. **Chasteté, continence.**

1. INCONTINENT, ENTE [ɛ̃kɔ̃tinɑ̃, ɑ̃t] adj. et n. — V. 1350; lat. *incontinens, -entis* « immodéré », de *in-* (→ 1. In-), et *continens,* p. prés. de *continere* « maintenir uni, retenir ». → Contenir; continent.

♦ **1.** Vx. Qui n'est pas continent*. ⇒ **Débauché; intempérant.**

(...) les péripatéticiens *(désavouent)* cette connexité et couture indissoluble *(entre les vices)*; et (...) Aristote *(tient)* qu'un homme prudent et juste peut être et intempérant et incontinent. MONTAIGNE, Essais, II, XI.

♦ **2.** (XIXᵉ). Littér. Qui manque de retenue, de modération. *« Andrée, aussi incontinente de parole que de plume »* (Montherlant, *les Jeunes Filles,* p. 1015, *in* T. L. F.).

♦ **3.** (XXᵉ; 1922, *in* Larousse). Méd. *Vessie incontinente,* qui ne retient pas l'urine. ⇒ **Incontinence** (3.). — *Un enfant incontinent, un malade incontinent.* ⇒ **Énurétique.** — N. *Un incontinent, une incontinente.* ⇒ **Gâteux** (méd.). *Les incontinents. Protections absorbantes, couches pour incontinents.*

CONTR. **Chaste, 1. continent.**
HOM. **2. Incontinent.**

2. INCONTINENT [ɛ̃kɔ̃tinɑ̃] adv. — XIIIᵉ; lat. jurid. *in continenti (tempore)* « dans (le temps) qui suit », d'où « immédiatement »; de *continens, -entis* « attenant à, suivant immédiatement », p. prés. de *continere.* → Continu.

♦ Vx ou littér. Tout de suite, sur-le-champ, sur l'heure. ⇒ **Aussitôt, dès** (l'abord), **instant** (à l'instant); → Bulletin, cit. 1; entendement, cit. 8; étonner, cit. 2; étrangler, cit. 3; fortune, cit. 29; habiller, cit. 3. *Il s'en alla incontinent. Il le remplaça incontinent* (→ Au pied* levé). — Vx. *Incontinent après...* — Vx. *Tout incontinent* (encore chez Sainte-Beuve, *Correspondance,* 1839, *in* T. L. F.).

1 Si on considère son ouvrage incontinent après l'avoir fait, on en est encore tout prévenu; si trop longtemps après, on *(n')* y entre plus. PASCAL, Pensées, VI, 381.

2 (...) des caisses d'épargne pour les domestiques économes qui viennent y déposer incontinent tout ce qu'ils ont volé à leurs maîtres.
FLAUBERT, Correspondance, 57, 15 mars 1842.

3 Je veux que tout soit réglé incontinent. Je te dirai tout à l'heure pourquoi.
CLAUDEL, l'Annonce faite à Marie, I, 1.

4 — Et si je vous jetais ma main à la figure?
— Je vous y jetterais la mienne, général, incontinent. Et là, j'aurais quelque avantage. J. ANOUILH, la Valse des toréadors, II, p. 131.

Loc. conj. Vx. *Incontinent que... :* immédiatement après que...
HOM. **1. Incontinent.**

INCONTOURNABLE [ɛ̃kɔ̃tuʀnabl] adj. — V. 1980; de 1. *in-, contourner,* et *-able.*

♦ Qui ne peut être contourné (fig.), évité. ⇒ **Inévitable.** *« Comment filmer un rituel. Grave question? Oui, mais incontournable »* (*Libération,* 3 nov. 1983). *« L'anglais a désormais un statut particulier, incontournable, de langue de grande communication... »* (*le Monde,* 25 janv. 1984, p. 13). *« Les changements structurels, incontournables, de nos sociétés »* (*les Nouvelles littéraires,* 12 oct. 1983, p. 16).

Quelque chose révèle que Sigmund *(Freud)* a vu juste. Cette vérité incontournable, comme on dit aujourd'hui, Pinheiro *(l'auteur d'un film)* l'affronte bille en tête.
Michel MARDORE, *in* le Nouvel Obs., 14 oct. 1983, p. 26.

N. Personne, chose incontestable, inévitable. *« Indéboulonnable parmi les incontournables (...) Walt Disney... »* (*Libération,* 27 déc. 1983).

CONTR. **Contournable.**

INCONTRADICTION [ɛ̃kɔ̃tʀadiksjɔ̃] n. f. — XVIIᵉ; de 1. *in-,* et *contradiction.*

♦ Vx (langue class.). Absence de contradiction* (cit. 0.1, Pascal).

CONTR. **Contradiction.**

INCONTRÔLABLE [ɛ̃kɔ̃tʀolabl] adj. — 1819, J. de Maistre, *in* T. L. F.; *inconterrolable,* 1614; de 1. *in-, contrôler,* et suff. *-able.*

♦ **1.** Qui n'est pas contrôlable. ⇒ **Invérifiable.** *Affirmation, assertion, témoignage incontrôlable.*

D'incontrôlables ventes clandestines chez tous les fermiers bouilleurs de cru. 1
GIDE, Feuillets d'automne, *in* Journal 1939-1949, Pl., p. 1089.

♦ **2.** (Déb. XXᵉ). Que l'on ne peut contrôler. *Réaction, réflexe incontrôlable. L'incendie est incontrôlable.* ⇒ **Indomptable.**

(...) la mémoire, au lieu d'un exemplaire en double, toujours présent à nos yeux, 2
des divers faits de notre vie, est plutôt un néant d'où par instants une similitude actuelle nous permet de tirer, ressuscités, des souvenirs morts; mais encore il y a mille petits faits qui ne sont pas tombés dans cette virtualité de la mémoire, et qui resteront à jamais incontrôlables pour nous.
PROUST, la Prisonnière, Pl., t. III, p. 146.

CONTR. **Contrôlable, vérifiable.** — (Du sens 2) **Maîtrisable.**

INCONTRÔLÉ, ÉE [ɛ̃kɔ̃tʀole] adj. — 1794, Pougens, *in* T. L. F.; de 1. *in-,* et *contrôlé,* p. p. de *contrôler*.*

♦ Qui n'est pas contrôlé. *Des forces incontrôlées. Des bandes incontrôlées,* qui échappent à l'autorité de leur chef. — *Des nouvelles incontrôlées.*

Le Sacre du Printemps, une tentative de remontée en deçà de la Grâce et de toute rédemption, là où règnent, sans contrepartie, les forces aveugles et incontrôlées. F. MAURIAC, le Nouveau Bloc-notes 1958-1960, p. 124.

CONTR. **Contrôlé, dominé, maîtrisé.**

INCONVENABLE [ɛ̃kɔ̃vnabl] adj. — V. 1360, Froissart; de 1. *in-,* et *convenable.*

Vieux.

♦ **1.** Qui ne convient pas. ⇒ **Impropre.** *Une définition inconvenable* (Lamarck, *in* T. L. F.).

♦ **2.** Qui n'est pas convenable. ⇒ **Inconvenant.** *Ne rien dire, ne rien faire d'inconvenable.*

CONTR. **Convenable.**

INCONVENANCE [ɛ̃kɔ̃vnɑ̃s] n. f. — 1573, « indécence »; rare av. XVIIIᵉ; de 1. *in-,* et *convenance.*

♦ **1.** (Déb. XIXᵉ). Vx. Caractère de ce qui ne convient pas. *Inconvenance d'une définition.* ⇒ **Impropriété.**

♦ **2.** (1752). Mod. Littér. ou style soutenu. Caractère de ce qui est inconvenant*, contraire aux convenances. *Inconvenance d'une situation, d'une proposition, d'une question.* ⇒ **Audace, cynisme, désinvolture, effronterie, hardiesse, impertinence, incorrection, indécence, sans-gêne.** *Se conduire avec inconvenance et grossièreté* (cit. 9).

Inconvenance n'est pas *disconvenance*; on entend par *disconvenance* des choses qui 1
ne se conviennent pas l'une avec l'autre; et j'entends par *inconvenance* des choses qu'il ne convient pas de faire. Vous direz que je suis bien hardi; je vous répondrai qu'il faut l'être quelquefois. VOLTAIRE, Correspondance, 2582, 27 nov. 1764.

Je pensais, Monsieur, lui dit-il un jour, qu'il y aurait une haute inconvenance à ce 2
que le nom d'un bon gentilhomme tel que Rênal parût sur le sale registre du libraire. STENDHAL, le Rouge et le Noir, VII.

♦ **3.** (1845). *Une, des inconvenances.* Parole, action inconvenante. *Dire des inconvenances.* ⇒ **Crudité, écart** (de langage), **grossièreté, incongruité, incorrection, malhonnêteté.** *Commettre une inconvenance.* ⇒ **Impolitesse, incongruité.**

Il en fallait *(du franc-parler)* pour professer, comme il le faisait, qu'il n'y a d'aris- 3
tocratie que par la culture et la supériorité de l'esprit — ce qui dans la famille de Staël ne pouvait d'ailleurs passer pour une inconvenance ou une épigramme.
Émile HENRIOT, les Romantiques, p. 433.

CONTR. **Bienséance, convenance, égard.**

INCONVENANT, ANTE [ɛ̃kɔ̃vnɑ̃, ɑ̃t] adj. — 1790, Mirabeau; de 1. *in-,* et *convenant.*

♦ **1.** Vx. Qui ne convient pas.

Toute hésitation serait impolitique et inconvenante. 1
MIRABEAU, Œuvres, t. V, p. 310.

♦ **2.** (XIXᵉ). Mod. Qui est contraire aux convenances, aux usages, à la bienséance. *Un discours, des propos inconvenants.* ⇒ **Déplacé, grossier, malséant, malsonnant.** *Question inconvenante.* ⇒ **Incongru.** *Conversation qui devient inconvenante* (→ Grotesque, cit. 10).

Une réponse assez, très inconvenante. ⇒ **Cavalier, désinvolte.** *Action inconvenante.* ⇒ **Choquant, incongru.** *Conduite inconvenante. Trouver qqch. inconvenant. Il trouvait inconvenant de parler d'argent dans cette circonstance.* — Spécialt, plus cour. Qui enfreint les règles de la société, en matière sexuelle. ⇒ **Licencieux, obscène; déshonnête** (→ ci-dessous, cit. 4). *Recevoir qqn dans une tenue inconvenante.* ⇒ **Immodeste, indécent.**

2 (...) beaucoup de prêtres espagnols fument, ce qui ne nous paraît pas plus inconvenant que de priser du tabac en poudre (...)
Th. GAUTIER, Voyage en Espagne, p. 23.

3 Ainsi, chose inconvenante, qui elle seule révélait tout, cette dame est si intime avec son valet de chambre, qu'elle le met dans sa voiture, en face d'elle, et genoux contre genoux. MICHELET, Hist. de la Révolution franç., IV, XII.

4 (...) j'aperçois sur les murs de grandes peintures inconvenantes comme on en retrouve à Pompéi. MAUPASSANT, la Vie errante, p. 176.

5 La maison, remarque-le, est bourgeoise, mais sans luxe inconvenant.
G. DUHAMEL, Chronique des Pasquier, IV, I.

(En tournure impersonnelle). *Il aurait été inconvenant d'intervenir. C'est un peu inconvenant.*

♦ **3.** (Personnes). Qui a un comportement inconvenant. **a** Vx (sens général). *Il est inconvenant en paroles, dans ses paroles.* ⇒ **Audacieux, cynique, impoli, incorrect, malhonnête.**

b Mod. (En matière sexuelle). ⇒ **Licencieux.**

CONTR. Bienséant, convenable, convenant, décent, honnête, poli.

1. INCONVÉNIENT [ɛ̃kɔ̃venjɑ̃] n. m. — V. 1220; bas lat. *inconveniens* «malheur», par substantivation de l'adj. → 2. Inconvénient.

♦ **1.** Vx. Accident fâcheux. — Sens fort. (Vx, depuis fin XVIIe). ⇒ **Malheur.**

1 La douleur générale qu'apporte ce pitoyable inconvénient *(la mort d'Henri IV).*
MALHERBE, Correspondance, 19 mai 1610 (*in* CAYROU, le Français classique).

(Sens faible). ⇒ **Désagrément, embarras, ennui, importunité, incommodité.** *Les plus grands désastres et les plus petits inconvénients* (→ Échapper, cit. 38).

2 Mon jugement m'empêche bien de regimber et *(de)* gronder contre les inconvénients que *(la)* nature m'ordonne à *(de)* souffrir, mais non pas de les sentir.
MONTAIGNE, Essais, III, V.

3 (...) mille honnêtes gens de qui il détourne ses yeux, de peur de tomber dans l'inconvénient de leur rendre le salut ou de leur sourire.
LA BRUYÈRE, les Caractères, IX, 37.

♦ **2.** (XIVe). Mod. Conséquence, suite fâcheuse (d'une action, d'une situation). *Les inconvénients d'une conduite* (cit. 25) *irrégulière. Situation qui entraîne des inconvénients graves.* ⇒ **Conséquence, ennui, suite** (→ Ensuivre, cit. 10; huis, cit. 7). *C'est vous qui en subirez les inconvénients.* ⇒ **Frais** (faire les frais). *Il en subira les inconvénients* (cf. Ça lui coûtera cher). *L'inconvénient pourrait être plus grave.* ⇒ **Demi-mal.** *Il n'y a pas d'inconvénient à prendre ce remède.* ⇒ **Danger, risque** (→ Anodin, cit. 2). — *Je n'y vois pas d'inconvénient. Nous partirons ce soir, si vous n'y voyez pas d'inconvénient,* si cela vous agrée, ne vous dérange pas. ⇒ **Empêchement, objection, obstacle.** *On ne peut changer cela sans inconvénient* (→ Enfilade, cit. 3). *Éviter un inconvénient sérieux. Parer à un inconvénient* (→ 2. Parer, cit. 4).

4 (...) il se dit qu'à l'abri de tout soupçon comme il l'était, il n'y avait point d'inconvénient à être témoin de ce qui se passerait (...) HUGO, les Misérables, I, VII, III.

(Fin XVIIe). Vx. Absurdité, erreur résultant d'une théorie, d'une opinion. *Il résulte de grands inconvénients de cette proposition* (Académie, 1694).

5 Que penser de la magie et du sortilège? (...) il y a des faits embarrassants (...) les admettre tous ou les nier tous paraît un égal inconvénient (...)
LA BRUYÈRE, les Caractères, XIV, 70.

6 J'aime mieux me borner à ce que l'on sait avec quelque certitude que de me livrer à des conjectures, et tomber dans l'inconvénient de donner pour existants des êtres fabuleux (...) BUFFON, Hist. nat. des animaux, t. VII, p. 398, *in* LITTRÉ.

♦ **3.** (Fin XVIIe). Désavantage (d'une chose qui, par ailleurs, est ou peut être bonne). ⇒ **Défaut, désavantage.** *Les avantages et les inconvénients de qqch.* (→ Le bon et le mauvais côté*, le pour et le contre*). *Avoir, comporter, offrir, présenter des inconvénients. Cela présente plus d'avantages que d'inconvénients. Cela ne présente aucun inconvénient. Avantage qui compense, contrebalance un inconvénient* (→ Échapper, cit. 31; établir, cit. 43). *L'inconvénient c'est que...* ⇒ **Écueil, mal** (→ Il y a une ombre* au tableau). *Les inconvénients d'une installation, d'un procédé* (→ Cuisson, cit. 1), *d'une méthode* (→ Écluse, cit. 2). *Ces chemins ont le grave* (cit. 22) *inconvénient d'être resserrés entre les fossés. Cela n'a qu'un inconvénient : c'est beaucoup trop cher. Le mariage et le célibat* (cit. 7) *ont tous deux des inconvénients. Toute chose a ses inconvénients* (→ prov. Il n'y a pas de rose sans épine*; toute médaille a son revers*; chaque vin a sa lie*; on ne fait pas d'omelette sans casser d'œufs*...). *Voir, sentir les inconvénients de qqch.* (→ Honneur, cit. 8). *Éviter* (cit. 22 et 37) *les inconvénients. Obvier, parer, remédier à un inconvénient.*

7 Quand une chose bonne a un inconvénient, il est ordinairement plus prudent d'ôter l'inconvénient que la chose. MONTESQUIEU, Cahiers, p. 235.

8 C'est le premier inconvénient des grandes villes que les hommes y deviennent autres que ce qu'ils sont, et que la société leur donne pour ainsi dire un être différent du leur. ROUSSEAU, Julie ou la Nouvelle Héloïse, II, Lettre XXI.

Y a-t-il quelque bien dans ce monde-ci qui soit sans inconvénient? 9
DIDEROT, Entretien avec la Maréchale ***.

Ma sœur me montra très fortement les inconvénients de cette manière d'agir, et j'y renonçai. RENAN, Souvenirs d'enfance..., VI, IV. 10

Aux inconvénients de son âge, il ajoutait les ridicules de la jeunesse. Avec un cerveau d'enfant et un visage ridé, il prétendait conquérir une fille dans toute la fraîcheur de sa beauté. J. GREEN, Léviathan, I, VI. 11

CONTR. Bonheur. — Agrément, commodité. — Bénéfice. — Avantage, qualité.
HOM. 2. **Inconvénient.**

2. INCONVÉNIENT, ENTE [ɛ̃kɔ̃venjɑ̃, ɑ̃t] adj. — 1314; lat. *inconveniens* «qui ne s'accorde pas, qui ne convient pas», de *in-* (→ 1. In-), et *conveniens*, p. prés. de *convenire.* → Convenir.

♦ Vx (langue class.). Qui ne convient pas (à qqch.). ⇒ **Inopportun; anormal.** *Action inconvéniente. Il est, il n'est pas inconvénient que...*

CONTR. Convenable.
DÉR. V. 1. **Inconvénient.**
HOM. 1. **Inconvénient.**

INCONVERSIBLE [ɛ̃kɔ̃vɛʀsibl] adj. — D. i. (1867, *in* Littré); bas lat. *inconversibilis* «qu'on ne peut intervertir», de *in-* (→ 1. In-), et *conversibilis* «qu'on peut retourner», du thème du p. p. de *convertere.* → Convertir; convers; convertible.

♦ Log. Se dit d'une proposition dont la réciproque est fausse (comparer à *convers,* 2.).

INCONVERTI, IE [ɛ̃kɔ̃vɛʀti] adj. — 1859, Sainte-Beuve, *in* T. L. F.; de 1. *in-*, et p. p. de *convertir.*

♦ Littér. et rare. Non converti (personnes).

CONTR. Converti.

INCONVERTIBILITÉ [ɛ̃kɔ̃vɛʀtibilite] n. f. — Mil. XXe; de *inconvertible.*

♦ Fin. Fait d'être inconvertible. *Inconvertibilité d'une monnaie.*

CONTR. Convertibilité.

INCONVERTIBLE [ɛ̃kɔ̃vɛʀtibl] adj. — 1546; lat. ecclés. *inconvertibilis* «qu'on ne peut convertir; immuable», de *in-* (→ 1. In-), et *convertibilis* «susceptible de changement». → Convertible.

♦ **1.** Vx ou didact. (Personnes). Qu'on ne peut convertir à une religion, à une doctrine. ⇒ **Inconvertissable.**

Eugénie *(de Guérin)*, avec ses scrupules, n'aurait-elle pas eu de certaines craintes pour le salut de la protestante inconvertible...? 1
SAINTE-BEUVE, Nouveaux Lundis, 9 janv. 1865.

Dans le Nord, quelques orphelins hindous se font chrétiens. Le Mahométan, lui, est inconvertible. Le Dieu des Musulmans est le plus absolu. Les autres dieux s'effritent devant lui. Henri MICHAUX, Un barbare en Asie, p. 49. 1.1

♦ **2.** (1691, Bossuet). Vx. (Choses). Qui ne peut être modifié. ⇒ **Inchangeable.**

♦ **3.** (XIXe; probablt de 1. *in-*, et *convertible*). Fin. Mod. Qu'on ne peut convertir, échanger contre de la monnaie métallique. *Billet de banque inconvertible.* ⇒ **Cours** (forcé).

Les billets de banque ont le *cours forcé* lorsque, tout en jouissant du cours légal, ils sont *inconvertibles,* c'est-à-dire lorsque la banque d'émission se trouve dispensée de les échanger contre de la monnaie métallique. 2
REBOUD et GUITTON, Précis d'économie politique, t. I, III (→ Cours, cit. 20).

♦ **4.** Log. Vx. ⇒ **Inconversible.**

CONTR. Convertible.
DÉR. Inconvertibilité.

INCONVERTISSABLE [ɛ̃kɔ̃vɛʀtisabl] adj. — 1752; de 1. *in-*, et *convertissable.*

♦ (Personnes). Impossible à convertir. ⇒ **Inconvertible** (1.).

Ce que je ne comprends pas d'un type comme ça, c'est qu'il ne se drogue pas, dit Coco, l'œil animé et l'esprit prosélyte (...) J'ai essayé : inconvertissable.
Christiane ROCHEFORT, le Repos du guerrier, I, V, p. 105.

CONTR. Convertissable.

INCOORDINATION [ɛ̃kɔɔʀdinasjɔ̃] n. f. — 1865; de 1. *in-*, et *coordination.*

♦ Didact. Absence de coordination. *L'incoordination des idées. Incoordination d'opérations militaires, de services administratifs.*

Depuis cent ans, l'effort de la civilisation blanche a tendu à rendre mobiles les éléments les plus stables : institutions, doctrines, cadres sociaux, hiérarchies. Tout s'est appliqué à une étrange fluidité; ce qui est fixe est considéré comme méprisable; ce qui est mouvant, comme admirable. Cette mobilité, cette incoordination, nous les trouvons dans l'homme : elles expliquent tout. 1
DANIEL-ROPS, le Monde sans âme, VII.

Biol., pathol. *Incoordination motrice* ou *incoordination :* trouble ou défaut de la coordination* des mouvements musculaires.

2 (...) elles se raccrochaient à une moue, à une patte d'oie, à un regard vague, parfois à un sourire qui, à cause de l'incoordination de muscles qui n'obéissaient plus, leur donnait l'air de pleurer. PROUST, le Temps retrouvé, Pl., t. III, p. 947.

CONTR. Coordination.

INCOORDONNÉ, ÉE [ɛ̃kɔɔʀdɔne] adj. — 1882, *in* D. D. L.; de 1. *in-*, et *coordonné.* → Coordonner.

♦ Littér. ou didact. Qui n'est pas coordonné. *Mouvements incoordonnés.*

1 Ses gestes, incoordonnés, ne semblent pas appropriés à une fin. ARAGON, Anicet..., I, p. 18 (1921).

2 Les plus intéressants de ces cas d'épilepsie sont ceux où la dissolution des fonctions supérieures favorise l'apparition d'actes automatiques impulsifs. Le plus souvent, il s'agit d'actes automatiques incoordonnés, inoffensifs en eux-mêmes (...) J. CAU, la Pitié de Dieu, p. 114.

CONTR. Coordonné.

INCORPORABLE [ɛ̃kɔʀpɔʀabl] adj. et n. — Av. 1814 (Bernardin de Saint-Pierre); *matière incorporable (à qqch.),* attestation isolée, 1516; de *incorporer.*

♦ Rare. Qui peut être incorporé*.

L'élaboration que l'Épicurisme fait subir aux désirs n'a pour but que de les rendre incorporables à la continuité d'une existence procédant de manière accumulative. Gilbert SIMONDON, Du mode d'existence des objets techniques, p. 177.

Spécialt. *Recrue incorporable* (dans l'armée). — N. *Un, une incorporable.*

INCORPORALITÉ [ɛ̃kɔʀpɔʀalite] n. f. — 1372; lat. ecclés. *incorporalitas,* même sens, de *incorporalis.* → Incorporel.

♦ Didact. Caractère d'un être incorporel. — Syn. : *incorporéité.*

INCORPORANT, ANTE [ɛ̃kɔʀpɔʀɑ̃, ɑ̃t] adj. — 1867, *in* Littré; 1803, comme p. prés., *in* T. L. F.; p. prés. de *incorporer.*

♦ Ling. Se dit des systèmes grammaticaux dans lesquels les pronoms sont «incorporés» aux racines verbales. — Syn. : *polysynthétique.*

(Les Basques) se distinguent d'une façon absolue des races qui les entourent, Béarnais, Gascons ou Castillans, par l'*idiome agglutinant,* partiellement *incorporant* et offrant des traces de *polysynthétisme,* qui leur est propre. L. FIGUIER, l'Année scientifique et industrielle, 1893, p. 551 (1892).

INCORPORATION [ɛ̃kɔʀpɔʀasjɔ̃] n. f. — Déb. xvᵉ, relig. (→ cit. 1); bas lat. *incorporatio* «action d'incorporer» et (lat. ecclés.) «incarnation», de *incorporatum,* supin de *incorporare.* → Incorporer.

Action d'incorporer, de s'incorporer; résultat de cette action.

♦ **1.** (Av. 1690). Action de faire entrer (une substance) dans une autre. ⇒ **Mélange, mixtion.** *L'incorporation de jaunes d'œufs dans le sucre, la farine. Incorporation d'une substance chimique dans un excipient pour la rendre assimilable. Incorporation d'une substance* (herbicide, etc.) *au sol.*

♦ **2.** Action de faire entrer (un élément) dans un tout. *Incorporation d'un territoire à un empire, dans un empire.* ⇒ **Annexion, réunion.** — Dr. Fait d'incorporer, d'être incorporé à une propriété. *Incorporation d'un atterrissement, d'alluvions à un domaine. La propriété* peut s'acquérir par incorporation.* ⇒ **Accession** (cit. 2). — *Incorporation d'une minorité ethnique, religieuse dans une communauté.* ⇒ **Assimilation** (4.).

1 (...) on leur conférait *(aux catéchumènes)* le sacrement d'incorporation par lequel ils devenaient membres de l'Église (...) PASCAL, Opuscules, III, XVII, Compar. des chrétiens...

2 Louis XIV en profita pour fermer encore quelques trouées, supprimer les enclaves gênantes et choquantes qui subsistaient au milieu de nos possessions nouvelles. La méthode adoptée fut de prononcer l'incorporation au royaume par des arrêts de justice fondés sur l'interprétation des traités existants et appuyés au besoin par des démonstrations militaires. J. BAINVILLE, Hist. de France, XIII, p. 236.

(xxᵉ; «action d'avaler», Paré, v. 1560). Psychan. Processus par lequel un sujet, sur le mode fantasmatique, fait pénétrer et garde un objet à l'intérieur de son corps (relation d'objet caractéristique du stade oral*).

♦ **3.** (xviiᵉ, Pascal). Vx. Fait (pour un être spirituel) de se rendre présent dans un corps ou une substance corporelle. ⇒ **Présence** (réelle).

♦ **4.** (Fin xixᵉ). Relig. Autorisation qu'un évêque donne à un ecclésiastique de faire partie de son diocèse. ⇒ **Incardination.**

♦ **5.** (1835). Milit. et cour. Inscription (des recrues) sur les contrôles d'un corps. ⇒ **Appel.** *L'incorporation des conscrits dans un régiment.* — Absolt. *Incorporation à vingt ans. Sursis*, ajournement d'incorporation* (→ aussi Bataillon, cit. 8).

Le jeudi, sur l'incorporation à vingt ans, l'inévitable Jaurès avait encore fait de la démagogie. ARAGON, les Beaux Quartiers, III, VIII. 3

CONTR. Exclusion. — Séparation.

INCORPORÉ, ÉE [ɛ̃kɔʀpɔʀe] adj. ⇒ **Incorporer** (p. p. adj.).

INCORPORÉITÉ [ɛ̃kɔʀpɔʀeite] n. f. — V. 1760; de 1. *in-,* et *corporéité.*

♦ Didact. ⇒ **Incorporalité.**

INCORPOREL, ELLE [ɛ̃kɔʀpɔʀɛl] adj. — V. 1160; lat. *incorporalis,* mêmes sens, de *in-* (→ 1. In-), et *corporalis.* → Corporel.

♦ **1.** Qui n'a pas de corps, qui n'est pas matériel. ⇒ **Immatériel.** *Dieu incorporel. Les esprits et les anges, êtres incorporels. L'âme est incorporelle.*

(...) cette vertu qui les rend semblables aux anges et aux puissances incorporelles. 1
MONTESQUIEU, Lettres persanes, XLVIII.

Contrairement à ce que l'on raconte, on ne dissipe pas les images incorporelles 2
aussi facilement que les corps matériels; et ce que je voyais me sembla aussitôt issu d'un monde imaginaire, où moi-même, ravi, j'étais devenu irréel. H. BOSCO, le Jardin d'Hyacinthe, p. 49.

(1580, Montaigne). Qui ne tombe pas sous nos sens. *Qualités, forces incorporelles.* ⇒ **Abstrait, spirituel** (→ Divination, cit. 4; expression, cit. 26).

Dieu est une raison incorporelle qu'on ne saisit que par la pensée. 3
DIDEROT, Opinions des anciens philosophes, Platonisme, *in* LITTRÉ.

REM. Dans ce sens, Baudelaire emploie l'adverbe *incorporellement* (trad. de Poe, *Histoires extraordinaires*).

♦ **2.** (Fin xvᵉ). Dr. *Droits incorporels,* ceux qui n'ont pas d'existence matérielle, c'est-à-dire tous les droits, sauf le droit de propriété, traditionnellement assimilé à un bien corporel («par identification de la chose et du droit»). *La créance, droit incorporel* (→ Garantir, cit. 1). *La clientèle est un bien incorporel.*

CONTR. Corporel, matériel. — Concret.

INCORPORER [ɛ̃kɔʀpɔʀe] v. tr. — 1411, *in* T. L. F.; *encorporer,* fin xiiᵉ; bas lat. *incorporare,* de *in-* «vers, dans» (→ 2. In-), et *corpus, corporis* «corps».

★ **I.** Vx ou littér. Donner un corps à, incarner.

★ **II.** Faire qu'une chose fasse corps* avec une autre.

♦ **1.** (1495). Unir intimement (une matière à une autre). ⇒ **Mélanger.** *Incorporer qqch. à, dans qqch. Incorporer des œufs à une sauce,* (plus rare) *avec une sauce.* — Passif et p. p. *Coquilles* (cit. 1) *incorporées dans le marbre. Émail d'une porcelaine incorporée à la pâte* (→ Cuire, cit. 21).

(...) le cuivre a été incorporé et mêlé, comme le fer primitif, avec la matière vitreuse. BUFFON, Hist. nat. des minéraux, Du cuivre. 1

♦ **2.** (Déb. xvᵉ). Faire entrer comme partie dans un tout. *Incorporer qqch. à, dans, en... Incorporer un paragraphe dans un chapitre.* ⇒ **Insérer, introduire.** *Incorporer un territoire dans un empire.* ⇒ **Annexer, comprendre, joindre, rattacher, réunir.**

(...) la liaison des scènes *(dans Horace),* qui semble, s'il m'est permis de parler 2
ainsi, incorporer Sabine dans cette pièce (...) CORNEILLE, Examen d'Horace.

Quand il s'agit d'incorporer la Lusace à la Bohême (...) 3
VOLTAIRE, Hist. de Charles XII, VIII.

Il me semble pourtant qu'en meilleur état de santé, j'aurais su y donner *(à la con-* 4
versation rapportée) plus de mordant, une allure plus fantastique et surtout l'incorporer mieux dans la trame du récit. GIDE, Journal, 26 nov. 1924.

Incorporer (qqch.) *à soi.* ⇒ **Assimiler** (→ ci-dessous, S'incorporer).

Il comprit que l'acte décisif, froidement accompli par lui la veille (...) il fallait 5
maintenant en quelque sorte se l'annexer, l'incorporer à soi, comme l'apport d'une de ces expériences essentielles qui ont sur l'évolution d'un homme un retentissement profond. MARTIN DU GARD, les Thibault, t. IV, p. 201.

Ainsi le temps ne meurt pas entièrement, comme il en a l'air, mais il demeure 6
incorporé en nous. A. MAUROIS, À la recherche de Proust, VI, I.

(Compl. n. de personne). *Incorporer qqn dans une société, dans une association.* ⇒ **Agréer, associer.** — Passif et p. p. *Immigrants incorporés dans le pays.* ⇒ **Assimiler, intégrer.** — *La société triomphe toujours et s'incorpore même ses contempteurs* (cit. 2).

Albe fut vaincue et ruinée : ses citoyens, incorporés à la ville victorieuse, l'agran- 7
dirent et la fortifièrent. BOSSUET, Disc. sur l'hist. universelle, I, VII.

(Elle) vivait chez ses beaux-parents depuis la guerre. Tout de suite elle fut incor- 8
porée dans la famille (...) J. CHARDONNE, les Destinées sentimentales, p. 447.

(xvᵉ). *Incorporer un conscrit, une recrue dans un bataillon.* ⇒ **Appeler, enrôler, recruter** (→ 1. Faux, cit. 57). *Il a été incorporé dans tel régiment.* — (Sans compl. second). *Incorporer le contingent.* ⇒ **Incorporation.**

(...) incorporé dans ce beau régiment avec la promesse d'être promu fourrier au 9
bout d'un an. BALZAC, Un début dans la vie, Pl., t. I, p. 741.

Les nouvelles recrues furent (...) incorporées dans la bandera de dépôt. Gilieth fut 10
versé à la première compagnie et son camarade Lucas à la troisième. P. MAC ORLAN, la Bandera, V.

11 (...) je me rendis à Saint-Mandé pour y manifester mon désir d'être incorporé dans l'armée active (...) G. DUHAMEL, la Pesée des âmes, I.

▶ **S'INCORPORER** v. pron. (1686).

S'unir intimement. *Substance qui s'incorpore aisément à une autre.* — Par métaphore (→ Attacher, cit. 48, Bossuet). — Se joindre. *Atterrissement qui s'incorpore à une propriété.* ⇒ **Incorporation** (dr.). *Cette invention s'est incorporée à la connaissance* (→ Graphique, cit. 4). *Individu qui s'incorpore à un organisme.* ⇒ **Assimiler** (s'), **entrer, fondre** (se); → Faculté (cit. 9).

12 Des peuples qui viennent s'incorporer au sien (...) FÉNELON, Télémaque, XIII.

12.1 (...) enlacés dans ses bras, les bouches collées l'une à l'autre, nous voudrions que notre existence entière pût s'incorporer à la sienne; nous ne voudrions faire avec lui qu'un seul être. SADE, Justine..., t. 1, p. 76.

▶ **INCORPORANT, ANTE** p. prés. et adj. Voir à l'ordre alphab.

▶ **INCORPORÉ, ÉE** p. p. adj. et n. m.

Se dit d'un accessoire qui fait corps avec la carrosserie d'un véhicule, d'un élément qui est incorporé à un mécanisme, etc. *Appareil de photo avec cellule incorporée.*

13 Elle était très fière aussi de quelques raffinements : le guidon moulé profilé, le phare et le compteur incorporés *(d'un scooter).*
P. GUTH, le Mariage du naïf, XVII, p. 184.

(Personnes). *Jeunes gens incorporés.* — N. m. Conscrit affecté à un corps de troupe.

CONTR. Exclure, isoler, séparer. — Biffer, détacher, éliminer, retrancher.
DÉR. Incorporable, incorporant.
COMP. Réincorporer.

INCORRECT, ECTE [ɛ̃kɔʀɛkt] adj. — 1421; de 1. *in-*, et *correct.*

♦ **1.** Qui n'est pas correct*. *Cette édition est très incorrecte.* ⇒ **Fautif.** — Spécialt. Qui enfreint les règles de l'usage, en matière de langage. *Terme incorrect.* ⇒ **Barbare, impropre** (→ Impondérable, cit. 2). *Expression incorrecte.* ⇒ **Incorrection** (→ Avérer, cit. 11). *«J'attends après* (cit. 54) *vous» est incorrect.* — *Langue bizarre et incorrecte* (→ Hellénique, cit. 1). *Style incorrect et abrupt* (cit. 3); → aussi Familiarité, cit. 15.

1 Le style de Corneille, devenu encore plus incorrect et plus raboteux dans ses dernières pièces.
VOLTAIRE, Commentaires sur Corneille, Remarques sur Attila, Préface.

(1828, Sainte-Beuve, *in* T. L. F.). Personnes. *Auteur, écrivain, rédacteur incorrect.*

♦ **2.** Qui n'est pas fait selon les règles, qui est mal exécuté. ⇒ **Défectueux, mauvais.** *Tracé, dessin incorrect. Montage, réglage incorrect d'un appareil, d'une installation.* — Par ext. ⇒ **Bancal, faux, inexact.** *Solution incorrecte. Interprétation incorrecte des faits. Un raisonnement incorrect.*

Spécialt. Contraire aux règles en usage (dans une technique, un art), mais éventuellement talentueux.

♦ **3.** (Fin XIXe). Actes. **a** Qui est contraire aux usages, aux bienséances. *Tenue incorrecte.* ⇒ **Débraillé, inconvenant.** *Manières, paroles incorrectes.* ⇒ **Déplacé.**

b Qui ne respecte pas les règles éthiques (dans une activité). *Une manœuvre très incorrecte. Des décisions incorrectes envers un partenaire, en affaires.*

♦ **4.** (1564). Personnes. **a** Grossier, impoli. — Par ext. *Être incorrect avec qqn,* manquer aux usages, aux règles (de la politesse, de la courtoisie). *«(...) ainsi sommes en nostre langage incorrects et mal appris, nous autres villageois et rustiques»* (Rabelais, *le Cinquiesme Livre,* VII, Pl., p. 788).

b Qui ne respecte pas les «règles du jeu». *Personne incorrecte avec son concurrent, incorrecte en affaires.* ⇒ **Déloyal, irrégulier.**

2 Son langage à elle était pourtant, plus encore qu'autrefois, la trace de son admiration pour les Anglais, qu'elle n'était plus obligée de se contenter d'appeler comme autrefois «nos voisins d'outre-Manche», ou tout au plus «nos amis les Anglais», mais «nos loyaux alliés». Inutile de dire qu'elle ne se faisait pas faute de citer à tout propos l'expression de *fair play* pour montrer les Anglais trouvant les Allemands des joueurs incorrects.
PROUST, le Temps retrouvé, Pl., t. III, p. 788-789.

CONTR. Correct, pur. — Fidèle. — Bon. — Exact, juste. — Convenable, courtois, délicat, poli.
DÉR. Incorrectement.

INCORRECTEMENT [ɛ̃kɔʀɛktəmɑ̃] adv. — 1538; de *incorrect.*

♦ D'une manière incorrecte. *Parler incorrectement une langue. Appareil incorrectement monté.* ⇒ **Défectueusement, mal.**

Plus tard, averti de sa mésaventure, j'appris à interpréter moins incorrectement ces symptômes d'humiliation mortelle.
M. YOURCENAR, le Coup de grâce, p. 157.

Il s'est conduit très incorrectement avec moi, impoliment ou indélicatement.

CONTR. Correctement. — Bien.

INCORRECTION [ɛ̃kɔʀɛksjɔ̃] n. f. — 1512; de 1. *in-*, et *correction.*

♦ **1.** Défaut de correction, notamment en matière de langage. ⇒ **Incorrect** (1.). *Incorrection du style.*

Par quelle fatalité Corneille écrivait-il toujours avec plus d'incorrection et dans un style plus grossier, à mesure que la langue se perfectionnait...? 1
VOLTAIRE, Commentaires sur Corneille, Nicomède, V, 9.

(...) la liberté ne doit jamais être l'anarchie (...) l'originalité ne peut, en aucun cas, servir de prétexte à l'incorrection. HUGO, les Orientales, Préface de 1826. 2

(Une, des incorrections). Expression incorrecte. *Incorrections de langage, de style.* ⇒ **Barbarisme, faute, impropriété.** *Il y a de nombreuses incorrections dans ce devoir de français.*

(...) on ne fait pas des fautes pour le plaisir d'en faire : les incorrections, celles du moins qui ont la vie dure et résistent aux vitupérations du purisme, procèdent le plus souvent de tendances profondes du langage en général ou d'un idiome en particulier (...) Ch. BALLY, le Langage et la Vie, p. 42. 3

L'attrait extraordinaire qu'ont souvent les poètes des siècles préclassiques a sa source dans la liberté de leurs phrases, dans les incorrections qu'elles contiennent, ce mauvais ton non des mots, mais de leur flexion, qui les ont fait si longtemps écarter du trésor national. ARAGON, les Yeux d'Elsa, p. XI. 4

♦ **2.** Caractère de ce qui n'est pas exécuté selon les règles (d'une technique, d'un art). *L'incorrection d'un dessin, du jeu d'un pianiste.*

♦ **3.** (1587; rare av. fin XIXe). **a** Caractère de ce qui est contraire aux usages, aux règles du savoir-vivre. *L'incorrection d'une démarche inopportune.* ⇒ **Inconvenance** (→ Dérobade, cit. 2, Gide). *Incorrection en affaires.* ⇒ **Indélicatesse.**

b (XXe). *Une, des incorrections.* Parole ou action incorrecte. ⇒ **Écart** (de langage), **grossièreté, impertinence, impolitesse.** *Il a commis là une grave incorrection.*

Action incorrecte (3., b) sur le plan éthique.

CONTR. Correction, fidélité, pureté. — Purisme. — Courtoisie, délicatesse, politesse.

INCORRIGIBILITÉ [ɛ̃kɔʀiʒibilite] n. f. — V. 1500; de *incorrigible.*

♦ Rare. Caractère d'une personne, d'un défaut incorrigible. *«Cette incorrigibilité de caractère qui lui laisse (...) toutes ses faiblesses»* (B. Constant, *Journaux, in* T. L. F.).

INCORRIGIBLE [ɛ̃kɔʀiʒibl] adj. — 1334, au sens 2; au sens 1, v. 1350; bas lat. *incorrigibilis,* même sens, de *in-* (→ 1. In-), et lat. class. *corrigere.* → Corriger.

♦ **1.** (Personnes). Qui persévère dans ses défauts, ses erreurs. ⇒ **Entêté, impénitent, incurable, indécrottable.** *Un enfant incorrigible. Paresseux, ivrogne, pécheur incorrigible* (→ Excentrique, cit. 5; impénitence, cit. 1).

(Ceux) qui demeureraient incorrigibles et voudraient persévérer en leur impiété et dureté de cœur (...) RONSARD, Œuvres en prose, Translation... 1

(...) ayez soin tantôt de faire donner le fouet à ce petit fripon-là, par mon écuyer : c'est un petit incorrigible. MOLIÈRE, la Comtesse d'Escarbagnas, II. 2

Je sais maintenant, ce que je ne savais pas encore en ce temps-là, c'est que les hommes sont incorrigibles et qu'ils ne peuvent manquer à leur nature propre. 3
G. DUHAMEL, Cri des profondeurs, III.

REM. L'adjectif peut s'employer dans un contexte neutre ou même mélioratif. *Je suis un voyageur incorrigible; un incorrigible rêveur.*

♦ **2.** (Défauts, erreurs). Qui persiste chez qqn. ⇒ **Incurable.** *Une paresse incorrigible. Ses maîtres ne peuvent rien contre son incorrigible étourderie.*

Qui le pourrait croire, si l'expérience ne nous faisait voir qu'une erreur si stupide et si brutale *(l'idolâtrie)* n'était pas seulement la plus universelle, mais encore la plus enracinée et la plus incorrigible parmi les hommes? 4
BOSSUET, Disc. sur l'hist. universelle, II, III.

CONTR. Corrigible.
DÉR. Incorrigibilité, incorrigiblement.

INCORRIGIBLEMENT [ɛ̃kɔʀiʒibləmɑ̃] adv. — 1557; de *incorrigible.*

♦ D'une manière incorrigible. *Enfant incorrigiblement étourdi. Elle est incorrigiblement imprudente, bavarde.* ⇒ **Incurablement.**

INCORROMPU, UE [ɛ̃kɔʀɔ̃py] adj. — Av. 1450, Monstrelet; de 1. *in-*, et *corrompu*. → Corrompre.

♦ Vx. Qui n'est pas corrompu.

CONTR. Corrompu.

INCORRUPTIBILITÉ [ɛ̃kɔʀyptibilite] n. f. — 1495; de *incorruptible*, ou bas lat. *incorruptibilitas*, même sens, de *incorruptibilis*. → Incorruptible.

Didactique.

♦ **1.** Caractère de ce qui est incorruptible. *L'incorruptibilité d'une substance.*

♦ **2.** (1678). Caractère d'une personne que l'on ne peut corrompre. *L'incorruptibilité d'un fonctionnaire.* ⇒ **Intégrité, probité.**

Soustraire les juges à toute influence étrangère (...) garantir leur impartialité et leur incorruptibilité, en les renfermant seuls avec leur conscience et les preuves.
ROBESPIERRE, Discours, t. IX, p. 187, *in* T. L. F.

CONTR. Corruptibilité. — Altération.

INCORRUPTIBLE [ɛ̃kɔʀyptibl] adj. et n. — Mil. XIVe; lat. *incorruptibilis* «indestructible, inaltérable», de *in-* (→ 1. In-), et *corruptibilis*. → Corruptible.

♦ **1.** (Choses). Qui n'est pas corruptible, ne peut se corrompre, se putréfier. ⇒ **Inaltérable, inattaquable.** *Bois incorruptible* (→ Enterrer, cit. 11).

1 (...) Et du grand Dieu, dont l'essence est entière,
Incorruptible, immortelle (...) RONSARD, la Franciade, IV.

2 (...) de grandes forêts de chênes verts, noueux, vivaces, incorruptibles, capables de résister aux soleils et aux pluies de tous les mondes et qui sont d'une grande ressource pour notre belle marine française.
Th. GAUTIER, Souvenirs de théâtre..., p. 5.

3 Il faut que vous étonniez la science par quelque nouvelle synthèse, que vous attaquiez l'atome, que vous recherchiez s'il est aussi *incorruptible* qu'on le croit.
RENAN, Dialogues et Fragments philosophiques, À M. Berthelot, Œ., t. I, p. 548.

(XVIe). Par anal. Vx. Inaltérable, immuable. *La syntaxe incorruptible du français* (→ Clarté, cit. 10).

♦ **2.** (XVIIe; personnes). Qui est incapable de se laisser corrompre, séduire, pour agir contre son devoir. ⇒ **Honnête, intègre** (→ Gouvernement, cit. 25). *Fonctionnaire, juge incorruptible. Témoin, policier incorruptible.*

4 Pour ton propre intérêt sois juge incorruptible (...)
CORNEILLE, Héraclius, III, 2 (1647).

5 Reinach avait acheté trop d'hommes pour admettre qu'il en restât d'incorruptibles.
M. BARRÈS, Leurs figures, p. 89.

N. *(Un, une incorruptible).* — N. m. *L'Incorruptible*, surnom de Robespierre. *L'Incorruptible ou le Véritable Ami du peuple*, journal (1790). — *Les incorruptibles* (trad. de l'angl., répandue par une série télévisée) : les agents fédéraux américains.

6 Robespierre se faisait appeler «l'incorruptible». Il y avait donc des corrompus?
J. BAINVILLE, Hist. de France, XVI, p. 376.

Par ext. *Esprit impénétrable* (cit. 10) *et incorruptible. Probité incorruptible* (→ Filial, cit.).

CONTR. Corruptible, périssable, putrescible. — Corrompu.
DÉR. Incorruptibilité, incorruptiblement.

INCORRUPTIBLEMENT [ɛ̃kɔʀyptibləmɑ̃] adv. — 1551; de *incorruptible*.

♦ Rare. D'une manière incorruptible (1.), inaltérable.

INCORRUPTION [ɛ̃kɔʀypsjɔ̃] n. f. — V. 1170, lat. *incorruptio* «inaltérabilité, durée éternelle», de *in-* (→ 1. In-), et *corruptio*. → Corruption.

♦ Vx (langue class.). État de ce qui ne se corrompt pas.

CONTR. Corruption.

INCRÉDIBILITÉ [ɛ̃kʀedibilite] n. f. — 1520; lat. *incredibilitas*, même sens, de *incredibilis* «incroyable», de *in-* (→ 1. In-), et *credibilis*. → Crédible.

♦ Littér. ou didact. Caractère de ce qui est incroyable*. *L'incrédibilité d'un récit.*

Dans le rêve, les choses psychiques semblent physiques et sont crues, mais gardent leur incrédibilité. VALÉRY, Cahiers, t. II, Pl., p. 29.

CONTR. Crédibilité, vraisemblance.

INCRÉDULE [ɛ̃kʀedyl] adj. et n. — XIVe, sens 1, n.; lat. *incredulus* «incrédule; qui n'a pas la foi», de *in-* (→ 1. In-), et *credulus*. → Crédule.

♦ **1.** (Personnes). Qui ne croit* (cit. 61) pas, qui doute (en matière de religion). ⇒ **Incroyant, irréligieux.** *Femme incrédule qui se moque des croyances* (cit. 10). — N. *Un, une incrédule. L'incrédule, l'homme sans foi.* ⇒ **Mécréant** (vx); **esprit** (fort), **libertin** (vx), **libre** (libre penseur); → Athée, cit. 9; haut, cit. 76. *Convertir les incrédules. Superstitions qui choquent un incrédule* (→ Amulette, cit. 2). *L'incrédule et le dévôt se prennent mutuellement pour des dupes* (cit. 4, Rivarol).

Alors Jésus prenant la parole, dit : Ô race incrédule et dépravée! jusqu'à quand serai-je avec vous, et vous souffrirai-je? 1
BIBLE (SACY), Évangile selon saint Luc, IX, 41.

(...) il manque un sens aux incrédules comme à l'aveugle; et ce sens, c'est Dieu 2
qui le donne (...) BOSSUET, Oraison funèbre d'Anne de Gonzague.

(...) ces incrédules endurcis, qui, en attaquant le culte public, outragent avec 3
audace ce qu'ils ont le malheur de mépriser.
D'ALEMBERT, Éloge de Marivaux, Œuvres, t. III, p. 579.

Wieland, lui, est incrédule au fond, mais désirerait croire, parce que cela convien- 4
drait à son imagination qu'il voudrait rendre poétique et parce qu'il est vieux.
B. CONSTANT, Journal intime, 24 janv. 1804.

Fort peu deviennent croyants, fort peu aussi deviennent incrédules, pour de bonnes 5
preuves. Il y a mille portes par lesquelles on entre dans la foi, et mille portes par lesquelles on en sort. RENAN, Essais de morale..., Lamennais, II.

La veille de la fête, le peuple se réunissait le soir dans l'église, et, à minuit, le 6
saint étendait le bras pour bénir l'assistance prosternée. Mais, s'il y avait dans la foule un seul incrédule qui levât les yeux pour voir si le miracle était réel, le saint, justement blessé de ce soupçon, ne bougeait pas, et, par la faute du mécréant, personne n'était béni. RENAN, Souvenirs d'enfance..., I, 1.

REM. *L'incrédule* ne croit pas, sa conviction n'est pas faite (→ Scepti-que); *l'incroyant* est hostile à la croyance.

Un incrédule qui se prend pour un incroyant! J. ANOUILH, Ornifle..., I, p. 46. 7

♦ **2.** (1538; personnes). Qui ne croit pas facilement, qui se laisse difficilement persuader, convaincre. ⇒ **Sceptique** (→ Chrétien, cit. 9). *Ses affirmations me laissent incrédule. Si vous êtes incrédule, allez-y voir*.* — Vx. *Être incrédule à qqch. «Incrédule au bonheur»* (Alphonse Ran), *«au succès»* (Maurice de Guérin, *in* T. L. F.). — Mod. *Être incrédule quant à, à l'égard de...* — N. *Un jeune incrédule* (→ Face, cit. 30).

L'argent était là, sous son regard, à portée de sa main (...) Un tel fond de naïveté 8
subsistait en elle qu'elle était émerveillée, mais non incrédule. Elle prit enfin les billets (...) MARTIN DU GARD, les Thibault, t. III, p. 61.

♦ **3.** (Choses). Qui marque de l'incrédulité*. *Esquisser* (cit. 7) *un geste, un sourire, une moue incrédule.*

J'ai fouillé dans ma poche. Je n'avais plus que trois francs. Je les lui ai donnés. 9
Il les regardait, les retournait, l'air incrédule et presque railleur.
G. DUHAMEL, Salavin, IV, 30 décembre.

CONTR. Crédule. — Croyant (cit. 9). **— Naïf.**
DÉR. Incrédulement.

INCRÉDULEMENT [ɛ̃kʀedylmɑ̃] adv. — 1896, Bloy, *in* T. L. F.; de *incrédule*.

♦ Rare. D'une manière incrédule (surtout au sens 3). *Sourire incrédulement.*

INCRÉDULITÉ [ɛ̃kʀedylite] n. f. — 1328, *in* T. L. F.; *encredulitet*, Xe; lat. *incredulitas*, mêmes sens, de *incredulus*. → Incrédule.

♦ **1.** Doute; fait de ne pas croire, en matière religieuse. ⇒ **Incroyance, irréligion.** *Les progrès de l'incrédulité au XVIIIe siècle.* ⇒ **Libre** (libre pensée); → Enrôler, cit. 5. *Incrédulité et superstition* (→ Adage, cit. 3). *Combattre l'incrédulité. L'incrédulité de qqn (quant à, sur, à propos de qqch.). Persister dans son incrédulité.*

(...) l'incrédulité de Pharao et des Pharisiens est l'effet d'un endurcissement surna- 1
turel. PASCAL, Pensées, XIII, 843.

Qu'est-ce donc après tout, Messieurs, qu'est-ce que leur malheureuse incrédulité, 2
sinon une erreur sans fin, une témérité qui hasarde tout, un étourdissement volontaire, et en un mot un orgueil qui ne peut souffrir son remède, c'est-à-dire qui ne peut souffrir une autorité légitime?
BOSSUET, Oraison funèbre d'Anne de Gonzague.

L'incrédulité a ses enthousiastes, ainsi que la superstition; et comme l'on voit des 3
dévots qui refusent à Cromwell jusqu'au bon sens, on trouve d'autres hommes qui traitent Pascal et Bossuet de petits esprits.
VAUVENARGUES, Maximes et Réflexions, 537.

(...) l'incrédulité dogmatique est un état d'irritation et d'exaltation (...) L'avenir et 4
le genre humain dans son éternité future, voilà les deux idoles et les seules idoles de l'incrédulité systématique. Joseph JOUBERT, Pensées, I, LXXXIV.

Lorsque l'incrédulité devient une folie, elle est moins raisonnable qu'une religion. 5
Ed. et J. DE GONCOURT, Journal, p. II.

♦ **2.** (1538). Plus cour. État, caractère d'une personne incrédule*, qui n'a pas de crédulité. ⇒ **Doute, scepticisme.** *L'incrédulité de qqn, son incrédulité à l'égard de, quant à qqch. L'incrédulité du public. La nouvelle n'a rencontré, n'a suscité que de l'incrédulité de leur part. Il a manifesté une certaine incrédulité. Hocher* (cit. 4) *la tête d'un air d'incrédulité, garder une attitude d'incrédulité.* ⇒ **Défiance, doute.** *Il eut un sourire d'incrédulité. Il interrogeait avec incrédulité* (→ Évader, cit. 15). *Geste d'incrédulité.*

Mais que me répondrait votre incrédulité 6
Si je vous faisais voir qu'on vous dit vérité? MOLIÈRE, Tartuffe, IV, 3.

(...) mais je ne sens, malgré moi, 7
Que je ne crois pas autant que je le doi *(dois)*...
Je voudrais vaincre enfin mon incrédulité (...) RACINE, Britannicus, III, 6.

(...) ce dur bon sens n'enlevait aucune grâce à M. Delacroix. Cette verve d'incré- 8 dulité et ce refus d'être dupe assaisonnaient, comme un sel byronien, sa conversation si poétique et si colorée. BAUDELAIRE, Curiosités esthétiques, XV, V.

9 Les questions qu'elle lui posa, et où perçait un fond d'incrédulité, laissaient voir que les soucis politiques tenaient peu de place dans la vie de Jenny.
MARTIN DU GARD, les Thibault, t. VI, p. 220.

Rare. *Une, des incrédulités,* attitude, réaction incrédule (dans une circonstance donnée, sur un sujet particulier).

CONTR. Crédulité, croyance, foi.

INCRÉÉ, ÉE [ɛ̃kʀee] adj. et n. m. — 1458; de 1. *in-*, et *créé,* pour traduire le lat. ecclés. *increatus,* de *in-*, et *creatus,* p. p. de *creare.* → Créer.

♦ **1.** Relig. Qui existe sans avoir été créé. *Dieu, créateur incréé. L'univers incréé.* — Spécialt. *La Sagesse incréée :* le Verbe, fils de Dieu.

1 Règne, ô Père éternel, Fils, Sagesse incréée.
RACINE, Poésies diverses, I, VII, Lundi.

2 On disputait si la lumière qui apparut autour de Jésus-Christ, sur le Thabor, était créée ou incréée. MONTESQUIEU, Grandeur et Décadence des Romains, XXII.

2.1 Et la suprême maya était pour moi, ce jour-là, la seule chose qui pour l'Inde échappât à la mort : la Vérité suprême, l'Esprit incréé — l'hindouisme.
MALRAUX, Antimémoires, p. 227.

N. m. (1769). *L'incréé :* ce qui n'a pas été créé (par oppos. au *créé,* à la *création,* à la *créature*).

3 La danse est autant au-dessus de la musique, pour certaines organisations païennes toutefois, que le visible et le créé sont au-dessus de l'invisible et de l'incréé.
BAUDELAIRE, la Fanfarlo.

♦ **2.** (XXe). Didact. Qui n'a pas (ou pas encore) été créé. *Une œuvre encore incréée.*

CONTR. Créé. — Créature.

INCRÉMENT [ɛ̃kʀemɑ̃] n. m. — 1529, *«prendre incrément mon martyre»*; lat. *incrementum* «accroissement», de *increscere* «croître, s'accroître», de *in-* (→ 2. In-), et *crescere.* → Croître.

♦ **1.** Vx ou littér. Accroissement, développement.

♦ **2.** (1738, repris à l'angl. *increment,* 1721; aussi *incrementum,* Newton, 1687). Math. Vx. Accroissement infiniment petit de la quantité d'une variable (remplacé par *différentielle,* par *accroissement arbitraire*).

Sc. Mod. Augmentation minimale d'une variable prenant des valeurs discrètes. ⇒ 1. **Pas** (I., 2.). — Inform. Accroissement de la valeur d'une variable à chaque phase de l'exécution d'un programme.

DÉR. Incrémental, incrémenter, incrémentiel.

INCRÉMENTAL, ALE, AUX [ɛ̃kʀemɑ̃tal, o] adj. — V. 1970; de *incrément,* p.-ê. d'après l'angl. *incremental.*

♦ Sc., techn. Qui utilise l'ajout successif d'une quantité minimale donnée. ⇒ **Incrément.** *Machine-outil incrémentale, fonctionnant par comptage d'impulsions.* — Inform. *Enregistreur incrémental bidimensionnel. Tracé incrémental de l'évolution des valeurs d'une variable.* — On dit aussi *incrémentiel.*

INCRÉMENTATION [ɛ̃kʀemɑ̃tɑsjɔ̃] n. f. — Av. 1974; de *incrémenter.*

♦ Sc. Fait d'augmenter (la valeur d'une variable) selon un incrément. «*Lorsqu'une partie* (d'un circuit) *est exposée, une incrémentation en ligne et colonne permet de passer à une autre partie de la plaquette*» (*la Recherche,* nov. 1980, p. 1252). — Inform. *Calculateur procédant par incrémentation* (dit *incrémental**).

INCRÉMENTER [ɛ̃kʀemɑ̃te] v. tr. — V. 1970; de *incrément;* cf. angl. *to increment.*

♦ Sc. Augmenter (une variable) suivant un incrément donné.

DÉR. Incrémentation.

INCRÉMENTIEL, IELLE [ɛ̃kʀemɑ̃sjɛl] adj. — Av. 1973; de *incrément,* probablt d'après l'angl. *incremential.*

♦ **1.** Ling. *Transformation incrémentielle :* selon la théorie de Z. Harris, Transformation d'une phrase de base par addition d'un élément (par ex. un adverbe) produisant un effet de sens systématique.

♦ **2.** (V. 1980). Inform. Qui procède par incrémentation*. — On dit aussi *incrémental.*

INCREVABLE [ɛ̃kʀəvabl] adj. — V. 1895 (*«club des increvables»,* 1895, *in* T. L. F.); de 1. *in-*, *crever,* et *-able.*

♦ **1.** (Choses). Qui ne peut être crevé. *Ballon, pneu increvable.*

On voit, de nos jours, la ressemblance exacte de cette véritable couronne d'épines aux devantures de fabricants de cycles, comme réclame à des pneus increvables.
A. JARRY, Spéculations, La Passion considérée comme une course de côte, 1898, Œ. compl., VI, p. 374, *in* D. D. L., II, 5.

REM. Le dér. *increvabilité* [ɛ̃kʀəvabilite] n. f., est attesté en 1902.

♦ **2.** (Mil. XXe). Fig. et fam. **a** (Personnes). Qui résiste à tout. ⇒ **Immortel, invincible.** *Increvable comme un héros de feuilleton.* — Qui n'est jamais fatigué. ⇒ **Infatigable.** *Il est d'une résistance à toute épreuve, il est increvable.* — (Choses). *Moteur increvable.*

b Qui ne peut être tué.

CONTR. Crevable (au sens 1, rare).

INCRIMINABLE [ɛ̃kʀiminabl] adj. — 1842; de *incriminer.*

♦ **1.** Vx. Qui peut être incriminé. ⇒ **Accusable.**

♦ **2.** (XXe; *in* Larousse, 1922). Littér. ⇒ **Blâmable.** *Action incriminable.*

INCRIMINANT, ANTE [ɛ̃kʀiminɑ̃, ɑ̃t] adj. — D. i. (1945, G. Guèvremont); p. prés. de *incriminer.*

♦ Rare. (Choses). Qui incrimine. *Un indice incriminant pour qqn.*

INCRIMINATEUR, TRICE [ɛ̃kʀiminatœʀ, tʀis] adj. — 1918, cit.; du rad. de *incriminer.*

♦ Rare. (Personnes; actes). Qui incrimine. ⇒ **Accusateur.**

(...) même dans les relations les plus insignifiantes de la vie, un éclaircissement n'est sollicité par un correspondant qui sait qu'une phrase obscure, mensongère, incriminatrice, est mise à dessein pour qu'il proteste, et qui est trop heureux de sentir par là qu'il possède — et de garder — la maîtrise et l'initiative des opérations. PROUST, À l'ombre des jeunes filles en fleurs, Pl., t. I, p. 632.

INCRIMINATION [ɛ̃kʀiminɑsjɔ̃] n. f. — 1829, Boiste, *in* T. L. F.; de *incriminer.*

♦ Rare. Action d'incriminer. ⇒ **Accusation, attaque.** *Une incrimination injuste, mal fondée.*

(...) ce serait contre la loi et pourrait m'exposer plus tard à des soupçons et à des incriminations, car il ne manque pas de mauvaises langues (...)
G. SAND, la Petite Fadette, XXXIII.

INCRIMINER [ɛ̃kʀimine] v. tr. — 1558, rare av. 1791; bas lat. *incriminare* «accuser», de *in-* (→ 2. In-), et *criminare* ou *criminari* «accuser, accuser de façon calomnieuse», de *crimen, criminis* «accusation, grief». → Crime.

♦ **1.** Vieilli. Déclarer (qqn) criminel, accuser d'un crime. ⇒ **Inculper.** *Les pièces, les indices qui incriminent un suspect. Incriminer qqn de...* (un crime).

Cette résolution (...) incrimine de haute trahison quiconque tenterait de dissoudre *(la chambre).*
VILLEMAIN, Souvenirs contemporains, Les Cent-Jours, XIII.

♦ **2.** (1867). Mod. Mettre en cause, considérer comme une faute. ⇒ **Accuser** (de); cf. Imputer à crime (qqch.). *Incriminer la bonne foi, la conduite de qqn* (Académie). *Incriminer les actes, les intentions de qqn.*

Ce n'est pas votre bonne foi que j'incrimine; c'est votre négligence.
G. LEROUX, le Parfum de la dame en noir, p. 99, in T. L. F.

(XXe). Compl. n. de personne. Mettre en cause (qqn), considérer comme coupable. *On l'incrimine à tort.* ⇒ **Accuser, suspecter.**

Pron. réfl. «*Il s'incriminait, il s'accusait...*» (J. Verne, *le Tour du monde en 80 jours, in* T. L. F.). — Récipr. *Ils s'incriminent l'un l'autre.*

Par ext. Considérer (qqch., qqn) comme responsable (sans qu'il y ait faute). *Incriminer les circonstances, les événements.*

Littér. et rare. *Incriminer qqn, qqch. de* (et n. ou inf.). *Incriminer un écrivain d'immoralité, de corrompre la jeunesse.*

▶ **INCRIMINÉ, ÉE** p. p. adj. (1834).

Mis en cause, accusé; considéré comme responsable. *Incriminé pour un délit.*

Une douzaine de personnes causaient, incriminées, pour défaut de balayage, chiens errants, manque de lanterne ou avoir tenu pendant la messe un cabaret ouvert.
FLAUBERT, Bouvard et Pécuchet, éd. Folio, p. 401.

Elle leva les yeux vindicativement sur le bistrot incriminé et vit qu'il dormait, les cils rabattus sur ses joues blanches, la bouche close. COLETTE, Chéri, p. 26.

(...) il n'y aurait qu'à sourire de ces vaines dévastations, si les livres incriminés n'étaient en passe d'être effectivement supprimés de nos librairies.
GIDE, Attendu que..., p. 34.

(...) il *(leur)* arrivait de relire trois ou quatre fois de suite les citations incriminées, sans rien y découvrir d'étrange (...)
J. ROMAINS, les Hommes de bonne volonté, t. III, XVIII, p. 241.

N. Personne incriminée. *Les incriminés.*

L'incriminé va jusqu'au bout de la rue et tourne à l'angle devant le café du Cygne.
Robert PINGET, Graal Flibuste, p. 35.

CONTR. Disculper, justifier.
DÉR. Incriminable, incriminant, incriminateur, incrimination.

INCRISTALLISABLE [ɛ̃kʀistalizabl] adj. — 1762; de 1. *in-*, *cristalliser*, et suff. *-able*.

♦ Sc. Qui ne peut cristalliser.

CONTR. Cristallisable.

INCRITIQUABLE [ɛ̃kʀitikabl] adj. — 1846; de 1. *in-*, et *critiquable*.

♦ Rare. Non critiquable. *Pièce, auteur incritiquable.* — Impossible à critiquer.

Un peu comme *L'Eau vive* (...) *Goha* est un film presque incritiquable. Il ressemble à l'albatros de Baudelaire.
J.-L. GODARD, Arts, nº 723, 20 mai 1959, *in* Coll. des Cahiers du cinéma, p. 254.

CONTR. Critiquable.

INCROCHETABLE [ɛ̃kʀɔʃtabl] adj. — V. 1825; de 1. *in-*, *crocheter*, et suff. *-able*.

♦ Techn. Impossible à crocheter. *Serrure incrochetable.*

CONTR. Crochetable.

INCROYABLE [ɛ̃kʀwajabl] adj. et n. — Attesté 1513, mais antérieur (→ Incroyablement); *increable*, XIVe; de 1. *in-*, et *croyable*.

★ **I.** ♦ **1.** Qui n'est pas croyable; qu'il est impossible ou très difficile de croire. ⇒ **Effarant, étonnant** (1., vx), **étrange, fabuleux, fort, prodigieux, renversant, surprenant.** *Un récit incroyable. D'incroyables nouvelles. Une suite incroyable d'événements absurdes* (→ Gouvernant, cit. 10). *Vous me soutenez là une chose incroyable.* → Vous me la baillez* belle (vx).

1 Tout ce que tu me dis, Euphorbe, est incroyable. CORNEILLE, Cinna, IV, 1.

2 — Quoi donc? la chose est-elle incroyable? — À tel point,
Que vous-même, Monsieur, je ne vous en crois point. MOLIÈRE, Tartuffe, II, 2.

3 On sème de sa mort d'incroyables discours. RACINE, Phèdre, II, 1.

4 En un mot, nous voyons ces béatitudes de Jésus-Christ, en apparence si paradoxes *(paradoxales)* et si incroyables, authentiquement et sensiblement vérifiées (...)
BOURDALOUE, 1er Avent, Sermon pour la fête de tous les saints, II.

5 (...) les termes que vous soulignez sont incroyables. N'y ajoutez point foi (...)
VOLTAIRE, Correspondance, 653, 9 août 1740.

5.1 (...) se tenant donc là, insolites, et même légèrement incroyables, légèrement irréels, légèrement désuets (...) Claude SIMON, le Palace, 10/18, p. 27.

Loc. *Incroyable mais vrai**.

N. m. Ce qui est incroyable. *L'incroyable est un élément essentiel des contes de fées.* ⇒ **Fantastique.** *Événement qui a le caractère de l'incroyable.* ⇒ **Incrédibilité.**

(En construction impersonnelle). ⇒ **Impensable, inconcevable, inimaginable, invraisemblable.** *Il est incroyable de* (suivi de l'inf.). *Il est, il semble incroyable que* (suivi du subj.). *« C'est incroyable que tu ne comprennes pas combien il m'est odieux »* (Maupassant, *in* T. L. F.). → Flanc, cit. 12. — Littér. *Il est incroyable à quel point* (suivi d'une interrogative indirecte à l'indic.). → Étymologie, cit. 9; fugitif, cit. 16. *Il est incroyable combien cet homme-là fait de choses* (Académie). — Cour. *C'est incroyable ce qu'il fait chaud, ce que le temps passe... C'est incroyable comme on peut se tromper.*

6 Il allègue cela pour prouver qu'il n'est pas incroyable que les Septante aient expliqué les Écritures saintes avec cette uniformité que l'on admire en eux.
PASCAL, Pensées, IX, 632.

7 Il est incroyable combien ses souffrances augmentèrent dans les trois dernières semaines de sa maladie. RACINE, Port-Royal.

♦ **2.** (XVIe). Choses abstraites. (Souvent antéposé, en épithète). Qui est peu commun, peu ordinaire. ⇒ **Effroyable, étonnant, excessif, exorbitant, extraordinaire, fantastique, inouï.** *Une incroyable puissance d'ironie* (→ Aigu, cit. 14). *D'incroyables audaces* (→ Étoile, cit. 25). *Une incroyable apathie* (cit. 7). *Un courage incroyable* (→ Forcer, cit. 15). *D'incroyables malheurs* (→ Assaillir, cit. 9). *Euphorie* (cit. 4) *incroyable. Fatuité* (cit. 6) *incroyable. Progrès incroyables* (→ Exposition, cit. 6). — Spécialt (peut s'appliquer à des choses concrètes). ⇒ **Bizarre, extravagant, impayable, ridicule** (→ ci-dessous, cit. 10). *D'incroyables ornements* (→ Genre, cit. 17).

8 Ce fort *(de Saint-Étienne)* était comme une autre citadelle, qu'on ne pouvait aborder qu'à découvert et avec des difficultés incroyables.
RACINE, les Campagnes de Louis XIV.

9 (...) j'étais né mourant (...) ma tante Suson, qui prit soin de moi, eut des peines incroyables à me conserver. ROUSSEAU, les Confessions, VIII.

0 (...) il portait une perruque châtain à la Ninon, avec une raie de chair factice, et les plus incroyables et indescriptibles tire-bouchons!
BARBEY D'AUREVILLY, les Diaboliques, « Le dessous de cartes ».

1 Les grands yeux noisette de Mary Shelley le fixèrent avec une incroyable intensité.
A. MAUROIS, Ariel, II, XVIII.

2 J'ai une hâte incroyable d'être à Saint-Maurice. J. ROMAINS, Knock, I.

3 (...) je pouvais voir la France *(pendant la guerre de 1914-18)*, qu'une natalité déficiente, de creuses idéologies et la négligence des pouvoirs avaient privée d'une partie des moyens nécessaires à sa défense, tirer d'elle-même un incroyable effort, suppléer par des sacrifices sans mesure à tout ce qui lui manquait et terminer l'épreuve dans la victoire. Ch. DE GAULLE, Mémoires de guerre, t. I, p. 2.

Mais c'est incroyable! Votre affaire est incroyable. — Spécialt. Inadmissible. *Il a un culot incroyable. C'est tout de même incroyable!* ⇒ **Fort** (→ État, cit. 85).

♦ **3.** (1867, *in* Littré). Personnes. *Cet homme est incroyable avec ses prétentions. C'est un type incroyable!* — Qualifiant un caractère. *C'est un incroyable salaud!*

★ **II.** N. (1795; adj., «étrange, ridicule», 1780). Hist. *Un, une Incroyable; les Incroyables,* sous le Directoire, Jeunes gens qui affichaient une recherche extravagante dans leur mise et leur langage. ⇒ **Élégant** (cit. 8 et 9), **merveilleux; muscadin.** *Les Incroyables devaient leur surnom à leur habitude de répéter à tout propos : c'est incroyable (sans prononcer le r* [ɛ̃kwɔjabl]). *Incroyables et Merveilleuses*. Cheveux frisés à l'incroyable.*

Bonaparte avait surtout en horreur les *muscadins* et les *incroyables,* jeunes fats du moment dont les cheveux étaient peignés à la mode des têtes coupées. 14
CHATEAUBRIAND, Mémoires d'outre-tombe, t. III, p. 77.

Que ces hommes se fassent nommer raffinés, incroyables, beaux, lions ou dandys, tous sont issus d'une même origine; tous participent du même caractère d'opposition et de révolte (...) BAUDELAIRE, Curiosités esthétiques, XVI, IX. 15

Il *(Gillenormand)* était vêtu, selon sa mode, en *incroyable,* et ressemblait à un antique portrait de Garat. HUGO, les Misérables, IV, VIII, VII. 16

CONTR. Croyable.
DÉR. Incroyablement.

INCROYABLEMENT [ɛ̃kʀwajabləmɑ̃] adv. — Fin XVe; de *incroyable*.

D'une manière incroyable.

♦ **1.** Rare. Au point qu'on ne peut y croire.

♦ **2.** Cour. ⇒ **Excessivement.** *Ce garçon est incroyablement malin.* ⇒ **Drôlement, extraordinairement, extrêmement, terriblement.**

Notre monde est immense, incroyablement varié et plus fantastique qu'aucune imagination ne pourrait le concevoir.
J. CHARDONNE, l'Amour du prochain, p. 162.

Péj. *Elle était incroyablement mal habillée, fagotée.*

INCROYANCE [ɛ̃kʀwajɑ̃s] n. f. — 1836, Chateaubriand; de 1. *in-*, et *croyance*.

♦ Absence de croyance religieuse; état d'une personne qui ne croit pas, n'a pas de foi religieuse, et, spécialt, n'a pas la foi religieuse dominante dans la société à laquelle appartient le locuteur. ⇒ **Athéisme.** *L'incroyance de qqn, son incroyance. Une incroyance profonde. Être, vivre dans l'incroyance.* ⇒ **Doute, incrédulité.**

(...) l'athéisme et le matérialisme ne furent plus la base de la croyance ou de l'incroyance des jeunes esprits, l'idée de Dieu et de l'immortalité de l'âme reprit son empire (...) CHATEAUBRIAND, Mémoires d'outre-tombe, t. II, p. 204. 1

Une, des incroyances, attitude incroyante à propos de qqch. — REM. Dans cet emploi, *incroyance* peut ne pas concerner le domaine religieux.

Je ne crois pas aux pressentiments, mais il y a longtemps que j'ai perdu foi en mes incroyances. Les « je n'y crois plus » sont encore des certitudes et il n'y a rien de plus trompeur. R. GARY, Clair de femme, p. 9. 2

CONTR. Bigoterie, croyance, dévotion, foi.

INCROYANT, ANTE [ɛ̃kʀwajɑ̃, ɑ̃t] adj. et n. — 1783, n.; de 1. *in-*, et *croyant*.

♦ Qui n'est pas croyant*, qui se refuse à croire (en matière de religion, et relativement aux références du locuteur). ⇒ **Irréligieux.** *Esprit incroyant. — Un peuple incroyant.*

Tous les peuples impies, ou si l'on veut incroyants, ont été des peuples voluptueux. 1
LAMENNAIS, *in* LAROUSSE.

Que, personnellement, il *(Bonaparte)* fût de sentiment religieux et d'âme catholique, on a essayé de le prouver, — on a tenté de prouver aussi qu'il était, tout au contraire, foncièrement incroyant et sceptique. 2
Louis MADELIN, Hist. du Consulat et de l'Empire, Le Consulat, VII.

Incroyant, qui, en fait, par ignorance ou volontairement, n'a aucune croyance religieuse, dit plus qu'*incrédule,* qui manque de foi sur certains points particuliers sans pour cela ignorer ou nier toute croyance. 3
M. BÉNAC, Dict. des synonymes, art. *Incroyant.*

N. *(Un incroyant, une incroyante).* ⇒ **Athée, impie** (cit. 12), **mécréant.** *Les incroyants* (→ Attentat, cit. 12). *Les incroyants et les incrédules* (cit. 7).

CONTR. Croyant, dévot, fidèle.

INCRUSTANT, ANTE [ɛ̃kʀystɑ̃, ɑ̃t] adj. et n. m. — 1752; p. prés. de *incruster*.

♦ **1.** Qui couvre les corps d'une croûte minérale plus ou moins épaisse. *Les eaux incrustantes de Saint-Alyre.* ⇒ **Pétrifiant.**

N. m. Techn. Matière incrustante.

(...) les fibres de cellulose sont liées entre elles par des incrustants et l'intérieur des cellules contient différents composés.
F. MEYER et L.-J. OLMER, le Papier et les Dérivés de la cellulose, p. 10.

♦ **2.** Bot. *Lichens incrustants :* lichens croissant sur les roches en formant des lames minces fortement fixées au substrat. — Syn. : *crustacé (lichens crustacés).*

INCRUSTATION [ɛ̃kʀystɑsjɔ̃] n. f. — 1553; bas lat. *incrustatio* «revêtement (de marbre)», du supin du lat. class. *incrustare*. → Incruster.

♦ **1.** Action d'incruster*; manière dont un objet, une surface est incrustée. *La marqueterie, la mosaïque se font par incrustation. Incrustation d'émail sur argent.* ⇒ **Nielle.** *Techniques d'incrustation.* ⇒ **Azziminia, damasquinage.**

(Une, des incrustations). Élément incrusté dans un objet, sur une surface (surtout au plur.). *Objet, poignard, meuble orné d'incrustations. Colonne de marbre blanc avec incrustations de lapis, de turquoise* (→ Grille, cit. 9). — Par anal. *Un déshabillé de soie avec incrustations de dentelle. Broderie d'incrustation.*

1 C'est une basilique du XIe siècle de style toscan, toute en marbre blanc avec des incrustations noires et de couleur.
MAUPASSANT, la Vie errante, La côte italienne.

♦ **2.** (1749). Sc. et techn. Dépôt d'un enduit* pierreux naturel déposé par des matières salines soit autour des corps ayant séjourné dans des eaux calcaires (⇒ **Pétrification**), soit contre les parois des chaudières à vapeur (⇒ **Dépôt, tartre**); (1752; au plur., à propos d'appareils, 1873) cet enduit. *Empêcher les incrustations d'un générateur par l'emploi de désincrustants*.*

2 Lorsque l'eau chargée de ces particules calcaires, vitreuses ou métalliques, ne les a pas réduites en molécules assez ténues pour pénétrer dans l'intérieur des corps organisés, elles ne peuvent que s'attacher à leur surface, et les envelopper d'une incrustation plus ou moins épaisse (...)
BUFFON, Hist. nat. des minéraux, Pétrifications et fossiles.

♦ **3.** (D. i. — XXe —; vétér., 1600, «plaque sur les cornes du jeune bœuf»; méd., 1747, «formation d'une croûte sur une plaie»). Chir. dent. Bloc (en céramique ou métal coulé) destiné à l'obturation d'une cavité dentaire. ⇒ **Inlay; onlay.** *L'incrustation est préparée en laboratoire d'après une empreinte de la cavité à obturer.*

INCRUSTER [ɛ̃kʀyste] v. tr. — Av. 1553, *incrusté;* trans., 1560; lat. *incrustare* «couvrir d'une croûte, d'une couche, d'un enduit», de *in-* «sur» (→ 2. In-), et *crustare* «revêtir», ou *crusta* «ce qui recouvre, revêtement». → Croûte.

♦ **1.** (Surtout au passif). Orner* (un objet, une surface) suivant un dessin gravé en creux avec des fragments de quelque autre matière. *Incruster un manche de couteau en ivoire, d'ivoire.* — Passif et p. p. *Être incrusté de métal. Porte incrustée de nacre* (→ Entrebâillement, cit. 1). *Cabinet* (cit. 14) *incrusté en pierres dures de Florence. Boucle incrustée de diamants* (→ Fanfreluche, cit. 2). *Meuble incrusté d'écaille*. Poignard incrusté d'or.* ⇒ **Damasquiner.** — Par anal. Insérer* dans une surface évidée (des matériaux d'ornement taillés en fragments). *Incruster une mosaïque dans le pavé d'un temple* (Académie). *Champlever* pour incruster des émaux.*

1 Cette place est marquée par un marbre blanc incrusté de jaspe et entouré d'un cercle d'argent, radié en forme de soleil.
CHATEAUBRIAND, Itinéraire, III, p. 283.

2 Dans le Tadjé-Mahal pavé de pierreries
Aux dômes incrustés d'éblouissantes fleurs
Qui mêlent le reflet de leurs mille couleurs (...)
LECONTE DE LISLE, Poèmes barbares, «Djihan-Arâ».

3 (...) sa canne incrustée de pierreries (...)
Émile HENRIOT, les Romantiques, p. 353.

(Le compl. désigne l'incrustation). *Incruster de l'émail sur argent, sur fond d'argent.* ⇒ **Nieller.** — Par métaphore (→ ci-dessous, cit. 4 et 6) ou figuré (→ ci-dessous, cit. 5).

4 L'un *(l'artiste),* comme Calderon et comme Mérimée,
Incruste un plomb brûlant sur la réalité.
A. DE MUSSET, Premières Poésies, «La coupe et les lèvres», Dédicace.

5 Maintenant je la voyais comme une divinité redoutable, si rivée à nous, son visage insignifiant si incrusté dans notre cœur que (...)
PROUST, À la recherche du temps perdu, t. XIII, p. 9.

6 (...) ce vieux quartier plein de passé humain incrusté dans les pierres.
J. CHARDONNE, l'Amour du prochain, p. 71.

♦ **2.** (1555). Sc., techn. Couvrir d'un dépôt formant croûte. — Au p. p. *Aorte incrustée de sels de chaux* (→ Artériosclérose, cit. 1).

7 Le relateur observe : «Que les ouvriers ayant laissé une pelle de fer dans une de ces mines de cuivre où il coule de l'eau, cette pelle se trouva quelque temps après tout incrustée de cuivre (...) il ajoute que non seulement le cuivre incruste le fer mais que (...) le tout tombe en poudre au fond du réservoir (...)».
BUFFON, Hist. nat. des minéraux, Du cuivre.

▶ **S'INCRUSTER** v. pron.

♦ **1.** (XVIe). Adhérer fortement à un corps, s'y implanter. *Ce coquillage s'est profondément incrusté dans la pierre.* — Par métaphore. (→ Assimiler, cit. 16).

♦ **2.** (1831, Balzac). Fig. (Sujet n. de personne). *S'incruster chez qqn,* ne plus en déloger. ⇒ **Enraciner** (s').

8 Il voulut aimer platoniquement, vint tous les jours respirer l'air que respirait madame d'Aiglemont, s'incrusta presque dans sa maison et l'accompagna partout (...)
BALZAC, la Femme de trente ans, Pl., t. II, p. 768.

(XVIIe). Par métaphore du sens 1 (personnes, abstractions) :

9 (...) le fardeau d'un passé parasite qui s'incrustait à lui et dont il ne parvenait pas à se défaire (...)
R. ROLLAND, Jean-Christophe, La révolte, p. 397.

10 (...) de petites armoires de murailles, protégées par un auvent, où tout le long du jour un marchand vient s'incruster au milieu de ses pains de sucre (...) de son beurre rance, derrière sa balance rouillée.
Jérôme et Jean THARAUD, Marrakech, V.

Par ext. S'obstiner (dans une position, une attitude).

Plus il mesurait ce qu'il y avait de vil et de vulgaire, de mesquin et de ridicule — de bourgeois, en un mot — dans son attitude envers elle, plus il s'y incrustait.
MONTHERLANT, Pitié pour les femmes, p. 45.

♦ **3.** (1820; sujet n. de chose). Être incrusté ou susceptible de l'être. *La nacre s'incruste dans l'ébène.* — Fig. ⇒ **Graver** (se). *Les passions se sont incrustées sur ce visage de femme* (→ Grimer, cit. 1).

Sur un fond de filigrane d'or s'incrustent des perles et des pierres précieuses disposées avec une admirable entente de l'ornementation.
Th. GAUTIER, Voyage en Russie, p. 282.

♦ **4.** (Sujet n. de chose concrète). Se couvrir d'un dépôt formant croûte. *Les dents s'incrustent de tartre.* ⇒ **Entartrer.**

▶ **INCRUSTÉ, ÉE** p. p. adj. (Av. 1553, Rabelais). *Objet incrusté de...* (→ ci-dessus, 1.). — Absolt, adj. *Poignard incrusté.*

(1783, Buffon). Par ext. Enfoncé comme une incrustation. *Une marque incrustée dans la pierre.*

N. m. *(Un incrusté).* Pièce de tabletterie ornée d'incrustations.

CONTR. Désincruster.

DÉR. Incrustant, incrusteur.

INCRUSTEUR, EUSE [ɛ̃kʀystœʀ, øz] n. — 1828; de *incruster.*

♦ Techn. Personne qui fait des ouvrages incrustés.

INCUBAT [ɛ̃kyba] n. m. — 1891, Huysmans, attestation isolée (→ Succubat); de *incube.*

♦ Didact. et rare. Nature de l'incube.

HOM. Formes du v. **incuber.**

INCUBATEUR, TRICE [ɛ̃kybatœʀ, tʀis] adj. et n. m. — 1847, adj.; dér. sav. de *incuber**, d'après *incubation.*

♦ Didact. Où s'opère l'incubation des œufs. *Appareil incubateur. Poche incubatrice des crustacés.*

N. m. (1906). *Un incubateur.* ⇒ **Couveuse.** *Incubateurs utilisés en pisciculture.* — Par ext. (cf. anglais *incubator,* 1896). Couveuse* artificielle pour bébés prématurés. *L'incubateur est « une enceinte close et vitrée, chauffée, ventilée et suroxygénée »* (Garnier, *Dict. des termes techniques de médecine*).

INCUBATION [ɛ̃kybasjɔ̃] n. f. — 1694, Thomas Corneille; lat. *incubatio* «couvaison, incubation», du supin de *incubare.* → Incuber.

♦ **1.** Action de couver* des œufs; développement de l'embryon dans l'œuf sous l'effet de cette action. *Incubation des œufs de poissons, des vers à soie. Incubation naturelle, artificielle des œufs d'oiseaux. Four d'incubation.* ⇒ **Couveuse, incubateur.** *La durée d'incubation* (⇒ **Couvaison**) *varie de quinze jours* (passereaux) *à cinquante jours et plus* (autruche); *elle est de vingt et un jours pour la poule. Chaleur nécessaire à l'incubation* (38° à 40°). *Local où se fait l'incubation* (naturelle). ⇒ **Couvoir** (2.). *Les œufs éclosent* après incubation.*

Toute cette suite de phénomènes *(développement de l'embryon)* est l'effet de l'incubation opérée par une poule, et l'industrie humaine n'a pas trouvé qu'il fût au-dessous d'elle d'en imiter les procédés (...) quelque attention que l'on donne à la conduite d'un four d'incubation, il n'est guère possible d'y entretenir constamment et sans interruption le trente-deuxième degré *(Réaumur),* qui est celui de la poule (...)
BUFFON, Hist. nat. des oiseaux, Le coq.

Les oiseaux *(albatros)* prennent un soin spécial pour ne jamais laisser les nids inoccupés pendant toute la durée de l'incubation, et même jusqu'à ce que la progéniture soit suffisamment forte pour se pourvoir elle-même. Pendant l'absence du mâle (...) la femelle reste à ses fonctions (...) Les œufs ne restent jamais sans être couvés; quand un oiseau quitte le nid, l'autre niche à son tour.
BAUDELAIRE, Trad. E. POE, Aventures d'A. G. Pym, XIV.

♦ **2.** (1824, Nysten). «Temps qui s'écoule entre l'époque de la contagion et l'apparition des premiers symptômes» d'une maladie (Garnier). *Période d'incubation des maladies infectieuses. Incubation lente, rapide. Maladie qui se déclare après une longue incubation.*

L'envie et la rancune qui couvaient depuis si longtemps autour d'elle allaient éclater bientôt, comme un mal dévastateur se déclare après une incubation de plusieurs années.
J. GREEN, Léviathan, II, IV.

♦ **3.** (1840, Sainte-Beuve, *in* T. L. F.). Fig. Période pendant laquelle un événement, une chose... se prépare* sourdement, sans se manifester au grand jour. ⇒ **Couver** (II.). — *« L'incubation des insurrections »* (Hugo, *in* P. Larousse).

Junot lui racontait sa passion pour Paulette, Napoléon lui confiait son penchant pour Mme de Beauharnais : l'incubation des événements allait faire éclore un grand homme.
CHATEAUBRIAND, Mémoires d'outre-tombe, t. III, p. 82.

On sent une puissante incubation, l'approche de quelque chose d'inconnu.
RENAN, Vie de Jésus, Œuvres, t. IV, p. 95.

Une tragédie par an, excepté cette extraordinaire *Phèdre,* qui sortant déjà par trop de la série, prit une incubation de trois ans.
Ch. PÉGUY, Victor-Marie, comte Hugo, p. 177.

INCUBE [ɛ̃kyb] n. m. — 1372, *in* T. L. F.; *incubus* «cauchemar», 1256; bas lat. *incubus* «cauchemar» et même sens, de *incubare* «être couché dans, sur». → Incuber.

♦ Didact. Démon masculin, censé abuser d'une femme pendant son sommeil (par oppos. à *succube**).

1 Incubes, ce sont démons qui se transforment en guise d'hommes, et ont copulation avec les femmes sorcières. Ambroise PARÉ. XIX, 29, *in* LITTRÉ.

2 Del Rio, Bodin (...) considèrent les incubes comme des démons masculins qui se couplent aux femmes (...) D'après leur théorie, l'incube prend la semence que l'homme perd en songe et s'en sert (...) Pour Sinistrari d'Ameno (...) les incubes et les succubes ne sont pas précisément des démons, mais bien des esprits animaux (...) des sortes de satyres, de faunes (...) L'existence des succubes et des incubes est attestée par saint Augustin, par saint Thomas, par saint Bonaventure (...) par combien d'autres! HUYSMANS, Là-bas, IX.

3 Inutile d'inventer des histoires de personnages maléfiques, d'envoûtement! Pourquoi pas des incubes et des succubes? BERNANOS, Un mauvais rêve, *in* Œ. roman., Pl., p. 922.

DÉR. Incubat.
HOM. Formes du v. **incuber.**

INCUBER [ɛ̃kybe] v. tr. — 1771; lat. *incubare* «être couché sur, couver», de 2. *in-* «dans, sur», et *cubare* «être étendu, être couché». → Concubin; et aussi Incomber, succomber.

Didactique.

♦ **1.** Opérer l'incubation de. ⇒ **Couver.** *Il existe une grenouille qui incube ses œufs dans sa cavité gastrique.*

♦ **2.** Mettre à couver (des œufs) dans une couveuse artificielle. *Incuber des œufs de poissons dans un incubateur.*

DÉR. Incubateur.

INCUIT, ITE [ɛ̃kɥi, it] adj. et n. m. — XVIe, repris fin XVIIIe (attesté 1798); var. *encuit* «mal cuit», 1549; de 1. *in-*, et *cuit.*

♦ **1.** Adj. Vx. Qui n'est pas cuit.

♦ **2.** N. m. **a** (1867). Vx. Partie non cuite ou moins cuite d'une viande.

b (1841, *in* T. L. F.). Techn. *L'incuit d'une chaux, d'un ciment,* la partie inerte, qui a été insuffisamment chauffée.

c Techn. Défaut d'une pâte à papier (bois mal délignifié).

INCULCATION [ɛ̃kylkasjɔ̃] n. f. — 1588, Montaigne; lat. *inculcatio,* même sens, du supin de *inculcare.* → Inculquer.

♦ Rare. Action d'inculquer; son résultat.

INCULPABLE [ɛ̃kylpabl] adj. — 1829; de *inculper.*

♦ Rare. Qui peut être inculpé. *Il est inculpable de vol.*
REM. On trouve au XVIIIe s. (J.-J. Rousseau) un homonyme rare, «qui n'est pas coupable; innocent».

INCULPATION [ɛ̃kylpasjɔ̃] n. f. — 1740 (→ cit. ci-dessous); au sens du Code, déb. XIXe; attestation isolée, XVIe; de *inculper,* ou bas lat. *inculpatio,* du supin *inculpatum* de *inculpare.* → Inculper.

♦ Action d'inculper. — «Imputation officielle d'un crime ou d'un délit à un individu contre qui est en conséquence dirigée une procédure d'instruction» (Capitant). *Fausse inculpation; se justifier d'une inculpation.* ⇒ **Disculpation, excuse.** *Être arrêté sous l'inculpation d'assassinat, de vol. Une grave inculpation. L'inculpation de qqn.*

Inculpation! interrompit la marquise... monsieur le baron, à ce que je vois, veut enrichir aussi notre langue! — C'est ce qui vous trompe, madame (...) il y a longtemps qu'elle est enrichie de ce terme-là. A. R. LESAGE, Valise trouvée (1740), *in* F. BRUNOT, Hist. de la langue franç., VI, p. 1131, note 2.

CONTR. Disculpation.

INCULPER [ɛ̃kylpe] v. tr. — 1526, «accuser»; aussi *incolper,* XVIe; anc. franç. *encoulper;* bas lat. *inculpare* «blâmer, accuser», de *in-* marquant le terme d'une action (→ 2. In-), et *culpare* «regarder comme fautif», de *culpa* «faute». → Coulpe, coupable.

♦ **1.** Vx. Considérer (qqn) comme coupable d'une faute. *Inculper qqn de vol; inculper qqn à tort, sans preuve.* ⇒ **Incriminer** (vx); **accuser.**

♦ **2.** (1810). Mod. Mettre (qqn) sous le coup d'une inculpation*. *Inculper qqn et diriger une procédure d'instruction contre lui. Il a été inculpé de meurtre.*

J'assume une mission pénible. Je suis dans la nécessité de vous inculper du crime de forfaiture. GIRAUDOUX, Bella, p. 189.

▶ **INCULPÉ, ÉE** p. p. adj. et n.

♦ **1.** Adj. (1810; «accusé», 1611). Qui est inculpé. *Les personnes inculpées.*

♦ **2.** N. *(Un inculpé, une inculpée).* Personne soupçonnée d'une infraction sanctionnée par les tribunaux répressifs, et défendeur au procès pénal. *Le prévenu* est désigné «sous le nom d'*inculpé *lorsqu'une instruction préparatoire est ouverte contre lui. Il prend le nom d'*accusé, *lorsqu'il a été pour crime renvoyé devant la cour d'assises par arrêt de la chambre des mises en accusation»* (Capitant, *Voc. juridique,* art. *Prévenu*). *Perquisition* (cit. 3) *au domicile de l'inculpé. Un inculpé arbitrairement détenu* (→ Arrêter, cit. 36).

Le sort de l'inculpé, pendant la période de l'instruction préparatoire, pose une question délicate. Doit-on le laisser en liberté ou se rendre maître de sa personne? Bien qu'il bénéficie d'une présomption d'innocence, plusieurs raisons militent en faveur de son internement (...) l'intérêt d'empêcher sa fuite (...) la nécessité de prévenir des collusions avec ses complices (...) H. DONNEDIEU DE VABRES, Précis de droit criminel, 1020. 2

(L') *arrêt de mise en accusation* contient une partie spéciale dite «ordonnance de prise en corps» (...) Jusqu'à ces dernières années, l'inculpé — qui prend dès ce moment le nom d'*accusé* — devait inéluctablement, en vertu de cet ordre, être enfermé dans la *maison de justice* (...) H. DONNEDIEU DE VABRES, Précis de droit criminel, 1041. 3

CONTR. Disculper, excuser.
DÉR. Inculpable. — V. **Inculpation.**

INCULQUER [ɛ̃kylke] v. tr. — 1512, p. p.; *inculcer,* 1532, Rabelais, *in* T. L. F.; lat *inculcare* «fouler; faire pénétrer dans; inculquer», de *in-* (→ 2. In-), et *calcare* «fouler, piétiner», de *calx, calcis* «talon». → Calcaneum, calcéolaire.

♦ Faire entrer (une chose) dans l'esprit de qqn d'une façon durable, profonde. ⇒ **Apprendre, enseigner, graver, imprimer** (dans l'esprit). *Répéter une chose à qqn pour la lui inculquer. Ces préceptes, ces sentiments lui ont été inculqués dès l'enfance* (→ Fesser, cit. 3). *Inculquer une vérité, une opinion à qqn. Inculquer à des élèves des éléments d'algèbre.*

(...) obligé de parler plusieurs fois d'une doctrine pour l'inculquer (...) FÉNELON, Télémaque, X. 1

Dans cet essai de la manière d'inculquer aux enfants les notions primitives, on voit comment l'idée de la propriété remonte naturellement au droit du premier occupant par le travail. ROUSSEAU, Émile, II. 2

Le dogme de sa suprématie fut inculqué au comte Victurnien dès qu'une idée put lui entrer dans la cervelle. Hors le Roi, tous les seigneurs du royaume étaient ses égaux. Au-dessous de la noblesse, il n'y avait pour lui que des inférieurs (...) BALZAC, le Cabinet des Antiques, Pl., t. IV, p. 354. 3

(...) on leur avait inculqué de bons principes et, tôt ou tard, une première éducation, basée sur des principes solides, porte ses fruits. VILLIERS DE L'ISLE-ADAM, Contes cruels, p. 12. 4

Ce bon et sain programme de l'existence, que mes professeurs m'inculquèrent, je n'y ai jamais renoncé. RENAN, Souvenirs d'enfance..., III, I. 5

(...) ce que j'ai voulu inculquer avant tout en ce livre, c'est la foi à la raison, la foi à la nature humaine. RENAN, l'Avenir de la science, Œuvres, t. III, p. 1074. 6

Il m'inculqua les principes d'une piété éclairée. FRANCE, la Rôtisserie de la reine Pédauque, IV, Œ., t. VIII, p. 26. 7

Goethe ne veut ni nous surprendre ni nous en imposer, mais nous persuader doucement; nous inculquer le sentiment, non d'une obligation morale, d'un devoir, mais d'un savoir et d'un pouvoir (...) GIDE, Attendu que..., p. 107. 8

Absolument :

(...) il aime à répéter pour inculquer. VOLTAIRE, De quelques niaiseries, III. 9

▶ **S'INCULQUER** v. pron. *«Les proverbes s'inculquent facilement dans la mémoire»* (Académie).

▶ **INCULQUÉ, ÉE** p. p. adj. *Principes inculqués.*

DÉR. V. **Inculcation.**

INCULTE [ɛ̃kylt] adj. — 1475; lat. *incultus,* mêmes sens, de *in-* (→ 1. In-), et *cultus,* p. p. de *colere* «soigner, cultiver». → Cultiver; -cole.

♦ **1.** Concret. Qui n'est pas cultivé. *Terres, sols incultes.* ⇒ **Brut, vain** (terres vaines et vagues), **vierge; friche** (en). *Terrains incultes et incultivables**. ⇒ **Aride, désert, désertique, infertile, stérile.** *De vastes étendues incultes; lieu, pays inculte* (→ Gâtine, cit.). *Nature inculte. Terre laissée momentanément inculte.* ⇒ **Jachère.**

(...) combien il faut accuser notre négligence, s'il reste en France des terres incultes. VOLTAIRE, Essai sur les mœurs, CXXXVIII. 1

Dans un vaste désert je me crois transportée 2
Sur une terre aride, inculte, inhabitée. DUCIS, Abufar, II, 2, *in* LITTRÉ.

REM. On a employé, dans un sens plus particulier, l'adj. *incultivé.*

Incultivé est plus ancien que *inculte* qui est une importation latine assez récente. *Inculte* se dit de tout ce qui n'est pas cultivé, soit qu'il s'agisse de lieux habités par l'homme, ou de contrées inhabitées; *incultivé* se dit quand la culture manque dans les pays habités, où elle pourrait être donnée. LITTRÉ, Dict., art. *Incultivé.* 3

♦ **2.** (1838). Par anal. Qui n'est pas soigné (en parlant des cheveux, etc.). *Chevelure, barbe inculte.* ⇒ **Hirsute, négligé** (→ Boucle, cit. 5; gaillard, cit. 15).

Il était si joli, avec ses grands yeux noirs sous ses cheveux incultes (...) Louise MICHEL, la Misère, t. III, p. 556. 3.1

La barbe épaisse, inculte et presque blanche, hélas! VERLAINE, Amour, «Pensée du soir». 4

♦ **3.** (XVe). Abstrait. (Personnes). Sans culture intellectuelle (d'après les références du locuteur, de son groupe social). ⇒ **Grossier, ignare,**

ignorant. *Esprit inculte. Un homme rude et inculte. Des populations incultes.* ⇒ **Barbare, primitif, sauvage.** *Cet homme est intelligent, mais inculte. Il est totalement inculte, il n'a jamais mis le nez dans un livre. — Être inculte dans un domaine, une discipline, en sciences.* — Vieilli. *Mœurs rudes et incultes.* ⇒ **Abrupt, agreste, rustique.**

5 (...) il n'était pas, si j'ose me servir de ce terme, de ces héros incultes qui de la bravoure et de la science de la guerre se font un droit d'ignorance pour tout le reste. BOURDALOUE, Oraison funèbre de Louis de Bourbon, I.

6 (...) c'était une paysanne un peu cultivée; lui, un paysan inculte, mais heureusement doué et fort éloquent à sa manière. G. SAND, François le Champi, Avant-propos.

7 Son visage était expressif, mais il se coiffait mal. Surtout elle admirait la hardiesse, la robustesse de sa pensée; il était certainement très instruit, mais il lui paraissait inculte. GIDE, les Faux-Monnayeurs, *in* Romans, Pl., p. 978.

CONTR. (Du sens 1) **Fertile. — Cultivé, défriché.** — (Du sens 2) **Soigné.** — (Du sens 3) **Clerc, cultivé, savant.**

INCULTIVABLE [ɛ̃kyltivabl] adj. — 1776, Voltaire; de 1. *in-*, et *cultivable.*

♦ Qui ne peut être cultivé. *Terres incultivables.* ⇒ **Aride, infertile, stérile.**

(...) ce pays aride et presque incultivable (...) VOLTAIRE, Correspondance, 4267, 8 janv. 1776.

CONTR. Arable, cultivable, fertile.

INCULTIVÉ, ÉE [ɛ̃kyltive] adj. — XIVe-XVIe; repris XVIIIe; de 1. *in-*, et *cultivé.*

♦ Vx ou littér. Inculte* (1., REM. et cit. 3).

CONTR. Cultivé.

INCULTURE [ɛ̃kyltyʀ] n. f. — 1789; «négligence», 1783, Restif de La Bretonne, *in* T.L.F.; de 1. *in-*, et *culture.*

♦ **1.** Rare. Absence de culture. *L'inculture du sol, d'une terre. Terres stériles condamnées à l'inculture.*

♦ **2.** (1860). Absence de culture intellectuelle. *Son inculture nuit à son travail. Une inculture totale, épaisse, satisfaite.*

1 Je ne savais pas encore que la société bourgeoise ne fabrique ainsi, elle aussi, que de petits singes, très ouvertement, des singes bien articulés, bien huilés, d'une inculture tranquille, et ayant en plus un respect naïf de la singerie. Raymond ABELLIO, Ma dernière mémoire, t. I, p. 160.

2 Ces copies de TA *(travaux appliqués)* sont à peine des rédactions de cours complémentaires. Quelle pauvreté dans la pensée! Quelle inculture! Et quel style! Yanni HUREAUX, la Prof, p. 124.

CONTR. Culture.

INCUNABLE [ɛ̃kynabl] adj. et n. m. — 1802; lat. *incunabula* (nom neutre plur., «langes, berceau, enfance; commencement», de 2. *in-*, intensif, et *cunabula* «berceau, origine», n. d'instrument formé sur **cunare* «bercer», dénominatif de *cunæ*, n. f. pl., «berceau, première enfance», dans *Incunabula typographiæ* «les Débuts de la typographie», titre du catalogue des premiers ouvrages imprimés, publié par Beughem, 1688.

Didactique.

♦ **1.** Adj. Qui date des premiers temps de l'imprimerie. *Édition incunable.*

♦ **2.** N. m. (1838). Ouvrage imprimé antérieur à 1500. *Incunables tabellaires, xylographiques; incunables typographiques. Incunables et manuscrits rares. La collection d'incunables d'un bibliophile.*

(Le) fameux *Saint Christophe* (...) portant la date de 1423, et qui passa longtemps pour l'incunable xylographique le plus incontestable. H. BOUCHOT, *in* A. MICHEL, Hist. de l'art, t. III, I, p. 334, 336.

Par métaphore. *« L'incunable du fusil à silex, la pièce rare »* (*Figaro-Magazine,* 5 janv. 1980, p. VIII).

INCURABILITÉ [ɛ̃kyʀabilite] n. f. — 1707; de *incurable.*

♦ Rare. Caractère de ce qui est incurable; gravité extrême (d'un mal). État d'une personne incurable. *L'incurabilité d'une maladie, d'un malade.*

CONTR. Curabilité.

INCURABLE [ɛ̃kyʀabl] adj. et n. — 1314; bas lat. *incurabilis,* de *in-* (→ 1. In-), et *curabilis.* → Curable.

♦ **1.** Qui ne peut être guéri. ⇒ **Inguérissable.** *Mal, maladie; blessure, plaie incurable. Maladie grave* (1. Grave, cit. 24) *ou incurable.*

1 Les blessures qu'elles *(les flèches trempées dans le sang de l'hydre de Lerne)* faisaient étaient incurables. FÉNELON, Télémaque, XII.

2 Pour ma maladie, elle est incurable, puisqu'elle date de quatre-vingts ans; c'est un mal qui m'empêche quelquefois d'être aussi exact que je le voudrais dans mes réponses. VOLTAIRE, Correspondance, 4088, 9 févr. 1774.

(...) la mort de Mlle Herminie de Stasseville, victime d'une maladie de langueur dont personne ne s'était douté qu'à la dernière extrémité, et quand la maladie avait été incurable. BARBEY D'AUREVILLY, les Diaboliques, Le dessous de cartes...

(...) j'entendais, entre les bouts de phrase, sa respiration courte et rauque, comme celle d'un homme tourmenté par une bronchite incurable. G. DUHAMEL, Salavin, I, XIII.

(1538). Personnes. *Malade incurable.* ⇒ **Condamné, fichu** (fam.), **perdu.** — N. (1636). *Les incurables. Asile, hospice d'incurables,* et, ellipt. (vx), *les Incurables :* l'hospice des incurables (construit en 1634), le quartier où il se trouvait (à Paris).

L'un demeure au Marais, et l'autre aux Incurables. BOILEAU, Épîtres, VI.

Par métaphore. *« On est incurable quand on chérit* (cit. 8) *sa souffrance »* (Flaubert).

♦ **2.** (XIVe, Oresme, en parlant d'un défaut). Par métaphore ou fig. *Les blessures* (cit. 7) *incurables de l'amour-propre, de l'amour, etc.* (→ Apercevoir, cit. 14; endroit, cit. 15). *Souffrance, douleur incurable. Passion, amour incurable* (vieilli). *Ennui* (cit. 26), *mélancolie, tristesse incurable. — Aveuglement, bêtise, ignorance, sottise incurable.* ⇒ **Incorrigible** (→ Incompréhension, cit. 1). — REM. L'antéposition de l'adj. est stylistique, assez fréquente dans la langue littéraire.

D'un incurable amour remèdes impuissants! RACINE, Phèdre, I, 3.

Ô mes enfants, quelle maladie incurable que celle de l'ambition! MARMONTEL, Mémoires, VIII.

(...) une faiblesse de caractère presque toujours incurable (...) LACLOS, les Liaisons dangereuses, CVI.

(...) l'incurable mélancolie de ses beaux yeux, le pessimisme de ses lèvres, l'infinie et noble lassitude de ses mains. PROUST, les Plaisirs et les Jours, p. 162.

Se convaincre, par mille observations morales, de l'imbécilité incurable de la nature humaine, de l'impuissance de l'homme à saisir quelque vérité que ce soit pour s'y appuyer, voilà la première préoccupation, impérieuse et ardente, de son esprit *(Pascal).* Émile FAGUET, Études littéraires, XVIIe siècle, p. 186.

(V. 1361, Oresme). Personnes. *Il est incurable :* il ne changera jamais. ⇒ **Incorrigible.** *Un incurable bavard, menteur.*

Incurable vieux homme du vieux temps, et noble jusqu'aux moelles : son âme religieuse habite le temple désert. André SUARÈS, Trois hommes, « Ibsen », p. 140.

CONTR. Curable.

DÉR. Incurabilité, incurablement.

INCURABLEMENT [ɛ̃kyʀabləmɑ̃] adv. — 1566; repris XIXe; de *incurable.*

♦ **1.** D'une manière incurable. *Être incurablement malade.*

♦ **2.** D'une façon irrémédiable, de manière à ne pas changer (en parlant de défauts, de mauvaises tendances). *Il est incurablement bavard.* ⇒ **Incorrigiblement.**

La conspiration de la cour (...) avait saisi les imaginations, les avait rendues incurablement soupçonneuses et méfiantes. MICHELET, Hist. de la Révolution franç., II, I.

Ô incurablement léger peuple de France! tu vas payer bien cher aujourd'hui ton inapplication, ton insouciance, ton repos complaisant dans tant de qualités charmantes! GIDE, Journal, 21 mai 1940.

INCURIE [ɛ̃kyʀi] n. f. — 1611, Cotgrave (mil. XVIe, selon d'autres sources); lat. *incuria* «défaut de soin, négligence, insouciance», de *in-* (→ 1. In-), et *cura* «soin». → Cure.

♦ **1.** Manque de soin, d'organisation. *L'incurie de qqn, d'un responsable.* ⇒ **Insouciance, laisser-aller, négligence.** *Combattre l'ignorance* (cit. 29) *et l'incurie. « L'incurie ordinaire à tous les gouvernements »* (cit. 35, France). *L'incurie administrative. Coupable, dangereuse incurie. Vivre dans l'incurie.* ⇒ **Abandon, mollesse.**

Heureux qui voit couler ses jours
Dans la mollesse et l'incurie!
VOLTAIRE, Lettres en vers et en prose, I, *in* LITTRÉ.

(...) quels qu'aient été son incurie, sa faiblesse, son abrutissement même, dans ses dernières années, l'histoire pardonnera beaucoup à celui qui se déclare le protecteur des esclaves (...) MICHELET, Hist. de France, I, III.

(...) il paraît certain que la végétation était, il y a deux mille ans, plus riche et verte qu'aujourd'hui, abîmée qu'elle fut par l'incurie des Turcs, l'excessif déboisement, la destruction de la terre végétale. DANIEL-ROPS, Jésus en son temps, Introd., p. 65.

♦ **2.** Vx. *L'incurie de* (qqn) *pour* (qqch.), le fait de n'en avoir pas cure, de ne pas s'en soucier. ⇒ **Incurieux** (2.).

Il y en a qui ne trouvent leur repos que dans une incurie de toutes choses (...) BOSSUET, Pensées détachées, I, *in* LITTRÉ.

J'ai pris d'un campagnard l'allure, le langage, le costume, le laisser-aller, l'incurie de tout ce qui est grimace. BALZAC, le Médecin de campagne, Pl., t. VIII, p. 507.

CONTR. Soin.

INCURIEUX, EUSE [ɛ̃kyʀjø, øz] adj. — XVIe, Montaigne, au sens mod.; lat. *incuriosus* «sans souci, indifférent; sans soin», de *in-* (→ 1. In-), et *curiosus* (→ Curieux), avec infl. de *curieux* (3.), au sens moderne.

♦ Littér. Qui n'est pas curieux. *Un esprit incurieux. Incurieux de qqch., de tout.* ⇒ **Indifférent.** *Être incurieux de...* (et inf. : *savoir, connaître...*).

1 Je ne me sentais plus aucun désir de la questionner davantage; subitement incurieux de sa personne et de sa vie, je restais devant elle comme un enfant devant un jouet qu'il a brisé pour en découvrir le mystère (...) GIDE, Isabelle, p. 152.

2 Il y avait aussi cet étrange mutisme de Micheline et qui se posait parfois sur lui, ce regard absent, incurieux, comme si elle ne le connaissait plus pour mari, ni pour quoi que ce fût. M. AYMÉ, Travelingue, p. 217.

3 (...) son œil inexpressif, incurieux se posant un instant (mais apparemment sans voir) sur celui (...) qui l'avait interpellé (...)
Claude SIMON, la Route des Flandres, p. 15.

(Fin XVe). Vx. Qui ne se soucie pas de... ⇒ **Incurie,** 2. (vx). *Incurieux d'accroître sa fortune* (Littré).

CONTR. Curieux.

INCURIOSITÉ [ɛ̃kyʀjozite] n. f. — 1495; de 1. *in-,* et *curiosité* (→ Curiosité, REM.) au sens anc.; «négligence, insouciance», XVIe; bas lat. *incuriositas,* de *in-* (→ 1. In-), et *curiositas* (→ Curiosité), d'où la définition de Littré, ci-dessous, par étymologisme.

♦ Littér. Absence de curiosité, «insouciance* d'apprendre ce qu'on ignore» (Littré). ⇒ **Inintérêt.** *L'incuriosité d'un enfant, d'un élève. Son incuriosité est totale.* — Allus. littér. *« Que c'est un doux et mol chevet (...) que l'ignorance* (cit. 9 et 14) *et l'incuriosité... »* (Montaigne).

1 L'ennui, fruit de la morne incuriosité.
BAUDELAIRE, les Fleurs du mal, Spleen et idéal, LXXVI.

1.1 Si, pourtant, je ne suis pas surpris de ne pas lui avoir demandé alors avec qui elle descendait les Champs-Élysées, car j'avais déjà vu trop d'exemples de cette incuriosité amenée par le Temps. PROUST, le Temps retrouvé, Pl., t. III, p. 695.

2 Le pire peut-être avait été son incuriosité : elle n'avait exigé aucun détail, elle ne s'était informée d'aucune circonstance. F. MAURIAC, la Fin de la nuit, VI, p. 120.

L'incuriosité de quelque chose, quant à quelque chose.

3 Cette incuriosité des formes extérieures si générale dans le monde, et qui résulte moins d'une maladresse des yeux que de la constante et exclusive préoccupation de soi, de la tenue à garder, de l'effet produit.
Alphonse DAUDET, l'Immortel, p. 278.

Psychol. (Sans compl.). Indifférence totale et repliement sur soi-même (n'allant pas jusqu'à l'autisme). ⇒ **Désintérêt** (affectif), **introversion.**

CONTR. Curiosité.

INCURSION [ɛ̃kyʀsjɔ̃] n. f. — 1352; lat. *incursio* «choc contre, attaque, invasion», du supin de *incurrere* «se jeter sur, faire irruption dans», de *in-* (→ 2. In-), et *currere.* → Courir.

Littéraire ou style soutenu.

♦ **1.** Entrée, court séjour d'un envahisseur en pays ennemi. ⇒ **Attaque, coup** (de main), **excursion** (vx), **ingression** (vx), **invasion.** *Les incursions de pillards, de bandes nomades.* ⇒ **Raid, razzia.** *Incursion de troupes débarquées.* ⇒ **Descente.** *Une incursion de commandos*.*

1 Les Turcs, sous Bajazet II (...) font des incursions en Hongrie, et sur les terres de la maison d'Autriche (...) VOLTAIRE, Annales de l'Empire, Maximilien (1494).

2 On sait l'occasion de la première migration des barbares dans l'Empire. Jusqu'en 375, il n'y avait eu que des incursions, des invasions partielles.
MICHELET, Hist. de France, II, I.

3 Nous disons (...) indifféremment *incursions sur un territoire,* qu'il s'agisse de celles que nous subissons sur notre sol ou de celles que nous faisons sur celui d'autrui. Le XVIIIe siècle distinguait *incursions* et *« excursions ».*
F. BRUNOT, Hist. de la langue franç., t. VI, p. 122.

(1835). Entrée brusque. *Les incursions d'une bande d'enfants dans un jardin, dans un appartement.* ⇒ **Irruption** (→ Fourrager, cit. 6). — Loc. *Faire incursion dans un lieu, chez qqn, quelque part.* — REM. Dans ce sens, Jaurès (*in* T. L. F.) emploie le verbe *incursionner* «faire incursion».

♦ **2.** (1765). Fig. Fait de pénétrer momentanément dans un domaine qui n'est pas le sien, qui n'est pas habituel. *Poète, philosophe qui fait une incursion dans le domaine des sciences.* ⇒ **Exploration, voyage** (fig.).

4 Par cette brève incursion dans ce domaine insoupçonné *(la lecture des lettres intimes de son père),* Antoine venait d'en apprendre plus long sur la jeunesse de ses parents que par toutes les allusions faites, en vingt ans, par son père.
MARTIN DU GARD, les Thibault, t. IV, p. 233.

INCURVABLE [ɛ̃kyʀvabl] adj. — 1838; de *incurver.*

♦ Didact., techn. Qui peut se courber, s'incurver. *« Tige incurvable »* (Académie, *Compl.*).

INCURVATION [ɛ̃kyʀvasjɔ̃] n. f. — 1585, repris début XIXe (1803, Boiste); *incurvacion,* XVe; lat. et bas lat. *incurvatio,* mêmes sens, du supin *incurvatum* de *incurvare.* → Incurver.

♦ Didact., techn. Action d'incurver; résultat de cette action. ⇒ **Courbe, courbure** (→ Courbature, cit. 3, Péguy).

(...) l'incurvation sacristine des vertèbres supérieures et le coutumier reploiement des bras sur de plates côtes souvent menacées (...) 1
Léon BLOY, le Désespéré, p. 159.

Méd. Courbure anormale (d'un os).

Figuré :

On pourrait ajouter que les actes accomplis une première fois par tâtonnements successifs s'inscriraient en programmes dans une série de mémoires et que, par la suite, le jeu de ces différentes mémoires déclencherait l'accomplissement de chaînes opératoires complexes, aboutissant même à l'incurvation des comportements au cours du déroulement des chaînes. 2
A. LEROI-GOURHAN, le Geste et la Parole, t. II, p. 16.

CONTR. Redressement.

INCURVER [ɛ̃kyʀve] v. tr. — 1838, Académie, *Compl.; incurvé vers* «incliné, courbé vers», 1551; *encurver* «courber», XIIe; empr. sav., d'après *incurvation, incurvé,* du lat. *incurvare* «courber, plier», de *in-* marquant le mouvement ou intensif (→ 2. In-), et *curvare.* → Courber.

♦ Rendre courbe. ⇒ **Courber.** — Pron. (1885, Bourget). *L'Amérique indigo s'incurvait sur les mers d'un bleu vif* (→ Globe, cit. 11, Bosco).

Les deux cheminées blanches *(du paquebot)* lançaient une fumée qui s'incurvait en arrière sous la pression de l'air déchiré par la course. 1
Paul BOURGET, Cruelle Énigme, IV.

Mais en laissant mon regard glisser sur le beau globe rose de ses joues, dont les surfaces doucement incurvées venaient mourir aux pieds des premiers plissements de ses beaux cheveux noirs (...) 2
PROUST, À la recherche du temps perdu, t. VII, p. 231.

Les joues lisses s'incurvaient sous la saillie des pommettes, jusqu'à la courbe ferme du menton. MARTIN DU GARD, les Thibault, t. V, p. 267. 3

▶ **INCURVÉ, ÉE** p. p. adj. (1551; lat. *incurvatus,* p. p. de *incurvare*). Rendu courbe. *Ligne incurvée* (⇒ **Curviligne**), convexe ou concave. *Surfaces incurvées* (→ ci-dessus, cit. 2). *Canapé à pieds incurvés.*

CONTR. Redresser. — (Du p. p.) **Droit.**
DÉR. Incurvable.

INCUSE [ɛ̃kyz] n. f. et adj. f. — 1692; lat. *incusa,* fém. de *incusus* «forgé, travaillé au marteau», de *in-* (→ 2. In-), et *cusum,* supin de *cudere* «frapper, forger, battre (le métal)».

♦ Techn. *Médaille incuse :* médaille «qui se trouve sans revers, ou porte en creux la tête *(la figure, l'image)* qui est en bosse *(relief)* de l'autre côté» *(Encyclopédie).* — N. f. *Une incuse.*

IND- Élément de mots savants, du lat. *indicum,* et signifiant «indigo». ⇒ **Inde, indigo;** et aussi **indanthrène, indène.**

INDAGUER [ɛ̃dage] v. intr. — XVe, «faire des recherches»; lat. *indagare* «suivre la piste de (un animal)», fig. «rechercher, dépister», de *indago, indaginis* «action de pousser le gibier à l'intérieur d'une enceinte» puis «investigation, poursuite, enquête», ou directement de *indu-,* var. anc. de *endo-,* forme renforcée de *in-* (→ 2. In-), et *agere* «pousser en avant (un troupeau...), poursuivre, mener». → Agir.

♦ Dr. En Belgique. Poursuivre une enquête. *Le parquet indague.*

Vous aurez beau enquêter et indaguer. Personne ni moi-même ne peut vous renseigner (...) P. GÉRARDY, Le chinois tel qu'on le parle, p. IX (1903).

INDANSABLE [ɛ̃dɑ̃sabl] adj. — V. 1850; de 1. *in-, danser,* et *-able.*

♦ Qui ne peut être dansé. *Cette valse est indansable dans un tempo aussi rapide.*

CONTR. Dansable.

INDANTHRÈNE [ɛ̃dɑ̃tʀɛn] n. m. — 1903, in *Rev. gén. des sc.,* no 22, p. 1147; angl. *indanthrene,* 1901, n. déposé; cf. *indanthr(acène),* et *-ène.*

♦ Chim. Colorant bleu dérivant d'une amino-anthraquinone.

INDATABLE [ɛ̃databl] adj. — Mil. XXe; de 1. *in-,* et *datable.*

♦ Qu'on ne peut dater. *Document indatable.*

CONTR. Datable.

INDE [ɛ̃d] n. m. — XIIe, «bleu foncé violacé», adj. et n. m.; lat. *indicum* (→ Indigo), probablt par l'anc. provençal *indi.*

♦ Techn. Couleur bleu foncé tirant sur le violet. — Syn. : *bleu d'Inde. Teindre en inde.*

(Mil. XVIe). Substance tinctoriale donnant ce bleu, extraite de l'indigotier ou de la guède. — Syn. : *indigo.*

INDÉBROUILLABLE [ɛ̃debʀujabl] adj. — 1764, Voltaire, au fig.; de 1. *in-, débrouiller,* et suff. *-able.*

♦ Rare. Qui ne peut être débrouillé. ⇒ **Inextricable.** *Des écheveaux* (cit. 6) *indébrouillables.* — Fig. *Une affaire indébrouillable.*

CONTR. Débrouillable.

INDÉCACHETABLE [ɛ̃dekaʃtabl] adj. — 1845; de 1. *in-*, et *décachetable.*

♦ Rare. Qu'on ne peut décacheter.

CONTR. Décachetable.

INDÉCELABLE [ɛ̃deslabl] adj. — 1833, *in* T. L. F.; de 1. *in-*, et *décelable.*

♦ Non décelable, qu'on ne peut pas déceler. *Quantité indécelable.* ⇒ **Indosable.** *Caractères indécelables d'un individu. Vérité indécelable. La supercherie était si habile qu'elle était presque indécelable.* — N. m. (Rare et littér.). *L'indécelable* : ce qui ne peut être décelé.

(...) on pourra invoquer mille circonstances ténues et inconnues de nous qui ont façonné ce besoin de sentir en besoin d'agir *(chez Flaubert).* Mais (...) c'est renoncer à expliquer et s'en remettre précisément à l'indécelable.
SARTRE, l'Être et le Néant, p. 645 (1943).

CONTR. Décelable.

INDÉCEMMENT [ɛ̃desamɑ̃] adv. — 1572, Montaigne; *indécentement,* 1537; de *indécent.*

♦ **1.** Vx. D'une manière indécente (1. et 2.). *Se conduire indécemment.*

1 (...) cette préférence du duc de Vendôme sur le prince de Conti, à la mort duquel il *(Monseigneur)* fut si indécemment insensible.
SAINT-SIMON, Mémoires, III, XLIX.

♦ **2.** (1829). Mod. Contrairement à la décence, à la pudeur. ⇒ **Indécent** (3.).

♦ **3.** D'une manière excessive et insolente (sens par exagération de *indécent**). ⇒ **Insolemment.**

2 Ne pas se heurter à sa fille, pour Mme Noire, et la traiter en égale, ne relevait pas seulement de ses principes, mais sans doute aussi d'un désir de se croire jeune encore. Ce qu'elle était à quarante-cinq ans. Indécemment jeune, comme Marie n'espérait pas le paraître encore à trente.
ARAGON, Blanche..., II, I, p. 178.

CONTR. Décemment.

INDÉCENCE [ɛ̃desɑ̃s] n. f. — 1568, sens 2; lat. *indecentia* «inconvenance», de *indecens.* → Indécent.

♦ **1.** (XVIIe). Manque de décence*, caractère de ce qui est indécent (1. et 2.). ⇒ **Inconvenance.** *L'indécence d'une démarche. Cette réponse est de la dernière indécence. Aurez-vous l'indécence d'en réclamer davantage?* ⇒ **Impudeur, malhonnêteté.** — Spécialt. Caractère de ce qui blesse la pudeur. ⇒ **Immodestie, impudicité;** et aussi **indécent** (3.). *L'indécence de ses attitudes, de son décolleté. Danse d'une indécence révoltante.* ⇒ **Hardiesse** (→ Écart, cit. 1). *Des plaisanteries, des gaietés* (cit. 16) *qui ne vont pas jusqu'à l'indécence.* ⇒ **Malpropreté, obscénité** (→ aussi Aiguillonner, cit. 1). *Des propos qui frisent l'indécence.* ⇒ **Scabreux.**

1 C'est indécence (...) de manger goulûment, comme je fais (...)
MONTAIGNE, Essais, III, XIII.

2 Vos mines et vos cris aux ombres d'indécence
Que d'un mot ambigu peut avoir l'innocence (...)
MOLIÈRE, le Misanthrope, III, 4.

3 (...) l'indécence et le ridicule où elles *(ces modes)* peuvent tomber (...)
LA BRUYÈRE, les Caractères, XIII, 15.

4 (...) il leut dit qu'il n'était pas convenable à des personnes qui, comme eux, se plaignaient de l'indécence et de la nouveauté de certains usages, d'en soutenir eux-mêmes de pareils (...)
SAINT-SIMON, Mémoires, IV, XXXIII.

5 (...) l'indécence avec laquelle nous étions traités m'était plus sensible qu'à tous les autres (...) je me plaignais vivement à l'ambassadeur (...) qui (...) me faisait chaque jour quelque nouvel affront.
ROUSSEAU, les Confessions, VII.

6 L'indécence, le défaut de pudeur sont absurdes dans tout système : dans la philosophie qui jouit, comme dans celle qui s'abstient.
CHAMFORT, Maximes et Pensées, XLVII.

7 (...) feu Étienne Lamy a eu une phrase malheureuse (...) il écrit : «On a aussi découvert d'autres billets d'elle *(Aimée de Coigny)* et ceux-là, tant s'y dévoile l'indécence des caresses, doivent demeurer das le musée des curieux.» Rien n'est propre comme (...) les réticences de la pudeur, pour faire trotter l'imagination.
Émile HENRIOT, Portraits de femmes, p. 211.

♦ **2.** (1568). *Une, des indécences.* Manifestation, marque d'indécence; action, parole indécente*. *Il n'a que des indécences à la bouche. Ouvrage immoral qui fourmille d'indécences.*

8 (...) demeurer en séance quand la cour levait était une indécence pour tout le Parlement.
SAINT-SIMON, Mémoires, IV, XXXIII.

9 Il y a pour les esprits impurs de terribles indécences dans le tableau de Michel-Ange *(le Jugement dernier),* et on trouve dans plus d'une cathédrale de ces choses qui auraient fait couvrir les yeux d'un protestant avec le mouchoir de Tartuffe.
BARBEY D'AUREVILLY, Une vieille maîtresse, Préface.

CONTR. Décence. — Bienséance, chasteté, convenance, honnêteté, honte, modestie, pudeur.

INDÉCENT, ENTE [ɛ̃desɑ̃, ɑ̃t] adj. — XIVe; lat. *indecens,* de *in-* (→ 1. In-), et *decens, -entis.* → Décent.

♦ **1.** Vieilli. Qui est contraire à la décence, à l'honnêteté, aux bienséances. ⇒ **Inconvenant, malséant.** *Vivre d'une manière indécente.* ⇒ **Indécemment.** *Un luxe indécent.* ⇒ **Choquant.** *Spectacle indécent et ridicule* (→ Haranguer, cit. 3). *Son attitude à votre égard est tout à fait indécente.* ⇒ **Incorrect, malhonnête.**

♦ **2.** (XVIIe, Patru). Vx. Qui ne convient pas.

Vx. *Indécent à...* : qui ne convient pas, n'est pas séant à...

(...) les cris sont indécents
À la Majesté souveraine.
LA FONTAINE, Fables, XII, 12.

♦ **3.** (1618). Mod. Qui choque la réserve socialement requise en matière sexuelle; contraire à la décence. ⇒ **Déshonnête, immodeste, impudique, impur, obscène.** *Posture, tenue indécente. Des gestes indécents. Conversation indécente.* ⇒ **Licencieux, malpropre** (→ Gouvernant, cit. 4). — (Personnes). Qui a une attitude indécente, un comportement choquant en matière sexuelle. *Être indécent en paroles* (→ ci-dessous, cit. 3), *dans son vêtement* (trop dénudé; → ci-dessous, cit. 7).

Une femme nue n'est point indécente; c'est une femme troussée qui l'est.
DIDEROT, Salons, La chaste Suzanne.

Ces messieurs (...) se permettent d'être indécents. On parlait des danseuses que le public avait distinguées dans un ballet donné la veille. Ces messieurs faisaient allusion à des anecdotes piquantes (...)
STENDHAL, le Rouge et le Noir, II, VI.

La maigreur est plus nue, plus indécente que la graisse.
BAUDELAIRE, Journaux intimes, Fusées, VI.

(...) une robe dont le corsage, qui avait reçu un coup de ciseau de trop, et qui, par cette échancrure, laissait voir la naissance du cou, était, comme disent les jeunes filles, «un peu indécent». Ce n'était pas le moins du monde indécent, mais c'était plus joli qu'autrement.
HUGO, les Misérables, IV, V, VI.

Elle n'était pas entièrement nue; mais c'était bien pis! Elle était bien plus indécente, — bien plus révoltamment indécente que si elle eût été franchement nue (...) Mais cette fille, scélératement impudique (...) avait combiné la transparence insidieuse des voiles et l'osé de la chair (...)
BARBEY D'AUREVILLY, les Diaboliques, «Vengeance d'une femme».

Habillez-vous, monsieur, vous êtes indécent.
COURTELINE, Messieurs les ronds-de-cuir, 4e tableau, I.

♦ **4.** (Aux sens 1 ou 2). *Il est indécent de* (et inf.). *Il est indécent que* (et subj.). — (Au sens 1) :

Mon père trouve qu'il est indécent que des sujets d'une certaine gravité soient mêlés à des soucis de nourriture.
MONTHERLANT, le Maître de Santiago, I, 1.

Il serait indécent, pour l'honneur de la maison, de voir M. Winterberg tendre la main.
G. DUHAMEL, Cri des profondeurs, XI.

(Au sens 2). *Il est, il serait indécent de prononcer ce mot, cette expression devant des enfants.*

♦ **5.** Par exagér. Qui choque par sa démesure. ⇒ **Insolent.** *Des lettres d'une grandeur indécente* (→ Hôtel, cit. 11). *Une veine indécente.* ⇒ **Impudent.**

CONTR. Bienséant, convenable, correct, décent, honnête, modeste, pudique.
DÉR. Indécemment.

INDÉCHIFFRABLE [ɛ̃deʃifʀabl] adj. — 1609, *in* T. L. F.; de 1. *in-*, et *déchiffrable**.

♦ **1.** Didact. Qui ne peut être déchiffré. *Cryptogramme, message indéchiffrable.* — Par anal. *Hiéroglyphes, inscriptions indéchiffrables.*

(...) une circonstance qui est importante, en ce qu'elle marque le peu de confiance que l'on doit prendre aux chiffres. J'en avais un avec Madame la Palatine, que nous appelions l'indéchiffrable, parce qu'il nous avait toujours paru que l'on ne le pouvait pénétrer qu'en sachant le mot dont l'on serait convenu.
RETZ, Mémoires, II, p. 793.

N. m. *L'indéchiffrable.*

♦ **2.** (1690). Très difficile à lire. ⇒ **Illisible.** *Des barbouillages* (cit. 2) *indéchiffrables. Manuscrit barbouillé* (cit. 8) *et indéchiffrable.* ⇒ **Grimoire.** *Écriture indéchiffrable. — Partition indéchiffrable. — Chose, écrit indéchiffrable pour qqn.*

Les experts écrivains s'y donneront au diable :
Je tiens dès à présent la lettre indéchiffrable.
J.-F. REGNARD, le Distrait, IV, 9.

♦ **3.** (En parlant du sens, du contenu). Très difficile à comprendre, à deviner ou à résoudre. ⇒ **Embrouillé, incompréhensible, inexplicable, inintelligible, obscur.** *Énigme* indéchiffrable. Pensées indéchiffrables* (→ Eau, cit. 8). *Le monde est indéchiffrable* (→ Épeler, cit. 3), *indéchiffrable pour les hommes. — Personnage indéchiffrable.* ⇒ **Énigmatique.** — (En parlant d'une manifestation concrète). *Attitude, geste, sourire indéchiffrable.*

(...) Marmor de Karkoël était indéchiffrable, autant, à sa manière, que la comtesse du Tremblay dans la sienne.
BARBEY D'AUREVILLY, les Diaboliques «Le dessous de cartes...».

(...) le hasard, s'il existe, est aussi mystérieux que la Providence et, plus qu'elle encore, il est indéchiffrable!
HUYSMANS, En route, p. 298.

5 (...) un sourire indéchiffrable, c'est-à-dire un sourire dont je ne pouvais savoir s'il était content ou fâché, soumis ou sarcastique.
G. DUHAMEL, Cri des profondeurs, VI.

CONTR. Clair, déchiffrable.

INDÉCHIFFRÉ, ÉE [ɛ̃deʃifʀe] adj. — 1801, Mercier, *in* T. L. F.; de 1. *in-*, et *déchiffré*. → Déchiffrer.

♦ Littér. Qui n'est pas déchiffré. — (Personnes). *Un personnage étrange, indéchiffré.* — N. m. :

C'est un journaliste du genre savant et de l'espèce rare, un travailleur qui veut des choses, croit à des choses, méprise des choses; un indéchiffré encore pour moi.
J. RENARD, Journal, 16 févr. 1891.

CONTR. Déchiffré.

INDÉCHIRABLE [ɛ̃deʃiʀabl] adj. — 1846; Richard de Radonvilliers, 1845; de 1. *in-*, *déchirer*, et suff. *-able*.

♦ Qui ne peut se déchirer. *Tissu indéchirable.* — (1899, Renard, *in* T. L. F.). Fig. *Union indéchirable.*

CONTR. Déchirable.

INDÉCIDABLE [ɛ̃desidabl] adj. et n. m. — 1957; de 1. *in-*, et *décidable*, p.-ê. d'après l'angl. *undecidable*.

♦ Log. Qui n'est pas décidable*. *Une proposition indécidable.* N. m. *Les indécidables en mathématiques.*

CONTR. Décidable.

INDÉCIDÉ, ÉE [ɛ̃deside] adj. — XXe (attesté 1967); de 1. *in-*, et *décidé*. → Indécis, indécision.

♦ Didact. Qui n'est pas l'objet d'une décision de l'esprit. ⇒ **Indéterminé, irrésolu.**

(Poincaré fait) remonter le nombre aux conditions *a priori* de l'action elle-même, tandis qu'il laisse indécidée la question d'origine des classes et des relations.
J. PIAGET, Épistémologie, *in* Encycl. Pl., Logique et connaissance scientifique, p. 74.

CONTR. Décidé, résolu, tranché.

INDÉCIS, ISE [ɛ̃desi, iz] adj. et n. — Mil. XVe, «non jugé»; bas lat. *indecisus* «non tranché», de *in-* (→ 1. In-), et *decisus*, p. p. de *decidere*. → Décider.

♦ **1.** (Choses). Qui n'est pas décidé*, au sujet de quoi aucune décision n'est prise. ⇒ **Douteux, incertain, indéterminé.** *Question qui reste indécise,* qui n'est pas tranchée*. *Une mode indécise* (→ Galbe, cit. 1). *La victoire ne demeura pas longtemps indécise.* ⇒ **Flottant.** — Par métaphore. *L'heure* (cit. 46) *indécise du crépuscule.* «*Heures indécises où tout hésite encore entre le jour et la nuit*» (→ Affût, cit. 2, Daudet).

1 La gloire et la curiosité sont les deux fléaux de notre âme. Celle-ci nous conduit à mettre le nez partout, et celle-là nous défend de rien laisser irrésolu et indécis.
MONTAIGNE, Essais, I, XXVIII.

2 Une médaille, même contemporaine, n'est pas quelquefois une preuve. Combien la flatterie n'a-t-elle pas frappé de médailles sur des batailles très indécises, qualifiées de victoires.
VOLTAIRE, Dict. philosophique, Histoire, III.

3 (...) il appartient à notre époque de les fixer *(les signes distinctifs du Jabiru)*, car jusqu'aujourd'hui l'espèce est demeurée indécise et flottante entre deux ou trois types convenus dont à présent elle se différencie.
GIDE, Journal (1910), Voyage en Andorre.

(XVIIIe, Buffon). Par ext. Qui n'est pas bien déterminé, qu'il est difficile de distinguer*, d'apprécier, de reconnaître. ⇒ **Confus, imprécis, indéfini, indéterminable, trouble, vague.** *L'aube* (cit. 8) *indécise. Lumière indécise. Un sourire indécis* (→ Mi-figue* mi-raisin). *Des contours indécis, des formes indécises.* ⇒ **Flou, indistinct** (→ Fantastique, cit. 8). *Un être indécis, sans consistance* (cit. 3). ⇒ **Inconsistant.** *Couleur indécise. Un vert, un gris* (cit. 25) *indécis.* ⇒ **Faux.** — *Des termes indécis.* ⇒ **Ambigu, équivoque, général.** *Pensées indécises.* ⇒ **Fluide, nébuleux.**

4 On sait comme il *(d'Argental)* opinait : des demi-mots, des réticences, des phrases indécises, du vague et de l'obscurité, ce fut tout ce que j'en tirai (...)
MARMONTEL, Mémoires, III.

5 Un demi-tour fantastique, un voile aérien, un brouillard l'environnait. C'était une forme indécise qui faisait presque disparaître tout vêtement (...)
É. DE SENANCOUR, Oberman, XC.

6 Et l'ange, se dressant dans la brume indécise,
Était penché sur eux comme la tour de Pise.
HUGO, la Légende des siècles, LIV, XII, Vision de Dante.

7 L'intrigue du roman est indécise, les caractères n'existent pas, le sens de l'ouvrage demeure extrêmement confus.
Émile HENRIOT, Portraits de femmes, p. 404.

N. m. *L'indécis* (→ Gris, cit. 14).

♦ **2.** (Personnes). Qui n'a pas encore pris une décision; qui a peine à se décider. *Demeurer, rester indécis entre deux solutions, entre plusieurs partis.* ⇒ **Désorienté, embarrassé, hésitant, perplexe; balancer, ballotter** (être balancé, ballotté entre); → Être entre le zist* et le zest. *Foule indécise. Enfant indécis, qui se gratte* (cit. 6) *la tête.* — Qui ne sait pas prendre une décision, une résolution. *Caractère, esprit indécis,* qui ne sait pas ce qu'il veut. ⇒ **Faible, irrésolu, ondoyant, timoré, vacillant.** *Un homme indécis* (→ Ni chair* ni poisson; qui ne sait* pas ce qu'il veut). — N. (1747). *C'est un perpétuel indécis. Les indécis* (→ Hériter, cit. 16).

La conscience est (...) inquiète dans les indécis (...) 8
VAUVENARGUES, Réflexions et Maximes, 135.

Ces caractères indécis et mitoyens ne peuvent jamais réussir, à moins que leur incertitude ne naisse d'une passion violente, et qu'on ne voie jusque dans cette indécision l'effet du sentiment dominant qui les emporte. 9
VOLTAIRE, Remarques sur Corneille, Tite et Bérénice, I, 1.

(...) il ne sera toute sa vie qu'un duc à demi-ultra, à demi-libéral, un être indécis, toujours éloigné des extrêmes (...) 10
STENDHAL, le Rouge et le Noir, II, XI.

Lui si volontiers péremptoire, il avait l'accent indécis. 11
G. DUHAMEL, Chronique des Pasquier, II, IV.

Un peu grisée, Pauline s'arrêtait aux vitrines. Tentée, indécise, elle s'approchait de ces nouveautés, changeait d'avis (...) 12
J. CHARDONNE, les Destinées sentimentales, III, I.

CONTR. Arrêté, décidé, défini, déterminé, distinct, 2. franc (cit. 13), net, précis, prononcé, résolu.
DÉR. Indécision.

INDÉCISION [ɛ̃desizjɔ̃] n. f. — 1611, sens 2; de *indécis,* d'après *décision*.

♦ **1.** (XVIIIe). Manque de décision; caractère, état d'une personne indécise. ⇒ **Doute, flottement, hésitation, incertitude, indétermination, irrésolution, perplexité.** *Demeurer, être, flotter dans l'indécision.* ⇒ **Balance** (être en), **balancer, ballotter** (→ Ne savoir sur quel pied* danser). *Voilà qui mettra fin à son indécision, le tirera de son indécision.* ⇒ **Embarras.** *Au terme d'une longue indécision.* ⇒ **Errement.** *Indécision dans les esprits.* ⇒ **Trouble.** *Se laisser aller à la mollesse, à l'incurie par indécision.* ⇒ **Faiblesse** (→ Gouvernement, cit. 35). *Comportement qui trahit une certaine indécision.* ⇒ **Flottement** (cit. 1). *Indécision qui retarde la réalisation de tous les projets* (→ Éclaircissement, cit. 4). — Par ext. *Indécision du geste, de la voix* (→ Énonciation, cit. 2).

Elle encourageait les sentiments et même les espérances d'une foule de jeunes gens (...) elle avait avec eux ces formes douteuses, mais attrayantes, qui ne repoussent mollement que pour retenir, parce qu'elles annoncent plutôt l'indécision que l'indifférence, et des retards que des refus. 1
B. CONSTANT, Adolphe, VIII.

Ses moindres mouvements furent empreints de cette lourdeur froide, de cette stupide indécision qui caractérise les gestes d'un paralytique. 2
BALZAC, Sarrasine, Pl., t. VI, p. 86.

(...) une population honnête, mais lourde, timide et gauche par indécision. 3
MICHELET, Hist. de France, III, Tabl. France, Auvergne.

La raideur de l'esprit se concilie d'ailleurs fort souvent avec une certaine indécision dans la pratique. 4
RENAN, Essais de morale et de critique, Œuvres, t. II, p. 128.

(...) ses mains, soulevées jusqu'à ses tempes et tremblées un moment, dans le vide, dirent l'excès de son indécision. 5
COURTELINE, Boubouroche, III.

(...) un certain doute, une nuance d'indécision, ne pouvait manquer d'annoncer en lui l'erreur à venir. 6
J. PAULHAN, Entretien sur des faits divers, p. 52.

♦ **2.** Rare. Caractère, état de ce qui est indécis. *L'indécision des nuances* (Littré). ⇒ **Flou, vague.**

CONTR. Assurance, certitude, décision, détermination, résolution. — (Du sens 2) Netteté, précision.

INDÉCLINABILITÉ [ɛ̃deklinabilite] n. f. — Av. 1714, Fénelon; de *indéclinable*.

♦ **1.** Vx. Caractère de ce qui est indéclinable* (2.). «*L'indéclinabilité ou irrésistibilité de la grâce*» (Fénelon).

♦ **2.** (1765). Gramm. Qualité des mots indéclinables.

INDÉCLINABLE [ɛ̃deklinabl] adj. et n. m. — 1380, gramm.; lat. *indeclinabilis* «qui ne dévie pas» (sens gramm. en bas lat.), de *in-* (→ 1. In-), *declinare* (→ Décliner), et suff. *-(a)bilis* (→ -able).

♦ **1.** Gramm. Qui ne reçoit pas les signes du genre ni du nombre. ⇒ **Invariable.** — Par ext. Qui ne se décline pas. «*Nequam*», *adjectif latin indéclinable.* — N. m. *Les indéclinables* (adverbes, conjonctions, prépositions...). *Un indéclinable.*

♦ **2.** (XVIe; «qui ne peut décliner, fléchir», XVe). Vx. Qu'on ne peut décliner, éviter. «*D'une manière invincible, indéclinable*» (Fénelon).

CONTR. Déclinable.
DÉR. Indéclinabilité.

INDÉCOLLABLE [ɛ̃dekɔlabl] adj. — 1871-1872, Almanach Didot-Bottin, *in* Littré, *Suppl.*; Richard de Radonvilliers, 1845; de 1. *in-*, 2. *décoller*, et *-able*.

♦ Rare. Qui ne peut se décoller.

CONTR. Décollable.

INDÉCOMPOSABLE [ɛ̃dekɔ̃pozabl] adj. — 1738, Voltaire; de 1. *in-*, *décomposer*, et *-able*.

♦ **1.** Qui ne peut être décomposé. *Corps simple indécomposable.*

♦ **2.** (XIXe). Fig. Qu'on ne peut analyser, séparer en parties distinctes. *Ceci forme un tout indécomposable. Notion indécomposable.* ⇒ **Inanalysable.** *Unité indécomposable.*

CONTR. Décomposable.

INDÉCOMPOSÉ, ÉE [ɛ̃dekɔ̃poze] adj. — 1864, Renouvier, *in* T. L. F. ; de 1. *in-*, et *décomposé.*

♦ Didact. Qui n'a pas été décomposé.

CONTR. Décomposé.

INDÉCRASSABLE [ɛ̃dekʀasabl] adj. — Mil. XXe ; de 1. *in-*, *décrasser*, et suff. *-able.*

♦ **1.** (Choses). Qu'on ne peut pas décrasser (tant c'est sale). *Peigne, linge indécrassable.* ⇒ **Innettoyable.**

(...) en salopette et ses mains indécrassables, imprégnées de terre et de cambouis mêlés (...) Claude SIMON, la Route des Flandres, p. 200.

♦ **2.** Fig. et fam. (Personnes). Qui ne peut être instruit, « décrassé ». *Il est absolument indécrassable !*, d'esprit si épais qu'il n'y a rien à en attendre. ⇒ **Indécrottable.**

INDÉCROCHABLE [ɛ̃dekʀɔʃabl] adj. — Mil. XXe ; de 1. *in-*, *décrocher*, et suff. *-able.*

♦ **1.** Qu'on ne peut décrocher.

♦ **2.** Fig. et fam. Qu'on ne peut obtenir. *Diplôme indécrochable.*

INDÉCROTTABILITÉ [ɛ̃dekʀɔtabilite] n. f. — 1859, Baudelaire ; de *indécrottable.*

♦ Rare. Caractère indécrottable.

INDÉCROTTABLE [ɛ̃dekʀɔtabl] adj. — 1611 ; de 1. *in-*, *décrotter*, et suff. *-able.*

♦ **1.** Rare. Qu'on ne peut décrotter. *Roue, souliers indécrottables.*

♦ **2.** (Av. 1654). Cour. (Personnes). Qu'on ne parvient pas à débarrasser de ses manières grossières, de ses mauvaises habitudes. ⇒ **Incorrigible.** *Un paresseux indécrottable. Un lourdaud indécrottable. Il est indécrottable !* ⇒ **Incurable** (→ On ne peut rien en tirer*). — N. *Un, une indécrottable.*

1 Jamais un si sot homme que celui-ci, jamais un si impertinent que l'autre, jamais rien de plus indécrottable que tous les deux. SAINT-SIMON, Mémoires, II, XX.

2 (...) le paresseux est indécrottable. Il ne changera jamais. Henri MICHAUX, La nuit remue, p. 109.

3 Pas grand-chose à en tirer. Du sergent non plus : indécrottable (...) SARTRE, la Mort dans l'âme, p. 215.

(Actes, caractères). *Une paresse indécrottable.*

DÉR. Indécrottabilité, indécrottablement.

INDÉCROTTABLEMENT [ɛ̃dekʀɔtabləmɑ̃] adv. — 1904, Willy, *in* D. D. L. ; de *indécrottable.*

♦ Rare. D'une manière indécrottable (surtout au sens 2). *Il est indécrottablement intellectuel, paresseux.*

INDÉDOUBLABLE [ɛ̃dedublabl] adj. — 1863 ; Richard de Radonvilliers, 1845 ; de 1. *in-*, *dédoubler*, et suff. *-ale.*

♦ Didact. ou rare. Qui ne peut être dédoublé. — Chim. *Polypeptides indédoublables.*

INDÉFECTIBILITÉ [ɛ̃defɛktibilite] n. f. — 1677, Mme de Sévigné ; de *indéfectible.*

♦ Didact. Caractère de ce qui est indéfectible. *L'indéfectibilité de la matière. L'indéfectibilité d'un sentiment.*

INDÉFECTIBLE [ɛ̃defɛktibl] adj. — 1501, F. Le Roy ; lat. médiéval *indefectibilis* « indéfectible, éternel », de *in-* (→ 1. In-), bas lat. *defectibilis* « sujet à défaillir », de *defectum*, supin de *deficere* « faire défaut » (→ Défectif, déficient), et suff *-(i)bilis* (→ -ible).

Didactique ou littéraire.

♦ **1.** Qui ne peut cesser d'être, qui continue, dure toujours. ⇒ **Éternel, indestructible.** *Le dogme catholique considère l'Église comme indéfectible. Attachement indéfectible. Les principes indéfectibles de la démocratie.*

1 Ô lumière incorruptible, ô lumière incompréhensible, ô lumière indéfectible (...) qui enlumine les anges et les saints de paradis ! F. LE ROY, cité par HUGUET (texte de 1501).

♦ **2.** (J. de Pesquidoux, 1923, *in* T. L. F.). Qui ne peut défaillir*, être pris en défaut. *Mémoire indéfectible.* ⇒ **Solide, sûr.**

(...) leur indéfectible courage se doublait maintenant d'une foi ardente, et sans défaillance, dans le génie d'un grand homme de guerre. MADELIN, Hist. du Consulat et de l'Empire, Avènement de l'Empire, XX.

(...) Victor Hugo excelle à mêler ses connaissances réelles et d'habiles souvenirs de lecture conservés par une mémoire indéfectible (...) Émile HENRIOT, les Romantiques, p. 69.

DÉR. Indéfectibilité, indéfectiblement.

INDÉFECTIBLEMENT [ɛ̃defɛktibləmɑ̃] adv. — 1677, Retz, *in* T. L. F. ; de *indéfectible.*

♦ Didact. ou littér. D'une manière indéfectible. *Être indéfectiblement attaché à ses principes.*

(...) je crois que cette sorte de divertissement vous amuserait bien autant que l'indéfectibilité de la matière. Mme DE SÉVIGNÉ, 628, 23 juil. 1677.

(...) la perpétuelle visibilité de l'Église dans l'indéfectibilité du ministère (...) BOSSUET, Réflexions sur un écrit de M. Claude, XIII.

INDÉFENDABLE [ɛ̃defɑ̃dabl] adj. — 1663, Molière, au sens 2 ; *indéfensable, indéfensible*, XVIe ; de 1. *in-*, et *défendable**.

♦ **1.** (1845). Qui ne peut être défendu. *Bastion indéfendable.*

(...) il est des paquets de fantassins qui se font massacrer dans une ferme indéfendable. SAINT-EXUPÉRY, Pilote de guerre, XVIII, p. 143.

♦ **2.** (Abstrait). Qui ne peut être défendu ; trop mauvais pour être défendu. ⇒ **Insoutenable.** *Cause indéfendable. Ce point de vue est absolument indéfendable.*

(...) cette pièce, à le bien prendre, est tout à fait indéfendable. MOLIÈRE, Critique de l'École des femmes, V.

(Fin XIXe). Par ext. (Personnes). Dont on ne peut prendre la défense (en raison d'actes injustifiables). ⇒ **Inexcusable.**

INDÉFENDU, UE [ɛ̃defɑ̃dy] adj. — 1667, Corneille ; de 1. *in-*, et *défendu.* → Défendre.

♦ Vx (langue class.) ou littér. Qui n'est pas défendu (1.).

INDÉFINI, IE [ɛ̃defini] adj. et n. m. — Av. 1375, trad. de *la Cité de Dieu* par Raoul de Presles (éd. 1531) ; lat. *indefinitus* « indéfini, vague », de *in-* (→ 1. In-), et *definitus* « défini, déterminé, précis », p. p. adj. de *definire.* → Définir.

♦ **1.** Dont la fin, les limites ne sont ou ne peuvent être déterminées. ⇒ **Illimité, infini ; fin** (sans). *Caractère de ce qui est défini.* ⇒ **Indéfinité, indéfinitude** (didact.). *Le ciel*, espace indéfini. Extension* (cit. 7) *indéfinie. Un perfectionnement indéfini des méthodes industrielles* (→ Houille, cit. 5). *Un nombre indéfini d'immigrants* (→ Assimiler, cit. 10). *Des métamorphoses indéfinies.* ⇒ **Perpétuel** (→ Immobilité, cit. 7). — N. m. *L'indéfini :* ce qui est défini (→ cit. 1 et 4).

1 Et je mets ici de la distinction entre l'*indéfini* et l'*infini*. Et il n'y a rien que je nomme proprement infini, sinon ce en quoi de toutes parts, je ne rencontre point de limites, auquel sens Dieu seul est infini. Mais pour les choses où sous quelque considération seulement je ne vois point de fin, comme l'étendue des espaces imaginaires, la multitude des nombres, la divisibilité des parties de la quantité et autres choses semblables, je les appelle *indéfinies* et non pas *infinies*, parce que de toutes parts elles ne sont pas sans fin ni sans limites. DESCARTES, Réponses aux 1res objections (1641).

2 Je ne sais pas si cette liberté *(de la presse)* doit être accordée ; mais je pense que si on l'accorde, elle doit être sans limites et indéfinie. D'ALEMBERT, Lettre au roi de Prusse, 2 mars 1772.

3 (...) bien qu'il *(l'amour)* ait besoin d'un avenir indéfini, il s'enivre du présent (...) Mme DE STAËL, Corinne, VIII, II.

4 L'illimité est toute la religion. La foi, c'est l'indéfini dans l'infini. HUGO, Post-scriptum de ma vie, L'âme, Contemplation suprême, I.

5 Jamais il n'avait tenu pareille somme, et il se crut riche pour des temps indéfinis. MAUPASSANT, Bel-Ami, I, IV.

6 Il *(Balzac)* ne croyait pas au dogme romantique du progrès indéfini des sociétés (...) Émile HENRIOT, les Romantiques, p. 329.

N. m. (1641). *L'indéfini* (opposé chez Descartes au *fini* et à *l'infini*). → ci-dessus, cit. 1.

7 Ce qu'il y a de certain dans la mort est un peu adouci par ce qui est incertain : c'est un indéfini dans le temps qui tient quelque chose de l'infini (...) LA BRUYÈRE, les Caractères, XI, 38.

♦ **2.** Qui n'est pas défini*, qu'on ne peut définir. ⇒ **Imprécis, incertain, indécis, indéterminé, vague.** *Une tristesse indéfinie* (→ Brisant, cit. 2). *Fonctions indéfinies. Des rêveries indéfinies* (→ Exceller, cit. 6).

8 (...) on vous confie, Valerio, sur les frontières orientales de l'Empire, une mission très indéfinie. Ceux qui vous envoient ne savent pas ce que vous aurez à faire et ne se soucient guère de l'apprendre. J.-A. DE GOBINEAU, Nouvelles asiatiques, p. 278.

Log. Qui manque de définition. *Terme indéfini.*

♦ **3.** (1548). Ling. Qui est « propre à présenter un concept sous son aspect le plus général, sans le rapporter à un être ou à un objet déterminé » (Marouzeau). *Mot indéfini*, et, n. m., *un indéfini.* — *Article* indéfini* (⇒ **Un, une, des**) *devant un nom commun indéterminé quant à son identité* (ex. : « Un paon muait, un geai prit son plumage» La Fontaine, *Fables,* IV, 9) *ou devant un nom propre pour* (le plus souvent) *lui donner une valeur générale* (ex. : «Un Auguste aisément peut faire des Virgile» Boileau, *Épîtres,* I). *Emploi emphatique de l'article indéfini* (ex. : «Il faut avouer que tu es d'une innocence!» Goncourt, *Renée Mauperin,* VII). — *Adjectifs* indéfinis, relatifs à la quantité* (⇒ **Aucun, chaque, maint, nul, plus** [d'un], **plusieurs, quelques, tous, tout**), *à la qualité* (⇒ **Certain, quelque; quelconque;** 2. **importer** [n'importe quel]), *à la ressemblance ou à la différence* (⇒ **Autre, même, tel**). — *Nominaux* indéfinis,* improprement appelés *pronoms* indéfinis* (autrui, plusieurs, quelqu'un, quiconque...). — On, *pronom personnel indéfini.* Aucun, nul, personne, rien, *indéfinis de valeur positive-négative.* Chacun, *indéfini distributif.*

9 (...) on peut dire que l'absence d'article indéfini achève d'indéterminer. Ainsi dans les proverbes ou formes de langage proverbiales : *À bon chat bon rat* (...)
F. BRUNOT, la Pensée et la Langue, p. 140.

10 De même que la langue d'autrefois, celle de nos jours n'emploie l'article indéfini que devant le nom d'une personne ou d'une chose dont on n'a pas parlé, qui n'a pas été présentée (...) Comme l'article défini, l'indéfini peut s'appliquer à un nom propre (...) «Un *Pamphile* est plein de lui-même (...)» LA BRUYÈRE, Car., IX, 50; ici l'article indéfini marque (...) une insistance particulière (...) Un autre emploi enfin du même article (...) est de le faire servir à présenter le nom propre comme on ferait celui d'une personne absolument inconnue (...) «Qu'est-ce qu'*un M. Dalens* qui demeure sur la montagne» MUSSET, Confess., IV, I.
G. et R. LE BIDOIS, Syntaxe du franç. moderne, t. I, n° 117-120-121.

11 Certains adverbes de quantité comme : *assez, beaucoup, combien, peu, trop,* etc., employés d'une manière absolue, peuvent être mis au nombre des «pronoms» indéfinis, puisqu'ils désignent une quantité indéterminée d'êtres ou de choses (...)
GREVISSE, le Bon Usage, § 579, N. B.

Passé indéfini* ou *composé :* temps de l'indicatif formé du présent de l'auxiliaire «être» ou «avoir», et d'un participe passé (ex. : *elle a fini; il est venu hier*). *Valeur du passé indéfini* (→ Imparfait, cit. 8).

12 (...) ces vers ailés, déliés, musicaux et tendres que Vildrac a composés au temps de notre jeunesse. Je m'aperçois que je viens d'employer le passé indéfini à l'endroit même où mon lecteur pouvait attendre l'imparfait. L'instinct de l'écrivain répond ici à des nécessités profondes. «Composait» donnerait à entendre que Vildrac faisait ordinairement une chose qu'il ne fait plus et ce serait inexact (...) Mais ce passé indéfini prend à mon sens un autre pouvoir. Disant qu'il a «composé» ces poèmes, j'entends donc qu'ils «sont» composés et qu'ils vont le demeurer pour longtemps (...) G. DUHAMEL, Biographies de mes fantômes, III.

13 Le **passé composé** (passé indéfini) indique un fait achevé à une époque déterminée ou indéterminée du passé et que l'on considère comme étant en contact avec le présent, soit que ce fait ait eu lieu dans une période de temps non encore entièrement écoulée ou que ses conséquences soient envisagées dans le présent : *Aujourd'hui 5 janvier, je* **suis parti** *de Naples à sept heures du matin* (CHATEAUB., Voy. en Italie). — ***J'ai dévoré** force moutons* (LA FONT., VII, 1.)...
GREVISSE, le Bon Usage, § 721.

CONTR. Borné, défini, déterminé, distinct, limité.
DÉR. Indéfiniment, indéfiniser (s'), indéfinité, indéfinitude.

INDÉFINIMENT [ɛ̃definimɑ̃] adv. — 1568; *indefiniment,* 1501; *indeffiniement,* 1531, *in* T. L. F.; de *indéfini.*

♦ **1.** D'une manière indéfinie. ⇒ **Éternellement, fin** (sans). *Répéter indéfiniment qqch., une chanson. S'amuser indéfiniment au même jeu. La brute* (cit. 2) *qui subsiste indéfiniment dans l'homme. L'homme* (cit. 10) *continue indéfiniment le mouvement vital.* — (Dans l'espace). *Élargir* (cit. 4) *indéfiniment la productivité.*

1 Elle était (...) sur le pont d'un bateau à vapeur, comme la première fois qu'il l'avait rencontrée; mais celui-là s'en allait indéfiniment vers des pays d'où elle ne sortirait plus. FLAUBERT, l'Éducation sentimentale, III, V.

2 (...) un mariage qui ressemblait à une lune de miel indéfiniment prolongée (...)
BARBEY D'AUREVILLY, les Diaboliques, «Le bonheur dans le crime».

3 Mais, mon cher ami, dit-elle, nous ne pouvons pourtant demeurer ici indéfiniment tous les trois. — Il ne s'agit point d'indéfiniment, mais de quelques jours.
MAUPASSANT, Fort comme la mort, II, II.

4 (...) une fraîche volupté dont je ne me fusse jamais lassé et que j'eusse pu goûter indéfiniment. PROUST, À la recherche du temps perdu, t. XI, p. 85.

5 Enfin, sentant bien qu'elle ne pourrait pas attendre indéfiniment, elle se redressa (...) Il fallait voir clair et regarder l'infortune en face.
G. DUHAMEL, Salavin, V, XXIII.

6 Je viens de me rendre compte, après y avoir beaucoup pensé depuis quelque temps, qu'une séparation aussi totale n'est pas compréhensible, ne peut pas durer indéfiniment entre toi et moi.
J. ROMAINS, les Hommes de bonne volonté, t. IV, XVII, p. 187.

Math. *Fonction indéfiniment dérivable :* fonction admettant une suite infinie de dérivées.

♦ **2.** (1607, Maupassant). Gramm. *Mot employé, pris indéfiniment.*

INDÉFINISER (S') [ɛ̃definize] v. pron. — Fin XIXe; de *indéfini,* et suff. *-iser.*

♦ Littér. Prendre un caractère indécis, incertain (cf. Verhaeren, *in* G. L. L. F.).

INDÉFINISSABLE [ɛ̃definisabl] adj. — 1731, Voltaire; de 1. *in-,* et *définissable.*

♦ **1.** Qu'on ne peut définir. *Mots abstraits* (cit. 4) *indéfinissables.*

0.1 Les indéfinissables ne sont pas objets d'étude — sinon illusoirement — mais ils sont objets de culture. VALÉRY, Cahiers, Pl., t. II, p. 540.

♦ **2.** Dont on ne saurait préciser la nature. *Une couleur, une émanation* (cit. 2), *une saveur indéfinissable.* ⇒ **Incertain, indéterminable.** *L'indéfinissable accablement* (cit. 9) *des pays chauds.*
N. m. *Un, des indéfinissables.*

♦ **3.** (Mil. XVIIIe). Dont l'effet ne saurait être analysé, décrit avec précision. ⇒ **Étrange, inexplicable.** *Charme, regard* (→ Impassibilité, cit. 5), *sourire indéfinissable. D'indéfinissables désirs* (→ Ennui, cit. 24). *Émotion, trouble indéfinissable.* ⇒ **Indescriptible, indicible** (→ Un je ne sais* quoi). *Personnage indéfinissable.* ⇒ **Énigmatique.**

Les hommes supérieurs (...) sont moins l'ornement que l'exception de l'indéfinissable espèce humaine (...) 1
D'ALEMBERT, Éloge de Despréaux, Œuvres, t. II, p. 352.

Cette attitude et cette contenance inspiraient un sentiment indéfinissable, qui n'était ni la crainte ni la compassion, mais dans lequel se fondaient mystérieusement toutes les idées que réveillent ces diverses affections. 2
BALZAC, la Femme de trente ans, Pl., t. II, p. 839.

Il n'y avait dans l'air immobile ni mouvement, ni bruit, mais je ne sais quel murmure indéfinissable qui venait du ciel et qu'on eût dit produit par la palpitation des étoiles. E. FROMENTIN, Un été dans le Sahara, p. 224. 3

Sœur Thérèse fixait sur lui en souriant un regard indéfinissable, où il pouvait y avoir les sentiments complexes d'une religieuse pour un prêtre, d'une jeune paysanne pour un loustic, et surtout un sentiment royal de supériorité bienveillante. 4
M. BARRÈS, la Colline inspirée, p. 90.

CONTR. Définissable, précis.
DÉR. Indéfinissablement.

INDÉFINISSABLEMENT [ɛ̃definisabləmɑ̃] adv. — 1925; de *indéfinissable.*

♦ Rare. D'une manière impossible à définir.

(...) il me bat froid, me répond à peine quand je lui parle et jette sur moi, quand il me croise, un regard indéfinissablement soupçonneux.
GIDE, les Faux-monnayeurs, I, XI, *in* Romans, Pl., p. 1005.

INDÉFINITÉ [ɛ̃definite] n. f. — 1823; de *indéfini.*

♦ Didact. Caractère de ce qui est indéfini. ⇒ **Indéfinitude.** *L'indéfinité de la représentation* (T. L. F.).

INDÉFINITUDE [ɛ̃definityd] n. f. — Mil. XXe; *indéfinité,* 1823; de *indéfini,* d'après *finitude.*

♦ Philos. Caractère de ce qui est indéfini. ⇒ **Indéfinité.** *L'indéfinitude de l'espace.*
CONTR. Finitude.

INDÉFORMABILITÉ [ɛ̃defɔʀmabilite] n. f. — 1908, in *Rev. gén. des sc.,* no 13, p. 550; de *indéformable.*

♦ Didact. Caractère de ce qui garde la même forme.

Quand un géomètre considère comme allant de soi l'expérience des «solides indéformables», il oublie parfois que le contrôle de cette indéformabilité suppose précisément toute la géométrie.
J. PIAGET, *in* Encycl. Pl., Logique et connaissance scientifique, p. 76.

INDÉFORMABLE [ɛ̃defɔʀmabl] adj. — 1867; de 1. *in-, déformer,* et suff. *-able.*

♦ Qui ne peut être déformé (→ Hauban, cit. 2). *Vêtement indéformable.*
DÉR. Indéformabilité.

INDÉFRICHABLE [ɛ̃defʀiʃabl] adj. — 1779, cit.; de 1. *in-, défrich(er),* et suff. *-able.*

♦ Rare. Qui ne peut être défriché. *Sol, terrain indéfrichable.*

Edme R. s'aperçut bientôt qu'il y avait certaines collines absolument indéfrichables par leur pente trop raide.
RESTIF DE LA BRETONNE, la Vie de mon père, p. 138.

CONTR. Arable, défrichable.

INDÉFRICHÉ, ÉE [ɛ̃defʀiʃe] adj. — 1840; de 1. *in-,* et *défriché.* → Défricher.

♦ Littér. ou didact. Qui n'est pas, n'a pas été défriché.

INDÉFRISABLE [ɛ̃defʀizabl] adj. et n. f. — 1846; de 1. *in-, défris(er),* et suff. *-able.*

♦ **1.** Qui ne peut être défrisé. *Ondulation indéfrisable.*

♦ **2.** N. f. (V. 1930). Vieilli. *Une indéfrisable,* frisure artificielle destinée à durer assez longuement. *Faire une indéfrisable à chaud, à froid.* ⇒ **Permanent** (permanente, n. f.).

La Misère s'est mise à hurler à chaque carrefour de vos villes de fer, la Misère avec son linge haillonneux et ses bas de soie, son indéfrisable, ses bijoux de cuivre et ses atroces parfums (...)
BERNANOS, la Grande Peur des bien-pensants, *in* Essais, Pl., t. I, p. 340.

INDÉGONFLABLE [ɛ̃degɔ̃flabl] adj. — 1871 ; de 1. *in-, dégonfl(er),* et suff. *-able.*

♦ Qui ne peut se dégonfler. *Ballon indégonflable.*

CONTR. Dégonflable.

INDÉHISCENCE [ɛ̃deisɑ̃s] n. f. — 1799, Bulliard, *in* T. L. F. ; de *indéhiscent.*

♦ Bot. Caractère d'un organe indéhiscent.

CONTR. Déhiscence.

INDÉHISCENT, ENTE [ɛ̃deisɑ̃, ɑ̃t] adj. — 1799, Bulliard, *in* T. L. F. ; de 1. *in-,* et *déhiscent*.*

♦ Bot. Qui ne s'ouvre pas spontanément, à l'époque de la maturité. *Péricarpe, fruit indéhiscent.* ⇒ **Akène, baie, drupe.** *Fruit indéhiscent sec.* ⇒ **Caryopse, samare.** *Fruit indéhiscent à valves.* ⇒ **Valvacé.**

CONTR. Déhiscent.
DÉR. Indéhiscence.

INDÉLÉBILE [ɛ̃delebil] adj. — 1528, fig. ; var. *indeleble,* mil. XVIe ; lat. *indelebilis* « ineffaçable, indestructible », de *in-* (→ 1. In-), et *delebilis.* → Délébile.

♦ Qui ne peut s'effacer. ⇒ **Ineffaçable.** *Marque, stigmate, tache indélébile. Couleur, encre indélébile. Empreinte indélébile.* — Par métaphore (→ ci-dessous, cit. 5). — Fig. *Le caractère* (cit. 24) *indélébile du prêtre, d'un sacrement.* ⇒ **Indestructible, perpétuel.** *Impression indélébile.*

1 Le caractère de la cornardise est indélébile : à qui il est une fois attaché, il l'est toujours (...)
MONTAIGNE, Essais, III, V.

2 Il se dépouillait parfaitement avec elles *(les dames)* du caractère de savant et de philosophe, caractères cependant presque indélébiles, et dont elles apercevraient bien finement et avec bien du dégoût les traces les plus légères.
FONTENELLE, Leibniz, *in* LITTRÉ.

3 On aurait dit un monsieur, à sa peau fine, bien rasée sur les joues, si l'on n'eût pas trouvé d'autre part l'empreinte indélébile du métier, les graisses qui jaunissaient déjà ses mains de mécanicien (...)
ZOLA, la Bête humaine, p. 38.

4 L'idée qu'il est *marqué* d'une manière indélébile et qu'on le reconnaîtra toujours et partout à ces petits dessins bleus lui est absolument insupportable.
LOTI, Mon frère Yves, I.

5 Il y aura toujours assez d'odieuse inégalité gravée de façon indélébile dans la chair même de l'humanité malheureuse (...)
G. DUHAMEL, Récits des temps de guerre, IV, XLIII.

CONTR. Délébile, effaçable.
DÉR. Indélébilement, indélébilité.

INDÉLÉBILEMENT [ɛ̃delebilmɑ̃] adv. — 1775 ; *indeleblement,* 1551 ; de *indélébile.*

♦ Rare. De manière indélébile, ineffaçable ; indestructiblement.

Le plâtre sur celui-ci, le charbon sur cet autre, les couleurs sur ce tablier de vigneron, tout cela marquait sur moi indélébilement, c'était mes taches, c'était mon sang.
GIRAUDOUX, Pour Lucrèce, III, 3, *in* T. L. F.

INDÉLÉBILITÉ [ɛ̃delebilite] n. f. — 1771, *in* T. L. F. ; de *indélébile.*

♦ Rare. Caractère de ce qui est indélébile.

INDÉLIBÉRÉ, ÉE [ɛ̃delibeʀe] adj. — V. 1677, Bossuet (→ cit.) ; de 1. *in-,* et *délibéré* (→ Délibérer), d'après le bas lat. *indeliberatus,* même sens.
Didactique.

♦ **1.** Vx. Qui n'est pas libre, ne dépend pas de la volonté.

(...) un attrait indélibéré du plaisir sensible prévient tous les actes de nos volontés.
BOSSUET, Traité du libre arbitre, X.

♦ **2.** Mod. Qui n'est pas délibéré, réfléchi. *Acte indélibéré,* accompli sans réflexion*.

CONTR. Délibéré.

INDÉLICAT, ATE [ɛ̃delika, at] adj. — 1786 ; de 1. *in-,* et *délicat.*

♦ **1.** (Personnes). Qui manque de délicatesse morale, de discrétion et de prévenance. ⇒ **Grossier.** *Homme indélicat.* ⇒ **Goujat, mufle.**

1 En demandant à son « Anglais » de l'avant-veille quel nom il devait annoncer, l'huissier n'était pas seulement ému, il se jugeait indiscret, indélicat. Il lui semblait qu'il allait révéler à tout le monde (qui pourtant ne douterait de rien) un secret qu'il était coupable de surprendre de la sorte et d'étaler publiquement.
PROUST, Sodome et Gomorrhe, Pl., t. II, p. 636.

(Actes). *Action indélicate. Une familiarité, des privautés indélicates. — Il est, il serait indélicat de... C'est indélicat.* ⇒ **Impoli.**

2 Il n'y a rien de plus indélicat que de reprocher les services qu'on a rendus.
Mme DE STAËL, Delphine, II, 3.

♦ **2.** (1879, A. France, *in* T. L. F.). Personnes. Malhonnête et déloyal. *« Un visiteur indélicat qui emporte un objet chipé »* (L. Frapié, *la Maternelle, in* T. L. F.). *Un invité indélicat. Un employé indélicat,* coupable d'une indélicatesse*. — N. *Un indélicat, une indélicate.*
Actes. *Procédés indélicats. Un acte indélicat. « Être dans une situation indélicate »* (G. Sand, *in* T. L. F.).

♦ **3.** Rare. Qui manque de délicatesse dans l'expression. *Un récit indélicat.*

CONTR. Délicat, honnête, scrupuleux.
DÉR. Indélicatement, indélicatesse.

INDÉLICATEMENT [ɛ̃delikatmɑ̃] adv. — 1823, Las Cases, *in* T. L. F. ; de *indélicat.*

♦ D'une manière indélicate (1. et 2.). *Agir, parler indélicatement,* de manière grossière, impolie. *Une « affaire indélicatement arrangée »* (Goncourt), de manière peu honnête.

CONTR. Délicatement.

INDÉLICATESSE [ɛ̃delikatɛs] n. f. — 1794, Pougens, *in* T. L. F. ; de *indélicat,* d'après *délicatesse.*

♦ **1.** Manque de délicatesse dans les manières. *Il est d'une indélicatesse insupportable.* ⇒ **Grossièreté, goujaterie, impolitesse.** *Il y aurait de l'indélicatesse à insister.*

Et Rodolphe acheva sa phrase avec un geste qui signifiait : « Je l'écraserais d'une chiquenaude ». Elle fut ébahie de sa bravoure, bien qu'elle y sentît une sorte d'indélicatesse et de grossièreté naïve qui la scandalisa.
FLAUBERT, Mme Bovary, II, X.

Une indélicatesse d'âme, de sentiment.

♦ **2.** [a] Manque de correction ; légère malhonnêteté. *L'indélicatesse de ses associés. L'indélicatesse du procédé.*
[b] (1842, Reybaud, *in* T. L. F.). *Une, des indélicatesses,* procédé(s), acte(s) indélicat(s). — Malhonnêteté. *Il a commis une indélicatesse.*

♦ **3.** Rare. Manque de délicatesse ; incapacité à discerner les nuances. *« Indélicatesse d'oreille »* (Gide).

CONTR. Délicatesse, finesse, honnêteté, scrupule.

INDÉLIVRABLE [ɛ̃delivʀabl] adj. — Av. 1890, Maupassant ; de 1. *in-,* et *délivrable.*

♦ Rare. Qui ne peut être délivré. ⇒ **Délivrer** (I., 1. et 2.). *Captif indélivrable.*

INDÉMAILLABLE [ɛ̃demajabl] adj. et n. m. — 1932 ; de 1. *in-, démaill(er),* et *-able.*

♦ Cour. Dont les mailles ne peuvent se défaire. *Bas, tissu, jersey indémaillable.* — N. m. (Mil. XXe). Tissu indémaillable. *Une combinaison en indémaillable.*

INDÉMÊLABLE [ɛ̃demɛlabl] adj. — Av. 1848, Chateaubriand ; Richard de Radonvilliers, 1845 ; de 1. *in-, démêl(er),* et *-able.*

♦ Qu'on ne peut démêler, classer en ses éléments (propre et figuré).

INDÉMÊLÉ, ÉE [ɛ̃demele] adj. — 1893, Claudel, *in* T. L. F. ; de 1. *in-,* et *démêlé,* p. p. de *démêler.*

♦ Littér. Qui n'est pas démêlé (au propre et au figuré).

(...) ce nœud indémêlé du meilleur et du pire, ce qu'il entre d'authentique amour de la patrie dans un attentat de cet ordre.
F. MAURIAC, le Nouveau Bloc-notes 1958-1960, p. 93.

CONTR. Démêlé.

INDEMNE [ɛ̃dɛm ; ɛ̃dɛmn] adj. — 1525, « exempt de redevance » ; *indampne,* même sens, 1384 ; lat. *indemnis* « qui n'a pas subi de dommage » ; « exempt », en lat. médiéval, de *in-* (→ 1. In-), et *damnum* « dommage ». → Dam.

♦ **1.** Vx. (Dr.). Qui n'a pas éprouvé de perte ; qui est indemnisé, dédommagé. *« Sortir indemne d'une affaire »* (Académie). — REM. Cet exemple serait compris au sens 2.

♦ **2.** (1867 ; *indamne,* XVe). Mod. Qui n'a éprouvé aucun dommage. *Sortir indemne d'un accident.* ⇒ **Sain** (et sauf). *Aucun des belligérants ne sortit indemne du conflit.* — (Choses). *« Pendant le bombardement, tel quartier fut indemne »* (Académie).

Ils *(les Turcs)* voulaient profiter de l'occasion pour sortir indemnes de cette guerre, sans se mêler de la querelle qui allait s'engager (...) 1
THIERS, Hist. du Consulat et de l'Empire, XLIII.

(1885, Zola). Qui n'est pas atteint par une influence (jugée néfaste).

(...) l'air de la Sorbonne (...) empêchait tout dégagement de féminité, et Jerphanion, qui ne demandait qu'à être troublé, restait indemne. 2
J. ROMAINS, les Hommes de bonne volonté, t. IV, XV, p. 148.

Indemne de (un mal). *Être indemne d'une maladie, de la conta-*

gion. Vignoble indemne de phylloxéra (*in* T. L. F.). — Fig. « *Tous ceux qu'il aime en sont indemnes* » (de cette croyance, le christianisme), Montherlant, *les Lépreuses, in* T. L. F.

♦ **3.** Fig. Dénué de. *Conduite indemne de calculs* (*in* T. L. F.).

CONTR. Endommagé. — Atteint.
DÉR. Indemniser.

INDEMNISABLE [ɛ̃dɛmnizabl] adj. — 1873, *Journ. off.*, 5 mars, *in* Littré, *Suppl.*; Richard de Radonvilliers, 1845; de *indemniser.*

♦ Dr. admin. Qui peut ou qui doit être indemnisé. *Tout propriétaire exproprié est indemnisable.*

INDEMNISATION [ɛ̃dɛmnizɑsjɔ̃] n. f. — 1754; de *indemniser.*

♦ Action d'indemniser; fixation, paiement d'une indemnité. *L'indemnisation de qqn par qqn. L'indemnisation des sinistrés. Une indemnisation,* somme fixée pour indemniser (qqn). ⇒ **Indemnité.** *Une forte indemnisation.*

INDEMNISER [ɛ̃dɛmnize], autrefois prononcé [ɛ̃danize] v. tr. — 1465, Bartzch; var. *indemner* attestée xvᵉ-xviiᵉ; de *indemne,* et suff. *-iser.*

♦ **1.** Dédommager (qqn) de ses pertes, de ses frais, etc. ⇒ **Désintéresser, rembourser.** *Indemniser qqn de ses frais.* ⇒ **Compenser.** *Les sinistrés ont été indemnisés par l'État. Jour calendaire, indemnisé par les assurances sociales. Indemniser une personne expropriée* (cit. 2). ⇒ **Indemnité.**

N'est-il pas convenu, au cas où vous sortiriez de chez moi, que votre mobilier m'appartiendrait, pour m'indemniser de la différence qui existait entre la quotité de votre pension et celle du respectable abbé Chapeloud?
BALZAC, le Curé de Tours, Pl., t. III, p. 825.

Si j'abandonne à tes camarades la prise d'aujourd'hui, c'est à condition qu'ils sauront m'en indemniser. BALZAC, les Chouans, Pl., t. VII, p. 813.

J'épaule vivement, je tire, la masse s'abat dans un bruit de branches cassées, et je trouve une vieille femme que j'avais démolie pendant qu'elle cueillait des fruits. Un autre vieux moricaud, le mari, m'accable d'injures; on va chercher le policeman indigène. Je dus indemniser la famille : cela me coûta des sommes folles, au moins deux livres. A. MAUROIS, les Silences du colonel Bramble, VI.

(Compl. n. de chose : dommage, perte). *La Sécurité sociale a indemnisé les journées de travail perdues.*

♦ **2.** Fig. Accorder une compensation à (qqn). ⇒ **Compenser.** *Le beau temps l'indemnisera de la longueur du trajet.*

▶ **S'INDEMNISER** v. pron.
Se donner à soi-même une indemnité (→ Augmenter, cit. 12).

Le chat et le renard (...) qui des frais du voyage,
Croquant mainte volaille, escroquant maint fromage,
S'indemnisaient à qui mieux mieux. LA FONTAINE, Fables, IX, 14.

DÉR. Indemnisable, indemnisation.

INDEMNITAIRE [ɛ̃dɛmnitɛʀ] n. et adj. — 1832; de *indemnité.*
Droit.

♦ **1.** Personne qui a droit à une indemnité.

♦ **2.** Adj. (1874, *in* Littré, *Suppl.*). Qui a le caractère d'une indemnité. *Allocation, prestation indemnitaire.*

INDEMNITÉ [ɛ̃dɛmnite], vx [ɛ̃danite] n. f. — 1367, « droit payé au seigneur quand un fief tombe en main-morte »; *endempnitat* « compensation », 1278; lat. *indemnitas* « préservation de tout dommage, sûreté »; « dédommagement » en lat. médiéval; de *indemnis.* → Indemne.

Ce qui est alloué à qqn pour l'indemniser*.

♦ **1.** (1549). Dr. Ce qui est attribué à qqn en réparation d'un dommage, d'un préjudice. ⇒ **Compensation, dédommagement, dommages-intérêts, récompense, réparation.** — (1914, Maurras, *in* T. L. F.). *Indemnités de guerre imposées au vaincu* (→ Boucher, cit. 3). *Indemnité de clientèle, de congés payés, d'éviction, de licenciement, de préavis.*

(Mil. xxᵉ). *Indemnité journalière :* allocation journalière versée par la Sécurité sociale à tout salarié momentanément privé de son emploi (par suite de maladie ou d'accident). ⇒ **Prestation** (I., 4.). *L'indemnité journalière est fonction du salaire de l'intéressé, dans les limites du plafond donnant lieu à cotisation. Arrêt de travail exigé pour la perception des indemnités journalières.*

Indemnité allouée à un propriétaire exproprié. Adjuger, accorder, allouer, payer, recevoir une indemnité. Indemnité de l'ancien droit germanique. ⇒ **Wergeld.**

La propriété étant un droit inviolable et sacré, nul ne peut en être privé, si ce n'est lorsque la nécessité publique, légalement constatée, l'exige évidemment, et sous la condition d'une juste et préalable indemnité.
Déclaration des droits de l'homme, art. 17.

Je sais bien qu'un contrat de directeur est toujours révocable. Ça se ramène à une question d'indemnité. 2
J. ROMAINS, les Hommes de bonne volonté, t. III, XVI, p. 221.

Indemnité de retard : pénalité fiscale imposée par le Trésor public et qui a pour objet de compenser le préjudice subi par lui.

♦ **2.** (1850, Balzac, *in* T. L. F.). Ce qui est attribué en compensation de certains frais, de certaines charges. ⇒ **Allocation.** *Indemnités de logement, de résidence, de déplacement, de route. Indemnités, primes venant s'ajouter à un traitement. À la différence des frais** (de déplacement, etc.), *les indemnités sont généralement allouées forfaitairement. Les indemnités des fonctionnaires ne sont pas soumises à retenue.*

— Tu gagnes à l'hôpital (...) — Oui, quatre-vingt balles, à titre d'indemnité de déplacement. ARAGON, les Beaux Quartiers, II, XXXII. 3

(1795). Spécialt. *Indemnité parlementaire :* allocation pécuniaire perçue par les membres du Parlement.

Les membres du Parlement perçoivent une indemnité fixée par référence au traitement d'une catégorie de fonctionnaires. Constitution du 27 oct. 1946, art. 23. 4

L'indemnité (...) a pour but principal de permettre au parlementaire de se consacrer à sa fonction et de l'exercer avec indépendance (...) À l'heure présente, l'indemnité est pour partie la compensation des frais particuliers occasionnés par le mandat, mais surtout un véritable traitement, c'est-à-dire « l'allocation périodique d'une somme d'argent à raison de l'exercice d'une activité personnelle pour une fonction publique » (Gaston Jèze...). 5
Marcel PRÉLOT, Précis de droit constitutionnel, § 320.

DÉR. Indemnitaire.

INDÉMODABLE [ɛ̃demɔdabl] adj. — xxᵉ; de 1. *in-*, *démoder (se),* et suff. *-able.*

♦ Qui ne risque pas de se démoder. *Un article, un vêtement indémodable.* — N. m. pl. Par ext. *Des indémodables.* « *Quand le moindre vêtement atteint des prix exorbitants (...) Le rêve serait (de) trouver tout un vestiaire d'indémodables. Un trench par exemple, insurpassable depuis des années* » (*F Magazine,* nº 36, mars 1981, p. 5).

1. INDÉMONTABLE [ɛ̃demɔ̃tabl] adj. — Mil. xxᵉ; de 1. *in-*, et *démontable.*

♦ Qu'on ne peut démonter (II.); qui n'est pas fait pour être démonté.

CONTR. Démontable.
HOM. 2. Indémontable.

2. INDÉMONTABLE [ɛ̃demɔ̃tabl] adj. — 1896, sens 2; de 1. *in-*, *démont(er),* et suff. *-able.*

♦ **1.** (Déb. xxᵉ, H. de Régnier). Rare. Qui ne peut être démonté (I., 1.), renversé de sa monture.

♦ **2.** Qui ne se laisse pas déconcerter. ⇒ **Démonter** (I., 2.). — Que rien ne peut abattre. *Courage indémontable.* « *Une bonne humeur indémontable* » (Ch. du Bos, *in* T. L. F.).

HOM. 1. Indémontable.

INDÉMONTRABLE [ɛ̃demɔ̃tʀabl] adj. — 1722, *in* D. D. L.; attestation isolée, 1582; de 1. *in-*, et *démontrable;* cf. bas lat. *indemonstrabilis.*

♦ Qui ne peut être démontré*, parce qu'il s'agit soit d'un principe qui n'a pas besoin de démonstration, soit d'une chose connue empiriquement et dont on ignore la démonstration. *L'axiome, postulat indémontrable. Principes (a priori) indémontrables.* ⇒ **Axiomatique; évident.** « *La vérité première est indémontrable* » (Diderot). *Propriétés connues, vérifiées mais indémontrables.*

(...) toute démonstration part d'axiomes indémontrables ou de constatations dont on ne peut dire qu'une chose : *Regardez.*
A. LALANDE, Lectures sur la philosophie des sciences, VII.

Dont la vérité, la réalité ne peut être démontrée. ⇒ **Invérifiable.** *Hypothèse indémontrable.*

N. m. Ce qui ne peut être démontré. *Tenter d'expliquer, de démontrer l'indémontrable. Des indémontrables.*

CONTR. Démontrable.

INDÉMONTRÉ, ÉE [ɛ̃demɔ̃tʀe] adj. — 1846; de 1. *in-*, et *démontré,* p. p. de *démontrer**.

♦ Didact. Qui n'est pas démontré. *Proposition indémontrée.*

CONTR. Démontré.

INDÈNE [ɛ̃dɛn] n. m. — 1907, in *Larousse mensuel,* mars; *hydrindène,* 1906; de *ind-*, et *-ène.*

♦ Didact. Hydrocarbure benzénique de formule C_9H_8 qu'on extrait des huiles légères de goudron de houille.

DÉR. Indénone.

INDÉNIABLE [ɛ̃denjabl] adj. — 1789; de 1. *in-, déni(er),* et suff. *-able.*

♦ Qu'on ne peut dénier ou réfuter. ⇒ **Certain, évident, flagrant, incontestable, indiscutable.** *Le fait est indéniable. Un accent d'indéniable authenticité* (cit. 9). *La griffe* (cit. 15) *de l'écrivain était marquée d'une manière indéniable sur son manuscrit. Il est indéniable que...; c'est indéniable* (→ Empoisonnement, cit. 1). — *Preuve, témoignage indéniable.* ⇒ **Formel.**

1 (...) il donne depuis quelques semaines des signes indéniables d'aliénation mentale.
COURTELINE, Messieurs les ronds-de-cuir, 1er tableau, II.

2 (...) le manuscrit présentait les caractères de la plus indéniable authenticité.
FRANCE, le Crime de S. Bonnard, Œuvres, t. II, p. 327.

CONTR. Douteux, niable.
DÉR. Indéniablement.

INDÉNIABLEMENT [ɛ̃denjabləmɑ̃] adv. — 1874, Mallarmé, *in* T. L. F.; de *indéniable.*

♦ D'une manière indéniable. ⇒ **Incontestablement.** *Il est indéniablement très doué. « Vous en êtes certain? — Indéniablement. »*

Nous assistons indéniablement en ce temps-ci à une profonde et violente renaissance française (...)
Ch. PÉGUY, la République..., p. 326.

INDÉNOMBRABLE [ɛ̃denɔ̃bʀabl] adj. — 1926, Léautaud, *in* T. L. F.; de 1. *in-,* et *dénombrable.*

♦ Qui ne peut être dénombré. ⇒ **Incalculable.** — N. m. :

L'indénombrable est constitué des points que l'on ne peut marquer — leur « existence » résulte du fait que des points distincts quelconques (c'est-à-dire pouvant appartenir à des familles quelconques de points obtenus un à un) — ne se confondent pas.
VALÉRY, Cahiers, t. II, Pl., p. 812.

CONTR. Dénombrable.

INDÉNONE [ɛ̃denɔn] n. f. — 1931, *in* Larousse; *hydrindénone,* 1906; de *indèn(e),* et suff. *-one,* des noms de cétones.

♦ Chim. Cétone dérivé de l'indène.

INDENTATION [ɛ̃dɑ̃tasjɔ̃] n. f. — V. 1860; de 2. *in-, dent,* et suff. *-ation;* cf. *endenter* au sens rare « découper en forme de dents », in *Dict. général.*

♦ Didact. ou littér. Échancrure* (comparée à la marque de coups de dents, de morsure). *Les indentations d'un littoral rocheux. Les indentations d'une feuille d'arbre.*

DÉR. V. 1. **Indenté.**

1. INDENTÉ, ÉE [ɛ̃dɑ̃te] adj. — XXe; de 2. *in-,* et *dent,* d'après *indentation.*

♦ Didact. Qui présente des indentations. *Côte indentée.* ⇒ **Échancré, dentelé.**

2. INDENTÉ, ÉE [ɛ̃dɑ̃te] adj. — 1867, *in* Littré; de 1. *in-,* et *denté.*

♦ Bot. *Feuille indentée,* qui n'est pas dentelée.

INDÉPASSABLE [ɛ̃depɑsabl] adj. — 1886, Bloy; de 1. *in-, dépass(er),* et suff. *-able.*

♦ **1.** Qu'on ne peut dépasser. *Limite indépassable.*

♦ **2.** Qui ne peut être dépassé (en importance, force, intensité). ⇒ **Insurpassable.**

1 (...) un dernier adieu qui fit éclater, comme il convenait, — en d'indépassable ignominie d'une solennité de dégoûtation — la complicité de leur avilissement.
Léon BLOY, le Désespéré, p. 94.

2 Ainsi, la question : la vie vaut-elle ou ne vaut-elle pas la peine d'être vécue, n'est pas la plus profonde des questions de l'homme, la question des questions, c'est l'expression la plus profondément bête, et comme son image indépassable, d'une pensée corrompue de raison.
Annie LECLERC, Parole de femme, p. 36 (1974)

REM. Attesté comme nom dans les deux sens, au XXe s.

INDÉPENDAMMENT [ɛ̃depɑ̃damɑ̃] adv. — 1630, *indépandamment;* de *indépendant.*

★ **I.** Adv. Vx. D'une manière indépendante, avec indépendance. *Agir indépendamment.* — Mod. *Indépendamment de... :* d'une manière indépendante de... *Dieu peut agir par lui-même, indépendamment des causes secondes. Répudiation d'un contrat, indépendamment de la volonté d'une des parties.*

(...) Dieu qui nous a créés indépendamment de nous et sans nous, ne peut-il pas, sans nous et indépendamment de nous, décider de notre sort?
BOURDALOUE, IIIe sermon sur la Purification de la Vierge.

Aux événements de la guerre, il faut agir indépendamment dans de certaines occasions.
Antoine HAMILTON, Mémoires du comte de Grammont, II.

★ **II.** Loc. prép. Mod. INDÉPENDAMMENT DE... ♦ **1.** (1675). Sans aucun égard* à (une chose), en faisant abstraction de. *« Indépendamment de ce qui arrive, n'arrive pas, c'est l'attente qui est magnifique »* (→ Guetteur, cit. 2, Breton). *Indépendamment de son titre, de sa charge..., il est très respecté.*

(...) à la mort et à la vie, je vous aimerai et vous estimerai très indépendamment de la qualité de gouverneur du marquis de Grignan.
Mme DE SÉVIGNÉ, 1190, 26 juin 1689.

(...) un homme de bien est respectable par lui-même, et indépendamment de tous les dehors dont il voudrait s'aider (...)
LA BRUYÈRE, les Caractères, XII, 29.

♦ **2.** (XVIIIe). Fig. Par surcroît, en plus* de... ⇒ **Outre** (→ Aval, cit. 2; grand, cit. 12, Hugo). *Indépendamment de son salaire, il touche de nombreuses indemnités* (→ Sans parler* de...)

Je suppose en France environ cinq millions d'ouvriers (...) qu'on force (...) de ne rien gagner pendant trente jours de l'année, indépendamment des dimanches (...)
VOLTAIRE, Facéties, Pot-pourri, XV.

CONTR. Dépendamment (rare).

INDÉPENDANCE [ɛ̃depɑ̃dɑ̃s] n. f. — 1610; de *indépendant.*

A. (En parlant des personnes ou d'entités assimilées à des personnes).

♦ **1.** État d'une personne indépendante; état indépendant (en général). ⇒ **Liberté.** *L'indépendance de qqn, son indépendance. Vivre dans l'indépendance. Atteindre à l'indépendance* (→ Voler de ses propres ailes*; secouer le joug*; être à soi*...). *Indépendance complète, exceptionnelle* (→ Assurer, cit. 12). *Aspirer à l'indépendance; désirer l'indépendance* (→ Dépendance, cit. 9). *S'aider, s'épauler* (cit. 3) *sans renoncer à son indépendance. Indépendance mutuelle, équitable* (cit. 9), *réciproque :* situation indépendante de plusieurs personnes les unes par rapport aux autres. *Entreprendre* (cit. 22) *sur l'indépendance de qqn; atteinte* (cit. 15) *à l'indépendance. La misère brise l'indépendance* (→ Casser, cit. 4). — *Indépendance dans l'exercice des fonctions, d'un métier. L'indépendance que l'Église accorde aux curés* (cit. 2) *dans leur paroisse.* — *Indépendance dans la vie sentimentale* (→ Grisette, cit. 3). *Assaisonner* (cit. 12) *une aventure d'un piment d'indépendance. Il, elle tient à conserver son indépendance.*

L'injustice à la fin produit l'indépendance.
VOLTAIRE, Tancrède, IV, 6.

Il n'y a personne qui ne regarde le repos et l'indépendance comme le but de tous ses travaux (...)
VOLTAIRE, Correspondance, 1659, 1er oct. 1759.

L'indépendance que je croyais avoir acquise était le seul sentiment qui m'affectait. Libre et maître de moi-même, je croyais pouvoir tout faire, atteindre à tout.
ROUSSEAU, les Confessions, II.

(...) cette complète indépendance, objet de tous les désirs d'un enfant encore sous le joug immédiat de sa mère.
BALZAC, Un début dans la vie, Pl., t. I, p. 630.

Je n'aspire plus qu'à rentrer dans ma solitude et à quitter la carrière politique. J'ai soif d'indépendance pour mes dernières années.
CHATEAUBRIAND, Mémoires d'outre-tombe, t. V, p. 45.

(...) j'aime seulement le voyage à cause de l'indépendance qu'il me donne (...)
CHATEAUBRIAND, Mémoires d'outre-tombe, t. II, p. 384.

L'agrément nouveau de l'indépendance *(après la mort de sa femme)* lui rendit bientôt la solitude plus supportable.
FLAUBERT, Mme Bovary, I, III.

État d'une personne qui subvient à ses besoins matériels, ne dépend de personne. *Indépendance matérielle. L'indemnité parlementaire est destinée à assurer l'indépendance des députés. Elle tient à son indépendance par rapport à son mari.*

♦ **2.** Didact. État de ce qui ne dépend de rien d'autre.

(En parlant de Dieu). *« Celui (...) à qui seul appartient* (cit. 20) *la gloire, la majesté et l'indépendance »* (Bossuet).

(...) un attribut qui ne peut convenir à aucune créature, c'est-à-dire (...) l'indépendance et (...) la plénitude de l'être.
BOSSUET, Sermon pour la profession de Mme de La Vallière, I.

♦ **3.** Spécialt. Condition libre, dans une société. ⇒ **Liberté; franchise** (1., vx). *Assurer à chacun l'indépendance* (→ Égalisation, cit.). *L'anarchie* (cit. 4) *asservit les indépendances individuelles. Élever des autels à l'indépendance* (→ Forgeur, cit.). *Lutter pour l'indépendance de la femme.* ⇒ **Émancipation.**

Il ne paraît pas que la nature ait fait les hommes pour l'indépendance.
VAUVENARGUES, Maximes et réflexions, 183.

(...) celle-ci *(la tyrannie)* en nous dégradant nous rend incapables d'indépendance (...)
CHATEAUBRIAND, Mémoires d'outre-tombe, t. VI, p. 322. 1

♦ **4.** Qualifié par un compl. précisant le caractère de l'indépendance (au sens 1). *Indépendance d'esprit, d'idées, de caractère* (de qqn). ⇒ **Non-conformisme** (→ Associer, cit. 28). *Son indépendance d'esprit est totale.*

(...) une indépendance parfaite d'idées et d'habitudes donnait beaucoup de charmes à son existence (...)
Mme DE STAËL, Corinne, X, VI. 1

L'aristocratie est une condition de liberté, parce qu'elle donne aux rois des serviteurs d'office, et que l'indépendance du caractère, la plus solide de toutes, étant rare, il est bon qu'il y ait des indépendances de position, afin que tous ceux qui arrivent aux places élevées ne soient pas obligés de suivre ses voies pénibles (...)
RENAN, Questions contemporaines, I, Œ. compl., t. I, p. 41. 1

♦ **5.** Goût de l'indépendance. *Esprit d'indépendance.* ⇒ **Individualisme, indocilité.** *Faire preuve d'indépendance; montrer de l'indépendance dans tout ce que l'on fait.*

3 (...) quoique cet esprit d'indocilité et d'indépendance soit également répandu dans toutes les hérésies (...) BOSSUET, Oraison funèbre de la reine d'Angleterre.

♦ **6.** (Av. 1850, Balzac). Vx. Action de faire seul plusieurs levées, à certains jeux de cartes (comme le boston).

B. (Choses). ♦ **1.** Dr. publ. « Situation d'un organe ou d'une collectivité qui n'est pas soumis à un autre organe ou à une autre collectivité » (Capitant). *L'indépendance de la justice dans les démocraties. L'indépendance de la couronne* (→ Atteinte, cit. 12). *Indépendance des villes, au moyen âge* (⇒ **Affranchissement**).

4 Maintenant qu'on te voit en digne potentat
Réunir en ta main les rênes de l'État,
Que tu gouvernes seul, et que par ta prudence
Tu rappelles des rois l'auguste indépendance.
CORNEILLE, Poésies diverses, 70 (Remerciements présentés au Roi, 1663).

5 (...) tout aussi bien que le roi, l'archevêque de Kenterbury doit posséder ses terres avec pleine juridiction, en toute indépendance et sécurité.
MICHELET, Hist. de France, IV, V.

5.1 (...) le 25 janvier 1970 (...) le Conseil de l'Europe a adopté à l'unanimité une déclaration sur la presse et ses rapports avec les droits de l'homme. Cette déclaration introduit la notion d'indépendance éditoriale et précise que celle-ci « implique la non-ingérence de l'État ou du propriétaire du journal », ajoutant encore qu'« il est souhaitable d'établir formellement l'indépendance du conseil de rédaction vis-à-vis de la direction » et que « le rédacteur en chef et son équipe devraient assumer la pleine responsabilité de ce qui est publié ».
Philippe GAILLARD, Techniques du journalisme, p. 10.

L'indépendance d'un État, d'une nation, d'un pays, d'un peuple... ⇒ **Autonomie** (cit. 1); → Hoyau, cit. 2. *Proclamer l'indépendance d'une nation; proclamation d'indépendance. Lutter pour son indépendance. Conquérir l'indépendance. Guerre de l'Indépendance américaine (1775-1782). Guerre de l'indépendance grecque. Région qui réclame son indépendance* (⇒ **Indépendantisme, particularisme, séparatisme**).

6 (...) l'on vit, pendant plus d'une génération, d'un côté d'énergiques efforts pour l'indépendance, de l'autre une répression implacable.
FUSTEL DE COULANGES, la Cité antique, IV, VI.

6.1 Ils ne voient pas que l'indépendance, telle qu'ils l'exigent, est un mythe redoutable et mortel aux peuples faibles, dans le monde en train de se constituer aujourd'hui. F. MAURIAC, le Nouveau Bloc-notes 1958-1960, p. 314.

♦ **2.** Absence de relation, de dépendance (entre plusieurs choses). *Indépendance du germen par rapport au soma* (→ Hérédité, cit. 14). *L'indépendance de deux phénomènes; de deux événements.*

7 Les savants admettent ici une seconde loi; la loi de l'indépendance des parties. La roulette à tout coup repart de zéro.
J. PAULHAN, Entretien sur des faits divers, p. 151.

Phys. nucl. *Indépendance de charge :* propriété des forces nucléaires, des interactions fortes qui s'exercent indépendamment des charges électriques des particules en interaction.

♦ **3.** Log. *Indépendance d'un système axiomatique :* le fait pour un système de ne pas pouvoir être déduit d'autres systèmes.

CONTR. Dépendance. — Assimilation, assujettissement, domination, esclavage, sujétion; collier, joug, lien (fig.). **— Conformisme. — Connexion, corrélation; cumul.**

INDÉPENDANT, ANTE [ɛ̃depɑ̃dɑ̃, ɑ̃t] adj. et n. — 1584; de 1. *in-*, et *dépendant.*

Qui ne dépend pas (d'une personne, d'une chose).

A. ♦ **1.** (Personnes). *Indépendant de... :* qui ne dépend pas (d'une personne, d'une chose). *Être indépendant; indépendant des autres, à l'égard des autres. Un écrivain indépendant des petites chapelles* (→ Exclusivisme, cit. 1). *Être indépendant du besoin* (vx).

1 Dieu donc est indépendant par lui-même et par sa nature; et le roi est indépendant à l'égard des hommes et sous les ordres de Dieu, qui seul aussi peut lui demander compte de ce qu'il fait (...)
BOSSUET, Hist. des variations, 5e avertissement, XLIV.

2 D'autres s'imaginèrent que *(le plus libre de tous les hommes)* c'était un Barbare, qui, vivant de sa chasse au milieu des bois, était indépendant de toute police et de tout besoin. FÉNELON, Télémaque, V.

3 Ses généraux *(de Napoléon)* trop indépendants les uns des autres, trop séparés, et en même temps trop dépendants de lui (...)
Ph. P. SÉGUR, Hist. de Napoléon, IV, VI.

Absolt. Qui est libre de toute dépendance. ⇒ **Libre, insoumis.** *Être, se vouloir indépendant* (→ Disposer* de soi; être son propre maître*; ne relever* de personne; n'avoir de compte* à rendre à personne...; et aussi faction, cit. 3; exempt, cit. 9). *Un homme indépendant qui n'aime à travailler qu'à son heure* (cit. 57). *Une femme indépendante,* (spécialt) qui ne dépend pas d'un homme, des hommes (→ Assurer, cit. 49). *Ce n'est pas un homme de paille, il est entièrement indépendant* (→ Consort, cit. 1). — *Citoyens indépendants* (→ Assujettir, cit. 27). — *Artiste, écrivain indépendant,* qui exerce son métier d'une manière indépendante (⇒ **Fantaisiste** [vx], **franc-tireur; dissident, hétérodoxe, non-conformiste...**).

4 C'est moins la force des bras que la modération des cœurs qui rend les hommes indépendants et libres. ROUSSEAU, Émile, IV.

5 Je sentis alors qu'il n'est pas toujours aussi aisé qu'on se l'imagine d'être pauvre et indépendant. ROUSSEAU, les Confessions, VIII.

Voltaire voulut devenir riche pour être indépendant. 6
CONDORCET, Vie de Voltaire.

La nature ne m'a point dit : Ne sois point pauvre; encore moins : Sois riche; mais elle me crie : Sois indépendant! CHAMFORT, Maximes et pensées, XXV. 7

(...) quiconque n'a pas de propriété ne peut être indépendant (...) 8
CHATEAUBRIAND, Mémoires d'outre-tombe, t. VI, p. 326.

Il ne faut être ni père ni époux, si l'on veut vivre indépendant : il faudrait peut-être n'avoir pas même d'amis; mais être ainsi seul, c'est vivre bien tristement, c'est vivre inutile. É. DE SENANCOUR, Oberman, XLIII. 9

Société des Artistes indépendants, fondée en 1884, et formée d'artistes qui exposent librement leurs œuvres, sans se soumettre à un jury. — N. m. pl. *Le salon des Indépendants.*

Spécialt. *Travailleur indépendant :* personne qui exerce sa profession de manière libérale (en particulier, qui n'est considérée ni comme un salarié ni comme un commerçant par les organismes de protection sociale auprès desquels elle cotise). *Un photographe indépendant.* ⇒ **Free-lance** (anglicisme). *Rémunération d'un travailleur indépendant.* ⇒ 2. **Honoraire.**

♦ **2.** (Au sens fort; absolt). Qui ne dépend de personne d'autre. → ci-dessus cit. 1, Bossuet.

♦ **3.** (1872). Polit. *Républicain indépendant :* membre d'un groupe politique républicain conservateur. *Fédération nationale des républicains indépendants* (1966). — N. m. pl. (1791). *Les indépendants. Centre national des indépendants et des paysans* (1949). Ellipt. *Un indépendant (et) paysan; un indépendant-paysan.*

Cet hybride appelé indépendant-paysan représente assez bien la province. 9.1
F. MAURIAC, Bloc-notes 1952-1957, p. 321.

♦ **4.** N. (Rare en emploi général). *Un indépendant, une indépendante.* — Spécialement :

a Sports. Sportif appartenant à une catégorie non professionnelle, mais plus organisée que les amateurs.

Il réfléchit qu'il était possible d'être à la fois gérant de snack-bar et coureur amateur. Qu'on peut même passer dans la catégorie des indépendants, laquelle est intermédiaire entre amateurs et professionnels (...) 9.2
Roger VAILLAND, 325 000 francs, p. 190.

b N. m. pl. (1669). Hist. *Les Indépendants :* nom donné aux membres d'une secte religieuse anglaise du XVIIe siècle, à ceux de plusieurs partis politiques, etc. — Au sing. *Un Indépendant.*

c Écon. Société pétrolière ne faisant pas partie des grands groupes multinationaux (dits *majors,* anglicisme).

♦ **5.** (Choses). Qui garantit l'indépendance (de qqn). *Position, situation, vie indépendante. Fortune indépendante. Un emploi indépendant* (→ Bâton, cit. 19).

— Sa fortune (...) est tout à fait indépendante, et son âme encore plus. 10
Mme DE STAËL, Corinne, VI, IV.

♦ **6.** (XVIIe). Personnes. Qui aime l'indépendance, ne veut être soumis à personne. ⇒ **Indocile.** *Un enfant indépendant et volontaire. Il est indépendant et ne veut en faire qu'à sa tête*, qu'à sa volonté*. — Caractère, esprit indépendant.*

— Et la petite?... Toujours gentille? — Tout à fait gentille... Beaucoup d'imagination... Lectures un peu désordonnées... Très indépendante... — Oui, elle n'aime pas sentir le mors (...) J. CHARDONNE, les Destinées sentimentales, p. 45. 11

N. *C'est une indépendante.*

B. (Choses). ♦ **1.** Dr. Se dit d'un organe, d'une collectivité qui jouit de l'indépendance*. ⇒ **Autonome.** *Indépendant de...; indépendant. Banque* (cit. 3) *indépendante de l'État. L'Église* (cit. 7) *et l'État doivent être indépendants. — Rendre un pays indépendant d'un autre* (→ Esclavage, cit. 8). *État, pays indépendant et souverain*.*

♦ **2.** (1636). *Indépendant de... :* qui ne change pas, ne varie pas en fonction de qqch. (⇒ **Absolu, constant, fixe**). *Vérité, certitude indépendante du temps, du lieu. La beauté est indépendante de l'opinion, de la mode* (→ Agrément, cit. 3). *« Son zèle fut toujours indépendant des circonstances »* (Académie). *Frais généraux, indépendants des quantités produites* (→ 2. Frais, cit. 15). *La chaleur de l'eau est indépendante de la durée de l'ébullition* (cit. 1).

Ô règle infaillible descendue du ciel, toujours indépendante des lieux, des temps, des nations, des intérêts (...) MASSILLON, Carême, Vérité de la religion. 12

(...) il y a peu de gens qui aient le goût fixe et indépendant de celui des autres : ils suivent l'exemple et la coutume, et ils en empruntent presque tout ce qu'ils ont de goût. LA ROCHEFOUCAULD, Réflexions diverses, 10. 13

Qui n'a pas de rapport, de relation avec qqch. *L'âme* (cit. 5) *est d'une nature indépendante du corps* (Descartes). *Événements, phénomènes indépendants les uns des autres* (→ Épigénie, cit.). *Forme* (cit. 42) *indépendante du fond, de la substance. Pour des raisons indépendantes de notre volonté, nous avons dû...*

Ce phénomène moral ne paraîtra pas extraordinaire aux gens qui savent que les qualités du cœur sont aussi indépendantes de celles de l'esprit que les facultés du génie le sont des noblesses de l'âme. BALZAC, la Vieille Fille, Pl., t. IV, p. 261. 14

(En parlant d'un mécanisme). *Le frein à main est indépendant du frein à pied.*

♦ **3.** Absolt. **a** Au plur. (Choses). Qui n'ont pas de rapport entre elles, qui ne dépendent pas les unes des autres. ⇒ **Distinct, séparé.** *Deux questions indépendantes. Concours de causes indépendantes* (→ Hasard, cit. 26). *Les deux sens indépendants d'une phrase,* *dans un calembour* (cit. 3). — Spécialt. *Mécanismes indépendants.* ⇒ **Autonome.** *Roues avant indépendantes. Systèmes de freins indépendants.*

b Math. *Variable indépendante,* dont il n'existe aucune combinaison linéaire de valeur nulle. — Gramm. *Proposition indépendante,* celle qui ne dépend d'aucune autre. — REM. Selon Marouzeau, ce terme est appliqué à la proposition principale* «quand on veut simplement définir sa nature, sans préjuger du rôle qu'elle peut jouer par rapport à une subordonnée». D'autres grammairiens (cf. Grevisse, *le Bon Usage,* § 173) réservent cette désignation à une proposition «dont aucune autre ne dépend», «qui se suffit à elle-même». — N. f. *Une indépendante.*

15 Il lui arrive *(au français)* d'exprimer parallèlement deux idées sous forme de **propositions indépendantes juxtaposées** dont l'une dépend en réalité de l'autre par le sens et a une valeur de véritable subordonnée (...) Ces **fausses indépendantes,** subordonnées honteuses qui refusent la marque de leur sujétion, peuvent exprimer : **La cause** (...) **La comparaison** (...) **L'opposition** (...) **La supposition** (...)
René GEORGIN, Difficultés et finesses de notre langue, p. 130.

♦ **4.** (Mil. xxᵉ). Spécialt (en parlant d'un logement). Qui est isolé ou séparé des logements contigus, qui possède une entrée particulière. *Chambre à louer, indépendante. Pièce indépendante donnant sur l'escalier de service. — Entrée indépendante.*

16 Rien ne nous empêche de chercher un logis indépendant, dès que nous pourrons (...)
J. ROMAINS, Une femme singulière, p. 11.

C. (1826, Balzac; de *Indépendance,* dans *guerre d'Indépendance américaine*). Vx. *Chapeau indépendant ;* n. m., *un indépendant :* chapeau analogue à celui des soldats de la guerre d'Indépendance américaine.

CONTR. Assujetti, dépendant, soumis, subordonné. — Coopératif (esprit), **courtisan, esclave, serf. — Connexe, corrélatif.**
DÉR. Indépendantisme.

INDÉPENDANTISME [ɛ̃depɑ̃dɑ̃tism] n. m. — 1682, Bossuet; de *indépendant.*

♦ **1.** Hist. des relig. Doctrine, mouvement des «Indépendants» (A., 4., b).

♦ **2.** (XVIIIᵉ, Rousseau). Revendication d'indépendance, d'autonomie totale par rapport à la nation dont on dépend. ⇒ **Autonomisme, sécessionnisme, séparatisme.** — Spécialt (au Canada). *L'indépendantisme au Québec* (opposé à *fédéralisme*).

DÉR. Indépendantiste.

INDÉPENDANTISTE [ɛ̃depɑ̃dɑ̃tist] adj. et n. — 1968, *le Monde ;* de *indépendantisme.*

♦ Polit. Qui concerne l'indépendantisme*. *Manifeste indépendantiste.* — N. *Un, une indépendantiste :* personne qui fait profession d'indépendantisme. ⇒ **Autonomiste, sécessionniste, séparatiste.** *Les indépendantistes québécois s'opposent aux fédéralistes. Les indépendantistes canaques de Nouvelle-Calédonie.*

(...) en bon salaud de Québecois indépendantiste il avait fait ce qu'il fallait pour priver le Canada d'une médaille.
Georges CONCHON, l'Amour en face, p. 256.

INDÉRACINABLE [ɛ̃deʀasinabl] adj. — 1782; de 1. *in-, déracin(er),* et *-able.*

♦ **1.** Rare. Qu'on ne peut déraciner.

♦ **2.** (Fig.). Littér. Qu'on ne peut ôter de l'esprit, du cœur de qqn. ⇒ **Indestructible, tenace.** *Les liens indéracinables des origines* (→ Acclimater, cit. 2). *Croyance indéracinable* (→ Créance, cit. 8). *Un préjugé indéracinable* (→ Écrivain, cit. 9). *Sentiment indéracinable.*

1 (...) cette indéracinable tendresse qui germe toujours au cœur des femmes.
MAUPASSANT, Clair de lune, p. 11.

1.1 (...) toutes les paroisses peuvent s'approvisionner de pieux simulacres en ces bazars, où se perpétue, pour le chaste assouvissement de l'œil des fidèles, l'indéracinable tradition raphaélique.
Léon BLOY, le Désespéré, p. 142.

2 Cette attente de la lettre inconnue, et qui survit à tout, quel signe que l'espérance est indéracinable, et qu'il reste toujours en nous de ce chiendent!
F. MAURIAC, le Nœud de vipères, p. 192.

CONTR. Déracinable.

INDÉRACINÉ, ÉE [ɛ̃deʀasine] adj. — 1840; de 1. *in,* et p. p. de *déraciner.*

♦ Littér. et rare. Qui reste enraciné. *Une croyance indéracinée.*

INDÉRÉGLABLE [ɛ̃deʀeglabl] adj. — 1895, *in* D. D. L.; de 1. *in-, dérégl(er),* et suff. *-able.*

♦ Qui ne peut se dérégler, en parlant d'un mécanisme. *Horloge indéréglable. Dispositif d'allumage indéréglable.*

INDESCRIPTIBILITÉ [ɛ̃dɛskʀiptibilite] n. f. — D. i. (xxᵉ); de *indescriptible.*

♦ Littér. Fait d'être indescriptible. *L'indescriptibilité de l'accueil qu'on lui a réservé.*

INDESCRIPTIBLE [ɛ̃dɛskʀiptibl] adj. — 1789; de 1. *in-,* rad. du lat. *descriptum,* supin de *describere* (→ Décrire), et suff. *-ible.*

♦ **1.** Qu'on ne peut décrire, exprimer, caractériser. ⇒ **Indicible, inexprimable.** *Une coiffure indescriptible* (→ Incroyable, cit. 10). *Un frôlement* (cit. 5) *indescriptible.* — Plus cour. (Avec des mots de sens péjoratif). *Désordre, fouillis indescriptible. Un malaise, une douleur indescriptible.*

(...) ces indescriptibles réseaux phosphoriques qu'au moment de s'endormir on aperçoit sous ses paupières fermées, dans les premiers brouillards du sommeil.
HUGO, les Misérables, IV, XIV, I.

La troisième phase *(dans l'effet du haschisch),* séparée de la seconde par un redoublement de crise, une ivresse vertigineuse suivie d'un nouveau malaise, est quelque chose d'indescriptible.
BAUDELAIRE, Du vin et du haschisch, IV.

♦ **2.** (Sentiments). Si intense qu'on ne peut l'exprimer. *Une joie indescriptible.* ⇒ **Indicible, ineffable.** *Il est d'une bêtise indescriptible.*

Il était dans un état indescriptible. Il marchait au hasard, agitant les bras, roulant les yeux, parlant tout haut comme un fou (...)
R. ROLLAND, Jean-Christophe, La révolte, p. 506.

DÉR. Indescriptiblement.

INDESCRIPTIBLEMENT [ɛ̃dɛskʀiptibləmɑ̃] adv. — 1840; de *indescriptible.*

♦ Littér. D'une manière indescriptible. *Foule indescriptiblement bigarrée, houleuse.*

INDÉSIR [ɛ̃deziʀ] n. m. — 1895, Huysmans; de 1. *in-,* et *désir.*

♦ Rare. Absence de désir.

CONTR. Désir.

INDÉSIRABLE [ɛ̃deziʀabl] adj. et n. — 1801, «qui n'est pas à désirer»; de 1. *in-,* et *désirable.*

★ **I.** Rare. Qui n'est pas désiré, souhaité. *Une présence indésirable. Des complications indésirables.*

★ **II.** (V. 1911; adapt. angl. *undesirable,* XVIIᵉ, de *un-* [→ 1. In-], et *desirable,* empr. au franç.).

♦ **1.** Se dit des personnes qu'on ne désire pas accueillir dans un pays pour des raisons morales, politiques, démographiques. *Étrangers indésirables.* — N. m. (1907; *undesirable,* 1905). *Un indésirable. La loi de 1907 fermait la porte des États-Unis aux indésirables* (→ Immigration, cit. 2).

(...) un jour est venu où les Américains ont trouvé que leur maison commençait à être pleine de monde et qu'il était temps de fermer la porte d'entrée, d'autant plus que la qualité des nouveaux arrivants laissait à désirer, au point que beaucoup d'entre eux étaient *indésirables,* et tout un arsenal de lois a été dirigé contre les immigrants de cette catégorie, notamment contre les Chinois.
Paul REBOUD et Henri GUITTON, Précis d'économie politique, t. I, p. 144.

♦ **2.** Dont on ne veut pas dans une communauté, un groupe. *Un individu indésirable. Il se sent indésirable parmi les siens.* ⇒ **Trop** (de trop). — Par ext. *Présence indésirable.* — N. *On le traite comme un indésirable.* ⇒ **Intrus.**

(Groupes humains) :

À toutes *(les tribus),* Israël paraît un nouvel arrivant, indésirable.
DANIEL-ROPS, le Peuple de la Bible, p. 106.

(Choses) :

Toute ce qu'il *(le capitaliste)* pourra faire, c'est entraîner, dans sa chute, le réformisme dans la continuité, celle-ci étant devenue la grande indésirable.
A. SAUVY, Croissance zéro?, p. 306.

CONTR. Souhaité, requis.
DÉR. Indésirablement.

INDÉSIRABLEMENT [ɛ̃deziʀabləmɑ̃] adv. — D. i. (xxᵉ : 1945, J. Gracq, *in* T. L. F.); de *indésirable.*

♦ Rare. D'une manière indésirable.

INDÉSIRÉ, ÉE [ɛ̃deziʀe] adj. — Déb. xxᵉ; de 1. *in-,* et *désiré.* → Désirer.

♦ Rare. Qui n'est pas, n'a pas été désiré. *Un enfant indésiré.*

CONTR. Désiré.

INDESTRUCTIBILITÉ [ɛ̃dɛstʀyktibilite] n. f. — 1737; de *indestructible,* ou lat. sav. *indestructibilitas,* de *in-* (→ 1. In-), et *destructibilitas.* → Destructibilité.

♦ Didact. Caractère de ce qui est indestructible. *L'hypothèse de l'indestructibilité de la matière.*

CONTR. Destructibilité.

INDESTRUCTIBLE [ɛ̃dɛstʀyktibl] adj. et n. m. — V. 1685-1716, Leibniz ; bas. lat. *indestructibilis,* même sens, de *in-* (→ 1. In-), et *destructibilis.* → Destructible.

♦ **1.** Qui ne peut ou semble ne pouvoir être détruit. ⇒ **Immortel, impérissable.** *Matière indestructible.* ⇒ **Éternel.** *Tissu indestructible.* ⇒ **Inusable** (→ Facteur, cit. 13). *Monument indestructible* (→ Granit, cit. 6). *Marque, impression, écrit indestructible.* ⇒ **Indélébile.** *Notre être demeure indestructible* (→ Exfoliation, cit.).

On a su avant nous que tous les êtres animés contenaient des molécules indestructibles toujours vivantes, et qui passaient de corps en corps.
BUFFON, les Quadrupèdes, *in* t. II, p. 177 (*in* LITTRÉ).

(...) le haut mérite du Cid n'est pas dans l'invention ni du sujet ni des détails, mais dans l'élévation de la pensée, dans la forme vigoureuse, solide, indestructible du style et des vers.
Th. GAUTIER, les Grotesques, IX, p. 296.

N. m. Ce qui est indestructible.

Vaucorbeil ordonna du sirop d'orange avec l'iodure, et pour plus tard des bains de cinabre.
— « À quoi bon ? » reprit Pécuchet. « Un jour ou l'autre, la forme s'en ira. L'essence ne périt pas ! »
— « Sans doute » dit le médecin « la matière est indestructible ! Cependant...
— « Mais non ! mais non ! l'indestructible, c'est l'être. Ce corps qui est là devant moi, le vôtre, docteur, m'empêche de connaître votre personne, n'est pour ainsi dire qu'un vêtement, ou plutôt un masque.
FLAUBERT, Bouvard et Pécuchet, Folio, p. 314.

♦ **2.** (Mil. XVIIIe, Voltaire). Abstrait. Qui dure très longtemps. ⇒ **Solide.** *Liaisons indestructibles* (→ Avarie, cit. 6). *Les liens indestructibles du mariage.* ⇒ **Indissoluble** (→ Horripiler, cit. 2). *Une indestructible solidarité* (→ Enveloppant, cit. 2). ⇒ **Indéfectible, perpétuel.** *La plus indestructible des présences* (→ Absence, cit. 11).

Mortes partout, les vieilles croyances demeurent enracinées dans ce sol de granit. Les vieilles histoires aussi sont indestructibles dans ce pays ; et le paysan vous parle des aventures accomplies quinze siècles plus tôt comme si elles dataient d'hier, comme si son père ou son grand-père les avait vues.
MAUPASSANT, Au soleil, En Bretagne, p. 272.

Mais les Marcenat tenaient trop à la fiction de l'amour indestructible qui unit parents et enfants pour supporter bien longtemps la réalité de l'indifférence.
A. MAUROIS, Climats, p. 68.

CONTR. Destructible, fragile.
DÉR. V. **Indestructibilité. — Indestructiblement.**

INDESTRUCTIBLEMENT [ɛ̃dɛstʀyktibləmɑ̃] adv. — 1855, Sand, *in* T. L. F. ; de *indestructible.*

♦ Didact. D'une manière indestructible.

INDÉTACHABLE [ɛ̃detaʃabl] adj. — Déb. XXe ; *in* Richard de Radonvilliers, 1845 ; de 1. *in-,* et *détachable.*

♦ Qui ne peut être détaché. *Feuillet indétachable.*

Il y a aussi les feuilles indétachables du chêne qui remuent comme des oiseaux.
J. RENARD, Journal, 2 avril 1904.

CONTR. Détachable.

INDÉTECTABLE [ɛ̃detɛktabl] adj. — Mil. XXe ; de 1. *in-, détecter,* et *-able.*

♦ Que l'on ne peut pas détecter. *« L'indétectable machine à coder baptisée Énigma, utilisée par l'Allemagne en guerre »* (*le Point,* 23 mars 1981, p. 109).

INDÉTERMINABLE [ɛ̃detɛʀminabl] adj. — 1470 ; rare av. XVIIIe ; bas lat. *indeterminabilis* « à quoi l'on ne peut assigner de limites, infini », de *in-* (→ 1. In-), et *determinabilis* « déterminable », de *determinare.* → Déterminer.

♦ **1.** Sc. Qui ne peut être déterminé*, connu avec précision (par ex. par la mesure ou le calcul). *Grandeur indéterminable.* ⇒ **Incalculable, indéterminé.**

(...) l'admission d'un fait sans cause, c'est-à-dire indéterminable dans ses conditions d'existence, n'est ni plus ou moins que la négation de la science.
Cl. BERNARD, Introd. à l'étude de la médecine expérimentale, I, II.

♦ **2.** ⇒ **Indéfinissable.** *Un vêtement usagé, de teinte indéterminable.* ⇒ **Indécis, vague.**

Il avait un faux col de carton glacé, des cheveux raides, d'une couleur indéterminable (...)
G. DUHAMEL, Salavin, III, XXII.

CONTR. Déterminable.

INDÉTERMINATION [ɛ̃detɛʀminasjɔ̃] n. f. — Av. 1600, sens 2 ; de 1. *in-,* et *détermination.*

Absence de détermination.

♦ **1.** (Fin XVIIIe). Caractère de ce qui n'est pas défini ou connu avec précision. *L'indétermination d'un texte de loi, du sens d'un passage.* ⇒ **Confusion, imprécision, vague.** *La détermination* (cit. 3) *et l'indétermination en grammaire.*

Les Latins, dans leur langue, ne haïssent pas un certain vague, une certaine indétermination de sens, un peu d'obscurité (...) 1
SAINTE-BEUVE, Cahiers, *in* GIDE, Journal, 8 juin 1921.

Il faut prendre son parti de cette incertitude et se dire, en manière de consolation, qu'on trouve de plus grandes et de plus fâcheuses indéterminations dans les éphémérides des peuples. 2
FRANCE, le Petit Pierre, VIII.

Cette indétermination partielle des données s'impose nécessairement à l'esprit, du moment que l'on se place en face de la réalité : c'est seulement à un point de vue purement abstrait que l'on pourrait essayer de concevoir un problème mécanique dans lequel les valeurs initiales seraient connues avec une précision *absolue.* 3
Émile BOREL, le Hasard, p. 131.

Phys. *Relations d'indétermination.* ⇒ **Incertitude.**

Math. *Indétermination d'un problème d'algèbre* (dont les données sont indéterminées).

♦ **2.** État d'une personne qui n'a pas encore pris de détermination, qui hésite. ⇒ **Doute, incertitude, indécision, irrésolution.** *Demeurer longtemps dans l'indétermination avant de se décider.* — Par ext. Caractère d'une personne qui prend difficilement une détermination. *Son indétermination est l'effet de sa pusillanimité.*

Une étude de l'Allemagne est toujours difficile, parce que, sous l'apparence d'une armature rigide, c'est le pays de l'indétermination, du perpétuel devenir, un pays passif, prêt à accepter n'importe quel nouvel avatar (...) 4
André SIEGFRIED, l'Âme des peuples, V.

Il regarda les petits cristaux de roche *(des grains de sable),* les uns après les autres. Il aurait fallu les compter tous, pendant des heures, des jours, des années, sans en oublier aucun (...) Il aurait fallu les arracher, comme ça, en les épelant doucement à mi-voix, au trouble ignoble de l'indétermination 5
J.-M. G. LE CLÉZIO, la Fièvre, p. 166.

CONTR. Détermination, résolution.

INDÉTERMINÉ, ÉE [ɛ̃detɛʀmine] adj. et n. m. — 1361 ; de 1. *in-,* et *déterminé,* ou bas lat. *indeterminatus* « non déterminé », de *in* (→ 1. In-), et *determinatus,* p. p. de *determinare.* → Déterminer.

♦ **1.** Qui n'est pas déterminé, précisé, fixé. ⇒ **Imprécis, indéfini, vague.** *Un temps indéterminé en date* (→ Anciennement, cit. 2) *ou en durée* (→ Arrosage, cit. 2). *Reporter un rendez-vous à une date indéterminée. Un espace indéterminé,* dont les limites ne sont pas fixées. ⇒ **Illimité.** *Un nombre indéterminé d'idées* (→ Assemblage, cit. 24). *Répondre en termes généraux* et indéterminés. Le sens de ce mot est indéterminé* (→ Gouverner, cit. 27 ; il, cit. 19). ⇒ **Flottant.** — (Concret). Qui n'est pas perçu avec netteté. ⇒ **Confus, flou, vaporeux.** *« La cime indéterminée des forêts »* (cit. 2, Chateaubriand). *Des lointains indéterminés* (→ Feuillé, cit. 2)

Le mot *indéterminée* (...) est un mot quelconque, géométriquement employé, sans éloquence, sans éclat. Sous la plume de Chateaubriand, il va prendre un prestige qui peindra tout un paysage lointain ! « ... la cime *indéterminée* des forêts ». 1
Antoine ALBALAT, l'Art d'écrire, p. 41.

Sentiments indéterminés. ⇒ **Incertain, indéfinissable.**

L'incertaine joie que recèle tout sentiment indéterminé leur donnait en même temps de la langueur et de l'intelligence (...) 2
Edmond JALOUX, le Dernier Jour de la création, VIII.

N. m. *(L'indéterminé).* ⇒ **Indétermination.** *Avoir horreur de l'indéterminé. Laisser dans l'indéterminé.* ⇒ **Vague** (→ Humour, cit. 4). *Ennui* (cit. 26) *qui recherche l'indéterminé, l'infini.*

Il se plaisait, avec les romantiques dans le vague et l'indéterminé. 3
FRANCE, le Petit Pierre, I.

Math., phys. *Quantité indéterminée. Valeur indéterminée des variables. L'exposant* (cit. 2) *indéterminé des fonctions exponentielles* (cit. 1). *Système indéterminé,* dont toutes les variables ne sont pas déterminées, l'une d'entre elles ou plusieurs pouvant être fixée arbitrairement. *Forme indéterminée* (telle que $\frac{0}{0}$, $\infty \times 0$), dont la limite paraît indéterminée a priori. *Problème indéterminé,* qui admet un nombre illimité de solutions, les données n'offrant pas une détermination* suffisante. ⇒ **Indécidé.** — *Cause indéterminée,* inconnue, non identifiée. — N. m. *L'indéterminé.*

Il se présente souvent en médecine des faits mal observés et indéterminés qui constituent de véritable obstacles à la science (...) La science (...) ne saurait s'embarrasser de ces faits recueillis sans précision, n'offrant aucune signification (...) En un mot, la science repousse l'*indéterminé* (...) 4
Claude BERNARD, Introd. à l'étude de la médecine expérimentale, I, II.

♦ **2.** Philos. Non soumis au déterminisme. ⇒ **Contingent ; indéterminisme.**

♦ **3.** (V. 1670). Personnes. Rare. Qui n'a pas pris de détermination (2.) au sujet de ce qu'il doit faire. ⇒ **Indécis, irrésolu.** *Je suis encore indéterminé sur ce point, quant à ce point.* Qui se décide difficilement. *Un homme indéterminé.*

Par ext. *Caractère indéterminé. Désirs, souhaits indéterminés.* ⇒ **Incertain ; fluctuant.**

(...) ceux qui entrent dans les magasins, indéterminés sur le choix des étoffes qu'ils veulent acheter (...) 5
LA BRUYÈRE, les Caractères, XVI, 4.

CONTR. Déterminé. — Défini, distinct, fixe, précis, précisé. — Certain, décidé, résolu.
DÉR. Indéterminément, indéterminer (s').

INDÉTERMINÉMENT [ɛ̃detɛʀminemɑ̃] adv. — 1816, Maine de Biran, *in* T. L. F. ; de *indéterminé.*

♦ Didact. et rare. De manière indéterminée.

INDÉTERMINER (S') [ɛ̃detɛʀmine] v. pron. — 1893, Durkheim, *in* T. L. F. ; de *indéterminé.*

♦ Didact. Devenir indéterminé ou moins déterminé.

INDÉTERMINISME [ɛ̃detɛʀminism] n. m. — 1865, Cl. Bernard ; de 1. *in-*, et *déterminisme**.

♦ **1.** Philos. Doctrine qui admet pour principe que les phénomènes ne sont pas soumis à des chaînes causales strictes. ⇒ **Indéterminé** (2.). *L'indéterminisme postulé par les partisans du libre arbitre**. ⇒ **Indéterministe.** *L'indéterminisme a cherché des arguments dans les progrès de la physique moderne.*

1 La question qui se pose est finalement de savoir (...) si l'interprétation actuelle *(de la physique microscopique)* est une description «complète» de la réalité, auquel cas il faut admettre l'indéterminisme (...) ou si, au contraire, cette interprétation est incomplète et cache derrière elle (...) une réalité parfaitement déterminée et descriptible dans le cadre de l'espace et du temps par des variables qui nous seraient cachées, c'est-à-dire qui échapperaient à nos déterminations expérimentales.
L. de Broglie, Nouvelles perspectives en microphysique, p. 141-142.

♦ **2.** Caractère d'un phénomène qui échappe ou échapperait au déterminisme. ⇒ **Indétermination.** *Certains physiciens affirment l'indéterminisme des phénomènes à l'échelle intra-atomique.*

2 (...) il n'y a pas de lois dans l'indéterminisme ; il n'y en a que dans le déterminisme expérimental, et sans cette dernière condition, il ne saurait y avoir de science.
Cl. Bernard, Introd. à l'étude de la médecine expérimentale, II, ii.

3 L'indéterminisme des phénomènes élémentaires est donc parfaitement conciliable avec le déterminisme des phénomènes macroscopiques et cela parce qu'il existe encore, même dans la Physique microscopique, des lois de probabilité.
L. de Broglie, Physique et microphysique, II, vii, p. 154.

CONTR. Déterminisme.
DÉR. Indéterministe.

INDÉTERMINISTE [ɛ̃detɛʀminist] n. et adj. — 1873 ; de *indéterminisme.*

♦ N. Didact. Partisan de l'indéterminisme (en philosophie, en physique). — Adj. *Philosophe, physicien indéterministe. École, théorie indéterministe.*

1 (...) la physique indéterministe repose sur la logique classique.
M. Winter, *in* J. Benda, la Trahison des clercs, p. 55.

2 (...) après avoir tenté de développer une interprétation concrète et déterministe conforme dans ses grandes lignes aux conceptions traditionnelles de la Physique, j'avais fini (...) par me rallier au point de vue probabiliste et indéterministe de MM. Bohr et Heisenberg.
L. de Broglie, Nouvelles perspectives en microphysique, p. 115.

CONTR. Déterministe.

INDÉVELOPPABLE [ɛ̃devlɔpabl] adj. — 1873 ; de 1. *in-*, et *développable.*

♦ Didact. Qu'on ne peut pas développer. — Math. *Surface indéveloppable.*

INDEVINABLE [ɛ̃d(ə)vinabl] adj. — xviiie, Voltaire ; *indivinable,* 1588, Montaigne, de 1. *in-*, *deviner,* et suff. *-able* (*indivinable,* formation sav., du lat. class. *divinare* ; → Deviner, divination).

♦ Rare. Qui ne peut être deviné.

Une maison où se donnaient de petites fêtes peuplées d'intrus étranges, de particuliers bizarres, de gens à industries indevinables.
Ed et J. de Goncourt, Journal, t. I, p. 59.

CONTR. Devinable.

INDEVINÉ [ɛ̃d(ə)vine] adj. — D. i. (xxe ; 1923, cit.) ; de 1. *in-*, et *deviné.*

♦ Littér. et rare. Qui n'a pas été deviné ; qui reste inconnu (pour qqn qui n'a pas deviné).

Le songe en vous quittant emporte comme une énigme indevinée par vous ?
Gide, Dostoïevski, p. 56 (1923).

INDÉVISSABLE [ɛ̃devisabl] adj. — 1898, Huysmans ; de 1. *in-*, *dévisser,* et suff. *-able.*

♦ **1.** Non dévissable ou qu'on a du mal à dévisser. *Écrou indévissable.* — Par métaphore (plaisant) :

La présence du chien, la grosse jovialité de l'homme, cette casquette indévissable que Baptiste s'était borné à toucher du doigt (...)
Roger Ikor, les Fils d'Avrom, Prologue, p. 51.

♦ **2.** (Personnes ; au sens fig. de *dévisser*). *Il s'est incrusté dans la place ; il est absolument indévissable.* ⇒ **Inamovible.**

CONTR. Dévissable.

INDÉVOT, OTE [ɛ̃devo, ɔt] adj. et n. — 1420 ; lat. ecclés. *indevotus* «irreligieux», en bas lat. «qui contrevient à la loi», de *in-* (→ 1. In-), et *devotus* «pieux», d'abord «dévoué, zélé». → Dévot.

♦ Vx. Qui n'est pas dévot*. — N. (1694). *Un indévot, une indévote.*

Le plus grand déplaisir qui puisse m'arriver au monde, c'est s'il me revenait que vous êtes un indévot, et que Dieu vous est devenu indifférent.
Racine, Lettres, 137, 3 juin 1695.

DÉR. Indévotement, indévotion.

INDÉVOTEMENT [ɛ̃devɔtmɑ̃] adv. — 1470 ; var. *indeuwetement,* 1392 ; de *indévot.*

♦ Vx. D'une manière indévote*.

CONTR. Dévotement.

INDÉVOTION [ɛ̃devosjɔ̃] n. f. — 1479 ; lat. ecclés. *indevotio* «irréligion», en bas lat. «manque de respect, mépris», de *in-* (→ 1. In-), et *devotio.* → Dévotion.

♦ Vx. Manque de dévotion. ⇒ **Impiété.** *« Le relâchement et l'indévotion des peuples »* (Bourdaloue, *in* Littré).

CONTR. Dévotion.

INDEX [ɛ̃dɛks] n. m. invar. — 1503 ; n. lat. *index* «index (doigt) ; catalogue, liste, table ; titre (d'un livre) ; inscription ; pierre de touche», par spécialisation du sens général «(celui, celle, ce) qui indique, révèle, dénonce», de *in-* (→ 2. In-), et d'un élément *-dex, -dicis* (pour *-dix, -dicis*) à valeur de nom d'agent, représentant la racine indo-européenne **dik-* «montrer» (également attesté dans *dicere* [→ Dire], et grec *dikê* «justice»). Comparer à *judex* (→ Juge). → aussi Indice.

♦ **1.** Doigt* de la main le plus proche du pouce (ainsi nommé parce que ce doigt sert à indiquer, à montrer). *L'index de la main droite. Les deux index. Prendre un objet entre le pouce et l'index* (→ Froisser, cit. 18 ; 1. geste, cit. 8 ; guilloché, cit. 1), *entre l'index et le médius* (→ Illusion, cit. 7). *Se gratter* (cit. 7) *le nez avec l'index ; secouer la cendre de sa cigarette* (cit. 3), *d'un mouvement de l'index.*

Le soir, en rentrant dans sa chambre, il dansa une gavotte, en faisant des castagnettes avec son pouce et son index (...)
Hugo, les Misérables, V, v, ii.

«Et puis, une tranche de ça !» dit-elle, avec gourmandise, en pointant son index ganté vers une terrine de vulgaire pâté de foie.
Martin du Gard, les Thibault, t. V, p. 158.

(...) levant l'index à sa bouche, elle me fit un signe de silence.
H. Bosco, Un rameau de la nuit, p. 104.

Le barman désigna de l'index un point situé derrière le dos de Gomez.
Sartre, la Mort dans l'âme, p. 33.

♦ **2.** (1690). Techn. Objet mobile sur un cadran ou le long de repères gradués, et destiné à fournir des indications numériques. ⇒ **Indice** (I., 2., vx).

Très généralement, l'observation consiste à lire la position d'un index (repère, aiguille, spot, niveau, etc...), sur une graduation.
A. Pérard, les Mesures physiques, p. 19.

Repère (de métal, de plastique, etc.) fixé sur un document pour le distinguer d'autres semblables.

♦ **3.** (1690). Table alphabétique des mots, des termes correspondant aux sujets traités, des noms cités dans un livre, accompagnées des références permettant de les retrouver. *Index des auteurs cités. Index géographique, onomastique.*

Index, tables de concordance, calendriers, annotations de chaque lettre, tableau des événements de l'année, un appareil prodigieux accompagne le texte *(de Sainte-Beuve).*
Émile Henriot, les Romantiques, p. 232.

Techn. (documentation). Liste présentant dans un ordre choisi (classement alphabétique, par mots clefs, par rubriques) l'analyse sommaire de documents, avec leurs références. *Index à références multiples. Index systématique. Index d'orientation. Classement par index.* ⇒ **Indexation.** — Recueil bibliographique comportant de telles listes. — Syn. : *bulletin indexé. Index périodique. index cumulatif.*

Spécialt. Table alphabétique des unités du vocabulaire (d'une langue, d'un écrivain). *Index de la langue latine. Index de la langue de Rabelais, du vocabulaire symboliste.* ⇒ **Lexique.** *Index statistique,* fournissant sur le texte étudié des données quantitatives. *Index et concordance* d'un texte.*

♦ **4.** (1690). Anciennt. *L'Index,* ou (vx), *Indice :* catalogue des livres dont le Saint-Siège interdisait la lecture, pour des motifs de doctrine ou de morale. *L'Index a été supprimé en 1965 par Paul VI, peu après sa dernière édition (parue en 1960).* (Surtout dans : *à l'index*). *Ce livre est à l'index. Mettre un livre à l'index.* — *Index expurgatoire*. Congrégation de l'Index :* commission de censure*, autrefois chargée d'examiner les livres nouveaux, et, s'il y avait lieu, de prononcer leur condamnation (cet examen fut confié au Saint-Office).

7 Il est temps, disait M..., que la philosophie ait aussi son index, comme l'inquisition de Rome et de Madrid. Il faut qu'elle fasse une liste des livres qu'elle proscrit, et cette proscription sera plus considérable que celle de sa rivale.
CHAMFORT, Caractères et anecdotes, Index de la philos.

8 Ce fameux *index*, qui fait encore un peu de bruit de ce côté-ci des Alpes, n'en fait aucun à Rome (...) pour quelques bajocchi on obtient la permission de lire, en sûreté de conscience, l'ouvrage défendu.
CHATEAUBRIAND, Mémoires d'outre-tombe, t. V, p. 38.

9 *Port-Royal* fut à l'Index le 13 janvier 1845. Mais Sainte-Beuve pouvait se flatter d'avoir mis Port-Royal et le Jansénisme à la mode.
A. BILLY, Sainte-Beuve, 41.

Ellipt. *L'Index :* la congrégation de l'Index.

9.1 (...) je n'aurais qu'un conseil à vous donner, retirer vous-même votre œuvre, la condamner et la détruire, sans attendre qu'une décision de l'Index vous y force.
ZOLA, Rome, p. 102.

Loc. (1816, *in* D. D. L.). **METTRE (qqn, qqch.) À L'INDEX.** ⇒ **Boycotter, condamner, exclure; interdit** (jeter l'). *Médecin mis à l'index par ses confrères. Employeur mis à l'index par les syndicats.*

10 Si quelqu'un ici savait que vous avez fait le voyage dans la même voiture, vous seriez mise à l'index par le monde que vous voulez voir.
BALZAC, Illusions perdues, Pl., t. IV, p. 596.

11 Je suis encore à l'index du pouvoir, et toujours signalé parmi les hommes dangereux. PROUDHON, *in* SAINTE-BEUVE, Proudhon, p. 25.

12 (...) l'échauffourée de Strasbourg, qui fit mettre le turbulent Louis-Napoléon à l'index par tous les Bonaparte. Émile HENRIOT, Portraits de femmes, p. 393.

12.1 Quand on apprit ces châtiments exemplaires, ce fut un beau tollé dans le monde révolutionnaire. Les groupements de toutes nuances nous mirent à l'index (...) tout le monde nous lâcha (...) nous perdîmes nos derniers appuis à l'étranger, dont certains nous étaient précieux (...)
B. CENDRARS, Moravagine, Œ. compl., t. IV, p. 124.

12.2 Je croyais le cerveau du plus scrupuleux bourgeois berlinois receler des trésors de duplicité, de haine, de méchanceté, de cruauté, de convoitise. J'étais ému d'être libre au milieu d'un peuple entier mis à l'index.
Jean GENET, Journal du voleur, p. 131.

♦ **5.** (xxe). Méd. *Index endémique, index de morbidité, de mortalité...* ⇒ **Indice.** — (1907, in *Rev. gén. des sc.*, n° 22, p. 910). Écon. polit. *Index numbers* (mots angl.) : nombres-indices (→ Indice, II., 3.).

13 (...) beaucoup d'économistes s'appliquent aujourd'hui à dresser ces tableaux connus sous le nom de *Index Numbers* ou, si l'on veut parler français, les *Nombres Indices.* Charles GIDE, Cours d'économie politique, t. I, p. 87 (9e éd. 1926).

DÉR. Indexer.
HOM. Formes du v. **indexer.**

INDEXATION [ɛ̃dɛksasjɔ̃] n. f. — Mil. xxe (*in* Larousse, 1948, sens 2; aussi *indexage*); de *indexer;* proposé dans Richard de Radonvilliers (1845) pour «mise à l'index».

♦ **1.** (1955, *in* T. L. F.). Action d'indexer (1.). Dr. comm. Clause d'une convention à échéance différée, en vertu de laquelle une somme pourra être modifiée en fonction d'un indice économique ou monétaire. *L'indexation d'un emprunt sur la valeur de l'or.* — Dr. fin. Garantie assurée, lors de l'émission d'un emprunt, contre la dépréciation de la monnaie.

♦ **2.** Action d'indexer (2.). *L'indexation est la méthode la plus utilisée d'analyse documentaire. « L'indexation des documents, qui est réalisée à l'aide d'un lexique constamment remis à jour »* (*Documentaliste*, n° 1, janv.-févr. 1984, p. 5). *« L'indexation par mots clés rend la recherche extrêmement aisée »* (*Livres-hebdo*, n° 42, 17 oct. 1983, p. 69).

1 Dans les ouvrages à rédaction suivie, le XVIIIe siècle accumule à peu près tous les procédés connus, en particulier les notes marginales médiévales qui subsistent soit pour résumer les paragraphes, soit pour introduire les références qui toutefois sont déjà le plus fréquemment en bas de page. Les index alphabétiques en fin de volume, déjà courants au XVIe siècle, sont presque constants.
L'évolution la plus intéressante, de notre point de vue, est celle qui se situe à l'opposé de l'indexation alphabétique et qui concerne le contenu global de l'ouvrage. A. LEROI-GOURHAN, le Geste et la Parole, t. II, p. 71.

2 Lors de l'indexation, il s'agit de dégager les concepts du texte du document et de les exprimer à l'aide des termes du langage retenu : mots clefs, descripteurs ou indices d'une classification. Le niveau de l'indexation est plus ou moins fin selon la complexité du langage utilisé et selon le but poursuivi dans le cadre du système (indexation en vue d'une diffusion sélective ou en vue de la recherche rétrospective). Le terme d'indexation est souvent opposé à celui d'*extraction.* Il s'agit de deux variantes d'une même méthode d'analyse.
Jacques CHAUMIER, les Techniques documentaires, p. 15.

COMP. Surindexation.

INDEXER [ɛ̃dɛkse] v.tr. — Mil. xxe (*in* Larousse 1948, sens 2); proposé dans Richard de Radonvilliers (1845) pour «mettre à l'index».

♦ **1.** (1955, *in* T. L. F.). Écon. Lier les variations de (une valeur économique) à celle d'un élément de référence, d'un indice*, déterminé. *Indexer un emprunt sur le cours de l'or.*

♦ **2.** Attribuer à (un document) une marque distinctive renseignant sur le contenu et permettant de le retrouver, en fonction d'un plan de classement choisi. *Langage, indices utilisés pour indexer un texte. « (...) il faut maintenant décrire le document, afin d'avoir une chance de le retrouver un jour, le meilleur moyen de le perdre étant en effet de le "ranger" parmi un million d'autres sans l'avoir "indexé", pour reprendre le vocabulaire des bibliothécaires et des documentalistes. Le système exige donc que l'on fournisse un titre, une indication de l'origine (auteur et éditeur, par exemple) et d'autres informations de ce type, ainsi qu'un jeu de "mots clés" décrivant le contenu du document, grâce auxquels il sera possible de le retrouver plus tard à l'occasion d'une recherche »* (*Sciences et Avenir*, n° 440, oct. 1983, p. 97).

Spécialt. Constituer l'index des éléments lexicaux. *Indexer les mots, les verbes, les locutions d'un texte.*

▶ **INDEXÉ, ÉE** p. p. adj.

♦ **1.** Qui suit les variations d'un indice pris comme référence. *Emprunt à capital indexé sur l'indice officiel du coût de la vie. Loyer indexé sur le coût de la vie.*

Jusqu'à une époque récente, les emprunts publics et privés étaient libellés en monnaie légale (...) Certains émetteurs allemands, en 1922-24, ou français, à partir de 1952, ont mis au point des formules d'emprunts indexés dont les intérêts et le principal, exprimés en monnaie légale, sont périodiquement revalorisés en fonction de la hausse des prix affectant «l'indice-étalon» (louis d'or, kilowatt-heure, tonne de charbon, indice des prix de détail, etc.).
G. FAIN, *in* ROMEUF, Dict. des sciences économiques, t. I, art. *Emprunt.*

♦ **2.** (De *indexer*, 2.). *La recherche documentaire implique la sélection de documents indexés en vue d'une étude donnée.*

♦ **3.** Qui comporte un ou des index. *Bulletin indexé.* ⇒ **Index** (3.).

DÉR. Indexation, indexeur.

INDEXEUR, EUSE [ɛ̃dɛksœʀ, øz] n. — V. 1970; de *indexer.*

♦ Techn. de la doc. Personne qui réalise un index, travaille à l'élaboration d'index.

(Les index KWIC) ont l'avantage d'être produits directement par l'ordinateur, à partir des données mémorisées, sans intervention d'indexeurs (...) Dans le cas où les titres retenus ne sont pas assez précis, des termes additionnels sont rajoutés par un indexeur (...)
Jacques CHAUMIER, les Techniques documentaires, p. 89-91.

INDEX NUMBER [ɛ̃dɛksnœmbœʀ] loc. (anglic.). ⇒ **Index** (5.), **indice** (II., 3.).

INDIANISATION [ɛ̃djanizasjɔ̃] n. f. — 1942; de *indianiser.*

♦ Didact. Le fait d'être indianisé. *Le bouddhisme a joué un grand rôle dans l'indianisation de plusieurs régions d'Asie.*

(...) l'indianisation des pays atteints par l'Inde fut en fait beaucoup plus profonde qu'un conformisme officiel (...)
Jeannine AUBOYER, les Arts de l'Extrême-Orient, p. 16.

INDIANISER [ɛ̃djanize] v. tr. — 1892; dér. sav. de *indien* (I., 1.) p.-ê. d'après l'angl. : *indianized* est attesté en angl. en 1829, à propos de l'Inde, et dès 1702, à propos des Indiens d'Amérique.

♦ Didact. Donner un caractère (culturel, politique) indien à... — Au p. p. *« Cette place exceptionnelle d'Angkor parmi tous les autres royaumes indianisés du sud-est asiatique... »* (*Sciences et Avenir*, févr. 1980, p. 95). *Art grec indianisé*, dit gréco-bouddhique.

(...) deux grands courants religieux que les colons, les pèlerins et les marchands colportent d'un bord à l'autre du monde asiatique indianisé.
Jeannine AUBOYER, les Arts de l'Extrême-Orient, p. 15 (1942).

DÉR. Indianisation.

INDIANISME [ɛ̃djanism] n. m. — 1840, *in* T. L. F.; dér. sav. de *indien* (I., 1.).

♦ **1.** [a] (1866). Caractère indien. — (1873). Ling. Idiotisme propre aux langues de l'Inde, notamment l'hindi (par rapport à une autre langue, notamment l'anglais).

[b] (1840). Étude des langues et des civilisations de l'Inde. ⇒ **Indologie.**

♦ **2.** [a] (De *indien*, I., 2.). Caractère propre aux Indiens d'Amérique.

[b] (De l'esp. et du portugais du Brésil). Intérêt porté aux cultures indiennes d'Amérique latine. — Spécialt. Tendance artistique et littéraire (notamment au Brésil) qui consiste à puiser des thèmes et des inspirations dans les cultures indiennes.

INDIANISTE [ɛ̃djanist] n. et adj. — 1814, en appos. : *des Anglais indianistes* (*in* D. D. L.); dér. sav. de *indien* (I., 1.).

♦ **1.** Spécialiste des langues et civilisations indiennes (I., 1.). ⇒ **Indologue.**

«La chaire de sanscrit, annulée en France pour une génération comme elle l'est déjà en Angleterre, c'est un coup trop fort pour nos études», m'écrivait hier même un des plus illustres indianistes de l'Europe. 1
RENAN, Questions contemporaines, Œ. compl., t. I, p. 141.

À mesure que les indianistes pénètrent plus avant dans la connaissance de l'Orient, ils découvrent des liens nouveaux rattachant la morale du bouddhisme à sa métaphysique. Émile BURNOUF, la Science des religions, p. 140. 2

3 Chez les indianistes qui considèrent le Bouddha comme un mythe solaire, l'éléphant est le symbole du nuage. Paul MORAND, Rien que la Terre, p. 169.

Adj. Relatif à l'indianisme. *Études indianistes.*

♦ **2.** Adj. Rare. Relatif aux Indiens d'Amérique. *Pays « de vieille civilisation indianiste »* (Cendrars, *in* T. L. F., 1948).
Relatif à l'indianisme (2.). *Littérature brésilienne indianiste.*

INDIC [ɛ̃dik] n. m. — 1894; abrév. de *indicateur* (1.).

♦ Argot. Indicateur de police. ⇒ **Informateur** (admin.). *« Mr X., indic et fier de l'être »* (*l'Express*, n° 1607, 23 avr. 1982, p. 75).

1 Les indics (les informateurs, pardon) les petits julots, maintenant c'est bon à foutre en l'air. Pour faire la Police : un mot d'ordre, agir seul. Martin ROLLAND, la Rouquine, p. 234.

2 (...) le château du Tronchet, où venait enfant le trop lauré Alfred de Vigny que je ne vois plus qu'en indic depuis que j'ai lu comment, civil, il avait dénoncé deux soldats, ayant surpris leurs propos contestataires. Michel LEIRIS, Frêle bruit, p. 313.

3 L'indicateur prétend que le tueur, c'est Maurice Faugel. Il paraît même que l'indic en question avait demandé à Salignari d'attendre un peu avant d'arrêter Faugel et que Sali aurait accepté. J.-P. MELVILLE, Dialogue du film Le Doulos, *in* l'Avant-scène, n° 24, p. 23.

HOM. Indique; formes du v. **indiquer.**

INDICAL, ALE, AUX [ɛ̃dikal, o] adj. — Mil. XXe; du rad. de *indice*, et suff. *-al.*

♦ Didact. Relatif à un indice. ⇒ **Indicial.** *Valeur indicale* (en anthropologie physique).

INDICAN [ɛ̃dikɑ̃] n. m. — 1873; angl. *indican*, Schunck, 1855; du lat. *indicum* « indigo », et *-an* suff. des noms de composés azotés.

♦ Chim. Glucoside extrait des feuilles de l'indigotier *(indigofera). L'indican, corps amorphe, soluble dans l'eau et l'alcool, contient le principe colorant de l'indigo*. À l'état normal, l'urine contient des traces d'indican, résultat de l'élimination de l'indol*.*

HOM. P. prés. de **indiquer.**

INDICATEUR, TRICE [ɛ̃dikatœʀ, tʀis] n. et adj. — V. 1490; bas lat. *indicator* « accusateur », de *indicare* (→ Indiquer), ou dér. sav. de *indiquer.*

♦ **1.** N. (V. 1490; repris XVIIIe; rare av. XXe). Personne qui dénonce un coupable, un suspect; personne qui se met à la solde de la police pour la renseigner. ⇒ **Agent** (agent secret), **dénonciateur, donneur, doulos** (argot.), **indic; espion, informateur** (admin.), **mouchard, mouche** (vx), **mouton;** → aussi argousin. *La police entretient des indicateurs de toute espèce* (→ Gros, cit. 31).

1 Ainsi, dans un État où il y a des esclaves, il est naturel qu'ils puissent être indicateurs (...) MONTESQUIEU, l'Esprit des lois, XII, 15.

2 Est-ce vrai, ce qu'on prétend, que les malfaiteurs ne sont presque jamais trouvés par la police elle-même? qu'ils sont donnés par des indicateurs, spécialement par des femmes? J. ROMAINS, les Hommes de bonne volonté, t. I, XIX, p. 212.

3 Il y a la maison de rendez-vous (...) La mère maquerelle était sûrement une indicatrice. J. ROMAINS, les Hommes de bonne volonté, t. III, XVII, p. 234.

3.1 (...) lui aussi avait sans doute une expérience suffisante pour savoir que la police ne découvre pas les voleurs comme cela se passe dans les romans du genre, c'est-à-dire par le jeu d'intuitives et savantes déductions mais, plus prosaïquement, grâce aux renseignements fournis par les indicateurs. Claude SIMON, le Vent, p. 209.

3.2 Salignari était mon ami. Il y a quelques mois je le rencontre avec une fille qui semblait très amoureuse de lui. Il me dit que c'était une excellente indicatrice. J.-P. MELVILLE, Dialogue du film Le Doulos, *in* l'Avant-scène, n° 24, p. 39.

♦ **2.** N. m. (1792). Livre, brochure ou journal donnant des renseignements divers. *Indicateur des rues de Bruxelles, de Londres. Indicateur immobilier.* ⇒ **Guide.** *L'indicateur des chemins* (cit. 4) *de fer*, qui indique les heures de départ et d'arrivée des trains. ⇒ **Horaire.** *L'indicateur Chaix.* ⇒ **Chaix** (n. m.). *Consulter* (cit. 7) *l'indicateur.* — *L'indicateur des heures des marées.*

4 Richardley ferma l'indicateur qu'il était en train de consulter, et leva vers Jacques son museau pointu (...) MARTIN DU GARD, les Thibault, t. VI, p. 45.

5 Ce matin, j'ai consulté l'Indicateur des Chemins de fer : en supposant qu'elle *(Anny)* ne m'ait pas menti, elle partirait par le train de Dieppe à cinq heures trente-huit. SARTRE, la Nausée, p. 194.

♦ **3.** N. m. (Mil. XIXe). **a** Instrument servant à fournir des indications quantitatives (sur un phénomène, un processus) à l'utilisateur. *Indicateur de marées.* ⇒ **Marégraphe.** *Indicateur de niveau. Indicateur de pression* (⇒ **Baromètre, manomètre**), *d'altitude* (⇒ **Altimètre**). *Indicateur de vitesse* (d'un avion, d'une automobile...). ⇒ **Compteur.** *Indicateur de direction d'un navire.* ⇒ **Axiomètre.** *Indicateur de virage* (sur un avion). — *Indicateur de Watt*, mesurant le travail de la vapeur dans les cylindres d'une machine. — *Indicateur dynamométrique. Indicateur de vide.* — *Indicateur de position d'aiguille* (pour les aiguillages des voies ferrées).
Indicateur téléphonique : dispositif indiquant à un poste celui de ses correspondants d'où émane un appel.
Indicateur visuel d'accord, sur un poste de radio (→ cour. Œil* magique).

b Dispositif capable de donner des indications. *Indicateur de changement de direction.* ⇒ **Clignotant** (3.). — *Indicateur de fusion*, indiquant qu'un fusible a fondu. — *Indicateur d'usure sur un pneu.*

♦ **4.** N. m. (1922, *in* Larousse). Chim. Substance qui permet de déceler une réaction chimique. — Spécialt. Substance qui change de couleur en présence d'un corps chimique déterminé, permettant ainsi de l'identifier et dont les variations de teintes sont caractéristiques du degré d'acidité ou d'alcalinité d'un milieu. *Indicateurs colorés* (ex. : le tournesol) ou *indicateurs de pH.*
Indicateur radioactif : isotope radioactif incorporé à une substance, afin de la déceler ensuite. ⇒ **Marqueur** (B., 3.), **radio-indicateur, radiotraceur, traceur** (I., 3.).

♦ **5.** N. m. Écon., statist. Variable dont certaines valeurs sont significatives (d'un état, d'un phénomène économique). *Les indicateurs de la crise, de la reprise économique.* ⇒ **Indice; clignotant** (4.). *Indicateur d'alerte. Indicateurs associés. Indicateur avancé* : donnée concernant un secteur économique significatif. *Indicateur de tendance* : ensemble de données exprimant les variations des cours de la Bourse, et traduisant la tendance du marché financier. *Les indicateurs montrent que la tendance est à la hausse. Indicateurs sociaux. Indicateurs d'objectifs.*
Par ext. *Indicateur de santé.*

♦ **6.** N. m. Ling. *Indicateur syntagmatique* : en grammaire générative, Représentation graphique de la structure d'une phrase ou d'une suite syntagmatique sous forme de schéma en arbre (⇒ **Arbre**, III., 5.), ou d'une suite de parenthèses emboîtées (⇒ **Parenthésage**).

♦ **7.** N. f. (Mil. XXe). Sc., techn. *Indicatrice d'émission* : surface obtenue en portant un segment de longueur proportionnelle à la luminance d'une source lumineuse sur chaque normale à la surface de cette source, vers l'extérieur.

♦ **8.** Adj. (1549). Qui indique qqch., porte une indication. *Poteau indicateur. Plaque, borne indicatrice.* — (Turf). *Tableau, panneau indicateur*, qui porte à la connaissance du public les numéros des chevaux engagés, les résultats de chaque course... (→ Hippodrome, cit. 3).

Quand donc on marche sur une route, c'est une joie, phénomène mystérieux et profond, que de lire les plaques des poteaux indicateurs. On sait très bien où l'on va. On sait très bien où l'on passe. on sait très bien où l'on est... Allez expliquer ça. Ch. PÉGUY, Note conjointe..., p. 317.

DÉR. V. **Indic.**
COMP. Radio-indicateur.

INDICATIF, IVE [ɛ̃dikatif, iv] adj. et n. m. — V. 1361; bas lat. *indicativus* « qui indique » (aussi, gramm., *indicativus modus*), de *indicatum*, supin du lat. class. *indicare.* → Indiquer.

♦ **1.** Adj. Qui indique. *Signe indicatif d'une maladie. Ce symptôme est indicatif d'une crise.* ⇒ **Symptomatique.** *Ci-joint le catalogue des prix, à titre indicatif.* — Mar. *Colonne indicative des marées* (⇒ **Indicateur**). — Dr. *État indicatif de...* : bordereau qui porte l'indication de... *État indicatif des dépenses.*

(...) les symptômes qu'elle a sont indicatifs d'une vapeur fuligineuse (...) MOLIÈRE, l'Amour médecin, II, 5.

(...) les êtres humains se divisent en quatre groupes *(sanguins)*... Il existe environ trente sous-groupes, dont l'influence réciproque est moins marquée. Dans la transfusion, cette influence est négligeable mais elle est indicative de l'existence de ressemblances et de différences entre des groupes plus restreints. CARREL, l'Homme, cet inconnu, p. 288.

♦ **2.** Gramm., cour. *Mode* indicatif* (*mode indicative*, fin XVIe), et, n. m. (XIVe), **L'INDICATIF** : système des formes verbales « dont l'emploi convient pour présenter un procès* comme simplement énoncé (...) sans aucune interprétation » (Marouzeau). *Dans les expressions :* « il est arrivé », « je crois qu'elle s'est trompée », « pensez-vous qu'il a déjà fini ? », *les verbes sont à l'indicatif.* — *Par opposition au subjonctif*, mode de la représentation subjective, l'indicatif est un mode exclusivement intellectuel :* « Ce qui semble caractériser ce mode, c'est (...) qu'il se borne à indiquer l'action d'une façon objective, sans plus (...) Il la présente seulement comme un concept de l'esprit où le cœur n'intervient pas » (G. et R. Le Bidois, *Syntaxe du franç. moderne*, t. I, § 811). — *L'indicatif est un mode personnel*, c'est-à-dire que chacun de ses temps se conjugue aux trois personnes du singulier et aux trois personnes du pluriel. — En français, l'indicatif a huit temps* : le présent , l'imparfait* (cit. 9), *le passé simple* (ou *défini*), *le passé composé* (ou *indéfini*), *le plus-que-parfait, le passé antérieur, le futur et le futur antérieur, auxquels il faut ajouter les temps surcomposés*. Conjuguer un verbe au présent de l'indicatif, à l'indicatif présent. Emploi de si* avec l'indicatif* (→ Français, cit. 19).

L'indicatif, en français comme en latin, est le mode du *fait*, de *l'action réalisée.* L'indicatif *constate* ce qui est, ce qui a été, ce qui sera : c'est le mode *objectif*, alors que le subjonctif est le mode *subjectif*, le mode de l'action conçue par l'esprit, et que le conditionnel est le mode de l'action douteuse, éventuelle. F. BRUNOT et Ch. BRUNEAU, Précis de grammaire historique, § 808, p. 524.

♦ **3.** N. m. (1873). *Indicatif d'appel :* appellation conventionnelle formée de lettres et de chiffres particulière à chaque émetteur-récepteur télégraphique ou radiophonique. *Indicatif d'appel d'un navire, d'un avion.* ⇒ **Signal** (distinctif).

4 (...) le poste du *Cyclone* attaquait, pendant des heures, le silence; il répétait sans se lasser les lettres de l'indicatif d'appel (...) Rien ne répondait plus (...)
Roger VERCEL, Remorques, p. 66.

(1945, E. Triolet, *in* T. L. F). Cour. Fragment musical qui annonce une émission radiophonique régulière. ⇒ **Générique.**

5 (...) l'invention de refrains musicaux (les «indicatifs») qui, paroles et musique, se gravent dans la mémoire comme une chanson populaire (...) Ces indicatifs sont certainement l'une des trouvailles les plus originales et les plus efficaces de la publicité radiophonique. Elie PUXEL, les Techniques modernes de la publicité, *in* LAROUSSE mensuel, déc. 1955, p. 763.

INDICATION [ɛ̃dikasjɔ̃] n. f.

INDICATION [ɛ̃dikasjɔ̃] n. f. — 1333, d'abord en méd.; semble inusité aux XVIIe et XVIIIe; lat. *indicatio,* en lat. class. «indication de prix, taxe, mise à prix», de *indicatum,* supin de *indicare.* → Indiquer.

♦ **1.** Action d'indiquer (qqch.); résultat de cette action. *L'indication de qqch. par qqn, au moyen de qqch. Indication d'un lieu par, avec l'index*. Indication d'un virage sur un panneau routier. L'indication de la matière d'un produit* (→ Fantaisie, cit. 12), *de son prix sur l'étiquette. L'indication d'origine est obligatoire pour les produits importés. — L'indication de qqn,* faite par qqn. *Il fut arrêté dans la foule sur l'indication d'un tel* (Littré). ⇒ **Avis.** *Je me suis adressé à cette maison sur l'indication de X.*

(1708). *Une, des indications de... :* ce qui indique, révèle qqch. ⇒ **Annonce, indice, marque, signe.** *Sa fuite est une indication de sa culpabilité. — Indication de paiement :* écriture mise par un créancier sur un titre resté en sa possession, ou sur le double d'un titre ou d'une quittance aux mains du débiteur, et qui fait foi lorsqu'elle tend à libérer ce dernier, quoique non signée ni datée par le créancier. — (XVe). Méd., vx. Signe, symptôme. *«La difficulté d'urine est un signe, une indication de la pierre»* (Furetière).

1 Les chirurgiens et médecins usent de ce mot indication qui est propre à eux et hors de l'usage du vulgaire. Ambroise PARÉ, Introd., 22, *in* LITTRÉ.

Rare. *L'indication que...* (et ind.). *Il a donné l'indication qu'il allait démissionner. — L'indication de...* (et inf.). *C'est pour lui l'indication de commencer.* — (Au sens de «symptôme»). *Ce fut «la première indication qu'il y avait quelque chose de changé»* (Péguy, *in* T. L. F.).

♦ **2.** (1834). *Une, des indications :* une, des informations indiquées. *Les indications nécessaires pour utiliser un objet. Les indications de la table des matières.* ⇒ **Renvoi.** *Une indication vague, grossière* (→ Couleur, cit. 6). *Avoir besoin d'indications précises* (→ Français, cit. 10), *chercher des indications* (→ Compte, cit. 30). *Donner de bonnes indications.* ⇒ **Renseignement, tuyau** (→ Gouverne, cit. 1). *Voyez le chef de service qui vous fournira toutes les indications utiles.* ⇒ **Renseigner.** *Ne donner aucune indication sur l'édition* (cit. 4) *originale d'un livre. Ouvrage sans indication de date. Sans autre indication. Indications orales, écrites données par qqn. Les indications de qqn. Suivre les indications de qqn.* ⇒ **Directive.** *C'est sur mes indications qu'il a fait telle chose. — Une indication que...* (et ind.), *de* (et inf.).

2 Si j'entre là à cette heure, c'est surtout pour m'enquérir de la procession de demain, interroger les prêtres, qui passent comme de petites ombres perdues dans l'immensité des colonnades : mais les indications que j'obtiens sont vagues et contradictoires : ce sera cette nuit ou plus tard; ça dépendra du temps; ça dépendra de la lune (...) LOTI, l'Inde (sans les Anglais), IV, II.

3 Mais tu connais sûrement des gens influents et nous en avons des preuves tangibles. Alors, va les voir et tâche de leur arracher des indications.
G. DUHAMEL, le Cri des profondeurs, IX.

4 (...) malgré les indications favorables données par les statistiques, il valait mieux ne pas encore crier victoire. CAMUS, la Peste, p. 298.

5 (...) les mobilisés arrivaient, passaient devant le corps de garde, puis s'arrêtaient, cherchant une indication. Au fond de la cour (...) des groupes contemplaient des écriteaux. J. CHARDONNE, les Destinées sentimentales, p. 341.

6 *(Hortense Allart)* resta l'amie de Sainte-Beuve et continua de lui écrire et de le servir, comme un très intelligent secrétaire, en attirant son attention sur tel ouvrage qui pouvait être utile à ses travaux, sur tel écrivain qu'elle avait connu; et certaines de ses indications, toujours justes et réfléchies, ont passé directement de ses lettres dans les études du lundiste.
Émile HENRIOT, Portraits de femmes, p. 294.

6.1 Le caporal a tiré de sa poche un carnet à couverture noire, il y porte avec un crayon très court des indications que le soldat croit sans peine comprendre : le jour et l'heure de son arrivée, le numéro matricule relevé à l'instant sur le col de la capote, ce moment douze mille trois cent quarante-cinq qui n'a jamais été le sien.
A. ROBBE-GRILLET, Dans le labyrinthe, p. 131.

(1853, Delacroix, *in* T. L. F.). Spécialt. (Souvent au plur.). Ce qui est indiqué sur une toile. ⇒ **Ébauche, esquisse.**

7 L'essentiel, disait le peintre, c'est de voir simple. Des indications schématiques (...) de grandes masses (...) Il ne s'agit pas de copier la nature avec une exactitude puérile (...) A. MAUROIS, les Discours du Dr O'Grady, p. 178.

♦ **3.** Méd. *Indication thérapeutique,* et, absolt, *indication :* cas où une médication, un traitement est utile, indiqué (opposé à *contre-indication*). *Les indications d'un médicament, d'une eau minérale, d'une cure, d'une intervention chirurgicale. Ces cachets ont de nombreuses indications : migraines, névralgies, grippe, sciatique.*

8 Et puis ne vous imaginez pas qu'à la suite d'une conversation comme celle-ci, vous pourrez de but en blanc spécialiser votre source, lui trouver ses indications thérapeutiques, son mode d'emploi.
J. ROMAINS, les Hommes de bonne volonté, t. V, XIV, p. 105.

COMP. Contre-indication.

INDICATRICE

INDICATRICE [ɛ̃dikatʀis] n. f. ⇒ **Indicateur.**

INDICE

INDICE [ɛ̃dis] n. m. — 1306, sens I, 3; lat. *indicium,* de *index, indicis.* → Index.

★ **I.** ♦ **1.** (1488; *endice,* XIIe). Signe apparent qui indique qqch. avec probabilité. ⇒ **Enseigne** (vx), **marque, signe.** *D'un indice.* ⇒ **Indical, indicial** (didact.), **indiciel.** *Léger, faible indice. Les premiers indices de la feuillaison.* ⇒ **Ébauche.** *L'indice d'une embuscade* (cit. 2). *Les indices physiques par lesquels l'homme trahit sa pensée* (→ Expression, cit. 35). *Contenance, expression qui est un indice de remords* (→ 1. Bas, cit. 11). *L'indice d'un débat intérieur.* ⇒ **Déceler, indiquer, montrer, révéler.** *Il guette le moindre indice de lassitude chez son adversaire.* ⇒ **Trace.** *Son attitude est l'indice d'une grande complaisance* (→ Esclave, cit. 8). *Cette solution équivoque* (cit. 9) *est un nouvel indice de l'impuissance de l'assemblée.* — Absolt. *Les indices du ciel :* les signes du ciel (→ Épreindre, cit. 3).

Déjà dans l'ameublement du salon où Francesca l'avait reçu, dans sa toilette et dans les petites choses qui lui servaient, Rodolphe avait reconnu les indices d'une nature élevée et d'une haute fortune. 1
BALZAC, Albert Savarus, Pl., t. I, p. 789.

La forêt fouillée dans ses profondeurs, l'Aube et les départements environnants parcourus dans toute leur étendue, n'offrirent pas le moindre indice du passage ou de la séquestration du comte de Gondreville. 2
BALZAC, Une ténébreuse affaire, Pl., t. VII, p. 583.

La grève était déserte. Nulle trace, nulle empreinte. Pas un caillou fraîchement retourné, pas un indice sur le sable, pas une marque d'un pied humain sur toute cette partie du littoral. Il était évident qu'aucun habitant ne fréquentait cette portion de la côte (...) J. VERNE, l'Île mystérieuse, p. 56. 2.1

Je résolus de laisser provisoirement de côté les objections qu'avaient pu faire naître en moi contre la littérature les pages de Goncourt lues la veille de mon départ de Tansonville. Même en mettant de côté l'indice individuel de naïveté qui est frappant chez ce mémorialiste, je pouvais d'ailleurs me rassurer à divers points de vue (...) PROUST, le Temps retrouvé, Pl., t. III, p. 718. 2.2

C'est justement d'une vocation, qu'elle soit impérieuse. 3
MARTIN DU GARD, les Thibault, t. III, p. 281.

On appelle indice un signifiant non différencié de son signifié (sinon par sa fonction signalisatrice), en ce sens qu'il constitue une partie, un aspect ou un résultat causal de ce signifié : la vue d'une branche dépassant un mur est l'indice de la présence d'un arbre ou les traces d'un lièvre sont l'indice de son passage récent. Un signal (comme le son de la cloche déclenchant chez le chien de Pavlov un réflexe salivaire) n'est qu'un indice sauf s'il lui est attaché une signification conventionnelle ou sociale (signal téléphonique, etc.), auquel cas il est un «signe». 3.1
J. PIAGET, Épistémologie des sciences de l'homme, p. 343.

Les indices d'une maladie (⇒ **Symptôme**), *d'une lésion* (→ Examen, cit. 9).

(...) repris par son attention professionnelle, il cherchait, au fil de ce bavardage, à rassembler des indices capables de le renseigner sur l'état physiologique de la malade. MARTIN DU GARD, les Thibault, t. VII, p. 101. 4

Avoir des indices de qqch. ⇒ **Argument, indication, preuve, renseignement** (→ Communiquer, cit. 2). *Avoir des indices de la trahison de qqn.* — Vx. *Avoir des indices que...* (→ ci-dessous, cit. 6). — *Les indices dans une enquête judiciaire. La police n'a aucun indice. Juger qqn sur de faibles indices.*

Et sur quoi le crois-tu?... — Je le crois... sur ce que je le crois. — Mais il est nécessaire de dire les indices que vous avez. MOLIÈRE, l'Avare, V, 2. 5

On a des indices presque certains que son père et sa mère (...) étaient des étrangers de la première distinction (...) MARIVAUX, la Vie de Marianne, 7e partie. 6

On ne devait pas condamner les gens sur de simples soupçons, des indices vagues (...) FLAUBERT, l'Éducation sentimentale, II, II. 7

(...) sur des indices vagues qu'il complète et relie à force d'imagination, il forge un coup d'État, il fait des interrogatoires, des visites domiciliaires, des descentes nocturnes, des arrestations (...) 8
TAINE, les Origines de la France contemporaine, t. III, p. 209.

Il se rendit à la Morgue, où il vit, accrochée au-dessus d'un cadavre de femme à la figure broyée et méconnaissable, la fameuse châtelaine d'argent offerte par lui-même à la pauvre Flore. Cet indice servit à établir l'identité de la morte (...) 8.1
Raymond ROUSSEL, Impressions d'Afrique, p. 278.

(...) c'est un peu l'histoire du mari qui jusque-là n'avait eu que de vagues appréhensions. Un beau jour, un certain nombre d'indices s'arrangent si bien, concordent d'une manière si éloquente : la personne du rival, les heures d'absence de sa femme, les boniments qu'elle lui a contés (...) 9
J. ROMAINS, les Hommes de bonne volonté, t. I, X, p. 106.

Dr. Fait* connu qui sert à constituer la preuve par présomption.

La preuve par présomptions est une *preuve indirecte,* qui est la mise en œuvre d'un raisonnement par induction : on part d'un fait connu, dénommé *indice,* pour remonter jusqu'au fait contesté. Comme l'expérience démontre que tel fait (l'indice) est en liaison normale avec tel autre fait (le fait contesté), on considère le fait contesté comme établi, dès lors que l'on est en présence de l'indice. 10
DALLOZ, Nouveau répertoire, Preuve, § 152.

♦ **2.** Vx. Index (2.) mobile sur un cadran.

Il faut deux choses pour se servir du tambour : l'indice, qui doit marquer la chose 10.1

qu'ils désirent ; et le marteau pour frapper dessus le tambour, et pour mouvoir cet indice jusqu'à ce qu'il se soit arrêté fixe sur quelque figure.
J.-F. REGNARD, Voyage en Laponie, p. 133.

♦ **3.** (1306). Vx. Dénonciation.

11 Si pourtant quelque grâce est due à mon indice,
Faites périr Euphorbe au milieu des tourments. CORNEILLE, Cinna, V, 3.

♦ **4.** (Angl. *index*). Didact. Dans la théorie sémiotique de Peirce, Signe qui renvoie à son objet par une relation physique, par une connexion et par action sur le signe (ex. : la girouette par rapport au vent ; l'image photographique par rapport à l'objet éclairé). *L'indice s'oppose à l'icône et au symbole. L'indice renvoie à des objets singuliers ; il n'est pas arbitraire. Les symptômes* sont des indices.*

♦ **5.** Ling. *Indice de classe :* élément morphologique (suffixe, par ex.) servant à répartir les unités du lexique en classes, dans certaines langues (notamment africaines, amérindiennes). ⇒ **Classificateur.**

★ **II.** (1869). Sc. et cour. ♦ **1.** Indication numérique ou littérale qui sert à caractériser un signe.

Math. Caractère de petite taille qui se place en bas et à droite de la lettre qu'il caractérise : a_o, a_1, a_n se lisent *a indice zéro, a indice un, a indice n* (ex. : les positions M_1, M_2, M_3,... M_n d'un point M qui se déplace). — Caractère que l'on place entre les branches d'un radical pour indiquer le degré de la racine (ex. : $\sqrt[3]{8} = 2$, $\sqrt[n]{abc}$).

Techn., admin. *Indice de ligne :* numéro caractérisant une ligne, un itinéraire d'autobus.

♦ **2.** Didact. Indication numérique qui sert à exprimer un rapport. — (1851). *Indice de réfraction* de la lumière :* rapport du sinus de l'angle d'incidence* au sinus de l'angle de réfraction (→ Grandeur, cit. 41). — Météor. *Indice zonal de circulation atmosphérique. Indice d'aridité* (utilisé en climatologie).

(XXe). *Indice d'octane d'un carburant :* pourcentage déterminant son pouvoir antidétonant. ⇒ **Octane.** *Indice de cétane, indice d'iode.* — *Indice critique d'oxygène* (nécessaire à la combustion).

(1868, Broca, *in* T. L. F.). Rapport entre deux dimensions d'une partie du squelette (ex. : *indice de hauteur du tronc*). *Indice céphalique :* rapport entre les diamètres transverse et antéro-postérieur du crâne.

Techn. *Indice de délignification des pâtes à papier* ou *indice Kappa. Indice de bouffant d'un papier.*

Méd. *Indice biliaire :* chiffre qui indique la concentration du plasma en pigments biliaires. *Indice thérapeutique :* rapport entre la dose curative et la dose toxique d'un médicament.

12 (...) le taux de cicatrisation d'une plaie cutanée varie de façon continue en fonction de l'âge du patient. On sait que la marche de la réparation peut être calculée à l'aide de deux équations établies par du Noüy. La première équation fournit un coefficient, nommé indice de cicatrisation, qui dépend de la surface et de l'âge de la plaie. En introduisant cet indice dans une seconde équation, on peut, par deux mesures faites à un intervalle de quelques jours, prédire la marche future de la cicatrisation. Cet indice est d'autant plus grand que la plaie est plus petite et que l'homme est plus jeune. Alexis CARREL, l'Homme, cet inconnu, V, II.

(1922). Milit. *Indice de robusticité :* nombre qui permet, dans les conseils de révision, de déterminer l'aptitude d'une recrue au service.

Indice de performance : indice permettant d'évaluer les possibilités d'un bateau en compétition.

♦ **3.** (Déb. XXe). Écon., cour. *Indice des prix,* ou (1867 ; angl. *index number*) *nombres-indices* (⇒ **Index** [cit. 13]) : nombre indiquant le rapport entre le prix moyen unitaire d'un article à une période donnée et celui de ce même article à une période choisie comme base, où il est exprimé par le nombre 100 *(indice unitaire). Produit qui est passé de l'indice 100 à l'indice 350. Table, tableau d'indices. Indice général des prix :* moyenne arithmétique des indices unitaires d'articles spécialement choisis, et qui exprime en gros les variations du coût de la vie. *L'indice des 285 articles. Indice pondéré :* indice unitaire obtenu en corrigeant le prix moyen unitaire par un coefficient proportionnel aux quantités achetées et vendues pendant l'année de base (→ Coefficient de pondération*). *Système liant le taux du salaire minimum à l'indice du coût de la vie.* ⇒ **Échelle** (mobile). — *Indices de la production.*

13 On considère un certain nombre de prix choisis de telle façon que leur variation puisse représenter, avec un degré suffisant d'exactitude, les variations de l'ensemble des prix ; avec ces prix, on forme des tableaux d'indices des prix (nombre-indice, *index-number*) qui permettent de raisonner sur l'ensemble des prix en partant de quelques-uns seulement.
Henri TRUCHY, Économie politique, t. I, VI, VII.

14 Les indices simples et même les indices avec poids *(pondérés)* ne nous renseignent (...) qu'imparfaitement sur les variations du pouvoir d'achat de la monnaie. En effet, les premiers sont obtenus en accordant la même importance à chaque article, et dans l'élaboration des uns et des autres on néglige les prix de tous les services (prix de la main d'œuvre, des transports, honoraires des médecins, les impôts, etc.), et ceux d'un grand nombre de marchandises. Mais nous ne disposons d'aucun autre moyen pour apprécier les changements du pouvoir d'achat de la monnaie.
Paul REBOUD et Henri GUITTON, Précis d'économie politique, I, p. 478.

15 Dans les tableaux statistiques, afin d'éviter de trop nombreuses virgules, les coefficients sont multipliés par 100 et sont alors dénommés indices, du fait qu'ils sont basés sur un index (...) Par exemple, on dira qu'à l'époque *x*, dite alors base 100, la production était à l'indice 100 (coefficient 1) et qu'à l'époque *y* elle est à l'indice 139,4 *(coefficient 1, 394).*
J. ROMEUF, Dict. des sciences économiques, art. *Indice.*

♦ **4.** *Indice d'écoute :* nombre de personnes, évalué en pourcentage, ayant écouté ou regardé une émission à un moment déterminé. *Indice d'écoute établi par sondage.*

♦ **5.** Rapport de deux valeurs d'une grandeur au cours du temps, la première servant de référence. *Indice de la production industrielle.*

DÉR. Indical, indicer, indicial, indiciel. — V. aussi **Indiciaire.**

INDICER [ɛ̃dise] v. — Conjug. *placer.* — V. 1970 ; de *indice.*

♦ Inform. Attribuer des indices pour l'identification des variables (dans un langage de programmation).

INDICIAIRE [ɛdisjɛʀ] adj. — Repris XXe ; *table indiciaire* « index », 1537 ; *doy indycyaire* « index (de la main) », av. 1506 ; n. m. « chroniqueur », 1475 ; formation sav., du lat. *indicium.* → Indice.

♦ **1.** Didact. Relatif à un, à des indices. *Classement indiciaire. Grille indiciaire de salaires.*

♦ **2.** Dr. *Impôt indiciaire :* impôt dont l'assiette est déterminée par certains indices (souvent des signes extérieurs).

INDICIAL, IALE, IAUX [ɛ̃disjal, jo] adj. — 1945, *in* T. L. F. ; de *indice.*

♦ Rare. Qui s'appuie sur des indices. *Preuve indiciale.* — ⇒ **Indical.**

INDICIBILITÉ [ɛ̃disibilite] n. f. — Déb. XXe ; de *indicible.*

♦ Rare. Caractère de ce qui est indicible.

Le Beau implique des effets d'indicibilité, d'indescriptibilité, d'ineffabilité. Et ce terme lui-même ne dit RIEN. Il n'a pas de définition, car il n'y a de vraie définition que par construction. VALÉRY, Mélange, p. 161.

INDICIBLE [ɛ̃disibl] adj. et n. m. — 1542 ; lat. médiéval *indicibilis,* de *in-* (→ 1. In-), et *dicibilis* « qu'on peut dire » (→ Dicible) ; le mot a supplanté *indisible,* de *dire,* attesté XIVe.

♦ Littér. Qu'on ne peut dire, exprimer. ⇒ **Indescriptible, inexprimable ; inouï.** *Douleur fulgurante* (cit. 4) *et indicible. Une épouvante indicible* (→ Épigastre, cit. ; glacer, cit. 2). *Être tourmenté par une angoisse* (cit. 12) *indicible* (→ Contraction, cit. 1). *Joie indicible.* ⇒ **Ineffable.** *Une indicible et incroyable méchanceté* (→ Cataclysme, cit. 2, Rabelais). *Un charme indicible.* ⇒ **Indéfinissable.** *La chose est indicible, c'est indicible.*

Il en est d'autres *(âmes)* sur lesquelles il *(Dieu)* verse abondamment ces plaisirs 1
secrets et indicibles. MASSILLON, Mystères, Assomption.

Comment exprimerai-je une peine indicible ? 2
A. DE MUSSET, Poésies nouvelles, Lettre à Lamartine.

Nous restâmes là jusqu'à l'aurore, incapables de bouger, de dire un mot, crispés 3
dans un affolement indicible. MAUPASSANT, Contes de la bécasse, « La peur ».

Un Génie apparut, d'une beauté ineffable, inavouable même. De sa physionomie 4
et de son maintien ressortait la promesse d'un amour multiple et complexe ! D'un bonheur indicible, insupportable même ! RIMBAUD, Illuminations, « Conte ».

Et quand la fatigue nous prend de l'éternel combat inutilement livré contre la 5
médiocrité des vices et des vertus, c'est un bien indicible de se retremper dans cet océan de volonté et de foi. Il se dégage de lui une contagion de vaillance, un bonheur de la lutte, l'ivresse d'une conscience qui sent en elle un dieu.
R. ROLLAND, Vie de Beethoven, p. 77.

N. m. (V. 1530, Marot). *L'indicible :* ce qui est indicible. — *Un indicible :* une chose indicible.

(...) dans les cas où vous ravage un indicible, qu'aucune tentative de mise en mots 6
ne saurait provisoirement désarmer (...) Michel LEIRIS, Frêle bruit, p. 210.

CONTR. Dicible.
DÉR. Indicibilité, indiciblement.

INDICIBLEMENT [ɛ̃disibləmɑ̃] adv. — 1528 ; de *indicible.*

♦ Rare. D'une manière indicible. *Elle était indiciblement triste.*

Ses pauvres mains perdaient aussi leur sensibilité (...) et je souffrais indiciblement de ne la voir point éviter le contact des objets poisseux ou souillés.
GIDE, Et nunc manet in te, *in* Souvenirs, Pl., p. 1140.

INDICIEL, ELLE, ELS [ɛ̃disjɛl] adj. — Mil. XXe ; « qui indique », 1540 ; de *indice.*

♦ **1.** Didact. De l'indice (au sens de la sémiotique).

Ling. *Aspect indiciel de l'énonciation :* aspect de la communication qui correspond aux temps et lieu de l'énonciation (⇒ **Déictique**) et au mode de relation des communiquants à l'énoncé.

♦ **2.** Écon. Relatif à un indice statistique, économique. — Relatif à un indice de salaires. *« Les 3 000 aiguilleurs du ciel ont la même grille indicielle que les 300 000 instituteurs, pour augmenter les premiers sans augmenter les seconds, on a cru tourner à la diffi-*

culté en ayant recours à un système de primes compliqué, mystérieux. Mais, parce qu'on refusait d'intégrer ces primes aux salaires des aiguilleurs, donc à leurs pensions de retraite, il y a eu cette grève tragique du 5 mars 1973 » (*l'Express*, n° 1683, 7 oct. 1983, p. 182).

♦ **3.** Math. Qui utilise des indices (II., 1.). *Notation indicielle.*

INDICT [ɛ̃dikt] n. m. — Attesté XVIIIe, Saint-Foix, *in* Littré; adj. «établi par un édit», mil. XVe; lat. *indictum* «chose prescrite», p. p. neutre substantivé de *indicere* «notifier, annoncer». → Indiction.

♦ Vx. Indiction (2.) d'une foire. ⇒ aussi **Lendit.**

INDICTION [ɛ̃diksjɔ̃] n. f. — V. 1120, *indictiuns;* bas lat. *indictio* «notification; espace de quinze ans», du supin *indictum,* de *indicere* «publier, notifier», de *in-* indiquant l'aboutissement d'une action (→ 2. In-), et *dicere* (→ 1. Dire).

♦ **1.** Antiq. Période (de quinze ans dans le Bas-Empire romain) pour laquelle le budget était fixé à l'avance. *L'indiction est encore en usage comme unité chronologique dans les bulles de la papauté* (⇒ **Comput**).

♦ **2.** Relig. Fixation à un jour dit. ⇒ **Indict** (vx). *L'indiction d'un concile, d'un synode.* ⇒ **Convocation.**

Prescription*. *Indiction d'un jeûne.*

L'indiction d'un jeûne imposé à tout le corps des fidèles.
MASSILLON, Carême, Jeûne.

INDIEN, ENNE [ɛ̃djɛ̃, ɛn] n. et adj. — 1284, *in* D.D.L.; *yndiien* «habitant de l'Inde», v. 1265, *in* T.L.F.; bas lat. *indianus* «qui séjourne en Inde», de *India* «Inde», grec *India,* de *Indos* «Indus», n. propre (cf. sanskrit *sindhu-* «fleuve», et, spécialt, «Indus», et *sind,* n. propre d'une région du Pakistan irriguée par le cours inférieur de l'Indus).

★ **I.** ♦ **1.** Personne qui est née aux Indes, habite les Indes. *Un Indien, une Indienne. Indiens musulmans. Indiens adeptes de l'hindouisme.* ⇒ **Hindou.** — REM. On emploie parfois (abusivement) *hindou* au sens général de *indien,* à cause du sens 2 de *indien.*

1 Les indiens domptés sont vos moindres ouvrages (...)
RACINE, Alexandre le Grand, III, 6.

2 (...) les peuples les plus anciennement connus, Persans, Phéniciens, Arabes, Égyptiens, allèrent, de temps immémorial, trafiquer dans l'Inde, pour en rapporter les épiceries que la nature n'a données qu'à ces climats, sans que jamais les Indiens allassent rien demander à aucune de ces nations.
VOLTAIRE, Essai sur les moeurs, Introd., De l'Inde.

Adj. *Le peuple indien. Ministre indien. Océan Indien. Le sous-continent indien. La péninsule indienne. Coq* indien* ou *coq d'Inde.* — *Chanvre indien.* ⇒ **Chanvre;** → Haschisch (cit. 2 et 4).

♦ **2.** (Mil. XVIe; de *Indes,* parce que les navigateurs du XVe se croyaient arrivés aux Indes par la route de l'Ouest). Indigène d'Amérique. ⇒ **Amérindien.** *Indien algonquin*. Indien apache. Indien caraïbe* (→ 1. Boucaner, cit. 2). *Indiens mohicans, sioux. Indiens pueblo. En français d'Amérique du Nord (Canada), on appelait les Indiens « les sauvages ». — Indiens nomades des plaines. Indiens sédentaires. Les Indiens des États-Unis, du Canada. Réserve* d'Indiens. Les Indiens du Mexique. Indiens maya. Les Indiens des Andes. Les Aymares, ancienne population d'Indiens aujourd'hui disséminés au Pérou et en Bolivie. Les Indiens d'Amazonie, du Brésil.*

2.1 Bientôt, on aperçut le détachement indien. Il se composait d'une dizaine d'indigènes, ce qui rassura le Patagon. Les indiens s'approchèrent à une centaine de pas. On pouvait facilement les distinguer. C'étaient des naturels appartenant à cette race pampéenne, balayée en 1833 par le général Rosas. Leur front élevé, bombé et non fuyant, leur haute taille, leur couleur olivâtre, en faisaient de beaux types de la race indienne.
J. VERNE, les Enfants du Capitaine Grant, p. 193.

Spécialt (allus. à l'image conventionnelle des Indiens d'Amérique du Nord dans la vision nord-américaine de la conquête de l'Ouest). ⇒ **Peau-rouge.** *L'attaque de la diligence par les Indiens. Coutumes guerrières des Indiens.* ⇒ **Calumet** (de la paix), **hache** (de guerre), **scalp; scalper; sentier** (de la guerre); et aussi **tomahawk.** *Les wigwams** : les teepees des Indiens. *Chasseur d'Indiens. Une belle Indienne.* ⇒ **Squaw.** *Un bon Indien est un Indien mort* (phrase du général Custer). *Des enfants qui jouent aux Indiens.*

3 Indiens infortunés, que j'ai vus errer dans les déserts du nouveau monde avec les cendres de vos aïeux (...)
CHATEAUBRIAND, Atala, Épilogue.

4 Cela se passait, comme toujours, chez les Peaux-Rouges, et le héros de l'ouvrage était un trappeur aux rudes manières, qui conduisait les Visages pâles dans les Montagnes Rocheuses, à la conquête d'un trésor gardé par les *indiens.*
R. DORGELÈS, Route des Tropiques, p. 11.

5 Le nom d'Indiens, communément donné aux indigènes d'Amérique, consacre une erreur puisqu'il ne leur fut attribué par les Espagnols que parce que ceux-ci avaient cru atteindre les Indes. Le terme de race rouge n'est pas plus juste (...) En fait les Amérindiens ont la peau blanc jaunâtre ou brune, jamais rouge (...) C'est pour éviter toute confusion que les anthropologistes ont créé le terme, suffisamment explicite par lui-même, d'Amérindiens. Il englobe tous les indigènes de l'Amérique à l'exception des Eskimo (*sic*).
Henri VALLOIS, les Races humaines, p. 96.

Loc. *L'été des Indiens (été indien).* — Adj. *Civilisations indiennes d'Amérique. Langues indiennes. Avoir du sang indien, être d'origine indienne.*

6 (...) les premiers Français qui s'établirent au Biloxi et à la Nouvelle-Orléans firent alliance avec les Natchez, nation indienne dont la puissance était redoutable dans ces contrées.
CHATEAUBRIAND, Atala, Prologue.

(Dans le contexte narratif des histoires de l'Ouest américain). ⇒ **Américain** (vx). *Un chef indien.* ⇒ **Sachem.**

Loc. *En file indienne, à la file indienne.* ⇒ **File** (cit. 9). — (Vx). *Nage indienne*; (mod.) *nage à l'indienne,* et (n. f.), *indienne* : nage sur le côté, les jambes en ciseaux, le bras supérieur décrivant un arc de cercle en l'air avant d'attaquer l'eau. (1901, *in* Petiot). *L'overarm-stroke, le trudgeon, variétés d'indienne. — L'été* indien.*

♦ **3.** Argot., fam. Individu quelconque. *Qu'est-ce que c'est que cet indien?*

★ **II.** (Orig. obscure). Fam. Mélange d'orangeade et de grenadine (au café).

DÉR. (De I., 1.) **Indianiser, indianisme, indianiste; indienne.**
HOM. (Du fém.) **Indienne.**

1. INDIENNE [ɛ̃djɛn] n. f. — 1632; de *indien,* dans *toile indienne* (1359, Gay).

♦ Toile de coton peinte ou imprimée (→ Alapin) qui se fabriquait primitivement aux Indes. *Robe d'indienne. Fabrique* (cit. 3) *d'indiennes.*

1 Élisabeth n'avait jamais porté que des robes d'indienne en été, de mérinos en hiver, et les faisait elle-même (...)
BALZAC, les Employés, Pl., t. VI, p. 902.

2 (...) un grand lit à baldaquin revêtu d'une indienne à personnages représentant des Turcs.
FLAUBERT, Mme Bovary, I, II.

3 (...) l'étoffe était de l'indienne à mille raies, lilas, rose ou bleue.
Th. GAUTIER, Voyage en Russie, p. 41.

DÉR. Indiennerie, indienneur.
HOM. Fém. de **indien.**

2. INDIENNE [ɛ̃djɛn] n. f. ⇒ **Indien.**

INDIENNERIE [ɛ̃djɛnʀi] n. f. — 1869; de 1. *indienne.*

♦ Techn. Fabrication, commerce des indiennes. *Fabrique d'indiennes.* — Par ext. Ensemble des indiennes, d'indiennes. *De l'indiennerie. Un beau lot d'indiennerie.*

INDIENNEUR [ɛ̃djenœʀ] n. m. — 1839; de 1. *indienne.*

♦ Techn. Ouvrier qui imprime à la machine les tissus de coton.

INDIFFÉREMMENT [ɛ̃difeʀamɑ̃] adv. — 1314, *indifferanment*; de *indifférent.*

♦ **1.** Sans distinction, sans faire de différence. *Se servir indifféremment de deux mots* (→ An, cit. 20). *Soutenir indifféremment le pour et le contre. Manger indifféremment de tout* (→ Gober, cit. 2). *Supporter indifféremment n'importe quelle compagnie* (→ Extravagant, cit. 1). *Méthode applicable* (cit. 2) *indifféremment à chacun. Lire indifféremment toutes sortes de livres.* ⇒ **Indistinctement.**

1 (...) confondre les personnes, et les traiter indifféremment et sans distinction des conditions et des titres.
LA BRUYÈRE, les Caractères, IX, 43.

2 (*le phoque*) ne craint ni le froid, ni le chaud; il vit indifféremment d'herbe, de chair ou de poisson; il habite également l'eau, la terre et la glace (...)
BUFFON, Hist. nat. des animaux, Les phoques.

3 Le magicien (...) traça sur le sol les mots ABLANATANALBA et ONORARONO qui peuvent se lire indifféremment de droite à gauche ou de gauche à droite (...)
APOLLINAIRE, l'Hérésiarque..., p. 99.

♦ **2.** (1520). Vx. Avec indifférence, avec froideur. *Un flegme permettant de recevoir indifféremment les plus grands désastres* (→ Échapper, cit. 38, La Bruyère).

4 (...) ils viennent entendre indifféremment la parole de Dieu (...)
BOURDALOUE, Dominic., Parole de Dieu, I, *in* LITTRÉ.

CONTR. (De I.) **Différemment.**

INDIFFÉRENCE [ɛ̃difeʀɑ̃s] n. f. — 1372; bas lat. *indifferentia* «état physique sans particularité», «synonymie» en lat. impérial, de *indifferens.* → Indifférent.

★ **I.** État d'une personne qui est indifférente.

♦ **1.** Absolt. État d'une personne qui n'éprouve ni douleur, ni crainte, ni désir. *État d'indifférence, d'indifférence totale, absolue.* ⇒ **Adiaphonie, apathie, assoupissement, ataraxie** (cit. 2), **désintéressement, insensibilité.** *Une indifférence voisine de l'anesthésie* (cit. 2). *Préférer la folie* (cit. 11) *des passions à la sagesse de l'indifférence.*

1 C'est la vie, elle est préférable avec ses blessures et ses douleurs, aux noires ténèbres du dégoût, au poison du mépris, au néant de l'abdication, à cette mort du cœur qui s'appelle l'indifférence.
BALZAC, Béatrix, Pl., t. II, p. 565.

2 Cette nuit passera, comme toutes les nuits ; le soleil se lèvera demain : elle est assurée d'en sortir, quoi qu'il arrive. Et rien ne peut arriver de pire que cette indifférence, que ce détachement total qui la sépare du monde et de son être même.

F. MAURIAC, Thérèse Desqueyroux, p. 156.

3 Je n'aime point l'humble résignation. Job a une âme d'esclave. Il n'atteint pas à la sérénité, mais seulement à une vertu très médiocre : l'indifférence.

M. CONSTANTIN-WEYER, Source de joie, X, p. 186.

4 La vieillesse est le sentiment qu'il est trop tard, que la partie est jouée, que la scène appartient désormais à une autre génération ; le vrai mal de la vieillesse n'est pas l'affaiblissement du corps, c'est l'indifférence de l'âme.

A. MAUROIS, Un art de vivre, V, 5.

♦ **2.** Détachement (à l'égard d'une chose, d'un événement exprimé ou sous-entendu). ⇒ **Dédain, détachement.** *L'indifférence de qqn pour qqch.* (→ Ataraxie, cit. 1 ; attachement, cit. 2 ; gentillesse, cit. 2 ; glacer, cit. 16). — *Indifférence à... Indifférence aux événements* (→ Épuisement, cit. 4), *à l'attrait du plaisir* (→ Hédoniste, cit. 1). — *Indifférence quant à, à l'égard de, devant, envers* (qqch., qqn). *Indifférence d'un malade à l'égard de sa maladie.* ⇒ **Anosodiaphorie.** *Indifférence sur qqch.* (vieilli). *Indifférence vis-à-vis de qqch., de qqn.* — *Indifférence sexuelle.* ⇒ **Inappétence.** — Non qualifié. *L'indifférence, effet de l'habitude* (cit. 32). *Indifférence due à la paresse.* ⇒ **Indolence ; nonchaloir.** *Affronter* (cit. 3) *la mort avec indifférence.* ⇒ **Équanimité, flegme, impassibilité.** *Ambitieux qui affecte l'indifférence. Œuvre qui rencontre l'indifférence du public* (→ 2. Critique, cit. 20). *Hausser les épaules pour marquer son indifférence. Indifférence en matière politique.* ⇒ **Abstention, neutralité.** *Ne manifester qu'indifférence devant une nouvelle, un drame. Expression d'indifférence.* ⇒ 1. **Baste, bof, tant** (tant pis).

5 Quand nos amis nous ont trompés, on ne doit que de l'indifférence aux marques de leur amitié, mais on doit toujours de la sensibilité à leurs malheurs.

LA ROCHEFOUCAULD, Réflexions et maximes, 434.

5.1 Mais je n'ai jamais été à confesse, je n'ai jamais fait ma première Communion, il sait si bien ridiculiser toutes ces choses, en absorber dans nous jusqu'aux moindres idées, qu'il éloigne à jamais de leurs devoirs celles qu'il a subornées (...) ou si elles sont contraintes à les remplir à cause de leur famille, c'est avec une tiédeur, une indifférence si entière, qu'il ne redoute rien de leur indiscrétion (...)

SADE, Justine..., t. I, p. 112.

6 L'indifférence, j'en conviens, est une qualité des hommes d'État, mais des hommes d'État sans conscience. Il faut savoir regarder d'un œil sec tout événement, avaler des couleuvres comme de la malvoisie, mettre au néant, à l'égard des autres, morale, justice, souffrance, pourvu qu'au milieu des révolutions on sache trouver sa fortune particulière.

CHATEAUBRIAND, Mémoires d'outre-tombe, t. V, p. 139.

7 Et si on leur annonçait un résultat, ils faisaient mine de s'y intéresser, mais ils l'accueillaient en fait avec cette indifférence distraite qu'on imagine aux combattants des grandes guerres (...) n'espérant plus ni l'opération décisive, ni le jour de l'armistice. CAMUS, la Peste, p. 208.

Vx. *Indifférence de* (suivi de l'infinitif) :

8 (...) des hommes qui vivent dans l'indifférence de chercher la vérité d'une chose qui leur est si importante et qui les touche de si près.

PASCAL, Pensées, III, 195.

(1817, Lamennais ; *indifférence de la religion,* XVIIe, Pascal). Spécialt. *Indifférence en matière de religion, indifférence religieuse :* état d'esprit consistant à ne pas se poser le problème religieux, ou à nier son importance. ⇒ **Agnosticisme, incrédulité, irréligion, scepticisme.** Vx. *Vivre dans l'indifférence de la religion, des religions* (→ Ennemi, cit. 10). Absolt. *L'indifférence* (→ Évagation, cit. ; hérésiarque, cit. 2). — Littér. *Essai sur l'indifférence en matière de religion,* œuvre de Lamennais (1817-1823).

9 Cette âme patiente, tranquille, immuable dans ses projets, n'avait qu'une ambition, qu'un plaisir au monde : celui de lutter avec ses simples forces contre l'irréligion et l'*indifférence* répandues en France. STENDHAL, le Rose et le Vert, V.

10 Eudes s'unit à l'émir et lui donna sa fille. Cette étrange alliance, dont il n'y avait pas d'exemple, caractérise de bonne heure l'indifférence religieuse dont la Gascogne et la Guienne nous donnent tant de preuves (...) le pays d'Henri IV, de Montesquieu et de Montaigne n'est pas un pays de dévots.

MICHELET, Hist. de France, II, II.

11 Ce pays où l'indifférence en matière de religion est si commune, est aussi le pays des plus récents miracles. VALÉRY, Regards sur le monde actuel, p. 135.

12 (...) mon père marquait pour les choses de la foi, cette indifférence polie, cet assentiment extérieur que l'on doit considérer, bien plus que les fureurs anticléricales, comme un présage alarmant dans l'histoire d'une religion.

G. DUHAMEL, Chronique des Pasquier, I, X.

Philos. *Liberté* d'indifférence,* qui consisterait dans « la faculté de se décider sans y être déterminé par aucun motif ni mobile » (Cuvillier). ⇒ **Arbitre** (libre), **indétermination, liberté.**

13 (...) cette indifférence que je sens lorsque je ne suis point emporté vers un côté plutôt que vers un autre par le poids d'aucune raison, est le plus bas degré de la liberté, et fait plutôt paraître un défaut dans la connaissance qu'une perfection dans la volonté (...) DESCARTES, Méditations, IV.

♦ **3.** (Déb. XVIIe). Absence d'intérêt à l'égard d'un être, des hommes. ⇒ **Froideur.** *L'indifférence que lui a montrée, témoignée son entourage l'a profondément déçu. L'indifférence des enfants à l'égard des adultes* (cit. 6). *Artiste, novateur qui bataille* (cit. 2) *au milieu de l'indifférence générale.* ⇒ **Inattention.**

14 Il est bien peu de personnes qui sachent respecter une grande douleur, du moins si l'on en juge par l'indifférence ou même la joie qu'on témoigne devant celui qui l'éprouve. CHÊNEDOLLÉ, *in* SAINTE-BEUVE, Chateaubriand, t. II, p. 194.

15 (...) il ne regarda point ce malade (...) avec humanité, mais avec cette froide indifférence, facile à transformer en haine, qui sépare les représentants de deux espèces animales. M. BARRÈS, Leurs figures, p. 245.

16 L'indifférence, la tolérance ne sont plus de mise, dès que l'ennemi s'en fait fort et qu'on voit prospérer ce que l'on considère décidément comme mauvais.

GIDE, Journal, 25 févr. 1932.

Grattant sa barbe de crin roux, il tourna négligemment la tête et regarda avec une indifférence affectée un des trois nouveaux (...) 17

R. DORGELÈS, les Croix de bois, p. 10.

Je crois qu'ils m'aiment, et c'est étonnant comme leur amour ressemble à l'indifférence. G. DUHAMEL, le Voyage de P. Périot, p. 94. 18

Par métaphore. (Choses). *Sentir comme une déclaration d'indifférence dans l'heure qui sonne* (→ Glaçant, cit. 2, Hugo). *Vigny a souligné dans la « Maison du berger » l'indifférence de la nature. L'indifférence d'un paysage* (→ Beau, cit. 66).

Elle éprouva brusquement un sentiment jusqu'alors inconnu : l'indifférence complète de tout à l'égard de ce qui se passait en elle, l'indifférence de cette église et de cette place à sa douleur, l'indifférence de millions de gens à son sort. 19

J. GREEN, Adrienne Mesurat, p. 181.

Spécialt. Absence d'amour chez un être qui ne répond pas ou ne répond plus aux sentiments qu'il inspire. ⇒ **Insensibilité ;** et (vieilli) **cruauté, rigueur.** *La Fontaine regrettait l'indifférence de Madame de Sévigné* (→ Attrait, cit. 16). *Combattre* (cit. 4), *vaincre l'indifférence de la personne qu'on aime. Elle a pour lui la plus complète indifférence* (→ Expliquer, cit. 28). *Affecter, feindre, jouer l'indifférence. L'indifférence a bientôt succédé à l'amour* (→ Assoupir, cit. 12 ; avarie, cit. 6 ; excessif, cit. 6).

De la plus forte ardeur vous portez vos esprits 20
Jusqu'à l'indifférence, et peut-être au mépris (...) CORNEILLE, Polyeucte, II, 2.

(...) l'un deux obtient la préférence : 21
Je crois voir l'autre encore avec indifférence ;
Mais cette indifférence avec une aversion
Lorsque je la compare avec ma passion. CORNEILLE, Rodogune, I, 5.

De ce qu'on a chéri la fatale présence 22
Ne nous laisse jamais dedans l'indifférence (...)
MOLIÈRE, le Dépit amoureux, I, 1.

Quelque pressentiment de son indifférence 23
Vous fait-il loin de Rome éviter la présence ? RACINE, Bérénice, I, 3.

(...) languissant dans l'exil où vous m'avez condamné ; ne vivant que de privations et de regrets ; en proie à des tourments d'autant plus douloureux, qu'ils me rappellent sans cesse votre indifférence ; me faudra-t-il encore perdre la seule consolation qui me reste ? LACLOS, les Liaisons dangereuses, LII. 24

(...) et comme ces deux êtres n'avaient que de l'indifférence l'un pour l'autre, ils se parlaient avec toute franchise. STENDHAL, Armance, II. 25

J'aime et je sais répondre avec indifférence (...) 26
A. DE MUSSET, Poésies nouvelles, « À Ninon ».

(...) la tristesse profonde où me jetait ton indifférence. 27
G. SAND, Lettres à Musset, XII.

Ce n'était pas que je n'aimasse encore Albertine, mais déjà pas de la même façon que les derniers temps (...) Je sentais bien maintenant qu'avant de l'oublier tout à fait, comme un voyageur qui revient par la même route au point d'où il est parti, il me faudrait, avant d'atteindre à l'indifférence initiale, traverser en sens inverse tous les sentiments par lesquels j'avais passé avant d'arriver à mon grand amour. 28

PROUST, la Fugitive, Pl., t. III, p. 558.

★ **II.** (1855). Sc. État de ce qui est indifférent (I., 2.). ⇒ **Équilibre, neutralité.** *Indifférence magnétique, électrochimique.*

CONTR. Ardeur, chaleur, enthousiasme, ferveur, fièvre, flamme, intérêt, passion, sensibilité, zèle ; ambition, anxiété, avidité, besoin, convoitise, désir, émulation, fanatisme, souci ; affection, amour, apitoiement, attachement, attendrissement, commisération, compassion, complicité, contrition, dévotion, dévouement, émotion, empressement, engouement, enivrement, sentiment, sollicitude, tendresse.

INDIFFÉRENCIATION [ɛ̃difeʀɑ̃sjasjɔ̃] n. f. — 1843, Proudhon, *in* T. L. F. ; de *indifférencié,* d'après *différenciation.*

♦ Littér. ou didact. État de ce qui est indifférencié*.

(...) l'agression est le mode selon lequel certains buts sont poursuivis à un niveau primitif, en réponse à la frustration ou spontanément, par indifférenciation de l'agression et de la libido. Daniel LAGACHE, la Psychanalyse, p. 29.

CONTR. Différenciation.

INDIFFÉRENCIÉ, ÉE [ɛ̃difeʀɑ̃sje] adj. — 1843, Proudhon, *in* T. L. F. ; de 1. *in-,* et *différencié.* → Différencier.

♦ Qui n'est pas différencié. *Infinité indifférenciée de cercles, d'ellipses. Cellules vivantes indifférenciées.*

Une suite d'heures très longue, ininterrompue, d'heures indifférenciées. 1

GIDE, Journal, 28 oct. 1929.

Sans doute peut-on trouver à l'origine de toute vocation artistique, un certain choix indifférencié que les circonstances, l'éducation et le contact avec le monde particulariseront seulement plus tard. SARTRE, Situations II, p. 59. 2

Ethnol. *Filiation indifférenciée :* système qui permet à qqn de se réclamer indifféremment de l'une des quatre lignées (deux paternelles et deux maternelles) pour obtenir son inclusion dans un groupe de parenté.

CONTR. Différencié.
DÉR. Indifférenciation, indifférencier.
HOM. Indifférencier.

INDIFFÉRENCIER [ɛ̃difeʀɑ̃sje] v. tr. — Mil. XXe ; de *indifférencié,* ou de 1. *in-,* et *différencier.*

♦ Didact. Rendre indifférencié.

Ainsi, pensait-il, c'est faute d'avoir su s'emporter, que la science sémiologique n'avait pas trop bien tourné : elle n'était souvent qu'un murmure de travaux indifférents, dont chacun indifférenciait l'objet, le texte, le corps.
R. BARTHES, Roland Barthes, p. 163.

HOM. Indifférencié.

INDIFFÉRENT, ENTE [ɛ̃difeʀɑ̃, ɑ̃t] adj. et n. — Fin XIIIe-déb. XIVe, «sans différence, sans distinction» (cf. le dér. *indifferanment,* 1314; → Indifféremment); lat. *indifferens* «indifférent; ni bon, ni mauvais; qui ne se préoccupe pas de»; de *in-* (→ 1. In-), et *differens, -entis.* → Différent.

★ **I.** ♦ **1.** Vx. (Personnes). Qui n'est pas en faveur d'un parti plutôt que d'un autre. ⇒ **Impartial.**

1 Quand il est question de juger si on doit faire la guerre et tuer tant d'hommes, condamner tant d'Espagnols à la mort, c'est un homme seul qui en juge, et encore intéressé : ce devrait être un tiers indifférent. PASCAL, Pensées, V, 296.

♦ **2.** (1641). Choses. Qui ne tend pas vers telle chose plutôt que vers telle autre. *La matière est d'elle-même indifférente au repos ou au mouvement* (Hatzfeld). *Mot en lui-même indifférent, opposé à un mot aux acceptions précises* (→ Abandonner, cit. 6).

Sc. Sur lequel ne s'exerce aucune force capable de modifier son état, sa place. *Une sphère homogène placée sur un plan horizontal est en équilibre indifférent. Espace* (cit. 6) *homogène, vide et indifférent.*

2 (...) tout son corps étant indifférent de lui-même au repos et au mouvement, et ayant cette inertie qui est un attribut de la matière (...)
VOLTAIRE, Éléments de la philosophie de Newton, III, IV.

Psychol. *États indifférents,* qui ne seraient marqués ni de plaisir ni de douleur.

(Sens moral). Qui ne tend pas davantage vers le bien que vers le mal, qui n'est en soi ni bon ni mauvais. *Toute loi, fût-elle indifférente, doit être appliquée ou abrogée* (cit. 2).

3 (...) lorsqu'on a quelque bon dessein, ou même (...) quelque dessein qui n'est qu'indifférent (...) DESCARTES, Discours de la méthode, III.

♦ **3.** (Déb. XVIe; choses). Qui, d'un côté comme de l'autre, présente un intérêt (ou une absence d'intérêt) égal; qui n'importe ou ne touche ni plus ni moins. *Être indifférent à qqn,* ne pas présenter pour lui plus (ou moins) d'intérêt. *Ici ou là cela m'est indifférent.* ⇒ **Égal;** → Je n'ai aucune préférence*; cela ne me fait ni chaud* ni froid. *Il est indifférent de penser, de faire ceci ou cela* (→ Abstenir, cit. 2; filiation, cit. 3; hérétique, cit. 4). *Il est indifférent à qqn d'avoir, de faire telle ou telle chose* (→ Fongible, cit. 1; héroïsme, cit. 3).

4 J'appris à Thalès, le premier de vos sages, que le vivre et le mourir était indifférent; par où, à celui qui lui demanda pourquoi donc il ne mourait, il répondit très sagement : «Parce qu'il est indifférent» *(C'est la Nature qui parle).*
MONTAIGNE, Essais, I, XX.

5 La maladie ou la santé lui devinrent indifférentes.
FLÉCHIER, Dauphine, *in* LITTRÉ.

6 Il est indifférent que ce soient les chrétiens ou les musulmans qui souffrent, il n'y a que l'homme qui soit digne d'intéresser l'homme.
G.-T. RAYNAL, Hist. philosophique, XI, 9.

7 La langue avait autrefois des impersonnels : *il ne me chaut pas.* Aujourd'hui, elle use surtout de *peu importe, n'importe.* On dit aussi : *il m'est indifférent, égal : il m'est indifférent qu'elle vienne ou ne vienne pas se fixer ici; — peu m'importe que son opinion soit favorable ou non.*
F. BRUNOT, la Pensée et la Langue, p. 552.

★ **II.** (Sans idée de «différence», d'«opposition» ou de «choix entre deux choses»).

♦ **1.** (Mil. XVIIe). Personnes. Qui ne s'intéresse pas à..., qui n'est pas préoccupé de... (qqch. ou qqn). ⇒ **Insensible.**

[a] *(Indifférent à qqch.). Être indifférent, indifférente aux malheurs d'autrui, à toute misère* (→ Apaiser, cit. 29), *aux événements extérieurs* (→ Flegmatique, cit. 2), *à l'opinion* (→ Haut, cit. 94). ⇒ **Inattentif.** *Indifférent à tout* (→ Cour, cit. 10). *Indifférent à son sort, au destin.* ⇒ **Résigné.** *Indifférent à l'argent.* ⇒ **Désintéressé.** — *Indifférent quant à, à l'égard de, devant, envers, vis-à-vis de qqch., qqn.* — Vx. *Indifférent sur qqch.* — *Être indifférent en politique, sur un sujet.* — (Sans compl.). *Il restait absolument indifférent.* → ci-dessous, cit. 10. *Assister* (cit. 2) *à la vie en spectateur indifférent. Laisser qqn indifférent. Ce qui le laissait indifférent le blesse* (cit. 5) *aujourd'hui.* — (Avec un nom d'abstraction). *Âme indifférente, cœur indifférent.*

8 (...) il est froid et indifférent sur les observations que l'on fait (...)
LA BRUYÈRE, les Caractères, VIII, 62.

9 Mais à ces doux tableaux mon âme indifférente
N'éprouve devant eux ni charme ni transports (...)
LAMARTINE, Méditations, L'isolement.

10 Parmi ces éblouissements, Lamartine marchait tranquille, indifférent presque, comme un grand seigneur que rien n'étonne et qui se sent au niveau de tous les hommages. Th. GAUTIER, Portraits contemporains, Lamartine.

11 Hostile à l'univers plutôt qu'indifférent.
BAUDELAIRE, les Fleurs du mal, Tableaux parisiens, XC.

12 Très peu sensible aux choses qui nous entouraient, tandis que son élève en était à ce point absorbé, assez indifférent au cours des saisons pour se tromper de mois comme il se serait trompé d'heure (...) E. FROMENTIN, Dominique, III.

À vrai dire, je demeure indifférent à vos disputes, parce que j'en sens l'inanité. 13
FRANCE, le Mannequin d'osier, XVII, Œuvres, t. XI, p. 431.

(...) il ne lui était pas possible, en effet, de douter que cet homme souffrît, et cette souffrance ne la laissait pas indifférente, bien au contraire, elle la remuait (...) 14
J. GREEN, Léviathan, I, IX.

Il est venu là (...) se tenant le ventre ou le côté, comme tant d'autres qui, une fois touchés, se levèrent du sillon et s'en vont debout dans la fusillade, indifférents à tout nouveau danger. J. CHARDONNE, les Destinées sentimentales, p. 349. 15

Spécialt (en matière de religion). ⇒ **Incrédule.**

Je n'ai jamais rien su de ses opinions religieuses. Il me paraissait être plus indifférent qu'incrédule. BALZAC, Gobseck, Pl., t. II, p. 627. 16

[b] Qui n'est pas ému, concerné par qqn. *Être indifférent à qqn, lui être indifférent. Il m'est indifférent.* ⇒ **Indifférer** (fam.). — (Sans compl.). *Vie d'auberge où l'on coudoie* (cit. 1) *des hommes toujours nouveaux et toujours indifférents. Mère indifférente qui ne s'occupe guère de ses enfants. Il souffrait de voir des amis autrefois dévoués aujourd'hui indifférents.* — REM. Avec un complément, *indifférent* prête parfois à ambiguïté. *Être indifférent à qqn* peut signifier qu'on ne lui porte aucun intérêt (→ *infra,* cit. 17 et 23), ou bien, au contraire — et c'est le cas le plus fréquent, de nos jours — qu'on n'est, de sa part, l'objet d'aucun intérêt. Quand le complément est un pronom personnel placé avant l'adjectif, aucune équivoque n'est possible. *Cet homme m'est indifférent* (→ *infra,* cit. 19) signifie «cet homme ne m'intéresse pas, me laisse indifférent».

(...) je ne suis pas indifférente à cet enfant et à vos affaires (...) 17
Mme DE SÉVIGNÉ, 1214, 11 sept. 1689.

La vie commune n'était plus que le contact obligé de deux êtres liés l'un à l'autre, passant des journées entières sans échanger une parole, allant et venant côte à côte, comme étrangers désormais, indifférents et solitaires. 18
ZOLA, la Bête humaine, p. 279.

Qu'est-ce que cela peut vous faire *(de le voir moins)*? À moi, cela me ferait plaisir. Et vous dites vous-même qu'il vous est indifférent. 19
A. MAUROIS, Climats, I, IX.

N. *Un indifférent, une indifférente. Il avait beau se plaindre, il ne rencontrait que des indifférents.*

Allez vivre au milieu d'indifférents, qui vous demanderont d'un air distrait : «Comment vous portez-vous?», mais qui s'enfuiront si vous répondez sérieusement; des gens qui n'écouteront pas vos plaintes (...) ALAIN, Propos, 1907, Sollicitude. 20

Spécialt. Qui marque de l'indifférence en amour. *Femme indifférente.* ⇒ **Cruel.** *Elle souffrait de le trouver indifférent.* — N. *Une indifférente* (→ Aimer, cit. 43). *Le Bel Indifférent,* pièce de J. Cocteau.

Phèdre seule charmait tes impudiques yeux; 21
Et pour tout autre objet ton âme indifférente
Dédaignait de brûler d'une flamme innocente.
RACINE, Phèdre, IV, 2.

L'on suppose un homme indifférent, mais qui voudrait persuader à une femme une passion qu'il ne sent pas (...) LA BRUYÈRE, les Caractères, III, 68. 22

(...) on voit des hommes, indifférents aux femmes les plus belles, en aimer passionnément certaines qui nous semblent laides. 23
PROUST, À la recherche du temps perdu, t. XI, p. 113.

Guitta revient à Barbazac pour des courts séjours seulement et elle y mène une existence recluse, auprès d'un mari indifférent. 24
J. CHARDONNE, les Destinées sentimentales, p. 33.

[c] Par métaphore (en parlant de la nature, des choses qui paraissent ignorer l'homme). *Tout est indifférent à tout* (→ Création, cit. 8). *Ambiance* (cit. 1) *indifférente ou hostile.*

♦ **2.** Qui n'est touché par rien ni personne. *C'est un homme indifférent, rien ne peut l'émouvoir.* ⇒ **Apathique, blasé, égoïste, froid, insouciant, passif, sec;** (fam.) **je-m'en-foutiste.**

Christophe réfléchissait : il pensait que quand on est grand, on ne s'étonne plus de rien, on est fort, on connaît tout. Et il tâchait d'être grand, lui aussi, de cacher sa curiosité, de paraître indifférent. 25
R. ROLLAND, Jean-Christophe, L'aube, I, p. 23.

N. m. *L'Indifférent,* tableau de Watteau.

Qui exprime cette indifférence. *Air* (cit. 7), *regards* (→ Assouvir, cit. 15), *expression* (cit. 37), *visages* (→ Glouton, cit. 1) *indifférents.* ⇒ **Dédaigneux, détaché, étranger, froid.** *Une courtoisie indifférente* (→ Habituel, cit. 2).

Ce qu'elle disait était difficilement intelligible, mais le ton détaché, indifférent de ses propos contrastait avec une certaine volubilité. 26
J. GREEN, Adrienne Mesurat, p. 282.

♦ **3.** (1671). Qui n'intéresse pas, ne touche en rien. [a] (Personnes). *Ces personnes ni amies ni indifférentes, que l'on appelle des connaissances* (cit. 32). *C'est un ami d'enfance qui m'est devenu indifférent.*

Je vais me faire, pour mon instruction, un petit dictionnaire à l'usage des rois. *Mon ami* signifie *mon esclave. Mon cher ami* veut dire *vous m'êtes plus qu'indifférent.* VOLTAIRE, Correspondance, 1122, 18 déc. 1752. 27

N. Personne qui est indifférente (au locuteur), qui n'intéresse, n'émeut pas.

On peut laisser penser aux indifférents ce qu'ils veulent; mais c'est un crime de souffrir qu'un ami nous fasse un mérite de ce que nous n'avons pas fait pour lui. 28
ROUSSEAU, Émile, V.

Nous connaissons le caractère des indifférents, comment pourrions-nous saisir celui d'un être qui se confond avec notre vie, que bientôt nous ne séparerons plus de nous-même, sur les mobiles duquel nous ne cessons de faire d'anxieuses hypothèses perpétuellement remaniées? 29
PROUST, À la recherche du temps perdu, t. V, p. 158.

Spécialt. Qui n'inspire aucun sentiment amoureux. *Je vous assure qu'elle m'est indifférente* (→ Haïr, cit. 14). *Il ne lui est peut-être pas indifférent, mais elle n'en laisse rien paraître.* — N. *Je n'ai pas l'impression que vous le traitiez en indifférent.*

30 Mais ce sera, sans doute, et j'en serais garant,
Un billet qu'on envoie à quelque indifférent (...) MOLIÈRE, Don Garcie, II, 5.

31 Le soir du bal où nous étions ensemble, vous m'aviez dit au revoir comme on ne le dit pas à une indifférente (...) LOTI, Pêcheur d'Islande, II, XI.

b (Choses). *Chose indifférente à qqn. Tout cela m'est indifférent. Son sort m'est indifférent. Un plaisir qui rend les malheurs de la vie comme indifférents* (→ Brièveté, cit. 3). *Cet auteur traite de sujets qui me sont indifférents.*

32 — L'opinion des Parisiens, m'est tout à fait indifférente, dit-il. Je vis pour moi, ou, si vous voulez pour vous deux.
BALZAC, la Fausse Maîtresse, Pl., t. II, p. 22.

33 L'Italien ne vient pas à l'Opéra pour voir les héros d'opéra, mais pour se voir, pour s'entendre, pour caresser, pour attiser ses passions. Tout le reste lui est indifférent. R. ROLLAND, Voyage musical au pays du passé, p. 191.

(Impers.). *Je ne tiens plus à eux, il m'est indifférent de les quitter* (→ Gâter, cit. 39). *Cela m'est un peu indifférent.*

(1633). Sans compl. en *à*. Sans intérêt, sans importance*, de peu de conséquence. *Causer de choses indifférentes* (→ De la pluie* et du beau temps). *Aborder les sujets les plus indifférents. Conversations, entretiens indifférents. Rien n'est indifférent* (→ Atome, cit. 15). *Ce n'est pas une chose indifférente, loin de là!*

34 (...) ce n'est pas une chose indifférente pour la dépense que le bel air et le bon air dans une maison comme la vôtre (...)
Mme DE SÉVIGNÉ, 1211, 31 août 1689.

35 (...) un de ces visages indifférents qu'on voit à tout le monde et qu'on ne remarque à personne. MARIVAUX, le Paysan parvenu, I.

36 Il vaut mieux qu'elle écrive dix phrases inutiles, que d'en omettre une intéressante; et souvent ce qui paraît indifférent ne l'est pas.
LACLOS, les Liaisons dangereuses, CI.

37 Le caractère distinctif de ces pieuses familles est une discrétion sans bornes, et l'on s'y tait sur toutes les choses, même sur les indifférentes.
BALZAC, le Médecin de campagne, Pl., t. VIII, p. 492.

38 (...) elle parlait de choses indifférentes ou frivoles.
Valery LARBAUD, Fermina Marquez, XII.

(Impers.). *Il n'est pas indifférent de..., que...*

39 Il n'est pas indifférent que le peuple soit éclairé.
MONTESQUIEU, l'Esprit des lois, Préface.

40 Mais il n'est pas indifférent de constater qu'un grand inventeur de roman *(Balzac)* savait voir la réalité avec de bons yeux (...)
Émile HENRIOT, les Romantiques, p. 325.

CONTR. Intéressé, partial. — Déterminé, différent. — Ambitieux, anxieux, attentif, avide, curieux, désireux, envieux, préoccupé, soucieux. — Dévot. — Compatissant, dévoué, émotif, fervent, impressionnable, sensible. — Amoureux, brûlant, brûlé, enflammé, frappé, touché. — Complice, cordial, ému, éperdu, fiévreux...; attendrissant, désirable; important, intéressant.

DÉR. Indifféremment, indifférentisme, indifférentiste, indifférer.

INDIFFÉRENTISME [ɛ̃difeʀɑ̃tism] n. m. — 1750; de *indifférent.*

♦ Didact. Attitude d'indifférence systématique en matière de religion ou de politique. *L'Église condamne l'indifférentisme.*

Par ext. *L'indifférentisme d'un écrivain, d'un penseur.*

INDIFFÉRENTISTE [ɛ̃difeʀɑ̃tist] n. et adj. — 1721; de *indifférent.*

♦ Rare. Personne qui accepte tous les dogmes religieux et refuse de donner la préférence à l'un d'eux. ⇒ **Syncrétiste.** — Adj. *Attitude indifférentiste.*

Par ext. Qui ne prend pas parti (dans d'autres matières que la religion : philosophie, science, politique...).

INDIFFÉRER [ɛ̃difeʀe] v. tr. — Conjug. *céder.* — 1888; de *indifférent.*

♦ Fam. Être indifférent (à qqn). *« Mon corps m'indifférait »* (Montherlant, *in* T. L. F.). — Impers. *Cela m'indiffère, me laisse froid**. — REM. Ce verbe, tiré de l'adjectif *indifférent* et considéré par les puristes comme un « barbarisme », se trouve dans d'excellents auteurs, et est fréquent dans la langue familière.

1 Telle ou telle image, dont il jugera opportun de signaliser sa marche et qui, peut-être, lui vaudra la reconnaissance publique *(au savant)*, je puis l'avouer, m'indiffère en soi. A. BRETON, Manifeste du surréalisme, p. 72.

2 N'objectez pas que vous auriez altéré la réalité, je sais que cela vous indiffère (...)
ARAGON, Anicet, 2, p. 23 (1921).

3 Alors je vous dis d'aller porter ça. Vos avis m'indiffèrent, ma fille.
R. QUENEAU, le Dimanche de la vie, p. 18.

INDIGEMMENT [ɛ̃diʒamɑ̃] adv. — 1898, Mallarmé, *in* T. L. F.; de *indigent.*

♦ Littér. et rare. D'une manière indigente. ⇒ **Pauvrement.**

INDIGÉNAT [ɛ̃diʒena] n. m. — 1699; de *indigène.*

♦ **1.** Hist. En Pologne, Droit de cité (⇒ **Naturalisation**).

♦ **2.** Mod. **a** (1861, Proudhon, *in* T. L. F.). Didact. Fait d'être indigène (dans une région). *L'indigénat d'une population de l'île.*

b (1888). Hist. Régime administratif spécial appliqué aux indigènes (II., 2.), dans certains territoires, certaines colonies.

Le régime de l'indigénat, qui soumettait les autochtones *(des territoires d'Outre-mer)* à des pouvoirs administratifs exorbitants, a été abrogé par deux décrets du 22 décembre 1945 et du 20 février 1946.
DALLOZ, Répertoire pratique, Territoire d'Outre-mer, § 367.

INDIGENCE [ɛ̃diʒɑ̃s] n. f. — 1265; lat. *indigentia* « besoin insatiable, exigence », de *indigens, -entis.* → Indigent.

♦ **1.** État d'une personne indigente. ⇒ **Besoin, dénuement, détresse, misère, nécessité, pauvreté, privation.** *L'indigence de qqn, son indigence. Être, vivre, tomber dans l'indigence, dans la plus affreuse indigence. Indigence incitant au crime* (→ Embusquer, cit. 1; 2. escarpe, cit. 1). — Admin. anc. *Certificat d'indigence,* donnant droit à certains secours.

Instruit par son garçon, qui dans tout l'imitait, 1
Et de son indigence, et de ce qu'il était,
Je lui faisais des dons (...) MOLIÈRE, Tartuffe, I, 5.

Maman devait éprouver toutes les peines de l'indigence et du mal-être, après avoir 2
passé sa vie dans l'abondance (...) ROUSSEAU, les Confessions, V.

(...) les boutonnières crevées, malgré les raccommodages, y montraient aux yeux 3
les moins exercés les ignobles stigmates de l'indigence.
BALZAC, l'Initié, Pl., t. VII, p. 360.

(XVIIIe). Par métonymie. Les indigents. *Secourir l'indigence* (→ Bureau, cit. 5). *L'indigence ignorante* (→ Fleurir, cit. 14).

(Choses; littéraire) :

À l'intérieur des terres je parcourais des paysages de rocs aigus, rongeant le ciel, 3.1
déchiquetant l'azur. Cette indigence rigide, sèche et méchante narguait la mienne et ma tendresse humaine. Toutefois elle m'incitait à la dureté.
Jean GENET, Journal du voleur, p. 81.

♦ **2.** (1675). Fig. (Avec un compl. objectif). Manque de... ⇒ **Pauvreté** (cit. 71). *Indigence d'esprit, d'idées.* ⇒ **Disette** (→ 1. Être, cit. 37). — *Indigence intellectuelle de qqn. Il est d'une indigence affligeante. L'indigence de son vocabulaire* (→ Accent, cit. 5), *de son dessin* (→ Couleur, cit. 22), *de son imagination.* ⇒ **Faiblesse.** *Quelle indigence, dans ce livre!*

L'indigence de notre nature est si profonde, que dans nos infirmités volages, pour 4
exprimer nos affections récentes, nous ne pouvons employer que des mots déjà usés par nous dans nos anciens attachements.
CHATEAUBRIAND, Mémoires d'outre-tombe, t. II, p. 284.

De là vient en partie cette grande indigence intellectuelle des temps modernes. 5
Ch. PÉGUY, la République..., p. 193.

Les gens qui, dans l'espoir de dissimuler l'indigence de leur imagination, affectent 6
de contester les miracles (...) G. DUHAMEL, Salavin, III, XIII.

CONTR. Abondance, aisance, fortune, luxe, opulence, prospérité, richesse; affluence.

INDIGÈNE [ɛ̃diʒɛn] adj. et n. — 1743; lat. *indigena* « originaire du pays, indigène », de *indu,* forme renforcée archaïque de *in* « dans », et *-gena* « né de » (comparer à *-gène, endogène*), de *genere* « engendrer » (→ Géniteur), supplanté en lat. class. par la forme à redoublement *gignere.*

★ **I.** Adj. ♦ **1.** Rare ou didact. Originaire du pays (dont on parle).

a (1743). (Animaux, plantes). Didact. (opposé à *exotique*). Qui vit, croît naturellement (dans une région). *Arbres, plantes indigènes et plantes importées. Le maïs, la pomme de terre ne sont pas indigènes en France, en Europe.*

b (1756, Voltaire *in* G. L. L. F.; attestation isolée, 1532, Rabelais, comme latinisme). Personnes. Originaire du pays où il, elle vit. ⇒ **Aborigène** (didact.). *Un Néo-Zélandais indigène. La population indigène et les vacanciers. La population indigène et les envahisseurs. Les populations indigènes des Caraïbes ont été exterminées.*

c (Déb. XIXe). Propre à une population indigène. *Les religions indigènes du Japon. Les langues indigènes d'Europe. L'art indigène d'Amérique. Danses indigènes.* → Guitare, cit. 4.

♦ **2.** Cour. (mais considéré comme péj. et souvent insultant, dans une perspective anticolonialiste). Originaire d'un pays, d'une région occupé(e) par des colonisateurs. *Colon utilisant une main d'œuvre indigène. Troupes indigènes,* recrutées dans une colonie. — Anciennt. Peuplé par les indigènes. *La ville indigène et la ville européenne.* — Hist. *Troupes indigènes,* recrutées parmi les autochtones des territoires français d'outre-mer (avant la Seconde Guerre mondiale). — *Affaires indigènes :* organisation militaire française chargée de l'administration et de la sécurité de certains territoires en Afrique du Nord, avant l'indépendance.

La ville indigène, qui fait suite à la « ville blanche » est grande, animée, d'ailleurs 1
très hindoue, avec ses bazars, ses palmiers, ses pagodes.
LOTI, l'Inde (sans les Anglais), IV, XI.

(Choses). Des populations indigènes.

2 (...) je lui demandai à cet Espagnol s'il ne connaissait pas... quelque bonne médecine indigène qui m'aurait retapé. CÉLINE, Voyage au bout de la nuit, p. 166.

REM. Dans ce sens, le mot évoque surtout le contexte historique des colonies françaises d'Afrique (Afrique du Nord et Afrique noire, Madagascar) et d'Asie.

♦ **3.** Qui est établi de tout temps dans le pays où il habite. ⇒ **Autochtone.** *Les Berbères* (cit. 1), *populations indigènes de l'Afrique du Nord.*

3 Ce sont les peuples de l'Arabie proprement dite qui étaient véritablement indigènes, c'est-à-dire qui, de temps immémorial, habitaient ce beau pays *(le Yemen)* sans mélange d'aucune autre nation, sans avoir jamais été ni conquis, ni conquérants. VOLTAIRE, Essai sur les mœurs, Introd.

★ **II.** N. (1762). ♦ **1.** Didact. ou rare. Personne qui est originaire du pays où elle vit. ⇒ **Natif, naturel; autochtone** (→ Gouailleur, cit. 1, Balzac). *Les indigènes de l'Amérique, de la Corse* (→ Connaître, cit. 15). *Les indigènes d'Australie.* ⇒ **Aborigène.**

3.1 Sir Francis Cromarty, grand, blond, âgé de cinquante ans environ, qui s'était fort distingué pendant la dernière révolte des cipayes, eût véritablement mérité la qualification d'indigène. Depuis son jeune âge, il habitait l'Inde et n'avait fait que de rares apparitions dans son pays natal. C'était un homme instruit, qui aurait volontiers donné des renseignements sur les coutumes, l'histoire, l'organisation du pays indou, si Phileas Fogg eût été homme à les demander. Mais ce gentleman ne demandait rien. J. VERNE, le Tour du monde en 80 jours, p. 71.

♦ **2.** Cour. (dans le contexte colonial). Personne appartenant à une population établie dans un pays antérieurement à la colonisation (→ Colonial, cit. 2). *Colons* (cit. 4) *et indigènes.*

4 Dans les colonies, on qualifie généralement d'indigènes tous ceux, sans distinction d'origine, qui se trouveront établis à demeure dans le pays au moment où la puissance coloniale s'y est installée. H. CAPITANT, Voc. juridique, art. *Indigène.*

5 On s'imagine d'ordinaire qu'il est facile de distinguer en Algérie des Berbères, indigènes autochtones, et des Arabes, descendants des conquérants qui à diverses reprises ont envahi l'Afrique du Nord. Augustin BERNARD, l'Algérie, p. 83.

6 Il avait parfois recours au truchement de Moktar, son domestique arabe, pour éclaircir quelque chose dans les chicanes des indigènes. G. DUHAMEL, Salavin, VI, V.

♦ **3.** Littér. ou par plais. Personne qui est dans un lieu (⇒ **Habitant**) par rapport à un étranger, un visiteur.

7 Paul de Musset (...) plus prudent ou d'un naturel moins sensible *(que son frère)*, n'y avait pas emmené *(à Venise)* de romancière romantique avec lui et se contenta des indigènes, beaucoup plus capables de laisser un bon souvenir au passant frivole et raisonnable. Émile HENRIOT, les Romantiques, p. 182.

CONTR. Allogène, exotique. — (Spécialt) **Européen.**
DÉR. Indigénat.

INDIGENT, ENTE

INDIGENT, ENTE [ɛ̃diʒɑ̃, ɑ̃t] adj. et n. — V. 1265; lat. *indigens* «qui est dans le besoin», p. prés. de *indigere* «manquer de», de *indu*, forme renforcée archaïque de *in* «dans», avec valeur intensive, et *egere* «être dans le besoin, manquer de».

♦ **1.** Qui manque des choses les plus nécessaires à la vie. ⇒ **Besogneux, malheureux, misérable, nécessiteux, pauvre.** *Vieillard indigent qui vit d'aumônes. Peuple indigent et misérable* (→ Franchise, cit. 3). *La chrétienté primitive était indigente* (→ Église, cit. 10). *Assister, secourir une famille indigente.* — Par ext. *«Attendu* (cit. 116) *l'état indigent de la république...»* (La Fontaine).

1 Il y a ailleurs six-vingts familles indigentes qui ne se chauffent point pendant l'hiver, qui n'ont point d'habits pour se couvrir, et qui souvent manquent de pain; leur pauvreté est extrême et honteuse. LA BRUYÈRE, les Caractères, VI, 26.

2 Brissot fut toute sa vie, non pas pauvre, mais indigent. MICHELET, Hist. de la Révolution franç., VI, V.

3 La loi des malheureux est par trop dure, en vérité! C'est donc tout à fait impossible qu'une fille indigente échappe, de manière ou d'autre, à la prostitution! Léon BLOY, la Femme pauvre, I, VII.

N. (Déb. XIVe). Personne sans ressources. ⇒ **Gueux** (vx), **mendiant.** *Qualité d'indigent.* ⇒ **Indigence.** *Faire la charité à un indigent* (→ Agrafe, cit. 1; famélique, cit. 1). *Le riche et l'indigent* (→ 1. Bure, cit. 1). *Aide aux indigents* (→ Affaire, cit. 50; assister, cit. 10; condamner, cit. 6; gagner, cit. 28; honorable, cit. 2). *Pour avoir droit à certains secours, il faut justifier de la qualité d'indigent.*

4 (...) c'est aux pauvres et aux indigents qui portent la marque du fils de Dieu, qu'il appartient proprement d'y être reçus *(dans la cité de Dieu).* BOSSUET, Sermon dimanche de Septuagésime, I, *in* LITTRÉ.

5 (...) L'indigent espère en vain du sort;
En espérant toujours il arrive à la mort. CHÉNIER, Bucoliques, VII.

♦ **2.** (XVIe, Rabelais). Choses. ⇒ **Pauvre.** *Végétation indigente* (→ Épineux, cit. 1). *Éclairage, gaz* (cit. 5) *indigent.* ⇒ **Insuffisant.** *Une lumière indigente.*

(Abstrait). *Une imagination indigente. Un livre indigent. Ce film est intellectuellement indigent.* — (Personnes). *Un auteur, un penseur indigent.*

6 (...) notre langue vulgaire n'est tant vile, tant inepte, tant indigente et à mépriser qu'ils l'estiment. RABELAIS, le Cinquième Livre, Prologue.

Littér. (Avec un compl. prépositionnel). *«Faut-il être indigent d'esprit et de cœur...»* (L. Bloy, *in* T. L. F.), manquer de... — *Indigent en qqch.*

CONTR. Fortuné, opulent, riche; abondant.
DÉR. Indigemment.

INDIGÉRÉ, ÉE

INDIGÉRÉ, ÉE [ɛ̃diʒeʀe] adj. — Fin XIVe; de 1. *in-*, et *digéré.* → Digérer.

♦ Didact. Qui n'est pas digéré. ⇒ **Indigeste** (1.).

(...) l'irritation que fait subir à l'intestin la présence constante d'un contenu *indigéré* (...) Jean DELAY, Introd. à la médecine psychosomatique, Notes et observations, p. 81 (1961).

REM. L'adj. est sémantiquement bien distinct du p. p. adj. homonyme (→ ci-dessous, Indigérer).

CONTR. Digéré.
HOM. Indigéré (p. p. de *indigérer*).

INDIGÉRER

INDIGÉRER [ɛ̃diʒeʀe] v. tr. — Conjug. *céder.* — 1825, Brillat-Savarin, *in* T. L. F.; de 1. *in-*, et *digérer*, d'après *indigestion, indigeste.* Vieilli.

♦ Donner une indigestion à (qqn, un animal). ⇒ **Indigestionner.** *Des gâteaux à indigérer une autruche.*

▶ **S'INDIGÉRER** v. pron.
Réfl. Se donner une indigestion (de qqch.). — Fig. *«Nous nous sommes pourtant indigérés de dolmens et de menhirs»* (Sand, *Correspondance*, 1866, *in* T. L. F.). *S'indigérer de lectures.*

▶ **INDIGÉRÉ, ÉE** p. p. adj.
Qui n'a pas digéré; atteint d'indigestion. *«Maxime indigéré s'est aussitôt mis à ronfler sur le sable»* (Flaubert, *Correspondance*, 1850, *in* T. L. F.).

HOM. Indigéré.

INDIGESTE

INDIGESTE [ɛ̃diʒɛst] adj. — V. 1270; bas lat. *indigestus* «non digéré», «confus, sans ordre» en lat. class., de *in-* (→ 1. In-), et *digestus*, p. p. de *digerere* «diviser». → Digérer.

♦ **1.** Vx. Qui est mal ou n'est pas digéré. ⇒ **Indigéré.**

♦ **2.** (1505, *in* T. L. F.). Difficile à digérer. ⇒ **Peser.** *Aliment, nourriture indigeste. Cuisine lourde* et indigeste. Cru et indigeste.*

Il paraît que le cheval est indigeste quand on le mange à la neige. 1
BALZAC, Adieu, *in* Œ., Pl., t. IX, p. 773.

Par métaphore :

L'utilité spirituelle est, que, pendant qu'on lit des romans, on dort, et on ne lit pas de journaux utiles, vertueux et progressifs, ou telles autres drogues indigestes et abrutissantes. 2
Th. GAUTIER, Préface de Mlle de Maupin, p. 29 (éd. critique MATORÉ).

Ici, dans ces lettres *(de Hugo)* pesées, concertées, l'absence de détente, le sérieux massif, la gravité religieuse, la grandiloquence continue, l'affirmation tranchée à coups de lourdes et banales antithèses, le manque d'esprit et de naturel (vertus essentielles du véritable épistolier), font de cette lecture un repas assez indigeste et donnent une idée très nette de la pesanteur. 3
Émile HENRIOT, les Romantiques, p. 84.

♦ **3.** (Av. 1501). Fig. (En parlant d'ouvrages de l'esprit). Mal digéré* (2., fig.), mal ordonné, peu assimilable. ⇒ **Confus, embrouillé.** *Ouvrage, compilation, recueil, fatras* (cit. 4) *indigeste. Lectures brouillées* (cit. 31) *et indigestes. Érudition indigeste.*

Je tombai d'abord sur deux lettres du mari, mélange indigeste de détails de procès et de tirades d'amour conjugal, que j'eus la patience de lire en entier, et où je ne trouvai pas un mot qui eût rapport à moi. 4
LACLOS, les Liaisons dangereuses, XLIV.

CONTR. Digeste, digestible, léger.
DÉR. Indigestement.

INDIGESTEMENT

INDIGESTEMENT [ɛ̃diʒɛstəmɑ̃] adv. — 1830, cit.; de *indigeste.*

♦ Littér. et rare. De manière indigeste* (3.).

L'histoire ne peut plus se borner à n'être qu'un recueil de faits indigestement agglomérés. BALZAC, le Feuilleton, Œuvres diverses, t. I, p. 427.

INDIGESTIBLE

INDIGESTIBLE [ɛ̃diʒɛstibl] adj. — Fin XIVe; bas lat. *indigestibilis* «qu'on ne peut digérer», de *in-* (→ 1. In-), et *digestibilis.* → Digestible.

♦ **1.** Rare. Qu'on ne peut digérer.

♦ **2.** (Mil. XIXe, Baudelaire). Littér. Qu'on ne peut assimiler. ⇒ **Inassimilable.**

CONTR. (De 1.) **Digestible.**

INDIGESTION

INDIGESTION [ɛ̃diʒɛstjɔ̃; fam. ɛ̃diʒɛsjɔ̃] n. f. — XIIIe; bas lat. *indigestio* «indigestion» au sens propre, de *indigestus.* → Indigeste.

♦ **1.** Indisposition momentanée due à une digestion qui se fait mal, incomplètement (⇒ **Embarras**). *Avoir, se donner, se flanquer* (cit. 10) *une indigestion* (→ Goût, cit. 3; honneur, cit. 99). *Indigestions consécutives à un excès de nourriture, à l'ingestion d'aliments de mauvaise qualité, au froid, à une émotion. Indigestion de (qqch.)*, qui vient de ce qu'on a trop mangé de qqch. *Indigestion de truffes, de cerises, de sucreries...* (→ Eructer, cit. 1). *Se don-*

ner une indigestion de qqch., en manger jusqu'à se rendre malade. ⇒ **Ventrée.**

1 (...) un homme sobre ne veut plus manger de pâtés de Ruffec, parce que le premier lui a donné une indigestion?
BALZAC, la Peau de chagrin, Pl., t. IX, p. 150.

2 La gloutonnerie châtie le glouton. *Gula punit Gulax.* L'indigestion est chargée par le bon Dieu de faire de la morale aux estomacs.
HUGO, les Misérables, I, III, VII.

3 Alors, ce fut un massacre, un engloutissement : les poulets, les lapins, les viandes défilèrent, disparurent, au milieu d'un terrible bruit de mâchoires. Très sobres chez eux, ils se crevaient d'indigestion chez les autres. ZOLA, la Terre, II, VII.

Loc. Vx. *Être en indigestion.*

Vétér. *Indigestion par surcharge* (de la panse des ruminants). *Indigestion gazeuse.* ⇒ **Météorisation.**

♦ **2.** (Fin XVIIe). Fig. Satiété, dégoût. *Avoir une indigestion de qqch.* (→ En avoir par-dessus la tête*). *Il me traîne tous les jours au concert, j'ai une indigestion de musique. Avoir une indigestion de grands mots, de discours. « L'amour ne meurt jamais de besoin, mais souvent d'indigestion »*, mot attribué à Ninon de Lenclos.

4 N'est-ce point vous accabler, monsieur? voilà un long récit *(sur la famille Grignan)* : vous aurez une indigestion de Grignans.
Mme DE SÉVIGNÉ, 1001, 25 oct. 1686.

DÉR. Indigestionner.

INDIGESTIONNER [ɛ̃diʒɛstjɔne; fam. ɛ̃diʒesjɔne] v. tr. — 1831, Balzac; de *indigestion.*

♦ Fam. Donner une indigestion à... ⇒ **Indigérer.**

Réfl. *S'indigestionner de qqch.*

Au p. p. *« L'enfant prodigue, indigestionné de veau gras »* (Léon Daudet, *in* G. L. L. F.).

INDIGÈTE [ɛ̃diʒɛt] adj. — Av. 1491; lat. *(Deus) indiges,* le plus souvent au pl.; *(Di) indigetes* « divinités primitives, propres aux Romains » (par opposition aux dieux nouvellement établis); étym. incertaine.

♦ Antiq. rom. (En parlant de demi-dieux, de héros ou d'ancêtres divinisés). *Dieux indigètes,* propres à un pays, à une ville, à une famille.

INDIGNATION [ɛ̃diɲasjɔ̃] n. f. — 1120, *indignatiun;* lat. *indignatio,* même sens, de *indignatus,* p. p. de *indignari.* → Indigner.

♦ Sentiment de colère que soulève une action contre laquelle réagit la conscience morale ou le sentiment de la justice. ⇒ **Colère, révolte.** *L'indignation de qqn, son indignation pour, contre, à l'égard de, envers (qqch., qqn). Exciter, provoquer l'indignation.* ⇒ **Choquer, révolter, soulever.** *Frémir* (cit. 15), *bondir* (cit. 11), *suffoquer, trembler... d'indignation* (→ Foi, cit. 16). *Être rempli* (→ Appât, cit. 3), *gonflé* (cit. 23), *transporté d'indignation. Des cris d'indignation* (→ Frisson, cit. 12). ⇒ **Haro, honte, tollé.** *Exprimer, manifester, faire éclater son indignation. Légitime, noble, vertueuse, sainte indignation* (→ Éternel, cit. 17). *Indignation publique, générale.* ⇒ **Scandale.** *Mouvement d'indignation de l'auditoire. Il ne pouvait contenir son indignation. Protester avec indignation. S'en aller avec indignation* (→ Secouer* la poussière de ses souliers). *Il ne saurait voir cela sans indignation.*

1 L'indignation que les anciens appelaient Nemesis, est ordinairement une passion bonne et louable de soi comme venant d'une bonne cause; c'est quand nous sommes fâchés, courroucés et indignés de l'injuste prospérité des méchants ou de ceux qui parviennent aux richesses, états et honneurs sans les avoir mérités.
RONSARD, Œuvres en prose, De l'envie, Pl., t. II, p. 1039.

2 L'indignation est une espèce de haine ou d'aversion qu'on a naturellement contre ceux qui font quelque mal, de quelque nature qu'il soit; et elle est souvent mêlée avec l'envie ou avec la pitié; mais elle a néanmoins un objet tout différent, car on n'est indigné que contre ceux qui font du bien ou du mal aux personnes qui n'en sont pas dignes, mais on porte envie à ceux qui reçoivent ce bien, et on a pitié de ceux qui reçoivent ce mal. DESCARTES, les Passions de l'âme, III, 195.

3 Mais les hommes sont-ils assez délicats pour distinguer l'indignation d'une âme honnête outragée, d'avec la confusion qui naît d'une accusation méritée?
BEAUMARCHAIS, le Mariage de Figaro, II, 19.

4 Ce mouvement marqué d'indignation générale fut applaudi de tous les hommes, et fit redoubler les murmures, qui, dit-on, allèrent jusqu'aux huées.
LACLOS, les Liaisons dangereuses, CLXXIII.

5 Je savais, par beaucoup d'exemples, combien le sentiment du droit, l'indignation, la pitié pour l'opprimé, peuvent devenir des passions violentes et parfois cruelles.
MICHELET, Hist. de la Révolution franç., IV, VIII.

6 *(M. de Montalembert)* a la faculté de l'indignation. Il a conservé dans sa vivacité première le sentiment du juste et de l'injuste.
SAINTE-BEUVE, Causeries du lundi, 5 nov. 1849.

7 Je sens en moi, devant les supplices sans nombre,
Les bourreaux, les tyrans, grandir à chaque pas
Une indignation qui ne m'endurcit pas. HUGO, la Légende des siècles, LV.

8 Je ne quitterai sans doute l'indignation qu'avec la vie. C'est le revers même de l'amour (...) GIDE, Journal, 13 avr. 1943.

9 Le bombardement de Copenhague causa une grande indignation en Europe, mais une de ces indignations passagères qu'efface le succès.
J. BAINVILLE, Hist. de France, XVII, p. 415.

(Dans le contexte littéraire). *Indignation dictant à un écrivain certaines œuvres, certains accents* (cf. la maxime de Juvénal *Facit indignatio versum* « l'indignation fait le vers »). *Ton d'indignation.*

Toi qu'aimait Juvénal gonflé de lave ardente, 10
Toi dont la clarté luit dans l'œil fixe de Dante,
Muse Indignation, viens, dressons maintenant,
Dressons sur cet empire heureux et rayonnant,
Et sur cette victoire au tonnerre échappée
Assez de piloris pour faire une épopée! HUGO, les Châtiments, Nox, IX.

INDIGNE [ɛ̃diɲ] adj. — Fin XIIe, *endigne* « qu'on ne mérite pas (à propos d'une chose bonne) »; lat. *indignus* « qui ne mérite pas; qu'on ne mérite pas; qui ne convient pas; honteux, révoltant », de *in-* (→ 1. In-), et *dignus.* → Digne.

★ **I.** INDIGNE DE... : qui n'est pas digne* de (qqch., qqn), qui ne mérite* pas (qqch.).

♦ **1.** (Mil. XVIe; *indigne pour,* mil. XVe). Personnes. Qui n'est pas digne de (qqch.). *Cet ingrat s'est rendu indigne de vos bienfaits* (→ Aveugle, cit. 21). *Les honneurs dont il se croit indigne* (→ Ambition, cit. 8). *Il est indigne de notre confiance; indigne de louange, de foi, d'intérêt* (→ Blâme, cit. 6). *Il s'est rendu indigne d'un tel poste.* ⇒ **Démériter, disqualifier** (se). *Se croire indigne de pardon* (→ Humble, cit. 26). *Indignes du nom de chrétiens* (→ Fulminer, cit. 5). *Ils sont indignes du salut* (→ Endurcissement, cit. 3).

Mais qui peut vivre infâme est indigne du jour. CORNEILLE, le Cid, I, 5. 1

J'ai préféré le malheur de perdre votre estime, par ma franchise, à celui de m'en rendre indigne par l'avilissement du mensonge. 2
LACLOS, les Liaisons dangereuses, CXXVIII.

— Vous n'observez pas les femmes? Vous les trouvez indignes de votre étude? 3
G. DUHAMEL, Salavin, V, IX.

Indigne de, suivi de l'inf. (→ Approcher, cit. 18). *Il est indigne de vivre!* (→ Dénaturer, cit. 10). — *Indigne que,* suivi du subj. *« Il est indigne qu'on lui témoigne le moindre intérêt »* (Académie).

(...) il ne s'est pas découvert aux sages superbes, indignes de connaître un Dieu si saint. PASCAL, Pensées, IV, 288. 4

Si ta chétive créature 5
Est indigne de t'approcher,
Il fallait laisser la nature
T'envelopper et te cacher.
A. DE MUSSET, Poésies nouvelles, « L'espoir en Dieu ».

Dr. *Être indigne de succéder :* être exclu des successions* pour cause d'indignité*. — N. *Un, une indigne :* une personne indigne de succéder. *Les enfants de l'indigne.*

Sont indignes de succéder, et, comme tels, exclus des successions : 1° Celui qui sera condamné pour avoir donné ou tenté de donner la mort au défunt; 2° Celui qui a porté contre le défunt une accusation capitale jugée calomnieuse; 3° L'héritier majeur qui, instruit du meurtre du défunt, ne l'aura pas dénoncé à la justice. 6
Code civil, art. 727.

REM. *Indigne* pouvait (XIIe s.-XVIIe s.) se prendre en bonne comme en mauvaise part et l'Académie dans sa quatrième édition (1762) donnait cet exemple disparu des éditions postérieures : *Il est indigne qu'on lui fasse des reproches.* Littré admettait encore un tel emploi « en quelques cas bien choisis », mais, dès 1689, A. de Boisregard le trouvait « blâmable et à éviter » (cf. Cayrou, *le Français classique,* p. 487, et Brunot, *Hist. de la langue franç.,* t. IV).

♦ **2.** Mil. XVIe. (Choses). *« Un crime, une faute indigne de pardon »* (Académie). *Des facéties indignes d'une attention* (cit. 13) *sérieuse.*

(...) et votre crime est indigne de grâce. MOLIÈRE, les Femmes savantes, II, 6. 7

Cela la choquait comme une espèce de sacrilège, comme si la maison eût été par trop indigne de cette visite, de cette faveur. 8
J. GREEN, Adrienne Mesurat, p. 151.

♦ **3.** (Déb. XVIIe). Qui n'est pas dans un rapport de convenances, de conformité avec quelqu'un, qui n'est pas à sa hauteur. ⇒ **Digne** (I., 2.). *Un fils indigne de son père. « Tout autre qu'un monarque est indigne de moi »* (→ Fille, cit. 1, Corneille).

Mais enfin ce Rodrigue est indigne de vous. CORNEILLE, le Cid, II, 5. 9

Peut-être est-ce moi qui suis indigne d'elle : pas assez plébéien; trop éloigné, par mon éducation, de ses origines populaires; incapable de la comprendre, pour tout dire. Valery LARBAUD, Barnabooth, III, Journal, I, 10 mai. 10

(1588, Montaigne). *Action indigne d'un homme d'honneur* (→ Autoriser, cit. 11; imposture, cit. 5). *Cette besogne* (cit. 7) *lui paraissait indigne de lui. Des faiblesses* (cit. 39) *indignes d'un philosophe. Cela est indigne de votre rang. Une politique indigne de nos traditions nationales.* — Impers. *Il me paraît indigne de l'Assemblée de biaiser* (cit. 7) *sur cette question. Il est indigne du prêtre qu'il passe sa vie à arrondir* (cit. 4, Fénelon) *des périodes.*

Il est indigne de Dieu de se joindre à l'homme misérable; mais il n'est pas indigne de Dieu de le tirer de sa misère. PASCAL, Pensées, VII, 510. 11

Par des vœux importuns nous fatiguons les dieux, 12
Souvent pour des sujets même indignes des hommes.
LA FONTAINE, Fables, VIII, 5.

Il avait donné sa vie tacitement, et eût jugé indigne de tous deux de faire signe de la vouloir reprendre. A. DE VIGNY, Cinq-Mars, XXIV. 13

★ **II.** Absolt. ♦ **1.** Vx. (Dans des formules de politesse). Humble. *« Signé : Un tel, prêtre indigne »* (Littré). *Seigneur, je ne puis, moi indigne ministre...* (→ Arrêter, cit. 51, Bossuet). *Votre indigne serviteur.*

4 Que si vous contemplez d'une âme un peu bénigne
Les tribulation de votre esclave indigne. MOLIÈRE, Tartuffe, III, 3.

5 (...) et si j'allais, moi indigne, vous dégoûter de la vertu, voyez quel scandale! LACLOS, les Liaisons dangereuses, XX.

♦ **2.** Qui n'est pas digne de sa fonction, de son rôle, qui ne mérite que le mépris pour la façon dont il s'en acquitte. ⇒ **Abject, coupable, cruel, méchant, méprisable, vil.** *Père, épouse indigne. D'indignes apologistes* (cit. 3) *du vice. Mes indignes soldats* (→ Glacer, cit. 28). *Père, mère indigne; parents indignes.* ⇒ **Dénaturé.** — *La Vieille Dame indigne,* film de René Allio.

6 (...) sache, fils indigne, que la tendresse paternelle est poussée à bout par tes actions (...) MOLIÈRE, Dom Juan, IV, 4.

7 (...) ces bébés vertueux et précoces demandaient à ne pas être élevés par un père indigne, mais plutôt par telles personnes de haute moralité que pourrait désigner la Cour (...) A. MAUROIS, Ariel..., II, VII.

N. (Vieilli). *Un indigne.*

♦ **3.** (Fin XVIe). Littér. (Choses). Immoral et condamnable. ⇒ **Avilissant, bas, déshonorant, immoral, impur, inqualifiable, odieux, révoltant, scandaleux.** *C'est une chose, une action, une conduite indigne.* — Antéposé en épithète. (Vieilli ou stylistique). *Un indigne aveu* (cit. 24). *Subir d'indignes traitements. Un indigne attachement. — Tenue, attitude indigne. Ruses, artifices indignes* (→ Autant, cit. 23). *Un libelle indigne. C'est indigne, scandaleux!*

8 Vous voyez ce que peut une indigne tendresse,
Et je vous fais tous deux témoins de ma faiblesse.
MOLIÈRE, le Misanthrope, V, 4.

9 Elle est partie, et je ne l'ai pas su! et je n'étais pas là pour m'opposer à son départ, pour lui reprocher son indigne trahison! LACLOS, les Liaisons dangereuses, C.

Fam. et vx. Qui déshonore celui qui le subit.

10 Gavroche ajouta :
— Je vous autorise à leur flanquer une pile indigne.
HUGO, les Misérables, Pl., p. 1247.

CONTR. Digne. — Admirable, convenable, séant.
DÉR. Indignement. — (Du lat.) V. Indignation, indigner, indignité.

INDIGNÉ, ÉE [ɛ̃diɲe] p. p. adj. ⇒ **Indigner.**

INDIGNEMENT [ɛ̃diɲ(ə)mɑ̃] adv. — Fin XIIe; de *indigne.*

♦ D'une manière indigne. *On l'a indignement traité, trompé* (→ Géronte, cit. 1). *Héros indignement méconnus* (→ Honorer, cit. 8).

(...) par des soldats peut-être indignement traînée (...) RACINE, Iphigénie, V, 3.

(...) Béatrix d'Este (...) fut indignement retenue prisonnière par Henri III, qui finit par lui ravir son patrimoine (...) MICHELET, Hist. de France, IV, III.

CONTR. Dignement.

INDIGNER [ɛ̃diɲe] v. tr. — V. 1355, pron.; p. p., v. 1330; *s'endeignier,* XIIe; lat. *indignari* «s'indigner, regarder comme indigne», de *indignus.* → Indigne.

♦ (1611; «braver», 1366). Remplir d'indignation. ⇒ **Colère** (mettre en), **écœurer, révolter, scandaliser.** *Sa conduite a indigné tout le monde. Ce qui m'indigne ou m'afflige* (cit. 15).

L'exécution du duc d'Enghien, affligeant et indignant bien des amis du nouveau régime, avait, on le pense, révolté les royalistes.
Louis MADELIN, Hist. du Consulat et de l'Empire, Avènement de l'Empire, X.

▶ **S'INDIGNER** v. pron.

Être saisi d'indignation. ⇒ **Emporter** (s'), **fâcheux** (se), **irriter** (s'), **offenser** (s'). *S'indigner de qqch.* (→ Apitoyer, cit. 2; apostolat, cit. 1; excuser, cit. 11; gausser, cit. 3; gourmander, cit. 6). *S'indigner contre qqn, contre une injustice.* ⇒ **Maudire, vitupérer.** *S'indigner devant, au spectacle de qqch. Il s'indigne de voir ce crime impuni. S'indigner que,* suivi du subj. (→ Étrenne, cit. 4). *S'indigner de ce que,* suivi de l'indic. (ou parfois du subj., selon la nuance). — Absolt. *S'indigner :* éprouver, exprimer de l'indignation (→ Assotir, cit. 3; enthousiasmer, cit. 4). ⇒ **Fulminer, gronder, protester.**

Je l'admirais moi-même, et mon cœur combattu
S'indignait qu'un chrétien m'égalât en vertu. VOLTAIRE, Zaïre, IV, 5.

D'où venait ce murmure? Je le cherchai, je le trouvai; il venait de l'amour-propre qui, après s'être indigné contre les hommes, se soulevait encore contre la raison. ROUSSEAU, Rêveries..., 8e promenade.

Car s'indigner de tout, c'est tout aimer, en somme (...)
HUGO, la Légende des siècles, LV.

Quand je cesserai de m'indigner, j'aurai commencé ma vieillesse.
GIDE, Nouveaux prétextes, Journal sans dates, p. 169.

Que ceux qui s'indignent devant ces violences disent comment un poussin peut sortir de l'œuf sans briser la coque. GIDE, Journal, 13 mai 1931.

▶ **INDIGNÉ, ÉE** p. p. adj. (V. 1330).

Rempli, transporté d'indignation (→ Face, cit. 61; faveur, cit. 28; féliciter, cit. 12; fracasser, cit. 1; haridelle, cit. 1). ⇒ **Outré.** *Être indigné de qqch.* (→ Exécration, cit. 2), *d'avoir entendu une chose pareille* (→ Graveleux, cit. 3). *Être indigné par qqch., par qqn. Il est indigné qu'on ait pu lui faire cela* (→ Ambassadrice, cit. 2). ⇒ **Révolté, scandalisé.**

Et les Dieux, contre moi dès longtemps indignés RACINE, Iphigénie, II, 5.

(...) on ne peut être irrité à tort; on n'est indigné que lorsqu'on a raison au fond par quelque côté. Jean Valjean se sentait indigné. 8
HUGO, les Misérables, I, II, VII.

(...) Mary était bien souvent indignée par l'attitude de Byron et par ses cyniques propos. A. MAUROIS, Ariel..., II, V. 9

(XIXe). Qui exprime, qui marque de l'indignation. *Visage, regards indignés. Fureur* (cit. 32) *indignée. Un ton de protestation indignée* (→ Accent, cit. 2).

CONTR. Enthousiasmer (s').

INDIGNITÉ [ɛ̃diɲite] n. f. — Fin XIIe, sens 2; lat. *indignitas,* mêmes sens, de *indignus.* → Indigne.

♦ **1.** (1402, *indigneté*). Littér. ou style soutenu. Caractère d'une personne indigne (II., 2.). *L'indignité de qqn. Être exclu d'un emploi, d'un groupe pour cause d'indignité. La honte* (cit. 18) *est parfois la conscience de notre indignité. La bassesse* (cit. 14) *et l'indignité de son âme.* ⇒ **Abaissement, abjection, déshonneur.** *Sentir toute son indignité, avoir le sentiment de son indignité* (→ Humilité, cit. 4 et 7). *Indignité de son état, d'une situation.*

Elle était si pénétrée de la sainteté infinie de Dieu, et de sa propre indignité, qu'elle ne pouvait penser sans frayeur au moment où elle comparaîtrait devant lui. 1
RACINE, Port-Royal.

(1636). Dr. *Indignité successorale,* frappant l'héritier qui a commis une faute grave contre le défunt. *Héritier exclu de la succession pour cause d'indignité.* ⇒ **Indigne.** — (Fin 1944). *Indignité nationale,* sanctionnant les faits de collaboration avec l'ennemi. *Le crime d'indignité est puni de la dégradation nationale. Loi du 5 janvier 1951 portant amnistie de faits constitutifs de l'indignité nationale.*

♦ **2.** Caractère de ce qui est indigne (II., 3.). ⇒ **Bassesse, énormité, méchanceté, noirceur.** *L'indignité de ce procédé, de cette action, d'une telle conduite.*

♦ **3.** (1530). *Une, des indignités :* action, conduite indigne. *C'est une indignité. Quelle indignité!* ⇒ **Honte, turpitude, vilenie.** *Commettre des indignités. Être accusé d'indignités* (→ Fange, cit. 5).

(...) c'était le dernier degré de l'indignité hypocrite! c'était un crime bas, lâche, sournois, abject, hideux. HUGO, les Misérables, I, VII, III. 2

Professer une doctrine et en pratiquer une autre est une indignité. 3
F. BRUNOT, la Pensée et la Langue, p. 12.

Vx. Manière indigne de traiter qqn; traitement outrageant. ⇒ **Affront, insulte, mal, mépris, offense, outrage.** *«Ni cet excès d'honneur, ni cette indignité»* (→ Excès, cit. 4, Racine). *«On lui a fait mille indignités»* (Académie). *Toutes les indignités que ce prisonnier a dû supporter, souffrir.*

Et je le traiterais avec indignité, 4
Si j'aspirais à lui par une lâcheté. CORNEILLE, Pompée, II, 1.

(...) ce prince, qui vous faisait auparavant chercher pour vous ôter la vie, et qui, dans sa fureur, a fait souffrir mille indignités à votre mère et à votre sœur, souhaite de vous voir présentement, pour vous récompenser du respect que vous avez eu pour lui. A. GALLAND, les Mille et une Nuits, t. II, p. 399. 5

♦ **4.** (1834, Gautier). Vx et par plais. *L'indignité de qqn :* les parties «honteuses»*.

CONTR. Dignité, honneur.

INDIGO [ɛ̃digo] n. m. et adj. — 1578; *indico,* 1544; mot port. ou esp., du lat. *indicum* (qui avait déjà donné l'anc. franç. *inde**), neutre substantivé de l'adj. *indicus* «de l'Inde», de *India.* → Indien.

♦ **1.** Substance colorante bleue, extraite autrefois de l'indigotier ou du pastel*, obtenue aujourd'hui par synthèse. ⇒ **Colorant, indican, indigotine.** *L'indigo naturel est d'un bleu foncé avec reflets violets ou rougeâtres. Indigos d'Asie* (du Bengale), *d'Afrique, d'Amérique* (du Guatémala). *Pains, tablettes d'indigo. L'indigo s'emploie industriellement par teinture et par impression. Indigo artificiel, synthétique.* ⇒ **Aniline** (bleu d'). — *Indigo soluble* (ou *carmin d'indigo*). — *Des indigos.*

Les teinturiers ne sauraient faire le bleu sans indigo : les Anciens le tiraient de l'Inde orientale; il a été transplanté, dans les temps modernes, en Amérique (...) 1
G.-T. RAYNAL, Hist. philosophique, VI, 17.

♦ **2.** Par oppos. *Le bleu indigo,* et, ellipt., *l'indigo :* la couleur bleue de l'indigo, et, par ext., tout bleu d'aspect semblable. *Des bleus indigo, des indigos.* — Adj. *Une Amérique indigo peinte sur un globe* (cit. 11) *terrestre.*

(...) le ciel indigo, l'air léger, les montagnes pierreuses relevées par des touches d'ocre et de safran formaient un tableau de lumière et de bonheur. 2
A. MAUROIS, Vie de Byron, I, XIII.

Spécialt. *L'indigo :* une des couleurs fondamentales du spectre solaire.

♦ **3.** Plante qui fournit l'indigo. ⇒ 1. **Indigotier.** *La culture de l'indigo.*

Le vieillard avait travaillé toute la journée à son carré d'indigo (...) 3
HUGO, les Misérables, IV, II, III.

DÉR. Indigoterie, 1. indigotier, 2. indigotier, indigotine.
COMP. Indigoïde.

INDIGOÏDE [ɛ̃digɔid] adj. — 1908, in *Rev. gén. des sc.*, nº 9, p. 379; de *indigo*, et *-oïde*.

♦ Techn. Colorant appartenant au groupe de l'indigo. *Colorants indigoïdes.*

INDIGOTERIE [ɛ̃digɔtʀi] n. f. — 1657, *indigotterie*; de *indigo*.

♦ **1.** Fabrique où l'on prépare l'indigo*.

♦ **2.** (1817). Terre plantée d'indigotiers.

1. INDIGOTIER [ɛ̃digɔtje] n. m. — 1718; de *indigo*.

♦ Bot. Arbrisseau (*Légumineuses-Papilionacées*) qui croît dans les régions chaudes, et des feuilles duquel on extrayait l'indigo* (→ Cassant, cit. 1). *L'indigotier, arbrisseau à fleurs roses, blanches, jaunes ou rouges. Indigotier des Indes, de Java. L'*indigofera tinctoria, *indigotier le plus riche en indigo. L'anil,* indigofera anil, *variété d'indigotier. Plantation d'indigotiers.* ⇒ **Indigoterie.**

HOM. 2. **Indigotier.**

2. INDIGOTIER, IÈRE [ɛ̃digɔtje, jɛʀ] n. et adj. — 1722, *in* T. L. F. (sens 2); de *indigo*.

♦ **1.** (1817). Ouvrier, ouvrière d'une indigoterie*. — Adj. *Ouvrier indigotier.*

♦ **2.** Fabricant, fabricante d'indigo*.

HOM. (Du masc.) 1. **Indigotier.**

INDIGOTINE [ɛ̃digɔtin] n. f. — 1828, *in* T. L. F.; de *indigo*.

♦ Chim. Principale matière colorante de l'indigo* commercial. ⇒ **Indole.**

INDIQUE [ɛ̃dik] adj. — Déb. XVIᵉ; lat. *indicus*, de *India* « Inde ». → Inde, indien, indigo.

♦ Vx. ⇒ **Indien** (1.). — Par archaïsme. *« Elle efface les lys et les perles indiques »* (Edmond Rostand).

HOM. **Indic**; formes du v. **indiquer.**

INDIQUÉ, ÉE [ɛ̃dike] p. p. adj. ⇒ **Indiquer** (2., 3.).

INDIQUE-FUITE [ɛ̃dikfɥit] n. m. — XXᵉ; de *indiquer*, et *fuite*.

♦ Techn. Petit manomètre* à eau servant à constater l'existence de fuites dans les conduites de gaz placées à l'intérieur des maisons. *Des indique-fuites.* — REM. On écrit parfois *un indique-fuites.*

INDIQUER [ɛ̃dike] v. tr. — 1510; lat. *indicare* « indiquer, dénoncer, révéler », de *index, indicis*. → Index, indice.

♦ **1.** Faire voir (qqch., qqn) d'une manière précise, par un geste, un signe, un repère, un signal. ⇒ **Désigner, montrer, signaler.** — (Sujet n. de personne). *L'ouvreuse lui indiqua sa place. Il indique à ses hommes la direction à prendre* (⇒ **Diriger**). — (Avec un compl. second, de manière). *Indiquer qqn, qqch. du doigt, d'un signe de tête, du regard. Indiquer un lieu par un signe. « Elle m'indiquait avec une aiguille à tricoter les rondes inscrites sur une portée »* (S. de Beauvoir, *in* T. L. F.). — (Sujet n. de chose). *L'horloge, les aiguilles indiquent l'heure, deux heures* (→ Évider, cit. 1). *Flèche* (cit. 15), *poteau indiquant le chemin à suivre.* ⇒ **Donner.** *Le clignotant indique la direction que va prendre la voiture. Feu vert indiquant que la voie est libre.*

1 Il se leva, ayant jeté de biais un coup d'œil sur la pendule et tressaillit malgré lui, à la voir indiquer la demie de six heures.
COURTELINE, Messieurs les ronds-de-cuir, 3ᵉ tableau, III.

2 Son doigt court et pointu indiquait avec amour les rosaces de fil que l'artiste avait reproduites avec une fidélité scrupuleuse. J. GREEN, Léviathan, I, VII.

♦ **2.** (1690). Faire connaître (à qqn) en le renseignant (une chose, une personne), que l'indication ait été ou non sollicitée. *Indiquer qqch. à qqn, lui indiquer qqch. Il m'a indiqué l'adresse.* ⇒ **Donner.** *Indiquez-moi vos intentions.* ⇒ 1. **Dire.** *Elle cherchait l'endroit qu'on lui avait indiqué* (→ Filature, cit. 4). *Pouvez-vous m'indiquer un bon médecin, un hôtel convenable, la rue où il habite, le garage le plus proche?...* (→ Fosse, cit. 5; hasard, cit. 33). *Je lui ai indiqué une villa à louer. C'est lui qui m'a indiqué ce moyen.* ⇒ **Apprendre, enseigner, fournir** (→ Efficacité, cit. 1).

3 Je voulais simplement vous demander de m'indiquer une petite taule, un peu tranquille, pour casser la croûte et boire un café. P. MAC ORLAN, la Bandera, I.

4 Une facile vengeance était mise à la portée d'Angèle : elle n'avait qu'à indiquer à la gendarmerie le lieu de son rendez-vous et il tombait ainsi dans un piège qu'il aurait, en quelque sorte, préparé lui-même. J. GREEN, Léviathan, II, VIII.

(Sujet n. de chose). *Le baromètre indique les variations du temps. Girouettes indiquant le mouvement de l'air* (→ Alternatif, cit. 4). *Les renseignements que j'ai reçus ne m'indiquent pas l'édition* (cit. 4) *originale. Sa conscience lui indique le bon chemin* (→ Homme, cit. 154).

(Le sujet désigne un document écrit). *Cette carte n'indique que les grandes routes. La table des matières n'indique que les grandes divisions de l'ouvrage. Indiquer un nom.* ⇒ **Dénommer, nommer.** *L'inscription nous indique que c'est là un hommage* (cit. 29) *du pays basque. La cote indique le cours.* ⇒ **Coter.** *Les italiques indiquent les exemples.*

5 La règle de Saint Colomban (...) ne laisse pas les peines à l'arbitraire de l'abbé; elle les indique d'avance pour chaque délit avec une minutieuse et bizarre précision. MICHELET, Hist. de France, II, I.

6 Je vois indiqué qu'il est franc-maçon, avec le nom de la loge.
J. ROMAINS, les Hommes de bonne volonté, t. II, XIV, p. 146.

Spécialt. (Par un exposé scientifique, circonstancié). ⇒ **Dire, enseigner, énumérer.** *Indiquer les causes d'un phénomène. Dictionnaire indiquant tous les emplois d'un mot.* ⇒ **Définir.** *Pouvez-vous m'indiquer quelle différence vous voyez entre ces deux thèses? Grammaire où sont indiquées les règles de l'ancienne poésie* (→ Érudit, cit. 6). *Gourmet* (cit. 3) *capable d'indiquer la provenance d'un vin.*

7 (...) il indiqua les symptômes auxquels on reconnaissait qu'une femme avait du tempérament. FLAUBERT, Mᵐᵉ Bovary, III, VI.

8 Je ne peux pas vous dire mieux : je me rallie d'avance à la solution que vous m'indiquerez.
J. ROMAINS, les Hommes de bonne volonté, t. III, XVI, p. 221.

Indiquer à qqn qqch. comme (et adj.), lui signaler que qqch. est... *« Ce qu'on a soin de vous indiquer comme curieux »* (Flaubert, *in* T. L. F.).

Spécialt. *Indiquer un lieu à qqn,* le lui faire connaître, lui expliquer comme s'y rendre, y accéder. *Pouvez-vous m'indiquer la gare, la poste?*

Déterminer* et faire connaître (une date, un lieu choisis pour une rencontre, une réunion). *Indiquez-moi où et quand je vous retrouverai. Auspices* (cit. 1) *permettant d'indiquer un jour pour une élection.* ⇒ **Fixer.** — Au p. p. *À l'endroit indiqué, à l'heure indiquée.* — REM. Avec un complément autre que de temps ou de lieu, l'emploi de *indiquer* est vieilli, ou propre à la langue juridique (→ Audience, cit. 14).

9 Un second entretien n'aura pas plus d'inconvénient que le premier; le hasard peut encore en fournir l'occasion; vous pourriez vous-même en indiquer le moment.
LACLOS, les Liaisons dangereuses, LXXXIII.

Spécialt. (Argot du milieu). Fournir les indications relatives à un acte délictueux (cambriolage, etc.). *Indiquer une affaire.*

Le compl. est une proposition. *Indiquer à qqn que...; combien..., comment..., où..., pourquoi..., quand... On ne vous a pas indiqué si l'avion avait du retard. On va vous indiquer de quelle manière procéder, dans quelles conditions opérer.* — *Indiquer à qqn de* (et inf.).

♦ **3.** Vx. Convoquer, assigner à une date déterminée. *« Louis le Débonnaire avait indiqué un parlement le jeudi saint »* (Voltaire, *Essai sur les mœurs*, 23).

(Sujet compl. n. de personne). Spécialt et rare. Dénoncer. *Indiquer (qqn) à la police* (→ Indicateur).

9.1 Ils multipliaient frénétiquement les dénonciations : Il est un autre droit que nous revendiquons, écrivait Brasillach, c'est indiquer ceux qui trahissent.
S. DE BEAUVOIR, la Force de l'âge, p. 487.

♦ **4.** (1835). Sujet n. de chose. Faire connaître l'existence ou le caractère de (un être, un objet ou un événement) en servant d'indice. ⇒ **Accuser, annoncer, attester, déceler, démontrer, dénoncer, dénoter, manifester, marquer, prouver, refléter, révéler, signaler, témoigner, trahir.** *Ces traces indiquent le passage d'un chevreuil. Ces monuments indiquent une civilisation avancée.* ⇒ **Supposer.** *Sur son front, les rides indiquaient son grand âge* (⇒ **Écrire, graver, inscrire**). *Détails indiquant l'époque d'un carrosse* (cit. 2). *Les flancs* (cit. 5) *du taureau indiquaient une force immense. Les entrailles de la victime devaient indiquer la volonté des dieux* (→ Aruspice, cit. 1). *Rougeoiement indiquant l'emplacement* (cit. 3) *des boulevards illuminés. Ce choix indique une remarquable fantaisie* (cit. 34). *Tout indiquait la richesse, tout l'indiquait.* ⇒ **Sentir** (faire). *Symptômes qui indiquent une maladie grave. Ce petit fait indique qu'il n'a rien changé à sa position. Les arrestations* (cit. 2) *indiquaient qu'il fallait être prudent* (→ aussi Croissant, cit. 1; hoquet, cit. 6). *Indiquer que... Rien n'indique qu'il ait voulu nous tromper.* — REM. Pour d'autres types de complétives, → les ex. ci-dessus, *infra* cit. 9.

10 J'ai vu à la Trappe un ormeau du temps de Rancé : les religieux ont grand soin de ce vieux Lare qui indique les cendres paternelles mieux que la statue de Charles II n'indiquent l'immolation de Charles Iᵉʳ.
CHATEAUBRIAND, Vie de Rancé, p. 138.

11 Tout à coup les soldats de cette petite troupe d'avant-garde eurent ce tressaillement connu des chasseurs qui indique qu'on touche au gîte.
HUGO, Quatre-vingt-treize, I. I.

12 (...) son regard n'indiquait rien d'autre qu'une curiosité pénétrante (...)
J. ROMAINS, les Hommes de bonne volonté, t. III, XI, p. 153.

(Mots, expressions). Signaler, vouloir dire. *Ce qu'indiquent les mots comme « ahuri »* (cit. 2), *« anaphylaxie »* (cit. 1), *« assaillir »* (cit. 1), *« babillard »* (cit. 6), *certaines locutions* (→ Façon, cit. 30), *un futur* (cit. 15) *antérieur, une étymologie* (→ Géométrie, cit. 2), *les guillemets* (cit. 1). — Pron. *La presque totalité s'indique par...* (→ Approximatif, cit. 3).

13 Ce sont des noms hybrides, mi-grecs, mi-latins, avec des désinences en *ité*, indiquant l'état inflammatoire, et en *algie*, exprimant la douleur.
FRANCE, le Crime de S. Bonnard, VI, Œuvres, t. II, p. 465.

Méd. (Vx à la forme active). Faire connaître comme étant la médication appropriée. ⇒ **Indication.** *« La force du pouls indiquait une saignée »* (Littré).

Mod. au p. p. *Remède, traitement indiqué dans tel ou tel cas, telle ou telle affection* (contr. : *contre-indiqué*). — Fig. (En parlant de ce qu'il est requis, opportun de faire dans telle ou telle occasion). *C'était le moyen indiqué, tout indiqué! Voyons, c'est tout à fait indiqué! Non, ce n'est guère indiqué. Il n'était pas indiqué de lui en parler.*

♦ **5.** (Av. 1803). Arts. Représenter en s'en tenant aux traits essentiels, sans s'attacher aux détails. ⇒ **Dessiner, ébaucher, esquisser, tracer.** *L'artiste s'est contenté d'indiquer le paysage à l'arrière-plan. Indiquer des rehauts avec du blanc* (→ Grisaille, cit. 2). *Quelques hachures* (cit. 1) *pour indiquer les ombres.* ⇒ **Marquer.** *Projet, esquisse, où certains éléments sont à peine indiqués.*

Par anal. (Littér.). *L'auteur n'a fait qu'indiquer le caractère de ce personnage secondaire. Les circonstances historiques sont à peine indiquées dans ce roman. Bornons-nous à indiquer brièvement le fait* (cit. 20). — (En esquissant soi-même le geste, le mouvement). *Le metteur en scène a indiqué aux acteurs un jeu de scène. Professeur de danse indiquant un pas à ses élèves* (→ Farandole, cit. 2).

14 Enfin, il lut la lettre comme on lit au théâtre, avec une voix blanche, en indiquant quelques gestes. ZOLA, Nana, p. 24.

▶ **S'INDIQUER** v. pron. Voir ci-dessus 4. (*supra*, cit. 13).

▶ **INDIQUÉ, ÉE** p. p. adj. Voir ci-dessus 2. et 3.

DÉR. (Du rad. lat.) V. **indicateur, indicatif, indication.**
COMP. Indique-fuite.
HOM. (De certaines formes) **Indican, indic, indique.**

INDIRECT, ECTE [ɛ̃diʀɛkt] adj. — 1364, fig. ; lat. *indirectus* « indirect, détourné », de *in-* (→ 1. In-), et *directus.* → Direct.

Qui n'est pas direct*.

♦ **1.** (1611). Qui n'est pas en ligne droite, qui fait un ou plusieurs détours. ⇒ **Courbe, détourné.** *Chemin, itinéraire indirect.* — Loc. *Éclairage* indirect.* — *Tir indirect,* dans lequel l'objectif est invisible du tireur. Sport. *Coup franc indirect.* — (1364). Abstrait. *Voies, moyens indirects.* ⇒ **Écarté, éloigné.** *Critique, louange indirecte. Avis, reproche, blâme indirect. Déclarer ses sentiments d'une manière indirecte.* ⇒ **Allusif, évasif, insinuant.** *Attaquer* (cit. 33) *d'une façon indirecte un écrivain qu'on n'ose heurter de front.* ⇒ **Biais** (de) ; **biaiser.**

1 (...) nous restions silencieux pour lui marquer une désapprobation qui ne pouvait être (...) qu'indirecte et muette (...) A. MAUROIS, Climats, I, VII.

2 Mais le narrateur est plutôt tenté de croire qu'en donnant trop d'importance aux belles actions, on rend finalement un hommage indirect et puissant au mal.
CAMUS, la Peste, p. 148.

(1680). Dr. *Avantage* indirect ; donation** (cit. 3) *indirecte. Ligne* indirecte.* ⇒ **Collatéral.**

♦ **2.** (1531). Qui comporte un ou plusieurs intermédiaires, qui s'exerce avec un intermédiaire. ⇒ **Médiat.** *Cause indirecte. Rôle, influence indirecte* (→ Esprit, cit. 124). *Effet, résultat indirect, conséquence indirecte.* ⇒ **Contrecoup** (→ Fonderie, cit. 2). *Responsabilité directe* (cit. 3) *ou indirecte. Être en rapport indirect avec qqn. Renseignement indirect.* ⇒ **Second** (de seconde main).

3 Et même s'il entrevoit une solution indirecte, il n'en prendra pas l'initiative.
J. ROMAINS, les Hommes de bonne volonté, t. II, VI, p. 71.

Gramm. **a** *Complément* indirect,* rattaché au mot complété par l'intermédiaire d'une préposition*, d'un mot-outil. *Complément d'objet* indirect, régime indirect des verbes transitifs indirects. Construction directe ou indirecte de l'attribut* (cit. 7). *Interrogation* indirecte,* exprimée dans une proposition subordonnée (ex. : *il demande si vous viendrez*).

b *Discours indirect* (opposé à *direct**) : discours rapporté avec un terme de liaison après un verbe de parole, et pouvant comporter des transpositions de personnes et de déictiques (ex. : *il a dit qu'il l'avait vu la veille ; il a dit l'avoir vu la veille,* opposé à *il a dit : « je l'ai vu... »* [style direct]). *Style indirect.* ⇒ **Oblique.** — *Discours, style indirect libre,* qui comporte des propriétés du discours direct (absence d'élément de liaison) avec des transpositions propres au discours indirect *(il l'avait vu là, assurait-il),* et permet de manifester le discours du personnage par l'intermédiaire du discours du narrateur. *« Elle dit sa crainte, elle redoutait de donner à son mari une secousse... »* (Zola).

4 On est convenu d'appeler « discours indirect » cette forme de présentation syntaxique par laquelle on rapporte, en usant de la 2e ou de la 3e personne, les propos tenus (ou censés tenus) par quelqu'un qui parlerait comme on fait habituellement, c'est-à-dire à la 1re personne. Ainsi, par exemple, au lieu de : « Il m'a répondu : *J'y vais* » (disc. direct), « Il m'a répondu *qu'il y allait* » (disc. indir.) (...) Le style direct est à coup sûr plus naturel et plus vivant ; mais le style indirect a pour lui cette supériorité d'éviter l'impression de heurté et de décousu que produit toujours à quelque degré la brusque citation de paroles qui viennent s'immiscer tout à coup dans la trame du discours une continuité qui satisfait en nous un besoin profond d'unité.
G. et R. LE BIDOIS, Syntaxe du franç. moderne, t. II, IV, n° 1 323.

*Impôts** (cit. 6 et 11) *indirects. Contributions* indirectes.*

Quand le fisc aura mangé les fortunes privées, alors il faudra bien en venir aux impôts indirects. Mais la mode est aux impôts directs. On les appliquera jusqu'à la folie. J. BAINVILLE, la Fortune de la France, p. 267. 5

Fin. *Salaire indirect :* avantages accordés aux employés par une entreprise indépendamment de leur travail.

Dr. *Action indirecte :* exercice par le créancier des droits de son débiteur (sauf de ceux attachés à la personne). Syn. : *oblique.*

CONTR. Direct. — Immédiat.
DÉR. Indirectement.

INDIRECTEMENT [ɛ̃diʀɛktəmɑ̃] adv. — 1419 ; de *indirect.*

♦ D'une manière indirecte. *Directement ou indirectement* (→ Antitoxine, cit. 1 ; faune, cit. 5). *Toucher, atteindre indirectement...* (→ Abstrait, cit. 5). ⇒ **Ricochet** (par). *Je ne l'ai su, la nouvelle ne m'en est parvenue qu'indirectement. J'ai bien compris que cela s'adressait indirectement à moi. Être indirectement compromis. Recevoir indirectement confirmation d'une nouvelle.*

(...) l'aspect ancien des États, qu'il ne pouvait naturellement connaître que par ouï-dire, ne lui était pas moins familier que l'aspect moderne, qu'il aurait pu connaître de ses yeux et qu'il ne connaissait aussi qu'indirectement. 1
A. HERMANT, l'Aube ardente, XIII, p. 182.

Délibérément tenu à l'écart par l'empereur, dont il a lui-même enregistré la prévention, Hugo *(le général)* n'a servi l'Empire qu'indirectement. 2
Émile HENRIOT, les Romantiques, p. 27.

CONTR. Directement.

INDIRIGEABLE [ɛ̃diʀiʒabl] adj. — 1789 ; var. *indirigible,* au XIXe (1878) ; de 1. *in-,* et *dirigeable.*

♦ Didact. ou rare. Qui ne peut être dirigé.

Certains *(arbres abattus)* déviaient de la ligne de chute, partaient la queue en avant, sortaient de la rise, et, dès lors, leur course folle et indirigeable constituait un danger terrible pour les hommes.
R. FRISON-ROCHE, Premier de cordée, p. 114 (1941).

CONTR. Dirigeable.

INDISCERNABILITÉ [ɛ̃disɛʀnabilite] n. f. — 1737, Voltaire ; de *indiscernable.*

♦ Didact. Caractère de ce qui ne peut être discerné.

INDISCERNABLE [ɛ̃disɛʀnabl] adj. et n. m. — 1582 ; de 1. *in-,* et *discernable.*

A. Adj. ♦ **1.** Qui ne peut être discerné (→ ci-dessous, cit. 2) ; spécialt, qui ne peut être discerné d'une autre chose de même nature. ⇒ **Identique.** *Choses indiscernables l'une de l'autre, indiscernables entre elles.* → ci-dessous, B.

Sa preuve de fait *(de Leibniz)* était que, se promenant un jour dans le jardin de l'évêque de Hanovre, on ne put jamais trouver deux feuilles d'arbre indiscernables. VOLTAIRE, Expos. Livre des institut. phys., *in* LITTRÉ. 1

(...) lors d'une occultation des satellites de Jupiter, le troisième disparut après avoir été indistinct pendant une ou deux secondes, et (...) le quatrième devint indiscernable en approchant du limbe. 2
BAUDELAIRE, Trad. E. POE, Histoires extraordinaires, « Aventures de Hans Pfaall ».

Une philosophie, perverse sans doute, m'a porté à croire que le bien et le mal, le plaisir et la douleur, le beau et le laid, la raison et la folie, se transforment les uns dans les autres par des nuances aussi indiscernables que celles du cou de la colombe. RENAN, Souvenirs d'enfance, II, I. 3

Les lois physiques ont précisément pour caractère d'exprimer des propriétés qui sont communes à une infinité d'êtres indiscernables entre eux. 4
Émile BOREL, le Hasard, VI, p. 119.

♦ **2.** (Déb. XIXe). Dont on ne peut se rendre compte précisément. ⇒ **Insaisissable.**

Ce silence se prolongea longtemps, ou du moins un temps impossible à mesurer, indiscernable. BERNANOS, Sous le soleil de Satan, *in* Œ. roman., Pl., p. 201. 5

B. N. m. (XVIIIe). Philos. *Principe des indiscernables, ou de l'identité des indiscernables :* principe essentiel de la philosophie de Leibniz, d'après lequel deux êtres réels ne sont jamais parfaitement semblables, différant par des caractères intrinsèques.

CONTR. Apercevable, discernable, distinct.
DÉR. Indiscernabilité, indiscernablement.

INDISCERNABLEMENT [ɛ̃disɛʀnabləmɑ̃] adv. — D. i. (1937, *in* T. L. F.) ; de *indiscernable.*

♦ Rare. De manière indiscernable.

INDISCIPLINABLE [ɛ̃disiplinabl] adj. — 1530; de 1. *in-*, et *disciplinable.*

♦ Vieilli. Qui ne peut être discipliné. ⇒ **Indocile.** *Enfant indisciplinable. Soldats indisciplinables* (→ Ensauvager, cit. 1).

1 Les Français ne sont pas indisciplinables : pour leur faire garder une règle, il ne faut que le vouloir fortement; mais le mal est que jusques ici les chefs n'ont pas été capables de la fermeté requise en telle occasion.
RICHELIEU, Lettres, t. VI, p. 165 (1638).

2 Mais il est des esprits durs, indisciplinables,
Dont on ne peut venir à bout. CORNEILLE, Imitation de J.-C., II, 3.

3 (...) la jeunesse indisciplinable de Paris, qui se faisait alors un honneur d'attaquer toutes les nuits le guet qui veille à la garde de la ville.
VOLTAIRE, le Siècle de Louis XIV, VII.

4 Un changement dans l'humeur, des emportements fréquents, une continuelle agitation d'esprit, rendent l'enfant presque indisciplinable. ROUSSEAU, Émile, IV.

CONTR. **Disciplinable, docile.**

INDISCIPLINE [ɛ̃disiplin] n. f. — 1501; rare av. XVIIIe; de 1. *in-*, et *discipline,* ou bas lat. *indisciplina* «manque d'instruction», de *in-* (→ 1. In-), et *disciplina.* → Discipline.

♦ **1.** Manque de discipline (dans un milieu organisé et hiérarchisé). *L'indiscipline des troupes.* ⇒ **Désobéissance.** *L'indiscipline d'une bande de jeunes effrontés* (cit. 6). ⇒ **Dissipation.** *Une indiscipline générale qui ébranle* (cit. 9) *un empire. Esprit d'indiscipline.* ⇒ **Esprit** (mauvais esprit), **indocilité, insoumission, insubordination, sédition.** *Faire acte, preuve d'indiscipline.* ⇒ **Résister** (à l'autorité). *Réprimer sévèrement un acte d'indiscipline.*

1 Les Français souffrirent une grande perte en faisant avorter le fruit des plus belles dispositions par cette ardeur précipitée et cette indiscipline qui leur avait fait perdre autrefois les batailles de Poitiers, de Créci, d'Azincourt.
VOLTAIRE, le Siècle de Louis XV, X.

2 (...) l'impuissance des chefs et l'indiscipline des subordonnés sont encore plus grandes dans la capitale que dans les provinces.
TAINE, les Origines de la France contemporaine, t. III, p. 127.

3 Il y avait aussi des bouillonnements d'indiscipline, et pendant sa régence, il faudra que Suger ait la main lourde. J. BAINVILLE, Hist. de France, V, p. 58.

Spécialt. *L'indiscipline d'écoliers turbulents* (en classe).

♦ **2.** Vx. Caractère de ce qui est indiscipliné (2.). *L'indiscipline des passions.*

CONTR. **Discipline, obéissance.**

INDISCIPLINÉ, ÉE [ɛ̃disipline] adj. — V. 1361; de 1. *in-*, et *discipliné,* ou bas lat. *indisciplinatus* «sans instruction, sans retenue», de *in-* (→ 1. In-), et *disciplinatus* «bien instruit», de *disciplina.* → Discipline.

♦ **1.** (Personnes). Qui n'est pas discipliné*, qui n'observe pas la discipline. ⇒ **Désobéissant, indocile, insoumis, insubordonné.** *Écolier indiscipliné. Troupes, masses indisciplinées. Garnement indiscipliné.* — Par ext. *Caractère, esprit indiscipliné.* ⇒ **Tête** (forte, mauvaise tête).

1 C'est un orgueil indiscipliné qui se vante, qui va à la gloire avec un empressement trop visible; il se fait moquer de lui (...)
BOSSUET, Pensées chrétiennes et morales, XXII.

2 Pour Lénine, le «petit-bourgeois» est un individualiste indiscipliné, un anarchiste.
J. CHARDONNE, l'Amour du prochain, IX, p. 239.

3 *(Pierre le Grand)* excellant, paraît-il, à décapiter sur un échafaud des sujets rebelles ou des soldats indisciplinés. Émile HENRIOT, les Romantiques, p. 373.

♦ **2.** (Choses). *Cheveux indisciplinés,* difficiles à peigner. — Vx. (Sentiments). *Des passions indisciplinées.*

CONTR. **Discipliné, docile, obéissant, soumis.**

INDISCONTINU, UE [ɛ̃diskɔ̃tiny] adj. — 1890, A. Daudet; de 1. *in-*, et *discontinu.*

♦ Rare. Continu. ⇒ **Continuel.**

Des détonations indiscontinues roulaient ainsi dans l'espace, jamais apaisées.
Maurice ZERMATTEN, le Pain noir, p. 18.

CONTR. **Discontinu.**

INDISCRET, ÈTE [ɛ̃diskʀɛ, ɛt] adj. et n. — 1488; «inopportun, intempestif (d'un événement)», 1380; lat. *indiscretus* «incapable de discerner»; de *in-* (→ 1. In-), et *discretus.* → Discret (1.).

♦ **1.** Vx. [a] (Personnes). Qui agit sans discernement, à l'étourdie (→ Cause, cit. 54).

[b] (Choses). Qui dénote un manque de jugement, de modération. ⇒ **Inconsidéré** (cit. 1), **intempestif, malavisé.** *Une verve indiscrète* (→ Églogue, cit. 1). *Des reproches indiscrets* (→ Aise, cit. 9). *Faire un usage indiscret de qqch.* ⇒ **Immodéré.**

1 (...) une application trop indiscrète à l'étude des livres (...)
MONTAIGNE, Essais, I, XXVI.

2 Et si je m'en croyais, ce triomphe indiscret
Serait bientôt suivi d'un éternel regret. RACINE, Britannicus, IV, 4.

♦ **2.** (Fin XVe). Mod. Qui manque de discrétion, de réserve, de retenue dans les relations sociales. ⇒ **Importun** (cit. 2). *Servante familière et indiscrète* (→ Aguet, cit. 3). *Je ne vous répondrai pas : vous êtes trop indiscret.* ⇒ **Curieux.** *Visiteur indiscret qui trouble un dîner intime.* ⇒ **Intrus, trouble-fête.** *Il ne se rend pas compte qu'il est indiscret.* ⇒ **Trop** (être de trop). — N. *C'est un indiscret* (→ ci-dessous, cit. 3). *Fi* (cit. 3) *l'indiscret qui pose une telle question! Méfiez-vous de lui : c'est un fameux indiscret.* ⇒ **Écouteur** (aux portes), **fouinard, fureteur, touche*-à-tout** (→ Écouter* aux portes, fourrer son nez* partout). — Spécialt (vx). ⇒ **Fâcheux.** *«Écarter, fuir les indiscrets»* (Académie). — Mod. Personne qui trouble une intimité. *Un coin tranquille à l'abri des indiscrets.* — Par ext. Qui dénote de l'indiscrétion* (→ ci-dessous, cit. 4, 5, 7 à 9). *Démarche, question indiscrète.* ⇒ **Inconvenant.** *Est-il, serait-ce indiscret de vous demander ce que vous comptez faire?* (⇒ **Indiscrétion**). *Familiarité indiscrète.* ⇒ **Audacieux** (→ Bonhomie, cit. 4). *Accabler qqn de récriminations indiscrètes.* ⇒ **Obsédant.** *Un zèle indiscret, déplacé, intempestif et encombrant.*

3 (...) l'indiscrétion est un si fâcheux vice.
Qu'il vaut bien mieux mourir de rage ou de regret,
Que de vivre à la gêne avec un indiscret. Mathurin RÉGNIER, Satires, VIII.

4 Ne vous offensez pas si mon zèle indiscret
De votre solitude interrompt le secret. RACINE, Bérénice, II, 4.

5 Mes regards indiscrets n'allaient jamais fureter sous son mouchoir, quoiqu'un embonpoint mal caché dans cette place eût bien pu les y attirer.
ROUSSEAU, les Confessions, III.

6 Pardonnez-moi de vous forcer ainsi dans vos retranchements, de vous arracher de même qu'avec un davier les mots; puis-je même être tout à fait indiscret? (...)
HUYSMANS, Là-bas, XV.

7 *(Ils)* trouvaient mon intrusion dans leur groupe assez indiscrète (...)
GIDE, Journal, 17 févr. 1912.

8 Je vous prie de me pardonner si telle de mes questions vous paraît indiscrète ou saugrenue. J. ROMAINS, les Hommes de bonne volonté, t. III, XXII, p. 288.

9 (...) madame de Castelbajac résolut de prévenir les curiosités indiscrètes de la postérité (...) Émile HENRIOT, Portraits de femmes, p. 285.

♦ **3.** (V. 1534). Qui révèle ce qui devrait rester caché. *Des commérages indiscrets et compromettants.* — Littér. *Les Bijoux indiscrets,* de Diderot.

(XVIIe). Personnes. Qui révèle ce qu'il faudrait taire; qui ne sait pas garder un secret. *«Un homme indiscret est une lettre décachetée : tout le monde peut la lire»* (Chamfort). *Confident indiscret. Confesseur, médecin indiscret. Je ne lui ai pas soufflé mot de notre projet : elle le crierait sur tous les toits, elle est si indiscrète!* ⇒ **Bavard** (→ Avoir la langue* trop longue; ne pas savoir tenir sa langue*). — Par métonymie. *Méfiez-vous des oreilles indiscrètes. Gare aux langues indiscrètes.*

Il fait des vœux au ciel pour la tenir secrète *(sa retraite)*; 10
Il craint qu'un indiscret la vienne révéler (...) CORNEILLE, Théodore, V, 1.

Je mets en fait que, si tous les hommes savaient ce qu'ils disent les uns des autres, 11
il n'y aurait pas quatre amis dans le monde; cela parait par les querelles que causent les rapports indiscrets qu'on en fait quelquefois. PASCAL, Pensées, II, 101.

De peur qu'en le voyant, quelque trouble indiscret 12
Ne fasse avec mes pleurs échapper mon secret. RACINE, Athalie, I, 2.

On critique, on censure, on contrôle toutes choses (...) l'on mêle dans ces entre- 13
tiens familiers celle-ci, celle-là, encore celui-là; bref c'est dans ces communications indiscrètes où se font une infinité de péchés de médisance, et très souvent de jugements téméraires (...) BOSSUET, Instructions aux Ursulines de Meaux...

À la fin du *Congrès de Vérone,* de cette publication indiscrète, où l'auteur mêle 14
ensemble dans le plus étrange amalgame Ultracisme et Républicanisme (...)
SAINTE-BEUVE, Chateaubriand..., t. II, p. 82 (Note).

(...) on ne sait rien d'elle et de lui *(Chateaubriand et sa sœur)* que par (...) ce 15
qu'il en a lui-même écrit, d'une plume tour à tour indiscrète et voilée (...)
Émile HENRIOT, Portraits de femmes, p. 254.

N. m. Par anal. *Un indiscret :* siège second Empire dont le dossier en forme d'hélice permet à trois personnes de s'asseoir simultanément.

CONTR. **Discret.**

DÉR. **Indiscrètement.**

INDISCRÈTEMENT [ɛ̃diskʀɛtmɑ̃] adv. — 1370; de *indiscret.*

♦ **1.** Vx. À la légère, inconsidérément, imprudemment. *Laisser indiscrètement un enfant seul près du feu* (→ Estropier, cit. 3). *Attirer* (cit. 39) *indiscrètement qqn chez soi.*

♦ **2.** (XVIe). D'une manière indiscrète* (3.), sans réserve ni retenue. *Chien qui s'élance* (cit. 6) *indiscrètement sur les genoux d'un visiteur.* — Spécialt. *Dévoiler indiscrètement un secret.*

(...) prétextant qu'il avait soif, et, sachant y trouver de l'eau, *(il)* avait indiscrètement ouvert cette armoire. Émile HENRIOT, Portraits de femmes, p. 11.

CONTR. **Discrètement.**

INDISCRÉTION [ɛ̃diskʀesjɔ̃] n. f. — V. 1200, «manque de sagesse»; bas lat. *indiscretio* «manque de discernement, de sagesse, irréflexion», de *indiscretus.* → Indiscret.

♦ **1.** Vx. Manque de discernement, de mesure.

C'est l'indiscrétion et l'impatience qui nous hâte le pas. 1
MONTAIGNE, Essais, II, III.

Son indiscrétion de sa perte fut cause. LA FONTAINE, Fables, X, 2. 2

Inconvenance, maladresse, sottise.

3 Tout le monde connait leur imperfection :
Ce n'est qu'extravagance et qu'indiscrétion (...)
MOLIÈRE, l'École des femmes, V, 4.

♦ **2.** (1569). Mod. Manque de discrétion, de réserve, de retenue dans les relations sociales (→ Indiscret, cit. 3). *L'indiscrétion de qqn. Parler de soi avec quelque indiscrétion,* quelque impudeur (→ Généraliser, cit. 3). *S'immiscer* dans les affaires d'autrui* (cit. 27) *est une forme d'indiscrétion. Il poussait l'indiscrétion jusqu'à lire mon courrier.* ⇒ **Curiosité.** *Il a eu l'indiscrétion de m'interroger là-dessus. Ces renseignements me sont absolument indispensables : excusez mon indiscrétion.* ⇒ **Insistance.**

4 Je dis vrai, non pas tout mon saoul; mais autant que je l'ose dire; et l'ose un peu plus en vieillissant, car il semble que la coutume concède à cet âge plus de liberté de bavasser et d'indiscrétion à parler de soi. MONTAIGNE, Essais, III, II.

(XVIIe). Caractère de ce qui est indiscret. *L'indiscrétion de son attitude, de ses questions.*
(Une, des indiscrétions). Action, parole indiscrète. *Commettre des indiscrétions.*

5 Mais ne serait-ce point une indiscrétion que de vous demander quelle peut être votre affaire? MOLIÈRE, Dom Juan, III, 3.

6 Vous sentez bien qu'il ne convient guère à un vieux pédant comme moi d'oser me mêler des affaires des colonels, et que cette indiscrétion de ma part servirait plutôt à reculer vos affaires qu'à les avancer.
VOLTAIRE, Correspondance, 3682, 3 sept. 1770.

Loc. *Sans indiscrétion :* en restant discret. *Sans indiscrétion, peut-on savoir votre adresse?*

7 Je crois donc pouvoir, sans indiscrétion, m'adresser à vous, pour en obtenir un service bien essentiel (...) LACLOS, les Liaisons dangereuses, CXX.

(Dans une proposition impersonnelle). *Il y a de l'indiscrétion à... C'est de l'indiscrétion.*

8 Il n'y a point d'indiscrétion entre deux frères qui s'aiment autant que nous nous aimons, tu sais ce que contient la dépêche, dis-le-moi, j'ai une fièvre de curiosité.
BALZAC, la Fausse Maîtresse, Pl., t. II, p. 54.

♦ **3.** (1587). Caractère d'une personne qui ne garde pas les secrets. Fait de révéler ce qui devrait rester caché. *Son indiscrétion lui fait beaucoup d'ennemis : il aime trop à parler, à causer.* ⇒ **Rapport** (faire des); **rapporter.** — (1665). *Une, des indiscrétions :* déclaration indiscrète. *Commettre une indiscrétion* (→ Discret, cit. 10). *Les indiscrétions d'un journaliste.* ⇒ **Révélation.** *Risquer de compromettre la réputation de qqn par des indiscrétions.* ⇒ **Bavardage, racontar.** *La moindre indiscrétion pourrait faire échouer notre plan.* ⇒ **Fuite.** *Être l'objet d'indiscrétions. Ce n'est pas une indiscrétion : tout le monde est au courant.*

9 Les femmes qui aiment pardonnent plus aisément les grandes indiscrétions que les petites infidélités. LA ROCHEFOUCAULD, Réflexions et maximes, 429.

10 Cette fille ne dira mot, soyez-en persuadée (...) je lui ai dit que son indiscrétion la perdrait, que son silence ferait sa fortune (...)
MARIVAUX, la Vie de Marianne, VI.

11 Mais que dis-je? l'enthousiasme m'aurait-il fait commettre une indiscrétion offensante? BEAUMARCHAIS, la Mère coupable, V, 7.

12 Pas un mot; réclamer leur silence, c'est souvent provoquer leur indiscrétion. Je réponds des miens. BALZAC, la Dernière Incarnation de Vautrin, IV, II.

13 (...) comprenez-moi, mon cher, je suis marié, je suis un personnage un peu officiel, ma vie privée, ma vie publique, sont à la merci d'une indiscrétion, d'un chantage (...) MARTIN DU GARD, les Thibault, t. III, p. 158.

CONTR. Discrétion, réserve, retenue.

INDISCUTABLE [ɛ̃diskytabl] adj. — 1832, Raymond, *in* T. L. F.; de 1. *in-*, et *discutable.*

♦ **1.** Qui n'est pas discutable, qui s'impose par son évidence, son authenticité. ⇒ **Certain, évident, incontestable** (cit. 3), **manifeste** (→ Hétérogénéité, cit. 2). *Un succès indiscutable. Supériorité indiscutable. Témoignage, preuve indiscutable.* ⇒ **Formel, indéniable, irrécusable, irréfutable.** *Il est indiscutable que...* ⇒ **Doute** (hors de), **indubitable.** *C'est indiscutable* (→ Cela crève* les yeux).

♦ **2.** (1879). Dont l'authenticité, la vérité ne fait aucun doute. ⇒ **Authentique.** *L'Évangile* (cit. 7), *message unique et indiscutable de Dieu. Ce déguisement fit de lui un indiscutable pèlerin* (→ Efendi, cit.). — REM. *Indiscutable* a éliminé *indisputable* que l'on trouve encore dans Littré avec une citation de Voltaire.

1 La croyance, l'indiscutable, et impérieuse croyance (...)
FUSTEL DE COULANGES, la Cité antique, III, IX.

2 J'ai produit des lettres et documents indiscutables établissant que j'étais invité par des sociétés américaines honorablement connues (...)
G. DUHAMEL, Scènes de la vie future, I.

♦ **3.** (Personnes). Dont la valeur ne fait pas de doute. *C'est un homme indiscutable et d'ailleurs indiscuté*.* — Par extension :

3 Je voyais passer à la tête des ministères d'indiscutables valeurs et, parfois, de grands talents. Mais le jeu du régime les consumait et les paralysait.
Ch. DE GAULLE, Mémoires de guerre, t. I, p. 4.

CONTR. Controversable, discutable, douteux, faux.
DÉR. Indiscutablement.

INDISCUTABLEMENT [ɛ̃diskytabləmɑ̃] adv. — 1876; de *indiscutable.*

♦ D'une manière indiscutable. ⇒ **Certainement, incontestablement, indubitablement.** *Langues qui correspondent indiscutablement à une civilisation* (→ Berceau, cit. 14). *C'est indiscutablement le meilleur roman de l'année. Indiscutablement, vous avez raison.*

INDISCUTÉ, ÉE [ɛ̃diskyte] adj. — 1794, Pougens, *in* T. L. F.; de 1. *in-*, et *discuté,* p. p. de *discuter.*

♦ **1.** Vx. Qui n'a pas été soumis à la discussion.

♦ **2.** (1866, Amiel, *in* T. L. F.). Mod. Qui n'est pas discuté; qui ne fait l'objet d'aucun doute. ⇒ **Incontesté, reconnu.** *Droits indiscutés. Valeur indiscutée. Axiome indiscuté* (→ Briser, cit. 3). — (Personnes). *Le chef indiscuté de la bande* (→ 2. Bande, cit. 4).

(...) je voulus (...) recevoir de son goût indiscuté, des avis touchant l'élégance personnelle (...) COLETTE, Belles saisons, p. 97. 1

Sa gloire règne, indiscutée par ceux qui savent, indifférente aux ignorants.
Émile HENRIOT, les Romantiques, p. 152. 2

INDISPENSABILITÉ [ɛ̃dispɑ̃sabilite] n. f. — 1641, *in* D. D. L.; de *indispensable.*

♦ Rare. État, caractère de ce qui est indispensable.

(J'ajoutai) deux mots qui me parurent de toute indispensabilité.
BALZAC, Œuvres diverses, t. II, p. 473 (1831).

INDISPENSABLE [ɛ̃dispɑ̃sabl] adj. et n. — 1585; de 1. *in-*, *dispenser,* et *-able.*

★ **I.** Vx. Dont on ne peut être dispensé (par l'Église). *« La loi de Dieu indispensable »* (Bourdaloue).

Les ambassadeurs *(dit Mélanchthon)* prétendent que la défense d'épouser la femme de son frère est indispensable (...) 1
BOSSUET, Hist. des variations, VII, LIV.

(...) nous avons *indispensable,* et *indispensablement,* qui ont paru si beaux d'abord, qu'il semblait qu'un sermon ne fût pas d'un bon français, si le prédicateur ne s'était servi de ces mots quatre ou cinq fois pour le moins (...) 2
Ch. SOREL, Connaiss. des b. liv. (1672), *in* F. BRUNOT, Hist. de la langue franç., t. IV, p. 484.

★ **II.** ♦ **1.** (Mil. XVIIe). Vx. Dont on ne peut se dispenser. ⇒ **Obligatoire, obligé.** *Devoir, obligation indispensable. « Travailler est un devoir indispensable à l'homme social »* (→ Fripon, cit. 3, Rousseau).

♦ **2.** (XVIIIe). Mod. Qui est très nécessaire, dont on ne peut se passer. ⇒ **Essentiel, nécessaire, utile.** *Chose indispensable à qqn. Cela m'est indispensable, absolument indispensable* (→ ci-dessous, cit. 7). — (Sans compl. en *à*). *Aide, concours* (cit. 7), *contribution* (cit. 1) *indispensable. Éléments* (cit. 4), *compléments indispensables* (→ Farder, cit. 11; galanterie, cit. 10; grotesque, cit. 14). *Garanties, précautions indispensables* (→ Empiéter, cit. 8). *Connaissances indispensables* (→ Gros, cit. 28). *Fonction, rôle indispensable* (→ Emploi, cit. 17). *La continuité indispensable des services publics* (→ Grève, cit. 17). — *Objets, vêtements, meubles indispensables* (→ De première nécessité*). *Un habit* (cit. 24) *vous sera indispensable* (⇒ **Besoin, falloir,** III.). *Somme strictement, absolument indispensable* (→ Envoyer, cit. 15). — *Indispensable à, pour (qqch.).* → Fermer, cit. 10; génie, cit. 45; glande, cit. 2. *Substances indispensables à la vie.* ⇒ **Vital.** — *Indispensable pour* (suivi d'un inf.). → Apanage, cit. 1. *Condition indispensable pour réussir.* ⇒ **Salut** (point de salut sans...). — Impers. *Il est indispensable de..., que... ; c'est indispensable* (→ Convenable, cit. 9; exister, cit. 5; fabriquer, cit. 3; génie, cit. 46).

Il faut que madame d'Argental ne change point d'avis sur les eaux; elles sont indispensables. VOLTAIRE, Correspondance, 1208, 29 mai 1754. 3

Rien de ce qui est beau n'est indispensable à la vie. — On supprimerait les fleurs, le monde n'en souffrirait pas matériellement; qui voudrait cependant qu'il n'y eût plus de fleurs? Th. GAUTIER, Mlle de Maupin, Préface, p. 28. 4

Si j'ai les cent louis indispensables au passage, je n'aurai pas un sou pour me faire une pacotille. BALZAC, Eugénie Grandet, Pl., t. III, p. 574. 5

(...) le mal est indispensable au bien et le diable nécessaire à la beauté morale du monde. FRANCE, le Jardin d'Épicure, p. 71. 6

La prière m'était à ce moment aussi indispensable que l'air à mes poumons, que l'oxygène à mon sang. BERNANOS, Journal d'un curé de campagne, p. 119. 7

N. m. *L'indispensable. Il lui reste juste l'indispensable. Faire l'indispensable,* ce qu'il faut.

(...) un taudis sans cheminée (...) où il n'y avait, en fait de meubles, que l'indispensable. HUGO, les Misérables, III, V, II. 8

Mais on ne pouvait laisser la mort par terre. En un tour de main, la Frimat et la Bécu firent l'indispensable. Comme elles n'osaient transporter le corps, elles retirèrent le matelas d'un lit, elles l'apportèrent et y allongèrent Mouche, en le recouvrant d'un drap jusqu'au menton. ZOLA, la Terre, II, II. 9

(Personnes). *Un homme indispensable à toutes les réunions, à toutes les sorties* (→ Fashionable, cit. 1). — (Sans compl.). *Se rendre indispensable. Il est devenu indispensable. Il se croit indispensable.*

(...) le commerce des belles nous les rend bientôt moins nécessaires; au lieu que l'usage des médecins finit par nous les rendre indispensables. 10
BEAUMARCHAIS, le Barbier de Séville, Lettre (...) sur la critique.

Alors, puisqu'un prêtre n'était point indispensable, puisque l'expérience prouvait que les récoltes n'y perdaient rien et qu'on n'en mourait pas plus vite, autant valait-il s'en passer toujours. ZOLA, la Terre, IV, IV. 11

12 Un général victorieux et qui apportait de l'argent se rendait indispensable. Et la popularité de Bonaparte grandissait.
J. BAINVILLE, Hist. de France, XVI, p. 382.

Nom :

13 Pourtant il n'était pas fâché de jouer un peu, lui-même, à l'indispensable, en présentant au Directeur les rédactions de Chavarax parsemées de larges traits d'encre et de rectifications en marge.
COURTELINE, Messieurs les ronds-de-cuir, 3e tableau, I.

CONTR. Facultatif. — Inutile, superflu.
DÉR. Indispensabilité, indispensablement.

INDISPENSABLEMENT [ɛ̃dispɑ̃sabləmɑ̃] adv. — V. 1600; de *indispensable.*

♦ Littér. D'une manière indispensable; sans dispense possible. *Être indispensablement obligé de, engagé à...* ⇒ **Nécessairement, obligatoirement.** *Il faut indispensablement que...*

1 Il *(M. Arnauld)* fut obligé indispensablement de le rompre *(le silence)* par une occasion assez extraordinaire. RACINE, Port-Royal.

2 (...) ce quelque chose qui est en moi et qui pense, s'il doit son être (...) à une nature universelle (...) il faut indispensablement que ce soit à une nature universelle ou qui pense, ou qui soit (...) plus parfaite que ce qui pense (...)
LA BRUYÈRE, les Caractères, XVI, 36.

CONTR. Facultativement; inutilement.

INDISPONIBILITÉ [ɛ̃dispɔnibilite] n. f. — 1789, *in* T. L. F.; de *indisponible.*

♦ Didact., admin. État de ce qui est indisponible.
Spécialt. État d'un fonctionnaire qui quitte provisoirement son poste. *Professeur qui se fait mettre en indisponibilité* (→ Congé).

CONTR. Disponibilité.

INDISPONIBLE [ɛ̃dispɔnibl] adj. et n. m. — 1752; de 1. *in-,* et *disponible.*

Qui n'est pas disponible. — REM. Dans le langage courant on emploie plutôt l'adj. *disponible* au négatif. *Cet ouvrage n'est pas disponible* plutôt que *cet ouvrage est indisponible.*

♦ **1.** (Choses). Dr. Dont la loi ne permet pas de disposer. *Biens indisponibles. La réserve* héréditaire, portion indisponible de la succession.*

♦ **2.** (1876). Personnes. Milit. Dont on ne peut disposer pour le service militaire. *Soldats indisponibles.* — N. m. *Les malades et les indisponibles.*

CONTR. Disponible.
DÉR. Indisponibilité.

INDISPOS, OSE [ɛ̃dispo, oz] adj. — 1537; rare av. XIXe (1883, Maupassant, *in* T. L. F.); de 1. *in-,* et *dispos.*

♦ Vx ou régional (Ouest). Qui n'est pas dispos; indisposé, légèrement malade.

CONTR. Dispos.

INDISPOSÉ, ÉE [ɛ̃dispoze] p. p. adj. ⇒ **Indisposer.**

INDISPOSER [ɛ̃dispoze] v. tr. — V. 1700, sens 2; *s'indisposer* «se mettre dans de mauvaises dispositions», 1662; de *indisposé* (→ ci-dessous), d'après *disposer.*

♦ **1.** (1828). Sujet n. de chose; compl. n. de personne. Altérer* légèrement la santé de (qqn), mettre (qqn) dans un état de légère indisposition* physique. *Ce qu'il a mangé hier l'a indisposé. L'odeur de pipe refroidie l'indispose.* ⇒ **Gêner, incommoder.**

♦ **2.** (Sujet n. de personne ou de chose; compl. n. de personne). Mettre dans une disposition peu favorable. ⇒ **Déplaire** (à), **désobliger, fâcher, froisser, hérisser.** *Il indispose tout le monde contre lui par sa fatuité, sa prétention.* ⇒ **Énerver, importuner, mettre** (se mettre à dos), **prévenir** (contre). *Le maître avait indisposé ses élèves contre lui* (→ Admonestation, cit. 1). *Indisposer qqn par des paroles, des actions désagréables.* ⇒ **Désobliger.** *Tout l'indispose, il a un caractère difficile, il est aigri. Une telle faute de goût indisposera les spectateurs, les lecteurs.* ⇒ **Tiquer** (faire). Absolt. *Il indispose.*

1 Et moi je n'ai pas osé l'en dédire, m'a dit Dorante, parce que j'aurais indisposé contre moi cette fille, qui a du crédit auprès de sa maîtresse (...)
MARIVAUX, les Fausses Confidences, II, 12.

2 Lui, il imposait et presque indisposait.
BARBEY D'AUREVILLY, Une histoire sans nom, p. 56.

3 Malgré moi, tout en parlant, j'observe qu'avec la pointe de son coupe-papier il se cure les ongles. J'aimerais mieux qu'il ne le fît point, parce que ça m'indispose un peu. G. DUHAMEL, Salavin, IV, Journal, 29 nov.

Passif. *Être, se trouver indisposé par qqch., de qqch.*

Personne dans la salle n'avait l'air de remarquer cette discordance grotesque entre le spectacle et la musique. Pour moi, j'en étais indisposé. 4
G. DUHAMEL, Salavin, IV, Journal, 15 oct.

(...) chacun ici-bas se trouve indisposé par la marotte du voisin. 5
CÉLINE, Voyage au bout de la nuit, p. 257.

▶ **INDISPOSÉ, ÉE** p. p. adj.

♦ **1.** Adj. (V. 1460; «mal disposé», v. 1407; de 1. *in-,* et *disposé,* p. p. de *disposer*). Qui est affecté d'une indisposition. ⇒ **Aise** (être mal à l'aise; n'être pas à son aise), **fatigué, incommodé, malade, souffrant.** *Il est, il se sent indisposé* (→ Incommodité, cit. 6). — REM. Au XVIIe s., Bouhours n'admettait que cet emploi du mot.

Elle vint hier pour me voir, mais j'étais indisposée et ne recevais personne. 6
MARIVAUX, la Vie de Marianne, VI.

(...) elle fit dire qu'elle s'était trouvée indisposée et s'était mise au lit. Mme de Rosemonde voulut monter chez elle; mais la malicieuse malade prétexta un mal de tête qui ne lui permettait de voir personne. 7
LACLOS, les Liaisons dangereuses, XXIII.

Par euphém. (au fém.). Qui a ses règles.

Cette femme qui était indisposée donna de son sang (...) 8
HUYSMANS, Là-bas, V.

Chez quelques femmes seulement, l'époque des menstrues n'est marquée par aucun phénomène particulier (...) La plupart des femmes éprouvent, au contraire, des malaises légers. Elles en donnent la traduction en déclarant qu'elle sont «indisposées». Mais, entre la simple «indisposition», et la dysménorrhée intense (...) il y a tous les degrés. A. BINET, Vie sexuelle de la femme, p. 119. 9

♦ **2.** (P. p., attesté 1675). → ci-dessus, cit. 4, 5.

DÉR. (De *indisposé,* adj.) **Indisposition.**

INDISPOSITION [ɛ̃dispozisjɔ̃] n. f. — 1451, *indisposicion; indisposicion du temps* «mauvais temps», av. 1435.

♦ **1.** Légère altération dans la santé. ⇒ **Incommodité, malaise; fatigue.** *Il est remis, guéri de son indisposition. Indisposition causée par des excès de table* (⇒ **Embarras, indigestion**), *par un refroidissement. Son indisposition le force à garder la chambre. Indisposition précédant une maladie.* ⇒ **Prodrome.** *Une légère indisposition.*

Une petite indisposition, Madame, m'a empêché de m'y trouver. 1
MOLIÈRE, les Amants magnifiques, I, 2.

(...) il fut convenu qu'une feinte indisposition la dispenserait d'aller souper chez son amie (...) LACLOS, les Liaisons dangereuses, LXXIX. 2

La préoccupation de Balthazar était si grande qu'il acceptait la maladie dont mourait sa femme, comme une simple indisposition. 3
BALZAC, la Recherche de l'absolu, Pl., t. IX, p. 567.

(1832, Balzac, *in* T. L. F.). Par euphém. Période des règles (→ Indisposer, cit. 9).

♦ **2.** (Av. 1679, Retz, *in* T. L. F.). Fig. et vx. Disposition défavorable.

Elles n'avaient pas voulu se trouver à la cérémonie *(du mariage)*; ce qui m'avait déjà annoncé leur indisposition à mon égard. 4
Mme DE STAËL, Mémoires, t. III, p. 177, *in* LITTRÉ.

INDISPUTABLE [ɛ̃dispytabl] adj. — 1652, Guez de Balzac, *in* T. L. F.; de 1. *in-,* et *disputable,* ou bas lat. *indisputabilis,* de *in-* (→ 1. In-), et lat. class. *disputabilis* «qui est susceptible d'une discussion», de *disputare.* → Disputer.

♦ Didact. et vx. Incontestable (encore chez Chateaubriand). ⇒ **Indiscutable** (mod.).

CONTR. Disputable.

INDISSOCIABLE [ɛ̃disɔsjabl] adj. — 1892, Gide, *in* T. L. F.; «indissoluble», 1543, Changy; bas lat. *indissociabilis,* de *in-* (→ 1. In-), et *dissociare* (→ Dissocier); de 1. *in-,* et *dissociable.*

♦ Qu'on ne peut dissocier, séparer. *L'idée du mâle est indissociable de celle de la femelle. «La balance des paiements forme un tout dont les éléments sont indissociables»* (*le Monde,* 3 janv. 1968). — Que l'on ne peut décomposer.

CONTR. Dissociable.
DÉR. Indissociablement.

INDISSOCIABLEMENT [ɛ̃disɔsjabləmɑ̃] adv. — D. i. (attesté mil. XXe); de *indissociable.*

♦ Didact. De manière indissociable. *Une victoire électorale «indissociablement morale et politique»* (*le Nouvel Obs.,* 8 juin 1981, p. 22). *«Les motivations à la base de sa conduite ne peuvent être réduites à des besoins physiologiques : au contraire il s'agit de désirs qui sont indissociablement liés aux structures symboliques et imaginaires»* (Dr Raimbault, in *Sciences et Avenir,* no 424, juin 1982, p. 60).

INDISSOLUBILITÉ [ɛ̃disɔlybilite] n. f. — 1609; de *indissoluble.*

♦ Didact. Caractère de ce qui est indissoluble. *L'indissolubilité du mariage religieux.*

De l'indissolubilité seule du mariage peut naître pour les femmes une communauté réelle des dignités de leurs époux, et de là, la considération extérieure, les honneurs et les respects. Joseph JOUBERT, Pensées, VIII, XII.

CONTR. Dissolubilité.

INDISSOLUBLE [ɛ̃disɔlybl] adj. — Attesté 1495, sens 2, probablt antérieur (→ Indissolublement); lat. *indissolubilis,* de *in-* (→ 1. In-), et *dissolubilis* (→ Dissoluble).

♦ **1.** (XVIe). Vx. Qui ne peut être dissous. ⇒ **Insoluble.**

♦ **2.** Mod. Didact. ou littér. Qui ne peut être dissous, délié, désuni. ⇒ **Indestructible, perpétuel.** *Attachements, liens indissolubles* (→ Hospitalité, cit. 1). *Lien sacré et indissoluble* (Calvin). *Engagement indissoluble. Amitié, union indissoluble. Considérer le mariage comme indissoluble* (→ Divorce, cit. 4).

1 (...) l'indissoluble union de Jésus-Christ avec son Église (...)
BOSSUET, Oraison funèbre de Michel Le Tellier.

2 Si quelques hommes ont été un fléau pour l'homme, ce sont bien les législateurs profonds qui ont rendu le mariage indissoluble, afin que l'on fût *forcé* de s'aimer.
E. DE SENANCOUR, Oberman, XLV.

3 (...) rien ne prouve mieux la nécessité d'un mariage indissoluble que l'instabilité de la passion. BALZAC, Autre étude de femme, Pl., t. III, p. 217.

4 (...) resserrer nos liens avec les peuples d'Afrique noire, les rendre indissolubles grâce à la liberté de choix qui leur serait donnée (...)
F. MAURIAC, le Nouveau Bloc-notes 1958-1960, p. 117.

♦ **3.** (Mil. XVIe). Fig. et vx. Qui ne peut être résolu, expliqué. *Des énigmes indissolubles* (Bossuet). ⇒ **Insoluble.**

CONTR. Dissoluble.
DÉR. Indissolubilité, indissolublement.

INDISSOLUBLEMENT [ɛ̃disɔlybləmɑ̃] adv. — 1471; de *indissoluble.*

♦ Didact. D'une manière indissoluble. *Être indissolublement unis par le mariage. Questions indissolublement liées.*

1 (...) Jésus-Christ a donné une nouvelle forme au mariage, en réduisant cette sainte société à deux personnes immuablement et indissolublement unies (...)
BOSSUET, Exposition de la doctrine de l'Église, IX.

2 *(le P. Tellier)* me courtisait (...) par rapport à Mgr le duc de Bourgogne, et à ses plus intimes entours, avec lesquels il me savait indissolublement lié depuis que j'étais à la cour. SAINT-SIMON, Mémoires, III, XXXVII.

INDISTINCT, INCTE [ɛ̃distɛ̃, ɛ̃kt] adj. — Attesté 1549, probablt antérieur (→ Indistinctement); lat. *indistinctus* « qui n'est pas distingué, confus, peu net, obscur », de *in-* (→ 1. In-), et *distinctus.* → Distinct.

♦ **1.** Qui n'est pas distinct, que l'on distingue mal. ⇒ **Confus, flou, imprécis, indécis, indistinguable, nébuleux, vague.** *Vision, vue indistincte des choses. Apercevoir des objets indistincts, dans la pénombre.*

Par métonymie. Qui voit, qui distingue mal.

1 Lorsqu'on jette les yeux sur un objet trop éclatant ou qu'on les fixe et les arrête trop longtemps sur le même objet, l'organe en est blessé et fatigué, la vision devient indistincte (...) BUFFON, Hist. nat. de l'homme, Des sens, La vue.

Dans d'autres domaines que la vue. *Bruits* (cit. 9), *grondements indistincts* (→ Canonnade, cit. 2). *Voix indistincte.* ⇒ **Sourd** (→ Étouffer, cit. 23). *Un bredouillage indistinct et incompréhensible. Un fouillis d'éléments indistincts.* ⇒ **Confondu.** *Chose indistincte d'une autre.*

1.1 Il poussait près de la mer une plante qui portait sur ses fleurs des papillons toujours posés. Les papillons étaient indistincts des pétales, la fleur en paraissait ailée.
GIDE, le Voyage d'Urien, *in* Romans, Pl., p. 30.

♦ **2.** (Fin XVIIe). Abstrait. Qui n'est pas bien défini, bien précis. *Pressentiments, sentiments indistincts.* ⇒ **Obscur, sourd.** *Croyances* (cit. 5), *impressions indistinctes. Projets, plans indistincts.* ⇒ **Désordonné.**

2 Fournir un aliment à des curiosités encore indistinctes, satisfaire à des exigences qui ne sont pas encore précisées (...) GIDE, les Faux-monnayeurs, I, XII.

3 *(le)* mot : *amour,* dont l'indistinct emploi est responsable des confusions les plus graves. GIDE, Attendu que..., p. 40.

Des sentiments indistincts les uns des autres.

♦ **3.** Confondu (en parlant de deux ou plusieurs éléments qui ne peuvent être distingués l'un de l'autre); qui confond, rend indistinct (deux ou plusieurs choses).

4 (...) un horizon où le ciel et la mer se mêlaient dans une palpitation indistincte.
CAMUS, la Peste, p. 265.

CONTR. Clair, défini, distinct, net, précis.
DÉR. Indistinctement, indistinction.

INDISTINCTEMENT [ɛ̃distɛ̃ktəmɑ̃] adv. — 1496; de *indistinct.*

♦ **1.** D'une manière indistincte. ⇒ **Confusément.** *Voir indistinctement qqch. Prononcer indistinctement une phrase, un nom.*

♦ **2.** (Fin XVIe, Montaigne). Sans distinction, sans faire de différence. ⇒ **Indifféremment** (→ Article, cit. 1; calicot, cit. 2; engin, cit. 5; enivrer, cit. 18; génie, cit. 25, Voltaire). *Hôpital* (cit. 2) *où sont admis tous les malades indistinctement. « Il calomnie indistinctement ses amis et ses ennemis »* (Académie).

(...) mais tout l'intéresse ici, rien n'est exclu, les voiles se relèvent, tout se palpe indistinctement. SADE, Justine (...), t. I, p. 109 (1791). 1

(...) le chant solennel et mélancolique que l'antique tradition du pays transmet, non à tous les laboureurs indistinctement, mais aux plus consommés dans l'art d'exciter et de soutenir l'ardeur des bœufs de travail. 2
G. SAND, la Mare au diable, II, p. 22.

CONTR. (Du 1.) **Clairement, distinctement.**

INDISTINCTION [ɛ̃distɛ̃ksjɔ̃] n. f. — 1752; de *indistinct,* d'après *distinction.*

♦ Littér. ou didact. Caractère de ce qui est indistinct. ⇒ **Flou, imprécision, 3. vague.** *« L'indistinction poésie/prose »* (*le Nouvel Obs.,* 2 févr. 1981, p. 78).

Les sentiments d'Évanthia l'irritaient. Elle méprisait l'indistinction d'un désir encore pétri de chimères. J.-R. BLOCH, la Nuit kurde, p. 96.

CONTR. Distinction.

INDISTINGUABLE [ɛ̃distɛ̃gabl] adj. — 1851, Cournot; *indistinguable* dans Richard de Radonvilliers, 1845; de 1. *in-,* et *distinguable.*

♦ Se dit de quelque chose qui ne peut être distingué de quelque chose d'autre. ⇒ **Indistinct.**

Il m'agaçait parce qu'il appliquait toute son attention à glisser l'étroite lettre où l'encre sépia courait presque indistinguable du papier ocre entre deux feuilles de papier cristal qu'il appliqua ensuite sur un carton autour duquel il confectionna une enveloppe minutieuse. Cécil SAINT-LAURENT, la Mutante, p. 280.

CONTR. Distinguable.

INDIUM [ɛ̃djɔm] n. m. — 1863, cit.; all. *Indium* (1863, Reich et Richter); du rad. de *indigo,* à cause de la couleur caractéristique d'une raie spectrale de ce métal.

♦ Chim. Métal blanc (symb. *In;* no at. 49; p. at. 114, 82; température de fusion 156, 61 °C; température d'ébullition 2000 °C; valences 1 et 3); de densité 7, 31; mou et ductile. *L'indium se présente souvent associé aux minerais du zinc. L'indium a un aspect analogue à celui de l'argent. L'indium présente des analogies avec l'aluminium, il est utilisé pour les alliages à bas point de fusion; il est toxique.*

Nous pouvons aujourd'hui ajouter à cette liste un nouveau métal, l'indium que deux chimistes allemands, MM. Reich et Richter, ont extrait d'un minerai de Freiberg. L. FIGUIER, l'Année scientifique et industrielle 1864, p. 157 (1863).

INDIVIDU [ɛ̃dividy] n. m. — 1377, Canfranc; lat. médiéval *individuum* « ce qui est indivisible; individu (opposé à genre, espèce) », déjà « atome » en lat. class., substantivation de l'adj. *individuus* « indivis, indivisible », de *in-* (→ 1. In-), et *dividuus* « divisible, divisé », de *dividere* « diviser ». → Diviser, dividende.

Un individu, au sens le plus général et le plus complexe de ce mot, est un objet de pensée concret, déterminé, formant un tout reconnaissable, et consistant en un réel donné (...) par l'expérience (...) Ce sens, quoiqu'il ne soit pas fondamental au point de vue de l'étymologie, occupe cependant une position centrale par rapport aux autres sens de ce mot. A. LALANDE, Voc. de la philosophie, art. *Individu.* 1

★ **I.** ♦ **1.** (Sens large). Sc. Être* formant une unité distincte, dans une série hiérarchique formée de genres* (II., 1.) et d'espèces (III., 1.). ⇒ **Échantillon, exemplaire, spécimen, unité; individualité.** *Classification des individus selon leurs caractères*.*

Se procurer des individus bien conservés de chaque espèce d'animaux, de plantes ou de minéraux (...) BUFFON, Hist. nat., Théor. terre, 1er disc., *in* LITTRÉ. 2

Log. « Terme inférieur d'une série, qui ne désigne plus de concept général et ne comporte plus de division logique » (Lalande). ⇒ **Singulier** (terme). — (1611). Phys. Élément indivisible (→ le sens étym. d'*atome**).

La question s'est posée de savoir s'il est possible de considérer les corpuscules (de l'atome) comme des individus physiques parfaitement définis et localisés dans l'espace. L. DE BROGLIE, *in* CUVILLIER, Voc. de la philosophie, art. *Individu.* 3

♦ **2.** (1738, D'Argens *in* T. L. F.). Biol., cour. Corps organisé vivant d'une existence propre et qui ne saurait être divisé sans être détruit. ⇒ **Animal, plante.** *L'individu est le dernier terme de la classification*.* ⇒ **Espèce** (III., 3., cit. 30), **genre** (II., 2., cit. 10). *Individus vivants, jeunes...* (→ Anéantir, cit. 7; gibier, cit. 3). *Procédés d'élevage permettant d'obtenir des individus, puis des races précoces* (→ Accroissement, cit. 1). *Individus apprivoisés* (cit. 1) *d'une espèce sauvage. Bétail se dit du genre, bestiaux* (cit. 1) *des individus. Troupeau de cent individus.* ⇒ **Tête.** — *Sexe des individus* (→ Femelle, cit. 4; hermaphrodite, cit. 7). *Génotype* (cit. 2) *et phénotype d'un individu. Hérédité des individus* (→ Caractère, cit. 17). *Germen* (cit. 2) *et soma d'un individu.*

Si les individus ont une ressemblance parfaite, ou des différences si petites qu'on ne puisse les apercevoir qu'avec peine, ces individus seront de la même espèce; si les différences commencent à être sensibles (...) les individus seront d'une autre espèce, mais du même genre que les premiers (...) 4
BUFFON, Hist. nat., Théor. terre, 1er disc.

Quoique le principe universel soit un, la nature ne donne rien d'absolu, ni même de complet; je ne vois que des individus. Tout animal, dans une espèce semblable, 5

diffère en quelque chose de son voisin, et parmi les milliers de fruits que peut donner un même arbre, il est impossible d'en trouver deux identiques (...)
BAUDELAIRE, Curiosités esthétiques, III, VII.

6 (...) le *corps vivant* (...) est-il un corps comme les autres (...) tandis que la subdivision de la matière en corps isolés est relative à notre perception (...) le corps vivant a été isolé et clos par la nature elle-même. Il se compose de parties hétérogènes qui se complètent les unes les autres. Il accomplit des fonctions diverses qui s'impliquent les unes les autres. C'est un *individu*, et d'aucun autre objet (...) on ne peut en dire autant (...) Sans doute, il est malaisé de déterminer (...) ce qui est individu et ce qui ne l'est pas (...)
Pour que l'individualité fût parfaite, il faudrait qu'aucune partie détachée de l'organisme ne pût vivre séparément. Mais la reproduction deviendrait alors impossible (...) Le besoin même *(que l'individualité)* éprouve de se perpétuer dans le temps la condamne à n'être jamais complète dans l'espace.
H. BERGSON, l'Évolution créatrice, I.

(Avec le nom spécifique ou générique en apposition) :

6.1 On a pu voir que l'espèce huître devienne par transformisme l'espèce papillon, mais un individu huître est toujours mort sur le rocher où l'attachait la coquille dont il ne pouvait pas sortir sans mourir. PROUST, Jean Santeuil, Pl., p. 876.

♦ **3.** (1680). Relativement à l'espèce humaine. ⇒ **Homme** (I., cit. 17, 87, 88), **humain.** *Les individus du genre* (cit. 6) *homme, de l'espèce* (cit. 31) *humaine; l'individu humain* (→ Flux, cit. 4; idiosyncrasie, cit. 1). *Types sexuels de l'individu humain.* ⇒ **Femme, homme,** II.; → Hermaphrodite, cit. 1.
Hérédité (cit. 12), *reproduction des individus* (→ Eugénique, cit. 2; gamète, cit. 2). — *Individu bien portant, normal* (→ Asphyxie, cit. 1; canon, cit. 3). *Individu âgé, malade* (→ Gérontologie, cit. 3; hôpital, cit. 4). *La diversité des individus humains* (→ Différer, cit. 13).

7 Claude Bernard se trouve amené à constater que si « la vérité est dans le type, la réalité se trouve toujours en dehors de ce type et elle en diffère constamment. Or, pour le médecin, c'est là une chose très importante. C'est à l'individu qu'il a toujours affaire. Il n'est point de médecin du type humain, de l'espèce humaine ». Le problème théorique et pratique devient donc d'étudier « les rapports de l'individu avec le type ». Ce rapport paraît être le suivant : « La nature a un type idéal en toutes choses, c'est positif; mais jamais ce type n'est réalisé. S'il était réalisé, il n'y aurait pas d'individus, tout le monde se ressemblerait.
G. CANGUILHEM, la Connaissance de la vie, p. 197.

8 L'un des plus sûrs enseignements de la Génétique humaine est de nous révéler l'*individualité*, la personnalité de chacun des représentants de l'espèce. Tout individu porte une certaine combinaison génétique qui n'appartient qu'à lui (...)
De chacun de nous, on peut dire, en toute rigueur, qu'il est un exemplaire *unique* et irreproductible de l'espèce. Jean ROSTAND, l'Hérédité humaine, p. 98.

⇒ **Être, personne.**

9 (...) un tempérament très ardent, des passions vives, impétueuses, et des idées lentes à naître, embarrassées, et qui ne se présentent jamais qu'après coup. On dirait que mon cœur et mon esprit n'appartiennent pas au même individu.
ROUSSEAU, les Confessions, III.

Psychol. L'être humain, en tant qu'unité et identité extérieures, biologiques; en tant qu'être particulier, différent de tous les autres. ⇒ **Individualité, moi.** *L'amour* (cit. 50) *de l'individu pour lui-même. L'individu et la personne**.

10 Ce qu'il y a de plus grave dans l'état de choses actuel, ce n'est pas qu'il *(le monde moderne)* blesse, qu'il affame, qu'il brûle et qu'il tue l'*individu* humain; c'est que, par une loi qui semble essentielle, il courbe chaque jour davantage la *personne* humaine sous le joug de la fatalité et l'accule à la démission.
DANIEL-ROPS, Ce qui meurt..., p. 13.

10.1 L'individu est la plus étrange invention de l'homme.
VALÉRY, Cahiers, t. II, Pl., p. 1464.

★ **II.** (1751). Sc. Unité élémentaire (d'une société). *Les individus d'une fourmilière, d'une ruche, d'une colonie de coraux. L'individu-mère, l'individu-père.*
Par analogie :

10.2 Quelques Flagellaires se reproduisent par gemmiparité. Le protoplasme d'une partie de leur corps produit de petits bourgeons, qui se séparent ensuite de l'individu-mère, et deviennent chacun un individu complet.
Cours de zoologie gén. et médicale 1895, p. 103, *in* D. D. L., II, 15.

11 Le corps nous apparaît (...) comme (...) une gigantesque association de diverses races cellulaires dont chacune se compose de milliards d'individus (...) Et cependant, ces foules immenses se comportent comme un être essentiellement un.
Alexis CARREL, l'Homme, cet inconnu, III, XII.

Cour. Membre d'une collectivité humaine. ⇒ **Homme, personne.** *Chaque individu* (→ Bienveillant, cit. 3). *Un individu exceptionnel* (→ Cours, cit. 3), *semblable aux autres* (→ Étiqueter, cit. 2; fabriquer, cit. 8). *Autonomie* (cit. 3) *de l'individu* (→ Autonome, cit. 4). *Individus groupés* (cit. 6) *en corps* (cit. 44). *Collection* (cit. 1 et 2), *collectivité* (cit. 2), *conglomérat, entassement, masse d'individus* (→ Affronter, cit. 7; assemblage, cit. 17). *La communauté* (cit. 3) *des individus. Individus contribuant à une œuvre collective* (→ Alluvion, cit. 3).

Collectif. *(L'individu). L'individu opposé à la société; l'individu et la société* (→ Carence, cit. 2; humiliation, cit. 14; imiter, cit. 6). *L'individu et la collectivité* (cit. 1), *et l'ensemble* (cit. 12), *et la foule* (cit. 11), *et la masse, et le peuple* (→ Enracinement, cit.; file, cit. 10). *L'individu et la famille* (cit. 16 et 29), *et la classe, et la race, et la nation* (→ Aboutissant, cit. 2; antisocial, cit. 1; caractéristique, cit. 1; exercer, cit. 28; fonction, cit. 20). — *L'individu et l'État* (cit. 115). → Braver, cit. 2; entité, cit. 5; immobiliser, cit. 8. *L'individu et la vie publique* (→ Efficacité, cit. 7). *Les droits de l'individu* (→ Entreprendre, cit. 24). *Culte, exaltation de l'individu.* ⇒ **Individualisme.** *L'anéantissement* (cit. 7) *de l'individu...* — *L'individu, en droit* (→ Absence, cit. 12; accomplir, cit. 5; état, cit. 67).

La société n'est-elle pas autorisée à ne jamais souffrir dans son sein celui qui se déclare contre elle? Et l'individu qui s'isole, peut-il lutter contre tous? 11.1
SADE, Justine..., t. I, p. 51.

(...) le haschisch, comme toutes les joies solitaires, rend l'individu inutile aux hommes et la société superflue pour l'individu (...) 12
BAUDELAIRE, les Paradis artificiels, Poème du haschisch, V.

Pour lui *(l'esprit positif)*, l'homme proprement dit n'existe pas, il ne peut exister que l'Humanité (...) Si l'idée de *société* semble encore une abstraction de notre intelligence, c'est surtout en vertu de l'ancien régime philosophique; car, à vrai dire, c'est à l'idée d'*individu* qu'appartient un tel caractère, du moins chez notre espèce. A. COMTE, Discours sur l'esprit positif, p. 118 (éd. 1918). 13

L'individu ne saurait être libre tout seul; un petit nombre d'individus ne sauraient rester libres longtemps. 14
Anarcharsis CLOOTS, *in* JAURÈS, Hist. socialiste, t. VIII, p. 59.

Il est vrai que la société n'est qu'une organisation d'individus, qu'elle est, comme Spencer l'avait dit jadis, ce que la font les individus qui la composent, mais il est vrai que ces individus qui créent la société sont créés, pétris, sculptés par elle. Il n'est rien dans l'individu qui ne soit social, si ce n'est l'individu en tant que synthèse unique au monde, irréductible à toute autre (...) 15
F. PAULHAN, les Transformations sociales des sentiments, p. 98.

Le propre de l'individu, ce qui lui fait éprouver le plus vif sentiment de son être et de la particularité de cet être, c'est l'élément qui, en lui, est unique et incommunicable : la sensation (...) Le primat de l'individu se tourne en un primat de la sensation dans l'individu. J.-R. BLOCH, *in* Encycl. franç. DE MONZIE, 16, 12-11. 16

(...) les diverses facultés que je réunis forment un individu, et nous pouvons parler sans duperie de notre personnalité. 17
L'homme est constitué par la société et impossible même à imaginer hors du milieu qui lui a donné son âme, mais il est aussi un individu, qu'on ne saurait entièrement expliquer par des influences sociales.
J. CHARDONNE, l'Amour du prochain, p. 16.

Pour faire un individu, il faut une solitude. 18
J. CHARDONNE, l'Amour du prochain, p. 29.

Il est (...) certain que de supprimer les droits de l'individu rend un État beaucoup plus fort. Julien BENDA, la Trahison des clercs, Préface éd. 1946, p. 29. 19

(...) souhait contradictoire et déchirant d'un ordre social rigoureux qui conserve pourtant la dignité de l'individu (...) SARTRE, Situations I, p. 226. 20

(...) la révolte (...) bien qu'elle naisse dans ce que l'homme a de plus strictement individuel, met en cause la notion même d'individu. Si l'individu (...) accepte de mourir (...) dans le mouvement de sa révolte, il montre par là qu'il se sacrifie au bénéfice d'un bien dont il estime qu'il déborde sa propre destinée. 21
CAMUS, l'Homme révolté, p. 28.

Spécialt (opposé à *personne**) :

Je m'expliquerais d'une façon imparfaite si je disais qu'il n'y a pas pour les Bororo de mort naturelle : un homme n'est pas pour eux un individu mais une personne. Il fait partie d'un univers sociologique (...) 21.1
Claude LEVI-STRAUSS, Tristes tropiques, p. 201.

★ **III.** (1791, Robespierre, *in* T. L. F.). Cour. (Souvent péj.). Personne, être humain* quelconque, que l'on ne peut ou que l'on ne veut pas nommer. ⇒ **Homme.** — REM. On peut parler d'individus des deux sexes, mais on n'emploierait pas *individu*, au singulier, pour désigner une femme. — *Un individu s'est présenté* (→ Le premier venu*; je ne sais* qui...). *Qui est cet individu?* ⇒ **Bonhomme, bougre, citoyen, client, gaillard, gars, indien, mec, paroissien, particulier, personnage, personne, quidam, type, zigue.** *C'est un drôle d'individu* (⇒ **Pistolet**), *un individu bizarre.* ⇒ **Oiseau, phénomène.** — Péj. ⇒ **Coco, monsieur** (un joli...), **sieur, sire** (un triste...), **vaurien, voyou.** *Individu peu recommandable, méprisable* (→ Un pas grand*-chose). *Des individus suspects* (→ Espionner, cit. 2), *indésirables. Louche, sinistre individu* (→ Épave, cit. 9). *Sale, triste individu. Individu sans aveu, sans foi ni loi. Dangereux individu.* — REM. Même lorsqu'il n'est pas franchement péjoratif, *individu* marque généralement un certain mépris, une certaine ironie.

J'ai connu un individu dont la vue affaiblie retrouvait dans l'ivresse toute sa force perçante primitive. BAUDELAIRE, Du vin et du haschish, III. 22

Elle (...) se trouva mêlée à un rassemblement d'individus des deux sexes qui commentaient avec véhémence un événement de qualité. 23
P. MAC ORLAN, Quai des brumes, X.

Fam. et vieilli. *Son individu :* soi-même (→ Sa petite personne*). *« Avoir soin de son individu, conserver, soigner son individu »* (Académie).

Mon petit individu a besoin de si peu pour subsister que je n'y ai pas eu recours. 24
G. SAND, Lettres à Musset, IV, 29 avr. 1834.

(...) il y a en mon individu une toquade, une maladie de trouver quelque chose qui fasse de nous des gens célèbres (...) des gens dont on parle, entends-tu? 25
Ed. DE GONCOURT, les Frères Zemganno, L.

CONTR. Colonie; collectivité, collection, corps, foule, masse, peuple, population.
DÉR. Individuant, individuation, individué, individuel.

INDIVIDUALISABLE [ɛ̃dividɥalizabl] adj. — D. i. (mil. XXe); de *individualiser.*

♦ Didact. Qui peut être individualisé, différencié par ses caractères en tant qu'individu.

INDIVIDUALISANT, ANTE [ɛ̃dividɥalizɑ̃, ɑ̃t] adj. — 1864, Renouvier, *in* T. L. F.; de *individualiser.*

♦ Didact. Qui individualise. *Facteurs individualisants.* ⇒ **Individuant.** « *Un nombre important de jeunes y sont portés* (vers le livre) *par un retour en force à une réflexion personnelle et individua-*

liste, individualisante» (*Livres-hebdo*, vol. VI, nº 12, 19 mars 1984, p. 84).

INDIVIDUALISATION [ɛ̃dividɥalizasjɔ̃] n. f. — 1803; de *individualiser*.

♦ **1.** Philos. Action d'individualiser ou de s'individualiser (au sens 1); résultat de cette action; état, caractère d'un être individualisé. *L'individualisation d'une espèce animale la différencie nettement des autres.* ⇒ **Singularisation.**

♦ **2.** Didact. Action d'individualiser (au sens 2). *Le christianisme a apporté une individualisation du destin* (→ Fatalité, cit. 12).

(Le) christianisme, cette incomparable école d'individualisation, où chacun est plus précieux que tous. GIDE, Journal, 25 mai 1940.

Par un phénomène d'individualisation, l'autorité diffuse dans le groupe s'incarne dans des sujets individuels *(des chefs de clan, des rois...)*
G. DAVY, *in* CUVILLIER, Voc. de la philosophie, art. *Individualisation.*

Dr. pén. *Individualisation de la peine* : action de l'adapter aux délinquants en tenant compte de certains caractères personnels tels que l'âge, le sexe, la fonction, etc. *L'Individualisation de la peine*, ouvrage de R. Saleilles (1898).

Il y a, depuis le milieu du XIXᵉ siècle, une tendance générale à l'«individualisation de la peine» qui se manifeste à la fois sur le plan législatif, sur le plan judiciaire et sur celui de l'organisation pénitentiaire.
H. DONNEDIEU DE VABRES, Précis de droit criminel, nº 274.

CONTR. Généralisation. — Collectivisation.

INDIVIDUALISÉ, ÉE [ɛ̃dividɥalize] adj. — 1732; dér. sav. de *individuel*, et suff. *-isé* (→ -iser).

♦ Didact. ou littér. Qui est rendu ou devenu individuel. ⇒ **Individué.** — (En parlant d'êtres humains). *Un enseignement individualisé.* ⇒ **Personnalisé.**

DÉR. V. **Individualiser.**

INDIVIDUALISER [ɛ̃dividɥalize] v. tr. — 1765, Diderot; dér. sav. de *individuel*, et suff. *-iser*, p.-ê. d'après *individualisé.*

♦ **1.** Différencier par des caractères individuels. ⇒ **Caractériser, distinguer, individuer, particulariser.** *Les circonstances extérieures et l'ensemble de son histoire individualisent un être vivant. La fécondation donne naissance aux plus individualisés des vivants* (→ Génération, cit. 3).

Ainsi, quand la distance est telle qu'à cette distance les caractères qui individualisent les êtres ne se font plus distinguer, qu'on prendrait, par exemple, un loup pour un chien, ou un chien pour un loup (...)
DIDEROT, Essai sur la peinture, III, Pl., p. 1162.

Absolt. *Le savant généralise* (cit. 8), *l'artiste individualise.*

♦ **2.** Rendre individuel (en adaptant ou en attribuant à l'individu). *Individualiser les fortunes* (→ Émietter, cit. 3). *Individualiser les peines* (⇒ **Individualisation**).

▶ **S'INDIVIDUALISER** v. pron.
Devenir individuel; acquérir des caractères distinctifs ou les accentuer. *Style qui s'individualise* (→ Conformément, cit.). *Formes* (cit. 80) *qui s'individualisent.*

Ces cellules se séparent en laissant traîner derrière elles des filaments élastiques qui finissent par se rompre. C'est ainsi que s'individualisent deux éléments nouveaux de l'organisme. Alexis CARREL, l'Homme, cet inconnu, III, IV.

▶ **INDIVIDUALISÉ, ÉE** p. p. adj. ⇒ **Individualisé.**

CONTR. Généraliser. — Collectiviser.
DÉR. Individualisant, individualisation.

INDIVIDUALISME [ɛ̃dividɥalism] n. m. — 1825; dér. sav. de *individuel.*

★ **I.** Théorie ou tendance qui voit dans l'individu la suprême valeur dans le domaine politique, économique, moral. *L'individualisme de Max Stirner, de Nietzsche.*

♦ **1.** (En politique, en économie). Théorie ou tendance visant au développement des droits et des responsabilités de l'individu. *Pour l'individualisme, la société n'est pas une fin supérieure aux individus. L'individualisme en matière économique.* ⇒ **Libéralisme.** *Individualisme poussé jusqu'à la négation de l'État.* ⇒ **Anarchisme.** *Cette ville, construite en dehors de toute réglementation, est le triomphe de l'individualisme* (→ Étage, cit. 2).

Maintenant pour étayer la société, nous n'avons d'autre soutien que l'*égoïsme.* Les individus croient en eux (...) Le grand homme qui nous sauvera du naufrage vers lequel nous courons se servira sans doute de l'individualisme pour refaire la nation (...) BALZAC, le Médecin de campagne, Pl., t. VIII, p. 362.

(...) la Renaissance remet en lumière deux conceptions de l'Antiquité (...) celle de l'État indépendant et souverain (...) et celle de l'individu (...) dans toute période d'ébranlement profond, l'individualisme tend à croître sur les ruines des institutions traditionnelles (...) L'individu devient sujet du citoyen, et se libère d'anciennes entraves (...) René GONNARD, Hist. des doctrines économiques, p. 59-60.

(...) le socialisme *moderne*, né (...) du *libertinage*, c'est-à-dire d'un individualisme souvent chimérique et impulsif, est resté, dans son ensemble (...) plus proche de l'individualisme pur que la plupart des autres doctrines économiques (...) En somme, individualistes et socialistes sont d'accord, au XIXᵉ siècle, pour circonscrire l'essentiel du débat économique à l'examen des rôles respectifs de l'individu et de la collectivité, en faisant (...) abstraction des facteurs intermédiaires (...)
René GONNARD, Hist. des doctrines économiques, p. 439.

J'entends par individualisme toute doctrine qui définit l'individu comme limité en soi, qui ne pie par cela même la soumission à tout principe supérieur, et qui fait reposer l'accomplissement de sa destinée uniquement sur les forces qu'il enferme en lui. Ainsi entendu, c'est un système infiniment plus vaste que la pauvre petite indépendance de l'homme qui refuserait de faire le même geste que ses camarades de chaîne ou de se servir des instruments fabriqués en série. Pour tout dire, il pose l'homme comme une affirmation autonome en face de Dieu. 4
DANIEL-ROPS, le Monde sans âme, p. 55.

Cette liaison du conformisme social et de l'individualisme est peut-être ce qu'un Français aura, de France, la plus grande peine à comprendre. Pour nous *(Français)* l'individualisme a gardé la vieille forme classique de «la lutte de l'individu contre la société et singulièrement contre l'État». Il n'est pas question de cela en Amérique. SARTRE, Situations III, p. 84. 5

♦ **2.** (1834). Cour. Attitude d'esprit, état de fait favorisant l'initiative et la réflexion individuelle, le goût de l'indépendance. *« L'individualisme est caractéristique des sociétés évoluées »* (Cuvillier). *L'individualisme s'oppose au conformisme, au grégarisme, au traditionalisme, au socialisme, au communisme. Par individualisme, il refuse de suivre la mode. Individualisme propre à l'esprit latin* (→ Anonymat, cit.; compartiment, cit. 5). *Individualisme du paysan, de l'artisan.*

(...) il faut que le socialisme sache relier les deux pôles, le communisme ouvrier et l'individualisme paysan (...) JAURÈS, Hist. socialiste, t. II, p. 163. 6

On ne se sauve pas de la réalité en refusant de la connaître ou en lui donnant un nom injurieux. Pas plus qu'on ne fera reculer l'immense poussée de l'espèce, vers le collectif en cultivant la nostalgie d'un individualisme d'autrefois, dont les conditions ne se retrouveront jamais plus. 7
A. MAUROIS, Études littéraires, t. II, p. 129.

L'individualisme naturel, si précieux du point de vue humain, de l'artisan ou du paysan propriétaire apparaît de plus en plus anachronique. 8
André SIEGFRIED, l'Âme des peuples, p. 24.

Péj. *L'individualisme, assimilé à l'égoïsme, L'individualisme infécond* (→ Énergie, cit. 14) *tarit la source des vertus publiques* (→ Dessécher, cit. 5).

Une famille vivant unie de corps et d'esprit est une rare exception. La loi moderne, en multipliant la famille par la famille, a créé le plus horrible de tous les maux : l'individualisme. BALZAC, Une fille d'Ève, Pl., t. II, p. 69. 9

REM. Selon Lalande, *Individualisme* est un «mauvais terme, très équivoque» et son emploi «donne lieu à des sophismes continuels».

★ **II.** Philosophie. ♦ **1.** Hist. de la philos. Doctrine affirmant la réalité propre des individus au détriment des genres et des espèces. *L'individualisme de Duns Scot.*

♦ **2.** Sociol. Théorie qui cherche à expliquer les phénomènes historiques et sociaux par l'action consciente et intéressée des individus. *L'individualisme de Tarde est fondé sur l'imitation.*

L'individualisme peut être entendu en premier lieu comme une méthode pour l'interprétation des phénomènes sociaux. Je puis, en matière de sociologie, prendre comme données initiales les individus (...) deviner comment ils réagissent les uns sur les autres et reconstruire ainsi (...) l'ensemble des phénomènes sociaux. Voilà bien de l'individualisme (...) 10
Élie HALÉVY, *in* Revue de métaphysique, 1904, p. 1108.

CONTR. Association, collectivisme, communisme, étatisme, totalitarisme; altruisme, solidarité.
DÉR. Individualiste.

INDIVIDUALISTE [ɛ̃dividɥalist] adj. et n. — 1836, adj.; 1825, n.; de *individualisme.*

♦ **1.** Qui donne la primauté à l'individu, qui soutient l'individualisme. *Philosophie, théorie individualiste.*

(...) la doctrine dite individualiste (...) a eu dans le monde une longue et glorieuse histoire. L'idée individualiste était l'inspiratrice par excellence de la doctrine stoïcienne (...) Elle s'amoindrit, disparaît presque au moyen âge; mais elle reparaît (...) avec la Réforme, qui est un mouvement essentiellement individualiste, une réaction contre le solidarisme et l'absolutisme du catholicisme romain. La doctrine individualiste (...) reçoit un nouveau lustre (...) de Locke et des philosophes du XVIIIᵉ siècle, tout particulièrement de Jean-Jacques Rousseau (...) Enfin *(elle)* trouve son expression définitive dans les Déclarations des droits de l'époque révolutionnaire (...) 1
On voit que dans cette conception, l'homme a des droits parce qu'il est homme, que ces droits sont antérieurs à la société (...) et que c'est parce que les individus ont des droits qu'il y a une règle sociale dont l'objet et le but consistent dans la protection de ces droits.
L. DUGUIT, Traité de Droit constitutionnel, t. I, p. 202-203.

N. (1825, *in* T. L. F.). Partisan de l'individualisme.

♦ **2.** (1840). Cour. (Personnes). Qui montre de l'individualisme dans sa vie, dans sa conduite. *Les jeunes sont souvent plus individualistes que les personnes d'âge mûr. Il est très individualiste et même un peu original* (⇒ **Non-conformiste**). — N. *Un, une individualiste* (→ Existence, cit. 23). *Un individualiste indiscipliné* (cit. 2).

Le libre jugement, on peut encore le demander aujourd'hui, mais c'est à l'individualiste opiniâtre. G. DUHAMEL, Manuel du protestataire, Préface, p. 10. 2

(Comportements). *Une attitude individualiste.*

(...) notre tradition qui est paysanne, artisanale, l'irrémédiablement individualiste. 3
André SIEGFRIED, l'Âme des peuples, III, I.

4 L'usage forcené du paradoxe risque d'impliquer (ou tout simplement : implique) une position individualiste, et si l'on peut dire, une sorte de dandysme.
R. BARTHES, Roland Barthes, p. 110.

CONTR. Collectiviste, communiste, étatiste, solidaire.

INDIVIDUALITÉ [ɛ̃dividɥalite] n. f. — 1760; dér. sav. de *individuel.*

♦ **1.** Didact. (philos., sc.). **a** *(Une, des individualités).* Ce qui existe à l'état d'individu*. *L'être vivant est une individualité.*

1 Le physiologiste et le médecin ne doivent donc jamais oublier que l'être vivant forme un organisme et une individualité.
Cl. BERNARD, Introd. à l'étude de la médecine expérimentale, II, II.

2 C'est donc par l'étude des particularités physico-chimiques que le médecin comprendra les individualités comme des cas spéciaux contenus dans la loi générale et retrouvera là, comme partout, une généralisation harmonique de la variété dans l'unité. Cl. BERNARD, Introd. à l'étude de la médecine expérimentale, II, II.

3 La voilà donc défaite, cette individualité double qu'on appelait familièrement les Goncourt sans jamais distinguer un frère de l'autre.
Th. GAUTIER, Portraits contemporains, Jules de Goncourt.

b *(L'individualité de...).* Caractère d'un individu qui « diffère d'un autre non pas seulement d'une façon numérique, mais dans ses caractères et sa constitution » (Lalande). Fait d'être un individu. *Le corps*, base de l'individualité des êtres vivants. L'individualité d'un être pensant.* ⇒ **Moi, personnalité** (cit. 2). *« Tout être pensant connaît son individualité »* (Académie).

4 Sans nul doute, notre individualité est réelle. Mais elle est moins définie que nous le croyons. Notre complète indépendance des autres individus et du monde cosmique est une illusion. Alexis CARREL, l'Homme, cet inconnu, VII, IX.

♦ **2.** Cour. Caractère ou ensemble de caractères par lesquels une personne ou une chose diffère des autres. ⇒ **Originalité, particularité.** *L'individualité d'un artiste. Un style d'une forte individualité.*

5 (...) ils rompent *(ces originaux)* cette fastidieuse uniformité que notre éducation, nos conventions de société, nos bienséances d'usage ont introduite. S'il en paraît un dans une compagnie, c'est un grain de levain qui fermente et qui restitue à chacun une portion de son individualité naturelle.
DIDEROT, le Neveu de Rameau, Pl., p. 426.

6 (...) un certain comte de Claix dont le rôle ou l'*individualité,* comme ils *(les Français)* disent, est de briller par ses chevaux de voiture.
STENDHAL, le Rose et le Vert, I.

7 L'individualité de cet artiste *(Goya)* est si forte et si tranchée qu'il nous est difficile d'un donner une idée même approximative.
Th. GAUTIER, Voyage en Espagne, p. 83.

♦ **3.** (1830). Individu*, considéré dans ce qui le différencie des autres. — REM. Cet emploi, illustré par Fourier (cf. Matoré, *le Voc. et la société sous Louis-Philippe,* p. 41) et critiqué par Hugo, est signalé comme un « néologisme » par Littré. Il ne figure pas dans le dictionnaire de l'Académie de 1935.

8 Il *(l'auteur)* ne croit pas que son *individualité,* comme on dit aujourd'hui en assez mauvais style, vaille la peine d'être autrement étudiée.
HUGO, Chants du crépuscule, Préface.

Vieilli (la langue contemporaine emploie plutôt *personnalité**). Personne douée d'un caractère très marqué, d'une forte personnalité. *Une puissance, une forte individualité* (→ Assujettir, cit. 2; contempleur, cit. 2; flexible, cit. 7).

9 Où trouver de l'énergie à Paris? (...) Femmes, idées, sentiments, tout se ressemble. Il n'y existe plus de passions, parce que les individualités ont disparu. Les rangs, les esprits, les fortunes ont été nivelés.
BALZAC, la Femme de trente ans, Pl., t. II, p. 756.

10 À regarder cette masse imposante de douze cents hommes animés de grande passion, une chose put frapper l'observateur attentif. Ils offraient très peu d'individualités fortes, beaucoup d'hommes honorables sans doute et d'un talent estimé, aucun de ceux qui, par l'autorité réunie du génie et du caractère, ont le droit d'entraîner la foule, nul grand inventeur, nul héros.
MICHELET, Hist. de la Révolution franç., I, II.

11 Un peuple composé de véritables individualités n'est pas très religieux, ni très passionné, ni doué pour les organisations collectives. On le constate en France.
J. CHARDONNE, l'Amour du prochain, p. 139.

INDIVIDUANT, ANTE [ɛ̃dividɥɑ̃, ɑ̃t] adj. — 1920, Goblot, *in* T. L. F.; p. prés. de *individuer.*

♦ Didact. Qui cause l'individuation de qqch. ou y participe. ⇒ **Individualisant.**

Il n'est pas interdit de faire appel à une hypothèse faisant intervenir un schème génétique plus primitif que les aspects opposés de l'adaptation et de l'élan vital, et les renfermant tous deux comme cas-limite abstraits : celui des étapes successives de structuration individuante, allant d'état métastable en état métastable au moyen d'inventions successives de structures.
Gilbert SIMONDON, Du mode d'existence des objets techniques, p. 156.

INDIVIDUATION [ɛ̃dividɥasjɔ̃] n. f. — 1551; lat. médiéval *individuatio* « fait de devenir un individu, d'être doté d'une existence singulière », du supin de *individuare.* → Individuer.

Didactique.

♦ **1.** Ce qui différencie un individu d'un autre de la même espèce*, le fait exister en tant qu'individu avec des caractères particuliers en plus de ceux de son espèce. — Spécialt. *Principe d'individuation,* chez Leibniz.

En face de l'uniformité de l'ordonnance universelle, les dieux apparaissent comme des principes d'individuation. Ils ont une personnalité. Ils fixent un type. Les jeunes gens se reconnaissent dans un dieu jeune du type Apollon, les vierges dans une Artémis, les épouses dans une Héra. 1
Roger CAILLOIS, l'Homme et le Sacré, p. 168.

Ces directions prises *(par la totalité de la réalité humaine)*... sont d'autant de tensions vers l'individuation, autrui, la collectivité abstraite ou non, l'action. 2
J. DUVIGNAUD, l'Impossible Rencontre, *in* la Nef, nº 31, p. 136.

♦ **2.** Biol. Principe par lequel s'individualisent les diverses structures organiques au cours de l'évolution embryologique. ⇒ **Différenciation.**

INDIVIDUÉ, ÉE [ɛ̃dividɥe] adj. — 1907, Bergson, *in* T. L. F.; p. p. de *individuer.*

♦ Didact. Qui est, a été l'objet d'une individuation; rendu individuel. ⇒ **Individualisé.**

Mais on a soif de causes individuées, de coupables bien visibles, et cette sensibilité. 1
VALÉRY, Cahiers, Pl., t. II, p. 1502.

À peu de distance des murs de droite et de gauche tombent avec plus de bruit des gouttes plus lourdes, individuées. Ici elles semblent de la grosseur d'un grain de blé, là d'un pois, ailleurs presque d'une bille. 2
Francis PONGE, le Parti pris des choses, p. 31.

HOM. Individuer.

INDIVIDUEL, ELLE [ɛ̃dividɥɛl] adj. et n. — Av. 1475, Chastellain, *in* T.L.F.; « indivisible », 1372.

♦ **1.** Qui concerne l'individu; qui constitue un individu. *Éléments individuels d'une espèce. Caractères individuels.* ⇒ **Distinct, propre, singulier** (et aussi **caractéristique**). Log. *Être, fait individuel.* ⇒ **Concret.**

Chaque fait individuel était compliqué; la loi des grands nombres rétablit la simplicité dans la moyenne. 1
POINCARÉ, *in* CUVILLIER, Voc. de la philosophie, art. *Individuel.*

*Hérédité** (cit. 12) *individuelle. Influence individuelle du reproducteur* (cit. 0.1).

Il y a (...) un âge auquel l'homme individuel voudrait s'arrêter; tu chercheras l'âge auquel tu désirais que ton espèce se fût arrêtée. 2
ROUSSEAU, De l'inégalité parmi les hommes, Discours.

Qualités, défauts individuels. ⇒ **Personnel, propre.** *Péchés individuels* (→ Bouc, cit. 4). *Générosité* (cit. 9), *sensibilité individuelle* (→ Antinomie, cit. 2). *Volonté individuelle.* ⇒ **Autonome; autonomie.** *Opinion, impression individuelle.* ⇒ **Subjectif.**

(Opposé à *collectif, social*). ⇒ **Particulier, personnel.** *L'homme* (cit. 46) *individuel et social; l'être individuel.* ⇒ **Autonome** (cit. 3). *Vie individuelle* (→ Créateur, cit. 10; famille, cit. 35; hisser, cit. 12). *Différences sociales et individuelles* (→ Fondre, cit. 31). *Autonomie* (cit. 3), *indépendance, liberté individuelle* (→ Anarchie, cit. 4; arbitraire, cit. 9; attenter, cit. 7). *Liberté publique et individuelle* (→ Garantie, cit. 8). *Avantages publics et individuels* (→ Fraternité, cit. 4). *Propriété individuelle.* ⇒ **Privé** (→ Appropriation, cit. 2; exploitation, cit. 7). *Profit individuel et service social* (→ Coopération, cit. 3). *Initiatives, actions individuelles* (→ Égalitarisme, cit. 1; encontre, cit. 3). *Travail individuel* (→ Apte, cit. 4). *Ambitions individuelles* (→ Fiscalité, cit. 2). *Égoïsme individuel et égoïsme familial* (→ Hideux, cit. 9). — *Art individuel et art collectif, hiératique, sacré.*

La loi ne peut par sa nature avoir un objet particulier et individuel; mais l'application de la loi tombe sur des objets particuliers et individuels. 3
ROUSSEAU, Lettre de la Montagne, 6.

La volonté individuelle de qui que ce soit n'a pas plus d'influence sur l'existence ou la destruction de la civilisation qu'elle n'en a sur la pousse des arbres ou la composition de l'atmosphère. FLAUBERT, Correspondance, 354, 9 déc. 1852. 4

La religion est devenue chose individuelle; elle regarde la conscience de chacun. 5
RENAN, Discours et conférences, Œuvres, t. I, p. 902.

Toutes les grandes choses de la pensée, du travail, sont faites par l'effort individuel, aussi bien que toutes les grandes choses de la volonté. 5.1
Ed. et J. DE GONCOURT, Journal, 10 mars 1866.

La seule excuse qu'un homme ait d'écrire, c'est de s'écrire lui-même; de dévoiler aux autres la sorte de monde qui se mire en son miroir individuel; sa seule excuse est d'être original; il doit dire des choses non encore dites et les dire en une forme non encore formulée. R. DE GOURMONT, le Livre des masques, p. 13. 6

Personne ne sent les choses comme nous; c'est par le coeur, le goût, l'essentiel de soi, que l'homme est seul. Personne même ne souffre comme nous; cela aussi est individuel. J. CHARDONNE, l'Amour du prochain, p. 135. 7

Le sentiment, qui est la faculté la plus individuelle, peut-être la plus libre (...) reflète encore la pensée et les moeurs d'un milieu social déterminé (...) 8
J. CHARDONNE, l'Amour du prochain, p. 151.

Il n'y avait plus alors de destins individuels, mais une histoire collective (...) 9
CAMUS, la Peste, p. 185.

♦ **2.** (1764, Rousseau, *in* T.L.F.) Qui concerne une seule personne, une seule personne à la fois. *Intervention, réclamation individuelle.* ⇒ **Isolé, seul.** *Livret* individuel. Contrôle individuel. Sélection individuelle des immigrants* (→ Immigration, cit. 2). *Cas individuel.* ⇒ **Singulier, spécial.** — *Chambre individuelle* (→ ci-dessous, 3., a). *Équipement individuel.*

♦ **3.** N. **a** N. m. *L'individuel* : ce qui est individuel. *L'individuel et le collectif.*

0 Transportez le raisonnement de l'individuel au collectif, de l'homme au peuple (...)
CHATEAUBRIAND, le Génie du christianisme, I, I, VII.

b (1934). *(Un, des individuels).* Sportif n'appartenant à aucune équipe, aucun club. *Cycliste qui court en individuel.*

c *Un individuel, une individuelle* : compartiment de wagon-lit, chambre d'hôtel pour une personne seule. — Recomm. off. pour l'anglic. *single**.

CONTR. **Collectif, commun, général, générique. — Public, social.**
DÉR. **Individualiser, individualisme, individualiste, individuellement.**
COMP. **Désindividualiser.**

INDIVIDUELLEMENT [ɛ̃dividɥɛlmɑ̃] adv. — 1551 ; de *individuel.*

♦ D'une manière individuelle. *Deux objets appartenant à une même espèce sont individuellement différents et spécifiquement semblables. Considérer individuellement des plantes, des animaux, des hommes* (cit. 86). *Hommes, êtres individuellement divers.* — Cour. Chacun en particulier. *Chacun pris individuellement,* à part.

(...) l'amitié, résulte d'un faible degré d'opposition entre des êtres individuellement divers. E. DE SENANCOUR, De l'amour, p. 10.

C'était hardi, qu'un tel souper ; mais les femmes, lâches individuellement, en troupe sont audacieuses.
BARBEY D'AUREVILLY, les Diaboliques, Le plus bel amour de Don Juan.

1 (...) quand nous étudions certaines périodes de l'histoire ancienne, nous sommes étonnés de voir des êtres individuellement bons participer sans scrupule à des assassinats en masse, à des sacrifices humains, qui leur semblaient probablement des choses naturelles. PROUST, le Temps retrouvé, Pl., t. III, p. 837.

La fusillade reprit, mais à la fois plus irrégulière et plus terrible. Des centaines d'hommes devaient tirailler individuellement ou par petits pelotons.
J. ROMAINS, les Copains, p. 188.

CONTR. **Bloc (en), collectivement, ensemble.**

INDIVIDUER [ɛ̃dividɥe] v. — Fin XVe ; lat. médiéval *individuare* « individualiser, donner son individualité à », de *individuum.* → Individu.

♦ Didact. Donner le caractère ou le statut d'individu à (qqn, qqch.) ; individualiser. *Le fait d'individuer.* ⇒ **Individuation.** — Pron. *S'individuer* : acquérir sa singularité (relativement à d'autres individus semblables).

▶ **INDIVIDUÉ, ÉE** p. p. adj. ⇒ **Individué.**

DÉR. **Individuant, individué.**
HOM. **Individué.**

INDIVIS, ISE [ɛ̃divi, iz] adj. — 1332, *pour indivis* « sans division, sans partage en commun » ; lat. jurid. *indivisus* « indivis » (*pro indiviso* « en commun »), par spécialisation de *indivisus* « non partagé », de *in-* (→ 1. In-), et *divisus,* p. p. de *dividere.* → Diviser.

♦ **1.** (1562). Se dit d'un bien sur lequel plusieurs personnes ont un droit, et qui n'est pas matériellement divisé entre eux. ⇒ **Indivision.** *Biens indivis, propriétés indivises* (→ Hanter, cit. 19). ⇒ **Commun.** *Succession indivise,* dont le partage n'est pas fait entre les héritiers. *Quote-part indivise* : fraction correspondant à la part de chacun des indivisaires sur la chose commune.

(...) il faudrait signer cet acte par lequel vous renonceriez à la succession de madame votre mère, et laisseriez à votre père l'usufruit de tous les biens indivis entre vous (...) BALZAC, Eugénie Grandet, Pl., t. III, p. 623.

Pour couper au plus court, il lui fallait traverser la pièce des Cornailles restée jusque-là indivise entre elle et sa sœur, cette pièce dont il avait toujours retardé le partage (...) ZOLA, la Terre, III, IV.

(1526, *indevis*). Ellipt. *Cohéritiers, propriétaires indivis,* qui possèdent par indivis. ⇒ **Indivisaire.**
Par métaphore :

(...) la royauté n'est point une propriété privée, c'est un bien commun, indivis.
CHATEAUBRIAND, Mémoires d'outre-tombe, t. VI, p. 87.

♦ **2.** Loc. adv. (1347, → étym.). Dr. **PAR INDIVIS** : sans division, sans partage en commun. ⇒ **Indivisément.** — *Propriétaires qui possèdent un bien par indivis.* — Figuré :

(...) on vous aime tous deux (vous et votre fille) *par indivis* : est-ce le mot ?
Mme DE SÉVIGNÉ, 880, 26 mai 1681.

CONTR. **Divis, divisé, partagé.**
DÉR. **Indivisaire, indivisement, indivision.**

INDIVISAIRE [ɛ̃divizɛʀ] n. — 1936 ; de *indivis.*

♦ Dr. Possesseur par indivis*.

INDIVISÉ, ÉE [ɛ̃divize] adj. — 1437, en droit ; à propos de la Trinité, 1255 ; de 1. *in-,* et *divisé.*

♦ Didact. ou dr. Qui n'est pas divisé ; qui ne peut être considéré dans ses parties. *Un ensemble, un tout indivisé. Un acte* (Thibaudet), *un effet* (Bergson) *indivisé* (*in* T.L.F.).

INDIVISÉMENT [ɛ̃divizemɑ̃] adv. — 1551 ; de *indivis.*

♦ Dr. Par indivis*. *Posséder des biens indivisément.* — Littéraire :

(...) pour la nature des Êtres, tares, tics, couleur de la peau, tendances, dons psychiques sont emballés et convoyés ensemble et indivisément sans doute.
VALÉRY, Cahiers, t. II, Pl., p. 764.

INDIVISIBILITÉ [ɛ̃divizibilite] n. f. — 1516, « indissolubilité » ; *indivisibleté,* v. 1380 ; dér. sav. de *indivisible,* p.-ê. d'après le lat. ecclés. *indivisibilitas* « indivisibilité (1.) ».
Didactique.

♦ **1.** (1691, Bossuet, *in* Brunot). Caractère de ce qui est indivisible. *L'indivisibilité des atomes* selon Épicure. L'indivisibilité de l'individu*. Proclamation de l'indivisibilité de la République française pendant la Révolution.* ⇒ **Unité.**

On n'a rien dit de plus fort sur l'unité de la patrie, sur l'indivisibilité de la République, que ce qu'ont dit mille fois les orateurs de la Gironde. Ils ont mieux fait, du reste, que de professer l'unité, ils sont morts pour elle. 1
MICHELET, Hist. de la Révolution franç., X, I.

Abstrait. *L'indivisibilité d'un concept, d'un système.*

♦ **2.** (1804). Dr. État de ce qui ne peut pas être divisé soit matériellement, soit intellectuellement sous un rapport envisagé (Capitant). *Indivisibilité d'une obligation. Créancier qui stipule l'indivisibilité et la solidarité* des obligations de ses débiteurs.*

La solidarité stipulée ne donne point à l'obligation le caractère d'indivisibilité. 2
Code civil, art. 1219.

Cette indivisibilité *(d'une obligation)* peut être *absolue,* si elle résulte nécessairement de la nature même des choses, comme celle de livrer un corps certain, ou d'établir une servitude prédiale. Mais elle peut être aussi *conventionnelle,* si elle s'applique à une chose ou à un fait divisible par sa nature, mais considéré sous un rapport tel qu'il n'est pas susceptible d'exécution partielle. Cette seconde espèce d'indivisibilité se rencontre, par exemple, dans l'obligation de construire une maison conformément à un certain devis. 3
DALLOZ, Nouveau répertoire, art. *Obligation,* 202-203.

CONTR. **Divisibilité.**

INDIVISIBLE [ɛ̃divizibl] adj. — 1314 ; bas lat. *indivisibilis* « qui n'est pas divisible », de *in-* (→ 1. In-), et *divisibilis.* → Divisible.

♦ **1.** Didact. Qui n'est pas divisible. *Les atomes* (cit. 1 et 3) *considérés comme indivisibles par Épicure, comme divisibles par Descartes. L'espace n'est pas indivisible* (→ Étendue, cit. 2, Pascal). *Point indivisible* (→ Autre, cit. 23, Pascal). *Dieu un* et indivisible* (→ Baptême, cit. 2, Bossuet). *L'homme* (cit. 44) *est un composé, un tout indivisible* (→ Fond, cit. 47), *une partie indivisible du tout* (→ Commun, cit. 6). — *Chose indivisible d'une autre.*

L'homme n'est pas séparable en parties. Si on isolait ses organes les uns des autres, il cesserait d'exister. Quoique indivisible, il présente des aspects divers. Ses aspects sont la manifestation hétérogène de son unité à nos organes des sens. 1
Alexis CARREL, l'Homme, cet inconnu, II, IV.

Par ext. *Famille indivisible.*

La famille, indivisible et nombreuse, était trop forte et trop indépendante pour que le pouvoir social n'éprouvât pas la tentation et même le besoin de l'affaiblir. 2
FUSTEL DE COULANGES, la Cité antique, IV, V.

♦ **2.** Plus cour. *Souveraineté inaliénable* (cit. 1, Rousseau) *et indivisible.* — Loc. *La République* (française) *une et indivisible,* proclamation de l'unité* de la République française sous la Révolution, qui s'opposait aux tendances fédéralistes.

C'est l'un d'eux, Rabaut, Saint-Etienne, qui, le 9 août 91, avait fait proclamer *l'unité indivisible* de la France. 3
Déjà Condorcet, en 90, dans le très bel opuscule digne de ce grand esprit, avait très bien établi que Paris était le puissant moyen, l'instrument de cette unité.
MICHELET, Hist. de la Révolution franç., X, I.

La République une et indivisible, voilà ce qui est sorti de la déclaration des Droits de l'Homme et du Citoyen. C'est de cette République-là que nous sommes républicains. Ch. PÉGUY, la République..., p. 319. 4

♦ **3.** Dr. Qui n'est pas divisible, en parlant d'une obligation. ⇒ **Indivisibilité.** *L'hypothèque* (cit. 1) *est indivisible.*

L'obligation est divisible ou indivisible selon qu'elle a pour objet ou une chose qui dans sa livraison, ou un fait qui dans l'exécution, est ou n'est pas susceptible de division, soit matérielle, soit intellectuelle. Code civil, art. 1217. 5

CONTR. **Divisible.**
DÉR. **Indivisiblement, indivisibilité.**

INDIVISIBLEMENT [ɛ̃divizibləmɑ̃] adv. — 1470 ; de *indivisible.*

♦ Didact. ou littér. De manière indivisible.

INDIVISION [ɛ̃divizjɔ̃] n. f. — 1765 ; « absence de division », XVe (de *division*) ; de *indivis,* d'après *division.*

♦ Dr. État d'une chose indivise* ; situation juridique des personnes titulaires d'un droit indivis. ⇒ **Communauté, copropriété.** *Indivision d'un héritage. Maintenir l'indivision, mettre fin à l'indivision par le partage*.* ⇒ **Part** (afférente), **portion** (virile). — *Dans l'indivision. Retrait* d'indivision. L'indivision peut être maintenue pour sauvegarder les droits de l'usufruitier.*

Nul ne peut être contraint à demeurer dans l'indivision, et le partage peut être toujours provoqué, nonobstant prohibitions et conventions contraires.
Code civil, art. 815.

Indivision forcée : indivision à caractère perpétuel portant sur des biens dont la nature ou la destination exclut le partage (par ex. : mitoyenneté).

CONTR. Division, partage.

IN-DIX-HUIT [indizɥit]; vieilli [ɛ̃dizɥit] adj. et n. m. invar. — 1723, n. m.; du lat. *in* «dans, en», et *dix-huit.*

♦ Adj. (1765). Didact. Se dit du format d'un livre dont chaque feuille est pliée en dix-huit feuillets (trente-six pages). *Format, page in-dix-huit* (in-18). *Des volumes in-dix-huit.* — N. m. Livre in-dix-huit. *Des in-dix-huit.*

REM. On a proposé la normalisation graphique : *un indixhuit; des indixhuits.*

1. INDO- Élément, du lat. *Indus* (grec *Indos*) «de l'Inde» et «Indus», qui signifie dans des mots composés «Inde», «indien» ou «Indus». Voir à l'ordre alphabétique.

D'autres composés moins fréquents, ou moins lexicalisés, se rencontrent. — Ex. : *indo-britannique* [ɛ̃dobʀitanik] adj.; *indo-anglais, aise* [ɛ̃doɑ̃glɛ, ɛz] adj. (→ Anglo-indien); *indo-himalayen, enne* [ɛ̃doimalajɛ̃, ɛn] adj. (*Sciences et Avenir,* janv. 1981, p. 72); *indomane* [ɛ̃dɔman] adj. et n., *indomanie* [ɛ̃dɔmani] n. f. (1827, *in* D. D. L.); *indoscythe* [ɛ̃dosit] n. m. (nom de peuple, 1771, Trévoux) et *indo-scythique* [ɛ̃dositik] adj. (1829, *in* D. D. L.).

Comme Calcutta, Bombay, née au XIXe siècle, c'est nullement une ville indienne modernisée : c'est une ville aussi indo-anglaise qu'Agra, Lahore ou Aurangabad sont des villes indo-musulmanes.
MALRAUX, Antimémoires, p. 290.

2. INDO- ⇒ **Ind-.**

INDO-AFGHAN, ANE [ɛ̃doafgɑ̃, an] adj. et n. — Mil. XXe; de 1. *indo-,* et *afghan.*

♦ Didact. Se dit des populations établies dans une partie de l'Iran, l'Afghanistan et le nord de l'Inde, et qui ont des traits ethniques communs. — N. Personne appartenant à ce groupe ethnique.

INDO-ARYEN, ENNE [ɛ̃doaʀjɛ̃, ɛn] adj. — 1934; de 1. *indo-,* et *aryen.*

♦ Didact. (ling.). Se dit des langues européennes (⇒ **Indo-européen**) parlées dans le sous-continent indien (ourdou, mahratte, bengali, pendjabi...). → Indo-européen, cit. 2. *Langues indo-aryennes et langues dravidiennes de l'Inde.*

INDOCHINOIS, OISE [ɛ̃doʃinwa, waz] adj. et n. — 1840; de 1. *indo-,* et *chinois.*

♦ Cour. Anciennt. De l'Indochine. ⇒ **Vietnamien.** *Les populations indochinoises.*

N. *Un Indochinois, une Indochinoise :* habitant, habitante ou personne originaire de l'ancienne Indochine.

INDOCILE [ɛ̃dɔsil] adj. — 1490, Octavien de Saint Gelais (daté de 1509, *in* T. L. F.); *indocible,* attesté isolément, v. 1380 (lat. *indocibilis*); lat. *indocilis* «qu'on ne peut instruire; inculte, ignorant; rebelle à», de *in-* (→ 1. In-), et *docilis* «qui apprend facilement». → Docile.

Vieilli ou littéraire, style soutenu.

♦ **1.** (Personnes). Qui n'est pas docile, qui est difficile à faire obéir. *Un enfant, un écolier indocile.* ⇒ **Désobéissant, indisciplinable** (vx), **rebelle** (vieilli), **récalcitrant.** *Il est indocile par entêtement* (⇒ **Entêté, têtu**), *par dissipation* (⇒ **Dissipé**), *par mauvaise volonté. Elle est devenue moins indocile.* — Par ext. *Un esprit indocile, un caractère indocile.* — *La jeunesse est indocile.* — Vx. *Une « troupe indocile d'écoliers libertins »* (→ Assidu, cit. 2).

1 Ô cervelle indocile! MOLIÈRE, les Femmes savantes, II, 6.

2 L'homme indocile critique le discours du prédicateur, comme le livre du philosophe, et il ne devient ni chrétien ni raisonnable.
LA BRUYÈRE, les Caractères, XV, 2.

Vx. Qui ne se plie pas (à). *Être indocile aux leçons, aux conseils de ses maîtres.*

♦ **2.** (Qualités, caractères humains). *Une pensée fugitive* (cit. 4) *et indocile,* qui échappe et ne se soumet pas à une règle. *Convoitise indocile* (→ Assujettir, cit. 8).

3 Et d'un âge fougueux l'imprudence indocile (...)
VOLTAIRE, Discours, 5, *in* LITTRÉ.

♦ **3.** (Animaux). Qu'on ne peut faire obéir. ⇒ **Indompable** (vx), **rétif.**

(L'âne) devient lent, indocile et têtu (...)
BUFFON, Hist. nat. des animaux, L'âne.

CONTR. Docile, obéissant, soumis, souple.
DÉR. Indocilement.

INDOCILEMENT [ɛ̃dɔsilmɑ̃] adv. — 1867; de *indocile.*

♦ Rare. D'une manière indocile*. *Se comporter indocilement.*

CONTR. Docilement.

INDOCILITÉ [ɛ̃dɔsilite] n. f. — 1615; lat. *indocilitas* «incapacité d'être instruit» (var. : *indocibilitas*), de *indocilis.* → Indocile.

♦ Vieilli ou littér. Caractère d'une personne indocile. ⇒ **Désobéissance, entêtement, indépendance.** *L'indocilité d'un enfant, d'un élève. L'indocilité d'un cheval. Esprit d'indocilité* (→ Indépendance, cit. 13).

CONTR. Docilité, obéissance, soumission.

INDO-EUROPÉANISTE [ɛ̃doœʀɔpeanist] n. — Fin XIXe; de *indo-européen.*

♦ Didact. Spécialiste des langues indo-européennes dans leur ensemble et de leur comparaison. — Appos. ou adj. *Un comparatiste indo-européaniste.*

Les romanistes se trouvaient dans des conditions privilégiées, inconnues des indo-européanistes; on connaissait le latin, prototype des langues romanes (...)
F. DE SAUSSURE, Cours de linguistique, Introd., p. 18.

INDO-EUROPÉEN, ENNE [ɛ̃doœʀɔpeɛ̃, ɛn] adj. et n. — 1836, J. J. Ampère, *in* D. D. L.; de 1. *indo-,* et *européen,* probablt d'après l'angl. *indo-european,* 1813.

Didactique.

♦ **1.** Ling. Se dit des langues d'Europe et d'Asie qui ont une origine commune. *Les langues indo-européennes comprennent les groupes suivants : hittite; indo-iranien; indo-aryen* (langues indo-européennes de l'Inde); *iranien; tokharien* (éteint); *arménien, thraco-phrygien; hellénique; illyrien; albanais; italo-celtique; germanique; baltique; slave. Le français, comme toutes les langues romanes, est une langue indo-européenne. Plusieurs langues parlées en Europe ne sont pas indo-européennes* (ex. : finnois, hongrois, basque). — N. m. *L'indo-européen.*

Malgré la variété et l'inégalité de leur évolution, les langues indo-européennes pré- 1
sentent dans leur développement certaines tendances communes aboutissant à des transformations analogues, et qui permettent de caractériser deux types de langues : type ancien : hittite, sanskrit, iranien ancien, grec ancien, latin; type moderne, postérieurement à l'ère chrétienne : langues romanes, germaniques, celtiques, iraniennes, arméniennes.
VENDRYES, *in* MEILLET et COHEN, Langues du monde, p. 7.

Les langues appelées indo-aryennes (devenues de nos jours l'hindi, le bengali, le 2
marathe, etc.), rattachées au sanskrit, appartiennent à la famille indo-européenne.
Pierre MEILE, Histoire de l'Inde, p. 11.

♦ **2.** Par métonymie. Se dit des peuples qui parlent ces langues. *Groupe indo-européen* (⇒ **Aryen**). — N. *Les Indo-Européens.*

DÉR. Indo-européaniste.

INDO-GANGÉTIQUE [ɛ̃dogɑ̃ʒetik] adj. — XXe; de 1. *indo-,* et *gangétique.*

♦ Géogr. Relatif à la fois à l'Indus et au Gange. *Plaine indo-gangétique.*

INDO-GERMANIQUE [ɛ̃doʒɛʀmanik] adj. et n. m. — 1810; de 1. *indo-,* et *germanique,* p.-ê. d'après l'all. *indogermanisch* (attesté seult 1823).

♦ Ling. (vx; mot créé par les philologues allemands). Indo-européen. *Langues indo-germaniques.* — N. m. *L'indo-germanique.* — REM. On a employé l'adj. *indo-germain, aine* (1827, *in* D. D. L.).

INDO-HELLÉNIQUE [ɛ̃doelenik; ɛ̃doɛllenik] adj. — 1846; de 1. *indo-,* et *hellénique.*

Didactique.

♦ **1.** Ling. *Langues indo-helléniques :* groupe de langues comprenant le sanscrit et le grec.

♦ **2.** *Art indo-hellénique.* ⇒ **Gréco-bouddhique.**

INDO-IRANIEN, IENNE [ɛ̃doiʀanjɛ̃, jɛn] adj. et n. m. — 1902; de 1. *indo-,* et *iranien.*

♦ Ling. Se dit des langues indo-aryennes et iraniennes. *Le groupe indo-iranien.* ⇒ **Indo-persan.**

INDOL ou **INDOLE** [ɛ̃dɔl] n. m. — 1867, *indol; indole,* 1957; du rad. *ind-,* et *-ol* (du lat. *oleum* «huile»), suff. de noms d'huiles essentielles. Pour la finale *-ole,* → Pétrole.

♦ Chim. Composé de formule C_8H_7N, faiblement basique, obtenu dans la réduction de l'indigotine, présent dans certaines essences de fleurs (jasmin, oranger), dans les matières intestinales et obtenu asssi par synthèse.

DÉR. Indolique.

INDOLEMMENT [ɛ̃dɔlamɑ̃] adv. — 1717, Massillon, *in* Littré; de *indolent.*

♦ Littér. ou style soutenu. D'une manière indolente. ⇒ **Languissamment, mollement, paresseusement.** *Indolemment assise sur un sofa comme une sultane* (→ Bacchante, cit. 4). *Balancer indolemment son pied* (→ Cheville, cit. 4).

1 (...) la brise alanguie de la Syrie nous apporte indolemment la senteur des tubéreuses sauvages. CHATEAUBRIAND, Mémoires d'outre-tombe, t. VI, p. 117.

2 (...) des ruisseaux coulent en babillant sous des arcades de feuillages, et se vont rendre à l'étang et aux viviers, où nagent indolemment, dans une eau diamantée, quelques cygnes le col replié, les ailes ouvertes.
Th. GAUTIER, les Grotesques, III, p. 120.

3 On entendrait quelquefois, au fond de cette serre, le pas en verre de l'éternité, musique tremblante qui lèche le sommeil. Comme cela. Lascivement. Indolemment. Pour soi. J.-M. G. LE CLÉZIO, la Fièvre, p. 214.

INDOLENCE [ɛ̃dɔlɑ̃s] n. f. — 1557; attestation isolée, XIVe, sens obscur; lat. *indolentia,* de *in-,* et *dolere* «souffrir».

♦ **1.** Vx. État d'une personne qui ne souffre pas. *L'indolence des stoïciens* (⇒ **Insensibilité; ataraxie**).

1 Tout ainsi que les Stoïciens *(disent)* que les vices sont utilement introduits pour donner prix (...) à la vertu, nous pouvons dire (...) que nature nous a prêté la douleur pour l'honneur et service de la volupté et indolence.
MONTAIGNE, Essais, III, XIII.

Vx ou méd. Le fait de ne pas causer de douleur. *L'indolence d'une tumeur* (Littré).

♦ **2.** (Av. 1593). Vx (langue class.). Insensibilité morale; «état d'une personne qui n'est point touchée des choses qui touchent les autres» (Trévoux). ⇒ **Indifférence.** — «Facilité à se blaser, dégoût» (Cayrou).

2 (...) l'indolence inséparable des longs attachements.
Mme DE SÉVIGNÉ, 532, 6 mai 1676.

♦ **3.** (XVIIe). Mod. Disposition à éviter le moindre effort physique ou moral. ⇒ **Apathie, indifférence, inertie, insouciance, langueur, mollesse, nonchalance, paresse, sybaritisme, veulerie** (→ Hamac, cit. 3). *Les «douceurs d'une molle indolence»* (→ Duvet, cit. 4, Boileau). *«La paresse, l'indolence et l'oisiveté, vices naturels aux enfants»* (→ Appliquer, cit. 36, La Bruyère). *Indolence et négligence** (→ Délai, cit. 3, Rousseau). *Il est d'une incroyable indolence, d'une indolence désespérante. Être l'indolence même* (→ Effaroucher, cit. 3, Rousseau). *Indolence d'un esprit qui s'engourdit* (cit. 9). ⇒ **Assoupissement, engourdissement.**

3 D'une lâche indolence esclave volontaire. BOILEAU, Épîtres, XI.

4 L'indolence est le sommeil des esprits.
VAUVENARGUES, Maximes et réflexions, 399.

5 (...) cette indolence et cette langueur que semble imprimer à tout le corps le poids des premières pensées amoureuses de la femme.
LAMARTINE, Graziella, IV, XXVII.

6 Le jour suivant s'écoula dans cette indolence occupée, qui est en des charmes du voyage. Th. GAUTIER, Voyage en Russie, p. 399.

Par anal. *L'indolence du ciel* (→ Gris, cit. 3, Baudelaire).

CONTR. Sensibilité, souffrance. — Activité, ardeur, empressement, vivacité.

INDOLENT, ENTE [ɛ̃dɔlɑ̃, ɑ̃t] adj. et n. — 1590; bas lat. *indolens* «qui ne souffre pas; *qui ne fait pas souffrir», de *in-* (→ 1. In-), et *dolens, dolentis* «qui souffre; qui fait souffrir», p. prés. de *dolere.* → Dolent.

♦ **1.** Vx. Qui ne souffre pas.

Vx ou méd. Qui ne fait pas souffrir. ⇒ **Indolore.**

1 Il a eu les pieds gelés et commence à en souffrir si fort qu'il oublie la plaie creusée dans son flanc, et qui, elle, est mortelle, mais indolente.
G. DUHAMEL, Récits des temps de guerre, I, Nuits en Artois, III.

♦ **2.** Vx (langue class.). Qui manque de sensibilité morale, qui n'est touché de rien. ⇒ **Indifférent, insensible.** *C'est un homme indolent qui ne s'émeut de rien* (Académie). — Par ext. *Quiétude indolente* (→ Cicatrice, cit. 8, Buffon).

2 (*Les afflictions du monde*) l'ont ému à la proportion d'un bon naturel qui ne peut être en chose si sensible. DU MAURIER, *in* SULLY, Mémoires, t. IV, p. 288.

3 (...) on n'a aucune prise sur les naturels indolents.
FÉNELON, De l'éducation des filles, V.

♦ **3.** (Av. 1660). Mod. Qui évite de se donner de la peine, de faire des efforts. ⇒ **Apathique, avachi, endormi, fainéant, insouciant, molasse, mou, nonchalant, oisif, paresseux, veule** (→ Habitude, cit. 23). *Monarque indolent* (→ Bœuf, cit. 3, Boileau). *Écolier indolent. Bœuf* (cit. 6) *indolent et fort.* — Par ext. *Un air indolent. Geste, regard indolent.* ⇒ **Alangui, languissant.** *L'indolente oisiveté* (→ Engendrer, cit. 5).

Je vous l'ai dit cent fois, c'est une nonchalante 4
Qui s'abandonne au cours d'une vie indolente.
Alexis PIRON, la Métromanie, I, 2.

(...) la douce personne se leva d'un air indolent (...) 5
LACLOS, les Liaisons dangereuses, XL.

Il continua donc son chemin, et se dirigea vers le quai Voltaire en prenant la 6
démarche indolente d'un désœuvré qui veut tuer le temps.
BALZAC, la Peau de chagrin, Pl., t. IX, p. 20.

Il y a dans indolent l'idée qu'on cherche ses aises, idée qui n'est pas dans non- 7
chalant. LITTRÉ, Dict., art. *Indolent* (*Syn.*).

(...) un groupe d'enfants grouille dans le sable, court, saute à la corde sous l'œil 8
indolent des nourrices ou sous le regard inquiet des mères.
MAUPASSANT, Fort comme la mort, p. 98.

(...) il regardait Françoise décroître parmi les cultures, toute petite derrière sa 9
vache indolente, qui balançait son grand corps. ZOLA, la Terre, I, I.

Il vend des chaussures... Mon Dieu! parce que son père en vendait : parce qu'il 10
est assez indolent, et qu'il a trouvé une situation toute faite (...)
J. ROMAINS, les Hommes de bonne volonté, t. IV, X, p. 110.

N. (1688). *Un indolent, une indolente* (→ Espérance, cit. 4). *Belle, chère indolente* (→ Balancer, cit. 4, Musset; harmonieux, cit. 8, Baudelaire).

(Choses). Littér. Calme et doux; qui donne une impression d'indolence. *Le flot* (cit. 4) *indolent. Fleurs indolentes* (→ Bâiller, cit. 6).

CONTR. (Du sens 1) **Dolent, douloureux.** — (Du sens 2) **Sensible.** — **Douloureux. — Accrocheur, actif, alerte, allant, allègre, ardent, diligent, énergique, entreprenant, espiègle, vif.**

DÉR. Indolemment.

INDOLIQUE [ɛ̃dɔlik] adj. — 1905, in *Rev. gén. des sc.,* no 17, p. 793; de *indol.*

♦ Chim. De l'indol. *Noyau indolique.*

INDOLOGIE [ɛ̃dɔlɔʒi] n. f. — XXe (attesté 1964); angl. *indology,* 1888; de 1. *indo-,* et *-logie.*

♦ Didact. Ensemble des études relatives à l'Inde. ⇒ **Indianisme.** *«Malgré les découvertes glorieuses et les labeurs prodigieux de l'indologie, malgré les géniales intuitions de ses plus grands représentants, les esprits ambitieux du début du XIXe siècle ont été déçus»* (Louis Dumont, *la Civilisation indienne et nous,* p. 11, Armand Colin, éd. 1975 — 1ère éd. 1964).

DÉR. Indologique. — V. aussi **Indologue.**

INDOLOGIQUE [ɛ̃dɔlɔʒik] adj. — XXe (attesté 1964, L. Dumont); de *indologie.*

♦ Didact. Propre à l'indologie. *La recherche indologique.*

INDOLOGUE [ɛ̃dɔlɔg] n. — XXe (attesté 1964, L. Dumont); de 1. *indo-,* et *-logue,* d'après *indologie.* Cf. angl. *indologist,* 1904, in *Oxford Dict.*

♦ Didact. Spécialiste de l'indologie. ⇒ **Indianiste.**

INDOLORE [ɛ̃dɔlɔʀ] adj. — 1833; bas lat. *indolorius* «qui ne souffre pas», de *in-* (→ 1. In-), et *dolor.* → Douleur.

♦ Qui ne cause pas de douleur*. ⇒ **Indolent** (1.), **insensible.** *Chancre* (cit. 1), *tumeur, plaie indolore. Extraction, opération parfaitement indolore.*

La meurtrissure de sa poitrine longtemps indolore, commence à vivre, le sang y bat. BERNANOS, Nouvelle histoire de Mouchette, *in* Œ. roman., Pl., p. 1305.

CONTR. Douloureux, pénible, sensible.

INDOMPTABILITÉ [ɛ̃dɔ̃tabilite] n. f. — 1867; dans Richard de Radonvilliers, 1845; de *indomptable.*

♦ Rare. Caractère de ce qui est indomptable. *L'indomptabilité d'un tigre.* — Fig. *L'indomptabilité d'une passion.*

INDOMPTABLE [ɛ̃dɔ̃tabl] adj. — 1420, *ennemy indomptable;* de 1. *in-,* et *domptable.*

♦ **1.** (Animaux). Vieilli. Qu'on ne peut dompter. ⇒ **Fier** (vx), **inapprivoisable.** *Cavale* (cit. 3) *indomptable. L'hémione* (cit.), *âne sauvage et indomptable. Un fauve indomptable.*

Le genre des animaux cruels est l'un des plus nombreux et des plus variés (...) 1
tous ces animaux se ressemblant par le naturel (...) ils sont tous nuisibles, féroces, indomptables (...) ils sont tous également carnassiers (...)
BUFFON, Hist. nat. des animaux, De la dégénération des animaux.

♦ **2.** Mod. (Littér. ou style soutenu). Qu'on ne peut soumettre à aucune autorité. *Une femme indomptable* (→ Escapade, cit. 5). *L'indomptable race espagnole* (cit. 3). ⇒ **Courageux, fier.** *Le peuple français, réputé indomptable* (→ Guicher, cit. 5). — *Caractère* *indomptable et fier* (cit. 17). *Tempérament indomptable* (→ Flexible, cit. 7). (Abstrait). Qu'on ne peut maîtriser. ⇒ **Inflexible, irréductible.** *Orgueil indomptable* (→ Enflammer, cit. 12). *Résistance, volonté indomptable.* ⇒ **Invincible** (→ Génie, cit. 13). *Un accent de résolution indomptable* (→ Grandiloquent, cit. 1). — Par métaphore. (Choses). *Torrent indomptable.*

2 *(Le torrent)* redoublant en fureur
Son indomptable course (...) RACINE, Poésies diverses, Ode VI.

3 Dieu donc lui avait donné cette indomptable valeur pour le salut de la France durant la minorité d'un Roi de quatre ans.
BOSSUET, Oraison funèbre de Louis de Bourbon.

4 Ce qui fait et fera toujours de ce monde une vallée de larmes, c'est l'insatiable cupidité et l'indomptable orgueil des hommes (...)
VOLTAIRE, Correspondance, 1313, 30 août 1755.

5 Qu'on se figure un caractère timide et docile dans la vie ordinaire, mais ardent, fier, indomptable dans les passions (...) ROUSSEAU, les Confessions, I.

6 Une indomptable persévérance est un des traits les plus saillants de son caractère.
MÉRIMÉE, Hist. du règne de Pierre le Grand, p. 82.

7 Ô Jésus (...) donnez-moi un cœur indomptable, toujours prêt à lutter après chaque tempête (...) Francis JAMMES, Clara d'Ellébeuse, III.

8 Le fait d'incarner, pour mes compagnons le destin de notre cause, pour la multitude française le symbole de son espérance, pour les étrangers la figure d'une France indomptable au milieu des épreuves, allait commander mon comportement et imposer à mon personnage une attitude que je ne ne pourrais plus changer.
Ch. DE GAULLE, Mémoires de guerre, t. I, p. 111.

CONTR. Apprivoisable, docile, domptable. — Lâche, mou.
DÉR. Indomptabilité, indomptablement.

INDOMPTABLEMENT [ɛ̃dɔ̃tabləmɑ̃] adv. — 1839; de *indomptable.*

♦ Littér. et rare. D'une manière indomptable. *« Toute sa petite personne respirait indomptablement la haine et la révolte »* (Gautier, *le Capitaine Fracasse, in* T. L. F.).

INDOMPTÉ, ÉE [ɛ̃dɔ̃te] adj. — 1525; de 1. *in-*, et *dompté,* p. p. de *dompter.*

Vieilli ou littéraire.

♦ **1.** (Animaux). Qui n'a pas été dompté. ⇒ **Farouche, fougueux.** *Cheval indompté* (→ Hérisser, cit. 2).

1 Votre esprit refuse de franchir ce pas, semblable à un cheval indompté; poussez-le avec plus de force; ne lui permettez pas de se relâcher.
BOSSUET, 1er Sermon dim. Quinquagésime, 1er point.

♦ **2.** (Personnes; groupes humains). *Un peuple indompté. Escadron* (cit. 1) *indompté.*

2 (...) du Parthe et du Scythe indompté. RACINE, Esther, I, 1.

3 *(Chateaubriand)* Toujours sauvage au fond et indompté jusque dans les coquetteries mondaines (...) SAINTE-BEUVE, Chateaubriand..., t. II, p. 91.

(Abstrait). Qu'on ne peut contenir, réprimer. *Le courage indompté des héros* (cit. 12). *Les désirs indomptés de l'homme impatient* (cit. 2).

4 Ma joie a quelque chose d'indompté, de farouche, en rupture avec toute décence, toute convenance, toute loi. GIDE, Journal, 30 nov. 1917.

CONTR. Dompté, soumis. — Maîtrisé.

INDONÉSIEN, ENNE [ɛ̃dɔnezjɛ̃, ɛn] adj. et n. — V. 1885; de *Indonésie,* n. propre, de 1. *indo-*, et grec *nêsos* « île ».

♦ Qui se rapporte à l'Indonésie, à ses habitants. *Les îles indonésiennes, l'archipel indonésien :* Java, Sumatra, Bali, les Célèbes. *L'économie indonésienne.*

N. *Un Indonésien, une Indonésienne :* habitant ou personne originaire d'Indonésie.

N. m. Ling. *L'indonésien* (*Bahasa* « langue » *Indonesia*), langue officielle de l'Indonésie. ⇒ **Malais.**

INDOOR [indɔʀ] adj. invar. — 1956, *in* Höfler; angl. *indoor* « d'intérieur ».

♦ Anglic. Sports. En salle*, pratiqué à l'intérieur. *Athlétisme indoor. Des courses indoor.*

INDO-PERSAN, ANE [ɛ̃dopɛʀsɑ̃, an] adj. — 1827, *in* D. D. L.; de 1. *indo-*, et *persan.*

♦ Didact. Relatif à la fois à l'Inde et à la Perse. → Indo-iranien. *L'art indo-persan de la période moghol. « (...) on vendait un chef-d'œuvre de cet art de la miniature indo-persane qui est né dans les ateliers impériaux de Delhi et d'Agra »* (*l'Express,* no 1609, 7 mai 1982, p. 38).

INDOPHÉNOL [ɛ̃dofenɔl] n. m. — Av. 1886, *in* Wurtz, *Premier Suppl.*; t. dû à H. Kœchlin et O. Witt; de *ind-*, et *phénol.*

♦ Chim. Matière colorante bleue ou violette obtenue par action d'un phénate* alcalin sur une amine double. ⇒ **Bleu** (de houille).

INDOSABLE [ɛ̃dozabl] adj. — XXe; de 1. *in-*, et *dosable.*

♦ Didact. ou littér. Qui ne peut être dosé. *Caractère indosable des très hautes dilutions homéopathiques.* — Figuré :

(...) pas une trace, même indosable, n'est restée de cette fine satisfaction que donne la gloire (...) N. SARRAUTE, le Planétarium, p. 197.

CONTR. Dosable.

INDOU, OUE [ɛ̃du] adj. et n. — XVIIe, La Boullaye Le Goust.

♦ Variante de *hindou*.*

Le plus savant de ces docteurs, qui savait l'hébreu, l'arabe et l'indou, fut envoyé par terre aux Indes orientales (...) 1
BERNARDIN DE SAINT-PIERRE, Chaumière indienne, p. 156.

De nombreux Indous appartiennent aux races blanches. 2
H.-V. VALLOIS, les Races humaines, p. 66.

Mrs. Aouda confirma le récit que le guide indou avait fait de sa touchante histoire. 3
J. VERNE, le Tour du monde en 80 jours, p. 125.

INDOUISME [ɛ̃duism] n. m. ⇒ **Hindouisme.**

INDOUISTE [ɛ̃duist] n. — 1954, cit.; var. de *hindouiste,* d'après *Inde, indien.*

♦ Spécialiste de l'hindouisme. ⇒ **Indianiste, orientaliste.**

Ainsi, les sciences de l'époque, Lavoisier et Geoffroy, puis la métempsycose, vulgarisée par les indouistes Burnouf et Anquetil, reprise par les amis de Michelet, (...) tout cela fournit à Michelet le mouvement bienfaisant d'un univers étalé.
R. BARTHES, Michelet par lui-même, 32-33 (Éd. du Seuil), *in* D. D. L., II, 15.

IN-DOUZE [induz, ɛ̃duz] adj. et n. m. invar. — 1567; du lat. *in* « dans, en », et *douze.*

♦ Didact., techn. Dont les feuilles sont pliées en douze feuillets (vingt-quatre pages). *Livre de format in-douze. Édition in-douze. Volume in-douze.* — N. m. (1666). *Un, des in-douze.* — REM. On écrit souvent : *in-12.* On a proposé la normalisation graphique *un indouze, des indouzes.*

Autre question : si le même livre imprimé in-douze en petit caractère doit être aussi bien payé que s'il était imprimé en gros caractère et en grand volume.
FURETIÈRE, le Roman bourgeois, Somme dédic. II, 7.

INDRI [ɛ̃dʀi] n. m. — 1780, Sonnerat; d'après *Oxford Dict.*, exclamation malgache « voici! » prise à tort par le naturaliste français pour le nom du singe (appelé *babakoto* en malgache).

♦ Zool. Mammifère lémurien d'assez grande taille, arboricole, diurne et frugivore, vivant à Madagascar par groupes de quelques individus. *Des indris.* — On écrit parfois *un indris.*

INDU, UE [ɛ̃dy] adj. — V. 1360; de 1. *in-*, et *dû,* p. p. de *devoir.* → 1. Devoir.

♦ **1.** Littér. ou dans des expressions. Qui va à l'encontre des exigences de la raison, de la règle, de l'usage. — Loc. HEURE INDUE. *Une heure* (cit. 45) *indue,* où il ne convient pas de faire telle ou telle chose. *Rentrer, se coucher à des heures indues,* très tard dans la nuit (cf. fam. Rentrer, se coucher à pas d'heure).

Sanson, s'étant aperçu que son fils rentrait souvent à des heures indues, soupçonna qu'il se dérangeait, et conçut de vives inquiétudes au sujet de cette irrégularité (...) 1
BALZAC, Souvenirs d'un paria, *in* Œ. diverses, t. I, p. 309.

Mon âme est un mauvais lieu (...) elle a exigé de mon malheureux corps la dîme des délices illicites et des joies indues. HUYSMANS, En route, I, X. 2

♦ **2.** Qui n'est pas fondé. ⇒ **Injuste.** *Réclamation indue.* — (1804). Qui n'est pas dû. — N. m. (1867). Ce qui n'est pas dû. *Paiement de l'indu :* paiement ne correspondant à aucune obligation légale et fait par erreur et qui « donne à son auteur une action en répétition* » (Capitant, *Voc. juridique*). *Répétition de l'indu* (⇒ **Répétition**).

CONTR. Convenable, normal, régulier. — Dû.
DÉR. Indûment.

INDUBITABLE [ɛ̃dybitabl] adj. — Attesté mil. XVIe, sens 1 et 2, mais antérieur; dér. *indubitablement,* 1488; bas lat. *indubitabilis* « certain, indubitable », de 1. *in-* (→ 1. In-), et *dubitabilis* « douteux ». → Dubitable.

♦ **1.** Vx. Dont l'arrivée, l'existence ou l'issue ne fait aucun doute, est fatale, inéluctable, inévitable. — Dont l'effet est certain. ⇒ **Infaillible** (→ Bon, cit. 88).

Et quant à la mort, que vous dites cruelle, il me semble que, puisqu'elle est nécessaire, la plus brève est la meilleure, car on sait bien que ce passage est indubitable. 1
Marguerite DE NAVARRE, Heptaméron, 40e nouvelle.

Il est triste de s'avancer dans le pays de la misère; c'est ce qui est indubitable dans votre métier (*de soldat*). Mme DE SÉVIGNÉ, 705, 12 oct. 1678. 2

♦ **2.** Mod. Dont on ne peut douter, qu'on ne peut mettre en doute. ⇒ **Assuré, certain, évident, incontestable, indiscutable.** *Les fondements indubitables de la religion* (→ Évidence, cit. 14). *Un fait* *merveilleux et indubitable.* ⇒ **Authentique** (→ Exégèse, cit. 2). *Preuve indubitable.* ⇒ **Formel.** *Tenir qqch. pour indubitable.* ⇒ **Sûr** (→ Écarteler, cit. 2). — Impersonnel. *Il demeure indubitable que...* ⇒ **Constant.** *Il est indubitable que...* (→ Éternel, cit. 23; immortalité, cit. 1). ⇒ **Doute** (hors de). *C'est indubitable* (→ Cela ne fait pas l'ombre* d'une doute).

(...) il est besoin quelquefois de suivre des opinons qu'on sait être fort incertaines, tout de même que si elles étaient indubitables (...) mais, pource (*parce*) qu'alors je désirais vaquer seulement à la recherche de la vérité (...)
DESCARTES, Dict. de la méthode, IV (→ Doute, cit. 11).

Pensez-vous qu'il cherche à s'instruire par les médailles, et qu'il les regarde comme des preuves parlantes de certains faits, et des monuments fixes et indubitables de l'ancienne histoire? LA BRUYÈRE, les Caractères, XIII, 2.

Il est, indubitable que la rime n'a été inventée que pour l'oreille.
VOLTAIRE, Commentaire sur Corneille, Rem. sur Médée, I, 5.

(...) la plupart des médecins qui firent l'autopsie trouvèrent des traces indubitables de poison (...) MICHELET, Hist. de la Révolution franç., IV, X.

CONTR. Douteux, dubitable (rare), **erroné, faux, hypothétique.**
DÉR. Indubitablement.

INDUBITABLEMENT [ɛ̃dybitabləmɑ̃] adv. — 1488; de *indubitable.*

♦ Didact. ou littér. D'une manière indubitable. ⇒ **Assurément, certainement, incontestablement, sûrement; doute** (sans aucun). *Il est indubitablement coupable* (→ 1. Fratricide, cit.). *C'est indubitablement le plus honnête* (cit. 3) *homme. Nous en viendrons là, indubitablement. Est-il reparti? — Indubitablement.*

Tôt ou tard nous romprons indubitablement (...)
MOLIÈRE, le Misanthrope, II, 1.

(...) considérée comme harmonie, la cloche a indubitablement une beauté de la première sorte (...) CHATEAUBRIAND, le Génie du christianisme, IV, I, 1.

INDUCTANCE [ɛ̃dyktɑ̃s] n. f. — 1893, *in* Höfler; du rad. de *induction,* d'après l'angl. *inductance,* 1886 (de *to induct* «produire par induction»).

♦ Sc. Coefficient de self*-induction. *Pour un circuit fermé, l'inductance est le quotient du flux que crée à travers ce circuit le courant qui le parcourt, par l'intensité de ce courant. Le henry* (symb. *H*) *unité d'inductance.*

L'inductance appelée aussi *coefficient d'induction,* caractérise l'inertie électrique totale d'un appareil ou d'un circuit (...) Dans les *circuits couplés,* l'inductance du système (coefficient d'induction) comporte la *self-inductance* (coefficient de self-induction) de chaque circuit, ainsi que l'*inductance mutuelle* (coefficient de self-induction circuit, ainsi que l'*inductance mutuelle* (coefficient de self-induction mutuelle) entre les deux circuits.
Jean BRUN, Dict. de la radio, art. *Inductance.*

COMP. Inductancemètre. — V. **Self-inductance.**

INDUCTANCEMÈTRE [ɛ̃dyktɑ̃smɛtʀ] n. m. — V. 1960; de *inductance,* et *-mètre.*

♦ Techn. Appareil de mesure des inductances.

INDUCTEUR, TRICE [ɛ̃dyktœʀ, tʀis] adj. et n. m. — 1866, adj., sens 2 et 3; n. m., «celui qui induit à faire qqch.» (bas lat. *inductor* «celui qui conduit», du supin de *inducere,* → Induire), 1624; du rad. de *induction.*

★ **I.** Adj. ♦ **1.** Log. Qui induit. *Propositions inductrices et propositions induites* (⇒ **Induction**).

♦ **2.** Sc. (phys.). Qui induit*, qui produit l'induction*. *Circuit, courant, fil, flux inducteur* (opposé à *induit*). — *Champ inducteur :* champ électromagnétique ou électrostatique agissant sur un induit*.

♦ **3.** Biol. Qui détermine, induit les différenciations successives de l'individu tout au long de la vie, depuis la première ébauche de l'œuf. ⇒ **Induction** (4.). *Substances inductrices. Spermatozoïdes inducteurs du sexe. Tissu, organe inducteur.*

♦ **4.** Chim. *Effet inducteur :* modification apportée (par un substituant attracteur ou donneur d'électrons) aux distributions électroniques des molécules.

★ **II.** N. m. ♦ **1.** (Mil. XXe). Psychol. Terme qui sert de point de départ à une association d'idées.

♦ **2.** (1873, P. Larousse). Phys. Aimant ou électro-aimant produisant le champ inducteur (ci-dessus, I., 2.) dans une machine électrique. *L'inducteur d'une magnéto. Inducteur et collecteur* d'une dynamo.*

♦ **3.** Biol. *Inducteur primaire, spécifique.* ⇒ **Organisateur.** *L'inducteur et l'induit.*

La vésicule oculaire joue le rôle d'inducteur du cristallin. Les exemples abondent de ces actions inductrices, de ces déterminations en chaîne, et aussi des réactions du tissu induit sur le tissu inducteur. E. WOLFF, *in* Sciences, no 1, p. 10.

L'influence de ces inducteurs peut être modifiée sous l'action de facteurs externes; en faisant varier la température d'élevage du têtard, on peut obtenir à volonté des individus mâles ou femelles. Jean GUIBÉ, les Batraciens, p. 53.

♦ **4.** Méd. Produit capable de déclencher une anesthésie générale. ⇒ **Induction,** 5.

CONTR. Induit.

INDUCTIF, IVE [ɛ̃dyktif, iv] adj. — 1648; «qui pousse à qqch.», XIVe; bas lat. *inductivus* «inductif (1.), hypothétique», de *inductum,* supin de *inducere.* → Induire.

♦ **1.** Log. Qui procède par induction ou résulte d'une induction (2.). *Méthode, vérité inductive. — En linguistique, la méthode inductive consiste à recueillir un corpus d'énoncés et à l'analyser pour en tirer des régularités et donc des règles.*

♦ **2.** (1832, p.-ê. d'après l'angl. *inductive,* 1832, Faraday). Phys. Qui a rapport à l'induction (3.), qui est dû aux phénomènes d'induction. *Courant inductif.*

Les principes et les théories qui servent de base à une science, quelle qu'elle soit, ne sont pas tombés du ciel; il a fallu nécessairement y arriver par un raisonnement investigatif, inductif ou interrogatif, comme on voudra l'appeler. Il a fallu d'abord observer quelque chose qui se soit passé au dedans ou au dehors de nous. Cl. BERNARD, Introd. à l'étude de la médecine expérimentale, I, II.

CONTR. (Du sens 1) **Déductif** (v. la cit.).
DÉR. Inductivement.

INDUCTION [ɛ̃dyksjɔ̃] n. f. — 1290; lat. *inductio* «action d'amener; induction (2.)», de *inductum,* supin de *inducere.* → Induire.

♦ **1.** Vx. Action d'induire, d'amener qqn à qqch. (⇒ **Suggestion**).

(...) c'est une induction et inclination naturelle *(qui)* mène et pousse les bons religieux en cuisines (...) RABELAIS, le Quart Livre, XI. 1

♦ **2.** (XIVe). Log. Opération mentale qui consiste à remonter des faits à la loi, de cas donnés *(propositions inductrices)* le plus souvent singuliers ou spéciaux, à une proposition plus générale. ⇒ **Analyse, généralisation** (→ Image, cit. 48). *Induction formelle ou par énumération. Induction amplifiante,* qui étend à tout un genre ce qui a été constaté dans un certain nombre de cas singuliers (syn. : *induction baconienne*). *Induction mathématique. — Rapports établis par induction. Démonstration de la validité d'une hypothèse élaborée par induction. Rôle de l'induction dans les sciences expérimentales* (→ Assise, cit. 4; déductif, cit.). *L'induction en chimie.* ⇒ **Inductif** (méthode inductive). *Déterminisme* (cit. 2) *et induction. Induction et déduction* (cit. 1).

(...) l'induction a dû être la forme de raisonnement primitive et générale, et les 2
idées que les philosophes et les savants prennent constamment pour des idées *a priori,* ne sont au fond que des idées *a posteriori.*
Cl. BERNARD, Introd. à l'étude de la médecine expérimentale, I, II.

(...) le principe d'induction complète me paraissait à la fois nécessaire au mathé- 3
maticien et irréductible à la logique (...) J'y voyais le raisonnement mathématique par excellence. Je ne voulais pas dire comme on l'a cru que tous les raisonnements mathématiques peuvent se réduire à une application de ce principe (...) celui de l'induction complète est seulement le plus simple de tous et c'est pour cela que je l'ai choisi pour type. H. POINCARÉ, Science et méthode, p. 159-160.

L'induction appliquée aux sciences physiques, est toujours incertaine, parce qu'elle 3.1
repose sur la croyance à un ordre général de l'Univers, ordre qui est en dehors de nous. L'induction mathématique, c'est-à-dire la démonstration par récurrence, s'impose au contraire nécessaire, parce qu'elle n'est que l'affirmation d'une propriété de l'esprit lui-même. H. POINCARÉ, la Science et l'Hypothèse, p. 24.

(...) l'induction passe du fait, ou, plutôt, de la donnée, à l'idée, tandis que la déduc- 4
tion va de l'idée à l'idée (...)
M. DOROLLE, les Problèmes de l'induction, II, p. 74.

Le fait de remonter par le raisonnement ou l'intuition, de certains indices à des faits qu'ils rendent plus ou moins probables. *L'induction est un processus de pensée reconstructif.* ⇒ **Inférence.** *Raisonnement par induction.* ⇒ **Analogie** (cit. 7), **association** (des idées). *Dégager par induction des vérités implicites*.*

(...) cette induction que nous faisons tous, sans savoir pourquoi, de ce qui se passe 5
en nous à ce qui se passe au dedans des autres.
DIDEROT, Lettre sur les aveugles.

Exemple grossier, mais sensible, de l'importance des moindres détails dans l'exposé 6
des faits dont on cherche les causes secrètes, pour les découvrir par induction.
ROUSSEAU, les Confessions, XI.

(Une, des inductions). Conclusion, conséquence tirée de l'induction. *Inductions que les penseurs du XIXe siècle ont tirées du cogito* (cit.) *cartésien* (⇒ **Interpréter**).

Le caractère simple des inductions par lesquelles il avait débrouillé le mystère 7
n'ayant jamais été expliqué (...) il n'est pas surprenant (...) que les facultés analytiques du chevalier lui aient acquis le crédit merveilleux de l'intuition.
BAUDELAIRE, Trad. E. POE, Histoires grotesques et sérieuses, «Le mystère de M. Roget».

♦ **3.** (1813, *in* T.L.F.; probablt de l'angl. *induction,* 1801). Phys. Transmission à distance d'énergie électrique ou magnétique par l'intermédiaire d'un aimant ou d'un courant. *Induction électromagnétique :* production d'une force électromotrice dans un circuit par variation du flux magnétique qui le traverse. *Induction électrostatique, mutuelle. Courant, flux* d'induction. Primaire* et secondaire* d'un appareil d'induction. Bobine* d'induction. Applications pratiques de l'induction : alternateurs, dynamos, fours* à induction, transformateurs*.*

Parmi les expériences électrodynamiques, les plus curieuses sont celles où l'on a pu 7.1
réaliser des rotations continues et qu'on appelle quelquefois expériences d'induction unipolaire. Un aimant peut tourner autour de son axe; un courant parcourt

d'abord un fil fixe, entre dans l'aimant par le pôle N par exemple, parcourt la moitié de l'aimant, en cort par un contact glissance et rentre dans le fil fixe. L'aimant entre alors en rotation continue sans pouvoir jamais atteindre une position d'équilibre.
C'est l'expérience de Faraday.
H. POINCARÉ, la Science et l'Hypothèse, p. 266.

Phys. *Induction magnétique :* vecteur caractérisant la densité de flux magnétique dans une substance, produit du vecteur champ magnétique par la perméabilité magnétique de cette substance.

8 L'induction mutuelle résulte des actions réciproques de deux circuits *couplés magnétiquement*, de telle façon que chacun des deux circuits associés produit un *flux magnétique variable* agissant sur l'autre circuit. Le circuit d'excitation, où est engendrée la variation de flux, est appelé *circuit inducteur*, et le circuit excité est appelé *circuit induit*. Jean BRUN, Dict. de la radio, art. *Induction.*

♦ **4.** (1924, *in* T. L. F.). Biol. Déclenchement d'un phénomène dont la manifestation se produit avec un certain retard par rapport à l'intervention de la cause responsable. — Embryol. Processus qui détermine l'orientation de la différenciation des cellules au cours de l'embryogenèse (recomm. de l'Académie des sciences : *détermination*). *Troubles de l'induction. Rôle des organisateurs* dans l'induction embryonnaire.*

9 Il y a *induction* de tout cet ensemble d'organes, aux dépens de tissus qui normalement ne se seraient pas différenciés (...) La lèvre antérieure du blastopore possède (...) la propriété étonnante d'*organiser* des tissus banaux en un complexe d'organes hautement différenciés (...) d'où le nom d'*organisateur* donné à ce greffon (...)
Maurice CAULLERY, l'Embryologie, p. 60.

♦ **5.** Chir. Premier temps de l'anesthésie générale. *Induction de l'anesthésie. Induction brutale* (par inhalation ou injection intraveineuse) ou *induction progressive* (par voie rectale ou perfusion). *Produits d'induction* (⇒ **Inducteur**).

♦ **6.** Éthologie. *Induction sympathique :* phénomène par lequel un animal adopte le comportement d'autres animaux de la même espèce réunis, sans motivation individuelle.

CONTR. Déduction.
DÉR. V. **Inductance, inducteur.**
COMP. Auto-induction, inductomètre. — V. **Self-induction.**

INDUCTIVEMENT [ɛ̃dyktivmɑ̃] adv. — 1491, *in* Godefroy; de *inductif.*

♦ Didact. De manière inductive, par induction (opposé à *déductivement*).

(...) il n'y a de spécifications d'une loi que dans deux circonstances : ou bien la loi est tirée inductivement de faits empiriques et singuliers (...) ou bien elle est *a priori* et unifie l'expérience, comme les concepts kantiens.
SARTRE, l'Être et le Néant, p. 306.

INDUCTOMÈTRE [ɛ̃dyktɔmɛtʀ] n. m. — 1890, P. Larousse, *Deuxième Suppl.*; du rad. de *induction*, et *-mètre.*

♦ Électr. Appareil de mesure des courants induits. *Inductomètre de Weber*, pour la mesure de l'inclinaison du champ magnétique de la Terre. «*L'inductomètre conçu par le professeur Thellier pour mesurer le paléomagnétisme*» (*Science et Vie*, nº 592, p. 129).

INDUIRE [ɛ̃dɥiʀ] v. tr. — Conjug. *conduire.* — XIIIe, réfection de l'anc. franç. *enduire* «conduire, amener, inciter», d'après le lat. *inducere* «conduire dans, faire avancer, déterminer à», de *in-* (→ 2. In-), et *ducere* «conduire» (→ Ductile).

♦ **1.** Vieilli. (Sujet n. de personne, de collectivité ou de chose; compl. n. de personne). Amener, encourager à (qqch., faire qqch.). ⇒ **Conduire, convier, engager, inciter, inviter, porter, pousser** (→ Analogie, cit. 1). *Induire qqn à qqch., à faire qqch. Induire qqn au mal, au péché.* — (Le compl. étant sans déterminant). *Induire qqn à péché, à mal, à tentation.* — *Induire à* (et inf.). *Induire qqn à faire qqch., à penser...*

1 Et mon fils à l'aimer vous devrait tous induire. MOLIÈRE, Tartuffe, I, 1.

2 «Frémissez et vous ne pécherez point» : Frémissez et épouvantez votre concupiscence, et elle ne vous induira point à pécher. PASCAL, Pensées, VII, 446.

3 (...) mais le public est ici le grand corrupteur. Il encourage au mal. Il induit l'écrivain à des fautes pour lesquelles il se montre ensuite sévère, comme la bourgeoise réglée d'autrefois applaudissait le comédien et en même temps l'excluait de l'Église. RENAN, Souvenirs d'enfance..., VI, IV.

4 (...) votre cuisine nous induit au péché de gourmandise (...)
HUYSMANS, Là-bas, XXII.

5 (...) la philosophie induit l'âme à la clémence.
FRANCE, la Rôtisserie de la reine Pédauque, Œ., t. VIII, V, p. 33.

6 Sa prudence de sauvage, qui avait résisté à une éducation libérale, l'induisait à croire que tout étranger est un ennemi.
FRANCE, M. Bergeret à Paris, Œ., t. XII, I, p. 288.

Loc. Mod. **INDUIRE (qqn) EN ERREUR** (cit. 12 et 39). ⇒ **Tromper** (→ Explicateur, cit. 1; huppe, cit. 1). *Hypothèse* (cit. 4) *qui peut induire en erreur.* — *Induire qqn en tentation.* ⇒ **Tenter** (→ Démon, cit. 14).

7 Prenez garde que nul ne vous induise en erreur. Car beaucoup viendront sous mon nom, disant : «C'est moi qui suis le Christ». et ils en induiront un grand nombre en erreur. BIBLE (CRAMPON), Évangile selon saint Matthieu, XXIV, 4, 5.

8 Il y a bien de la différence entre tenter et induire en erreur. Dieu tente, mais il n'induit pas en erreur. PASCAL, Pensées, XII, 821.

Mais en lui détaillant avec simplicité tout ce qui m'est arrivé, tout ce que j'ai fait, tout ce que j'ai pensé, tout ce que j'ai senti, je ne puis l'induire en erreur, à moins que je ne le veuille (...) ROUSSEAU, les Confessions, IV. 9

REM. Par plaisanterie et attraction, on trouve la forme : *enduire qqn dans l'erreur, enduire d'erreur.*

(...) il est bon que sachiez d'abord que l'affaire que vous avez cru terminée ne l'est point. On vous a dit qu'elle n'existait plus, on vous a induite en erreur; le décret n'a point été purgé; on vous laissait dans cette situation pour voir comment vous vous conduiriez (...) SADE, Justine..., t. I, p. 97-98 (1791). 9.1

(...) nous avons été tous là-bas fortement embarrassées par cette affaire; car, toute simple qu'elle est, elle nous déroute complètement. — Peut-être est-ce la simplicité même de la chose qui vous induit en erreur, dit mon ami. 10
BAUDELAIRE, Trad. E. POE, Histoires extraordinaires, «La lettre volée».

♦ **2.** (1361). Log. Sujet n. de personne. Trouver par l'induction. ⇒ **Conclure, inférer** (→ Excitabilité, cit. 2). *Induire qqch. de qqch. Qu'en induisez-vous? Telle est la conséquence* qu'il en induit. Induire de qqch. que...* → ci-dessous, cit. 12.1. — Absolt. Procéder, raisonner par induction*. — REM. La langue courante emploie (à tort) *déduire** dans ce sens.

(...) les juifs se trompaient encore en croyant Jésus-Christ le fils de Joseph, pour conclure de là que c'était un homme (...) sans aucun talent extraordinaire (...) mais pour ce qui est d'induire que sa mère ne pût être vierge, parce qu'elle était mariée (...) il ne leur est jamais arrivé de faire ce raisonnement (...) 11
BOSSUET, Explication de la prophétie Isaïe, 2e lettre.

Le principe sur lequel nous nous appuyons pour induire, c'est donc que nous pourrions déduire si notre intelligence était plus vaste et nos connaissances plus étendues. De là vient que le physicien et le naturaliste, et aussitôt qu'ils le peuvent, abandonnent l'induction pour recourir au raisonnement déductif et même au calcul. A. LALANDE, Lecture philosophique des sciences, IV. 12

Messieurs, je n'ai pas toujours connu mon aigle. C'est là ce qui me fait induire, par un raisonnement qui porte un nom particulier dont je ne me souviens plus, dans la logique, que je n'étudie d'ailleurs que depuis huit jours, — ce qui me fait induire, disais-je, bien que le seul aigle ici présent soit le mien, que, Messieurs, un aigle, vous en avez tous un. 12.1
GIDE, le Prométhée mal enchaîné, *in* Romans, Pl., p. 322.

Rare. *Induire de qqch. à qqch.* «*Il est téméraire d'induire du passé à l'avenir*» (Paul Bourget, *in* T. L. F.).

(Mil. XXe). Cour. Sujet n. de chose. Avoir pour conséquence, être à l'origine de..., être la cause de... «*L'anxiété des parents, des enseignants, des médecins induit celle des enfants, des étudiants, des malades, compromet leur épanouissement, leur formation, leur guérison*» (*le Monde*, 25 oct. 1975).

♦ **3.** (XIXe; angl. *to induce*, 1777). Phys. Produire les effets de l'induction. *L'expérimentateur peut induire un courant. Le courant inducteur induit un autre courant.*

♦ **4.** Biol. Sujet n. de chose. Déterminer l'induction* (4.), provoquer la différenciation de (une ébauche, un tissu, un organe, etc.). ⇒ **Inducteur** (I., 3.), **induit.**

Les membres, les plumes des Oiseaux, sont constitués de deux tissus fondamentaux, le mésoderme et l'ectoderme (...) L'inducteur primaire est le mésoderme, qui détermine la première différenciation de l'ectoderme. Mais ultérieurement c'est à l'ectoderme que revient le rôle déterminant. Il induit la croissance et la différenciation du mésoderme, qui, à son tour, dans une 3e phase, réagit sur la nature de la différenciation. E. WOLFF, *in* Sciences, nº 1, p. 10. 13

CONTR. Déduit.
DÉR. Induit.
COMP. Inductomètre.

INDUIT, UITE [ɛ̃dɥi, ɥit] adj. et n. m. — 1861, in *Année sc. et industr.* 1862, p. 312; p. p. de *induire*; adapt. angl. *induced.*

♦ **1.** Phys. *Courant induit :* courant électrique produit par une variation de flux dans un circuit (sous l'influence d'un aimant* ou d'un courant inducteur). *Mesure des courants induits à l'inductomètre*. Fil induit*, où passe le courant induit. *Circuit induit.*
N. m. (1886, in *Année sc. et industr.* 1887, p. 130 : «*l'induit est un anneau Gramme [...]*»). UN INDUIT : organe d'une machine électrique dans lequel prennent naissance les forces électromotrices induites produites par l'inducteur* (→ Induction, cit. 8). *Induit mobile d'une dynamo*. Induit fixe d'un alternateur. Induit en anneau* (machine de Gramme), *en disque, en tambour. Induit des machines à courant continu.* ⇒ **Rotor.** *Induit des machines synchrones.* ⇒ **Stator.** *Machine auto-excitatrice, dont le courant est fourni par l'induit même.*

♦ **2.** N. m. Psychol. Terme auquel aboutit une association* d'idées. *L'inducteur et l'induit.*

♦ **3.** Biol. *Tissu, organe induits*, qui se différencient sous l'action d'un inducteur. — N. m. *L'induit et l'inducteur.*

CONTR. Inducteur.

INDULGEMMENT [ɛ̃dylʒamɑ̃] adv. — 1557; de *indulgent.*

♦ Vx. D'une manière indulgente. — REM. Ce mot, admis par l'Académie en 1798, a été supprimé en 1835.

CONTR. Sévèrement.

INDULGENCE [ɛ̃dylʒɑ̃s] n. f. — 1190, relig. (sens 2); lat. *indulgentia* «bonté, complaisance, bienveillance», puis «remise d'une peine» en bas lat. et « remise de la peine due au péché » en lat. ecclés., de *indulgens, -entis.* → Indulgent.

♦ **1.** (1606). Facilité à excuser, à pardonner. ⇒ **Bienveillance, bonté, charité, clémence, compréhension** (cit. 2), **douceur, facilité** (→ Facile, cit. 25), **générosité, humanité, longanimité, mansuétude, miséricorde, patience, tolérance** (→ Attention, cit. 21 ; avant, cit. 39 ; gamme, cit. 12). *L'indulgence de qqn, son indulgence pour, à l'égard de qqn, d'un acte* (→ Attention, cit. 21 ; avant, cit. 39 ; gamme, cit. 12). *Actes d'indulgence.* ⇒ **Absolution, excuse, grâce, pardon.** *Grande, inépuisable indulgence* (→ Apostolique, cit. 6). *Indulgence excessive, exagérée, coupable.* ⇒ **Bénignité, complaisance, faiblesse** (→ Canon, cit. 2). *Mélange de férocité* (cit. 4) *et d'indulgence. Demander, implorer, chercher, réclamer l'indulgence de qqn* (→ Élasticité, cit. 7 ; excuse, cit. 4 ; fuir, cit. 3 ; hôtel, cit. 14). *Mériter l'indulgence* (→ Excuse, cit. 14) ; *être digne d'indulgence, avoir droit à l'indulgence. Avoir besoin d'indulgence. Son indulgence m'excusera* (cit. 10). *Acte qui rencontre, sinon l'approbation, du moins l'indulgence* (→ 3. Fort, cit. 78). *Inspirer l'indulgence* (→ Concilier, cit. 2). *Avoir, montrer de l'indulgence pour les fautes de qqn* (→ Émigration, cit. 5). *User d'indulgence. Se forcer à l'indulgence* (→ Dénigrement, cit. 3). *Avoir trop d'indulgence envers un enfant.* ⇒ **Gâter ; gâterie.** *Souffrir, supporter, tolérer, tout permettre par indulgence. L'avocat demande pour son client l'indulgence du jury. — Indulgence pour soi, pour sa personne.* ⇒ **Complaisance, faiblesse, mollesse** (→ Confirmer, cit. 7). *Se voir, voir sa conscience* (cit. 12) *sans indulgence. — Implorer l'indulgence de Dieu, l'indulgence divine pour ses péchés. L'indulgence des dieux* (→ Acheter, cit. 9). *La Vierge Marie est toute indulgence* (→ Ignorer, cit. 20).

1 Comme les dieux sont bons, ils veulent que les rois
Le soient aussi : c'est l'indulgence
Qui fait le plus beau de leurs droits (...) LA FONTAINE, Fables, XII, 12.

2 Tout pouvoir, en un mot, périt par l'indulgence (...) VOLTAIRE, Alzire, I, 1.

3 Vous trouverez sans doute que je pratique bien mal, dans ce moment, cette indulgence que je prêche ; mais je ne vois plus en elle qu'une faiblesse dangereuse, quand elle nous mène à traiter de même les vicieux et l'homme de bien.
LACLOS, les Liaisons dangereuses, XXXII.

4 Si je ne savais pas qu'amoureux, poète et musicien sont trois titres d'indulgence pour toutes les folies (...) BEAUMARCHAIS, le Mariage de Figaro, I, 10.

5 M. de R... était autrefois moins dur et moins dénigrant qu'aujourd'hui ; il a usé toute son indulgence ; et le peu qui lui en reste, il le garde pour lui.
CHAMFORT, Caractères et anecdotes, p. 220.

6 En général l'indulgence pour ceux qu'on connaît est bien plus rare que la pitié pour ceux qu'on ne connaît pas.
RIVAROL, Notes, pensées et maximes, II, p. 50.

7 (...) il excita cette indéfinissable indulgence que la femme trouve dans son cœur pour les folies qu'elle inspire.
BALZAC, la Femme abandonnée, Pl., t. II, p. 223.

8 On lui a reproché ses indulgences soudaines et ses complaisances de pinceau pour Robespierre et pour d'autres monstres.
SAINTE-BEUVE, Causeries du lundi, 4 août 1851.

9 J'étais en veine d'indulgence (...) en humeur de mansuétude.
E. FROMENTIN, Dominique, XIV.

9.1 Sixte quatre, pasteur que le monde revère veut l'autel moins farouche et la foi moins sévère. L'indulgence est en lui comme la sainteté. C'est de bonté qu'il veut armer la vérité. HUGO, Torquemada, Prologue, 7.

10 L'indulgence est tendre, elle est femme.
SULLY PRUDHOMME, Tendresses et solitudes, L'indulgence.

11 Ce que j'aime le moins dans l'ami, d'ordinaire, c'est l'indulgence (...)
GIDE, Si le grain ne meurt, p. 81.

Par ext. *Regard plein d'indulgence, sans indulgence.*

12 (...) un regard pâle, d'une lucidité avertie et sans indulgence.
MARTIN DU GARD, Jean Barois, p. 130.

♦ **2.** Relig. cathol. Rémission des peines temporelles que les péchés méritent. *L'indulgence est accordée par l'Église après que le châtiment éternel a été remis par l'absolution. Indulgence plénière, partielle. L'indulgence est accordée en vertu des mérites du Christ, de la Vierge, des saints.*

(1268). *Une, des indulgences :* la rémission accordée dans une circonstance et dans des conditions précises. *Le droit canonique donne aux cardinaux, évêques, abbés, etc., le droit d'accorder des indulgences. Une indulgence plénière est attachée à la bénédiction papale, aux messes pontificales... L'Église a enrichi d'indulgences certains textes du missel, du bréviaire, du rituel. Indulgence de cent, trois cents jours. Indulgence plénière et générale* (⇒ **Jubilé**). *— La querelle des indulgences,* sous le pape Léon X (début du XVIe siècle).

13 (...) lorsqu'ayant égard, ou à la ferveur des pénitents, ou à d'autres bonnes œuvres qu'elle leur prescrit, elle *(l'Église)* relâche quelque chose de la peine qui leur est due, cela s'appelle *Indulgence.*
Le concile de Trente ne propose autre chose à croire sur le sujet des indulgences, sinon que la puissance de les accorder a été donnée à l'Église par Jésus-Christ, et que l'usage en est salutaire (...)
BOSSUET, Exposition de la doctrine catholique, VIII.

14 Il *(Léon X)* fit vendre, dans tous les États de la chrétienté, ce qu'on appelle des *indulgences,* c'est-à-dire la délivrance des peines du purgatoire, soit pour soi-même, soit pour ses parents et amis (...) VOLTAIRE, Essai sur les mœurs, CXXVII.

CONTR. Âpreté, cruauté, dureté, férocité, inclémence, rigueur, sévérité ; austérité.
DÉR. Indulgencier.

INDULGENCIER [ɛ̃dylʒɑ̃sje] v. tr. — 1833 ; de *indulgence.*

♦ **1.** Relig. cathol. Attacher une indulgence à (un objet de piété). *Indulgencier un chapelet, une image pieuse.*

Un jeune homme a subitement étendu la main vers lui et lui a donné une croix (fort laide, mais c'était ce qui se fait de mieux) en disant : « Elle a été bénie *(sic)* et indulgenciée ». J. GREEN, Journal, Vers l'invisible, 9 mars 1958.

♦ **2.** (1888, Goncourt, *in* T. L. F.). Rare. Faire preuve de clémence envers (qqn). ⇒ **Pardonner.**

INDULGENT, ENTE [ɛ̃dylʒɑ̃, ɑ̃t] adj. et n. m. — V. 1530, Marot ; lat. *indulgens* « bon, complaisant, bienveillant ; adonné à », p. prés. de *indulgere* « être complaisant, favorable à ; se laisser aller à ; accorder, concéder », p.-ê. d'abord « faire bonne part à », d'étymologie incertaine.

♦ **1.** (Personnes). Qui excuse, pardonne facilement. ⇒ **Bienveillant, bon, clément, complaisant, doux, facile, généreux, patient** (→ Idéaliser, cit. 2). *Indulgent et sociable* (→ Exercer, cit. 44). *Un père, un maître, un chef indulgent. Il est trop indulgent.* ⇒ **Bénin, 1. commode, débonnaire.** *Un homme obligeant et indulgent* (→ Carte, cit. 11). — Vieilli. *Indulgent à... Indulgent à qqch.* (→ Humanitaire, cit. 2) ; *indulgent à soi-même* (→ Haïssable, cit. 9). — Mod. *Indulgent pour, à l'égard de qqn, un acte. Être indulgent pour les défauts, les fautes de qqn* (→ Couvrir, cit. 30 ; ensauvager, cit. 1). *Se montrer indulgent pour l'ignorance d'autrui* (→ Gentillesse, cit. 5). *Comprendre rend indulgent* (⇒ **Compréhensif**). *Soyez indulgent* (cf. À tout péché miséricorde). *Un jury indulgent.*

Reine des anges au pécheur indulgente, 1
Tournez vos yeux, maternelle régente,
Vers vos enfants (...) Clément MAROT, Rondeaux, LXXII.

Sois-lui plus indulgent, et pour toi plus sévère. 2
CORNEILLE, Imitation de J.-C., II, 353.

Mais chacun pour soi-même est toujours indulgent. BOILEAU, Satires, IV. 3

Un homme dur au travail et à la peine, inexorable à soi-même, n'est indulgent aux autres que par un excès de raison. LA BRUYÈRE, les Caractères, IV, 50. 4

(...) tout comprendre rend très indulgent, et sentir profondément inspire une grande bonté. Mme DE STAËL, Corinne, XVIII, V. 5

Soyez doux et indulgent à tous ; ne le soyez pas à vous-même. 6
Joseph JOUBERT, Pensées, V, LXXIV.

(...) en moraliste indulgent qui sait la fragilité humaine et lui pardonne beaucoup. 7
Th. GAUTIER, Portraits contemporains, Gavarni.

Les savants peuvent remarquer que les poètes disent volontiers des choses qui étonnent chez des gens intelligents et qui pourraient les faire trouver bêtes, à savoir de parler quelquefois de pressentiments, de superstitions diverses sans trop de doute. Et on pourrait trouver aussi qu'ils sont indulgents aux vices, même à certains crimes, qu'ils encouragent la paresse des jeunes gens, qu'ils estiment très haut une flânerie à la campagne, une passion. PROUST, Jean Santeuil, Pl., p. 733. 7.1

Elles sont comme ça. Il ne faut pas leur en vouloir. Les enfants doivent être très indulgents envers les grandes personnes. SAINT-EXUPÉRY, le Petit Prince, IV. 8

Indulgent pour tout le monde, sévère pour soi : encore une ruse de l'orgueil. Innocent et coupable, trop sévère et trop indulgent, impuissant et responsable, solidaire de tous et rejeté par chacun (...) je suis comme tout le monde, quoi. 9
SARTRE, la Mort dans l'âme, p. 147-148.

♦ **2.** (Choses). Qui est plein d'indulgence ; qui marque l'indulgence. *Dispositions indulgentes.* ⇒ **Bienveillant, favorable.** *Une indulgente patience* (→ Berner, cit. 3). *Froideur indulgente* (→ Cuirasse, cit. 3). *L'abondance du médiocre avait rendu le goût indulgent* (→ Émousser, cit. 5). *Morale indulgente.* ⇒ **Facile, tolérant.**

Au tribunal le magistrat s'oublie, et ne voit plus que l'ordonnance. — Indulgente aux grands, dure aux petits. BEAUMARCHAIS, le Mariage de Figaro, III, 5. 10

(...) d'un regard sévère ou indulgent de ces yeux que voilà, dépendait la tristesse ou la joie des vôtres (...) A. DE MUSSET, les Caprices de Marianne, I, 12. 11

(...) elle m'aurait rendu scrupuleux à l'excès, si je ne m'étais pas fait de bonne heure, pour mon usage, une morale indulgente. 12
FRANCE, le Petit Pierre, I, p. 12.

♦ **3.** (1580). Vx et littér. *Indulgent à... :* qui se laisse aller facilement à... ⇒ **Complaisant.**

De ses refus d'apprêt oubliant l'artifice, 13
Indulgente à l'amour, sans fierté, sans caprice,
De son sexe cruel n'ayant que les appas. André CHÉNIER, Élégies, XI.

♦ **4.** N. m. Hist. Les dantonistes, pour les partisans de Robespierre (→ Immoler, cit. 5). *Les indulgents et les enragés.*

CONTR. Âpre, cruel, draconien, dur, féroce, impitoyable, implacable, inexorable, rigoureux, sévère...
DÉR. Indulgemment.

INDULINE [ɛ̃dylin] n. f. — 1866, *in* Wurtz, *Premier Suppl. ;* angl. *induline,* n. déposé, 1860, Dale et Caro ; du rad. de *indigo* (→ Ind-), infixe diminutif *-ul-,* et suff. de *aniline.*

♦ Chim. Nom de plusieurs colorants bleus ou violets dérivés de l'aniline*. *L'induline proprement dite, de formule $C_{18}H_{15}N_3$, est appelée industriellement bleu Coupier.*

Au groupe des azines se rattachent les *Indulines* dont les applications (...) sont très nombreuses : pour l'impression du coton (bleu d'acétine), pour la coloration des vernis, des encres d'imprimerie, des cirages et des graisses et aussi pour la teinture de la soie (Indulines sulfonées). On obtient les Indulines en chauffant (...) un mélange d'aminoazobenzène et d'aniline.
Jean MEYBECK, les Colorants, p. 91-92.

INDULT [ɛ̃dylt] n. m. — V. 1460, *indoulte;* lat. ecclés. *indultum* «concession, permission», p. p. substantivé de *indulgere.* → Indulgent.

♦ Relig. cathol. Privilège accordé par le pape en dérogation du droit commun. *Indult général, particulier; indult perpétuel, indult ad tempus. Indults accordés à la demande des ordinaires des diocèses, des supérieurs des ordres religieux.*

(1690). Hist. Privilège accordé pour la collation des bénéfices*. *Indult du roi, des cardinaux. Provinces, pays d'indult,* où le roi avait ce privilège. — (1583). *Indult du parlement de Paris,* qui permettait à chaque officier du parlement de requérir le premier bénéfice vacant.

DÉR. Indultaire.

INDULTAIRE [ɛ̃dyltɛʀ] n. — XVIe; dér. sav. de *indult.*

♦ Relig. et hist. Bénéficiaire d'un indult*.

INDUMENT [ɛ̃dymɑ̃] n. m. — 1878, P. Larousse, *Premier Suppl.;* lat. impérial *indumentum* «vêtement», en bas lat. «enveloppe», du lat. class. *induere* «mettre sur, couvrir», de *indu,* forme renforcée archaïque de *in* «dans, sur», et élément *-uere* également attesté dans *exuere* «dévêtir, dépouiller» (→ Induvie et exuvie).

♦ Bot. Pilosité qui recouvre un végétal.

HOM. Indûment.

INDÛMENT [ɛ̃dymɑ̃] adv. — 1309; de *indu.*

♦ D'une manière indue. *S'ingérer indûment dans quelque affaire.* ⇒ **Immiscer** (s'). *Protester indûment.* ⇒ **Tort** (à). *Détenir indûment.* ⇒ **Illégitimement, injustement.** *« On a procédé indûment contre lui »* (Académie). ⇒ **Irrégulièrement.**

1 (...) celui qui commet indûment l'acte de chair est presque toujours de son vivant, puni. HUYSMANS, En route, I, V.

2 (...) il promettait d'évacuer les provinces danubiennes, de rendre avec les bouches de Cattaro, si indûment occupées par lui, les îles Ioniennes, et principalement Corfou (...) Louis MADELIN, Hist. du Consulat et de l'Empire, Vers l'Empire d'Occident, XXIV.

CONTR. Dûment.
HOM. Indument.

INDURATION [ɛ̃dyʀasjɔ̃] n. f. — V. 1370; «endurcissement du cœur», v. 1300; bas lat. *induratio* «endurcissement (du cœur)», du supin *induratum,* de *indurare.* → Indurer.

Médecine.

♦ **1.** Durcissement d'un tissu (⇒ **Sclérose**). *Induration de l'œil,* dans la sclérophtalmie*.

♦ **2.** *(Une, des indurations).* Partie indurée. *Les callosités, les cors sont des indurations.*

♦ **3.** Fig. et littér. Endurcissement. *« L'espèce d'induration amenée dans les sens par la vieillesse »* (Goncourt, *Journal, in* T. L. F.). *Les « indurations de la sensibilité et de l'entendement »* (Marcel Aymé, *le Confort intellectuel, in* T. L. F.).

INDURÉ, ÉE [ɛ̃dyʀe] adj. — 1466, au fig., d'un sentiment fort et durable; lat. *induratus* «durci, endurci», p. p. de *indurare.* → Indurer.

♦ **1.** (Abstrait). Durci, endurci.

Quand celle-ci *(la guerre)* sera achevée, nous reviendrons (...) vieillis sans doute de vingt ans, ayant compris en un éclair ce qui nous aurait demandé des années de recherches, mais non point différents de ce que nous étions auparavant. Personne ne sera différent : induré dans sa direction primitive, erreur ou sagesse, folie ou reconnaissance, voilà tout.
J.-R. BLOCH, *in* Deux hommes se rencontrent, p. 340.

♦ **2.** (1883). Méd. Durci. *Tumeur indurée. Chancre induré.*

DÉR. et HOM. Indurer.

INDURER [ɛ̃dyʀe] v. tr. — 1837, *in* D. D. L.; en anc. franç., «endurer», 1545; de *induré* ou du lat. *indurare* «durcir», de *in-* indiquant le terme de l'action (→ 2. In-), et *durare* «durcir», de *durus.* → Dur, endurer.

♦ **1.** Méd. Durcir (un tissu organique). *L'inflammation peut indurer les tissus.* — Pron. *Tumeur, furoncle qui s'indure.*
Au p. p. ⇒ **Induré,** 2.

♦ **2.** Fig. Durcir, endurcir. — Au p. p. *« Il était trop induré, ce vieux cœur »* (La Varende, *le Centaure de Dieu, in* T. L. F.).

HOM. Induré.

INDUSIE [ɛ̃dyzi] n. f. — 1815, *in* T. L. F.; lat. *indusium* «chemise», de *induere* «mettre sur» (→ Indument), avec *-s-* intervocalique dialectal ou par rapprochement avec *intus* «au dedans» (cf. var. *intusium*).

♦ **1.** Bot. Repli membraneux formé par la feuille de fougère* pour protéger un groupe de sporanges (sores). *Indusie des fougères aquatiques.* ⇒ **Sporocarpe.**

L'indusie est de forme variée : elle rappelle un auvent chez les Asplenium, un disque attaché par son centre chez les Aspidium, un rein dans les Nephrodium.
Fernand MOREAU, les Filicales, *in* Encycl. Pl. (Botanique), p. 703.

♦ **2.** (1832). Paléont. Fourreau des larves de phrygane*. *Calcaire à indusies.*

INDUSTRIALISABLE [ɛ̃dystʀijalizabl] adj. — XXe; de *industrialiser.*

♦ **1.** Qui peut être industrialisé. *Cette région n'est pas industrialisable faute de main-d'œuvre, faute de débouchés.*

♦ **2.** Techn. Qui peut être fabriqué, exploité industriellement.

En résumé, la graine apparaît une matière hautement industrialisable, puisque 100 kg de matière première fournissent 97 % de produits commercialisables.
Jacques LOURD, le Lin et l'Industrie linière, p. 77.

INDUSTRIALISATION [ɛ̃dystʀijalizasjɔ̃] n. f. — 1847, *in* D. D. L.; de *industrialiser.*

♦ **1.** Application des procédés et des techniques industriels; exploitation industrielle. *L'industrialisation d'une fabrication. Industrialisation de l'agriculture.* ⇒ aussi **Mécanisation.** *L'industrialisation peut apporter une hausse de productivité.*

(...) quand on parle (...) de l'*industrialisation de l'agriculture* (...) on entend (...) 1
que l'agriculture de nos jours, dans la mesure où les conditions (...) le lui permettent, tend à recourir précisément aux mêmes procédés que l'industrie manufacturière et commerciale (...)
Charles GIDE, Cours d'économie politique, t. I, p. 310.

♦ **2.** Équipement en industries. ⇒ **Industrialiser** (2.). *L'industrialisation de l'Europe occidentale aux XVIIIe et XIXe siècles. Industrialisation des pays neufs* (→ Industrialiser, cit. 3). *Les étapes de l'industrialisation d'une région. Industrialisation capitaliste; étatique. Une industrialisation rapide, brutale.*

Le nationalisme économique (...) anime les efforts d'industrialisation autonome 2
d'un nombre de plus en plus grand de pays, notamment en zone tropicale et dans l'hémisphère sud. Pierre GEORGE, Géographie industrielle du monde, p. 117.

Équipement industriel. *Une industrialisation insuffisante.*

♦ **3.** Techn. Ensemble des opérations conduisant de la fabrication d'un prototype à celle de la série.

COMP. Sous-industrialisation, surindustrialisation.

INDUSTRIALISER [ɛ̃dystʀijalize] v. tr. — 1827; dér. sav. de *industriel,* et suff. *-iser.*

♦ **1.** Didact. ou techn. Exploiter industriellement, organiser en industrie* (III., 2.). *Industrialiser une découverte scientifique* (Académie). *Industrialiser et mécaniser* l'agriculture.* — Pron. *La fabrication de cet appareil, de cet objet s'est récemment industrialisée.*
Fig. *Industrialiser la création, la littérature.* — P. p. adj. *Un art à demi industrialisé.*

(...) les belles-lettres, comme le cinéma, sont en passe de devenir un art industria- 1
lisé. SARTRE, Situations II, p. 267.

♦ **2.** (1836, cit. 2; repris 1935). Équiper d'industries. *Industrialiser un pays, une région, une ville.*

Du Bousquier industrialisa le Département. Il accéléra la prospérité de la pro- 2
vince (...) BALZAC, la Vieille Fille, Pl., t. IV, p. 324.

▶ **S'INDUSTRIALISER** v. pron.

♦ **1.** S'organiser en industrie. *La fabrication de cet objet était artisanale, elle est en train de s'industrialiser. L'agriculture s'industrialise.* → Industriel, cit. 11. — Par ext. *« La guerre (...) s'industrialise de plus en plus »* (Proudhon, *in* P. Larousse).

♦ **2.** S'équiper d'industries. *Les pays du Tiers Monde tentent de s'industrialiser. Cette région s'est industrialisée.*

Dans leur impatience de s'industrialiser, les pays jadis complémentaires du vieux 3
continent refusent de plus en plus de se limiter au rôle d'exportateurs de produits bruts et de clients d'articles manufacturés. En dépit des crises de liquidation les plus sévères, l'outillage industriel suscité chez eux par la guerre *(de 1914-1918)* prétend non seulement se maintenir, mais s'accroître. Nous sommes en butte partout à une offensive généralisée d'industrialisation.
André SIEGFRIED, la Crise de l'Europe (1935), p. 90.

Toutes les nations font effort pour s'industrialiser, comme on dit dans le jargon 4
moderne. Toutes les nations rêvent d'abandonner l'agriculture, de construire des usines et de vendre avantageusement les articles ainsi fabriqués.
G. DUHAMEL, Manuel du protestataire, p. 109.

▶ **INDUSTRIALISÉ, ÉE** p. p. adj.

♦ **1.** Didact. → ci-dessus, cit. 1.

♦ **2.** Cour. *Pays neufs, pays en (voie de) développement et pays industrialisés. Région récemment, anciennement, insuffisamment industrialisée* (⇒ **Sous-industrialisé**). — REM. Par rapport à *industriel*, industrialisé* fait toujours référence au processus dans le temps.

DÉR. Industrialisable, industrialisation.
COMP. (Du p. p.) **Sous-industrialisé.**

INDUSTRIALISME [ɛ̃dystʀijalism] n. m. — 1823, Saint-Simon ; dér. sav. de *industriel.*
Didactique.

♦ **1.** Hist. écon. Système qui donne une importance prépondérante à l'industrie dans la société ; prépondérance de l'industrie dans l'activité économique. *L'industrialisme mercantiliste au* XVIIIe *siècle.*

D'un bout à l'autre, les propositions physiocratiques s'opposent aux thèses mercantilistes. Industrialisme et réglementation d'un côté ; agrarisme et liberté de l'autre (...)
René GONNARD, Hist. des doctrines économiques, p. 226.

♦ **2.** Tendance à l'industrialisation systématique.

CONTR. Agrarisme, physiocratie.
DÉR. Industrialiste.

INDUSTRIALISTE [ɛ̃dystʀijalist] adj. et n. — 1824, Saint-Simon ; de *industrialisme.*

♦ Didact. Relatif à l'industrialisme*. *Une économie, une politique industrialiste. Les excès industrialistes de certains pays en développement.*

La productivité de l'industrie est proclamé par lui *(Condillac)* de manière (...) plus nette et plus sûre que par son émule écossais *(A. Smith)* : l'économie industrialiste qui va naître, et qui combinera le libéralisme physiocrato-smithien avec les prédilections mercantilistes pour l'industrie, trouve en lui son prototype (...)
René GONNARD, Hist. des doctrines économiques, p. 259.

(Personnes, idées). Favorable à l'industrialisme (1.). — N. (1827). *Les industrialistes :* les partisans de l'industrialisme.

INDUSTRIALO- Premier élément de mots composés, tiré de *industriel.* — Ex. : *industrialo-militaire* [ɛ̃dystʀijalomilitɛʀ] (*l'Express,* 23 oct. 1972, p. 62) ; *industrialo-portuaire* [ɛ̃dystʀijalopɔʀtɥɛʀ] (*le Figaro,* 16 mars 1968, *in* Gilbert).

INDUSTRIE [ɛ̃dystʀi] n. f. — V. 1370 ; « moyen ingénieux », 1356 ; lat. *industria* « activité, application », de *industrius* « actif, travailleur, zélé », littéralt « qui prépare en lui-même », de *indu,* forme renforcée archaïque de *in* « dans », et *struere* « disposer, arranger, préparer » (→ Construire).

★ **I.** ♦ **1.** Vx. Habileté à exécuter qqch. ⇒ **Adresse** (cit. 1), **art** (I., 1.), **artifice** (cit. 3), **dextérité, habileté.** *L'industrie du castor, de certains insectes* (→ Fabriquer, cit. 1 ; frelon, cit. 5). *Un animal plein d'industrie.* ⇒ **Industrieux.** *L'industrie humaine, des hommes* (→ Animal, cit. 17 ; archéologie, cit. 2 ; homme, cit. 53). *La nature ne fait rien « sans (...) une artificieuse* (cit. 1) *et admirable industrie »* (Paré).

1 (...) quelque industrie qui paraisse dans ce que font les animaux (...)
BOSSUET, Traité de la connaissance de Dieu..., V, II.

2 (...) la puissance et l'industrie de Minerve n'ont pas besoin d'un grand temps pour achever les plus grands ouvrages. FÉNELON, Télémaque, VI.

♦ **2.** (Déb. XVe). Vx ou littér. Habileté inventive jointe à une activité suivie. ⇒ **Ingéniosité, intelligence, invention, savoir-faire ;** → Explicable, cit. 1. *« L'industrie peut s'imiter* (cit. 12), *mais le génie ne s'imite point »* (Marmontel). *Apprêter* (cit. 1), *arranger qqch. avec industrie* (→ Assemblage, cit. 20). ⇒ **Ingéniosité.** — *L'industrie de qqn, son industrie. S'élever* (cit. 57) *par sa propre industrie. Employer toute son industrie à...* (→ Génie, cit. 2). *Les fruits* (cit. 37) *de son industrie. L'industrie d'un peintre, d'un décorateur* (⇒ **Habileté, talent**).

3 (...) les hommes devraient employer les premières années de leur vie à devenir tels (...) que la République (...) eût besoin de leur industrie et de leurs lumières (...)
LA BRUYÈRE, les Caractères, II, 10.

4 Je résolus d'employer toute mon industrie pour la voir.
Abbé PRÉVOST, Manon Lescaut, p. 154.

5 Elle usait alors de beaucoup d'industrie pour sa toilette, elle inventait des garnitures, elle se les brodait (...)
BALZAC, le Cabinet des antiques, Pl., t. IV, p. 442.

5.1 La balle frappa le carreau, si artistement maintenu en place par l'industrie du maître d'école, et le fit volet en éclats.
Louise MICHEL, la Misère, t. I, p. 174 (1881).

Vx. *(Une, des industries).* Procédé adroit.

6 (...) il a mille industries pour faire plaisir à tous *ses voisins.*
FÉNELON, Télémaque, XI.

Péj. (mod. dans les locutions *...d'industrie*). Habileté appliquée au mal ; adresse, finesse. *Vivre d'industrie,* d'expédients*. — (Fin XVIIe). *Chevalier** (cit. 7) *d'industrie* (d'abord *chevalier de l'industrie* [1633], d'après les romans picaresques espagnols). → Abonder, cit. 4.

7 Tu sais que dans ce monde il faut vivre d'adresse, et qu'aux personnes comme moi le Ciel n'a donné d'autres rentes que l'intrigue et que l'industrie.
MOLIÈRE, l'Avare, II, 4.

★ **II.** ♦ **1.** (XVe). Vx. Profession, comportant généralement une activité manuelle. ⇒ **Activité, art** (I., 3.), **métier, profession, travail.** *Exercer une industrie pour vivre. « Vile et mécanique industrie »* (→ Compromettre, cit. 5, Montesquieu). *« Ils joignent à leur métier l'industrie de raccommoder les poêlons et les instruments de cuivre »* (→ Gitan, cit. 1, Mérimée).

Il est (...) nécessaire et équitable que l'industrie raffinée du négociant paye plus que l'industrie grossière du laboureur. 8
VOLTAIRE, l'Homme aux quarante écus, II.

Ce livre est donc consacré tout entier à ces industries de bon ton, qui, fort en usage parmi le beau monde, n'en sont pas moins maîtresses à la bourse. Ces jolies manières de vous prendre votre argent, toutes gracieuses toutes gentilles et loyales qu'elles peuvent être, n'en deviennent pas moins mille fois plus dangereuses (...) 9
BALZAC, le Code des gens honnêtes, II, Œuvres diverses, t. I, p. 95.

♦ **2.** Mod. et par plais. **COUPABLE INDUSTRIE** : activité délictueuse. *Voleur, cambrioleur qui exerce sa coupable industrie.*

★ **III.** (1735). ♦ **1.** Vieilli (sens large). Ensemble des opérations qui concourent à la production et à la circulation des richesses. ⇒ **Économie ; agriculture, commerce** (et → ci-dessous, III., 2.). *L'agriculture constitue l'industrie fondamentale des nations* (H. Sagnier, *Omnium agricole*). *L'industrie agricole* (⇒ **Agro-,** et comp.), *l'industrie commerciale et l'industrie manufacturière* (Littré). *L'industrie des transports* (⇒ **Circulation, transport**). *La batellerie, industrie du transport fluvial. L'industrie huîtrière, ostréicole* (⇒ **Élevage**). — REM. Ce sens étendu était encore le plus courant au XIXe s. Littré, qui l'illustre de citations allant de Voltaire à Legoarant (1858), ajoute cependant : « Industrie se dit quelquefois de tous les arts industriels, sauf l'agriculture, par opposition à l'agriculture ». De nos jours, les économistes n'emploient plus le mot que dans son sens restreint. L'expression *industrie agricole* ne désigne plus l'agriculture, mais l'ensemble des industries de traitement ou de transformation des produits agricoles.

(...) l'opposition (...) des genres de vie, entre (...) l'agriculture et ce que le mot industrie évoque, est trop profonde pour que le mot « agriculture » ait été détrôné par l'expression « industrie agricole ». Au surplus, l'expression industrie agricole risquerait d'être équivoque : on la confondrait aisément avec celle d'industrie alimentaire (...) 10
L'expression industrie des transports risquerait (...) d'être à l'origine de confusions dans la mesure où elle laisse entendre que l'on parle des moyens de transport et non de l'acte de transporter.
J. ROMEUF, Dict. des sciences économiques, art. *Industrie.*

Industrie, beaux-arts et sciences (→ Exterminer, cit. 5, Taine). *Exposition* (cit. 6) *de l'industrie, de l'art et de l'industrie. « Le règne (...) du bien-être et le triomphe (...) de l'industrie »* (→ Fouriérisme, cit. 1, Sainte-Beuve). *Les rapports de l'art et de l'industrie.* ⇒ **Technique.**

(...) cela tombe sous le sens que l'industrie, faisant irruption dans l'art, en devient la plus mortelle ennemie (...) Quel homme, digne du nom d'artiste, et quel amateur véritable a jamais confondu l'art avec l'industrie ? 11
BAUDELAIRE, Curiosités esthétiques, Salon de 1859, II.

♦ **2.** (XVIIIe ; 1765, *Encyclopédie,* « technique industrielle, machinisme » ; 1771 au sens mod.). Mod. Ensemble des activités économiques ayant pour objets l'exploitation des richesses minérales et des diverses sources d'énergie ainsi que la transformation des matières premières (animales, végétales ou minérales) en produits fabriqués, impliquant la centralisation des moyens de production, ainsi que l'utilisation du niveau technique le plus avancé (à chaque stade). *L'agriculture, le commerce* (cit. 3) *et l'industrie.* ⇒ **Économie.** *De l'industrie.* ⇒ **Industriel ; automatisation.** *Organisation de l'industrie moderne* (⇒ **Rationalisation, standardisation ; spécialisation**). *Rôle de la comptabilité, de la prévision* (planning) *dans l'industrie. Productivité* croissante de l'industrie. Unité de production dans l'industrie.* ⇒ **Entreprise, établissement, exploitation, fabrique** (vieilli), **manufacture** (vieilli), **usine.** *Tendance de l'industrie à la concentration.* ⇒ **Concentration, intégration ; entente, cartel, holding, trust.** — *Le capital*, la finance et l'industrie* (→ Financier, cit. 3). — *Personnel de l'industrie. Cadres de l'industrie* (⇒ **Ingénieur, technicien**). *Ouvrier * d'industrie et ouvriers agricoles. Syndicat groupant les ouvriers de l'industrie* (⇒ **Syndicat, syndicalisme**). *Les cadres* de l'industrie.* ⇒ **Technicien.** — *Naissance, expansion de l'industrie. Localisation de l'industrie dans le monde ; géographie de l'industrie. L'industrie française, allemande. Cette région possède une industrie. Donner une industrie à un pays.* ⇒ **Équiper, industrialiser, industrialisation.** *Rôle de la technique* dans l'industrie.* ⇒ **Machinisme, mécanisation ; automatisation, informatisation.** *Industrie et informatique*.*

Cependant, *(au* XVIIIe *siècle)* voici l'*industrie* nettement mise à part de la culture : « les *Mémoires (des intendants)* sur les productions du sol et de l'"industrie" de leurs généralités ». Hauser a insisté avec raison (...) sur l'emploi que font du mot *industrie* les Économistes, et après eux Roland, qui l'applique à la seule création dans les ateliers et les manufactures des objets nécessaires à la vie. 12
F. BRUNOT, Hist. de la langue franç., t. VI, p. 380.

(...) ici, il y a un pays, une ville, des fabriques, une industrie, des ouvriers (...) 13
HUGO, les Misérables, I, VII, III.

L'industrie française, tout en étant plus jeune que l'industrie anglaise de plus d'un siècle, se classe parmi les industries vieilles. Elle est de structure plus complexe, beaucoup plus souple que la jeune industrie allemande (...) mais elle est aussi bien moins évoluée au point de vue technique. 14
Pierre GEORGE, Géographie industrielle du monde, p. 43.

J.-B. Say distinguait déjà parmi les activités économiques : l'agriculture, l'industrie et le commerce. À la lettre, cettre grande distinction est encore admise. Son contenu est toutefois différent, car pour J.-B. Say, l'agriculture englobait les activités extractives, et le commerce celle des transports. 15
J. ROMEUF, Dict. des sciences énonomiques, art. *Industrie.*

(D'industrie). Fonds de commerce (cit. 3) *ou d'industrie. Chef, patron d'industrie.* ⇒ **Industriel.** Péj. *Capitaine* (cit. 8) *d'industrie.*
(Qualifié). *Petite, moyenne, grande industrie* (→ Équipement, cit. 6),

selon l'importance de la production, des moyens mis en œuvre. — *Industrie capitaliste, industrie privée* (→ Énorme, cit. 13). *Industrie d'État* (cit. 136). *Industrie nationalisée. Industrie collectivisée, socialisée* (coopératives de production, etc.). — *Industrie concentrée. Industrie dispersée; industrie à domicile* (⇒ **Artisanat,** cit. 3). — **INDUSTRIE LOURDE :** la grande industrie de première transformation des matières premières pondéreuses (→ ci-dessous, *infra* cit. 16). — *Industries d'équipement.* — **INDUSTRIE LÉGÈRE,** transformant les produits de l'industrie lourde en produits semi-finis et fabriqués *(industries de biens d'usage et de consommation).* — *Industrie extractive, industrie minière* (⇒ **Charbon, houille, pétrole**); *industrie charbonnière. Industries manufacturières, de transformation.* — *Industries de guerre* (cit. 40). *Reconversion d'une industrie de guerre.*

16 C'est sur l'industrie que se concentre l'activité du législateur (...) L'industrie à domicile ne se prête guère à la réglementation (...) L'industrie artisane, plus sujette à la réglementation que l'industrie à domicile, l'est moins que l'industrie en forme d'entreprise, et c'est la grande industrie surtout (...) qui est le terrain de choix des expériences législatives. Il y a des branches d'industrie qui sont l'objet d'une réglementation particulière (...) Telle *(s)*... les industries insalubres ou dangereuses (...)

Henri TRUCHY, Cours d'économie politique, VII, II, 1.

Industries métallurgiques : industrie sidérurgique (⇒ **Acier, fer, fonte**), *industrie des métaux non-ferreux* (aluminium, cuivre, etc.), *industrie de transformation des métaux* (laminoirs, tôlerie...). ⇒ **Métallurgie, sidérurgie.** — *Industries du bâtiment.* ⇒ **Bâtiment, construction.** — *Industries mécaniques* (machines, moteurs, matériel d'équipement, etc.). *Industrie automobile, aéronautique. Industries de précision* (appareillage électrique, électronique, optique, radio, horlogerie...). — *Industries chimiques : industries de l'azote, du soufre, des phosphates, du bois, du charbon et de ses sous-produits* (goudron*, gaz*), *des colorants, des matières plastiques, des parfums, des poudres et explosifs, du pétrole* (⇒ **Raffinerie**), *du caoutchouc... Industrie électrochimique.* — *Industries textiles* (⇒ **Textile**) : *industrie chanvrière, lainière, linière, cotonnière, séricicole. Industries du vêtement* (⇒ **Confection**). — *Industries des cuirs et peaux. Industrie de la chaussure.* — *Industries utilisant le bois* (caisserie, meuble...), *le verre* (miroiterie, verrerie, vitrerie), *l'osier, le rotin...* (vannerie), *le papier, le carton* (papeterie, cartonnage).

INDUSTRIES ALIMENTAIRES, des conserves (conserverie), des matières amylacées (biscuiterie, féculerie, meunerie, panification, pâtes alimentaires), du sucre (sucrerie), du cacao (chocolaterie), de l'huile (huilerie), du lait et de ses dérivés (beurrerie, fromagerie), des boissons (brasserie, cidrerie, distillerie, vinification...). ⇒ **Alimentation** (3.). — *Industries de luxe. Industries du spectacle. L'industrie cinématographique* (→ Cinéma, cit. 5). *Industries du livre* (imprimerie, reliure, etc.). — *L'industrie de l'informatique, des communications...*

Fig. *La guerre est une industrie* (→ Apparaître, cit. 19).

♦ **3.** (Mil. XXe). *Une industrie :* entreprise industrielle. ⇒ **Entreprise, établissement, exploitation.** *Diriger une industrie prospère, florissante. Il est à la tête de plusieurs industries.*

♦ **4.** Ensemble des industriels. *« L'industrie en jaquette et en tube »* (Aragon, *in* T. L. F.).

DÉR. Industriel.

INDUSTRIEL, ELLE [ɛ̃dystʀijɛl] adj. et n. — 1770, sens III, 1; *fruits industriaux* « produits par l'activité de l'homme », 1471; dér. sav. de *industrie* (*industrial,* XVe, du lat. médiéval *industrialis* « relatif à l'activité, à l'industrie »).

★ **I.** Vx. Qui est produit par l'industrie (I.), par le travail de l'homme. *Fruits* (cit. 33) *industriels et fruits naturels.*

★ **II.** Vx. Qui exerce une industrie (II.), un métier artisanal, un art (→ Exigence, cit. 2, Taine). *« Les familles industrielles prenaient peu d'apprentis »* (Michelet, *in* T. L. F.).

★ **III.** Mod. ♦ **1.** Qui a rapport à l'industrie (III.). *Activité, économie* (cit. 17) *industrielle. Système industriel* (→ Élaborer, cit. 7). *Forme industrielle du capitalisme* (cit. 1). *Établissement industriel, compagnie industrielle* (→ Apprentissage, cit. 4; firme, cit. 1). *Entreprise* industrielle. Groupe* (cit. 12), *monopole industriel. Rendement industriel* (→ Hétérogène, cit. 2). *Évolution, révolution industrielle* (→ Houille, cit. 5). *Équipement* (cit. 5) *industriel. Géographie industrielle.* — *École industrielle.* — *Capital, crédit industriel. Banque industrielle.*

1 La contradiction entre le mode de production et les nouvelles nécessités de la distribution annonce déjà *(pendant les siècles classiques)* la fin du régime de la petite production agricole et industrielle. La révolution industrielle, l'invention de la vapeur, la concurrence pour les débouchés aboutissent (...) à la constitution des grandes manufactures. CAMUS, l'Homme révolté, p. 250.

1.1 En s'inspirant de Saint-Simon, les sociologues lancent alors la dénomination : « société industrielle ». Ils constatent en effet que la production industrielle, avec ses implications (rôle de plus en plus grand de l'État et de la rationalité organisatrice) ne cesse de s'accroître, au moins dans les grands pays modernes. L'industrie ne complète pas l'agriculture; la production industrielle ne coexiste pas pacifiquement avec la production agricole; elle l'absorbe. L'agriculture s'industrialise.

Henri LEFEBVRE, la Vie quotidienne dans le monde moderne, p. 91.

Psychologie industrielle, destinée à améliorer les conditions de travail d'un employé en y adaptant ce dernier le mieux possible. *Dessin* industriel.*

Véhicule industriel (opposé à *de tourisme*).

♦ **2.** Qui est produit par l'industrie. *Productions industrielles, produits industriels* (→ Encontre, cit. 3). *Fer, bronze industriel* (→ Fonte, cit. 3).

Loc. fam. **QUANTITÉ INDUSTRIELLE :** très grande quantité. *En quantité industrielle.*

♦ **3.** Où l'industrie est développée. *Régions, nations, villes industrielles* (→ Édifier, cit. 1; équilibre, cit. 24; exode, cit. 7). *Centre industriel, zone industrielle :* lieu où sont concentrées de nombreuses industries. *Rendre une région industrielle.* ⇒ **Industrialiser.** — REM. Par rapport à *industrialisé, industriel* ne désigne qu'une situation structurelle et non un processus et son résultat.

Les pays industriels constituent des entités géographiques originales. Le paysage porte l'empreinte de l'économie industrielle : les mines, les usines, les villes transformées et accrues par l'effort d'activités et de populations d'un type nouveau, la multiplication des voies et moyens de communication, sont autant de faits géographiques qui se greffent sur le paysage rural antérieur (...) 2

Pierre GEORGE, Géographie industrielle du monde, p. 11.

♦ **4.** Qui emploie les procédés (centralisation; utilisation des techniques...) de l'industrie (opposé à *artisanal*). *Reliure industrielle. Boulangerie industrielle. Chimie de laboratoire et chimie industrielle. Arts industriels.*

★ **IV.** N. ♦ **1.** Vx. (Correspond à *industrie,* II. et III., 1.; à *industriel,* adj., II.). Personne qui exerce un métier artisanal, mécanique.

On attend avec impatience l'arrêt que le daguerréotypeur doit prononcer. L'industriel revient, et dit encore : 3
— Manqué, madame, j'en étais sûr (...)

Ch. PAUL DE KOCK, la Grande Ville, t. I, p. 201 (éd. 1842).

♦ **2.** (1818, Saint-Simon, *in* T. L. F.). *Un industriel :* propriétaire d'un établissement industriel; chef d'industrie. ⇒ **Entrepreneur, manufacturier.** *Industriels qui s'efforcent de répondre à la demande de leurs clients* (→ Caprice, cit. 8). ⇒ **Fabricant.** *L'industriel et le commerçant* (→ Commerce, cit. 3; grossiste, cit.). *Les grands, les gros industriels* (→ Chef, cit. 18). *Les industriels du textile* (→ Fils, cit. 18). *Riche industriel de la Ruhr* (→ Hobereau, cit. 4).

Que fait l'industriel? Il prend des matières premières qui, comme telles, sous leur forme initiale, ne sont pas applicables à la satisfaction de nos besoins. En les soumettant à l'effort des hommes et à l'action des forces naturelles, il en tire des objets qui sont recherchés, qui donc ont une valeur. Et ce qui prouve que la valeur du produit fabriqué est plus grande que celle des matières premières et des éléments qui y ont été ajoutés, c'est que beaucoup d'industriels font fortune : une fois leurs dépenses payées, leurs collaborateurs rémunérés, il reste un surplus, qui est un véritable produit net. 3.1

PIROU et BYÉ, Introd. à l'étude de l'économie politique, p. 288.

REM. Le fém. *une industrielle* est normal.

CONTR. Agricole, artisanal, commercial.
DÉR. Industrialiser, industrialisme, industrialo-.

INDUSTRIELLEMENT [ɛ̃dystʀijɛlmɑ̃] adv. — 1834; de *industriel.*

♦ **1.** Par les moyens et les méthodes de l'industrie (III., 2.). Opposé à *artisanalement. Exploiter un brevet industriellement. Produit fabriqué industriellement,* en grande série.

♦ **2.** (Mil. XXe). Relativement à l'industrie. *Le pays industriellement le plus avancé* (→ Artisanal, cit.).

INDUSTRIEUSEMENT [ɛ̃dystʀijøzmɑ̃] adv. — V. 1455; de *industrieux.*

♦ **1.** Vx. D'une manière industrieuse, adroite, habile. *Il avait industrieusement rempli son but* (cit. 21).

Les fausses couleurs, quelque industrieusement qu'on les applique, ne tiennent pas.

BOSSUET, Oraison funèbre de la reine d'Angleterre.

♦ **2.** Vieilli ou littér. Avec une activité diligente (en matière économique).

INDUSTRIEUX, EUSE [ɛ̃dystʀijø, øz] adj. — V. 1455; bas lat. *industriosus,* du lat. class. *industria.* → Industrie.

♦ **1.** Littér. Qui a, qui montre de l'industrie* (I.), de l'adresse, de l'habileté. ⇒ **Adroit, habile.** *L'abeille, la fourmi est industrieuse. Ouvrier, manœuvre industrieux* (→ Forger, cit. 1). *Des mains industrieuses* (→ Généraliser, cit. 3).

Vx. *« Industrieux à se cacher »* (Bossuet); *« industrieux pour trouver de nouveaux moyens de (...) plaire »* (Fénelon); *« industrieux dans sa vengeance »* (Voltaire).

Le nœud dépend entièrement du choix et de l'imagination industrieuse du poète (...) CORNEILLE, Discours des trois unités. 1

(En parlant des ouvrages de l'esprit). Vx. Inventif, plein de savoir-faire.

♦ **2.** Vieilli ou littér. Qui fait preuve d'ingénieuse activité dans le domaine économique. ⇒ **Astucieux, ingénieux.**

2 Il a renvoyé l'ancien greffier, l'ancien huissier, et les a remplacés par des hommes beaucoup plus instruits et surtout plus industrieux que leurs prédécesseurs. Ces deux nouveaux ménages ont créé une distillerie de pommes de terre et un lavoir de laines (...) BALZAC, le Médecin de campagne, Pl., t. VIII, p. 355.

3 Il y a à gauche de vastes terrains, recouvrant l'emplacement d'une carrière éboulée, que la commune a concédés à des hommes industrieux qui en ont transformé l'aspect. Ils ont planté des arbres, créé des champs (...)
NERVAL, Promenades et souvenirs, I.

♦ **3.** (XVIIIe). Vx. Relatif à l'industrie* (III.). ⇒ **Industriel.** *Nation industrieuse* (1765, *Encyclopédie*, art. *Industrie*). *Ville industrieuse* (→ Haut, cit. 22, Balzac).

DÉR. Industrieusement.

INDUVIE [ɛ̃dyvi] n. f. — 1815, *in* T. L. F.; lat. *induviæ*, n. f. pl. « vêtement », de *induere* « mettre sur, couvrir » (→ Indument; exuvie), *-v-* apparaissant comme phonème de transition.

♦ Bot. Formation qui se développe à partir d'une pièce florale après fécondation et qui est généralement liée au fruit (par ex. : la bractée du tilleul). *Induvies ornementales de l'alkékenge. La fraise, les mûres, la pomme et la poire sont des induvies.*

DÉR. Induvié.

INDUVIÉ, ÉE [ɛ̃dyvje] adj. — 1873, P. Larousse; de *induvie*.

♦ Bot. Enveloppé dans une induvie (fruit).

-INE ⇒ **-in.**

INÉBRANLABILITÉ [inebʀɑ̃labilite] n. f. — 1883, Goncourt, *in* T. L. F.; de *inébranlable*.

♦ Didact. ou littér. Caractère de ce qui est inébranlable.

INÉBRANLABLE [inebʀɑ̃labl] adj. — 1606, sens 2; de 1. *in-*, et *ébranlable*.

♦ **1.** a (1680). Choses concrètes. Littér. Qu'on ne peut ébranler, dont on ne peut compromettre la solidité, l'équilibre. ⇒ **Fixe, immobile, robuste, solide.** *Masse, colonne inébranlable. Une construction inébranlable.* → (vieilli) Bâtie à chaux* et à ciment.

b En parlant de troupes que l'ennemi ne peut faire reculer, mettre en déroute. *Bataillons* (cit. 3) *inébranlables. La garde immobile* (cit. 20) *et inébranlable.*

Il y eut une compagnie de soixante Ombriens qui, fermes sur leurs jarrets, la pique devant les yeux, inébranlables et grinçant des dents, forcèrent à reculer deux syntagmes à la fois. FLAUBERT, Salammbô, p. 173.

c (1654). Par métaphore. *La base* (cit. 11) *inébranlable des faits. Positions inébranlable* (→ Affermir, cit. 9).

(...) Achille (...) vainquit Hector, la colonne inébranlable de Troie.
RACINE, Remarques sur Pindare, Ode II.

d Littér. *Inébranlable à... :* qui ne peut être ébranlé par...

♦ **2.** (1606, saint François de Sales). Littér. (Personnes). Qui ne se laisse pas abattre. ⇒ **Constant, ferme.** « *Rester inébranlable au milieu des plus grandes infortunes* » (Académie). ⇒ **Courageux, impassible, impavide, stoïque.**

Inébranlable dans ses amitiés, et incapable de manquer aux devoirs humains.
BOSSUET, Oraison funèbre d'Anne de Gonzague.

(...) en dépit de leur déconvenue, les Français libres restaient inébranlables.
Ch. DE GAULLE, Mémoires de guerre, t. I, p. 109.

Constance (cit. 2) *inébranlable* (→ À toute épreuve*). *Courage inébranlable* (→ Assaut, cit. 3). — Antéposé. *Une inébranlable fermeté.*

(...) persuadé que l'autorité de mon maître était inébranlable, le regardant comme un de ces vieux chênes qui ont pris racine dans une forêt, et que les orages ne sauraient abattre. A. R. LESAGE, Gil Blas, XII, VII.

♦ **3.** (1685). Plus cour. (Personnes). Qu'on ne peut faire changer de dessein, d'opinion. ⇒ **Déterminé, inflexible.** *Être inébranlable dans ses résolutions* (→ 1. Ferme, cit. 12), *dans ses décisions* (→ Entêtement, cit. 3). *Un homme dur* et inébranlable* (→ 1. Froid, cit. 20). *Il est inébranlable.* → (vx) C'est un cœur d'acier*, une barre* de fer. *Homme public inébranlable* (→ Éviter, cit. 28). *On ne put le persuader, il resta inébranlable.*

Chactas, l'ayant interrogé, et le trouvant inébranlable dans sa résolution, l'adopta pour fils (...) CHATEAUBRIAND, Atala, Prologue.

Rien ne fit plier le vieux tonnelier. Il restait inébranlable, âpre et froid comme une pile de granit. BALZAC, Eugénie Grandet, Pl., t. III, p. 611.

(...) Harriet resta inébranlable et opposa à ma fougue un secouement de tête patient mais résolu (...) J.-A. DE GOBINEAU, les Pléiades, I, IV.

(Choses). Qui ne change pas. *Résolution, volonté inébranlable* (→ Fantaisie, cit. 35). *Une foi inébranlable. Idée, certitude inébranlable.* ⇒ **Arrêté** (→ Entêtement, cit. 5). *Opinion inébranlable* (→ Péremptoire, cit. 3).

(...) une résolution inébranlable de servir ce parti, comme si ce n'était que sa propre cause, après tout, et non uniquement celle des Princes et autres puissants qu'il entendit servir. SAINTE-BEUVE, Volupté, XIV.

(...) nos pères (nous-mêmes, dans notre jeunesse) croyaient d'une foi inébranlable au progrès (...) André SIEGFRIED, l'Âme des peuples, I. 10

CONTR. Fragile. — Ébranlable. — Accommodant, changeant, influençable.
DÉR. Inébranlabilité, inébranlablement.

INÉBRANLABLEMENT [inebʀɑ̃labləmɑ̃] adv. — 1701, *in* D. D. L.; de *inébranlable*.

♦ Littér. D'une manière inébranlable.

a Concret.

Oui, madame, répondit le lieutenant, tout s'explique. Cette presqu'île Victoria; île maintenant, que nous croyions, que nous devions croire inébranlablement fixée sur sa base, n'était qu'un vaste glaçon, soudé depuis des siècles au continent américain. 1
J. VERNE, Au pays des fourrures, t. II, p. 12.

b Abstrait.

Là, il s'est établi inébranlablement au-dessus de tous les préjugés et ceux de la raison n'ont pas tenu devant lui plus que ceux de la morale et de la politique. 2
André SUARÈS, Trois hommes, « Dostoïevski », p. 261.

INÉBRANLÉ, ÉE [inebʀɑ̃le] adj. — Déb. XVIIe, sens fig.; 1840, sens concret; rare av. 1840; de 1. *in-*, et *ébranlé*, p. p. de *ébranler*. → Inébranlable.

♦ Littér. et rare. Qui n'est pas ébranlé (concret ou abstrait).

(...) si ma conviction ne restait intacte, inébranlée (...)
GIDE, Retour de l'U. R. S. S., Avant-propos, p. 16.

(Êtres animés). Sain, qui n'est pas ébranlé dans sa santé, son équilibre.

CONTR. Ébranlé.

INÉCHANGEABLE [ineʃɑ̃ʒabl] adj. — 1845, Proudhon; de 1. *in-*, et *échangeable*.

♦ Comm. Qui ne peut être échangé. *Marchandise, article inéchangeable.*

CONTR. Échangeable.

INÉCLAIRABLE [inekləʀabl] adj. — 1886; de 1. *in-*, *éclairer*, et *-able*.

♦ **1.** Rare et littér. Qui ne peut, ou refuse de se mettre en lumière, en évidence, de se révéler tel qu'il est. ⇒ **Impénétrable, inconcevable, intraduisible.**

Ne discernant qu'une révolte impie dans le simple effet d'une intransgressable loi de nature (...) il *(mon père)* me donna, néanmoins, une dernière preuve de la plus inéclairable tendresse en ne me maudissant jamais tout à fait.
Léon BLOY, le Désespéré, p. 10.

♦ **2.** Qu'on ne peut éclairer (facilement, commodément). *Un château inchauffable* (cit. 2), *inéclairable.*

INÉCLAIRCI, IE [ineklɛʀsi] adj. — 1722, *in* T. L. F.; de 1. *in-*, et *éclairci*.

♦ Littér. et rare. Qui n'a pas été éclairci.

Questions inéclaircies. « *Cet instinct inéclairci qui conduit les grands hommes* » (Stendhal, *Histoire de la peinture en Italie*, *in* T. L. F.).

CONTR. Éclairci.

INÉCLAIRÉ, ÉE [ineklɛʀe] adj. — 1794, Pougens; de 1. *in-*, et *éclairé*, p. p. de *éclairer*.

♦ Littér. Qui n'est pas éclairé. ⇒ **Obscur, sombre.**

Ô suffisance de l'été, je t'avais pure
Comme l'eau qu'a changée l'étoile, comme un bruit
D'écume sous nos pas d'où la blancheur du sable
Remonte pour bénir nos corps inéclairés.
Yves BONNEFOY, « L'été de nuit », Poèmes, II, p. 164.

Abstrait. Obscur, incompréhensible.

CONTR. Éclairé.

INÉCLOS, OSE [ineklo, oz] adj. et n. m. — 1929, Gide, n. m.; adj., mil. XXe; de 1. *in-*, et *éclos*.

♦ Littér. et rare. Qui n'est pas éclos.

Rebutée par le positif, son âme inéclose et froissée essayait de la poésie. 1
GIDE, les Caves du Vatican, III, 2, *in* Romans, Pl., p. 760.

N. m. *L'inéclos :* ce qui est virtuel (chez qqn).

Moi je ne savais pas; cette attente, je la croyais en l'homme; cette attente, je la plaçais dans l'homme. D'ailleurs, ayant fait l'homme à mon image, je comprends 2

à présent qu'en chaque homme quelque chose d'inéclos attendait ; en chacun d'eux était l'œuf d'aigle (...) Et puis je ne sais pas ; je ne peux expliquer cela.
GIDE, le Prométhée mal enchaîné, *in* Romans, Pl., p. 324.

CONTR. Éclos.

INÉCOUTABLE [inekutabl] adj. — 1922, Proust, *in* T. L. F. ; dans Richard de Radonvilliers, 1842, au fig. ; de 1. *in-*, *écouter*, et suff. *-able*.

♦ Mauvais au point d'être insupportable à écouter (musique, musicien). ⇒ **Inaudible.** *Cette chanson est inécoutable.*

CONTR. Écoutable.

INÉCOUTÉ, ÉE [inekute] adj. — 1794, Pougens, *in* T. L. F. ; de 1. *in-*, et *écouté*. → Écouter.

♦ Littér. Qui n'est pas écouté, dont on ne tient pas compte. *Leurs appels, leurs conseils sont restés inécoutés.* — (Personnes). *« Toujours interrogés, toujours inécoutés »* (Proust, *les Plaisirs et les Jours, in* T. L. F.).

Il est presque sans exemple, aujourd'hui, que l'indigence implorante soit inécoutée et que d'heureux individus le veulent être solidairement.
Léon BLOY, le Désespéré, p. 86.

CONTR. Écouté.

INÉDIT, ITE [inedi, it] adj. et n. m. — 1729, Montesquieu, *in* T. L. F. ; lat. *ineditus* « qui n'a pas été publié, pas mis au jour », de *in-* (→ 1. In-), et *editus*, p. p. de *edere* « faire sortir, mettre au jour, faire connaître, produire ». → Éditer.

♦ **1.** Qui n'a pas été édité. *Les œuvres de ce poète sont encore inédites. Correspondance inédite d'un écrivain. Carnets inédits* (→ Flatteur, cit. 14). *Publier des fragments, des morceaux inédits d'un auteur.*

1 Après avoir copié tout le morceau inédit, j'achevai la collation du reste avec ces messieurs (...)
P.-L. COURIER, Œuvres compl., I, 68.

2 (...) auteur de célèbres romances roucoulées par nos mères, de deux ou trois opéras joués en 1815 et 1816, puis, de quelques partitions inédites.
BALZAC, le Cousin Pons, Pl., t. VI, p. 529.

3 (...) un précieux corpus de lettres et de documents inédits, grâce auxquels on a pu se faire une plus juste idée du triste drame (...)
Émile HENRIOT, les Romantiques, p. 25.

(Mil. XIXe). Par métonymie. Dont les œuvres n'ont pas été éditées, publiées. *Découvrir un auteur inédit.* — N. m. :

3.1 On aime à présent les inédits et les posthumes. Ils sont souvent des bâtards ou des enfants mal vêtus. Il n'y a plus un comédien, un musicien, un valet de chambre dont on n'imprime les conversations, qu'on lit pour trouver du piquant.
Prince de LIGNE, Fragments de l'histoire de ma vie (1811), *in* D. D. L., II, 15.

N. m. (1811). *Un inédit* : une œuvre inédite. *Publier des inédits.*

4 (...) la qualité de ces inédits égale en intérêt leur importance matérielle.
Émile HENRIOT, les Romantiques, p. 168.

♦ **2.** (Déb. XIXe). Qui n'est pas connu, n'a pas encore été montré. ⇒ **Nouveau, original.** *Spectacle inédit. Une histoire, une anecdote inédite. Un moyen inédit de réussir. Des trucs inédits* (→ Calé, cit. 6). *C'est tout à fait inédit* (⇒ **Innovation**).

5 Un autre courant secret de la littérature (...) exige du poète, par quelque alchimie, une *autre* syntaxe, une grammaire nouvelle et jusqu'à des mots inédits où revivrait l'innocence primitive (...)
J. PAULHAN, les Fleurs de Tarbes, p. 35.

N. m. (1862, Hugo, *in* T. L. F.). Après un partitif. Ce qui est entièrement nouveau. *Voilà de l'inédit. Du neuf, de l'inédit !*

6 Ce que j'ai à vous révéler est absolument inconnu. C'est de l'inédit.
HUGO, les Misérables, V, IX, IV.

7 — Ah ! ça alors !... dit Renaud. Ça, c'était, en effet de l'inédit !
Roger VERCEL, Remorques, p. 81.

CONTR. Édité, imprimé, publié. — Banal, connu.

INÉDITABLE [ineditabl] adj. — 1875, *in* Littré, *Suppl.* ; de 1. *in-*, *éditer*, et *-able*.

♦ Qui ne peut être édité. *Ce roman est inéditable par notre maison d'édition. Des ouvrages inéditables.* — Spécialt. Qui est trop médiocre pour être édité. ⇒ **Impubliable.**

CONTR. Éditable.

INÉDUCABILITÉ [inedykabilite] n. f. — D. i. (1946, Mounier, *in* T. L. F.) ; de *inéducable*.

♦ Didact. Caractère inéducable (d'une personne, d'une chose).

CONTR. Éducabilité.

INÉDUCABLE [inedykabl] adj. — 1908, Lalo, *in* T. L. F. ; dans Richard de Radonvilliers, 1845 ; de 1. *in-*, et *éducable*.

Didactique ou littéraire.

♦ **1.** Qu'on ne peut éduquer ; difficile à éduquer. *Anarchistes inéducables* (→ Explosif, cit. 1). *Public inéducable.*

C'était bien le chien le plus neurasthénique qu'il fût possible d'imaginer. Il avait toutes les phobies, rasait les haies, les murs ; ne venait à vous que par le plus long ; était pris de vertiges en montant l'escalier (...) inéduquable, on ne l'eût tenu que par la faim et encore (...)
GIDE, Journal, 19 janv. 1917.

♦ **2.** Qu'on ne peut améliorer, corriger. *« Une inéducable nullité »* (Proust). ⇒ **Incorrigible, indécrottable.**

CONTR. Éducable.

DÉR. Inéducabilité.

INÉDUCATION [inedykasjɔ̃] n. f. — 1794, Pougens, *in* T. L. F. ; de 1. *in-*, et *éducation*.

♦ Didact. Absence d'éducation.

Toute l'éducation — ou plus souvent l'inéducation — sexuelle de l'enfance porte ici ses fruits. 1
F. MOUNIER, la Relation sexuelle, tiré du « Traité du caractère » (1948), *in* Dr WILLY, la Sexualité, t. I, p. 39.

(...) la dictature ne serait qu'un acheminement imposé par les circonstances, la pauvreté et l'inéducation des masses non encore préparées à exercer leurs droits, vers la véritable démocratie (...) 2
Gaston BOUTHOUL, Sociologie de la politique, p. 79.

CONTR. Éducation.

INÉDUQUÉ, ÉE [inedyke] adj. — XXe ; de 1. *in-*, et *éduqué*. → Éduquer.

♦ Didact. ou littér. Qui n'est pas éduqué ; qui manque d'éducation. ⇒ **Fruste, grossier.** *Personnage inéduqué. Il est inéduqué, mais pas inculte.*

CONTR. Éduqué.

-INÉES Suffixe taxinomique, du suffixe taxinomique *-ées** (lat. sc. *-eae*), précédé de l'élément *-in-* du suffixe d'adj. latin *-inus* (→ -in), qui sert en botanique à former des noms féminins pluriels (noms de familles de plantes, en concurrence avec *-acées**, dans l'usage ancien ; noms de sous-tribus dans l'usage actuel).

REM. Comparer à *-ées** suivant une base en *-in-* (par ex., dans *Balsaminées*).

INEFFABILITÉ [inefabilite] n. f. — 1521, *in* T. L. F. ; de *ineffable*, ou lat. ecclés. *ineffabilitas*, même sens, de *ineffabilis*. → Ineffable.

♦ Rare ou relig. Caractère de ce qui est ineffable*.

INEFFABLE [inefabl] adj. et n. m. — Attesté mil. XVe (v. 1450, *in* T. L. F., sens 2 ; v. 1460, sens 1, probablt antérieur ; → Ineffablement) ; lat. *ineffabilis* « qu'on ne peut exprimer », de *in-* (→ 1. In-), et *effabilis* « qui peut se dire, se décrire », de *effari* « parler, dire ; fixer, déterminer », de *ex-* (→ É-, 1. ex-), préfixe à sens intensif, et *fari* « parler, dire » (→ Fable, faconde, fatum ; enfant).

♦ **1.** Adj. Souvent antéposé, en épithète. Qui ne peut être exprimé par des paroles (se dit des choses agréables). ⇒ **Indicible, inexprimable.** *Douceur* (cit. 8), *calme* (cit. 13) *ineffable. Un bonheur ineffable* (→ Brocanteur, cit. 2). ⇒ **Extraordinaire, indescriptible.** *D'ineffables délices* (→ Étude, cit. 6). *Une extase ineffable* (→ Grâce, cit. 30). ⇒ **Sublime.** *Harmonies* (cit. 5), *concerts ineffables* (→ Écho, cit. 16). *Les contradictions ineffables du chaos* (→ Futur, cit. 3). *Les ineffables irradiations des coquillages* (→ Amoncellement, cit. 1).

(Ô Dieu) Pendant que le pauvre à ta table 1
Goûtera de ta paix la douceur ineffable (...)
RACINE, Athalie, II, 9.

Cette musique ineffable, cachée dans la voix d'un amant, ce murmure aux inflexions inouïes, qui enveloppe et fait pâlir (...) 2
VILLIERS DE L'ISLE-ADAM, Contes cruels, L'inconnue, p. 230.

Un Génie apparut, d'une beauté ineffable, inavouable même. 3
RIMBAUD, Illuminations, III, Conte.

(...) il n'en est pas moins vrai que le propre des belles amours est d'être ineffables et que c'est profaner un grand sentiment que de le répandre au dehors. 4
FRANCE, la Rôtisserie de la reine Pédauque, XVIII, Œuvres, t. VIII, p. 190.

♦ **2.** Relig. (Postposé, en épithète). En parlant de Dieu, des mystères de la religion. *L'Être ineffable* (→ Argile, cit. 6). *Le Nom ineffable*, celui de Dieu (Yahvé), qui, dans certaines pratiques liturgiques juives, doit être remplacé par un autre nom. *Union ineffable avec Jésus dans le baptême* (cit. 10).

Accoutumée dès son origine à des mystères incompréhensibles et à des marques ineffables de l'amour divin (...) 5
BOSSUET, Hist. des variations, II, 1.

♦ **3.** N. m. (1769). *L'ineffable* (au sens 1 ou 2) : ce qui ne peut être exprimé par des mots. — Iron. *Il donne dans l'ineffable et le sublime.*

Ce vieux couple romantique du cœur et de la tête n'a (...) de réalité que (...) dans ces philosophies opiacées qui ont toujours formé finalement l'appoint des régimes forts, où l'on se débarrasse des intellectuels en les voyant s'occuper un peu de l'émotion et de l'ineffable. 6
R. BARTHES, Mythologies, p. 36.

♦ **4.** (Mil. XIXe, Balzac). Iron. (Antéposé, en épithète). Qu'on ne peut décrire (du fait d'un caractère bizarre, extravagant). ⇒ **Inénarrable.** *Elle portait un ineffable chapeau rose.* ⇒ **Ridicule.** — Person-

nes. « *L'ineffable Antonin (...) s'emberlificote dans des compliments tortueux...* » (Colette, *Claudine à l'école, in* T. L. F.).
REM. Sur le rad. de *ineffable*, S. Beckett a forgé un adj. *ineffant* (*Malone meurt*, p. 81).

DÉR. V. **Ineffabilité, ineffablement.**

INEFFABLEMENT [inefabləmɑ̃] adv. — 1316, *in* T. L. F.; de *ineffable* (attesté plus tardivement).

♦ **1.** Littér. D'une manière ineffable (avec un adj. mélioratif). *Elle était ineffablement bonne, douce. Ce violoniste joue ineffablement.*

♦ **2.** Iron. (avec un adj. péj. ou neutre). ⇒ **Incroyablement.** *Il est ineffablement bête.*

1 (...) à voir ce personnage ineffablement grimaçant, comique et blanc, ce bonhomme de neige simulant un général Dourakine en enfance, il me semblait que l'être humain pouvait subir des métamorphoses aussi complètes que celles de certains insectes (...) PROUST, le Temps retrouvé, Pl., t. III, p. 922-923.

2 Le chef du village (...) vient à notre rencontre en redingote très longue et très fripée, casquette kaki (...) gros souliers ferrés. Le tout ineffablement laid et ridicule. GIDE, le Retour du Tchad, VIII, *in* Souvenirs, Pl., p. 1001.

INEFFAÇABLE [inefasabl] adj. — 1523, *ineffassable*, sens 2; de 1. *in-, effacer*, et *-able*.
Littéraire.

♦ **1.** (1564). Qui ne peut être effacé. ⇒ **Indélébile.** *Trait, caractère, couleur ineffaçable. Une trace, une empreinte ineffaçable.*

1 C'est sur les vitres qu'on grave les mots ineffaçables. GIRAUDOUX, Amphitryon 38, I, 6.

Par comparaison :

2 J'ai le don, souvent douloureux, d'une mémoire que le temps n'altère jamais; ma vie entière, avec toutes ses journées, m'est présente comme un tableau ineffaçable. Les traits ne se confondent jamais; les couleurs ne pâlissent point. A. DE VIGNY, Servitude et grandeur militaires, I, III.

Par métaphore (→ Arête, cit. 1; conducteur, cit. 4). *Idée de beauté gravée en nous avec des caractères* (cit. 7) *ineffaçables. Laisser une impression ineffaçable.* ⇒ **Mémorable.**

3 *(Bourdaloue)* nous peignit sa mort *(de Condé)* avec des couleurs ineffaçables dans mon esprit et dans celui de tout l'auditoire (...) Mme DE SÉVIGNÉ, 1020, 25 avr. 1687.

4 L'impression reçue fut ineffaçable, et l'enfant devenu homme ne l'oublia jamais (...) Th. GAUTIER, Portraits contemporains, Ingres.

5 Je la croyais *(la femme)* prédestinée à un certain homme. Je pensais que lorsqu'elle a, comme vous, la chance de le rencontrer toute jeune et de l'épouser, cet homme laisse sur elle une empreinte ineffaçable (...) A. MAUROIS, Terre promise, XXXIII.

♦ **2.** Fig. Qui ne peut être détruit, qui ne peut disparaître. ⇒ **Indestructible.** *Un souvenir ineffaçable.* ⇒ **Impérissable, vivace.** *Sentiment, peur ineffaçable. Air ineffaçable* (→ Garnison, cit. 5).

6 (...) c'est la qualité la plus ineffaçable du cœur de l'homme. PASCAL, Pensées, VI, 404.

7 Poursuivi par le souvenir ineffaçable du fils qu'il avait perdu (...) Mme DE GENLIS, les Veillées du château, t. II, p. 376.

8 Ne savez-vous pas que les morts n'ont jamais de pitié? Leurs griefs sont ineffaçables, parce que leur compte s'est arrêté pour toujours. SARTRE, les Mouches, II, I, 2.

CONTR. **Délébile, effaçable.**
DÉR. **Ineffaçablement.**

INEFFAÇABLEMENT [inefasabləmɑ̃] adv. — 1675; de *ineffaçable.*

♦ Littér. D'une manière ineffaçable.

1 C'était le cri que poussait la victime au moment du meurtre : les paroles, l'accent en sont restés ineffaçablement gravés dans la mémoire de l'assassin! Th. GAUTIER, Souvenirs de théâtre, Shakespeare aux Funambules.

2 (...) il lui sembla que la tsigane Sangarre le regardait avec une insistance singulière. On eût dit que cette bohémienne voulait ineffaçablement graver ses traits dans sa mémoire. J. VERNE, Michel Strogoff, p. 110.

INEFFECTIF, IVE [inefɛktif, iv] adj. — 1697; de 1. *in-*, et *effectif.*

♦ Didact. Qui ne produit pas d'effet.

CONTR. 1. **Effectif, efficace, efficient.**

INEFFICACE [inefikas] adj. — 1611; *inefficax*, v. 1380; lat. *inefficax* «sans action, sans effet utile, qui ne produit pas (qqch.)», de *in-* (→ 1. In-), et *efficax.* → 1. Efficace.

♦ Qui n'est pas efficace, qui ne produit pas l'effet souhaité. *Remède inefficace.* ⇒ **Impuissant, inopérant.** *Démarche, mesure inefficace.* ⇒ **Infructueux, inutile, stérile, vain.** *Attitude inefficace* (→ Fondamental, cit. 4). *Notre libre arbitre rend la grâce efficace* (cit. 8, Pascal) *ou inefficace. — Produit inefficace pour...* (nom ou infinitif).

1 Nos idéalistes de 1848 s'étaient épris d'une Allemagne plus séduisante, mais guère plus organique : philosophique, musicale, bonne enfant, mais floue et et inefficace. André SIEGFRIED, l'Âme des peuples, p. 133.

(...) nos meilleures pensées risquent de demeurer inefficaces, et languissantes. J. PAULHAN, Entretien sur des faits divers, p. 148. 2

(...) la maladie semblait partir comme elle était venue. La stratégie qu'on lui opposait n'avait pas changé, inefficace hier et, aujourd'hui, apparemment heureuse. CAMUS, la Peste, p. 291. 3

(Déb. XXe). Personnes. Qui n'est pas efficace. *Il est plein de bonne volonté, mais plutôt inefficace. Il n'est pas inefficace, quand il s'y met. Des collaborateurs inefficaces. — Le ministre, le gouvernement s'est révélé inefficace.*

CONTR. **Actif, agissant,** 1. **efficace, fort, infaillible, utile.**
DÉR. **Inefficacement, inefficacité.**

INEFFICACEMENT [inefikasmɑ̃] adv. — 1778; de *inefficace.*

♦ Littér. D'une manière inefficace. *Travailler inefficacement. Des mesures inefficacement appliquées.*

Rome (...) inefficacement secourue par les Français (...) VOLTAIRE, Annales de l'Empire, Charles Quint (1528), *in* LITTRÉ.

CONTR. **Efficacement.**

INEFFICACITÉ [inefikasite] n. f. — 1694; de *inefficace.*

♦ Caractère de ce qui est inefficace; défaut d'efficacité. *L'inefficacité d'un remède, d'un vaccin.* ⇒ **Impuissance** (→ Détracteur, cit. 3). *L'inefficacité d'un moyen, d'une mesure, d'un secours.* ⇒ **Inutilité, stérilité, vanité.** *Efficacité* (cit. 7) *de l'individu et inefficacité de la vie publique.*

Une infraction à cette règle produirait (...) l'inefficacité du haschisch. Beaucoup d'ignorants ou d'imbéciles qui se conduisent ainsi accusent le haschisch d'impuissance. BAUDELAIRE, Du vin et du haschish, IV.

L'inefficacité d'une personne, d'un groupe. Son inefficacité pour..., à ... (et inf.).

CONTR. **Efficacité, force, utilité.**

INEFFICIENT, ENTE [inefisjɑ̃, ɑ̃t] adj. — 1918, Bainville; de 1. *in-*, et *efficient.*

♦ Didact. Sans effet, sans résultat (Gide, Giraudoux, *in* T. L. F.). *Des efforts inefficients.*

CONTR. 1. **Efficace, efficient.**

INÉGAL, ALE, AUX [inegal, o] adj. — 1559, sens II, 3; *inégal* (sens I, 1 et II, 1), 1538; réfection de *inequal* (sens I), 1370, d'après *égal*; lat. *inæqualis* «inégal, raboteux; dissemblable; inconstant», de *in-* (→ 1. In-), et *æqualis.* → Égal.

★ **I.** (1370, *inequal*). Qui n'est pas égal à un autre, qui ne sont pas égaux entre eux.

♦ **1.** Dont la quantité, la nature, la qualité n'est pas la même dans plusieurs objets considérés. ⇒ **Anis-, aniso-,** et comp. (didact.). *Côtés, angles inégaux d'une figure. Plis inégaux en longueur. Pas inégaux* (→ Attaquer, cit. 43). *Taches inégales dans le ciel* (→ Faucon, cit. 3). *Meuble aux pieds inégaux* (⇒ **Bancal, boiteux**). *Vers inégaux*, de longueur différente. *L'inclinaison de la terre fait les jours inégaux* (→ Écliptique, cit.). *Intermittences inégales* (→ Accélérer, cit. 2). *Parts, fortunes inégales. Forces inégales. Mérites inégaux.*

Hipparque reconnut que les deux intervalles d'un équinoxe à l'autre étaient inégaux entre eux et inégalement partagés par les solstices (...) LAPLACE, Exposition du système du monde, V, 2. 1

Elle lui dit que les scènes de ménage n'étaient jamais belles; que les violences pouvaient en être inégales suivant les personnes; mais que la différence de ton tenait bien moins aux milieux qu'aux caractères. J. ROMAINS, les Hommes de bonne volonté, t. V, XX, p. 153. 2

(Personnes : capacités physiques, morales ou sociales). ⇒ **Inégalité.** *Les hommes* (cit. 75) *naissent inégaux. Joueurs inégaux.*

Si l'on suppose les joueurs inégaux, on demande quel avantage le plus fort doit accorder, ou, réciproquement, l'un ayant accordé à l'autre un certain avantage, on demande de combien il est plus fort (...) FONTENELLE, Bernoulli. 3

Le même appel d'égalité s'adressait à des populations prodigieusement inégales, non seulement de position, mais de culture, d'état moral et d'idées. MICHELET, Hist. de la Révolution franç., I, I. 4

(1560). Dont la mesure n'est pas la même (dans plusieurs objets considérés). ⇒ **Différent.** *Clochers de grandeur inégale* (→ 1. Feu, cit. 62). *Cordes de taille inégale* (→ Harpe, cit. 1), *d'inégale grosseur. Éléments de qualité inégale.* ⇒ **Disparate.** *Importance fort inégale des événements* (→ Catégorie, cit. 5). « *Deux personnes de condition inégale* » (Académie).

Les vers de mesure inégale, bien assortis dans les poésies familières, en font l'harmonie et le charme (...) MARMONTEL, Éléments littéraires, Œuvres, t. X, p. 469. 5

♦ **2.** (1578, Ronsard, *in* T. L. F.). Dont les éléments ou les participants ne sont pas égaux. *Partage inégal des biens* (→ Exorbitant, cit. 2). *Distribution inégale et injuste*. L'ordre du monde est inégal* (→ Humilité, cit. 8). *La lutte est vraiment trop inégale.* ⇒ **Disproportionné.** *Partie inégale* (→ Gagner, cit. 44). *Duel inégal* (→ Artillerie, cit. 2). *Association inégale et désavantageuse* (cit. 2) *au plus faible.*

6 Un homme attaqué par trois autres? La partie est trop inégale (...)
MOLIÈRE, Dom Juan, III, 2.

7 Hélas! je cherchais à combattre un penchant que je sentais devenir plus fort que moi. C'est après avoir épuisé mes forces dans ce combat inégal, qu'un hasard (...) me fit trouver seul avec vous. LACLOS, les Liaisons dangereuses, XXXVI.

★ **II.** Dont les caractères ne sont pas toujours et partout les mêmes (d'un objet unique).

♦ **1.** (1538, *inegual*). Choses concrètes ; surfaces. Qui n'est pas uni, lisse. *Surface raboteuse* et inégale* (→ Égal, cit. 31). *La surface inégale d'un papier.* ⇒ **Rugueux.** *Plancher inégal qui présente des bosses*, des aspérités*.* ⇒ **Raboteux.** *Une plaine caillouteuse* (cit. 1) *et inégale.* ⇒ **Accidenté, bosselé, bossué, montueux.** *Des sentiers inégaux.* ⇒ **Abrupt.**

8 (...) la rue La Rochefoucauld, calme, montueuse, au pavé inégal, presque comme une rue de province. Paul LÉAUTAUD, le Théâtre de Maurice Boissard, IV.

♦ **2.** (1552). Processus. Qui n'est pas régulier. ⇒ **Irrégulier.** *Rythme inégal. Avoir la respiration inégale. Pouls inégal d'un fiévreux.* ⇒ **Capricant.** *Cheminer* (cit. 4) *d'un pas lent et inégal.*

9 La vie est un mouvement inégal, irrégulier et multiforme.
MONTAIGNE, Essais, III, III.

10 Son pouls, inégal, était presque insensible maintenant.
FLAUBERT, Mme Bovary, III, VIII.

11 Elle marchait maintenant, d'un pas inégal, tantôt rapide, tantôt si lent et si accablé qu'il semblait que la fatigue dût enfin avoir raison de la jeune fille (...)
J. GREEN, Adrienne Mesurat, III, IX.

♦ **3.** (1559). Caractères humains ; personnes. Qui n'est pas constant. ⇒ **Changeant.** *Humeur, conduite inégale. Caractère* (cit. 48 et 51) *inégal.* — *Il, elle est inégal(e) :* il, elle a des sautes* d'humeur (cit. 11). ⇒ **Bizarre, capricieux, fantasque, instable, versatile** (cit. 3 et 5 ; → Impossible, cit. 22). *Une personne brusque et inégale* (→ Ignorer, cit. 40). — Vx. *Peuple inégal à l'endroit des tyrans* (→ Adorer, cit. 9).

12 (...) les soudains retours de son âme inégale. MOLIÈRE, Psyché, I, 2.

13 La justice doit être attachée aux règles, ferme et constante : autrement elle est inégale dans sa conduite ; et, plus bizarre que réglée, elle va selon l'humeur qui la domine. BOSSUET, Politique tirée de l'Écriture, VIII, IV, 1.

14 Par là vous voyez que sa conduite doit être inégale et sautillante, quelques instants impétueux et presque toujours molle ou nulle (...)
ROUSSEAU, Dialogues, II.

♦ **4.** (1609). Dont la qualité n'est pas constamment bonne. ⇒ **Imparfait.** *Œuvre inégale, roman inégal. Il y a de bonnes choses dans ce film, mais l'ensemble est trop inégal. Jeu inégal d'un acteur. Style inégal.* — Par ext. *Écrire d'une plume libre et inégale* (→ Anatomie, cit. 5). — *Personne inégale, dont les idées, les œuvres sont inégales. Un écrivain très inégal* (→ Fonds, cit. 15).

15 *(Il dit)* que Virgile est passable (...)
Que Pline est inégal ; Térence un peu joli :
Mais surtout il estime un langage poli.
Ainsi sur chaque auteur il trouve de quoi mordre.
Mathurin RÉGNIER, Satires, X.

16 L'homme du meilleur esprit est inégal ; il souffre des accroissements et des diminutions ; il entre en verve, mais il en sort (...)
LA BRUYÈRE, les Caractères, XI, 66.

CONTR. **Égal ; identique, même, pareil. — Lisse, uni ; régulier, uniforme ; soutenu.**
DÉR. **Inégalement, inégaliser.**

INÉGALABLE [inegalabl] adj. — 1891, Huysmans ; dans Richard de Radonvilliers, 1842 ; de 1. *in-*, et *égalable.*

♦ Qui ne peut être égalé. *Adresse, qualité inégalable.* ⇒ **Incomparable, unique.** *L'inégalable beauté de cette œuvre.*

Ses héros *(de Gautier)* sont dessinés et peints dans leur apparence physique avec une minutie inégalable (...) Émile HENRIOT, les Romantiques, p. 202.

(Personnes). *Un pianiste inégalable.* ⇒ **Inimitable.**

CONTR. **Égalable.**
DÉR. **Inégalablement.**

INÉGALABLEMENT [inegalablәmɑ̃] adv. — Fin XIXe, Huysmans ; de *inégalable.*

♦ Littér. D'une manière inégalable. ⇒ **Incomparablement** (plus courant).

1 Jeune, je me passionnai pour ces aventures fabuleuses où grouille un peuple d'enchanteurs, de dames inégalablement chastes et de chevaliers (...)
Michel LEIRIS, l'Âge d'homme, p. 159.

2 Il y a quelque chose d'inégalablement splendide dans cet ensemble du peuple hindou qui toujours cherche le plus et non le moins (...)
Henri MICHAUX, Un barbare en Asie, p. 25.

INÉGALÉ, ÉE [inegale] adj. — 1861, *in* Littré, *Suppl.* (→ cit.) ; dans Richard de Radonvilliers, 1842. ; de 1. *in-*, et p. p. de *égaler.*

♦ Qui n'est pas égalé, qui n'a pas de rival. *« La sculpture grecque demeure incomparable et inégalée »* (Lévêque, *in* Littré). *Il reste inégalé dans cette technique.* — *Beauté, splendeur inégalée.*

CONTR. **Égalé.**

INÉGALEMENT [inegalmɑ̃] adv. — 1484 ; de *inégal.*

♦ D'une manière inégale. *Enfants ingalement doués. Biens inégalement partagés. Cheveux inégalement coupés. Une étoffe inégalement frappée* (→ Gripper, cit. 3). — *Œuvre inégalement appréciée.* ⇒ **Diversement.** *Ils ont inégalement réussi ; ils ont réussi inégalement* → Plus ou moins bien*.

Quand tout est dans l'ordre, tous les travaux sont utiles ; il est vrai qu'ils répartissent inégalement les richesses, mais c'est avec justice, puisqu'ils supposent des talents plus ou moins rares.
CONDILLAC, le Commerce et le Gouvernement, I, 10.

CONTR. **Également** (1.).

INÉGALISER [inegalize] v. tr. — 1875, *in* Littré, *Suppl.* ; de *inégal*, suff. *-iser.*

♦ Didact. Rendre inégal.

(...) S'il en est ainsi, c'est définir le moi de veille comme ce qui inégalise les phénomènes, les traverse, ne se réduit pas à leur suite quelconque — à leurs accrochements tels quels. VALÉRY, Cahiers, t. II, Pl., p. 33.

CONTR. **Égaliser.**

INÉGALITAIRE [inegalitɛʀ] adj. — 1876, *in* Littré, *Suppl.* ; du rad. de *inégalité*, d'après *égalitaire.*

♦ Qui n'est pas égalitaire.

(1974). Spécialt. Qui crée, perpétue ou est caractérisé par des inégalités sociales. *« Plus une législation est simple plus elle néglige les cas particuliers et risque par conséquent, d'être injuste et inégalitaire »* (*l'Express*, 27 mai 1974, *in* P. Gilbert).

Pour des raisons psychologiques ou sociologiques, on pourra accepter une société inégalitaire comme la nôtre, qui fait sa place à des inégalités artificielles, ou bien souhaiter une société inégalitaire qui ne tienne compte que de l'inégalité, ou encore souhaiter une société égalitaire qui néglige cette inégalité. Bref, on pourra se conformer à la nature ou s'y opposer (...) J. ROSTAND, l'Homme, Introd., p. 8.

CONTR. **Égalitaire.**

INÉGALITÉ [inegalite] n. f. — 1621 ; *inégualité*, 1538 ; réfection de *inequalité*, 1290 ; d'après *égalité* ; lat. *inæqualitas* « inégalité (entre des choses, des personnes) ; diversité, variété ; anomalie (gramm.) », de *inæqualis.* → Inégal.

★ **I.** ♦ **1.** (1290, *inequalité*). Fait (pour deux ou plusieurs choses ou personnes) de ne pas être égales ; caractère inégal (de choses, de personnes). ⇒ **Différence.** *L'inégalité de deux hauteurs, de plusieurs parts. Inégalité des éléments.* ⇒ **Disparité.** *Inégalité entre l'offre et la demande.* ⇒ **Déséquilibre.** *Une inégalité d'âge.* ⇒ **Disproportion.** *Inégalités humaines* (→ Charité, cit. 6). *Inégalité des capacités naturelles de chacun* ou *inégalité naturelle* (→ Différer, cit. 13). *Société qui s'efforce de diminuer les inégalités naturelles* (→ Homme, cit. 75). *L'inégalité des classes* (cit. 3) *sociales. Inégalité entre les rangs, les états* (→ Humanité, cit. 3). ⇒ **Distance, intervalle.** *Inégalité de jouissance, de bien-être* (entre les personnes) : inégalité en ce qui concerne... (→ Égalitaire, cit. 1). — (Sans compl.). *Inégalité sociale* (*inégalité morale* chez Rousseau). *La société engendre l'inégalité* (→ Homme, cit. 80). *Rapports de l'inégalité naturelle et de l'inégalité sociale* (→ Accroissement, cit. 2 ; conséquence, cit. 5 ; factice, cit. 4). *Inégalité et injustice*.* *Discours sur l'origine et le fondement de l'inégalité parmi les hommes*, œuvre de J.-J. Rousseau.

Une grande tendresse et des soins complaisants 1
Peuvent (...) pour un tel mariage,
Réparer entre nous l'inégalité d'âge (...) MOLIÈRE, l'École des maris, I, 2.

Il est nécessaire qu'il y ait de l'inégalité parmi les hommes, cela est vrai ; mais cela étant accordé, voilà la porte ouverte, non seulement à la plus haute domination, mais à la plus haute tyrannie. PASCAL, Pensées, VI, 380. 2

Je conçois, dans l'espèce humaine, deux sortes d'inégalités : l'une que j'appelle naturelle ou physique, parce qu'elle est établie par la nature, et qui consiste dans la différence des âges, de la santé, des forces du corps et des qualités de l'esprit ou de l'âme ; l'autre, qu'on peut appeler inégalité morale ou politique, parce qu'elle dépend d'une sorte de convention, et qu'elle est établie ou du moins autorisée par le consentement des hommes. Celle-ci consiste dans les différents privilèges dont quelques-uns jouissent au préjudice des autres, comme d'être plus riches, plus honorés, plus puissants qu'eux, ou même de s'en faire obéir.
ROUSSEAU, De l'inégalité parmi les hommes, Discours. 3

On peut encore moins chercher s'il n'y aurait point quelque liaison essentielle entre les deux inégalités *(naturelle et morale)* ; car ce serait demander en d'autres termes, si ceux qui commandent valent nécessairement mieux que ceux qui obéissent, et si la force du corps ou de l'esprit, en proportion de la puissance ou de la richesse (...) ROUSSEAU, De l'inégalité parmi les hommes, Discours. 4

Quand on partage les souffrances du pauvre, on a le sentiment de l'inégalité sociale ; on n'est pas plutôt monté en voiture que l'on méprise les gens à pied.
CHATEAUBRIAND, Mémoires d'outre-tombe, t. III, p. 77. 5

Chercherez-vous, par une opinion mitigée, l'édification d'une cité où chaque homme possède un toit, du feu, des vêtements, une nourriture suffisante? Quand vous serez parvenu à doter chaque citoyen, les qualités et les défauts dérangeront votre partage ou le rendront injuste : celui-ci a besoin d'une nourriture plus considérable que celui-là ; celui-là ne peut pas travailler autant que celui-ci ; les hom- 6

mes économes et laborieux deviendront des riches, les dépensiers, les paresseux, les malades, retomberont dans la misère; car vous ne pouvez donner à tous le même tempérament : l'inégalité naturelle reparaîtra en dépit de vos efforts.
CHATEAUBRIAND, Mémoires d'outre-tombe, t. VI, p. 324.

7 L'inégalité politique, qui résultait de la différence des fortunes, parut bientôt une iniquité, et les hommes travaillèrent à la faire disparaître.
FUSTEL DE COULANGES, la Cité antique, IV, X.

8 (...) la démocratie ne veut l'égalité des citoyens que devant la loi et l'accessibilité aux fonctions publiques (...) pour le reste, sa position est définie par ce mot du philosophe anglais Grant Allen : «Tous les hommes naissent libres et *inégaux*, le but du socialisme étant de maintenir cette inégalité naturelle et d'en tirer le meilleur parti possible» ou cet autre du démocrate français Louis Blanc, déclarant que l'égalité véritable c'est la «proportionnalité» et qu'elle consiste pour tous les hommes dans «l'égal développement de leurs facultés inégales».
Julien BENDA, la Trahison des clercs, p. 20.

9 (...) l'esprit de révolte s'exprime difficilement dans les sociétés où les inégalités sont très grandes (régime des castes hindoues) ou, au contraire, dans celle où l'égalité est absolue (certaines sociétés primitives). En société, l'esprit de révolte n'est possible que dans les groupes où une égalité théorique recouvre de grandes inégalités de fait.
CAMUS, l'Homme révolté, p. 33.

Gramm. *Comparatif d'inégalité*, système de comparaison exprimant une inégalité.

♦ **2.** (1549, *Inequalité*). Math. Expression dans laquelle on compare deux quantités inégales. *L'inégalité se note par les signes : ≠ (différent de...), > (plus grand que...), < (plus petit que...).* ⇒ **Inéquation.** *Résoudre une inégalité.*

★ **II.** Absence ou défaut d'égalité; caractère inégal (II.) [d'un seul objet]. ♦ **1.** (1509). Défaut d'uniformité, de régularité. ⇒ **Irrégularité.** *L'inégalité d'une surface, d'un chemin.*

Plus cour. *Une, des inégalités.* ⇒ **Aspérité, bosse, bossellement.** *Inégalités de terrain.* ⇒ **Accident, anfractuosité, cahot, dénivellation.**

10 Les inégalités qui sont à la surface de la terre, qu'on pourrait regarder comme une imperfection à la figure du globe, sont en même temps une disposition favorable et qui était nécessaire pour conserver la végétation et la vie sur le globe terrestre.
BUFFON, Hist. nat., Preuves théorie Terre, *in* LITTRÉ.

(1660). Caractère inégal. *L'inégalité d'un mouvement. Inégalité du pouls. Inégalités dans l'intensité d'une lumière, d'un bruit.* ⇒ **Variation.**

11 Il y avait, dant la rumeur, des inégalités, des sursauts, des pauses; un silence total d'un quart de seconde, qui donnait une agréable anxiété (...)
J. ROMAINS, les Hommes de bonne volonté, t. III, III, p. 47.

(1691). Astron. Irrégularité dans la marche des astres (→ Épicycle, cit. 2).

12 (...) l'attraction newtonienne est en effet la vraie cause des inégalités qu'on observe dans le mouvement de cette planète *(la lune).*
D'ALEMBERT, Disc. préliminaire sur le système du monde.

♦ **2.** Littér. Défaut d'égalité (d'humeur); variabilité.

a (1530). Vx. Caractère, comportement changeant. *L'inégalité de la fortune. Inégalité de piété, de raison* (Massillon). *Inégalité dans le courage* (cit. 7) *des braves.*

b (Déb. XVIIe). Mod. *L'inégalité du caractère, de l'humeur*. Inégalités et bizarreries** (cit. 1) *d'humeur.*

13 Inquiétude d'esprit, inégalité d'humeur, inconstance de cœur, incertitude de conduite : tous vices de l'âme, mais différents (...)
LA BRUYÈRE, les Caractères, XI, 4.

♦ **3.** Imperfection* (en parlant des œuvres). *Les inégalités d'un roman.* «*Son style est plein d'inégalités*» (Académie).

14 *(La poésie latine)* montrait quelquefois de la force et des traits de génie, mais sans élégance, sans grâce, et avec de grandes inégalités.
ROLLIN, Hist. ancienne, XXV, I, 2.

CONTR. Égalité, identité. — Régularité, uniformité.
DÉR. Inégalitaire.

INÉLASTICITÉ [inelastisite] n. f. — 1899, Bergson, *in* T. L. F.; de *inélastique*, d'après *élasticité*.

♦ Didact., techn. Caractère d'un corps inélastique. Spécialt (pour traduire l'angl. *anelasticity*, de *anelastic* «inélastique»). «*L'inélasticité représente les variations avec le temps de la contrainte ou de la déformation d'un solide lors de sollicitations mécaniques dans le domaine élastique*» *(la Recherche*, janv. 1976, p. 82).

CONTR. Élasticité, souplesse.

INÉLASTIQUE [inelastik] adj. — 1738; de 1. *in-*, et *élastique*.

♦ Didact. Qui n'est pas élastique.

Même lorsque Leibniz eut substitué à ce principe celui de la conservation de la force vive, on ne pouvait considérer la loi ainsi formulée comme tout à fait générale, puisqu'elle admettait une exception évidente dans le cas du choc central de deux corps inélastiques.
H. BERGSON, Essai sur les données immédiates de la conscience, p. 114.

Phys. Se dit de la relation mécanique entre deux corps (choc, etc.) lorsqu'il y a diminution de l'énergie cinétique totale. «*Diffusion inélastique de neutrons*» *(la Recherche*, mars 1980, p. 338-339).

CONTR. Élastique.
DÉR. Inélasticité.

INÉLÉGAMMENT [inelegamɑ̃] adv. — 1546; de *inélégant*.

♦ Littér. D'une manière inélégante. *Il s'est comporté inélégamment.*

Le «par contre» dont on abuse aujourd'hui remplace abruptement et inélégamment le «en récompense» du XVIIe siècle.
GIDE, Journal, 14 sept. 1941.

CONTR. Élégamment.

INÉLÉGANCE [inelegɑ̃s] n. f. — 1523; de *inélégant*, d'après *élégance*.

♦ **1.** Manque d'élégance. «*L'inélégance du style*».

C'était un homme court, carré des épaules; avec des bras et des mains de gorille; la dignité de la redingote pastorale accentuait encore l'inélégance de son aspect.
GIDE, Si le grain ne meurt, I, VI, p. 178.

♦ **2.** Fig. Indélicatesse (dans le comportement). *Un procédé d'une parfaite inélégance.* — (V. 1800). *Une inélégance* : une légère incorrection (Sainte-Beuve, *in* T. L. F.).

CONTR. Élégance.

INÉLÉGANT, ANTE [inelegɑ̃, ɑ̃t] adj. — V. 1500; lat. *inelegans* «qui est sans distinction, sans goût, sans finesse; grossier; désagréable», de *in-* (→ 1. In-), et *elegans*. → Élégant.

♦ **1.** (Personnes). Qui n'est pas élégant (2.). *Une femme inélégante.*

Non qu'elle fût grosse : engoncée plutôt, inélégante, ne sachant pas plus s'habiller, que marcher ou parler. 1
Claude MAURIAC, le Dîner en ville, p. 270.

(Choses). Sans distinction. ⇒ **Commun, vulgaire.** *Pose inélégante.* — (Arts). *Une phrase inélégante.*

Je m'étais toujours senti de l'aversion pour mon malheureux nom de famille, si inélégant, et pour mon prénom, si trivial, sinon tout à fait plébéien. 2
BAUDELAIRE, Trad. E. POE, Nouvelles histoires extraordinaires, «W. Wilson».

Elle étalait une complète misère, la chose du monde la plus inélégante aux yeux d'un pareil dandy de plume (...) 3
Léon BLOY, le Désespéré, p. 14.

♦ **2.** **a** (1830, Stendhal, *in* T. L. F.). Comportements. Inconvenant, presque grossier. *Des manières inélégantes.*

Arthur Rance en avait profité, ce soir-là, pour se griser abominablement. Il dut commettre quelque inélégante bêtise, laisser échapper un propos si incorrect que Miss Édith le pria soudain, et à haute voix, de ne plus lui adresser la parole. 4
Gaston LEROUX, le Parfum de la dame en noir, p. 115.

b Qui fait preuve d'indélicatesse morale. *Procédé, geste inélégant.* ⇒ **Indélicat.**

CONTR. Chic, élégant.
DÉR. Inélégamment, inélégance.

INÉLIGIBILITÉ [inelizibilite] n. f. — 1791; attestation isolée, 1519; de *inéligible*.

♦ Didact. État d'une personne inéligible.

Le fondement de l'éligibilité relative est différent de celui de l'inéligibilité absolue. La capacité de l'élu n'est pas en cause, mais plutôt la régularité éventuelle de l'élection (...) L'appréciation de l'inéligibilité absolue ou relative revient aussi, comme celle de la régularité de l'élection, aux Chambres elles-mêmes.
H. PRÉLOT, Précis de droit constitutionnel, no 313.

CONTR. Éligibilité.

INÉLIGIBLE [inelizibl] adj. — Av. 1723; Fleury, *in* Trévoux, 1752; de 1. *in-*, et *éligible*, d'après le lat. médiéval *ineligibilis*, de *in-* (→ 1. In-) et *eligibilis*. → Éligible.

♦ Qui n'est pas éligible. *Candidat inéligible.*

On présume que la situation du fonctionnaire lui permet d'exercer sur le corps électoral une influence trop marquée, tournant aisément à la pression. C'est d'ailleurs pourquoi ne sont inéligibles que les fonctionnaires doués d'une autorité effective sur tout ou partie de la population (...)
H. PRÉLOT, Précis de droit constitutionnel, no 313.

CONTR. Éligible.
DÉR. Inéligibilité.

INÉLUCTABILITÉ [inelyktabilite] n. f. — D. i.; attesté mil. XXe; de *inéluctable*.

♦ Didact. ou littér. Caractère de ce qui est inéluctable. *L'inéluctabilité d'une fin dramatique.*

INÉLUCTABLE [inelyktabl] adj. — V. 1790; attestation isolée, v. 1509; lat. *ineluctabilis*, de *in-* (→ 1. In-), et *eluctabilis* «qu'on peut surmonter», de *eluctari* «sortir avec effort, surmonter en luttant, lutter pour se dégager», de *ex* «hors de» (→ É-, 1. ex-), et *luctari* «lutter» (→ Lutter).

♦ Contre quoi il est impossible de lutter; qu'on ne peut peut détourner, éluder, empêcher, éviter. *Destin, fatalité, sort inéluctable.* ⇒ **Implacable.** *La mort inéluctable.* ⇒ **Immanquable, indubitable** (vx), **inévitable, sûr.** *L'abîme inéluctable des destinées humaines* (→ Désespéré, cit. 19). *La pente inéluctable où glisse l'idéalisme* (cit. 2). ⇒ **Irrésistible.** *Conséquence inéluctable.*

⇒ **Forcé, nécessaire.** *Nécessité inéluctable.* — Rare (le subst. désignant une réalité psychique). *Sentiment, volonté inéluctable.*

1 Mais nous allions sans trêve aux fins inéluctables (...)
VERLAINE, Poèmes divers, « Prière ».

2 (...) le prince étant tenu par les règles inéluctables de sa caste, à ne point quitter le sol de l'Inde. LOTI, l'Inde (sans les Anglais), III, III.

3 (...) silence qu'il convenait de garder sur une nécessité inéluctable.
PROUST, les Plaisirs et les Jours, III, p. 148.

4 Il n'y a de loi que les lois naturelles ; celles-là, oui, inéluctables.
MARTIN DU GARD, les Thibault, t. III, p. 216.

5 La transformation que la finance et le machinisme portent en eux, et qui est inéluctable (...) J. CHARDONNE, l'Amour du prochain, p. 111.

N. m. (Fin XIXe). *Se soumettre à l'inéluctable* (→ Conviction, cit. 2).

DÉR. Inéluctabilité, inéluctablement.

INÉLUCTABLEMENT [inelyktabləmɑ̃] adv. — 1872, Gautier, *in* T. L. F. ; de *inéluctable.*

♦ Littér. ou didact. D'une manière inéluctable. ⇒ **Infailliblement.** *L'échéance qui arrivera inéluctablement. Il va inélucatblement à la faillite.*

INÉLUDABLE [inelydabl] adj. — 1846, Bescherelle ; dans Richard de Radonvilliers, 1845 ; de 1. *in-*, et *éludable.*

♦ Rare. Qui ne peut être éludé.

CONTR. Éludable (rare).

INÉMOTIVITÉ [inemɔtivite] n. f. — 1948, cit. Mounier ; de 1. *in-*, et *émotivité.*

♦ Didact. Absence d'émotivité.

L'émotivité par exemple est toujours majoritaire chez les femmes, quelles que soient les proportions d'émotivité et d'inémotivité chez les géniteurs.
E. MOUNIER, la Relation sexuelle, Vue d'ensemble, tiré du « Traité du caractère », *in* Dr WILLY, la Sexualité, t. I, p. 41.

CONTR. Émotivité.

INEMPLOI [inɑ̃plwa] n. m. — 1937, Gide, *in* T. L. F. ; de 1. *in-*, et *emploi.*

Rare.

♦ **1.** *(Inemploi de qqch.).* Fait de ne pas employer (qqch.). ⇒ **Inutilisation.** « *Il me dénommait bonheur l'inemploi et la rouille de son glaive* » (Saint-Exupéry, *Citadelle,* 1944, p. 767, *in* T. L. F.). — (Abstrait). *Inemploi de ses forces, d'aptitudes.*

♦ **2.** (V. 1966). Absolt. Absence d'emploi, de travail. ⇒ **Chômage.** *Lutter contre l'inemploi* (*l'Express,* 10 déc. 1973, *in* Gilbert).

INEMPLOYABLE [inɑ̃plwajabl] adj. — 1932 ; dans Richard de Radonvilliers, 1845 ; de 1. *in-*, et *employable.*

♦ Qu'on ne peut employer. ⇒ **Inutilisable.** *Procédé inemployable. — Personnel inemployable.*

Tout ne peut pas être inemployable dans ces milliers d'hommes et de fusils, dit Heinrich. MALRAUX, l'Espoir, Pl., p. 637.

CONTR. Employable.

INEMPLOYÉ, ÉE [inɑ̃plwaje] adj. — 1794, Pougens, *in* T. L. F. ; *jeunesse inemployée,* 1827 ; de 1. *in-*, et *employé,* p. p. de *employer**.

♦ **1.** (Choses). Qui n'est pas employé. ⇒ **Inutilisé.** *Forces inemployées* (→ Bien-être, cit. 4). *Trop de talents demeurent inemployés. Ne laissez pas votre argent inemployé.* ⇒ **Oisif.**

Sarah soupira et se tut. Sa bonté inemployée la gonflait comme un gaz. Ils *(les gens)* ne veulent pas qu'on les aime. SARTRE, la Mort dans l'âme, p. 23.

♦ **2.** (Personnes). Sans emploi ; qu'on n'emploie pas. « *(...) tenu à l'écart, ignoré, inemployé (...)* » (Montherlant, *Malatesta,* III, 3, *in* T. L. F.).

INÉNARRABLE [inenaʀabl] adj. — 1482 ; lat. *inenarrabilis* « qu'on ne peut raconter » ; de *in-* (→ 1. In-), et *enarrabilis* « qu'on peut exprimer, décrire », de *enarrare* « dire explicitement, rapporter avec détails », de *ex-*, préfixe à sens intensif (→ É-, 1. ex-), et *narrare* « raconter ». → Narrer.

♦ **1.** Vx. Qu'on ne peut raconter. ⇒ **Inracontable.** *Des aventures inénarrables.* — Par ext. Impossible à dire, à exprimer. ⇒ **Inexprimable.**

1 Dieu ne se révèle pas par le miracle ; il se révèle par le cœur, où un gémissement inénarrable, comme dit saint Paul, s'élève sans cesse vers lui.
RENAN, Questions contemporaines, Œ. compl., t. I, p. 168.

♦ **2.** (1876, Huysmans *in* T. L. F.). Mod. Dont on ne peut parler sans rire ; qui est d'une bizarrerie extraordinaire. ⇒ **Comique.** *Si vous aviez vu la scène, le tableau ! C'était inénarrable ! — Un inénarrable chapeau à fleurs.*

Personnes. Dont l'apparence est cocasse, ridicule.

Le duc de Guermantes, inénarrable en pyjama rose et peignoir de bain.
PROUST, le Temps retrouvé, Pl., t. 3, p. 759.

DÉR. Inénarrablement.

INÉNARRABLEMENT [inenaʀabləmɑ̃] adv. — 1835, E. de Guérin, *in* T. L. F. ; de *inénarrable.*

♦ Littér. et rare. De manière inénarrable.

INENGENDRÉ, ÉE [inɑ̃ʒɑ̃dʀe] adj. — Déb. XVIe ; de 1. *in-*, et *engendré,* p. p. de 1. *engendrer**.

♦ Relig. Qui n'est pas engendré, n'a pas été engendré. *L'Éternel, inengendré, infini et inconnaissable.*

INENTAMABLE [inɑ̃tamabl] adj. — 1785, « *inentamable citadelle* », Sade, *in* D. D. L. ; dans Richard de Radonvilliers, 1845 ; de 1. *in-*, *entamer,* et *-able.*

♦ Littér. Qu'on ne peut pas entamer (surtout au fig.). ⇒ **Inébranlable.** *Une inentamable assurance.*

1 Qu'il y ait ou non de crise ministérielle, le pouvoir appartient à l'équipe. La crise toujours se dénoue au-dedans de l'équipe. Dictature invulnérable, inentamable jusqu'aux élections. F. MAURIAC, Bloc-notes 1952-1957, p. 60.

2 Clarté très brillante des zones claires. Elle ne mord pas sur les noires. Celles-ci sont d'un noir inentamable. Aussi dense sur les bords qu'au centre.
S. BECKETT, Pour finir encore, p. 40.

Avec complément. « *Des personnalités entières, inentamables au niveau, aux idées, aux habitudes des autres* » (Goncourt, *Journal,* 1867, p. 320, *in* T. L. F.).

INENTAMÉ, ÉE [inɑ̃tame] adj. — 1894 ; dans Richard de Radonvilliers, 1845 ; de 1. *in-*, et *entamé,* p. p. de *entamer.*

♦ Littér. Qui n'est pas entamé.

1 Assis sur la banquette au fond de ce petit café, il peut maintenant savourer ce moment (...) où il tient encore serré contre lui son trésor inentamé, absolument intact. N. SARRAUTE, le Planétarium, p. 90.

2 Et, derrière lui, la neige aussitôt commence à recouvrir la trace cloutée des semelles, reconstituant peu à peu la blancheur primitive de la zone écrasée, lui redonnant bientôt son aspect grenu, velouté, fragile (...) si bien que la différence de niveau devient imperceptible avec les régions avoisinantes, la continuité se trouvant alors rétablie, et toute la surface égale de nouveau, intacte, inentamée.
A. ROBBE-GRILLET, Dans le labyrinthe, p. 75-76.

CONTR. Entamé.

INENTENDABLE [inɑ̃tɑ̃dabl] adj. — 1881, A. Daudet ; de 1. *in-*, *entendre,* et *-able.*

♦ Rare. Qui est impossible ou difficile à entendre. ⇒ **Inécoutable.**

INENTENDU, UE [inɑ̃tɑ̃dy] adj. — Fin XVIIIe, Chénier, *in* G. L. L. F. ; de 1. *in-*, et *entendu,* p. p. de *entendre**.

♦ Littér. et rare. Qu'on n'a jamais entendu. ⇒ **Inouï.** Qui n'est pas ou n'a pas été entendu. *Appel inentendu.* « *(...) chère voix, depuis longtemps inentendue* » (A. Daudet, *in* T. L. F.).

Je l'ai prié à plusieurs reprises, et il ne m'a même pas répondu. Je suis resté seul et inentendu comme Roland à Roncevaux.
BARBEY D'AUREVILLY, Premier mémorandum, 21 septembre 1836.

Fig. À quoi on est resté sourd, insensible. « *(...) ses tendresses inentendues* » (Proust, *in* T. L. F.).

INENVISAGEABLE [inɑ̃vizaʒabl] adj. — 1948, A. Roussin, *in* G. L. L. F. ; de 1. *in-*, et *envisageable.*

♦ Qu'on ne peut envisager (comme possible). *Tout s'oppose à ce mariage ; il est absolument inenvisageable :* il faut le considérer comme impossible.

CONTR. Envisageable.

INÉPROUVÉ, ÉE [inepʀuve] adj. — 1830, Stendhal ; de 1. *in-*, et *éprouvé,* p. p. de *éprouver**.

♦ **1.** Qui n'a pas encore été mis à l'épreuve. *Vertu inéprouvée.*

♦ **2.** Qui n'a pas encore été éprouvé, ressenti.

(...) j'avais été attiré surtout vers la littérature par l'inconnu de l'expérience sentimentale. C'était le désir de m'assimiler des émotions inéprouvées qui m'avait ensorcelé. Paul BOURGET, le Disciple, p. 214.

2 Je vais, avec mon jeune ami, faire un voyage de simple émotion et de recherches, dans l'ordre des sentiments inéprouvés. ZOLA, Paris, t. II, p. 20.

CONTR. Éprouvé.

INEPTE [inɛpt] adj. — Attesté mil. xve, probablt antérieur (→ Ineptement); lat. *ineptus* «qui n'est pas approprié; déplacé, maladroit, impertinent; déraisonnable», de *in-* (→ 1. In-), et *aptus*. → Apte.

♦ **1.** Vx. Inapte* (à), inhabile (à). *Un âge « qui rend le corps inepte aux amours »* (O. V. de L. Milosz, *in* T. L. F.). — Absolt. ⇒ **Incapable.** *Écrivains* (cit. 2) *ineptes* (Montaigne).

1 (...) gens ineptes en affaires d'État et de cour, ignorants, suffisants, croyant devoir tout gouverner (...) SAINT-SIMON, Mémoires, IV, XLVI.

2 Mais quand mon cœur serait moins inepte à l'amour (...)
ROUSSEAU, Julie ou la Nouvelle Héloïse, II, Lettre V.

♦ **2.** (1495). Mod. Qui dénote l'absurdité, la sottise. ⇒ **Absurde, sot, stupide.** *La plus inepte des chimères* (→ Gouverner, cit. 48). *Empêcher* (cit. 6) *un mariage inepte. Élaborer* (cit. 4) *des textes ineptes, une histoire inepte.* ⇒ **Ineptie.** *Projet inepte.* ⇒ **Insensé.** *Film, pièce, roman inepte.* ⇒ **Idiot.** *Blague, plaisanterie inepte. C'est complètement inepte.*

3 La fureur et le déraisonnement le plus inepte était leur réplique, et cette ivresse était telle, qu'à qui n'en a pas été témoin elle est entièrement incroyable.
SAINT-SIMON, Mémoires, V, VI.

4 Aussi, comme un damné qui rôde dans l'enfer,
Pour l'inepte plaisir de cette multitude
Il allait et venait dans sa cage de fer (...)
LECONTE DE LISLE, Poèmes barbares, «Mort d'un lion».

5 Des œuvres les plus ineptes et les plus médiocres, l'esprit sagace sait extraire parfois une parcelle de vie. JAURÈS, Hist. socialiste..., t. II, p. 422.

Qui n'a pas de sens. ⇒ **Absurde, insensé.** *Un accident inepte.*

♦ **3.** (1505, Gringoire, *in* T. L. F.). Personnes. Qui manifeste une complète incompétence. ⇒ **Bête, crétin, idiot, niais, sot.** *C'est l'homme le plus inepte que j'aie jamais rencontré.* — Par ext. *Regard, visage inepte.*

6 On peut trouver tout simple qu'un obscur et inepte compilateur, qui n'est rien et ne peut jamais être rien dans les lettres, les outrage avec cette fureur insensée (...)
CHAMFORT, Maximes et pensées, Sur la science, IV.

7 Un pourpre d'orgueil incendia la face monstrueusement inepte du légionnaire.
COURTELINE, Messieurs les ronds-de-cuirs, VIe tableau, II.

CONTR. Adroit, apte, capable, fin, intelligent.
DÉR. Ineptement.

INEPTEMENT [inɛptəmɑ̃] adv. — 1380, «d'une manière inhabile»; de *inepte*.

♦ De manière inepte. *Une réponse ineptement délayée. Il a répondu ineptement aux questions.*

CONTR. Adroitement, intelligemment.

INEPTIE [inɛpsi] n. f. — 1546, «maladresse»; lat. *ineptia* «sottise, niaiserie, impertinence» (le plus souvent au plur.), de *ineptus*. → Inepte.

♦ **1.** (1626). Caractère de ce qui est inepte*. ⇒ **Bêtise, sottise, stupidité.** *L'ineptie de qqch. Propos, raisonnements d'une rare ineptie. L'ineptie d'une supposition* (→ Gober, cit. 5). — *L'ineptie de qqn. L'ineptie de cet homme dépasse les bornes.* ⇒ **Bêtise, idiotie, niaiserie, sottise** (→ 1. Faux, cit. 33).

1 Enfin je fus renvoyé du greffe ignominieusement pour mon ineptie, et il fut prononcé par les clercs de M. Masseron que je n'étais bon qu'à mener la lime.
ROUSSEAU, les Confessions, I.

2 Nombre des arguments de Rousseau sont d'une déconcertante ineptie.
GIDE, Journal, 27 décembre 1942.

♦ **2.** (1556). *Une, des inepties.* Action, parole inepte. ⇒ **Idiotie, sottise** (→ Désapprouver, cit. 3). *Débagouler* (cit. 1), *débiter gravement* (cit. 3) *des inepties. C'est une ineptie, ce que vous faites là.* ⇒ **Maladresse.**

3 (...) la sottise lui avait tourné à mérite, parce qu'il ne faisait jalousie à personne (...) Son grand mérite était ses inepties, qu'on répétait, et qui néanmoins se trouvaient quelquefois exprimer quelque chose. SAINT-SIMON, Mémoires, I, XXII.

4 L'on aime à bien augurer des enfants, et l'on a toujours regret à ce flux d'inepties qui vient presque toujours renverser les espérances qu'on voudrait tirer de quelque heureuse rencontre qui par hasard leur tombe sur la langue.
ROUSSEAU, Émile, II.

4.1 Méfiez-vous, parce que l'on commence par dire des âneries (...) Ensuite, on sort quelques balourdises (...) Puis des stupidités, et de stupidités en stupidités (...) on en arrive aux inepties et, un jour, on se surprend à proférer des énormités (...)
Raymond DEVOS, Sens dessus dessous, p. 196.

Chose, œuvre inepte. *S'amuser aux inepties d'un café-concert* (cit. 1). *Un musée d'inepties et d'absurdités* (cit. 3). *Ce film est une ineptie.*

5 C'est une chose curieuse comme l'humanité, à mesure qu'elle se fait autolâtre, devient stupide. Les inepties qui excitent maintenant son enthousiasme, compensent par leur quantité le peu d'inepties, mais plus sérieuses, devant lesquelles elle se prosternait jadis. FLAUBERT, Correspondance, 393, 26-27 mai 1853.

CONTR. Adresse, aptitude, finesse, intelligence.

INÉPUISABILITÉ [inepɥizabilite] n. f. — 1940, Sartre, *in* T. L. F.; de *inépuisable*.

♦ Rare. Caractère de ce qui est inépuisable.

Le génie de Proust, même réduit aux œuvres produites, n'en équivaut pas moins à l'infinité des points de vue possibles qu'on pourra prendre sur cette œuvre et qu'on nommera «l'inépuisabilité» de l'œuvre proustienne.
SARTRE, l'Être et le Néant, p. 14 (1943).

INÉPUISABLE [inepɥizabl] adj. — V. 1460; de 1. *in-*, et *épuisable*.

♦ **1.** Qu'on ne peut épuiser (cit. 3). *Source inépuisable.* ⇒ **Généreux, intarissable.** — Par métaphore. *Source inépuisable de douleur* (→ Cœur, cit. 32), *de tristesses* (→ Imparfait, cit. 9). *Fontaine* (cit. 5 et 6) *inépuisable de grâces, de plaisirs.*

Vos jours toujours sereins coulent dans les plaisirs. 1
L'Empire en est pour vous l'inépuisable source. RACINE, Britannicus, II, 3.

La fécondité de la terre et celle des animaux, est une source inépuisable des vrais biens (...) l'or et l'argent ne sont venus qu'après pour faciliter les échanges. 2
BOSSUET, Politique tirée de l'Écriture sainte, X, I, X.

Par anal. *Mine inépuisable. Ressources, richesses inépuisables de la France* (→ Exposition, cit. 5). — Par métaphore (→ Appétit, cit. 4). *Un trésor inépuisable de sages conseils* (→ Expérience, cit. 15, Bossuet).

Si vous trouvez (...) qu'on n'invente pas assez de remèdes pour vaincre tous les maux, il s'en faut prendre au fonds inépuisable d'infirmité qui est en nous. 3
BOSSUET, Politique tirée de l'Écriture sainte, X, V, II.

La nature est inépuisable, 4
Et le Travail infatigable
Est un dieu qui la rajeunit. VOLTAIRE, Odes, XIV.

(...) il y a pour des cœurs bien nés des ressources inépuisables dans le courage et dans la vertu. MARMONTEL, Contes moraux, «La femme comme il y en a peu». 5

L'inépuisable trésor de mon ignorance (...) Ch. MAURRAS, Anthinéa, p. 52. 6

♦ **2.** (Personnes ou entités personnelles). *« Ce Dieu dans ses bontés toujours inépuisable »* (Corneille). *« Un ami inépuisable »* (Mme de Sévigné), dont l'amitié, le dévouement sont inépuisables.

(XVIIIe, Rousseau). Spécialt. Qui ne peut s'arrêter de parler. *Un bavard inépuisable* (→ Badin, cit. 4). *Il est inépuisable sur ce chapitre : c'est son dada* (cit. 2). ⇒ **Intarissable.**

(...) bien qu'il fût silencieux naturellement, il était inépuisable en sujets de conversation toujours soutenus, toujours nouveaux (...) 7
Mme DE STAËL, Corinne, XI, I.

♦ **3.** (Abstrait). ⇒ **Infini; inexhaustible.** *Indulgence inépuisable* (→ Apostolique, cit. 6). *La force inépuisable de la jeunesse* (→ Incompréhensible, cit. 11). *Sujet inépuisable.* ⇒ **Fécond.** *Amour inépuisable qui renaît de lui-même* (→ Épancher, cit. 17). *Inépuisable curiosité. Cette langue est d'une fécondité inépuisable en termes érotiques* (cit. 2). — *Nation généreuse* (cit. 18), *inépuisable en génies.*

Si la tendresse est inépuisable, l'amour ne l'est point (...) 8
BALZAC, Mémoires de deux jeunes mariées, Pl., t. I, p. 201.

Les vers de Mallarmé sont une merveille inépuisable de rêve et de transparence. 9
Paul LÉAUTAUD, Journal littéraire, 10 septembre 1898.

L'art est inépuisable, comme la vie. Rien ne le fait mieux sentir que cette musique intarissable, cet océan de musique qui remplit les siècles. 10
R. ROLLAND, Musiciens d'autrefois, p. 17.

DÉR. Inépuisabilité, inépuisablement.

INÉPUISABLEMENT [inepɥizabləmɑ̃] adv. — 1691; de *inépuisable*.

♦ Littér. D'une manière inépuisable.

(...) il y a en nous une raison primitive et un principe d'intelligence d'où naissent continuellement et inépuisablement toutes nos pensées. 1
BOSSUET, Sixième avertiss. aux Protestants, I, V, XXXI.

La morale du gang est triomphe et vengeance, défaite et ressentiment, inépuisablement. CAMUS, l'Homme révolté, p. 223. 2

INÉPUISÉ, ÉE [inepɥize] adj. — 1794, Pougens, *in* T. L. F.; de 1. *in-*, et *épuisé*, p. p. de 1. *épuiser**.
Littéraire.

♦ **1.** Qui n'est pas épuisé (au propre et au fig.). *« Le cœur inépuisé de la mère »* (Balzac, *la Cousine Bette*, *in* T. L. F.).

♦ **2.** (1840, Nerval, *in* T. L. F.). Fig. Qui se renouvelle sans cesse. *Des « raffinements inépuisés »* (Baudelaire).

INÉQUATION [inekwasjɔ̃] n. f. — 1804; de 1. *in-*, et *équation*.

♦ Math. Inégalité* conditionnelle existant entre deux quantités et dépendant de certaines variables (ou inconnues). *Résoudre une inéquation :* déterminer les valeurs des inconnues qui vérifient l'inéquation. *Inéquation du premier degré à deux inconnues.*

INÉQUITABLE [inekitabl] adj. — 1519, Michel de Tours, *in* T.L.F.; de 1. *in-*, et *équitable.*

♦ Rare. Qui n'est pas conforme à l'équité. ⇒ **Inique, injuste.** *Partage, réparation inéquitable.*

DÉR. **Inéquitablement.**
CONTR. **Équitable.**

INÉQUITABLEMENT [inekitabləmɑ̃] adv. — 1866; de *inéquitable.*

♦ Rare. D'une manière inéquitable*.

CONTR. **Équitablement.**

INÉQUIVALENT, ENTE [inekivalɑ̃, ɑ̃t] adj. — 1927; de 1. *in-*, et *équivalent.*

♦ Rare. Qui n'est pas équivalent.

(...) le blanc, qui en principe ne doit rien, donne un matabiche notoirement inéquivalent, mais que le chef doit toujours accepter avec reconnaissance.
GIDE, Voyage au Congo, *in* Souvenirs, Pl., p. 768.

CONTR. **Équivalent.**

INÉQUIVOQUE [inekivɔk] adj. — XXe; de 1. *in-*, et *équivoque.*

♦ Littér. ou didact. Qui n'est pas équivoque. *Propos inéquivoques* (on dit plutôt *non équivoque*).

CONTR. **Équivoque.**

-INER Suffixe de verbes, à valeur fréquentative, parfois avec nuance diminutive. Ex. : *dégouliner, piétiner, trottiner.*

INERME [inɛʀm] adj. — 1515 (sens 3), *in* T.L.F.; «sans défense», 1547; «sans armes», 1793; lat. *inermis* «sans armes; inoffensif», de *in-* (→ 1. In-) et *arma.* → Arme.

♦ **1.** (1798). Bot. Qui n'a ni aiguillon* ni épines*. *Tige inerme* (opposé à *épineuse*).

♦ **2.** (1902). Zool. Qui n'a pas de crochet. *Le ténia inerme* (opposé à *ténia armé*).

♦ **3.** (1515). Didact. et rare. Dépourvu d'organes assimilables à des armes (à propos de l'être humain).

Au point où se trouve le Zinjanthrope, l'outil apparaît comme une véritable conséquence anatomique, seule issue pour un être devenu dans sa main et sa denture, complètement inerme. A. LEROI-GOURHAN, le Geste et la Parole, t. I, p. 129.

♦ **4.** Fig. Sans vigueur, sans mordant. *Une écriture «lâche et inerme»* (Huysmans, 1891, *in* T.L.F.).

INERRANCE [inɛʀɑ̃s] n. f. — D. i. (*in* Larousse, 1907); lat. ecclés. *inerrantia,* même sens, de *inerrans* «infaillible», de *in-* (→ 1. In-) et *errans* «qui se trompe», en lat. class. «vagabond, errant (2.)», p. prés. de *errare* «errer, aller à l'aventure; s'écarter de la vérité, se tromper». → Errer, errance.

♦ Relig. (théol.). Faculté accordée par l'inspiration divine aux scripteurs des livres sacrés de ne pas transmettre d'erreurs doctrinales, quelles que soient les imperfections de chacun. ⇒ **Infaillibilité.**

Il me demande si je crois vraiment à l'innerrance de l'Écriture.
J. GREEN, Journal, Vers l'invisible, 4 janv. 1964.

INERTANCE [inɛʀtɑ̃s] n. f. — Mil. XXe; de *inerte,* et suff. *-ance,* dans son emploi spécialisé en physique.

♦ Phys. En accoustique, Composante de la réactance acoustique d'un milieu (avec la pulsation et la «raideur»).

INERTE [inɛʀt] adj. — V. 1509, *inherte* «sans activité»; *inerte* «sans effet, sans action», 1528; aussi, au XVIe, *inert* «ignorant, maladroit»; lat. *iners, inertis* «sans capacité, sans talent; sans activité, sans énergie; improductif; fade, insipide», de *in-* (→ 1. In-) et *ars, artis* «savoir-faire, art». → Art.

♦ **1.** (1759, Diderot, *in* T.L.F.). Qui n'a ni activité ni mouvement propre. *La matière inerte. Les minéraux, corps inertes.* — (1759). *Masse, force inerte* (en physique). — Chim. *Gaz, liquide inerte.* Caractérisé par l'absence de toute réaction chimique. — REM. Dans les mesures où les gaz dits *inertes* ne sont que relativement inactifs, on les désigne aussi sous le nom de *gaz nobles* par analogie avec les *métaux nobles. L'azote, gaz inerte. Mélange* inerte.* — Agronomie. *Sol inerte,* partie du sol située entre le sol actif et le sous-sol. — Milit. *Obus, mine inerte,* sans explosif, servant à l'entraînement.

1 (...) la monstrueuse bête n'était pas un poids inerte; au contraire, elle enveloppait et opprimait l'homme de ses muscles élastiques et puissants (...)
BAUDELAIRE, Spleen de Paris, VI.

Tout évolue, tout réagit : la pierre et l'homme. Il n'y a pas de matière inerte. 2
MARTIN DU GARD, Jean Barois, II, le Calme, III.

♦ **2.** (1783). Qualifiant des êtres ou des choses normalement doués de mouvement. Qui ne donne pas signe de vie. *Cadavre* (cit. 8) *inerte.* ⇒ **Inanimé.** *Proie inerte* (→ Arracher, cit. 28). *Formes inertes* (→ Faucher, cit. 5). *Masque* (→ Humain, cit. 4), *visage inerte* (→ Hypnotiser, cit. 4). ⇒ **Immobile.** — *Membre inerte; monstre débile aux mains et aux pieds inertes* (→ État, cit. 107). ⇒ **Perclus, vigueur** (sans).

(...) sur les bords et le pourtour de la goutte, partout où elle restait en contact avec 3
l'air extérieur, les vibrions étaient devenus inertes, immobiles, tandis que dans le centre de la goutte d'autres continuaient à se mouvoir agilement.
Henri MONDOR, Pasteur, IV, p. 59.

♦ **3.** (V. 1509). Être animés. Sans mouvement, sans activité. *Être, rester inerte comme une souche*.* ⇒ **Figé.** — (1835). Didact. et cour. *(Personne) inerte,* sans énergie, sans ressort. ⇒ **Apathique** (cit. 2), **atone, faible, mou.** — N. *Des «abouliques et des inertes»* (Janet, 1903, *in* T.L.F.). Fig. *Esprit* (cit. 44) *inerte.* ⇒ **Ankylosé** (fig.), **engourdi, paralysé** (fig.); **endormi, paresseux.** — Sans réaction. *Demeurer inerte devant le malheur.* ⇒ **Abattu.**

Henri et son fils, Philippe Ier (...) restèrent spectateurs inertes et impuissants des 4
grands événements qui bouleversèrent l'Europe sous leur règne.
MICHELET, Hist. de France, IV, I.

(...) plus inerte qu'une couleuvre engourdie. 5
FLAUBERT, l'Éducation sentimentale, II, II.

(...) une pensée moins indolente encore que soumise, moins inerte qu'entraînée et 6
comme possédée. J. PAULHAN, les Fleurs de Tarbes, p. 46.

♦ **4.** N. m. *L'inerte :* ce qui est sans vie, sans mouvement, sans âme.

Ils voulurent que s'instaure entre eux et les choses un lien qui fût aussi étroit que 7
celui de la femme à l'enfant qu'elle porte; ils instaurèrent la propriété qui n'en est que l'image corrompue, retombée dans l'inerte.
Annie LECLERC, Parole de femme, p. 127 (1974).

CONTR. **Actif, élastique, énergique; alerte, ardent, entreprenant, ferme, remuant, résistant.**
DÉR. **Inertance, inertement.**

INERTEMENT [inɛʀtəmɑ̃] adv. — 1886, Leconte de Lisle; «maladroitement», 1584; de *inerte.*

♦ Littér. et rare. De façon inerte.

INERTIE [inɛʀsi] n. f. — V. 1370, *innertie* «atonie» (→ sens 2), attestation isolée; lat. *inertia* «maladresse, incapacité; inaction indolence», de *iners, inertis.* → Inerte.

État de ce qui est inerte.

♦ **1.** (1648, Descartes, *in* T.L.F.). Propriété qu'ont les corps de ne pouvoir d'eux-mêmes changer l'état de repos ou de mouvement où ils se trouvent. *L'inertie de la matière. Inertie mécanique, électromagnétique.* — (1720, d'après le lat. sc. *inertiæ vis,* Newton). **FORCE D'INERTIE** (→ Inactivité, cit. 1, Voltaire) : résistance que les corps opposent au mouvemement et qui varie en fonction de leur masse. *Principe d'inertie* ou *loi d'inertie :* selon lequel un corps qui n'est soumis à aucune force est en mouvement rectiligne et uniforme ou au repos.

Le Principe d'inertie. — Un corps qui n'est soumis à aucune force ne peut avoir 0.1
qu'un mouvement retiligne et uniforme.
Est-ce là une vérité qui s'impose à-priori à l'esprit? S'il en était ainsi, comment les Grecs l'auraient-ils méconnue? Comment auraient-ils pu croire que le mouvement s'arrête dès que cesse la cause qui lui avait donné naissance? ou bien encore que tout corps, si rien ne vient le contrarier, prendra un mouvement circulaire, le plus noble de tous les mouvements?
H. POINCARÉ, la Science et l'Hypothèse, p. 112.

(...) notre loi d'inertie généralisée (...) a-t-elle été vérifiée par l'expérience et peut- 0.2
elle l'être! Quand Newton a écrit les Principes, il regardait bien cette vérité comme acquise et démontrée expérimentalement. Elle l'était à ses yeux, non seulement par l'idole anthropomorphique (...) mais par les travaux de Galilée. Elle l'était aussi par les lois de Kepler elles-mêmes; d'après ces lois, en effet, la trajectoire d'une planète est entièrement déterminée par sa position et par sa vitesse initiales; c'est bien là ce qu'exige notre principe d'inertie généralisé.
H. POINCARÉ, la Science et l'Hypothèse, p. 116.

La loi d'inertie formulée par Galilée (...) a été étendue par Newton aux mouve- 1
ments des corps célestes et apparaît ainsi comme une loi générale de l'Univers. Son énoncé précis consiste en ce qu'un corps qui n'est soumis à aucune force se meut d'un mouvement uniforme (rectiligne) par rapport au temps et à l'espace absolus.
É. BORREL, l'Évolution de la mécanique, III, p. 79.

(1910, Mme Curie, *in* T.L.F.). Phys., électr. *Inertie électromagnétique :* augmentation de la résistance d'un circuit électrique. ⇒ **Inductance** (cit.).

Chim. Propriété (d'un corps) de ne pas réagir (dans une circonstance donnée).

Techn. Propriété (de certaines matières, notamment, les papiers et cartons) de ne pas réagir à l'humidité.

♦ **2.** Didact. [a] (1846, Bescherelle; attestation isolée, v. 1370, Oresme). Physiol. Perte de la contractilité (d'un muscle, d'un organe). *Inertie musculaire* ⇒ **Atonie, paralysie.** *Inertie intestinale, vésiculaire, utérine.*

Par ext. *Inertie d'une attitude* (cit. 12).

b *Inertie motrice,* dans certains cas de mélancolie. *Inertie* (ou sclérose) *psychique des vieillards.*

♦ **3.** (1734). Cour. Manque absolu d'activité, d'énergie intellectuelle ou morale. *Vivre, végéter dans l'inertie.* ⇒ **Inaction, paresse ; flemme** (fam.). *Les excès du travail acharné ou de la pure inertie* (→ Dérégler, cit. 8). *Aspirer à l'inertie* (→ Halte, cit. 7). ⇒ **Repos.** *Sortir de son inertie.* ⇒ **Sommeil.** *Arracher qqn à son inertie* (⇒ **Aiguillonner**). *Degré d'inertie mentale* (→ Persévération, cit.). — *L'inertie de son caractère. Inertie bonasse* (cit. 4). ⇒ **Apathie, indolence, passivité.** — *L'inertie gouvernementale.* ⇒ **Immobilisme, stagnation.**

2 Cette résolution de ne point agir, de ne point se compromettre, allait parfaitement d'ailleurs à son inertie naturelle.
MICHELET, Hist. de la Révolution franç., IV, XII.

3 C'est en poussant les choses, non en les heurtant, qu'on les remue. Toujours nous devons tenir compte de l'inertie des âmes et des corps. En heurtant, bien souvent l'on brise ; et c'est tout. Il faut émouvoir. GIDE, Journal, août 1893.

3.1 Il avait étudié de près les six spécimens, qui une fois sortis de leur élément, continuaient à vivre, en gardant toutefois une complète immobilité.
Or, cette inertie déplaisait à Fogar, qui, tout en rejetant l'idée plus banale d'une présentation en eau de mer, voulait faire valoir ses sujets à la façon des forains montreurs de bêtes. Raymond ROUSSEL, Impressions d'Afrique, p. 354.

(Déb. XIXe). *Force d'inertie s'opposant au génie* (cit. 46) *qui veut se manifester. Opposer la force d'inertie à la violence.* ⇒ **Résistance** (passive).

4 Elles *(les municipalités)* répugnaient à sévir contre les personnes, s'arrêtaient devant cette *force d'inertie* qui leur était opposée ; d'inertie plutôt apparente, car le Clergé agissait très activement par le confessionnal et la presse, par la diffusion des libelles. MICHELET, Hist. de la Révolution franç., IV, IX.

CONTR. Action, activité, ardeur, entrain, mouvement.
DÉR. Inertiel.

INERTIEL, ELLE, ELS [inɛʀsjɛl] adj. — XXe ; de *inertie,* probablt d'après l'angl. *inertial,* 1849 et (sens 2) 1955.
Didactique.

♦ **1.** Phys. Relatif à l'inertie. « *Fusion thermonucléaire par confinement inertiel* » (*la Recherche,* juin 1980, p. 649). « *La Relativité Galiléenne (sic) et la Relativité Restreinte (sic) sont ainsi toutes deux basées sur l'existence d'une classe privilégiée de référentiels dits inertiels, à savoir les référentiels ayant les uns par rapport aux autres un mouvement de translation uniforme* (non accéléré) » (*Science et Vie,* no spécial Einstein, p. 7, no 26).

♦ **2.** Techn. Relatif à la détermination de la position d'un mobile par la mesure de ses accélérations. *Navigation inertielle.* — *Centrale inertielle d'un avion.* — *Système « inertiel-stellaire »* (d'un missile) [*la Recherche,* mars 1981, p. 383].

-INÉS Suffixe taxinomique (formé à partir des adj. en *-in* du type *bovin, ovin*) utilisé en zoologie et qui, dans l'usage mod., entre dans des noms de sous-familles auxquels correspondent des noms de familles en *-idés.*

INESCOMPTABLE [inɛskɔ̃tabl] adj. — 1877, Littré, *Suppl.* ; dans Richard de Radonvilliers, 1845 ; de 1. *in-,* et *escomptable.*

♦ Fin. Qui ne peut être escompté. *Billet inescomptable.*

CONTR. Escomptable.

INÉSITE [inezit] n. f. — 1887 ; mot crée par le géologue français Stanislas Meunier (1843-1925), du grec *inê, inês,* au plur. *inai* « fibres », et suff. minéralogique *-ite.*

♦ Minér. Silicate naturel de manganèse et de calcium (syn. : *rhodotilite*).

INESPÉRABLE [inɛspeʀabl] adj. — 1571 ; de 1. *in-, espérer,* et *-able.*

♦ Vx (langue class.) ou littér. Que l'on ne peut ou ne pouvait espérer. *Un inespérable succès.*

C'était trop beau, c'était inespérable cette victoire mystique, où la ferveur spirituelle tienne en respect la brutalité. GIDE, Journal, 30 janv. 1948.

INESPÉRANCE [inɛspeʀɑ̃s] n. f. — V. 1588 ; repris XIXe ; de 1. *in-,* et *espérance.*

♦ Rare et littér. Absence d'espérance. « *(...) l'inespérance dans l'avenir* » (Amiel, *Journal,* 1866, p. 67, *in* T. L. F.).

INESPÉRÉ [inɛspeʀe] adj. — 1466, *homicide inespéré* « imprévu » ; de 1. *in-,* et *espéré,* p. p. de *espérer.*

♦ (1544). Se dit d'un événement heureux que l'on n'espérait* pas, ou que l'on n'espérait plus. ⇒ **Imprévu, inattendu.** *Événement inespéré.* ⇒ **Aubaine.** *Mariage* (→ Caste, cit. 3), *bonheur, succès inespéré. Réussite, victoire inespérée.* — (XVIIe). Qui passe toute espérance. *Le profit de cette entreprise fut inespéré. Résultat inespéré d'un traitement médical* (→ Alternance, cit. 2). *La situation semblait désespérée, quand un renfort inespéré mit l'ennemi en fuite. L'état du malade paraissait désespéré ; cependant une amélioration inespérée se produisit.*

Ô mon fils ! ô l'honneur de nos jours ! 1
Ô d'un État penchant l'inespéré secours ! CORNEILLE, Horace, IV, 2.

Ce témoignage inespéré de l'archer ranima la recluse, à qui cet interrogatoire faisait traverser un abîme sur le tranchant d'un couteau. 2
HUGO, Notre-Dame de Paris, II, XI, I.

Le compliment était pour elle si inespéré, qu'elle se demanda d'abord s'il n'enfermait pas d'ironie, et qu'ensuite, quand elle le crut sincère, elle rougit de reconnaissance. J. ROMAINS, les Hommes de bonne volonté, t. V, IV, p. 26. 3

N. m. *L'inespéré,* ce qu'on n'espère pas ou plus, ce qu'on ne se permet pas d'espérer. *L'inespéré serait qu'on obtienne maintenant cet accord.*

Sans l'espérance, dit Héraclite, *vous n'obtiendrez jamais l'inespéré.* 4
S. NACHT, Guérir avec Freud, *in* la Nef, no 31, p. 174.

CONTR. Déplorable, désespéré, espéré.
DÉR. Inespérément.

INESPÉRÉMENT [inɛspeʀemɑ̃] adv. — Déb. XVIe, *inespereement ;* de *inespéré.*

♦ Littér. D'une manière inespérée.

(...) je ne sais quoi de surhumain se prépare, de robuste et d'inespérément glorieux. 1
GIDE, Retour d'U. R. S. S., Préface, p. 9.

Inespérément quelques gouttes d'eau viennent abattre la poussière, rafraîchir et humecter l'air. On eût souhaité, après ces mois de sécheresse, quelque formidable tornade. GIDE, le Retour du Tchad, VII, *in* Souvenirs, Pl., p. 963. 2

(...) la démocratie chrétienne française, dépositaire en 1944 de notre rêve qu'elle incarnait inespérément, s'est ralliée huit ans plus tard à M. Laniel (...) 3
F. MAURIAC, Bloc-notes 1952-1957, p. 137.

INESPOIR [inɛspwaʀ] n. m. — 1923, Gide, *in* T. L. F ; de 1. *in-,* et *espoir.*

♦ Littér. et rare. Fait de ne pas ou ne plus espérer (quelque chose).

Quelque chose s'est brisée en lui : cet inespoir, ce manque d'espoir, fait que toute lumière, toute révolte, toute terreur, toute souffrance l'ont abandonné.
William DE BAZELAIRE, l'Or de la Bérézina, p. 266.

CONTR. Espoir.

INESSENTIALITÉ [inesɑ̃sjalite] n. f. — 1943, Sartre, *in* T. L. F. ; dér. sav. de *inessentiel.*

♦ Philos. Caractère de ce qui est inessentiel.

INESSENTIEL, ELLE [inesɑ̃sjɛl] adj. et n. m. — 1794, Pougens, *in* T. L. F. ; de 1. *in-* et *essentiel.*

♦ Littér. Qui n'est pas essentiel, n'est pas considéré comme essentiel.

Dans quelle mesure la négation qui fait d'autrui *un autre* et qui le constitue comme inessentiel est-elle maintenue ? SARTRE, l'Être et le Néant, p. 304 (1943). 1

(...) une menace de mourir mal, comme par mégarde, d'une mort inessentielle et fausse, au point que toute la vie pourrait dépendre de ce rapport juste, de ce regard clairvoyant dirigé vers la profondeur d'une mort exacte. 2
M. BLANCHOT, l'Espace littéraire, p. 153.

Nom masculin :

Heureusement que Raymond Frôlet n'est pas là. L'alcool donne de l'importance à l'inessentiel. Claude MAURIAC, le Dîner en ville, p. 266 (1959). 3

CONTR. Essentiel.
DÉR. Inessentialité.

INESSIF [inesif] n. m. — Av. 1933 ; dér. sav. du lat. *inesse* « être dans ou sur », de *in-* (→ 2. In-), et *esse* « être », d'après *ablatif, locatif,* etc.

♦ Ling. Cas indiquant, dans certaines langues (notamment, les langues finno-ougriennes), ce qui se trouve ou se passe à l'intérieur d'un lieu.

INESTHÉTIQUE [inɛstetik] adj. — 1885, P. Bourget ; n. m., Maupassant, 1880, *in* D. D. L. ; de 1. *in-,* et *esthétique**.

♦ **1.** Philos. Qui ne joue aucun rôle dans la sensation ou la production de la beauté. *Le goût, l'odorat, sens inesthétiques.* (On dit aussi *anesthétique,* → ci-dessous, 2.).

LES SENS PRÉTENDUS INESTHÉTIQUES. — On a noté plus haut le caractère peu exact d'une distinction traditionnelle entre les sens supérieurs, qui seraient esthétiques, et les sens inférieurs, qui ne le seraient pas. 1
J. SEGOND, Traité d'esthétique, XI.

♦ **2.** Littér. Qui choque le goût esthétique ⇒ **Laid.** *Barbouillage informe, inesthétique. Architecture déparée par d'inesthétiques ornements.*

Il convient de distinguer *esthétique* ou beau, *inesthétique* ou laid et *anesthétique* ou neutre et sans qualification esthétique (...) 2
Ch. LALO, Notions d'esthétique, p. 5, note 1.

Par euphém. Qui enlaidit. ⇒ **Laid.** *Cicatrice inesthétique, défigurant un beau visage.*
N. m. *L'inesthétique.*

CONTR. Esthétique.

INESTIMABLE [inɛstimabl] adj. — 1377, Oresme, *in* T. L. F.; de 1. *in-*, et *estimable.*

♦ **1.** Rare. Dont on ne peut faire l'estimation. *Les dégâts sont inestimables. — Un objet inestimable par un expert.* Vx. *Inestimable à quelqu'un, par quelqu'un.* Par métaphore :

1 Or est ma dame une perle de prix
Inestimable à tous humains esprits,
Pour sa valeur. Clément MAROT, Élégies, XVII.

♦ **2.** (Fin XVIᵉ, Montaigne). Cour. Dont la valeur dépasse toute estimation*. ⇒ **Inappréciable.** *Trésor inestimable. Tableau, ouvrage inestimable. Richesses inestimables.* ⇒ **Incalculable.**

2 On ne peut payer une chose inestimable que par une offrande qui soit aussi hors de prix. BALZAC, Un épisode sous la Terreur, Pl., t. VII, p. 442.

3 Un petit chapelet d'améthystes que sa mère avait rapporté de Fourvières, et qui était pour lui d'un prix inestimable. ARAGON, les Beaux Quartiers, IX.

♦ **3.** (V. 1380). Qu'on ne saurait trop estimer. *Récompense inestimable* (→ Couronne, cit. 2). *Grâces, bienfaits inestimables* (→ Épancher, cit. 6). *La santé, bien inestimable.*
Personnes. *Un collaborateur inestimable.*

CONTR. Estimable.
DÉR. Inestimablement.

INESTIMABLEMENT [inɛstimabləmɑ̃] adv. — XVᵉ; de *inestimable.*

♦ Littér. D'une manière impossible à estimer, à apprécier. Spécialt. Extrêment (avec un adj. positif).

(...) je n'avais rien vu d'aussi beau, imprégné d'autant d'inconnu, aussi inestimablement précieux, aussi vraisemblablement inaccessible.
PROUST, À l'ombre des jeunes filles en fleurs, Pl., t. I, p. 797.

INÉTENDU [inetɑ̃dy] adj. — 1752; de 1. *in-*, et *étendu*, p. p. de *étendre**.

♦ Didact. Qui n'a pas étendue. *Ce qui est immatériel est par là même inétendu. « L'âme, substance inétendue, immatérielle »* (Buffon). — Géom. *Le point géométrique, inétendu, sans épaisseur.*

1 (...) un être inétendu *(l'âme)*, gouvernant un être étendu *(le corps)*...
VOLTAIRE, Correspondance, 3871, 10 avril 1772.

2 (...) l'extensif qui est, par définition, étendu, c'est-à-dire mesurable, et l'intensif qui est inétendu, qui, par conséquent, ne comporte aucune mesure.
G. DUHAMEL, Scènes de la vie future, XIII, p. 194 (→ Étendre, cit. 56).

N. m. *L'inétendu.*

3 Quand une traduction illégitime de l'inétendu en étendu, de la qualité en quantité, a installé la contradiction au cœur même de la question posée, est-il étonnant que la contradiction se retrouve dans les solutions qu'on en donne?
H. BERGSON, Essai sur les données immédiates de la conscience, p. VII.

CONTR. Étendu.

INÉVALUABLE [inevalɥabl] adj. — 1897, Jarry; de 1. *in-*, et *évaluable.*

♦ Didact. ou littér. Qu'on ne peut évaluer.

1 Les propos se répliquaient avec une vitesse exagérée, coupés de silences inévaluables, les haschischins n'ayant pas de notion du temps.
A. JARRY, les Jours et les Nuits, *in* Œ. compl., Pl., t. I, p. 823.

2 Rien que l'évaluation en argent de ces choses inévaluables que sont nos plaisirs, nos caprices, nos charités.
O. MIRBEAU, Journal d'une femme de chambre, p. 366.

INÉVITABILITÉ [inevitabilite] n. f. — XVᵉ, attestation isolée; repris v. 1720; de *inévitable.*

♦ Rare. Caractère inévitable* (d'une chose). ⇒ **Inéluctabilité.** *L'inévitabilité du déficit de cette entreprise.*

INÉVITABLE [inevitabl] adj. — 1377; lat. *inevitabilis*, même sens, de *in-* (→ 1. In-), et *evitabilis.* → Évitable.

♦ **1.** Vx. Que l'on ne peut éviter (dans l'espace).

1 Et sa flèche inévitable et juste. Clément MAROT, Métamorphoses d'Ovide, II.

REM. Les emplois métaphoriques de ce sens spatial sont compris au sens 2. → ci-dessous, cit. 6.

♦ **2.** Mod. Que l'on ne peut éviter (cit. 27), qui se produit sans qu'on puisse l'empêcher. ⇒ **Certain** (cit. 6), **fatal, immanquable, inéluctable, obligatoire.** *Le caractère inévitable de la fatalité*. La mort est inévitable* (→ 1. Mort, cit. 7.1). *Catastrophe* (cit. 5) *inévitable. Un piège inévitable* (→ Attendre, cit. 3; aveugle, cit. 15). *La guerre est désormais inévitable* (→ Entêter, cit. 10). *L'inévitable engourdissement* (cit. 5) *de la routine. L'évolution* (cit. 10) *inévitable des esprits. Conséquence, effet inévitable.* ⇒ **Assuré, forcé, nécessaire, obligé** (→ Embarras, cit. 7). *Corollaires inévitables* (→ Hérésie, cit. 8). — *Il est inévitable que...*, suivi du subj. (→ Avancement, cit. 44). *Je l'avais prédit : c'était inévitable!* Qu'on ne peut éviter de faire. *Une action* (cit. 24) *militaire est devenue inévitable.* → Imposer (s'). *Opération inévitable, sinon urgente* (→ Aigu, cit. 13). *Les petits cadeaux inévitables* (→ Casuel, cit. 2).

(...) si (...) nous envisagions cet événement, non pas comme un effet du hasard 2
(...) mais comme une suite indispensable, inévitable, juste, sainte (...) d'un arrêt et sa providence (...) PASCAL, Lettre à Mᵐᵉ Périer, 17 oct. 1651.

(...) une mort inévitable, qui nous menace à chaque instant (...) 3
PASCAL, Pensées, III, 194 bis.

(...) la puissance divine justement irritée contre notre orgueil (...) ne fait de nous 4
tous qu'une même cendre. Peut-on bâtir sur ces ruines? Peut-on appuyer quelque grand dessein sur ce débris *(destruction)* inévitable des choses humaines?
BOSSUET, Oraison funèbre d'Henriette d'Angleterre.

(...) tant de dépenses inévitables (...) RACINE, Mémoires pour relig., Port-Royal. 5

On s'égare un seul moment de la vie, on se détourne d'un seul pas de la droite 6
route; aussitôt une pente inévitable nous entraîne et nous perd (...)
ROUSSEAU, Julie ou la Nouvelle Héloïse, III, Lettre XVIII.

(...) l'état social change; des institutions s'en vont, d'autres viennent ; les scien- 7
ces font des découvertes; les peuples, se mêlant, mêlent leurs idomes : de là l'inévitable création d'une foule de termes. LITTRÉ, Dict., Préface.

N. m. *L'inévitable. Se résigner, se soumettre à l'inévitable. En venir, se résoudre à accepter l'inévitable.*

Et ne semble-t-il pas que, dans l'inévitable même, nous puissions retarder quelque 8
chose? MAETERLINCK, le Trésor des humbles, X.

Vieilli (adj.). *Inévitable à...*

(...) une union étroite (...) où les dissonances même des malheurs inévitables à la 9
condition humaine se résolvent dans l'harmonie.
A. ARNOUX, Royaume des ombres, VI, p. 202.

♦ **3.** Qu'on rencontre sans pouvoir l'éviter. **a** Vieilli. Habituel. *L'inévitable faiblesse* (cit. 17) *humaine. L'humble* (cit. 40) *et inévitable réalité quotidienne.*

b (1831). Mod. et plais. ⇒ **Rituel, sempiternel; habituel.** *Le ministre et son inévitable cigare.* ⇒ **Inséparable.** *Don Quichotte flanqué de son inévitable Sancho Pança.*

La pourpre de ses lèvres était réhaussée par les sinuosités de l'inévitable mousta- 10
che noire. BALZAC, la Femme de trente ans, Pl., t. II, p. 681.

CONTR. Évitable. — Éventuel.
DÉR. Inévitable, inévitablement.

INÉVITABLEMENT [inevitabləmɑ̃] adv. — 1493; de *inévitable.*

♦ D'une manière inévitable (2.). ⇒ **Certainement, fatalement, forcément, nécessairement** (→ Étaler, cit. 41; 1. fin, cit. 27). *Résultats qui s'ensuivent* (cit. 3) *inévitablement.*

(...) ce désir *(l'ambition)*... est une source de désordres qui ruinent presque inévi- 1
tablement la charité et la justice parmi les hommes.
BOURDALOUE, Dominicaux, Xᵉ dim. après Pentecôte, II.

(Il) revint se chauffer au salon en pensant aux misères qui se rencontraient inévi- 2
tablement dans tous les états auxquels l'homme est ici-bas assujetti.
BALZAC, le Médecin de campagne, Pl., t. VIII, p. 368.

INEXACT, ACTE [inɛgzakt] adj. — 1689; de 1. *in-*, et *exact.*

♦ **1.** Vx. Qui ne respecte pas rigoureusement les règles prescrites, les normes établies.

Lorsque Racine a dit, 1
Je t'aimais inconstant, qu'eussé-je fait fidèle?
il a mieux aimé être inexact que languissant, et manquer à la grammaire qu'à l'expression. D'ALEMBERT, Réflexion sur l'élocution oratoire, Œ., t. IV, p. 281.

Mod. Qui n'est pas conforme à la réalité, à la vérité (→ Exact, cit. 12). ⇒ **Faux.** *Données inexactes. Des renseignements inexacts. On relève, dans ce récit, quelques détails inexacts.* ⇒ **Erroné; inexactitude.** *Calcul inexact. Erreurs qui rendent inexactes des expériences* (cit. 45) *scientifiques. — Il est inexact de prétendre que... Il est inexact qu'on lui ait attribué ce poste* (→ Impair, cit. 3). *Non, c'est inexact.* — Qui manque d'exactitude. *Récit, portrait inexact. Biographie* (→ Généraliser, cit. 6), *traduction grossièrement inexacte.* ⇒ **Infidèle.** *Donner une version inexacte d'un événement.* ⇒ **Incorrect.**

Il faut d'abord déterminer exactement les conditions de chaque phénomène; c'est 2
là la véritable exactitude biologique, et, sans cette première étude, toutes les données numériques sont inexactes, et d'autant plus inexactes qu'elles donnent des chiffres qui trompent et en imposent par une fausse apparence d'exactitude.
Cl. BERNARD, Introd. à l'étude de la médecine expérimentale, II, II.

Oui, je sais qu'on raconte ces choses sur notre ménage. Vous verrez vous-même,en 3
vivant plus près de nous, qu'elles sont inexactes.
A. MAUROIS, les Roses de septembre I, IV.

Littér. (Personnes). *Un narrateur, un témoin inexact.*

♦ **2.** (1867). (Personnes). Qui manque de ponctualité, d'exactitude (→ 2. Dîner, cit. 6). *Être inexact à un rendez-vous. Congédier un employé par trop inexact.*

(...) il m'est reconnaissant, cet homme, de rester, malgré les pressions mondaines 4
et conjugales, inexact, flâneur, imprévisible (...)
A. MAUROIS, les Roses de septembre, I, I.

Rare et littér. (Choses). *« Je ne savais pas que les trains parfois sont inexacts »* (Giraudoux, 1926, *in* T. L. F.).

CONTR. Correct, exact, fidèle, juste. — Assidu, ponctuel.
DÉR. Inexactement.

INEXACTEMENT [inɛgzaktəmɑ̃] adv. — 1761, *in* T. L. F. ; de *inexact.*

♦ D'une manière inexacte. *Rapporter inexactement les paroles de quelqu'un.*

CONTR. Exactement.

INEXACTITUDE [inɛgzaktityd] n. f. — 1689 ; de 1. *in-*, et *exactitude.*

♦ **1.** Manque d'exactitude*, caractère de ce qui est inexact*. *L'inexactitude d'un calcul, d'une nouvelle, d'une théorie...* (→ Fausseté). *L'inexactitude du témoignage d'un chroniqueur.* — (Personnes). Fait de ne pas rapporter exactement. *L'inexactitude d'un historien. — Une, des inexactitudes.* → cit. 2, 3. *« Une inexactitude scrupuleuse »* (Jules Renard, *Journal,* 17 sept. 1887). ⇒ **Erreur, faute.** *Les inexactitudes d'une description. Il y a quelques petites inexactitudes dans ce que vous me racontez* (⇒ **Mensonge**).

1 Je ne finirais jamais, si je voulais rapporter les négligences, l'inexactitude, les affectations, les singularités du traducteur.
BOSSUET, Seconde instruction sur version Trévoux, Conclusion, II.

2 C'est bien assez des inexactitudes inévitables dans le passage d'une langue dans une autre. Paul LÉAUTAUD, le Théâtre de M. Boissard, XI.

3 Votre propos, mon cher confrère, fourmille d'inexactitudes. D'abord j'ai quarante ans. Mes rêves, si j'en ai, ne sont pas des rêves de jeunesse.
J. ROMAINS, Knock, I, p. 33.

4 D'ailleurs, dans ses peintures Allory ne risquait guère d'être pris en flagrant délit d'inexactitude. Car au fait il ne peignait rien.
J. ROMAINS, les Hommes de bonne volonté, t. III, XVIII, p. 242.

5 Je crois à la pleine et parfaite bonne foi de Lamennais. Il avait l'inexactitude gratuite, la sincérité divagante, la mémoire incertaine et imaginative.
Émile HENRIOT, les Romantiques, p. 102.

♦ **2.** (1867). Manque de ponctualité*. *L'inexactitude, forme de l'impolitesse. L'inexactitude quotidienne et l'absentéisme d'un élève, d'un employé.*

6 Arriver toujours en avance, murmurait Laurent, c'est une forme de l'inexactitude.
DUHAMEL, Cécile au pays des hommes, p. 153, *in* T. L. F.

CONTR. Authenticité, exactitude, fidélité. — Assiduité, ponctualité.

INEXAUÇABLE [inɛgzosabl] adj. — 1891, Huysmans, *in* T. L. F. ; de 1. *in-*, *exaucer*, et *-able.*

♦ Littér. et rare. Qui ne peut être exaucé. *Une requête inexauçable.*

INEXAUCÉ, ÉE [inɛgzose] adj. — 1832, Balzac, *in* T. L. F. ; de 1. *in-*, et *exaucé*, p. p. de *exaucer**.

♦ Littér. Qui n'a pas été exaucé. *Des vœux inexaucés. Requête, demande inexaucée.* — Personnes :

1 Et ces pauvres riches inexaucés, cette sœur, ce mari si malheureux près du triste corps qu'ils remportaient, ils se sentaient eux-mêmes des parias, au milieu de la foule des humbles consolés ou guéris. ZOLA, Lourdes, p. 226.

2 Elle était inexaucée et enveloppée d'obscurités et de ténèbres, pleine d'incertitude et d'angoisse, ne pouvant trouver la raison qui la rendait indigne de toutes les miséricordes divines. Ed. et J DE GONCOURT, Madame Gervaisais, p. 316.

CONTR. Exaucé.

INEXCITABILITÉ [inɛksitabilite] n. f. — 1877 ; de *inexcitable.*

♦ Sc. Caractère de ce qui est inexcitable, non excitable. *L'inexcitabilité d'un organe.*

CONTR. Excitabilité.

INEXCITABLE [inɛksitabl] adj. — 1866 ; dans Richard de Radonvilliers, 1845 ; de 1. *in-*, et *excitable.*

♦ Sc. Qui n'est pas excitable. *Organe, tissu inexcitable.*

Pour effectuer ces mesures sur l'écorce cérébrale, il faut (...) endormir l'animal (...) pour l'ouverture du crâne. Mais ensuite il faut le laisser s'éveiller sans quoi aucune mesure ne serait possible : le cerveau est inexcitable sur l'animal endormi.
Paul CHAUCHARD, le Système nerveux, p. 64.

CONTR. Excitable.
DÉR. Inexcitabilité.

INEXCUSABLE [inɛkskyzabl] adj. — 1402, Gerson, *in* T. L. F. ; lat. *inexcusabilis*, même sens, de *in-* (→ 1. In-), et *excusabilis.*

♦ Qu'il est impossible d'excuser*. ⇒ **Impardonnable.** — (Personnes). *Ils sont inexcusables. Je serais inexcusable si je ne vous remerciais pas. — Inexcusable de...* (et inf.). *Il est inexcusable d'avoir agi si grossièrement.*

Marot et Rabelais sont inexcusables d'avoir semé l'ordure dans leurs écrits : tous deux avaient assez de génie et de naturel pour pouvoir s'en passer (...) 1
LA BRUYÈRE, les Caractères, I, 43.

(...) si l'on avertissait un voyageur qu'il y a un précipice dans son chemin dont il doit se préserver et que, négligeant cet avis salutaire, et marchant au hasard, il s'y jetât par son imprudence, ne serait-il pas inexcusable dans son malheur? 2
BOURDALOUE, Dominicaux, VIIe dim. après Pentecôte, III.

(Choses ; caractères humains, actions). *Une négligence, une paresse inexcusable* (→ Avachir, cit. 2). *Des exemples héroïques* (cit. 14) *qui rendent le vice inexcusable. C'est une attitude, une conduite inexcusable chez un homme responsable.* ⇒ **Injustifiable.** *Croupir dans une·ignorance inexcusable.* ⇒ **Crasse** (adj.). — Dr. *Faute* inexcusable.*

Le corbeau, honteux et confus, « Autre pléonasme (...) mais celui-ci est inexcusable. » 3
ROUSSEAU, Émile, II.

Des cœurs médiocres (...) se contenteront, au nom des principes formels, de trouver inexcusable toute violence immédiate et permettront alors cette violence diffuse qui est à l'échelle du monde et de l'histoire. 4
CAMUS, l'Homme révolté, p. 211.

CONTR. Excusable, pardonnable.
DÉR. Inexcusablement.

INEXCUSABLEMENT [inɛkskyzabləmɑ̃] adv. — 1545 ; de *inexcusable.*

♦ Rare. D'une manière inexcusable. *Il a été inexcusablement lâche. Il a agi inexcusablement.*

INEXÉCUTABLE [inɛgzekytabl] adj. — 1726, Desfontaines, *in* Brunot, VI, 1re partie, p. 44 ; attesté 1579, probablt au sens jurid. « qu'on ne peut saisir, vendre » (cf. Godefroy) ; de 1. *in-*, et *exécutable.*

♦ Qu'on ne peut exécuter. *Plan, projet, programme inexécutable.*

Spécialt. *Partition inexécutable.*

Il n'avait certainement pas parié pour gagner, et n'avait engagé ces vingt mille livres — la moitié de sa fortune — que parce qu'il prévoyait qu'il pourrait avoir à dépenser l'autre pour mener à bien ce difficile, pour ne pas dire inexécutable projet. 1
J. VERNE, le Tour du monde en 80 jours, p. 23.

(...) M. Rolichon (...) m'apprit que mes parties avaient rendu la musique inexécutable, tant elles s'étaient trouvées pleines d'omissions, de duplications et de transpositions. 2
ROUSSEAU, les Confessions, IV.

CONTR. Exécutable.

INEXÉCUTÉ, ÉE [inɛgzekyte] adj. — 1484, *inexequté*, sens 2 ; de 1. *in-*, et *exécuté*, p. p. de *exécuter**.

Rare.

♦ **1.** (1539). Qui n'a pas été exécuté (I., 1.). *Travaux, plans, ordres inexécutés.*

♦ **2.** Dr. Qui n'a pas été exécuté (I., 2.). *« (...) billets impayés, traites inexécutées »* (Zola, *l'Argent,* p. 140, 1891, *in* G. L. L. F.).

CONTR. Exécuté.

INEXÉCUTION [inɛgzekysjɔ̃] n. f. — V. 1620, sens jurid. (d'Aubigné, *Hist. universelle...*) ; de 1. *in-*, et *exécution.*

♦ **1.** Rare. Absence d'exécution. *L'inexécution de ses projets. « La morale est une sorte d'art de l'inexécution des désirs »* (Valéry, *Tel Quel,* I, *in* T. L. F.).

♦ **2.** Dr. Défaut d'exécution (I., 3.). *Inexécution d'un contrat*, d'une obligation*.* ⇒ **Inobservation** (→ Dommage, cit. 4 ; faute, cit. 26). *Inexécution partielle, totale. L'inexécution de la décision d'un tribunal. L'inexécution « peut résulter d'une abstention, s'il s'agissait d'une obligation positive ou d'un fait et être due, soit à la faute du débiteur* (cit. 4), *soit à une cause qui lui est étrangère (cas fortuit, force majeure, faute d'un tiers, etc.) »* (Capitant, *Voc. juridique*).

Le capitaine n'eut rien à répliquer à ce commandement, dont l'inexécution devait être d'un très-grand dommage à ses affaires et à celles des marchands.
A. GALLAND, les Mille et une Nuits, t. II, p. 154.

INEXÉCUTOIRE [inɛgzekytwaʀ] adj. — 1875 ; de 1. *in-*, et *exécutoire.*

♦ Dr. Qui n'est pas exécutoire. *Décision inexécutoire.*

CONTR. Exécutoire.

INEXERCÉ, ÉE [inɛgzɛʀse] adj. — 1794, Pougens, *in* T. L. F. ; de 1. *in-*, et *exercé*, p. p. de *exercer**.

Didactique ou littéraire.

♦ **1.** Qui n'est pas exercé*. ⇒ **Inexpérimenté.** *« Des troupes inexercées »* (Littré). *La main inexercée d'un enfant.* ⇒ **Inhabile.**

Oreille inexercée. — N. (1905, *in* D. L. L.). Rare. Personne inexercée. *Une maladresse d'inexercé.*

♦ **2.** (xxe). Qui n'a pas été utilisé. *Autorité inexercée.*

CONTR. Exercé; entraîné, expérimenté, expert.

INEXHAUSTIBLE [inɛgzostibl] adj. — 1885, Régnier, *in* T. L. F.; formation savante, ou repris à l'anc. *inexhaustible* (1601; de *to exhaust* (→ Exhaustif) ou emprunt de l'anc. franç. *inexhaustible*, attesté xve-xvie (Godefroy enregistre aussi *inexhaust* «inépuisé, inépuisable»), ou encore, du lat. médiéval **inexhaustibilis*, de *in-* (→ 1. In-), rad. du supin *exhaustum* de *exhaurire* (→ Exhaustif), et suff. *-(i)bilis* (→ -ible).

♦ Littér. Inépuisable, infini.

(...) sous ce visage rosissant je sentais se creuser, comme un gouffre, l'inexhaustible espace des soirs où je n'avais pas connu Albertine.
PROUST, À la recherche du temps perdu, t.XII, p. 230.

INEXIGIBILITÉ [inɛgziʒibilite] n. f. — 1839, Boiste; de *inexigible.*

♦ Dr. Caractère de ce qui est inexigible. *L'inexigibilité d'une dette, d'une créance.*

CONTR. Exigibilité.

INEXIGIBLE [inɛgziʒibl] adj — Av. 1781, Turgot; de 1. *in-*, et *exigible**.

♦ Rare. Qui ne peut être exigé*. *Compensation inexigible.* — Dr. *Dette inexigible.*

DÉR. Inexigibilité.

INEXISTANT, ANTE [inɛgzistɑ̃, ɑ̃t] adj. — 1784; de 1. *in-*, et *existant*, p. prés. de *exister**.

♦ **1.** Qui n'existe* pas. *L'univers inexistant de la légende, du rêve.* ⇒ **Irréel; chimérique.** *Entité* (cit. 3) *inexistante. Difficultés inexistantes.* ⇒ **Nul** (→ 1. Faux, cit. 31). *Réactions inexistantes.* ⇒ **Absent** (Émotivité, cit. 1).

1 On ne peut s'empêcher de penser, mais qu'est-ce qu'une pensée? Quoi de plus inexistant qu'une pensée!
G. DUHAMEL, Salavin, I, XI.

2 Du point de vue historique, Hugo s'en remet à ses passions, qui l'abusent (...) il a contre lui tous ses grotesques, cette séquelle de monstres affreux, psychologiquement inexistants, qui vont de Bug-Jargal et de Han d'Islande à Gwynplaine, l'homme qui rit (...)
Émile HENRIOT, les Romantiques, p. 15.

REM. On trouve dans ce sens le verbe *inexister*, chez le poète Yves Bonnefoy (*«Alors, je t'ai voulue au chevet de ma fièvre/D'inexister, d'être plus noir que tant de nuits»; Poèmes*, p. 176).

♦ **2.** (Déb. xxe). Fam. Sans valeur, sans importance, sans efficacité. ⇒ **Nul.** *L'aide qu'il m'apporte est inexistante.* ⇒ **Négligeable.** *Vous avez vu ce travail? C'est inexistant.* ⇒ **Néant, rien** (moins que), **zéro.** — *Un pauvre type complètement inexistant* (→ Une nullité*). *Comme directeur, il est à peu près inexistant.*

3 (...) le directeur de cette œuvre inexistante, un fonctionnaire prévaricateur (...)
M. JOUHANDEAU, Chaminadour, p. 115.

CONTR. Existant; étourdissant.

INEXISTENCE [inɛgzistɑ̃s] n. f. — 1609, dr.; de 1. *in-*, et *existence.*

♦ **1.** (Av. 1794, De Bernis, *in* Boiste, 1839). Didact. Fait de ne pas exister* (→ Existence, cit. 5).

Toutes choses, doucement, tendrement, se laissaient aller à l'existence comme ces femmes lasses qui s'abandonnent au rire (...) Je compris qu'il n'y avait pas de milieu entre l'inexistence et cette abondance pâmée. Si l'on existait, il fallait *exister jusque-là* (...)
SARTRE, la Nausée, p. 162.

Dr. «Défaut d'existence d'un acte juridique résultant de l'absence d'un des éléments constitutifs essentiels à sa formation» (Capitant, *Voc. juridique*). *Théorie de l'inexistence du mariage entre personnes du même sexe.*

♦ **2.** (Déb. xxe, d'après *inexistant*). Fam. Caractère de ce qui est sans valeur. *L'inexistence de ses arguments.* — (Personnes). *«L'inexistence même d'Hermione devant Pyrrhus»* (Mauriac, *Vie de Racine*, p. 109, *in* T. L. F.).

CONTR. Existence.

INEXORABILITÉ [inɛgzɔʀabilite] n. f. — 1663 (ou 1664), Robinet; de *inexorable.*

♦ Littér. et rare. Caractère, état de qui (vx) ou de ce qui est inexorable. *L'inexorabilité du destin.* ⇒ **Implacabilité, rigueur.**

CONTR. Clémence.

INEXORABLE [inɛgzɔʀabl] adj — Av. 1520, sens 3; lat. *inexorabilis* «qu'on ne peut fléchir; implacable», de *in-* (→ 1. In-), et *exorabilis.* → Exorable.

♦ **1.** (1555, Ronsard, *in* T. L. F.). Qui résiste aux prières, qu'on ne peut fléchir (cit. 6). ⇒ **Impitoyable, implacable, inflexible, pitié** (sans). *Un juge inexorable.* ⇒ **Dur, sévère.** *«Il fut inexorable à toutes les prières»* (Académie). ⇒ **Insensible, sourd.**

(...) et pour être à leur triste prière 1
Toujours sourde, arrogante, inexorable et fière.
RONSARD, Second livre des Hymnes, Hymne de la mort.

On m'entendit demander grâce au plus vil de tous les humains, et tenter sa pitié à mesure qu'il était plus inexorable. 2
MONTESQUIEU, Lettres persanes, CLVII.

Les prières me trouvant inexorable, il a fallu passer aux offres. 3
LACLOS, les Liaisons dangereuses, XCVI.

La prétendue scène de Joséphine demandant à genoux la grâce du duc d'Enghien, s'attachant au pan de l'habit de son mari et se faisant traîner par ce mari inexorable, est une de ces inventions de mélodrame avec lesquelles nos fabliers composent aujourd'hui la véridique histoire. 4
CHATEAUBRIAND, Mémoires d'outre-tombe, t. II, p. 321.

(...) je le vois, rien ne le peut toucher, 5
Ce cœur inexorable et dur comme un rocher!
LECONTE DE LISLE, Poèmes tragiques, «Les Érinnyes», IX.

Caractère, cœur inexorable. Se heurter à un refus, à une volonté inexorable (→ Arguer, cit. 2).

(...) cette douceur inexorable qui fait la force des caractères faibles. 6
FRANCE, le Crime de S. Bonnard, Œ., t. II, IV, p. 385.

Ces souvenirs lui broyaient le cœur et elle mettait les poings à ses oreilles et fermait les yeux, comme pour chasser de son cerveau l'image du supplice qu'elle avait subi, mais sa mémoire était inexorable et ne l'épargnait à certains moments que pour la crucifier à d'autres (...) 7
J. GREEN, Léviathan, II, VII.

♦ **2.** (1544). (Personnes). Vx. *Être inexorable à quelqu'un*, ne pas lui pardonner une faute (cit. 16) ou ne pas accéder à ses désirs, et, spécialt, à ses désirs amoureux (→ par plais. Bras, cit. 46, Molière). *Femme inexorable à son amant. Maîtresse inexorable aux vœux de son amant.*

Est-ce m'aimer, cruel, autant que je vous aime, 8
Que d'être inexorable à mes tristes soupirs (...)
RACINE, la Thébaïde, II, 3.

N. f. *Une inexorable* (→ Une cruelle*).

♦ **3.** (Choses). Dont on ne peut tempérer la rigueur*. ⇒ **Cruel, draconien.** *Une sévérité inexorable* (→ Humilier, cit. 39). *Arrêt, loi inexorable.* — À quoi l'on ne peut se soustraire. ⇒ **Implacable.** *Fatalité inexorable* (→ Automatisme, cit. 6). *La rigueur inexorable des lois qui gouvernent* (cit. 24) *le monde. L'inexorable fuite* (cit. 9) *des heures. Une réalité inexorable* (→ Aggravation, cit.).

L'inexorable loi du temps. RONSARD, Pièces retranchées, Œ., t. II, p. 698. 9

(...) en glissant sur une pente irrésistiblement rapide, elle était arrivée à ce dénouement-là, qui était inexorable, et qu'il fallait subir à présent (...) 10
LOTI, Pêcheur d'Islande, V, II.

Une loi fatale, dit Lamennais, une loi inexorable nous presse (...) nous ne pouvons échapper à son emprise (...) cette loi, c'est l'expiation, l'axe inflexible du monde moral, sur lequel roulent toutes les destinées de l'humanité. 11
FRANCE, le Mannequin d'osier, XV, Œ., t. XI, p. 404.

Spécialt (en parlant des aspects de la nature). *Un soleil inexorable* (→ Grelotter, cit. 5, Daudet).

Voici la rigueur de l'hiver, adieu, ô bel été (...) Voici le froid inexorable (...) 12
CLAUDEL, Cinq grandes odes, Troisième ode.

CONTR. Clément, doux, exorable, indulgent.

DÉR. Inexorabilité, inexorablement.

INEXORABLEMENT [inɛgzɔʀabləmɑ̃] adv. — 1661; de *inexorable.*

♦ Littér. D'une manière inexorable, sans qu'on puisse y échapper. ⇒ **Implacablement** (→ Bibliothèque, cit. 7; embouteiller, cit.). *Maladie qui évolue inexorablement vers la mort.* ⇒ **Inéluctablement.**

(...) je lui ai dit (...) qu'il fallait qu'elle vous écrivît ou qu'elle me vît toujours à ses talons pour la presser inexorablement de s'acquitter envers vous. 1
RACINE, Lettres, 8, 27 mai 1661.

(...) sur la scène classique, la fatalité pousse inexorablement à leur fin des hommes et des passions particulières (...) 2
André SUARÈS, Trois hommes, «Ibsen», p. 115.

INEXPÉRIENCE [inɛkspeʀjɑ̃s] n. f. — 1460, rare av. 1762; de 1. *in-*, et *expérience*, ou bas lat. *inexperientia*, même sens, de *inexperiens* «inexpérimenté», de *in-* (→ 1. In-), et *experiens*, p. prés. de *experiri.* → Expérience.

♦ **1.** Manque d'expérience* (→ Facilité, cit. 2). *L'inexpérience d'un enfant* (cit. 17), *de la jeunesse.* ⇒ **Ignorance, ingénuité, naïveté.** *Faute, maladresse due à l'inexpérience. Son inexpérience des hommes, de la vie le rend incapable d'agir efficacement. Inexpérience des choses de l'amour; l'inexpérience amoureuse. L'inexpérience de qqn dans un domaine, en ce qui concerne un domaine.*

(...) il n'y a pas d'homme qui ne se soit, une fois dans sa vie, trouvé tiraillé par le désir de rompre une liaison inconcevable et la crainte d'affliger une femme qu'il avait aimée. L'inexpérience de la jeunesse fait que l'on s'exagère beaucoup les difficultés d'une position pareille (...) 1
B. CONSTANT, Adolphe, VII.

Ces jeunes soldats, devant nos redoutables fantassins, furent vaillants; leur inexpérience se tira intrépidement d'affaire. 2
HUGO, les Misérables, II, I, V.

Les mêmes nécessités auxquelles étaient soumis leurs prédécesseurs les conduisent *(les nouveaux ministres).* Et ils n'apportent de nouveau que leur inexpérience. 3
FRANCE, les Opinions de J. Coignard, III, Œ., t. VIII, p. 358.

4 (...) mon cher confrère, vous seriez deux fois coupable de vous abandonner à un découragement prématuré, qui n'est que la rançon de votre inexpérience.
J. ROMAINS, Knock, I, p. 33.

♦ **2.** (1863, Fromentin, *in* T. L. F.). Vx. *(Une, des inexpériences).* Erreur, gaucherie due au manque d'expérience.

REM. On trouve chez Lautréamont l'adjectif *inexpérient, iente (la joie inexpériente de la chrysalide).*

CONTR. Expérience, habileté.

INEXPÉRIMENTÉ, ÉE [inɛkspeʀimɑ̃te] adj. — 1495, sens 2; de 1. *in-*, et *expérimenté.*

♦ **1.** (Av. 1520, *inexpérimenté de* [qqch.]). Qui n'a pas d'expérience*. — (Personnes). *Jeune homme inexpérimenté.* ⇒ **Ignorant, naïf** (→ Il est né d'hier*; fam. il débarque). — Spécialt. Qui manque de pratique dans un domaine déterminé. ⇒ **Inexpert.** *Alpiniste inexpérimenté.* ⇒ **Commençant, novice.** *Adolescent candide, inexpérimenté en amour.* ⇒ **Ingénu.** *Il est très inexpérimenté en la matière.*

1 Mais cet amiral *(Villeneuve)* doutait de l'instrument qu'il avait entre les mains, de son matériel imparfait, de ses officiers et de ses équipages inexpérimentés.
J. BAINVILLE, Hist. de France, XVII, p. 409.

2 Inexpérimenté comme vous êtes, je ne vous donne pas deux jours pour vous faire coffrer. J. ROMAINS, les Hommes de bonne volonté, t. I, XIX, p. 233.

Par ext. *Gestes inexpérimentés. Mains inexpérimentées de l'apprenti.* ⇒ **Inexercé.**

♦ **2.** Techn. Dont on n'a pas encore fait l'expérience. *Une arme secrète encore inexpérimentée* (⇒ **Neuf, nouveau**). *Ce procédé est encore inexpérimenté.*

CONTR. Expérimenté; aguerri, expert, habile.

INEXPERT, ERTE [inɛkspɛʀ, ɛʀt] adj. — 1587; «inexpérimenté», 1455; lat. *inexpertus* «inexpérimenté», de *in-* (→ 1. In-), et *expertus.* → Expert.

♦ Littér. ou didact. Qui n'est pas expert, qui manque d'habileté. ⇒ **Inexpérimenté, inhabile.** *Être inexpert en un art, dans une technique.* — Par métonymie. *Des mains inexpertes.*

1 *(Il)* ne faut élever par faveur ni richesse
Aux offices publics l'inexperte jeunesse
D'un écolier qui vient de Tholose, devant *(avant)*
Que par longue pratique il devienne savant.
RONSARD, Disc. des misères de ce temps, Remontrance au peuple de France.

2 *(Armand était)* tellement inexpert, et peu ferré (...) que ce n'était guère de belles victoires que remportait la vertu de Suzanne.
ARAGON, les Beaux Quartiers, I, XV.

CONTR. Expérimenté, expert.

INEXPIABLE [inɛkspjabl] adj. — V. 1500; lat. *inexpiabilis,* mêmes sens, de *in-* (→ 1. In-), *expiare* (→ Expier), et suff. *-bilis* (→ -able). → aussi Expiable.

♦ **1.** Qui ne peut être expié*. *Crime, faute, forfait inexpiable,* extrêmement grave*. — N. m. *Commettre l'inexpiable.*

1 L'idée que ce crime innombrable de la traite et de l'esclavage, sur lequel est fondée la prospérité américaine, l'idée que ce crime demeure inexpiable et qu'il ouvre dans le flanc du bonheur américain une plaie incurable (...)
G. DUHAMEL, Scènes de la vie future, XI.

2 Ses prêtres désespèrent de les convertir ou de les effacer. La souillure contractée paraît inexpiable, c'est-à-dire, en restituant au mot sa valeur étymologique, qu'aucun rite de purification ne pourra débarrasser le coupable de l'élément énergétique dont il s'est chargé en commettant l'acte interdit.
Roger CAILLOIS, l'Homme et le Sacré, p. 56.

♦ **2.** Hist. (attesté 1831, Michelet, *in* T. L. F.). *Guerre inexpiable :* révolte des mercenaires de Carthage.

Par ext. Que rien ne peut apaiser, faire cesser. *Guerre, lutte inexpiable qui se poursuit jusqu'à l'écrasement* (cit. 3) *du vaincu. Honte* (cit. 8) *inexpiable.*

CONTR. Expiable.
DÉR. Inexpiablement.

INEXPIABLEMENT [inɛkspjabləmɑ̃] adv. — 1938, La Varende, *in* T. L. F.; de *inexpiable.*

♦ Littér. et rare. De façon inexpiable (2.).

INEXPIÉ, ÉE [inɛkspje] adj. — 1794, Pougens, *in* T. L. F.; de 1. *in-*, et *expié,* p. p. de *expier.*

♦ Littér. Qui n'a pas été expié. *Des crimes inexpiés.*

CONTR. Expié (V. Expier).

INEXPLICABILITÉ [inɛksplikabilite] n. f. — 1922 (→ cit.); une première fois dans Richard de Radonvilliers, 1845; de *inexplicable.*

♦ Caractère de ce qui est inexplicable.

On n'aime véritablement point quelqu'un *à cause* de ses qualités en soi, à cause d'aspects universels et énumérables qu'on lui trouve — et qui attirent, mais à cause de son *inexplicabilité,* au contraire.
VALÉRY, Cahiers, Pl., t. II, p. 462.

INEXPLICABLE [inɛksplikabl] adj. — 1486; lat. *inexplicabilis,* même sens, d'abord «qu'on ne peut déplier, inextricable», de *in-* (→ 1. In-), et *explicabilis.* → Explicable.

♦ **1.** (Choses). Qu'il est impossible ou très difficile d'expliquer*; qui paraît bizarre (cit. 5) de ce fait même qu'on ne se l'explique pas. ⇒ **Énigmatique, étrange** (cit. 9), **impénétrable, incompréhensible, inconcevable, indéchiffrable, mystérieux, obscur.** *Énigme** (cit. 6, Bossuet) *inexplicable* (→ Chimère, cit. 2). *Des anomalies inexplicables* (→ Espace, cit. 9). *Chose inexplicable par qqn. L'hystérie* (cit. 2), *maladie longtemps inexplicable. Une fatalité* (cit. 17) *inexplicable. Les inexplicables croyances de l'homme* (cit. 86). *Fantaisies* (cit. 23) *dont la bizarrerie semble inexplicable. Agitation inexplicable* (→ Convulser, cit. 1). — *L'attrait inexplicable de la guerre* (cit. 6). ⇒ **Indéfinissable.** *S'abîmer* (cit. 5) *dans un désespoir inexplicable. Un effroi inexplicable* (→ Grandir, cit. 5).

Les inclinations naissantes, après tout, ont des charmes inexplicables (...) 1
MOLIÈRE, Dom Juan, I, 2.

Les desseins des rois (...) le remuement des cœurs par le fil secret des passions (...) 2
tous ces ressorts resteront inexplicables pour vous, si vous n'avez, pour ainsi dire, assisté au conseil du Très-Haut (...)
CHATEAUBRIAND, le Génie du christianisme, III, III, 1.

(...) la mort, mystère inexplicable dont une expérience journalière paraît n'avoir 3
pas encore convaincu les hommes (...) B. CONSTANT, Adolphe, VII.

Ce qui allait se passer tout à l'heure était inexplicable, songeait Bouvard; mais la 3.1
Raison ne suffit pas à comprendre certaines choses. De très grands hommes ont admis celle-là. Autant faire comme eux. Et dans une sorte d'engourdissement, il contemplait l'autel, l'encensoir, les flambeaux, la tête un peu vide car il n'avait rien mangé — et éprouvait une singulière faiblesse.
FLAUBERT, Bouvard et Pécuchet, p. 340 (Folio).

N. m. (1814, Constant, *in* T. L. F.). → Inexpliqué, cit. 2. *Avoir le goût de l'inexplicable.*

(...) si tu ne veux en aucun cas croire au surnaturel, admettre l'inexplicable, 4
n'achève pas de lire ces mémoires.
Alphonse DAUDET, le Petit Chose, II, XV.

(...) la pointe d'étrangeté, d'inexplicable, qu'il faut laisser à l'incident (...) 5
J. ROMAINS, les Hommes de bonne volonté, t. II, XII, p. 128.

Par ext. Dont on ne comprend pas clairement la cause ou la nature. *Des œuvres inexplicables.* ⇒ **Extraordinaire, singulier.** *Une féerie fantastique* (cit. 6) *et inexplicable. Conduite, démarche inexplicable. Il est inexplicable que... C'est inexplicable.*

Une sensation de vide la déroutait, et, parfois, lui donnait une ivresse inexpli- 6
cable (...) J. CHARDONNE, les Destinées sentimentales, p. 328.

♦ **2.** (1747, Voltaire). Personnes. *Un homme inexplicable,* dont le comportement, le caractère ne s'explique pas, qui apparaît bizarre, déconcertant. *Pour lui, le Christ demeure inexplicable* (→ Conscience, cit. 22, Loti). *Une femme inexplicable.* ⇒ **Étrange, singulier** (→ Folie, cit. 21).

Elle avait beau le juger bizarre, inexplicable, et s'étonner naïvement que ce fût 7
pour lui «une jouissance que de faire souffrir», elle l'aimait et le trouvait bon.
Émile HENRIOT, Portraits de femmes, p. 250.

CONTR. Clair, explicable.
DÉR. Inexplicabilité, inexplicablement.

INEXPLICABLEMENT [inɛksplikabləmɑ̃] adv. — 1486; «inextricablement», déb. XVIe; de *inexplicable.*

♦ D'une manière inexplicable. *Il rebroussa chemin tout à coup inexplicablement. S'éterniser quelque part inexplicablement* (→ Archive, cit. 9).

Les affiches électorales bariolaient inexplicablement cette île déserte.
ARAGON, les Beaux Quartiers, I, XXIV.

INEXPLIQUÉ, ÉE [inɛksplike] adj. — 1792, *in* Bloch et Wartburg (1794, Pougens); de 1. *in-*, et *expliqué,* p. p. de *expliquer*.*

♦ Qui n'a pas reçu d'explication. *Ce phénomène est resté longtemps inexpliqué. La catastrophe demeure, reste inexpliquée.* ⇒ **Mystérieux** (→ Avitaminose, cit. 1).

Mais on avait fini par savoir qu'il vivait avec la Ventouse, dont la disparition 1
était restée inexpliquée (...) Léon BLOY, le Désespéré, II, p. 74.

N. m. (1862). → Explicable, cit. 3.

2 Il y a dans l'homme de l'inexpliqué, si tant est qu'il n'y ait pas de l'inexplicable.
GIDE, Dostoïevsky, p. 184.

Littér. *Inexpliqué par qqn, aux yeux de quelqu'un :*

3 Sur la création de cette œuvre gigantesque, le mystère reste entier, inexpliqué peut-être aux yeux de Balzac lui-même (...)
Émile HENRIOT, Portraits de femmes, p. 347.

CONTR. Expliqué.

INEXPLOITABLE [inɛksplwatabl] adj. — 1867; de 1. *in-*, et *exploitable.*

♦ Qu'on ne peut exploiter. *Gisement, richesse inexploitable.* (Abstrait). *Une hypothèse inexploitable.* ⇒ **Inutilisable.**

CONTR. Exploitable.

INEXPLOITATION [inɛksplwatɑsjɔ̃] n. f. — 1876; de 1. *in-*, et *exploitation.*

♦ Didact. Fait de ne pas exploiter, absence de mise en valeur. *L'inexploitation de certaines sources d'énergie.*
Abstrait. *L'inexploitation d'une théorie.*

CONTR. Exploitation.

INEXPLOITÉ, ÉE [inɛksplwate] adj. — 1839, Balzac, *in* T. L. F.; de 1. *in-*, et *exploité,* p. p. de *exploiter.**

♦ Qui n'est pas exploité. *Ressources inexploitées. Terres inexploitées.* — Par métaphore. *Un marché inexploité.*
(Abstrait). Qui n'est pas ou n'a pas été exploité, utilisé. *Talent inexploité. Une hypothèse inexploitée. Une idée restée inexploitée.*

CONTR. Exploité.

INEXPLORABLE [inɛksplɔʀabl] adj. — 1867; de 1. *in-*, et *explorable.*

♦ Rare. Qui ne peut être exploré. *Une contrée inexplorable. Une cavité inexplorable.*
(Abstrait). *Un domaine inexplorable par la science. «Au fond inexplorable des siècles»* (Valéry, *Variété* III, *in* T. L. F.).

CONTR. Explorable (rare).

INEXPLORÉ, ÉE [inɛksplɔʀe] adj. — 1825, Brillat-Savarin, *in* T. L. F.; de 1. *in-*, et *exploré,* p. p. de *explorer*.*

♦ **1.** Qui n'a pas été exploré*. *Contrée, terre inexplorée.* ⇒ **Inconnu.** *Région, mer inexplorée par l'homme,* (vx ou littér.) *de l'homme.*

1 (...) soit que mes périples et le falot de ma barque gauloise aient montré la route au vaisseau d'Albion sur des mers inexplorées.
CHATEAUBRIAND, Mémoires d'outre-tombe, t. II, p. 149.

2 Ceux qui connaissent un peu les alentours de Paris savent l'extrême difficulté d'y trouver la *retraite* (...) Un recoin inexploré ou même rarement visité, dans ces bois et ces bosquets, est une chose insupppposable.
BAUDELAIRE, Trad. E. POE, Histoires grotesques et sérieuses, Mystère M. Roget.

2.1 Nous commencerons nos recherches le plus tôt possible. Nous ne laisserons pas une partie de l'île inexplorée. Nous la fouillerons jusque dans ses plus secrètes retraites.
J. VERNE, l'Île mystérieuse, t. II, p. 661.

3 Je songe à la «pleine mer» dont parle Nietzsche, à ces régions inexplorées de l'homme, pleines de dangers neufs, de surprises pour l'héroïque navigateur.
GIDE, Nouveaux prétextes, p. 27.

♦ **2.** (1832, Balzac). Abstrait. *La science moderne s'aventure dans des domaines jusqu'alors inexplorés.* — *Des joies inexplorées* (→ Horizon, cit. 16).

4 Ce sens moral, que j'ai expulsé de ma vie et dont je me sentais, il n'y a pas une heure, radicalement affranchi, voilà que je viens de le retrouver en moi, brusquement! Et non pas réfugié en quelque repli obscur et inexploré de ma conscience!
MARTIN DU GARD, *in* A. MAUROIS, Études littéraires, t. II, p. 195.

CONTR. Exploré.

INEXPLOSIBLE [inɛksplozibl] adj. — 1840; de 1. *in-*, rad. de *explosion,* et *-ible.*

♦ Techn. Qui ne peut exploser. *Appareil inexplosible.* — N. m. (1854, La Châtre). Vx. Bateau inexplosible. *Les inexplosibles de la Loire.*

CONTR. Explosible.

INEXPLOSIF, IVE [inɛksplozif, iv] adj. — Mil. XXe; de 1. *in-*, et *explosif.*

♦ Sc. Qui n'explose pas. *Mélange inexplosif.*

CONTR. Explosif.

INEXPOSABLE [inɛkspozabl] adj. — 1873; dans Richard de Radonvilliers, 1845; de 1. *in-*, *exposer,* et *-able.*

♦ Rare. Que l'on ne peut exposer. *Des idées inexposables.*

INEXPOSÉ, ÉE [inɛkspoze] adj. — 1873; de 1. *in-*, et *exposé,* p. p. de *exposer.*

♦ Littér. Qui n'est pas, qui n'a pas été exposé.

CONTR. Exposé.

1. INEXPRESSIBLE [inɛkspʀesibl] adj. — 1522, *in* T. L. F.; de 1. *in-*, *express-*, rad. du lat. *expressum,* supin de *exprimere* (→ Expression, exprimer), et *-ible.*

♦ Rare. Inexprimable. *«D'autres sentiments inexpressibles m'arrivaient aussi, sortis toujours des mêmes insondables dessous (...)»* (Loti, *le Roman d'un enfant,* p. 229, 1890, *in* T. L. F.).

2. INEXPRESSIBLE [inɛkspʀesibl] n. m. — Av. 1778; angl. *inexpressibles,* n. pl., de *inexpressible* «inexprimable», de *in-* (→ 1. In-), et *expressible,* de *to express* «exprimer», lui-même de l'anc. français *espresser, expresser,* même sens, p.-ê. du bas lat. **expressare,* intensif de *exprimer.* → Exprimer.

♦ Anglic. Vx. Culotte, pantalon (Nerval, *les Filles du feu,* p. 233).

INEXPRESSIF, IVE [inɛkspʀesif, iv] adj. — 1781; «qu'on ne peut exprimer», 1406, attestation isolée; de 1. *in-*, et *expressif.*

♦ **1.** Qui n'est pas expressif*, n'exprime pas clairement ce qu'il doit exprimer. *Mots inexpressifs* (→ Impressionniste, cit. 2). *«Musique inexpressive»* (Académie). ⇒ **Froid, inanimé.** *Style inexpressif.*

Avec de pareils défauts, on aura beau mettre de l'élégance, de la correction, de 1
la pureté, on n'aura qu'un style fade, lâche, factice, neutre, inexpressif et sans relief.
Antoine ALBALAT, l'Art d'écrire, p. 79.

Personnes. *Orateur inexpressif.*

♦ **2.** (1849, Lamartine, *in* T. L. F.). Qui manque d'expression*. *Regard, yeux inexpressifs.* ⇒ **Atone, terne, vague** (→ Hercule, cit. 2). *Physionomie inexpressive. Un visage complètement inexpressif.*

La clarté de la lampe la frappait. Son visage inexpressif tombait dans la pleine 2
lumière. Ses grands yeux toujours sans regard fixaient le vide.
H. BOSCO, le Jardin d'Hyacinthe, p. 286.

CONTR. Expressif.
DÉR. Inexpressivité.

INEXPRESSION [inɛkspʀesjɔ̃] n. f. — 1801, Crèvecœur, *in* T. L. F.; de 1. *in-*, et *expression.*

♦ Littér. et rare. Absence, défaut d'expression. *«Au volant, sa figure était étrange d'inexpression»* (Mauriac, *in* G. L. L. F.).

INEXPRESSIVITÉ [inɛkspʀesivite] n. f. — 1919 (→ cit.); de *inexpressif.*

♦ Littér. Caractère de ce qui est inexpressif.

L'expression indifférente, obtuse de son visage, ou plutôt son inexpressivité absolue glaçait jusqu'à la source de mon bon vouloir.
GIDE, la Symphonie pastorale, I, *in* Romans, Pl., p. 885.

CONTR. Expressivité.

INEXPRIMABILITÉ [inɛkspʀimabilite] n. f. — 1935 (→ cit.); de *inexprimable.*

♦ Didact. Caractère de ce qui est inexprimable.

(...) *Inexprimabilité* signifie non qu'il n'y ait pas *des* expressions — mais que toutes les expressions sont incapables de restituer ce qui les excite.
VALÉRY, Cahiers, t. II, Pl., p. 971.

INEXPRIMABLE [inɛkspʀimabl] adj. — V. 1570, sens 2; de 1. *in-*, *exprimer,* et suff. *-able.*

♦ **1.** (1579). Qu'il est impossible ou très difficile d'exprimer; qui est au delà de toute expression (cit. 19). ⇒ **Indescriptible, indicible, ineffable, inénarrable, inexplicable.** *Pensées inexprimables.* ⇒ **Incommunicable** (cit. 6). *Idée inexprimable par le langage. Ce qui est inexprimable pour un écrivain, peut être exprimé, dit par un autre.*

Car les choses de Dieu étant inexprimables, elles ne peuvent être dites autrement, 1
et l'Église aujourd'hui en use encore (...) PASCAL, Pensées, X, 687.

Même dans les joies artistiques, qu'on recherche pourtant en vue de l'impression 1.1
qu'elles donnent, nous nous arrangeons le plus vite possible à laisser de côté comme inexprimable ce qui est précisément cette impression même, et à nous attacher à ce qui nous permet d'en éprouver le plaisir sans le connaître jusqu'au fond et de croire le communiquer à d'autres amateurs avec qui la conversation sera possible, parce que nous leur parlerons d'une chose qui est la même pour eux et pour nous, la racine personnelle de notre propre impression étant supprimée.
PROUST, le Temps retrouvé, Pl., t. III, p. 891.

♦ **2.** Qui est trop intense ou trop complexe pour pouvoir être exprimé (états psychiques). *Un soulagement inexprimable* (→ Armistice, cit. 1). *Attendre* (cit. 39) *avec une impatience inexprimable. Entrer* (cit. 45) *dans des fureurs inexprimables. Être* *envahi* (cit. 15) *par une mélancolie inexprimable. Épouvante* (cit. 3), *haine inexprimable* (→ Fond, cit. 46). *Goûter* (1. Goûter, cit. 6) *un bonheur, des jouissances inexprimables* (→ Ignorer, cit. 48).

1.2 Sa situation était inexprimable.
Devoir la vie à un malfaiteur, accepter cette dette et la rembourser, être, en dépit de soi-même, de plain-pied avec un repris de justice, et lui payer un service avec un autre service; se laisser dire : Va-t'en, et lui dire à son tour : Sois libre; sacrifier à des motifs personnels le devoir, cette obligation générale, et sentir dans ces motifs personnels quelque chose de général aussi, et de supérieur peut-être; trahir la société pour rester fidèle à sa conscience; que toutes ces absurdités se réalisassent et qu'elles vinssent s'accumuler sur lui-même, c'est ce dont il était atterré.
HUGO, les Misérables, IV, p. 172.

Qui exprime un sentiment inexprimable. *Regard, sourire* (→ Allonger, cit. 3) *inexprimable.*

2 (...) il s'approcha de la fenêtre avec des transports de joie inexprimables (...)
Mme D'AULNOY, l'Oiseau bleu, p. 16.

3 La joie avec laquelle je vis les premiers bourgeons est inexprimable. Revoir le printemps était pour moi ressusciter en paradis. ROUSSEAU, les Confessions, VI.

4 Belle, et du caractère de beauté le plus touchant, avec un son de voix qui allait au cœur, et un regard qui dans les larmes avait un charme inexprimable (...)
MARMONTEL, Mémoires, III.

5 Inexprimable émotion que la voix de ce qu'on aime! Mélange confus d'attendrissement et de terreur! Mme DE STAËL, Corinne, XVII, IX.

6 *(D'après Gautier)* Tout homme, qu'une idée, si subtile et si imprévue qu'on la suppose, prend en défaut, n'est pas un écrivain. L'inexprimable n'existe pas.
BAUDELAIRE, l'Art romantique, XX, III.

7 (...) mais maintenant que la chaîne était brisée, j'éprouvais un soulagement inexprimable. Alphonse DAUDET, le Petit Chose, I, XIV.

♦ **3.** N. m. (1849, Lamartine, *in* T. L. F.). *L'inexprimable* : ce qu'on ne peut exprimer. *Vouloir exprimer l'inexprimable* (→ Écrire, cit. 13).

7.1 J'écrivais des silences, des nuits, je notais l'inexprimable. Je fixais des vertiges.
RIMBAUD, Une saison en enfer, p. 140.

8 *(Le)* style lyrique par le moyen duquel il nous est parfois possible d'exprimer l'inexprimable. G. DUHAMEL, Refuges de la lecture, III, p. 121.

CONTR. Exprimable.
DÉR. Inexprimabilité, inexprimablement.

INEXPRIMABLEMENT [inɛkspʀimabləmɑ̃] adv. — 1821, J. de Maistre, *in* T. L. F.; de *inexprimable.*

♦ D'une façon inexprimable. *Ressentir inexprimablement un sentiment. Il resta inexprimablement angoissé.*

— « Janotte tenait beaucoup à vous voir avant sa conférence de ce soir », poursuivit Mithoerg. « Mais il est si tellement éreinté du voyage... Il supporte mal la chaleur... » (...)
— « Mon petit Mithoerg, nous nous en foutons inexprimablement, de Janotte... N'est-ce pas, petite fille?... »
MARTIN DU GARD, les Thibault, *in* Œ. compl., Pl., t. II, p. 29.

INEXPRIMÉ, ÉE [inɛkspʀime] adj. — 1836, Balzac, *in* T. L. F.; de 1. *in-*, et *exprimé,* p. p. de *exprimer**.

♦ Qui n'est pas ou n'a pas été exprimé*. *Cette œuvre est le couronnement* (cit. 8) *d'une philosophie inexprimée. Pensée gonflée* (cit. 28) *de choses inexprimées. Voix lourde de regrets inexprimés.* ⇒ **Sous-entendu.** *Alliance, entente inexprimée.* ⇒ **Tacite.**

0.1 Cette élégante médiocrité est d'ailleurs délicieuse — surtout avec tout ce qu'il s'y allie de générosité cachée et d'héroïsme inexprimé — à côté de la vulgarité de Bloch (...) PROUST, le Temps retrouvé, Pl., t. III, p. 741.

1 Dans mes phrases les plus banales passaient, comme des nuages dans le lointain, des reproches inexprimés. A. MAUROIS, Climats, I, XVII.

2 Dans ces réunions, à peu près muettes, où toujours les mêmes sont conviés (...) les femmes, presque toujours belles, ont un air chaleureux, on ne sait quoi de frémissant, de pensif et d'inexprimé, qui s'éteint dès qu'on leur parle (...)
J. CHARDONNE, l'Amour du prochain, p. 179-180.

N. m. *« (...) la perpétuelle allusion, le perpétuel inexprimé — chez Mallarmé »* (Alain-Fournier, *Correspondance,* 106, p. 361, *in* T. L. F.).

CONTR. Exprimé.

INEXPUGNABILITÉ [inɛkspygnabilite] n. f. — 1875; de *inexpugnable.*

♦ Rare. Caractère de ce qui est inexpugnable. *L'inexpugnabilité d'une place-forte.*

INEXPUGNABLE [inɛkspygnabl] adj. — 1353; lat. *inexpugnabilis,* même sens, de *in-* (→ 1. In-), et *expugnabilis.* → Expugnable.

Technique ou littéraire.

♦ **1.** Qu'on ne peut prendre d'aussaut; qui résiste aux attaques, aux sièges. ⇒ **Imprenable.** *Donjon inexpugnable* (→ Inclinaison, cit. 2). *Forteresse*, rempart, tour inexpugnable. Les points inexpugnables des fortifications. Rendre une place, une position inexpugnable.* — Vx. *La place est inexpugnable à toutes les attaques.* — Par métaphore. → Approchable, cit. 1, et ci-dessous, cit. 1. — REM. Ces emplois métaphoriques ont la même valeur que le fig., 2.

Ce cœur, inexpugnable aux assauts de leurs yeux, 1
N'aura plus que les tiens pour maîtres et pour dieux.
CORNEILLE, l'Illusion comique, V, 4.

Les batteries disposées depuis longtemps par le maréchal de la Meilleraie commencèrent à battre en brèche, mais mollement, parce que les artilleurs sentaient qu'on les avait dirigés sur deux points inexpugnables (...) 2
A. DE VIGNY, Cinq-Mars, X.

Par métonymie. *Troupes inexpugnables. La garnison se croyait inexpugnable.*

♦ **2.** (1543). Fig. et littér. Qui ne peut être vaincu; qui résiste aux attaques. *Force, puissance inexpugnable. « Une âme inexpugnable »* (Sainte-Beuve, *in* T. L. F.). — (Personnes). Rare. *Il, elle semble inexpugnable.* ⇒ **Invincible.**

Vieilli ou par plais. (d'abord métaphorique, → ci-dessus, cit. 1). Qui résiste aux tentatives amoureuses. *Vertu inexpugnable.*

DÉR. Inexpugnabilité, inexpugnablement.

INEXPUGNABLEMENT [inɛkspygnabləmɑ̃] adv. — D. i. (1941, *in* T. L. F.); de *inexpugnable.*

♦ Rare. D'une manière inexpugnable.

INEXTENSIBILITÉ [inɛkstɑ̃sibilite] n. f. — 1858; de *inextensible.*

♦ Techn. Caractère de ce qui est inextensible. *L'inextensibilité d'une corde.* — Spécialt. *L'inextensibilité d'un muscle.*

Fig. *L'inextensibilité d'un esprit.*

CONTR. Extensibilité.

INEXTENSIBLE [inɛkstɑ̃sibl] adj. — 1777; de 1. *in-*, et *extensible.*

♦ **1.** Qui n'est pas extensible. *Tissu inextensible.* ⇒ **Inélastique.** *Courroie inextensible.*

♦ **2.** Qui ne peut augmenter de volume. *Corps, organe inextensible.*

♦ **3.** Qui ne peut s'étendre dans le temps. *La période est fixée, inextensible. Délai inextensible.*

♦ **4.** Fig. Qui ne peut s'accroître, s'augmenter. *« Une science inextensible, taillée à l'exacte mesure de (...) »* (Bergson, *in* T. L. F.)

CONTR. Dilatable, élastique, étirable, extensible.
DÉR. Inextensibilité.

INEXTENSIF, IVE [inɛkstɑ̃sif, iv] adj. — 1889; de 1. *in-*, et *extensif.*

♦ Didact. Qui n'a pas d'extension, de dimension spatiale.

Si une quantité peut croître et diminuer, si l'on y aperçoit pour ainsi dire le *moins* au sein du *plus,* n'est-elle pas par là même divisible, par là même étendue? et n'y a-t-il point alors contradiction à parler de quantité inextensive?
H. BERGSON, Essai sur les données immédiates de la conscience, p. 3.

Qui n'est pas situé dans l'étendue, dans l'espace physique. *Sensations inextensives.*

N. m. *L'inextensif.*

CONTR. Extensif (4.).

IN EXTENSO [inɛkstɛ̃so] loc. adv. et adj. — 1838; loc. lat., même sens, de *in* « dans » et *extensum* « intégralité (d'un texte) », dans la langue des notaires (1549, Du Cange), par substantivation de *extensus,* p. p. de *extendere* « étendre ». → Extension.

Didactique ou littéraire.

♦ **1.** Adv. Dans toute son étendue, toute sa longueur (en parlant d'un texte). *« Publier un discours in extenso »* (Académie). ⇒ **Complètement, intégralement.** — Adj. *Compte rendu in extenso d'un débat à l'Assemblée Nationale.* ⇒ **Complet, intégral.**

♦ **2.** Fig. Tout au long, en entier (surtout loc. adv.).

Antoine raconta in extenso ses aventures. René FALLET, le Triporteur, p. 196.

INEXTINGUIBLE [inɛkstɛ̃gibl] adj. — 1403 (1447, selon T. L. F.); bas lat. *inextinguibilis,* même sens, de *in-* (→ 1. In-), et bas lat. *exstinguibilis.* → Extinguible.

♦ **1.** Littér. Qu'il est impossible d'éteindre*. *Feu* inextinguible. « Les brûlots au calcium était inextinguibles »* (Malraux, *l'Espoir, in* Romans, Pl., p. 767).

Par métaphore (→ aussi ci-dessous, cit. 5).

(...) De la charité l'inextinguible feu. CORNEILLE, l'Imitation de J.-C., III, 6333. 1

♦ **2.** (1534). Qui ne peut être arrêté, satisfait, comblé. *Une soif inextinguible. Ardeur, fureur, haine inextinguible. Désir inextinguible.* ⇒ **Insatiable.** — (1669). Spécialt. *Rire* (cit. 4) *inextinguible* : fou rire* éclatant qu'on ne peut arrêter. → Rire homérique*. *Le rire inextinguible des dieux de l'Iliade* (chant I).

C'étaient des rires inextinguibles; nous étouffions. 2
ROUSSEAU, les Confessions, VIII.

3 (...) les inextinguibles regrets qu'il *(cet acte)* m'a laissés (...)
ROUSSEAU, Rêveries..., Pl., 4e promenade.

4 J'ai dans le cœur un sentiment inextinguible.
BALZAC, Eugénie Grandet, Pl., t. III, p. 644.

5 (...) dans le sanctuaire réservé de son cœur, où brûlait, à côté du pétrole, la petite lampe inextinguible d'une piété tendre et absolument souveraine.
RENAN, Souvenirs d'enfance..., V, I.

6 Il ne la battait plus, il la torturait de ses questions, du besoin inextinguible qu'il avait de savoir.
ZOLA, la Bête humaine, I, p. 22.

CONTR. Extinguible.
DÉR. Inextinguiblement.

INEXTINGUIBLEMENT [inɛkstɛ̃giblǝmɑ̃] adv. — D. i. (attesté 1923, Maurois, *in* T. L. F.); de *inextinguible.*

♦ Littér., rare. De façon inextinguible.

Il pouvait entendre sa propre voix, nonchalante, désinvolte elle aussi, parlant pour ainsi dire à l'extérieur de lui, autonome, impossible à arrêter (de même que cette chose qui un peu plus tôt riait inextinguiblement, tout, en lui, semblant fonctionner séparément et comme pour son propre compte...)
Claude SIMON, le Palace, p. 166.

INEXTIRPABLE [inɛkstiʀpabl] adj. — 1508; lat. *inextirpabilis*, même sens, de *in-* (→ 1. In-), et *exstirpare.* → Extirper.
Didactique ou littéraire.

♦ **1.** Rare. Qui ne peut être extirpé*. *Racine, souche inextirpable.* ⇒ **Tenace,** 1.

♦ **2.** (1779). Fig. ⇒ **Indéracinable, tenace.** « *Erreur inextirpable* » (Littré).

Il y a un vice radical en France dans cette partie *(l'éducation)*, et ce vice est inextirpable parce qu'il vient des femmes.
GIDE, Journal, 9 mai 1920.

IN EXTREMIS [inɛkstʀemis] loc. adv. et adj. — 1708, Regnard, *in* T. L. F.; loc. lat. (attestée 1530 en angl.), du lat. class., *in* « au moment de », et *extrema*, n. plur., « les choses dernières (c'est-à-dire la mort) », substantivation de *extremus.* → Extrême.

♦ **1.** À l'article de la mort, à l'agonie. ⇒ **Extrémité** (à la dernière). *Disposition testamentaire in extremis. Baptiser un moribond in extremis.* — Adj. *Mariage in extremis.*

1 Réduits à la famine, ils veulent se manger les uns les autres et tirent à la courte paille le mousse qu'ils vont sacrifier. Recueillis *in extremis*, ils entonnent des hymnes de reconnaissance et un ultime appel à la fraternité des hommes.
Pierre MERTENS, la Fête des anciens, *in* Littérature de la langue franç. hors de France, p. 316.

♦ **2.** (1843, Balzac). Au tout dernier moment. *Préparatifs de voyage in extremis. Rattraper in extremis un objet qui va tomber* (→ Au vol*).

2 Naturellement l'homme de loi regarda la danseuse et se promit de tirer parti de cette visite *in extremis.*
BALZAC, le Cousin Pons, Pl., t. VI, p. 740.

INEXTRICABILITÉ [inɛkstʀikabilite] n. f. — 1832; de *inextricable.*

♦ Rare. Caractère de ce qui est inextricable. *L'inextricabilité de ses souvenirs.*

INEXTRICABLE [inɛkstʀikabl] adj. — V. 1361, sens 3; lat. *inextricabilis* « d'où l'on ne peut se tirer, qu'on ne peut arracher; indescriptible »; de *in-* (→ 1. In-), et *extricare* « défricher, débrouiller, débarrasser, dégager », de *ex* « hors de », et *tricæ*, n. plur. « embarras », p.-ê. d'abord « mauvaises herbes ».

♦ **1.** Qu'on ne peut démêler*. *Enchevêtrement*, enlacement* (cit. 1), *enroulement* (cit. 2) *inextricable de motifs décoratifs. Poutres et planches enchevêtrées* (cit. 2) *qui forment une barricade inextricable. Broussailles inextricables. Un fouillis* (cit. 3) *de hautes lianes inextricables.*

0.1 L'emmêlement des racines, la profusion des lianes ficelées, le chevauchement des parasites paraissait inextricable.
P. MORAND, Magie noire, p.154, *in* T. L. F.

Par métaphore. *Entrelacement* (cit. 2) *inextricable de souvenirs.*

1 Ce procès traînait dans les délais, dans le lacis inextricable de la procédure (...)
BALZAC, Pierrette, Pl., t. III, p. 772.

♦ **2.** (1580). Dont on ne peut sortir. *Dédale* (cit. 1), *réseau inextricable de ruelles. Se fourvoyer* (cit. 2) *dans un labyrinthe inextricable.* ⇒ **Dédaléen, tortueux.** *Une citadelle inextricable* (→ Foyer, cit. 21). *Embarras*, embouteillage* (cit. 2) *inextricable.*

2 J'allais et je revenais par des détours inextricables. Fatigué de marcher entre les pierres et les ronces, je cherchais parfois une route plus douce par les sentes du bois.
NERVAL, Aurélia, II, II.

3 Le pays semble n'être plus qu'une immense solitude d'arbres, un inextricable fouillis vert.
LOTI, l'Inde (sans les Anglais), III, II.

♦ **3.** Abstrait. Très embrouillé; très compliqué. *Les complications inextricables de la procédure.* ⇒ **Maquis.** *Une affaire inextricable* (⇒ **Imbroglio**).

4 Par malheur, l'homme et la femme manquent de discernement. Le hasard, la société, la vanité, l'intérêt déroutent un faible instinct (...) d'où les drames inextricables.
J. CHARDONNE, l'Amour du prochain, p. 38.

DÉR. Inextricabilité, inextricablement.

INEXTRICABLEMENT [inɛkstʀikablǝmɑ̃] adv. — 1827; de *inextricable.*

♦ Didact ou littér. D'une manière inextricable. *Réseau d'ornements inextricablement enlacés* (cit. 14).

(...) de grands arbres aux larges feuilles (...) enlacent inextricablement leurs troncs et leurs branches (...)
Th. GAUTIER, Mlle de Maupin, p. 277.

Par métaphore ou fig. *Une affaire inextricablement embrouillée.*

INFAILLIBILISTE [ɛ̃fajibilist] n. — 1873, P. Larousse; du rad. de *infaillibilité*, et suff. *-iste.*

♦ Relig. Partisan de la doctrine de l'infaillibilité papale.

INFAILLIBILITÉ [ɛ̃fajibilite] n. f. — 1558, *infaillibilité de l'Église;* dér. de *infaillible* (cf. *infallibilitas*, en lat. médiéval).

♦ **1.** (1573). Vx. Caractère de ce qui ne peut manquer de se produire. ⇒ **Certitude.** « *L'infaillibilité d'un succès* » (Littré).

Dès que je vis la Reine hors de Paris avec une armée, je ne doutai presque plus 1
de l'infaillibilité du rétablissement du Cardinal (...)
RETZ, Mémoires, p. 590.

♦ **2.** (1657, Pascal, *in* T. L. F.). Caractère de ce qui ne peut manquer de réussir. *L'infaillibilité d'un remède, d'une méthode.*

Malgré ses revers, Pierre s'opiniâtrait et soutenait l'infaillibilité de la tactique occi- 2
dentale.
MÉRIMÉE, le Règne de Pierre le Grand, p. 80.

♦ **3.** (Av. 1662). Qualité d'une personne infaillible*, qui n'est pas sujette à l'erreur. *L'infaillibilité d'une personne au jeu* (→ Impair, cit. 2). *Croire à son infaillibilité. Orgueil d'infaillibilité* (→ Généralisation, cit. 4). *Des airs d'infaillibilité* (→ Concile, cit. 2).

L'infaillibilité a fait Napoléon, elle en eût fait un Dieu si l'univers ne l'avait pas 3
entendu tomber à Waterloo.
BALZAC, le Médecin de campagne, Pl., t. VIII, p. 366.

La foi à son infaillibilité *(Lamennais)* l'empêcha de rien demander au dehors et 4
de comprendre l'esprit du véritable critique (...)
RENAN, Essais de morale..., Œ. compl., t. II, p. 117.

Absolument :

Être obligé de s'avouer ceci : l'infaillibilité n'est pas infaillible, il peut y avoir de 4.1
l'erreur dans le dogme, tout n'est pas dit quand un code a parlé, la société n'est pas parfaite, l'autorité est compliquée de vacillation, un craquement dans l'immuable est possible, les juges sont des hommes, la loi peut se tromper, les tribunaux peuvent se méprendre! voir une fêlure dans l'immense vitre bleue du firmament!
HUGO, les Misérables, Jean Valjean, IV, Javert déraille.

(1558). Spécialt. *Infaillibilité de l'Église. Infaillibilité du Pape, infaillibilité pontificale,* dogme proclamé en 1870, selon lequel le Souverain Pontife est infaillible lorsqu'il parle ex cathedra* pour définir la doctrine de l'Église universelle. *Privilège de l'infaillibilité* (→ Fatalité, cit. 13).

Dans l'embarras recourons à l'Église. Elle est toujours infaillible. 4.2
De qui relève l'infaillibilité?
Les conciles de Bâle et de Constance l'attribuent aux conciles. Mais souvent les conciles diffèrent, témoin ce qui se passa pour Athanase et pour Arius. Ceux de Florence et de Latran la décernent au pape. Mais Adrien VI déclare que le Pape, comme un autre, peut se tromper.
Chicanes! Tout cela ne fait rien à la permanence du dogme.
FLAUBERT, Bouvard et Pécuchet, p. 348 (Folio).

— Saint-Père, répondit l'abbé Delhonneau, vous détenez une puissance formidable 5
(...) Votre infaillibilité (...) vous donne un magistère qui ne souffre point de contradiction.
APOLLINAIRE, l'Hérésiarque..., p. 77.

♦ **4.** (1893). Caractère de ce qui est sûr, efficace dans ses effets. *L'infaillibilité d'un jugement. L'infaillibilité d'un instrument* (→ Conscience, cit. 4), *d'une méthode, d'un procédé.* ⇒ **Fiabilité.**

CONTR. Faillibilité, fragilité.
DÉR. Infaillibiliste.

INFAILLIBLE [ɛ̃fajibl] adj. — 1580, probablt antérieur (→ Infaillibilité); « dont l'existence est nécessaire (à propos de Dieu) », XVe; « inaltérable », XIVe; du lat. ecclés. *infallibilis*, de *in-* (→ 1. In-), et *fallere* « tromper, manquer à sa parole; échapper à ». → Faillir.

★ **I.** (Choses). Qui ne peut faire défaut. ♦ **1.** Vieilli. Qui ne peut manquer de se présenter, de se produire. ⇒ **Assuré, certain, sûr.** *Un infaillible refuge* (→ Assurer, cit. 76). *Un secours infaillible* (→ Honte, cit. 39), *une intervention infaillible. Le succès est infaillible. Issue infaillible. L'infaillible apanage* (cit. 3) *du mariage.* ⇒ **Immanquable, nécessaire.** *L'infaillible lot du mérite* (→ Falot, cit. 3).

Mon entreprise est sûre, et sa perte infaillible. CORNEILLE, Nicomède, I, 5. 1

Calchas, par tous les Grecs consulté chaque jour, 2
Leur a prédit des vents l'infaillible retour.
RACINE, Iphigénie, I, 3.

♦ **2.** (1669). Qui ne peut tromper; qui a des conséquences certaines, des résultats assurés. *Un remède infaillible contre la toux.* ⇒ **Parfait, souverain.** *Remède infaillible pour guérir* (cit. 17) *l'amour. Règle infaillible de vérité* (→ Imagination, cit. 10). *Méthode, pro-*

cédé, recette infaillible. ⇒ aussi **Fiable** (moins fort). *Un moyen infaillible* (→ Guérir, cit. 29). *Secret infaillible pour conjurer un désastre* (→ Autodafé, cit. 3). *Le sublime lasse, le pathétique est infaillible* (→ Attendrir, cit. 7). *Essayez ce que je vous conseille : c'est infaillible! :* ça réussit, ça marche à tout coup.

3 Et je sais de mes maux l'infaillible remède. MOLIÈRE, Tartuffe, II, 3.

4 La recette en est infaillible (...)
Aimez, et vous serez aimé. BUSSY-RABUTIN, Maximes d'amour, I.

★ **II.** Non sujet à l'erreur. ♦ **1.** (1669). (Personnes). Cour. Qui ne peut se tromper, qui n'est pas sujet à l'erreur. *Un chef considéré comme infaillible et impeccable* (cit. 1). *Le juge est censé* (cit. 1) *infaillible. Notre conscience* (cit. 14 et 15) *est un juge infaillible. Se croire infaillible. Nul n'est infaillible.* → Tout le monde peut se tromper. — Spécialt. *Le pape est infaillible en matière de doctrine lorsqu'il parle ex cathedra* (cit. 1). ⇒ **Infaillibilité** (pontificale).

5 (...) le Pape, selon la doctrine de France, n'est infaillible qu'à la tête d'un concile. RACINE, Port-Royal.

6 L'homme assez consommé dans son art pour en avouer de bonne foi l'incertitude, assez spirituel pour rire avec moi de ceux qui le disent infaillible, tel est mon médecin. BEAUMARCHAIS, le Barbier de Séville, Lettre... sur la critique.

7 (...) nul ne peut, sans superbe, se croire infaillible.
FRANCE, les Opinions de J. Coignard, Œ., t. VIII, II, p. 340.

8 Les magistrats sont, jusqu'ici, considérés comme inviolables dans l'exercice de leurs fonctions. Inviolables, mais non certes pas infaillibles.
G. DUHAMEL, Défense des lettres, II, V.

♦ **2.** (1442, *infallible*). Choses. **a** Qui ne commet pas d'erreur. *Un instinct infaillible.* ⇒ **Sûr.**

9 (...) et nous ne savons plus par où excuser cette prudence présomptueuse qui se croyait infaillible. BOSSUET, Oraison funèbre de la Reine d'Angleterre.

(D'un texte, d'une discipline, d'un corps de connaissances).

0 (...) il avait fini par admettre, en principe, que les deux Testaments, chacun de leur côté, sont infaillibles, mais que le Nouveau n'est pas infaillible quand il cite l'Ancien. RENAN, Souvenirs d'enfance, V, III.

1 Elle *(la science)* n'est ni omnisciente ni infaillible.
A. MAUROIS, Études littéraires, t. II, p. 192.

b (Av. 1662; *infallible*, 1559). Qui n'induit pas en erreur. ⇒ **Certain.** *Le signe infaillible de son passage.*

CONTR. Aléatoire, douteux, fragile, incertain; inefficace, mauvais.
DÉR. Infaillibilité. — Infailliblement.

INFAILLIBLEMENT [ɛ̃fajibləmɑ̃] adv. — xve, *infalliblement*, *in* Littré; de *infaillible* (ou de sa var. anc. *infallible*).

♦ **1.** D'une manière infaillible, certaine. ⇒ **Assurément, certainement, sûrement.** → À coup sûr. *Cela ne peut manquer d'arriver, cela arrivera infailliblement.* ⇒ **Immanquablement, inéluctablement.** *Guérir* (cit. 35) *infailliblement quelqu'un. Boulainvilliers prédit à Voltaire qu'il mourrait infailliblement à trente-deux ans* (→ Humblement, cit. 4). *Chemin* (cit. 34) *qui mène infailliblement quelque part.* ⇒ **Inévitablement, nécessairement, obligatoirement.** *Mouvement qui dérègle* (cit. 1) *infailliblement une horloge* (→ aussi Anéantir, cit. 1; balourdise, cit. 2; copieux, cit. 2; hypothèse, cit. 11).

Je croyais que toutes ces dispositions nous conduisaient naturellement et infailliblement à une sédition populaire (...) RETZ, Mémoires, p. 257.

La meilleure de toutes les religions est infailliblement la plus claire : celui qui charge de mystères, de contradictions, le culte qu'il me prêche, m'apprend par cela même à m'en défier. ROUSSEAU, Émile, IV.

Sur la lisière du Berry se trouve au bord de la Loire une ville qui par sa situation attire infailliblement l'œil du voyageur.
BALZAC, la Muse du département, Pl., t. IV, p. 48.

(...) la seule plus-value des terrains couvrirait presque infailliblement tous les risques de l'opération.
J. ROMAINS, les Hommes de bonne volonté, t. V, XXII, p. 192.

♦ **2.** (1560). Didact. Sans se tromper. *Nul ne peut juger infailliblement.*

CONTR. Aléatoirement, incertainement.

INFAISABLE [ɛ̃fəzabl] adj. — 1613, *in* Bloch et Wartburg (1676, Bouhours, *in* T. L. F.), critiqué au xviie; de 1. *in-*, et *faisable*.

♦ Qui ne peut être fait. ⇒ **Impossible.** *C'est une chose infaisable. Un travail infaisable.* ⇒ **Irréalisable.** *Ce n'est pas infaisable, mais ce sera très difficile*. C'est presque infaisable.*

Faites bien mes compliments à M. de Voltaire *(dit le Pape)*; mais dites-lui que sa commission est infaisable : le Grand-Inquisiteur n'a plus d'yeux ni d'oreilles.
VOLTAIRE, Correspondance, 3825, 27 nov. 1771.

CONTR. Facile, faisable, possible.

INFALSIFIABLE [ɛ̃falsifjabl] adj. — 1867; de 1. *in-*, et *falsibiable*.

♦ Didact, admin. Qui ne peut être falsifié. *Document infalsifiable.* — REM. En épistémologie, on dit plutôt *non falsifiable.*

CONTR. Falsifiable.

INFAMANT, ANTE [ɛ̃famɑ̃, ɑ̃t] adj. — 1557; p. prés. de l'anc. v. *infamer* «déshonorer, diffamer; rendre infâme (2.)», xiiie; lat. *infamare* «faire une mauvaise réputation, décrier; blâmer, accuser», de *infamis.* → Infâme.

♦ **1.** Littér. Qui porte infamie, flétrit l'honneur, la réputation. ⇒ **Avilissant, déshonorant, flétrissant, honteux.** *Accusation, imputation infamante. Supplice infamant. Injure, épithète infamante.*

(...) la vie privée de ce vaincu ne fut pas exemptée de blâme. On le savait vivant avec une jeune femme et le mot infamant de *collage* fut prononcé. 1
Léon BLOY, le Désespéré, p. 19.

(Ils) attaquèrent avec la plus extrême violence les Directeurs, les chargeant d'accusations infamantes dont la moindre était d'avoir pillé le trésor pour entretenir leurs débauches. Louis MADELIN, Hist. du Consulat et de l'Empire, Ascension de Bonaparte, XIX. 2

J'avais la vision de ces Juifs à travers les âges, errant par le monde, parqués dans la campagne sur des terres de rebut, ou tolérés dans les villes entre certaines limites et sous un habit infamant. 3
J. DE LACRETELLE, *in* A. MAUROIS, Études littéraires, II, p. 224.

♦ **2.** (1670). Dr. *Peine infamante,* qui entraîne certaines incapacités ou déchéances. *Les peines* en matière criminelle sont ou afflictives* (cit. 2) *et infamantes, ou simplement infamantes.* ⇒ **Bannissement, blâme** (vx), **dégradation.** *Condamnation à une peine infamante.*

Ceux qui nuisent à la réputation ou à la fortune des autres, plutôt que de perdre un bon mot, méritent une peine infamante (...) 4
LA BRUYÈRE, les Caractères, VIII, 80.

Les peines infamantes sont : 1° le bannissement; 2° la dégradation civique. 5
Code pénal, art. 8.

La condamnation de l'un des époux à une peine afflictive et infamante sera pour l'autre époux une cause de divorce. Code civil, art. 232. 6

CONTR. Glorieux, honorable.

INFÂME [ɛ̃fɑm] adj. — 1335; lat. *infamis* «mal famé, décrié», proprt «sans renommée», de *in-* (→ 1. In-), et *fama* «renommée, réputation» (→ Famé).

♦ **1.** Vx (avant ou après le nom, en épithète). Qui est entièrement méprisable. ⇒ **Bas, vil.** *Personne infâme* (→ Affranchir, cit. 1; assassiner, cit. 14; épargner, cit. 25). *Un infâme coquin. Une horde infâme d'escrocs* (cit. 2). *Celui qui préfère la vie à l'honneur* (cit. 3) *est infâme. «Qui m'aima généreux* (cit. 2) *me haïrait infâme»* (Corneille). *«Tel qui se vante d'être criminel n'est qu'infâme»* (→ Débauche, cit. 3, Chateaubriand). *Assemblage* (cit. 16) *infâme.*

Mais qui peut vivre infâme est indigne du jour. 1
Plus l'offenseur est cher, et plus grande est l'offense. CORNEILLE, le Cid, I, 5.

Les infâmes courtisans du plus infâme des princes (...) 2
DIDEROT, Essai sur les règnes de Claude et de Néron, I, 83.

Mais s'ils ont tout osé, vous avez tout permis. 3
Plus l'oppresseur est vil, plus l'esclave est infâme.
LA HARPE, *in* CHATEAUBRIAND, Mémoires d'outre-tombe, t. II, p. 237.

— Monsieur, dit la jeune femme, je vous savais lâche, avare et imbécile, mais je ne vous savais pas infâme! A. DUMAS, les Trois Mousquetaires, t. I, p. 217. 3.1

(1458, *Mystère du Vieil Testament*, aussi daté 1485). N. *Un, une infâme* (→ Chaîne, cit. 5). *Vivre en infâme.*

Comme du Ciel l'infâme impudemment se joue! MOLIÈRE, Tartuffe, V,7. 4

N. m. (Allus. littér.). *«Écrasez l'infâme»* (Voltaire) : écrasez la superstition, l'intolérance.

La superstition est bien puissante vers le Danube. Vous me dites qu'elle perd son crédit vers la Seine, je le souhaite; mais songez qu'il y a trois cent mille hommes gagés pour soutenir ce colosse affreux, (...) Tout ce que peuvent faire les honnêtes gens, c'est de gémir entre eux, quand cette infâme est persécutante, et de rire quand elle n'est qu'absurde (...) Quoi que vous fassiez, écrasez *l'infâme*, et aimez qui vous aime. VOLTAIRE, Correspondance, 112, 28 nov. 1762. 5

(xive). Choses. Qui entraîne une flétrissure morale. Vx. (Choses concrètes). ⇒ **Infamant.** *L'infâme bois* (cit. 42) *de la croix.* ⇒ **Ignominieux.** *L'infâme couteau* (cit. 16) *du bourreau.* — Vieilli ou littér. (Abstractions). *Métier infâme* (→ Aumône, cit. 7). *Commerce* (cit. 9), *trafic* (→ Canon, cit. 1) *infâme.* ⇒ **Abject, avilissant, bas, ignoble, indigne.** *L'assujettissement* (cit. 2) *infâme de l'esprit à la chair. Volupté lâche et infâme* (→ Boîte, cit. 12). ⇒ **Dégradant, honteux.** *Amour infâme.* ⇒ **Coupable, impur.** — Mod. (Actes). *Un crime, une trahison infâme.* ⇒ **Atroce, horrible, odieux.** *Action, chose indigne et infâme* (→ Abaisser, cit. 8). Spécialt (vx). Dégradant, dans le domaine érotique.

6 Mais le plus beau projet de notre académie (...)
C'est le retranchement de ces syllabes sales,
Qui dans les plus beaux mots produisent des scandales (...)
Ces sources d'un amas d'équivoques infâmes,
Dont on vient faire insulte à la pudeur des femmes.
MOLIÈRE, les Femmes savantes, III, 2.

7 (...) malgré la défection de tant de sujets, malgré l'infâme désertion de la milice (...) BOSSUET, Oraison funèbre de la Reine d'Angleterre.

8 Ceux qui font des métiers infâmes, comme les voleurs, les femmes perdues, s'honorent de leurs crimes et regardent les honnêtes gens comme des dupes.
VAUVENARGUES, Maximes et réflexions, 353.

REM. Le mot ne peut guère s'employer aujourd'hui qu'avec des substantifs exprimant des actions moralement dépréciées (crime, ignominie, etc.) que l'adj. renforce péjorativement; son emploi avec des noms neutres est archaïque.

♦ **2.** (1348). Vx. Qui est flétri par la loi. *Infâme de droit. Personne infâme mise au carcan* (cit. 1) — Par ext. Qui entraîne la flétrissure légale. *La condition des comédiens* (cit. 1) *était infâme chez les Romains.*

9 Un acteur, une actrice, gens infâmes même selon les lois des hommes (...)
MASSILLON, Carême, Élus.

♦ **3.** Cour. (Personnes). Absolument immoral. ⇒ **Ignoble.** *Infâme créature* (→ Hypocrisie, cit. 17). *Infâme saligaud* (→ Gueux, cit. 10).

9.1 Si infâmes que soient les canailles, ils ne le sont jamais autant que les honnêtes gens. O. MIRBEAU, le Journal d'une femme de chambre, p. 193.

N. (rare au fém.). Vx ou plais. ⇒ **Scélérat** (→ Arracher, cit. 3). *Ah! infâme! ah! traître!* (→ Assassiner, cit. 9, Molière). *Infâme que vous êtes!* (→ À, cit. 2). *Ah, l'infâme! il m'a fauché mon stylo!*

10 Oh! trop heureux d'avoir une si belle femme!
Malheureux bien plutôt de l'avoir, cette infâme (...) MOLIÈRE, Sganarelle, 16.

Choses. *Une infâme dissimulation. Complaisance, flatterie infâme.*

11 (...) des curiosités qui sont l'infâme volupté de la plupart des gens du monde.
PROUST, les Plaisirs et les Jours, p. 116.

♦ **4.** (Av. 1549). (Sens affaibli). Qui cause de la répugnance. ⇒ **Répugnant.** — (Personnes) *Une infâme danseuse vieille et laide* (→ Guenon, cit. 6). *Ah, l'infâme con, l'infâme crétin!* ⇒ **Sale.** — (Choses). *« La ménagerie infâme de nos vices »* (→ Grognant, cit. 1, Baudelaire). *Un logis infâme.* ⇒ **Malpropre, sale.** *Une infâme saleté* (→ Guerre, cit. 23). *La bave* (cit. 1) *infâme du ver de terre. Une infâme odeur d'ail* (→ Empester, cit. 1).

11.1 L'infâme digestion est le grand arbitre de nos sentiments.
E. DELACROIX, Journal 1850-1854, 31 mai 1853.

12 (...) l'infâme vapeur qui l'avait tué *(l'enfant)* rôdant alors autour de ce front charmant, avait failli la suffoquer. Léon BLOY, la Femme pauvre, p. 228.

DÉR. Infâmement.
CONTR. Glorieux, honorable, noble.

INFÂMEMENT [ɛ̃fɑmmɑ̃] adv. — XVᵉ, *infamement;* de *infâme.*

♦ **1.** Vx (langue class.). De manière infâme (1.), vile ou déshonorante.

♦ **2.** Mod. (rare). D'une manière infâme (3. ou 4.).

INFAMIE [ɛ̃fami] n. f. — Mil. XIVᵉ au sens 2; aussi *infame,* XIIIᵉ, et *infameté,* XVᵉ; lat. *infamia* « mauvaise renommée, déshonneur, honte », de *infamis.* → Infâme.

♦ **1.** **a** Vx ou dr. (sauf dans quelques expressions, comme : *marque d'infamie*). Flétrissure sociale ou légale faite à la réputation de qqn. ⇒ **Déshonneur, honte.** *Couvrir, noter qqn d'infamie* (→ Accusateur, cit. 2). *Note, marque d'infamie.* ⇒ **Stigmate, tache.** *Condamner des citoyens à l'infamie* (→ Considération, cit. 8). *Peine qui porte infamie. L'infamie de subir une peine légale* (→ Honte, cit. 3).

1 L'infamie est pareille, et suit également
Le guerrier sans courage et le perfide amant. CORNEILLE, le Cid, III, 6.

2 N'ai-je donc tant vécu que pour cette infamie? CORNEILLE, le Cid, I, 4.

3 (...) je lui ai envoyé en nantissement votre tabatière de diamants, je voulais vous sauver de l'infamie d'aller en prison. BALZAC, l'Initié, Pl., t. VII, p. 415.

4 Ce qui est gloire aux yeux des hommes est infamie devant Dieu.
FRANCE, Thaïs, II, p. 120.

b (1580, Montaigne). Vx. Condition d'une personne flétrie par l'opinion. *Vivre dans l'infamie. Sortir de l'infamie* (→ Galérien, cit. 1).

c (1647). Vx. Caractère d'une personne infâme, vile. ⇒ **Abjection, bassesse, ignominie, turpitude, vilenie** (→ Honte, cit. 21). *L'infamie d'un espion* (→ Espionnage, cit. 1), *d'un calomniateur.*

d (Mil. XVIIᵉ). Vieilli. Caractère infâme (d'une chose). *Infamie d'un crime.* ⇒ **Horreur.** *L'infamie de la prostitution* (→ Hiérarchie, cit. 14).

5 « C'est moi qui ai fait instituer ce tribunal infâme : j'en demande pardon à Dieu et aux hommes! » phrase qui plus d'une fois a été pillée. C'était avant d'être traduit au tribunal qu'il fallait en déclarer l'infamie.
CHATEAUBRIAND, Mémoires d'outre-tombe, t. II, p. 21.

♦ **2.** (Mil. XIVᵉ). *Une, des infamies.* Littér. Action, parole infâme. ⇒ fam. **Saleté, saloperie;** → Bienfaiteur, cit. 1. *Infamie que l'on dit, que l'on fait* (→ Furieusement, cit. 2). *Quelle infamie! C'est une infamie! Quel mensonge éhonté, quelle infamie! — Dire des infamies à qqn* (⇒ **Injure, insulte**), *de qqn.* ⇒ **Calomnie** (→ Traîner qqn dans la boue*, salir* qqn).

Fi!... Quelle infamie!
Peste soit le coquin, de battre ainsi sa femme!
MOLIÈRE, le Médecin malgré lui, I, 2.

(...) mais l'univers saura votre infamie!
BEAUMARCHAIS, la Mère coupable, V, 7 (→ Frère, cit. 4).

Il s'irritait peu à peu contre la comtesse, n'admettant point qu'elle osât le soupçonner d'une pareille vilenie, d'une si inqualifiable infamie (...)
MAUPASSANT, Fort comme la mort, II, III.

(...) je suis disposée à tout, même à te livrer, si tu l'exiges, un secret qui n'est pas le mien. Dois-je commettre cette infamie? COURTELINE, Boubouroche, II, 4.

Aujourd'hui encore, au désert, c'est une infamie que de tuer l'adversaire qui sommeille (...) DANIEL-ROPS, le Peuple de la Bible, p. 176. 1

CONTR. Gloire, honneur; noblesse.

INFANT, ANTE [ɛ̃fɑ̃, ɑ̃t] n. — 1407, *infant; infante,* av. 1468; cf. Enfant de Castille, même sens, fin XIVᵉ; esp. *infante* (*yfante,* 1140), même sens, proprt « enfant », même orig. (lat. *infans*) que le franç. *enfant**.

♦ **1.** Titre donné aux enfants puînés de la famille royale et de quelques grandes familles, en Espagne et au Portugal (→ Garder, cit. 6). — REM. L'héritier du trône est appelé *principe* « prince ». *L'infant d'Espagne,* le second fils du roi et de la reine. *Une infante de Castille. Le personnage de l'infante dans* le Cid. *Les infants de Lara,* légende castillane du Xᵉ siècle. *Pavane pour une infante défunte,* œuvre musicale de Ravel.

Elle est l'infante, elle a cinq ans, elle dédaigne.
HUGO, la Légende des siècles, « La rose de l'infante ».

Pâle et jaune, d'ailleurs, et taciturne comme
Un infant scrofuleux dans un Escurial (...)
VERLAINE, Jadis et Naguère, Dizain 1830.

(...) la servante de l'hôtel au nom charmant a, dans sa robe sombre, un port d'infante (...) COLETTE, Belles saisons, Mes cahiers, p. 159.

♦ **2.** (Vx). T. d'affection, d'admiration.

Hé! vous voilà, princesse, infante de ma vie (...)
J.-F. REGNARD, Démocrite, IV, 7.

INFANTERIE [ɛ̃fɑ̃tʀi] n. f. — Mil. XVIᵉ; *enffanterie,* v. 1500; anc. ital. *infanteria* « troupes à pied », XIVᵉ (supplanté par le doublet *fanteria,* par aphérèse), de *infante* « jeune soldat, fantassin » p.-ê. à partir d'un sens « jeune homme encore trop jeune pour combattre à cheval » ou « valet » (cf. ital. mod. *fante* « fantassin » et « valet »), d'abord « enfant », même orig. lat. *infans* que le franç. *enfant** (le franç. a eu *enfant de pied, enfant à pied* « fantassin », XVᵉ).

♦ **1.** Anciennt ou hist. Ensemble des gens de guerre marchant et combattant à pied (et qui étaient à l'origine les valets d'armes des chevaliers). ⇒ **Piéton** (vx). *Les hoplites, soldats de l'infanterie lourde grecque; les légionnaires et les vélites, soldats de l'infanterie romaine. L'infanterie au moyen âge, sous l'Ancien Régime.* ⇒ **Franc-archer** (et **archer**), **lansquenet; cent-suisses.** *La pique et la hallebarde, armes de l'infanterie.* — Emplois mod., pouvant se confondre avec le sens 2. ⇒ **Fantassin.** *La cavalerie et l'infanterie* (→ Assaillant, cit. 1; escadron, cit. 3; face, cit. 45). *Attaquer* (cit. 3) *sans infanterie* (→ 1. Froid, cit. 14). *Combat* (cit. 1) *d'infanterie. Cinq mille hommes d'infanterie* (→ Heureux, cit. 8). *Faire border* (cit. 3) *une route d'infanterie. L'infanterie forma la haie* (cit. 8).

(...) cette redoutable infanterie de l'armée d'Espagne (...)
BOSSUET, Oraison funèbre de Louis de Bourbon (→ Bataillon, cit. 3).

Ce fut lui *(le grand Condé)* qui, avec de la cavalerie, attaqua cette infanterie espagnole jusque-là invincible, aussi forte, aussi serrée que la phalange ancienne (...)
VOLTAIRE, le Siècle de Louis XIV, III.

(Vers le temps de Hugues Capet) Quand la France, l'Italie et l'Allemagne, furent ainsi partagées (...) les armées, dont la principale force avait été l'infanterie, sous Charlemagne ainsi que sous les Romains, ne furent plus que de la cavalerie (...) les gens de pied n'avaient pas ce nom *(de gendarmes),* parce que, en comparaison des hommes de cheval, ils n'étaient point armés.
VOLTAIRE, Essai sur les mœurs, XXXVIII.

♦ **2.** Mod. Dans une armée, l'arme chargée de la conquête et de l'occupation du terrain. ⇒ **Armée** (cit. 14); 2. **biffe** (argot). *Soldat d'infanterie.* ⇒ **Biffin, fantassin;** et aussi **chasseur, pionnier, tirailleur, zouave.** *« L'infanterie est la force des armées, la "reine des batailles" a dit Napoléon Iᵉʳ »* (Pierre Larousse). *Subdivisions de l'infanterie française : infanterie métropolitaine* (infanterie de ligne. ⇒ **Lignard,** vx); *infanterie de forteresse; légion* étrangère.* — (1774). *Infanterie de marine* (→ Appel, cit. 7; équipement, cit. 4). — (1902). Anciennt. *Infanterie coloniale.* — (1948). *Infanterie dans les divisions blindées : infanterie portée. Infanterie de l'air, aéroportée* (⇒ **Parachutiste**). — *Groupe, section, compagnie, bataillon* (cit. 8), *régiment, brigade, division d'infanterie. Grades dans l'infanterie.* ⇒ **Caporal; sergent, sergent-chef, adjudant.** *Officier d'infanterie. Général d'infanterie. École d'application d'infanterie. Armes utilisées par l'infanterie :* fusil, baïonnette (cit. 2), pistolet, pistolet-mitrailleur, fusil-mitrailleur, mitrailleuse, lance-roquette, antichars, grenade, missile, mortier. *Canon d'infanterie. — Service auto, transmissions; ravitaillement, munitions d'une unité d'infanterie. Artillerie* d'accompagnement d'une unité d'infanterie. Infanterie mécanisée. Véhicule de combat d'infanterie* (V. C. I.). *Véhicules de transport de troupes* (V. T. T.) *utilisés par l'infanterie.*

(...) *l'offensive*, dites-vous, *c'est le feu qui avance; la défensive, c'est le feu qui arrête*. Vous dites enfin : *le canon conquiert, l'infanterie occupe.*
VALÉRY, Variété IV, p. 63.

Les troupes de la division d'infanterie comprennent en principe : — des unités d'infanterie (régiments ou demi-brigades); — des unités de cavalerie légère blindée et des unités de chars (...) — des unités d'artillerie divisionnaire (...) — des unités d'artillerie antiaérienne (...) des unités du génie (...)des unités des transmissions (...) des unités du train (...) — une unité de passage (...)
Mémento des Officiers de réserve de l'infanterie, éd. Lavauzelle, 1954, p. 52.

1. INFANTICIDE [ɛ̃fɑ̃tisid] adj. et n. — 1564; lat. *infanticida*, même sens, de *infans* «enfant», *-cid-*, forme en composition de la racine de *cædere* «tuer» (→ Décider), et suff. nominal *-a*. → -cide.

♦ Didact. ou littér. Qui tue volontairement un enfant, et, spécialt, un nouveau-né. *Une mère infanticide.* — N. (1721). *Un, une infanticide.*

Garcin le lâche tient dans ses bras Estelle l'infanticide. SARTRE, Huis clos, V.

2. INFANTICIDE [ɛ̃fɑ̃tisid] n. m. — 1611; bas lat. *infanticidium*, même sens, de *infans* «enfant», *-cid-* (→ 1. Infanticide), et suff. *-(i)um*. → -cide.

♦ Meurtre d'un enfant. — Dr. Meurtre ou assassinat d'un enfant nouveau-né (art. 300 du Code pénal). *L'infanticide, délit puni de peines correctionnelles. «Convient-il de déférer à nouveau l'infanticide à la compétence de la Cour d'assises?»* (Desiry, *in* Dalloz, 1948). *Perversion qui conduit à l'infanticide* (→ Maternel, cit. 3.1). — REM. Le mot est surtout employé à propos du meurtre d'un jeune enfant par un ou par les parents.

1 Romulus permit l'infanticide; la loi des douze tables le toléra de même, et jusqu'à Constantin, les Romains exposaient ou tuaient impunément leurs enfants. Aristote conseille ce prétendu crime : la secte des Stoïciens le regardait comme louable; il est encore très en usage à la Chine. SADE, Justine..., t. I, 127.

Cette femme avait tué son enfant, l'infanticide a été prouvé, le jury a écarté la préméditation, on l'a condamnée à vie. HUGO, les Misérables, I, VII, VII.

«Tu es pacifiste par respect de la vie humaine, et tu vas détruire une vie» (...) — Un avortement n'est pas un infanticide (...) — Oui, dit-il avec détachement. J'en conviens : un avortement n'est pas un infanticide, c'est un meurtre «métaphysique». SARTRE, l'âge de raison, VIII, p. 111.

Vx. Avortement provoqué.

À ces horreurs Madame de Lorsange joignait trois ou quatre infanticides. La crainte de gâter sa jolie taille, le désir de cacher une double intrigue, tout lui fit prendre la résolution d'étouffer dans son sein la preuve de ses débauches.
SADE, Justine..., t. I, 16-17.

INFANTILE [ɛ̃fɑ̃til] adj. — 1863; «enfantin», en moy. franç., 1563; *enfantil* «enfantin», fin XIIe; lat. *infantilis* «enfantin», de *infans, antis*. → Enfant.

♦ **1.** Didact. (méd., psychol.). Relatif à la première enfance. *Maladies infantiles. Névroses infantiles. Médecine infantile.* ⇒ **Pédiatrie.** *Stade infantile du développement d'un organe, de l'évolution du comportement* (→ Exhibitionniste, cit. 2). *Stade infantile de la libido* (⇒ **Oral; anal**). — (Déb. XXe). Dont le développement physiologique, psychologique s'est arrêté au stade de l'enfance. *Sujet infantile.* — N. *Les infantiles, les débiles mentaux infantiles.* ⇒ **Infantilisme** (cit. 1).

N'oublions pas que certains *nains* ne doivent pas être classés dans les infantiles tels les achondroplases qui (...) ont une vigueur physique et intellectuelle ainsi qu'un développement sexuel tout à fait normaux.
A. POROT, Manuel de psychiatrie, art. *Infantilisme.*

♦ **2.** (Repris 1891; déjà «puéril» chez Calvin, 1560). Cour. Comparable à ce qui est propre d'ordinaire aux enfants, digne d'un enfant (quant au niveau intellectuel et affectif). ⇒ **Enfantin, puéril.** *Les cervelles infantiles des bigotes* (cit. 3). *Un comportement, une réaction infantile* (par oppos. à *adulte*). *C'est un peu infantile de sa part.*

(...) c'était (...) un tyran sanguinaire et jovial; mais il était de cervelle infantile et d'esprit faible (...) HUYSMANS, Là-bas, VIII.

(...) Elle prend un ton infantile, pleurnicheur... «J'en suis malade, vous savez... C'est une catastrophe, un vrai désastre (...)»
N. SARRAUTE, le Planétarium, p. 14.

(Personnes). Qui a un comportement infantile. *Il est gentil, mais un peu infantile.*

CONTR. **Adulte.**
DÉR. **Infantilement, infantiliser, infantilisme, infantilité.**

INFANTILEMENT [ɛ̃fɑ̃tilmɑ̃] adv. — 1951, Malraux, *in* T. L. F.; de *infantile.*

♦ Littér. D'une manière infantile. *Se conduire infantilement.*

(...) depuis un mois que je suis là *(dit Régnier)* je n'ai pas écrit une ligne. Ça m'emmerde (...) Alors, je bois. C'est infantilement simple.
H.-F. REY, les Pianos mécaniques, p. 239 (1962).

INFANTILISATION [ɛ̃fɑ̃tilizasjɔ̃] n. f. — 1970; de *infantiliser.*

♦ Didact. Action d'infantiliser, son résultat. *L'infantilisation du public par les médias. L'infantilisation des adultes, des masses. «Il faut avoir assisté à quelques-unes de ces réunions* (politiques, en Chine) *pour prendre la mesure de leur pouvoir d'infantilisation»* (*l'Express*, 23 janv. 1978, p. 101). *«Ce qui provoque* (l'attitude maternelle de l'épouse) *une totale infantilisation de son comportement* (du mari) *face à l'intendance domestique»* (*F. Magazine*, mai 1981, p. 121).

INFANTILISER [ɛ̃fɑ̃tilize] v. tr. — Av. 1966; de *infantile*, suff. *-iser.*

♦ Didact. Rendre infantile, donner à (qqn) une mentalité, un comportement d'enfant. *Cette organisation sociale tend à infantiliser les travailleurs en leur enlevant toute responsabilité, toute possibilité de choix. Professeur qui infantilise ses étudiants.*

L'audio-visuel naît dans cette culture de la sensibilité; mais les grands romanciers apportaient à leurs lecteurs une maturité, les grands films infantilisent leurs spectateurs. MALRAUX, l'Homme précaire et la Littérature, p. 303.

Absolt. *«La dépendance financière (...) infantilise, elle rend irresponsable»* (*F. Magazine*, no 40, juil. 1981, p. 44).

Rare (compl. n. de chose). *«Pour un gosse, je suis sûr que c'est insupportable de voir qu'un adulte veut "infantiliser" la conversation en s'adressant à lui»* (*F. Magazine*, févr. 1981, p. 85).

▶ **S'INFANTILISER** v. pron. Devenir infantile. *On dirait qu'il s'infantilise depuis sa retraite.*

▶ **INFANTILISÉ, ÉE** p. p. adj. *Un public à demi infantilisé.*

DÉR. **Infantilisation.**

INFANTILISME [ɛ̃fɑ̃tilism] n. m. — 1871, *in* D. D. L.; de *infantile.*

♦ **1.** Méd. État d'un individu qui présente à l'âge adulte des caractères physiques ou psychiques propres à l'enfance. ⇒ aussi **Puérilisme.** *Infantilisme primaire.* ⇒ **Ateliose.** *Infantilisme affectif* : arriération affective.

Le mot d'infantilisme psychique ne doit s'appliquer qu'aux cas où la puérilité s'associe à la débilité mentale et souvent, chez les infantiles, il s'agit beaucoup plus d'arriération affective que de déficit intellectuel proprement dit. 1
A. POROT, Manuel de psychiatrie, art. *Infantilisme.*

♦ **2.** Cour. Caractère, comportement infantile (2.). *C'est de l'infantilisme.*

Je serais encore capable de ce geste puéril du dernier jour des vacances, qui me faisait appuyer les lèvres sur certains arbres préférés. Mon philosophe de Saint-Gaudens va triompher de cette preuve écrasante d'infantilisme que je lui donne. 2
F. MAURIAC, le Nouveau Bloc-notes 1958-1960, p. 115.

(Choses). *«(...) l'infantilisme des vues politiques»* (R. Abellio, *Pacifiques*, 1946, p. 270, *in* T. L. F.).

CONTR. (Du sens 2) **Adultisme, maturité.**

INFANTILITÉ [ɛ̃fɑ̃tilite] n. f. — D. i. (1949, S. de Beauvoir); de *infantile.*

♦ Didact. et rare. Caractère propre à l'enfant (à distinguer de *infantilisme**).

INFARCI, IE [ɛ̃faʀsi] adj. — Mil. XXe; formation sav., du rad. de *infarctus*, d'après *farci*, p. p. de *farcir.*

♦ Méd. (D'un organe ou d'un tissu). Qui est atteint d'infarctus. *Cœur infarci. Poumon infarci.*

INFARCISSEMENT [ɛ̃faʀsismɑ̃] n. m. — Mil. XXe (*in* Garnier et Delamare, 1959); formation sav., du rad. de *infarctus*, d'après *farcir.*

♦ Méd. Formation d'un infarctus* (dans un organe).

INFARCTUS [ɛ̃faʀktys] n. m. — 1826, Laennec, *in* T. L. F.; graphie altérée de *infartus*, p. p. du lat. *infarcire*, var. de *infercire* «bourrer, fourrer dans, remplir», de *in-* «dans» (→ 2. In-), et *farcire*. → Farcir.
REM. L'angl. *infarction* est attesté dès 1689 (Harvey), au sens «obstruction; ce qui obstrue (un organe)»; aussi *to infarct* «boucher», 1834.

♦ **1.** Méd. Nécrose plus ou moins étendue d'un tissu ou d'un organe par obstruction de l'artère qui assure son irrigation. *Organe frappé d'infarctus.* ⇒ **Infarci.** — Cour. *Infarctus du myocarde*, par spasme prolongé ou thrombose des artères coronaires. *Infarctus dû à l'artériosclérose, à une embolie. Infarctus pulmonaire.*

— Monsieur votre frère, dit le Dr Lenoir, souffre de ce que nous appelons un infarctus du myocarde. G. DUHAMEL, le Cri des profondeurs, XI. 1

On le trouva mort, écroulé dans les W.C., les vêtements dans un désordre terrible, foudroyé par un infarctus. S. BECKETT, Nouvelles, «La fin», p. 97. 2

♦ **2.** (1968, *in* Gilbert). Par métaphore (style journalistique). Engorgement d'un réseau routier; crise grave. — REM. Cet emploi ne semble pas s'être lexicalisé.

INFATIGABILITÉ [ɛ̃fatigabilite] n. f. — 1659; de *infatigable.*

♦ Rare. Caractère d'une personne infatigable.

Quant au travail de la journée, le Père de famille s'occupait lui-même avec infatigabilité, et prêchait beaucoup plus d'exemple que de paroles (...)
RÉTIF DE LA BRETONNE, la Vie de mon père, p. 231.

CONTR. Fatigabilité.

INFATIGABLE [ɛ̃fatigabl] adj. — 1470, *amour infatigable;* lat. *infatigabilis;* de *in-* (→ 1. In-), et *fatigare.* → Fatiguer.

♦ (1488). Personnes. Qui ne peut se fatiguer; qui ne se fatigue, ne se lasse pas facilement. *Il, elle est infatigable.* ⇒ **Résistant, robuste, solide;** fam. **increvable;** → Entrain, cit. 2. *Marcheur, joueur, travailleur infatigable. Fureteurs* (cit. 1) *infatigables qui restent debout des journées entières. Le loup est infatigable, difficile à forcer* (cit. 24) *à la course. Jument infatigable* (→ Extrait, cit. 4). *Être infatigable dans l'action.* ⇒ **Actif, agissant** (cit. 8). — *Lecteurs infatigables.* ⇒ **Inlassable;** → Auteur, cit. 27. *Infatigables auteurs* (cit. 19) *de pièces médiocres. Une infatigable épistolière* (cit. 3). *Infatigable constructeur* (→ Hydraulique, cit. 2).

1 (...) mon fils est infatigable, il lit cinq heures de suite si on veut.
Mme DE SÉVIGNÉ, 1216, 18 sept. 1689.

2 Je commençai pourtant par me coucher; car l'infatigable Chevalier ne m'avait pas laissé dormir un moment (...) LACLOS, les Liaisons dangereuses, LXIII.

3 Je n'ai pas comme vous l'obligation de me montrer infatigable; la jeunesse aime le sommeil, trouvez bon que j'aille me reposer.
BALZAC, les Ressources de Quinola, I, 15.

3.1 Au milieu de ce mouvement incessant, Marcel se montrait infatigable. Il était partout, et partout à la hauteur de sa tâche. Qu'une difficulté théorique ou pratique se présentât, il savait immédiatement la résoudre.
J. VERNE, les Cinq cents millions de la Begum, p. 212.

(Choses). *De longues jambes infatigables* (→ Foulée, cit. 4). *Esprit infatigable et ardent* (→ Étudier, cit. 3). *Un zèle infatigable* (→ Expéditionnaire, cit. 1; fourmi, cit. 5). *Une infatigable douceur* (→ Bétail, cit. 4). *L'amour est infatigable, il ne se lasse jamais* (→ Épancher, cit. 17). — *D'une manière infatigable* (→ Effort, cit. 24).

4 Une chose qui me surprend toujours également, c'est l'infatigable et cruel acharnement à tourmenter Tacite pour trouver des torts à Sénèque (...)
DIDEROT, Essai sur les règnes de Claude et Néron, I, 52.

5 (...) comme ce Sainte-Beuve qui a donné l'exemple d'une infatigable disponibilité intellectuelle, *(il est tenu)* d'aller et de pénétrer partout, de ne s'ankyloser dans aucun poste, et de courir sans fin et en tout sens vers la vérité (...)
Émile HENRIOT, les Romantiques, p. 222.

(1690). Par anal. *Le chalutier* (cit.), *bateau infatigable. Les coups du bélier infatigable* (→ Échafaud, cit. 5).

CONTR. Fragile, faible.
DÉR. Infatigabilité, infatigablement.

INFATIGABLEMENT [ɛ̃fatigabləmɑ̃] adv. — 1486; de *infatigable.*

♦ D'une manière infatigable. ⇒ **Inlassablement.** *Redire infatigablement les mêmes choses. Travailler infatigablement* (→ Alimenter, cit. 3).

1 (...) le vieil instinct du voyage qui anime Israël depuis l'origine des temps et le pousse infatigablement sur tous les chemins du monde.
Jérôme et Jean THARAUD, Ombre de la croix, p. 14.

2 Ils sont peut-être une douzaine, à demi cachés par l'ombre de leurs cellules, scrutant infatigablement le lieu clair et sale qu'ils ne peuvent atteindre.
J.-M. G. LE CLÉZIO, le Déluge, p. 46.

INFATIGUÉ, ÉE [ɛ̃fatige] adj. — 1886, Richepin, *in* T. L. F.; de 1. *in-*, et *fatigué.*

♦ Rare, littér. Qui n'est pas fatigué. ⇒ **Dispos, reposé.**

Hausse tes bras infatigués.
Comme des troncs d'arbres élagués.
A. JARRY, les Minutes de sable mémorial, Pl., p. 245 (1894).

CONTR. Fatigué.

INFATUATION [ɛ̃fatɥasjɔ̃] n. f. — 1622; de *infatuer.*

♦ **1.** Vx. *Infatuation (d'une personne) pour (une autre)* : sentiment d'une personne infatuée* d'une autre. ⇒ **Engouement.**

1 Dubois n'oublia rien pour confirmer Canillac dans son infatuation pour Stairs.
SAINT-SIMON, Mémoires, 437, 78.

♦ **2.** (1836, Quinet, *in* T. L. F.). Mod. et littér. Sentiment d'une personne infatuée d'elle-même; satisfaction excessive et injustifiée que l'on a de soi. ⇒ **Fatuité, narcissisme, orgueil, prétention, suffisance, vanité.** *On ne peut le guérir de son infatuation. Confiance en soi et infatuation* (→ Accompagner, cit. 13).

2 Il oublie, dans son infatuation, qu'il se joue à un plus fin et plus fort que lui (...)
BAUDELAIRE, les Paradis artificiels, « Poème du haschisch », I.

L'infatuation d'un homme instruit, loué, célébré partout, est une des sources de la sottise sans mesure. ALAIN, Propos, 9 sept. 1921, Orgueil et vanité.

(...) je tiens l'infatuation pour fatale au développement de l'esprit (...)
GIDE, Si le grain ne meurt..., I, IX, p. 251.

CONTR. Modestie.

INFATUÉ, ÉE [ɛ̃fatɥe] p. p. adj. ⇒ **Infatuer.**

INFATUER [ɛ̃fatɥe] v. tr. — 1488, au p. p. (sens 1); « rendre inepte », v. 1380; lat. *infatuare* « rendre sot, déraisonnable », de *in-* marquant l'aboutissement de l'action, et *fatuus* « insensé, extravagant », d'abord « sans goût (au sens propre, d'une personne ou d'une chose), fade, insipide ».

♦ **1.** (1530). Vx. *Infatuer* (qqn) *de* (qqn, qqch.) : inspirer un engouement excessif ou ridicule à (qqn).

Succomba-t-il *(Salomon)*... à cette aveugle passion qui l'infatua dans la suite; jusqu'à lui faire adorer les dieux de ses concubines?
BOURDALOUE, Dominicaux, Dim. Septuag., I.

Pron. (vieilli, littér.). *S'infatuer de qqch., de qqn.* ⇒ **Amouracher, embéguiner** (vx), **engouer, enticher.**

Des scolastiques s'en infatuèrent *(de la philosophie d'Aristote)*...
MONTESQUIEU, l'Esprit des lois, XXI, XX.

Au p. p. (1488). Vx. *Infatué de.* ⇒ **Amoureux, assoté** (vx), **fou, imbu.** *Musicien infatué de son art* (→ Besogneux, cit. 1).

Monsieur Hulot fils était bien le jeune homme tel que l'a fabriqué la Révolution de 1830 : l'esprit infatué de politique, respectueux envers ses espérances (...)
BALZAC, la Cousine Bette, Pl., t. VI, p. 176.

♦ **2.** (Av. 1704). **S'INFATUER.** Pron. Vieilli ou littér. *S'infatuer (de soi-même, de qqch. qui appartient à soi),* en devenir excessivement content. *Il s'infatue de ses succès.* Absolt. *S'infatuer :* devenir très content de soi.

Un orgueilleux qui s'infatue de ses prétendues bonnes qualités (...)
BOURDALOUE, Pensées, t. II, p. 172.

(...) une époque où l'art, n'ayant plus place, ne pouvant prendre part active et trouver son motif dans la vie, s'isole orgueilleusement, s'infatue et méprise ce qui n'a pas su le priser. GIDE, Nouveaux prétextes, p. 32.

Au p. p. (1689). Mod. *Être infatué de ses mérites, de sa personne...* et, absolt, *être infatué.* ⇒ **Fat, orgueilleux, prétentieux, vain, vaniteux.** → Être content* de soi, plein* de soi, faire l'important*... *Être infatué de soi n'arrive guère* (cit. 22) *aux gens d'esprit. Un homme très infatué.* ⇒ **Narcisse.** *Air infatué.* ⇒ **Suffisant.**

(...) cette raideur vaniteuse et infatuée (...) SAINTE-BEUVE, Volupté, XXII.

(Il) n'était pas peu infatué de sa personne physique. Toutes les femmes d'ailleurs le confirmaient dans la bonne opinion qu'il se faisait de sa beauté.
ARAGON, les Beaux Quartiers, I, VII.

Les contemporains *(de Balzac)*... en ont fait tantôt un demi-dieu (...) tantôt un très vulgaire bonisseur, infatué, ridicule et sale.
Émile HENRIOT, les Romantiques, p. 347.

♦ **3.** (XXe). Rare. Rendre exagérément content de soi, rendre fat. *Sa réussite l'infatue.*

Il est curieux que chez les trois artistes convertis que j'ai connus le mieux (...) le catholicisme n'ait apporté qu'un encouragement à l'orgueil. La communion les infatue. GIDE, Journal, 10 sept. 1922.

▶ **INFATUÉ, ÉE** p. p. adj. Voir à l'article.

CONTR. Dégoûter. — Humble, modeste. — Humilier.

INFÉCOND, ONDE [ɛ̃fekɔ̃, ɔ̃d] adj. — V. 1450, sens 2 (fig.); lat. *infecundus* « infécond (de la terre, des semences, des femelles) », de *in-* (→ 1. In-), et *fecundus.* → Fécond.

♦ **1.** (V. 1560). Didact. Qui n'est pas fécond. ⇒ **Stérile.** *Fleur inféconde, poule inféconde. Graine, fleur inféconde. Œuf infécond. Mâle hybride infécond.* (En parlant des femmes). Rare. *Épouse inféconde.* ⇒ **Stérile.** — Par ext. (rare). Qui ne s'est jamais reproduit; sans enfant (→ ci-dessous, cit. 2).

Des femelles infécondes et qui ne pondent pas (...)
BUFFON, Hist. nat. des oiseaux, *in* LITTRÉ.

(...) cette vierge inféconde
Et pourtant nécessaire à la marche du monde (...)
BAUDELAIRE, les Fleurs du mal, CXIV.

Les hybrides provenant du faisan versicolore et du faisan doré sont viables mais inféconds, sauf parfois le mâle. Ainsi en est-il du mulet, provenant du croisement âne-jument, remarquable par sa vigueur, mais stérile avec quelques exceptions pour la mule (...) Jules CARLES, la Fécondation, p. 101.

Par ext. Qui n'aboutit pas à la reproduction. *Accouplement infécond. Croisement infécond.*

♦ **2.** Littér. Qui ne produit rien, ou rien d'utile. — (V. 1560). Concret. *Terre inféconde.* ⇒ **Infertile;** → Besogner, cit. 1. *Des champs inféconds.* — Poét. *« La ronce inféconde »* (Leconte de Lisle), qui ne produit pas de fruits utiles à l'homme. *Mer inféconde* (allusion à l'image homérique; → Hécatombe, cit. 1).

Abstrait. *Un esprit infécond.* ⇒ **Infertile.** *Théorie inféconde. L'individualisme infécond, cet émiettement d'énergies* (cit. 14).

Toujours son ironie, inféconde et morose (...)
HUGO, les Chants du crépuscule, XIII.

5 Ce qu'il faut à l'humanité, c'est une morale et une foi ; ce sera des profondeurs de la nature humaine qu'elle sortira, et non des chemins battus et inféconds du monde officiel. RENAN, l'Avenir de la science, Œuvres, t. III, p. 1092.

(Personnes). *Un écrivain infécond.*

CONTR. Fécond, fertile.

INFÉCONDITÉ [ɛ̃fekɔ̃dite] n. f. — V. 1378 ; lat. *infecunditas* « infécondité, stérilité », de *infecundus*. → Infécond.

♦ **1.** Didact. Manque de fécondité. ⇒ **Agénésie** (1.), **impuissance, stérilité.** *L'infécondité d'une plante, d'un animal. L'infécondité des hybrides.* Spécialt. État d'une femme, d'une femelle inféconde ; temps pendant lequel elle n'a pas d'enfant, de petit.

Caractère de ce qui n'aboutit pas à la reproduction (accouplements, croisements...).

♦ **2.** Littér. Caractère de ce qui produit peu ou ne produit rien. *L'infécondité d'une terre, d'un sol.*

(XVIIe). Abstrait. *Infécondité d'esprit.* ⇒ **Stérilité.** *L'infécondité d'une idée, d'une théorie.*

Tout ce qui fait travailler et s'agiter l'homme utilise l'espoir. La seule pensée qui ne soit pas mensongère est donc une pensée stérile. Dans le monde absurde, la valeur d'une notion ou d'une vie se mesure à son infécondité. CAMUS, le Mythe de Sisyphe, p. 96.

Rare. *L'infécondité d'un auteur.*

INFECT, ECTE [ɛ̃fɛkt] adj. — 1552 ; « plein de miasmes », 1363 (cette attestation, selon T. L. F., s'applique au sens 1) ; « perverti (goût) », v. 1361 ; lat. *infectus*, p. p. de *inficere* « mettre dans (un bain de teinture), imprégner ; infecter, empoisonner », de *in-* « dans » (→ 2. In-), et *facere* « faire » ; le sens « imprégné, empoisonné », au propre et au fig., est attesté au XVIe en français.

REM. En épithète, l'adjectif est parfois antéposé dans les trois acceptions ; plus souvent postposé.

♦ **1.** Qui a une odeur puante, un goût ignoble (souvent dû à la corruption). ⇒ **Ignoble, pestilentiel, puant, putride, repoussant, répugnant.** *Viande infecte. Une charogne* (cit. 1) *infecte. Un cloaque, un bourbier infect. D'infectes vapeurs ; des émanations infectes.* ⇒ **Fétide ;** → Hâve, cit. 4. *Le nid de la huppe* (cit. 1) *est très sale et très infect* (Buffon). — *Odeur, saveur infecte* (→ Extravaser, cit.). *Un goût infect.* — Par métaphore :

Il a l'infecte odeur de la bouche qui ment. HUGO, les Années funestes, XLI.

Il fallait donc déshonorer son nom dont il était si fier. Eh bien ! je me jurai que, ce nom, je le tremperais dans la plus infecte des boues, que je le changerais en honte, en immondice, en excrément ! BARBEY D'AUREVILLY, les Diaboliques, « La vengeance d'une femme ».

♦ **2.** (Après 1850). **a** Très sale, d'un aspect repoussant. ⇒ **Dégueulasse** (fam.), **ignoble, répugnant, sale.** *Il habite une infecte mansarde, un taudis infect.*

b Très mauvais dans son genre. *Nous avons fait un repas infect ; ce vin est infect* (⇒ **Ignoble**). *Il a fait cet été un temps infect. Ce spectacle, ce film est infect, absolument infect.* ⇒ **Détestable, exécrable, ignoble, moche.**

Ils ne reviendront pas dans les chambres infectes (...)
L'âtre était froid, les lits et le vin pleins d'insectes.
BAUDELAIRE, Poèmes divers, II.

(...) je n'eus rien de plus pressé que de les noyer dans ma cuvette, sitôt rentré dans notre infect appartement. GIDE, Si le grain ne meurt, I, IV, p. 110.

— Quelle saleté !... — Quoi ? — Ça ! dit-elle en désignant sa tasse de café... — Il est infect ; vous pouvez l'emporter. SARTRE, la Mort dans l'âme, I, p. 59.

♦ **3.** (V. 1458). Fam. Qui excite le dégoût moral. ⇒ **Abject, dégueulasse, ignoble, infâme, répugnant.** *Un infect cabotinage* (cit. 2). *Je trouve cela infect* (→ Bûcher, cit. 1). *C'est infect de sa part.*

(Personnes). *Il a été infect avec ses meilleurs amis.*

Nul homme n'a été plus cruel que lui, ni plus mauvais, ni plus vicieux et plus infect (...) COMMYNES, Mémoires, VII, 11, *in* LITTRÉ.

Tu es parti et moi je trime. Tu es un sale type. Un type infect. COCTEAU, les Enfants terribles, p. 40.

.1 (...) les Danois peuvent être bien fumiers, ils seront jamais aussi infects que ce qui viendra de France, je veux dire pour nous (...) CÉLINE, Rigodon, p. 297.

(Impersonnel).

C'est trop infect, à la fin, cette grande bringue qui refuse de bouger, qui crève de gourmandise et qui ne peut pas faire un effort. COCTEAU, les Enfants terribles, p. 101.

CONTR. Aromatique, odoriférant, parfumé. — Propre. — Bon.
DÉR. Infectement, infecter.

INFECTANT, ANTE [ɛ̃fɛktɑ̃, ɑ̃t] adj. — 1867 ; Richard de Radonvilliers, 1845 ; p. prés. de *infecter*.

♦ Méd. Qui peut causer l'infection. *Germes, microbes, virus infectants. Contact infectant* (→ Chancre, cit. 1).

(...) Lister s'attaquait aux germes qui sont dans l'air, puis il isolait la plaie, afin de la préserver du contact infectant de l'air. Henri MONDOR, Pasteur, VI, p. 98.

CONTR. Innofensif, sain.

INFECTEMENT [ɛ̃fɛktəmɑ̃] adv. — 1922 (→ cit.) ; de *infect*.

♦ Rare. De façon infecte, d'une manière qui suscite le dégoût moral. *Il a réagi assez infectement.*

(...) par besoin de confession, il le heurtait pour avoir l'occasion de lui dire tristement : « Oh ! pardon, je reconnais que j'ai agi infectement avec vous ». PROUST, le Temps retrouvé, Pl., t. III, p. 780.

INFECTER [ɛ̃fɛkte] v. tr. — 1416 ; de *infect*.

♦ **1.** Vieilli. Imprégner d'émanations dangereuses, malsaines, empoisonnées. ⇒ **Empoisonner, empester, polluer, souiller.** *Cadavres en décomposition, vapeurs malsaines qui infectent l'air* (⇒ **Méphitiser**). *Usine à gaz, fabrique de produits chimiques qui infecte l'air, l'atmosphère, le voisinage.* (Aujourd'hui on dirait plutôt *polluer*).

Nous voyons la Charente et les bords d'alentour 1
Déjà rougir de sang, et l'air de Montcontour
S'infecter de corps morts (...) RONSARD, Pièces posthumes, « Les Parques ».

(...) Une vapeur noire et grossière qui obscurcit, infecte et salit les esprits animaux (...) MOLIÈRE, M. de Pourceaugnac, I, 8. 2

Le ciel avec horreur voit ce monstre sauvage ; 3
La terre s'en émeut, l'air en est infecté (...) RACINE, Phèdre, V, 6.

(...) un sang noir et corrompu, coulant de ma plaie, infectait l'air (...) 4
FÉNELON, Télémaque, XII.

♦ **2.** (1520). Spécialt (mod.). Transmettre, communiquer l'infection* à. ⇒ **Contagionner, contaminer.** *Malade contagieux qui infecte ses proches.* — *Infecter une plaie** (⇒ **Envenimer**). *La plaie a été infectée par la gangrène.*

(...) mais l'incurable plaie, 5
Par glaive faut toujours couper à hâte, *(afin)*
Que la part saine elle n'infecte et gâte.
Clément MAROT, les Métamorphoses d'Ovide, I.

On sait trop bien qu'on ne peut pas avoir confiance en son voisin, qu'il est capable de vous donner la peste à votre insu et de profiter de votre abandon pour vous infecter. CAMUS, la Peste, p. 216. 6

♦ **3.** (1530). Vx. Empester (un lieu, l'air...) par une odeur infecte. ⇒ **Empoisonner** (fig.), **empuantir.** « *Il nous infecte avec son haleine, de son haleine* » (Académie). *Infecter l'air, l'atmosphère.*

De cette mêlée il est demeuré de part et d'autre neuf à dix mille chats sur la place, qui ont infecté l'air à dix lieues de là par leur puanteur (...) 7
LA BRUYÈRE, les Caractères, XII, 119.

(Le compl. désignant ce qui dégage l'odeur ou l'odeur elle-même).

Il a composé un ouvrage (...) pour l'anéantissement des vices qui affligent surtout les classes populaires (et ce monsieur infecte l'eau-de-vie et le vin). 7.1
Ch. PAUL KOCK, la Grande Ville, t. I, p. 86.

Absolt, rare. « *Cet endroit infecte* » (Académie). ⇒ **Puer.**

♦ **4.** (1431). Vx ou littér. (Abstrait). ⇒ **Contaminer, corrompre, gâter, souiller.** *Ce vice infecte tous les âges* (→ Aujourd'hui, cit. 25, Massillon). *L'amour du gain* (cit. 6) *infecte les esprits* (La Bruyère). *Habitudes qui infectent une partie de la jeunesse* (→ 1. Bas, cit. 43, La Bruyère). « *Si vous le fréquentez, il vous infectera par ses dangereuses maximes, de ses dangereuses maximes* » (Académie).

L'air précieux n'a pas seulement infecté Paris, il s'est aussi répandu dans les provinces (...) MOLIÈRE, les Précieuses ridicules, 1. 8

Il est (...) honteux pour l'esprit humain, que la littérature soit infectée de ces haines personnelles, de ces cabales, de ces intrigues (...) 9
VOLTAIRE, Alzire, Disc. préliminaire.

Les canons renversèrent d'abord à peu près six mille hommes de chaque côté ; ensuite la mousqueterie ôta du meilleur des mondes environ neuf à dix mille coquins qui en infectaient la surface. VOLTAIRE, Candide, III. 10

REM. 1. Aujourd'hui, *infecter* au sens fig. est une métaphore du sens médical.

La bourgeoisie capitaliste, par contre, a tout infecté. Elle s'est infectée elle-même et elle a infecté le peuple, de la même infection. Elle a infecté le peuple doublement ; et en elle-même restant elle-même ; et par les portions transfuges d'elle-même qu'elle a inoculées dans le peuple. Ch. PÉGUY, la République..., p. 286. 11

2. *Infecter* est parfois confondu avec son paronyme *infester**. La Fontaine parle de « *brigands qui infectent la province* » et Buffon d'une « *eau... infectée de sangsues* ».

▶ **S'INFECTER** v. pron. *La plaie risque de s'infecter.*

▶ **INFECTÉ, ÉE** p. p. adj. *Plaie infectée.* — Didact. *Personne infectée.* — N. *Un, une infectée.*

(...) il est de fait que certains syphilitiques ont surtout des manifestations cutanées, d'autres des manifestations nerveuses. Cette constatation a donné lieu à deux ordres d'interprétations, invoquant soit la nature de l'infection, soit la nature de l'infecté. Jean DELAY, Introd. à la médecine psychosomatique, Notes et observations, p. 45 (1961). 12

Vx. (Au sens 2). *Air infecté.* — (Au sens 3). « *Peuple infecté d'idolâtrie* » (→ Entraîner, cit. 12, Pascal).

INFECTIEUX, EUSE [ɛ̃fɛksjø, øz] adj. — 1821 ; *infectueux*, fin XIVe ; du rad. de *infection*.

♦ **1.** Qui s'accompagne d'infection, est caractérisé par l'infection.

Maladies infectieuses. ⇒ **Bactérien.** *Rhumatisme infectieux; arthrite infectieuse. Complications infectieuses* (→ Érysipèle, cit. 2; hygiéniste, cit. 2).

Maladie infectieuse. « Ensemble des troubles et secondairement des lésions survenant dans un organisme qui subit l'action des substances toxiques produites par certains parasites et réagit contre elles.
G. H. ROGER, *in* GARNIER, Dict. des termes de médecine.

♦ **2.** (1840). Qui communique ou détermine l'infection*. *Agent, germe* infectieux* (→ Immunité, cit. 5). ⇒ **Pathogène.** *Malade infectieux.*

DÉR. Infectiosité.
COMP. Anti-infectieux.

INFECTION [ɛ̃fɛksjɔ̃] n. f. — XIIIe, « pensée impure »; bas lat. *infectio* « salissure, souillure », d'abord « action de teindre », de *infectum*, supin de *inficere*. → Infect.

★ **I.** ♦ **1.** Vx ou littér. [a] (V. 1636). Action d'infecter*, de répandre des émanations malsaines. ⇒ **Corruption, putréfaction.**

[b] Émanations malsaines, pestilentielles. ⇒ **Miasme.** *« (...) hautes cheminées de brique qui crachent l'infection à volutes noires (...) »* (Arnoux, *Rhône, mon fleuve*, p. 350, 1944, *in* T.L.F.).

1 (...) nul ne pouvait plus le porter, à cause de l'infection insupportable qui sortait de lui.
BIBLE (SACY), Macchabées, II, IX, 10.

2 (...) l'horreur de ma plaie, son infection, et la violence de mes cris troublaient toute l'armée.
FÉNELON, Télémaque, XII.

♦ **2.** (1314). Mod. Pénétration dans l'organisme de germes pathogènes; troubles qui en résultent. *Infection inapparente* (ou *latente*), décelable uniquement par des analyses de laboratoire. *Infection généralisée* (→ Antitoxine, cit. 2). ⇒ **Septicémie.** *Foyer d'infection* : lieu où apparaissent plusieurs cas d'une maladie infectieuse. ⇒ **Contagion, contamination, épidémie, infestation**; → Extension, cit. 5. *Transmettre, communiquer l'infection.*

3 Avant les découvertes de Pasteur et de Lister, les opérations chirurgicales étaient toujours suivies de l'incursion des bactéries. Il en résultait des suppurations, des gangrènes gazeuses, l'envahissement du corps par l'infection. Et souvent la mort.
Alexis CARREL, l'Homme, cet inconnu, VI, V.

4 Le petit corps se laissait dévorer par l'infection, sans une réaction. De tout petits bubons (...) bloquaient les articulations (...) Il était vaincu d'avance.
CAMUS, la Peste, p. 232.

5 — Les rats sont morts de la peste (...) Ils ont mis dans la circulation des dizaines de milliers de puces qui transmettront l'infection suivant une proportion géométrique, si on ne l'arrête pas à temps.
CAMUS, la Peste, p. 73.

(1484). Maladie infectieuse*. *Infection purulente* (ou pyohémie). → Érysipèle, cit. 1; extériorité, cit. 1. *Infection aiguë, générale, locale. Infection secondaire. Les grandes, les graves infections* (→ Guerre, cit. 35). — *Infection intestinale.* — *Infection puerpérale. Germes d'infection. L'infection s'étend, se propage. Combattre l'infection.*

6 (...) J'eus la pensée que les miasmes dont j'avais admis l'existence, parce que je ne pouvais pas expliquer autrement la production de l'infection purulente (...) pourraient bien être des corpuscules animés de la nature de ceux que Pasteur avait vus dans l'air, et dès lors l'histoire des empoisonnements miasmatiques s'éclaira pour moi d'une clarté nouvelle.
A. GUÉRIN, *in* Henri MONDOR, Pasteur, VI, p. 101.

(1829). Par métaphore et fig. Mal, corruption qui se transmet (→ Cancer, cit. 4; chambardement, cit. 1). *Résister à l'infection morale.*

♦ **3.** (1465). Vieilli. Grande puanteur. ⇒ **Pestilence.** *« Il sort de cet égout une infection insupportable »* (Académie).

7 Un géromé anisé répandait une infection telle, que des mouches étaient tombées autour de la boîte.
ZOLA, le Ventre de Paris, p. 828, *in* T.L.F.

♦ **4.** (1412). Fam. Chose infecte, très mauvaise, qui suscite le dégoût. *Quelle infection!* ⇒ **Saloperie.** *« Cette horrible* (cit. 5) *infection »* (Baudelaire, « Une charogne »).

(Abstrait). *C'est une infection, ce type!*, il est infect (3.). ⇒ **Pourriture, saloperie.**

★ **II.** (Du sens étym. du lat. *infectio, infectus*; → Infect « teinture »). Didact., phonét. Le fait, pour le système des consonnes d'une langue, d'être influencé par l'articulation des voyelles qui leur succèdent. *Voyelle d'infection (parfois indiquée dans l'écriture) en ancien irlandais.*

CONTR. (De I.) **Antisepsie, assainissement, désinfection.** — **Arôme, parfum.**
DÉR. Le français a connu **infectionniste,** n. « médecin qui reconnaît une classe de maladies se propageant par infection ».
COMP. Auto-infection, désinfection, surinfection.

INFECTIOSITÉ [ɛ̃fɛksjozite] n. f. — 1858, Littré et Robin, *Add.*; de *infectieux.*

♦ Méd. (vieilli). Caractère de ce qui est infectieux.

INFECTUM [ɛ̃fɛktɔm] n. m. — Av. 1924; mot lat., même sens (Varron), neutre de *infectus*, de *in-* (→ 1. In-), et *factus* « fait, achevé, accompli », p. p. de *facere* « faire ».

♦ Didact. et rare (ling.). Système de formes verbales exprimant une action non achevée. *L'infectum est dérivé des formes du présent* (opposé à *perfectum*).

INFÉLICITÉ [ɛ̃felisite] n. f. — 1376; lat. *infelicitas*, même sens, aussi « stérilité », de *infelix* « malheureux, infortuné; funeste », d'abord « improductif, stérile », de *in-* (→ 1. In-), et *felix*. → Félicité.

♦ Vx (langue class.) ou rare. Absence de félicité. ⇒ **Malheur, infortune.** *L'infélicité de qqn.* — *L'infélicité de* (et inf.). *Avoir l'infélicité de voir mourir ses proches.*

Ils (*Rodrigue et Chimène*) tombent dans l'infélicité par cette faiblesse humaine dont nous sommes capables comme eux (...)
CORNEILLE, Disc. de la tragédie.

Qu'était-ce à mes yeux que cette infélicité de vivre dans ses terres, avec les conforts de la vie? Qu'était-ce que ce malheur d'avoir de la gloire, des loisirs, de la paix, dans une riche retraite à la vue des Alpes, en comparaison de ces milliers de victimes sans pain, sans nom, sans secours, bannies dans tous les coins de l'Europe, tandis que leurs parents avaient péri sur l'échafaud?
CHATEAUBRIAND, Mémoires d'outre-tombe, t. II, p. 345.

Manque de réussite. ⇒ **Inefficacité.**

(*Une, des infélicités*). Malheur, circonstance malheureuse.

CONTR. Félicité.

INFÉODATION [ɛ̃feɔdasjɔ̃] n. f. — 1467; *infeudacion*, 1393 (cf. anc. franç. *Infeuder*, → Inféoder, et lat. *infeudatio*); de *inféoder*.

♦ **1.** Hist. Action d'inféoder (1.). *L'inféodation d'une terre, une ville, une charge, un droit à qqn, à une famille. Contrat, acte d'inféodation au bénéfice d'un vassal.* — Cet acte.

Spécialt. Inféodation de la dîme par le clergé au bénéfice d'un laïque.

Par ext. Le fait de soumettre (un pays, etc.).

L'empereur (...) se résolut à affranchir le Virtemberg (*Wurtemberg*) de l'inféodation de l'Autriche.
VOLTAIRE, Annales de l'Empire, Rodolphe, II (1599), *in* LITTRÉ.

♦ **2.** (1835, Balzac, *in* T.L.F.). Fig. ⇒ **Asservissement, soumission.** *Inféodation à un parti, à une coterie. « L'inféodation de Daudet à Koning »* (Goncourt, *in* T.L.F.).

INFÉODÉ, ÉE [ɛ̃feɔde] p. p. adj. ⇒ **Inféoder.**

INFÉODER [ɛ̃feɔde] v. tr. — 1411, p. p. *infeode* « dû (en raison d'une inféodation) »; lat. médiéval *infeodatus*, p. p. de *infeodare* « concéder en fief », de *in-* marquant l'aboutissement de l'action, et *feodum* « fief »; *inféoder* (refait sur le p. p., ou repris directement au lat.) a supplanté *infeuder* (« investir d'un fief », 1393), lat. *infeudare*, de *feudum*. → Fief.

♦ **1.** (1680). Hist. [a] Donner (une terre à un vassal) pour qu'il la tienne en fief*. ⇒ **Aliéner.** *Le seigneur pouvait inféoder un domaine à son vassal. Inféoder une charge, un bien à... Le clergé pouvait inféoder la dîme à un laïc. Inféoder un héritage.*

Au participe passé :

(...) dans deux terres que je dois bien connaître, inféodées du temps de Charles V, j'ai trouvé la moitié plus de feux qu'il n'est marqué dans l'acte d'inféodation (...)
VOLTAIRE, Dict. philosophique, Population.

[b] Par ext. Gratifier (un vassal) d'une terre donnée en fief. *Inféoder qqn d'une terre.*

[c] Assujettir qqn par le lien de vassalité.

♦ **2.** Cour. (1867). Soumettre à une autorité. *Inféoder sa liberté, ses droits à qqn. « Maurras inféode l'Église à un parti »* (Mauriac, *in* T. L. F.). *Inféoder une science à la logique, des connaissances à une idéologie.* — (Le compl. désigne une entité politique). *Inféoder l'Église à l'État.* — Au p. p. *Républiques forgées et inféodées par la France, sous l'Empire* (→ Couverture, cit. 4).

(...) il a, d'autre part, trop connu l'Église, quand il en était presque, pour ne pas saluer, en elle, une puissance à ménager et, autant qu'on le pourra, à inféoder à l'État.
Louis MADELIN, Hist. du Consulat et de l'Empire, Vers l'Empire d'Occident, II.

S'inféoder qqch., qqn, le, la soumettre à son autorité (sujet n. de personne ou de chose). *S'inféoder à une religion, un parti, à une idéologie. La science s'inféode à des principes.*

♦ **3.** (1827). Pron. *S'inféoder à un parti, à un chef...* ⇒ **Obéir, soumettre** (se). *« Je ne m'inféode à aucune époque, à aucun système »* (Lamartine, *Correspondance*, *in* T. L. F.). — (Sujet n. de choses). *Journal qui s'inféode à un parti.*

▶ **INFÉODÉ, ÉE** p. p. adj. — (Au sens 1). *Domaine inféodé.* — *Dîmes inféodées*, aliénées par l'Église au profit des seigneurs.

(Au sens 2). *États autonomes, mais inféodés* (à un autre). → Expansion, cit. 5; frontière, cit. 4. — (Choses abstraites). *Science inféodée à une théorie.*

(Au sens 3). Personnes. Soumis (comme un vassal). *Rester inféodé à qqn* (→ Coudre, cit. 5). *Être inféodé à une doctrine.*

(...) faute de comprendre les nécessités de l'heure, inféodé stupidement à son parti (...)
ARAGON, les Beaux Quartiers, II, XII.

4 Malgré la fermeté de ses opinions, il se laissa effleurer par le regret de n'être pas inféodé à un parti réactionnaire, ce qui lui eût permis d'exploiter son idée avec l'approbation de sa conscience. M. AYMÉ, le Passe-muraille, p. 141.

DÉR. **Inféodation.**

INFÈRE [ɛ̃fɛʀ] adj. — 1770; lat. *inferus* «qui est en bas, au-dessous».

♦ Bot. Se dit de l'ovaire d'une fleur, lorsqu'il est situé au-dessous des verticilles. ⇒ **Épigyne, inférovarié.**

CONTR. **Supère.**

COMP. **Inférovarié.**

INFÉRENCE [ɛ̃feʀɑ̃s] n. f. — 1765 (→ cit.); «conséquence», 1606; de *inférer,* p.-ê. d'après le lat. médiéval *inferentia* (Abélard, in *Oxford dict.*), de *inferre.* → Inférer.

♦ Didact. Opération logique par laquelle on admet une proposition en vertu de sa liaison avec d'autres propositions déjà tenues pour vraies. ⇒ **Raisonnement; déduction, induction.** *«Inférence est... le terme le plus général, dont raisonnement, déduction, induction, etc. sont des cas spéciaux»* (Lalande). *Inférence ne s'emploie que relativement à la vérité ou à la fausseté des propositions, à la différence d'implication*, simple relation formelle. Inférence immédiate** (cit. 3), *médiate. Inférence du particulier au particulier,* consistant à conclure un fait d'un autre fait analogue. *«Le modus* ponens est une des règles d'inférence fondamentales».* ⇒ aussi **Détachement** (règle de), **modus tollens.** — Par ext. Proposition admise en vertu d'une inférence.

La question est de savoir si l'esprit a bien ou mal fait cette *inférence;* s'il l'a faite en trouvant des idées moyennes, et en considérant leur connexion dans leur véritable ordre, il a tiré une juste conséquence (...)
Chevalier DE JAUCOURT, *in* Encycl. (DIDEROT), 1765, art. *Inférer.*

Log. mod. Raisonnement qui amène une conclusion.

Jeux. Au bridge, Renseignement négatif fourni par la manière de jouer ou d'enchérir d'un joueur.

DÉR. **Inférentiel.**

INFÉRENTIEL, IELLE [ɛ̃feʀɑ̃sjɛl] adj. — V. 1970; de *inférence.*

♦ Didact. De l'inférence logique. *La forme inférentielle du raisonnement comporte plusieurs propositions.*

INFÉRER [ɛ̃feʀe] v. tr. — Conjug. *céder.* — 1372; «introduire dans, faire naître, causer», v. 1370; lat. *inferre,* même sens, proprt «porter, jeter dans, vers, sur, contre», d'où «produire, mettre en avant (un raisonnement)», de *in-* (→ 2. In-), et *ferre* «porter» (→ -fère).

♦ Tirer une conséquence (d'un fait, d'une proposition) par la démarche logique de l'inférence. ⇒ **Arguer, conclure, déduire, induire.** *Inférer que...* (et indic.). *J'infère de ce que vous me dîtes, j'en infère que nous pouvons réussir.* ⇒ **Argument** (tirer argument). *On peut donc en inférer que...* ⇒ **Preuve** (c'est la preuve que...). *«Quelle morale puis-je inférer de ce fait?»* (→ Imparfait, cit. 2, La Fontaine). *Inférer qqch., inférer que... de ce que...* (→ ci-dessous, cit. 3). *J'infère de là que...* — (Sans compl. second). → ci-dessous, cit. 2.1. *Inférer qqch., que qqch. est arrivé.*

1 Toutefois je ne voulais pas inférer de toutes ces choses que le monde ait été créé en la façon que je proposais (...) DESCARTES, Discours de la méthode, V.

2 De ce que je pense, je n'infère pas plus clairement que je suis esprit, que je conclus de ce que je fais, ou ne fais point selon qu'il me plaît, que je suis libre (...)
LA BRUYÈRE, les Caractères, XVI, 47.

2.1 (...) elle inféra premièrement que l'amour qu'il avait pour elle, dont il ne cessait de lui donner des marques en toutes rencontres, était sincère (...)
A. GALLAND, les Mille et une Nuits, t. III, p. 402.

3 (...) de ce qu'elle avait beaucoup d'esprit et de raisonnement pour vous aider à sortir de peine dans beaucoup de choses possibles, on inférait qu'elle pouvait en faire d'autres qui ne le sont pas. G. SAND, la Petite Fadette, VIII.

4 Et comme si j'avais deviné juste autrefois, en inférant de là qu'elle devait être une jeune fille très libre (...) PROUST, À la recherche du temps perdu, t. XII, p. 228.

Absolument :

5 Son âme alors pense, raisonne, infère, conclut, juge, prévoit (...)
LA BRUYÈRE, les Caractères, XI, 113.

DÉR. **Inférence.**

INFÉRIEUR, EURE [ɛ̃feʀjœʀ] adj. — 1461, *inferiore;* lat. *inferior,* compar. de *inferus.* → Infère.

★ **I.** (Concret). — (Comparatif). Qui est au-dessous*, plus bas. ⇒ **Bas** (adj.). — *Inférieur à... Le niveau de la Méditerranée est un peu inférieur à celui de la mer Rouge* (Hatzfeld, *Dictionnaire général*). — (Sans compl. en *à*). Qui est le plus bas, le plus en bas. *La partie inférieure d'un mur, d'un édifice* (⇒ **Base**). *Degrés inférieurs, marches inférieures d'un escalier. Étages inférieurs* (→ Caniveau, cit. 1). *Toit inférieur d'un édifice à double toit* (→ Faîtage, cit. 1). *Extrémité inférieure* (→ Fémur, cit.). *Couches* (cit. 8) *inférieures du sol, de la mer.* ⇒ **Profond.** *Zone inférieure* (→ Cavité, cit. 1; géographique, cit. 3). *Souterrain inférieur* (→ Entrailles, cit. 9). — *La partie inférieure de la face* (cit. 14), *du tronc.* — Spécialt. *Les membres inférieurs :* les jambes (→ Accroupir, cit. 6; course, cit. 1; face, cit. 35; hanche, cit. 4). *La lèvre inférieure* (→ Avancer, cit. 34; glonflement, cit. 1). *Paupière inférieure* (→ Éraillé, cit. 3). *Mâchoire inférieure* (→ Face, cit. 9).

Il semblait hésiter, un doigt sur la lèvre inférieure. 1
G. DUHAMEL, les Compagnons de l'Apocalypse, I.

(1690). Spécialt. Dont l'altitude est inférieure; qui est plus près de la mer. *Le cours inférieur d'un fleuve; la vallée inférieure du Rhône.* — Anciennt. *Département de la Loire-Inférieure* (ellipt. *la Loire-Inférieure*) : le département où se trouve l'embouchure de la Loire.

Les gazettes vous apprennent que l'État a décidé un (...) anabaptême géographique. La Seine-Inférieure s'appellera désormais Seine-Maritime, par imitation de la Charente-Inférieure qui changea d'épithète voici vingt ans. Il ne reste guère que la Loire-Inférieure pour porter cette étiquette infamante aux yeux des naïfs! 2
A. THÉRIVE, Clinique du langage, p. 224.

REM. En 1957, cette dernière dénomination a disparu à son tour et a été remplacée par celle de *Loire-Atlantique.*

(1562). Astron. *Planètes inférieures,* plus rapprochées du Soleil que la Terre. *Mercure et Vénus, les deux planètes inférieures.*

★ **II.** (Abstrait). ♦ **1.** Qui a une valeur moins grande; qui occupe une place, un degré au-dessous dans une classification, une hiérarchie. ⇒ **Mineur, moindre, subordonné.** *Être inférieur à qqn, qqch. Il lui est très inférieur.* → Il ne lui va pas à la cheville*. *Il se sent très inférieur à lui* (→ Se sentir petit garcon* devant qqn). *Inférieur en mérite*, en importance* (⇒ **Secondaire**). *Il ne lui est inférieur en rien.* ⇒ **Céder.** *Il est inférieur en science, en savoir,* moins* savant. *Inférieur en force, en pouvoir. Ennemi inférieur en nombre. La production a été inférieure aux prévisions du plan. Forces inférieures en quantité, en qualité* (→ Globalement, cit.). *Inférieur du point de vue intellectuel, sous le rapport intellectuel, quant à...* (→ Héros, cit. 25). *Inférieur dans la hiérarchie, dans l'échelle des valeurs* (→ Édifice, cit. 4). *«Le socque est inférieur au cothurne* (cit. 3)*». Le vers de Voltaire est inférieur à celui de Racine* (→ Coulant, cit. 3).

(C'est) pour avoir ignoré l'art de bien conduire les affaires des hommes, que Lucain est si inférieur à Virgile. VOLTAIRE, Essai sur la poésie épique, IV. 3

Seigneur mon Dieu! accordez-moi la grâce de produire quelques beaux vers qui me prouvent à moi-même que je ne suis pas le dernier des hommes, que je ne suis pas inférieur à ceux que je méprise. BAUDELAIRE, le Spleen de Paris, X. 4

(...) j'ai beau être docteur ès sciences... je suis très inférieur à d'humbles herboristes de campagne (...) qui en connaissent... bien plus long que moi! 5
HUYSMANS, Là-bas, VII.

On a assez dit qu'un chef doit à son pouvoir même de ne pas se montrer inférieur à ceux sur qui il règne (...) 6
ALAIN, Propos, 24 juil. 1921, Le canonnier sans peur.

(XVe). Sans compl. *Esprits inférieurs.* ⇒ **Commun, médiocre** (→ Auteur, cit. 36). *Passions inférieures et passions nobles* (→ Fond, cit. 57). *État inférieur* (→ Asservir, cit. 1); *situation, position inférieure.* ⇒ **Dépendant** (→ Affranchir, cit. 13). *Gens de condition inférieure* (→ Plébéien, cit. 6). *Rang* inférieur. Être assujetti à des travaux inférieurs, à des soins domestiques inférieurs* (→ Dépendant, cit. 3). *Jouer un rôle inférieur. L'existence* (cit. 20) *inférieure de la larve. — Les classes inférieures d'une école, d'un lycée,* les petites classes. — Vieilli. (Dans la hiérarchie sociale). *Les classes inférieures.* Vieux :

Comme le vice est contagieux, il se répand de là *(de la cour)* dans les régions inférieures du royaume (...) FLÉCHIER, Oraison funèbre de Marie-Thérèse. 7

♦ **2.** (1540). *Inférieur à... :* qui ne correspond pas, en valeur, à... *Son destin fut inférieur à son génie* (→ Auréole, cit. 2). *Il n'a pas été inférieur à sa tâche :* il a été à la hauteur de sa tâche, égal à sa tâche.

♦ **3.** Plus petit que... — *Inférieur à... 6 est inférieur à 8. Inférieur à 10* (< 10). *Inférieur ou égal à 10* (⩽ 10). *Moyenne inférieure à...* (→ Hiver, cit. 6). *Prix inférieur, bénéfice inférieur à...* (→ 3. Forfait, cit. 2; étaler, cit. 1; 1. importer, cit. 1). — (Sans compl. en *à*). *Arrondissement* au franc* (ou *centime*) *inférieur* (ou *supérieur*). *Degré inférieur.* — N. m. *Le supérieur et l'inférieur* (en parlant de deux nombres). → Fraction, cit. 4.

♦ **4.** Philos., log. Moins complexe, moins général. *Terme inférieur. Concept inférieur.*

♦ **5.** (1805). Moins avancé, peu avancé dans l'évolution. *Hommes* (cit. 6) *fossiles inférieurs aux hommes actuels.* — Sans compl. en *à. Les organismes inférieurs. Animaux, vertébrés inférieurs* (→ Genou, cit. 1).

REM. *Inférieur* impliquant une comparaison, on ne pourrait écrire *plus, moins inférieur.* «Cependant on pourrait dire : la plus inférieure de ces couches» (Littré).

♦ **6.** N. *Être l'inférieur de qqn, être son inférieur,* lui être inférieur.

(...) il *(François Ier)* fut toujours dupe de Charles-Quint, et son inférieur en tout, excepté en valeur. 8
VOLTAIRE, Annales de l'Empire, Charles-Quint (1539), *in* LITTRÉ.

(1482). Spécialt (sans compl.). Personne qui occupe une position sociale inférieure. ⇒ **Subalterne, subordonné; sous-** (sous-fifre, sous-ordre, sous-verge...). → Hiérarchie, cit. 12; hiérarchiser, cit. *L'inférieur se soumet, obéit* au supérieur. Traiter qqn en inférieur. La* *soumission des inférieurs* (→ Autorité, cit. 10). *Mots, expressions qui ne s'emploient pas en parlant d'un inférieur* (→ Bienfait, cit. 1; condescendance, cit. 1). *Se courber* (cit. 23) *vers ses inférieurs; s'élever* (cit. 65) *au-dessus de ses inférieurs. Dans le gouvernement despotique* (cit. 2), *l'inférieur est avili.* ⇒ **Esclavage, sujet, vassal.** — *Le capitaine et ses inférieurs.* ⇒ **Second** (officier en). *Parler avec condescendance aux inférieurs, aux domestiques.*

9 Puis, dans cette communauté, si aristocratiquement qu'elle soit constituée, les inférieurs comptent pourtant pour quelque chose, ne serait-ce qu'à cause de leur nombre. FUSTEL DE COULANGES, la Cité antique, IV, V.

10 Forestier même, à qui il rendait mille services, ne l'invitait plus à dîner, le traitait en tout comme un inférieur, bien qu'il le tutoyât comme un ami. MAUPASSANT, Bel-Ami, I, V.

11 Il mêle à la violence de ses diatribes une pitié indulgente bien naturelle envers un inférieur qui fait ressortir sa gloire (...) PROUST, les Plaisirs et les Jours, p. 94.

REM. Le subst. est assez rare au féminin, sauf dans quelques contextes. *La directrice et ses inférieures. Une inférieure.*

CONTR. Supérieur. — Culminant, élevé, haut... — Dessus. — Distingué, éminent, fin, hors-pair, remarquable; premier. — Égal. — Chef, maître, patron, supérieur (n.). — **V. aussi Dépasser, excéder, surpasser.**

DÉR. Inférieurement. — V. Infériorisant, inférioriser, infériorité.

INFÉRIEUREMENT [ɛ̃feʀjœʀmɑ̃] adv. — 1584; de *inférieur*. Rare.

♦ **1.** Moins bien ou plus mal. « *Deux auteurs ont écrit sur cette matière, mais l'un bien inférieurement à l'autre* » (Littré).

♦ **2.** (1802). Didact. À une place inférieure, au-dessous. *Muscle « inséré inférieurement »* (Littré).

CONTR. Supérieurement.

INFÉRIORISANT, ANTE [ɛ̃feʀjɔʀizɑ̃, ɑ̃t] adj. — 1878, Vallès, *in* D. D. L.; dér. sav. de *inférieur*, d'après le lat. *inferior* (→ Inférieur), et suff. *-isant*.

♦ Didact. ou littér. Qui donne un sentiment d'infériorité (à qqn). *Travail infériorisant. — Volonté infériorisante.*

Ainsi ne puis-je même pas concevoir, tant que je suis « dans » le complexe d'infériorité, que je puisse même en sortir, car si même je rêve d'en sortir, ce rêve (...) ne peut (...) s'interpréter que dans et par l'intention infériorisante. SARTRE, l'Être et le Néant, p. 554.

INFÉRIORISATION [ɛ̃feʀjɔʀizasjɔ̃] n. f. — 1894; de *inférioriser*.

♦ Didact. Action d'inférioriser, de donner un sentiment d'infériorité (à qqn). *L'infériorisation d'un enfant par son père. — Infériorisation due au sujet lui-même.* ⇒ **Infériorité** (sentiment, complexe d').

Certains psychanalystes voient dans l'infériorisation une autopunition de l'attachement excessif à la mère. E. MOUNIER, Traité du caractère, p. 94, *in* D. D. L., II, 4.

INFÉRIORISER [ɛ̃feʀjɔʀize] v. tr. — 1878, Vallès, p. prés., au sens 2; dér. sav. de *inférieur*, d'après le lat. *inferior*, suff. *-iser* (Richard de Radonvilliers avait proposé *inférιorer*, 1845).

♦ **1.** (1919). Rendre inférieur; placer dans une situation inférieure. *Une comédienne que l'âge n'a pas infériorisée.* — Passif et p. p. *Il est infériorisé par son handicap.*

♦ **2.** (1893). Donner un sentiment d'infériorité à (qqn). — Absolument :

Osons le reconnaître, le « fini » infériorise. SAINT-POL-ROUX, les Reposoirs de la procession, 14, *in* D. D. L.

♦ **3.** (1970). Sous-estimer la valeur de (qqn ou qqch.). ⇒ **Déprécier, minimiser, rabaisser, réduire.** *Vous infériorisez ses possibilités.*

▶ **S'INFÉRIORISER** v. pron.
Se sous-estimer. Se placer dans une situation inférieure, se rabaisser (vis-à-vis d'autrui). *S'inférioriser à plaisir.*

DÉR. Infériorisation. — V. Infériorisant.

CONTR. Avantager, estimer, surestimer.

INFÉRIORITÉ [ɛ̃feʀjɔʀite] n. f. — V. 1580; *inférieurité*, sens 3, 1538; réfection de *inférieurité*, lui-même de *inférieur*, d'après le lat. *inferior*. → Inférieur.

♦ **1.** État de ce qui est inférieur (en rang, en force, en valeur, en mérite...); caractère inférieur, moins bon. ⇒ **Faiblesse.** *Infériorité morale* (⇒ **Bassesse**), *intellectuelle d'une personne. Infériorité en nombre, quantitative. Reconnaître son infériorité* (→ fam. Baisser* son froc, son pantalon). *L'infériorité des armes gauloises* (cit. 1) *donna l'avantage aux Romains. L'infériorité d'une armée, d'une équipe. Preuve, marque d'infériorité. Maintenir qqn dans un état d'infériorité.* ⇒ **Servitude, subordination.**

1 La notaresse *(sic)* était furieuse de ne pas être aussi belle que madame César, car toute femme sait toujours en elle-même à quoi s'en tenir sur la supériorité ou l'infériorité d'une rivale. BALZAC, César Birotteau, Pl., t. V, p. 456.

*Sentiment, complexe** (cit. 8) *d'infériorité* (→ Humiliation, cit. 14). — REM. Pour exprimer « l'impression pénible d'être inférieur à la normale ou à un idéal désiré », il est préférable d'employer *sentiments d'infériorité;* lorsque ce sentiment devient pathologique et « entraîne des réactions psychopathiques, on parle souvent (...) de *complexe d'infériorité,* expression assez impropre (... s'agissant) d'un état élémentaire pouvant entrer dans la composition de nombreux complexes différents » (J. Sutter, *in* Porot, *Manuel de psychiatrie*).

En France, les hommes du XIXe siècle, héritiers d'un langage ferme et plein de mesure, parlaient volontiers du sentiment d'infériorité (...) L'homme qui est atteint du complexe d'infériorité (...) peut avoir des vertus réelles et précieuses : il n'en tire pas le moindre parti. Il ne croit pas en son destin. Il se juge lui-même avec une âpre et douloureuse sévérité. Il prend, à s'humilier, une sorte de plaisir amer où l'observateur peut encore reconnaître une des formes de l'orgueil. Il sait que toutes ses entreprises aboutiront à des échecs. G. DUHAMEL, Manuel du protestataire, p. 74. 2

(...) nous avons acquis en l'espace de cinq ans un formidable complexe d'infériorité. L'attitude des maîtres du monde n'est pas faite pour nous en guérir. Nous frappons sur la table : on ne nous écoute point. Nous rappelons notre grandeur passée : on nous répond qu'elle est précisément passée. SARTRE, Situations II, p. 49. 3

Spécialt. Rapport de force défavorable. *L'infériorité d'une armée, d'une équipe. L'infériorité de l'aviation, des troupes motorisées françaises en 1940.*

Chacun de nos deux romanciers y parvient à sa manière, qui est unique et dont je demeure fort ébloui, sans toutefois céder, en tant que vieil auteur, à un complexe d'infériorité. F. MAURIAC, le Nouveau Bloc-notes, 1958-1960, p. 208. 4

(1863). Gramm. *Comparatif*, superlatif* d'infériorité.*

♦ **2.** Par métonymie. *Une, des infériorités.* Ce qui rend inférieur. *Une infériorité difficilement surmontable.* ⇒ **Désavantage, faiblesse, handicap** (cit. 2), **servitude; défaut.** *Présenter une sérieuse infériorité sur, par rapport à...*

♦ **3.** (1867; *inférieurité*, 1538). Rare. Situation inférieure, plus basse. « *L'infériorité de position du granit...* » (Littré). « *Une infériorité de niveau* » (Académie).

♦ **4.** Rare. Situation sociale inférieure.

CONTR. Supériorité; autorité, excellence, force. — Égalité. — Avantage, qualité.

INFERMENTESCIBLE [ɛ̃fɛʀmɑ̃tesibl] adj. — 1867, Littré; de 1. *in-*, et *fermentescible*.

♦ Techn. Qui n'est pas susceptible de fermentation. *Aliment rendu infermentescible,* pasteurisé, stérilisé.

CONTR. Fermentescible.

INFERNAL, ALE, AUX [ɛ̃fɛʀnal, o] adj. — V. 1130; *enfernal*, 1119; bas lat. *infernalis* « infernal », de *infernus* « enfer ». → Enfer.

♦ **1.** Didact. ou littér. Qui appartient aux enfers, à l'enfer. *Dieux, esprits infernaux.* ⇒ **Chtonien.** *Puissances infernales.* ⇒ **Démon, diable.** *Monstres* infernaux. L'infernale foudre* (1. Foudre, cit. 1, Villon). *Personnages, décors infernaux de certains contes fantastiques* (cit. 5). *Inspiration infernale et satanique* (→ Frauduleusement, cit.; enrager, cit. 9).

Dame du ciel, régente terrienne, 1
Emperière *(impératrice)* des infernaux palus (...)
VILLON, Ballade pour prier Notre-Dame.

Il a vu le Cocyte et ses rivages sombres, 2
Et s'est montré vivant aux infernales ombres (...) RACINE, Phèdre, II, I.

Un autre trait distinctif de nos êtres surnaturels, surtout chez les puissances infernales, c'est l'attribution d'un caractère (...) Le poète, pouvant en outre attacher un ange du mal à chaque vice, dispose ainsi d'un essaim de divinités infernales. CHATEAUBRIAND, le Génie du christianisme, II, IV, VI. 3

Comme toujours, Augustine avait dit dix *Pater* et dix *Ave*, et l'apparition s'était évanouie, ce qui prouvait bien son caractère infernal. ARAGON, les Beaux Quartiers, I, IV. 4

Le pacte infernal de Faust.

♦ **2.** (1667). Cour. Qui évoque l'enfer (par certains traits culturels chrétiens : chaleur et lueur des brasiers, cris des damnés, souffrance, aspect des démons). ⇒ **Démoniaque; enfer** (d'enfer). *Chaleur infernale. « L'infernal chauffage de New-York »* (P. Morand). *Des rougeoiements infernaux. Bruit, tapage, tumulte, vacarme infernal. Une musique infernale. Des figures infernales. « Sa mimique est infernale et farouche »* (Pétrus Borel, *in* T. L. F.). *Douleurs, souffrances infernales. « Une crampe infernale ! »* (Céline). — (Lieu, milieu). Pénible comme l'enfer. *Un lieu, un monde infernal. Climat, travail infernal. Cette boîte est infernale ! C'est une situation infernale. Rire infernal.* ⇒ **Méphistophélique;** → Feuilleton, cit. 1; incisif, cit. 3. — Violent, fort intense au point d'être très désagréable, insupportable. ⇒ **Terrible.** *Allure, rythme, galop infernal.* ⇒ **Endiablé.** — (Abstrait). Dangereux, inspiré par une malveillance terrible. ⇒ **Démoniaque.** *Ruse, malice, méchanceté, noirceur, machination infernale.* ⇒ **Démoniaque, diabolique, satanique.** — Qui dénote la malveillance, la méchanceté. *Entreprise infernale* (→ Bénir, cit. 9). *Complot, piège infernal. D'infernales machinations. C'est infernal, absolument infernal !*

5 L'adresse infernale de ces deux hommes venait de remporter un horrible avantage dans ce duel en prenant Laurence au piège d'une de leurs ruses habituelles.
BALZAC, Une ténébreuse affaire, Pl., t. VII, p. 531.

6 Ces détonations me tapaient sur les nerfs, m'étaient odieuses et je ne comprenais pas quelle sorte de plaisir infernal on y pouvait prendre.
GIDE, Si le grain ne meurt, I, IV, p. 110.

(Denrées, boissons). Souvent antéposé. Très mauvais (avec une idée d'intensité). *Un infernal tord-boyaux.*

Loc. (1704). *Machine* infernale.* — (1690). Spécialt. *Pierre infernale* (parce qu'elle provoque une sensation de brûlure) : nitrate d'argent employé à la cautérisation.

Argot du théâtre. *La loge infernale :* loge proche de l'avant-scène (les occupants en sont bruyants — Esnault — ou encore elle est située en bas).

Hist. *Les colonnes infernales :* les troupes républicaines de Vendée, envoyées par la Convention (et qui recouraient souvent à l'incendie).

Cercle infernal : situation pénible et bloquée. — *Cycle infernal. Le cycle infernal des salaires et des prix* (cycle que l'on ne peut arrêter et qui est comparé à une *ronde infernale*).

(En parlant des personnes). *Une infernale mégère.* ⇒ **Furie**; → Horreur, cit. 55. — *Il a un caractère infernal.* ⇒ **Exécrable.**

7 (Le comte, *à part, avec fureur*) C'est encore le page infernal!
BEAUMARCHAIS, le Mariage de Figaro, V, 6.

♦ **3.** (1680). Fam. ⇒ **Insupportable, terrible.** *Nous avons eu pendant toutes nos vacances un temps infernal. Encore recommencer! C'est infernal! Imbroglio* (cit. 2) *infernal,* inextricable, insoluble.
(Personnes). *Ce gosse est infernal.*

CONTR. Angélique, céleste, divin.
DÉR. Infernalement.

INFERNALEMENT [ɛ̃fɛʀnalmɑ̃] adv. — 1390; de *infernal.*

♦ Rare. D'une manière infernale. — Comme par l'enfer. *Expier qqch. infernalement.* — Avec une intensité, une méchanceté... infernale. *« Il était infernalement brave dans le combat »* (Hugo, *Quatrevingt treize, in* T. L. F.). *Il courait infernalement vite.*

INFÉROVARIÉ, ÉE [ɛ̃feʀɔvaʀje] adj. — 1845; de *infère,* et *ovaire.*

♦ Bot. Dont l'ovaire est infère. ⇒ **Épigyne.**

CONTR. Supérovarié.

INFERTILE [ɛ̃fɛʀtil] adj. — 1434; bas lat. *infertilis* «infertile, stérile», de *in-* (→ 1. In-), et *fertilis.* → Fertile.

Didactique ou littéraire.

♦ **1.** Qui n'est pas fertile*. ⇒ **Infécond.** *Champ, sol, terre infertile* (→ Argile, cit. 2; humus, cit. 2). *Des contrées infertiles.* ⇒ **Désertique, inculte.**

♦ **2.** (V. 1580, Montaigne). Fig. Qui ne produit rien. ⇒ **Infécond.** *Esprit, imagination infertile.* ⇒ **Pauvre, stérile.** *Sujet, matière infertile,* qui fournit peu de choses à dire. ⇒ **Aride;** → 1. Bon, cit. 46. *Science infertile* (→ Ignorant, cit. 5).

CONTR. Fertile.

INFERTILITÉ [ɛ̃fɛʀtilite] n. f. — 1456; bas lat. *infertilitas* «stérilité», de *infertilis.* → Infertile.

♦ Didact. ou littér. État de ce qui est infertile. *Infertilité du désert, des sables.* — *L'infertilité de son imagination.*

CONTR. Fertilité.

INFESTATION [ɛ̃fɛstasjɔ̃] n. f. — 1558, «action hostile, dégât»; «action de tourmenter», 1370; bas lat. *infestatio* «vexation, attaque», de *infestatum,* supin du lat. class. *infestare.* → Infester.

♦ **1.** Vx. Action d'infester (1.).

(...) ses prêtres offrirent le saint sacrifice de la messe dans une maison particulière, pour la délivrer de l'infestation des malins esprits (...)
BOSSUET, Défense de la tradition sur la communion, II, XXIII.

♦ **2.** (1903, in *Rev. gén. des sc.,* n° 14, p. 783). Mod. (méd.). Pénétration et fixation dans l'organisme d'un parasite non microbien microscopique (⇒ **Infection**) ou visible à l'œil nu. *Infestation par des poux.*

INFESTER [ɛ̃fɛste] v. tr. — 1552; «importuner, harceler, tourmenter (qqn)», 1390; lat. *infestare* «attaquer, harceler», de *infestus* «hostile», de *in-* «vers, contre» (→ 2. In-), et deuxième élément *-festus,* le même probablt que dans *manifestus* (→ Manifeste), d'orig. incert., comportant p.-ê. l'idée de «prendre».

♦ **1.** Vieilli ou littér. Ravager, rendre peu sûr (un pays) en s'y livrant à des actes incessants de violence, d'hostilité et de brigandage. ⇒ **Attaquer, désoler, dévaster, envahir, harceler, piller, ravager, tourmenter.** *Les pirates infestaient les côtes. Brigands* (cit. 1) *qui infestaient le pays. Campagne infestée de pillards.* — Par anal. ⇒ **Hanter.**

Ce grand saint Augustin témoigne avoir vu (...) Hesperius, un sien familier, avoir chassé les esprits qui infestaient sa maison, avec un peu de terre du Sépulcre de Notre Seigneur (...) MONTAIGNE, Essais, I, XXVII. 1

Il y avait longtemps que des pirates de toutes nations, et particulièrement des Anglais, ayant fait entre eux une association, infestaient les mers de l'Europe et de l'Amérique. VOLTAIRE, Hist. de Charles XII, VIII. 2

Absolt et vx. *Troupes qui infestent et ravagent* (→ Faible, cit. 19).

♦ **2.** (1690). Cour. (Le sujet désigne des êtres vivants : animaux ou plantes nuisibles). Être très abondant au point d'envahir complètement. *Les rats infestent cette maison. Champ abandonné qu'infestent les mauvaises herbes.* — Surtout au p. p. *Mer infestée de requins. Côte malsaine infestée de moustiques.* ⇒ **Empoisonner.**

Les corbeaux, partout les corbeaux, l'Inde en est infestée (...) 3
LOTI, l'Inde (sans les Anglais), III, III.

Par plaisanterie :

L'acajou dans toute sa gloire infestait la salle à manger, où des vues de Suisse, richement encadrées, ornaient des panneaux. 4
BALZAC, la Cousine Bette, Pl., t. VI, p. 235.

Rare. (Sujet n. de personne). *Infester un lieu, qqch. de...,* l'en remplir désagréablement.

♦ **3.** (1910; propager [une maladie] dans [un lieu], fin XVIe). Méd. Se fixer sur, pénétrer dans un organisme (en parlant de parasites).
REM. *Infester,* en parlant de parasites, etc., est parfois confondu avec *infecter*.*

♦ **4.** Fig. *Les vices qui infestent la société. « Quand le crime (...) infeste un peuple »* (Giraudoux, *Électre,* II, 9). — (Sujet n. de personne). *Infester la peinture d'une époque de son mauvais goût.*

INFEUTRABLE [ɛ̃føtʀabl] adj. — 1967; de 1. *in-,* et *feutrable.*

♦ Techn. Qui ne se feutre pas. *Laine, tricot infeutrable.*

CONTR. Feutrable.

INFIBULATION [ɛ̃fibylasjɔ̃] n. f. — 1578; lat. *infibulatio,* même sens (cf. *Encyclopédie,* citant Celse, art. *Fibula,* 1756), du supin de *infibulare.* → Infibuler.

♦ Didact. Opération qui consiste à empêcher les relations sexuelles en passant un anneau à travers le prépuce (chez l'homme), les petites lèvres (chez la femme), ou par suture (chez la femme). ⇒ **Infibuler.** *Excision* et infibulation. L'infibulation est pratiquée dans de nombreuses sociétés traditionnelles d'Afrique.* — REM. Dans la langue courante, le mot ne s'emploie guère qu'en parlant des femmes.

La circoncision peut donc être fondée sur la nécessité, et cet usage a du moins pour objet la propreté, mais l'infibulation et la castration ne peuvent avoir d'autre origine que la jalousie; ces opérations barbares et ridicules ont été imaginées par des esprits noirs et fanatiques qui, par une basse envie contre le genre humain, ont dicté des lois tristes et cruelles, où la privation fait la vertu et la mutilation le mérite. BUFFON, Hist. nat. de l'Homme (1749), t. II, p. 29.

INFIBULER [ɛ̃fibyle] v. tr. — 1798; lat. *infibulare,* même sens, aussi «attacher avec une agrafe», de *in-* (→ 2. In-), et *fibule* «agrafe; aiguille de chirurgien; appareil d'infibulation; (d'où) contrainte, empêchement». → Fibule.

♦ Didact. Soumettre (qqn) à l'infibulation*. — REM. *Boucler* est attesté dans le même sens comme terme d'art vétérinaire au XVIIIe (*Encyclopédie,* art. *Fibula,* 1756).

Au p. p. *« On a retrouvé des momies excisées et infibulées »* (*l'Express,* 31 mars 1979). — N. *Une infibulée :* une fille, une femme infibulée.

INFIDÈLE [ɛ̃fidɛl] adj. — V. 1330, sens I, 2; lat. *infidelis* «sur qui l'on ne peut compter, inconstant» dans la langue classique (d'où II.), puis «infidèle à la loi de Dieu, mécréant» en lat. ecclés. (d'où I.); de *in-* (→ 1. In-), et *fidelis.* → Fidèle.

Qui n'est pas fidèle*.

★ **I.** Vx ou hist. ♦ **1.** Adj. Qui ne professe pas la religion considérée comme vraie (sauf précision, la religion chrétienne), qui en professe une autre (ne s'applique guère aux athées). ⇒ **Gentil, hérétique, impie, mécréant, païen; giaour** (hist.), **roumi.** *Nations, peuples infidèles* (→ Guerrier, cit. 2). *Un roi infidèle* (→ Après, cit. 6).

Elle (*Esther*) gagna le cœur du Roi son mari, et fit d'un prince infidèle un illustre protecteur du peuple de Dieu. 1
BOSSUET, Oraison funèbre de la Reine d'Angleterre.

♦ **2.** (V. 1330). N. *Un, une infidèle* (→ Appeler, cit. 14; convaincre, cit. 2). *Les infidèles* (→ Commande, cit. 5; errant, cit. 1; état, cit. 57). — REM. À chaque époque, s'appliquait aux fidèles d'autres religions considérées comme ennemies. — Spécialt. Musulman. *Croisade* contre les infidèles.* Collectif. *L'Infidèle.*

2 Ils avaient lu les mémoires du fameux évêque de Chiapa, par lesquels il paraît qu'on avait égorgé, ou brûlé, ou noyé dix millions d'infidèles en Amérique pour les convertir. VOLTAIRE, Hist. des voyages de Scarmentado.

3 (...) il arrive parfois qu'en disputant contre les infidèles, on les induit de nouveau en péché, loin de les convertir. FRANCE, Thaïs, p. 36.

★ **II.** Qui manque à la parole donnée. ♦ **1.** (1488). Vieilli. *(Infidèle à qqn).* Qui manque à ses engagements (envers qqn), aux devoirs de sa fonction. ⇒ **Déloyal, félon, révolté, traitre.** *Être infidèle à son roi, à son maître,* l'abandonner, le trahir.

Absolt. **a** Vx. *Soldats infidèles qui désertent* (cit. 5).

b Vieilli. *Employé, caissier, comptable, dépositaire infidèle,* peu scrupuleux, qui trompe la confiance de son patron, du déposant. ⇒ **Malhonnête, prévaricateur.**

4 Entrez dans la Bourse de Londres (...) Là le juif, le mahométan et le chrétien, traitent l'un avec l'autre comme s'ils étaient de la même religion, et ne donnent le nom d'infidèles qu'à ceux qui font banqueroute (...) VOLTAIRE, Lettre sur les Anglais, VI, Les presbytériens.

5 Le chat est un domestique indifèle que l'on ne garde que par nécessité (...) BUFFON, Hist. nat. des animaux, Le chat.

♦ **2.** (XVIIe). Mod. Qui n'est pas fidèle, qui est changeant, dans ses sentiments, son affection. *Être infidèle à un ami. Des amis infidèles.* — Spécialt (cour.). *Qui n'est pas fidèle en amour, dans le mariage.* ⇒ **Adultère, inconstant, volage; infidélité** (cit. 9), et aussi **trahir, tromper.** *Amant, maîtresse, mari, femme infidèle* (→ Abandonner, cit. 19; absoudre, cit. 6; dégager, cit. 13). — *Infidèle à qqn. Femmes indidèles à leurs époux* (→ Fidèle, cit. 7). — N. (1662). Littér., vx ou plais. *Un, une infidèle* (→ Excuser, cit. 6, et ci-dessous, cit. 6, 11). *Une belle infidèle* (au fig. → ci-dessous, 4).

6 Célimène me trompe et n'est qu'une infidèle. MOLIÈRE, le Misanthrope, IV, 2.

7 Il faut se croire aimé pour se croire infidèle. RACINE, Andromaque, IV, 5.

8 Si nos femmes sont infidèles,
Consolons-nous : bien d'autres le sont qu'elles.
LA FONTAINE, Contes, «Joconde», I.

9 Une femme infidèle, si elle est connue pour telle de la personne intéressée, n'est qu'infidèle : s'il la croit fidèle, elle est perfide. LA BRUYÈRE, les Caractères, III, 25.

10 (...) d'un amant
Je serai le parfait modèle,
Trop bête pour être inconstant,
Et trop laid pour être infidèle.
A. DE MUSSET, Poésies nouvelles, «À Madame G.».

11 Elle (*Madame de Custine*) avait eu quelque peine à fixer, ne fût-ce qu'un moment, l'infidèle et le volage (*Chateaubriand*). SAINTE-BEUVE, Chateaubriand, t. II, p. 256.

12 Et, pour ce qui est de l'amour de Landry, pensez-vous, Fanchon, qu'il vous l'ait conservé? et avez-vous reçu, depuis le décès de votre grand-mère, quelque marque qu'il ne vous ait point été infidèle? G. SAND, la Petite Fadette, XXXVI.

♦ **3.** (1488). *(Infidèle à qqch.).* Qui manque* à..., qui ne respecte pas... (qqch. qui engage). *Être infidèle aux volontés de qqn* (→ Caprice, cit. 7), *à un devoir, à une vocation* (→ Appeler, cit. 47), *à ses serments, à sa promesse, à sa parole.* ⇒ **Parjure; rompre.**

13 (...) un champ où les vestales indidèles à leurs vœux étaient enterrées vivantes (...) Mme DE STAËL, Corinne, V, II.

♦ **4.** (1651). Absolt (littér.). Qui manque à la vérité, à l'exactitude. *Narrateur, traducteur, interprète, copiste infidèle.* — *Portrait, image* (cit. 25), *récit, copie infidèle.* ⇒ **Inexact; déformé.** *Mémoire infidèle. Traduction infidèle.*

14 Qui peut vous avoir fait ce récit infidèle? RACINE, Bajazet, III, 4.

15 (...) ce peuple n'est nullement conforme à ses prétendus portraits. Ce n'est pas que nos grands peintres aient toujours été infidèles, mais ils ont peint généralement des détails exceptionnels, des accidents... le second côté des choses. MICHELET, le Peuple, Chapitre liminaire...

(1873). N. f. Hist. littér. (avec jeu sur le sens 1). *Les belles infidèles :* les traductions élégantes mais peu exactes en honneur au XVIIe siècle (comme celles de Perrot d'Ablancourt).

CONTR. Fidèle. — Féal, honnête, loyal, sûr; constant; croyant; exact, vrai.
DÉR. Infidèlement.

INFIDÈLEMENT [ɛ̃fidɛlmɑ̃] adv. — V. 1460; de *infidèle.*

♦ D'une manière infidèle. *Propos infidèlement rapportés.*

(...) sa mémoire le servit très infidèlement dès les premiers mots (...) D'ALEMBERT, Notes sur l'art du cardinal Dubois.

CONTR. Fidèlement.

INFIDÉLITÉ [ɛ̃fidelite] n. f. — V. 1160, au plur., sens I; lat. *infidelitas* «manque de loyauté, inconstance» dans la langue class. (d'où II.), et «manque de foi en Dieu» en lat. ecclés. (d'où I.), de *infidelis.* → Infidèle.

Caractère d'une personne, d'une chose infidèle* *(l'infidélité de...)*; acte marquant ce caractère *(une, des infidélités).*

★ **I.** (1662). Relig. Vx et rare. Caractère des infidèles (I.); fait de relever d'une autre religion que la religion considérée comme vraie. *Peuple qui vit dans l'infidélité. Tomber dans l'infidélité.*

Ce principe de répugnance (*aux vérités divines*) s'appelle, dans l'Écriture, infidélité. BOSSUET, Sermons, Église, I. 1

Vx. Acte, attitude des infidèles. — Fait de ne pas se conformer aux principes de la religion. *Les infidélités du peuple juif, d'un pécheur...* (→ Fornication, cit. 3; héritage, cit. 8).

★ **II.** ♦ **1.** (1492). Vx. Manque de fidélité. ⇒ **Infidèle** (II., 1.). *L'infidélité de qqn à son roi, à son maître.* ⇒ **Abandon, déloyauté, trahison.** *L'infidélité d'un domestique* (→ Copie, cit. 1), *d'un employé, d'un caissier, d'un dépositaire.* ⇒ **Malhonnêteté.** — *Commettre des infidélités.* ⇒ **Détournement, malversation.**

J'ai vu Burrhus, Sénèque, aigrissant vos soupçons, 2
De l'infidélité vous tracer des leçons (...) RACINE, Britannicus, IV, 2.

(...) aucune nation commerçante ne peut se fier à eux (*les Chinois*). Cette infidélité reconnue leur a conservé le commerce du Japon; aucun négociant d'Europe n'a osé entreprendre de le faire sous leur nom (...) MONTESQUIEU, l'Esprit des lois, XIX, X. 3

Sont aussi exclus de la tutelle (...) 2o Ceux dont la gestion attesterait l'incapacité ou l'infidélité. Code civil, art. 444. 4

Par métaphore. Littér. et vx. *L'infidélité du sort, de la fortune.*

♦ **2.** (1665). Mod. Absence de fidélité dans les sentiments, en amitié, en amour. ⇒ **Inconstance, perfidie** (et cit. 5). *L'infidélité de qqn à l'égard de qqn. L'inconstance** (cit. 7 et 8) *et l'infidélité. Infidélité d'un amant, d'un mari, d'une femme* (→ Constant, cit. 2; adultérin, cit. 1; fidèle, cit. 5; fragment, cit. 6). *Soupçons d'infidélité* (→ 2. Flétrissure, cit. 2). *Infidélité et jalousie**. — Acte qui traduit l'infidélité. (*Une, des infidélités,* → ci-dessous, cit. 5, 8, 11, 12, 13). *On pardonne les infidélités; mais on ne les oublie* (cit. 12) *point.* — *Il a fait bien des infidélités à sa femme.* ⇒ **Adultère; tromper.** → fam. Donner des coups de canif dans le contrat (de mariage).

Quoi? ce départ si peu prévu serait une infidélité de Dom Juan? Il pourrait faire cette injure aux chastes feux de Done Elvire? MOLIÈRE, Dom Juan, I, 1. 5

Bien loin que l'infidélité soit un crime, je soutiens, moi, qu'il ne faut pas un moment hésiter d'en faire une, quand on en est tenté, à moins que de vouloir tromper les gens, ce qu'il faut éviter, à quelque prix que ce soit. MARIVAUX, Heureux stratagème, I, 4. 6

La simple infidélité serait insipide et ne tenterait pas une femme sans l'assaisonnement de la perfidie. MARIVAUX, la Surprise de l'amour, I, 7. 7

Madame, lui dit Irla, voilà comme sont faits tous les jeunes gens d'un bout du monde à l'autre; fussent-ils amoureux d'une beauté descendue du ciel, ils lui feraient, dans de certains moments, des infidélités pour une servante de cabaret. VOLTAIRE, la Princesse de Babylone, X. 8

Sans doute il n'est permis à personne de violer sa foi, et tout mari infidèle qui prive sa femme du seul prix des austères devoirs de son sexe est un homme injuste et barbare; mais la femme infidèle fait plus, elle dissout la famille et brise tous les liens de la nature; en donnant à l'homme des enfants qui ne sont pas à lui, elle trahit les uns et les autres, elle joint la perfidie à l'infidélité. ROUSSEAU, Émile, V. 9

Il y a une grande distance entre l'infidélité chez les hommes et chez vous (*les femmes*)... Une mauvaise habitude en fait comme une nécessité aux hommes. Durant toute la première jeunesse, l'exemple de ce qu'on appelle les *grands* au collège, fait que nous mettons toute notre vanité, toute la preuve de notre mérite, dans le nombre des succès de ce genre. Votre éducation à vous, agit dans le sens inverse (...) La différence de l'infidélité dans les deux sexes est si réelle, qu'une femme passionnée peut pardonner une infidélité, ce qui est impossible à un homme. STENDHAL, De l'amour, XXXVII. 10

Jamais elle n'avait beaucoup souffert de ses infidélités, du continuel guilledou qu'il courait, par un besoin de nature (...) ZOLA, la Bête humaine, III, p. 80. 11

Ah! je te fais des infidélités? Ah! je cache des amants chez moi? Eh! bien, cherche, mon cher, et trouve. COURTELINE, Boubouroche, III. 12

On imagine toutefois qu'elle (*Mme de Chateaubriand*) ne s'en est pas autrement inquiétée, ayant assez à faire, d'autre part, avec les infidélités sentimentales de ce trop volage mari, pour se soucier encore de cette autre espèce d'infidélité spirituelle que représente pour la femme le travail de l'homme, cette fuite solitaire et silencieuse dans la pensée, à la poursuite d'un grand rêve auquel elle n'a peut-être point de part. Émile HENRIOT, Portraits de femmes, p. 281. 13

Par plais. *Faire des infidélités à son fournisseur habituel :* se fournir parfois chez un autre commerçant.

♦ **3.** (1652). Manque de fidélité (à une obligation). *Son infidélité à la parole donnée, à ses serments. Fautes et infidélités des gouvernants* (à leur principes, à leur parole. → Foi, cit. 21).

♦ **4.** (1655). Manque de vérité, d'exactitude (⇒ **Infidèle,** II., 3.). *L'infidélité d'un historien, d'un traducteur. Dénoncer l'infidélité d'un récit, d'un rapport, d'une citation. Accuser l'infidélité de sa mémoire. L'infidélité d'un souvenir.* — Détail qui manque d'exactitude. *Il y a de grandes infidélités dans cette traduction, dans ce roman historique.* ⇒ **Erreur, inexactitude.**

CONTR. Fidélité. — Constance, foi. — Exactitude.

INFIGURABLE [ɛ̃figyʀabl] adj. — 1829, Boiste; de 1. *in-,* et *figurable.*

♦ Rare. Que l'on ne peut se figurer, se représenter. *Dieu est infigurable.*

(...) l'androgyne m'est infigurable; ou du moins n'arrivé-je qu'à un corps monstrueux, grotesque, improbable. R. BARTHES, Fragments d'un discours amoureux, p. 268.

N. m. Ce que l'on ne peut se représenter. *« Figurant l'infigurable,*

Ipousteguy sculpte le mouvement » (*le Nouvel Obs.*, 15 juin 1981, p. 93).

CONTR. Figurable, représentable.

INFIGURATIF, IVE [ɛ̃figyʀatif, iv] adj. — 1975; de 1. *in-*, et *figuratif.*

♦ Didact. Qui ne relève pas de la représentation de formes identifiables, assignables à un objet. ⇒ **Non-figuratif.**

(...) ce qui est socialement marqué, c'est la vue « vague », la vue sans contours, sans objet, sans figuration, la vue d'une transparence, la vue d'une non-vue (cette valeur infigurative qu'il y a dans la bonne peinture et qu'il n'y a pas dans la mauvaise). R. BARTHES, Roland Barthes (1975).

CONTR. Figuratif.

INFILTRABLE [ɛ̃filtʀabl] adj. — 1857, Michelet, *l'Insecte*; de *infiltrer.*

♦ Didact. Où qqch. peut s'infiltrer. *Roches infiltrables.*

INFILTRANT, ANTE [ɛ̃filtʀɑ̃, ɑ̃t] adj. — D. i. (1924, *in* T. L. F.); p. prés. de *infiltrer.*

♦ Didact. Qui s'infiltre. *Maladie infiltrante. Germes infiltrants* (opposé à *infiltré*).

INFILTRAT [ɛ̃filtʀa] n. m. — V. 1925; de *infiltrer.*

♦ Pathol. Amas de cellules diverses dans un tissu ou un organe. *Infiltrat pulmonaire* (spécialt, opacité leucocytaire), *syphilitique.* — Liquide, gaz d'infiltration.

INFILTRATION [ɛ̃filtʀasjɔ̃] n. f. — V. 1370, méd.; de *infiltrer, s'infiltrer.*

A. (Concret). ♦ **1.** (1762). Action, fait de s'infiltrer*. *L'inflitration de l'eau dans le bois, dans la terre* (→ Écoulement, cit. 1). *Couche imperméable faisant obstacle à l'infiltration des eaux de pluie.* — *D'infiltration. Eaux d'infiltration* (ou *eaux filtrantes*). ⇒ **Filtration, percolation;** aussi **rétention** (capillaire). — Spécialt. [a] Pénétration accidentelle d'eau, d'humidité (dans un mur, une paroi). *Chape* protégeant contre les infiltrations. Façade portant des traces d'infiltration.*

1 Un fléchissement du pavé mal soutenu par le sable sous-jacent avait produit un engorgement d'eau pluviale. L'infiltration s'étant faite, l'effondrement avait suivi. Le radier, disloqué, s'était affaissé dans la vase. HUGO, les Misérables, V, III, VI.

2 Le calcaire est presque toujours fissuré. L'eau de pluie s'infiltre dès qu'elle rencontre une fissure (« diaclase »)... Les diaclases sont agrandies par la dissolution de leurs bords et finissent par former de véritables crevasses (...) ces crevasses facilitent encore l'infiltration de l'eau. L'eau infiltrée circule à l'intérieur du plateau. Profitant des diaclases et parfois des failles, elle ne tarde pas à dessiner un véritable réseau hydrographique souterrain. ALLIX, Géographie générale, Classe de seconde, p. 235.

[b] Méd. Accumulation dans un tissu (de liquides organiques, gaz, substances injectées ou de cellules modifiant sa structure). ⇒ aussi **Infiltrat.** *Infiltration de liquide, de gaz dans les tissus. Infiltration leucémique. Infiltration graisseuse.* ⇒ **Adipose, adiposité, obésité.** *Infiltration calcaire.* ⇒ **Calcification.** *Infiltration purulente.* ⇒ **Phlegmon.** *Infiltration de sang.* ⇒ **Ecchymose, purpura.** *Infiltration gazeuse.* ⇒ **Emphysème.** *Infiltration de liquides.* ⇒ **Œdème.**

♦ **2.** (Action d'infiltrer). [a] Le fait d'infiltrer (un liquide, un gaz) dans les tissus, en vue d'obtenir un effet thérapeutique. ⇒ **Injection.** *Infiltration sous-cutanée. Infiltration intra-articulaire. On lui a fait des infiltrations.*

[b] Techn. Action de remplir les pores de (une pièce métallique frittée). *Infiltration par immersion, par contact.*

♦ **3.** *Une, des infiltrations :* liquide, fluide infiltré, qui s'infiltre, que l'on infiltre. « Le ruissellement d'une infiltration coulant de la roche » (Zola, *Germinal, in* T. L. F.).

B. Fig. ♦ **1.** (1871, Renan, *in* T. L. F.). Pénétration d'hommes par petits groupes dans un pays. *Infiltrations et invasions introduisant dans un peuple des éléments hétérogènes* (cit. 4). — Milit. Action de petits groupes s'insinuant dans les lignes ennemies en utilisant les intervalles entre les points d'appui du front.

3 Mais entre ces deux forts, la montagne ne révélait pas facilement la présence des contrebandiers. Ceux-ci pénétraient toujours par infiltration. Ils se mêlaient à la foule les jours de marché. P. MAC ORLAN, la Bandera, X.

♦ **2.** (1834, Sainte-Beuve, *in* T. L. F.; abstrait). *L'infiltration des idées modernes* (→ Étanche, cit. 2, Renan).

4 Ce n'était point par la force que l'hellénisme risquait de pénétrer en Judée, mais bien davantage par de multiples infiltrations. DANIEL-ROPS, le Peuple de la Bible, IV, II.

INFILTRER [ɛ̃filtʀe] v. tr. et pron. — V. 1370, méd., sens I, 1; de 2. *in-*, et *filtrer* (attesté seulement mil. XVIe). L'attestation postérieure de *filtrer* et *filtre* peut faire supposer un v. lat. **infiltrare*, de *filtrum* « filtre », attesté 1235. Du Cange n'indique que *filtrare* « feutrer (coller, agglutiner de la laine pour faire du feutre; rembourrer) ».

♦ **1.** (1762). Sujet n. de chose : liquide, fluide. Rare ou didact. Pénétrer peu à peu (un corps) en s'insinuant à travers les pores ou les interstices (comme à travers un filtre). ⇒ **Traverser.** — Méd. « *La sérosité a inflitré les jambes de ce malade* » (Littré).

♦ **2.** Sujet n. de personne. Vieilli ou littér. Faire entrer (un liquide) doucement, progressivement. — Par métaphore. *L'envie* (cit. 9) *infiltrant son poison dans le cœur.*

Les sables (...) qui, par le moyen du suc calcaire que la mer y infiltre, se durcissent graduellement (...) 1
H. B. SAUSSURE, Voyage dans les Alpes, I, 363, *in* LITTRÉ.

▶ **S'INFILTRER** v. pron. Cour. ♦ **1.** (1762). Pénétrer (dans un corps) en s'insinuant de manière lente et progressive (comme par un filtre). *L'eau s'infiltre dans certains terrains* (→ Écroulement, cit. 1), *dans le bois le plus dur. Sérosités, pus qui s'infiltrent dans un tissu cellulaire.*

(...) un ruisseau qui s'infiltre peu à peu et se creuse un lit dans le sable. 2
A. DE MUSSET, Nouvelles, « Le fils du Titien », VII.

♦ **2.** (Déb. XIXe; en emploi concret). Passer*, entrer insensiblement. *Le vent s'infiltrait en filets* (cit. 2) *d'air par les portes. Matières translucides où le rayon s'infiltre et se réfracte* (→ Huile, cit. 18).

Le son de la trompette est si délicieux 3
Dans ces soirs solennels de célestes vendanges,
Qu'il s'infiltre comme une extase dans tous ceux
Dont elle chante les louanges. BAUDELAIRE, les Épaves, XVIII.

(Sujet n. de personne). Pénétrer sans se faire remarquer (dans un lieu). *S'infiltrer à travers les lignes ennemies. Provocateurs s'infiltrant dans une foule de manifestants.* — Fam. *Cet intrigant s'infiltre partout.* ⇒ **Insinuer** (s'), **pénétrer.**

Un beau jour, ils nous sont tombés dessus sans crier gare. Ils s'infiltrent entre nos lignes (...) Va donc courir après. P. MAC ORLAN, la Bandera, XVII. 4

(1827). Sujet n. d'abstraction. *Opinions, doctrines qui commencent à s'infiltrer dans les esprits, dans le peuple.*

La superbe énorme du clergé anglais s'infiltre généralement non seulement dans les enfants des dignitaires, mais même dans leurs serviteurs. 5
BAUDELAIRE, les Paradis artificiels, Mangeur d'opium, II.

Furtivement, un sentiment nouveau s'infiltrait en lui (...) 6
MARTIN DU GARD, les Thibault, t. IV, p. 136.

(...) c'était le temps où les doctrines anarchistes s'infiltraient dans le monde littéraire (...) Georges LECOMTE, Ma traversée, p. 210. 7

▶ **INFILTRÉ, ÉE** p. p. adj. *Tissu cellulaire infiltré* (opposé à *infiltrant*). *Eaux pluviales infiltrées* (→ Fontaine, cit. 2). — Fig. *Population infiltrée. Troupes infiltrées.*

DÉR. Infiltrable, infiltrant, infiltrat, infiltration.

INFIME [ɛ̃fim] adj. — XIVe; lat. *infimus* « qui est placé le plus bas; le dernier; le plus humble », superl. de *inferus* « placé en bas ». → Infère.

♦ **1.** Qui est situé au plus bas, au dernier degré (d'une série, d'une hiérarchie). Vx (postposé, en épithète). « *Les rangs infimes de la société* » (Académie). *Genre* (cit. 8) *suprême et espèce infime. Homme d'une condition infime. Un « aide-major de classe très infime »* (Daudet, *in* Grevisse). → *infra*, cit. 2, Hugo.

(...) la jalousie dont sont dévorées les professions infimes à Paris. 1
BALZAC, le Cousin Pons, Pl., t. VI, p. 563.

Faire le poème de la conscience humaine, ne fût-ce qu'à propos d'un seul homme, ne fût-ce qu'à propos du plus infime des hommes, ce serait fondre toutes les épopées dans une épopée supérieure et définitive. 2
HUGO, les Misérables, I, VII, III.

Mais la fille de la Berma savait trop à quel niveau infime sa mère situait Rachel (...) PROUST, le Temps retrouvé, Pl., t. III, p. 998. 3

Mod. (Personnes; en général antéposé). Qui n'a aucune importance. *Un infime gratte-papier* (cit. 2).

N. (Rare). « *La misère des infimes* » (Maupassant, *in* T. L. F.).

♦ **2.** Mod. (1829, Vidocq, *in* T. L. F.). Souvent antéposé, en épithète. Tout petit. ⇒ **Infinitésimal, minime, minuscule.** *Infime fragment* (→ Béat, cit. 3). *Un infime guéridon de fer* (→ Bistrot, cit. 3). *Le plus infime animalcule* (→ Germe, cit. 6). *Somme, dose* (cit. 2) *infime. Nombre infime. Quantité infime.* — (Av. 1877). *Infime minorité.*

(...) dans une seconde arrière-cour, un infime logement de deux pièces que son occupant désirait sous-louer. 4
J. ROMAINS, les Hommes de bonne volonté, t. II, IX, p. 94.

(Abstrait). Très petit, de peu d'importance. *Querelle, froissement* (cit. 10) *infimes* (→ Abîme, cit. 15). *Un problème infime. Un inci-*

dent infime. Des détails infimes (→ Colère, cit. 15), *d'infimes détails.*

N. m. Ce qui est infime. *L'infime et l'immense.*

CONTR. Éminent, suprême; capital, colossal, effrayant, gigantesque, immense... DÉR. Infimité.

INFIMITÉ [ɛ̃fimite] n. f. — V. 1755, Saint-Simon, *in* T. L. F.; de *infime* (cf. le bas lat. *infimitas* « basse condition »).

Littéraire ou didactique.

♦ **1.** Vx. Caractère de ce qui occupe une place infime, un rang très bas. *L'infimité de sa condition.*

Elle vint à dire (...) qu'autrefois, avant lui, elle avait aimé quelqu'un (...)
Le jeune homme la crut, et néanmoins la questionna pour savoir ce qu'il faisait.
— Il était capitaine de vaisseau, mon ami (...)
Le clerc sentit alors l'infimité de sa position; il envia des épaulettes, des croix, des titres. Tout cela devait lui plaire *(à Emma)* : il s'en doutait à ses habitudes dispendieuses. FLAUBERT, Madame Bovary, III, V.

Condition infime (de qqn, d'un groupe).

♦ **2.** (1873). Mod. Faible valeur, peu d'importance. *Étant donné l'infimité de la somme.*

INFIMUM [infimɔm; ɛ̃fimɔm] n. m. — Mil. XXe; formation sav., par substantivation du lat. *infimum,* neutre de *infimus.* → Infime (attesté en 1940 en anglais).

♦ Math. Rare. Borne* inférieure.

IN FINE [infine] loc. adv. — Fin XIXe (attesté 1899, Valéry, *in* T. L. F.); loc. lat. « à la fin ».

♦ Didact. (dans une référence). Dans les dernières lignes d'un chapitre, d'un ouvrage. *Cette disposition se trouve dans l'article tant du Code civil, in fine.*

INFINI, IE [ɛ̃fini] adj. et n. m. — 1214, *infinit* (sens I, 2); lat. *infinitus* « sans fin, sans limites; indéfini », de *in-* (→ 1. In-), et *finitus,* p. p. de *finire.* → Finir.

(Ce) qui « n'a pas de borne, soit en ce sens qu'il *est* actuellement plus grand que toute quantité de même nature *(infini actuel),* soit en ce sens qu'il *peut* devenir tel *(infini potentiel)* » (Lalande, *Voc. philos.*). — REM. Dans la citation ci-après, Descartes n'emploie *infini* que pour *infini actuel.*

1 Je ne me sers jamais du mot d'infini pour signifier seulement n'avoir point de fin, ce qui est négatif et à quoi j'ai appliqué le mot d'indéfini, mais pour signifier une chose réelle, qui est incomparablement plus grande que toutes celles qui ont quelque fin. DESCARTES, Lettre à Clerselier (→ Indéfini, cit. 1).

2 Mon entendement borné ne conçoit rien sans bornes : tout ce qu'on appelle infini m'échappe. ROUSSEAU, Émile, IV.

★ **I.** Adj. **A.** ♦ **1.** (V. 1450). (En parlant de Dieu, du divin). En quoi l'homme ne remarque ni ne conçoit aucune limite. *Dieu* (cit. 36) *est infini* (→ Cause, cit. 4; entendre, cit. 30; éternel, cit. 3; extase, cit. 2; gouffre, cit. 10; immense, cit. 1). *Dieu est infini dans ses perfections, ses attributs. La puissance, la bonté, l'intelligence, la miséricorde de Dieu sont infinies* (→ Art, cit. 37; génie, cit. 11).

3 Ce qu'on peut affirmer sans crainte, c'est que Dieu est infini, et que l'esprit de l'homme est bien borné. VOLTAIRE, Dict. philosophique, Infini, I.

4 Songez que celui qui tarde à profiter du moment de la grâce, s'expose à ce qu'elle lui soit retirée; que si la bonté Divine est infinie, l'usage en est pourtant réglé par la justice; et qu'il peut venir un moment où le Dieu de miséricorde se change en un Dieu de vengeance. LACLOS, les Liaisons dangereuses, CXXIII.

5 Borné dans sa nature, infini dans ses vœux,
L'homme est un Dieu tombé qui se souvient des cieux.
LAMARTINE, Premières méditations, II.

♦ **2.** (V. 1361). Relig. ou littér. Qui n'est pas borné dans le temps, qui n'a pas de fin, de terme. *Un avenir infini. La béatitude infinie des élus.* ⇒ **Éternel, fin** (sans), **perpétuel.**

6 (...) qui nous dira (...) qu'une justice infinie ne s'exerce pas à la fin par un supplice infini et éternel? BOSSUET, Oraison funèbre d'Anne de Gonzague.

7 Espérez! espérez! espérez! misérables!
Pas de deuil infini, pas de maux incurables,
Pas d'enfer éternel! HUGO, les Contemplations, VI, XXVI.

Didact. et cour. Qui, dans un ordre donné, n'a aucune limite*; qui est plus grand que tout ce qui comporte une limite. *L'espace* (cit. 6) *conçu comme un milieu infini et infiniment divisible. Espace* (cit. 8) *géométrique continu et infini. Espaces infinis* (→ Effrayer, cit. 2, Pascal). — (1214). Math. et cour. *Quantité infinie. La suite des nombres entiers est infinie. Série infinie. Ensemble infini,* dont le nombre d'éléments est illimité. → aussi ci-dessous, n. m.

8 Nous avons beau enfler nos conceptions, au delà des espaces imaginables, nous n'enfantons que des atomes, au prix de la réalité des choses. C'est une sphère infinie dont le centre est partout, la circonférence nulle part. PASCAL, Pensées, II, 72.

9 Je n'examine point ici s'il y a en effet des quantités infinies actuellement existantes; si l'espace est réellement infini; si la durée est infinie; s'il y a dans une portion finie de matière un nombre réellement infini de particules. Toutes ces questions sont étrangères à l'infini des mathématiciens (...) D'ALEMBERT, Éléments de philosophie, XIV.

Vx. ⇒ **Indéfini.** *Cercle considéré comme un polygone d'un nombre infini de côtés* (cit. 14, Malebranche).

B. Cour. (1552). Qui semble ne jamais devoir se terminer, ne pas avoir de borne; très considérable (par la grandeur, la durée, le nombre, l'intensité). — (Spatial). ⇒ **Illimité, immense.** *Horizon, désert, ciel, paysage infini* (→ Aplanir, cit. 2). *Mer, étendue, campagne infinie. Longueur, hauteur, profondeur infinie* (→ Globe, cit. 2). *Grandeur, exiguïté* (cit. 2) *infinie. Distance infinie entre deux étoiles, entre deux choses* (→ Homme, cit. 4). Fam. et rare. *Des jambes infinies,* très longues. ⇒ **Interminable.** — (Temporel). ⇒ **Interminable.** *Une conversation infinie* (→ ci-dessous, cit. 12). *Des bavardages infinis* (→ Qui n'en finissent plus). *Une durée infinie.* — (Caractérisant une quantité). ⇒ **Incalculable, innombrable.** *Un nombre infini, une foule infinie de...* (→ Canal, cit. 1; forme, cit. 66; fourmilière, cit. 1; guerre, cit. 5). *Les nuances infinies du langage* (→ Accommoder, cit. 15). *Des fioritures* (cit. 2), *des variations infinies* (→ Grotesque, cit. 2). *Les façons infinies d'écrire l'histoire* (cit. 7). *Une infinie diversité, variété.* — (Avec un nom au sing., exprimant une réalité psychique). Très remarquable par son importance ou son intensité. ⇒ **Extrême.** *Grâce* (cit. 93), *patience, tendresse, joie, douleur infinie* (→ Aérien, cit. 1; affirmer, cit. 10; apaisement, cit. 2; fatalité, cit. 5; hyperbole, cit. 2). *Je vous en sais un gré* (cit. 21) *infini. Un infini besoin d'être aimé* (cit. 12). *Avec un art infini* (→ Assortir, cit. 11). *Il m'a fait un bien, un plaisir infini.* — (Plur.). Très nombreux (le résultat global impliquant l'importance ou l'intensité). *D'infinies précautions. D'infinies complications* (cit. 2). *Richesses infinies.* ⇒ **Colossal, énorme.** *Prétentions infinies.* ⇒ **Démesuré.**

(...) un plaisir 10
Aussi pur qu'infini, tant en prix qu'en durée (...) LA FONTAINE, Fables, XI, 4.

(...) son courage *(du cardinal de Retz)* est infini : nous voudrions bien qu'il fût 11
soutenu d'une grâce victorieuse. Mme DE SÉVIGNÉ, 410, 26 juin 1675.

La conversation fut infinie entre les deux amis. 12
STENDHAL, le Rouge et le Noir, I, XXVI.

Oh! l'inoubliable regard de tristesse sans recours, d'infinie résignation à l'infinie 13
désespérance (...) LOTI, Suprêmes visions d'Orient, p. 45.

REM. Dans cette acception, *infini* peut admettre un degré de comparaison.

« La distance infinie des corps aux esprits figure la distance infiniment plus infi- 14
nie des esprits à la charité, car elle est surnaturelle » (Pensées, XII, 793). Il est à croire que M. Pascal n'aurait pas employé ce galimatias dans son ouvrage, s'il avait eu le temps de le revoir.
VOLTAIRE, Remarques sur les Pensées de Pascal, XVI.

L'œil de l'esprit ne peut trouver nulle part plus d'éblouissements ni plus de ténè- 15
bres que dans l'homme; il ne peut se fixer sur aucune chose qui soit plus redoutable, plus compliquée, plus mystérieuse et plus infinie.
HUGO, les Misérables, I, VII, III.

★ **II.** (V. 1361). N. m. **L'INFINI.** ♦ **1.** Philos. L'Être infini en tous ses attributs, Dieu, le divin, l'absolu. ⇒ **Absolu, parfait;** → Beau, cit. 102; créature, cit. 8; esprit, cit. 34 et 42; existence, cit. 2; exprimer, cit. 20. *Aspiration* (cit. 3) *vers l'infini, appel de l'infini* (→ Élancement, cit. 3).

Et je ne me dois pas imaginer que je ne conçois pas l'infini par une véritable 16
idée, mais seulement par la négation de ce qui est fini (...) puisqu'au contraire je vois manifestement qu'il se rencontre plus de réalité dans la substance infinie que dans la substance finie, et partant que j'ai en quelque façon premièrement en moi la notion de l'infini que du fini, c'est-à-dire de Dieu que de moi-même (...)
DESCARTES, Méditations métaphysiques, III.

Il est certain que notre âme demande éternellement (...) l'univers entier ne la satis- 17
fait point. L'infini est le seul champ qui lui convienne (...) gonflée et non rassasiée de ce qu'elle a dévoré, elle se précipite dans le sein de Dieu, où viennent se réunir les idées de l'infini, en perfection, et temps et en espace (...)
CHATEAUBRIAND, le Génie du christianisme, I, VI, I.

(...) malgré moi l'infini me tourmente. 18
Je n'y saurais songer sans crainte et sans espoir (...)
A. DE MUSSET, Poésies nouvelles, « Espoir en Dieu ».

(...) je ne puis grandir de l'épaisseur d'un cheveu, ni me rapprocher tant soit peu 19
de l'infini. NERVAL, trad. GŒTHE, Faust, I, p. 74.

Plus j'avance dans la vie, plus je me rattache au seul problème qui garde toujours 20
son sens profond et sa séduisante nouveauté. Un infini nous déborde et nous obsède. RENAN, Questions contemporaines, Œuvres, t. I, p. 168.

(...) il est des villes — Bénarès, La Mecque, Lassa, Jérusalem, — encore telle- 21
ment imprégnées de prière, malgré l'invasion du doute moderne, que l'on y est plus qu'ailleurs libéré d'entraves charnelles, et plus près de l'infini.
LOTI, l'Inde (sans les Anglais), VI, VIII.

♦ **2.** (1662). Ce qui est infini par l'un de ses aspects (grandeur, distance...). *Les deux infinis, de grandeur et de petitesse, selon Pascal* (→ Contempler, cit. 1; homme, cit. 51; impénétrable, cit. 13). *Aucun sens ne peut montrer l'infini* (→ Exister, cit. 3). — Philos. *L'infini actuel et l'infini potentiel* (→ ci-dessus, *supra* cit. 1).

Math. *L'infini géométrique, mathématique* (noté ∞). → Démontrer, cit. 2; entre, cit. 38. *Infini dénombrable, continu. Fonction qui tend vers plus l'infini* ($+\infty$), *moins l'infini* ($-\infty$). — Vx. *Calcul de l'infini.* ⇒ **Infinitésimal.** — Géom. *À l'infini* (→ aussi ci-dessous). *Une parabole peut être considérée comme une ellipse dont l'un des foyers est rejeté à l'infini.*

(...) on voit d'abord à quel point la notion de l'*infini* est pour ainsi dire vague 22
et imparfaite en nous; on voit qu'elle n'est proprement que la notion d'*indéfini,* pourvu qu'on entende par ce mot une quantité vague à laquelle on n'assigne point de bornes (...) On voit encore par cette notion que l'*infini,* tel que l'analyse le considère, est proprement la *limite* du fini, c'est-à-dire le terme auquel le fini tend

toujours sans jamais y arriver (...) La géométrie, sans nier l'existence de l'infini actuel, ne suppose donc point, au moins nécessairement, l'infini comme réellement existant (...)
D'ALEMBERT, Éléments de philosophie, XV, XIV, Œuvres, t. I, p. 288-289.

3 Au commencement de la géométrie, on dit : *« On donne le nom de* PARALLÈLES *à deux lignes, qui, prolongées à l'infini, ne se rencontreraient jamais ».* Et, dès le commencement de la *Statique,* cet insigne animal de Louis Monge a mis à peu près ceci : *Deux lignes parallèles peuvent être considérées comme se rencontrant, si on les prolonge à l'infini.* STENDHAL, Vie de Henry Brulard, 34.

(xxe). Photogr. Zone où les objets donnent une image nette dans le plan focal.

♦ **3.** (1690). Ce qui, dans l'ordre sensible, psychique, affectif, moral... semble infini, en raison de sa grandeur, de son intensité ou de son indétermination. — Absolt. ⇒ **Illimité, immensité.** *Au bord de l'infini* (Hugo, *les Contemplations ;* → Frisson, cit. 36). *Un ennui* (cit. 26) *qui cherche l'infini, l'indéterminé. Faire de l'infini avec de l'imprécis* (cit. 4). — (Avec un complément déterminatif). *L'infini des cieux* (→ Atome, cit. 11), *de l'océan* (→ Étendue, cit. 10). — *L'infini de la jouissance* (→ Damnation, cit. 4), *de l'amour.*

4 La passion est le pressentiment de l'amour et de son infini auquel aspirent toutes les âmes souffrantes. BALZAC, la Duchesse de Langeais, Pl., t. V, p. 220.

5 Que les fins de journées d'automne sont pénétrantes ! Ah ! pénétrantes jusqu'à la douleur ! car il est de certaines sensations délicieuses dont le vague n'exclut pas l'intensité ; et il n'est pas de pointe plus acérée que celle de l'Infini.
BAUDELAIRE, le Spleen de Paris, III.

6 Tu les conduis doucement vers la mer qui est l'Infini, tout en réfléchissant les profondeurs du ciel dans la limpidité de ta belle âme ; — et quand, fatigués par la houle et gorgés des produits de l'Orient, ils rentrent au port natal, ce sont encore mes pensées enrichies qui reviennent de l'Infini vers toi.
BAUDELAIRE, le Spleen de Paris, XVIII.

7 Et le jour se lève pour moi sur un monde de branches et d'herbages, sur un océan d'éternelle verdure, sur un infini de mystère et de silence, déployé à mes pieds jusqu'aux lignes extrêmes de l'horizon. LOTI, l'Inde (sans les Anglais), I, I.

♦ **4.** (1626). **À L'INFINI.** Loc. adv. (cf. les loc. lat. *Ad infinitum, in infinitum*). **a** Math. *Multiplier un nombre par lui-même à l'infini. Espace* (cit. 2) *divisible à l'infini. Droite prolongée à l'infini.* ⇒ **Indéfiniment.**

8 Quelque grand que soit un espace, on peut en concevoir un plus grand, et encore un qui le soit davantage ; et ainsi à l'infini, sans jamais arriver à un qui ne puisse plus être augmenté. Et au contraire, quelque petit que soit un espace, on peut encore considérer un moindre, et toujours à l'infini, sans jamais arriver à un indivisible qui n'ait plus aucune étendue.
PASCAL, Opuscules, III, XV, De l'esprit géométrique.

b Cour. Sans qu'il semble y avoir de fin. ⇒ **Beaucoup, infiniment.** *Varier, différer à l'infini* (→ Coutume, cit. 9). *Produire à l'infini* (→ Équipement, cit. 6). *Cela irait à l'infini :* cela n'en finirait pas. ⇒ **Éterniser** (s'). — Adj. *Discussions, gloses à l'infini,* interminables (→ Collège, cit. 3).

9 (...) si vous venez ici, nous causerons à l'infini.
Mme DE SÉVIGNÉ, 1035, 2 sept. 1687.

10 Tous les vases sont en bronze, mais le dessin en est varié à l'infini, avec la fantaisie la plus changeante (...) LOTI, Mme Chrysanthème, XXXIV.

(Spatial). Aussi loin que l'on peut voir, à perte de vue. *Vagues de blé* (cit. 8) *qui ondoient à l'infini. Tour qui s'élève* (cit. 44) *à l'infini. Partout, à l'infini...* (→ Équatorial, cit.).

11 Dans la chaleur encore étouffante, la Beauce avait repris son activité, les petits points noirs des équipes reparaissaient, grouillants, à l'infini.
ZOLA, la Terre, III, IV.

12 On aperçoit, à l'infini, du sud au nord,
La noire immensité des usines rectangulaires.
VERHAEREN, les Villes tentaculaires, La plaine.

Jusqu'à l'infini (→ Épuiser, cit. 29 ; habitude, cit. 45). *Augmenter qqch. jusqu'à l'infini.*

CONTR. Borné, fini, limité.
DÉR. Infiniment.

INFINIMENT [ɛ̃finimɑ̃] adv. — V. 1390, *infinitement ;* de *infini* (et de sa var. anc. *infinit*).

♦ **1.** Sans borne, de manière infinie. Relig. et littér. *Dieu est infiniment bon* (cit. 76). — Didact., math. *Infiniment grand :* plus grand que toute quantité donnée (en parlant des grandeurs considérées comme variables, d'un nombre qui s'accroît indéfiniment, tend vers l'infini). *Infiniment petit :* plus petit que toute quantité donnée (en parlant d'une variable qui tend vers zéro). *Quantités infiniment petites* (→ Fluxion, cit. 5).

1 Car dans les nombres, de ce qu'ils peuvent toujours être augmentés, il s'ensuit absolument qu'ils peuvent toujours être diminués (...) Et dans l'espace le même rapport se voit entre ces deux infinis contraires ; c'est-à-dire que, de ce qu'un espace peut être infiniment prolongé, il s'ensuit qu'il peut être infiniment diminué (...) PASCAL, Opuscules, III, XV, De l'esprit géométrique.

2 *(En géométrie)* une ligne droite est infiniment ténue, un plan est infiniment mince et infiniment plat (...) Tout cela n'existe pas dans l'Univers, pas plus qu'il n'y a de mouvement sans frottement, de lumière simple ou de corps pur.
Marcel BOLL, Étapes des mathématiques, p. 56.

(1719). Spécialt, math. *L'infiniment grand :* l'infini, le transfini. *Calcul des infiniment petits* (⇒ **Différentiel, infinitésimal, intégral**).

♦ **2.** (Avec les adj. et n. *grand, petit*). Extrêmement (dans l'ordre du mesurable, spatial ou temporel). *L'infiniment petit* (→ Atome, cit. 17). *Les infiniment petits :* les corps, les êtres extrêmement petits, particulièrement les micro-organismes. — Fig. *Un infiniment petit :* un détail imperceptible, une chose minime, impondérable (→ Avalanche, cit. 7).

Le Sirien reprit les petites mites ; il leur parla encore avec beaucoup de bonté, quoiqu'il fût un peu fâché dans le fond du cœur de voir que les infiniment petits eussent un orgueil presque infiniment grand. VOLTAIRE, Micromégas, VII. 3

(...) mademoiselle Cormon avait fini par se contempler elle-même dans les infiniment petits de sa vie. Elle et Dieu, son confesseur et ses lessives, ses confitures à faire et les offices à entendre, son oncle à soigner avaient absorbé sa faible intelligence. BALZAC, la Vieille Fille, Pl., t. IV, p. 264. 4

(...) Pasteur, en habit et culottes courtes, ne songeait qu'à recevoir, de Paris, son microscope et quelques échantillons de vins, pour montrer à l'Empereur, à l'Impératrice et à leur suite, en un cours d'adultes princiers, les infiniment petits.
Henri MONDOR, Pasteur, p. 84. 5

♦ **3.** (1418). Beaucoup, extrêmement. — (Avec un verbe). *Ce conte me plaît infiniment* (→ Espagnol, cit. 1). *Il souffre infiniment. Je regrette infiniment, mais... Couleurs variant infiniment.* ⇒ **Infini** (à l').

(...) je vous loue infiniment de votre choix (...)
MOLIÈRE, la Princesse d'Élide, IV, 1. 6

(Avec un adj.). ⇒ **Diablement, excessivement, furieusement.** *Infiniment sensible, aimable, agréable* (→ Amaigrir, cit. 1 ; envelopper, cit. 14 ; frisson, cit. 20). *Je vous suis infiniment reconnaissant, infiniment obligé* (→ Arriver, cit. 50). — Dans la langue mod., l'adv. précède l'adj. ; il n'en était pas de même dans la langue classique.

Je me croirais, Seigneur, coupable infiniment 7
Si je souffrais (...) CORNEILLE, Héraclius, IV, 3.

Celui même qui veut écrire son rêve se doit d'être infiniment éveillé. 8
VALÉRY, Variété I, p. 56.

(Avec un comparatif). ⇒ **Comparaison** (sans), **incomparablement.** *Infiniment plus, moins, mieux ; infiniment moindre, supérieur* (→ Astreignant, cit. ; estime, cit. 7 ; figurer, cit. 5 ; géométrie, cit. 3 ; grain, cit. 28 ; grandeur, cit. 19).

(...) comme l'honneur est infiniment plus précieux que la vie (...) 9
MOLIÈRE, Dom Juan, III, 4.

(Comme adv. de quantité, avec un nom complément). *Il a infiniment d'esprit. Il faut infiniment de patience pour supporter des choses pareilles.*

L'autre avait un courage au-dessus de son sexe, de l'esprit infiniment avec une pénétration admirable. A. GALLAND, les Mille et une Nuits, t. I, p. 16. 9.1

(...) un seigneur de l'ancienne cour, homme d'infiniment d'esprit, de goût (...) 10
BALZAC, la Vieille Fille, Pl., t. IV, p. 298.

INFINITÉ [ɛ̃finite] n. f. — V. 1212, sens 2 ; lat. *infinitas, infinitus.* → Infini.

♦ **1.** (1538). Vx ou didact. Caractère de ce qui est infini. *L'infinité de Dieu, de son amour, de sa puissance.* ⇒ **Infinitude.** *L'infinité de l'espace.* — Ce qui est infini. ⇒ **Infini,** n. m. *L'homme n'est produit que pour l'infinité* (→ Expérience, cit. 33, Pascal).

Ainsi il y a des propriétés communes à toutes choses (...) La principale comprend les deux infinités qui se rencontrent dans toutes : l'une de grandeur, l'autre de petitesse. PASCAL, Opuscules, III, XV, De l'esprit géométrique. 1

(...) si vous regardez la nature des passions auxquelles vous abandonnez votre cœur, vous comprendrez aisément qu'elles peuvent devenir un supplice intolérable (...) Elles ont toutes une infinité qui se fâche de ne pouvoir être assouvie ; ce qui mêle dans elles toutes des emportements qui dégénèrent en une espèce de fureur (...)
BOSSUET, Sermon pour 3e dim. Avent, 1er point. 2

(...) en remontant jusques à l'infinité des temps. 3
LA BRUYÈRE, les Caractères, XVI, 36.

♦ **2.** (1655). Cour. *Une infinité de...* **a** Quantité infinie, nombre infini. *Une infinité de lignes courbes* (→ Cercle, cit. 2), *de figures géométriques* (cit. 2). *Étant donné une courbe, on peut toujours mener une infinité de parallèles à cette courbe.*

(...) qu'ils comparent l'espace entier avec le temps entier, et les infinis divisibles de l'espace avec les infinis instants de ce temps ; et ainsi ils trouveront que l'on parcourt une infinité de divisibles en une infinité d'instants, et un petit espace en un petit temps (...) PASCAL, Opuscules, III, XV, De l'esprit géométrique. 4

Didact. *L'infinité des possibles. — Une infinité de points dans un plan. « La courbe (...) est assimilée à un polygone à une infinité de côtés »* (Bourbaki, *in* T. L. F.).

b Très grande quantité*. *Une infinité de gens, de choses.* ⇒ **Multitude** (→ Art, cit. 24 ; bras, cit. 43 ; brièveté, cit. 4 ; confirmer, cit. 10 ; fusée, cit. 4 ; honnête, cit. 4 ; ignorance, cit. 8). *Il y en a une infinité. — « L'infinité des individus »* (Valéry, *in* T. L. F.).

Il y a une infinité de choses où le moins mal est le meilleur. 5
MONTESQUIEU, Cahiers, p. 100.

(Plur. emphatique). *J'en connais des infinités !*

(...) des infinités de compliments, de civilités, des visites (...) 6
Mme DE SÉVIGNÉ, 141, 3 mars 1671.

c Littér. Caractère de ce qui est (métaphoriquement) infini, indéterminé. *« Une infinité d'amour »* (Maupassant, *Bel-Ami*).

INFINITÉSIMAL, ALE, AUX [ɛ̃finitezimal, o] adj. — 1706 ; de l'adj. *infinitésime,* du lat. mod. *infinitesimus* (Leibniz), du lat. class. *infinis.* → Infini.

♦ **1.** Sc. Relatif aux quantités infiniment petites. *Calcul* infinitésimal, analyse** (II., 1.) *infinitésimale :* partie des mathématiques comprenant le calcul différentiel*, le calcul intégral* et le calcul des variations. *Newton et la découverte du calcul infinitésimal.*

1 La méthode infinitésimale (APPELL, Élém. anal. math., I) comprend toutes les opérations mathématiques qui ont pour objet d'établir des relations entre grandeurs finies par la considération de quantités infinitésimales : mesure des grandeurs finies considérées comme limites : détermination des grandeurs finies considérées comme *rapport* de deux quantités infinitésimales (calcul des dérivées) ; détermination des grandeurs finies considérées comme *somme* d'un nombre infiniment grand de quantités infiniment petites (calcul intégral).
A. LALANDE, Voc. de la philosophie, art. *Infinitésimal.*

♦ **2.** (1769). Cour. Infiniment petit. *Quantités infinitésimales. Grandeur infinitésimale. Une durée infinitésimale. Des traces infinitésimales d'une substance.* — Fig. *Les « nuances infinitésimales » d'un texte* (Ch. du Bos, *in* T. L. F.). — Par ext. Extrêmement petit. ⇒ **Infime, microscopique.**

2 Une senteur infinitésimale du choix le plus exquis, à laquelle se mêle une très légère humidité, nage dans cette atmosphère (...)
BAUDELAIRE, le Spleen de Paris, V.

3 Moi, une infinitésimale et totalement inintéressante miette de matière (...)
MARTIN DU GARD, les Thibault, t. IX, p. 221.

N. m. *L'infinitésimal. Les marqueurs radioactifs peuvent détecter l'infinitésimal.*

Littér. et rare. *« Je mène la vie la plus infinitésimale qui se puisse imaginer »* (Alain-Fournier, *in* T. L. F.), la plus insignifiante.

♦ **3.** Pharm. *Dose infinitésimale,* en homéopathie* (opposé à *pondérable*). ⇒ **Infinitésimalité,** 2.

4 Le symptôme réactionnel de l'homme malade appelle, comme remède, la substance qui a sur l'homme sain un effet analogue. Et les doses fortes, ou même simplement pondérables, des remèdes indiqués déterminant, souvent par leurs effets dans l'organisme, une accentuation des symptômes pathologiques, la méthode consiste, à l'inverse, à utiliser des doses faibles minimes, ou infinitésimales.
Pierre VANNIER, l'Homéopathie, p. 66.

CONTR. Grand, infini.
DÉR. Infinitésimalement, infinitésimalité.

INFINITÉSIMALEMENT [ɛ̃finitezimalmɑ̃] adv. — D. i. (1961, A. Arnoux, *in* T. L. F.) ; de *infinitésimal.*

♦ Rare ou didact. De manière infinitésimale.

INFINITÉSIMALITÉ [ɛ̃finitezimalite] n. f. — XXe ; de *infinitésimal.* Didactique.

♦ **1.** Caractère de ce qui est infinitésimal.

♦ **2.** En médecine homéopathique, Principe fondamental suivant lequel on entend réduire la maladie par une médication de même caractère *(loi d'analogie)* administrée à doses infinitésimales. *L'infinitésimalité et les dilutions.* ⇒ **Centésimal.**

INFINITIF, IVE [ɛ̃finitif, iv] n. m. et adj. — 1368, *muef infinitif ;* lat. grammatical *infinitivus modus,* du lat. class. *infinitus.* → Infini.

★ **I.** N. m. Forme nominale du verbe exprimant l'idée de l'action ou de l'état sans spécification de temps ni d'aspect, d'une façon abstraite et indéterminée, sans relation nécessaire à un sujet. — Aimer, finir, perdre, vouloir... *sont des infinitifs. Verbe à l'infinitif. Dans les dictionnaires français, les entrées concernant les verbes sont à l'infinitif. Mot suivi d'un infinitif* (→ Aimer, cit. 50). *Remplacer une relative par un infinitif.* — *Infinitif employé comme nom : infinitif sujet* (« rire est le propre de l'homme »), *infinitif attribut* (« souffler n'est pas jouer »), *infinitif en apposition* (« être ou ne pas être, voilà la question ») ; *infinitif complément d'un substantif ou d'un verbe* (« la peur de mourir » ; « il convient d'agir »). — REM. L'infinitif substantivé précédé de l'article (« le naître et le mourir sont frères jumeaux », France), très fréquents dans l'ancienne langue, est devenu, dans certains cas, un véritable nom (le devoir, le rire...).

1 Use donc hardiment de l'infinitif pour le nom, comme l'aller, le chanter, le vivre, le mourir (...) DU BELLAY, Défense et illustration de la langue franç., II, 9.

Infinitif employé comme verbe. L'infinitif, mode impersonnel. Les deux temps (présent, passé) *de l'infinitif* (« on ne peut être et avoir été »). *Proposition à l'infinitif.* → *infra,* II., Infinitive. — *Emplois stylistiques de l'infinitif : infinitif à valeur d'impératif* (« ralentir ! »), *d'optatif* (« voir Naples et mourir ! »), *de proposition interrogative* (« que faire ? »). — *Infinitif de narration* (ou *descriptif,* ou *historique*)*, introduit par la préposition* de* (cit. 97 et 98) *et pouvant avoir un sujet propre* (« Grenouilles aussitôt de sauter dans les ondes », La Fontaine, *Fables,* II, 14). *Infinitif de succession introduit par la préposition* pour*.

2 **Infinitif de succession.** — On se sert aussi, pour une suite rapide de faits, d'un *infinitif* précédé de *pour,* qui suit le passé simple (...) *M. Moronval s'éloigna* **pour revenir** *quelques instants après* (DAUDET, Jack, 14).
F. BRUNOT, la Pensée et la Langue, p. 481.

3 **Infinitif de narration.** — L'action passée peut être exprimée dans un infinitf, qui emprunte sa valeur de passé au contexte : *Et les dentel(l)ières* d'**aller** *demander au curé leur sainte* (CHAMPFLEURY, *Contes,* 191). C'est là l'infinitif dit *de narration.* F. BRUNOT, la Pensée et la Langue, p. 478.

4 L'infinitif représente l'idée verbale débarrassée de tous les éléments accessoires et adventices. Il ne connaît ni la personne ni le nombre. L'idée de la voix (actif, moyen et passif) lui est, au fond, étrangère. L'idée du temps elle-même n'y est entrée que par une sorte de superfétation et grâce à des retouches tardives (...) Il n'est pas un mode, il est, comme le disaient avec raison les anciens, la forme la plus générale du verbe (...) le nom de l'action.
M. BRÉAL, Essai de sémantique, p. 89.

L'infinitif exprime l'idée verbale de la façon la plus dépouillée, indépendamment de toute valeur personnelle, voire temporelle, car l'infinitif simple, hors de tout contexte, se situe hors du temps *(avoir, dormir, marcher).* C'est seulement l'entourage de la phrase qui lui donne une valeur de présent, mais aussi de futur ou de passé. Quant à l'infinitif composé, c'est l'auxiliaire qui lui donne la valeur de passé. A. DAUZAT, Grammaire raisonnée, p. 227.

★ **II.** Adj. *Mode infinitif. Construction, tournure infinitive.* — (1877). *Proposition* infinitive,* dont le verbe est à l'infinitif.

N. f. Proposition infinitive. *Une infinitive. Infinitive-sujet* (« lui prêter de l'argent ne servirait à rien »), *infinitive-complément, très fréquente en latin et peu usitée en français, sauf après les verbes de perception* (« je l'ai vu venir ») *et les verbes faire** (cit. 196), *laisser** (« laissez-le venir »). *Infinitive causale, consécutive, finale.*

INFINITISME [ɛ̃finitism] n. m. — 1924, Henri Massis, *in* T. L. F. ; *infinitéisme,* 1862, Vigny ; de *infinité.*

♦ Didact. et rare. Système philosophique ayant recours au concept d'infini. *« Tout infinitisme m'est ennemi »* (Valéry).

REM. L'adj. et n. *infinitiste* [ɛ̃finitist] est également attesté.

INFINITUDE [ɛ̃finityd] n. f. — V. 1580 ; dér. sav. du lat. *infinitus,* ou de *infini,* et suff. *-itude.*

♦ **1.** Didact. (philos., théol.). Caractère de ce qui est infini. ⇒ **Infinité,** 1. *L'infinitude de l'espace, du temps. L'infinitude de Dieu.*

Math. Caractère de ce qui est infini. *L'infinitude de la suite naturelle des nombres entiers.*

♦ **2.** Par ext., littér. Caractère de ce qui est très grand, indéfini. *L'infinitude d'un sentiment. « L'infinitude de la nuit »* (H. Milosz, *in* T. L. F.).

CONTR. Finitude.

INFIRMABLE [ɛ̃fiʀmabl] adj. — 1842 ; de *infirmer.*

♦ Dr. Que l'on peut infirmer. *Ce témoignage paraît infirmable, n'est guère infirmable.*

CONTR. Vérifiable.

INFIRMATIF, IVE [ɛ̃fiʀmatif, iv] adj. — 1501 ; du rad. lat. de *infirmer,* suff. *-atif.*

♦ Dr. Qui infirme, rend nul. *Arrêt infirmatif d'un jugement.*

INFIRMATION [ɛ̃fiʀmasjɔ̃] n. f. — 1499 ; lat. *infirmatio,* de *infirmatum,* supin de *infirmare.* → Infirmer.

♦ **1.** Dr. Annulation partielle ou totale d'une décision de justice par la juridiction du second degré. ⇒ **Démenti.** *Infirmation d'un jugement.* ⇒ **Annulation.**

L'infirmation peut être totale ou partielle. Celle-ci ne porte que sur certains chefs de la décision attaquée qui est confirmée sur les autres points.
CAPITANT, Voc. juridique, art. *Infirmation.*

♦ **2.** (1867). Littér. ou didact. Action d'infirmer (une assertion, un texte, etc.). ⇒ **Démenti, destruction, ruine.** *L'infirmation d'une théorie par l'expérience.* ⇒ **Falsification.**

CONTR. Attestation, confirmation. — Vérification.

INFIRME [ɛ̃fiʀm] adj. — 1570 ; « malade », v. 1265 ; réfection de l'anc. franç. *enferme* « malade » (v. 1050) ; lat. *infirmus* « faible » ; de *in-,* et *firmus.* → Ferme.

♦ **1.** Vx (langue class.). Qui manque de force. ⇒ **Faible.** *« L'esprit est prompt et la chair* (cit. 46) *infirme »* (Pascal, cit. de l'Évangile selon saint Matthieu, XXVI, 40, 41). *Pauvre et infirme nature de l'homme* (→ Ignoble, cit. 7). — N. *« Donner le lait aux infirmes et le pain aux forts »* (Bossuet, *Oraison funèbre de Le Tellier*).

♦ **2.** Mod. (1673). **a** Personnes. Qui est atteint d'une infirmité* (II., 2.), d'infirmités (et, spécialt., d'infirmités incurables). ⇒ **Handicapé, impotent, invalide** et aussi **béquillard, boiteux, difforme, disgracié, éclopé, grabataire.** *Un vieillard infirme. Demeurer infirme à la suite d'une blessure, d'un accident.* ⇒ **Mutilé.** *Il est infirme du bras gauche. Beethoven, malheureux, pauvre, infirme* (→ Forger, cit. 6). — *Un pauvre corps infirme.*

Celui qui se charge d'un élève infirme et valétudinaire change sa fonction de gouverneur en celle de garde-malade (...) ROUSSEAU, Émile, I.

N. *Un, une infirme.* ⇒ **Handicapé.** *Béquille* (cit. 4) *pour infirme. Hôpital, hospice destiné aux infirmes civils. Chaise d'infirme. Soigner un infirme.* — *Infirme mental,* atteint d'un important déficit mental (→ Arriéré, cit. 4). *Infirme moteur,* quant à la motricité.

Femme d'un infirme qui ne pouvait être son mari (...)
Jules LEMAÎTRE, Impressions de théâtre, Scarron.

b (Membres). *Avoir un bras infirme. « Sa jambe gauche infirme traîne derrière l'autre »* (Jules Renard, *in* T. L. F.).

♦ **3.** Par ext., littér. Caractérisé par les infirmités. *Une vieillesse infirme et grabataire.* ⇒ **Maladif.**

♦ **4.** Fig. et littér. Qui présente des défauts, des faiblesses graves et habituelles. *Esprit, intelligence infirme. La nature humaine est infirme.* — Vx. *Une « cause infirme »* (Chateaubriand). — REM. Cet emploi est plus rare que l'emploi correspondant de *infirmité* (I., 2.).

CONTR. Fort; ferme, ingambe, résistant, valide.
DÉR. V. Infirmier.

INFIRMER [ɛ̃fiʀme] v. tr. — 1370; lat. jurid. *infirmare,* proprt « affaiblir », de *infirmus.* → Infirme.

♦ **1.** Didact. ou style soutenu. Affaiblir (une assertion, un contenu de pensée ou son expression, la valeur d'un jugement, etc.) dans son autorité, sa force, son crédit. ⇒ **Diminuer.** *Infirmer l'autorité d'un historien. Infirmer une preuve, un témoignage,* en montrer le côté faible. *« Voilà une pièce bien probante, qu'on ne saurait infirmer »* (Académie). — Montrer la fausseté de... ⇒ **Falsifier.** *Infirmer une hypothèse, une théorie, par l'expérience.* ⇒ **Démentir, détruire, ruiner.**

Nous nous faisons de fausses raisons pour en infirmer la vérité.
MASSILLON, Panégyrique de saint Étienne.

J'ajouterai, pour infirmer l'autorité de certaines maximes de Chamfort et pour en dénoncer le côté faux, qu'elles viennent évidemment d'un homme qui n'a jamais eu de famille (...) SAINTE-BEUVE, Causeries du lundi, 22 sept. 1851.

Quand l'expérience infirme l'idée préconçue, l'expérimentateur doit rejeter ou modifier son idée.
Cl. BERNARD, Introd. à l'étude de la médecine expérimentale, I, II.

Rendre nul (un accord, une convention). — REM. Cette valeur participe aussi du sens juridique 2. *Infirmer les clauses d'un contrat.* — Au participe passé :

Soudain un scrupule lui vient : il sent bien que cette offre de sa vie ne lui coûte pas, et que par là se trouve infirmé le marché.
MONTHERLANT, le Songe, II, XIII.

♦ **2.** (Fin XIVe). Dr. Annuler* ou réformer* (une décision rendue par une juridiction inférieure). ⇒ **Infirmation,** 1. *Infirmer un jugement, un arrêt, une sentence* (→ Évocation, cit. 1). *La Cour d'appel a infirmé le jugement du tribunal de première instance.*

Adieu, mon cher David, vous êtes averti, la contrainte par corps n'est pas susceptible d'être infirmée par l'appel (...) il ne reste plus que cette voie à vos créanciers, ils vont la prendre. BALZAC, Illusions perdues, Pl., t. IV, p. 943.

Par métaphore. *Confirmer* (cit. 10) *ou infirmer les jugements de l'histoire.*

Nul pouvoir au-dessus de leur tête n'avait le droit d'infirmer le code nécessaire de leur existence (...) BALZAC, Du droit d'aînesse, *in* Œ. diverses, t. I, p. 1.

▶ **INFIRMÉ, ÉE** p. p. adj. *Preuve infirmée. Hypothèse infirmée. — Jugement infirmé.*

CONTR. Affermir, attester, avérer, corroborer, prouver. — Confirmer, vérifier.
DÉR. Infirmable. — V. Infirmatif.

INFIRMERIE [ɛ̃fiʀməʀi] n. f. — 1606; de l'anc. franc. *enfermerie,* v. 1265; refait sur *infirme**, *infirmier,* ou sur le latin.

♦ **1.** Local destiné, dans les bâtiments où vivent des communautés, à recevoir et à soigner les malades, les blessés, ou à leur donner les premiers soins avant leur transfert à l'hôpital. *L'infirmerie d'une caserne, d'un couvent, d'une école, d'un pensionnat, d'un paquebot. Infirmerie spéciale du Dépôt. Infirmerie mobile des troupes en campagne.* ⇒ **Ambulance,** II. *Être envoyé, transporté à l'infirmerie* (→ Cadavre, cit. 5; claquer, cit. 6; cloaque, cit. 3). — (1829). Fam. Maison où tout le monde est malade. *C'est une véritable infirmerie!*

Le couvent ne fut bientôt plus qu'une infirmerie.
RACINE, Abrégé de l'hist. de Port-Royal.

Sous les tribunes, se trouvaient les douches qu'on avait aménagées et les anciens vestiaires de joueurs qu'on avait transformés en bureaux et en infirmeries.
CAMUS, la Peste, p. 260.

♦ **2.** Vx. Établissement charitable, asile de vieillards. *« L'infirmerie de Marie-Thérèse »,* fondée par Madame de Chateaubriand (cf. Chateaubriand, *Mémoires d'outre-tombe,* IV, III, 1, éd. Levaillant).

(...) tu ne paraîtras plus à l'église ni à l'autel! tu ne te pavaneras plus à la danse en belle fraise brodée; c'est dans de sales infirmeries, parmi les mendiants et les estropiés, que tu iras t'étendre (...) NERVAL, trad. GŒTHE, Faust, II, p. 152.

♦ **3.** Relig. Office d'infirmier dans une communauté religieuse.

INFIRMIER, IÈRE [ɛ̃fiʀmje, jɛʀ] n. — 1398; *enfermier,* 1288, de l'anc. franç. *enferm* « malade », de *enfermer;* refait sur *infirme;* le fém. est attesté en 1765, *Encyclopédie.*

♦ Personne qui, par profession, soigne des malades et s'en occupe, sous la direction des médecins ou en appliquant leurs prescriptions. → Aide soignante. *Le travail, la tenue des infirmiers, des infirmières* (→ Camisole, cit. 2; flamber, cit. 9; habitude, cit. 35). *Blouse d'infirmière. Faire des études d'infirmier, d'infirmière. Infirmière diplômée. Élève-infirmier. Diplôme d'infirmier. Malade soigné à domicile par une infirmière.* ⇒ **Garde-malade.** *Aller se faire faire une piqûre chez l'infirmière. Être infirmier dans un hôpital. Infirmière auxiliaire, veilleuse, visiteuse. Infirmière en chef; infirmière chef. Infirmière générale. Infirmière de salle d'opération* (→ Panseur, cit.). — *Infirmiers militaires, régimentaires.* ⇒ **Ambulancier, brancardier.** *Infirmières au front* (cit. 32, et → Altérer, cit. 19; inaction, cit. 5). *Sections d'infirmiers. Premiers soins donnés aux blessés par les infirmiers. Infirmier-major.* — *Infirmier, infirmière dans un couvent, une communauté religieuse.* — En appos. *Caporal infirmier, aide infirmier. Le personnel infirmier. Sœur* infirmière.*

Trois blessés encore étaient morts pendant la nuit, sans qu'on s'en aperçût; et les 1
infirmiers se hâtaient de faire de la place aux autres, en emportant les cadavres.
ZOLA, la Débâcle, II, VIII.

On frappa à la porte, et un infirmier entra, masqué de blanc. 2
CAMUS, la Peste, p. 225.

INFIRMITÉ [ɛ̃fiʀmite] n. f. — V. 1265; *enfermeté,* v. 1050; lat. *infirmitas* « faiblesse », de *infirmus.* → Infirme.

★ **I.** ♦ **1.** Vx (langue class.). Caractère faible (de l'homme).

Mais j'attends en mes vœux tout de votre bonté, 1
Et rien des vains efforts de mon infirmité (...) MOLIÈRE, Tartuffe, III, 3.

(...) la naissance a des marques indubitables de notre commune faiblesse. Nous 2
commençons tous notre vie par les mêmes infirmités de l'enfance (...)
BOSSUET, Oraison funèbre de Gornay.

♦ **2.** Mod. (style soutenu). ⇒ **Faiblesse, imperfection.** *« C'est une infirmité d'esprit que de ne pas vouloir reconnaître le mérite »* (Académie). *L'infirmité de l'État.*

Les infirmités de l'âme et du corps ont joué un rôle dans nos troubles : l'amour- 3
propre en souffrance a fait de grands révolutionnaires.
CHATEAUBRIAND, Mémoires d'outre-tombe, t. II, p. 16.

Les infirmités du langage, qu'il soit écrit ou parlé, répondent toujours à quelque 4
infirmité de l'esprit. G. DUHAMEL, Discours aux nuages, I, p. 16.

Les travaux que j'avais à faire, les délibérations auxquelles j'assistais, les contacts 5
que je devais prendre, me montraient l'étendue de nos ressources, mais aussi l'infirmité de l'État. Ch. DE GAULLE, Mémoires de guerre, t. I, p. 4.

★ **II.** ♦ **1.** Vieilli. Maladie ou indisposition habituelle. ⇒ **Incommodité;** → Affliger, cit. 2, La Bruyère, et cit. 10, Racine; dégoûter, cit. 2, Molière. *Les infirmités de la vieillesse.* → Les outrages du temps (vx).

♦ **2.** Mod. État (congénital ou accidentel) d'un individu ne jouissant pas d'une de ses fonctions ou n'en jouissant qu'imparfaitement (sans que sa santé générale en souffre). ⇒ **Impotence, invalidité, difformité, disgrâce.** *La surdité, la cécité, la claudication constituent des infirmités. Infirmité gênante, désagréable* (→ Fistule, cit.). *L'infirmité de Byron* (il avait un pied bot). → Handicap, cit. 2; hautain, cit. 6. *Infirmité contractée* (cit. 9) *dans le service.* — Dr. *Classement des infirmités selon leur gravité* (pour l'autorité militaire, les assurances, la sécurité sociale, etc.). → Auxiliaire, cit. 2.

Avec l'infirmité qu'elle a *(d'avoir perdu la parole)*? 6
MOLIÈRE, le Médecin malgré lui, II, 1.

(...) un fréquent besoin de sortir, qui m'avait fait beaucoup souffrir le soir même 7
au spectacle, et qui pouvait me tourmenter le lendemain, quand je serais dans la galerie ou dans les appartements du Roi (...) Cette infirmité *(affection de vessie)* était la principale cause qui me tenait écarté des cercles (...)
ROUSSEAU, les Confessions, VIII.

Le Cardinal seul entra dans une ample et spacieuse litière de forme carrée, dans 8
laquelle il devait voyager jusqu'à Perpignan, ses infirmités ne lui permettant ni d'aller en voiture, ni de faire toute cette route à cheval.
A. DE VIGNY, Cinq-Mars, VII.

Quasimodo était né borgne, bossu, boiteux (...) Sonneur de Notre-Dame à qua- 9
torze ans, une nouvelle infirmité était venue le parfaire, les cloches lui avaient brisé le tympan : il était devenu sourd. HUGO, Notre-Dame de Paris, I, IV, III.

Fig. *Mon hôte avait l'infirmité de s'appeler Durand* (→ Ridicule, cit. 8).

CONTR. Force, santé.

INFIXE [ɛ̃fiks] n. m. — 1876; lat. *infixus* « inséré », p. p. de *infigere;* de *in-,* et *figere* « planter, ficher ».

♦ Ling. Élément qui s'insère dans l'intérieur même d'un mot, parfois dans le corps même de la racine. *L'infixe est un affixe.* ⇒ 1. **Affixe.** *L'n du latin* jungere (« joindre ») *est un infixe nasal qui s'est inséré dans le radical* jug-, *à l'état pur dans* jugum (« joug »).

INFLAMMABILITÉ [ɛ̃flamabilite] n. f. — 1641; de *inflammable.*

♦ **1.** Didact. Caractère de ce qui est inflammable. *L'inflammabilité du soufre.*

♦ **2.** (1829). Fig., littér. Caractère d'une personne qui s'enflamme, se prend facilement de passion pour quelque chose ou quelqu'un.

CONTR. **Ininflammabilité.**

INFLAMMABLE [ɛ̃flamabl] adj. — 1390; dér. sav. du lat. *inflammare*, de *in-*, et *flammare*. → Enflammer.

♦ **1.** Qui a la propriété de s'enflammer* facilement et de brûler rapidement. *Substance combustible, mais non inflammable. L'essence, le phosphore, matières inflammables. Liquides inflammables. Substance inflammable à l'air.* ⇒ **Pyrophore.** *L'hydrogène, le butane, le méthane, gaz inflammables. Matériaux nucléaires inflammables* (→ Étoile, cit. 17). *Matériel électrique antidéflagrant, conçu pour être utilisé dans une atmosphère inflammable.* — (Qualifié). *Substance peu inflammable, très inflammable, facilement inflammable, inflammable par, à la chaleur.*

1 (...) c'est ici le lieu de parler de la calcination prise généralement, elle est pour les corps fixes et incombustibles ce qu'est la combustion pour les matières volatiles et inflammables (...) BUFFON, Hist. nat., Introd. à l'hist. des minéraux.

2 (...) le phosphore qui est le plus inflammable de tous les corps (...) BUFFON, Hist. nat., Introd. à l'hist. des minéraux.

3 Tout cela est si râpé, si sec, si inflammable, qu'on les trouve imprudents de fumer et de battre le briquet. Th. GAUTIER, Voyage en Espagne, p. 19.

♦ **2.** (1787). Fig. Qui se prend facilement de passion ou de colère. *Une nature, un tempérament inflammable.* ⇒ **Bouillant, fougueux, volcanique.**

CONTR. **Apyre, ignifugé, ininflammable.**
DÉR. **Inflammabilité.**

INFLAMMATEUR [ɛ̃flamatœʀ] n. m. — 1874; de *inflammation.*

♦ Techn. Substance ou dispositif susceptible de produire l'inflammation, la mise à feu. *Inflammateur électrique.*

Spécialt. Détonateur d'une torpille.

INFLAMMATION [ɛ̃flamɑsjɔ̃] n. f. — 1355, «grande chaleur», et «excitation»; lat. *inflammatio*, de *inflammatum*, supin de *inflammare.* → Enflammer.

★ **I.** ♦ **1.** (1552; «incendie», av. 1525). Didact. Phénomène par lequel une substance combustible s'enflamme, prend feu; résultat de cette action, fait de s'enflammer. *Température, point d'inflammation. Limite inférieure, limite supérieure d'inflammation d'un mélange gazeux.*

1 Il est vrai que la chaleur seule suffit pour préparer et disposer les corps combustibles à l'inflammation, et les autres à l'incandescence (...) BUFFON, Hist. nat., Introd. à l'hist. des minéraux.

♦ **2.** Fig. et vx (langue class.). Colère, fureur.

2 Mais qui cause, Seigneur, votre inflammation? MOLIÈRE, le Dépit amoureux, II, 6.

★ **II.** (XVe). Cour. Ensemble des réactions locales provoquées par des agents physiques, chimiques ou par des germes pathogènes. ⇒ suff. **-ite.** *L'inflammation, réaction défensive de l'organisme.* ⇒ **Diapédèse.** *Symptômes de l'inflammation* : chaleur, douleur, rougeur, tuméfaction (congestion, érythème). *Remèdes contre l'inflammation.* ⇒ **Antiphlogistique** (vx). *Délitescence* d'une inflammation. Abcès, engelure, plaie* (oedème) *compliqués d'inflammation. Inflammation consécutive à une brûlure.* ⇒ **Phlogose.** *Inflammation cutanée qui cause une vive irritation*.* ⇒ **Intertrigo, prurigo.** *Inflammation de la peau* (⇒ **Dermite; éruption, feu, furoncle**), *du tissu conjonctif* (⇒ **Phlegmon**), *des doigts* (⇒ **Panaris**), *des muqueuses* (⇒ **Catarrhe, coryza, rhume**), *des synoviales* (⇒ **Aï, synovie**), *des gencives* (⇒ **Gingivite, parulie**), *de la face* (⇒ **Couperose**), *de l'oeil* (⇒ **Ophtalmie; iritis**), *des glandes parotides* (⇒ **Oreillons**). *Inflammation des bronches* (⇒ **Bronchite**), *des intestins* (⇒ **Entérite**), *des reins* (⇒ **Néphrite**), *de la vessie* (⇒ **Cystite**), *des parois vasculaires* (⇒ **Artérite**, cit.; **phlébite**). *Inflammation due à une sensibilisation.* ⇒ **Allergie.** *Inflammation purulente.* ⇒ **Abcès, empyème, furoncle, phlegmon.** *Partie atteinte d'inflammation* (⇒ **Enflammé**).

3 Pour la douleur d'une plaie, si elle se fait sentir longtemps après le coup donné, c'est à cause de (...) l'inflammation et des accidents qui surviennent (...) BOSSUET, Traité de la connaissance de Dieu..., III, VI.

DÉR. **Inflammatoire.**

INFLAMMATOIRE [ɛ̃flamatwaʀ] adj. — 1549; dér. sav. du lat. *inflammare.* → Enflammer.

Médecine et courant.

♦ **1.** De la nature de l'inflammation. *Processus inflammatoire.*

♦ **2.** Qui est caractérisé par une inflammation; qui cause une inflammation. *État inflammatoire. Maladie inflammatoire* (→ Esquinancie, cit. 1). *Aréole*, point inflammatoire. Petite tumeur inflammatoire* (⇒ **Pustule**). *Fièvre* inflammatoire. Symptômes inflammatoires.*

(...) des insomnies presque continuelles m'annoncent une disposition inflammatoire qui se terminera vraisemblablement par me faire prendre congé de ce meilleur des mondes possibles. D'ALEMBERT, Correspondance au roi de Prusse, nov. 1772.

COMP. **Anti-inflammatoire.**

INFLATION [ɛ̃flɑsjɔ̃] n. f. — 1549; «gonflement», XVe; lat. *inflatio* «gonflement», de *inflatum*, supin de *inflare* «gonfler»; le sens II par l'anglais.

★ **I.** Méd., vx. Action d'enfler, de s'enfler. *L'enflure est le résultat de l'inflation* (Littré, *Dictionnaire*).

Mod. Gonflement (d'un tissu, d'un organe) par infiltration de gaz ou de liquide. ⇒ **Emphysème, oedème.**

★ **II.** ♦ **1.** (1919; angl. *inflation* [1838, dans ce sens, aux États-Unis], de *to inflate*, du supin du lat. *inflare*). Hausse des prix continue et généralisée, souvent causée par un accroissement excessif des instruments de paiement (billets de banque, capitaux) et dont l'une des conséquences peut être la dépréciation de la monnaie. ⇒ **Stagflation.** *Les facteurs de l'inflation. L'inflation entraîne une érosion* monétaire, la baisse du pouvoir d'achat. Inflation fiduciaire, monétaire, caractérisée par l'augmentation* du nombre des billets* de banque en circulation. Inflation de capitaux. Politique qui mène à l'inflation.* ⇒ **Inflationniste.** *Menaces d'inflation. Dévaluation* consécutive à l'inflation. L'inflation compromet l'épargne* (cit. 10). *Lutte contre l'inflation. Inflation rampante, galopante, courte, longue. Inflation ouverte, déclarée. Taux d'inflation mensuel, annuel. Revenus menacés, rongés par l'inflation.* — *Inflation de croissance; de stagnation, de sous-développement. Inflation structurelle, conjoncturelle.*

Le moyen était trop tentant et l'Assemblée n'en avait pas d'autres pour tenir ses promesses. Dès lors la maladie de l'inflation suivit son cours fatal : dépréciation constante, incoercible, appelant des émissions de plus en plus fortes, ce que nous avons vu de nos jours en Russie et en Allemagne. Partie de 400 millions, la Révolution, au bout de quelques années, en sera à 45 milliards d'assignats lorsqu'il faudra avouer la faillite monétaire. J. BAINVILLE, Hist. de France, XVI, p. 338.

L'inflation est tout accroissement des moyens de paiement mis à la disposition du public, qui n'a pas été provoqué par l'accroissement des besoins du public en fait de moyens de paiement. Il y a des inflations de monnaie métallique (...) Il y a des inflations de crédit (...) Enfin il y a des inflations de billets à cours forcé. Celles-ci sont (...) généralement d'un ordre de grandeur supérieur à celui des inflations des autres espèces et (...) elles ont des conséquences plus étendues et plus graves (...) Des moyens de paiement en surnombre, cela a pour conséquence la dépréciation de l'unité monétaire, dépréciation qui se traduit par la hausse des prix (...) Mais cette hausse des prix n'est pas la seule conséquence dommageable de l'inflation. Une conséquence plus dommageable encore est l'instabilité des prix. Henri TRUCHY, Cours d'économie politique, t. I, p. 352-353.

♦ **2.** (1925). Par ext. Extension, augmentation jugée excessive (d'un phénomène) qui tend à lui faire perdre sa valeur. *Inflation verbale. L'inflation des cadres. L'inflation des titres olympiques.*

Les jeunes gens les plus dégourdis sont prévenus de reste aujourd'hui contre l'inflation poétique. Ils savent ce qui se cache de vent derrière (...) les sonores rengaines lyriques. GIDE, les Faux-monnayeurs, III, VI, *in* Romans, Pl., p. 1199.

Ne pas mentir, ni se payer de mots; refuser toute inflation verbale; proscrire les morceaux de bravoure; ne pas parler à tort et à travers et faire de la littérature un art touche à tout; écrire comme quelqu'un qui sait ce que parler veut dire et n'user du langage qu'avec la rigueur et la loyauté les plus grandes. S. DE BEAUVOIR, Tout compte fait, p. 173.

CONTR. **Déflation.**
DÉR. **Inflationniste.**

INFLATIONNISTE [ɛ̃flɑsjɔnist] n. et adj. — 1894, *in* Sachs-Villatte; angl. *inflationist* (1870), de *inflation.* → Inflation, II.

♦ **1.** Écon. Partisan de l'inflation (II.). *La politique des inflationnistes.*

♦ **2.** Adj. (cour.). Qui a rapport ou tend à l'inflation (II.). *Politique inflationniste. Manoeuvres, menées inflationnistes. Le danger inflationniste. Poussée inflationniste.*

On a même vu (...) un parti d'*inflationistes (sic)* s'opposer aux mesures à prendre en vue de retirer les billets de banque de la circulation. Charles GIDE, Cours d'économie politique, t. I, p. 440.

CONTR. et **COMP.** **Anti-inflationniste.**

INFLÉCHIR [ɛ̃fleʃiʀ] v. tr. — 1738, au p. p. et au pron.; de 2. *in-*, et *fléchir*, d'après *inflexion.*

♦ **1.** Fléchir* de manière à former une courbe plus ou moins accentuée. ⇒ **Courber, incliner, plier.** «*Infléchir un arc*» (Académie). *L'atmosphère infléchit les rayons lumineux.* ⇒ **Dévier.** — Par anal. Détourner, changer la direction de... *Les troupes en marche infléchissent leurs routes vers le sud* (→ Formation, cit. 1).

♦ **2.** (Déb. XXe). Plus cour. Fig. Modifier l'orientation, la tournure de... *Infléchir une politique, une destinée.*

(...) infléchir, assouplir la règle dans le dessein de la parfaire (...) G. DUHAMEL, la Pesée des âmes, p. 56.

(...) certains événements de l'époque présente, événements qui n'ont pas été sans infléchir telle ou telle de mes actions (...) G. DUHAMEL, le Cri des profondeurs, p. 27.

2.1 La politique française ce jour-là a été infléchie dans le sens souhaité par le fascisme. MAURIAC, le Nouveau bloc-notes, 1958-1960, p. 298.

▶ **S'INFLÉCHIR** v. pron. réfl. (V. 1770). « *Le point où des rayons lumineux s'infléchissent* » (Académie). — *Courbe qui s'infléchit* (→ Globe, cit. 2). *Poutre surchargée qui s'infléchit.* ⇒ **Ployer.**

3 (...) une lame de couteau ou de verre, dont la pointe est rasée par les rayons du soleil dans une chambre obscure (...) les rayons s'infléchissent, se portent vers cette lame en proportion des distances ; c'est-à-dire que le rayon qui passe le plus près de cette pointe est celui qui s'infléchit le plus vers le couteau. Toutes les autres expériences de l'inflexion de la lumière près des corps se rapportent à celle-ci. VOLTAIRE, Essai sur la nature du feu..., I, IV.

Sons. Changer de hauteur, de ton par des inflexions. *La mélodie, la ligne mélodique, la partie de violon s'infléchit.*

(Déb. xxe). Fig. *Leur politique s'est infléchie à gauche.*

4 Les processus physiologiques (...) s'infléchissent toujours dans une même direction, celle qui mène à la plus longue survie de l'individu. Alexis CARREL, l'Homme, cet inconnu, VI, I.

▶ **INFLÉCHI, IE** p. p. adj. (1738).

Dont la direction est modifiée de façon à former une courbe. *Rayons du soleil infléchis par l'atmosphère terrestre* (→ Éclipse, cit. 2). — (1803). Bot. Recourbé du dehors en dedans. *Rameaux infléchis.* — (1893). Archit. *Arc infléchi,* formé de deux talons* tangents par leurs sommets. ⇒ **Courbure** (à contre-courbure). *L'arc en accolade est un arc infléchi.*

Méd. Qui est fortement fléchi (en parlant d'un organe, d'une partie du corps). — (Sons). *Une voix infléchie.* — *Voyelle infléchie,* qui a subi l'inflexion.

5 (...) elle se campa devant moi de profil, rejeta la tête en arrière, et, d'une voix de tête assez forte et non infléchie (...) GIDE, Isabelle, III, p. 44.

6 Les pièces sont larges et sombres, avec des planchers d'un chêne infléchi par le poids des ans. Pierre BENOIT, Mlle de la Ferté, p. 8.

CONTR. Redresser. — Droit.
DÉR. Infléchissable, infléchissement.

INFLÉCHISSABLE [ɛ̃fleʃisabl] adj. — 1611 ; de *infléchir.*

♦ Qui peut être infléchi. *Un « infléchissable jaillissement de toutes les forces de ma vie »* (Proust).

INFLÉCHISSEMENT [ɛ̃fleʃismɑ̃] n. m. — 1888, *in* T.L.F. (dans un ouvrage de physique industrielle) ; de *infléchir.*

♦ **1.** Didact. ou style soutenu. Action d'infléchir ; fait de s'infléchir. *L'infléchissement de la main, d'une courbe.*

♦ **2.** Abstrait. Modification légère, atténuation (d'un phénomène), changement léger ou progressif (d'une situation). *On constate un infléchissement du cours des monnaies européennes. Infléchissement dans la ligne politique d'un parti.* ⇒ **Inflexion.** *On a « cru déceler (...) chez le premier secrétaire du Parti Socialiste un "infléchissement", une "atténuation" de son opposition au régime »* (*le Nouvel Obs.*, 23 juil. 1973, p. 19).

INFLEXIBILITÉ [ɛ̃flɛksibilite] n. f. — 1611 ; *inflectibilité,* 1314 ; de *inflexible.*

♦ **1.** Rare. Caractère de ce qui est inflexible. *Inflexibilité relative d'une barre de fer.* ⇒ **Rigidité.**

♦ **2.** (1718). Cour. Le fait de ne pas fléchir, de ne pas céder. *L'inflexibilité d'une règle, d'un caractère.* ⇒ **Implacabilité, inexorabilité.** — *L'inflexibilité d'un maître.* ⇒ **Rigueur, sévérité.**

1 Il avait conservé, dans l'inflexibilité de son caractère, cette timidité qu'on nomme mauvaise honte. VOLTAIRE, Hist. de Charles XII, VIII.

2 (...) personne n'a peint avec le même bonheur (*que Corneille*) l'inflexibilité et la force d'esprit qui naissent de la vertu. VAUVENARGUES, Réflexions critiques, V, VI.

3 J'osai croire que l'amour d'Évelina serait plus fort que les résolutions paternelles, et qu'elle saurait vaincre l'inflexibilité de ses parents (...) BALZAC, le Médecin de campagne, Pl., t. VIII, p. 498.

CONTR. Flexibilité, souplesse.

INFLEXIBLE [ɛ̃flɛksibl] adj. — 1314 ; lat. *inflexibilis* ; de *in-* (→ 1. In-), et *flexibilis.* → Flexible.

♦ **1.** Rare. Qu'on ne peut fléchir ou ployer ; qui n'est pas flexible. ⇒ **Rigide.** *Tige de fer inflexible. Poutre métallique inflexible en forme de T.*

1 Ce qu'il (*Aristote*) dit encore au sujet du cou du lion, qu'il prétend ne contenir qu'un seul os, rigide, inflexible, et sans division de vertèbres, a été démenti par l'expérience (...) BUFFON, Hist. nat. des animaux, Le lion.

Par métaphore. Qui manque de souplesse. *Les conceptions lentes et inflexibles de l'esprit* (cit. 126) *géométrique. Une forme d'intelligence inflexible* (→ Aveugle, cit. 11).

♦ **2.** (Abstrait ; déb. XVIe). Cour. [a] (Personnes). Que rien ne peut fléchir ni émouvoir ; qui résite à toutes les tentatives de persuasion, à toutes les influences... ⇒ **Dur, ferme, impitoyable, implacable** (cit. 1), **inexorable, intransigeant, sourd** (fig.)... *Un homme inflexible* (→ Bienfaisant, cit. 1). ⇒ **Raide, rigide** (→ Un homme de bronze*). *Le despotisme* (cit. 8) *d'un père inflexible.* ⇒ **Cruel.** *Demeurer inflexible dans une résolution.* ⇒ **Inébranlable ;** → Hésiter, cit. 3. *Être inflexible à* (qqch.), *devant* (qqch.).

(...) il toucha tout le monde, à la réserve de la Reine, qui demeura inflexible. RETZ, Mémoires, II, p. 102. 2

(...) fermes et inflexibles aux sollicitations du simple peuple (...) LA BRUYÈRE, les Caractères, XIV, 54. 3

Ce vieux plaideur, quoique inflexible et entier presque autant que son adversaire, n'a pu résister à l'ascendant qui nous a tous subjugués. ROUSSEAU, Julie ou la Nouvelle Héloïse, V, Lettre VI. 4

(...) il est rare qu'Ibsen veuille conclure, à moins qu'il n'en laisse le soin aux durs réquisitoires de la mort, l'inflexible procureur. André SUARÈS, Trois hommes, « Ibsen », p. 118. 5

[b] (Choses ; 1601). Qui ne fléchit (cit. 19) pas ; que rien ne peut abattre, ou ébranler. *Volonté* inflexible* (→ De fer*). *Austérité, justice, règle inflexible.* ⇒ **Rigoureux ;** → Enténébrer, cit. 3. *Haine, sentiment inflexible.* ⇒ **Endurci ;** → Arrêter, cit. 31. *Courage inflexible.* ⇒ **Indomptable ;** → Agneau, cit. 5. — *Logique inflexible.* ⇒ **Implacable ;** → Grammaire, cit. 9.

CONTR. Flexible, souple. — Clément, doux, influençable, traitable.
DÉR. Inflexibilité, inflexiblement.

INFLEXIBLEMENT [ɛ̃flɛksibləmɑ̃] adv. — Fin XVe ; de *inflexible.*

♦ Littér. D'une manière inflexible. « *Il demeure inflexiblement attaché à son opinion* » (Académie).

(...) le railway de Saint-Pétersbourg à Moscou suit inflexiblement la ligne droite et ne se dérange sous aucun prétexte. Th. GAUTIER, Voyage en Russie, XVI, p. 249.

CONTR. Doucement.

INFLEXION [ɛ̃flɛksjɔ̃] n. f. — V. 1380, rare av. XVIIe ; lat. *inflexio,* de *inflexum,* supin de *inflectere,* de *in-,* et *flectere* « courber, plier ».

♦ **1.** Didact. ou littér. Mouvement par lequel une chose s'infléchit* (⇒ **Flexion**) ; état de ce qui est infléchi. ⇒ **Courbure.** *Inflexion du corps. Saluer* d'une légère inflexion de la tête.* ⇒ **Inclination.** *Les inflexions sinueuses d'un corps de femme* (→ Évidemment, cit. 1). *Inflexion des sourcils.* — Changement de direction, d'orientation. ⇒ **Déviation.** *Fleuve qui change* (cit. 23) *son cours par une subite inflexion* (→ Courbure, cit. 2). *Une inflexion vers, dans la direction de qqch.* — Géom. *Inflexion d'une courbe** (cit. 15, par métaphore). *Point d'inflexion* : point d'une courbe plane où la concavité change de sens. Opt. *Inflexion des rayons lumineux.*

(...) les rayons qui passent près des extrémités d'un corps sans le toucher, ne laissent pas de s'y détourner de la ligne droite, ce qu'on appelle *inflexion.* FONTENELLE, Éloge de Newton, *in* BRUNOT, Hist. de la langue franç., t. VI, II, p. 1170. 1

(...) on s'éloigne du Danube, selon les courbures du chemin et les inflexions du fleuve. CHATEAUBRIAND, Mémoires d'outre-tombe, t. VI, p. 22. 2

(...) aisément souriante, avec une certaine inflexion moqueuse à la lèvre inférieure qui lui ajoute un grand charme. Th. GAUTIER, Portraits contemporains, p. 384. 3

(...) les molles inflexions par lesquelles le corps, après avoir fourni le superbe épanouissement de la poitrine, s'amincit lentement au-dessous du thorax (...) FRANCE, Hist. comique, p. 9. 4

♦ **2.** (1636). Changement subit d'accent ou de ton (dans la voix), en parlant ou en chantant (→ Argentin, cit. 4 ; ineffable, cit. 2). *Des inflexions de contralto* (cit. 2). ⇒ **Modulation.** *Sa voix eut une inflexion douce, tendre, naïve, timide* (→ Équivaloir, cit. 4 ; homme, cit. 156). *Des inflexions roucoulantes* (→ Polack, cit. 1). Par métaphore. *Les inflexions d'un style.*

Sa voix, maintenant, prenait des inflexions plus molles (...) FLAUBERT, Mme Bovary, II, XII. 5

(...) une voix sonore, un peu nasale, rauque par instants, hautbois et trompette, nullement parisienne, bien qu'il fût difficile d'apparenter à l'accent d'une province les inflexions où elle se plaisait (...) J. ROMAINS, les Hommes de bonne volonté, t. II, XV. 6

Par ext. ⇒ **Accent.** *L'inflexion chantante des voix provençales.*

(1893). Ling. *Inflexion vocalique* : changement de timbre d'une voyelle sous l'influence d'un phonème voisin. ⇒ **Métaphonie.**

Gramm. Vx. ⇒ **Désinence, flexion.** *Inflexion verbale très rare en hébreu* (cit. 4).

♦ **3.** (Mil. XXe). (Abstrait). Modification dans l'orientation de qqch. ⇒ **Infléchissement.** *L'inflexion de ses opinions. L'inflexion de la politique du parti vers la gauche, vers la droite.*

DÉR. Inflexionnel.

INFLEXIONNEL, ELLE [ɛ̃flɛksjɔnɛl] adj. — Mil. XXe ; de *inflexion.*

♦ Didact., sc. Qui concerne l'inflexion, une inflexion. — *Tangente inflexionnelle* : tangente à une courbe en un point d'inflexion.

INFLICTION [ɛ̃fliksjɔ̃] n. f. — 1486; lat. *inflictio*, du supin de *infligere*. → Infliger.

♦ Dr. (vx). Le fait d'infliger (une peine à qqn). *« L'adoucissement des inflictions criminelles »* (Chateaubriand, *in* T. L. F.).

Mod. (admin.). Le fait d'infliger une amende, une taxe. *L'infliction d'amendes fiscales.*

INFLIGER [ɛ̃fliʒe] v. tr. — Conjug. *bouger.* — 1488, rare av. XVIIe; lat. *infligere*, de *in-*, et du lat. archaïque *fligere* «frapper».

♦ Appliquer* (une peine matérielle ou morale, à qqn). *Action d'infliger une peine.* ⇒ **Infliction** (vx). *Les peines* que Dieu inflige aux pécheurs en expiation de leurs fautes* (→ Garder, cit. 89). *Infliger un châtiment* (cit. 4) *à qqn* (→ Humiliation, cit. 4). *Infliger un blâme, une mauvaise note, une punition, une sanction à un élève.* ⇒ **Donner.** *On lui a infligé une sévère correction.* ⇒ **Administrer.** *Infliger une amende, une contravention à un automobiliste. Infliger les arrêts** (cit. 7) *de rigueur à un officier. Infliger la peine de mort à un assassin.* ⇒ **Prononcer** (contre). *Infliger un supplice, la torture à qqn* (⇒ **Supplicier, torturer**). — Sans compl. second. *Infliger des peines sévères.*

1 (...) il est aussi absurde d'infliger la torture pour parvenir à la connaissance d'un crime, qu'il était absurde d'ordonner autrefois le duel pour juger un coupable (...)
VOLTAIRE, Dict. philosophique, Question.

2 (...) au milieu de vos admirations et de vos tendresses fidèles, vous lui infligerez cependant (...) une mauvaise note (...)
SAINTE-BEUVE, Chateaubriand, t. II, p. 370.

2.1 Son rédacteur en chef n'était pas très content d'elle et lui avait infligé une forte diminution d'appointements. A. ROBIDA, le Vingtième Siècle, p. 257.

Littér. *Infliger (qqch., une peine) à quelque chose.*

3 On ne doit jamais écrire que de ce qu'on aime. L'oubli et le silence sont la punition qu'on inflige à ce qu'on a trouvé laid ou commun, dans la promenade à travers la vie. RENAN, Souvenirs d'enfance..., Préface.

(Sujet n. de personne ou de chose). Faire subir (qqch. à qqn). *Infliger un affront, un camouflet* (cit.) *à qqn. Les tourments qui lui sont infligés* (→ Accalmie, cit. 2). *Les infirmités que la nature lui a infligées...* (⇒ **Affliger**). — Par ext. ⇒ **Imposer**; → Inclémence, cit. 4. *Infliger à autrui des misères, des ennuis* (→ Braver, cit. 8; éviter, cit. 43). *Il nous a infligé le récit de ses malheurs pendant tout le repas.* — Fig. *Infliger à qqn un démenti formel* (→ Croyance, cit. 14).

4 Et, ce faisant, ils lui infligeaient sans s'en douter, une cruelle contrainte (...)
MARTIN DU GARD, les Thibault, t. V, p. 47.

Au participe passé :

5 (...) la douleur infligée à ces innocents n'avait jamais cessé de leur paraître ce qu'elle était en réalité, c'est-à-dire un scandale. CAMUS, la Peste, p. 233.

▶ **S'INFLIGER** v. pron. (1829). ⇒ **Imposer** (s'). *S'infliger* (à soi-même) *une punition* (→ Coulpe, cit. 2), *des tortures* (→ Curiosité, cit. 17). *S'infliger des privations, des sacrifices, des mortifications...* — (Passif). *Cette peine ne s'inflige plus.*

CONTR. Épargner, éprouver, essuyer, subir.

INFLORESCENCE [ɛ̃flɔʀesɑ̃s] n. f. — 1792, Lamarck; du bas lat. *inflorescere* «commencer à fleurir»; de *in-*, et *florescere*, de *florere* «fleurir».

Botanique.

♦ **1.** Mode de groupement des fleurs d'une plante. *Inflorescence axillaire, terminale. Inflorescence pluriflore; solitaire, uniflore. Inflorescence pourvue d'un involucre, d'une spathe. Modes d'inflorescence.* ⇒ **Capitule, chaton, corymbe, cyme, glomérule, grappe, ombelle, panicule, spadice, trochet.**

♦ **2.** Groupe de fleurs ainsi formé. *Une plante à belles inflorescences bleues.*

INFLUENÇABILITÉ [ɛ̃flyɑ̃sabilite] n. f. — D. i. (1946, Mounier, *in* T. L. F.); de *influençable.*

♦ Didact. Caractère d'une personne influençable.

INFLUENÇABLE [ɛ̃flyɑ̃sabl] adj. — 1831, Mérimée; de *influencer.*

♦ Qui se laisse influencer. *C'est un homme influençable, qui se laisse manœuvrer.* ⇒ **Cire** (molle), **marionnette.** *Un caractère influençable.* ⇒ **Docile, maniable, mobile.** *Un esprit influençable.* ⇒ **Faible, mou.**

1 Croyez-vous que le Tribunal qui instruira l'affaire et la jugera d'abord, soit influençable par des considérations étrangères à la justice?
BALZAC, le Cabinet des antiques, Pl., t. IV, p. 418.

2 Il tenait Alexandre pour *vertueux* (...) et, parce que tiraillé depuis le début de son règne entre dix influences, pour *influençable* (...)
Louis MADELIN, Hist. du Consulat et de l'Empire, Vers Empire d'Occident, XXIII.

CONTR. Inflexible, intraitable, têtu.
DÉR. Influençabilité.

INFLUENCE [ɛ̃flyɑ̃s] n. f. — V. 1240; lat. médiéval *influentia*, du lat. class. *influere.* → Influer.

♦ **1.** Vx. Écoulement, flux provenant des astres et agissant sur les hommes et les choses. ⇒ **Fluide** (I., 3.), **influx.** — Mod. Action attribuée aux astres sur la destinée humaine (→ Fait, cit. 31; forcer, cit. 17; fraternel, cit. 3). *Situation des astres par rapport à leur influence.* ⇒ **Aspect.** *Influence qui agit* (cit. 28). *Influence du ciel* (cit. 13).

En vain le ciel verse sur elle *(la terre)* ses influences (...) 1
LA BRUYÈRE, les Caractères, XVI, 48.

Hélas! rien ne peut détourner l'ascendant fatal, et nul ne saurait éviter l'influence bienfaisante ou maligne de son étoile. Th. GAUTIER, Mlle de Maupin, XII, p. 340. 2

Influences mystérieuses, occultes... qui régissent les destinées (→ Avance, cit. 20; extraordinaire, cit. 8). *Influence bénéfique, favorable, maléfique, néfaste* (→ Le mauvais œil*). *Avoir une bonne, une mauvaise influence sur l'avenir* (→ Porter bonheur*, malheur*). — *Influences exercées par magie, par magnétisme. Influence surnaturelle qui s'exerce sur l'âme.* ⇒ **Inspiration, souffle.** *Il y a là des influences occultes, incompréhensibles* (→ Le diable s'en mêle*).

(...) elle était sensible à la nature et pénétrable aux influences de l'espace et de l'heure. FRANCE, le Mannequin d'osier, Œ., t. XI, IX, p. 334. 3

♦ **2.** (XIVe; personnes). Action, le plus souvent graduelle et continue, qu'exerce une personne ou une chose sur une autre; circonstance, chose qui exerce une telle action. ⇒ **Action, effet, empreinte, force, impression, impulsion, pression.** *Influence d'un phénomène, d'une circonstance.* ⇒ **Effet, incidence.** *Influence de l'homme sur la nature. L'influence de qqn sur qqch., sur qqn.* — *Influence prédominante, exclusive, tyrannique* (⇒ **Règne, tyrannie,** fig.). *Influence bienfaisante, utile* (⇒ **Bienfaisance, bienfait**), *néfaste, mauvaise, dangereuse* (⇒ **Mal, malfaisance**). *Influence qui agit*, produit* divers effets, qui amène* (cit. 20), *entraîne des changements, des modifications.* — *Exercer une influence sur qqn, qqch.* ⇒ **Agir** (sur), **influer** (sur)... — *Subir une influence.* ⇒ **Agir** (être agi, philos.). *Être sensible aux influences.* ⇒ **Impressionnable, influençable, sensible.** → Tourner à tous les vents. *Être imperméable, réfractaire à toutes les influences. Résister, échapper aux influences.*

Les éléments, la nourriture, la veille, le sommeil, les passions, ont sur vous de continuelles influences. VOLTAIRE, Dict. philosophique, Influence. 4

Il n'est pas possible à l'homme de se soustraire aux influences; l'homme le plus préservé, le plus muré en sent encore. Les influences risquent même d'être d'autant plus fortes qu'elles sont moins nombreuses (...) 5
GIDE, De l'influence en littérature, Conférence du 29 mars 1900
(→ Inconsciemment, cit.).

Influence qu'une personne exerce (cit. 20) *sur une autre.* ⇒ **Ascendant, autorité, domination, empire, emprise, fascination, pouvoir, puissance; animer** (2.), **commander, dominer, gouverner, influencer.** *L'influence qu'on a sur son propre caractère* (cit. 43), *sur soi-même, sur les autres. Envelopper* (cit. 23) *qqn de son influence; établir* (cit. 17), *augmenter son influence sur qqn. Influence qui s'exerce par contagion* mentale* (⇒ **Imitation, osmose**). *Tout le monde subit son influence* (⇒ **Magnétisme, séduction**). — *Il a sur ses amis une bonne influence, une influence malsaine. Il a une telle influence sur son frère qu'il lui fait faire tout ce qu'il veut. Je compte sur votre influence pour le persuader.* ⇒ **Persuasion.** *Il a beaucoup d'influence sur le ministre.* → Il l'a dans sa manche*. — *Être soumis à l'influence de qqn* (⇒ **Docile, obéissant**; → Apparaître, cit. 12; atmosphère, cit. 17). *Il a beaucoup changé sous l'influence de son ami.* ⇒ **Contact** (au). *Être sous la bonne, la mauvaise influence d'un maître.* ⇒ **Conduite** (2.), **direction, discipline** (2., vx). *Il s'est laissé entraîner* sous l'influence de cet homme; il est complètement sous son influence.* → Être entre les mains* de...; ne plus voir* que par les yeux de... *Soustraire un enfant à l'influence de qqn* (→ Féliciter, cit. 12).

(...) en se croyant indépendant, il a été sans cesse à la merci des influences. 6
SAINTE-BEUVE, Correspondance, t. II, p. 284.

J'estime qu'une influence n'est pas bonne ou mauvaise d'une manière absolue, mais simplement par rapport à qui la subit. 7
GIDE, De l'influence en littérature, Conférence du 29 mars 1900.

(1780). Absolt. Pouvoir social d'une personne qui amène les autres à se ranger à son avis. ⇒ **Autorité, créance, crédit, importance, poids, prestige.** *Avoir de l'influence en matière de...* ⇒ **Arbitre** (être l'arbitre), **ton** (donner le). *Accroître, établir, asseoir son influence* (⇒ **Autoriser**). *Gagner de l'influence. Cet homme a beaucoup d'influence.* ⇒ **Influent** (→ Avoir le bras* long, avoir la haute main*...). *User de son influence en faveur de qqn.* ⇒ **Intercéder; appui.** *Se prévaloir de l'influence d'un personnage haut placé.* ⇒ **Auspices** (être, se mettre sous les auspices...). *La passion de l'influence* (→ Démoraliser, cit. 2). *Levier d'influence* (→ Électoral, cit. 1). *Trafic* d'influence. Lutte d'influences.* — *Perdre de son influence* (⇒ **Discrédit**). *Son influence baisse.* → (fam.) Ses actions sont en baisse. *Démolir, détruire l'influence de qqn* (⇒ **Détrôner,** fig.).

Le fameux brasseur Santerre, qui, par sa voix, sa taille, sa corpulence, avait si grande influence dans le faubourg Saint-Antoine (...) 8
MICHELET, Hist. de la Révolution franç., V, VIII.

Du Roy devenait célèbre dans les groupes politiques. Il sentait grandir son influence à la pression des poignées de main et à l'allure des coups de chapeau. 9
MAUPASSANT, Bel-Ami, II, II.

0 Quant aux chrétiens et aux juifs, la mosquée aussi leur est interdite; ils n'y pénétreraient ni par les influences ni par la ruse, ni par l'or. LOTI, Jérusalem, p. 27.

Action morale, intellectuelle. — (D'une personne). *L'influence d'un grand homme, d'un chef, d'un héros, d'un artiste sur son époque, sur la société.* ⇒ **Rôle;** → Fonction, cit. 4. *L'influence d'un savant sur l'enseignement* (cit. 5) *des sciences. Influence sur l'opinion* (→ État, cit. 111). *Marquer une époque de son influence.* ⇒ **Griffe; empreinte.** — *Influence d'un écrivain, d'un penseur* (→ Diffusion, cit. 2). — *Influence d'une chose. Influence des idées, des théories... L'influence de l'esprit* (cit. 124) *critique. Influence du christianisme, du socialisme, d'une doctrine philosophique* (→ Fouriérisme, cit. 2; gnosticisme, cit.; hégélien, cit. 2; humain, cit. 25). *Influence des lettres françaises à l'étranger* (→ Enquête, cit. 8). — *Étude des influences en littérature, en art. Influence d'un style. Discerner plusieurs influences conjuguées.*

1 Je n'aime guère le mot *influence,* qui ne désigne qu'une ignorance ou une hypothèse, et qui joue un rôle si grand et si commode dans la critique.
VALÉRY, Variété III, p. 241.

2 Il n'est pas de mot qui vienne plus aisément ni plus souvent sous la plume de la critique que le mot d'*influence,* et il n'est point de notion plus vague parmi les vagues notions qui composent l'armement illusoire de l'esthétique. Rien toutefois dans l'examen de nos productions qui intéresse plus philosophiquement l'intellect et le doive plus exciter à l'analyse que cette modification progressive d'un esprit par l'œuvre d'un autre. VALÉRY, Variété II, p. 196.

3 Lorsque Rouault signale quelques influences dans une toile de jeunesse, Degas lui répond : «— Vous avez déjà vu quelqu'un naître tout seul?».
MALRAUX, les Voix du silence, III, p. 310.

Fam. *Le (la) faire* (à qqn) *à l'influence,* l'influencer par intimidation. *Il essaye de nous la faire à l'influence.*

L'influence d'une classe, d'un groupe social. L'influence cléricale (cit. 1). *L'influence des jésuites* (→ Décisif, cit. 3; enlever, cit. 14). *L'influence grandissante du tiers état au XVIIIe siècle, de la bourgeoisie au XIXe siècle. Influence des courtisanes* (→ Pornocratie). — *Ce parti n'a plus aucune influence politique.*

4 (...) la classe qui est assez forte pour défendre une société l'est assez pour y conquérir des droits et y exercer une légitime influence.
FUSTEL DE COULANGES, la Cité antique, IV, VII.

5 Tandis que le parti légitimiste, abattu après la malheureuse tentative de la duchesse de Berry en Vendée, a perdu toute influence politique (...)
MATORÉ, Introd. à la Préface de Mlle de Maupin, de Th. GAUTIER, p. XII.

Autorité politique (d'un État, d'une civilisation, d'une puissance sur d'autres puissances, dans une région). ⇒ **Autorité** (cit. 19). *Influence britannique* (cit. 1), *méditerranéenne, américaine, soviétique... dans telle ou telle partie du monde* (→ Centre, cit. 14; explorateur, cit. 1). — Absolt. *Sphère, zone d'influence.* (1890, *in* D. D. L.). *Concurrence* (cit. 4) *des influences. Lutte d'influences. Influence et expansion* (→ Aîné, cit. 1).

5.1 Le 27 novembre 1912, quelques mois après l'établissement de notre Protectorat, avaient été conclus entre la France et l'Espagne les accords relatifs à la zone d'influence espagnole. Ce terme «zone d'influence» définit le caractère de l'établissement de l'Espagne dans cette zone. Il n'existe qu'un Protectorat, celui exercé par la France sur le Maroc. L.-H. LYAUTEY, Paroles d'action, p. 152.

(Choses). *L'influence des circonstances. Influences extérieures* (→ Éducabilité, cit.). *Influence de la profession, de la condition* (cit. 16). *Influence de l'éducation, de la formation* (cit. 5). *Influence du passé, des aïeux, de la race, du sang* (→ Actualiser, cit. 3; atavisme, cit. 0.1; hérédité, cit. 9). *Influences climatiques* (→ Français, cit. 3). *Influences telluriques. Influences du milieu, de la société* (→ Ethnographie, cit. 2; homme, cit. 87). *Influence du milieu où l'on vit* (⇒ **Air, ambiance, atmosphère**). — *Influence de l'alcool* (→ Hérédité, cit. 10). *Influence soporifique, anesthésiante d'un médicament.* ⇒ **Vertu.** — *Influences psychologiques. Influence de l'habitude* (→ Anesthésiant, cit. 1), *de la routine. Influence des passions* (⇒ **Entraînement**), *de l'inconscient.*

6 Les grands hommes qui écrivent leurs mémoires ne parlent pas assez de l'influence d'un bon souper sur la situation de leur esprit.
E. DELACROIX, Journal, 8 août 1850.

7 Rien de plus différent que ces deux provinces de France, qui conjuguent en moi leurs contradictoires influences. GIDE, Si le grain ne meurt, I, I, p. 21.

8 Certes, le milieu, et bien d'autres influences, marquent sur l'enfant, à la fois si malléable et si rétif. J. CHARDONNE, l'Amour du prochain, p. 59.

SOUS L'INFLUENCE DE : sous l'effet, sous l'empire, sous le coup de. *Sous l'influence de l'émotion, de la colère. Crime commis sous l'influence de l'hypnotisme* (cit. 3). → Hypnotiser, cit. 1.

Influence matérielle, physique. Influence d'une force, de l'attraction (cit. 5). — *Influence d'un corps dans une réaction chimique* (⇒ **Catalyse; catalyser**).

9 J'essaie, en ce moment, de faire cristalliser le racémiate de soude et d'ammoniaque sous l'influence d'une spirale solénoïde en activité.
PASTEUR, *in* Henri MONDOR, Pasteur, p. 98.

(1838). Électrostatique. Action à distance des conducteurs qui modifient l'état d'électrisation d'autres conducteurs placés dans leur voisinage. ⇒ **Champ.**

DÉR. Influencer, influent.

INFLUENCER [ɛ̃flyɑ̃se] v. tr. — Conjug. *placer.* — 1771; de *influence.*

♦ **1.** (Sujet n. de personne). Soumettre (qqn ou qqch.) à son influence*. ⇒ **Agir** (sur), **animer, conduire, déteindre** (sur), **entraîner; influer, peser** (sur). *Influencer ses compagnons par son ascendant, son prestige. Il se laisse facilement influencer.* ⇒ **Influençable.** *Tâchez de l'influencer en ce sens.* ⇒ **Incliner.** *Influencer l'opinion. État qui vise à influencer l'opinion par la propagande, à faire pression* sur l'opinion.* ⇒ **Endoctriner;** → Film, cit. 1. — (Sujet n. de chose). *Sa conduite nous a influencés en sa faveur.* ⇒ **Prévenir.** — REM. À la fin du XVIIIe s., ce verbe était encore critiqué.

On introduit chaque jour de nouveaux verbes, complètement barbares (...) ainsi l'on dit : *influencer* (...) on doit demander de quelle manière la nouvelle constitution française peut, non pas *influencer* la langue, mais avoir sur elle une *influence sensible* (...) NECKER, Pouvoir exécutif, t. VIII, p. 474. 1

S'ils ne m'ont pas contrainte, au sens matériel du mot, il n'en est pas moins vrai que leur pression a influencé ma volonté. Je n'ai donc pas agi en pleine liberté. 2
Paul BOURGET, Un divorce, I, p. 22.

Mais, de décision, elle n'arrivait pas à en prendre de peur de m'«influencer» dans un mauvais sens et de gâter ce qu'elle croyait mon bonheur. 3
PROUST, À la recherche du temps perdu, t. XI, p. 15.

♦ **2.** (Sujet n. de chose). Agir* sur (qqch.). *Le soma peut-il influencer le germen?* (cit. 1). *Les hormones* (cit. 1) *influencent l'organisme tout entier.*

▶ **S'INFLUENCER** v. pron. Récipr. *Ils se sont influencés.* — Réfl. «*Je m'embobinais moi-même, je m'influençais*» (Alexandre Arnoux, *Paris-sur-Seine, in* T. L. F.).

▶ **INFLUENCÉ, ÉE** p. p. adj. *Écrivain influencé par une œuvre* (→ Établir, cit. 23).

DÉR. Influençable.

INFLUENT, ENTE [ɛ̃flyɑ̃, ɑ̃t] adj. — Attestation isolée, 1791; de *influence.*

♦ **1.** (Personnes). **a** Qui exerce une influence, agit sur les dispositions psychiques, les idées (d'une personne, d'un groupe). *Un conseiller influent. Un homme très influent dans un parti. Être influent sur qqn, sur sa famille.*

b Qui a de l'influence*, la capacité d'influencer l'opinion (par son autorité, son prestige, son crédit). ⇒ **Agissant, autorisé, fort, important.** *Homme très influent, personnage influent* (→ fam. Une grosse légume*, une huile*). *Il est très influent, il fait la pluie* et le beau temps.*

Mais tu connais sûrement des gens influents (...)
G. DUHAMEL, Cri des profondeurs, IX, p. 173.

N. (Rare). *Un influent.* «*Il est caressant avec les fils des influents*» (Jules Vallès, *in* T. L. F.).

♦ **2.** (Choses). **a** Didact. et vx. Qui exerce une influence. *Cause, circonstance influente. Caractère influent. Phénomène influent sur, à l'égard de...,* qui influe sur (→ le p. prés. Influant).

b Qui a une influence psychologique sur (qqn, un groupe). *Une «amitié influente»* (Martin du Gard, *in* T. L. F.).

c (Au sens 1, b). *Un nom influent. Un journal très influent.*

INFLUENZA [ɛ̃flyɑ̃za] n. f. — 1782, Mme d'Épinay; mot angl., de l'ital. *influenza* «écoulement de fluide, influence des astres», d'où «épidémie»; lat. médiéval *influentia.* → Influence.

♦ Vieilli ou littér. Grippe. *Rhume* compliqué d'influenza.* — Plur. *Influenzas.*

L'épidémie courante qu'on appelle *influenza* (...) 1
Mme D'ÉPINAY, Lettres à Tronchin, 17 juil. 1782.

Millevoye, étourdi par l'éther qu'il avait dû prendre pour surmonter une influenza, fit d'abord tête à l'orage. M. BARRÈS, Leurs figures, p. 309. 2

Elle (...) ne sera pas embarrassée pour lui faire traverser *(au nouveau-né)* les semaines de gelée et d'influenza. 3
J. ROMAINS, les Hommes de bonne volonté, t. III, VIII, p. 123.

INFLUER [ɛ̃flye] v. tr. et intr. — XIVe; lat. *influere* «couler dans», de 2. *in-,* et *fluere* «couler» (→ Flux); spécial au sens astrologique.

★ **I.** V. tr. (Vx). Faire couler, faire pénétrer (un fluide, une force, une action) dans. ⇒ **Influence** (1.). — Figuré :

(Dieu) est lui-même par son essence le bien essentiel, qu'influe le bien dans tout ce qu'il fait. BOSSUET, Traité du libre arbitre, II. 1

★ **II.** V. intr. ♦ **1.** (1536). Vx. INFLUER DANS... ⇒ **Couler.** — Fig. (langue class.). Pénétrer, entrer dans.

Cet usage (...) est un de ceux qui ont le plus influé dans le caractère national. 2
G.-T. RAYNAL, Hist. philosophique, III, 484 (1772).

♦ **2.** INFLUER SUR... **a** (En parlant des astres). Exercer son action sur (→ Astre, cit. 21). ⇒ **Influence** (1.).

Quand vous avez la fièvre, le soleil et la lune influent-ils sur vos jours critiques? 3
VOLTAIRE, Dict. philosophique, Influence.

b (Sujet n. de chose). Exercer une influence sur. *Ce climat influe* *sur l'agriculture. Chaque opération influe sur la suite du programme.*

(Sans compl.). *Les circonstances qui influent le plus.*

(1377). Fig., cour. Exercer (sur une personne ou une chose) une action de nature à la modifier. ⇒ **Influencer; agir** (sur). *Influer sur l'opinion, sur les idées de qqn. L'éducation influe sur toute la vie. Facteurs qui influent sur...* (→ Féminité, cit. 2). *Ce fait influe sur sa conduite. Sa mélancolie influe sur sa santé* (→ Entrepreneur, cit. 7).

4 Trois choses influent sans cesse sur l'esprit des hommes : le climat, le gouvernement et la religion. VOLTAIRE, Essai sur les mœurs, CXCVII.

5 (...) les faits imperceptibles qui influèrent sur mon âme, la façonnèrent à la crainte et me laissèrent longtemps dans la naïveté primitive du jeune homme.
BALZAC, la Peau de chagrin, Pl., t. IX, p. 75.

6 Je ne sais qui a dit je ne sais où que la littérature et les arts influaient sur les mœurs. Qui que ce soit, c'est indubitablement un grand sot.
Th. GAUTIER, Mlle de Maupin, Préface, p. 23.

7 Tes pensées d'avant le sommeil influent sur tes rêves.
J. ROMAINS, les Hommes de bonne volonté, t. III, IV, p. 76.

8 *Influer* sur, c'était du temps où l'on croyait à l'astrologie, *couler* sur, d'où *agir* sur, puisque ce *flux* des astres déterminait la vie et le caractère. Comment retrouver le sens de ce *sur* dans : *la politique influe* sur *le cours de la Bourse?*
F. BRUNOT, la Pensée et la Langue, p. 414.

INFLUX [ɛ̃fly] n. m. — 1547, «influence des astres»; lat. *influxus* «influence, action de couler dans»; du supin de *influere.* → Influer.

♦ **1.** Fluide hypothétique transmettant une force, une action. — (1768). Action exercée de façon mystérieuse par une force. ⇒ **Influence** (1.); **écoulement, flux.** *L'influx de la grâce divine, de l'inspiration.*

1 Restait à savoir (...) si dans un pareil état existait chez le patient une réceptibilité quelconque de l'influx magnétique (...)
BAUDELAIRE, Trad. E. POE, Histoires extraordinaires, «Vérité s. cas M. Valdemar».

♦ **2.** (1834, Broussais). Sc. INFLUX NERVEUX (→ Fibre, cit. 1). «*À l'heure actuelle, nos connaissances* (sur l'influx nerveux) *se bornent à la mise en évidence de phénomènes objectifs saisissables, mesurables, qui, s'ils ne représentent pas tout l'influx nerveux, en sont, du moins, la traduction extérieure*» (Fabre et Rougier, *Physiologie médicale,* p. 380). *L'arc réflexe*, trajet suivi par l'influx nerveux entre l'instant de l'excitation et celui de la réaction.*

2 Dans chaque neurone, l'influx nerveux se propage, par rapport au corps cellulaire, toujours dans le même sens. Alexis CARREL, l'Homme, cet inconnu, X, p. 109.

3 L'ensemble du système nerveux peut être considéré comme une machine bioélectrique d'une extraordinaire complexité. On sait que la cellule nerveuse est source d'électricité, toute excitation cause une perturbation de sa charge électrique qui tire son origine de son activité chimique et (...) constitue l'influx nerveux. Celui-ci n'est pas le fluide mystérieux fait «d'esprits animaux» dont dissertait Descartes, c'est une onde électrique dont on peut mesurer la vitesse de propagation.
Jean DELAY, la Psycho-physiologie humaine, p. 30.

INFOGRAPHIE [ɛ̃fɔgʀafi] n. f. — V. 1970; de *info(rmatique),* et *-graphie.*

♦ Techn. Ensemble des techniques et méthodes de représentation graphique automatique des données et de décodage automatique des représentations graphiques. «*Dans* le Retour du Jedi *justement, vous avez pu voir quelques bribes de ces* computer graphics *qu'on appelle en France "nouvelles images". On dit aussi "images de synthèse", ou "infographie", selon les colloques*» (*Voir,* nº 1, mars 1984, p. 78).

IN-FOLIO [infɔljo] adj. et n. — 1560; lat. *in* «dans», et de l'ablatif de *folium* «feuille».

♦ Imprim. Dont la feuille d'impression est pliée en deux. *Format in-folio.* ⇒ **Format** (→ Ex-libris, cit.). — N. m. (1835). *L'in-folio :* le format in-folio. — *Livre, volume in-folio.*

1 (...) il *(Pougens)* avait fait des extraits d'un grand nombre d'auteurs de tous les siècles; ses dépouillements sont immenses; ils remplissent près de cent volumes in-folio (...) LITTRÉ, Dict., Préface, p. XXXIX.

N. m. (1688). Livre, volume in-folio. *Un gros, un énorme in-folio* (→ Haut, cit. 3). *Un vieil in-folio* (→ Espacer, cit. 1). *Du pamphlet à l'in-folio* (→ Épigramme, cit. 9). — REM. *In-folio,* subst., peut rester invariable : *des in-folio* (Littré); *deux gros in-folio* (Académie); → Assimilateur, cit. , et forme, cit. 12, Hugo; ou être accordé *(des in-folios).*

2 Si l'on observe cette phrase *(douze volumes in-octavo),* on constate que le nom composé (...) suppose l'omission d'un élément que l'analyse reconstitue ainsi : douze volumes *(du format)* in-octavo (...) En face de cette autre phrase, où le mot *volume* est omis : «L'œuvre de Chateaubriand comprend (...) douze *in-octavo*», ce mot, écrit sans *s,* nous paraît une faute d'accord. Aussi des écrivains très attentifs mettent dans ce cas une *s :* «Je sais que vous n'avez pas peur des *in-folios*» J. de MAISTRE, *Soirées,* 2e Entretien; «Un très bel esprit (...) qui a lu *beaucoup d'in-folios*» (STE-BEUVE, *Portr. litt.,* II, 432; «... à des imprimés rares (...) *des in-folios*» L. GILLET, *Écho de Paris,* 16 janv. 1936.
G. et R. LE BIDOIS, Syntaxe du franç. moderne, t. II, p. 132, § 1004.

3 Les coins écornés des in-folio bâillaient et le carton s'effeuillait entre les cuirs recroquevillés. FRANCE, le Chat maigre, V, Œ., t. II, p. 185.

INFONDÉ, ÉE [ɛ̃fɔ̃de] adj. — 1840, Académie, *Compl.;* de 1. *in-,* et *fondé.*

♦ Didact. Qui n'est pas fondé, établi sur une base sûre. *Critique, supposition infondées.*

Enfin, il est une dernière cause de malaise dont j'ai maintes fois recueilli l'écho : *le défaut de liaison,* l'insuffisance de contact entre le colon et l'Administration (...) je reconnais qu'elle est loin d'être infondée.
L.-H. LYAUTEY, Paroles d'action, p. 120.

INFONDRE [ɛ̃fɔ̃dʀ] v. tr. — 1447, «répandre la grâce sur»; du lat. *infundere* «verser dans», de 2. *in-* et *fundere.*

♦ Vx. Introduire, verser (notamment, la grâce divine).

INFORMANT, ANTE [ɛ̃fɔʀmɑ̃, ɑ̃t] adj. — 1838, Ozanam, *in* T. L. F.; p. prés. de *informer.*

Rare.

♦ **1.** Relig. Qui informe, apporte une forme. *Grâce informante.*

♦ **2.** Techn. Qui apporte de l'information. «*Automates informés (et) automates informants*» (Ruyer, *in* T. L. F.).

INFORMATE [ɛ̃fɔʀmat] n. m. — V. 1970; de *informat(ion),* et suff. d'*automate.*

♦ Techn. (inusité). Nom proposé pour traduire l'anglicisme *hardware* (éléments, matériel des calculateurs et ordinateurs). ⇒ **Matériel.**

INFORMATEUR, TRICE [ɛ̃fɔʀmatœʀ, tʀis] n. et adj. — 1838; *informeur,* av. 1797; *informateur* «juge d'instruction», v. 1360; de *informer,* 2.

♦ **1.** N. Personne qui donne des informations; personne dont la fonction, le métier est de recueillir des informations. *Un informateur bien renseigné. Informateur d'un groupe politique* (→ Embobiner, cit. 1). *Disposer d'informateurs dans tous les milieux.* → Avoir des antennes. *Informateur de presse :* journaliste, ou personne qui donne, parfois bénévolement, des informations de première main à la presse. — Admin. *Informateur (de police).* ⇒ **Indicateur, indic.**

1 (...) des informateurs dévoués vinrent en hâte m'avertir que toutes les femmes sociétaires se disposaient à voter contre lui (...)
Georges LECOMTE, Ma traversée, p. 407.

2 Il faut donc s'organiser pour être informé directement ou, le plus souvent, indirectement par les témoins. On y parvient à l'aide d'un réseau aussi serré que possible d'informateurs de quartier : gérants de bar, dépositaires de journaux, commerçants, concierges, qui ont de bonnes chances de savoir rapidement ce qui se passe d'anormal dans un certain périmètre. Ces informateurs sont récompensés par (...) des primes, par des services gratuits du journal, et surtout par le sentiment de l'importance de leur rôle, que sait leur donner le reporter en relations régulières avec eux. Philippe GAILLARD, Technique du journalisme, p. 71.

3 INFORMATEUR, Figure amicale qui semble cependant avoir pour rôle constant de blesser le sujet amoureux en lui livrant, comme si de rien n'était, sur l'être aimé, des informations anodines, mais dont l'effet est de déranger l'image que le sujet a de cet être. Roland BARTHES, Fragments d'un discours amoureux, p. 165.

Sc. Personne qui fournit des renseignements sur sa communauté (ethnique, sociale, etc.) à un enquêteur, à un chercheur. *Les informateurs d'un ethnologue.*

♦ **2.** Adj. Qui informe. *Un message informateur. Une publicité informatrice, informatrice sur un produit.* ⇒ **Informatif.**

INFORMATICIEN, IENNE [ɛ̃fɔʀmatisjɛ̃, jɛn] n. — 1966, R. Le Bidois, in *le Monde;* de *informatique.*

♦ Spécialiste en informatique, théorique ou appliquée. ⇒ **Analyste, programmeur;** → Automaticien. — Adj. *Elle est ingénieur informaticienne.*

INFORMATIF, IVE [ɛ̃fɔʀmatif, iv] adj. — 1939, *in* T. L. F.; cf. moy. franç. *informatif,* 1520, dans un autre sens; du rad. de *informer, information.*

♦ Qui apporte de l'information (II.). *Réunion informative. Publicité informative.* ⇒ **Informateur,** 2.

S'il s'agit d'une publicité purement informative, qui affranchit au lieu de soumettre et permet au consommateur de choisir le produit qui lui convient le mieux, il y a effectivement création de richesse.
A. SAUVY, Croissance zéro?, p. 215.

INFORMATION [ɛ̃fɔʀmasjɔ̃] n. f. — 1274; de *informer;* le lat. *informatio, -tionis* (de *informatum,* supin de *informare,* → Informer) signifiait «conception, explication (d'un mot), esquisse».

★ **I.** Dr. et cour. «Ensemble des actes qui tendent à établir la preuve d'une infraction, et à en découvrir les auteurs» (Capitant). ⇒ **Instruction** (préparatoire). *Ouvrir une information. Information contre X. Information officielle, officieuse* (⇒ **Enquête**). *Supplément d'information.* ⇒ **Informer** (plus ample informé).

★ **II.** (1495). Didact. et vx. Action de donner une forme (⇒ **Informer,** I.).

★ **III.** ♦ **1.** (V. 1360). Renseignement* (sur qqn, qqch.). *Prendre, recueillir des informations sur qqn. Réunir, accumuler des informations.* ⇒ **Archiver.** *Aller aux informations :* aller s'informer. *D'utiles informations. Informations confidentielles* (⇒ **Tuyau**). *Informations exactes, sûres, douteuses, fausses.*

1 J'ai été depuis aux informations et j'ai su que le nombre de ces partisans est en effet considérable (...)
D'ALEMBERT, Lettre à Voltaire, 12 déc. 1770, Œ., t. V, p. 206.

2 Sur le conseil de la vieille, on courut aux informations. Une enquête méticuleuse révéla tout le passé des Léopold (...) L'huissier se procura les comptes rendus, les appréciations des journaux. On interrogea des concierges, des marchands de vins (...)
Léon BLOY, la Femme pauvre, II, XVII.

(1657, rare av. XXe). Ensemble des renseignements obtenus par qqn. *Une information prodigieuse* (→ Glossateur, cit. 2). *L'ampleur d'information de Balzac* (→ Excellence, cit. 3), *de Hugo* (→ Floraison, cit. 5).

♦ **2.** (1867). Action de s'informer, de prendre des renseignements. ⇒ **Enquête, examen, investigation.** *Après diverses informations sans résultat.* — Surtout dans : *d'information. Moyens d'information. Homme politique en voyage d'information.* ⇒ **Étude.** *Réunion d'information.* ⇒ **Briefing** (anglic.) et REM.

2.1 Le voyage à Alger, un voyage d'information, d'exécution, voilà ce qui s'imposait.
F. MAURIAC, Bloc-notes 1952-1957, p. 211.

♦ **3.** (1902). Renseignement ou événement qu'on porte à la connaissance d'une personne, d'un public. ⇒ **Annonce, avis, nouvelle.** *Les informations d'un journal*. Directeur du service des informations. Informations politiques, informations économiques et sociales* (→ 2. Politique, cit. 19.1), *sportives, régionales; générales. Informations générales* (à Paris) : les faits divers (→ Guinder, cit. 8). *Une information sensationnelle. Information donnée en exclusivité.* ⇒ **Scoop** (anglic.). *Communiquer une information de dernière heure. Source d'une information. Filtrage des informations. Informations données par la radio*. Bulletin** (4.), *journal d'informations.* ⇒ **Actualité** (4. : les actualités), **communiqué, flash** (anglic.), **journal** (parlé, télévisé), **nouvelle** (1. : les nouvelles). — Par ext. (au plur.). Bulletin d'informations. *Voici nos informations. Écouter, prendre les informations.* Abrév. fam. **INFOS,** n. f. pl. (1972, *in* D. D. L.). *Il présente les infos de 20 h. Les infos télévisées.*

3 En troisième page, sous le titre « Nouvel incident franco-allemand », une information du Maroc, via Berlin (...)
J. ROMAINS, les Hommes de bonne volonté, t. I, XV, p. 163.

♦ **4.** (Déb. XXe). Ensemble des informations, et, par ext., action d'informer le public, l'opinion. *Une information d'État* (cit. 111) *doit essayer d'être objective. Agence* d'information. Information et propagande*. Journal d'information et journal d'opinion, de parti* (→ Enrober, cit.). *Secrétariat d'État à l'Information. Ministère de l'Information. Techniques d'information :* la presse, la radio, le cinéma, la télévision. ⇒ **Média; mass media.** *Centre conservant des documents relatifs à l'information.* ⇒ **Médiathèque.** *Le droit à l'information; la liberté d'information. Utilisation de l'information pour tromper, pour travestir la vérité.* ⇒ **Désinformation,** et aussi **mésinformation.**

4 Cette information peut être neutre, objective et n'avoir pour objet que d'élever l'esprit en l'instruisant. Elle peut aussi être partiale, filtrant les faits pour ne retenir que certains d'entre eux (...) L'information partielle et partiale se complète dans la majorité des cas d'une action d'ordre affectif.
A. SAUVY, l'Opinion publique, p. 98.

Note transmise à M. X... pour information. ⇒ **Avis,** 4. *Conférence d'information.*

★ **IV.** (V. 1950; angl. *information*). Sc. Élément ou système pouvant être transmis par un signal ou une combinaison de signaux (⇒ **Message**) appartenant à une structure commune (⇒ **Code**); ce qui est transmis (objet de connaissance, de mémoire). *Théorie de l'information :* théorie mathématique élaborée par Shannon et Weaver, destinée à quantifier l'apport d'un signal ou d'une suite de signaux (message) à un récepteur, à définir les conditions de sa transmission. *La théorie de l'information est issue des travaux sur la transmission des messages par téléphone et télégraphe* (1927, Hartley). *Théorie de l'information et théorie de la communication** (⇒ **Cybernétique**). *Traitement automatique de l'information, des systèmes d'information.* ⇒ **Informatique.** *La quantité d'information se définit en termes de probabilités* (l'information la plus grande est aussi la moins probable). *Unité d'information,* celle qui correspond à l'apparition d'un signal sur deux signaux équiprobables (*binary digit :* chiffre binaire, abrév. *bit*). *Capacité d'information d'un système de transmission. Supports* d'information. — Information et bruit** (5., b), *et redondance** (2.). — *(Une, des informations). Mettre une information en adresse. Emplacement d'une information dans la mémoire.* ⇒ aussi **Donnée.**

(...) une machine à calculer (...) peut fort bien communiquer à des utilisateurs les résultats de ses calculs, c'est-à-dire de l'information, tout en conservant ces résultats dans sa mémoire.
L. DE BROGLIE, Nouvelles perspectives en microphysique, Portée pratique de la cybernétique, p. 94.

L'information, au sens de la cybernétique, n'a pas de rapport direct avec le contenu ou la signification des messages. 6
(...) Il faut en effet noter que l'information cybernétique ne s'occupe pas de ce que « nous disons » (...), mais plutôt de ce que nous pourrions dire : ce qui intéresse notre théorie c'est le *choix,* c'est la variété des messages possibles (...) On peut seulement étudier comment variera l'information du destinataire après qu'il *aura* reçu le message.
G.-T. GUILBAUD, la Cybernétique, p. 66.

L'information reçoit une définition purement statistique, d'où sont exclus tous les éléments humains (...) Aucune de ces données, essentielles dans la signification courante du mot « information », n'entre en ligne de compte dans notre définition. Nous distinguons arbitrairement Information de : Science, Savoir, Connaissance. 7
L. BRILLOUIN, cité par G.-T. GUILBAUD, la Cybernétique, p. 65.

Notions fondamentales de la théorie de l'information. ⇒ **Code, décodage, encodage; canal, message, émetteur, récepteur; signal, signe; bruit, entropie, redondance.** *Applications de la théorie de l'information aux transmissions, à la linguistique. Théorie de l'information et sémiotique**.

Par ext. *Information génétique :* caractères héréditaires transmis par les gènes.

DÉR. Informationnel.

COMP. Désinformation, mésinformation, sous-information, surinformation.

INFORMATIONNEL, ELLE [ɛ̃fɔʀmasjɔnɛl] adj. — Mil. XXe (1961, G. Richard); de *information.*

♦ Didact. Qui concerne l'information (III.). *Contenu informationnel d'un message.* Par ext. « *Un câble, un satellite, peuvent diffuser aussi bien un film qu'un journal, une communication téléphonique que des données informatiques. Tout cela, l'électronique l'unifie sous la même forme : l'information numérique (...) certains économistes comme Jacques Attali n'hésitent pas à parler d'une véritable industrie "informationnelle" aux marchés illimités et aux salariés innombrables* » (*le Monde,* Dossiers et documents, no 103, juil. 1983, p. 4).

INFORMATIQUE [ɛ̃fɔʀmatik] n. f. et adj. — 1962, mot créé par Ph. Dreyfus; de *information,* et *-ique,* d'après *mathématique, électronique.*

♦ **1.** N. f. Science et ensemble des techniques de la collecte, du tri, de la mise en mémoire, de la transmission et de l'utilisation des informations* (IV.) traitées automatiquement à l'aide de programmes (logiciels) mis en œuvre sur ordinateurs; activité économique mettant en œuvre cette science, ces techniques. ⇒ **Calculateur, ordinateur** (et **processeur**). *Informatique théorique* (*informatique fondamentale, informatique formelle* ou *analytique*) *et informatique appliquée* (*informatique de gestion, informatique documentaire** [→ Documentation], *informatique juridique, informatique médicale, informatique bancaire, informatique de gestion,* etc.). *Spécialiste de l'informatique.* ⇒ **Informaticien.** *L'informatique et ses champs d'application; techniques en relation avec l'informatique* (⇒ **Péri-informatique**). *Utilisation de l'informatique dans les télécommunications.* ⇒ **Téléinformatique, télématique; télégestion, télétraitement.** *Automatisation par utilisation de l'informatique.* ⇒ **Robotique,** et aussi **automatique** (n. f.). *Banque de données, bibliothèques de programmes utilisées par l'informatique. Informatique appliquée à la rénovation économique* ⇒ **Novotique.** *Informatique et traitement de texte. Informatique et travaux de bureau.* ⇒ **Bureautique.** *Utilisation de l'informatique dans les bureaux d'étude, dans l'enseignement* (conception assistée* par ordinateur, enseignement assisté par ordinateur, etc.). *Informatique individuelle et systèmes informatiques de petite taille.* ⇒ **Micro-informatique, mini-informatique; micro-ordinateur, mini-ordinateur** (et **microprocesseur**). *L'informatique décentralisée* (Nora et Minc, *l'Informatisation de la société,* p. 52). *Applications de l'informatique à la vie quotidienne; informatique domestique, informatique personnelle. Problèmes de société posés par l'informatique. La commission « Informatique et libertés »* (loi du 6 janv. 1978). *Le chiffre d'affaires de l'informatique française. Agence de l'informatique* (établissement public français créé en 1979).

Jusqu'à une période récente, l'informatique était chère, peu performante, ésotérique, et de ce fait cantonnée à un nombre restreint d'entreprises et de fonctions : élitiste, elle demeurait l'apanage des grands et des puissants. C'est une informatique de masse qui va désormais s'imposer, irrigant la société, comme le fait l'électricité. Deux progrès sont à l'origine de cette transformation. Il n'y avait autrefois que de grands ordinateurs. Il existe désormais une multitude de petites machines puissantes et peu coûteuses. Elles ne sont plus isolées, mais reliées les unes aux autres dans des « réseaux ». 1
Cette imbrication croissante des ordinateurs et des télécommunications — que nous appellerons la « télématique » (...) — ouvre un horizon radicalement neuf.
Simon NORA et Alain MINC, l'Informatisation de la société, p. 11.

Non connectés, les ordinateurs relèvent d'une informatique autonome, où l'usager est son seul maître. Nul fournisseur de traitement et nul gestionnaire de banques de données ne viennent le « démarcher ». La connectabilité recrée en revanche une informatique décentralisée (...) 2
Entre informatique déconcentrée, décentralisée ou autonome, le choix est donc possible. La nouvelle informatique échappe à la fatalité : s'il y a centralisation, c'est affaire de volonté, non de contraintes.
Simon NORA et Alain MINC, l'Informatisation de la société, p. 59.

La grande informatique appartient depuis dix ans au domaine d'intervention traditionnel de l'État. Aujourd'hui elle se développe dans le cadre de l'accord CII Honeywell Bull. Celui-ci cherche à placer l'effort français dans une mouvance concurrentielle et modifie les relations entre l'État et le constructeur national (...). 3

Avec les entreprises de mini informatique, le constructeur national a d'autres relations. Concurrent puissant face à des interlocuteurs plus modestes, il lui faut beaucoup de prudence pour éviter les effets pervers d'une lutte déséquilibrée.

Simon NORA et Alain MINC, l'Informatisation de la société, p. 98-99.

♦ **2.** Adj. De l'informatique. *Systèmes informatiques (systèmes de programmation, d'exploitation; systèmes moniteurs, superviseurs). Entrée* (input, anglic.), *sortie* (output) *des données dans un système informatique. La recherche informatique. L'industrie informatique* (*le Monde,* 10 févr. 1971). *« L'une des idées-forces qui ont présidé à la restructuration de l'industrie informatique française consistait à séparer la grande informatique de la petite »* (*le Monde,* 18 juil. 1977, p. 1). *La stratégie informatique d'un pays. Méthodes, procédés informatiques. Réseau informatique. Le matériel informatique. Modélisation d'un problème en vue de son traitement informatique. Langage* informatiques :* langage machine, assembleur, langages intermédiaires (Fortran, Algol, Cobol, Basic).

4 La mutation des *techniques informatiques* va s'accompagner d'une automatisation plus rapide des entreprises industrielles : elle concernera aussi bien les activités « tertiaires » internes à chaque groupe, que les systèmes de production, la robotique que les automatismes.

Simon NORA et Alain MINC, l'Informatisation de la société, p. 38.

Qui concerne l'emploi de l'informatique (dans une société). *Le tournant, la mutation informatique.*

DÉR. Informaticien.

COMP. Micro-informatique, mini-informatique, péri-informatique, téléinformatique.

INFORMATISABLE [ɛ̃fɔʀmatizabl] adj. — 1970; de *informatiser.*

♦ Techn. Qui peut être informatisé. *Secteur informatisable.*

INFORMATISATION [ɛ̃fɔʀmatizɑsjɔ̃] n. f. — 1971, *in* T. L. F.; de *informatiser.*

♦ **1.** Action d'informatiser; introduction dans une activité des méthodes informatiques. *L'informatisation de la gestion d'une entreprise. L'informatisation de l'imprimerie avec la composition programmée. « L'informatisation du travail des secrétaires »* (*le Nouvel Obs.,* 8 juin 1981, p. 84). *« Une enquête* (...) *sur l'informatisation de la presse »* (*l'Express,* 26 avril 1980, p. 80). *« L'Informatisation de la Société. Rapport à Mr le Président de la République »,* de Simon Nora et Alain Minc (1978).

♦ **2.** Développement de l'informatique (dans une économie, une société, un pays).

Le degré et le niveau d'informatisation des activités « tertiaires » de l'industrie — gestion administrative, comptabilité, gestion du personnel, voire gestion commerciale — diffèrent suivant les entreprises. Ils sont loin d'atteindre, en règle générale, la sophistication des systèmes mis en place dans les banques. Le retard est plus manifeste pour les groupes de constitution récente, dont les règles de gestion ne sont pas toujours harmonisées. C'est pourquoi un large champ est ouvert aux effets de la télématique. Toutefois nos interlocuteurs ne sont pas à même, comme leurs collègues des banques et des assurances, de chiffrer les économies d'emplois qui résulteront de l'automatisation croissante des travaux administratifs.

Simon NORA et Alain MINC, l'Informatisation de la société, p. 38.

INFORMATISER [ɛ̃fɔʀmatize] v. tr. — 1969, au p. p.; du rad. de *informatique.*

♦ Traiter (un problème, une activité), organiser par les méthodes de l'informatique*. *« Il sera nécessaire d'informatiser notre gestion »* (*le Monde,* 24 janv. 1970).

▶ **S'INFORMATISER** v. pron. *Les banques se sont informatisées.*

▶ **INFORMATISÉ, ÉE** p. p. adj.

♦ **1.** *« C'est le secteur de la métallurgie qui est le plus informatisé »* (*la Croix,* 13 mai 1970).

♦ **2.** Dans lequel l'informatique tient une place importante. *Service informatisé.*

DÉR. Informatisable, informatisation.

INFORME [ɛ̃fɔʀm] adj. — Déb. XVIe, Fossetier; lat. *informis,* de *in-* (→ 1. In-), et *forma.* → Forme.

A. ♦ **1.** (XVIIIe). Didact. Qui n'a pas de forme propre. *Pour Aristote, la matière est informe* (→ Forme, cit. 78). *L'eau* (cit. 3) *est informe, prend la forme de ce qui la contient.*

1 (...) la mer immense et verte; l'eau informe et multiforme (...)

BAUDELAIRE, le Spleen de Paris, XXXVII.

N. m. *Les peintres de l'informe* (Huyghe). ⇒ **Informel.**

♦ **2.** (1591). Dont on ne peut définir la forme, dont la forme ne permet pas de reconnaître, d'identifier qqch. *Un chaos informe. « La terre était informe et nue »* (→ Esprit, cit. 3). *Un tas informe* (→ Échelle, cit. 5). *Pièce de bois informe* (→ Échalier, cit. 2). *Ombres informes* (→ Flamme, cit. 7). *Fresque* (cit. 6) *informe. Visions informes* (→ Fragmenter, cit.). — Fig. *L'informe bloc* (cit. 4) *des multitudes. Gouvernement informe et instable* (→ Balancer, cit. 24).

(...) le monde antédiluvien, avec sa population de végétaux étranges et de bêtes monstrueuses, informes ébauches du chaos s'essayant à la création. 2

Th. GAUTIER, Portraits contemporains, Louis Bouilhet.

N. m. *L'informe.*

On ne voit pas les pattes énormes du sphinx. Là-haut, suspendue sur des crevasses de Thébaïde, la tête surgit, sans corps, le cou remplacé par la masse rocheuse; elle-même rocher auquel l'homme de la première civilisation a imposé son image avec un solennel orgueil. La dégradation, en poussant ses traits à la limite de l'informe, leur donne l'accent des pierres-du-diable et des montagnes sacrées (...) 2.1

MALRAUX, la Métamorphose des dieux, p. 7.

♦ **3.** (1668, La Fontaine). Dont la forme n'est pas achevée. ⇒ **Ébauché, grossier, imparfait.** *Projet informe, à demi conscient* (→ Émerger, cit. 5). *Tragédie informe et grossière* (→ En, cit. 40). *Un essai, un brouillon informe. La masse brute* et informe des matériaux d'une œuvre* (→ Exécution, cit. 12).

♦ **4.** (1668). Dont les formes choquent le sens de l'esthétique. ⇒ **Disgracieux, laid, lourd.** *Un assemblage* (cit. 13) *informe. Cyclope horrible* (cit. 8) *et informe. Phoque informe* (→ Égout, cit. 5). *Un meuble informe et funèbre* (cit. 18).

(...) c'était (*l'éléphant*) une masse informe et sans beauté. 3

LA FONTAINE, Fables, I, 7.

♦ **5.** Littér. (souvent antéposé). Abstrait. Qui n'a pas de forme précise; flou, incertain. *D'informes songeries, rêveries. Des aspirations, des sentiments informes. « Au lieu d'informes possibilités, je voyais s'ouvrir devant moi un champ clairement défini »* (S. de Beauvoir, *in* T. L. F.).

B. (1690). Dr. Qui n'est pas conforme à la loi, qui n'est pas dans les formes. *Acte, procédure informe.*

CONTR. Formé, structuré.

1. INFORMÉ, ÉE [ɛ̃fɔʀme] p. p. adj. ⇒ **Informer.**

2. INFORMÉ, ÉE [ɛ̃fɔʀme] adj. — 1960; de 1. *in-,* et *formé.*

♦ Littér. et rare. Qui n'est pas formé.

(...) pas beaucoup question d'amour, à moins que, justement, l'amour — où plutôt la passion — ce soit cela : cette chose muette, ces élans, ces répulsions, ces haines, tout informulé — et même informé —, et donc cette simple suite de gestes, de paroles, de scènes insignifiantes, et, au centre, sans préambule, cet assaut, ce corps à corps urgent, rapide, sauvage (...)

Claude SIMON, la Route des Flandres, p. 43 (1960).

CONTR. Formé.

HOM. Informé (V. **Informer**).

INFORMEL, ELLE [ɛ̃fɔʀmɛl] adj. et n. m. — 1951, n. m. (cité par J. Paulhan); adj., 1961, Paulhan (*in* T. L. F.); de 1. *in-,* et *forme, formel.*

♦ **1.** Arts. Qui refuse de représenter ou ne représente pas des formes reconnaissables et classables. *Peinture informelle. L'art abstrait informel s'oppose aux tendances géométriques.* — N. m. *L'informel.*

(...) l'œuvre entier de Jacques Villon nous apparaît-il à la fois comme un prolongement de l'impressionnisme dont il conserve la lumière et ses reflets, et les couleurs subtiles, en même temps qu'il réagit vigoureusement contre celui-ci, trop informel à son gré. Maurice SERULLAZ, le Cubisme, p. 100-101.

L'évolution de l'art et de la littérature modernes est caractérisée en grande partie par une contestation des valeurs traditionnelles sur lesquelles ces arts et cette littérature se fondaient (...) Ici désagrégation de l'histoire, des personnages, du langage, là retour à une matière informelle ou choix d'une représentation agressive et dérisoire (...) G.-E. CLANCIER, Psychanalyse, littérature et critique, *in* la Nef, no 31, p. 109.

Par métonymie. *Un peintre informel.* — N. m. *Les informels.*

♦ **2.** (1958, en sociol., *in* T. L. F.; angl. *informal* « officieux »). Didact. et cour. (surtout langue du journalisme). Anglic. Qui n'est pas organisé de manière officielle et stricte. *Réunion informelle,* sans ordre du jour. *Rencontres informelles,* sans caractère officiel. *Une conversation tout à fait informelle,* à batons rompus. — Sociol. *Groupe informel :* sous-ensemble qui se forme spontanément à l'intérieur d'un groupe social organisé ou ensemble de fait dans une société.

Des grands groupes « informels », c'est-à-dire basés sur du langage et des rapports langagiers, remplacent à l'échelle globale les groupe destitués. Ces grands groupes sont plutôt biologiques que sociaux : les femmes, la jeunesse, les vieux.

Henri LEFEBVRE, la Vie quotidienne dans le monde moderne, p. 226-227.

Pourquoi, en Occident, la politesse est-elle considérée avec suspicion? Pourquoi la courtoisie y passe-t-elle pour une distance (sinon même une fuite) ou une hypocrisie? Pourquoi un rapport « informel » (comme on dit ici avec gourmandise) est-il plus souhaitable qu'un rapport codé?

R. BARTHES, l'Empire des signes, p. 85.

INFORMER [ɛ̃fɔʀme] v. tr. — 1286, pron.; v. actif, 1351; réfection de *enformer* (v. 1190) d'après le latin *informare* « donner une forme », de *in-,* et *formare.*

★ **I.** V. tr. ♦ **1.** Philos. Donner une forme, une structure, une signification à (qqch.). — Absolument :

Le principe immatériel était l'être éternel qui informe; la matière était l'être éternel qui est informé. DIDEROT, Opinion des anciens philosophes, Égyptiens.

Réaliser dans une forme sensible.

Qui dira quel effort persistant, quel *même* effort continué à travers les générations successives d'une société attentive et tendue, pour informer, par exemple, la beauté grecque, à la fois dans l'art et dans la vie. Informer son idéal, — c'est-à-dire tracer son portrait, — restait comme une obligation morale et civique (...)
GIDE, Nouveaux prétextes, p. 35.

♦ **2.** (V. 1360; *enformer*, v. 1265). Cour. Mettre au courant. *Informer* (qqn) *de* (qqch.). ⇒ **Affranchir** (argot), **apprendre, avertir, aviser, briefer** (anglic.), **éclaircir, éclairer, enseigner, instruire, notifier, prévenir, renseigner**; → Donner connaissance*; donner des renseignements*; faire part*... *Informer qqn d'un fait, d'une décision, d'un événement* (→ Hardi, cit. 11). *Ils seront informés de ce que vous avez fait* (→ 1. Être, cit. 70). *« Déjà la renommée... m'en avait informée »* (→ Étonnant, cit. 2, Racine).

Au nom de l'Empereur j'allais vous informer
D'un ordre qui d'abord a pu vous alarmer (...)
RACINE, Britannicus, I, 2.

(Mil. XVIe). *Informer qqn que... :* faire savoir à qqn que... *La direction informe son aimable clientèle que...*

Passif. *Être informé de, sur qqch.* ⇒ **Connaître, savoir.** → Être au courant*, au fait* de... *Il est informé de tout* (→ Agiter, cit. 20). *J'étais informé des choses qu'elle me cachait* (→ Savoir à quoi s'en tenir*, de quoi il retourne*). *Être informé sur une chose ou une personne,* être renseigné sur elle. — *« Il fut informé que sa demande était accueillie »* (Académie).

(*Calchas*) Qui des secrets des dieux fut toujours informé.
RACINE, Iphigénie, II, 1.

(...) ils prennent soin que toute la ville soit informée qu'ils font ces emplettes.
LA BRUYÈRE, les Caractères de Théophraste, Du complaisant.

(...) je ne suis pas aussi informé sur mon propre compte que je me l'imaginais.
Th. GAUTIER, Portraits contemporains, p. 1.

♦ **3.** (Déb. XVIIe). Vx. INFORMER **(qqn de qqch.)** : questionner (qqn) au sujet de (qqch.).

7 — Eh bien! elle s'appelle?
— Ne m'informez de rien qui touche cette belle.
CORNEILLE, la Galerie du Palais, I, 9.

Spécialt. *Informer le public.* ⇒ **Information.**

Absolt. *Le rôle des médias est d'informer.*

★ **II.** V. tr. indir. Faire une instruction en matière criminelle. ⇒ **Instruire.** *Informer contre X...* (⇒ **Accusation**). *Informer d'un fait, sur un fait. Ordonnance de « soit informé », de « refus d'informer ».*

8 Je vais faire informer de cette affaire-ci
Contre ce Mascarille (...)
MOLIÈRE, l'Étourdi, II, 4.

9 La justice informait alors sur le crime commis au faubourg Saint-Étienne (...)
BALZAC, le Curé de village, Pl., t. VIII, p. 580.

10 Le juge d'instruction est tenu d'informer, sauf à rendre une ordonnance de non-lieu, attaquable devant la chambre des mises en accusation. Il peut aussi rendre une ordonnance portant refus d'informer, mais il doit la baser sur des fins de non-recevoir absolues contre l'action publique (...)
DALLOZ, Nouveau répertoire, Instruct. crimin., 64, p. 807.

▶ **S'INFORMER (de qqch.)** v. pron.

(1286, *soi infourmer*). Se mettre au courant (de qqch.). ⇒ **Enquérir** (s'); **enquêter*, interroger** (sur). *S'informer de la santé de qqn, des progrès d'un élève. S'informer des nouvelles de la famille* (→ Étonner, cit. 30), *de tout ce qui se passe*. ⇒ **Documenter** (se documenter sur). *S'informer d'un prix. S'informer du nombre de ses ennemis* (→ Confiance, cit. 11). *S'informer de qqch., s'en informer auprès de qqn,* (vx) *s'en informer de qqn* (→ ci-dessous, cit. 12.1). — (1861). *S'informer de qqn,* de son existence, de sa santé, de ses activités... (→ Émule, cit. 2; funeste, cit. 3). — Ellipt., dans une incise. *Tu as mangé? s'informa-t-elle* (→ Bouffer, cit. 2).

11 Le ciel de nos raisons ne sait point s'informer. RACINE, Phèdre, I, 1.

12 (...) m'étant informé avec exactitude des circonstances de l'incendie, j'en composai une ample relation (...) A. R. LESAGE, Gil Blas, VIII, 1.

12.1 Si Votre Majesté a le moindre doute sur le récit que je viens de lui faire, elle peut s'en informer de l'époux qu'elle m'a donné. Je suis persuadée qu'il rendra à la vérité le même témoignage que je lui rends.
A. GALLAND, les Mille et une Nuits, t. III, p. 117.

13 Il envoie fort régulièrement savoir de mes nouvelles tous les jours; mais il n'est pas venu une fois s'en informer lui-même (...)
LACLOS, les Liaisons dangereuses, CXIX.

14 (...) on lui apprit le passage des croisés. Il s'informa curieusement de leurs noms, de leur nombre, de leurs armes et de leurs ressources (...)
MICHELET, Hist. de France, IV, III.

15 (...) je prends force notes et je m'informe de tout ce qui constitue la vie de l'animal. Ma documentation devient de plus en plus vaste.
Henri MICHAUX, La nuit remue, p. 120.

(1670). Littér. *S'informer si...* (→ Escrime, cit. 2). *S'informer si une place est libre, vacante* (→ Envier, cit. 7; fièvre, cit. 3). *Informez-vous s'il est arrivé.* ⇒ **Voir** (voyez si...).

16 Je m'informai s'ils se plaignaient qu'elle les eût ennuyés.
RACINE, Bérénice, Préface.

16.1 (...) il demanda une cigarette à Étienne et s'informa si ce dernier n'avait point l'habitude de prendre quelque liqueur digestive (...)
R. QUENEAU, le Chiendent, p. 345.

Rare. *S'informer quand, où, comment... « On écrivit à l'intendant de s'informer par quelles mains (...) »* (Sainte-Beuve, *in* T. L. F.).

Absolt. Recueillir des informations. *Chercher à s'informer. Il veut d'abord s'informer.* → Prendre l'air*, aller* aux nouvelles. *S'informer aux meilleures sources.*

(...) le document est (...) de nature à renseigner utilement le petit nombre d'amateurs éclairés et curieux de notre histoire, qui aiment s'informer aux sources, et trouvent un peu courts les résumés des manuels (...) 17
Émile HENRIOT, les Romantiques, p. 137.

▶ **INFORMÉ, ÉE** p. p. (→ ci-dessus, cit. 4 à 6 et *supra*) et adj.

♦ **1.** Qui sait ce qu'il faut savoir. *Un public informé* (⇒ **Averti**), *informé de manière trompeuse* (désinformé). *Agir en homme informé.* ⇒ **Avisé.** *Être bien informé.* ⇒ **Documenté** (→ Au courant*, fam. au parfum*). *L'opinion est mal informée. Dans les cercles, les milieux bien informés* (→ Heure, cit. 52). *Journal bien informé,* dont les informations sont complètes, sérieuses.

(...) on a besoin de gens comme ça. D'esprit ouvert; en contact confiant avec chacun; très informés; connaissant bien des dessous (...) 18
J. ROMAINS, les Hommes de bonne volonté, t. IV, X, p. 111.

L'auteur de ces florilèges documentaires n'est pas tenu d'avoir du talent : il suffit qu'il soit exactement informé et possède à fond la bibliographie de son sujet. 19
Émile HENRIOT, les Romantiques, p. 37.

♦ **2.** N. m. (1671). Dr. *Un plus ample informé :* une information plus ample de l'affaire (documents nouveaux, nouveaux témoins, etc.). — Loc. (Dr. et cour.). *Jusqu'à plus ample informé :* avant d'en savoir plus. → Supplément d'information*.

S'ils ne se croient pas suffisamment éclairés, les magistrats rendent un arrêt de plus ample informé, par lequel ils donnent mission à l'un d'entre eux, ou encore à un juge du tribunal de première instance (...) de procéder à une information supplémentaire. DALLOZ, Nouveau répertoire, Instruct. crimin., 158, p. 816. 20

DÉR. Informateur, information.

COMP. Désinformer. — (Du p. p.) **Mésinformé, sous-informé, surinformé.**

INFORMITÉ [ɛ̃fɔʀmite] n. f. — 1586; bas lat. *informitas,* du lat. class. *informis.* → Informe.

♦ Rare. Caractère de ce qui est informe. *L'informité d'une chose, d'un lieu.*

Chose informe.

Devant moi s'ouvre, sous un ciel uniformément bleu, une étendue d'eau illimitée, glauque comme une mer du Nord (...) derrière moi, le plus étrange mélange d'herbes et d'eau qui se puisse rêver; de nouveau cette énormité, cette informité, cette indécision, cette absence de parti pris, de dessin, d'organisation qui m'affectait à l'excès dans la première partie de notre voyage et qui est bien la caractéristique majeure de ce pays. GIDE, Voyage au Congo, *in* Souvenirs, Pl., p. 828.

INFORMULABLE [ɛ̃fɔʀmylabl] adj. — 1927, Ch. du Bos, *in* T. L. F.; de 1. *in-, formuler* (→ Informulé), et *-able.*

♦ Littér. Impossible à formuler. ⇒ **Indicible.** *Des sentiments informulables.*

Il s'arrêta, se sentant engagé dans une impasse. Car sa conclusion venait au-devant de lui, et elle lui semblait imprononçable, informulable. 1
M. DRUON, Rendez-vous aux enfers, II, I, p. 91.

Il vient parfois à l'esprit des pensées informulables parce que les mots sont insuffisants ou même n'existent pas, qui pourraient les exprimer. 2
J. GREEN, Vers l'invisible 1958-1967, 27 janv. 1960.

Le Shaman fournit un langage dans lequel peuvent s'exprimer symboliquement des états autrement informulables. Guy PALMADE, la Psychothérapie, p. 86. 3

N. m. *L'informulable.*

Il y avait entre nous trop d'indicible, trop d'informulable, pour que, au moment de nous présenter ensemble devant Laura, nous ne fussions pas, elle et moi, étranglés, étouffés par cette rude marée de sentiments. 4
Marcel BRION, la Rose de cire, p. 132-133.

INFORMULÉ, ÉE [ɛ̃fɔʀmyle] adj. — 1855, Goncourt; de 1. *in-,* et *formuler,* au p. p.

♦ Qui n'est pas formulé. *Une tristesse informulée.* ⇒ **Inexprimé** (→ Affadissement, cit. 2). *Vœu informulé.*

Elle se posait au-dedans d'elle, informulée, ainsi qu'une mine qui éclate dans l'eau profonde. 1
BERNANOS, Nouvelle histoire de Mouchette, *in* Œ. roman., Pl., p. 1343.

Je m'étonnais inlassablement des choses et de ma présence; cependant, la rigueur de mes plans changeait cette contingence en nécessité. Sans doute était-ce là le sens — informulé — de ma béatitude. 2
S. DE BEAUVOIR, la Force de l'âge, p. 226.

CONTR. Exprimé, formulé.

INFORTUNE [ɛ̃fɔʀtyn] n. f. — V. 1360, sens 2; lat. *infortunium;* de *in-* (1. *in-*), et *fortuna.* → Fortune.

Littéraire ou style soutenu.

♦ **1.** (Au sing.; 1422). Mauvaise fortune*; mauvais sort. ⇒ **Adversité, détresse, malheur.** *Les hommes semblent nés pour l'infortune, pour être malheureux** (→ Disgrâce, cit. 9). *S'apitoyer sur l'infortune d'autrui* (→ Généreux, cit. 11). *Dans mon infortune...* (→ Fêter, cit. 3). *Pour comble d'infortune il perdit sa place.* — *Compagnon, compagne d'infortune :* personne qui supporte les mêmes malheurs.

1 Nous nous voyons sœurs d'infortune (...) MOLIÈRE, Psyché, I, 1.
2 Le courage dans l'infortune irrite les cœurs lâches, mais il plaît aux cœurs généreux. ROUSSEAU, les Confessions, X.

L'infortune de subir qqch. Dans l'infortune de faire faillite.

Vx. Manque de réussite. *L'infortune d'une expédition militaire.* ⇒ **Insuccès.**

Par métonymie. Vx. *L'infortune :* les infortunés.

2.1 — Qui? personne, Thérèse, personne absolument; il n'est nullement nécessaire que l'infortune soit vengée, elle s'en flatte parce qu'elle le voudrait, cette idée la console, mais elle n'en est pas moins fausse : il y a mieux, il est essentiel que l'infortune souffre; son humiliation, ses douleurs sont au nombre des lois de la nature, et son existence, utile au plan général, comme celle de la prospérité qui l'écrase (...) SADE, Justine..., t. I, p. 54-55.

♦ **2.** *Une, des infortunes.* Revers de fortune. ⇒ **Disgrâce, malheur, misère** (→ Croire, cit. 28). *Les grandes prospérités et les grandes infortunes* (→ Image, cit. 27). ⇒ **Calamité, catastrophe.** *Les infortunes des grands hommes* (→ Abattre, cit. 11). *Éprouver* (cit. 31) *des infortunes. Supporter les infortunes qui nous arrivent* (cit. 48). *Infortunes domestiques* (→ Assimiler, cit. 1), *de famille.*

3 Quand j'envisage de près les infortunes inouïes d'une si grande reine, je ne trouve plus de paroles (...) BOSSUET, Oraison funèbre de la reine d'Angleterre.
4 Le malheur pour les femmes n'a qu'une forme, elles ne comptent pour des infortunes que les déceptions du cœur. BALZAC, Honorine, Pl., t. II, p. 292.
5 L'infortune qui bouleverse un homme laisse le voisin indifférent. Pour un tel, marier sa fille est un drame; pour un autre, c'est un débarras. J. CHARDONNE, l'Amour du prochain, p. 30.

Spécialt. Le fait d'être trompé (1., spécialt), en amour. *Les infortunes conjugales de qqn.*

6 (...) cette fille lui jouait la comédie en paraissant s'intéresser à ses affaires. Et tout le monde est au courant de son infortune. René FLORIOT, la Vérité tient à un fil, p. 22.

CONTR. Béatitude, bonheur, félicité, fortune, prospérité.

INFORTUNÉ, ÉE [ɛ̃fɔʀtyne] adj. — V. 1361; lat. *infortunatus;* de *in-* (1. *in*), et *fortunatus,* p. p. de *fortunare* «faire réussir», de *fortuna.*

♦ Littér. Qui est dans l'infortune. ⇒ **Malheureux** (→ Incertain, cit. 20). *Un homme infortuné* (→ Immortel, cit. 7). *Infortuné mari* (→ Affliger, cit. 17). *Mère infortunée* (→ Gorge, cit. 3). *«Au banquet* (cit. 4) *de la vie infortuné convive...»* (Gilbert). *«Aux plus infortunés la tombe sert d'asile»* (cit. 24, La Fontaine). — Par ext. (Choses). *Cœur infortuné, jours infortunés.* ⇒ **Maudit.** *Vie infortunée.*

1 Vous verrez mettre au rang des jours infortunés
Ceux où jadis la sœur et le frère sont nés. RACINE, Britannicus, IV, 4.

2 Toujours ce cœur infortuné sera ton sanctuaire inviolable, d'où le sort ni les hommes ne pourront jamais t'arracher. ROUSSEAU, Julie ou la Nouvelle Héloïse, II, Lettre I.

N. *Un infortuné* (→ Embrassement, cit. 3; étourdir, cit. 17), *une infortunée. Désespoir de deux infortunés* (→ Émigrer, cit. 2). *Infortunés condamnés au supplice* (→ Hacher, cit. 6). — *Les infortunés.* ⇒ **Malheureux** (→ Gueux, cit. 2; ilotisme, cit. 2).

3 (...) ce n'est pas d'argent seulement qu'ont besoin les infortunés (...) ROUSSEAU, Julie ou la Nouvelle Héloïse, II, Lettre XXVII.

CONTR. Fortuné, heureux.

INFOUTU, UE [ɛ̃futy] adj. — D. i. (mil. XXᵉ); de *in-,* et *foutu,* dans *être foutu de...*

♦ Fam. Incapable. *Il est infoutu de nous donner des explications.*

INFRA [ɛ̃fʀa] adv. — Mot lat., «au-dessous, plus bas».

Didactique.

♦ **1.** Adv. Sert à renvoyer à un passage qui se trouve plus loin dans un texte. ⇒ **Après** (ci-après), **bas** (plus bas), **dessous** (ci-dessous), **loin** (plus loin). *On est prié de se reporter infra, page tant. Voir, cf. infra...*

Rare (en emploi substantif). *« L'ultra et l'infra, enserrant la zone de l'existence moyenne»* (Jankélévitch, *in* T. L. F.).

♦ **2.** Prép. Après. *Se reporter à tel mot,* infra *cit. 4,* après, au dessous de la citation 4.

CONTR. Supra.

INFRA- Élément signifiant «inférieur, en-dessous» et entrant dans la composition d'adjectifs formés sur des adjectifs (→ ci-dessous à l'ordre alphabétique). — On trouve d'autres composés plus occasionnels :

1 Les plantes de ces tourbières alcalines ou infra-aquatiques s'étageaient et se succédaient en plusieurs strates (...) A. BILLY, Sur les bords de la Veule, p. 180.
2 Il se souvient d'avoir éprouvé le même regret l'avant-veille au sortir d'un banquet où l'on avait fêté les vingt-cinq ans du chef de l'école de peinture infra-conceptualiste. M. AYMÉ, le Vin de Paris, « La bonne peinture », p. 177.
3 Les objets techniques infra-individuels peuvent être nommés éléments techniques; ils se distinguent des véritables individus en ce sens qu'ils ne possèdent pas de milieu associé; ils peuvent s'intégrer dans un individu. Gilbert SIMONDON, Du mode d'existence des objets techniques, p. 65.

Pluralité infraprésente. VALÉRY, Cahiers, Pl., t. II, p. 318.

Il existe, dans l'équipement sensoriel, des parties dont l'activité reste infrasymbolique; ainsi par exemple en est-il de la gustation au sens strict qui n'est restituable que par elle-même, aucun moyen n'existant de donner l'image du salé. A. LEROI-GOURHAN, le Geste et la Parole, t. II, p. 96.

Il resterait, pour compléter l'esthétique physiologique, à faire état de l'audition et de la vision, ce serait en réalité pour marquer dans l'une et l'autre la part subsistante de comportements infra-verbaux. A. LEROI-GOURHAN, le Geste et la Parole, t. II, p. 119.

REM. La formation de noms composés en *infra-* est rare. Cf. cependant, en français du Canada (didact.), *Infra-Nord,* n. m. «zones présentant de manière atténuée les caractères propres du Nord».

Les pays du Nord, comme le Canada, ont une partie de leur territoire qui s'étend au sud de la frontière méridionale du Nord. Dans cette partie se trouve l'Infra Nord, ou les meilleurs foyers économiques du Canada. L.-E. HAMELIN et G. CAYOUETTE, *in* Revue de géographie de Montréal, XXII, 2, 1968, p. 153.

CONTR. Ultra-.

INFRA-ACOUSTIQUE [ɛ̃fʀaakustik] adj. — Mil. XXᵉ; de *infra-,* et *acoustique.*

♦ Techn. *Télégraphie infra-acoustique :* système superposant à la communication téléphonique par câble, une communication télégraphique.

INFRACAMBRIEN, ENNE [ɛ̃fʀakɑ̃bʀijɛ̃, ɛn] adj. et n. m. — D. i. (XXᵉ); de *infra-,* et *cambrien.*

♦ Géol. Situé sous les dernières couches fossilifères du cambrien. *Terrains infracambriens, couches infracambriennes.* — N. m. *L'infracambrien.*

INFRACELLULAIRE [ɛ̃fʀaselylɛʀ] adj. — XXᵉ (1939, J. Rostand); de *infra-,* et *cellulaire.*

♦ Biol. Qui concerne un élément biologique de dimension inférieure à celle d'une cellule. *Phénomènes infracellulaires.*

INFRACLUSION [ɛ̃fʀaklyzjɔ̃] n. f. — Mil. XXᵉ (*in* Larousse, 1962); de *infra-,* et *inclusion.*

♦ Méd. Disposition défectueuse de l'arcade dentaire, lorsqu'elle est placée en-dessous du plan de mastication.

INFRACONSCIENT, ENTE [ɛ̃fʀakɔ̃sjɑ̃, ɑ̃t] adj. — 1932, Bergson *(infra-conscient);* de *infra-,* et *conscient.*

♦ Didact. Qui est au-dessous du seuil de conscience. ⇒ **Inconscient, subconscient.** — N. m. *L'infraconscient.*

INFRACTEUR, TRICE [ɛ̃fʀaktœʀ, tʀis] n. — 1419; bas lat. *infractor;* de *infractum,* supin du lat. class. *infringere* «briser»; de *in-,* et *frangere.* → Infrangible.

♦ Vx, littér. Personne qui commet une infraction, qui transgresse une loi. *L'infracteur a été puni.*

On parlait de faire fusiller le soldat déserteur, l'infracteur des lois sanitaires, le porteur de la peste, et on le couronne. CHATEAUBRIAND, Mémoires d'outre-tombe, t. III, p. 126.

INFRACTION [ɛ̃fʀaksjɔ̃] n. f. — 1250; lat. *infractio,* de *infractum,* supin de *infringere,* de *in-,* et *frangere* «briser», le sens est dû à *enfreindre.* → Enfreindre.

♦ **1.** Violation d'un engagement, d'une loi. ⇒ **Manquement, rupture, transgression; attentat, contravention, dérogation, faute** (II.), **violation.** *Infraction à la foi jurée. Infraction à un traité* (⇒ **Accroc**). *Infraction à une règle, au règlement, à la discipline* (→ Enfermer, cit. 3), *au droit des gens. Commettre, faire une infraction à... Commandement, ordre qui ne souffre aucune infraction.* ⇒ **Dérogation.** *Infraction à la loi, à la coutume.*

Comme si ce n'était pas assez du crime de l'infraction on y ajoute celui du scandale. MASSILLON, Carême, Mot. de conv.

Aline avait passé l'âge de la première communion, mais elle ne pouvait toujours différer cette cérémonie. Une telle infraction à la coutume ne se concevait pas, même à une époque de révolution des mœurs. J. CHARDONNE, les Destinées sentimentales, p. 465.

Infraction à un régime médical, à l'ordonnance d'un médecin (Académie). ⇒ **Entorse** (fam.).

♦ **2.** (Sans compl.). Dr. et cour. Violation d'une loi de l'État, qui est frappée d'une peine strictement définie par la loi. ⇒ **Délit** (II., 1.). *Catégorie d'infractions.* ⇒ **Crime** (2.); 1. **délit** (II., 2.); **contravention.** *Infraction disciplinaire. Élément légal* (légalité), *élément matériel* (commission, omission), *élément psychologique ou moral* (intention) *d'une infraction. Sanction de l'infraction* (⇒ **Peine**). — *Commettre d'une infraction;* (didact.) *commission d'une infraction. L'auteur de l'infraction.* ⇒ **Coupable, délinquant, infracteur.**

Commettre une infraction. Infraction continue, continuée, d'habitude, impossible, instantanée, intentionnelle, permanente, politique, putative.

(...) un fait pour lui *(Javert)* dominait tout, c'est qu'il venait de commettre une infraction épouvantable. Il venait de fermer les yeux sur un condamné récidiviste en rupture de ban. Il venait d'élargir un galérien. Il venait de voler aux lois un homme qui leur appartenait. HUGO, les Misérables, V, IV.

CONTR. Observation, respect.

INFRADIATHERMIE [ɛ̃fʀadjatɛʀmi] n. f. — D. i.; de *infra-*, et *diathermie.*

♦ Méd. Traitement par des ondes hertziennes (ondes courtes), en particulier pour combattre des névralgies, des troubles circulatoires.

INFRADUCTION [ɛ̃fʀadyksjɔ̃] n. f. — D. i.; de *infra-*, et lat. *ductus.* → Ducte.

♦ Physiol. Rotation du globe oculaire vers le bas, qui s'effectue autour de son axe transversal.

CONTR. Supraduction.

INFRAHUMAIN, AINE [ɛ̃fʀaymɛ̃, ɛn] adj. — 1927, Maritain, *in* T. L. F.; de *infra-*, et *humain.*

♦ Didact. Inférieur à la situation normale de l'espèce humaine. ⇒ **Subhumain.**

INFRALIMINAIRE [ɛ̃fʀaliminɛʀ] ou **INFRALIMINAL, ALE, AUX** [ɛ̃fʀaliminal, o] adj. ⇒ **Subliminal.**

INFRAMICROBIOLOGIE [ɛ̃fʀamikʀɔbjɔlɔʒi] n. f. — V. 1970; de *infra-*, et *microbiologie.*

♦ Didact. Science qui étudie les organismes ultramicroscopiques et notamment les virus.

INFRAMICROSCOPIQUE [ɛ̃fʀamikʀɔskɔpik] adj. — Mil. xxe; de *infra-*, et *microscopique.*

♦ Didact. Qui concerne les êtres et les phénomènes trop petits pour être observés au microscope (à distinguer de : *ultramicroscopique*).

INFRANCHI, IE [ɛ̃fʀɑ̃ʃi] adj. — 1862, Baudelaire; de 1. *in-*, et *franchi*, p. p. de *franchir.*

♦ Littér. et rare. Qui n'est pas, n'a pas été franchi. *Un gouffre infranchi. Des obstacles infranchis.*

CONTR. Franchi (de *franchir*).

INFRANCHISSABLE [ɛ̃fʀɑ̃ʃisabl] adj. — 1792; de 1. *in-*, *franchir*, et suff. *-able.*

♦ **1.** Qu'on ne peut franchir. *Obstacle, barrière, mur infranchissable. Col infranchissable en hiver. Distances infranchissables. Frontière infranchissable* (→ Barreau, cit. 5).

Ici, au contraire, on s'en écarte *(de la mer)* comme du vide et de la mort. Ici la mer n'est que l'infranchissable abîme, qui ne sert à rien et qui fait peur. LOTI, l'Inde (sans les Anglais), III, VII.

Par métaphore. *Gouffre infranchissable* (→ Incommunicabilité, cit. 1).

♦ **2.** Fig. *Difficulté infranchissable.* ⇒ **Insurmontable, invincible.**

On atteint aisément une âme vivante à travers les crimes, les vices les plus tristes, mais la vulgarité est infranchissable. Tant pis! J'en prendrais mon parti (...) F. MAURIAC, le Nœud de vipères, II, XIX.

CONTR. Franchissable.

INFRANGIBLE [ɛ̃fʀɑ̃ʒibl] adj. — 1555; *infragible*, av. 1488, Gerson; de 1. *in-*, et anc. franç. *frangible* (1519); du bas lat. *frangibilis*, dér. du lat. class. *frangere* «briser, rompre». → Infracteur, infraction, fragile.

Littéraire ou didactique.

♦ **1.** Qui ne peut être brisé, détruit, rompu.

Viens. Partout tu verras par les landes d'Arez
Monter vers le ciel morne, infrangible cyprès,
Le menhir sous lequel gît la cendre du brave.
J.-M. DE HEREDIA, les Trophées, «Bretagne».

La masse autrichienne vient buter, cette fois, sur le front de Joubert, mais le trouva infrangible, tandis que Masséna, presque aussitôt attaqué, offrait la même résistance. Louis MADELIN, Hist. du Consulat et de l'Empire, Ascension de Bonaparte, VIII.

♦ **2.** (1564). Fig. Impossible à détruire. ⇒ **Solide.** *Conférer à ses craintes* (cit. 7) *une infrangible réalité.*

INFRAROUGE [ɛ̃fʀaʀuʒ] adj. — 1873, Becquerel; de *infra-*, et *rouge.*

♦ **1.** Se dit des radiations qui sont en deçà du rouge, dans le spectre solaire (→ Hertzien, cit.). *Les rayons infrarouges ont des fréquences moins élevées que la lumière visible rouge.*

N. m. (1873, Becquerel). Ensemble des radiations infrarouges; leurs fréquences. *L'infrarouge et l'ultraviolet. Chauffage par infrarouge. — À l'infrarouge. Lampe à l'infrarouge* (ou lampe infrarouge, 2.). — *Les infrarouges :* les rayons infrarouges. *Émulsions photographiques sensibles aux infrarouges.*

♦ **2.** Qui utilise les rayons infrarouges. *Lampes infrarouges. Photo infrarouge.*

INFRASENSIBLE [ɛ̃fʀasɑ̃sibl] adj. — 1932, Bergson, *in* T. L. F.; de *infra-*, et *sensible*, probablt d'après *suprasensible.*

♦ Didact. Qui est au-dessous du seuil de la sensibilité. «*Une connaissance infrasensible ou préconsciente...*» (Albert Béguin, *in* T. L. F.).

INFRASON [ɛ̃fʀasɔ̃] n. m. — 1925, *in* T. L. F. (art. *Infra-*); de *infra-*, et *son.*

♦ Sc. Vibration inaudible, de fréquence inférieure à 15 ou 20 périodes par seconde. *Infrasons* et ultra*-sons.*

DÉR. Infrasonore.

INFRASONORE [ɛ̃fʀasɔnɔʀ] adj. — Mil. xxe (1950, *le Figaro*, *in* Galliot); de *infra-*, et *sonore*, et de *infrason.*

♦ Sc. Des infrasons. — On écrit aussi *infra-sonore.* «*À cinq kilomètres de distance, un émetteur infra-sonore un peu puissant peut rendre un immeuble inhabitable*» (*Science et Vie*, n° 592, p. 95).

INFRASPÉCIFIQUE [ɛ̃fʀaspesifik] adj. — D. i (xxe); de *infra-*, et *spécifique.*

♦ Sc. nat. Se dit d'une catégorie de la classification des organismes vivants dont le rang est inférieur à l'espèce (ex. : *variété*, rare).

INFRASTRUCTURE [ɛ̃fʀastʀyktyʀ] n. f. — 1875, *in* Littré, *Suppl.*; de *infra-*, et *structure.*

Didactique et courant.

★ **I.** ♦ **1.** Techn. Parties inférieures (d'une construction). ⇒ **Fondation.** — Ch. de fer. Ensemble des terrassements et ouvrages qui concourent à l'établissement de la plate-forme* (remblais, souterrains, tunnels, passages à niveau, ponts, viaducs...).

(1923). Fig. et vieilli. Fondation, fondement.

♦ **2.** (1931). Ensemble des installations au sol, en aviation (pistes, bâtiments, émetteurs de radio, etc.). → Avion, cit. 3; aviation, cit. 3.

Milit. Ensemble des installations nécessaires à l'activité des forces militaires sur un territoire.

♦ **3.** (Mil. xxe). Ensemble des équipements économiques ou techniques. «*L'infrastructure pétrolière*» (*le Monde*, 30 sept. 1969). «*Infrastructure touristique*» (*la Croix*, 11 mars 1969). *Infrastructure routière, culturelle, sanitaire. Infrastructure de gestion, de communication.*

(...) sauf dans l'école russe des historiens de la culture matérielle, l'infrastructure techno-économique n'est intervenue le plus souvent (dans la sociologie des primitifs) que dans la mesure où elle marquait de manière indiscrète la superstructure des pratiques matrimoniales et des rites. 1
A. LEROI GOURHAN, le Geste et la Parole, t. I, p. 210.

Dans de nombreux pays du Tiers Monde, la quasi-totalité des devises obtenues par l'exportation de biens agricoles, de matières premières ou de biens manufacturés sert à financer les retransferts de sociétés multinationales, les services de la dette extérieure et les dépenses d'infrastructure qu'exigent les sociétés multinationales avant leur installation dans le pays (communications, installations portuaires, etc.). L'État de l'aire tricontinentale, quel que soit le gouvernement qui le gère, n'a plus les moyens matériels de créer puis d'entretenir les installations d'infrastructures sociales (hôpitaux, routes, écoles, sécurité sociale) indispensables à la survie de la population. Jean ZIEGLER, Main basse sur l'Afrique, p. 48. 2

★ **II.** Philos. Structure cachée ou non remarquée, qui soutient qqch. de visible. — (1911, Jaurès, *in* T. L. F). Spécialt. Organisation économique de la société, considérée comme le fondement de l'idéologie (vocabulaire marxiste). *Pour les marxistes, l'idéologie, la superstructure n'est que le reflet des conditions économiques de l'infrastructure. Passer des infrastructures aux superstructures* (→ Histoire, cit. 22.2).

Lorsque K. Marx a posé le problème de l'opposition entre des infrastructures économiques et techniques et des superstructures idéologiques, il a soulevé de ce fait un nombre considérable de questions quant à la nature et au fonctionnement des divers types possibles de productions idéologiques. 3
J. PIAGET, Épistémologie des sciences de l'homme, p. 356.

Par ext. Parties intérieures, internes d'une structure (matérielle ou mentale).

4 (...) quand nous parlons de psychogenèse ou de sociogenèse, de psychothérapie ou de sociothérapie, nous n'imaginons pas pour autant que la psyché ou le socius soient des entités indépendantes de l'ensemble de l'organisme qui en constitue le substrat. Tout se passe comme si ces suprastructures mentales étaient capables de réagir sur les infrastructures organiques dont elles dépendent et réciproquement.
Jean DELAY, Introd. à la médecine psychosomatique, p. 7.

CONTR. Superstructure.
DÉR. Infrastructurel.

INFRASTRUCTUREL, ELLE, ELS [ɛ̃fʀastʀyktyʀɛl] adj. — D. i. (mil. XXe); de *infrastructure.*

♦ Didact. D'une infrastructure; qui appartient à une infrastructure.

INFRA-VIRUS [ɛ̃fʀaviʀys] n. m. invar. — 1948; de *infra-,* et *virus.*

♦ Biol., rare. Virus filtrant. — Syn. : *ultra-virus.*

INFRÉQUENTABLE [ɛ̃fʀekɑ̃tabl] adj. — 1845, Richard de Radonvilliers; repris déb. XXe; de 1. *in-,* et *fréquentable.*

♦ Que l'on ne peut fréquenter. *Ce sont des gens infréquentables.* ⇒ **Impraticable** (vx).

CONTR. Fréquentable.

INFRÉQUENTÉ, ÉE [ɛ̃fʀekɑ̃te] adj. — 1571; de 1. *in-,* et *fréquenté.*

♦ Qui n'est pas fréquenté, où personne ne va. *Chemin infréquenté.*

1 Est-ce (...) le hasard qui inspire (...) aux bêtes malfaisantes... *(la résolution)* d'errer solitaires dans les lieux infréquentés?
CHATEAUBRIAND, le Génie du christianisme, I, V, III.

2 Je ne savais pas si ce serait une église où des fidèles sauraient peu à peu apprendre des vérités et découvrir des harmonies, le grand plan d'ensemble, ou si cela resterait, comme un monument druidique au sommet d'une île, quelque chose d'infréquenté à jamais. PROUST, le Temps retrouvé, Pl., t. III, p. 1040.

INFROISSABILITÉ [ɛ̃fʀwasabilite] n. f. — Mil. XXe (1953, *le Figaro, in* Galliot); de *infroissable.*

♦ Rare. Qualité de ce qui est infroissable.

Pour les exigences modernes concernant l'*infroissabilité* et l'*irrétrécibilité* (*sic;* → Irrétrécissabilité) on peut soumettre les toiles à l'action des résines synthétiques (...) Jacques LOURD, le Lin et l'Industrie linière, p. 69.

INFROISSABLE [ɛ̃fʀwasabl] adj. — 1412, *in* T. L. F.; de 1. *in-,* et *froissable.*

♦ Qui n'est pas froissable, qui est peu froissable. *Tissu infroissable. Les tissus infroissables sont obtenus en formant une couche de résine polymérisée à leur surface.*

Pour apaiser mes nerfs, je mets de beaux habits. Une chemise de soie avec des poignets mousquetaire, un pantalon gris infroissable, une veste prune, une cravate très simple, en laine jaune avec des petites raies vertes (...) L'effet n'est pas mal du tout. J.-P. MANCHETTE, l'Affaire N' Gustro, p. 60.

CONTR. Froissable.
DÉR. Infroissabilité.

INFRUCTUEUSEMENT [ɛ̃fʀyktɥøzmɑ̃] adv. — Fin XVe (1488, *in* T. L. F.); de *infructueux.*

♦ Littér. et rare. D'une manière infructueuse; sans tirer de profit.

Il espérait un hasard romanesque, il en combinait les effets sans s'apercevoir de leur impossibilité, pour s'introduire auprès de l'inconnue. Il se promena pendant plusieurs matinées fort infructueusement (...)
BALZAC, la Femme abandonnée, Pl., t. II, p. 214.

INFRUCTUEUX, EUSE [ɛ̃fʀyktɥø, øz] adj. — 1372, sens 2; lat. *infructuosus,* de 1. *in-,* et *fructuosus.* → Fructueux.

♦ **1.** (1600). Vx ou poét. Qui ne donne, qui ne rapporte pas de fruits. *Arbres infructueux* (→ 1. Bon, cit. 89, Bossuet). *Champ, terroir infructueux.* ⇒ **Ingrat, stérile.**

♦ **2.** Méd. et littér. Qui est sans profit, sans résultat. ⇒ **Inefficace, inutile, stérile, vain.** *Démarche infructueuse. Travaux, soins infructueux. Recherches, tentatives infructueuses,* sans succès* (→ Fondouk, cit. 2). *Tous ses efforts furent infructueux.*

1 Je vous quittai trop tard, et ne trouvai plus la personne que j'allais chercher. J'espérais la rejoindre à l'Opéra, et ma démarche fut pareillement infructueuse.
LACLOS, les Liaisons dangereuses, CXXXVII.

2 Je fis prendre des informations qui furent d'abord infructueuses, mais enfin je finis par découvrir (...) Th. GAUTIER, Fortunio, I, p. 18.

3 Mais à peine Augustin avait-il, après des recherches infructueuses dans des armoires, mis au jour le petit bougeoir d'argent pour faire chauffer la cire, ou le samovar en cristal et en or, et avait demandé où il devait le placer (...)
PROUST, Jean Santeuil, Pl., p. 808.

CONTR. Fructueux. — Fertile. — Efficace, profitable, utile.
DÉR. Infructueusement. — REM. Lamartine emploie le dérivé *infructuosité,* n. f.

INFRUTESCENCE [ɛ̃fʀytesɑ̃s] n. f. — 1907; de 2. *in-,* et *frutescent,* d'après *inflorescence.*

♦ Bot. Ensemble des fruits qui proviennent d'une inflorescence.

Les fruits sont groupés sur les rameaux fructifères comme les fleurs sur les rameaux florifères; les inflorescences deviennent des infrutescences, et celles-ci reçoivent ordinairement le même nom que les inflorescences qui les précèdent. Ainsi, les «grains» de raisin sont disposés en grappes, les «grains» du Blé, de l'Orge sont portés par des épis, les akènes des Composées sont groupés en capitules, les diakènes des Ombellifères sont répartis en ombelles — le plus souvent composées, etc.
Quelquefois les fruits d'une infrutescence se rapprochent et s'associent en un fruit composé (...)
F. MOREAU, les Fruits composés, *in* Encycl. Pl. (Botanique), p. 933.

INFULE [ɛ̃fyl] n. f. — 1500; lat. *infula* «bande, ruban».

♦ Didact. Dans l'antiquité romaine, Bandelette* sacrée qui couvrait le front des prêtres et dont on parait les victimes des sacrifices.

INFUMABLE [ɛ̃fymabl] adj. — 1845; de 1. *in-,* et *fumable.*

♦ **1.** Qui est désagréable à fumer* (→ 1. Fumer, II., 2.). *Tabac, cigarette infumable.*

Il est arrivé ce à quoi nos savants n'avaient pas songé, c'est que ces cigares étaient infumables. le Moniteur, 21 juil. 1868, *in* LITTRÉ, Suppl.

Les seules cigarettes bon marché sont, me dit-on, des japonaises infumables.
GIDE, Carnets d'Égypte, *in* Souvenirs, Pl., p. 1050.

♦ **2.** Fig. et fam. (Personnes). Insupportable, très désagréable. *Ce type est infumable.* ⇒ **Imbuvable.**

Il devient infumable! déclara de Scève à qui je confiai l'incident (...) Ce n'est pas de vous qu'il se moque, c'est de toute la justice de l'Armée (...)
Roger VERCEL, Capitaine Conan, VI, p. 118.

CONTR. Fumable.

INFUNDIBULAIRE [ɛ̃fɔ̃dibylɛʀ] adj. — 1906, in *Rev. gén. des sc.,* n° 14, p. 676; du rad. de *infundibulum.*

♦ Didact. En forme d'entonnoir. — Relatif à un infundibulum. *Grossesse infundibulaire :* fixation de l'œuf dans le pavillon de la trompe utérine.

(Les symptômes) éclairent et précisent une partie de la sémiologie de la région infundibulaire et interpédonculaire.
B. CENDRARS, Moravagine, *in* Œ. compl., t. IV, p. 255.

INFUNDIBULIFORME [ɛ̃fɔ̃dibylifɔʀm] adj. — V. 1700; de *infundibulum,* et *-forme.*

♦ Sc. Qui a la forme d'un entonnoir. *Corolle infundibuliforme.*

(...) ce n'est pas moi qui viendrai jeter le mépris sur votre anus infundibuliforme (...)
LAUTRÉAMONT, les Chants de Maldoror, p. 302, *in* T. L. F.

INFUNDIBULUM [ɛ̃fɔ̃dibylɔm] n. m. — 1694; *infondibule* «entonnoir», 1611; mot lat. «entonnoir, trémie», de *infundere* «verser». → Infus.

♦ Anat. Partie en forme d'entonnoir (de certains organes ou canaux). ⇒ **Canal, entonnoir.**

Spécialt. [a] Communication entre le méat moyen et le maxillaire supérieur.

[b] Entonnoir* crural.

[c] Sommet du troisième ventricule* du cerveau.

Le sommet du troisième ventricule, encore appelé *infundibulum,* est situé (...) à la réunion des deux bords antérieur et postérieur. Il se dirige en bas et en avant et se termine, par une extrémité plus ou moins effilée, dans la moitié supérieure de la tige pituitaire, formant le *diverticule de l'infundibulum.*
TESTUT, Traité d'anatomie humaine, t. II, p. 1030.

Il est dans l'encéphale certaines régions dont les fonctions demeurent même aujourd'hui, après les nombreuses recherches dont elles ont été l'objet, obscures et mystérieuses. La région du 3e ventricule et de l'unfundibulum est de celles-là.
B. CENDRARS, Moravagine, *in* Œ. compl., t. IV, p. 254.

DÉR. Infundibulaire.
COMP. Infundibuliforme.

INFUS, USE [ɛ̃fy, yz] adj. — 1541; attestation isolée, XIIIe; lat. *infusus,* p. p. de *infundere* «verser», de *in-,* et *fundere* «répandre».

♦ **1.** Vx. Répandu (dans). ⇒ **Infusé** (p. p. de *infuser*).

♦ **2.** Fig. et littér. *Une révélation innée et infuse dans notre esprit* (→ Immortalité, cit. 2). *Un don infus avec la vie.* ⇒ **Inné, naturel; disposition** (→ Agréer, cit. 3). — Théol. SCIENCE INFUSE : science infusée par Dieu à Adām. — Cour. *Avoir la science infuse :* être savant sans avoir étudié. *Il croit avoir la science infuse. Je n'ai pas la science infuse.*

L'homme ne peut rien apprendre qu'en allant du connu à l'inconnu; mais d'un autre côté, comme l'homme n'a pas en naissant la science infuse et qu'il ne sait rien que ce qu'il apprend, il semble que nous soyons dans un cercle vicieux et que l'homme soit condamné à ne pouvoir rien connaître.
Cl. BERNARD, Introd. à la médecine expérimentale, p. 84.

INFUSÉ [ɛ̃fyze] n. m. — D. i. (1868, *in* T. L. F.); de *infuser.*

♦ Pharm. Liquide obtenu par l'infusion de plantes médicinales.

HOM. Formes du v. **infuser.**

INFUSER [ɛ̃fyze] v. tr. — XIVe; de *infusion.*

♦ **1.** Laisser tremper (une substance, notamment végétale) dans un liquide chaud afin que ce dernier se charge des principes qu'elle contient. ⇒ **Macérer.** *Infuser du thé, de la verveine.* — Intrans. *Thé qui infuse. Faire infuser de la camomille. Laisser infuser quelques minutes dans un nouet*.*

1 Elle versa l'eau dans la théière et revint s'asseoir au bout de quelques instants. — Il faut le laisser infuser, dit-elle. SARTRE, l'Âge de raison, XV, p. 262.

Techn. Laisser tremper longtemps (un solide) dans un liquide, afin que celui-ci en dissolve, à froid, les parties solubles. *Infuser du musc, de l'ambre, pour en faire des parfums.*

♦ **2.** Vx. Faire pénétrer (un liquide) dans un corps. ⇒ **Verser.** *Infuser du sang à qqn* (⇒ **Transfuser**). *Médée infusa un sang nouveau au père de Jason.* — Fig. et mod. *Infuser un sang nouveau à qqn, à qqch.,* l'animer* d'une vie nouvelle (→ Engager, cit. 52).

2 Oh! je ne vous laisserai point mourir. J'ai de la vie pour deux, et je vous infuserais mon sang, s'il le fallait. BALZAC, la Cousine Bette, Pl., t. VI, p. 187.

3 (...) il lui avait inoculé le virus redoutable de sa vertu; il lui avait infusé dans les veines sa conviction, sa conscience, son idéal (...)
HUGO, Quatre-vingt-treize, II, I, III.

Infuser du courage dans les veines de quelqu'un.

♦ **3.** (1690). Fig. ⇒ **Communiquer, introduire.** *Infuser l'incertitude* (cit. 14) *dans le cœur d'un homme. Infuser son désir à quelqu'un* (→ Fulgurant, cit. 2).

4 (...) le poison infusé dans mon âme commençait d'y tracer son chemin.
G. DUHAMEL, Chronique des Pasquier, II, VI.

▶ **S'INFUSER** v. pron. *« Il faut donner au thé le temps de s'infuser »* (Académie).

▶ **INFUSÉ, ÉE** p. p. adj. *Boisson infusée.* ⇒ **Infusion.** *Thé plus ou moins infusé.* ⇒ **Fort.**

5 (...) tu préfères peut-être que je te prépare une bonne tasse de thé, juste comme tu l'aimes, bouillant, bien infusé (...) N. SARRAUTE, le Planétarium, p. 178.

Pharm. ⇒ **Infusé,** n. m.

HOM. Infusé.

INFUSIBILITÉ [ɛ̃fyzibilite] n. f. — 1769, *in* D. D. L.; de *infusible.*

♦ Didact. Caractère de ce qui est infusible. *L'infusibilité des substances réfractaires.*

CONTR. Fusibilité.

INFUSIBLE [ɛ̃fyzibl] adj. — 1760; de 1. *in-,* et *fusible.*

♦ Didact. Qui ne peut être fondu*. ⇒ **Apyre.** *L'amiante, substance infusible à très haute température.*

CONTR. Fusible.
DÉR. Infusibilité.

INFUSION [ɛ̃fyzjɔ̃] n. f. — Fin XIIe, au sens 4; «enduit», XIIIe; lat. *infusio,* de *infusum,* supin de *infundere* «verser». → Infus.

♦ **1.** (Mil. XIVe). Action d'infuser dans un liquide (une substance dont on veut extraire les principes solubles, notamment une substance végétale). ⇒ **Décoction.** *L'infusion d'une substance, du thé dans l'eau chaude. Les tisanes, le café, le thé se font par infusion dans l'eau chaude. Infusion à froid.* ⇒ **Macération.**

Techn. *Infusion du malt,* dans la fabrication des bières de fermentation haute.

♦ **2.** (1611). Cour. *Une, des infusions.* Liquide infusé, spécialt, tisane de plantes.

0.1 En soulevant la bouilloire, il répandit de l'eau sur le parquet.
— «Maladroit!» s'écria Bouvard.
Puis trouvant l'infusion médiocre, il voulut la renforcer par deux cuillerées de plus.
— «Ce sera exécrable» dit Pécuchet.
— «Pas du tout!»
Et chacun tirant à soi la boîte, le plateau tomba; une des tasses fut brisée, la dernière du beau service en porcelaine.
FLAUBERT, Bouvard et Pécuchet, p. 323 (éd. Folio).

Spécialt. Infusion, à l'exclusion du thé. ⇒ **Angélique, badiane, bourrache** (cit. 1), **camomille, gentiane, menthe, tilleul, verveine.** *Prendre, boire une infusion après le repas, avant d'aller se coucher. Infusions stomachiques.*

Elle resta vingt-quatre heures couchée, ne laissant approcher d'elle que sa femme de chambre qui lui apporta quelques tasses d'infusion de feuilles d'oranger. 1
BALZAC, la Duchesse de Langeais, Pl., t. V, p. 241.

Gloria lui servit son infusion, après l'avoir sucrée. Elle y versa une cuillerée à café de potion, fit fondre le sucre avec soin, mit la tasse aux mains de l'abbé, et le regarda. H. BOSCO, Un rameau de la nuit, p. 261. 2

♦ **3.** Fig. et relig. Action d'épancher, de verser (un liquide). — (1688). *Baptême** (cit. 9) *par infusion ou par aspersion* (→ Baptistère, cit.). — (1572). Méd. anc. Fait de verser un liquide.

♦ **4.** (Fin XIIe). Théol. Pénétration dans l'âme de certaines facultés ou grâces surnaturelles. *Recevoir une infusion du Saint-Esprit* (→ Confirmation, cit. 5). *Âme impénétrable aux infusions de la grâce* (→ Habitude, cit. 36). — Par analogie, littéraire :

Une chose digne de remarque est la puissance d'infusion que possèdent les sentiments. Quelque grossière que soit une créature, dès qu'elle exprime une affection forte et vraie, elle exhale un fluide particulier qui modifie la physionomie, anime le geste, colore la voix. BALZAC, le Père Goriot, Pl., t. II, p. 957. 3

Personne n'est original au sens strict du mot. Le talent, comme la vie, se transmet par infusion (...) FLAUBERT, Correspondance, 397, 6-7 juin 1853. 4

Son rôle est d'aider à l'infusion d'une morale conformiste de la sujétion (...) 5
R. BARTHES, Mythologies, p. 128.

DÉR. Infuser.

INFUSOIRE [ɛ̃fyzwaʀ] n. m. — 1795, Cuvier; adj., 1791, in *Revue de linguistique romane;* lat. sc. *infusorius,* créé par Wrisberg en 1765; de *infusio.* → Infusion.

♦ Animal unicellulaire microscopique qui vit dans les liquides. *Infusoires en bâtonnet, infusoires cylindriques. Le trypanosome, infusoire parasite du sang.* — Adj. Vx. *Animalcules infusoires* (Académie).

(...) voici l'infusoire, le plus anciennement connu de ces monstres à rebours. Depuis le XVIIIe siècle, on le voit battre l'eau de ses cils vibratiles, nage autrement compliquée que le *crawl.* M. CONSTANTIN-WEYER, Source de joie, II, p. 28. 1

De sorte que, à l'égard de ces invités-là, ils étaient jeunes vus de loin, leur âge augmentait avec le grossissement de la figure et la possibilité d'en observer les différents plans; il restait dépendant du spectateur, qui avait à se bien placer pour voir ces figures-là et à n'appliquer sur elles que ces regards lointains qui diminuent l'objet comme le verre que choisit l'opticien pour un presbyte; pour elles la vieillesse, comme la présence des infusoires dans une goutte d'eau, était amenée par le progrès moins des années que, dans la vision de l'observateur, du degré de l'échelle. PROUST, le Temps retrouvé, Pl., t. III, p. 946. 1.1

Spécialt. *Les infusoires :* sous-embranchement des protozoaires*. *Les infusoires sont munis de cils vibratiles et possèdent deux noyaux.* ⇒ **Cilié, flagellé; acinétiens, appendiculés, hétérotriches, holotriches, operculaire, péritriches...** — Au sing. *Infusoire à cils, à flagellum, à tentacules. Péristome d'un infusoire.*

Les Infusoires ciliés sont extrêmement répandus, et ils peuplent tous les milieux liquides : eau douce, eau salée, liquides cavitaires *(des cavités organiques)* de nombreux animaux, où ils vivent en parasites (...) 2
Pierre-P. GRASSÉ, Protozoaires, *in* Encycl. Pl. (Zoologie), t. I, p. 392.

Les infusoires du corail (→ Substruction, cit. 2).

-ING Suffixe anglais du participe présent, apparaissant en français dans de nombreux emprunts (l'un des premiers est *meeting,* 1733) et dans quelques mots (faux anglicismes) formés en français (ex. publicitaire : *schwepping,* sur le nom de marque *Schweppes*).

REM. La prononciation française courante des mots français en *-ing* est flottante, de [iŋ] à *«-igne»* [iɲ] en passant par [ɛ̃], [ɛ̃g].

INGAGNABLE [ɛ̃gaɲabl] adj. — 1773, Beaumarchais; de 1. *in-,* et *gagnable.* → Gagner.

♦ **1.** Qui ne peut pas être gagné. *Ce procès est ingagnable.*

♦ **2.** Que l'on ne peut gagner à sa cause. *L'aristocratie « ingrate et ingagnable »* (Chateaubriand).

CONTR. Gagnable.

INGAMBE [ɛ̃gɑ̃b] adj. — V. 1576, Monluc; *en gambe,* v. 1536; ital. *(esser) in gamba,* proprt «en jambe», d'où «alerte»; de *gamba* «jambe».

♦ Littér. ou style soutenu. Qui se meut avec agilité. ⇒ 1. **Alerte, allègre** (cit. 3), **dispos,** 1. **gaillard, léger, vif.** *Un vieillard encore ingambe.*

(...) il y a deux ans, je ne boitais pas; j'étais au contraire fort ingambe, lors de mon voyage d'Italie : il est vrai que la peur donne des jambes. 1
A. DE VIGNY, Cinq-Mars, XVI.

Alors Homais lui représentait combien il *(le pied bot)* se sentirait ensuite plus gaillard et plus ingambe (...) FLAUBERT, Mme Bovary, XI, p. 113. 1.1

2 — Je t'aide de mon mieux, mon amie (...) je t'ai maintes fois proposé, puisque je suis ingambe à présent, d'aller au marché ou de faire le ménage à ta place.
GIDE, les Caves du Vatican, III, IV.

Par ext. *Une démarche ingambe.*

CONTR. Blessé, estropié, impotent, infirme.

INGÉLIF, IVE [ɛ̃ʒelif, iv] adj. — 1873, P. Larousse; de 1. *in-*, et *gélif.*

♦ Techn. Qui n'est pas gélif. *Pierres ingélives. Couverture ingélive.*

DÉR. Ingélivité.

INGÉLIVITÉ [ɛ̃ʒelivite] n. f. — XXe; de *ingélif.*

♦ Techn. Caractère d'une matière ingélive, qui n'éclate, ne se fissure pas sous l'action du gel.

INGÉNIER (S') [ɛ̃ʒenje] v. pron. — Conjug. *prier.* — 1395; rare jusqu'au XVIIIe; formé sur le lat. *ingenium* «esprit», de *in-* «vers», et *genere,* forme archaïque de *gignere* «créer, engendrer».

♦ **S'INGÉNIER À** (et inf.) : mettre en jeu toutes les ressources de son esprit (pour imaginer qqch., résoudre une difficulté, trouver un moyen de réussir). ⇒ **Chercher, évertuer** (s'). *S'ingénier à améliorer* (cit. 3) *une situation, à faire plaisir à qqn* (→ Apercevoir, cit. 21). *Elle s'est ingéniée à lui déplaire* (→ Doigt, cit. 16). *S'ingénier à une œuvre, à une découverte* (Académie). — Absolument :

1 (...) petit à petit, en s'ingéniant, en étendant ses travaux et son commerce, il s'est trouvé dans l'aisance. BALZAC, le Médecin de campagne, Pl., t. VIII, p. 404.

2 Je m'ingéniais alors à inventer des moyens pour lui prouver que j'étais toujours le même «fils affable» que par le passé. RENAN, Souvenirs d'enfance..., VI, II.

3 (...) nous dûmes remettre au lendemain la partie de pêche projetée; mais, devant la déception de l'enfant, je m'ingéniai à lui procurer quelque autre plaisir (...)
GIDE, Isabelle, p. 59.

4 Chaque beauté, chaque chose réussie, l'homme s'ingénie à la gâcher, même quand elle est sa création. MONTHERLANT, le Démon du bien, p. 29.

Vx. *S'ingénier de...,* et inf. (G. Sand, *in* T. L. F.). — Littér. *S'ingénier pour... «Il s'ingénie pour une mission plus savante»* (Gide, *Paludes,* in *Romans,* Pl., p. 92).

INGÉNIERIE [ɛ̃ʒeniʀi] n. f. — V. 1964; de *ingénieur,* d'après l'angl. *engineering.* → Génie.

♦ Techn., didact. Étude globale d'un projet industriel sous tous ses aspects (techniques, économiques, financiers, sociaux), coordonnant les études particulières des spécialistes. *Un directeur de recherche et d'ingénierie.*

REM. Le terme *ingénierie,* approuvé par l'Académie française, a été proposé pour remplacer l'anglicisme *engineering** avec lequel il est en concurrence (*Journ. off.,* 18 janv. 1873).

Par ext., sc. Discipline d'applications scientifiques correspondant à un domaine de connaissance en science pure. *«... en orientant délibérément le C. E. A. vers les seules applications de l'atome, une sorte d'ingénierie de l'atome, les recherches étant systématiquement tournées vers l'obtention de matériaux et de procédés aux seules fins pratiques»* (*Science et Vie,* déc. 1975, p. 66). *«L'ingénierie immunologique»* (*la Recherche,* févr. 1975, p. 119).

INGÉNIEUR [ɛ̃ʒenjœʀ] n. m. — 1556; anc. franç. *engeigneur,* de *engin* «machine de guerre»; empr., selon Brunot, à l'ital. *ingegnere.*

♦ **1.** Vx. Constructeur, inventeur d'engins de guerre; homme qui conduit des travaux ou des ouvrages pour attaquer ou défendre une place forte. *Vauban fut un grand ingénieur* (→ Bâtir, cit. 15).

1 Ce château neuf est appelé autrement le fort Guillaume (...) M. de Vauban a admiré lui-même la beauté de cet ouvrage. L'ingénieur qui l'a tracé, et qui a conduit tout ce qu'on y a fait, est un Hollandais nommé Cohorne.
RACINE, Lettres, 102, 24 juin 1692.

2 (...) vous êtes couché sur l'état en qualité d'ingénieur des troupes de débarquement : ce qui vous convient d'autant mieux que le génie étant votre première destination, je sais que vous l'avez appris dès votre enfance.
ROUSSEAU, Julie ou la Nouvelle Héloïse, III, Lettre XXV.

♦ **2.** [a] (XVIIe-XVIIIe). Vx. Personne qui élabore, dresse les plans d'ouvrages d'art, de machines, et, parfois, en dirige, en surveille l'exécution. ⇒ **Architecte** (→ Fournir, cit. 13; gorge, cit. 30).

[b] Mod. Personne qui a reçu une formation scientifique et technique le rendant apte à diriger certains travaux, à participer à des recherches. *La délivrance du titre d'ingénieur est réglementée par la loi du 10 juillet 1934 et le décret du 23 mai 1951. Femme ingénieur* (appos.). *Monsieur X, madame X, ingénieur.* — (Devant un nom propre). *L'ingénieur Legrand* (ne correspond pas à l'usage normal en français). — *Ingénieur civil*. Ingénieur breveté* (cit. 1). *Ingénieur diplômé de l'École polytechnique, de l'École centrale. Ingénieur de l'aéronautique* (⇒ **Aviation**), *des arts et métiers*, des constructions* navales, des eaux* et forêts, du génie* civil, de la marine, des mines*, des ponts* et chaussées, des travaux* publics. Ingénieur acousticien, agronome, chimiste, électricien, géographe, hydrographe, mécanicien* (→ Dispositif, cit. 3), *opticien. Ingénieur spécialisé en hydraulique* (cit. 2) : hydraulicien. *Ingénieur en chef.* ⇒ **Directeur.** *Des ingénieurs conseil*. Ingénieur commercial :* cadre ayant une formation d'ingénieur, chargé de promouvoir la vente de matériel, de procédés techniques. *«Maussade pour les analystes et les ingénieurs d'études (...) la situation est au beau temps pour les ingénieurs-systèmes* (sic) *et pour les ingénieurs commerciaux* (en informatique)*»* (*l'Express,* 21 mars 1981, p. 106). — (1934, *in* D. D. L.). Spécialt (cin. et radio). *Ingénieur du son*.* — REM. Le féminin *ingénieure* n'est pas entré dans l'usage. On dit : *elle est ingénieur. Madame X..., ingénieur chimiste* mais on évitera l'emploi au féminin : *une ingénieur, l'ingénieur est compétente.* La forme *ingénieure* (→ Prieur, prieure) est virtuelle.

L'ingénieur est, en quelque sorte par définition, un homme qui s'est spécialisé dans la mise en œuvre de certaines applications de la science. Cette seule définition suffit à montrer qu'à l'heure actuelle l'ingénieur doit posséder des connaissances scientifiques très vastes et très précises (...) Dans la pratique, cette nécessité pour l'ingénieur contemporain de connaître les derniers résultats de la science et tout l'ensemble de leurs acquisitions passées se traduit par une élévation constante et nécessaire du niveau des études dans les Écoles d'ingénieurs et par le caractère de plus en plus approfondi, du point de vue scientifique, des travaux qu'ils ont ensuite à effectuer. Il n'est pas étonnant dans ces conditions que les ingénieurs soient amenés, sans s'écarter du but essentiellement pratique de leur tâche, mais au contraire pour mieux remplir cette tâche, à entreprendre fréquemment des recherches à caractère scientifique et à apporter ainsi des contributions de plus en plus importantes au développement de la science pure (...) Dans les domaines si importants aujourd'hui de l'Électrotechnique et de la Radio-électricité, les ingénieurs apportent constamment au progrès de la science presque autant de contributions essentielles que les savants de profession (...) 3
L. DE BROGLIE, Nouvelles perspectives en microphysique, Le rôle de l'ingénieur..., p. 264.

[c] Didact. (en attribut). Personne qui a l'esprit technologique, le goût des objets techniques, de la technicité.

Comte est ingénieur. Derrière sa théorie de l'action, on entrevoit la machine-outil, la locomotive. SARTRE, Situations I, p. 194. 4

[d] Admin. Agent du Centre national de la recherche scientifique français, recruté sur diplôme et chargé de tâches scientifiques, mais n'ayant pas le statut de chercheur. *Les ingénieurs, techniciens et administratifs* (I. T. A.) *du C. N. R. S.*

Ingénieur-docteur : ingénieur, technicien ayant soutenu une thèse.

COMP. Sous-ingénieur.

INGÉNIEUSEMENT [ɛ̃ʒenjøzmɑ̃] adv. — 1380; *engeniousement,* 1200; de *ingénieux.*

♦ D'une manière ingénieuse. *Utiliser ingénieusement quelque chose* (→ H, cit. 6). *Il a très ingénieusement remarqué que...* (→ Augmenter, cit. 5; déraciner, cit. 2). ⇒ **Astucieusement, habilement.** *Il était ingénieusement bricoleur.*

INGÉNIEUX, EUSE [ɛ̃ʒenjø, øz] adj. — V. 1380; réfection de l'anc. franç. *engenious,* d'après le lat. *ingeniosus,* de *ingenium.* → Ingénier (s').

Littéraire ou style soutenu.

♦ **1.** (Personnes). Qui a l'esprit inventif, fertile en expédients (2. Expédient, cit. 6), en ressources. ⇒ **Adroit, astucieux, entendu, habile, industrieux, intelligent, subtil.** *Un homme ingénieux.* ⇒ **Ressource** (de). *Mécanicien ingénieux.* ⇒ 1. **Bon.** *Inventeur, bricoleur ingénieux. Le besoin* (cit. 10) *rend ingénieux* (→ prov. Nécessité* est mère d'industrie).

Andromaque trompa l'ingénieux Ulysse. RACINE, Andromaque, I, 1. 1

(...) dans une famille, s'il se trouve un adolescent ingénieux qui a la manie de réparer les horloges, les planches d'escaliers, les serrures, les balais, les couteaux et toutes choses, c'est un vrai trésor et tout le monde en conviendra. 2
ALAIN, Propos, Révolution économique, 19 oct. 1912.

(...) depuis hier, j'ai su assurer mes communications : quelqu'argent au portier, et quelques fleurettes à sa femme, en ont fait l'affaire. Convenez-vous que Danceny n'ait pas su trouver ce moyen si simple? et puis, qu'on dise que l'amour rend ingénieux! il abrutit au contraire ceux qu'il domine. 2.1
LACLOS, les Liaisons dangereuses, CXXXIII.

Rare. *Un ingénieux, une ingénieuse.*

Propre à une personne ingénieuse. *La bienfaisance* (cit. 4, France) *est ingénieuse. Avarice ingénieuse et inventive* (→ Frustrer, cit. 10). — (1640). *Ingénieux à,* suivi de l'inf. (Vx). Qui s'ingénie* à... (→ Adresse, II., cit. 13). — (Mod.). Qui exerce son ingéniosité à...

Tout ce qu'elle ignorait de sa vie la faisait trembler, et tout ce qu'elle en savait l'épouvantait. À chacune de leurs rencontres, elle devenait ingénieuse à l'interroger, sans qu'il s'en aperçût, pour lui faire dire ses opinions sur les gens qu'il avait vus, sur les maisons où il avait dîné, sur les impressions les plus légères de son esprit. MAUPASSANT, Fort comme la mort, p. 54. 2.2

♦ **2.** (V. 1450; choses). Qui témoigne de l'adresse*, d'une grande fertilité (cit. 4) d'imagination. *Invention, trouvaille ingénieuse.* ⇒ **Génial, génie** (de). *Bâtir* (cit. 40) *une hypothèse* (cit. 8), *une théorie ingénieuse.* ⇒ **Artificieux** (vx). *Ingénieux rapprochement de deux idées. Explication ingénieuse* (→ 1. Efficace, cit. 5). *Concevoir* (cit. 21) *un expédient* (cit. 10), *un projet ingénieux* (⇒ **Astuce, truc**). *Bravo, c'est très ingénieux!* ⇒ **Habile** (cit. 21). *Agencement ingénieux* (→ Bain, cit. 8). *Technique ingénieuse* (→ Houille, cit. 5). *Horloge, machine ingénieuse.* ⇒ **Beau.**

3 Ses raisons sont fines et justes; elle fait, d'un trait ingénieux, le départ entre ce qui, chez le romancier, relève de la vérité du cœur, et ce qui n'est que le brillant de son esprit. Émile HENRIOT, Portraits de femmes, p. 338.

CONTR. **Bête.**

DÉR. **Ingénieusement, ingéniosité.**

INGÉNIOSITÉ [ɛ̃ʒenjozite] n. f. — 1307 (1488, selon T. L. F.); bas lat. *ingeniositas*, de *ingeniosus*. → Ingénieux.

Littéraire ou style soutenu.

♦ **1.** Qualité d'une personne ingénieuse. ⇒ 2. **Adresse, esprit, habileté** (→ Agir, cit. 12). *Encourager* (cit. 11) *l'ingéniosité. Faire preuve d'ingéniosité.* ⇒ **Industrie** (→ Éparpiller, cit. 6). *Apporter, déployer beaucoup d'ingéniosité dans une entreprise* (→ Hauteur, cit. 13; imaginer, cit. 12). *Subterfuge où s'avère* (cit. 10) *une fertile ingéniosité.* ⇒ **Astuce.** *Trait d'ingéniosité.* ⇒ **Génie** (de). *C'est affaire d'ingéniosité* (→ C'est l'œuf* de Christophe Colomb).

M. de Bonald avait l'esprit délié; on prenait son ingéniosité pour du génie (...)
CHATEAUBRIAND, Mémoires d'outre-tombe, t. II, p. 188.

(...) à quelle tâche surhumaine il emploiera jusqu'à ses derniers jours son talent, sa plume et son ingéniosité d'homme d'affaires (...)
Émile HENRIOT, les Romantiques, p. 106.

♦ **2.** (1488). Caractère de ce qui est ingénieux. *Projet d'une extrême ingéniosité* (→ Funambulesque, cit. 4). *Combinaison* (cit. 4) *qui est une merveille d'ingéniosité.*

CONTR. **Bêtise.**

INGÉNU, UE [ɛ̃ʒeny] adj. — XIIIe, attestation isolée; *condition igenue* (sens A), 1480; lat. *ingenuus* «né libre», et, par ext., «noble, franc»; de *in-*, et *genere, gignere.*

A. Didact. (dr. rom.). Qui est né libre, par oppos. à *esclave* ou *affranchi.* — N. m. pl. *Les ingénus.*

B. ♦ **1.** Vx. Franc, sincère.

♦ **2.** (1611). Mod. Littér. ou style soutenu. Qui a une sincérité innocente et naïve. ⇒ **Candide, inexpérimenté, innocent, naïf, simple, simplet.** *Jeune fille ingénue. Un garçon bon* et ingénu* (→ Sans malice*). *Artiste ingénu* (→ Coruscant, cit. 1). *L'Ingénue libertine,* roman de Colette. — *Un air, un regard ingénu. Des yeux ingénus. D'un air ingénu* (→ Sans avoir l'air d'y toucher*). *Franchise ingénue.* ⇒ 2. **Franc.** *Des grâces ingénues, sans fard* (cit. 10). *Vantardise ingénue* (→ Épate, cit. 1). *Question, réponse ingénue.*

La déclaration est assez ingénue. MOLIÈRE, Sganarelle, XXII.

Il est ingénu et sans malice (...) FÉNELON, Dialogue des morts, 6, *in* LITTRÉ.

Depuis son hymen avec la civilisation, la société a perdu le droit d'être ingénue et pudibonde. Il est de certaines rougeurs qui sont encore de mise au coucher de la mariée, et qui ne peuvent plus servir le lendemain.
Th. GAUTIER, Préface de Mlle de Maupin, p. 15.

Un ingénu besoin de révérence inclinait devant eux mon esprit.
GIDE, Si le grain ne meurt, I, IX, p. 238.

N. *Un ingénu, une ingénue. Une jeune ingénue* (→ Harmonie, cit. 36). *Agnès, type de l'ingénue créé par Molière. L'Ingénu,* conte de Voltaire. *Faire l'ingénu.* ⇒ **Ignorant.** → Sainte nitouche*. — (1829). En t. de théâtre. *Une fausse ingénue :* jeune fille qui feint la naïveté. — *Jouer les ingénues. Rôle d'ingénue,* de jeune fille naïve.

Monsieur le bailli, qui s'emparait toujours des étrangers dans quelque maison qu'il se trouvât, et qui était le plus grand questionneur de la province, lui dit en ouvrant la bouche d'un demi-pied : Monsieur, comment vous nommez-vous? On m'a toujours appelé l'Ingénu, reprit le Huron, et on m'a confirmé ce nom en Angleterre, parce que je dis toujours naïvement ce que je pense, comme je fais tout ce que je veux. VOLTAIRE, l'Ingénu, I.

George Sand est une de ces vieilles ingénues qui ne veulent jamais quitter les planches. BAUDELAIRE, Journaux intimes, «Mon cœur mis à nu», XXVIII.

Nous sommes les Ingénues
Aux bandeaux plats, à l'œil bleu (...)
VERLAINE, Poèmes saturniens, «Chanson des Ingénues».

CONTR. **Averti, faux, hypocrite, retors, roué. — Coquette.**

DÉR. **Ingénument.**

INGÉNUITÉ [ɛ̃ʒenɥite] n. f. — 1546; *ingénité,* 1372, au sens 1; lat. *ingenuitas,* de *ingenuus.* → Ingénu.

♦ **1.** Didact. (dr. rom.). État d'une personne née libre, ingénue*.

♦ **2.** Littér. ou style soutenu. Sincérité innocente et naïve. ⇒ **Candeur, franchise, ignorance, inexpérience, innocence, naïveté, pureté simplicité, sincérité.** *Ingénuité d'une jeune fille. Ingénuité de l'enfance* (→ Âge, cit. 27). *Sa figure est l'image de la candeur et de l'ingénuité* (→ Fausseté, cit. 7). *Répondre avec ingénuité,* avec une naïveté excessive. — (Choses). *L'ingénuité d'un désir* (→ Forcer, cit. 18), *d'un amusement* (cit. 11). *L'ingénuité de la véritable vertu* (→ Candeur, cit. 1).

Cet aveu qu'elle fait avec sincérité
Me marque pour le moins son ingénuité. MOLIÈRE, l'École des femmes, II, 5.

Toute la personne de Cosette était naïveté, ingénuité, transparence, blancheur, candeur, rayon. On eût pu dire de Cosette qu'elle était claire.
HUGO, les Misérables, IV, VIII, I.

♦ **3.** (1845). Vieilli ou littér. *(Une, des ingénuités).* Parole, action ingénue. *Laisser échapper une ingénuité* (→ Ganache, cit. 4). ⇒ **Naïveté.**

J'étais si parfaitement candide et ignorant, que le premier éveil qui m'ait sur- 3
pris au milieu de mes ingénuités me vint ainsi d'un regard inquiet de ma tante, d'un sourire équivoque et curieux d'Olivier. E. FROMENTIN, Dominique, V.

CONTR. **Coquetterie, fausseté, rouerie.**

INGÉNUMENT [ɛ̃ʒenymɑ̃] adv. — XVe, attestation isolée; «avec une noble franchise», 1554; de *ingénu.*

Littéraire ou style soutenu.

♦ **1.** Vx. Avec franchise.

♦ **2.** Mod. D'une manière ingénue. *Répondre très ingénument à une question* (→ Bien, cit. 100). *Avouer ingénument ses torts. Se livrer ingénument à un bonheur, une joie...* (→ Idéaliser, cit. 3).

Ce qui la charmait le plus (*Calypso*) était de voir que le jeune Télémaque racon- 1
tait ingénument les fautes qu'il avait faites par précipitation et en manquant de docilité pour le sage Mentor (...) FÉNELON, Télémaque, III.

Les ordonnances avaient suspendu une grande touffe de gui au-dessus de la porte, 2
et les jeunes filles demandèrent ingénument s'il n'était pas d'usage en Angleterre de s'embrasser sous le gui de Noël.
A. MAUROIS, les Silences du colonel Bramble, XII.

CONTR. **Faussement, hypocritement.**

1. INGÉRABLE [ɛ̃ʒeʀabl] adj. — D. i. (XXe); de 2. *ingérer.*

♦ Méd., pharm. Qui peut être ingéré, absorbé par voie buccale. *«Vaccins (...) atténués ingérables»* (V. Vic-Dupont, *la Maladie infectieuse,* p. 74, 1966).

2. INGÉRABLE [ɛ̃ʒeʀabl] adj. — D. i.; de 1. *in-*, et *gérable,* ou de 1. *in-*, *gérer,* et *-able.*

♦ Didact. Que l'on ne peut gérer, très difficile à gérer. *«Pour la première fois depuis 1980, on ne va pas parler de la Sécurité sociale — en fait, le régime général — comme d'un trou incomblable. Ou d'une institution ingérable»* (*Libération,* 8 nov. 1983).

INGÉRENCE [ɛ̃ʒeʀɑ̃s] n. f. — 1860, Ch. de Rémusat; de 1. *ingérer.*

♦ Action de s'ingérer. ⇒ **Immixtion, intervention, infusion.** *Ingérence de qqn dans une affaire, dans la vie privée de qqn. Les ingérences de l'État dans l'entreprise privée.*

Et je viens aujourd'hui, reprit l'orateur, apporter un surcroît de nouvelles preuves 0.1
de la malfaisante et outrecuidante ingérence des fonctionnaires du gouvernement pendant la période électorale. A. ROBIDA, le Vingtième Siècle, p. 158.

Pour écarter en principe l'ingérence gouvernementale, il (*Stuart Mill*) n'admet 1
comme valable qu'un seul argument économique : la supériorité que donne à l'individu le mobile de l'intérêt personnel. Mais il se hâte de montrer à combien de restrictions ce principe est sujet (...)
GIDE et RIST, Hist. des doctrines économiques, p. 490.

Spécialt. Le fait, pour un État, d'intervenir dans les affaires d'un autre État. *L'ingérence d'une grande puissance dans un petit pays. Ingérences économiques.*

Je télégraphiai, derechef, à M. Churchill : «Il ne m'est pas possible d'accepter 2
votre conception suivant laquelle les ingérences politiques des représentants britanniques au Levant seraient compatibles avec les engagements pris par le Gouvernement britannique relativement au respect de la position de la France et de son mandat (...)» Ch. DE GAULLE, Mémoires de guerre, t. II, p. 21.

Fig. *L'ingérence de l'imagination, de la fantaisie, dans le roman historique.*

Absolt. *Il, elle a la manie de l'ingérence,* de s'ingérer dans les affaires des autres.

1. INGÉRER (S') [ɛ̃ʒeʀe] v. pron. — Conjug. *céder.* — 1361, *s'ingérer;* lat. *ingerere* «porter dans»; de *in-* «vers», et *gerere* «porter». → Gérer.

Sujet nom de personne.

♦ **1.** S'introduire indûment, sans en être requis ou en avoir le droit. ⇒ **Entremettre (s'), entrer, faufiler (se), immiscer (s'), intervenir, introduire (s'); ingérence.** *Il est trop indiscret et s'ingère dans les affaires d'autrui. S'ingérer dans une discussion, une négociation; s'ingérer «dans la direction des choses»* (Renan).

(...) mais c'était peut-être le désir de s'ingérer dans la vie des autres qui poussait 1
le plus à l'amour du prochain.
LACRETELLE, *in* A. MAUROIS, Études littéraires, t. II, p. 234.

♦ **2.** (1627). *S'ingérer à* (XVe; vx), *de* (vx ou littér.). ⇒ **Mêler** (se). *«Nul ne se doit ingérer de son autorité propre à gouverner l'Église»* (Bossuet, *in* Littré). *«Il s'ingère de donner des avis. Il s'ingère de tout»* (Académie, huitième éd.). *«Je ne me suis ingéré à rien faire de moi-même»* (Renan, *Souvenirs d'enfance et de jeunesse, in* T. L. F.).

C'est à cette occasion qu'il faut la voir (*Mme de Maintenon*), maîtresse de maison, 2
moraliste, comptable, s'ingérant de tout, du vêtement, de la table et du lit (...)
Émile HENRIOT, Portraits de femmes, p. 120.

2. INGÉRER [ɛ̃ʒeʀe] v. tr. — 1825, Brillat-Savarin; lat. *ingerere.* → 1. Ingérer.

♦ Didact. Introduire par la bouche (dans les voies digestives). ⇒ **Avaler, manger; ingestion.** *Ingérer des aliments, un remède à forte dose, de l'alcool.* ⇒ **Absorber.** *Aliments qui sont ingérés dans l'estomac.* ⇒ **Ingesta** (→ Assimilable, cit. 1; fécal, cit.).

▶ **INGÉRÉ, ÉE** p. p. adj. *Remède ingéré sous forme de granules* (cit.), *de sirop.*

DÉR. 1. **Ingérable.**

INGESTA [ɛ̃ʒɛsta] n. m. pl. — 1742; mot lat., proprt «choses introduites».

♦ Physiol. Aliments ingérés (solides ou liquides). ⇒ **Aliment, boisson.**

(...) en conséquence les ingesta continuant à être les mêmes, il s'accumule une plus grande quantité de fluide dans les gros vaisseaux.
BOSQUILLON, trad. CULLEN, Éléments de médecine pratique, t. II, p. 6 (1795).

INGESTION [ɛ̃ʒɛstjɔ̃; ɛ̃ʒɛsjɔ̃] n. f. — 1825, Brillat-Savarin; «ingérence», 1407; bas lat. *ingestio,* de *ingestum,* supin du lat. class. *ingerere.* → 2. Ingérer.

♦ Didact. Action d'ingérer (des aliments, des boissons). ⇒ **2. Ingérer.** *L'ingestion d'un médicament par le malade. L'ingestion de la nourriture.* — Absolt. *Ingestion et digestion**.

Alors viennent le manger et le boire, qui constituent l'ingestion, opération qui commence au moment où les aliments arrivent à la bouche et finit à celui où ils entrent dans l'œsophage. A. BRILLAT-SAVARIN, Physiologie du goût, t. I, p. 234.

Biol. *Ingestion intracellulaire.*

IN GLOBO [inglobo] loc. adv. — Déb. XVIIIe, Saint-Simon, *in* Littré; mots latins.

♦ Didact. En bloc, sans examiner les détails. ⇒ **Globalement.** *Examiner un cas in globo.* → Globule; englober.

INGLORIEUSEMENT [ɛ̃glɔʀjøzmɑ̃] adv. — 1899, Clemenceau, *in* T. L. F.; de *inglorieux.*

♦ Littér. et rare. De manière inglorieuse; sans gloire.

INGLORIEUX, EUSE [ɛ̃glɔʀjø, øz] adj. — XIVe, puis 1801; lat. *ingloriosus;* de *in-* (→ 1. In-), et *gloriosus.* → Glorieux.

♦ Qui n'a acquis aucune gloire (en parlant de candidats à la gloire). *Un héros, un génie inglorieux.* — Qui ne procure aucune gloire. *Action inglorieuse.*

1 (...) les panoplies d'armes, de sabres de cavalerie, de mousquets et de pistolets d'arçon qui se rouillaient lentement, désuètes, rébarbatives, et avec on ne savait quoi d'inglorieux, associant à l'évocation des légions de soubrettes à plumeaux celle de générations d'officiers aux armes achetées en même temps que leurs brevets et au même titre (..) Claude SIMON, le Vent, p. 59.

2 Le génie affronte la mort, l'œuvre est la mort rendue vaine ou transfigurée ou, selon les mots évasifs de Proust, rendue «moins amère», «moins inglorieuse», et «peut-être moins probable». Il se peut.
M. BLANCHOT, l'Espace littéraire, p. 112.

CONTR. Glorieux, célèbre.
DÉR. Inglorieusement.

INGLUVIAL, ALE, AUX [ɛ̃glyvjal, o] adj. — Mil. XXe; dér. sav. du lat. *ingluvies.* → Ingluvie.

♦ Zool. Relatif au jabot des oiseaux.

INGLUVIE [ɛ̃glyvi] n. f. — Mil XXe; du lat. *ingluvies.*

♦ Zool. Pelote, appelée le plus souvent *pelote de réjection,* formée par les déchets alimentaires provenant de l'ingestion de leurs proies par certains oiseaux (rapaces, notamment).

INGOUVERNABLE [ɛ̃guvɛʀnabl] adj. — 1713, Destouches; de 1. *in-,* et *gouvernable.*

♦ **1.** Rare. Qu'on ne peut gouverner, diriger. ⇒ **Indirigeable.**

♦ **2.** Qui ne peut être gouverné. *Peuple, chambre ingouvernable.* — Fig. *Caractère ingouvernable* (Académie).

1 M. Necker songe à quitter le ministère; les Français sont donc ingouvernables!
GALIANI, Correspondance, t. II, p. 458, *in* LITTRÉ.

2 C'était *(le monde germanique avant Luther)* une ingouvernable pétaudière de cinq ou six cents États (...) Léon BLOY, la Femme pauvre, p. 120.

♦ **3.** Littér. Dont on ne peut garder le contrôle. *Des forces ingouvernables.*

(...) la dune indécise, frêle et résistante qui retient un océan ingouvernable. 3
J. CHARDONNE, les Destinées sentimentales, p. 142.

CONTR. Docile, gouvernable.

INGOUVERNÉ, ÉE [ɛ̃guvɛʀne] adj. — 1835, G. Sand; de 1. *in-,* et p. p. de *gouverner.*

♦ Littér. (Choses; personnes). Qui n'est pas gouverné, dirigé. *«L'enfant ingouverné et ingouvernable»* (G. Sand, *Histoire de ma vie, in* T. L. F.).

INGRAT, ATE [ɛ̃gʀa, at] adj. et n. — 1361, Oresme; lat. *ingratus,* de *in-* (→ 1. In-), et *gratus* «agréable, reconnaissant». → Gré.

♦ **1.** [a] Adj. (Personnes). Qui n'a aucun gré*, aucune reconnaissance. ⇒ **Oublieux.** *Être ingrat envers un bienfaiteur* (cit. 5), *pour, vis-à-vis de qqn.* — Sans compl. *On dit que Dieu punit les enfants ingrats* (→ Effrayer, cit. 4). ⇒ **Dénaturé.** *La jeunesse est naturellement ingrate.* ⇒ **Égoïste** (→ Fugace, cit. 6). *Le Fils ingrat,* célèbre tableau de Greuze. *Tout ingrat qu'il est...* (→ Avec, cit. 9). *«Ingrate patrie, tu n'auras pas mes os»,* paroles attribuées à Scipion l'Africain. — Par ext. (Choses). *Conduite ingrate. Sentiments ingrats. Acte ingrat.*

Peuples vraiment ingrats, qui n'ont su reconnaître 1
Les biens reçus de vous, peuples vraiment grossiers,
De massacrer ainsi nos pères nourriciers. RONSARD, Élégies, XXIV.

(...) ingrats envers Dieu toute leur vie (...) PASCAL, Pensées, IX, 631. 2

Je ne me souvenais plus de cette demoiselle de l'époque de mon voyage sur l'Océan, tant la mémoire est ingrate! 3
CHATEAUBRIAND, Mémoires d'outre-tombe, t. II, p. 386.

Une seule situation, celle du père maltraité par ses enfants ingrats, a suggéré tour à tour l'*Œdipe à Colone,* de Sophocle, le *Roi Lear,* de Shakespeare et le *Père Goriot,* de Balzac. TAINE, Philosophie de l'art, t. II, p. 226. 4

Vx. *Ingrat d'une chose,* «qui n'en a pas de reconnaissance» (Littré). — Vx. *Ingrat à... «Ingrate à vos bontés»* (Racine, *Bérénice,* I, 3). *«Ingrate à mon libérateur»* (Corneille, *Andromède,* V, 2).

[b] N. *Un ingrat, une ingrate. Faire du bien à un ingrat.* → Réchauffer un serpent* dans son sein. *Tu as fait de moi un ingrat* (→ Gratitude, cit. 5). *«Jamais un vrai bienfait* (cit. 9) *ne fit d'ingrat»* (J.-J. Rousseau). *Faites-moi ce plaisir, vous n'obligerez pas un ingrat* (Académie). *Vous n'aurez pas affaire à un ingrat* (Littré). *Tu n'auras pas obligé un ingrat* (→ Obliger, cit. 10 et 12). *Il y a beaucoup moins d'ingrats qu'on ne croit* (→ Généreux, cit. 13).

Il est bon d'être charitable; 5
Mais envers qui, c'est là le point.
Quant aux ingrats, il n'en est point
Qui ne meure enfin misérable. LA FONTAINE, Fables, VI, 13.

(...) s'il fallait condamner 6
Tous les ingrats qui sont au monde,
À qui pourrait-on pardonner? LA FONTAINE, Fables, X, 1.

(...) après m'avoir sauvé (...) Il s'est sacrifié. Voilà l'homme. Et, à moi l'ingrat, à moi l'oublieux, à moi l'impitoyable, à moi le coupable, il me dit : Merci! Cosette, toute ma vie passée aux pieds de cet homme, ce sera trop peu. 7
HUGO, les Misérables, V, IX, V.

[c] Adj. et n. (1632). Vx (cour. dans la langue classique). Qui ne répond pas ou ne répond plus à l'amour qu'on lui porte. *Amante ingrate* (→ Inconstant, cit. 7; 2. garde, cit. 8). — N. *L'ingrat, l'ingrate* (→ Aveugler, cit. 5; cacher, cit. 49; colorer, cit. 7; déesse, cit. 6; emporter, cit. 26; humide, cit. 11).

♦ **2.** (1637; choses). Qui ne dédommage pas de la peine qu'il donne, des efforts qu'il coûte. *Sol ingrat, terre ingrate.* ⇒ **Infructueux, stérile** (→ Fatiguer, cit. 5; formule, cit. 10; glèbe, cit. 2). *Nature ingrate.* ⇒ **Hostile.** *Un métier ingrat* (→ Honorer, cit. 28). — Pénible ou ennuyeux à traiter, à étudier. *Travail, sujet ingrat, tâche ingrate.* ⇒ **Difficile, pénible** (→ Brillant, cit. 17; fer, cit. 7).

Ce qui lui fit conclure en somme 8
Qu'il avait à grand tort son village quitté.
Il renonce aux courses ingrates,
Revient en son pays (...) LA FONTAINE, Fables, VII, 12.

On se trompe fort lorsqu'on pense que tous ces sujets, traités autrefois avec succès par Sophocle et par Euripide (...) sont des sujets heureux et aisés à manier : ce sont les plus ingrats et les plus impraticables (...) 9
VOLTAIRE, Lettres sur Œdipe, IV.

Un petit employé de bureau, seul dans une ville monstrueuse, un être infime, usé jusqu'à la fibre, rompu par une vie ingrate. 10
G. DUHAMEL, Salavin, IV, 20 octobre.

Impers. *C'est ingrat. Il trouvait, il considérait ingrat de...*

♦ **3.** (1511). Qui manque d'agrément, de grâce. ⇒ **Déplaisant, désagréable, disgracieux, laid.** *Visage ingrat.* ⇒ **Disgracié.** *Des figures ingrates* (→ Foi, cit. 21). *Physionomie, mine ingrate.* — *Aspect ingrat. Nature, contrée ingrate,* peu accueillante à l'homme. ⇒ **Hostile.**

Un peu de sang colora ses joues blettes. Il eut ce sourire piqué, par lequel il devait avoir l'habitude de répondre aux réprimandes du patron, et découvrit ainsi des dents saines et pointues, la seule grâce de cette ingrate figure. 11
F. MAURIAC, le Nœud de vipères, XIV.

Loc. *Âge* ingrat,* celui de la puberté.

Cosette (...) avait un peu plus de quatorze ans, et elle était «dans l'âge ingrat»; 12

nous l'avons dit, à part les yeux, elle semblait plutôt laide que jolie; elle n'avait cependant aucun trait disgracieux, mais elle était gauche, maigre, timide et hardie à la fois, une grande petite fille enfin. HUGO, les Misérables, IV, III, IV.

Par métaphore :

13 Il m'était impossible d'expliquer à Marthe que mon amour grandissait. Sans doute atteignait-il l'âge ingrat, et cette taquinerie féroce, c'était la mue de l'amour devenant passion. R. RADIGUET, le Diable au corps, p. 84.

CONTR. (Du sens 1) **Reconnaissant.** — (Du sens 2) **Fécond, fertile, fructueux, rémunérateur.** — (Du sens 3) **Avenant** (cit. 4), **plaisant.**

DÉR. Ingratement.

INGRATEMENT [ɛ̃gʀatmɑ̃] adv. — 1510; de *ingrat.*

Littéraire.

♦ **1.** Avec ingratitude. *« Je vous quittai ingratement »* (Maxime du Camp, *in* T. L. F.).

♦ **2.** D'une manière ingrate (2. ou 3.).

INGRATITUDE [ɛ̃gʀatityd] n. f. — V. 1265; bas lat. *ingratitudo,* du lat. *ingratus.* → Ingrat.

♦ **1.** Caractère d'une personne ingrate (1.); manque de gratitude, de reconnaissance. ⇒ **Méconnaissance** (→ Acquitter, cit. 8; bête, cit. 19; équilibre, cit. 9). *L'ingratitude de qqn envers qqn, à l'égard de qqn, pour qqn. L'ingratitude des hommes* (cit. 25). *Une ingratitude absolue, complète, involontaire; cruelle, sournoise. Une noire ingratitude. Acte d'ingratitude. Un trait de la plus noire ingratitude. Payer* qqn d'ingratitude. Un monstre d'ingratitude. Témoigner de l'ingratitude envers qqn. Se rendre coupable d'ingratitude envers un bienfaiteur, envers ses parents. L'ingratitude d'un fils, ingratitude filiale. L'ingratitude humaine du peuple. Être victime de l'ingratitude d'autrui* (→ Semer* en terre ingrate). *Encourir l'ingratitude de qqn. Taxer qqn d'ingratitude. Révocation d'une donation pour cause d'ingratitude* (art. 953 et suivants du Code civil). — *L'ingratitude d'un groupe, d'un parti.*

1 Presque tout le monde prend plaisir à s'acquitter des petites obligations; beaucoup de gens ont de la reconnaissance pour les médiocres; mais il n'y a quasi personne qui n'ait de l'ingratitude pour les grandes. LA ROCHEFOUCAULD, Réflexions morales, 299.

2 L'ingratitude la plus odieuse, mais la plus commune et la plus ancienne, est celle des enfants envers leurs pères. VAUVENARGUES, Maximes et Réflexions, 174.

3 A. — Vous avez beaucoup à vous plaindre de son ingratitude.
B. — Pensez-vous que, lorsque je fais du bien, je n'aie pas l'esprit de le faire pour moi? CHAMFORT, Dialogues, Bienfaiteur intelligent.

4 Du reste, ce qu'on appelle beaucoup trop durement, dans de certains cas, l'ingratitude des enfants, n'est pas toujours une chose aussi reprochable qu'on le croit. C'est l'ingratitude de la nature. La nature, nous l'avons dit ailleurs, « regarde devant elle ». HUGO, les Misérables, V, IX, I.

5 Son intransigeance *(de Rousseau)* a mis tout le monde contre lui; et il a fini par passer pour un monstre d'ingratitude aux yeux de ces gens qui se croyaient de bonne foi ses bienfaiteurs. Émile HENRIOT, Portraits de femmes, p. 185.

(1660). Vieilli. *(Une, des ingratitudes).* Acte d'ingratitude. → Honneur, cit. 72. *« Mes bontés et mes ingratitudes »* (Corneille). *Les noirceurs et les ingratitudes de qqn.* Dr. Violation du devoir de reconnaissance d'un donataire ou d'un légataire, pouvant entraîner la révocation de la libéralité.

6 La donation entre vifs ne pourra être révoquée pour cause d'ingratitude que dans les cas suivants :
1° Si le donataire a attenté à la vie du donateur;
2° S'il s'est rendu coupable envers lui de sévices, délits ou injures graves;
3° S'il lui refuse des aliments. Code civil, art. 955.

♦ **2.** (1770). Vx. Caractère de ce qui est ingrat* (2.). *Ingratitude d'un sol. — L'ingratitude de son métier, de son travail.*

CONTR. Gratitude, reconnaissance.

INGRÉDIENT [ɛ̃gʀedjɑ̃] n. m. — 1508; lat. *ingrediens,* p. prés. de *ingredi* « entrer dans »; de *in-* « vers », et *gradi* « marcher, s'avancer ».

♦ **1.** Élément qui entre dans la composition d'une préparation, d'un mélange. ⇒ **Constituant** (élément). *Les ingrédients d'un médicament, d'une drogue, d'une pommade, d'une boisson, d'une sauce* (⇒ **Assaisonnement**), *d'un mets* (→ Blanc, cit. 36; éprouver, cit. 3). — (Sans compl.). *Rajouter plusieurs ingrédients.*

1 (...) le papier se fait encore avec du chiffon de chanvre et de lin; mais cet ingrédient est cher (...) BALZAC, les Illusions perdues, Pl., t. IV, p. 556.

♦ **2.** (XVIIe). Fig. Ce qui concourt à un résultat.

2 Conservez-moi vos bontés, Monsieur, elles sont un des ingrédients de mon paradis. VOLTAIRE, Correspondance, 3658, juin 1770.

3 Le remords, singulier ingrédient du plaisir, est bientôt noyé dans la délicieuse contemplation du remords (...) BAUDELAIRE, les Paradis artificiels, « Poème du haschisch », IV.

INGRESQUE [ɛ̃gʀɛsk] adj. — 1845, Gautier; de *Ingres,* d'après les formes adjectives italiennes en *-esco.* → Caravagesque, michelangelesque.

♦ Arts. D'Ingres, en ce que sa manière a de plus frappant.

1 (...) une peinture nette, stricte, aux volumes accusés, limités, construits, dite *ingresque* (...) Maurice GIEURE, la Peinture moderne, p. 18.

Après avoir critiqué le style Empire, elle s'excusa de m'avoir parlé de gens aussi insignifiants que les Saint-Euverte et de niaiseries comme le côté provincial de Bréauté, car elle était aussi loin de penser pourquoi cela m'intéressait que Mme de Saint-Euverte-La Rochefoucauld, cherchant le bien de son estomac ou un effet ingresque, était loin de soupçonner que son nom m'avait ravi, celui de son mari, non celui plus glorieux de ses parents, et que je lui voyais comme fonction, dans cette pièce d'attributs, de bercer le Temps. 2
PROUST, le Temps retrouvé, Pl., t. III, p. 1025.

INGRESSIF, IVE [ɛ̃gʀesif, iv] adj. — Attesté XXe (1933, Marouzeau, *Lexique*); dér. sav. du lat. *ingressum,* supin de *ingredi.* → Ingrédient.

♦ Ling. Qui concerne, exprime le stade initial d'une action. ⇒ **Inchoatif.**

Phonét. Qui se caractérise par un appel d'air vers l'intérieur de l'appareil phonatoire.

INGRESSION [ɛ̃gʀesjɔ̃] n. f. — 1378, « invasion »; lat. *ingressio,* de *ingressum,* supin de *ingredi* « entrer dans ». → Ingrédient.

♦ **1.** Vx. ⇒ **Incursion, invasion** (encore chez Léon Bloy, *la Femme pauvre,* p. 114).

♦ **2.** Géogr. Envahissement d'une région basse par les eaux.

♦ **3.** (Mil. XXe). Méd. Déplacement subi par une dent selon son axe longitudinal, lorsqu'elle rentre dans le maxillaire.

INGRISABLE [ɛ̃gʀizabl] adj. — Mil. XIXe, Gautier; de 1. *in-, griser,* et *-able.*

♦ Fam. et rare. Qui ne peut être grisé, soûlé.

INGRISME [ɛ̃gʀism] n. m. — Attesté XXe; *ingriste,* 1846, Baudelaire; de *Ingres,* n. pr., et suff. *-isme.*

♦ Arts. Manière, style évoquant Ingres.

(...) Ingres avait traduit *sa* sensation devant la nature, tandis qu'ils *(les jeunes peintres)* exprimaient la « sensation » que leur faisait la « sensation » de M. Ingres. D'où un Ingrisme à la puissance 2 qui donnait des résultats glacés et monstrueux. Robert REY, la Peinture moderne, p. 97.

REM. Baudelaire emploie un verbe *ingriser* (*Salon de 1845,* Pl., p. 589).

INGUÉRISSABLE [ɛ̃geʀisabl] adj. — 1611; *ingarissable,* v. 1460; de 1. *in-,* et *guérissable.* → Guérir.

♦ **1.** Qui n'est pas guérissable. *Maladie inguérissable.* ⇒ **Condamné.** *Maladie, plaie inguérissable.* ⇒ **Incurable.** — Personnes :

(...) votre lettre (...) m'a bien consolé, mais ne m'a pas guéri, par la raison qu'à soixante et dix-neuf ans (...) je suis inguérissable. 1
VOLTAIRE, Correspondance, 3994, 19 avr. 1773.

N. *Un, une inguérissable.*

♦ **2.** (1773). Fig. **a** (Choses). Sans remède. ⇒ **Inapaisable.** *Défauts inguérissables* (→ Heure, cit. 34). *Douleur, chagrin inguérissable. Jalousie morbide et inguérissable. Un optimisme inguérissable.* ⇒ **Incorrigible.**

Je ne souffrais plus du mal que j'avais cru si longtemps inguérissable (...) 2
PROUST, À la recherche du temps perdu, t. XIII, p. 278.

Le jeune protestant décèle, chez Silbermann, des régions secrètes et douloureuses, une plaie à vif, une « détresse intime, persistante, inguérissable, analogue à celle d'un infirme ». 3
A. MAUROIS, Études littéraires, J. de Lacretelle, t. II, p. 223.

Cet amour bouleversant de Paul pour ses frères et qui nous brûle encore après tant de siècles, nous oblige à nous interroger sur notre méchanceté inguérissable. Gide souvent posait la question : « Pourquoi les catholiques ont-ils la dent si dure? » 4
F. MAURIAC, Bloc-notes 1952-1957, p. 12.

b (Personnes). Qu'on ne peut guérir (d'un défaut, d'une tendance). ⇒ **Incorrigible.**

DÉR. Inguérissablement.

INGUÉRISSABLEMENT [ɛ̃geʀisabləmɑ̃] adv. — D. i (1898, *in* T. L. F.); de *inguérissable.*

♦ Littér. et rare. De manière inguérissable, longue et pénible.

Zarathoustra : « Oh! reviens, mon Dieu inconnu, ma douleur, mon dernier bonheur. » Cri révélateur de ce qui subsistait d'inguérissablement chrétien dans Nietzsche. F. MAURIAC, Bloc-notes 1952-1957, p. 42.

INGUINAL, ALE, AUX [ɛ̃gɥinal, o; ɛ̃gɥinal, o] adj. — 1478, Guy de Chauliac; dér. sav. du lat. *inguen, inguinis* « aine ».

♦ Anat. Qui appartient à l'aine, à la région de l'aine. *Région ingui-*

nale. Pli, ligament, canal inguinal. Ganglions inguinaux. Hernie inguinale. Fièvre à complications* (cit. 6) *inguinales.*
Qui s'applique sur l'aine. *Porter un bandage inguinal.*

COMP. Inguino-crural.

INGUINO-CRURAL, ALE, AUX [ɛ̃gɥinokʀyʀal, o] adj. — XXe; de *inguin(al),* et *crural.*

♦ Anat. Qui appartient à l'aine et à la cuisse. *Hernie inguino-crurale. Pli inguino-crural.*

INGURGITATION [ɛ̃gyʀʒitɑsjɔ̃] n. f. — 1818; attestation isolée, 1488; bas lat. *ingurgitatio,* de *ingurgitatum,* supin du lat. class. *ingurgitare.* → Ingurgiter.

♦ Rare. Action d'ingurgiter (→ 1. Boire, cit. 15). *L'ingurgitation d'un liquide (par qqn).*
Fam. Le fait de boire beaucoup.

Ils buvaient tous comme des éponges, mais l'un d'eux surtout déployait une remarquable puissance d'ingurgitation.
Th. GAUTIER, le Capitaine Fracasse, p. 375, *in* T. L. F.

INGURGITER [ɛ̃gyʀʒite] v. tr. — 1488, v. pron., attestation isolée; *engurgité de,* 1469; v. tr., 1611, puis 1836; lat. *ingurgitare* «engouffrer», de *in-* «vers», et *gurges, itis* «tourbillon».
(Sujet nom de personne).

♦ **1.** Rare. [a] Introduire dans la gorge, faire avaler (qqch.) à (qqn). ⇒ **Enfourner, entonner.** *Ingurgiter qqch. à qqn. La potion qu'on lui a ingurgitée.*
S'ingurgiter qqch., l'absorber. *«En s'ingurgitant un sévère apéritif»* (Huysmans, *À rebours*).

[b] *Ingurgiter ses leçons à un élève. — S'ingurgiter un énorme traité.*

♦ **2.** (1840). Avaler* avidement et en quantité (qqch. : aliment, boisson). ⇒ 1. **Boire, déglutir, engouffrer.** *Faire ingurgiter qqch. à qqn.*

1 L'ami hocha encore une fois sa tête de cheval sans cesser de broyer la salade de tomates et de poivrons qu'il ingurgitait. CAMUS, la Peste, p. 165.

♦ **3.** (1856). Absorber massivement un savoir sans pouvoir l'assimiler. ⇒ **Apprendre.**

2 On me faisait de force ingurgiter l'algèbre (...)
HUGO, les Contemplations, I, XIII.

3 (...) la demi-science qu'elle a jadis ingurgitée.
MONTHERLANT, les Jeunes Filles, p. 213.

INHABILE [inabil] adj. — V. 1369; lat. *inhabilis;* de *in-* (→ 1. In-), et *habilis.* → Habile.

♦ **1.** *Inhabile à...* [a] Vx. Qui n'est pas apte à... ⇒ **Inapte, inepte** (vx). *La vieillesse est inhabile au métier des armes* (Hatzfeld).

[b] (V. 1453). Mod., dr. Qui n'est pas habile* (I., 1.) à... ⇒ **Incapable.** *Inhabile à contracter, à tester.* ⇒ **Inhabilité.**

1 *(Gens)* Riches, pour tout mérite, en babil importun,
Inhabiles à tout, vides de sens commun. MOLIÈRE, les Femmes savantes, IV, 3.

♦ **2.** (1611). Mod. et littér. (sans compl.). Qui manque d'habileté, d'adresse. — (Personnes). *Apprenti inhabile.* ⇒ **Gauche, maladroit, malhabile, novice.** *Ministre inhabile.* ⇒ **Ignorant, incapable, inexpert.** — N. *Un, une inhabile. «Qu'on ne dise plus aux inhabiles : Tant pis pour toi»* (G. Sand, *in* T. L. F.) — (Choses). *Des gestes, des réactions inhabiles. Un discours inhabile,* maladroit.

2 Les Grecs voulaient recouvrer cette ville *(Nicée)*; ils y menèrent les croisés. Ceux-ci, inhabiles dans l'art des sièges, auraient pu avec toute leur valeur, y languir à jamais. MICHELET, Hist. de France, IV, III.

3 Pourtant, par un prodige unique d'un mouvement de l'âme aussi pur, aussi innocent qu'aucun de ces gestes inhabiles qui ravissent d'amour et de pitié le cœur des mères, elle craignit vaguement d'avoir désobéi (...)
BERNANOS, la Joie, *in* Œ. roman., Pl., p. 682.

Littér. *Être inhabile à qqch.,* à faire qqch.

CONTR. Habile.
DÉR. Inhabilement, inhabileté.

INHABILEMENT [inabilmɑ̃] adv. — 1596; de *inhabile.*

♦ Littér. (peu usité). D'une manière inhabile. *Une affaire bien inhabilement conduite* (Académie).

CONTR. Habilement.

INHABILETÉ [inabilte] n. f. — 1390, rare av. XIXe; de *inhabile,* d'après *habileté.*

♦ Littér. Manque d'habileté. ⇒ **Gaucherie, impéritie, maladresse, malhabileté.** *L'inhabileté manuelle de qqn, son inhabileté. L'inhabileté intellectuelle d'un chercheur. — «L'inhabileté de ma mémoire à rétablir intégralement l'*Aria *de Gluck»* (Gide, *Journal,* Pl., p. 1102, *in* T. L. F.).

1 Se peut-il qu'Elle me fasse pardonner les ambitions continuellement écrasées, qu'une fin aisée répare les âges d'indigence, — qu'un jour de succès nous endorme sur la honte de notre inhabileté fatale?
RIMBAUD, les Illuminations, 27, Pl., p. 188.

2 En débouchant la première bouteille de vin, soit mauvaise qualité du bouchon, soit inhabileté de l'officieux, le bouchon se brisa et le vin souillé de mille fragments et miettes de liège. A. ALLAIS, Contes et Chroniques, p. 136.

CONTR. Habileté.

INHABILITÉ [inabilite] n. f. — 1361; de *inhabile,* d'après *habilité*.* Vieux.

♦ **1.** Dr. ⇒ **Incapacité.** *L'inhabilité d'un mineur à tester.*

♦ **2.** Littér. et rare. Inhabileté (A. Breton, *Nadja, in* T. L. F.).

INHABITABILITÉ [inabitabilite] n. f. — XXe; de *inhabitable.*

♦ Rare. Caractère de ce qui est inhabitable. — **Figuré :**

Ayant montré des croquis, des photographies de nos immeubles à des mages, ils demeurèrent confondus. «Pourquoi si laids? Pourquoi?» Chose plus étonnante, ils étaient frappés aussitôt de leur caractère d'inhabitabilité psychique, de brutalité inhumaine et d'inconscience. Henri MICHAUX, Ailleurs, p. 216.

INHABITABLE [inabitabl] adj. — 1360; lat. *inhabitabilis,* de *in-* (→ 1. In-), et *habitabilis,* de *habitare.* → Habitable, habiter.

♦ **1.** Choses, lieux. Qui n'est pas habitable, qui est difficilement habitable. *Région, lieu, désert* (cit. 9) *inhabitable. Maison, pièce inhabitable,* sans aucun confort. ⇒ **Impraticable** (vx). → Bond, cit. 11; geler, cit. 20. *L'exil* (cit. 5) *fait paraître un pays inhabitable. Rendre un lieu inhabitable à qqn, pour qqn.*

(...) voudriez-vous (...) laisser, dis-je, cet endroit de ce magnifique château tout imparfait, tout délabré, tout livré et abandonné à la bise, inhabitable, et très incommode (...) Mme DE SÉVIGNÉ, Letttres, 1196, 17 juil. 1689. 1

(Cette) publication m'aura cependant rendu la France inhabitable à cause des ennemis sans nombre qu'elle m'aura faits. 2
B. CONSTANT, Journal intime, 31 mai 1816.

♦ **2.** (1893). Personnes. Rare. Avec qui on ne peut pas habiter. ⇒ **Invivable.**

DÉR. Inhabitabilité.

1. INHABITATION [inabitɑsjɔ̃] n. f. — 1829; de 1. *in-,* et *habitation.*

♦ Rare. État d'un local, d'un lieu qui n'est pas habité, occupé par des habitants. ⇒ **Inoccupation.**

2. INHABITATION [inabitɑsjɔ̃] n. f. — D. i. (mil. XXe); du lat. chrét. *inhabitatio,* de 2. *in-,* et *habitatio.* → Habitation.

♦ Théol. Présence de Dieu, de l'Esprit Saint dans l'âme en état de grâce.

INHABITÉ, ÉE [inabite] adj. — 1396 (1426, selon T. L. F.); de 1. *in-,* et p. p. de *habiter.*

♦ **1.** Qui n'est pas habité. *Régions, terres, contrées inhabitées.* ⇒ **Désert, sauvage, solitaire** (→ Celui, cit. 7; inculte, cit. 3). *Lieux, déserts, ilots inhabités* (→ Fleur, cit. 37). *Appartement inhabité.* ⇒ **Inoccupé.** *Maison inhabitée qui tombe en ruine.* ⇒ **Abandonné.**

(...) comme un lieu désolé, 1
Désert, inhabité, que la foudre a brûlé.
RONSARD, Discours des misères de ce temps,
Réponses aux injures et calomnies...

Depuis, la maison resta inhabitée, et tomba lentement en ruine, comme toute demeure à laquelle la présence de l'homme ne communique plus la vie. 2
HUGO, les Misérables, IV, III, I.

♦ **2.** (Déb. XXe). Fig. et littér. Où il n'y a pas de vie, d'intelligence. *Un corps, un visage inhabité,* vide, sans vie.

Mais il ne voyait rien, n'ayant devant lui qu'un personnage inhabité de son œuvre, qui ressemblait à une institutrice sobrement vêtue (...) 3
Marie-Claire BLAIS, Une liaison parisienne, p. 62.

INHABITUDE [inabityd] n. f. — 1762, Rousseau; de 1. *in-,* et *habitude.*

♦ Rare. Défaut d'habitude.

L'inhabitude de penser dans l'enfance en ôte la faculté dans le reste de la vie.
ROUSSEAU, Émile, II.

CONTR. Habitude.

INHABITUÉ, ÉE [inabitɥe] adj. — XVIe; de 1. *in-,* et p. p. de *habituer.*

♦ Littér. Qui n'est pas ou n'est plus habitué. *« Ses cheveux, inhabitués au peigne... »* (Léon Daudet, *in* T. L. F.).

CONTR. Habitué.

INHABITUEL, ELLE [inabitɥɛl] adj. — 1829; de 1. *in-*, et *habituel.*

♦ Qui n'est pas habituel. ⇒ **Accidentel, anormal, inaccoutumé, insolite.** *Être frappé par le comportement inhabituel de qqn. Il régnait dans la rue une animation inhabituelle. La chose est assez inhabituelle ici. C'est tout à fait inhabituel pour moi.*

Silencieux, un peu distant, il demeurait, en général, hors de la discussion. Quand il y prenait part, il y montrait une largeur de vues, un désir de compréhension, de conciliation, une qualité d'esprit, qui donnaient aussitôt à l'entretien un tour inhabituel. MARTIN DU GARD, les Thibault, *in* Œ. compl., Pl., t. II, p. 33.

(Personnes). *Des clients inhabituels.*

N. m. *L'insolite et l'inhabituel.*

CONTR. Habituel.

INHALANT, ANTE [inalɑ̃, ɑ̃t] adj. — 1791; p. prés. de *inhaler.*

♦ **1.** Vx. Qui inhale, absorbe.

♦ **2.** Mod. (Sémantiquement mal formé). Qui sert à faire des inhalations. *Comprimé inalhant,* que l'on plonge dans l'eau bouillante pour faire des inhalations.

INHALATEUR, TRICE [inalatœʀ, tʀis] adj. et n. m. — 1873, *in* P. Larousse; du rad. de *inhalation.*

Didactique ou technique.

♦ **1.** Adj. Qui inhale; que l'on emploie pour les inhalations. *Tube inhalateur. Appareil inhalateur.*

♦ **2.** N. m. Appareil servant aux inhalations. — (1931). *Inhalateurs d'oxygène,* employés par les aviateurs à haute altitude. — Méd. Appareil servant à vaporiser un liquide médicamenteux, et à en faire inhaler les vapeurs. *Inhalateurs anesthésiques, médicamenteux* (→ Arsenal, cit. 5).

Plusieurs malades, assis, la tête encapuchonnée de serviettes, étaient penchés sur les inhalateurs. Une vapeur qui sentait le menthol et l'eucalyptus emplissait la petite salle chaude et silencieuse, où l'on se voyait à peine. MARTIN DU GARD, les Thibault, *in* Œ. compl., Pl., t. II, p. 760.

INHALATION [inalasjɔ̃] n. f. — 1760, en minéralogie; 1805, en physiol. « absorption par les pores, les vaisseaux »; lat. *inhalatio,* de *inhalatum,* supin de *inhalare.* → Inhaler.

♦ **1.** (1845). Didact. « Absorption par les voies respiratoires de gaz, de vapeurs ou de liquides réduits en poussière » (Garnier et Delamare). ⇒ **Aspiration, inspiration, respiration.** *L'inhalation de vapeurs par qqn. Inhalation d'éther, de chloroforme en vue de provoquer l'anesthésie générale. Inhalations de vapeurs d'iode, d'eucalyptol, d'un aérosol. — L'inhalation de poussières radioactives.*

1 Allons, se dit-il, ce sera pour la nuit prochaine! Ce bourreau, qui veut bien m'épargner la souffrance, attendra sans doute que le sommeil, l'emportant sur l'inquiétude, se soit emparé de moi! Et alors!... Mais quelle mort me réserve-t-il donc! Songe-t-il à me tuer avec quelque inhalation d'acide prussique pendant que je dormirai? J. VERNE, les Cinq Cents millions de la Bégum, IX, p. 145.

Inhalation d'éther, de chloroforme, pour anesthésier un malade, un opéré.

♦ **2.** (1867, Littré). Absolt. Méd. et cour. Aspiration par le nez de vapeurs qui désinfectent, décongestionnent. ⇒ **Fumigation.** *Faire des inhalations, une inhalation. Salle d'inhalation d'un établissement hydrothérapique.* ⇒ **Humage.**

2 *(Antoine)* mit de l'eau à chauffer pour son inhalation. Quelques instants plus tard, la tête enfouie sous les serviettes, la figure ruisselante, les yeux clos, il respirait profondément la buée bienfaisante (...) MARTIN DU GARD, les Thibault, t. IX, p. 15.

CONTR. Exhalation.

INHALER [inale] v. tr. — 1825, Brillat-Savarin; sans doute antérieur : *inhalant,* 1791; lat. *inhalare,* de *in-,* et *halare* « exhaler (une odeur) ».

♦ Didact. Aspirer par inhalation. ⇒ **Absorber, aspirer.** *Inhaler des vapeurs d'eucalyptus. Inhaler de l'éther. — Faire inhaler des gaz à des animaux de laboratoire.*

▶ **INHALÉ, ÉE** p. p. adj.

Sommeil avec de l'air froid, oui, et jusqu'au fond inhalé. Paul MORAND, Rien que la Terre, 1926, p. 40.

CONTR. Exhaler.

INHARMONIE [inaʀmɔni] n. f. — 1765, Diderot; de 1. *in-*, et *harmonie.*

♦ Didact. ou littér. Défaut d'harmonie.

Le tout un modèle de dissonance et d'« inharmonie » à proposer aux élèves. DIDEROT, Salons de 1765, X, p. 298, *in* BRUNOT, Hist. de la langue franç. t. VI, p. 788, note 11. 1

Il avait cette justesse des cloches qui sonnent les heures, les travaux, les tristesses, les joies et auprès desquelles nos actions déréglées donnent l'impression désagréable de forces perdues, d'efforts disproportionnés, de résultats dérisoires, de démences et d'inharmonie. PROUST, Jean Santeuil, Pl., p. 411. 2

INHARMONIEUX, EUSE [inaʀmɔnjø, øz] adj. — Fin XVIIIe, Laharpe, *in* P. Larousse; de 1. *in-*, et *harmonieux.*

♦ **1.** Qui manque d'harmonie. *Sons, vers inharmonieux. — Couleurs inharmonieuses* (Littré). *Des bâtiments inharmonieux. « Laide (...) disgracieuse et inharmonieuse créature »* (Barbey d'Aurevilly, *Deuxième Memorandum,* p. 256, *in* T. L. F.).

♦ **2.** Fig. *Mélange, ensemble inharmonieux* (Académie).

REM. L'adverbe dérivé *inharmonieusement* est attesté chez les Goncourt (*Journal,* 1857, p. 327).

INHARMONIQUE [inaʀmɔnik] adj. — Mil. XIXe, Proudhon; de 1. *in-*, et *harmonique.*

Didactique ou littéraire.

♦ **1.** Qui manque d'harmonie; qui ne correspond pas aux règles de l'harmonie. *Accords inharmoniques.*

Vx. Qui n'est pas musical; n'aime pas la musique.

♦ **2.** Qui n'est pas harmonieux. ⇒ **Disgracieux.** *Un ensemble, une composition inharmonique.*

INHÉRENCE [ineʀɑ̃s] n. f. — 1377; lat. *inhærentia,* de *inhærens, entis.* → Inhérent.

Didactique.

♦ **1.** Caractère inhérent. *L'inhérence d'une chose à une autre. Un rapport d'inhérence entre deux choses.*

(...) le devenir ne s'arrête pas à la découverte de la technicité : de solution, la technicité devient à nouveau problème quand elle reconstitue un système par l'évolution qui mène des objets techniques aux ensembles techniques : l'univers technique se sature puis se sursature à son tour, en même temps que l'univers religieux, comme l'avait fait l'univers magique. L'inhérence de la technicité aux objets techniques est provisoire; elle ne constitue qu'un moment du devenir génétique. Gilbert SIMONDON, Du mode d'existence des objets techniques, p. 157. 1

♦ **2.** Philos. Caractère de ce qui est inhérent (1.). *Propositions, rapports d'inhérence. Le jugement d'inhérence :* Socrate est sage *« exprime qu'une qualité appartient à un sujet »* (Goblot).

On trouvera dans Hegel un ample développement de cette philosophie de l'inhérence, si bien opposée à la philosophie du rapport qui est celle de Platon. ALAIN, Platon, *in* les Passions et la Sagesse, Pl., p. 921. 2

INHÉRENT, ENTE [ineʀɑ̃, ɑ̃t] adj. — 1503 (1520, selon T. L. F.); lat. scolast. *inhærens,* p. prés. du lat. *inhærere* « être attaché à ».

♦ **1.** Qui appartient essentiellement (à un être, à une chose), qui est joint inséparablement (à...). ⇒ **Essentiel, immanent, inséparable, intrinsèque.** *Faiblesse inhérente à la nature humaine* (Académie). ⇒ **Attribut; tenir** (qui tient à...). *Les qualités inhérentes à la personne* (→ État, cit. 68). *Responsabilités inhérentes à la constitution du corps social.* ⇒ **Tenir** (→ Fondateur, cit. 4). *La fable* (cit. 14), *forme d'invention inhérente à l'esprit de l'homme. Autorité* (cit. 16) *inhérente au sacerdoce.* — Absolt. Vx. *Beauté* (cit. 24, Molière) *inhérente et ferme. Droit inhérent et naturel* (→ Besoin, cit. 42, Fénelon).

(...) le vice le plus inhérent, si je puis parler de la sorte, et le plus inséparable des choses humaines (...) BOSSUET, Disc. sur l'Hist. universelle, III, V. 1

L'ennui n'est donc point inhérent, se disait-il, à une conversation entre gens de haute naissance! STENDHAL, le Rouge et le Noir, II, VI. 2

(...) voyez combien la disposition de l'esprit, que je voudrais isoler, nous est unie intimement, inhérente au jeu de notre intelligence. J. PAULHAN, Entretien sur des faits divers, p. 17. 3

♦ **2.** Philos. Se dit de toute détermination, constante ou non, qui est affirmée d'un sujet, ou qui en constitue une manière d'être intrinsèque. ⇒ **Inhérence** (2.).

INHIBAGE [inibaʒ] n. m. — XXe; de *inhiber* (3.).

♦ Techn. Incorporation d'un inhibiteur à (une substance).

INHIBANT, ANTE [inibɑ̃, ɑ̃t] adj. — V. 1970; de *inhiber* (2.).

♦ Didact. Qui inhibe. ⇒ **Inhibiteur.**

(...) la popularité du sacré, son rôle alternativement inhibant et stimulant (...) Roger CAILLOIS, l'Homme et le Sacré, p. 166.

Spécialt. Qui inhibe psychologiquement. *Une attitude inhibante et frustrante.*

CONTR. Stimulant, incitatif.

INHIBÉ, ÉE [inibe] adj. — 1885; «interdit», xve. → Inhiber.

♦ **1.** Physiol. Freiné, arrêté par l'inhibition.

♦ **2.** Physiol. et cour. Qui est victime d'inhibitions. ⇒ **Coincé** (fam.). *Il est trop inhibé pour vous en parler.* — REM. Le mot à la mode comme beaucoup de termes de psychologie, est souvent un simple équivalent de *timide.*

(...) ma sœur, moins inhibée que moi, osa interroger maman.
S. de BEAUVOIR, Mémoires d'une jeune fille rangée, p. 87.

N. *Un inhibé, une inhibée.* ⇒ **Complexé** (fam.). *« Les refoulés, les complexés, les inhibés, les "bloqués" »* (→ 1. Bloquer, cit. 4.6, J.-L. Bory).

INHIBER [inibe] v. tr. — 1391; *inhibir,* 1360; lat. *inhibere* «retenir, arrêter»; de *in-,* et *habere* «avoir, tenir».

♦ **1.** Dr. Vx. Mettre opposition à. ⇒ **Défendre, prohiber.**

♦ **2.** (1885, in *Année sc. et industr.* 1886, p. 473 : *les phénomènes chimiques de la nutrition peuvent être inhibés*). Physiol. Exercer une action d'inhibition* sur...

1 Selon M. Brown-Séquard, l'inhibition a donc pour champ le système nerveux tout entier : une partie quelconque de ce système central ou périphérique étant soumise à une irritation, il est toujours possible que celle-ci exerce à distance une influence dynamique qui inhibe certaines autres parties centrales (...) tandis qu'elle en dynamogénise d'autres. P. LAROUSSE, 2e Suppl. (1890), art. *Inhibition.*

♦ **3.** Freiner, arrêter, supprimer (dans son activité, son impulsion, son développement...). ⇒ **Enrayer, paralyser;** → Impulsivité, cit.

2 Ce que je crains qu'elle n'ait pu comprendre, c'est que précisément la force spirituelle de mon amour, inhibât tout désir charnel.
GIDE, Et nunc manet in te, p. 27.

3 (...) elle se sentait l'œil fixe, le cerveau confus, le cœur battant, comme inhibée par un stupéfiant, ne pensant même pas à l'homme qu'elle aimait, pas plus qu'elle ne réfléchissait sur elle, privée du sentiment et de la conscience de sa vie.
Edmond JALOUX, les Visiteurs, III.

Psychol. et cour. Produire une ou des inhibitions chez (qqn); rendre inhibé ou plus inhibé. ⇒ **Complexer** (fam.). *Il est trop indulgent avec ses enfants par peur de les inhiber.*

♦ **4.** Techn. Réduire à une valeur presque nulle la vitesse de (une réaction chimique). — Incorporer un inhibiteur à (une substance). *« Le grain est (...) contrôlé avant d'être inhibé dans un atelier de finissage »* (J.-F. Théry, *les Carburants nouveaux,* p. 94).

CONTR. Exciter, stimuler.
DÉR. Inhibage, inhibant, inhibé, inhibiteur, inhibitif, inhibitoire.

INHIBITEUR, TRICE [inibitœʀ, tʀis] adj. et n. m. — 1534, n. m., «celui qui interdit»; dér. sav. de *inhiber.*

A. ♦ **1.** Adj. (1890). Physiol. Qui provoque une inhibition. ⇒ **Inhibitif.** *Substances inhibitrices. Synapse, fibre inhibitrice. Neurone inhibiteur de la moelle épinière. Gène inhibiteur,* qui empêche l'action d'un autre gène.

♦ **2.** N. m. (1934). Chim., méd. Corps chimique qui a la propriété d'arrêter ou de réduire à l'extrême la vitesse d'une réaction (chimique, physiologique), même lorsqu'il est ajouté en très petite quantité (→ Catalyseur). *Inhibiteur de l'ovulation.* ⇒ **Pilule.**

Techn. Additif incorporé à un produit (spécialt, un produit pétrolier) pour en supprimer un caractère jugé indésirable. — Adj. ou appos. *Bain inhibiteur.* — Astronaut. Produit dont on revêt un bloc de propergol* pour réduire la combustion.

B. Adj. Qui inhibe psychologiquement. *L'émotivité est « inhibitrice d'action »* (E. Mounier, *in* T. L. F.). *Une attitude frustrante et inhibitrice.*

INHIBITIF, IVE [inibitif, iv] adj. — 1584, «qui peut entraîner une interdiction»; de *inhiber.*

Didactique.

♦ **1.** Physiol. Capable de ralentir ou d'arrêter une fonction. *Cause inhibitive.*

♦ **2.** Psychol. Qui exerce une inhibition (⇒ **Inhibiteur,** B.). *Mécanismes inhibitifs.*

REM. Cette variante, plus rare de *inhibiteur,* se rencontre aussi dans la langue littéraire.

(...) les faits de ma mémoire ne trouvaient plus chez Marie-Noire *(un personnage du récit)* les mécanismes inhibitifs qui m'empêchaient d'en tirer conclusions.
ARAGON, Blanche..., II, IX, p. 322.

CONTR. Dynamogène.

INHIBITION [inibisjɔ̃] n. f. — V. 1300; lat. médiéval *inhibitio,* de *inhibitum,* supin du lat. class. *inhibere.* → Inhiber.

♦ **1.** Dr. Vx. Action d'inhiber. ⇒ **Défense, opposition, prohibition.**

♦ **2.** (V. 1870, Brown-Séquard). Physiol. Action nerveuse empêchant ou modérant le fonctionnement d'un organe; diminution d'activité qui en résulte. (Opposé à *excitation, facilitation*). *Inhibition présynaptique.*

Il y a inhibition, toutes les fois que se produit dans l'organisme animal, d'une manière purement dynamique, une disparition immédiate ou presque immédiate, temporaire ou persistante d'une fonction, d'une propriété ou d'une activité dans les tissus nerveux ou contractiles, sous l'influence de l'irritation d'une partie du système nerveux à distance de l'organe ou du tissu où survient cette disparition. 1
BROWN-SÉQUARD, *in* P. LAROUSSE, 2e Suppl. (1890), art. *Inhibition.*

Psychol. ou littér. Action d'un fait psychique qui empêche d'autres faits de se produire ou d'arriver à la conscience. *Inhibition volontaire* (→ Impulsif, cit. 2). — Psychiatrie. «Réduction globale de toutes les forces qui orientent le champ de la conscience» (H. Ey et al.). *Syndrome d'inhibition, dans la mélancolie. Réaction d'inhibition, dans les états dépressifs. Inhibition de la pensée; des activités physiques* (⇒ **Asthénie**). — *Inhibition intellectuelle; de la lecture, de l'écriture; inhition à apprendre.* — Par ext. État d'impuissance, de paralysie. *L'inhibition de qqn par... Inhibition sexuelle* (→ Frigidité, cit. 4; impuissance, cit. 2). *Une inhibition de toutes mes facultés* (→ Paralysie, cit. 3).

L'autre jour, devant Darius Milhaud, pareille inhibition lorsque je voulus lui indiquer le passage du *Scherzo* de Chopin auquel mes hôtes faisaient allusion. 2
GIDE, Journal, 23 janv. 1917.

(...) le prodigieux exemple d'inhibition amoureuse par fou rire, qui empêcha le pauvre Rousseau d'être heureux, un soir que, dans l'ombre d'un bosquet d'Eaubonne, il tenait presque à sa merci la piquante madame d'Houdetot. 3
Émile HENRIOT, Portraits de femmes, p. 184.

(...) l'écroulement de tout le système de doctrines et d'organisation, auquel nos chefs *(militaires)* se sont attachés, les prive de leur ressort. Une sorte d'inhibition morale les fait, soudain, douter de tout et, en particulier, d'eux-mêmes. 4
Ch. DE GAULLE, Mémoires de guerre, t. I, p. 35.

♦ **3.** (1907, in *Rev. gén. des sc.,* n° 19, p. 810). Sc. Réduction d'une vitesse de réaction chimique par l'action d'un inhibiteur (syn. : *catalyse négative*). — Incorporation d'un inhibiteur à (un produit pétrolier); installation où se fait cette opération.

CONTR. Dynamogénie, excitation, impulsion.

INHIBITOIRE [inibitwaʀ] adj. — 1478; dér. sav. de *inhiber.*

♦ **1.** Dr. Vx. Qui prohibe. *Jugement inhibitoire.*

♦ **2.** (Fin XIXe; 1893, Valéry, *in* T. L. F.). Physiol. et littér. Qui est caractérisé par une inhibition. *Épilepsie inhibitoire.* ⇒ **Inhibiteur.**

Il n'est pas une des influences, exaltantes et émancipatrices, qui ne devienne inhibitrice à son tour. Du besoin de changer de guide. GIDE, Journal, 13 janv. 1929.

INHOMOGÈNE [inɔmɔʒɛn] adj. — 1904, in *Rev. gén. des sc.,* n° 22, p. 1021; de 1. *in-,* et *homogène.*

♦ Didact. Qui n'est pas homogène. ⇒ **Hétérogène.** *« Comment se fait-il qu'un Univers, homogène au départ, devienne à ce point inhomogène, que la soupe originelle se scinde en galettes d'étoiles séparées par du vide »* (*Sciences et Avenir,* n° 415, p. 32). — Spécialt. Non uniforme. *« Champ d'induction magnétique inhomogène »* (*la Recherche,* juil. 1978, p. 637).

CONTR. Homogène.
DÉR. Inhomogénéité.

INHOMOGÉNÉITÉ [inɔmɔʒeneite] n. f. — 1904, in *Rev. gén. des sc.,* n° 22, p. 1021; de *inhomogène,* d'après *homogénéité.*

Didactique.

♦ **1.** Caractère de ce qui manque d'homogénéité. ⇒ **Hétérogénéité.** *L'inhomogénéité de l'univers, d'un milieu. « Le regroupement entre modules unitaires des réseaux de fluides caloporteurs entraîne des difficultés techniques (inhomogénéité de température, pertes de charge, etc.) »* (*Sciences et Avenir,* juin 1982, p. 68).

♦ **2.** *(Une, des inhomogénéités).* Partie, élément inhomogène. *« Cette circulation* (de la stratosphère de Vénus) *qui correspond justement à une vitesse d'environ 100 m/s, peut être décelée en suivant le déplacement de certaines inhomogénéités qui apparaissent en ultraviolet, à 25 km environ au-dessus du sommet des nuages visibles »* (*la Recherche,* nov. 1974, p. 936).

INHOSPITALIER, IÈRE [inɔspitalje, jɛʀ] adj. — V. 1650, Scarron; *inhospitable,* 1586, du Bellay; de 1. *in-,* et *hospitalier.*

♦ **1.** (1671). Qui n'est pas hospitalier*. *Peuple inhospitalier, nation inhospitalière.* — (Personnes). Rare. *Un propriétaire inhospitalier* (Murger, *in* T. L. F.).

♦ **2.** Où l'on trouve difficilement l'hospitalité, où l'on est mal reçu. *Pays inhospitalier* (→ Explorateur, cit. 1). *Accueil inhospitalier.* ⇒ **Froid, glacial.** — Où les conditions de vie sont difficiles. *Terre, mer inhospitalière. Rivage inhospitalier.* ⇒ **Farouche** (cit. 13), **sauvage.** — *Une pièce froide* (cit. 4) *et inhospitalière.*

Me voici donc seul, une fois encore, dans cette chambre inhospitalière.
G. DUHAMEL, Salavin, IV, 17 juin.

CONTR. Hospitalier. — Accueillant.
DÉR. Inhospitalièrement.

INHOSPITALIÈREMENT [inɔspitaljɛʀmɑ̃] adv. — 1839, Académie; de *inhospitalier.*

♦ Rare. D'une manière inhospitalière.

INHOSPITALITÉ [inɔspitalite] n. f. — 1530, lat. *inhospitalitas,* de *in-* (→ 1. In-), et *hospitalitas.* → Hospitalité.

♦ Didact. Caractère inhospitalier (d'une personne, d'un groupe, d'un peuple, d'un pays). *L'inhospitalité de qqn. « Son inhospitalité envers un étranger »* (P. Morand, *in* T. L. F.). *L'inhospitalité de son accueil. — L'inhospitalité d'un lieu, du climat.*

INHUMAIN, AINE [inymɛ̃, ɛn] adj. — 1373; lat. *inhumanus,* de *in-* (→ 1. In-), et *humanus.* → Humain.

Qui n'est pas humain.

♦ **1.** Vx ou littér. **a** (Personnes). Qui manque d'humanité* (2.). ⇒ (littér.) **A-humain** (et REM.); **barbare, cruel, dur, impitoyable.** *Tyran, maître inhumain. « J'ai voulu te paraître odieuse, inhumaine »* (→ Haïr, cit. 6, Racine). — Par ext. *Cœur inhumain.* ⇒ **Insensible;** → Accorder, cit. 13, La Fontaine.

b (Choses). *Acte, traitement inhumain. Carnages inhumains* (→ Bataille, cit. 2). *Loi, coutume inhumaine* (→ Immoler, cit. 3).

1 Le massacre des innocentes populations civiles vous paraît-il vraiment beaucoup plus inhumain, beaucoup plus immoral, beaucoup plus monstrueux, que celui des jeunes soldats qu'on envoie en première ligne?
MARTIN DU GARD, les Thibault, t. IX, p. 90.

c (1555, Ronsard). Poét. ou par plais. Se dit d'une femme qui ne répond pas à l'amour qu'on lui porte. *Beauté inhumaine* (→ Ici, cit. 22). — (1867). Fam. *Cette femme n'est pas inhumaine,* elle accorde aisément ses faveurs. — N. f. *Une inhumaine* (→ Chercher, cit. 3; éloigner, cit. 9).

♦ **2.** (1546, *cris inhumains*). Didact. Qui n'a rien d'humain, qui semble ne pas appartenir à la nature ou à la conduite humaine. *Expression de naïveté inhumaine de certains visages enfantins* (→ Ennoblir, cit. 4). — Cour. *Cri, hurlement inhumain.* ⇒ **Terrible.**

2 Un cri inhumain, un croassement de supplicié par les démons mit la pauvre femme sur son séant (...)
Léon BLOY, la Femme pauvre, II, X.

L'art est tout humain, la science inhumaine (→ Éternité, cit. 14). *Avoir qqch. d'inhumain. L'atmosphère inhumaine d'un récit.*

3 *Albe vous a nommé, je ne vous connais plus* (Corneille). Voilà le caractère inhumain. Le caractère humain est le contraire.
PASCAL, Pensées, VII, 533.

4 En tout cas, on ne peut nier le caractère inhumain, monstrueux, antinaturel de ses sentiments à notre égard.
F. MAURIAC, le Nœud de vipères, XII.

5 (...) une atmosphère desséchée, comme inhumaine, sans véritable contact entre les êtres.
J. CHARDONNE, les Destinées sentimentales, p. 151.

♦ **3.** Très pénible. *Un travail inhumain.* ⇒ **Insupportable.** *La chaleur était inhumaine.*

CONTR. Humain. — Charitable, doux, pitoyable.
DÉR. Inhumainement.

INHUMAINEMENT [inymɛnmɑ̃] adv. — Mil. XIVe; de *inhumain.*

♦ Littér. D'une façon inhumaine. *Traiter inhumainement un prisonnier.*

(...) quarante coups de fusil, tirés à la fois, l'abattirent; il disparut un moment dans un groupe, où on lui coupa la tête. Cette tête sanglante fut inhumainement apportée jusqu'à la portière; on obtint à grand'peine de ces sauvages qu'ils tinssent éloigné des yeux de la famille royale cet objet d'horreur.
MICHELET, Hist. de la Révolution franç., V, II.

CONTR. Humainement.

INHUMANISÉ, ÉE [inymanize] adj. — Mil. XXe; de *inhumain,* d'après *humanisé.*

♦ Didact. Rendu ou devenu inhumain, moins humain.

Aucun fossile relativement proche de nous *(que l'Australanthrope)* ne laisse ce sentiment d'étrangeté, presque de gêne ou de discordance, aucun ne donne l'impression d'un homme inhumanisé plus que celle d'un singe qui s'humaniserait.
A. LEROI-GOURHAN, le Geste et la Parole, t. I, p. 97.

INHUMANITÉ [inymanite] n. f. — 1312; lat. *inhumanitas,* de *inhumanus.* → Inhumain.

♦ **1.** Littér. Caractère d'une personne, d'une chose inhumaine. ⇒ **Barbarie, brutalité, cruauté, férocité.** *Traiter les vaincus avec inhumanité. Acte d'inhumanité. Inhumanité d'un maître* (→ Forçat, cit. 1). — Par ext. *L'inhumanité de sa conduite.*

Après qu'on se fut apprivoisé à Rome aux spectacles des meurtres des animaux, on vint aux hommes et aux gladiateurs. Nature a, *(je le)* crains (...) elle-même attaché à l'homme quelque instinct à l'inhumanité. 1
MONTAIGNE, Essais, II, XI.

À quelques-uns (...) l'inhumanité *(tient lieu)* de fermeté (...) 2
LA BRUYÈRE, les Caractères, XI, 25.

Absolt. Conduite inhumaine.

Il n'est que d'imaginer les plus illustres des hommes d'État du passé, condamnés à ce rythme fou, pour comprendre qu'à la racine de tous nos malheurs se trouve ce suprême malheur de notre époque : l'inhumanité. 2.1
F. MAURIAC, Bloc-notes 1952-1957, p. 125.

♦ **2.** (XIVe). Vx. *(Une, des inhumanités).* Acte inhumain. ⇒ **Cruauté.**

(...) il y a quelque chose d'injuste à reprocher à un gouvernement comme des inhumanités les rigueurs auxquelles on l'a forcé. 3
RENAN, Essais morale et critique, Œ. compl., t. II, p. 133.

♦ **3.** Didact. Caractère non humain.

L'inhumanité, c'est-à-dire la disproportion et la bêtise de ces monstres magnifiques qui conçus pour le bien de tous écrasent chacun sans savoir pourquoi. 4
VALÉRY, Cahiers, t. II, Pl., p. 1506.

CONTR. Bienfaisance, douceur, humanité, pitié.

INHUMATION [inymasjɔ̃] n. f. — Déb. XVIe; *inhumacion,* 1417; de *inhumer.*

♦ **1.** Action d'inhumer (un corps humain). ⇒ **Ensevelissement, enterrement** (1.), **sépulture;** → Enterrer, cit. 10; faire-part, cit. 2; funèbre, cit. 1. *Réglementation de l'inhumation.* ⇒ **Décès** (cit., Code civil, art. 77). *L'inhumation d'un cadavre, d'un corps. Inhumation dans un caveau, une fosse*. Lieu consacré aux inhumations.* ⇒ **Cimetière.** *Frais d'inhumation. — Inhumation prématurée* (d'une personne que l'on croit morte; → Être enterré* vivant).

L'inhumation s'était faite au cimetière Montparnasse. La première pelletée de terre tomba sur le cercueil à l'instant où sonnaient deux heures (...) 1
COURTELINE, Messieurs les ronds-de-cuir, VIe tableau, II.

♦ **2.** Didact. Pratique qui consiste à mettre les corps des morts en terre.

Ainsi donc, les Paléanthropiens enterraient leurs morts. Plus exactement les Néanderthaliens, qui sont les derniers Paléanthropiens, pratiquaient l'inhumation, car il ne semble pas qu'il ait été constaté d'inhumation avant le début de la dernière période glaciaire. Il s'agirait par conséquent d'une innovation qui précède à peine le moment où l'on parvient aux formes raciales actuelles. 2
A. LEROI-GOURHAN, le Geste et la Parole, t. I, 158-159.

CONTR. Exhumation.

INHUMER [inyme] v. tr. — 1408; lat. *inhumare,* de *in-,* et *humare* « couvrir de terre », de *humus* « terre ». → Humus.

♦ **1.** Mettre en terre (un corps humain) avec les cérémonies d'usage. ⇒ **Ensevelir, enterrer** (3.); **terre** (mettre, porter en). *Inhumer un cadavre, un corps, un mort.* — Absolt. *Permis d'inhumer,* donné par le médecin.

Inhumer l'emporte en noblesse : c'est *enterrer* avec des cérémonies religieuses, rendre les derniers devoirs ou les honneurs funèbres; au lieu qu'*enterrer* exprime simplement l'acte matériel de déposer dans la terre (...) Toutefois on n'use pas d'une si grande précision dans le langage commun (...) 1
LAFAYE, Dict. des synonymes, Inhumer.

Ce fut seulement vers dix heures que le docteur Finet reparut, et il sembla très surpris de trouver Françoise vivante encore, car il croyait bien n'avoir plus qu'à écrire le permis d'inhumer. 2
ZOLA, la Terre, V, IV.

♦ **2.** Fig. et rare. Faire disparaître. ⇒ **Enterrer.** *Inhumer des souvenirs.*

▶ **INHUMÉ, ÉE** p. p. adj. *Corps inhumé dans un cimetière* (→ Barbare, cit. 24).

CONTR. Déterrer, exhumer.
DÉR. Inhumation.

INIA [inja] n. m. ou INIE [ini] n. f. — 1873, *in* P. Larousse, « mot bolivien »; p.-ê. d'une langue indienne, par l'espagnol.

♦ Zool. Cétacé voisin du dauphin, vivant dans les fleuves. *L'inie de Geoffroy vit en Amérique du Sud.*

INIAQUE [injak] adj. — 1873, *in* P. Larousse (cf. angl. *inial,* 1808); de *ini(on),* et suff. *-aque.*

♦ Anat. Relatif à l'inion*. ⇒ **Occipital.**

Étroitement emprisonné entre le massif frontal et le massif iniaque, le cortex moyen des grands singes ne possède pas la possibilité physique de constituer un langage.
Par contre, dès que la libération du verrou iniaque intervient, la large ouverture de l'éventail cortical crée une situation topographique dont bénéficie tout le cortex moyen.
A. LEROI-GOURHAN, le Geste et la Parole, t. I, p. 127.

INIMAGINABLE [inimaʒinabl] adj. — 1580, Montaigne; de 1. *in-*, *imaginer*, et *-able*, ou de 1. *in-*, et *imaginable*.

♦ **1.** Didact. ou littér. Qu'on ne peut imaginer, dont on n'a pas idée*. ⇒ **Extraordinaire, impensable, inconcevable, invraisemblable.** *Une beauté, une pureté inimaginable, idéale...*

1 Nous ne pouvons dignement concevoir la grandeur de ces hautes et divines promesses, si nous les pouvons aucunement concevoir. Pour dignement les imaginer, il les faut imaginer inimaginables, indicibles et incompréhensibles.
MONTAIGNE, Essais, II, XII.

♦ **2.** Cour. Qui est si grand, important, intense qu'on ne l'imaginait pas. ⇒ **Incroyable; étonnant.** *Une confusion, un désordre, un grouillement inimaginable* (→ Cosmopolite, cit. 3). *Il est d'une bêtise, d'une saleté inimaginable. Il lui est arrivé une histoire inimaginable. — C'est inimaginable!*

2 Ce qu'on voit de choses là-dedans *(dans les entresols)*, d'un coup d'œil, c'est inimaginable.
MAUPASSANT, Toine, « Le père Mongilet ».

3 Hauteurs inimaginables où l'homme combat
Plus haut que l'aigle ne plane (...)
APOLLINAIRE, Calligrammes, « La petite auto ».

Spécialt. Péj. *Ah ça, c'est inimaginable!* ⇒ **Fort** (trop).

DÉR. **Inimaginablement.** — REM. On trouve dans les *Cahiers de Valéry* (Pl., t. II, p. 1533) le dér. *inimaginabilité*.

INIMAGINABLEMENT [inimaʒinabləmɑ̃] adv. — 1838; de *inimaginable*.

♦ D'une manière inimaginable; contrairement à ce qu'on aurait pu imaginer.

1 Il avait cru s'apparaître à lui-même, inimaginablement transmué pour se ressembler davantage (...)
Léon BLOY, le Désespéré, p. 34.

2 La fille de bar (...) ne couchant même pas avec moi et s'enfuyant avec l'argent que, comme un jobard, je lui avais donné; ce qui inimaginablement m'humilia (...)
Michel LEIRIS, l'Âge d'homme, p. 168.

INIMAGINÉ, ÉE [inimaʒine] adj. — V. 1800, Laharpe; de 1. *in-*, et p. p. de *imaginer*.

♦ Littér. et rare. Qui n'a pas été imaginé. ⇒ **Inconnu, inédit, original.**

INIMITABILITÉ [inimitabilite] n. f. — D. i. (1944, Valéry, *in* T. L. F.); de *inimitable*.

♦ Didact. Caractère de ce qui est inimitable.

INIMITABLE [inimitabl] adj. — V. 1500; lat. *inimitabilis*, de *in-* (→ 1. In-), et *imitabilis*, de *imitari*. → Imiter.

♦ Qui ne peut être imité.

Et ils auraient été l'un et l'autre inimitables, si le père *(Le Tellier)* n'eût eu le fils *(Louvois)* pour successeur, et si le fils n'eût eu le père pour exemple.
FLÉCHIER, Oraison funèbre de Michel Le Tellier, *in* LITTRÉ.

(Personnes). *Un artiste, un écrivain inimitable.* — (Choses). *Action inimitable; héroïsme, noblesse, vertu inimitable...* (→ Héroïque, cit. 10). *Grâce, beauté, perfection inimitable. Inimitable poésie* (→ Fugace, cit. 3). *Caractère original et inimitable* (→ Égaler, cit. 3). — *Produit d'une qualité inimitable. — L'inimitable beauté de la nature.*

N. m. *Voilà l'inimitable* (→ Gruppetto, cit. 2).

DÉR. **Inimitabilité, inimitablement.**

INIMITABLEMENT [inimitabləmɑ̃] adv. — 1801, Crèvecœur, *in* T. L. F.; de *inimitable*.

♦ Didact. D'une manière inimitable.

INIMITÉ, ÉE [inimite] adj. — 1825, Brillat-Savarin; de 1. *in-*, et p. p. de *imiter*.

♦ Littér. Qui n'a pas été imité. *Sa manière reste inimitée, mais elle n'est pas inimitable.*

INIMITIÉ [inimitje] n. f. — 1300; réfect. de l'anc. franç. *enemistié*, dér. de *enemi* (→ Ennemi); de 1. *in-*, et *amitié*, d'après le lat. *inimicitia*, qui vient de *in-*, et *amicus* «ami».

♦ Littér. ou style soutenu. Sentiment hostile. ⇒ **Animosité, antipathie, aversion, haine, hostilité**; → Concorde, cit. 2; 1. garde, cit. 26. *Une inimitié profonde, irréconciliable; sourde, cachée; ouverte, déclarée. Avoir, concevoir de l'inimitié pour qqn, contre qqn, à l'égard de, à l'encontre de. Nourrir une inimitié contre qqn. Inimitié qui sépare deux personnes, qui règne entre elles* (→ Être à couteaux* tirés, en dispute*, en guerre* ouverte). *Encourir l'inimitié de qqn* (⇒ **Défaveur**). Vx. *Être dans l'inimitié, en inimitié de qqn.*

1 L'inimitié succède à l'amitié trahie.
RACINE, Bérénice, I, 3.

Il y a des attractions impossibles en morale comme en chimie, et toute la politique des siècles ne changera pas en loi d'amour la loi des inimitiés humaines. 2
E. FROMENTIN, Une année dans le Sahel, p. 20.

CONTR. **Amitié. — Accord, affection, amour.**

INIMPRIMABLE [inɛ̃pʀimabl] adj. — 1845; de 1. *in-*, et *imprimable*.

♦ Rare. Non imprimable. ⇒ **Impubliable.**

CONTR. **Imprimable.**

INIMPUTABLE [inɛ̃pytabl] adj. — 1914, Gide; de 1. *in-*, et *imputable*.

♦ Littér. Rare. Qui ne peut être imputé (à qqn). *Être inimputable à qqn, à qqch.*

CONTR. **Imputable.**

ININDULGENCE [inɛ̃dylʒɑ̃s] n. f. — 1903, Huysmans; de 1. *in-*, et *indulgence*.

♦ Littér. Rare. Absence d'indulgence. ⇒ **Sévérité.**

CONTR. **Indulgence.**

ININFLAMMABILITÉ [inɛ̃flamabilite] n. f. — 1838; de *ininflammable*.

♦ Techn. Qualité de ce qui est ininflammable.

CONTR. **Inflammabilité.**

ININFLAMMABLE [inɛ̃flamabl] adj. — 1600; de 1. *in-*, et *inflammable*.

♦ **1.** Qui n'est pas inflammable, qui ne peut prendre feu. ⇒ **Aphlogistique, apyre.** *Gaz, liquide, tissu ininflammable. Rendre ininflammable.* ⇒ **Ignifuger.**

Ils les appellent sans feu, ou, pour dire ainsi, ininflammables.
Saint François DE SALES, Traité sur l'amour de Dieu, XI, 10.

♦ **2.** Fig. Rare. Qui ne peut s'enflammer (de passion). *Un cœur ininflammable.*

CONTR. **Combustible, inflammable.**
DÉR. **Ininflammabilité.**

ININTELLIGEMMENT [inɛ̃teliʒamɑ̃] adv. — 1833; de *inintelligent*.

♦ D'une manière inintelligente. ⇒ **Bêtement, sottement.** *Tâche faite inintelligemment. Se comporter inintelligemment.*

CONTR. **Intelligemment.**

ININTELLIGENCE [inɛ̃teliʒɑ̃s] n. f. — 1791; de *inintelligent*, d'après *intelligence*.

♦ **1.** Manque d'intelligence (I., 1.). *L'inintelligence de qqn, son inintelligence. Sa conduite dénote une complète inintelligence.* — Par ext. *L'inintelligence d'un propos, d'un livre. L'inintelligence de qqch.* ⇒ **Incompréhension**; → Enlever, cit. 14.

Toute sa critique *(de l'abbé Morellet sur «Atala»)* est ainsi un tissu d'observations sensées et justes, mêlées à d'autres qui sont lourdement fausses : c'est un mélange continuel de justesse et d'inintelligence. 1
SAINTE-BEUVE, Chateaubriand..., t. I, p. 217.

Par métonymie. Rare. *Des inintelligences :* des esprits inintelligents.

♦ **2.** *Inintelligence de... :* fait de ne pas comprendre (qqch.).

Il avait l'inintelligence des choses de la chair, une bêtise divine pour tout ce qui touche au vice de la volupté. 2
F. MAURIAC, le Mal, p. 11.

Rare. Fait de ne pas comprendre (qqn). *L'inintelligence des autres.*

♦ **3.** Manque d'intelligence (I., 3. ou 4.), d'adaptation aux circonstances ou d'habileté dans l'action.

Lucien, l'homme d'esprit, avait tout perdu par son inintelligence et par son défaut de réflexion. 3
BALZAC, Splendeur et Misère des courtisanes, p. 453, *in* T. L. F.

CONTR. **Intelligence.**

ININTELLIGENT, ENTE [inɛ̃teliʒɑ̃, ɑ̃t] adj. — 1784; de 1. *in-*, et *intelligent*.

♦ **1.** (Personnes). Qui n'est pas intelligent. ⇒ **Bête, borné, bouché, sot.** *Élève, enfant inintelligent. Les masses inintelligentes* (→ Honnêteté, cit. 1).

♦ **2.** Qui dénote un manque d'intelligence. *Raisonnement, acte inintelligent.*

Il y a des temps où l'élévation de l'âme est une véritable infirmité; personne ne la comprend; elle passe pour une espèce de borne d'esprit, pour un préjugé, une habitude inintelligente, une lubie, un travers qui vous empêche de juger les choses (...) CHATEAUBRIAND, Mémoires d'outre-tombe, t. II, p. 291.

CONTR. Intelligent.
DÉR. Inintelligemment, inintelligence.

ININTELLIGIBILITÉ [inɛ̃teliʒibilite] n. f. — Fin XVIIe; de *inintelligible*.

Didactique ou littéraire.

♦ **1.** Caractère de ce qui est inintelligible. *L'inintelligibilité d'un texte, d'un auteur.*
Rare. *(Une, des inintelligibilités).* Chose inintelligible.

♦ **2.** [a] Caractère de ce qui ne peut être clairement interprété (personnes, comportements).

[b] Impossibilité de compréhension (entre personnes).

Dans un champ plus restreint et de mondanité pure, comme dans un problème plus simple qui initie à des difficultés plus complexes mais de même ordre, l'inintelligibilité qui résultait, dans notre conversation avec la jeune femme, du fait que nous avions vécu dans un certain monde à vingt-cinq ans de distance, me donnait l'impression et aurait pu fortifier chez moi le sens de l'Histoire.
PROUST, le Temps retrouvé, Pl., t. III, p. 964.

CONTR. Intelligibilité.

ININTELLIGIBLE [inɛ̃teliʒibl] adj. — 1640; de 1. *in-*, et *intelligible*.

♦ **1.** (Choses). Qu'on ne peut comprendre; dont on ne peut saisir le sens. ⇒ **Abstrus, confus, difficile, incompréhensible, nébuleux, obscur.** *Langage; parole, mot inintelligible* (→ Articuler, cit. 8; grommeler, cit. 5). *Marmonner des phrases inintelligibles* (⇒ **Patenôtre**). *Raisonnement, discours, style inintelligible.* ⇒ **Amphigouri, logogriphe** (fig.); → C'est de la bouillie* pour les chats; et aussi beaucoup, cit. 37. *Texte, livre, grimoire inintelligible.* ⇒ **Indéchiffrable**; → Célèbre, cit. 6; constituer, cit. 4. *Ce manuel est difficile, mais pas inintelligible. — Inintelligible à qqn, pour qqn. Voilà qui est tout à fait, absolument inintelligible pour moi.* ⇒ **Insaisissable**; → C'est de l'hébreu* pour moi. — *Un comportement inintelligible,* qu'on ne peut interpréter clairement. *C'est à peu près inintelligible.*

(...) Dieu, voulant nous rendre la difficulté de notre être inintelligible à nous-mêmes (...) PASCAL, Pensées, VII, 434.

(...) en patois basque, aussi inintelligible pour des Français que du haut allemand, de l'hébreu ou du chinois.
Th. GAUTIER, le Capitaine Fracasse, t. II, XII, p. 101.

Ils parlaient tous deux à la fois, et leurs paroles étaient inintelligibles parce que les sanglots coupaient la voix du plus jeune et que le froid faisait claquer les dents de l'aîné. HUGO, les Misérables, IV, VI, II.

(...) il entendait le vieillard qui marmonnait des choses inintelligibles entrecoupées de profonds soupirs. M. BARRÈS, la Colline inspirée, p. 304.

Philos. Qu'on ne peut appréhender par l'intelligence, notamment pour des raisons logiques (non application des principes de contradiction et de nécessité : Goblot).

N. m. *L'inintelligible.*

♦ **2.** (Personnes). [a] Dont on ne comprend pas les paroles. *Un vice de prononciation qui le rend presque inintelligible* (→ Articuler, cit. 7).

[b] Dont le discours, le style est obscur. *Écrivain, philosophe inintelligible,* qui exprime mal sa pensée. *Un poète hermétique*, à peu près inintelligible.*

[c] Dont le comportement est incompréhensible.

CONTR. Clair, compréhensible. — Facile, intelligible.
DÉR. Inintelligibilité, inintelligiblement.

ININTELLIGIBLEMENT [inɛ̃teliʒibləmɑ̃] adv. — V. 1600, François de Sales; rare av. 1829; de *inintelligible*.

♦ Didact. ou littér. D'une manière inintelligible. *Parler, bredouiller, marmonner inintelligiblement.* ⇒ **Confusément.**

CONTR. Intelligiblement.

ININTÉRESSANT, ANTE [inɛ̃teʀesɑ̃, ɑ̃t] adj. — 1845, puis 1880, Huysmans; de 1. *in-*, et *intéressant*.

♦ Qui est dépourvu d'intérêt. *Livre, récit inintéressant.* ⇒ **Intérêt** (sans). — *Une relation inintéressante.* — Au négatif :

Ses récits n'étaient pas inintéressants, mais péchaient par extravagance.
GIDE, Si le grain ne meurt, I, IX, p. 254.

(Personnes). Qui manque d'intérêt, ne retient pas l'intérêt. *C'est qqn d'inintéressant.*

CONTR. Intéressant.

ININTÉRÊT [inɛ̃teʀɛ] n. m. — 1903, Huysmans; de 1. *in-*, et *intérêt*.

♦ Littér. (*Inintéressant* est plus cour.). Manque, absence d'intérêt.

Un drôle de dimanche est d'un inintérêt total. Le texte est lamentable, les acteurs aussi. J.-L. GODARD, Arts, n° 698, 26 nov. 1958, *in* Coll. des Cahiers du cinéma, p. 163. 1

Écoutez-les pousser leur beau cri de justice : pourquoi, disent-ils, est-ce toujours à la femme que reviennent les tâches les moins intéressantes, pourquoi toujours à l'homme les tâches les plus intéressantes? (...) 2
Se sont-ils seulement jamais demandé ce qui fait l'inintérêt de cet intérêt-là? L'intérêt de cet intérêt-ci? Annie LECLERC, Parole de femme, p. 112.

ININTERPRÉTABLE [inɛ̃tɛʀpʀetabl] adj. — 1838, Académie; de 1. *in-*, et *interprétable*.

♦ Didact. ou littér. Qu'on ne peut interpréter.

CONTR. Interprétable.

ININTERPRÉTÉ, ÉE [inɛ̃tɛʀpʀete] adj. — 1838; de 1. *in-*, et p. p. de *interpréter*.

♦ Didact. ou littér. Qui n'a pas (encore) été interprété. *Une œuvre ininterprétée, inédite.*

ININTERROMPU, UE [inɛ̃teʀɔ̃py] adj. — 1754, Diderot; de 1. *in-*, et *interrompu*.

♦ **1.** (Dans l'espace). Qui n'est pas interrompu. ⇒ **Continu.** *Tracer une ligne ininterrompue. File ininterrompue de voitures.* ⇒ **Incessant.** *Série, suite ininterrompue* (→ Fréquence, cit. 4). *Flot, défilé ininterrompu* (→ 1. Garde, cit. 16).

Il pouvait d'un seul trait ininterrompu suivre une figure de la tête aux pieds. 1
DIDEROT, Observations sur sculptures, *in* Œ., t. XV, p. 313 (*in* POUGENS).

Des flots ininterrompus de chaleur et de lumière inondèrent la ville à longueur de journée. CAMUS, la Peste, p. 127. 2

♦ **2.** (Dans le temps). *Bavardage, bruit, tumulte ininterrompu* (→ Bêlement, cit. 2). *Applaudissements* (cit. 3) *ininterrompus. Un quart d'heure de musique ininterrompue. Travailler de façon ininterrompue,* sans interruption. ⇒ **Arrache-pied** (d'). *Aggravation* (cit.) *régulière et ininterrompue.*

Malgré l'ininterrompue continuité de nos vices, nous trouvons toujours un petit moment pour mépriser les autres. J. RENARD, Journal, 14 mars 1890. 3

CONTR. Discontinu, interrompu.

ININTERRUPTION [inɛ̃teʀypsjɔ̃] n. f. — 1845; de 1. *in-*, et *interruption*.

♦ Littér. Fait de ne pas interrompre, de ne pas être interrompu. *L'ininterruption d'un processus.*

CONTR. Interruption.

INION [injɔ̃] n. m. — 1877, Littré, *Suppl.*, additif; grec *inion* «occiput».

♦ Anat. Protubérance occipitale externe. ⇒ **Occiput.** *De l'inion.* ⇒ **Iniaque.**

L'édifice crânien est maintenu horizontal par le jeu de muscles et de ligaments qui tirent sur le haut de la nuque (inion externe), suivant un bras de levier inionbasion qui contrebalance l'effet de la pesanteur.
A. LEROI-GOURHAN, le Geste et la Parole, t. I, p. 66.

DÉR. Iniaque.

INIQUE [inik] adj. — Fin XIVe; «défavorable», v. 1355; lat. *iniquus*, de *in-* (→ 1. In-), et *æquus* «égal, juste».

♦ Dr., littér. ou style soutenu. Qui manque gravement à l'équité; qui est très injuste*. *Caractère inique.* ⇒ **Iniquité.** *Action inique et usurpatoire*. Jugement, loi, impôt inique* (→ Gabelle, cit. 3). *Causes, intérêts iniques* (→ Ignoble, cit. 4). *Ce passe-droit est inique* (Académie).

Organes odieux d'un jugement inique. VOLTAIRE, Tancrède, III, 6. 1

Il est rare d'ailleurs que le débat s'élève jusqu'au plan social et que le procès de notre système social et moral soit entrepris. Notre théâtre ne va jamais jusqu'à se demander si ce système social et moral ne serait par hasard pas inique. 1.1
Or je dis que l'état social actuel est inique et bon à détruire.
A. ARTAUD, le Théâtre et son double, Ma mise en scène et la métaphysique, Idées/Gallimard, p. 60.

(1588). Personnes. *Un juge, un arbitre inique. Il, elle a été inique avec..., pour..., à l'égard de...*

Le XIXe siècle aveuglé, par les préjugés romantiques, a été inique pour Versailles. Il semble avoir voulu renchérir encore sur les dénigrements absurdes de Saint-Simon. Ce méchant homme va jusqu'à ravaler le site de Versailles et de Marly, jusqu'à nier la beauté de ces paysages. Louis BERTRAND, Louis XIV, III, III. 2

CONTR. Équitable, juste.
DÉR. Iniquement.

INIQUEMENT [inikmɑ̃] adv. — 1588; «de manière défavorable», v. 1355; de *inique.*

♦ Littér. D'une manière inique. ⇒ **Injustement.**

Tu agis iniquement contre moi (...)
VOLTAIRE, Philosophie, Bible expliquée, Genèse.

CONTR. Équitablement.

INIQUITÉ [inikite] n. f. — 1120, «corruption des mœurs»; lat. *iniquitas,* de *iniquus.* → Inique.

♦ **1.** Relig. Corruption des mœurs; dépravation, état de péché. *L'iniquité de qqn, des hommes, des pécheurs. Le poids de l'iniquité* (→ Accumuler, cit. 8); *le cours de l'iniquité* (→ Exemple, cit. 21). *Ce monde d'iniquité* (→ Éployer, cit. 4). *«Tout est leurre, imposture* (cit. 3), *mensonge, iniquité...»* (Hugo). — (Dans la Bible). *Les enfants, les ouvriers d'iniquité :* les pécheurs (→ Grain, cit. 9). *Boire l'iniquité comme l'eau* (Job, 15, 16). *Porter la peine de son iniquité. Dieu venge l'iniquité des pères sur les enfants* (→ Génération, cit. 14).

1 Un malheureux pécheur, tout plein d'iniquité (...) MOLIÈRE, Tartuffe, III, 6.

2 Il traitait d'enfants d'iniquité tous ceux qui osaient dire que ces propositions n'avaient point été extraites de Jansénius. RACINE, Port-Royal.

(Mil XIIe). Relig. ou littér. *(Une, des iniquités).* Acte contraire à la morale, à la religion. ⇒ **Défaut, péché;** → Apostat, cit. 2; attendre, cit. 69.

3 Mais nous connaissons en même temps notre misère, car ce Dieu-là n'est autre chose que le Réparateur de notre misère. Ainsi nous ne pouvons bien connaître Dieu qu'en connaissant nos iniquités (...) PASCAL, Pensées, VII, 547.

4 Où sont, Dieu de Jacob, tes antiques bontés?
Dans l'horreur qui nous environne,
N'entends-tu que la voix de nos iniquités? RACINE, Athalie, IV, 6.

♦ **2.** (V. 1190). Manque d'équité. ⇒ **Injustice.** *L'iniquité d'un jugement. L'iniquité d'un arrêt, d'une loi* (⇒ aussi **Illégalité**). *Les victimes de l'iniquité.* — *(De qqn). L'oppression du faible et l'iniquité du fort* (→ Destructif, cit. 2).

5 L'iniquité ne plaît qu'autant qu'on en profite; dans tout le reste on veut que l'innocent soit protégé. ROUSSEAU, Émile, IV.

6 (...) je rends volontiers hommage aux âmes capables de trouver dans le sentiment de l'iniquité dont elles sont victimes un principe de force et d'espoir.
BERNANOS, Journal d'un curé de campagne, p. 316.

(V. 1265). *(Une, des iniquités).* Acte, chose inique. ⇒ **Crime, usurpation.** *Une iniquité flagrante, révoltante, qui fait crier. Les iniquités des faux témoins* (→ Concerter, cit. 3). *Une forteresse* (cit. 3) *«d'exactions, d'abus, de violences, d'iniquités»* (Hugo).

7 L'inégalité politique qui résultait de la différence des fortunes parut bientôt une iniquité, et les hommes travaillèrent à la faire disparaître.
FUSTEL DE COULANGES, la Cité antique, IV, X.

8 La longue iniquité dont son mari souffrait, le malheur immérité dont elle était frappée en lui et en sa fille, lui avaient donné à la longue une extraordinaire force de résistance. ZOLA, Paris, t. I, p. 148.

CONTR. Équité, justice.

INITIAL, ALE, AUX [inisjal, o] adj. et n. f. — 1130, *inicial;* XIIIe, selon T. L. F.; rare jusqu'à la fin du XVIIe; lat. impérial *initialis,* du lat. class. *initium* «commencement», du supin de *inire,* de *in-,* et *ire* «aller».

★ **I.** Adj. ♦ **1.** Qui est au commencement, qui caractérise le commencement, l'origine (de qqch.). *État initial.* ⇒ **Originel, primitif;** → Implanter, cit. 5. *Événement initial* (→ Automatisme, cit. 8). *Cause initiale.* ⇒ **Premier;** → Gonflement, cit. 4. *Impulsion initiale.* — *Vitesse* initiale d'un projectile.* — *Données initiales d'un problème* (→ Individualisme, cit. 10). *Portion, segment initial* (→ Coronaire, cit.). — *Mouvements initiaux.*

1 (...) le temps pendant lequel il *(le mobile)* aura agi sera proportionnel à cette vitesse initiale. VOLTAIRE, Éléments de la philosophie de Newton, I, X.

2 (...) il dépendait d'eux de prendre une décision, de faire un acte initial et efficace (...) G. DUHAMEL, Salavin, II, XVII.

Chim. Qui précède le début d'une réaction. *Principe de l'état initial et de l'état final.* — Bot. *Cellules initiales,* de l'extrémité des racines et des tiges, qui se multiplient plus rapidement que les autres.

♦ **2.** (1738). Qui commence qqch., qui est placé au début*. *Mot initial d'une phrase. L'élément initial d'une locution, d'un mot; la syllabe initiale. La partie initiale d'une mélodie.* — (D'un son, d'une lettre). Qui commence un mot, un nom, une locution... *La lettre initiale d'un mot, d'un nom propre. Voyelle, consonne initiale.* → ci-dessous II., 1.

3 Si j'avais voulu mettre les noms véritables aux peintures moins obligeantes, je me serais épargné le travail d'emprunter les noms de l'ancienne histoire, d'employer des lettres initiales, qui n'ont qu'une signification vaine et incertaine (...)
LA BRUYÈRE, Préface au Discours à l'Académie (8e éd. des *Caractères,* 1694).

★ **II.** N. f. (V. 1715, en numismatique). **INITIALE.** ♦ **1.** Lettre initiale (d'un mot, d'un nom). — N. f. pl. *Initiales abréviatives* (⇒ **Abréviation**). *Initiales formant le nom d'*Unesco. ⇒ **Sigle.** — Plus cour. Premières lettres du nom et du prénom (de qqn). *Signer de ses initiales. Initiales enlacées* (cit. 16), *entrelacées.* ⇒ **Chiffre;** → Ressusciter, cit. 7. — Imprim., calligraphie. Lettre initiale.

Après avoir vérifié si tous les renvois étaient paraphés, si les trois contractants avaient bien mis leurs initiales et leurs paraphes au bas des rectos (...)
BALZAC, le Contrat de mariage, Pl., t. III, p. 155.

(...) avant de quitter Newstead pour Londres, il *(Byron)* grava sur un des arbres du parc les initiales entrelacées de son propre nom et de celui d'Augusta.
A. MAUROIS, Vie de Byron, II, XXI.

♦ **2.** Élément placé au début (d'une unité linguistique); première syllabe, premier morphème (monène), etc.

♦ **3.** Bot. Cellule initiale (→ ci-dessus, I., 1.).

CONTR. Complémentaire, dernier, final, terminal. — Finale.
DÉR. Initialement, initialiser.

INITIALEMENT [inisjalmɑ̃] adv. — 1851, Cournot, *in* T. L. F.; de *initial.*

♦ Dans la période initiale, au commencement, au début, à l'origine. *Des objectifs initialement limités.*

CONTR. Finalement.

INITIALISATION [inisjalizasjɔ̃] n. f. — Après 1970; de *initialiser.*

♦ Inform. Action d'initialiser (un ordinateur). *«La bibliothèque des cas d'initialisation du simulateur»* (*Sciences et Avenir,* Le risque nucléaire, p. 65).

INITIALISER [inisjalize] v. tr. — Après 1970; angl. *initialize;* de *initial,* de même orig. que le franç. *initial.*

♦ Anglic. Inform. Exécuter la procédure qui consiste à placer les différents éléments d'un ordinateur dans un état tel qu'il permette de commencer une exploitation déterminée. — Au p. p. *Mémoire initialisée. «Il en existe trois sortes* (de mémoires transistorisées) : *les* ROM *qui sont des mémoires initialisées à la construction et que l'utilisateur ne peut modifier. Les* PROM *que l'utilisateur peut initialiser lui-même sans possibilité de modification ultérieure»* (*Sciences et Avenir,* no 36, p. 12).

DÉR. Initialisation.

INITIATEUR, TRICE [inisjatœʀ, tʀis] n. — 1586; rare jusqu'au XIXe (1821, J. de Maistre); bas lat. *initiator, -trix,* de *initiatum,* supin du lat. class. *initiare.* → Initier.

♦ **1.** Personne qui initie (qqn), «qui enseigne le premier aux autres une chose qu'ils ignorent ou qui ouvre une voie nouvelle dans une des connaissances humaines» (Académie). ⇒ **Premier.** *L'initiateur, l'initiatrice de qqn. Mazarin fut pour Louis XIV le grand initiateur, son guide* (cit. 6). ⇒ **Éducateur, maître.** *Son initiateur, son initiatrice en mathématiques modernes. Elle fut son initiatrice en amour. Les Grecs, initiateurs de l'humanité* (→ Génie, cit. 14).

(1834). Littér. *L'initiateur de qqn à qqch. «Jésus, initiateur du monde à un esprit nouveau»* (→ Faiseur, cit. 15, Renan).

Littér. *L'initiateur, l'initiatrice de qqch. :* la personne qui commence à faire connaître, à répandre cette chose. *Rabelais, initiateur de l'hellénisme* (cit. 1) *en littérature.* ⇒ **Introducteur.** *La sédition dont ils furent les principaux initiateurs.* ⇒ **Auteur, promoteur.** — Absolt. *Initiateur, initiatrice :* personne qui est à l'origine de qqch. ⇒ **Novateur, précurseur, promoteur.**

Le bonheur de l'initiateur, c'est de se voir dépassé par l'initié.
MICHELET, la Femme, p. 325.

(...) ce qu'Homère était pour la Grèce, l'initiateur des grandes choses, celui qui fait tressaillir la fibre et étinceler l'œil.
RENAN, Questions contemporaines, Œ. compl., t. I, p. 223, note.

Il *(Benjamin Constant)* s'est plaint, toutefois, plus tard, dans le *Cahier rouge,* de ce chaos d'idées, où, parmi tant de moqueries, l'avait alors jeté cette initiatrice *(Mme de Charrière).* Émile HENRIOT, Portraits de femmes, p. 226.

Jaurès fut le contraire d'un initiateur. Tout, en lui, venait du XIXe siècle, de Saint-Simon, de Hugo, de Proudhon et même de plus loin, de Rousseau. Rien de neuf, rien de tranchant. Un professeur.
Raymond ABELLIO, Ma dernière mémoire, t. II, p. 13.

Adj. *Un génie initiateur.* ⇒ **Innovateur.**

♦ **2.** Techn. Dispositif qui déclenche un processus pyrotechnique.

INITIATION [inisjasjɔ̃] n. f. — 1488, rare jusqu'au XVIIIe; lat. *initiatio,* du supin de *initiare.* → Initier.

Action d'initier*.

♦ **1.** Relig. anc. Admission aux mystères*. ⇒ **Mystagogie.** *L'initiation des fidèles aux mystères d'Éleusis. Les poètes télétiques, «dont les poèmes concernaient les initiations et les divinités mystérieuses»* (Barthélemy).

Il n'y avait alors aucun culte qui n'eût ses mystères, ses associations, ses catéchumènes, ses initiés, ses profès. Chaque secte exigeait de nouvelles vertus, et recommandait à ses pénitents une nouvelle vie, *initium novæ vitæ;* et de là le mot d'*initiation.* VOLTAIRE, Dict. philosophique, Baptême, I.

Admission à une religion, un culte (→ Baptême, cit. 5; famille, cit. 4), dans une société secrète. ⇒ **Affiliation, introduction.** *L'ini-*

tiation des profanes à... L'initiation d'un nouvel adepte par qqn, par une cérémonie. L'initiation maçonnique. → Franc-maçonnerie, cit. 1. *Cérémonies, rites d'initiation* (⇒ **Initiatique**). *Endurer les épreuves d'initiation* (→ Catéchumène, cit. 2). *Importance des rites d'initiation dans les sociétés africaines traditionnelles.*

1.1 Les cérémonies de fécondité ne sont pas les seules. D'autres ont pour but de faire entrer les jeunes gens dans la société des hommes et de les agréger ainsi à la collectivité. Ce sont les rites d'initiation.
Roger CAILLOIS, l'Homme et le Sacré, p. 140.

♦ **2.** (1761). Introduction à la connaissance d'un savoir ésotérique, et, par ext., de choses secrètes, cachées, difficiles. *Initiation (de qqn) à l'alchimie, aux sciences occultes. « L'exercice* (cit. 9, Baudelaire) *des cinq sens veut une initiation particulière ».* ⇒ **Éducation.**

2 Avec lui, pour la foule, il n'était pas besoin d'initiation préalable; on le comprenait tout de suite (...) Th. GAUTIER, Portraits contemporains, Horace Vernet.

Initiation des bizuts. ⇒ **Bizutage.**

♦ **3.** (1767). Cour. Action de donner ou de recevoir les premiers éléments d'une science, d'un art, d'un jeu, d'une pratique, d'un mode de vie... ⇒ **Apprentissage, instruction.** *L'initiation de qqn par qqn. L'initiation des débutants. Première initiation.* ⇒ **Baptême** (fig.), **révélation.** *L'initiation au monde* (→ Accès, cit. 8), *à l'art de sentir* (→ Humanisme, cit. 7). *Initiation à la philosophie, aux mathématiques. Stage d'initiation à l'informatique.* — Ouvrage qui fournit ces premiers éléments. *Acheter, lire une initiation à l'économie.*

3 La plupart du temps les novices, à leur première initiation, se plaignent de la lenteur des effets. BAUDELAIRE, Du vin et du haschisch, IV.

♦ **4.** (1951, Defrance, probablt de l'angl. *to initiate; Initier*). Techn. Phénomène qui déclenche une combustion, une explosion. *Initiation par percuteur.*

DÉR. Initiatique.

INITIATIQUE [inisjatik] adj. — xxe (1922, *in* T. L. F.); de *initiation.*

♦ **1.** Relig., sociol. Relatif à l'initiation, caractérisé par l'initiation. *Rites, épreuves initiatiques. Société initiatique* (→ Franc-maçonnerie, cit. 3). *Le sens initiatique de la « Divine Comédie »* (→ Ésotérique, cit. 1).

1 Presque tous *(ces contes)* tournent autour d'un jeune protagoniste qui doit traverser un certain nombre d'épreuves : réussit-il à se tirer de toutes ces difficultés, il est du même coup initié; il devient un héros. Le même schéma initiatique a survécu dans des créations littéraires populaires (...) dans les poèmes héroïques, par exemple. Rares sont les chants épiques qui ne comportent pas des aventures initiatiques du Héros, qui n'impliquent pas soit la lutte avec le Dragon, soit la descente aux Enfers, soit une mort suivie d'une résurrection miraculeuse.
Mircea ÉLIADE, Littérature orale, *in* Encycl. Pl., Hist. des littératures, t. I, p. 8.

♦ **2.** Relatif à une initiation. ⇒ **Initiation** (2., par ext.).

2 Il s'arrêta devant une toile de Pinero. Un fouillis de lignes entrecroisées (...) L'envie d'écarter ces lignes, comme on écarte des lianes pour passer. On les écarte et on entre dans un univers truqué, fait de fausses perspectives et de chausse-trappes. Mais rien de gratuit. Une aventure initiatique.
H.-F. REY, les Pianos mécaniques, p. 123.

INITIATIVE [inisjativ] n. f. — 1567; rare av. déb. xixe (1802), sauf en politique (fin xviiie); dér. sav. du lat. *initiare* «initier», en bas lat. «commencer»; d'après *offensive, défensive.*

A. ♦ **1.** Action d'une personne qui est la première à proposer, entreprendre, organiser qqch. *L'initiative de qqn, son initiative. Prendre, avoir, garder, perdre, reprendre, ressaisir l'initiative de qqch. Cela s'est fait sur son initiative. Il a eu une part d'initiative dans la création de l'entreprise* (→ Fondateur, cit. 4).

1 Loin que le congrès *(de Vérone)* ait exigé notre entrée dans la Péninsule, les instructions prouvent sans réplique qu'à la France appartient l'*initiative.*
CHATEAUBRIAND, Mémoires d'outre-tombe, III, II, IV, 5.

2 (...) Napoléon avait pris l'initiative et forçait les généraux ennemis à modifier précipitamment leurs plans. Louis MADELIN, Hist. du Consulat et de l'Empire, Vers l'Empire d'Occident, XV.

3 L'initiative dans l'admiration est chose extrêmement rare; ici encore, l'on ne rencontre que des suiveurs. GIDE, Journal, 16 mars 1943.

Milit. Fait de déclencher une opération, des combats avant l'ennemi. *Avoir, reprendre l'initiative (des opérations).*

Sports. *Avoir, garder l'initiative,* être offensif, dans un match. ⇒ **Attaque** (A., 2.).

PRENDRE L'INITIATIVE (d'une démarche, d'un mouvement...). ⇒ **Agir, entamer, entreprendre, provoquer.** *Prendre l'initiative de,* et l'inf. (→ Auriste, cit.).

♦ **2.** (1787). Polit. Droit de soumettre à l'autorité compétente une proposition en vue de la faire adopter par celle-ci (Capitant). *Droit d'initiative. Initiative législative. Le Président du Conseil des ministres et les membres du Parlement ont l'initiative des lois* (Constitution du 27 oct. 1946, art. 14). *Loi votée sur l'initiative d'un député* (→ Esclavage, cit. 5). *L'initiative des dépenses.*

4 On disputa longuement *(à l'Assemblée constituante de 1789-91)* si on lui laisserait *(au Roi)* l'« initiative », c'est-à-dire le droit de mettre la puissance législative en mouvement (...) En réalité l'Assemblée ne laissait guère au Roi l'occasion ni le temps de proposer. BRUNOT, Hist. de la langue franç., t. IX, p. 745.

♦ **3.** *(Une, des initiatives).* Acte, action, considérée dans sa causalité humaine, individuelle. ⇒ **Action** (*supra* cit. 14), **intervention.** *Les initiatives de qqn. Prendre, savoir prendre une initiative.* ⇒ **Agir;** → Exercer, cit. 27. *Une initiative louable, hardie, salutaire, dangereuse, malheureuse, désastreuse. Initiatives privées, individuelles* (par oppos. à l'*action collective* ou *étatique*). → Collectif, cit. 3; croire, cit. 54; encontre, cit. 3.

Notre temps est arrivé pour la première fois, à concevoir une organisation sociale où, l'initiative individuelle ayant toute liberté, l'État, réduit à un simple rôle de police, ne s'occuperait ni de religion, ni d'éducation (...) 5
RENAN, Questions contemporaines, Œ. compl., t. I, p. 71.

(...) les individus (...) réservent le demeurant des services locaux et généraux, spirituels et matériels, à l'initiative privée et aux associations spontanées qui se formeront au fur et à mesure des occasions (...) 6
TAINE, les Origines de la France contemporaine, t. II, p. 67.

M. le Préfet, dans un petit discours final, félicita les industriels de leur initiative féconde et généreuse, les ouvriers de leur intelligente compréhension de leurs intérêts corporatifs. A. MAUROIS, Bernard Quesnay, XVIII. 7

B. (Mil. xixe; 1842, Reybaud, *in* T.L.F.). Qualité d'une personne qui sait prendre des initiatives, d'une personne qui par nature est disposée à entreprendre, à oser. *Esprit, qualités d'initiative. Initiative et efficacité* (cit. 6). *Soldat plein d'initiative et d'allant* (cit. 3). *Faire preuve d'initiative. Manquer d'initiative.* — Fait de prendre une, des initiatives. *De sa propre initiative.* ⇒ **Spontanément.** *Individu livré, abandonné à sa propre initiative.* ⇒ **Volonté;** → Carence, cit. 2. *Freiner l'initiative et la fantaisie* (→ Bureaucratique, cit. 1).

Le même goût épuré appauvrit l'initiative en même temps que la langue, et l'on agit comme on écrit, selon des formes apprises, dans un cercle borné. 8
TAINE, les Origines de la France contemporaine, t. I, p. 246.

Un titulaire convenable pour le moindre poste qui exige un peu d'initiative et de jugement est difficile à trouver, mais le premier venu devient chef de famille. 9
J. CHARDONNE, l'Amour du prochain, p. 61.

Loc. *Syndicat* d'initiative.*

Le singulier *(dans « Syndicat d'initiative »)* exprime en général l'espoir des réformes ou des améliorations que le Syndicat veut apporter au tourisme, à l'urbanisme, etc., et non pas, en détail, ces améliorations ou réformes mêmes. 10
André THÉRIVE, Clinique du langage, p. 200.

CONTR. Passivité, routine.

INITIÉ, ÉE [inisje] p. p. adj. et n. ⇒ Initier.

INITIER [inisje] v. tr. — V. 1355; lat. *initiare,* proprt «commencer», de *initium* «début». → Initial; initiateur, initiation, initiatique.

♦ **1.** Admettre à la connaissance et à la participation de cultes ou de rites secrets. ⇒ **Initiation** (1.). — Relig. anc. *Les Grecs, les Romains se faisaient initier aux mystères* de Déméter, de Dionysos, de la Bonne Déesse, d'Adonis. Prêtre chargé d'initier un fidèle* (⇒ **Mystagogue**).

Le philosophe Antisthène, comme on l'initiait aux mystères d'Orpheus, le prêtre lui disant que ceux qui se vouaient à cette religion avaient à recevoir après leur mort des biens éternels et parfaits : « Pourquoi ne meurs-tu donc toi-même? », lui fit-il. 1
MONTAIGNE, Essais, II, XII.

Admettre (qqn) à la pratique d'une religion. *Initier de nouveaux fidèles. Initier qqn au christianisme, à l'islam.* — Par métaphore. *Initier au culte* (cit. 13) *de la beauté.* — (1611). Admettre (qqn) au sein d'une société (secrète). *Initier qqn aux derniers degrés de la franc-maçonnerie* (→ Franc-maçon, cit. 2). — Faire entrer (qqn) dans un groupe fermé, par une initiation.

Le jour où, sous le règne de Claude, quelque juif initié aux croyances nouvelles *(le christianisme)* mit pied à terre vis-à-vis de l'*emporium,* ce jour-là personne ne sut dans Rome que le fondateur d'un second empire, un autre Romulus, logeait au port sur de la paille. RENAN, Saint Paul, Œ. compl., t. IV, p. 814. 2

♦ **2.** Fig. Admettre (qqn) à la connaissance d'un savoir ésotérique, et, par ext., à la connaissance de choses secrètes, d'accès difficile, réservée à des privilégiés. *Maître alchimiste initiant son élève. Initier qqn aux secrets d'une affaire, aux arcanes de la politique.* ⇒ **Révéler.** — (Sujet n. de chose). *Des ébauches* (cit. 3) *où le génie semble nous initier à ses secrets.* ⇒ **Entrer** (faire), **introduire.**

Un homme, au contraire, ne devait-il pas tout connaître, exceller en des activités multiples, vous initier aux énergies de la passion, aux raffinements de la vie, à tous ses mystères? FLAUBERT, Mme Bovary, I, VII. 3

Rien n'a l'air coutumier; il me semble que je vais être initié tout à coup à une autre vie, mystérieuse, différemment réelle, plus brillante et plus pathétique. 4
GIDE, Si le grain ne meurt, I, I, p. 26.

♦ **3.** (1611; sans idée de «secret», avec l'idée de «commencement»). Être le premier à instruire (qqn), à faire accéder (qqn) à des connaissances. ⇒ **Apprendre, commencer, conduire, enseigner, instruire...** *Initier qqn à la philosophie* (⇒ **Initiateur**). *Initier qqn aux mathématiques modernes. Il fut initié à la méthode aseptique* (cit. 2). — (Sujet n. de chose). *La foi* (cit. 26) *nous initie à une autre pensée.*

(...) cet habile homme, informé comme on ne l'est pas, initie à tant de choses que, sans lui, nous n'aurions jamais eu chance de savoir. 5
SAINTE-BEUVE, Causeries du lundi, 22 oct. 1849, t. I, p. 51.

(...) je vous prends huit jours avec moi, et vous initie à mes procédés. 6
J. ROMAINS, Knock, I, p. 44.

♦ **4.** (Sous l'infl. de l'angl.). Prendre l'initiative de (qqch.). *« Le Ministère des Universités et la Délégation générale à la Recherche Scientifique et Technique ont initié en juin une enquête sur six universités »* (*le Progrès scientifique*, janv. 1979, p. 79). — REM. Cet emploi est critiqué; malgré le rattachement sémantique à *initiative**, il procède de l'anglais *to initiate* «commencer» qui donne lieu à des emplois sans rapport avec le sémantisme du verbe français; → Débuter, commencer. *« De nouveaux axes de recherches ont été initiés en électrophysiologie »* (*le Progrès scientifique*, janv. 1979, p. 89). *« L'accident a été initié par un événement généralement sans conséquences graves »* (*Sciences et Avenir*, Le risque nucléaire, p. 58). ⇒ **Déclencher.**

▶ **S'INITIER** v. pron. (Mil. XIXe).

S'initier à : acquérir les premiers éléments d'un art, d'une science. ⇒ **Instruire** (s'). *S'initier à la musique, à la peinture d'avant-garde. S'initier à un métier, à une profession* (→ Café-concert, cit. 1). Prendre peu à peu l'habitude de, faire l'apprentissage de (qqch.).

7 (...) ces peuples doivent faire un effort complexe et presque héroïque en vue de s'initier non seulement à la technique de nos peintres, de nos sculpteurs, de nos architectes (...) G. DUHAMEL, la Turquie nouvelle, I, p. 11.

▶ **INITIÉ, ÉE** p. p. adj. et n. (V. 1355, à propos de l'antiquité).

♦ **1.** P. p. adj. Qui a été initié. *Homme politique initié aux habiletés parlementaires.* — N. Personne qui a été initiée (1.). *Un initié. Les initiés d'Éleusis. Secret absolu imposé aux initiés. — La cabale, l'occultisme et ses initiés. Les Grands Initiés* (Rama, Orphée, Jésus...), ouvrage de E. Schuré.

8 Il fallait que l'initié parût ressusciter; c'était le symbole du nouveau genre de vie qu'il devait embrasser.
VOLTAIRE, Essai sur les mœurs, Introd., Des mystères de Cérès.

9 Le nombre des vrais poètes et des vrais connaisseurs sera toujours extrêmement petit; mais il faut qu'il le soit, c'est le petit nombre des élus. Moins il y a d'initiés, plus les mystères sont sacrés.
VOLTAIRE, Correspondance, 3451, 7 mars 1769.

10 Dans ces calculs, rites les plus cachés de la magie industrielle, un profane n'aurait vu que problèmes vulgaires; les initiés savaient la part de l'inspiration poétique.
A. MAUROIS, Bernard Quesnay, IV.

♦ **2.** N. (Mil. XVIIIe). Personne qui est dans le secret. *Les initiés :* ceux qui sont dans le secret d'un art, d'une science, d'une affaire (⇒ 1. **Augure**, cit. 3). *Futur initié.* ⇒ **Catéchumène.** *Langage ésotérique* (cit. 3) *de la science intelligible aux seuls initiés. Poésie, esthétisme* (cit. 2) *pour initiés.*

11 (...) sa terminologie *(de la psychiatrie)*, surabondante d'ailleurs, est un peu décevante pour le lecteur non initié (...) A. POROT, Manuel de psychiatrie, Préface.

CONTR. (De *initié*) **Profane.**

INJECTABLE [ɛ̃ʒɛktabl] adj. — XXe (1925, *in* T. L. F.); de *injecter.*

♦ Pharm. Qui doit être injecté, administré par injection. *Produit, solution injectable. Médicaments buvables ou injectables. Ampoules injectables*, dont le contenu est injectable. *Dose injectable.*

INJECTER [ɛ̃ʒɛkte] v. tr. — 1722, au p. p.; *injecter une plaie*, 1771; *injetter*, 1555; fait sur le lat. *injectare*, pour servir de verbe à *injection.*

♦ **1.** Méd. et cour. Introduire* (un liquide en jet ou plus rarement un gaz sous pression) dans (un organe), dans l'organisme de (un être vivant). ⇒ **Injection.** *Injecter avec une seringue* de l'eau bouillie tiède dans l'oreille. Injecter des toxines à un animal* (→ Antitoxine, cit. 1). *Injecter une dose de médicament à qqn* (⇒ **Injectable**). — *Injecter deux milligrammes de... — S'injecter une drogue, un médicament par piqûre.*

1 Il s'était injecté une dose foudroyante de son poison habituel.
P. BOURGET, le Sens de la mort, p. 300, *in* T. L. F.

2 «D'abord, lui faire une soirée calme», déclara-t-il. «Vous lui injecterez un nouveau demi-centigramme, quand je vous le dirai...»
MARTIN DU GARD, les Thibault, t. III, p. 251.

♦ **2.** [a] (1771). Remplir (un organe, une partie du corps) d'un liquide ou d'un gaz sous pression. Vx. *Injecter une plaie.* — Mod. *Injecter la plèvre avec de l'azote.* ⇒ **Insufflation.** — Spécialt. Remplir (une cavité organique) d'une substance, pour conserver ou aux fins de dissection. *Injecter les vaisseaux au mercure. Injecter un cadavre.*

[b] (Le sujet désigne le sang). Affluer soudainement. *Le sang lui injectait les yeux.* → ci-dessous, Injecté.

♦ **3.** Par anal. Faire pénétrer* (un liquide sous pression) dans les vides, les interstices de... (→ Bout, cit. 47). *Injecter de l'air, de la vapeur dans un minerai.*

Techn. *Injecter du ciment*, dans un ouvrage, pour le consolider. *Injecter de la créosote* dans du bois.*

♦ **4.** Vx. Remplir (un lieu) d'une substance fluide, gazeuse, etc.

3 Il (...) fit manœuvrer son vaporisateur et injecta la pièce de poudre de lilas de Perse (...) HUYSMANS, Là-bas, X.

♦ **5.** (V. 1965). Écon. Apporter (des crédits, des capitaux) pour relancer une entreprise, un secteur de l'économie. *Injecter un peu d'argent, des capitaux dans une affaire.*

♦ **6.** Abstrait. Faire pénétrer en qqn. ⇒ **Insuffler.** *Injecter à qqn « une conception un peu délirante de l'univers »* (Montherlant, *in* T. L. F.)

▶ **S'INJECTER** v. pron.

(1867). Passif. *Solution qui s'injecte par voie intraveineuse.* — (Au sens 2). *Le blanc* (cit. 25) *de son œil s'injecte d'un peu de sang*, devient coloré par l'afflux de sang.

▶ **INJECTÉ, ÉE** p. p. adj.

♦ **1.** Méd. *Toxines injectées. Médicament injecté ou pris par la bouche.*

Plèvre injectée. Anat. *Cadavre injecté avant dissection.*

♦ **2.** (1749). Cour. *Avoir les yeux injectés de sang. Face injectée*, colorée par le sang.

(...) ses yeux injectés de sang flamboient comme des rubis, sa gueule écume, son poil est hérissé et sale (...) 4
L. PERGAUD, De Goupil à Margot, «L'horrible délivrance».

♦ **3.** (1877). Techn. *Bois injecté*, imprégné d'un liquide (coaltar...) qui le protège contre les actions corrosives. *Traverses de chemin de fer en bois injecté.*

DÉR. Injectable, injecteur.

INJECTEUR, TRICE [ɛ̃ʒɛktœʀ, tʀis] adj. et n. m. — 1838; de *injecter.*

★ **I.** Rare. Personne qui fait une, des injections. — En appos. *« Les médicastres injecteurs »* (Goncourt, *Journal*).

★ **II.** (1845). ♦ **1.** Méd. Appareil* servant à injecter un liquide dans une cavité de l'organisme (notamment le vagin et l'utérus). *Injecteur élastique pour lavement.* — En appos. *Dilatateur injecteur.*

(...) les dévotes qui entraient, chuchotaient comme au confessionnal, glissaient des injecteurs au fond de leur sac, puis s'en allaient, les yeux baissés.
ZOLA, l'Œuvre, p. 83.

Adj. *Tube injecteur. Seringue injectrice.*

♦ **2.** (1859, *Année sc. et industr.* 1860, p. 103). Techn. Dispositif assurant l'alimentation en eau des chaudières* à vapeur. *Injecteur à vapeur volant et injecteur d'une locomotive à vapeur.* Dispositif assurant l'arrivée directe du carburant dans les cylindres d'un moteur, sans l'intermédiaire d'un carburateur. ⇒ **Injection** (moteur à). *Injecteur d'huile lourde, d'essence. L'injecteur et le porte-injecteur.*

(1973). Astronaut. Organe réglant l'introduction et la pulvérisation homogène des ergols dans la chambre de combustion des fusées.

COMP. Porte-injecteur.

INJECTION [ɛ̃ʒɛksjɔ̃] n. f. — 1377; lat. *injectio* «action de jeter», sens méd. à basse époque; de *injectum*, supin de *injicere.*

♦ **1.** Action d'injecter*; résultat de cette action. — Introduction d'un liquide ou d'un gaz dans une cavité, un conduit organique ou un tissu, à l'aide d'une seringue ou d'un autre instrument (canule, poire, sonde). *Emploi des injections en hydrothérapie*. Injection rectale* (⇒ **Lavement**), *urétrale.*

Spécialt. [a] Méd. et cour. *Injection d'air dans la plèvre.* ⇒ **Pneumothorax.** *Injection cardiaque. Injection vaginale*, et, absolt, *faire, prendre une injection. Bock*, canule*, poire* à injections. — Injection de novocaïne* (→ Flanchage, cit.), *de cacodylate* (cit.) *de soude.* ⇒ **Piqûre; infiltration, inoculation, perfusion, vaccination.** *Injection huileuse, aqueuse. — Injection d'une ampoule, d'une dose, de milligrammes de...* — EN INJECTIONS : sous forme d'injections. *Médicament, préparation utilisable en injections, en injections intraveineuses.* ⇒ **Injectable.** — Cour. Piqûre faite dans une veine de la peau, avec une seringue. *Injection intraveineuse* (abrév. : *une intraveineuse*). (1860). *Injection hypodermique* ; injection sous-cutanée* (même sens). *Injection intramusculaire. Injection de sérum* (→ Anaphylaxie, cit. 1), *de tuberculine* (⇒ **Tuberculinisation**). *Injection de produits anesthésiants.* ⇒ **Anesthésie.** — *Injection de cocaïne, de morphine.* ⇒ (argot de la drogue) 2. **Fixe, shoot** (anglic.). *Aiguille*, seringue* à injections.* — Anat. *Injection d'un cadavre au phénol en vue de l'embaumement*.*

(...) il serait plus simple (...) d'endormir (...) les souffrances du moribond avec des injections répétées de morphine. 1
HUYSMANS, Là-bas, VII.

Tarrou tendit son bras (...) et il subit l'interminable injection qu'il avait lui-même pratiquée sur d'autres malades. CAMUS, la Peste, p. 304. 2

[b] Le produit injecté. *Injection froide, tiède. Injection opaque aux rayons X* (⇒ **Contraste** [produit de]). *Ampoule contenant une injection de cocaïne.*

♦ **2.** (V. 1560). Par anal. (⇒ **Injecter**, 3.). Pénétration d'un liquide, d'un fluide, d'une substance pâteuse sous pression (dans une substance). *Ouvrage consolidé par injection de ciment. Une injection de coaltar** (dans le bois). — (1906, in *Rev. gén. des sc.*, no 16, p. 734).

Moteur à injection, dont l'alimentation en carburant est assurée par un injecteur*. — Astronaut. Introduction des ergols dans la chambre de combustion.

3 L'injection d'essence est terminée? Dans les deux cylindres? Avez-vous pensé à essuyer un peu les bougies? C'eût été prudent après une étape de onze kilomètres.
J. ROMAINS, Knock, I, p. 16.

4 L'affiche annonçait ensuite des mesures d'ensemble, parmi lesquelles une dératisation scientifique par injection de gaz toxique dans les égouts (...)
CAMUS, la Peste, p. 66.

Techn. Opération par laquelle on injecte une substance liquide destinée à se solidifier, dans un processus de fabrication. *Moule d'injection,* dans la fabrication des objets en matière plastique.

♦ **3.** Géol. Pénétration dans une couche géologique (d'une roche). *Injection du granit dans le gneiss.*

♦ **4.** Mise en orbite (d'un satellite).

♦ **5.** (V. 1965). Écon. Apport soudain et massif (d'argent, de capitaux). *Injection de crédits. Une injection de capitaux a permis la relance de cette branche d'industrie.*

♦ **6.** Math. Application* d'un ensemble vers un autre, telle que deux éléments distincts du premier ont pour images* dans le second deux éléments également distincts.

INJONCTIF, IVE [ɛ̃ʒɔ̃ktif, iv] adj. — 1768; dér. sav. de *injonction.*

♦ **1.** Dr. Qui renferme une injonction. *Loi injonctive.*

♦ **2.** (1902). Gramm. Qui convient à l'expression d'un ordre. *Forme injonctive,* et, n. m., *l'injonctif :* ensemble de formes verbales de l'indo-européen employées dans les formules de commandement ou de défense.

INJONCTION [ɛ̃ʒɔ̃ksjɔ̃] n. f. — 1295; lat. *injunctio;* de *injunctum,* supin de *injungere,* de *in-,* et *jungere* «joindre».

♦ **1.** Action d'enjoindre, d'ordonner expressément; résultat de cette action. ⇒ **Commandement, ordre.** *L'injonction de qqn, faite par qqn à qqn. Injonction menaçante.* ⇒ **Sommation.** *Injonction expresse, formelle, sévère. Obtempérer, se rendre, résister à une injonction.*

1 Les deux fonctionnaires obtempérèrent à l'injonction du Conseiller d'État.
BALZAC, la Cousine Bette, Pl., t. VI, p. 380.

1.1 Pécuchet aux heures des leçons avait beau tirer la cloche, et crier par la fenêtre l'injonction militaire, le gamin n'arrivait pas.
FLAUBERT, Bouvard et Pécuchet, p. 379 (éd. Folio).

2 Le lecteur décidera si cette injonction faite au juste d'admettre que l'injuste est une morale qui vaut la sienne et de travailler à s'entendre avec elle n'est pas la plus cynique des trahisons du clerc.
Julien BENDA, la Trahison des clercs, Préface éd. 1946, p. 75.

♦ **2.** Dr. «Ordre donné par le juge soit aux parties, soit aux auxiliaires de la justice, dans une cause dont il est saisi et en vertu d'un pouvoir de commandement que la loi lui confère en certaines circonstances» (Capitant). — Procéd. civ. Ordre donné à la requête d'une partie, à l'autre partie ou à un tiers, de produire en justice un élément de preuve. *Injonction de payer.* ⇒ **Recouvrement.**

INJOUABLE [ɛ̃ʒwabl] adj. — 1767, Voltaire; de 1. *in-,* et *jouable.*

♦ Qui ne peut être joué*. *Partition, rôle injouable.*

1 (...) la pièce est injouable avec les acteurs que nous avons.
VOLTAIRE, Correspondance, 2997, 2 janv. 1767.

2 Une ouverture qu'un orchestre de Cologne semblait disposé à jouer, lui fut retournée, après des mois d'attente, comme injouable.
R. ROLLAND, Jean-Christophe, La révolte, II, p. 501.

3 — Mais qu'est-ce que vous lui direz de sa pièce?
— Que c'est très beau et injouable, dit Guitry.
— Je me fie à vous. Vous aurez des silences, des bouts de phrases. Vous lui direz tout, et rien. Il ne comprendra pas, et il dira : «Oui, oui, je comprends!»
J. RENARD, Journal, 26 janv. 1903.

Un auteur injouable, dont les œuvres ne sont pas jouables.
Sports. **a** Impossible à jouer. *Balle, coup injouable.*

b Où il est très difficile, pénible de jouer. *Un terrain injouable.* Fig. *Le coup est injouable; une affaire injouable.*

CONTR. Jouable.

INJURE [ɛ̃ʒyʀ] n. f. — 1174, *injurie; enjurie,* 1155; lat. *injuria* «injustice, tort», de *in-* (→ 1. In-), et *jus, juris* «droit, cause».

★ **I.** ♦ **1.** Vx. Injustice, traitement injuste, tort immérité qu'on fait subir à qqn. — REM. L'expression *faire injure à qqn,* initialement employée pour «commettre une injustice à l'égard de qqn» (→ Faire tort*; et aussi Encens, cit. 2) est comprise aujourd'hui au sens 2 de *injure* «offenser, outrager».

1 (...) je ménage l'une et l'autre *(ma santé et ma vie)* comme un bien qui est à vous, et que je ne puis altérer sans vous faire une injure (...)
Mme DE SÉVIGNÉ, Lettres, 946, 27 déc. 1684.

♦ **2.** (1559). Vieilli ou littér. Dommage causé (par les éléments, le temps...). *L'injure des ans* (cit. 18), *du temps* (→ Équiper, cit. 3; 1. faire, cit. 238), *du sort* (→ Foudroyer, cit. 7), *du malheur* (→ Coutre, cit. 3), *de l'âge. « Cette statue est exposée aux injures de l'air »* (Académie).

★ **II.** ♦ **1.** (1535). Vieilli ou littér. Offense grave et délibérée, commise par une personne à l'égard d'une autre. ⇒ **Affront, atteinte, avanie, coup, indignité, insulte, offense, outrage.** *Une injure sanglante, atroce, irréparable. Une injure qui ne peut se laver* que dans le sang. Endurer, souffrir, subir, avaler une injure* (→ Éviter, cit. 27; honneur, cit. 23). *Oublier, pardonner* (cit. 1) *une injure* (→ Bienfait, cit. 4; espagnolisme, cit. 2). *Le Christ a enseigné le pardon des injures. Mépris des injures. Faire satisfaction d'une injure* (Académie). *Venger une injure. Ressentir profondément une injure* (→ Bilieux, cit. 3). *Faire injure :* offenser (→ 2. Ce, cit. 15), et, spécialt, soupçonner de façon injuste et offensante.

(...) lorsque l'injure a une fois éclaté, notre honneur ne va point à vouloir cacher notre honte, mais à faire éclater notre vengeance (...) 2
MOLIÈRE, Dom Juan, III, 3.

Il est des injures qu'il faut dissimuler pour ne pas compromettre son honneur. 3
VAUVENARGUES, Maximes et réflexions, 190.

(...) en amour, une faveur qui n'est pas exclusive est une injure. 4
ROUSSEAU, Émile, V.

Ajoutez que toute doctrine qui honore l'homme dans l'universel, dans ce qui est commun à tous les hommes, est une injure personnelle pour l'artiste, dont le propre, depuis le romantisme, est précisément de se poser comme un être d'exception. 5
Julien BENDA, la Trahison des clercs, p. 237.

Loc. *Faire à qqn l'injure de* (et inf.); surtout négatif : *je ne te ferai pas l'injure de croire, de penser que... « Nous ne vous faisons pas l'injure de douter de votre bienveillance »* (Duhamel, *la Nuit de la Saint-Jean, in* T. L. F.). — Vx. *Imputer qqch. à injure à qqn. Prendre qqch. à injure.* — Spécialt (dr. civ.). *Injures entre époux,* toute faute grave commise par l'un au préjudice de l'autre, et constituant une cause de divorce.

♦ **2.** (XIIIe). Mod. et cour. Parole offensante. ⇒ 1. **Apostrophe, attaque, blasphème, calomnie, insolence, insulte, invective, irrévérence, mot** (gros mot), **sottise, vilenie.** *Mot, expression ayant un caractère d'injure.* ⇒ **Injurieux.** *Dire, adresser, proférer, hurler, marmonner, cracher* (cit. 8), *débagouler, dégorger, vomir des injures.* ⇒ **Injurier;** → Chanter pouilles* (vx). *Se dire, échanger des injures* (→ Se dire ses vérités*, ses quatre vérités*; se dire des noms d'oiseau*). *Échange d'injures.* ⇒ **Dispute, engueulade;** → Choquer, cit. 1; graisse, cit. 9. *En venir aux injures. Éclater* (cit. 21), *se répandre en injures. Chapelet, bordée, cascade, torrent* (→ Muet, cit. 6) *d'injures. Débordement* (cit. 7), *avalanche, bourrasque* (cit. 10), *pelletée d'injures. Couvrir, accabler, abreuver, agonir qqn d'injures* (→ Avanie, cit. 4). *Braver les injures de la foule.* ⇒ **Clameur.** *Injures grossières* (→ Cordialement, cit. 4), *ignobles* (→ Échanger, cit. 11), *obscènes.* ⇒ **Infamie, ordure.** *Un riche répertoire d'injures* (ex. : Chameau, cochon, con, coquin, crétin, crevure, fumier, garce, idiot, ordure, salaud, salopard, tête [de...], vache). *Adjectifs renforçant une injure* (→ Beau, grand, gros, petit, sacré, sinistre, sombre, triste, vieux...). *Injures s'adressant à un groupe* (→ Bande, tas de...). *Injures racistes.*

Et ne peut-on répondre à tout ce qui le touche 6
Que le feu dans les yeux et l'injure à la bouche? MOLIÈRE, Tartuffe, IV, 3.

Les injures atroces n'ont jamais fait de tort qu'à ceux qui les ont dites. 7
VOLTAIRE, Conseils à Louis Racine.

(...) il recommença à l'accabler d'injures atroces et dignes d'un cocher de fiacre. La nouveauté de ces jurons était peut-être une distraction. 8
STENDHAL, le Rouge et le Noir, II, XXXIII.

Les injures prodiguées à Delacroix, à Ingres, n'ont pas moins servi leur renommée que les éloges et le fanatisme de leurs adhérents. 9
BALZAC, Pierre Grassou, Pl., t. VI, p. 112.

Édouard était vite à court d'injures. Il répéta plusieurs fois, en tirant sur sa moustache : «paltoquets», «galvaudeux», chercha quelques instants et ajouta «goujats». 10
G. DUHAMEL, Salavin, III, X.

Dr. «Toute expression outrageante, terme de mépris ou invective, qui ne renferme l'imputation d'aucun fait» (loi sur la presse du 29 juil. 1881, art. 29). ⇒ **Outrage.** *L'injure se distingue de la diffamation*. Injure publique* ou *qualifiée. Injure simple. Injure grave.*

CONTR. Bienfait. — (Du sens II) **Civilité, compliment, éloge, louange.**

INJURIER [ɛ̃ʒyʀje] v. tr. — 1393; au sens de «faire du tort», 1266; *enjurier,* v. 1188; bas lat. *injuriare,* lat. class. *injuriari,* de *injuria.* → Injure.

♦ **1.** (1606). Adresser des injures à (qqn). ⇒ **Aboyer, apostropher, attaquer, blasphémer, chanter** (pouille), **cracher** (sur), **dauber, engueuler, enlever, insulter, invectiver, offenser, pouiller** (vx), **tempêter, traiter** (de tous les noms); → Couvrir* d'injures. *Individu mal embouché qui injurie tout le monde. Injurier grossièrement, bassement une femme. Injurier le ciel* (→ Germer, cit. 2), *son époque, le siècle* ⇒ **Maudire.**

S'il *(cet essai)* vous paraît faible ou manqué, critiquez-le, mais sans m'injurier. 1
BEAUMARCHAIS, la Mère coupable, Préface.

Un ami est plus vite las de louer qu'un ennemi d'injurier. Injurier n'est pas nuire. 2
Voilà ce que les ennemis ignorent. HUGO, l'Homme qui rit, II, III, IV.

3 (...) des sons rauques qui alternaient avec des glapissements aigus, de sorte que j'étais injurié et vitupéré en manière de chant ou de cantilène.
FRANCE, la Rôtisserie de la reine Pédauque, XVI, Œ., t. VIII, p. 148.

Pron. (récipr.). *Les héros d'Homère s'injurient avant de combattre.*

4 Ils additionnèrent des kilomètres, décrièrent leur voiture, s'injurièrent cordialement et se sentirent ravivés, presque réhabilités, par une camaraderie oubliée.
COLETTE, la Chatte, p. 99.

♦ **2.** Littér. Offenser (autrement que par des paroles). ⇒ **Outrager**. *Injurier la mémoire de qqn.* ⇒ **Insulter**.

▶ **INJURIÉ, ÉE** p. p. adj. *Se jugeant injuriés si on les soupçonnait* (→ Fluxion, cit. 4).

CONTR. Complimenter, flatter, louer.

INJURIEUSEMENT [ɛ̃ʒyʀjøzmɑ̃] adv. — 1333; de *injurieux*.

♦ **1.** Vx. Injustement (Saint-Simon).

♦ **2.** Littér. D'une manière injurieuse. *Traiter qqn injurieusement. Il m'a parlé de vous injurieusement. C'est agir injurieusement envers sa mémoire.*

CONTR. Élogieusement.

INJURIEUX, EUSE [ɛ̃ʒyʀjø, øz] adj. — 1300; lat. *injuriosus*, de *injuria*. → Injure.

★ **I.** ♦ **1.** (V. 1525). Vx. Injuste. *« Le sort injurieux me ravit un époux »* (Racine, *Iphigénie*, II, 5).

♦ **2.** Qui fait tort, qui est nuisible.

★ **II.** (Fin XIIIe). Mod. Qui contient des injures, qui constitue une injure. ⇒ **Blessant, flétrissant, insultant, mortifiant, offensant, outrageant**. *Paroles, propos, termes injurieux. Traits, brocards injurieux* (→ Fondre, cit. 21). *Discours, écrit injurieux.* ⇒ **Diatribe**. — *Procédé injurieux. Votre attitude est injurieuse pour moi. Soupçons injurieux* (→ Excuser, cit. 18). *Provocation injurieuse* (→ Impertinence, cit. 5).

1 J'oublie en sa faveur un discours qui m'outrage,
Je n'en ai point troublé le cours injurieux.
RACINE, Bérénice, I, 4.

2 La nouvelle de cette mort, reçue en tous lieux comme une calamité, ne fut accompagnée d'aucun bruit injurieux pour la mémoire de cette femme.
BALZAC, le Curé de village, Pl., t. VIII, p. 769.

3 Je ne me souviens pas d'avoir reçu d'un communiste une seule lettre ordurière : injurieuse, oui, mais c'est d'un autre ordre.
F. MAURIAC, Bloc-notes 1952-1957, p. 22.

CONTR. Élogieux, respectueux.
DÉR. Injurieusement.

INJUSTE [ɛ̃ʒyst] adj. — 1293, au sens 2; lat. *injustus*, de *in-* (→ 1. In-), et *justus* (→ Juste), de *jus, juris* « droit ».

Qui n'est pas juste*.

♦ **1.** (V. 1361; personnes ou entités personnifiées). Qui agit contre la justice ou l'équité. ⇒ **Mauvais, méchant, odieux, tyrannique**. *Un maître, un père injuste* (→ Ailleurs, cit. 8). *Accusateur* (cit. 2) *injuste. Les gens riches sont bien injustes...* (→ Dédaigneux, cit. 11). — *Vous avez été injuste en cette occasion* (→ Gré, cit. 23). *Providence, sort, puissance, société injuste* (→ Frêle, cit. 6; crime, cit. 22). *La vie est injuste et cruelle* (cit. 13). *« La douleur est injuste »*, rend injuste (→ Aigrir, cit. 3, Racine).

1 La nature envers vous me semble bien injuste. LA FONTAINE, Fables, I, 22.

2 Hé quoi? toujours injuste en vos tristes discours,
De mon inimitié vous plaindrez-vous toujours?
Quelle est cette rigueur tant de fois alléguée? RACINE, Andromaque, II, 2.

3 C'est être injuste d'exiger des autres qu'ils fassent pour nous ce qu'ils ne veulent pas faire pour eux-mêmes. VAUVENARGUES, Maximes et réflexions, 474.

4 Une chose peu remarquée, la plus déchirante peut-être au cœur maternel, c'est que l'enfant est injuste. Habitué à trouver dans la mère une providence universelle qui suffit à tout, il s'en prend à elle, durement, cruellement, de tout ce qui manque, crie, s'emporte, ajoute à la douleur une douleur plus poignante.
MICHELET, Hist. de la Révolution franç., II, VIII.

5 (...) je n'ai connu personne qui fût plus que toi sereinement injuste.
F. MAURIAC, le Nœud de vipères, IX.

Le juste et l'injuste (→ Hasard, cit. 32).

♦ **2.** (Choses). Qui est contraire à la justice. ⇒ **Abusif, arbitraire, attentatoire, illégal, illégitime, immoral, indigne, inique, injurieux** (vx). *Une loi, une coutume, une mesure injuste* (→ Abolir, cit. 2). *Actions, entreprises, guerres injustes* (→ Antinational, cit. ; haro, cit. 1). — *Sentence, jugement injuste.* ⇒ **Partial**; → Égard, cit. 3 et 4. *Châtiment injuste.* ⇒ **Immérité, indu.** *Impôt, partage injuste.* ⇒ **Inéquitable, léonin**; → Inégalité, cit. 6. — *Un ordre social injuste.* ⇒ **Anormal, blâmable, oppresseur.** *Pouvoir injuste.* ⇒ **Tyrannie, usurpation**. — *Il est injuste de*, et l'inf. (→ Assassin, cit. 7; attribuer, cit. 11). *Il serait injuste de l'en accuser. Il est injuste que*, et le subj. (→ Entretenir, cit. 12).

6 (...) l'on ne choisit pas, pour gouverner un bateau, celui des voyageurs qui est de meilleure maison. Cette loi serait ridicule et injuste. PASCAL, Pensées, V, 320.

7 (...) mon cœur s'enflamme au spectacle ou au récit de toute action injuste, quel qu'en soit l'objet et en quelque lieu qu'elle se commette, comme si l'effet en retombait sur moi. ROUSSEAU, les Confessions, I.

N. m. *Distinguer le juste et l'injuste* (→ Changer, cit. 35.1; indignation, cit. 6).

Ah! l'on me recommande le sacrifice et le renoncement, je dois prendre garde à tout ce que je fais, il faut que je me casse la tête sur le bien et le mal, sur le juste et l'injuste, sur le *fas* et le *nefas*. Pourquoi? 8
HUGO, les Misérables, I, I, VIII.

♦ **3.** (1677). Vx. Qui résulte d'une erreur d'appréciation, qui est mal fondé. ⇒ **Déraisonnable, injustifié.** *Mépris, haine, soupçons injustes* (→ Hériter, cit. 5). *Querelles injustes* (→ Exaspérer, cit. 13; farceur, cit. 7).

Hé! repoussez, Madame, une injuste terreur. RACINE, Phèdre, IV, 6. 9

CONTR. Juste. — 1. Bon, équitable, impartial. — Fondé, légitime, raisonnable.
DÉR. Injustement.

INJUSTEMENT [ɛ̃ʒystəmɑ̃] adv. — XIIIe; de *injuste*.

♦ **1.** Vieilli. D'une manière injustifiée, sans fondement. ⇒ **Indûment, tort** (à). *Mépriser injustement qqn* (→ Correct, cit. 1; goût, cit. 18). *Se plaindre injustement. Détracteur qui déprécie, dénigre injustement une œuvre.*

(...) il n'a jamais lu Sophocle, qu'il loue très injustement d'*une grande multiplicité d'incidents* (...) RACINE, Bérénice, Préface. 1

♦ **2.** Mod. D'une manière injuste. *Être injustement condamné, censuré* (→ Étouffer, cit. 20).

La femme de Socrates rengregeoit son deuil par telle circonstance : O qu'injustement le font mourir ces meschans juges! — Aimerois-tu donc mieux que ce fut justement, luy repliqua il. MONTAIGNE, Essais, II, XII, Pl., p. 568. 1.1

Il reconnut qu'il n'était pas un innocent injustement puni. Il s'avoua qu'il avait commis une action extrême et blâmable (...) HUGO, les Misérables, I, II, VII. 2

CONTR. Justement. — Équitablement.

INJUSTICE [ɛ̃ʒystis] n. f. — Fin XIIe; lat *injustitia*, de *injustus*. → Injuste.

♦ **1.** Caractère d'une personne, d'une chose injuste; manque de justice. ⇒ **Iniquité.** *L'injustice de qqn, son injustice. Être d'une grande injustice. L'injustice des hommes* (→ Approbation, cit. 9; aveugle, cit. 7; combiner, cit. 11; homme, cit. 25), *de la foule* (→ Hostile, cit. 6). *Juge soupçonné d'injustice.* ⇒ **Partialité.** — *L'injustice du sort, du destin, de la nature* (→ Avilissement, cit. 1; habituer, cit. 9; immanent, cit. 4). *Une atroce injustice* (→ Plénitude, cit. 6). *Avec injustice* : injustement (→ Éreintement, cit. 2; effronté, cit. 2).

Je vous ai vu pour lui m'accuser de caprice, 1
D'aveugle cruauté, d'orgueil et d'injustice. MOLIÈRE, le Dépit amoureux, II, 3.

Dans mes jours d'angoisse et d'injustice, j'étais jalouse de tous les biens que tu pouvais et que tu devais me préférer. G. SAND, Lettres à Musset, 29 avr. 1834. 2

La puissance ne se montre que si l'on en use avec injustice. 3
R. RADIGUET, le Diable au corps, p. 122.

L'injustice d'une loi, d'une mesure. ⇒ **Arbitraire, illégalité.** *L'injustice de l'ordre social. Procédé plein d'injustice* (→ Bizarrerie, cit. 1).

Le préjugé semblait alors couvrir l'injustice de ce partage entre deux fils égaux en droit. BEAUMARCHAIS, la Mère coupable, IV, 13. 4

Spécialt. Vieilli (langue class.). Caractère de ce qui est mal fondé.

Ah! ciel! De mes soupçons quelle était l'injustice! RACINE, Britannicus, V, 7. 5

(V. 1361). Absolt. Ce qui est injuste. *Haïr, abhorrer l'injustice. Combattre le mal* et l'injustice. Être révolté, exalté par l'injustice* (→ 1. Avoir, cit. 16; cabrer, cit. 14). *Le spectacle de l'injustice* (→ Bouillir, cit. 4). *Le sentiment de l'injustice. La résignation à l'injustice* (→ Immortel, cit. 8). *Une grande âme* (cit. 60) *au-dessus de l'injustice. Féodal* (cit. 3) *signifie tyrannie, injustice.* ⇒ **Oppression.**

L'amour de la justice n'est, en la plupart des hommes, que la crainte de souffrir l'injustice. LA ROCHEFOUCAULD, Réflexions morales, 78. 6

Ce premier sentiment de la violence et de l'injustice est resté si profondément gravé dans mon âme, que toutes les idées qui s'y rapportent me rendent ma première émotion (...) ROUSSEAU, les Confessions, I. 7

Où que mes regards se portent, je ne rencontre que des passe-droits et de l'injustice (...) GIDE, Ainsi soit-il, p. 43. 8

C'est un fait que l'injustice rend injuste. Qui se voit refuser, coup sur coup, les postes auxquels son mérite lui donnait droit, devient, s'il n'est pas un saint (et il y a peu de saints), aigre, amer et ambitieux. 9
A. MAUROIS, Chateaubriand, VII, VI.

♦ **2.** (1559). UNE, DES INJUSTICES. Acte, décision, jugement contraire à la justice. *C'est une cruelle, une inqualifiable injustice.* ⇒ **Cruauté.** *Une injustice envers qqn. Des injustices systématiques.* ⇒ **Persécution.** *Une injustice en faveur de qqn.* ⇒ **Passe-droit.** *Commettre des injustices* (→ Arbitre, cit. 7; avant-garde, cit. 2). *L'injustice commise envers lui, l'injustice qu'on lui a faite* (→ Exaspérer, cit. 8). *Souffrir, essuyer une injustice. Être victime d'une terrible, d'une criante injustice. Protester contre une injustice. Il faut réparer cette injustice. Accablé* (cit. 17) *d'injustices et d'outrages. Les injustices des hommes* (→ 1. Faire, cit. 238). *Les injustices et les violences de nos ennemis* (→ Agréable, cit. 5). *Le salut public ne peut commander* (cit. 5) *une injustice. « J'aime* *mieux une injustice qu'un désordre»*, mot de Gœthe. *« Les injustices des pervers servent souvent d'excuse* (cit. 1) *aux nôtres»* (La Fontaine). *Les injustices sociales* (→ Générosité, cit. 9). *Un océan de misères et d'injustices* (→ Immobilisme, cit.). — *L'injustice de* (suivi de l'inf.) : l'injustice qui consiste à... (→ Brûler, cit. 56 ; couple, cit. 3 ; honorer, cit. 12). — *C'est une injustice que les bons pâtissent pour les méchants, que les petits payent pour les grands.*

0 Trahi de toutes parts, accablé d'injustices (...) MOLIÈRE, le Misanthrope, V, 4.

1 Les offenses, les vengeances, les passe-droits, les outrages, les injustices, ne sont rien pour celui qui ne voit dans les maux qu'il endure que le mal même et non pas l'intention ; pour celui dont la place ne dépend pas dans sa propre estime de celle qu'il plaît aux autres de lui accorder.
ROUSSEAU, Rêveries..., 8e promenade.

2 (...) son châtiment n'était pas, à la vérité, une injustice, mais (...) à coup sûr c'était une iniquité. HUGO, les Misérables, I, II, VII.

3 Certaines inégalités et certaines injustices ne seraient pas possibles si chacun ne les consacrait pas au secret de son cœur, pour autant qu'il ne les subit pas (...) On s'en accommoderait moins si l'on mesurait à quel point nous menacent ces injustices, en empoisonnant le corps social tout entier (...)
DANIEL-ROPS, Ce qui meurt..., p. 161.

Loc. (1643). Vx. *Faire injustice à qqn*, commettre une injustice, être injuste envers lui. ⇒ **Injure** (vx).

CONTR. Bien, droiture, équité, justice.

INJUSTIFIABILITÉ [ɛ̃ʒystifjabilite] n. f. — D. i. XXe (1949, *in* T. L. F.) ; de *injustifiable.*

♦ Rare. Caractère injustifiable (de qqch).

INJUSTIFIABLE [ɛ̃ʒystifjabl] adj. — 1791 ; de 1. *in-*, et *justifiable.* → Justifier.

♦ **1.** (Choses). Qu'on ne peut justifier*. *Conduite injustifiable.* ⇒ **Inexcusable.** *Acte, conduite, refus, solution injustifiable. Ses procédés sont injustifiables. S'efforcer de justifier une politique injustifiable. Des suppositions injustifiables. « La mort injustifiable des enfants»* (Camus, *l'Homme révolté*, p. 77). — N. m. *L'injustifiable.*

♦ **2.** (Personnes). Rare. Dont on ne peut justifier l'existence ; la conduite.

CONTR. Justifiable.
DÉR. Injustifiabilité.

INJUSTIFIÉ, ÉE [ɛ̃ʒystifje] adj. — Av. 1830, *Encyclopédie portative*, Bailly ; de 1. *in-*, et *justifié.*

♦ Qui n'est pas justifié*. ⇒ **Injuste.** *Une mesure, une réclamation, une punition injustifiée. Méfiance injustifiée. Les haines les plus injustifiées* (→ Fomentation, cit.). *Imputation injustifiée.* ⇒ **Gratuit.**

Il s'aperçut que la plus légère contrariété touchant Pauline, même injustifiée, presque imperceptible, devenait très vite une sorte de déception intolérable (...)
J. CHARDONNE, les Destinées sentimentales, p. 241.

CONTR. Fondé, justifié.

INLANDSIS [inlɑ̃dsis] n. m. — 1888, au fém. (→ ci-dessous cit. 1) ; mot scandinave, de *in-* « à l'intérieur », *land* « pays », et *is* « glace ».

♦ Géogr. Glacier continental (régions polaires) ; calotte glaciaire.

1 Le géologue peut étudier dans les mers entourant le Groenland la formation des plus gros glaçons qui se rencontrent actuellement dans l'hémisphère septentrional, et, dans l'intérieur du pays, l'immense désert glacé de l'*inlandsis*, représentation fidèle de la Scandinavie pendant la période glaciaire (...) Plus loin, l'*inlandsis* est accidentée par des bombements hérissés de pyramides et de crêtes de glaces *(toppis)* qui atteignent une hauteur de 6 mètres.
La Science illustrée, t. II, p. 245 (1888).

2 Si l'on écarte le cas des pays océaniques froids (Islande, Colombie britannique, Terre de Feu) qui, riches en chutes, ne peuvent prétendre qu'à un manteau médiocre et précaire, si l'on écarte aussi les inlandsis absolument déserts, on aura noté que la neige intéresse au plus haut point la vie humaine dans deux types de régions géographiques bien opposées. Ch.-P. PÉGUY, la Neige, p. 97.

INLASSABLE [ɛ̃lasabl] adj. — 1624, attestation isolée, Nostradamus ; Daudet, 1888 ; de 1. *in-*, *lasser*, suff. *-able.*

♦ Qui ne se lasse pas. ⇒ **Infatigable, patient.** — (Personnes). *Un éducateur, un chercheur inlassable.* — (Actions, qualités humaines). *Patience, curiosité* (cit. 13, Proust) *inlassable.* ⇒ **Inépuisable.** — REM. *Inlassable* a été condamné par certains puristes sous prétexte qu'il est mal formé (*inlassable* pour *illassable*) et qu'on ne dit pas *lassable.* L'Académie (8e éd.) ne le mentionne pas, mais les meilleurs écrivains l'emploient. — On trouve en outre chez les Goncourt l'adjectif *inlassé, ée* [ɛ̃lase].

1 Dire *inlassable* est très *inlogique. Inlassable* n'est pas français ; je serai *illassable* à le dire.
Émile FAGUET, *in* BOTTEQUIN, Subtilités et délicatesses de langage, p. 230.

2 (...) que, pareils à des insectes *inlassables*, tes ouvriers reconstruisent chaque jour (...) G. DUHAMEL, Géographie cordiale de l'Europe, *in* J. BERNÈS, Textes choisis, p. 190.

3 (...) une garde de nuit, inclinée sous son voile d'infirmière, dans une attitude d'inlassable patience professionnelle, attendait, les mains au creux de son tablier (...) MARTIN DU GARD, les Thibault, t. III, p. 204.

DÉR. Inlassablement.

INLASSABLEMENT [ɛ̃lasabləmɑ̃] adv. — 1907 ; de *inlassable.*

♦ D'une manière inlassable. *Recommencer inlassablement le même récit... La littérature française peint inlassablement l'homme* (cit. 46, Duhamel).

(...) chacun écoutant *inlassablement* les échos prolongés d'une sympathie toujours plus profonde. GIDE, Une lettre d'-, *in* Nouvelles littéraires, 2 janv. 1937. 1

(...) Germaine se remit à parler, avec cette obstination des faibles qui ne peuvent se contenter d'une défaite et recommencent inlassablement la bataille. 2
J. GREEN, Adrienne Mesurat, p. 41.

INLAY [inlɛ] n. m. — 1891, *in* Höfler ; mot angl. « incrustation », de *in-* « dans », et *to lay* « laisser, déposer ».

Chirurgie dentaire. Anglicisme.

♦ **1.** Obturation dentaire au moyen de métal (spécialt, d'or) coulé. ⇒ aussi **Onlay** (cit.).

♦ **2.** Matière obturatrice. *Les inlays.*

REM. Équivalent français : *incrustation.*

INLET [inlɛt] n. m. — 1818, *in* D. D. L. ; mot angl. « entrée, accès, baie, chenal ».

♦ Géogr. Anglic. Bras de mer qui s'enfonce dans les terres. ⇒ **Baie, goulet, chenal.**

IN LIMINE LITIS [inliminelitis] loc. adv.

♦ Locution latine (« sur le seuil du procès ; dès le début du procès »). Dr. Dès l'ouverture du procès. *« L'exception d'incompétence* ratione personæ *doit être proposée* in limine litis » (Capitant).

INLISIBLE [ɛ̃lizibl] adj. Vx. ⇒ **Illisible** ; → Caractère, cit. 2, Voltaire.

IN MEDIO STAT VIRTUS [inmedjostatviʀtys]

♦ Locution latine (« la vertu, le bien est au milieu ») signifiant qu'il faut se garder des extrêmes, se tenir dans un juste milieu.

IN MEMORIAM [inmemɔʀjam] — Mots lat., *in* « dans », et accusatif de *memoria* « souvenir ».

♦ Relig. *In memoriam* (suivi d'un n. pr. — au génitif, s'il s'agit d'un n. lat.) : à la mémoire de (une personne décédée).

IN NATURALIBUS [innatyʀalibys] loc. adv. — 1696 ; loc. lat., de *in* « dans », et *naturalibus*, ablatif plur. substantivé de *naturalis* « naturel ».

♦ Didact. ou plais. Dans l'état de nudité. *« Voudrais-tu voir mon maître* in naturalibus ? » (J. Renard).

Peu s'en fallut que, lui aussi, comme Archimède à Syracuse, ne se mît à courir *in naturalibus* à travers les rues de Neuilly, en criant : Eurêka !
L. FIGUIER, l'Année scientifique et industrielle, 1899, p. 294 (1898).

INNAVIGABILITÉ [ɛ̃navigabilite] n. f. — 1783 ; de *innavigable.*

Didactique, technique, droit.

♦ **1.** (1842). Caractère d'un cours d'eau innavigable.

♦ **2.** Dr. comm. « État du navire que les avaries ou la vétusté ont rendu hors de service » (Capitant). *Innavigabilité par fortune de mer.*

INNAVIGABLE [ɛ̃navigabl] adj. — 1530, au sens 1 ; lat. *innavigabilis*, de *in-* (→ 1. In-), et *navigabilis*, de *navigare.* → Navigable, naviguer.

Didactique, technique, droit.

♦ **1.** Qui n'est pas navigable*. *Cours d'eau innavigable.*

♦ **2.** (1541). Impropre à la navigation. *Bateau innavigable.*

À neuf heures et demie du matin, la route, qui portait directement dans le sud-ouest, se trouva tout à coup barrée par un cours d'eau inconnu, large de trente à quarante pieds, et dont le courant vif, provoqué par la pente de son lit et brisé par

des roches nombreuses, se précipitait avec de rudes grondements. Ce creek était profond et clair, mais il eût été absolument innavigable.
J. VERNE, l'Île mystérieuse, t. I, p. 342-343.

DÉR. **Innavigabilité.**

INNÉ, ÉE [inne; ine] adj. — 1611; *enné*, 1554; du lat. philos. *innatus*, de *natus* «né», d'après *né*, p. p. de *naître*.

♦ **1.** Que l'on a en naissant, dès la naissance, par oppos. à *acquis*. *Don, goût inné. Qualité, disposition, inclination innée.* ⇒ **Foncier, infus, naturel**; → Appétence, cit. 1. *C'est inné chez lui.* ⇒ **Instinct**; → C'est de nature*, c'est dans le sang*. — Littér. *Caractère inné en, dans qqn, inné à qqn. «La fonction fabulatrice, innée à l'individu»* (Bergson). *Sens, sentiment inné* (→ Harmonie, cit. 9). *«Cet amour de la justice inné dans tous les cœurs...»* (→ Équité, cit. 9, Rousseau). *Ce qu'il y a d'inné et d'acquis dans la psychologie de qqn.*

1 (...) ses manières, au lieu d'être innées, avaient été laborieusement conquises (...)
BALZAC, la Peau de chagrin, Pl., t. IX, p. 128.

2 Le goût de l'érudition est inné en moi. RENAN, Souvenirs d'enfance..., IV, II.

3 Il y a des âmes de luxe qui ont le goût inné de la magnificence.
FRANCE, le Crime de S. Bonnard, Œ., t. II, p. 443.

Maladie innée. ⇒ **Congénital.**

N. m. (XXe). *L'inné* : ce qui est inné. *L'inné et l'acquis.*

♦ **2.** (1647, Descartes). Didact. **IDÉES INNÉES,** inhérentes à l'esprit humain, antérieures à toute expérience. ⇒ **Innéité** (des idées). *Les idées innées niées par Locke* (→ Art, cit. 25).

4 Les idées expérimentales ne sont point innées. Elles ne surgissent point spontanément, il leur faut une occasion ou un excitant extérieur, comme cela a lieu dans toutes les fonctions physiologiques.
Cl. BERNARD, Introd. à l'étude de la médecine expérimentale, I, II.

Qui est antérieur à tout fonctionnement et ne dépend que du code génétique. *Théorie des aptitudes innées chez l'homme.* ⇒ **Innéisme.** *Structure innée. Éléments innés du comportement.* → Innéité, cit. 2.

N. m. Spécialt. *L'inné* : l'ensemble des aptitudes intellectuelles innées.

5 La distinction n'aurait de sens (et c'est là l'hypothèse qui est à son origine) que si l'on pouvait dissocier en l'homme ce qui relève des sociétés particulières dans lesquelles il vit et ce qui constitue la nature humaine universelle. Bien entendu de nombreux esprits demeurent attachés à une telle distinction avec une tendance à opposer l'inné à ce qui est acquis sous l'influence des milieux physiques ou sociaux, la «nature humaine» reposant ainsi sur l'ensemble des caractères héréditaires.
J. PIAGET, Épistémologie des sciences de l'homme, p. 16.

CONTR. **Acquis.**

INNÉGOCIABLE [inegɔsjabl] adj. — 1846, Bescherelle; de 1. *in-*, et *négociable*.

♦ Rare. Qui ne peut être négocié. *Effet innégociable.*

CONTR. **Négociable.**

INNÉISME [ineism; inneism] n. m. — Fin XIXe (1907, Hamelin, *in* T. L. F.); de *(idée) innée*, et suff. *-isme*.

♦ Didact., philos. Système ou attitude philosophique qui repose sur la croyance de l'innéité des idées, des caractères mentaux, des structures et des aptitudes mentales. *L'innéisme* (de l'aptitude au langage), *dans la linguistique générative. L'innéisme s'oppose au culturalisme.*

INNÉISTE [ineist; inneist] adj. et n. — XXe (*in* Larousse, 1931); de *innéisme*.

♦ Didact., philos. Favorable à l'innéisme. *Théories innéistes.* — Partisan de l'innéisme. — N. *Innéistes et partisans des théories de l'environnement, et culturalistes.*

INNÉITÉ [ineite; inneite] n. f. — 1810, Gall; de *inné*.

♦ **1.** Didact., philos. Caractère inné (en parlant de caractères mentaux, de structures mentales). *Doctrine de l'innéité des idées, de l'aptitude au langage, des aptitudes intellectuelles.*

Physiol. «Par opposition à l'hérédité, disposition propre à l'individu, relevant de causes occasionnelles ayant agi, plus ou moins directement, pendant la conception ou la gestation» (Garnier).

1 (...) on est de plus en plus porté à penser que l'innéité consiste essentiellement en possibilités de fonctionnement, sans hérédité de structures toutes montées (contrairement au cas des instincts dont une part importante est «programmée» héréditairement) ... J. PIAGET, Épistémologie des sciences de l'homme, p. 16.

2 Ces découvertes modernes donnent donc raison, en un sens nouveau, à Descartes et à Kant, contre l'empirisme radical qui cependant n'a guère cessé de régner dans la science depuis deux cents ans, jetant la suspicion sur toute hypothèse supposant l'«innéité» des cadres de la connaissance. De nos jours encore certains éthologistes paraissent attachés à l'idée que les éléments du comportement, chez l'animal, sont ou bien innés ou bien appris, chacun de ces deux modes excluant absolument l'autre. Cette conception est entièrement erronée comme Lorenz l'a vigoureusement démontré. Jacques MONOD, le Hasard et la Nécessité, p. 192.

♦ **2.** Dispositions propres à l'individu (opposé à *hérédité*).

INNERVATION [inɛʀvasjɔ̃] n. f. — 1824, *in* T. L. F.; comp. sav. de 2. *-in*, et du lat. nervus «nerf».

♦ **1.** Physiol. Mode d'action du système nerveux. *Sensation d'innervation.*

M. Wundt parle également d'une sensation d'origine centrale, accompagnant l'innervation volontaire des muscles, et cite l'exemple du paralytique qui a la sensation très nette de la force qu'il déploie à vouloir soulever sa jambe, quoiqu'elle reste inerte.
H. BERGSON, Essai sur les données immédiates de la conscience, p. 16.

♦ **2.** (1903, in *Rev. gén. des sc.*, no 6, p. 332). Anat. Distribution des nerfs (dans une région du corps). *L'innervation de la face, de la main.*

Chaque organe a une double innervation, l'une venant du sympathique, l'autre du parasympathique. Alexis CARREL, l'Homme, cet inconnu, III, XI.

♦ **3.** Fig. Distribution des voies qui innervent (3.) une zone.

INNERVER [inɛʀve] v. tr. — 1826, au p. p.; de 2. *in-*, et du lat. *nervus* «nerf».

Didactique.

♦ **1.** Physiol. Commander l'innervation de.

♦ **2.** (Fin XIXe). Anat. Fournir de nerfs, en parlant d'un tronc nerveux. *Le nerf facial et le nerf trijumeau innervent la face.*

♦ **3.** Fig. Desservir par des voies multiples (une zone). *Les routes, les voies de communication qui innervent la région.*

▶ **INNERVÉ, ÉE** p. p. adj. *Région du corps peu innervée, très innervée.*

INNETTOYABLE [ɛ̃netwajabl] adj. — 1838; de 1. *in-*, et *nettoyable*.

♦ Qu'on ne peut pas nettoyer; trop sale pour qu'on puisse le nettoyer. *Carrelage innettoyable. Linge innettoyable.* ⇒ **Indécrassable, inlavable.**

CONTR. **Nettoyable.**

INNOCEMMENT [inɔsamɑ̃] adv. — 1538; *innoçamment*, 1349; de *innocent*.

♦ **1.** Avec innocence; sans faire ou sans vouloir faire le mal. *Gazelle qui s'ébat innocemment* (→ Barbare, cit. 21). *Parole dite innocemment* (→ Sans malice*, sans songer à mal*). *Goûter innocemment les biens* (2. Bien, cit. 24) *de ce monde.*

Il tombe encore innocemment dans la même faute (...) 1
DESCARTES, Septièmes objections, Quest. IIe, § 1, rem.
REM. Il s'agit de la «Dissertation du R. P.*...» avec les remarques de Descartes.

Eh! qui ne rougirait pas, monsieur, de voir tirer des conséquences aussi malignes 2
des choses les plus innocemment faites?
BEAUMARCHAIS, le Barbier de Séville, II, 11.

Tu as raison, notre embrassement était un inceste, mais nous ne le savions pas, 3
nous nous jetions innocemment et sincèrement dans le sein l'un de l'autre.
G. SAND, Lettres à Musset, 15 avr. 1834.

(...) telle «pensée» (...) qu'il croyait avoir inventée; telle phrase qu'il disait jus- 4
que-là fort innocemment (...) J. PAULHAN, les Fleurs de Tarbes, p. 93.

♦ **2.** Vieilli. Avec naïveté, comme un innocent (2.). ⇒ **Niaisement, sottement.** — Ingénument. *Le douanier Rousseau «peignait innocemment ce qu'il voyait?»* (Malraux, *les Voix du silence*, p. 291, *in* T. L. F.).

CONTR. **Méchamment. — Volontairement.**

INNOCENCE [inɔsɑ̃s] n. f. — 1120; lat. *innocentia*, de *innocens*. → Innocent.

A. ♦ **1.** (XVIIe). Relig. État d'un être humain qui n'est pas souillé par le mal, qui est incapable de le commettre. ⇒ **Pureté.** *État* (cit. 27) *d'innocence de l'homme avant le péché originel. L'innocence du baptême, l'innocence baptismale* (cit. 1), celle que donne le baptême en effaçant le péché originel. *Robe d'innocence. Repentir qui tient lieu d'innocence* (→ Confession, cit. 2), *retrouver par l'expiation* (cit. 11), *l'innocence perdue.* — Par ext. *L'innocence d'une sainte vie* (→ Humble, cit. 22).

♦ **2.** Vx (langue class.). Intégrité de mœurs (→ Humble, cit. 11). *Jouir de son innocence* (→ Achever, cit. 17; confiant, cit. 3).

Persécuter un homme en politique, ce n'est pas seulement le grandir, c'est encore 1
en innocenter le passé. BALZAC, les Paysans, Pl., t. VIII, p. 129.

♦ **3.** Cour. État d'une personne qui ignore le mal. ⇒ **Candeur, fraîcheur, ingénuité.** *L'innocence de qqn, son innocence. Une innocence d'enfant, enfantine* (→ Attendrir, cit. 17; corrompre, cit. 13 et 30). *L'âge de l'innocence. Première innocence* (→ Caractère, cit. 41). — Vx. *L'innocence primitive*, antérieure à la civilisation (celle du «bon sauvage»). → Inédit, cit. 5.

(1721). Spécialt. Ignorance, inexpérience des choses sexuelles (→ Homme, cit. 150). — Vx. ⇒ **Virginité.** — *La blancheur* (cit. 1), *symbole d'innocence.* → Candeur de cygne*. *Entretiens pleins d'innocence* (→ Fadeur, cit. 5).

2 J'ai oublié de dire que je rapportais mon innocence de Paris, ce n'était qu'à Milan que je devais me délivrer de ce trésor. Ce qu'il y a de drôle, c'est que je ne me souviens pas distinctement avec qui. STENDHAL, Vie de Henry Brulard, 45.

3 Il y avait décidément des choses qu'elle ne voulait pas voir et qui pour elle n'existaient pas. Elle ne croyait pas au mal. Dans son innocence obstinée, je tiens à le faire sentir, elle avait gardé de l'enfance.
SAINTE-BEUVE, Causeries du lundi, 26 nov. 1849, t. I, p. 136.

4 (...) l'écrivain, depuis cent ans, rêve de se livrer à son art dans une espèce d'innocence par delà le Bien comme le Mal, et, pour ainsi dire, avant la faute.
SARTRE, Situations II, p. 260.

Loc. *En toute innocence :* innocemment, sans penser à mal.

♦ **4.** Ignorance des choses, des réalités, trop grande naïveté. ⇒ **Naïveté, simplicité.** *Fripon* (cit. 4) *qui abuse de l'innocence de Candide. — Avoir l'innocence de...*

5 (...) pauvres filles que vous êtes, j'ai pitié de votre innocence (...)
MOLIÈRE, Dom Juan, II, 4.

Rare. *(Une, des innocences).* Manifestation de naïveté. *Dire une innocence.* — Péj. Niaiserie, simplicité.

B. Vx ou littér. État de ce qui ne nuit pas, n'est pas malfaisant. *Il n'a « pour sa défense* (cit. 3)..., *que son innocence »* (Racine). *L'innocence des mœurs de l'écureuil* (→ Gentillesse, cit. 1). *L'innocence d'une boisson.* ⇒ **Innocuité.**

6 (...) il s'en faut que le poison de mentir ait la même innocence (...)
André SUARÈS, Trois hommes, « Ibsen » II.

C. (Déb. XIVe, *ignoçance*). État d'une personne qui n'est pas coupable (dans un cas donné). *L'innocence d'un accusé, d'une personne soupçonnée, d'un suspect. Accusé qui proclame, démontre son innocence. Justifier de son innocence. Innocence impossible à prouver* (→ Apparaître, cit. 18). *Reconnaître, établir l'innocence de qqn* (→ Gain, cit. 2; hic, cit. 1). *Inculpé* (cit. 2) *qui bénéficie d'une présomption d'innocence.* — (1636). Par métonymie. Les innocents; un innocent (abstraitement, → ci-dessous cit. 8 et 9). *Absoudre* (cit. 5) *les scélérats et condamner l'innocence. Laisser le crime* (cit. 22, Racine) *en paix et poursuivre l'innocence.*

7 (...) m'aller soupçonner ainsi, moi qui suis l'innocence même!
MOLIÈRE, George Dandin, I, 6.

8 Il s'en faut bien que l'innocence ne trouve autant de protection que le crime.
LA ROCHEFOUCAULD, Réflexions morales, 465.

9 L'innocence n'a que le raisonnement pour elle; et le raisonnement qui peut frapper des juges, est souvent impuissant sur les esprits prévenus des jurés.
BALZAC, Une ténébreuse affaire, Pl., t. VII, p. 590.

0 (...) il avait la conviction de l'innocence des accusés, ce qui est un des plus puissants véhicules de la parole.
BALZAC, Une ténébreuse affaire, Pl., t. VII, p. 607.

1 Il a protesté de son innocence avec la dernière énergie.
MARTIN DU GARD, Jean Barois, La tourmente, I.

CONTR. (De A., 1.) **Impureté.** — (De A., 2.) **Débauche, dépravation.** — (De A., 3.) **Expérience.** — (De A., 4.) **Malice, rouerie.** — (De B.) **Nocivité.** — (De C.) **Culpabilité.**

INNOCENT, ENTE [inɔsɑ̃, ɑ̃t] adj. et n. — 1080; lat. *innocens*, de *in-* (→ 1. In-), et *nocens, entis* « nuisible, pernicieux », de *nocere* « nuire ».

A. ♦ **1.** Relig. Qui n'est pas souillé par le mal. ⇒ **Pur, immaculé.** *L'homme a été créé* (cit. 2) *saint et innocent. Vie innocente,* simple et vertueuse* (→ Assoupir, cit. 2; cultiver, cit. 1; entier, cit. 9). — Spécialt. Qui ignore le mal, qui est pur et sans malice. ⇒ **Candide;** → Pervers, cit. 3. *Innocent enfant* (→ Épargner, cit. 11); *enfant innocent. « Âge* (cit. 27) *tendre et innocent »* (Racine). *Innocent comme l'enfant, comme l'agneau* qui vient de naître. Une innocente jeune fille.* → Blanche* comme neige; blanche colombe*; innocente brebis* (vx ou iron.). *Air innocent.* ⇒ **Angélique.** — (1662). Spécialt. Ignorant des choses sexuelles. ⇒ **Chaste, ingénu;** → Faillir, cit. 16. *Vierge* et innocente. Innocente pudeur* (→ Arme, cit. 34).

1 (...) chose étrange! si la *Fille aux yeux d'or* était vierge, elle n'était certes pas innocente. BALZAC, la Fille aux yeux d'or, Pl., t. V, p. 305.

2 Et vous imaginez-vous Élodie montant à cette échelle, découvrant ça! *(un couple enlacé)* Elle, si innocente, qui ne sait rien de rien, dont nous surveillons jusqu'aux pensées!... Ça fait trembler, parole d'honneur!... ZOLA, la Terre, II, VII.

3 À cet âge innocent où l'on voudrait que toute l'âme ne soit que transparence, tendresse et pureté, je ne revois en moi qu'ombre, laideur, sournoiserie.
GIDE, Si le grain ne meurt..., I, I, p. 10.

Vie primitive, innocente, antérieure à la civilisation (→ Grotesque, cit. 15).

N. *Un innocent, une innocente* (s'emploie surtout en parlant des jeunes enfants). *De petits innocents. Chers innocents.* → fam. Chères têtes blondes* (→ Babiller, cit. 6; horreur, cit. 13). — Relig. chrét. *Massacre des Innocents, des saints Innocents :* selon saint Matthieu, massacre des petits enfants par Hérode.

4 La mort ayant ravi ce petit innocent (...) MOLIÈRE, le Dépit amoureux, V, 4.

♦ **2.** (XVe). Qui a une ignorance, une naïveté trop grande. ⇒ **Crédule, naïf, niais, simple.** *Il est bien innocent de croire ces balivernes.*
N. (V. 1330). *Un innocent, une innocente :* un, une simple d'esprit. ⇒ **Crétin** (cit. 2). *L'innocent du village.* ⇒ **Idiot.** — Par ext. *Cet innocent, ce pauvre, ce grand innocent de X.*

Quelquefois, quand le temps était mauvais, il avait sous le bras un parapluie, qu'il n'ouvrait point. Les bonnes femmes du quartier disaient : C'est un innocent. 5
HUGO, les Misérables, V, VIII, IV.

Prov. *Aux innocents les mains pleines :* les simples sont heureux dans leurs entreprises (cf. le prov. lat. *Fortuna favet stultis*).

B. (1580). Vx ou littér. Qui ne nuit pas, n'est pas dangereux. ⇒ **Inoffensif.** — (Êtres animés). *L'agneau, animal innocent.* → Sans défense*. *Hommes innocents et paisibles.* ⇒ 1. **Bon;** → Bergeronnette, cit. 2. — (Choses). *Folie innocente* (→ Atrabilaire, cit. 7), *préjugé innocent* (→ Funeste, cit. 11). — Vieilli ou littér. (Choses concrètes; → ci-dessous, cit. 7). *Drogues innocentes.* ⇒ **Anodin, bénin;** → Gitan, cit. 1.

Ni loup ni renard n'épiaient 6
La douce et l'innocente proie. LA FONTAINE, Fables, VII, 1.

(...) de petits remèdes innocents (...) RACINE, Lettres, 73, 13 août 1687. 7

Si M. Lavisse et la génération de M. Lavisse avait réussi à faire de la France une basse et molle proie (...) eussions-nous dû continuer à penser que M. Lavisse est un inoffensif homme de bureau, un innocent pédagogue? 8
Ch. PÉGUY, la République..., p. 302.

C. (Déb. XIVe). *Innocent de... :* qui n'est pas coupable de... *Il est innocent du crime dont on l'accuse. Être innocent de qqch. Être innocent d'un acte.* ⇒ **Irresponsable.** — (Sans compl. en *de*). *Tout homme est présumé innocent jusqu'à ce qu'il ait été déclaré coupable* (cit. 1). — Par ext. *Des mains innocentes* (→ Criminel, cit. 3).

Pilate (...) se fit apporter de l'eau, et lavant ses mains devant le peuple, il leur dit : je suis innocent du sang de ce juste; c'est votre affaire. 9
BIBLE (SACY), Évangile selon saint Matthieu, XXVII, 24.

Hélas! de vos malheurs innocente ou coupable (...) RACINE, Phèdre, III, 1. 10

Qu'on ne me demande pas comment ce dégât se fit : je l'ignore et ne puis le comprendre; ce que je sais très certainement, c'est que j'étais innocent. 11
ROUSSEAU, les Confessions, I.

Que si le lieu commun et le cliché sont, en littérature, inévitables, l'écrivain du moins peut en être *innocent.* J. PAULHAN, les Fleurs de Tarbes, p. 37. 12

N. *Un innocent accusé* (cit. 16), *condamné* (cit. 22). *Ils ont condamné une innocente. Immoler les innocents et les coupables* (→ Extermination, cit. 2). *Poursuivre l'innocent* (→ Avide, cit. 6). *Faire l'innocent :* prendre la contenance de celui qui n'est pas coupable.

(...) il vaut mieux hasarder de sauver un coupable que de condamner un innocent. 13
VOLTAIRE, Zadig, VI (→ 1. Coupable, cit. 7).

(...) je n'avais de cesse que je n'eusse obligé l'abbé Ardouin à confesser qu'un chrétien ne peut souscrire à la condamnation d'un innocent, fût-ce pour le salut du pays. 14
F. MAURIAC, le Nœud de vipères, VII.

Il n'est pas de manière plus sûre de compromettre un innocent (et tout aussi bien un coupable) que de le louer sans mesure ou le défendre avant que personne songe à l'attaquer (...) 15 J. PAULHAN, Entretien sur des faits divers, p. 112.

D. (V. 1380; choses). Qui n'est pas blâmable, ne fait pas le mal. ⇒ **Irrépréhensible.** *Habitudes, familiarités* (cit. 11) *innocentes* (→ Bouleversement, cit. 3). *Les plaisirs innocents* (→ Damner, cit. 4; évoquer, cit. 9). *Baiser* (cit. 7) *innocent; innocentes caresses* (cit. 3). *Espiègleries* (cit. 3), *railleries innocentes* (→ Enjouement, cit. 4), pas méchantes*. *Mot innocent. Cabotinage* (cit. 3) *innocent.* — *Jeux innocents :* (vx) « petits jeux de société où l'on impose des pénitences à ceux qui se trompent » (Littré); (mod.) jeux apparemment chastes, qui sont prétexte à certaines privautés.

Le reste de la soirée fut donné aux cartes par les vieilles gens, et par les jeunes à ces délicieux petits jeux dits innocents, parce qu'ils couvrent les innocentes malices des amours bourgeois. 16 BALZAC, César Birotteau, Pl., t. V, p. 512.

(...) les leçons de cuisine données par sœur Angélique, et qui étaient pour la plupart des élèves l'occasion de plaisanteries d'ordinaire innocentes. 17
J. ROMAINS, les Hommes de bonne volonté, t. V, p. 30.

CONTR. (De A., 1.) **Averti, coquet, dépravé, impur, obscène.** — (De A., 2.) **Malin, roué, rusé.** — (De B.) **Dangereux, funeste, malfaisant, méchant, nocif, nuisible.** — (De C.) **Coupable, criminel.** — (De D.) **Blâmable.**
DÉR. **Innocemment, innocenter.**

INNOCENTER [inɔsɑ̃te] v. tr. — 1704; « donner le fouet par jeu, le jour des Innocents », 1530; de *innocent.*

♦ **1.** (Compl. n. de personne). Déclarer innocent, non coupable. ⇒ **Blanchir** (fig.), **disculper, réhabiliter.** *Innocenter un accusé. Témoin qui innocente qqn* (→ Élever, cit. 13).

(Sujet n. de chose). Rendre innocent, faire considérer comme innocent (qqn). *Les déclarations du témoin ont innocenté l'accusé.* ⇒ **Disculper.**

♦ **2.** (1844). Considérer comme innocent. ⇒ **Absoudre, excuser, justifier, pardonner.** — (Compl. n. de chose). *Innocenter l'ivrognerie* (→ Idéaliser, cit. 2).

Persécuter un homme en politique, ce n'est pas seulement le grandir, c'est encore en innocenter le passé. 1 BALZAC, les Paysans, Pl., t. VIII, p. 129.

Et toi, ma pauvre maman, tu ne penses jamais qu'à l'innocenter, et tu oublies tout, jusqu'aux inextricables difficultés dans lesquelles il nous laisse! 2
MARTIN DU GARD, les Thibault, t. VI, p. 112.

Par ext. Enlever à (qqch.) son caractère dangereux, nuisible; considérer comme non responsable. *Innocenter la situation. Innocenter des opinions. Innocenter « l'effrayante débâcle des faits »* (Zola, *le Docteur Pascal, in* T. L. F.).

INNOCUITÉ [inɔkɥite] n. f. — 1783, Bloch-Wartburg; du lat. *inocuus* « qui n'est pas nuisible », de *in-*, et *nocuus* « nuisible ». → Innocent.

♦ Qualité de ce qui n'est pas nuisible. *L'innocuité d'une boisson, d'une substance toxique prise à faible dose.*

1 Il fabriqua de la bière avec des feuilles de petit-chêne, et la donna aux moissonneurs en guise de cidre. Des maux d'entrailles se déclarèrent. Les enfants pleuraient, les femmes geignaient, les hommes étaient furieux. Ils menaçaient tous de partir; et Bouvard leur céda.
Cependant, pour les convaincre de l'innocuité de son breuvage, il en absorba devant eux plusieurs bouteilles, se sentit gêné, mais cacha ses douleurs, sous un air d'enjouement. Il fit même transporter la mixture chez lui. Il en buvait le soir avec Pécuchet, et tous deux s'efforçaient de la trouver bonne. D'ailleurs, il ne fallait pas qu'elle fût perdue. FLAUBERT, Bouvard et Pécuchet, p. 90 (éd. Folio).

L'innocuité d'une petite manie, d'une lecture.

2 Nous avons remarqué que l'homme rit toutes les fois qu'au choc de surprise, provoqué par des actions ou des paroles extraordinaires, succède un sentiment de sécurité, qui naît soit de l'innocuité des ridicules observés, soit de la constatation amusée qu'ils font partie de la nature humaine telle que nous la pouvons observer en nous-mêmes. A. MAUROIS, À la recherche de Marcel Proust, VIII, IV.

Rare. *L'innocuité de qqn.*

CONTR. Nocivité, nocuité.

INNOMBRABILITÉ [i(n)nɔ̃bʀabilite] n. f. — D. i.; de *innombrable.*

♦ Rare. Caractère de ce qui est innombrable; quantité innombrable. *« L'innombrabilité des objets »* (Goncourt, *Journal,* 1874, *in* T. L. F.).

INNOMBRABLE [i(n)nɔ̃bʀabl] adj. — 1314; de 1. *in-*, et *nombrable*, pour correspondre au lat. *innumerabilis, de in-* (→ 1. In-), et *numerabilis*, de *numerare* « compter »; a remplacé *innumérable*, cour. jusqu'au XVIIe (cf. Vaugelas, *Remarques...*, notes sur Thomas Corneille).

♦ **1.** De nombre trop considérable pour être compté; d'un nombre très important; qui comprend des éléments très nombreux. ⇒ **Infini, nombreux.** *Multitude, armée* (cit. 17), *troupe, foule innombrable.* ⇒ **Considérable**; → Curieux, cit. 4; grève, cit. 9. *« Son innombrable famille »* (Zola). — (Avec un nom au plur.). *D'innombrables ennemis* (→ Butte, cit. 5). *Bruissements* (cit. 2), *voix innombrables* (→ Aigu, cit. 4). *D'innombrables insectes* (→ Aile, cit. 7; hanneton, cit. 2). *Étoiles* (cit. 7), *flèches* (cit. 2), *projectiles, grains, grêlons innombrables.* → Caftan, cit. 2; 1. grêle, cit. 1. *Abbayes* (cit. 1), *couvents* (cit. 3), *minarets, tours, clochers innombrables* (→ 2. Air, cit. 27; fantôme, cit. 13; gamme, cit. 2). *Copies, feuillets innombrables* (→ Article, cit. 15; griffe, cit. 15). *Détails, formes, combinaisons, variantes, types, nuances innombrables* (→ Embrouiller, cit. 7; façade cit. 2 et 3; hallucinatoire, cit.; heurter, cit. 37). *Des idées innombrables.* ⇒ **Incalculable.**

1 (...) votre grand peuple, qui est aussi innombrable que la poussière de la terre.
LEMAÎTRE DE SACY, Trad. de la Bible, Paralipomènes, II, I, 9.

2 Alors il convoqua les peuples innombrables,
Plus nombreux que ne sont les herbes et les sables.
BAUDELAIRE, Poèmes ajoutés à l'éd. posthume, II, I.

3 (...) des poissons innombrables, des myriades et des myriades, tous pareils, glissant doucement dans la même direction (...) LOTI, Pêcheur d'Islande, I, VI.

Nombre presque innombrable (→ Apercevoir, cit. 4, La Bruyère). *Quantité innombrable. En quantité innombrable.* ⇒ **Beaucoup.**

4 *(Les Byzantins)* se repentaient amèrement d'avoir appelé les Francs, mais il était trop tard; ils entraient en nombre innombrable par toutes les vallées, par toutes les avenues de l'empire. MICHELET, Hist. de France, IV, III.

♦ **2.** (1560). Littér. Qui a des aspects, des formes innombrables; multiforme. *Le Cœur innombrable,* recueil de vers d'Anna de Noailles (1901).

5 La femme dont nous avons le visage devant nous plus constamment que la lumière elle-même (...) cette femme unique, nous savons bien que c'eût été une autre qui l'eût été pour nous si nous avions été dans une autre ville (...) si nous nous étions promenés dans d'autres quartiers (...) Unique, croyons-nous? elle est innombrable. PROUST, À la recherche du temps perdu, t. XIII, p. 108.

6 Le devoir innombrable, implacable, inclément
Est dans la conscience un noir fourmillement! HUGO, Torquemada, II, 2.

7 Puis je revis le fiacre verni qui avait emporté mes amours vers la ville innombrable.
M. PAGNOL, le Temps des secrets, p. 272.

DÉR. Innombrabilité, innombrablement.

INNOMBRABLEMENT [i(n)nɔ̃bʀabləmɑ̃] adv. — 1458; de *innombrable.*

♦ Littér. Rare. D'une manière innombrable (→ Brasier, cit. 2.1, Apollinaire).

Je regardais les jeunes filles dont était innombrablement fleuri ce beau jour (...)
PROUST, À la recherche du temps perdu, t. XIII, p. 179.

INNOMINÉ, ÉE [i(n)nɔmine] adj. — 1560; bas lat. *innominatus*, de *in-* (→ 1. In-), et *nominatus* « nommé ».

♦ Anat. Vx. S'est dit des os iliaques* et du tronc artériel brachiocéphalique *(artère innominée)* qui n'avaient pas de dénomination précise. — (XXe). *Ligne innominée :* relief osseux à la face interne de l'os iliaque.

INNOMMABLE [i(n)nɔmabl] adj. — 1584; de 1. *in-*, *nommer*, et suff. *-able.*

REM. L'adjectif se place avant et après le nom, en épithète.

♦ **1.** Didact. Qui ne peut être nommé. *Quelque chose d'inconnu, d'innommé* (cit.) *et d'innommable.*

Rien. Il n'y a rien. L'innommable horreur du non-être. C'est peut-être ce qu'éprouvent les mourants qui n'ont pas la foi. 1
J. GREEN, Journal, La Terre est si belle, 12 avr. 1977.

N. m. Ce qui est innommable. *« Dieu sans forme, l'Innommable, l'Illimité »* (Romain Rolland). *L'Innommable,* œuvre de S. Beckett (1953).

Il aurait fallu les arracher, comme ça, en les épelant doucement à mi-voix, au trouble ignoble de l'indétermination. Les rappeler à la vie, les faire objets, hors de cette éternelle nuit de l'innommable. 2
J.-M. G. LE CLÉZIO, la Fièvre, p. 166.

♦ **2.** (1854, Maxime du Camp, *in* T. L. F.). Cour. Trop vil, trop ignoble pour être désigné. ⇒ **Dégoûtant, infect.** *Une mixture innommable. Une odeur innommable* (→ Poitrinaire, cit. 3). *Un innommable gâchis* (cit. 4).

Ce quartier neuf! *(de Tunis)* Quand on songe qu'il est entièrement construit (...) sur une matière innommable, faite de toutes les matières immondes que rejette une ville (...) MAUPASSANT, la Vie errante, « Tunis », p. 200. 3

Des procédés innommables. ⇒ **Bas, inqualifiable, vil.**

(Domaine moral; personnes). *Ce type a été innommable avec vous.* ⇒ **Infect.** *D'innommables salauds.*

INNOMMÉ, ÉE [i(n)nɔme] adj. — XIVe (v. 1370, Oresme); de 1. *in-*, et *nom.* → Innominé.

♦ **1.** Littér. Qui n'a pas reçu de nom, de dénomination. *« Couleurs, parfums, sonorités, frissons, tout restait vague (...) innommé »* (Zola, *la Faute de l'abbé Mouret, in* T. L. F.). — REM. On ne voit pas pourquoi l'Académie dans la 8e éd. de son dictionnaire (1935) écrit *innomé* avec un seul *m* et *innommable* avec deux *m* (→ ci-dessous cette orthographe dans la cit. de Daniel-Rops).

Sur l'humanité tout entière pèse une attente, l'attente de quelque chose d'inconnu, d'innomé, d'innommable, qui ne viendra peut-être pas.
DANIEL-ROPS, Ce qui meurt ..., p. 1.

♦ **2.** Dont le nom est inconnu ou ne peut être déterminé. *Des « détritus innommés »* (Malègue, *in* T. L. F.).

N. m. pl. (XIXe). *Les innommés :* ceux dont on n'a pas conservé le nom. ⇒ **Inconnu, obscur.**

♦ **3.** (1611). Dr. *Contrat* innommé.*

INNOVATEUR, TRICE [i(n)nɔvatœʀ, tʀis] n. et adj. — 1500; bas lat. *innovator*, de *innovatum*, supin de *innovare.* → Innover.

♦ **1.** N. Personne qui innove. ⇒ **Créateur, initiateur, inspirateur, novateur, promoteur.** *Un innovateur hardi, imprudent. Un innovateur en matière artistique, littéraire.*

♦ **2.** Adj. Qui tend à innover, fait des innovations. *Une politique innovatrice. « Le génie innovateur du jeune Talma »* (Stendhal).

CONTR. Archaïsant, routinier. — Néophobe.

INNOVATION [i(n)nɔvasjɔ̃] n. f. — 1297, *innovacion*; lat. impérial *innovatio*, de *innovatum*, supin de *innovare.* → Innover.

♦ **1.** Rare. Action d'innover. *Un esprit d'innovation,* novateur. *L'innovation artistique. L'innovation d'un procédé par un chercheur.*

Plus cour. (non qualifié). *Critères d'innovation, en technique, dans l'industrie. Innovation par création d'un produit nouveau sur un marché, par création d'un produit nouveau dans une gamme,* etc.

♦ **2.** Cour. Chose nouvelle; résultat de l'action d'innover. ⇒ **Nouveauté; changement, création.** *Aimer, craindre les innovations* (⇒ **Inconnu, inédit**). *Faire, introduire une innovation. Lanceur d'innovations.* ⇒ **Innovateur.** *Il a l'horreur de toute innovation.* ⇒ **Néophobe.** — *Innovation heureuse, attendue; hardie* (⇒ **Hardiesse**); *dangereuse. Innovations scientifiques, techniques.* ⇒ **Découverte, invention.** *Innovations de sens* (→ Étymologie, cit. 3). *Une innovation littéraire* (→ Exemple, cit. 36).

Au contraire, j'aurais désiré que, pour arrêter (...) les innovations dangereuses qui perdirent enfin les Athéniens, chacun n'eût pas le pouvoir de proposer de nouvelles lois à sa fantaisie (...) 1
ROUSSEAU, De l'inégalité parmi les hommes, À la Républ. de Genève.

Les innovations peu importantes ne sont pas toujours celles qui soulèvent le moins les ennemis de la nouveauté (...) CONDORCET, Vie de Voltaire. 2

(...) l'innovation au théâtre est la plus difficile et la plus dangereuse de toutes; presque toujours la scène neuve fait tomber une pièce (...) 3
Th. GAUTIER, les Grotesques, III, p. 75.

C'était depuis cette époque que les nouvelles méthodes le hantaient, le lançaient dans les innovations (...) ZOLA, la Terre, II, I. 4

Spécialt. Réalisation technique nouvelle qui s'impose sur un marché. *« Une invention ne se hisserait à la qualité d'innovation que dans la mesure où elle rencontrerait un marché »* (*le Monde*, 13 juin 1973, in *la Clé des mots*).

CONTR. Archaïsme, coutume, immobilisme, routine, tradition.

INNOVER [i(n)nɔve] v. — 1315, v. tr., en dr.; rare av. 1541, Calvin; lat. *innovare*, de *in-*, et *novare* « refaire, inventer », de *novus* « nouveau ».

♦ **1.** V. tr. Vieilli. Rare. Introduire dans une chose établie (qqch. de nouveau, d'encore inconnu). *Ils ne veulent rien innover.* ⇒ **Changer.** *Action d'innover qqch.* ⇒ **Innovation.** *Innover une mode, une coiffure.* ⇒ **Inventer, trouver**; → Exhausser, cit. 2. *Innover qqch. dans un domaine.*

Je n'entreprends pas de faire un traité entier de l'orthographe et de la prononciation, et me contente de vous avoir donné ce mot d'avis touchant ce que j'ai innové ici.
CORNEILLE, Préface de « Le Théâtre de P. Corneille » (éd. de 1682).

N'innovez ni ne faites rien
En la langue, et vous ferez bien.
MÉNAGE, Requête des dict. à l'Académie, *in* LITTRÉ.

Hélas! *faire comme faisaient nos pères*, ne rien innover, telle est la loi du pays.
BALZAC, la Rabouilleuse, Pl., t. III, p. 937.

Être le premier à utiliser. ⇒ **Étrenner.**

♦ **2.** V. intr. Cour. Introduire qqch. de nouveau. *Innover dans un domaine, en matière de..., sur une question. Innover à la légère, sans précautions. Ne cesser d'innover* (→ Hérésie, cit. 2). *Nous imitons* (cit. 5) *autrui plus souvent que nous n'innovons. Innover sur une époque, par rapport à une époque. Innover en art, en matière d'art. Innover en matière économique, commerciale.* — (Sujet n. de chose). *Le régime n'a pas innové.*

(...) ils la firent réformatrice *(la Révolution)*, l'empêchèrent d'être fondatrice, d'innover et de créer. MICHELET, Hist. de la Révolution franç., III, IX.

Le style du dix-huitième siècle, plus voisin de nous par le temps et par la forme, a innové sur l'âge précédent; le dix-neuvième siècle innove à son tour, et il n'est personne qui ne soit frappé, quand il se place au sein du dix-septième, de l'invasion du néologisme soit dans les mots, soit dans les significations, soit dans les tournures. LITTRÉ, Dict., Préface.

Nous croyons être les premiers à ressentir certains troubles, ne sachant pas que l'amour est comme la poésie, et que tous les amants, même les plus médiocres, s'imaginent qu'ils innovent. R. RADIGUET, le Diable au corps, p. 79.

(...) la Révolution a continué *(l'œuvre législative de Colbert)* au moins autant qu'elle a innové. J. BAINVILLE, Hist. de France, XIV, p. 269.

♦ **3.** V. intr. Rare. (Sujet n. de chose). Constituer qqch. de nouveau.

CONTR. Conserver, maintenir. — Copier, imiter.

INNUMÉRABLE [i(n)nymeʀabl] adj. — XIVe, « forme savante de *innombrable* », *in* Godefroy; du lat. *innumerabilis*.

♦ Vx ou archaïsme littér. (rare). Qu'on ne peut numérer; impossible à dénombrer. ⇒ **Innombrable** (cour.). *Quantité innumérable.*

J'ai critiqué Jaurès en un temps où des nuées innumérables de flagorneurs l'environnaient. Ch. PÉGUY, la République, p. 40.

INOBSERVABLE [inɔpsɛʀvabl] adj. — 1754; de 1. *in-*, et *observable*.

♦ **1.** Qui ne peut être observé. *Phénomène inobservable.* — N. m. *L'inobservable.*

♦ **2.** (1838). Didact. ou littér. Qui ne peut être suivi.

CONTR. Observable.

INOBSERVANCE [inɔpsɛʀvɑ̃s] n. f. — 1521; lat. *inobservantia*, de *in-* (→ 1. In-), et *observantia*, de *observans, antis*, p. prés. de *observare*. → Observer.

♦ Littér. Défaut d'observance* (des prescriptions morales, religieuses, médicales...). *L'inobservance de la règle s'était introduite dans ce monastère* (Académie).

Il n'est que l'impossibilité qui puisse en justifier l'inobservance.
MASSILLON, Carême, Jeûne.

(...) l'inobservance de ce minimum de formes extérieures faute de quoi, probablement, comme une vieille baraque pourrie et privée de ses étais, notre monde s'effondrerait, basculerait en quelques instants dans le vide et le néant (...)
Claude SIMON, le Vent, p. 20.

CONTR. Observance.

INOBSERVATION [inɔpsɛʀvasjɔ̃] n. f. — 1550; de 1. *in-*, et *observation*.

♦ Dr. ou littér. Action de ne pas observer, de ne pas se conformer à. *L'inobservation des règles, des règlements* (→ 2. Homicide, cit. 3), *des traités, des conventions, d'un contrat, d'un engagement* (⇒ **Inexécution**).

(Cet auteur) compte parmi les crimes de lèse-majesté divine (...) l'inobservation des fêtes et des dimanches (...) VOLTAIRE, Dict. philosophique, Blasphème.

(...) l'ironie d'un cuistre niaisement indigné de l'inobservation d'une étiquette ou d'un rudiment (...) Léon BLOY, le Désespéré, p. 152. 2

CONTR. Observation.

INOBSERVÉ, ÉE [inɔpsɛʀve] adj. — 1846; de 1. *in-*, et *observé*.

♦ Dr. ou littér. Qui n'a pas été observé. *Que de faits inconnus, inobservés!* (Littré). — *Règles inobservées* (Académie).

CONTR. Observé.

INOBSTRUABLE [inɔpstʀyabl] adj. — XXe; de 1. *in-*, *obstruer*, et suff. *-able*.

♦ Rare. Impossible à obstruer.

INOCCLUSION [inɔklyzjɔ̃] n. f. — D. i. (XXe); de 1. *in-*, et *occlusion*.

♦ Chir. dent. État des mâchoires et de l'ensemble des dents lorsque celles-ci n'entrent pas en contact quand les mâchoires sont fermées. *« Une légère inocclusion est normale à l'état de repos des muscles masticateurs »* (*Dict. odonto-stomatologique*, Suppl. no 21, 19 oct. 1967).

INOCCUPATION [inɔkypasjɔ̃] n. f. — 1761; de 1. *in-*, et *occupation*.

Littéraire.

♦ **1.** État d'une personne inoccupée. ⇒ **Désœuvrement.**

Il ne trouvait rien de honteux que l'inoccupation. 1
RESTIF DE LA BRETONNE, la Vie de mon père, p. 76.

Un ennui d'inoccupation et d'inactivité morale la prenait. 2
Ed. et J. DE GONCOURT, Madame Gervaisais, p. 124.

Rare. *Une, des inoccupations :* moment, circonstance où qqn est inoccupé.

♦ **2.** État d'une chose inoccupée. *L'inoccupation momentanée d'une maison.*

CONTR. Occupation.

INOCCUPÉ, ÉE [inɔkype] adj. — 1544, attestation isolée, J. Martin, *in* Huguet; de 1. *in-*, et *occupé*.

Qui n'est pas occupé.

♦ **1.** Où il n'y a personne (lieux). ⇒ **Vacant, vide.** *Place inoccupée. Appartement, logement inoccupé.* ⇒ **Inhabité**; → Habitabilité, cit. 3. *Bureaux inoccupés* (→ Catacombe, cit. 5). *Terrain inculte et inoccupé.* ⇒ 2. **Vague.** *Nid inoccupé* (→ Incubation, cit. 2). *Être, rester inoccupé.*

♦ **2.** (1717). Personnes. Qui est sans occupation. *Personne inoccupée.* ⇒ **Désœuvré, oisif.** *Il n'est jamais inoccupé.*

On n'est pas inoccupé parce qu'on est absorbé. Il y a le labeur visible et le labeur invisible. HUGO, les Misérables, II, VII, VIII. 1

(Choses). *Une vie inoccupée. Journée, heure inoccupée.*

Les mains d'Othello étaient inoccupées lorsqu'il imagina d'étrangler quelqu'un. 2
ALAIN, les Aventures du cœur, p. 57.

Abstrait. *Cœur, esprit inoccupé. Conscience inoccupée.*

N. Rare. *Un inoccupé, une inoccupée.*

Personne n'a jamais pu surprendre en tenue de ménagère cette inoccupée, qui bornait son activité à morigéner sa servante. 3
COLETTE, Belles saisons, Derniers écrits, p. 246.

CONTR. Occupé. — Habité, plein. — Affairé, embesogné.

IN-OCTAVO [inɔktavo; ɛ̃nɔktavo] adj. invar. et n. m. — 1567; mots lat. signifiant « en huitième ».

♦ Didact. ou techn. Où la feuille* d'impression est pliée en huit feuillets (ou seize pages). *Édition in-octavo. Le format* in-octavo* (in-8o), et, n. m., *l'in-octavo.* — *Livre in-octavo. Grand in-octavo.* — N. m. *Un in-octavo* (→ Fortune, cit. 27). — REM. Sur le plur. *des in-octavo* (Académie, Littré) ou *des in-octavos*, → In-folio, REM. et cit. 2.

(...) ils (...) ne coupent plus d'*in-quarto*, magnifiquement reliés, pour les rendre pareils aux *in-octavo* de leur bibliothèque (...) 1
BALZAC, les Paysans, Pl., t. VIII, p. 27.

Il avait sous le bras un paquet assez semblable à un volume in-octavo, enveloppé dans du papier. HUGO, les Misérables, V, V, IV. 2

REM. Ramuz emploie un dér. plais. *in-octavique : une thèse in-octavique* (*in* D. D. L.).

INOCULABILITÉ [inɔkylabilite] n. f. — 1858, *in* D. D. L.; de *inoculable*.

♦ Didact. Caractère de ce qui est inoculable. *Inoculabilité d'un germe pathogène, d'un virus.*

INOCULABLE [inɔkylabl] adj. — 1759, Voltaire, *Correspondance;* de *inoculer.*

♦ Qui peut être inoculé. *Virus, germe inoculable. La rage est facilement inoculable.*

DÉR. Inoculabilité.

INOCULATEUR, TRICE [inɔkylatœʀ, tʀis] adj. et n. — 1752; de *inoculer.*

♦ **1.** N. (rare au fém.). Anciennt. Celui, celle qui pratiquait l'inoculation de la variole. — (1763). Hist. des sc. Partisan de l'inoculation.

♦ **2.** Adj. (1845). [a] Qui sert à inoculer. *Instrument inoculateur. « Des chirurgiens inoculateurs »* (Voltaire).

[b] Qui inocule (qqch.). *Des insectes inoculateurs.*

♦ **3.** Adj. et n. Fig. Qui inocule qqch. *« Fauriel (...) l'inoculateur de la plupart des esprits distingués de ce temps-ci en histoire, en méthode littéraire... »* (Sainte-Beuve, *in* T. L. F.).

INOCULATION [inɔkylasjɔ̃] n. f. — 1580, au sens du lat. *inoculatio* (du supin de *inoculare,* → Inoculer) «greffe en écusson»; «transfusion» en 1667; sens mod., 1723, empr. à l'angl. *inoculation,* de *to inoculate* (→ ci-dessous, cit. 1, Voltaire) en même temps que le v. *inoculer.*

♦ **1.** Méd. et cour. Introduction dans l'organisme (d'une substance contenant les germes d'une maladie). *Inoculation accidentelle, involontaire, par blessure superficielle, par morsure. Contagion par inoculation. Inoculation d'un microbe, d'un virus.* — Spécialt. *Inoculation volontaire,* faite dans un but thérapeutique (⇒ **Inoculer**). *Inoculation immunisante* (⇒ **Vaccin, vaccination**), *curative* (pour atténuer une autre maladie préexistante). *Inoculation de la rage, de la fièvre thyphoïde, de la variole* — (XVIIIe). Hist. des sc. Inoculation de la variole (variolisation) pour prévenir cette maladie. *L'inoculation, qui était fort utile, a été abandonnée pour la vaccine* (Littré). ⇒ **Vaccination.**

1 Dès qu'elle *(la princesse de Galles)* eut entendu parler de l'inoculation ou insertion de la petite vérole, elle en fit faire l'épreuve sur quatre criminels condamnés à mort, à qui elle sauva doublement la vie (...) à la faveur de cette petite vérole artificielle, elle prévint la naturelle (...) dont ils seraient morts peut-être dans un âge plus avancé.
VOLTAIRE, Lettres philosophiques XI (lettre écrite en 1727 sous le titre *Sur l'insertion de la petite vérole* et formant dans l'éd. de Kehl l'art. *Inoculation* du Dict. philosophique).

2 La question *sur l'inoculation* est plus débattue en France que jamais; elle est même devenue une affaire de parti, et l'objet d'une dispute presqu'aussi violente que l'ont été *le jansénisme* et *les bouffons* (...) les adversaires de l'*inoculation* appellent ses partisans *meurtriers,* ceux-ci traitent leurs antagonistes de *mauvais citoyens* (...) D'ALEMBERT, Réflexions sur l'inoculation, Avertissement.

3 (...) vint l'étude de l'atténuation du virus; premier pas vers la conquête de l'immunité (...) Une moelle de lapin enragé, convenablement traitée, devint peu à peu inoffensive et puis permit de rendre réfractaires à la rage les animaux de laboratoire. L'inoculation préventive était insensiblement mise au point.
Henri MONDOR, Pasteur, X, p. 177.

♦ **2.** (1793, par métaphore). Fig. Littér. Transmission* (d'idées, de sentiments, etc.). ⇒ **Inoculer.** *« Cette inoculation ou, si l'on aime mieux, cette greffe d'idées germaniques »* (P. Bourget, *in* T. L. F.).

INOCULER [inɔkyle] v. tr. — 1723, De la Coste; angl. *to inoculate,* du lat. *inoculatum,* supin de *inoculare* «greffer en écusson», de *in-,* et *oculus* «œil».

♦ **1.** Méd. Introduire dans l'organisme par inoculation (les germes d'une maladie). ⇒ **Inoculation** (spécialt). *Inoculer la fièvre typhoïde, la variole, le virus de la rage, la vaccine à* (qqn, un animal, un organisme). ⇒ **Vacciner.** *Inoculer une maladie à qqn. — S'inoculer une maladie.*

1 (...) comment nous conduirons-nous avec notre élève relativement au danger de la petite vérole? La lui ferons-nous inoculer en bas âge, ou si nous attendrons qu'il la prenne naturellement? ROUSSEAU, Émile, II.

2 (...) il se fit, en essuyant son bistouri, une piqûre à laquelle il ne prit pas garde et qui lui inocula une affection purulente dont il mourut en deux jours (...)
FRANCE, le Livre de mon ami, Livre de Suzanne, II, I.

Vieilli. *Inoculer qqn,* lui inoculer une maladie (spécialt, au XVIIIe siècle, la variole). *Faire inoculer un enfant.* ⇒ **Vacciner.**

3 Je crois que Mme la comtesse d'Egmont a eu la petite vérole; c'est bien dommage; sans cela, nous l'inoculerions (...)
VOLTAIRE, Correspondance, 2312, 22 juin 1763.

♦ **2.** (Fin XVIIIe). Par métaphore ou fig. Communiquer, transmettre (un sentiment, une idée). ⇒ **Infuser** (cit. 3). *Inoculer à qqn une passion, une ambition* (→ Candidature, cit. 2; concilier, cit. 2; démon, cit. 26; dépravation, cit. 3).

4 (...) nous inoculons nos goûts, nos vices peut-être à la femme qui nous aime (...)
BALZAC, le Lys dans la vallée, Pl., t. VIII, p. 987.

5 (...) celui qui pourrait me voir quand je suis seul à m'inoculer tout le français du Code civil dans le cerveau et à savourer la poésie du Code de procédure (...)
FLAUBERT, Correspondance, 80, juin 1843.

6 Considérant son mal avec autant de sagacité que s'il se l'était inoculé pour en faire l'étude (...) PROUST, À la recherche du temps perdu, t. II, p. 113.

Nous suivons dans nos veines la marche du venin qu'il nous a plu de nous inoculer. Lorsque la réalité ne fournit pas au jaloux de quoi nourrir sa jalousie, il imagine, il invente. F. MAURIAC, Souffrances et bonheur du chrétien, p. 72.

▶ **INOCULÉE, ÉE** p. p. adj. *Substance inoculée.* ⇒ **Inoculum.** *Virus inoculé. Malades inoculés.* — N. *« Un nombre plus considérable de cas de choléra expérimental parmi les inoculés »* (*Année sc. et industr.* 1886, p. 333 [1885]).

DÉR. Inoculable, inoculateur.

INOCULUM [inɔkylɔm] n. m. — Mil. XXe; lat. mod., de *inoculare.* → Inoculer.

♦ Didact. (biol.). Substance inoculée ou destinée à une inoculation. *Un inoculum infectieux. « L'inoculum déposé en A envahit les deux milieux »* (*la Recherche,* mars 1973, p. 227).

INOCYBE [inɔsib] n. m. — 1908; *inocybé,* 1902; du grec *is, inos,* «fibre», et *kubos* «cube, dé».

♦ Bot. Champignon basidiomycète *(Naucoriacées)* à spores, généralement de couleur ocre, à chapeau couvert de fines lamelles. *Certaines variétés d'inocybe sont très toxiques.*

INODORE [inɔdɔʀ] adj. — 1676; lat. *inodorus,* de *in-* (→ 1. In-), et *odorus,* de *odor.* → Odeur.

♦ **1.** Qui ne dégage aucune odeur. *L'hydrogène*, gaz inodore. — Fleur inodore.*

(...) le chyle, qui est une liqueur blanche et à peu près insipide et inodore (...)
A. BRILLAT-SAVARIN, Physiologie du goût, t. I, p. 237.

Tandis que l'étoile inodore *(le bleuet),*
Que l'été mêle aux blonds épis,
Émaille de son bleu lapis
Les sillons que la moisson dore (...) HUGO, les Orientales, XXXII, « Les bleuets ».

Par plais. (Empr. au voc. de la chim.). *Incolore, inodore et sans saveur :* sans intérêt. — N. m. pl. Vx. *Les inodores :* cabinets publics.

♦ **2.** Fig. Sans caractère, sans relief. ⇒ **Inintéressant.** *Des « lectures inodores »* (Goncourt). — (Personnes). *Son ami n'est pas désagréable, mais je le trouve passablement inodore.* — Loc. fam. *Inodore et sans saveur* (→ ci-dessus, *infra* cit. 2).

CONTR. Aromatique, fragrant, odorant, odoriférant. — Intéressant.

INOFFENSIF, IVE [inɔfɑ̃sif, iv] adj. — 1777; de 1. *in-,* et *offensif;* p.-ê. par l'angl. *inoffensive* (XVIIe), de *in-,* et *offensive* «offensif».

♦ **1.** Qui est incapable de nuire; qui ne fait pas de mal à autrui. ⇒ **Innocent** (cit. 8, Péguy). — (Personnes). *Un fou* (1. Fou, cit. 6) *inoffensif. Un ennemi mort et désormais inoffensif.* → Morte la bête, mort le venin*. *Des promeneurs inoffensifs.* — N. (rare). *Les inoffensifs et les dangereux.* — (Animaux). *N'ayez pas peur, ce chien est absolument inoffensif.* → fam. C'est un agneau*; il est doux comme un mouton*. — Par ext. (Choses). ⇒ **Anodin, bénin.** *Plaisanterie inoffensive* (→ Berner, cit. 3). *Vous tournez en conjuration* (cit. 6) *une réunion bien inoffensive. Ouvrage inoffensif* (→ Gratuité, cit. 4).

1 (...) la gaieté vraiment inoffensive est celle qui appartient seulement à l'imagination. Mme DE STAËL, Corinne, VII, 2.

2 Un de mes amis, le plus inoffensif rêveur qui ait existé, a mis une fois le feu à une forêt pour voir, disait-il, si le feu prenait avec autant de facilité qu'on l'affirme généralement. BAUDELAIRE, le Spleen de Paris, IX.

3 Il n'est pas bon de trop rêver. La rêverie n'est pas inoffensive dans un monde où il faut constamment agir et surveiller l'action.
R. ROLLAND, Compagnons de route, p. 19.

4 Votre profonde erreur est de croire que la bêtise est inoffensive, qu'il est au moins des formes inoffensives de la bêtise. La bêtise n'a pas plus de force vive qu'une caronade de 36, mais une fois en mouvement, elle défonce tout.
BERNANOS, les Grands Cimetières sous la lune, p. 8.

♦ **2.** (1807). Qui n'est pas nocif. *Remède, vaccin inoffensif* (→ Enrager, cit. 10).

CONTR. Agressif, dangereux, dévorant, féroce, méchant, nuisible.
DÉR. Inoffensivement.

INOFFENSIVEMENT [inɔfɑ̃sivmɑ̃] adv. — 1838; de *inoffensif.*

♦ Rare. De manière inoffensive.

CONTR. Dangereusement.

INOFFICIEL, ELLE [inɔfisjɛl] adj. — 1862; de 1. *in-,* et *officiel.*

♦ Rare. Qui n'est pas officiel.

Une célébrité médicale que ce Procureur, une de ces lumières de la science de guérir inofficielles et populaires à la façon des *rebouteux* (...)
Ed. et J. DE GONCOURT, Journal, t. II, p. 48.

CONTR. Officiel.

INOFFICIEUX, EUSE [inɔfisjø, øz] adj. — 1495; lat. *inofficiosus,* de *in-* (→ 1. In-), et *officiosus.* → Officieux.

♦ Dr. Qui lèse qqn, est au détriment de qqn. *Testament inofficieux,* qui lèse l'héritier légitime. *Donation inofficieuse,* qui avantage un enfant au détriment des autres. *Caractère inofficieux.* ⇒ **Inofficiosité.**

INOFFICIOSITÉ [inɔfisjozite] n. f. — 1611; bas lat. *inofficiositas,* du lat. class. *inofficiosus.* → Inofficieux.

♦ Dr. Vieilli. Caractère inofficieux. — (1718). *Action d'inofficiosité,* intentée contre un acte inofficieux.

INONDABLE [inɔ̃dabl] adj. — 1874; de *inonder.*

♦ Qui peut être inondé, risque d'être inondé. *Terres inondables, périodiquement inondables. Plaine non inondable.*

Les terres inondables sont de bonnes terres qu'il faut considérer comme telles.
Michèle PERREIN, le Buveur de Garonne, p. 57.

INONDATION [inɔ̃dasjɔ̃] n. f. — 1549; *inondacion,* à propos du déluge, XIIIe; *inundation,* 1380; lat. *inundatio,* de *inundatum,* supin de *inundare.* → Inonder.

♦ **1.** Débordement d'eaux qui inondent (cit. 2) le pays environnant. *Inondation causée par les pluies, la fonte des neiges, la crue* d'un torrent, les hautes eaux* d'une rivière. Inondation due à un raz de marée. Les inondations périodiques du Nil* (→ 1. Colon, cit. 1). *Dégâts, ravages causés par une inondation. Désastreuse, terrible inondation. L'inondation, cataclysme*, fléau* de la nature. Barrage, digue contre l'inondation.* — Par métonymie. Les eaux qui inondent. « *L'inondation couvrait une immense étendue de pays* » (Académie).

1 (...) plusieurs autres rivières entre lesquelles on peut (...) tirer des canaux qui, en servant de lit aux inondations, feraient le même effet que les canaux du Nil, et augmenteraient la fertilité de la terre. VOLTAIRE, Hist. de Russie, I, I.

2 Depuis treize siècles, on y compte *(en Hollande)* en moyenne une grande inondation tous les sept ans, outre les petites (...)
TAINE, Philosophie de l'art, t. I, p. 247.

2.1 — Qu'est-ce donc? dit Paganel.
— La crue! la crue! répondit Thalcave en éperonnant son cheval qu'il lança dans la direction du nord.
— L'inondation! » s'écria Paganel, et ses compagnons, lui en tête, volèrent sur les traces de Thaouka.
Il était temps. En effet, à cinq milles vers le sud, un haut et large mascaret dévalait sur la campagne qui se changeait en océan. Les grandes herbes disparaissaient comme fauchées. Les touffes de mimosées, arrachées par le courant; dérivaient et formaient des îlots flottants. La masse liquide se débitait par nappes épaisses d'une irrésistible puissance.
J. VERNE, les Enfants du Capitaine Grant, p. 262-263.

(1751). Par anal. Action d'inonder*; résultat de cette action. *L'inondation volontaire d'un territoire par ouverture des écluses.*

♦ **2.** a Fam. Eau qui se répand en grande quantité; fait de se répandre en abondance (pour l'eau). *Il y a une inondation à la salle de bains!* Grande quantité de liquide renversé. *Quelle inondation!*

2.2 Hier, inondation de ma cabine, au petit matin, lors du lavage du pont.
GIDE, Voyage au Congo, Pl., p. 684.

b Méd. ⇒ **Épanchement.** *Inondation ventriculaire* (par le sang). — *Inondation bronchique* (réflexe, après extraction d'un corps étranger).

♦ **3.** Par métaphore. Vieilli. Quantité considérable (de choses, de personnes, assimilées à un liquide répandu). ⇒ **Débordement, déluge, flot, torrent.**

3 (...) il faut une inondation de passion pour les ébranler *(les grandes âmes)* et pour les remplir. PASCAL, Disc. sur les passions de l'amour.

4 (...) comment vous serez-vous tirée (...) de ces inondations de paroles, où l'on se trouve noyée, abîmée? Mme DE SÉVIGNÉ, Lettres, 1229, 26 oct. 1689.

5 (...) pour sauver son pays de l'inondation des Français, *(le prince d'Orange)* ne sait point d'autre expédient que de le noyer dans les eaux de la mer (...)
RACINE, les Campagnes de Louis XIV.

♦ **4.** Grande quantité (de choses concrètes, d'animaux...) qui se répand de manière inquiétante. ⇒ **Invasion.** *Une inondation de lettres.*

6 (...) du fleuve, des canaux, des rivières, des marais, surgirent des millions de grenouilles; elles couvraient les champs et les chemins, sautaient sur les marches des temples (...) L'inondation fourmillante montait, montait toujours (...)
Th. GAUTIER, le Roman de la momie, XVI.

6.1 Ce n'étaient de tous côtés que lettres et paquets cachetés, sur le bureau, sur les meubles, sur le tapis. On enfonçait jusqu'à mi-jambe dans cette inondation. Toute la correspondance financière, industrielle et personnelle de Herr Schultze, accumulée de jour en jour dans la boîte extérieure du parc, et fidèlement relevée par Arminius et Sigimer, était là dans le cabinet du maître.
J. VERNE, les Cinq Cents millions de la Bégum, p. 252.

Littéraire (abstractions) :

Une inondation de honte et de bassesse (...) HUGO, l'Année funeste, XL. 7

Spécialt. Afflux massif (de biens, de produits); fait de produire une quantité excessive (de biens, de produits) et de les envoyer quelque part. *L'inondation du marché international par les exportations* (cit. 4) *américaines, japonaises.*

Les paysans arrondissaient les yeux, gagnés d'une panique, à l'idée de cette inondation du blé étranger. ZOLA, la Terre, V, IV. 8

CONTR. Assèchement, dessèchement, drainage.

INONDÉ, ÉE [inɔ̃de] adj. — 1797; lat. *inundatus* «submergé», du supin *de inundare.* → Inonder.

♦ Bot. *Plante inondée,* qui naît, se développe dans l'eau. ⇒ **Immergé.**

HOM. Formes du v. **inonder.**

INONDER [inɔ̃de] v. tr. — V. 1120, *enunder,* v. intr.; v. tr., v. 1250; lat. *inundare,* de *in-* «vers, dans», et *undare* «rouler des vagues», de *unda.* → Onde.

♦ **1.** a (Le sujet désigne un cours d'eau, un liquide; le compl. désigne un lieu). Couvrir d'eaux qui débordent ou affluent. ⇒ **Submerger.** *Fleuve en crue* (cit. 1) *qui inonde ses quais. Pluie torrentielle qui inonde la campagne* (→ Abat, cit.).

Il avait six cents ans lorsque les eaux du déluge inondèrent toute la terre. 1
BIBLE (SACY), Genèse, VII, 6.

Le Nil n'est pas le seul fleuve dont les inondations soient périodiques et annuelles : on a appelé la rivière de Pégu le Nil indien, parce que ses débordements se font tous les ans régulièrement; il inonde ce pays à plus de trente lieues de ses bords, et il laisse (...) un limon qui fertilise (...) la terre (...) 2
BUFFON, Histoire naturelle, Preuves... théorie de la terre, X, Des fleuves.

Au p. p. *Villes hollandaises inondées par la mer après la rupture des digues* (cit. 1). ⇒ **Immerger.** *Caves inondées par des infiltrations de rivières, par une trombe d'eau.* ⇒ **Noyer.**

Cela me faisait penser à ces prairies inondées dont l'apparence reste intacte, dont l'herbe semble droite et vigoureuse, mais où chaque pas révèle la nappe d'eau traîtresse qui déjà imbide tout le sol. A. MAUROIS, Climats, I, XII. 3

b (Sujet n. de personne; compl. n. de lieu). *Inonder* (volontairement) *une rizière. Inonder les fossés d'une forteresse* (cit. 1), les remplir d'eau.

c (Le sujet désigne une humeur du corps). *La sueur inondait son front; les pleurs inondaient ses yeux.* — Au p. p. *Joues inondées de pleurs.* ⇒ **Ruisselant;** → Étage, cit. 4.

Mais l'empereur s'étant levé de table, se mit (...) à la fenêtre qui regardait l'Orient, et demeura très longtemps le visage inondé de larmes. 4
MICHELET, Hist. de France, II, II.

♦ **2.** a (1633). Par métaphore. Vx (langue class.) ou littér. — (Sujet n. de personne). *Inonder un pays de sang,* y faire régner une terreur sanglante. ⇒ **Baigner.** — (Sujet n. de chose). « *Un fleuve de sang inondait l'Orient* » (→ Épandre, cit. 9, Hugo).

Thèbes avec raison craint le règne d'un prince 5
Qui de fleuves de sang inonde sa province. RACINE, la Thébaïde, IV, 3.

b (Sujet n. de liquide). Se déverser en abondance dans..., sur... *L'eau qui inonde le sol. La pluie inondait la terrasse.*

Ou quelque longue pluie, inondant vos vallons, 6
A-t-elle fait couler vos vins et vos melons? BOILEAU, Satires, III.

(Compl. n. de personne). *L'averse nous a complètement inondés.* ⇒ **Mouiller, tremper.** *Se faire inonder par l'orage.*

c (Sujet n. de personne; compl. n. de chose ou de personne; compl. prép. en *de, avec*). Verser en abondance un liquide sur (qqn, qqch.). ⇒ **Arroser, mouiller, tremper.** *Inonder qqn d'eau, avec de l'eau. Inonder la table de vin.* — (Sans compl. second). *Il a inondé la nappe en se servant à boire. Attention! tu vas tout inonder!*

Il (...) jette le verre d'eau dans le trictrac, et inonde celui contre qui il joue. 7
LA BRUYÈRE, les Caractères, XI, 7.

S'inonder les mains d'eau de Cologne, le visage de parfum.

(...) Nénesse, qui s'était emparé de la bouteille d'eau de Cologne, l'achevait, s'en inondait les mains et les cheveux. ZOLA, la Terre, II, II. 8

Par métaphore :

(...) entre eux les gens de lettres se suffoquent d'encens ou s'inondent de fiel (...) 9
BUFFON, Réponse à M. de Duras à l'Académie, 15 mai 1775.

Pron. (Réfl.). *S'inonder de parfum.*

(Récipr.). *Les enfants s'inondent en jouant avec la lance d'arrosage.* ⇒ **Arroser** (s').

♦ **3.** (XIIIe, d'abord intrans., «affluer»; sujet n. de personne ou de chose). Envahir (→ Foule, cit. 21). *Les Romains inondèrent le Bosphore* (→ Déserter, cit. 1). *Les articles en matière plastique inondent le marché.* ⇒ **Affluer** (sur, dans).

(...) c'est un débordement de louanges (...) qui inonde les cours et la chapelle. 10
LA BRUYÈRE, les Caractères, VIII, 32.

Depuis trois ou quatre cents ans que les habitants de l'Europe inondent les autres parties du monde, et publient sans cesse de nouveaux recueils de voyages et de 11 relations, je suis persuadé que nous ne connaissons d'hommes que les seuls Européens (...) ROUSSEAU, De l'inégalité parmi les hommes, Note 1.

12 Dès le matin du dimanche, des milliers de paysans arrivant des montagnes voisines, inondèrent les rues de Verrières. STENDHAL, le Rouge et le Noir, I, XVIII.

Au passif et p. p. *Être inondé de requêtes, de lettres de protestations.* — Rare. (Concret) :

13 (...) me voilà inondé de violettes. Il en coule sur ma table, sur mes genoux, sur mon tapis. Il s'en glisse dans mon gilet, dans mes manches. J'en suis tout parfumé. FRANCE, le Crime de S. Bonnard, Œ., t. II, p. 334.

Spécialt. *Inonder* (qqch., un lieu) *de... :* répandre en grande abondance. *Inonder un pays, une clientèle de messages publicitaires, de brochures* (→ Copieux, cit. 5).

14 Il était allé chercher un petit livre graisseux, un de ces livres de propagande bonapartiste, dont l'empire avait inondé les campagnes. ZOLA, la Terre, I, V.

15 (...) plusieurs marques s'étaient mises à inonder le pays de produits similaires aux produits Barrel. ARAGON, les Beaux Quartiers, I, IV.

♦ **4.** Sujet n. de chose, concrète ou abstraite, comparée à un liquide. (Concret). Couvrir en se répandant. *Le brouillard qui inonde l'espace* (cit. 20). — Au p. p. *Maison, pièce inondée de soleil, de lumière.* ⇒ **Baigner**; → aussi Géhenne, cit. 6. — (Abstrait). Pénétrer, remplir. *Une tendresse vague, une joie intense inondait son âme, son cœur* (→ Absorber, cit. 10; blêmir, cit. 2; contenir, cit. 11).

16 M. de Forbin était alors dans la béatitude; il promenait dans ses regards le bonheur intérieur qui l'inondait; il ne touchait pas terre. CHATEAUBRIAND, Mémoires d'outre-tombe, t. II, p. 346.

17 Ses cheveux épais et longs, terminés en boucles, inondent en flottant ses divines épaules (...) NERVAL, les Filles du feu, « Isis », IV.

Au passif et p. p. (Concret). Baigné (de lumière, etc.).

18 La campagne est inondée de l'odeur des foins. E. FROMENTIN, Une année dans le Sahel, p. 196.

19 (...) des villages paisibles inondés de soleil (...) Alphonse DAUDET, Contes du lundi, Alsace! Alsace!

(Abstrait). Pénétré, rempli.

20 (...) les délices ineffables dont je savais, de science certaine, qu'une âme d'élite est inondée par les aveux mutuels d'un amour vertueux. J.-A. DE GOBINEAU, les Pléiades, I, III.

▶ **INONDÉ, ÉE** p. p. adj. (Au p. p., → ci-dessus, *supra* cit. 3; cit. 12 et *supra;* cit. 18 à 20 et *supra*).

♦ **1.** (XIIIe). Couvert, recouvert par les eaux d'inondation. *Prairie inondée* (→ ci-dessus, cit. 3). *Villes, régions inondées.* ⇒ **Submergé.** *Région dévastée et inondée.* — Par ext. Qui subit les effets d'une inondation. *Les populations inondées.* ⇒ **Sinistré.** — N. (1848). *Distribuer des secours aux inondés.*

REM. Pour le sens bot., → Inondé, adj.

♦ **2.** *Promeneurs inondés,* arrosés d'eau, de pluie.

CONTR. Assécher, dessécher, drainer, sécher.
DÉR. Inondable.
HOM. Inondé.

INOPÉRABILITÉ [inɔpeʀabilite] n. f. — XXe; de *inopérable.*

♦ Méd. Impossibilité de recourir à une opération chirurgicale sur (un patient). *L'inopérabilité du malade.*

INOPÉRABLE [inɔpeʀabl] adj. — 1812; de 1. *in-,* et *opérable*.*

♦ Qui ne peut être opéré*. *Blessé, malade inopérable. Tumeur inopérable.*

On est donc amené à classer, au point de vue de leur traitement, les cancers en opérables et inopérables, les limites des deux catégories n'étant du reste pas bien tracées et, d'autre part, ce qui est inopérable à coup sûr pour la destruction instrumentale proprement chirurgicale, pouvant ne l'être pas au même degré pour la thérapeutique qui utilise les radiations. Dr H. BOUQUET, la Chirurgie, V, p. 99-100.

CONTR. Opérable.
DÉR. Inopérabilité.

INOPÉRANCE [inɔpeʀɑ̃s] n. f. — 1919, P. Benoît, *in* T.L.F.; de *inopérant,* d'après les subst. en *-ance.*

♦ Rare. Caractère de ce qui est inopérant.

INOPÉRANT, ANTE [inɔpeʀɑ̃, ɑ̃t] adj. — 1859; « vague », 1846; de 1. *in-,* et *opérer.*

♦ Littér. ou style soutenu. Qui ne peut produire aucun effet. ⇒ **Impuissant, inefficace**; → Fin, cit. 20. *Remède, traitement inopérant. Une politique inopérante.*

1 Nulle part d'ailleurs plus que dans cette *Philosophie de l'Art* la théorie de la race, du milieu et du moment ne paraît inopérante et oratoire, simple exercice de l'esprit. A. THIBAUDET, Hist. de la littérature franç., p. 348.

2 Quand on enseigne l'art de la politique, on s'embarrasse d'un excès de notions juridiques, administratives, sociologiques, et souvent on omet l'essentiel sans quoi elles demeurent inopérantes; les arbres de la technique nous voilent la forêt de la sagesse. André SIEGFRIED, La Fontaine, p. 67.

CONTR. Efficace, opérant.

INOPINÉ, ÉE [inɔpine] adj. — 1488 (XIVe, selon Bloch-Wartburg); lat. *inopinatus,* de *in-,* et *opinatus,* p. p. de *opinari* « avoir une opinion ».

♦ Littér. ou style soutenu. Qui arrive alors qu'on n'y songeait pas, qu'on ne s'y attendait pas. ⇒ **Fortuit, imprévu, inattendu.** *Une aventure inopinée* (→ Ciel, cit. 54). *L'arrivée inopinée de qqn.* ⇒ **Survenue**; → Frousse, cit. 1. *Mort inopinée.* ⇒ **Subit**; → Fatalité, cit. 6. *Incident inopiné. Une nouvelle inopinée.* ⇒ **Surprenant.**

(...) dans ces moments d'étonnement qui suivent une action inopinée, il est facile de faire tout ce qu'on peut oser. 1
MONTESQUIEU, Grandeur et décadence des Romains, XII.

Votre père était vite débordé par les problèmes pratiques. La mort de sa femme lui en créait d'absolument inopinés. Une concession dans un cimetière, la façon dont on l'obtient, la construction d'un caveau... il n'y avait jamais songé, ni pour sa femme ni pour lui. J. ROMAINS, Une femme singulière, p. 40. 2

CONTR. Attendu, prévisible, prévu.
DÉR. Inopinément.

INOPINÉMENT [inɔpinemɑ̃] adv. — 1491, *inopineement;* de *inopiné.*

♦ Littér. ou style soutenu. D'une manière inopinée. *Arriver inopinément chez qqn.* ⇒ **Beau** (un beau matin*), **improviste** (à l'); **surprendre, tomber** (du ciel, des nues). *Ennemi en embuscade* (cit. 3) *qui attaque inopinément. Recevoir inopinément l'ordre de déguerpir* (cit. 3). ⇒ **Abruptement**; → aussi Arriver, cit. 25; déconfiture, cit. 2; 1. émousser, cit. 6.

(...) la vie *(est)* si précipitée dans sa course, qu'à peine avons-nous pris les premières teintures des connaissances que nous recherchons, que la mort inopinément tranche le cours de nos études par une fatale et irrévocable sentence (...) 1
BOSSUET, 2e Sermon p. dimanche Quinquagésime, I.

Tout cela s'était fait inopinément, sans qu'il y prît part, sans qu'il dît un mot, sans qu'il donnât son avis, sans qu'il acceptât ou refusât, et avec tant de rapidité qu'il demeurait étourdi, effaré, sans trop comprendre ce qui se passait. 2
MAUPASSANT, Bel-Ami, p. 185.

(...) le panneau tout entier pouvait glisser de bas en haut dans les rainures latérales; c'est ce que je remarquai lorsque l'effort de mon couteau inopinément le souleva. GIDE, Isabelle, p. 86. 3

INOPPORTUN, UNE [inɔpɔʀtœ̃, yn] adj. — V. 1380; bas lat. *inopportunus,* de *in-* (→ 1. In-), et *opportunus* « opportun ».

♦ Qui n'est pas opportun. ⇒ **Déplacé, fâcheux, importun, inconvenant, intempestif; propos, saison** (hors de). *Caractère inopportun.* ⇒ **Inopportunité.** *Demande, requête, suggestion inopportune* (→ Gonfler, cit. 23). *Décision, mesure prématurée et inopportune* (→ La poire* n'est pas mûre). *Le moment est inopportun,* mal choisi.

À cause d'une séparation toute récente et fâcheusement inopportune *(des frères Rosny),* devais-je perdre cette occasion de rendre justice à leur talent, lorsque, au point de vue moral, tous deux en bénéficieraient? 1
Georges LECOMTE, Ma traversée, p. 510.

(Personnes). Rare. Qui survient, se manifeste de manière inopportune. ⇒ **Importun.**

Chaque fois que j'appris ainsi que Cottard, ma mère elle-même (...) avaient par de maladroites paroles, rendu inutile tout le sacrifice que je venais d'accomplir (...) j'avais un double ennui (...) Je maudissais ces vains bavardages (...) Il est vrai que dans la funeste besogne accomplie pour la destruction de notre amour, ils sont loin de jouer un rôle égal à deux personnes (...) Mais ces deux personnes-là, nous ne leur en voulons pas comme aux inopportuns Cottard, car la dernière, c'est la personne que nous aimons, et la première c'est nous-même. 2
PROUST, À l'ombre des jeunes filles en fleurs, Pl., t. I, p. 613.

CONTR. Bienséant, convenable, opportun, propice.
DÉR. Inopportunément.

INOPPORTUNÉMENT [inɔpɔʀtynemɑ̃] adv. — 1410; de *inopportun.*

♦ Littér. D'une manière inopportune. ⇒ **Contretemps** (à). *Arriver très inopportunément. Il était inopportunément en avance.*

CONTR. Opportunément.

INOPPORTUNITÉ [inɔpɔʀtynite] n. f. — 1433; lat. médiéval *inopportunitas,* de *inopportunus.* → Inopportun.

♦ Littér. Caractère de ce qui est inopportun. *L'inopportunité d'une démarche, d'une mesure.*

Il invoqua (...) la fragilité du marché (...) l'extraordinaire inopportunité qu'il y aurait à liquider ces huit mille kilos.

J. ROMAINS, les Hommes de bonne volonté, t. IV, p. 117.

CONTR. Opportunité.

INOPPOSABILITÉ [inɔpozabilite] n. f. — 1875; de *inopposable.*

♦ Dr. « Impossibilité de faire valoir un droit ou un moyen de défense » (Capitant). *Inopposabilité d'une exception*.*

CONTR. Opposabilité.

INOPPOSABLE [inɔpozabl] adj. — 1845; de 1. *in-*, et *opposable.*

♦ Dr. Qui ne peut être opposé. *Acte, droit inopposable aux tiers.*

CONTR. Opposable.
DÉR. Inopposabilité.

INORDINATION [inɔʀdinasjɔ̃] n. f. — Mil. xxe; de 1. *in-*, et *ordination.*

♦ Didact. ou littér. État de ce qui n'est pas ordonné. ⇒ **Désordre.**

INORGANIQUE [inɔʀganik] adj. — 1579, attestation isolée; repris 1762; de 1. *in-*, et *organique.*

♦ **1.** Sc. Qui n'est pas constitué en un organisme susceptible de vie; qui ne provient ni d'un animal ni d'un végétal. *Matière inorganique. La nature inorganique. Corps, composés, substances inorganiques.* ⇒ **Brut.**

♦ **2.** [a] Vx. *Chimie* (cit. 4) *inorganique :* la chimie minérale.

[b] Se dit de tout corps qui ne contient pas de carbone (à l'exception des carbonates et des cyanures).

♦ **3.** (xxe). Méd. Qui ne comporte pas de lésion organique. ⇒ **Fonctionnel.**

♦ **4.** Didact. ou littér. Qui n'est pas organisé, structuré. ⇒ **Inorganisé.** *Le caractère inorganique d'une œuvre, d'un récit, d'un roman.*

CONTR. Organique.

INORGANISABLE [inɔʀganizabl] adj. — 1846; de 1. *in-*, et *organisable.*

♦ Didact. ou littér. Qui ne peut être organisé.

CONTR. Organisable.

INORGANISATION [inɔʀganizasjɔ̃] n. f. — 1794; de 1. *in-*, et *organisation.*

♦ Didact ou littér. Absence d'organisation; état qui en résulte. *Inorganisation des marchés agricoles.*

CONTR. Organisation.

INORGANISÉ, ÉE [inɔʀganize] adj. — 1769; de 1. *in-*, et *organisé.*

♦ **1.** Sc. Qui n'est pas organisé. ⇒ **Inorganique.** *Substance inorganisée. Les êtres inorganisés.* — (Abstrait). Qui n'est pas structuré.

1 Mais alors que la sexualité infantile est inorganisée, la sexualité perverse est organisée autour de quelque instinct partiel.

Guy PALMADE, la Psychothérapie, p. 79.

♦ **2.** (Choses). Qui n'est pas organisé, qui manque d'organisation. *Une œuvre inorganisée. Un ensemble inorganisé de documents.*

♦ **3.** (Personnes). Qui n'est pas inscrit à un syndicat. *Ouvriers inorganisés.* — Qui ne fait pas partie d'une organisation. — N. *Les inorganisés.*

2 La grande majorité des licenciés étaient des « inorganisés ». Un seul était syndiqué à la C. G. T.

Roger VAILLAND, *in* G. L. L. F.

CONTR. Organisé, syndiqué.

INOSCULATION [inɔskylasjɔ̃] n. f. — 1867, Littré; du lat. *in* « dans », et *osculari* « baiser ».

♦ Méd. Abouchement direct de deux vaisseaux de même calibre (Garnier). *Anastomose par inosculation.*

INOSITE [inozit] n. f. ou **INOSITOL** [inozitɔl] n. m. — 1855, Nysten; du grec *is, inos* « fibre », et suff. *-ite, -ol.*

♦ Chim. Hexalcool de formule $C_6H_6(OH)_6$. « *Une inosite nouvelle, lévogyre, qui se présente en fines aiguilles prismatiques* » (*Année sc. et industr.*, 1891, p. 256).

INOTROPE [inɔtʀɔp] adj. — 1906; grec *inos* (→ Inosite), et *-trope.*

♦ Physiol. Qui concerne la contractilité des fibres musculaires. *Nerfs inotropes,* qui agissent sur la contractilité du cœur. *Substances inotropes,* et, n. m., « *inotropes positif et négatif* » (A. Galli et R. Leluc, *les Thérapeutiques modernes,* p. 75).

INOUBLIABLE [inublijabl] adj. — 1836; cf. Matoré, *Voc. sous Louis-Philippe,* p. 38; de 1. *in-*, *oublier,* et suff. *-able.*

♦ **1.** Littér. Que l'on ne peut oublier. ⇒ **Mémorable.** *Événements, incidents inoubliables* (→ Acuité, cit. 3). *Un affront, une injure inoubliable. Conter* (cit. 5) *qqch. en traits inoubliables.*
Un inoubliable modèle (→ Effacer, cit. 26). *Des personnages inoubliables* (→ Fondouk, cit. 2).

Quand on voit un portrait de Holbein, il semble qu'on en ait connu le modèle, tant l'artiste sait y imprimer une inoubliable personnalité.

Th. GAUTIER, Souvenirs de théâtre, p. 278 (1868).

♦ **2.** Cour. D'une telle qualité qu'on en gardera le souvenir. *Ils ont reçu un accueil inoubliable. Un spectacle inoubliable.*

CONTR. Oubliable.
DÉR. Inoubliablement.

INOUBLIABLEMENT [inublijabləmɑ̃] adv. — 1879, Mallarmé; de *inoubliable.*

♦ Littér. D'une manière inoubliable, qu'on ne peut oublier.

Les couleurs sont un peu sourdes, ce qui est rare chez Bosch. L'ensemble est inoubliablement beau et terrible.

J. GREEN, Journal, 21 mai 1977, La terre est si belle, p. 143.

INOUBLIÉ, ÉE [inublije] adj. — 1831, Balzac; de 1. *in-*, et *oublié.*

♦ Littér. Que l'on n'a pas oublié.

(...) la voix inoubliée s'était tue (...)

BERNANOS, la Joie, *in* Œ. roman., Pl., p. 558.

INOUÏ, ÏE [inwi] adj. — Déb. xvie, *inoye;* de 1. *in-*, et *ouï,* p. p. de *ouïr.* → Ouïr.

♦ **1.** Vx ou littér. (Archaïsme). Qu'on n'a jamais ouï, entendu. *Accents, accords inouïs; musique inouïe.* « *Sauts d'harmonie inouïs* » (Rimbaud, *les Illuminations,* 30). « *Murmure aux inflexions inouïes* » (→ Ineffable, cit. 2, Villiers de l'Isle-Adam). « *Une modulation (...) certainement inouïe à cette époque* » (Vincent d'Indy, *in* T. L. F.).

Cette façon de parler (...) est inouïe à la cour, et même il ne me souvient pas de 1
l'avoir ouï dire dans les villes.

VAUGELAS, Remarques sur la langue française, t. II, p. 663, *in* POUGENS.

Heureux, devriez-vous penser au contraire, les poètes, naissant au temps d'une nou- 2
velle aurore, qui doivent tendre à neuf les cordes sonores pour des accords jusqu'alors inouïs!

GIDE, Attendu que..., p. 146.

♦ **2.** Vieilli ou littér. Dont on n'a jamais entendu parler. ⇒ **Inconnu, nouveau.** *Des événements, des faits inouïs.* « *Des honneurs jusque-là inouïs* » (Massillon). — *Il est inouï que... ; il n'est pas inouï de...* (→ Extraordinaire, cit. 5, Montesquieu).

(...) que, lorsqu'il n'y avait point d'exemple de quelque chose, il en fallait faire; 3
que ce qui était inouï ne le serait plus quand il serait fait.

GUEZ DE BALZAC, De la Cour, 7e disc., *in* LITTRÉ.

Est-ce donc un prodige inouï parmi vous? RACINE, Phèdre, IV, 6. 4

♦ **3.** (1669). Mod. Cour. Qui est « si extraordinaire que jusque-là, on n'avait ouï parler de rien de semblable » (Littré). ⇒ **Étonnant, étrange, extraordinaire,** 1. **fort, incroyable, prodigieux.** *Popularité, vogue inouïe* (→ Apologiste, cit. 4; 1. fort, cit. 38). *Infortunes* (cit. 3), *tourments, catastrophes, ruines inouïes* (→ Augmenter, cit. 18; balle, cit. 6). *Des indignités inouïes* (→ Fange, cit. 5). *Brutalité, force, violence inouïe* (→ Broyer, cit. 3; effort, cit. 4). *Cruautés inouïes* (→ Emporter, cit. 27). — REM. L'antéposition de l'épithète est rare et stylistique (→ ci-dessous, cit. 5).

Il était forcé de reconnaître que la bonté existait. Ce forçat avait été bon. Et lui- 4.1
même, chose inouïe, il venait d'être bon.

HUGO, les Misérables, Jean Valjean, IV, p. 176.

(...) je serais volontiers tombé aux pieds de ce joueur généreux, pour le remercier 5
de son inouïe munificence. BAUDELAIRE, le Spleen de Paris, XXIX.

Si vous venez de voir un chef-d'œuvre ou un ivrogne en train de vomir dans le ruis- 6
seau, dites : joli, ou tout à fait joli, ou très beau, ou inouï, ou absolument inouï; et quelle que soit l'expression employée, vous êtes sûr de vous faire entendre de vos interlocuteurs. M. AYMÉ, le Confort intellectuel, p. 51.

N. m. *L'inouï :* ce qui est inouï.

(Personnes). *Un type inouï,* remarquable, extraordinaire.

Péj. Fam. *Il a un culot inouï.* ⇒ **Formidable, invraisemblable.** *Il est inouï, il exagère. Mais vous êtes inouï!*

REM. Ce sens ayant éliminé les précédents dans l'usage spontané, on rappelle parfois la valeur étymologique du mot, pour lui redonner le sens 1 ou le sens 2.

7 Oui, cette complicité du Parlement et de la presse pour couvrir d'un épais silence l'écroulement d'une œuvre séculaire, apparaît scandaleuse et, à la lettre, inouïe.
F. MAURIAC, Bloc-notes 1952-1957, p. 289.

CONTR. Commun, ordinaire.
DÉR. Inouïsme.

INOUÏSME [inwism] n. m. — 1861, *in* T. L. F.; de *inouï.*

♦ Fam. et vx (mot à la mode à la fin du XIXe). Caractère inouï (3.), extraordinaire.

INOUVRABLE [inuvʀabl] adj. — 1974, *in* D. D. L.; de 1. *in-, ouvrir,* et suff. *-able.*

♦ Qu'on ne peut ouvrir. *Porte, serrure inouvrable.*

INOX [inɔks] adj. invar. et n. m. — 1842; abrév. de *(acier) inoxydable.*

♦ Acier inoxydable. ⇒ **Inoxydable** (n. m.). *Des couverts en inox.* — Adj. invar. *Des couverts inox.*

Il sourit et déchira sa chemise pour dévoiler son torse velu, puis, saisissant un des chandeliers en inox qui supportaient la main courante, il le tordit sans effort sur son genou.
Michel DÉON, les Poneys sauvages, p. 386.

INOXYDABLE [inɔksidabl] adj. — 1842; de 1. *in-, oxyder,* et *-able.*

♦ **1.** Qui ne s'oxyde pas (⇒ **Inaltérable**). *L'or est inoxydable.* — *Alliage, métal inoxydable,* qui a une grande résistance à l'oxydation. *Aciers inoxydables au chrome, au nickel.* — *Couteaux, couverts inoxydables.*

N. m. Comm. Métal inoxydable. *C'est de l'inoxydable.* ⇒ **Inox.**

♦ **2.** Fig. Rare. Inaltérable.

Les remontrances expiatrices de son passé lui faisaient, une fois de plus, indéniablement manifeste, l'inoxydable équité des glaives dans les cœurs qui sont à point pour être transpercés.
Léon BLOY, le Désespéré, p. 50.

IN PACE ou **IN-PACE** [inpatʃe] n. m. invar. — V. 1440, *mettre in pace;* n. m., 1690; mots lat. signifiant «en paix», abrév. de la loc. *vade in pace,* prononcée en refermant le cachot derrière le prisonnier.

♦ **1.** Didact. (hist.) ou littér. Cachot, prison d'un couvent, où l'on enfermait (cit. 3) à perpétuité certains coupables scandaleux. *Des in pace souterrains.*

1 (...) quatre cachots de pierre, moitié sous terre, moitié sous l'eau. C'étaient des *in pace.* Chacun de ces cachots a un reste de porte de fer, une latrine, et une lucarne grillée (...)
HUGO, les Misérables, II, VII, II.

2 (...) à Madrid, le duc était tout puissant (...) il m'aurait jetée dans l'*in pace* de quelque couvent, étouffée là, tuée entre deux portes, supprimée du monde (...)
BARBEY D'AUREVILLY, les Diaboliques, «La vengeance d'une femme».

♦ **2.** Fig. Littér. Lieu secret, caché où qqn, qqch. est tenu comme prisonnier. — Vie retirée.

IN PARTIBUS [inpaʀtibys] loc. adj. — 1703, Trévoux; Fénelon, 1705; abrév. de la loc. *in partibus infidelium* «dans les pays des infidèles».

♦ **1.** Relig. Se disait des évêques titulaires de diocèses «sans clergé ni fidèles situés en pays non chrétiens» (M. Pacaut). ⇒ **Évêque** (titulaire*).

Par ext. *Évêque* in partibus.

— Et si j'organisais une petite croisade pour te récupérer ton évêché?
Les gendres sont épouvantés : ils voient tout le pognon de papa disparaître dans le détroit des Dardanelles.
Onésiphore est là pour calmer le duc :
— Beau mouvement de piété, messire, beau mouvement, mais Dieu veut que mon évêché soit in partibus : que sa volonté soit faite.
R. QUENEAU, les Fleurs bleues, p. 121.

♦ **2.** (1845). Fig. Didact. Sans fonction réelle. *Professeur, ministre, ambassadeur* in partibus. «*Académicien* in partibus» (Hugo).

IN PETTO [inpeto; inpɛto] loc. adv. — 1866, La Fontaine, Retz; mots ital. signifiant «dans la poitrine», et d'abord appliqués aux nominations de cardinaux non proclamées.

♦ **1.** Vx. Sans que cela soit proclamé. Relig. *Bulle prise, arrêtée* in petto. — En valeur d'adj. *Ambassadeur* in petto, nommé *in petto.*

1 (...) le pape devient mon protecteur *in petto.*
VOLTAIRE, Correspondance, 822, 30 mai 1745.

♦ **2.** Littér. ou plais. Dans le secret du cœur, en secret. ⇒ **Intérieurement, secrètement; part** (à part soi).

2 Avec son regard embroussaillé et pétillant de malice, il avait toujours l'air de se faire à lui-même quelque récit piquant, dont il lui suffisait de goûter *in petto* le sel.
MARTIN DU GARD, les Thibault, t. VI, p. 191.

3 «Non! Ce n'est pas l'empereur!... Ça ne ressemble pas à ses portraits!» fit-il en riant à son tour. Et il ajouta *in petto* : «Ce n'est pas lui puisque c'est Vladimir Féodorovitch!»
G. LEROUX, Rouletabille chez Krupp, p. 129.

REM. Bien que l'expression soit lexicalisée en français, elle s'écrit en général en italiques.

IN-PLANO [inplano] adj. invar. et n. m. invar. — 1835; mots lat. signifiant «en plan».

♦ Imprim. Où la feuille* d'impression n'est pas pliée. *Format* in-plano.* — N. m. invar. (1867). Format in-plano. *L'in-plano est un format de luxe* (Littré).

INPUT [input] n. m. — 1953, *in* Höfler; mot. angl., de *to input* «mettre dedans».

♦ Anglic. Inform. Entrée des données dans un système informatique (équiv. francisé : *entrée*).

Psychol. Entrée des «données» dans un organisme vivant, dans un système quelconque assimilé à un ordinateur. *Les inputs ou stimuli et* les outputs (cit., Piaget) *ou réactions constatables et mesurables qui s'ensuivent.*

CONTR. Output (sortie).

INQUALIFIABLE [ɛ̃kalifjabl] adj. — 1835; de 1. *in-, qualifier,* et suff. *-able.*

♦ Littér. Qu'on ne peut qualifier (assez sévèrement). ⇒ **Indigne, innommable.** *Action, conduite inqualifiable; vilenie, infamie* (cit. 8) *inqualifiable. Une inqualifiable grossièreté* (cit. 8).

On ne pouvait plus se permettre le plus petit meurtre dramatique (...) Ils *(les journalistes)* trouvaient le poignard exorbitant, le poison monstrueux, la hache inqualifiable. 1
Th. GAUTIER, Préface de Mlle de Maupin, p. 22 (éd. critique MATORÉ, 1835).

(...) il avait, lui, Javert, trouvé bon de décider, contre tous les règlements de police, contre toute l'organisation sociale et judiciaire, contre le code tout entier, une mise en liberté : cela lui avait convenu; il avait substitué ses propres affaires aux affaires publiques; n'était-ce pas inqualifiable? 2
HUGO, les Misérables, Jean Valjean, IV, p. 173.

INQUART [ɛ̃kaʀ] n. m. — 1676, Glaser; de 2. *in-* «dans», et *quart.*

♦ Techn. Opération qui consiste à ajouter à l'or, avant la coupellation*, trois fois son poids d'argent. ⇒ **Alliage.**

DÉR. Inquartation.

INQUARTATION [ɛ̃kaʀtasjɔ̃] n. f. — 1752; de *inquart.*

♦ Techn. Inquart*. — REM. On a dit aussi *quartation,* n. f. (1762).

IN-QUARTO [inkwaʀto; ɛ̃kaʀto] adj. invar. et n. m. — 1529; mots lat. signifiant «en quart».

♦ Techn., didact. Où la feuille*, pliée en quatre feuillets, forme huit pages. *Format in-quarto* (in- 4o), et, n. m., *l'in-quarto.* — *Manuscrit, livre, volume, dictionnaire in-quarto.*

N. m. (1704). *Des in-quarto* (Académie; → In-octavo, cit., Balzac). *Des in-quartos* (pour le plur., → In-folio, REM.).

(...) il se pencha, avec un geste interrogatif, vers l'in-quarto relié que Daniel venait de fermer (...)
MARTIN DU GARD, les Thibault, t. IX, p. 26.

INQUIET, ÈTE [ɛ̃kjɛ, ɛt] adj. — 1580, *inquiete;* lat. *inquietus* «agité», de *in-* (→ 1. In-), et *quietus.* → Coi, quiet.

★ **I.** Qui ne peut trouver le repos, la tranquillité.

♦ **1.** (1678). Vx. Agité, remuant. *Des gens inquiets, brûlant* (cit. 11, France) *leur vie. Un jeune homme inquiet, ardent* (cit. 19, La Fontaine). — *«Cet homme a l'esprit inquiet, change à tous moments de propos, de place, de dessein»* (Furetière). *Une humeur inquiète et vagabonde* (→ Fantasque, cit. 3, Gautier).

Ce discours ébranla le cœur 1
De notre imprudent voyageur *(le pigeon)*
Mais le désir de voir et l'humeur inquiète
L'emportèrent enfin (...)
LA FONTAINE, Fables, IX, 3.

(...) comment le fixer, cet homme inquiet, léger, inconstant, qui change de mille et mille figures? Je le peins dévot (...) et déjà il est libertin. 2
LA BRUYÈRE, les Caractères, XIII, 19.

(1671). *Sommeil inquiet.* ⇒ **Agité, troublé.** — (Parties du corps). *Une main inquiète.*

(Choses concrètes). Vx ou littér. Qui bouge, remue sans cesse. *Flammes, feuilles inquiètes. «Sol inquiet, tremblant...»* (Hugo). *«Les rideaux cessant d'être inquiets»* (Mallarmé). *«Un grand figuier inquiet de vent»* (Giono). — REM. Ces emplois, empruntés au T. L. F., sont inévitablement influencés par le sens II, psychologique, et l'idée d'«inquiétude» s'y superpose à celle d'«agitation».

♦ **2.** (1636). Vieilli. Littér. Qui n'est jamais satisfait de sa situation, de son état. ⇒ **Impatient, insatisfait;** → Aventureux, cit. 2; ennuyer, cit. 15. *L'homme, créature vide et inquiète* (→ Attacher, cit. 60, Vauvenargues). *Une âme inquiète.*

Toute âme inquiète et ambitieuse est incapable de règle.
BOSSUET, Oraison funèbre de Michel Le Tellier.

(Choses). *Curiosité* (cit. 3), *ambition inquiète. Désirs inquiets* (→ Fugitif, cit. 9). *Recherche inquiète de la joie* (→ Ennuyer, cit. 11). *Ardeur inquiète* (→ Aveugle, cit. 43).

(...) je ne sais quoi d'inquiet et d'impatient que nous avons au fond du cœur (...)
BOSSUET, Sermons, Vérit. convers. I, *in* LITTRÉ.

Leur inquiète activité continuera à faire répandre des torrents de sang (...)
G.-T. RAYNAL, Hist. philosophique, IV, 32.

★ **II.** **a** (1596). Cour. Qui est agité par la crainte, l'incertitude ou l'irrésolution. ⇒ **Angoissé, anxieux, soucieux, tourmenté, troublé.** *Être inquiet.* ⇒ **Embarras** (dans l'), **peine** (en), **peur** (avoir); → Être sur des charbons* ardents, sur des épines*, aux cents coups*...; et aussi ardeur, cit. 25; éprouver, cit. 31; frapper, cit. 38; gobelet, cit. 2. — *Inquiet de... Être inquiet de qqch.* (→ Bombe, cit. 4; effervescence, cit. 7; événement, cit. 2). *Inquiet de l'avenir. Elle est inquiète de sa sœur* (→ Bourreler, cit. 2). — *Être inquiet pour qqn, à son sujet. Être inquiet sur la santé de qqn.* — (Sans compl.). *Il est facilement inquiet. Inquiet mais impassible* (→ Héroïque, cit. 27). — *Population inquiète* (→ Agacer, cit. 2). *L'Europe inquiète* (→ Fomenter, cit. 2). — *C'est un esprit, un caractère inquiet. Avoir l'âme inquiète* (→ Assiette, cit. 14). *Conscience inquiète d'un indécis* (cit. 8), *d'un scrupuleux.*

Mon Dieu! mon ami, mon cher ami! que je suis inquiet! qu'il est cruel pour moi de vous avoir quitté dans ce moment (...) de ne pas savoir (...) si vous souffrez, ou si vous êtes soulagé!
MIRABEAU, Lettre à Chamfort, 20 août 1784, *in* CHAMFORT, Œuvres choisies, p. 326.

Je serai bien moins inquiet à ton sujet que si tu étais dehors et moi dedans la maison.
G. SAND, la Petite Fadette, II.

(...) elle est inquiète de vous savoir si souvent avec ce M. de Cérizolles, inquiète du train qu'il mène.
P.-J. TOULET, la Jeune Fille verte, I, p. 15.

N. *Un inquiet, une inquiète* : personne de caractère inquiet. *C'est un inquiet, il a toujours peur de l'avenir.*
Cheval inquiet. ⇒ **Ombrageux**; → Galop, cit. 3.

b (Avec une valeur positive). Tourmenté par une exigence intellectuelle, morale. *Esprit, génie inquiet. Âme inquiète.* — REM. Cette valeur procède du sens I, 2, et est en rapport avec celui de *inquiétude* I., 3.

c (1662). Choses. Qui dénote l'inquiétude, qui est empreint d'inquiétude. *Attente inquiète.* ⇒ **Fiévreux, impatient.** *Amour inquiet; passion, tendresse, vigilance inquiète. Chagrin, étonnement inquiet* (→ Arracher, cit. 45; gambade, cit. 1). *Conversation, causerie inquiète* (→ Épuiser, cit. 14). — *Expression, mine inquiète. Air, regard, œil inquiet* (→ Cassant, cit. 2; harassé, cit. 5; haut, cit. 24; indolent, cit. 8). *L'oreille inquiète et le regard au guet* (cit. 4).

Et soupirs inquiets dans ton sein renaissant (...)
HUGO, Odes et Ballades, V, Ode 23.

Par métaphore et poétique (choses non humaines) :

Le printemps inquiet paraît à l'horizon.
A. DE MUSSET, Poésies nouvelles, « À la mi-carême ».

L'air humide, tiédi par un soleil encore faible et déjà généreux, soufflait l'inquiète douceur du printemps.
FRANCE, le Lys rouge, VIII.

CONTR. Quiet (vx); **calme, paisible, tranquille. — Béat, heureux, insouciant, serein.**
DÉR. Inquiètement.

INQUIÉTANT, ANTE [ɛ̃kjetɑ̃, ɑ̃t] adj. — 1714; p. prés. de *inquiéter.*

♦ Qui cause de l'inquiétude, du souci. ⇒ **Alarmant, angoissant, effrayant, menaçant.** *Affaire, situation, nouvelle inquiétante; conséquences* (cit. 3, Voltaire) *inquiétantes* (⇒ **Ennuyeux**). *Avenir inquiétant.* ⇒ **Sombre.** *Ça devient inquiétant.* → fam. Ça va barder*. *Curiosité, perplexité inquiétante* (→ Flotter, cit. 17; fureter, cit. 6). *Problème inquiétant; théorie, hypothèse inquiétante* (→ Assimilation, cit. 2; élucider, cit. 2). *Une sombre et inquiétante poésie* (→ Idée, cit. 16). *Inquiétant à voir, à entendre...* (→ Anxiété, cit. 6; avide, cit. 18). *Silence inquiétant* (→ 1. Claque, cit. 1). — *L'état du malade est inquiétant.* ⇒ **Grave**; → Ganglionnaire, cit. *Syncope inquiétante* (→ Croire, cit. 52). — Par ext. Qui inquiète par son caractère étrange, incompréhensible. *Visage inquiétant, mine, expression inquiétante.* ⇒ **Patibulaire, sinistre**; → Bronzer, cit. 2. *Un personnage inquiétant* (→ Approche, cit. 14; frère, cit. 9).

(...) je viens d'avoir d'une jeune femme, qui avait ses vues, des agaceries bien dangereuses et avec des yeux bien inquiétants; mais si elle a fait semblant d'oublier mes douze lustres, pour moi, je m'en suis souvenu.
ROUSSEAU, les Confessions, X.

La marche de l'étatisme, ses progrès, son empire chaque jour grandissant, voilà des phénomènes inquiétants et qui s'efforcent de circonvenir cette belle et pure liberté dont jadis parlaient nos maîtres.
G. DUHAMEL, le Temps de la recherche, XI.

Mais il n'avait guère montré et ne montrait plus du tout cette sorte de vitalité inquiétante qu'on veut reconnaître chez maints tuberculeux. 3
J. ROMAINS, les Hommes de bonne volonté, t. III, XVIII, p. 237.

CONTR. Rassurant.

INQUIÈTEMENT [ɛ̃kjɛtmɑ̃] adv. — 1611; de *inquiet.*

♦ Rare. D'une manière inquiète, avec inquiétude. « *La caille qui court inquiètement* » (Francis Jammes, *De l'Angélus de l'aube..., in* D. D. L.).

CONTR. Calmement, paisiblement, tranquillement.

INQUIÉTER [ɛ̃kjete] v. tr. — Conjug. *céder.* — V. 1170, au sens I, 1; lat. *inquietare,* de *inquietus.* → Inquiet.

Rendre inquiet.

★ **I.** (→ Inquiet, I.). ♦ **1.** Vx ou littér. Troubler la quiétude, la tranquillité de, ne pas laisser en paix, en repos. ⇒ **Agiter, troubler.**

Il n'est rien qui ne cède à l'ardeur de régner; 1
Et depuis qu'une fois elle nous inquiète,
La nature est aveugle, et la vertu muette.
CORNEILLE, Nicomède, II, 1.

Parfois dans les crépuscules d'orage, le cri lointain de l'hémyone *(sic)*, alternant tristement avec les éclats du tonnerre, inquiète la solitude. 2
VILLIERS DE L'ISLE-ADAM, Contes cruels, « Souvenirs occultes ».

(1611). Spécialt. Vieilli. Causer des tracas à (qqn), à propos d'une affaire fâcheuse, d'une contestation, etc. ⇒ **Tourmenter.** *Inquiéter qqn à propos de qqch. On l'inquiète sur la légitimité de son titre* (Littré). — Vieilli. « *Il fut inquiété dans la possession de cette terre* » (Littré).

Il n'était pas aussi facile qu'on le croyait d'inquiéter l'auteur de Zaïre *(Voltaire)*. 3
MARMONTEL, Mémoires, III.

Mod. Poursuivre (qqn), signifier une interdiction à, menacer d'une sanction (le sujet désigne l'autorité ou son représentant). *Depuis son acquittement, la police ne l'a plus inquiété.* « *Il est inquiété pour une vieille affaire politique* » (Littré). *Il a pu entrer sans payer sans que personne ne l'inquiète.*

Nul ne doit être inquiété pour ses opinions, même religieuses, pourvu que leur manifestation ne trouble pas l'ordre public établi par la loi. 4
Déclaration des droits de l'homme, art. 10.

♦ **2.** Troubler par des attaques, des démonstrations hostiles. ⇒ **Harceler** (cit. 3). *L'armée, la ville, la région n'a pas été inquiétée par l'ennemi.*

Au p. p. *Bombardiers* (cit. 1) *inquiétés par la chasse.*

Les Turcs étaient toujours maîtres de la Hongrie jusqu'à Bude, et inquiétaient le reste (...) 5
VOLTAIRE, Annales de l'Empire, Charles-Quint, 1556, *in* LITTRÉ.

Spécialt (sports). Se montrer menaçant pour son adversaire.

★ **II.** (1645; → Inquiet, II.). ♦ **1.** Cour. Remplir (qqn) d'inquiétude (au sens II), causer un sentiment d'inquiétude chez (qqn). — Sujet n. de chose (cause ou occasion d'inquiétude). ⇒ **Alarmer, chagriner, chicaner** (fig.), **ennuyer, tourmenter, tracasser, travailler** (vx), **troubler; peine** (mettre en); → Garder, cit. 63. *Les soucis, les ennuis, les contrariétés qui l'inquiètent.* ⇒ **Assiéger, harceler.** *Sa santé l'inquiète* (→ 1. Embarras, cit. 4), est un sujet d'inquiétude pour lui. *Tout l'inquiète. Cela l'inquiète beaucoup, mortellement. Son attitude me déconcerte* et m'inquiète. Cette perspective l'inquiète affreusement.* ⇒ **Effrayer, épouvanter.**

Toute chose t'égaye, et rien ne t'inquiète. MOLIÈRE, le Misanthrope, III, 1. 6
L'avenir l'inquiète, et le présent le frappe (...) RACINE, Esther, II, 3. 7
Cette nouvelle surprit et inquiéta. 8
COURTELINE, Messieurs les ronds-de-cuir, 6e tableau, II.

Sujet n. de personne. *Inquiéter qqn, ses amis par des déclarations alarmantes, pessimistes. Il m'a un peu inquiété en disant, en prétendant que...* — Le sujet désigne le comportement, les paroles de qqn. *Ses déclarations ont inquiété l'opinion.*

Il parlait avec circonspection, s'efforçant d'être véridique sans trop l'inquiéter. 9
MARTIN DU GARD, les Thibault, t. VI, p. 220.

Au passif. *Être inquiété par qqch., par qqn.* — Absolument :

Son insuccès ne rassura point son père qui n'avait, à vrai dire, pas besoin de mobiles d'inquiétude pour être inquiété, étant naturellement d'humeur inquiète. 10
PROUST, Jean Santeuil, Pl., p. 247.

Littér. Agiter, stimuler l'esprit. → Inquiet (II., b); inquiétude (I., 3.). « *Cet ouvrage a du feu, il remue, il inquiète* » (Las Cases, *in* T. L. F.).

♦ **2.** Constituer un sujet ou une occasion d'inquiétude, de malaise par un caractère étrange, incompréhensible; être inquiétant* (par ext.) pour (qqn). *Ses bizarreries inquiètent son entourage.* — Absolt. *Il inquiète* (→ Humeur, cit. 26).

Subitement je l'inquiétais, je l'intriguais. Alors que tout, dans mes récits, indiquait combien ma vie était tranquille et simple. 10.1
GIRAUDOUX, Simon le pathétique, p. 104.

▶ **S'INQUIÉTER** v. pron.

A. (Au sens I de *inquiet*). Vx. S'agiter, ne pas rester en place.

B. ♦ **1.** Être, commencer à être inquiet (en raison d'une crainte, d'une incertitude, à cause d'une raison extérieure). ⇒ **Alarmer** (s'),

émouvoir (s'), **frapper** (se), **soucier** (se), **tracasser** (se); → Se faire de la bile*, se mettre en peine*; se faire du mauvais sang*. *Il s'inquiète à propos de tout. S'inquiéter pour qqch., pour des riens. Ne vous inquiétez pas. Il n'y a pas là de quoi s'inquiéter.*

11 Tu ne me chercherais pas si tu ne me possédais. Ne t'inquiète donc pas.
PASCAL, Pensées, VII, 555.

♦ **2.** (1662). **S'INQUIÉTER DE.** [a] Manifester de l'inquiétude au sujet de... *S'inquiéter de tout, d'un rien. Il ne faut pas vous inquiéter de cela, ne vous inquiétez plus. S'inquiéter de ce que...*

11.1 Depuis assez longtemps mon âme s'inquiète
De ce qu'aucun esprit en vous ne se fait voir (...)
MOLIÈRE, les Femmes savantes, III, 4.

12 Vous? Et de quoi, Seigneur, vous inquiétez-vous? RACINE, Britannicus, II, 2.

13 *(Qu'ils)* s'inquiètent pour eux-mêmes; ils ont leurs soins, et nous les nôtres.
LA BRUYÈRE, les Caractères, XVI, 45.

[b] (Sens affaibli). Se préoccuper, prendre soin; s'enquérir de. *S'inquiéter de l'heure d'ouverture d'un bureau, d'acheter qqch. S'inquiéter de qqch.* (→ Aménagement, cit. 2; écumer, cit. 7; enfoncer, cit. 22; fédération, cit. 5; flacon, cit. 5; fond, cit. 13; génie, cit. 16; 1. gens, cit. 28; haïr, cit. 10 et 11). *S'inquiéter de* (et inf.). → Idée, cit. 57; immédiat, cit. 4. *Sans s'inquiéter des conséquences* (→ Fourrer, cit. 18), *d'être vu* (→ Frotter, cit. 29), *de ce qui le gêne* (→ 1. Général, cit. 10). *Il s'en inquiète; il ne s'en inquiète pas autrement* (→ Ennuyer, cit. 12; infidélité, cit. 13).

14 Du Bousquier allait-il en voyage, elle s'inquiétait du manteau, du linge; elle prenait pour son bonheur matériel les plus minutieuses précautions.
BALZAC, la Vieille Fille, Pl., t. IV, p. 330.

15 (...) Landry m'aimait si honnêtement, et d'un si grand cœur, que jamais il ne s'est inquiété de savoir si j'étais riche ou misérable.
G. SAND, la Petite Fadette, XXXVI.

16 Elle ne comprenait guère Christophe, et ne s'inquiétait pas de le comprendre : elle ne s'inquiétait que de l'aimer.
R. ROLLAND, Jean-Christophe, La révolte, p. 599.

S'inquiéter de qqn, s'en préoccuper, s'en occuper. *Il ne semble pas s'inquiéter de ses enfants.*

Vx. *S'inquiéter pour...* (→ Âne, cit. 2, Rousseau). — Littér. *S'inquiéter si*, suivi de l'indic. (→ Bourrasque, cit. 11, Rousseau).

17 Il me souvient d'un temps fort éloigné où je m'inquiétais si des effets analogues (...) pourraient se rechercher raisonnablement en littérature.
VALÉRY, Variété II, p. 36.

[c] *S'inquiéter peu que...* (→ Gâcher, cit. 1, Renan). *S'inquiéter de ce que*, suivi de l'indic. ou du subj. *« Je m'inquiétais de ce que la colère débordait »* (Mauriac); *« il s'inquiétait de ce que (...) l'air fût si doux »* (Bedel, cité par Hanse).

18 Le bulletin *(de renseignements)* s'inquiétait de son identité, sa situation de famille, ses ressources (...) CAMUS, la Peste, p. 123.

CONTR. Apprivoiser, laisser (en paix, en repos). — **Calmer, rassurer, tranquilliser.**
DÉR. Inquiétant, inquiéteur.

INQUIÉTEUR, EUSE [ɛ̃kjetœʀ, øz] n. — 1935, Gide; de *inquiéter*.

♦ Rare. Personne qui inquiète.

L'immense majorité des hommes s'accommodent fort bien de leur misère. Celui qui tenterait de les secouer (...) risquerait de jouer le vain jeu de l'agitateur agité de *Paludes*. En transférant l'inquiétude de ce livre du plan moral dans le plan social, je crois que je n'aurais fait que le rétrécir. Mais il est aisé d'opérer en imagination ce transfert. Au fond, l'inquiétude resterait la même. Belle fonction à assumer : celle d'*inquiéteur*. De ce monde si imparfait, et qui pourrait être si beau, honni celui qui se contente!
GIDE, Journal, 28 mars 1935.

INQUIÉTUDE [ɛ̃kjetyd] n. f. — XIVe; bas lat. *inquietudo*, de *inquietus*. → Inquiet.

État, situation d'une personne (vx, d'une chose) inquiète.

★ **I. A.** (Personnes). ♦ **1.** (V. 1560). Vx. Absence de quiétude, de repos, de tranquillité. ⇒ **Agitation.** *« Turbulent et plein d'inquiétude »* (→ Bénin, cit. 2, La Fontaine). — *Inquiétude d'esprit* : « impatience* causée par quelque passion » (Littré; → Inégalité, cit. 13, La Bruyère).

1 Une inquiétude du corps et de l'esprit qui empêche de dormir.
Ambroise PARÉ, XX, 13, *in* LITTRÉ.

(1678). Vx. Agitation, tremblement (d'une partie du corps, des membres). *Immobilité « secouée par une inquiétude de corps »* (Goncourt, *la Fille Élisa, in* T. L. F.). — (Au plur.). « Douleurs vagues, surtout aux jambes, qui donnent de l'agitation, de l'impatience » (Littré). *Avoir des inquiétudes dans les jambes* (Académie). — (1878, Rigaud). Fig. et fam. *Avoir des inquiétudes dans les jambes* : avoir envie de donner des coups de pied au derrière de qqn.

♦ **2.** (1530). État d'agitation, d'instabilité d'un esprit insatisfait et tourmenté. *L'inquiétude fébrile* (cit. 1) *d'une âme exaltée.*

2 L'inquiétude est le plus grand mal qui arrive en l'âme, excepté le péché (...) Notre cœur étant troublé et inquiété en soi-même perd la force de maintenir les vertus qu'il avait acquises.
Saint François DE SALES, Introduction à la vie dévote, IV, 11.

3 La nature ne m'offre rien qui ne soit matière de doute et d'inquiétude.
PASCAL, Pensées, III, 229.

(Il) porte en lui l'inquiétude d'un malaise perpétuel, et fût-il gratifié de tous les honneurs (...) je crois que le crépuscule allumerait encore en lui la brûlante envie de distinctions imaginaires.
BAUDELAIRE, le Spleen de Paris, XXII.

♦ **3.** Littér. Philos. « Disposition spontanée (...) consistant à ne pas se contenter de ce qui est, et à chercher toujours au delà » (Lalande; → Contemplation, cit. 2, Rousseau). — REM. Les philosophes et moralistes, jusqu'au XIXe s., donnent à *inquiétude* un sens péj. (→ ci-dessus, cit. 2 et 3). Le mot « semble avoir acquis » depuis « un import favorable » (Lalande) en même temps que la notion de « confort intellectuel » était dénoncée; cette valeur, comme la précédente, est aujourd'hui fortement influencée par le contenu psychologique du sens II, alors que l'idée d'« activité, mouvement, instabilité » y prédomine initialement sur celle de « crainte ». *Inquiétude de pensée, d'esprit; inquiétude religieuse, métaphysique, artistique* (→ Apporter, cit. 37). ⇒ **Angoisse** (3.). *L'inquiétude morale d'un livre* (→ Inquiéteur, cit., Gide).

(...) l'inquiétude fiévreuse de la pensée, l'exagération de la vie cérébrale, la tyrannie du travail continu, ont affiné, troublé et tourmenté l'expression et le regard.
TAINE, Philosophie de l'art, t. II, p. 268.

Je comprends (...) l'exaspération que la notion d'*inquiétude* (...) provoque chez quelques-uns (...) On a trop parlé de « mal du siècle », trop loué de vains tourments (...)
DANIEL-ROPS, le Monde sans âme, I, p. 10.

La véritable inquiétude, la seule qui vaille par elle-même, est l'inquiétude métaphysique.
DANIEL-ROPS, le Monde sans âme, I, p. 12.

Pathol. État d'insécurité qui trouble le repos de l'esprit et lui enlève « ses pleines possibilités de détente et de concentration » (Kammerer, *in* Porot). ⇒ **Angoisse** (1.), **anxiété** (1.).

B. Vx ou littér. Choses. (Correspond à *inquiet* I., 1. : choses concrètes). *« Et l'on a l'inquiétude D'une feuille dans le vent »* (Hugo, *in* T. L. F.). *« L'inquiétude de l'eau »* (F. Ponge, *in* T. L. F.). — REM. Comme pour *inquiet*, ces emplois littéraires superposent aujourd'hui le sens étymologique (« agité, mouvant ») et les connotations psychologiques du sens courant, II.

★ **II.** (1530). Cour. État pénible déterminé par l'attente, la crainte d'un événement redouté, d'un mal, d'une souffrance appréhendés, par l'incertitude, l'irrésolution *(l'inquiétude de qqn; une, des inquiétudes)*; état déterminé par ces troubles, disposition à s'inquiéter *(l'inquiétude)*; caractère inquiet (de qqn, de qqch.). ⇒ **Alarme, angoisse, anxiété, appréhension** (cit. 7), **crainte, effarouchement, émoi** (spécialt), **peine, peur, souci, tourment**; → Hypocondrie, cit. 4; incarner, cit. 11. *L'inquiétude est logée dans le corps* (→ 1. Point, cit. 4). *Cruelle, forte, vive, terrible inquiétude.* ⇒ **Affolement, angoisse, anxiété, épouvante**; → Brûler, cit. 6; fréquence, cit. 2. *Une inquiétude, des inquiétudes épouvantables. Quelle inquiétude! Inquiétude vague, sourde, obscure.* ⇒ 2. **Chagrin, ennui, malaise**; → Envie, cit. 36; inconnu, cit. 35. *Vaines inquiétudes* (→ Avenir, cit. 11). *L'inquiétude de qqn, son inquiétude à propos de, au sujet de qqch. L'inquiétude de qqch.*, propre à qqch. *L'inquiétude de sa réaction, de sa démarche. Un soin*, une sollicitude, un intérêt plein d'inquiétude, teinté d'inquiétude. — L'inquiétude de qqch.*, au sujet de qqch.; *l'inquiétude de* (et inf.); *l'inquiétude de manquer qqch.* (→ Caillou, cit. 6; courrier, cit. 4; flexibilité, cit. 1.1). *Inquiétude sur, au sujet de qqn, qqch.* (→ Gouailler, cit. 1; idée, cit. 25; indu, cit. 1). *Sujet d'inquiétude. L'inquiétude d'un jaloux.* ⇒ **Jalousie.** — *Concevoir, éprouver, ressentir des inquiétudes* (→ Amalgamer, cit. 4). *Les inquiétudes qui le dévorent, le travaillent* (→ Abréger, cit. 7; apurer, cit. 2). *Causer de l'inquiétude à qqn* (→ Guitare, cit. 1); *remplir qqn d'inquiétude* (→ Élévation, cit. 5). *L'état du malade, de l'accidenté n'inspire aucune inquiétude. Donner de l'inquiétude, des soupçons à qqn.* ⇒ **Ombrage.** *Les inquiétudes d'une conscience scrupuleuse.* ⇒ **Scrupule.** *Être dans l'inquiétude, livré à l'inquiétude* (→ Apaiser, cit. 1). ⇒ **Inquiet; inquiéter** (s'); → Se mettre martel* en tête, mourir* à petit feu, (fam.) se faire de la bile*, du mouron*, de la mousse*, n'être pas à la noce*, se faire du mauvais sang*, être au supplice*, dans les transes*, ne plus vivre*. *Vivre dans l'inquiétude, dans des transes* d'inquiétude.* — Vieilli. *Être en inquiétude (de, sur qqch., qqn). Être hors d'inquiétude* (Balzac, *in* T. L. F.). *Inquiétudes qui troublent, brouillent* (cit. 12), *empoisonnent* (cit. 10 et 15) *la joie, le bonheur.* ⇒ 1. **Ombre** (jeter une ombre). *Chercher, guetter* (cit. 8) *avec inquiétude* (→ Ébauche, cit. 10; futur, cit. 7). *Être fou* (cit. 29) *d'inquiétude. Il était d'une inquiétude à le rendre malade. Pâlir, trembler d'inquiétude. L'inquiétude lui donne la fièvre* (cit. 13). *Éveiller, aggraver, alléger, apaiser, chasser l'inquiétude* (→ Allégement, cit. 1; fusiller, cit. 3; haleine, cit. 28). *C'est la moindre de ses inquiétudes* (→ Le cadet* de ses soucis). *Inquiétude qui augmente* (cit. 4), *renaît. Mouvement, surcroît d'inquiétude* (→ Établir, cit. 40; éveil, cit. 4). *Exprimer, cacher* (cit. 20), *dérober ses inquiétudes* (→ Conseiller, cit. 4; for, cit. 2).

L'*inquiétude*, d'*in quietus*, non tranquille, désigne un besoin de mouvement. C'est l'état pénible d'une âme qui, dans l'appréhension d'un mal à venir, remue, tracasse. L'*inquiétude* a donc deux caractères distinctifs relativement à l'*ennui* et au *malaise* : elle est active, et elle a rapport à l'avenir.
LAFAYE, Dict. des synonymes, Mal...

(...) je hais les maris soupçonneux, et j'en veux un qui ne s'épouvante de rien, un si plein de confiance, et si sûr de ma chasteté, qu'il me vît sans inquiétude au milieu de trente hommes.
MOLIÈRE, George Dandin, II, 1.

(...) l'inquiétude où je suis de sa santé *(de ma fille)*.
Mme DE SÉVIGNÉ, Lettres, 176, 17 juin 1671.

Dans quelle inquiétude, Esther, vous me jetez! RACINE, Esther, II, 7.

(...) on ne jouit sans inquiétude que de ce qu'on peut perdre sans peine (...)
ROUSSEAU, Julie ou la Nouvelle Héloïse, V, Lettre II.

On ne s'intéresse guère aux affaires des autres que lorsqu'on est sans inquiétude sur les siennes. BEAUMARCHAIS, le Barbier de Séville, Lettre... sur la critique.

(...) ses lettres devinrent moins tendres; car, au lieu d'exprimer ses propres inquiétudes, il s'occupait à dissiper celles de son amie.
Mme DE STAËL, Corinne, XVII, I.

Antipas attendait les secours des Romains; et Vitellius, gouverneur de la Syrie, tardant à paraître, il se rongeait d'inquiétudes.
FLAUBERT, Trois contes, « Hérodias », I.

Et un doute, une inquiétude vague l'envahissait; il sentait naître en lui une de ces interrogations qu'il se posait parfois. MAUPASSANT, Clair de lune.

Le bonheur suppose sans doute toujours quelque inquiétude, quelque passion, une pointe de douleur qui nous éveille à nous-même.
ALAIN, Propos, 1908, Le roi s'ennuie.

Tout à l'heure, elle n'avait pas avoué à Micheline l'inquiétude qui lui mordait le cœur : les nouvelles du petit étaient mauvaises, une fièvre qui ne cédait pas.
ARAGON, les Beaux Quartiers, II, IX.

CONTR. Assouvissement, ataraxie, béatitude, bonace (fig.), **bonheur, calme, espoir, paix, repos, tranquillité. — Désir.**

INQUILIN, INE [ɛ̃kilɛ̃, in] adj. — XXe; lat. *inquilinus* « locataire », de *incolere* « habiter ».

♦ Biol. Se dit d'un animal ou d'un végétal qui trouve logement, refuge ou protection dans un autre être vivant, sans en tirer sa nourriture. ⇒ **Inquilinisme.** *Espèce inquiline.* — N. m. *Un inquilin :* un animal, un végétal inquilin.

INQUILINISME [ɛ̃kilinism] n. m. — XXe; dér. sav. du lat. *inquilinus.* → Inquilin.

♦ Biol. Mode de vie en commun de deux animaux ou deux végétaux d'espèces différentes, l'un étant hébergé dans le corps de l'autre mais sans en tirer sa nourriture. *L'inquilinisme est une forme de commensalisme**. *Inquilinisme entre espèces d'algues, entre crustacés et bivalves, entre poissons et gastéropodes.*

INQUISITEUR, TRICE [ɛ̃kizitœʀ, tʀis] n. m. et adj. — Après 1250 (1294, *in* T. L. F.), « juge, inquisiteur »; lat. *inquisitor,* de *inquisitum,* supin de *inquirere.* → Enquérir.

♦ **1.** N. m. Personnage officiel chargé de procéder à des enquêtes. — (1282, Arveiller). *Inquisiteur de la foi,* et, absolt, *inquisiteur :* juge du tribunal de l'Inquisition*. *Dénoncer un hérétique aux inquisiteurs* (→ Damner, cit. 13). *Torquemada, célèbre inquisiteur.* « *Très humble remontrance aux inquisiteurs d'Espagne et de Portugal* », fameux chapitre de *l'Esprit des lois* (XXV, 13). — *Inquisiteurs d'État :* magistrats de la République de Venise chargés de la police secrète.

Durant laquelle messe precha frère Pierre Houre, docteur en théologie, de l'ordre des frères precheurs, inquisiteurs de la foi.
MONSTRELET, Chroniques, I, 226, *in* LITTRÉ.

Il faut qu'il y ait (...) un magistrat qui fasse trembler les nobles, comme les éphores à Lacédémone, et les inquisiteurs d'État à Venise (...)
MONTESQUIEU, l'Esprit des lois, V, 8.

Un doux inquisiteur, un crucifix en main,
Au feu, par charité, fait jeter son prochain.
VOLTAIRE, Poème de la Loi naturelle, III.

1 Eh bien? — L'église prend facilement, et lâche
Malaisément. Il est l'inquisiteur. Il est
Chargé de maintenir les couvents au complet (...)
Le roi n'attaque pas le prêtre, s'il est sage
Sire, Torquemada vous barre le passage. HUGO, Torquemada, III, 2.

Si vous pouvez le prouver, produisez vos témoignages. Il n'est ni juste, ni légal de m'interroger de cette façon. Ce sont des procédés d'inquisiteur, non d'hommes libres dans un pays libre. A. MAUROIS, Ariel..., V.

1 Malheur à celui qui voit le vice partout. C'est le propre des inquisiteurs.
IONESCO, Rhinocéros (1959), p. 195.

(1562, Rabelais). Vx. Personne qui se livre à des investigations minutieuses et souvent indiscrètes (→ Craindre, cit. 10, La Fontaine).

2 Pontchartrain était d'une curiosité insupportable, grand fureteur et inquisiteur, sur ses meilleurs amis comme sur les autres (...)
SAINT-SIMON, Mémoires, III, XXXIII.

♦ **2.** Adj. (1842). Qui interroge de manière indiscrète; qui cherche à connaître, à s'enquérir. ⇒ **Fureteur, inquisitorial.** — (Personnes). « *De nouveau inquisiteur : — Alors, demanda-t-il...* » (P. Bourget, *in* T. L. F.). *Un œil, un regard inquisiteur.* ⇒ **Scrutateur.** *Questions inquisitrices* (Académie).

Elle jetait sur Rodolphe des regards inquisiteurs d'une effronterie incroyable, et suivait ses moindres mouvements. BALZAC, Albert Savarus, Pl., t. I, p. 782.

INQUISITIF, IVE [ɛ̃kizitif, iv] adj. — Fin XIVe; du bas lat. *inquisitivus,* du supin de *inquirere.* → Enquérir.

♦ Vx. Qui s'enquiert, cherche à connaître. ⇒ **Inquisiteur** (2.).

INQUISITION [ɛ̃kizisjɔ̃] n. f. — 1160; lat. *inquisitio,* de *inquisitum,* supin de *inquirere.* → Enquérir.

♦ **1.** Vx. Enquête, recherche. « *Il n'y a point de fin dans nos inquisitions* » (Montaigne).

♦ **2.** (1265). Hist. et cour. *Tribunal* de l'Inquisition,* et, absolt, *l'Inquisition, l'inquisition :* juridiction ecclésiastique d'exception instituée par le pape Grégoire IX pour la répression, dans toute la chrétienté, des crimes (cit. 16) d'hérésie et d'apostasie, des faits de sorcellerie et de magie. *Les autodafés* * (cit. 1), *les horreurs* (cit. 51), *les tortures* de l'Inquisition. Arrêter les hérétiques dénoncés à l'Inquisition* (⇒ **Inquisitorial**). *Victimes de l'Inquisition portant le sanbenito**. — Hist. *Inquisition d'État :* tribunal secret qui jouissait à Venise d'un pouvoir illimité.

L'inquisition est, comme on sait, une invention admirable et tout à fait chrétienne 1
pour rendre le pape et les moines plus puissants, et pour rendre tout un royaume hypocrite (...) Au reste on connaît assez toutes les procédures de ce tribunal (...) On est emprisonné sur la simple dénonciation des personnes les plus infâmes; un fils peut dénoncer son père, une femme son mari; on n'est jamais confronté devant ses accusateurs; les biens sont confisqués au profit des juges; c'est ainsi du moins que l'inquisition s'est conduite jusqu'à nos jours (...)
VOLTAIRE, Dict. philosophique, Inquisition.

Par ext. Les membres de ce tribunal. ⇒ **Inquisiteur.** *La Sainte Inquisition.* ⇒ **Saint-Office;** → Cadenas, cit. 2. *L'Inquisition de Madrid, de Rome* (→ Index, cit. 7).

♦ **3.** (1686, Bayle). Par anal. Péj. Enquête ou recherche* rigoureuse et vexatoire, entachée d'arbitraire. ⇒ **Perquisition.** *L'inquisition fiscale* (→ Gabelle, cit. 2). *Échapper à l'inquisition d'un espion, d'un indiscret* (→ Change, cit. 4). *C'est de l'inquisition!*

(...) Pétion insouciant, indolent de sa nature, était infiniment peu propre à ce tra- 2
vail d'inquisition sur les personnes, à l'examen minutieux des biographies, des précédents, des tendances, des intérêts de chacun.
MICHELET, Hist. de la Révolution franç., V, IX.

(...) certainement, le paysan de Rousseau, qui cachait son vin et son pain dans un 3
silo, avait une cachette plus mystérieuse encore : un peu d'argent dans un bas de laine ou dans un pot échappe mieux que le reste à l'inquisition des commis.
TAINE, les Origines de la France contemporaine, t. II, p. 227.

Le citoyen, vous disais-je, astreint à tant de contrôles, d'investigations, d'inquisi- 4
tions, de censures, n'est pas seulement la proie des bureaucrates (...)
G. DUHAMEL, Scènes de la vie future, IV.

DÉR. Inquisitionner.

INQUISITIONNER [ɛ̃kizisjɔne] v. tr. — 1843, Proudhon, *in* T. L. F.; de *inquisition.*

♦ Rare (parfois plais.). Soumettre (qqn) à une inquisition. — Absolt. « *À la barre, il inquisitionne avec fureur* » (Verlaine).

INQUISITOIRE [ɛ̃kizitwaʀ] adj. — D. i.; du lat. médiéval *inquisitorius.*

♦ **1.** Didact. Relatif à une inquisition. ⇒ **Inquisitorial.** — N. m. *L'Inquisitoire,* œuvre de R. Pinget (roman dialogué en forme d'interrogatoire).

♦ **2.** Dr. *Procédure inquisitoire :* procédure où le juge prend l'initiative de la poursuite (opposé à *accusatoire*). *La procédure inquisitoire suppose la plainte, la dénonciation ou l'effet de la rumeur publique à l'encontre de qqn.*

INQUISITORIAL, ALE, AUX [ɛ̃kizitɔʀjal, o] adj. — 1516; du lat. médiéval *inquisitorius,* du supin de *inquirere,* comme *inquisiteur, inquisition,* ou de *inquisiteur.*

♦ **1.** Didact. Qui a rapport aux tribunaux, aux juges de l'Inquisition. *Juges inquisitoriaux. Procédure inquisitoriale.*

♦ **2.** (1570; repris 1755). Par ext., littér. Qui est digne d'un inquisiteur, qui a le caractère vexatoire, insupportable d'une inquisition. ⇒ **Inquisitoire.** *Interrogatoire inquisitorial. Visite inquisitoriale. Regard inquisitorial.* ⇒ **Inquisiteur.**

Chaque fois que le jeune Ernest sortait de chez son père, il subissait un interro- 1
gatoire inquisitorial sur tout ce que le comte avait fait et dit.
BALZAC, Gobseck, Pl., t. II, p. 660.

Charlemagne, comme les rois des Wisigoths, donna aux évêques un pouvoir inqui- 2
sitorial, en leur attribuant le droit de poursuivre les crimes dans l'enceinte de leur diocèse. MICHELET, Hist. de France, II, II.

On le savait contraire à l'impôt sur le revenu que, dans l'intimité, il avait heureu- 3
sement qualifié d'inquisitorial. FRANCE, l'Orme du mail, t. XI, XVI, p. 198.

INRACONTABLE [ɛ̃ʀakɔ̃tabl] adj. — 1796, Restif de La Bretonne, *in* T. L. F.; de 1. *in-,* et *racontable.*

♦ Qu'on ne peut raconter*. ⇒ **Inénarrable.** *Un film, un événement inracontable.*

(...) le bonheur, fait d'une foule de joies menues et inracontables. 1
Alphonse DAUDET, Jack, VIII.

N. m. *L'inracontable.*

(...) nous marchions en avril 1945 dans le camp libéré de Bergen-Belsen, écou- 2
tions les déportés qui avaient encore la force de parler (d'essayer de raconter l'inracontable), oui, c'était le mot clef : inimaginable. Claude ROY, Nous, p. 101.

REM. On trouve aussi la var. *irracontable* (XIXe), encore employée par des auteurs soucieux de régularité morphologique. *« Une prodigieuse vie irracontable »* (Gide, *Journal*, 8 mai 1912).

CONTR. **Racontable.**

INRATABLE [ɛ̃Ratabl] adj. — xxe; de 1. *in-*, *rater*, et suff. *-able*.

♦ Fam. Qu'on ne peut pas rater (→ Bonjour, cit. 3.2, Bernanos), manquer (*immanquable* ayant d'autres valeurs).

Elle *(la raie)* rase le fond de sable et vient droit sur moi, tribord avant. Jean tend un sandow, plonge, tire... Inratable. La bête accélère net.
Claude COURCHAY, La vie finira bien par commencer, p. 138.

INRÉEL, ELLE [ɛ̃Reɛl] adj. — 1855; de 1. *in-*, et *réel*.

♦ Rare. Irréel. — REM. Le mot, refait sur *in-* (→ 1. In-), et *réel*, insiste sur la négation de l'idée de « réel », *irréel* ayant pris d'autres valeurs.

La résignation du : « C'est ma faute ! » est encore venue aux lèvres de Célestin Nanteuil. « Pourquoi nous éprendre de l'inréel, de l'insaisissable ? Pourquoi ne pas porter notre désir vers quelque chose de tangible ? »
Ed. et J. DE GONCOURT, Journal, 28 août 1855.

INRI [ɛ̃Ri] Abrév. latine.

♦ Didact. (relig.). Abréviation de l'inscription mise par Pilate sur la croix* : *Iesus Nazarenus Rex Iudæorum* « Jésus de Nazareth, roi des Juifs ».

INRÔ [inRo] n. m. invar. — 1906; mot japonais.

♦ Arts. Étui orné servant de boîte à pharmacie, dans l'ancien Japon. — Au plur. *Des inrô.*

(...) les « boîtes à pharmacie » *(inrô)* que tout personnage distingué portait à sa ceinture (...) À ces *inrô* sont suspendus des boutons sculptés en ivoire, en bois, en os *(netsouké)* [...] Jeannine AUBOYER, les Arts de l'Extrême-Orient, p. 122.

INSAISISSABILITÉ [ɛ̃sezisabilite] n. f. — 1828; de *insaisissable*.

♦ **1.** Dr. civ. Caractère d'un bien insaisissable.

♦ **2.** (1893). Caractère d'une personne, d'une chose insaisissable (2., 3. ou 4.).

INSAISISSABLE [ɛ̃sezisabl] adj. — 1770; de 1. *in-*, et *saisissable*.

♦ **1.** Dr. civ. Qui ne peut faire l'objet d'une saisie*. *Rentre insaisissable. Bien* de famille inaliénable et insaisissable* (→ Homestead, cit.). — Dr. du trav. *La partie insaisissable du salaire.*

♦ **2.** (1833, E. Corbière, *in* D. D. L.). Personnes. Qu'on ne peut saisir, appréhender. *Fugitif, pillard, ennemi insaisissable* (→ Glacer, cit. 31).

1 Cependant la cavalerie de Charlemagne s'usait dans ces déserts contre un insaisissable ennemi, qu'on ne savait où rencontrer. MICHELET, Hist. de France, II, II.

(1867). Par exagér. Qu'on ne parvient jamais à rencontrer. *Homme d'affaires, médecin insaisissable* (→ Formalité, cit. 10).

2 (...) il était insaisissable. On croyait l'avoir pipé, le tenir dans un bon filet, et il glissait entre les mailles. Il tirait sa révérence et chantait le chant du départ.
G. DUHAMEL, Inventaire de l'abîme, XII.

Fig. Qui échappe à toute influence, à toute emprise. *Dociles* (cit. 6) *en apparence, ils sont insaisissables, inaccessibles.*

♦ **3.** (Choses). ⇒ **Aérien, fluide, fuyant, impalpable.** *Horizon* (cit. 1) *insaisissable. Poursuivre une image insaisissable.*

♦ **4.** a Qui ne peut être saisi, perçu, apprécié ; qui échappe aux sens. *Percevoir les sons les plus insaisissables* (→ Finesse, cit. 2). *Discerner* (cit. 3) *des nuances insaisissables.* ⇒ **Imperceptible, indiscernable, insensible.**

b Qui échappe à l'analyse intellectuelle. *« Quelque chose de mystérieux, d'insaisissable »* (Chateaubriand).

N. m. *L'insaisissable. Chercher à comprendre, à maîtriser l'insaisissable.*

CONTR. **Appréciable, perceptible, saisissable, sensible.**
DÉR. **Insaisissabilité.**

INSALIFIABLE [ɛ̃salifjabl] adj. — 1873; de 1. *in-*, et *salifiable*.

♦ Chim. Qui ne peut pas produire un sel. *Base insalifiable.*

INSALISSABLE [ɛ̃salisabl] adj. — 1845; de 1. *in-*, *salir*, et suff. *-able*.

♦ Rare. Qui ne peut être sali. *Un tissu insalissable.*

Il avait son propre système pour rendre inusable, insalissable, imperméable, les faux-cols en toile ordinaire. CÉLINE, Mort à crédit, éd. 1936, p. 412.

CONTR. **Salissant.**

INSALIVATION [ɛ̃salivɑsjɔ̃] n. f. — 1833; de 2. *in-* « dans, en », *salive*, et suff. *-ation*.

♦ Physiol. Imprégnation des aliments par la salive. — REM. Flaubert *(Bouvard et Pécuchet)* emploie le verbe *insaliver*.

INSALUBRE [ɛ̃salybR] adj. — 1505; lat. *insalubris*, de *in-* (→ 1. In-), et *salubris*. → Salubre.

♦ **1.** Qui n'est pas salubre. ⇒ **Malsain.** *Climat insalubre. Logement insalubre* (→ Étroit, cit. 25). *Îlot insalubre.*

(...) « îlot insalubre » (...) se borne à englober dans le même chapitre réprobateur le taudis insalubre par nature et le palais insalubre par manque d'entretien (...)
GIRAUDOUX, De pleins pouvoirs à sans pouvoirs, III, p. 78.

(...) les visages livides comme des abcès, les îlots insalubres — désignés par des pancartes : inhabitable, interdit — et où pullulaient des familles (...)
S. DE BEAUVOIR, la Force de l'âge, p. 275.

Dr. Qui est cause d'insalubrité. ⇒ **Polluant.** *Législation sur les établissements ou industries* (cit. 16) *insalubres* (⇒ **Incommode**).

♦ **2.** Fig. et littér. (Vieilli). Malsain (fig.), néfaste à la santé morale (Sainte-Beuve, *in* T. L. F.).

CONTR. **Salubre. — Sain.**
DÉR. **Insalubrement, insalubrité.**

INSALUBREMENT [ɛ̃salybRəmɑ̃] adv. — 1838; de *insalubre*.

♦ Rare. D'une manière insalubre.

INSALUBRITÉ [ɛ̃salybRite] n. f. — 1532 (1560, selon T. L. F.); rare av. 1783, Mercier; de *insalubre*.

♦ Caractère de ce qui est insalubre. *L'insalubrité d'un immeuble, d'un logement. L'insalubrité de ce climat.*

CONTR. **Salubrité.**

INSANE [ɛ̃san] adj. — 1784; cf. *insané* « qui rend furieux », 1411; angl. *insane*, du lat. *insanus* « qui a perdu la raison », de *in-* (→ 1. In-), et *sanus*. → Sain.

Littéraire.

♦ **1.** a Vx. (Personnes). Qui n'est pas sain d'esprit. *Il est à moitié insane.* ⇒ **Dément,** 1. **fou.**

b Mod. (Choses ; actions). Qui est contraire à la saine raison, au bon sens. ⇒ **Absurde,** 1. **fou, insensé ;** → Culte, cit. 7. *Des esprits insanes.*

Par métonymie. Qui exprime la folie. ⇒ 1. **Fou.**

Il resta comme ça un instant, puis sa tête se tourna vers Besson, et ses deux yeux insanes, enfoncés dans les orbites, brillèrent étrangement.
J.-M. G. LE CLÉZIO, le Déluge, p. 89.

♦ **2.** Cour. Qui est sans aucun intérêt, qui constitue une insanité (2., b). ⇒ **Inepte.**

Ils étaient tellement gavés d'ennuis, de soucis, d'une télévision stupide, de journaux insanes qu'ils n'avaient plus aucune notion de gratuité.
F. SAGAN, la Chamade, p. 191.

CONTR. (Du sens 1) **Raisonnable, sain** (d'esprit), **sensé.** — (Du sens 2) **Intéressant.**

INSANITÉ [ɛ̃sanite] n. f. — 1784; angl. *insanity* « démence », du lat. *insanitas*, de *insanus*. → Insane.

♦ **1.** Manque de saine raison, de bon sens. ⇒ **Folie.** *L'insanité de qqn, son insanité. L'insanité des gouvernants* (cit. 10) *mène les peuples à la ruine.*

Caractère de ce qui est déraisonnable*. *L'insanité de ses propos.*

♦ **2.** (1832, *in* Höfler). a *(Une, des insanités).* Action ou parole insensée, dénuée de bons sens, de vérité (→ Fureur, cit. 29). *Dire* des insanités. Un tissu d'insanités.*

Tantôt c'étaient des jugements apprêtés et précieux, tantôt des comparaisons extravagantes, tantôt des indécences, des obscénités, des insanités, des coquecigrues.
R. ROLLAND, Jean-Christophe, La foire sur la place, p. 679.

b Action ou parole sans aucun intérêt. ⇒ **Bêtise, ineptie, sottise.**

INSAPIDE [ɛ̃sapid] adj. — 1867; de 1. *in-*, et *sapide*.

♦ Didact. Rare. Qui n'est pas sapide, n'a pas de goût perceptible. ⇒ **Insipide.**

INSAPONIFIABLE [ɛ̃sapɔnifjabl] adj. — 1904, in *Rev. gén. des sc.*, no 11, p. 552; de 1. *in-*, et *saponifiable*.

♦ Chim., biol. Se dit de la partie d'un composé ou d'un mélange qui n'est pas altérée au cours d'une saponification, ou d'une graisse qu'on ne peut saponifier. *Le glycérol est insaponifiable. Le cholestérol, constituant insaponifiable des lipides du sang.*

CONTR. Saponifiable.

INSATIABILITÉ [ɛ̃sasjabilite] n. f. — 1544; bas lat. *insatiabilitas,* du lat. class. *insatiabilis.* → Insatiable.

♦ **1.** Caractère d'une personne qui est insatiable. *L'insatiabilité d'un glouton.*

♦ **2.** Caractère d'une personne insatiable (2.), qui n'a jamais assez, ne se satisfait pas. *L'insatiabilité du conquérant.* ⇒ **Avidité.**

Cet orgueilleux n'avait point l'exigence, l'insatiabilité des artistes d'aujourd'hui qui, grâce à leur peu de culture, se persuadent aisément de ne rien devoir à ceux qui les ont précédés : ignorant tout, ils s'imaginent tout inventer.
F. MAURIAC, la Vie de Jean Racine, XIII.

L'insatiabilité d'un désir, d'une haine; de l'esprit.

CONTR. Satiété.

INSATIABLE [ɛ̃sasjabl] adj. — XIIIe, *insaciable* (v. 1310, selon T. L. F.); lat. *insatiabilis,* de *in-* (→ 1. In-), et *satiare* «rassasier», de *satis* «assez».

♦ **1.** Qui ne peut être rassasié* (rare ou concret).

a (Êtres vivants). *L'autour* (2. Autour, cit. 2), *rapace insatiable.* ⇒ **Avide, vorace.**

b *Soif insatiable.* ⇒ **Inapaisable, inassouvissable.** *Faim insatiable* (⇒ **Boulimie**).

♦ **2.** (Abstrait). Qui n'est pas comblé et ne semble pas pouvoir l'être; qui ne se satisfait pas. — (Personnes). *Un exploiteur* (cit. 1) *insatiable,* qui ne se satisfait pas de ce qu'il obtient. *C'est un être insatiable,* jamais satisfait. ⇒ **Insatisfait.** *Cet enfant est insatiable, il veut encore des cadeaux! Être insatiable dans son désir.* — (Choses). Par métaphore du sens 1 (avec des mots comme *appétit, faim, soif*...). *Un appétit* (cit. 23) *de bonheur insatiable. Une faim* (cit. 15) *insatiable de posséder.* — *Avidité* (cit. 6), *curiosité* (cit. 11 et 12) *insatiable.* ⇒ **Dévorant.** *Désir* (→ Convaincre, cit. 6), *passion insatiable.* ⇒ **Inextinguible.** *D'insatiables exigences.* — *Tempérament insatiable. Cœur insatiable d'amour.* ⇒ **Affamé.** *Insatiable de* (qqch.) : qui ne peut être rassasié de... (→ ci-dessous, cit. 4).

Insatiable et plein d'ardent désir
De retourner au nocturne plaisir.
Clément MAROT, Traductions, X.

Ils s'imaginent que, s'ils avaient obtenu cette charge, ils se reposeraient ensuite avec plaisir, et ne sentent pas la nature insatiable de leur cupidité.
PASCAL, Pensées, II, 139.

Pygmalion, tourmenté par une soif insatiable des richesses, se rend de plus en plus misérable et odieux à ses sujets.
FÉNELON, Télémaque, III.

L'amour est insatiable de la vue de son idole et de toucher les merveilles de son corps.
C.-A. HELVÉTIUS, Notes, Maximes et Pensées, p. 270.

Il faut se maintenir en tel état qu'on ne puisse être jamais ni rassasié ni insatiable.
Joseph JOUBERT, Pensées, VIII, XXVII (→ Désir, cit. 4).

(...) insatiable dans ses curiosités et ses ambitions, toujours en quête et en conquête (...)
TAINE, Philosophie de l'art, t. II, p. 158.

Le goût de la possession est à ce point insatiable qu'il peut survivre à l'amour même.
CAMUS, l'Homme révolté, p. 323.

N. (1483, *insaciable*). Personne insatiable. *C'est une insatiable.*

CONTR. Assouvi, rassasié, satisfait.
DÉR. Insatiablement.

INSATIABLEMENT [ɛ̃sasjabləmɑ̃] adv. — 1450; de *insatiable.*

♦ Littér. D'une manière insatiable.

(...) tous *(les yeux)* étaient braqués sur le spectacle, insatiablement, sans répit.
J.-M. G. LE CLÉZIO, le Déluge, p. 78.

INSATISFACTION [ɛ̃satisfaksjɔ̃] n. f. — Déb. XVIIe, saint François de Sales, «mécontentement»; repris 1794, Pougens, *in* Académie, 1840; répandu déb. XXe; de 1. *in-,* et *satisfaction.*

♦ **1.** Absence de satisfaction*. *L'insatisfaction de qqn. Manifester son insatisfaction.* ⇒ **Mécontentement.**

♦ **2.** État, situation d'une personne insatisfaite, qui n'a pas ce qu'elle souhaite (→ Cacher, cit. 43; exigence, cit. 10). *Madame Bovary, type de l'insatisfaction romanesque* (⇒ **Bovarysme**). *Une attitude d'insatisfaction.* — *L'insatisfaction de qqn vis-à-vis de qqch., quant à qqch., dans un domaine.*

Les rêves naissent de l'insatisfaction : quelqu'un de comblé ne rêve pas (...)
MONTHERLANT, les Jeunes Filles, p. 168.

Insatisfaction du cœur, d'un instinct (→ Extase, cit. 3) *d'un désir. Insatisfaction des sens.* ⇒ **Inassouvissement;** → Frigidité, cit. 2.

b *(Une, des insatisfactions).* Fait d'être insatisfait dans une circonstance particulière. *Le souvenir d'insatisfactions d'enfance.*

INSATISFAISANT, ANTE [ɛ̃satisfəzɑ̃, ɑ̃t] adj. — 1794, Pougens; de 1. *in-,* et *satisfaisant,* d'après *insatisfait.*

♦ Littér. ou didact. Qui n'est pas satisfaisant, ne donne pas satisfaction. *Un résultat insatisfaisant.* ⇒ **Décevant, mauvais, médiocre.**

CONTR. Satisfaisant.

INSATISFAIT, AITE [ɛ̃satisfɛ, ɛt] adj. — 1510; repris 1794, Pougens, puis 1840; répandu fin XIXe; de 1. *in-,* et *satisfait.*

♦ **1.** Littér. et rare. Qui n'est pas satisfait, heureux. ⇒ **Mécontent.**

♦ **2.** Cour. Qui n'est pas satisfait*, n'a pas obtenu ce qu'il (elle) désirait, espérait. ⇒ **Inapaisé** (cit.), **inassouvi.** *Un homme exigeant, sans cesse insatisfait* (→ Complaisance, cit. 13). *Être insatisfait de, à propos de, quant à* (qqch.). *Ils sont éternellement insatisfaits de leur condition* (→ Évader, cit. 12). *Cette expérience l'a laissé insatisfait, bien insatisfait.* ⇒ **Déçu.** — (Choses : besoins, désirs...). Que l'on n'a pas satisfait. *Besoin insatisfait. Passion insatisfaite.* ⇒ **Inapaisé, inassouvi.** — REM. Ce mot s'emploie souvent dans le contexte sentimental et érotique. *Désir insatisfait.* — (Personnes : esprit, âme). Qui n'est pas apaisé, qui cherche de manière inquiète. *C'est un esprit insatisfait, une âme insatisfaite.* ⇒ **Inquiet** (I., 2.).

Qu'un homme convoite une fille et reporte cette chaleur sur la femme qu'il aime, 1
son désir plus vif parce qu'insatisfait laissera croire à la femme qu'elle n'a jamais été mieux aimée.
R. RADIGUET, le Diable au corps, p. 145.

(...) son âme insatisfaite retrouvait le néant au sein même de sa victoire. 2
J. GREEN, Léviathan, III.

Ce mariage mal équilibré avait fait d'elle une créature insatisfaite et indomptable. 3
A. MAUROIS, *in* Revue de Paris, déc. 1954.

N. (XXe). *Un insatisfait, une insatisfaite. Des insatisfaits qui revendiquent leurs droits.* — Spécialt (sur le plan sentimental ou érotique). ⇒ **Frustré.** *Une insatisfaite.* → fam. et vulg. Mal baisée*.

CONTR. Assouvi, comblé, rassasié, satisfait.

INSATURABLE [ɛ̃satyʀabl] adj. — 1803; fig., 1482; de 1. *in-, saturer,* et suff. *-able.*
Didactique.

♦ **1.** Chim. Impossible à saturer.

♦ **2.** Fig. Rare. Impossible à combler. ⇒ **Insatiable.** *Une curiosité insaturable.*

INSATURÉ, ÉE [ɛ̃satyʀe] adj. — 1840; de 1. *in-,* et *saturé.*

♦ Didact. Qui n'est pas saturé. — Chim. Qui n'est pas saturé. *Composé insaturé,* dont la molécule comporte une ou plusieurs liaisons multiples. *Hydrocarbures insaturés :* alcènes, alcynes.

CONTR. Saturé.

INSCIEMMENT [ɛ̃sjamɑ̃] adv. — 1523; *inscientement,* fin XVe; de 1. *in-,* et *sciemment.*

♦ Didact. ou littér. Rare. Sans le savoir. *S'il vous a offensé, c'est insciemment* (Académie). ⇒ **Insu** (à son).

INSCIENCE [ɛ̃sjɑ̃s] n. f. — 1362, puis XVIe; rare av. XVIIIe (1722); de 1. *in-,* et *science.*

♦ Didact. ou littér. Absence de savoir, de connaissance. *Vivre dans l'inscience.* ⇒ **Ignorance.** *L'inscience de qqch. L'inscience de qqn quant à qqch., sur qqch., dans un domaine.*

CONTR. Connaissance, savoir, science.

INSCIENT, ENTE [ɛ̃sjɑ̃, ɑ̃t] adj. et n. — Fin XIVe, puis XVIe; repris 1752; lat. *insciens, entis* «qui ne sait pas», de *in-* (→ 1. In-), et *sciens, entis,* p. prés. de *scire* «savoir».

♦ Didact. ou littér. Rare. Qui échappe au savoir, aux connaissances. *«La poésie insciente»* (Flaubert, *Correspondance, in* T.L.F.). ⇒ aussi **Inconscient.**

INSCRIPTEUR, TRICE [ɛ̃skʀiptœʀ, tʀis] adj. et n. — 1811, Jouy; du lat. *inscriptum,* supin de *inscribere.* → Inscription, inscrire.

♦ Techn. Qui inscrit (qqch.). *Un mécanisme inscripteur. Levier inscripteur.* — N. m. Appareil qui inscrit des données. — Spécialt. Organe, mécanisme qui inscrit les données numériques dans une machine à calculer.

INSCRIPTIBLE [ɛ̃skʀiptibl] adj. — 1691; dér. sav. du lat. *inscriptum,* supin de *inscribere.* → Inscrire.

♦ **1.** Géom. Qui peut être inscrit dans une figure, et, plus spécialt, dans un cercle. *Tous les polygones réguliers sont inscriptibles.* — *Figure inscriptible dans un cercle.*

♦ **2.** (Au sens gén. de *inscrire*). Qui peut être inscrit. *Vous n'êtes pas inscriptible sur la liste de candidatures.*

INSCRIPTION [ɛ̃skʀipsjɔ̃] n. f. — 1444, *inscripcion*, en dr. «fait de s'inscrire comme partie dans un procès»; lat. *inscriptio*, de *inscriptum*, supin de *inscribere*. → Inscrire.

A. ♦ **1.** (1480, «titre d'un dossier»; 1509, «texte écrit, gravé»). Ensemble de caractères écrits (⇒ **Écrit**) ou gravés sur une surface dure (pierre, métal...) pour transmettre une information, conserver, évoquer un souvenir, indiquer une destination. ⇒ **Chronogramme, cippe, devise, épigraphe, exergue, graffiti, légende, titre.** *Éterniser* (cit. 1), *immortaliser* (cit. 3) *la mémoire d'une personne, d'un événement par des inscriptions. Inscription laudative* (→ Écrivain, cit. 1). *Inscriptions des arcs* (cit. 15) *et des pyramides. Murs, murailles, stèles, autels couverts d'inscriptions* (→ Entremêler, cit. 5; héroïsme, cit. 6; inconnu, cit. 1). *Monument, médaille dépourvu(e) d'inscription* (⇒ **Anépigraphe**). *Inscription funéraire* (⇒ **Épitaphe**), *tumulaire* (→ Épigramme, cit. 2). *Les inscriptions d'un cartouche, d'un phylactère. Inscriptions hiéroglyphiques* (→ Hiéroglyphe, cit. 3; ibis, cit. 2). *Déchiffrement, étude des inscriptions.* ⇒ **Épigraphie, paléographie.** *Recueil d'inscriptions.* ⇒ **Corpus.** *L'Académie des Inscriptions et Belles-lettres fait partie de l'Institut de France. Académicien des Inscriptions* (→ Humaniste, cit. 1).

1 De la tête aux pieds *(de la momie)* s'étendait une inscription columnaire, ou verticale, en *hiéroglyphes phonétiques*, donnant de nouveau le nom et les titres du défunt (...)
BAUDELAIRE, Trad. E. POE, Nouvelles histoires extraordinaires, «Petite discussion avec une momie».

2 Aucune inscription n'indique encore les noms de ces morts réunis là (...)
E. FROMENTIN, Un été dans le Sahara, p. 133.

♦ **2.** (1690). Courte indication écrite destinée à informer le public, à renseigner. *L'inscription d'un écriteau, d'une affiche; inscription sur une affiche, une étiquette, un livre* (⇒ **Ex-libris**), *un timbre* (⇒ **Surcharge**). *Inscription publicitaire, de propagande. Autobus couvert* (cit. 45) *d'inscriptions.*

3 D'un bout à l'autre de l'immense paroi blanche, les inscriptions se succédaient, écrites en noir.
Pierre LOUŸS, Aphrodite, I, II.

B. Action d'inscrire. ♦ **1.** (1615, «action de s'inscrire»). Action d'inscrire (qqn, qqch.) sur un registre, une liste; mots par lesquels qqn, qqch. est inscrit. *L'inscription de qqch., d'un nom, d'une phrase, d'un contenu par qqn. L'inscription d'un nom sur les registres de l'état civil, sur une liste électorale.* ⇒ **Immatriculation.** — Par ext. *Inscription électorale :* procédure obligatoire par laquelle les citoyens s'inscrivent sur des listes afin de pouvoir exercer leur droit de vote. — *Inscription d'un élève au tableau d'honneur.* ⇒ **Citation.** — Ellipt. *Inscription d'un client chez un commerçant,* du nom de ce client. *Inscription des dépenses. L'inscription d'une question à l'ordre du jour.* — (1721). Spécialt. *Inscription d'un étudiant dans une faculté.* ⇒ **Immatriculation.** *Inscriptions trimestrielles dans les facultés. Inscriptions en vue de la licence en droit. Prendre ses inscriptions. Inscription à un examen, un concours. Numéro* d'inscription d'un candidat.* — Ellipt. *Prendre ses inscriptions :* s'inscrire en faculté.

4 Mais il fallait faire son Droit, étudier pendant trois-ans, et payer des sommes considérabes pour les inscriptions, pour les examens, pour les thèses et les diplômes (...)
BALZAC, Un début dans la vie, Pl., t. I, p. 698.

Inscription des recrues sur les rôles de l'armée.* ⇒ **Conscription.**

Mar. INSCRIPTION MARITIME : enregistrement des navigateurs professionnels sur les registres (⇒ **Matricule**) de l'administration. — Cette administration. *Travailler, se rendre à l'inscription maritime.*

♦ **2.** (1585). Dr. INSCRIPTION DE FAUX*, EN FAUX : acte par lequel on argue de faux un écrit authentique ou sous-seing privé; procédure qui tend à établir cette fausseté (→ Authenticité, cit. 1). *Inscription hypothécaire. Inscription des privilèges et hypothèques*,* au Bureau de conservation des hypothèques (art. 2146 et suivants du Code civil). *Bordereau d'inscription des privilèges et hypothèques. Personne qui requiert l'inscription.* ⇒ **Inscrivant.** *Radiation d'inscription.*

5 Lorsque les divers actes furent signés, Pierquin présenta les quittances des sommes jadis empruntées et les mainlevées des inscriptions qui pesaient sur les propriétés.
BALZAC, la Recherche de l'absolu, Pl., t. IX, p. 638.

Fin. *Inscription* (de certaines dettes de l'État) *sur le grand libre de la dette publique.* — *Inscription d'office* (de dépenses obligatoires), dans les collectivités territoriales et les établissements publics, par les autorités de tutelle.

♦ **3.** [a] (1690). Math., géom. Action d'inscrire* [4.] (une figure) dans une surface donnée.

*[b] Littér. et rare. *« L'inscription du temps dans l'espace »* (Claudel, *Art poétique, in* T. L. F.)

[c] Techn. *Inscription en courbe, dans une courbe,* d'un véhicule ferroviaire.

CONTR. (Du sens 2) **Radiation.**

INSCRIRE [ɛ̃skʀiʀ] v. tr. — Conjug. *écrire.* — 1223, *enscrire; se inscripvre,* 1482; du lat. *inscribere* «écrire *(scribere)* dans *(in)*», d'après *écrire*.*

♦ **1.** Écrire, graver sur la pierre, le marbre, le métal (les signes linguistiques correspondant à une information à conserver). *Inscrire une épitaphe* (cit. 3) *sur une tombe; un nom, une maxime au fronton d'un monument.* ⇒ **Inscription.** *Inscrire son nom sur le bois d'une table, au canif.*

(Sujet n. de chose). Laisser une marque gravée, analogue à une gravure. ⇒ **Graver.** *Les rides ont inscrit son âge sur son front.* ⇒ **Indiquer, marquer.**

S'INSCRIRE, v. pron. *Les lettres qui s'inscrivent au fronton d'un édifice.* — Fig. Se marquer. *« La gifle s'inscrivit en rouge en travers du visage d'Armand »* (Aragon, *les Beaux Quartiers, in* T. L. F.). *Habitudes qui s'inscrivent dans les attitudes, les allures. Son image s'est inscrite dans ma mémoire.*

Les chiromanciens prétendent que toute notre vie se grave dans notre main, et ce qu'ils appellent notre vie, c'est un certain nombre d'actions qui inscrivent dans notre chair, soit avant, soit après leur accomplissement, des marques indélébiles.
MAETERLINCK, la Sagesse et la Destinée, LXI.

Le déluge s'est inscrit dans la mémoire des hommes parce que c'est le cataclysme le plus facile à imaginer.
ALAIN, Propos, 1907, L'écluse.

Passif et p. p. Fig. *Lois inscrites en nous* (→ Évidence, cit. 6).

♦ **2.** Écrire qqch. (dans, sur un livre, une liste...) afin de conserver le souvenir ou de transmettre l'information. ⇒ **Noter.** *Inscrire une date sur un cahier* (→ Assiduité, cit. 3), *un renseignement sur une fiche. Inscrire un report dans la colonne d'un compte* (⇒ **Coucher, porter;** → Passer* en compte), *une dépense au budget*. Inscrire un acte sur un registre.* ⇒ **Copier, enregistrer, tenir** (registre); → Blanc, cit. 28; état, cit. 69 et 71; filiation, cit. 1. *Inscrire une question au programme, à l'ordre du jour* (→ Examinateur, cit. 2). *Inscrire son nom* (→ Cataloguer, cit. 1), *le nom de qqn; qqn sur une liste, dans un répertoire*. Inscrire un nom en grandes lettres, à l'encre rouge.* — Écrire le nom de (qqn, qqch.). *Inscrire les contribuables au rôle* de la contribution mobilière. Catalogue* où sont inscrits les livres d'une bibliothèque. Inscrire un avocat au grand tableau*, un élève au tableau d'honneur.*

(...) j'étais bien sûr d'être inscrit en encre rouge sur les registres du roi de Prusse (...)
ROUSSEAU, les Confessions, XII.

Pron. Passif. *Noms illustres* (cit. 10) *qui s'inscrivent au coin des rues.* — Passif et p. p. *Les noms qui sont inscrits, les noms inscrits.* ⇒ **Inscrit.** Faire figurer (qqn) dans un groupe, faire admettre en accomplissant certaines formalités d'inscription*. *Inscrire une recrue.* ⇒ **Enrôler, immatriculer, matriculer.** *Inscrire des créanciers* (⇒ **Colloquer**). *Inscrire, faire inscrire un enfant dans une école* (cit. 6). — *Faites le inscrire. Inscrire un animal dans le herd-book* (cit.). — Pron. *S'inscrire :* inscrire ou faire inscrire son nom. *S'inscrire à un club* (→ Équipe, cit. 6), *à un parti.* ⇒ **Adhérer, affilier** (s'), **entrer** (dans). *S'inscrire à la faculté, à un examen.* — Vx. *Se faire inscrire chez qqn;* (pron.) *s'inscrire chez qqn :* noter son nom chez qqn que l'on n'a pas pu rencontrer. — Passif et p. p. *Être inscrit sur une liste, dans un groupe* (→ Inscrit, adj. et n.).

Bianchon, accompagné de monsieur de Clagny, alla faire inscrire cet enfant à la Mairie comme fils de monsieur et de madame de La Baudraye (...)
BALZAC, la Muse du département, P., t. IV, p. 179.

S'inscrire pour une somme, un don : donner son nom (dans une souscription, etc.).

♦ **3.** (Le sujet désigne un appareil). Tracer (des traits, des courbes, des signes graphiques) sur un support; faire apparaître (des signes graphiques). *L'appareil enregistreur inscrit la courbe des pressions. L'écran du terminal d'ordinateur, l'imprimante inscrit les informations demandées.* — Pron. *Les phrases qui viennent s'inscrirent sur l'écran.*

♦ **4.** (1611). Dr. S'INSCRIRE EN FAUX : s'inscrire en vue d'établir la fausseté d'une pièce, suivant la procédure d'inscription* (B., 2.) de faux (⇒ **1. Faux**).

Si le défendeur déclare qu'il veut se servir de la pièce, le demandeur déclarera par acte au greffe (...) qu'il entend s'inscrire en faux (...)
Code de procédure civile, art. 218.

Fig. Cour. *S'inscrire en faux contre qqch.,* lui opposer un démenti, une dénégation. ⇒ **Contredire, démentir, dénier, élever** (s'élever contre), **nier.**

— Pour voir chez nous le mérite, il a fallu que vous l'y ayez amené. — Ah! je m'inscris en faux contre vos paroles. La renommée accuse juste en contant ce que vous valez (...)
MOLIÈRE, les Précieuses ridicules, IX.

La philosophie de Zacharie (...) s'inscrit narquoisement en faux contre des règles considérées comme sacrées par les hommes de ma sorte (...)
G. DUHAMEL, Manuel du protestataire, p. 160.

♦ **5.** (1644, Descartes). Math., géom. Tracer dans l'intérieur d'une figure (une autre figure dont les sommets sont sur le périmètre de la première, ou qui est tangente à tous ses côtés). *Inscrire un trian-*

gle dans un cercle en menant les médiatrices. ⇒ **Circonscrit** (cercle). *Inscrire un cercle dans un triangle en menant les bissectrices* (cercle inscrit et exinscrit).

(...) ce clocher lui-même, était venu, au milieu de la lumineuse verdure (...) s'inscrire dans le carreau de ma fenêtre.
PROUST, À la recherche du temps perdu, t. XIV, p. 8.

Par analogie :

Le personnage fait parfois de vains efforts pour inscrire un monocle dans la bouffissure de ses paupières. G. DUHAMEL, Chronique des Pasquier, VI, VI.

Au p. p. *Une croix inscrite dans un cercle, au milieu d'un cercle.*

♦ **6.** Fig. Placer dans un cadre plus général. *Inscrire un projet dans un plan, une tactique dans une stratégie.* — Pron. Plus cour. *Ce projet s'inscrit dans la politique du gouvernement.* — Au p. p. « *L'avenir n'est pas inscrit dans le présent* » (Maurois, *in* T. L. F.).

▶ **INSCRIT, ITE** p. p. adj. Voir à l'article, ci-dessus ; ⇒ aussi **Inscrit,** adj.

CONTR. Biffer, radier, rayer.
DÉR. Inscrit, inscrivant.
COMP. Exinscrit.
HOM. (De certaines formes) **Inscrit.**

INSCRIT, ITE [ɛ̃skʀi, it] adj. et n. — 1835 ; « écrit », 1532 ; → Inscrire.

♦ **1.** (Personnes). Dont le nom est inscrit dans la liste constitutive d'un groupe. *Orateur inscrit. Électeurs inscrits. Député inscrit, non inscrit* (à un groupe parlementaire). — N. *Les inscrits. Les non inscrits. Sur vingt millions d'inscrits, il n'y eut que quinze millions de votants.*

Les adhésions affluèrent aussitôt, et Juillard, auquel revenait l'honneur de l'idée première, dut accepter la présidence de la nouvelle association, qui prit le titre prétentieux de « Club des Incomparables ». Chaque inscrit aurait à se préparer pour une grande représentation de gala destinée à fêter le retour libérateur de Séïlkor.
Raymond ROUSSEL, Impressions d'Afrique, p. 292.

(1864). Mar. *Inscrit (maritime)* : marin immatriculé sur les registres de l'Inscription* maritime.

♦ **2.** Géom. *Angle inscrit,* dont le sommet se trouve sur une circonférence. *Cerle inscrit.* ⇒ **Exinscrit.**

HOM. Formes du v. **inscrire.**

INSCRIVANT, ANTE [ɛ̃skʀivɑ̃, ɑ̃t] n. — 1872 ; p. prés. de *inscrire.*

♦ Dr. Personne qui requiert ou a requis l'inscription (B., 2.) d'une hypothèque.

INSCRUTABLE [ɛ̃skʀytabl] adj. — 1406, *in* Wartburg ; bas lat. *inscrutabilis,* de *in-* (→ 1. In-), et bas lat. *scrutabilis,* du lat. class. *scrutari.* → Scruter.

♦ Littér. Qu'on ne peut scruter. ⇒ **Impénétrable, incompréhensible, insaisissable.** *Les desseins de Dieu sont inscrutables* (Académie). *Une chose inscrutable à l'œil nu.*

(...) curieuse et peut-être jalouse (qui lisait dans cet inscrutable cœur ?) [...]
BARBEY D'AUREVILLY, Une vieille maîtresse, I, XI.

(...) un Seigneur Dieu volontairement eunuque, infécond, par décret, lié, cloué, expirant dans l'inscrutable réalité de son Essence comme il l'avait été symboliquement dans la sanglante aventure de son Hypostase.
Léon BLOY, le Désespéré, p. 35.

INSCULPATION [ɛ̃skylpasjɔ̃] n. f. — 1813 ; de *insculper.*

♦ Techn. Marque de contrôle faite au poinçon. — Spécialt. Poinçon des Poids et mesures.

INSCULPER [ɛ̃skylpe] v. tr. — 1497 ; repris 1819 ; lat. *insculpere,* rac. *sculpere* « graver ». → Sculpter.

♦ Didact., techn. Frapper, marquer d'un poinçon (destiné au contrôle des objets en métal précieux). *L'orfèvre doit insculper les objets d'or et d'argent. — Insculper un poinçon,* en inscrire la marque.

DÉR. Insculpation.

INSÉCABILITÉ [ɛ̃sekabilite] n. f. — 1845 ; de *insécable.*

♦ Didact. Caractère de ce qui ne peut être séparé en parties.

(...) les affixes, préfixes et suffixes, qui dépendent étroitement du radical ou base puisqu'ils n'existent pas isolément, encore que cette insécabilité appelle des réserves. Jean DUBOIS, Étude sur la dérivation suffixale, p. 1.

INSÉCABLE [ɛ̃sekabl] adj. — 1561 ; lat. *insecabilis,* de *in-* (→ 1. In-), et *secare* « couper ».

♦ Didact. ou littér. Qui ne peut être coupé, divisé. *Pour Épicure, les atomes* (cit. 6 et 7) *étaient insécables.*

Les atomes ne sont pas ces éléments éternels et insécables dont l'irréductible simplicité donnait au possible une borne (...)
J. PERRIN, les Atomes, Concl., *in* la Science et l'Espérance, p. 26.

Abstrait. « *L'instant est insécable et intemporel* » (Sartre).

DÉR. Insécabilité.

INSECOUABLE [ɛ̃səkwabl] adj. — 1764, Voltaire ; de 1. *in-, secou(er),* et suff. *-able.*

♦ Littér. Rare. Que l'on ne peut secouer. — Fig. Dont on ne peut se débarrasser. « *Un insecouable remords* » (P. Bourget, *in* G. L. L. F.).

INSECOURABLE [ɛ̃s(ə)kuʀabl] adj. — 1554 ; repris 1840 ; de 1. *in-,* et *secourable.*

Rare.

♦ **1.** Qui n'est pas secourable.

♦ **2.** Qui ne peut être secouru.

(...) un groupe de très misérables enfants, à demi couverts de haillons sordides, évidemment sans gîte (...) Tunis est plein d'une misère insecourable.
GIDE, Journal, 9 oct. 1942, Pl., p. 137.

INSECOURU, UE [ɛ̃s(ə)kuʀy] adj. — 1845, Bescherelle ; de 1. *in-,* et p. p. de *secourir.*

♦ Rare. Qui n'a pas été secouru.

INSECTARIUM [ɛ̃sɛktaʀjɔm] n. m. — 1922, *Larousse universel ;* de *insect(e),* et suff. lat. *-arium.*

♦ Didact. Établissement scientifique où l'on élève des insectes, et notamment des insectes entomophages qui servent à détruire les insectes nuisibles.

INSECTE [ɛ̃sɛkt] n. m. — 1542 (1553, Belon, *in* T. L. F.) ; lat. *insectum,* proprt « coupé », calqué du grec *entomon,* même sens, ainsi nommé à cause des étranglements dans la forme du corps ; du lat. *insecare* « couper », au p. p. *insectus,* de *in-* (→ 2. In-), et *secare* (→ Section) ; grec *entomos* « entaillé ». → Tomo-.

♦ **1.** Vx. Petit animal invertébré dont le corps est divisé par étranglements ou par anneaux. — REM. On appelait aussi *insectes,* au XVIIe s., les animaux qui vivent encore, croyait-on, après qu'on les a coupés, comme les vers, les serpents, etc. (cf. La Fontaine, *Fables,* VI, 13).

V'a-t'en, chétif insecte, excrément de la terre (...) 0.1
LA FONTAINE, Fables, II, 9 (→ Aller, cit. 102).

À l'égard des insectes on peut dire qu'ils ne sont nulle part aussi grands que dans 1
le nouveau monde ; les plus grosses araignées, les plus grands scarabées, les chenilles les plus longues, les papillons les plus étendus se trouvent au Brésil (...)
BUFFON, les Quadrupèdes, t. III, p. 206.

♦ **2.** Zool. Mod. Petit animal invertébré articulé *(Arthropodes ; Antennates* ou *Mandibulates),* à six pattes, souvent ailé, respirant par des trachées, et subissant des métamorphoses. ⇒ **Hexapode ;** et (rac.) **entomo-.** *Parties de l'insecte : tête ; yeux* (à facettes, à réseau ; ⇒ **Ocelle, stemmate**) ; *antennes, cornes ; pièces buccales* (⇒ **Labre, mandibule, mâchoire, maxille, maxillaire, palpe, suçoir, trompe**) ; *thorax* (⇒ **Prothorax** ou **corselet, mésothorax, métathorax ; écu**) ; *pattes* (⇒ **hanche, cuisse, jambe, tarse, trochanter**) ; *ailes* (⇒ **Balancier, élytre, nervure**) ; *abdomen* (⇒ **Anneau** ou **segment ; aiguillon, dard, filière, tarière**). — *Respiration* (⇒ **Stigmate, trachée**), *nutrition des insectes. Insecte broyeur, lécheur, piqueur, suceur. Insecte ampélophage, carnivore, entomophage, pupivore, coprophage, néophage, phytophage, xylophage* (⇒ **Artison, perce-bois**). — *Les insectes sont généralement ovipares, quelquefois pupipares*. Métamorphoses* des insectes.* ⇒ **Œuf, couvain ; larve, chenille, ver ; nymphe** (III.), **chrysalide** (cit. 1) ; **imago ; hétérométabole, holométabole ; métabole.** *Insecte qui se dépouille* (cit. 12) *de son enveloppe larvaire. — Insecte cérifère, fileur. Insecte solitaire. Sociétés d'insectes. Insectes nuisibles. Rôle des insectes dans la pollinisation** (→ Fécondant, cit. 2). *Mangeur d'insectes.* ⇒ **Entomophage, insectivore ;** → Engoulevent, cit. *Étude des insectes.* ⇒ **Entomologie, insectologie.** *L'Insecte,* œuvre de Michelet. — *Insectes fossiles.*

Les Insectes, ou Hexapodes (six pattes) représentent à eux seuls les neuf dixièmes 1.1
des Arthropodes. La classe, fort riche quantitativement, renferme des types structuraux différenciés, mais possédant tous un certain nombre de caractères fondamentaux.
Le corps, formé de segments et recouvert d'une cuticule chitineuse, est divisé en trois parties : la tête, le thorax et l'abdomen. La tête porte une paire d'antennes. Le thorax se compose de trois segments munis chacun d'une paire de pattes ; les deux derniers segments portent une paire d'ailes chacun. Les Diptères ne possèdent qu'une paire d'ailes ; les Aptérygotes, pas d'ailes du tout. L'abdomen est dépourvu de pattes ambulatoires. Le cœur, situé dorsalement, présente des ostioles. La respiration s'effectue au moyen d'un appareil trachéen. Un pore génital s'ouvre à l'extrémité postérieure du corps. Le développement post-embryonnaire est rarement direct et comporte l'apparition des larves qui subissent des métamorphoses.
Andrée TÉTRY, Insectes, caractères généraux, *in* Encycl. Pl. (Zoologie), t. II, p. 487.

Classification des insectes (Martynov, 1938) :

Sous-classe des Aptérygotes (Amétaboles). Super-ordre des Entotrophes (trois ordres : Collemboles, Protoures, Diploures); super-ordre des Ectotrophes (ordre des Thysanoures).

Sous-classe des Ptérygotes. [a] (Hémimétaboles). À ailes étalées de chaque côté (Paléoptères). Super-ordre des Paléodictyoptères (trois ordres [fossiles]); super-ordre des Éphéméroptères (deux ordres : Protéphémères [fossiles], Plectoptères [⇒ **Éphémère**]); super-ordre des Odonaptères (deux ordres : Méganisoptères [fossiles], Odonates [⇒ **Libellule**]).

[b] (Hétérométaboles). À ailes repliées en arrière au repos, ailes postérieures à nombreuses nervures (Polynéoptères). Super-ordre des Blattoptéroïdes (quatre ordres : Dictyoptères [⇒ **Blatte, mante**], Protoblattoptères [fossiles], Isoptères [⇒ **Termite**], Zoraptères); super-ordre des Orthoptéroïdes (six ordres : Protorthoptères [fossiles], Plécoptères [« perle »], Notoptères [« grylloblattes »], Chéleuptères ou Phasmoptères [⇒ **Phasme**], Orthoptères [⇒ **Courtilière, 1. criquet, grillon, sauterelle**], Embioptères [embies]); super-ordre des Dermoptéroïdes (deux ordres : Protélytroptères [fossiles], Dermaptères [⇒ **Forficule, perce-oreilles**]).

[c] (Holométaboles). À ailes repliées en arrière au repos, champ jugal avec une seule nervure longitudinale (Oligonéoptères). Super-ordre des Coléoptéroïdes (ordre des Coléoptères* [⇒ **Agrile, hanneton, scarabée, coccinelle...**]); super-ordre des Névroptéroïdes (trois ordres : Mégaloptères [⇒ **Sialis**]; Raphidoptères [raphidies]; Planipennes [⇒ **Ascolaphe, fourmilion...**]); super-ordre des Mécoptéroïdes (quatre ordres : Mécoptères panorpes; Trichoptères [⇒ **Phrygane**]; Lépidoptères* [⇒ **Papillon**]; Diptères* [⇒ **Mouche, moustique**]); super-ordre des Siphonoptéroïdes (ordre des Aphaniptères [⇒ **Puce**]); super-ordre des Hyménoptéroïdes (deux ordres : Hyménoptères* [⇒ **Abeille, fourmi, guêpe**]; Strepsiptères).

[d] (Hétérométaboles). Ailes comme la section précédente (Oligonéoptères), mais la nervure unique est ramifiée au sommet (Paranéoptères). Super-ordre des Psocoptéroïdes (trois ordres : Pséocoptères [psoques]; Mallophages; Anoploures [⇒ **Poux**]); super-ordre des Thysanoptéroïdes (ordre des Thysanoptères); super-ordre des Hémiptéroïdes (deux ordres : Homoptères [⇒ **Cigale, puceron**]; Hétéroptères [⇒ **Nèpe, punaise**]).

2 (...) son âge premier (celui de larve) dure longtemps, et celui de nymphe, enfin son troisième âge, durent généralement très peu. Chez de nombreuses espèces (hannetons, cerfs-volants, etc.) trois ans, six ans de vie ténébreuse sous la terre, et sous le soleil trois mois. Même les insectes qui vivent longtemps au soleil, comme les abeilles et les fourmis, travaillent volontiers dans l'obscurité (...)
MICHELET, l'Insecte, I, V.

Cour. (incorrect scientifiquement, quand l'espèce n'appartient pas à la classe des *insectes*, ex. : arachnides). Petit animal, souvent ailé, appartenant soit à la classe des insectes, soit à celle des arachnides, des myriapodes... *Regarder des insectes dans l'herbe. Un vol, un essaim d'insectes. Nuée, fourmillement d'insectes.* → Bruit, cit. 8; criquet (1. Criquet, cit. 1); fourmiller, cit. 2. *Bruit, bruissement d'insectes. Bruit d'un insecte qui vole.* ⇒ **Bzzz...** *Écarter* (1. Écarter, cit. 7), *chasser les insectes. Lutter contre les insectes.* ⇒ **Vermine.** *Excréments d'insectes.* ⇒ **Chiure.** *Insecte qui ronge* (→ Fragile, cit. 4).

2.1 Il *(Paganel)* donna au diable moustiques et maringouins, et regretta fort l'eau acidulée qui eût calmé les mille cuissons de ses piqûres. Bien que le major essayât de le consoler en lui disant que sur les trois cent mille espèces d'insectes que comptent les naturalistes on devait s'estimer heureux de n'avoir affaire qu'à deux seulement, il se réveilla de fort mauvaise humeur.
J. VERNE, les Enfants du Capitaine Grant, p. 192.

3 (...) il écoutait l'orchestre invisible, les rondes d'insectes tournant avec frénésie, dans un rayon de soleil, autour des sapins odorants, les fanfares des moustiques, les notes d'orgue des guêpes, les essaims d'abeilles sauvages vibrant comme des cloches à la cime des bois (...)
R. ROLLAND, Jean-Christophe, L'adolescent, p. 266.

4 (...) tel insecte est merveilleusement outillé pour jouer de la tarière, pour filer ses filets de soie, ou pour maçonner de cire son espace polyédrique (...)
VALÉRY, Analecta, CVII.

4.1 Je sortirai, car j'ai affaire : un insecte m'attend pour traiter. Je me fais joie du gros œil à facettes : anguleux, imprévu, comme le fruit du cyprès.
SAINT-JOHN PERSE, Éloges, XVIII.

5 Parfois encore un vol d'insectes, jailli tout à coup du néant, élève un bourdonnement qui s'enfle, qui s'exaspère en chantante fusée. Des taons aux yeux de monstres, de rouges fourmis ailées tournoient, rebondissent et pétillent, soudain se taisent et s'évanouissent (...)
M. GENEVOIX, Forêt voisine, VI.

Par compar. *Activité* (cit. 0.1) *d'insecte,* affairée et inlassable. *Patience d'insecte. Écraser quelqu'un* (cit. 3) *comme un insecte.*

♦ **3.** (Av. 1696; fig. du sens 1). Vx. Être vil. ⇒ **Ver.**

6 L'on marche sur les mauvais plaisants, et il pleut par tout pays de cette sorte d'insectes.
LA BRUYÈRE, les Caractères, V, 3.

COMP. Insectarium, insecticide, insectifuge, insectillice, insectivore, insectologie.

INSECTICIDE [ɛ̃sɛktisid] adj. et n. m. — 1838; de *insect(e)*, et *-cide*.

♦ Qui tue, détruit les insectes. *Le pyèthre, la staphisaigre sont insecticides. Poudre insecticide.* — REM. Le terme *insecticide* est, de façon courante, utilisé pour des produits de lutte contre certains invertébrés qui ne sont pas des insectes (lombrics, par ex.); → anglic. Pesticide.

Iehl dressé projette la poudre insecticide; ce qui le fait beaucoup éternuer, sans effrayer beaucoup les punaises (...)
GIDE, Nouveaux prétextes, Journal sans dates, IX.

N. m. (1858). *Un insecticide* (→ Fécule, cit. 2). *Répandre un insecticide avec un pulvérisateur.* ⇒ **Insectillice.**

— Donnez un coup de Fly-tox là-dessus, dit Pierre avant de monter dans le fiacre. Ça sent l'insecte! L'Arabe vaporisa docilement un peu d'insecticide sur les housses (...)
SARTRE, le Sursis, p. 44.

INSECTIFUGE [ɛ̃sɛktifyʒ] adj. et n. m. — V. 1930; de *insect(e)*, et *-fuge*.

♦ Didact. Qui éloigne les insectes. — N. m. *Un insectifuge :* produit éloignant les insectes (sans les détruire). ⇒ **Insecticide.**

INSECTILLICE [ɛ̃sɛktilis] adj. et n. m. — XXe (*in* Larousse, 1933); de *insecte*, et lat. *allicere* « attirer vers soi »; de *ad-*, et *lacere* « faire tomber dans un piège ». → Lacs.

♦ Didact. Qui attire les insectes pour les détruire. — N. m. *Un insectillice.*

INSECTIVORE [ɛ̃sɛktivɔʀ] adj. et n. m. pl. — 1764; de *insect(e)*, et *-vore*.

♦ Zool. Qui se nourrit principalement ou exclusivement d'insectes. ⇒ **Entomophage.** *Le crapaud est insectivore. Oiseau insectivore.* — *Plante insectivore.* ⇒ **Carnivore.** — REM. On dit *insecte entomophage.*

(...) des insectes apparaissent pour dévorer les feuilles, les fleurs, les graines, les écorces; et d'autres insectes pour dévorer ceux-là; et des oiseaux insectivores qui poursuivent les uns et les autres; des carnassiers qui font la chasse aux oiseaux.
ALAIN, Propos, 1912, Magie de Darwin.

N. m. pl. (1805, Cuvier). LES INSECTIVORES : ordre de mammifères placentaires qui vivent surtout d'insectes. *Classification des insectivores :* Dermoptères (⇒ **Galéopithèque**); Insectivores vrais : *Centétidés* (⇒ **Tanrec**), *Chrysochloridés, Érinacéidés* (⇒ **Hérisson**), *Macroscélidés, Potamogalidés, Solénodontidés, Soricidés* (⇒ **Desman, musaraigne**), *Talpidés* (⇒ **Taupe**), *Tupaiidés* (⇒ **Tupaia**). — Au sing. *Un insectivore.*

INSECTOLOGIE [ɛ̃sɛktɔlɔʒi] n. f. — 1771, Trévoux; de *insect(e)*, et *-logie*.

♦ Didact. ⇒ **Entomologie.**

INSÉCURISER [ɛ̃sekyʀize] v. tr. — 1969, *in* Gilbert; de *insécuri(té)*, d'après *sécuriser*.

♦ Donner un sentiment d'insécurité à (qqn). — Au p. p. *Cet enfant est insécurisé.*

CONTR. Sécuriser.

INSÉCURITÉ [ɛ̃sekyʀite] n. f. — 1794, Pougens; de 1. *in-*, et *sécurité*.

♦ **1.** Manque de sécurité; inquiétude due à l'absence de sécurité. *L'insécurité de qqn,* ressentie par qqn. *Vivre dans l'insécurité.* → Crainte du lendemain. *Sentiment d'insécurité. Insécurité intellectuelle, morale.*

Devenu riche et chef de maison en vingt ans, Brochard ne ressentait que l'insécurité d'un succès si surprenant : « Je pourrais glisser », disait-il.
J. CHARDONNE, les Destinées sentimentales, p. 193.

♦ **2.** (Choses). Le fait de ne pas être sûr. *L'insécurité d'une situation. L'insécurité d'une région, d'une route. Zone d'insécurité,* en temps de guerre.

CONTR. Sécurité.

INSÉDUCTIBLE [ɛ̃sedyktibl] adj. — 1807, Stendhal, *Journal;* de 1. *in-*, et *séductible;* bas lat. *seductibilis,* du supin de *seducere* « séduire ».

♦ Littér. Qui ne peut être séduit, séduite.

IN-SEIZE [insɛz; ɛ̃sɛz] adj. invar. — 1550; du lat. *in,* et *seize.*

♦ Techn. Dont la feuille* d'impression est pliée en seize et forme trente-deux pages. *Volume in-seize, in-16.* — N. m. (1680). *Un in-seize :* livre de format in-seize. *Des in-seize.*

INSELBERG [insɛlbɛʀg] n. m. — 1908, in *Rev. gén. des sc.,* no 3, p. 96; mot norv., de *insel* « île », et *berg* « montagne »; p.-ê. par l'allemand.

♦ Géogr. Butte isolée au milieu d'une plaine d'érosion. *Des inselbergs.*

INSÉMINATEUR, TRICE [eseminatœʀ, tʀis] adj. et n. — 1950, n. m., in *Larousse mensuel* 1951 ; de *inséminer.*

♦ **1.** Adj. Qui insémine, sert à inséminer. *« Endormie au gaz carbonique, la reine est immobilisée. On place l'appareil inséminateur sous une loupe binoculaire en écartant précisément ces segments abdominaux à l'aide de deux crochets »* (*Sciences et Avenir*, déc. 1981, p. 65).

♦ **2.** N. Spécialiste de l'insémination artificielle. *Inséminateur qualifié, diplômé.*

INSÉMINATION [eseminasjɔ̃] n. f. — 1694, au sens 1 ; au sens 2, 1931 ; dér. sav. de *inseminatum*, supin de *inseminare*, de *in-*, et *seminare*, de *semens, inis* « semence ».

♦ **1.** Vx. « Pratique superstitieuse qui consistait à jeter dans de la terre remuée quelque chose venant d'une partie malade, et à y semer une plante qui devenait propre à guérir la maladie » (Littré).

♦ **2.** Biol. Dépôt de la semence mâle (⇒ **Spermatozoïde**) dans les voies génitales femelles. *Insémination naturelle*, dans l'accouplement. *Chez la femme, la fécondation* (cit. 4) *n'est possible que si l'insémination a lieu pendant une période déterminée.*

(1936, Cuénot et Rostand). Cour. *Insémination artificielle :* introduction de sperme dans les voies génitales femelles sans qu'il y ait accouplement. *Insémination artificielle de la femme.* ⇒ aussi **In vitro** (fécondation). *Insémination (artificielle) des vaches, des brebis.*

L'insémination artificielle ne vise que les femmes handicapées dans leurs aptitudes à la procréation (...) Toutefois, aux États-Unis, la fécondation artificielle est couramment pratiquée. Le sperme, dans certains cas, a été transporté par avion à de grandes distances et on a compté déjà plus de 3.500 « bébés de l'éprouvette ».
A. BINET, la Vie sexuelle de la femme, p. 296.

INSÉMINÉ, ÉE [esemine] adj. — 1897 ; de 1. *in-*, et lat. *semen, inis* « semence ».

♦ Bot. *Fruit inséminé*, dépourvu de graines à maturité. — *Plante inséminée :* plante dicotylédone dont le fruit est inséminé.

HOM. Formes du v. **inséminer.**

INSÉMINER [esemine] v. tr. — 1931, Larousse, bot. ; lat. *inseminare*, de *in-* (→ 2. In-), et *seminare*, de *semen* « semence », d'après *insémination*.*

♦ Biol. et cour. Féconder par insémination artificielle.

▶ **INSÉMINÉ, ÉE** p. p. adj. *Femelle, vache inséminée.*

DÉR. Inséminateur.
HOM. V. Inséminé.

INSENSÉ, ÉE [ɛ̃sɑ̃se] adj. — 1406 ; lat. ecclés. *insensatus*, de *in-* (→ 1. In-), et bas lat. *sensatus* (→ Sensé), de *sentire.* → Sentir.

♦ **1.** Vx. Qui n'est pas sensé, dont les actes, les paroles sont contraires au bon sens, à la raison. ⇒ **Déraisonnable, écervelé,** 1. **fou** (I.), **insane, stupide ;** → N'avoir pas le sens* commun, avoir perdu la raison*, n'avoir plus sa tête*. *L'homme, créature insensée* (→ Agenouiller, cit. 2). *Vieillard insensé* (→ Casser, cit. 18). *« La femme belle* (1. Beau, cit. 6) *et insensée... »* (Bible [Sacy]). *Amante* (cit. 14) *insensée. Insensé qui s'y fie* (→ Impie, cit. 2). *Être assez insensé pour...* (→ Épuiser, cit. 16). *Ils sont comme insensés de désespoir.* — *Foule insensée ; cour, société insensée* (→ Haranguer, cit. 8).

1 De vrai, j'ai vu beaucoup de gens devenus insensés de peur ; et aux *(chez les)* plus rassis, il est certain, pendant que son accès dure, qu'elle engendre de terribles éblouissements.
MONTAIGNE, Essais, I, XVIII.

2 Écoutez-vous, Madame, une foule insensée ?
RACINE, Bérénice, V, 5.

3 C'était sa lettre à Véronique qui le poignardait. Il se jugeait atroce et insensé pour l'avoir écrite. Et, cependant, qu'aurait-il pu faire ou ne pas faire, sans être, à ses propres yeux, un pire insensé ou un véritable traître ?
Léon BLOY, le Désespéré, p. 120.

N. Littér. *Un insensé, une insensée, les insensés* (→ Bâtir, cit. 8 ; crainte, cit. 8, Bible). *Insensé !* (→ Égarer, cit. 24). *Courir, hurler comme un insensé.*

4 Ne réponds pas à l'insensé selon sa folie,
De peur que tu ne lui ressembles toi-même.
BIBLE (SEGOND), Proverbes, 26, 4.

5 Insensés qui vous plaignez sans cesse de la nature, apprenez que tous vos maux vous viennent de vous.
ROUSSEAU, les Confessions, VIII.

6 Ah ! insensé, qui crois que je ne suis pas toi.
HUGO, les Contemplations, Préface.

(Actions). *Geste, rire insensé*, de fou.

♦ **2.** (V. 1480). Choses. Contraire au bon sens. ⇒ **Absurde, extravagant,** 1. **fou.** *Ardeur* (cit. 18), *fougue* (1. Fougue, cit. 7), *fureur, passion insensée.* ⇒ **Tumultueux ;** → Héros, cit. 20 ; inepte, cit. 6. *Désirs, goûts insensés.* ⇒ **Forcené.** *Efforts* (cit. 30), *actes insensés. Espoir, projet insensé.* ⇒ **Impossible, inepte.** — (Comportement concret). Qui dénote la folie. *Course insensée, bonds insensés* (→ Arrêt, cit. 1 ; évohé, cit. 2). *Une bousculade, une cohue insensée. Des embouteillages insensés* (peut être compris au sens 3). — (Entités abstraites). *Un destin insensé* (→ Force, cit. 65). *Optimisme, idéalisme* (cit. 6) *insensé. Histoire insensée.* ⇒ **Échevelé.** — *Il est insensé de...* (→ 1. Faux, cit. 9). *C'est insensé, quoi de plus insensé...* (→ Entasser, cit. 5). *C'est insensé comme...*

(...) je lui demandai *(à du Mont)* s'il ne fallait pas être plus fou que les plus enfermés pour concevoir un projet si radicalement insensé et si parfaitement impossible, plus fou encore de s'en vanter et de le dire (...) 7
SAINT-SIMON, Mémoires, III, XLIII.

L'amour procède par des élans de l'espérance, et plus ils sont insensés, plus il y ajoute foi. 8
BALZAC, *in* RICARD, l'Amour, les Femmes et le Mariage.

Si je vous le disais, que six mois de silence 9
Cachent de longs tourments et des vœux insensés (...)
A. DE MUSSET, Poésies nouvelles, « À Ninon ».

(Choses concrètes). Bizarre, qui dénote l'extravagance ou l'excès (→ ci-dessous, 3.). *Un mobilier insensé. Des lustres énormes et insensés* (→ Facette, cit. 2).

♦ **3.** **a** (1647). Énorme, incroyablement grand. *Il travaille d'une manière insensée* (Académie). *J'ai un travail insensé. Il a gagné des sommes insensées.* ⇒ **Excessif.**

b (Intensif). Extraordinaire ; qui provoque l'étonnement (et l'admiration). ⇒ **Dément, dingue,** 1. **fou.** *C'est un type insensé. On a passé une nuit absolument insensée.*

CONTR. Raisonnable, sage, censé.
DÉR. Insenséisme, insensément.

INSENSÉISME [ɛ̃sɑ̃seism] n. m. — 1875, *in* D. D. L. ; de *insensé.*

♦ Vx (mot à la mode à la fin du XIXe). Caractère insensé ; absence de raison. *« L'insenséisme des prix »* (Goncourt, *Journal*, 1879, *in* T. L. F.).

INSENSÉMENT [ɛ̃sɑ̃semɑ̃] adv. — D. i. (XXe) ; de *insensé.*

♦ Rare. D'une manière insensée. ⇒ **Follement.** *« Je l'aime, je l'aime insensément »* (S. de Beauvoir, *in* T. L. F.).

INSENSIBILISATEUR [ɛ̃sɑ̃sibilizatœʀ] adj. et n. m. — 1873, *in* P. Larousse ; de *insensibilis(er)*, et suff. *-ateur.*

♦ Didact. Qui produit l'insensibilité, qui anesthésie. ⇒ **Anesthésique.**

Le pouvoir insensibilisateur du froid est encore assez souvent employé, en petite chirurgie par exemple, lorsqu'on refroidit, au moyen d'un jet fin de chlorure de méthyle, qui s'évapore instantanément, la gencive du patient auquel on veut extraire une dent relativement mobile.
Roger SIMONET, le Froid, p. 123.

N. m. Appareil permettant de produire l'anesthésie, l'insensibilisation.

INSENSIBILISATION [ɛ̃sɑ̃sibilizasjɔ̃] n. f. — 1878 ; de *insensibiliser.*

♦ Chir. Action d'insensibiliser ; résultat de cette action. ⇒ **Anesthésie.** *L'insensibilisation d'un tissu, d'un organe, d'une dent. Une insensibilisation prolongée.*

CONTR. Sensibilisation.

INSENSIBILISER [ɛ̃sɑ̃sibilize] v. tr. — 1784 ; dér. de *insensible.*

♦ **1.** Littér. **a** Rendre insensible ou moins sensible (à une émotion). *Insensibiliser qqn à qqch.*

(Passif). *Être insensibilisé par la colère.*

b Rendre insensible (à une sensation physique).

♦ **2.** (1864, *in* D. D. L.). Méd. et cour. Rendre insensible, insensible à la douleur, par l'emploi de techniques appropriées (chimiques, psychiques...). ⇒ **Anesthésier ; chloroformer, éthériser.** *Insensibiliser un membre, les nerfs d'une dent. Insensibiliser un malade avant de l'opérer*.* ⇒ **Endormir.**

Vers cette époque Anne eut l'appendicite. Sa mère m'écrivit qu'elle avait décidé de ne point se faire endormir, à peine insensibilisée.
GIRAUDOUX, Simon le Pathétique, p. 158.

▶ **INSENSIBILISÉ, ÉE** p. p. adj. (1801, au fig.). *Cœur insensibilisé.* — *Nerf insensibilisé.*

DÉR. Insensibilisation.

INSENSIBILITÉ [ɛ̃sɑ̃sibilite] n. f. — 1314 ; bas lat. *insensibilitas*, du lat. impérial *insensibilis* (→ Insensible) ; cf. *insensibleté*, en moy. franç. (1314).

★ **I.** Absence de sensibilité physique ou morale.

♦ **1.** Absence de sensibilité physique, et, particult, de perceptions sensitives ou sensorielles. *L'insensibilité d'un nerf, d'un organe, du corps. Insensibilité artificielle* (⇒ **Anesthésie**), *pathologique. Insensibilité partielle.* ⇒ **Hypoesthésie.** *Dans un état de faiblesse* (cit. 1) *et d'insensibilité* (⇒ **Inconscience, léthargie, paralysie**). *Insensibilité dans l'extase*.* — *Insensibilité à la douleur.* ⇒ **Analgésie.** *Insensibilité acquise par accoutumance.*

1 (...) il faut (...) tenir compte du caractère et des habitudes du peuple moscovite, de son entêtement, de sa résignation, de son insensibilité à la douleur.
Émile HENRIOT, les Romantiques, p. 374.

(Avec un compl. en *à*). Insensibilité à une sensation spécifique, à la douleur.

♦ **2.** (1588, Montaigne). Absence de sensibilité morale. ⇒ **Apathie, aridité** (du cœur), **détachement, dureté** (4.), **indifférence,** (vx) **indolence** (1. et 2.). *L'insensibilité de qqn, son insensibilité. Apparente insensibilité.* ⇒ **Calme, froideur, impassibilité.** *Faire preuve d'insensibilité. Cultiver* (cit. 12) *son insensibilité naturelle. Affecter l'insensibilité.* — (Avec un compl. en *à*). *Insensibilité aux émotions* (⇒ **Imperméabilité**), *aux compliments* (cit. 4), *aux reproches* (→ Chose, cit. 20). — *Insensibilité artistique ; insensibilité en matière poétique* (→ Fond, cit. 58).

2 Je ne veux point dans cette adversité
Parer mon cœur d'insensibilité
Et cacher l'ennui qui me touche ;
Je renonce à la vanité
De cette dureté farouche
Que l'on appelle fermeté (...) MOLIÈRE, Psyché, II, 1.

3 La sensibilité de l'homme aux petites choses et l'insensibilité pour les grandes, marque d'un étrange renversement. PASCAL, Pensées, III, 198.

4 L'insensibilité à la vue des misères peut s'appeler dureté ; s'il y entre du plaisir, c'est cruauté. VAUVENARGUES, De l'esprit humain, XLV.

5 Le fond en lui *(Louis XV)* était l'insensibilité, l'ennui, le rien.
MICHELET, Extraits historiques, Hist. de France, p. 251.

6 (...) le contact avec la misère (...) avait comme tari son imagination ; d'où cette parfaite insensibilité, cet aveuglement à l'égard d'autrui (...)
J. CHARDONNE, les Destinées sentimentales, p. 193.

(V. 1660). Littér. (Choses). Absence de sensibilité à des réalités d'ordre esthétique, intellectuel. *Ce pianiste a une bonne technique, mais son jeu est d'une complète insensibilité. L'insensibilité à la poésie.*

(1666). Vieilli ou littér. (En amour). ⇒ **Cruauté** (vx), **froideur.** *La plus froide insensibilité* (→ Extrémité, cit. 17 ; fidélité, cit. 4).

7 Je ne vous ai tenue dans mes bras qu'un instant, mais ce fut assez pour mesurer tant de raideur et de refus que, non seulement je ne regrette pas notre rupture, mais me loue de n'avoir pas lié ma vie à celle d'une femme dont l'insensibilité tient du prodige. A. MAUROIS, Terre promise, XIV.

♦ **3.** (Non humain). Littér. Caractère de ce qui semble insensible, de par sa stabilité. ⇒ **Indifférence.** *L'insensibilité de la nature, de la mer* (→ Immuabilité, cit. 1).

★ **II.** (Choses). Rare. Caractère insensible (II., 2.). *L'insensibilité d'une gradation.* ⇒ **Progressivité.**

CONTR. **Hyperesthésie. — Attendrissement, commisération, compassion, cordialité, douceur, émoi, émotion, enthousiasme, sensibilité.**

INSENSIBLE [ɛ̃sɑ̃sibl] adj. — 1277 ; lat. impérial *insensibilis* « incompréhensible » puis « insensible », de *in-* (→ 1. In-), et lat. class. *sensibilis.* → Sensible.

★ **I.** Qui ne sent pas, ne ressent rien.

♦ **1.** Vx ou littér. (Avec un n. désignant un objet non animé). Qui n'a pas de sensibilité physique (⇒ **Inanimé,** 2. **mort**). *Êtres insensibles et muets* (→ Ignorance, cit. 12). *Minéral insensible* (→ Inactif, cit. 1).

1 Je comprends mieux que personne du monde les sortes d'attachements qu'on a pour des choses insensibles, et par conséquent ingrates ; mes folies pour Livry en sont de belles marques. Mme DE SÉVIGNÉ, Lettres, 1073, 18 oct. 1688.

2 Sur la pierre insensible où mes pleurs ont coulé.
M.-J. DE CHÉNIER, Fénelon, IV, III.

(Avec un n. désignant un être vivant, un organe). Qui n'éprouve pas les sensations habituelles, normales (⇒ **Insensibilité,** 1.). *Nerf, membre insensible. Rendre un organe insensible.* ⇒ **Insensibiliser.** — *Insensible au froid, à la chaleur. Homme que la léthargie, la paralysie rend insensible.* ⇒ **Engourdi, léthargique, paralysé.** *Être rendu insensible par l'anesthésie.* — (Avec un compl en *à*). Insensible à la chaleur, au froid, à l'électricité. — Insensible à une action, à une influence. ⇒ **Invulnérable, réfractaire.**

3 (...) les secrets qui font la peau insensible pour quelque temps à l'action du feu (...)
VOLTAIRE, Annales de l'Empire, Charles le Chauve, 877.

♦ **2.** (1640 ; avec un n. de personne). Qui n'a pas de sensibilité morale. ⇒ **Apathique, assoupi, calme, détaché,** 1. **froid, glacial, impassible, imperméable, imperturbable, indifférent,** (vx) **indolent, inhumain, léthargique, sec ;** → Bénir, cit. 5 ; flegmatique, cit. 2. *Dur et insensible.* ⇒ **Aride** (fig.), **cruel, dur, égoïste, endurci, impitoyable, implacable, inexorable ; cœur** (sans), **entrailles** (sans). *Âme insensible.* ⇒ **Étroit.** *Un cœur insensible.* → Cœur de bronze*, de granit*, de marbre*, de pierre*, de roc*... *Rendre qqn insensible.* ⇒ **Dessécher, endurcir, ossifier, racornir** (fig.) ; → Cicatrice, cit. 8. — (Choses personnifiées). → ci-dessous, cit. 6.

4 Et je suis insensible alors qu'il faut trembler. CORNEILLE, Cinna, IV, 4.

5 On les croit insensibles *(les âmes vertueuses)*, parce que non seulement elles savent taire, mais encore sacrifier leurs peines secrètes.
BOSSUET, Oraison funèbre de Marie-Thérèse d'Autriche.

6 Soumis à la loi seule, insensible comme elle (...) VOLTAIRE, Tancrède, II, 6.

L'homme insensible et froid en vain s'attache à peindre 7
Ces sentiments du cœur que l'esprit ne peut feindre (...)
André CHÉNIER, Épitres, I.

Pauvre petite femme ! pensa-t-il avec attendrissement. Elle va me croire plus insensible qu'un roc ; il eût fallu quelques larmes là-dessus ; mais, moi, je ne peux pas pleurer (...) FLAUBERT, Mme Bovary, II, XIII. 8

(1642). *(Insensible à...). Insensible à une émotion, à une influence.* ⇒ **Immobile** (vx), **imperméable, inaccessible ;** → Centre, cit. 14 ; graviter, cit. 7. *Être insensible aux compliments, aux outrages, aux injures, aux railleries.* ⇒ **Indifférent ;** → Écraser, cit. 3. *Insensible au sentiment, à la beauté, au charme.* ⇒ **Étranger** (cit. 30). *L'habitude* (cit. 35) *les rend insensibles à ce genre de spectacle.* → Ça ne leur fait ni chaud* ni froid. *Demeurer insensible aux prières, aux supplications.* ⇒ **Sourd ;** → Ne rien connaître*.

Crois-tu donc que je sois insensible à l'outrage (...) ? CORNEILLE, Horace, IV, 5. 9

Êtes-vous donc (...) insensible au plaisir de revoir vos proches (...) ? 10
FÉNELON, Télémaque, XI.

C'est l'amour qu'il avait pour l'esprit qui rendait Voltaire insensible au lyrisme. 11
GIDE, Prétextes, p. 18.

Insensible à (et inf.). *« Je ne suis pas insensible à voir la France... »* (Chateaubriand).

(1673). Spécialt, littér. (Dans le domaine amoureux, érotique). ⇒ 1. **Froid, frigide.** *Être insensible à l'amour, à la passion, à de tendres protestations* (→ Ardent, cit. 28), *aux plus doux appas* (cit. 14). *Elle n'était pas insensible à ses avances, à son charme.* — (1662). Absolt. *Affecter* (cit. 9) *de paraître insensible. Ne pas être insensible.* ⇒ **Bois** (ne pas être de). *Cœur insensible* (→ Forcer, cit. 19). Vieilli. *Femme insensible.* ⇒ **Cruel** (*supra* cit. 14).

Une femme insensible est celle qui n'a pas encore vu celui qu'elle doit aimer. 12
LA BRUYÈRE, les Caractères, III, 81.

(...) ne puis-je donc espérer que vous partagerez (...) le trouble que j'éprouve (...) ? 13
J'ose croire cependant que, si vous le connaissiez bien, vous n'y seriez pas entièrement insensible. Croyez-moi, Madame, la froide tranquillité, le sommeil de l'âme, image de la mort, ne mènent point au bonheur (...)
LACLOS, les Liaisons dangereuses, XLVIII.

(Actions) :

Ses cris me reprochaient des caresses paisibles ; 14
Mes baisers, à l'entendre, étaient froids, insensibles ;
Le feu qui la brûlait ne pouvait m'enflammer,
Et mon sexe cruel ne savait point aimer. André CHÉNIER, Élégies, XVIII.

(Dans le domaine social). Indifférent. *Ne pas être insensible aux honneurs, au succès, à l'argent.*

(Dans le domaine esthétique, intellectuel). *Être insensibe à la poésie, à la musique, à la rigueur d'un raisonnement.* — Absolt. *Il est complètement insensible et béotien.*

N. Vx. *Un, une insensible* (→ Attrait, cit. 14, Gide). *Une belle insensible* (employé surtout dans le langage galant, aux XVIIe et XVIIIe). ⇒ **Inhumaine.**

Que tout aime à présent : l'insensible n'est plus. 15
LA FONTAINE, Fables, Appendice, III.

♦ **3.** Littér. (Choses naturelles). Qui semble par sa constance, son immobilité, indifférent à l'homme. *« L'insensible rocher... »* (Valéry, *la Jeune Parque*).

★ **II.** (1361 ; avec un n. de chose). ♦ **1.** Qu'on ne sent pas, qu'on ne perçoit pas ou qui est à peine sensible, perceptible. ⇒ **Imperceptible, léger.** *Pouls insensible* (→ Inégal, cit. 10, Flaubert). *Le balancement* (cit. 3) *insensible de la mer. Force insensible d'un courant* (2. Courant, cit. 13, Proust). — *Finesses, nuances insensibles à un esprit grossier.*

♦ **2.** Spécialt. Graduel, progressif. *Mouvement, gradation* (cit. 1), *dégradation insensible* (→ Arrondir, cit. 5). *Degrés, variations insensibles* (→ Continuité, cit. 4 ; graduel, cit. 1). *Le pas, la marche insensible du temps* (→ Avancer, cit. 10). *Pente* insensible.*

(...) tout à coup on se trouve plongé dans l'abîme sans avoir pu remarquer le fatal moment d'un insensible déclin (...) 16
BOSSUET, Oraison funèbre de Michel Le Tellier.

Le mécanicien siffla encore, longuement, ouvrit son régulateur, démarrant la machine. On partait. D'abord, le mouvement fut insensible, puis le train roula. 17
ZOLA, la Bête humaine, p. 35.

♦ **3.** *Insensible à qqn :* qui ne peut être perçu, ressenti par qqn.

Ses harmonies *(de Racine)* sont trop subtiles, son dessin trop pur, son discours trop élégant et trop nuancé, pour n'être pas insensibles à ceux-là qui n'ont pas de notre langage une connaissance intime et originelle. VALÉRY, Variété II, p. 130. 18

CONTR. (Du sens I) **Sensible, hypersensible. — Douillet. — Accessible, compatissant, doux, ému, impressionnable. — Ardent, brûlant, chaud, enflammé.** — (Du sens II) **Notable, perceptible. — Abrupt** (pente).
DÉR. **Insensibiliser, insensiblement.**

INSENSIBLEMENT [ɛ̃sɑ̃sibləmɑ̃] adv. — V. 1300, « sans manifester de réaction, de douleur » ; sens mod., 1751 ; de *insensible.* De manière insensible (II.).

♦ **1.** (1580). Littér. D'une manière insensible, peu sensible. *Il respirait insensiblement.*

♦ **2.** Cour. (Correspond à *insensible,* II., 2.). D'une manière progressive, peu sensible dans le changement. ⇒ **Doucement, peu** (à peu).

Insensiblement, par gradation (cit. 6), *par nuances* (→ Homme, cit. 4). *Aiguille de montre qui s'avance insensiblement,* très lentement (→ Image, cit. 39). *Accélérer* (cit. 7), *glisser* (cit. 1), *se rapprocher, se retirer insensiblement* (→ Attirer, cit. 10; attraction, cit. 9). *Changer, entraîner qqn insensiblement* (→ But, cit. 5; époux, cit. 12). *La force de l'habitude* (cit. 24) *le gagne insensiblement. En venir insensiblement à...* ⇒ **Aiguille** (de fil en).

1 Les bruits de la ville insensiblement s'éloignaient (...) Elle dénouait son chapeau et ils abordaient à leur île. FLAUBERT, Madame Bovary, III, III.

2 Tout ce qui vit se modifie sans cesse, mais insensiblement et presque à notre insu. FRANCE, le Jardin d'Épicure, p. 100.

INSÉPARABILITÉ [ɛ̃sepaʀabilite] n. f. — V. 1400; de *inséparable.*

♦ Rare. Caractère de ce qui est inséparable.

(...) l'unité, la simplicité ou l'inséparabilité de toutes les choses qui sont en Dieu (...) DESCARTES, Méditations métaphysiques, III.

INSÉPARABLE [ɛ̃sepaʀabl] adj. et n. — 1545; «indissoluble (d'un mariage)», 1444; lat. *inseparabilis,* de *in-* (→ 1. In-), et *separabilis.* → Séparable.

♦ **1.** Que l'on ne peut séparer (concret ou abstrait), qui ne se conçoit pas isolément. ⇒ **Joint, uni.** — (Avec un n. au plur.). *Idées, opérations, phénomènes inséparables.* ⇒ **Consubstantiel** (par ext.); → Abstraction, cit. 2; éthique, cit. 3. — (Avec un n. au sing. ou au plur.). *Inséparable de... Effet inséparable de la cause. « La foi est inséparable de la contrition »* (Bossuet). *Les afflictions* (cit. 5), *les vices... inséparables de la faiblesse humaine* (→ Aspect, cit. 25; caducité, cit. 3). *Élément inséparable d'un ensemble, d'un tout.* — (Sans compl. en *de*). *Un attribut, un élément inséparable.* ⇒ **Inhérent.**

1 (...) idées (...) jointes ensemble et inséparables (...) DESCARTES, Méditations métaphysiques, III.

2 Tout sentiment de peine est inséparable du désir de s'en délivrer; toute idée de plaisir est inséparable du désir d'en jouir; tout désir suppose privation, et toutes les privations qu'on sent sont pénibles (...) ROUSSEAU, Émile, II.

3 La pauvreté lui semblait inséparable d'une existence héroïque. J. ROMAINS, les Hommes de bonne volonté, t. III, I, p. 19.

Spécialt, ling. Qui ne se rencontre pas seul. ⇒ **Lié.**

(1656, Pascal). Personnes. *Deux amis* inséparables; ils sont inséparables.* ⇒ **Compagnon, compère**; → Comme l'ombre* et le corps, (fam.) comme cul* et chemise. *Devenir inséparables* (→ Baragouiner, cit. 1; confiance, cit. 4). *Il est avec son inséparable copain. Don Quichotte et son inséparable Sancho.* ⇒ **Éternel, inévitable.** *Des compagnons, des compagnes inséparables.* — Vieilli. *Être inséparable d'avec qqn.*

4 La sottise et la vanité sont compagnes inséparables! BEAUMARCHAIS, la Mère coupable, II, 7.

5 (...) ils étaient si connus pour être inséparables qu'on les invitait à la campagne ensemble. BALZAC, Albert Savarus, Pl., t. I, p. 832.

Armes, esprits inséparables. Deux destins inséparables.

6 Taisez-vous! vous allez me dire que Dieu a entendu vos serments, que vous ne pouvez vivre sans lui, que vos destinées sont inséparables, que la mort seule peut briser votre union? A. DE VIGNY, Cinq-Mars, XXIII.

(Choses). Qui est toujours avec (une personne), dont qqn ne se sépare pas. *X et son inséparable parapluie.*

7 (...) l'habitude où sont les gens au pays de Bresse de porter toujours devant eux un tablier de cuir, dont ils sont aussi inséparables que l'Espagnol de sa cape et l'Écossais de son plaid (...) Th. GAUTIER, Souvenirs de théâtre..., p. 11.

N. (Surtout au plur.). *Deux inséparables.* Vx. *Devenir, se faire l'inséparable de qqn* (Zola, *in* T. L. F.). — N. m. ou f. pl. (Av. 1867, Littré). *Inséparables,* se dit de perruches qui ne peuvent être élevées que par couples.

♦ **2.** Rare. Dont les éléments ne peuvent être séparés. *Bloc, ensemble inséparable.* Fig. *« Un nougat inséparable de véhicules »* (A. France). — *Association, liaison, union inséparable.* (Personnes). *Un couple inséparable.*

CONTR. Décomposable, séparable.
DÉR. Inséparabilité, inséparablement.

INSÉPARABLEMENT [ɛ̃sepaʀabləmɑ̃] adv. — Fin XIVe; de *inséparable.*

♦ D'une manière inséparable. *Éléments inséparablement joints, unis, assemblés. Être inséparablement unis.*

(...) si j'ai le bonheur, avec la faveur du ciel, de lui donner un fils, ce sera un autre lien qui m'attachera à lui plus inséparablement. A. GALLAND, les Mille et une Nuits, t. II, p. 289.

INSÉPARÉ, ÉE [ɛ̃sepaʀe] adj. et n. — 1872, Goncourt; de 1. *in-,* et *séparé,* probablt d'après *inséparable.*

♦ Littér. Qui n'a pas été séparé (de qqch., de qqn). — N. Personne formant un groupe avec d'autres dont elle ne se sépare pas.

REM. Péguy emploie l'adv. dérivé *inséparément* (*Notre Jeunesse,* p. 194, *in* T. L. F.).

INSÉRABLE [ɛ̃seʀabl] adj. — 1838; de *insérer.*

♦ Qui peut être inséré. *Élément insérable dans un ensemble.*

INSÉRER [ɛ̃seʀe] v. tr. — Conjug. *céder.* — 1319, sens 3; lat. *inserere;* de *in-* locatif, et *serere* «tresser, entrelacer».

♦ **1.** (1599). Introduire* (une chose) dans, à l'intérieur de, de façon à incorporer* (surtout construit avec un compl. prépositionnel en *dans*). *Insérer une feuille, un feuillet, un cahier, un carton dans un livre* (⇒ **Intercaler, interfolier**). *Insérer dans un cadre* (⇒ **Encadrer**), *dans une monture* (⇒ **Enchâsser, enchatonner, sertir**; → Horloger, cit. 4). *Insérer des fragments ornementaux à la surface d'un objet.* ⇒ **Incruster.** *Insérer qqch. quelque part, dans un interstice, entre deux éléments.* — *Insérer une greffe sous l'écorce.* ⇒ **Enter, greffer, implanter.** — Rare. (Sujet n. de chose). *Dispositif qui insère une chose dans une autre.* — (Le sujet désigne une chose; le compl., la partie de cette chose qui s'insère). *« Le grand dorsal (...) insère son tendon (...) à la partie postérieure de l'humérus »* (Cuvier, *in* T. L. F.).

Le moi n'aime pas qu'une personne humaine soit entée sur sa personne. Il se défie de ce scion vivant qu'on veut insérer à sa tige. André SUARÈS, Trois hommes, « Ibsen », VIII. 1

Mod. *Insérer un greffon sous la peau, dans un os.* ⇒ **Implanter.**

♦ **2.** (Sans idée d'incorporation). Mettre, glisser dans. *Insérer une photo dans la feuillure* (1. Feuillure, cit.) *d'une glace.* — (Sans compl.). *Insérer un encart.* ⇒ **Encarter.**

Pourtant, la seule existence de ce papier, que le vieillard avait, non sans intention, inséré dans l'enveloppe même de son testament (...) MARTIN DU GARD, les Thibault, t. IV, p. 225. 2

Par plais. (Compl. n. de personne). *Insérer qqn dans une voiture,* l'y faire entrer avec difficulté.

♦ **3.** Faire entrer, mettre dans. ⇒ **Ajouter, introduire, fourrer** (fam.); **entremêler.** *Insérer une ariette* (cit. 2) *dans une pièce de théâtre, des épisodes* (cit. 1) *dans un argument, des exemples* (cit. 36) *dans un dictionnaire, des gloses* (cit. 4) *dans un texte. Insérer une clause* dans un acte, un contrat* (→ Apanage, cit. 1; comparant, cit.).

J'y ai inséré *(dans la tragédie de Mithridate)* tout ce qui pouvait mettre en jour les mœurs et les sentiments de ce prince (...) RACINE, Mithridate, Préface. 3

Faire paraître (dans). ⇒ **Publier.** *Insérer un texte, une annonce, un article dans un journal, une revue* (→ Feuilleton, cit. 3; forcer, cit. 7; galerie, cit. 7). ⇒ **Insertion.** — (Sans compl. second). *Voulez-vous insérer cet additif?* — *(Un ou une) prière d'insérer* : notice sur un livre et son auteur; spécialt, encart imprimé contenant des indications sur un ouvrage et qui est joint aux exemplaires adressés à la critique.

Par suite de l'amendement Riancey à la loi sur la presse, il était défendu aux journaux d'insérer ce que l'assemblée s'est plu à appeler le *feuilleton-roman.* NERVAL, les Filles du feu, Angélique, 1re lettre. 4

(...) il vient de me dire que l'article lui convenait tout à fait, et qu'il l'insérerait, mais seulement le 1er octobre (...) SAINTE-BEUVE, Correspondance, 313, 6 sept. 1833. 5

Abstrait. *Insérer un souvenir entre d'autres* (→ Figurer, cit. 6, Bergson). — (Sujet n. de chose). *Cette théorie a inséré de nouvelles notions dans le domaine.*

Vx. (Compl. n. de personne). Faire entrer (qqn) dans une situation. → Caser.

▶ **S'INSÉRER** v. pron.

♦ **1.** (1560). Sc. nat. S'attacher* à, sur... ⇒ **Implanter** (s'). → Canal, cit. 12. *Les muscles s'insèrent sur les os.* ⇒ **Attacher** (s'); **insertion.** — Bot. *Les renflements où viennent s'insérer les yeux du sarment de vigne.*

C'est probablement au niveau de la substance grise que l'esprit, suivant l'expression de Bergson, s'insère dans la matière. Alexis CARREL, l'Homme, cet inconnu, IV, VII. 6

♦ **2.** S'introduire. — (Sujet n. de chose). *L'extrémité de la poutre vient s'insérer dans le mur.*

(Sujet n. de personne). S'introduire avec difficulté (correspond à *s'extraire*). *La grosse dame essayait de s'insérer dans une voiture minuscule.*

♦ **3.** Trouver sa place dans un ensemble. — (Personnes). *Les travailleurs immigrés ont des difficultés pour s'insérer dans les sociétés industrialisées.* ⇒ **Assimiler** (s'), **intégrer** (s').

Abstrait. (Choses). *Ce raisonnement s'insère dans un contexte particulier.* ⇒ **Inscrire** (s'). *S'insérer dans un cadre* (cit. 8), *dans un contexte.* ⇒ **Intégrer** (s').

(Choses concrètes). Trouver une place réduite; être à l'étroit. *Son pavillon s'insère entre deux énormes immeubles.*

▶ **INSÉRÉ, ÉE** p. p. adj. *Akènes insérés à la surface de la fraise* (→ Grain, cit. 14).

CONTR. Extraire, ôter, retirer, retrancher.
DÉR. Insérable.

INSERMENTÉ [ɛ̃sɛʀmɑ̃te] adj. et n. m. — 1792, adj. et n.; on a dit aussi *inassermenté, insermentaire* et *nonsermenté;* de 1. *in-*, et de l'anc. adj. *sermenté* «qui a prêté serment», de *serment.*

♦ Hist. Se dit des prêtres qui refusèrent de prêter serment lorsque la Constitution civile du clergé fut proclamée (1790). ⇒ **Réfractaire.** — N. *Les insermentés.*

Presque partout, les ecclésiastiques qui avaient prêté serment à la Constitution civile, non reconnue par le pape, furent reniés par les fidèles, le prêtre «insermenté» fut le vrai prêtre. J. BAINVILLE, Hist. de France, XVI, p. 340.

CONTR. Assermenté, constitutionnel.

INSERT [insɛʀt] n. m. — 1946; mot angl. (1893), «ajout, insertion, pièce rapportée», attesté en 1906 en cinéma.

Anglicisme.

♦ **1.** Cin. Plan bref, souvent fixe, introduit entre deux plans ordinaires d'une séquence (souvent très gros plan). — Bande dessinée. Image jouant le même rôle. *« (...) l'insert qui est un gros plan permettant de lire sur l'écran, un télégramme, un signe, une date sur un calendrier, un gros titre de journal, etc. »* (*Photo-Magazine,* n° 45, p. 89).

Télév. Séquence introduite au milieu d'une autre séquence filmée en direct.

Selon que l'on veut isoler l'expression d'un visage, une oreille, une main ou un objet, dans les deux premiers cas on dit Très gros plan, et dans le cas d'un objet on dit Insert.
A. BERTHOMIEU, Essai de grammaire cinématographique, p. 40, *in* I. G. L. F.

Publicité. Texte filmé s'intercalant entre des images.

Radio. Élément sonore intercalé dans une émission.

♦ **2.** Techn. Pièce insérée dans un moule avant injection de la matière à former (pour réserver des volumes libres, etc.).

INSERTION [ɛ̃sɛʀsjɔ̃] n. f. — Fin XIVe, «greffe»; anat., 1535; bas lat. *insertio;* de *insertum,* supin du lat. class. *inserere.* → Insérer.

♦ **1.** Action d'insérer (qqch. dans qqch.); son résultat. ⇒ **Introduction.** *L'insertion d'un feuillet dans un livre. L'insertion d'un greffon sous l'écorce.* — Vx. *Insertion d'un vaccin* (sous la peau). ⇒ **Inoculation.**

Insertion d'un plan dans un film. ⇒ (anglic.) **Insert.**

♦ **2.** (1535). Introduction d'un élément supplémentaire (dans un texte). *Insertion d'une note dans un texte.* — Dr. *Insertion d'une formule, d'une stipulation particulière dans un contrat.* — *Insertion d'une annonce, d'un article dans une revue, un journal. Durée, délai d'insertion.* — (V. 1790). Dr. *Insertion légale* ou *insertion :* «publication par la voie des journaux, prescrite par la loi ou par une décision judiciaire» (Capitant). *Insertion, refus d'insertion, non insertion de la réponse à un article de presse. Insertion d'un jugement d'interdiction ou de déclaration de faillite, d'une vente de fonds de commerce.*

1 Il sera justifié de l'insertion aux journaux par un exemplaire de la feuille (...)
Code de procédure civile, art. 698.

2 Cette insertion *(de la réponse)* devra être faite à la même place et en mêmes caractères que l'article qui l'aura provoquée et sans aucune intercalation.
Loi du 29 juil. 1881, art. 13 (Loi du 29 sept. 1919).

3 M'autorisez-vous (...) à lui dire de préparer (...) un article (...) Dans ce cas, il est nécessaire que je puisse l'assurer de l'insertion, car (...) il ne veut plus travailler en vain. Léon BLOY, le Désespéré, p. 165.

Par métonymie. Ce qui est inséré. Spécialt. Espace publicitaire; son utilisation. *« Les dimensions et le contenu de chaque insertion (publicitaire) sont intangibles »* (Ph. Gaillard, *Technique du journalisme,* p. 24).

♦ **3.** Sc. nat. Mode d'attache. ⇒ **Emboîture.** *Insertion des muscles, des ligaments sur un os* (→ Épiphyse, cit.). *Mode, point d'insertion.* — *Insertion des étamines sur l'ovaire.*

Techn. *Insertion d'une pièce dans une autre.*

Fig. *L'incarnation* (cit. 6), *« insertion d'une donnée spirituelle dans un corps de chair »* (Daniel-Rops). — *L'insertion d'un principe dans une théorie, d'un idéal dans la réalité historique, du possible dans le concret, de l'avenir, du projet dans le présent.*

♦ **4.** (Personnes). Intégration d'un individu (ou d'un groupe) dans un milieu social différent. ⇒ **Assimilation, intégration, incorporation.** *L'insertion sociale de qqn. Degré d'insertion. « En Allemagne, les jeunes travailleurs français trouvent assez facilement un logement dans une maison d'entreprise, un foyer, voire une famille. L'association spécialisée dans l'accueil des stagiaires étrangers facilite l'insertion des jeunes travailleurs français »* (*le Monde,* 28 avr. 1966, *in* P. Gilbert [1980]). — (Institutions). *L'insertion du Marché commun dans l'activité nationale.*

4 La formule qui correspondrait idéalement à l'insertion heureuse dans le microcosme urbain actuel est simple et a été retrouvée cent fois empiriquement par les urbanistes; ce serait pour chaque cellule familiale un refuge autonome, au centre d'un territoire personnel constitué par un morceau de nature sauvage ou domestique, et des moyens de transport individuels assez rapides pour que le terrain de chasse, c'est-à-dire l'emploi, soit à portée de temps équivalent aux déplacements d'avant la révolution des transports.
A. LEROI-GOURHAN, le Geste et la Parole, t. II, p. 182-183.

INSERVABLE [ɛ̃sɛʀvabl] adj. — 1875, de 1. *in-, servir,* et suff. *-able.*

♦ Qui ne peut pas ou qui peut difficilement être servi (surtout au sens I, B, 1 de *servir*). *Ton soufflé est raté : il est inservable (à table, aux invités).*

INSERVIABILITÉ [ɛ̃sɛʀvjabilite] n. f. — 1920; de 1. *in-,* et *serviabilité.*

♦ Littér. Absence de serviabilité. ⇒ **Égoïsme.**

J'avais cru que c'était simplement par quelque inserviabilité foncière (...) que la duchesse avait presque refusé de recommander son neveu à M. de Monserfeuil. 1
PROUST, le Côté de Guermantes, Pl., t. II, p. 514.

Moins puissant que Mme de Souvré, mais moins foncièrement atteint qu'elle d'inserviabilité (...) PROUST, Sodome et Gomorrhe, Pl., t. II, p. 654. 2

CONTR. Serviabilité.

INSERVIABLE [ɛ̃sɛʀvjabl] adj. — 1576; de 1. *in-,* et *serviable.*

♦ Vx. Qui n'est pas serviable. ⇒ **Inserviabilité.**

Je puis me refuser aux gens du monde, aux interviewers, à cette catégorie de fâcheux qui ne viennent à nous que par vanité ou snobisme; mais pas à ceux qui viennent réellement me demander service (...) Chaque jour quelque nouvelle affaire. Que serait-ce si je ne passais pas pour inserviable, avare, et mauvais-coucheur! GIDE, Journal, 20 oct. 1929, Pl., p. 944.

CONTR. Serviable.

INSEXUALITÉ [ɛ̃sɛksɥalite] n. f. — 1881, Goncourt; de 1. *in-,* et *sexualité.*

♦ Littér. et vieilli. Absence de caractères sexuels bien définis.

(...) un poète, d'une race ayant aussi une individualité particulière pour un zoologiste (caractérisée par une certaine insexualité), se promenait avec une Muse (...)
PROUST, le Côté de Guermantes, Pl., t. II, p. 422.

INSEXUÉ, ÉE [ɛ̃sɛksɥe] adj. — 1886, Moréas; au sens 2, 1898, cit. 1 ci-dessous; *insexé,* 1805 (de *sexe*); de 1. *in-,* et *sexué.*

♦ **1.** Didact. et rare. Qui n'a pas de différenciation sexuelle (êtres vivants). ⇒ **Asexué.**

Adam, religieux, écoutait. Unique, encore insexué, il demeurait assis à l'ombre du grand arbre. L'homme! Hypotase de l'Élohim, suppôt de la Divinité! pour lui, par lui, les formes apparaissent. Immobile et central parmi toute cette féerie, il la regarde qui se déroule. GIDE, le Traité du Narcisse, *in* Romans, Pl., p. 5. 0.1

♦ **2.** Fig. et littér. Qui ne comporte aucune sexualité.

Ce qui devenait exquis et rare, c'était l'idée insexuée existant par elle-même. 1
ZOLA, Paris, t. II, p. 85 (1898).

Choses concrètes :

Mais là-dessus tu me parles ameublement et décoration parce que cette chambre insexuée ne te plaît pas. COLETTE, Julie de Carneilhan, p. 54. 2

♦ **3.** Ling. Qui ne marque pas le genre.

INSEXUEL, ELLE [ɛ̃sɛksɥɛl] adj. — 1863, Gautier; de 1. *in-,* et *sexuel;* cf. *insexué* (1907), remplacé par *asexué*.*

♦ Littér. et vieilli. Qui n'a pas d'appétits sexuels, de tendances sexuelles. ⇒ **Chaste, pur.** — Par métonymie (d'une chose concrète). → cidessous, cit. 1.

(...) d'immaculées douillettes et d'insexuels surplis vont et viennent, sirupeux de chasteté. Léon BLOY, le Désespéré, p. 150. 1

Elle est insexuelle. Elle ne s'adresse par rien aux sens de l'homme. Autour d'elle pas la moindre molécule de volupté. Dans sa bouche hardie et libre, jamais aucune allusion aux choses d'amour (...) Il semble qu'en sortant de la chambre de son amant, elle y laisse son sexe comme un outil de travail. 2
Ed. et J. DE GONCOURT, Journal, juin 1864.

INSIDIEUSEMENT [ɛ̃sidjøzmɑ̃] adv. — Av. 1549, Lemaire de Belges; de *insidieux.*

♦ Littér. D'une manière insidieuse. ⇒ **Sournoisement, traîtreusement.**

À nos yeux, l'État est un peu comme un ennemi, contre lequel il faut se défendre, auquel il est prudent de soustraire, dans l'intérêt supérieur de la famille, le plus possible de ce qu'il cherche insidieusement à vous prendre.
André SIEGFRIED, l'Âme des peuples, III, IV.

(Au sens 2 de *insidieux*). Insensiblement, subrepticement. *La maladie commence insidieusement.*

INSIDIEUX, EUSE [ɛ̃sidjø, øz] adj. — 1420; rare jusqu'au XVIIe; lat. *insidiosus,* de *insidiæ* «embûche»; de *insidere,* de *in-,* et *sedere* «siéger, se tenir (quelque part)».

Littéraire ou style soutenu.

♦ **1.** Qui a le caractère d'une embûche, d'un piège. ⇒ **Trompeur.**

Une manière de procéder insidieuse et perfide (Rousseau). *Question insidieuse. Flatteries, promesses insidieuses.* ⇒ **Fallacieux** (→ 1. Bas, cit. 36). *Sophisme insidieux.* ⇒ **Captieux.**

1 Non, de tous les amants les regards, les soupirs,
Ne sont point des pièges perfides (...)
Toujours la feinte mensongère
Ne farde point de pleurs, vains enfants des désirs,
Une insidieuse prière. André CHÉNIER, Odes, II, III.

♦ **2.** Qui se développe progressivement (en parlant d'un mal). **a** (1765). Méd. *Fièvre, maladie insidieuse,* dont l'apparence bénigne masque au début la gravité réelle. ⇒ **Sournois.** — Par anal. *Un danger insidieux.*

2 (...) le docteur, aussitôt appelé, déclara «préférer» la «sévérité», la «virulence» de la poussée fébrile qui accompagnait ma congestion pulmonaire et ne serait «qu'un feu de paille» à des formes plus «insidieuses» et «larvées». PROUST, À la recherche du temps perdu, t. III, p. 86.

b (Abstrait) :

3 Une fois dehors, il sentit à certains signes qu'il allait être envahi par une forme insidieuse de désespérance, dont il savait la puissance d'amertume (...) J. ROMAINS, les Hommes de bonne volonté, t. II, XV, p. 180.

(XXe). Sans effet nuisible. Qui se développe, se manifeste insensiblement, de manière à surprendre. *Un éclairage insidieux. Odeur insidieuse,* qui se répand insensiblement et comme subrepticement.

4 L'odeur insidieuse du poireau se répandait, soudain plus hardie, dans les chambres et l'escalier (...) G. DUHAMEL, Chronique des Pasquier, III, I.

♦ **3.** (1784). Littér. (Personnes). Qui tend des pièges, dresse des embûches. ⇒ **Rusé.** *Un espion insidieux.*

5 Essayez de me donner le change en feignant de le prendre, insidieux valet!... BEAUMARCHAIS, le Mariage de Figaro, III, 5.

6 L'ambition, serpent insidieux,
Arbre impur que déguise une brillante écorce. André CHÉNIER, Odes, I, XV.

DÉR. Insidieusement.

1. INSIGNE [ɛ̃siɲ] adj. — 1500, «remarquable, notable»; lat. *insignis,* de *in-* locatif (→ 2. In-), et *signum.* → Signe.

♦ Qui s'impose ou qui est digne de s'imposer à l'attention. ⇒ **Remarquable; éclatant, éminent, fameux.** *Honneur* (cit. 70), *valeur, gloire insigne. Avoir l'insigne honneur d'être présenté à un souverain, à un chef d'État. Service insigne.* ⇒ **Important, signalé.** *Faveur, grâce insigne. Occuper une place insigne* (→ Culture, cit. 19). — (1546, iron.). Péj. ou iron. Remarquable (dans un genre décrié et condamné); → ci-dessous, cit. 3, 4, 5, 6 et 7. *Maladresse insigne* (→ État, cit. 107). — Souvent antéposé. *Cet insigne animal de X... a tout gâché* (→ Infini, cit. 23, Stendhal).

1 C'est fait, j'ai dévidé le cours de mes destins,
J'ai vécu, j'ai rendu mon nom assez insigne (...)
RONSARD, Pièces posthumes, Derniers vers, Sonnet VI.

2 (...) les rois ont une obligation insigne à ceux qui demeurent dans leur obéissance (...) PASCAL, Lettre à Mlle de Roannez, sept.-oct. 1656.

3 (...) une marque insigne, un fameux témoignage
De la méchanceté des hommes de notre âge. MOLIÈRE, le Misanthrope, V, 1.

4 Ses soins ne purent faire
Qu'elle échappât au temps, cet insigne larron. LA FONTAINE, Fables, VII, 5.

5 Il aurait dû périr par un supplice insigne. VOLTAIRE, Triumvirat, IV, 6.

6 Tu n'auras pas l'insigne avantage de voir le drôle qui répond au nom de Maxime Du Camp. FLAUBERT, Correspondance, 188, 28 févr. 1847.

7 C'est pourquoi je considère en l'occurrence le moindre mandat d'arrêt comme une insigne maladresse. GIDE, les Faux-monnayeurs, I, II.

8 Talou, qui aux fonctions de souverain joignait celles de chef religieux, devait se sacrer lui-même roi du Drelchkaff, titre auquel son dernier succès lui donnait droit.
Or le monarque prétendait rehausser l'éclat de l'insigne proclamation en la faisant coïncider avec le gala des Incomparables.
Raymond ROUSSEL, Impressions d'Afrique, p. 142.

HOM. 2. **Insigne.**

2. INSIGNE [ɛ̃siɲ] n. m. — 1484, au plur.; rare av. 1821; lat. *insignia,* plur. neutre de *insignis;* de *in-,* et *signum.* → Enseigne.

♦ **1.** (Au plur.). Marque extérieure et distinctive (d'une dignité, d'une fonction, d'un grade). ⇒ **Emblème,** 1. **marque, signe, symbole.** *Les insignes de la royauté* (⇒ **Sceptre**). *Hérauts* (cit. 2) *portant les insignes royaux. Insigne honorifique.* ⇒ **Décoration, médaille** (→ Étole, cit. 1). *Les insignes de la Légion d'honneur. Député, maréchal revêtu de ses insignes. Insigne porté sur l'uniforme* (⇒ **Bouton**). *L'écharpe fait partie des insignes du maire, en France. Insignes professionnels du commissionnaire, du garde champêtre* (⇒ **Plaque**), *du bedeau, des anciens huissiers* (⇒ **Verge**). *Port illégal d'insignes.* — Fig. *Les insignes de la servitude.* ⇒ **Livrée.**

1 Il était mis élégamment, portait les insignes de l'ordre de la Toison d'Or et une plaque à son habit. BALZAC, Ferragus, Pl., t. V, p. 55.

♦ **2.** (Déb. XXe : 1909, P. Hamp, *in* T.L.F.). Cour. (au sing.). Signe distinctif des membres d'un groupe, d'un groupement. *Arborer à sa boutonnière l'insigne d'une association sportive, d'un parti politique. Insigne des scouts, des anciens prisonniers de guerre. Porter comme insigne un brassard, une cocarde, un macaron, un badge* (anglic.).

Ils avaient des décorations, des insignes au veston, avec des lys, des faisceaux, des glaives, des croix, des têtes de mort. P. NIZAN, le Cheval de Troie, p. 158. 2

Ils *(ces jeunes gens)* se firent faire un insigne tricolore qui se portait à la boutonnière (...) ARAGON, les Beaux Quartiers, I, VII. 3

REM. Le mot, dans la langue familière, parlée, est parfois employé erronément au féminin.

HOM. 1. **Insigne.**

INSIGNIFIANCE [ɛ̃siɲifjɑ̃s] n. f. — 1785, au sens I; de *insignifiant.*

★ **I.** ♦ **1.** Vx ou littér. Absence de signification (d'abord en contexte religieux). *L'insignifiance des choses humaines.* ⇒ **Futilité, vanité.** — *L'insignifiance d'un geste, d'une phrase.*

♦ **2.** (Repris mil. XXe; opposé à *signifiance**). Didact. Le fait, pour un phénomène matériel, de ne pas avoir de signifiance, de ne pas véhiculer de sens*. — REM. Pour éviter l'ambiguïté avec le sens II, on écrit parfois *in-signifiance,* et on emploie (plus souvent) *non signifiance.*

★ **II.** Cour. ♦ **1.** Caractère de ce qui a peu de portée ou de conséquence. ⇒ **Insignifiant** (II.). *L'insignifiance d'une action, d'une œuvre.* ⇒ **Faiblesse, inintérêt.** *Sa conversation est d'une grande insignifiance. — L'insignifiance d'un événement, d'une nouvelle. Les informations télévisées d'aujourd'hui étaient d'une insignifiance absolue.* — Spécialt. Caractère de ce qui est absolument conforme à une norme, de ce qui n'apporte pas d'«information». ⇒ **Banalité;** → ci-dessous, cit. 1.

Personnes (→ Insignifiant, II., 2.). *L'insignifiance de qqn, d'un personnage.* ⇒ **Fadeur, inconsistance, médiocrité.** *Il, elle est d'une parfaite insignifiance, son insignifiance est complète.*

(...) ses traits offraient la perfection et l'insignifiance de la beauté grecque. STENDHAL, le Rouge et le Noir, II, VI. 1

Dans l'ensemble, ce dont les Français ont à se plaindre n'est que le pli d'une feuille de rose en comparaison de tant de calamités qu'ils ont subies ou qu'ils subiront. On est frappé de l'insignifiance de leurs sujets de mécontentement. J. BAINVILLE, Hist. de France, XIV, p. 280. 2

♦ **2.** *(Une, des insignifiances).* Chose insignifiante. ⇒ **Bêtise, broutille, fadaise, niaiserie, rien** (n. m.).

(...) des insignifiances me tracassent pendant des semaines; je remue ciel et terre pour des riens; en revanche, s'agit-il d'une démarche essentielle, je suis la négligence faite homme. J. DUTOURD, Pluche, VII, p. 69. 3

CONTR. Intérêt, valeur. — Importance.

INSIGNIFIANT, ANTE [ɛ̃siɲifjɑ̃, ɑ̃t] adj. — 1750, au sens II; de 1. *in-,* et p. prés. de *signifier.*

★ **I.** ♦ **1.** (1771, Helvétius). Rare. Qui n'a pas de sens, ne signifie rien. ⇒ **Insignifiance** (I., 1.).

♦ **2.** (Repris mil. XXe). Qui n'a pas de signifiance*; ne constitue pas un signe ou ne fonctionne pas en tant que signe dans le domaine concerné. — REM. Le mot *insignifiant* employé dans ce sens est le plus souvent mêlé au sens II, 1, et alors commenté (→ ci-dessous, cit. 3, Gide), ou est marqué typographiquement *(in-signifiant).*

Ces quelques anamnèses sont plus ou moins mates (insignifiantes : exemptées de sens). Mieux on parvient à les rendre mates, et mieux elles échappent à l'imaginaire. R. BARTHES, Roland Barthes, p. 114. 0.1

Fables, histoire, portrait, paysage, nature morte, deviennent des genres majeurs lorsqu'ils accèdent tour à tour à ce domaine confus qu'ils étendent mais qui les englobe. Les paysages entrent dans la peinture de Rubens lorsqu'il attend de ses arbres ce qu'il attend de ses nus; les sujets in-signifiants fondent leur république quand l'artiste leur demande ce qu'il demandait aux dieux, à l'homme reflet des dieux. MALRAUX, la Métamorphose des dieux (1957), p. 29. 0.2

N. m. *L'insignifiant.*

★ **II.** ♦ **1.** Qui n'a pas de portée, d'importance, de conséquence. ⇒ **Banal, dérisoire.** — (Paroles, écrits). *Mot insignifiant, parole, phrase insignifiante. Écrire* (cit. 41) *quelque chose d'insignifiant. Caquetage* (cit. 1), *verbiage insignifiant.* ⇒ **Frivole, futile, vain, vide** (→ Du vent*). *C'est un récit insignifiant.* → De la bouillie* (cit. 4) pour les chats. → ci-dessous, *supra* cit. 3, sur le plan esthétique.

C'est une belle main qui trace des choses insignifiantes, dans les plus beaux caractères (...) DIDEROT, Salon de 1767, La chaste Suzanne. 1

(...) que les mots sont froids, insignifiants, que la parole est misérable quand on veut essayer de dire combien l'on aime! A. DE MUSSET, Bettine, VI. 2

(Choses, événements, actions). *Détails, faits* (cit. 29) *insignifiants.* ⇒ **Infime, mince, minime, négligeable, petit** (→ Amplifier, cit. 4; convaincre, cit. 6). *Un bobo insignifiant.* ⇒ **Anodin** (→ Chancre, cit. 1). *Distance* (→ Fusion, cit. 1) *insignifiante. Économie insignifiante.* ⇒ **Mesquin.** → De bouts de chandelle*. *Une erreur, une faute insignifiante.* ⇒ **Véniel.** → Il n'y a pas de quoi fouetter un chat*. *Ne dramatisez pas cette affaire insignifiante.* ⇒ **Malheureux, misérable.** *Jouer un rôle insignifiant dans une affaire.* ⇒ **Mineur.** *C'est insignifiant.* → C'est trop peu* de chose; cela ne vaut pas la peine* d'en parler; fam. et enfantin Ça compte pour du beurre*. *«Tout ce qui est exagéré* (cit. 22) *est insignifiant»* (Talleyrand).

Une vieille dame de province, qui ne faisait qu'obéir sincèrement à d'irrésistibles manies et à une méchanceté née de l'oisiveté, voyait (...) les occupations les plus insignifiantes de sa journée, concernant son lever, son déjeuner, son repos, prendre par leur singularité despotique un peu de l'intérêt (...) PROUST, Du côté de chez Swann, Pl., t. I, p. 118. 2.1

(Travaux, œuvres). Qui a peu d'intérêt esthétique, intellectuel. ⇒ **Faible, médiocre, nul.** *C'est un travail qui a demandé beaucoup d'efforts, mais le résultat est assez insignifiant. Cette thèse est à peu près insignifiante. Un tableau insignifiant. Un roman insignifiant mais pas désagréable à lire.* — REM. Dans cet emploi, et lorsqu'il s'agit d'un produit du langage (→ ci-dessus, *supra* cit. 1), le sens I et le sens II peuvent interférer.

3 Je n'ai du reste aucun mépris pour tout cela, mais qui reste pour moi sans réelle signification; « insignifiant », au sens propre du mot.
GIDE, Journal, 10 déc. 1942.

En phrase impersonnelle. *Il est insignifiant de* (et inf.). *Il n'est pas insignifiant d'y parvenir,* cela a quelque importance.

Avec un compl. prépositionnel *(pour)* indiquant une personne qui porte le jugement d'insignifiance. *Ce qui est insignifiant pour le directeur ne l'est pas pour les employés.*

Spécialt. Qui a peu d'importance relative (par rapport à des faits mis en rapport). *Il a été condamné pour un délit insignifiant. C'était une blessure insignifiante, mais l'infection s'y est mise.*

(Sur le plan quantitatif). Très faible, presque nul. ⇒ **Minuscule.** *Une somme insignifiante. Des gains insignifiants. — Des achats, des dépenses insignifiantes.* — (Choses). De faible prix. *Un cadeau insignifiant.* ⇒ **Bagatelle, bricole, brimborion, broutille, fanfreluche, misère, rien, vétille.** *Une petite bague insignifiante.* → De quatre sous*.

4 Quant à ses romans mondains, qu'il produisait d'une veine avare, ils ne lui rapportaient que des droits insignifiants.
J. ROMAINS, les Hommes de bonne volonté, t. III, XIII, p. 177.

♦ **2.** 1789. (Personnes). Qui n'a pas une personnalité suffisante, qui ne retient pas l'attention, l'intérêt, soit par l'apparence physique, soit par la valeur. ⇒ **Anodin, effacé, falot, inconsistant, terne.** *Un petit bonhomme insignifiant.* ⇒ **Fantoche,** (vx) **myrmidon,** (vx) **pygmée.** *Gens insignifiants.* ⇒ **Fretin.** *Un comparse insignifiant.* → Être la cinquième roue* du carrosse, de la charrette. *Une petite femme fade et insignifiante. — Un visage insignifiant, commun, ordinaire, inexpressif.* ⇒ **Quelconque.**

5 (...) il n'avait pas plus de vingt ans, et son visage était assez insignifiant (...)
A. DE VIGNY, Cinq-Mars, I.

6 Le marquis est un homme assez insignifiant : il est bien en cour, ses qualités sont négatives comme ses défauts; les unes ne peuvent pas plus lui faire une réputation de vertu que les autres ne lui donnent l'espèce d'éclat jeté par les vices.
BALZAC, Étude de femme, Pl., t. I, p. 1048.

7 La sœur aînée, Rose, était laide, plate, insignifiante, une de ces filles qu'on ne voit pas, à qui on ne parle pas, et dont on ne dit rien.
MAUPASSANT, Bel-Ami, II, III.

8 (...) cet homme fluet qu'elle avait toujours jugé insignifiant et négligeable (...)
FRANCE, le Mannequin d'osier, I, Œuvres, t. XI, p. 333.

9 Je ne suis presque jamais sorti de Paris; je n'ai rien vu, je ne sais rien, je suis un homme quelconque, un homme insignifiant, oui, oui, insignifiant. Je n'ai rien à vous raconter d'extraordinaire.
G. DUHAMEL, Salavin, I, VIII.

CONTR. Attachant, capital, conséquence (de), considérable, coquet, crucial, énorme, extraordinaire, grave, historique, important, imposant, intéressant, remarquable.
DÉR. Insignifiance.

INSINCÈRE [ɛ̃sɛsɛʀ] adj. — 1794, Pougens; de 1. *in-*, et *sincère.*

♦ Littér. Qui n'est pas sincère.

1 Éloquent, phraseur, insincère, enivré d'adulation (...)
Émile HENRIOT, Portraits de femmes, p. 332.

2 S'il connaît ses lignes, ses limites, c'est pour ne plus les dépasser. Il n'a plus peur d'être insincère; il a peur d'être inconséquent.
GIDE, Dostoïevski, 1923, p. 67.

N. *Un, une insincère.*

(Choses; actes). *Confession insincère. Enthousiasme insincère.* ⇒ **Factice, hypocrite.** *Caractère insincère.* ⇒ **Insincérité.**

(Faits de langage). *Discours, déclaration insincère. Un livre insincère.*

3 Ah! je pense de mes livres ce que vous en pensez vous-même, je ne puis les relire sans honte. Plût au ciel qu'ils fussent tout à fait insincères.
BERNANOS, Dialogue d'ombres, *in* Œ. roman., Pl., p. 45.

CONTR. Sincère.

INSINCÉRITÉ [ɛ̃sɛ̃seʀite] n. f. — 1785, *Courrier de l'Europe, in* Proschwitz; de 1. *in-*, et *sincérité.*

♦ Littér. Absence de sincérité.

1 Il ne veut pas de discours sur sa tombe. Il connaît l'insincérité des discours qu'il a prononcés sur la tombe des autres.
J. RENARD, Journal, 10 déc. 1906.

2 Or, puisque dans toute votre attitude vis-à-vis de moi et vis-à-vis de la société, vous n'êtes qu'insincérité, votre œuvre ne peut que l'être elle aussi.
MONTHERLANT, Pitié pour les femmes, p. 215.

CONTR. Sincérité.

INSINUANT, ANTE [ɛ̃sinɥɑ̃, ɑ̃t] adj. — 1654; p. prés. de *insinuer.*

♦ **1.** V. 1660. (Personnes). [a] Vx. Qui séduit, plaît.

[b] Mod. et littér. Qui s'insinue auprès des gens. *Un intrigant flatteur et insinuant. Un esprit insinuant.* ⇒ **Adroit** (cit. 4, La Rochefoucauld).

(...) ils rient d'imaginer toutes les sottises qu'un fourbe adroit, un parleur insinuant pourrait persuader au peuple de Paris ou de Londres. 1
ROUSSEAU, Du contrat social, IV, I.

À sa suite parut le jeune Mazarin, tout souple et insinuant, mais déjà confiant dans sa fortune. 2
A. DE VIGNY, Cinq-Mars, VII.

♦ **2.** 1690. (Choses abstraites). Qui est propre à circonvenir autrui. ⇒ **Attirant, captieux, engageant,** 1. **patelin.** *Chatteries*, façons, manières insinuantes. D'une voix onctueuse et insinuante. Agir d'une manière insinuante.* ⇒ **Furtif, indirect,** 1. **secret.**

♦ **3.** 1677. (Choses concrètes). Vx (langue class.). Qui pénètre doucement dans (qqch.). ⇒ **Insinuer** (I., 2.). *« L'eau si fluide, si insinuante... »* (Fénelon). — Mod. et littér. *Une odeur insinuante, un parfum insinuant.* ⇒ **Pénétrant.**

Par métaphore (avec une valeur équivalente à celle du sens I) :

(...) pour ne pas éveiller le soupçon, était-il flatteur jusqu'à la nausée, insinuant comme un parfum et caressant comme une femme. 3
BALZAC, les Employés, Pl., t. VI, p. 885.

INSINUATIF, IVE [ɛ̃sinɥatif, iv] adj. — 1624, abstrait (en parlant de la raison); repris 1801, *esprit insinuatif,* Mercier; dér. sav. de *insinuer.*

♦ Vx. Qui insinue; qui s'insinue. — Plais. *« Un clystère insinuatif »* (Molière, *le Malade imaginaire,* 1673).

INSINUATION [ɛ̃sinɥasjɔ̃] n. f. — 1319, en dr.; lat. *insinuatio;* de *insinuatum,* supin de *insinuere.* → Insinuer.

♦ **1.** Dr. anc. Notification ou inscription (d'un acte) sur un registre qui lui donne authenticité. *Insinuation d'un testament, d'un contrat* (→ Insinuer, cit. 1). ⇒ **Insertion.**

♦ **2.** (XVIIe). [a] Vx. Action d'insinuer ou de s'insinuer, de pénétrer. *L'insinuation d'une sonde dans une plaie. « L'insinuation de l'aliment dans les parties qui le reçoivent »* (Bossuet).

[b] (1613). Abstrait. Vx. Adresse à s'insinuer, à entrer dans les bonnes grâces de qqn.

♦ **3.** (Av. 1679, Retz). Littér. [a] Rare. Action ou manière adroite, subtile de faire entendre une chose qu'on n'affirme (cit. 2) pas positivement. *L'insinuation d'une calomnie (par qqn). Procéder par insinuation* (⇒ **Allusion**).

[b] (1704). Cour. *(Une, des insinuations).* La chose que l'on donne à entendre. *Des insinuations calomnieuses, mensongères.* ⇒ **Accusation, attaque** (cit. 6), **calomnie, propos.**

(...) les mêmes armes, qui sont la parole flexible, la grâce engageante, les insinuations, le tact, le sentiment juste du moment opportun, l'art de plaire, de demander et d'obtenir (...) 1
TAINE, les Origines de la France contemporaine, t. I, II, p. 206.

La principale difficulté vient de ce que ma phrase sans cesse suggère plutôt qu'elle n'affirme, et procède par insinuations (...) 2
GIDE, Journal, 7 janv. 1918.

Tu ne te figures pas combien certaines conversations entre elle et moi sont prudentes et diplomatiques. Des insinuations. Du sous-entendu. 3
J. ROMAINS, Une femme singulière, p. 11.

INSINUER [ɛ̃sinɥe] v. tr. — 1336, en dr.; au sens 3, XVIe; lat. *insinuare;* de *in-* locatif, et *sinus* « courbure, pli ». → Sinueux.

★ **I.** ♦ **1.** Dr. anc. Inscrire (un acte) dans un registre qui lui donne authenticité. *Insinuer une donation.*

M. Leriche m'écrit (...) qu'il faut faire insinuer mon contrat de deux cent mille livres (...) mais je croisiqu'il ne faut pas se presser de faire l'insinuation (...) 1
VOLTAIRE, Correspondance, 3209, 27 oct. 1767.

♦ **2.** (1660). Vx ou littér. Faire pénétrer doucement et adroitement (qqch. dans qqch., dans un lieu, un espace). ⇒ **Glisser, introduire.** *Insinuer une sonde, une mèche dans une plaie* (Académie). — *Insinuer sa main dans une fente, une fissure. Insinuer « un gros paquet de billets de banque » dans son portefeuille* (Balzac, *in* T. L. F.). — *Le démon insinue son venin dans les cœurs* (→ Imperceptible, cit. 1).

Littéraire, par comparaison :

J'ai vu des sortes d'hommes-serpents autrement appelés auteurs dramatiques, venir m'expliquer la façon d'insinuer une pièce à un directeur, comme ces hommes de l'histoire qui insinuaient des poisons dans l'oreille de leurs rivaux. 1.1
A. ARTAUD, le Théâtre et son double, Œ. compl., t. IV, p. 54.

♦ **3.** (1359). Vx. Faire adroitement entrer, pénétrer dans l'esprit, dans le psychisme. ⇒ **Conseiller, instiller, suggérer.** *Insinuer des sentiments dans le cœur de quelqu'un.*

Peu à peu, ce fils dont elle avait voulu former l'intelligence, les mœurs, la vie, avait insinué en elle son intelligence, ses mœurs, sa vie même et avait altéré celles de sa mère. 1.2
PROUST, Jean Santeuil, Pl., p. 871.

♦ **4.** (1480). Mod. Littér. Donner* à entendre (qqch.) sans dire expressément (surtout avec un mauvais dessein). *Insinuer qqch. à qqn. Insinuer que... Insinuer à qqn que son entourage le dessert.*

⇒ **Avertir, souffler** (à l'oreille*). — *Insinuer qqch. Que voulez-vous insinuer par là?* ⇒ 1. **Dire** (vouloir). — Absolt. → ci-dessous, cit. 6.

2 (...) ces Messieurs tâchent d'insinuer que ce n'est point au théâtre à parler de ces matières (...) MOLIÈRE, Tartuffe, Préface.

3 (...) on ne dit rien, on insinua tout; les grandes réputations furent toutes attaquées (...) MONTESQUIEU, Grandeur et décadence des Romains, XVII.

4 Le duc de Rovigo s'est trouvé chargé de l'exécution; il avait probablement un ordre secret : le général Hulin l'insinue. CHATEAUBRIAND, Mémoires d'outre-tombe, t. II, p. 323.

5 (...) et qu'ils viennent donc me le dire en face, ce qu'ils vous ont insinué en traîtres, et nous en aurons beau jeu. G. SAND, la Petite Fadette, XXVIII.

6 Il n'affirme plus tant ici, mais insinue; sans discuter jamais, il persuade; il entre de biais dans l'esprit du lecteur; je ne sais comment il s'y prend, il fait sienne notre pensée. GIDE, Nouveaux prétextes, Chroniques de l'ermitage, III.

7 (...) un garçon agile trouve l'occasion de rendre des services, et de les faire valoir. Oh! je n'insinue pas que le nôtre soit un pêcheur en eau trouble! J. ROMAINS, les Hommes de bonne volonté, t. V, XVII, p. 123.

▶ **S'INSINUER** v. pron.

♦ **1.** (1580). Concret. Vx. Se glisser, s'infiltrer. *L'eau s'insinue dans le sable. Reptile qui s'insinue agilement.* ⇒ **Couler** (se), **glisser** (se).

♦ **2.** (1690). Littér. S'introduire en se faufilant, en se glissant. — Par métaphore. « *Le poison de l'envie* (cit. 9) *s'insinue dans les veines* ». — Fig. *Chemin, sentier qui s'insinue entre des murailles, dans la pénombre* (→ Flanc, cit. 11; illuminer, cit. 5). — Par métaphore. → ci-dessous, cit. 10.

8 Quand on veut poursuivre les vertus jusqu'aux extrêmes de part et d'autre, il se présente des vices qui s'y insinuent insensiblement (...) PASCAL, Pensées, VI, 357.

9 Il faut que *(le baume)* soit chaud, et qu'il pénètre et s'insinue dans le mal (...) Mme DE SÉVIGNÉ, 945, 15 déc. 1684.

10 L'œil avide et téméraire s'insinue impunément sous les fleurs d'un bouquet; il erre sous la chenille et la gaze, et fait sentir à la main la résistance élastique qu'elle n'oserait éprouver. ROUSSEAU, Julie ou la Nouvelle Héloïse, Lettre XXIII.

11 Parfois la garnison se relâche, et une poterne est bien vite ouverte, par quoi s'insinue l'ennemi. Th. GAUTIER, le Capitaine Fracasse, t. II, XIII, p. 110.

(1541, *s'insinuer à qqn*). Littér. (Sujet n. de chose abstraite). S'introduire insensiblement. ⇒ **Pénétrer.** *Idées nouvelles qui s'insinuent dans le monde* (→ Filtrer, cit. 9).

Spécialt. S'introduire (dans l'esprit, la conscience... de qqn). *Les grâces* (cit. 75) *d'une éloquence qui s'insinue dans les cœurs. Pensée lancinante qui s'insinue en nous* (→ Abandonner, cit. 11).

12 Il demeura un long moment dans cet état de confuse béatitude, avant de discerner par quelle partie de son corps, par quel point de sa frontière, s'insinuait cette tiède sensation de bien-être. MARTIN DU GARD, les Thibault, t. II, p. 155.

13 (...) des mots, des idées qui font explosion en moi, ou qui s'insinuent dans mon esprit comme des parasites venimeux. G. DUHAMEL, Chronique des Pasquier, II, IX.

♦ **3.** (Sujet n. de personne). S'introduire* habilement, se faire admettre (quelque part, auprès [cit. 21] de qqn). *C'est un intrigant qui cherche à s'insinuer partout.* ⇒ **Faufiler** (se), **fourrer** (se). *S'insinuer par la brigue* (cit. 2), *en flattant* (cit. 36) *ses ennemis* (→ Affliger, cit. 2). *Il est là sans cesse, cherchant à s'insinuer auprès d'elle.* ⇒ **Tourner** (tourner autour). — (1690). Fig. *S'insinuer dans les bonnes grâces, dans la confiance de qqn.* — Absolt. *Savoir s'insinuer.* ⇒ **Insinuant**; → ci-dessous, cit. 15 et 18.

14 Il n'y a point de palais où il ne s'insinue (...) LA BRUYÈRE, les Caractères, IX, 15.

15 (...) au contraire, les méchants sont hardis, trompeurs, empressés à s'insinuer et à plaire, adroits à dissimuler, prêts à tout faire contre l'honneur et la conscience pour contenter les passions de celui qui règne. FÉNELON, Télémaque, II.

16 Je m'insinuai si avant dans ses bonnes grâces, que je parvins à partager sa confiance avec le seigneur Carnero, son premier secrétaire. A. R. LESAGE, Gil Blas, XI, VIII.

17 *(Il)* restait chez moi du matin au soir plusieurs jours de suite, se mettait de mes promenades, m'apportait mille sortes de petits cadeaux, s'insinuait malgré moi dans ma confidence, se mêlait de toutes mes affaires, sans qu'il y eût entre lui et moi aucune communion d'idées, ni d'inclinations, ni de sentiments, ni de connaissances. ROUSSEAU, les Confessions, XII.

18 (...) il vous aborde : vous causez; il s'insinue, vous offre une prise ou vous ramasse votre chapeau. Puis on se lie davantage. FLAUBERT, Mme Bovary, II, VI.

INSINUEUX, EUSE [ɛ̃sinɥø, øz] adj. — 1846, Thiers; dér. de *insinuer,* d'après *sinueux.*

♦ Littér. et rare. Qui s'insinue (3.). *Une « voix insinueuse »* (A. Daudet, *in* G. L. L. F.).

INSIPIDE [ɛ̃sipid] adj. — 1503; bas lat. *insipidus; de in-* (→ 1. In-), et lat. class. *sapidus* « qui a de la saveur », de *sapere.*

♦ **1.** [a] Didact. Qui n'a aucune saveur, aucun goût (cit. 7). ⇒ **Insapide.** *L'hydrogène, gaz insipide.*

[b] (1690). Cour. Qui n'a pas assez de goût. ⇒ **Désagréable, fade** (cit. 2; → Fadeur, cit. 3). *Breuvage* (cit. 2) *insipide.*

1 La viande noire est hors de mode, et par cette raison insipide (...) LA BRUYÈRE, les Caractères, XIII, 1.

2 S'il est question (...) d'une boisson insipide, comme par exemple, un verre d'eau, on n'a ni goût ni arrière-goût; on n'éprouve rien, on ne pense à rien; on a bu, et voilà tout. BRILLAT-SAVARIN, Physiologie du goût, t. II, p. 58.

Gilieth avait ainsi avalé, à son insu, une poudre insipide composée d'éléments saugrenus, dans une tasse de thé à la menthe. P. MAC ORLAN, la Bandera, XIV. 3

♦ **2.** (1588). Qui manque d'agrément, de piquant. ⇒ **Ennuyeux** (cit. 8), **fastidieux** (→ Forme, cit. 66). *Conte, style, vers insipides.* ⇒ **Imbuvable; anodin** (→ Écœurant, cit. 5; exalter, cit. 3; historien, cit. 8). *Longueurs qui rendent un roman insipide.* ⇒ **Affadir.** *Morale assommante* (cit. 4) *et insipide. Mener une existence insipide.* ⇒ **Végéter** (→ Fatigant, cit. 5). *Être insipide à qqn* (vieilli), *pour qqn.* — (V. 1540; personnes). Qui manque d'esprit, de vivacité. *Flatteurs insipides* (→ Assaisonner, cit. 5). *Personnage insignifiant et insipide* (→ Fécondité, cit. 7).

Quelques savants ne goûtent que les apopht*(h)*egmes des anciens (...) l'histoire du monde présent leur est insipide (...) LA BRUYÈRE, Discours sur Théophraste. 4

Et toute ma grandeur me devient insipide (...) RACINE, Esther, II, 1. 5

(...) les plus insipides romanciers, qui suppléent à la stérilité de leurs idées à force de personnages et d'aventures. ROUSSEAU, les Confessions, XI. 6

Il est difficile de lire quelque chose de plus plat, de plus rampant et de plus insipide. Th. GAUTIER, les Grotesques, X, p. 358. 7

Les gammes et les exercices se succédaient, secs, monotones, insipides, plus insipides que les conversations que l'on avait à table, et qui toujours roulaient sur les plats, et toujours sur les mêmes plats. R. ROLLAND, Jean-Christophe, L'aube, p. 64. 8

Il trouva dans cet amour un plaisir d'autant plus âcre et vif qu'il avait, lui, le sentiment du péché. Ses aventures passées lui parurent insipides à côté de ce bonheur mêlé de remords. A. MAUROIS, la Vie de Byron, II, XVIII. 9

N. m. « *Don Juan (...) court d'une femme à l'autre et perd le goût (...) Que tout se termine pour que disparaisse la saveur de l'insipide* » (*le Point,* 11 mai 1981, p. 51).

CONTR. Appétissant, délicieux, divertissant, drôle, exquis, sapide, savoureux.
DÉR. Insipidement, insipidité.

INSIPIDEMENT [ɛ̃sipidmɑ̃] adv. — V. 1765; de *insipide.*

♦ Rare. D'une manière insipide.

INSIPIDITÉ [ɛ̃sipidite] n. f. — 1572; de *insipide.*

♦ **1.** Didact. Caractère de ce qui est insipide, sans saveur (→ Acide, cit. 1, Colette). *L'insipidité de l'eau, d'un aliment.*

♦ **2.** (1690). Littér. Caractère de ce qui manque d'intérêt. *L'insipidité d'une œuvre, d'un spectacle* (→ Engouement, cit. 3).

Tout est déjà usé pour eux à l'entrée même de la vie; et leurs premières années éprouvent déjà les dégoûts et l'insipidité que la lassitude et le long usage de tout semble attacher à la vieillesse. MASSILLON, Petit carême, Malheur des grands. 1

Mais ce sont les embarras, les ennuis, les contraintes, l'insipidité de la vie qui me fatiguent et me rebutent. É. DE SENANCOUR, Oberman, XLI. 2

Rare. *L'insipidité d'une personne.* — Apparence insipide. *L'insipidité d'un visage.*

INSISTANCE [ɛ̃sistɑ̃s] n. f. — 1556; rare jusqu'en 1801; de *insister.*

♦ **1.** Action de mettre l'accent sur qqch. ⇒ **Obstination, persévérance.** *L'insistance de qqn sur, à propos de qqch., quant à qqch., à l'égard de qqn. L'insistance de qqn sur un mot, une syllabe* (→ ci-dessous, 3.). *Insistance sur un élément intellectuel. Il y met beaucoup d'insistance, une insistance tenace, acharnée. Auprès d'un entêté* (cit. 12) *l'insistance risque de tout gâter* (cit. 24). — *Revenir sur un sujet avec insistance* (→ Exercer, cit. 7). *Supplier qqn avec insistance.* ⇒ **Instance** (→ À grands cris). *Regarder qqn avec insistance* (→ Fringuer, cit. 4). — Spécialt. Le fait d'insister auprès de qqn (en questionnant, en demandant...). *Insistance déplacée, indiscrète.* ⇒ **Indiscrétion.**

La phrase française est composée d'une série de membres phonétiques, avec insistance de la voix sur la dernière syllabe. A. MAUROIS, Études littéraires, Paul Claudel, t. I, p. 200. 1

Le lendemain, grâce à une insistance jugée déplacée, Rieux obtenait la convocation à la préfecture d'une commission sanitaire. CAMUS, la Peste, p. 60. 2

Aux insistances de la Muse, qui le pressait d'écrire sur ses vers un article, le critique excédé répondit en l'envoyant nettement promener (...) Émile HENRIOT, Portraits de femmes, p. 353. 3

Péguy était, fut et reste (...) le prince inégal et inégalable de l'insistance pesante, de la pesanteur insistante (...) le maître et spécialiste du mot repris, du mot assené, du mot ressassé (...) René GEORGIN, la Prose d'aujourd'hui, p. 149. 4

L'insistance de qqn à (et inf.). *Une insistance à faire, à dire. Son insistance à réclamer, à dire.*

♦ **2.** Le fait d'être insistant (d'un discours). *L'insistance des demandes de qqn, de ses réclamations.*

♦ **3.** Spécialt, phonét. *Accent, ton d'insistance* (⇒ **Accentuation**). *Devant un nom propre l'article indéfini* (cit. 10) *marque une insistance particulière.*

♦ **4.** Par métaphore. *Sirène qui hurle* (cit. 16) *avec insistance.*

♦ **5.** Le fait de revenir avec régularité, sans interruption. *L'insistance d'un thème, d'un leitmotiv.*

INSISTANT, ANTE [ɛ̃sistɑ̃, ɑ̃t] adj. — 1533, rare; p. prés. de *insister.*

♦ **1.** (Personnes). Qui insiste. ⇒ 1. **Instant, pressant.** *Il se faisait, il devenait de plus en plus insistant* (Académie).

1 (...) je le tourmentais de questions et de reproches. J'étais aigre, insistante, odieuse. Il me répondait avec une grande patience. A. MAUROIS, Climats, II, XV.

♦ **2.** (Actes, discours). *Un regard insistant. Réclamation insistante.*

2 Les seules caricatures un peu trop poussées, trop insistantes, sont celles de la fille de Françoise (...) A. MAUROIS, À la recherche de Marcel Proust, VIII, III.

♦ **3.** (Choses). Qui revient avec régularité. *Un thème, un motif insistant.*

INSISTER [ɛ̃siste] v. intr. — 1336, *s'insister en* « s'appliquer à »; lat. *insistere* « s'appuyer sur »; de *in-* locatif, et *sistere* « établir, arrêter », de *stare* « se tenir debout ».

♦ **1.** (1690). S'arrêter avec force sur un point particulier, mettre l'accent sur. ⇒ **Appesantir** (s'), **appuyer** (sur), **souligner.** *Insister sur les syllabes finales.* ⇒ **Accentuer.** — *Insister sur une particularité, un témoignage, un aspect, un caractère* (→ Découvrir, cit. 27; extrapoler, cit.; hardiesse, cit. 16; haschisch, cit. 7; imitateur, cit. 4). *On ne saurait trop insister sur la nécessité de l'hygiène* (cit. 8). ⇒ **Recommander.** — (Sujet n. de chose). *Le christianisme ne craint pas d'insister sur les vices de l'homme* (cit. 66). *Tournures qui insistent sur l'affirmation* (cit. 2), *sur l'idée de fin* (cit. 36).

1 Je (...) fais choix des choses dont il a plus besoin d'être instruit, sur lesquelles j'insiste fort et ne lui fais point de quartier. LA BRUYÈRE, Lettres, XV, 26 mars 1686.

2 N'oubliez pas d'insister plus que vous ne faites dans votre épître, sur la protection qu'on accordait aux persécuteurs de Corneille et sur l'oubli profond où sont tombées toutes les infamies qu'on imprimait contre lui (...) D'ALEMBERT, Lettre à Voltaire, 8 sept. 1761.

3 Trouvez ici les respectueux hommages de Balzac. Pardonnez-moi, madame, d'insister sur le tête-à-tête, les dames n'en seront pas exclues. BALZAC, Correspondance, 1834, *in* T. L. F.

4 Insistant sur un sujet qui lui tenait à cœur, il reprit une à une les déformations du squelette (...) FRANCE, Histoire comique, I.

(1541). Absolt (→ Abuser, cit. 6; carrure, cit. 1). *Enfin, n'insistons pas.* ⇒ **Passer** (passons). *J'ai compris, inutile d'insister.* ⇒ **Répéter**; 1. **point** (mettre les points* sur les i). *Insistez, insistez : ils finiront par vous croire* (→ Appuyer sur la chanterelle*; enfoncer* le clou). — Par métaphore. *Regard qui insiste* (⇒ **Insistant**; → Gamin, cit. 8).

4.1 (...) une ironie qui glisse et n'insiste pas (...) SAINTE-BEUVE, Causeries du lundi, 12 nov. 1849.

♦ **2.** Mil. XVe. (Sujet n. de personne). Appuyer sur une demande, persévérer* à réclamer, à vouloir ou à faire qqch. *Il a insisté pour l'épouser* (→ 1. Faire, cit. 10). *On insista pour lui fournir* (cit. 9) *des garanties.* — Vx. *Insister à* (suivi de l'inf.). *Il insiste à demander telle chose* (Académie). — (Déb. XVe). Absolt (→ Accoucher, cit. 7; 1. coucher, cit. 21). *Insistez auprès d'elle, elle acceptera peut-être* (⇒ **Presser, prier**). *S'il refuse, n'insistez pas.* ⇒ **Obstiner** (s'). *Je n'ose pas insister* (→ Étreinte, cit. 8; peser, cit. 24). *Ça va, n'insistez pas! — Il avait commencé à étudier le piano, mais il n'a pas insisté.* ⇒ **Continuer, persévérer.**

5 (...) une partie du linge fut volé avec d'autres bagatelles (...) je m'en plaignis, mais si faiblement que je n'insistai point. MARIVAUX, la Vie de Marianne, I.

6 Que voulez-vous avoir de moi? lui dit-elle un jour qu'il insistait pour lui parler. Mme DE STAËL, Corinne, XV, II.

7 — Voici la quatrième fois que monsieur le curé vient pour voir madame la marquise; et il insiste aujourd'hui si résolument, que nous ne savons plus que lui répondre. BALZAC, la Femme de trente ans, Pl., t. II, p. 742.

8 Mounier n'en était pas moins resté au château, à la porte du conseil, insistant pour une réponse, frappant d'heure en heure, jusqu'à dix heures du soir. Mais rien ne se décidait. MICHELET, Hist. de la Révolution franç., II, VIII.

9 Haverkamp insiste chaque fois auprès du vendeur pour obtenir l'autorisation de signaler loyalement à l'acquéreur éventuel les inconvénients, même extrinsèques, d'une propriété. J. ROMAINS, les Hommes de bonne volonté, t. IV, IV, p. 32.

10 C'est toujours une erreur, pour un amant méprisé, que d'insister pour garder au moins la présence de celle qu'il aime. A. MAUROIS, la Vie de Byron, I, VI.

11 Et sans doute une guerre est certainement trop bête, mais cela ne l'empêche pas de durer. La bêtise insiste toujours (...) CAMUS, la Peste, p. 49.

♦ **3.** (Sujet n. de chose). Revenir fréquemment dans un même processus. *Élément, phrase musicale qui insiste. — « Le sens insiste »* (Lacan).

CONTR. **Glisser.** — (Du sens 2) **Abandonner** (la partie).
DÉR. **Insistance, insistant.**

IN SITU [insity] loc. adv. — 1842, *in* D. D. L.; mot lat. « en place ».

♦ Didact. Dans son milieu naturel. *Plante étudiée* in situ. — « *Expérimentation* in situ » (M. Sigot, *la Culture d'organes,* p. 9). « *Des études* in situ » (M. Chêne et N. Drisch, *la Cellulose,* p. 63).

CONTR. **In vitro.**

INSITUABLE [ɛ̃sitɥabl] adj. — 1923, *in* F. E. W.; de 1. *in-, situer,* et suff. *-able.*

♦ Littér. Impossible à situer, à localiser.

Ils s'enfonçaient avec innocence, plus bas, toujours plus bas, dans une gamme insituable, où, à chaque répons, ils faisaient sortir de leur voix des intervalles insolites qui mettaient M. Maillet au grand désespoir. H. BOSCO, Antonin, p. 228.

INSOCIABILITÉ [ɛ̃sɔsjabilite] n. f. — 1721; de *insociable.*

♦ Caractère d'une personne insociable.

Si j'avais un yacht, quelle merveilleuse cure d'insociabilité! Ignorer, oublier (...) sur « mon yacht », la T. S. F. n'aurait le droit que d'appeler au secours (...) Point de foule, même sans visage, sur mon île! COLETTE, Prisons et Paradis, p. 98.

(Choses). *L'insociabilité d'un comportement, d'une réaction.*

CONTR. **Sociabilité.**

INSOCIABLE [ɛ̃sɔsjabl] adj. — 1548, « asocial »; lat. *insociabilis;* de *in-* (→ 1. In-), et *sociabilis.* → Sociable.

♦ Littér. Qui n'est pas sociable; dont la fréquentation (→ Société, vx) est pénible. *Quel caractère, quel homme insociable!* ⇒ **Acariâtre, hargneux, impraticable, misanthrope; ours, sauvage; bâton** (épineux, merdeux). → On ne sait par quel bout* le prendre.

La belle, tout à coup rendue insociable, 1
D'ange (...) se transformait en diable (...) BOILEAU, Satires, X.

(...) je suis devenu solitaire, ou, comme ils disent, insociable et misanthrope, parce que la plus sauvage solitude me paraît préférable à la société des méchants, qui ne se nourrit que de trahisons et de haine. 2
ROUSSEAU, Rêveries..., 8e promenade.

Il n'avait pas un ami. Il avait eu plusieurs connaissances, mais toutes, régulièrement, au bout de six semaines de relations, s'éloignaient de lui. Je suis insociable, et m'en voilà cruellement puni, pensa-t-il. 3
STENDHAL, le Rouge et le Noir, II, VI.

Comme partout, il a montré ici son caractère intolérable, son invraisemblable orgueil, et il a laissé le souvenir du plus insociable des hommes. 4
MAUPASSANT, le Vie errante, La Sicile, p. 86.

(...) Mon père n'est pas toujours commode. Il est un peu brusque parfois, il peut être très insociable, je crois qu'il est assez timide, au fond. 5
N. SARRAUTE, le Planétarium, p. 186.

(Choses : actes , comportements). Qui témoigne d'insociabilité. *Caractère, habitude insociable.*

CONTR. **Accommodant, sociable.**
DÉR. **Insociabilité.**

INSOCIAL, ALE, AUX [ɛ̃sɔsjal, o] adj. — 1766, Voltaire, parlant ironiquement du « contrat social »; de 1. *in-,* et *social.*

♦ Vx. Qui est contraire, opposé à la vie en société. *(Le paysan) « est élément insocial créé par la révolution »* (Balzac).

IN-SOIXANTE-QUATRE [inswasɑ̃tkatʀ; ɛ̃swasɑ̃tkatʀ] adj. invar. — 1839, Boiste; comp. du lat. *in,* et de *soixante-quatre.*

♦ Techn. Dont les feuilles sont pliées en soixante-quatre feuillets (cent vingt-huit pages). *Livre de format in-soixante-quatre. Volume in-soixante-quatre,* et, n. m., *un, des in-soixante-quatre.* — REM. On écrit souvent *in-64.*

INSOLATEUR [ɛ̃sɔlatœʀ] n. m. — 1882, *Année sc. et industr.* 1883, p. 81; de *insoler.*

♦ Didact. Appareil qui permet d'utiliser les rayons solaires pour le chauffage. ⇒ **Capteur.**

La galerie des machines se trouvait sur l'un des côtés du parc. On y voyait des insolateurs Monchot. Ces machines, si originales, fonctionnaient sous l'influence du soleil (...)
L. FIGUIER, l'Année scientifique et industrielle 1885, p. 491 (1884).

INSOLATION [ɛ̃sɔlasjɔ̃] n. f. — 1554; lat. *insolatio* « exposition au soleil », de *insolatum,* supin de *insolare.* → Insoler.

♦ **1.** Didact. Action d'exposer à la chaleur et à la lumière solaire (qqn ou qqch.); résultat de cette action. ⇒ **Insoler.** — (1902). Spécialt. *L'insolation d'une plaque photographique* (Académie). — *L'insolation, mode de traitement des enfants rachitiques* (⇒ **Héliothérapie**).

Il (*Becquerel*) exposait au soleil une lame recouverte d'une couche de sel d'uranium (*enveloppée d'*) un papier noir (...) Il eût bientôt la joie de constater que (...) les sels d'uranium, après leur insolation, émettaient une radiation susceptible de traverser l'enveloppe de papier noir. 1
L. DE BROGLIE, *in* A. LALANDE, Lecture sur la philosophie des sciences, p. 155.

♦ **2.** (1806, *in* D.D.L.). Méd. et cour. Ensemble des phénomènes morbides provoqués par l'exposition prolongée à un soleil ardent.

⇒ **Chaleur, soleil** (coup de). *Insolation bénigne, grave. Cas d'insolation.*

2 Et voilà que tout à coup mon compagnon, mon ami, presque mon frère, tomba de cheval, la tête en avant, foudroyé par une insolation.
MAUPASSANT, Contes de la bécasse, La peur, p. 86.

♦ **3.** [a] (1931). Temps pendant lequel le soleil a brillé. *Insolation faible des mois d'hiver.* — Archit. *Plan d'insolation d'un immeuble, d'une cité.*

[b] Rayonnement solaire, en tant que producteur d'énergie.

INSOLEMMENT [ɛ̃sɔlamɑ̃] adv. — 1355; de *insolent.*

♦ **1.** D'une manière insolente*. *Parler, répondre insolemment. — Un orgueil insolemment agressif* (→ Aveugle, cit. 16). *Imposteurs qui s'habillent* (cit. 19) *insolemment d'un nom illustre.*

1 (...) dans nos jours, où l'on trafique si insolemment du mensonge.
VOLTAIRE, Hist. de l'Empire de Russie, Préface, II.

♦ **2.** De façon provocante. *Une fille insolemment belle.* ⇒ **Outrageusement.**

2 Aux murs, un Boucher insolemment rose et un portrait de Fontane.
A. MAUROIS, les Roses de septembre, I, v.

CONTR. (Du sens 1) **Poliment, respectueusement.** — (Du sens 2) **Modestement.**

INSOLENCE [ɛ̃sɔlɑ̃s] n. f. — 1458, «arrogance»; lat. *insolentia* «inexpérience», employé au XVIe avec le sens de «caractère insolite, inhabituel; anomalie»; de *insolens.* → Insolent.

♦ **1.** (1643). Cour. Manque de respect injurieux (de la part d'un inférieur ou d'une personne jugée telle). ⇒ **Effronterie, impertinence,** (vx) **impudence, irrespect** (→ Bassesse, cit. 19; effronté, cit. 6; fanfaron, cit. 3; faquin, cit. 4; grâce, cit. 97). *L'insolence d'un fils à l'égard de ses parents. Réponse pleine d'insolence. Parler avec insolence.* → Parler haut*. *Braver qqn avec insolence* (⇒ **Narguer**).

1 Savez-vous, vicomte, que votre lettre est d'une insolence rare, et qu'il ne tiendrait qu'à moi de m'en fâcher?
LACLOS, les Liaisons dangereuses, v.

2 (...) les discussions avec les cochers — corporation encline à l'insolence (...)
J. ROMAINS, les Hommes de bonne volonté, t. III, XI, p. 150.

3 — Tout de même, dit-il, tout de même, l'insolence de cette génération passe les bornes de la décence.
A. MAUROIS, les Roses de septembre, I, XII.

1672, Racine. *(Une, des insolences).* Parole, action insolente. ⇒ **Grossièreté, impertinence** (cit. 5), **injure, insulte, offense** (→ Éternellement, cit. 8, Molière; hésiter, cit. 18; humiliation, cit. 19). *Horrible insolence* (→ Impétueux, cit. 3, Boileau). — *Les insolences d'un journal satirique, d'un écrivain* (parfois pris en bonne part).

4 — Monsieur, cria-t-il dès qu'il m'aperçut, j'ai l'honneur de vous dire que vous êtes un parfait drôle (...) cette injure me parut impossible à supporter. Je répliquai (...) : — Est-ce pour m'adresser des compliments de ce genre que vous m'avez fait venir, mon père? Je crus qu'il allait me sauter à la gorge... — Je devrais vous gifler à tour de bras pour cette insolence, dit-il.
Léon BLOY, la Femme pauvre, II, v.

5 Ce que la jeunesse aime en Rimbaud, c'est moins l'artiste prodigieux que le révolté, l'homme de tous les défis et de toutes les insolences.
G. DUHAMEL, Refuges de la lecture, VII, p. 213.

♦ **2.** (1636). Vx (langue class.). Audace* excessive, insultante. — REM. Le mot est très fort au XVIIe s., où il peut désigner la perfidie, la trahison, l'impiété, etc. → Crédulité, cit. 1; espion, cit. 2. *Brutale insolence* (→ Apprendre, cit. 34). *L'insolence d'un jeune audacieux* (cit. 12). *Insolence de mutins* (→ Racine, *Mithridate*, IV, 6). — *(Une, des insolences).* Acte empreint d'insolence.

6 Déjà plus d'un tyran, plus d'un monstre farouche
Avait de votre bras senti la pesanteur;
Déjà de l'insolence heureux persécuteur,
Vous aviez des deux mers assuré les rivages.
RACINE, Phèdre, III, 5.

♦ **3.** (1690). Orgueil offensant (pour des inférieurs ou des personnes traitées comme telles), comportement prétentieux et offensant. ⇒ **Arrogance, cynisme, hardiesse,** 1. **morgue, orgueil** (→ 1. Bas, cit. 87; étaler, cit. 41; hautain, cit. 8). *Une froide insolence* (→ Excès, cit. 5). *L'insolence d'un parvenu, d'un nouveau riche.*

7 Une seule chose était claire, dans cette obscurité, c'était l'insolence des nobles. Ils avaient pris partout l'attitude du défi, de la provocation. Partout, ils insultaient les patriotes, les gens les plus paisibles, la garde nationale.
MICHELET, Hist. de la Révolution franç., IV, IV.

8 Ce dédain écrit sur son front, sur ses lèvres, et mal déguisé, fut pris pour l'insolence d'une parvenue.
BALZAC, le Curé de village, Pl., t. VIII, p. 564.

♦ **4.** (1846). Par métaphore ou fig. Caractère insolent d'autorité, d'orgueilleuse assurance, de hautaine indifférence. *L'insolence du génie, du talent* (→ Expier, cit. 10).

9 Ses œuvres *(de Delacroix)*, sont (...) de grands poèmes naïvement conçus, exécutés avec l'insolence accoutumée du génie.
BAUDELAIRE, Curiosités esthétiques, III, Salon 1846, IV.

Et le printemps et la verdure 10
Ont tant humilié mon cœur,
Que j'ai puni sur une fleur
L'insolence de la Nature.
BAUDELAIRE, les Épaves, Pièces condamnées, V.

CONTR. Civilité, déférence, égard, politesse, respect. — Discrétion, modestie.

INSOLENT, ENTE [ɛ̃sɔlɑ̃, ɑ̃t] adj. et n. — 1495; «insolite», 1542; lat. *insolens* «qui n'a pas l'habitude de...»; de *in-* (→ 1. In-), et *solens* p. prés. de *solere,* d'où le sens «insolite*, extraordinaire», au XVIe (*nouveauté insolente,* M. de la Porte).

♦ **1.** Cour. Personnes. Dont le manque de respect est injurieux, insultant. ⇒ **Effronté, grossier, impertinent, impoli, impudent; désagréable** (→ Coquin, cit. 6; délibérer, cit. 14; hystérique, cit. 4). *Des gens grossiers et insolents.* ⇒ 1. **Fort** (fort en gueule). *Hargneux* (cit. 7) *et insolent. Domestique, fils insolent.* — Spécialt. *Insolent avec les femmes.* — Vx. Libertin. ⇒ **Irrespectueux.**

Insolent! est-ce enfin le respect qui m'est dû? CORNEILLE, Nicomède, I, 2. 1

(...) Fabrice insulta de nouveau la fatuité du comte. — Monsieur le comte, lui criait-il, quand on est insolent, il faut être brave (...) le comte, de nouveau piqué, se mit à lui crier (...) qu'il allait châtier son insolence (...) 2
STENDHAL, la Chartreuse de Parme, I, XIII.

(...) il *(l'argent)* fait du plus humble un laquais insolent (...) 3
HUYSMANS, Là-bas, I.

N. *Un insolent, une petite insolente* (→ Écorcher, cit. 1).

Peut-être vaudrait-il mieux être un insolent que d'en avoir la physionomie; l'insolent de caractère n'insulte que de temps en temps; l'insolent de physionomie insulte toujours. 4
DIDEROT, le Neveu de Rameau, Pl., p. 468.

(1660). Choses. Qui dénote l'insolence. *Mine insolente* (→ Ébouriffure, cit.). *Air, style insolent.* ⇒ **Cynique** (cit. 3). *Lèvre insolente* (→ Pommader, cit. 1). — *Discours, cris insolents; menaces insolentes. Ton insolent.* ⇒ **Déplacé, inconvenant, indécent, injurieux, insultant.**

♦ **2.** Vx (langue class.). Qui blesse, insulte par son audace. ⇒ **Audacieux** (2.). *Ministre insolent qui résiste à son souverain* (→ Ignorer, cit. 15, Racine). — N. *Un insolent. — Intrigue, brigue* (cit. 5, Racine) *insolente. La main insolente des destins* (→ Arme, cit. 37, Malherbe).

Le prince d'Orange, étonné que le feu continuel (...) de son canon n'ébranlât point notre cavalerie (...) vint aux batteries en colère (...) Quand il eut vu l'effet, il tourna bride, et s'écria : «Oh! l'insolente nation!» 5
SAINT-SIMON, Mémoires, I, VI.

♦ **3.** (1660). Qui blesse par son orgueil outrageux, sa morgue, son assurance hautaine. ⇒ **Arrogant, hardi, orgueilleux.** *Un rival heureux et insolent; vainqueur insolent* (→ Exiler, cit. 7, Corneille). — (1651). Vx. *Insolent de...* (→ Chaîne, cit. 1, Corneille; gouverner, cit. 8, Beaumarchais). — N. *Un insolent* (→ Courber, cit. 21; hautain, cit. 8).

Tout homme insolent est en abomination au Seigneur. BIBLE (SACY), XVI, 5. 6

REM. Il s'agit ici d'orgueil outrageux et non, comme l'interprète Littré, de «perte de respect». Les traductions modernes portent : «Tout cœur hautain» (Segond); «Quiconque a le cœur hautain» (Crampon).

Tout vainqueur insolent à sa perte travaille. LA FONTAINE, Fables, VII, 13. 7

Ceux mêmes qui n'étaient pas ambitieux dans une condition médiocre, deviennent quelquefois insolents lorsqu'ils se trouvent dans une plus grande élévation. 8
FLÉCHIER, Oraison funèbre de la duchesse de Montausier.

Insolent orgueil; arrogance, prétention insolente.

Les manières hautaines des officiers, qu'il croisait dans la rue, leur raideur insolente, lui causaient une sourde colère : il affectait de ne point se déranger pour leur faire place : il leur rendait, en passant, l'arrogance de leurs regards. 9
R. ROLLAND, Jean-Christophe, La révolte, III, p. 597.

♦ **4.** (1840). Choses. Qui, par son caractère supérieur, extraordinaire, insolite, rare, apparaît comme un défi, une provocation envers la commune condition. ⇒ **Extraordinaire, indécent, inouï.** *Bonheur, succès insolent. Joie insolente; plaisirs insolents* (→ 1. Éperdument, cit., Flaubert; fléau, cit. 9, Balzac). *Calme insolent* (→ Galérien, cit. 3). *Fortune, richesse insolente* (→ Gaieté, cit. 11). *Étaler* (cit. 31, Balzac) *un luxe insolent. — Beauté, jeunesse, santé insolente.*

Alors âgé de soixante-sept ans, Rigou n'avait pas fait une seule maladie en trente ans, et rien ne paraissait devoir atteindre cette santé vraiment insolente. 10
BALZAC, les Paysans, Pl., t. VIII, p. 207.

Elle n'avait presque pas de hanches, et pour ses dix-sept ans une poitrine insolente, comme ces fruits qui vont faire éclater leur enveloppe. 11
ARAGON, les Beaux Quartiers, III, III.

REM. Dans tous les emplois, l'antéposition de l'épithète est stylistique.

CONTR. Courtois, poli, respectueux. — Modeste, ordinaire.
DÉR. Insolemment.

INSOLER [ɛ̃sɔle] v. tr. — 1613, *in* T. L. F.; lat. *insolare,* de *in-* locatif, et *sol, solis* «soleil». → Insolation.

♦ Didact. Exposer à la lumière du soleil. *Insoler une plaque photographique.*

Les jalousies étaient baissées (...) Le soleil cuisait doucement les pommes tombées (...)
Colin et Chloé, l'un près de l'autre, se laissaient insoler sans rien dire (...)
B. VIAN, l'Écume des jours, XXVI, p. 88.

▶ **INSOLÉ, ÉE** p. p. adj. *Baigneurs insolés. — Papier insolé.*

DÉR. **Insolateur.**

INSOLITE [ɛ̃sɔlit] adj. — 1495; lat. *insolitus;* de *in-* (→ 1. In-), et *solitus* «habituel, ordinaire», p. p. de *solere* «être habituel, courant».

♦ [a] Choses. Qui étonne, surprend par son caractère inaccoutumé, contraire à l'usage*, aux habitudes... ⇒ **Anormal, bizarre, étonnant, étrange, extraordinaire, inaccoutumé, inhabituel, nouveau, rare** (→ Appareil, cit. 9). *Un événement insolite* (→ Fantastique, cit. 11). *Une présence insolite. Danseur qui bondit* (cit. 7) *à des hauteurs insolites. C'est une chose insolite, plutôt insolite dans ce pays.* — REM. Péjoratif jusqu'au XXe, ce mot, devenu à la mode, est plutôt laudatif de nos jours.

1 *Inusité* (...) n'implique ni louange ni blâme. Mais *insolite* (...) emporte assez souvent l'idée défavorable de quelque chose d'étrange ou d'inique.
LAFAYE, Dict. des synonymes, Suppl., Inusité.

2 Ces démarches, illégales et insolentes autant qu'insolites, rebutent ceux qui travaillent pour moi. VOLTAIRE, Correspondance, 1948, 15 juin 1761.

3 (...) le document, d'un style insolite, rompait avec tous les usages diplomatiques (...)
Louis MADELIN, Hist. du Consulat et de l'Empire, De Brumaire à Marengo, XXI.

4 (...) les formules de fin de lettre sont bien reçues, non en dépit mais en faveur de ce qu'elles ont de conventionnel. Une terminaison insolite n'est à risquer qu'entre gens d'esprit qui se connaissent bien.
J. ROMAINS, les Hommes de bonne volonté, t. V, VIII, p. 69.

[b] (Personnes; actes, comportements). ⇒ **Bizarre, étrange.** *Des hommes, des personnages insolites. «Il se sentait insolite et menaçant»* (Sartre, *in* T. L. F.). *Acte, réaction insolite. Expression, air insolite.*

N. m. (1846, Stendhal). *L'insolite* (→ Flairer, cit. 12). *Recherche, culte de l'insolite et du bizarre, en poésie.*

CONTR. **Accoutumé, banal, commun, familier, normal, ordinaire.**
DÉR. **Insolitement.**

INSOLITEMENT [ɛ̃sɔlitmɑ̃] adv. — 1834, Boiste; de *insolite.*

♦ Rare. De manière insolite. *Se comporter insolitement. «Des réflexions insolitement graves»* (Gide, *in* G. L. L. F.).

CONTR. **Banalement, normalement, ordinairement.**

INSOLUBILISATION [ɛ̃sɔlybilizɑsjɔ̃] n. f. — 1908, in *Rev. gén. des sc.,* n° 11, p. 461; de *insolubiliser.*

♦ Didact. Le fait d'insolubiliser; son résultat. *«Après insolubilisation sur un support, ces anticorps (...) permettent d'isoler (...) de l'interféron à l'état pur»* (*Sciences et Avenir,* nov. 1980, p. 1303).

INSOLUBILISER [ɛ̃sɔlybilize] v. tr. — 1872; de *insoluble.*

♦ Didact. Rendre insoluble (2.). *Insolubiliser de l'oxyde de cuivre.* Au p. p. *«Le mucilage insolubilisé»* (*Année sc. et industr.* 1899, p. 76 [1898]).

DÉR. **Insolubilisation.**

INSOLUBILITÉ [ɛ̃sɔlybilite] n. f. — 1765, *Encyclopédie;* du bas lat. *insolubilitus,* du lat. class. *insolubilis.* → Insoluble.
Didactique.

♦ **1.** (Au sens 1 de *insoluble*). Caractère de ce qui est insoluble. *L'insolubilité d'un problème, d'une question.*

♦ **2.** (Au sens 2 de *insoluble*). *L'insolubilité d'une substance.*

(...) la facilité avec laquelle j'arriverai (...) à la solution du mystère, est en raison directe de son insolubilité apparente aux yeux de la police.
BAUDELAIRE, Trad. E. POE, Hist. extraordinaires, «Double assassinat dans la rue Morgue».

CONTR. **Solubilité.**

INSOLUBLE [ɛ̃sɔlybl] adj. et n. — 1220, *issoluble,* n. m.; lat. *insolubilis,* de *in-* (→ 1. In-), et *solubilis* (→ Soluble), de *solvere.*

♦ **1.** Qu'on ne peut résoudre. ⇒ **Impossible.** *Difficulté, énigme, problème, question insoluble* (→ Éclaircir, cit. 7). *S'attaquer à un problème insoluble* (→ Chercher la quadrature* du cercle).

(...) le problème ainsi posé, n'était pas toujours insoluble.
G. DUHAMEL, Récits des temps de guerre, III, XLIII.

N. m. *L'insoluble.*

♦ **2.** (1762). Qui ne peut se dissoudre (⇒ **Indissoluble,** vx). *Substance insoluble dans l'eau, à l'eau.* — Chim. Dont une fraction nulle ou extrêmement faible peut se dissoudre dans l'eau.

CONTR. **Soluble.**
DÉR. **Insolubiliser.**

INSOLVABILITÉ [ɛ̃sɔlvabilite] n. f. — 1539 (1603, selon T. L. F.); de *insolvable.*

♦ Dr. État d'une personne qui est insolvable. *L'insolvabilité d'un failli* (⇒ **Déconfiture, faillite**).

Elle *(la cessation des paiements)* doit être distinguée de l'*insolvabilité,* situation du débiteur dont le passif est supérieur à l'actif. Le non-commerçant qui est en état d'insolvabilité notoire est dit en état de *déconfiture;* le commerçant dont un jugement déclare qu'il a cessé ses paiements est en état de faillite (ou de liquidation judiciaire). DALLOZ, Nouveau Répertoire, art. *Faillite,* n° 21.

CONTR. **Solvabilité.**

INSOLVABLE [ɛ̃sɔlvabl] adj. et n. — 1431; de 1. *in-,* et *solvable.*

♦ Dr., didact. Qui est hors d'état de payer ses dettes. *Débiteur* insolvable.*

J'ai beau presser mes fermiers, et les accabler de frais de justice, je ne fais que les rendre plus insolvables (...) MONTESQUIEU, Lettres persanes, CXXXII. 1

«Ce que je dois à Dieu, ce que je dois au roi, ce que je dois à l'État...» Un de ses amis l'interrompit : «Tais-toi, dit-il, tu mourras insolvable». 2
CHAMFORT, Caractères et Anecdotes, M. de Biron insolvable.

N. (1690). *Un, une insolvable.*

CONTR. **Solvable.**
DÉR. **Insolvabilité.**

INSOMNIAQUE [ɛ̃sɔmnjak] adj. et n. — 1883, n., J. Richepin; de *insomné* «qui souffre d'insomnies».

♦ Didact. Qui souffre d'insomnie. *Un vieillard insomniaque* (syn. : *insomnieux*). — Rare (choses). Où l'on ne dort pas.

(*Dans les «Laborantines»*) Paul Bourget écrit : *Au terme d'un voyage insomniaque* (...) Les Goncourt ont lancé *insomnieux,* qui est agréable et qui n'est pas absolument hors d'usage (...) Feu Paul Bourget, qui adorait les médecins (...) n'a pas manqué de montrer ses ambitions «scientifiques», en employant ici un mot fabriqué sur le modèle de *maniaque, hypocondriaque* (...) Le dit mot n'en vaut pas mieux. A. THÉRIVE, Querelles de langage, t. III, p. 191. 1

N. *Un, une insomniaque.*

(...) le village aussi semblait dormir, mais il y avait sûrement des insomniaques qui épiaient tous les bruits. S. DE BEAUVOIR, les Mandarins, p. 564. 2

INSOMNIE [ɛ̃sɔmni] n. f. — 1555; lat. *insomnia,* de *insomnis* «qui ne dort pas», de *in-* (→ 1. In-) et *somnus.* → Sommeil.

♦ **1.** Absence, privation anormale de sommeil. ⇒ **Agrypnie** (vx). *L'insomnie de qqn. Souffrir d'insomnie* (⇒ **Insomniaque**). *Insomnie causée par l'inquiétude, la nervosité, la fatigue, une mauvaise digestion, une infection, la neurasthénie, l'hypocondrie* (→ Décider, cit. 32; hanter, cit. 15). *Heures, nuits d'insomnie.* ⇒ **Veille** (→ Courbaturer, cit. 1; évoquer, cit. 18; harmonique, cit. 6). *Malade qui perd le sommeil*, se plaint d'insomnie* (→ Frigidité, cit. 4). *Chasser l'insomnie* (→ Hyacinthe, cit. 2). — *Remède contre l'insomnie.* ⇒ **Somnifère.**

(...) je n'ai garde de me moquer d'un auteur si célèbre et si docte *(Hippocrate...)* je suis persuadée qu'en l'ouvrant seulement je me guérirai de mon insomnie. 1
A. R. LESAGE, le Diable boiteux, VIII.

(...) ne pouvant trouver le sommeil depuis plusieurs nuits, j'avais voulu essayer si la fatigue me le rendrait; et mes regards expliquaient assez (...) la cause de mon insomnie. LACLOS, les Liaisons dangereuses, XLIV. 2

Un peu d'insomnie n'est pas inutile pour apprécier le sommeil, projeter quelque lumière dans cette nuit. PROUST, À la recherche du temps perdu, t. IX, p. 70. 3

Les heures d'insomnie, lorsque l'on n'est pas malade, ne sont si redoutées, je crois, que parce que l'imagination est alors trop libre et n'a point d'objets réels à considérer. Un homme se couche à dix heures et, jusqu'à minuit, il saute comme une carpe en invoquant le dieu du sommeil. Le même homme, à la même heure, s'il était au théâtre, oublierait tout à fait sa propre existence. 4
ALAIN, Propos, 1909, L'ennui.

♦ **2.** Plus cour. *(Une, des insomnies).* Moment pendant lequel une personne ne peut dormir. *Se tourner et se retourner dans son lit au cours d'une insomnie. Une longue insomnie. De continuelles insomnies.*

Ils me préoccupent tellement malgré moi que cela m'empêche de dormir. J'ai des insomnies. Je somnole dans la journée quand je suis à bout de fatigue. 5
IONESCO, Rhinocéros, p. 185.

Fig. et fam. *Avoir des insomnies à cause de qqch. :* être très préoccupé par quelque chose.

Par métaphore. *«La prison, ce doit être bien cela, une insomnie qui dure»* (Aragon, *les Beaux Quartiers*).

DÉR. **Insomniaque, insomnieux.**

INSOMNIEUX, EUSE [ɛ̃sɔmnjø, øz] adj. et n. — 1853, Goncourt, *Journal;* de *insomnie.*
Didactique.

♦ **1.** Adj. et n. (1895). Littér. ⇒ **Insomniaque.**

1 En ces jours d'avènement il a encore son regard d'insomnieux, une pupille réduite dans l'iris bleu, la paupière raide. COLETTE, Belles saisons, p. 190.

2 Sa voix molle, presque dépourvue d'inflexions, semblait trahir une grande fatigue, et toute sa personne contribuait du reste à donner cette impression. La flaccidité de son visage, des yeux lourds et mornes d'insomnieux, des mains grasses et livides (...) M. AYMÉ, Travelingue, p. 173.

♦ **2.** (1869). Relatif à l'insomnie. — Caractérisé par l'insomnie.

3 Son visage blême trahit une fatigue que les gens ne connaissent guère, qui n'est point celle des muscles, ni même d'une nuit insomnieuse. BERNANOS, Nouvelle histoire de Mouchette (1937), *in* Œ. roman., Pl., p. 1329.

INSOMNISANT, ANTE [ɛ̃sɔmnizɑ̃, ɑ̃t] adj. — Mil. xxe; de *insomn(ie)*, et *-isant*.

♦ Didact. Qui empêche de dormir. « *En plus de son action nerveuse* (du café), *stimulante et insomnisante, c'est un tonique cardiovasculaire* » (P. Deniker, *la Psychopharmacologie*, P. U. F., p. 24).

INSONDABILITÉ [ɛ̃sɔ̃dabilite] n. f. — 1846, Proudhon, au sens 2; de *insondable*.

Didact. et littér. Caractère de ce qui est insondable.

♦ **1.** 1873. (Concret, → Insondable, 1.). *L'insondabilité d'un gouffre.*

♦ **2.** (Abstrait, → Insondable, 2.). *Un mystère, une question d'une complète insondabilité.*

INSONDABLE [ɛ̃sɔ̃dabl] adj. — 1578; de 1. *in-*, *sonder*, et *-able*.

♦ **1.** Rare. Qui ne peut être sondé, dont on ne peut atteindre le fond*. *Abîme, gouffre insondable.* ⇒ **Abyssal.** *Mine, puits insondable.* — Qu'on ne peut explorer. *Des forêts insondables.*

♦ **2.** (1808). Qu'il est très difficile ou impossible de comprendre, d'expliquer. — Fig. *Mystère, secret insondable.* ⇒ **Énigmatique, impénétrable, incompréhensible, insaisissable.** — Littér. *Un regard insondable.* ⇒ **Impénétrable.** *Des yeux insondables.* — *Douleur insondable.* ⇒ **Intense, profond.** « *L'insondable noirceur du mal* » (S. de Beauvoir).

1 Qui peut sonder de Dieu l'insondable pensée? LAMARTINE, Jocelyn, II, 28 févr. 1793.

2 (...) il resta longtemps immobile, torturé par la faim, mais trop brute pour bien pénétrer son insondable misère. MAUPASSANT, Contes, Le gueux, p. 295.

3 (...) tout moyen nouveau de connaissance la montre *(la Nature)* plus vaste et diverse, plus féconde, plus imprévue, plus belle, plus riche d'insondable immensité. Jean PERRIN, les Atomes, Conclusion.

3.1 De Bordeaux, j'apprends le retentissement bénéfique du nom du Pinay dans les profondeurs de cette insondable province. F. MAURIAC, le Nouveau Bloc-notes 1959-1960, p. 63.

(Personnes). Qui ne se livre pas, ne se laisse pas comprendre. ⇒ **Énigmatique, insaisissable.**

♦ **3.** (1855). Péj. Immense, infini. *Bêtise insondable.* ⇒ **Atroce, gigantesque** (→ Un abîme* de bêtise). *Un insondable ennui. Une horreur insondable.*

4 Elle s'arrêta au bord d'une insondable maladresse. N'allait-elle pas protester de son innocence! FRANCE, Jocaste, Œuvres, t. II, XII, p. 112.

Rare (laudatif). *Une bonté insondable* (Gracq, *le Château d'Argol*).

DÉR. Insondabilité, insondablement.

INSONDABLEMENT [ɛ̃sɔ̃dabləmɑ̃] adv. — xxe (1939, Gide, *in* T. L. F.); de *insondable*.

♦ Littér. D'une manière insondable (surtout au fig.). — Spécialt. *Il est insondablement idiot.*

INSONDÉ, ÉE [ɛ̃sɔ̃de] adj. — 1794, Pougens; de 1. *in-*, et p. p. de *sonder*.

Didactique ou littéraire.

♦ **1.** Qui n'a pas été sondé. *Gouffre insondé.* — Inexploré. *Région, forêt insondée.*

♦ **2.** Abstrait. Qui n'a pas été sondé, expliqué. *Des mystères insondés, insondés et peut-être insondables.*

INSONORE [ɛ̃sɔnɔʀ] adj. — 1801, Mercier; de 1. *in-*, et *sonore*.

♦ **1.** Rare. Qui n'est pas sonore. *Choc insonore. Respiration insonore.* ⇒ **Silencieux.**

♦ **2.** Cour. Qui ne vibre pas* sous l'effet des ondes sonores, qui amortit les sons. *Le liège, l'amiante, la fibre, matériaux insonores. Tôle insonore,* formée de tôles entrecollées amortissant les résonances de la tôle.

(D'un local). ⇒ **Insonorisé.** *Cabine insonore.*

DÉR. Insonoriser.

INSONORISATION [ɛ̃sɔnɔʀizasjɔ̃] n. f. — 1931; de *insonoriser*.

♦ Le fait d'insonoriser; son résultat. ⇒ **Isolation.** *Techniques d'insonorisation. Une bonne insonorisation. Il faut refaire l'insonorisation de ce local. — Insonorisation des caméras de cinéma.*

INSONORISER [ɛ̃sɔnɔʀize] v. tr. — 1931; de *insonore*.

♦ Rendre moins sonore, plus silencieux. *Insonoriser une chambre. Ce musicien, ce chanteur a dû faire insonoriser son appartement. Insonoriser les sols, le plafond d'un local.*

Aménager de façon à atténuer les bruits extérieurs.

▶ **INSONORISÉ, ÉE** p. p. adj. *Matériau insonorisé. Appartement, studio insonorisé.*

Il faut non seulement que les studios soient parfaitement isolés des bruits extérieurs, mais il faut également qu'ils soient étudiés au point de vue acoustique (...) Dans un studio parfaitement insonorisé, où ne sont enregistrées que les ondes directes, le son reproduit est sourd (...) L. LOBEL, *in* Encycl. franç. (DE MONZIE), XVI, 16-46-6 (1935).

DÉR. Insonorisation.

INSONORITÉ [ɛ̃sɔnɔʀite] n. f. — 1845; de 1. *in-*, et *sonorité*. → Insonore.

Didactique.

♦ **1.** Rare. Absence de sonorité. ⇒ **Silence.**

♦ **2.** (1873). Caractère de ce qui ne transmet pas les sons. *L'insonorité d'un matériau.* — Spécialt. Qualité d'un lieu qui n'est pas sonore, où les sons se transmettent peu. *L'insonorité d'une pièce.*

L'insonorité parfaite du matériau scénique est la condition première d'un art dramatique bien compris. G. DUHAMEL, Suzanne et les Jeunes Hommes, p. 88.

INSORTABLE [ɛ̃sɔʀtabl] adj. — xxe; de 1. *in-*, et *sortable*.

♦ Qui n'est pas sortable. *Il, elle est insortable.*

CONTR. Sortable.

INSOUCI [ɛ̃susi] n. m. — Av. 1836, *in* Littré; de 1. *in-*, et *souci*.

Littéraire et rare.

♦ **1.** Le fait de ne pas s'inquiéter (de qqch.). *L'insouci du lendemain.*

Et il développait, pour sa flemme et sa tranquillité (...) un tel insouci des châtiments militaires, une si folle inconscience (apparente, du moins), qu'on n'osait pas le punir (...) A. ALLAIS, Contes et Chroniques, p. 66. 1

Derrière les volets clos de chaque fenêtre la lumière, tamisée à cause des ordonnances de police, décelait pourtant un insouci complet de l'économie. PROUST, le Temps retrouvé, Pl., t. III, p. 810. 2

♦ **2.** (1867). Absence de souci. *Manifester un complet insouci. Vivre dans l'insouci.* ⇒ **Insouciance.**

CONTR. Inquiétude, préoccupation, souci.

INSOUCIAMMENT [ɛ̃susjamɑ̃] adv. — D. i. (fin xixe, Zola, de Voguë, *in* T. L. F.); de *insouciant*.

♦ Littér. et rare. De manière insouciante. ⇒ **Insoucieusement.**

INSOUCIANCE [ɛ̃susjɑ̃s] n. f. — 1752; de *insouciant*.

♦ **1.** État ou caractère d'une personne insouciante. ⇒ **Détachement, indifférence, indolence, nonchalance** (→ Auprès, cit. 14; gratuité, cit. 3; incurablement, cit. 2). *Vivre, travailler dans l'insouciance* (→ Célibat, cit. 6, Chamfort; exister, cit. 24). *Échouer par insouciance. Faire qqch. avec insouciance* (→ Ensemencer, cit. 2; gamin, cit. 6), *avec l'insouciance de la jeunesse. — Un air d'insouciance. Avoir un geste d'insouciance.*

(...) la mort (...) objet d'une insouciance habituelle et d'un effroi passager! B. CONSTANT, Adolphe, VII. 1

L'insouciance tient au désespoir ou à la résignation. BALZAC, la Muse du département, Pl., t. IV, p. 87. 2

Il me manque le repos, la douce insouciance qui fait de la vie un miroir où tous les objets se peignent un instant et sur lequel tout glisse. A. DE MUSSET, les Caprices de Marianne, I, 4. 3

Rare. *(Une, des insouciances).* Attitude insouciante. *Avoir des insouciances d'enfant.*

♦ **2.** (1787, Volnay). *Insouciance de qqch.*, absence de souci, d'inquiétude, de regret, de remords à son sujet (→ Généreux, cit. 17). *L'insouciance de l'avenir, du danger, de la mort, du passé.*

CONTR. Application, assiduité, avidité, curiosité, empressement, inquiétude, prévoyance, prudence, souci.

INSOUCIANT, ANTE [ɛ̃susjɑ̃, ɑ̃t] adj. et n. — 1752 (1773, Beaumarchais, selon T. L. F.); de 1. *in-*, et *soucier*.

♦ **1.** Qui ne se préoccupe de rien, agit sans souci. ⇒ **Étourdi, frivole, imprévoyant, indolent, léger, négligent, nonchalant, sans-souci.** *Être, se montrer insouciant.* ⇒ **Faire** (ne pas s'en faire); → Ne pas s'en faire une miette*; et aussi fataliste, cit. 3. *Gais lurons, joyeux et insouciants.*

1 Le bonhomme Panard, aussi insouciant que son ami, aussi oublieux du passé et négligent de l'avenir (...) MARMONTEL, Mémoires, VI.

2 Insouciante comme un bohème, elle dit tout ce qui lui passe par la tête, elle se soucie de l'avenir comme vous pouvez vous soucier des sous que vous jetez à un pauvre (...) BALZAC, la Fausse Maîtresse, Pl., t. II, p. 38.

3 D'Aubigné n'était pas un jeune seigneur insouciant et gai, mais il était, d'après un grand seigneur aimable, un jeune homme insouciant et gai. STENDHAL, Lamiel, p. 179, *in* T. L. F.

4 Aux pieds de ma belle Lucrèce était un autre André, jeune et heureux, insouciant comme le vent, libre et joyeux comme un oiseau du ciel. A. DE MUSSET, André del Sarto, II, 1. (Var.).

(1810, Mme de Staël). Choses. *Caractère, air insouciant* (→ Briser, cit. 29; engloutir, cit. 2). *Attitude* (cit. 15) *insouciante. Geste insouciant.* — (L'antéposition de l'épithète est stylistique). *Une insouciante folie* (→ Gaieté, cit. 2).

N. (1779). *Un insouciant, une insouciante.* → Avertir, cit. 26.

5 L'insouciant est heureux de vivre et porte au visage l'expression de l'amitié égalitaire. ALAIN, les Passions et la Sagesse, Les importants, Pl., p. 598.

♦ **2.** (1787, Volnay). *Insouciant de... :* qui ne se soucie pas de (qqch.). ⇒ **Indifférent** (à), **insoucieux, oublieux.** *Être insouciant de son devoir, de ses affaires. Être insouciant du lendemain, de l'avenir, du danger* (→ Franchir, cit. 18).

6 (...) ces hommes de caractère antique (...) fiers de la gloire du pays, et insouciants de la leur propre, s'enferment avec plaisir dans leur obscurité (...) A. DE VIGNY, Servitude et Grandeur militaires, I, VI.

Insouciant de (et inf.). *Il semble insouciant d'échouer, d'avoir un accident.* — Vx. *Insouciant sur qqch.*

CONTR. Bilieux, curieux, inquiet, préoccupé, prévoyant, prudent, soucieux.
DÉR. Insouciamment, insouciance.

INSOUCIEUSEMENT [ɛ̃susjøzmɑ̃] adv. — 1842; de *insoucieux*.

♦ Littér. Sans souci. ⇒ **Étourdiment, insoucieusement, négligemment.**

1 Les journaux ont rapporté l'histoire d'un ouvrier qui vient de se faire électrocuter. Il maniait insoucieusement des fils de transmission; le voltage n'était pas très fort; mais son corps était (...) en sueur. GIDE, les Faux-monnayeurs, III, 6. *in* Romans, Pl., p. 1162.

2 Il y avait à Londres dix, vingt Darcy qui m'étaient destinés, qui se promenaient insoucieusement le matin à cheval dans Hyde Park. J. DUTOURD, Mémoires de Marie Watson, p. 11.

INSOUCIEUX, EUSE [ɛ̃susjø, øz] adj. — 1761; d'après Féraud, 1787; de 1. *in-*, et *soucieux*.

♦ **1.** Littér. Vieilli. Qui ne prend pas souci d'(une chose). ⇒ **Insouciant.** Vx. *Un homme insoucieux.*

Rare. *Un insoucieux, une insoucieuse.* ⇒ **Insouciant.**

Par ext. *Mener une vie insoucieuse. Attitude, allure insoucieuse.*

1 (*Des*) hommes qui, depuis des siècles, vivaient en maîtres du monde, pleins d'un mépris insoucieux des petits et des souffrants. ZOLA, Rome, p. 638.

2 (...) j'appelais de mes vœux une cause quelconque qui retardât pour moi mon entrée dans le tourbillon de la vie active, en prolongeant l'assouplissement de la vie domestique si calme, si insoucieuse. RENAN, Souvenirs d'enfance..., Appendice, Lettre à Cognat, 12 nov. 1845.

♦ **2.** (Mil. XIXe). *Insoucieux de...* ⇒ **Indifférent** (à), **insouciant** (de). *Insoucieux du lendemain, du danger..., de l'heure* (Méry, *in* Littré). *Insoucieux de ses intérêts, il ne songeait qu'à l'intérêt public* (Académie). *Être insoucieux de courir un danger.* — Rare. *Insoucieux que* (et subj.). → ci-dessous, cit. 3.

3 Il était depuis longtemps insoucieux qu'Odette l'eût trompé et le trompât encore. PROUST, À l'ombre des jeunes filles en fleur, Pl., p. 524.

4 Insoucieux du temps perdu, la tête enfoncée sous les draps, le petit juge s'absorbait dans cette recherche vaine. BERNANOS, Un crime, *in* Œ. roman., Pl., p. 799.

5 Viens voir les indiens, dans nos pinières vertes,
En cercle, insoucieux, couchés sur leur *couvertes* (...)
Dominique ROUQUETTE, Meschacébéenne, *in* Littératures de langue franç. hors de France, p. 197.

6 Aux quelques rares Français qui, mutilés dans leur mémoire et leur imagination, oublieux de l'honneur et insoucieux de la honte, assis dans leur confort personnel pourraient demander : « À quoi bon? » il faut, ici, répondre. CAMUS, Actuelles I, août 1944, *in* Essais, Pl., p. 1521.

CONTR. Soucieux.
DÉR. Insoucieusement.

INSOUMIS, ISE [ɛ̃sumi, iz] adj. et n. m. — 1564, repris fin XVIIIe; de 1. *in-*, et *soumis*.

♦ **1.** Qui n'est pas soumis*, refuse de se soumettre. *Contrées, tribus insoumises.* ⇒ **Mutin, rebelle, séditieux.** — Qui se dérobe à la discipline, à l'autorité. Vx. *Enfant, élève insoumis.* ⇒ **Désobéissant, indépendant, indiscipliné, révolté.**

Le jeune Français reconnut en Francesca la jeune fille imprudente, la nature vraie de la femme encore insoumise, se débattant par instants avec son amour, et s'y laissant aller complaisamment en d'autres moments. 1
BALZAC, Albert Savarus, Pl., t. I, p. 795.

Qui ne se soumet pas à une autorité politique. *Région insoumise. Pays colonisé qui reste insoumis.*

(...) certains ministres souhaitaient envoyer de grands renforts et en finir avec le Maroc insoumis. A. MAUROIS, Lyautey, XII. 2

N. *Un insoumis, une insoumise* (→ Croisade, cit. 2).

L'insoumis rejette la servitude et s'affirme l'égal du maître. Il veut être maître à son tour. CAMUS, l'Homme révolté, p. 140. 3

♦ **2.** (1832). *Soldat insoumis*, et, n. m. (1828, *in* D. D. L.), *un insoumis :* militaire qui a commis le délit d'insoumission*. ⇒ **Déserteur, réfractaire.**

(...) on apprit au G. M. P. qu'il y avait un déserteur dans la ville (...) On envoya des gendarmes examiner ça d'un peu plus près. C'était vrai, le type qui logeait chez la dame Pigeonnier était un insoumis. R. QUENEAU, le Chiendent, p. 412. 4

♦ **3.** (1841). Anciennt (av. 1946, en France). *Fille insoumise :* prostituée qui ne se soumettait pas aux mesures de contrôle administratives et sanitaires.

Cette fille, insoumise jusqu'ici, était parvenue à échapper aux règlements de la police. Louise MICHEL, la Misère, t. II, p. 451. 5

♦ **4.** Fig. et littér. Qui ne se soumet pas (à une obligation, un devoir). *Être insoumis aux devoirs, aux obligations de sa charge.* — (Parties du corps). Qui n'obéit pas. « *Membres insoumis* » (Proust).

CONTR. Obéissant, soumis.

INSOUMISSION [ɛ̃sumisjɔ̃] n. f. — 1818; de 1. *in-*, et *soumission*.

♦ **1.** Caractère, état d'une personne insoumise. ⇒ **Désobéissance, indiscipline, rébellion, révolte.** *L'insoumission de qqn, d'un groupe. Esprit* (cit. 164), *acte d'insoumission.* — *Insoumission à la loi, aux règles.*

Révolte absolue, insoumission totale (...) le surréalisme (...) se définit comme le procès de tout (...) CAMUS, l'Homme révolté, p. 118.

État d'une communauté, d'une région insoumise. — Par métonymie. Ensemble de populations insoumises.

♦ **2.** (1873). « Délit correctionnel qui consiste (...) pour un militaire (...) à qui un ordre de route à été régulièrement notifié, à n'être pas arrivé à destination dans un certain délai après le jour fixé par cet ordre » (Capitant). ⇒ **Désertion.**

CONTR. Soumission.

INSOUPÇONNABLE [ɛ̃supsɔnabl] adj. — 1838-40, Académie, *Compl.*; de 1. *in-*, *soupçonner*, et *-able*.

♦ **1.** Qui ne peut être soupçonné; à l'abri de tout soupçon. *Il, elle est insoupçonnable. Honnêteté, probité insoupçonnable.*

Le parfum d'honnêteté sévère et insoupçonnable, spécial aux vieilles bonnes et aux femmes laides (...) Ed. et J. DE GONCOURT, Germinie Lacerteux, XXXVI. 1

(...) le fils d'Henri IV était à peu près matériellement insoupçonnable, en dépit des imputations (...) Émile HENRIOT, Portraits de femmes, p. 44. 2

♦ **2.** Dont on ne peut deviner l'existence, l'importance. *Des drames insoupçonnables. Perspectives insoupçonnables.* ⇒ **Insoupçonné** (2.).

REM. L'adv. dérivé *insoupçonnablement*, est attesté.

INSOUPÇONNÉ, ÉE [ɛ̃supsɔne] adj. — 1794, Pougens; de 1. *in-*, et *soupçonné*.

♦ **1.** Littér. Qui n'est pas soupçonné. *Le véritable criminel demeura longtemps insoupçonné.*

♦ **2.** (1865). Dont l'existence n'est pas soupçonnée, pressentie. *Domaine, horizon insoupçonné; perspectives, richesses insoupçonnées.* ⇒ **Inattendu, nouveau** (→ Allusion, cit. 3; clôture, cit. 5; incursion, cit. 4).

Insoupçonné de (qqn). ⇒ **Inconnu.** *Coin paisible insoupçonné de la foule, insoupçonné de tous.*

La foudre ne sait que détruire. Mais la germination se fait dans un profond silence, enfouie, insoupçonnée de tous. MONTHERLANT, le Maître de Santiago, III, 3.

N. m. (Rare). « *Du neuf, de l'insoupçonné, du jamais vu!* » (Martin du Gard, *in* T. L. F.).

INSOUTENABLE [ɛ̃sutnabl] adj. et n. — 1460, au sens 2; de 1. *in-*, *soutenir*, et *-able*.

Littér. ou didact. Qu'on ne peut soutenir*.

♦ **1.** (Av. 1654). Qui ne peut être soutenu, défendu (idées, opinions). ⇒ **Inadmissible, indéfendable, injustifiable.** *Assertion, argument, opinion, théorie insoutenable. Absurdités, erreurs insoutenables.*

Des erreurs si insoutenables et si visiblement opposées à la pureté de l'Évangile (...) 1
PASCAL, 2e factum pour curés de Paris, *in* LITTRÉ.

2 (...) il y a en philosophie des systèmes que l'on a rendus insoutenables : ils seront donc soutenus, et même ils seront les plus soutenus (...)
On les a rendus insoutenables pour la raison, mais on ne les a pas rendus insoutenables pour le pouvoir.
On les a rendus insoutenables pour le véritable philosophe. Ils seront soutenus par l'École, par l'État (...) par la Sorbonne, par les bureaux, par les puissances, par le gouvernement, par tout le temporel. Et peut-être par les professeurs de philosophie. Ch. PÉGUY, Note conjointe, Sur Descartes, p. 284.

Vx. (Personnes; comportements). Inadmissible, insupportable. *« Laissez-moi, vous êtes insoutenable »* (Henri Monnier, *Scènes populaires*, t. 1, p. 219).

♦ **2.** Qu'on ne peut supporter, endurer. ⇒ **Insupportable.** *Insoutenable éclat* (cit. 21), qui blesse la vue. *Expression insoutenable sur un visage* (→ Aridité, cit. 3). *Effort insoutenable* (→ Exiger, cit. 18). *Une angoisse insoutenable.*

3 (...) voilà le plus cruel et le plus insoutenable état où l'on puisse être.
Mme DE SÉVIGNÉ, 1070, 11 oct. 1688.

4 (...) la beauté propre aux horizons de la Mitidja, la gravité d'une lande algérienne, l'éclat de la lumière, l'âpreté du soleil insoutenable même en octobre (...)
E. FROMENTIN, Une année dans le Sahel, p. 266.

5 (...) devant une contrariété subie ou une pensée fâcheuse, sa face se contractait, son regard soudain devenait réellement insoutenable (...)
Louis MADELIN, Hist. du Consulat et de l'Empire, De Brumaire à Marengo, VI.

6 Fontaine de ma mort présente insoutenable. Yves BONNEFOY, Poèmes, p. 33.

Vanité, prétention, orgueil insoutenable, excessif, choquant.

N. m. *L'insoutenable. À la limite de l'insoutenable :* presque insoutenable.

CONTR. (Du sens 1) **Défendable, justifiable.** — (Du sens 2) **Supportable.**

INSPECTER [ɛ̃spɛkte] v. tr. — V. 1770, Helvétius; lat. *inspectare*, de *inspectum*, supin de *inspicere*, de 2. *in-*, et de l'anc. v. *specere* « regarder ».

♦ **1.** Examiner* (ce dont on a la surveillance). ⇒ **Contrôler, surveiller, visiter.** — (Compl. n. de personne au plur. ou n. collectif). *Inspecter un régiment, des soldats.* → Passer en revue*. *Inspecter une école.* — (Compl. n. de personne). *Inspecter un professeur.* — (Compl. n. de chose). *Inspecter des travaux. Inspecter un navire après l'avoir arraisonné.* — Absolt. *Personne dont le métier est d'inspecter.* ⇒ **Inspecteur.**

1 Elle venait prendre le train pour aller inspecter ses propriétés à la campagne (...)
LOTI, l'Inde (sans les Anglais), IV, VI.

♦ **2.** Examiner avec attention (qqch., qqn). *Inspecter un lieu, une région.* ⇒ **Explorer, fouiller.** *Inspecter l'horizon.* ⇒ **Scruter.** *Inspecter soigneusement un objet, un lieu. — Inspecter qqn, l'inspecter de pied en cap. Il inspecta rapidement les invités, le public.* ⇒ **Examiner.**

2 (...) il se sentait examiné, inspecté des pieds à la tête, pesé, jugé.
MAUPASSANT, Bel-Ami, I, II (1885).

3 (...) un sans-le-sou qui inspecte autour de soi le pavé pour le cas où un hasard fou lui ferait trouver vingt francs.
COURTELINE, Messieurs les ronds-de-cuir, 5e tableau, III.

4 (...) Jean examinait de près les recoins, admirait la vue, descendait dans le jardin, inspectait la cuisine (...) J. CHARDONNE, les Destinées sentimentales, p. 217.

♦ **3.** Méd. Examiner (un malade, une partie du corps).

▶ **S'INSPECTER** v. pron. *S'inspecter devant la glace.* — Récipr. *Ils s'inspectent curieusement l'un l'autre.*

▶ **INSPECTÉ, ÉE** p. p. adj. *Régiment inspecté. Élèves, professeur inspectés. Classe inspectée.*

INSPECTEUR, TRICE [ɛ̃spɛktœʀ, tʀis] n. — 1611; *inspecteur du cuer* « (Dieu) qui scrute le cœur », 1406; lat. *inspector*, de *inspectum*, supin de *inspicere*. → Inspecter.

♦ Agent* d'un service public ou privé qui est chargé de surveiller, de contrôler le fonctionnement d'une administration, d'une entreprise, de veiller à l'application des normes, des lois (⇒ **Contrôleur**). *Charge, fonction d'inspecteur.* ⇒ **Inspectorat.** *Visite, tournée d'un inspecteur. Inspecteurs des manufactures,* créés par Colbert. *Inspecteur du travail. — Les inspecteurs généraux des armées. Inspecteur de la marine. Inspecteur régional de l'intendance. — Inspecteur, inspectrice de l'enseignement primaire* ou *inspecteur, inspectrice primaire. L'inspectrice départementale des écoles maternelles. Inspecteur pédagogique régional. Inspecteur d'Académie :* directeur de l'enseignement dans une académie. — *Inspecteur général de l'Administration en mission extraordinaire* (syn. : *igame*). *Inspecteur général de l'économie nationale.*

INSPECTEUR DES FINANCES : membre de l'inspection générale des Finances, un des grands corps de l'État.

INSPECTEUR DES CONTRIBUTIONS (syn. : *inspecteur des impôts*). *L'inspecteur l'a convoqué. — Inspecteur des Douanes.*

REM. Les syntagmes ci-dessus correspondent en général à des titres administratifs ayant cours ou ayant eu cours en France; le mot a évidemment des usages libres, notamment lorsqu'il s'agit d'organisations privées. *Les inspecteurs chargés de surveiller un grand magasin.*

Spécialt. **INSPECTEUR (DE POLICE) :** agent sans uniforme attaché à un commissariat, une préfecture de police. ⇒ **Officier** (de police). *Inspecteur principal, inspecteur divisionnaire* (le « principal », le « divisionnaire »). *L'Inspecteur Maigret,* personnage de G. Simenon.

Il se nommait Javert, et il était de la police. Il remplissait à M. — sur M. — les fonctions pénibles, mais utiles, d'inspecteur. HUGO, les Misérables, I, V, V. 1

Avec cela (...) gagnant sa vie : sous-maîtresse dans une institution de jeunes filles, puis plus tard inspectrice de l'enseignement, et pleine de vues pédagogiques fort sensées. Émile HENRIOT, Portraits de femmes, p. 324. 2

Inspecteur de la Sûreté, de la Sûreté générale.*

REM. Le fém. *inspectrice* n'est courant que lorsque la profession est normalement pratiquée par les femmes : on dira plutôt *Mme X, inspecteur de police, inspecteur des finances;* mais *une inspectrice de l'enseignement* ou *elle est inspectrice des ventes. « (...) trois inspectrices surveillent 12 000 mètres carrés de surface de vente »* (*le Monde*, 8 mars 1978, *in* Gilbert).

En appellatif. *Oui, monsieur l'inspecteur.*

Loc. plais. *Inspecteur des travaux finis :* paresseux qui vient voir un travail terminé, quand il n'y a plus rien à faire.

DÉR. Inspectorat.
COMP. Sous-inspecteur.

INSPECTION [ɛ̃spɛksjɔ̃] n. f. — 1290, au sens 1; lat. *inspectio*, de *inspectum*, supin de *inspicere*. → Inspecter.

♦ **1.** Vx. Examen* attentif. *L'inspection de qqch. par qqn. L'inspection du ciel. À la première inspection on connaît que cet acte est faux* (Académie).

(...) lorsque quelqu'un dit : *je pense, donc je suis,* ou *j'existe,* il ne conclut pas son existence de sa pensée comme par la force de quelque syllogisme, mais comme une chose connue de soi; il la voit par une simple inspection de l'esprit (...) 1
DESCARTES, Réponse aux 2es objections, *in* LITTRÉ.

Méd. Premier temps de l'examen clinique.

♦ **2.** (1611). Mod. Examen attentif dans un but d'enquête, de contrôle*, de surveillance, de vérification; travail, fonction d'inspecteur. *Faire, passer une inspection. L'inspection des lieux, d'un navire* (⇒ **Arraisonnement, visite**). *L'inspection d'une unité militaire.* ⇒ **Revue** (→ par métaphore, Enquérir, cit. 5). *Inspection des travaux.* ⇒ **Conduite.** *Bagages soumis à l'inspection de la douane. — Tournée d'inspection* (⇒ **Ronde**). *Rapport d'inspection.*

En terminant son inspection par la bergerie, Hourdequin eut l'idée d'interroger le berger Soulas. ZOLA, la Terre, II, I. 2

Je voudrais obtenir une stricte observation du règlement dans ses moindres détails; et chaque fois que j'irai à Limoges je passerai une inspection minutieuse, le règlement à la main. Je tâcherai que pas une infraction ne m'échappe. 3
J. CHARDONNE, les Destinées sentimentales, p. 307.

Il riait, se tapait sur les cuisses. 4
Soudain la porte s'ouvrit, et le général commandant du secteur parut.
Avec deux capitaines, harnachés de cuirs et de rubans, il passait une inspection, espèce de surprise-partie fort désagréable pour ceux qui la reçoivent.
Le colonel sauta sur ses pieds (...) COCTEAU, Thomas l'Imposteur, Folio, p. 94.

♦ **3.** Charge d'inspecteur. ⇒ **Inspectorat.** *Obtenir une inspection, l'inspection de... Concours d'inspection.*

♦ **4.** (1800). Ensemble des inspecteurs d'une administration; le service qui les emploie; les locaux de ce service. *Entrer à l'inspection des Finances.* — (1871). *L'inspection du Travail :* corps chargé, en France, de contrôler l'application de la législation du travail et de l'emploi. — *Inspection générale des Finances.*

INSPECTORAT [ɛ̃spɛktɔʀa] n. m. — 1872; de *inspecteur.*

♦ Admin. Charge d'inspecteur, d'inspectrice; durée de cette charge. ⇒ **Inspection.**

INSPIRANT, ANTE [ɛ̃spiʀɑ̃, ɑ̃t] adj. — 1740; de *inspirer.*

♦ Littér. Qui inspire, est propre à inspirer. *Modèle inspirant.* ⇒ **Suggestif.**

Pour la douce chaleur des cuisses, le modelé des hanches, les effluves inspirants, durant le parcours, je me suis trouvé gâté entre ces deux mômes. 1
Albert SIMONIN, Touchez pas au grisbi, p. 14.

Plus cour. (en phrase négative). *Ce n'est pas très inspirant.*

Dehors, le long du quai désert, un monsieur en robe de chambre suit avec patience un petit chien qui, sans se presser, renifle ici et là un macadam peu inspirant. 2
Claude MAURIAC, le Dîner en ville, p. 248.

INSPIRATEUR, TRICE [ɛ̃spiʀatœʀ, tʀis] adj. et n. — 1372; rare av. 1798; bas lat. *inspirator*, du supin de *inspirare*. → Inspirer.

★ **I. A.** N. (XIVe). ♦ **1.** N. m. ou f. (1787, *l'inspirateur des beaux-arts*, Marmontel). Personne qui inspire qqn ou dont on s'inspire. ⇒ **Conseiller.** — Personne qui dirige, anime. ⇒ **Agent, cause, innovateur, instigateur.** *L'inspirateur, l'inspiratrice d'un complot, d'une doctrine.*

♦ **2.** N. f. (1803, Delille). **INSPIRATRICE** : femme qui donne l'inspiration. *L'inspiratrice d'un poète.* ⇒ **Égérie, muse.**

♦ **3.** (Choses). Agent qui inspire une action.

1 La religion est la grande inspiratrice de leurs actes, de leur âme, de leurs qualités et de leurs défauts. C'est par elle, pour elle, qu'ils sont bons, braves, attendris, fidèles, car ils semblent n'être rien par eux-mêmes, n'avoir aucune qualité qui ne leur soit inspirée ou commandée par leur foi.
MAUPASSANT, la Vie errante, D'Alger à Tunis, p. 168.

2 Les artistes collaboraient avec le Roi et le Roi collaborait avec ses artistes. Il était le grand animateur et souvent le grand inspirateur. Pendant un demi-siècle et plus, Louis XIV a exercé, en France, le ministère de la Beauté.
Louis BERTRAND, Louis XIV, III, I.

B. Adj. (1798). Rare. Qui donne l'inspiration, le souffle créateur; qui inspire une idée, un sentiment. *Le souffle inspirateur du génie. Idées* (→ Individualiste, cit. 1), *analogies* (cit. 9) *inspiratrices. Un thème inspirateur.*

★ **II.** (1765). Didact. ♦ **1.** Adj. Anat. Qui assure l'inspiration d'air dans les poumons. *Muscles inspirateurs. Centre nerveux inspirateur.*

♦ **2.** N. m. Méd. **INSPIRATEUR** : appareil servant à assurer ou à faciliter l'inspiration d'air dans les poumons.

INSPIRATION [ɛ̃spiʀasjɔ̃] n. f. — 1120; bas lat. *inspiratio,* de *inspiratum,* supin du lat. class. *inspirare.*

★ **I.** *L'inspiration.* ♦ **1.** Souffle émanant d'un être surnaturel, qui apporterait aux hommes des conseils, des révélations; état mystique de l'âme sous cette impulsion surnaturelle. *L'inspiration, une inspiration. Inspiration céleste* (→ Animer, cit. 29), *divine* (→ Fanatisme, cit. 1 et 2), *d'en haut* (cit. 135). ⇒ **Esprit, grâce** (cit. 23 et 26), **illumination.** *L'inspiration des évangélistes* (cit. 2), *des prophètes, des devins.* ⇒ **Divination, science** (infuse). *Inspiration infernale* (→ Frauduleusement, cit.), *diabolique* (→ Exorciser, cit. 5).

1 L'inspiration, a dit Léon XIII dans l'encyclique *Providentissimus Deus,* est une impulsion surnaturelle par laquelle l'Esprit-Saint a excité et poussé les écrivains sacrés et les a assistés pendant qu'ils écrivaient (...)
DANIEL-ROPS, le Peuple de la Bible, p. 310.

♦ **2.** (Fin xve, Froissart). Idée qui vient brusquement et spontanément à qqn. ⇒ **Idée, intuition.** *Avoir une inspiration soudaine. Bonne, mauvaise inspiration. Céder à une inspiration. Les inspirations de qqn. Ses inspirations ne sont pas toujours fameuses.*

2 Le matin, ayant eu l'heureuse inspiration d'aller faire une petite visite à une femme que j'aime passionnément (...)
COURTELINE, Boubouroche, Historique, p. 8.

♦ **3.** (Après 1550, Montaigne). Souffle* créateur qui anime les écrivains, les artistes, les chercheurs (considéré d'abord comme un don des dieux; → Génie, cit. 25, Voltaire). *Inspiration poétique.* ⇒ **Enthousiasme** (cit. 3), **délire, fureur** (poétique), **veine, verve.** *L'imagination, l'amour, l'émotion créatrice, source d'inspiration* (→ Échauffement, cit. 2; gouverner, cit. 18). *L'inspiration poétique.* ⇒ **Poésie.** *Appeler, attendre, chercher l'inspiration. Suivre son inspiration, le feu de l'inspiration. Avoir de l'inspiration. L'inspiration lui manque. Écrire d'inspiration. Le luth, la lyre, symboles classiques de l'inspiration.* — Loc. *D'inspiration :* par inspiration, en étant inspiré.

3 J'ai eu peur un instant qu'au lieu de jouer d'inspiration, nos acteurs ne s'attachassent à reproduire les poses et les inflexions de voix de quelque comédien en vogue (...)
Th. GAUTIER, Mlle de Maupin, XI.

4 *À l'idée d'inspiration s'oppose celle de fabrication,* à l'idée du génie qui souffle du dehors, celle du génie qui s'attache à une matière (...) à l'idée de facilité aérienne, celle d'une difficulté qui s'applique (...)
A. THIBAUDET, *in* BRÉMOND, la Poésie pure, p. 73.

5 (...) certains, qui ne voient que la perfection du résultat, le regarderont comme une sorte de prodige qu'ils appellent INSPIRATION. Ils font donc du poète une manière de *médium* momentané (...) En vérité, il y a bien chez le poète une sorte d'énergie spirituelle de nature spéciale (...) Mais tout véritable poète est nécessairement un critique de premier ordre.
VALÉRY, Variété V, p. 156-157.

L'inspiration d'un créateur, la manière dont il crée. ⇒ 1. **Style.** *L'inspiration naïve et subtile de Verlaine* (→ Évocateur, cit. 2).

♦ **4.** (1701, Furetière). Action d'inspirer qqch. à qqn; résultat de cette action. *L'inspiration de qqn,* qui vient de qqn. *Sous l'inspiration de X...* ⇒ **Influence, instigation** (→ Battre, cit. 37). *L'inspiration de qqch.* (comportement, etc.), qui conduit... *Attendre du dehors l'inspiration de sa conduite* (→ Conseil, cit. 9).

Ce qui est inspiré. ⇒ **Conseil, suggestion.** *Obtenir de qqn une inspiration et des assurances* (cit. 14).

♦ **5.** (xxe). *D'inspiration* (et adj.). *Musique d'inspiration médiévale,* inspirée* par la musique du moyen âge. *Fresque d'inspiration profane. Mode d'inspiration orientale.*

★ **II.** (xve). Physiol. Action par laquelle l'air entre dans les poumons; résultat de cette action. ⇒ **Aspiration.** *Alternance de l'inspiration et de l'expiration* (⇒ **Respiration**). *Mouvement de la cage thoracique pendant l'inspiration* (⇒ **Ampliation,** II.).

On lui mit la compresse de chloroforme sous le nez; il fit deux ou trois grandes inspirations (...) G. DUHAMEL, Récits des temps de guerre, I, Mémorial..., XII. 6

CONTR. (Du sens I) **Étude.** — (Du sens II) **Expiration.**
DÉR. **Inspiratoire.**

INSPIRATOIRE [ɛ̃spiʀatwaʀ] adj. — 1833; de *inspiration.*

♦ Méd. Relatif à l'inspiration. *Capacité inspiratoire. Dyspnée inspiratoire.*

Phonét. *Consonne inspiratoire,* dont l'articulation comporte une inspiration, un appel d'air.

INSPIRER [ɛ̃spiʀe] v. — 1150, *espirer;* lat. *inspirare,* de *in-,* et *spirare* «souffler».

★ **I.** V. tr. ♦ **1.** Animer d'un souffle, d'un élan divin. *Dieu, Yahweh inspira les prophètes. Apollon inspirait la Pythie.* — (Passif et p. p.). *Le philosophe ne se dit point inspiré des dieux* (→ Enthousiaste, cit. 1).

Absolument :

L'Église enseigne et Dieu inspire, l'un et l'autre infailliblement. L'opération de l'Église ne sert qu'à préparer à la grâce ou à la condamnation; ce qu'elle fait suffit pour condamner, non pour inspirer. 1
PASCAL, Pensées, XIV, 881.

♦ **2.** (Mil. xviie). Donner l'inspiration*, le souffle créateur à (qqn), dans l'art, les activités intellectuelles (⇒ **Inspiration,** I., 3.). *Les poètes disent qu'Apollon, que les Muses les inspirent* (Académie). *Le génie qui l'inspirait* (→ Enfler, cit. 1).

Il faut, dans les arts, se contenter, dans les ouvrages même les meilleurs, de quelques lueurs, qui sont les moments où l'artiste a été inspiré. 2
E. DELACROIX, Journal, 21 avr. 1853.

(...) cette flamme divine, ce souffle indéfinissable qui inspire la science, la littérature et l'art, nous l'avons trouvé en vous, Monsieur, c'est le génie. 3
RENAN, Disc. de réception de Pasteur à l'Acad., 27 avr. 1882, Œuvres, t. I, p. 760.

(Sujet n. de personne ou de chose). Être cause et sujet d'inspiration. *Inspirer un poète.* — Absolt. *« Inspirez mais n'écrivez* (cit. 35) *pas »* (Écouchard-Lebrun). *Les paysages de Provence ont beaucoup inspiré ce peintre.* — (Avec un compl. d'objet désignant ce que produit l'inspiration). *« Inspirez-nous des vers, mais ne les jugez pas »* (Rostand; → Échanson, cit. 4). *L'amitié a inspiré très peu de belles pages* (→ Engagement, cit. 10).

Il paraît que tu ne comprends 4
Pas les vers que je te soupire,
Soit! et cette fois je me rends!
Tu les inspires, c'est bien pire.
VERLAINE, Dans les limbes, XI.

Fam. Plaire. *Cette promenade ne m'inspire pas,* ne me dit rien. *Aller au cinéma, ça ne m'inspire pas aujourd'hui.*

♦ **3.** (1636). Produire chez quelqu'un (un élément psychique). — (Au sens actif). Faire naître en suscitant* (un sentiment, une idée, un dessein...). ⇒ **Donner, imprimer, insuffler, suggérer.** *Inspirer à qqn l'horreur de qqch., une sorte de crainte pour qqch.* (→ Assonance, cit. 2; inceste, cit. 2); *lui inspirer le respect des devoirs* (→ 1. Grave, cit. 11), *le goût de la poésie* (→ Huile, cit. 32). *Inspirer la méfiance* (cit. 3). *Inspirer du courage à qqn.* ⇒ **Encourager.** — Vx. *Inspirer à qqn de faire une chose.* ⇒ **Persuader.** — *Inspirer aux autres ce qui nous plaît* (→ Éloquence, cit. 4). — (Sujet n. de chose). ⇒ **Commander, déterminer, dicter, imposer, provoquer.** *Les intentions qui inspirent un acte* (→ Incliner, cit. 26). *Les précautions que doit inspirer la prudence* (→ Faute, cit. 26). *La haine* (cit. 4) *inspire la vengeance.* — (Passif et p. p.). *Propos inspirés par la mode* (→ Coquetterie, cit. 2); *considérations inspirées par l'idéalisme* (cit. 6).

(...) il est sage d'éclairer un convalescent sur les dangers qu'il a courus, pour lui inspirer la prudence dont il a besoin (...) 5
LACLOS, les Liaisons dangereuses, CXXVI.

Si l'amour vous dominait au point de vous inspirer ces fureurs, malgré leur déraison, je les excuserais (...) BEAUMARCHAIS, le Mariage de Figaro, II, 16. 6

Par ext. *Inspirer qqn,* déterminer son comportement par des conseils. ⇒ **Conduire, conseiller, diriger.** *C'est son ministre des finances qui l'inspire.* — (Sujet n. de chose). ⇒ **Animer.** *C'est la pitié qui l'inspire.*

Le voici. Vous verrez si c'est moi qui l'inspire. RACINE, Britannicus, V, 5. 7

♦ **4.** Littér. Être l'instigateur de (qqch.). — (Passif) :

Il est vraisemblable qu'un premier attentat dirigé contre Coligny, qui fut seulement blessé, fut inspiré par Henri de Guise en représailles du meurtre de son père. 8
J. BAINVILLE, Hist. de France, IX, p. 167.

♦ **5.** (1604). Être la cause et l'objet (des sentiments de qqn). ⇒ **Donner.** — (Sujet n. de personne). *Inspirer un sentiment, inspirer de l'amour à qqn* (→ Assiduité, cit. 6; déraisonnable, cit. 3; énergie, cit. 6; épousailles, cit. 2; éprouver, cit. 25). *Inspirer une passion à qqn* (→ Élastique, cit. 4; imprescriptible, cit. 2). *Personne qui inspire l'admiration* (→ Basoche, cit. 1), *le respect* (→ Affection, cit. 9), *le désir, la crainte, la terreur, de la curiosité* (→ Centre, cit. 13; héroïque, cit. 2). *Il, elle inspire de la compassion, de la jalousie* (→ Haut, cit. 60), *de la haine* (cit. 21). — Loc. *Inspirer confiance. Je me méfie de lui, il ne m'inspire pas confiance.* — (Sujet n. de chose). → Bourrelet, cit. 3; efficacité, cit. 1; exclusif, cit. 10; goût, cit. 48. *Une bouche qui inspire des désirs* (→ Attrayant, cit. 2). *Sa santé m'inspire de sérieuses inquiétudes.* — (Passif et p. p.). *L'horreur inspirée par un meurtre* (→ Forteresse, cit. 2).

9 Sait-il toute l'horreur que ce Juif vous inspire? RACINE, Esther, III, 1.

10 (...) ils échangèrent l'aveu de la grande pitié que leur inspirait le monde où ils vivaient. FRANCE, l'Orme du mail, VII, Œuvres, t. XI, p. 70.

11 (...) l'état du patient inspirait les plus pressantes inquiétudes. G. DUHAMEL, Salavin, VI, XXX.

12 Si les gars, après enquête, m'inspirent confiance, je dois me montrer beau joueur. J. ROMAINS, les Hommes de bonne volonté, t. V, VII, p. 63.

★ **II.** ♦ **1.** V. tr. (XVe). Souffler dans. ⇒ **Insuffler.** *Inspirer de l'air dans les poumons d'un noyé.* ⇒ **Introduire.**

♦ **2.** V. intr. (1798). Faire entrer l'air dans ses poumons. *L'acte de la respiration consiste à inspirer et à expirer*.* ⇒ **Aspirer.**

▶ **S'INSPIRER** v. pron. (1829).

♦ **1.** *S'inspirer de... :* prendre, emprunter des idées, des éléments à... *Écrivain qui s'inspire des auteurs anciens.* ⇒ **Imiter.** *Chorégraphe* (cit.) *qui s'inspire d'une œuvre littéraire.* (Choses). *Mode qui s'inspire de l'étranger.*

13 (...) ses peintres, au lieu d'aller copier des modèles d'Italie, voudront regarder autour d'eux et s'inspirer de la nature et des types si variés et si caractéristiques de cet immense empire (...) Th. GAUTIER, Voyage en Russie, p. 313.

14 Une ceinture marocaine de cuir jaune (...) serrait à la taille leurs petites robes très courtes, inspirées des modes européennes. P. MAC ORLAN, la Bandera, VII.

♦ **2.** Rare. (Réfl.). *S'inspirer (un sentiment) à soi-même :*

14.1 Cette envie de vivre à l'hôtel n'avait rien à voir avec les sentiments que Sara avait pour Jacques, mais seulement avec ceux que personnellement elle s'inspirait, elle et la vie, depuis quelques années. M. DURAS, les Petits Chevaux de Tarquinia, p. 65.

▶ **INSPIRÉ, ÉE** p. p. adj.

♦ **1.** Animé par l'inspiration, souffle divin ou créateur. *Prophète inspiré. L'Église est divinement inspirée* (→ Cantonner, cit. 2). *Livres inspirés. Rêverie, causerie inspirée* (→ Fanatique, cit. 1; illuminer, cit. 24).

15 Livres inspirés suivant la foi chrétienne, c'est-à-dire dont les auteurs ont reçu une *impulsion surnaturelle* et ont été *assistés pendant qu'ils écrivaient,* « de telle sorte qu'ils concevaient exactement, voulaient rapporter fidèlement et exprimaient avec une vérité infaillible tout ce que Dieu leur ordonnait et seulement ce qu'il leur ordonnait d'écrire ». DANIEL-ROPS, Jésus en son temps, Introd., p. 37.

N. *Un, une inspirée.* ⇒ **Illuminé, mystique** (→ Enfant, cit. 5).

16 Abraham, Jacob, ces inspirés, ne sont-ils pas exactement des mystiques? DANIEL-ROPS, le Peuple de la Bible, p. 57.

(Dans l'ordre artistique, intellectuel). *Écrivain, artiste, génie inspiré* (→ Élever, cit. 18). — (Choses). Qui indique l'état d'un artiste inspiré. *Air inspiré* (souvent iron.). *Regards inspirés. — Œuvre inspirée, mouvement inspiré* (→ Épithalame, cit. 2).

17 Poète, sans chercher l'effet poétique, mais qui le trouve toujours direct et le plus simple, par la nervosité du trait, la pulsation de son débit, inspiré, exaltant, lyrique. Émile HENRIOT, les Romantiques, p. 400.

♦ **2.** (1690). **BIEN INSPIRÉ, MAL INSPIRÉ :** qui a une bonne, une mauvaise idée (pour agir). ⇒ **Avisé.** *Il a été bien inspiré de vendre ses actions.*

♦ **3.** Passif et p. p. **INSPIRÉ DE...** *Mode inspirée de l'étranger.* → cidessus, S'inspirer, cit. 14.

CONTR. Éprouver (cit. 25). — (Du sens II) **Expirer.**
DÉR. Inspirant.
COMP. (Du sens II) **Inspiromètre.**

INSPIROMÈTRE [ɛ̃spiʀɔmɛtʀ] n. m. — Mil. XXe; de *inspirer,* et *-mètre.*

♦ Méd. Appareil pour la mesure de l'amplitude et de la fréquence des inspirations.

INSTABILITÉ [ɛ̃stabilite] n. f. — 1236; lat. *instabilitas,* de *instabilis.* → Instable.

♦ **1.** Caractère de ce qui est sujet à changer, de ce qui ne dure pas sans se modifier. *L'instabilité des choses humaines.* ⇒ **Changement, vicissitude.** *L'instabilité des valeurs matérielles et morales* (→ Déséquilibre, cit. 2), *des opinions. — L'instabilité d'une situation.* ⇒ **Fragilité** (cit. 6), **incertitude, précarité.** *Instabilité du caractère, des opinions, des sentiments* (→ Indissoluble, cit. 3). ⇒ **Inconstance, versatilité.**

1 Le pis que je trouve en notre état, c'est l'instabilité, et que nos lois, non plus que nos vêtements, ne peuvent prendre aucune forme arrêtée. MONTAIGNE, Essais, II, XVII.

2 Toute votre félicité,
Sujette à l'instabilité,
En moins de rien tombe par terre;
Et comme elle a l'éclat du verre,
Elle en a la fragilité. CORNEILLE, Polyeucte, IV, 2.

3 (...) quand rien ne subsiste de nos besoins, de nos affections, de nos espérances; quand nous passons nous-mêmes avec la fuite invariable des choses, et dans l'inévitable instabilité du monde! É. DE SENANCOUR, Oberman, LXXXIX.

Spécialt. *L'instabilité des prix* (→ Inflation, cit. 2), *du cours d'une matière première, d'une monnaie, du franc.* — (1690). *L'instabilité du temps.*

L'instabilité politique, sociale. L'instabilité de la situation politique, de la politique gouvernementale. L'instabilité ministérielle. — Absolt. *Régime caractérisé par l'instabilité.*

♦ **2.** (Déb. XIVe). Caractère, état d'une personne qui change souvent d'humeur, d'intérêts, etc. *Il est d'une instabilité déconcertante. Son instabilité est grande.*

Spécialt. État d'une personne qui présente un ensemble de troubles du caractère et du comportement (incapacité de rester en place, de poursuivre une activité donnée...). *Instabilité psycho-motrice.*

♦ **3.** (Mil. XIXe). Manque de stabilité naturelle; équilibre peu assuré. — (1864, Wurtz, *in* D. D. L.). Spécialt. Chim. État d'un corps qui subit aisément une décomposition. — Phys. État d'un corps en équilibre* instable. ⇒ **Déséquilibre.** — Météor. *Instabilité dynamique, hydrostatique.* — Techn. Phénomène oscillatoire entretenu, au-delà d'une vitesse critique.

♦ **4.** Cour. Caractère de ce qui change de place. ⇒ **Mobilité.** *L'instabilité des tribus nomades* (→ Caprice, cit. 11).

CONTR. Stabilité. — Aplomb, équilibre, fermeté, fixité, permanence. — Constance.

INSTABLE [ɛ̃stabl] adj. — 1236, au sens abstrait; rare av. le XVIe; lat. *instabilis,* de *in-* (→ 1. In-) et *stabilis.* → Stable.

♦ **1.** Qui change, se modifie facilement, ne reste pas le même ni immobile. — (Concret; à la fois en ce sens et aux sens 3 et 4) :

Ainsi pour lors était la terre instable, 1
L'air sans clarté, la mer non navigable (...)
Clément MAROT, Traductions, Métamorphose d'Ovide, I (v. 1530).

(Abstrait). Qui n'est pas fixe, permanent, qui ne dure pas sans se modifier. ⇒ **Changeant.** *Les choses humaines sont instables. — Temps instable.* ⇒ **Variable.** *Gouvernement, régime instable* (→ Balancer, cit. 24). *Paix, situation politique instable.* ⇒ **Fragile, précaire.** — *Prix, monnaie instable.*

Pensées, sentiments instables. ⇒ **Fugitif, mobile, mouvant** (→ Furtif, cit. 12).

(...) leur sensibilité irritée, susceptible, instable enfin (...) 2
CAMUS, la Peste, p. 215.

♦ **2.** (Personnes). Incapable de se maintenir dans un état mental, affectif; qui change constamment de comportement. ⇒ **Changeant, fluctuant.** — N. *C'est un, une instable.* — Spécialt. Se dit des enfants atteints d'instabilité.

♦ **3.** (Mil. XIXe). Dont l'équilibre est détruit par une faible perturbation. — *Équilibre* instable.* — Cour. *Ce meuble est instable.* ⇒ **Bancal, boiteux, branlant.** — (Êtres animés). *Être instable sur ses jambes.*

♦ **4.** Qui s'altère facilement, change de nature.

(1864, *in* D. D. L.). Chim. *Combinaison instable,* qui se décompose facilement en ses éléments. — *Acier instable,* dont les caractères se modifient. — *Noyaux, particules instables* (radioactifs). — Biol. *Génome instable.* — Ling. *Phénomène instable,* qui ne se réalise pas de manière constante.

♦ **5.** (XXe). **a** (Êtres vivants). Qui se déplace, n'est pas stable en un lieu. *Personne, population instable.* ⇒ **Errant, nomade.** *Des gens instables, qui déménagent sans cesse.* → Être comme l'oiseau sur la branche*; être en camp* volant.

b (Choses). *Masses d'air instable.*

CONTR. Stable. — Fixe. — Permanent, solide. — Constant, déterminé.
DÉR. Instablement.

INSTABLEMENT [ɛ̃stabləmɑ̃] adv. — V. 1380; de *instable.*

♦ Rare. De façon instable.

INSTALLATEUR, TRICE [ɛ̃stalatœʀ, tʀis] n. — Mil. XIXe (1863), au sens 1; du rad. de *installer, installation.*

♦ **1.** N. m. Vx. Celui qui installe [1.] (un dignitaire).

♦ **2.** (1875). Mod. Personne qui s'occupe d'installations. Artisan, ouvrier qui effectue des installations. *Un installateur décorateur. Installateur de chauffage.* ⇒ **Chauffagiste.** — Appos. *Plombier installateur.*

INSTALLATION [ɛ̃stalasjɔ̃] n. f. — 1349; de *installer.*

♦ **1.** **a** Relig. Mise en possession solennelle d'une charge ecclésiastique (Capitant). *Installation d'un évêque* (⇒ **Intronisation**), *d'un curé.* — (Dans une religion autre que la catholique). *Installation d'un lama* (→ Impeccable, cit. 1).

b Admin. Formalité indispensable à l'entrée en exercice des titulaires de certains emplois publics. *Installation d'un magistrat, d'un juge; installation dans une fonction.* — Vieilli. Entrée en fonction (dans un poste). « *L'installation en mon lieu et place de notre cher Lousteau comme rédacteur en chef du journal...* » (Balzac, *les Illusions perdues, in* T. L. F.).

♦ **2.** (1611). Cour. Action d'installer (qqch.). ⇒ **Aménagement, arrangement, établissement; place** (mise en). *L'installation de qqch. par qqn. Procéder à l'installation, s'occuper de l'installation des meubles dans une maison,* et, par ext., *de l'installation de sa maison. L'installation d'une tente.* ⇒ **Dressage, montage.** *Installation d'un campement, des troupes, du matériel militaire* (⇒ **Cantonnement**). *Installation de l'électricité*, du gaz dans un immeuble.* — *L'installation d'un atelier, d'une usine.* ⇒ **Équipement.** *L'installation de plusieurs centrales thermiques, nucléaires dans une région.*

♦ **3.** Après 1850. *(Une, des installations).* Ensemble des objets, dispositifs, bâtiments, etc., installés en vue d'un usage déterminé. *Installation de fortune* (cit. 22), *défectueuse* (cit. 4). *Installation modèle. L'installation, les installations frigorifiques* (cit.) *d'un bateau. Constructions* et installations d'une usine, d'une station thermale. Installations portuaires. Installations électriques, industrielles, sanitaires, mécaniques, thermiques.* ⇒ **Équipement.** — Spécialt. Partie essentielle d'une raffinerie de pétrole (syn. : *bloc technique*).

1 (...) un projet très sommaire, très approximatif, des constructions et installations diverses qu'on pourrait envisager pour l'aménagement et la mise en valeur de la station. J. ROMAINS, les Hommes de bonne volonté, t. V, XXII, p. 185.

(Mil. XXe). Comptab. *Les installations :* ensemble des biens meubles et immeubles.

♦ **4.** (1873, Zola, *in* D. D. L.). Action d'installer qqn, de s'installer dans un logement*. *L'installation de qqn dans un lieu* (→ ci-dessous, cit. 3). *Leur installation n'est pas terminée. Le jour de son installation. Fêter son installation.* ⇒ **Crémaillère** (pendre la). — Manière dont on est installé (→ ci-dessous, cit. 2). *Installation de fortune,* provisoire. ⇒ **Camp** (volant), **campement.**

2 Des rideaux aux fenêtres et un large divan couvert d'une étoffe à ramages rouges complètent cette première installation, qui est pour l'instant une installation modeste. LOTI, Aziyadé, II, XX.

3 (...) lors de leur arrivée et de leur installation à Paris, dans le petit hôtel de la rue Fortunée, si amoureusement aménagé par Balzac pour recevoir son Étrangère, Ève *(Mme Hanska)* et Honoré étaient déjà désaccordés. Émile HENRIOT, les Romantiques, p. 355.

(Au plur.). Vieilli. *Les coûteuses et magnifiques installations de cet homme fastueux* (cit. 5).

♦ **5.** Vieilli (exemples de 1842 — Hugo — à 1914 — Barrès, Maurras — *in* T. L. F.). Fait d'établir sa puissance, son pouvoir dans une région. *L'installation d'une puissance étrangère dans un pays* (⇒ **Occupation**), *dans une zone d'influence.*

♦ **6.** Fig., littér. Fait de s'établir durablement (avec un n. de chose). *L'installation de la guerre, du printemps* (T. L. F.). *Installation de qqch. dans, en...*

(Personnes). Fait de s'installer (dans une situation aisée).

CONTR. Déménagement, évacuation.

INSTALLER [ɛstale] v. — 1349, au sens 1; lat. médiéval *installare* « mettre (un dignitaire de l'Église) dans une stalle »; de 2. *in-* « dans », et *stallum.* → Stalle.

★ **I.** V. tr. ♦ **1.** Relig. Établir solennellement (qqn) dans sa dignité*. *Installer un pape, un évêque.* ⇒ **Introniser.**

Admin. Mettre solennellement (qqn) en possession d'une fonction*, d'un emploi*. *Installer un colonel à la tête d'un régiment* (→ Hausse-col, cit. 1). *Installer qqn comme, en fonction, en qualité de...*

♦ **2.** (1596). Cour. Mettre (qqn) dans la demeure, dans l'endroit qui lui était destiné. ⇒ **Caser, loger, mettre** (→ Antre, cit. 6). *Nous l'avons installé dans son nouveau logement, dans une maison de campagne. Installer un nouvel employé au bureau qui lui était affecté. Installer des colons* (cit. 3) *dans une région. Installer une famille quelque part. On les a installés en Provence, à Marseille, dans tel endroit.*

1 Le colonel Roguin voulut absolument (...) m'installer à Motiers. ROUSSEAU, les Confessions, XII.

2 (*Elle*) venait de la prendre auprès d'elle et d'installer au foyer de la bourgeoise famille Thibault, cette fille d'une Malgache, et qui avait tout l'air d'une sauvageonne. MARTIN DU GARD, les Thibault, t. III, p. 166.

Placer ou loger (qqn) d'une façon déterminée. *Installer un malade dans son lit, dans un fauteuil; l'installer confortablement, bien l'installer.* → ci-dessous, Installé.

3 Rieux vit sa femme debout, en tailleur (...) un moment après, à la gare, il l'installait dans le wagon-lit. CAMUS, la Peste, p. 20.

Fig. *Installer qqn dans une vie agréable.*

♦ **3.** (Mil. XIXe, d'abord t. de marine). Disposer, établir qqch. de manière durable, dans un lieu désigné ou selon un ordre défini. ⇒ **Accommoder** (II.), **arranger, camper** (3.), **disposer** (I.), **établir, mettre** (en place), **placer.** *Installer une chaise devant sa porte.* ⇒ **Poser** (→ Café, cit. 7; enfourcher, cit. 3). — Établir afin de faire fonctionner. — *Installer des haut-parleurs* (cit. 1), *le gaz, l'électricité, le téléphone (quelque part, chez qqn, dans un appartement). Installer des postes le long d'une rivière* (→ 1. Feu, cit. 52). *Installer un camp.* ⇒ **Asseoir** (milit.). *Installer des tentes, des guitounes* (cit. 2), les monter, les dresser. *Installer une salle de bains dans une pièce; une salle de bal dans une grange.* ⇒ **Aménager, équiper** (→ 2. Frais, cit. 12, Zola.). — *Installer qqch. à qqn. On leur a installé, on vient de leur installer le téléphone.*

Il y avait transféré son cabinet de travail, sa chambre, et il y avait fait installer ce « laboratoire ». MARTIN DU GARD, les Thibault, t. III, p. 113. 4

Dire qu'il serait si commode, en appuyant, sur un bouton comme celui-ci, d'avoir, dès l'instant de son réveil, de la lumière. Mais le propriétaire se refuse à laisser installer l'électricité dans l'immeuble. 5
J. ROMAINS, les Hommes de bonne volonté, t. I, XI, p. 117.

Par ext. *Installer un appartement,* y faire les aménagements qui le rendent habitable. *Installer un collège* (→ 1. Gens, cit. 22).

(...) Sammécaud pénétrait dans la garçonnière qu'il venait d'installer, et, ses clefs à la main, une cigarette parfumée à la bouche, en examinait l'aspect avec satisfaction. J. ROMAINS, les Hommes de bonne volonté, t. IV, XI, p. 122. 6

♦ **4.** Fig. et littér. Établir durablement. — (Sujet n. de personne). Instaurer. — (Sujet n. de chose). Faire régner.

★ **II.** V. intr. (1888). Argot. *Installer* ou *en installer :* se prendre au sérieux, faire l'important. ⇒ **Ramener** (la ramener); **installeur.**

▶ **S'INSTALLER** v. pron.

♦ **1.** (1690). Sujet n. de personne. Se mettre à une place déterminée ou d'une façon déterminée (en général pour un temps assez long). *S'installer autour d'une table.* ⇒ **Asseoir** (s'). → Attabler, cit. 1. *S'installer au fond* (cit. 17) *d'une salle, dans un fauteuil, une voiture* (→ Caban, cit. 1; calèche, cit. 3). *S'installer confortablement pour manger. Installez-vous ici, vous serez mieux pour écrire.* — *Les marchands forains* (cit. 4) *se sont installés près de l'église. Section qui s'installe à son poste.* — (Animaux). *Fourmilion* (cit. 1) *qui s'installe au fond de son trou, de son entonnoir,* qui s'y poste*. — (Personnes). Commencer à se loger (pour un temps relativement long). *S'installer chez un ami, à l'hôtel, dans une maison* (→ Arrivant, cit. 1), *un château* (→ Incarner, cit. 3). ⇒ **Loger** (se). *S'installer pour longtemps, définitivement* (⇒ **Enraciner** [s'], **établir** [s'], **fixer** [se]), *provisoirement* (⇒ **Camper**). *Il vient de s'installer; depuis qu'il est installé* (→ Bourrer, cit. 5). — Par métaphore. → ci-dessous, cit. 7. — Par ext. *Puissance coloniale, occupant qui s'installe dans un pays.* ⇒ **Pied** (prendre pied). → Indigène, cit. 4.

C'est (*l'habitude*) une ancienne ménagère 7
Qui s'installe dans la maison.
SULLY PRUDHOMME, Stances et Poèmes, « L'habitude ».

Ce fut d'abord comme provisoirement qu'ils s'installèrent, complétant, avec le plus d'économie possible, le peu du mobilier provençal qu'ils n'avaient pas eu le courage de vendre. LOTI, Matelot, XVIII. 8

Partout où il va, il s'installe. Et personne ne s'étonne, il semble que sa place était là depuis toujours. Henri MICHAUX, La nuit remue, p. 16. 9

♦ **2.** Fig. (Choses abstraites). *Image, souvenir qui s'installe dans l'esprit.* ⇒ **Fixer** (se). → Automatiquement, cit.; épouvantable, cit. 6, Baudelaire.

Dès qu'il se laissait aller à la rêverie, l'image de sa belle et inconsciente cousine s'installait dans sa pensée vide et le torturait. A. MAUROIS, Ariel..., I, VII. 10

(Personnes). *S'installer dans la mauvaise foi, dans le mensonge.* — (Concret). *S'installer dans une situation sociale enviable, parmi les amis d'un homme célèbre* (→ Emblée, cit.).

Elle ne pouvait pas ne pas avoir conscience de son mensonge : elle s'y installait pourtant, s'y reposait. F. MAURIAC, Fin de la nuit, V, p. 111. 11

Petit à petit, la France et le monde s'installaient dans la guerre, c'est-à-dire dans la torpeur. G. DUHAMEL, Cri des profondeurs, V. 12

Par ext. Devenir permanent, rester toujours.

Pendant les premiers jours de janvier, le froid s'installa avec une persistance inusitée (...) CAMUS, la Peste, p. 290. 13

▶ **INSTALLÉ, ÉE** p. p. adj.

♦ **1.** (Personnes). *Évêque récemment installé.*

Être installé quelque part, dans... Bien installé dans un grand fauteuil.

(XXe). Absolt. Qui est parvenu à une situation stable et aisée. *Un homme installé. Les gens installés.* ⇒ **Arrivé.**

♦ **2.** (Choses). *Table installée pour les secrétaires* (→ Grossoyer, cit. 2). — *Appartement bien, mal installé. C'est mal installé, chez vous.* → Globe, cit. 14.

CONTR. Déplacer; changer (de place). — **Aller** (s'en), **déménager, partir.**
DÉR. Installateur, installation, installeur.
COMP. Réinstaller.

INSTALLEUR, EUSE [ɛstalœʀ, øz] adj. et n. m. — 1918, *in* Esnault; de *installer* (II.).

♦ Fam. Qui en installe, qui fait l'important. ⇒ **Ramenard.**

(...) un homme impossible, un boxeur mal embouché, maniéré, installeur, défrayeur de chronique et provocateur de huées populaires.
Jacques PERRET, Bâtons dans les roues, p. 15.

INSTAMMENT [ɛ̃stamɑ̃] adv. — 1356, *instanment*; de 1. *instant.*

♦ **1.** Cour. (avec quelques verbes). D'une manière instante*, avec instance. *Prier, supplier, demander instamment qqch.* (→ Avilissement, cit. 5; gloire, cit. 51).

(...) je les prie très instamment de venir (...) MOLIÈRE, George Dandin, III, 4.

♦ **2.** Vx. D'une manière imminente, dans très peu de temps (*in* Académie, 1935).

INSTANCE [ɛ̃stɑ̃s] n. f. — V. 1240, «application, soin, sollicitation»; lat. *instantia* «application, insistance», de *instans, antis.* → 1. Instant.

♦ **1.** (1534). Vx. Soin* pressant.

1 Et notre plus grand soin, notre première instance
Doit être à le nourrir (*l'esprit*) du suc de la science.
MOLIÈRE, les Femmes savantes, II, 7.

♦ **2.** Sollicitation pressante. — Vx (au sing.). *Faire instance auprès de qqn* (Académie). ⇒ **Presser.** *«Elle ne fit plus d'instances pour l'aller trouver»* (Galland, *les Mille et une Nuits,* t. II, p. 397). — (1564). *Avec instance. Demander qqch. avec instance* (Littré). ⇒ **Insistance.** — Mod. (au plur.). Littér. ou style soutenu. *Vives instances, instances réitérées* (→ Harnais, cit. 10). *Instances importunes.* ⇒ **Importunité.** — Loc. cour. *Céder aux instances de qqn.* ⇒ **Prière, requête, sollicitation.** *Sur les instances, devant les instances de ses amis, il a fini par accepter.* — REM. Dès le XVIIIe s., Féraud constatait qu'*instance* n'avait «de singulier qu'au sens juridique» (Brunot, *Hist. de la langue française,* t. VI, p. 1578).

2 Ce fut alors que les Religieuses de ce monastère renouvelèrent leurs instances (...)
RACINE, Port-Royal, I.

3 (...) comme elle joignait ses instances aux persécutions qu'on me faisait pour passer la nuit au château : «Eh bien! J'y consens, lui dis-je (...)»
LACLOS, les Liaisons dangereuses, Pl., LXXI.

4 Cependant mon camarade me fit de telles instances pour obtenir de moi d'aller à son déjeuner, que je ne pouvais m'en dispenser (...)
BALZAC, Gobseck, Pl., t. II, p. 643.

5 Trois ans après la mort de Madame, Louis XIV, cédant aux instances de Monsieur, rendit sa faveur au chevalier de Lorraine (...)
Émile HENRIOT, Portraits de femmes, p. 113.

Spécialt (langue class.). Argument allégué pour réfuter la réponse à une objection. *Les instances produites par Gassendi contre Descartes.*

♦ **3.** (V. 1361, Oresme). Dr. «Ensemble d'actes, de délais et de formalités ayant pour objet l'introduction, l'instruction et le jugement d'un litige» (Capitant). ⇒ **Procédure, procès** (→ Appointement, cit. 1, Racine). *Introduire une instance, introduction* d'instance.* ⇒ **Requête.** *Instance en divorce. Exploit introductif d'instance. Instance en état. Interruption, reprise d'instance. Extinction de l'instance : désistement*, péremption* d'instance. Instance périmée*. Incidents* (cit. 12) *qui se produisent au cours d'une instance.*
EN INSTANCE. *Affaire en instance,* en cours. ⇒ 1. **Pendant.** *Être en instance pour la Légion d'honneur.* → Pistonner, cit. 1.1. — En attente. *Rien n'est décidé, résolu, tout est encore en instance. Courrier, dossier en instance.*

6 Depuis longtemps l'affaire est en instance; le Conseil d'État, appelé à statuer, a dû se prononcer ces jours-ci (...)
COURTELINE, Messieurs les ronds-de-cuir, 5e tableau, III.

7 Il baissa la tête : il pensait à sa propre vie. L'avenir l'avait pénétrée jusqu'au cœur, tout y était en instance, en sursis. SARTRE, l'Âge de raison, XII, p. 216.

(V. 1360, «dans l'intention de...»). *En instance de...* — (Mil. XXe, «sur le point de...»). *Être en instance de départ.*

(1549, Estienne, «poursuite devant un premier juge»; *tribunal de première instance,* 1804, Code civil). *Première instance :* premier degré dans la hiérarchie des juridictions (par oppos. à *juridiction d'appel*). — REM. Les appels des sentences des juges de paix, des conseils de prud'hommes sont attribués aux tribunaux de première instance. *Juge, tribunal de première instance* (→ Absence, cit. 13; gros, cit. 44; huissier, cit. 7; informer, cit. 20). *Faire appel** (cit. 20) *d'un jugement en première instance.*

♦ **4.** (1890). Juridiction*, tribunal. *L'instance supérieure.*

(V. 1935; emploi critiqué). Autorité, corps constitué qui détient un pouvoir de décision dans les affaires nationales ou internationales. ⇒ **Institution,** 3. *«Les instances supérieures de la hiérarchie»* (P. Nizan, *la Conspiration,* 1938, *in* T.L.F.). *Les hautes, «les grandes instances internationales»* (*le Monde,* 14 janv. 1972, p. 1). *Les instances universitaires.* ⇒ **Autorité.**

8 On lit sans cesse dans les gazettes que les hautes *instances internationales* seront saisies de la question de l'Atlantique Nord (...) Il est visible que ce mot s'est échappé indûment du vocabulaire juridique (...) Une *instance,* essentiellement, c'est une poursuite (...) Mais il y a plus de cinquante ans qu'*instance* est passé à l'acception de : tribunal ou juridiction (...) On ne saurait donc s'étonner ni se scandaliser que le sens se soit élargi jusqu'à des «compétences» non judiciaires (...)
A. THÉRIVE, Clinique du langage, p. 126.

9 Sans doute, leur commandement militaire (*des Anglais*) était-il, en principe, favorable au ralliement qui procurerait des renforts. Mais d'autres instances anglaises étaient moins pressées.
Ch. DE GAULLE, Mémoires de guerre, t. I, p. 146.

Les socialistes français bafouent les instances internationales fondées pour assurer la paix et dont ils étaient par vocation les gardiens naturels. 10
F. MAURIAC, Bloc-notes 1952-1957, p. 278.

♦ **5.** Didact. [a] (XXe; Freud, 1923). Psychan. Chacune des différentes parties de l'appareil psychique, considérée comme élément dynamique (moi, ça et surmoi).

C'est dans *le Moi et le Ça* que Freud, en 1923, a donné le premier exposé de sa deuxième conception de l'appareil psychique. Elle consiste dans la distinction de trois systèmes ou instances de la personnalité, le Ça, le Moi, et le Surmoi. 11
Daniel LAGACHE, la Psychanalyse, p. 34.

Instance interdictrice, celle qui a pour rôle d'interdire l'accomplissement de certains actes, en incitant le Moi à se défendre contre les pulsions. ⇒ **Surmoi.**

(...) la notion de surmoi, instance interdictrice inconsciente, sorte de personnalisation de la loi morale (...) 12
J. LAPLANCHE, la Défense et l'interdit, *in* la Nef, no 31, p. 50.

[b] Domaine, catégorie (de facteurs, de fonctions). *Les «instances concrètes» et les abstractions* (Bachelard).

[c] Ling. *Les instances du discours :* procédé par lequel le sujet parlant produit du discours, à partir du système de la langue.

1. INSTANT, ANTE [ɛ̃stɑ̃, ɑ̃t] adj. — 1550; *ystant,* au sens 2, fin XIVe; *tout instant* «à l'instant même», XIVe; cf. anc. provençal *instant* «proche, prochain», 1296; lat. *instans,* p. prés. de *instare* «serrer de près, presser».

Littéraire ou administratif.

♦ **1.** Qui presse vivement. ⇒ **Pressant.** *Demande, prière*, sollicitation, supplication instante. Demander qqch. de la manière la plus instante.* ⇒ **Instamment.**

♦ **2.** Vx ou littér. ⇒ **Imminent, instantané.** *Besoin, péril instant. «Un péril instant nous presse d'agir; un péril imminent nous avertit seulement par sa menace»* (Littré). — Impersonnel. Vx. *Il est instant de...* ⇒ **Urgent.**

(...) les curés pensèrent qu'il était convenable que M. le Doyen se retirât vers Monseigneur pour l'avertir que le roi allait arriver, et qu'il était instant de se rendre au chœur. STENDHAL, le Rouge et le Noir, I, XVIII.

DÉR. Instamment, 2. **instant.**
HOM. 2. **Instant.**

2. INSTANT [ɛ̃stɑ̃] n. m. — 1377, Oresme; substantivation de 1. *instant.*

Durée* très courte «que la conscience saisit comme un tout» (Lalande, *Voc. de la philosophie*).

♦ **1.** (*Un, des instants; l'instant de...,* etc.). ⇒ **Moment; minute, seconde** (→ Attente, cit. 6; bonheur, cit. 30; étendre, cit. 38; 1. feu, cit. 56 et 57; incomplet, cit. 1). *L'instant considéré comme la plus petite division du temps psychologique, vécu, comme un point, un repère dans la durée.* ⇒ **Temps.** *Instant grave, insignifiant* (→ Gravité, cit. 12), *décisif* (cit. 2), *fugitif* (cit. 10), *imminent* (→ Contretemps, cit. 3). — Loc. *Les plus doux* (cit. 17) *instants* (en amour). *Le premier, les derniers instants* (→ Gêne, cit. 10; bazarder, cit. 9). *Instant d'abandon* (cit. 10), *d'accalmie* (cit. 2), *de faiblesse, de loisir, d'oubli, de plaisir, de répit* (→ Chaîne, cit. 12; clair, cit. 26; essouffler, cit. 0.1; étourdir, cit. 8; héros, cit. 14). — Spécialt. *Il a des instants de distraction, de bon sens* (⇒ **Échappée**). — *Attendre* (cit. 46) *l'instant, l'instant propice. La fuite* (cit. 13) *des instants; instant qui passe* (→ Figer, cit. 5; passer, cit. 61). *Souvenir d'un instant ancien* (→ Fond, cit. 28). *Les instants qui composent l'existence* (→ Identité, cit. 11). — *Infinité* (cit. 4) *d'instants.* — *La vie ne dure qu'un instant* (→ Éternel, cit. 23). — *L'instant présent.* ⇒ 1. **Présent,** n. m.

Chaque instant de la vie est un pas vers la mort. 1
CORNEILLE, Tite et Bérénice, V, 1.

Et le premier instant où les enfants des rois 2
Ouvrant les yeux à la lumière
Est celui qui vient quelquefois
Fermer pour toujours leur paupière. LA FONTAINE, Fables, VIII, 1.

(...) que nous importe dans quelle situation la main de Dieu nous place pour l'instant rapide que nous paraissons sur la terre? 3
MASSILLON, Carême, Riche.

(*L'homme*) ne vit que fort peu dans l'instant même. Son établissement principal est dans le passé ou dans le futur. 4
VALÉRY, Variété III, p. 208.

L'instant paraît jouer dans la représentation du temps le même rôle que le point dans la représentation de l'espace (...) l'instant n'est-il pas le faîte indivisible qui ne cesse de séparer le passé de l'avenir? Mais une telle comparaison manque de justesse (...) Notre vie ne sort jamais de l'instant (...) 5
Louis LAVELLE, le Moi et son destin, IV, Réalité de l'instant, II.

De ces lettres (*de Julie de Lespinasse à Guibert*) la plus belle (...) est datée «de tous les instants de ma vie». La voici : «Mon ami, je souffre, je vous aime et je vous attends». 6
Émile HENRIOT, Portraits de femmes, p. 203.

Absolt. L'instant présent. *Jouir, profiter de l'instant qui passe.* ⇒ **Carpe diem** (→ Donner, cit. 43). *«Instant, arrête-toi, tu es si beau»,* parole de Faust contemplant son œuvre (Gœthe, *Second Faust,* V).

Loc. *L'instant fatal :* l'instant de la mort.

7 Il se souvint d'une femme qui lui avait dit jadis : «Ah ! fou qui ne sais cueillir l'instant !»
A. MAUROIS, les Roses de septembre, II, v.

♦ **2.** a Temps très court; faible durée. *Un instant, pendant un instant,* pendant un temps très court. *Il crut, il pensa un instant que...* (→ Annonce, cit. 4). *Pour un instant* (→ Avant-goût, cit. 4; frémissant, cit. 3). *C'est l'affaire d'un instant* (→ Flamber, cit. 15). *Après, depuis un instant* (→ Ergot, cit. 4; impatienter, cit. 10). *Attendez, patientez un instant* — Ellipt. *Un instant! ne soyez pas si pressé...* (→ Champi, cit. 1). — *Peu d'instants, quelques instants* (→ Arbitraire, cit. 11; brosser, cit. 1; inégal, cit. 14). *Dans peu d'instants* (→ Café, cit. 4); *au bout de quelques instants* (→ Infuser, cit. 1), *quelques instants plus tard* (→ Globule, cit. 4). — *Sans perdre un instant* (→ Gratter, cit. 8). *Pas un, pas un seul instant* (→ Frotter, cit. 2; hideux, cit. 5).

b Loc. (1495). **EN UN INSTANT** : rapidement, très vite. ⇒ **Clin** (en un clin d'œil), **tournemain** (en un). → 1. Feu, cit. 13; hardi, cit. 2. *Dans un instant,* s'emploie parfois dans ce sens (→ Bouleverser, cit. 6).

(1694). **DANS UN INSTANT.** ⇒ **Bientôt, heure** (tout à l'heure). *J'arrive dans un instant.* — (1689). **DANS L'INSTANT,** vx, littér. ou régional. *Dans l'instant, dans l'instant même* (→ Exister, cit. 15) : immédiatement (syn. mod. : *à l'instant*).

(Av. 1589, Baïf). **À L'INSTANT.** ⇒ **Aussitôt, soudain, suite** (tout de suite). → Accourir, cit. 9; âme, cit. 35; assiéger, cit. 4; audience, cit. 15; fade, cit. 12; futur, cit. 16. — Vx. *Tout à l'instant* (→ Avis, cit. 40). *À l'instant, à l'instant même ou..., de...,* et (vieilli) *que...* (→ Asseoir, cit. 45; brèche, cit. 2; friture, cit. 1). *À cet instant* (→ Abandon, cit. 2; ahurissement, cit. 1; hérédité, cit. 9). — *Au même instant* (→ Caillou, cit. 5; gloire, cit. 49; humilier, cit. 40).

(1580). **À CHAQUE INSTANT** : très souvent, à tout propos. ⇒ **Bout** (à tout bout de champ), **cesse** (sans), **continuellement**; → Atermoyer, cit. 1; augmenter, cit. 9; changer, cit. 63; 1. fou, cit. 33; frictionner, cit. 2; héroïsme, cit. 13; inévitable, cit. 3. — Vieilli. *À tous instants* (→ Brillant, cit. 21). — Mod. *À tout instant* (→ Camper, cit. 4; homme, cit. 156).

(1835). *Dès, depuis l'instant que..., où...* → 1. Balle, cit. 2; implacablement, cit. 3.

(1839, Musset). **POUR L'INSTANT** : pour le moment. ⇒ **Heure** (pour le quart d'heure). → 1. Geindre, cit. 3; 2. goutte, cit. 3; heure, cit. 13; hostilité, cit. 3.

Rare. **SUR L'INSTANT** : immédiatement (et pour un court instant); syn. cour. : *sur le moment**.

(1833, Hugo). **PAR INSTANTS** : par moments, de temps* en temps (→ Assombrir, cit. 10; blêmir, cit. 5; fond, cit. 19; fougue, cit. 5; froideur, cit. 5; fusée, cit. 6). — Rare. *Par instant* (même sens; Dorgelès, *in* T. L. F.).

Loc. adj. (1830, Stendhal). **DE TOUS LES INSTANTS** : constant, perpétuel (→ Assimiler, cit. 19; habitude, cit. 2; implicite, cit. 1). — *De chaque instant* (même sens).

(1735). **D'INSTANT EN INSTANT** : presque continuellement, pendant des instants très rapprochés. → Germer, cit. 6. — **D'UN INSTANT À L'AUTRE** : de manière imminente. ⇒ **Bientôt; suite** (tout de suite).

CONTR. Éternité, perpétuité.
DÉR. Instantané.
HOM. 1. Instant.

INSTANTANÉ, ÉE [ɛ̃stɑ̃tane] adj. et n. — 1604; de 2. *instant,* sur le modèle de *momentané.*

★ **I.** Adj. et n. m. ♦ **1.** Qui ne dure qu'un instant, qu'un bref espace de temps. ⇒ **Bref, rapide.** *Lueurs, éclairs instantanés.*

1 C'étaient des visions instantanées, rapides, mais d'une vivacité qui m'allait au cœur comme un aiguillon.
E. FROMENTIN, Une année dans le Sahel, p. 80.

Ling. *Verbe instantané,* qui exprime une action sans durée (opposé à *duratif).*

♦ **2.** Qui se produit en un instant, soudainement. ⇒ **Immédiat, prompt, soudain, subit** (→ Exclamation, cit. 2). *Explosion, déflagration instantanée. La mort fut instantanée.* — *Composition instantanée* (→ Improvisation, cit. 9). *Expression instantanée d'une idée* (cit. 14). *Sentiment, mouvement instantané* (→ Grâce, cit. 33). *Riposte instantanée.*

2 Je ne connaissais personne à bord, et cependant chacun semblait me reconnaître. Mon signalement devait être devenu précis, instantané dans leur esprit, comme celui du criminel célèbre qu'on publie dans les journaux.
CÉLINE, Voyage au bout de la nuit, p. 108.

N. m. (1878, Goncourt). Vx. Description, représentation d'un instant précis — REM. Cet emploi, qui serait compris de nos jours comme une extension du sens photographique, lui est antérieur.

♦ **3.** *Photographie instantanée* (1857, cit.), obtenue par une exposition de très courte durée (temps de pose inférieur à 1/10e de seconde). *Cliché instantané.*

2.1 (...) c'est grâce à l'emploi de ce produit que l'on peut obtenir les épreuves photographiques dites instantanées.
L. FIGUIER, l'Année scientifique et industrielle 1858, p. 119 (1857).

N. m. (1889, *Année sc. et industr.* 1890, p. 80; opposé à *pose*). *Un instantané* (→ Exhumer, cit. 5). *Prendre un instantané* (→ Enregistreur, cit.) *au 1/100e de seconde.* — Vieilli. *L'instantané,* ce procédé.

Avec l'instantané on ne fait que du faux. Photographiez un homme dans sa chute : vous en obtenez un moment, mais rien qui ressemble à une chute. 2
J. RENARD, Journal, 25 févr. 1891, p. 59.

Un instantané : un cliché instantané, une photo instantanée.

Merci, merci de tout mon cœur pour cet instantané mal lavé, jaune d'hyposulfite : vous y êtes, mes chers, ravissants tous deux... Envoyez-moi encore d'autres photographies, dites !
COLETTE, la Vagabonde, p. 204.

Henriette, dans son lit, en larmes brandissait un instantané envoyé par Guillaume. 3
COCTEAU, Thomas l'imposteur, Folio, p. 108.

Techn. (photogr.). Temps de pose entre 1 seconde *(instantané lent)* et 1/500e de seconde. — REM. Sauf en technique, cet emploi a vieilli avec la généralisation des temps de pose brefs.

♦ **4.** Didact. Qui est considéré à un instant précis, hors d'une durée appréciable. *Vitesse instantanée.* — *L'écoute instantanée d'un poste de radio.*

♦ **5.** Comm. et cour. Qui se dissout, se prépare instantanément. *Café instantané.*

Julie posa le plateau sur la table et versa du lait chaud sur le cacao instantané et du lait froid dans une assiette creuse.
J.-P. MANCHETTE, Folle à tuer, p. 44.

★ **II.** N. f. (1890). Fam. et vx. Prostituée.

CONTR. Durable, lent, long.
DÉR. Instantanéiser, instantanéisme, instantanéiste, instantanéité, instantanément.

INSTANTANÉISER [ɛ̃stɑ̃taneize] v. tr. — 1892, Goncourt; de *instantané.* → Instantanéité.

♦ Littér. Rendre instantané; donner à (qqch.) le caractère de l'instant.

(...) une exactitude qui donne plus que l'heure, jusqu'à la minute qu'il est, grâce au degré précis du déclin du soleil (...) Par là, l'artiste donne, en l'instantanéisant, une sorte de réalité historique vécue au symbole de la fable (...)
PROUST, le Côté de Guermantes, Pl., t. II, p. 422.

INSTANTANÉISME [ɛ̃stɑ̃taneism] n. m. — D. i. (xxe : 1943, Sartre, *in* T. L. F.); de *instantané.*

♦ **1.** Didact. Système philosophique accordant une valeur particulière à l'instant, à l'instantanéité.

♦ **2.** Caractère instantané (d'un type de phénomènes). ⇒ **Instantanéité.**

INSTANTANÉISTE [ɛ̃stɑ̃taneist] adj. — D. i. (xxe : 1943, Sartre); de *instantané.*

♦ Didact. Qui concerne l'instant; accorde une valeur particulière à l'instant. *Perspective instantanéiste. Conception instantanéiste du temps.*

INSTANTANÉITÉ [ɛ̃stɑ̃taneite] n. f. — Av. 1746, Le Gendre, *in* Féraud; de *instantané.*

♦ Didact. ou littér. Caractère de ce qui est instantané. *L'instantanéité d'un mouvement, d'une réplique.*

Sa faculté d'improvisation étonnait même les Italiens. C'était de l'instantanéité. La pensée, la parole et la rime jaillissaient en même temps, et quelle rime !
Th. GAUTIER, Portraits contemporains, Méry.

Le seul défaut de Mme Plessy est son instantanéité d'intuition qui ne s'arrête et ne se fixe pas.
Ed. et J. DE GONCOURT, Journal, t. II, p. 250.

CONTR. Durée, longueur.

INSTANTANÉMENT [ɛ̃stɑ̃tanemɑ̃] adv. — 1787, Féraud; de *instantané.*

♦ D'une manière instantanée; en un instant. ⇒ **Aussitôt, immédiatement, soudainement** (→ En un tour de main*; sur-le-champ; et aussi étrangler, cit. 8; fermer, cit. 29; 1. froid, cit. 24; heureux, cit. 18).

Nous ne nous rappelons que le rêve interminable fait instantanément au bord de notre réveil.
COCTEAU, la Difficulté d'être, p. 88.

CONTR. Lentement, progressivement.

INSTAR DE (À L') [alɛ̃stardə] loc. prép. — 1569; adapt. de la loc. lat. *ad instar* «à la ressemblance», de *instar* «valeur égale».

♦ À l'exemple*, à la manière de, de même que. ⇒ **Comme; image** (à l'), **imitation** (à l'). *Vers composés à l'instar de ceux de Chénier* (→ Iambe, cit. 3).

Ces arbres ne dépassent pas la hauteur d'un homme. Le vent océanique les étête, les secoue, les prosterne à l'instar des fougères.
CHATEAUBRIAND, Mémoires d'outre-tombe, t. I, p. 272.

Grévin, à l'instar de son ami Malin, paraissait plus végéter que vivre (...) 2
BALZAC, le Député d'Arcis, Pl., t. VII, p. 691.

Port-Royal a été conçu comme une pièce en un seul acte, à l'instar des tragiques grecs.
MONTHERLANT, Port-Royal, Préface.

REM. Gide (*Journal*, 1929) emploie *instar* comme n. m. (*«à la merci de l'instar»*).

INSTAURATEUR, TRICE [ɛ̃stɔʀatœʀ, tʀis] n. — 1504; fém., 1509; rare av. 1802; lat. *instaurator*, de *instauratum*, supin de *instaurare*. → Instaurer.

♦ Littér. Personne qui instaure. *L'instaurateur de la justice, de la liberté dans un pays.* ⇒ **Promoteur.** *Les instaurateurs d'une méthode. L'instauratrice d'un progrès, d'une réforme.*
(Choses). *Cette évolution fut l'instauratrice de...*

INSTAURATION [ɛ̃stɔʀasjɔ̃] n. f. — 1451; lat. *instauratio*, de *instauratum*, supin de *instaurare* (→ Instaurer), ou de *instaurer*.

♦ Littér. Action d'instaurer. ⇒ **Établissement, fondation.** *L'instauration de qqch. par qqn. L'instauration d'une mode, d'un usage.* ⇒ **Création.** *L'instauration de la culture, des sciences dans un pays. L'instauration d'un nouveau régime. Une instauration difficile.*

INSTAURER [ɛ̃stɔʀe] v. tr. — Mil. XIVe; «fonder (une institution*)», 1509; rare av. 1803; lat. *instaurare* «renouveler, établir de nouveau», cf. anc. franç. *estorer*.

♦ Établir une première fois. ⇒ **Constituer, établir, fonder, inaugurer.** *Instaurer un usage, une coutume, une mode, un rite.* ⇒ **Instituer.** *Instaurer un nouveau régime, un ordre nouveau, le règne de la justice...* ⇒ **Organiser** (→ Conséquence, cit. 10; fascisme, cit. 2).

Par sa mort, le péché a été ôté; par sa résurrection, la justice a été instaurée.
CALVIN, Institution de la religion chrétienne, 399.

(...) le sentiment de l'égalité n'a inspiré que les révolutions particulières contestables; il a opéré cette révolution anglaise, qui légua au monde moderne une Angleterre si nationaliste, impérialiste; il a opéré cette révolution américaine, qui instaura une république si impérialiste, et capitaliste; il n'a pas institué l'humanité; il n'a pas préparé la cité; il n'a instauré que des gouvernements démocratiques.
Ch. PÉGUY, la République..., p. 50.

La signification du drame dont tout homme est le héros et l'observateur anxieux, est donc celle-ci : tendre (...) à instaurer sur la terre le règne de Dieu, lequel n'est rien d'autre que l'union des âmes dans l'amour.
DANIEL-ROPS, Jésus en son temps, VIII, p. 404.

Pron. *Le régime qui vient de s'instaurer. De nouvelles habitudes sont en train de s'instaurer.*

▶ **INSTAURÉ, ÉE** p. p. adj. *Les usages récemment instaurés.*

CONTR. **Abolir, anéantir, détruire, renverser.**
DÉR. V. **Instauration.**

INSTI [ɛ̃sti] n. m. et f. ⇒ **Instituteur** (3.).

INSTIGATEUR, TRICE [ɛ̃stigatœʀ, tʀis] n. — 1363; au fém., 1671; lat. *instigator*, de *instigatum*, supin de *instigare*. → Instiguer.

♦ Personne qui incite*, qui pousse à faire qqch. — REM. *Instigateur* se prend «le plus souvent» (Académie), mais non toujours en mauvaise part. *Les principaux instigateurs de ce mouvement.* ⇒ **Dirigeant, promoteur.** *Les instigateurs d'un complot, d'une conspiration, d'une émeute, d'une révolution, de troubles.* ⇒ **Agitateur, excitateur, incitateur, meneur.** *Elle est l'instigatrice de cette cabale* (Académie). — Fig. *« L'esprit est le vrai tentateur de la conscience et le premier instigateur du péché »* (Proudhon, *in* P. Larousse). ⇒ **Cause, moteur** (figuré).

(...) la nature ayant fait l'amour le lien de tous les êtres, l'a rendu le premier mobile de nos sociétés, et l'instigateur de nos lumières et de nos plaisirs.
BERNARDIN DE SAINT-PIERRE, Paul et Virginie, p. 87.

Je chercherais le moyen de mettre fin à cet abominable scandale en m'emparant des quatre ou cinq instigateurs (...) GIDE, les Faux-monnayeurs, I, II.

Divinités propices à l'éclosion des songes, ce n'est pas vous que j'interpelle, mais les Instigatrices ardentes (...) de l'action.
SAINT-JOHN PERSE, Œuvres poétiques, t. I, p. 323.

Vx. *Les instigateurs d'un criminel, d'un assassin.*

(...) un Anglais fanatique, nommé Felton, l'assassina *(Buckingham)* d'un coup de couteau sans que jamais on ait pu découvrir ses instigateurs.
VOLTAIRE, Essai sur les mœurs, CLXXVI.

INSTIGATION [ɛ̃stigasjɔ̃] n. f. — 1332; lat. *instigatio*, de *instigatum*, supin de *instigare*. → Instiguer.

♦ **1.** Rare. Action d'inciter, de pousser qqn à faire qqch. (se prend le plus souvent en mauvaise part). ⇒ **Incitation, suscitation.** *Les instigations d'un conseiller.* ⇒ **Conseil.** — Rare. *Sur les instigations de qqn.*

♦ **2.** (1332). Cour. **À L'INSTIGATION DE (qqn)**, sur ses conseils ou en subissant son influence. *Agir à l'instigation de qqn* (→ Illuminer, cit. 26).

La persécution s'éleva de tous côtés, à l'instigation des Juifs, qui allaient partout pour animer les gentils, jusqu'à ce qu'ils excitèrent Néron à cette première grande persécution. BOSSUET, *in* LAFAYE, Dict. des synonymes, Inspiration...

Je ne crois pas que les provocations parties des glacis suffisent à expliquer la chose. 2
J'y verrais bien plutôt l'action, l'instigation directe de ceux qui avaient intérêt à détruire la pétition, avec les pétitionnaires.
MICHELET, Hist. de la Révolution franç., V, VIII.

INSTIGUER [ɛ̃stige] v. tr. — V. 1365; cf. anc. provençal *estigar*; du lat. *instigare* «aiguillonner, pousser à».

♦ Vx (depuis le XVIIIe s.), puis régional (Belgique). **INSTIGUER qqn (à faire qqch.)**, le pousser, l'inciter. ⇒ **Exciter, inciter, pousser.** *On les a instigués à refuser cet accord.*

(...) nous avons assez bien établi que vous aviez *instigué* ce malheureux à publier une horrible fausseté.
BEAUMARCHAIS, Mémoires, 129, *in* BRUNOT, Hist. de la langue franç., t. VI, p. 1295.

Au p. p. *« Instigué, entraîné, séduit par les conseils de l'aventurière... »* (Paul Bourget, *in* D. D. L.).

INSTILLATEUR [ɛ̃stijatœʀ] n. m. — 1902; de *instiller*.

♦ Techn. Appareil (sonde*) servant à instiller une solution médicamenteuse dans l'organisme.

INSTILLATION [ɛ̃stijasjɔ̃] n. f. — 1377 (texte imprimé en 1496); lat. *instillatio*, de *instillatum*, supin de *instillare*. → Instiller.

♦ Didact. ou littér. Action d'instiller. *Laver une plaie par instillation. Seringue* à instillations. Instillation vésicale, instillations nasales.*

Il alluma l'applique du lavabo pour éclairer le fond de sa gorge. Avant de se mettre à table il prenait généralement la précaution de se faire quelques instillations, afin d'atténuer la difficulté de la déglutition (...)
MARTIN DU GARD, les Thibault, t. VIII, p. 207.

Par métaphore. Lente introduction. *« Une instillation d'arguments »* (Huysmans, *En route*, *in* T. L. F.).

INSTILLER [ɛ̃stije] v. tr. — V. 1370; lat. *instillare*, de *in-* (→ 2. In-), et *stillare*, de *stilla* «goutte».
Didactique ou littéraire.

♦ **1.** Verser goutte à goutte (un liquide médicamenteux) dans une cavité ou un conduit. *Instiller un collyre dans l'œil. Instiller un produit à l'aide d'une seringue, d'un compte-gouttes. Instiller un produit à un malade.* — (Le sujet est un non humain). *Les abeilles* (cit. 5) *instillent une goutte d'acide formique dans le miel.*
(Le sujet désigne le liquide). *L'encre instille lentement le buvard.* — Par extension (poétique) :

Miniature semblable à l'iris, l'orchidée, 1
Cadeau le plus ancien des prairies au plaisir
Que la cascade instille, que la bouche délivre. R. CHAR, les Matinaux, p. 91.

♦ **2.** Fig. et littér. Faire entrer, pénétrer lentement. ⇒ **Insinuer.**

C'est, à coup sûr, ce maître Janus qui lui insuffle et lui instille dans la tête ces 2
superstitions épaisses (...) VILLIERS DE L'ISLE-ADAM, Axël, II, 5.

DÉR. **Instillateur.**

INSTINCT [ɛ̃stɛ̃] n. m. — 1495, *instincte* «impulsion»; *par instinc de nature*, 1512; lat. *instinctus* «impulsion», de *instinctum*, supin de *instiguere* «pousser».

★ **I.** Vx. Impulsion* qu'un être vivant reçoit d'un agent extérieur. *« Satan anime les Juifs, et je les vois avancer par son instinct »* (Bossuet). — *Instinct de nature.*

★ **II.** (1580, Montaigne). Impulsion qu'un être vivant doit à sa nature; comportement par lequel cette impulsion se manifeste. *Les lois inaperçues de l'instinct.* → Réfléchir, cit. 8.

Beaucoup de confusions relatives à l'instinct proviennent de ce que ce terme 1
désigne, en français, deux choses notablement différentes : d'une part, l'impulsion naturelle, la tendance (...) d'autre part, les actes, les comportements instinctifs. La tendance, c'est le *ressort* qui pousse l'animal à agir dans une certaine direction, qui l'oriente vers un certain objectif (...) L'action instinctive, c'est l'ensemble des démarches, des *moyens* mis en œuvre pour atteindre cet objectif; elle se manifeste sous la forme d'une *conduite*, d'un savoir-faire.
CLAPARÈDE, De l'intelligence animale, *in* Mystère animal, p. 149.

♦ **1.** Cour. au plur. (Qualifié). Tendance innée et puissante, commune à tous les êtres vivants ou à tous les individus d'une même espèce. ⇒ **Inclination, tendance.** *L'instinct de conservation* (cit. 5). *Instinct sexuel* (→ Érotique, cit. 3; eunuque, cit. 4; freudien, cit.). ⇒ **Libido, appétit, désir.** — *Instinct maternel** (cit. 3.1; → Animal, cit. 3). *La chair* (cit. 55), *la nature humaine et ses instincts* (→ Brute, cit. 3; foulée, cit. 1; glacial, cit. 5; homme, cit. 83). *Instinct animal, bestial.* ⇒ **Animalité, bestialité; bête** (II.) *Les instincts de la brute. Instincts belliqueux* (→ Assouvissement, cit. 2), *instincts de cruauté, de violence* (→ Débridement, cit. 2), *instincts violents et destructeurs* (→ Férocité, cit. 3), *guerriers* (→ Guerre, cit. 41), *haineux, agressifs* (→ Homme, cit. 32). *Mauvais, nobles instincts* (→ Courage, cit. 18; élancé, cit. 2). — *L'instinct de possession. L'instinct du beau, du divin en l'homme* (→ Élever, cit. 22). — *Instinct grégaire* (cit. 4), *de la horde* (cit. 3); *instinct social.* « *Instinct de la patrie* » (Chateaubriand, *le Génie du christianisme,* I, V, XIV). *Les instincts nationaux.* → Persister, cit. 4. *Les instincts et les habitudes, les mœurs* (→ Adapter, cit. 4; changement, cit. 7; entrer, cit. 50).

2 Reste en nous le seul sentiment vrai que la nature y ait mis : l'instinct de notre conservation. Dans vos sociétés européennes, cet instinct se nomme *intérêt personnel.* BALZAC, Gobseck, Pl., t. II, p. 629.

3 Dans de certaines situations violentes, les instincts se satisfont comme bon leur semble sans que la pensée s'en mêle. HUGO, l'Homme qui rit, II, V, V.

4 C'est cet admirable, cet immortel instinct du beau qui nous fait considérer la terre et ses spectacles comme un aperçu, comme une correspondance du Ciel. BAUDELAIRE, Notes nouvelles sur E. Poe, III.

5 Ce sont de simples hommes qu'on a simplifiés encore, et dont, par la force des choses, les seuls instincts primordiaux s'accentuent : instinct de la conservation, égoïsme, espoir tenace de survivre toujours, joie de manger, de boire et de dormir. H. BARBUSSE, le Feu, I, II.

6 *(Il)* n'avait eu jusqu'à présent qu'à se louer de ses fils; mais il ne se faisait pas d'illusion : la meilleure éducation du monde ne prévalait pas contre les mauvais instincts (...) GIDE, les Faux-monnayeurs, I, II.

7 Peut-être, par exemple, que l'instinct de détruire, le besoin périodique de foutre par terre ce que nous avons péniblement édifié, est une de ces lois essentielles qui limitent les possibilités constructives de notre nature. MARTIN DU GARD, les Thibault, t. IX, p. 126.

Spécialt. Psychan. (all. *Trieb*). ⇒ **Pulsion; instinctuel.** *Instinct de vie* et *instinct de mort* (→ Autodestruction, cit. 2; cf. Eros et Thanatos). *Instinct d'agression** (3.). ⇒ aussi **Agressivité.**

♦ **2.** Sc. Tendance innée à des actes déterminés (selon les espèces animales, y compris l'espèce humaine), exécutés parfaitement sans expérience préalable et subordonnés à des conditions de milieu; ces actes. → Instinctif, cit. 4. *Instinct des animaux* (→ Caractère, cit. 39; faîne, cit.; fécondant, cit. 2; homme, cit. 74), *d'une espèce animale. Instinct d'imitation* (cit. 9), *de mellification* (des abeilles), *de nidification* (des oiseaux), etc. *Instinct migratoire.* — REM. Les éthologistes insistent sur le caractère abstrait du mot; certains, tel K. Lorenz, préfèrent parler d'« acte instinctif » d'autres d'« acte (spécifique) de pulsion » (Heinroth).

Absolt. *Problème philosophique de la nature, de l'origine de l'instinct. Théories finalistes, mécanistes, transformistes de l'instinct. Opposition traditionnelle de l'instinct et de l'intelligence* (Bergson, *l'Évolution créatrice,* II). « *L'instinct, plus précieux que l'intelligence* » (→ Inconscient, cit. 5, France). « *L'émotion* est un raté de l'instinct* » (Larguier des Bancels). *Reconnaître l'instinct sous la pensée.* → Idéologie, cit. 5. — *Théories éthologiques de l'instinct. Théorie hiérarchique de l'instinct* (Tinbergen). — *Faire qqch. par instinct.*

8 Si un animal faisait par esprit ce qu'il fait par instinct, et s'il parlait par esprit ce qu'il parle par instinct, pour la chasse, et pour avertir ses camarades que la proie est trouvée ou perdue, il parlerait bien aussi pour des choses où il a plus d'affection (...) PASCAL, Pensées, VI, 342.

9 Instinct et raison, marques de deux natures. PASCAL, Pensées, VI, 344.

10 La volonté nous détermine,
Non l'objet, ni l'instinct. Je parle, je chemine,
Je sens en moi certain agent;
Tout obéit dans ma machine
À ce principe intelligent.
LA FONTAINE, Fables, IX, Disc. à Mme de La Sablière.

11 (...) deux opinions qu'il est bon de rappeler en peu de paroles. La première veut que l'instinct des animaux soit un sentiment. La seconde n'y reconnaît autre chose qu'un mouvement semblable à celui des horloges et autres machines. BOSSUET, Traité de la connaissance de Dieu..., V, 13.

12 Notre instinct est bien plus sage *(que la raison),* sans rien savoir; c'est par lui que l'enfant suce le téton de sa nourrice sans connaître qu'il forme un vide dans sa bouche, et que ce vide force le lait de la mamelle à descendre dans son estomac : toutes ses actions sont de l'instinct (...) S'il veut soulever une pierre, il emploie un bâton pour lui servir de levier, et ne sait pas assurément la théorie des forces mouvantes. VOLTAIRE, Dialogue d'Évhémère, 5e dialogue.

13 Dans tous les êtres bien organisés, l'instinct se marque par des habitudes suivies, qui toutes tendent à leur conservation. BUFFON, Hist. nat. des oiseaux, XVI, 119.

14 Entre ces divers instincts que le Maître du monde a répartis dans la nature, un des plus étonnants sans doute, c'est celui qui amène chaque année les poissons du pôle aux douces latitudes de nos climats; ils viennent, sans s'égarer dans la solitude de l'Océan, trouver à jour nommé le fleuve où doit se célébrer leur hymen. CHATEAUBRIAND, le Génie du christianisme, I, V, IV, Instinct des animaux.

15 (...) il n'y a pas de ligne de démarcation tranchée entre l'instinct de l'animal et le travail organisateur de la matière vivante (...) Les plus merveilleux instincts de l'Insecte ne font que développer en mouvements sa structure spéciale, à tel point que, là où la vie sociale divise le travail entre les individus et leur impose ainsi des instincts différents, on observe une différence correspondante de structure (...) *l'instinct achevé est une faculté d'utiliser et même de construire des instruments organisés* (...) H. BERGSON, l'Évolution créatrice, p. 140-141.

16 (...) l'instinct particulier de l'oiseau, qui sait bâtir son nid avec adresse et chercher d'autres cieux quand le jour de l'émigration reparaît. MAETERLINCK, la Vie des abeilles, II, II.

16.1 (...) le groupement survit par l'exercice d'une véritable mémoire dans laquelle s'inscrivent les comportements; chez l'animal cette mémoire propre à chaque espèce repose sur l'appareil très complexe de l'instinct, chez les Anthropiens la mémoire propre à chaque ethnie repose sur l'appareil non moins complexe du langage. A. LEROI-GOURHAN, le Geste et la Parole, t. II, p. 11.

★ **III.** (Chez l'être humain). ♦ **1.** *L'instinct de* (qqch.); *un instinct* : tendance innée et irréfléchie propre à un individu. *Cet instinct d'exagération qui lui est propre* (→ Amplifier, cit. 2). *Avoir l'instinct d'apprendre* (cit. 28), *l'instinct du grand* (→ Circonspection, cit. 3). *L'entraînement, la poussée de l'instinct, des instincts* (→ Conformiste, cit. 2; idée, cit. 36). — *L'instinct* (qualifié), *les instincts de qqn, son, ses instincts. Diriger ses instincts.* ⇒ **Conduite** (cit. 19).

Ne troublons point du Ciel les justes règlements, 17
Et de nos deux instincts suivons les mouvements (...)
MOLIÈRE, les Femmes savantes, I, 1.

Nous n'écoutons d'instincts que ceux qui sont les nôtres. 18
LA FONTAINE, Fables, I, 8.

(...) ayant le goût de la tradition, le sentiment du respect, l'instinct de la discipline (...) TAINE, Philosophie de l'art, t. II, p. 184. 19

La crainte de faire de la peine resta chez lui *(Proust)* un instinct dominant. 20
A. MAUROIS, Études littéraires, M. Proust, t. I, p. 95.

(...) en quelques secondes, il avait senti ressusciter en lui cet instinct de limier qui, trois ans plus tôt, l'avait, plusieurs mois de suite, lancé sur toutes les pistes, à la recherche de l'absent (...) MARTIN DU GARD, les Thibault, t. III, p. 273. 21

Faculté naturelle de sentir, de pressentir, de deviner. ⇒ **Inspiration, intuition.** *Être averti* (cit. 18), *éclairé par un secret, un heureux instinct. Il a un instinct infaillible pour...*

Il y en a qui, par une sorte d'instinct, dont ils ignorent la cause, décident de ce qui se présente à eux, et prennent toujours le bon parti. 22
LA ROCHEFOUCAULD, Réflexions diverses, 10.

Il semblerait, en effet, qu'il existe dans certains hommes un véritable instinct bestial, pur et intègre comme tout instinct, qui crée les antipathies et les sympathies, qui sépare fatalement une nature d'une autre nature, qui n'hésite pas, qui ne se trouble, ne se tait et ne se dément jamais, clair dans son obscurité, infaillible (...) HUGO, les Misérables, I, V, V. 23

(...) le Premier consul — par cet instinct singulier qui allait, dans tant de domaines, jusqu'au don divinatoire — avait *le sentiment* qu'il se machinait quelque chose de grave (...) Louis MADELIN, Hist. du Consulat et de l'Empire, Avènement de l'Empire, IV. 24

Don, disposition naturelle (à faire ou à connaître). ⇒ **Aptitude, don, sens, talent.** *Avoir l'instinct des affaires, du commerce. Son instinct des affaires est remarquable. Peuple qui a l'instinct de la musique, de la danse* (cit. 7). — (Sans compl.). *Avoir de l'instinct,* du flair (cit. 3). *Son instinct est infaillible.*

Je crois que si on s'est servi du terme d'*instinct* pour caractériser La Fontaine, ce mot *instinct* signifiait génie. Le caractère de ce bonhomme était si simple que, dans la conversation, il n'était guère au-dessus des animaux qu'il faisait parler, mais, comme poète, il avait un instinct divin, et d'autant plus *instinct* qu'il n'avait que ce talent. VOLTAIRE, Lettre à Vauvenargues, 7 janv. 1745. 25

Il *(Chateaubriand)* se sentait le goût de la polémique; il avait l'instinct et le don de l'à-propos. SAINTE-BEUVE, Chateaubriand, t. II, p. 343. 26

Le mot *instinct* (...) ne contraste nullement avec le nom d'*intelligence,* ainsi qu'on le voit si souvent lorsqu'on parle de ceux qui, sans aucune éducation, manifestent un talent prononcé pour la musique, la peinture, les mathématiques, etc. A. COMTE, Cours de philosophie positive, II, 18. 27

La femme sent et parle avec le tendre instinct du cœur, cette infaillibilité. 28
HUGO, les Misérables, IV, VIII, I.

Le peuple, qui a un instinct très délicat du comique (...) 29
RENAN, l'Avenir de la science, Œ. compl., t. III, p. 992.

C'est une culture très simple, mystérieuse, et qui n'a pas changé depuis l'antiquité. Mais elle veut des gens du pays. Tous les étrangers, même savants, ont échoué. Il leur manque un instinct, l'œil qui sait distinguer le trou de crabe par où se vide une claire, le don héréditaire (...) J. CHARDONNE, les Destinées sentimentales, p. 379. 30

♦ **2.** (Mil. XVIIe). Le plus souvent employé absolt. L'intuition, le sentiment (opposé à *raison*). ⇒ **Cœur** (cit. 162, Pascal), **sentiment.** *L'homme instruit par l'instinct et l'expérience* (cit. 17, Pascal). « *Conscience* (cit. 14), *instinct divin...* » (Rousseau).

(...) comme s'il n'y avait que la raison capable de nous instruire. Plût à Dieu que nous n'en eussions au contraire jamais besoin, et que nous connussions toutes choses par instinct et par sentiment! PASCAL, Pensées, IV, 282. 31

La raison, la superbe raison est capricieuse et cruelle. La sainte ingénuité de l'instinct ne trompe jamais. FRANCE, Pierre Nozière, p. 145. 32

Nous nous sommes sans doute rendus aveugles et sourds à un nombre immense de phénomènes avec lesquels nos ancêtres avaient établi une communication. Pour prendre un exemple d'ordre matériel, la diminution en qualité de nos instincts est un fait significatif. Que l'homme de grande civilisation, maître incontesté de la machine, soit, dans la nature, plus nu et plus désarmé que le sauvage, ce n'est pas une preuve, évidemment, mais c'est un symbole de la supériorité de l'irrationnel sur le rationnel. Toute l'action de l'humanité a consisté, depuis près de trois siècles, à remplacer les instincts et les intuitions par des volontés rationnelles. DANIEL-ROPS, le Monde sans âme, VI, p. 195. 33

Loc. adv. (Av. 1850, Chateaubriand). **D'INSTINCT** : d'une manière naturelle et spontanée. ⇒ **Naturellement, spontanément.** *Accomplir* (cit. 14) *certains gestes d'instinct. Prendre d'instinct la bonne route. Le romancier fuit* (cit. 32) *d'instinct certains sujets. Employer d'instinct les meilleurs moyens* (→ Hachure, cit. 2). *Résister d'instinct à certaines influences* (→ Hellénisation, cit. 1).

Ce qu'on peut dire, c'est que, de prime abord et d'instinct, ils ne s'aimaient pas; ils étaient plutôt antipathiques l'un à l'autre *(Chateaubriand et Lamennais).* SAINTE-BEUVE, Chateaubriand, t. I, p. 76. 34

En toutes choses, d'instinct, je m'opposais à lui. FRANCE, le Petit Pierre, I. 35

D'instinct j'aime acquérir et engranger ce qui promet de durer au delà de mon terme. COLETTE, la Naissance du jour, p. 16. 36

Elle parvint à la limite du champ. D'instinct, ayant ralenti le pas, elle se souvint que c'était parce qu'il y avait là un fil de fer, destiné à contenir les vaches qu'on amenait au pâturage. Encore un détail qu'elle avait oublié! Pierre BENOIT, Mlle de la Ferté, p. 100. 37

CONTR. Intelligence, raison.
DÉR. Instinctif, instinctuel.

INSTINCTIF, IVE [ɛ̃stɛ̃ktif, iv] adj. — Déb. XIXe (1801, Crèvecœur, *in* T. L. F.; 1803, Maine de Biran); de *instinct,* p.-ê. d'après l'angl. *instinctive,* antérieur.

♦ **1.** Qui naît d'un instinct, de l'instinct. ⇒ **Instinctuel.** *Désirs instinctifs, envies instinctives. Tendance instinctive* (→ 2. Air, cit. 25). *Sentiment, respect* (→ Incongru, cit. 3) *instinctif. Antipathie, aversion instinctive. Un art instinctif* (→ Agencement, cit. 3). ⇒ **Inné, spontané.** *C'est instinctif! :* c'est une chose qu'on fait, qu'on sent d'instinct. — *Mouvement, geste instinctif. Activité, conduite instinctive* (→ Grégaire, cit. 2). ⇒ **Inconscient, involontaire, irréfléchi, machinal.**

1 Il y avait entre la vieille église et lui *(Quasimodo)* une sympathie instinctive si profonde, tant d'affinités magnétiques (...) qu'il y adhérait en quelque sorte comme la tortue à son écaille. HUGO, Notre-Dame de Paris, IV, III.

2 D'un élan instinctif, elles s'étaient jetées au cou l'une de l'autre, dans leur adoration de sœurs tendres (...) ZOLA, la Terre, II, II.

3 C'est là une défense instinctive qui se réalise et atteint la perfection de l'automatisme chez certains êtres vivants, dont le membre blessé ou prisonnier s'ampute et tombe de soi-même. VALÉRY, Variété V, p. 45.

Didact. De l'instinct (animal). *Actes instinctifs élémentaires. Réaction instinctive à un stimulus. Comportement instinctif.*

4 (...) la conduite instinctive. Je la définirai ainsi : un acte adapté, accompli, sans avoir été appris, d'une façon uniforme, par tous les animaux d'une même espèce, sans connaissance du but auquel il tend, ni de la relation qu'il y a entre ce but et les moyens mis en œuvre pour l'atteindre.
CLAPARÈDE, De l'intelligence animale, *in* Mystère animal, p. 151.

5 Elle avait aussi une répugnance instinctive pour cette maladie dont Germaine était atteinte et n'aimait pas à s'approcher d'elle.
J. GREEN, Adrienne Mesurat, I, V.

♦ **2.** 1883, Renan. (Personnes). Par ext. En qui domine l'impulsion (cit. 9), la spontanéité de l'instinct. *Un être instinctif, tout instinctif.* — *« L'homme instinctif des âges de foi »* (Renan, *in* T. L. F.).

N. *C'est un instinctif, et pas un cérébral.*

CONTR. Conscient, réfléchi, volontaire. — Intellectuel.
DÉR. Instinctivement, instinctivité.
COMP. Instinctivo-affectif.

INSTINCTIVEMENT [ɛ̃stɛ̃ktivmɑ̃] adv. — 1801; de *instinctif.*

♦ **a** Cour. (chez l'être humain). D'une manière instinctive, d'instinct. ⇒ **Spontanément.** *Agir instinctivement. Gestes faits instinctivement* (→ Carrure, cit. 1). *Éviter instinctivement une construction grammaticale* (→ Ici, cit. 24). *Instinctivement, elle s'est méfiée de lui.*

Le goût et l'esprit français? Mais notre moindre gavroche en sait là-dessus plus que lui, et cela instinctivement, par don, par naissance, par hérédité.
Paul LÉAUTAUD, le Théâtre de M. Boissard, XXV.

b Didact. *Les mouvements que fait un animal instinctivement et ceux qu'on peut lui apprendre par dressage.*

CONTR. Consciemment, volontairement.

INSTINCTIVITÉ [ɛ̃stɛ̃ktivite] n. f. — 1832, Balzac, *Louis Lambert;* de *instinctif.*

♦ Vx. Caractère de ce qui est instinctif.

INSTINCTIVO-AFFECTIF, IVE [ɛ̃stɛ̃ktivoafɛktif, iv] adj. — XXe; de *instinctif,* et *affectif.*

♦ Psychol. Dont le caractère est l'effet de causes instinctives.

Instinctivo-affectif. On qualifie ainsi tout fait psychique qui, prenant naissance dans la vie instinctive profonde, se manifeste non par le jeu libre et naturel de l'Instinct (acte instinctif), mais par ses répercussions affectives dans la conscience de l'individu.
A. HESNARD, *in* A. POROT, Manuel de psychiatrie, art. *Instinctivo-affectif.*

INSTINCTUEL, ELLE [ɛ̃stɛ̃ktɥɛl] adj. — 1838-40, Académie, *Compl.;* repris mil. XXe, par le voc. de la psychanalyse; de *instinct.*

♦ Didact. (psychol., psychan.). Qui appartient à la catégorie de l'instinct (II., 1.). *Les forces instinctuelles du Ça. Libération instinctuelle.*

1 Si l'on savait pourquoi l'on écrit, on saurait, du même coup, pourquoi l'on vit. Écrire est une fonction biologique, où participent toutes les composantes instinctuelles de l'être.
J. ROSTAND, Pensées d'un biologiste, p. 185, *in* FOULQUIÉ, Dict. de la langue philosophique.

2 Dès le départ, Freud ne pouvait donc qu'être rejeté par son époque, qui voulut le voir sous les traits immoraux et sauvages des forces instinctuelles dont il lui révélait le vrai visage. S. NACHT, Guérir avec Freud, *in* la Nef, no 31, p. 165.

3 (...) toute fixation à un prétendu stade instinctuel est avant tout stigmate historique. J. LACAN, Écrits, p. 261.

INSTIT [ɛ̃stit] n. m. et f. ⇒ **Instituteur** (3.).

INSTITUANT, ANTE [ɛ̃stitɥɑ̃, ɑ̃t] adj. et n. m. — Attesté XXe; p. prés. de *instituer.*

♦ Qui institue (qqch.), qui produit une, des institutions. — N. m. *L'instituant :* capacité humaine (de l'individu, du groupe) à produire l'institution au détriment de celle qui est établie *(l'institué).*

INSTITUER [ɛ̃stitɥe] v. tr. — 1219, au sens 2; a signifié aussi « instruire » (1466, jusqu'au XVIIe, → Institution); lat. *instituere,* de *in-,* et *statuere* « établir », de *status.*

♦ **1.** V. 1350. (Compl. n. de personne). Relig., hist. Établir officiellement en charge, en fonction. *Instituer un juge. Charlemagne institua des fonctionnaires* (cit. 3). *Instituer un évêque.* ⇒ **Institution.** *Nos rois étaient institués vicaires de Jésus-Christ pour le royaume de France* (→ Ampoule, cit. 1). *Instituer qqn comme* (et nom de fonction).

Le pape instituait les évêques, mais c'est le roi qui les nommait. 1
JAURÈS, Hist. socialiste..., t. II, p. 165.

(1552, Estienne). Dr. Nommer (héritier) par testament. *Le testament devait instituer ou exhéréder* (cit.) *son fils.* — *Instituer héritier qqn.* ⇒ **Constituer.** *Instituer un héritier.* — Pron. *S'instituer l'arbitre d'un différend. S'instituer comme arbitre.* — Au p. p. *L'héritier institué,* ou, n. m., *l'institué.*

La disposition testamentaire sera caduque, lorsque l'héritier institué ou le légataire 2
la répudiera, ou se trouvera incapable de la recueillir. Code civil, art. 1043.

Pron. Par ext. *« Je m'instituai grand homme dès mon enfance »* (Balzac, *la Peau de chagrin,* p. 95, *in* T. L. F.).

♦ **2.** (1219). Plus cour., mais style soutenu. (Compl. n. de chose). Établir d'une manière durable. ⇒ **Commencer, créer, ériger, établir, faire, fonder, former, instaurer.** *Instituer une fête, une exposition* (cit. 6) *annuelle, des jeux solennels. Instituer un ordre, une confrérie, un corps* (→ Cataphracte, cit.). *Instituer un tribunal* (→ Crime, cit. 16; infamie, cit. 5), *un fonds national de l'habitat* (cit. 5). *« La force* (cit. 48) *publique est instituée pour l'avantage de tous »* (Déclaration des droits de l'homme). *Les propriétés pour la protection desquelles a été instituée l'autorité* (→ Arbitraire, cit. 7). *Instituer l'entière liberté du commerce* (→ Briser, cit. 10). — Au passif. *Le mariage tel qu'il est institué dans nos mœurs* (→ Homme, cit. 145). — Par ext. *Instituer un débat, une discussion* (→ Historiette, cit. 2), *des expériences* (→ Hérédité, cit. 13).

(...) ce conseil souverain des soixante-dix juges qu'ils appelaient le *synédrin* qui, 3
ayant été institué par Moïse, a duré jusqu'au temps de Jésus-Christ (...)
PASCAL, Pensées, XI, 711.

Peu à peu il sortit des cloîtres plusieurs inventions utiles. D'ailleurs ces religieux 4
cultivaient la terre, chantaient les louanges de Dieu, vivaient sobrement, étaient hospitaliers (...) On se plaignit que bientôt après les richesses corrompirent ce que la vertu et la nécessité avaient institué (...)
VOLTAIRE, Essai sur les mœurs, CXXXIX.

(...) la Révolution a créé, peu à peu, une masse « conservatrice », dans le vrai sens 5
du mot, aspirant à voir *s'instituer* un état de choses qui, jusqu'ici, n'a fait que *se proclamer.*
Louis MADELIN, Hist. du Consulat et de l'Empire, De Brumaire à Marengo, IV.

(...) ces écrivains qui instituent des congrès pour la pensée « au service de la 6
paix » (...) Julien BENDA, la Trahison des clercs, p. 89.

Pron. (Av. 1784, Diderot). *Les privilèges se sont institués à la faveur des événements. Les relations qui se sont instituées entre deux États.*

Il me semble parfois qu'entre la recherche et la découverte, il s'est formé une rela- 7
tion comparable à celle qui s'institue entre la drogue et l'intoxiqué.
VALÉRY, l'Idée fixe, p. 25.

♦ **3.** (XVIIIe). Rare. Doter d'institutions.

Celui qui ose entreprendre d'instituer un peuple doit se sentir en état de changer 8
pour ainsi dire la nature humaine, de transformer chaque individu (...)
ROUSSEAU, Du contrat social, II, VII (1762).

► **INSTITUÉ, ÉE** p. p. adj. Voir à l'article ci-dessus.

N. m. *L'institué :* l'institution telle qu'elle est déjà produite et se reproduit identiquement (contestée et modifiée par l'instituant*).

CONTR. Abolir, abroger, supprimer.
DÉR. Instituant.

INSTITUT [ɛ̃stity] n. m. — 1480, au sens 1; lat. *institutum* « ce qui est établi », p. p. neutre de *instituere.* → Instituer.

♦ **1.** Vx. Chose établie, fondée. ⇒ **Institution.**

C'est ton saint institut *(l'eucharistie),* c'est l'œuvre de ta main, 1
Qui passe de bien loin toute notre prudence.
CORNEILLE, l'Imitation de J.-C., IV, 573.

Il serait à souhaiter qu'il y eût des retraites douces pour la vieillesse; mais ce seul 2
institut nécessaire est le seul qui ait été oublié.
VOLTAIRE, Essai sur les mœurs, CXXXIX.

(1622). Relig. Règle d'un ordre religieux établie au moment de sa fondation. ⇒ **Constitution.** Par ext. L'ordre institué par cette règle.

L'esprit d'ambition est presque toujours joint à celui d'enthousiasme (...) Entrer 3
dans l'ordre ancien de saint Benoît, ou de saint Basile, c'était se faire sujet; créer un nouvel institut, c'était se faire un Empire.
VOLTAIRE, Essai sur les mœurs, CXXXIX.

♦ **2.** (1749). Mod. Titre donné à certains corps constitués de savants, d'artistes, d'écrivains. *L'Institut de Bologne. L' « Institut national des sciences et des arts », fondé en 1795 (en remplacement des anciennes académies et sociétés savantes supprimées en 1793).* —

(1795). *L'Institut de France,* ou, absolt, *l'Institut,* comprenant les cinq Académies : l'Académie française, l'Académie des Inscriptions et Belles-Lettres, l'Académie des Sciences, l'Académie des Beaux-Arts et l'Académie des Sciences morales et politiques. *Les cinq Académies, les cinq classes* de l'Institut. Entrer, être élu à l'Institut. Il veut être de l'Institut. Membre de l'Institut* (→ Académie, cit. 6; friser, cit. 7). *Membre correspondant de l'Institut.* — Lieu où se réunit l'Institut. *Aller à l'Institut. Palais, coupole* de l'Institut;* syn. : *le Quai Conti* (à Paris).

4 L'Institut est une des créations les plus glorieuses de la Révolution, une chose tout à fait propre à la France. Plusieurs pays ont des académies qui peuvent rivaliser avec les nôtres par l'illustration des personnes qui les composent et par l'importance de leur travaux; la France seule a un Institut, où tous les efforts de l'esprit humain sont comme liés en faisceau, où le poète, le philosophe, l'historien, le philologue, le critique, le mathématicien, le physicien, l'astronome, le naturaliste, l'économiste, le jurisconsulte, le sculpteur, le peintre, le musicien, peuvent s'appeler confrères. RENAN, Questions contemporaines, Œ. compl., t. I, p. 99.

Établissement de recherche scientifique ou d'enseignement (national ou international, libre ou officiel). *Institut national agronomique* (Loi du 9 août 1876). *Institut catholique de Paris. Institut Pasteur. Institut d'Optique. Institut océanographique, géographique. Institut Solvay, Rockefeller. Institut agricole international de Rome. — Instituts annexes des Facultés. Instituts français à l'étranger :* établissements d'enseignement de la langue et de la culture françaises. *L'Institut français d'Athènes.* — (1966). *Institut universitaire de technologie* (I.U.T.), dispensant un enseignement technique moins spécialisé que celui des écoles d'ingénieurs. — (Dans le domaine économique et administratif). *Institut d'émission* (la Banque de France). *Institut national de la consommation. Institut d'administration des entreprises. Institut du développement industriel* (I. D. I.). *Institut national de la santé et de la recherche médicale* (INSERM). *Institut de recherche d'informatique et d'automatique* (IRIA). *Institut national de l'audiovisuel* (INA). *Instituts régionaux d'administration* (IRA).

♦ **3.** [a] (1907, *Institut d'esthétique,* Colette, *in* D. D. L.; dans quelques expr.). Établissement où l'on donne des soins. *Institut dentaire; institut de beauté.*

5 (...) souvent la femme de trente à quarante ans hésite (...) C'est l'âge des essais, des tâtonnements, des erreurs, et du désarroi qui jette les femmes d'un «institut» à une «académie». COLETTE, les Vrilles de la vigne, p. 129.

6 Seules les femmes jeunes et jolies ne livrent rien, mieux dissimulées derrière leur beauté d'institut de beauté que les acteurs antiques par leurs masques. F. MAURIAC, Bloc-notes 1952-1957, p. 43.

[b] Institution (II., 2.) scolaire (privée). *Un institut privé, charitable.*

INSTITUTES [ɛ̃stityt] n. f. plur. — XIIIe, *in* Godefroy, *Compl.;* masc. sing., 1328; lat. *instituta,* plur. de *institutum* pris pour un fém. sing.

♦ **1.** Dr. rom. Manuel de droit rédigé par les jurisconsultes romains. *Les institutes de Gaïus. Les institutes de Justinien,* ou, absolt, *les Institutes. Commentaires de Cujas sur les Institutes.*

♦ **2.** Nom donné autrefois à certains ouvrages élémentaires de droit (*Institutes coutumières,* de Loisel, 1536-1617).

INSTITUTEUR, TRICE [ɛ̃stitytœʀ, tʀis] n. — 1441; lat. *institutor,* de *institutum,* supin de *instituere.* → Instituer.

♦ **1.** Vx. Personne qui institue (qqch.). *L'instituteur divin du christianisme* (cit. 3, Voltaire).

1 Tel nous paraît être le but le plus important qu'une académie de médecine puisse se proposer; tel a été l'espoir de ses instituteurs! CONDORCET, Bucquet, *in* LITTRÉ.

♦ **2.** [a] (1734, d'Argenson). Personne chargée de l'instruction et de l'éducation d'un ou plusieurs enfants. ⇒ **Pédagogue, précepteur, professeur.** — REM. Dans ce sens général, le mot est vieux au masculin (on dit *précepteur*), mais encore vivant au féminin (→ Éduquer, cit. 5). *Institutrices françaises engagées par des riches familles à l'étranger.*

2 — Mais il a été renvoyé de deux collèges (...) Il reste donc de prendre un précepteur à domicile, ou une institutrice. F. MAURIAC, le Sagouin, p. 41.

[b] Vx. Maître, maîtresse de pension.

♦ **3.** (1792). Mod. Personne qui, munie des diplômes requis, enseigne dans une école primaire (⇒ **Maître, maîtresse**), et, spécialt, une école primaire publique (→ Conscience, cit. 19; féliciter, cit. 6; flatter, cit. 21). *Instituteurs stagiaires, vacataires, titulaires. L'institutrice communale. École normale d'instituteurs. Instituteur d'une école libre. L'institutrice de mon fils, son institutrice est excellente.*

3 Nous n'avons pas assez de patients, de dévoués instituteurs pour manier ces masses. BALZAC, le Curé de village, Pl., t. VIII, p. 702.

4 La Convention, au commencement de décembre *(1792),* reçut et discuta un projet d'organisation des écoles primaires, proposé par son comité d'instruction publique, d'après les vues de Condorcet. Ce projet (...) contenait la pensée la plus démocratique de la Gironde (...) L'école primaire, gratuite pour tous, était la porte par laquelle l'enfant laborieux du pauvre pouvait entrer dans la classe des *élèves de la patrie,* qui parcouraient gratuitement tous les autres degrés de l'instruction. Les instituteurs étaient élus, au suffrage universel, par les pères de famille. Le prêtre ne pouvait devenir instituteur qu'en renonçant à la prêtrise. MICHELET, Hist. de la Révolution franç., IX, IX.

Pour moi j'ai la conviction qu'il se distribue beaucoup plus de véritable culture, aujourd'hui même encore, dans la plupart des écoles primaires (...) qu'il ne s'en distribue entre les quatre murs de la Sorbonne (...) Un très grand nombre d'instituteurs encore, même radicaux et radicaux-socialistes, même francs-maçons, même libres penseurs professionnels (...) continuent encore d'exercer (...) dans les écoles des provinces et même des villes un certain ministère de la culture. Ch. PÉGUY, Notre jeunesse, p. 44. 5

À l'École normale, un de leurs maîtres leur apprenait les étymologies : *instituteur,* de *institutor,* celui qui établit, celui qui instruit, celui qui institue l'humanité dans l'homme; quel beau mot! F. MAURIAC, le Sagouin, p. 156. 6

Abréviation familière : *insti* [ɛ̃sti] (1967) ou *instit* [ɛ̃stit] (1966, *in* D. D. L.). — REM. La forme *instit* l'emporte en franç. contemporain. *Il, elle est insti, instit. Les instits* [ɛ̃stit] *et les profs.* «*Il* (le père) *voudrait que Sylvie fasse instit.*» (*le Nouvel Obs.,* 15 juin 1981, p. 52). — REM. On écrit aussi *institе.*

♦ **4.** Fig. (Personnes, collectivités). *L'instituteur, l'institutrice de...* ⇒ **Éducateur** (→ Incapable, cit. 12).

(..) quiconque peut chercher sérieusement les femmes, les honneurs, les biens, l'amour même ou la gloire, n'est pas né pour la magistrature auguste d'instituteur des hommes. É. DE SENANCOUR, Oberman, LXXIX, Note. 7

(...) un État totalitaire c'est un État qui se fantasme comme instituteur de la société, qui ne rabat le pouvoir sur sa source qu'au prix d'un autre rabattement du Pouvoir sur le social. Bernard-Henri LÉVY, la Barbarie à visage humain, p. 167. 8

INSTITUTION [ɛ̃stitysjɔ̃] n. f. — 1190, au sens 2; lat. *institutio,* de *institutum,* supin de *instituere.* → Instituer.

★ **I.** ♦ **1.** [a] (XIIIe). Rare. Action d'instituer*, d'établir pour la première fois (qqch.) ⇒ **Érection, établissement, fondation.** *L'institution des Jeux olympiques, d'une fête annuelle. Institution d'un ordre religieux, d'un tribunal d'exception. L'institution du calendrier grégorien en 1582.*

Il suffit de jeter les yeux sur l'histoire à l'époque de l'institution de la chevalerie religieuse, pour reconnaître les importants services qu'elle a rendus à la société. CHATEAUBRIAND, le Génie du christianisme, IV, V, V. 1

La seule mesure qui sembla impressionner tous les habitants fut l'institution du couvre-feu. CAMUS, la Peste, p. 190. 2

Loc. Didact. *Être de l'institution de qqn,* avoir été institué par lui (→ Baïonnette, cit. 1). *Les archevêques* (cit. 1) *sont d'institution apostolique.* — Absolt. *D'institution :* institué par les hommes (par oppos. à ce qui est établi par la nature). *Usages d'institution.*

Il ne fallait (...) pas dire (...) que le mariage est de pure institution : comme s'il n'était pas fondé sur la nature même (...) BOSSUET, IVe Avertiss. aux protestants, V. 3

Le stoïcisme eut aussi ses héros. Il les eut sans promesses éternelles, sans menaces infinies. Si un culte eût fait tant avec si peu, on en tirerait de belles preuves de son institution divine. É. DE SENANCOUR, Oberman, XLIV. 4

[b] (1537). *L'institution de qqn.*

Dr. *Institution d'héritier :* action d'instituer* (qqn) héritier. ⇒ **Désignation, nomination.** *Institution contractuelle :* donation, par contrat de mariage, de biens à venir appartenant à la succession du disposant.

Toute personne pourra disposer par testament, soit sous le titre d'institution d'héritier, soit sous le titre de legs, soit sous toute autre dénomination propre à manifester sa volonté. Code civil, art. 967. 5

Dr. can. *Institution canonique :* collation par l'autorité ecclésiastique des pouvoirs spirituels attachés à une fonction cléricale. *L'institution d'un évêque* (→ Concordat, cit. 2).

Le concordat, bien entendu, réinstituant le droit de nomination au profit du pouvoir civil, laisserait au pape le droit d'*institution,* — derniers recours de Rome contre des choix indignes, inopportuns ou simplement déplaisants. Louis MADELIN, Hist. du Consulat et de l'Empire, Le Consulat, VIII. 6

♦ **2.** Cour. La chose instituée (personne morale, groupement, fondation, régime légal, social). *Sage, louable, pieuse, utile, sublime, sainte, grande institution* (→ Criminel, cit. 9; chantage, cit. 3; énoncé, cit. 1; hérédité, cit. 7). *Les institutions humaines ont altéré* (cit. 7, Rousseau) *nos penchants naturels. Une institution nationale* (→ Gymnastique, cit. 5), *internationale. Institutions politiques, religieuses* (→ Assise, cit. 5; changer, cit. 26). *Histoire des institutions politiques de l'ancienne France,* œuvre de Fustel de Coulanges. *Ancienneté, origine, nature d'une institution* (→ Esclavage, cit. 6; genèse, cit. 3; hospitalité, cit. 1). *Une institution d'assistance, de prévoyance.*

L'institution peut se présenter sous la forme d'une personne morale de droit public (*ex. :* État, Parlement), ou de droit privé (*ex. :* association), ou d'un groupement non personnalisé, ou d'une fondation, ou d'un régime légal tel que la tutelle, la prescription, la faillite, l'expropriation pour cause d'utilité publique. CAPITANT, Voc. juridique, art. *Institution.* 7

Les lois sont établies, les mœurs sont inspirées; celles-ci tiennent plus à l'esprit général; celles-là tiennent plus à une institution particulière; or, il est aussi dangereux, et plus, de renverser l'esprit général que de changer une institution particulière (...) Nous avons dit que les lois étaient des institutions particulières et précises du législateur, les mœurs et les manières des institutions de la nation en général. MONTESQUIEU, l'Esprit des lois, XIX, XII et XIV. 8

Il n'y a pas un beau souvenir, pas une belle institution dans les siècles modernes, que le christianisme ne réclame. CHATEAUBRIAND, le Génie du christianisme, IV, V, I. 9

10 Que voit-on dans les comédies du grand Molière? La sainte institution du mariage (style de catéchisme et de journaliste) bafouée et tournée en ridicule à chaque scène. Th. GAUTIER, Préface de Mlle de Maupin, éd. critique MATORÉ, p. 10.

11 Le dandysme, qui est une institution en dehors des lois, a des lois rigoureuses auxquelles sont strictement soumis tous ses sujets (...)
BAUDELAIRE, Curiosités esthétiques, XVI, IX.

12 La première institution que la religion domestique ait établie fut vraisemblablement le mariage. FUSTEL DE COULANGES, la Cité antique, II, II.

13 Les états généraux de 1614 seront les derniers avant ceux de 1789. Ils discréditèrent l'institution parce que l'idée du bien général en fut absente, tandis que chacun des trois ordres songea surtout à défendre ses intérêts particuliers.
J. BAINVILLE, Hist. de France, XI, p. 195.

(Fin XVIIIe). *Les institutions :* l'ensemble des formes ou structures fondamentales d'organisation sociale, telles qu'elles sont établies par la loi ou la coutume (dans un groupe humain), et, spécialt, celles qui relèvent du droit public. *Les institutions athéniennes, de la Rome antique* (→ Bizarre, cit. 5; époque, cit. 7, Fustel de Coulanges). *Peuple attaché à ses institutions* (→ Conservateur, cit. 1). *Permanence, progrès des institutions* (→ Consentement, cit. 4; exister, cit. 6; grandeur, cit. 9; habitude, cit. 2). *Saper, défendre les institutions. Les institutions de l'an VIII.* ⇒ **Constitution** (→ Centralisation, cit.). *Des institutions démocratiques.* ⇒ **Régime.** *Réforme des institutions.*

Donner un caractère d'institution à qqch. ⇒ **Institutionnaliser.** *Fragments d'institutions républicaines,* ouvrage de Saint-Just (1795).

14 Il nous a paru que ces institutions *(de l'ancienne France)* s'étaient formées d'une manière lente, graduelle, régulière, et qu'il s'en fallait beaucoup qu'elles pussent avoir été le fruit d'un accident fortuit ou d'un brusque coup de force. Il nous a semblé aussi qu'elles ne laissaient pas d'être conformes à la nature humaine; car elles étaient d'accord avec les mœurs, avec les lois civiles, avec les intérêts matériels, avec la manière de penser et le tour d'esprit des générations d'hommes qu'elles régissaient.
FUSTEL DE COULANGES, Hist. des institutions politiques de l'anc. France, Introd., p. XII.

15 Tocqueville et d'autres penseurs illustres ont cru trouver dans les institutions des peuples la cause de leur évolution. Je suis persuadé au contraire (...) que les institutions ont sur l'évolution des civilisations une importance très faible. Elles sont le plus souvent des effets, et bien rarement des causes.
Gustave LE BON, Lois psychologiques de l'évolution des peuples, p. 19.

16 (...) l'opinion n'est pas excessivement émue des incidents fâcheux qui se produisent et qui, promptement résorbés, démontrent la solidité profonde des institutions bien plus qu'ils ne la compromettent.
VALÉRY, Regards sur le monde actuel, p. 79.

Collectif. Didact. *L'institution :* l'ensemble des structures organisées tendant à se perpétuer, dans chaque secteur de l'activité sociale. *L'institution juridique, littéraire, artistique... d'une société. Lutter contre l'institution. — L'institution psychiatrique, hospitalière* (⇒ **Institutionnel,** 3.).

Fam. (iron.). *La mendicité est dans ce pays une véritable institution! Ce maladroit élève la gaffe à la hauteur d'une institution.*

17 — À ce point de vue-là, c'était extraordinaire, mais cela ne me semblait pas d'un art, comme on dit, très «élevé», dit Swann en souriant. — Élevé (...) à la hauteur d'une institution, interrompit Cottard en levant les bras avec une gravité simulée. PROUST, À la recherche du temps perdu, t. II, p. 54.

Fam. (d'une personne). *Cet ancien champion est devenu une véritable institution.*

★ **II.** ♦ **1.** (1552, Rabelais). Vx. Action d'instruire et de former (qqn) par l'éducation. ⇒ **Éducation, formation, gouvernement** (vx), **instruction.** *«De l'institution des enfants»* (Montaigne, I, 26. → Expérience, cit. 28). *L'institution du peuple* (→ Éthique, cit. 2, Diderot).

18 Ce sont natures belles et fortes (...) qui se maintiennent au travers d'une mauvaise institution. Or ce n'est pas assez que notre institution ne nous gâte pas, il faut qu'elle nous change en mieux. MONTAIGNE, Essais, I, XXV.

19 (...) la bonne institution sert beaucoup pour corriger les défauts de la naissance (...)
DESCARTES, les Passions de l'âme, 161.

♦ **2.** (1680) Mod. UNE INSTITUTION : établissement privé d'éducation et d'instruction. ⇒ **Collège, école, pension, pensionnat.** *Ouvrir, tenir, diriger une institution. Professer dans une institution libre* (→ Enseigner, cit. 7). *Directrice d'une institution de jeunes filles. Le chef de cette institution n'est qu'un marchand de soupe.*

20 Nous avons l'impression qu'il y a des dangers beaucoup plus urgents pour l'humanité que la présence des Sœurs dans tel hôpital, ou de quelques pères mal défroqués dans une institution libre.
J. ROMAINS, les Hommes de bonne volonté, t. IV, X, p. 114.

CONTR. (Du sens I, 1 et 2) **Abolition.**
DÉR. **Institutionnaliser, institutionnel.**

INSTITUTIONNALISATION [ɛ̃stitysjɔnalizasjɔ̃] n. f. — 1949, Vedel, *Droit constit., in* T. L. F.; de *institutionnel* et suff. nominal.

♦ **1.** Fait d'institutionnaliser, de donner le caractère d'une institution sociale (à qqch.).

L'institutionnalisation d'un signe est acquise quand un accord tacite des membres d'un groupe d'abord puis des membres de la communauté les fait s'entendre sur l'emploi de ce signe. Robert-Léon WAGNER, les Vocabulaires français, p. 32.

♦ **2.** Le fait de devenir institutionnel. *«Le régime militaire* (égyptien, en 1961), *cherche l'institutionnalisation»* (Jean Ziegler, *Main basse sur l'Afrique,* p. 144).

INSTITUTIONNALISER [ɛ̃stitysjɔnalize] v. tr. — V. 1955; de *institutionnel* et suff. verbal.

♦ Didact. Donner à (une structure sociale, économique, etc.) le caractère officiel d'une institution.

(Les Révolutions américaines et françaises) avec leurs *Déclarations de Droits,* ont, pour la première fois, *institutionnalisé* et formulé le principe de la liberté en tant que base de l'organisation politique de l'État moderne. Ce furent les mutations politiques les plus décisives de l'histoire.
Gaston BOUTHOUL, Sociologie de la politique, p. 110.

Par ext. Donner à (qqch.) un caractère permanent, habituel. *Institutionnaliser certains comportements, la suspicion, la délation.*

▶ **S'INSTITUTIONNALISER** v. pron.
Acquérir un statut reconnu, sinon légal. *«L'hypocrisie de l'" aide au tiers monde ", cette parodie télévisée qui tend à s'institutionnaliser dans les pays riches»* (*le Monde,* 11 avr. 1969).

▶ **INSTITUTIONNALISÉ, ÉE** p. p. adj. *Valeurs institutionnalisées. «Le profit institutionnalisé, régularisé par l'État ou les firmes dominantes»* (J.-P. Courthéoux, *Politique des revenus*).

DÉR. **Institutionnalisation.**

INSTITUTIONNALISME [ɛ̃stitysjɔnalism] n. m. — 1939, Pirou; de *institutionnel,* d'après l'angl. *institutionalism,* 1862, de *institution,* de même orig. que le franç. *institution.*

Didactique.

♦ **1.** Écon. Théorie qui met l'accent sur le rôle des institutions dans la vie économique. — REM. Dans ce sens, on emploie aussi *institutionnaliste* [ɛ̃stitysjɔnalist].

♦ **2.** Sociol. Tendance à privilégier les institutions (dans l'explication ou le réglage de la société).

INSTITUTIONNEL, ELLE [ɛ̃stitysjɔnɛl] adj. — 1933, Lucien Febvre, *in* T. L. F.; de *institution;* p.-ê. d'après l'angl. *institutional* (1617), de *institution,* de même orig. que le franç. *institution.*

Didactique.

♦ **1.** Relatif aux institutions; où des institutions ont beaucoup d'importance. *Pratique qui revêt un caractère institutionnel. De manière institutionnelle. Acquérir un statut institutionnel,* d'institution.

Dans la société institutionnelle, à la force des États, doit se substituer celle de l'organisation, détentrice désormais du monopole de la violence légitime. 1
R.-J. DUPUY, le Droit international, p. 105.

Formé d'institutions. *L'appareil institutionnel d'un État.*

♦ **2.** Psychol. Qui concerne l'influence exercée par les groupes sociaux (famille, structure sociale) sur le développement de la personnalité.
Névroses institutionnelles, à caractère psychosocial (par oppos. à *névroses événementielles*).

On peut distinguer deux grands types de caractérologie, l'une *constitutionnelle,* qui s'intéresse surtout à la constitution d'un individu et aux facteurs innés, l'autre *institutionnelle* qui s'intéresse surtout à l'histoire d'un individu et aux facteurs acquis. La première est à orientation biologique, la seconde à orientation sociologique. On peut appeler névroses institutionnelles celles qui apparaissent comme le développement d'un complexe, cristallisant un certain type de rapports entre l'individu et un groupe qui est généralement mais non toujours la famille. Ce groupe des névroses institutionnelles, qui est d'une grande importance en caractérologie clinique, s'oppose au groupe des névroses événementielles qui apparaissent comme la conséquence d'un événement plus ou moins fortuit, d'un accident, d'un traumatisme. Ainsi certains philosophes de l'Histoire opposent-ils le fait institutionnel et le fait événementiel. 2
Jean DELAY, Introd. à la médecine psychosomatique, Notes et observations, p. 87-88.

Psychiatrie. *Thérapeutiques institutionnelles,* par l'instauration d'institutions propres au milieu hospitalier et favorisant la réadaptation sociale des malades (organismes de gestion, clubs, etc.).

♦ **3.** Qui agit sur l'institution. — (1952, Daumezan et Koechlin). *Psychothérapie institutionnelle :* technique hospitalière visant à agir sur l'institution elle-même. — (1958, J. Oury). *Pédagogie institutionnelle.*
Analyse institutionnelle, étendant à tous les secteurs de l'institution sociale les méthodes de la psychothérapie ou de la pédagogie institutionnelles.

DÉR. **Institutionnalisme, institutionnellement.**

INSTITUTIONNELLEMENT [ɛ̃stitysjɔnɛlmɑ̃] adv. — 1964, Perroux; de *institutionnel.*

♦ Didact. Par rapport aux institutions, à leur action. — Dans le cadre des institutions (d'un État).

INSTRUCTEUR [ɛ̃stʀyktœʀ] n. m. et adj. — 1372; lat. *instructor,* de *instructum,* supin de *instruere.* → Instruire.

♦ **1.** Vx. Personne qui instruit. ⇒ **Éducateur, entraîneur, moniteur, professeur** (→ Gladiateur, cit. 2).

♦ **2.** (1832; adj., *capitaine instructeur,* 1823). Milit. Celui qui est chargé de l'instruction des recrues (maniement des armes, exercice, manœuvre...). *Manuel de l'instructeur.* — Adj. *Officier, sergent instructeur.*

♦ **3.** (1636, *instructeur de procès*). Dr. Celui qui instruit une affaire. — Adj. (1832). *Magistrat, juge instructeur :* juge d'instruction.

REM. Le fém. *instructrice* [ɛ̃stʀyktʀis], qui serait normal aux sens 1 et 3, ne semble pas attesté.

INSTRUCTIF, IVE [ɛ̃stʀyktif, iv] adj. — XIVe; dér. sav. du lat. *instructus,* p. p. de *instruere.* → Instruire.

♦ Qui instruit, procure un savoir (choses). ⇒ **Édifiant, éducatif.** *Livre, ouvrage instructif. Lecture, conversation instructive* (→ Harangue, cit. 5). *Ce que vous m'avez dit est très instructif.* — Vx. *Jeu instructif.* ⇒ **Éducatif.**

1 (...) j'entreprends une édition de Corneille, avec des remarques qui peuvent être instructives pour les étrangers, et même pour les gens de mon pays.
VOLTAIRE, Correspondance, 1938, 31 mai 1761.

2 Ce n'était plus cette fille simple dont une éducation provinciale avait rétréci les idées. L'amour et le malheur l'avaient formée (...) Son aventure était plus instructive que quatre ans de couvent. VOLTAIRE, l'Ingénu, XVIII.

3 (...) c'est toujours le *Port-Royal* de Sainte-Beuve qui présente le tableau d'ensemble le plus net, le plus complet, le plus instructif que l'on puisse désirer pour être mis au fait du grand drame intellectuel et religieux que fut le jansénisme. Émile HENRIOT, les Romantiques, p. 227.

N. m. *L'instructif.*

DÉR. Instructivement.

INSTRUCTION [ɛ̃stʀyksjɔ̃] n. f. — 1319, au sens II; lat. *instructio;* de *instructum,* supin de *instruere.* → Instruire.

★ **I.** (1483). Action d'instruire; résultat de cette action.

♦ **1.** Vx ou littér. *L'instruction de qqn.* Action d'apprendre (à qqn) ce qu'il est utile ou indispensable de savoir. ⇒ **Apprentissage, édification, initiation.** *Rien de plus utile à l'instruction des rois* (→ Expérience, cit. 14, Bossuet). *Cela peut servir à votre instruction. Je vous demande cela pour mon instruction* (⇒ **Information**). *« On ne doit écrire que pour l'instruction »* (→ Arriver, cit. 73, La Bruyère).

1 Adieu : fais lire au Prince, en dépit de l'envie,
Pour son instruction, l'histoire de ta vie (...) CORNEILLE, le Cid, I, 3.

2 Considérez, Messieurs, ces grandes puissances que nous regardons de si bas. Pendant que nous tremblons sous leur main, Dieu les frappe pour nous avertir. Leur élévation en est la cause; et il les épargne si peu, qu'il ne craint pas de les sacrifier à l'instruction du reste des hommes.
BOSSUET, Oraison funèbre de Henriette d'Angleterre.

♦ **2.** Action d'enrichir et de former l'esprit (de la jeunesse). ⇒ **Enseignement, formation, institution** (vx), **pédagogie.** *L'instruction de qqn, son instruction. Veiller à l'instruction de ses enfants. L'instruction qu'on lui a donnée, qu'il a reçue à l'école, dans ce collège, dans sa famille* (→ École, cit. 6). *Une instruction complète, incomplète.* → 2. Frais, cit. 8. ⇒ **Étude**(s). *Reprendre, refaire l'instruction de qqn, une instruction.* — Absolt. *Répandre les bienfaits de l'instruction. « Ce dressage* (cit. 1) *de perroquets que nous appelons l'instruction »* (Alain). *Hostilité à l'instruction.* ⇒ **Obscurantisme.**

3 (...) un évêque, qui (...) venait d'être appelé à l'instruction d'un prince, que le plus grand Roi du monde et le plus zélé défenseur de la religion de ses ancêtres fait élever pour en être un jour l'un des principaux appuis.
BOSSUET, Explication de la doctrine catholique, Avertiss.

4 (...) l'instruction des enfants est un métier où il faut savoir perdre du temps pour en gagner. ROUSSEAU, Émile, II.

5 Toutes les généreuses irradiations sociales sortent de la science, des lettres, des arts, de l'enseignement. Faites des hommes, faites des hommes. Éclairez-les pour qu'ils vous échauffent. Tôt ou tard la splendide question de l'instruction universelle se posera avec l'irrésistible autorité du vrai absolu (...)
HUGO, les Misérables, III, I, X.

Organisation institutionnalisée de l'instruction des enfants, de la jeunesse, dans une société. — Loc. (1791). *Instruction publique,* dispensée par l'État (→ Instituteur, cit. 4) *Instruction gratuite et obligatoire* (→ Gratuité, cit. 2). — Vieilli. *Instruction primaire, secondaire, professionnelle.* ⇒ **Enseignement** (primaire, secondaire, technique). — (Avec une majuscule). Anciennt. *Ministère de l'Instruction publique.* Syn. mod. (en France) : *Ministère de l'Éducation* nationale. Officier; rosette de l'Instruction publique.*

6 La nation garantit l'égal accès de l'enfant et de l'adulte à l'instruction, à la formation professionnelle et à la culture. L'organisation de l'enseignement public gratuit et laïque à tous les degrés est un devoir de l'État.
Constitution du 27 oct. 1946, préamb.

7 (...) après 1850 (...) la cause de l'instruction gratuite et obligatoire a fait des progrès : bientôt la troisième République consacrera pour tous les hommes le droit de lire et d'écrire. SARTRE, Situations II, p. 162.

(1802, Bonald). Qualifié. (Dans un domaine précis). *Instruction religieuse.* ⇒ **Catéchisme.** *Instruction civique*.* — Milit. *Instruction militaire* (⇒ **Instructeur**). *Instruction des recrues, des élèves-officiers, des réserves. Manuel d'instruction militaire. Camp* (cit. 2) *d'instruction. Période d'instruction.*

♦ **3.** (1580, Montaigne). Absolt. Savoir de l'homme instruit. ⇒ **Bagage** (fig.), **connaissance**(s), **culture, lecture, lettre**(s), **science.** *L'instruction de qqn, son instruction. Avoir de l'instruction, beaucoup, peu d'instruction* (→ Crétin, cit. 4). *Défaut d'instruction* (→ Girouette, cit. 5). *Homme sans instruction.* ⇒ **Ignare, illettré.** *Solide* (→ Défectueux, cit. 3), *immense* (→ Grand, cit. 39), *haute* (cit. 46) *instruction. Avoir une instruction insuffisante, défectueuse. L'étendue de son instruction* (→ Curiosité, cit. 7). *Instruction et expérience* (cit. 39.).

Enfin un chef de division séduit par son écriture, l'avait engagé comme expéditionnaire; mais la conscience d'une instruction défectueuse, avec les besoins d'esprit qu'elle lui donnait, irritaient son humeur; et il vivait complètement seul sans parents, sans maîtresse. Sa distraction était, le dimanche, d'inspecter les travaux publics. FLAUBERT, Bouvard et Pécuchet, p. 59 (Folio). 7.1

Il (...) leur parla (...) sur beaucoup de sciences humaines qu'il avait étudiées et qui montraient une grande instruction (...) 8
LAUTRÉAMONT, les Chants de Maldoror, II, p. 71.

L'hiver s'acheva dans ces travaux, auxquels Marcel s'était donné corps et âme. Son assiduité, la perfection de ses dessins, les progrès extraordinaires de son instruction, signalés unanimement par tous les maîtres et tous les examinateurs, lui avaient fait en peu de temps, au milieu de ces hommes laborieux, une célébrité relative. Du consentement général, il était le dessinateur le plus habile, le plus ingénieux, le plus fécond en ressources. 8.1
J. VERNE, les Cinq Cents Millions de la Bégum, VII, p. 113.

★ **II.** *(Une, des instructions).* Ce qui sert à instruire. ♦ **1.** (Mil. XVIe). Vx. Leçon d'ordre moral ou pratique. ⇒ **Avertissement, avis, leçon, précepte.** *Les instructions qu'il recevait de son père* (Académie). *Donner des instructions qu'on appuie* (cit. 6) *d'exemples.*

Je dis qu'un enfant n'entend point les fables qu'on lui fait apprendre, parce que quelque effort qu'on fasse pour les rendre simples, l'instruction qu'on en veut tirer force d'y faire entrer des idées qu'il ne peut saisir, et que le tour même de la poésie, en les lui rendant plus faciles à retenir, les lui rend plus difficiles à concevoir, en sorte qu'on achète l'agrément aux dépens de la clarté. 9
ROUSSEAU, Émile, II.

(1702). Relig. *Instruction pastorale :* mandement* d'évêque (→ Homélie, cit. 1). *« Instruction sur les états d'oraison »,* une des plus célèbres instructions de Bossuet, contre le quiétisme.

♦ **2.** Mod. INSTRUCTIONS : explications verbales ou écrites à l'usage d'une personne chargée d'une entreprise, d'une mission. ⇒ **Consigne, directive, ordre, prescription.** *Donner des instructions à qqn. Conformément, contrairement à ses instructions, aux instructions reçues. J'ai mes instructions dont il m'est impossible de m'écarter* (Académie). *Attendre des instructions précises, détaillées.*

Elles ne quittaient les côtés de leur mère que munies d'instructions sur la conduite à suivre avec leurs danseurs, et si sévères qu'elles ne pouvaient répondre que oui ou non à leurs partenaires. BALZAC, Une fille d'Ève, Pl., t. II, p. 67. 10

Ils s'attendent à ne trouver à peu près aucune contrepartie. Leur mandataire arrivera avec des instructions très limitées. 11
J. ROMAINS, les Hommes de bonne volonté, t. V, VI, p. 54.

Spécialt. Ordre de service émanant d'une autorité supérieure, du gouvernement. *Ambassadeur, diplomate attendant des instructions, de nouvelles instructions. Transgresser les instructions gouvernementales* (→ Contre-pied, cit. 3). *Instructions secrètes* (→ Gage, cit. 10).

Malgré les manœuvres de votre préfet, à qui sans doute il est parvenu des instructions confidentielles contre moi, j'aurai la majorité. 12
BALZAC, les Employés, Pl., t. VI, p. 1042.

Une instruction personnelle et secrète que m'avait remise le général Gamelin avant mon départ complétait en ces termes mon ordre de mission (...) 13
Maxime WEYGAND, Mémoires, t. III, p. 15.

Document écrit émanant d'un chef à l'usage de ses services. ⇒ **Écrit; circulaire.** *Instruction ministérielle, préfectorale. Les instructions de l'état-major. Instruction no... en date du...*

L'instruction (...) a un caractère plus impératif que la circulaire (...) sa teneur essentielle consiste en prescriptions, alors que la circulaire, si elle en contient également, fait une part appréciable à la simple documentation et à l'exposition des questions dont elle traite. L'instruction est par conséquent à la fois plus limitée et plus formelle que la circulaire. CATHERINE, le Style administratif, p. 156-157. 14

Milit. Ordre, directive donnée par une autorité militaire supérieure. *« J'envoyais une instruction particulière au général Debeney »* (Foch, *in* T. L. F.). *Instruction générale, instruction no X.*

Mar. *Instructions nautiques :* recueil de documents publiés par le Service hydrographique et océanographique de la Marine, donnant des renseignements sur les vents, les courants, les routes à suivre, les ports, les abris, etc.

Les Instructions nautiques recommandent une grande prudence pour approcher de la baie, surtout en venant de l'Ouest (...) 14.1
Bernard MOITESSIER, Cap Horn à la voile, p. 121.

(Av. 1968). Inform. Consigne exprimée dans un langage de programmation. Groupe de caractères provoquant dans l'ordinateur l'exécution d'une ou plusieurs opérations. *Instructions d'entrée-sortie, de traitement. Jeu d'instruction d'un ordinateur. Éléments d'une instruction* (⇒ **Opérande**). *Adresses* des opérandes d'une instruction.* — Loc. *Instruction-machine* (ou *instruction machine*) : instruction en langage codé (langage absolu; langage machine), directement exécutable par la machine. *Instruction machine et macro-instruction.*

(1690). Comm. Mode d'emploi d'un produit rédigé par le fabricant. *Se conformer aux instructions ci-jointes.*

★ **III.** (1636). Dr. Action d'instruire (une cause). ⇒ **Instance; instruire,** II. — Spécialt. « Ensemble d'actes et de mesures réglementés par la loi, tendant à la recherche et à la réunion des preuves relatives à l'existence des infractions et à la culpabilité de leurs auteurs » (Capitant). ⇒ **Information, interrogatoire.** *Travailler à l'instruction d'un procès, d'une affaire, d'une cause* (→ Contumace, cit. 1; embryonnaire, cit. 2; enquête, cit. 3; huissier, cit. 7; hypothèse, cit. 7). *La perquisition* (cit. 5) *est un acte d'instruction. L'instruction de l'affaire est très avancée.* — Anciennt. *Code* d'instruction criminelle* (devenu depuis 1959, le Code de procédure* pénale). — *Instruction préparatoire* (⇒ **Inculpé,** cit. 2), *obligatoire* (en cas de crime), *facultative* (en cas de délit). *Instruction du premier degré devant le juge* d'instruction* (→ Arrêter, cit. 36; geôle, cit. 1; informer, cit. 10), *instruction du second degré devant la chambre des mises en accusation. Ouverture, fin de l'instruction* (⇒ **Non-lieu, renvoi).** *Actes d'instruction.* ⇒ **Procédure.** — (1822). *Juge* d'instruction.*

15 Le second jour de ma détention, le juge d'instruction, le sieur Desmortiers, m'arriva accompagné de son greffier (...) Je priai cet animal de s'asseoir avec toute la politesse de l'Ancien Régime; je lui approchai un fauteuil; je mis devant son greffier une petite table, une plume et de l'encre; je m'assis en face de M. Desmortiers, et il me lut d'une voix bénigne les petites accusations qui, dûment prouvées, m'auraient tendrement fait couper le cou : après quoi il passa aux interrogations. CHATEAUBRIAND, Mémoires d'outre-tombe, t. V, p. 360-361.

16 Tu ne sais pas ce que c'est qu'une instruction criminelle, mon petit. La machine est difficile à mettre en route, mais d'un brutal!
BERNANOS, Un crime, Œ. roman., Pl., p. 807.

CONTR. Ignorance.
COMP. (Du sens II, 2) **Macro-instruction, micro-instruction.**

INSTRUCTIVEMENT [ɛ̃stʀyktivmɑ̃] adv. — 1866, Amiel, *in* T. L. F.; de *instructif.*

♦ Didact. ou littér. De manière instructive.

INSTRUIRE [ɛ̃stʀɥiʀ] v. — Conjug. *conduire.* — Fin XIVe; *enstruire,* 1120; du lat. *instruere* « bâtir, instruire », de *in-,* et *struere* « assembler, construire ».

★ **I.** ♦ **1.** Littér. Mettre (qqn) en possession de connaissances nouvelles. ⇒ **Éclairer, édifier; instruction** (I.). *« Je me sers d'animaux* (cit. 20, La Fontaine) *pour instruire les hommes ». Instruire qqn par l'exemple, d'exemple* (cit. 2 et 25). *Les hommes cherchent moins à être instruits qu'à être applaudis* (→ Entretien, cit. 8). *Instruire qqn dans une vertu, à faire qqch.* — Sujet n. de chose. *Nos sens nous abusent* (cit. 14) *plus qu'ils ne nous instruisent.* ⇒ **Apprendre.** *Ce spectacle, ces événements les ont instruits* (→ Confrère, cit. 3; faillir, cit. 16). *Il a été instruit par l'expérience, le malheur, l'âge, la vie.*

1 Quand on me contrarie, on éveille mon attention, non pas ma colère; je m'avance vers celui qui me contredit, qui m'instruit. MONTAIGNE, Essais, III, VIII.

2 Cette impuissance ne doit donc servir qu'à humilier la raison, qui voudrait juger de tout, mais non pas à combattre notre certitude, comme s'il n'y avait que la raison capable de nous instruire. PASCAL, Pensées, IV, 282.

3 Sur un ton moins lugubre on me vit autrefois
Chanter des doux plaisirs les séduisantes lois :
D'autres temps, d'autres mœurs : instruit par la vieillesse (...)
Je ne sais que souffrir, et non pas murmurer.
VOLTAIRE, Poème sur le désastre Lisbonne.

Rare. ⇒ **Exercer.** *Instruire ses mains* (→ Familiariser, cit. 8).

4 Une cantatrice future, instruisant sa voix, me poursuivait de son solfège éternel (...)
CHATEAUBRIAND, Mémoires, t. II, p. 252.

♦ **2.** Cour. Dispenser un enseignement à (un élève). ⇒ **Éduquer, élever, enseigner, former, gouverner** (vx), **initier, instituer** (vx). *Instruire les enfants, la jeunesse* (→ Expérience, cit. 6). *Élève docile, qui se laisse aisément instruire. Les disciples* qu'il a instruits. Instruire le peuple* (→ Améliorer, cit. 1). *Instruire un enfant d'une discipline* (vx), *dans une discipline, en sciences, sur un sujet.* — *Instruire de jeunes soldats, des recrues,* leur apprendre le maniement des armes, leur faire faire l'exercice*... — (Vx). *Instruire un animal.* ⇒ **Dresser.** — Au p. p. → cit. 5.

5 (...) un cheval de manège (...) le mieux instruit du monde.
LA BRUYÈRE, les Caractères, III, 49.

6 (...) il y a bien moins de crimes parmi les lettrés que parmi le peuple : pourquoi ne pas daigner instruire nos ouvriers comme nous instruisons nos lettrés?
VOLTAIRE, Dict. philosophique, Fraude.

7 Il y a dans plusieurs écoles, et surtout dans l'Université de Paris, des professeurs que j'aime, que j'estime beaucoup, et que je crois très capables de bien instruire la jeunesse, s'ils n'étaient forcés de suivre l'usage établi.
ROUSSEAU, Émile, I, note.

8 L'éducation normale, au jeune âge, requiert deux conditions; la première, c'est que la mère ait le loisir d'instruire son enfant; la seconde, c'est qu'elle en soit capable. ALAIN, Propos, 25 juil. 1921, Qu'est-ce que l'école?...

9 (...) l'œuvre de Goethe, de part en part, est enseignement. Son génie paraît essentiellement didactique. Le besoin d'instruire autrui, de transmettre tout ce qu'il a pu lui-même acquérir de sagesse durant sa vie, reste le trait dominant de son caractère. GIDE, Attendu que..., p. 105.

Instruire qqn dans la religion. ⇒ **Catéchiser.** *Instruire qqn dans un art* (cit. 39), *dans une science.* ⇒ **Nourrir.** — Vx. *Instruire à...,* suivi d'un complément, ou d'un infinitif. ⇒ **Apprendre, dresser.**

C'est vous, lui disait David, qui avez instruit mes mains à combattre, et mes doigts à tenir l'épée. BOSSUET, Oraison funèbre du prince de Condé. 10

Je l'instruirai moi-même à venger les Troyens (...) RACINE, Andromaque, I, 4. 11

Absolt. Donner une leçon, un enseignement. *Bossuet veut instruire, prouver, convaincre* (→ Chaire, cit. 5). *Dans les fables* (cit. 12, La Fontaine) *il faut instruire et plaire.* ⇒ **Moraliser.** *Œuvre visant à instruire.* ⇒ **Didactique.** *La lecture des bons romans instruit en divertissant* (→ Féru, cit. 2). *Instruire en amusant. L'expérience* (cit. 22 et 24) *instruit. L'école* (cit. 16) *du monde instruit mieux que les livres.*

Mais malheur à l'auteur qui veut toujours instruire 12
Le secret d'ennuyer est celui de tout dire.
VOLTAIRE, VIe disc. sur la nature de l'homme.

L'une *(Mme de Sévigné)* veut divertir et plaire; l'autre *(Mme de Maintenon)* instruit, commande, morigène. Émile HENRIOT, Portraits de femmes, p. 117. 13

♦ **3.** (V. 1170). Sujet n. de personne ou de chose (signes, langage). **INSTRUIRE QQN DE :** mettre (qqn) au courant (de qqch.), en possession d'une connaissance particulière. ⇒ **Avertir, aviser, connaître** (faire), **expliquer, informer, prévenir, renseigner, révéler; connaissance** (donner), **part** (faire). *J'instruirai sa famille de la conduite qu'il tient* (Académie). ⇒ **Éclaircir** (sur). *Il faut que vous en soyez instruit sans retard* (→ Dessein, cit. 10). *L'expérience* (cit. 28) *que nous avons de nous-même nous instruit de ce qu'il nous faut.* ⇒ **Montrer.** *Je veux être instruit de tout ce qui se passe. Ce qui instruit l'homme de sa nature* (→ Capacité, cit. 2; expérience, cit. 17, Pascal). *Instruire qqn d'un secret* (→ Conduire, cit. 6; aussi, cit. 54).

Je suis Dom Gilles d'Avalos, et l'histoire d'Espagne vous doit avoir instruit de mon mérite. MOLIÈRE, le Sicilien, 12. 14

(...) cette lettre est destinée (...) à vous dire de mes nouvelles, dont vous voulez que je vous instruise en bonne amitié. Mme DE SÉVIGNÉ, 1324, 12 juil. 1691. 15

M. de Valmont est parti ce matin, Madame; vous m'avez paru tant désirer ce départ, que j'ai cru devoir vous en instruire. 16
LACLOS, les Liaisons dangereuses, XLV.

Être instruit de... : être au courant de... ⇒ **Connaître.** *Je suis parfaitement instruit de toute cette affaire.* ⇒ **Averti, informé, long** (en savoir). *C'est un homme bien instruit des usages du monde* (Académie). → Assyrien, cit., La Bruyère; caresse, cit. 17; confirmation, cit. 4.

(...) nous sommes instruits de votre capacité. 17
MOLIÈRE, le Médecin malgré lui, I, 5.

Mme Bonaparte, qui, comme toute sa famille, était instruite de l'arrestation du prince (...) CHATEAUBRIAND, Mémoires d'outre-tombe, II, 141 (éd. Levaillant). 18

Vx. *Instruire qqn que* (et indicatif). ⇒ **Apprendre** (à qqn que). « *Ils instruisirent le ministre qu'ils avaient (...) surpris M. le Président du Conseil...* » (A. France, *in* T. L. F.).

★ **II.** (1549). Dr. Mettre (une cause) en état d'être jugée, procéder à l'instruction* de... ⇒ **Instruction,** III. *Instruire une cause, une affaire. Magistrat chargé d'instruire une cause criminelle.* ⇒ **Juge** (d'instruction). *Instruire le procès* de qqn.* — Absolt. *Instruire contre qqn.* — Pron. (Passif). *Son affaire s'instruit en ce moment.*

Ta, ta, ta, ta. Voilà bien instruire une affaire! RACINE, les Plaideurs, III, 3. 19

Vous savez que tous les procès s'instruisaient publiquement chez les Romains (...) cette noble jurisprudence est en usage en Angleterre. 20
VOLTAIRE, Correspondance, 4207, 12 juil. 1775.

— Au contraire, les affaires que nous appelons de droit commun diminuent. Je n'ai plus à instruire que des manquements graves aux nouvelles dispositions. 21
CAMUS, la Peste, p. 162.

▶ **S'INSTRUIRE** v. pron. Sujet n. de personne.

♦ **1.** (1580). Enrichir ses connaissances ou son expérience (→ Empirique, cit. 6). ⇒ **Apprendre, cultiver** (se), **étudier.** *Chercher à s'instruire, avoir le désir de s'instruire* (→ Assiduité, cit. 1; assimilation, cit. 4; cultiver, cit. 9; faculté, cit. 5). *L'homme s'instruit sans cesse* (→ Expérience, cit. 33). *On s'instruit à tout âge :* on a toujours qqch. à apprendre. *Un homme qui s'est instruit lui-même, tout seul.* ⇒ **Autodidacte.** *On s'instruit mieux par la pratique que par la théorie* (Académie). *S'instruire par l'exemple d'autrui. S'instruire à* (et inf.). *S'instruire de qqch.* (rare).

(...) il me semblait n'avoir fait autre profit, en tâchant de m'instruire, sinon que j'avais découvert de plus en plus mon ignorance. 22
DESCARTES, Disc. de la méthode, I.

Encor que l'amour seul apprenne à bien aimer, 23
Il n'est pourtant pas mal que les amants s'instruisent (...)
BUSSY-RABUTIN, Maximes d'amour, II.

Dès l'âge où j'ai commencé à faire quelque usage de mon intelligence, j'ai eu le désir de m'instruire, et la passion de l'étude. 24
P.-L. COURIER, Œ. compl., p. 556.

(...) je le vois encore, mon pauvre père, dans les loisirs que lui laissait le travail manuel, lisant beaucoup, s'instruisant sans cesse (...) 25
PASTEUR, *in* Henri MONDOR, Pasteur, p. 76.

(...) l'homme qui ne sait pas beaucoup, et qui s'instruit en ses rares loisirs, avec une peine incroyable, seulement pour honorer sa propre pensée, voilà celui qui mériterait le beau nom de sage. ALAIN, Propos, 7 juin 1921, La conscience. 26

S'instruire dans un art, une science, en physique. Le seul moyen que nous ayons de nous instruire sur la nature des choses (→ Expérience, cit. 42). Vx. *S'instruire de...* (→ Fort, cit. 65, La Bruyère).

Quand François fut en âge de faire sa première communion, Madeleine l'aida à s'instruire dans le catéchisme. G. SAND, François le Champi, IV. 27

♦ **2.** S'informer de..., se renseigner sur... *Il voulut s'en instruire par lui-même, par ses propres yeux. S'instruire des circonstances exactes d'un événement.*

28 Pour s'instruire sur place des prodromes et de la contagion de la maladie, il *(Pasteur)* abandonnait le laboratoire de la rue d'Ulm (...)
Henri MONDOR, Pasteur, p. 136.

29 Comme elle *(la Princesse Palatine)* avait épousé Monsieur *(frère de Louis XIV)*, en deuxièmes noces, elle avait ses raisons de vouloir s'instruire sur les véritables circonstances de la mort de sa devancière *(Henriette d'Angleterre)*.
Émile HENRIOT, Portraits de femmes, p. 112.

(Récipr.). *Instruisez-vous et exhortez-vous* (cit. 10) *les uns les autres.*

▶ **INSTRUIT, ITE** p. p. adj. (XVIIIe; *bien, mal instruit* [élevé], 1346). Qui a des connaissances étendues, dénotant une solide instruction. ⇒ **Calé** (fam.), **cultivé, docte, érudit** (cit. 7), **expérimenté.** *Un homme instruit, très instruit* (→ Bêtifier, cit. 1; calviniste, cit. 1; exemple, cit. 37; forme, cit. 62; gendre, cit. 3). *Être instruit dans un domaine, en sciences.* ⇒ **Savant; ferré, fort** (fam.). *Nations, peuples instruits.* ⇒ **Éclairé** (→ Hâtif, cit. 1; barbare, cit. 10). *« Il est juste que le berger* (cit. 15) *soit plus instruit que le troupeau »* (Voltaire). ⇒ **Sage.**

30 Ce que Platon n'a pu persuader à quelque peu d'hommes choisis et si instruits, une force secrète le persuade à cent millions d'hommes ignorants, par la vertu de peu de paroles.
PASCAL, Pensées, XI, 724.

31 Il a renvoyé l'ancien greffier, l'ancien huissier, et les a remplacés par des hommes beaucoup plus instruits et surtout plus industrieux que leurs prédécesseurs.
BALZAC, le Médecin de campagne, Pl., t. VIII, p. 355.

CONTR. Aveugler, tromper. — Ignare, ignorant, illettré.

INSTRUMENT [ɛ̃strymɑ̃] n. m. — 1365; *estrument,* v. 1119; au sens 1, v. 1160; lat. *instrumentum* « ce qui sert à équiper », de *instruere.* → Instruire.

★ **I.** ♦ **1.** Objet fabriqué servant à exécuter qqch., à faire une opération. — REM. *Instrument* est plus général et moins concret que *outil;* mais désigne des objets plus simples que *appareil, machine.* ⇒ **Appareil, engin, machine, outil, ustensile;** et suff. **-ateur, -oir, oire;** → les préf. Arrache-, casse-, coupe-, hache-, monte-, presse-, tire-, etc. En outre, *instrument* s'oppose à *outil* en ce qu'il inclut les systèmes artificiels capables d'améliorer la perception (→ ci-dessous cit. 3.1). — *Fabriquer, produire des instruments.*

(Qualifié). *Instruments aratoires.* ⇒ **Agricole** (outillage), **cheptel** (cheptel mort). *Instruments de chirurgie** (→ 1. Éponge, cit. 3), *de géodésie*, de géométrie*, de physique*, d'astronomie*, d'optique** (→ 2. Optique, cit. 3), *de marine*. Instruments de dessin* (cit. 2), *de calcul*. Instruments de précision*. Instruments de petite taille, utilisés pour des manipulations très précises.* ⇒ **Micro-instrument.** *Instruments du bord*, instruments de bord* (⇒ aussi **Tableau**). *Pilotage, vol aux instruments* (sans visibilité). *Instruments enregistreurs* (⇒ suff. **-graphe**). *Instruments de mesure* (⇒ suff. **-mètre**). *Graduation d'un instrument. Instruments d'observation* (⇒ suff. **-scope**). *Instruments récepteurs du son* (⇒ suff. **-phone**). *Instruments permettant de reproduire des objets, des contours, des dessins* (⇒ suff. **-type**). *Instruments servant à inciser, à sectionner* (⇒ suff. **-tome**). *Instruments de vérification* (→ Examen, cit. 8). *Branches*, cadran*, manches* d'un instrument.*

REM. Les noms des *instruments* utilisés dans telle technique ou telle science figurent à l'article concernant cette technique ou cette science (→ par ex. Chirurgie, géodésie...). Les *instruments* qui peuvent être également qualifiés d'*appareils* ou d'*outils* sont mentionnés aux articles Appareil et Outil. La liste ci-dessous ne constitue qu'un complément.

Bagueur	Foret	Palmer	Tamis
Burin	Fourgon	Parafoudre	Tenailles
Calibre	Fuseau	Peigne	Tille
Cautère	Griffe	Pic	Tire-ligne
Cercle	Haltère	Pied-de-biche	Tire-point
Clé	Hie	Pilulaire	Tisonnier
Cloche	Jantier	Pilulier	Tondeuse
Crible	Métronome	Règle	Tournette
Croc	Mireur	Rénette	Tournevis
Croissant	Molette	Sauterelle	Tranchefils
Dialyseur	Numéroteur	Sifflet	Valet
Étau	Palette	Soufflet	Videlle
Filière	Palisson	Stadia	

1 Pour exercer un art, il faut commencer par s'en procurer les instruments, et, pour pouvoir employer utilement ces instruments, il faut les faire assez solides pour résister à leur usage.
ROUSSEAU, Émile, II.

1.1 D'autres instruments, façonnés grossièrement, il va sans dire, furent ainsi fabriqués, lames de rabot, haches, hachettes, bandes d'acier qui devaient être transformées en scies, ciseaux de charpentier, puis, des fers de pioche, de pelles, de pic, des marteaux, des clous, etc.
J. VERNE, l'Île mystérieuse, t. I, p. 202.

2 (...) des instruments de précision (un baromètre, une boussole, un odomètre, des compas)...
Valery LARBAUD, Barnabooth, Journal, p. 128.

3 (...) le médecin achevait de disposer sur la gaze stérilisée le contenu de la trousse (...) La boîte des instruments (...) Le bistouri, les pinces.
MARTIN DU GARD, les Thibault, t. II, p. 142.

3.1 Le XVIIIe siècle a été le grand moment du développement des outils et des instruments, si l'on entend par outil l'objet technique qui permet de prolonger et d'armer le corps pour accomplir un geste, et par instrument l'objet technique qui permet de prolonger et d'adapter le corps pour obtenir une meilleure perception; l'instrument est outil de perception. Certains objets techniques sont à la fois des outils et des instruments, mais on peut les dénommer outils ou instruments selon la prédominance de la fonction active ou de la fonction perceptive.
Gilbert SIMONDON, Du mode d'existence des objets techniques, p. 114.

Ils *(les Anthropoïdes)* savent aussi réduire, par l'emploi d'instruments, l'écart imposé par la distance entre l'extrême portée de leurs gestes et la proie (...) 3.2
Primitif ou perfectionné, banal ou spécialisé, un instrument se définit par les usages qui lui sont reconnus. Il est façonné pour eux. Il impose à ceux qui veulent s'en servir son mode d'emploi. Il existe de façon durable et indépendante. Pour qui sait qu'il existe, il faut l'aller quérir en cas de besoin. C'est un objet constitué, un objet construit selon certaines techniques en vue d'autres techniques, le produit souvent remanié d'expériences traditionnelles ou récentes dont il transmet le fruit (...)
Henri WALLON, l'Évolution psychologique de l'enfant, p. 150.

♦ **2.** *Instrument de musique,* et, absolt, *instrument :* objet fabriqué ou adapté à partir d'un objet naturel, destiné à produire des sons musicaux et à donner une existence sonore non vocale aux conceptions musicales. ⇒ **Musique.** *Jouer*, toucher d'un instrument. De quels instruments jouez-vous? Le timbre* d'un instrument. Mettre un instrument au diapason*. Emboucher* un instrument. Musiciens qui accordent* (cit. 9 et 33) *leurs instruments. Les instruments de l'orchestre*. Solo d'un instrument* (→ Exhibition, cit. 2). *Harmonie* (cit. 1) *d'un concert* (cit. 13) *d'instruments. S'endormir* (cit. 14), *s'éveiller* (cit. 1), *chanter au son des instruments* (→ 1. Barde, cit. 1). *Mauvais instrument.* ⇒ **Chaudron, crécelle, crincrin, sabot.** *Les couacs d'un instrument criard, discord. Clés, diapason d'un instrument. Fabricant d'instruments.* ⇒ **Facteur.** — *Instruments à cordes*.* ⇒ **Alto, archiluth, balalaïka, banjo, cistre, cithare, contrebasse** (cit.), **guitare, guzla, harpe, luth, lyre, mandoline, mandore, rebab, sarod, sitar, théorbe, violon, violoncelle.** *Chanterelle, chevalet, chevilles, sillet, tête d'un instrument à cordes. Instruments à cordes et à clavier.* ⇒ **Clavecin, clavicorde, épinette, piano, vielle.** — *Instruments à percussion*.* ⇒ **Balafon, batterie, caisse, calebasse, carillon, castagnette, célesta, chapeau** (chinois), **cliquette, cloche, clochette, crécelle, crotale, cuiller, cymbale, cymbalette, cymbalum, glockenspiel, gong, grelot, harmonica** (à clavier), **hochet, maracas, sanza** (cit. 1), **sistre, sonnaille, sonnette, tabla, tambour, tambourin, tam-tam, timbale, timbre, triangle, vibraphone, xylophone.** — *Instruments à vent* : en bois* (⇒ **Bois; basset, basson** [cit. 2], **biniou, clarinette, cor** [anglais], **cornemuse, flageolet, flûte** [1. Flûte, cit. 1], **galoubet, hautbois** [cit. 1], **musette, octavin, serpent**); *en cuivre** (⇒ **Bugle, clairon** [cit. 4], **cor** [d'harmonie, à piston], **cornet, hélicon, néo-cor, ophicléide, sarussophone, saxhorn, saxophone, trombone, trompette, tuba**). *Instruments graves.* ⇒ **Baryton, basse.** *Instruments à anche*, à embouchure** (cit. 1), *à clavier* et soufflerie* (⇒ **Accordéon, harmonium, orgue**). — *Instruments anciens* (⇒ **Bombarde, bombardon, cromorne, crotale, diaule, guimbarde, luth, lyre, manichordion, olifant, psaltérion, rebec, sambuque, sistre, syrinx, théorbe, turlurette, tympanon, viole**); *populaires* (⇒ **Harmonica, ocarina**).

Instruments traditionnels (⇒ **Biniou, chalumeau, mirliton, pipeau**). *Instruments mécaniques.* ⇒ **Boîte** (à musique), **orgue** (de Barbarie), **piano** (mécanique), **serinette.** *Instrument à ondes électriques; instruments électroniques.* ⇒ **Synthétiseur.**

Cependant David et tout Israël jouaient devant le Seigneur de toutes sortes d'instruments de musique, de la harpe, de la lyre, du tambour, du sistre, de la cymbale *et des trompettes.* 4
BIBLE (SACY), les Rois, II, VI, 5.

(...) tout annonce en ce pays la dureté de l'organe musical (...) les instruments militaires, les fifres de l'infanterie, les trompettes de la cavalerie, tous les cors, tous les hautbois, les chanteurs des rues, les violons des guinguettes, tout cela est d'un faux à choquer l'oreille la moins délicate. 5
ROUSSEAU, Julie ou la Nouvelle Héloïse, Lettre XXIII.

L'administration, pour un modique salaire, chargea Schmucke des instruments qui ne sont pas représentés dans l'orchestre des théâtres du boulevard, et qui sont souvent nécessaires, comme le piano, la viole d'amour, le cor anglais, le violoncelle, la harpe, les castagnettes de la cachucha, les sonnettes et les inventions de Sax, etc. 6
BALZAC, le Cousin Pons, Pl., t. VI, p. 543.

Christophe a ses entrées aux concerts et au théâtre; il apprend à toucher de tous les instruments. Il est même d'une jolie force déjà sur le violon (...) 7
R. ROLLAND, Jean-Christophe, Le matin, p. 113.

Le rôle de chaque instrument dans la symphonie me permit de revenir sur cette question (...) Je fis remarquer à Gertrude les sonorités différentes des cuivres, des instruments à cordes et des bois, et que chacun d'eux à sa manière est susceptible d'offrir, avec plus ou moins d'intensité, toute l'échelle des sons, des plus graves aux plus aigus. 8
GIDE, la Symphonie pastorale, p. 53.

Il semble qu'on soit, autour de 20 000 avant notre ère, en présence des plus anciens instruments de musique connus. Cela n'implique nullement qu'il s'agisse d'un début, mais simplement que quelques témoins, taillés dans l'os, ont pu se conserver; on peut imaginer en bois, en roseau, en crin de mammouth tous les sifflets, flûtes ou harpes qui resteront probablement inconnus. Les documents sont par conséquent très minces, mais formels : entre le 35e et le 20e millénaire l'homme avait sûrement déjà maîtrisé la figuration du rythme. 8.1
A. LEROI-GOURHAN, le Geste et la Parole, t. II, p. 217.

♦ **3.** Par anal. Objet utilisé pour une fin déterminée. *Aiguiser* un instrument tranchant.* ⇒ **Couteau, hache.** *Instrument émoussé* (1. Émoussé, cit. 10, par métaphore). *Instrument contondant. De petits instruments de coqueterie, en acier* (cit. 0.2), *en plume... Enfant qui s'estropie* (cit. 3) *avec un instrument dangereux. Instruments de supplice.* — Loc. *Les instruments de la Passion* (du Christ) : la couronne d'épines, le marteau, les clous, la lance, l'éponge (thème iconographique). — *Apportez vos instruments de travail. Façonner* (cit. 7) *des instruments de première nécessité. Gitans* (cit. 1) *qui raccommodent des instruments de cuivre* (⇒ **Ustensile**). *Il lui arracha l'instrument des mains* (→ Fatalité, cit. 17). *Laisse là ce maudit instrument.* ⇒ **Engin** (→ Enflammer, cit. 5).

9 (...) vous voilà munis d'instruments commodes, qui vous servent à vous faire réciproquement de larges plaies (...) LA BRUYÈRE, les Caractères, XII, 119.

10 (...) anges portant des palmes et des instruments de supplice, torches, fagots de bûcher, glaives (...) Th. GAUTIER, Voyage en Russie, p. 221.

Liturgie. *Les instruments de culte**.

★ **II.** Fig. ♦ **1.** *Instrument de... :* moyen. *L'armée* (cit. 9), *instrument de guerre. Le corps* (cit. 16) *humain, incomparable instrument de travail. L'impôt* (cit. 4), *instrument financier et politique. Exercer* (cit. 3) *les sens, instruments de l'intelligence.* ⇒ **Organe.**

11 (...) la plupart des inventions humaines propres à nous donner du bonheur ou du plaisir, même du plus noble, sont encore susceptibles, entre des mains scélérates ou malhabiles, de se transformer en instruments de souffrance et de mort.
G. DUHAMEL, Scènes de la vie future, Dédicace.

Gramm. *Complément d'instrument* (ou *de moyen*) *introduit par :* avec, de *(Il le perça* de *sa lance),* par *(Être tué* par *une bombe).*

♦ **2.** (1485). *L'instrument, un instrument de... :* chose ou personne servant à obtenir un résultat (→ Électoral, cit. 1; équitable, cit. 6). *L'hébreu, instrument capital de l'exégèse* (cit. 1) *biblique. La concurrence* (cit. 9), *instrument de sélection. Paris, instrument de l'unité française* (→ Indivisible, cit. 3). — Personnes. *Devenir l'instrument, l'âme damnée* (cit. 15) *de qqn.* ⇒ **Agent, bras.** *Homme qui est l'instrument des dieux* (→ Impersonnalité, cit. 2). *La femme, considérée comme un instrument de plaisir par l'homme* (→ Abstraire, cit. 2; harmonie, cit. 9; honneur, cit. 59).

12 Et toi, de mes exploits glorieux instrument (...)
Fer, jadis tant à craindre (...) CORNEILLE, le Cid, I, 4.

13 (...) au lieu d'être une maîtresse, tu n'étais qu'un instrument de volupté, un moyen de tromper un désir impossible à réaliser. Th. GAUTIER, Mlle de Maupin, III.

14 *(Gluck)* fut l'instrument de la révolution dramatique que les philosophes préparent depuis vingt ans. R. ROLLAND, Musiciens d'autrefois, p. 225.

14.1 (...) je vous considérais, en somme, comme un instrument de mon plaisir et de mon bonheur. MONTHERLANT, Pitié pour les femmes, p. 29.

15 (...) le livre demeure et demeurera longtemps l'instrument essentiel de la connaissance efficace. G. DUHAMEL, Turquie nouvelle, V.

16 (...) puis il revient à sa table de travail où il trouve son vrai bonheur, et à moi, parce que je suis l'un des instruments de ce travail, quelque chose comme son stylographe ou son Littré. A. MAUROIS, les Roses de septembre, I, IV.

Sans compl. en *de. Il considère ses subordonnées, ses collaborateurs, comme de simples instruments.*

16.1 Les fonctionnaires les plus élevés de l'usine n'auraient jamais songé seulement à sortir de leurs attributions régulières. Investis en face de leurs subordonnés d'un pouvoir presque absolu, ils étaient chacun, vis-à-vis de Herr Schultze, — et même vis-à-vis de son souvenir, — comme autant d'instruments sans autorité, sans initiative, sans voix au chapitre. Chacun s'était donc cantonné dans la responsabilité étroite de son mandat, avait attendu, temporisé, « vu venir » les événements.
J. VERNE, les Cinq Cents Millions de la Bégum, XV, p. 226.

♦ **3.** (V. 1265). Dr. Acte authentique (cit. 1). — Titre propre à faire valoir des droits (→ Effet, cit. 40). — (1694). Diplom. Original d'une convention, d'un traité. *Instrument diplomatique* (→ Heure, cit. 52). *Échanger les instruments de ratification d'un traité. Instrument d'acceptation, d'adhésion, d'approbation, de ratification.*

♦ **4.** Écon. (vx). Matériau, force fourni(e) par la nature à l'homme.

DÉR. Instrumentaire, instrumenter, instrumentiste. — V. **Instrumental,** et aussi **instrumentalisme,** 1. **instrumentaliste.**
COMP. Micro-instrument, porte-instruments.

INSTRUMENTAIRE [ɛ̃stʀymɑ̃tɛʀ] adj. et n. — XVIe; n. m., « instrumentiste », 1477; de *instrument*, II., 3.

♦ **1.** (1765). Dr. *Témoin instrumentaire,* qui assiste un officier ministériel dans les actes dont la validité requiert la présence de témoins. — *Agent instrumentaire :* officier ministériel. — N. m. (rare). *Un instrumentaire.*

♦ **2.** Mar. *Officier instrumentaire :* officier d'administration du bord agissant en tant qu'officier d'état civil.

INSTRUMENTAL, ALE, AUX [ɛ̃stʀymɑ̃tal, o] adj. — 1563; *instrumentele*, 1361; lat. *instrumentalis*, de *instrumentum*. → Instrument.

★ **I.** ♦ **1.** Didact. Qui concerne l'instrument, le moyen. ⇒ **Utilitaire.** *L'efficacité, le rôle, l'aspect instrumental de qqch., d'un organe.*

♦ **2.** Qui concerne les instruments. *Progrès technologiques et instrumentaux.*

♦ **3.** (1390). Mus. et cour. Qui s'exécute avec des instruments (de musique). *Musique instrumentale* (opposé à *musique vocale*). — N. m. *L'instrumental et le vocal.*
Qui est composé d'instruments. *Ensemble instrumental* (→ Contraste, cit. 10). *Assemblage* (1., b) *instrumental. Harmonies* (cit. 4) *instrumentales. Le canon* (2. Canon, cit. 6), *pièce vocale ou instrumentale.*

♦ **4.** Méd. Qui se fait à l'aide d'instruments. *Pelvimétrie instrumentale :* mesure du bassin avec un instrument spécial. — *Phonétique instrumentale.*

♦ **5.** (1867). Gramm. Qui exprime le complément d'instrument. *Cas instrumental.* — N. m. *L'instrumental se rencontre dans certaines langues flexionnelles indo-européennes.*

♦ **6.** Dr. Qui sert d'instrument (II., 3.). *Les pièces instrumentales d'un procès.*

★ **II.** (Angl. *instrumental,* de *instrument,* de même orig. que le franç. *instrument*). Didact., psychol. *Conditionnement instrumental* (ou *opérant*) produit par récompense (renforcement) ou punition.

DÉR. Instrumentalement, instrumentalisation, instrumentaliser, instrumentalité. — (Du sens I, 3) 2. **Instrumentaliste.**

INSTRUMENTALEMENT [ɛ̃stʀymɑ̃talmɑ̃] adj. — 1532; *instrumentellement*, XVIe; de *instrumental*.

♦ **1.** Didact. Du point de vue instrumental. — En agissant comme un instrument, un moyen permettant d'obtenir un résultat. ⇒ **Utilitairement.**

♦ **2.** Mus. Au moyen d'instruments, par la musique instrumentale (opposé à *vocalement*).

INSTRUMENTALISATION [ɛ̃stʀymɑ̃talizasjɔ̃] n. f. — 1946, E. Mounier, *in* T. L. F.; de *instrumental*.

♦ Didact. Fait de considérer (qqn, qqch.) comme un instrument, de considérer l'aspect instrumental, utilitaire. *Instrumentalisation de l'homme. « Il ne faudrait pas, comme l'a écrit le philosophe Herbert Marcuse, que la* "puissance libératrice de la technologie" *se convertisse* "en obstacle à la libération et tourne à l'instrumentalisation de l'homme" » (Suppl. aux *Dossiers et Documents* du *Monde*, sept. 1983). *« La psychanalyse d'aujourd'hui fonctionne parce qu'elle est l'inducteur d'un nouveau modèle familial qui repose sur l'instrumentalisation de la sexualité »* (*les Nouvelles littéraires*, 19-25 oct. 1983, p. 75).

INSTRUMENTALISER [ɛ̃stʀymɑ̃talize] v. tr. — V. 1980; de *instrumental*.

♦ Didact. Considérer (qqn, qqch.) comme un instrument; rendre instrumental, utilitaire. *« La première tentation des maisons de la culture,* explique M. Pierre Muller, un des responsables du secteur audiovisuel, *a été d'instrumentaliser la vidéo comme un moyen de diffusion au service du théâtre ou des autres activités de l'institution »* (*le Monde, Dossiers et documents*, no 103, juil. 1983, p. 4).

INSTRUMENTALISME [ɛ̃stʀymɑ̃talism] n. m. — XXe; angl. *instrumentalism*, de *instrument*, même orig. que le franç. *instrument*.

♦ Philos. Doctrine pragmatique suivant laquelle toute théorie est un outil, un instrument pour l'action. ⇒ **Pragmatisme.**

1. INSTRUMENTALISTE [ɛ̃stʀymɑ̃talist] adj. et n. — 1955; angl. *instrumentalist* (1909), de *instrument*, de même orig. que le franç. *instrument*. → Instrumentalisme.

♦ Philos. De l'instrumentalisme. ⇒ **Pragmatiste.** — Partisan de l'instrumentalisme. — N. *Un, une instrumentaliste.*

2. INSTRUMENTALISTE [ɛ̃stʀymɑ̃talist] n. — XXe (1941, *in* T. L. F.); de *instrumental*, I., 3.

♦ Mus. Compositeur (trice) qui compose pour les instruments (et non pour les voix).

INSTRUMENTALITÉ [ɛ̃stʀymɑ̃talite] n. f. — 1943, Sartre; de *instrumental*.

♦ Didact. Caractère instrumental, utilitaire, pragmatique.

La conscience collective possible qui a surgi à Soweto est une authentique conscience de classe. Son instrumentalité symbolique est une instrumentalité de classe. La preuve : les mineurs, les travailleurs industriels se sont opposés violemment aux insurgés. Jean ZIEGLER, Main basse sur l'Afrique, p. 57.

INSTRUMENTATION [ɛ̃stʀymɑ̃tasjɔ̃] n. f. — 1824, Stendhal; de *instrumenter*.

★ **I.** Mus. ♦ **1.** Orchestration tenant compte des caractères individuels des instruments (tessitures, timbres). *Instrumentation médiocre, riche.* ⇒ **Orchestration.**

La connaissance de ces divers agents de la sonorité, c'est-à-dire de l'étendue, du timbre particulier, de la construction et du mécanisme de chacun d'eux, constitue la science dite *Instrumentation,* le terme d'*Orchestration* restant plus spécialement réservé à l'art de les grouper, de les agencer et combiner de toutes manières (...) Albert LAVIGNAC, la Musique et les Musiciens, p. 62. 1

♦ **2.** Par métaphore :

(...) une pensée politique moutonnière qui persiste à prendre pour pôles de réfé- 2

rence l'autorité et la liberté, comme si cette dernière pouvait être du ressort d'une instrumentation sociale alors qu'elle est le produit exclusif de l'homme intérieur.
Raymond ABELLIO, les Militants, Ma dernière mémoire, t. II, p. 54.

★ **II.** (Av. 1914, en chirurgie; par métaphore, en parlant des insectes, 1857, Michelet). Techn. Ensemble d'instruments, d'appareils. *L'instrumentation de bord d'un engin spatial. L'instrumentation météorologique classique.*

Spécialt. Ensemble des instruments de contrôle (d'une installation complexe, notamment pétrolière).

INSTRUMENTER [ɛ̃stʀymɑ̃te] v. intr. et tr. — 1431; de *instrument.*

★ **I.** V. intr. Dr. Dresser un instrument (contrat, exploit, procès-verbal). *Officiers publics ayant le droit d'instrumenter contre qqn : huissier* (cit. 6), *notaire...* (→ Authentique, cit. 2; habituer, cit. 12).

1 (...) maintenant, nous allons lire les contrats de mariage, dit Pierquin en regardant l'heure. Mais ces actes-là ne me regardent pas, attendu que la loi me défend d'instrumenter pour mes parents et pour moi.
BALZAC, la Recherche de l'absolu, Pl., t. IX, p. 639.

★ **II.** V. tr. (1823, cit.). Mus. (Rare). Orchestrer en tenant compte des caractères des divers instruments.

2 Il *(Rossini)* les écrit *(ses idées les plus brillantes)* à la hâte et sans piano, sur de petits bouts de papier, et le lendemain il les arrange, les instrumente pour parler son langage, en causant avec ses amis.
STENDHAL, Vie de Rossini, VI, p. 139 (1823).

★ **III.** V. tr. (1507, «jouer d'un instrument de musique»). **A.** (Av. 1870, Mérimée). Fam. et vx. Frapper avec un instrument. ⇒ **Battre.**

B. (Mil. xxe). Techn. Doter (une installation pétrolière) d'instruments de contrôle. ⇒ **Instrumentation,** II.

DÉR. Instrumentation.

INSTRUMENTISTE [ɛ̃stʀymɑ̃tist] n. — 1810, *in* Fétis (*in* D. D. L.); de *instrument.*

♦ **1.** Cour. Musicien qui joue d'un instrument. *Les choristes et les instrumentistes. Un instrumentiste virtuose, soliste.*

1 (...) se plaignant de ne pouvoir rendre le jeu de scène que Grancier faisait à ce moment-là, la petite phrase que le violon avait alors, montrant (...) qu'il avait tout compris, que tout, de la finesse du librettiste aux richesses de l'instrumentiste (...) était aussi bien de son ressort.
PROUST, Jean Santeuil, Pl., p. 566.

♦ **2.** (Av. 1962, Larousse). Chir. Aide du chirurgien chargé de préparer et de passer les instruments au cours d'une intervention. *Cette infirmière est une bonne instrumentiste.*

2 (...) un collaborateur spécial : l'instrumentiste, dont la tâche exclusive est de nettoyer, ranger et surtout glisser prestement dans la main aveugle du chirurgien la pince ou le ciseau qui convient. Sa tâche se complique par l'emploi de plus en plus fréquent d'appareils électriques (...) et de mesures diverses.
Claude D'ALLAINES, la Chirurgie du cœur, p. 23.

INSTRUMENTUM [ɛ̃stʀymɑ̃tɔm], plur. **INSTRUMENTA** [ɛ̃stʀymɑ̃ta] n. m. — xxe; mot lat. → Instrument.

♦ Didact. Objet portant des inscriptions (en épigraphie).

1. INSU (À L'INSU DE) [alɛ̃syd(ə)] loc. prép. — 1538; de 1. *in-,* et *su,* p. p. de *savoir.*

♦ **1.** Sans que la chose soit sue de (qqn). *Faire une démarche* (cit. 8) *à l'insu de qqn, à l'insu de son entourage.* ⇒ **Ignorance** (en le tenant dans l'ignorance). → Amuser, cit. 17; échafauder, cit. 3). — (Avec un adjectif possessif). *À mon, ton, ... leur insu* (→ Homme, cit. 90, J. de Maistre). *Insensiblement* (cit.) *et presque à notre insu. Il a combiné* (cit. 6) *cela à mon insu. Notre figure* (cit. 14) *se modèle à notre insu sur nos états de conscience. — À l'insu des réflexions, des calculs de qqn.*

1 Il a si peu d'égards au temps, aux personnes, aux bienséances, que chacun a son fait sans qu'il ait eu intention de le lui donner; il n'est pas encore assis qu'il a, à son insu, désobligé toute l'assemblée.
LA BRUYÈRE, les Caractères, V, 12.

2 Il existe des pensées auxquelles nous obéissons sans les connaître : elles sont en nous à notre insu.
BALZAC, la Femme de trente ans, Pl., t. II, p. 761.

3 (...) il s'est créé en Europe, à la fois au su et à l'insu de tout le monde — je veux dire que tout le monde pouvait s'en apercevoir, mais que presque personne ne l'a fait — un système tel, qu'il (...)
J. ROMAINS, les Hommes de bonne volonté, t. I, XIV, p. 153.

Méd. *À double* insu.*

♦ **2.** Sans (en) avoir conscience. ⇒ **Inconsciemment, insciemment.** *Se trahir, se livrer à son insu* (→ 1. Geste, cit. 5). *Peintres qui, à leur insu, imitent* (cit. 18) *leurs devanciers. À mon insu, je m'habituais à la guerre* (→ Haut-le-cœur, cit. 4).

CONTR. Su (au su de). — **Consciemment, sciemment.** — **Escient** (à mon).

2. INSU, UE [ɛ̃sy] adj. et n. m. — V. 1500, Fossetier, «inconnu»; repris mil. xxe; de 1. *in-,* et *su,* p. p. de *savoir.*

♦ Didact. Qui n'est pas su. ⇒ **Inconnu.** — N. m. *L'insu.* ⇒ **Inscience.**

(...) il s'agit d'évoluer sur l'arête tranchante de la neutralité inquiète, sans céder ni à l'exquise attraction de l'apocalypse, ni au désir de tranquillité ou à la lassitude admirative devant l'immensité de l'insu (...) de fait, sur de nombreux points, nous ne savons que fort peu, mais c'est déjà quelque chose que de savoir les limites de son savoir.
A. SAUVY, Croissance zéro?, p. 12.

CONTR. Su (V. Savoir).

INSUBMERSIBILITÉ [ɛ̃sybmɛʀsibilite] n. f. — 1853; de *insubmersible.*

♦ Didact. Caractère de ce qui est insubmersible. *L'insubmersibilité du liège.*

Le pont de la cale étant de 10 centimètres plus haut que la ligne de flottaison, est percé de quatre gros tuyaux dans lesquels l'eau tend toujours à prendre son niveau, d'où résulte l'insubmersibilité.
L. FIGUIER, l'Année scientifique et industrielle, 1866, p. 173 (1865).

INSUBMERSIBLE [ɛ̃sybmɛʀsibl] adj. et n. m. — 1775; var. antérieure *insubmergible;* de 1. *in-,* et *submersible.*

♦ Qui ne peut être submergé*. *Canot, navire insubmersible.* — Qui ne peut s'enfoncer dans un liquide. *Bouée* insubmersible.* ⇒ **Flottable.**

Qui ne peut être recouvert par l'eau. *Digue insubmersible.*

N. m. *Un insubmersible.*

CONTR. Submersible.

DÉR. Insubmersibilité.

INSUBORDINATION [ɛ̃sybɔʀdinasjɔ̃] n. f. — 1770; de 1. *in-,* et *subordination.*

★ **I.** Refus de se soumettre. ⇒ **Désobéissance, indiscipline, manquement** (à la discipline, à l'obéissance). *Il règne dans ce corps une grande insubordination* (Académie). ⇒ **Licence.** *Résister par esprit d'insubordination.* ⇒ **Rébellion.**

(...) cette *Liberté* que nous prétendons représenter et défendre, n'est le plus souvent que le droit d'en faire à notre tête, à notre guise, et serait mieux nommée : insubordination. 1
GIDE, Journal, 2 juin 1918.

La grève avait produit sur lui une impression profonde (...) à tout instant l'insubordination ouvrière pouvait mettre en péril les affaires de la chocolaterie. 2
ARAGON, les Beaux Quartiers, I, VII.

Milit. Refus d'obéissance aux ordres d'un supérieur. *Acte, délit, crime d'insubordination. Révolte, insubordination et rébellion de militaires, de marins* (loi du 4 juin 1858, art. 292 et suiv.). *Le code de justice militaire de 1965 considère comme insubordinations la révolte militaire, la rébellion, le refus d'obéissance, les voies de fait et outrages envers les supérieurs, les violences ou insultes à une sentinelle et le refus de services légalement dus.*

★ **II.** (Choses). Rare. Fait de ne pas être subordonné à qqch., à qqn (Proudhon, *in* T. L. F.).

CONTR. Subordination; obéissance, soumission.

INSUBORDONNÉ, ÉE [ɛ̃sybɔʀdɔne] adj. et n. — 1789; de 1. *in-,* et *subordonné.*

Didactique.

★ **I.** Qui a l'esprit d'insubordination*, qui manque fréquemment à la subordination. ⇒ **Désobéissant, indiscipliné, insoumis, rebelle.** *Collégien insubordonné. Troupes insubordonnées. — Une attitude insubordonnée.* — N. *Un insubordonné, une insubordonnée.*

★ **II.** Rare. Qui n'est pas subordonné (à qqch., à qqn).

CONTR. Subordonné.

INSUBSTANCE [ɛ̃sypstɑ̃s] n. f. — Av. 1850, Chateaubriand; de 1. *in-,* et *substance.*

♦ Didact. et vx. Absence de substance. ⇒ **Immatérialité.**

INSUBSTANTIALITÉ [ɛ̃sypstɑ̃sjalite] n. f. — D. i. (xxe); de *insubstantiel.*

♦ Didact. Caractère de ce qui est insubstantiel.

INSUBSTANTIEL, ELLE [ɛ̃sypstɑ̃sjɛl] adj. — 1580, Montaigne ; de 1. *in-*, et *substantiel.*

Littéraire ou didactique.

♦ **1.** Non substantiel. ⇒ **Immatériel.**

1 Les gouttes de pluie transparentes à la pointe de chaque aiguille de pin. Ainsi en rouvrant la fenêtre tout l'immense ciel rempli d'une illumination insubstantielle et fragile, toutes ces gouttes pluviales. CLAUDEL, Journal, sept. 1933.

2 Il vivait dans une sorte d'hébétude qui n'était due à aucune drogue, sinon celle, insubstantielle, qu'il fabriquait lui-même dans les replis lointains de sa pensée. M. DRUON, la Chute des corps, V, X, p. 426.

3 (...) cette insubstantielle impression de tout voir à travers une lumière. Hélène CIXOUS, Souffles, p. 82.

♦ **2.** Rare. Qui manque de consistance ; futile. *Des remarques insubstantielles.*

CONTR. Substantiel.

DÉR. Insubstantialité.

INSUCCÈS [ɛ̃syksɛ] n. m. — 1794, Pougens ; de 1. *in-*, et *succès.*

♦ Manque de succès*, de réussite ; fait d'échouer. ⇒ **Échec.** *L'insuccès de qqn, son insuccès. Insuccès complet.* ⇒ **Faillite, fiasco.** *Avouer, reconnaître son insuccès. L'insuccès (de qqn) dans un procès, à un examen.* — (Choses). *Projet voué à l'insuccès. L'insuccès d'une entreprise.* ⇒ **Avortement, chute, infortune** (vx). *L'insuccès d'une bataille, d'un procès.* ⇒ **Perte.** *Insuccès à un examen, à une élection.* ⇒ **Tape, veste** (fam.). *L'insuccès d'une pièce de théâtre* (⇒ **Four** ; fam. **bide**), *d'un ouvrage* (→ Hagiographique, cit.). *Subir l'affront d'un insuccès. Déconvenue* devant un insuccès.*

1 Enfin le succès ou l'insuccès de *Tannhäuser* ne peut absolument rien prouver, ni même déterminer une quantité quelconque de chances favorables ou défavorables dans l'avenir (...) BAUDELAIRE, l'Art romantique, XXI, IV.

1.1 Le premier et le plus important de ces deux ouvrages avait été sans comparaison, le plus immense insuccès de l'époque. Léon BLOY, le Désespéré, p. 95.

2 À quel point ce livre heurtait le goût du jour, c'est ce que laissa voir son insuccès total. Aucun critique n'en parla. En dix ans, il s'en vendit tout juste cinq cents exemplaires. GIDE, les Nourritures terrestres, Préface de 1927.

L'insuccès (absolt). *Homme aigri par l'insuccès.* ⇒ **Fortune** (mauvaise). → Capon, cit. 1.

CONTR. Réussite, succès, triomphe, victoire.

INSUFFISAMMENT [ɛ̃syfizamɑ̃] adv. — 1391 ; de *insuffisant.*

♦ **1.** D'une manière insuffisante. ⇒ **Imparfaitement.** *Il travaille insuffisamment.*

♦ **2.** En trop petite quantité, trop peu. *Il dort insuffisamment. La scène est insuffisamment éclairée.*

CONTR. Assez, suffisamment.

INSUFFISANCE [ɛ̃syfizɑ̃s] n. f. — 1323 ; de 1. *in-*, et *suffisance,* d'après le bas lat. *insufficientia,* de *insufficens.* → Insuffisant.

♦ **1.** Caractère, état de ce qui ne suffit pas, qui n'est pas suffisant en quantité, en importance, en valeur. ⇒ **Défaut, manque.** *Insuffisance de moyens, de ressources.* ⇒ **Carence, pauvreté** (→ Assistance, cit. 12). *Insuffisance de la production industrielle, agricole.* ⇒ **Déficit.** *Insuffisance d'alimentation.* ⇒ **Sous-alimentation** (→ Facteur, cit. 3). *Insuffisance des documents, des témoignages* (→ Évolution, cit. 15). — (Dans un sens qualitatif). *Insuffisance d'un terme de langage.* ⇒ **Faiblesse** (cit. 22). *Élève puni pour l'insuffisance de son travail.* ⇒ **Médiocrité.** — (Personnes). ⇒ **Ignorance, incapacité.** *L'insuffisance manifeste d'un candidat, d'un employé. L'insuffisance humaine.* ⇒ **Faiblesse, imperfection, infirmité, médiocrité** (→ Étaler, cit. 20).

1 L'*insuffisance* exprime que la personne dont il s'agit n'est pas au niveau de la besogne, de la tâche qui lui échoit, mais rien de plus. L'*incapacité* et l'*inaptitude* expriment que le sujet est au-dessous de la besogne, avec l'idée de quelque manque intellectuel considérable (...) LITTRÉ, Dict., art. *Insuffisance.*

2 Il *(l'homme)* sent (...) son néant, son abandon, son insuffisance, sa dépendance, son impuissance, son vide. PASCAL, Pensées, II, 131.

3 (...) nous entendions par les défauts du langage non seulement les solécismes et les barbarismes (...) mais l'obscurité, l'impropriété, l'insuffisance (...) l'enflure (...) des expressions. VOLTAIRE, Don Pèdre, Ép. dédicat.

4 (...) Chapelier constata que l'insuffisance des salaires était une sorte d'esclavage. JAURÈS, Hist. socialiste..., t. II, p. 263.

5 Si les quantités restent en dessous, il y a manque, insuffisance. L'insuffisance s'exprime par : *pas assez, trop peu, insuffisamment : je n'en ai pas assez.* F. BRUNOT, la Pensée et la Langue, p. 740.

♦ **2.** *Une, des insuffisances.* ⇒ **Déficience, lacune.** *Les insuffisances de la géométrie euclidienne* (→ Espace, cit. 9). *Peuple qui présente « des dons éclatants* (cit. 7) *et des insuffisances notoires »* (Siegfried). ⇒ **Infériorité.**

♦ **3.** Méd. « État d'infériorité physiologique dans lequel se trouve un organe ou une glande devenus incapables de remplir leurs fonctions dans leur intégralité » (Garnier et Delamare). ⇒ **Déficience.** *Insuffisance organique, mentale. Insuffisance hépatique. Insuffisance hypophysaire, thyroïdienne* (→ Gras, cit. 20). *Conséquences d'une insuffisance hormonale sur le développement de l'enfant.* — *Insuffisance valvulaire, aortique, mitrale.*

Le docteur Knock a diagnostiqué aussitôt une insuffisance des sécrétions ovariennes, et prescrit un traitement opothérapique qui a fait merveille. J. ROMAINS, Knock, III, 4. 6

CONTR. Abondance, affluence, exagération, excédent, excès, suffisance. — **Aptitude, capacité, supériorité.**

INSUFFISANT, ANTE [ɛ̃syfizɑ̃, ɑ̃t] adj. — 1323 (1396, selon T. L. F.) ; de 1. *in-*, et *suffisant ;* d'après le bas lat. *insufficiens,* de *in-* (→ 1. In-) et lat. class. *sufficiens.*

♦ **1.** Qui ne suffit* pas. *Quantité insuffisante. Nombre insuffisant. Rations insuffisantes* (→ Portion congrue*). *Fournées* (cit. 1) *de pain insuffisantes* (pour les consommateurs). *Combattre une épidémie* (cit. 4) *avec des moyens insuffisants. Niveau de vie insuffisant. Ressources insuffisantes* (→ Fiscalité, cit. 1). — *Local de dimensions insuffisantes.* ⇒ **Exigu.** — (En degré, intensité, qualité). Trop petit, trop faible. *Lumière insuffisante.* ⇒ **Pauvre** (→ Étouffer, cit. 18). *Connaissances insuffisantes.* ⇒ **Imparfait** (→ Empirisme, cit. 1). *Maturité insuffisante.* ⇒ **Incomplet** (→ Fibrille, cit. 2). *Développement mental ou organique insuffisant.* ⇒ **Déficient.** *Grâces insuffisantes* (→ 1. Efficace, cit. 8, Pascal). *Ses moyens sont par trop insuffisants.* ⇒ **Court, médiocre.** *Prendre des mesures insuffisantes.* ⇒ **Demi-mesure ; palliatif.** *Les belles promesses sont insuffisantes pour un homme qui a faim* (→ De la viande creuse*). — *Insuffisant pour qqn, pour obtenir un résultat, insuffisant en..., quant à...*

(...) c'est-à-dire que cette grâce suffit, quoiqu'elle ne suffise pas ; c'est-à-dire qu'elle est suffisante de nom et insuffisante en effet. En bonne foi, mon Père, cette doctrine est bien subtile. PASCAL, les Provinciales, II. 1

(...) presque toutes les douleurs que j'avais endurées pendant les deux dernières heures devaient être attribuées uniquement aux effets d'une respiration insuffisante. BAUDELAIRE, Trad. E. POE, Histoires extraordinaires, « Aventure... Hans Pfaall ». 2

(...) je n'ai jamais souffert davantage de mon insuffisante instruction. GIDE, Journal, 25 janv. 1931. 3

♦ **2.** (Personnes). [a] (1474). Qui manque de dons, de talent. *Candidat très insuffisant.* ⇒ **Faible.** *Auteurs insuffisants* (→ Comprendre, cit. 32). *On le juge insuffisant pour cette charge.* ⇒ **Inapte, inférieur.**

Spécialt (dans le domaine sexuel, en parlant d'un homme) :

Jules Sandeau (...) fut l'un des premiers amants de George Sand, avant Musset ; et l'un des derniers de Marie Dorval, après Vigny. Il semble bien que le devancier et le successeur, dans les deux cas, ait été quelque peu insuffisant. Émile HENRIOT, les Romantiques, p. 414. 4

[b] Avec un adj. (emploi critiquable). *Un insuffisant cardiaque, respiratoire.* ⇒ **Insuffisance.**

CONTR. Suffisant. — **Abondant, agissant, assez, complet, excessif.**

DÉR. Insuffisamment.

INSUFFLATEUR, TRICE [ɛ̃syflatœʀ, tʀis] adj. et n. m. — 1862, méd. ; du rad. de *insufflation.*

★ **I.** Adj. Qui insuffle, sert à insuffler. *Une pompe insufflatrice.*

(...) les Nambikwara sont des fumeurs de cigarette invétérés tandis que les autres voisins des Tupi-Kawahib : Kepkiriwat et Mundé, prisent le tabac au moyen de tubes insufflateurs. Claude LÉVI-STRAUSS, Tristes tropiques, p. 312.

★ **II.** N. m. ♦ **1.** Méd. Appareil, instrument avec lequel on peut insuffler (un fluide) dans une cavité du corps.

♦ **2.** Techn. Appareil servant à insuffler de l'air dans une chaudière.

INSUFFLATION [ɛ̃syflɑsjɔ̃] n. f. — 1765 ; « action de souffler », XIVe ; lat. *insufflatio,* de *insufflatum,* supin de *insufflare.* → Insuffler.

Didactique.

♦ **1.** (Méd.). [a] Action d'insuffler (une poudre médicamenteuse, un liquide pulvérisé ou un gaz) dans une cavité du corps. *Insufflation d'air dans la bouche d'un asphyxié, d'un noyé. Insufflation d'azote dans la plèvre* (thérapeutique de la tuberculose pulmonaire). ⇒ **Pneumothorax.** *Insufflation tubaire,* des trompes utérines.

[b] Vieilli. Mouvement d'inspiration*, dans la respiration.

♦ **2.** Techn. Action de faire pénétrer par pression (une substance, un produit) dans un objet, un mécanisme, etc.

♦ **3.** Fig. et littér. (Rare). Action d'insuffler (1.) qqch.

INSUFFLER [ɛ̃syfle] v. tr. — XIVe ; bas lat. *insufflare,* de *in-*, et *sufflare* « souffler », de *sub,* et *flare* « exhaler ».

♦ **1.** Didact. (théol., myth.). Faire pénétrer en soufflant ; communiquer par le souffle*. *Dieu insuffla la vie à sa créature.* ⇒ **Animer.** (XIXe). Littér. ⇒ **Inspirer.** *Insuffler* (à qqn) *un désir de vengeance.* ⇒ **Exciter, imprimer** (vx). *« Insuffler une allure plus énergique* *aux opérations* » (Joffre, *in* T. L. F.). *Insuffler du lyrisme à un poème.*

1 Canalis ne possède pas le don de vie, il n'insuffle pas l'existence à ses créations (...)
BALZAC, Modeste Mignon, Pl., t. I, p. 401.

2 (...) le temps ayant passé qui renouvelle tout pour nous, insuffle une autre personnalité (...) aux êtres que nous n'avons pas vus depuis longtemps (...)
PROUST, À la recherche du temps perdu, t. XIII, p. 216.

3 (...) dans la compagnie d'Yvonne, il perdait cette terreur qu'on lui avait insufflée toute l'enfance, la terreur de se déclasser.
ARAGON, les Beaux Quartiers, II, XXI.

♦ **2.** (1819, *insouffler*). Méd. Introduire, faire pénétrer par insufflation. *Insuffler de l'air dans la bouche d'un nouveau-né en état de mort apparente. Insuffler à qqn de l'air par la bouche.* — Compl. n. de personne. *Se faire insuffler.*

Faire pénétrer (un fluide, ou une substance par pression) dans, à travers qqch. — Techn. *Insuffler un courant d'air dans, à travers la fonte en fusion.*

♦ **3.** (Compl. n. de chose). Vx. Gonfler* en soufflant. *Insuffler un ballon, une outre.*

▶ **INSUFFLÉ, ÉE** p. p. adj. Spécialt (méd.). *Plèvre insufflée.* — (Personnes). *Malade insufflé.*

DÉR. Insufflateur.

INSULAIRE [ɛ̃sylɛʀ] adj. et n. — 1516; du bas lat. *insularis*, du lat. class. *insula* «île».

★ **I.** ♦ **1.** Qui habite une île*. *Peuple insulaire.* — N. (1559). Habitant d'une île. ⇒ **Îlien.** *Les insulaires de Bornéo*, les habitants* de cette île.

1 À génie égal, un insulaire sera toujours plus complet que ne l'est l'homme de la terre ferme (...)
BALZAC, les Marana, Pl., t. IX, p. 827.

2 (...) un Anglais, à qui on avait enlevé ses chevaux, accourt près d'un officier de police (...) L'insulaire fait sa plainte.
NERVAL, Voyage en Orient, Musée des Familles, II.

Spécialt. Propre au fait de vivre dans une île (par oppos. à *continental*). *Des traditions, des habitudes insulaires* (souvent appliqué aux Britanniques).

N. *Les insulaires* : les Britanniques (pour les Français).

3 On discerne même, notamment chez les insulaires du cru *(les Anglais)*, chez ceux, après tout nombreux, qui ne sont jamais sortis de leur île, une sorte de retrait quand il s'agit de collaborer avec nous (...)
André SIEGFRIED, l'Âme des peuples, IV, II.

♦ **2.** Qui appartient à une île, aux îles. *Flore insulaire. Administration insulaire.*

★ **II.** Didact. Relatif aux îlots* de Langerhans. *Le parenchyme insulaire. Le pancréas insulaire.*

DÉR. V. **Insulariser, insularisme.**

INSULARISER [ɛ̃sylaʀize] v. tr. — 1901; de *insulaire* ou du lat. *insularis.*

♦ Didact. Isoler comme dans une île.

À l'intérieur de chacune d'elles *(les frontières)* toute la gamme des formules peut se retrouver. L'isolement, sur des groupes de faible densité, joue génétiquement un rôle très important et tout groupe de quelques milliers d'individus, ségrégé ou insularisé, tend au cours du temps à acquérir les caractères d'une race homogène (...)
A. LEROI-GOURHAN, le Geste et la Parole, t. I, p. 176.

INSULARISME [ɛ̃sylaʀism] n. m. — Av. 1885, Hugo; de *insulaire* ou lat. *insularis.*

♦ Didact. Caractère insulaire. *« Pour tout vrai Anglais, l'insularisme est mieux qu'une idée, plus qu'une doctrine, c'est un fétiche »* (A. Allais, *in* D. D. L.).

INSULARITÉ [ɛ̃sylaʀite] n. f. — 1840 (Académie, *Compl.*); du rad. de *insulaire.*

Didactique.

♦ **1.** Configuration, état d'un pays composé d'une ou de plusieurs îles. *L'insularité du Royaume-Uni. Les avantages et les inconvénients de l'insularité.*

♦ **2.** Caractère de ce qui est insulaire, propre à une île (ou à un archipel).

Nous voilà revenant une fois encore à cette insularité, qui exprime si profondément la revendication d'indépendance, intérieure et extérieure, de chaque Anglais.
André SIEGFRIED, l'Âme des peuples, IV, II.

♦ **3.** Didact. et rare. Caractère de ce qui tend à s'isoler (comme dans une île). → Insulation.

INSULATION [ɛ̃sylɑsjɔ̃] n. f. — D. i. (1893, Valéry); dér. sav. du lat. *insula* «île».

♦ Didact. et rare. Volonté de s'isoler (comme dans une île). ⇒ **Isolement.** *L'insulation d'une économie* (d'après F. Perroux).

INSULINASE [ɛ̃sylinaz] n. f. — Mil. XXe; de *insuline*, et *-ase.*

♦ Biochim. Enzyme du foie qui rend l'insuline inactive.

INSULINE [ɛ̃sylin] n. f. — 1909, J. de Meyer, in *Oxford, Deuxième suppl.*; du lat. *insula* «île», du nom des corpuscules pancréatiques, «*îlots* de Langerhans», d'où est extraite cette hormone.

♦ Biol. Hormone* sécrétée par le pancréas*, qui active l'utilisation du glucose dans l'organisme. *L'insuline est utilisée en injections sous-cutanées, dans le traitement du diabète* (→ Glande, cit. 2). *Insuline-retard. L'insuline pharmaceutique est extraite du pancréas du cheval, du bœuf ou du porc par l'alcool acidulé.*

Il ne suffit pas (...) de faire disparaître les symptômes du diabète en donnant de l'insuline au malade. L'insuline ne guérit pas le diabète. Cette maladie ne sera vaincue que par la découverte de ses causes et des moyens de provoquer la régénération des cellules pancréatiques insuffisantes ou de les remplacer.
Alexis CARREL, l'Homme, cet inconnu, VIII, XI.

DÉR. Insulinique.
COMP. Insulinase, insulinémie, insulinothérapie.

INSULINÉMIE [ɛ̃sylinemi] n. f. — Mil. XXe; de *insuline*, et *-émie.*

♦ Méd. Présence d'insuline (en excès) dans le sang.

INSULINIQUE [ɛ̃sylinik] adj. — D. i. (XXe : 1945, *in* T. L. F.); de *insuline.*

Didactique.

♦ **1.** Qui se rapporte au traitement par l'insuline. *Traitement insulinique.*

La cure de Sakel *(médecin autrichien)* consiste (...) dans la détermination d'un 1
choc insulinique poussé jusqu'à l'apparition de convulsion ou de coma hypoglycémique (...) Le malade dort en général à la troisième heure après l'injection pour être réveillé après une heure et demie de sommeil. Le réveil se fait par resucrage.
Guy PALMADE, la Psychothérapie, p. 24 (1951).

♦ **2.** Qui concerne l'insuline, est causé par la présence, l'excès d'insuline. *Coma insulinique*, causé par l'excès d'insuline et le déficit en sucre (⇒ **Hypoglycémique**), notamment dans le traitement du diabète sucré (⇒ **Diabétique**).

À plusieurs reprises, en revenant du marché, il lui était arrivé de tomber dans un 2
état de coma insulinique en pleine rue.
R. GARY, la Promesse de l'aube, p. 184 (→ Diabétique, cit.).

INSULINOTHÉRAPIE [ɛ̃sylinoteʀapi] n. f. — Mil. XXe; de *insuline*, et *-thérapie.*

♦ Méd. Traitement de certaines maladies, et notamment du diabète, par l'administration d'insuline. — Psychiatrie. Traitement de choc (de la confusion mentale, des névroses de guerre avec angoisse...) par injection d'insuline à forte dose ou à doses progressivement augmentées (jusqu'à sudation importante du patient).

INSULTANT, ANTE [ɛ̃syltɑ̃, ɑ̃t] adj. — V. 1690, Bossuet; p. prés. d'*insulter.*

♦ **1.** (Choses). Qui constitue une insulte. ⇒ **Injurieux, offensant, outrageant.** *Paroles, propos insultants.* ⇒ **Grossier** (→ Contradictoire, cit. 2). *Air insultant; raillerie, moquerie, morgue insultante.* ⇒ **Arrogant, insolent** (→ Garer, cit. 5). — Qui est ressenti comme un défi. — *Insultant pour..., à l'égard de... Son attitude est insultante pour nous.*

J'entrai dans Paris, que je trouvai pire que laid, insultant pour ma douleur (...) 1
STENDHAL, Souvenirs d'égotisme, I.

Crois-tu donc que je n'aie pas été atteint jusqu'au fond du cœur par l'insultante 2
politesse avec laquelle elle me faisait mesurer la distance idéale que la noblesse met entre nous?
BALZAC, l'Interdiction, Pl., t. III, p. 14.

(...) le rire insultant de la frivolité triomphante. 3
RENAN, Questions contemporaines, Œuvres, t. I, p. 216.

♦ **2.** Vieilli. (Personnes). Qui insulte; agressif dans son comportement; insolent. *Foule insultante* (Voltaire, *Tancrède*, III, 7). *« Le jeune Renan si insultant, âpre et dur... »* (Barrès, *in* T. L. F.).

INSULTE [ɛ̃sylt] n. f. — 1535; *insult* «attaque», 1380; n. m. jusqu'au XVIIe; bas lat. *insultus*, du lat. class. *insultum*, supin de *insilire.*

♦ **1.** Vx. ⇒ **Agression.** Spécialt. Attaque* militaire. *« Une place exposée aux insultes de l'ennemi »* (Littré). — REM. Ce sens archaïque est encore attesté dans les *Mémoires* de Joffre (*in* T. L. F.).

♦ **2.** (1525). Mod. Acte ou parole qui vise à outrager ou constitue un outrage. ⇒ **Affront, attaque** (fig.), **injure, offense, outrage**; et aussi **algarade, aubade** (vx), **avanie.** *Un air de mépris, de dérision, de moquerie était la pire insulte qu'on pût lui faire. Ils lui ont fait une telle insulte que...* (→ Dédire, cit. 6). *Une insulte outrageante*

(→ Défi, cit. 2). *Adresser, dire des insultes à qqn.* ⇒ **Grossièreté, insolence, invective** (→ Gronder, cit. 17). *Proférer des insultes. Jurements, cris et insultes* (→ Coup, cit. 16; découler, cit. 1). *Recevoir une insulte. Ressentir qqch. comme une insulte.* ⇒ **Déshonneur, indignité.** *Se venger d'une insulte* (→ Chatouilleux, cit. 3). *Ne prenez pas cela pour une insulte. Endurer, supporter; dédaigner, mépriser les insultes* (→ Cuirasse, cit. 4; forfanterie, cit. 3).

1 J'ai cette insulte-là sur le cœur (...) Me venir faire, à l'improviste, un affront comme celui-là!... Me traiter de coquin, de fripon, de pendard, d'infâme!
MOLIÈRE, les Fourberies de Scapin, II, 4.

2 C'était une charitable correction, et non une insulte outrageuse que vous aviez à lui faire. BOSSUET, Sermon pour le mardi 3e semaine de carême, II.

3 (...) je ne veux pas endurer leurs insultes, et je ne manquerai pas le premier qui me manquera. ROUSSEAU, les Confessions, VII.

4 Il est vrai qu'un écrivain satirique, après avoir outragé les hommes célèbres pendant leur vie, croit réparer ses insultes par les éloges qu'il leur donne après leur mort (...) D'ALEMBERT, Mélanges littéraires, Éloge, Œuvres, t. IV, p. 535.

5 On l'a souvent vu *(le lion)* dédaigner de petits ennemis, mépriser leurs insultes et leur pardonner des libertés offensantes (...)
BUFFON, Hist. nat. des animaux, Le lion.

6 Quel déni de justice! quelle insulte faite aux jeunes illustrations, aux ambitions nées sur le sol! BALZAC, Z. Marcas, Pl., t. VII, p. 740.

7 Tout ce que sa mémoire enflammée par l'alcool contenait de grossièretés, d'obscénités, d'insultes, il le vomissait sur les deux bossus. Ce débordement d'outrages immondes, d'affronts sanglants, de railleries parfois cocasses, déferlait contre la boutique dont le silence exaspérait l'irritation croissante de Pataclé.
H. BOSCO, Antonin, p. 58.

♦ **3.** *Une insulte à* (qqch.). *C'est une insulte à son courage, à son honneur, à sa pudeur, à sa douleur...* ⇒ **Atteinte, outrage** (→ Infâme, cit. 6). Fig. *Un tel raisonnement est une insulte au bon sens* (⇒ **Défi**).

Rare (en emploi absolu) :

8 Je déteste sortir habillée dans ce quartier, dit-elle d'un ton d'excuse. Le matin, je traîne en savates, c'est différent; mais à cette heure-ci, dans cette toilette, je suis une insulte. S. DE BEAUVOIR, les Mandarins, p. 341.

INSULTER [ɛ̃sylte] v. tr. — 1352, *insulter à* «braver»; lat. *insultare*, proprt «faire assaut contre», de *insultum*, supin de *insilire* «s'élancer sur», de *in-* locatif, et *salire* «sauter».

★ **I.** Vx. ♦ **1.** V. intr. Faire assaut, faire une attaque contre; se révolter, se soulever contre. *«Ce drame, l'écume insultant le rocher»* (Hugo, *Actes et paroles, in* T. L. F.).

♦ **2.** V. tr. (Mil. XVe). Vx. Attaquer vivement (une place forte, un poste...). *«Insulter une demi-lune»* (Académie, 1878). Encore chez Mérimée (1841) et chez l'historien René Grousset (*in* T. L. F.).

★ **II.** Mod. ♦ **1.** (1611). Attaquer (qqn) par des propos ou des actes outrageants. ⇒ **Insulte; injurier, offenser, outrager**; fam. **engueuler**; vieilli **aubader.** *Insulter qqn* (→ Abreuver, cit. 7; chacun, cit. 13; gosier, cit. 8). *Insulter qqn dans son honneur. Se faire insulter, se laisser insulter* (→ Marcher* sur les pieds). *Il ose m'insulter! Insulter «une femme qui tombe»* (Hugo). Absolt. *Insulter après avoir divinisé* (→ Idolâtrie, cit. 5). — Pron. *Elles se sont insultées comme des chiffonnières.*

1 Quoi? Madame, un barbare osera m'insulter? RACINE, Iphigénie, III, 6.

2 (...) elle *(la misère)* vous avilit, elle donne le droit aux butors qui ont de l'argent de vous insulter et de vous plaindre. G. SAND, Lettres à Musset, 26 juin 1834.

3 Et elle croit me rabaisser en m'insultant! Tes injures n'atteignent que toi, femme perdue! GIRAUDOUX, Électre, II, 6.

Par métonymie du compl. Littér. *Insulter l'honneur de qqn.*

Littér. (Compl. n. de chose). *Insulter les éléments.* — (Sujet et compl. n. de chose). *Des fumées noires insultaient l'azur. «Le silence qu'insultaient ces rires»* (J. Green, *Journal 1944*, p. 126, *in* T. L. F.).

(Sujet n. de chose). Constituer une grave offense contre (qqn). ⇒ **Outrager.** *Ton doute, ton scepticisme nous insulte.*

Vx. ou littér. Offenser par un outrage. ⇒ **Outrager.** *Insulter la foi de ses pères* (→ Avilir, cit. 2).

4 J'appelle insulter la majesté de Jésus-Christ, demeurer en sa présence dans des postures immodestes (...)
BOURDALOUE, le Mystère de la Passion de J.-C., t. I, p. 184.

5 Quelque rival indigne (...)
Insulte mon amour, outrage mon honneur! VOLTAIRE, les Scythes, II, 5.

♦ **2.** Trans. dir. [a] (1685). Vx. INSULTER CONTRE : proférer des insultes contre. *Insulter contre qqn.* — REM. Cette forme, critiquée par Trévoux et donnée comme vieillie par Littré, n'a jamais été admise par l'Académie.

6 Le second *(médecin)* insultant contre le premier, qui s'opposait à son avis (...)
PASCAL, les Provinciales, II.

[b] (V. 1650). Vx. INSULTER À... : faire insulte à. *«Insulter aux dieux»* (Fénelon). ⇒ **Blasphémer.** Compl. n. de chose. → cit. 7.1.

7 *(On)* le reçut avec des huées. On l'entourait; on lui insultait en face.
VOLTAIRE, Zadig, XIX.

7.1 Je vois bien, dit le génie, que vous me bravez l'un et l'autre, et que vous insultez à ma jalousie (...) A. GALLAND, les Mille et une Nuits, t. I, p. 135.

Vx. Sujet n. de chose. *«Ses lèvres dédaigneuses insultaient à ces hommes»* (Balzac, *in* T. L. F.).

(1647, Vaugelas). Mod., littér. Traiter avec mépris, ou insolence (le compl. désigne une chose abstraite).

Il est d'un grand courage et d'un cœur généreux, 8
De ne point insulter au sort d'un malheureux (...)
CYRANO DE BERGERAC, la Mort d'Agrippine, V, 6.

Nos superbes vainqueurs, insultant à nos larmes (...) RACINE, Esther, I, 6. 9

Elles avaient la figure des mauvais prêtres, quand ils insultent au culte qu'ils ont trahi. André SUARÈS, Trois hommes, «Ibsen», VI. 10

♦ **3.** (1685). Fig. Constituer un défi, par contraste avec une chose respectable. *Le luxe de quelques-uns insulte à la misère générale. Leur allégresse insulte à ma douleur* (Académie). → Cruauté, cit. 40; gaieté, cit. 11.

▶ **INSULTÉ, ÉE** p. p. adj. et n.

♦ **1.** Vx ou archaïsme. (Choses). Attaqué, atteint (→ Insulter, I.).

♦ **2.** Mod. (Personnes). Qui a reçu une insulte. — N. m. (1873). *L'insulté* : personne insultée. *L'insulté a le choix des armes.* ⇒ **Offensé.**

CONTR. Respecter. — Complimenter, louer. — (Du p. p.) **Agresseur, offenseur.**
DÉR. Insultant, insulteur.

INSULTEUR, EUSE [ɛ̃syltœʀ, øz] n. et adj. — 1796, au masc.; de *insulter.*

A. N. ♦ **1.** Rare. Personne qui insulte. *L'insulteur et l'insulté.* ⇒ **Offenseur.**

(...) Mr. Fogg ne laissera à personne le soin de le venger. Il est homme, il l'a dit, à revenir, en Amérique pour retrouver cet insulteur. 1
J. VERNE, le Tour du monde en 80 jours, p. 246.

Heureux les insulteurs qui s'assouvissent dans les gazettes, car ils auront beaucoup de lecteurs et connaîtront la gloire. 2
G. DUHAMEL, Récits des temps de guerre, IV, XXXVIII.

Insulteur de (qqn, un groupe). *Il a giflé son insulteur.*

Je le dis tout net à Philippe Barrès qui dénonçait l'autre jour les «insulteurs de l'armée». Ceux-là seuls insultent l'armée et la déshonorent qui consentent, par leur silence, à ce que des citoyens français deviennent des bourreaux (...) 3
F. MAURIAC, Bloc-notes 1952-1957, p. 364.

♦ **2.** Dans l'antiquité, Esclave chargé de critiquer et d'accabler de reproche un triomphateur, pour lui rappeler la relativité de sa situation.

B. Adj. Vieilli. ⇒ **Insultant.** *Un homme insulteur et moqueur. — Des cris insulteurs. «Aux rires insulteurs de la foule servile»* (Leconte de Lisle).

CONTR. Complimenteur, laudateur.

INSUPPORTABILITÉ [ɛ̃sypɔʀtabilite] n. f. — 1857, Flaubert; de *insupportable.*

♦ Rare. Caractère d'une personne, d'une chose insupportable.

INSUPPORTABLE [ɛ̃sypɔʀtabl] adj. — 1312; bas lat. *insupportabilis*, de 1. *in-*, et *supportare.* → Supporter.

♦ **1.** Qu'on ne peut supporter, endurer. *Une douleur insupportable. Une lumière insupportable aux yeux.* ⇒ **Atroce, intolérable** (→ Incitation, cit. 1). *Souffrances, supplice, malaise insupportables* (→ Ahurir, cit. 1; 1. contre-cœur, cit. 1; grotesque, cit. 10).

♦ **2.** Qu'on ne peut souffrir, qui est extrêmement désagréable. *Bruit insupportable.* ⇒ **Infernal.** *Vision, spectacle insupportable.* ⇒ **Insoutenable.** *Trouver la vie insupportable.* ⇒ **Haïssable, odieux** (→ Faire, cit. 238). *Attente* (cit. 21), *incertitude, doute insupportable. Une insupportable hypocrisie* (→ Fonction, cit. 6). *Je trouve insupportable de..., que... — Chose insupportable à qqn. Être, paraître, devenir insupportable pour qqn, à qqn. Il m'est insupportable de* (et inf.) *Il m'est insupportable que* (et subj.). *Cela m'est insupportable. — Une vie insupportable d'ennui* (par l'ennui).

Cependant sa visite, assez insupportable, 1
Traîne en une longueur encore épouvantable (...)
MOLIÈRE, le Misanthrope, II, 4.

Ce qui nous rend la vanité des autres insupportable, c'est qu'elle blesse la nôtre. 2
LA ROCHEFOUCAULD, Réflexions morales, 389.

En toute chose la gêne et l'assujettissement me sont insupportables; ils me feraient prendre en haine le plaisir même. ROUSSEAU, les Confessions, V. 3

♦ **3.** (1680; personnes). *Un individu insupportable.* ⇒ **Agaçant, agouant** (régional), **ennuyeux, imbuvable** (fam.), **importun, incommode, infumable** (fam.), **pénible** (fam.). → aussi Aversion, cit. 4; criard, cit. 1; estimer, cit. 28; hargne, cit. 4. — *Un caractère insupportable.* ⇒ **Épouvantable, impossible, impraticable** (vx), **incommode** (→ Mauvais, sale, fichu caractère*). *Humeur insupportable.* ⇒ **Massacrant.** — Spécialt. *Enfant insupportable.* ⇒ **Désagréable, diable, turbulent.** *Arrête, tu es insupportable!*

(...) c'est une loi générale (...) que l'être que nous n'aimons pas et qui nous aime nous paraisse insupportable. 4
PROUST, À la recherche du temps perdu, t. X, p. 73.

Être insupportable à qqn, à soi-même et aux autres. Il se rend insupportable à tous ses collègues. — Être insupportable avec qqn, à l'égard de qqn. Il n'est insupportable que dans sa famille, qu'avec ses parents.

♦ **4.** Impers. *Il est insupportable de... C'est absolument insupportable. Arrête de crier, c'est insupportable!*

5 Il est à peu près insupportable de vivre près d'une femme que l'on a aimée.
A. MAUROIS, la Vie de Byron, I, XII.

6 (...) Maurin, qui d'ordinaire a bon caractère, montra de l'humeur et fut insupportable.
G. DUHAMEL, Récits des temps de guerre, IV, XVII.

CONTR. Supportable; agréable, aimable, amusant.
DÉR. Insupportabilité, insupportablement, insupporter.

INSUPPORTABLEMENT [ɛ̃sypɔʀtabləmɑ̃] adv. — 1441; de *insupportable.*

♦ D'une manière insupportable. *Cet ouvrage est insupportablement long. Elle est insupportablement prétentieuse. Il bavarde insupportablement.*

INSUPPORTÉ, ÉE [ɛ̃sypɔʀte] adj. — D. i. (1930, Breton, *in* T. L. F.); de 1. *in-*, et *supporté*, p. p. de *supporter.*

♦ Littér. Qui n'est pas supporté.

Le schizophrène et le totalitaire se caractérisent par un *arrêt*, un décret d'immobilité (...) D'une part l'antinomie inacceptée (qu'ils refusent de voir) crée en eux un antagonisme insupporté, qui crée à son tour un dédoublement insupportable. D'autre part, la répression du moi par le soi accroît la zone d'inconscient.
Claude ROY, Nous, p. 395-396.

HOM. Insupporter.

INSUPPORTER [ɛ̃sypɔʀte] v. tr. — 1846, Goncourt, *Germinie Lacerteux, in* T. L. F.; de *insupportable.*

♦ Être insupportable à... ⇒ **Indisposer.**

1 Cette vieille roulure m'insupporte.
Henri BATAILLE, Maman Colibri, II, 4, cité par A. V. THOMAS.

2 Maman (...) était maintenant indulgente à des femmes pour la conduite de qui elle se fût montrée sévère autrefois (...)
Malgré tout et même en dehors de la question convenance, je crois qu'Albertine eût insupporté maman, qui avait gardé (...) des habitudes d'ordre dont mon amie n'avait pas la première notion.
PROUST, la Prisonnière, Pl., t. III, p. 14-15.

HOM. Insupporté.

INSUPPRIMABLE [ɛ̃sypʀimabl] adj. — 1903, Catulle Mendès; de 1. *in-*, *supprimer*, et *-able.*

♦ Littér. ou rare. Qu'on ne peut supprimer.

INSURGÉ, ÉE [ɛ̃syʀʒe] adj. et n. ⇒ **Insurger** (s').

INSURGENT [ɛ̃syʀʒɑ̃] n. m. — 1752; de *s'insurger*; sens II, de l'anglais.

Histoire.

♦ **1.** Plur. Troupes hongroises levées exceptionnellement, au XVIIIe siècle.

♦ **2.** (1775; angl. *insurgent*, de *to insurge*, de même orig. que *s'insurger*). Colon américain ayant pris parti contre l'Angleterre, au cours de la guerre d'indépendance américaine.

INSURGER (S') [ɛ̃syʀʒe] v. pron. et trans. — Conjug. *bouger*. — XVIe; *insurger*, trans., 1474; repris fin XVIIIe, d'après *insurgent**; de *in-* locatif, et *surgere* «dresser, se lever», de *sub-*, et *regere* «guider»; lat. *insurgens*, p. prés. de *insurgere* «se lever contre».

♦ **1.** [a] Se soulever (contre l'autorité). ⇒ **Révolter** (se), **soulever** (se). *Peuple qui s'insurge contre le gouvernement, contre un tyran.* ⇒ **Dresser** (se). — Absolt. *Humanité qui s'insurge pour rebâtir un monde* (→ Hors-la-loi, cit. 1) — **INSURGÉ, ÉE**, au p. p. *Les provinces, les populations insurgées*, qui se sont insurgées, soulevées. — N. (1794). *Un insurgé* : un agitateur, un révolté. *Insurgés sur les barricades* (→ Écrêter, cit. 1; 1. feu, cit. 50). ⇒ vieilli **Barricadeur, barricadier.** *L'Insurgé*, roman de J. Vallès (1886).

1 (...) les insurgés posaient des vedettes au coin des carrefours et envoyaient audacieusement des patrouilles hors des barricades.
HUGO, les Misérables, IV, X, IV.

2 En 1776, un événement considérable venait de se produire : les colonies anglaises de l'Amérique du Nord s'étaient insurgées.
J. BAINVILLE, Hist. de France, XV, p. 304.

3 Dans toutes les villes d'Europe, les peuples s'insurgeaient, avec la même violence, contre le sacrifice inutile.
MARTIN DU GARD, les Thibault, t. VII, p. 65.

[b] Par ext. *S'insurger contre la mauvaise foi; contre une interprétation tendancieuse des faits.* ⇒ **Dresser** (se).

4 Cet esprit, positif au milieu de ses enthousiasmes (...) s'insurgeait devant les mystères de la foi (...)
FLAUBERT, Mme Bovary, I, VI.

Celui qui a compris la réalité ne s'insurge pas contre elle, mais s'en réjouit; le voilà conformiste. 5
CAMUS, l'Homme révolté, p. 196.

Absolt. Marquer sa désapprobation. ⇒ **Indigner** (s'), **protester.**

♦ **2.** Trans. Vx. *Insurger une nation* (Littré). — Par ext. Faire se révolter. — (Précédé d'un pron. pers.). Faire s'insurger, dresser (contre qqch.).

(...) j'y cultivais plutôt une sorte de réprobation pour ce que j'entrevoyais de la débauche, contre quoi mon instinct secrètement m'insurgeait. 6
GIDE, Si le grain ne meurt, I, VII, p. 189.

▶ **INSURGÉ, ÉE** p. p. adj. Voir ci-dessus, *supra* cit. 1. — N. *Un insurgé, une insurgée* (→ cit. 1). — REM. Le fém. est rare.

Les gares des tubes du sud étaient encombrées d'insurgés et surtout d'insurgées. 7
A. ROBIDA, le Vingtième Siècle, p. 276.

CONTR. Soumettre (se). — Soumis.

INSURMONTABLE [ɛ̃syʀmɔ̃tabl] adj. — 1561, Bloch-Wartburg (1611, Cotgrave); de 1. *in-*, *surmonter*, et *-able.*

♦ **1.** Qu'on ne peut surmonter. *Un obstacle insurmontable.* ⇒ **Infranchissable** (→ Condition, cit. 27). *Se heurter à un obstacle insurmontable.* ⇒ **Mur** (par métaphore). *Barrière* (cit. 14) *insurmontable.* — Abstrait. *D'insurmontables difficultés.* ⇒ **Invincible** (→ Impatient, cit. 7). *Une fatalité insurmontable, accablante.*

Rare. Extrême, qu'on ne peut dépasser. ⇒ **Insurpassable** (mais *insurmontable* semble réservé à des emplois péjoratifs).

♦ **2.** (Sentiments; tendances du sujet). Qu'on ne peut dominer, réprimer. *Angoisse, répulsion insurmontable* (→ Causer, cit. 6; frisson, cit. 13).

(...) leur aversion naturelle et insurmontable pour le vin (...) 1
BOSSUET, 1re instruction pastorale, XLI, *in* LITTRÉ, Dict., art. *Passer*, 25°.

Supposé que vous m'aimiez véritablement (...) les obstacles qui nous séparent en seraient-ils moins insurmontables? 2
LACLOS, les Liaisons dangereuses, LVI.

Tout ce qu'on avait cru pénible, difficile, insurmontable, devient possible et facile. 3
MICHELET, Hist. de la Révolution franç., III, XI.

(...) ils éprouvent, l'un vis-à-vis de l'autre, presque une honte de leur subite et insurmontable timidité. 4
LOTI, Ramuntcho, II, XIII.

REM. Les dér. (rares) *insurmontabilité*, n. f., et *insurmontablement*, adv., sont attestés.

CONTR. Facile, surmontable.

INSURPASSABLE [ɛ̃syʀpɑsabl] adj. — 1554; de 1. *in-*, *surpasser*, et *-able.*

♦ Qu'on ne peut surpasser (en général dans des emplois mélioratifs). *Un talent, une perfection insurpassable.*

(...) des banalités d'une fadeur insurpassable. 1
GIDE, Si le grain ne meurt, I, X, p. 278.

(...) une Pentecôte corporative qui l'a rendu apte à pratiquer tous les idiomes de la tour de Babel dont il est le gardien et l'a doté d'une capacité insurpassable de se mettre au diapason de chacun (...) 2
Michel LEIRIS, Frêle bruit, p. 242.

Rare (emploi péj.). Personnes. *« D'insurpassables gaffeurs »* (Céline).

INSURRECTEUR [ɛ̃syʀɛktœʀ; ɛ̃zyʀɛktœʀ] adj. et n. m. — 1793; du rad. de *insurrection.*

♦ Vx (pendant la Révolution) ou hist. Qui prépare une insurrection. *Comité insurrecteur.* — N. m. *Les insurrecteurs de Prairial.*

INSURRECTION [ɛ̃syʀɛksjɔ̃; ɛ̃zyʀɛksjɔ̃] n. f. — 1361; bas lat. *insurrectio*, du supin du lat. *insurgere*. → Insurger.

♦ **1.** Action de s'insurger; soulèvement qui vise à renverser (le pouvoir établi). ⇒ **Émeute, levée** (de boucliers), **mouvement** (insurrectionnel), **mutinerie, révolte, révolution, sédition, soulèvement, trouble.** *L'insurrection d'une population contre le pouvoir, contre l'occupant.* — Plus cour. (sans compl. en *contre*). *Insurrection de paysans* (⇒ **Jacquerie**). *L'insurrection des Chouans* (⇒ **Chouannerie**). *L'insurrection des canuts de Lyon* (→ Faim, cit. 12). *Peuple en insurrection.* ⇒ **Insurgé** (s'insurger). *L'insurrection de 1830. Journées d'insurrection* (→ Essuyer, cit. 15). *Foyer* (cit. 21) *d'insurrection. Mouvement d'insurrection qui avorte* (cit. 10), *qui est étouffé, réprimé; qui aboutit à la révolution. Droit à l'insurrection.* ⇒ **Résistance** (à l'oppression).

Mes Crétois, pour tenir les premiers magistrats dans la dépendance des lois, employaient un moyen bien singulier : c'était celui de l'insurrection. Une partie des citoyens se soulevait (...) Une institution pareille, qui établissait la sédition pour empêcher l'abus du pouvoir, semblait devoir renverser quelque république que ce fût. Elle ne détruisit pas celle de Crète (...) 1
MONTESQUIEU, l'Esprit des lois, VIII, XI.

Quand le gouvernement viole les droits du peuple, l'insurrection est pour le peuple et pour chaque portion du peuple, le plus sacré des droits et le plus indispensable des devoirs. 2
Constitution du 24 juin 1793, art. 35.

Il y a l'émeute, il y a l'insurrection; ce sont deux colères; l'une a tort, l'autre a droit (...) la guerre du tout contre la fraction est insurrection; l'attaque de la fraction contre le tout est émeute (...) 3
De là vient que, si l'insurrection, dans des cas donnés, peut être, comme a dit Lafayette, le plus saint des devoirs, l'émeute peut être le plus fatal des attentats.
HUGO, les Misérables, IV, X, II.

4 (...) l'insurrection eut, pendant une heure ou deux, une certaine recrudescence (...) des barricades s'ébauchèrent. Devant la porte Saint-Martin, un jeune homme, armé d'une carabine, attaqua seul un escadron de cavalerie (...) Rue Saint-Denis, une femme tirait sur la garde municipale de derrière une jalousie baissée (...) on jeta du haut des toits sur la troupe de vieux tessons de vaisselle et des ustensiles de ménage (...) HUGO, les Misérables, V, I, XIII.

5 (...) le propre d'une insurrection populaire, c'est que, personne n'y obéissant à personne, les passions méchantes y sont libres autant que les passions généreuses, et que les héros n'y peuvent contenir les assassins.
TAINE, les Origines de la France contemporaine, t. III, II, p. 69.

6 (...) un coup de force politique, qui sous le nom d'insurrection est le plus sacré des devoirs quand il vient d'en bas, et sous le nom de coup d'État est le plus exécrable des abus quand il vient d'en haut (...)
Ch. PÉGUY, la République..., p. 364.

7 Le droit à l'insurrection, incontestable en théorie, est en fait dépourvu d'efficacité. La loi constitutionnelle d'un pays ne peut le reconnaître sans jeter dans ce pays un ferment d'anarchie. C'est ce qui faisait dire à Boissy d'Anglas que la Constitution de 1793 avait organisé l'anarchie.
L. DUGUIT, Traité de droit constitutionnel, t. III, p. 806.

♦ **2.** (Mil. XIXe; *in* Littré). Littér. Révolte (fig.). *L'insurrection de la conscience, de l'amour-propre, contre... Une insurrection morale spirituelle. — L'insurrection de qqn contre l'injustice.*

8 Et j'ai lutté cette fois encore par des moyens généraux, par des moyens valables pour *toute l'humanité.* Par une insurrection organisée de l'esprit contre la morale, contre la conscience.
J. ROMAINS, les Hommes de bonne volonté, t. IV, VII, p. 66.

CONTR. Soumission.
DÉR. Insurrectionnaire, insurrectionnel. — V. Insurrecteur.

INSURRECTIONNAIRE [ɛ̃syʀɛksjɔnɛʀ; ɛ̃zyʀɛksjɔnɛʀ] adj. et n.
— 1790, *in* D. D. L.; de *insurrection,* d'après *révolutionnaire.*

♦ Vx (pendant la Révolution) ou hist. Qui concerne l'insurrection; prépare une insurrection.

Une assemblée convoquée par le peuple en insurrection doit être insurrectionnaire comme le peuple qui l'a formée. LEGENDRE, 13 janv. 1793, *in* AULARD, la Société des Jacobins, IV, p. 677 (*in* D. D. L.).

INSURRECTIONNEL, ELLE [ɛ̃syʀɛksjɔnɛl; ɛ̃zyʀɛksjɔnɛl] adj.
— 1792; de *insurrection.*

♦ **1.** Qui tient de l'insurrection. *Mouvement insurrectionnel. Grève insurrectionnelle. Journées insurrectionnelles.*

1 (...) les individus qui, dans un mouvement insurrectionnel, auront fait ou aidé à faire des barricades (...) Loi du 24 mai 1834, art. 9.

2 En septembre 1961, des grèves insurrectionnelles secouent le pays. Les syndicats que N'Krumah a façonnés avec Tettegah sont débordés.
Jean ZIEGLER, Main basse sur l'Afrique, p. 99.

♦ **2.** Qui est en insurrection. *Des groupes insurrectionnels.* ⇒ **Insurrectionnaire** (vx). — Qui résulte d'une insurrection. *Gouvernement insurrectionnel,* issu de l'insurrection.

DÉR. Insurrectionnellement.

INSURRECTIONNELLEMENT [ɛ̃syʀɛksjɔnɛlmɑ̃; ɛ̃zyʀɛksjɔnɛlmɑ̃] adv. — 1796; de *insurrectionnel.*

♦ Didact. De façon insurrectionnelle; en recourant à l'insurrection.

INTACHABLE [ɛ̃taʃabl] adj. — XXe; de 1. *in-, tacher,* et *-able.*

♦ Qu'on ne peut pas tacher. *Peintures intachables et lavables.*

INTACT, TE [ɛ̃takt] adj. — V. 1460, au sens 2; 1593, au sens 1; lat. *intactus,* proprt «non touché», de 1. *in-,* et *tactus,* p. p. de *tangere* «toucher».

♦ **1.** À quoi l'on n'a pas touché; par ext. (1835), qui n'a pas subi d'altération, de dommage. *Monument ancien intact. Demeurer, rester intact. Les fouilles ont mis au jour des mosaïques presque intactes. Il a reçu de la boue sur son pantalon, mais sa veste est intacte.* ⇒ **Propre.** *Le réfrigérateur est arrêté, mais cette viande est intacte.* ⇒ **Frais.** *L'héritage est resté intact.* ⇒ **Complet, entier.**

1 Il se vantait en nous montrant ses manches intactes de n'en avoir jamais altéré la pureté par la moindre tache d'encre (...)
Th. GAUTIER, Portraits contemporains, p. 47.

2 Mais le fond n'avait jamais été touché. Là, les richesses avaient dormi intactes. Les pièces d'or brillaient, les perles ruisselaient, les diamants étincelaient; rien n'avait été manié, mis en circulation, profané.
J.-A. DE GOBINEAU, les Pléiades, III, VI.

(Abstrait). *Corriger un texte en gardant le sens intact* (→ Couper, cit. 14). *Conserver, laisser, maintenir intacts des principes que l'on considère comme intangibles**.

Fam. (Personnes). *La chute aurait pu être grave, il s'est relevé intact* (⇒ **Indemne**).

♦ **2.** Par euphém. (Personnes). Vierge.

3 Elle sortit, au milieu de la nuit, de ce bosquet et des bras de son ami aussi intacte, aussi pure de corps et de cœur qu'elle y était entrée.
ROUSSEAU, les Confessions, IX.

4 *(Selon l'opinion de M. de Noailles)* Mme de Maintenon est arrivée intacte, à cinquante ans, aux mains de Louis XIV. Cela est possible; mais, comme dit l'autre, c'est raide. Jules LEMAÎTRE, Impressions de théâtre, 3e série, p. 72.

♦ **3.** (Déb. XVIIIe, Saint-Simon). Abstrait. Qui n'a souffert aucune atteinte. *Réputation intacte. Honneur intact.* ⇒ **Sauf** (→ Sans tache*).

CONTR. Altéré, endommagé, froissé; blessé.

INTACTILE [ɛ̃taktil] adj. — XVIe; repris XXe; de 1. *in-,* et *tactile.*

♦ Didact. Qui ne peut, par nature, être perçu par le toucher. *Un son est intactile.* ⇒ **Impalpable.**

INTAILLABLE [ɛ̃tɑjabl] adj. — 1867; de 1. *in, tailler,* et suff. *-able.*

♦ Techn. Qui ne peut être taillé.

INTAILLE [ɛ̃tɑj] n. f. — 1808; *intagli,* cité comme mot ital. (de Brosses), 1740; ital. *intaglio,* déverbal de *intagliare,* de *tagliare* «tailler».

♦ Arts. Pierre fine gravée en creux. *L'intaille est gravée en creux et le camée* en relief. Intaille qui sert de sceau, de cachet* (→ Empreinte, cit. 1).

(...) l'artiste oppose une *Bacchante surprise par un satyre,* d'un style si pur, si antique, que vous vous demandez de quelle intaille, de quel camée (...) est tiré ce beau groupe. Th. GAUTIER, Voyage en Russie, p. 184.

DÉR. Intailler.

INTAILLER [ɛ̃tɑje] v. tr. — 1860, Pommier, *in* T. L. F.; au p. p., 1874; de *intaille.*

♦ Techn. (arts). Graver en creux (une pierre fine).

▶ **INTAILLÉ, ÉE** p. p. adj. (1874). *Pierre intaillée.* — Par métaphore :

Fallait-il en conclure que M. de Charlus (...) était toujours fidèle à un même type (...) que tous trois ressemblaient un peu à l'éphèbe dont la forme, intaillée dans le saphir qu'étaient les yeux de M. de Charlus, donnait à son regard ce quelque chose de si particulier (...)? PROUST, le Temps retrouvé, Pl., t. III, p. 818.

INTANGIBILITÉ [ɛ̃tɑ̃ʒibilite] n. f. — 1834; de *intangible.*

♦ Didact. État de ce qui est intangible, de ce qui est ou doit être maintenu intact. *L'intangibilité d'une loi, d'un principe.*

INTANGIBLE [ɛ̃tɑ̃ʒibl] adj. et n. — Mil. XVe; de 1. *in-,* et *tangible.*
Didactique ou littéraire.

♦ **1.** Vx. Qu'on ne peut toucher, qui échappe au sens du toucher. ⇒ **Impalpable.** *Fluides* (cit. 9) *intangibles.*

(...) si dans l'animal raisonnable, appelé homme, Dieu avait mis une étincelle invisible, impalpable, un élément, quelque chose de plus intangible qu'un atome d'élément, ce que les philosophes grecs appellent une monade (...) 1
VOLTAIRE, Dialogues d'Évhémère, IV.

♦ **2.** (1899). Mod. À quoi on ne doit pas toucher, porter atteinte; que l'on doit maintenir intact. ⇒ **Inviolable, sacré.** *Principes intangibles* (Académie, 1935).

(...) une grande guerre moderne *(... allait)* faire d'eux *(les pétroliers)* des fournisseurs éminents des armées, et de leur monopole un pilier intangible de la patrie. 2
J. ROMAINS, les Hommes de bonne volonté, t. III, XIII, p. 182.

N. m. *L'intangible.*

L'intangible se présente à moi comme une réalité matérielle. 3
J. GREEN, Journal, 28 déc. 1966, Ce qui reste de jour, p. 7.

DÉR. Intangibilité.

INTARISSABLE [ɛ̃taʀisabl] adj. — 1586 (Wartburg); de 1. *in-, tarir,* et *-able.*

♦ **1.** Didact. ou littér. Qui ne peut être tari, épuisé; qui coule sans arrêt*. ⇒ **Abondant, inépuisable.** *Eau intarissable* (→ Adopter, cit. 7); *source intarissable.* — (Mil. XIXe). Par exagér. *Pleurs intarissables.*

Par métaphore. *Une « source intarissable de paix et de joie »* (Fénelon).

Ces deux industries, sources intarissables de prospérité, si le canton peut maintenir la qualité des produits et leur bas prix (...) 1
BALZAC, le Médecin de campagne, Pl., t. VIII, p. 358.

♦ **2.** (1690). Cour. Qui se produit sans s'arrêter. *Une musique intarissable* (→ Inépuisable, cit. 10). *Babil* (cit. 5) *intarissable. Il a une verve intarissable* (→ Apporter, cit. 25; épigramme, cit. 8). *Imagination, inspiration intarissable.* ⇒ **Généreux.** *Intarissable sujet de conversations* (→ Émoi, cit. 3). — (1677). Personnes. *Il est intarissable sur ce sujet.*

Vous êtes intarissable, et vos lettres viennent de source, on le voit bien (...) 2
Mme DE SÉVIGNÉ, 624, 14 juil. 1677.

3 On entendait, dominant toutes les conversations, l'intarissable jacassement de M. de Charlus (...) PROUST, À la recherche du temps perdu, t. IX, p. 54.

CONTR. Maigre, pauvre, silencieux.
DÉR. Intarissablement.

INTARISSABLEMENT [ɛ̃taʀisabləmɑ̃] adv. — 1834; de *intarissable.*

♦ Littér. D'une manière intarissable. *Il répète intarissablement la même chose.*

(...) des leçons à préparer et des copies à corriger pendant quarante ans; l'ennui de ma jeunesse à revomir intarissablement sur de plus jeunes.
J. ROMAINS, les Hommes de bonne volonté, t. IV, XV, p. 147.

INTÉGRABILITÉ [ɛ̃tegʀabilite] n. f. — 1873, *in* P. Larousse; de *intégrable.*

♦ Didact. Caractère de ce qui est intégrable.

INTÉGRABLE [ɛ̃tegʀabl] adj. — 1704; de *intégrer.*

♦ Didact. (math.). Qui peut être intégré, dont on peut faire l'intégration. *Fonction intégrable.*

DÉR. Intégrabilité.

INTÉGRAL, ALE, AUX [ɛ̃tegʀal, o] adj. et n. — XIVe, *parties intégrales*; lat. *integralis,* de *integer* «entier».

★ **I.** ♦ **1.** Vx. *Parties intégrales* (Corneille). ⇒ **Intégrant.**

♦ **2.** (1640). Cour. Qui n'est l'objet d'aucune diminution, d'aucune restriction. ⇒ **Complet, entier.** *Caractère intégral.* ⇒ **Intégralité, intégrité** (1.). *Paiement, remboursement intégral. Le renouvellement intégral d'une assemblée. Hermaphrodisme* (cit. 2) *intégral. Nu, nudité, nudisme intégral* (→ Exhibitionnisme, cit. 1). *Bronzage intégral.* — *Édition, audition intégrale d'un ouvrage,* sans omission ni coupure.

1 Il n'est d'humanisme sans une conception intégrale de l'homme.
DANIEL-ROPS, Ce qui meurt..., p. 49.

N. f. Œuvre musicale intégrale. *Acheter en disques l'intégrale des symphonies de Beethoven.*

Freinage intégral (freins avant et arrière couplés sur une moto). *Casque intégral,* ou, n. m., *un intégral* : casque de motocycliste qui protège à la fois le crâne, la face et la mandibule. *Fermer la visière de son intégral.*

★ **II.** (1696). Math. ♦ **1.** *Calcul* intégral* : branche du calcul infinitésimal (cit. 1) : «Partie des mathématiques ayant pour premier objet l'intégration des fonctions, c'est-à-dire la détermination de nouvelles fonctions admettant les premières pour dérivées» (Uvarov et Chapman, *Dict. des Sciences*). ⇒ **Intégration** (→ Exponentiel, cit. 1).

2 Que fait le calcul *intégral?* Il donne le moyen de remonter, lorsque cela se peut, de la limite du rapport entre les différences des quantités finies, au rapport même de ces quantités. D'ALEMBERT, Éléments de philosophie, Œuvres, t. I, p. 293.

♦ **2.** N. f. (1749). UNE INTÉGRALE. «Résultat de l'opération fondamentale du *calcul intégral* (intégration) appliquée soit à une fonction d'une seule variable (opération inverse de la différentiation), soit à une fonction de plusieurs variables...» (Uvarov et Chapman, *Dict. des Sciences*). *Intégrale d'une fonction, d'une différentielle :* fonction dont la dérivée est la fonction considérée ou sa différentielle. *Intégrale définie, indéfinie* (ou *primitive*), *double, triple. Le signe* $\int$ *(somme) symbolise l'intégrale. Intégrale définie dans un intervalle* (a, b), différence des valeurs d'une primitive* de la fonction à intégrer, lorsque la variable prend les valeurs b et a (notée $\int_a^b$).

CONTR. Incomplet, partiel.
DÉR. Intégralement, intégralisme.

INTÉGRALEMENT [ɛ̃tegʀalmɑ̃] adv. — 1511; de *intégral.*

♦ D'une manière intégrale, au complet. ⇒ **Complètement, totalement.** *Lire un texte intégralement.* ⇒ **In extenso** (→ Depuis A* jusqu'à Z). *Payer, rembourser intégralement ses dettes. Restituer intégralement* (→ Impense, cit.).

Impossible de se débarrasser intégralement de la question oiseuse.
A. MAUROIS, Études littéraires, R. Martin du Gard, t. II, p. 198.

CONTR. Incomplètement, partiellement.

INTÉGRALISME [ɛ̃tegʀalism] n. m. — D. i. (XXe : 1936, *in* T. L. F.); de *intégral.*

♦ Didact. et rare. Caractère intégral, absolu (d'une thèse, d'un auteur défendant une thèse); spécialt, conservatisme intransigeant. ⇒ **Intégrisme.** — REM. L'adj. et n. *intégraliste* [ɛ̃tegʀalist] est également attesté (Maritain, J. Rivière, *in* T. L. F.). → Intégriste.

INTÉGRALITÉ [ɛ̃tegʀalite] n. f. — 1611; lat. médiéval *integralitas,* du lat. médiéval *integralis.* → Intégral.

♦ État d'une chose complète. ⇒ **Complétude, entièreté.** *Intégralité d'un revenu* (→ Épargne, cit. 8).

Loc. *Dans son intégralité :* dans son ensemble, sa totalité (→ Fidèlement, cit. 3; figurer, cit. 6). ⇒ **Intégrité.**

(...) les circonstances n'ont pas permis de suivre ce plan dans son intégralité.
TURGOT, Décl. conc. la taille, 1761, *in* BRUNOT, Hist. de la langue franç, t. VI, p. 76, note 7.

INTÉGRANT, ANTE [ɛ̃tegʀɑ̃, ɑ̃t] adj. — 1503 (1520 selon T. L. F.); lat. *integrans* «qui rend entier», p. prés. de *integrare.* → Intégrer.

♦ Didact. PARTIE INTÉGRANTE : partie qui contribue à l'intégrité d'un tout (sans en constituer l'essence). *Les bras, les jambes, sont des parties intégrantes du corps humain* (Académie). Cour. *Faire partie intégrante de qqch. :* être parmi ses éléments constituants les plus importants. *Mot qui fait partie intégrante d'une phrase* (→ Anastomoser, cit. 1). *Constituer, devenir une partie intégrante...* (→ Famille, cit. 4).

L'illusion est une partie intégrante de la réalité; elle y tient essentiellement, comme l'effet tient à la cause. Joseph JOUBERT, Pensées, XI, XXXIX. 1

L'Assemblée déclarait qu'Avignon ne faisait point partie intégrante de la France, sans toutefois que la France renonçât à ses droits. 2
MICHELET, Hist. de la Révolution franç., IV, XI.

(...) ma mère m'a raconté quatre ou cinq cents fois certaines histoires de mon père, en sorte que ces histoires font partie intégrante de ma mémoire et que je dois accomplir un réel effort pour distinguer ces souvenirs-là de mes souvenirs à moi. 3
G. DUHAMEL, Salavin, I, II.

(Avec d'autres noms que *partie*). *Les particules intégrantes du grès* (cit. 3). *Élément intégrant.* — *Éléments intégrants.* — Hist. sc. *Molécule intégrante.*

INTÉGRATEUR, TRICE [ɛ̃tegʀatœʀ, tʀis] adj. et n. m. — 1877, cit. 1; de *intégrer.*

♦ Didact., techn. Se dit d'un appareil qui effectue l'intégration (1.), totalise des indications continues. *Appareil, dispositif intégrateur. Calculatrice intégratrice.*

L'*intégrateur* de M. Deprez est un instrument qui, prenant pour base le mode général de construction du planimètre de M. Amsler, de Schaffhouse, jouit maintenant de la propriété de pouvoir fournir, sous une autre forme et en quelques instants, le centre de gravité et le moment d'inertie d'une surface quelconque tracée sur un plan. 1
L. FIGUIER, l'Année scientifique et industrielle 1878, p. 467 (1877).

Théoriquement, les possibilités cérébrales des dispositifs à perforations ou des intégrateurs (généralement associés) peuvent rivaliser avec le travail cérébral de confrontation (...) La supériorité de l'intégrateur électronique sur le fichier repose sur la densité des informations qu'il peut traiter en un temps très court par l'action simultanée de plusieurs centres sélecteurs qui se contrôlent et se corrigent matériellement alors que les fiches les plus denses (20 000 données par fiche, soit 10 000 000 d'éléments pour 500 fiches) exigent une participation directe de l'opérateur et un temps considérablement plus long. 2
A. LEROI-GOURHAN, le Geste et la Parole, t. II, p. 74-75.

INTÉGRATIF, IVE [ɛ̃tegʀatif, iv] adj. — XXe (1933, Lagache, *in* T. L. F.); de *intégrer.*

♦ Didact. Qui vise à l'intégration. *Système, processus intégratif.* — *Capacité intégrative,* d'intégration. «*Les mises en relation intégratives intérieures à* (une discipline) *ou* (la) *reliant à ses voisines*» (J. Piaget, *Épistémologie des sciences de l'homme,* p. 117).

Le conflit est un facteur commun de la santé et de la maladie. En lui-même, le conflit n'est pas pathologique (...) L'orientation du conflit vers ces ajustements intégratifs ou dissociatifs que sont la santé et la maladie est encore à bien des égards mystérieuse. Daniel LAGACHE, la Psychanalyse, p. 58-59 (1955). 1

À cette analyse critique, nous pouvons ici rattacher le singulier tableau de l'*intégration-désintégration* de la société contemporaine. S'intégrer et intégrer, c'est l'obsession des membres de cette société (individus et groupes) et aussi de l'ensemble, pour autant qu'il y ait ensemble, «culture», institutions. Cette obsession n'accompagne ni une capacité intégrative considérable et toujours présente, ni une incapacité complète et une absence d'intégration. Des intégrations partielles ont lieu et moment, alors que l'intégration se veut totale. 2
Henri LEFEBVRE, la Vie quotidienne dans le monde moderne, p. 337.

INTÉGRATION [ɛ̃tegʀasjɔ̃] n. f. — 1700; «rétablissement», 1309; le sens mod. est dérivé de *intégrer,* le moy. franç. empr. au bas lat. *integratio,* de *integratum,* supin du lat. class. *integrare.* → Intégrer.

♦ **1.** (1700). Math. Opération (inverse de la différentiation) par laquelle on détermine la grandeur limite de la somme de quantités infinitésimales en nombre indéfiniment croissant. *Étant donnée une fonction, l'intégration permet de trouver la fonction primitive* (⇒ **Intégrale**) *dont la fonction considérée est la dérivée. L'intégration «fournit... une méthode générale pour déterminer les aires limitées par des courbes»* (Uvarov et Chapman, *Dict. des Sciences*). *Intégration terme à terme. Intégration par parties.*

♦ **2.** Philos. «Établissement d'une interdépendance plus étroite entre les parties d'un être vivant, ou entre les membres d'une société» (Lalande). — Didact., psychol., psychan. Assimilation, incorporation (de nouveaux éléments) à un système psychologique. *Intégration mentale.* — Processus (mal défini) par lequel la personnalité acquiert son unité et son harmonie; équilibre entre les principales forces psychiques (en t. de psychanalyse : ça, moi et surmoi).

0.1 C'est (...) l'intégration qui paraît constituer le critère fondamental de la santé mentale. D'une part, elle représente l'aboutissement de la formation de la personnalité et se fond dans cette qualité si rare qu'est la maturité.
François CLOUTIER, la Santé mentale, p. 58.

0.2 La *maladie mentale* est un essai d'ajustement, une tentative pour régler des problèmes qui n'ont pas pu être réglés d'une manière plus satisfaisante (...) Si ces efforts réussissent, si cet ajustement se fait dans le sens d'un meilleur équilibre entre l'organisme et le milieu, en même temps que d'une pleine réalisation des possibilités de l'être vivant, on est en droit de parler d'une intégration normative ou constructive.
Daniel LAGACHE, la Psychanalyse, p. 58.

Physiol. Coordination des activités de plusieurs organes, nécessaires à un fonctionnement harmonieux.

Inform. *Intégration des données dans un processus de traitement. Intégration de la gestion d'une base de données.* — Processus par lequel on obtient des composants*, des circuits* intégrés. *Faible intégration, moyenne, grande intégration. Densité d'intégration d'un circuit. « La trace la plus sensible des progrès de l'intégration et de la baisse des coûts de fabrication est visible dans le domaine des calculatrices de poche »* (*la Recherche*, nov. 1980, p. 1248).

♦ **3.** (Fin XIXe). Écon. Action d'adjoindre à l'activité propre d'une entreprise les activités qui s'y rattachent dans le cycle de la fabrication des produits (opérations préalables, parallèles ou consécutives). ⇒ **Concentration.** *Intégration verticale ascendante* (entreprise métallurgique exploitant des mines), *descendante* (la même entreprise fabriquant des produits finis). *Entreprises d'État pratiquant l'intégration* (en U. R. S. S. : ⇒ **Combinat**). *Intégration horizontale* (entreprise fabriquant plusieurs variétés de produits tirés de la même matière première). *Pôle d'intégration. Intégration agricole.*

1 On entend par intégration le rattachement à une même unité de production de toutes les opérations qui conduisent de l'obtention de la matière première à la fabrication du produit fini.
Francis PERROUX, Cours d'économie politique, t. II, p. 477.

♦ **4.** (Mil. XXe). Cour. Opération par laquelle un individu ou un groupe s'incorpore à une collectivité, à un milieu. *Intégration politique, sociale, raciale* (s'oppose à *ségrégation*). *L'intégration des Noirs au système d'éducation commun, aux États-Unis.* ⇒ **Assimilation, fusion, incorporation, unification.**

2 Parce que s'il y a des structures économiques, il n'y a pas de sociétés économiques au sens précis de ce terme, l'intégration économique est une idée qui apparaît comme étroitement dépendante de l'intégration politique. Aussi bien, les types d'intégration économique : fédéralisme, unionisme et fonctionnalisme sont-ils des types politiques.
J. ROMEUF, Dict. des sciences économiques, art. *Intégration.*

Hist. Politique par laquelle l'Algérie devait être intégrée à la France.

3 La révolution d'Alger n'était pas moins confuse. On savait mal à Paris ce que signifiait le mot intégration. Soustelle avait dit : c'est le contraire de la désintégration.
MALRAUX, Antimémoires, p. 145.

4 En Algérie, indépendance, intégration, polarisent les passions et les arrière-pensées.
F. MAURIAC, le Nouveau Bloc-notes 1958-1960, p. 111.

DÉR. Intégrationniste.

INTÉGRATIONNISTE [ɛ̃tegʀasjɔnist] adj. et n. — Mil. XXe (1958, Fabre-Luce); de *intégration,* 4.

♦ Polit. Relatif à l'intégration politique ou raciale (spécialt, aux États-Unis). *Manifestations antiracistes et intégrationnistes.*

1 À Selma, toujours dans l'Alabama, où se déroule actuellement une campagne intégrationniste, en faveur du vote des Noirs, neuf jeunes Noirs ont été arrêtés sous des prétextes divers.
J.-M. G. LE CLÉZIO, la Fièvre, p. 15 (1965).

Hist. Relatif à la politique d'intégration de l'Algérie à la France.

N. *Un intégrationniste :* partisan, défenseur de l'intégration politique.

2 De Gaulle parle à la radio. Sa voix nous arrive très lointaine. Alors qu'il avait été porté au pouvoir par les intégrationnistes, le voilà qui proclame l'autodétermination.
Jean LARTÉGUY, les Prétoriens, p. 682.

CONTR. Indépendantiste, sécessionniste, séparatiste. — Ségrégationniste.

INTÈGRE [ɛ̃tɛgʀ] adj. — 1542, «entier»; lat. *integer,* de 1. *in-,* et *tangere* «toucher».

♦ **1.** Vx ou littér. Entier, complet. *« L'aube, cette blancheur juste, sacrée, intègre »* (Hugo, *Dieu, in* T. L. F.) *Une «poitrine intègre»* (Paul Morand, *in* T. L. F.)

♦ **2.** (1671). D'une probité absolue. — (Personnes). ⇒ **Honnête** (cit. 3), **incorruptible, probe, pur; intégrité** (2.). *Juge intègre.* ⇒ **Équitable, impartial, juste** (→ Corrompre, cit. 18). *Ministres, gouvernements intègres* (→ Appétit, cit. 15, Hugo; gouverner, cit. 48).

1 Je m'établis juge entre vous deux (...) Je serai juge intègre, et vous serez pesés tous deux dans la même balance.
LACLOS, les Liaisons dangereuses, LXXIV.

N. *Les intègres.*

(Choses). *Une vertu intègre. Caractère intègre. — Une vie intègre.*

2 Ma vie est intègre, mes mœurs sont pures, mes mains sont nettes.
GIRAUDOUX, la Folle de Chaillot, II, p. 143.

♦ **3.** (Mil. XXe; du sens 1 ou du lat.). Math. *Anneau, domaine intègre,* d'intégrité*.

CONTR. Corrompu, dépravé, déprédateur, malhonnête, prévaricateur, vénal.
DÉR. Intègrement.

INTÉGRÉ, ÉE [ɛ̃tegʀe] adj. ⇒ Intégrer.

INTÈGREMENT [ɛ̃tɛgʀəmɑ̃] adv. — 1867; de *intègre.*

♦ Rare. De façon intègre.

INTÉGRER [ɛ̃tegʀe] v. — Conjug. *céder.* — 1430, «exécuter, faire»; repris 1700 en math., puis déb. XXe; lat. médiéval *integrare* «rendre complet, entier», de *integer, gri.* → Intègre.

♦ **1.** V. tr. (1700). Math. Effectuer l'intégration* de. *Intégrer une fonction,* calculer son intégrale*. — Absolt. *Machine capable d'intégrer.* ⇒ **Intégrateur.**

♦ **2.** (Déb. XXe : 1919, Barrès, *in* T. L. F.). Didact, cour. Faire entrer dans un ensemble en tant que partie intégrante. ⇒ **Assimiler, incorporer.** *Intégrer le conseil de la République dans le Parlement* (→ Député, cit. 5). *Intégrer plusieurs théories dans un système.* ⇒ **Comprendre, inclure.**

Spécialt (écon.). *Une société qui intègre de nombreux secteurs d'activité.*

Pron. *Des idées philosophiques s'intègrent en systèmes* (Académie, 1935). *S'intégrer dans la collectivité* (cit. 1), *dans l'armature d'un État* (→ Hypertrophier, cit. 2). — Au p. p. *Être complètement intégré à, dans un groupe.*

Elle trouve une force dans cet orgueil; elle se sent intégrée dans un organisme (...) 1
J. CHARDONNE, les Destinées sentimentales, p. 192.

(...) le poète peut exprimer cette intuition de l'unanime et aider par là l'individu à s'intégrer dans la collectivité. 2
A. MAUROIS, Études littéraires, J. Romains, t. II, p. 123.

♦ **3.** V. intr. (XXe). Argot scol. Être reçu au concours d'entrée dans une grande école. *Il a intégré major de sa promo. Intégrer à l'École normale, à l'X.*

Et c'est une bonne image de l'avenir qui attend 80 % des grosses têtes qui sortent des classes préparatoires, celles qui n'intégreront jamais X ou H. E. C. À eux les «autres grandes écoles», celles dont on ne parle — presque — jamais. 2.1
Le Nouvel Observateur, no 1002, 20 janv. 1984, p. 59.

▶ INTÉGRÉ, ÉE p. p. adj.

♦ **1.** *Fonction intégrée. — Complexe portuaire intégré. Industries intégrées. Gestion (économique) intégrée.*

S'il y a structure cachée, celle des alibis, elle fait partie intégrée bien que non intégrante du quotidien. 3
Henri LEFEBVRE, la Vie quotidienne dans le monde moderne, p. 222.

♦ **2.** Adj. (Personnes; au p. p. → ci-dessus, cit. 1 et *supra*). *Éléments intégrés et non intégrés. Les populations intégrées. Mal intégré.* — N. *Un, une intégré(e).* ⇒ **Assimilé.**

♦ **3.** Inform. *Traitement intégré* (des données), réalisant automatiquement une série complexe d'opérations. *Gestion intégrée,* dans laquelle une base commune de données peut servir à des applications diverses. — *Composants* intégrés, circuits intégrés. Système intégré à interfaces multiples.*

L'analyse a prouvé que le neurone est étroitement comparable, par ses performances, aux composants intégrés d'une calculatrice électronique. Il est capable comme ceux-ci d'effectuer par exemple toutes les opérations logiques de l'algèbre propositionnelle. 4
Jacques MONOD, le Hasard et la Nécessité, p. 187.

Depuis la naissance des circuits intégrés, dans les années soixante, le coût par fonction réalisée a diminué d'un facteur 10 tous les cinq ans, comme la surface de silicium occupée. 5
la Recherche, nov. 1980, no 116, p. 1248.

CONTR. 1. Détacher.
DÉR. Intégrable, intégrateur, intégratif.
COMP. Désintégrer.

INTÉGRI- Premier élément de mots didactiques, de *integer* «entier». Ex. : *intégrifolié, ée* [ɛ̃tegʀifɔlje]; *intégriforme* [ɛ̃tegʀifɔʀm], adj. (1867, Littré).

INTÉGRISME [ɛ̃tegʀism] n. m. — 1913, *la Pensée catholique contemporaine, in* T. L. F.; de *intégriste.*

♦ **1.** Didact. Doctrine qui tend à maintenir la totalité d'un système (spécialt, d'une religion). ⇒ **Conservatisme.** *Un intégrisme politique.*

♦ **2.** (Plus cour.). Attitude des catholiques qui refusent toute évolution.

Que je me sens étranger, au fond, à la bataille du progressisme et de l'intégrisme. 1
F. MAURIAC, Bloc-notes 1952-1957, p. 307.

(...) je me suis efforcé d'échapper à la tentation de l'intégrisme, qui n'est qu'une solution de paresse, et qui reviendrait à refuser à l'Église le droit de vivre. 2
J. GREEN, Journal, 23 févr. 1971, Ce qui reste de jour, p. 289.

(Dans l'Islam). *« Réveil de l'intégrisme musulman? (...) Ce qui frappe les Européens* (dans les événements d'Iran), *c'est l'appel à la religion religieuse là où, selon leurs conceptions, elle n'a rien à faire»* (*le Monde,* 6 déc. 1978).

CONTR. Progressisme.

INTÉGRISTE [ɛ̃tegʀist] n. et adj. — 1913; dans un sens plus général (de *intègre, intégrité*), 1894; de *intègre,* d'après l'esp. *integrista,* de *integro,* de même orig. que le franç. *intègre.*

♦ **1.** Hist. Membre d'un parti espagnol qui cherchait à soumettre l'État à l'Église.

♦ **2.** Mod. Partisan de l'intégrisme. — Adj. *Thèses intégristes.*

Il me répond qu'au séminaire, seuls les intégristes portent la soutane dans la rue, et sont mal vus. J. GREEN, Journal, 13 janv. 1964, Vers l'invisible, p. 386.

Par anal. *Attitudes intégristes des musulmans iraniens. «Le cheikh Al-Banna est le chef d'un mouvement intégriste religieux»* (J. Ziegler, *Main basse sur l'Afrique,* p. 134).

♦ **3.** Par ext. Partisan de l'intransigeance (notamment dans le domaine politique). *«Jean F., un intégriste de l'U. D. R. (parti gaulliste) a été mis en ballottage»* (*le Nouvel Obs.,* 13 mars 1973).

DÉR. Intégrisme.

INTÉGRITÉ [ɛ̃tegʀite] n. f. — 1320, «virginité»; lat. *integritas* «totalité; caractère intact», de *integer.* → Intègre.

♦ **1.** (Après 1450). État d'une chose qui est dans son entier, complète, intégrale, et, spécialt, intacte, inaltérée. ⇒ **Intégralité, plénitude, totalité.** *L'intégrité d'un tout*, d'un ensemble. Édifice conservé dans son intégrité* (→ Écrouler, cit. 1). *Intégrité d'une œuvre, d'un manuscrit...* (→ Impertinent, cit. 3). — *L'intégrité du territoire. Intégrité d'un organe.* — REM. *Intégrité* est plus qualitatif qu'*intégralité,* réservé généralement à ce qui est mesurable.

1 Si le procédé de la peinture sur lave avait été connu et pratiqué au temps de la Renaissance, nous aurions la *Cène* de Léonard de Vinci dans sa vierge intégrité, aussi fraîche, aussi pure que si le dernier coup de pinceau du maître venait d'y sécher (...) Th. GAUTIER, Souvenirs de théâtre..., p. 286.

2 (...) cette clique de (...) cafards (...) qui livreraient (...) leur propre femme (...) pour conserver l'intégrité de leur peau ou de leurs écus! Léon BLOY, le Désespéré, p. 178.

3 L'intégrité de l'organisme est indispensable aux manifestations de la conscience. L'homme pense, aime, souffre, admire, et prie à la fois avec son cerveau et avec tous ses organes. Alexis CARREL, l'Homme, cet inconnu, IV, VII.

(Choses abstraites). *«L'intégrité de la justice, de la foi...»* (Bossuet). — *Dans son intégrité :* total, absolu. *Honneur* (cit. 6) *dans son intégrité.*

4 (...) ces religieux admirables (...) qui conservent seuls, aujourd'hui dans son intégrité, l'antique tradition des premiers siècles de la foi (...) Léon BLOY, le Désespéré, p. 87.

♦ **2.** Vx. «Qualité d'une personne qui ne se laisse entamer par aucun vice» (Littré). ⇒ **Vertu.** — Spécialt, vx. État de vierge. ⇒ **Virginité.**

5 Ton adorable intégrité,
Ô Vierge mère, ainsi ne souffre aucune atteinte,
Lorsqu'en tes chastes flancs se fait l'union sainte
De l'essence divine à notre humanité. CORNEILLE, Louanges, 217.

6 L'homme (...) encore chaste et dans la première intégrité de ses mœurs. BOURDALOUE, Impureté, I.

♦ **3.** (Déb. XVe, Charles d'Orléans). État d'une personne intègre. ⇒ **Honnêteté, incorruptibilité; probité** (→ Enrichir, cit. 14). *Intégrité d'un juge, d'un ministre. Son intégrité et sa justice* sont parfaites. Tenter, corrompre l'intégrité de qqn* (Académie). *Un homme d'une parfaite intégrité* (→ Homme de bien*, de conscience*). — *Intégrité de la vie, des mœurs...*

7 La probité est un attachement à toutes les vertus civiques. La droiture est une habitude des sentiers de la vertu. L'équité peut se définir par l'amour de l'égalité; l'intégrité paraît une équité sans tache et la justice une équité pratique. VAUVENARGUES, De l'esprit humain, XLV.

♦ **4.** (Mil. XXe; du sens 1 ou du lat.). Math. *Anneau d'intégrité :* anneau commutatif dans lequel le zéro n'a pas de diviseur propre. — *Domaine d'intégrité :* anneau d'intégrité possédant un élément unité.

CONTR. Altération, corruption, malhonnêteté.

INTELLECT [ɛ̃telɛkt] n. m. — 1265; lat. philos. *intellectus,* de *intellectum,* supin de *intellegere* «comprendre».

♦ **1.** Didact. Entendement. ⇒ **Entendement, esprit, intelligence.** — REM. «*Entendement,* chez les philosophes modernes, est surtout un terme psychologique désignant un ensemble d'opérations mentales; *intellect* a toujours une valeur gnoséologique (relative à la théorie de la connaissance) : il marque la "faculté de connaître supérieure" en tant qu'on l'oppose à la sensation et à l'intuition» (Lalande). — *L'histoire* (cit. 24) *produit de l'intellect. Le pouvoir politique vit du sacrifice de l'intellect* (→ Gouverner, cit. 37).

1 La partie raisonnable *(de l'âme)* est celle où est l'intellect, qui, comme un grand capitaine du haut d'un rempart, commande à ses soudards. Les vertus attribuées à l'intellect sont : sapience *(sagesse),* science, prudence, les arts, les connaissances des causes et les notices des principes. RONSARD, Œuvres en prose, Des vertus...

Comme le virtuose du piano ou du violon arrive à (...) acquérir une liberté d'ordre supérieur, ainsi faudrait-il, dans l'ordre de l'intellect, acquérir un art de penser, se faire une sorte de psychologie dirigée (...) VALÉRY, Variété III, p. 286. 2

♦ **2.** (Mil. XIXe). Cour., fam. ⇒ **Esprit.** *Laisser son intellect en friche* (cit. 7). *L'intellect des sots* (→ Fustiger, cit. 4).

Le fou prend le sage en pitié, et dès lors l'idée de sa supériorité commence à poindre à l'horizon de son intellect. BAUDELAIRE, les Paradis artificiels, p. 440 (1860). 3

DÉR. Intellectif.

INTELLECTIF, IVE [ɛ̃telɛktif, iv] adj. — V. 1265; bas lat. *intellectivus,* du lat. class. *intellectum.* → Intellect.

♦ Vx ou didact. Relatif à l'intellect. ⇒ **Intellectuel.** *Faculté, puissance intellective.* — N. f. *L'intellective :* l'entendement.

Il semble que l'on touche ici à une difficulté majeure de l'exécution musicale : faire surgir la nuance d'une zone interne de la musique, et à aucun prix ne l'imposer de l'extérieur comme un signe purement intellectif (...) R. BARTHES, Mythologies, p. 170.

INTELLECTION [ɛ̃telɛksjɔ̃] n. f. — XIIIe (XVe : 1488, selon T. L. F.); bas lat. *intellectio,* du lat. class. *intellectum,* supin de *intelligere.*

♦ Didact. Intellect; acte de l'intellect. ⇒ **Conception.**

(...) je remarque premièrement la différence qui est entre l'imagination et la pure intellection ou conception (...) Si je veux penser à un chiliogone, je conçois bien à la vérité que c'est une figure composée de mille côtés (...) mais je ne puis pas imaginer les mille côtés d'un chiliogone comme je fais des trois d'un triangle (...) DESCARTES, Méditations métaphysiques, VI. 1

Car justement l'intellection se représente bien par la possibilité de telles et telles propositions — l'impossibilité d'autres — ou encore l'impossibilité de comprendre toutes les propositions que l'on peut matériellement former. VALÉRY, Cahiers, t. II, Pl., p. 82. 2

INTELLECTUALISATION [ɛ̃telɛktɥalizasjɔ̃] n. f. — 1894, *in* D. D. L.; de *intellectualiser.*

Didactique ou littéraire.

♦ **1.** Action d'intellectualiser; résultat de cette action. *Une plus grande intellectualisation de l'art* (→ Essai, cit. 23).

L'intellectualisation progressive des sensations aboutit chez l'homme à la perception et à la production réfléchie des rythmes et des valeurs, aux codes dont les symboles ont une signification ethnique, comme ceux de la musique, de la poésie, ou des rapports sociaux. A. LEROI-GOURHAN, le Geste et la Parole, t. II, p. 82.

♦ **2.** Psychan. Mode de résistance qu'un patient oppose à la cure en traitant ses problèmes en termes rationnels et généraux (association de contenus intellectuels aux processus pulsionnels) pour éviter d'aborder les vrais conflits affectifs. ⇒ **Rationalisation.**

INTELLECTUALISER [ɛ̃telɛktɥalize] v. tr. — 1801, Villers (à propos de Kant); de *intellectuel.*

♦ Didact. ou littér. Revêtir d'un caractère intellectuel; élaborer, transformer par l'action de l'intelligence (→ Affectivité, cit. 1). *Théorie, recherches esthétiques tendant à intellectualiser l'art.*

On éprouve, mais ce qu'on a éprouvé est pareil à certains clichés qui ne montrent que du noir tant qu'on ne les a pas mis près d'une lampe (...) on ne sait pas ce que c'est tant qu'on ne l'a pas approché de l'intelligence. Alors seulement quand elle l'a éclairé, quand elle l'a intellectualisé, on distingue, et avec quelle peine, la figure de ce qu'on a senti. PROUST, À la recherche du temps perdu, t. XV, p. 45. 1

Que l'analyse vienne à surprendre sa faiblesse, il conviendra de ne pas se payer du recours à l'affectivité. Mot-tabou de l'incapacité dialectique qui, avec le verbe *intellectualiser,* dont l'acception péjorative fait de cette incapacité mérite, resteront dans l'histoire de la langue les stigmates de notre obtusion à l'endroit du sujet. J. LACAN, Écrits, p. 249. 2

▶ **S'INTELLECTUALISER** v. pron. (1862)

Devenir (plus) intellectuel.

DÉR. Intellectualisation.

INTELLECTUALISME [ɛ̃telɛktɥalism] n. m. — 1851, Amiel; de *intellectuel;* l'angl. *intellectualism* est antérieur.

Didactique ou littéraire.

♦ **1.** Philos. Doctrine qui affirme la prééminence des faits et éléments intellectuels sur ceux de l'affectivité et de la volonté. *L'intellectualisme de Spinoza.*

Aujourd'hui c'est bien autre chose : on ne veut plus d'aucune philosophie rationaliste ou intellectualiste; il est entendu qu'intellectualisme, c'est matérialisme et qu'il n'y a pas de milieu entre matérialisme et philosophie de sentiment ou d'intuition sensible. LACHELIER, Lettre à G. Séailles, 15 oct. 1913. 1

♦ **2.** Tendance à sacrifier la vie et l'instinct aux satisfactions de l'intelligence. ⇒ **Cérébralisme** (→ Concret, cit. 5; grain, cit. 6).

J'ai craint d'abord chez lui un excès d'intellectualisme, — un appétit de tout lire 2 et de tout connaître, — le besoin d'avoir des réponses nettes à toutes les énigmes de l'univers. R. ROLLAND, *in* Deux hommes se rencontrent, 1910-1918, p. 126.

DÉR. Intellectualiste.

INTELLECTUALISTE [ɛ̃telɛktɥalist] adj. et n. — 1853, Amiel; de *intellectualisme.*

♦ **1.** Didact. Marqué d'intellectualisme; partisan de l'intellectualisme. ⇒ **Cérébraliste** (rare). *« La science sera intellectualiste ou elle ne sera pas »* (H. Poincaré). *Théorie intellectualiste de l'émotion, de la volonté. L'erreur intellectualiste* (→ Exister, cit. 5). *Leibniz, philosophe intellectualiste.*

♦ **2.** Plus cour. Marqué d'intellectualisme (2.). — (Personnes). Systématiquement intellectuel. — N. *Un, une intellectualiste.*

Ce que les intellectualistes ne comprennent pas, c'est cela : que l'intelligence n'est accomplie que par la sensibilité et par l'amour.
DANIEL-ROPS, Ce qui meurt..., p. 233.

INTELLECTUALITÉ [ɛ̃telɛktɥalite] n. f. — 1784; de *intellectuel.* Didactique ou littéraire.

♦ **1.** Ensemble des facultés intellectuelles, du domaine intellectuel. *Son intellectualité est exigeante.*

L'intellectualité réfléchie, qui saisit non seulement des rapports entre les phénomènes, mais qui peut en projeter vers l'extérieur un schéma symbolique, est certainement la dernière venue des acquisitions des Vertébrés et on ne peut l'envisager qu'au niveau anthropien.
A. LEROI-GOURHAN, le Geste et la Parole, t. I, p. 153.

♦ **2.** Caractère intellectuel (d'un processus psychique).

♦ **3.** Caractère intellectuel (d'une personne, d'une attitude). *Il est d'une intellectualité exagérée.*

L'intellectuel lui fait *(à l'Anglais)* toujours l'impression d'un acrobate et l'intellectualité possède à ses yeux je ne sais quoi de pathologique.
André SIEGFRIED, l'Âme des peuples, IV, II.

INTELLECTUEL, ELLE [ɛ̃telɛktɥɛl] adj. et n. — 1265; bas lat. *intellectualis,* de *intellectum,* supin de *intellegere.* → Intelligent.

♦ **1.** Qui se rapporte à l'intelligence* (soit au sens large de « connaissance », soit au sens d'« entendement »). ⇒ **Moral, représentatif, spirituel.** *La vie intellectuelle* (→ Hasard, cit. 36). ⇒ **Mental.** *Les phénomènes intellectuels. Forces, facultés* (cit. 3) *intellectuelles* (→ Accorder, cit. 33; fiction, cit. 6; fumer, cit. 18). *La sève intellectuelle de la société* (→ Pomper, cit. 5). *Intuition* intellectuelle. Activité, concentration, effort* (cit. 6, 7 et 9) *intellectuel* (→ Frigidité, cit. 4). *Gymnastique intellectuelle* (→ Approfondir, cit. 12). *La vigueur, la santé intellectuelle de qqn* (→ Cartésien, cit. 1; européen, cit. 2). *Valeur, supériorité, médiocrité intellectuelle. Quotient* intellectuel* (ou *Q. I.*). *Paresse intellectuelle. Le confort* (cit. 2) *intellectuel. Le travail intellectuel* (→ Astreinte, cit.). *Fatigue intellectuelle. Perfectionnement, appauvrissement intellectuel* (→ Franc-maçonnerie, cit. 3; fond, cit. 6; ilotisme, cit. 2). *Carrière* (cit. 20), *entreprise intellectuelle* (→ 1. Général, cit. 3). *Le mouvement intellectuel au XVIe siècle, sous la Restauration.* ⇒ **Idée** (les idées); **idéologique.** *Les origines intellectuelles de la Révolution. La Réforme intellectuelle et morale de la France,* ouvrage de Renan.

1 Nous connaissons notre âme par ses opérations, qui sont de deux sortes : les opérations sensitives et les opérations intellectuelles.
BOSSUET, Traité de la connaissance de Dieu..., I, I.

2 Comme je n'ai jamais douté (...) que nos idées les plus purement intellectuelles, si je puis parler ainsi, ne tiennent de fort près à la conformation de notre corps (...)
DIDEROT, Lettre sur les aveugles, Pl., p. 849.

3 (...) je dus à ma liberté morale ma liberté intellectuelle.
CHATEAUBRIAND, Mémoires d'outre-tombe, II, 1, 13, t. II, p. 50 (éd. Levaillant).

4 Le travail intellectuel n'a toute sa valeur que quand il résulte spontanément du besoin de la nature humaine, exprimé par ce mot : L'homme ne vit pas seulement de pain. RENAN, Questions contemporaines, Œuvres, t. I, p. 223.

5 Que penser des différences intellectuelles entre les humains? Elles aussi dépendent-elles, au moins partiellement de différences héréditaires?
Jean ROSTAND, l'Homme, p. 70.

Spécialt. Où l'intelligence a une part prédominante (et parfois excessive). *L'encens* (cit. 10) *des adorations intellectuelles. Sensations intellectuelles* (→ Étalage, cit. 7). *Immoralisme* (cit. 1) *intellectuel.*

6 La Justice et la Vérité que nous avons tant aimées, à qui nous avons donné tout, notre jeunesse, tout (...) elles n'étaient point des justices et des vérités de livres et de bibliothèques, elles n'étaient point des justices et des vérités conceptuelles, intellectuelles (...) mais elles étaient organiques (...) *une* Justice et *une* Vérité *vivantes.*
Ch. PÉGUY, Notre jeunesse, p. 114.

♦ **2.** (XIXe : 1866, Amiel). Personnes. **a** Qui a un goût prononcé (ou excessif) pour les choses de l'intelligence, de l'esprit; chez qui prédomine la vie intellectuelle. ⇒ **Cérébral.** *Une femme très intellectuelle.*

7 Un homme est du type intellectuel le plus prononcé lorsqu'il ne peut être content de soi que moyennant un effort *intellectuel.* VALÉRY, Analecta, XXXII.

8 Passionnée, sceptique, intellectuelle, analyste au suprême point, pareille à lui, Madame de Charrière a-t-elle été, comme le croyait Sainte-Beuve, la mauvaise conseillère de Constant? Émile HENRIOT, Portraits de femmes, p. 225.

N. *C'est un intellectuel* (→ Intellectualité, cit. 2). *Un caractère d'intellectuel. Songeries d'intellectuel* (→ Assujettir, cit. 16).

b Dont la vie est consacrée aux activités intellectuelles; qui, par fonction sociale, s'occupe de choses intellectuelles. *Les travailleurs intellectuels,* par oppos. aux *travailleurs manuels. Forçats intellectuels* (→ Galérien, cit. 4, Bloy). — N. (Fin XIXe). *Un intellectuel, une intellectuelle, les intellectuels* (→ Aristo, cit. 3; coqueter, cit. 4; dérision, cit. 4; embourber, cit. 4; empyrée, cit. 5; expliquer, cit. 8; glissement, cit. 8; habile, cit. 14). *La classe des intellectuels.* ⇒ **Clerc, mandarin; intelligentsia.** *« (...) l'on* (a) *récemment créé ce mot d' "intellectuels" pour désigner comme une sorte de caste nobiliaire, les gens qui vivent dans les laboratoires et les bibliothèques... »* (Brunetière, av. 1898, à propos de *J'accuse,* de Zola).

Le métier des intellectuels est remuer toutes choses sous leurs signes, noms ou symboles, sans le contrepoids des actes réels. Il en résulte que leurs propos sont étonnants, leur politique dangereuse, leurs plaisirs superficiels. Ce sont des excitants sociaux avec les avantages et les périls des excitants en général. 9
VALÉRY, Rhumbs, p. 125.

L'histoire entière du terrorisme russe peut se résumer à la lutte d'une poignée d'intellectuels contre la tyrannie, en présence du peuple silencieux. 10
CAMUS, l'Homme révolté, p. 188.

Les intellectuels! Quelle basse envie se soulage dans ce vocable devenu une injure, qui, du temps de Dreyfus, servait déjà à ameuter les foules furieuses et qui, hier encore, pour les S.S. et pour les chemises noires, désignait le premier ennemi. 11
F. MAURIAC, Bloc-notes 1952-1957, p. 241.

(1977, in D. D. L.). Abrév. fam., péj. INTELLO. Adj. *Il, elle est intello. Elles sont plutôt intellos.* — N. *Une intello. Des intellos.*

Des souvenirs de militantisme me reviennent : Arlette et Nathalie, debout sur les tables, haranguant les béotiennes du marxisme. C'était les deux intellos du lycée. On leur enviait cet éveil précoce, elles étaient les seules à avoir digéré leur parcours livresque. En classe, Nathalie nous méprisait. Alors, par réflexe, on se moquait, on l'appelait « Simone », en la soupçonnant de singer Beauvoir. 12
Actuel, no 4, févr. 1980, p. 51.

(...) j'suis pas libérée qu'y dit! Paraît qu'j'ai rien compris à Reich, à la révolution sexuelle, à la liberté sexuelle, à la liberté tout court! C'est c'qui dit mon mec, il est fort, intello et tout! Libération, no 294, 26 avr. 1982, p. 28. 13

Par ext. (Groupes, collectivités). *Une société très intellectuelle. Les milieux intellectuels. Un salon intellectuel et mondain.*

Pesquel-Duport croyait au monde intellectuel. Il était de l'époque des salons. Il en souhaitait un. Il ignorait que le palmarès officiel ne porte que les comédiens et les fantoches de l'art, et que ses ouvriers restent dans l'ombre. Il se rêvait une table chargée de fleurs, de cristaux; les femmes les plus élégantes, les hommes les plus illustres autour, et Clémence au milieu, en face de lui. 14
COCTEAU, Thomas l'imposteur, Folio, p. 66.

CONTR. Affectif; corporel, matériel. — Manuel.
CONTR. et COMP. Anti-intellectuel.
DÉR. Intellectualiser, intellectualisme, intellectualité, intellectuellement.

INTELLECTUELLEMENT [ɛ̃telɛktɥɛlmɑ̃] adv. — 1501, *intellectualement;* de *intellectuel.*

♦ Sous le rapport de l'intelligence. *Un enfant intellectuellement très développé, intellectuellement supérieur* (→ Surdoué). *Se fatiguer intellectuellement.*

INTELLIGEMMENT [ɛ̃teliʒamɑ̃] adv. — 1630; de *intelligent.*

♦ **1.** Cour. Avec intelligence, d'une manière qui marque de l'intelligence (→ Filer, cit. 23). *Agir, parler intelligemment. Discuter intelligemment sur un sujet. — Se comporter intelligemment. Il dirige ce journal très intelligemment.*

♦ **2.** Didact. Par l'intelligence, la raison.

CONTR. Bêtement, sottement.

INTELLIGENCE [ɛ̃teliʒɑ̃s] n. f. — V. 1175 au sens I, 1; lat. *intellegentia,* var. de *intelligentia,* de *intellegere* « comprendre ». → Intelligent.

★ **I.** REM. Le mot *intelligence,* dans le langage philosophique, se distingue des notions de *raison* et d'*entendement. Intelligence* désigne un ensemble de fonctions concernant la connaissance ou l'action, éclairée par la spéculation préalable. L'*entendement* n'englobe que les opérations discursives de la pensée. La *raison,* pouvoir d'organisation, mais aussi de discernement du vrai, désigne l'ensemble des principes grâce auxquels l'être humain peut établir des rapports vrais à propos de l'univers. — *Intelligence* se dit de fonctions remarquables par la diversité de leur aspect et l'inégalité de leur développement. L'*entendement* et la *raison* paraissent présenter des caractères d'unité et d'universalité. Du moins n'utilise-t-on ces mots que pour représenter des formes qu'on étudie toujours sous l'aspect idéal de perfection et d'achèvement. Diversité et inégalité des manifestations de l'*intelligence* conduisent parfois à étendre l'usage de ce terme aux animaux (→ ci-dessous, I., 3.) tandis que *entendement* et *raison* sont réservés à des aptitudes proprement humaines.

♦ **1.** Faculté de connaître, de comprendre. ⇒ **Âme, esprit, pensée, raison.** *Sensibilité, désir et intelligence* (→ Adresser, cit. 8; agrandir, cit. 9; atrophier, cit. 7; commander, cit. 36; essayer, cit. 33; filtrer, cit. 5; foi, cit. 38; 2. idéal, cit. 9; impulsion, cit. 10; inclination, cit. 10). *Intelligence et vie active, morale* (→ Animalité, cit. 3; 2. bien, cit. 66; cœur, cit. 169; contrepoids, cit. 5; cultiver, cit. 11; extérioriser, cit. 2). *L'homme* (cit. 11 et 12) *et l'apparition de l'intelligence. L'intelligence «est la faculté de fabriquer des objets artificiels»* (→ Outil, cit. 1, Bergson). *Pouvoirs et limites de l'intelligence humaine* (→ Employer, cit. 1; entendre, cit. 54; ignorant, cit. 14). *Intelligence et folie* (→ Épouvantable, cit. 6; folie, cit. 5). *Le développement de l'intelligence* (→ Architecture, cit. 2; état, cit. 48; friche, cit. 5; hâter, cit. 4; immobilité, cit. 9). *Tests d'intelligence. Niveau d'intelligence mesuré par des tests* (→ Quotient* intellectuel). *Le cerveau*, considéré comme siège de l'intelligence.* — Littér. *De l'intelligence,* ouvrage de Taine (1870). — Myth. *Minerve, déesse de l'intelligence.*

1 Enfin, en adorant Dieu de toute notre âme, confessons toujours notre profonde ignorance sur cette âme (...) Concluons enfin que nous devons employer cette intelligence, dont la nature est inconnue, à perfectionner les sciences (...) comme les horlogers emploient des ressorts dans leurs montres, sans savoir ce que c'est que le ressort. VOLTAIRE, Dict. philosophique, Âme, III.

2 L'intelligence humaine a ses bornes : et non seulement un homme ne peut pas tout savoir, il ne peut pas même savoir en entier le peu que savent les autres hommes. ROUSSEAU, Émile, III.

3 Certainement, l'intelligence, qui nous a donné la domination du monde matériel, n'est pas une chose simple. Nous en connaissons seulement une forme, celle que nous essayons de développer dans les écoles. Mais cette forme n'est qu'un aspect de la faculté merveilleuse faite du pouvoir de saisir la réalité, de jugement, de volonté, d'attention, d'intuition, et peut-être de clairvoyance qui donne à l'homme la possibilité de comprendre ses semblables et son milieu. Alexis CARREL, l'Homme, cet inconnu, IV, II.

3.1 Il est des tâches pour lesquelles un niveau maximum d'intelligence est requis, mais il en est d'autres pour lesquelles on recherche au contraire un niveau minimum : c'est ainsi que telle usine recrute spécialement des débiles mentaux pour l'exécution d'une tache monotone. Jean DELAY, la Psycho-physiologie humaine, p. 104.

L'intelligence d'un homme, d'une femme (→ Entendement, cit. 7; frapper, cit. 21). *Son intelligence est assez vive. Avoir l'intelligence vive, pénétrante, prompte, ouverte, dure, lente, faible, épaisse* (→ Béotien, cit. 1; curieux, cit. 6; enfoncer, cit. 43; exercer, cit. 7; garer, cit. 2; infiniment, cit. 4). *Cultiver* (cit. 11) *son intelligence. Les divers types d'intelligence* (→ Croire, cit. 33). — Par anal. *Intelligence divine* (→ Immanent, cit. 1).

4 La faculté de prédire une éclipse et d'observer la route des comètes semble, si on l'ose dire, tenir quelque chose de la puissante intelligence du grand Être qui les a formées. VOLTAIRE, Dialogues, XXV.

5 J'ai vu peu d'intelligences aussi précoces, plus déliées, plus promptes, plus sensibles que la sienne. La profondeur, chez les Italiens, n'est pas du tout ennemie de la vivacité ni de la verve. VALÉRY, Variété III, p. 136.

♦ **2.** L'ensemble des fonctions mentales ayant pour objet la connaissance conceptuelle et rationnelle (par oppos. à *sensation* et à *intuition*). ⇒ **Abstraction, conception, entendement, idée, intellect.** *Intelligence et intuition* (→ Achever, cit. 14); *intelligence et imagination* (→ Abstrait, cit. 5; aider, cit. 12). *Les abstractions de l'intelligence. L'intelligence discursive* (cit. 1). *Les sens et l'intelligence* (→ Exercer, cit. 3). *La fonction* (cit. 11 et 15) *de l'intelligence* (→ Assembler, cit. 7; 2. équivalent, cit. 5).

6 (...) l'intelligence est caractérisée par la puissance indéfinie de décomposer selon n'importe quelle loi et de recomposer suivant n'importe quel système. BERGSON, Évolution créatrice, p. 158.

7 L'intelligence est donc avant tout une machine à fabriquer des systèmes d'abstraction : non pas seulement des concepts par identification des ressemblances et différenciation des différences, mais un univers de concepts qui s'opposent, se limitent et se complètent (...) non pas seulement des nombres ou des figures, mais l'univers mathématique. Henri DELACROIX, les Grandes Formes de la vie mentale, XIII, Nature de l'intelligence.

♦ **3.** (1636). Didact. Aptitude (d'un être vivant) à s'adapter à des situations nouvelles, à découvrir des solutions aux difficultés qu'il rencontre. *L'intelligence et l'instinct animal* (→ Fluide, cit. 11). *Tendance fabricatrice de l'intelligence humaine* (→ Espace, cit. 6). ⇒ **Industrie.** *L'intelligence pratique de l'enfant, de l'homme. Intelligence des animaux* (avec idée d' «instinct supérieur» ou opposé à *l'instinct*). → Grandeur, cit. 1; hure, cit. 1.

8 Que ceux qui n'ont pas eu le temps et la commodité d'observer la conduite des animaux lisent l'excellent article *Instinct* dans l'*Encyclopédie;* ils seront convaincus de l'existence de cette faculté qui est la raison des bêtes, raison aussi inférieure à la nôtre qu'un tournebroche l'est à l'horloge de Strasbourg; raison bornée, mais réelle; intelligence grossière, mais intelligence dépendante des sens comme la nôtre (...) VOLTAIRE, Dialogues, XXV.

9 (...) l'*intelligence* de l'homme consiste surtout dans son aptitude à modifier sa conduite conformément aux circonstances de chaque cas, ce qui constitue le principal attribut pratique de la *raison.* A. COMTE, Philosophie positive, II, 18.

10 Si les psychologues ne sont guère d'accord sur ce que l'intelligence *est,* ils le sont heureusement davantage sur ce qu'elle *fait,* et sur les circonstances dans lesquelles elle intervient. Elle intervient *lorsque l'individu se trouve aux prises avec une situation nouvelle que ni l'instinct ni l'habitude ne lui permettent de surmonter.* E. CLAPARÈDE, De l'intelligence animale, *in* le Mystère animal, p. 145-146.

11 (...) on connaît d'autres formes d'intelligence, plus primitives que l'intelligence conceptuelle et logique (...) On les rencontre chez les animaux supérieurs, chez le jeune enfant aussi bien que chez l'homme adulte. La psychologie les a groupées sous le terme d'intelligence «sensori-motrice» ou mieux, d'*intelligence pratique.* Gaston VIAUD, l'Intelligence, p. 17-18.

♦ **4.** Cour. (non qualifié ou qualifié par des intensifs : *grand, extrême...*) Qualité de l'esprit (d'une personne) qui comprend et s'adapte facilement; caractère d'une personne intelligente*. ⇒ **Capacité, clairvoyance, discernement, jugement, lumière, pénétration, perspicacité, réflexion.** *L'intelligence de qqn, son intelligence. Une personne qui a de l'intelligence, beaucoup d'intelligence, une grande intelligence.* ⇒ **Intelligent** (→ Bâtir, cit. 36; indéterminé, cit. 2). *Une intelligence au-dessus de l'ordinaire* (cit. 14). *Un «homme d'intelligence»* (Gide, *Dostoïevski*, p. 187). *Cela exige, suppose de l'intelligence* (→ Artisan, cit. 10; esprit, cit. 155; expert, cit. 7; homme, cit. 100). *Adresse, habileté, intelligence exceptionnelle* (cit. 6), *supérieure* (→ Embrasser, cit. 23). *Douter de l'intelligence de qqn* (→ Envelopper, cit. 31). *Faire preuve d'intelligence. Un minimum d'intelligence. Agir, remplir une tâche avec intelligence* (→ Commander, cit. 34; 1. fort, cit. 10).

(...) celui qui devait être le plus intelligent des poètes, pendant longtemps, n'a pas eu tant d'intelligence que d'énergie. André SUARÈS, Trois hommes, «Ibsen», p. 132.

Elle avait de grandes qualités, malgré ses travers : elle était douée d'une intelligence pratique assez vive, d'une ténacité à toute épreuve. MARTIN DU GARD, les Thibault, t. VI, p. 16.

★ **II.** (1370). Être conscient doué de cette faculté. ♦ **1.** Être spirituel (par oppos. à la matière, aux corps. → Atome, cit. 5). *Dieu, la suprême, la souveraine intelligence* (→ Abêtir, cit. 2). *Les intelligences célestes :* les anges. *«L'homme* (cit. 20) *n'est pas une intelligence servie par des organes...»* (Maine de Biran).

Vous supposez un ordre; il faut donc qu'il y ait une intelligence qui ait arrangé cet ordre (...) vous sentez l'impuissance de la matière, et vous êtes forcé d'admettre un être suprême, intelligent, tout puissant, qui a organisé la matière et les êtres pensants. Les desseins de cette intelligence supérieure éclatent de toutes parts, et vous devez les apercevoir dans un brin d'herbe comme dans le cours des astres. VOLTAIRE, Dialogues, VII.

Une intelligence qui, pour un instant donné, connaîtrait toutes les forces dont la nature est animée et la situation respective des êtres qui la composent, si d'ailleurs elle était assez vaste pour soumettre toutes ces données à l'analyse, embrasserait dans la même formule les mouvements des plus grands corps de l'univers et ceux du plus léger atome : rien ne serait incertain pour elle, et l'avenir comme le passé serait présent à ses yeux. L'esprit humain offre, dans la perfection qu'il a su donner à l'Astronomie, une faible esquisse de cette intelligence. LAPLACE, Essai philosophique sur les probabilités, p. 3-4.

♦ **2.** (1598, *in* D. D. L.). *Une, des intelligences.* Être humain en tant qu'être pensant, capable de réflexion. *Le niveau auquel s'élèvent* (cit. 60) *les intelligences de cette époque. La foi* (cit. 47) *qui doit animer toute intelligence généreuse. Les intelligences finies* (→ Art, cit. 37; ignorance, cit. 11).

Personne supérieurement intelligente. Être humain doué d'un certain type ou d'un certain degré d'intelligence. ⇒ **Esprit** (esprit éclairé, d'envergure...). *Fouché était une intelligence claire, audacieuse* (cit. 6). *Il nous regarde comme des intelligences supérieures* (→ Céder, cit. 7; enfanter, cit. 11). *Des intelligences subtiles* (→ Finement, cit. 2). *C'est une belle, une vaste intelligence.* — Absolt. *C'est une intelligence.* ⇒ **Cerveau.**

Mais quelle est donc cette ville où les plus hautes intelligences se sont donné rendez-vous? CHATEAUBRIAND, Mémoires d'outre-tombe, t. VI, p. 190.

(...) l'homme qui avait fait l'exposé qu'on venait d'entendre était peut-être un monsieur que les scrupules n'étouffaient pas (...) mais (...) c'était sûrement une intelligence remarquable et un organisateur de premier ordre. J. ROMAINS, les Hommes de bonne volonté, t. V, XXII, p. 191.

★ **III.** (1559). INTELLIGENCE DE (qqch.) : acte ou capacité de comprendre (qqch.). ⇒ **Compréhension, intellection, perception.** *Avoir l'intelligence de qqch. C'est une chose dont l'intelligence est difficile* (→ Entrelacer, cit. 5; fâcheux, cit. 4). *Notice, notes nécessaires à l'intelligence d'un récit, d'un texte. L'intelligence et la conscience que nous avons de certaines choses* (→ Forme, cit. 56). *Je lui envie son intelligence des affaires. Pour l'intelligence, pour la bonne intelligence de ce qui va suivre, notons que...*

Encore que souvent il *(le premier acte)* ne donne pas toutes les lumières nécessaires pour l'entière intelligence du sujet, et que tous les acteurs n'y paraissent pas, il suffit qu'on y parle d'eux (...) CORNEILLE, Disc. du poème dramatique.

Un jour, dans ma chambre, je lisais Virgile. Je l'avais aimé dès le collège; mais, depuis que les professeurs ne me l'expliquaient plus, j'en avais une meilleure intelligence et rien ne m'en gâtait plus la beauté. FRANCE, la Vie en fleur, XXIII.

Connaissance et maîtrise (d'un objet) ou moyens de l'art. ⇒ **Sens.** *L'intelligence intime du sujet chez Delacroix* (→ Entrailles, cit. 10, Baudelaire). *Daumier révéla une intelligence merveilleuse du portrait* (→ Exagérer, cit. 8, Baudelaire). *L'intelligence de certains effets de lumière, des valeurs. Auteur qui n'a pas l'intelligence de la scène, du dialogue.*

Voilà ce que produit l'affectation outrée et mal entendue de pyramider, quand elle est séparée de l'intelligence des plans. Or il n'y a ici nulle intelligence, nulle distinction de plans. DIDEROT, Salon de 1765.

★ **IV.** (V. 1500, Commynes; au plur. ou en expr.). Action de s'entendre mutuellement; résultat de cette action.

♦ **1.** Vieilli ou littér. Communication, correspondance entre des personnes qui s'entendent, se concertent, généralement en secret, et dans un but qu'elles n'avouent pas ouvertement. ⇒ **Accointance, amitié, collusion, complicité, connivence, entente.** *Il y a de l'intelligence entre eux* (Académie). — **D'INTELLIGENCE.** *Être d'intelligence avec qqn pour faire qqch. Agir d'intelligence avec qqn.* ⇒ **Concert.** *Faire à qqn des signes d'intelligence* (→ Amuser, cit. 17). *Air, regards, sourire d'intelligence.*

(...) je vous ai crus tous deux d'intelligence (...) RACINE, Britannicus, IV, 3.

2 Forestier, souriant et sérieux (...) échangeait avec sa femme des regards d'intelligence, à la façon de compères accomplissant ensemble une besogne difficile et qui marche à souhait.
MAUPASSANT, Bel-Ami, p. 35.

Fig. État de compréhension intime et intuitive à l'égard de qqch.

3 Les maîtres seuls sont d'intelligence avec la nature; ils l'ont tant observée, qu'à leur tour ils la font comprendre.
E. FROMENTIN, Un été dans le Sahara, p. 73.

♦ **2.** (Mod., au plur.). Relations, ou complicités secrètes entre personnes que les circonstances placent dans des camps opposés. *Avoir, entretenir* (cit. 4) *des intelligences avec l'ennemi, des intelligences secrètes.* ⇒ **Correspondance.** *Avoir des intelligences dans la place**, dans la ville forte qu'on assiège, et, fig., dans un groupement, une société d'accès difficile si on ne dispose de relations, de recommandations. *Avoir, se ménager des intelligences dans une maison.* → Épuiser, cit. 6.

4 (...) un jeune homme (...) fut envoyé par les Chouans, de Bretagne à Saumur, afin d'établir des intelligences entre certaines personnes de la ville ou des environs et les chefs de l'insurrection royaliste.
BALZAC, la Muse du département, Pl., t. IV, p. 100.

5 Avaient-ils acheté la discrétion du garde de nuit, des veilleurs? Avaient-ils des intelligences avec quelqu'un dans le village? C'est probable.
Valery LARBAUD, Fermina Marquez, V.

♦ **3.** (1638). **EN (bonne, mauvaise...) INTELLIGENCE.** Union, conformité de sentiments. ⇒ **Accord, entente.** *Ils vivent en bonne, en parfaite intelligence.* ⇒ **Concorde** (→ Bruit, cit. 36). *Entretenir l'union et la bonne intelligence* (→ État, cit. 92). *Voisins qui vivent depuis longtemps en mauvaise intelligence.*

6 (...) je ne pus souffrir (...) de les voir si bien ensemble (...) et je me figurai un plaisir extrême à pouvoir troubler leur intelligence (...)
MOLIÈRE, Dom Juan, I, 2.

7 (...) je vous remets votre épouse, en vous protestant qu'elle a toujours tenu une conduite irréprochable; vivez ici avec elle en bonne intelligence.
A. R. LESAGE, Gil Blas, X, IX.

CONTR. Abrutissement, ânerie, aveuglement, bêtise, idiotie, imbécillité, ineptie, inintelligence, stupidité. — Incompréhension. — Mésintelligence, désunion, dissension.
DÉR. Intelligentiel.

INTELLIGENT, ENTE [ɛ̃teliʒɑ̃, ɑ̃t] adj. — 1488; «qui est expert dans un art, le connaît bien», 1420; lat. *intellegens, intelligens,* de *intellegere* «comprendre», de *inter-,* et *legere* «recueillir» et «lire». → Intelligence.

♦ **1.** Qui a la faculté de connaître et de comprendre (⇒ **Intelligence**). *Les êtres intelligents.* ⇒ **Pensant.** *L'Être suprême, intelligent, infini...* (→ Cause, cit. 4; esprit, cit. 28). *L'homme, être intelligent.* ⇒ **Pensant** (→ Conscience, cit. 14; gnostique, cit. 1). *«Tout obéit dans ma machine à ce principe intelligent»* (La Fontaine; → Agent, cit. 2). *Le monde, animé et intelligent, selon Pythagore* (→ Éther, cit. 1).

Je ne sais si nous avons raisonné jusqu'ici bien ou mal; mais je sais que nous avons raisonné, et que nous sommes tous les trois des êtres intelligents : or des êtres intelligents ne peuvent avoir été formés par un être brut, aveugle, insensible; il y a certainement quelque différence entre les idées de Newton et des crottes de mulet. L'intelligence de Newton venait donc d'une autre intelligence.
VOLTAIRE, Dialogues, XXIV, XVII.

♦ **2.** (Personnes). Qui est, à un degré variable, doué d'intelligence* (I., 2.). *Un enfant très intelligent. Il, elle est vraiment intelligent(e).* → (fam.) Il, elle a oublié d'être bête*. *Des hommes intelligents, supérieurement intelligents* (→ Approcher, cit. 21; arriver, cit. 40; énoncer, cit. 4; façonner, cit. 16). ⇒ **Aigle.** *Être peu, médiocrement intelligent* (→ N'avoir pas inventé la poudre*, le fil* à couper le beurre). *Esprit intelligent.* ⇒ **Beau** (belle intelligence), **brillant** (→ Foisonner, cit. 7; gravure, cit. 3). *Plus, moins intelligent que...* (→ Exquis, cit. 13; haine, cit. 19). *Élève, soldat, agent* (cit. 6), *employé intelligent.* ⇒ **Adroit, astucieux, capable, clairvoyant, entendu, éveillé,** 1. **fort, habile, ingénieux, malin, perspicace, sagace** (→ Allant, cit. 3; engager, cit. 17; honteux, cit. 13). — *Population, société, administration, autorités... intelligentes* (→ Grand, cit. 53). — *Être intelligent dans les affaires, dans les finances* (→ Gros, cit. 22, Voltaire). *Être intelligent en... «Être intelligent c'est au premier chef, être méfiant»* (cit. 2).

(...) quand le peuple sera intelligent, alors seulement le peuple sera souverain (...)
HUGO, Littérature et philosophie mêlées, 1834, VII.

Les gens disent : «Il est intelligent», parce que vous êtes de leur avis.
J. VALLÈS, le Bachelier, p. 65.

Nous savons trop ce que c'est que les paroles d'un orateur de talent, d'un littérateur intelligent. Un militaire intelligent, il nous semble que c'est peut-être une nouvelle sorte d'intelligence, que nous ne connaissons pas, et dont la révélation nous donnera une sensation nouvelle, qu'elle ne doit pas être aussi verbale.
PROUST, Jean Santeuil, Pl., p. 653.

Intelligente, elle l'était des pieds à la tête. Sa beauté même — ses gestes, ses mouvements, ses traits, les plis de ses lèvres, ses yeux, ses mains, sa maigreur élégante, — était le reflet de son intelligence; son corps était modelé par son intelligence; sans son intelligence, elle eût paru laide.
R. ROLLAND, Jean-Christophe, La révolte, p. 426.

Il y a longtemps que je suis las d'entendre dire que l'un est intelligent et l'autre non. Je suis effrayé, comme de la pire sottise, de cette légèreté à juger les esprits.
ALAIN, Propos, 25 avr. 1921, Fruits de la confiance.

(...) être intelligent, c'est comprendre, c'est entendre. Ce n'est pas seulement comprendre les idées, les choses, les faits qui rentrent dans votre tempérament, dans vos habitudes d'esprit, etc., c'est comprendre également les idées, les choses, les faits qui vous sont différents, contraires, et les plus divers (...) être intelligent, c'est, après connaître exactement sa propre façon de sentir et de penser, pouvoir encore se prêter à toutes les autres.
Paul LÉAUTAUD, Journal littéraire, 11 févr. 1906.

(Animaux). Qui se comporte avec adresse, vivacité, manifeste des traits (mémoire, etc.) assimilés à l'intelligence. *Ce chien est remarquablement intelligent.*

♦ **3.** (Choses). Qui dénote de l'intelligence. *Visage, regard, œil intelligent* (→ Bordée, cit. 4; cacher, cit. 20, Balzac). *Un front intelligent. Comportement, conduite, procédés intelligents* (→ Habitude, cit. 42). *Un choix, un goût intelligent* (→ Former, cit. 9, Gautier). *Un farniente* (cit. 3) *intelligent. Une imitation* (cit. 12) *intelligente. Réponse intelligente. Ça, c'est intelligent!* ⇒ 1. **Fort, malin.** *Ce n'est pas très intelligent de sa part.*

De toutes les dispositions de l'esprit en effet, celle qui est la moins intelligente, c'est l'ironie. 7
SAINTE-BEUVE, Chateaubriand, t. I, p. 160.

Court de taille, les épaules épaisses, le visage décidé, les yeux clairs et intelligents, Rambert portait des habits de coupe sportive et semblait à l'aise dans la vie. 8
CAMUS, la Peste, p. 22.

CONTR. Abruti, âne, bête, borné, bouché, bourrique, brutal, bûche, butor, déraisonnable, faible, fou, imbécile, inepte, inintelligent, sot, stupide.
DÉR. Intelligemment.

INTELLIGENTIEL, IELLE [ɛ̃teliʒɑ̃sjɛl] adj. — 1832, Balzac; de *intelligence.*

♦ Didact. et vx. Relatif à l'intelligence. ⇒ **Intellectuel.** *«Qualités intelligentielles»* (Goncourt).

INTELLIGENTSIA ou INTELLIGENTZIA [ɛ̃teliʒɛntsja] n. f. — 1920; mot russe, «intelligence», 1901; au sens 2 par l'angl. (1916).

♦ **1.** Hist. La classe des intellectuels, dans la Russie tsariste. *Le mouvement nihiliste a recruté la plupart de ses adeptes dans les rangs de l'intelligentsia.*

♦ **2.** Les intellectuels (dans un milieu, un pays, un groupe humain).

(...) à travers *(ces personnages de A. Huxley)* apparaissent les croyances, les réactions sentimentales, les ridicules d'une certaine intelligentsia britannique aux environs de 1926. 1
A. MAUROIS, Trad. Aldous HUXLEY, Contrepoint, Préface (1930).

Renaud venait de se convertir sinon à l'intelligence, du moins à «l'intelligenzia». 2
Paul MORAND, Bouddha vivant, p. 15.

INTELLIGIBILITÉ [ɛ̃teliʒibilite] n. f. — 1712, Fénelon; de *intelligible.*

♦ **1.** Didact. Caractère de ce qui est intelligible, saisi par l'intelligence.

(...) le monde qu'elles *(les essences métaphysiques)* constituent est bien pour nous le monde de l'intelligibilité (...)
Jacques MARITAIN, Réflexions sur l'intelligence, De la vérité, VI.

♦ **2.** Littér. Caractère de ce qui est (plus ou moins) intelligible. *L'intelligibilité de qqn* (→ Honneur, cit. 62). *L'intelligibilité d'un raisonnement, d'un discours.*

Spécialt. *Intelligibilité vocale, phonétique.* — Ling., inform. Caractère d'un message qui peut être compris (décodé) par un récepteur.

CONTR. Inintelligibilité.

INTELLIGIBLE [ɛ̃teliʒibl] adj. — 1265; lat. *intellegibilis,* de *intellegere* «comprendre». → Intelligent.

♦ **1.** Philos. Qui ne peut être connu que par l'intelligence* (I., 1.), par l'entendement, et non par les sens (opposé à *sensible*). *Le monde intelligible. Ce que les choses comportent d'intelligible* (→ Idée, cit. 2). *Des choses purement intelligibles* (→ Apercevoir, cit. 10). *«Ce qui est inintelligible, c'est que le monde soit intelligible»* (Einstein).

Notre intelligence tient dans l'ordre des choses intelligibles le même rang que notre corps dans l'étendue de la nature. 1
PASCAL, Pensées, II, 72.

(...) pour les philosophes anciens, le monde intelligible était situé en dehors et au-dessus de celui que nos sens et notre conscience aperçoivent (...) 2
H. BERGSON, la Pensée et le Mouvant, p. 146.

L'idéalisme cartésien faisait table rase du monde des qualités sensibles et lui substituait un univers intelligible (...) 3
Léon BRUNSCHVICG, Relation entre mathématique et physique, 1923.

N. m. *Le sensible et l'intelligible. Un intelligible.*

Le phénomène relatif au rêveur tend à engendrer un intelligible. 3.1
VALÉRY, Cahiers, t. II, Pl., p. 131.

♦ **2.** (1521). Cour. Qui peut être compris, qui est (plus ou moins) aisé à comprendre. ⇒ **Accessible, clair, compréhensible, facile, limpide, net.** *Texte peu intelligible. Propositions, passages clairs et intelligibles* (→ Amphithéâtre, cit. 3; axiome, cit. 1). — *Intelligible à... Intelligible à tous, aux seuls initiés* (→ Ésotérique, cit. 3; fresque, cit. 7). *Rendre une chose intelligible à qqn.* ⇒ **Éclaircir, expliquer** (→ Collection, cit. 1). — *Poésie, théorie difficilement, à* *peine intelligible.* — (Personnes). Qui se fait comprendre (en général par le langage). *Orateur, auteur très intelligible, peu intelligible. — Il n'est pas intelligible à tous.*

4 Pourquoi est-ce que notre langage commun, si aisé à tout autre usage, devient obscur et non intelligible en contrat et testament (...)
MONTAIGNE, Essais, III, XIII.

5 (...) la parole, qui est le plus intelligible de tous les signes.
MOLIÈRE, le Mariage forcé, 4.

6 J'avais commencé dès Lyon à ne plus guère entendre le langage du pays, et à n'être plus intelligible moi-même. RACINE, Lettres, 13, 11 nov. 1661.

7 Et l'entrecroisement des signes et des chiffres (...) lui devenait de moins en moins intelligible : grimoires fermés, traités de choses occultes. LOTI, Matelot, XXIII.

♦ **3.** (1538). Qui peut être distinctement perçu par l'ouïe. *Répétez, vous parlez de façon peu intelligible.*

8 (...) nous avons souvent ouï (...) la voix de l'esprit immonde, certainement basse, faible et petite, toutefois bien articulée, distincte et intelligible (...)
RABELAIS, le Quart livre, LVIII.

9 Il avait articulé ces dernières phrases d'une haleine, en baissant la voix, et avec une telle vélocité que, pour beaucoup de ces étrangers, elles avaient été mal intelligibles. MARTIN DU GARD, les Thibault, t. V, p. 84.

Loc. *À haute et intelligible voix.*
(Personnes). *Il a la voix cassée, il est à peine intelligible.*

CONTR. Sensible, inintelligible.

INTELLIGIBLEMENT [ɛ̃teliʒibləmɑ̃] adv. — 1521; de *intelligible.*

♦ D'une manière intelligible. *S'exprimer* (cit. 41) *intelligiblement.* ⇒ **Clairement.**

(...) pour m'expliquer plus intelligiblement (...)
MOLIÈRE, la Comtesse d'Escarbagnas, 4.

CONTR. Obscurément.

INTELLO [ɛ̃telo] n. ⇒ **Intellectuel** (2., *supra* cit. 12).

INTEMPÉRANCE [ɛ̃tɑ̃peʀɑ̃s] n. f. — 1361; du lat. *intemperentia; de intemperans, antis.* → Intempérant.

♦ **1.** Vieilli. Manque de tempérance, de modération. ⇒ **Abus, excès.** *Génie qui se manifeste avec intempérance* (→ Bicoque, cit. 4). *Intempérance de... Intempérance de la langue, qui empêche de se taire* (→ Babil, cit. 2). *Intempérance de jugement* (→ 1. Garde, cit. 30, *d'imagination* (cit. 13). *Intempérance de lecture* (Fléchier), *de savoir* (La Bruyère), *de travail* (Académie). — Spécialt. Liberté* excessive dans l'expression. *Intempérance de langage, de langue* (Diderot), *de plume* (Saint-Évremond).

1 Toute intempérance est vicieuse, et surtout celle *(l'excès du vin)* qui nous ôte la plus noble de nos facultés. ROUSSEAU, Lettre à d'Alembert.

2 À la Convention, l'intempérance de langage était de droit. Les menaces volaient et se croisaient dans la discussion comme les flammèches dans l'incendie.
HUGO, Quatre-vingt-treize, II, III, I, X.

♦ **2.** (1553). Mod. Abus des plaisirs de la table (⇒ **Gloutonnerie, gourmandise**) ou des boissons, de l'alcool (⇒ **Ivrognerie**). → Aliment, cit. 1; corrompre, cit. 3.

3 Il faut que le corps ait de la vigueur pour obéir à l'âme (...) Je sais que l'intempérance excite les passions; elle exténue aussi le corps à la longue; les macérations, les jeûnes, produisent souvent le même effet par une cause opposée.
ROUSSEAU, Émile, I.

4 Miss Edith avait été touchée des remords d'Arthur Rance et de sa persistance à ne plus boire que de l'eau. Elle avait appris que les mauvaises habitudes d'intempérance de ce gentleman n'avaient été prises qu'à la suite d'un désespoir d'amour, et cette circonstance lui avait plu par-dessus tout.
G. LEROUX, le Parfum de la dame en noir, p. 118.

(1551). Abus des plaisirs sexuels. — REM. Le mot, comme *débauche,* est utilisé soit de manière indifférenciée, soit, selon les contextes, avec une valeur précise (→ cit. 4, ci-dessus).

CONTR. Mesure, modération, tempérance. — Chasteté, continence. — Frugalité, sobriété.

INTEMPÉRANT, ANTE [ɛ̃tɑ̃peʀɑ̃, ɑ̃t] adj. — 1552; lat. *intemperans,* de 1. *in-,* et *temperans,* p. prés. de *temperare.* → Tempérer.

♦ **1.** Vx. Qui manque de tempérance, de modération. *Un homme intempérant. Esprit intempérant* (Saint-Évremond). — Mod. Excessif, abusif. *Faire un usage intempérant de...* ⇒ **Immodéré** (→ Espèce, cit. 19).

1 C'était une femme assez grande, belle encore, malgré les poudres et les crèmes dont elle faisait un usage intempérant.
G. DUHAMEL, Chronique des Pasquier, II, VI.

2 Hilda, toute à son poète et les yeux au plafond, ne s'apercevait même pas de la gaieté intempérante de mes sœurs qui riaient ouvertement.
J. GREEN, Journal, 14 déc. 1959, Vers l'invisible, p. 166.

♦ **2.** Qui abuse des plaisirs de la table, et, en particulier, de la boisson. *Homme incontinent* (1. Incontinent, cit. 1) *et intempérant.* ⇒ **Gourmand, ivrogne.** — N. (surtout n. m.). *Un intempérant* (→ 1. Continent, cit. 1, Pascal); (spécialt) ivrogne.

3 La police prend en charge l'intempérant, un policier le reconduit à son domicile et pousse la complaisance jusqu'à lui ouvrir sa propre porte lorsque manifestement le trou de la serrure devient difficile à repérer, puis le serviteur de l'ordre prend congé de son client en le félicitant. Usage judicieux du panier à salade!
R. FRISON-ROCHE, Nahanni, p. 54.

Qui abuse des plaisirs de la chair; débauché, luxurieux.

CONTR. Modéré; continent, sobre, tempérant.

INTEMPÉRÉ, ÉE [ɛ̃tɑ̃peʀe] adj. — 1560; «humide, froid» (de l'air), 1534, Rabelais; lat. *intemperatus,* de 1. *in-, et temperatus* «tempéré».

♦ Vx. Qui n'est pas modéré, tempéré.

INTEMPÉRIE [ɛ̃tɑ̃peʀi] n. f. — 1534; du lat. *intemperies* «excès, dérèglement, intempérie», de *temperies* «mélange, équilibre», de *temperare* (→ Tempérer), de *tempus* «temps».

♦ **1.** Vx. Manque de régularité. ⇒ **Dérèglement.** *« L'intempérie de vos entrailles »* (Molière, *le Malade imaginaire,* III, 5), *« de votre sang »* (Mme de Sévigné, 782, 16 févr. 1680), *des humeurs.* — Fig. *L'intempérie des passions.*

Il faudrait une nourrice aussi saine de cœur que de corps : l'intempérie des passions peut, comme celle des humeurs, altérer son lait (...) ROUSSEAU, Émile, I.

Vx. Dérèglement dans les conditions atmosphériques. *L'intempérie de l'air, des éléments, des saisons* (→ Fièvre, cit. 2, Voltaire).

Il est comme un homme qui serait nu (...) et qui (...) aurait à lutter avec l'intempérie des éléments qui troublent perpétuellement ce bas monde.
SAINTE-BEUVE, Causeries du lundi, 29 avr. 1850.

♦ **2.** (1794, cit. 3; avec infl. de *tempus* «temps»). Mod. (Absolt et au plur.). *Les intempéries :* les rigueurs du climat. ⇒ **Temps** (mauvais temps). *Être exposé aux intempéries. Lutter contre le froid, l'humidité, les intempéries* (→ Aménagement, cit. 2). *À l'abri des intempéries* (→ Habitat, cit. 4).

(...) ce village était sujet en hiver à de grandes intempéries, et surtout à des tourbillons de vent que l'on nomme tourmentes.
H. DE SAUSSURE, Voyage dans les Alpes (1794), t. VIII, p. 130, *in* POUGENS.

Et quelle redingote! je croyais qu'il n'y avait que Poiret capable d'en montrer une semblable après dix ans d'exposition publique aux intempéries parisiennes.
BALZAC, les Employés, Pl., t. VI, p. 1055.

Enfin, les froids cessèrent. Il y eut des pluies, des rafales mêlées de neige, des giboulées, des coups de vent, mais ces intempéries ne duraient pas. 4.
J. VERNE, l'Île mystérieuse, t. I, p. 294.

C'est un joli brouillard!... Soyons courageux!... Et puis, c'est dans les intempéries que l'effort a du goût (...) J. CHARDONNE, les Destinées sentimentales, p. 239.

INTEMPESTIF, IVE [ɛ̃tɑ̃pɛstif, iv] adj. — 1474; rare jusqu'à la fin du XVIIIe; du lat. *intempestivus,* de 1. *in-,* et *tempestivus* «qui arrive à temps», de *tempus* «temps».

♦ **1.** Littér. Qui se produit à contretemps, n'est pas fait à propos.

Le maréchal, repoussé *(par l'empereur qui refusa son plan),* se tut, puis il retourna à son poste, en murmurant contre une prudence intempestive, à laquelle il n'était pas accoutumé, et qu'il ne savait à quoi attribuer.
Ph.-P. SÉGUR, Hist. de Napoléon, VII, 7.

♦ **2.** Qui est hors de propos, choque ou étonne, gêne. *Démarche, demande intempestive. Question intempestive* (⇒ **Indiscret**). *Joie, gaieté intempestive; rires intempestifs.* ⇒ **Déplacé, importun, inconvenant.**

Le taureau furieux se débarrassa, comme il put, de cet ornement intempestif, et fit voler en l'air l'innocente étoffe qu'il piétina avec rage (...)
Th. GAUTIER, Voyage en Espagne, p. 56.

Un jour, pour exécuter un ordre qui semblait tomber dans le vide, Simon ouvrit une boîte de compresses, mais il l'ouvrit maladroitement et en souilla le contenu. Le docteur qui, jusque-là, trépignait, dit soudain, d'une voix glacée : — Pas de zèle intempestif, je vous prie! G. DUHAMEL, Salavin, VI, IX.

Concentrés qu'ils étaient sur leurs préoccupations, nos problèmes particuliers leur paraissaient intempestifs. Ch. DE GAULLE, Mémoires de guerre, t. I, p. 123.

CONTR. Convenable, opportun.

DÉR. Intempestivement, intempestivité.

INTEMPESTIVEMENT [ɛ̃tɑ̃pɛstivmɑ̃] adv. — 1555; de *intempestif.*

♦ Littér. D'une manière intempestive. *Couper intempestivement la parole à qqn* (→ Harangue, cit. 4).

INTEMPESTIVITÉ [ɛ̃tɑ̃pɛstivite] n. f. — 1791; bas lat. *intempestivitas, de intempestivus.* → Intempestif.

♦ Didact., rare. Caractère de ce qui est intempestif.

INTEMPORALITÉ [ɛ̃tɑ̃pɔʀalite] n. f. — XXe (1933, Malègue, *in* T.L.F.); de *intemporel.*

♦ Didact. Caractère de ce qui est intemporel. *L'intemporalité de l'art.*

La VICTOIRE DE SAMOTHRACE (...) surgit hors du temps, plus proche des ébauches de Michel-Ange et du BALZAC de Rodin que d'aucune statue grecque; et l'absence de tête, qui lui donne un mouvement sans analogue dans la sculpture antique,

depuis le bas de la draperie jusqu'à la pointe des ailes, confirme cette intemporalité, à quoi elle doit d'être si souvent représentée comme symbole de l'art.
MALRAUX, la Métamorphose des dieux, p. 98.
À moins que cela soit le fait d'avoir vieilli ensemble qui nous fasse ainsi illusion. Mirage d'une intemporalité qui me donne le vertige lorsque je la confronte à la réalité du temps écoulé. Claude MAURIAC, le Dîner en ville, p. 263.

INTEMPOREL, ELLE [ɛ̃tɑ̃pɔʀɛl] adj. — 1794, Pougens; de 1. *in-*, et *temporel*; cf. le lat. impérial *intemporalis*.

Didactique, littéraire.

♦ **1.** Qui, par sa nature, est étranger au temps, ne s'inscrit pas dans la durée ⇒ **Atemporel.** — Par ext. « Ce qui, en tant qu'on le considère dans le temps, y apparaît comme invariable » (Lalande). *Les vérités intemporelles* ⇒ **Éternel.** *Le vrai et le faux sont intemporels* (→ Identité, cit. 17).

♦ **2.** (Par oppos. à ce qui est *temporel, matériel*). Immatériel. *Une lumière intemporelle* (→ Éclairage, cit. 4).

(...) elle sentait monter à elle une odeur qui semblait venir des profondeurs mêmes du sol (...) odeur si destructrice et si intemporelle qu'elle eut l'avant-goût et le désir de la dissolution (...) Edmond JALOUX, les Visiteurs, V.

♦ **3.** N. m. (1885, Guyau). *L'intemporel* : le domaine des choses intemporelles (1.).

DÉR. Intemporalité.

INTENABLE [ɛ̃t(ə)nabl] adj. — 1627; de 1. *in-*, et *tenable*.

♦ **1.** Milit. Qui ne peut être défendu*. *Une place forte intenable. Position intenable.*

♦ **2.** Que l'on ne peut tenir* ou soutenir. *Position, situation intenable.* — Par ext. ⇒ **Intolérable.** *Chaleur intenable.*

(...) pouvait-elle n'avoir pas compris qu'elle avait rendu la soirée intenable.
MONTHERLANT, Pitié pour les femmes, p. 44.

♦ **3.** (Mil. XXe). Personnes. Que l'on ne peut faire tenir tranquille, que l'on ne peut maîtriser. *Un enfant, un gamin mal élevé, intenable.* ⇒ **Indocile, insupportable.** *Il, elle est plus intenable que son frère, que sa sœur.* ⇒ **Diable** (adj.), **terrible.**

CONTR. (Du sens 1) **Défendable.** — (Du sens 2) **Supportable.** — (Du sens 3) **Agréable, gentil.**

INTENDANCE [ɛ̃tɑ̃dɑ̃s] n. f. — 1537; de *intendant* ou tiré de l'anc. franç. *superintendence* (1491); lat. médiéval *superintendentia*, de *superintendere* « surveiller ».

♦ **1.** Vx. Commandement, gestion (→ Existence, cit. 3). — Spécialt. Fonction d'intendant* (privé). *Confier à un homme sur l'intendance de ses biens.* ⇒ **Administration.**

Anciennt ou hist. Charge publique d'ordre administratif. ⇒ **Direction.** *L'intendance des bâtiments, des finances, des vivres... Solliciter, obtenir une intendance. Pendant son intendance* : pendant la durée de son intendance.

Attributions d'un intendant. *Cela ne relève pas de son intendance.*

♦ **2.** (1690, Furetière). Hist. (sous l'Ancien Régime). Division territoriale soumise à l'autorité d'un intendant* de province. ⇒ **Généralité,** II. *L'intendance de Flandre, du Roussillon.*

Est-il vrai que M. Pallu a passé de l'intendance de Moulins à celle de Besançon?
VOLTAIRE, Correspondance, 273, nov. 1734.

♦ **3.** (1817). *Intendance militaire,* et, absolt, *intendance* : corps des fonctionnaires militaires préposés à l'administration de l'armée (cit. 14), et, spécialt, au ravitaillement et à l'entretien des troupes (→ argot milit. Riz-pain-sel). *Le service de l'Intendance est subordonné au commandement. Se présenter au concours de l'Intendance.* — Par ext. Bureaux de cette administration. *Se rendre à l'Intendance.*

(V. 1959). Fig. Ensemble des tâches économiques de l'État. — Loc. (1958; phrase attribuée au Général de Gaulle). *L'intendance suivra* : les questions matérielles, économiques seront subordonnées aux décisions politiques. — Par ext. Ensemble des infrastructures d'une société.

Tu te souviens, le stock de conserves de saumon refusé par l'Intendance et racheté en douce, à six sous la boîte, l'un dans l'autre?
BERNANOS, les Grands Cimetières sous la lune, p. 67.

COMP. Sous-intendance.

INTENDANT, ANTE [ɛ̃tɑ̃dɑ̃, ɑ̃t] n. — 1568; de *superintendent* (XVe), lat. médiéval *superintendens, entis,* de *superintendere* « surveiller », de *super,* et *intendere* « étendre » d'où « diriger (sa vue) ».

♦ **1.** N. m. Anciennt ou hist. Haut fonctionnaire, agent du pouvoir royal dans une ou plusieurs provinces et investi d'attributions illimitées quant aux services généraux de son administration. « *Intendants de justice, police, finances, commissaires départis dans les généralités* du royaume pour l'exécution des ordres du roi* » (Lepointe). *Turgot, intendant du Limousin. La puissance démesurée des intendants faisait d'eux les véritables maîtres du royaume* (→ Exaction, cit. 1; gouverner, cit. 29).

(...) on a écrit secrètement une lettre circulaire à tous les intendants du royaume; 1
on leur recommande de traiter les protestants avec une grande indulgence.
VOLTAIRE, Correspondance, 3239, 18 déc. 1767.

(...) toute la bourgeoisie fut tenue sous la terreur d'un arbitraire indéfiniment élas- 2
tique, qui croissait ou baissait à la volonté des commis. Ces commis gouvernèrent en 1637 sous le nom d'*intendants,* armés d'un pouvoir triple de justice, police et finances (...) Un seul roi reste en France (...) c'est l'Intendant, l'envoyé du ministre (...) MICHELET, Hist. de France, t. XIV, XIII.

Titre donné à certains fonctionnaires chargés d'un service ou d'un établissement public. *Intendant du commerce, de la marine. Intendant des bâtiments royaux, du cabinet des médailles* (→ Bibliothécaire, cit.), du garde-meuble (→ Fauteuil, cit. 5). ⇒ **Administrateur.** *Charge d'intendant.* ⇒ **Intendance.**

N. f. (1680). Épouse d'un intendant de province. *Madame l'Intendante de Paris* (Voltaire).

(1752). Supérieure de certains couvents de femmes. *L'intendante d'un monastère.*

♦ **2.** N. m. et f. (Déb. XIXe). Mod. *Intendant militaire :* fonctionnaire du service de l'Intendance*. *Intendant militaire adjoint, intendant militaire de 3e, 2e, 1re classe. Intendant général de 2e, de 1re classe. Officiers d'administration, gestionnaires, commis d'administration placés sous les ordres de l'intendant, chef de service.* — *Intendant universitaire.* ⇒ **Économe.** *L'intendante d'un lycée.*

♦ **3.** N. m. et f. (Vieilli ou hist.). Personne chargée d'administrer la maison, les affaires et les biens d'un riche particulier. ⇒ **Domestique, factotum, régisseur.** → Bout, cit. 16. *Gestion* (cit. 3) *d'un intendant. Elle se repose de tout sur son intendante.*

Par ma foi, Monsieur l'intendant, vous nous obligerez (...) de prendre mon office 3
de cuisinier (...) MOLIÈRE, l'Avare, III, 1.

(...) l'erreur grossière de ces femmes qui se savent bon gré d'épargner une bougie 4
pendant qu'elles se laissent tromper par un intendant sur le gros de toutes leurs affaires. FÉNELON, L'Éducation des filles, XI.

Je devins l'intendant de la maison; c'était moi qui réglais tout; je recevais l'argent 5
des fermiers; je faisais la dépense, et j'avais sur les valets un empire despotique : mais, contre l'ordinaire de mes pareils, je n'abusais point de mon pouvoir.
A. R. LESAGE, Gil Blas, VII, I.

Et leur vieille intendante, une métisse qu'elles ont fait venir de *là-bas* (...) 6
Valery LARBAUD, Barnabooth, Journal, IV, 22 déc.

COMP. Sous-intendant, surintendant.

INTENDANTE [ɛ̃tɑ̃dɑ̃t] n. f. ⇒ Intendant.

INTENSE [ɛ̃tɑ̃s] adj. — 1265; rare jusqu'à fin XVIIe; du bas lat. *intensus,* proprt « tendu », de *intendere, de in-* locatif, et *tendere* « tendre ».

♦ Qui agit avec force, et, par ext., qui dépasse la mesure ordinaire. ⇒ **Extrême, fort, grand, vif.** *Froid intense. Bruit, son qui se fait plus intense.* ⇒ **Intensifier** (s'). *Lueur, lumière intense.* ⇒ **Cru** (→ Excitation, cit. 13; illuminer, cit. 4). *Couleur intense. Un bleu intense.* ⇒ **Vif** (→ Lapis, cit. Buffon). *La rumeur intense des hannetons* (cit. 2) *en vol. Fièvre intense.* ⇒ **Gros, violent.** *Un feu* (1. Feu, cit. 35) *intense. Fusillade intense. Végétation intense. Circulation intense. Température intense.* ⇒ **Haut.**

On ne saurait rien imaginer de plus radieux, de plus étincelant, d'une lumière plus 1
diffuse et plus intense à la fois. Th. GAUTIER, Voyage en Espagne, p. 264.

Toutefois, ces pensées, qu'elles sortent de moi ou s'élancent des choses, devien- 2
nent bientôt trop intenses. L'énergie dans la volupté crée un malaise et une souffrance positive. Mes nerfs trop tendus ne donnent plus que des vibrations criardes et douloureuses. BAUDELAIRE, le Spleen de Paris, III.

(Abstrait). *Désir intense. Émotion* (cit. 10 et 14), *joie, pitié intense* (→ Atteindre, cit. 25; blêmir, cit. 2). *Plaisir intense.* ⇒ **Complet.** *Sentiment intense* (→ Accablant, cit. 5).

(Temps, durée, vie) :

Et tous les bruits d'une vie intense, innombrable et fougueuse, montent ici pour 3
se confondre (...) LOTI, l'Inde (sans les Anglais), IV, I.

Vous savez, je suis heureuse que le petit soit né à Bâle; là où son père a vécu 4
ses derniers jours; là où, sans doute, il a vécu les heures les plus intenses de sa vie (...) MARTIN DU GARD, les Thibault, t. IX, p. 44.

CONTR. Clairsemé (végétation); **faible.**

DÉR. Intensément, intensif, intensifier, intensité.

INTENSÉMENT [ɛ̃tɑ̃semɑ̃] adv. — 1837, Barbey; *intensement,* attestation isolée, 1390; de *intense.*

♦ D'une manière intense. *Travailler, vivre intensément.*

Mon cœur ne bat que par sympathie; je ne vis que par autrui (...) et ne me 1
sens jamais vivre plus intensément que quand je m'échappe à moi-même pour devenir n'importe qui. GIDE, les Faux-monnayeurs, I, VIII.

L'étrangère se dirige vers le quai : Costals la dépasse, la regarde encore, inten- 2
sément (...) MONTHERLANT, le Démon du bien, p. 176.

INTENSIF, IVE [ɛ̃tɑ̃sif, iv] adj. — XIVe, « excessif »; de *intense.*

♦ **1.** Qui est l'objet d'un effort intense*, soutenu, pour en accroître l'effet, le rendement. *Soumettre un peuple à une propagande inten-*

sive. — Loc. (1859). *Culture* intensive* (par oppos. à *culture extensive**).

1 La culture intensive s'applique à accroître la fertilité naturelle du sol, par l'adjonction d'éléments *mécaniques, chimiques, humains,* qui le rendront apte à donner une production plus abondante, ou plus fréquente, ou de meilleure qualité. Ses caractères sont par suite antithétiques de ceux que présente la culture extensive. 1° *L'étendue territoriale* de l'entreprise agricole *est restreinte* (...) 2° Par unité de superficie, *les dépenses sont élevées* (...) 3° *Le rendement* à l'hectare *est considérable* (...) 4° La culture est *continue.* Jamais la terre ne se repose.
G. PIROU, Traité d'économie politique, t. I, p. 58.

♦ **2.** (1840). Ling. Qui renforce, met en relief la notion exprimée. *Particule intensive. Verbe intensif,* et, n. m., *un intensif. « Fouailler », intensif de « fouetter ».*

♦ **3.** Didact. *Grandeur intensive :* « quantité ou propriété variable, dans laquelle il est possible de distinguer des degrés d'intensité » (Lalande), mais qu'on ne peut ni mesurer par un nombre, ni se représenter par une étendue. *La sensation, grandeur intensive.* — N. m. *L'intensif :* toute grandeur de ce type.

2 C'est esquiver la difficulté que de distinguer, comme on le fait d'habitude, deux espèces de quantité, la première extensive et mesurable, la seconde intensive, qui ne comporte pas la mesure, mais dont on peut dire néanmoins qu'elle est plus grande ou plus petite qu'une autre intensité (...) que peut-il y avoir de commun, au point de vue de la grandeur, entre l'extensif et l'intensif, entre l'étendu et l'inétendu ? H. BERGSON, Essai sur les données immédiates de la conscience, I, p. 2.

CONTR. Extensif.

DÉR. Intensivement.

INTENSIFICATION [ɛ̃tɑ̃sifikasjɔ̃] n. f. — 1893, Durkheim ; de *intensifier.*

♦ Action d'intensifier ou de s'intensifier. *Intensification de la production.* ⇒ **Augmentation, exacerbation, paroxysme.**

Mais comment expliquer que cette cohabitation en moi des extrêmes n'amenât point tant d'inquiétude et de souffrance, qu'une intensification pathétique du sentiment de l'existence, de la vie? GIDE, Journal, 1923, Feuillets, II.

CONTR. Baisse, diminution.

INTENSIFIER [ɛ̃tɑ̃sifje] v. tr. — Conjug. *prier.* — 1868, au p. p. ; de *intense.*

♦ Rendre plus intense* (au prix d'un effort). ⇒ **Augmenter.** *Intensifier le commerce, la culture...* (→ Exotique, cit. 5 ; exposition, cit. 4). — Pron. (passif). Devenir plus intense*. *Propagande qui s'intensifie de jour en jour.*

1 (...) tel végétarien (...) ne peut (...) regarder de la viande sans être pris de dégoût (...) Sa répugnance s'intensifie quand son attention se fixe sur elle (...)
H. BERGSON, les Deux Sources de la morale et de la religion, IV, p. 320.

1.1 Cette production agricole, nous en avons, certes, commencé la réalisation ; les chiffres sont là ; mais il faut l'intensifier sans répit.
L.-H. LYAUTEY, Paroles d'action, p. 405.

2 Notre tâche est (...) de reprendre, en l'intensifiant, le programme ébauché il y a deux ans, à propos de la guerre balkanique (...)
MARTIN DU GARD, les Thibault, t. V, p. 138.

DÉR. Intensification.

INTENSIMÈTRE [ɛ̃tɑ̃simɛtʀ] n. m. — 1968 ; de *intens(ité),* et *-mètre.*

♦ Didact. Dosimètre servant à mesurer l'intensité d'une radiation.

1. INTENSION [ɛ̃tɑ̃sjɔ̃] n. f. — Après 1350, « augmentation » ; en philos., 1377 ; lat. *intensio,* var. de *intentio* « augmentation, intensité ». Didactique (philosophie ancienne) et vieux.

♦ **1.** Qualité (d'une qualité, d'un processus) qui permet de distinguer des degrés d'intensité.

♦ **2.** (Fin XVIe). Force. *L'intension de la fièvre.*

HOM. 2. **Intension, intention.**

2. INTENSION [ɛ̃tɑ̃sjɔ̃] n. f. — XXe ; angl. *intension,* formé comme *extension,* avec le préf. *in-.*

♦ Log. Ensemble des caractères qui permettent de définir un concept (syn. : *compréhension ;* opposé à *extension*). *Définition par intension.*

HOM. 1. **Intension, intention.**

INTENSIONNEL, ELLE [ɛ̃tɑ̃sjɔnɛl] adj. — Mil. XXe ; de 2. *intension,* ou angl. *intensional.*

♦ Didact. (log.). Par l'intension, la compréhension (opposé à *extensionnel*). *Définition intensionnelle.*

HOM. Intentionnel.

INTENSITÉ [ɛ̃tɑ̃site] n. f. — 1740 ; de *intense.*

♦ **1.** Sc., cour. Degré d'activité, de force ou de puissance. *Forte, faible intensité d'un phénomène, d'un processus. Intensité variable. Intensité du son. Intensité lumineuse.* ⇒ **Brillance** (→ Héliogravure, cit.). — *L'intensité d'un éclairage* (cit. 3), *d'une couleur* (→ Impressionner, cit. 6). — Didact. Amplitude d'un phénomène exprimée en valeur numérique. *Intensité d'une force*. Forces parallèles et de sens contraire d'intensité égale.* — *Intensité d'un courant* électrique :* quantité d'électricité traversant un conducteur pendant l'unité de temps (seconde). ⇒ **Ampérage** (cour.). *Mesure de l'intensité du courant électrique.* ⇒ **Ampère ; ampèremètre, galvanomètre.** *Intensité d'un champ magnétique* (unités : *gauss, œrsted*). — *Intensité des échanges* (cit. 16) *chimiques de l'organisme. Intensité d'une contraction musculaire* (→ Gonflement, cit. 3). *Intensité d'une excitation* (cit. 13) *sensorielle, d'une sensation* (→ Couleur, cit. 6). — *L'échelle d'intensité des séismes* (échelle de Mercali).

Le vernis s'attache aux parties sombres et ne s'en détache pas facilement, l'intensité dans les parties noires va donc toujours en s'augmentant (...) 0.
E. DELACROIX, Journal, 29 juil. 1854.

La pluie diminue l'intensité de l'incendie.* ⇒ **Tempérer** (→ Extinction, cit. 2). *Fièvre qui augmente brusquement d'intensité* (⇒ **Aggravation, exaspération, recrudescence**), *atteint un maximum d'intensité* (⇒ **Paroxysme**). *Diminuer d'intensité.*

(La flamme) n'a jamais la même qualité, la même intensité de chaleur que le corps combustible duquel elle s'échappe.
BUFFON, Hist. nat. des minéraux, Introd., II.

♦ **2.** (1745, Diderot ; des sentiments). Caractère de ce qui est intense*. *Regard d'une incroyable* (cit. 11) *intensité.* ⇒ **Acuité, vivacité.** *Le vent perd de son intensité.* ⇒ **Force, violence ; faiblir.** *Intensité dramatique d'un événement.* ⇒ **Amplitude, proportion.** *Intensité d'un sentiment.* ⇒ **Grandeur, véhémence** (→ Humanité, cit. 8). *Intensité d'action* (→ Gauchir, cit. 3).

En l'homme, la Volonté devient une force qui lui est propre, et qui surpasse en intensité celle de toutes les espèces. BALZAC, Louis Lambert, Pl., t. X, p. 448.

Il est une certaine intensité de délices que l'homme peut à peine dépasser et non sans larmes. GIDE, les Nourritures terrestres, p. 60.

Trois crises, d'une extrême violence, venaient d'avoir lieu, coup sur coup, lorsqu'une quatrième se déclara. Elle s'annonçait terrible : tous les phénomènes habituels avec une intensité décuplée. MARTIN DU GARD, les Thibault, t. IV, p. 179.

Je me souviens d'une jeune étudiante, avec un pâle visage où l'intensité du regard brillait comme une conviction. G. BAUER, les Billets de Guermantes, p. 116.

Gramm. *Adverbes d'intensité* (si, tant, tellement...). *Donner plus d'intensité à l'expression.* ⇒ **Renforcer.** — Phonét. Renforcement du son, surtout sensible dans l'émission des voyelles. *Accent** (cit. 1) *d'intensité* (⇒ **Accentuation**).

COMP. Intensimètre. — Surintensité.

INTENSIVEMENT [ɛ̃tɑ̃sivmɑ̃] adv. — 1390 ; de *intensif.*

♦ D'une manière intensive. *Préparer intensivement un examen.*

INTENTER [ɛ̃tɑ̃te] v. tr. — 1355 ; lat. jurid. *intentare* « diriger », fréquentatif de *intendere,* de *in-,* et *tendere* « tendre ».

♦ Dr. Entreprendre contre qqn (une action en justice). ⇒ **Actionner, attaquer, ester** (→ Assistance, cit. 4). *Intenter une action, une accusation à qqn, contre qqn. Son voisin lui intente un procès de bornage* (cit. 2). *Intenter une demande* (→ Fin, cit. 41).

Les médecins qui tenaient pour les anciens intentèrent un procès à ceux qui démontraient la circulation du sang. VOLTAIRE, Singularités de la nature, XXVI.

L'action en nullité ne peut plus être intentée ni par les époux, ni par les parents (...) Code civil, art. 183.

INTENTION [ɛ̃tɑ̃sjɔ̃] n. f. — 1190 ; *entenciun,* 1119 ; *entancion,* 1176 ; lat. *intentio* « action de tendre vers », de *intentum,* supin de *intendere.*

♦ **1.** Le fait de se proposer un but, un résultat. ⇒ **Dessein, idée, projet, propos** (→ Délibérer, cit. 13).

INTENTION (...) Le fait de se proposer un certain but : 1° par opposition aux efforts qu'on fera pour atteindre ce but (...) 2° par opposition aux résultats effectifs de l'action, ou à son caractère matériel ; 3° par opposition à la ligne générale d'action dont cette intention est un effet parmi plusieurs autres.
A. LALANDE, Voc. de la philosophie, art. *Intention.*

L'intention (de qqn). Intention et action (cit. 5 et 6). *Si je vous ai blessé, c'est sans intention,* involontairement. *Pureté d'intention* (→ Adoration, cit. 1). — *Morale de l'intention. Problème de l'intention en morale.* — *Direction d'intention :* attitude d'esprit qui consiste « à rapporter ses actes ou ses paroles à un but leur conférant une valeur morale » (Cuvillier). — Théol. (dans la casuistique des anciens jésuites). → ci-dessous, cit. 2, Pascal.

(...) nous essayons de mettre en pratique notre méthode de *Diriger l'intention,* qui consiste à se proposer pour fin de ses actions un objet permis (...) mais, quand nous ne pouvons pas empêcher l'action, nous purifions au moins l'intention ; et ainsi nous corrigeons le vice du moyen par la pureté de la fin.
PASCAL, les Provinciales, VII.

Il n'y a que l'intention qui oblige ; et celui qui profite d'un bien que je ne veux faire qu'à moi ne me doit aucune reconnaissance.
ROUSSEAU, Julie ou la Nouvelle Héloïse, IV, Lettre X.

Avec les meilleurs intentions, les hommes d'État de ce tempérament font tout le mal possible. FRANCE, Opinions de J. Coignard, Œuvres, t. VIII, p. 322.

5 (...) l'intention n'est pas l'acte même (...) Cela est si vrai que souvent l'intention se substitue à l'acte même, elle devient un moyen de ne pas agir, on s'excuse par l'intention de ne pas avoir fait l'acte.
R. LE SENNE, Traité de morale générale, p. 562-563.

Dr. civ. et pén. *Intention (délictueuse) :* volonté consciente de commettre le fait prohibé par la loi. *Intention de nuire. L'intention en matière de délits** (cit. 8), *de fautes** (cit. 26). ⇒ **Intentionnel.** *Intention qui a précédé l'exécution.* ⇒ **Préméditation.**

Prov. (Dr.). *L'intention est réputée pour le fait :* le but qu'on s'était proposé doit seul être apprécié, du point de vue moral, qu'on l'ait ou non atteint (→ Intention vaut fait). — *C'est l'intention qui fait l'action. Il n'y a que l'intention qui compte, c'est l'intention qui compte. Ça ne fait rien , c'est l'intention qui compte.*

6 (...) l'intention (...) se distingue à la fois de la *simple volonté*, qui porte non pas sur le fait prohibé lui-même, mais seulement sur sa cause efficiente (...) et du *motif* ou *mobile*, but éloigné que le législateur au moins en principe, ne prend pas en considération (...) L'intention, exigée à peu près sans exception en matière de crimes et, dans la plupart des cas en matière de délits correctionnels, ne l'est que très rarement en matière de contraventions de simple police.
H. CAPITANT, Voc. juridique, art. *Intention.*

Une, des intentions; l'intention, les intentions de qqn. Le hasard (cit. 28), *« mécanisme se comportant comme s'il avait une intention »* (Bergson). *Agir avec une intention droite, pure.* ⇒ **Foi** (bonne, mauvaise). *De bonnes intentions* (→ Factieux, cit. 3; glorifier, cit. 1). *Avec les meilleures intentions du monde. Avoir de mauvaises intentions.* ⇒ **Penser** (à mal). → Flambée, cit. 1. *Nourrir des intentions malveillantes.* ⇒ **Intentionné** (être mal). *Intentions secrètes.* ⇒ **Arrière-pensée, calcul, machination.** *Son attitude ne laisse aucun doute sur ses intentions. Vous dénaturez, vous interprétez mal mes intentions. Je connais l'intention qui le pousse.* ⇒ **Cause, mobile, motif.** *Quelles sont vos intentions à son égard?* ⇒ **Disposition.** *Dissimuler, taire, afficher, dire, manifester son intention. Deviner, flairer, voir chez autrui d'obscures intentions* (→ Fleurer, cit. 4). *Scruter, sonder les intentions d'un concurrent* (→ fam. Ce qu'il a dans le ventre*). *Interroger qqn sur ses intentions* (→ Grignoter, cit. 5), *lui attribuer, lui prêter des intentions qu'il n'a pas.* → ci-dessous. *Procès d'intention* (→ Décourageant, cit.). — *Les intentions d'un auteur, d'un artiste,* ce qu'il souhaitait exprimer et transmettre. *Les musiciens ont mal saisi les intentions du compositeur* (cit.). ⇒ **Pensée.** — *Je vous sais gré de cette intention.* — *Intention coupable, frauduleuse* (→ 1. Faux, cit. 53), *généreuse* (→ Incliner, cit. 26), *louable, vaine.* — *Intention de... De vagues intentions de travail.* ⇒ **Velléité.** *Agir dans une intention de paix, de conciliation.* ⇒ **Esprit.** *Intention de vote :* intention exprimée par un électeur de voter (pour tel ou tel candidat). *Intention d'achat :* opinion d'un consommateur sur son comportement futur, en matière d'achats, à l'égard d'un produit. — *Il n'est pas dans mes intentions de* (et inf.). — *Son intention formelle, délibérée, bien calculée, systématique, bien arrêtée...* (→ Épouser, cit. 4). ⇒ **Détermination, résolution.** — *L'intention, une intention de* (et inf.). *Intention expresse* (1. Exprès, cit. 2) *de... Coups et blessures entraînant la mort sans intention de la donner* (→ Délit* præter-intentionnel). — Prov. *L'enfer* est pavé de bonnes intentions :* beaucoup de bonnes résolutions n'aboutissent qu'à un résultat déplorable ou nul.

7 Il est ordinaire de voir les bonnes intentions, si elles sont conduites sans modération, pousser les hommes à des effets très vicieux. MONTAIGNE, Essais, II, XIX.

8 M. de Beaufort n'en était pas jusques à l'idée des grandes affaires : il n'en avait que l'intention. RETZ, Mémoires, II, p. 153.

9 (...) mille intentions ne valent pas un geste; non que les intentions n'aient aucune valeur, mais le moindre geste de bonté, de courage, de justice, exige plus d'un millier de bonnes intentions. MAETERLINCK, la Sagesse et la Destinée, LXI.

10 Que les bonnes intentions ne puissent tenir lieu de génie, c'est à peu près tout ce que j'avais voulu dire (...) GIDE, Attendu que..., p. 43.

Loc. *Avoir l'intention de* (suivi de l'inf.). ⇒ **Entendre, proposer** (se), **vouloir** (→ Courtoisie, cit. 1; enquêter, cit. 3). *Il n'a jamais eu l'intention de partir* (→ Évasif, cit. 3). *Je n'ai pas l'intention de séjourner ici* (→ Grippe, cit. 5). *N'avoir nullement l'intention de...* → N'avoir garde* de. — Loc. prép. *Dans l'intention de* (suivi de l'inf.). ⇒ **Vue** (en vue de). *Le commerce* (cit. 2) *consiste à acheter dans l'intention de revendre* (→ aussi Fatalité, cit. 9). — Loc. prép. *À l'intention de.* ⇒ **Pour.** *Ouvrage à l'intention des enfants. J'ai acheté ceci à votre intention. Organiser une fête à l'intention de qqn.* ⇒ **Honneur** (en l'). *Quête à l'intention des sinistrés.* ⇒ **Profit** (au). — Spécialt. *Prier, dire des messes à l'intention d'un pêcheur, d'un défunt,* pour demander à dieu le salut ou le repos de son âme.

11 (...) c'est une relation que vient de me faire Moreuil, à votre intention, de ce qui s'est passé à Chantilly (...) Mme DE SÉVIGNÉ, 161, 26 avr. 1671.

12 Comment avez-vous pu imaginer, mon cher et illustre maître, que j'aie eu l'intention de vous comparer à Zoïle?
D'ALEMBERT, Lettre à Voltaire, 31 juil. 1762, Œuvres, t. V, p. 92.

13 (..) elles se dépêchaient de toute la vitesse de leurs jambes, qu'entravaient les gaines d'étoffe précieuse (...) Était-ce donc à mon intention, ces toilettes de Péri ou d'Apsara? (...) LOTI, l'Inde (sans les Anglais), III, VIII.

14 Nous savons quel venin le malheureux Sainte-Beuve distillait et mettait en fioles, à l'intention de la postérité, dans les carnets de *Mes poisons.*
Émile HENRIOT, les Romantiques, p. 222.

D'INTENTION. *Faire à qqn un procès d'intention,* l'accuser non par sur ses actes, mais sur des intentions qu'on lui prête → Procès de tendance*.

Didact. (domaine non humain). *Mouvement d'intention :* ébauche de comportement moteur (séquence inachevée mais prévisible).

♦ **2.** Spécialt. *(Une, des intentions; l'intention de...).* Dessein ferme et prémédité. ⇒ **Décision, désir, dessein** (cit. 16), **volonté, vouloir.** *Contrecarrer les intentions de qqn. Avertir qqn de ses intentions. L'intention du gouvernement est de briser* (cit. 9) *la révolte.* — *Déclaration d'intention :* déclaration du gouvernement, définissant les grandes lignes de son programme. *Son intention est que vous partiez demain* (→ aussi Guérir, cit. 10).

(...) c'est lui qui a provoqué le duel : et mon intention est que vous en rendiez plainte sur-le-champ, et en mon nom. 15
LACLOS, les Liaisons dangereuses, CLXIV.

Si l'Église condamne la magie et la sorcellerie, c'est qu'elles militent contre les intentions de Dieu (...) 16
BAUDELAIRE, les Paradis artificiels, Poème du haschisch, V.

♦ **3.** Le but qu'on se propose d'atteindre. ⇒ **But, objectif, objet, visée.** *Résultat qui dépasse l'intention de son auteur* (→ Balourdise, cit. 3), *l'entraîne* (cit. 18) *au delà de ses intentions.* — *Il n'a pas pour intention de rester ici.* — *À cette intention...* ⇒ **Fin.**

Il n'y a (...) point d'art si salutaire dont ils *(les hommes)* ne soient capables de renverser les intentions (...) on sépare toujours le mauvais usage d'avec l'intention de l'art (...) 17
MOLIÈRE, Tartuffe, Préface.

DÉR. Intentionnel, intentionné.
HOM. 1. **Intension,** 2. **intension.**

INTENTIONNALISER [ɛ̃tɑ̃sjɔnalize] v. tr. — XXe (1943, Sartre); de *intentionnel.*

♦ Philos. Rendre intentionnel; ramener à l'intentionnalité (en phénoménologie).

INTENTIONNALITÉ [ɛ̃tɑ̃sjɔnalite] n. f. — 1877; de *intentionnel.*

Didactique ou littéraire.

♦ **1.** Caractère intentionnel. *L'intentionnalité d'un acte, d'une déclaration, d'une phrase, d'une allusion.*

♦ **2.** (1931, *in* D.D.L.; trad. de l'all. [Husserl]). Philos., psychol. Caractère d'une attitude psychologique intentionnelle, adaptée à un avenir proche, à un projet.

Le mot *intentionnalité* ne signifie rien d'autre que cette particularité foncière et générale qu'a la conscience d'être conscience *de* quelque chose, de porter, en sa qualité de *cogito,* son *cogitatum* en elle-même. 1
Trad. de HUSSERL, Méditations cartésiennes, *in* FOULQUIÉ, Dict. de la langue philosophique.

(...) les intentionnalités inconscientes de l'hystérie se situent sur le plan de l'automatisme psychologique. 2
Jean DELAY, Introd. à la médecine psychosomatique, p. 37.

INTENTIONNÉ, ÉE [ɛ̃tɑ̃sjɔne] adj. — 1567; de *intention.*

♦ **1.** (Personnes). **a** Vx. *Intentionné de... :* qui a l'intention de... (→ Écumer, cit. 10, Mme de Sévigné).

b Mod. *Bien, mal intentionné :* qui a de bonnes, de mauvaises intentions. *Mieux, moins bien intentionné à l'égard de, pour qqn. Un critique mal intentionné,* malveillant.

(...) je crois pouvoir protester contre (...) toute maligne interprétation (...) contre (...) les lecteurs mal intentionnés (...) LA BRUYÈRE, les Caractères Avant-propos. 1

(...) l'âme simple et bien intentionnée ne fait point tant la théologienne et la savante. Elle sait ce que Dieu lui commande, et elle met en lui sa confiance. 2
BOURDALOUE, Carême, Sur la prédestination, I.

Des amis trop bien intentionnés soufflent sur le feu, lui rapportent ce que l'on dit d'elle (...) Émile HENRIOT, Portraits de femmes, p. 233. 3

N. *Les bien intentionnés. Les mal intentionnés.*

♦ **2.** (Choses). Qui part de (bonnes ou mauvaises) intentions.

Donner « son avis », donner des conseils, même ceux en apparence les mieux intentionnés, c'est en fait *(de la part de l'analyste)* fonctionner sur le même mode que l'instance jugeante, interdictrice, mais aussi protectrice, que le patient porte en lui (...) et dont la sévérité excessive est responsable de la névrose. 4
G. MENDEL, Psychanalystes, Médecins et rationalité, *in* la Nef, no 31, p. 40.

HOM. Intentionner (et p. p.).

INTENTIONNEL, ELLE [ɛ̃tɑ̃sjɔnɛl] adj. — 1487, « qu'on a en vue »; *intencionnal,* v. 1380; anc. philos. (1636) *espèces intentionnelles,* « sensibles »; sens mod., 1798; de *intention.*

♦ **1.** Qui est fait exprès*, avec intention*, à dessein. ⇒ **Conscient, délibéré, prémédité, volontaire, voulu.** *Bévue* (cit. 5) *à demi intentionnelle. Retard intentionnel. Finalité* (cit. 3) *intentionnelle.*

♦ **2.** Dr. *Délit* intentionnel,* par oppos. au *délit d'imprudence* et au *délit contraventionnel.*

♦ **3.** (1931, trad. Husserl). Philos. (phénoménologie). Qui présente un caractère d'intentionnalité*; qui procède de la conscience, du pour-soi.

CONTR. Automatique, involontaire.
DÉR. Intentionnaliser, intentionnalité, intentionnellement.

INTENTIONNELLEMENT [ɛ̃tɑ̃sjɔnɛlmɑ̃] adv. — 1560; de *intentionnel.*

♦ **1.** D'une manière intentionnelle. — Avec intention, de propos délibéré. ⇒ 2. **Exprès, volontairement.** *C'est intentionnellement que je ne l'ai pas remercié. Il est arrivé en retard intentionnellement.*

Quant au style, il me semble intentionnellement incorrect et bas. C'est une façon de flatter le populaire. FLAUBERT, Correspondance, 729, juil. 1862.

♦ **2.** En intention (mais non en fait). *Être « coupable intentionnellement »* (Littré).

INTENTIONNER [ɛ̃tɑ̃sjɔne] v. tr. — 1589; de *intention.*

♦ **1.** Vx. Diriger (qqn, qqch.) par l'intention.

♦ **2.** (Mil. xxᵉ). Philos. (phénoménologie). Viser par la pensée. → Intentionnalité.

▶ **INTENTIONNÉ, ÉE** p. p. adj. *« Une opération volontaire, intentionnée »* (Péguy). — Spécialt (phénoménologie). *Acte intentionné.*

HOM. Intentionné.

1. INTER [ɛ̃tɛʀ] n. m. — xxᵉ (1920); abrév. de *interurbain.*

♦ ⇒ **Interurbain.** *Appeler l'inter.*

HOM. 2. Inter, 3. inter.

2. INTER [ɛ̃tɛʀ] n. m. — 1905, *in* Petiot; abrév. de *intérieur.*

♦ Sports (football). Chacun des deux avants placés entre l'avant-centre et les ailiers, en retrait de la ligne des avants. *« L'inter gauche (fut) trop personnel »* (Montherlant).

HOM. 1. Inter, 3. inter.

3. INTER [ɛ̃tɛʀ] n. m. — D. i. (mil xxᵉ?); apocope de *inter(médiaire),* n. m., « foc de taille intermédiaire ».

♦ Mar. (plaisance). Foc d'une taille intermédiaire entre le plus petit des génois et le plus grand des focs au sens strict. *La garde-robe de ce sloop comprend, outre la grand-voile, un génois, un inter, un foc numéro un, un foc numéro deux et un tourmentin.*

HOM. 1. Inter, 2. inter.

INTER- Élément, tiré du lat. *inter* « entre », qui sert à former de nombreux composés, en exprimant soit l'espacement, la répartition (dans l'espace et dans le temps), soit une relation, un lien de réciprocité... ⇒ **Entre-.** — REM. Certains composés avec *inter-* sont empruntés aux composés latins.

Outre les mots traités à l'ordre alphabétique, on peut signaler :

Adj. *Interallemand, ande* [ɛ̃tɛʀalmɑ̃, ɑ̃d] (1966, *le Monde, in* Gilbert); *interaméricain, aine* [ɛ̃tɛʀameʀikɛ̃, ɛn] (1966, *le Monde, in* Gilbert); *interandin, ine* [ɛ̃tɛʀɑ̃dɛ̃, in] (1931, Larousse); *interarabe* [ɛ̃tɛʀaʀab] (1966, *le Monde, in* Gilbert); *intercommunautaire* [ɛ̃tɛʀkɔmynotɛʀ] (1969, *le Figaro, in* Gilbert); *intercristallin, ine* [ɛ̃tɛʀkʀistalɛ̃, in] (*« les espaces intra- et intercristallins »* [*la Recherche,* nº 124, p. 804]); *intereuropéen, éenne* [ɛ̃tɛʀøʀɔpeɛ̃, eɛn] (1917, *in* D. D. L.); *interfonctionnel, elle* [ɛ̃tɛʀfɔ̃ksjɔnɛl] (H. Wallon, *l'Évolution psychol. de l'enfant,* p. 54); *intersegmentaire* [ɛ̃tɛʀsɛgmɑ̃tɛʀ] (1897, *in* D. D. L.); *inter-scientifique* [ɛ̃tɛʀsjɑ̃tifik] (1969, G. Simondon); *interspatial, ale, aux* [ɛ̃tɛʀspasjal, o] (A. Sauvy, *Croissance zéro ?,* p. 267).

Noms. *Intercommutation* [ɛ̃tɛʀkɔmytasjɔ̃] n. f. (→ cit. ci-dessous); *interneurone* [ɛ̃tɛʀnøʀon; ɛ̃tɛʀnøʀɔn], n. m., « Cellule placée entre deux neurones » (*la Recherche,* avril 1981, p. 414).

(...) les ensembles techniques, en effet, possèdent, grâce à leur capacité d'intercommutation interne, la possibilité de sortir d'eux-mêmes en produisant des éléments différents des leurs.
Gilbert SIMONDON, Du mode d'existence des objets techniques, p. 70.

REM. On rencontre des composés normaux en fonction d'adjectif, du type *interespèce* [ɛ̃tɛʀɛspɛs] pour *interspécifique ; interville* pour *interurbain* (1968, *l'Express, in* Gilbert; *« les trains intervilles »,* in *Clé des mots*).

INTERACTIF, IVE [ɛ̃tɛʀaktif, iv] adj. — D. i. (v. 1980); de *inter-,* et *actif ;* p.-ê. par l'angl. *interactive.* → Interaction.

♦ Didact. Qui permet une interaction; d'une interaction. *Phénomènes interactifs.* — Inform. *Programme, matériel interactif,* qui permet des actions en mode conversationnel.

DÉR. Interactivité.

INTERACTION [ɛ̃tɛʀaksjɔ̃] n. f. — 1876, *in* Littré, *Suppl. ;* de *inter-,* et *action ;* p.-ê. par l'angl. *interaction* (1832).

♦ Réaction réciproque de deux ou plusieurs phénomènes. ⇒ **Interdépendance.** *Deux corps en interaction.* ⇒ **Action, réaction.** *Interactions de gravitation, électromagnétiques, nucléaires. Interactions faibles.*

Car si l'embryologie a fourni d'admirables descriptions du développement, on est loin encore de savoir analyser l'ontogénèse des structures macroscopiques en termes d'interactions microscopiques.
Jacques MONOD, le Hasard et la Nécessité, p. 111-112.

Courant (→ Synergie, 2.) :

Très en pointe également, ce terme d'interaction venu de la physique et signifiant une dépendance réciproque (...) Lire, oct. 1982.

DÉR. V. **Interagir.**

INTERACTIVITÉ [ɛ̃tɛʀaktivite] n. f. — D. i. (v. 1980); de *interactif.*

♦ Inform. Activité de dialogue entre un individu et une information fournie par une machine. *« Manipuler l'image, agir, en interactivité avec la machine sans être un technicien de l'électronique ou de la programmation, c'est précisément l'un des plus vastes problèmes que cherchent à résoudre les ingénieurs (...) Car il importe que des non spécialistes de l'informatique puissent utiliser l'ordinateur, comme ils conduisent une automobile. »* (*Science et Vie,* févr. 1984, p. 121).

Par ext. Cour. Activité de dialogue entre un individu et une information par l'intermédiaire d'un média. *« Cinq films d'Hitchcock ressortent ces temps-ci : allez jouer avec lui, c'est cela l'interactivité. Même si c'est toujours lui qui gagne. »* (*Voir,* nº 1, mars 1984, p. 39).

INTERAFRICAIN, AINE [ɛ̃tɛʀafʀikɛ̃, ɛn] adj. — 1969, *le Monde,* de *inter-,* et *africain.*

♦ Qui est commun à l'ensemble des pays africains. *« Les principales conférences inter-africaines tenues à Accra »* (J. Ziegler, *Main basse sur l'Afrique,* p. 93).

INTERAGIR [ɛ̃tɛʀaʒiʀ] v. intr. — 1966; de *inter-,* et *agir,* d'après *interaction.*

♦ Didact. Avoir une action réciproque. ⇒ **Interaction.** *« Les neutrons interagissent avec le champ magnétique »* (*le Monde,* 14 avr. 1966).

REM. On trouve aussi le p. prés. adj. *interagissant, ante.*

INTERALLIÉ, ÉE [ɛ̃tɛʀalje] adj. — 1915, selon Thérive; de *inter-,* et *allié.*

♦ Qui concerne les nations alliées (notamment, pendant la guerre de 1914-1918).

Mais nous sommes trop respectueux des accords internationaux et du principe de la liberté économique, trop convaincus du bénéfice de la concurrence loyale, pour ne pas envisager, sitôt que les circonstances le permettront, une action économique *interalliée.* L.-H. Lyautey, Paroles d'action, p. 205.

(...) je (...) répondis, d'après ce que Foch, en personne, m'avait naguère appris, qu'il ne pouvait y avoir de commandement interallié valable qui ne fût désintéressé (...) Ch. DE GAULLE, Mémoires de guerre, t. I, p. 174.

Le prix Interallié : prix littéraire français, attribué à un journaliste écrivain.

INTERARMÉES [ɛ̃tɛʀaʀme] adj. invar. — 1931, Larousse; de *inter-,* et *armée.*

♦ Commun à plusieurs armées (de terre, de mer, de l'air). *État-major interarmées.* ⇒ **Interarmes.**

INTERARMES [ɛ̃tɛʀaʀm] adj. invar. — 1931, Larousse; de *inter-,* et *arme.*

♦ Relatif à plusieurs armes* (II., 1.; infanterie, artillerie, etc.). *Groupement, état-major interarmes.* ⇒ **Interarmées.** *Une école militaire interarmes.*

INTERARTICULAIRE [ɛ̃tɛʀaʀtikylɛʀ] adj. — Mil. xxᵉ; *inter-articulaire,* 1805, Cuvier, *in* T. L. F.; de *inter-,* et *articulaire.*

♦ Méd. Qui se trouve entre les parties osseuses d'une articulation. *Fibrocartilage interarticulaire.*

INTERASTRAL, ALE, AUX [ɛ̃tɛʀastʀal, o] adj. — 1936; de *inter-,* et *astral.*

♦ Littér. (rare). Qui est, qui a lieu entre les astres. ⇒ **Interplanétaire, interstellaire.**

L'homme d'aujourd'hui se trompe à peine dans le tir interastral, à cette échelle-là c'est devenu presque inutile de compter avec une marge d'erreur (...)
ARAGON, Blanche..., III, II, p. 401.

INTERATOMIQUE [ɛ̃tɛʀatɔmik] adj. — Av. 1868, *in* D. D. L.; de *inter-,* et *atomique.*

♦ Didact., sc. Situé entre les atomes. → Inter-moléculaire. *Liaisons chimiques et physiques interatomiques.*

Ces pellicules ou ces couches de gaz comprenant des milliers d'atomes juxtaposés, il est absolument impossible d'admettre que les particules α passent dans les interstices interatomiques; elles doivent traverser les atomes eux-mêmes, ce qui serait inconcevable si les atomes étaient massifs.
A. Boutaric, la Vie des atomes, p. 209.

INTERATTRACTION [ɛ̃tɛʀatʀaksjɔ̃] n. f. — 1960, *in* D. D. L.; de *inter-*, et *attraction.*

♦ Didact. Attraction réciproque entre animaux, tendance au regroupement.

INTERAURICULAIRE [ɛ̃tɛʀɔʀikylɛʀ] adj. — 1833, *in* D. D. L.; de *inter-*, et *auriculaire.*

♦ Anat., méd. Qui est situé, a lieu entre les oreillettes du cœur. *Communication interauriculaire. Cloison interauriculaire.*

Normalement, chez le fœtus, il existe un orifice faisant largement communiquer les deux oreillettes. Cet orifice doit se fermer dans les premiers mois de la vie extra-utérine, ne laissant persister qu'une dépression située au centre de la cloison interauriculaire. Claude d'Allaines, la Chirurgie du cœur, p. 100.

REM. Dans le langage des spécialistes, *communication interauriculaire* est souvent abrégé en *C.I.A. «Fermer chirurgicalement une C.I.A. n'est pas une entreprise très difficile»* (Cl. d'Allaines, *la Chirurgie du cœur,* p. 100).

INTERBANCAIRE [ɛ̃tɛʀbɑ̃kɛʀ] adj. — 1960, *in* T. L. F.; de *inter-*, et *bancaire.*

♦ Qui relève des relations entre les banques, les groupes bancaires. *«Plusieurs banques de la place ont décidé de pratiquer directement entre elles un taux interbancaire d'escompte»* (*le Figaro,* 26 nov. 1966, *in* Gilbert). *Carte interbancaire :* carte de crédit, honorée par différentes banques, différents groupes bancaires ayant convenu de mettre en place un système unifié. *«Un grand événement s'est produit le lundi 30 juillet dans le monde financier, avec la signature de l'accord entre tous les réseaux bancaires pour l'établissement d'une carte de paiement et de retrait pour toute la France. Cette carte sera acceptée par l'ensemble des guichets de banque, des distributeurs de billets, des terminaux point de vente et des commerçants habitués aux cartes. C'est ce qu'on appelle l'interbancarité totale. (...) un accord de principe sur ladite carte interbancaire avait déjà été conclu le 27 janvier dernier»* (*le Monde,* 31 juil. 1984, p. 1).

REM. Le dér. *interbancarité,* n. f., est attesté (→ cit. supra).

INTERCALAIRE [ɛ̃tɛʀkalɛʀ] adj. — 1352; du lat. *intercalarius,* de *intercalare.* → Intercaler.

♦ **1.** Didact. (en chronologie). Dans le calendrier grégorien. *Jour intercalaire :* jour que l'on ajoute au mois de février dans les années bissextiles. ⇒ **Bissexte.** — Antiq. grecque. *Mois intercalaire.* ⇒ **Embolismique.** — Astron. *Lune intercalaire :* treizième lune qui se trouve dans une année de trois en trois ans.

♦ **2.** (1558, *vers intercalaire*). Cour. Qui peut s'intercaler, être inséré. *Feuillet intercalaire.*

(1936). N. m. *Un intercalaire :* carte, fiche ou feuillet, d'une couleur ou d'un format particuliers, permettant de distinguer un sous-ensemble de cartes, fiches ou feuillets appartenant à un même fichier. — Le fém. *une intercalaire («une feuille, une fiche intercalaire»)* est également attesté.

INTERCALATION [ɛ̃tɛʀkalɑsjɔ̃] n. f. — xve; du lat. *intercalatio,* de *intercalatum,* supin de *intercalare.* → Intercaler.

Action d'intercaler; résultat de cette action.

♦ **1.** Didact. (en chronologie). Addition* d'un jour dans le mois de février aux années bissextiles. — Antiq. grecque. *Intercalation d'un mois lunaire.* ⇒ **Embolisme.**

♦ **2.** Cour. ⇒ **Insertion.** *Intercalation d'exemples* (cit. 36) *dans un dictionnaire. Intercalation d'un phonème à l'intérieur d'un mot* (⇒ **Épenthèse**). Math. *Intercalation de termes intermédiaires dans une série.* ⇒ **Interpolation.**

(Une, des intercalations). Ce qui est intercalé.

Avec, sans, s'accommodent assez bien des intercalations : **sans, pour cela, prétendre** *que...;* — **avec, sur ses genoux, son éternelle guitare.**
F. Brunot, la Pensée et la Langue, p. 417.

REM. Sartre emploie le doublet de formation française *intercalage* [ɛ̃tɛʀkalaʒ] n. m. (*l'Être et le Néant,* p. 61, *in* T. L. F.).

INTERCALER [ɛ̃tɛʀkale] v. tr. — 1520; du lat. *intercalare,* de *inter* «entre», et *calare* «appeler, convoquer».

♦ **1.** Didact. (en chronologie). Faire entrer après coup dans une série. — Ajouter un jour au mois de février tous les quatre ans (pour faire concorder l'année civile avec l'année solaire). *Dans les années bissextiles on intercale un jour* (Académie).

♦ **2.** (1611). Cour. Mettre une chose entre deux autres, l'insérer dans un ensemble. ⇒ **Entre; enchâsser, insérer, introduire, joindre.** *Intercaler une citation, un exemple, une glose* (⇒ **Interpoler**) *dans un texte.*

D'ailleurs, M. Thibault semblait, à partir de ce moment-là, avoir pris l'habitude d'intercaler, au milieu des textes, le fruit de ses propres méditations. 1
Martin du Gard, les Thibault, t. IV, p. 237.

La journée du lendemain se trouvait déjà surchargée; Antoine, à cause de son départ, dut néanmoins y intercaler plusieurs visites supplémentaires. 2
Martin du Gard, les Thibault, t. IV, p. 41.

▶ **S'INTERCALER** v. pron.

Être intercalé. ⇒ **Interposer** (s').

Entre cette petite fille (...) et lui (...) les images des deux légionnaires s'intercalaient tout naturellement. P. Mac Orlan, la Bandera, XIX. 3

Sports. Se placer entre deux joueurs ou deux concurrents. *S'intercaler dans la ligne d'avant.*

▶ **INTERCALÉ, ÉE** p. p. adj. (1564, Rabelais). *Jour intercalé.* ⇒ **Intercalaire.** — Cour. *Citation intercalée.* — Gramm. *Proposition intercalée,* dite *incise* (cit. 2). *Subordonnées intercalées dans la principale.*

INTERCÉDER [ɛ̃tɛʀsede] v. intr. — Conjug. *céder.* — xve (av. 1449, selon T. L. F.); du lat. *intercedere,* de *inter-*, et *cedere.*

♦ Intervenir*, user de son influence* (en faveur de qqn). ⇒ **Prier, réclamer** (pour). *Se faire l'avocat de qqn en intercédant chaleureusement pour lui.* ⇒ **Défendre.** *Intercéder auprès de qqn pour qqn* (→ Dérobade, cit. 2). *Il intercédera pour vous auprès du patron.* ⇒ **Parler** (pour). *Intercéder en faveur de qqn, en sa faveur. — Intercéder pour obtenir qqch., pour sauver qqn. — Fait d'intercéder pour qqn.* ⇒ **Intercession** (surtout relig.). *Personne qui intercède.* ⇒ **Intercesseur.** — Absolt. (Rare). → ci-dessous, cit. 1.

L'aigle fondant sur lui *(Jean Lapin)* nonobstant cet asile, 1
L'escarbot intercède et dit (...)
Et, puisque Jean Lapin vous demande la vie,
Donnez-la-lui, de grâce (...) La Fontaine, Fables, II, 8.

(...) il *(Dieu)* a ordonné que les saints qui sont dans le ciel, prieraient pour les fidèles qui sont sur la terre, et que les fidèles qui sont sur la terre, intercéderaient pour ceux qui souffrent dans le purgatoire. 2
Bourdaloue, Sermon pour la fête de tous les saints, I.

Enfin arriva la journée de la Saint-Barthélemi (...) où l'on vit les assassins poursuivre les proscrits jusque sous les lits et dans les bras des princesses qui intercédaient en vain pour les défendre (...) 3
Voltaire, Histoire du parlement de Paris, XXVIII.

Si nous savions prier, il nous serait permis d'intercéder auprès de Dieu pour Verlaine. J. Renard, Journal, 9 janv. 1897. 4

Sans doute elle *(Phèdre)* vient avec l'idée d'implorer Hippolyte, d'intercéder d'abord pour son fils, mais au fond ce n'est qu'un prétexte (...) 5
Gide, Attendu que..., p. 198.

INTERCELLULAIRE [ɛ̃tɛʀselylɛʀ] adj. — 1827, de Candolle; de *inter-*, et *cellulaire.*

♦ Biol. Qui se trouve entre les cellules d'un tissu, animal ou végétal. *Substance intercellulaire.*

INTERCENTRE [ɛ̃tɛʀsɑ̃tʀ] n. m. — xxe; de *inter-*, et *centre.* → Centrum.

♦ Didact. (biol.). Élément central de la colonne vertébrale alternant avec le vrai centrum des vertèbres dans diverses classes de vertébrés.

Les Rachitomes, caractérisés par la réduction de l'intercentre vertébral, qui est impair, en demi-anneau contigu à celui de la vertèbre voisine, évoluèrent durant le Carbonifère, le Permien et le Trias. Jean Guibé, les Batraciens, p. 16.

INTERCEPTER [ɛ̃tɛʀsɛpte] v. tr. — 1528; de *interception*.*

♦ **1.** Prendre* au passage et par surprise (ce qui est adressé, envoyé ou destiné à qqn). ⇒ **Emparer** (s'), **saisir, surprendre.** *Action d'intercepter (qqch.)* ⇒ **Interception.** *Intercepter des lettres, du courrier* (cit. 7). *Intercepter un message transmis par radio, une communication téléphonique.* ⇒ **Capter.**

J'ai attendu cette lettre. Comme elle ne venait pas, j'ai soupçonné mes parents de l'avoir interceptée. 1
J. Romains, les Hommes de bonne volonté, t. III, XXIII, p. 326.

Au participe passé :

Ces jours-ci, à Itzer, j'étais mis en possession d'un paquet de lettres interceptées par nos agents de renseignements venant les unes du Nord, les autres du Sud. 1.1
L.-H. Lyautey, Paroles d'action, p. 254.

Abstrait :

Il y a certaines de mes pensées que je surveille, que je ne laisse pas venir à fleur de mon esprit, pour que personne, jamais, ne les intercepte. 2
G. Duhamel, Cri des profondeurs, IV.

(1896, *in* Petiot). Sports. *Joueur de football* ou de rugby*, qui intercepte le ballon.*

(1770). Empêcher (un navire, un avion ennemi) d'arriver à destination, en l'arrêtant (sans le détruire). *Intercepter un sous-marin, des bombardiers ennemis.* ⇒ **Interception.**

♦ **2.** (1606). Arrêter dans son cours, dans sa marche. ⇒ **Arrêter, interrompre.** — (Sujet n. de personne). *Intercepter le trafic des grains* (cit. 2). — (Déb. XVIIIe). Sujet n. de chose. *Nuage qui intercepte le soleil.* ⇒ **Cacher, éclipser.** *Rideau qui intercepte la lumière.* ⇒ **Boucher, offusquer.** — Au p. p. adj. Math. *Arc de cercle intercepté,* défini à l'intérieur d'un angle.

3 Les grands artistes sont des êtres qui, suivant un mot de Napoléon, interceptent à volonté la communication que la nature a mise entre les sens et la pensée.
BALZAC, Une fille d'Ève, Pl., t. II, p. 101.

4 (...) une grossière croisée (...) semblait plutôt destinée à intercepter qu'à laiser passer la lumière. BALZAC, les Chouans, Pl., t. VII, p. 956.

5 Plusieurs épaisseurs de toile et de papier matelassaient la cloison de manière à intercepter tout bruit d'un côté comme de l'autre.
Th. GAUTIER, Portraits contemporains, p. 86.

DÉR. Intercepteur.

INTERCEPTEUR, TRICE [ɛ̃tɛʀsɛptœʀ, tʀis] n. m. — 1757; de *intercepter.*

♦ **1.** Rare. Personne qui intercepte (qqch.).

♦ **2.** N. m. (1950, *in* D. D. L.). Avion d'interception (chasseur). *Un intercepteur supersonique.*

INTERCEPTION [ɛ̃tɛʀsɛpsjɔ̃] n. f. — XVe; du lat. *interceptio,* de *interceptum,* supin de *intercipere* «prendre, soustraire», de *inter-,* et *capere* «prendre».

♦ **1.** Action d'intercepter*; résultat de cette action. *Interception d'un message.*

(1900, *in* Petiot). Sports. Le fait d'intercepter (la balle, le ballon). *L'interception de la balle. — Une, des interceptions.*

(...) un grand avant blanc a réussi l'interception au vol, et sa maigreur fend l'air, déjà loin. Jean PRÉVOST, Plaisirs des sports, p. 130.

(1952, *Larousse mensuel*). Aviat. *Chasseurs d'interception,* qui ont pour tâche d'intercepter les bombardiers. ⇒ **Intercepteur.**

♦ **2.** (V. 1370). Arrêt. *Interception des rayons solaires par le brouillard. Interception du trafic ferroviaire entre deux pays.* ⇒ **Interruption.**

INTERCESSEUR [ɛ̃tɛʀsesœʀ] n. m. — 1212, *entrecessor;* lat. *intercessor,* de *intercessum,* supin de *intercedere.* → Intercéder.

♦ **1.** Relig. ou littér. Personne qui intercède*. *Être intercesseur auprès de quelqu'un, pour quelqu'un, en faveur de quelqu'un* (Académie). *Il m'a supplié d'être son intercesseur auprès de vous.* ⇒ **Avocat, défenseur.** *Elle a été mon intercesseur auprès de...*

1 (...) Dieu est admirable de nous avoir donné les saints pour intercesseurs et pour patrons (...) BOURDALOUE, Sermon pour la fête tous les saints.

2 (...) j'en venais à comprendre mieux cette nécessité des intermédiaires entre l'homme et Dieu, de ces intercesseurs contre qui s'insurge si violemment le protestantisme. GIDE, Et nunc manet in te, p. 107.

Adj. → Contact, cit. 10.

REM. Le fém. *intercesseuse* serait normal, mais n'est pas attesté.

♦ **2.** Relig. Anciennt. Évêque qui administrait le diocèse pendant la vacance du siège.

INTERCESSION [ɛ̃tɛʀsesjɔ̃] n. f. — 1223, relig.; lat. *intercessio,* de *intercessum,* supin de *intercedere.* → Intercéder.

♦ **1.** Relig., littér. ou vx. Action d'intercéder. ⇒ **Intervention.** *L'intercession des saints* (Académie). *Il a obtenu cette faveur grâce à l'intercession d'un ami influent.* ⇒ **Entremise.** *Une perpétuelle intercession pour les péchés du monde* (→ Couvent, cit. 3). ⇒ **Prière.**

(...) dire à un pécheur que sans pénitence et par la seule intercession de Marie, il peut être réconcilié et sauvé, c'est le jeter dans l'illusion (...)
BOURDALOUE, Sermon sur la dévotion à la Vierge, II.

Par l'intercession de... Par l'intercession du Saint Esprit.

♦ **2.** Dr. rom. Opposition contre certaines mesures légales (décret d'un magistrat, projet de loi, sénatus-consulte...).

HOM. Intersession.

INTERCHANGEABILITÉ [ɛ̃tɛʀʃɑ̃ʒabilite] n. f. — 1902; de *interchangeable.*

♦ Caractère de ce qui est interchangeable. *L'interchangeabilité des pièces standardisées, fabriquées en série.*

1 Qu'il soit ajusteur ou manœuvre, il sait bien qu'il n'est pas irremplaçable : c'est même l'interchangeabilité qui caractérise les travailleurs.
SARTRE, Situations III, p. 187.

2 Vivre dans l'uniforme humain standardisé préfigure une large interchangeabilité des individus comme pièces dans un macro-organisme universel. L'uniformisation des symboles vestimentaires est à la fois la prise d'une conscience planétaire et la perte de l'indépendance relative des personnes ethniques.
A. LEROI-GOURHAN, le Geste et la Parole, t. II, p. 191.

INTERCHANGEABLE [ɛ̃tɛʀʃɑ̃ʒabl] adj. — 1870, *in* Littré, *Suppl.*; angl. *interchangeable,* de *to interchange* «échanger», de *inter-,* et *to change* «changer».

♦ **1.** Techn. Se dit de pièces, d'objets semblables, de même destination, qui peuvent être changés l'un pour l'autre, mis à la place les uns des autres. *Pneus interchangeables. Mécanisme à pièces interchangeables. Rasoir à lames interchangeables.* ⇒ **Jetable, remplaçable.**

Il s'agissait d'informer l'acheteur que chaque pièce offre la qualité d'être *interchangeable* (...) avec les homologues de sa série. 1
A. THÉRIVE, Clinique du langage, p. 123.

♦ **2.** Remplaçable l'un par l'autre. *Considérer les femmes comme des instruments interchangeables* (→ Abstraire, cit. 2). *Les ministres interchangeables de la troisième République.* — REM. Dans son emploi figuré, le mot connote une idée péjorative, les personnes et les choses *interchangeables* étant le plus souvent *insignifiantes,* sans valeur ou personnalité. ⇒ **Insignifiant.**

Mais la littérature politique existe-t-elle encore en tant que genre : celle qu'un Rivarol, un Chateaubriand, un Benjamin Constant ont illustrée? Les journaux usent pour la plupart de formules interchangeables, au point que nous ne distinguons presque plus ceux de droite de ceux de gauche. 2
F. MAURIAC, Bloc-notes 1952-1957, p. 263.

Le nouveau parlement a été essayé. Il fonctionne à merveille. On l'a remis sur l'étagère : les personnages resteront rangés dans leur boîte jusqu'en avril. À ce moment-là, le président, en jaquette et pantalon rayé, sera derechef piqué sur son fauteuil et les travées se garniront de leurs bonshommes interchangeables. 3
F. MAURIAC, le Nouveau Bloc-notes 1958-1960, p. 156.

(Avec un sujet au singulier). Qu'on peut changer contre un (une) autre équivalent(e). ⇒ **Remplaçable.**

Il était persuadé que Solange était interchangeable, que n'importe quelle femme jeune et belle qu'il rencontrerait demain, qui lui plairait et qu'il séduirait, ferait aussi bien l'affaire. J. DUTOURD, les Horreurs de l'amour, p. 608. 4

CONTR. Irremplaçable.
DÉR. Interchangeabilité.

INTERCHANGER [ɛ̃tɛʀʃɑ̃ʒe] v. tr. — 1919; de *interchangeable* ou de l'angl. *to interchange,* d'après *changer.*

♦ Littér. Échanger réciproquement. ⇒ 1. **Échanger,** 1. **troquer.**

(...) on aurait dit deux bouquets séparés qui auraient interchangé quelques-unes de leurs fleurs. 1
PROUST, À l'ombre des jeunes filles en fleurs, Pl., t. I, p. 814 (1919).

Donc, avant tout, un *directeur général,* vrai *ministre de la santé publique,* de qui ressort tout ce qui touche à la santé et à l'hygiène civiles, militaires et indigènes, tout le personnel, qu'il puisse à son gré interchanger suivant les aptitudes et les convenances, sans distinction d'habits ni de galons. 2
L.-H. LYAUTEY, Paroles d'action, p. 439.

INTERCINÈSE [ɛ̃tɛʀsinɛz] n. f. — Mil. XXe; de *inter-,* et *cinèse.*

♦ Biol. État du noyau entre deux divisions cellulaires.

INTERCIRCULATION [ɛ̃tɛʀsiʀkylasjɔ̃] n. f. — 1909; de *inter-,* et *circulation.*

♦ Techn. Circulation entre les voitures d'un train *« Ouverture et fermeture automatiques des portes de compartiments et d'intercirculation »* (*la Vie du rail,* 25 janv. 1976, p. 4). — Passage entre deux voitures d'un train (soufflets*, etc.).

INTERCITÉS [ɛ̃tɛʀsite] adj. invar. — Mil. XXe; p.-ê. angl. *intercity* «intervilles», 1933, in *Oxford Dictionary.*

♦ Ch. de fer. *Train intercités* (abrév. I.C.) : train rapide interurbain* (*ou* intervilles).

INTERCLASSE [ɛ̃tɛʀklas] n. m. — 1948, *Franç. mod.*; de *inter-,* et *classe.*

REM. Ch. Bruneau «préfère le masculin parce qu'*interclasse* s'applique à un concept abstrait... et point du tout à celui de *classe intermédiaire*» (Thérive).

♦ Court intervalle entre deux classes, pendant lequel les élèves sont surveillés et ne quittent pas la salle de cours. ⇒ **Pause.** *Ce matin, vous aurez deux interclasses de cinq minutes, mais pas de récréation.*

Ensuite, correction de la composition. Sonnerie de l'interclasse. Je suis un imbécile, pense M. Gall; pendant la pause il fume une cigarette.
Roger IKOR, À travers nos déserts, p. 502.

HOM. Formes du v. **interclasser.**

INTERCLASSEMENT [ɛ̃tɛʀklasmɑ̃] n. m. — Mil. XXe; de *interclasser,* d'après *classement.*

♦ Le fait d'interclasser. *Interclassement à la main, à la machine.* ⇒ **Interclasseuse.**

INTERCLASSER [ɛ̃tɛʀklase] v. tr. — Mil. XXe (1962, *Larousse encyclopédique*); de *inter-,* et *classer.*

♦ Classer (les éléments de deux ou plusieurs séries) en une série unique (spécialt, à la machine. ⇒ **Interclasseuse**).

DÉR. Interclassement, interclasseuse.

INTERCLASSEUSE [ɛ̃tɛʀklasøz] n. f. — Mil. XXe; de *interclasser.*

♦ Techn. Machine à cartes perforées permettant la fusion de deux groupes de cartes, la vérification d'un classement.

INTERCLUBS [ɛ̃tɛʀklœb] adj. invar. — 1887, *in* Petiot; de *inter-,* et *club.*

♦ Sports. Où s'opposent plusieurs clubs. *Rencontre interclubs.*

INTERCOLONIAL, ALE, AUX [ɛ̃tɛʀkɔlɔnjal, o] adj. — 1871, *in* Littré, *Suppl.*; de *inter-,* et *colonial.*

♦ Vieilli. Qui a lieu entre colonies. *Commerce, transit intercolonial.*

INTERCOMMUNAL, ALE, AUX [ɛ̃tɛʀkɔmynal, o] adj. — 1890, Encycl. Berthelot, art. *Commune*; de *inter-,* et *communal.*

♦ Admin. Qui concerne plusieurs communes. *Les intérêts intercommunaux. Décision, réunion intercommunale. Syndicat intercommunal des eaux.*

INTERCOMMUNICATION [ɛ̃tɛʀkɔmynikasjɔ̃] n. f. — 1867, Littré; de *inter-,* et *communication.*
Didactique.

♦ **1.** Communication réciproque (entre locaux, services...).
Techn. *Appareil, système d'intercommunication* (entre les éléments d'un convoi ferroviaire).

♦ **2.** Communication entre plusieurs communiquants, interlocuteurs, etc.

INTERCOMMUNION [ɛ̃tɛʀkɔmynjɔ̃] n. f. — D. i. (XXe); de *inter-,* et *communion.*

♦ Relig. Communion entre deux Églises chrétiennes différentes.

(...) si l'Église anglicane ne reconnaît pas la réalité du sacrifice dans la messe, on ne voit pas comment l'intercommunion sans restriction pourrait se faire (...)
J. GREEN, Journal, 28 janv. 1978, La terre est si belle, p. 227.

INTERCOMPRÉHENSIBLE [ɛ̃tɛʀkɔ̃pʀeɑ̃sibl] adj. — XXe; de *intercompréhension,* et *compréhensible.*

♦ Didact. Mutuellement compréhensible (langues). « *Un ensemble de dialectes intercompréhensibles parlés sur les rives du Puget Sound* » (P. Rivet, etc., *in* Meillet et Cohen, *les Langues du monde,* p. 982).

INTERCOMPRÉHENSION [ɛ̃tɛʀkɔ̃pʀeɑ̃sjɔ̃] n. f. — 1913, Roujat, en linguistique (*in* T. L. F.); de *inter-,* et *compréhension.*

♦ Didact. Compréhension linguistique réciproque entre deux ou plusieurs hommes ou groupes humains. *Le facteur d'intercompréhension est essentiel pour la définition des langues, des dialectes. Intercompréhension entre locuteurs de deux variantes d'une langue.* — Compréhension réciproque (en général).

DÉR. Intercompréhensible.

INTERCONFESSIONNEL, ELLE [ɛ̃tɛʀkɔ̃fesjɔnɛl] adj. — 1902; de *inter-,* et *confessionnel.*

♦ Admin. Commun à plusieurs confessions. *Une école interconfessionnelle.*

INTERCONNECTABLE [ɛ̃tɛʀkɔnɛktabl] adj. ⇒ **Interconnecter** (REM.).

INTERCONNECTER [ɛ̃tɛʀkɔnɛkte] v. tr. — 1962; de *inter-,* et *connecter.*

♦ Techn. Relier entre eux (des réseaux). — Spécialt. Relier entre eux des réseaux d'énergie électrique, afin de mieux assurer la distribution du courant. — Relier des réseaux de communication d'information. — Au p. p. *Réseaux interconnectés.* — Par anal. *Le système nerveux central, chez l'homme « comprend* 10^{12} *à* 10^{13} *neurones interconnectés par l'intermédiaire de quelque* 10^{14} *à* 10^{15} *synapses* » (Monod, *le Hasard et la Nécessité,* p. 186). — REM. Les dér. *interconnectable* adj. et *interconnectablité* n. f. (Simon Nora et Alain Minc, *l'Informatisation de la société,* p. 29) sont attestés. *Réseaux informatiques interconnectables.*

INTERCONNEXION [ɛ̃tɛʀkɔnɛksjɔ̃] n. f. — V. 1930 (1937, Ruyer, *in* T. L. F.); de *inter-,* et *connexion.*
Didactique et technique.

♦ Le fait de connecter; son résultat. *L'interconnexion de réseaux électriques, téléphoniques; de systèmes de communication, de transport. — Une bonne interconnexion.*
Le fait d'être interconnecté. *L'interconnexion des neurones par les synapses.*

INTERCONTINENTAL, ALE, AUX [ɛ̃tɛʀkɔ̃tinɑ̃tal, o] adj. — 1867, Littré; de *inter-,* et *continental.*

♦ **1.** Qui concerne les relations entre deux continents, qui va d'un continent à un autre. *Des masses d'air intercontinentales. Courants intercontinentaux. Lignes aériennes intercontinentales. — Fusées* intercontinentales. « Au nord, sur l'île de Sakhaline, se trouvent des missiles intercontinentaux pointés sur les États-Unis »* (*l'Express,* 9 déc. 1983, p. 28).

♦ **2.** (1878, P. Larousse *Premier Suppl.*). Didact. Situé entre des continents. *Plateau sous-marin intercontinental.*

INTERCORRÉLATION [ɛ̃tɛʀkɔ(ʀ)ʀelasjɔ̃] n. f. — V. 1960; de *inter-,* et *corrélation.*

♦ Didact. Corrélation réciproque; corrélation entre les valeurs de deux grandeurs variables dans le temps. *Fonction d'intercorrélation.*

INTERCOSTAL, ALE, AUX [ɛ̃tɛʀkɔstal, o] adj. — 1536; de *inter-,* et lat. *costa* « côte ».

♦ Anat. Qui est entre les côtes. *Espaces intercostaux.* — Se dit des organes situés dans chaque espace intercostal. *Muscles intercostaux internes, moyens, externes.* N. m., *les intercostaux* : les muscles intercostaux. — *Artères, veines intercostales. Nerfs intercostaux.*

Sous le bras gauche, coupant les intercostaux et leurs lanières, courait la grande 1
zébrure, l'éclair blanc du coup de corne de Valence, qui avait mis à jour le tissu rose et respirant du poumon. Joseph PEYRÉ, Sang et Lumières, p. 363.

Par ext. *Névralgies, douleurs intercostales.*

(...) et reprenant avec aplomb l'exercice de la médecine ils soignèrent Chamberlan, 2
le bedeau, pour ses douleurs intercostales (...)
FLAUBERT, Bouvard et Pécuchet, Folio, p. 281.

INTERCOTIDAL, ALE, AUX [ɛ̃tɛʀkɔtidal, o] adj. — 1897; de *inter-,* et *cotidal.*
Géographie.

♦ **1.** *Zone intercotidale* ou (mieux) *intertidale* [ɛ̃tɛʀtidal] : zone d'oscillation de la marée. ⇒ **Estran.**

(...) la zone de balancement des marées, ou zone intercotidale (...)
R. et M.-L. BAUCHOT, les Poissons, p. 109.

♦ **2.** *Lignes intercotidales,* qui relient les points où la marée se produit en même temps.

INTERCOURSE [ɛ̃tɛʀkuʀs] n. f. — 1839; mot angl., « échange, rapports »; de *inter-,* et *course* « cours »; a remplacé le franç. *entrecours.*

♦ **1.** Navig. Droit réciproque d'accès et de pratique de certains ports accordé mutuellement aux navires de deux nations.

♦ **2.** (1867). Rare. Ensemble des communications commerciales entre deux pays. — Par ext. Ensemble des relations entre habitants de deux régions différentes. « *La force d'intercourse qui crée les communications entre les hommes* » (F. de Saussure).

INTERCRITIQUE [ɛ̃tɛʀkʀitik] adj. — XXe; de *inter-,* et *critique.*

♦ Méd. Qui se produit pendant la période qui sépare deux crises.

INTERCULTUREL, ELLE, ELS [ɛ̃tɛʀkyltyʀɛl] adj. — V. 1970-1980; de *inter-,* et *culturel.*

♦ Didact. Qui concerne les rapports, les échanges entre cultures, entre civilisations différentes. « *Un dialogue interculturel* » (17 mars 1981, France-Culture). « *La communication interculturelle* » (Gérard Leclerc, *l'Observation de l'homme,* p. 46). « *Ce phénomène n'est pas limité à notre culture occidentale. Comme le montrent nos comparaisons interculturelles, les Mayas du Yuca-*

tan, les Ivo du Kenya ou les Samoens procèdent de même» (*la Recherche*, mai 1981, p. 574.).

INTERCURRENCE [ɛ̃tɛʀkyʀɑ̃s] n. f. — 1873, P. Larousse; de *intercurrent.*

♦ Didact. Alternative, variation.

INTERCURRENT, ENTE [ɛ̃tɛʀkyʀɑ̃, ɑ̃t] adj. — 1741; du lat. *intercurrens, entis,* de *inter-,* et *currere* «courir, survenir».

♦ Didact. Qui survient entre, au milieu d'autres événements. — Méd. Qui survient au cours d'une autre maladie. *Complication, maladie intercurrente.*

1 Pour moi, j'acceptai cette solution avec l'espoir secret que, le moment venu de faire ce fameux voyage, mille raisons intercurrentes nous le rendraient impossible. DUHAMEL, Cri des profondeurs, III.

2 (...) les abîmes étant de durée et de modifications intérieures cachées — impénétrables, avec les accidents intercurrents. VALÉRY, Cahiers, t. II, Pl., p. 1081.

DÉR. Intercurrence.

INTERDÉFINISSABLE [ɛ̃tɛʀdefinisabl] adj. — XXᵉ; de *inter-,* et *définissable.*

♦ Didact. Se dit de termes, d'opérateurs logiques qui peuvent se définir les uns par les autres.

(...) tous les binaires peuvent être définis, avec l'aide de la négation, par l'un quelconque de ces trois *(binaires : conjonction, disjonction, implication),* lesquels sont ainsi *interdéfinissables* (...) R. BLANCHÉ, Introd. à la logique contemporaine, p. 51.

INTERDENTAIRE [ɛ̃tɛʀdɑ̃tɛʀ] adj. — 1877, Littré, *Suppl.*; de *inter-,* et *dentaire.*

♦ Didact. Situé entre deux dents implantées sur une même mâchoire (anatomiquement). *Les espaces interdentaires.*

INTERDENTAL, ALE, AUX [ɛ̃tɛʀdɑ̃tal, o] adj. et n. f. — 1888, *in* T. L. F.; de *inter-,* et *dental.*

♦ Didact., phonét. *Consonne interdentale :* consonne spirante produite en plaçant la pointe de la langue derrière les dents faiblement écartées. — N. f. *Le* t *et le* d *allemands sont des interdentales.*

INTERDÉPARTEMENTAL, ALE, AUX [ɛ̃tɛʀdepaʀtəmɑ̃tal, o] adj. — 1871, *in* Littré, *Suppl.*; de *inter-,* et *départemental.*

♦ Admin. Qui a lieu entre plusieurs départements, concerne plusieurs départements. *Relations, unions, ententes, conférences interdépartementales. Syndicats interdépartementaux. — Taxes interdépartementales.*

INTERDÉPENDANCE [ɛ̃tɛʀdepɑ̃dɑ̃s] n. f. — 1867, Littré; de *inter-,* et *dépendance.*

♦ Dépendance réciproque. ⇒ **Corrélation, interaction; accord** (II.). *L'interdépendance des événements.*

Spécialt. Situation d'États liés par des devoirs réciproques.

1 La pression de l'histoire nous révélait soudain l'interdépendance des nations — un incident à Shanghaï, c'était un coup de ciseaux dans notre destin (...) SARTRE, Situations II, p. 244.

L'indépendance dans l'interdépendance : formule d'accord entre la métropole et l'ex-protectorat marocain, qui fut préconisée avant celle de l'indépendance sans condition.

2 Votre «cher partenaire» (...) se moque, à propos du Maroc, des billevesées d'autrefois sur *l'indépendance dans l'interdépendance.* F. MAURIAC, le Nouveau-Bloc-notes 1958-1960, p. 392.

INTERDÉPENDANT, ANTE [ɛ̃tɛʀdepɑ̃dɑ̃, ɑ̃t] adj. — Déb. XXᵉ (1916, Saussure); de *inter-,* et *dépendant.*

♦ **1.** Didact. ou littér. Qui est dans un état d'interdépendance. *Des phénomènes interdépendants.*

♦ **2.** Polit. Liés par une interdépendance.

INTERDICTEUR, TRICE [ɛ̃tɛʀdiktœʀ, tʀis] adj. — 1830, Balzac n. m.; lat. *interdictor* «celui qui interdit», de *interdictum,* supin de *interdicere* «interdire».

♦ Didact. Qui interdit. — Psychan. *Instance interdictrice.* ⇒ **Instance.** N. Personne qui interdit (qqch.).

INTERDICTION [ɛ̃tɛʀdiksjɔ̃] n. f. — 1461; *interdition,* 1410; lat. *interdictio,* de *interdictum,* supin de *interdicere.* → Interdire.

♦ **1.** Action d'interdire (qqch., un acte). ⇒ **Défense, prohibition.** *L'interdiction par qqn (à qqn) de qqch., de faire qqch. Interdiction de bâtir* (→ Encorbellement, cit. 1). *Interdiction de la vente des stupéfiants (par la loi, l'autorité...). Interdiction absolue, expresse, formelle de pénétrer en un lieu. Interdiction de toucher à une chose sous peine de commettre un sacrilège* (⇒ **Tabou**). — *Lever une interdiction. Interdiction faite à un navire de quitter un port.* ⇒ **Embargo.** *Interdiction d'un film par la censure. Interdiction d'une chapelle.* ⇒ **Fermeture.**

Les journaux publièrent des décrets qui renouvelaient l'interdiction de sortir et menaçaient de peines de prison les contrevenants. CAMUS, la Peste, p. 128.

(...) c'est elle *(Anne de Gonzague)* qui fit jouer *Tartuffe,* après son interdiction, par deux fois devant le grand Condé, pour faire pièce à la cabale des dévots. Émile HENRIOT, Portraits de femmes, p. 94.

♦ **2.** (1690). Compl. n. de personne. Action d'interdire à un membre d'un corps constitué (civil ou ecclésiastique) l'exercice de ses fonctions. *L'interdiction d'un prêtre. Interdiction temporaire* (⇒ **Suspension**). *Fonctionnaire, prêtre puni d'interdiction.*

(...) l'archevêché a, ces jours-ci, prononcé l'interdiction... Il faudra choisir une autre personne, madame. ZOLA, Paris, t. II, p. 208. 2

(1690). Dr. **a** En droit civil, *Interdiction judiciaire,* et, absolt, *interdiction :* action d'ôter à une personne majeure, la libre disposition et l'administration de ses biens, par un jugement constatant son état habituel d'imbécillité, de démence ou de fureur; résultat de cette action. *Demander l'interdiction de qqn* (→ Avis, cit. 25). *Instance en interdiction. Jugement d'interdiction. Incapacité* de l'aliéné frappé d'interdiction et placé sous tutelle.* ⇒ **Interdit.** *Mainlevée de l'interdiction.*

Nous sommes accoutumés à voir de ces petits complots dans les familles : il ne se passe pas d'année qu'il n'y ait des jugements de non-lieu sur des demandes en interdiction. BALZAC, l'Interdiction, Pl., t. III, p. 57.

Tout parent est recevable à provoquer l'interdiction de son parent. Il en est de même de l'un des époux à l'égard de l'autre. Code civil, art. 490.

b Dr. pén. *Interdiction correctionnelle* (cit. 1), ou *interdiction des droits civiques, civils et de famille* (art. 42 du Code Pénal) : peine correctionnelle complémentaire qui peut être prononcée contre certains délinquants (→ Élection, cit. 9). *Interdiction légale :* privation des droits civils résultant de toute condamnation à peine afflictive et infamante (art. 28 à 39 du Code Pénal).

Quiconque aura été condamné à la peine des travaux forcés à temps, de la détention ou de la réclusion, sera, de plus, pendant la durée de sa peine, en état d'interdiction légale (...) Code pénal, art. 29.

c (1873). Dr. pén., cour. *Interdiction de séjour :* défense faite à un condamné libéré de se trouver dans les lieux dont l'*interdiction* lui a été signifiée par jugement (⇒ **Bannissement; relégateur**). *Agitateur frappé* (cit. 29) *d'interdiction de séjour, condamné à l'exil* (cit. 4). *Le ban* jusqu'au* XIXᵉ *siècle, équivalait à une interdiction de séjour. Infraction à un arrêté d'interdiction de séjour* (art. 45 du Code Pénal).

CONTR. Autorisation, commandement, conseil, consentement, ordre, permission.

INTERDIGITAL, ALE, AUX [ɛ̃tɛʀdiʒital, o] adj. — 1858, Littré-Robin; de *inter-,* et *digital.*

♦ Anat. Situé entre deux doigts. *Espace interdigital. Membrane interdigitale des palmipèdes.*

INTERDIGITATION [ɛ̃tɛʀdiʒitasjɔ̃] n. f. — Mil. XXᵉ (1969, Berkaloff *et al., Biologie et physiol. cellulaire,* p. 36); de *inter-,* lat. *digitus,* et suff. *-ation.*

♦ Didact. (biol.) Dispositif d'accrochage entre des cellules vivantes, analogue à l'assemblage par tenons et mortaises.

INTERDIGITÉ, ÉE [ɛ̃tɛʀdiʒite] adj. — V. 1960; de *inter-,* et *digité.*

♦ Inform. Se dit d'une structure où une surface est partagée en bandes (structure «en peigne»), les bandes étant séparées par un élément ou un phénomène physique. *Transistor à structure interdigitée,* où les bandes du «peigne» de l'émetteur sont séparées par la diffusion de la base.

Biol. ⇒ **Interdigitation.**

INTERDIRE [ɛ̃tɛʀdiʀ] v. tr. — Conjug. *dire,* sauf à la 2ᵉ pers. du plur. de l'indic. prés. et de l'impér. prés. : *interdisez.* — XIIIᵉ; *entredire,* 1174; du lat. *interdicere.*

♦ **1.** (V. 1250). Sujet et compl. n. de personne. Défendre (qqch. à qqn). *Interdire qqch. à qqn, lui interdire qqch. Interdire à qqn de faire qqch. La police de Richelieu avait interdit aux gamins de jouer à la fronde* (2. Fronde, cit. 3). *Je vous interdis de me parler sur ce ton. — Son médecin lui interdit le sel, les sucreries* (→ Grâce, cit. 86), *la cuisine à l'huile* (cit. 17). ⇒ **Défendre, proscrire.** — *Interdire sa porte aux intrus.* ⇒ **Consigner.** — (Au passif). *L'accès* (cit. 2) *de ces lieux est interdit.* — (Sans compl. indir. exprimé). *Que sert d'interdire ce qu'on ne peut empêcher?* (cit. 7). *Interdire les jeux de hasard* (→ Existence, cit. 12). *Les meetings* *furent interdits* (→ Efflorescence, cit. 2). *La loi interdit le grappillage* (cit. 2) *dans tout enclos.* ⇒ **Condamner, prohiber.** *Interdire un ouvrage.* ⇒ **Censurer.** *Interdire les maisons de prostitution.* ⇒ **Fermer.** — Impers. *Il est expressément, formellement interdit de fumer dans la salle. Il est interdit de marcher sur les pelouses* (→ aussi Engin, cit. 8). *« Il est interdit d'interdire »*, slogan de mai 1968. — Pron. *S'interdire qqch. (à soi-même)* : s'imposer la privation de qqch. *S'interdire tout excès.* ⇒ **Éviter.** *Il s'interdit d'y penser.* ⇒ **Refuser** (se). — (Sujet n. de chose). Empêcher (→ ci-dessous cit. 3, 4, 5 et 9). *La charité nous interdit d'ajouter foi à ces abominations* (cit. 5). *La discrétion m'interdit d'en dire plus.* ⇒ **Empêcher** (→ Forger, cit. 13). *Le bonheur calme* (2. Calme, cit. 3) *lui était interdit. Attitude belliqueuse qui interdit tout espoir de paix.* ⇒ **Exclure, opposer** (s'); **obstacle** (faire).

1 Ou, si par un arrêt la grossière police
D'un jeu si nécessaire interdit l'exercice (...) BOILEAU, Satires, X.

2 (...) il faut s'interdire ce ton didactique dans une tragédie (...)
VOLTAIRE, Commentaires sur Corneille, Remarques sur Pompée, II, 1.

3 (...) la *tragédie* interdit ce que le *roman* permet; la *chanson* tolère ce que l'*ode* défend (...) HUGO, Odes et Ballades, préface 1826.

4 (...) un homme plein d'âme et de délicatesse, à qui sa laideur interdisait des succès auprès des femmes (...) BALZAC, le Cousin Pons, Pl., t. VI, p. 529.

5 Ma santé, qui ne m'interdit pas le travail, m'interdit toute joie et tout entrain.
SAINTE-BEUVE, Correspondance, t. II, p. 238-239.

6 Nous objections timidement que les plus grands génies ne s'étaient interdit ni l'amour, ni la passion, ni même le plaisir (...)
Th. GAUTIER, Portraits contemporains, p. 72.

7 Dans ce pays qui est libre, il est rigoureusement interdit de puiser dans la mer un verre d'eau, de cultiver dix pieds de tabac, et pour un peu il serait dangereux d'allumer un cigare au soleil avec une loupe.
VALÉRY, Regards sur le monde actuel, p. 67.

8 Des esprits chagrins s'interdisent le plaisir d'admirer cette œuvre monumentale *(Marly)* et décorative de Louis XIV. Ils préfèrent supputer quinteusement ce qu'elle a coûté. Louis BERTRAND, Louis XIV, III, III.

9 Les Orientaux (...) boivent de la boukha, bien que leur religion le leur interdise.
G. DUHAMEL, Salavin, III, XVII.

Pron. réfl. Rare. *S'interdire.*

9.1 Qu'il se repose sur ses instincts diminués, qu'il renonce, qu'il s'interdise.
ÉLUARD, Donner à voir, Pl., t. I, p. 979.

♦ **2.** *Interdire qqn* : frapper (qqn) d'interdiction. *Interdire un officier ministériel pour six mois.* ⇒ **Suspendre.** — Dr. canon. *Interdire un prêtre*, prononcer l'interdit* contre lui. Par anal. *Interdire une église, un pays.* — Dr. civ. *Interdire un homme atteint de folie* (cit. 3), prononcer contre lui l'interdiction judiciaire. *Faire interdire un parent* (→ Imbécile, cit. 5). *Le majeur en état habituel d'imbécillité, de démence* (cit. 1) *ou de fureur doit être interdit.*

9.2 Je mis à la porte un colonial huileux qui voulait épouser Gabrielle. Je fis interdire le père de Cécile, qui la ruinait. GIRAUDOUX, Simon le Pathétique, p. 153.

♦ **3.** (1661; de *interdit*, p. p. adj.). Vieilli ou rare (sauf au passif; → ci-dessous Interdit, 3.). Jeter (qqn) dans un étonnement, un trouble tel qu'il lui ôte la faculté de parler et d'agir. ⇒ **Confondre, étonner, foudroyer, interloquer, troubler** (→ fam. Couper* le sifflet). *La peur l'avait interdit, l'avait tellement interdit qu'il ne put prononcer un mot* (Académie).

10 Madame, je ne sais ce que vous voulez dire;
Et ce brusque discours a de quoi m'interdire. J.-F. REGNARD, Ménechmes, III, 5.

(1661, Molière). Pron. Vx. *S'interdire* : devenir interdit.

▶ **INTERDIT, ITE** p. p. adj. (Mil. XVe; *interdit* « excommunié », 1383).

♦ **1.** Non autorisé. *Entrée interdite. Passage interdit* (→ Écriteau, cit. 3). *Sens, stationnement interdit. Chantier interdit au public. Film interdit aux moins de seize ans. — Reproduction interdite. Chasse interdite. — Trafic interdit.* ⇒ **Illégal.** *Amour interdit.* ⇒ **Illicite.** *Ne parlez pas de cela, c'est un sujet interdit dans cette maison.* ⇒ **Tabou.**

1 (...) il est un lot considérable de Français qui sont entièrement soustraits à ces obligations. Ils peuvent à leur guise poster leur auto devant une porte cochère où contre le trottoir interdit (...)
GIRAUDOUX, De pleins pouvoirs à sans pouvoirs, V, p. 119.

2 La passion interdite, l'amour inavouable, se crée un système de symboles, un langage hiéroglyphique, dont la conscience n'a pas la clé.
Denis DE ROUGEMONT, l'Amour et l'Occident, I, 10.

3 Ici, tout ce qui n'est pas interdit est obligatoire.
G.. DUHAMEL, Manuel du protestataire, p. 78.

4 (...) le désir de forcer l'entrée d'un milieu interdit (...)
F. MAURIAC, le Sagouin, p. 5.

Impers. *C'est interdit* ⇒ **Défendu.** *« Il est interdit d'interdire »* (slogan de mai 1968, cité ci-dessus).

♦ **2.** Sc. *Bandes de fréquence interdites, longueurs d'ondes interdites*, correspondant à des niveaux d'énergie non occupés en spectroscopie.

(Personnes). *Prêtre interdit.* ⇒ 2. **Interdit.**

5 (...) est-ce que notre vénérable seigneur de Coutances a relevé de son interdiction M. l'abbé de La Croix-Jugan? — (...) ma fille, il n'est pas interdit, il n'est que *suspens*, — répondit la Causseron (...)
BARBEY D'AUREVILLY, l'Ensorcelée, p. 132.

Dr. pén. *Être interdit de séjour.* — Dr. civ. *Curateur* (cit. 2) *d'un aliéné non interdit.* — N. (1625). Rare au fém. *L'interdit est assimilé* (cit. 2) *au mineur. Incapacité** (cit. 6) *des interdits* (⇒ **Incapable**). — *Un interdit de séjour* (inusité au féminin).

Par ext. *Interdit de* (sur le modèle de *interdit de séjour*). *Un journaliste interdit d'antenne.* — (Choses). *Produit, modèle interdit de vente.*

♦ **3.** (1587). Personnes. Qui est frappé d'un étonnement, d'un trouble qui l'empêche d'agir. ⇒ **Ahuri, confondu, déconcerté, déconfit, ébahi, ébaubi, embarrassé, épaté, étonné, pantois, penaud, stupéfait, stupide.** *Elle les planta là, tout interdits* (→ Imbécile, cit. 8). *Maintien interdit* (→ Héritier, cit. 2). *« En amour (...) il est bon d'être interdit »* (Pascal; → Éloquence, cit. 18). *Il en est resté tout interdit.* ⇒ (fam.) **Bleu, court; capot, chose** (tout). *Rester interdit, sans voix.* → (fam. et vieilli) Le bec gelé.

Vous changez de couleur, et semblez interdite (...) RACINE, Phèdre, V, 3. 16

M. du Maine, toujours si vermeil et si désinvolte, devint interdit et pâle comme un mort. SAINT-SIMON, mémoires, IV, XXXIV. 17

L'âme encore stupide, et comme 18
Interdite au seuil de la chair. VALÉRY, Poésies, Charmes, Ébauche d'un serpent.

Elle se tut, interdite devant ce Pommerel vivant (...) sans rapport avec le personnage imaginaire qu'elle poursuivait de ses malédictions (...) 19
J. CHARDONNE, les Destinées sentimentales, I, IV.

CONTR. **Approuver, autoriser, commander, conseiller, enhardir, permettre, tolérer.**
HOM. (Du p. p.) V. 2. **Interdit.**

INTERDISCIPLINAIRE [ɛ̃tɛʀdisiplinɛʀ] adj. — Av. 1959 (*in* P. Gilbert); de *inter-*, et *disciplinaire.*

♦ Didact. (cour. dans cet usage). Qui concerne plusieurs disciplines, plusieurs sciences à la fois. *Conférence interdisciplinaire. Recherches interdisciplinaires, enseignement interdisciplinaire.* ⇒ **Interdisciplinarité;** et aussi **trans-disciplinaire.**

L'épistémologie contemporaine constitue de plus en plus un champ de recherches à la fois scientifiques et autonomes, qui constitueraient une discipline séparée, reconnue et dûment étiquetée, si elle n'était pas par sa nature même essentiellement interdisciplinaire.
J. PIAGET, Logique et Connaissance scientifique, Encycl. Pl., p. XI.

DÉR. **Interdisciplinarité.**

INTERDISCIPLINARITÉ [ɛ̃tɛʀdisiplinaʀite] n. f. — V. 1968 (1970, *le Figaro, in* P. Gilbert); de *interdisciplinaire.*

♦ Didact. Caractère interdisciplinaire. ⇒ **Pluridisciplinarité.** *« L'interdisciplinarité (...) habitue l'étudiant à se "dépayser" »* (*le Monde*, 11 avr. 1973).

1. INTERDIT, ITE [ɛ̃tɛʀdi, it] adj. ⇒ Interdire.

2. INTERDIT [ɛ̃tɛʀdi] n. m. — 1213, *entredit;* du lat. *interdictum*, p. p. neutre de *interdicere.*

♦ **1.** Dr. can. Sentence* ecclésiastique défendant la célébration des offices divins et l'usage de certains sacrements, soit à un ministre du culte *(interdit personnel)*, soit dans un lieu déterminé *(interdit local). Fulminer un interdit. Jeter, lancer, prononcer l'interdit. Mettre un prêtre, une ville, un pays en interdit. Lever l'interdit. Encourir l'interdit.* ⇒ **Censure.**

On craint à Paris qu'il ne vienne quelque chose de plus fort, comme par exemple, un interdit. RACINE, Lettres, 4, 5 sept. 1660. 1

Il apportait des bulles du pape pour mettre de nouveau le royaume en interdit. 2
MICHELET, Hist. de France, IV, V.

♦ **2.** (1840). *Prononcer l'interdit contre qqn.* ⇒ **Exclusive.** *Jeter l'interdit sur qqn ou qqch.* ⇒ **Index** (à l'), **quarantaine** (en). *Frapper d'interdit un produit de consommation.* ⇒ **Boycotter.**

(...) elle *(Mme de Staël)* sent que le maître est déjà venu, que la littérature en essai depuis 1795 est en suspicion et sera demain en interdit. 3
SAINTE-BEUVE, Chateaubriand..., t. I, p. 59 (1861).

♦ **3.** (XXe; 1946, Mounier). Plus cour. Interdiction émanant du groupe social ou d'une instance psychique. ⇒ **Tabou.** *Tenter de se libérer des interdits. Interdit de l'inceste* (→ Complexe d'Œdipe). *Transgression de l'interdit. — Interdit alimentaire, sexuel,* imposé par une religion, une croyance...

C'est pourquoi la plupart des interdits en vigueur dans les sociétés dites primitives sont en premier lieu des interdits de mélange, étant admis que le contact direct ou indirect, la présence simultanée dans un même local clos, constituent déjà des mélanges. Roger CAILLOIS, l'Homme et le Sacré, p. 26. 4

Elle se moque des scrupules. Elle brave les interdits. Elle prend ce qui lui convient où bon lui semble. N. SARRAUTE, le Planétarium, p. 193. 5

Seul *(dans la psychanalyse)* le sujet malade est en cause et le seul but est de le libérer des censures et des interdits qui l'oppriment. Ce rôle des *interdits* a beaucoup préoccupé Freud. C'est pourquoi (...) il s'est spécialement intéressé aux *interdits sociaux* ou *religieux* (...). 6
H. BARUK, De Freud au néo-paganisme moderne, *in* la Nef, no 31, p. 142.

(...) une étude possible : celle des interdits qui frappent le discours de la sexualité. (...) Nous sommes très loin d'avoir constitué un discours unitaire et régulier de la sexualité; peut-être n'y parviendra-t-on jamais et peut-être n'est-ce pas dans cette direction que nous allons. Peu importe. Les interdits n'ont pas la même forme et ne jouent pas de la même façon dans le discours littéraire et dans celui de la médecine, dans celui de la psychiatrie ou dans celui de la direction de conscience. Et, inversement, ces différentes régularités discursives ne renforcent pas, ne contournent ou ne déplacent pas les interdits de la même façon. L'étude ne pourra 7

donc se faire que selon des pluralités de séries où viennent jouer des interdits qui, pour une part au moins, sont différents en chacune.
Michel FOUCAULT, l'Ordre du discours, p. 69-70.

INTERDUNAIRE [ɛ̃tɛʀdynɛʀ] adj. — 1928, *in* D. D. L.; de *interdune.*

♦ Géogr. Qui se trouve dans une interdune.

INTERDUNE [ɛ̃tɛʀdyn] n. f. — Déb. xxe; de *inter-,* et *dune.*

♦ Géogr. Dépression entre des dunes en cordons.

DÉR. **Interdunaire.**

INTERENTREPRISES [ɛ̃tɛʀɑ̃tʀəpʀiz] adj. invar. — 1960, *in* T. L. F. art. *inter-;* de *inter-,* et *entreprise.*

♦ Admin. Qui fonctionne, qui intervient entre des entreprises différentes. *Un restaurant interentreprises.* «*Des cycles* interentreprises *de formation à l'organisation et à la gestion*» (*Revue générale des Chemins de fer,* juin 1974, *in* Gilbert).

INTÉRESSANT, ANTE [ɛ̃teʀesɑ̃, ɑ̃t] adj. — 1718; p. prés. d'*intéresser.*

Qui intéresse; qui est digne d'intérêt.

♦ **1.** Qui retient l'attention, captive l'esprit. *Un livre intéressant.* ⇒ **Captivant, palpitant, passionnant;** et aussi **comique, dramatique** (→ Attentif, cit. 7; compliqué, cit. 2; conversation, cit. 14). *C'est un film intéressant, un bon* film. Faire un voyage intéressant. Nouvelle, observation intéressante.* ⇒ **Important** (→ Habile, cit. 13). *Détail intéressant.* ⇒ **Curieux, piquant.** *Une intéressante précision* (→ Époque, cit. 16). *Époque intéressante. — Intéressant à connaître* (cit. 41), *à signaler* (→ 1. Faux, cit. 18). — Impers. *Il serait intéressant de poursuivre les recherches* (→ Analyse, cit. 4). *Ce serait intéressant de savoir... Ça n'est pas intéressant. Ce serait plus intéressant de...* (et inf.).

1 (...) il est certain que les entretiens intéressants et sensés d'une femme de mérite sont plus propres à former un jeune homme que toute la pédantesque philosophie des livres. ROUSSEAU, les Confessions, IV.

2 Il y a un tas de choses que je trouve beaucoup plus intéressantes que moi.
GIDE, journal, 30 janv. 1948.

3 Le trajet va être assez intéressant. Je lui ai dit de longer Hyde Park, qui, est, comme vous le savez, la plus belle promenade de Londres (...)
J. ROMAINS, les Hommes de bonne volonté, t. V, XXVI, p. 251.

4 (...) il eût été intéressant de connaître (...) le point de départ de la longue correspondance qui allait suivre (...) Émile HENRIOT, Portraits de femmes, p. 342.

5 (...) il avait essayé de consoler Rambert en lui faisant remarquer aussi qu'il pouvait trouver à Oran la matière d'un reportage intéressant (...)
CAMUS, la Peste, p. 100.

Un visage intéressant, une physionomie intéressante, qui a de l'expression, du charme généralement sans être beau. ⇒ **Attachant, charmant.**

5.1 Un peu dédaigneuse, douce et mélancolique, d'une pâleur intéressante, elle eût plutôt rappelé les tendres héroïnes de Walter Scott (...)
G. LEROUX, le Parfum de la dame en noir, p. 115.

(Personnes). Qui intéresse par son esprit, sa personnalité, sa culture... *Il est intéressant en société.* ⇒ **Brillant.** *Un auteur intéressant* (→ Hors, cit. 14, Voltaire). *Des amis intéressants et gais.*

6 (...) il y a tant de gens qui réussissent leur vie, que, quelquefois, ceux qui ratent la leur, et d'une certaine façon, sont plus intéressants.
Paul LÉAUTAUD, Journal littéraire, 28 mars 1905.

7 Fasciné par l'intéressante Irlandaise, il ne résiste pas à ce nouvel Amour (...)
Émile HENRIOT, Portraits de femmes, p. 232.

Péj. *Chercher à se rendre intéressant,* à se faire remarquer.

N. *Faire l'intéressant, son intéressant. Ne fais pas l'intéressante!*

7.1 On n'avait pas exploré les caves sous le château elles étaient sûrement immenses on menaçait les petits de les y perdre s'ils faisaient un peu trop leur intéressant ils nous agacent nous relancent sans arrêt au lieu de jouer entre eux à leurs petites bêtises. Tony DUVERT, Paysage de fantaisie, p. 144.

♦ **2.** Qui touche moralement, qui est digne d'intérêt, de considération. *C'est un cas intéressant.* — (Personnes). *Famille intéressante. Ces gens-là ne sont pas intéressants, vous n'aurez avec eux que des déceptions.*

8 (...) une foule de demandeurs qui, au téléphone ou auprès des fonctionnaires, exposaient des situations également intéressantes et, en même temps, également impossibles à examiner. CAMUS, la Peste, p. 82.

(Euphémisme vieilli, en usage lorsque l'évocation explicite de la grossesse était jugée malséante. → Attendre un heureux événement). *Femme dans une position intéressante, un état intéressant.* ⇒ 2. **Enceinte.**

9 (...) le mari est malade et la femme dans un état intéressant.
FRANCE, le Crime de S. Bonnard, Œ., t. II, p. 273.

♦ **3.** (1913). Qui présente un intérêt matériel. ⇒ **Avantageux.** *Prix intéressants. Proposition, affaire intéressante. Situation intéressante.* ⇒ **Désirable.** *C'est une affaire intéressante.* ⇒ **Valable.** (Personnes). *Client intéressant.*

CONTR. **Ennuyeux, fastidieux, inintéressant, insignifiant, mauvais; indifférent. — Coûteux, désavantageux.**

COMP. **Inintéressant.**

HOM. P. prés. de **intéresser.**

INTÉRESSÉ, ÉE [ɛ̃teʀese] adj. ⇒ **Intéresser.**

INTÉRESSEMENT [ɛ̃teʀɛsmɑ̃] n. m. — Mil. xxe (1964, *le Monde*); le mot a existé en moy. franç., «occupation, travail», 1464; de *intéresser.*

♦ Action d'intéresser (le personnel) aux bénéfices de l'entreprise, par une rémunération qui s'ajoute au salaire. *L'intéressement est obligatoire dans toute entreprise employant plus de cent personnes* (Ordonnance de juillet 1967). ⇒ aussi **Participation.**

Le 10 août (...) le général de Gaulle présentera au peuple les deux problèmes brûlants de sa politique intérieure : la réforme de la Sécurité Sociale (...) et l'intéressement des travailleurs aux bénéfices des entreprises, qui devrait théoriquement intéresser 15 millions de salariés et 2 millions de patrons.
l'Express, 24-30 juil. 1967.

INTÉRESSER [ɛ̃teʀese] v. tr. — XVIe; «faire tort à» (I., 1.), 1356; empr. au lat. *interesse,* proprt *esse inter* «être *(esse)* entre *(inter)*», d'après *intérêt.*

♦ **1.** Vx. Endommager, porter atteinte à (qqch.). — Spécialt. Chir. *On doit prendre garde, en faisant cette incision, d'intéresser les parties voisines* (Académie).

L'abeille (...) tire son miel des fleurs sans les intéresser, les laissant entières et fraîches comme elle les a trouvées (...) Saint François DE SALES, Vie dévote, I, 3.

♦ **2.** Vx. Faire intervenir, mêler, impliquer (qqn dans qqch.). *Intéresser qqn dans une affaire.*

(...) si j'ai à vous blâmer (...) c'est (...) d'intéresser dans le démêlé que vous avez avec des Marets cent autres personnes (...)
RACINE, Œuvres en prose, Lettre à l'auteur des *Hérésies imaginaires...*

Dans vos secrets discours étais-je intéressée,
Seigneur (...) RACINE, Bérénice, II, 4.

♦ **3.** Faire participer, associer (qqn) au profit d'une affaire. *Intéresser qqn dans une affaire, un commerce* (→ Associé, cit. 4). *Intéresser les travailleurs aux bénéfices de l'entreprise. Il est intéressé aux affaires.*

Cointet intéressa naturellement Métivier, dans une proportion déterminée, à ces fournitures, afin d'avoir un représentant habile sur la place de Paris (...)
BALZAC, Illusions perdues, Pl., t. IV, p. 1049.

(...) pour le récompenser de travaux bien conduits et fructueux, MM. Vedel et Gayet lui déclarèrent qu'il serait, désormais, intéressé dans les bénéfices de la maison (...) G. DUHAMEL, Salavin, III, XVIII.

♦ **4.** (Sujet n. de chose). Être de quelque intérêt, de quelque importance, de quelque conséquence pour (qqn, un groupe, qqch.). ⇒ **Concerner, regarder, toucher; rapport, trait** (avoir). *Décret qui intéresse les étrangers résidant en France. Ce projet intéresse toute la région. Cette remarque intéresse tout le monde.* ⇒ **Appliquer** (s'). *Cette décision vous intéresse au premier chef. Loi qui intéresse l'ordre public* (→ Convention, cit. 4). *Ce qui intéresse nos besoins* (→ Élimination, cit. 2). *Cela intéresse ma santé* (Académie). *Dépression atmosphérique qui intéresse la côte atlantique, intéressant la côte atlantique.*

(...) les mariages étant, de toutes les actions humaines, celle qui intéresse le plus la société (...) MONTESQUIEU, l'Esprit des lois, XXVI, XIII.

(...) de bien graves fractures qui intéressent l'articulation (...)
Ed. DE GONCOURT, les Frères Zemganno, LXXII.

Les grandes démocraties se trouvent en face de problèmes redoutables qui intéressent leur existence elle-même et dont la solution est urgente.
Alexis CARREL, l'Homme, cet inconnu, I, IV.

♦ **5.** Attirer, attacher (qqn) par un intérêt* qui retient l'attention, captive l'esprit ou le cœur. — (Sujet n. de chose). *Récit, histoire qui intéresse l'auditoire.* ⇒ **Animer, captiver, émouvoir, passionner.** *Ce film l'a beaucoup intéressé. Ça t'intéresse, ce truc-là? Ça ne m'intéresse pas du tout* (→ la loc. fam. C'est pas mon trip*). *Ça n'intéresse personne.* Cf. Tout le monde s'en fiche, s'en fout. *Tout l'intéresse.* — (Au passif). *Être vivement intéressé par qqch.* — Par ext. (Sujet n. de personne). *Auteur qui intéresse ses lecteurs* (→ Chicaner, cit. 4).

(...) rien ne devrait nous intéresser davantage que de savoir comment est fait ce monde que nous habitons, s'il y a d'autres mondes semblables, et qui soient habités aussi (...) FONTENELLE, Entretien sur la pluralité des mondes..., Préface.

(...) un dictionnaire qui fonde l'usage présent sur l'histoire de la langue intéresse de plus en plus le public (...) LITTRÉ, Dict., Préface.

Loc. fam. *Continue* (*parle toujours;* → 1. Parler, cit. 12.2), *tu m'intéresses,* s'emploie souvent par iron. pour marquer le peu d'importance qu'on attache à ce qui est dit.

Continue, tu nous intéresses, dit Petit-Pouce qui, plus âgé que les deux autres, employait parfois des expressions démodées. 1
R. QUENEAU, Pierrot mon ami (Livre de poche), p. 109.

Absolt. *La première condition d'un roman est d'intéresser* (→ Illusionner, cit. 2).

Il faut *intéresser;* c'est-à-dire faire croire ou faire sentir que c'est là une affaire personnelle (...) VALÉRY, Cahiers, t. II, Pl., p. 1556. 1

(Sujet n. de personnes). Paraître digne d'attention, de sympathie. — Sans compl. *Alceste intéresse et plaît.* ⇒ **Attacher** (→ Incartade, cit. 2). — Avec un compl. n. de personne. *Ces gens ne nous intéressent pas.* Par ext. *Physionomie, caractère qui intéresse un peintre, un écrivain.*

Non, c'est inutile d'essayer de voir les gens que nous aimons ou qui nous intéressent comme les indifférents les voient.
Valery LARBAUD, Amants, heureux amants, p. 142.

♦ **6.** (Sujet n. de choses; compl. n. de personne). Toucher, tenir à cœur. ⇒ **Importer, toucher.** *Son opinion m'intéresse beaucoup. Les soucis des autres n'intéressent personne. Rien ne l'intéresse que ses enfants, que son travail... Cela ne m'intéresse pas* (→ Peu me chaut*, peu m'importe*).

La misère d'un enfant intéresse une mère, la misère d'un jeune homme intéresse une jeune fille, la misère d'un vieillard n'intéresse personne.
HUGO, les Misérables, III, IX, III.

C'est le sommeil qui fait ta poésie,
Jeune fille avec un seul grand bras paresseux;
Déjà le rêve t'a saisie
Et plus rien d'autre ne t'intéresse.
COCTEAU, Morceaux choisis, Opéra, Jeune fille endormie.

Spécialt. Convenir à (qqn), satisfaire l'intérêt de (qqn). *Votre marché, votre proposition m'intéresse; je vais y réfléchir. Seul un prêt à long terme peut m'intéresser. Seriez-vous intéressé par une assurance-vie?* (⇒ **Désirer**).

(Ils) le regardent d'un œil soudain défavorable. Ce client-là ne les intéresse pas.
J. ROMAINS, les Hommes de bonne volonté, t. IV, IV, p. 27.

♦ **7.** *(Intéresser qqn à qqch.).* Faire prendre intérêt, goût. *Intéresser quelqu'un à un sport, à un match de boxe* (→ Honneur, cit. 24). *Pédagogue qui intéresse un enfant à son travail.* — Vx. *Intéresser qqn pour qqn. « Une tendre pitié qui m'intéressa pour lui »* (Galland, trad. des *Mille et Une Nuits*, t. I, p. 38).

► **S'INTÉRESSER** v. pron.

♦ **1.** Vx. *S'intéresser pour qqn, contre qqn,* lui être délibérément favorable, défavorable.

1 Que je sens de rudes combats!
Contre mon propre honneur mon amour s'intéresse :
Il faut venger un père, et perdre une maîtresse (...) CORNEILLE, le Cid, I, IV.

Qu'ai-je fait, que le ciel contre moi s'intéresse...?
CORNEILLE, la Toison d'or, V, 6.

Mon cœur, mon lâche cœur s'intéresse pour lui? RACINE, Andromaque, V, 1.

♦ **2.** Mod. **S'INTÉRESSER À...** *S'intéresser à une personne* (→ Gorge, cit. 28; haine, cit. 14). *Maître qui s'intéresse à un disciple. S'intéresser aux enfants de quelqu'un* (→ Famille, cit. 7). *S'intéresser à ce que fait qqn* (→ Famille, cit. 7; 2. auspice, cit. 10), *à son sort* (→ Damner, cit. 8), *à sa santé* (→ Hécatombe, cit. 4). ⇒ rare **Attentionner** (s'), **prendre** (à cœur), **préoccuper** (se), **soucier** (se). *Il s'est intéressé à vos études et m'a questionné sur vos projets d'avenir.*

Puis, je me suis sentie abandonnée (...) personne pour s'intéresser à moi! (...)
MÉRIMÉE, Arsène Guillot, I.

Un ami (...) qui s'intéressait à ses débuts, et qui avait vu de ses vers, lui conseilla alors d'en écrire souvent (...) Émile HENRIOT, Portraits de femmes, p. 317.

S'intéresser à une science, une technique, un sport. ⇒ **Aimer, cultiver, pratiquer.** *S'intéresser à des découvertes* (→ Horticulture, cit.), *à une question sociale, à une guerre* (cit. 48). *Il ne s'intéresse pas à la politique. S'intéresser à beaucoup de choses* (cit. 21), *à tout* (→ Être curieux* de tout). *Ne s'intéresser à rien* (→ Entrer, cit. 22). *Faire mine de s'intéresser à quelque chose* (→ Indifférence, cit. 7), *à ce que quelqu'un dit. Il commence à s'y intéresser.*

On ne peut guère exiger des gens qui ont leurs affaires, leurs ambitions, leurs habitudes positives, de s'intéresser ardemment aux choses d'un monde idéal dont ils ne soupçonnent pas même l'existence.
SAINTE-BEUVE, Correspondance, 61, 5 janv. 1829.

(...) quel que soit le second métier, il importe de l'aimer, de le considérer du moins avec intérêt, et les choses sont intéressantes dans la mesure où nous nous y intéressons. G. DUHAMEL, le Temps de la recherche, p. 202.

(...) capable de s'intéresser aussi bien aux propriétés des sections coniques qu'aux plus subtils problèmes de l'observation sentimentale et mondaine.
Émile HENRIOT, Portraits de femmes, p. 220.

► **INTÉRESSÉ, ÉE** p. p. adj. (1547, « lésé »).

♦ **1.** Qui a un intérêt, une part, un rôle dans quelque chose (cf. En cause, en jeu, en question). *Ce papier doit être signé par la personne intéressée* (→ Infidèle, cit. 9). *Les puissances intéressées* (→ Curée, cit. 4). *Les parties intéressées* (→ Absence, cit. 13; expédition, cit. 5). *Aventure* (cit. 19) *où la chair seule est intéressée.*

N. (1960; 1643, « associé »). *Les intéressés* (→ Falsifier, cit. 9; historique, cit. 1). *Les parents décidaient autrefois des mariages sans consulter les intéressés. Être le principal intéressé.*

C'est un des principaux témoins qui parle *(Madame Verlaine).* Mais, entre ses partisans et ses détracteurs, l'histoire du malheureux Verlaine avait été si obscurcie que ce témoignage de la principale intéressée servira très utilement à remettre au point cette triste affaire (...) Émile HENRIOT, Portraits de femmes, p. 426.

♦ **2.** (1640). — REM. Dans cette valeur, l'adj. a pour opposé *désintéressé**.

a Personnes. Qui recherche avant tout son avantage personnel, et, particult, un avantage matériel (⇒ **Avare, avide, cupide;** → Artificieux, cit. 4). *Un ami hypocrite et intéressé. Vous ne le prendrez pas par les sentiments, c'est un homme intéressé qui ne fera rien pour rien* (→ Homme d'argent*). — *Âme intéressée.* ⇒ **Mercenaire, vénal.**

— Eh bien! repris-je, les jeunes gens m'ont jusqu'à présent paru être plus intéressés qu'intéressants, plus occupés d'eux que de nous (...) 23
BALZAC, Mémoires de deux Jeunes mariées, Pl., t. I, p. 162.

(...) personne ne vous laissera dire que le docteur Knock est intéressé. C'est lui qui a créé les consultations gratuites, que nous n'avions jamais connues ici. Pour les visites, il fait payer les personnes qui en ont les moyens... mais il n'accepte rien des indigents. J. ROMAINS, Knock, III, p. 144. 24

b (Choses). Inspiré par la recherche d'un avantage personnel. *Une amitié, une générosité intéressée.* ⇒ **Calculé.** *Conseil, avis intéressé. Assertions intéressées qu'on ne peut accueillir* (cit. 5) *de confiance. Raison intéressée* (→ Expliquer, cit. 33). *Motif intéressé* (→ Amour, cit. 1). *Prière intéressée* (→ Blasphème, cit. 4). *Les calculs* intéressés de l'avarice* (→ Homme, cit. 154).

Mon amitié pour lui n'est point intéressée. RACINE, Alexandre le Grand, III, 6. 25

Tous ces conseils sont admirables assurément; mais je les tiens un peu intéressés, et trouve que vous me conseillez fort bien pour vous. Vous êtes orfèvre, Monsieur Josse, et votre conseil sent son homme qui a envie de se défaire de sa marchandise. 26
MOLIÈRE, l'Amour médecin, I, 1.

CONTR. Embêter, endormir, ennuyer. — Égal (être), **indifférent. — Dégoûter** (de). **— Désintéresser, ficher,** 1. **foutre** (se), **moquer** (se). — (Du p. p.) **Désintéressé, généreux; gratuit.**

DÉR. Intéressant, intéressement.

INTÉRÊT [ɛ̃teʀɛ] n. m. — 1251 (1290, selon T. L. F.); lat. *interest* « il importe » (de *interesse* « importer »), pris substantivement au sens de « ce qui importe ».

♦ **1.** (Vx depuis le XVIIe). Préjudice, tort, *Dommages et intérêts causés à quelqu'un.*

(1377). Vx. Indemnité.

Mod. (1343, *dampmages et interes*). Dr. *Dommages et intérêts* ou *dommages-intérêts,* indemnité due à quelqu'un pour la réparation d'un préjudice. ⇒ **Dommage** (cit. 3 et 4).

♦ **2.** (1462). Somme due par un emprunteur à un prêteur ou reçue de l'emprunteur par le prêteur en plus du capital prêté. ⇒ **Gain, rapport, rente, revenu** (→ Entrepreneur, cit. 9; 1. Fruit, cit. 34). *Prêt à intérêt. Les intérêts et le principal* d'une dette* (→ Indexer, cit.). *Taux de l'intérêt :* pourcentage de la somme empruntée dû annuellement. ⇒ **Annuité, loyer, prix** (de l'argent). *Taux d'intérêt. Intérêt à tant pour cent** (ex. : emprunter à 5%; autrefois : au denier* 20). *Intérêts simples,* perçus sur un capital fixe. *Intérêts composés,* calculés sur un capital accru de ses intérêts. *Intérêt légal,* dont le taux est fixé par la loi à défaut de convention. *Décret du 8 août 1935 fixant le taux de l'intérêt légal* (4% en matière civile, 5% en matière commerciale). *Intérêt abusif* ou *usuraire.* ⇒ **Usure.** *Intérêt bancaire.* ⇒ **Agio, commission, escompte.** *Servir un intérêt, payer des intérêts* (→ Compenser, cit. 1). *Intérêt qui court, intérêts échus.* ⇒ **Arrérage.** *Capitalisation des intérêts échus.* ⇒ **Anatocisme.** *Intérêts moratoires*. Conversion d'intérêts. Accorder des bonifications* d'intérêts pour faciliter les investissements.* — Ce que rapporte un capital placé. *Argent qui porte intérêt.* ⇒ **Productif.** *Capital* et intérêts d'un prêt, d'un placement. Titre qui produit des intérêts.* ⇒ **Dividende** (→ Coupon, cit. 1). *Fonds* (cit. 4) *qui se grossit des intérêts accumulés. Percevoir, toucher des intérêts. Vivre de l'intérêt de son capital.* ⇒ **Épargne;** → Capitaliste, cit. 1.

Je vous paierai, lui dit-elle, 1
Avant l'oût, foi d'animal,
Intérêt et principal. LA FONTAINE, Fables, I, 1.

— (...) la Sorbonne a décidé que le prêt à intérêt est un péché mortel. — Vous vous moquez de moi (...) Il n'y a aucun de ces raisonneurs qui ne fasse valoir son argent quand il le peut à cinq ou six pour cent (...) Le clergé de France en corps emprunte à intérêt. Dans plusieurs provinces de France on stipule l'intérêt avec le principal. VOLTAIRE, Dict. philosophique, Intérêt. 2

Les intérêts échus des capitaux peuvent produire des intérêts, ou par une demande judiciaire, ou par une convention spéciale, pourvu que, soit dans la demande, soit dans la convention, il s'agisse d'intérêts dus au moins pour une année entière. 3
Code civil, art. 1154.

Le taux d'intérêt est un prix : celui que paye le demandeur de monnaie et qu'exige le prêteur pour renoncer à son usage. ROMEUF, Dict. Sciences écon., Intérêt. 4

Par ext. *Intérêts de retard* (pénalité fiscale).

♦ **3.** (XVe). Ce qui importe, ce qui convient à qqn. *L'intérêt de qqn, son intérêt, ses intérêts. Intérêt matériel, pratique, financier...* (→ Écheniller, cit. 1). *Intérêt pécuniaire* (cit. 7). *L'intérêt moral de qqn. Intérêt propre, particulier* (→ 2. Bien, cit. 10). *Connaître ses intérêts, savoir où est son intérêt, suivre son intérêt* (→ Diriger sa barque*). *Agir, parler dans son intérêt* (→ Parler, prêcher pour son saint*). *Agir contre son intérêt. Ne voir que son intérêt. Trouver son intérêt à...* ⇒ **Avantage, compte** (→ Athée, cit. 16). — Loc. *(Avoir intérêt à...). Avoir intérêt à faire qqch.* (→ Encourager, cit. 13; essayer, cit. 32). *Je n'y ai aucun intérêt.* — Impers. *Il y a intérêt à...* (→ Gold point, cit.). — *Confier le soin de ses intérêts* (⇒ **Commettre; commettant**). — *(Dans, pour l'intérêt, les intérêts...). Jeter, engager* (cit. 24), *faire entrer qqn dans ses intérêts*

(→ Agir, cit. 27). *Agir dans l'intérêt, contre l'intérêt de qqn.* ⇒ **Servir; desservir; travailler** (pour, contre). → Conseiller, cit. 3. *Je vous le dis dans votre intérêt* (→ C'est pour* vous que je le dis). *C'est pour votre intérêt, votre propre intérêt* (→ Allégeance, cit. 1). — Au plur. *Entrer dans les intérêts d'une personne* (→ Domestique, cit. 6). — *Épouser les intérêts d'une personne, d'un groupe* (→ Encroûter, cit. 2). *Contrarier* (cit. 4), *trahir les intérêts de quelqu'un.* ⇒ **Cause.** *Communauté* (cit. 1) *d'idées et d'intérêts. Individus qui se groupent pour la défense de leurs intérêts* (→ Corps, cit. 44). *Intérêts majeurs. Opposition, conflit, coalition d'intérêts* (→ Arrivisme, cit. 1.). *Ménagements réciproques d'intérêts* (→ Amitié, cit. 6). *Concilier des intérêts* (→ Crédit, cit. 17). — *L'intérêt personnel* (→ Paix, cit. 16) *et l'intérêt d'autrui* (→ Assoupissement, cit. 7; coopération, cit. 3; égarer, cit. 10; empêcher, cit. 10). *L'intérêt de tous* (→ Exaction, cit. 4). *Intérêt commun* (cit. 8). — *Intérêt général* (→ 1. Général, cit. 15; aristocratie, cit. 3; bienséance, cit. 2). — *Intérêts domestiques* (→ Arranger, cit. 7), *familiaux, locaux* (→ Autonomie, cit. 2; exercer, cit. 41). *Intérêt national* (→ Adhérer, cit. 3), *intérêt d'État.* ⇒ **Affaire** (→ Atrocité, cit. 3). — *Intérêt public* (→ Aristocrate, cit. 2). ⇒ **Chose** (publique). *Société reconnue d'intérêt public. Intérêt social* (→ Abstention, cit. 2). — *L'intérêt supérieur du pays.*

5 — (...) je vous vais parler contre son intérêt!
— Je le quitte, ma sœur, pour embrasser le vôtre (...)
MOLIÈRE, le Dépit amoureux, II, 3.

6 Ainsi notre intérêt est toujours la boussole
Que suivent nos opinions. FLORIAN, Fables, III, 18.

7 La préférence de l'intérêt général au personnel est la seule définition qui soit digne de la vertu et qui doive en fixer l'idée. Au contraire, le sacrifice mercenaire du bonheur public à l'intérêt propre est le sceau éternel du vice.
VAUVENARGUES, Réflexions et maximes, XLIII.

8 Mais quand je serais menteuse comme vous me le reprochez, quel intérêt y aurais-je? LACLOS, les Liaisons dangereuses, XCIV.

9 J'ai si bien fait que le portier est dans nos intérêts, et qu'il m'a promis que toutes les fois que vous viendriez, il vous laisserait toujours entrer (...)
LACLOS, les Liaisons dangereuses, CLVI.

9.1 Ce que l'on appelle l'intérêt de la société n'est que la masse des intérêts particuliers réunis, mais ce n'est jamais qu'en cédant, que cet intérêt particulier peut s'accorder et se lier aux intérêts généraux (...) SADE, Justine..., t. I, p. 52.

10 Les grands intérêts sont tout ce qui remue fortement les hommes, et il y a des moments où la vie n'est pas leur plus grande passion.
CHAMFORT, Maximes et Pensées, Sur l'art dramatique, XXIV.

11 La loi de l'Intérêt général, qui engendre le Patriotisme, est immédiatement détruite par la loi de l'Intérêt particulier, qu'elle autorise, et qui engendre l'Égoïsme. BALZAC, le Curé de village, Pl., t. VIII, p. 720.

12 La communauté des intérêts est assurément un lien puissant entre les hommes. Les intérêts, cependant, suffisent-ils à faire une nation?
RENAN, Discours et Conférences, Œ. compl., t. I, p. 902.

Intérêt matériel, pécuniaire. *Questions d'intérêt;* → fam. De gros sous*. — Par ext. *Les intérêts du cœur* (cit. 152), *de l'amour* (→ Exclusivement, cit. 5).

13 Ils ont des affaires très graves, paraît-il, à discuter ensemble; toujours ces questions d'intérêt et de partage qui, à la campagne, tiennent une si grande place dans la vie. LOTI, Mon frère Yves, LXVIII.

14 (...) les hommes dont la fonction est de défendre les valeurs éternelles et désintéressées, comme la justice et la raison, et que j'appelle les clercs, ont trahi cette fonction au profit d'intérêts pratiques (...)
Julien BENDA, la Trahison des clercs, p. 9.

15 On dit souvent que ce sont les intérêts qui déchaînent les guerres? L'expérience nous enseigne au contraire que ce sont plutôt les passions.
André SIEGFRIED, La Fontaine..., p. 33.

Dr. *Intérêt pour agir,* condition nécessaire de l'ouverture de toute action judiciaire.

Dr. Avantage que présente (pour une personne) l'exercice d'un droit ou d'une action. *Intérêt matériel, moral; actuel, éventuel. Pas d'intérêt, pas d'action. Les intérêts de l'accusé* (cit. 2). *Avoué* (cit. 2) *qui défend les intérêts de quelqu'un.*

(1690, Furetière). Particult. Argent qu'une personne a dans une affaire. *Avoir des intérêts dans une compagnie pétrolière.*

16 Perrot, c'est un des soutiens du parti. Un banquier. Il a des intérêts dans les entreprises de travaux publics. ARAGON, les Beaux Quartiers, II, III.

Spécialt. *Avoir des intérêts* (dans une affaire, un lieu...) : faire des affaires, avoir des capitaux engagés.

16.1 — Oui, je me sers rarement du chemin de fer, je viens en voiture. Ça promène mes chevaux... Vous savez que j'ai des intérêts par ici, toute une affaire de constructions, qui malheureusement ne va pas très bien. ZOLA, Rome, p. 467.

♦ **4.** Absolt. *(L'intérêt).* Recherche d'un avantage personnel, particulier, attachement égoïste à ce qui est avantageux pour soi (→ Action, cit. 15). *Agir par intérêt. Aimer, cultiver* (cit. 19) *quelqu'un par intérêt* (→ Assommer, cit. 18.3). *Mariage d'intérêt. Morales de l'intérêt. L'orgueil souvent plus fort que l'intérêt* (→ Convaincre, cit. 11). *Il se met du côté du manche*, là où il croit avoir le plus d'intérêt.*

17 Les vertus se perdent dans l'intérêt, comme les fleuves se perdent dans la mer.
LA ROCHEFOUCAULD, Réflexions morales, 171.

18 Je ne suis pas un médecin mercenaire... L'intérêt ne me gouverne point.
MOLIÈRE, le Médecin malgré lui, II, 4.

19 Avec cela de l'intérêt et de la cupidité affichée, tendant la main sans honte, croyant à l'or et le disant, y mettant même une sorte de cynisme (...)
BEAUMARCHAIS, le Mariage de Figaro, Notice.

20 Avant vingt ans, tel se croit bien habile de découvrir que l'homme n'agit que par intérêt. Et naturellement il ne songe qu'aux intérêts les plus près de soi, les plus vifs. Car s'il consentait à admettre que les chimères les plus désossées, aussi bien que les imaginations ou conceptions les plus sublimes, puissent parfois *intéresser* l'homme jusqu'à prendre le pas sur les intérêts vulgaires, nous serions peut-être près de nous entendre. GIDE, Journal, 25 févr. 1943.

♦ **5.** (1580, Montaigne). Dans des loc. verbales : *prendre, porter,* etc. *intérêt.* Attention favorable (à qqn); fait de prendre part (à ce qui concerne qqn). *Porter de l'intérêt à quelqu'un* (→ Illusionner, cit. 3), *lui témoigner de l'intérêt* (→ Arrière-pensée, cit. 3). *Ne ressentir aucun intérêt pour un étranger* (→ Accident, cit. 10). *Prendre intérêt à la situation de quelqu'un.* ⇒ **Soucier** (se); → Faste, cit. 3. *« Il prend pour mon honneur* (cit. 21) *un intérêt extrême »* (Molière). *Remercier qqn de l'intérêt qu'il nous porte* (→ Démentir, cit. 13). — **... D'INTÉRÊT.** *Marque, signe, témoignage, démonstration d'intérêt.* — *Intérêt affectueux, amical, bienveillant pour qqn, qqch.* ⇒ **Bienveillance, sollicitude.**

Qui doit prendre à vos jours plus d'intérêt que moi? RACINE, Iphigénie, III, 6. 21

(...) M. Mayer me marque un intérêt dont je ne suis peut-être pas digne. 22
G. DUHAMEL, Salavin, V, I.

Je te remercie de l'intérêt affectueux que tu portes aux miens et de la sollicitude avec laquelle tu me réclames de leurs nouvelles. 23
G. DUHAMEL, Chronique des Pasquier, VI, X.

♦ **6.** (1675, Mme de Sévigné). État de l'esprit qui prend part à ce qu'il trouve digne d'attention, à ce qu'il juge important. *Écouter, regarder, lire qqch avec intérêt* (→ Clairement, cit. 4; fait, cit. 24; folâtrer, cit. 2; harmonie, cit. 36). *Étudier qqch. avec intérêt.* ⇒ **Ardeur.** *Ce professeur fait naître, éveille l'intérêt chez ses élèves.* ⇒ **Attention, curiosité** (cit. 2), **désir** (d'apprendre). *Centre d'intérêt. Montrer un vif intérêt pour qqch.* (→ Intéresser, cit. 20; et aussi prendre à cœur*; fam. bander* pour qqch.). — **PRENDRE INTÉRÊT À...** *Prendre intérêt à tout; à peu de chose* (→ Fécondité, cit. 7). *Prendre intérêt à un livre* (→ Ennuyeux, cit. 12), *aux propos de quelqu'un* (→ Flatter, cit. 17), *à une polémique* (→ Écorcher, cit. 8), *à une découverte... Ne prendre intérêt à rien ni à soi-même* (→ 1. Être, cit. 11). — (Avec d'autres verbes; le nom est déterminé). *Œuvre qui soutient l'intérêt. Style qui force l'intérêt* (→ Caractère, cit. 29). *Exciter, soulever, susciter l'intérêt universel* (→ Enlever, cit. 32). *Ce livre a suscité l'intérêt du grand public.* ⇒ aussi **Audience.**

Après la publication du *Fils naturel,* il m'en avait envoyé un exemplaire, que j'avais lu avec l'intérêt et l'attention qu'on donne aux ouvrages d'un ami. 24
ROUSSEAU, les Confessions, IX.

L'auteur y mêlait au récit succinct du mouvement quelques détails pittoresques propres à exciter l'intérêt et à soulever l'enthousiasme (...) 25
Louis MADELIN, Hist. du Consulat et de l'Empire, De Brumaire à Marengo, XVIII.

Je peux t'affirmer que ces recherches sont de nature à bouleverser la science et qu'elles ont soulevé dans nos milieux scientifiques un intérêt ardent. 26
G. DUHAMEL, Chronique des Pasquier, VI, XI.

L'affaire suscitait pourtant un intérêt profond, qui n'était pas tout de curiosité. 27
M. AYMÉ, le Confort intellectuel, p. 107.

♦ **7.** (1740). Qualité de ce qui retient l'attention, captive l'esprit (⇒ **Intéressant**). *L'intérêt d'un récit, d'une pièce* (→ Évolution, cit. 4), *d'un inédit* (cit. 4). *Intérêt dramatique* (→ Gradation, cit. 5), *anecdotique* (de qqch.) → Flottant, cit. 12. *Intérêt humain* (d'un fait, d'un récit), son aptitude à provoquer l'émotion du public par l'identification à une situation. — *La riposte rapide fait l'intérêt de la conversation* (cit. 9). *Trouver de l'intérêt à un spectacle. Cela ne manque pas d'intérêt.* ⇒ **Sel** (ne pas manquer de sel). *Histoire pleine d'intérêt. N'offrir aucun intérêt, ne pas présenter le moindre intérêt* (→ Glace, cit. 13). *Cela n'a pas d'intérêt, n'a aucun intérêt. C'est sans intérêt, dénué d'intérêt* (→ Facilité, cit. 18; 2. frais, cit. 11). *Perdre tout son intérêt* (→ Éprouver, cit. 24). *Vie sans intérêt, monotone et vide* (→ Folie, cit. 30).

Si vous ne frappez pas le cœur du spectateur par des coups toujours redoublés au même endroit, ce cœur vous échappe. Si vous mêlez plusieurs intérêts ensemble, il n'y a plus d'intérêt. VOLTAIRE, Commentaires sur Corneille, Œdipe, V, 1. 28

De la lutte des passions aux prises avec le point d'honneur résulte l'intérêt de la plupart des pièces de l'ancien théâtre espagnol (...) 29
Th. GAUTIER, Voyage en Espagne, p. 221.

(...) on est très agréablement surpris de trouver des pages pleines de sensibilité, des morceaux étincelant d'esprit et de goût, des dissertations sur les arts, une gaieté et un comique que l'on n'aurait pas soupçonnés dans un Allemand hypocondriaque et croyant au diable et, chose importante pour les lecteurs français, un nœud habilement lié et délié, des péripéties et des événements, tout ce qui constitue l'intérêt dans le sens idéal et matériel du mot. 30
Th. GAUTIER, Souvenirs de théâtre..., p. 46.

Avantage (souvent matériel) que l'on peut tirer de qqch. ⇒ **Importance, utilité** (→ Héritier, cit. 7). *Intérêt d'une découverte, d'une méthode, d'une fabrication* (→ Huile, cit. 6). *Une déclaration du plus haut intérêt. Quel est l'intérêt d'un tel procédé? Cela ne présente pour nous aucun intérêt.* ⇒ **Avantage.**

Ne parlez jamais de ce qui, dans le moment, a le plus petit intérêt pour vous; cette faiblesse peut avoir les plus déplorables conséquences. 31
STENDHAL, Romans et nouvelles, « Féder », I.

Mieux vaut une laide avec de l'esprit. Même dans certaine occupation, l'esprit a son intérêt. L'amour dans la bêtise est un piètre amour. 32
Paul LÉAUTAUD, Journal littéraire, 25 août 1903, note.

Dite avec naturel, la phrase ne saurait éveiller le moindre soupçon. Et elle peut arracher à Marilhat un renseignement d'un intérêt capital. 33
J. ROMAINS, les Hommes de bonne volonté, t. III, XXI, p. 279.

CONTR. Capital, fonds. — Désintéressement, gratuité. — Désintérêt, indifférence. — Fadeur, insignifiance; futilité, inutilité.

INTERÉTATIQUE [ɛ̃tɛʀetatik] adj. — XXe; de *inter-*, et *étatique*.

♦ Didact. Qui concerne les relations entre États.

INTERETHNIQUE [ɛ̃tɛʀɛtnik] adj. — Mil. XXe; de *inter-*, et *ethnique*.

♦ Didact. Qui concerne les rapports, les relations entre communautés ethniques différentes.

INTERFAÇAGE [ɛ̃tɛʀfasaʒ] n. m. — XXe; de *interface*.

♦ Techn. Connection par interface (de plusieurs systèmes). *« L'interfaçage au microordinateur des circuits logiques, des mémoires... »* (*la Recherche*, avr. 1980, p. 494).

INTERFACE [ɛ̃tɛʀfas] n. f. — V. 1960 (attesté 1965); angl. *interface*, 1882, d'orig. lat. → Face.

Anglicisme.

♦ **1.** Phys., chim. Surface de séparation entre deux phases distinctes (solide-liquide, solide-gaz, liquide-gaz).

♦ **2.** Techn. Limite commune à deux ensembles ou appareils.

Cette cohésion est obtenue grâce aux produits de pontage placés à l'interface entre le matériau de renforcement et la résine.
J.-C. DESJEUX et J. DUFLOS, les Plastiques renforcés, p. 42.

Spécialt. Jonction entre deux éléments d'un système informatique (connexion physique ou connection de programmation). *Circuit d'interface d'entrée, de sortie. Interface moniteur, imprimante, lecteur de disquettes... Interfaces analogiques, numériques. « En informatique, l'interface permet au microprocesseur de communiquer avec un périphérique : au sens restreint, c'est une prise de x broches; au sens large, c'est le mécanisme de traduction et de transmission des données. Pour ce dernier, il est plus exact de parler de "contrôleur" »* (*l'Ordinateur Personnel*, n° 1, juin 1983, p. 23).

REM. Dans ce sens, le mot est admis (Journ. off., 12 janv. 1974) ainsi que *jonction*.

Par métaphore. *L'interface entre deux domaines, deux aspects d'un problème.*

DÉR. Interfaçage.

INTERFÉCOND, ONDE [ɛ̃tɛʀfekɔ̃, ɔ̃d] adj. — XXe; de *inter-*, et *fécond*.

♦ Zootechn. Dont le croisement peut assurer la reproduction (de deux espèces différentes). *Le cheval et l'âne sont interféconds; leurs espèces sont interfécondes. L'ânesse est interféconde avec le cheval.*

CONTR. Interstérile.
DÉR. Interfécondité.

INTERFÉCONDATION [ɛ̃tɛʀfekɔ̃dasjɔ̃] n. f. — XXe; de *inter-*, et *fécondation*.

♦ Bot. Fécondation croisée. ⇒ aussi **Interfertilité.**

L'interfécondation, ou fécondation croisée (cas général chez le Pommier et le Poirier), les abeilles assurant quasi exclusivement la pollinisation.
Henri BOULAY, Arboriculture et Production fruitière, p. 67.

Biol. Fécondation mutuelle des individus d'une même espèce.

COMP. V. Interfertilité.

INTERFÉCONDER (S') [ɛ̃tɛʀfekɔ̃de] v. pron. — XXe; de *inter-*, et *(se) féconder*.

♦ Biol. Se féconder par interfécondation. *« Tous les individus d'une population peuvent, en principe, s'interféconder, et apporter leur contribution de gènes à la formation de nouveaux individus »* (*la Recherche*, avr. 1981, p. 418).

INTERFÉCONDITÉ [ɛ̃tɛʀfekɔ̃dite] n. f. — 1936, L. Cuénot et J. Rostand, *in* T. L. F., *inter-*; de *interfécond*, d'après *fécondité*.

♦ Biol. Capacité de deux espèces ou de deux races de se croiser en donnant naissance à des individus eux-mêmes féconds. ⇒ **Hybridation.** *«Appartiennent à la même espèce deux individus capables de produire entre eux des petits féconds. L'espèce n'est donc pas la collection des individus "semblables", mais l'ensemble de ceux qui se reproduisent entre eux. Cette définition de l'espèce par l'interfécondité est devenue classique. En fait, Buffon ne l'a pas inventée : il l'a empruntée à John Ray, naturaliste anglais de la fin du XVIIe siècle »* (*la Recherche*, n° 138, nov. 1982, p. 1246).

CONTR. Interstérilité.

INTERFÉDÉRAL, ALE, AUX [ɛ̃tɛʀfedeʀal, o] adj. — 1902, Péguy, *in* D. D. L.; de *inter-*, et *fédéral*.

♦ Polit. Qui concerne les relations entre fédérations. *Un comité interfédéral.*

INTERFÉRENCE [ɛ̃tɛʀfeʀɑ̃s] n. f. — 1819; angl. *interference* (1783 «intervention»; → ci-dessous, 2; en sciences, 1802, Thomas Young), de *to interfere*, 1773, dans cet emploi, lord Monboddo; → Interférer.

♦ **1.** Sc. [a] (1819, Arago, *in* D. D. L.). Phys. Superposition de deux phénomènes vibratoires de même longueur d'ondes lorsque celles-ci sont en phase ou en opposition de phase; effet de cette superposition. *Interférences lumineuses. Franges* d'interférence :* bandes alternativement brillantes et obscures résultant de l'interférence de deux radiations lumineuses. — *Interférences sonores. Les battements* produits par deux sons de fréquences* voisines résultent de l'interférence des ondes sonores.*

[b] Météor. Superposition de plusieurs courants.

[c] Méd. Inhibition d'une infection (d'un virus) par une autre infection (un autre virus).

♦ **2.** (1910, Péguy, *in* Rey-Debove et Gagnon). Par métaphore ou fig. ⇒ **Rencontre, superposition.**

Si je cessais de souffrir par Mlle Vinteuil quand je souffrais par Léa, ces deux bourreaux de ma journée, c'est soit par l'infirmité de mon esprit à se représenter à la fois trop de scènes, soit par l'interférence de mes émotions nerveuses, dont ma jalousie n'était que l'écho. 1
PROUST, À la recherche du temps perdu, t. XII, p. 164.

Ling. Sociol. Phénomène résultant du contact entre deux usages sociaux.

♦ **3.** (1823, Las Cases; repris XXe). Intervention contradictoire, immixtion.

De plus, l'espèce de rivalité franco-britannique créée sur place par les interférences et les pressions de vos représentants est nuisible à l'effort de guerre des Nations Unies (...) Ch. DE GAULLE, Mémoires de guerre, t. II, p. 22. 2

L'interférence d'Alger et de Paris, c'est le fait tragique des jours que nous vivons. 3
F. MAURIAC, le Nouveau Bloc-notes 1958-1960, p. 70.

INTERFÉRENT, ENTE [ɛ̃tɛʀfeʀɑ̃, ɑ̃t] adj. — 1836, cit.; angl. *interfering*, adapté d'après *interférence*; de l'angl. *to interfere*, du lat. *inter* «entre», et *ferens*, de *ferre* «porter».

♦ Phys. Qui présente le phénomène de l'interférence. *Rayons interférents.*

Ces franges nouvelles sont dues à l'interférence des rayons envoyés par les deux arcs éclairants A'B' et AB; ce qu'il est facile de prouver, car si l'on intercepte un des groupes de rayons interférens, en masquant une des fentes par un nouvel écran, tout le système de franges dont Q est le centre disparaît complètement (...)
G. LAMÉ, Cours de physique, t. II, p. 360 (1836).

N. B. On trouve aussi dans ce texte : *faisceaux interférens.*

INTERFÉRENTIEL, ELLE [ɛ̃tɛʀfeʀɑ̃sjɛl] adj. — 1877; de *interférence*.

♦ Didact. (phys.). Relatif aux interférences (1.). *Systèmes interférentiels. Couches interférentielles.* — Qui utilise les interférences. *Microscopie interférentielle. Microscope interférentiel et microscope à contraste de phase. Filtres interférentiels. « La méthode interférentielle de M. Fizzeau »* (*Année sc. et industr.* 1896, p. 363 [1895]).

INTERFÉRER [ɛ̃tɛʀfeʀe] v. — Conjug. *céder*. — 1819, Arago et Fresnel, *in* D. D. L.; de l'angl. *to interfere*, formé avec le lat. *inter* «entre», et *ferre* «porter».

A. V. intr. ♦ **1.** Phys. Produire des interférences. *Rayons, rayonnements, vibrations, ondes qui interfèrent.* — *Interférer avec* (une autre onde).

♦ **2.** (1823, Las Cases, *interférer «dans nos plus petits détails domestiques»*; repris 1902; angl. *to interfere* «influencer»; → Interférence, cit. 2). Fig. Se dit d'actions simultanées qui se font tort, se gênent mutuellement en s'influençant. *Leurs initiatives risquent d'interférer. Interférer avec qqch. Les événements qui interfèrent les uns avec les autres, entre eux.*

B. V. tr. (1922, Proust). Vx. produire une, des interférences avec... *« Des ondes (...) qui allaient interférer les circonstances... »* (Léon Daudet, *in* G. L. L. F.).

▶ **S'INTERFÉRER** v. pron. *« Nos désirs vont s'interférant »* (Proust, *in* G. L. L. F.).

INTERFÉROMÈTRE [ɛ̃tɛʀfeʀɔmɛtʀ] n. m. — 1908, *in* T. L. F., art. *Radium;* rad. *interférence,* et suff. *-mètre.*

♦ Phys. Instrument permettant de mesurer la distance des franges d'interférence, et servant spécialement à comparer la longueur d'un objet à une longueur d'onde connue. *Cliché pris à l'interféromètre* (*interférogramme,* n. m.). *« En 1882, Albert Michelson construit un interféromètre capable de détecter de très petites variations dans la vitesse de la lumière »* (*Sciences et Avenir,* n° spécial Einstein, n° 26, p. 12. — REM. Rien ne prouve que le terme ait été employé alors.

DÉR. **Interférométrie.**

INTERFÉROMÉTRIE [ɛ̃tɛʀfeʀɔmetʀi] n. f. — XXe (1938, Garnier-Delamare, *in* D. D. L.); de *interféromètre.*

♦ Phys. Technique de mesure des franges d'interférences. *L'interférométrie est utilisée dans l'industrie pour la détermination des calibres.*

DÉR. **Interférométrique.**

INTERFÉROMÉTRIQUE [ɛ̃tɛʀfeʀɔmetʀik] adj. — XXe (1934, *in* T. L. F.); de *interférométrie.*

♦ Phys. De l'interférométrie. *Mesures interférométriques. « Les techniques interférométriques utilisant plusieurs antennes permettent de réaliser dans le domaine de la radioastronomie des cartes détaillées »* (*la Recherche,* mars 1981, p. 340).

INTERFÉRON [ɛ̃tɛʀfeʀɔ̃] n. m. — Après 1957 (attesté 1963 *in* T. L. F.); angl. *interferon,* 1957, Isaacs et Lindemans, de *interference,* le produit étant le substrat d'interférences biologiques.

♦ Biochim. Substance protéique responsable de la résistance d'une cellule parasitée par un virus à tout virus étranger d'une espèce analogue.

1 (...) la culture *in vitro* a apporté une contribution importante à l'étude d'une substance récemment découverte et appelée interferon. Cette substance est produite par des cellules mises au contact d'un virus. Elle empêche la prolifération d'autres virus dans ces cellules. On obtient la production d'interferon *in vitro* sur des cultures de cellules Hela, de rein de singe, et aussi de tissus d'embryon de poulet. L'action de l'interferon n'est pas spécifique pour un virus (...) L'interferon produit par le virus de la grippe est actif contre d'autres virus. En revanche, il paraît spécifique, pour l'espèce cellulaire qui a permis de l'obtenir. La production d'interferon est généralement précédée par une augmentation de la synthèse protéique (Friedman, 1966).
Jean VERNE et Simone HÉBERT, la Culture de tissus, p. 104.

2 (...) rappelons en quelques mots ce qu'est l'interféron. Très répandu dans l'échelle zoologique (tous les vertébrés semblent capables d'en produire), l'interféron est une protéine d'origine cellulaire capable d'inhiber dans les cellules de l'espèce dont elle provient, ou dans celles des espèces voisines (spécificité d'espèce), la multiplication de n'importe quel virus. L'interféron agit, non pas directement sur le virus lui-même, comme le font les anticorps, mais indirectement, en modifiant certains propriétés de la cellule. Toutes les cellules infectées par des virus produisent de l'interféron (interféron viral). Mais on sait aujourd'hui que différentes substances n'ayant rien à voir avec les virus (antigènes spécifiques, mitogènes) peuvent induire, uniquement dans les cellules du système immunitaire, la synthèse d'interférons (interférons immunologiques). la Recherche, oct. 1978, p. 947.

HOM. Formes du v. **interférer.**

INTERFERTILITÉ [ɛ̃tɛʀfɛʀtilite] n. f. — D. i. (XXe); de *inter(fécondation),* et *fertilité.*

♦ Bot. Fertilité (d'une pante) par fécondation croisée *(interfécondation).*

On nomme interfertilité l'état d'une variété apte à la nouaison après fécondation croisée (...) Henri BOULAY, Arboriculture et Production fruitière, p. 67.

INTERFLUVE [ɛ̃tɛʀflyv] n. m. — 1956; mot angl. (XXe), de *inter-,* et lat. *fluvius* « fleuve ».

♦ Géogr. Relief qui sépare des vallées.

INTERFOLIAGE [ɛ̃tɛʀfɔljaʒ] n. m. — 1873, P. Larousse; de *interfolier.*

♦ Techn. (imprim.). Action d'interfolier*; son résultat.

INTERFOLIER [ɛ̃tɛʀfɔlje] v. tr. — 1798 (Bloch-Wartburg); de *inter-,* et lat. *folium* « feuille ».

♦ Techn. Brocher, relier (un livre, un manuscrit, un imprimé) en insérant des feuilles de papier blanc entre les feuillets. — Au p. p. *Exemplaire interfolié.*

(...) l'abbé ouvrit le livre de l'année courante. C'étaient des *Imitations de Jésus-Christ,* mais interfoliées, chaque feuillet imprimé en face d'un feuillet blanc.
Jean PRÉVOST, les Frères Bouquinquant, p. 139.

INTERFRANGE [ɛ̃tɛʀfʀɑ̃ʒ] n. f. — V. 1960; de *inter(férence),* et *frange.*

♦ Sc. Distance constante de deux franges consécutives (phénomènes d'interférence ou de diffraction).

INTERGALACTIQUE [ɛ̃tɛʀgalaktik] adj. — 1963, *in* T. L. F., art. *inter-;* de *inter-,* et *galactique.*

♦ Didact. Situé entre les galaxies. *L'espace intergalactique. L'hydrogène, le gaz intergalactique. Il est « à peu près certain que* (les rayons cosmiques) *sont formés dans notre Galaxie et ne viennent pas du milieu intergalactique »* (*la Recherche,* juin 1980, p. 706). (Dans le contexte de la fiction). *Vaisseau intergalactique.*

INTERGLACIAIRE [ɛ̃tɛʀglasjɛʀ] adj. — 1875, *in* Littré, *Suppl.;* de *inter-,* et *glaciaire.*

♦ Géol. Se dit des périodes séparant deux périodes glaciaires*. *Époque, phase interglaciaire.*
Formé au cours d'une telle période. *Dépôt, formation interglaciaire.*

INTERGOUVERNEMENTAL, ALE, AUX [ɛ̃tɛʀguvɛʀnəmɑ̃tal, o] adj. — 1954; de *inter-,* et *gouvernemental.*

♦ **1.** Qui concerne plusieurs gouvernements. *Organisation, union intergouvernementale.* « (Les monopoles) *ont recours à de nouvelles formes d'investissement et autres opérations privées ainsi qu'à de nouveaux types de relations financières et économiques intergouvernementales »* (*les Temps modernes,* août-sept. 1964, p. 231).

♦ **2.** (1967, au Québec). *Ministère des Affaires intergouvernementales* (fédérales-provinciales, interprovinciales et étrangères), chargé de la coordination générale des relations du gouvernement du Québec avec tout autre gouvernement. — REM. Correspond au *ministère des Affaires étrangères** d'autres États.

INTERGROUPE [ɛ̃tɛʀgʀup] adj. et n. m. — Mil. XXe (in *Larousse mensuel,* 1949); de *inter-,* et *groupe* (politique).

♦ Polit. Qui réunit plusieurs groupes politiques; concerne leurs relations. *Réunion intergroupe* (ou *intergroupes*), *à l'Assemblée.*
N. m. *Un intergroupe.*

(...) l'éventail des mutuelles, amicales, rassemblements et intergroupes.
Jacques PERRET, Bâtons dans les roues, p. 50.

INTERHÉMISPHÉRIQUE [ɛ̃tɛʀemisfeʀik] adj. — 1960, *in* T. L. F.; de *inter-,* et *hémisphérique.*

♦ Anat. *Scissure interhémisphérique,* séparant les deux hémisphères cérébraux et où se trouve située la faux* du cerveau.

INTERHUMAIN, AINE [ɛ̃tɛʀymɛ̃, ɛn] adj. — 1907, in *Rev. gén. des sc.,* n° 6, p. 231; de *inter-,* et *humain.*

♦ Didact. Qui concerne les relations entre les humains. *Dépendance interhumaine.*

Il est remarquable que toute cette terminologie créée par Freud s'applique admirablement à n'importe quel type de situation interhumaine.
C. KOUPERNIK, Un traitement d'exception, *in* la Nef, n° 31, p. 154.

INTÉRIEUR, EURE [ɛ̃tɛʀjœʀ] adj. et n. — V. 1447, « qui est dans l'âme »; sens physique, 1530, *interior;* 1406, au sens abstrait; lat. *interior,* anc. comparatif.

★ **I.** Adj. ♦ **1.** Qui est au dedans, dans l'espace compris entre les limites d'une chose, d'un être (opposé à *extérieur*). ⇒ **Interne; dans, dedans.** *Volume intérieur, capacité intérieure d'un contenant, d'un récipient, d'un corps...* (→ 1. Farce, cit.). *Soit un cercle de centre O et un point P intérieur à ce cercle. Angles intérieurs d'un polygone. Bissectrice intérieure d'un angle. — Cour, terrasse intérieure* (→ Cabanon, cit. 2; courtine, cit. 3; fumerie, cit. 3). *Paroi, face intérieure,* tournée vers l'intérieur, le dedans. *Côté intérieur. Poche intérieure d'un vêtement* (→ Exploration, cit. 5; fouiller, cit. 28). *Parties intérieures du corps. Milieu* intérieur et milieu extérieur d'un être vivant* (→ Échange, cit. 15; 2. greffe, cit. 2). *Sentir une douleur, une chaleur intérieure; un feu intérieur. — Les parties, les régions intérieures, centrales d'un pays. Mer* intérieure.*

La température était à trente-neuf cinq (...) Il se plaignait maintenant d'une douleur intérieure. CAMUS, la Peste, p. 31. 1

De là, on pouvait embrasser, sur un vaste périmètre, l'aspect de cette mer intérieure qui porte aussi le nom de mer Morte et dans laquelle se jette aussi un Jourdain d'Amérique. J. VERNE, le Tour du monde en 80 jours, p. 238. 1.1

Par ext. Qui concerne l'intérieur, qui a lieu à l'intérieur (de quelque chose). *Effraction* (cit. 2) *intérieure. Aménagements* intérieurs. Balistique** (cit. 2) *intérieure. Vie intérieure d'une famille* (→ Envelopper, cit. 25).

Loc. *Conduite* intérieure.*

♦ **2.** (1812). Qui concerne un pays, son territoire. *Organisation, politique intérieure* (→ Fédéralisme, cit. 2; fulminer, cit. 2). *Ser-*

vice de politique intérieure d'un journal. → 2. Politique, cit. 19.1. *Commerce* intérieur* (→ Exportation, cit. 3). *Navigation intérieure. Douanes intérieures* (→ Expédition, cit. 14; fleuve, cit. 7). *S'immiscer dans les affaires intérieures d'un pays. Guerre, lutte intérieure.* ⇒ **Civil, intestin** (adj.); → Agiter, cit. 11. *Un besoin de paix* (cit. 36) *intérieure.*

♦ **3.** (Mil. XVIIe). Qui concerne la vie psychologique; qui se passe dans l'âme*, dans l'esprit* (opposé à *sensible, physique*). ⇒ **Intime, privé, psychique.** *Vie* intérieure* (→ Affoler, cit. 4; ascèse, cit. 1; coutre, cit. 3; enfant, cit. 39; heureux, cit. 42; impudeur, cit. 3). *Le gouvernement* (cit. 6) *intérieur,* de soi-même. — *Le for intérieur.* ⇒ **For** (cit. 1 à 4). — *Sentiment intérieur* (→ Engagement, cit. 2; étourdir, cit. 19; faiblesse, cit. 15; humilité, cit. 14; immédiat, cit. 1). *Temps intérieur, psychologique, vécu* (→ Faiseur, cit. 16). *Connaissance, révélation intérieure* (→ Immanence, cit. 3; immédiatement, cit. 1). *Exaltation* (cit. 12), *flamme* (cit. 14), *activité intérieure. Bouillonnement, feu** (1. Feu, cit. 69), *frémissement* (cit. 14), *souffle intérieur* (→ Éclater, cit. 29). *Équilibre intérieur* (→ Homogène, cit. 5). *L'enthousiasme* (cit. 10), *dieu intérieur. Mouvement, rythme intérieur* (→ Envelopper, cit. 30; frémissement, cit. 7). *Voix*, vision* intérieure* (→ Entrouvrir, cit. 5; improvisation, cit. 7). — *Qualités, défauts, mérites intérieurs,* qui ne se remarquent pas. ⇒ **Secret** (→ Augmenter, cit. 20). *Détachement, respect, abaissement intérieur* (→ Autorité, cit. 48; délier, cit. 6; humilité, cit. 8).

2 Notre vie secrète n'est pas nécessairement une vie profonde. Le repliement sur nous-mêmes, qui devait multiplier les jouissances comme les richesses de la vie intérieure, ne conduira qu'à une culture du moi, tout artificielle et toute stérile, si elle est détournée des principes de communion, des valeurs d'universalité, auxquels est suspendu le développement de la vie spirituelle. Entre les idées voisines de vie intérieure et de vie spirituelle, dont les termes sont souvent pris l'un pour l'autre, il y a donc une distinction à faire, et qui peut aller jusqu'à l'opposition.
L. BRUNSCHVICG, Vie intérieure et vie spirituelle.

3 *La Porcia de Shakespeare parle quelque part de cette « musique que tout homme a en soi ». — Malheur, dit-elle, à qui ne l'entend pas! — Cette musique, la nature aussi l'a en elle...* (Ce livre) *est l'écho* (...) *de ce chant qui répond en nous au chant que nous entendons hors de nous* (...)
Victor Hugo, il y a un peu plus de cent années, justifiait ainsi le titre des *Voix intérieures.* ARAGON, les Yeux d'Elsa, p. XXXI.

Monologue intérieur. ⇒ **Monologue,** 4. *Le monologue intérieur de Molly Bloom dans l'« Ulysse » de Joyce.*

Par ext. *L'homme* (cit. 46) *intérieur* (→ Histoire, cit. 11). — Vx. Qui ne se préoccupe que de sa vie intérieure, spirituelle, mystique.

(Avec un adv. de comparaison). *Des crimes* (cit. 9) *plus ou moins intérieurs* (Valéry). *Une religion très intérieure* (Thibaudet, *in* Grevisse).

4 La première salle où est le comptoir est presque déserte. Mais il y a une salle plus intérieure, où une dizaine de personnes (...) causent (...)
J. ROMAINS, les Hommes de bonne volonté, t. III, XII, p. 168.

5 (...) le poète saisit quelque chose qui n'a plus rien de commun avec la parole, certains rythmes de vie et de respiration qui sont plus intérieurs à l'homme que ses sentiments les plus intérieurs. J. PAULHAN, les Fleurs de Tarbes, p. 67.

★ **II.** N. m. (Av. 1550, au sens 4). ♦ **1.** (1580). Espace compris entre les limites d'une chose. ⇒ **Dedans,** n. m. *L'intérieur d'une boîte, d'un meuble, d'une valise, d'un tiroir. L'intérieur d'un violon* (→ Âme, cit. 83), *d'un fourneau* (cit. 9) *de pipe. Tenir à l'intérieur de quelque chose.* ⇒ **Contenir; contenu.** *Mettre, enfermer* qqch., qqn à l'intérieur de qqch.* ⇒ **Inclure, rentrer.** — *L'intérieur d'une salle* (→ Flambeau, cit. 1), *d'une boutique, d'une église, d'un édifice* (→ Ermite, cit. 1; galerie, cit. 12; 2. gentil, cit. 6; gothique, cit. 11; groom, cit. 3; huis, cit. 5). *L'intérieur d'un navire, d'une gondole* (cit. 2). → Écoutille, cit. 1. — *L'intérieur du corps* (→ Incrustation, cit. 2). — *L'intérieur de la terre.* ⇒ **Entrailles** (2.); → Fouiller, cit. 23.

6 Sur la cheminée, dans une coupe, des fruits de cristal s'éclairaient de l'intérieur par des ampoules électriques (...)
J. CHARDONNE, les Destinées sentimentales, p. 187.

Fam. ou régional. *Les intérieurs :* l'intérieur du corps.

Au singulier (rare) :

6.1 Et nous, qui n'avions ni lésions, ni blessures, qui n'avions eu que la grippe espagnole, que pouvions-nous rétorquer à l'homme qui avait, lui, des éclats d'obus qui se baladaient dans son intérieur, et qui en connaissait le nombre exact (...)
Henri CALET, la Belle lurette, p. 144.

Techn. *Les intérieurs d'un cigare, opposés à la cape.*

♦ **2.** Absolt (en parlant d'une salle, d'un bâtiment). *L'intérieur.* — Loc. (1897). *À l'intérieur. Voulez-vous m'attendre à l'intérieur?* ⇒ **Dedans.**

7 Le feu le plus ardent ne parvenait pas à sécher les murs, plus froids à l'intérieur qu'au dehors, comme dans les cachots ou les sépulcres (...)
Léon BLOY, la Femme pauvre, II, X.

(1779). *Un intérieur, l'intérieur* (de qqn) : l'intérieur de sa maison*, son logis (⇒ **Chez-soi**), et, par ext., son ménage. ⇒ **Domestique** (vx), **foyer.** *Un intérieur soigné, confortable* (cit. 1), *net, propre, modeste* (→ Encombrer, cit. 8; femme, cit. 81). *Un joli intérieur. Rester dans son intérieur* (→ Dans sa coquille*).

8 (...) une maison commode et saine, un intérieur bien ordonné, de la propreté (...)
É. DE SENANCOUR, Oberman, XXXV, 2.

Chacun, n'ayant pas encore eu le temps de se créer un intérieur, vivait dans la rue, sur les promenades, dans les salons publics. 9
CHATEAUBRIAND, Mémoires d'outre-tombe, t. IV, p. 116.

Vous voyez un intérieur allemand, plancher de sapin bien frotté au grès, murailles blanches, fenêtres encadrées de houblon (...) 10
Th. GAUTIER, Souvenirs de théâtre..., p. 44.

Dans l'appartement de sa maîtresse, il a pour règle de ne rien laisser qui soit à lui. Rien surtout de ce qui touche à la commodité pratique. Il lui répugnerait d'y retrouver, selon l'usage, un pyjama et des pantoufles. Est-ce par un sentiment de vulgaire prudence? Il ne le croit pas. Il s'est toujours méfié, peut-être avec un certain préjugé doctrinaire, du sentiment d'« intérieur », de la notion même d'« intérieur », qui lui semble essentiellement bourgeoise. Il attribue au charme maléfique des intérieurs douillets et calfeutrés cette espèce de dégénérescence, d'engraissement, d'ensommeillement, qu'il a déplorés tant de fois chez des hommes plus âgés que lui. C'est à dessein qu'il a gardé, malgré son goût de l'ordre, l'arrangement d'existence d'un vieil étudiant. 11
J. ROMAINS, les Hommes de bonne volonté, t. I, XIV, p. 150.

D'INTÉRIEUR. *Une femme d'intérieur,* qui se plaît, excelle à tenir sa maison. *Vêtement, veston d'intérieur* (→ Flanelle, cit. 1).

Il ne l'épousera pas. C'est une femme d'intérieur qu'il lui faut, il ne s'en rend pas compte lui-même. N. SARRAUTE, Tropismes, p. 64. 11.1

(1829, *tableau d'intérieur;* 1835, *un intérieur*). Spécialt. *Tableau, photographie d'intérieur,* et absolt, *Intérieur :* tableau de genre représentant l'intérieur d'une maison, d'un édifice, ou une scène de vie familiale. *Intérieurs de peintres hollandais du XVIIe siècle.*

(1929). Spécialt (cin.). *En intérieur* (par oppos, à *en extérieur**), à l'intérieur du studio. *Séquences tournées en intérieur.*

Swamp Water (de J. Renoir) peut se flatter d'avoir, à long terme, révolutionné Hollywood. Pour la première fois un grand studio accepta l'idée, après tout fort raisonnable, de ne pas tourner les extérieurs en intérieurs. 11.2
J.-L. GODARD, Jean-Luc Godard, *in* Coll. des cahiers du cinéma, p. 97.

♦ **3.** (1797; 1812, *Ministère de l'Intérieur*). En parlant d'un pays, d'une région. *L'intérieur du pays, des terres :* la partie la plus éloignée des limites, des frontières. ⇒ **Hinterland.** *À l'intérieur de la ville.* ⇒ **Intra-muros.** — Absolt (admin., polit., comm.). Le pays (dont il est question, du locuteur) par oppos. à *l'Étranger. À l'intérieur et à l'extérieur. Lutter contre les ennemis de l'intérieur. Ce produit est entièrement consommé à l'intérieur.* — *Le Ministère de l'Intérieur s'occupe de l'Administration, de la police de l'État,* par oppos. au *Ministère des Affaires étrangères* et aux *Ministères spécialisés.* Absolt. *Être employé, travailler à l'Intérieur. On lui a confié l'Intérieur.*

Louis XVIII me nomma ministre de l'Intérieur par *intérim.* Ma correspondance avec les *départements* ne me donnait pas grand'besogne; je mettais facilement à jour ma correspondance avec les préfets, sous-préfets, maires et adjoints de nos bonnes villes, du côté intérieur de nos frontières (...) 12
CHATEAUBRIAND, Mémoires d'outre-tombe, t. III, p. 356.

La conquête dirigée vers l'intérieur du pays s'appelle propagande (...) ou répression. Dirigée vers l'extérieur, elle crée l'armée. CAMUS, l'Homme révolté, p. 226. 13

♦ **4.** (Av. 1550, Marguerite de Navarre). Vieilli ou relig. La vie intérieure, la « partie intime de l'âme » (Littré). → Approfondir, cit. 8, La Bruyère. *L'intérieur des animaux,* leur vie psychique (→ Arranger, cit. 8, Buffon). — *« L'affectation* (cit. 3) *d'un grave intérieur »* (Molière).

(...) il n'y a point d'intérieur humain, si pur qu'il puisse être, qui ne recèle quelque vice odieux. ROUSSEAU, les Confessions, X. 14

♦ **5.** (1784). Fig. *L'intérieur d'un groupe, d'une communauté* (→ Fusionner, cit. 1; gouvernant, cit. 11; hindouiste, cit. 2). *À l'intérieur de sa condition, de son état* (cit. 79). *Étudier, comprendre quelque chose par l'intérieur* (→ Fibre, cit. 4), *de l'intérieur.*

(...) si Marx a émis sur le système patriarcal, féodal, capitaliste... des vues profondes, c'est parce qu'il a commencé par se mettre à l'intérieur de ces réalités, par les *vivre* (...) Julien BENDA, la Trahison des clercs, p. 41. 15

♦ **6.** Sports (football). (1927, probablt antérieur; → 2. Inter). **a** Joueur placé à l'intérieur du terrain entre les ailiers et l'avant-centre. — On dit plus couramment *inter*, inter droit* ou *droite, inter gauche* (1905, *in* Petiot).

b Coup de pied donné de l'intérieur du pied.

CONTR. (Du sens I) **Extérieur. — Bord, confin, contour, côté, dehors, entrée, frontière; façade.**
DÉR. Intérieurement, intériorisé, intériorité.

INTÉRIEUREMENT [ɛ̃teʀjœʀmɑ̃] adv. — 1501; v. 1468, *interiorement,* abstrait; de *intérieur.*

♦ **1.** (1534). Dans l'intérieur, au dedans. *Galerie* (cit. 1) *enrichie intérieurement d'une colonnade. Globe* (cit. 11) *terrestre éclairé intérieurement.*
Par l'intérieur.

La portière de ce compartiment, donnant sur le couloir, avait été fermée à Paris, aussitôt le bagage de Mme Darzac déposé. Mais cette portière n'avait été fermée ni extérieurement à clef par l'employé, ni intérieurement au verrou par les Darzac. Le rideau de cette portière avait été tiré intérieurement sur la vitre, par les soins de Mme Darzac, de telle sorte que du corridor on ne pouvait rien voir de ce qui se passait dans le compartiment. 0.1
G. LEROUX, le Parfum de la dame en noir, p. 77.

♦ **2.** Dans l'esprit, le cœur, l'âme. ⇒ **Intimement** (→ Apparence, cit. 20). *Pester, rager intérieurement.* ⇒ **Bas** (tout bas), **in petto, secrètement** (→ 1. Faux, cit. 15).

1 Vivez cent ans, et moquez-vous intérieurement des médecins, ainsi que du reste du monde. VOLTAIRE, Lettre au duc de Richelieu, 4 avr. 1773.

2 (...) on parla de me ramener en France sans avoir vu Rome et Naples. C'était m'arracher mon rêve au moment où j'allais le saisir. Je me révoltai intérieurement contre une pareille idée. LAMARTINE, Graziella, I, 1.

CONTR. **Extérieurement, ouvertement.**

INTÉRIM [ɛteʀim] n. m. — 1412; adv. lat. «pendant ce temps», de *inter* «entre».

♦ **1.** Intervalle de temps pendant lequel une fonction* est vacante, est exercée par une autre personne que le titulaire. *La longueur d'un intérim. — Dans l'intérim, son adjoint le remplaça. L'intérim dura un mois.* — (1690). *Par intérim. Charge*, fonction exercée par intérim.* ⇒ **Interimaire.** *Administrer, gouverner par intérim* (→ Intérieur, cit. 12, Chateaubriand). ⇒ **Provisoirement.** *Remplir une fonction, effectuer un travail par intérim.*

1 (...) le jeune lieutenant Warburton, commandant par intérim la compagnie B..., prit possession de sa tranchée (...) A. MAUROIS, les silences du colonel Bramble, VIII.

♦ **2.** Exercice d'une fonction pendant l'intérim. ⇒ **Remplacement.** *Se charger de l'intérim; assurer l'intérim de qqn, un intérim de quinze jours.* — Figuré :

2 (...) me dire qu'elle vous a remplacée dans ma vie et qu'elle fait l'*intérim* de notre intimité pendant votre absence? BARBEY D'AUREVILLY, Une vieille maîtresse, II, IV.

♦ **3.** Intervalle entre deux fonctions, deux présences, etc.

3 L'intérim entre Lamélie, devenue madame Cuveton, et la protégée d'Albert encore à venir, et même à trouver, n'étant assuré que par lui-même et les résultats s'avérant, comme prévu, monotones et médiocres, il estima judicieux d'en profiter pour expérimenter un *(restaurant)* de-luxe particulièrement recommandé et de lui jusqu'à ce jour inconnu afin de faire pour une fois un repas réussi. R. QUENEAU, les Fleurs bleues, p. 111.

♦ **4.** Organisation de travail temporaire (offert aux entreprises par une entreprise spécialisée). *Agence, maison, société d'intérim,* fournissant du personnel intérimaire.

DÉR. **Intérimaire.**

INTÉRIMAIRE [ɛteʀimɛʀ] adj. — 1796; de *intérim.*

♦ **1.** Relatif à un intérim. *Fonction, charge intérimaire* (⇒ **Transitoire**).

♦ **2.** Qui fait l'intérim. ⇒ **Remplaçant.** *Ministre intérimaire. Personnel intérimaire :* personnel assurant la continuité du travail dans une entreprise, généralement loué par une société spécialisée. *Engager une dactylo intérimaire pour la durée des vacances. — Travail intérimaire.* ⇒ **Temporaire.**

(...) il se considérait comme le remplaçant intérimaire de M. Verlaque (...) E. ZOLA, le Ventre de Paris, t I, p. 159.

N. (1867, Littré). *Un, une intérimaire. Le titulaire et l'intérimaire.* — Spécialt. Salarié effectuant des travaux temporaires pour le compte d'une entreprise spécialisée (agence d'intérim*).

INTERINDIVIDUEL, ELLE [ɛtɛʀɛ̃dividɥɛl] adj. — 1897, cit. 1; de *inter-,* et *individu,* d'après *individuel.*

♦ Didact. Qui concerne les relations entre individus. *Psychologie interindividuelle.*

1 La concurrence internationale est cause de la guerre, de la paix armée, des maux qui suivent, comme la concurrence interindividuelle est cause des procès, de véritables guerres privées, de la plupart des haines publiques et privées, des maux qui suivent. Ch. PÉGUY, Œuvres en prose 1898-1908, p. 5.

2 (...) comme les actions humaines sont à peu près toujours à la fois collectives et individuelles, les lois de leur coordination générale s'imposent aussi bien aux relations interindividuelles qu'aux actions privées et notamment intériorisées. J. PIAGET, Épistémologie des sciences de l'homme, p. 177.

INTERINDUSTRIEL, ELLE [ɛtɛʀɛ̃dystʀijɛl] adj. — XXe; de *inter-,* et *industriel.*

♦ Qui se produit entre industries différentes; concerne des branches industrielles différentes. *«L'idée d'une coopération interindustrielle (...) destinée à stimuler le commerce international»* (*France-Europe,* no 16, p. 56).

INTERINFLUENCE [ɛtɛʀɛ̃flyɑ̃s] n. f. — Déb. XXe; de *inter-,* et *influence.*

♦ Didact. Influence réciproque.

INTÉRIORISATION [ɛteʀjɔʀizasjɔ̃] n. f. — 1899, *in* D.D.L.; de *intérioriser.*

♦ Didact. ou littér. Le fait d'intérioriser; aptitude mentale à s'isoler du monde extérieur.

(...) les manifestations extérieures de la conduite (donc le «comportement» au sens strict) et les manifestations internes en tant qu'intériorisation des actions en pensée. J. PIAGET, *in* Logique et Connaissance scientifique, Encycl. Pl., p. 97. 1

(...) que se passe-t-il, lorsque, nous détournant toujours plus de l'extérieur, nous descendons vers cet espace imaginaire qui est l'intimité du cœur? On pourrait supposer que la conscience ici cherche l'inconscience comme son issue (...) Cela n'est pas. Sauf dans la IIIe Élégie où parle l'élémentaire, Rilke éprouve cette intériorisation plutôt comme une transmutation des significations mêmes. M. BLANCHOT, l'Espace littéraire, p. 179. 2

Psychan. Syn. de *introjection.*

CONTR. **Extériorisation.**

INTÉRIORISER [ɛteʀjɔʀize] v. tr. — 1893, M. Blondel, *in* T.L.F.; de *intérieur,* d'après *extérioriser.*

♦ Psychol. Ramener à l'intérieur, au moi; traduire en activité psychologique. *Intérioriser un conflit.*

Rendre plus intérieur (I., 2.).

(...) Charles Dullin (...) a fondé une petite compagnie théâtrale dans le genre de l'Œuvre et du Vieux-Colombier, mais encore plus spéciale si possible. C'est à la fois un théâtre et une école où l'on applique des principes d'enseignement inventés par lui et qui ont pour but d'intérioriser le jeu de l'acteur. A. ARTAUD, Lettres, À Mademoiselle Yvonne Gilles, 1921, Œ. compl., t. III, p. 120. 1

▶ **S'INTÉRIORISER** v. pron.

Devenir intériorisé (par le jeu de la réflexion, du sentiment). *Événements dont les effets s'intériorisent,* influent sur la personnalité et la conduite.

(...) travail de transmutation, dans lequel les choses, toutes les choses se transforment et s'intériorisent en nous devenant intérieures et en devenant intérieures à elles-mêmes (...) M. BLANCHOT, l'Espace littéraire, p. 181. 2

▶ **INTÉRIORISÉ, ÉE** p. p. adj.

(...) le malade, dans l'incapacité d'agir, est en quelque sorte séparé du monde extérieur, d'où le nom de *schizophrénie* proposé par Bleuler pour désigner ce syndrome, marqué aussi par des troubles importants de l'affectivité et une attitude de repliement sur soi-même, dans une pensée intériorisée et perdant le contact avec la réalité (...) H. BARUK, Psychoses et Névroses, p. 26. 3

CONTR. **Extérioriser.**

DÉR. **Intériorisation.**

INTÉRIORITÉ [ɛteʀjɔʀite] n. f. — V. 1500; depuis 1801 en psychologie; de *intérieur.*

Didactique.

♦ **1.** Caractère de ce qui est intérieur* (au propre et au figuré). → Extériorité, cit. 1. *«En», préposition qui marque l'intériorité* (→ Gérondif, cit. 3).

Cette ouverture publique de l'intériorité du corps humain est d'ailleurs un trait général de la publicité des produits de toilette. R. BARTHES, Mythologies, p. 84. 1

♦ **2.** (1801). Psychol. L'ensemble des faits intérieurs, la conscience.

Il y a un certain nombre de transformations que nous devons effectuer dans notre intériorité, de notre élan et de notre volonté propres. L. PAUWELS, *in* Planète, no 4, Févr. 1969, p. 15. 2

♦ **3.** Philos. Caractère de l'être même, en tant que source de sa propre action.

Cette intériorité, qui est nôtre, et qui nous fait participer de l'être absolu, ne se présente d'abord que comme une liberté, c'est-à-dire précisément comme un pouvoir de se déterminer, de se donner à elle-même l'être, qui autrement ne pourrait pas être le sien. L. LAVELLE, *in* FOULQUIÉ, Dict. de la langue philosophique. 3

INTERJECTER [ɛtɛʀʒɛkte] v. tr. — 1841, *in* D.D.L.; «intercaler», XVe; refait sur *interjeter* (en moy. franç. *interjecter*) d'après *interjection.*

♦ Rare. Insérer (une parole) dans le discours d'un autre, ou entre deux discours. ⇒ 1. **Dire.**

La plus prostituée est la plus libre et la plus belle, dit le septième monstre. Il y a deux sortes d'hommes, les hommes libres et les autres, interjecta le onzième. A. JARRY, Critique littéraire, Le XIe monstre, *in* Œ. compl., t. VII, p. 176 (1894).

INTERJECTIF, IVE [ɛtɛʀʒɛktif, iv] adj. — 1765, *Encyclopédie;* du bas lat. *interjectivus,* du lat. class. *interjectum,* supin du lat. *interjicere,* de *inter-,* et *jacere* «jeter». → Interjection.

♦ Ling. Qui joue le rôle d'une interjection, est relatif à l'interjection. *Locution, forme interjective.*

N. m. *Un interjectif.* ⇒ **Appellatif.**

INTERJECTION [ɛtɛʀʒɛksjɔ̃] n. f. — V. 1300; du lat. gramm. *interjectio* «intercalation», du lat. class. *interjectum,* supin de *interjicere,* de *inter-* et *jacere* «jeter».

★ **I.** Gramm., cour. «Mot invariable susceptible d'être employé isolément et comme tel inséré (lat. *interjectus*) entre deux termes de l'énoncé (...) pour traduire d'une façon vive une attitude du sujet parlant» (Marouzeau). *Les interjections comprennent des cris* et* *onomatopées* (Oh! Patatras!), *des substantifs accompagnés ou non d'une épithète, d'un déterminatif...* (Attention! Mon Dieu!...), *des adjectifs* (Bon! Tout doux!), *des adverbes ou locutions adverbiales* (Et alors! En avant!), *des verbes, le plus souvent à l'impératif* (Penses-tu! Va donc!), *des propositions entières* (Fouette cocher!); *leur caractère est d'avoir la fonction d'une phrase. Interjection d'appel, de colère, de douleur, de joie, de mécontentement, de mépris, de triomphe* (→ Hosanna, cit. 1). *Point d'interjection,* d'exclamation (→ 1. Fausset, cit. 5). — REM. *Interjection* désigne surtout la forme grammaticale, souvent très simple et réduite à un cri, tandis que *exclamation* insiste sur le contenu expressif. → Exclamation (cit. 2).

Principales interjections :

- Acré
- Ah
- Aïe
- Allez
- Allons
- A-reu
- Arrière
- Attention
- Avant (en avant)
- Badaboum
- Bah
- Banco
- Bas (à bas)
- Baste
- Bénédiction
- Bernique
- Beuh
- Berk (ou Beurk)
- Bien (eh bien)
- Bigre
- Bing
- Blague (sans blague)
- Bof
- Bon
- Bon Dieu
- Bonté (bonté du ciel, bonté de Dieu, bonté divine)
- Bordel
- Boudi (régional)
- Boufre
- Bougre
- 1. Boum
- 1. Bran
- Bravo
- Broum
- Brrr
- Ça (or çà)
- Caca
- Casse-cou
- Chiche
- Chiotte
- Chut
- Ciel
- Clac
- Clic
- Comment (et comment)
- Crac
- Crénom
- Crotte (crotte de bique)
- Dame (dame oui, dame non)
- Debout
- Diable
- Diantre
- Dieu (bon, grand, juste Dieu, mon Dieu, vingt dieux, milledieux, etc.)
- Dis donc
- Dites donc
- Doucement
- Eh
- Eh bien
- Euh
- Exemple (par exemple)
- Fi
- Fichtre
- Floc
- Flop
- Flûte
- Foutre
- Foi (ma foi)
- Foin (de)
- Gai
- Gare
- Grâce
- Gué (ô gué)
- Guili guili
- Ha
- Halte
- Han
- Hardi
- Hé
- Hein
- Hélas
- Hem
- Hep
- Heu
- Hi hi
- Ho
- Holà
- Hom (vx)
- Hon (vx)
- Hop
- Hors (d'ici)
- Hou
- Houp
- Hourra
- Hue
- Là
- Las
- Macarelle (régional)
- Malepeste
- Mâtin
- Mazette
- Merde
- Milledieux
- Mince
- Minute
- Miséricorde
- Morbleu
- Motus
- Nom (de...)
- Œil (mon œil)
- Oh
- Ohé
- Ouais
- Ouf
- Ouiche
- Oust(e)
- Paf
- Paix
- Pan
- Parbleu
- Pardi
- Pardieu
- Pardienne (vx)
- Pardon
- Pargué (vx)
- Patatras
- Patience
- Peste
- Pécaïre
- Peuh
- Pif
- Plaît-il
- Plaît (s'il vous plaît)
- Pouah
- Ploc
- Plof
- Plouf
- Pouf
- Poum
- Prout
- Psitt
- Putain
- Qui va là
- Qui vive
- Quoi (eh quoi)
- Salut
- Saperlotte
- Sapristi
- Seigneur
- Si
- Si fait (vx)
- Silence
- Sniff
- Splash
- Stop
- Tant mieux
- Tant pis
- Sus
- Ta, ta, ta
- Tarare (vx)
- Tiens
- Tonnerre (de Brest, de Dieu)
- Tope-là
- Tout beau
- Tout doux
- Tralala
- Tudieu
- Va
- Va donc
- Vivat
- Voyons
- Vlan
- Vroum
- Zest (vx)
- Zut

REM. Voir aussi Juron, onomatopée.

Ceux-même qui ne sont pas des nôtres *(les protestants),* défendent pourtant entre eux l'usage du nom de Dieu, en leurs propos communs. Ils ne veulent pas qu'on s'en serve par une manière d'interjection ou d'exclamation (...)
MONTAIGNE, Essais, I, LVI.

L'interjection proprement dite, aussi peu intellectuelle que possible, toujours claire 2
grâce aux circonstances et au ton, est donc en quelque sorte dépourvue de forme. Mais on peut voir, par l'étude des interjections, le passage du *cri* au *signe,* le passage du *réflexe animal* au *langage humain.* L'interjection est devenue (...) un procédé, parfois élégant et littéraire, d'exprimer une grande variété de sentiments différents (...) F. BRUNOT et Ch. BRUNEAU, Grammaire historique, § 418.

★ **II.** (1690, Furetière; refait d'après *interjeter**). Dr. Action d'interjeter (un appel).

INTERJETER [ɛ̃tɛʀʒəte] v. tr. — Conjug. *jeter.* — 1461, d'abord *interjecter;* de *inter-,* et *jeter,* pour rendre le lat. *interjicere.*

♦ **1.** Dr. Introduire, faire intervenir (un appel). *Interjeter appel** (cit. 19). ⇒ **Interjection** (II.).

La requête est sujette à communication au ministère public. En cas de rejet de 1
la requête, il peut être interjeté appel. Code civil, art. 228.

♦ **2.** Lancer vivement (un propos).

Directe, impitoyable, debout devant moi. Elle ne m'oppose rien. Et moi de batail- 2
ler, d'interjeter des appels. Hélène CIXOUS, Souffles, p. 134.

INTERLANGUE [ɛ̃tɛʀlɑ̃g] n. f. — 1959; de *inter-* «entre», et *langue.*

Linguistique.

♦ **1.** Langue artificielle, qui, en traduction automatique, servirait d'intermédiaire.

(...) un débat sur une langue intermédiaire, ou interlangue, dont l'emploi serait de nature à faciliter la traduction automatique.
Émile DELAVENAY, la Machine à traduire, p. 55.

♦ **2.** Langue artificielle basée sur la modification de langues naturelles et destinée à servir de langue auxiliaire. → Espéranto, volapück, novial (Jespersen), interlingua.

INTERLIGNAGE [ɛ̃tɛʀliɲaʒ] n. m. — 1872, P. Larousse; de *interligner.*

♦ Imprim. Action, manière d'interligner; espace blanc entre les lignes, interligne. *Ce texte est trop noir, il faudrait ajouter un point d'interlignage.*

INTERLIGNE [ɛ̃tɛʀliɲ] n. m. et f. — V. 1600; de *inter-,* et *ligne.*

★ **I.** N. m. ♦ **1.** Espace* qui est entre deux lignes écrites ou imprimées. ⇒ **Entre-ligne; blanc.** *Écrit dans l'interligne.* ⇒ **Interlinéaire.** *Écrire, ajouter quelque chose dans un interligne* (→ Horrible, cit. 12). — Mus. Espace entre deux lignes de la portée musicale. *La portée comprend cinq lignes et quatre interlignes. — Interligne dentaire.*

(...) la nomenclature de mes péchés (...) avec les blancs et interlignes de rigueur, 1
pourrait à peine (...) former un ou deux vol. *in-8º* par jour (...)
Th. GAUTIER, Préface de Mlle de Maupin, éd. critique Matoré, p. 15.

(1857, *Année sc. et industr.* 1858, p. 417). Spécialt. Sur une machine à écrire, Dispositif qui règle les interlignes.

♦ **2.** Dr. Ce que l'on écrit dans un interligne. *La loi interdit les interlignes dans les actes notariés. Les corrections et interlignes d'un manuscrit.*

★ **II.** (1764). N. f. Techn. (imprim.) Lame de métal servant à séparer et à maintenir les lignes (⇒ **Interligner; interlignage**).

(...) les agiles mouvements d'un compositeur grapillant ses lettres dans les cent cin- 2
quante-deux cassetins de sa casse, lisant sa copie, relisant sa ligne dans son composteur en y glissant une interligne (...)
BALZAC, Illusions perdues, Pl., t. IV, p. 470.

INTERLIGNER [ɛ̃tɛʀliɲe] v. tr. — 1579, au p. p., *in* Huguet; de *interligne;* cf. *entreligner,* déb. XIVe, de *entre,* et *ligne.*

♦ **1.** Écrire dans les interlignes. *Les mots que l'on interligne dans un acte notarié sont déclarés nuls.* Absolt. *Les conservateurs des hypothèques ne doivent pas interligner sur leurs registres.*

♦ **2.** (1764). Imprim. Séparer les lignes par des interlignes. *Interligner une composition.*

▶ **INTERLIGNÉ, ÉE** p. p. adj.

Muni d'interlignes. *Papier interligné. Composition interlignée.*

INTERLINÉAIRE [ɛ̃tɛʀlineɛʀ] adj. — 1564, *glose interlinéaire;* v. 1380, autre sens *(vens interlinéaires);* lat. médiéval *interlinearis,* de *inter-,* et lat. class. *linea* «ligne».

♦ Didact. Qui est écrit dans l'interligne, dans les interlignes. *Gloses, notes, scolies interlinéaires. — Traduction interlinéaire,* où chaque ligne de texte est accompagnée de sa traduction, dans l'interligne. *Édition, version interlinéaire d'un texte grec, de la Bible.*

Les savants ont compulsé les manuscrits, interrogé les scholies — les marginales, les intermarginales et les interlinéaires (...)
G. DUHAMEL, Refuges de la lecture, I, p. 26.

INTERLINÉATION [ɛ̃tɛʀlineasjɔ̃] n. f. — 1765; de *inter-*, et lat. *lineatio*, de *lineatum*, supin de *lineare*.

♦ Didact. Ce qui est écrit entre les lignes.

INTERLINGUA [ɛ̃tɛʀliŋgwa] n. — 1947, M. Vinay, in *le Figaro;* mot lat. de *inter*, et *lingua* «langue».

♦ Didact. Langue auxiliaire (⇒ **Interlangue**) dite d'abord *occidental*, fondée sur le latin (*latino sine flexione* de Peano), les principales langues romanes, l'anglais, l'allemand. — REM. Le mot s'est employé au sens d'*interlangue*.

INTERLINGUAL, ALE, AUX [ɛ̃tɛʀlɛ̃gwal, o] adj. — Mil. XXe; angl. *interlingual*, de *inter-* «entre», et *lingual* «de la langue».
Linguistique.

♦ **1.** Qui se fait entre langues différentes. *Traduction interlinguale* (par ex., les définitions des dictionnaires bilingues). ⇒ **Hétéronyme.**

♦ **2.** Relatif à une interlangue (2.).

CONTR. Intralingual.

INTERLINGUISTIQUE [ɛ̃tɛʀlɛ̃gɥistik] adj. et n. f. — 1899, Gourmont; de *inter-*, et *linguistique*.
Didactique (linguistique).

★ **I.** Adj. Qui concerne les rapports (influences, etc.) entre langues différentes. *Phénomènes interlinguistiques.*

★ **II.** N. f. (Mil. XXe). ♦ **1.** Étude des relations et des influences entre systèmes linguistiques différents. *L'étude du bilinguisme, de la traduction, des emprunts relève de l'interlinguistique.*

♦ **2.** Étude des interlangues*. — REM. Dans ce sens, on trouve aussi *interlinguiste* [ɛ̃tɛʀlɛ̃gɥist] n., «spécialiste des interlangues» : *«ces idiomes (langues auxiliaires néo-latines) se ressemblent tellement que bien des interlinguistes rêvent de les fondre tous en un seul»* (P. Burney, *les Langues internationales*, p. 95).

INTERLOBAIRE [ɛ̃tɛʀlɔbɛʀ] adj. — 1836; de *inter-*, *lobe*, et suff. *-aire*.

♦ Anat., méd. Qui se trouve entre deux lobes d'un organe (en particulier du poumon). *Artères interlobaires. Pleurésie interlobaire.*

INTERLOBULAIRE [ɛ̃tɛʀlɔbylɛʀ] adj. — 1770, *in* D.D.L.; de *inter-*, *lobule*, et suff. *-aire*.

♦ Anat. Situé entre les lobules d'un organe. *Tissu interlobulaire.*

INTERLOCK [ɛ̃tɛʀlɔk] n. m. — 1951, *in* Höfler; mot angl., de *to interlock* «entrecroiser».
Anglicisme.

♦ **1.** Métier à tricoter du modèle de ce nom.

♦ **2.** Tissu indémaillable obtenu avec ce métier (souvent en coton).

(...) avec deux cartons de becquetance, quatre pulls chauds et des combinaisons en interlock (...)
A. SARRAZIN, la Cavale, p. 152.

HOM. Formes du v. **interloquer.**

INTERLOCUTEUR, TRICE [ɛ̃tɛʀlɔkytœʀ, tʀis] n. — 1530 (1549, *in* T.L.F.); lat. médiéval *interlocutor*, de *interlocutum*, supin de *interloqui* «interrompre». → Interloquer.

♦ **1.** Personnage qu'un écrivain introduit dans un dialogue*. *Les interlocuteurs des dialogues de Platon, de Lucien.*

♦ **2.** (1791). Personne qui parle, converse avec une autre (→ Conversation, cit. 9; entretien, cit. 9). *Un agréable, un dangereux interlocuteur. Se faire comprendre de son interlocuteur* (→ Articulation, cit. 7). *Interlocuteur qui répond, donne la réplique, contredit* (→ Folie, cit. 7). *Rechercher un interlocuteur* (→ Incommoder, cit. 4). *Spirituelle interlocutrice.*

1 Rien de plus piquant que sa conversation *(de B. Constant)* quand avec une perfide et admirable adresse il avait conduit son adversaire dans le piège qu'il lui avait tendu, il le laissait là battu et terrassé sous le coup d'une épigramme dont on ne se relevait pas (...) En un mot c'était un interlocuteur, un second, digne de Mme de Staël.
CHÊNEDOLLÉ, *in* SAINTE-BEUVE, Chateaubriand, t. I, p. 153.

Elle interpellait les passants, les interrogeait, les consultait, les excitait à l'insolence (...) À défaut d'interlocuteur, elle se parlait à elle-même (...) 2
Léon BLOY, la Femme pauvre, II, XVI.

(...) écarté d'un geste sûr et, ma foi, vigoureux par son interlocutrice (...) 3
R. QUENEAU, Pierrot mon ami, p. 23.

♦ **3.** (Mil. XXe). Personne avec laquelle on peut engager une négociation en matière politique. *Rechercher des interlocuteurs qualifiés.*

Loc. (1956). *Interlocuteur valable*, assez représentatif pour qu'une négociation avec lui ait l'effet recherché. — (1966, *in* Gilbert). Par ext. Personne (partenaire ou adversaire, concurrent) suffisamment représentative pour qu'on puisse traiter avec elle.

Les mêmes qui, tout le temps qu'a duré la guerre en Indochine, juraient leurs grands dieux qu'il ne s'y trouverait pas pour la France d'interlocuteurs valables (...) 4
F. MAURIAC, Bloc-notes 1952-1957, p. 315.

INTERLOCUTION [ɛ̃tɛʀlɔkysjɔ̃] n. f. — 1546; du lat. *interlocutio*, de *interlocutum*, supin de *interloqui* «interrompre».

★ **I.** ♦ **1.** Rare. Discours* qu'échangent des interlocuteurs. ⇒ **Dialogue.**

♦ **2.** Didact. Situation d'échange linguistique.

(...) tout le monde est là, personne ne me demande rien, je gagne sur les deux tableaux : dans la boîte, le corps de l'autre ne se transforme jamais en «personne» (civile, psychologique, sociale, etc.) : il me propose sa promenade, non son interlocution. 1
R. BARTHES, Roland Barthes, p. 144.

Interviennent aussi, mais ce serait trop long de le détailler, les situations d'interlocution : chaque locuteur occupe déjà une position sociale, ce qu'il dit est aussi entendu et interprété comme venant d'un certain point de l'échiquier social, etc.; pour l'avoir systématiquement ignoré, l'enseignement, et l'école primaire à la formation permanente pour adultes, s'est attiré de cuisants échecs. 2
Le Français dans le monde, n° 181, nov.-déc. 1983, p. 20.

(...) la retransmission même de son discours enregistré, fût-elle faite par la bouche de son médecin, ne peut, de lui parvenir sous cette forme aliénée, avoir les mêmes effets que l'interlocution psychanalytique. 3
J. LACAN, Écrits, p. 258.

★ **II.** (1611). Dr. (vieilli). Décision judiciaire par laquelle on prononce un jugement interlocutoire*.

INTERLOCUTOIRE [ɛ̃tɛʀlɔkytwaʀ] adj. — 1283; dér. sav. du lat. médiéval *interlocutorius*, déjà usité en lat. jurid., du lat. class. *interlocutum*, supin de *interloqui*. → Interloquer.

♦ Dr. Se dit des jugements* *avant dire droit* qui statuent sur une mesure d'instruction ou sur un sursis en préjugeant le fond de la demande. *Jugement interlocutoire* (et n. m., *un interlocutoire*) *ordonnant, refusant une enquête, une expertise.* — Par ext. *Enquête, preuve, rapport interlocutoire.*

Depuis tantôt six mois que la cause est pendante, 1
Nous voici comme aux premiers jours (...)
Sans tant de contredits et d'interlocutoires,
Et de fatras et de grimoires,
Travaillons (...)
LA FONTAINE, Fables, I, 21.

(...) ce n'était pas seulement le fond de l'affaire qui se jugeait par le combat, mais encore les incidents et les interlocutoires (...) 2
MONTESQUIEU, Esprit des lois, XXVIII, XIX.

N. m. (1283). Jugement interlocutoire.

INTERLOPE [ɛ̃tɛʀlɔp] n. m. et adj. — 1685, de Lacourbe; angl. *interloper*, de *to interlope*, formé de *inter-*, et de *loopen*, forme dial. de *to leap* «sauter», proprt «s'entremettre (dans une affaire sans en avoir le droit)».

♦ **1.** N. m. Vx. Navire marchand trafiquant en fraude (soit sur une côte réservée aux navires d'une autre nation, d'une autre compagnie..., soit dans les ports en état de blocus).

♦ **2.** Adj. (1723, *in* Petiot). Mod. Dont l'activité n'est pas légale. *Navire, vaisseau interlope. Commerce interlope* (⇒ **Contrebande, fraude**). — *Équipage interlope.*

(...) il avait si bien manœuvré à coups de bank-notes, que l'équipage, matelots et chauffeurs — équipage un peu interlope, qui était en assez mauvais termes avec le capitaine —, lui appartenait. 1
J. VERNE, Le Tour du monde en 80 Jours, p. 295 (1873).

♦ **3.** (1772, comme nom; adj., 1841, *in* Höfler). Cour. D'apparence louche, suspecte. ⇒ **Équivoque, louche, suspect.** *Monde, société interlope. Milieu interlope.* → Pègre, cit. 2. *Maison interlope et mal famée. Personnage interlope.*

Enfin, on commençait à parler de Malaga dans le monde interlope des femmes équivoques (...) 2
BALZAC, la Fausse Maîtresse, Pl., t. II, p. 42.

La rumeur voulait que Victor fût un ancien proxénète à qui des revenus illicites auraient permis l'achat du restaurant. Le personnel était suffisamment interlope pour que la chose fût possible; la cuisinière était une obèse créature fort maquillée qui disparaissait à l'occasion au premier étage lorsque se présentait un client en mal d'amour rural. 2.1
Christopher FRANK, la Nuit américaine, p. 19.

N. *Un interlope* : un personnage interlope.

Il y a Théophile Gautier et ses filles, Peyrat, sa femme et sa fille, Gaiffe, et un de ces interlopes quelconques, qui semble toujours faire le quatorzième de la société. 3
Ed. et J. DE GONCOURT, Journal, 27 mars 1862.

INTERLOQUÉ, ÉE [ɛ̃tɛʀlɔke] p. p. adj. ⇒ **Interloquer.**

INTERLOQUER [ɛ̃tɛʀlɔke] v. tr. — 1450, au sens I; du lat. jurid. *interloqui* «interrompre», de *inter* et *loqui* «parler».

★ **I.** Vx. Dr. Interrompre (une affaire, un procès) par un jugement interlocutoire*. *On a interloqué cette affaire* (Littré). — Par ext. *Interloquer quelqu'un,* porter contre lui une sentence interlocutoire.

— On plaide, et je me trouve enfin interloquée!
— Interloquée! Ah ciel! quel affront est-ce là? (...)
— Pourquoi donc de ce terme être si fort piquée?
C'est un mot du barreau (...) J.-F. REGNARD, le Légataire universel, III, 8.

★ **II.** (1798). Mod. Rendre (qqn) interdit, décontenancé. ⇒ **Démonter, interdire** (→ fam. Couper le sifflet* à...). *Cette interruption, cette réflexion, cette plaisanterie l'a interloqué. Il a interloqué son contradicteur. Ne pas se laisser interloquer.* — Passif. *Être interloqué par qqn. — Son arrivée, son attitude nous a interloqués* (⇒ **Embarrasser, étonner**).

(...) si je suis orateur, aucune interruption ne m'interloquera à la tribune.
BALZAC, l'Âne mort, Œ. div., t. I, p. 212 (5 févr. 1830).

Il se préoccupait tant de l'effet à produire que plus d'une fois, un railleur, Blondet, avait parié l'interloquer, et avec succès, en dirigeant un regard obstiné sur la frisure du poète, sur ses bottes ou sur les basques de son habit.
BALZAC, Modeste Mignon, Pl., t. I, p. 510.

(...) si elle se remettait à rire et dire des extravagances, brusquement un regard de son mari, ou de Christophe, l'interloquait (...)
R. ROLLAND, Jean-Christophe, La révolte, II, p. 533.

Pron. *S'interloquer de* (qqch.).

▶ **INTERLOQUÉ, ÉE** p. p. adj. (1787).

Décontenancé, déconcerté. *Rester, demeurer interloqué.* ⇒ **Court** (demeurer court), **déconcerté, ébahi, épaté, étonné, étourdi, interdit** (→ Inattendu, cit. 3).

Il *(Bernard)* gémit si fort que Zazou se réveille à son tour et, furieux, crie plus fort que le patient. Bernard, interloqué, se tait et se rendort.
G. DUHAMEL, les Plaisirs et les Jeux, III, VIII.

CONTR. Enhardir.
HOM. V. **Interlock.**

INTERLUDE [ɛ̃tɛʀlyd] n. m. — 1819, *in* D. D. L.; absent de Littré; admis Académie, 1935; angl. *interlude* (attesté en 1718 — titre d'une œuvre de Purcell) de *inter-*, et lat. *ludus* «jeu».

♦ **1.** Petit intermède* dans un programme dramatique, musical, cinématographique, etc.

(Mil. XXe). Télév. Court sujet destiné à faire patienter les téléspectateurs, en attendant une émission.

♦ **2.** Épisode (généralement agréable, divertissant). ⇒ **Intermède.**

(...) Deux fois déjà dans sa vie (...) il avait trouvé le bonheur par le détachement des affaires humaines. Mortel vulnérable, il se plaisait à ces divins interludes.
A. MAUROIS, la Vie de Byron, II, XVII.

Épisode, époque intermédiaire.

Mes années de collège n'avaient été qu'un interlude (...)
M. YOURCENAR, Alexis, p. 51 (1929).

♦ **3.** (1873, *in* P. Larousse). Mus. Passage que l'on joue à l'orgue entre les versets d'un choral. — Courte pièce exécutée entre deux autres plus importantes.

INTERMARIAGE [ɛ̃tɛʀmaʀjaʒ] n. m. — 1832, Raymond ; de *inter-*, et *mariage.*

♦ Ethnol., dr. Mariage entre membres d'une même famille. ⇒ **Endogamie.**

Les unes *(danses)* opposent peut-être les hommes et les femmes, mais les autres mettent en présence ces clans rivaux et solidaires, liés par une tradition ininterrompue d'inter-mariages collectifs (...)
Roger CAILLOIS, l'Homme et le Sacré, p. 85.

INTERMAXILLAIRE [ɛ̃tɛʀmaksi(l)lɛʀ] adj. — 1752; de *inter-*, et *maxillaire.*

♦ Anat. Placé entre les deux maxillaires supérieurs. *Os, ligament intermaxillaire.*

1. INTERMÈDE [ɛ̃tɛʀmɛd] n. m. — 1597; *intermédie,* 1554; ital. *intermedio,* du lat. *intermedius.* → 2. Intermède.

♦ **1.** (Mil. XVIIe). Divertissement, représentation entre les actes d'une pièce de théâtre, les parties d'un spectacle (⇒ **Entremets,** vx). → Fil, cit. 10; gambade, cit. 1. *Jouer des intermèdes pendant les entractes*. Intermède de musique, en musique. Les intermèdes du* Malade imaginaire, *du* Bourgeois gentilhomme, *de Molière. Au XVIIe siècle en Italie, l'intermède musical, intercalé entre les actes d'une tragédie, d'un* opera seria *devint « une sorte d'opéra en miniature »* (Hodeir).

La cérémonie turque (...) se fait en danse et en musique, et compose le quatrième intermède. MOLIÈRE, le Bourgeois gentilhomme, IV, 5.

Nous applaudissons beaucoup à cette idée de couper une représentation par des intermèdes dont l'attrait consiste dans la contemplation de belles jeunes femmes habilement groupées (...) Th. GAUTIER, Souvenirs de théâtre..., p. 54. 2

♦ **2.** (1682, cit.). Ce qui interrompt quelque chose, sépare dans le temps deux choses de même nature. ⇒ **Arrêt, entracte, interruption.** *Intermède qui interrompt, coupe la carrière* (2. Carrière, cit. 17) *de quelqu'un. Divin intermède.* ⇒ **Interlude.** *Jour d'été polaire, sans intermède de nuit.* ⇒ **Intervalle** (→ Crépuscule, cit. 2).

Ôtez le temps des soins, celui des maladies, 3
Intermède fatal qui partage nos vies.
LA FONTAINE, Poème du quinquina, I (1682).

Seul dans la campagne avec un être qu'il aime, un homme est rarement malheureux. Le séjour à Newstead avait été un intermède tendre et gai. Dès que Byron revint à Londres, il retrouva la tempête. A. MAUROIS, la Vie de Byron, II, XX. 4

♦ **3.** Hist. de la mus. — (1765). Petit opéra, opéra bouffe. — (1894). Interlude. ⇒ **Intermezzo.**

HOM. 2. **Intermède.**

2. INTERMÈDE [ɛ̃tɛʀmɛd] n. m. — 1702; lat. *intermedius,* de *inter* «entre», et *medius* «qui est au centre».

♦ **1.** Didact., vx. Ce qui, étant placé entre deux choses, permet à l'une d'agir sur l'autre (⇒ **Intermédiaire**). *« C'est par l'intermède de l'eau que s'opèrent (...) les concrétions... »* (Buffon).

♦ **2.** (1845). Techn. (pharm.). Substance employée pour faciliter la mixtion, le mélange des ingrédients.

HOM. 1. **Intermède.**

INTERMÉDIAIRE [ɛ̃tɛʀmedjɛʀ] adj. et n. — 1678, mais antérieur (*intermediairement,* 1608); dér. sav. du lat. *intermedius,* de *medium* «milieu». → 2. Intermède.

★ **I.** Adj. Qui, étant entre deux termes*, se trouve placé dans une situation moyenne, forme une transition ou assure une jonction, une communication, une transmission. *Le gris, couleur intermédiaire entre le noir et le blanc. Ton intermédiaire. Les termes extrêmes et le terme intermédiaire.* ⇒ **Moyen** (→ Gamme, cit. 10). *Zones supérieure, intermédiaire et inférieure* (→ Cavité, cit. 1). *Langue, époque intermédiaire entre deux autres* (→ Celtique, cit.; élancement, cit. 1). *Habitation intermédiaire entre la tente et la maison* (→ Gourbi, cit. 2). *Les chaînons intermédiaires d'une évolution* (→ Homme, cit. 7). *Position intermédiaire* (→ Intercaler, interposer...). *Ajouter un degré intermédiaire. S'arrêter à une solution, à un parti intermédiaire,* à un moyen terme, un compromis. — Géol. *Terrain intermédiaire,* entre une couche de formation primitive et une couche de formation récente. — Radio. *Fréquence intermédiaire,* moyenne. — Mécan. *Arbre intermédiaire transmettant un mouvement.*

Sa position ne fut jamais qu'un état intermédiaire entre l'esclavage et la liberté originaire (...) G.-T. RAYNAL, Hist. philosophique, XIV, 42. 1

(Des hommes) qui savent saisir des nuances fines, qui peuvent recevoir à la fois un grand nombre d'idées et suppléer aux idées intermédiaires que l'on a supprimées (...) CONDORCET, Éloge de Du Hamel du Monceau. 2

Être extraordinaire (cit. 14) *intermédiaire entre l'homme et Dieu. — Le gouvernement* (cit. 32), *corps intermédiaire entre les sujets et le souverain.* — Absolt. *Les corps* (cit. 44) *intermédiaires.*

★ **II.** N. m. ♦ **1.** (Mil. XVIIIe). Terme, état intermédiaire. ⇒ **Entredeux, milieu, moyen** (terme), **moyenne.** *Tous les intermédiaires existent entre ces deux états, ces deux extrêmes...* (→ Homosexualité, cit. 2).

Loc. fam. (Moto). *Tirer, pousser les intermédiaires :* faire monter le régime du moteur à chaque rapport de transmission intermédiaire (pour aller le plus vite possible).

♦ **2.** (1835). Action de s'entremettre, de servir de lien entre deux choses, deux personnes. ⇒ **Entremise, médiation, pont** (fig.), **truchement.** *L'intermédiaire de la monnaie facilite l'échange* (cit. 2). — (1833, cit. 3). *Par l'intermédiaire de...* ⇒ **Canal, moyen, voie** (→ Abstrait, cit. 5; germe, cit. 4). *Cause agissant par l'intermédiaire d'une autre.* ⇒ **Médiat.** — *Faire qqch. sans l'intermédiaire de...,* directement.

Ce puissant monarque semble avoir gouverné la France par l'intermédiaire de son frère (...) MICHELET, Hist. de France, II, III, p. 68 (1833). 3

L'intermédiaire se marque au moyen de diverses locutions : *par l'intermédiaire, l'entremise,* ou simplement à l'aide de *par...* On dit, en termes judiciaires : *par voie de, par ministère de :* **par voie d'huissier.** 4
F. BRUNOT, la Pensée et la Langue, p. 668.

♦ **3.** Ce qui, se trouvant entre deux termes, deux choses, sert à les mettre en rapport, en relation, à les faire communiquer. *Sans intermédiaire(s) :* directement, immédiatement. — Spécialt, techn. *Intermédiaire de manège :* dispositif d'engrenages transmettant un mouvement.

Je suis moins tenté de l'argent que des choses, parce qu'entre l'argent et la possession désirée il y a toujours un intermédiaire; au lieu qu'entre la chose même et sa jouissance il n'y en a point. ROUSSEAU, les Confessions, I. 5

La peinture, c'est la vie. C'est la nature transmise à l'âme sans intermédiaire, sans voile, sans règle de convention. E. DELACROIX, Lettre à M. Soulier, p. 3. 6

7 L'Église aussi est un intermédiaire entre Dieu et nous et, dans ce commerce intime de l'âme avec Dieu, tout intermédiaire peut assez vite apparaître comme un obstacle. Émile FAGUET, Études littéraires, XVIIe s., p. 450.

8 Le langage devenait un intermédiaire entre l'homme et son désir, entre l'homme et son travail, comme il y a des intermédiaires entre le producteur et le consommateur. SARTRE, Situations I, p. 202.

♦ **4.** N. m. et f. (1781, Necker). Personnes. *(Un, une intermédiaire).* ⇒ **Agent, entremetteur** (1.), **interprète, médiateur** (→ Banquier, cit. 3, Necker). *Médiums* servant d'intermédiaires entre les êtres vivants et les « esprits ». Servir d'intermédiaire entre deux personnes* (→ aussi Servir de boîte* aux lettres). *Intervenir comme intermédiaire dans une discussion, une altercation.* ⇒ **Interposer** (s'). *Intermédiaire dans une négociation.* ⇒ **Négociateur** (→ Électoral, cit. 2). *Un intermédiaire les mit en rapport, en relations, en contact.*

9 Un consul *(à Rome)* est quelque chose de plus qu'un homme; il est l'intermédiaire entre l'homme et la divinité. FUSTEL DE COULANGES, la Cité antique, III, X.

(Av. 1850). Écon. Individu intervenant dans un circuit commercial. ⇒ **Commerçant.** *Intermédiaires entre le producteur et le consommateur, entre le vendeur et l'acheteur... Vente directe, sans intermédiaire* (→ De la main* à la main). *Acheter quelque chose de seconde main, à un intermédiaire.* — (Sens étroit). *Intermédiaires du commerce*, ou absolt, *intermédiaires :* « Agents dont le rôle est d'établir des relations et de faciliter les échanges entre les diverses entreprises participant à la distribution des biens (producteurs, grossistes, détaillants) » (Romeuf). ⇒ **Agent, commissionnaire, courtier, mandataire, représentant, voyageur.**

10 Il faut enfin obtenir qu'un volume se fabrique exactement comme un pain, et se débite comme un pain, qu'il n'y ait d'autre intermédiaire entre un auteur et un consommateur que le libraire. BALZAC, le Feuilleton, I, Œuvres diverses, t. I, p. 365.

11 Le mot *intermédiaire*, — qui est un des plus beaux du vocabulaire humain : l'abeille est l'intermédiaire entre le miel et la fleur, la musique, l'intermédiaire entre le son et l'oreille — est devenu le mot honteux du vocabulaire français. Le rôle d'intermédiaire, qui est dans la civilisation moderne un rôle égal à celui du créateur (...) relève tout juste, chez nous, du démarcheur ou de l'entremetteur. GIRAUDOUX, De pleins pouvoirs à sans pouvoirs, p. 131.

12 Toutes les entreprises qui participent à la distribution des biens (producteurs, grossistes, détaillants) peuvent être mises en relation par des agents appelés « intermédiaires du commerce » dont le rôle est de faciliter les échanges, d'améliorer la connaissance du marché et la concurrence, en corrigeant les effets de la multiplicité et de la dispersion des entreprises susceptibles de vendre ou d'acheter. J. ROMEUF, Dict. des sciences économiques, art. *Commerce intérieur.*

CONTR. Extrême, immédiat. — Producteur, consommateur.

INTERMÉDIARITÉ

INTERMÉDIARITÉ [ɛ̃tɛʀmedjaʀite] n. f. — 1957, Jankélévitch; de *intermédiaire.*

♦ Didact. Rare. Caractère intermédiaire, de ce qui est placé entre deux termes.

INTERMÉDIAT, ATE

INTERMÉDIAT, ATE [ɛ̃tɛʀmedja, at] adj. et n. — 1542; adj. fém. *intermediate* 1519; dér. sav. du lat. *intermedius.* → Intermède.

♦ **1.** Adj. Intermédiaire. *Temps intermédiat.* — Relig. *Congrégation intermédiate :* assemblée se tenant entre deux chapitres.

♦ **2.** N. m. Loc. Hist. *Lettre d'intermédiat :* lettre royale autorisant qqn à jouir des revenus d'un office, entre la mort du titulaire et jusqu'à la prise de possession du successeur.

INTERMÉDIATION

INTERMÉDIATION [ɛ̃tɛʀmedjasjɔ̃] n. f. — 1974, *Journ. off.*; angl. *intermediation*, de *inter-*, et *mediation* « mediation ».

♦ Anglic., fin. « Fonction des intermédiaires financiers qui recueillent des ressources et mettent des fonds à la disposition des tiers » (*Journ. off.*, 1er mars 1974). « *Ne parlons que pour mémoire de la capacité — et sans doute même de la pression légitime — du système bancaire français, devenu l'un des plus performants en matière d'intermédiation financière internationale* » (*le Monde*, 17 janv. 1984, p. 17).

INTERMÉDINE

INTERMÉDINE [ɛ̃tɛʀmedin] n. f. — 1941; de *intermédiaire*, dans *lobe intermédiaire de l'hypophyse*, et *-ine.*

♦ Méd. Médicament renfermant le principe actif de l'hormone élaborée par le lobe intermédiaire de l'hypophyse (⇒ **Mélanostimuline**), prescrit dans certaines affections de la rétine et les troubles de la pigmentation cutanée.

Il existe des hormones qui produisent la dilatation des mélanophores et d'autres qui déterminent leur contraction. Chez les Poissons, les Batraciens, les Reptiles, il existe une hormone dilatatrice d'origine hypophysaire (...) C'est le lobe intermédiaire principalement, sinon exclusivement, qui sécrète cette hormone, d'où le nom d'*intermédine* qu'on lui a donné. Pierre REY, les Hormones, p. 62 (1941).

INTERMENSTRUEL, ELLE

INTERMENSTRUEL, ELLE [ɛ̃tɛʀmɑ̃stʀyɛl] adj. — 1866; de *inter-*, et *menstruel.*

♦ Physiol. Qui concerne la période de temps comprise entre les règles, et plus précisément le milieu du cycle menstruel. *Période intermenstruelle. Syndrome intermenstruel*, ensemble de symptômes survenant au moment de l'ovulation chez les femmes atteintes d'hyperfolliculinie (énervement, douleurs pelviennes, gonflement, etc.).

INTERMÉTALLIQUE

INTERMÉTALLIQUE [ɛ̃tɛʀmetalik] adj. — Mil. XXe; de *inter-*, et *métallique.*

♦ Techn. *Surface intermétallique :* interface* de deux métaux accolés. — *Composé intermétallique :* alliage de corps de valences 3 et 5, se comportant comme un semiconducteur de valence 4. *Diode en composé intermétallique.* « *La découverte en 1961 du premier supraconducteur à champ critique élevé redonne vie au projet d'aimant supraconducteur à champ intense. Ce matériau découvert par l'équipe de J.E. Kunzler aux Bell Lab. est un composé intermétallique d'étain et de niolium* (Nb_3Sn) » (*la Recherche*, oct. 1981, p. 1106).

INTERMEZZO

INTERMEZZO [ɛ̃tɛʀmɛdzo] n. m. — 1868, Mallarmé, *Corresp.*; 1873, « intermède »; mot ital. *intermezzo*, « intermède » (déb. XVIe), puis t. de théâtre et de musique (1730) de *mezzo* « à demi », var. de *intermedio* du lat. *intermedius* → 1. Intermède.

♦ **1.** (1885). Mus. Œuvre musicale analogue à l'intermède. — Au plur. *Des intermezzos* (le plur. ital., *intermezzi*, est affecté) :

L'homme qui a le mieux compris et pratiqué l'esthétique du fragment (avant Webern), c'est peut-être Schumann; il appelait le fragment « intermezzo »; il a multiplié dans ses œuvres les *intermezzi :* tout ce qu'il produisait était finalement *intercalé :* mais entre quoi et quoi? Que veut dire une suite pure d'interruptions? R. BARTHES, Roland Barthes, p. 98.

♦ **2.** 1868, Mallarmé. (D'une œuvre littéraire). Titre d'un « intermède » de Giraudoux.

INTERMINABLE

INTERMINABLE [ɛ̃tɛʀminabl] adj. — V. 1361; bas lat. *interminabilis*, de *in-* (→ 1. In-), et bas lat. *terminabilis*, du lat. class. *terminare.* → Terminer.

♦ **1.** Rare. Qui n'a pas de terme, de fin. ⇒ **Éternel, infini.** « *La vie interminable* » (Montesquiou). « *L'enfer interminable* » (L. Bloy, *in* T. L. F.)

♦ **2.** Cour. Qui ne semble pas avoir de terme; de limite (dans l'espace ou dans le temps); qui continue* très longtemps. ⇒ **Durée** (de longue), **fin** (sans); **énorme, éternel, infini, long.** — (Spatial). *Cortège, colonne* (cit. 15), *cordon* (cit. 9), *rang, file* (cit. 10) *interminable* (→ 2. Air, cit. 22). *La file était interminable.* → S'étendre à perte de vue*, n'en plus finir*. *D'interminables rames de wagons.* → 4. Rame, cit. 4. *Des jambes interminables.* — (Temporel). *Conversations, discours; phrases, digressions, silences interminables* (→ Bouffi, cit. 4; 1. claque, cit. 1; flotter, cit. 12; hacher, cit. 14). *Une interminable soirée* (→ Engourdir, cit. 2). *Tâche, travail interminable*, que l'on ne peut terminer (cf. Toile de Pénélope).

(...) ce roi sage qui a su calmer des querelles ecclésiastiques qu'on croyait interminables. VOLTAIRE, les Guèbres, Disc. historique et critique.

(...) des mains pâles, aux doigts interminables. MAUPASSANT, Fort comme la mort, I, II.

Velbar, dont la belle voix était connue, fut chargé de dire en solo les couplets d'une interminable complainte dont le régiment entier chantait en chœur le refrain éternellement pareil. Raymond ROUSSEL, Impressions d'Afrique, p. 268.

Pendant des semaines et des semaines, ce fut l'interminable défilé des ânes, des chameaux, des mulets qui ravitaillaient la colonne. Jérôme et Jean THARAUD, Rabat, VI.

(...) les minutes paraissent à la fois interminables et passionnantes d'intérêt. J. ROMAINS, les Hommes de bonne volonté, t. V, XXIII, p. 195.

La sirène, ce soir-là, fut interminable. Mais elle cessa cependant, comme les autres soirs. M. DURAS, Moderato cantabile, p. 152.

Personnes. Rare. *Un interminable discoureur.*

CONTR. Borné, fini. — Bref, court, limité, rapide.
DÉR. Interminablement.

INTERMINABLEMENT

INTERMINABLEMENT [ɛ̃tɛʀminabləmɑ̃] adv. — 1839, Töpffer, *in* T. L. F.; de *interminable.*

♦ D'une manière interminable; sans fin* (⇒ **Éternellement**). *Parler, discourir, pérorer interminablement*, très longtemps. *Répéter interminablement la même chose. Sonnette, timbre qui grelotte* (cit. 7) *interminablement.*

(...) puis, elles s'asseyaient dans la boutique, où elles parlaient de la chère femme, interminablement, sans se lasser de répéter la même phrase pendant des heures. ZOLA, l'Assommoir, IX.

« Il n'y a de Dieu que Dieu... » Et cette phrase, reprise interminablement comme sur un chapelet, emplit tout ce coin de la nuit, jette sa monotone paix sur les gens et les choses (...) Jérôme et Jean THARAUD, Rabat, VIII.

CONTR. Brièvement, rapidement.

INTERMINISTÉRIEL, ELLE

INTERMINISTÉRIEL, ELLE [ɛ̃tɛʀministeʀjɛl] adj. — 1906, *in* D. D. L.; de *inter-*, et *ministériel.*
Administratif, politique.

♦ **1.** Commun à plusieurs ministères, plusieurs ministres. *Comité interministériel. Conférence interministérielle.*

♦ **2.** Qui concerne plusieurs ministères, relève de plusieurs ministres ou ministères. *Réglementation; circulaire, convention interministérielle.*

INTERMISSION [ɛ̃tɛʀmisjɔ̃] n. f. — 1377; du lat. *intermissio*, de *intermissum*, supin de *intermittere* «mettre entre», de *inter-*, et *mittere* «mettre».

♦ **1.** Vx. Interruption.

♦ **2.** Rare. ⇒ **Intervalle.** — Méd. (⇒ **Intermittence,** 2.). Interruption des effets d'un mal, de la douleur.

La tristesse est le relâchement de la douleur, sorte d'intermission de la fièvre de l'âme qui conduit à la guérison ou à la mort.
CHATEAUBRIAND, les Natchez, II, II.

INTERMITTEMMENT [ɛ̃tɛʀmitamɑ̃] adv. — 1894, Goncourt, *in* T. L. F.; de *intermittent*.

♦ Rare. De manière intermittente. ⇒ **Discontinûment, irrégulièrement.** «*On ne le voit qu'intermittemment*» (Goncourt).

INTERMITTENCE [ɛ̃tɛʀmitɑ̃s] n. f. — 1660, «intervalle»; de *intermittent*.

Littéraire ou didactique.

♦ **1.** (1812). Caractère de ce qui est intermittent. ⇒ **Discontinuité.** *L'intermittence d'une source* (Littré), *d'une fontaine*.

Arrêt momentané, intervalle. *Avoir des intermittences* (d'un processus). *À intermittences égales, inégales* (→ Accélérer, cit. 2).

Par intermittence (ou *par intermittences*) : irrégulièrement, par accès (→ Amateur, cit. 7). *Travaillez d'arrache-pied et non par intermittence.*

0.1 Jacques lui apparaissait de profil, et seulement par intermittences, à cause des voisins.
MARTIN DU GARD, les Thibault, t. IV, p. 46.

♦ **2.** (XVIIIe). Méd. [a] (1787). Intervalle entre deux accès* (de fièvre, d'une maladie...). ⇒ **Intermission, relâche, rémission.**

[b] (1721). *Intermittence du pouls, du cœur,* absence momentanée d'une pulsion du pouls ou du cœur. ⇒ **Arythmie.**

0.2 Il pouvait se faire que les intermittences ne fussent pas quotidiennes, que la fièvre fût tierce, en un mot, et qu'elle revînt le lendemain.
J. VERNE, l'Île mystérieuse, t. II, p. 720.

1 (...) ce sentiment est impérissable, naturel, de tous les instants; tandis que je soupçonne l'amour, par exemple, d'avoir ses intermittences. On n'aime pas de la même manière à tous les moments (...)
BALZAC, Mémoires de deux jeunes mariées, Pl., t. I, p. 250 (1842).

2 C'était une de ces intermittences fréquentes dans les combats nocturnes, qui sont toujours suivies d'un redoublement d'acharnement.
HUGO, les Misérables, IV, XIV, VII.

♦ **3.** Fig. *Les intermittences du cœur* (Proust, *Sodome et Gomorrhe*, II, II).

3 Proust a décrit les alternatives du désespoir et de l'oubli, les rémissions et les rechutes, les intermittences du cœur (...)
A. MAUROIS, À la recherche de Marcel Proust, IV, III.

CONTR. **Continuité, permanence, régularité.**

INTERMITTENT, ENTE [ɛ̃tɛʀmitɑ̃, ɑ̃t] adj. — 1559, en méd.; d'une source, 1757; lat. *intermittens*, de *intermittere* «mettre entre, discontinuer», p. prés. de *intermittere*, de *inter-*, et *mittere* «mettre».

♦ Qui est discontinu, s'arrête et reprend par intervalles, avec des interruptions. ⇒ **Discontinu, irrégulier.**

[a] Sujet au sing. ou au plur. — Domaine médical. *Fièvre** (cit. 2) *intermittente.* ⇒ **Erratique, rémittent** (→ Apyrexie, cit.). *Pouls*, souffle intermittent* (→ Décliner, cit. 8). *Type intermittent d'une maladie.* — Vx. *Folie* (cit. 7) *intermittente.* — Cour. *Source, fontaine intermittente. Lumière intermittente.* ⇒ **Clignotant, éclipse** (à). *Éruption intermittente* (→ Gronder, cit. 7). *Pluie intermittente.* — (Abstrait). *Un sentiment intermittent. Porter à qqch. une attention intermittente. Une situation intermittente.*

[b] Sujet au plur. Qui se produisent de manière répétée, selon un rythme. *Bruits, hurlements* (cit. 2) *intermittents* (→ Déferler, cit. 2). *Efforts, coups de collier* (cit. 14) *intermittents. Mouvements spasmodiques intermittents.*

1 Peu à peu, il y eut moins d'intervalle entre les bouffées *(de sirocco)*; je les sentis venir aussi avec plus de régularité, mais toujours intermittentes et saccadées comme la respiration d'un malade accélérée par la fièvre.
E. FROMENTIN, Un été dans le Sahara, p. 85.

[c] Personnes. Dont la présence, l'activité (désignée par le substantif) est intermittente. *Un amoureux, un travailleur intermittent. Être intermittent dans un lieu,* n'y être présent que de temps en temps.

Le moins possible j'habite le *Deerhound;* j'y suis intermittent (comme certaines fièvres de Guinée), reparaissant tous les quatre jours pour les besoins du service. 2
LOTI, Aziyadé, II, X.

Par ext. *Bègue* (cit. 2) *intermittent.*

CONTR. **Consécutif. — Continu, permanent, régulier.**

DÉR. **Intermittemment.**

INTERMODULATION [ɛ̃tɛʀmɔdylasjɔ̃] n. f. — 1948; de *inter-*, et *modulation*.

Physique, technique.

♦ **1.** Production de fréquences correspondant aux sommes et aux différences des ondes fondamentales, dans un circuit. «*Pour obtenir (...) des taux de distorsions harmoniques et d'intermodulation particulièrement faibles*» (*Revue du Son*, no 160-161, p. 336).

♦ **2.** Modulation (d'une émission radio faible) par une émission plus puissante. *Intermodulation d'une émission lointaine par l'émetteur local* (syn. : *transmodulation*).

INTERMOLÉCULAIRE [ɛ̃tɛʀmɔlekylɛʀ] adj. — 1868, *in* D. D. L.; de *inter-*, et *moléculaire*.

♦ Sc. qui se trouve entre les molécules d'un corps; qui s'effectue entre les molécules «*Considérations sur le rôle de la combustion intermoléculaire des corps enfermés dans la fonte*» (*Année sc. et industr.*, 1872, p. 158 [1870-71]).

INTERMONDE [ɛ̃tɛʀmɔ̃d] n. m. — 1641, La Mothe le Vayer; *entremonde*, forme francisée, au XVIe; lat. *intermundia*, de *inter*, et *mundus*. → Monde.

Didactique.

♦ **1.** N. m. pl. (Hist. de la philos.). INTERMONDES : espaces vides situés entre les mondes habités, séjour des dieux pour les philosophes épicuriens.

♦ **2.** Monde, univers commun à un sujet, à une conscience et à un (une) autre (Merleau-Ponty, *Phénoménologie de la perception*).

INTERMUSCULAIRE [ɛ̃tɛʀmyskylɛʀ] adj. — 1765, *Encyclopédie*; de *inter-*, et *musculaire*.

♦ Anat. Qui se trouve, se produit entre deux ou plusieurs muscles. *Aponévroses intermusculaires. Cloison intermusculaire. Hernie intermusculaire.*

INTERNALISATION [ɛ̃tɛʀnalizasjɔ̃] n. f. — V. 1970; de *internaliser*.

♦ Didact. Le fait d'internaliser, de rendre interne. «*Dans la zone située loin de la lésion, où les cellules ont conservé leur morphologie d'inhibition de contact, aucune internalisation n'a lieu*» (*la Recherche*, juin 1980, p. 681).

INTERNALISER [ɛ̃tɛʀnalize] v. tr. — 1973, *in* D. D. L.; dér. sav. de *interne*, probablt par l'angl. *to internalize*.

♦ Didact. Rendre interne, intérieur. «*On pourrait imaginer que (...) se constitue quelque part dans le cerveau une image du but à atteindre (...) Cette information visuelle "internalisée" pourrait être en permanence comparée aux informations non visuelles ...*» (*la Recherche*, mars 1981, p. 376).

DÉR. **Internalisation.**

INTERNAT [ɛ̃tɛʀna] n. m. — 1820, au sens 1, b «école»; de *interne*.

♦ **1.** [a] (1825, Balzac). Situation d'élève interne (en général absolt; on ne dit guère *l'internat d'un élève*), durée des études faites par un interne. *Bourse d'internat* (Académie). *Le régime de l'internat. Enfant à qui l'internat ne convient pas.*

Il était un de ces caractères auxquels l'internat imprime une tare ineffaçable (...) 1
Valery LARBAUD, Fermina Marquez, p. 54.

[b] École* où vivent des internes. ⇒ **Pension, pensionnat.** *Un internat de jeunes filles.* — *Maître, maîtresse, surveillant, surveillante d'internat.*

(...) nous nous sommes rendu le jour même auprès du censeur (...) C'est un homme inflexible et qui a la triste expérience des internats. 2
MARTIN DU GARD, les Thibault, t. I, p. 16.

[c] Ensemble des internes. *Consigner l'internat d'un collège en période d'épidémie.*

♦ **2.** [a] (1845). Fonction d'un interne* des hôpitaux. *Concourir pour l'internat* (Académie). *Concours d'internat;* → ci-dessous, b. — Par ext. Durée de ces fonctions. *Pendant son internat.*

b (Av. 1890, P. Larousse, *Deuxième Suppl.*). Concours annuel qui donne le titre d'interne en médecine. *Préparer l'internat.*

3 Ah, ma petite enfant, mon mari préparait son internat quand nous nous sommes mariés (...) N. SARRAUTE, le Planétarium, p. 68.

c Ensemble des internes (d'un hôpital, d'un service, etc.).

CONTR. Externat.

INTERNATIONAL, ALE, AUX [ɛ̃tɛʀnasjɔnal, o] adj. — 1802; de *inter-*, et *national.*

A. Adj. ♦ **1.** Qui a lieu, qui se fait de nation* à nation, entre plusieurs nations. *Convention* internationale. Traité international.* — Qui a trait aux rapports des nations entre elles. *Relations internationales* (→ Exterritorialité, cit. 1). *Commerce international. Marchés internationaux* (→ Exporter, cit. 2). *Politique internationale. La paix internationale* (→ Belliqueux, cit. 2). *Souveraineté de l'État* (cit. 109) *sur le plan interne et sur le plan international. Conférence internationale* (→ Grossièreté, cit. 5). *Congrès* international. Droit** (cit. 62 et 67) *international privé* (qui régit les rapports juridiques entre les particuliers de nationalité différente) *et public* (qui régit les rapports entre les nations).

1 Ce diplomate *(Anthony Eden)*, entièrement dévoué aux intérêts de son pays, ne méprisait pas ceux des autres et restait soucieux de morale internationale au milieu des brutalités cyniques de son temps. Ch. DE GAULLE, Mémoires de guerre, t. I, p. 198.

Administrations, organisations internationales, formées par des représentants de plusieurs nations et s'occupant des intérêts communs à ces nations ou à des intérêts communs aux personnes rassemblées. — Dans des syntagmes, noms d'institutions. *Arbitrage* de la Cour de justice internationale de La Haye. Assemblée internationale de l'O. N. U. Comité international de la Croix*-Rouge.* — Hist. *L'Association internationale des travailleurs;* → ci-dessous l'Internationale. — *Organisations internationales mondiales* (ancienne Société des Nations; mod. Organisation des Nations Unies; ⇒ **Nation**), *régionales* (Organisation de l'Atlantique Nord, organismes européens*...). *Conseil international. Agence internationale. Fonds monétaire international.*

♦ **2.** Qui rassemble les représentants de plusieurs nations, dans un domaine où les intérêts de ces nations, leurs relations (politiques, économiques, sociales) ne sont pas en cause.

(1870 in Petiot). Spécialt. Sports. *Épreuve, rencontre internationale,* opposant deux ou plusieurs nations. *Championnats internationaux,* auxquels participent des concurrents de plusieurs nations, sur le plan mondial (⇒ **Mondial**) ou pour une région, un continent, etc.

N. m. (en général au plur.). Championnat international, rencontre internationale. *Des internationaux de tennis. Les Internationaux de France.*

♦ **3.** (Lieux). Placé sous le contrôle de plusieurs nations. *Port, territoire international.*

♦ **4.** (Personnes) **a** (Correspond au sens 1). Fonctionnaire international, appartenant à un organisme international (emploi souvent dénoncé comme abusif).

b Loc. *Les brigades* internationales,* formées pour venir en aide aux républicains pendant la guerre civile espagnole.

c (Correspond au sens 2). *Joueur international.*

1.1 À cette époque, nos dieux païens s'appelaient Struxiano, Jauréguy, Bioussa, joueurs internationaux de ce Stade Toulousain alors si glorieux que dans tout le Midi on le nommait simplement *le Stade.* Raymond ABELLIO, Ma dernière mémoire, t. I, p. 175.

Par ext. (souvent considéré comme abusif). Qui exerce sa profession, ses activités, dans plusieurs pays, ou qui est connu dans plusieurs pays (d'abord et spécialt en sport).

1.2 Lorsque les phalènes du Quai d'Orsay auront fini de brûler ce qui leur reste d'ailes et titubéront sous les « flashes » des photographes internationaux (...) F. MAURIAC, Bloc-notes 1952-1957, p. 76.

N. (1901, *in* Petiot). *Un international,* champion qui prend part à des épreuves internationales. *Les internationaux de l'équipe de France.*

B. ♦ **1.** (1871; de *association internationale*). N. f. *L'Internationale :* groupement de prolétaires des diverses nations du monde, unis pour la défense de leurs revendications communes (→ Confisquer, cit. 3). *Karl Marx, fondateur de la première Internationale* (Londres, 1864). *La IIe, la IIIe Internationale* (Komintern), *la IVe Internationale. Section française de l'Internationale ouvrière* (S. F. I. O.; ⇒ **Socialiste**). *Chant* (1. Chant, cit. 5) *de ralliement de l'Internationale.* — N. f. (1871). Cet hymne révolutionnaire, sur des paroles de Eugène Pottier. → cit. 4 et 6.

1.3 C'est la lutte finale
Groupons-nous et demain
L'Internationale
Sera le genre humain
Eugène POTTIER, l'Internationale.

2 (...) on vous enrégimente dans cette fameuse Internationale, cette armée de brigands dont le rêve est la destruction de la société (...) ZOLA, Germinal, IV, II.

L'Internationale? Une manifestation d'unité spirituelle du prolétariat. Et ça n'est pas rien... Mais son organisation réelle est encore à créer. 3
MARTIN DU GARD, les Thibault, t. V, p. 90.

(...) le jour de son arrivée, au train, ils étaient bien une centaine à attendre le candidat, avec des drapeaux rouges, et ils ont chanté l'*Internationale.* 4
ARAGON, les Beaux Quartiers, I, XVI.

La faillite de la deuxième internationale a prouvé que le prolétariat était déterminé par autre chose encore que sa condition économique et qu'il avait une patrie, contrairement à la fameuse formule. CAMUS, l'Homme révolté, p. 266. 5

Un fait plein de sens eût pu cependant me donner à penser : je savais déjà *L'Internationale,* que j'ai chantée très tôt, bien avant mes vingt ans, mais j'étais incapable de me rappeler quand et comment je l'avais apprise. Je me souvenais fort bien des classes de chant choral où nos instituteurs, pour la fête de la Victoire, en 1919, nous avaient entraînés à *La Marseillaise* et au *Chant du départ,* mais *L'Internationale,* non. Il faut croire qu'elle flottait dans l'air du faubourg (...) 6
Raymond ABELLIO, Ma dernière mémoire, t. II, p. 13.

Les conduites de l'U. R. S. S. s'enracinent dans une autre histoire : la révolution bolchévique de 1917 donna naissance à la IIIe Internationale (Komintern). Cette organisation, prétendant réunir toutes les forces révolutionnaires, anti-coloniales, anti-impérialistes de la planète, était porteuse d'un immense espoir : celui de l'établissement de relations égalitaires, complémentaires, fraternelles entre tous les peuples. Espoir déçu dès 1928 (VIe Congrès du Komintern) : Staline assoit son pouvoir sur l'Internationale et réduit cette dernière à un simple instrument de la raison d'État soviétique. Jean ZIEGLER, Main basse sur l'Afrique, p. 10. 7

♦ **2.** N. m. et f. (1871). Vx. Partisan de la première Internationale.

DÉR. Internationalement, internationaliser, internationalisme, internationaliste, internationalité.

INTERNATIONALEMENT [ɛ̃tɛʀnasjɔnalmɑ̃] adv. — 1870, *in* J. Dubois; de *international.*

♦ D'une manière internationale; dans plusieurs pays. *Il est internationalement connu.* ⇒ **Mondialement, universellement.**

CONTR. Localement, nationalement.

INTERNATIONALISATION [ɛ̃tɛʀnasjɔnalizɑsjɔ̃] n. f. — 1845 (proposé par Richard de Radonvilliers); repris 1902, *in* D. D. L.; de *internationaliser.*

♦ Action d'internationaliser; résultat de cette action. *L'internationalisation du territoire de Trieste. L'internationalisation d'un conflit.*

Il *(le F. L. N.)* est sûrement résolu en tout cas à ne pas laisser perdre la chance inespérée d'internationalisation *(de la guerre d'Algérie)* que lui a donné Sakiet. F. MAURIAC, le Nouveau Bloc-notes 1958-1960, p. 35.

INTERNATIONALISER [ɛ̃tɛʀnasjɔnalize] v. tr. — 1845 (proposé par Richard de Radonvilliers); repris en 1911, pron., *in* D. D. L.; de *international.*

♦ **1.** Rendre international; mettre sous régime international. *Internationaliser un port, une zone.*

La proposition française d'internationaliser le territoire, ou peut-être seulement les industries clés elles-mêmes, impliquait une participation russe à la future gestion. Bertrand DE LA SALLE, l'Équivoque de la Ruhr, *in* Gazette de Lausanne n° 177, 29 juil. 1947, p. 1. 1

♦ **2.** (Avec un compl. abstrait). Rendre (une affaire) internationale; lui donner une importance internationale. *Internationaliser un débat.*

Il ne restait au G. P. R. A., militairement vaincu, qu'à jeter sur la table cette suprême carte qui internalise la guerre d'Algérie : convenez-en et résignez-vous. 2
F. MAURIAC, le Nouveau Bloc-notes 1958-1960, p. 390.

▶ **S'INTERNATIONALISER** v. pron. *Le problème, le conflit tend à s'internationaliser.*

▶ **INTERNATIONALISÉ, ÉE** p. p. adj. *Zone internationalisée.*

REM. L'adj. *internationalisable* est attesté (1928, *in* D. D. L.).

DÉR. Internationalisation.

INTERNATIONALISME [ɛ̃tɛʀnasjɔnalism] n. m. — 1845 (proposé par Richard de Radonvilliers); repris 1876; de *international.*

♦ **1.** Vieilli. Caractère international, cosmopolite. « *L'internationalisme des capitaux* » (Martin du Gard).

♦ **2.** Doctrine préconisant l'union internationale des hommes, des peuples, par delà les frontières. *Internationalisme ouvrier, prolétarien.*

(...) c'est plus que jamais dans les cadres nationaux que prend place le développement de la personne; l'internationalisme, qui fut un beau rêve, n'est plus que l'illusion têtue de quelques trotzkystes. SARTRE, Situations III, p. 70.

♦ **3.** (Fin XIXe). Doctrine selon laquelle les intérêts nationaux doivent être subordonnés à des intérêts plus larges, en politique, en économie (s'oppose à *nationalisme*). *Fédéralisme et internationalisme. Internationalisme européen* (européanisme), *atlantique* (atlantisme), *socialiste...*

INTERNATIONALISTE [ɛ̃tɛʀnasjɔnalist] adj. et n. — 1871; de *international.*

♦ Qui concerne l'internationalisme (2., 3.); est favorable à l'internationalisme. *Idéal internationaliste* (→ Adhérer, cit. 3).

1 Pour Fritsch et ses pareils, l'idéal internationaliste implique d'abord la suppression de l'idée de Patrie. Est-ce nécessaire? (...) L'homme a beau faire : il est d'un climat. Il a son tempérament d'origine. Il a sa complexion ethnique (...) Et ce patriotisme-là n'a rien de foncièrement incompatible avec notre idéal de révolutionnaires internationalistes! MARTIN DU GARD, les Thibault, t. V, p. 22-23-24.

2 Cette raison d'État soviétique — comme toutes les raisons d'État des autres États du monde — fait fi de toute considération internationaliste. En d'autres termes : elle refuse de prendre en considération, de promouvoir et de protéger les intérêts nationaux légitimes d'autres peuples que le sien. Jean ZIEGLER, Main basse sur l'Afrique, p. 10.

Favorable à l'internationalisme (2. ou 3.). *Les Révolutionnaires internationalistes de la Ire, de la IIe Internationale**.

N. *Un, une internationaliste.*

INTERNATIONALITÉ [ɛ̃tɛʀnasjɔnalite] n. f. — 1845, proposé par Richard de Radonvilliers, repris 1871; de *international.*

♦ Dr. État, caractère de ce qui est international.

Il *(Sartre)* m'exposa dans ses grandes lignes le système d'Husserl et l'idée d'internationalité; cette notion lui apportait exactement ce qu'il en avait espéré : la possibilité de surmonter les contradictions qui le divisaient à cette époque-là et que j'ai indiquées (...) S. DE BEAUVOIR, la Force de l'âge, p. 194.

INTERNE [ɛ̃tɛʀn] adj. et n. — XIVe (XVIe selon T. L. F. : *traité d'alchymie* attribué à Flamel), n., «ce qui est à l'intérieur»; 1560, adj., en méd.; du lat. *internus*, de *inter* «entre».

★ **I.** ♦ **1.** (1597). Qui est situé en dedans*, se présente au dedans, ou est tourné vers l'intérieur. ⇒ **Intérieur.** *Bords, parois, parties internes.* — Géom. *Angles internes* opposés aux *angles externes** dans la figure de deux parallèles coupées par une sécante. *Angles alternes*-internes.*

Anat. Qui est situé à l'intérieur du corps; qui se trouve le plus près du plan médian sagittal du corps, par rapport à une autre partie analogue. *Oreille interne* (→ Aqueduc, cit. 3; auditif, cit. 1). *La face* (cit. 35) *interne d'un membre.* — *Sens internes*, par oppos. aux *sens externes* (cit. 2).

♦ **2.** Qui appartient au dedans. *La structure interne de la Terre* (→ Géodynamique, cit.). *L'énergie interne de l'atome* (cit. 18).

Méd. Qui affecte l'interieur (du corps, d'un organe). *Maladie interne* (→ Envahissement, cit. 4). *Glandes endocrines* (cit. 1) *à sécrétion interne. Hémorragie interne.*

Polit. Vx. *Politique interne; affaires internes.* ⇒ **Intérieur** (moderne). (1580, Montaigne). Abstrait. *Causes internes.* ⇒ **Intrinsèque.** *Différences internes d'un peuple hétérogène* (cit. 2). — (Sentiments, affects). Qui ne s'exprime pas. ⇒ **Intérieur.** *Jubilation, rage interne.* — Philos. *Sens interne*, ou *intime**. ⇒ **Conscience.** *Observation interne.* ⇒ **Introspection.**

Qui concerne la chose concernée seule, n'est pas affecté par l'extérieur. Développement, évolution interne. Déterminisme interne.

N. m. *L'interne.*

0.1 (...) Le rêve est une vue ou connaissance de l'interne, déformée par le souvenir de l'externe — c'est une traduction de l'interne dans le langage (qui est seul existant) de l'externe. VALÉRY, Cahiers, t. II, Pl., p. 21.

★ **II.** ♦ **1.** (1818). Étudiant en médecine qui, ayant passé avec succès le concours de l'internat*, loge dans l'hôpital auquel il est attaché. *Interne des hôpitaux de Paris.* — *L'interne d'un patron de médecine.* → 1. Patron, cit. 15.

1 Avant d'être interne à l'Hôtel-Dieu, Horace Bianchon était un étudiant en médecine, logé dans une misérable pension du quartier latin (...) BALZAC, la Messe de l'athée, Pl., t. II, p. 1151.

2 (...) *le Dr. Thibault... notre chef de clinique... Un type de valeur...*, ajouta-t-il avec satisfaction, comme s'il entendait un de ses internes parler de lui. MARTIN DU GARD, les Thibault, t. II, p. 67.

♦ **2.** N. (1829). *Un, une interne* : élève logé et nourri dans l'établissement scolaire qu'il fréquente. ⇒ **Pensionnaire.** *Mettre un enfant interne au lycée. Les internes d'un collège.* ⇒ **Internat.**

3 Je ne peux pas parler à mon père, il m'enfermerait. Ou il me mettrait quelque part en pension, comme interne. ARAGON, les Beaux Quartiers, I, XXIII.

★ **III.** (Angl. *internal medecine* «médecine (stricto sensu), opposée à la chirurgie»; 1973, *Annales de médecine interne*). *Médecine interne*, concernant les phénomènes pathologiques atteignant l'organisme dans son ensemble (⇒ **Médecine**); spécialt, médecine générale hospitalière. *Pratiquer la médecine interne.* ⇒ **Interniste.** *Les départements de médecine interne des hôpitaux américains.*

CONTR. Extérieur, externe.

DÉR. Internat, internel, interner, interniste.

INTERNÉ, ÉE [ɛ̃tɛʀne] adj. et n. ⇒ **Interner.**

INTERNEL, ELLE [ɛ̃tɛʀnɛl] adj. — 1403, titre : l'*Internele Consolacion*; de *interne.*

♦ Vx (relig., mystique) ou archaïsme littér. Intérieur, profond, psychologiquement (A. France, Péguy, *in* G. L. L. F.; Renan, Valéry, *in* T. L. F.).

INTERNEMENT [ɛ̃tɛʀnəmɑ̃] n. m. — 1838, sens 1 et 3; de *interner.*

♦ **1.** Vx. Assignation à résidence* forcée dans une localité déterminée avec défense d'en sortir.

♦ **2.** (1873). Mod. Action d'interner; état d'une personne internée. *L'internement d'un inculpé* (cit. 2). ⇒ **Emprisonnement.** *Internement des relégués dans un établissement pénitentiaire.* ⇒ **Relégation.** — *Camp d'internement. Mesure d'internement.*

♦ **3.** (1838). Placement (d'une personne) dans un établissement psychiatrique, public ou privé, sur la base d'un certificat médical. *Internement des aliénés*, régi par la loi du 30 juin 1838 (→ Interner, cit. 1). *Internement volontaire. Internement ordonné par l'autorité publique. Internement d'office*, sur ordre du préfet. *Demander, prescrire d'office l'internement d'un aliéné.*

Suis-je son parent et puis-je, à ce titre, provoquer son internement dans une maison de santé? COURTELINE, Messieurs les ronds-de-cuir, 3e tableau, III.

CONTR. Élargissement, libération.

INTERNER [ɛ̃tɛʀne] v. tr. — 1845, au sens jurid. 1; 1704, *s'interner* «s'unir intimement»; de *interne.*

♦ **1.** Vx. Condamner (qqn) à résider dans une localité déterminée avec défense d'en sortir. ⇒ **Assigner** (à résidence), **reléguer.** *On a interné les suspects dans les départements de l'Ouest* (P. Larousse).

♦ **2.** Enfermer par mesure administrative. ⇒ **Emprisonner, enfermer.** *Interner des réfugiés politiques dans un camp de concentration.*

Par ext. Rare. Enfermer. — Compl. n. de chose (stylistique) :

(...) Un vaste salon carré où l'on a interné une multitude de toiles innommables, soi-disant religieuses pour la plupart. L'aspect de ce salon est si froid, que les promeneurs y sont plus rares (...) c'est dans ce capharnaüm (...) qu'ont été reléguées ces deux modestes toiles. 0.1
BAUDELAIRE, Curiosités esthétiques, Salon de 1859, V, Pl., t. II, p. 237.

♦ **3.** (Déb. XXe; postérieur à *internement;* on disait *enfermer*). Enfermer* dans un asile, un hôpital psychiatrique. *On l'a interné, on l'a fait interner abusivement.*

Le grand reproche qu'on lui fait aujourd'hui *(à la loi du 30 juin 1838 sur les aliénés)*, c'est de n'avoir pas exigé un contrôle effectif de l'état de l'individu avant son internement. En effet, pour faire interner une personne, il suffit (art. 8) d'une demande d'admission formée par un parent ou un tiers en relations avec elle, appuyée par un *certificat de médecin* constatant l'état mental et la nécessité d'enfermer le malade. 1
JULLIOT DE LA MORANDIÈRE, Précis de droit civil, t. I, no 674.

De février 1841 au mois d'août 1853, Gérard de Nerval avait été interné cinq fois, pour divers troubles, excitation maniaque et cyclothymie. Après chacune de ces stations à la clinique (...) il avait connu des répits plus ou moins prolongés (...) 2
Émile HENRIOT, les Romantiques, p. 408.

▶ **INTERNÉ, ÉE** p. p. adj.

♦ **1.** (1858). Vx. *Suspects internés.* ⇒ **Prisonnier.** — Anciennt. *Forçats* (cit. 5) *internés dans une maison centrale de force.*

N. (1867). *Régime des internés politiques. Les internés et déportés de la Résistance.*

♦ **2.** (Déb. XXe). *Aliéné interné.* — N. *Le pavillon des internés.*

CONTR. Élargir, libérer, relâcher.

DÉR. Internement.

INTERNISTE [ɛ̃tɛʀnist] n. — 1973, *Annales de médecine interne;* angl. *internist*, de *internal medecine.* → Interne (III.).

♦ Méd. Médecin généraliste qui s'occupe de *médecine interne* (non chirurgicale), notamment dans un hôpital (opposé à *chirurgien, spécialiste*). ⇒ **Généraliste, médecin.** *«La patience, l'insistance, une vision à la fois individualiste et totalitaire de l'homme malade, un penchant — non exempt, sans doute, d'une pointe de suffisance — à s'ouvrir d'abord à la main le chemin du diagnostic, voilà quelques-uns des traits qui, sans être propres à l'interniste, composent pour une part son image»* (R. Worms, *in* Annales de médecine interne, févr. 1973, 124, no 2, p. 148).

INTERNODAL, ALE, AUX [ɛ̃tɛʀnɔdal, o] adj. — 1907; de *inter-*, et *nodal.*

♦ Bot. Situé entre les nœuds (d'un végétal).

INTERNONCE [ɛ̃tɛʀnɔ̃s] n. m. — Fin XVIe, «intermédiaire»; du lat. ecclés. *internuntius* «nonce par intérim», de *nuntius* «messager, message»; «nonce» en latin chrétien.

★ **I.** Religion catholique. ♦ **1.** (1648). Prélat qui fait fonction de nonce* dans un pays où il n'y en a pas, ou en attendant la désignation d'un nonce.

♦ **2.** (1902). Auditeur de nonciature ou secrétaire de légateur auprès du Saint-Siège.

★ **II.** (1832, Balzac). Hist. Chargé d'affaires de l'Empire autrichien à Constantinople, pendant l'absence de l'ambassadeur.

DÉR. **Internonciature.**

INTERNONCIATURE [ɛ̃tɛʀnɔ̃sjatyʀ] n. f. — 1752; de *internonce*, d'après *nonciature*.

♦ Relig. cathol. Charge, dignité d'internonce.

INTER NOS [ɛ̃tɛʀnos; intɛʀnos] loc. lat. — D. i.; mots lat., de *inter* «entre» et *nos* «nous».

♦ Didact. Entre nous.

INTERNUCLÉAIRE [ɛ̃tɛʀnykleɛʀ] adj. — 1877, Littré, *Suppl.*; de *inter-*, et *nucléaire*.

♦ Biol. Situé entre les noyaux* cellulaires.

INTÉRO- Élément, tiré du lat. *interior* «interne», qui sert à former quelques termes savants (physiol., psychol.). S'oppose à : *extéro-*.

INTEROCÉANIQUE [ɛ̃tɛʀɔseanik] adj. — 1855; de *inter-*, et *océanique*.

♦ Géogr. Qui est entre deux océans, qui fait communiquer deux océans. *Canal interocéanique. Transit interocéanique.*

INTÉROCEPTEUR [ɛ̃teʀɔsɛptœʀ] n. m. — 1950, *in* D. D. L.; du lat. *interior* «interne», et *(ré)cepteur*, par l'angl. *interoceptor* (1906, Sherrington). → Intéroceptif.

♦ Physiol. Récepteur périphérique qui réagit à des stimuli provenant de l'intérieur du corps (muscles, viscères, vaisseaux, labyrinthe de l'oreille interne, etc.) [opposé à *extérocepteur**]. *Intérocepteur olfactif.* ⇒ 2. **Osmocepteur.** Spécialt. (Opposé à *propriocepteur*, et excluant les muscles et les labyrinthes).

INTÉROCEPTIF, IVE ou **INTEROCEPTIF, IVE** [ɛ̃teʀɔsɛptif, iv] adj. — 1945, cit. (et Merleau-Ponty, *in* T. L. F.); de *intéro-* et *réceptif*, d'après l'angl. *interoceptive* (Sherrington, 1906), de *intero-* (de *interior*; → Intérieur).

♦ Physiol. Se dit de la sensibilité dont les stimuli proviennent de l'organisme même (opposé à *extéroceptif*).

Spécialt. Dont les stimuli proviennent des organes des fonctions végétatives. *La sensibilité interoceptive procure les sensations de soif, de faim, etc.* En ce sens restreint, *interoceptif* s'oppose à *proprioceptif.* — On écrit aussi *intéroceptif.*

Sherrington a établi une grande division tripartite dans les sensations, dont les unes renseignent sur les objets extérieurs, agissant à la surface externe du tégument, d'autres sur les actions qui se peuvent exercer à la surface intérieure de l'organisme, tube digestif, œsophage, estomac, intestin, les dernières enfin sur l'état des tissus profonds, sur l'activité propre de l'organisme, sur ses mouvements, et les effets de son déplacement dans l'espace. Les deux premiers groupes (à récepteurs superficiels) sont dits «extéroceptif», et «intéroceptif», le troisième «proprioceptif» (à récepteurs profonds).
Henri PIÉRON, la Sensation, guide de vie (1945), p. 39.

DÉR. **Intéroceptivité.**

INTÉROCEPTIVITÉ [ɛ̃teʀɔsɛptivite] n. f. — 1945, Merleau-Ponty; de *intéroceptif.*

♦ Physiol. Sensibilité assurée par les intérocepteurs. — REM. On trouve aussi *intéroception* [ɛ̃teʀɔsɛpsjɔ̃] n. f., «sensation proprioceptive effective».

INTEROCULAIRE [ɛ̃tɛʀɔkylɛʀ] adj. — 1838; de *inter-*, et *oculaire.*

♦ Anat. Qui est entre les yeux.

INTEROFECTIF, IVE [ɛ̃teʀɔfɛktif, iv] adj. — 1955, cit.; angl. *interofective* (Cannon); du lat. *interior*, et *effectus* (→ Effectif), de *efficere* «faire, réaliser».

♦ Didact. (physiol., psychol.). Dont les effets sont intérieurs à l'organisme. *Systèmes interofectifs de l'activité végétative.*

Les tentatives d'ajustement de l'organisme mettent en jeu à la fois des mécanismes *interofectifs*, les régulations physiologiques, et des mécanismes *extérofectifs*, les conduites (...)
Daniel LAGACHE, la Psychanalyse, p. 77 (1955).

CONTR. **Extérofectif.**

INTEROPERCULAIRE [ɛ̃tɛʀɔpɛʀkylɛʀ] n. m. — 1902; *interopercule*, 1867; de *inter-*, et *opercule*, suff. *-aire.*

♦ Didact. Pièce osseuse médiane de l'opercule des poissons.

INTEROSSEUX, EUSE [ɛ̃tɛʀɔsø, øz] adj. — 1690, Furetière; *entre-osseux*, XVIe; de *inter-*, et *osseux.*

♦ **1.** Anat. Qui est entre deux os, et, spécialt, entre les métacarpes ou les métatarses; qui sépare ou unit deux os. *Muscles interosseux*, et, n. m., *les interosseux palmaires et dorsaux* (mains), *plantaires et dorsaux* (pieds). — *Ligaments interosseux* (→ Coccyx, cit.). *Artères, veines interosseuses.*

♦ **2.** (1824). Chir. Vx. *Couteau interosseux*, utilisé pour diviser les chairs dans les espaces interosseux.

INTERPARIÉTAL, ALE, AUX [ɛ̃tɛʀpaʀjetal, o] adj. — 1843; de *inter-*, et *pariétal.*

♦ Anat. Qui est entre les pariétaux. *Point interpariétal. Os interpariétal, suture interpariétale.*

INTERPARLEMENTAIRE [ɛ̃tɛʀpaʀləmɑ̃tɛʀ] adh. — 1894; de *inter-*, et *parlementaire.*

♦ Polit. Qui réunit les membres de plusieurs parlements. *Commission interparlementaire.*

INTERPARTICULAIRE [ɛ̃tɛʀpaʀtikylɛʀ] adj. — Mil. XXe; de *inter-*, et *particulaire*, de *particule.*

♦ Sc. Qui est situé ou se produit entre des particules nucléaires. — Syn. : *intranucléaire.*

INTERPÉDONCULAIRE [ɛ̃tɛʀpedɔ̃kylɛʀ] adj. — 1878; de *inter-*, *pédoncule* et *-aire.*

♦ Anat. Situé entre les pédoncules cérébraux.

(La tumeur) occupait l'espace interpédonculaire refoulant latéralement les deux pédoncules cérébraux (...)
B. CENDRARS, Moravagine, p. 259.

INTERPELLATEUR, TRICE [ɛ̃tɛʀpelatœʀ, tʀis] n. — 1549; lat. *interpellator*, de *interpellatum*, supin de *interpellare.* → Interpeller.

♦ Personne qui interpelle*. *«Je n'osais pas lever les yeux sur mon interpellateur»* (P. Bourget, *Nos actes nous suivent*, *in* T. L. F.). — (1790). Spécialt. Personne qui fait une interpellation* (2.). *L'interpellateur monte à la tribune de l'Assemblée.*

INTERPELLATIF [ɛ̃tɛʀpelatif] n. m. — Mil. XXe, n. m.; dér. sav. de *interpeller, interpellation.*

♦ Ling. Mot, syntagme utilisé pour adresser la parole à un interlocuteur. ⇒ **Appellatif.** Ex. : Maman; mon général; bande de cons.

INTERPELLATION [ɛ̃tɛʀpelɑsjɔ̃] n. f. — 1352, Bersuire (fin XIVe, selon T. L. F.), *interpellacion* «action d'interrompre un discours»; sens spécifique par rapport au sens 1, attesté en 1823 seulement; lat. *interpellatio*, de *interpellatum*, supin de *interpellare.* → Interpeller.

♦ **1.** Action d'interpeller, d'adresser vivement la parole à qqn. *Cette brusque interpellation me troubla* (Académie). ⇒ **Apostrophe.** *L'interpellation de qqn par qqn*, le fait d'être interpellé. *L'interpellation, les interpellations de qqn*, que fait qqn. *Son interpellation* (ambigu).

♦ **2.** (1789). Polit. Demande d'explications adressée au gouvernement par un membre du Parlement en séance publique. *Demande d'interpellation déposée sur le bureau de l'Assemblée. Renvoyer une interpellation. Répondre à une interpellation. Débat qui s'engage sur une interpellation et se termine normalement par un ordre du jour.*

(...) ils apprenaient aux jeunes élèves à saper convenablement les bases du gouvernement, à établir contre les ministères ennemis de savantes lignes de circonvallation, à les enserrer dans un adroit système d'interpellations et à les renverser ensuite au bon moment.
A. ROBIDA, le Vingtième Siècle, p. 165. 1

J'ai vu Caillaux. Personnellement, ton interpellation ne le gêne pas. Mais bien entendu, par solidarité ministérielle, il souhaite qu'on puisse l'éviter.
J. ROMAINS, les Hommes de bonne volonté, t. III, XVI, p. 208. 2

♦ **3.** Dr. **a** (1599). Sommation (faite à qqn) de faire ou de dire quelque chose.

b (XXe). Dr. pén. Lors d'un interrogatoire ou d'une opération de police sur la voie publique, Question destinée à s'assurer de l'identité ou du domicile des personnes suspectes, qui peuvent être conduites au poste de police si elles sont dans l'incapacité d'en justifier par des documents en leur possession. *Les officiers de police judiciaire ont pouvoir de procéder à des interpellations. « Ni Mauriac, ni Sartre, ni moi n'allions recevoir ce jour-là la palme, certes pas du martyre, et pas même de l'interpellation »* (Claude Roy, in *le Nouvel Obs.*, 12 avr. 1976).

DÉR. V. **Interpellatif.**

INTERPELLER [ɛ̃tɛʀpəle; ɛ̃tɛʀpele] v. tr.

— 1352, «invoquer, solliciter»; «interrompre», 1532, Rabelais, du lat. *interpellare* «interrompre, sommer».

♦ **1.** **a** (1694). Adresser la parole à (qqn) d'une façon plus ou moins brusque pour demander quelque chose, interroger, questionner, insulter. *Action d'interpeller* ⇒ **Interpellation.** *Un inconnu l'interpella, se mit à l'interpeller.* ⇒ **Apostropher, appeler.** *Interpeller qqn au sujet, à propos de qqch. Camelot qui interpelle les passants. Il l'interpella d'aussi loin qu'il le vit.* ⇒ **Héler.** *Interpeller qqn pour* (et inf.). *Interpeller qqn vivement, cordialement, brutalement.* — En incise. *« Viens! » l'interpella-t-il.* — Absolt. *Interjections servant à interpeller.* ⇒ **Eh, hé, hep, holà, ohé.**

1 Sur l'invitation de Benassis, qui les interpella chacun à son tour pour éviter les politesses de préséance, les cinq convives du médecin passèrent dans la salle à manger et s'y attablèrent (...)
BALZAC, le Médecin de campagne, Pl., t. VIII, p. 432.

2 Javert interpella le portier du ton qui convient au gouvernement, en présence du portier d'un factieux. HUGO, les Misérables, V, III, X.

3 Je l'interpellai, rien que pour lui faire tourner la tête de mon côté (...)
CÉLINE, Voyage au bout de la nuit, p. 439.

4 Par les ruelles, les jeunes gens commençaient la traîne, interpellant les filles qui allaient par bandes. ARAGON, les Beaux Quartiers, I, XXV.

Pron. (à sens réciproque). *Brouhaha* (cit. 3) *de gens qui se bousculent* (cit. 4) *en s'interpellant à grands cris. Automobilistes qui s'interpellent grossièrement.*

5 J'ai remarqué à ce moment que tout le monde se rencontrait, s'interpellait et conversait, comme dans un club où l'on est heureux de se retrouver entre gens du même monde. CAMUS, l'Étranger, p. 120.

b Littér. (Compl. n. de chose personnifiée). Appeler, interroger. *Interpeller le destin, la fatalité.*

c (1599). Vx. *Interpeller qqn de* (et inf.) ⇒ **Sommer.** *On l'interpella de répondre.*

♦ **2.** (1790). Polit. Demander à (un ministre, un gouvernement) de s'expliquer sur ses actes, sur sa politique. *Interpeller le ministre des Finances sur son projet de réforme fiscale.* — (Av. 1918, *in* D. D. L.). Sans compl. second. *Le droit d'interpeller les ministres*; absolt, *le droit d'interpeller.*

♦ **3.** Dr. pén. Questionner (un suspect) sur son identité. ⇒ **Interpellation.** *L'inspecteur a interpellé un manifestant.*

♦ **4.** (1969, *in* G. L. L. F.). Sujet n. de chose, compl. n. de personne. Constituer un appel pour (qqn), avoir un intérêt psychologique vif pour (qqn). — REM. Cet emploi à la mode (1970-1980) fait partie du vocabulaire pseudo-psychologique de la nouvelle préciosité (cf. Interroger, questionner). *«Me casser le cul à faire une carrière, ça m'interpelle nulle part. C'est tout»* (Claire Brétécher, in *le Nouvel Obs.*, 11 sept. 1978, p. 55; N. B. Emploi ironique; → aussi Quelque part, qui appartient au même vocabulaire).

▶ **INTERPELLÉ, ÉE** p. p. adj. *Passants interpellés.* — *Suspect interpellé (par la police).* — N. (1902, *in* D. D. L.). *L'interpellé.*

DÉR. V. **Interpellatif.**

INTERPÉNÉTRATION [ɛ̃tɛʀpenetʀasjɔ̃] n. f.

— 1889, Bergson, de *inter-*, et *pénétration*.

♦ Didact. Pénétration réciproque (avec l'idée d'influence). *L'interpénétration des formes artistiques. L'interpénétration des idées, des concepts, des sentiments. Interpénétrations mutuelles, réciproques.*

Combien je souffrais de cette position où nous a réduits l'oubli de la nature qui, en instituant la division des corps, n'a pas songé à rendre possible l'interpénétration des âmes (car si son corps était au pouvoir du mien, sa pensée échappait aux prises de ma pensée). PROUST, À la recherche du temps perdu, t. XII, p. 230.

Concret. *L'interpénétration de deux courants, entre deux courants.* — Minér. *Macle d'interpénétration* (formé de cristaux qui s'interpénètrent).

INTERPÉNÉTRER (S') [ɛ̃tɛʀpenetʀe] v. pron.

— 1907, *Correspondance* de J. Rivière, *in* T. L. F.; de *inter-*, et *pénétrer*.

♦ Didact. Se pénétrer réciproquement. *Théories, doctrines qui s'interpénètrent.*

Concret. *Cristaux qui s'interpénètrent.*

Prévoir des zones distinctes pour les « quartiers industriels, quartiers commerçants, quartiers de plaisance et de villas », lesquels, s'interpénétrant, ne font que se gêner les uns les autres. L.-H. LYAUTEY, Paroles d'action, p. 453.

DÉR. **Interpénétration.**

INTERPERSONNEL, ELLE [ɛ̃tɛʀpɛʀsɔnɛl] adj.

— 1920, (écrit *inter-personnel*) *in* D. D. L.; de *inter-*, et *personnel*.

♦ Didact. (psychol., sociol.). Qui a lieu entre plusieurs personnes. *Relations interpersonnelles de groupe. Comportement interpersonnel.*

INTERPHASE [ɛ̃tɛʀfaz] n. f.

— D. i. (mil. XXe : 1953); de *inter-*, et *phase*.

♦ Biol. Période de repos de la cellule, pendant laquelle son noyau ne subit aucun changement. — Syn. : *intercinèse.*

INTERPHONE [ɛ̃tɛʀfɔn] n. m.

— Av. 1952, *in* P. Gilbert; de *téléphone intérieur*.

♦ Appareil de communication téléphonique intérieur. *Le directeur appelle sa secrétaire à, par l'interphone. Interphone entre la porte d'entrée d'un immeuble et les appartements* (parlophone).

Dans certaines recherches, il est utile de mettre deux groupes d'individus en compétition. Pour mieux contrôler la situation, ces groupes sont séparés. Ils peuvent être reliés l'un à l'autre par téléphone ou interphone (...) 1
Paul FRAISSE, la Psychologie expérimentale, p. 117.

— Mlle Ballanger se prépare. Elle va être là dans une minute. Je fais tout de suite prévenir. 2
Il retourna derrière son bureau et manipula un interphone (...)
L'interphone fredonna. Rosenfeld hocha la tête et coupa la communication.
J.-P. MANCHETTE, Folle à tuer, p. 13.

INTERPLANÉTAIRE [ɛ̃tɛʀplanetɛʀ] adj.

— 1864, *Année sc. et industr.* 1865, p. 5; de *inter-*, et *planétaire*.

♦ Qui est, qui a lieu entre les planètes. *Espaces, communications interplanétaires.*

Jusqu'où s'arrêtera l'esprit d'entreprise moderne? Après la construction d'un continent, que restera-t-il à faire?... s'emparer des espaces interplanétaires, briser les liens misérables qui retiennent la navigation aérienne dans notre zone atmosphérique, coloniser notre satellite et communiquer avec les autres planètes, nos compagnes de route dans les champs de l'azur (...) Ce sera l'œuvre de nos descendants du XXIe siècle! A. ROBIDA, le Vingtième Siècle, p. 415 (1889). 1

(...) un astronome, habitué à vivre en pensée dans les espaces interplanétaires, doit avoir beaucoup moins de mal qu'un autre à mourir. 2
MARTIN DU GARD, les Thibault, t. IX, p. 220.

(1927, Esnault-Pelleterie). *Voyage interplanétaire. Fusée interplanétaire.*

Les Martiens, a dit *le Progrès de Lyon*, ont eu nécessairement un Christ; partant ils ont aussi un pape (et voilà d'ailleurs le schisme ouvert) : faute de quoi ils n'auraient pu se civiliser au point d'inventer la soucoupe interplanétaire. 3
R. BARTHES, Mythologies, p. 43.

REM. Le mot, en usage lorsque le sens était du domaine de l'anticipation, n'est plus guère employé.

INTER POCULA [ɛ̃tɛʀpɔkyla] loc. lat.

— Mot lat., «parmi *(inter)* les coupes *(pocula)*».

♦ Didact. Le verre en main, en buvant.

INTERPOLAIRE [ɛ̃tɛʀpɔlɛʀ] adj.

— 1877; de *inter-*, et *polaire*.

♦ Didact. Qui se trouve entre les pôles (d'un générateur, d'un circuit électrique).

INTERPOLATEUR, TRICE [ɛ̃tɛʀpɔlatœʀ, tʀis] n.

— 1702; «celui qui cherche à fausser la vérité», 1578; bas lat. *interpolator*, de *interpolatum*, supin de *interpolare*. → Interpoler.

♦ Didact. Personne qui interpole*, qui fait une interpolation. *Un interpolateur maladroit* (Académie). *Un interpolateur sans scrupules.*

INTERPOLATION [ɛ̃tɛʀpɔlasjɔ̃] n. f.

— V. 1355, Bersuire, *interpollacion* «interruption»; 1546, «action de polir, de remettre qqch. en état»; sens mod., 1706,; du lat. *interpolatio*, de *interpolatum*, supin de *interpolare*. → Interpoler.

♦ **1.** Action d'interpoler* un texte; résultat de cette action.

Il se promène, lisant, récitant au besoin ce qu'il sait par cœur. Dans sa ferveur, il ne répugne pas à l'interpolation. Il prête aux grands hommes. Il ajoute aux textes illustres. G. DUHAMEL, Salavin, III, IX. 1

(Une, des interpolations). Passage interpolé. *Copie altérée par de nombreuses interpolations.*

Par métaphore :

Fontane, qui avait plus d'imagination que de mémoire, essayait de combler les vides de ses souvenirs, mais l'implacable précision de Pauline découvrait aussitôt les interpolations (...) A. MAUROIS, les Roses de septembre, III, VI. 2

♦ **2.** (1812). Math., phys. Intercalation de valeurs ou de termes intermédiaires dans une série de valeurs ou de termes connus. *Formule d'interpolation. L'interpolation, opération approchée.*

INTERPOLER [ɛ̃tɛʀpɔle] v. tr. — 1352, « interrompre »; sens mod., 1721; du lat. *interpolare* « réparer », d'où « falsifier »; de *interpolis* « remis à neuf, refait », de *inter*, et *polire* « égaliser, orner ». → Polir.

♦ **1.** Introduire dans un texte, par erreur ou par fraude (des mots ou des phrases n'appartenant pas à l'original). *Ici, le copiste a interpolé quelques mots.* ⇒ **Intercaler.**

1 On avait copié le discours au château, en supprimant quelques passages et en interpolant quelques autres. CHATEAUBRIAND, Mémoires d'outre-tombe, t. III, p. 24.

Par ext. Altérer (un texte) par une ou plusieurs interpolations*. *Interpoler grossièrement un passage.*

2 (...) le texte a été interpolé; il n'y a rien de tel dans le manuscrit conservé à Rome, et l'éditeur des *Mémoires* y a outrageusement jeté un faux.
Louis MADELIN, Hist. du Consulat et de l'Empire, Le Consulat, VIII.

Au p. p. *Glose interpolée. Passage interpolé.*

3 Avec les carnets de voyage de Michelet (...) madame Michelet a composé, sous le nom de l'historien, un volume intitulé *Rome*, qui (...) constitue une véritable trahison, par l'arrangement auquel a été soumis le texte des originaux, interpolés, coupés, raboutés ou récrits par cette redoutable collaboratrice.
Émile HENRIOT, les Romantiques, p. 391.

♦ **2.** (1829). Math., phys. Procéder à une interpolation* (2.). *« On interpole, c'est-à-dire qu'on intercale entre les nombres donnés par l'expérience d'autres nombres qui paraissent s'accommoder le mieux possible à la marche générale des nombres observés »* (Cournot, *in* T. L. F.).

CONTR. **Authentiquer.** — **Extrapoler** (terme de science).

INTERPOLLINISER [ɛ̃tɛʀpɔlinize] v. tr. — XXᵉ; de *inter-*, et *polliniser.*

♦ Bot. Féconder par pollinisation réciproque (fécondation croisée).

Enfin, l'incompatibilité peut être due à un décalage des époques de floraison respectives des variétés devant s'interpolliniser.
Henri BOULAY, Arboriculture et Production fruitière, p. 67.

INTERPOSÉ, ÉE [ɛ̃tɛʀpoze] adj. ⇒ **Interposer.**

INTERPOSER [ɛ̃tɛʀpoze] v. tr. — 1355, au p. p.; à l'inf., 1538; du lat. *interponere*, de *inter-*, et *ponere* « poser », avec influence de *poser.*

♦ **1.** (Concret). — Sujet n. de personne. Poser (qqch.) entre* deux choses. *Interposer un écran* entre une source lumineuse et l'œil.* ⇒ **Mettre, placer, poser.** — Passif et p. p. *Planchettes interposées entre la maçonnerie et les poutres.* ⇒ **Intercaler** (→ Fil, cit. 28). — Sujet n. de chose. *Un mur interposait sa masse, son ombre entre le soleil et nous. « L'hiver* (cit. 5) *interpose, entre octobre et mars, une saison massive... »* (Colette).

Pron. Se mettre entre. *Il y a éclipse de soleil quand la Lune s'interpose entre le Soleil et la Terre* (⇒ **Interposition**).

1 (...) le temps est un voile interposé entre nous et Dieu, comme notre paupière entre notre œil et la lumière. CHATEAUBRIAND, Mémoires d'outre-tombe, t. II, p. 82.

♦ **2.** S'INTERPOSER v. pron. (1690). Sujet n. de choses. *Image, pensée qui s'interpose entre le livre et les yeux du lecteur* (→ Encombrer, cit. 11). *Obstacles* qui s'interposent entre deux êtres.* ⇒ **Dresser** (se), **séparer.**

2 Elle n'avait avec moi aucune de ces craintes, de ces réserves, de ces pudeurs, qui s'interposent dans les relations d'une jeune fille et d'un jeune homme et qui souvent font naître l'amour des précautions mêmes que l'on prend pour s'en préserver.
LAMARTINE, Graziella, IV, II.

3 Elle ne pouvait plus supporter cette voix polie, traînante, qui s'interposait toujours entre Antoine et elle (...) MARTIN DU GARD, les Thibault, t. VII, p. 227.

4 Ce verre grossissant, ce verre déformant qui si souvent s'était interposé entre elle et les créatures, soudain disparaissait; et elle voyait Georges tel qu'il était réellement (...) F. MAURIAC, Fin de la nuit, VI, p. 125.

♦ **3.** Sujet n. de personne. **a** Littér. Faire intervenir*. *Interposer son autorité. Interposer un médiateur entre les belligérants.*

5 À l'égard du malheureux Patkul, il n'y eut pas une puissance qui interposât ses bons offices en sa faveur (...) VOLTAIRE, Hist. de Charles XII, III.

b S'INTERPOSER v. pron. Cour. *S'interposer dans une dispute, une querelle*, intervenir* pour y mettre un terme. ⇒ **Entremettre** (s'). *Tenter de s'interposer. Des amis communs se sont interposés pour les réconcilier* (Académie). *S'interposer entre des hommes qui se battent. — S'interposer dans les relations entre deux personnes.*

6 (...) toutes les fois que l'autorité souveraine voudra s'interposer dans les conflits de l'honneur et de la religion, elle sera compromise des deux côtés.
ROUSSEAU, Lettre à d'Alembert.

7 Sa mère, quand elle tâchait de s'interposer, était rudoyée comme lui.
FLAUBERT, l'Éducation sentimentale, I, II.

▶ **INTERPOSÉ, ÉE** [ɛ̃tɛʀpoze] p. p. adj. (1355; du lat. *interponere*, d'après *posé*, p. p. de *poser*, pour traduire le lat. *interpositum*).

A. Passif et p. p. → ci-dessus (cit. 1).

B. Adj. ♦ **1.** Qui est placé entre deux choses. *Objets interposés. Montrer qqch. « sans symboles interposés »* (Bergson).

Dr. *Personnes interposées*, qui figurent dans un acte juridique en leur propre nom, à la place du véritable intéressé. ⇒ **Interposition** (→ Adjudicataire, cit. 2).

Toute disposition au profit d'un incapable sera nulle, soit qu'on la déguise sous la forme d'un contrat onéreux, soit qu'on la fasse sous le nom de personnes interposées. Code civil, art. 911. 8

♦ **2.** Loc. cour. (1558, Des Périers, *in* D. D. L.). *Par personnes interposées* : par intermédiaires. *Négocier par personnes interposées*, en les prenant comme intermédiaires.

(...) le véritable propriétaire du cercle qui est aussi mêlé à diverses maisons de jeu, par personnes interposées, ou par association, à Paris et en Province, dans des villes d'eau et des plages à la mode. ARAGON, les Beaux Quartiers, III, VI. 9

(Avec un n. de personne, de collectivité ou de chose). *« Un destin sur mesure par personnage interposé »* (*l'Express*, 12 avr. 1971). *« Petits scandales, gros commérages, réglements de comptes par journaux interposés »* (*l'Express*, 25 nov. 1968).

INTERPOSITION [ɛ̃tɛʀpozisjɔ̃] n. f. — 1160, « ce qui est placé entre deux choses pour séparer »; rare av. fin XVIᵉ; du lat. *interpositio*, de *interpositum*, supin de *interponere*. → Interposer.

♦ **1.** (Fin XIVᵉ). Situation d'un corps interposé* entre deux autres. *Interposition de la Lune entre le Soleil et la Terre.*

♦ **2.** (1765). Dr. *Interposition de personne*, dans un acte juridique où elle ne figure qu'en apparence en son propre nom.

La loi poursuit l'enfant naturel jusque dans sa descendance légitime, car elle suppose que les libéralités faites aux petits-enfants s'adressent au fils naturel par *interposition* de personne. BALZAC, Ursule Mirouët, Pl., t. III, p. 337. 1

♦ **3.** Rare. Situation (d'une portion d'espace terrestre, d'un territoire) entre deux autres.

Traditionnellement contigu au monde russe, en dépit même de l'interposition de la Pologne, il *(l'Allemand)* est physiquement proche de l'atmosphère moscovite. 2
André SIEGFRIED, l'Âme des peuples, V, II.

♦ **4.** Rare. Fait de s'interposer. ⇒ **Entremise, intervention, médiation.**

INTERPRÉTABLE [ɛ̃tɛʀpʀetabl] adj. — 1380; de *interpréter.*

♦ **1.** Que l'on peut interpréter, comprendre. *Faits difficilement interprétables.* ⇒ **Compréhensible.**

Ce texte est infaillible; à la bonne heure. Mais il est diversement interprétable, et là recommence la diversité, simulacre de liberté dont on se contente à défaut d'autre. RENAN, l'Avenir de la science, Œ., t. III, p. 774. 1

Toute l'activité de synthèse des cellules, si complexe soit-elle, est, en dernière analyse, interprétable (...) Jacques MONOD, le Hasard et la Nécessité, p. 81. 2

♦ **2.** Que l'on peut interpréter, rendre. *Ce morceau n'est interprétable que par un excellent pianiste.* ⇒ **Jouable.**

CONTR. **Incompréhensible, obscur, secret.** — **Jouable.**

INTERPRÉTANT, ANTE [ɛ̃tɛʀpʀetɑ̃, ɑ̃t] adj. et n. — Mil. XXᵉ; de *interpréter*, moy. franç., v. 1460, « devin ».

♦ **1.** Psychol. **a** N. (Rare au fém.). Malade qui tire des interprétations erronées de faits vrais (délires d'interprétation*, dans les cas graves).

« Vous savez très bien que vous êtes une interprétante », lui dis-je. Elle m'avait raconté qu'elle passait des heures, étendue sur son divan, à chercher le sens caché des gestes, des paroles qu'elle avait notés dans la journée. 1
S. DE BEAUVOIR, la Force de l'âge, p. 183.

b Adj. (1944, *in* D. D. L.). *Processus interprétant.*

♦ **2.** N. m. (V. 1970; angl. *interpretant*, Ch. S. Peirce; de *to interprete* « interpréter »). Didact. Chez Peirce, un des éléments essentiels du procès signifiant (sémiosis), réaction de la conscience qui reçoit un signe (l' « interprète ») et qui constitue un nouveau signe, équivalant au premier mais différent (développé, modifié, etc.). *L'interprétant est un médiateur entre le signe* (ou représentamen) *et ce à quoi il renvoie* (l'objet); *c'est une représentation qui, pour une conscience, renvoie au même objet que le signe; il équivaut au sens.*

L'interprétant est une relation momentanée prise dans une chaîne infinie de signes, car devenant signe il lui faut à son tour un interprétant; l'interprétant est donc un terme relatif à son antécédent et à son conséquent. 2
Josette REY-DEBOVE, Sémiotique (Lexique), p. 81.

INTERPRÉTARIAT [ɛ̃tɛʀpʀetaʀja] n. m. — 1890, P. Larousse, *Deuxième Suppl.*, art. *Interprète*; de *interprète.*

♦ Fonction, carrière d'interprète. *École d'interprétariat.* — Activité d'interprète. *L'interprétariat et la traduction* simultanée. Les professions de l'interprétariat.*

Après le lycée, j'ai commencé par une école d'interprétariat à dix-sept ans.
Christine ARNOTHY, Toutes les chances plus une, p. 86.

REM. Le mot, critiqué par les puristes, est devenu d'usage courant.

INTERPRÉTATEUR, TRICE [ɛ̃tɛʀpʀetatœʀ, tʀis] adj. et n. — 1487; bas lat. *interpretator,* du lat. class. *interpretatum,* supin de *interpretari.* → Interpréter.

♦ Vx. Qui interprète, explique. — N. *Un interprétateur fidèle.* ⇒ **Interprète.**

INTERPRÉTATIF, IVE [ɛ̃tɛʀpʀetatif, iv] adj. — 1380; du lat. médiéval *interpretativus,* ou dér. sav. de *interpréter.*
Didactique.

♦ **1.** Vx. Qui doit être interprété, éclairci par une interprétation.

♦ **2.** (1762). Qui sert à l'interprétation. *Commentaire interprétatif. Déclaration interprétative. Critique interprétative.*

(...) une alarme soudaine apparut en lui, accompagnée de gestes de détresse, aussitôt suivis de l'interprétative explosion d'une petite fureur nerveuse.
Léon BLOY, le Désespéré, p. 17.

Dr. *Décret interprétatif, loi interprétative,* destiné(e) à préciser le sens, le champ d'application, etc., d'un texte antérieur.

(xxᵉ). Psychiatrie. *États interprétatifs, tendances interprétatives, mécanismes interprétatifs, délire interprétatif.* ⇒ **Interprétation,** 3. *«Délires de persécution hallucinatoires ou interprétatifs»* (H. Baruk, *Psychoses et névroses,* p. 102). — Psychol. *Tests interprétatifs :* tests projectifs, où le sujet doit interpréter une expérience ou une figure.

♦ **3.** (V. 1960; angl. *interpretative*). Ling. *Composantes interprétatives,* en grammaire générative, composantes phonologique et sémantique articulées sur la base syntaxique. — *Sémantique interprétative et sémantique générative.*

DÉR. Interprétativement.

INTERPRÉTATION [ɛ̃tɛʀpʀetɑsjɔ̃] n. f. — 1160, *interpretacion* «révélation»; du lat. *interpretatio,* de *interpretatum,* supin de *interpretari.* → Interpréter.

★ **I.** ♦ **1.** (1487). Action d'expliquer, de donner une signification claire (à un signe, un ensemble signifiant obscur); résultat de cette action. ⇒ **Explication.** *L'interprétation d'un texte par un commentateur, un critique.* ⇒ **Commentaire, exégèse, glose, métaphrase, paraphrase; herméneutique** (→ Copte, cit. 1). *Donner, faire l'interprétation d'un passage difficile.* ⇒ **Interpréter.** *Interprétation judicieuse, fondée; erronée, fausse* (⇒ **Contresens, sens** [faux]). *Être d'avis différent, varier sur l'interprétation à donner à un texte. Le message linguistique guide l'interprétation de l'image publicitaire* (→ Ancrage, cit. 3). — *Interprétation spiritualiste, mystique, anagogique, allégorique d'un texte* (⇒ **Spiritualisation**). *La cabale*, interprétation allégorique de la Bible. S'attacher aux interprétations symboliques plus qu'à la lettre d'un texte.* — *Document historique d'interprétation difficile. Interprétation des lois par la Cour de cassation. Interprétation des conventions d'après la commune intention des parties* (cf. Code civil, art. 1156 et suivants). *Interprétation d'une clause de contrat, d'un traité* (→ Incorporation, cit. 2).

1 (...) l'interprétation mystique que les rabbins mêmes donnent à l'Écriture.
PASCAL, Pensées, X, 642.

2 (...) je ne me suis permis cette interprétation des premiers versets de la Genèse que dans la vue d'opérer un grand bien : ce serait de concilier à jamais la science de la nature avec celle de la théologie. BUFFON, Époques de la nature, Introd.

3 Les textes ont besoin de l'interprétation du goût : il faut les solliciter doucement jusqu'à ce qu'il arrivent à se rapprocher et à former un ensemble où toutes les données soient heureusement fondues. RENAN, Vie de Jésus, Préface.

3.1 Mais comme il est dans la nature humaine de donner une explication à toute chose, voici comment Passepartout, soudainement illuminé, interpréta la présence permanente de Fix, et, vraiment, son interprétation était fort plausible. En effet, suivant lui, Fix n'était et ne pouvait être qu'un agent lancé sur les traces de Mr. Fogg par ses collègues (...) J. VERNE, le Tour du monde en 80 jours, p. 135.

4 Sans doute, des divergences peuvent se manifester entre les interprétations poétiques d'un poème, entre les impressions et les significations ou plutôt entre les résonances que provoque, chez l'un ou chez l'autre, l'action de l'ouvrage.
VALÉRY, Variété V, p. 310. 310.

Interprétation d'un symbole. Interprétation des songes, des augures, des signes... ⇒ suff. **-mancie.**

5 Il m'a causé aussi de l'interprétation des songes (...) à l'entendre, celui qui, pendant son sommeil, voit des cloches en branle est menacé d'un accident (...)
HUYSMANS, Là-bas, p. 71.

(1573; repris après 1945). Vx. ⇒ **Interprétariat, traduction.** *Interprétation simultanée, consécutive d'une conférence.*

♦ **2.** Action de proposer, de donner une signification (aux faits, gestes, paroles de qqn); signification ainsi proposée. *L'interprétation de son acte, de son geste, de sa réaction est difficile. L'interprétation que X donne de ce fait n'est pas la mienne. Interprétation arbitraire* (cit. 4), *détournée, biaise* (cit. 14), *tendancieuse, frauduleuse* (cit. 2). *Mauvaise, fausse interprétation.* ⇒ **Malentendu, mésinterprétation.** *Erreur d'interprétation. Les diverses interprétations d'un même fait* (⇒ **Version**); *d'une même phrase* (→ Équivoque, cit. 4; impopulaire, cit. 2). *Mot, phrase à double sens, pouvant recevoir plusieurs interprétations.* ⇒ **Amphibolique, amphibologique, équivoque.** *Être sujet à, susceptible de diverses interprétations. Il ne faut pas donner à ce qu'il a dit une interprétation trop étroite, trop stricte* (→ Prendre* au pied de la lettre, au sérieux, sérieusement). *Donner une mauvaise interprétation, une interprétation malveillante à tout* (→ Avoir l'esprit mal tourné*).

Quelle liberté s'est-elle donnée qui pût, je ne dis pas mériter une censure, mais souffrir une mauvaise interprétation? 6
FLÉCHIER, Oraison funèbre de Marie-Thérèse.

La manière dont le monde des apparences s'impose à nous et dont nous tentons d'imposer au monde extérieur notre interprétation particulière, fait le drame de notre vie. GIDE, les Faux-monnayeurs, II, V. 7

«Ils parlent tous de Daniel comme d'une énigme», songeait Antoine, en traversant la place. «Et chacun me donne son interprétation personnelle... Et, bien probablement, il n'y a pas d'énigme du tout!» 8
MARTIN DU GARD, les Thibault, t. IX, p. 79.

Didact. Le fait d'interpréter (des éléments observés) dans un ensemble de connaissances. *L'interprétation des phénomènes sociaux* (→ Individualisme, cit. 10). *Les interprétations de la nature par la physique. Les interprétations de la physique moderne* (→ Indéterminisme, cit. 1; indéterministe, cit. 2). — *L'Interprétation des rêves* (titre d'un ouvrage de Freud, *die Traumdeutung*).

Techn. *Interprétation photographique :* indication des éléments pertinents d'une photographie aérienne.

♦ **3.** Psychol. ⓐ Fait de conférer une valeur cognitive, perceptive (à un stimulus). *L'interprétation perceptive de la sensation.* → Hallucination, cit. 1.

ⓑ (1909). *Délire d'interprétation :* raisonnement qui tire des inductions et déductions erronées de faits vrais, selon les tendances du malade (délire de persécution, etc.). *Malade qui a un délire d'interprétation.* ⇒ **Interprétant, interprétatif.** *Interprétations délirantes exogènes* (fondées sur des perceptions sensorielles), *endogènes* (qui s'appuient sur des sensations corporelles). *Les hallucinations* et les interprétations.*

Spécialt, psychan. «Dégagement, par l'investigation analytique, du sens latent dans le dire et les conduites d'un sujet» (Laplanche et Pontalis).

♦ **4.** Inform. Analyse et exécution point par point d'un programme sans réalisation en langage machine d'un programme objet (compilation). → Interpréteur.

★ **II.** ♦ **1.** (1874, *in* Littré, *Suppl.*). Manière de jouer (une œuvre dramatique, musicale). ⇒ **Exécution.** *Interprétation traditionnelle, classique, nouvelle. Cette sonate est d'une interprétation difficile. Difficultés d'interprétation. L'interprétation d'une pièce de théâtre par les acteurs. L'interprétation d'un rôle, d'un personnage.*

(...) si magistrale que vous puisse paraître une actrice qui donnerait de ce rôle une interprétation très différente, ce serait une erreur d'en conclure : voici donc comme il faut le jouer. Bien au contraire, ce serait une raison pour ne pas recommencer. 9
GIDE, Attendu que..., p. 197.

Certains gestes saccadés qui lui échappèrent apparurent aux plus avisés comme un effet de stylisation qui ajoutait encore à l'interprétation du chanteur. 10
CAMUS, la Peste, p. 218.

Absolt. (Spectacles). Manière dont une pièce, un film, est interprété. *La mise en scène vaut mieux que l'interprétation.* — Par métonymie. L'ensemble des interprètes. *L'interprétation toute entière doit être félicitée.*

♦ **2.** Manière dont un thème, un sujet est traité par un auteur. Par anal. (En parlant d'un peintre, d'un écrivain...). *Interprétation originale d'un thème rebattu. «Une belle gravure* (cit. 3) *est plus qu'une copie; c'est une interprétation»* (Gautier). *Cette traduction est une véritable interprétation personnelle.* ⇒ **Adaptation.**

COMP. Photo-interprétation.

INTERPRÉTATIVEMENT [ɛ̃tɛʀpʀetativmɑ̃] adv. — xvᵉ; de *interprétatif.*

♦ Rare. D'une manière interprétative, explicative.

INTERPRÈTE [ɛ̃tɛʀpʀɛt] n. — Fin xivᵉ (→ sens 3); *interpreite* «crieur public», 1321; lat. *interpres, -etis* «intermédiaire traducteur», d'abord «courtier, négociateur», de *inter-* «entre» et d'un élément *-pres,* peut-être apparenté à *pretium* «prix», qui signifierait «celui qui vend (ou achète)».

♦ **1.** (1466). Vx ou littér. Personne qui explique, éclaircit le sens d'un texte. ⇒ **Commentateur, exégète, métaphraste.** *Doctes interprètes des lois* (Bossuet). — Par anal. *Interprète des rêves, des songes, des signes des astres. Les augures, interprètes des signes, des présages.*

Tous les interprètes de ce livre *(le Coran)* conviennent que (...) 1
VOLTAIRE, Essai sur les mœurs, VII.

♦ **2.** (1596). Personne qui traduit oralement et immédiatement les paroles de qqn dans la langue d'une autre personne avec laquelle la première veut communiquer, et réciproquement. *Être l'interprète de deux personnalités, de deux hommes politiques, leur servir d'interprète. Faire l'interprète entre deux personnes.* ⇒ **Truchement** (vx). — Spécialt. Professionnel capable de traduire oralement et immédiatement d'une langue dans une autre et réciproquement, dans une situation de communication réciproque réelle. *Le métier d'interprète.* ⇒ **Interprétariat.** *École de traducteurs et d'interprètes. Les interprètes d'une ambassade, d'un consulat. Interprète militaire* (→ Armée, cit. 14). *Les interprètes d'une conférence internationale. Ancien interprète dans les pays du Levant.* ⇒ **Drogman.** *Interprète bilingue, polyglotte. Interprète juré.*

2 (...) cette obligation de passer par une tierce personne est un obstacle, une sorte d'écran isolateur qui, malgré la bonne grâce de l'interprète, suffit à tout arrêter.
LOTI, l'Inde (sans les Anglais), III, IV.

REM. Ce sens, pourtant l'un des plus courant de mot, ne correspond pas à un emploi normal de *interpréter* : l'interprète *traduit.*

(1562). Vx. Personne qui traduit un texte écrit d'une langue dans une autre (on dit aujourd'hui *traducteur**).

♦ **3.** (1636). Personne qui est chargée de faire connaître, d'exprimer les sentiments, les volontés, les intentions (d'une autre personne). ⇒ **Intermédiaire, porte-parole.** *Soyez mon interprète auprès de lui. Se faire l'interprète de quelqu'un auprès* (cit. 19) *d'une autre personne. Servir d'interprète à qqn* (→ Grommeler, cit. 4). — (Fin XIVe, au fém.). Vx ou littér. *Les prêtres, interprètes de la divinité* (→ Emblème, cit. 3; entremetteur, cit. 2). *Le hibou* (cit. 1) *« oiseau qu'Atropos prend pour son interprète »* (La Fontaine). — Par ext. *Être l'interprète des volontés de quelqu'un, de ce qu'il a à dire* (→ Fortuitement, cit. 1).

3 *(Les poètes)* Qui sont du Dieu très haut les sacrés interprètes (...)
RONSARD, le Bocage royal, À très illustre prince Charles.

4 *(Polyclète)* Des volontés d'Auguste ordinaire interprète (...)
CORNEILLE, Cinna, IV, 4.

5 Vous serez l'interprète de mes sentiments. Je ne doute point que vous ne vous acquittiez à merveille de cette commission. A. R. LESAGE, Gil Blas, V, I.

6 En lui, les femmes voient l'ami qui leur manque, un confident discret, leur interprète, un être qui les comprend, qui peut les expliquer à elles-mêmes.
BALZAC, Modeste Mignon, Pl., t. I, p. 401.

Littér. (rare). Personne qui exprime le caractère d'un personnage, lui prête la vie, la parole, dans une œuvre.

7 Donnez Racine pour interprète à Héloïse, et le tableau de ses souffrances va mille fois effacer celui des malheurs de Didon (...)
CHATEAUBRIAND, le Génie du christianisme, II, III, V.

(1588). Choses. Ce qui fait connaître, exprime une chose cachée. *Le geste* (1. Geste, cit. 4) *interprète de la pensée.* — (Dans le langage précieux). *Les muets interprètes :* les yeux, les regards.

8 Et *(je)* tiens qu'il est vrai que les songes sont loyaux interprètes de nos inclinations (...) MONTAIGNE, Essais, III, XIII.

9 Je puis fermer les yeux sur vos flammes secrètes,
Tant que vous vous tiendrez aux muets interprètes (...)
MOLIÈRE, les Femmes savantes, I, 4.

10 Mais toujours de mon cœur ma bouche est l'interprète
RACINE, Britannicus, II, 3.

11 Les yeux sont les interprètes du cœur, mais il n'y a que celui qui y a intérêt qui entend leur langage. PASCAL, Discours sur les passions de l'amour.

12 L'art des transports de l'âme est un faible interprète;
L'art ne fait que des vers; le cœur seul est poète. André CHÉNIER, Élégies, XIX.

13 Où donc est la beauté que rêve le poète?
Aucun d'entre les arts n'est son digne interprète (...)
A. DE VIGNY, Poèmes retranchés, « Beauté idéale ».

♦ **4.** (1847, Balzac, *in* T. L. F.). Celui, celle qui joue un rôle au spectacle, théâtre, cinéma, télévision); qui exécute une œuvre musicale. ⇒ **Acteur, artiste, chanteur, musicien; interpréter, interprétation.** *Les interprètes d'une pièce, d'un film, d'un opéra. Le meilleur interprète du rôle, du personnage de Don Juan. Un grand interprète de Mozart, de Ravel.*

14 Ce fut tout de suite une sorte de fièvre d'amour qui se répandit dans la salle, car jamais cette musique, qui semblait n'être qu'un souffle de baisers, n'avait rencontré deux pareils interprètes. MAUPASSANT, Fort comme la mort, II, VI.

15 (...) on peut (...) admettre que Racine (...) ait travaillé de près avec son interprète favorite *(la Champmeslé)* les rôles qu'il lui destinait, et lui ait appris à les dire.
Émile HENRIOT, Portraits de femmes, p. 67.

16 Un tragédien (...) est toujours un acteur, c'est-à-dire un interprète dont la personnalité est tellement forte (...) que le mimétisme le laisse toujours (...) en possession de sa personnalité.
Louis JOUVET, l'Art du comédien, *in* Encycl. franç. (DE MONZIE), XVII, 64-10.

Didact. Art. Artiste qui interprète (un sujet, un thème...). *Le graveur est l'interprète du tableau, du peintre dont il s'inspire. — L'interprète de la nature.*

♦ **5.** (Angl. *interpret*). Didact. Chez Peirce, la conscience qui reçoit un signe relatif à un objet et l' « interprète » en formant un nouveau signe : l'interprétant*.

INTERPRÉTER [ɛ̃tɛʀpʀete] v. tr. — Conjug. *céder.* — 1155, au sens 1; du lat. *interpretari* « expliquer; traduire; prendre dans tel ou tel sens », de *interpretes.* → Interprète.

♦ **1.** Expliquer, rendre clair (ce qui est obscur dans un texte, un écrit). ⇒ **Commenter, expliquer, gloser** (cit. 2). *Interpréter des hiéroglyphes* (cit. 3), *des signes cabalistiques. Interpréter un texte, un document.* ⇒ **Herméneutique, interprétation** (1.). → Assimiler, cit. 7. *Interpréter un passage obscur d'après le contexte. Interpréter abusivement, tendancieusement, en sollicitant le texte.* ⇒ **Torturer, tourmenter; violence** (faire). → Fallacieux, cit. 6. — Dr. *Interpréter une loi, un acte juridique, une convention, un arrêt.*

Il y a plus affaire à interpréter les interprétations qu'à interpréter les choses, et plus de livres sur les livres que sur autre sujet : nous ne faisons que nous entregloser. MONTAIGNE, Essais, III, XIII. 1

(...) un Évangile assez tendancieusement interprété, selon lequel ce qui est dû à César devient très supérieur à ce qui est dû à Dieu. 2
Louis MADELIN, Hist. du Consulat et de l'Empire, Vers l'Empire d'Occident, XII.

Vieilli. *Interpréter qqch. à qqn,* pour quelqu'un.

Il avait le don d'entendre le langage des bêtes; mais avec cette condition, qu'il ne pouvait l'interpréter à personne, sans s'exposer à perdre la vie (...) 2.1
A. GALLAND, les Mille et Une Nuits, t. I, p. 18.

(1458). Par ext. *Interpréter un symbole. Interpréter les songes, les présages*, le langage des fleurs, des pierres précieuses.*

Combien de sentiments et de mystères un Turc aurait lus dans ces fleurs en interprétant leur langage! A. DE MUSSET, Nouvelles, « Croisilles », III. 3

♦ **2.** (V. 1434). Vx. Traduire* d'une langue dans une autre. *Le discours fut interprété en français* (Littré).

♦ **3.** (1538). Donner, proposer un sens à (qqch.), tirer une signification de... ⇒ **Comprendre** (II.), **deviner, expliquer, lire** (fig.). → Graphique, cit. 4. *Je ne sais comment interpréter sa conduite. Interpréter une énigme, une pensée obscure* (⇒ **Induction**). *On peut interpréter cet événement de diverses façons. Interpréter sainement les faits* (→ Déceler, cit. 4). *Interpréter qqch. en bien, en mal, en bonne, en mauvaise part.* ⇒ **Prendre, tourner.** *Mal interpréter qqch., une attitude.* ⇒ **Mésinterpréter.** → Prendre de travers*. *Interpréter un acte favorablement, avec bienveillance.* Cf. Prendre du bon côté, en riant. *Interpréter qqch. à son avantage.* Cf. Tirer, tourner à son avantage. *Interpréter les paroles de qqn, les interpréter faussement.* ⇒ **Déformer, travestir** (la pensée). *J'avais interprété le mot comme une insulte.*

Il faut l'avouer, il n'y a personne qu'on ne puisse perdre en interprétant ses paroles (...) VOLTAIRE, Essai sur les mœurs, LXXIII. 4

(...) leur naïveté (...) les entraîne quelquefois à revêtir les apparences d'une conduite bizarre et qui pourrait être mal interprétée (...) 5
STENDHAL, le Rose et le Vert, VI.

Elle avait de nouveau interprété ce silence comme un aveu (...) 6
MARTIN DU GARD, les Thibault, t. IV, p. 291.

Interpréter à... (vx) : prendre pour... (→ Craindre, cit. 10, La Fontaine). *Interpréter qqch. à mal.*

Et c'est souvent à mal que le bien s'interprète. MOLIÈRE, Tartuffe, V, 3. 7

(...) un plus long séjour serait interprété à oisiveté. 8
BOSSUET, Lettres sur le quiétisme, CVI.

Absolt. Donner une signification plus ou moins subjective, sollicitée à ce qu'on perçoit. *Mais il ne sait rien : il interprète, il extrapole. — Délire qui interprète.*

Pron. *S'interpréter de telle ou telle manière.*

♦ **4.** (1844, Balzac, *in* T. L. F.). Jouer d'une manière personnelle (une œuvre dramatique, musicale...), de manière à exprimer le contenu. ⇒ **Jouer.** *Interpréter un rôle, un personnage au théâtre.* ⇒ **Incarner** (→ Contrepoint, cit. 2). *Interpréter un rôle, un morceau bien, mal, à faux. L'acteur qui interprétait le Cid, Hamlet, Don Juan* (⇒ **Interprète**). — *Interpréter un morceau au violon, au piano.* ⇒ **Exécuter.** *Il interprète mieux Debussy que Chopin.*

Au p. p. *Sonate magistralement interprétée.* ⇒ **Interprétation.**

(...) lors d'une répétition de *Britannicus,* on reprochait à un de nos plus grands acteurs d'aujourd'hui de ne pas interpréter son rôle d'une manière conforme à celle que sans doute eût désirée Racine : « Racine? (...) Qui est-ce? — s'écria-t-il. Moi, je ne connais que Néron » GIDE, Nouveaux prétextes, p. 18. 9

Par ext. *Le graveur interprète le tableau, l'œuvre dont il s'inspire.* Absolt. *Le peintre ne copie* (cit. 6) *pas, il interprète.*

♦ **5.** Inform. Déduire les actions liées aux éléments d'un programme. ⇒ **Interpréteur.** *Interpréter les éléments, les signes, les lignes d'un programme. Interpréter un langage.* — Au p. p. *Langage, Basic interprété.*

DÉR. Interpréteur.

INTERPRÉTEUR [ɛ̃tɛʀpʀetœʀ] n. m. — V. 1970; de *interpréter,* probablt d'après l'anglais *interpreter,* 1954 (*Interpreteur* « interprète » existait en moyen français).

♦ Inform. Programme de traduction d'un langage évolué, qui analyse et effectue les instructions au fur et à mesure de la lecture du programme source. → Compilateur. *« Un interpréteur, comme son nom l'indique, interprète chaque ligne de programme, c'est-à-dire qu'il compare chaque mot, chaque signe compris dans les lignes de programme et les compare à des tables pour en déduire des actions, c'est-à-dire des sous-programmes à effectuer et ceci à chaque exécution »* (*l'Ordinateur individuel,* juin 1983, p. 163).

INTERPROFESSIONNEL [ɛ̃tɛʀpʀɔfesjɔnɛl] adj. — 1932, Bouglé, *in* D. D. L.; de *inter-*, et *professionnel.*

♦ Commun à plusieurs professions, à toutes les professions. *Syndicat interprofessionnel. Caisse interprofessionnelle de retraites. Réunion interprofessionnelle. Salaire minimum interprofessionnel de croissance, dit S. M. I. C.*

REM. L'adv. *interprofessionnellement* est attesté.

INTERPSYCHOLOGIE [ɛ̃tɛʀpsikɔlɔʒi] n. f. — 1900, Tarde; de *inter-*, et *psychologie.*

♦ Didact. Branche de la psychologie qui a pour objet les relations des sujets entre eux. — REM. On trouve l'adj. *interpsychologique,* en 1920 (*in* D. D. L.).

INTERQUARTILE [ɛ̃tɛʀkwaʀtil] n. m. — Mil. XXᵉ; de *inter-*, et *quartile.*

♦ Didact. Différence entre le premier et le troisième quartile*, dans une série statistique.

INTERRACIAL, ALE, AUX, [ɛ̃tɛʀʀasjal, o] adj. — 1964, *le Monde, in* Gilbert; de *inter-*, et *racial.*

♦ Didact. Qui se produit entre des personnes de races différentes. *Des rivalités interraciales. « Même ceux qui l'avaient insultée finissent par admettre son mariage interracial »* (*le Point,* 17 juin 74, *in* P. Gilbert).

INTERRADIAL, ALE, AUX [ɛ̃tɛʀʀadjal, o] adj. — 1893, Encycl. Berthelot, art. *Échinoderme,* p. 312 a; « qui est entre les rayons », 1878; de *inter-* et *radial,* d'après *interradius;* l'angl. *interradial* est attesté en 1870.

♦ Zool. Relatif aux interradii* des échinodermes. *Plaques interradiales.* (La *Grande Encyclopédie* emploie le synonyme *interambulacraire.* → Ambulacre).

INTERRADIUS [ɛ̃tɛʀʀadjys] n. m. **INTERRADII** [ɛ̃tɛʀʀadii] plur. — 1890, P. Larousse, *Deuxième Suppl.,* art. *Échinodermes;* de *inter-*, et lat. *radius* « rayon », p.-ê. par l'angl. *interradius* (1870).

♦ Zool. Chez les Échinodermes, zone méridienne formée de plaques sans trous d'ambulacres (plaques interradiales).

DÉR. V. **Interradial.**

INTERRÉACTION [ɛ̃tɛʀʀeaksjɔ̃] n. f. — 1951; de *inter-*, et *réaction.*

♦ Didact., techn. Réaction réciproque. *Les « interréactions hydrodynamiques »* (J. Giordan, *le Yachting,* p. 34, nº 820).

(...) on retrouve dans toutes ces manifestations *(des psychoses telles que schizophrénie ou paranoïa)* des interréactions perpétuelles entre le conscient et l'inconscient, ce dernier tendant à envahir le premier.
H. BARUK, Psychoses et Névroses, p. 68.

INTERRÉGIONAL, ALE, AUX [ɛ̃tɛʀʀeʒjɔnal, o] adj. — 1906, *in* Petiot, en sport; de *inter-*, et *régional.*

♦ Commun à plusieurs régions; qui concerne les relations entre régions. *Centre, comité interrégional.* — Sports. Se dit d'une épreuve opposant des concurrents qui proviennent de régions voisines. *Championnats interrégionaux.*

INTERRÈGNE [ɛ̃tɛʀʀɛɲ] n. m. — V. 1355; lat. *interregnum* « temps qui s'écoule entre deux règnes; intervalle qui sépare la sortie de charge des consuls, de l'élection de leurs successeurs »; de *inter-* « entre », et *regnum.* → Règne.

Didactique (histoire, politique) ou littéraire.

♦ **1.** Intervalle de temps entre deux règnes. *Pendant l'interrègne, le trône est vacant. L'interrègne, après la mort du Doge de Venise* (Littré). — *Le grand Interrègne,* entre la mort de Conrad IV Hohenstaufen, dernier Empereur germanique de cette lignée et l'élection de Rodolphe de Habsbourg (1254-1273).
Intervalle pendant lequel un État est sans chef.
Vacance d'une fonction, d'un pouvoir. *Interrègne ministériel.*

♦ **2.** Fig. Littér. et par plais. Espace de temps entre deux fonctions, deux présences. ⇒ **Intérim.**

(...) il les fait rompre avec leurs galants; il les brouille et les réconcilie avec leurs maris, et il profite des interrègnes. LA BRUYÈRE, les Caractères, III, 45.

INTERRELATION [ɛ̃tɛʀʀəlasjɔ̃] n. f. — 1909, *in* D. D. L.; de *inter-*, et *relation.*

♦ Didact. Relation réciproque. *Les interrelations d'un système complexe, d'un organisme, d'une société.*

L'action d'une hormone peut s'exercer à sens unique sur la sécrétion d'une autre hormone (...) Mais très souvent la deuxième hormone agit à son tour sur la sécrétion de la première; il s'établit alors une *interrelation hormonale,* qui aboutit en général à un équilibre hormonal. Pierre REY, les Hormones, p. 77 (1941).

INTERRELIÉ, ÉE [ɛ̃tɛʀʀəlje] adj. — Mil. XXᵉ; de *inter-*, et *relié* (→ Relier), d'après *interrelation.*

♦ Didact. Relié par une interrelation. *Phénomènes interreliés.*

INTERROGANT, ANTE [ɛ̃tɛʀɔgɑ̃, ɑ̃t] adj. — 1370; lat. *interrogans,* p. prés. de *interrogare.* → Interroger.

Vx ou littéraire.

♦ **1.** Qui a la manie d'interroger.

L'interrogant bailli (...) conçut pour lui *(l'Ingénu)* un profond respect (...) 1
VOLTAIRE, l'Ingénu, I.

♦ **2.** Qui exprime l'interrogation. *Geste interrogant.* ⇒ **Interrogateur, interrogatif, interrogeant.** — (1529). *Point interrogant :* point d'interrogation*.

Quand son hôte inconnu fut assis, elle tourna la tête vers lui par un mouvement 2
interrogant et coquet dont la finesse ne saurait se peindre (...)
BALZAC, la Femme abandonnée, Pl., t. II, p. 218.

♦ **3.** Qui soulève des questions, des problèmes.

INTERROGAT [ɛ̃tɛʀɔga] n. m. — 1543; bas lat. *interrogatum,* neutre substantivé du p. p. *interrogatus,* de *interrogare.* → Interroger.

♦ Vx. Questions d'un interrogatoire*.

« Vos noms, professions, et caetera ». Les autres
De répondre conformément, en bon apôtres
D'ailleurs sûrs de leur fait.
L'interrogat fini : « Bien dit-il, qu'on reparte pour Paris » (...)
VERLAINE, Invectives, XIX, Pl., p. 702.

INTERROGATEUR, TRICE [ɛ̃tɛʀɔgatœʀ, tʀis] n. et adj. — 1530, nom; bas lat. *interrogator* « celui qui interroge », de *interrogare.* → Interroger.

♦ **1.** Vx. Personne qui interroge. ⇒ **Questionneur.** *Quel perpétuel interrogateur!* (Académie). — Adj. *Esprit interrogateur* (→ Enthousiaste, cit. 3).

Spécialt. Vieilli. [a] (1725). Personne qui fait subir une interrogation* orale à un élève, à un candidat (⇒ **Examinateur**).

[b] (1549). Personne qui interroge, mène un, des interrogatoires*. *L'interrogateur d'un témoin, d'un suspect.* — Absolt (vx). *Un interrogateur de la police* (*in* Vidocq).

« Le colonel Picquart se défend toujours. — Que dit-il? — On n'entend pas très 0.1
bien ». Cette réponse avait peut-être son explication dans la voix douce du colonel et qui ne portait pas, *(autant)* que dans l'air pacifique et assez peureux de celui qui sortait et qui, ne sachant pas l'opinion de ses interrogateurs, préférait ne pas s'exposer à leur brusquerie (...) PROUST, Jean Santeuil, Pl., p. 632.

♦ **2.** Adj. (1867). Qui exprime une interrogation. *Des yeux interrogateurs.* ⇒ **Interrogatif.** *Air, regard, geste interrogateur* (→ Embuer, cit. 2; formuler, cit. 6; froissement, cit. 1). *Une œillade interrogatrice* (Littré).

Il dispose d'un certain nombre de phrases elliptiques, sibyllines, qui se décrochent 1
toutes seules, quand autour de lui un silence interrogateur a suffisamment duré.
J. ROMAINS, les Hommes de bonne volonté, t. IV, XXII, p. 245.

Qu'est-ce qu'il y a? dit Ferdinand en regardant tout à l'entour d'un air interroga- 2
teur. G. DUHAMEL, Chronique des Pasquier, III, I.

INTERROGATIF, IVE [ɛ̃tɛʀɔgatif, iv] adj. et n. — 1490, au sens 2; n. m., « interrogatoire », 1507; bas lat. *interrogativus* « qui exprime l'interrogation » (gramm.), du lat. class. *interrogatum,* supin de *interrogare.* → Interroger.

♦ **1.** Qui exprime, marque l'interrogation. ⇒ **Interrogateur,** 2. *Ton interrogatif* (Académie). *Air, accent, regard interrogatif. Intonation interrogative.*

La jeune femme se tourna vers Eugène, et lui lança un de ces regards froidement 1
interrogatifs qui disent si bien : Pourquoi ne vous en allez-vous pas?
BALZAC, le Père Goriot, Pl., t. II, p. 895 (1834).

(...) un tour interrogatif, qui se borne à émettre ingénieusement des hypothèses, à 2
supposer, et à ne pas conclure. Émile HENRIOT, Portraits de femmes, p. 271.

Carlotta n'avait évidemment pas coutume de compter. Elle avait dit : *On prend* 3
un fiacre, sans le moindre accent interrogatif.
ARAGON, les Beaux Quartiers, II, XXIV.

♦ **2.** (1499, *in* D. D. L.; 1550, Meigret, aussi *point interrogatif*). Ling. Qui sert à interroger. *Termes, mots interrogatifs. Adjectifs interrogatifs* (⇒ **Quel**). *Pronoms interrogatifs, comprenant des nominaux* (⇒ **Que, qui, quoi**) *et de véritables pronoms* (⇒ **Lequel...**). *Adverbes interrogatifs* (⇒ **Combien, comment, où, pourquoi, quand...**). *Conjugaison interrogative* (indicatif et conditionnel), *caractérisée le plus souvent par l'inversion* du pronom sujet. Phrase interrogative* (par oppos. à *assertive**). *Locutions, formules interrogatives* (par ex. : est-ce, combiné avec les pronoms *qui* et *que,* ou avec un adverbe [où, quand *est-ce* que...?]). ⇒ **Être** (cit. 93 à 95). *La particule interrogative populaire ti* (de *t-il* avec un *t* euphonique) *semble archaïque.* ⇒ **Il** (I., 1., REM. 2, b).

4 Mais il est bien entendu que par l'emploi de la construction interrogative, franche ou atténuée, le parleur avoue son ignorance et son désir d'être instruit.
G. DUHAMEL, Défense des lettres, XIV.

N. m. (1688). *Un interrogatif :* un mot, un terme interrogatif. *Renforcement des interrogatifs,* par de petits mots tels que *ça* (cit. 3), *donc* (cit. 6 et 7), *diable* (cit. 31 et 33), *diantre* (cit. 2)...

N. f. *Une interrogative :* une proposition, une phrase interrogative. *Interrogative directe, indirecte. Interrogative contenant une négation* (on dit aussi *interro-négative*).

CONTR. Affirmatif, assertif, négatif.

DÉR. Interrogativement.

INTERROGATION [ɛ̃tɛʀɔgasjɔ̃] n. f. — XIIIe; lat. *interrogatio* «question, interrogation» (aussi en gramm. et rhétor.), et «interrogatoire», du supin de *interrogare.* → Interroger.

♦ **1.** [a] Action de questionner, d'interroger (qqn). ⇒ **Demande** (II.), **question** (→ Explication, cit. 12; immonde, cit. 2). *L'interrogation de qqn à qqn. L'interrogation de qqn par qqn.* — Plus cour. (sans compl. exprimé). *Répondre à des interrogations* (→ Entrecouper, cit. 7). *Interrogations indiscrètes, gênantes.*

1 — Cette cause, la voici, reprit l'abbé Brossette en croyant avec raison que chez Blondet une pause équivalait à une interrogation.
BALZAC, les Paysans, Pl., t. VIII, p. 90.

2 Notre civilisation est séparée de celles de jadis (...) à l'exception de la grecque, par le primat qu'elle reconnaît à l'interrogation.
MALRAUX, les Voix du silence, p. 601.

(XIXe). Spécialt. Question ou ensemble de questions que l'on pose à un élève, à un candidat. *Interrogation écrite* (⇒ **Devoir**), *orale* (⇒ **Colle**). *Les diverses interrogations constituant l'oral d'un examen, d'un concours.* ⇒ **Épreuve** (→ Examinateur, cit. 1).

Vx. ⇒ **Interrogatoire.**

3 S'il *(Foucquet)* continue, ses interrogations lui seront bien avantageuses.
Mme DE SÉVIGNÉ, 55, 18 nov. 1664.

[b] (Au sens 2 de *interroger*). *L'interrogation métaphysique. L'interrogation humaine.* → Confrontation, cit. 2. *L'interrogation de qqch., d'un art, d'une civilisation... C'est une interrogation majeure, essentielle pour notre temps.*

3.1 (...) toute interrogation d'un art de l'imaginaire rencontre de façon fugitive, le sentiment religieux. MALRAUX, l'Homme précaire et la Littérature, p. 201 (1976).

♦ **2.** (1550, *interrogacion*). Gramm. Type de phrase logiquement incomplète qui a pour objet de poser une question ou qui implique un doute (ex. : *Sortez-vous? Vous sortez? Le facteur est-il passé? Est-ce que le facteur est passé? Il est passé, le facteur?; Je ne sais pas s'il viendra*). *L'interrogation diffère de l'assertion* (positive ou négative) en ce que l'énoncé en est non résolu et appelle une réponse*. — L'interrogation peut être marquée par l'ordre des mots* (inversion), *par un mot interrogatif* ou simplement par le ton montant de l'énoncé :* «Après tous mes discours, vous la croyez fidèle?» (Racine, *Britannicus,* III, 6); «Vous faites de la musique? demanda-t-elle» (Flaubert, *Mme Bovary,* II, 2). *Le verbe savoir* exprime souvent l'interrogation* (savoir si..., qui sait, reste à savoir, etc.). — *Formes de l'interrogation. Interrogation directe* (formant une phrase indépendante : «Rodrigue, as-tu du cœur?» Corneille). *Interrogation indirecte* (amenée par un verbe comme *demander, s'informer,* ou par un verbe énonçant l'ignorance, *ne pas savoir :* «Elle lui demanda s'il faisait de la musique»). — *Portée de l'interrogation. Interrogation totale, absolue, primaire...* (portant sur l'ensemble de la phrase : *Pleut-il? Je ne sais pas s'il pleut*), *partielle, relative, secondaire, médiate...* (portant sur une circonstance, sur un terme de l'énoncé autre que le verbe : *Qui est là? Où allez-vous? Il m'a demandé quand je partais*). — *Interrogation disjonctive* (comprenant deux questions formant une alternative : «Ordonne-t-elle ou bien implore-t-elle?» Maeterlinck, *Vie des abeilles,* p. 56; «Êtes-vous souffrant, ou si c'est un méchant caprice?» Musset, *Chandelier,* III, 3). ⇒ **Si.** — *Interrogation double* (portant sur deux termes juxtaposés : *comment l'aurait-il fait, et pourquoi?*). — (1680). *Emplois stylistiques de l'interrogation :* a) *Interrogation apparente, fictive,* destinée à suggérer une réponse évidente : «Est-ce là une façon d'agir?» (Marouzeau); b) *Interrogation oratoire, rhétorique.* ⇒ **Figure** (→ Associer, cit. 9, Brunot); c) *Interrogations exprimant un ordre* (Voulez-vous vous taire?), *une proposition* (Si nous partions?), *un regret* («Dieux! que ne suis-je assise à l'ombre de forêts!» Racine). — REM. Parfois l'interrogation apparente a la valeur d'une subordonnée temporelle ou hypothétique : «Quelque accident fait-il que je rentre en moi-même, Je suis Gros-Jean comme devant» (La Fontaine, *Fables,* VII, 10). — *Interrogations elliptiques,* dans lesquelles la phrase interrogative se passe du verbe principal : («Et à présent, pourquoi vivre? Pour qui?» Vigny, *Chatterton,* III, 7) et peut même se réduire à un mot interrogatif : (— Quelqu'un est venu vous voir. — Qui?).

(1550, aussi *point interrogatif*). POINT D'INTERROGATION : signe de ponctuation* qui marque la fin de toute phrase d'interrogation directe, qu'elle contienne ou non une inversion : *Tu viens? Viens-tu?* — Syn. vx : *point interrogant**. — *La queue de l'écureuil, en forme de point d'interrogation* (→ Gratter, cit. 10). — Fig. *C'est un grand point d'interrogation pour nous,* une question non résolue (→ Guillotine, cit. 2, Hugo).

(...) la petite mademoiselle Clarke qui est faite comme un point d'interrogation, ?, comme Pope. STENDHAL, Vie de Henry Brulard, 9.

«Il habite Balbec?», chantonna le baron, d'un air si peu questionneur qu'il est fâcheux que la langue française ne possède pas un signe autre que le point d'interrogation pour terminer ces phrases apparemment si peu interrogatives.
PROUST, À la recherche du temps perdu, t. X, p. 304.

CONTR. Affirmation, assertion, négation.

INTERROGATIVEMENT [ɛ̃tɛʀɔgativmɑ̃] adv. — 1782; de *interrogatif.*

♦ D'une manière interrogative, en interrogeant.

(...) j'avais machinalement passé mon bras droit derrière la nuque, et du bout de mes doigts, me massais interrogativement la surface chauve de l'occiput.
Pierre DANINOS, Un certain Monsieur Blot, p. 179.

Walter étendit la main vers mon père, interrogativement :
— Et vous n'avez pas lieu de penser que pendant la journée qui a suivi, un... événement... MALRAUX, Antimémoires, Folio, p. 36.

CONTR. Affirmativement; négativement.

INTERROGATOIRE [ɛ̃tɛʀɔgatwaʀ] n. m. — 1327; adj. «qui procède par interrogations», 1265; lat. médiéval *interrogatoria* «interrogatoire», neutre plur. substantivé de l'adj. bas lat. *interrogatorius* «interrogatif; d'interrogatoire», de *interrogator.* → Interrogateur.

♦ **1.** Dr. «Mode d'instruction* d'une affaire par voie de questions posées aux parties par un magistrat commis à cet effet» (Capitant, *Vocab. juridique*). → Arrêt, cit. 6. *Le juge d'instruction procéda à l'interrogatoire de l'inculpé. Subir un interrogatoire. Interrogatoire d'identité, auquel on procède lors de la première comparution d'un inculpé, d'un accusé. — Interrogatoire sur faits et articles,* consistant en questions posées à l'une des parties sur la demande de l'autre partie, dans une affaire civile.

L'interrogatoire *(sur faits et articles)* ne pourra être ordonné que sur requête contenant les faits et par jugement rendu à l'audience : il y sera procédé, soit devant le président, soit devant un juge par lui commis.
Code de procédure civile, art. 325.

(...) comme on a raison de dire dans votre langage : *subir un interrogatoire!* (...) Entre la torture physique d'autrefois et la torture morale d'aujourd'hui, je n'hésiterais pas pour mon compte, je préférerais les souffrances qu'infligeait jadis le bourreau. BALZAC, Spendeurs et Misères des courtisanes, Pl., t. V, p. 992.

Dans le cabinet de M. Denizet, les interrogatoires allaient commencer. Déjà l'instruction avait fourni la matière d'un dossier énorme (...)
ZOLA, la Bête humaine, IV.

(1680). Par métonymie (dr.). Procès-verbal* relatant un interrogatoire. *Signez l'interrogatoire.*

♦ **2.** (1842, *in* D. D. L.). Cour. Ensemble, suite de questions posées à quelqu'un (→ Dossier, cit. 2; enfance, cit. 10).

Autant dire que sa visite n'a été que confrontation et interrogatoire sur nos sentiments respectifs pour vous. LOTI, les Désenchantées, IV, XXVI.

INTERROGEANT, ANTE [ɛ̃tɛʀɔʒɑ̃, ɑ̃t] adj. — 1866; p. prés. de *interroger.*

♦ Rare. Qui interroge, pose une question. ⇒ **Interrogant** (du lat. *interrogans*), **interrogateur.** *« D'interrogeantes pensées intérieures »* (Léon Bloy, *le Désespéré,* p. 17).

INTERROGER [ɛ̃tɛʀɔʒe] v. tr. — Conj. *bouger.* — 1399; *interroguer* (dr.), 1356; lat. *interrogare* «interroger, questionner; poursuivre en justice; argumenter», d'abord «demander les avis de (plusieurs personnes)», de *inter-* «entre» et *rogare* «s'adresser à, poser une question à» (→ Rogatoire).

♦ **1.** Questionner (qqn) «avec une certaine idée d'autorité» (Littré) ou sur des choses «qu'il est présumé connaître et sur lesquelles il est obligé de répondre» (Académie). ⇒ **Demander** (à), **interpeller, presser** (de questions), **questionner; sellette** (mettre sur la). *Interroger qqn pour lui demander des explications.* ⇒ **Arraisonner** (vieux).

Sur ce ton un peu haut je vais l'interroger (...) BOILEAU, Satires, V.
(Dieu) du haut de son trône interroge les rois. RACINE, Esther, III, 4.

Spécialt. *Le juge d'instruction interroge l'inculpé.* ⇒ **Interrogatoire; cuisiner** (→ Arrêter, cit. 36; écrouer, cit. 1). *La police, le juge interroge les témoins* (→ Confronter, cit. 1). *Interroger qqn sur un délit dont il s'est rendu coupable* (→ Appréhender, cit. 9).

«Je vous aimais vraiment, vous verrez cela un jour» (ce jour où les coupables assurent que leur innocence sera reconnue et qui, pour des raisons mystérieuses, n'est jamais celui où on les interroge)...
PROUST, À la recherche du temps perdu, t. III, p. 195.

(1690). *Interroger un élève au cours d'un examen*; interroger des candidats.* ⇒ **Interrogation.** — Absolt. *Interroger au baccalauréat,* être examinateur.

(Sans idée d'autorité ou d'obligation). *Interroger qqn pour obtenir des informations* (cit. 2), *des indications* (cit. 12), *des renseignements.* ⇒ **Enquérir** (s'), **informer** (s'). *Interroger qqn sans en avoir l'air, en déguisant sa pensée.* → Plaider* le faux pour savoir le vrai; tirer les vers* du nez à qqn. *Interroger qqn au sujet, sur le compte de qqn, de qqch.* (→ Hôtel, cit. 16). *Interroger qqn sur ses intentions, ses dispositions.* ⇒ **Sonder, tâter** (le pouls). *Interroger un personnage célèbre, un acteur...* ⇒ **Interview.** — Absolt. *Cet enfant a la manie d'interroger. Regard qui interroge.* ⇒ **Interrogateur** (→ Confiant, cit. 1).

Un homme qu'on interroge commence par cela seul à se mettre en garde, et s'il croit que, sans prendre à lui un véritable intérêt, on ne veut que le faire jaser, il ment, ou se tait, ou redouble d'attention sur lui-même, et aime encore mieux passer pour un sot que d'être dupe de votre curiosité. ROUSSEAU, les Confessions, II.

L'art d'interroger n'est pas si facile qu'on pense; c'est bien plus l'art des maîtres que des disciples; il faut avoir déjà appris beaucoup de choses pour savoir demander ce qu'on ne sait pas. ROUSSEAU, Julie ou la Nouvelle Héloïse, V, Lettre III.

(...) ce regard oblique et fin par lequel les femmes interrogent si malicieusement l'homme qu'elles veulent tourmenter. BALZAC, Une fille d'Ève, Pl., t. II, p. 126.

Un homme pose des questions d'élève; il interroge sur ce qu'il ignore. Mais une femme pose des questions de maître, et seulement sur les pages qu'elle connaît à fond. Pierre LOUŸS, les Aventures du roi Pausole, III, VII.

Si donc l'on m'interroge; si l'on s'inquiète (comme il arrive, et parfois assez vivement) de ce que j'ai «voulu dire» dans tel poème, je réponds (...) VALÉRY, Variété III, p. 63.

Un petit garçon demandait : «Pourquoi le couteau coupe-t-il la table, et pourquoi mon doigt ne coupe-t-il pas la table?» On peut hausser les épaules, et dire qu'il y a une manie d'interroger, chez les enfants. ALAIN, Propos, 16 avr. 1911, L'esprit historien.

Par ext. (le compl. ne désigne pas une personne réelle). ⇒ **Consulter.** *Interroger les mânes de ses ancêtres* (cit. 8), *les morts* (→ 1. Apostrophe, cit. 1; évoquer, cit. 3 et 6; expérience, cit. 32). — *Interroger son cœur*, sa conscience* (→ Appeler, cit. 37). *Interroger sa mémoire.* ⇒ **Fouiller.**

0 J'interroge mon cœur, j'interroge ma vie. DUCIS, Osc., IV, 2, *in* LITTRÉ.

1 (...) pénétrer dans le passé, interroger le cœur humain à travers les siècles (...) Mme DE STAËL, Corinne, XI, IV.

2 Sais-tu que tu as une conscience qu'il te faut interroger? MICHELET, Hist. de la Révolution franç., VI, I.

♦ **2.** (Mil. XVIIe). Examiner* avec attention (une chose) pour y trouver un enseignement, une réponse aux questions qu'on se pose (→ Étudier, cit. 8). *L'expérimentateur* (cit. 3) *interroge les faits* (→ Expérience, cit. 42). *Interroger la nature* (→ Atome, cit. 12), *les cieux* (→ Fasciner, cit. 8). *Interroger l'horizon pour savoir s'il va faire beau* (→ Attachement, cit. 20). *Interroger le passé, l'histoire, le destin, l'avenir.*

3 Des victimes vous-même interrogez le flanc (...) RACINE, Iphigénie, I, 2 (1674).

4 Là, dans la paix de la nuit, j'interrogeai ma destinée incertaine, mon cœur agité, et cette nature inconcevable qui, contenant toutes choses, semble pourtant ne pas contenir ce que cherchent mes désirs. E. DE SENANCOUR, Oberman, IV.

5 (...) dans leur longue solitude, elles interrogent le silence (...) Mme DE STAËL, Corinne, XIII, IV.

(XVIe, «s'enquérir»). **S'INTERROGER** v. pron. (Récipr.). *S'interroger les uns les autres* (→ Aborder, cit. 7). — Réfl. (av. 1784, Diderot, *in* T. L. F.). *S'interroger soi-même :* se poser des questions. ⇒ **Descendre** (en soi-même). → Civet, cit.; décider, cit. 11; humaniste, cit. 5.

6 Je me suis épié. Je me suis suivi à la trace. Il me semble que j'ai passé une vie entière à m'interroger (...) SARTRE, Huis clos, V.

▶ **INTERROGÉ, ÉE** p. p. adj. et n. *Les personnes interrogées. Les candidats interrogés.*

N. *Les interrogés :* les personnes soumises à une interview, un questionnaire, un sondage. *L'interrogateur, l'enquêteur, a rencontré aujourd'hui dix interrogés.* ⇒ **Interviewé.**

17 (...) les sondages prennent un caractère de plus en plus démagogique, parce que, soucieux de plaire, les sondeurs d'opinion se refusent à placer les interrogés devant les réalités torturantes et les choix véritables. A. SAUVY, Croissance zéro, p. 255.

CONTR. Répondre.
DÉR. Interrogeant.

INTERROI [ɛ̃tɛʀwa] n. m. — V. 1355; de *inter-* et *roi,* pour former un calque du lat. *interrex,* même sens.

♦ Antiq. rom. Magistrat qui exerçait le pouvoir pendant un interrègne* ou dans l'intervalle de deux consulats.

REM. Les Encyclopédistes employaient *interrex* en ce sens, et *interroi* pour «primat du royaume de Pologne, lorsque le trône est vacant».

INTERROMPRE [ɛ̃tɛʀɔ̃pʀ] v. tr. — Conjug. *rompre.* — 1467, sens 1, b; *entrerompre,* sens 1, v. 1195; *entrerumpre* «rompre, fendre», déb. XIIe; lat. *interrumpere* «mettre en morceaux; interrompre (un discours)», de *inter-* «entre» et *rumpere* (→ Rompre).

♦ **1.** (Compl. n. de chose). Rompre (qqch.) dans sa continuité.

a (XVIIe). Dans l'espace. Sujet n. de chose. ⇒ **Briser, couper, rompre.** *Motif décoratif interrompant les lignes d'un édifice, d'une façade* (→ Gable, cit.). *Sentier, chemin, sillon interrompu par des herbes* (→ File, cit. 8). *Interrompre un circuit électrique.* ⇒ **Interrupteur.**

b (1467). Dans le temps. ⇒ **Arrêter, discontinuer.** — Sujet n. de personne. *Interrompre un dialogue, un entretien, une conversation.* ⇒ **Cesser** (3.), **finir** (I., 4.), **suspendre** (→ Contredanse, cit. 2; importun, cit. 16). *Interrompre un compliment, un éloge que l'on prononce.* ⇒ **Rengainer** (→ Acquiescer, cit. 3). *Interrompre le fil d'un raisonnement, d'un discours.* ⇒ **Rompre, trancher** (fig.). → Couper court à... *Interrompre une partie, un jeu.* ⇒ **Troubler** (→ Égayer, cit. 11; évaluer, cit. 4). *Interrompre ses études* (cit. 20), *son travail.* ⇒ **Abandonner** (→ Emploi, cit. 16; exercice, cit. 24). *Interrompre un voyage et rentrer précipitamment.* — Sujet n. de chose. *Silence que rien n'interrompt, qu'un bruit* (cit. 10) *vient interrompre* (→ Humblement, cit. 6). *Des événements graves, des drames viennent interrompre cette vie tranquille.* ⇒ **Entrecouper, hacher, traverser.** *Interrompre le cours*, la course* des événements.* — Passif. *Être interrompu.*

Belle nécessité d'interrompre mon somme! LA FONTAINE, Fables, VI, 11. 1

S'il nous en coûte quand la douce habitude de vivre ensemble est interrompue, l'espoir assuré de la reprendre bientôt nous console. ROUSSEAU, Julie, IV, Lettre, XV. 2

J'ai voulu interrompre cette visite qui me paraissait vous contrarier. FLAUBERT, Mme Bovary, III, VI. 3

(...) de nouveau et pour longtemps, mon instruction se trouvait interrompue. GIDE, Si le grain ne meurt, I, V. 4

Je n'eus pas à rompre un contact, qu'il interrompit aussitôt (...) COLETTE, la Naissance du jour, p. 174. 5

♦ **2.** (Mil. XVIIe). Compl. n. de personne; sujet n. de personne ou de chose. Empêcher (qqn) de continuer ce qu'il est en train de faire. *Je ne voudrais pas vous interrompre dans vos occupations.* ⇒ **Déranger.**

La mort dans ce projet m'a seule interrompu. RACINE, Mithridate, V, 5. 6

Ce n'est pas que je me pique 7
De tous vos festins de roi;
Mais rien ne vient m'interrompre (...) LA FONTAINE, Fables, I, 9.

♦ **3.** (1559). Compl. n. de personne. Empêcher de parler. ⇒ **Couper** (la parole, et, pop., la chique, le sifflet...). *Interrompre son interlocuteur, un orateur. Interrompre violemment quelqu'un. Il l'interrompit d'un geste. Contredire* (cit. 1) *ou interrompre ceux qui parlent. Ne m'interrompez pas tout le temps* (→ Béotien, cit. 2; cercle, cit. 6). — Sujet n. de chose. *Une voix, un bruit les interrompit* (→ Basse-taille, cit.; faisceau, cit. 6).

(À chaque fois qu'il *(Trissotin)* veut lire, elle l'interrompt.)... 8
Si nous parlons toujours, il ne pourra rien dire. MOLIÈRE, les Femmes savantes, III, 2.

Elle parla sur ce ton pendant près d'une heure, interrompant Frédéric dès qu'il voulait répondre. A. DE MUSSET, Nouvelles, «Frédéric et Bernerette», IX. 9

Je vois, lui répondit sa femme en l'interrompant au milieu d'une tirade, que (...) BALZAC, César Birotteau, Pl., t. V, p. 416. 10

▶ **S'INTERROMPRE** v. pron. (1686, Mme de Sévigné).

♦ **1.** Sujet n. de personne. S'arrêter, cesser (de faire quelque chose). *S'interrompre de faire...* (→ Édition, cit. 6). *S'interrompre pour...* (→ Couper, cit. 2; échantillon, cit. 8; hasard, cit. 12). *S'interrompre au cours d'une rêverie, au fort* (cit. 76) *d'une méditation, au milieu de son discours* (→ Association, cit. 21; forcer, cit. 26). *Boire, chanter, jouer du piano sans s'interrompre* (→ Affilée, cit. 1; clavier, cit. 2; gageure, cit. 2). — Spécialt. S'arrêter de parler. *Parler sans jamais s'interrompre. S'interrompre au milieu d'une phrase.*

Récipr. *Ils ne cessent de s'interrompre l'un l'autre.*

♦ **2.** (XIXe). Sujet n. de chose. Être interrompu. *Les danses* (cit. 12) *s'interrompirent, la fête s'interrompit. La pluie ne s'interrompt pas.* ⇒ **Cesser, finir** (I., 5.). *Assiduité* (cit. 2) *qui ne s'interrompt jamais.*

J'entrais au salon, et les voix se taisaient. Toute conversation s'interrompait à mon approche. F. MAURIAC, le Nœud de vipères, I, VII. 11

▶ **INTERROMPU, UE** p. p. adj.

♦ **1.** *Chemin interrompu. Phrases interrompues, coupées d'incidentes* (cit. 15). *Reprendre des travaux interrompus.* → Gêne, cit. 6. — *Monotonie interrompue par des drames.* → Guerre, cit. 23. — Loc. *Jouer aux propos interrompus* (jeu où l'on s'interrompait).

♦ **2.** *Orateur interrompu.*

CONTR. Amorcer, recommencer, renouer, reprendre, rétablir. — Achever, finir; continuer, dérouler, progresser. — Assidu, continu, incessant, ininterrompu.

INTERRUPTEUR, TRICE [ɛ̃tɛʀyptœʀ, tʀis] n. — 1572 «celui qui interrompt le cours de qqch.»; bas lat. *interruptor* «celui qui provoque l'interruption de qqch.», de *interrumpere.* → Interrompre.

★ **I.** (1688). Rare. Personne qui interrompt une personne qui parle (⇒ **Contradicteur**). — Spécialt (dans une assemblée). *Faire sortir les interrupteurs* (Hatzfeld). *Un «rappel à l'ordre avec inscription au procès-verbal pour l'interrupteur»* (A. Robida, *le Vingtième Siècle,* p. 158).

1 Monsieur le Président, je vous prie de réprimer l'insolence des interrupteurs qui m'appellent bavard. MIRABEAU, Disc., 5 mai 1790.

2 (...) des causeurs de qui aucun interrupteur ne peut obtenir le silence. PROUST, le Temps retrouvé, Pl., p. 762.

Adj. *Murmures interrupteurs.*

★ **II.** N. m. (1857, *in* T. L. F.). Cour. Appareil, dispositif permettant d'interrompre ou de rétablir manuellement le passage du courant électrique dans un circuit électrique domestique (notamment pour l'éclairage). ⇒ **Bouton** (électrique), **commutateur, va-et-vient.** *Parties d'un interrupteur,* couteau (partie mobile), balais (partie fixe), organe de manœuvre (bouton, manette...). *Interrupteur automatique.* ⇒ **Disjoncteur, trembleur.** *Éteindre* (cit. 3) *à l'aide d'un interrupteur.*

2.1 Délicieuse sensation... de la voir mettre l'interrupteur à la sonnerie de l'entrée! MONTHERLANT, Pitié pour les femmes, p. 67.

3 Il ralluma. Il avait cherché l'interrupteur à tâtons, et elle crut à une méprise; elle éteignit à nouveau. Il ralluma aussitôt. MALRAUX, la Condition humaine, II, 22 mars, 11 heures (soir).

4 (...) la main posée sur l'interrupteur de porcelaine blanche s'abaisse (...) A. ROBBE-GRILLET, Dans le labyrinthe, p. 62.

Techn. Dispositif d'interruption d'un courant. ⇒ **Commutateur, disjoncteur.** *Interrupteur unipolaire, multipolaire,* à un ou plusieurs conducteurs. *Interrupteur à haute, à basse tension. Interrupteur sous ampoule scellée, pour courant faible. Interrupteur à lames souples* (I. L. S.).

INTERRUPTIF, IVE [ɛ̃tɛʀyptif, iv] adj. — 1875; lat. médiéval *interruptivus* «qui interrompt» (dr.), de *interruptum,* supin de *interrumpere.* → Interrompre.

♦ Dr. Qui produit l'interruption. *Fait interruptif de prescription. Assignation interruptive.*

INTERRUPTION [ɛ̃tɛʀypsjɔ̃] n. f. — XIVe, «ce qui trouble dans la jouissance d'un droit»; *iterrupcion,* même sens, 1281; lat. impérial *interruptio* «interruption, discontinuation; interruption (de l'usucapion); réticence (rhét.)», du lat. class. *interruptum,* supin de *interrumpere.* → Interrompre.

♦ **1.** (XVIe). Action d'interrompre*; état de ce qui est interrompu. ⇒ **Arrêt, cessation, coupure, discontinuation, discontinuité, halte.** *L'interruption de qqch. par qqn, du travail par qqn, par un signal, par un événement... L'interruption d'un travail* (par la personne qui l'effectue). *Interruption d'un travail, d'une entreprise, du cours d'une chose.* ⇒ **Pause, suspension; relâche; vacances** (→ Chômage, cit. 1; hacher, cit. 16). *Interruption entre deux événements qui se suivent.* ⇒ **Hiatus, intermittence, interstice** (vx), **intervalle, rupture, saut** (fig.), **solution** (de continuité). *Moment d'interruption* (→ Hébreu, cit. 1). *Il ne supporte pas les interruptions dans son travail.* ⇒ **Dérangement.** *Interruption des communications.* ⇒ **Interception.** *Interruption du courant.* ⇒ **Coupure, panne.** *Interruption de la douleur* (⇒ **Rémission, répit**), *des hostilités par l'armistice, la trêve. Interruption dans un spectacle* (⇒ **Entracte, intermède**). *Il y a plusieurs interruptions dans ce message, ce manuscrit.* ⇒ **Lacune, vide.** *Interruption dans un raisonnement, le fil d'un discours.* ⇒ **Incohérence.** *Interruptions dans un air de musique.* ⇒ **Silence, syncope;** aussi 2. **break.** — *Reprendre une entreprise, un travail, après une interruption* (⇒ **Renouer; reprise**).

1 C'est, dit-on, un obstacle à la perfection de l'amour et une interruption de son exercice, que de réfléchir sur l'amour et sur sa durée (...) BOSSUET, État d'oraison, V, XXXII.

2 L'interruption du commerce désespère tout le monde. VOLTAIRE, Lettre à d'Alembert, 218, 10 août 1767.

3 On ne peut voir nulle part une image aussi frappante de l'interruption subite de la vie. Mme DE STAËL, Corinne, XI, IV.

4 (...) votre frère a l'ennui de son immobilité... de la malheureuse interruption de ses exercices (...) Ed. DE GONCOURT, les Frères Zemganno, LXXII.

5 Ce qui le séparait de son ami, non, ce n'était pas cette mésentente superficielle qu'une longue interruption d'amitié suffisait à expliquer (...) MARTIN DU GARD, les Thibault, t. V, p. 297.

Loc. *Interruption volontaire de grossesse* (I. V. G.). ⇒ **Avortement.**

(XVIIe). SANS INTERRUPTION : sans s'arrêter, s'interrompre. ⇒ **Affilée** (d'), **consécutivement, permanence** (en), **suite** (de), **traite** (d'une seule), **toujours** (→ Façon, cit. 29; fêter, cit. 1; garder, cit. 72; halle, cit. 5; incubation, cit. 1). *Travailler sans interruption, avec assiduité.* ⇒ **Arrache-pied** (d'), **arrêt** (sans), **débrider** (sans). *Succession, série sans interruption.* ⇒ **Continu.** *Se succéder sans interruption* (→ 2. Cingler, cit. 7).

6 (...) il y avait près de mille ans qu'ils l'avaient reçue et observée *(cette loi)* sans interruption. PASCAL, Pensées, IX, 619.

7 Ce bruit, d'abord faible, puis précis, puis lourd et sonore, s'approchait lentement, sans halte, sans interruption, avec une continuité tranquille et terrible. HUGO, les Misérables, IV, XIV, I.

(XIVe; → ci-dessus). Dr. Arrêt du cours de la prescription*.

Techn., inform. Suspension automatique de l'exécution d'un programme, suivie d'un programme d'analyse des causes d'une anomalie. *Interruption programme,* comportant une demande de supervision.

♦ **2.** (XVIIe). Action d'interrompre une personne qui parle. *L'interruption de qqn par qqn, par une quinte de toux. (Une, des interruptions).* Paroles qui interrompent qqn, sont destinées à l'interrompre (→ Improvisateur, cit. 3). *Véhémente, violente interruption. Les interruptions se multiplièrent pendant tout son discours, toute la séance. Vives interruptions à gauche, sur les bancs de l'opposition...*

8 (...) encore aujourd'hui, dans nos Chambres de cinq à six cents députés, les interruptions sont incessantes et le bourdonnement continu (...) TAINE, les Origines de la France contemporaine, II, t. III, p. 171.

9 Prezel avait fait une objection que Mithoerg n'avait pas entendue. Diverses interruptions fusèrent. Des discussions privées provoquèrent des déplacements dans le groupe. MARTIN DU GARD, les Thibault, t. V, p. 118.

CONTR. **Reprise, rétablissement. — Achèvement, continuation, déroulement, progression; assiduité.**

INTERSAISON [ɛ̃tɛʀsɛzɔ̃] n. f. — 1934, *in* D. D. L.; de *inter-,* et *saison.*

♦ Sports. Espace de temps entre deux saisons sportives.

INTERSCAPULAIRE [ɛ̃tɛʀskapylɛʀ] adj. — 1905, in *Rev. gén. des sc.,* no 7, p. 346; de *inter-,* et *scapulaire**.

♦ Anat., méd. Qui se trouve entre les deux omoplates. *Douleur interscapulaire. Région interscapulaire.*

INTERSCOLAIRE [ɛ̃tɛʀskɔlɛʀ] adj. — 1899, *in* D. D. L.; de *inter-,* et *scolaire.*

♦ Admin. Relatif à plusieurs écoles différentes. — Sports. *Championnats interscolaires.*

INTERSÉCANT, ANTE [ɛ̃tɛʀsekɑ̃, ɑ̃t] adj. — 1875, Ch. Blanc; *interséquant* (p. prés. du v. *sei intersequer* «se croiser», à propos de deux lignes, 1377, lat. *intersecare*), 1562; formation savante, d'après le p. prés. *intersecans,* du v. lat. *intersecare* «couper par le milieu; séparer, diviser», de *inter-* «entre» et *secare* «couper» (→ Intersection).

♦ Didact. (archit.). Se dit de motifs, d'éléments décoratifs qui se répètent en se recoupant (cet effet est appelé *intersécance,* nom féminin [1850]).

INTERSECTÉ, ÉE [ɛ̃tɛʀsɛkte] adj. — v. 1900; p. p. de *intersecter (s'),* ou formation savante, d'après le latin *intersectus,* p. p. de *intersecare.* → Intersécant.

♦ Didact. Qui forme une intersection. — Archit. ⇒ **Entrelacé.** *Arcs intersectés.* — Géom. *Plan intersecté,* coupé (par une droite ou un autre plan).

INTERSECTER [ɛ̃tɛʀsɛkte] v. tr. — 1831, pron., Chateaubriand, *in* T. L. F.; du rad. de *intersection.*

♦ **1.** (1848, cit.). Rare. Couper en formant une intersection. «(La lune) *tombe à l'horizon, l'intersecte, ne montre plus que la moitié de son front*» (Chateaubriand). ⇒ **Intersectionner** (s').

Géom. Former une intersection avec. *Plan qui intersecte une sphère.*

Pron. :

(...) Traversée, dans l'obscurité affreuse, la grotte des Larmes, on se trouve sous des arches énormes bizarrement disposées qui se pénètrent, s'intersectent étrangement. VALÉRY, Cahiers, t. II, Pl., p. 426.

♦ **2.** Fig. Math. *Intersecter deux sous-ensembles.*

DÉR. V. **Intersecté.**

INTERSECTING [ɛ̃tɛʀsɛktiŋ] n. m. — XXe; mot angl., de *to intersect* «entrecroiser», de *intersectus,* p. p. du v. lat. *intersecare.* → Intersécant. — REM. Il peut s'agir d'un faux emprunt, ou d'un emprunt tronqué, les dict. angl. n'enregistrant pas ce sens.

♦ Techn. (anglic.). Machine à peignes rectilignes employée pour le défeutrage de la laine, et dans laquelle le ruban est étiré et peigné.

Le ruban de carde est constitué de fibres dont les extrémités sont trop bouclées encore pour qu'on puisse le soumettre immédiatement à l'action des peigneuses. Aussi le fait-on passer d'abord au *défeutrage :* un certain nombre de rubans sont réunis et traversent une ou successivement plusieurs machines (jusqu'à quatre) appelées *intersectings.* Charles MARTIN, la Laine, p. 53.

INTERSECTION [ɛ̃tɛʀsɛksjɔ̃] n. f. — 1640; «interruption», v. 1390; lat. *intersectio* «coupure des denticules», en archit. (Vitruve), de *inter-* «entre» et *sectio* (→ Section) ou de *intersecare* (→ Intersécant). Cf. *Intersecation,* XIVe, de *interséquer* (→ Intersécant).

♦ **1.** Rencontre, lieu de rencontre de deux lignes, de deux surfaces ou de deux volumes qui se coupent*. *Point d'intersection, qui forme une intersection.* ⇒ **Intersecté.** *Lignes d'intersection de deux plans.* ⇒ **Arête.** *Plan, surface d'intersection. Intersection de deux* *lignes.* ⇒ **Concours.** *Intersection d'une droite et d'un plan.* — Archit. *Intersection d'arcs**.

Il a gardé de ses séjours en Orient je ne sais quel amour des angles droits, des horizons rectilignes, des intersections brusques, dont il a composé pour ainsi dire la formule et la géométrie de son art.

E. FROMENTIN, Une année dans le Sahel, p. 231.

♦ **2.** (1893). Cour. Disposition de deux lignes, bandes, objets longilignes qui se croisent. ⇒ **Croisement.** *À l'intersection des deux rues, de deux voies* (→ Flèche, cit. 15). *Intersection de deux voies ferrées.* ⇒ **Coupement.** — *Signal annonçant une intersection.*

(Abstrait). *À l'intersection de... Au point d'intersection.*

(...) l'action de ces nouveaux venus *(les juifs)*... ne se limitait plus comme précédemment à la finance : on les trouvait en quelque sorte à l'intersection des affaires et de l'intelligence. Les journaux, le théâtre, le cinéma, les antiquités, la médecine, le Palais tendaient de plus en plus à leur appartenir.

André SIEGFRIED, l'Âme des peuples, V, II.

♦ **3.** Math. *Intersection de deux ensembles, de deux sous-ensembles,* ensemble des éléments appartenant à la fois à l'un et à l'autre (noté ∩). S'oppose à *réunion** (notée ∪). — *Intersection de classes. Intersection de deux relations* (s'exprimant par «et»). Syn. : *produit.*

♦ **4.** Anat. *Intersection tendineuse :* zone tendineuse qui subdivise le corps d'un muscle.

DÉR. (Du rad.) **Intersecter.** — **Intersectionner (s').**

INTERSECTIONNER (S') [ɛ̃tɛʀsɛksjɔne] v. pron. — 1838 (fig.); de *intersection.*

♦ (1924, Gide). Se couper en formant une intersection.

Fig. *On «voit s'intersectionner et se confondre les tendances diverses de l'idéalisme et du sensualisme»* (Ozanam, *Essai sur la philosophie de Dante,* 1838, *in* T. L. F.).

INTERSECTORIEL, ELLE [ɛ̃tɛʀsɛktɔʀjɛl] adj. — 1960, *in* T. L. F.; de *inter-,* et *sectoriel.*

♦ Didact. Relatif à des secteurs d'activité différents, à des compétences diverses. *«La solution résiderait dans un système de double tutelle (...) les Instituts restant sous la dépendance de leurs administrations et ministères respectifs, mais l'utilisation d'une partie de leurs moyens pour l'exécution de tâches intersectorielles relevant directement du GKNI.»* (*Sciences et Avenir,* janvier 1982, p. 35).

INTERSESSION [ɛ̃tɛʀsesjɔ̃] n. f. — 1877, Littré, *Suppl.*; de inter-, et *session.*

♦ Polit. Temps qui sépare deux sessions consécutives (d'une assemblée). *Pendant l'intersession.*

HOM. Intercession.

INTERSEXUALITÉ [ɛ̃tɛʀsɛksɥalite] n. f. — 1931, *in* D. D. L.; de *inter-,* et *sexualité.*

Didactique (biologie, psycho-physiologie).

♦ **1.** Sexualité présentant des caractères ambivalents, mais à prédominance mâle ou femelle. ⇒ **Hermaphrodisme.** *Intersexualité «femelle» évoluant vers le sexe mâle* (gynandroïde). *Intersexualité «mâle» évoluant vers le sexe femelle* (⇒ **Androgyne**). *Intersexualité normale, chez certaines espèces* (insectes, batraciens). ⇒ **Intersexué** (phase intersexuée). *Intersexualité complète.* ⇒ **Bissexualité.**

♦ **2.** Pathol. État d'un individu intersexué*.

INTERSEXUÉ, ÉE [ɛ̃tɛʀsɛksɥe] n. et adj. — 1915, n. m.; de *inter-,* et *sexué.*

Sciences (biologie, zoologie).

★ **I.** N. m. *(Un intersexué).* Individu appartenant à une espèce à sexes séparés et présentant des caractères sexuels intermédiaires ou un mélange des caractères des deux sexes. — Pathol. «Individu qui commence son développement suivant un sexe génétique et l'achève suivant le sexe opposé» (Goldschmidt, 1915, *in* Garnier et Delamare, *Dict. des termes techniques de médecine*). — Spécialt. Individu présentant cette évolution par la prédominance des caractères sexuels secondaires. ⇒ **Hermaphrodite ; transsexualisme.**

(...) un individu qui possède à la fois des caractères mâles et femelles, ce qu'on appelle un *intersexué.* Il est désigné généralement par le nom anglais de *free-martin.*

Pierre REY, Les Hormones, p. 40-41.

★ **II.** Adj. ♦ **1.** Intersexuel (2.). *Phénotype intersexué. Freud a montré que le psychisme humain était fondamentalement intersexué.*

♦ **2.** Zool. *Phase intersexuée :* phase intermédiaire entre l'état mâle et l'état femelle au cours de la différenciation sexuelle de certains animaux (insectes, grenouilles...).

INTERSEXUEL, ELLE [ɛ̃tɛʀsɛksɥɛl] adj. — 1910, *in* D. D. L.; de *inter-,* et *sexuel,* d'après l'angl. *intersexual* (Havelock Ellis, 1897).

Didactique.

♦ **1.** Qui existe entre les sexes. *Attirance intersexuelle. Les nouveaux dirigeants, musulmans intégristes, limitent et parfois proscrivent tout voisinage intersexuel.*

♦ **2.** (1946). Biol., psycho-physiol. Marqué par l'existence de caractères des deux sexes chez le même individu.

Il ne naît pas *(l'équilibre humain)* d'un mimétisme sexuel jouant sur une ambiguïté de l'instinct, comme en offrent les états intersexuels, mais d'une harmonie composée avec science et tact entre les valeurs de la sexualité, sans aucune tricherie avec la netteté des affirmations corporelles.

E. MOUNIER, la Relation sexuelle, tiré du «Traité du caractère» (1948), *in* Dr WILLY, la Sexualité, t. I, p. 43.

INTERSIDÉRAL, ALE, AUX [ɛ̃tɛʀsideʀal, o] adj. — 1880, Flammarion, *in* T. L. F.; de *inter-,* et *sidéral.*

♦ Didact. Qui est situé, compris entre les astres. *Les espaces intersidéraux.* ⇒ **Interplanétaire, interstellaire.**

(...) pourquoi un astre aussi éloigné fut-il choisi comme but du premier vol intersidéral ?

Pierre BOULLE, la Planète des singes, p. 30.

INTERSIGNE [ɛ̃tɛʀsiɲ] n. m. — 1835; de *inter-,* et *signe,* cf. moy. franç. *intersingne* «insigne, marque», v. 1482, lat. médiéval *intersignum,* lui-même reformé de *inter-* «entre» et *signum* (→ Signe) d'après l'anc. français *entreseigne* «insigne du chevalier», mil. XIIe.

♦ Relation entre deux faits simultanés, dont l'un est considéré comme le signe, le pronostic de l'autre; «avertissement télépathique» (Le Braz). *L'intersigne,* «autre forme de la seconde vue» (Littré). *L'Intersigne,* nouvelle de Villiers de l'Isle-Adam.

Quant aux fantômes je suis peu superstitieux; je ne donne pas dans les insignifiantes balivernes des intersignes (...)

VILLIERS DE L'ISLE ADAM, Tribulat Bonhomet, p. 45.

INTERSILLON [ɛ̃tɛʀsijɔ̃] n. m. — Mil. XXe; de *inter-,* et *sillon.*

♦ Techn. Partie située entre deux spires adjacentes du sillon (d'un disque). ⇒ **Crête.**

INTERSPÉCIFIQUE [ɛ̃tɛʀspesifik] adj. — Mil. XXe; de *inter-,* et *spécifique.*

♦ Didact. (biol.). Qui concerne deux espèces différentes et leurs relations. *«La notion même d'espèce est en partie fondée sur l'impossibilité de croisements interspécifiques»* (*Science et Vie,* no 588, p. 48).

INTERSTADE [ɛ̃tɛʀstad] n. m. — XXe; comp. hybride de *inter-,* et *stade.*

♦ Didact. Durée écoulée entre deux stades d'un processus. Spécialt (en préhist.). *Les interstades de la glaciation würm. «Le retour de la forêt pendant l'interstade würm II-III pour déboucher ensuite sur une nouvelle période froide, celle de würm III»* (*la Recherche,* juil. 1974, p. 635).

INTERSTATIONS [ɛ̃tɛʀstasjɔ̃] adj. invar. — 1966, *in* T. L. F.; de *inter-,* et *station.*

♦ Qui relie plusieurs stations (de montagne). *Un téléphérique interstations. «Les liaisons* interstations *(de sports d'hiver) que permettent nouvelles remontées et nouvelles pistes»* (*l'Express,* 17 nov. 69, *in* Gilbert). *Forfait interstations,* permettant aux skieurs d'avoir accès aux remontées mécaniques de plusieurs stations de sports d'hiver voisines.

INTERSTELLAIRE [ɛ̃tɛʀstelɛʀ; ɛ̃tɛʀstɛllɛʀ] adj. — 1803; de *inter-,* et *stellaire.*

♦ Astron. Qui est situé, a lieu entre les étoiles. ⇒ **Intersidéral.** *Espaces interstellaires. Milieu interstellaire.* — *Matière interstellaire,* matière extrêmement diffuse existant dans l'espace interstellaire de notre galaxie.

Fig., littéraire :

(...) elle-même se sentait ce soir de nature interstellaire (...)

GIRAUDOUX, Juliette au pays des hommes, p. 15.

INTERSTÉRILE [ɛ̃tɛʀsteʀil] adj. — XXe; de *inter-,* et *stérile.*

♦ Didact. (biol.). Se dit d'êtres vivants (spécialt de végétaux) dont le croisement reste stérile.

CONTR. Interfécond.
DÉR. Interstérilité.

INTERSTÉRILITÉ [ɛ̃tɛʀsteʀilite] n. f. — XXe; de *interstérile.*

♦ Didact. (biol.). Caractère des organismes interstériles. — Spécialt, botanique :

(...) l'interstérilité correspond à l'impossibilité, pour une variété à être fécondée par le pollen d'une autre variété.
Henri BOULAY, Arboriculture et Production fruitière, p. 67.

CONTR. Interfécondité.

INTERSTICE [ɛ̃tɛʀstis] n. m. — 1495, *intertisse;* bas lat. *interstitium* «interstice, intervalle», formé sur le thème de parfait *interstit-,* de *interstare* «se trouver entre», de *inter-* «entre», et *stare* «être debout, se tenir» (→ Station; solstice).

♦ **1.** Vx. Intervalle* de temps (Saint-Simon, *Mémoires,* II, XLIII).

♦ **2.** (XVIe, «région [de l'air]», 1528; «espace intervertébral», Paré, v. 1560; sens général, 1793, Lavoisier). Mod. Très petit espace vide entre les parties d'un corps ou entre différents corps. ⇒ **Hiatus, intervalle.** *Jour qui filtre* (cit. 10) *par les interstices des rideaux. Boucher les interstices d'un plancher.* ⇒ **Fente.** *Globules* (cit. 4) *blancs qui s'échappent par les interstices des capillaires.* — *Interstice entre des cellules végétales.* ⇒ **Méat.**

L'absence d'humidité et l'ardeur de la température n'ont pas permis aux plantes et aux mauvaises herbes de germer dans les interstices des pierres et des gravois (...)
Th. GAUTIER, Voyage en Espagne, p. 118.

DÉR. Interstitiel.

INTERSTITIEL, ELLE [ɛ̃tɛʀstisjɛl] adj. — 1832; de *interstice.* Didactique.

A. ♦ **1.** Anat. Qui est situé ou qui se produit dans les interstices d'un tissu. *Cellule, substance interstitielle. Liquide interstitiel. Lymphe interstitielle.* — Spécialt. *Les cellules interstitielles des testicules.*

♦ **2.** (1922). Méd. Qui atteint le tissu conjonctif de soutien d'une structure, d'un organe. *Encéphalite, inflammation, pneumonie, néphrite, interstitielle. Sclérose interstitielle.*

♦ **3.** Phys. Qui prend place (anormalement) dans les interstices entre atomes ou ions. *Les ions interstitiels provoquent des déformations ponctuelles dans les réseaux cristallins.*

♦ **4.** Zool. Qui vit dans les intervalles des grains de sables immergés. *Faune interstitielle.*

B. Rare. Qui concerne un, les interstices; qui est placé dans des interstices.

INTERSUBJECTIF, IVE [ɛ̃tɛʀsybʒɛktif, iv] adj. — 1931, trad. Husserl, *in* T. L. F.; de *inter-,* et *subjectif,* d'après l'all. *intersubjectiv,* même sens, et 1886, n., «ce qu'un individu trouve immédiatement dans sa conscience».

♦ Didact. Qui se produit entre deux sujets humains. *Communication intersubjective.*

INTERSUBJECTIVITÉ [ɛ̃tɛʀsybʒɛktivite] n. f. — 1931, trad. Husserl, *in* T. L. F.; de *inter-,* et *subjectivité,* pour traduire l'all. *Intersubjektivität.*

♦ Didact. Situation de communication entre deux sujets (→ Anamnèse, cit. 1, Lacan). *« Une subjectivité révélée (...) à elle-même et à autrui, est à ce titre (...) une intersubjectivité »* (Merleau-Ponty).

On a dit avec raison que la littérature était le lieu de l'intersubjectivité. Seule dans ma chambre avec un livre je me sens proche non seulement de son auteur mais à travers le temps et l'espace de l'ensemble de ses lecteurs.
S. DE BEAUVOIR, Tout compte fait, p. 197.

INTERSYNDICAL, ALE, AUX [ɛ̃tɛʀsɛ̃dikal, o] adj. et n. f. — 1931, in *Larousse du XXe siècle;* de *inter-,* et *syndical.*

♦ Polit. Qui concerne, réunit plusieurs syndicats. *Groupement intersyndical.*

N. f. (1974). *Une intersyndicale :* réunion regroupant des délégués ou des membres de plusieurs syndicats d'une même centrale, ou de plusieurs centrales syndicales.

INTERSYSTOLE [ɛ̃tɛʀsistɔl] n. f. — 1931, in *Larousse du XXe siècle;* de *inter-,* et *systole.*

♦ Méd. Physiol. Temps qui s'écoule entre la fin de la systole des oreillettes et le début de la systole des ventricules du cœur.

INTERTEXTE [ɛ̃tɛʀtɛkst] n. m. — V. 1968; de *inter-,* et *texte,* p.-ê. d'après *intertextualité.*

♦ Didact. Texte, discours en tant qu'il renvoie à d'autres textes, qu'il interfère avec eux.

Par rapport aux systèmes qui l'entourent, qu'est-il? Plutôt une chambre d'échos : il reproduit mal les pensées, il suit les mots; il rend visite, c'est-à-dire hommage, aux vocabulaires, il *invoque* les notions, il les répète sous un nom; il se sert de ce nom comme d'un emblème (...) Venu de la psychanalyse et semblant y rester, *« transfert »,* cependant, quitte allégrement la situation œdipéenne. Lacanien, *« imaginaire »* s'étend jusqu'aux confins de l'« amour-propre » classique. La *« mauvaise foi »* sort du système sartrien pour rejoindre la critique mythologique. *« Bourgeois »* reçoit toute la charge marxiste, mais déborde sans cesse vers l'esthétique et l'éthique. De la sorte, sans doute, les mots se transportent, les systèmes communiquent, la modernité est essayée (comme on essaye tous les boutons d'un poste de radio dont on ne connaît pas le maniement), mais l'intertexte qui est ainsi créé est à la lettre *superficiel* (...)
R. BARTHES, Roland Barthes, p. 78.

INTERTEXTUALITÉ [ɛ̃tɛʀtɛkstɥalite] n. f. — 1958, Kristeva; de *inter-, textuel,* et suff. *-ité.*

♦ Didact. Caractère fondamental de tout texte, par lequel il renvoie à d'autres textes.

Le signifié poétique renvoie à des signifiés discursifs autres, de sorte que dans l'énoncé poétique plusieurs discours sont lisibles. Il se crée, ainsi, autour du signifié poétique, un espace textuel multiple (...) Nous appellerons cet espace *intertextuel.* Pris dans l'intertextualité, l'énoncé poétique est un sous-ensemble d'un ensemble plus grand qui est l'espace des textes appliqués dans notre ensemble.
Julia KRISTEVA, Poésie et Négativité, *in* Semeiotikê, p. 255.

INTERTEXTUEL, ELLE, ELS [ɛ̃tɛʀtɛkstɥɛl] adj. — 1966, cit.; de *inter-,* et *textuel* (semble postérieur à *intertextualité*).

♦ Didact. Propre à l'intertextualité.

Relevant de ce niveau suprasegmenal, les énoncés romanesques s'enchaînent dans la totalité de la production romanesque. En les étudiant ainsi, nous constituerons une typologie des énoncés romanesques pour rechercher, dans un deuxième temps, leur provenance extra-romanesque. Alors seulement nous pourrons définir le roman (...) Autrement dit, les fonctions définies sur l'ensemble textuel extra-romanesque Te prennent une valeur dans l'ensemble textuel du roman Tr. L'idéilogème du roman est justement cette fonction *intertextuelle* définie sur Te et à valeur sur Tr (...) l'analyse *intertextuelle* des énoncés nous révélera le rapport de l'écriture et de la parole dans le texte romanesque (...)
Julia KRISTEVA, le Texte clos, 1966-1967, *in* Semeiotikê, p. 115.

INTERTIDAL, ALE, AUX [ɛ̃tɛʀtidal, o] adj. — 1921, *in* Höfler; angl. *intertidal,* de *inter-* «entre», et *tidal,* adj. «relatif à la marée», de *tide* «marée».

♦ Didact. *Zone intertidale.* ⇒ **Estran.** — Syn. : *intercotidal. « Pour cette zone, on emploie souvent le terme d'" estran ", mais le véritable terme scientifique est " zone intertidale " ou bien " zone de balancement des marées " »* (*Sciences et Avenir,* juil. 1979, n° 389, p. 46).

INTERTITRE [ɛ̃tɛʀtitʀ] n. m. — 1955; de *inter-,* et *titre.*

♦ Journal. Titre de paragraphe ou d'ensemble de paragraphes, en particulier dans les textes journalistiques. *Les intertitres sont de la rédaction. « Les titres et intertitres (...) sont composés sur des linotypes à gros corps pour les caractères moyens, sur des* ludlows *pour les caractères plus forts »* (Ph. Gaillard, *Techniques du journalisme,* p. 95).

P. reprit ses lunettes et se pencha sur son plan, soulignant d'un crayon rouge un intertitre.
Michel Déon, les Poneys sauvages, p. 192.

Cin. Carton portant un texte, inséré entre les plans ou séquences filmés. — REM. Ce procédé, largement utilisé dans le cinéma muet pour restituer les dialogues ou résumer l'action, a été plus rarement appliqué au parlant comme moyen stylistique pour compléter et commenter l'image. ⇒ aussi **Sous-titre.**

Quatre-vingt-dix pour cent des films produits pendant la période muette étaient bourrés d'intertitres et la Jeanne d'Arc de Dreyer en est un éclatant exemple.
Marcel MARTIN, le Langage cinématographique, p. 105.

INTERTRIGINEUX, EUSE [ɛ̃tɛʀtʀiʒinø, øz] adj. — 1867; de *intertrigo*,* d'après le lat. *intertriginosus* «écorché, excorié».

♦ Méd. Relatif à l'intertrigo.

INTERTRIGO [ɛ̃tɛʀtʀigo] n. m. — 1798, *Encycl. méthod., in* T. L. F.; var. francisée *intertrigue,* en 1808; lat. *intertrigo, intertriginis* «écorchure, excoriation», de *inter-* «parmi, entre», et *tritus,* p. p. de *terere* «frotter»; suff. *-igo* (→ Prurigo, vitiligo).

♦ Méd. Inflammation de la peau au niveau des plis, des surfaces en contact. ⇒ **Érythème.** *L'intertrigo est plus fréquent chez les personnes grasses.*

DÉR. Intertrigineux.

INTERTROPICAL, ALE, AUX [ɛ̃tɛʀtʀɔpikal, o] adj. — 1817, cf. aussi Jacquemont, *Correspondance* 1828, t. I, p. 27; de *inter-,* et *tropical.*

♦ Géogr. Qui est situé entre les tropiques. *Pays, climat intertropical; régions, zones intertropicales.*

Il s'aperçut que le meilleur moyen d'arriver à la fortune était, dans les régions intertropicales aussi bien qu'en Europe, d'acheter et de vendre des hommes.
BALZAC, Eugénie Grandet, Pl., t. III, p. 631.

Qui est propre à la zone située entre les tropiques. *Une végétation intertropicale.* ⇒ (cour.) **Tropical.** *L'agriculture intertropicale. Les économies intertropicales.*

INTERTYPE [ɛ̃tɛʀtip] n. f. — XXe; nom déposé par la *Inter(national) Type(setting) Machine Company,* 1913; de *type* au sens typographique.

♦ Techn., imprim. Machine à composer en lignes-blocs (⇒ **Linotypie**) de la marque de ce nom.

INTERUNIVERSITAIRE [ɛ̃tɛʀynivɛʀsitɛʀ] adj. — 1969, *le Monde;* de *inter-,* et *universitaire.*

♦ Didact., admin. Qui se produit entre des universités. *Concours interuniversitaire.*

INTERURBAIN, AINE [ɛ̃tɛʀyʀbɛ̃, ɛn] adj. — 1887; de *inter-,* et *urbain.*

♦ Didact., admin. Qui assure les communications entre deux ou plusieurs villes.

Cour. Relatif aux communications téléphoniques entre villes différentes. *« Les progrès de la téléphonie interurbaine »* (*Année sc. et industr.,* 1893, p. 100, 1892). *« Circuits téléphoniques interurbains »* (*Année sc. et industr.,* 1894). *Service interurbain.*

Les communications téléphoniques interurbaines, autorisées au début, provoquèrent de tels encombrements aux cabines publiques et sur les lignes, qu'elles furent totalement suspendues (...)
CAMUS, la Peste, p. 82.

N. m. (1920). *L'interurbain :* le service téléphonique interurbain. Par abrév. : *l'inter**.

INTERVALLAIRE [ɛ̃tɛʀvalɛʀ] adj. — 1560, en archit. « placé dans les intervalles »; « intermittent », v. 1570; de *intervalle.*

♦ **1.** Didact. Situé dans l'intervalle entre deux objets. — (1817). Spécialt. Bot. Situé dans un intervalle.

♦ **2.** Littér., rare. ⇒ **Intermédiaire.**

(...) il appela trois fois, en grossissant la voix à chaque fois, de sorte qu'il parcourut tous les tons intervallaires entre l'accent impératif et l'accent irrité :
— Athos! Porthos! Aramis!
A. DUMAS, Les Trois Mousquetaires, t. I, p. 43 (1844).

INTERVALLE [ɛ̃tɛʀval] n. m. — V. 1300, *intervale,* sens 3; au fém., même sens, déb. XIIIe; *entreval,* même sens, au XIIe; lat. *intervallum,* mêmes sens, d'abord « espace entre deux pieux d'une palissade », en fortif., de *inter-* « entre » et *vallus* « pieu ».

♦ **1.** (V. 1355). Dans l'espace. Distance d'un point à un autre, d'un objet à un autre, distance, espace qui sépare deux éléments d'une suite, d'une série. ⇒ **Distance, espace.** *Un étroit intervalle entre deux murs* (→ Échappée, cit. 3). *Intervalle entre les colonnes d'une colonnade* (⇒ **Entre-colonne**). *Intervalle entre deux lignes* (⇒ **Interligne**). *Intervalle entre deux solives* (⇒ **Entre-vous**)... *Poussière qui s'accumule dans les intervalles du plancher.* ⇒ **Fente, interstice.** *Rapprocher deux objets pour diminuer l'intervalle qui les sépare. Maintenir, augmenter l'intervalle, un intervalle entre deux choses.* ⇒ **Écart, éloignement** (→ Égal, cit. 5).

... D'INTERVALLE. — *Arbres plantés à cinq mètres d'intervalle* (⇒ **Espacer**). — *Clôture sans intervalles.* ⇒ **Plein.** — *Dans l'intervalle de...* ⇒ 2. **Entre** (cit. 4).

Loc. adv. **PAR INTERVALLES.** ⇒ **Loin** (de loin en loin), **place** (de place en place). → 1. Flanquer, cit. 2. — REM. On trouve aussi la graphie : *par intervalle* (→ ci-dessous, cit. 2).

1 *(Un amas)* De mots estropiés, cousus par intervalles,
De proverbes traînés dans les ruisseaux des Halles?
MOLIÈRE, les Femmes savantes, II, VI.

2 Quelques tombeaux par intervalle
Nous avertissaient de la mort (...)
LAMARTINE, Nouvelles méditation poétiques, Sec. médit., I.

3 (...) malheureusement, l'on a eu l'idée de profiter de l'intervalle des colonnettes qui soutiennent le plafond pour y loger une suite de portraits des rois d'Espagne (...) -
Th. GAUTIER, Voyage en Espagne, p. 257.

4 (...) profitant des moindres remous qui le dérivaient du côté de ses amis, il parvint à franchir peu à peu le court intervalle qui le séparait d'eux.
MARTIN DU GARD, les Thibault, t. VII, p. 59.

Par métaphore ou fig. Différence. ⇒ **Différence, écart, marge.** *Il y a un grand intervalle entre le désir et l'action* (→ Conjoindre, cit. 1; embryon, cit. 6). *Un immense intervalle sépare la femme faible* (cit. 22) *de la femme dépravée.* ⇒ **Abîme.** *Intervalle entre des conditions sociales.* ⇒ **Fossé, inégalité.**

5 (...) il y a entre telle et telle condition un abîme d'intervalle si immense (...)
LA BRUYÈRE, les Caractères, VI, 71.

6 (...) quelque ressemblance qu'il y ait donc entre l'Hottentot et le singe, l'intervalle qui les sépare est immense, puisqu'à l'intérieur il est rempli par la pensée, et au dehors par la parole.
BUFFON, Hist. nat. des animaux, Nomenclat. des singes.

(...) elle n'eût aperçu aucun intervalle entre être coupable aux yeux de Dieu et se trouver accablée en public des marques les plus bruyantes du mépris général. 7
STENDHAL, le Rouge et le Noir, I, XI.

♦ **2.** (1629, Descartes, *Correspondance;* peut-être d'après l'ital. *intervallo,* de même origine). Mus. Écart entre deux sons, mesuré par le rapport de leurs fréquences. *Intervalle mélodique,* entre deux sons émis successivement. *Intervalle harmonique,* entre deux sons simultanés. *Intervalle consonant ou dissonant.* — (Dans le système tonal). *Intervalle de seconde* (⇒ **Ton**), *de tierce, de quarte, de quinte, de sixte, de septième, d'octave* (→ Gamme, cit. 1). *Intervalles justes, majeurs, mineurs, augmentés, diminués. Intervalle composé ou redoublé,* supérieur à l'octave (neuvième, dixième). *Intervalle d'un comma* (cit.). *Intervalle de degré conjoint, de degré disjoint. Renversement d'un intervalle,* complément de cet intervalle pour former l'intervalle direct d'octave (ex. : *l'intervalle mi-do est le renversement de l'intervalle do-mi*). *Les intervalles d'un accord**.

Berlioz plaque des accords, et remplit comme il peut les intervalles. 7.1
E. DELACROIX, Journal, 7 avr. 1849.

Ils s'enfonçaient avec innocence, plus bas, toujours plus bas, dans une gamme insituable, où, à chaque répons, ils faisaient sortir de leur voix des intervalles insolites qui mettaient M. Maillet au grand désespoir. « Encore, disait-il, s'ils montaient ou s'ils descendaient d'une tierce, on pourrait les rattraper. Mais ils ont des quarts, des cinquièmes de tons dans leurs intervalles. C'est fou! C'est fou! » 8
H. BOSCO, Antonin, p. 228.

♦ **3.** (1538; *intervale,* v. 1300). Dans le temps. Espace de temps qui sépare deux époques, deux dates, deux faits. ⇒ **Période.** *Un intervalle d'un mois, d'une heure.* ⇒ **Battement.** *Un court intervalle de temps.* ⇒ **Moment** (→ Chambertin, cit.). *Intervalles inégaux* (cit. 1). *Mettre, laisser, garder un intervalle, un grand intervalle entre deux décisions, deux actions.* — (Constructions avec *à*...). *Se succéder à intervalles égaux* (→ Course, cit. 1). *Paiements effectués à intervalles réguliers.* ⇒ **Échelonné, périodique.** *À intervalles rapprochés.* → Coup* sur coup. *À longs intervalles* (→ Couler, cit. 7; immobile, cit. 5). *À des intervalles plus ou moins éloignés.* → Périodique, cit. 2. *Essor* (cit. 12) *qui reprend à chaque intervalle de paix.* — (Constructions avec *dans*...). *Dans l'intervalle.* ⇒ **Entretemps** (→ Étourdi, cit. 12). *Dans l'intervalle, il n'a pas perdu son temps. — Durant, pendant cet intervalle...* ⇒ **Temps** (→ Civilisation, cit. 7; consistance, cit. 4; effacer, cit. 22; fréquence, cit. 2). Loc. adv. (1538). **PAR INTERVALLES** : de temps* à autre (→ Eau, cit. 4; heurter, cit. 5; immodéré, cit. 3, et ci-dessous, cit. 17). ⇒ **Intermittence** (par), **moment** (par).

... D'INTERVALLE. *À cinq ans d'intervalle, à deux jours d'intervalle.* → Indice, cit. 12, et ci-dessous, cit. 16. — *Un intervalle de...,* caractérisé par... *État de démence avec des intervalles de lucidité.* → ci-dessous, cit. 14.

Laissez entre la colère 9
Et l'orage qui la suit
L'intervalle d'une nuit.
LA FONTAINE, Fables, VIII, 20.

C'est un malheur qu'il y a trop peu d'intervalle entre le temps où l'on est trop jeune et le temps où l'on est trop vieux. 10
MONTESQUIEU, Cahiers, p. 30.

(...) l'éloignement du bureau de la poste me force toujours de mettre un grand intervalle entre les lettres que je reçois et celles que je réponds. 11
VOLTAIRE, Correspondance, 3233, 11 déc. 1767.

(...) tout se tait : dans cet intervalle de silence, on croyait entendre les pas lointains de Napoléon. 12
CHATEAUBRIAND, Mémoires d'outre-tombe, t. III, p. 343.

Si, dans l'intervalle, je puis recueillir des preuves en votre faveur, vous aurez le recours en grâce. 13
BALZAC, Une ténébreuse affaire, Pl., t. VII, p. 590.

Ces accès de gaieté non motivée (...) se reproduisent fréquemment, et coupent des intervalles de stupeur pendant lesquels vous cherchez en vain à vous recueillir. 14
BAUDELAIRE, les Paradis artificiels, Poème du haschisch, III.

Depuis deux ans environ, M. Dubois ne venait plus qu'entre de longs intervalles de temps dans notre maison, qu'auparavant il fréquentait assidûment. 15
FRANCE, la Vie en fleur, XXVIII.

À vingt ans d'intervalle la même femme joue Rosine, et c'est bien toujours la vraie Rosine. Mais l'adolescente est devenue femme. 16
BERNANOS, les Grands cimetières sous la lune, p. 86.

On entendait par intervalles clapoter l'eau contre les piles de la maison. 17
MARTIN DU GARD, les Thibault, t. II, p. 242.

Spécialt. Moment d'arrêt; interruption. *Il y a un intervalle entre les parties d'un spectacle.* ⇒ **Entracte** (cit. 2). → Chœur, cit. 2. *L'intervalle entre deux gouvernements* (⇒ **Intérim, interrègne**). *Longs, brefs intervalles entre* (1. **Entre,** cit. 7) *deux choses.* ⇒ **Intermède, pause, répit, rémission, silence, temps** (d'arrêt).

(...) il avait pensé à ce silence qui s'élevait des lits où il avait laissé mourir des hommes. C'était partout la même pause, le même intervalle solennel, toujours le même apaisement qui suivait les combats, c'était le silence de la défaite. 18
CAMUS, la Peste, p. 311.

♦ **4.** Math. Ensemble des nombres compris entre deux nombres donnés. *Intervalle fermé, ouvert,* incluant ou n'incluant pas ces deux nombres. — *Importance de la notion d'intervalle en statistique.* — *Échelle d'intervalle,* constituée par des données numériques ordonnées (ordre croissant ou décroissant) et où les intervalles intermédiaires ont des grandeurs connues et fixes. — *Intervalle de variation.*

DÉR. **Intervallaire.**

INTERVALVAIRE [ɛ̃tɛʀvalvɛʀ] adj. — 1808; de *inter-*, *valve*, et suff. *-aire.*

♦ Sc. Qui est contenu entre deux valves, spécialt, deux valves de coquillage. *L'eau intervalvaire.*

(...) les femmes les décortiquent *(les coques)* à domicile et, rejetant coquilles et eau intervalvaire, tirent de 100 kg de coques, 10 à 12, voire 13 kg d'animaux nus.
Louis LAMBERT, les Coquillages comestibles, p. 87.

INTERVENANT, ANTE [ɛ̃tɛʀvənɑ̃, ɑ̃t] adj. — V. 1606, n. m.; p. prés. de *intervenir.*

♦ **1.** Dr. Qui intervient dans une instance, un procès. *Il est partie intervenante au procès* (Littré). — N. (→ Caution, cit. 9; intervention, cit. 1).

L'intervenant est assimilé à un demandeur, notamment au point de vue de la caution *judicatum solvi,* lorsqu'il intervient contre les deux parties ou se joint au demandeur. Son action n'est jamais introductive d'instance (...)
DALLOZ, Dict. de droit, art. *Intervention,* 2.

Personne qui se présente en tiers pour honorer, à la place du signataire, un effet de commerce.

♦ **2.** N. (1879). Cour. Personne qui prend la parole au cours d'un débat, d'une discussion. *Il y a trop d'intervenants pour que nous puissions terminer dans les délais. Je donne la parole à l'intervenante.*

♦ **3.** Econ., sociol. Entité qui intervient dans un processus. *« Des intervenants multiples aux positions contradictoires »* (Simon Nora et Alain Minc, *l'Informatisation de la société,* p. 77).

INTERVENIR [ɛ̃tɛʀvəniʀ] v. intr. — Conjug. *venir.* — 1363; *entrevenir* « survenir, se produire » (à propos d'événements), v. 1200; lat. *intervenire* « survenir pendant; se trouver entre; faire valoir son autorité entre des parties », de *inter-* « entre », et *venire* (→ Venir).

♦ **1.** Dr. (Sujet n. de chose). Arriver, se produire au cours d'un procès, d'une affaire. *Une ordonnance intervint, qui régla la manière de procéder en pareil cas* (Académie). — Impers. *Il est intervenu un jugement.* — (Le sujet désigne un accord, une décision). *L'accord, le traité qui intervient, qui est intervenu. La grève a pris fin à la suite de l'accord qui est intervenu entre le gouvernement et les syndicats.* → ci-dessous, participe passé.

Par ext. (surtout passif). Survenir, arriver.

1 Une condition était donc intervenue entre les deux vieux maîtres de la laine, convention par laquelle le royaume du drap était partagé par eux en « sphères d'influence » inviolables.
A. MAUROIS, Bernard Quesnay, XXX.

♦ **2.** (Mil. XVIe). Sujet n. de personne. Prendre part* à une action, à une affaire en cours, dans l'intention d'influer sur son déroulement. *Intervenir dans les affaires d'autrui.* ⇒ **Entremettre** (s'), **immiscer** (s'), **ingérer** (s'), **mêler** (se). *Intervenir comme intermédiaire dans un différend, un conflit, à des fins de conciliation.* ⇒ **Négocier.** *Intervenir entre des gamins qui se chamaillent* (cit. 2). ⇒ **Interposer** (s'). *Il est intervenu pour vous auprès de vos chefs.* ⇒ **Agir, intercéder;** → Prendre fait* et cause pour. *Il est discrètement intervenu pour le neutraliser. Intervenir contre qqn.* — Absolt. *Il ne veut pas intervenir. Se garder d'intervenir.* → Écouter, cit. 26.

REM. Les emplois absolus (→ ci-dessous, cit. 3) concernent en général une intervention d'aide, où qqn use de son influence, de son crédit en faveur de qqn. *Il lui a promis d'intervenir, mais il n'a rien fait. Offrir d'intervenir.* → Offrir ses services*, ses bons offices*. *Demander à un personnage influent d'intervenir.* → Généralité, cit. 7. — Spécialt. Prendre la parole (dans un débat, une discussion, une assemblée; → ci-dessous, cit. 2). *Député qui intervient dans un débat* (cit. 7) *parlementaire.*

Intervenir pour dire, pour déclarer... (→ cit. 4, 5). *Intervenir dans la conversation en disant..., pour donner son avis.* → fam. Placer son mot*, son grain* de sel. — Spécialt. Dr. *Témoin qui intervient dans un procès, à l'audience.* ⇒ **Déposer.**

2 De plus en plus, les tribunes interviennent, mêlent des paroles aux discours des orateurs, des applaudissements, des huées.
MICHELET, Hist. de la Révolution franç., IV, XI.

3 Sa mère, il la suppliait d'intervenir elle-même tout de suite et de demander formellement pour lui cette petite fiancée.
LOTI, Matelot, XL.

4 Tais-toi, ce ne sont pas des choses à raconter à Monsieur. Le vieux avait rougi et s'était excusé. J'étais intervenu pour dire : « Mais non. Mais non ». Je trouvais ce qu'il racontait juste et intéressant.
CAMUS, l'Étranger, I.

5 Jeannine intervint pour les prier de parler plus bas : ils allaient réveiller sa petite fille.
MAURIAC, le Nœud de vipères, p. 184.

6 Lui propose-t-elle d'intervenir auprès de Choiseul pour lui procurer un passeport (...) Rousseau voit dans ce bon office une nouvelle perfidie.
Émile HENRIOT, Portraits de femmes, p. 195.

Dire en intervenant. *« Fourneau* (cit. 6) *! intervint Brague... »*

Absolt et spécialt. Entrer en action (au cours d'un processus souvent dangereux). *Intervenir pour porter secours* (⇒ **Secourir**). — *Les pompiers sont intervenus à temps pour circonscrire l'incendie.*

♦ **3.** (V. 1900). Méd. (absolt). Agir énergiquement pour interrompre l'évolution spontanée d'un état pathologique. *L'asphyxie* (cit. 1) *entraîne la mort si l'on n'intervient pas rapidement.* ⇒ **Agir.** — Spécialt. Pratiquer une intervention (en particulier une opération chirurgicale). *Le chirurgien décida d'intervenir.* ⇒ **Opérer; intervention.** *Il faut intervenir d'urgence.*

Tous les nouveau-nés chétifs meurent dans le six premiers mois, sans que le médecin ait à intervenir, bien entendu. 7
J. ROMAINS, Knock, I, p. 25.

(...) quand l'appendicite donne lieu à des crises aiguës très douloureuses (...) on considère unanimement qu'elle est du ressort du chirurgien, qui interviendra quand la lésion sera « refroidie », et sera parfois obligé de le faire de toute urgence (...) 8
Dr BOUQUET, la Chirurgie, V.

(Première moitié XIXe). Polit. (absolt). Entrer en action (dans un conflit, une guerre). ⇒ **Immiscer** (s'); → Entrer en lice*. *L'étranger profitera de nos divisions pour intervenir* (→ Fomenter, cit. 2, Chateaubriand). *En 1823, la France intervint en Espagne pour rétablir Ferdinand VII. Les États-Unis sont intervenus presque à la dernière heure* (→ Démoraliser, cit. 3).

Ce n'est pourtant pas la raison qui empêcha Napoléon III d'intervenir en Allemagne, lorsque, comme un « coup de foudre », éclata la nouvelle que l'armée autrichienne avait été battue par la Prusse à Sadowa. 9
J. BAINVILLE, Hist. de France, XX, p. 497.

Cour. *La police, la troupe est prête à intervenir, est intervenue.* ⇒ **Entrer** (en action, en jeu, en scène). → Évacuer, cit. 5; 2. fratricide, cit. 4. *Faire intervenir l'aviation, les blindés* (⇒ **Donner**).

♦ **4.** (1876, Renan). Sujet n. de choses. Agir, jouer un rôle. *Circonstances, facteurs qui interviennent pour restreindre la fécondité* (cit. 4) *de la femme.* ⇒ **Jouer.** *Substances impondérables* (cit. 2) *qui interviennent dans les fonctions de nutrition.* — Absolt. *Phénomène physiologique dans lequel la volonté n'intervient pas* (→ Habitude, cit. 41; et aussi clarté, cit. 18; économiste, cit. 4; écrivain, cit. 14). *Faire, laisser intervenir une cause.*

Quelques-unes de ces prévisions s'appuyaient sur des calculs bizarres où intervenaient le millésime de l'année, le nombre des morts et le compte des mois déjà passés sous le régime de la peste. 10
CAMUS, la Peste, p. 242.

(V. 1960). Emploi critiqué. Arriver, avoir lieu, se produire.

▶ **INTERVENU, UE** p. p. adj. *L'accord intervenu entre les négociateurs, après deux mois de négociations.* — Abusif. *« Les démolitions intervenues au rond-point des Champs-Élysées »* (*le Monde,* 23 mars 1969, *in* P. Gilbert).

CONTR. **Abstenir** (s').
DÉR. **Intervenant.**

INTERVENTION [ɛ̃tɛʀvɑ̃sjɔ̃] n. f. — 1322, sens 2; bas lat. jurid. *interventio* « garantie, caution », de *interventum,* supin du lat. class. *intervenire.* → Intervenir.

♦ **1.** (1690). Dr. Acte par lequel un tiers, qui n'était pas originairement partie dans une contestation judiciaire, s'y présente pour y prendre part et faire valoir ses droits ou soutenir ceux d'une partie principale. *Intervention volontaire, forcée. Intervention en première instance, en appel. Former une demande en intervention.* ⇒ **Intervenir** (→ Incident, cit. 12). *Droit, faculté d'intervention.*

L'intervention, en première instance, est soumise à la seule condition que l'intervenant justifie, dans les termes du droit commun, d'un intérêt dans le débat dont le tribunal est saisi (...) Un intérêt même *indirect* justifie l'intervention (...) Un *intérêt d'honneur* est suffisant pour légitimer l'intervention. 1
DALLOZ, Dict. de droit, art. *Intervention,* 3-5.

Acte par lequel un tiers se présente pour honorer à la place du signataire un effet, une lettre de change. ⇒ **Intervenant.**

♦ **2.** Cour. (XXe). **a** Action, fait d'intervenir* par la parole; paroles prononcées par une personne qui intervient. *L'intervention d'un orateur dans un débat. Une intervention pleine d'esprit, énergique. Des interventions continuelles* ⇒ **Interruption.**

b Le fait d'intervenir en agissant. — Le fait d'intervenir (en faveur de qqn). ⇒ **Entremise.** *Intervention en faveur de quelqu'un.* ⇒ **Intercession** (→ Dicter, cit. 11). *Son intervention dans cette affaire sera décisive* (→ Appoint, cit. 4). *Offrir, proposer son intervention.* ⇒ **Médiation, ministère, office** (bons offices), **service.** *Réclamer, solliciter une intervention efficace, opportune...* (→ Incoercible, cit. 4). *Je compte sur votre bienveillante intervention.* ⇒ **Aide, appui, concours.** — (Dans le contexte politique, militaire, social). Le fait d'agir en intervenant. *Intervention de l'autorité. Intervention de l'État dans le domaine économique.* ⇒ **Interventionnisme** (→ Finance, cit. 3). *Agitation* (cit. 20) *réprimée par une intervention énergique, rapide, de la police.* — (Dans le domaine international). *Intervention abusive d'un pays dans les affaires d'un autre.* ⇒ **Immixtion, ingérence, intrusion.** — (Déb. XIXe). Spécialt, polit. Acte d'un État qui intervient militairement hors de ses frontières. → ci-dessous, cit. 8. *Pays qui demande l'intervention d'un allié* (→ Hellénisation, cit. 2). *Politique d'intervention,* qui consiste à intervenir* dans les affaires d'un pays étranger. ⇒ **Interventionnisme.** *Intervention armée. Forces d'intervention de l'O. N. U. Devoir d'intervention résultant de traités* (→ Garantie, cit. 2). —

(V. 1900). Recours à un traitement médical énergique, et, spécialt, à l'opération. ⇒ **Traitement** (→ Hôpital, cit. 4). *Intervention chirurgicale* (1877), ou absolt. *une intervention.* ⇒ **Opération** (→ Amputer, cit. 1; chirurgie, cit. 2, et ci-dessous, cit. 5).

2 Vous répétez, Céleste, une leçon de votre confesseur, et rien n'est plus fatal au bonheur, croyez-moi, que l'intervention des prêtres dans les ménages (...)
BALZAC, les Petits Bourgeois, PL., t. VII, p. 211.

3 J'obtiens de mes chefs l'autorisation de partir (...) à condition que je ne me mettrai là-bas dans aucune espèce de mauvais cas pouvant nécessiter l'intervention de mon ambassade. LOTI, Aziyadé, III, LXI.

4 César s'était présenté comme un protecteur. Sa conquête avait commencé par ce que nous appellerions une intervention armée.
J. BAINVILLE, Hist. de France, I, p. 15.

5 L'état s'aggrave d'heure en heure. Ce matin, phénomènes méningés... — Intervention? — Impossible... l'état du cœur ne permet de tenter aucune opération (...)
MARTIN DU GARD, les Thibault, t. III, p. 133.

6 Eux savaient cependant, lorsqu'il marchait, dans le laboratoire, comme un fauve en cage (...) qu'une recherche d'importance n'avançait guère et que toute intervention eût été d'un intrus. Henri MONDOR, Pasteur, IX.

7 (...) la technologie est mère de la grande entreprise, grand-mère de l'intervention étatiste (...) André SIEGFRIED, l'Âme des peuples, VII, V.

8 *(En 1940-1941)* le président Roosevelt, personnellement partisan de l'intervention, put abandonner la superneutralité pour la partialité d'abord, pour l'intervention armée ensuite.
Louis DELBEZ, Manuel de droit international public, 2e éd., p. 198.

Spécialt. Action d'un groupe organisé en matière policière, militaire, technique. *L'intervention de la gendarmerie, de la force armée, des pompiers. Force, groupe, unité d'intervention.*

♦ **3.** Action, rôle (de qqch.). ⇒ **Action.** *L'intervention de la lumière en milieu obscur* (→ Illumination, cit. 4). *L'intervention des désirs érotiques* (cit. 3) *dans les manifestations de l'instinct sexuel.* ⇒ **Facteur, rôle.** — (D'une puissance surnaturelle). *L'Église explique l'apparition de l'homme* (cit. 8) *par une intervention spéciale de Dieu.*

9 Elle aimait les premiers livres de Maeterlinck (alors très admirés par les jeunes gens) parce qu'ils admettaient l'intervention dans notre vie de l'invisible et de l'infini. A. MAUROIS, le Cercle de famille, I, XIV.

♦ **4.** (Mil. XVIe). Choses. (Vx). Fait de survenir (dans le déroulement d'une action). *L'intervention soudaine de l'orage.*

CONTR. Abstention, neutralité, non-intervention.
DÉR. Interventionnisme, interventionniste.
COMP. Non-intervention.

INTERVENTIONNISME [ɛ̃tɛʀvɑ̃sjɔnism] n. m. — 1897; de *intervention.*

♦ **1.** Écon., polit. Doctrine préconisant l'intervention de l'État dans le domaine économique (⇒ **Dirigisme, étatisme**), ou dans les affaires internationales, notamment l'intervention d'une nation dans un conflit entre d'autres pays.

♦ **2.** (1927). Rare. Tendance (de qqn) à intervenir dans tel ou tel domaine.

INTERVENTIONNISTE [ɛ̃tɛʀvɑ̃sjɔnist] adj. et n. — 1837; de *intervention.*

♦ **1.** Écon., polit. Favorable à l'intervention (dans le domaine économique ou international). *Politique interventionniste.* — N. *Les interventionnistes.*

1 Son tempérament l'entraînait à la réglementation de toutes choses, et il est étonnant que, dans ce domaine où, depuis, l'État a pratiqué, parfois à l'excès, l'*interventionnisme*, il ait su, lui, «l'homme de l'État», ne pas céder à sa tendance personnelle (...) Louis MADELIN, Hist. du Consulat et de l'Empire, Vers l'Empire d'Occident, VII.

♦ **2.** (1922, cit.). Favorable à l'intervention (dans n'importe quel domaine).

2 Elle n'hésite pas à couper dans le vif. Elle est interventionniste comme dirait notre ami Cottard. PROUST, la Prisonnière, Pl., t. III, p. 281 (1922).

3 Il est difficile au psychanalyste, sous peine de perdre le bénéfice (certain) de son attitude neutre et bienveillante, de changer de registre et de devenir interventionniste.
C. KOUPERNIK, Un traitement d'exception, *in* la Nef, no 31, p. 161.

INTERVENTRICULAIRE [ɛ̃tɛʀvɑ̃tʀikylɛʀ] adj. — 1834, *in* D. D. L.; de *inter-*, *ventricule*, et suff. *-aire.*

♦ Anat., méd. Qui est situé, qui a lieu entre les ventricules du cœur. *Communication interventriculaire* (abrév. en terme de métier : *C. I. V.*) *congénitale.* «*Il faut montrer une attention particulière en fermant une C. I. V.*» (Claude d'Allaines, *Chirurgie du cœur,* p. 104).

INTERVERSION [ɛ̃tɛʀvɛʀsjɔ̃] n. f. — XVIe; bas lat. *interversio* «action de prendre à contre-sens; falsification; malversation», de *interversum,* supin du lat. class. *intervertere.* → Intervertir.

♦ **1.** Dérangement, renversement de l'ordre naturel, habituel ou logique*. ⇒ **Intervertissement; inversion, permutation.** *L'interversion d'une chose et d'une autre, avec une autre; l'interversion de deux éléments. L'interversion des facteurs d'une multiplication ne change pas le produit* (Académie). *Interversion des mots dans une phrase.* ⇒ **Transposition.** *Interversions de temps et de lieu dans un récit* (→ Identification, cit. 1). *Interversion de deux lettres dans un mot* (⇒ **Métathèse**), *de syllabes dans un groupe de mots.* ⇒ **Anastrophe, contrepèterie.** — Dr. *Interversion de titre :* modification du titre en vertu duquel sont exercés des actes de possession.

Interversion des rôles de deux personnes.

♦ **2.** (Déb. XXe). Chim. Syn. de *inversion* (5.). ⇒ **Interverti.**

Ce problème nous conduit à dire quelques mots de l'*interversion.* Le saccharose cuit en milieu acide, même si l'acidité est faible, se transforme en glucose et lévulose. On admet que, si la moitié du sucre est transformée, il ne peut plus y avoir recristallisation. Cette propriété est non seulement utilisée par les confiseurs, qui provoquent artificiellement l'interversion en ajoutant un acide faible (acide citrique, acide tartrique), mais aussi dans la fabrication des confitures, où l'interversion est provoquée par l'acidité naturelle des fruits.
François LÉRY, Technique de la cuisine, p. 41.

INTERVERTÉBRAL, ALE, AUX [ɛ̃tɛʀvɛʀtebʀal, o] adj. — 1765, *intervertébraux;* de *inter-,* et *vertébral.*

♦ Didact. (anat., physiol.). Qui se trouve entre deux vertèbres. *Disque intervertébral.* «*En 1963, un chirurgien orthopédique de Chicago (...) a l'idée d'injecter l'enzyme de la papaye dans les disques intervertébraux lombaires formant hernie*» (*le Point,* 12 sept. 1983, p. 94). — Qui se produit entre deux vertèbres.

INTERVERTIR [ɛ̃tɛʀvɛʀtiʀ] v. tr. — 1507; du lat. *intervertere* «donner une autre direction, détourner de sa destination», de *inter-*, et *vertere* «faire tourner». → Version; convertir, etc.

♦ Déplacer* (les éléments d'un tout, d'une série) en renversant* l'ordre primitif. ⇒ **Changer, déranger, permuter.** *Intervertir les fiches d'un classeur, les facteurs d'une multiplication. Intervertir un élément et un autre.* — Par ext. (Le compl. désigne la relation entre les éléments concernés). *Intervertir l'ordre des mots d'une phrase.* ⇒ **Inverser, transposer.** — Fig. *Intervertir les rôles.* ⇒ **Renverser, retourner** (→ Gallican, cit. 4). *Il intervertit les rôles,* se dit d'une personne qui adopte vis-à-vis d'une autre l'attitude et le ton qui conviendraient précisément à celle-ci.

Cette considération a engagé M. E. Sue à commencer par la fin au lieu de commencer par le commencement; je ne sais pas jusqu'à quel point il est commode d'entreprendre une maison par le toit et de l'achever par la cave. Cela le regarde. Cependant de cette manière on voit les résultats avant de voir les causes, et la suite logique des faits est singulièrement intervertie. 1
Th. GAUTIER, Souvenirs de théâtre..., p. 34.

(...) les rôles ont été si bien intervertis dans l'entrevue de Ferrières, que c'est manifestement la Prusse qui est devenue l'agresseur et que son ambition n'a même plus pris la peine de se dissimuler. 2
FUSTEL DE COULANGES, Questions contemporaines, p. 90.

(...) pourquoi intervertir l'ordre des vers de manière que la suite en devienne complètement incompréhensible? GIDE, Nouveaux Prétextes, p. 129. 3

(...) un journaliste local, me voyant assise en face d'un grand gaillard d'âge avancé, intervertit nos rôles : dans sa chronique, il prit l'examiné pour l'examinateur. 4
S. DE BEAUVOIR, la Force de l'âge, p. 117.

▶ **S'INTERVERTIR** v. pron. (Passif, réciproque). *Les éléments, les rôles, les fonctions se sont interverties.*

▶ **INTERVERTI, IE** p. p. adj.

♦ **1.** *Éléments, mots intervertis. Rôles intervertis.*

♦ **2.** Chim. *Sucre interverti :* mélange lévogyre de glucose et de lévulose produit par transformation du saccharose (qui est dextrogyre). Syn. : *inverti* (plus cour.). ⇒ **Interversion, inversion.**

Le sucre interverti est beaucoup plus hygroscopique que le saccharose; ce qui peut être très utile lorsqu'il s'agit d'empêcher une dessiccation trop rapide; les biscuits deviennent moins cassants et s'émiettent moins vite, les pâtes pour fondants utilisées en confiserie restent plus moelleuses. D'autre part, le sucre interverti se colore plus facilement, cette réaction est due au lévulose; on conçoit qu'il est très important de régler soigneusement sa formation, car s'il est utile dans certains cas, il est indésirable dans d'autres. François LÉRY, Technique de la cuisine, p. 42. 5

♦ **3.** (1885). Vx. (Personnes). Inverti.

DÉR. Intervertissement.

INTERVERTISSEMENT [ɛ̃tɛʀvɛʀtismɑ̃] n. m. — Déb. XVIIIe, Saint-Simon; de *intervertir.*

♦ Rare. Action d'intervertir; résultat de cette action. ⇒ **Interversion.** «*Un intervertissement de rôles*» (Cournot, *in* T. L. F.).

INTERVIEW [ɛ̃tɛʀvju] n. f. — 1872, Goncourt, n. m. (éd. 1891); mot angl., 1514, lui-même du franç. *entreveue* «entrevue», XVe.

♦ Entrevue* au cours de laquelle un journaliste interroge une personne (généralement en vue) sur sa vie, ses projets, ses opinions..., dans l'intention de publier une relation de l'entretien. ⇒ **Entretien.** *L'interview de qqn par un journaliste. Prendre, donner une interview* (Académie). *Demander, solliciter, accorder une interview. Faire un reportage* après diverses interviews. Interview de presse.* → ci-dessous, cit. 3. *Interview de la radio, à la radio, à la télévi-*

sion. — REM. Il semble difficile de recommander un équivalent *(entretien* ou *entrevue)* à ce terme bien ancré dans l'usage courant, malgré quelques hésitations sur son genre. — Par ext. Article qui rapporte le dialogue* des deux interlocuteurs en donnant la plus large place aux réponses de l'interviewé*. *Rédiger son interview. Lire une interview* (→ Important, cit. 7). — Par ext. Littér. *Les interviews imaginaires,* de Gide (1941-1942).

1 Hervieu aurait écrit quelque part, après mon interview de *la Patrie,* que je suis l'*amer* de la Nièvre. Charmant! J. RENARD, Journal, avril 1905.

2 Il tenait à la main le numéro du *Figaro* où venait de paraître son interview. — Les lecteurs ne sont pas contents, me dit-il. C'est de ma faute; j'aurais dû vous interroger mieux. GIDE, Attendu que..., p. 37.

3 (...) le ministre de la Guerre jette une première fois sa parole dans la balance. Au cours d'une interview de presse, il déclare, lui, ministre, que la culpabilité de Dreyfus est *absolument certaine* (...) MARTIN DU GARD, Jean Barois, Le vent précurseur, II.

4 Le pauvre Porte ne savait pas qu'on l'écoutait. Il disait les choses selon son cœur (...) Il ne dictait pas une *interview* à l'envoyé spécial d'un grand quotidien (...) G. DUHAMEL, Récits des temps de guerre, IV, XII.

5 (...) avec sa voix de phonographe et son sourire de démonstrateur qui s'excuse de vous déranger (...) faire passer une interview en règle sur l'origine, le sujet, la date, le comment et le pourquoi d'une gravure que votre arrière-grand-père peut-être a suspendue là il y a cent cinquante ans (...) Claude SIMON, le Vent, p. 22.

Par ext. Le genre journalistique que constituent les interviews.

6 (...) l'interview est un art, et l'un des plus difficiles (...) F. MAURIAC, Bloc-notes 1952-1957, p. 374.

En sciences. Interrogatoire; fait de recueillir des informations auprès de qqn (en psychologie, ethnologie, etc.). *Interview à réponses libres; interview directive, focalisée.* — *Interview clinique,* où l'ensemble du comportement de l'interviewé (choix des mots, forme du discours) est pris en compte. — REM. Dans ces contextes, il semble que *entretien* l'emporte sur l'anglicisme *interview.*

DÉR. V. 2. **Interviewer.**

1. INTERVIEWER [ɛ̃tɛʀvjuvœʀ] n. m. — 1881, cit.; angl. *interviewer,* 1869, de *to interview* «soumettre à une interview» (→ 2. Interviewer), 1869.

♦ Anglic. Journaliste, reporter spécialisé dans les interviews. Syn. : *intervieweur.* — REM. Le mot angl. n'a pas de genre; on ne semble pas employer le fém. en français.

1 Naturellement j'éprouvai le désir de voir Edison, mais comment arriver jusqu'à lui? Il ne recevait personne : d'abord pour échapper aux *interviewers* et aux *reporters* des journaux américains, dont on connaît l'insistance (...) E. DE LAVELEYE, les Nouveautés de New York..., *in* le Tour du monde, 1881, t. II, p. 407.

2 Le rôle d'un interviewer, c'est de forcer l'intimité; c'est de vous amener à parler de ce dont vous ne parleriez pas de vous-même. Apprendre comment vous vous portez et comportez; comment vous êtes vêtu; comment vous trouvez le moyen de vous nourrir et si vous supportez allégrement les restrictions, voilà ce que le public attend que je lui dise et vous fasse dire. GIDE, Attendu que..., p. 37.

HOM. Intervieweur.

2. INTERVIEWER [ɛ̃tɛʀvjuve] v. tr. — 1883; dér. franç. de *interview,* ou adaptation du v. angl. *to interview* (→ 1. Interviewer).

♦ Soumettre (qqn) à une interview. *Interviewer un acteur, un écrivain. Il s'est laissé interviewer* (Académie).

1 Oui, le *Matin* fait un article sur le nouveau théâtre, et Duret doit à ce sujet vous interviewer, vous, Zola et moi. Ed. et J. DE GONCOURT, Journal, t. VII, p. 73.

2 *Le Gaulois,* qui tient à renseigner toujours ses lecteurs sur tout ce qui touche aux élégances, a envoyé un de ses rédacteurs chez la duchesse pour l'interviewer sur cette surprise *di primo cartello.* PROUST, Jean Santeuil, Pl., p. 504.

3 À un reporter, qui cherchait à l'interviewer sur sa vie, il répondait, furieux : — Cela ne vous regarde pas! R. ROLLAND, Jean-Christophe, La révolte, p. 488.

Francisation graphique : *intervioucer.*

4 (...) ses filles se précipitent à la recherche du chapelain (...) Elles l'interviouvent, mais il ne peut que leur avouer qu'il n'en sait guère long sur la question qui les intéresse (...) R. QUENEAU, les Fleurs bleues, p. 90.

► **INTERVIEWÉ, ÉE** p. p. adj. et n. (1890, *in* D. D. L.; dér. de *interview**).

Anglic. Soumis à une interview. ⇒ **Interrogé.** *Les personnalités interviewées.* — N. *Un interviewé, une interviewée. L'intervieweur* (1. Interviewer) *et l'interviewé.*

5 (...) sur quatorze interviewés, quatre répondent «mariage» à la question n° 10 : «Quelle est votre idée du malheur?» GIDE, Journal, déc. 1910.

DÉR. Intervieweur.

INTERVIEWEUR, EUSE [ɛ̃tɛʀvjuvœʀ, øz] n. — Mil. xxe; de 2. *interviewer,* v., pour franciser la finale de 1. *interviewer,* nom.

♦ Personne qui fait une, des interviews. *«Ses protestations* (de Marie Cardinal) *reprises par son intervieweuse, Annie Leclerc...»* (*le Monde,* 11 févr. 1977, p. 15).

HOM. 1. **Interviewer.**

INTERVOCALIQUE [ɛ̃tɛʀvɔkalik] adj. — 1895, Grammont, *in* T. L. F.; de *inter-,* et *vocalique.*

♦ Phonét. Placé entre deux voyelles. *Chute d'une consonne intervocalique. — Position intervocalique.*

INTERZONAL, ALE, AUX [ɛ̃tɛʀzɔnal, o] adj. — Mil. xxe; de *inter-, zone,* et suff. *-al,* probablt d'après l'angl. *interzonal,* 1956 (1881 en biologie).

♦ Rare. Qui concerne les relations entre zones. ⇒ **Interzone.** Spécialt. Qui concerne les relations entre les zones résultant de la division de l'Allemagne, à l'armistice de 1945. Syn. : *interzone. Le commerce interzonal.*

(1972, *l'Express,* 28 août, p. 40). Sports. Interzone*.

INTERZONE ou **INTERZONES** [ɛ̃tɛʀzon] adj. — 1926, *in* D. D. L.; de *inter-,* et *zone.*

♦ **1.** Sports. *Finale interzone* (ou *finale interzones*) *de la Coupe Davis,* opposant deux équipes nationales de zones différentes (Europe-Amérique, etc.). Syn. : *interzonal.*

♦ **2.** Commun à plusieurs zones. — (1940). Spécialt. Commun aux zones (occupée, interdite, «libre», etc.) de la France occupée (de 1940 à 1944). *Carte interzone.*

Pour Derème, j'avais pris l'engagement de ne point l'attrister par des lamentations. L'essentiel, en ces temps horribles, consistait à ne pas entamer le moral du voisin. Et puis qu'est-ce qu'une carte interzone aurait pu lui apprendre qu'il ne soupçonnât point? Francis CARCO, Ombres vivantes, p. 267.

Spécialt (d'après l'all. *interzonen*). Commun aux deux blocs allemands depuis l'armistice de 1945. *La frontière interzones.* Syn. : *interzonal.*

INTESTABLE [ɛ̃tɛstabl] adj. — 1567, «qui ne peut être témoin»; lat. jurid. *intestabilis,* mêmes sens (aussi en lat. class., «abominable, infâme»), de *in-* (→ 1. In-), *testari* «témoigner, faire son testament» (→ 1. Tester), et suff. *-(a)bilis* (→ -able).

Droit.

♦ **1.** (Vx). Qui ne peut témoigner en justice.

♦ **2.** (1678). Vieilli. Qui ne peut faire un testament.

INTESTAT [ɛ̃tɛsta] adj. m. et f. — XIIIe; lat. jurid. *intestatus,* même sens, de *in-* (→ 1. In-), et *testatus,* p. p. de *testari.* → 1. Tester.

♦ **1.** Dr. Qui n'a pas fait de testament. *Décéder intestat,* sans avoir fait de testament. *Elle est morte intestat.* — Un féminin *intestate* est attesté au XVe s.

Ne voulant pas ainsi décéder intestat (...) REGNARD, le Légataire universel, V, 7. 1

Vous êtes, à l'heure actuelle, le seul héritier connu du titre de baronnet, concédé (...) à Jean-Jacques Langevol, naturalisé sujet anglais en 1819, veuf de la Bégum Gokool, usufruitier de ses biens, et décédé en 1841, ne laissant qu'un fils, lequel est mort idiot et sans postérité, incapable et intestat, en 1869. La succession s'élevait, il y a trente ans, à environ cinq millions de livres sterling. J. VERNE, les Cinq Cents Millions de la Bégum, I, p. 7. 1.1

(...) aïeux et aïeules, négociants sans reproches, bonnes ménagères, aimant leur bien, jamais décédés intestats, honneur des Chambres de commerce et des études de notaires. BERNANOS, Sous le soleil de Satan, p. 209, Œ. rom., Pl., p. 205. 2

N. *Les intestats. Les déconfès et les intestats* (Chateaubriand).

♦ **2.** Loc. adv. *Ab intestat.* ⇒ **Ab intestat.**

1. INTESTIN, INE [ɛ̃tɛstɛ̃, in] adj. — V. 1355, sens 2; lat. *intestinus* «intérieur», de *intus* «au dedans», d'abord «de l'intérieur», de *in-* «en, dans» (→ 2. In-).

♦ **1.** (1549). Vx. Qui se trouve ou se produit à l'intérieur d'une chose, d'un corps, et, spécialt, à l'intérieur du corps humain. *Douleur intestine.*

♦ **2.** [a] Vx. Qui se passe à l'intérieur de qqch., de l'âme. ⇒ **Intérieur.**

Guerre intestine de l'homme entre la raison et les passions. PASCAL, Pensées, VI, 412. 1

(...) le mouvement intestin qui travaille une langue et fait que la fixité n'en est jamais définitive. LITTRÉ, Dict., Préface. 2

[b] Mod. (littér. ou style soutenu). Qui se passe à l'intérieur d'un groupe social, en parlant de luttes, de conflits. *Dissensions, querelles intestines. Allumer* (cit. 3) *une guerre, une lutte intestine.* ⇒ **Civil** (→ Contracter, cit. 8). *Troubles intestins* (→ Affliger, cit. 5).

REM. S'emploie surtout au pluriel, et presque toujours au féminin, pour éviter l'homophonie avec *intestin,* nom masculin.

La famine, les dissensions intestines qui déchirent la malheureuse ville, sont retracées avec une énergie rare (...) Th. GAUTIER, Souvenirs de théâtre..., p. 262. 3

4 (...) nous étions divisés par nos querelles intestines : les ouvriers conduits par des agitateurs cyniques, en étaient venus à détester leurs patrons; les patrons aveuglés par l'égoïsme se souciaient peu de satisfaire aux revendications les plus légitimes; les commerçants jalousaient les fonctionnaires (...)
SARTRE, la Mort dans l'âme, p. 238.

2. INTESTIN [ɛ̃tɛstɛ̃] n. m. — 1538, *l'intestin; les intestins,* xve; «boyau», xive, Chauliac; lat. *intestinum* (souvent au plur. *intestina*) «entrailles», neutre substantivé de *intestinus.* → 1. Intestin.

♦ Viscère* abdominal, partie du tube digestif qui fait suite à l'estomac (cit. 1). — Dans l'espèce humaine. *L'intestin* ou *les intestins.* ⇒ **Entrailles.** *De l'intestin.* ⇒ **Intestinal.** *L'intestin, long conduit musculo-membraneux, se divise en deux parties : l'intestin grêle* (⇒ **Duodénum, iléon, jéjunum**) *et le gros intestin* (⇒ **Cæcum, côlon, rectum**). *Les parois de l'intestin comprennent : une tunique séreuse externe* (péritonéale), *une tunique moyenne musculaire* (fibres lisses, longitudinales et circulaires...), *une tunique interne muqueuse* (follicules clos, glandes sécrétant le suc intestinal, valvules conniventes, villosités). *Orifice terminal de l'intestin.* ⇒ **Anus.** *Enveloppes de l'intestin* (⇒ **Péritoine; épiploon, mésentère**). *Anses, appendice, circonvolutions de l'intestin. — Contractions antipéristaltiques*, mouvements péristaltiques*, vermiculaires* de l'intestin. Transformation chimique et absorption des aliments au niveau de l'intestin* (⇒ **Chyle; digestion**). *Formation du bol fécal* (cit.) *dans le gros intestin. Irrigation sanguine de l'intestin par les collatérales* (cit. 1). — *Affections, inflammations, maladies de l'intestin.* ⇒ **Colite, entéralgie, entérite, entéro-colite, gastro-entérite, iléus, occlusion, péritonite, tympanite, volvulus.** *Cancer, tuberculose de l'intestin. Troubles de l'intestin.* ⇒ **Colique, constipation, diarrhée, flatulence, flatuosité, gargouillement, relâchement, ventosité, ventre** (mal au). *Avoir l'intestin, les intestins délicats, fragiles* (→ Compenser, cit. 3). *Parasites de l'intestin.* ⇒ **Ascaride, colibacille, oxyure, ténia.**

Au débouché de l'estomac commencent, sur huit mètres de longueur, les circonvolutions de l'intestin grêle, d'abord le duodénum, seule portion fixe où se déversent les produits de sécrétion du foie et du pancréas, puis le jéjunum et l'iléon (...) Quant au gros intestin, plus ou moins bosselé, reconnaissable aux bandelettes musculaires longitudinales bien visibles sur sa surface extérieure, il n'est séparé du grêle que par la valvule iléo-cæcale.
VALLERY-RADOT, Notre corps, VII, p. 80.

Intestin des animaux. ⇒ **Boyau, tripe; tripaille** (fam.). *Couche de graisse* (cit. 3) *sur les intestins de l'autruche. Parties de l'intestin des animaux de boucherie.* ⇒ **Coiffe, crépine,** 2. **fraise.**

Par métaphore. *« L'intestin de Paris est un précipice »* (Hugo, *les Misérables*). *« Un escalier en colimaçon servait d'intestin à ce phare »* (Francis Jammes, *in* T. L. F.).

DÉR. Intestinal.

INTESTINAL, ALE, AUX [ɛ̃tɛstinal, o] adj. — 1370; de 2. *intestin.*

♦ De l'intestin. ⇒ **Cœliaque, entérique,** préf. **entér(o)-,** et suff. **-entère, -entérie.** *Le chyle* (cit. 2) *absorbé par la paroi intestinale. Glandes intestinales. Valvules conniventes et villosités de la muqueuse intestinale. Diastases intestinales.*

Qui se fait, qui a lieu dans l'intestin.

Après la digestion intestinale, les acides aminés, et les groupes d'acides aminés, qui viennent des protéines du bœuf, du mouton, du grain de blé, n'ont plus aucune spécificité originelle. Ils traversent alors la muqueuse intestinale et construisent dans le corps des protéines nouvelles, qui sont spécifiques de l'être humain et même de l'individu. Alexis CARREL, l'Homme, cet inconnu, III, VIII.

Produit par l'intestin, dans l'intestin. *Chyme intestinal* (→ Fèces, cit.). *Suc intestinal. Remède carminatif contre les gaz intestinaux.* De l'intestin (troubles, maladies). *Atonie, occlusion, grippe, invagination, perforation intestinale. — Vers intestinaux* : parasites de l'intestin. ⇒ **Cestodes, helminthes, nématodes.**

COMP. Gastro-intestinal.

IN THE WORLD [inzəwœʀ(l)d] loc. — Mil. xxe (1946, *in* D. D. L. : *sur le continent et «in the World»*); expr. angl. «dans *(in)* le *(the)* monde *(world)*».

♦ Anglic. Fam., plais. (surtout avec un superlatif). Du monde. *C'est le plus gros in the world. « Histoire la moins drôle in the world »* (Étiemble, *Parlez-vous franglais?,* I, titre du chap. 3).

INTIMA [ɛ̃tima] n. f. — Mil. xxe; emprunt sav. avec substantivation du lat. *intima,* fém. de *intimus.* → Intime.

♦ Anat. Tunique artérielle interne (au-dessus de laquelle se trouvent la media et l'adventice). *« C'est au niveau de l'intima que se forme la plaque d'athérome »* (*Sciences et Avenir,* n^o^ spécial 22, p. 31).

INTIMATION [ɛ̃timasjɔ̃] n. f. — V. 1320; lat. médiéval *intimatio* «notification judiciaire», en bas lat. «démonstration, exposition; accusation», de *intimatum,* supin de *intimare.* → Intimer.

♦ Dr. Acte de procédure «par lequel l'appelant ajourne devant la juridiction du second degré la partie adverse qui a gagné son procès au moins partiellement en première instance et qui s'appelle l'intimé» (Capitant). ⇒ **Assignation** (en appel*).

(...) le défaut d'intimation de certaines parties rend l'appel irrecevable.
DALLOZ, Nouveau Répertoire, Appel civil, 104.

Cour. Mise en demeure. ⇒ **Injonction, sommation.**

INTIME [ɛ̃tim] adj. — Mil. xive; lat. *intimus* «qui est le plus en dedans; qui est au cœur», superlatif de *interior* → Intérieur.

♦ **1.** Littér. (Domaine psychique, humain). Qui est contenu au plus profond* (d'un être), lié à l'essence (de cet être), et généralement secret, invisible, impénétrable. *La partie la plus intime, l'arrière-fond* (cit. 2), *le fond* (→ Honteux, cit. 4) *intime de notre être.* → La moelle* des os; les recoins*, les replis* du cœur, de l'âme. *Les fibres intimes (du cœur...). Personnalité intime* (→ Graphologie, cit. 4). *Le sens, la conscience* (cit. 2) *intime de qqch. Avoir la conviction, le sentiment intime de qqch.* ⇒ **Profond** (→ Arbre, cit. 45; humanisme, cit. 3). *Émotion, bonheur, plaisir intime* (→ Avis, cit. 20; frissonnement, cit. 2).

Le Dauphin, navré de la plus intime et amère douleur (...) 1
SAINT-SIMON, Mémoires, III, LXIV.

Il faut vivre, parce qu'il n'y a pas d'heures sans miracles intimes et sans significations ineffables. MAETERLINCK, le Trésor des humbles, VII. 2

(Choses). *Sens intime et caché* des choses de ce monde* (→ Esprit, cit. 33). *Nature, structure intime.* ⇒ **Essentiel.** *« Ô mer, nul ne connaît tes richesses intimes »* (→ Garder, cit. 4, Baudelaire).

Nous ne pénétrerons jamais dans la structure intime des choses (...) 3
BUFFON, Hist. nat., t. III, p. 32, *in* LITTRÉ.

N. m. (Mil. xviie). Vx ou littér. *L'intime d'autrui.* ⇒ **Dedans, fond, for** (cit. 4, Gide), **tréfonds.** — *L'intime de quelque chose :*

... Détachez la chaloupe 3.1
ou ne le faites pas, ou décidez encore
qu'on se baigne... Cela me va aussi.
... Tout l'intime de l'eau se resonge en silence aux contrées de la toile.
SAINT-JOHN PERSE, Éloges, IX.

♦ **2.** (1765). [a] (Choses). Qui lie, relie étroitement, par ce qu'il y a de plus profond. *Connexion intime des parties. Mélange, harmonie intime.* — (1606). Fig. *Union intime d'un dieu et d'un homme* (→ Gnose, cit. 2). *Liaison intime entre personnes.* ⇒ **Étroit, familier** (cit. 4); → Établir, cit. 33. *Avoir un commerce* (cit. 14), *des relations intimes avec une personne,* être très étroitement lié avec elle; spécialt, avoir avec elle des rapports sexuels.

[b] (1377; personnes). Très étroitement lié (avec quelqu'un). *Elle était intime avec son valet de chambre* (→ Inconvenant, cit. 3). *Ils sont très intimes* (→ fam. Comme cul* et chemise; comme les doigts* de la main; à tu* et à toi...). *Ami intime,* pour qui l'on n'a pas de secret, en qui on a toute confiance (→ Arracher, cit. 53; grand-père, cit.). *Des amies intimes.* → Gourmer, cit.

(...) comme il est depuis longtemps de mes plus intimes amis (...) 4
MOLIÈRE, le Sicilien, IX.

L'un des auteurs les plus célèbres de ce temps est assis sur une causeuse auprès d'une très illustre marquise avec laquelle il est intime (...) 5
BALZAC, le Prince de la Bohême, Pl., t. VI, p. 822.

(...) elle *(Mme de Maintenon)* était assez intime avec le maréchal d'Albret pour qu'on en jasât. Émile HENRIOT, Portraits de femmes, p. 118. 6

Par plais. *Un ennemi intime.*

Permettez-moi de vous présenter mon ennemi intime, monsieur Blount. 6.1
J. VERNE, Michel Strogoff, p. 151.

N. (1616, d'Aubigné). *Un, une intime.* ⇒ **Ami, confident, familier.** *Les intimes de Bonaparte* (→ Dépit, cit. 5). *Le président et quelques intimes. Réunion d'intimes. Familiarité, laisser-aller qu'on se permet entre intimes. Nous serons entre intimes* (→ Entre soi*, en petit comité*).

(...) c'est mon intime, et sa gloire est la mienne (...) 7
MOLIÈRE, l'École des femmes, V, 7.

Même ceux qu'elle ne convainquait pas recueillaient la sentence, se réservant de la méditer à loisir, ou de la discuter entre intimes. 8
J. ROMAINS, les Hommes de bonne volonté, t. IV, IX, p. 96.

♦ **3.** (Mil. xixe). [a] (Choses). Qui est tout à fait privé et généralement tenu caché aux autres. *Vie intime,* celle que les autres ignorent, notamment la vie sentimentale, sexuelle. ⇒ **Domestique, particulier, personnel, privé, secret; intimité** (→ Incommunicable, cit. 7). *Chagrins intimes.*

Je respecte la vie intime de mes voisins, et ne suis pas de ceux qui examinent avec des longues-vues le galbe d'une femme qui se couche, ou surprennent à l'œil nu les silhouettes particulières aux incidents et accidents de la vie conjugale. 9
NERVAL, Promenades et Souvenirs, I (1854).

[b] Spécialt. Qui concerne la sexualité, le sexe. Rare. *Les parties intimes.* ⇒ **Sexuel.** — *Toilette intime.*

[c] (Propos, discours). Qui exprime des sujets intimes, concernant la vie intime.

(...) l'exiguïté, les colorations, l'éclairage de la pièce conseillaient les propos intimes, et semblaient leur promettre la plus douillette discrétion. 10
J. ROMAINS, les Hommes de bonne volonté, t. III, XV, p. 193.

d (1780). Spécialt. Se dit d'écrits autobiographiques qui touchent la vie privée d'un auteur et qu'il ne destine généralement pas à la publication. *Le journal intime de Benjamin Constant.* *Poésie, genre intime.* ⇒ **Intimisme.** — Vieillir. *Roman intime,* intimiste.

♦ **4.** (1806). Qui réunit des intimes, se passe entre intimes. *« Le charme d'une société intime »* (Mme de Genlis). *Repas, entretien* (→ Homélie, cit. 3), *réunion, fête intime.* — (Mil. XIXe). Qui crée, favorise l'intimité, en évoque l'impression. *Un endroit intime, à l'abri des regards indiscrets. Des tapis, des coussins rendront ce décor plus intime.*

11 Il regarda autour de lui : cette place est bien laide, reprit-il, mais qu'elle est provinciale et intime! HUYSMANS, Là-bas, XVII.

12 Malgré les tentures (...) les stores, les tapis, les tons rouge et grenat, la maison n'offrait rien d'intime ni de vraiment confortable (...)
J. CHARDONNE, les Destinées sentimentales, p. 71.

13 Ce recoin de restaurant est presque aussi intime qu'un cabinet particulier.
J. ROMAINS, les Hommes de bonne volonté, t. II, XX, p. 232.

14 Même dans les repas intimes, Mme de Saint-Papoul se conformait à la règle des trois plats de viande, que d'ailleurs la bourgeoisie de province et les tables d'hôte observaient alors exactement.
J. ROMAINS, les Hommes de bonne volonté, t. III, XI, p. 148.

CONTR. **Extérieur, ouvert, visible; dehors. — Superficiel. — Étranger. — Public. — Froid, impersonnel.**

DÉR. **Intimement, intimiste, intimité.**

INTIMÉ, ÉE [ɛ̃time] adj. et n. — 1412; p. p. de *intimer.*

♦ Dr. Assigné en justice. *Partie intimée.* — N. (1466). Partie* contre laquelle a été engagée de la procédure d'appel d'un jugement de première instance. ⇒ **Défendeur** (en appel). *L'Intimé,* nom d'un personnage de Racine dans *Les Plaideurs.*

Dans la huitaine de la constitution d'avoué, par l'intimé, l'appelant signifiera ses griefs contre le jugement. L'intimé répondra dans la huitaine suivante.
Code de procédure civile, art. 462.

CONTR. **Appelant.**

INTIMEMENT [ɛ̃timmɑ̃] adv. — 1406; de *intime,* et *-ment.*

♦ **1.** De manière intime (1.) très profondément → Dans le fond*. *Être intimement persuadé, convaincu de quelque chose. Pénétrer intimement le tempérament d'un artiste* (→ Exposition, cit. 3).

1 (...) je suis attaché intimement, et plus encore par conscience que par la plus saine politique, à ce que très mal à propos on connaît sous le nom de libertés de l'Église gallicane (...) SAINT-SIMON, Mémoires, III, LVI.

♦ **2.** De manière intime (2.) ⇒ **Étroitement.** *Mêler, unir intimement deux éléments, deux choses* (→ Héroïque, cit. 2; inhérent, cit. 3). *Élément* (cit. 4) *intimement mêlé à quelqu'un. Nom intimement lié à la gloire de la France* (→ Historique, cit. 8).

♦ **3.** (Personnes). Avec intimité; de façon très amicale. → Intime, 2. G. *Être intimement lié avec quelqu'un* (→ Entrée, cit. 8).

♦ **4.** Rare. D'une manière qui implique l'intimité, les relations personnelles étroites.

2 (...) malgré leurs différences de pensées, il est probable qu'il se fût fait comprendre, s'il avait réussi à leur parler intimement. Mais rien n'est plus difficile qu'une intimité absolue entre enfants et parents, même quand ils ont les uns pour les autres la plus tendre affection (...)
R. ROLLAND, Jean-Christophe, Le matin, p. 116.

INTIMER [ɛ̃time] v. tr. — 1325; lat. jurid. *intimare,* proprt « introduire », d'où « faire savoir », du lat. class. *intimus.* → Intime.

♦ **1.** Dr. Citer, assigner (qqn) devant une juridiction supérieure. ⇒ **Intimation.** *Intimer qqn.*

♦ **2.** **a** Dr. Signifier légalement. ⇒ **Notifier.**

b (1369). Cour. (mais style soutenu). Signifier* (qqch. à qqn) avec autorité. ⇒ **Commander, enjoindre, notifier.** — (S'emploie surtout avec *ordre*). *Intimer un ordre. Il lui intima l'ordre de quitter les lieux. — Intimer à qqn que...* (et indic.), *de* (et infinitif).

1 J'ai fait mine de me lever. Il m'intime, avec l'index, l'ordre de rester immobile.
G. DUHAMEL, Salavin, Journal, 29 novembre.

2 (...) suffit-il, pour accepter de prendre un rôle dans cette tuerie, qu'un gouvernement vous en intime l'ordre? MARTIN DU GARD, les Thibault, t. VII, p. 170.

DÉR. **Intimé.**

INTIMIDABLE [ɛ̃timidabl] adj. — 1845; de *intimider.*

♦ Rare. Qu'on peut intimider. *Il n'est pas facilement intimidable.*

INTIMIDANT, ANTE [ɛ̃timidɑ̃, ɑ̃t] adj. — 1867; « qui effraye », fin XVIe; p. prés. de *intimider.*

♦ Qui intimide, fait impression. *Examinateur intimidant. Situation intimidante. Repas intimidant* (→ Hôtelier, cit. 2). — Qui impose le respect.

(...) le froid intimidant qu'éprouvait le Méridional devant ce grand silencieux à tête hautaine et pâle. Alphonse DAUDET, Numa Roumestan, X. 1

Une maison du siècle dernier, spacieuse et sonore. Quelque chose d'intimidant, dès l'escalier. G. DUHAMEL, Salavin, Journal, 29 novembre. 2

INTIMIDATEUR, TRICE [ɛ̃timidatœʀ, tʀis] adj. — Av. 1836; de *intimider.*

♦ Rare. Destiné à intimider, à en imposer. *Manœuvres intimidatrices. — Les attitudes intimidatrices de certains animaux.*

INTIMIDATION [ɛ̃timidɑsjɔ̃] n. f. — 1552, Rabelais; de *intimider.*

♦ **1.** Action d'intimider (1.) volontairement qqn; résultat de cette action. *Geste, parole d'intimidation.* ⇒ **Menace.** *Ce magistrat usa de l'intimidation pour faire parler le prévenu* (Académie). *Mesures, manœuvres d'intimidation politique. Gagner une partie diplomatique par l'intimidation.* ⇒ **Bluff, chantage** (→ Gré, cit. 15).

Des lois d'intimidation sont venues supprimer les libertés, ainsi que je l'avais annoncé (...) CHATEAUBRIAND, Mémoires d'outre-tombe, t. VI, p. 260. 1

(Ils) sont d'avis que l'autorité repose sur l'intimidation. 2
G. DUHAMEL, Récits des temps de guerre, IV, VI.

Rare. *Une, des intimidations.*

♦ **2.** Action de faire perdre contenance à qqn, de faire perdre ses moyens.

INTIMIDER [ɛ̃timide] v. tr. — 1515; lat. médiéval *intimidare,* de *in-,* et lat. class. *timidus.* → Timide.

Donner de la timidité à (qqn).

♦ **1.** Remplir (qqn) de peur*, d'effroi, de crainte, en imposant sa force, son autorité, sa volonté. ⇒ **Effrayer, terroriser.** — *Chercher à intimider qqn par des menaces* (⇒ **Menacer**). *Intimider une personne par la fermeté* (cit. 8) *de son attitude. Amadouer* (cit. 4) *et intimider qqn. Se laisser intimider. N'essayez pas de l'intimider. Je ne me laisserai pas intimider par vous. Manœuvres politiques, militaires, diplomatiques pour intimider l'adversaire.* ⇒ **Bluffer; intimidation, pression.** *Chercher à intimider l'ennemi.*

(...) il dit des choses atroces contre elle, il tâche de l'intimider, il la menace qu'on dira à l'audience qu'elle (...) a supposé son enfant (...) 1
Mme DE SÉVIGNÉ, 891, 23 janv. 1682.

Tout ce que je peux donc répondre à votre menaçante lettre, c'est qu'elle n'a eu ni le don de me plaire, ni le pouvoir de m'intimider (...) 2
LACLOS, les Liaisons dangereuses, CLII.

Lui-même il alla trouver le duc d'Orléans, l'intimida, lui parla haut et ferme (...) 3
MICHELET, Hist. de la Révolution franç., III, I.

Louis XI n'aimait pas le risque des batailles et il avait une armée pour intimider l'adversaire plutôt que pour s'en servir. 4
J. BAINVILLE, Hist. de France, VII, p. 128.

Par ext. Imposer le respect, la considération à (qqn).

♦ **2.** (1662). Plus. cour. Remplir (qqn) de trouble, de confusion. ⇒ **Effaroucher, gêner** (cit. 26), **impressionner, troubler.** *Examinateur qui intimide les candidats,* leur enlève toute assurance, leur fait perdre leurs moyens. ⇒ **Glacer, paralyser, terroriser** (par exagér.). *Il ne m'intimide plus à présent que je le connais* (→ Contre, cit. 15). *Jeunes filles qui intimident un garçon* (→ Approche, cit. 4). — Passif et p. p. *Être intimidé par qqn, devant qqn* (→ Gêner, cit. 35).

Je fus assez contente de la façon dont je m'étais tirée de cette première occasion, sans paraître embarrassée ni intimidée (...) 5
Mme DE STAËL, Mémoires, t. II, p. 124, *in* LITTRÉ, Dict., art. *Intimidé.*

Baudelaire, grand nerveux, était intimidé par les femmes, n'ayant eu affaire dès sa jeunesse qu'à des prostituées (...) Émile HENRIOT, Portraits de femmes, p. 389. 6

(Sujet n. de chose). *Cette entrevue l'intimide. Cette grande maison l'intimidait.*

▶ INTIMIDÉ, ÉE p. p. adj.

(Au sens 1). *« Les moins intimidés fuiraient de leurs maisons »* (→ Assurer, cit. 87, La Fontaine).

(Au sens 2). → ci-dessus, cit. 5. *Acteur intimidé devant le public. Laissez-le reprendre ses esprits, il est tout confus, tout intimidé. Elle a l'air intimidée.*

Un garçon de mon âge peut se sentir intimidé parce qu'il lui faut soudain trouver une contenance, même savoir dire quelques mots, au milieu de tant de gens brillants. Mais s'il aime ça, au fond, il est ravi. Sa timidité est un duvet de surface (...) J. ROMAINS, Une femme singulière, p. 8. 7

CONTR. **Encourager, enhardir, mettre** (à l'aise, en confiance), **rassurer.** — (Du p. p.) **Assuré, effronté.**

DÉR. **Intimidable, intimidant, intimidateur, intimidation.**

INTIMISME [ɛ̃timism] n. m. — Av. 1906, C. Mauclair; de *intimiste.*

♦ **1.** Littér., arts. École, manière intimiste (en peinture, en littérature). *L'intimisme des* Feuilles d'automne, *de Hugo.*

La recherche (...) d'un intimisme dans la peinture de chevalet (...) Ce critique *(M. Mauclair)* en proposant les deux termes nouveaux d'intimisme et de mythologie scientifique. Paul ADAM, Vue d'Amérique, p. 466.

♦ **2.** Rare. Goût pour la vie intérieure.

INTIMISTE [ɛ̃timist] n. et adj. — 1881, Huysmans, *l'Art moderne, in* D. D. L.; de *intime.*

♦ **1.** Arts. Peintre de scènes d'intérieur. — Adj. *Un peintre intimiste. Vuillard est, par la majeure partie de son œuvre, un peintre intimiste. — Peinture intimiste.*

1 Vermeer est un intimiste hollandais pour un sociologue, non pour un peintre.
MALRAUX, les Voix du silence, p. 473, *in* T. L. F.

♦ **2.** Littér. Poète, écrivain qui prend pour sujet des sentiments délicats, intimes.

2 Que de pages pourtant charmantes, où s'annonce déjà le lyrique rêveur et le tendre intimiste des *Voix intérieures* et des *Feuilles d'automne.*
Émile HENRIOT, les Romantiques, p. 34.

Adj. *Poète intimiste.* — Par ext. *Mouvement intimiste. Poésie intimiste.*

(Dans des domaines autres que la littérature et les arts plastiques traditionnels). *Un film intimiste.*

DÉR. **Intimisme.**

INTIMITÉ [ɛ̃timite] n. f. — 1684, Mme de Sévigné; de *intime.*

♦ **1.** Littér. Caractère intime, intérieur et profond; ce qui est intérieur et secret. *Dans l'intimité de la conscience.*

1 Je n'ai pu m'empêcher de vous dire tout ce détail dans l'intimité et l'amertume de mon cœur, que l'on soulage en causant avec une *bonne* dont la tendresse est sans exemple.
Mme DE SÉVIGNÉ, 941, 15 nov. 1684.

♦ **2.** Caractère étroit et profond (d'un lien). *L'intimité de leurs relations.* — (1740). Liaison, relations étroites et familières. ⇒ **Familiarité.** *Entrer dans l'intimité de qqn.* ⇒ **Accointer** (s'), **familiariser** (se), **lier** (se). *Intimité entre amis. L'intimité d'une personne et d'une autre, avec une autre; de deux personnes. Ce séjour devait renforcer, resserrer leur intimité.* ⇒ **Contact, liaison, union.** *Parfaite intimité. La plus grande intimité* (→ Gêne, cit. 10). *Intimité conjugale. Source d'intimité* (→ Communion, cit. 2). *Désir d'intimité* (→ Contact, cit. 8). *Intimité entre amants* (→ 2. Général, cit. 10). *L'intimité du lit, de l'alcôve* (→ Complicité, cit. 2). — (Avec *dans*). *Vivre dans l'intimité, dans la plus grande intimité avec qqn* (→ Commerce, cit. 14; épargner, cit. 11).

2 (...) et l'intimité de son fils et de lui, de M. le prince de Conti et d'Albergotti, portait presque toute sur des mœurs communes et des parties secrètes qu'ils faisaient ensemble avec des filles.
SAINT-SIMON, Mémoires, I, XV.

3 (...) elle *(cette salle à manger)* est une sorte d'initiation à l'intimité, et jamais il ne s'y rassemble que des gens qui ne voudraient plus être séparés.
ROUSSEAU, Julie ou la Nouvelle Héloïse, V, II.

4 Elle était si réellement aimable que plus l'intimité dans laquelle on vivait avec elle était grande, plus on y trouvait de nouveaux sujets de l'aimer.
ROUSSEAU, les Confessions, V.

5 Les familiarités charmantes de ces longues et douces soirées à la lueur de la lampe, à la tiède chaleur du brasier d'olives sous nos pieds, n'amenaient jamais entre nous d'autres pensées ni d'autres intimités que ces intimités d'enfants.
LAMARTINE, Graziella, IV, IV.

6 Un des traits les plus saillants de la Nouvelle due à Benjamin Constant, et l'une des explications de l'abandon d'Ellénore est ce défaut d'intimité journalière ou nocturne, si vous voulez, entre elle et Adolphe. Chacun des deux amants a son chez soi, l'un et l'autre ont obéi au monde, ils ont gardé des apparences.
BALZAC, la Muse du département, Pl., t. IV, p. 183.

7 Nous vivions donc — dit Ravila — dans une intimité qui avait parfois des orages, mais qui n'avait pas de déchirements, et cette intimité n'était, dans cette ville de province qu'on appelle Paris, un mystère pour personne (...)
BARBEY D'AUREVILLY, les Diaboliques, « Le plus bel amour de Don Juan ».

8 Il cherchait quelque sujet simple et sans danger, qui les eût tous deux acheminés vers plus d'intimité (...) MARTIN DU GARD, les Thibault, t. IV, p. 57.

8.1 Il n'y a de fusion complète avec personne, — ce sont des histoires qu'on raconte dans les romans — chacun sait que l'intimité la plus grande est traversée à tout instant par ces éclairs silencieux de froide lucidité, d'isolement (...)
N. SARRAUTE, le Planétarium, p. 77.

♦ **3.** *L'intimité d'une personne,* sa vie intime, privée. *S'introduire indiscrètement dans l'intimité de quelqu'un. Préserver son intimité des intrusions* (→ Délicatesse, cit. 20). — Spécialt. Relations sentimentales, érotiques intimes. « *Les intimités de son ménage* » (Maupassant).

9 (...) dans les propos il appuie volontiers les idées toutes faites, voire les pires plaisanteries sur le mariage, tout en se gardant d'y search la moindre atteinte à sa propre intimité, qu'il tient pour exceptionnelle, et qu'il veut secrète.
J. ROMAINS, Quand le navire..., p. 33.

Par anal. *La radio pénètre dans l'intimité des maisons.* ⇒ **Intérieur, sanctuaire** (→ Endoctrinement, cit.).

(1810). Absolt. **DANS L'INTIMITÉ** : dans le privé*; dans la vie privée de quelqu'un (notamment dans ses relations avec un intime). *Laisser-aller, familiarité qu'on se permet dans l'intimité* (→ Farceur, cit. 6). *Déshabillé porté dans l'intimité. — Le mariage aura lieu dans l'intimité, la plus stricte intimité,* les intimes étant seuls admis.

10 — Dans l'intimité, madame, toutes les femmes ont de l'esprit, reprit le chevalier.
BALZAC, la Vieille Fille, Pl., t. IV, p. 278.

Spécialt. Vieilli ou plais. *Les intimités* : les parties cachées du corps; les parties génitales.

♦ **4.** (1848, Michelet). Agrément, confort d'un endroit où l'on se sent tout à fait chez soi, isolé du monde extérieur. *L'intimité d'une maison, d'un nid* douillet. Charme silencieux d'intimité* (→ Endormement, cit. 1). *Cadre qui manque d'intimité.*

(...) la coquette apparence et l'intimité d'un petit appartement parisien, au troisième sur la cour. COLETTE, Belles Saisons, p. 15. 11

Pour beaucoup, dont les pavillonnaires, c'est l'*intimité* (imaginée et enjolivée comme soustraite au dehors, aux regards, au soleil, au voisinage et même au reste de la famille, par des clôtures, des rideaux, des tentures, avec beaucoup d'objets, dans la tranquillité, dans la discrétion, dans le silence, dans un coin où il ne se passe rien, dans la parfaite propriété d'un résidu d'espace et de temps). 12
Henri LEFEBVRE, la Vie quotidienne dans le monde moderne, p. 230.

Arts. Caractère de ce qui évoque l'existence familière, des scènes intérieures.

CONTR. **Public** (en public). — **Distance.**

INTIRABLE [ɛ̃tiʀabl] adj. — Fin XVIe, sens général; de 1. *in-, tirer,* et *-able.*

♦ Techn. Qu'on ne peut tirer, reproduire par tirage. *Cette épreuve est intirable.*

INTISY [ɛ̃tizi] n. m. — 1906; mot malgache.

♦ Bot. Espèce d'euphorbiacées de Madagascar *(Euphorbia intisy),* arbre dont la hauteur peut atteindre cinq à six mètres, et qui fournit du caoutchouc.

INTITULÉ [ɛ̃tityle] n. m. — 1694; p. p. de *intituler.*

♦ Didact. Titre (d'un livre, d'un chapitre...) — Dr. Formule en tête d'une loi, d'un acte, d'un jugement *L'intitulé d'une loi. — Intitulé d'inventaire* : procès-verbal dressé au début des opérations d'un inventaire de succession ou de communauté. *L'intitulé d'inventaire mentionne les noms, domicile et qualités des parties.*

Il se leva, prit un dossier qui se trouvait sous un serre-papier à portée de sa vue, et dit après en avoir lu l'intitulé : Voici les pièces. 1
BALZAC, l'Interdiction, Pl., t. III, p. 32.

On commence l'inventaire; le notaire dresse chez lui l'*intitulé.* Vous croyez qu'il n'y a qu'à mettre : « Inventaire de Monsieur un tel (...) » Pauvre ignorant! (...) 2
BALZAC, le Code des gens honnêtes, *in* Œ. diverses, t. I, p. 123.

INTITULER [ɛ̃tityle] v. tr. — V. 1393; *entituler,* v. 1265; bas lat. *intitulare,* de 2. *in-,* et du lat. class. *titulus* « titre, inscription ».

♦ **1.** Donner un titre à (qqch.). ⇒ **Titre.** *Intituler un conte* (→ Champi, cit. 1; gril, cit. 4).

Pron. *S'intituler* : avoir pour titre. *Ouvrage qui s'intitule « Histoire* (cit. 7) *administrative et militaire du Consulat et de l'Empire ».*

(1662). Dr. Mettre une formule au début de (une loi).

♦ **2.** ⇒ **Appeler, nommer** (→ Factum, cit. 2). « *De petits gredins (...) qu'on intitule des prétendus* » (Labiche, *in* T. L. F.). *Intituler un nouveau plat, un gâteau.*

▶ **S'INTITULER** v. pron. (Fin XVe).
Se donner le titre, le nom de... (qu'il soit réel, justifié ou qu'il soit usurpé). *S'intituler inventeur* (→ Figuline, cit.). *Il s'intitule pompeusement directeur.* — Par ext. (sens passif). *Une auberge qui s'intitule « Grand Hôtel ».*

Pour les Arcadiens, qui se croyaient plus anciens que la lune, il me semble qu'ils ressemblaient à ces rois d'Orient qui s'intitulaient *cousins du soleil.* 1
VOLTAIRE, Correspondance, 4166, 18 janv. 1775.

Où, dans quelle ville, ce bouge mémorable qui ose s'intituler Théâtre des Folies? 2
COLETTE, Belles Saisons, Mes cahiers, p. 161.

▶ **INTITULÉ, ÉE** p. p. adj. *Vers de Hugo intitulés « Châtiments ». Article, traité, livre, pièce, film... intitulé...* (→ Esprit, cit. 187; forceps, cit.). — *Manière dont un livre, un chapitre est intitulé.* ⇒ **Intitulé,** n. m.

INTOLÉRABLE [ɛ̃toleʀabl] adj. — Fin XIIIe; lat. *intolerabilis,* de *in-* (→ 1. In-), et *tolerabilis* (→ Tolérable), de *tolerare.*

♦ **1.** Qu'on ne peut tolérer, souffrir, supporter. ⇒ **Insupportable.** *Douleur, souffrance intolérable.* ⇒ **Aigu** (→ Hanter, cit. 12). *Supplice intolérable.* ⇒ **Atroce, horrible** (→ Infinité, cit. 2).

(Sens affaibli). Très pénible, très désagréable. *Une chaleur intolérable.* ⇒ **Accablant** (→ Four, cit. 8). *Bruit, grondement intolérable* (→ Bataille, cit. 12). *Bavardage* (cit. 1) *intolérable. Contrainte intolérable* (→ Engager, cit. 35). — *Être intolérable à qqn, pour qqn. La nécessité du choix lui est intolérable* (→ Élire, cit. 3). Impersonnellement. *Il lui est intolérable d'être jugé par autrui* (→ Embargo, cit. 4).

(...) ce n'est point la pauvreté qui est intolérable, c'est le mépris (...) 1
VOLTAIRE, l'Écossaise, I, 5.

La seule idée de cette infidélité m'est intolérable. 2
FRANCE, la Rôtisserie de la reine Pédauque, XVIII, Œ., t. VIII, p. 188.

L'existence serait intolérable si l'on ne rêvait jamais. 3
FRANCE, le Jardin d'Épicure, Œ., t. IX, p. 460.

(...) quand ma grand-mère n'avait pas de morphine, ses douleurs devenaient intolérables (...) PROUST, À la recherche du temps perdu, t. VII, p. 179. 4

4.1 Un jour, on ne souffre plus d'un chagrin qu'on avait senti inconsolable ou d'une souffrance qu'on croyait intolérable. PROUST, Jean Santeuil, p. 201.

(1546). Personnes. ⇒ **Désagréable, importun, odieux** (→ Intolérant, cit. 2). *Ce gosse est intolérable.* ⇒ **Insupportable.**

5 Comme il est naturel qu'on le déteste! C'est ainsi que dans chaque endroit où il a passé il s'est rendu intolérable par son impudence et son manque de douceur. MONTHERLANT, le Songe, I, IV.

Une attitude, un geste, un sourire intolérable.

♦ **2.** (1690). Qu'on ne peut admettre, permettre. ⇒ **Inadmissible.** *La peine de mort, pratique intolérable* (→ Attacher, cit. 40).

6 Votre Majesté n'a pas d'idée de la détestable inquisition qu'on exerce sur tous les ouvrages, et des mutilations intolérables qu'on fait essuyer à tous ceux qu'on croit capables de dire quelques vérités. D'ALEMBERT, Lettre au roi de Prusse, 9 avr. 1773.

Impers. *Il est intolérable de voir le bon droit ainsi bafoué. Il est intolérable que...* (et subj.). *C'est absolument intolérable.*

7 (...) s'il est, certes, intolérable qu'un seul homme tyrannise une masse — il est tout aussi intolérable que la masse écrase un seul homme. SAINT-EXUPÉRY, Pilote de guerre, XXVII.

CONTR. Agréable, amusant; acceptable, buvable, supportable, tolérable.
DÉR. Intolérablement.

INTOLÉRABLEMENT [ɛ̃tɔleʀabləmɑ̃] adv. — 1521; de *intolérable.*

♦ Littér. D'une façon intolérable. *Il est intolérablement vaniteux.*

CONTR. Agréablement.

INTOLÉRANCE [ɛ̃tɔleʀɑ̃s] n. f. — 1596; inusité au XVIIe; de 1. *in-*, et *tolérance.*

♦ **1.** Tendance à ne pas supporter, à condamner ce qui déplaît dans les opinions ou la conduite d'autrui. *L'intolérance à l'égard des idées, des opinions, des croyances d'autrui est le fait d'un esprit étroit*.* ⇒ **Étroitesse** (d'esprit), **intransigeance.**

1 Il y a (...) dans les choses de goût, ainsi que dans les choses religieuses, une espèce d'intolérance que je blâme (...) DIDEROT, Éloge de Richardson.

2 Encore qu'elle en montrât beaucoup elle-même *(de l'indulgence)* pour les fautes et les faiblesses des pauvres gens qu'elle secourait, elle s'armait d'une intolérance raidie à l'égard de ceux qui ne peuvent trouver excuse à leur dérèglement dans la misère. GIDE, Et nunc manet in te, p. 14.

♦ **2.** Vx (théol.). Disposition hostile à la tolérance (ecclésiastique ou civile). — (1763, Voltaire). Mod. Absence de tolérance (religieuse, politique); refus de la liberté d'opinions d'autrui. *Intolérance de...* (et compl. de cause). ⇒ **Fanatisme, sectarisme; antilibéralisme.** *Esprit d'intolérance* (→ Animer, cit. 23). *L'intolérance au temps de l'inquisition.* — Par ext. *Intolérance d'une religion, d'une philosophie* (→ 1. Élan, cit. 7). *L'intolérance stigmatisée par Voltaire.*

3 Il y a deux monstres qui désolent la terre en pleine paix : l'un est la calomnie, et l'autre l'intolérance; je les combattrai jusqu'à ma mort. VOLTAIRE, Mélanges littéraires, Réfutation d'un écrit anonyme.

4 Le mot *intolérance* s'entend communément de cette passion féroce qui porte à haïr et à persécuter ceux qui sont dans l'erreur. DIDEROT, Encycl., art. *Intolérance.*

5 (...) une guerre civile de religion, où l'intolérance la plus cruelle était au fond la même des deux côtés. ROUSSEAU, les Confessions, IX.

6 (...) ce fâcheux esprit qui a toujours rendu la liberté impossible en France, esprit d'intolérance et d'exclusion, qui fait que l'on ne se contente jamais de la liberté pour soi, si l'on n'opprime en même temps celle des autres (...) RENAN, Questions contemporaines, Œ. compl., t. I, p. 156.

7 Je goûte assez l'intolérance des jeunes. C'est bon signe qu'un adolescent soit en révolte, par nature, contre tout. MARTIN DU GARD, les Thibault, t. III, p. 281.

♦ **3.** (1855). Réaction anormalement forte de l'organisme à un médicament, à un agent physique ou chimique. *Intolérance d'un malade à certains antibiotiques. Intolérance innée* (⇒ **Idiosyncrasie**), *acquise* (⇒ **Sensibilisation; allergie, anaphylaxie**). *L'urticaire, l'ictère, phénomènes d'intolérance.*

CONTR. Tolérance. — Compréhension, indulgence. — Accoutumance, immunité.

INTOLÉRANT, ANTE [ɛ̃tɔleʀɑ̃, ɑ̃t] adj. — 1612; de 1. *in-*, et *tolérant.*

♦ **1.** Qui manque d'indulgence, de compréhension. ⇒ **Étroit, intransigeant, sectaire** (→ Frondeur, cit. 10). *Être intolérant à qqch.*

1 Mon père, par exemple, ne pouvait souffrir la laideur. Le spectacle du ridicule, chez les autres, le trouvait intolérant. G. DUHAMEL, Chronique des Pasquier, I, IX.

♦ **2.** Qui fait preuve d'intolérance, ne tolère pas d'autre opinion, d'autre croyance que la sienne; qui manifeste de l'intolérance. ⇒ **Fanatique,** et aussi **antilibéral.** *Souverains intolérants qui fomentèrent des persécutions.* — Par ext. *Religion, philosophie intolérante* (→ Christianisme, cit. 3).

2 Si vous voulez qu'on tolère ici votre doctrine, commencez par n'être ni intolérants, ni intolérables. VOLTAIRE, Politique et Législation, Traité sur la tolérance, XIX.

3 Je crois qu'une doctrine puissante et jeune est, par nature, intolérante : une conviction qui commence par admettre la légitimité d'une conviction adverse se condamne à n'être pas agissante : elle est sans force, sans efficacité. MARTIN DU GARD, Jean Barois, II, Le semeur, III.

N. Personne intolérante. *Les intolérants.*

(...) je dis la messe tous les jours en latin pour douze sous, et vous n'y assistez pas plus que Cicéron, Caton, Pompée, César, Horace et Virgile n'y ont assisté : par conséquent vous méritez qu'on vous coupe le poing, qu'on vous arrache la langue, qu'on vous mette à la torture, et qu'on vous brûle à petit feu; car Dieu est miséricordieux. Ce sont là, sans en rien retrancher, les maximes des intolérants... Avouons qu'il y a plaisir à vivre avec ces gens-là. VOLTAIRE, Dict. philosophique, Intolérance.

L'intolérant ou le persécuteur, est celui qui oublie qu'un homme est son semblable, et qui le traite comme une bête cruelle, parce qu'il a une opinion différente de la sienne. Encycl. (DIDEROT), art. *Intolérant.*

Qui manifeste l'intolérance. *Attitude intolérante. Parler d'une voix intolérante.*

♦ **3.** Mod. a (Personnes; organismes, organes). Qui ne supporte pas (certaines substances).

b (Choses). Incompatible.

CONTR. Tolérant. — Compréhensif, large (d'esprit).
DÉR. Intolérantisme.

INTOLÉRANTISME [ɛ̃tɔleʀɑ̃tism] n. m. — 1752; de *intolérant.*

♦ Rare. Intolérance érigée en doctrine, en système. Attitude des intolérants.

INTONATIF, IVE [ɛ̃tɔnatif, iv] adj. — D. i. (XXe); dér. de *intonation.*

♦ Didact. Relatif à l'intonation.

INTONATION [ɛ̃tɔnɑsjɔ̃] n. f. — 1372, «mise dans le ton» (terme de plain-chant); dér. sav. du lat. médiéval *intonnare* «faire retentir», de *entonner,* lat. class. *intonare,* de *tonus.*

♦ **1.** (1552, Rabelais). Mus. Action ou manière d'attaquer, d'émettre avec la voix un son musical (→ Hauteur, cit. 20). *Intonation fausse, juste* (→ Dépecer, cit. 4; harmonie, cit. 15). *Intonations criardes* (cit. 2) *d'un récitatif.*

Il le fit se mettre tout droit, la poitrine en avant, la bouche grande ouverte, et pour l'instruire par l'exemple, poussa des intonations d'une voix fausse; celle de Victor lui sortait du larynx péniblement tant il le contractait — quand un soupir commençait la mesure, il partait tout de suite, ou trop tard. FLAUBERT, Bouvard et Pécuchet, Folio, p. 395. 0.

La déclamation de Lulli est une mélopée si parfaite, que je déclame tout son récitatif en suivant ses notes, et en adoucissant seulement les intonations (...) VOLTAIRE, Correspondance, 3240, 18 déc. 1767.

Ce chant n'est, à vrai dire, qu'une sorte de récitatif interrompu et repris à volonté. Sa forme irrégulière et ses intonations fausses selon les règles de l'art musical le rendent intraduisible. G. SAND, la Mare au diable, I.

Liturgie. *L'intonation d'un cantique, d'un psaume grégorien,* leur ton propre indiqué par le prêtre dans une introduction récitée ou chantée.

♦ **2.** (V. 1770). Ton que qqn prend en parlant, en lisant; ensemble des caractères phonétiques de hauteur d'un énoncé. ⇒ **Accent, inflexion.** *L'intonation de qqn, son intonation. Influence des émotions sur l'intonation* (→ Énonciation, cit. 1). *Sens et intonation.*

M. Pitt, grand et maigre, avait un air triste et moqueur. Sa parole était froide, son intonation monotone, son geste insensible (...) CHATEAUBRIAND, Mémoires d'outre-tombe, t. II, p. 160.

Voix de charmeuse; accent délicieusement hautain; l'intonation de la caresse tempérant l'habitude du commandement. HUGO, l'Homme qui rit, II, VII, IV.

Si quelqu'un disait le mot culture elle l'arrêtait, souriait, allumait son beau regard, et lançait : «la KKKKultur», ce qui faisait rire ses amis qui croyaient retrouver là l'esprit des Guermantes. Et certes, c'était le même moule, la même intonation, le même sourire qui aurait ravi Bergotte, lequel, du reste, avait aussi gardé ses mêmes coupes de phrase, ses interjections, ses points suspensifs, ses épithètes, mais pour ne rien dire. PROUST, le Temps retrouvé, Pl., t. III, p. 1005. 4.

Vous n'avez pas mangé, dit-elle. Et une fugitive nuance, comme de pitié, ou de crainte, ou d'étonnement, passe cette fois dans sa phrase. 4.
Mais, sitôt la phrase achevée, et le silence revenu, il devient impossible de retrouver l'intonation qui paraissait à l'instant avoir un sens — crainte, ennui, doute, sollicitude, intérêt quelconque — et seule demeure la constatation : «Vous n'avez pas mangé», prononcée d'une voix neutre. L'homme répète son geste évasif. A. ROBBE-GRILLET, Dans le labyrinthe, p. 64.

Absolt. Variation de hauteur dans la production d'un énoncé. *Voix neutre, sans intonation.*

Ce n'est pas une question. La voix est redevenue neutre, basse, privée d'intonation, méfiante peut-être. Le soldat fait un geste vague de sa main libre; un demi-sourire tire un coin de sa bouche. A. ROBBE-GRILLET, Dans le labyrinthe, p. 62. 4.

(Une, des intonations). Chaque élément intonatif de l'énoncé. *Intonations traînantes ou gouailleuses* (→ Élever, cit. 75). *Une voix aux intonations canailles* (cit. 14), *gaies, tendres* (→ Colorer, cit. 13).

Elles s'essayaient avec tant d'adresse à trouver les mêmes intonations, à dire les mêmes phrases avec les mêmes accents, que souvent il ne devinait pas. elles étaient parvenues, en vérité, à prononcer si pareillement, que les domestiques répondaient «Oui, madame», à la jeune fille et «Oui, mademoiselle» à la mère. MAUPASSANT, Fort comme la mort, éd. 1889, p. 152. 4.

(...) les mots eux aussi ont des possibilités de se projeter dans l'espace, que l'on appelle les *intonations.* Et il y aurait d'ailleurs beaucoup à dire sur la valeur con- 4.

crète de l'intonation au théâtre, sur cette faculté qu'ont les mots de créer eux aussi une musique suivant la façon dont ils sont prononcés.
A. ARTAUD, le Théâtre et son Double, Idées/Gallimard, p. 54.

5 Le débit n'était aucunement maniéré. Pas d'intonations prétentieuses, de menues pâmoisons de la voix, de façons de parler entre les dents ou en ravalant son souffle. J. ROMAINS, les Hommes de bonne volonté, t. III, VII, p. 108.

♦ **3.** Ling. [a] « Place obligatoirement attribuée dans certaines langues au ton ou accent de hauteur » (Marouzeau). Vx. *Langue à intonations,* à tons*.

[b] Distribution des accents dans l'énoncé (en toute langue). *L'intonation dépend des variations de timbre*, d'intensité* et de durée*, qui constituent la mélodie d'une phrase, alors que l'accentuation* ne concerne que les mêmes variations en un point précis de la chaîne parlée.* ⇒ **Prosodie, suprasegmental** (trait).

6 Notre langue est d'intonation trop égale pour permettre une prosodie basée sur les accents, et nous sommes d'abord gênés, nous Français, par les prosodies étrangères, dès qu'elles comptent, non plus par syllabes mais par pieds.
GIDE, Attendu que..., XV.

DÉR. Intonatif, intoné.

INTONÉ, ÉE [ɛ̃tone] adj. — XXe (Vendryes, *in* G. L. L. F.); dér. de *intonation.*

♦ Didact., phonét. Pourvu d'une intonation. — (Qualifié). Qui a telle intonation (qu'indique le qualificatif, l'adverbe, etc.). *Période intonée avec un mouvement ascendant.*

INTORSION [ɛ̃tɔʀsjɔ̃] n. f. — 1839, Boiste; de 2. *in-,* et *torsion.*

♦ **1.** Bot. Enroulement* de dehors en dedans. ⇒ **Involution.** *L'intorsion d'une feuille.*

♦ **2.** Physiol. Rotation du globe oculaire vers l'intérieur (du côté nasal).

CONTR. Extorsion.

INTOUCHABILITÉ [ɛ̃tuʃabilite] n. f. — 1930, *in* D. D. L.; de *intouchable.*

♦ Littér. Caractère de ce qui est intouchable.
Spécialt. Fait d'être un intouchable (3., b).

Gandhi, résolu à détruire l'intouchabilité, l'avait-il été à détruire les castes? Sa lutte contre l'intouchabilité avait suffi pour qu'il fût assassiné, non par un communiste, mais par un de ces traditionalistes qui exposaient chez eux la photo du meurtrier (...) MALRAUX, Antimémoires, Folio, p. 205.

INTOUCHABLE [ɛ̃tuʃabl] adj. — 1560; de 1. *in-, toucher,* et *-able.*

♦ **1.** Vx. Qu'on ne peut pas toucher*. ⇒ **Intangible.**

1 De Dieu vient l'âme, et comme il est parfait,
L'âme est parfaite, intouchable, immortelle,
Comme venant d'une essence éternelle (...)
RONSARD, Premier Livre des Poèmes, « Le chat ».

Qu'on ne doit pas toucher. — Spécialt. ⇒ **Inapprochable.**

2 (...) la virginité des filles lui était sacrée; et en un sens, il considérait toute femme honnête comme une manière de vierge, donc intouchable.
Roger IKOR, les Fils d'Avrom, Les eaux mêlées, p. 440.

♦ **2.** (XXe; 1932, *in* T. L. F.). Mod., fig. Qui ne peut être l'objet d'aucun blâme, d'aucune critique, d'aucune sanction. *Personnage intouchable.* ⇒ **Sacro-saint** (fam.). *Une œuvre intouchable.*

♦ **3.** N. *Un, une intouchable.* [a] Personne que l'on ne peut toucher (concret ou abstrait). — REM. Cet emploi est plus rare que celui de l'adjectif.

[b] (XXe). Spécialt. Personne hors-caste, considérée comme impure, dans l'ancien système social hiérarchique des Indes. ⇒ **Hors-caste, paria** (cit. 1).

3 Il y a peu de temps encore un intouchable qui allait traverser une route devait agiter une sonnette et crier bien haut : « Attention, Brahmes des environs, un salaud, un misérable intouchable, va passer. Attention, le rebut va passer. »
Henri MICHAUX, Un barbare en Asie, p. 75 (1932).

DÉR. Intouchabilité.

INTOUCHÉ, ÉE [ɛ̃tuʃe] adj. — XVIe; de 1. *in-,* et *touché.*

♦ Littér. À quoi l'on n'a pas touché. *« Les plus grandes précautions ont été prises pour que l'essentiel du matériel reste intact et intouché dans l'espoir que des techniques analytiques plus raffinées lui feront dire davantage. »* (*la Recherche,* oct. 1981, p. 1149).
Figuré :

Probablement parce qu'elle ne voulait pas qu'il y eût un homme. L'image de mon père, son action, son souvenir, sa légende devaient rester intouchés.
F. GIROUD, Si je mens, p. 16.

CONTR. Touché.

INTOXE ou INTOX [ɛ̃tɔks] n. f. — 1966, *in* D. D. L.; abrév. de *intoxication.*

♦ Intoxication (2.). *Faire de l'intoxe. « Ils multiplient les sondages bidons et organisent l'intox »* (*le Point,* 13 avr. 1981, p. 55). *« L'intox, c'est l'acharnement de certains producteurs et distributeurs* (de films) *à vouloir influencer le jeu cannois* (au Festival de Cannes) » (*l'Express,* 28 mai 1973, p. 100).

INTOXICANT, ANTE [ɛ̃tɔksikɑ̃, ɑ̃t] adj. — 1845; p. prés. de *intoxiquer.*

♦ Méd. Qui intoxique, qui cause une intoxication. *Les vapeurs de pétrole sont intoxicantes.* ⇒ **Délétère.**

CONTR. Inoffensif.

INTOXICATION [ɛ̃tɔksikasjɔ̃] n. f. — 1408, « poison »; 1837, sens mod.; lat. médiéval *intoxicatio,* de *intoxicatum,* supin de *intoxicare.* → Intoxiquer.

♦ **1.** Action nocive qu'exerce une substance toxique (poison) sur l'organisme; ensemble des troubles qui en résultent. ⇒ **Empoisonnement.** *Intoxications endogènes** (auto-intoxication), *par l'urée* (⇒ **Urémie**), *par des poisons* microbiens* (⇒ **Septicémie**; → Fièvre, cit. 5). *Légère intoxication intestinale. — Intoxications exogènes : intoxication alimentaire* (⇒ **Botulisme, lathyrisme, maïdisme, urticaire**; → Anaphylaxie, cit. 1). *Intoxication accidentelle par le gaz, l'oxyde de carbone.* ⇒ **Asphyxie.** *Intoxication médicamenteuse par les sels de bismuth* (⇒ **Bismuthisme**), *par le bore* (⇒ **Borisme**), *par le bromure de potassium* (⇒ **Bromisme**), *par l'iode* (⇒ **Iodisme**). *Intoxications industrielles et professionnelles par l'aniline* (⇒ **Anilisme**), *le mercure* (⇒ **Hydrargyrisme**), *le phosphore* (⇒ **Phosphorisme**), *le plomb* (⇒ **Saturnisme**), *les sels d'argent* (⇒ **Argyrisme**), *la vanille* (⇒ **Vanillisme**). *Intoxication aiguë, chronique, foudroyante, lente* (→ Accélérer, cit. 6). *Intoxications progressives* (⇒ **Toxicomanie**), *par l'alcool* (⇒ **Alcoolisme, éthylisme**), *la morphine* (⇒ **Morphinisme**), *le tabac* (⇒ **Nicotinisme, tabagisme**), *les alcaloïdes* (⇒ **Alcaloïdisme**).

Étant donné depuis dix mois le processus de l'intoxication, ses ravages ininterrompus, je n'ai plus aucune chance, — rigoureusement : *aucune* — de jamais guérir. MARTIN DU GARD, les Thibault, t. IX, p. 145. 1

Il est difficile de fixer le seuil de l'intoxication chronique par le tabac, de dire à partir de quelle dose son usage devient habituel et nocif. C'est affaire de tempérament et de tolérance individuels; cela dépend aussi des conditions dans lesquelles le sujet s'intoxique ordinairement (...) A. POROT, les Toxicomanies, p. 105. 2

♦ **2.** (1883, P. Bourget, *in* T. L. F.; emploi plutôt métaphorique; répandu v. 1960). Fig. Action insidieuse sur les esprits, tendant à accréditer certaines opinions, à démoraliser, à dérouter. ⇒ **Matraquage.** *L'intoxication par l'action psychologique. « Une campagne orchestrée d'intoxication »* (*le Monde,* 12 juil. 1967). *L'intoxication de la propagande, de la publicité. L'intoxication des masses. Intoxication et désinformation*.* — Abrév. fam. ⇒ **Intoxe.**

L'empoisonnement par l'argent. Par l'argent hérité, surtout. L'argent qu'on n'a pas gagné (...) Sans la guerre, j'étais foutu. Je ne me serais jamais purgé de cette intoxication. J'en étais arrivé à croire que tout s'achète. 3
MARTIN DU GARD, les Thibault, t. IX, p. 18.

Il nous a fait une conférence sur la guerre révolutionnaire (...) J'ai dormi. Cependant, j'ai retenu un point intéressant (à supposer que ce soit vrai : avec toute cette intoxication!). Les rebelles de l'intérieur (...) seraient prêts à s'entendre avec nous sur le dos des gens de Tunis. Jean LARTÉGUY, les Prétoriens, p. 687. 4

CONTR. Désintoxication.
COMP. Auto-intoxication.

INTOXINATION [ɛ̃tɔksinasjɔ̃] n. f. — 1962; de *toxine,* d'après *intoxication.*

♦ Didact. (biol.). État d'un organisme modifié par les toxines.

INTOXIQUER [ɛ̃tɔksike] v. tr. — 1484, « empoisonner »; *entosiquier,* 1450; « empoisonner moralement », 1521; rare av. 1823 (sens 1); lat. *intoxicare,* de 2. *in-,* et *toxicum.* → Toxique.

♦ **1.** Affecter (un être vivant) de troubles plus ou moins graves, par l'effet de substances toxiques, vénéneuses. ⇒ **Empoisonner.** *Il a mangé des conserves avariées qui l'ont intoxiqué.*

♦ **2.** (1903). Fig. ⇒ **Empoisonner.** *Intoxiquer son esprit.*

♦ **3.** (1962). Influencer par la propagande, les méthodes d'intoxication.

Tschombé, qui n'ignorait qu'à demi les trahisons de son entourage, croyait en tirer parti en intoxiquant ses adversaires. Paul RIBEAUD, le Paria, p. 219. 0.1

▶ **S'INTOXIQUER** v. pron. *S'intoxiquer à l'oxyde de carbone, par l'oxyde de carbone, par la drogue. S'intoxiquer en fumant trop* (→ Intoxication, cit. 2).

Mais elle avait tort de tant fumer : elle s'intoxiquait! 1
F. MAURIAC, Thérèse Desqueyroux, p. 72.

Fig. *S'intoxiquer :* intoxiquer (2.) son esprit. *S'intoxiquer de littérature, de géométrie.*

▶ **INTOXIQUÉ, ÉE** p. p. adj. (1497, « empoisonné »).

♦ **1.** Qui est sous l'effet d'un produit toxique. *Être intoxiqué par l'oxyde de carbone. Intoxiqué par la drogue* (cit. 6). *Mourir intoxiqué par un gaz délétère**.

Spécialt. Qui est accoutumé à une drogue. *Fumeur d'opium, de haschisch intoxiqué.* — N. *Un intoxiqué. Soigner les intoxiqués.*

2 Dès le retour, l'agitation de New York leur manqua tout à coup, comme sa drogue à un intoxiqué. A. MAUROIS, la Terre promise, XLII.

♦ **2.** Fig. Qui subit l'influence d'une idéologie, d'une propagande, sans réaction critique. *Ils sont intoxiqués de cinéma, par le cinéma. Un public intoxiqué (par la propagande).*

3 (...) des jeunes femmes intoxiquées de littérature, qui ont l'air de considérer que le plaisir est un droit de la femme. A. MAUROIS, la Terre promise, XXVIII.

N. *Les intoxiqués de télévision, de publicité.*

DÉR. Intoxiquant. — (Du lat. *intoxicare*) V. **Intoxication.**

INTRA- Préfixe savant (lat. *intra,* « à l'intérieur de ») qui entre dans la composition de nombreux termes d'anatomie (→ Intracardiaque, intracrânien, intradermique, intrarachidien...), de physique (→ Intramoléculaire...), etc.

REM. Ce préfixe, outre les termes didactiques traités à l'ordre alphabétique, sert à former des adjectifs tels que ; *intra-communautaire* [ɛ̃tʀakɔmynotɛʀ] : intérieur à la communauté européenne. *« Le commerce intra-communautaire a manifesté une expansion plus vive encore »* (France-Europe, nº 16, p. 46) ; *intragalactique* (Jean Colin et Yvon Houdas, *la Physiologie du cosmonaute,* p. 16).

La plupart des composés concernent la médecine et la physiologie, la biologie, la zoologie : cf. ci-dessous et *Intra-alvéolaire, -cervical, -lobulaire, -osseux.* Cf. aussi *intracorporel, elle, els* [ɛ̃tʀakɔʀpɔʀɛl] *(un stimulateur cardiaque intracorporel,* Sciences et Avenir, nº spécial 22, p. 73) ; *intracortical, ale, aux* [ɛ̃tʀakɔʀtikal, o] « situé dans le cortex cérébral » ; *intracostal, ale, aux* [ɛ̃tʀakɔstal, o] *(Année sc. et industr. 1876,* p. 286) ; *intra-épithélial, ale, aux* [ɛ̃tʀaepiteljal, o] ; *intra-individuel, elle, els* [ɛ̃tʀaɛ̃dividɥɛl] « qui concerne un individu, est propre à un individu » — opposé à *inter-individuel* (Vuillemin, 1949, *in* T. L. F.) ; *intralabial, ale, aux* [ɛ̃tʀalabjal, o] zool. animale, « qui est situé entre les lèvres » *(la Recherche,* avril 1981, p. 409) ; *intramembranaire* [ɛ̃tʀamɑ̃bʀanɛʀ], biol., « qui concerne la face interne de la membrane cellulaire » *(la Recherche,* avr. 1978, p. 338) ; *intraprotoplasmique* [ɛ̃tʀapʀɔtoplasmik] « qui concerne l'intérieur du protoplasme » *(Année biol.,* 1899, p. 332).

D'autres, plus rares, relèvent des sciences de la terre (géographie, géomorphologie) : *intraglaciaire* [ɛ̃tʀaglasjɛʀ], *intramontagnard, arde* [ɛ̃tʀamɔ̃taɲaʀ, aʀd], ou du domaine des humanités (philosophie, notamment) : *intrasubjectif, ive* [ɛ̃tʀasybʒɛktif, iv] « intérieur au sujet » ; *intratemporel, elle, els* [ɛ̃tʀatɑ̃pɔʀɛl] « intérieur au temps, au vécu temporel ».

On trouve aussi quelques noms : *intrapsychologie* [ɛ̃tʀapsikɔlɔʒi] n. f. — opposé à *interpsychologie ; intrastructure* [ɛ̃tʀastʀyktyʀ] n. f. (1943, Sartre).

INTRA-ARTÉRIEL, IELLE [ɛ̃tʀaaʀteʀjɛl] adj. — 1877 ; de *intra-,* et *artériel.*

♦ Didact. Qui se fait, qui a lieu à l'intérieur d'une artère. *Des piqûres intra-artérielles.* — Qui concerne l'intérieur des artères. *La pression intra-artérielle.*

INTRA-ARTICULAIRE [ɛ̃tʀaaʀtikylɛʀ] adj. — 1851 ; de *intra-,* et *articulaire.*

♦ Didact. Qui est, qui a lieu ou qui se fait à l'intérieur d'une articulation. *Douleurs intra-articulaires. Opération intra-articulaire.*

INTRA-ATOMIQUE [ɛ̃tʀaatɔmik] adj. — 1903, *Année sc. et industr.* (1904), p. 84 ; p.-ê. 1900 (→ cit.) ; de *intra-,* et *atomique.*

♦ Sc. Qui est ou se passe à l'intérieur de l'atome. *Énergie intra-atomique* (→ Force, cit. 61). *Forces intra-atomiques.* — *Physique intra-atomique.*

Dès 1900, Gustave Le Bon a été amené à cette conception, alors véritablement révolutionnaire, que tous les atomes renferment de l'*énergie intra-atomique.*
A. BOUTARIC, la Vie des atomes, p. 6.

INTRACARDIAQUE [ɛ̃tʀakaʀdjak] adj. — 1861 ; de *intra-,* et *cardiaque.*

♦ Didact. Qui concerne l'intérieur du cœur, a son siège à l'intérieur du cœur. *Pression intracardiaque. Maladie, affection intracardiaque.*

1 (...) toutes les cardiopathies congénitales intracardiaques exigent l'ouverture du cœur pour être convenablement réparées.
Claude D'ALLAINES, Chirurgie du cœur, p. 39.

Qui se fait dans le muscle cardiaque. *Piqûre intracardiaque,* et, n. f., *une intracardiaque.*

2 « Quand lui a-t-on fait le dernier sérum ? (...)
— À six heures, professeur, dit l'infirmière.
— Bon, on va lui en refaire un. Et puis, préparez-moi tout pour une intracardiaque. On va en avoir besoin d'une minute à l'autre. »
M. DRUON, les Grandes Familles, IV, XI, p. 234.

INTRACELLULAIRE [ɛ̃tʀaselylɛʀ] adj. — 1897, *Année biol.* ; de *intra-,* et *cellule.*

♦ Biol. Qui est, se produit à l'intérieur d'une cellule. *Organites intracellulaires. Milieu intracellulaire et milieu extracellulaire. Membranes intracellulaires.*

Qu'au sein de chaque cellule un réseau cybernétique presque aussi complexe (sinon plus encore) assure la cohérence fonctionnelle de la machinerie chimique intracellulaire, c'est là ce qu'ont révélé des recherches qui datent, pour la plupart, des vingt sinon des cinq ou dix dernières années.
Jacques MONOD, le Hasard et la Nécessité, p. 88.

INTRACÉRÉBRAL, ALE, AUX [ɛ̃tʀaseʀebʀal, o] adj. — 1899, *Année sc. et industr.,* p. 174 (1898) ; de *intra-,* et *cérébral.*

♦ Didact. Qui concerne l'intérieur du cerveau ; qui est, se passe à l'intérieur du cerveau. *« Les réseaux neuroniques intracérébraux » (la Recherche,* mai 1981, p. 564).

Le fonctionnement cérébral se schématise en un acte réflexe, réponse motrice à un message sensitif. Seuls points particuliers à noter : l'immense possibilité qu'apporte le conditionnement des réflexes grâce au plus grand nombre d'aiguillages possibles, un plus grand pouvoir de freinage suspendant les réponses motrices (maîtrise de soi) ou au contraire d'excitation donnant naissance à des réponses en apparence spontanées, aiguillage volontaire d'influx intracérébraux.
Paul CHAUCHARD, le Système nerveux et ses Inconnues, p. 123.

INTRACRÂNIEN, IENNE [ɛ̃tʀakʀanjɛ̃, jɛn] adj. — 1828 ; de *intra-,* et *crânien.*

♦ Didact. Relatif à l'intérieur de la boîte crânienne ; qui est, se produit à l'intérieur de la boîte crânienne. *Épanchement intracrânien. « Les médecins (...) considèrent qu'il s'agit d'une technique qui pourra être utilisée avec succès dans les cas d'anomalies intracrâniennes » (Sciences et Avenir,* juin 1981, p. 17).

INTRACUTANÉ, ÉE [ɛ̃tʀakytane] adj. — Mil. XXe ; de *intra-,* et *cutané.*

♦ Didact. Qui est localisé, qui se produit dans la peau. *Injection intracutanée.*

INTRADERMIQUE [ɛ̃tʀadɛʀmik] adj. — 1857 ; de *intra-, derme,* et suff. *-ique* ou de *dermique.*

♦ Méd. Qui est situé, se fait dans l'épaisseur du derme. *Injection intradermique,* — N. f. *Une intradermique :* une injection intradermique. ⇒ aussi **Intradermoréaction.**

COMP. Intradermoréaction.

INTRADERMORÉACTION [ɛ̃tʀadɛʀmoʀeaksjɔ̃] n. f. — 1908, in *Rev. gén. des sc.,* nº 17, p. 720 ; de *intradermique,* et *réaction.*

♦ Méd. Injection intradermique d'une substance (toxine, antigène particulier) et étude des réactions de l'organisme, pour déterminer le degré de sensibilité de l'organisme à l'égard de certaines réactions.

Cette modification humorale *(allergie tuberculinique)* est un moyen sûr de mettre en évidence le contact avec le bacille tuberculeux (cutiréaction et intradermo-réaction).
A. GALLI et R. LELUC, les Thérapeutiques modernes, p. 115.

Abrév. : *une intradermo* [ɛ̃tʀadɛʀmo].

INTRADISCIPLINAIRE [ɛ̃tʀadisiplinɛʀ] adj. — 1970, Piaget ; de *intra-,* et *disciplinaire,* d'après *interdisciplinaire.*

♦ Didact. Qui concerne les relations à l'intérieur d'une discipline, d'un domaine scientifique.

(...) une intégration plus complète que celles dont témoignent les coordinations intra- ou interdisciplinaires spontanées et qu'elles y parviennent en partie mais en s'opposant à nouveau précisément par esprit d'école à d'autres intégrations possibles et qui eussent été parfois plus naturelles et en tout cas plus larges.
J. PIAGET, Épistémologie des sciences de l'homme, p. 122.

CONTR. Interdisciplinaire.

INTRADOS [ɛ̃tʀado] n. m. — 1676, Félibien ; de *intra-,* et *dos.*

♦ **1.** Archit. Partie intérieure et concave* (d'un arc*, d'une arcade*, d'une voûte*...).

♦ **2.** [a] (XXe ; *in* Larousse, 1931). Surface inférieure (d'une aile d'avion).

b Face (d'une voile) qui reçoit le vent.

CONTR. **Extrados.**

INTRADUISIBLE [ɛ̃tʀadɥizibl] adj. — 1687 ; de 1. *in-*, et *traduisible.*

♦ **1.** Qu'il est impossible de traduire*. *Mots anglais, italiens intraduisibles* (→ Brio, cit. 2 ; fondu, cit. 1 ; humour, cit. 4). *Locution, idiotisme intraduisible. Jargon, patois intraduisible* (→ Ébouriffant, cit.). — *Auteur, poète réputé intraduisible.*

Un auteur est *intraduisible*, lorsqu'il y a peu de termes dans la langue du traducteur qui rendent ou la même idée, ou précisément la même collection d'idées qu'ils ont dans la langue de l'auteur. Encycl. (DIDEROT), art. *Intraduisible.*

♦ **2.** (Av. 1850, Balzac). Fig. Qu'il est impossible ou très difficile d'interpréter, de rendre. *Regard intraduisible et impénétrable* (cit. 23).

Kadidja me reconnut. Elle poussa un intraduisible *Ah !* avec une intonation aiguë de négresse ou de macaque, et un ricanement de moquerie. LOTI, Aziyadé, V, II.

N. m. *L'intraduisible.*

CONTR. **Traduisible.**

INTRADURAL, ALE, AUX [ɛ̃tʀadyʀal, o] adj. — Mil. XXe ; de *intra-*, et *dural.*

♦ Méd. Localisé à l'intérieur de la dure-mère.

INTRAÉPITHÉLIAL, ALE, AUX [ɛ̃tʀaepiteljal, o] adj. — XXe (*in* Larousse, 1931) ; de *intra-*, et *épithélial.*

♦ Didact. Qui est à l'intérieur d'un épithélium.

INTRAFAMILIAL, ALE, AUX [ɛ̃tʀafamiljal, o] adj. — Mil. XXe ; de *intra-*, et *familial.*

♦ Didact. Qui a lieu à l'intérieur de la famille. « *Les relations intrafamiliales sont primordiales* » (F. Cloutier, *la Santé mentale*, p. 37).

INTRAGLACIAIRE [ɛ̃tʀaglasjɛʀ] adj. — XXe ; de *intra-*, et *glaciaire.*

♦ Didact. Qui se trouve dans la masse d'un glacier. *Moraine intraglaciaire.*

INTRAHÉPATIQUE [ɛ̃tʀaepatik] adj. — 1873 ; de *intra-*, et *hépatique.*

♦ Didact. Situé à l'intérieur du foie. *Kyste intrahépatique.*

INTRAIT [ɛ̃tʀɛ] n. m. — V. 1920 ; de *extrait*, et 2. *in-* « dans ».

♦ Pharm. Extrait* sec de plantes fraîches stérilisées par des vapeurs d'alcool entre 80° et 105°. *Intrait de digitale, de mauve, de colchique, de marron d'Inde.*

INTRAITABLE [ɛ̃tʀɛtabl] adj. — 1537 ; *intractable*, mil. XVe ; de 1. *in-*, et *traitable*, d'après le lat. *intractabilis.*

♦ **1.** Vieilli ou littér. Avec qui l'on ne peut traiter*, ni s'accorder, en raison de son humeur difficile, de son entêtement, de son obstination... *Homme intraitable. — Caractère, humeur intraitable.* ⇒ **Acariâtre, désagréable, difficile, dur, entêté, entier, farouche, fier, revêche** (→ Raide comme une barre* de fer ; et aussi contredire, cit. 4). Vx. *Un garnement intraitable.* ⇒ **Désobéissant, indomptable.**

Tels se laissent gouverner jusqu'à un certain point, qui au delà sont intraitables et ne se gouvernent plus : on perd tout à coup la route de leur cœur et de leur esprit ; ni hauteur ni souplesse, ni force ni industrie ne les peuvent dompter : avec cette différence que quelques-uns sont ainsi faits par raison et avec fondement, et quelques autres par tempérament et par humeur. LA BRUYÈRE, les Caractères, IV, 71.

♦ **2.** (1647, Boileau). Cour. Qui se refuse à tout compromis sur un point déterminé. *Hidalgo* (cit.) *intraitable sur le point d'honneur.* ⇒ **Intransigeant.** *Je serai intraitable là-dessus. Se montrer intraitable, absolument intraitable sur un point, dans un domaine, à propos de qqch.* — Absolt. *Un adversaire intraitable.* ⇒ **Impitoyable, irréductible** (→ Entreprise, cit. 14). *Créancier intraitable.* ⇒ **Exigeant.** *Gardien intraitable.* ⇒ **Cerbère, dragon.** *Demeurer intraitable.* ⇒ **Inébranlable, inflexible** (→ Hostilité, cit. 7). *Il, elle n'est pas intraitable.*

(...) maman, d'ordinaire intraitable sur les questions d'heure et qui m'envoyait coucher tambour battant, permettait que je prolongeasse outre-temps la veillée. 2
GIDE, Si le grain ne meurt, I, III, p. 77.

♦ **3.** (1787). Rare. Impossible à traiter (d'un sujet, d'un thème).

CONTR. **Accommodant, arrangeant, conciliant, doux, facile, influençable, maniable.**

INTRALINGUAL, ALE, AUX [ɛ̃tʀalɛ̃gwal, o] adj. — Mil. XXe ; de *intra-*, et *lingual*, pris pour servir d'adj. à *langue* « système de signes ».

♦ Ling. Qui se fait à l'intérieur d'une même langue. *Traduction intralinguale :* équivalence sémantique de signes appartenant à une même langue (par ex. les définitions des dictionnaires unilingues).

CONTR. **Interlingual.**

INTRAMÉDULLAIRE [ɛ̃tʀamedylɛʀ] adj. — 1867, Littré ; de *intra-*, et *médullaire.*

♦ Didact. Qui se trouve à l'intérieur de la moelle (moelle épinière et moelle osseuse).

INTRAMERCURIEL, ELLE [ɛ̃tʀamɛʀkyʀjɛl] adj. — 1862 ; de *intra-*, *Mercure*, et suff. *-iel.*

♦ Astron. Qui se trouve entre la planète Mercure et le Soleil. *Un astéroïde hypothétique à orbite intramercurielle.*

INTRAMOLÉCULAIRE [ɛ̃tʀamɔlekylɛʀ] adj. — 1877, Littré, *Suppl.* ; de *intra-*, et *moléculaire.*

♦ Didact. Qui concerne l'intérieur des molécules. *Forces, liaisons intramoléculaires.* — Bot. *Respiration, fermentation intramoléculaire.*

INTRAMONDAIN, AINE [ɛ̃tʀamɔ̃dɛ̃, ɛn] adj. — 1943, Sartre ; de *intra-*, et *mondain.*

♦ Philos. Intérieur au monde, à l'univers subjectif. *L'expérience intramondaine.*

INTRA-MUROS (Académie) ou **INTRA MUROS** [ɛ̃tʀamyʀos] loc. adv. et adj. — 1805 ; mots lat., *intra* « à l'intérieur de », et accusatif lat. *muros* « murs ».

Didactique ou littéraire.

♦ **1.** En dedans des murs, à l'intérieur de la ville. *Demeurer intra muros.* « *Habitation intra-muros* » (Littré). — Par ext. (mod.). Dans les limites administratives de la ville, dans la ville strictement entendue, sans inclure la banlieue. *Depuis 1964, le Paris intra muros forme à lui seul un département.*

♦ **2.** Fig. À huis clos, dans le secret. « *Un règlement de compte intramuros* (au sein d'un journal) » (*l'Express*, 28 avr. 1981, p. 142).

INTRAMUSCULAIRE [ɛ̃tʀamyskylɛʀ] adj. — 1861, *in* D. D. L. ; de *intra-*, et *musculaire.*

♦ Qui est ou qui se fait dans l'épaisseur d'un muscle. *Injection* intramusculaire.*

INTRANSCRIPTIBLE [ɛ̃tʀɑ̃skʀiptibl] adj. — 1886 ; de 1. *in-*, et *transcrire, transcriptible.*

♦ Didact. Qui est impossible à transcrire, à décrire. ⇒ **Indescriptible.**

La loi salique ne fut jamais écrite, parce que c'était la loi vitale, essentielle, de la monarchie française, et que tout essai de rédaction l'eût délimitée. L'Absolu est intranscriptible. Léon BLOY, le Désespéré, p. 252.

INTRANSFÉRABLE [ɛ̃tʀɑ̃sfeʀabl] adj. — 1870 ; de 1. *in-*, et *transférable.*

♦ Dr., comm. Qui ne peut être transféré (d'un avoir).

CONTR. **Transférable.**

INTRANSFORMABLE [ɛ̃tʀɑ̃sfɔʀmabl] adj. — 1902, Valéry, *Cahiers* ; de 1. *in-*, et *transformable.*

♦ Qu'on ne peut transformer.

CONTR. **Transformable.**

INTRANSGRESSABLE [ɛ̃tʀɑ̃sgʀesabl] adj. — 1572, Amyot ; de 1. *in-*, *transgresser*, et suff. *-able.*

♦ Littér. Qui ne peut être transgressé.

Ne discernant qu'une révolte impie dans le simple effet d'une intransgressable loi 1

de nature (...) il *(mon père)* me donna, néanmoins, une dernière preuve de la plus inéclairable tendresse en ne me maudissant jamais tout à fait.
Léon BLOY, le Désespéré, p. 10.

2 Que la justice ne soit plus un vain mot, mais une loi intransgressable.
Guy DE POURTALÈS, la Pêche miraculeuse, p. 424.

Var. : *intransgressible* (1942, Claudel, *l'Œil écoute*).

3 (...) en vertu d'un principe, d'une loi, d'une espèce de morale acquise ou plutôt apprise, ou plutôt implantée, irraisonnée et apparemment intransgressible (...)
Claude SIMON, la Route des Flandres, p. 188.

INTRANSIGEANCE [ɛ̃tʀɑ̃ziʒɑ̃s] n. f. — 1874, *le Temps, in* P. Larousse, *Premier Suppl.*; de *intransigeant.*

♦ Caractère de celui ou de ce qui est intransigeant. *L'idéalisme* (cit. 4) *et l'intransigeance de la jeunesse* (→ Devenir, cit. 10). *Être d'une intransigeance absolue, féroce, inflexible...*

1 Il se préparait, en revanche, à être d'une intransigeance absolue sur un principe auquel il tenait d'ailleurs par ses fibres les plus intimes.
Paul BOURGET, Un divorce, p. 219.

2 Christophe était d'une intransigeance de cœur toute puritaine, qui ne pouvait admettre les souillures de la vie, et les découvrait peu à peu avec horreur.
R. ROLLAND, Jean-Christophe, Le matin, p. 172.

3 Je redoutais son jugement, connaissant l'intransigeance de la jeunesse et la difficulté qu'elle éprouve à admettre un autre point de vue que le sien.
GIDE, les Faux-monnayeurs, III, XII.

CONTR. Abandon, capitulation, débonnaireté, souplesse.

INTRANSIGEANT, ANTE [ɛ̃tʀɑ̃ziʒɑ̃, ɑ̃t] adj. — 1875, Jules Simon, *in* Littré, *Suppl.*; esp. *intransigente* (1873, en politique), de *transigir*, lat. *transigere.* → Transiger.

♦ Qui ne transige pas, n'admet aucune concession, aucun compromis. ⇒ **Intraitable, irréductible** (→ Gré, cit. 15). *Se montrer intransigeant. Vous êtes beaucoup trop intransigeant là-dessus. Un moraliste intransigeant* (⇒ 1. **Grave, rigoriste, sévère**). — *Doctrinaires fanatiques et intransigeants.* ⇒ **Intolérant, sectaire.** *Des socialistes intransigeants* (→ Éduquer, cit. 5). *Prêtre intransigeant.* — N. *C'est un intransigeant.* — REM. *Intransigeant* se dit de personnes qui professent un tel attachement à leurs principes, à leurs idées, qu'ils se refusent à tout compromis, aussi bien dans la théorie que dans la pratique. Il n'a pas généralement la nuance péjorative qui s'attache à *intraitable* et à *intolérant*, le premier éveillant l'idée de rigidité de caractère ou d'étroitesse de vues et le second celle d'hostilité par préjugés.

1 Lui, l'intransigeant, il finit par accepter une sinécure, une mince prébende (...)
G. DUHAMEL, Refuges de la lecture, VI.

REM. Le mot servit de titre à un journal français célèbre (créé en 1880 par H. Rochefort).

(Choses). *Caractère intransigeant.* ⇒ **Autoritaire, dur.** *Fermeté* (cit. 6), *vertu intransigeante.* ⇒ **Farouche, inflexible.**

2 (...) le pasteur Brontë, d'origine irlandaise, était un homme de Dieu selon la Bible, autoritaire, dur, violent et silencieux, d'un rigorisme indéfectible, intransigeant et mythomane.
Émile HENRIOT, Portraits de femmes, p. 413.

3 Ma mère portait à la patrie une passion intransigeante à l'égal de sa piété religieuse.
Ch. DE GAULLE, Mémoires de guerre, t. I, p. 1.

CONTR. Accommodant, souple. — Faible, tiède.
DÉR. Intransigeance.

INTRANSITABLE [ɛ̃tʀɑ̃zitabl] adj. — XXe; de 1. *in-*, *transiter*, et suff. *-able.*

♦ Didact. Qui ne permet pas de transit.

À la saison des pluies, les pistes transformées en canaux de boue grasse étaient intransitables (...)
Claude LÉVI-STRAUSS, Tristes Tropiques, p. 97.

INTRANSITIF, IVE [ɛ̃tʀɑ̃zitif, iv] adj. et n. m. — 1664, *Grammaire de Port-Royal*; aussi *intransitiva*; lat. *intransitivus*, de *in-* (→ 1. In-), et bas lat. *transitivus*, du lat. class. *transitum*, supin de *transire*, de *trans-*, et *ire* « aller ».

♦ **1.** Ling. *Verbe* intransitif*, et, n. m., *un intransitif* : verbe qui exprime une action limitée au sujet et ne passant sur aucun objet. *Dormir, mourir, tomber, sont des verbes intransitifs. Forme intransitive. Construction transitive de certains verbes intransitifs avec un nom de même radical ou de même signification, toujours accompagné d'une épithète ou d'un déterminatif.* « Et n'ai-je pas sué la sueur de tes nuits ? » (Verlaine). « J'irai toujours mon chemin » (Mme de Sévigné).

REM. 1. « La plupart des verbes *intransitifs* (sauf les verbes d'état) peuvent, en changeant ou non de signification, s'employer comme transitifs et recevoir un complément d'objet : l'action exprimée est alors pensée comme transitive :... la mer *écume*. *Écumer* la soupe » (Grevisse, *le Bon Usage*, no 599, 3o).

2. Pour la commodité du langage, on désigne encore fréquemment, sous l'appellation traditionnelle d'*intransitifs*, des verbes que les grammairiens modernes considèrent en fait comme *transitifs indirects* : ce sont les verbes qui n'admettent qu'un régime indirect* *(obéir, ressembler)* et dont certains ne se conjuguent même qu'à l'actif* *(nuire, profiter...).*

L'esprit peut penser l'action comme n'ayant rapport qu'au sujet, comme renfermée en l'être chez qui ou par qui elle se fait ; elle a alors, en tant qu'action, son expression nécessaire et suffisante dans le verbe d'action tout nu. Soit l'action d'*aller*, de *dormir*, de *mourir* (...) le verbe qui énonce la chose suffit à en donner l'idée complète, dans ce qu'elle a d'essentiel (...) Ils *(ces verbes)* énoncent d'une manière complète et parfaite la nature propre de l'action ; de plus, ils la dénoncent comme rigoureusement adhérente au sujet, comme enfermée en lui et ne passant pas hors de lui. C'est pourquoi d'un commun accord grammairiens et lexicologues dénomment ces verbes « intransitifs ».
G. et R. LE BIDOIS, Syntaxe du franç. moderne, t. I, no 677.

Par ext. Propre aux intransitifs. *Emploi intransitif.*

♦ **2.** Log., math. Où les relations entre termes ne sont pas liées entre elles. *Opération, relation intransitive et asymétrique.*

CONTR. Transitif.
CONTR. Intransitivement, intransitivité.

INTRANSITIVEMENT [ɛ̃tʀɑ̃zitivmɑ̃] adv. — 1678, philos.; de *intransitif.*

♦ Ling. D'une manière intransitive (1.). *Verbe transitif employé intransitivement.* ⇒ **Absolument.**

CONTR. Transitivement.

INTRANSITIVITÉ [ɛ̃tʀɑ̃zitivite] n. f. — Mil. XXe; de *intransitif.*

♦ **1.** Ling. Caractère d'un verbe intransitif.

♦ **2.** Log., math. Caractère d'une relation intransitive.

CONTR. Transitivité.

INTRANSMISSIBILITÉ [ɛ̃tʀɑ̃smisibilite] n. f. — 1877, *in* Littré, *Suppl.*; de *intransmissible.*

♦ Didact. Caractère de ce qui est intransmissible. *Intransmissibilité des caractères acquis* (en génétique).

CONTR. Transmissibilité.

INTRANSMISSIBLE [ɛ̃tʀɑ̃smisibl] adj. — 1788; de 1. *in-*, et *transmissible.*

♦ Didact. ou littér. Qui ne peut se transmettre. *Qualités intransmissibles.* ⇒ **Incommunicable.** *Parts intransmissibles.* ⇒ **Incessible.**

(...) ce que je portais en moi, c'était la découverte d'un secret très simple, intransmissible et sacré.
MALRAUX, Antimémoires, Folio, p. 328.

CONTR. Transmissible.
DÉR. Intransmissibilité.

INTRANSPORTABLE [ɛ̃tʀɑ̃spɔʀtabl] adj. — 1773; de 1. *in-*, et *transportable.*

♦ (Personnes ; choses). Qui n'est pas transportable, qu'on ne peut transporter sans risques. *Le blessé est intransportable. Marchandises intransportables.*

Nous ne recevions et gardions que les blessés intransportables, surtout après l'opération que nous devions leur faire subir.
G. DUHAMEL, la Pesée des âmes, p. 204.

CONTR. Transportable.

INTRANSPOSABLE [ɛ̃tʀɑ̃spozabl] adj. — 1886; de 1. *in-*, et *transposable.*

♦ Qui ne peut être transposé.

Prière non formulée et intransposable sur le clavier de n'importe quel langage (...)
Léon BLOY, le Désespéré, p. 125.

CONTR. Transposable.

INTRANT [ɛ̃tʀɑ̃] n. m. — 1552, Rabelais ; lat. médiéval *intrans*, p. prés. du lat. class. *intrare.*

♦ Hist. Délégué de l'une des « quatre nations* » de l'Université de Paris lors de l'élection du recteur.

INTRANUCLÉAIRE [ɛ̃tʀanykleɛʀ] adj. — 1883, en biol., *in* D. D. L.; de *intra-*, et *nucléaire.*
Didactique.

♦ **1.** Phys. Qui est, qui s'effectue à l'intérieur du noyau atomique (⇒ **Intra-atomique**). *Énergie intranucléaire.* — Var. orthographique : « *La chimie des réactions intra-nucléaires* » (L. de Broglie).

Chim. organ. Se dit d'un atome ou d'un radical intégré à une chaîne cyclique (syn. : *endocyclique*).

♦ **2.** Biol. Qui est à l'intérieur du noyau de la cellule.

INTRA-OCULAIRE [ɛ̃tʀaɔkylɛʀ] adj. — 1873; de *intra-*, et *oculaire.*

♦ Didact. Qui est situé à l'intérieur de l'œil. — REM. On écrit aussi *intraoculaire.*

INTRA-ORGANIQUE [ɛ̃tʀaɔʀganik] adj. — 1935, A. Carrel, de *intra-,* et *organique.*

♦ Biol. Qui concerne l'intérieur d'un organisme.

INTRAPELVIEN, IENNE [ɛ̃tʀapɛlvjɛ̃, jɛn] adj. — 1873, P. Larousse; de *intra-,* et *pelvien.*

♦ Anat., méd. Qui se trouve dans le bassin.

INTRAPÉRITONÉAL, ALE, AUX [ɛ̃tʀapeʀitɔneal, o] adj. — 1903, in *Rev. gén. des sc.,* nº 13, p. 693; de *intra-,* et *péritonéal.*

♦ Méd. Qui est situé ou se produit dans la cavité péritonéale. *Hernie intrapéritonéale.*

INTRAPLEURAL, ALE, AUX [ɛ̃tʀaplœʀal, o] adj. — 1878; de *intra-,* et *pleural.*

♦ Méd. Qui est situé ou a lieu dans la cavité pleurale (entre les deux feuillets de la plèvre). *Injection intrapleurale.*

INTRAPSYCHIQUE [ɛ̃tʀapsiʃik] adj. — XXᵉ; de *intra-,* et *psychique.*

♦ Didact. Qui a lieu entre les différents éléments de la personnalité (entre les « instances » psychiques, en terme de psychanalyse). *« Le conflit intrapsychique. Il se joue entre le ça et le moi »* (F. Cloutier, *la Santé mentale,* p. 22).

INTRAPULMONAIRE [ɛ̃tʀapylmɔnɛʀ] adj. — 1867, Littré; de *intra-,* et *pulmonaire.*

♦ Didact. Qui est, se passe à l'intérieur du poumon, des poumons.

INTRARACHIDIEN, IENNE [ɛ̃tʀaʀaʃidjɛ̃, jɛn] adj. — 1868, *in* Littré; de *intra-,* et *rachidien.*

♦ Didact. Qui est à l'intérieur du canal rachidien. *Pression intrarachidienne. Moelle intrarachidienne.* — Qui se fait à l'intérieur du rachis. *Injection intrarachidienne.*

INTRASPÉCIFIQUE [ɛ̃tʀaspesifik] adj. — D. i. (mil. XXᵉ); de *intra-,* et *spécifique.*

♦ Didact. (sc.). Se dit d'un phénomène qui se produit à l'intérieur d'une espèce particulière (opposé à *interspécifique**). *Des « chimères intraspécifiques »* (*Sciences et Avenir,* avr. 1981, p. 53). *Variations intraspécifiques.*

L'émigration est (...) un déplacement sans retour; elle est déclenchée par des facteurs très divers tels que la densité trop grande des individus qui entraîne des compétitions intraspécifiques, la disette de nourriture (...)
Jean GUIBÉ, les Batraciens, p. 105.

INTRATHORACIQUE [ɛ̃tʀatɔʀasik] adj. — 1878; de *intra-,* et *thoracique.*

♦ Méd. Qui est situé, qui a lieu dans le thorax. *Ganglions intrathoraciques. Pression intrathoracique. Un « gros vaisseau intrathoracique »* (*Année sc. et industr.* 1880, p. 503, 1879). *« La redistribution du sang en apesanteur — principalement au profit du secteur intrathoracique »* (*Sciences et Avenir,* juin 1982, p. 29).

INTRA-UTÉRIN, INE [ɛ̃tʀayteʀɛ̃, in] adj. — 1826; de *intra-,* et *utérin.*

♦ Méd. Qui est situé ou qui a lieu dans la cavité utérine. *Vie intra-utérine du fœtus.* ⇒ **Utérin** (→ Atrophier, cit. 6; idiotie, cit. 1).

CONTR. Extra-utérin.

INTRAVASCULAIRE [ɛ̃tʀavaskylɛʀ] adj. — 1866, *in* Littré, t. de bot.; de *intra-,* et *vasculaire.*

♦ Didact. Qui est, se fait ou a lieu à l'intérieur d'un vaisseau sanguin, soit artériel (⇒ **Intra-artériel**), soit veineux (⇒ **Intraveineux**). *Injection intravasculaire.*

INTRAVEINEUX, EUSE [ɛ̃tʀavɛnø, øz] adj. — 1868; de *intra-,* et *veineux.*

♦ Méd. et cour. Qui est ou se fait à l'intérieur des veines. *Perfusion intraveineuse. Injection* intraveineuse,* ou, n. f., *une intraveineuse.* — REM. On écrit aussi *intra-veineux.*

Il l'avait vue ranger sur une tablette de l'armoire à pharmacie une seringue, un garrot, des fioles, tout un matériel d'intraveineuse.
René FALLET, Y a-t-il un docteur dans la salle?, p. 111.

INTRAVENTRICULAIRE [ɛ̃tʀavɑ̃tʀikylɛʀ] adj. — 1875; de *intra-,* et *ventriculaire.*

♦ Didact. Qui est, a lieu ou se fait à l'intérieur d'un ventricule cérébral (⇒ **Intracérébral**) ou cardiaque (⇒ **Intracardiaque**). *Injection, ponction intraventriculaire.*

INTRAVERSABLE [ɛ̃tʀavɛʀsabl] adj. — 1863, Michelet; de 1. *in-,* et *traversable.*

♦ Qui ne peut être traversé (par qqn ou qqch.). *À cet endroit-là, la rivière est intraversable. Couche-culotte intraversable.* ⇒ **Imperméable.**

Ajouter, encore, la vexation continue de cette inégalité terrible (...) qui, malgré les familiarités, les sourires, les cadeaux, met entre nos maîtresses et nous un intraversable espace, un abîme (...)
O. MIRBEAU, le Journal d'une femme de chambre, p. 280.

CONTR. Traversable.

IN-TRENTE-DEUX [intʀɑ̃tdø; ɛ̃tʀɑ̃tdø] adj. et n. invar. — 1688, Miège; *en 32,* Plantin, 1568; comp. du lat. *in,* et de *trente-deux.*

♦ Techn. Où la feuille* est pliée en trente-deux feuillets (soixante-quatre pages). *Livre de format* in-trente-deux. Édition in-trente-deux. Volume in-trente-deux,* et, n. m., *un, des in-trente-deux.* — REM. On écrit plus souvent *in-32.*

INTRÉPIDE [ɛ̃tʀepid] adj. — 1495; lat. *intrepidus* « qui ne tremble pas », de 1. *in-,* et *trépidus* « qui s'agite, inquiet, tremblant ».

♦ **1.** (Personnes). **a** Qui ne tremble pas devant le péril, l'affronte sans crainte. ⇒ **Audacieux, brave, courageux, fier** (poét., vx), **généreux** (vx), **hardi, impavide.** *Alpiniste, guide intrépide* (→ Escarpement, cit. 2). *Chef, héros* (cit. 3 et 10) *intrépide* (→ Auguste, cit. 11). — *« Le misérable était intrépide à l'attaque et rude à la défense »* (A. Dumas, *le Comte de Monte-Cristo, in* T. L. F.).

b Qui ne se laisse pas rebuter par les obstacles. ⇒ **Déterminé, imperturbable** (→ Impétuosité, cit. 3). *Un bavard intrépide* (Académie). *L'intrépide champion d'une cause* (cit. 51).

(...) intrépide dans le péril (...) on ne saurait rien lui reprocher que d'avoir souvent exposé sa personne avec trop peu de précaution. 1
RACINE, les Campagnes de Louis XIV.

(...) c'était la plus intrépide menteuse que j'aie connue. 2
MARIVAUX, le Paysan parvenu, II, p. 96.

Mais les dangers de la moindre course retenaient au logis les plus intrépides chasseurs qui craignaient de ne plus reconnaître sous la neige les étroits passages (...) BALZAC, Séraphîta, Pl., t. X, p. 463. 3

(...) il allait, lui aussi, être brave, intrépide, hardi, courir au-devant des balles, offrir sa poitrine aux baïonnettes, verser son sang, chercher l'ennemi, chercher la mort (...) HUGO, les Misérables, IV, XIII, III. 4

Son âme — sauf de très rares cas — est restée intrépide et presque imperturbable, en cela différente du cerveau qui est capable d'errer. 5
Louis MADELIN, Hist. du Consulat et de l'Empire, De Brumaire à Marengo, VI.

N. *C'est un, une intrépide. Voilà de quoi faire reculer les plus intrépides* (→ 2. Exemplaire, cit. 4). — *L'Intrépide,* nom d'une publication pour enfants.

♦ **2.** (Choses). Qui marque l'intrépidité. *Courage intrépide.* ⇒ **Inébranlable** (→ Assurer, cit. 17). *Fougue intrépide* (→ Brio, cit. 2). *Résistance intrépide.* ⇒ **Ferme** (→ Génie, cit. 13). — *Œil, regard intrépide* (→ Francisque, cit. 1). *Un pas intrépide.*

♦ **3.** (Personnes : nom d'agent). Qui fait (l'action désignée par le nom) de manière ferme, sans être rebuté. *Un marcheur intrépide.* — Iron. *Un bavard, un buveur, un menteur intrépide.* ⇒ **Enragé, sacré.**

CONTR. Capon, craintif, lâche, peureux.
DÉR. Intrépidement, intrépidité.

INTRÉPIDEMENT [ɛ̃tʀepidmɑ̃] adv. — 1691; de *intrépide.*

♦ D'une manière intrépide; avec intrépidité. ⇒ **Hardiment** (→ Inexpérience, cit. 2).

Nous continuons intrépidement notre journal dans le vide, avec une foi d'apôtres et des illusions d'actionnaires. Ed. et J. DE GONCOURT, Journal, p. 17. 1

(...) la partie du théâtre comique où les personnages de Labiche succèdent à des personnages de Molière et à l'orateur indigné de Victor Hugo qui vient intrépidement dire son fait au roi (...) MALRAUX, Antimémoires, Folio, p. 14. 2

(Au sens 3 de *intrépide*). *Il mentait intrépidement.*

CONTR. Craintivement, lâchement.

INTRÉPIDITÉ [ɛ̃tʀepidite] n. f. — 1665; de *intrépide.*

♦ **1.** Caractère d'une personne intrépide. ⇒ **Audace, courage, har-**

diesse. *L'intrépidité, l'héroïsme* (cit. 2) *d'une armée* (→ Content, cit. 13). *L'intrépidité du héros* (cit. 9, La Rochefoucauld). *Lutter avec intrépidité.* ⇒ **Intrépidement.**

1 Qui sait même s'ils *(certains esprits forts)* n'ont pas déjà mis une sorte de bravoure et d'intrépidité à courir tout le risque de l'avenir?
LA BRUYÈRE, les Caractères, XVI, 5.

2 Il se trouve pourtant quelquefois encore de jeunes personnes d'un bon naturel qui, sur ce point osant braver l'empire de la mode et les clameurs de leur sexe, remplissent avec une vertueuse intrépidité ce devoir si doux *(être mères)* que la nature leur impose.
ROUSSEAU, Émile, I.

3 Le sentiment de sa liberté paraissait n'être en lui que la conscience de la force de sa main et de l'intrépidité de son cœur.
CHATEAUBRIAND, Mémoires d'outre-tombe, t. II, p. 121.

Par ext. *L'intrépidité d'une démarche.*

♦ **2.** Caractère d'une personne qui agit sans crainte du jugement d'autrui. ⇒ **Imperturbabilité.** *Il ment avec intrépidité.* → C'est un menteur intrépide (3.).

4 Il y a une sorte d'intrépidité qui ne doute de rien, elle n'est que trop facile : c'est le courage des gens mal élevés.
A. DE MUSSET, Contes, « La mouche », III.

CONTR. **Crainte, lâcheté, peur.**

INTRICATION [ɛ̃tʀikasjɔ̃] n. f. — V. 1270, *in* T. L. F.; repris après 1850; lat. *intricatio,* de *intricare.* → Intriquer.

♦ Didact. État de ce qui est entremêlé. — Concret. *Une intrication de lianes et de branches* (⇒ **Fouillis**). — Abstrait (plus cour.). *Une intrication étroite entre plusieurs éléments, de plusieurs éléments. L'intrication en un tout.* ⇒ **Complexité.**

1 La surprise doit être recherchée pour elle-même, inconditionnellement. Elle n'existe que dans l'intrication en un seul objet du naturel et du surnaturel (...)
A. BRETON, l'Amour fou, V, p. 123.

2 À travers la question de la divergence entre le français écrit et le français parlé, de la réforme de l'orthographe, de la nature exacte du dialogue (...) à travers toute cette intrication de problèmes, il s'agit en réalité de questions en fait très simples et immédiates, il s'agit de l'homme, de la vie, de l'homme contemporain, de la vie contemporaine.
R. QUENEAU, Bâtons, Chiffres et Lettres, p. 91.

3 Sans doute une juxtaposition de groupes indépendants constitue-t-elle un lien infiniment moins capable que l'intrication de groupes solidaires, de rendre à tout moment sensible l'unité fonctionnelle de la tribu.
Roger CAILLOIS, l'Homme et le Sacré, p. 99.

1. INTRIGANT, ANTE [ɛ̃tʀigɑ̃, ɑ̃t] adj. et n. — 1583; repris déb. XVIIIe, écrit *intriguant* (→ cit. 1); de *intriguer* pour rendre l'ital. *intrigante,* du lat. *intricare* « embrouiller ». → Intriguer; souvent écrit *intriguant* au XVIIIe.

♦ **1.** Qui recourt à l'intrigue* pour remplir ses ambitions, parvenir à ses fins. *Un homme avide* (cit. 9) *et intrigant. Courtisans intrigants.*

1 C'était un drôle intriguant, de beaucoup d'esprit, doux, insinuant, et qui, sous une tranquillité, une indifférence et une philosophie fort trompeuse, se fourrait et se mêlait de tout ce qu'il pouvait pour faire fortune.
SAINT-SIMON, Mémoires, II, I.

2 Le vrai mérite reste étouffé dans la foule, et les honneurs dus au plus habile sont tous pour le plus intrigant.
ROUSSEAU, Julie ou la Nouvelle Héloïse, V, Lettre II.

3 (...) il passait pour intrigant, habile, ne perdant pas une occasion pour plaire aux gens puissants, etc., etc., ne faisant pas un pas qui n'eût son but (...)
STENDHAL, Vie de Henry Brulard, 46.

4 Elle est au courant de tout, elle connaît tout le monde sans avoir l'air de voir personne; elle obtient ce qu'elle veut, comme elle veut, et quand elle veut. Oh! elle est fine, adroite et intrigante comme aucune, celle-là. En voilà un trésor, pour un homme qui veut parvenir.
MAUPASSANT, Bel-Ami, I, VI.

N. (1671). *« Un bas intrigant »* (→ Intrigue, cit. 6). *C'est un intrigant, presque un aventurier. Une habile intrigante* (→ Brocanter, cit. 1).

5 Par tous les moyens, on s'efforçait de lui donner des sentiments de maître, surtout les intrigants qui rêvaient de lancer ce jeune maître, œuvre de leurs mains, contre le tout-puissant Cardinal.
Louis BERTRAND, Louis XIV, I, III.

Un intrigant ambitieux. ⇒ **Arriviste.** *Une camarilla d'intrigants. Les ruses, la souplesse de l'intrigant.*

♦ **2.** (Choses). Propre à une personne intrigante. *Un caractère intrigant.*

HOM. 2. **Intrigant.**

2. INTRIGANT, ANTE [ɛ̃tʀigɑ̃, ɑ̃t] adj. — XXe; de *intriguer.*

♦ Littér. Qui intrigue, étonne ou rend perplexe.

(...) cette blanchisserie dans mon quartier qui s'appelle LAV'IMPEC dont le mystère n'est pas épuisé, expliqué par le raccourci (...) Ce n'est pourtant pas plus intrigant, au bout du compte, que ces architectures des lignes de haute tension (...)
ARAGON, Blanche..., III, II, p. 385.

HOM. 1. **Intrigant.**

INTRIGUE [ɛ̃tʀig] n. f. — 1578, au sens 2; souvent masc. jusqu'au mil. du XVIIe; var. *intrique,* encore chez Corneille; ital. *intrigo;* du lat. *intricare* « embrouiller ».

♦ **1.** (1640). Vx. Situation compliquée et embarrassante. — Loc. *Sortir, se tirer, être hors d'intrigue.* ⇒ **Affaire.**

Je trouve que nous sommes fort bien sortis d'intrigue. 1
Mme DE SÉVIGNÉ, 91, 7 janv. 1669.

Il doit bien vous remercier tous trois de l'avoir tiré d'intrigue par vos histoires (...) 1.1
A. GALLAND, les Mille et Une Nuits, t. I, p. 47.

Vx (langue class.). Habileté de l'intrigant. *Avoir de l'intrigue* : être intrigant.

♦ **2.** (1536). Liaison amoureuse généralement clandestine et souvent peu durable. ⇒ **Affaire** (d'amour*, de cœur), **aventure** (→ Coquetterie, cit. 3). *Ébaucher une intrigue amoureuse, sentimentale. Nouer* (cit. 9) *une intrigue. Avoir une intrigue avec qqn* (→ Bastille, cit. 1). *Couper court* (cit. 9) *à une intrigue sans issue. Faire l'entremetteur* dans une intrigue galante. Femme coquette* (cit. 4) *friande de l'intrigue.* ⇒ **Galanterie.**

Né pour l'amour, l'intrigue pouvait le distraire, et ne suffisait pas pour l'occuper (...) 2
LACLOS, les Liaisons dangereuses, LII.

Quelque précaution qu'on prenne, une intrigue n'est jamais secrète; il faut, tôt ou tard, qu'on en parle. 3
A. DE MUSSET, Nouvelles, « Emmeline », VII.

— Elle a des intrigues... 3.1
— Comment!...
— Ne le répète pas!... avec Léon... mon successeur... (se reprenant vivement) son cousin!
E. LABICHE, Célimare le bien-aimé, II, 7.

♦ **3.** (1647, Rotrou). Ensemble de combinaisons secrètes et compliquées visant à faire réussir ou à faire échouer une affaire; affaire menée à l'aide de ces moyens. ⇒ **Manœuvre, menée** (→ Argumenter, cit. 4). *Intrigues politiques de couloir, de cour. Les intrigues d'une coterie*.* ⇒ **Agissements, cabale** (cit. 1, 2 et 5). *De basses, de honteuses intrigues. Intrigues cachées, sourdes, sournoises, ténébreuses* (→ Voies souterraines*). *Il y a une intrigue là-dessous.* ⇒ **Diablerie, manège, manigance** (fam.), **micmac** (fam.), **rouerie, tripotage;** → Il y a anguille* sous roche. *Intrigues et calculs politiques.* ⇒ **Cuisine, fricotage, grenouillage, magouille.** *Découvrir, déjouer une intrigue par une contre-mine*, une contrebatterie** (vieilli). *Tenir les fils, débrouiller, démêler, dénouer l'écheveau* d'une intrigue. S'entremettre* (cit. 3), *louvoyer au milieu des intrigues.* — Vieilli. *Vivre d'intrigues.* ⇒ **Bassesse, brigue** (cit. 1), **expédient** (→ Complaisant, cit. 5). *Foyer* (cit. 22), *officine d'intrigues. Brasser, former* (cit. 13), *ourdir*, tramer des intrigues contre qqn, contre l'État.* ⇒ **Intriguer; complot, conspiration, dessein** (→ Geôlier, cit. 1), **machination.** *Pays miné par les intrigues et les factions*.* — Absolt et au sing. (avec un sens collectif). → ci-dessous, cit. 6, 7. Littér. ou style soutenu. *L'intrigue et la perfidie* (→ Bannière, cit. 4). *User d'intrigue et de diplomatie* (cit. 3). *Se complaire dans l'intrigue. Avoir l'esprit d'intrigue* (→ Écouter, cit. 9). *Homme d'intrigue.* ⇒ 1. **Intrigant.** *Les récompenses vont souvent à l'intrigue et au charlatanisme* (cit. 1, Renan).

Je vois de tous côtés des partis et des ligues : 4
Chacun s'entre-mesure et forme ses intrigues.
CORNEILLE, Pulchérie, I, 1.

Il (...) démêlait toutes les intrigues, découvrait les entreprises les plus cachées et les plus sourdes machinations. 5
BOSSUET, Oraison funèbre de Michel Le Tellier.

Rémond, bas intrigant, petit savant, exquis débauché, et valet à tout faire, pourvu qu'il fût dans l'intrigue et qu'il pût en espérer quelque chose (...) 6
SAINT-SIMON, Mémoires, V, XII.

— (...) voilà toute la politique, ou je meurs! — Eh! C'est l'intrigue que tu définis! 7
BEAUMARCHAIS, le Mariage de Figaro, III, 5.

(...) en ce manoir, où des intrigues politiques paraissaient s'ourdir, et où j'étais convié d'aller. 8
SAINTE-BEUVE, Volupté, IV.

J'ai, ailleurs, longuement conté par quelle suite d'incroyables intrigues et de prodigieux artifices, ce Fouché, devenu le chef de la *Commission du gouvernement,* s'était imposé à tous comme le seul homme capable de faire accepter par l'opinion la rentrée du roi aux Tuileries. 9
Louis MADELIN, Talleyrand, IV, XXXII.

(...) le tissu d'intrigues de toutes sortes où Rousseau fut pris, entre les ressentiments de Madame d'Épinay (...) la rancune envieuse de Grimm (...) les criailleries et les doléances des insupportables « gouverneuses », Thérèse Levasseur et sa mère. 10
Émile HENRIOT, Portraits de femmes, p. 185.

♦ **4.** (1637, Scudéry). Ensemble des événements qui forment l'essentiel de la narration (d'une pièce de théâtre, d'un roman, d'un film). ⇒ **Action** (cit. 27, Corneille), **scénario; nœud.** *Les fils, l'écheveau d'une intrigue compliquée, enchevêtrée* (cit. 1), *obscure* (⇒ **Imbroglio**). *Intrigue faible, indécise* (cit. 7), *mince. Rebondissements, péripéties, dénouement d'une intrigue. Conduire, filer, nouer, dénouer* (cit. 8) *une intrigue. Le vaste réseau d'intrigues tissé par Balzac dans la Comédie humaine* (→ 2. Ensemble, cit. 15, Gautier; épisodique, cit. 3, Henriot). — *Comédie d'intrigue,* où l'auteur s'attache surtout à multiplier et à varier les incidents (coups de théâtre, quiproquos...), par oppos. à la *comédie de caractère* (cit. 68).

Ce qu'on appelle chez eux *(les artistes)* l'intrigue ou l'action est justement une suite d'événements et un ordre de situations, arrangés pour manifester des caractères, pour remuer des âmes jusqu'au fond, pour faire apparaître à la surface les instincts profonds et les facultés ignorées que le flux monotone de l'habitude empêche d'émerger au jour (...) 11
TAINE, Philosophie de l'art, t. II, p. 320.

Il s'agit de savoir si l'auteur de l'adaptation saura nous présenter, sans les dénaturer trop, les événements nécessaires à l'intrigue où s'affrontent ces personnages. 12
GIDE, Dostoïevski, p. 52.

La troupe interprétait *La Peur des coups,* un acte de *L'Étincelle* et un acte de *La Fille du tambour-major.* 13
Comme la première de ces comédies parut d'un capitaine et qu'il en paraît dans les suivantes, les soldats crurent que c'était une pièce en trois actes. Ils comprirent mal l'intrigue.
COCTEAU, Thomas l'Imposteur, Folio, p. 118.

INTRIGUER [ɛ̃tʀige] v. tr. et intr. — 1640; *entriquer* et *intriquer**, au sens du latin *intricare* «embrouiller», XIVe et XVe; *s'intriguer*, fin XVIe; ital. *intrigare*, du lat. *intricare*.

★ **I.** V. tr. ♦ **1.** Vx. Mettre dans l'embarras, tourmenter. *Intriguer l'esprit de qqn.* ⇒ **Inquiéter.** — Pron. Se mettre en peine, se donner du mal. *S'intriguer pour qqn dans une affaire.*

1 (...) ont-ils une prétention, il s'offre à eux, il s'intrigue pour eux.
LA BRUYÈRE, les Caractères, VIII, 61.

♦ **2.** Mod. (Sujet n. de chose ou de personne; compl. n. de personne). Faire chercher (qqn), embarrasser (qqn), en excitant la curiosité, en donnant à penser. *Cet étrange paquet l'intriguait fort* (→ Conglutiner, cit. 1). — Passif et p. p. *Femmes intriguées par le dédain d'un fat* (cit. 5). *Être intrigué par une inconnue* (cit. 14). — REM. Avec un nom de personne pour sujet, le sens du verbe est ambigu; *qqn intrigue qqn*, soit par un comportement voulu : paroles, apparence volontaire (→ ci-dessous, spécialt), soit en tant qu'objet de curiosité.

2 (...) Cathos vint me dire que quelqu'un demandait à me parler. Cela me surprit; je n'avais d'affaire avec personne. — «Est-ce quelqu'un de la maison?» dit Mlle Habert encore plus intriguée que moi.
MARIVAUX, le Paysan parvenu, III, p. 131.

3 Je ne vois point l'*utilité* de cette chose; elle ne me fait penser à aucun besoin qu'elle satisfasse. Elle m'a intrigué; elle amuse mes yeux et mes doigts (...)
VALÉRY, Variété V, p. 24.

4 Dans la malle, si on l'ouvrait, il n'y a rien de suspect? rien qui puisse intriguer la police ou la mettre sur la voie?
J. ROMAINS, les Hommes de bonne volonté, t. I, XXI, p. 250.

Spécialt. (Sujet et compl. n. de personne). S'amuser à piquer la curiosité de (qqn) sans se faire connaître (notamment à un bal masqué).

4.1 (..) toute fête, si simple soit-elle, quand elle a lieu longtemps après qu'on a cessé d'aller dans le monde et pour peu qu'elle réunisse quelques-unes des mêmes personnes qu'on a connues autrefois, vous fait l'effet d'une fête travestie, de la plus réussie de toutes, de celle où l'on est le plus sincèrement «intrigué» par les autres, mais où ces têtes, qu'ils se sont faites depuis longtemps sans le vouloir, ne se laissent pas défaire par un débarbouillage, une fois la fête finie. Intrigué par les autres? PROUST, le Temps retrouvé, Pl., t. III, p. 923.

♦ **3.** Vx. (Compl. n. de chose). *Intriguer une pièce, un roman,* en composer l'intrigue*, la trame.

5 Aussi l'auteur qui se compromet avec le public pour l'amuser ou pour l'instruire, au lieu d'intriguer à son choix son ouvrage, est-il obligé de tourniller dans des incidents impossibles (...) BEAUMARCHAIS, le Mariage de Figaro, Préface.

★ **II.** V. intr. (1660). Mener une intrigue*, des intrigues. *Cette clique intrigue contre l'État.* ⇒ **Cabaler, comploter, manœuvrer.**
Recourir à l'intrigue. *Intriguer pour obtenir un poste* (⇒ **Briguer**), *un renseignement précieux* (→ Espionnage, cit. 3; faveur, cit. 15).

6 (...) Rohner (...) intrigue avec ardeur pour que la présidence du congrès ne soit pas donnée à Chalgrin. G. DUHAMEL, Chronique des Pasquier, VI, XII.

Absolt. *Homme habile* (cit. 16) *qui intrigue en se fourrant* (cit. 22) *partout. Il intrigua si bien qu'il obtint la place.* ⇒ **Manœuvrer** (→ 1. Griller, cit. 12).

7 Elle était aussi laide, vulgaire et rapace que madame de Bormes était belle, noble, désintéressée. Ces deux femmes se rencontraient sur le terrain de l'intrigue. Simplement, l'une intriguait pour son plaisir, l'autre pour son intérêt.
COCTEAU, Thomas l'Imposteur, Folio, p. 22.

▶ **S'INTRIGUER** v. pron. (Déb. XVIIe).
Vx (langue class.). Se donner du mal pour réussir qqch. en faveur de qqn. — Péj. Se dépenser pour réussir.

▶ **INTRIGUÉ, ÉE** p. p. adj. *Des spectateurs intrigués. Un œil, un regard intrigué.*
REM. Le dérivé péj. *intrigailler* a été utilisé pendant la Révolution (1794, Babeuf, Camille Desmoulins), ainsi que *intrigailleur* (v. 1770, Turgot) «intrigant».

DÉR. 2. **Intrigant.**

INTRINSÈQUE [ɛ̃tʀɛ̃sɛk] adj. — 1314, en anat.; adv. lat. *intrinsecus* «au dedans», de *intra*, et *secus* «selon, le long de...».
Didactique.

♦ **1.** (1561, Calvin, en droit). Qui est intérieur à l'objet dont il s'agit, appartient à son essence, lui est inhérent*. ⇒ **Essentiel, intérieur.** *L'importance intrinsèque d'un fait* (→ Accident, cit. 4; ascèse, cit. 3). *Causes, qualités intrinsèques.* ⇒ **Interne.** — (1704). *Valeur intrinsèque d'une chose, d'une monnaie :* valeur qu'elle tient de sa nature propre*, et non d'une convention ou d'une fiction.

1 Habitué, par les événements de la guerre, à juger de la valeur intrinsèque des hommes (...) BALZAC, le Médecin de campagne, Pl., t. VIII, p. 426.

2 Le concept du temps est équivalent à la façon dont nous le mesurons dans les objets de notre monde. Il apparaît alors comme la superposition des aspects différents d'une identité, une sorte de mouvement intrinsèque des choses.
Alexis CARREL, l'Homme, cet inconnu, V, I.

(V. 1534, Bonaventure des Périers). Vx (langue class.). Intérieur, intime. *Amitié intrinsèque.*

♦ **2.** (1314). Anat. Qui appartient à un organe. *Muscles intrinsèques de l'œil, de la langue.*

♦ **3.** N. m. (1528). Vx (langue class.). Intime*. — Intimité. *La cour «où il avait passé sa vie dans l'intrinsèque»* (Saint-Simon).

CONTR. Accidentel, extrinsèque, fictif.
DÉR. Intrinsèquement.

INTRINSÈQUEMENT [ɛ̃tʀɛ̃sɛkmɑ̃] adv. — XVIe, «intérieurement»; sens mod., 1677; de *intrinsèque.*
Didactique.

♦ **1.** Vx (langue class.). Intimement.

♦ **2.** Mod. D'une manière intrinsèque; en soi, dans son essence.

INTRIQUER [ɛ̃tʀike] v. tr. — 1512; p. p., 1450; cf. anc. franç. *entriké*, v. 1300; repris XXe comme v. tr.; lat. *intricare* «embrouiller», de *in-*, et *tricæ* n. f. pl. «difficultés». → Intriguer.

♦ Didact. Rendre complexe; entremêler (⇒ **Intrication**).

▶ **S'INTRIQUER** v. pron. (Réfl.). *Phénomène qui s'intrique avec un autre.* — (Récipr.). *Phénomènes qui s'intriquent.*

▶ **INTRIQUÉ, ÉE** p. p. adj. *Des problèmes intriqués.* — Concret. Biol. *Poils intriqués, rameaux intriqués. Fibres intriquées formant des réseaux* (histol.). *Faisceaux intriqués* (bot.).

INTRO- Élément, du latin *intro* signifiant «dedans, à l'intérieur».

INTRODUCTEUR, TRICE [ɛ̃tʀɔdyktœʀ, tʀis] n. — 1538 (1554, selon T. L. F.); *introduitor*, XIIIe; du bas lat. *introductor*, de *introductum*, supin de *introducere*. → Introduire.

♦ **1.** Compl. n. de personne. [a] Vx. Initiateur.

[b] Rare. Personne qui introduit, fait entrer. *Il m'a servi d'introducteur chez cette personne. Introducteur des ambassadeurs* à l'audience d'un chef d'État.*

(...) la dame chez laquelle vous serez (...) mon introducteur (...) 1
GUEZ DE BALZAC, Lettres, VII, IV.

♦ **2.** (1713). Compl. n. de chose. Personne qui introduit, qui est la première à introduire (un usage, une mode dans un lieu). *Introducteur d'une mode, d'une danse étrangère.* ⇒ **Initiateur.**

Le menuet dont il fut l'introducteur en Angleterre (...) 2
Antoine HAMILTON, Mémoires du comte de Grammont, 9.

(...) les démolisseurs de l'ancien monde (...) les promoteurs et les introducteurs du monde moderne (...) Ch. PÉGUY, la République..., p. 207. 3

♦ **3.** Concret. (Choses). Chir. Instrument qui permet de faire pénétrer dans (un organisme, un organe) un corps étranger, un liquide.

INTRODUCTIBLE [ɛ̃tʀɔdyktibl] adj. — XXe; de *introduire, introduction.*

♦ Littér. Qui peut être introduit. ⇒ **Mettable.**

(...) cette peinture me touche au cœur. J'y sens ma pensée se déployer comme dans un espace idéal, absolu, mais un espace qui aurait une forme introductible dans la réalité. A. ARTAUD, l'Ombilic des limbes, Œ. compl., t. I, p. 64.

INTRODUCTIF, IVE [ɛ̃tʀɔdyktif, iv] adj. — 1721, en dr.; «instructif», 1520; de *introduction.*

♦ **1.** Dr. Qui sert à introduire, à commencer (une procédure). *Requête introductive. Exploit introductif d'instance.*

♦ **2.** (1833, Balzac : *«ce récit purement introductif»*). Qui constitue une introduction, qui présente ce qui va suivre. *Exposé, chapitre introductif; notice introductive.* ⇒ **Liminaire.**

INTRODUCTION [ɛ̃tʀɔdyksjɔ̃] n. f. — 1314, «insertion (dans un livre); lat. *introductio*, de *introductum*, supin de *introducere* → Introduire.

★ **I.** ♦ **1.** (1600, O. de Serres, en parlant d'animaux introduits dans un milieu; 1690). Action d'introduire, de faire entrer (qqn) dans un lieu. *L'introduction d'un visiteur dans un salon; d'un ambassadeur auprès d'un chef d'État.* — (Animaux). *«L'introduction d'un paon dans quelque obscure basse-cour de village»* (Balzac, *Eugénie Grandet, in* T. L. F.).
Action de s'introduire (quelque part). *Effraction* (cit. 2) *intérieure, après introduction dans les lieux.*
Action de donner accès* (à un groupe, à un milieu social), de faire connaître, rencontrer (une ou plusieurs personnes ayant un statut social élevé). *«L'introduction de cet homme dans votre société»* (Littré). ⇒ **Admission, entrée.** *«L'introduction de Swann chez Mme Verdurin»* (Proust). *L'introduction de qqn auprès de qqn, dans un salon... — L'introduction des prosélytes dans le sein d'une religion* (→ Baptême, cit. 5).
(1846). Absolt. *Carte, lettre d'introduction,* par laquelle on recom-

mande qqn. ⇒ **Présentation, recommandation.** *Il a obtenu un mot d'introduction auprès du directeur, du ministre.*

1 Il eut à peine la force de balbutier deux ou trois mots et de remettre au principal la lettre d'introduction qu'il avait pour lui.
Alphonse DAUDET, le Petit Chose, I, V.

2 Une *carte d'introduction* ne sert jamais à rien. Une lettre de recommandation sert rarement à quelque chose. Seule a quelque poids une visite (...)
MONTHERLANT, les Célibataires, I, V.

♦ **2.** (1553). Action de faire adopter, d'importer (qqch.). ⇒ **Importation.** *L'introduction de produits étrangers, d'une plante* (⇒ **Acclimatation,** cit. 1), *d'un mot* (→ Étymologie, cit. 3), *d'un usage, d'une coutume, d'une mode dans un pays.* ⇒ **Apparition** (→ Glace, cit. 4).

3 (...) les vaisseaux de guerre anglais, qui recevaient cinq pour cent sur tous les objets dont ils favorisaient l'introduction frauduleuse (...)
G.-T. RAYNAL, Hist. philosophique, XIV, 22.

♦ **3.** (1690). Concret. Action de faire entrer (une chose dans une autre). ⇒ **Intromission.** *Pour faciliter l'introduction du liquide dans la baratte* (cit.) *et la sortie du petit-lait. Introduction d'eau dans les poumons* (→ Immersion, cit. 3). *Introduction d'une sonde, d'une bougie dans l'organisme* (⇒ **Cathétérisme**). *Introduction d'une substance assimilable dans un organisme vivant* (⇒ **Intussusception**), *de toxines dans l'organisme* (→ Fièvre, cit. 5). *Tube d'introduction d'eau dans un compteur*.* — Techn. *L'introduction d'air sous pression, de vapeur...* (dans une machine, etc.).

Par métonymie. Dispositif, mécanisme d'introduction.

3.1 John se précipita vers la machine et s'affala par l'échelle. Une nuée de vapeur remplissait la chambre; les pistons étaient immobiles dans les cylindres; les bielles n'imprimaient aucun mouvement à l'arbre de couche. En ce moment, le mécanicien, voyant leurs efforts inutiles et craignant pour ses chaudières, ferma l'introduction et laissa fuir la vapeur par le tuyau d'échappement.
J. VERNE, les Enfants du capitaine Grant, II, V, p. 63.

Spécialt. Physiol. *L'introduction de l'organe mâle dans le vagin.* ⇒ **Intromission.**

♦ **4.** Fig. *« L'introduction des chœurs dans la tragédie »* (B. Constant, *in* T. L. F.).

Spécialt. [a] (1718). Dr. *Introduction d'une instance :* le fait d'introduire (de commencer) une instance, une action.

[b] Fin. *Introduction d'un titre en Bourse.*

[c] Inform. *Introduction de données, d'instructions dans un programme, dans la mémoire d'un ordinateur.*

★ **II.** ♦ **1.** (1541). Ce qui prépare qqn à la connaissance, à la pratique d'une chose (⇒ **Apprentissage, initiation, préparation**). *Science qui sert d'introduction à une autre.* ⇒ **Clef** (fig.). — Ouvrage destiné à une telle préparation. — (Dans des titres). *Introduction à la physique théorique,* titre d'un ouvrage de Planck. *Introduction à la vie dévote,* œuvre de saint François de Sales (1609). *Introduction à la connaissance de l'esprit humain* (Vauvenargues, 1746), *à la métaphysique* (Bergson, 1903). *Introduction à l'étude de la médecine expérimentale* (Cl. Bernard, 1865). *Introduction à la méthode de Léonard de Vinci* (1894), *à la poétique* (1937), œuvres de Valéry.

4 Pécuchet (...) se procura une introduction à la philosophie hégélienne, et voulut l'expliquer à Bouvard.
FLAUBERT, Bouvard et Pécuchet, VIII.

♦ **2.** (1355, «préambule d'un sermon»; 1726). Texte préliminaire et explicatif placé en tête d'un ouvrage (et après la préface, s'il y a lieu). — REM. *L'introduction* est plus étroitement liée au sujet, plus didactique que la *préface.* ⇒ **Avant-propos, avertissement, avis** (au lecteur), **discours** (préliminaire), **exorde, exposition, préambule, préface, prodrome, prolégomènes, prologue** (→ Enfoncer, cit. 45; grammaire, cit. 9). *Dès l'introduction...* ⇒ **Commencement.** *Ce livre commence par une longue, une brève introduction.*

Spécialt (dans un discours, une dissertation, etc.). Entrée en matière, généralement destinée à exposer le plan de l'ensemble. *L'introduction, les trois parties et la conclusion d'une dissertation scolaire.* ⇒ **Exposition.**

♦ **3.** (1838). Mus. Court prélude* préparant l'entrée de l'exposition (dans une œuvre de forme sonate); prélude lent préparant l'allégro d'une ouverture d'opéra; premier numéro de l'ancien «opéra à numéros». *L'introduction du « Don Juan » de Mozart.*

5 L'ouverture classique comporte (...) une introduction lente, mais celle-ci, dès Mozart, tend à se réduire (...) Dans l'opéra moderne, ce prélude *(le prélude wagnérien)* se trouve réduit aux dimensions de l'ancienne introduction de l'ouverture classique (...)
André HODEIR, les Formes de la musique, p. 82.

CONTR. Sortie. — Éviction, renvoi, retrait. — Conclusion.
DÉR. Introductif.

INTRODUCTOIRE [ɛ̃tʀɔdyktwaʀ] adj. — 1488; du bas lat. *introductorius* «qui initie», du lat. class. *introductum,* supin de *introducere.* → Introduire.

♦ Didact. Relatif à une introduction (II.). ⇒ **Introductif,** 2.

INTRODUIRE [ɛ̃tʀɔdɥiʀ] v. tr. — 1120, *entreduire* «conduire, faire entrer (qqn) dans un lieu»; a signifié aussi «instruire, initier»; du lat. *introducere,* de *intro-,* et *ducere* «conduire».

♦ **1.** Compl. n. de personne. [a] Faire entrer* (qqn) dans un lieu. ⇒ **Conduire, passer** (faire). Vx. *Introduire qqn à...* → ci-dessous, cit. 1. — Mod. *Introduire qqn dans un bureau, un salon* (→ Bras, cit. 13; encombrer, cit. 7; hospitalité, cit. 3). *Introduire qqn chez qqn* (concrètement). *L'huissier* (cit. 3), *l'appariteur* (cit.), *le portier, la domestique l'introduisit. Introduisez Monsieur X... Il l'introduisit et lui fit les honneurs* de la maison.*

Je me veux introduire au logis de Lucile (...) MOLIÈRE, le Dépit amoureux, V, 1. 1

Le valet étonné introduisit les deux voyageurs (...) VOLTAIRE, Zadig, XX. 2

(Passif). *Être introduit chez qqn* (→ Feindre, cit. 14).

(...) dès mon arrivée, je fus introduit auprès de la comtesse (...) 3
BARBEY D'AUREVILLY, les Diaboliques, «Le bonheur dans le crime».

[b] (Mil. XVIe; au p. p., 1308). Donner accès* à (qqn) auprès de qqn (dont la position sociale est relativement importante, dont la fonction est significative pour la personne introduite); faire admettre dans un lieu, une société. *Il s'est adressé à moi pour l'introduire auprès de vous* (Académie). ⇒ **Connaissance** (faire faire connaissance), **connaître** (faire), **présenter** (à). Vx. *Introduire qqn près de qqn* (Dumas, *Monte-Cristo, in* T. L. F.). — Régional. *Introduire qqn à qqn.* ⇒ **Présenter.** — Cour. *Introduire qqn chez qqn, auprès de qqn. Introduire qqn dans un salon. Introduire des espions* (cit. 8), *des mouchards dans une société secrète.* ⇒ **Ouvrir** (les portes). — Passif. *Il a été introduit partout.* → ci-dessous, Introduit.

Et toujours près des grands on doit être introduit 4
Par des gens qui de nous fassent un peu de bruit (...)
MOLIÈRE, les Fâcheux, III, 2.

Quel bien peut remplacer la paix que vous avez perdue en introduisant le public dans votre intimité? CHATEAUBRIAND, Mémoires d'outre-tombe, t. II, p. 207. 5

Droit d'adopter, c'est-à-dire d'introduire un étranger près du foyer domestique. 6
FUSTEL DE COULANGES, la Cité antique, II, VIII.

Odile, songeant que chez Fauchon, la marquise serait si distraite par les soins exquis qu'elle apportait à ses emplettes, qu'elle ne prendrait peut-être pas la peine de soulever sa voilette pour juger de ses beaux yeux brillants mais sévères, de la qualité, du prix de l'être à qui on l'introduirait. 6.1
Marie-Claire BLAIS, Une liaison parisienne, p. 106.

Fig. *Introduire qqn dans une affaire. Introduire qqn dans une situation.* ⇒ **Caser.**

Pron. (Mil. XVIIe). Se faire admettre. *S'introduire auprès de qqn, auprès des souverains* (→ Empiéter, cit. 5).

(...) un foulard de soie que m'avait donné Mériem et que je lui remis *(à P. Louÿs)* comme un gage, qui devait lui servir à la retrouver et à s'introduire auprès d'elle. 7
GIDE, Si le grain ne meurt, II, I, p. 318.

Il s'est introduit lui-même, sans être invité (⇒ **Intrus, intrusion**). — *S'introduire dans les affaires, dans une intrigue.* ⇒ **Fourrer** (se), **immiscer** (s'), **infiltrer** (s'), **ingérer** (s'), **mêler** (se); → Corser, cit. 3; empresser, cit. 1.

[c] (V. 1180, *entroduire*). Fig. et vieilli. *Introduire qqn à...,* l'instruire, le préparer à... ⇒ **Initier.** *« Je leur demandais de m'introduire aux études historiques »* (Barrès, *l'Appel du soldat, in* T. L. F.). *Introduire qqn à faire qqch., « à croire »...* (Baudelaire). ⇒ **Induire.**

Fauconn. *Introduire un oiseau au vol.*

♦ **2.** (1529). Compl. n. de chose. Faire adopter. ⇒ **Acclimater, impatroniser, implanter, importer; accès** (donner). *Introduire une nouveauté (quelque part, dans un lieu, un milieu, parmi des hommes...).* ⇒ **Innovation; innover.** *Introduire une coutume, une mode*, un goût* (cit. 18), *un usage, un abus quelque part* (→ Exposer, cit. 18). *Introduire l'esclavage* (cit. 3), *un monopole* (→ Escompter, cit. 5). *Introduire une erreur, une hérésie.* ⇒ **Transporter** (→ Fraude, cit. 9; hérétique, cit. 2). *Walter Scott introduisit le roman historique* (cit. 7) *dans le monde.*

Il ne leur suffit pas d'introduire dans nos temples de telles mœurs (...) 8
PASCAL, Pensées, XIV, 934.

(...) Charles II introduisit la galanterie et ses fêtes dans le palais de Whitehall, souillé du sang de son père. VOLTAIRE, Essai sur les mœurs, CLXXXII. 9

Quand l'abbé de Rancé introduisait la réforme dans son abbaye, les moines eux-mêmes n'étaient plus que des ruines de religieux. 10
CHATEAUBRIAND, Vie de Rancé, II, p. 91.

Être la cause* de..., répandre. *Introduire le désordre. Introduire un idéal, une passion dans l'esprit, le cœur, les pensées de qqn.* ⇒ **Infuser, inspirer, insuffler.**

Pron. Être adopté. *Usage qui s'introduit, tend à s'introduire dans les mœurs* (→ Abâtardir, cit. 3; autrement, cit. 18; force, cit. 51; gaulois, cit. 7). — Passif. *Cette mode a été introduite il y a peu de temps.* ⇒ **Adopter.**

La féodalité ne put s'y introduire *(en Languedoc)* qu'à la faveur de la croisade (...) 11
MICHELET, Hist. de France, III, Tableau de la France, p. 129.

(1470, au p. p.; v. tr., 1804). Dr. Faire commencer. *Introduire une instance, une demande.* → Huis, cit. 8 (Huis-clos). *Introduire une clause.*

♦ **3.** Faire entrer*, faire pénétrer (une chose dans une autre). ⇒ **Mettre** (dans); **introduction, intromission.**

[a] (1642, Corneille). Choses concrètes. *Introduire la main dans une*

ouverture, dans sa poche. ⇒ **Enfoncer, enfourner, engager, fourrer, passer, rentrer.** *Introduire doucement, adroitement qqch.* ⇒ **Glisser, insinuer.** *Introduire un clou dans le mur* (⇒ **Ficher, planter**), *une greffe dans la tige d'une plante* (⇒ **Greffer, insérer**), *un fil dans le chas d'une aiguille.* ⇒ **Passer** (faire). *Introduire une photo dans un cache, un cadre.* ⇒ **Encadrer.** *Introduire un liquide dans l'organisme.* ⇒ **Infuser, injecter, inoculer.** *Introduire une sonde* (⇒ **Sonder**), *un tube dans un puits artésien* (⇒ **Cuveler**). *Introduire une cartouche dans la culasse d'une arme à feu* (⇒ **Charger**), *dans un trou de mine* (→ Explosif, cit. 3). *Introduire qqch. dans un liquide.* ⇒ **Plonger.**

12 On fit prendre de force au vieux une tasse de tilleul en introduisant la cuiller entre ses dents serrées. ZOLA, la Terre, II, II.

13 Il rompit l'ampoule, y introduisit l'aiguille, emplit la seringue jusqu'au degré prescrit, et vida lui-même les trois quarts de l'ampoule dans le seau.
MARTIN DU GARD, les Thibault, t. III, p. 212.

(1615, « importer »). Spécialt. Faire venir pour la première fois (qqch.) dans un lieu, un pays. *Introduire une plante dans une région.* ⇒ **Acclimater, importer; acclimatation** (cit.). *Introduire des billets falsifiés* (cit. 4) *dans un pays.* — (1797). *Introduire une marchandise en contrebande*.*

b (Choses abstraites). Faire figurer*, faire entrer (qqch.) dans... ⇒ **Inclure, incorporer, mettre.** *Introduire qqch. au milieu, entre d'autres choses.* ⇒ **Intercaler, interpoler.** *Mot, nom que le hasard introduit dans la conversation* (→ Anecdote, cit. 3). *Introduire de nouveaux mots dans la langue* (→ Ethnographie, cit. 1; influencer, cit. 1).

14 (...) celle *(la maxime)* qui la première introduit le vice dans une âme bien née (...)
ROUSSEAU, Julie ou la Nouvelle Héloïse, Lettre XXVII.

15 Ronsard dit plus tard dans une préface avoir le premier introduit le mot *ode* dans la langue française; ce qu'on n'a jamais contesté.
NERVAL, Bohème galante, Poètes du XVIe s.

16 Si j'avais cette somme liquide, je vous la donnerais avec plaisir; mais je refuse d'introduire ce chèque dans mes comptes (...) G. DUHAMEL, Salavin, V, XVI.

Spécialt. *Introduire un personnage dans une pièce de théâtre, dans un roman* (→ Épisodique, cit. 1, Corneille).

▶ **INTRODUIT, ITE** p. p. adj.

(Personnes). Qui a ses entrées, qui est admis, reçu habituellement. *Il est introduit, bien introduit dans une société fermée, chez un tel, au Ministère.* ⇒ **Entrée** (avoir ses entrées). *Il n'est pas introduit dans ce club.* ⇒ **Recevoir.** *Quelqu'un de très introduit.*

CONTR. Chasser, éliminer, éloigner, évacuer, exclure, expulser, jeter (dehors), **renvoyer, retirer, sortir** (faire). — **Arracher, enlever, extirper, extraire, supprimer.**
DÉR. Introductible.

INTROFACTION

INTROFACTION [ɛ̃tʀofaksjɔ̃] n. f. — D. i. (après 1950); de *intro-*, et lat. *factum*, p. p. de *facere* « faire ».

♦ Phys. Augmentation de la fluidité et des propriétés mouillantes d'une substance par abaissement de sa tension superficielle au moyen d'une très petite quantité d'une autre substance ajoutée dans ce but.

INTROÏT

INTROÏT [intʀɔit] n. m. — V. 1378 (fin XIIIe, selon T. L. F.), *introïte*, au sens 1; du lat. *introitus* « entrée », de *introire.*

♦ **1.** Liturgie cathol. « Chant destiné à être exécuté avant la messe, pendant l'entrée du Célébrant et de ses Ministres » (Dom J. Roux). ⇒ **Prière.** *De nombreux introïts sont choisis parmi les psaumes.*

♦ **2.** (Fin XIVe). Par ext. (littér.). Introduction, début (d'un discours, d'une œuvre). — Fig. *« Cet insignifiant lever de rideau, ce négligeable* introït *du jour... »* (Proust, *in* T. L. F.).

INTROJECTER

INTROJECTER [ɛ̃tʀɔʒɛkte] v. tr. — XXe (Pierre-Jean Jouve, *le Tombeau de Baudelaire*, in *Dict. des mots sauvages*); dér. sav. de *introjection.*

♦ Psychan. Incorporer (l'image d'une personne) par le processus de l'introjection. *L'imago parentale est introjectée par l'enfant.*

Il est facile de comprendre que la connaissance de la personne réelle de l'analyste par le patient viendrait troubler la pureté de ce processus de projection.
(...) le patient aurait alors tendance à intérioriser, à *introjecter* cette personne réelle et à *s'identifier* à elle.
G. MENDEL, Psychanalystes, Médecins et Rationalité, *in* la Nef, n° 31, p. 38 (1967).

▶ **S'INTROJECTER** v. pron.
Devenir introjecté, s'incorporer. *« Le moi-plaisir originaire veut (...) s'introjecter tout le bon et rejeter de soi tout le mauvais »* (Freud, trad., *in* Laplanche et Pontalis, *Voc. de la psychanalyse,* art. *Introjection*).

Var. : *introjeter* [ɛ̃tʀɔʒ(ə)te].

CONTR. Projeter (I., 3.).

INTROJECTIF, IVE

INTROJECTIF, IVE [ɛ̃tʀɔʒɛktif, iv] adj. — 1946, Mounier; de *introjection.*

♦ Psychan. Relatif à l'introjection.

INTROJECTION

INTROJECTION [ɛ̃tʀɔʒɛksjɔ̃] n. f. — 1909, en philosophie, Lalande; all. *Introjektion,* Avenarius, 1888; de *intro-*, et *Projecktion.* → Projection.

♦ **1.** Hist. philos. Opération par laquelle la conscience de chaque individu est conçue comme intérieure à son organisme, et les représentations comme des objectivations d'états internes.

♦ **2.** (Mil. XXe; notion introduite par Ferenczi). Psychan. Processus inconscient par lequel l'image d'une personne est incorporée au Moi et au Surmoi (ex. : introjection de l'image des parents par l'enfant). *L'introjection fait partie des mécanismes de défense.*

Le surmoi « est l'héritier du complexe d'Œdipe » (Freud). Lors de la liquidation du complexe d'Œdipe, il se produit une « introjection » compensatrice des images familiales. Guy PALMADE, la Psychothérapie, p. 67. 1

Freud adopte le terme d'introjection et l'oppose nettement à la projection. Le texte le plus explicite à cet égard est *Pulsions et destins des pulsions* (1915) où est envisagée la genèse de l'opposition sujet (moi)-objet (monde extérieur) en tant qu'elle est corrélative de l'opposition plaisir-déplaisir : le « moi-plaisir purifié » se constitue par une introjection de tout ce qui est source de plaisir et par une projection au dehors de tout ce qui est occasion de déplaisir (...) 2
J. LAPLANCHE et J.-B. PONTALIS, Voc. de la psychanalyse, art. *Introjection.*

CONTR. Projection (4., psychol.).
DÉR. Introjecter, introjection.

INTROJETER

INTROJETER [ɛ̃tʀɔʒ(ə)te] v. tr. ⇒ **Introjecter.**

INTROMISSION

INTROMISSION [ɛ̃tʀɔmisjɔ̃] n. f. — 1560; « fait d'être mêlé à », 1465; dér. sav. du lat. *intromissus,* de *intromittere* « faire entrer dans ».

Didactique.

A. Personnes, êtres vivants. Vx. Introduction (Goncourt, La Varende, *in* T. L. F.).

B. Choses. ♦ **1.** (1762). Didact. Action d'introduire, de mettre dans. *Intromission d'un liquide dans un tube, de l'air dans l'eau.*

Aux joints des fenêtres, des bourrelets de feutre empêchent toute intromission d'air froid et concentrent la chaleur interne. Th. GAUTIER, Voyage en Russie, p. 244. 1

♦ **2.** (1573, Paré). Spécialt. « L'introduction du membre du mâle dans les parties sexuelles de la femelle » (Littré). → Boutique, cit. 4.1.

La forme extérieure et la structure intérieure des parties de la génération *(des oiseaux)* sont fort différentes de celles des quadrupèdes; et la grandeur, la position (...) de ces parties varient même beaucoup dans les diverses espèces d'oiseaux. Aussi paraît-il qu'il y a intromission réelle dans les uns, et qu'il ne peut y avoir dans les autres qu'une forte compression, ou même un simple attouchement (...) 2
BUFFON, Hist. nat. des oiseaux, Disc. nat. ois.

INTRON

INTRON [ɛ̃tʀɔ̃] n. m. — 1979; de *intr(o)-*, et suff. *-on* (→ Codon), par l'anglais.

♦ Biol. Portion d'ADN d'un gène d'eucaryote qui n'est pas « recopiée » par l'ARN messager (opposé à *exon*). Syn. : *séquence non codante. « Une étape de maturation où des enzymes encore inconnues enlèvent les introns... »* (*la Recherche,* avr. 1980, p. 466). *« Des séquences de DNA* (ADN) *étrangères sans signification génétique s'introduisent (...) C'est par ce moyen qu'auraient été créés les introns séparant les exons dans les gènes mosaïques »* (*la Recherche,* sept. 1979, p. 298). *Nucléotides constituant les introns.*

INTRONISATION

INTRONISATION [ɛ̃tʀɔnizasjɔ̃] n. f. — 1372; de *introniser.*

♦ **1.** Action d'introniser; le fait d'être intronisé. *Intronisation d'un évêque, d'un pape. L'intronisation du souverain se fait après le couronnement. — L'intronisation d'un doyen.*

Par ext. Fait d'introduire (qqn) dans un milieu, auprès de qqn.

Les cérémonies de l'intronisation des papes étaient alors de les revêtir d'une chape rouge dès qu'ils étaient nommés. 1
VOLTAIRE, Annales de l'Empire, Henri VI, 1191.

♦ **2.** (1837, Michelet). Par ext. (Abstrait). *L'intronisation d'une nouvelle autorité, d'un nouveau pouvoir, d'une politique nouvelle. « L'intronisation de la philosophie de Descartes dans le* XVIIe *siècle »* (Littré). *L'intronisation d'une science.*

L'intronisation du nouveau pouvoir fut marquée par une rigueur toute nouvelle de la police et de la censure. MICHELET, Hist. de la Révolution franç., XIX, III. 2

INTRONISER [ɛ̃tʀɔnize] v. tr. — 1220; lat. ecclés. *inthronizare,* mot grec, de *en-,* et *thronizein* «introniser», de *thronos* «trône épiscopal».

♦ **1.** (Compl. n. de personne). Placer solennellement sur le trône*, sur le siège épiscopal, sur la chaire pontificale. ⇒ **Établir, installer.** *Introniser un pape*, un évêque*.* — (V. 1485). *Introniser un roi, un souverain* (⇒ **Couronner, sacrer**).

1 Il *(Henri IV)* fait introniser son anti-pape Guibert, et est couronné solennellement par lui. VOLTAIRE, Annales de l'Empire, Henri IV, 1084.

2 (...) Bonaparte lui-même était allé (...) chercher des Bourbons pour les introniser en Toscane. Louis MADELIN, Hist. du Consulat et de l'Empire, Vers l'Empire d'Occident, X.

Par ext. (parfois iron.). *Introniser un doyen, un maire.* — *Introniser des chevaliers du Tastevin.*

Introniser qqn, l'installer dans une fonction*, lui conférer un titre*.

3 Depuis cette matinée où vous m'avez souri en noble fille qui devinait la misère de mon cœur solitaire et trahi, je vous ai intronisée : vous êtes la souveraine absolue de ma vie, la reine de mes pensées, la divinité de mon cœur (...) BALZAC, Mémoires de deux jeunes mariées, Pl., t. I, p. 195 (1842).

♦ **2.** (Compl. n. de chose). Introduire de manière officielle ou solennelle; introduire durablement. ⇒ **Installer.** *Introniser en Europe l'art nègre. Introniser une politique nouvelle, une science, une mode.* ⇒ **Impatroniser.** — Passif et p. p. *Les doctrines qui furent récemment intronisées, les doctrines intronisées.* — Pron. *S'introniser.*

CONTR. **Détrôner, renverser.**
DÉR. **Intronisation.**

INTRORSE [ɛ̃tʀɔʀs] n. f. — 1846; lat. *introrsum;* de *intro-,* et *versum* ou *versus* «vers».

♦ Bot. *Étamine introrse,* dont l'anthère est ouverte vers l'intérieur (opposé à *extrorse*).

INTROSPECTER [ɛ̃tʀɔspɛkte] v. — XXe (1935, v. tr., Simonin et Bazin, *in* T. L. F.); de *introspection.*

♦ Didact. Chercher à connaître par l'introspection. — Pron. *S'introspecter :* se livrer à l'introspection.

INTROSPECTIF, IVE [ɛ̃tʀɔspɛktif, iv] adj. — 1838-1840, Académie, *Compl.;* angl. *introspective,* du supin du lat. *introspicere.*

♦ **1.** Philos. Qui applique son attention vers soi-même. *Attention introspective.* — *Littérature introspective.*

♦ **2.** Mod., psychol. Qui emploie l'introspection, concerne l'introspection. *Méthode, psychologie introspective, subjective* (opposé à *objectif, expérimental, behavioriste*).

INTROSPECTION [ɛ̃tʀɔspɛksjɔ̃] n. f. — 1838; angl. *introspection,* dér. du lat. *introspicere* «regarder à l'intérieur», de *intro-,* et du v. archaïque *spicere, specere* «regarder».

♦ **1.** Philos. et littér. Fait, pour une conscience, de se prendre pour objet (sans visée de connaissance spéculative).

1 (...) la religion chrétienne (ou disons plus précisément : la catholique) invite à une introspection plus attentive. GIDE, Journal, 30 juin 1923.

1.1 Au-delà la floraison des écrits intimes, l'analyse des personnages devait beaucoup à une introspection imaginaire, celle de l'auteur devenu personnage. Malgré l'affirmation célèbre, Madame Bovary n'est pas Flaubert, bien que Julien Sorel soit souvent Henri Beyle. A nos yeux, le je de cette époque devient un il. Introspection signifiait vite confidence; nul n'affleura l'irrationnel quasi-dément du redoutable je. MALRAUX, l'Homme précaire et la Littérature, p. 185.

♦ **2.** Psychol. «Observation d'une conscience individuelle par elle-même, en vue d'une fin spéculative» (Lalande, *Voc. de la philos.*). *Psychologie de l'introspection* (introspectionnisme, mentalisme) *et psychologie du comportement. Critique de l'introspection au nom du positivisme. L'introspection, analyse, examen, étude, contemplation de soi-même. L'introspection, méthode de connaissance de l'homme*. Descendre, regarder en soi-même par l'introspection.* ⇒ **Attention** (intérieure), **réflexion** (→ Éclairer, cit. 7).

1.2 (...) un acte d'un type tout spécial, la «perception intérieure» ou introspection, dans lequel le sujet et l'objet étaient confondus et la connaissance obtenue par coïncidence. MERLEAU-PONTY, Phénoménologie de la perception, p. 70.

2 (...) jusqu'à l'avènement des méthodes objectives et de la psychologie expérimentale, la psychologie traditionnelle s'est édifiée sur les seules données de l'introspection (...) la faiblesse de cette source d'information réside dans son caractère trop individuel et trop subjectif (...) A. POROT, Manuel de psychiatrie, art. *Introspection.*

L'observation intérieure ou introspection demeure irremplaçable pour l'analyse des processus psychologiques délicats (...) 3
Jean DELAY, la Psycho-physiologie humaine, p. 8.

DÉR. **Introspecter, introspectionnisme, introspectionniste.**

INTROSPECTIONNISME [ɛ̃tʀɔspɛksjɔnism] n. m. — XXe (av. 1951, Gide); de *introspection.*

♦ Psychol. Psychologie de l'introspection*. ⇒ **Mentalisme.**

CONTR. **Behaviorisme.**

INTROSPECTIONNISTE [ɛ̃tʀɔspɛksjɔnist] adj. — 1952; de *introspection.*

♦ Psychol. Qui se rapporte à l'introspectionnisme. *Psychologie introspectionniste.*

Le behaviorisme est une doctrine qui rejette l'ancienne psychologie introspectionniste édifiée sur les données de la conscience et prétend lui substituer une psychophysiologie strictement objective (...) A. POROT, Manuel de psychiatrie, art. *Behaviorisme.*

N. *Un, une introspectionniste :* un partisan de l'introspectionnisme.

CONTR. **Behavioriste.**

INTROUBLÉ, ÉE [ɛ̃tʀuble] adj. — 1881, *introuble;* 1838-1840, Académie, *Compl.;* de 1. *in-,* et *troublé.*

♦ Rare. Qui n'est pas troublé (au propre et au fig.). *Liquide introublé.*

(...) cette nef paisible où s'agenouillait la conscience introublée de quelques élus (...) Léon BLOY, le Désespéré, p. 83. 1

Es-tu venu pour dévaster l'écrit 2
(Tout écrit, tout espoir), pour retrouver
La surface introublée que double l'étoile
Et boire à l'eau qui passe (...) Yves BONNEFOY, Poèmes, p. 299.

CONTR. **Troublé.**

INTROUVABLE [ɛ̃tʀuvabl] adj. — 1639 (→ cit. 4, Guez de Balzac); de 1. *in-, trouver,* et suff. *-able.*

♦ **1.** Qu'on ne peut trouver ou qu'on ne parvient pas à trouver. *Cet objet est introuvable. Cette personne, activement recherchée par la police, demeure introuvable.* — *C'est un coin presque introuvable, vous aurez du mal à le découvrir.*

Ce rare mortel *(un bon gouverneur)* est-il introuvable? Je l'ignore (...) Mais supposons ce prodige trouvé (...) ROUSSEAU, Émile, I. 1

(...) on découvre soudain une gorge où entre la mer, une gorge cachée, presque introuvable, pleine d'arbres, de sapins, d'oliviers, de châtaigniers. MAUPASSANT, la Vie errante, La côte italienne, p. 52. 2

(...) le vieux dictionnaire de l'Académie, celui de 1694, aujourd'hui presque introuvable (...) G. DUHAMEL, Discours aux nuages, p. 14. 3

Introuvable à, dans, chez..., introuvable quelque part. Ce sont des choses absolument introuvables ici, dans ce pays.

♦ **2.** (1693). Très difficile à trouver. *Édition introuvable.* ⇒ **Précieux, rare.** *Aussi introuvable qu'un merle blanc. Chercher une chose introuvable* (→ Chercher une aiguille* dans une botte de foin). *Vous aurez du mal à le rencontrer, c'est un homme introuvable.*

Un Gascon dirait que vous êtes introuvable; pour moi qui ne suis pas si hardi, je me contente de dire que vous êtes impossible à trouver. GUEZ DE BALZAC, Lettres, XV, XXV (25 juin 1639). 4

Comme on n'en fabrique plus en Amérique, les *bucaros* commencent à devenir rares, et dans quelques années seront introuvables et fabuleux comme le vieux Sèvres; alors tout le monde en aura. Th. GAUTIER, Voyage en Espagne, p. 77. 5

N. m. (Rare). *L'introuvable :* ce qui est très difficile à trouver. — (1881, Rigaud). Fam. et vx. Plais. *Un introuvable :* un urinoir.

♦ **3.** Qui n'a pas son pareil. — (1815, mot de Louis XVIII). Allus. hist. *La Chambre introuvable. Une assemblée, un parlement introuvable,* qui assure une majorité très forte.

L'assemblée qui fut élue après celle des Cent-Jours était ardemment royaliste, si royaliste que Louis XVIII lui-même ne croyait pas qu'on pût en trouver une pareille (d'où lui resta le nom de Chambre introuvable)... J. BAINVILLE, Hist. de France, XVIII, p. 442. 6

(...) il s'agira d'assurer au général, dans cette chambre qui risque fort d'être «introuvable», une apparition de gauche sur laquelle il puisse s'appuyer pour tenir tête aux ultras. F. MAURIAC, le Nouveau Bloc-notes 1958-1960, p. 108. 7

INTROVERSIF, IVE [ɛ̃tʀɔvɛʀsif, iv] adj. — Mil. XXe (1946, Mounier); dér. sav. de *introversion.*

♦ Didact. (Personnes). Qui est introverti, est tourné vers lui-même (dans la typologie humaine de Jung). *Sujet introversif.* ⇒ **Introverti.**

INTROVERSION [ɛ̃tʀɔvɛʀsjɔ̃] n. f. — 1913, Jung (texte en franç.), *in* T. L. F.; all. *Introversion,* employé par Jung, (*Psychologische Typen,* 1921); lat. *introversio,* de *introversus* «vers l'intérieur», du lat. *vertere* «tourner».

♦ **1.** Psychol. Fait d'être attentif seulement à son moi* et non au monde extérieur; orientation de l'énergie psychique vers le sujet lui-même. ⇒ aussi **Autisme.** *L'introverti, individu porté à l'introversion.*

Il y a un autre mot qui est à la mode, surtout à l'étranger : introversion. Le sujet qui fait trop attention à ce qui se passe en lui-même, qui s'occupe trop de son humeur, qui prend la peine de s'apercevoir que le goût de la vie toute pure est douteux, pour ne pas dire vaseux, est un introverti.
J. ROMAINS, les Hommes de bonne volonté, t. XXV, p. 124.

♦ **2.** Psychan. Selon Freud, Retrait de la libido* sur des objets imaginaires ou fantasmes.

REM. La var. *intraversion* [ɛ̃tʀavɛʀsjɔ̃] est employée par Mounier (au sens 1), qui utilise aussi le verbe *intravertir.*

DÉR. Introversif. — V. Introverti.

INTROVERTI, IE [ɛ̃tʀɔvɛʀti] adj. — 1923, trad. de Freud par Jankélévitch, *in* T. L. F. ; all. *introvertiert.* → Introversion.

♦ Psychol. Porté à l'introversion. ⇒ **Introversif ;** aussi **autistique.**

N. *Un introverti, une introvertie.* → Introversion, cit. Romains.

1 Tout le monde est à la fois extraverti (...) et introverti, c'est-à-dire tourné vers l'intérieur. P. GUTH, le Mariage du naïf, VII, p. 78.

2 Nous ne tenons nullement l'introverti pour un névropathe, mais pour un esprit en état d'instabilité. BERNANOS, la Joie, *in* Œ. roman., Pl., p. 643.

CONTR. Extraverti.

INTRUS, USE [ɛ̃tʀy, yz] adj. et n. — V. 1360, sens 1 ; lat. médiéval *intrusus* (pour *introtrusus* «vers l'intérieur»), p. p. de *intrudere,* pour *introtrudere* de *trudere* «pousser» ; cf. l'anc. v. *intrure* «introduire sans droit, sans titre» encore signalé aux temps comp. par Littré, et par Académie 1935 à la forme pronominale : *Il s'est intrus dans cet évêché, dans cette tutelle.*

♦ **1.** Adj. et n. Didact. (relig., hist.). Introduit dans une charge, une dignité sans titre, sans droit. — (En parlant des dignités ecclésiastiques). *Évêque, patriarche intrus. On a appelé prêtres, curés intrus les prêtres assermentés de 1791.*

N. Vx ou didact. *Un intrus, une intruse.*

1 Britannicus est en âge de régner ; c'est l'héritier légitime du trône occupé par un intrus à la faveur d'une adoption.
DIDEROT, Essai sur les règnes de Claude et Néron, I, 50.

2 Il vit d'ailleurs les intrus de l'empire arrivant à quelques-unes des charges réservées sous l'ancienne monarchie aux meilleures maisons.
BALZAC, le Bal de Sceaux, Pl., t. I, p. 74.

♦ **2.** N. (1801). Mod. et cour. Personne qui s'introduit quelque part sans y être invitée, attendue ni désirée. ⇒ **Importun, indésirable, indiscret** (→ Gêner, cit. 18). *Écarter, renvoyer les intrus. Sa belle-famille la considère comme une intruse.*

3 Quand la nuit tomba, personne ne lui adressait plus la parole, il *(Jean)* n'était plus là qu'en intrus toléré. Jamais il n'avait eu si pénible la sensation d'être un étranger, de n'avoir pas un des siens, parmi ces gens, tous alliés, tous d'accord, dès qu'il s'agissait de l'exclure. ZOLA, la Terre, V, V.

4 Point d'intrus d'ailleurs, point de visiteurs inattendus ou déplaisants.
LOTI, Aziyadé, III, XLI.

♦ **3.** Adj. et n. (Fin XIXᵉ). Fig. et littér. (Choses). *« Conscience intruse »* (Malraux, *la Condition humaine*).

N. *Les intrus du dictionnaire* (R. de Gourmont, *in* T. L. F.).

INTRUSIF, IVE [ɛ̃tʀyzif, iv] adj. — 1871 ; dér. sav. de *intrusion.*

♦ Didact. (géol.). Qui a été mis en place par intrusion (3.). *Roches intrusives.*

INTRUSION [ɛ̃tʀyzjɔ̃] n. f. — 1304 ; dér. sav. du lat. médiéval *intrusio,* du lat. médiéval *intrusus.* → Intrus.

♦ **1.** Didact. (hist.). Action par laquelle on s'introduit*, sans en avoir le droit, dans une charge, une dignité. ⇒ 1. **Intrus.**

♦ **2.** (1835). Mod. Le fait de s'introduire sans en avoir le droit (dans une société, un groupe...). *L'intrusion de qqn quelque part, dans un lieu, chez qqn. Intrusion indiscrète* (cit. 7). *Préserver son intimité des intrusions malapprises* (→ Délicatesse, cit. 20). *L'intrusion d'importuns qui forcent votre porte. L'intrusion de l'étranger dans les affaires d'un pays.* ⇒ **Ingérence, intervention.**

Fig. (Choses). *L'intrusion de la politique dans un cercle amical. L'intrusion d'emprunts dans le vocabulaire.*

♦ **3.** [a] Géol. Pénétration d'une roche dans une couche de nature différente. *Roches d'intrusion. Nappes d'intrusion,* qui ont pénétré entre des couches sédimentaires. ⇒ **Intrusif.**

Les dénudations profondes des couches supérieures de l'écorce terrestre font apparaître, à la surface, des appareils éruptifs dont les produits ne sont jamais arrivés au jour, mais se sont insinués sous la forme d'*intrusions* entre les strates.
Émile HAUG, Traité de géologie, t. I, p. 276.

[b] Techn. Technique de moulage des matières plastiques par injection.

DÉR. Intrusif.

INTUBATION [ɛ̃tybasjɔ̃] n. f. — XXᵉ ; angl. *intubation,* 1887 ; du lat. *in-* locatif, de *tubus* «tube», et suff. *-ation.*

♦ Didact. (méd., etc.). Introduction d'un tube dans un conduit de l'organisme. Spécialt. Mise en place d'une sonde à l'intérieur de la trachée (⇒ **Endotrachéal**) au début de l'anesthésie. *Si l'anesthésie est insuffisante, l'intubation s'accompagne d'un sursaut caractéristique* (dit *cabrade*).

Pour empêcher le poumon de s'affaisser, il suffit (...) de créer une pression positive dans la trachée et les bronches (...) Ceci peut être réalisé de façon simple en introduisant (par la bouche) un tube dans la trachée. C'est ce qu'on appelle l'intubation endotrachéale. Claude D'ALLAINES, Chirurgie du cœur, p. 28.

Intubation du larynx. ⇒ **Tubage.**

INTUBER [ɛ̃tybe] v. tr. — XXᵉ ; de l'angl. *to intubate,* et d'après *intubation.*

♦ Didact. (méd., etc.). Pratiquer l'intubation sur (un conduit de l'organisme, un malade). *Intuber la trachée ; intuber un comateux.*

Il y a (il consulte sa montre) cinquante-cinq heures que nous l'avons intubée.
Gilbert CESBRON, Une abeille contre la vitre, p. 18.

INTUITIF, IVE [ɛ̃tɥitif, iv] adj. — 1480 ; dér. sav. du lat. scolast. *intuitus,* de *intuitum,* supin de *intueri.* → Intuition.

♦ **1.** Didact. (philos.). Qui est objet d'intuition. *Vérité intuitive.* — Relig. *Vision intuitive de Dieu. Vie intuitive* (→ Ascèse, cit. 3). Qui a les caractères, qui est le résultat d'une intuition. *Avoir la conscience intuitive de sa propre existence.* ⇒ **Direct.** *Connaissance* (cit. 2) *intuitive, connaissance discursive, et rationalisme* (→ Inconnaissable, cit. 1).

Ne m'avouerez-vous pas que vous êtes moins assuré de la présence des objets que 1
vous voyez, que de la vérité de cette proposition : *Je pense, donc je suis ?* Or, cette connaissance n'est point un ouvrage de votre raisonnement, ni une instruction que vos maîtres vous aient donnée ; votre esprit la voit, la sent et la manie (...) elle vous est (...) une preuve de la capacité de nos âmes à recevoir de Dieu une connaissance intuitive. DESCARTES, Lettre à Newcastle, 1648.

Chez moi l'observation *(des hommes)* était déjà devenue intuitive, elle pénétrait 2
l'âme sans négliger le corps ; ou plutôt elle saisissait si bien les détails extérieurs, qu'elle allait sur-le-champ au delà (...) BALZAC, Facino Cane, Pl., t. VI, p. 66.

Cour. *Cela ne s'explique pas, c'est intuitif !*

♦ **2.** (1845, Michelet). Cour. (Personnes). Qui est apte à penser par intuition plutôt que par raisonnement ; qui fait ordinairement preuve d'intuition dans la vie courante, dans ses rapports avec autrui. *Personne intuitive, esprit intuitif. On prétend traditionnellement que la femme est plus intuitive que l'homme. Il est très intuitif en affaires.*

Parmi les savants, on rencontre deux formes d'esprit, les esprits logiques et les 3
esprits intuitifs. La science doit ses progrès à l'un comme à l'autre de ces types intellectuels. Les mathématiques, quoique de structure purement logique, emploient néanmoins l'intuition. Parmi les mathématiciens, il y a des intuitifs et des logiciens, des analystes et des géomètres.
Alexis CARREL, l'Homme, cet inconnu, IV, II.

(...) si peu intuitive qu'elle fût, elle avait pourtant deviné de prime abord qu'ils 4
avaient en commun bien des rancunes et des illusions.
J. GREEN, Léviathan, II, II.

N. *Un intuitif, une intuitive. C'est un intuitif. La distinction faite par Pascal entre esprit de finesse et esprit de géométrie est celle de l'intuitif opposé au logicien*.*

CONTR. Déductif, discursif.
DÉR. Intuitivement, intuitivisme, intuitiviste.

INTUITION [ɛ̃tɥisjɔ̃] n. f. — 1542 ; lat. scolast. *intuitio,* de *intuitum,* supin de *intueri* «regarder attentivement».

♦ **1.** Didact. et cour. *(L'intuition).* Forme de connaissance, directe et immédiate, qui ne recourt pas au raisonnement (→ Cœur, cit. 162, Pascal). — Théol. Vision directe de Dieu. — Philos. *Intuition psychologique :* connaissance immédiate par un sujet de ses états de conscience*. *Intuition et introspection. Intuition sensible. L'intuition de qqch. par qqn. La première intuition que nous avons des choses est une synthèse vague et confuse* (→ Analyse, cit. 6). *Intuition métaphysique,* qui saisit directement l'existence, l'essence d'un être. *Intuition cartésienne* (→ Chose, cit. 7). *Le cartésianisme* (cit. 4), *philosophie de l'intuition.* ⇒ **Intuitionnisme.** *Intuition intellectuelle,* qui nous fait saisir des rapports. *Intuition d'évidence* ou *rationnelle,* qui nous fait saisir ce qui est indémontrable. *Les axiomes* sont saisis par intuition. — Intuition d'invention* ou *divinatrice,* qui fait saisir spontanément à la conscience ce qui n'est pas encore démontré ou réalisé (seul ce sens est passé dans le langage courant). *L'intuition, vision d'une vérité et la démonstration* (cit. 6) *qui en fait la preuve. L'intelligence doit achever* (cit. 14) *l'œuvre de l'intuition.* — *L'intuition, par Kant et les kantiens, est la connaissance immédiate d'une réalité actuellement présente à l'esprit.*

L'intuition, telle que la conçoit Bergson, est opposée à l'intelligence et à la pensée conceptuelles.

1 J'ai dit combien l'intuition du nombre pur (...) diffère de l'intuition sensible dont l'imagination proprement dite fait tous les frais (...) malgré les exceptions dont nous venons de parler, il n'en est pas moins vrai que l'intuition sensible est en Mathématiques l'instrument le plus ordinaire de l'invention.
H. POINCARÉ, Valeur de la science, I, p. 32, 34.

2 Nous appelons ici intuition la *sympathie* par laquelle on se transporte à l'intérieur d'un objet pour coïncider avec ce qu'il a d'unique et par conséquent d'inexprimable. Au contraire, l'analyse est l'opération qui ramène l'objet à des éléments déjà connus, c'est-à-dire communs à cet objet et à d'autres (...) Il y a une réalité au moins que nous saisissons tous du dedans, par intuition et non par simple analyse. C'est notre propre personne... C'est notre moi qui dure.
H. BERGSON, la Pensée et le Mouvant, VI.

3 Les découvertes de l'intuition doivent toujours être mises en œuvre par la logique. Dans la vie ordinaire comme dans la science, l'intuition est un moyen de connaissance puissant, mais dangereux. Il est difficile parfois de la distinguer de l'illusion.
Alexis CARREL, l'Homme, cet inconnu, IV, II.

(Une, des intuitions). Connaissance intuitive quant à un objet; opération ou résultat de cette connaissance. *« Le raisonnement abstrait est une suite d'intuitions »* (Lagneau).

♦ **2.** (Déb. XIXe). Cour. Sentiment plus ou moins précis de ce qu'on ne peut vérifier, de ce qui n'existe pas encore. ⇒ **Aperception** (littér.), **inspiration, pressentiment.** *Faculté d'intuition* (→ Éclairer, cit. 11). — *Avoir l'intuition de qqch. Avoir l'intuition de ce qui va se passer. J'en ai l'intuition. Avoir l'intuition que qqch. va se passer. Comprendre, saisir, sentir, découvrir, prévoir qqch. par intuition, par l'intuition. — Se fier à ses intuitions. Il a d'étonnantes intuitions. Par une sorte d'intuition subtile* (→ Perspicacité, cit. 2).

4 Desplein possédait un divin coup d'œil : il pénétrait le malade et sa maladie par une intuition acquise ou naturelle qui lui permettait d'embrasser les diagnostics particuliers à l'individu, de déterminer le moment précis, l'heure, la minute à laquelle il fallait opérer, en faisant la part aux circonstances atmosphériques et aux particularités du tempérament.
BALZAC, la Messe de l'athée, Pl., t. II, p. 1148.

5 L'amour a ses intuitions comme le génie a les siennes, et je voyais confusément que la violence, la maussaderie, l'hostilité ruineraient mes espérances.
BALZAC, le Lys dans la vallée, Pl., t. VIII, p. 806.

6 Souvent je doute (...) si, par quelque intuition exquise, elle n'est pas secrètement et comme mystiquement avertie de tout ce que je fais loin d'elle (...)
GIDE, Et nunc manet in te, p. 106.

7 (...) autant d'accusations qui ne résistaient pas cinq minutes à l'examen, à cette intuition clairvoyante que la présence, le contact direct, éveillent chez un observateur quelque peu doué de flair.
MARTIN DU GARD, les Thibault, t. VII, p. 103.

8 Elle eut l'intuition soudaine qu'il n'y avait rien à espérer de cette visite (...)
J. GREEN, Adrienne Mesurat, III, VIII.

Absolt. *Avoir de l'intuition; montrer de l'intuition en une affaire.* ⇒ **Deviner; divination, flair** (→ Falloir, cit. 31; cf. aussi être bien inspiré). *Il, elle a beaucoup d'intuition en affaires.* ⇒ **Intuitif.**

CONTR. Raisonnement.

DÉR. Intuitionnel, intuitionner, intuitionnisme, intuitionniste.

INTUITIONNEL, ELLE [ɛ̃tɥisjɔnɛl] adj. — Mil. XXe; de *intuition.*

♦ Didact. De l'intuition; obtenu par intuition. ⇒ **Intuitif** (opposé à *logique*).

INTUITIONNER [ɛ̃tɥisjɔne] v. tr. — 1937, Ruyer, *in* T. L. F.; de *intuition.*

♦ Didact. Percevoir par l'intuition. — Absolt. *Intuitionner ou connaître déductivement.*

INTUITIONNISME [ɛ̃tɥisjɔnism] n. m. — 1908, Fouillée; de *intuition.*

♦ **1.** Philos. Doctrine attribuant un rôle essentiel à l'intuition. *L'intuitionnisme bergsonien.*

♦ **2.** Sc. Théorie d'après laquelle les mathématiques ont recours à l'intuition et n'ont pas seulement recours à l'hypothèse et à la déduction. *Selon Heyting, les principes de l'intuitionnisme mathématique sont :* « 1) *la mathématique n'a pas seulement une signification formelle, mais aussi un contenu;* 2) *les objets mathématiques sont saisis immédiatement par l'esprit pensant* ». — Var. graphique : *intuitionisme.*

Intuitionisme? Qu'est-ce à dire? D'abord, qu'il ne peut y avoir d'autre critère et d'autre fondement de la vérité que l'évidence, que tout autre se ramène à lui.
Michel SERRES, Hermès I, La communication, p. 134.

INTUITIONNISTE [ɛ̃tɥisjɔnist] n. et adj. — 1874, trad. de Stuart Mill; de *intuition,* par l'angl. *intuitionism,* de *intuition.* → Intuition.

Didactique.

♦ **1.** De l'intuitionnisme. Partisan de l'intuitionnisme. — Var. graphique : *intuitioniste.*

1 Du point de vue des intuitionnistes (...) la méthode logique ne devrait jouer dans la science qu'un rôle auxiliaire.
P. BOUTROUX, Idéal scientifique, 64, *in* FOULQUIÉ, Dict. de la langue philosophique.

2 Leibniz est analyste; plus encore, il est logiciste; plus, il est formaliste. Descartes est un géomètre grec; plus encore, il est algébriste (au sens classique), plus, il est intuitioniste.
Michel SERRES, Hermès I, La communication, p. 130.

♦ **2.** (Mil. XXe). *Logique intuitionniste :* logique modale de Brouwer et Heyting, fondée sur l'intuitionnisme* mathématique. *La mathématique intuitionniste.*

Partisan de l'intuitionnisme. *Mathématicien intuitionniste.* — N. *Un, une intuitionniste.*

INTUITIVEMENT [ɛ̃tɥitivmɑ̃] adv. — 1599, en théologie; 1731, en philos.; de *intuitif.*

♦ Théol. et philos. D'une manière intuitive, par intuition. *Voir Dieu intuitivement. — Saisir intuitivement un axiome.*

(...) ne puis-je lui opposer aussi les lumières de ma raison, qui me démontrent intuitivement ou scientifiquement le matérialisme, le panthéisme ou le spiritualisme? 1
BALZAC, le Feuilleton, XXIII, *in* Œ. diverses, t. I, p. 404.

Cour. Par l'intuition.

(...) savoir, jeune homme, n'est-ce pas jouir intuitivement? 2
BALZAC, la Peau de chagrin, p. 38, *in* D. D. L., II, 13.

INTUITIVISME [ɛ̃tɥitivism] n. m. — 1890, cit.; de *intuitif.*

♦ Didact. Aptitude à connaître par intuition.

Vx. Intuitionnisme. *« Par un intuitivisme de l'inconscient »* (Proust, *la Fugitive,* Pl., p. 423).

Rod est encore à faire une distinction entre l'observation extérieure et l'observation intérieure ou intuitivisme. Comme si, en psychologie, il n'était pas prouvé depuis longtemps que toute observation est intérieure.
J. RENARD, Journal, 14 févr. 1890.

INTUITIVISTE [ɛ̃tɥitivist] adj. et n. — 1891, A. France, *in* T. L. F.; de *intuitif.*

♦ Didact. Qui connaît, perçoit par l'intuition. *Roman; romancier intuitiviste. — N. Un, une intuitiviste.*

INTUITU PERSONÆ [ɛ̃tɥitypɛʀsɔne] loc. lat. — 1928; mots lat., « considération de la personne ».

♦ Dr. Exprime que la considération de la personne (ou des personnes) avec laquelle on contracte, a déterminé l'accord des parties dans la conclusion du contrat, la constitution de la société.

(De l'ablatif lat.). *Intuitu personæ* [ɛ̃tɥitypɛʀsɔne]. Eu égard à la personne. *Les sociétés par intérêts sont constituées intuitu personæ.*

INTUMÉFIER (S') [ɛ̃tymefje] v. pron. — XXe (av. 1951, Gide); de 2. *in-,* et *tuméfier.*

♦ Littér. et rare. Prendre de l'importance, se gonfler*.

INTUMESCENCE [ɛ̃tymesɑ̃s] n. f. — 1611; dér. sav. du lat. *intumescere* « gonfler », de *in-,* locatif, et *tumescere,* de *tumere* « être gonflé ». → Tumeur.

♦ **1.** Didact. ou littér. **a** Fait d'enfler, de gonfler. ⇒ **Gonflement.** *Intumescence des chairs, d'un organe...* ⇒ **Érection; enflure.**

b Vx ou littér. *L'intumescence des flots.*

♦ **2.** Résultat de cette action. *Des intumescences.* ⇒ **Bouffissure, tuméfaction** (→ Enfler, cit. 2). — Spécialt (géol.). Relief formé par un soulèvement de couches superficielles. *Intumescences volcaniques arrondies.* ⇒ **Dôme.**

Les intumescences étaient nombreuses sur ce sol, que les forces plutoniennes avaient évidemment convulsionné. Çà et là, blocs erratiques, débris nombreux de basalte, pierres ponces, obsidiennes. 1
J. VERNE, l'Île mystérieuse, t. I, p. 122.

Par métaphore (littéraire) :

Par grands soulèvements d'humeur et grandes intumescences du langage (...) La Mer mouvante (...) 2
SAINT-JOHN PERSE, Amers, 6, p. 104.

♦ **3.** (D. i., mil. XXe). Sc. (en mécanique). Onde de surface dans un canal découvert de faible profondeur.

INTUMESCENT, ENTE [ɛ̃tymesɑ̃, ɑ̃t] adj. — 1836, Chateaubriand; d'après le lat. *intumescens, -entis,* de *intumescere.* → Intumescence.

♦ Didact. ou littér. Qui enfle, gonfle, en parlant des tissus vivants. *Chairs intumescentes.*

INTUSSUSCEPTION [ɛ̃tysysɛpsjɔ̃] n. f. — Av. 1650, Descartes; comp. sav. du lat. *intus* « dedans », et *susceptio* « action de prendre sur soi ».

Didactique ou littéraire.

♦ **1.** Physiol. « Pénétration par endosmose des éléments nutritifs à l'intérieur des cellules des êtres organisés » (Garnier).

Figuré :

La vue intime et l'intussusception des choses ou des idées sont chez eux complètes et justes. BALZAC, la Femme de trente ans, Pl., t. II, p. 715.

♦ **2.** Pathol. Introduction d'une portion d'intestin dans une autre. ⇒ **Invagination.**

♦ **3.** Par métaphore. Vieilli. Assimilation progressive, intuitive (par une conscience). *« L'intussusception de la vérité* (par qqn) » (Maine de Biran, *in* T. L. F.).

INUIT [inuit] adj. et n. — XXᵉ; mot de la langue *inuit* (eskimo ou esquimau) « les hommes », sing. *inuk* « un homme ».

♦ Didact. Eskimo, esquimau*. *La civilisation inuit. — Un, une Inuit. Les Inuit* (ou *les Inuits*). *La langue des Inuit,* ou *inuk-tituk* [inuktituk] — REM. Le mot est reçu en français du Canada, où l'emploi de *eskimo, esquimau,* est officiellement proscrit.

INULASE [inylaz] n. f. — Mil. XXᵉ; de *inuline,* et *-ase.*

♦ Chim. Diastase pouvant hydroliser l'inuline en produisant du fructose.

INULE [inyl] n. f. — 1779; adj., 1549; lat. sav. *inula.*

♦ Bot. Aunée, ou aulnée (famille des *Composées ;* tribu des *Inulées*). *La racine de l'inule produit l'inuline.*

DÉR. Inulées.

INULÉES [inyle] n. f. pl. — XIXᵉ; de *inule.*

♦ Bot. Tribu de la famille des *Composées* ayant pour type l'*inule* ou aunée (aulnée). — Au sing. *Une inulée.*

INULINE [inylin] n. f. — 1809, *in* T. L. F.; du lat. sav. *inula.*

♦ Chim. Hydrate de carbone, voisin de l'amidon*, que l'on extrait de la racine de l'inule et d'autres végétaux (algues, lichens, dahlias, hélianthes, topinambours...).

DÉR. Inulase.

INUSABILITÉ [inyzabilite] n. f. — D. i. (mil. XXᵉ; Queneau, *Zazie dans le métro,* 1959); de *inusable.*

♦ Didact. Caractère de ce qui est inusable.

INUSABLE [inyzabl] adj. — 1838, Barbey d'Aurevilly; comp. de 1. *in-, user,* et *-able.*

♦ **1.** (Concret). Qui ne peut s'user. *Le diamant est inusable. —* Qui s'use très peu, dure très longtemps. *Matière, étoffe inusable.* ⇒ **Fort, inaltérable, indestructible, solide.** *Chaussures, vêtements inusables. Verrerie inusable et incassable. — Inusable à* (le compl. désigne la cause d'usure). *Revêtement de sol inusable à l'abrasion.*

Littéraire :

1 Tandis qu'aux plages nues un seul homme, inusable,
Confond toute couleur avec la ligne droite,
Mêle toute pensée à l'immobilité
Insensible de sa présence éternelle
Et fait le tour du monde et fait le tour du temps.
ÉLUARD, Défense de savoir, Pl., t. I, p. 217.

♦ **2.** (Abstrait). Qui continue à servir (le plus souvent péj.). *Patience inusable. Forces psychologiques inusables. Un zèle, un culot inusable. — Une formule inusable. Un thème inusable.*

2 (...) les inusables formules d'Octave Feuillet, de Jules Sandeau, de Pontmartin ou de Charles de Bernard. Léon BLOY, le Désespéré, p. 200.

3 (...) il croyait entendre tous les chevaux, les hommes, les wagons en train de piétiner ou de rouler en aveugles dans cette même nuit, cette même encre, sans savoir vers où ni vers quoi, le vieux et inusable monde tout entier frémissant, grouillant et résonnant dans les ténèbres comme une creuse boule de bronze avec un catastrophique bruit de métal entrechoqué (...) Claude SIMON, la Route des Flandres, p. 27.

CONTR. Fragile. — Fini, usé.

DÉR. Inusabilité.

INUSÉ, ÉE [inyze] adj. — 1891, Gide, *Correspondance avec Valéry;* de 1. *in-,* et *usé,* p. p. de *user,* d'après *inusable.*

♦ Littér. et rare. Qui n'est pas diminué, affaibli.

INUSITÉ, ÉE [inyzite] adj. — 1455, au sens 2; lat. *inusitatus,* de *in-* (→ 1. In-), et *usitatus,* p. p. de *usitari,* fréquentatif de *uti* « se servir de ». → Utile.

Littéraire ou style soutenu.

♦ **1.** (1549). Qui n'est pas usité. ⇒ **Inutilisé.** *C'est une pratique inusitée chez nous. Un zèle inusité* (→ Avoir, cit. 87).

Une de ses anxiétés, c'était d'être contraint de penser. La violence même de toutes ces émotions contradictoires l'y obligeait. La pensée, chose inusitée pour lui, et singulièrement douloureuse. HUGO, les Misérables, Jean Valjean, IV (p. 173). 0.1

(1544, *rime inusitée*). Qualifiant un fait, une réalité du langage. *Mot inusité,* que personne ou presque personne n'emploie. *Expression inusitée. Formes aujourd'hui inusitées de l'imparfait* (cit. 11) *du subjonctif.*

♦ **2.** Inhabituel*, extraordinaire. *Une manière inusitée d'accueillir quelqu'un.* ⇒ **Anormal, extraordinaire, nouveau, singulier.** *Un bruit, un vacarme inusité dans cette maison. Une agitation inusitée à cette heure. Un événement inattendu et inusité.*

(...) des groupes se dispersent animant les rues de passants inusités. J. CHARDONNE, les Destinées sentimentales, p. 435. 1

On y voit *(dans Chatterton)* des êtres humains, d'une taille inusitée sans doute, mais enfin à l'échelle du drame dont ils meurent (...) Émile HENRIOT, les Romantiques, p. 150. 2

CONTR. Commun, courant, habituel, usité.

INUSUEL, ELLE [inyzɥɛl] adj. — 1794, Pougens; de 1. *in-,* et *usuel.*

♦ Littér. Qui n'est pas usuel, normal. ⇒ **Inhabituel, rare.** *Une formule inusuelle.* ⇒ **Inusité.**

Cette veille inusuelle, malgré son caractère dramatique, était comme une petite fête pour ces vieilles gens. M. DRUON, Rendez-vous aux enfers, I, VII, p. 61. 1

À minuit, Georges rejette les couvertures, allume la bougie, et secoue Pierre qui se lève machinalement (...) Ils essaient de manger, mais l'heure est trop inusuelle et leur estomac se rétracte. R. FRISON-ROCHE, Premier de cordée, p. 284 (1941). 2

INUTILE [inytil] adj. — Av. 1380; *inuteles,* 1120; lat. *inutilis,* de *in-* (→ 1. In-), et *utilis.*

REM. L'adj. épithète se place après le nom, sauf par effet stylistique.

♦ **1.** (Choses). Qui n'est pas utile, ne sert pas. *Objet inutile et sans emploi; objet inutile qui fait double emploi.* ⇒ **Superfétatoire, superflu;** → En trop*. *Chose devenue inutile. Jeter des objets inutiles et encombrants. Meuble inutile* (→ fig. Argent, cit. 26, Boileau). *S'encombrer de bagages* (cit. 4) *inutiles. Poids, fardeau inutile* (→ Fangeux, cit. 1). *Richesses inutiles.* ⇒ **Stérile.** *Éviter* (cit. 41) *toute fatigue, toute souffrance inutile* (→ Articulation, cit. 7). *Inutile activité* (→ Apathie, cit. 5); *activité inutile. Bataille* (cit. 6), *victoire inutile.* ⇒ **Vain** (→ Crise, cit. 1). *Regret inutile. Courage inutile* (→ Asile, cit. 1). *Une démarche inutile,* qui ne sert à rien. ⇒ **Infructueux;** → Un coup d'épée dans l'eau*; faire quelque chose pour rien, pour des prunes. — *Jeter l'ancre* (cit. 2) *était inutile,* ne pouvait avoir d'effet, ne pouvait servir à rien. — (Impersonnel). *C'est inutile, complètement inutile.* (→ C'est comme si on chantait*; c'est perdre son temps*; c'est peine* perdue; c'est une goutte d'eau* dans la mer; et aussi avoir beau* faire; battre l'eau* avec un bâton; semer sur le sable*; porter de l'eau* à la rivière; (fam.) c'est comme pisser* dans un violon). *C'était un risque inutile* (→ Le jeu* n'en vaut pas la chandelle). — *Remède inutile* (→ Un cataplasme, un cautère*, un emplâtre sur une jambe de bois). *C'est un conseil inutile* (→ Autant vaudrait parler à un sourd*; épanchement, cit. 7). *Une question inutile.* ⇒ **Oiseux** (→ Contester, cit. 6). *Un amas de connaissances inutiles* (→ Étouffer, cit. 35). *Paroles, propos inutiles, qui ne riment* à rien.* ⇒ **Air** (en l'air), **creux, vide; bavardage, fadaise, remplissage, verbiage.** *Détail inutile* (→ Abondance, cit. 12; fade, cit. 14). *Mensonge inutile* (→ 2. Franc, cit. 5). — Littér. *La Précaution inutile,* sous-titre du « Barbier de Séville » de Beaumarchais. *L'Inutile Beauté,* recueil de nouvelles de Maupassant. *Service inutile,* ouvrage de Montherlant.

Pourquoi pousser ici des soupirs inutiles? MOLIÈRE, le Misanthrope, III, 1. 1

(...) quand la jeunesse et l'amour sont d'accord pour tromper un vieillard, tout ce qu'il fait pour l'empêcher peut bien s'appeler à bon droit la *Précaution inutile.* BEAUMARCHAIS, le Barbier de Séville, IV, 8. 2

Tu viens me tracasser, tu crois faire un coup de tête; tu sais parfaitement bien que c'est inutile (...) A. DE MUSSET, Nouvelles, Croisilles, II. 3

(...) si mon cœur saigne quelquefois, c'est de voir mon zèle inutile, et tous les efforts de ma raison vainement dépensés. PROUDHON, *in* SAINTE-BEUVE, Proudhon, p. 64. 4

(...) le notaire conseillait également au vieillard de se retirer près de sa fille et de vendre la maison inutile, trop grande à cette heure. ZOLA, la Terre, III, III. 5

Inutile à... (qqch., qqn). Chose, avantage inutile à qqn. (→ N'avoir que faire* de...; cela lui fait une belle jambe*...). *Un manteau ne me serait pas inutile* (→ Caban, cit. 1). — *Ornement inutile à la beauté, à la vertu* (→ Avocat, cit. 6).

(Impers.). *Inutile de..., que* (suivi d'une proposition sujet). *C'est inutile d'essayer* (→ Ce n'est pas la peine* de...; et aussi intéresser, cit. 11). *Il est inutile de parler de..., que vous parliez de...* (→ Fonctionner, cit. 7).

6 Tout l'esprit qui est au monde est inutile à celui qui n'en a point (...)
LA BRUYÈRE, les Caractères, XI, 87.

(Avec ellipse de la forme verbale). *Inutile d'y mettre des façons* (cit. 52). *Inutile de vous dire que...* (→ Casquette, cit. 3). *Inutile d'insister, notre décision est prise.*

7 — Inutile de chercher : j'ai perdu les billets. — Cherche encore. Dans ton portefeuille peut-être. — Inutile! Tu penses que j'y ai regardé. Nous n'irons pas au théâtre, voilà tout. G. DUHAMEL, Salavin, III, XX.

N. m. Ce qui est inutile. *Supprimer, retrancher l'inutile* (→ Arbre, cit. 11). *Se dépouiller, s'alléger de l'inutile* (→ Embroussailler, cit. 1).

8 Je veux du superflu, de l'inutile, de l'extravagant, du trop, de ce qui ne sert à rien.
HUGO, les Misérables, V, V, VI.

♦ **2.** (V. 1530, Marot). Personnes. Qui ne rend pas de service (→ Assidu, cit. 4; écrivain, cit. 2; farceur, cit. 1). *« Vivre oisif (...) être inutile, c'est-à-dire nuisible »* (→ Parasite, cit. 5). *Une personne inutile* (→ La mouche* du coche, la cinquième roue* d'un carrosse). *Un vieil employé devenu inutile. C'est une bouche* inutile* (→ Il ne vaut pas le pain* qu'il mange). — *Individu* (cit. 12) *inutile à la société.*

9 *(Octavie)* Inutile à la cour, en était ignorée. RACINE, Britannicus, III, 4.

N. (1700, Regnard). *Un, une inutile :* une personne inutile. *Vivre en inutile. C'est un inutile.* ⇒ **Parasite.**

10 Tous les sots ont l'orgueil de dire : Je ne me risque pas, moi! Ils tiennent à leur repos comme les inutiles à la vie. Un homme comme toi n'est complet que lorsqu'il s'est livré. G. SAND, Lettres à Musset, 15 juin 1834.

CONTR. Utile. — Essentiel, indispensable, nécessaire.

INUTILEMENT [inytilmɑ̃] adv. — V. 1434; de *inutile*, et *-ment*.

♦ D'une manière inutile; sans obtenir de résultat utile. ⇒ **Vain** (en vain), **vainement.** *Ce n'est pas la peine de vous déranger inutilement.* → Pour rien*. *Il n'est pas mort, il ne s'est pas sacrifié inutilement. Perdre inutilement son temps. Chercher quelque chose inutilement.* (→ Goût, cit. 18). *« Pendant la moitié de la journée, ils fouillèrent inutilement ces massifs d'arbres »* (J. Verne, *in* T. L. F.) — *Il s'est bien inutilement, tout-à-fait inutilement fatigué.*

1 Inutilement voudrions-nous y suppléer par lettres *(à un entretien)*; on écrit des volumes, et l'on explique mal ce qu'un quart d'heure de conversation suffit pour faire bien entendre. LACLOS, Les Liaisons dangereuses, XLII.

2 (...) j'ai mieux aimé venir en causer avec vous, au risque de vous importuner inutilement.
ROMAINS, Les Hommes de bonne volonté, t. II, XIII, p. 134.

INUTILISABLE [inytilizabl] adj. — 1845; de 1. *in-*, *utiliser*, et *-able.*

♦ **1.** (Choses). Qui ne peut être utilisé, dont on ne peut se servir. *Objet, meuble, instrument inutilisable* (→ Briser, cit. 3). *Véhicule devenu inutilisable* (→ Hors d'usage*; qui a fait son temps*).

Abstrait. *Données inutilisables. Hypothèse, théorie inutilisable.*

♦ **2.** (Personnes). Qui n'est pas (ou plus) apte à faire qqch., à rendre des services. *Être inutilisable pour une tâche, dans une profession, à faire qqch.*

Je sais que j'ai une valeur, mais je suis inutilisable.
MONTHERLANT, Pitié pour les femmes, p. 56.

CONTR. Utilisable.

INUTILISATION [inytilizɑsjɔ̃] n. f. — D. i. (XXᵉ : 1933, Malègue, *in* T. L. F.); de *inutilisé*, et *utilisation.*

♦ Rare. Le fait de ne pas utiliser (qqch.).

INUTILISÉ, ÉE [inytilize] adj. — 1834; *inutiliser*, 1802; de 1. *in-*, et *utilisé.*

♦ Qui n'est pas utilisé. ⇒ **Insuité.** *Richesses, ressources qui restent inutilisées.* ⇒ **Inemployé.** *Terres inutilisées. Que de talents inutilisés* (Académie).

INUTILITÉ [inytilite] n. f. — 1396; lat. *inutilitas*, de *inutilis.* → Inutile.

♦ **1.** Défaut, absence d'utilité. *Inutilité d'un objet, d'une installation, d'une dépense. L'inutilité d'une vie.* ⇒ **Inanité**; → Créateur, cit. 10. *L'inutilité d'une démarche, d'un effort, d'une tentative.* ⇒ **Vanité.** — Rare. *Une inutilité :* chose inutile (→ ci-dessous, cit. 2, 4, 5).

1 Ceux qui ordonnaient ces sacrifices en savaient l'inutilité; ceux qui en ont déclaré l'inutilité n'ont pas laissé de les pratiquer. PASCAL, Pensées, VIII, 578.

2 (...) la royauté restait une majestueuse inutilité, un de ces meubles antiques, magnifiques et surannés, que l'on garde dans une maison moderne, par je ne sais quel souvenir, mais qui gênent, occupent une vaste place inutile, et que l'on se décidera un matin à loger au garde-meuble.
MICHELET, Hist. de la Révolution franç., V, X.

3 Laurence tomba dans l'abattement intérieur qui doit mortifier l'âme de toutes les personnes d'action et de pensée, quand l'inutilité de l'action et de la pensée leur est démontrée. BALZAC, Une ténébreuse affaire, Pl., t. VII, p. 592.

La pensée, sur n'importe quel sujet en dehors du cercle étroit de ses fonctions, eût 4
été pour lui, dans tous les cas, une inutilité et une fatigue; mais la pensée sur la journée qui venait de s'écouler était une torture.
HUGO, les Misérables, Jean Valjean, IV, p. 173.

♦ **2.** Le fait d'être inutile (pour une personne). *L'inutilité de qqch. dans une activité, une profession. Son inutilité comme directeur.*

Je veux loyalement me réfléchir et savoir l'état de cet être qui est moi, qui pousse 5
depuis trente ans. Je ne me regarde pas sans surprise. Ce qui me frappe d'abord, c'est mon inutilité, et pourtant, je n'arrive pas à me persuader que je n'arriverai jamais à rien. J. RENARD, Journal, 9 oct. 1894.

Une, des inutilités (rare). Personne inutile.

Mes filles à moi, élevées par un père pratique, entendent ne pas rester des inuti- 6
lités sociales. A. ROBIDA, le Vingtième Siècle, p. 18.

♦ **3.** (1676, Mᵐᵉ de Sévigné). Rare. *(Une, des inutilités).* Action, parole inutile, sans importance. ⇒ **Futilité.** *Un discours rempli d'inutilités* (Académie). *« Des enfantillages* (cit. 4), *des inutilités »* (Hugo).

CONTR. Convenance, utilité.

INVAGINABLE [ɛ̃vaʒinabl] adj. — Mil. XXᵉ; de *invaginer (s')*, et suff. *-able.*

♦ Biol. Qui peut se replier vers l'intérieur. *Trompe invaginable des Némertes.*

INVAGINATION [ɛ̃vaʒinɑsjɔ̃] n. f. — 1765; du lat. mod., de 2. *in-*, et lat. *vagina* «gaine».

♦ Didact. Repliement, retournement d'une partie concave.

Pathol. Glissement en doigt de gant retourné d'une partie de l'intestin dans une partie voisine. ⇒ **Intussusception, inversion** (I., A., 3.).

Embryol. Repliement d'une partie de la blastula sur la partie située du côté opposé, lors de la formation de la gastrula (on dit aussi *embolie*). *L'invagination est une modalité de la gastrulation*.*

Segmentation et gastrulation de l'Amphioxus. (...) Ici l'invagination de l'endo- 1
derme forme une sorte de large coupe, dont les bords se rapprochent graduellement (...) Maurice CAULLERY, l'Embryologie, p. 34.

Biol. (cytologie). *Augmentation de la surface cellulaire par invagination de la membrane cellulaire. Formation d'invaginations dans le processus d'endocytose.*

Par métaphore :

Cette constatation pourrait constituer une mise en éveil : il est possible en effet 2
de se demander (...) si la qualité fonctionnelle des œuvres humaines, au lieu d'être figurative, n'est pas l'invagination pure et simple, dans le champ humain, d'un processus absolument naturel.
A. LEROI-GOURHAN, le Geste et la Parole, t. II, p. 120-121.

DÉR. Invaginer.

INVAGINER [ɛ̃vaʒine] v. tr. et pron. — Fin XVIIIᵉ, *s'invaginer*, en parlant de l'intestin; de *invagination.*

Didactique (physiologie, médecine).

♦ **1.** V. pron. **S'INVAGINER :** se retourner comme un doigt de gant (en parlant d'un organe, d'un viscère, etc.).

♦ **2.** V. tr. (1832). Causer, provoquer l'invagination de...

Après avoir ouvert le thorax du côté gauche, il *(le chirurgien Tuffier)* invagine l'aorte en la repoussant de son annulaire droit (comme il enfilerait un doigt de gant) jusqu'à l'orifice du ventricule gauche.
Claude D'ALLAINES, la Chirurgie du cœur, p. 16.

▶ **INVAGINÉ, ÉE** p. p. adj.

Qui a subi une invagination; caractérisé par une invagination. *Portion invaginée de l'intestin.*

DÉR. Invaginable.

INVAINCU, UE [ɛ̃vɛ̃ky] adj. — 1495; de 1. *in-*, et *vaincu.*

♦ Littér. Qui n'a jamais été vaincu. *Héros invaincu. « Courage invaincu »* (Corneille, *Horace*, III, 6).

Ton bras est invaincu, mais non pas invincible. CORNEILLE, le Cid, II, 2. 1

(...) *invaincu* (...) signifie autre chose qu'*indompté*, un pays est *indompté*, un guer- 2
rier est *invaincu* (...) Il y a un dictionnaire (...) où il est dit que *invaincu* est un barbarisme. Non; c'est un terme hasardé et nécessaire.
VOLTAIRE, Commentaires sur Corneille, le Cid, II, 2.

CONTR. Vaincu.

INVALIDANT, ANTE [ɛ̃validɑ̃, ɑ̃t] adj. — V. 1965; de *invalider* (II.).

♦ Méd. Qui invalide, rend invalide. *Maladie invalidante. Des affections invalidantes. « Pour ne prendre qu'un exemple, les rhumatismes et les troubles mentaux, dont souffrent des millions de personnes dans le monde, sont douloureux, souvent invalidants, mais rarement fatals »* (*la Recherche*, oct. 1980, p. 1038).

La menstruation est indolore aussi chez les femmes bien portantes, mais elle est liée à un contexte psychosomatique tel qu'elle est ressentie comme douloureuse, sinon invalidante. Dr R. GÉRAUD, la Pilule antifécondante, *in* Dr WILLY, la Sexualité, t. II, p. 110.

INVALIDATION [ɛ̃validasjɔ̃] n. f. — 1636; de *invalider.*
Droit.

★ **I.** ♦ **1.** Action d'invalider (I.). *Invalidation d'un acte, d'un contrat.* — (1893, Hatzfeld). Spécialt. Cour. *L'invalidation d'une élection**. ⇒ **Annulation.**

L'annulation des opérations électorales s'appelle invalidation. Elle peut provenir de l'une des causes *(qui entachent)* la régularité du mandat (violence, corruption, fraude, erreur, vice de forme) ou encore de l'inéligibilité de l'élu. L'invalidation entraîne la vacance du siège (...)
Marcel PRÉLOT, Précis de droit constitutionnel, p. 489, § 382.

♦ **2.** (1893). Par ext. *Invalidation d'un député,* après vérification des pouvoirs par la Chambre.

★ **II.** (D. i.; 1910, *in* T. L. F.). Fait de rendre (qqn) invalide (⇒ **Invalider,** II.); son résultat. *Une invalidation à 90 %.*

CONTR. Validation. — Consécration.

INVALIDE [ɛ̃valid] adj. et n. — 1515, au sens II, 1; au sens I, v. 1535, du Bellay; lat. *invalidus,* de 1. *in-, et validus.* → Valide.

★ **I.** Choses. ♦ **1.** Dr. Vx. Qui n'est pas valable. *Acte, mariage, donation invalide.* ⇒ **Nul.** *Rendre qqch. invalide :* invalider.

0.1 Notre pape Clément VII n'osa pas déclarer invalide le mariage du roi d'Angleterre, Henri VIII, avec la femme du prince Arthur son frère (...)
VOLTAIRE, Dialogues et Entretiens philosophiques, XXVI.

♦ **2.** Didact., techn. Qui n'est pas valide. *Adresse informatique invalide.*

★ **II.** Personnes. ♦ **1.** Qui n'est pas en état de mener une vie active, de travailler, du fait de sa mauvaise santé, de ses infirmités, de ses blessures, etc. ⇒ **Handicapé, impotent, infirme.** *Un vieillard invalide, que l'âge a rendu invalide. Faible* et invalide. Soldat qu'une blessure a rendu invalide.* ⇒ **Blessé, mutilé;** → ci-dessous, n. m.

1 Vous avez ri de cette personne blessée (...) elle l'est à un point qu'on la croit *invalide.* Mme DE SÉVIGNÉ, 831, 14 juil. 1680.

2 (...) le soldat porte les armes dans sa jeunesse; devenu invalide, il se fait jardinier.
CHATEAUBRIAND, Mémoires d'outre-tombe, t. VI, p. 20.

(Membres). *Pied, bras invalide.*

Par métaphore. (Choses). *Un meuble invalide, boiteux.* — Abstrait. *Une pensée invalide.*

♦ **2.** N. [a] N. m. (1678). Militaire que l'âge, les blessures rendent incapable de servir (→ Cache, cit. 1; gueule, cit. 18; hospice, cit. 2). *Un invalide boiteux, manchot, amputé.* ⇒ **Mutilé.** *Invalide à la jambe de bois. Invalide, grand invalide de guerre* (abrév. : *G. I. G.*). *Les invalides de la Marine.* — *L'Hôtel des Invalides,* et, ellipt., *les Invalides :* hospice fondé par Louis XIV à Paris pour abriter les invalides.

3 Le plus beau monument de bienfaisance qu'on ait jamais élevé, est l'Hôtel des Invalides, fondé par Louis XIV. VOLTAIRE, Dict. philosophique, Charité.

4 Une de mes promenades favorites était autour de l'École Militaire, et je rencontrais avec plaisir çà et là quelques invalides qui, ayant conservé l'ancienne honnêteté militaire, me saluaient en passant. ROUSSEAU, Rêveries..., 9e promenade.

5 C'était un invalide tout courbé, tout ridé et tout blanc (...)
HUGO, les Misérables, III, VI, VIII.

6 L'homme est lui-même largement en âge d'être mobilisé; mais il est infirme, ce qui justifie sa présence parmi les civils (...) C'est peut-être un invalide de guerre : il aurait été blessé au début des hostilités (...)
A. ROBBE-GRILLET, Dans le labyrinthe, 1959, p. 85.

N. m. pl. (De *Hôtel des Invalides*). Vx. Traitement touché par les invalides de guerre. *Recevoir, toucher ses invalides* (ou *ses Invalides*). — Loc. fam. *Prendre ses invalides :* prendre sa retraite (encore *in* Léon Daudet, 1940, *in* T. L. F.). *Gagner ses invalides.*

[b] (xxe). Par anal. Personne qu'une infirmité empêche de mener une vie normalement active. *Invalide civil. Grand invalide civil* (abrév. : *G. I. C.*). *Invalide du travail. Les invalides du travail et les infirmes civils. La loi française distingue les invalides pouvant exercer une profession, ceux qui en sont incapables et ceux qui ont besoin d'une aide pour exercer les actes ordinaires de la vie. Pension versée aux invalides* (→ Invalidité, II.).

DÉR. Invalidement, invalider, invalidité.

INVALIDEMENT [ɛ̃validmɑ̃] adv. — 1835; de *invalide.*

♦ Didact. (relig., dr.). ou littér. D'une manière invalide. *Consacrer invalidement.*

CONTR. Validement.

INVALIDER [ɛ̃valide] v. tr. — 1452; de *invalide.*

★ **I.** Dr. (Sujet n. de personne ou de chose). Rendre invalide, non valable. ⇒ **Abolir, annuler, détruire.** *Invalider un acte, une donation.* — *Son codicille invalide le testament.*

(1876). Cour. *Invalider une élection.* Par ext. *Invalider un député, un élu.* ⇒ **Invalidation.**

Si donc, lors du pacte social, il s'y trouve des opposants, leur opposition n'invalide pas le contrat (...) ROUSSEAU, Du contrat social, IV, II. 1

(...) le second jour du scrutin refait une majorité républicaine (...) qui prendra grand soin de s'accroître elle-même considérablement en invalidant, sous prétexte de manœuvres corruptrices, la plupart des élus royalistes, bonapartistes, conservateurs du premier dimanche. Georges LECOMTE, Ma traversée, p. 166. 2

Invalider une information à la suite d'une erreur ou d'une altération : démentir.

Fig. et vieilli. *Invalider qqn,* l'exclure.

★ **II.** Méd. (Sujet n. de chose). Rendre invalide (I., 1.). *Accident qui invalide un enfant, un adulte. Cette maladie l'a invalidé à 100 %.* ⇒ **Invalidation,** II.

▶ **INVALIDÉ, ÉE** p. p. adj. *Acte invalidé. Testament invalidé. Élection invalidée.* — *Député invalidé.* — N. *Un invalidé, une invalidée.* — (Au sens II). *Malade, blessé invalidé à 80 %.*

CONTR. (De I.) **Confirmer, consacrer, valider; corroborer.**
DÉR. Invalidant, invalidation.

INVALIDITÉ [ɛ̃validite] n. f. — 1521; de *invalide.*

★ **I.** Dr. Vieilli. Défaut de validité entraînant la nullité. *L'invalidité d'un acte, d'un contrat, d'un testament; d'un mariage.* — Relig. *Invalidité d'une ordination.*

★ **II.** (Av. 1865, Proudhon). Mod. État d'une personne invalide*. ⇒ **Infirmité.** *Invalidité professionnelle.* — État d'une personne dont la capacité de travail est diminuée (des deux tiers au moins). *Pension d'invalidité. Taux d'invalidité; invalidité de tant pour cent.* — Appos. *Assurance invalidité :* assurance du régime général de la Sécurité sociale, qui permet de compléter les ressources des invalides. — *Invalidité traumatique* (accident), *permanente, définitive. Invalidité ou incapacité* de travail permanente. Invalidité partielle permanente* (I. P. P.). — *Invalidité psychologique.*

INVAR [ɛ̃vaʀ] n. m. — 1904, *in Rev. gén. des sc.,* no 3, p. 161; marque déposée, abrév. de *invariable.*

♦ Techn. Acier au nickel, de dilatation très faible, utilisé en horlogerie (balanciers), dans la construction des étalons de mesure, etc.

INVARIABILITÉ [ɛ̃vaʀjabilite] n. f. — 1616; de *invariable.*

♦ Caractère de ce qui est invariable. *L'invariabilité d'un principe, d'une loi. « Le langage nous fait croire à l'invariabilité de nos sensations »* (Bergson, *in* T. L. F.).

(xixe). Gramm. Caractère d'un mot invariable.

CONTR. Changement, variabilité.

INVARIABLE [ɛ̃vaʀjabl] adj. — 1361; de 1. *in-,* et *variable.*

♦ **1.** Qui ne varie pas, ne change pas. ⇒ **Constant, fixe** (cit. 5), **immuable.** *Principes, lois, règles invariables.* ⇒ **Certain, immobile, inaltérable;** → Création, cit. 3; destin, cit. 1. *Emplacement invariable.* ⇒ **Stable.** *Apparence, figure, forme* invariable. Situation, état momentanément invariable.* ⇒ **Stationnaire.** *Sentiment invariable* (→ Espérance, cit. 26). *Humeur invariable.* ⇒ **Égal.** *Rendre invariable.* ⇒ **Conserver, fixer** (cit. 9). *Rester invariable.* ⇒ **Continuer.**

Comme nous voyons que le monde, formé par le mouvement de la matière (...) subsiste toujours, il faut que ses mouvements aient des lois invariables (...) 1
MONTESQUIEU, l'Esprit des lois, I, I.

(...) comptant à voix haute ses pas lents et immenses auxquels il s'appliquait à donner une mesure rigoureusement invariable. 2
Raymond ROUSSEL, Impressions d'Afrique, p. 118.

(1799). Gramm. Qui ne comporte pas de modifications flexionnelles. *Les adverbes, les prépositions, les conjonctions, les interjections sont invariables. Adjectif, substantif invariable* (⇒ **Indéclinable**). *Adjectif invariable en genre* (⇒ **Épicène**).

♦ **2.** (1611). Littér. (Personnes). Qui reste ferme, immuable. *Invariable dans ses promesses, ses résolutions, ses opinions. « L'honnête homme est invariable dans ses résolutions, parce qu'il l'est dans ses principes »* (Mme de Genlis, *in* Littré). — Vieilli. (Sans compl.). *Il restait invariable.* ⇒ **Stable.**

♦ **3.** Qui se répète, continue sans varier (d'un processus). *Un accueil invariable. — On nous a donné l'invariable ballon de rouge. Menu invariable.* ⇒ **Invariablement.**

CONTR. Altérable, changeant, fluctuant, variable.
DÉR. Invariabilité, invariablement.

INVARIABLEMENT [ɛ̃vaʀjabləmɑ̃] adv. — 1495; de *invariable.*

♦ D'une manière invariable (surtout au sens 3), constante. ⇒ **Tou-**

jours; → Assidûment, cit. 3; fable, cit. 8; fond, cit. 44; fredaine, cit. 4. *Il est invariablement en retard.*

La certitude de trouver ces personnages invariablement attablés ou assis aux mêmes heures achevait de leur prêter à mes yeux je ne sais quoi de théâtral, de pompeux, de surnaturel. BALZAC, le Cabinet des antiques, Pl., t. IV, p. 345.

INVARIANCE [ɛ̃vaʀjɑ̃s] n. f. — 1903, in *Rev. gén. des sc.*, nº 7, p. 397; de *invariant.*

♦ Sc. Propriété de ce qui est invariant. *« Cette invariance des phénomènes physiques »* (*Science et Vie*, nº 590, p. 74).

Math. Propriété d'un invariant. (→ Invariant, cit. 1 et 2). — Statist. Propriété d'une variable qui n'est pas affectée par une transformation particulière.

INVARIANT, ANTE [ɛ̃vaʀjɑ̃, ɑ̃t] adj. et n. m. — 1794, Pougens, comme adj.; repris XIXe, v. 1830; 1877, Littré, *Suppl.*, dans un sens math. vieilli, comme n. m.; de 1. *in-*, et *varier*, par l'angl. *invariant*, 1851.

♦ Sc. Se dit d'une « grandeur, relation, expression ou propriété qui se conserve dans une transformation de nature physique ou mathématique » (Uvarov et Chapman, *Dict. des sciences*). *Figures invariantes. Équations invariantes. Système chimique invariant*, de variance nulle. — *Ensemble globalement invariant.*

Biol. *Reproduction invariante.*

1 Il a maintenant identifié la source et reconnu une troisième propriété remarquable de ces objets : le pouvoir de reproduire et transmettre *ne varietur* l'information correspondant à leur propre structure. Information très riche, puisqu'elle décrit une organisation excessivement complexe, mais intégralement conservée d'une génération à la suivante. Nous désignerons cette propriété sous le nom de *reproduction invariante*, ou simplement d'*invariance*.
Jacques MONOD, le Hasard et la Nécessité, p. 28.

Inform. Se dit d'un programme qui ne modifie pas son propre code en cours d'exécution, et qui est donc réutilisable sans avoir à être rechargé dans la mémoire.

N. m. *Un invariant :* grandeur, propriété invariante (⇒ **Invariance**). — Élément qui reste constant. *L'invariant et les variables dans une étude sociologique, linguistique.*

2 (...) la stratégie fondamentale de la science dans l'analyse des phénomènes est la découverte des invariants. Toute loi physique, comme d'ailleurs tout développement mathématique, spécifie une relation d'invariance; les propositions les plus fondamentales de la science sont des postulats universels de conservation.
Jacques MONOD, le Hasard et la Nécessité, p. 134.

DÉR. Invariance.

INVASION [ɛ̃vasjɔ̃] n. f. — 1160, « attaque »; bas lat. *invasio*, de *invasum*, supin de *invadere*. → Envahir.

Action d'envahir (un lieu). ⇒ **Envahissement.**

♦ **1.** (⇒ **Envahir**, 1.). Pénétration belliqueuse et massive des forces armées d'un État (sur le territoire d'un autre État). ⇒ **Attaque, descente, envahissement, incursion** (cit. 2), **ingression** (vx). *L'invasion d'un pays, d'une région par les troupes ennemies. Pays exposé* (cit. 20) *aux invasions, menacé par l'invasion* (→ Attendre, cit. 83; devant, cit. 8). — Absolt. *Défenses naturelles contre l'invasion* (→ Impénétrabilité, cit. 4). *Résister à l'invasion, se défendre contre l'invasion* (→ Face, cit. 65). *Invasion qui déferle sur un pays, le submerge* (→ Corridor, cit. 5). *Fuir devant l'invasion.* — *L'invasion prussienne de 1870.* — (1690). Hist. Migration accompagnée de violences, de dévastations. *Formation ethnique* (cit. 4) *d'un peuple résultant de plusieurs invasions, de plusieurs vagues d'invasion* (→ 2. Continent, cit. 2; hétérogène, cit. 4). *Les invasions doriennes en Grèce* (→ Hellénisme, cit. 2). *Les grandes invasions, les invasions barbares du Ve siècle, en Occident. Les invasions arabes.*

1 *Invasion* (...) exprime une action générale par laquelle on se rend maître de tout un grand pays. Différente de l'*incursion*, qui fait entendre que la troupe s'en retourne bientôt (...) l'*invasion* diffère aussi de l'*irruption* en ce qu'elle suppose des troupes plus nombreuses (...) et un plus vaste théâtre (...)
LAFAYE, Dict. des synonymes, art. *Incursion...*

2 Ce ne fut pas une certaine invasion qui perdit l'empire *(romain)*, ce furent toutes les invasions. Depuis celle qui fut si générale sous Gallus, il sembla rétabli (...) mais il alla (...) de la décadence à sa chute. En vain on avait rechassé les barbares dans leur pays (...) en vain on les extermina : les villes n'étaient pas moins saccagées, les villages brûlés, les familles tuées ou dispersées.
MONTESQUIEU, Grandeur et Décadence des Romains, XIX.

3 C'est une particularité remarquable dans notre histoire que les deux grandes invasions de l'Asie en Europe, celle des Huns au Ve siècle, et celle des Sarrasins au VIIIe, aient été repoussées en France. MICHELET, Hist. de France, II, I.

Par métonymie. Les populations qui envahissent. *« L'invasion entrait partout »* (Maupassant).

♦ **2.** (Av. 1873). [a] (Êtres vivants). ⇒ **Envahir**, 2. Action d'envahir, de se répandre dangereusement (dans un lieu). *L'invasion de l'organisme par des microbes. « L'invasion de bile dans le sang »* (Balzac, *in* T. L. F.). *Substance qui fait invasion dans l'organisme.* — *L'invasion des marchandises, des importations japonaises, des capitaux américains (dans un pays).* — *Invasion de sauterelles, d'insectes, de rats* (→ Garantir, cit. 18).

[b] (Choses concrètes). *L'invasion de la mer* (→ Falun, cit. 2), *de nuages d'orage* (→ Gâter, cit. 43). *L'invasion des eaux.* ⇒ **Inondation.** *Corps déformé par l'invasion de la graisse.*

[c] (Choses abstraites). ⇒ **Débordement, diffusion, inondation, pénétration, propagation.** *L'invasion du mauvais goût, de mœurs nouvelles* (→ Hérisser, cit. 28). *L'invasion des mauvaises pensées dans l'âme* (→ Dévaster, cit. 3). *L'invasion d'une théorie, d'une mode. L'invasion d'un sentiment, de l'amour.*

[d] Loc. *Faire invasion dans...* ⇒ **Envahir.**

♦ **3.** (1835). Entrée soudaine et massive (de personnes). ⇒ **Irruption.** *« La bande joyeuse fit invasion dans le jardin »* (Littré).

Au grand soleil de deux heures, c'est une invasion plus étrange et plus jolie qui nous arrive : celle des scarabées et des papillons. 4
LOTI, Mme Chrysanthème, XXXI.

Rare. Arrivée soudaine (d'une personne). Loc. *Faire invasion (quelque part). « Elle a fait invasion dans la pièce à côté »* (Goncourt, *in* T. L. F.).

♦ **4.** (XVIe, Paré). Méd. « Période qui s'étend depuis l'apparition des premiers symptômes d'une maladie jusqu'à la période d'état » (Garnier). — Vétér. *L'invasion de la fièvre aphteuse.*

CONTR. Évacuation, retraite.

INVECTIVE [ɛ̃vɛktiv] n. f. — 1404, « discours violent »; sens mod., 1512; bas lat. *invectivæ (orationes)* « discours violents, agressifs », du lat. class. *invectum*, supin de *invehere* « attaquer ».

♦ Parole ou suite de paroles violentes contre qqn ou qqch. ⇒ **Injure, insulte, sottise**; → Boire, cit. 32; cynique, cit. 2. *Éclater* (cit. 21), *se répandre* en invectives contre qqn, qqch. Accabler, couvrir qqn d'invectives* (⇒ **Affront**; → Gourmander, cit. 6). *Invectives violentes, mordantes. Plaidoyer, discours, pamphlet* plein d'invectives. Torrent d'invectives. Invectives contre les richesses, le luxe.* ⇒ **Sortie**; → Courir, cit. 15.

On n'a recours aux invectives que quand on manque de preuves. 1
DIDEROT, Pensées philosophiques, XV.

Comme Jean-Baptiste, il *(Jésus)* employait contre ses adversaires des termes très durs (...) La passion, qui était au fond de son caractère, l'entraînait aux plus vives invectives. RENAN, Vie de Jésus, Œuvres, t. IV, p. 288. 2

Au sing. *L'invective.*

Ce discours de violence inouïe, joué, crié, — sublime, il faut le dire, — car l'invective, jamais n'y glissait à l'injure, détendit cette Chambre contractée, la tira de sa peur et d'une longue servitude. M. BARRÈS, Leurs figures, p. 189. 3

Je n'ai aucun don naturel pour l'insulte, pour l'invective, pour la violence verbale. 4
G. DUHAMEL, Cri des profondeurs, IV.

CONTR. Aménité, compliment.
DÉR. Invectiver.

INVECTIVER [ɛ̃vɛktive] v. — 1542; de *invective.*

Littéraire.

♦ **1.** V. intr. Dire, lancer des invectives. ⇒ **Crier, déclamer, fulminer, pester** (contre qqn). *Invectiver contre qqn, contre l'hypocrisie, le vice.*

(...) des hommes de robe (...) qui invectivent contre le libertinage de la cour (...) 1
BOURDALOUE, Sermons Carême, IIIe semaine, Sur le zèle, I.

Ils invectivent contre les chanteuses qui, ravies de leur succès, reprennent en chœur une strophe nouvelle de la chanson. M. BARRÈS, la Colline inspirée, VIII. 2

Absolt. *Il gueule* (cit. 4), *il invective.*

La colère des voyous, des voleurs, montait vers cet enfant. Ils invectivaient. Ils râlaient contre lui. Les rauques insultes des hommes méchants ressemblaient à des scènes d'amour faites publiquement à un amant cruel. 2.1
Jean GENET, Journal du voleur, p. 123.

♦ **2.** V. tr. (1636). Couvrir d'invectives. *Invectiver qqn* (Académie). → fam. Assaisonner. — Pron. (Récipr.). *« Ils se sont invectivés »* (Hatzfeld). ⇒ **Injurier.**

Lorsqu'il invectivera un homme connu et révéré de toute l'Europe (...) 3
DIDEROT, Essai sur les règnes de Claude et Néron, II, 109.

Quand j'invectiverais les hommes avec un peu trop d'aigreur (...) 4
MIRABEAU, Lettre à Sophie, 1777.

Mais *Cœur-de-fer* qui ne paraissait pas d'humeur à m'en accorder davantage ni à suspendre ses désirs, m'invectiva en me frappant d'une manière si brutale, que je vis bien que l'obéissance était mon dernier lot. SADE, Justine..., t. I, p. 40-41. 4.1

Brusquement lui revint le souvenir de Manuel Roy, et il se mit à invectiver le jeune médecin (...) MARTIN DU GARD, les Thibault, t. VI, p. 236. 5

REM. Cette construction, considérée comme fautive par Littré, est entrée dans le bon usage (cf. les ex. de Flaubert, France, etc., *in* Durrieu, *Parlons correctement*, p. 225, et ceux de Hugo, Flaubert, Lemaître, A. Hermant, Proust, Maurois, etc., *in* Grevisse, 599, rem. 11). Pascal avait déjà écrit : *« invectiver plusieurs malédictions »* (cf. Brunot, *H. L. F.*, t. VI, p. 1747).

Absolt. *Il passe son temps à invectiver.*

REM. Le dér. *invectiveur* est attesté.

INVENDABLE [ɛ̃vɑ̃dabl] adj. — 1764; de 1. *in-*, et *vendable.*

♦ **1.** Qui n'est pas vendable, qui ne peut trouver d'acheteur. *Ces* *marchandises sont invendables. Meuble invendable. Des rossignols, des vieilleries invendables.*

(...) la multitude des marchands, qui ne pouvaient ou qui ne voulaient pas payer, la quantité d'effets invendus ou invendables (...)
VOLTAIRE, Dict. philosophique, Banqueroute.

N. m. *Un invendable* (surtout plur.) : chose invendable.

♦ **2.** (1873). Dr. Qu'on n'a pas le droit de vendre.

♦ **3.** (Personnes). Dont les œuvres ne se vendent pas. *Un romancier talentueux, mais invendable.* — N. *Un, une invendable.*

CONTR. Vendable.

INVENDU, UE [ɛ̃vɑ̃dy] adj. et n. m. — 1706; de 1. *in-*, et *vendu.*

♦ Qui n'a pas été vendu. *Marchandises invendues. Stock invendu. Effets invendus* (→ Invendable, cit.). *Journaux, livres invendus.* ⇒ **Bouillon.** *Logements neufs invendus.*

1 Quel besoin avais-je du petit Fontane, professeur de seconde et auteur d'un volume d'essais invendus? A. MAUROIS, les Roses de septembre, I, VII.

N. m. *L'invendu, les invendus :* les marchandises, les objets que l'on n'a pas vendus.

2 Les invendus sont pris pour des excédents. Nous savons que c'est l'illusion générale. A. SAUVY, Croissance zéro?, p. 59.

Par métaphore :

3 (...) ce qui est décalé est aussitôt *de trop* : ma parole n'est pas à proprement parler un déchet, mais plutôt un «invendu» : ce qui ne se consomme pas dans le moment (dans le mouvement) et va au pilon.
R. BARTHES, Fragments d'un discours amoureux, p. 200.

CONTR. Vendu.

INVENGÉ, ÉE [ɛ̃vɑ̃ʒe] adj. — Déb. XVIe, *invengié;* de 1. *in-*, et *vengé*, p. p. de *venger.*

♦ Littér. Qui n'a pas été vengé. *Affront invengé. Une mort invengée.*

CONTR. Vengé.

INVENTABLE [ɛ̃vɑ̃tabl] adj. — D. i. (attesté 1971, cit.); de *inventer.*

♦ Rare. Susceptible d'être inventé.

Gilles avait-il inventé l'histoire? Elle était pourtant peu inventable. Gilles l'avait-il racontée à tout le bataillon, ou à nous seuls?
Jacques LAURENT, les Bêtises (1971), p. 87.

INVENTAIRE [ɛ̃vɑ̃tɛʀ] n. m. — 1344; lat. jurid. *inventarium*, du lat. class. *inventum*, supin de *invenire* «trouver»; var. *inventoire*, anc. franç.

Dénombrement et énumération (d'éléments, des éléments d'un ensemble). *Faire l'inventaire de...* ⇒ **Inventorier.**

♦ **1.** **a** Dr. civ. Opération qui consiste à énumérer et à décrire les éléments composant l'actif et le passif d'une communauté, d'une succession, ou de toute autre masse de biens appartenant à une société ou à un individu; l'état* descriptif dressé lors de cette opération. *Procès-verbal d'inventaire,* débutant par *l'intitulé* d'inventaire. Inventaire des biens. Faire, procéder à l'inventaire d'une succession* (→ Curateur, cit. 3). *Bon et fidèle inventaire* (→ Émolument, cit. 1). *Dresser, faire dresser un inventaire* (→ État, cit. 65). *Inventaire après décès. Inventaire authentique, dressé devant notaire. Inventaire et procès-verbal de saisie. Récolement et vente après inventaire.*

1 L'inventaire *(en cas d'ouverture d'une succession)* peut être requis par ceux qui ont droit de requérir la levée du scellé. Code de procédure civile, art. 941.

Bénéfice d'inventaire.* — (1668, *par bénéfice d'inventaire,* La Fontaine, *Fables,* VI, 19). Fig. *Sous bénéfice d'inventaire :* sous réserve de vérification.

2 (...) être intelligent, c'est (...) ne rien accepter, dans l'ordre des faits, des idées et des sentiments, que sous bénéfice d'inventaire (...)
Paul LÉAUTAUD, Propos d'un jour, Marly-le-Roy..., p. 95.

b Comm. Opération (obligatoire et annuelle) qui consiste à dénombrer et à estimer les éléments du patrimoine (d'un commerçant, d'une entreprise). ⇒ **Actif, passif.** *Inventaire commercial* (⇒ **Balance, bilan**). *Livre des inventaires. Période comprise entre deux inventaires successifs.* ⇒ **Exercice.** *Inventaire de fin d'année. Inventaire comptable. Marchandises portées à l'inventaire.* ⇒ **Stock.** *Vérifier un inventaire. — Fermé pour cause d'inventaire.*

3 Il *(le commerçant)* est tenu de faire, tous les ans, sous seing privé, un inventaire de ses effets mobiliers et immobiliers, et de ses dettes actives et passives, et de le copier, année par année, sur un registre spécial à ce destiné.
Code de commerce, art. 9.

4 (...) il avait signé des rapports inexacts et approuvé, sans vérification, les inventaires annuels frauduleusement dressés par le gérant.
FLAUBERT, l'Éducation sentimentale, II, III.

4.1 À l'inventaire seulement, on saura ce qu'il en est, et si cette année, qui semble bonne, le sera définitivement.
Alphonse DAUDET, Fromont jeune et Risler aîné, p. 162.

Spécialt. Évaluation comptable des stocks. *Inventaire permanent. Inventaire physique ou réel :* relevé des quantités existant réellement en stock.

c Admin. et cour. Dénombrement de biens (figurant dans un lieu; appartenant à une communauté). *L'inventaire du mobilier d'un établissement public. Inventaire des objets d'un appartement loué meublé. Objets figurant à l'inventaire. Inventaire des objets du culte et du mobilier d'une église. Inventaire des biens de l'Église* (en France), prescrit par la loi sur la séparation des Églises et de l'État (1905). — Milit. *Inventaire estimatif* (du matériel, etc.). — Mar. Liste des objets composant l'armement* d'un navire.

♦ **2.** Par métonymie. Document contenant les résultats d'un inventaire (sens 1, a). *Lire l'inventaire d'une succession.* — (Sens 1, b). *Les sommes, les chiffres figurant à l'inventaire.* — (Sens 1, c). *C'est le propriétaire qui garde l'inventaire. Signer l'inventaire.*

♦ **3.** (Déb. XVIIe, E. Pasquier). Cour. Revue minutieuse (d'un ensemble de choses). ⇒ **Catalogue, dénombrement, liste, nomenclature, récapitulation, recensement, relevé, répertoire, table, tableau.** — (Concret). *Faire l'inventaire du contenu de ses poches, d'une collection.* «*Un bref inventaire visuel de tout ce que peut contenir la voiture*» (T'Serstevens, *in* T. L. F.).

Une fois maître de ce trésor *(la correspondance de Mme de Tourvel),* je procédai à l'inventaire avec la prudence que vous me connaissez (...) 5
LACLOS, les Liaisons dangereuses, XLIV.

Spécialt (domaines scientifiques et techniques). — Sc. nat. *L'inventaire de la faune, de la flore. Inventaire floristique.* — Techn. *Inventaire forestier. Inventaire d'aménagement. L'inventaire forestier national français.* — Ling. *Faire un inventaire des langues bantoues, des dialectes gallo-romans, des patois d'une région. Inventaire général de la langue française* (I. G. L. F.) : inventaire des formes lexicales.

Archéol., arts. *Inventaire du patrimoine artistique d'un pays. Inventaire monumental. Inventaire muséologique.* — (En France). *Inventaire général des monuments et richesses artistiques* (institué en 1964). — Par métonymie. Organisme chargé de dresser cet inventaire.

Spécialt. Dénombrement et classification de documents. ⇒ **Archive, archivistique, bibliographie, documentation.** *L'inventaire des périodiques, des manuscrits d'une grande bibliothèque.*

Cour. Examen unité par unité (d'une pluralité abstraite). *L'inventaire minutieux, précis de qqch. Faire l'inventaire, un inventaire de ses connaissances, des intentions de qqn, des éléments de la situation.*

Pour acquérir une meilleure connaissance de nous-mêmes, il ne suffit pas de choisir dans la masse des données que nous possédons déjà, celles qui sont positives, et de faire avec leur aide un inventaire complet des activités humaines. 6
Alexis CARREL, l'Homme, cet inconnu, II, VI.

Didact. Liste (d'unités minimales, contrastives d'une classe...). Ling. *Inventaire fermé* (des unités de nature grammaticale); *inventaire ouvert* (unités lexicales* au sens étroit).

(Compl. au sing.). Examen point par point des éléments de (un ensemble). *L'inventaire d'une situation.* «*Faire un inventaire de soi-même*» (Amiel, *in* T. L. F.).

(...) quelque inachevé que soit l'impatient inventaire du monde que poursuit notre siècle (...) MALRAUX, les Voix du silence, p. 129. 7

Spécialt (psychol.). *Inventaire de personnalité* (questionnaire étalonné).

DÉR. Inventoriste.

INVENTER [ɛ̃vɑ̃te] v. tr. — Après 1450, «créer»; sens 1, 1522; du rad. de *inventeur.*

♦ **1.** Créer ou découvrir (qqch. de nouveau). ⇒ **Concevoir, créer, découvrir, imaginer.** *Inventer qqch.,* et absolt, *inventer.*

Pour *découvrir,* il suffit de mettre en lumière ce qui existe, mais caché; pour *inventer,* il faut mettre au jour ce qui n'existait point jusque-là. Le mérite de *découvrir* est de lever les obstacles qui empêchent de voir ou de connaître la chose telle qu'elle est dans la nature ou en elle-même; mais le mérite d'*inventer* est surtout dans l'art de créer, autant qu'il est donné à l'homme de le faire, c'est-à-dire le plus souvent dans l'art d'employer des moyens particuliers ou de former certaines combinaisons d'éléments ou de matériaux naturels pour produire quelque chose de nouveau. LAFAYE, Dict. des synonymes, Trouver. 1

Inventer, c'est faire fonctionner sa pensée comme pourra fonctionner une machine, ni selon la causalité, trop fragmentaire, ni selon la finalité, trop unitaire, mais selon le dynamisme du fonctionnement vécu, saisi parce que produit, accompagné dans sa genèse. 1.1
Gilbert SIMONDON, Du mode d'existence des objets techniques, p. 138.

Les Chinois, avant Gutenberg, avaient inventé l'imprimerie (cit. 1). *Inventer des machines, des instruments* (→ Besicle, cit. 2; bombe, cit. 1; effort, cit. 6; horloger, cit. 4). *Inventer un art* (cit. 17), *un jeu* (→ Génie, cit. 39; gloire, cit. 38; harmonie, cit. 28). *Inventer des remèdes* (→ Art, cit. 46; cas, cit. 14; cesser, cit. 9), *un genre, des formes* (→ Harangue, cit. 3; hériter, cit. 17; historique, cit. 7), *une écriture, une langue* (→ Couronne, cit. 3; hiéroglyphe, cit. 1), *des mots, des termes nouveaux* (→ Agitateur, cit. 1; banqueroute, cit. 5; formule, cit. 7; humaniste, cit. 2). *Inventer, élaborer certaines notions* (→ Catégorie, cit. 1). *Ignorant tout, ils s'imaginent tout inventer* (→ Insatiabilité, cit.).

(...) il est bien vrai qu'avant lui *(Bacon)* on avait découvert des secrets étonnants. On avait inventé la boussole, l'imprimerie, la gravure des estampes, la peinture à 2

l'huile, les glaces, l'art de rendre en quelque façon la vue aux vieillards par les lunettes, qu'on appelle besicles, la poudre à canon (...)
VOLTAIRE, Lettres philosophiques, XII.

3 *(Ce)* scherzo est le premier né de cette famille de charmants badinages dont Beethoven a inventé la forme, déterminé le mouvement (...)
BERLIOZ, À travers chants, p. 18.

4 Torricelli a inventé la pesanteur de l'air, je dis qu'il l'a inventée plutôt que découverte, parce que, lorsqu'un objet est caché à tous les yeux, il faut l'inventer de toutes pièces pour pouvoir le découvrir.
SARTRE, Situations II, p. 314.

Loc. fam. *Il n'a pas inventé la poudre*, le fil* à couper le beurre.*

Absolt. *Le génie, le grand artiste a le don d'inventer.* ⇒ **Innover;** → Goût, cit. 22. *Imiter ou inventer* (→ Imitation, cit. 14). *L'Athénien* (cit. 4) *inventait, entreprenait. Faculté d'inventer.* ⇒ **Inventivité.**

5 (...) l'esprit invente tous les jours,
Sans voir jamais tarir la source de son cours.
RONSARD, Pièces posthumes, Élégies, XXXV.

6 Les hommes ne sauraient créer le fond des choses; ils les modifient. Inventer n'est donc pas créer la matière de ses inventions mais lui donner la forme. Un architecte ne fait pas le marbre qu'il emploie à un édifice, il le dispose (...) de même un poète ne crée pas les images de sa poésie; il les prend dans le sein de la nature et les applique à différentes choses pour les figurer aux sens (...)
VAUVENARGUES, De l'esprit humain, XIV.

7 Je le sais bien. Invente, et tu mourras persécuté comme un criminel; copie, et tu vivras heureux comme un sot!
BALZAC, les Ressources de Quinola, I, 1.

♦ **2.** (1538). Trouver, imaginer pour un usage particulier. *Inventer un ingénieux subterfuge* (→ Avérer, cit. 10), *un moyen de s'en tirer, de payer, de réussir* (→ Escapade, cit. 3; escarmouche, cit. 3). *Une chose que l'on invente pour* (suivi de l'inf.). → Enrager, cit. 9; fureur, cit. 17; gravité, cit. 1. *Les chimériques objections que les hommes se plaisent à inventer* (→ Facilement, cit. 2). *Il ne sait qu'inventer pour me faire plaisir. Il ne sait (pas) quoi inventer pour nous ennuyer!*

8 Tout ce que, pour jouir de leurs contentements,
L'amour fait inventer aux vulgaires amants.
RACINE, Mithridate, II, 6.

9 — Vous ne savez qu'inventer pour me désespérer! s'écria madame Clapart.
BALZAC, Un début dans la vie, Pl., t. I, p. 737.

10 Ils ne savent qu'inventer pour tourmenter le pauvre soldat.
J. A. DE GOBINEAU, Nouvelles asiatiques, p. 185.

Inventer de... (suivi de l'inf.) : imaginer de... ⇒ **Aviser** (s').

11 Les Suédois ont inventé de faire la guerre en hiver (...)
RACINE, Livres annotés, La Barde.

Littér. (Sujet n. de chose de nature psychologique). *Les brimades* (cit. 2) *qu'invente la jalousie.*

Par ext. et fig. Rare. *Inventer qqn,* le découvrir, le faire agir, s'exprimer, le faire connaître.

12 Quand ce ne serait que pour avoir inventé Richelieu, Concini ne devrait pas passer pour un si mauvais homme.
J. BAINVILLE, Hist. de France, XI, p. 196.

♦ **3.** (1640). Imaginer de façon arbitraire, sans respecter la vérité ou la réalité. ⇒ **Arranger, controuver, fabriquer, forger, supposer.** *Inventer une fausseté, une calomnie* (Académie). *Inventer une fable* (→ Expliquer, cit. 15), *des sornettes* (⇒ **Conter**), *une histoire* (→ Haleine, cit. 15), *une excuse* (→ Convaincre, cit. 9; fausser, cit. 3), *des raisons, des prétextes* (→ Éblouir, cit. 16; 1. faux, cit. 39). ⇒ **Improviser.** *Inventer à confesse* (cit. 1) *de petits péchés. Croyez-moi, je n'invente rien, ce sont des choses qu'on n'invente pas,* c'est la vérité pure. *Inventer effrontément* (cit. 2) *certains détails.* ⇒ **Broder.** *Dieu sait ce qu'il est capable d'inventer! — Qu'allez-vous inventer là?* ⇒ **Chercher, supposer.** — *Inventer que...* ⇒ **Feindre;** → Écriture, cit. 17. — Allus. littér. *Si Dieu* (cit. 6, Voltaire) *n'existait pas, il faudrait l'inventer.*

13 Elle me l'a dit, c'est un fait constant; je n'invente rien, moi.
A. R. LESAGE, Turcaret, II, 3.

14 La foule tient pour vrai ce qu'invente la haine.
HUGO, l'Année terrible, Juil. 1871, IV.

15 À vrai dire, je n'y étais jamais allé, moi, aux courses avant la guerre, mais j'inventai instantanément pour la distraire cent détails colorés sur ce sujet, à l'aide des récits qu'on m'en avait faits, à droite et à gauche.
CÉLINE, Voyage au bout de la nuit, p. 57.

Absolt. ⇒ **Mentir.**

16 (..) lorsque ses joues se coloraient et que sa voix devenait plus traînante, elle avait cet air d'inventer, de mentir, que l'on voit aux gens qui essayent de raconter un rêve.
MARTIN DU GARD, les Thibault, t. I, p. 284.

Spécialt (en parlant de fictions littéraires). Créer à partir de son imagination.

17 Émily *(Brontë),* dans son isolement, n'a pu voir l'affreux univers qu'elle a peint. Il faut qu'elle l'ait inventé de toutes pièces.
Émile HENRIOT, Portraits de femmes, p. 418.

▶ **S'INVENTER** v. pron. (Passif ou réfl.). *Malheureusement, de telles formules ne s'inventent pas tous les jours. C'est une chose qui ne s'invente pas,* qui est sûrement vraie.

18 Rien ne s'invente, tout se perfectionne.
COLETTE, Belles Saisons, p. 83.

(Avec un compl. direct). Inventer pour soi.

19 C'est dans ce temps que, troublé par la seule idée d'une femme, et trop timide encore pour oser affronter aucune créature réelle, le solitaire de Combourg s'inventa cette compagne idéale (...)
Émile HENRIOT, Portraits de femmes, p. 258.

▶ **INVENTÉ, ÉE** p. p. adj. *Instrument récemment inventé. Moyen, subterfuge habilement inventé,* trouvé. Spécialt (au sens 3). *Histoire inventée, complètement inventée, inventée de toutes pièces,* imaginée. ⇒ **Faux.** *Prétextes inventés.*

(Fictions littéraires). *Un conte** (cit. 8) *à plaisir inventé* (→ Expérience, cit. 10). *Tout y est inventé.* ⇒ **Artificiel, faux, fictif, imaginaire;** → Clef, cit. 17.

CONTR. Copier, imiter. — (Du p. p.) **Exact, réel, vrai.**

DÉR. Inventable.

INVENTEUR, TRICE [ɛ̃vɑ̃tœʀ, tʀis] n. et adj. — 1431; fém. *inventeuse,* après 1450; *inventrice,* déb. XVIe; lat. *inventor,* fém. *inventrix,* de *inventum,* supin de *invenire* «trouver».

★ **I.** N. **A.** Personne qui invente, qui a inventé* (⇒ **Inventer**).

♦ **1.** *Inventeur, inventrice de...* ⇒ **Auteur, créateur; mère, père** (fig.). **a** (Compl. n. de chose). *L'inventeur d'une machine, d'un art* (cit. 24), *d'un procédé, d'une science* (→ Ascension, cit. 4; éterniser, cit. 6; hydraulique, cit. 2). *Une inventrice d'idées nouvelles.* ⇒ **Découvreur.** *Inventeur et architecte*. Inventeurs de mots expressifs* (cit. 3). — Vx. *Inventeur de romans.* ⇒ **Créateur** (→ 1. Héroïne, cit. 6; indifférent, cit. 40). — (Sujet n. de chose). *L'imagination* (cit. 6) *est l'inventrice des arts.*

On a prétendu que Roger Bacon, moine anglais (...) était le véritable inventeur 1
de la poudre.
VOLTAIRE, la Tactique, note.

(...) un des plus grands hommes de la France, car il ne fut pas seulement l'inven- 2
teur des émaux, il fut aussi le glorieux précurseur de Buffon, de Cuvier, il trouva la géologie avant eux, ce naïf bonhomme! Bernard de Palissy souffrait la passion des chercheurs de secrets (...)
BALZAC, Illusions perdues, Pl., t. IV, p. 930.

Je ne comprends pas qu'on prenne habituellement les Turcs en mauvaise part; 3
Mahom a du bon; respect à l'inventeur des sérails à houris et des paradis à odalisques!
HUGO, les Misérables, IV, XII, II.

b (Compl. n. de personne). Littér. Personne qui découvre, lance (une autre personne).

Richelieu mort continuait à être exécré comme le protecteur et, en quelque sorte, 4
l'inventeur de Mazarin.
Louis BERTRAND, Louis XIV, I, II.

c Littér. et rare. Créateur. «*Celui qui est votre auteur et votre inventeur*» (Claudel, *in* T. L. F.) : Dieu.

♦ **2.** (Mil. XVIIIe). Absolt. *Un inventeur :* auteur d'inventions importantes (scientifiques, techniques). *Les inventeurs :* ceux qui ont le don d'inventer (→ Génie, cit. 39). *Un inventeur, une inventrice de génie. Inventeurs et imitateurs* (→ Aurore, cit. 20). *Préjudice causé à l'inventeur par le contrefacteur.*

C'est le propre des inventeurs de saisir le rapport des choses et de savoir les 5
rassembler (...)
VAUVENARGUES, Réflexions et Maximes, CCCXXXIII.

L'esclave imitateur naît et s'évanouit (...) 6
Ce n'est qu'aux inventeurs que la vie est promise.
André CHÉNIER, Poèmes, «L'invention».

(...) la sublime croyance au succès, qui soutient les inventeurs et leur donne le 7
courage d'aller en avant dans les forêts vierges du pays des découvertes (...)
BALZAC, Illusions perdues, Pl., t. IV, p. 931.

Elle *(la science)* enrichit celui qui met en œuvre, mais non le véritable inventeur. 8
RENAN, Questions contemporaines, t. I, p. 74.

Tous les inventeurs, ces bienfaiteurs ingénieux de l'humanité, ont leur statue qui 9
rappelle au peuple les résultats obtenus par le courage mis au service du génie.
A. ROBIDA, le Vingtième Siècle, p. 47.

N. B. Parodie du style des discours officiels.

Encore un peu de temps et les profanes eux-mêmes sauront qu'un inventeur, pour 10
faire jaillir l'étincelle et changer la face de la terre, doit rêver à l'aise, perdre du temps, bégayer du génie.
G. DUHAMEL, le Temps de la recherche, I.

♦ **3.** Vieilli. Celui, celle qui imagine, invente (3.), donne pour réel. *Un inventeur de fausses nouvelles, de mensonges.*

♦ **4.** Vx ou littér. Auteur (d'une action, d'une situation).

La ruse la mieux ourdie 11
Peut nuire à son inventeur (...)
LA FONTAINE, Fables, IV, 11.

Et si de tant de maux le funeste inventeur 12
De quelque ombre de bien pouvait être l'auteur.
RACINE, Athalie, III, 4.

B. (1454). Dr. ♦ **1.** Celui qui trouve (un trésor, un objet perdu, un gisement archéologique). *Le trésor appartient à l'inventeur pour moitié s'il est découvert sur le fonds d'autrui. L'épave** (cit. 1) *reste définitivement à l'inventeur si elle n'a pas été réclamée.*

♦ **2.** Didact. Personne qui trouve, découvre (qqch.).

(...) une table d'auberge couverte de diamants (...) Chaque pierre, à peine trou- 13
vée, est identifiée par sa forme, sa taille, sa couleur. Ces détails restent si précis et si chargés de valeur émotionnelle qu'après des années, l'inventeur évoque encore l'aspect de chaque pierre : «Quand je la contemplais, me raconte un de mes visiteurs, c'était comme si la Sainte Vierge avait laissé tomber une larme dans le creux de ma main...»
Claude LÉVI-STRAUSS, Tristes tropiques, p. 179.

Je n'ai jamais aimé les bébés, mais celui-ci, non point parce que j'en étais l'inven- 14
teur, me touchait par sa confiance, sa dépendance (...)
Robert PINGET, Graal Flibuste, p. 142.

★ **II.** Adj. ♦ **1.** Qui invente, qui est un inventeur. «*Géomètres inventeurs*» (Chateaubriand). — *Un esprit inventeur.* ⇒ **Créateur, inventif.**

♦ **2.** Qui a la capacité de produire des choses nouvelles. *Puissance, force inventrice. Les nations inventrices et les nations imitatrices* (→ Exactitude, cit. 10).

15 (...) l'idée de la puissance inventrice de l'homme (...)
RENAN, l'Avenir de la science, Œ., t. III, p. 749.

CONTR. Copiste, imitateur.
DÉR. Inventer, inventif, invention.

INVENTIF, IVE [ɛ̃vɑ̃tif, iv] adj. — 1442; du rad. de *inventeur.*

♦ **1.** Qui a le don, le goût d'inventer*. ⇒ **Inventeur,** II. (adj.). — (Personnes). *Individu inventif, ingénieux. Animateur* (cit. 2) *inventif.* — (Choses). *Le capitalisme est par essence inventif* (→ Créer, cit. 16). *Génie, talent, esprit inventif. Imagination inventive.* ⇒ **Fécond, fertile.**

1 (...) la dextérité du chasseur inventif,
Qui façonne le chien si sage et si craintif?
RONSARD, Premier Livre des Poèmes, « La chasse ».

2 Dans les pays où l'industrie est très développée, les hommes sont actifs, inventifs, ardents au travail et assoiffés de gain (...)
J. CHARDONNE, l'Amour du prochain, p. 44.

♦ **2.** (1466). Fertile en expédients, en ressources. ⇒ **Habile, industrieux, ingénieux.** *La nécessité, l'amour* (cit. 33; → Apprenti, cit. 6) *nous rend inventifs.*

3 (...) en montant sur les épaules d'un homme qui voit comme vous, très loin, on voit plus loin encore. Vous êtes inventeur, moi je suis inventif.
BALZAC, les Ressources de Quinola, IV, 6.

L'amour est inventif. ⇒ **Astucieux.**

DÉR. Inventivement, inventivité.

INVENTION [ɛ̃vɑ̃sjɔ̃] n. f. — 1270, *invencion; invenciun* « ruse », v. 1120; *invention,* 1431; lat. *inventio* « découverte », de *inventum,* supin de *invenire* « trouver »; en lat. chrét. *Inventio Sanctæ Crucis* (→ sens I, 1); le sens de « trouvaille, invention (II.) » proviendrait du lat. chrét. *adinventio,* cf. anc. franç. *adinvencion.*

★ **I.** Didact. Action de trouver. ♦ **1.** (1270). Liturgie. *Invention de la Croix, de la sainte Croix. L'invention de reliques.*

♦ **2.** Dr. *Invention d'un trésor* (⇒ **Inventeur,** I., B.).

★ **II.** (1530). Cour. ♦ **1.** Action, fait d'inventer (qqch.). ⇒ **Création, découverte.** *L'invention d'une machine, d'un instrument, d'une technique (par qqn).* → Force, cit. 59; homme, cit. 142; imprimerie, cit. 2. *L'invention d'un art, d'un procédé artistique, d'un genre, d'un jeu* (→ Gravure, cit. 3; harmonique, cit. 2). *L'invention d'un système, d'une notion, d'un type* (→ Génie, cit. 39). — *Une invention rapide, imprévue, progressive.*

1 L'invention des autres arts fut donc nécessaire pour forcer le genre humain à s'appliquer à celui de l'agriculture. Dès qu'il fallut des hommes pour fondre et forger le fer, il fallut d'autres hommes pour nourrir ceux-là.
ROUSSEAU, De l'inégalité parmi les hommes, II.

2 Ni Newton ni Leibniz n'ont tiré aucun avantage pécuniaire de leur invention du calcul différentiel. RENAN, Questions contemporaines, Œ. compl., t. I, p. 74.

Spécialt. Une des parties de la rhétorique* qui consiste dans la recherche des arguments et des idées. — REM. On emploie aussi, dans ce sens, le lat. *inventio.*

♦ **2.** (Déb. XVIᵉ). *Une, des inventions.* Chose inventée, nouveauté scientifique ou technique. ⇒ **Découverte, trouvaille.** *Différence entre les découvertes* (cit. 5) *et les inventions. Une belle, une grande, une géniale invention* (→ Abuser, cit. 15; graphique, cit. 4). *Les inventions humaines, modernes* (→ Amélioration, cit. 3; artisanat, cit. 3; avancement, cit. 4). *Les inventions de la science* (→ Fabulation, cit. 2). *Les inventions des savants, d'un grand homme* (→ Esprit, cit. 110; géométrie, cit. 5). *Brevet** (cit. 2) *d'invention.*

3 On trouva même dans ces siècles grossiers des inventions utiles, fruits de ce génie de mécanique que la nature donne à certains hommes (...)
VOLTAIRE, Essai sur les mœurs, LXXXI.

4 Je crois que tu seras obligé de partager les bénéfices de ton invention avec un de nos fabricants (...) Il te faudra d'ailleurs prendre un brevet d'invention (...)
BALZAC, Illusions perdues, Pl., t. IV, p. 928.

5 J'imagine donc volontiers l'intérêt extrême que Gœthe aurait pris aux récents progrès de la science; non point tant, sans doute, aux inventions pratiques, avion, télé-phone, cinéma, qu'à ces trouvailles susceptibles de bouleverser notre conception du cosmos. GIDE, Attendu que..., p. 125.

6 Ce sont les principes de la plus grande commodité et du moindre effort, le plaisir que nous donnent la vitesse, le changement et le confort, et aussi le besoin de nous échapper de nous-mêmes, qui ont fait le succès des inventions nouvelles.
Alexis CARREL, l'Homme, cet inconnu, I, V.

Fam. Trouvaille, innovation (en général iron.). *Quelle belle invention!* (→ Enquiquinant, cit. 1). *Et toutes ces inventions du diable...* (→ Glacer, cit. 17).

♦ **3.** (1580, Montaigne). *L'invention.* Faculté, don d'inventer. ⇒ **Imagination, inspiration, inventivité.** *Le génie* (cit. 25 et 27) *a cette invention, cette inspiration, qui paraissait un don des dieux. Esprit* (cit. 120) *d'invention et esprit de méthode. Artiste qui n'a point d'invention* (→ Genre, cit. 36). *Être à court d'invention, manquer d'invention* (→ Fréter, cit. 5). *Être plein d'invention. Création* (cit. 14) *et invention dans l'art. L'invention,* poème de Chénier (contre l'imitation servile).

7 L'invention n'est autre chose que le bon naturel d'une imagination concevant les idées et formes de toutes choses qui se peuvent imaginer, tant célestes que terrestres, animées ou inanimées (...)
RONSARD, Œuvres en prose, Art poétique, De l'invention.

Il y en a qui pensent que cette simplicité est une marque de peu d'invention. Ils ne songent pas qu'au contraire toute l'invention consiste à faire quelque chose de rien (...) RACINE, Bérénice, Préface. 8

M. Eugène Sue (...) est peut-être l'égal de M. de Balzac en invention, en fécondité et en composition. Il dresse à merveille de grandes charpentes; il a des caractères qui vivent aussi, et qui, bon gré mal gré, se retiennent (...)
SAINTE-BEUVE, Causeries du lundi, 2 sept. 1850. 9

Nous voulons que l'œuvre d'art soit l'expression de celui qui l'a faite parce que le génie n'est, pour nous, ni fidélité à un spectacle, ni combinaison, et n'est originalité que parce qu'il est — classique ou non — invention.
MALRAUX, les Voix du silence, p. 372. 10

L'invention n'est qu'une manière de voir. Se saisit des incidents et des accidents, en fait des chances, des signes. VALÉRY, Cahiers, t. II, Pl., p. 993. 10.1

Loc. *Être de l'invention de qqn,* inventé, trouvé par lui. *Les formes de l'invention de cet architecte. Elle nous a servi un plat de son invention.* ⇒ **Façon** (de sa).

♦ **4.** a Action d'imaginer (un moyen). → Inventer, 2. *L'invention des moyens* (→ 2. Adresse, cit. 1).

b *(Une, des inventions).* Moyen inventé. ⇒ **Combinaison,** 2. **expédient, ressource.** *Quelle invention trouver?* (→ Biais, cit. 4; forger, cit. 4, Molière). *Inventions cruelles, diaboliques* (cit. 3). *Panurge était fertile en ingénieuses inventions.* ⇒ **Astuce** (mod.). *Le chantage* (cit. 1, Balzac) *est une invention de la presse anglaise.*

Trouve ruses, détours, fourbes *(fourberies),* inventions (...)
MOLIÈRE, l'Étourdi, I, 2. 11

Nécessité l'ingénieuse
Leur fournit une invention. LA FONTAINE, Fables, IX, « Les deux rats... ». 12

c Vx. Don d'inventer. *Un homme d'invention* (→ 2. Expédient, cit. 11).

♦ **5.** (1431). a *(Une, des inventions).* Chose imaginaire, inventée. ⇒ **Calomnie, fable, mensonge, tromperie** (→ Inventer, cit. 3). *Fausses nouvelles, fables* (cit. 16) *et inventions de toutes sortes* (→ 1. Garde, cit. 72; inexorable, cit. 4). *Une invention de la malveillance.* « *La fraternité* (cit. 8) *est une invention de l'hypocrisie sociale* » (Flaubert). *Ce n'est pas une invention, c'est de l'histoire* (cit. 29). *Sa maladie est une pure invention!* ⇒ **Comédie.**

J'imagine que ma femme me trompe et que toute cette fable est une invention pour me faire prendre le change et troubler entièrement mes idées.
A. DE MUSSET, les Caprices de Marianne, I, 3. 13

Nous chercherons ensemble d'où viennent ces abominables inventions. Elle m'aidera à le découvrir, et moi je l'aiderai à y couper court aussitôt (...)
Paul BOURGET, Un divorce, p. 98. 14

b Fait d'inventer (3.); don d'inventer, d'imaginer et de présenter pour vrai. *Encore une histoire de son invention.* ⇒ **Fabrication.** *Est-ce une citation exacte ou un vers de votre invention?* (→ Farcir, cit. 5).

♦ **6.** (V. 1501, en littérature). a Faculté de construire dans l'imaginaire. *Artiste qui témoigne de plus d'invention que d'observation. L'invention poétique d'un écrivain. L'invention mélodique, rythmique d'un compositeur.* — Loc. *Ce monde étrange est tout entier de l'invention du romancier, du peintre* (→ Escamoter, cit. 5). — *Recourir à l'invention* (→ Idée, cit. 45).

Cette Aricie n'est point un personnage de mon invention. Virgile dit qu'Hippolyte l'épousa, et en eut un fils (...) RACINE, Phèdre, Préface. 15

(Une, des inventions). Construction de l'imagination. ⇒ **Fantaisie, fiction.** *Une invention romanesque* (→ Égaler, cit. 6), *poétique* (→ Égayer, cit. 13). *Les inventions de l'imaginaire.* → Fantastique, cit. 12. — Collectivt. *La fable* (cit. 14) *est une forme d'invention inhérente à l'esprit humain.*

(...) tout à côté des inventions pénibles, systématiques (...) nous retrouvons à chaque pas des beautés, des miracles d'imagination et d'harmonie, des surprises de talent (...) SAINTE-BEUVE, Chateaubriand..., t. II, p. 36. 16

b Caractères (d'une œuvre, d'un texte) témoignant de l'invention de son auteur. *Un récit charmant, plein d'invention. Cela manque d'invention.*

♦ **7.** Mus. (chez J.-S. Bach). Petite pièce instrumentale composée dans le style fugué.

L'invention est une petite pièce instrumentale, sorte d'étude de style extrêmement concise et construite avec une grande rigueur. Tout au moins apparaît-elle ainsi chez J.-S. Bach, l'un des très rares maîtres qui aient traité cette forme. Ses *Inventions* à deux voix, ses *Sinfonias* à trois voix mettent en jeu un langage polyphonique où dominent l'art du contrepoint renversable et celui du canon. Au XXᵉ siècle, Berg a élargi la forme, introduisant une série d'inventions dans son opéra *Wozzek.*
André HODEIR, les Formes de la musique, p. 59. 17

CONTR. Imitation. — Réalité, vérité, vrai.

INVENTIVEMENT [ɛ̃vɑ̃tivmɑ̃] adv. — D. i. (XXᵉ); de *inventif.*

♦ D'une manière inventive. *Il a résolu ce problème inventivement.*

INVENTIVITÉ [ɛ̃vɑ̃tivite] n. f. — 1917, Barrès, *in* T.L.F.; de *inventif.*

♦ Capacité d'inventer, d'innover. ⇒ **Invention** (3.); **fécondité, fertilité** (d'esprit). *Cet auteur manque d'inventivité.* ⇒ **Imagination.**

1 Le chœur des conversations augmente peu à peu de volume et, dans une surenchère d'efforts et d'inventivités progressive, émerge une société quelconque.
M. DURAS, Moderato cantabile, p. 129.

(Qualifié). Caractère inventif. *L'inventivité humaine. L'inventivité des Chinois, des Européens...*

2 Rien plus délicieux que le mélange de l'esprit à la vie, de la liberté et inventivité de l'esprit à l'activité fonctionnelle de régime.
VALÉRY, Cahiers, t. II, Pl., p. 1425.

INVENTORIABLE [ɛ̃vɑ̃tɔʀjabl] adj. — D. i. (1946, Mounier, *in* T. L. F.); de *inventorier.*

♦ Qui peut être inventorié. *Des éléments inventoriables.*

INVENTORIAGE [ɛ̃vɑ̃tɔʀjaʒ] n. m. — 1947; de *inventorier.*

♦ Didact. Le fait d'inventorier. *Inventoriage d'archives.*
REM. La var. *inventorisation,* d'après le néerl., s'est employée en archivistique «depuis 1904 au moins» (Joseph Hanse).

INVENTORIER [ɛ̃vɑ̃tɔʀje] v. tr. — 1367; de la var. *inventoire,* 1313; lat. médiéval *inventorium,* altér., d'après le bas lat. *repertorium,* de *inventarium.* → Inventaire.

♦ **1.** Dénombrer par un inventaire* (qqch.), faire l'inventaire de... ⇒ **Annoter** (vx), **compter, dénombrer.** *Inventorier les meubles d'une maison, une succession* (→ Grossoyer, cit. 1). *Inventorier des marchandises* (→ Dessus, cit. 24). *Inventorier les biens, le butin* (cit. 3). → Impôt, cit. 13.

1 La belle actrice fit venir, elle, quatre riches marchands de meubles, de curiosités, de tableaux et de bijoux. Ces hommes entrèrent dans ce sanctuaire et y inventorièrent tout, comme si Florine était morte.
BALZAC, Une fille d'Ève, Pl., t. II, p. 111.

Par ext. Recenser, classer, cataloguer.

2 C'était pour inventorier et cataloguer ces manuscrits que je venais à Lusance (...)
FRANCE, le Crime de S. Bonnard, Œ., t. II, p. 342.

♦ **2.** (1750). Faire l'inventaire (2.) de. *Inventorier ses possibilités.* — Au participe passé :

3 (...) le sol la terre entière étroitement inventoriée décrite possédée dans ses moindres replis *(sur les cartes d'état-major).*
Claude SIMON, la Route des Flandres, p. 264.

DÉR. Inventoriable, inventoriage, inventorieur.

INVENTORIEUR, IEUSE [ɛ̃vɑ̃tɔʀjœʀ, jøz] n. — 1946, Mounier; *inventoriateur,* attestation isolée, *in* Bloy, 1902; de *inventorier.*

♦ Techn. Personne qui inventorie, est chargée d'un inventaire.

INVENTORISTE [ɛ̃vɑ̃tɔʀist] n. m. — 1955; de *inventaire,* d'après *inventorier.*

♦ Techn. Employé qui enregistre l'inventaire des stocks.

INVÉRIFIABLE [ɛ̃veʀifjabl] adj. — 1845; de 1. *in-,* et *vérifiable.* → Vérifier.

♦ Qui ne peut être vérifié. *Assertion, renseignement invérifiable.* ⇒ **Incontrôlable.** *Hypothèses, raisonnements, thèses invérifiables.* ⇒ **Indémontrable;** → Fonder, cit. 16.

Auguste Comte, qui a souvent déclaré certaines hypothèses invérifiables et par conséquent inutiles à faire, a été plus d'une fois démenti par l'expérience dans ces prévisions et ces prohibitions.
A. LALANDE, Voc. de la philosophie, art. *Hypothèse,* note.

N. m. *Le domaine de l'invérifiable.*

CONTR. Vérifiable.

INVÉRIFIÉ, ÉE [ɛ̃veʀifje] adj. — Déb. xxᵉ, Bourget, in *Nouveau Larousse illustré, Suppl.*; de 1. *in-,* et *vérifié.* → Invérifiable.

♦ Didact. Qui n'a pas été vérifié.

INVERSABLE [ɛ̃vɛʀsabl] adj. — 1691; de 1. *in-,* et *versable.* → Verser.

♦ Qui ne peut être versé (I., 1.), se renverser. *Voiture inversable. Encrier inversable. Tasse inversable pour les jeunes enfants.*

INVERSE [ɛ̃vɛʀs] adj. et n. m. — 1611; *envers,* xiiᵉ; lat. *inversus,* de *invertere* «retourner».

★ **I.** Adj. ♦ **1.** (Direction, ordre). Qui est exactement opposé, contraire (à qqch.). *Prendre la direction inverse d'une autre,* (rare) *à une autre. Ranger les mots dans l'ordre inverse (d'un ordre donné ou habituel), en ordre inverse.* — (Avec *sens*). → 2. Sens. *Dans le sens inverse de...* (→ Infidélité, cit. 10). *Ils arrivent dans le sens inverse du nôtre.* ⇒ **Opposé** (à). *En sens inverse de...* (→ 2. Faille, cit.). *En sens inverse des aiguilles d'un montre* (→ Grimpant, cit. 3). — (Sans compl.). *En sens inverse.* ⇒ **Contraire;** → Association, cit. 21. *Passage d'autos, de voitures en sens inverse* (→ Gauche, cit. 9; ombrageux, cit. 1). *Reprendre sa marche, son cours en sens inverse.* ⇒ **Revenir** (sur ses pas); **rétrograder;** → Faire machine arrière*. *Il faut prendre les choses en sens inverse.*

D'un commun accord (...) chaque paire d'amoureux errait sur un trottoir différent et afin d'être plus isolé allait en sens inverse, Auguste et Désirée remontant vers la rue des Fourneaux tandis que les autres descendaient du côté de la rue Vandamme. 0.1
Ils faisaient ainsi la navette et lorsque, revenus à leur point de départ, ils s'arrêtaient (...) puis reprenaient le vice-versa de leur marche.
HUYSMANS, les Sœurs Vatard, p. 198.

Par ext. Qui est, va, se fait en sens inverse. — (Mouvements). *Marche, mouvement, vol inverse.* — (Choses). *Surface polie reflétant des images inverses.* ⇒ **Renversé;** → Déployer, cit. 5.

Le vol inverse d'un oiseau 1
te fait constater ta vitesse (...)
COCTEAU, Poèmes, p. 15.

Phys. *Courant inverse.*

Phonét. *Sons inverses,* qu'on produit en aspirant l'air au lieu de l'expirer.

Dictionnaire inverse, où les mots sont rangés par ordre alphabétique inverse. — *Graphie inverse.*

♦ **2.** Log. *Proposition inverse,* dont les termes sont dans une relation inverse de celle où ils se trouvent dans une autre proposition. — REM. L'usage des logiciens ne distingue pas toujours nettement *inverse* de *converse** et de *réciproque* (ex. : *Dieu est l'être infini; l'être infini est Dieu*).

♦ **3.** (1708). Math. **RAPPORT, RAISON INVERSE :** rapport de deux quantités dont l'une augmente dans la même proportion que l'autre diminue. *En raison* inverse de...* (→ Inversement proportionnel*; et aussi équilibre, cit. 3). — Fig. *J'aime les gens en raison inverse des services qu'ils me rendent* (→ Corrompre, cit. 28; déplaire, cit. 19). — *Fonctions inverses,* du type y = f (x) et x = f (y). *Élément inverse* (d'un élément x d'un ensemble muni d'une loi de composition notée multiplicativement) : l'élément, noté x^{-1}, tel que $xx^{-1} = x^{-1}x = e$, e étant l'élément neutre de l'ensemble (⇒ **Symétrique,** 4.). *Matrice inverse d'une matrice A. Nombres inverses,* dont chacun est le quotient de l'unité par l'autre (et dont, par conséquent, le produit est égal à 1; comme 3 et 1/3). *Opérations inverses,* qui laissent inchangée la grandeur qui les a subies successivement (comme l'addition et la soustraction d'un même nombre).

(...) si la règle par laquelle les corps pèsent, gravitent, s'attirent en raison inverse des carrés des distances, est vraie (...) VOLTAIRE, Lettres philosophiques, XV. 2

Midi sonna. C'était l'instant. Mes compagnons de voyage ne paraissaient pas (...) Le cœur leur avait failli au moment d'entreprendre une de ces excursions *(aéronautiques).* Leur courage était évidemment en raison inverse du carré de leur vitesse... à déguerpir. J. VERNE, Un drame dans les airs, p. 180. 2.1

Géom. *Figures inverses,* liées par une relation d'inversion*. ⇒ **Réciproque.**

♦ **4.** Qui se fait, qui évolue en sens inverse, dans un ordre inverse ou d'une manière contradictoire. *Faire l'opération inverse.*

★ **II.** N. m. (1762; «règle inverse», 1690). ♦ **1.** *L'inverse :* la chose inverse (soit par changement d'ordre ou de sens, soit par contradiction totale). *Faire l'inverse,* le même mouvement, la même opération, mais en sens inverse. *Je vous avais conseillé de faire ceci, mais vous avez fait l'inverse.* ⇒ **Contraire** (le). *Mais non, c'est justement l'inverse!* ⇒ **Opposé** (l'); → Écraser, cit. 12. *Être exactement l'inverse de...* ⇒ **Anti-** (4., et comp.). *Un système, des conditions qui sont l'inverse de...* ⇒ **Contrepartie;** → Communisme, cit. 2. *Prenons, supposons l'inverse. L'inverse d'une doctrine, d'une opinion.* ⇒ **Antipode, antithèse, contrepied.**

La philosophie de M. Rousseau de Genève est presque l'inverse de celle de M. Hobbes. DIDEROT, Opinion des anciens philosophes, Hobbisme. 3

♦ **2.** Loc. prép. (1831, Nodier). *À l'inverse de... :* d'une façon absolument contraire à..., contrairement à... (→ Écoulement, cit. 3). Loc. adv. *À l'inverse :* tout au contraire. ⇒ **Inversement** (→ Essai, cit. 23).

♦ **3.** Math. *L'inverse d'un élément* (d'un ensemble) : l'élément inverse de cet élément (→ ci-dessus, I., 3.). *Élément qui admet un inverse.* ⇒ **Inversible.** *L'inverse d'un nombre réel,* fraction ayant l'unité pour numérateur et ce nombre pour dénominateur. *Le produit d'un nombre et de son inverse est égal à 1.*

♦ **4.** Chim. *Inverses optiques :* chacune des deux formes d'une substance, possédant une configuration moléculaire qui est l'image de l'autre dans un miroir (molécules *chirales**) et dont l'une fait tourner le plan de la lumière polarisée vers la droite (forme dextrogyre) et l'autre vers la gauche (forme lévogyre). ⇒ **Énantiomère, isomère** (optique).

CONTR. Direct, même. — Avenant (à l').
DÉR. 1. **Inversement, inverser.**

1. INVERSEMENT [ɛ̃vɛʀsəmɑ̃] adv. — 1752; de *inverse.*

♦ **1.** D'une manière inverse; en ordre, en sens inverse ou d'une manière contradictoire. *Être inversement proportionnel* à... Agir inversement. — Inversement à... «Si le litige n'était tranché inversement à l'avis de l'autre»* (Courteline, *in* T. L. F.).

♦ **2.** (En tête d'une phrase, d'une proposition). Par un phénomène, un raisonnement inverse (→ Asthénique, cit.; beauté, cit. 14; caricature, cit. 1). — (À la fin de la proposition). ... *ou inversement, ... et inversement :* ou, et c'est l'inverse. ⇒ **Vice versa.**

Et ce mal ne suit aucune marche qui puisse être prévue; tantôt il choisit les plus forts et épargne les plus frêles, ou inversement (...) LOTI, Matelot, XLIV.

CONTR. (Du sens 1). **Directement.**
HOM. 2. **Inversement.**

2. INVERSEMENT [ɛ̃vɛʀsəmɑ̃] n. m. — D. i. (1961, *in* T. L. F.); de *inverser.*

♦ Rare. Fait d'inverser (dans un processus technique). *L'inversement d'un ordre, d'un sens.*

HOM. 1. **Inversement.**

INVERSER [ɛ̃vɛʀse] v. tr. — 1840, P. Leroux; de *inverse,* pour remplacer *invertir.*

♦ **1.** Faire prendre à (deux, plusieurs objets) une position relative inverse de la précédente; changer (la position, l'ordre, le sens de...). ⇒ **Intervertir.** *Inverser l'ordre de deux facteurs. Inverser les consonnes d'un mot. — Inverser un sens interdit.*

♦ **2.** Donner à (qqch.) un ordre interne opposé. *Inverser un thème,* en inverser (1.) les éléments. *Inverser un raisonnement.*

(1871). Spécialt. Renverser le sens de (un courant électrique, un mouvement). — *Inverser la vapeur.* ⇒ **Renverser.**

♦ **3.** Rendre contraire, opposé. *«Inverser le comportement sexuel d'un animal»* (J. Rostand, *in* T. L. F.).

▶ **S'INVERSER** v. pron.

Prendre l'ordre inverse. *Les éléments se sont inversés.*

Prendre le sens opposé, la direction opposée. *Pendant la marée descendante, le courant va d'est en ouest, il s'inverse à marée montante. Des «dynamismes qui s'inversent»* (Bachelard). *Depuis quelques années, la tendance s'inverse.*

• **DÉR.** 2. **Inversement, inverseur.**

INVERSEUR [ɛ̃vɛʀsœʀ] n. m. — 1848; de *inverser.*

♦ Techn. Mécanisme qui inverse (des éléments). Électr. Appareil destiné à inverser à volonté le sens du courant. ⇒ **Commutateur.** — (1931). Mécan. Mécanisme permettant de renverser le sens de marche d'un système. *Inverseur de poussée* (dans un propulseur à réaction).

Électron. Circuit électronique à une ligne d'entrée et à une ligne de sortie qui émet une impulsion de sortie en l'absence d'impulsion d'entrée, et inversement.

INVERSIBLE [ɛ̃vɛʀsibl] adj. — 1952, in *le Français moderne;* au XIXe (1873, *in* P. Larousse), de feuilles de plantes pouvant s'appliquer l'une contre l'autre par le haut.

♦ **1.** Techn. Qui fournit directement un cliché positif à partir d'un positif (ou un négatif à partir d'un négatif). *Film couleur inversible.*

♦ **2.** Math. *Élément inversible,* qui admet un élément inverse*. *Matrice inversible.*

INVERSIF, IVE [ɛ̃vɛʀsif, iv] adj. — 1824, «qui use de l'inversion dans le langage», Stendhal; de *inversion.*

♦ **1.** (1867). Didact. Caractérisé par l'inversion. *Langues inversives,* qui ont la faculté de renverser l'ordre des mots de la phrase (on dit plutôt aujourd'hui *langues à construction libre*). ⇒ **Transpositif.** *Suffixe inversif,* permettant, dans certaines langues africaines, un renversement du sens du radical (comme le préfixe français *dé-*).

♦ **2.** (1846). Chim. Qui produit l'inversion (I., A., 5.) du saccharose.

♦ **3.** Math. *Espace inversif.*

INVERSION [ɛ̃vɛʀsjɔ̃] n. f. — 1529, sens 1; lat. *inversio,* de *inversum,* supin de *invertere* «retourner».

Action d'invertir, de mettre dans un sens ce qui était dans un autre; résultat de cette action. — REM. Le mot est rare en ce sens général; il a pris des acceptions particulières.

1 De la jeunesse à l'âge mûr, en effet, la figure d'Ibsen a subi une inversion singulière. Les deux lignes dominantes de ce visage ont troqué, l'une contre l'autre, l'expression qui leur était propre : les yeux parlent aujourd'hui pour la bouche muette; et la bouche serrée retient, désormais, le trait que lançaient autrefois, et qu'acéraient les yeux. André SUARÈS, Trois hommes, «Ibsen», III.

★ **I. A.** Sens spéciaux. ♦ **1.** (1546). Déplacement (d'un mot ou d'un groupe de mots) par rapport à l'ordre normal ou habituel de la construction. *L'inversion est une rupture de l'ordre* direct. Inversion grammaticale, littéraire, poétique, stylistique; inversion naturelle, hardie, forcée. L'inversion, fréquente dans les langues inversives** (grec ancien, latin), *est surtout réservée en français à certains types de phrases* (interrogation, incise, etc.). — *Inversion du sujet, de l'attribut, de l'objet direct, de l'adjectif épithète.* — REM. L'inversion du complément déterminatif était très fréquente dans la poésie classique. Les poètes du XVIIIe s. en ont abusé. On la trouve parfois encore chez les romantiques : *«En vain il a des mers fouillé la profondeur»* (Musset, *Nuit de mai*).

«On accuse en secret cette jeune Éryphile Que lui-même captive amena de Lesbos» : Que lui-même amena captive, serait l'arrangement de la prose; mais, Que lui-même captive amena, est une inversion forcée, dont je crois n'avoir vu d'exemple que dans Marot (...) D'OLIVET, Remarques sur Racine, 79. 2

REM. L'*inversion du sujet* est régulière dans l'interrogation* directe, dans l'incise*, après un adverbe de modalité ou d'enchaînement *(ainsi, à peine, aussi, aussi bien, d'ailleurs, encore, en tout cas, en vain, peut-être, sans doute, tout au plus),* après des adverbes ou compléments de temps ou de lieu placés au début de la phrase *(au même moment passait un homme),* après certains attributs *(tel est mon avis).* Elle est possible, facultative dans les relatives *(le livre que m'a donné mon ami; la maison où mourut Valéry...),* dans les comparatives, dans certaines interrogations indirectes et propositions circonstancielles. L'*inversion* ne se fait jamais après «est-ce que». — L'*inversion* entraîne quelques modifications euphoniques dans la conjugaison des verbes. Ex. : *e* de la première personne devenant *é* devant *je (Aimé-je? dussé-je en souffrir).* Cf. aussi le *t* euphonique. → II (I., 1., REM. 2, b). — Formes de l'inversion : *Inversion simple,* où le sujet (nom ou pronom) est reporté après le verbe ou l'auxiliaire *(Voulez-vous* y aller? Peut-être *est-il sorti).* — *Inversion complexe* (ou *fausse inversion*), dans laquelle le nom ou pronom (sauf *ce* et *on*) reste devant le verbe et se fait représenter par un pronom personnel de reprise *(Votre amie est-elle venue?* Pourquoi *l'opium fait-il dormir?*). — *«Inversion absolue»* (R. Le Bidois), construction dans laquelle une phrase indépendante commence par le verbe : *Vint l'heure de partir. «Restait cette redoutable infanterie de l'armée d'Espagne»* (Bossuet). *Vienne enfin la délivrance! — Inversions figées.* Un certain nombre de locutions figées présentent l'inversion du sujet : *Toujours est-il que..., ci-gît..., ainsi soit-il!* — Dans la langue écrite, l'inversion du sujet, quand elle n'est pas exigée par la grammaire, dépend de facteurs stylistiques très complexes : euphonie, rythme, besoin de rattachement au contexte, effets pittoresques, etc.

Notre langue un peu sèche et sans inversions (...) VOLTAIRE, Épîtres, CCII. 3

(On peut) conclure, contrairement à l'opinion quasi-unanime des grammairiens, qu'à l'heure actuelle, *le français écrit* est de plus en plus enclin à l'inversion (...) En revanche, il faut reconnaître que le français parlé, et surtout *le français populaire,* cherche par tous les moyens à se libérer de l'inversion (notamment par l'emploi de la formule *est-ce que...*). 4
Si, dans la langue écrite, l'inversion envahit peu à peu les textes au point de devenir chez certains auteurs une regrettable manie, dans la langue parlée, au contraire, l'inversion du sujet tend nettement à disparaître et le peuple l'a même complètement bannie de son langage.
Robert LE BIDOIS, l'Inversion du sujet dans la prose contemporaine, p. 411-412.

♦ **2.** Fait d'aller en sens inverse. [a] Milit. Renversement d'un ordre de marche ou de bataille. ⇒ **Disposition.** — Mar. Évolution qui porte en dernière ligne les bâtiments qui étaient en tête.

[b] Renversement du sens de la marche. *Volant, manette d'inversion.*

♦ **3.** (1858, Littré-Robin). Anat., physiol. Anomalie consistant en une position inverse ou un retournement sur lui-même d'un organe. ⇒ **Invagination.** *Inversion du cœur.* ⇒ **Dextrocardie.** *Inversion utérine :* repliement du fond de l'utérus vers le col utérin. *Inversion des points lacrymaux,* déviés en arrière.

♦ **4.** (1931). Phys. Changement de sens d'un courant électrique. *Inversion de courant, de phase.* — Opt. *Inversion de l'aspect d'un objet par un miroir qui en renvoie l'image. — Inversion de poussée (de jet) d'un réacteur.*

♦ **5.** (1877). Chim. *Inversion du sucre, du saccharose :* dédoublement du saccharose (dextrogyre) en un mélange (lévogyre) de glucose et de lévulose.

♦ **6.** (1931). Géol. *Inversion de relief :* transformation d'un synclinal en anticlinal (et inversement) sous l'action de l'érosion. — Météor. *Inversion de température, inversion thermique :* phénomène qui se présente à l'intérieur d'une couche d'air où la température croît avec l'altitude. Absolt. *Couche d'inversion. Inversion du sol.*

♦ **7.** (XXe). Math. Transformation ponctuelle telle que la droite joignant les points homologues M et M' passe par un point fixe O et que le produit des valeurs algébriques $\overline{OM}.\overline{OM'}$ reste constant. ⇒ **Inverse.** *Inversion positive; négative.*

♦ **8.** Photogr. Opération permettant d'obtenir une image positive à partir d'un négatif.

B. (XXe). Sens général. ♦ **1.** Action d'inverser, de s'inverser (mouvement, ordre ; objets). ⇒ **Permutation.** *L'inversion des consonnes d'un mot, des éléments d'une série. — Une inversion de perspective.*

♦ **2.** Action, fait de rendre inverse, opposé ; fait de s'inverser. *L'inversion de la situation.* ⇒ **Renversement.**

4.1 Le moins devient le plus : consolante inversion (...)
QUENEAU, Si tu t'imagines, p. 29, *in* T. L. F.

★ **II.** (1889 ; d'abord *« inversion du sens génital »,* Charcot, in *Archives de neurologie,* 1882). *Inversion sexuelle,* ou absolt, *inversion :* anomalie psychique qui porte qqn à n'éprouver d'affinité sexuelle que pour un être de son sexe. ⇒ **Homosexualité ; inverti.**

4.2 On a remarqué que presque tous les jeunes gens atteints d'inversion sexuelle recherchent, par une singularité jumelle de leur goût en toilette, certaines étoffes, certaines couleurs que le plaisir qu'ils y trouvent et la beauté qu'ils croient leur donner fait répéter malgré le peu de succès qu'ils rencontrent (...)
PROUST, Jean Santeuil, Pl., p. 742.

5 Enfin, l'inversion elle-même, venant de ce que l'inverti se rapproche trop de la femme pour pouvoir avoir des rapports utiles avec elle, se rattache par là à une loi plus haute qui fait que tant de fleurs hermaphrodites restent inféconde, c'est-à-dire à la stérilité de l'autofécondation. Il est vrai que les invertis à la recherche d'un mâle se contentent souvent d'un inverti aussi efféminé qu'eux.
PROUST, À la recherche du temps perdu, t. IX, p. 43.

DÉR. Inversif. — (Du sens II) **Inverti.**

INVERTASE [ɛ̃vɛʀtɑz] n. f. — 1905, *in* D. D. L. ; de *invertine,* et suff. *-ase.*

♦ Biochim. Enzyme qui active l'hydrolyse du saccharose en fructose et en glucose (syn. : *saccharase, sucrase*).

INVERTÉBRÉ, ÉE [ɛ̃vɛʀtebʀe] adj. et n. m. — 1800, Cuvier, comme adj. ; de 1. *in-,* et *vertébré.*

♦ **1.** Zool. Qui n'a pas de vertèbres*, de squelette. *Animal invertébré.* — N. m. pl. (1809, Lamarck). *Les invertébrés :* tous les animaux qui ne possèdent pas de colonne vertébrale (→ Fossile, cit. 2 ; hermaphrodisme, cit. 2). — Au sing. *Un invertébré.*

1 INVERTÉBRÉS sert à désigner tous les animaux hors les Vertébrés. Ce groupement ne saurait à aucun titre avoir une valeur zoologique quelconque, les divers êtres qu'ils renferment étant absolument différents les uns des autres. C'est un terme commode, mais qui ne doit pas prendre place dans la classification.
P. POIRÉ, Dict. des sciences.

♦ **2.** (Av. 1902, Zola, à propos d'une œuvre). Fig., péj. Qui manque de force organisée, d'énergie. *C'est un caractère invertébré.* — Qui est dépourvu de structure. *Composer de la musique invertébrée. Un récit, un roman invertébré.* ⇒ **Informe.**

2 Qu'était-ce qu'un mois, un mois et demi de délai, pour qui connaissait les usages de l'administration russe ? Dans ce pays immense et invertébré, la lenteur était une des formes de la puissance.
H. TROYAT, les Dames de Sibérie, p. 76-77.

CONTR. Vertébré.

INVERTI [ɛ̃vɛʀti] n. m. — 1894, Raffalovitch, *la Question de l'inversion ; sexuel inverti,* Magnan, in *Annales médico-psychologiques,* 1885 ; de *inversion,* II., d'après le p. p. de *invertir.*

♦ Homme qui manifeste une inversion sexuelle. ⇒ **Homosexuel ; inversion** (II.).

1 C'est une robe de Nessus qu'endosse le malheureux qui entre dans la grande confrérie de ceux que les savants appellent maintenant les invertis sexuels.
GORON, l'Amour à Paris, t. II, p. 710 (1900).

2 J'appelle *inverti* celui qui, dans la comédie de l'amour, assume le rôle d'une femme et désire être possédé.
GIDE, Journal, 1918, Feuillets, II, Corydon.

3 L'écrivain ne doit pas s'offenser que l'inverti donne à ses héroïnes un visage masculin. Cette particularité un peu aberrante permet seule à l'inverti de donner ensuite à ce qu'il lit toute sa généralité.
PROUST, le Temps retrouvé, Pl., t. III, p. 910.

REM. Le fém. *invertie* ne semble pas s'employer pour désigner une homosexuelle.

HOM. V. Invertir.

INVERTINE [ɛ̃vɛʀtin] n. f. — 1884, *in* D. D. L. ; de *invertir.*

♦ Biochim. Syn. vieilli de *invertase*.*

INVERTIR [ɛ̃vɛʀtiʀ] v. tr. — 1265 (1537, selon T. L. F.), repris v. 1797 ; lat. *invertere* « retourner », de *in-* « dans », et *vertere* « tourner ».

♦ **1.** Vx. **a** Renverser symétriquement (l'ordre, le sens...). ⇒ **Inverser** (mod). *Invertir des termes, des éléments. Invertir un ordre.*

b Rendre contraire. *« Tout ce que l'on avance est aussitôt inverti en son contraire, retourné... »* (Charles du Bos, *in* T. L. F.).

♦ **2.** (1877). Chim. Dédoubler (le saccharose) par inversion.

♦ **3.** (1959). Changer de sens (un courant électrique).

▶ **INVERTI, IE** p. p. adj.

♦ **1.** (1797). Renversé symétriquement. *« Images inverties dans les eaux »* (Chateaubriand, *les Natchez,* VII).

♦ **2.** *Sucre, saccharose inverti,* dédoublé par inversion (I., A., 5.). — Syn. : *interverti.*

♦ **3.** *Courant inverti.*

INVESTIGATEUR, TRICE [ɛ̃vɛstigatœʀ, tʀis] n. — 1516 ; lat. *investigator,* de *investigatum,* supin de *investigare ;* de 2. *in-,* et *vestigare* « suivre à la trace », de *vestigium* « trace ». → Vestige.

♦ Personne qui fait des investigations, des recherches systématiques sur qqch. ⇒ **Chercheur, enquêteur.** *« Le sage, le savant, l'investigateur du siècle »* (Massillon).

(...) je n'ai été et ne suis qu'un investigateur, un observateur sincère, attentif et scrupuleux (...) SAINTE-BEUVE, *in* Émile HENRIOT, les Romantiques, p. 227. 1

Les investigateurs de la police.

Adj. (1829, Boiste). *Esprit, génie investigateur,* propre à faire des recherches. Par ext. *Regards investigateurs,* qui examinent avec soin.

Avec cet esprit fin et investigateur qui distingue les femmes inoccupées, obligées d'employer leur journée, elle avait fini par découvrir les opinions secrètes du Président (...) BALZAC, le Cabinet des Antiques, Pl., t. IV, p. 443. 2

(...) à mesure que le regard s'approchait de moi, je tremblais davantage. Car son approche lente et investigatrice ne me laissait aucun espoir d'y échapper. Il décelait tout. Passer inaperçu était inconcevable. H. BOSCO, Antonin, p. 77. 3

INVESTIGATIF, IVE [ɛ̃vɛstigatif, iv] adj. — 1865 ; de *investigation.*

♦ Didact. Qui fait une investigation. *Les procédés investigatifs de cet auteur mettent en lumière son esprit d'analyse.*

Les principes et les théories qui servent de base à une science, quelle qu'elle soit, ne sont pas tombés du ciel ; il a fallu nécessairement y arriver par un raisonnement investigatif, inductif ou interrogatif, comme on voudra l'appeler. Il a fallu d'abord observer quelque chose qui se soit passé au dedans ou au dehors de nous.
Cl. BERNARD, Introd. à l'étude de la médecine expérimentale, p. 85.

INVESTIGATION [ɛ̃vɛstigɑsjɔ̃] n. f. — V. 1502 ; *investigacion,* fin XIVe ; lat. *investigatio,* de *investigatum,* supin de *investigare.* → Investigateur. — REM. Le mot était assez rare au XVIIIe s. pour que J.-J. Rousseau ait pensé en être le créateur.

♦ Recherche suivie, systématique, sur quelque objet. ⇒ **Enquête** (cit. 3), **examen, information** (2.), **recherche ; disquisition** (vx). *Longue, délicate investigation. Poursuivre ses investigations. Les investigations de la police, du fisc* (→ Inquisition, cit. 4). *Investigations et fouilles lors d'une perquisition.* — Par ext. *L'investigation d'un regard* (→ Fautif, cit. 2). — *Investigation scientifique* (⇒ **Démonstration, recherche ;** → Ethnologie, cit. ; expérience, cit. 43 ; expérimentateur, cit. 1 ; hypothèse, cit. 3). *Médecin qui procède à une investigation par toucher, par auscultation, par palpation. Moyens d'investigation. Champ d'investigation. Investigations par sondages* du géologue. Pousser plus loin ses investigations.*

Il attachait un regard perçant sur le fermier, qui soutenait cette investigation avec beaucoup d'impudence ou de candeur. G. SAND, la Mare au diable, XIV. 1

Il n'y a pas d'investigation qui lui semble inutile ou trop minutieuse, dès qu'il en sort la preuve d'une vérité ou la réfutation d'une erreur. 2
MÉRIMÉE, Hist. du règne de Pierre le Grand, p. 1.

L'investigation, tantôt simple, tantôt armée et perfectionnée, est donc destinée à nous faire découvrir et constater les phénomènes plus ou moins cachés qui nous entourent. Cl. BERNARD, Introd. à l'étude de la médecine expérimentale, I, I. 3

(...) comme s'il eût été seul au monde avec l'enfant, il procédait à une investigation minutieuse, méthodique, bien que, dès le premier contact, il eût mesuré l'inefficacité de tout traitement. MARTIN DU GARD, les Thibault, t. III, p. 137. 4

(Dans un titre d'ouvrage). *Les Investigations philosophiques,* de Wittgenstein.

DÉR. Investigatif, investiguer.

INVESTIGUER [ɛ̃vɛstige] v. intr. — 1954, *in* T. L. F. ; du rad. de *investigation.*

♦ Faire des recherches.

Il me faut auditionner les victimes et les témoins, confronter leurs versions avec les procès-verbaux et parfois, je dois aller investiguer sur place.
Roger BORNICHE, Flic story, p. 198.

INVESTIR [ɛ̃vɛstiʀ] v. tr. — XVIe ; *envestir* « mettre en possession (d'un fief) », 1241 ; sens étendu, 1580 ; lat. médiéval *investire,* au sens I ; lat. class. « revêtir, entourer » ; de 2. *in-,* et *vestire* « habiller », de *vestis* « vêtement ».

★ **I.** ♦ **1.** (Av. 1615, Pasquier). Revêtir* solennellement d'un pouvoir, d'une dignité par la remise symbolique d'un attribut, d'une pièce de vêtement... (⇒ **Investiture**).

(...) des princes profanes investissent les évêques par la crosse et l'anneau. 1
VOLTAIRE, Essai sur les mœurs, XLVI.

♦ **2.** (1764). Mettre en possession* (d'un pouvoir, d'un droit, d'une autorité, d'une fonction...). ⇒ **Doter ;** et aussi **conférer** (à). *Investir un ministre, un ambassadeur de pouvoirs extraordinaires.* — Passif et p. p. *Magistrat, juge investi d'un pouvoir discrétionnaire. Dic-*

tateur investi d'un pouvoir absolu. Dr. *Héritiers* (cit. 7) *investis de la saisine. Être investi d'un droit,* en jouir, être habilité à en user.

2 (...) Dieu ne saurait exister avec les attributs dont il est investi par l'homme (...)
BALZAC, Séraphîta, Pl., t. X, p. 537.

3 Il y a des hommes que Dieu a marqués au front, au sourire, aux paupières, d'un signe et comme d'une huile agréable; qu'il a investis du don d'être aimés!
SAINTE-BEUVE, Volupté, XXI.

Sujet n. de chose :

4 Brusquement, l'héritage paternel l'avait investi d'une puissance inattendue : l'argent. MARTIN DU GARD, les Thibault, t. V, p. 168.

(1903). *Investir qqn de sa confiance,* la lui accorder, la lui donner.

(Sans compl. second). Dr. constit. Conférer l'investiture à. *Sous la quatrième République, l'Assemblée nationale investit le président du Conseil* (⇒ **Investiture**). *Être investi par une majorité, par tant de voix.*

5 Le Président du Conseil et les ministres ne peuvent être nommés qu'après que le Président du Conseil ait été investi de la confiance de l'Assemblée au scrutin public et à la majorité absolue des députés (...)
Constitution du 27 oct. 1946, art. 45.

★ **II.** (V. 1320; repris à l'ital. *investire*). Entourer avec des troupes (un objectif militaire). ⇒ **Cerner, encercler; disposer** (autour). *Investir une place forte, une forteresse, une ville**. ⇒ **Assiéger, bloquer; siège;** → 1. Enceindre, cit. 1; et, par métaphore, asseoir, cit. 6, La Fontaine. *Investir l'arrière-garde ennemie par un mouvement tournant.* ⇒ **Envelopper.** *Les gendarmes investirent la maison où il s'était réfugié* (Académie). *Défenseurs investis dans une forteresse.*

6 On commençait à investir l'aile droite où était Alexandre (...)
VAUGELAS, Quinte-Curce, V, 11.

7 (...) la ville se trouvait donc entièrement investie, par le sud comme par le nord.
Louis MADELIN, Hist. du Consulat et de l'Empire, Avènement de l'Empire, XXII.

(1690). Par métaphore. (Sujet n. de chose). *Le feu, l'épidémie investit la ville.* ⇒ **Environner.**

8 L'été, venu des campagnes radieuses, investit Paris, puis l'emporta d'assaut.
G. DUHAMEL, Salavin, V, VIII.

9 Une bande de feu, de quelque cinquante mètres, investissait le village (...)
MONTHERLANT, les Lépreuses, II, XII.

Abstrait. *Investir qqn,* l'entourer, le presser de toutes parts (→ Écrivain, cit. 14). — Au p. p. *Une retraite investie, menacée...* (→ Coriace, cit. 2).

★ **III.** (1922; repris à l'angl. *to invest,* fin XVIe, lui-même repris à l'ital. où ce sens est attesté en 1333).

A. ♦ **1.** Employer, utiliser (des capitaux) dans une entreprise. ⇒ **Engager, placer; investissement;** → Boule, cit. 3. *Il a investi tous ses capitaux, tous ses biens disponibles dans cette affaire. De gros capitaux ont été investis dans cette entreprise* (Académie). *Investir des capitaux dans un pays étranger.* ⇒ **Exporter.** *Le revenu peut être consommé ou investi,* employé en investissement.

10 L'épargnant apporte ou prête à l'entrepreneur des capitaux que celui-ci investit.
DIETERLEN, *in* J. ROMEUF, Dict. des sciences économiques, art. *Investissement.*

Absolt. *Il n'investit pas assez. Incitation à investir.*

Pron. *L'argent qui s'est investi dans cette entreprise.*

♦ **2.** Employer (une somme) à qqch. *Il a tout investi, il a investi tout son argent, son capital, son héritage en... Investir une somme dans un immeuble.*

B. Intrans. (Adapt. du v. all. *besetzen* «investir militairement, occuper», employé au fig. par Freud). Psychan. Mettre son énergie psychique dans (une activité, un objet). *Il a beaucoup investi dans cet enfant, dans sa vie professionnelle.*

V. pron. *S'investir :* se mettre dans (une représentation, un objet), en parlant d'une énergie psychique.

11 C'est une erreur, selon nous, de réduire le Ça à des besoins instinctuels de nature purement biologique, et il semble plus correct d'admettre que les besoins instinctuels en cause, s'ils peuvent s'investir sur des objets réels, visent, dans les profondeurs inconscientes, des objets et des buts étrangers à la réalité et à proprement parler *phantasmatiques.* Daniel LAGACHE, la Psychanalyse, p. 35.

Cour. (emploi à la mode). Sujet n. de personne. Syn. de *investir. Il s'investit (dans le travail).*

Au p. p. Qui est l'objet d'un investissement. *Objet investi.*

12 La thèse *(du narcissisme)* est qu'une partie de l'égoïsme, de l'amour de soi, est de la même nature que la libido investie sur les objets extérieurs; la libido est l'énergie générale des instincts sexuels investie sur le Moi, sur autrui ou sur les choses.
Daniel LAGACHE, la Psychanalyse, p. 27.

Par extension :

13 Dès que les adversaires sont sur le Ring, le public est investi par l'évidence des rôles. R. BARTHES, Mythologies, p. 15.

REM. Ces emplois du p. p. supposent un emploi actif trans. *(investir qqn),* qui ne semble pas normal en psychologie.

CONTR. Désinvestir.
DÉR. Investissement, investisseur.
COMP. Désinvestir, surinvestir.

INVESTISSEMENT [ɛ̃vɛstismɑ̃] n. m. — 1704; de *investir* (II.; III., A. et III., B.).

★ **I.** ♦ **1.** Action d'investir (une place, une ville, une armée*...); résultat de cette action. ⇒ **Investir** (II.); **blocus.** *L'investissement de la ville est complet* (⇒ **Siège**).

(...) les armées allemandes commençaient l'investissement de Paris. 1
J. BAINVILLE, Hist. de France, XXI, p. 507.

Cette ville (...) est défendue par une enceinte flanquée de bastions, mais ces fortifications sont en terre, et elles ne pouvaient la protéger que très insuffisamment. Aussi les Tartares (...) tentèrent-ils à cette époque de l'enlever de vive force, et ils y réussirent après quelques jours d'investissement. 1.1
J. VERNE, Michel Strogoff, p. 198.

♦ **2.** Fig. et littér. Le fait d'investir (qqn), de chercher à séduire. *L'investissement d'une âme, d'un esprit par qqn.*

★ **II.** (1924; de *investir* (→ Investir, III., A.), d'après l'angl. *investment.*
♦ **1.** Écon. polit. Action d'investir dans une entreprise des capitaux destinés à son équipement, à l'acquisition de moyens de production; résultat de cette action. *Investissement des réserves, des bénéfices d'une entreprise.* ⇒ **Autofinancement.** *Contrôle des investissements* (→ Finance, cit. 2). *Investissements de longue durée* (→ Geler, cit. 23). — *Société d'investissement :* société de gestion collective de placements mobiliers ou immobiliers.

(1956). Par ext. Action de placer ses capitaux; capitaux ainsi placés. ⇒ **Placement.** *L'investissement de sa fortune en immeubles de rapport, en prêts ou avances* à des entreprises. Récupérer ses investissements* (⇒ **Fonds**). *Investissements publics, privés.*

(...) les pays de tradition libérale ont cessé de se désintéresser de l'investissement. En Grande-Bretagne, les investissements privés ont été étroitement contrôlés depuis la seconde guerre mondiale. 2
DIETERLEN, *in* J. ROMEUF, Dict. des sciences économiques, art. *Investissement.*

♦ **2.** (1895, Freud; trad. de l'all. *Besetzung,* 1949). Psychan. Le fait d'investir (III., B.). *L'investissement de qqn sur un objet. Retrait de l'investissement.* ⇒ **Désinvestissement.** *Investissement d'une représentation déjà investie.* ⇒ **Surinvestissement.** *Investissement des représentations faisant obstacle à l'émergence des désirs inconscients* (contre-investissement, formations réactionnelles). *Investissement narcissique, érotique, libidinal (de la libido), objectal (de l'objet). Investissement de l'enfant par la mère, par les parents.*

(...) en français, investissement évoque (...) d'une part, en langage militaire, le fait de cerner une place (et non de l'occuper[1]), d'autre part, dans le langage financier, le placement de capital dans une entreprise (...) 3
J. LAPLANCHE et J.-B. PONTALIS, Voc. de la psychanalyse, art. *Investissement.*

1. REM. Le terme allemand signifie aussi «occupation».

On reconnaît (...) suivant l'organe qui fait l'objet de l'investissement libidinal, une phase orale, une phase anale et une phase phallique. 4
François CLOUTIER, la Santé mentale, p. 19.

Entre la pratique et l'imaginaire s'insère ou plutôt s'insinue «l'investissement»; les gens projettent leur désir sur tels ou tels groupes d'objets, telles ou telles activités : la maison, l'appartement, le mobilier (...) Cet investissement confère à l'objet une double existence, réelle et imaginaire. 5
Henri LEFEBVRE, la Vie quotidienne dans le monde moderne, p. 170.

CONTR. (Du sens I) **Débloquement, levée** (du blocus).
COMP. Sous-investissement, surinvestissement.

INVESTISSEUR, EUSE [ɛ̃vɛstisœʀ, øz] n. — 1937, *in* D.D.L.; de *investir* (III., A.).

♦ Écon. Personne ou collectivité qui place des capitaux dans l'achat de biens de production. ⇒ **Investir** (III.). *«Le capitalisme parvenu à maturité aurait tendance à produire une pléthore de capitaux d'investissement, ce qui inciterait les investisseurs à rechercher des débouchés à l'étranger» (les Temps modernes,* août-sept. 1964, p. 223). *Soutenir, stimuler les investisseurs.*

Investisseurs institutionnels : organismes financiers plaçant une grande partie de leurs ressources en valeurs mobilières. ⇒ (fam.) **Zinzin.**

Adj. *Organismes investisseurs.*

REM. Le fém. *investisseuse* ne semble pas attesté; cependant il serait normal, surtout en fonction d'adjectif *(les sociétés investisseuses).*

INVESTITURE [ɛ̃vɛstityʀ] n. f. — 1460; *envesture,* XIIIe; lat. médiéval *investitura,* du lat. class. *investire.* → Investir.
Droit.

♦ **1.** Hist. Acte formaliste accompagnant la tradition, la mise en possession* (d'un fief*, d'un bien-fonds). *L'investiture d'un fief. Cérémonie d'investiture.* — Dr. canon. *L'investiture d'un bénéfice*, d'un évêché.* — Par ext. (Le compl. désigne la personne qui est investie). *Investiture d'un dignitaire, d'un bénéficiaire ecclésiastique,* l'acte, la cérémonie qui rend leur nomination* définitive.

Hist. *Querelle des investitures* (des évêques, des dignitaires de l'Église), entre les papes et les empereurs germaniques (1074-1122).

Henri IV jouissait toujours du droit de nommer les évêques et les abbés, et de donner l'investiture par la crosse et par l'anneau. *(L'autorité royale)* avait tout envahi. Les empereurs nommaient aux évêchés, et Henri IV les vendait. Grégoire, en s'opposant à l'abus, soutenait la liberté naturelle des hommes (...) C'est alors qu'éclatèrent les divisions entre l'Empire et le sacerdoce.
VOLTAIRE, Annales de l'Empire, Henri IV, 1076.

♦ **2.** Mod. Action d'investir (par un vote de confiance de l'Assemblée nationale) le président du Conseil, sous la quatrième République. *Accorder, refuser l'investiture. Après avoir reçu l'investiture, le président du Conseil est nommé par décret du président de la République.*

Polit. Acte par lequel un parti désigne officiellement un candidat à une élection.

CONTR. Déposition.

INVÉTÉRATION [ɛ̃veteʀasjɔ̃] n. f. — 1552; lat. *inveteratio* « maladie invétérée ». → Invétérer.

♦ Didact. ou littér. État de ce qui est invétéré.

INVÉTÉRÉ, ÉE [ɛ̃veteʀe] adj. — 1468; p. p. de *invétérer*, ou du lat. *inveteratus*, p. p. de *inveterare*. → Invétérer.

Littéraire ou style soutenu.

♦ **1.** (Choses). Fortifié et enraciné avec le temps. ⇒ **Ancré,** 2. **chronique, déterminé, fortifié.** *Une habitude ancienne et invétérée.* ⇒ **Vieux.** *Abus* (cit. 7, Voltaire), *maux invétérés. Une haine invétérée.*

(...) une maladie de l'âme si invétérée (...) LA BRUYÈRE, les Caractères, IX, 51.

♦ **2.** (1694). Personnes. Qui est tel depuis longtemps (en parlant d'un défaut, d'un vice). *Alcoolique, voleur invétéré.* ⇒ **Endurci, impénitent.** — Par plais. *Un voyageur invétéré. « Il doutait de la vie, ce fataliste invétéré »* (Van der Meersch, *in* T. L. F.).

INVÉTÉRER [ɛ̃veteʀe] v. tr. — Conjug. *céder.* — XVe; lat. *inveterare* « faire vieillir, conserver », de *vetus* « vieux ».

♦ Littér. et rare. Fortifier, faire empirer (un mal...).

1 *(Il)* invétéra cette passion du jeu dans l'âme joueuse de cette petite ville (...)
BARBEY D'AUREVILLY, les Diaboliques, « Le dessous de cartes... ».

▶ **S'INVÉTÉRER** v. pron.

(Mil. XVIe). Empirer, se fortifier avec le temps. *Le mal s'est tellement invétéré qu'on ne peut le guérir* (Académie). *Une habitude qui s'invétère.* ⇒ **Enraciner** (s'), **établir** (s'). Ellipt. *Une erreur qu'on laisse invétérer...* (Académie).

2 (...) je ne voyais pas que le mal s'invétérait par ma négligence (...)
ROUSSEAU, Julie ou la Nouvelle Héloïse, III, Lettre XVIII.

3 Cette manifestation me semblait par essence fugitive. Elle trahissait, en fait, un caractère qui s'est invétéré. Les intellectuelles sont incorrigibles.
G. DUHAMEL, Cri des profondeurs, III.

Vx. Sujet n. de personne (avec allus. étymologique). Prendre des habitudes invétérées. ⇒ **Encroûter** (s'). *« Dans ce milieu, l'on ne vit plus, on s'invétère »* (Gide, *Feuillets d'automne, in* T. L. F.).

INVIABILITÉ [ɛ̃vjabilite] n. f. — D. i. (XXe); de *inviable.*

♦ Didact. Incapacité à vivre.

Au début de cette nuit, l'image précise en moi de l'harmonie monacale me communiquait l'extase (...) L'inviabilité, l'impossible!...
G. BATAILLE, l'Expérience intérieure, p. 80.

INVIABLE [ɛ̃vjabl] adj. — 1906; « invivable », 1877; de 1. *in-*, et *viable;* cf. un homonyme « impraticable (d'une route) », 1801.

♦ Didact. ou littér. Qui n'est pas viable; qui ne peut vivre.

(...) enfantant, expulsant de ses flancs trempés de sueur ce qui devait être enfanté, expulsé, quelque petit monstre macrocéphale (dit l'Américain), inviable et dégénéré (...) Claude SIMON, le Palace, p. 190.

CONTR. Viable.
DÉR. Inviabilité.

INVIGORATION [ɛ̃vigɔʀasjɔ̃] n. f. — 1925; de 2. *in-*, lat. *vigor*, et suff. *-ation.*

♦ Psychol., physiol. Période durant laquelle le corps et les facultés de l'homme acquièrent leur plein développement, parviennent au plein de leur force, de leur vigueur. *Stade d'invigoration des facultés mentales.* — Par ext. Fait d'insuffler de la vigueur, plus de vigueur à... (cf. anc. franç. *vigorer* « donner de la vigueur »). *« Psychothérapies de soutien et d'invigoration »* (R. Held, in *la Nef*, no 31).

La cure *(psychanalytique)* implique aussi une certaine conception de la santé mentale, l'élimination des contraintes du Ça et du Surmoi, la promotion, avec l'invigoration du Moi, de la raison et du jugement.
Daniel LAGACHE, la Psychanalyse, p. 123.

INVINCIBILITÉ [ɛ̃vɛ̃sibilite] n. f. — 1508; dér. sav. de *invincible.*

♦ Caractère de ce qui est invincible.

(...) une jument (...) vous savez : une de ces juments de trait avec ces hanches lourdes, puissantes et pourtant féminines, cette paisible invincibilité de la pierre ou du bronze malmenés, outragés, et continuant son existence de pierre, de bronze (...) Claude SIMON, le Vent, p. 56.

INVINCIBLE [ɛ̃vɛ̃sibl] adj. — 1360, fig., *ignorance invincible;* bas lat. *invincibilis*, de 1. *in-*, et *vincibilis*, de *vincere* « vaincre ».

♦ **1.** (1538). Vx ou littér. Qui ne peut être vaincu. ⇒ **Imbattable.** *Armée* (cit. 5), *infanterie* (cit. 2) *invincible.* — (Personnes). *Le brave et invincible Ulysse. — Position militaire invincible.* ⇒ **Imprenable.** — Par métaphore ou fig. *Un cœur invincible.* — Vx. *Invincible à... :* qui résiste victorieusement à... (→ ci-dessous, cit. 2, par métaphore). Fig. *Cœur invincible à l'amour.* — (V. 1560). Qui ne se laisse pas abattre. ⇒ **Indomptable.** *Force, courage invincible* (→ Associer, cit. 26). *L'invincible espérance* (cit. 26). *Résolution invincible* (→ Fixité, cit. 7).

Ton bras est invaincu, mais non pas invincible. CORNEILLE, le Cid, II, 2. 1

Bajazet à vos soins tôt ou tard plus sensible, 2
Madame, à tant d'attraits n'était pas invincible. RACINE, Bajazet, V, 6.

Il dit que la cavalerie allemande est invincible; il pâlit au seul nom des cuirassiers de l'Empereur. LA BRUYÈRE, les Caractères, X, 11. 3

(...) l'invincible Ulysse, que la fortune ne peut abattre, et qui, dans ses malheurs encore plus grands que les vôtres, vous apprend à ne vous décourager jamais. 4
FÉNELON, Télémaque, II.

(...) un homme ardent et terrible, que rien ne pouvait dompter, dont la voix ébranlait les murs, dont l'esprit, l'audace étaient invincibles. 5
MICHELET, Hist. de la Révolution franç., Introd., IX.

(...) pour ses « guerriers d'Italie », Bonaparte était devenu un dieu, faiseur de miracles, invincible, infaillible, incomparable. 6
Louis MADELIN, Hist. du Consulat et de l'Empire, Ascension de Bonaparte, IX.

♦ **2.** a (V. 1560). Dont on ne peut triompher. *Se heurter* (cit. 26) *à une difficulté, un obstacle invincible.* — Fig. Qu'on ne peut contester. *Argument invincible.* ⇒ **Irréfutable.**

(...) il se sentait entraîné au vice par une force invincible (...) 7
BOSSUET, Disc. sur l'hist. universelle, II, III.

(...) c'est de la seule mélodie que sort cette puissance invincible des accents passionnés; c'est d'elle que dérive tout le pouvoir de la musique sur l'âme. 8
ROUSSEAU, Julie ou la Nouvelle Héloïse, I, Lettre XLVIII.

b Fig. À quoi l'on ne peut résister. ⇒ **Irrésistible.** *Invincibles appas* (cit. 19). *Les charmes invincibles de la beauté* (cit. 25).

c (1588). Que la volonté ne peut maîtriser, surmonter. *Sommeil invincible. Honte* (cit. 20), *timidité invincible* (→ Gêner, cit. 20). *Éprouver une horreur* (cit. 21), *un dégoût invincible* (→ C'est plus fort* que moi).

(...) une invincible timidité ôte au Dauphin l'emploi de ses facultés. 9
CHATEAUBRIAND, Mémoires d'outre-tombe, t. VI, p. 53.

(...) l'idée de faire à Didier des piqûres de morphine m'inspirait une répugnance invincible (...) G. DUHAMEL, Cri des profondeurs, XI. 10

d Rare. (Personnes). Maître de soi-même, invulnérable (Martin du Gard, *in* T. L. F.).

DÉR. Invincibilité, invinciblement.

INVINCIBLEMENT [ɛ̃vɛ̃sibləmɑ̃] adv. — 1490; de *invincible.*

♦ Littér. D'une manière invincible (2.), insurmontable (→ Homme, cit. 51, Pascal), irrésistible. *Être invinciblement entraîné* (→ Attraction, cit. 7).

(...) une autre conséquence qui sort invinciblement de ces prémisses.
RENAN, Essais de morale et de critique, Œ. Compl., t. II, p. 124.

REM. L'emploi de l'adverbe est rare au sens propre de *invincible.*

IN-VINGT-QUATRE [invɛ̃tkatʀ; ɛ̃vɛ̃tkatʀ] adj. invar. — 1765; lat. *in-*, et *vingt-quatre.*

♦ Techn. Où les feuilles* sont pliées en vingt-quatre feuillets (quarante-huit pages). *Livre de format* in vingt-quatre. Édition in-vingt-quatre. Volume in-vingt-quatre,* et, n. m., *un, des in-vingt-quatre.* — REM. On écrit souvent *in-24.*

IN VINO VERITAS [invinoveʀitas] — Mots latins.

♦ « Dans le vin (est) la vérité », proverbe latin qui fait allusion aux confidences qui n'échapperaient pas à un homme à jeun et auxquelles il se laisse aller dans l'ivresse.

INVIOLABILITÉ [ɛ̃vjɔlabilite] n. f. — 1789; *inviolableté*, emploi isolé, 1611; de *inviolable.*

♦ **1.** Caractère de ce qui est inviolable. *L'inviolabilité du domicile,* principe général consacré depuis la Constitution de 1791 (titre IV, art. 9).

♦ **2.** (1789). Prérogative d'une personne déclarée inviolable. *Inviolabilité diplomatique, parlementaire.* ⇒ **Immunité.** *En vertu de l'inviolabilité, aucun membre du Parlement « ne peut être poursuivi ou arrêté en matière criminelle ou correctionnelle qu'avec* *l'autorisation de la Chambre dont il fait partie, sauf le cas de flagrant délit* » (Constitution du 27 oct. 1946, art. 22).

♦ **3.** (1798). Caractère de ce qu'on ne peut violer. *L'inviolabilité d'une citadelle, d'une position, « du front »* (Joffre, *in* T. L. F.).

INVIOLABLE [ɛ̃vjɔlabl] adj. — 1328; lat. *inviolabilis,* de *in-* (→ 1. In-), et *violabilis,* de *violare* « outrager ». → Violer.

♦ **1.** (1541). Qu'il n'est pas permis de violer*, ou d'enfreindre*. ⇒ **Intangible, sacré.** *Droit inviolable et sacré* (→ Indemnité, cit. 1). *Loi, règle inviolable* (→ Arme, cit. 13). *Secret, serment inviolable. Abri, asile* (cit. 10, 17, 23 et 28), *refuge, sanctuaire inviolable* (→ par métaphore, Infortuné, cit. 2). *Territoire, zone inviolable* (→ Intervenir, cit. 1).

1 Ces fondements, solidement établis sur l'autorité inviolable de la religion (...)
PASCAL, Pensées, VII, 434.

2 Si tu trouves quelqu'un de *sûr* et d'un secret *inviolable,* dis-le-moi!
FLAUBERT, Correspondance, 448, 28 déc. 1853.

3 Il promenait un regard hostile sur ce lieu qu'il avait longtemps considéré comme le plus inviolable des sanctuaires, et que soudain rien ne défendait plus contre l'intrusion.
MARTIN DU GARD, les Thibault, t. IV, p. 197.

♦ **2.** (1640). À qui la loi ou la constitution accorde une immunité en matière criminelle ou correctionnelle (⇒ **Inviolabilité,** 2.). *Magistrat inviolable dans l'exercice de ses fonctions* (→ Infaillible, cit. 8). *Les ambassadeurs, les membres du Parlement sont inviolables.*

4 La personne du Roi est inviolable et sacrée (...) Constitution du 3 sept. 1791.

5 En effet, dans l'enceinte de Notre-Dame, la condamnée était inviolable. La cathédrale était un lieu de refuge. Toute justice humaine expirait sur le seuil.
HUGO, Notre-Dame de Paris, VIII, VI.

6 L'assemblée déclara ensuite, sur la proposition de Mirabeau, que ses membres étaient inviolables, que quiconque mettait la main sur un député, était traître, infâme et digne de mort.
MICHELET, Hist. de la Révolution franç., I, IV.

♦ **3.** Fig. Vieilli. *Inviolable à :* qui ne peut être violé (fig.), corrompu, atteint par...

7 Elle me semblait inviolable au malheur comme à la mort.
LAMARTINE, Nouvelles Confidences, p. 197, *in* T. L. F.

♦ **4.** (1690). Que l'on ne peut prendre par la force des armes. *Une forteresse inviolable.* — Où l'on ne peut aller, où l'on ne peut entrer. *Profondeurs inviolables de la jungle. Des cimes jusque là inviolables.* — Fig. Où l'on ne peut pénétrer par la compréhension, par l'esprit, le savoir. *Mystère inviolable. Arcanes inviolables d'une initiation ésotérique.*

DÉR. Inviolabilité, inviolablement.

INVIOLABLEMENT [ɛ̃vjɔlabləmɑ̃] adv. — 1306; de *inviolable.*

♦ Littér. D'une manière inviolable. *Règles inviolablement respectées.*

(...) il se fit une loi indispensable, qu'il se promit à lui-même de garder inviolablement, de ne rien dépenser au delà de cette somme (...)
A. GALLAND, les Mille et Une Nuits, t. II, p. 458.

INVIOLÉ, ÉE [ɛ̃vjɔle] adj. — Après 1450; au sens concret de *violer,* av. 1429; de 1. *in-,* et *violé,* p. p. de *violer,* ou du lat. *inviolatus,* de *in-* (→ 1. In-), et *violatus,* p. p. de *violare.*

♦ **1.** Littér. Qui n'a pas été violé*, enfreint. *Trêve inviolée.* — Qui n'a pas été outragé, profané. *Sépulture inviolée.*

♦ **2.** (1865). Que l'homme n'a encore jamais atteint. *Des cimes inviolées. Une forêt inviolée.* ⇒ **Vierge.**

Quelle toilette de vierge, quelle grâce de cygne dans son col de neige, quels regards de Madone inviolée, quelle robe blanche, quelle ceinture de petite fille!
BALZAC, le Cabinet des Antiques, Pl., t. IV, p. 383.

CONTR. Violé.

INVISIBILITÉ [ɛ̃vizibilite] n. f. — 1560 (1594, selon T. L. F.); bas lat. *invisibilitas,* du bas lat. *invisibilis.* → Invisible.

Caractère, état de ce qui est invisible*, soit par nature, soit par sa situation.

♦ **1.** Caractère de ce qui ne peut être perçu par la vue. *L'invisibilité de Gygès. L'invisibilité des infiniment petits. L'invisibilité de l'air, de l'oxygène.*

Littéraire :

Il y a des hommes dans le monde qui n'ont jamais été à la guerre
Il y a des Hindous qui regardent avec étonnement les campagnes occidentales
Ils pensent avec mélancolie à ceux dont ils se demandent s'ils les reverront
Car on a poussé très loin durant cette guerre l'art de l'invisibilité
APOLLINAIRE, Calligrammes, « Il y a », Pl., p. 280.

♦ **2.** Fig. (⇒ **Invisible,** 2.). *L'invisibilité du danger, de son amour.*

♦ **3.** Le fait, pour une personne, de ne pas se laisser voir, rencontrer (⇒ **Invisible,** 3.). *L'invisibilité du directeur, depuis plus d'une semaine, l'inquiétait.*

CONTR. Visibilité, présence.

INVISIBLE [ɛ̃vizibl] adj. — 1256; bas lat. *invisibilis,* de *in-* (→ 1. in-), et *visibilis.* → Visible.

♦ **1.** Qui n'est pas visible*, qui échappe à la vue (par nature ou par accident). *Les êtres visibles et invisibles. Dieu, infini et invisible* (→ Appréhender, cit. 1; église, cit. 1). *Anges invisibles* (→ Escadron, cit. 5). *Le corps enserre* (cit. 5) *une âme invisible. Réalités invisibles* (→ Approche, cit. 21; essentiel, cit. 17; fantôme, cit. 2). — Spécialt (en parlant d'êtres normalement visibles, dans les contes, les mythes). *L'anneau* (cit. 9) *de Gygès rendait invisible. L'Homme invisible,* récit de H. G. Wells. *Encre invisible à l'œil nu.* ⇒ **Aveugle** (I., B., 4.), **sympathique** (I., 2.). — Qu'on ne peut voir du fait des circonstances. *Montagne invisible derrière les brumes* (→ Escamoter, cit. 4). *Le soleil encore invisible de l'aube* (→ Emplir, cit. 5). *Nuage qui rend la lune invisible.* ⇒ **Éclipser.** *Guetteur* (cit. 1) *invisible à l'affût dans un coin* (→ aussi Famille, cit. 25). *On entend au loin une flûte* (1. Flûte, cit. 2) *invisible. Un ruisseau invisible dans, sous le brouillard. Avion invisible très haut dans le ciel.* ⇒ **Perdu;** → Énervant, cit. 2. *Objet qui devient invisible.* ⇒ **Cacher** (se), **disparaître.** *Où est ma montre : elle est devenue invisible!*

Et que derrière un voile, invisible et présente, 1
J'étais de ce grand corps *(le sénat romain)* l'âme toute-puissante.
RACINE, Britannicus, I, 1.

Je te donnerai une bague enchantée; quand tu en retourneras le rubis tu seras 2
invisible, comme les princes, dans les contes de fées.
LAUTRÉAMONT, les Chants de Maldoror, I.

Naître, c'est entrer dans le monde visible; mourir, c'est entrer dans le monde invi- 3
sible. HUGO, Post-Scriptum de ma vie, De la vie et de la mort.

Les femmes, invisibles puisque nous sommes en pays de Mahomet, passent ense- 4
velies du haut en bas sous une housse blanche (...)
LOTI, l'Inde (sans les Anglais), V, II.

On entendait des voix. Des hommes presque invisibles entre les fils de fer et les 5
sarments échevelés taillaient la vigne.
J. CHARDONNE, les Destinées sentimentales, p. 93.

REM. Les emplois relativisés (invisibilité momentanée, occasionnelle) que le syntagme nominal ait ou non un complément *(invisible à qqn, pour qqn)* impliquent la présence d'un ou plusieurs observateurs. → cit. 1 et 5.

Avec un compl. *Objet, organisme* (⇒ **Microbe**) *invisible pour un observateur humain.* ⇒ **Microscopique.** — Loc. *Invisible à l'œil* nu.* — (Objets momentanément, occasionnellement invisibles). *J'entends leur voix, mais ils me sont, ils me restent invisibles.*

Sc. Dont les radiations sont à l'extérieur du spectre solaire. ⇒ **Infrarouge, ultra-violet.** *Rayonnement visible et invisible d'un corps.*

Extrêmement difficile à voir. ⇒ **Imperceptible, minuscule.** *Grain de sable invisible* (→ Gravelle, cit. 3). — Loc. *Filet invisible :* résille très fine (coiffure de femme).

♦ **2.** Fig. Qui échappe à la connaissance. ⇒ **Mystérieux, secret** (→ Grandeur, cit. 19). *Danger, signal invisible* (→ Hurler, cit. 16; gosier, cit. 9). *Fluides* (cit. 9 et 12) *invisibles. Liens invisibles.*

Ce genre d'esprit charmant est invisible aux sots (...) 6
STENDHAL, Journal, p. 204.

(...) il lui semblait qu'il perdait la conscience de son être et qu'un élément invisible 7
prenait possession de lui, une émanation mystérieuse qui venait de toutes parts, de toute cette végétation dont la senteur le pénétrait.
J. GREEN, Léviathan, I, XIII.

N. m. (Av. 1662). *Union du visible et de l'invisible* (→ Constant, cit. 4). *Le beau* (cit. 101), *expression de l'invisible. L'intervention* (cit. 9) *de l'invisible dans notre vie* (→ Impalpable, cit. 5; increé, cit. 3).

(Dieu) pouvait faire l'invisible, puisqu'il faisait bien le visible. 8
PASCAL, Pensées, X, 643.

♦ **3.** Personnes. **a** Qui ne se montre pas (dans un lieu, à un moment donné). *Il est devenu invisible.*

b (1668, Racine, *les Plaideurs*). Qui se dérobe* aux regards, qui ne veut pas être vu (ou qui est caché par qqn). *Il lui promit d'être discret et invisible* (→ Apparence, cit. 31). *Une personne invisible,* qu'on ne parvient jamais à rencontrer. *Depuis quelque temps, elle est devenue complètement invisible* (→ Jouer l'arlésienne*). — (1798). Spécialt. *Être invisible pour qqn,* refuser de le recevoir. *C'est vainement que je sollicitais une audience, le ministre était invisible pour moi* (Académie).

On ne voit point sa fille; et la pauvre Isabelle, 9
Invisible et dolente, est en prison chez elle. RACINE, les Plaideurs, I, 5.

Il persuada tout le groupe de prendre un avocat et proposa Me Mollard, « une des 10
gloires du barreau ». Pour invisible qu'il fût, Me Mollard ne travaillait pas gracieusement (...)
G. DUHAMEL, Chronique des Pasquier, I, XIII.

CONTR. Apercevable, apparent, visible.
DÉR. Invisiblement.

INVISIBLEMENT [ɛ̃viziblәmɑ̃] adv. — XIIe; de *invisible.*

♦ Littér. D'une manière invisible. *Agir invisiblement.* « *Une réalité invisiblement surnaturelle»* (Maritain, *in* T. L. F.). *Des graines microscopiques qui flottent invisiblement dans l'air.*

CONTR. Visiblement.

INVITANT, ANTE [ɛ̃vitɑ̃, ɑ̃t] adj. — D.i. (1867, Baudelaire); p. prés. de *inviter.*

♦ **1.** Littér. Qui incite, encourage. ⇒ **Encourageant, engageant, tentant.**

1 Il passe en revue toutes sortes d'hypothèses.
Aucun des tableaux qui se découvrent à lui ne le décourage. Au contraire. On dirait que les pires pronostics soient les plus invitants.
J.-R. BLOCH, la Nuit kurde, p. 181.

2 Sophie présentait à cette brute les lèvres les plus invitantes et les plus fausses que jamais actrice de cinéma ait offertes en louchant vers l'appareil de prise de vues.
M. YOURCENAR, le Coup de grâce, p. 199.

REM. Dans ce sens, l'adj. *invitatif, ive* (1791, Mirabeau) paraît vieilli (cit. de R. Bazin, *in* G. L. L. F.).

♦ **2.** (Mil. XXe). Polit. *Les puissances invitantes,* qui invitent.

INVITATION [ɛ̃vitɑsjɔ̃] n. f. — XIVe; lat. *invitatio,* de *invitatum,* supin de *invitare.* → Inviter.

♦ **1.** (XIVe; rare av. XVIIIe). Action d'inviter*. *L'invitation d'une personne, d'un groupe, d'une famille par qqn. « L'invitation des Cours souveraines pour assister à un Te Deum se fait par les Officiers des cérémonies »* (Furetière). *L'invitation de qqn à une soirée, à une réception :* le fait que qqn soit invité; le fait que qqn invite à... *Décliner, refuser l'invitation de qqn, une invitation. J'accepte de grand cœur votre invitation* (→ Demander, cit. 10). *Je suis désolé de ne pouvoir répondre à votre gracieuse, aimable invitation* (→ 2. Extra, cit. 2). — *Invitation (de qqn par qqn) à un bal, à un cocktail. Invitation à une réunion.* ⇒ **Convocation.** *Billet* (cit. 7, Rousseau), *carte, lettre d'invitation. Formules d'invitation.*

1 Il ne s'attardait guère et n'acceptait que bien rarement une invitation à dîner.
G. DUHAMEL, Salavin, VI, V.

2 Pauline acceptait toutes les invitations, parties de bateau ou de tennis, collations dans les jardins, dîners sur l'herbe (...)
J. CHARDONNE, les Destinées sentimentales, p. 110.

Par ext. Lettre, carte d'invitation. *Le présent faire-part tient lieu d'invitation. Envoyer, lancer, recevoir des invitations à dîner* (→ Frivolité, cit. 8).

Par ext. Le fait de proposer à qqn de participer à une activité sociale. *L'Invitation à la valse,* pièce de Weber.

♦ **2.** (Fin XVIIe). Action d'inviter, d'engager à. ⇒ **Exhortation, incitation.** *Une invitation, l'invitation de qqn à faire qqch., à qqch. Faire qqch. à l'invitation* (→ Éventail, cit. 9), *sur l'invitation pressante, réitérée de qqn.* ⇒ **Prière.** *Invitation impérative, menaçante.* ⇒ **Sommation; avertissement, semonce;** → Atténuer, cit. 5. *Invitation à la querelle, à la dispute.* ⇒ **Appel** (cit. 18, Montesquieu), **excitation.**

3 (...) le Czar avait une passion extrême de s'unir avec la France (...) ce fut l'Angleterre qui nous rendit sourds à ses invitations (...)
SAINT-SIMON, Mémoires, V, XXXIV.

4 La femme est (...) une invitation au bonheur (...)
BAUDELAIRE, Curiosités esthétiques, XVI, X.

L'Invitation au voyage, poème de Baudelaire.

Au plur. *Les invitations* (sensuelles, tendres...) *de qqn.* ⇒ **Invite.**

Vieilli. *Invitation de* (et inf.) : invitation, et, spécialt, sommation, ordre. *À l'invitation de partir, il répondit...* (→ Emporter, cit. 9). *Il a reçu de la police l'invitation de se présenter tel jour. « L'invitation du maire de mettre Fantine en liberté »* (→ Gond, cit. 4, Hugo).

Fig. *L'invitation de* (et n. de chose). *Répondre, céder à l'invitation, aux invitations du plaisir, de la chair, de la tentation.* ⇒ **Appel, attrait.**

INVITATOIRE [ɛ̃vitatwaʀ] adj. et n. f. — XIIIe (v. 1223); *lettre invitatoire,* fin XVIIe, Bossuet; bas lat. *invitatorius,* du lat. class. *invitatum,* supin de *invitare.* → Inviter.

♦ Liturgie. *Antienne invitatoire,* ou, n. f., *invitatoire :* antienne qui se chante à matines.

INVITE [ɛ̃vit] n. f. — 1767, Diderot; de *inviter.*

♦ **1.** Jeu de cartes. Vx. Carte qu'on joue (appel), pour faire connaître les éléments de son jeu à son partenaire, et l'inviter, s'il fait la levée, à jouer dans la même couleur. *Faire une invite au roi, dans une partie de boston, de whist.*

♦ **2.** (1875). Invitation* plus ou moins déguisée (à faire qqch.). ⇒ **Appel** (du pied). *Résister aux invites d'un galant.* ⇒ **Attaque, exhortation.** *Une invite à qqch., à faire qqch. Des invites pressantes. — Sur l'invite de qqn, d'une autorité.* ⇒ **Ordre; consigne.**

1 (...) l'appel du tic au tac, l'invite à la riposte, le mot qui en appelle un autre et entrebâille la porte à la discussion (...) COURTELINE, Boubouroche, Nouvelle, V.

— On va sonner pour le dîner et je ne serai pas prêt ! C'était une invite à le laisser (...) 2
GIDE, Isabelle, p. 80.

Spécialt. Signe d'appel galant, érotique. *Invite amoureuse. Des invites claires, non déguisées. Croire à une invite.*

(Compl. n. de chose). *Les invites du plaisir, de l'inconnu de l'aventure.* ⇒ **Attrait.** *Céder, résister aux invites de...*

INVITÉ, ÉE [ɛ̃vite] adj. et n. ⇒ **Inviter** (I., 1.).

INVITER [ɛ̃vite] v. tr. — 1356; lat. *invitare* «inviter, convier». → Envi.

★ **I.** ♦ **1.** Prier* (qqn) de se rendre, de se trouver dans un lieu avec soi, d'assister ou de prendre part à une activité, généralement une activité sociale, mondaine, organisée, la personne qui invite assumant les frais matériels. ⇒ **Convier; invitation.** *Inviter qqn à une cérémonie, une fête, un festin, un gala* (cit. 2 et 5), *une garden-party* (cit.). *Inviter des enfants à goûter* (→ Gage, cit. 7). *Il vous invite à ses noces* (→ Honorer, cit. 11). *Inviter qqn au convoi* (cit. 5), *service et funérailles de... Inviter qqn à dîner.* ⇒ **Payer** (à ...), **prier** (vieilli), **retenir;** → Histoire, cit. 59; inférieur, cit. 10. *Inviter qqn à sa table.* ⇒ **Asseoir** (faire). → Conter, cit. 7. *Inviter qqn chez soi. Ils nous invitent chez eux à la campagne,* à habiter chez eux quelque temps. — Au p. p. *Étant invité chez qqn.* — Sans compl. ind. *Inviter qqn,* selon les contextes : inviter à une réception, à un repas, à loger... *Il nous a invités pendant huit jours ; ça nous a fait des économies d'hôtel. Il se fait souvent inviter. Je ne l'ai plus jamais invité.*

Qu'invité chez la Reine, il ait soin de s'y rendre. RACINE, Esther, II, 7. 1

— Qu'on me serve à goûter ! (...) Casilda, je t'invite. HUGO, Ruy Blas, II, 1. 2

Les soupers de George avaient une célébrité d'élégance joyeuse et de sensualité délicate qui faisait regarder comme une bonne fortune d'y être invité (...) 3
Th. GAUTIER, Fortunio, I, p. 5.

Absolt. *Elle invite beaucoup.*

(...) je ne vous ai pas présentée, disait la maîtresse de maison à Odette, parce qu'on n'aime pas beaucoup aller chez elle et elle invite énormément. 4
PROUST, Sodome, 1922, p. 478.

Proposer (à qqn) de partager une activité avec soi. *Inviter une jeune fille à danser, à la danse* (→ Écart, cit. 12). *Elle est là sur sa chaise, attendant qu'on l'invite à danser* (→ Faire tapisserie*). *Elle n'a jamais été invitée chez cette femme* (→ Impertinence, cit. 9). *Toutes les dames de la ville furent invitées à ce bal* (cit. 6). ⇒ **Convoquer.**

(...) la petite jeune fille qui s'est bien pomponnée pour son premier bal. Un danseur l'invite. Elle se met à pleurnicher. 5
J. ROMAINS, les Hommes de bonne volonté, t. V, I, p. 7.

— Je ne l'ai pas invité, fit Salavin avec un hochement de tête. Il s'est invité tout seul. 6
G. DUHAMEL, Salavin, V, III.

♦ **2.** (1640). Littér. *Inviter qqn à* (et n. ou inf.) : inciter, engager (qqn) en employant la persuasion, la douceur. ⇒ **Engager, exciter, exhorter, inciter, induire, solliciter.** *Inviter qqn à faire qqch.* (→ 1. Faux, cit. 57; 2. hydrophile, cit. 1; idéaliste, cit. 1). *Inviter les riches à donner aux pauvres* (→ Gagner, cit. 28). *Inviter à la concorde.* ⇒ **Appeler;** → Huile, cit. 30.

(1769). Inciter, avec autorité. ⇒ **Prier** (de). *On l'invita à faire cesser* (cit. 31) *lui-même ce scandale. Je vous invite à vous taire. Il l'invita sèchement à se retirer* (⇒ **Congédier**). — (Déb. XVIIe). Fig. Littér. (Sujet n. de choses; → ci-dessous cit. 8, 10, 14, 15.). ⇒ **Porter, pousser.** *Voilà qui invite à la réflexion, à croire que...* (→ Évolution, cit. 15). *Ces maximes nous invitent à la sagesse.* ⇒ **Conseiller.** *Ses promesses m'invitent à redoubler de zèle* (⇒ **Stimuler**). *Calme* (cit. 12) *qui invite au sommeil ; fauteuil* (cit. 1) *qui invite au repos. Le beau temps nous invite à faire le chemin à pied* (→ Gîter, cit. 2). *Un sentier où tout invite à la maraude* (→ Grapiller, cit. 1). *Tentations qui invitent au plaisir.* ⇒ **Attirer, tenter.**

(...) et c'est trop inviter 7
Par son impunité quelque autre à l'imiter. CORNEILLE, Cinna, II, 2.

Suivez les doux transports où l'amour vous invite. RACINE, Bérénice, III, 2. 8

Quiconque est soupçonneux invite à le trahir. VOLTAIRE, Zaïre, I, 5. 9

(...) son abord serein semble m'inviter à l'enjouement (...) 10
ROUSSEAU, Julie ou la Nouvelle Héloïse, Lettre XX.

(...) elle tendit son verre avant de boire, pour inviter ses hôtes à trinquer. 11
A. DE MUSSET, Nouvelles, « Margot », VI.

(Il) m'invite de la main à m'asseoir près de lui sur un grand coussin de soie jaune (...) Alphonse DAUDET, Lettres de mon moulin, « À Milianah. » 12

Un gendarme qui vous *invite à le suivre,* et une dame qui vous *invite à dîner,* n'ont pas les mêmes intonations. F. BRUNOT, la Pensée et la Langue, p. 557. 13

Ainsi l'on m'avait appris à réciter à peu près décemment les vers, ce à quoi déjà m'invitait un goût naturel (...) GIDE, Si le grain ne meurt, I, IV, p. 110. 14

L'ombre tiède du parc invitait à la flânerie. 15
MARTIN DU GARD, les Thibault, t. II, p. 182.

Absolt. *« Mais la nature est là qui t'invite et qui t'aime »* (Lamartine).

★ **II.** V. intr. (1867). Jeu de cartes. Faire une invite*. *Inviter au roi.*

▶ **S'INVITER** v. pron. (Réfl.). *S'inviter (soi-même) :* se présenter quelque part ou offrir d'y venir sans en être prié. *Pique-assiette qui* *s'invite partout* → ci-dessous, cit. 6. — (Récipr.). *Les X... et les Y... s'invitent souvent à faire un bridge* (cf. *s'entr'inviter*).

▶ **INVITÉ, ÉE** p. p. adj. *Les personnes invitées.* — N. (Déb. XIXe). *Un invité, une invitée, les invités* (→ Barrer, cit. 6 ; épurer, cit. 13). *Invités qui arrivent pour passer la soirée* (→ Commensal, cit. 2). *Maître de maison qui accueille ses invités.* ⇒ **Amphitryon, convive, hôte.** *Vous êtes mon invitée. Un invité de marque**. *Invités jaloux de leurs hôtes* (cit. 1).

16 Lorsque, d'invité perpétuel, Pons arriva, par sa décadence comme artiste, à l'état de pique-assiette (...) BALZAC, le Cousin Pons, Pl., t. VI, p. 534.

COMP. Réinviter.
DÉR. Invitant, invite, inviteur.

INVITEUR, EUSE [ɛ̃vitœʀ, øz] adj. et n. — 1876 ; «celui qui cherche à se faire inviter», déb. XVIe ; de *inviter.*

Littéraire. Rare en emploi courant.

♦ **1.** N. Personne qui invite (qqn). *L'inviteur et ses invités. L'inviteur de qqn, son inviteur.*

♦ **2.** Littér. Qui invite, constitue une invite. ⇒ **Incitateur, invitant.** — Rare. (Personnes). *Elles étaient* (trois jeunes filles) *inviteuses et enjouées* (J. Lorrain, *in* T. L. F.). — (Choses). *Des gestes inviteurs.*

1 L'illustre Huxley (...) raconte qu'une de ses malades n'osait plus aller dans le monde parce que souvent, dans le fauteuil même qu'on lui indiquait d'un geste courtois, elle voyait assis un vieux monsieur. Elle était bien certaine que, soit le geste inviteur, soit la présence du vieux monsieur, était une hallucination (...) PROUST, Sodome et Gomorrhe, Pl., t. II, p. 637.

2 L'armagnac m'aidait à considérer toute entreprise comme facile et toute pente comme inviteuse. Cécil SAINT-LAURENT, la Mutante, p. 156.

IN VITRO [invitʀo] loc. adv. — 1877, Cl. Bernard ; mots lat., «dans le verre».

♦ Didact. En milieu artificiel, en laboratoire. *Observations faites* in vitro (opposé à *in vivo* et à *in situ*). *Cultures d'organes* in vitro.

1 Bien que non vérifiée par synthèse *in vitro*, cette structure *(moléculaire de la cellulose)* est solidement étayée par le comportement de la substance à l'hydrolyse, à l'éthérification, à l'estérification et à l'acétolyse (...) M. CHÊNE et N. DRISCH, la Cellulose, p. 45.

2 (...) les biologistes ont été amenés à rechercher un moyen d'étude de l'organe isolé, de façon à le soustraire à l'influence de l'ensemble. Ce moyen est la culture *in vitro*, c'est-à-dire la transplantation de l'organe sur un milieu de culture non vivant. Il devient possible, ainsi, de soumettre l'organe à des facteurs connus, que l'expérimentateur peut appliquer et modifier à sa guise (...) Elle s'applique (...) essentiellement à la culture des organes embryonnaires. Michel SIGOT, la Culture d'organes, p. 9.

Fécondation in vitro (F. I. V.) (→ Bébé*-éprouvette).

INVIVABLE [ɛ̃vivabl] adj. — XXe (1927, P. Morand, *in* T. L. F.) ; de 1. *in-*, *vivre*, et suff. *-able.*

♦ **1.** Très difficile à vivre. ⇒ **Insupportable.** *Mener une existence invivable* (→ Une vie de chien*, d'enfer*). *Une société, un milieu invivable. Un régime, un pays invivable.*

1 (...) une vie qui (...) me paraissait de moins en moins invivable. M. SACHS, Alias, p. 72 (éd. de 1935).

N. m. *L'invivable* : ce qui est invivable.

♦ **2.** Fam. (Personnes). Impossible, insupportable. *Une femme invivable* (→ Hargne, cit. 4). *Il est franchement invivable.* ⇒ **Impossible.**

2 Musset même paraît avoir été beaucoup plus clairvoyant que Flaubert : il ne mit pas dix ans comme lui à s'apercevoir que cette «créature pernicieuse» était, nonobstant certains charmes, parfaitement *invivable.* Émile HENRIOT, Épistoliers et Mémorialistes, 1928, p. 232.

♦ **3.** (Mil. XXe). Fam. Où il est très difficile, voire impossible de vivre. *Il fait très froid ici ; c'est invivable.* — Où l'on ne peut vivre dans des conditions satisfaisantes. *« Ce qui rend un ensemble immobilier invivable, ce n'est pas tant sa grandeur que son éloignement du centre ou l'absence d'écoles, de commerces, de terrains de sport »* (*l'Express*, 2 avr. 1973).

IN VIVO [invivo] loc. adv. — 1901 ; mots lat., «dans le vivant».

♦ Didact. Dans l'organisme vivant. *Expériences* in vivo (opposé à *in vitro*). ⇒ aussi **In situ.**

INVOCATEUR, TRICE [ɛ̃vɔkatœʀ, tʀis] n. — 1469, «sorcier» ; bas lat. *invocator (demonum)*, du lat. class. *invocatum*, supin de *invocare* «appeler» (→ Invoquer) ; cf. moy. franç. *invoqueur.*

♦ **1.** N. Vx. personne qui invoque (les puissances surnaturelles). ⇒ **Sorcier.**

♦ **2.** Adj. Rare. Qui invoque les puissances. *Force invocatrice.*

INVOCANT, ANTE [ɛ̃vɔkɑ̃, ɑ̃t] adj. ⇒ Invoquant.

INVOCATION [ɛ̃vɔkasjɔ̃] n. f. — 1170 ; lat. *invocatio*, de *invocatum*, supin de *invocare.* → Invoquer.

♦ **1.** Action d'invoquer* ; résultat de cette action. *Invocation à la divinité**, *de la divinité. Formule d'invocation.* ⇒ **Invocatoire.** — Liturgie. *Invocation aux saints.* ⇒ **Adjuration.** *L'invocation du Saint-Esprit. Réciter les invocations à la Vierge.* ⇒ **Litanie.** *Invocation qui accompagne le baptême.* — (1690). *Sous l'invocation de. Chapelle placée sous l'invocation de saint Antoine*, sous son patronage, sa protection (⇒ **Dédicace**).

Ainsi ceux qui guérissent par l'invocation du diable ne font pas un miracle, car cela n'excède pas la force naturelle du diable. PASCAL, Pensées, XIII, 804. 1

Chaque village de France est placé sous l'invocation d'un saint protecteur, modifié à l'image des habitants. MAUPASSANT, Clair de lune, Légende Mont Saint-Michel. 2

Les invocations jouent grand rôle. On supplie *au nom des dieux* : **«Au nom du Ciel, partez !**— Tais-toi, **pour l'amour de dieu !**— **au nom du ciel** *ne dites pas un mot là-dessus* (MUSS., Chand. III, 3) ; — *mon père*, **au nom de tous les saints et de la Vierge, au nom du Christ**, *qui est mort sur la croix*, **au nom de votre salut éternel**, *mon père*, **au nom de ma vie**, *ne touchez pas à cela* (BALZ., E. Grandet, 202).» F. BRUNOT, la Pensée et La langue, p. 570. 3

Ces manifestations de la piété publique devaient se terminer le dimanche par une messe solennelle placée sous l'invocation de saint Roch (...) CAMUS, la Peste, p. 107. 4

♦ **2.** (1541). Prière* qu'un poète adresse à une puissance pour lui demander son concours. *Invocation aux Muses, à la vérité, à l'humanité.* ⇒ **Appel.**

♦ **3.** Le fait de recourir à qqch. *Faire une invocation à l'histoire, à la tradition, à de grands principes.*

DÉR. Invocatoire.

INVOCATOIRE [ɛ̃vɔkatwaʀ] adj. — Déb. XVIIe (av. 1622), François de Sales ; du rad. de *invocation.*

♦ Littér. Qui sert à invoquer. *Formule invocatoire. « Ferveur invocatoire »* (Marcel Aymé).

INVOLONTAIRE [ɛ̃vɔlɔ̃tɛʀ] adj. — 1361 ; bas lat. *involuntarius*, de 1. *in-*, et *voluntarius.* → Volontaire.

♦ **1.** Choses. **a** (1656). Qui n'est pas volontaire* ; qui échappe au contrôle de la volonté*. *Mouvement nerveux involontaire, réaction involontaire.* ⇒ **Réflexe.** — (Le subst. désigne un acte, une faculté... qui peut être volontaire). *Geste* (1. Geste, cit. 5) *involontaire.* ⇒ **Automatique** (cit. 1), **machinal ; inconscient.** *Cri involontaire* (→ Frapper, cit. 20). *Frémissement involontaire. L'évocation* (cit. 11) *par la mémoire involontaire.*

b (Rare av. XVIIe). Qui n'est pas fait à dessein. *Élan involontaire.* ⇒ **Spontané ;** → Étudier, cit. 23. *Action involontaire* (→ Blâme, cit. 2). *Erreur, mensonge, faute involontaire* (→ Favorable, cit. 8 ; gauchir, cit. 6). *Cet accident l'oblige à un arrêt bien involontaire.* ⇒ **Forcé.** *L'amour involontaire de Tristan et d'Iseut* (→ Breuvage, cit. 5).

(...) l'ignorance qui rend les actions involontaires et excusables (...) PASCAL, les Provinciales, IV. 1

Il lui fait des raisonnements à perte d'haleine, pour lui prouver qu'un sentiment involontaire ne peut pas être un crime : comme s'il ne cessait pas d'être involontaire, du moment qu'on cesse de le combattre ! LACLOS, les Liaisons dangereuses, LI. 2

Le roi laissa échapper un cri involontaire, tant il était loin de s'attendre à ce nom. A. DE VIGNY, Cinq-mars, VIII. 3

Enfin, j'ai lu, de façon involontaire, votre nom sur l'étiquette de votre valise. Monsieur Clanegrand, n'est-ce pas ? G. DUHAMEL, Salavin, VI, I. 4

Spécialt. *Homicide involontaire* : délit criminel commis sans intention de donner la mort. ⇒ **Imprudence** (par).

N. (1890). Vx. *Un, une involontaire* : enfant non désiré.

♦ **2.** (1826). Personnes. Qui agit ou se trouve dans une situation quelconque, sans le vouloir, malgré soi (→ Aiglon, cit., Hugo). *Être le témoin, le héros involontaire d'un drame. Elle fut la confidente involontaire de cette histoire* (→ Graveleux, cit. 3, Maupassant).

Le véhicule poursuivit encore son chemin pendant quelques mètres, chargé de son passager involontaire. R. QUENEAU, Pierrot mon ami, p. 26. 5

CONTR. Intentionnel, volontaire, voulu.
DÉR. Involontairement.

INVOLONTAIREMENT [ɛ̃vɔlɔ̃tɛʀmɑ̃] adv. — 1625 ; *involontairement*, 1370 ; *de involontaire.*

♦ D'une manière involontaire, sans le vouloir. *Involontairement et inconsciemment* (→ Façonner, cit. 17). *Avoir involontairement une réaction physique. Soupirer involontairement* (→ Haleine, cit. 16,

Rousseau). *Si je vous ai peiné c'est bien involontairement.* ⇒ **Intention** (sans).

CONTR. Exprès, intentionnellement, volontairement.

INVOLUCELLE [ɛ̃vɔlysɛl] n. m. — 1778; dimin. de *involucre.*

♦ Bot. Involucre secondaire ou partiel.

INVOLUCRE [ɛ̃vɔlykʀ] n. m. — 1545; lat. *involucrum* «enveloppe», de *involvere* «enrouler, envelopper», de 2. *in-*, et *volvere* «rouler».

♦ Bot. Ensemble de bractées* formant à la base de certaines inflorescences (ombelle* ou capitule*) une sorte de collerette. *Involucre d'une inflorescence en épi.* ⇒ **Spathe.**

DÉR. Involucelle, involucré.

INVOLUCRÉ, ÉE [ɛ̃vɔlykʀe] adj. — 1803; de *involucre.*

♦ Bot. Pourvu d'un involucre. *Ombelle involucrée.*

INVOLUER [ɛ̃vɔlɥe] v. intr. — Mil. xxᵉ; dér. sav. de *involution,* d'après *évoluer.*

♦ Didact. Procéder par involution.

Involuer dans notre image jusqu'à la mort nous console de l'irréversibilité d'être né et d'avoir à se reproduire. C'est par cette tractation sensuelle, incestueuse, avec elle, avec notre double, avec notre mort, que nous gagnons notre pouvoir de séduction. Raymond ABELLIO, Ma dernière mémoire, t. II, p. 98.

Au p. p. *«Je ne sais quoi d'involué, de retenu...»* (Mounier, *Traité de caractérologie, in* T. L. F.).

INVOLUTÉ, ÉE [ɛ̃vɔlyte] adj. — 1798; lat. *involutus,* p. p. de *involvere* «enrouler», de 2. *in-*, et *volvere.*

♦ Bot. Qui est roulé de dehors en dedans (syn. : *involutif). Feuilles involutées* (⇒ **Involution**). — *Coquille involutée.*

INVOLUTIF, IVE [ɛ̃vɔlytif, iv] adj. — 1798; dér. sav. du lat. *involutus.* → Involuté.

★ **I.** Qui va vers l'intérieur. ♦ **1.** Bot. Vx. Involuté.

♦ **2.** (1931). Math. Qui se rapporte à une involution (I., 3.). — Se dit d'un élément qui est identique à son symétrique. *Matrice involutive* ou *réciproque.*

♦ **3.** Fig. *«Le rêve est involutif. Il se développe du dehors en dedans»* (Léon Daudet, *in* T. L. F.).

(...) ce sont des choses qui ont déjà duré, c'est un temps qui a déjà eu lieu. Le seul relief est celui de l'anachronie, figure involutive du temps et de l'espace. J. BAUDRILLARD, De la séduction, p. 88.

★ **II.** (De *involution,* II.). Méd. *Dépression, lésion involutive.* ⇒ **Involution** (II.). *Périodes involutives de l'organisme.* ⇒ **Sénescent.**

INVOLUTION [ɛ̃vɔlysjɔ̃] n. f. — 1314, *involucion,* concret; lat. *involutio* «enveloppement», de *involutum,* supin de *involvere.* → Involuté.

★ **I.** État, mouvement de ce qui va, se replie vers l'intérieur.

♦ **1.** (1371). Vx. Enchevêtrement de difficultés. *Une «involution d'affaires épineuses...»* (Bossuet, *Sermon sur l'impénitence finale,* II).

♦ **2.** (1814). Bot. État d'un organe involuté*. ⇒ **Intorsion.** *L'involution des pétales.*

♦ **3.** (1866; *points en involution,* 1639). Math Fonction homographique* identique à sa fonction réciproque. — Relation entre deux variables x et y de la forme $Axy \times B(x+y)+C=0$. — Transformation ponctuelle définie par cette fonction ou cette relation.

★ **II.** (De *in-*, et *évolution*). Didact. Développement inverse de l'évolution; passage de l'hétérogène à l'homogène.

♦ **1.** (1931). Physiol., méd. «Modification régressive d'un organe sain ou malade, d'une tumeur, d'un ensemble d'organes, ou de l'organisme tout entier» (Garnier). *Involution utérine :* retour progressif de l'utérus à ses dimensions normales après l'accouchement. — *Involution sénile, présénile d'un organisme.* — *Involution d'une tumeur, tumorale.* ⇒ **Régression.**

♦ **2.** Psychiatrie. Processus de régression psychophysiologique. *Involution présénile;* période de ralentissement de la vitalité et des phénomènes biologiques.

Les syndromes psychiatriques d'involution correspondent à des psychopathies organiques. Ils sont dus à l'usure, à l'involution des cellules cérébrales. Guy PALMADE, la Psychothérapie, p. 19.

Psychose d'involution, survenant dans la période d'involution présénile, et allant de la ménopause *(involution sexuelle)* à la vieillesse *(involution sénile). Délire, démence névrose, psychose d'involution. Mélancolie d'involution* (syndrome typique de la présénilité). *Paranoïa d'involution* (de l'all.; 1913, Kleist).

♦ **3.** Philos. (Sans idée de régression). Passage de l'hétérogène à l'homogène ⇒ **Généralisation, universalisation.** *Processus d'involution et de simplification.*

INVOQUANT ou **INVOCANT, ANTE** [ɛ̃vɔkɑ̃, ɑ̃t] adj. — 1809, Goncourt; p. prés. de *invoquer.*

♦ Littér. Qui invoque. *Une «foi suppliante, invocante»* (Goncourt, *in* T. L. F.). — N. Personne qui invoque.

INVOQUER [ɛ̃vɔke] v. tr. — 1397 (av. 1473, Juvénal des Ursins, *in* T. L. F.); *envochier,* v. 1120; du lat. *invocare,* de *in-*, et *vocare* «appeler», de *vox, vocis* «voix».

♦ **1.** Appeler (une puissance supérieure) à l'aide par des prières. ⇒ **Appeler, conjurer, crier** (à, vers), **prier.** *Invoquer Dieu, l'Éternel* (→ Abîme, cit. 1; cas, cit. 8; consolateur, cit. 2). *Invoquer Mahomet* (→ 1. Franc, cit. 4). *Invoquer les idoles* (cit. 1), *les fétiches* (cit. 2). — Spécialt. *Exorciste* (cit. 1) *qui invoque le nom du Seigneur sur des possédés,* qui appelle le secours de Dieu en glorifiant son nom par des invocations.

Il (...) invoque Neptune *(pour)* qu'il tourmente Ulysse (...) 1
RACINE, Remarques sur l'Odyssée, IX.

Mais, seule sur la proue, invoquant les étoiles (...) 2
André CHÉNIER, Bucoliques, XXI, 1.

(...) personne ne croit moins à Satan que les sorciers qui feignent de l'invoquer à tout propos. 3
G. SAND, la Petite Fadette, XXV.

Il paraissait plutôt sourire avec une bonté tranquille et protectrice, comme une image de saint qu'on peut invoquer à l'heure du danger. 4
Th. GAUTIER, le Capitaine Fracasse, t. II, XVI.

(...) il fit le geste du serment, invoquant ses marabouts familiers (...) 5
G. DUHAMEL, Salavin, VI, VI.

Par anal. *Invoquer les Muses. Invoquer l'âme d'un défunt.* ⇒ **Évoquer;** → Énergumène, cit. 2.

♦ **2.** (1536). Implorer, réclamer (une aide). *Invoquer le secours d'un allié, la clémence d'un roi* (→ Députation, cit. 2). — Vx. (Compl. n. de personne). *«C'est contre l'homicide que je vous invoque»* (Las Cases, *Mémorial, in* T. L. F.).

♦ **3.** (1752). Fig. Faire appel*, avoir recours à (qqch.) ⇒ **Appeler** (en appeler à), **citer.** *Invoquer une loi, des principes* (→ Brave, cit. 11). *Invoquer le témoignage de qqn.* ⇒ **Attester, cause** (mettre en), **produire, témoin** (prendre à). *Invoquer contre qqn une autorité* (cit. 44) *supérieure* (→ Inconséquence, cit. 9). — Compl. n. de personne. *Invoquer un auteur, une autorité, qqn.* — *Invoquer un précédent, des expériences.* ⇒ **Alléguer, arguer;** → Hérédité, cit. 13. *Invoquer des raisons, des prétextes. Il invoquait les avantages de cet hôtel* (cit. 7) *pour faire venir la clientèle.*

La jeune prêtresse invoque les serments qu'elle a prononcés, sa religion qui l'enchaîne, et sa famille et sa patrie : hélas! c'est le dernier cri de la vertu qui succombe! 6
Th. GAUTIER, Souvenirs de théâtre..., p. 157.

Légistes et théologiens, ils n'invoquaient que les textes, les vieux livres; à chaque citation contestée, ils allaient chercher leurs livres (...) 7
MICHELET, Hist. de la Révolution franç., III, IX.

Le peuple a entendu tant de fois invoquer la loi par ceux qui voulaient le mettre sous le joug qu'il se méfie de ce langage. 8
ROBESPIERRE, *in* JAURÈS, Hist. socialiste..., t. VII, p. 51.

(...) comment jugerait-on un monsieur qui, les cartes distribuées, quitterait la table en invoquant un scrupule? 9
J. ROMAINS, les Hommes de bonne volonté, t. V, I, p. 12.

(...) ne m'est-il pas permis d'invoquer une circonstance atténuante? 10
PASTEUR, cité par Henri MONDOR, Pasteur, VI, p. 103.

▶ **INVOQUÉ, ÉE** p. p. adj. *Divinités, puissances invoquées.* — *Arguments* (cit. 8), *faits invoqués à l'appui d'une thèse* (→ Artisanat, cit. 3).

DÉR. Invocateur, invocatoire, invoquant ou invocant.

INVRAISEMBLABLE [ɛ̃vʀesɑ̃blabl] adj. — 1763; de 1. *in-*, et *vraisemblable.*

♦ **1.** Qui n'est pas vraisemblable, qui ne semble pas vrai. ⇒ **Impensable, incroyable.** *Nouvelle invraisemblable. Histoire, récit invraisemblable, qui n'abuse personne* (→ C'est un conte* en l'air; c'est du roman*; ça ne tient* pas debout). *D'invraisemblables aventures* (→ 1. Faux, cit. 14). *Trouver (une chose) invraisemblable* (→ 1. Faux, cit. 46, Gautier). *Aussi invraisemblable que cela paraisse...* ⇒ **Extraordinaire, improbable** (cit. 4). *Espoir invraisemblable.* ⇒ **Chimérique** (cit. 38).

Après le département des Landes, le plus sain de France, Tunis est l'endroit où sévissent le moins toutes les maladies ordinaires de nos pays. Cela paraît invraisemblable, mais cela est. 1
MAUPASSANT, la Vie errante, D'Alger à Tunis, p. 201.

♦ **2.** (1847). Très étonnant* (et souvent comique). ⇒ **Ébouriffant, extravagant, fabuleux, fantastique, inimaginable.** — (Choses concrètes). *Des ongles invraisemblables effilés en griffes* (cit. 5). *La limpidité invraisemblable de l'air* (→ Angle, cit. 2). *Des richesses* *invraisemblables, fabuleuses* (→ Éventualité, cit. 1). — (Attitudes, sentiments). *Un aplomb, un toupet invraisemblable.*

2 (...) une redingote à teintes invraisemblables (...)
BALZAC, le Cousin Pons, Pl., t. VI, p. 541.

3 Il portait (...) un invraisemblable chapeau gris à grands bords et à grands poils (...)
MAUPASSANT, Contes de la Bécasse, Menuet, p. 72.

REM. Dans cet emploi, l'adj. est souvent antéposé (→ ci-dessus, cit. 3). *Un invraisemblable accoutrement.*

♦ **3.** N. m. (1862). *L'invraisemblable paraissait tout simple* (→ Héroïsme, cit. 10, Hugo). *L'invraisemblable est souvent vrai. L'invraisemblable de l'histoire, c'est que...* (→ Le plus fort*, le plus extraordinaire*).

CONTR. **Vraisemblable; croyable, possible; normal, ordinaire.**
DÉR. **Invraisemblablement.**

INVRAISEMBLABLEMENT [ɛ̃vʀɛsɑ̃blabləmɑ̃] adv. — 1785; de *invraisemblable.*

♦ **1.** Rare. D'une manière invraisemblable. *Les faits sont rapportés invraisemblablement.*

♦ **2.** Étonnamment. *Construction invraisemblablement belle* (→ Fantastique, cit. 2). *Il est invraisemblablement riche.*

Et les perruches sacrées (...) invraisemblablement vertes, d'un vert d'aquarelle chinoise (...)
LOTI, l'Inde (sans les Anglais), IV, IV.

CONTR. **Vraisemblablement; normalement, ordinairement.**

INVRAISEMBLANCE [ɛ̃vʀɛsɑ̃blɑ̃s] n. f. — 1763; de 1. *in-*, et *vraisemblance.*

♦ **1.** *L'invraisemblance (de qqch.)* : défaut de vraisemblance. *Invraisemblance d'un fait, d'une nouvelle, d'un récit.* « *L'invraisemblance du roman (...) le gigantesque* (cit. 7) *des idées* » (Beaumarchais).

♦ **2.** (1781). *Une, des invraisemblances.* Chose invraisemblable. *Récit plein de contradictions et d'invraisemblances.* ⇒ **Énormité.**

1 On peut se permettre les invraisemblances qui contribuent à donner au spectacle plus d'intérêt et d'agrément.
MARMONTEL, *in* P. LAROUSSE.

2 Elle reprochait à Balzac, qu'elle s'étonnait de voir admiré par ses neveux, d'avoir prétendu peindre une société « où il n'était pas reçu », et dont il a raconté mille invraisemblances.
PROUST, A l'ombre des jeunes filles en fleurs, Pl. t. I, p. 722.

CONTR. **Crédibilité, vraisemblance.**

INVULNÉRABILITÉ [ɛ̃vylneʀabilite] n. f. — 1732 (le mot ne semble pas accepté vers la fin du XVIIIe → cit. 0.1); de *invulnérable.* Littéraire.

♦ **1.** Qualité de ce qui est invulnérable. *L'invulnérabilité d'Achille. — L'invulnérabilité d'une place forte, du front* ⇒ **Invincibilité.**

0.1 Le temps de la fauchaison étant arrivé, le respectable Vieillard, dont rien n'avait jamais pu suspendre les travaux, crut qu'il avait encore l'invulnérabilité de sa jeunesse (qu'on me passe le terme).
RESTIF DE LA BRETONNE, la Vie de mon père, p. 260 (1778).

1 (...) on vient à la doctrine de l'invulnérabilité des fronts, puis à celle de la percée possible, mais dangereuse, de la nécessité de ne pas faire un pas en avant sans que l'objectif soit d'abord détruit (...)
PROUST, À la recherche du temps perdu, t. XIV, p. 81.

♦ **2.** Fig. *L'invulnérabilité du moi* (→ Humour, cit. 11).

2 Son égoïsme lui crée une sorte d'invulnérabilité. GIDE, Journal, 8 janv. 1943.

CONTR. **Vulnérabilité. — Fragilité.**

INVULNÉRABLE [ɛ̃vylneʀabl] adj. — V. 1500, Lemaire de Belges (éd. 1509); lat. *invulnerabilis*, de 1. *in-*, *et vulnerare* « blesser », de *vulnus, eris* « blessure ». → Vulnérable. Littéraire ou style soutenu.

♦ **1.** **a** (Av. 1525). Personnes. Qui n'est pas vulnérable, qui ne peut être blessé. *Achille était invulnérable, excepté au talon. — Être invulnérable aux coups.*

1 (...) Achille, selon la plupart des poètes, ne peut être blessé qu'au talon, quoique Homère le fasse blesser au bras et ne le croie invulnérable en aucune partie de son corps.
RACINE, Andromaque, 2e préface.

2 (...) celui qui se croirait invulnérable n'aurait peur de rien. ROUSSEAU, Émile, I.

3 Les motocyclistes *(allemands)* firent le tour du terre-plein en pétaradant (...) Mathieu était content que Clapot ait défendu de tirer : ils lui paraissaient invulnérables.
SARTRE, la Mort dans l'âme, p. 184.

(V. 1629). Par métaphore :

4 Mon cœur à tous ses traits demeure invulnérable (...) CORNEILLE, Mélite, II, 4.

b Choses. ⇒ **Imprenable, invincible.** *Ville, place forte invulnérable. Des unités aériennes, de sous-marins quasi invulnérables, presque invulnérables, même en cas de conflit atomique.*

♦ **2.** (1629, *cœur invulnérable*). Fig. Littér. Qui est moralement au-dessus de toute atteinte (→ Blasphème, cit. 5). *Il semble invulnérable. — Invulnérable à... Être invulnérable au malheur, aux propagandes, aux tentations. — Âme, cœur invulnérable. Courage invulnérable.*

Une grande âme (...) serait invulnérable, si elle ne souffrait par la compassion. 5
LA BRUYÈRE, les Caractères XI, 81.

(...) assez indifférent au cours des saisons pour se tromper de mois comme il se 6
serait trompé d'heure, invulnérable à tant de sensations dont j'étais traversé (...)
E. FROMENTIN, Dominique, III.

CONTR. **Fragile, vulnérable.**
DÉR. **Invulnérabilité.**

IOD-, IODI-, IODO- Premier élément entrant dans la formation de mots de chimie et de pharmacie, signifiant « composé d'iode (et d'un autre élément) ». — REM. Outre les composés traités ci-après, on peut signaler *iodacétique* [jɔdasetik] adj. « acide $CH_2I\text{-}Co_2H$ »; *iodalbumine* [jɔdalbymin] n. f. « albumine iodée »; *iodobromuré, ée* [jɔdɔbʀɔmyʀe] adj. « qui contient de l'iode et du bromure » : *eau minérale iodobromurée.*

IODACÉTONE [jɔdasetɔn] n. f. — 1885, *Année sc. et industr.* 1886, p. 185; de *iod-*, et *acétone.*

♦ Pharm. Solution d'iode dans l'acétone, employée contre les piqûres d'insectes, les furoncles.

IODATE [jɔdat] n. m. — 1816, Gay-Lussac : *iodate de baryte, de strontiane*; de *iod-*, et *ate.*

♦ Chim. Sel de l'acide iodique.

IODATION [jɔdasjɔ̃] n. f. — D. i. (mil. XXe); de *ioder.* Chimie, technique.

♦ **1.** Traitement des eaux par l'iode, assurant leur stérilisation. *L'iodation des eaux.*

♦ **2.** Substitution de l'iode à l'hydrogène (dans un composé chimique organique).

IODE [jɔd] n. m. — 1812, Gay-Lussac; grec *iôdês* « violet »; nom donné par Gay-Lussac au corps découvert par Courtois.

♦ Chim., cour. Corps simple (symb. *I*), métalloïde de la famille des halogènes, solide gris noirâtre cristallisé en paillettes (dens. [à 20 °C] 4, 93; n° at. 53; poids at. 126, 9044), très volatil, qui donne naissance à des vapeurs violettes lorsqu'on le chauffe (valences 1, 3, 5 et 7)). *L'iode existe à l'état combiné dans l'eau de mer, les végétaux marins; peu soluble dans l'eau, il est aisément soluble dans l'alcool. L'iode est indispensable à l'organisme. Composés de l'iode* ⇒ **Iodate, iodeux, iodhydrique, iodure.** *Solution d'iode dans l'acétone.* ⇒ **Iodacétone.** *Utilisation de l'iode dans l'industrie* (⇒ **Iodure**), *en photographie; en médecine comme révulsif et antiseptique* (→ Badigeonner, cit. 1; chirurgien, cit. 2; fil, cit. 14). ⇒ **Iodothérapie.** *Qui contient de l'iode et de l'iodure de potassium.* ⇒ **Iodo-ioduré.** Préparation d'iode et de *tannin.* ⇒ **Iodotannique.** *Intoxication par l'iode.* ⇒ **Iodisme.**

Loc. TEINTURE D'IODE : solution d'iode et d'iodure de potassium dans l'alcool à 90° (désinfectant). *Badigeonner une plaie à la teinture d'iode. La teinture d'iode a été remplacée* (en tant que désinfectant) *par le mercurochrome. Sirop à la teinture d'iode.* — Ellipt. *Iode* : teinture d'iode. *Désinfecter à l'iode.*
(Dans le contexte de la nature, des rivages marins). ⇒ **Iodé** (2.).

(...) ils prirent la direction de la jetée. Peu avant d'y arriver, l'odeur de l'iode et des algues leur annonça la mer.
CAMUS, la Peste, p. 277.

Éclairage par des tubes à vapeur d'iode. Lampes à iode. Phares (d'automobile) *à iode.*
Couleur d'iode : violet. « *Leur peau se tanne, devient couleur d'iode* » (Paul Morand, *in* T. L. F.).

DÉR. **Iodate, iodé, ioder, iodeux, iodique, iodisme, iodure.**
COMP. **Iodhydrique, iodifère, iodoforme.**
HOM. **Yod.**

IODÉ, ÉE [jɔde] adj. — 1824, Thénard, *in* T. L. F., au mot *ioder*; de *iode.*

♦ **1.** Qui contient de l'iode. *Composé, produit iodé. Benzène iodé.* ⇒ **Iodobenzène.** *Composés organiques iodés.* ⇒ **Iodo-organique.** — Qui est en solution avec l'iode. *Eau iodée. Bain iodé, sirop iodé.* — Traité à l'eau iodée. *Huîtres iodées.*

♦ **2.** (Déb. XXe). Qui a une odeur d'iode. *Le parfum iodé du grand large. Émanations iodées.*

HOM. **Ioder.**

IODÉMIE [jɔdemi] n. f. — 1938, *in* D. D. L.; de *iod-*, et *-émie.*

♦ Biol. Présence d'iode dans le sang. *Taux d'iodémie.*

IODER [jɔde] v. tr. — 1861, Michelet, *in* D. D. L.; de *iode.*

♦ **1.** Techn. Couvrir d'iode, mêler d'iode.

♦ **2.** (1877). Chim. Traiter par l'iode. *Ioder les eaux.* — Au p. p. ⇒ **Iodé.**

HOM. Iodé.

IODEUX, EUSE [jɔdø, øz] adj. — 1830, *acide iodeux*; de *iod-*, et *-eux.*

♦ Chim. Se dit des dérivés trivalents de l'iode. *Anhydride iodeux,* de formule I_2O_3.

IODHYDRIQUE [jɔdidʀik] adj. m. — 1845; de *iode,* et suff. *-hydrique.*

♦ Chim. *Acide iodhydrique :* acide (HI) formé par la combinaison d'iode et d'hydrogène, gaz incolore très soluble dans l'eau. *Sel, ester de l'acide iodhydrique.* ⇒ **Iodure.**

IODI- ⇒ **Iod-.**

IODIFÈRE [jɔdifɛʀ] adj. — 1878; de *iodi-*, et *-fère.*

♦ Didact. Qui contient naturellement de l'iode. *Sel iodifère.*

IODIQUE [jɔdik] adj. — 1812, *acide iodique,* Gay-Lussac; de *iod-*, et *-ique.*

♦ **1.** Chim. *Acide iodique* (HIO_3). *Anhydride iodique* (I_2O_5), résultant de l'oxydation de l'iode. — *Les produits iodiques et bromiques des organismes.*

♦ **2.** (1928). Méd. *Acné iodique,* provoquée par l'iode.

IODISME [jɔdism] n. m. — 1855; de *iode,* et suff. *-isme.*

♦ Méd. Intoxication causée par l'iode ou l'un de ses composés (iodures, notamment iodure de potassium, iodoforme). ⇒ **Iodurisme.** *Troubles cutanés, digestifs, maux de tête dus à l'iodisme.*

IODLER [jɔdle] v. intr. ⇒ **Jodler.**

IODLEUR [jɔdlœʀ] n. m. ⇒ **Jodleur.**

IODO- ⇒ **Iod-.**

IODOBENZÈNE [jɔdobɛ̃zɛn] n. m. — 1890, *iodobenzine*; de *idio-*, et *benzène.*

♦ Chim. Dérivé du benzène, de formule C_6H_5I (syn. : *benzène iodé*).

IODOFORME [jɔdofɔʀm] n. m. — 1834, Dumas; de *iodo-*, et *-forme.*

♦ Chim., pharm. (Assez cour.). Composé (CHI_3) solide, jaune, cristallisé, à odeur tenace et désagréable, utilisé comme antiseptique.

1 Elle empoisonnait l'iodoforme, elle écœurait toute la carrée encore plus d'odeur que de ses vins. CÉLINE, Guignol's band, p. 125.

2 Duriez cite l'exemple d'un malade que la moindre trace d'iodoforme excitait jusqu'au spasme. BERNANOS, Monsieur Ouine, *in* Œ. roman., Pl., p. 1394.

DÉR. Iodoformé.

IODOFORMÉ, ÉE [jɔdofɔʀme] adj. — 1890; de *iodoforme.*

♦ Chim. Qui contient de l'iodoforme.

IODO-IODURÉ, ÉE [jɔdojɔdyʀe] adj. — Déb. xxe (1910, *in* T. L. F.); de *iode (iodo-)*, et *ioduré.*

♦ Chim. Qui contient à la fois de l'iode et de l'iodure de potassium. *Solution iodo-iodurée.*

IODOMÉTRIE [jɔdɔmetʀi] n. f. — Déb. xxe (*iodométriquement* est attesté en 1905, in *Rev. gén. des sc.,* no 11, p. 540); de *iodo-*, et *-métrie.*

♦ Didact. (sc.). Dosage et fractionnement des réactions volumétriques pouvant être effectuées par l'action de l'iode sur le fluosulfite de sodium.

IODO-ORGANIQUE [jɔdoɔʀganik] adj. — 1931; de *iodo-*, et *organique.*

♦ Didact. (pharm.). Se dit des composés organiques iodés.

IODOPHILE [jɔdɔfil] adj. — 1962; de *iodophilie.*

♦ Didact. Qui présente de l'iodophilie. *Les cellules épithéliales du col utérin sont iodophiles. Flore iodophile du cæcum.*

IODOPHILIE [jɔdɔfili] n. f. — 1931; de *iodo-*, et *-philie.*

♦ Biol. Affinité pour l'iode (d'une cellule ou d'une bactérie).

DÉR. Iodophile.

IODOTANNIQUE [jɔdotanik] adj. — 1931; de *iodo-*, et *tannique.*

♦ Didact. (pharm.). Se dit des préparations comportant de l'iode et du tannin.

Son huile de foie de morue fut remplacée par du sirop iodotannique. Hervé BAZIN, Vipère au poing, p. 126.

IODOTHÉRAPIE [jɔdoteʀapi] n. f. — 1865, *Année sc. et industr.* 1866, p. 529; de *iodo-*, et *-thérapie.*

♦ Méd. Traitement par l'iode ou par des composés iodés. *Iodothérapie du goitre endémique, du myxœdème. Soigner un goitre par l'iodothérapie.*

IODURATION [jɔdyʀasjɔ̃] n. f. — xxe (1939, Duhamel, *in* T. L. F.); de *iodure.*

♦ Méd. Introduction d'iode dans une molécule. — Traitement au iodure de potassium.

IODURE [jɔdyʀ] n. m. — 1812, Gay-Lussac; de *iod-* et *-ure.*

♦ Chim., techn. Sel ou ester de l'acide iodhydrique. *Iodure d'argent,* utilisé en photographie. — *Iodure de potassium,* utilisé dans le traitement de l'insuffisance thyroïdienne. *Solution d'iode et d'iodure de potassium.* ⇒ **Iodo-ioduré.** *Iodure d'hydrogène.* ⇒ **Iodhydrique.**

DÉR. Ioduration, ioduré, iodurisme.

IODURÉ, ÉE [jɔdyʀe] adj. — 1812, Gay-Lussac; de *iodure.*

♦ Chim., méd., techn. Qui contient un iodure. *Bain, gargarisme ioduré.* — (1850). Qui est couvert d'une couche d'iodure. *Plaque photographique iodurée.*

COMP. Iodo-ioduré.

IODURISME [jɔdyʀism] n. m. — xxe (*in Larousse,* 1931); de *iodure.*

♦ Méd. Troubles provoqués par l'administration d'iodures. ⇒ **Iodisme.**

ION [jɔ̃] n. m. — 1838-1840, Académie, *Compl.*; angl. *ion* (1834, Faraday), du grec *ion,* p. prés. de *ienai* « aller »; « qui va », allus. au fait que les particules ionisés se portent vers l'anode ou la cathode.

♦ Didact. (sc.). Atome ou groupement d'atomes portant une charge électrique. *Dans l'électrolyse, des ions positifs* (⇒ **Cation**) *sont attirés à la cathode, les ions négatifs* (⇒ **Anion**) *à l'anode. Des ions.* ⇒ **Ionique.**

Phys. Atome ou groupement d'atomes ayant gagné ou perdu un ou plusieurs électrons. *Les ions de l'atmosphère* (⇒ **Ionosphère**). *Les ions mobiles d'un corps. Échange d'ions. La particule α est un ion d'hélium.* — *Ion central. Ion complexe* (ou *complexe,* n. m.) *Ion hydroxyle, carboxyle.* → Groupement, radical. *Ion hydrogène* ⇒ **Proton.**

Les électrons ainsi détachés, se fixent, après une très courte vie libre, sur une molécule neutre, la rendant ainsi négative. D'où la présence dans le gaz de molécules électrisées en sens contraire ayant, l'une la charge d'un électron, l'autre une charge égale et de signe contraire, qui constituent les *ions.* A. BOUTARIC, la Vie des atomes, p. 44.

ION-GRAMME [jɔ̃gʀam] : atome-gramme d'un élément à l'état d'ion.

Loc. *Échangeur d'ions. Les échangeurs d'ions, les résines échangeuses d'ions sont utilisées dans l'épuration de l'eau, en chromatographie, dans la séparation des isotopes (de l'uranium).*

DÉR. Ionique, 1. ionisant, ioniser. — V. Ionisation.
COMP. Anion, cation. — V. Ionosphère.

ION-, IONO- Premier élément de mots scientifiques, tiré de *ion.* ⇒ **Ionogramme, ionomètre, ionophorèse.**

IONIEN, ENNE [jɔnjɛ̃, ɛn] adj. — 1529, Thory, *in* T. L. F.; de *Ionie*, lat. *Ionia*, mot grec.

♦ D'Ionie, ancienne province grecque d'Asie Mineure. *Îles ioniennes. Mer ionienne. Himation* (cit.) *ionien. Les philosophes ioniens : Thalès, Héraclite, Anaximène. Dialecte ionien :* dialecte du groupe hellénique. — Rare. *Un temple ionien* ⇒ **Ionique,** 2. — *Pied, vers ionien.* ⇒ **Ionique,** 3. — N. *Un Ionien, une Ionienne. Les Ioniens :* les Grecs d'Ionie.

N. m. (V. 1730, Rollin). *L'ionien :* le dialecte grec (antique ou moderne) d'Ionie, dont l'attique* est une forme.

♦ **2.** (1598, d'Aubigné). Mus. L'un des six modes archaïques grecs. — Mode ecclésiastique construit sur la gamme d'ut majeur (11ᵉ et 12ᵉ mode).

1. IONIQUE [jɔnik] adj. — V. 1530, en archit.; lat. *ionicus,* grec *ionikos* « de l'Ionie », de *Ionia.*

Didactique.

♦ **1.** Vx. ⇒ **Ionien.** *L'art, la philosophie ionique* — (1552). *Langage ionique.* — *Poésies ioniques :* poésies de genre licencieux.

♦ **2.** Archit. (1669). *Ordre ionique :* un des trois ordres grecs, originaire d'Ionie, caractérisé par un chapiteau orné de deux volutes latérales (→ Entre-, cit. 1), postérieur au dorique et antérieur au corinthien. *Style, art ionique* (⇒ 2. **Ionisant**). — De ce style, soit dans la Grèce antique soit par imitation, dans d'autres contextes. *Chapiteau*, colonne ionique.* — N. m. *L'ionique :* l'ordre ionique. « *Le dorique sans fard, l'élégant ionique Et le corinthien* (cit. 2) *superbe et magnifique* » (La Fontaine).

Gracieux, élégant, très ouvragé, le style ionique avait, dans l'opinion des anciens, comme un caractère féminin (...)
Louis RÉAU, Hist. universelle des arts, t. 1, p. 165.

♦ **3.** (1845). *Vers ioniques,* utilisés par les lyriques grecs et par les poètes latins archaïques — (1893). *Pied ionique,* et, ellipt, *un ionique,* comportant six unités de mesure (deux longues et deux brèves).

DÉR. 2. **Ionisant.**
HOM. 2. **Ionique.**

2. IONIQUE [jɔnik] adj. — 1903, in *Rev. gén. des sc.*, nº 8, p. 410; de *ion.*

♦ Didact. (sc.). Relatif aux ions. *Charge ionique. Valence, liaison ionique. Conductibilité ionique.* — *Formule ionique.* — *Cristaux, structures ioniques.*

Techn. *Propulsion ionique (des fusées),* dans laquelle les atomes d'un corps fluide (mercure, césium) sont transformées en ions positifs. *Moteur, fusée ionique.*

HOM. 1. **Ionique.**

IONISABLE [jɔnizabl] adj. — D. i. (xxᵉ); de *ioniser.*

♦ Phys., chim. Qui peut être ionisé. *Séparation des macromolécules ionisables* (→ Électrophorèse).

(...) la présence du gaz ionisable dans le tube de Crookes n'offrant pas seulement l'inconvénient de l'instabilité (durcissement du tube par fixation des molécules sur les électrodes; nécessité de ménager des écluses pour réintroduire du gaz dans le tube (...). Gilbert SIMONDON, Du mode d'existence des objets techniques, p. 32.

1. IONISANT, ANTE [jɔnizɑ̃, ɑ̃t] adj. — 1903, in *Rev. gén. des sc.*, nº 13, p. 732; n. m., in *Rev. gén. des sc.*, nº 20, p. 1063; de *ioniser.*

♦ Phys. Qui produit des ions dans un milieu; qui transforme en ions. *Courant ionisant. Particules ionisantes. Radiations ionisantes, rayons, rayonnements ionisants* (rayons X, alpha, bêta, gamma) : les rayonnements des corps radio-actifs, qui libèrent un électron ou un neutron des atomes rencontrés, créant une ionisation primaire dont les ions peuvent provoquer une ionisation secondaire (⇒ **Radioactif, radioactivité**).

1 Depuis les expériences de Anderson, Blackett et Occhialini, on sait que le rayonnement cosmique est capable, en traversant la matière, de provoquer l'émission de particules chargées positivement. Les effets ionisants qu'ils peuvent produire en traversant la matière, le sens et la grandeur de déviation de ces particules dans un champ magnétique, permettent de penser que ces particules sont analogues à des électrons dont la charge serait positive au lieu d'être négative.
Irène et Frédéric JOLIOT, *in* Revue générale des sciences pures et appliquées, 1935 (1934), t. XLV, p. 232.

2 L'irradiation par les rayons ionisants, par les ultraviolets, l'exposition aux ultrasons et la filtration stérilisante constituent d'autres moyens physiques de lutter contre les micro-organismes. L.-V. VASSEUR, J.-J. BIMBENET et M. HILLAIRET, les Industries de l'alimentation, p. 16.

HOM. 2. **Ionisant.**

2. IONISANT, ANTE [jɔnizɑ̃, ɑ̃t] adj. — xxᵉ; de *Ionie* (→ Ionien), *ionique**, et suff. *-isant.*

♦ Didact. (hist.). Qui ressemble à l'art ionique; proche de l'art, des milieux artistiques ioniques.

Si de ces milieux ioniques ou ionisants nous passons en Sicile, nous y trouvons, au voisinage de l'antique Ségeste, l'ébauche d'un temple dont l'exécution dut être interrompue après la ruée carthaginoise de 409.
G. CONTENAU et V. CHAPOT, l'Art antique, p. 242.

HOM. 1. **Ionisant.**

IONISATION [jɔnizasjɔ̃] n. f. — 1895, *in* D. D. L.; de *ion,* ou de *ioniser.*

Didactique (sciences).

♦ **1.** Phénomène par lequel un atome, une molécule, un radical acquièrent ou perdent un ou plusieurs électrons et deviennent ainsi porteurs de charges électriques. *Ionisation primaire; secondaire, induite. Chambre d'ionisation. Ionisation thermique d'un gaz. Ionisation d'un gaz pour la propulsion d'une fusée. L'ionisation d'un milieu par des radiations, des particules ionisantes.*

La chute de potentiel nécessaire pour donner à l'électron une force vive suffisante porte le nom de *potentiel d'ionisation.*
A. BOUTARIC, la Vie des atomes, p. 103.

♦ **2.** (In *Larousse* 1907). Présence d'ions positifs et négatifs dans un gaz. *Degré d'ionisation (d'un gaz). L'ionisation de l'atmosphère, provoquée par des radiations pénétrantes* (rayonnement des substances radioactives du sol, électrons issus du Soleil, rayonnement solaire ultra-violet, rayons cosmiques). *L'ionisation de la région supérieure de l'atmosphère permet la propagation des ondes électromagnétiques utilisées en radiodiffusion. Taux d'ionisation :* nombre de paires d'ions (positif et négatif) produit par unité de temps pour une unité de volume. — *Chambre d'ionisation :* condensateur à gaz capable de détecter les particules ionisantes.

♦ **3.** (Mil. xxᵉ). *Ionisation médicale :* administration à travers la peau de médicaments ionisés, à l'aide de courants galvaniques. ⇒ **Ionophorèse.**

COMP. **Auto-ionisation.**

IONISER [jɔnize] v. tr. — 1895, *in* D. D. L.; de *ion,* et suff. *-iser.*

♦ Didact. (sc.). Transformer en ions; modifier (un corps) en donnant naissance à des ions*.

Pronominal :

On admet que, sous l'action de ces divers agents, le gaz *s'ionise* de la manière suivante : un certain nombre de molécules perdent un électron, qui leur est en quelque sorte arraché par l'énergie externe mise en jeu, et elles deviennent électrisées positivement. A. BOUTARIC, la Vie des atomes, p. 44.

▶ **IONISÉ, ÉE** p. p. adj. (1895). *Couche ionisée de l'atmosphère. Gaz ionisé. Les plasmas*, milieux complètement ionisés.*

DÉR. **Ionisable,** 1. **ionisant, ionisation, ioniseur.**

IONISEUR [jɔnizœʀ] n. m. — Mil. xxᵉ; de *ioniser.*

♦ Techn. Dispositif d'ionisation, dans un moteur-fusée ionique.

IONO- ⇒ **Ion-.**

IONOGRAMME [jɔnɔgʀam] n. m. — 1959, *in* D. D. L.; de *iono-,* et *gramme.*

Didactique.

♦ **1.** Résultat de l'étude des éléments ionisés d'un liquide biologique (notamment du plasma sanguin).

♦ **2.** Astronaut. Courbe des résultats des mesures faites par un sondeur ionosphérique, en fonction de la fréquence émise par le sondeur.

IONOMÈTRE [jɔnɔmɛtʀ] n. m. — Mi. xxᵉ (in *Larousse mensuel,* 1954); de *iono-,* et *mètre.*

♦ Phys. Appareil de mesure des rayons X ou gamma, dont le principe de fonctionnement est fondé sur l'ionisation d'un gaz.

IONONE [jɔnɔn] n. f. — 1907, in *Rev. gén. des sc.*, nº 1, p. 42; du grec *ion* « violette » (→ Iode), et suff. *-one.*

♦ Chim. Cétone ($C_{13}H_{20}O$), isométrique de l'irone, corps synthétique à odeur de violette, utilisé en parfumerie.

IONOPHORÈSE [jɔnofɔʀɛz] n. f. — Mil. xxᵉ (in *Larousse* 1962); de *iono-,* et *-phorèse.* → -phore.

♦ Méd. Introduction de diverses substances à travers la peau au moyen d'un courant continu. Syn. : *diélectrolyse. Ionophorèse expérimentale. Ionophorèse thérapeutique.* ⇒ **Ionisation,** 3.

IONOSPHÈRE [jɔnɔsfɛʀ] n. f. — xxe (in *Larousse mensuel,* 1935); angl. *ionosphere* (1926, Watson-Watt), de *ion* (→ Ion), et *sphere.* → Sphère.

♦ Sc. Couche supérieure de l'atmosphère, à forte ionisation et grande conductibilité *(couche d'Heaviside). L'ionosphère réfléchit les grandes ondes de radiodiffusion.*

DÉR. **Ionosphérique.**

IONOSPHÉRIQUE [jɔnɔsfeʀik] adj. — 1948, *in* D. D. L., probablt antérieur; de *ionosphère.*

♦ Sc. De la ionosphère. *« Notre premier satellite avait pour but d'approfondir notre connaissance de la transmission des télécommunications dans les couches ionosphériques »* (*Science et Vie,* no 595, p. 60). — *Perturbations ionosphériques. Sondeur ionosphérique,* combinant un émetteur d'ondes radiolectiques et un récepteur accordé qui rejoint les échos.

IOTA [jɔta] n. m. — V. 1300; attestation isolée, v. 1240; grec *iôta.*

♦ **1.** Neuvième lettre de l'alphabet grec, la plus petite de toutes, qui correspond à notre *i.*

♦ **2.** (1544). Fig. La moindre chose, le plus petit détail (de ce qui est ou peut être écrit; → Idéologue, cit. 5). *Copier un texte sans changer un iota,* sans rien changer (→ Sans changer une virgule*). *Il n'y manque pas un iota.*

1 (...) le ciel et la terre ne passeront point que tout ce qui est dans la loi ne soit accompli parfaitement, jusqu'à un seul iota et un seul point.
BIBLE (SACY), Évangile selon saint Matthieu, V, 18.

2 Birotteau parfumeur ne savait pas un iôta *(sic)* d'histoire naturelle ni de chimie.
BALZAC, César Birotteau, Pl., t. V, p. 356.

3 Le texte symbolique, mutilé seulement d'un iota, n'avait plus de sens (...)
Léon BLOY, le Désespéré, p. 104.

4 J'ai récité la même litanie à la tribune de six Partis différents, en l'espace de trois mois, sans changer un iota, simplement en mettant autrichiens à la place de japonais après chaque « chers camarades », et ainsi de suite.
Régis DEBRAY, l'Indésirable, p. 235.

Loc. (1669). *Ne pas... d'un iota :* si peu que ce soit (dans des constr. négatives). *Ne pas bouger d'un iota de sa place. Il n'a pas changé, ne s'est pas modifié d'un iota.*

IOTACISME [jɔtasism] n. m. — 1803; lat. *iotacismus,* grec *iotakismos,* de *iota.* → Iota.

Linguistique, phonétique.

♦ **1.** Emploi fréquent de son *i* dans une langue.

♦ **2.** Prononciation défectueuse du [ʒ] en [j] (ex. : *iambon* [jɑ̃bɔ̃] pour *jambon* [ʒɑ̃bɔ̃]).

IOULER [jule] v. intr. Vx. ⇒ **Jodler.**

IOURTE [juʀt] n. f. ⇒ **Yourte.**

IOUTRE [jutʀ] adj. et n. ⇒ **Youtre.**

IPÉCA [ipeka] n. m. — 1802; abrév. de *ipecacuanha,* 1694; *igpecaya,* 1640; mot tupi (langue indienne du Brésil) par le portugais.

♦ Arbrisseau du Brésil *(Rubiacées)* dont les racines ont des propriétés vomitives (uragoga, fournissant l'*ipécacuana vrai*). *L'ipéca renferme plusieurs alcaloïdes, dont l'émétine** (⇒ **Émétique**). *Sirop, extrait, pastille d'ipéca.*

Faux ipéca : plante *(Rosacée, Euphorbiacée)* dont les racines ont des propriétés analogues.

IPÉCACUANA [ipekakwana] n. m. — 1694; mot tupi. → Ipéca.

♦ Bot., pharm. ⇒ **Ipéca.**

REM. on a écrit aussi, d'après la graphie portugaise, *ipécacuanha.*

C'est à lui *(Helvétius)* qu'on est redevable de l'usage et de la préparation diverse de l'ipécacuana (...)
SAINT-SIMON, Mémoires, I, LVII.

I. P. E. S. [ipɛs] n. m. invar. — 1957; sigle.

♦ Institut préparatoire aux enseignements du second degré, dont les élèves ont le statut de fonctionnaires et sont rémunérés comme tels. *Un, des I. P. E. S. Réussir le concours d'admission aux I. P. E. S.,* et, ellipt., *réussir les I. P. E. S.*

Réussir, moi, Thérèse Janinval, la fille de l'ouvrier-maçon, à me hisser parmi l'élite, sans rien coûter à mes parents, grâce aux IPES. *Monter !* M'arracher moi et les miens à la pauvreté !
Yanni HUREAUX, la Prof, p. 116.

REM. Le dér. *ipésien, ienne* adj. et n. (« étudiant, étudiante d'un I. P. E. S. ») est attesté en 1967 (*in* P. Gilbert).

IPOMÉE [ipɔme] n. f. — 1803, Lamarc et Mirbel; lat. bot. *ipomæa* (Linné), du grec *ips, ipos* « ver », et *homoios* « semblable », à cause de l'aspect vermiforme de la plante.

♦ Bot. Plante dicotylédone *(Convolvulacées),* herbacée ou ligneuse, annuelle et volubile, dont une variété est cultivée comme ornementale (⇒ cour. **Volubilis**). — *Variétés d'ipomée : ipomæa batatas* (patate douce), *ipomæa turpethum* (jalap turbith).

(...) qu'on se tourne vers l'ipomée, ce liseron que l'heure ultime de la nuit raffine et entrouvre, mais que midi condamne à se fermer. Il serait extraordinaire que la quiétude au revers de laquelle précairement il nous accueille, ne fût pas celle que nous avions, pour une sieste, souhaitée.
René CHAR, les Matinaux, p. 23.

IPS [ips] n. m. — 1873, *in* P. Larousse; lat. mod., du grec *ips* « ver xylophage ».

♦ Zool. Petit scolyte* *(Coléoptère)* vivant aux dépens des conifères.

IPSE [ipse] n. m. — Mil. xxe, mot lat., « soi-même ». → Ipséité.

♦ Didact. et rare. L'être pensant en tant qu'il est lui-même. *L'ipse et l'autre.*

Chaque être *ipse* veut devenir le tout de la transcendance (...) Cet être *ipse,* lui-même composé de parties et, comme tel, résultat, chance imprévisible, entre dans l'univers comme volonté d'autonomie (...) L'*ipse,* la particule infime, cette chance imprévisible et purement improbable, est condamné à se vouloir autre (...)
Georges BATAILLE, l'Expérience intérieure, p. 111-112.

IPSÉITÉ [ipseite] n. f. — 1840, P. Leroux, repris mil. xxe (1943, Sartre); lat. scolast. *ipseitas,* de *ipse* « soi-même ».

♦ Philos. Caractère de l'être conscient qui est lui-même, soi-même et nul autre. *L'ipséité est un caractère fondamental de l'être qui se pense* (⇒ **Ipse**).

(C'est) la conscience dans son ipséité fondamentale qui permet l'apparition de l'Ego, dans certaines conditions, comme le phénomène transcendant de cette ipséité.
SARTRE, l'Être et le Néant, p. 147, (1943). 1

L'homme pourrait enfermer l'être dans un élément simple, indivisible. Mais il n'est pas d'être sans « ipséité ». *Faute d' « ipséité », un élément simple (un électron) n'enferme rien* (...) L'atome lui-même, en raison de sa complexité relative, ne peut être déterminé « ipséellement ». Ainsi le nombre des particules qui composent un être intervient dans la constitution de son « ipséité » : si le couteau dans lequel on remplace successivement le manche puis la lame perd jusqu'à l'ombre de l'ipséité, il n'en est pas de même d'une machine, dans laquelle seraient disparus, remplacés pièce par pièce, chacun des éléments *nombreux* qui la formaient neuve; encore moins d'un homme (...)
Georges BATAILLE, l'Expérience intérieure, p. 108. 2

IPSO FACTO [ipsofakto] adv. — Av. 1808; *excommunication ipso facto,* 1668, adj., *in* D. D. L.; loc. lat. signifiant « par le fait même ».

♦ **1.** Dr. Par le fait même, par une conséquence obligée, sans aucune formalité (en parlant d'une modification juridique). *« La résolution d'un contrat de vente s'opère* ipso facto, *à défaut de paiement du prix, lorsque la convention le décide ainsi »* (Capitant).

♦ **2.** (1835). Par voie de conséquence, automatiquement.

Je pose en principe que tous les habitants du canton sont ipso facto nos clients désignés.
J. ROMAINS, Knock, II, 3.

-IQUE ♦ **1.** Élément de composition d'adjectifs, homologue en français du latin *-icus* et du grec *–ikos* (→ par ex. *Syllabique,* lat. *syllabicus,* grec *syllabikos*).

SUFFIXES GÉNÉRAUX : (...) *Ique* (qui signifie *relatif à, qui se rapporte à, de*) : *acadé*mique, *électr*ique, *galvan*ique, *géograph*ique... Ce suffixe *ique* permet de créer des adjectifs relatifs à tous les mots savants en *cratie, logie, etc.* D'où des adjectifs en *crat*ique, *gén*ique, **graphique, logique, morphique, nomique,** *path*ique, *pédi*que, *phag*ique, *plast*ique, *plég*ique, *pod*ique, *scop*ique, *tom*ique, tels que : *géntocratique, photogénique, héliographique, etc.*
F. BRUNOT, la Pensée et la Langue, p. 586, note 3.

REM. Ce suffixe, particulièrement productif, est très utilisé dans la formation des néologismes scientifiques et techniques, notamment ceux qui constituent des calques de l'anglais (ex. : *aplanétique, basique, machinique; informatique, télématique*). ⇒ aussi **-atique.**

♦ **2.** (1787, Lavoisier, Guyton de Morveau; « spécialisation, par convention [...] du suffixe commun *-ique* [...], déjà utilisé en chimie pour d'anciens noms d'acides [sans considération du degré d'oxygénation] » Cottez, *Dict. des structures du vocabulaire savant*). Élément de composition utilisé en chimie pour former les adjectifs qualifiant celui des acides d'une série qui présente la teneur en oxygène la plus communément rencontrée, et le radical acide correspondant. — Ex. (emprunté à H. Cottez) : l'acide *chlorique* ($HClO_3$), plus oxygéné que l'acide *chloreux* ($HClO_2$) et que l'acide *hypochloreux* ($HClO$), mais moins oxygéné que l'acide *perchlorique* ($HClO_4$). ⇒ aussi **-eux.** — *Suffixe indiquant qu'un sel ou un ester est obtenu par l'action d'un acide en* -ique. ⇒ **-ate.**

Ir [iɛʀ] Symbole chimique de l'*iridium**.

IR- Variante de 1. *in-* négatif devant R. Nombreux composés libres, outre ceux traités à l'ordre alphabétique.

1 À Huina, aux premiers signes de vieillesse, les personnes âgées sont rééduquées, comme devenues impropres à sentir le Présent. Si on les laissait aller, sans méthode, elles seraient avant peu totalement irrééducables.
Henri MICHAUX, Ailleurs, p. 247.

2 L'irréfréné Marchenoir sentait, néanmoins, qu'il se flattait d'une humilité impossible. Léon BLOY, le Désespéré, p. 100.

3 Tout à fait simple et dandy, comme l'entendait Brummel, c'est-à-dire irremarquable. BARBEY D'AUREVILLY, *in* G. L. E.

4 (...) *Rendre l'irrendable* c'est ce que vous avez fait (...)
Ed. et J. DE GONCOURT, Journal, 24 janv. 1876.

IRAKIEN, IENNE ou **IRAQUIEN, IENNE** [iʀakjɛ̃, jɛn] adj. et n. — 1846; de *Irak* ou *Iraq*.

♦ De l'Irak. *L'économie, la géographie irakienne. Le pétrole irakien.* — N. *Un Irakien, une Irakienne, les Irakiens.* — N. m. *L'irakien :* variété d'arabe parlé en Irak.
REM. La graphie, transcrite de l'arabe ou empr. à l'angl. *Iraq* tend à se répandre, entraînant pour l'adj. la var. *iraqien, ienne.*

IRAKO- Premier élément de composés, signifiant «de l'Irak et de...». *La guerre irako-iranienne. «Les pertes consécutives au conflit irako-iranien»* (*le Point,* 27 avr. 1981, p. 108).

IRANIEN, IENNE [iʀanjɛ̃, jɛn] adj. — 1840; de *Iran.*

♦ Relatif à l'Iran (nom de la Perse moderne et de la région géographique qui correspond à ce pays; ⇒ **Persan, perse**). *Population, langue iranienne. Le mazdéisme, religion iranienne ancienne.* — N. *Un Iranien, une Iranienne.*
N. m. (1867). *L'iranien :* l'une des langues du groupe iranien. ⇒ **Pehlvi, persan, perse, zend** (ou **avestique**); → Indo-européen, cit. 1.

IRANISANT, ANTE [iʀanizɑ̃, ɑ̃t] n. — 1877, Littré, *Suppl.*; de *Iran* ou *iranien,* d'après les mots analogues en *-isant.*

♦ Didact. Spécialiste de l'Iran ancien (langue, civilisation).

IRAQIEN, IENNE ou **IRAQUIEN, IENNE** [iʀakjɛ̃, jɛn] adj. ⇒ **Irakien.**

IRASCIBILITÉ [iʀasibilite] n. f. — 1370; de *irascible.*

♦ Littér. Caractère irascible; défaut d'une personne irascible. ⇒ **Colère, impatience, violence.** *«Sa maladie le rend d'une grande irascibilité»* (Académie).

Des hommes qui substituent l'irascibilité de l'amour-propre au culte de la patrie (...) MIRABEAU, Collection, t. III, p. 356.

CONTR. Calme, douceur.

IRASCIBLE [iʀasibl] adj. — 1160; bas lat. *irascibilis,* de *irasci* «se mettre en colère», rac. *ira.* → Ire.

♦ **1.** Prompt à s'irriter, à s'emporter. ⇒ **Atrabilaire, colère** (adj.), **coléreux, emporté, irritable, ombrageux, violent** (→ Cabaler, cit. 2; et, par métaphore, fumer, cit. 9). *C'est un homme irascible, il a le sang* chaud, il n'est pas d'humeur facile. Un poète irascible, franc jusqu'à la colère.* → Pousser, cit. 18. *Il est irascible, mais il s'apaise vite.* ⇒ **Soupe** (au lait). *Ce contretemps l'a rendu irascible, on ne peut plus l'approcher* (→ Il est comme une pelote d'épingles*). *Censeur, critique irascible* (⇒ **Pointilleux**). — *Caractère, humeur irascible* (→ Humeur de dogue*).

(...) ce découragement sans remède, qui ne cessait de planer sur lui, s'abattait soudain, et le transformait en un être inattentif, facilement irascible, comme si toute cette force dont il avait été si fier ne connaissait plus d'autre forme que l'irritation.
MARTIN DU GARD, les Thibault, t. III, p. 92.

♦ **2.** (1372). Vx. Philos. scolast. *L'appétit irascible.* — (1718). *La faculté irascible :* celle des trois facultés de l'âme qui porte à la colère. — N. m. *L'irascible* (→ Concupiscible, cit.).

CONTR. Aimable, calme, doux, paisible.
DÉR. Irascibilité.

IRATO (AB) [abiʀato] loc. ⇒ **Ab irato.**

IRBIS [iʀbis] n. m. — 1890, lat. sc. *felis irbis.*

♦ Panthère des neiges (*felis oncia;* ⇒ 2. **Once**).

(...) la PANTHÈRE DES NEIGES (*felis oncia*) appelée encore *once* ou *irbis* et qui, habitante des hautes régions neigeuses de l'Asie centrale et de l'Himalaya, est superbement habillée de gris d'argent et de blanc rehaussés de larges mouchetures plus foncées, avec un poil long et moelleux, dû à la rigueur du climat.
René THÉVENIN, les Fourrures, p. 51.

IRE [iʀ] n. f. — Fin xe; lat. *ira* «colère».

♦ Vx. (langue class.). Colère (→ Ascendant, cit. 1, Malherbe; batailler, cit. 1, Regnard; geler, cit. 9, Montaigne; haine, cit. 2, Calvin). — REM. Richelet (*Dict.,* 1680) trouve ce mot «un peu vieux», et le dict. de Trévoux (1771) ajoute : «On ne peut s'en servir que dans la grande poésie, dans le style soutenu, en parlant de choses grandes et relevées, de la colère de Dieu, des Rois».
(De nos jours) par archaïsme (et souvent avec une nuance plaisante) :

(...) Sages conseils souvent épicés d'ire 1
Plaisamment simulée et finissant en rire. VERLAINE, Élégies, I.

Mais, mouche-toi, morveux, j'en connais dont l'ire est plus vive que l'hirondelle (...) 2
J. GIONO, Naissance de l'Odyssée, *in* Œ. roman., Pl., t. I, p. 24.

Ah! ah! je ne te l'avais pas encore dit. J'ai occis quelques bourgeois qui m'embrenaient. — L'ire est mauvaise conseillère. Il faudra faire pénitence. 3
R. QUENEAU, les Fleurs bleues, p. 53.

IRÉNARQUE [iʀenaʀk] n. m. — 1740, Trévoux; bas lat. *irenarcha,* grec *eirênarkhês,* de *eirênê* «paix». → -arque.

♦ Didact. Magistrat romain (au IIe siècle) puis byzantin, chargé de la police et de l'instruction judiciaire, dans certaines villes d'Égypte et d'Asie Mineure (sa fonction est appelée *irénarchie,* n. f. [1873]).

IRÉNIQUE [iʀenik] adj. — 1867, Littré; lat. ecclés. *irenicus* (XVIIe), grec *eirênikos,* de *eirênê* «paix».
Didactique.

♦ **1.** *Livres iréniques,* destinés à rétablir ou à consolider la paix (entre chrétiens de confessions différentes).

♦ **2.** (V. 1960). Empreint d'irénisme.

Cependant, ne péchons point par abus de bonne volonté irénique et voyons bien tout de même la divergence profonde des projets.
P.-H. SIMON, *in* le Monde, 6 juil. 1966 (George Sand et le rêve monastique, de J. POMMIER).

DÉR. Irénisme, iréniste.

IRÉNISME [iʀenism] n. m. — Mil. XXe (attesté 1962); de *irénique.*

♦ Didact. (relig.). Tolérance excessive des irénistes. — Attitude de compréhension (dans la discussion des problèmes théologiques entre chrétiens de confessions différentes). *Irénisme œcuménique.* ⇒ **Œcuménisme.**

IRÉNISTE [iʀenist] n. — XXe (*in* Larousse, 1931); de *irénique.*

♦ Didact. Partisan de l'irénisme; tolérance des erreurs et écarts en matière de foi (condamnée par l'encyclique *Humani Generis*).
Personne qui croit à la paix perpétuelle.

IRID-, IRIDO- Élément, du grec *iris, iridos* «iris», qui sert à former un certain nombre de mots savants. Voir à l'ordre alphabétique.

IRIDACÉES [iʀidase] n. f. pl. — 1850, Hoefer; *iridées,* 1803; de *iris,* et suff. *-acées.*

♦ Bot. Famille de plantes phanérogames angiospermes (*Monocotylédones*), herbacées, vivaces, à rhizome bulbeux ou tubéreux, à feuilles radicales engainantes, à hampes florales cylindriques terminées par de grandes fleurs ornementales, généralement groupées en corymbes, en épis, en grappes. *Principaux types d'iridacées.* ⇒ **Crocus, glaïeul, iris, tigridie.** — Au sing. *Une iridacée.*

IRIDECTOMIE [iʀidɛktɔmi] n. f. — 1823; du grec *iris, idos,* et *-ectomie.*

♦ Méd. Excision partielle de l'iris. *Pince coudée pour iridectomie* (catalogue d'instruments de chirurgie, *in* T. L. F.).

IRIDESCENCE [iʀidesɑ̃s] n. f. — 1924, *in* D. D. L.; de *iridescent.*

♦ Littér. Caractère de ce qui est iridescent.

IRIDESCENT, ENTE [iʀidesɑ̃, ɑ̃t] adj. — 1842; du lat. *iris, idis.*

♦ Littér. Qui a des reflets irisés.

DÉR. Iridescence.

IRIDIÉ, ÉE [iʀidje] adj. — 1872; de *iridium.*

♦ Didact. Allié avec de l'iridium. *Le platine iridié servait à fabriquer les étalons de mesure* (mètre, kilogramme), *les pointes de stylographes, des aiguilles chirurgicales.*

IRIDIEN, ENNE [iʀidjɛ̃, ɛn] adj. — 1860, *in* D. D. L.; du lat. *iris, idis* ou grec *iris, idos.*

Didactique.

♦ **1.** Relatif à l'iris, à l'arc-en-ciel.

♦ **2.** Relatif à l'iris (II.) de l'œil. ⇒ **Irien.**

IRIDIUM [iʀidjɔm] n. m. — 1805; angl. *iridium,* mot tiré du lat. *iris, iridis* «arc-en-ciel», par le chimiste angl. Tenant (1803), à cause des couleurs variées qu'offrent les combinaisons de ce métal.

♦ Métal blanc (symb. *Ir;* n° at. 78, pat. 192,2) de densité 22,4; très dur (le plus lourd de tous les éléments avec l'osmium), cassant, fusible à 2410° (valence 3 et 4). *L'iridium s'extrait de certais minerais de platine. L'iridosmine, alliage naturel d'iridium et d'osmium. Alliage de platine et d'iridium.* ⇒ **Iridié.**

DÉR. Iridié.

IRIDO- ⇒ **Irid-.**

IRIDOCHOROÏDITE [iʀidokɔʀɔidit] n. f. — 1873; de *irido-, choroïde,* et *-ite.*

♦ Méd. Inflammation associée de l'iris et de la choroïde.

Pour les diverses maladies des yeux, la cocaïne rendra de grands services dans les ulcères de la cornée avec photophobie, dans l'iritis, l'iridochoroïde avec douleurs ciliaires, etc.

L. FIGUIER, l'Année scientifique et industrielle 1885, p. 422 (1884).

IRIDO-CYCLITE [iʀidosiklit] n. f. — Mil. XXe (1943, *in* T. L. F.); de *iris,* grec *kuklos* «cercle, corps ciliaire», et *-ite.*

♦ Méd. Inflammation de l'iris et du corps ciliaire (partie musculo-membraneuse qui unit l'iris à la choroïde).

IRIDODILATATEUR, TRICE [iʀidodilatatœʀ, tʀis] adj. — D. i. (mil. XXe); de *irido-,* et *dilatateur.*

♦ Physiol. Qui dilate la pupille. *L'atropine est une substance iridodilatatrice.*

IRIDOKÉRATITE [iʀidokeʀatit] n. f. — 1931; de *irido-,* et *kératite.*

♦ Méd. Inflammation associée de l'iris et de la cornée.

IRIDOSCOPE [iʀidɔskɔp] n. m. — 1866, *Année sc. et industr.* 1867, p. 367; de *irido-,* et *scope.*

♦ Techn., méd. Instrument grossissant pour l'examen de l'iris (*iridoscopie,* n. f.).

IRIDOTOMIE [iʀidɔtɔmi] n. f. — 1855, Nysten; de *irido-,* et *-tomie.*

♦ Chir. Incision de l'iris, pour créer une pupille artificielle.

IRIEN, IENNE [iʀjɛ̃, jɛn] adj. — 1814, Nysten; du rad. de *iris.*

♦ Didact. De l'iris (II.). ⇒ **Iridien,** 2.

De notre côté, nous notons l'extrême variabilité de diamètre irien, tantôt extrêmement large, tantôt très réduit.

B. CENDRARS, Moravagine, *in* Œ. compl., t. IV, p. 256.

IRIS [iʀis] n. m. — XIIIe, aux sens I, 1 et 2; lat. *iris,* mot grec signifiant proprt «arc-en-ciel», mais possédant aussi les sens I et II du français.

★ **I.** ♦ **1.** Plante monocotylédone *(Iridacées)* herbacée, vivace, à rhizome ou bulbe, à feuilles en lames d'épée, engainées à leur base, à haute tige portant de grandes fleurs ornementales bleues, violettes, blanches (→ Embêter, cit. 5; étang, cit. 5). *Iris d'Allemagne, iris commun, violet* (⇒ **Flambe**). *Iris des marais* (à fleurs jaunes). *Iris de Florence* (à fleurs blanches). *Iris d'Espagne, d'Angleterre* (ou *xyphoïde*). *Iris fétide* (ou *glaïeul* puant*). *Iris bâtard ou spatulé. Iris tigré* (morée, pardanthe). *Iris nain. L'irone*, principe odorant de l'iris.*

0.1 (...) alors qu'un iris, créature merveilleuse et délicate, semble avoir cherché la solitude ou égaré sa promenade au milieu d'une prairie, contre un rocher où elle veut bien poser, sans la froisser ni la flétrir, sa tête d'un velours si riche et si coloré.

PROUST, Jean Santeuil, Pl., p. 301.

0.2 Iris — blanc — penché — gras de gouttes de pluie — gonflé — lourd — de couleur délicate — avec le cortège vert pur et le sol de terre noire — son étoffe trempée, — son attitude sérieuse, vraie, pure, venue de la plus haute noblesse terrestre. VALÉRY, Cahiers, t. II, Pl., p. 1246.

Poudre d'iris, tirée des rhizomes de l'iris de Florence, utilisée en parfumerie. — *Eau d'iris* (→ Appliquer, cit. 3).

Vert d'iris : couleur vert pâle, légèrement bleutée.

En valeur d'adj. *Iris :* de cette couleur. *Des corsages iris.*

♦ **2.** Quartz irisé; calcédoine irisé. Vx. Opale. — Syn. : *pierre d'iris* (au sens III).

★ **II.** (1478; *yride,* v. 1370; empr. au grec). ♦ **1.** «Membrane discoïde constituant la partie antérieure de la tunique vasculaire de l'œil, située derrière la cornée et percée, à son centre, d'un orifice : la pupille» (Lovasy et Veillon, *Dict. des termes d'anatomie*). ⇒ **Œil, uvée** (→ Chambre, cit. 15; cristallin, cit. 4). *Iris bleu, brun...* (→ 1. Feu, cit 66; gène, cit. 2). *Relatif à l'iris.* ⇒ **Iridien, irien;** aussi suff. **irid-.** *Inflammation de l'iris.* ⇒ **Iritis.**

La prunelle de ses yeux, douée d'une grande contractilité, semblait alors s'épanouir, et repoussait le bleu de l'iris, qui ne formait plus qu'un léger cercle. 1

BALZAC, le Curé de village, Pl., t. VIII, p. 547.

(...) elle s'inquiétait beaucoup de ses yeux. Depuis longtemps je m'expliquais mal un blanchissement progressif du pourtour de l'iris (il semblait envahi par la cornée) qui modifiait de plus en plus la qualité de son regard. 2

GIDE, Et nunc manet in te, p. 61.

♦ **2.** Photogr. *Diaphragme iris,* et, absolt, *iris.* ⇒ **Diaphragme.** *Ouverture, fermeture de l'iris.*

★ **III.** (1478; syn. : *écharpe d'Iris,* où *Iris* est le nom d'une déesse).

♦ **1.** Vx. Arc-en-ciel.

On savait qu'il faut qu'une nuée épaisse, se résolvant en pluie, soit exposée aux rayons du soleil, et que nos yeux se trouvent entre l'astre et la nuée, pour voir ce qu'on appelait l'iris. VOLTAIRE, la Philosophie de Newton, II, XI. 3

(Ces chants... qui) sur l'aile du temps traversant tous les âges, 4
Brillent comme l'iris sur les flancs des nuages.

LAMARTINE, Recueillements poétiques, I, XXV.

♦ **2.** (1690). Mod. Les couleurs de l'arc-en-ciel, du prisme, et, spécialt, les cercles de couleurs qui entourent un objet vu à travers une lentille. ⇒ **Halo.** — *Pierre d'iris.* → ci-dessus, I., 2.

REM. Le mot, notamment au sens I, 1, est parfois du féminin (Littré; Michelet, *in* T. L. F.).

DÉR. (De I.) **Irone.** — (De II.) **Iritis.** — (De III.) **Iriser.** — V. **Irid-, iridacées.**
COMP. (Du sens II) V. **Aniridie.**

IRISABLE [iʀizabl] adj. — 1877; de *iriser.*

♦ Littér. Susceptible de s'iriser. *Verres irisables.*

(...) parmi les arabesques des cachemires, les lueurs du feu d'artifice, les irisations de l'imperceptible pluie colorée.

Ed. DE GONCOURT, les Frères Zemganno, LIII.

IRISATION [iʀizasjɔ̃] n. f. — 1845; de *iriser.*

♦ **1.** Didact. Production des couleurs de l'arc-en-ciel par décomposition de la lumière. *L'irisation d'un prisme, d'une surface métallique.*

♦ **2.** Littér. et cour. Les couleurs ainsi produites; couleurs, teintes irisées; reflets irisés. *De belles irisations* (⇒ **Reflet**).

Il n'y avait point de vraisemblance, ni d'autres données que des irisations rouges et bleues sur de vieux carreaux de vitre.

ALAIN, Jules Lagneau, *in* les Passions et la Sagesse, Pl., p. 724.

IRISÉ, ÉE [iʀize] adj. ⇒ **Iriser.**

IRISEMENT [iʀizmɑ̃] n. m. — 1873, A. Daudet; de *iriser.*

♦ Littér. Irisation. *Un irisement de lumière.* Var. rare : *irisage,* n. m. (Mérimée, 1856, *in* T. L. F.).

IRISER [iʀize] v. tr. — XVIIIe; de *iris,* III.

♦ Colorer des couleurs de l'arc-en-ciel (⇒ **Brillanter**). *La lumière solaire irise les facettes d'un cristal.*

Un vaste et tendre 0.1
Apaisement semble descendre
Du firmament
Que l'astre irise...
C'est l'heure exquise. VERLAINE, la Bonne Chanson, VI.

▶ **S'IRISER** v. pron. *Pelage, plumage qui s'irise au soleil* (→ Ardoisé, cit. 3; briller, cit. 8).

C'est une maison à pignon dont le toit d'ardoise s'irise au soleil comme une gorge de pigeon. FRANCE, le Crime de S. Bonnard, VII, Œuvres, t. II, p. 506. 1

▶ **IRISÉ, ÉE** p. p. adj. (1783).

Plus cour. Qui a les nuances de l'arc-en-ciel. ⇒ **Arc-en-ciel,** adj. *Verre irisé; pierre irisée.* ⇒ **Opalin.** *Flaques d'huile, de bitume* (cit. 1) *irisées. Espace irisé* (→ 2. Dôme, cit. 1). *Gerbe, fusée irisée* (→ Fuser, cit. 9). *Plumage irisé.* → **Gorge*** de pigeon.

(...) des reflets irisés, pareils à ceux de la pellicule qui recouvre l'étain en fusion (...) 2

Th. GAUTIER, Voyage en Russie, p. 65.

Un poète pieux (...)
Dans le creux de sa main prend cette larme pâle,
Aux reflets irisés comme un fragment d'opale (...)
BAUDELAIRE, les Fleurs du mal, Spleen et Idéal, LXV.

Didact. *Quartz irisé,* dont les cassures sont irisées. *Marnes irisées :* marnes et argiles bariolées appartenant au trias supérieur.

DÉR. Irisable, irisation, irisement ou **irisage.**

IRISH COFFEE [ajʀiʃkɔfi] n. m. — 1959, *in* Höfler; loc. angl. «café *(coffee)* irlandais *(irish)*».

♦ Anglic. Boisson faite de café sucré chaud, mêlé de whiskey (whisky irlandais), et nappé de crème fraîche battue. «*Ayant presque vidé sa bouteille de bordeaux blanc, avant son irish coffee crémeux...*» (*l'Express,* 14 févr. 1981, p. 104). — La trad. *café irlandais* s'emploie aussi, mais n'a pas supplanté l'anglicisme.

IRISH STEW [ajʀiʃstju] n. m. — 1931, *in* D. D. L.; loc. angl. «ragoût irlandais».

♦ (Anglic.). Cuis. Ragoût de mouton bouilli à la mode irlandaise accommodé avec des oignons et des pommes de terre (dans le contexte initial).

IRITIS [iʀitis] n. f. — 1818; de *iris* (II.), et *-itis.* → -ite.

♦ Méd. Inflammation de l'iris.

IRLANDAIS, AISE [iʀlɑ̃dɛ, ɛz] adj. et n. — Attesté 1567, Baïf *(Irlandois); de Irlande.*

♦ D'Irlande. *La population, l'économie irlandaise. Le Sinn-Fein, mouvement de l'indépendance irlandaise. O', particule qui précède fréquemment les noms propres irlandais* (ex. : *O'Brien, O'Neil). — L'art irlandais du moyen âge. La littérature irlandaise d'expression anglaise. — Café irlandais.* ⇒ **Irish coffee.**

Loc. *Cheval irlandais,* et, n. m., *un irlandais :* cheval petit et vigoureux, aux crins longs, répandu en Irlande, en Bretagne, au XIXe siècle. — *Setter irlandais,* chien à pelage roux soyeux. — *Terrier irlandais.*

N. *Un Irlandais, une Irlandaise.*

On ne pouvait s'y méprendre : cet homme, entouré de sa vaillante famille, au milieu de ces constructions encore neuves, dans cette campagne presque vierge, présentait le type accompli du colon irlandais qui, las des misères de son pays, est venu chercher la fortune et le bonheur au delà des mers.
Glenarvan et les siens ne s'étaient pas encore présentés, ils n'avaient eu le temps de décliner ni leurs noms, ni leurs qualités, que ces cordiales paroles les saluaient déjà :
— Étrangers, soyez les bienvenus dans la maison de Paddy O'Moore.
— Vous êtes Irlandais? dit Glenarvan en prenant la main que lui offrait le colon.
— Je l'ai été, répondit Paddy O'Moore. Maintenant, je suis Australien.
J. VERNE, les Enfants du capitaine Grant, III, VI, p. 85.

N. m. (Déb. XVIIIe). *L'irlandais :* groupe des parlers celtiques d'Irlande. *L'irlandais, avec l'erse* et le mannois* (île de Man), *qui en sont issus, forme le gaélique*. Vieil irlandais, irlandais moderne.*

On possède en IRLANDAIS *(gaélig),* du VIIIe au Xe s., de courts textes religieux (...) et des gloses de textes latins, puis, à partir du XIe s., une des plus riches littératures de l'Europe médiévale.
J. VENDRYES, *in* MEILLET et COHEN, Langues du monde, p. 53.

IROKO [iʀoko] n. m. — XXe; mot ibo (langue africaine).

♦ Techn. Bois jaune brun utilisé en construction navale, tonnellerie, charronnage, etc., et qui provient d'un grand arbre d'Afrique intertropicale (*Chlorofora excelsa,* famille des *Moracées*); cet arbre.

Certaines grumes tombées à la mer en cours de chargement s'échouaient sur la plage (...) Or l'acajou était dévoré par les tarets alors que l'iroko restait intact.
Bernard MOITESSIER, Cap Horn à la voile (1971), p. 52.

IRONE [iʀɔn] n. f. — V. 1900; de *iris,* I., et suff. *-one.*

♦ Chim. Principe chimique auquel l'iris* doit son odeur. *L'irone est une cétone isomère de l'ionone*.*

IRONIE [iʀɔni] n. f. — Fin XIIIe; lat. *ironia,* du grec *eirôneia* «action d'interroger en feignant l'ignorance», de *eirômesthai* «railler en affectant l'ignorance», de *eirôn, onos* «qui interroge en affectant l'ignorance», procédé habituel à Socrate, d'où l'expression *ironie socratique.*

♦ **1.** Manière de railler, de se moquer (de qqn ou de qqch.) en disant le contraire de ce qu'on veut faire entendre. ⇒ **Humour, moquerie, persiflage, raillerie.**

Le mot ironie vient d'un mot latin qui lui-même vient d'un mot grec, et tout cela signifie bien que l'ironie n'est pas une invention d'hier. Malgré le trouble, d'ailleurs salutaire, que les étymologistes ne cessent de jeter dans notre esprit en ce qui touche l'origine et le sens des mots, l'ironie demeure toujours cette «méthode de discussion qu'employait Socrate pour confondre les sophistes», méthode qui consiste soit à formuler des interrogations railleuses et dont la saine réplique apparaît aussitôt avec évidence, soit «à dire le contraire de ce que l'on veut faire entendre». Ainsi parle Littré, en qui je salue toujours notre maître révéré.
G. DUHAMEL, Manuel du protestataire, II, p. 45.

L'ironie de qqn, de ses paroles; l'ironie d'un texte. Les esprits (cit. 118) *forts sont ainsi appelés par ironie. L'ironie que renferment des compliments* (cit. 5), *des exagérations* (→ Charmer, cit. 9). *Il n'a pas compris l'ironie de mes éloges. Dire quelque chose avec, sans ironie.* ⇒ **Rire** (pour rire; sans rire); → Hiérarchique, cit. 2; imprégner, cit. 8. *Humour** (cit. 6 et 8) *et ironie. Le don de l'ironie* (→ Aigu, cit. 14; entendre, cit. 85). *Une pointe d'ironie. Ironie fine, délicate, voilée, légère, imperceptible, corrosive* (cit. 5), *profonde* (→ Attique, cit. 8; chicane, cit. 5; estimer, cit. 21). *Ironie amère, mordante.* ⇒ **Amertume, dérision, sarcasme.** *Ironie parisienne* (→ Polissonnerie, cit. 1). *Savoir manier l'ironie. L'ironie de Voltaire* (→ Polémiste, cit. 1).

(...) dans les premières paroles que Dieu a dites à l'homme, depuis sa chute, on 2
trouve un discours de moquerie, et *une ironie piquante,* selon les Pères.
PASCAL, les Provinciales, XI.

Je ne te dirai pas tous les sarcasmes que je lui débitai en riant. Eh! bien, la parole 3
la plus acérée, l'ironie la plus aiguë, ne lui arrachèrent ni un mouvement ni un geste de dépit. BALZAC, la Peau de chagrin, Pl., t. IX, p. 112.

L'ironie est, à coup sûr, l'arme la plus dangereuse qui soit dans les mains de 4
l'homme. Un écrivain, redoutable lui-même par l'ironie, nommait cet instrument de supplice *la gaîté de l'indignation* (...) Léon BLOY, le Désespéré, p. 152.

La gravité n'est pas nécessaire à l'expression de ce que l'on croit être la vérité; 5
l'ironie pimente agréablement la tisane morale; il faut du poivre dans cette camomille; affirmer avec dédain est un moyen assez sûr de n'être pas dupe, même de ses propres affirmations. R. DE GOURMONT, le Livre des masques, p. 115.

Tantôt on énoncera ce qui devrait être en feignant de croire que c'est précisé- 6
ment ce qui est : en cela consiste l'ironie. H. BERGSON, le Rire, p. 197.

Le langage expressif rend souvent une idée par son contraire : c'est *l'ironie* ou 7
antiphrase : «Fiez-vous aux femmes!» prononcé avec une intention appropriée est une invitation à la défiance.
Ch. BALLY, Linguistique générale et Linguistique franç., p. 174.

On disait devant celui-ci *(Lecomte de Lisle)* que Victor Hugo était bête. L'auteur 8
des *Poèmes barbares,* qui précisément devait tout son excellent métier à Hugo, répondit derrière son monocle : «Oui, *mais* bête comme l'Himalaya», ce qui, sous l'ironie voilée imperceptible aux imbéciles, signifie exactement le contraire.
Émile HENRIOT, les Romantiques, p. 95.

(1902). *Point d'ironie :* signe de ponctuation orthographique destiné à indiquer au lecteur un passage ironique, dans un texte imprimé. — Fig. (et plais.). *Il lui faut des points d'ironie :* il ne comprend pas facilement l'ironie.

Figure de rhétorique apparentée à l'antiphrase*.

♦ **2.** Disposition railleuse, moqueuse, correspondant à cette manière de s'exprimer; apparence, comportement ironique. *L'ironie est différente de l'humour*.* → ci-dessous, cit. 12. «*Il l'intimidait par son ironie continuelle*» (Académie). *Sensibilité qui se déguise sous l'ironie. Tendresse mêlée, colorée* (cit. 6) *d'ironie. Sa bonhomie décourage l'ironie* (→ Énormité, cit. 4). *Ironie et enthousiasme* (→ Exprimer, cit. 24). *Une lueur d'ironie dans le regard, une nuance d'ironie dans le ton.* ⇒ **Moquerie.**

(...) le général disait beaucoup de mal de la société française composée d'êtres 9
secs chez lesquels le plaisir de montrer de l'ironie étouffe le bonheur d'avoir de l'enthousiasme (...) STENDHAL, le Rose et le Vert, I.

Puis Nello avait encore contre lui ce bonheur, lorsqu'il se trouvait au milieu de 10
femmes, de les intimider, de les déconcerter par l'ironie rieuse de sa figure, par un sourire qui était naturellement et involontairement moqueur, un sourire qui, selon l'expression de l'une, «avait l'air de se ficher du monde».
Ed. DE GONCOURT, les Frères Zemganno, LII.

L'Ironie et la Pitié sont deux bonnes conseillères; l'une, en souriant, nous rend la 11
vie aimable; l'autre, qui pleure, nous la rend sacrée.
FRANCE, le Jardin d'Épicure, p. 94.

L'ironie est surtout un jeu d'esprit. L'humour serait plutôt un jeu du cœur, un jeu 12
de sensibilité. J. RENARD, Journal, 1er janv. 1894.

♦ **3.** (1657). Compl. n. de chose. Intention moqueuse, malicieuse qui semble présider à certains faits étranges ou cruels. ⇒ **Dérision, moquerie.** *Ironie du sort :* intention de moquerie méchante qu'on prête au sort. «*Cette amère* (cit. 14) *ironie du malheur*» (Mme de Staël). *Ironies de la nature* (→ Fantaisie, cit. 36, Baudelaire).

CONTR. Sérieux.

DÉR. Ironiser, ironiste.

IRONIQUE [iʀɔnik] adj. — 1588, mais antérieur (→ Ironiquement); *yronicque,* 1521, en rhétorique; bas lat. *ironicus,* grec *eironikos,* de *eirôn* (→ Ironie).

♦ **1.** Où il entre de l'ironie (1. ou 2.). ⇒ **Blagueur, moqueur, narquois, persifleur, railleur, sarcastique.** *Expressions, propos ironiques* (→ Antiphrase, cit. 2). *Ton ironique. — Air, regard, sourire, rire ironique* (→ Expression, cit. 33; condescendant, cit. 1).

♦ **2.** (Av. 1863). Personnes; facultés humaines. Qui use d'ironie (→ Hystérique, cit. 4; incisif, cit. 5). *Il est souvent ironique. Il a été ironique avec nous, à notre égard. Un esprit ironique.*

♦ **3.** (1831). Fig. *Le destin est ironique* (→ Avertir, cit. 26). *Un ironique retour des choses.* ⇒ **Dérisoire.**

(...) on lui faisait sentir sa folie bien plus vivement par cette expression ironique 1
que par une expression sérieuse. PASCAL, les Provinciales, XI.

Une amère et ironique distribution des dons de la fortune (...) 2
CHATEAUBRIAND, Stuart, XII, *in* LITTRÉ.

3 (...) j'aime le rire,
Non le rire ironique aux sarcasmes moqueurs,
Mais le doux rire honnête ouvrant bouches et cœurs;
Qui montre en même temps des âmes et des perles.

HUGO, les Contemplations, I, VI.

4 La voix, en dépit des mots, n'était pas suppliante, mais ironique et corrosive.
G. DUHAMEL, Chronique des Pasquier, VII, XXV.

CONTR. **Sérieux.**
DÉR. **Ironiquement.**

IRONIQUEMENT [iʀɔnikmɑ̃] adv. — XVe; de *ironique.*

♦ D'une manière ironique. *Il était ironiquement solennel.* — *Parler, employer une expression ironiquement* (→ Ambassadeur, cit. 3; attacher, cit. 15; 1. bien, cit. 61). *Inviter, engager* (cit. 31) *ironiquement à... Destin qui traite ironiquement la vie humaine* (→ Gaspiller, cit. 3). Fig. *Sourire ironiquement.*

CONTR. **Sérieusement.**

IRONISER [iʀɔnize] v. — 1647; de *ironie.*

♦ **1.** V. intr. User d'ironie, prendre le ton de l'ironie. ⇒ **Blaguer, moquer** (se), **railler** (se), **rire.** *Ironiser sur, à propos de qqn, de qqch.* — Sans compl. *Il ironise souvent.*

Mais il faut faire la part de ceux qui, sans conclure, interrogent toujours. Ici, j'ironise à peine (...) CAMUS, le Mythe de Sisyphe, p. 19.

♦ **2.** V. tr. (1838). Vieilli. Tourner (qqn, qqch.) en dérision. *« On ironisait volontiers la lourdeur d'un Glucke, la barbarie d'un Wagner »* (R. Rolland, *Jean-Christophe, in* T. L. F.).

IRONISME [iʀɔnism] n. m. — 1897, Psichari, *in* T. L. F.; de *ironie,* probablt d'après *ironiste.*

♦ Rare. Disposition systématique à l'ironie.

IRONISTE [iʀɔnist] n. et adj. — 1776, Restif; de *ironie.*
Vieilli.

♦ **1.** Personne, écrivain qui pratique l'ironie. ⇒ **Humoriste; moqueur, railleur.** *Ces propos sont d'un ironiste.*

1 Mendès, vous méprisez les ironistes. Ils jouent avec leurs sentiments les plus profonds. C'est comme si vous disiez qu'un papa n'aime pas ses enfants parce qu'il joue avec eux. J. RENARD, Journal, 18 févr. 1898.

2 Ces accents voilés d'inquiétude secrète, de passion ou de désespoir sont aussi ce qui distingue France des ironistes auxquels on l'apparente un peu légèrement, Courier, Mérimée ou Chamfort.
J. LEVAILLANT, Pages choisies d'A. France, Notice.

♦ **2.** Adj. Qui pratique l'ironie de manière plus ou moins systématique.

3 M. Filleul était un juge de l'école ironiste, comme il le disait lui-même. C'était aussi un juge qui ne détestait point la galerie, ni les occasions de montrer au public son savoir-faire. M. LEBLANC, l'Aiguille creuse, p. 16.

DÉR. V. **Ironisme.**

IROQUOIS, OISE [iʀɔkwɑ, wɑz] adj. et n. — 1644; *irocois,* 1605, *in* D. D. L.; déformation d'un mot de cette langue, signifiant « vraies vipères ».

♦ **1.** Qui appartient aux groupes indiens d'Amérique du Nord parlant une langue de la même famille, habitant sur les rives des lacs Erié et Ontario et du Saint-Laurent (et ennemis des Algonquins et des Hurons, alliés des colons français). *La nation iroquoise.* — N. *Un iroquois. Les iroquois étaient fédérés en cinq tribus* (« nations »).

1 En la regardant plus attentivement, Cidrolin s'aperçut (...) que, n'étant pas raciste, il n'avait pas vu qu'elle était peau-rouge (...)
— Je sommes iroquoise, dit-elle, et je m'en flattons.
R. QUENEAU, les Fleurs bleues, p. 38.

♦ **2.** N. m. (V. 1808). *L'iroquois :* ensemble de langues indiennes des mêmes groupes parlées par les Iroquois.

2 (...) il me conseilla de commencer par m'acclimater, m'invita à apprendre le sioux, l'iroquois et l'esquimau, à vivre au milieu des *coureurs de bois* et des agents de la compagnie de la baie d'Hudson.
CHATEAUBRIAND, Mémoires d'outre-tombe, t. I, p. 289-290.

(Av. 1850). Vx. Langage barbare, inintelligible. *C'est de l'iroquois :* c'est incompréhensible.

♦ **3.** N. (1718). Vx. Individu bizarre, étrange. *Une espèce d'iroquois.*

IRRACHETABLE [i(ʀ)ʀaʃtabl] adj. — 1564; de *ir-* (1. In-), et *rachetable*.*

♦ Rare. Qu'on ne peut racheter. *Fonds, rentes irrachetables.* — Fig. (→ Illusoire, cit. 3).

N. m. Littér. *L'irrachetable :* ce qui ne peut être racheté; ce qui a un caractère définitif, irrémédiable.

CONTR. **Rachetable.**

IRRACONTABLE [i(ʀ)ʀakɔ̃tabl] adj. — 1717, *irracomptable;* de *ir-* (1. In-), et *racontable.*

♦ Rare. Que l'on ne peut raconter. ⇒ **Inracontable.**

C'était un bon faux-sujet. Irracontable et beau.
J.-L. GODARD, Cahiers du cinéma, nº 82, avril 1958 (« Le temps des œufs durs », de N. Carbonnaux), *in* Coll. des Cahiers, p. 117.

CONTR. **Racontable.**

IRRADIANCE [i(ʀ)ʀadjɑ̃s] n. f. — 1874, Verlaine; de *irradiant,* d'après *radiance.*

♦ Littér. et rare. État, qualité de ce qui irradie. ⇒ **Irradiation.**

La musique de mes losanges à jamais,
Et l'extase perpétuelle et la science,
Et d'être en moi parmi l'aimable irradiance
De tes souffrances — enfin miennes, — que j'aimais!
VERLAINE, Sagesse, II, IV, VII.

IRRADIANT, ANTE [i(ʀ)ʀadjɑ̃, ɑ̃t] adj. — V. 1480; p. prés. de *irradier.*
Didactique ou littéraire.

♦ **1.** Qui irradie. ⇒ **Rayonnant.** *Clarté, lumière irradiante.* — (XXe). *Source irradiante,* radioactive*.

(...) le soleil était quand même là, large, terrible, nageant tout seul au centre de son aire irradiante. J.-M. G. LE CLÉZIO, le Déluge, VII, p. 153.

(Fin XIXe). Fig. *« La chaleur irradiante d'une présence aimée »* (Marguerite, *in* G. L. L. F.).

♦ **2.** Rare. Disposé en rayons divergents à partir d'un centre.

DÉR. **Irradiance.**

IRRADIATEUR [i(ʀ)ʀadjatœʀ] n. m. — 1881, en méd., *in* D. D. L.; de *irradiation.*

♦ (Mil. XXe). Techn. Appareil servant à irradier (II.) une substance. *Irradiateur de recherche, irradiateur industriel.*

IRRADIATION [i(ʀ)ʀadjɑsjɔ̃] n. f. — 1390 (XVe selon T. L. F.); bas lat. *irradiatio,* du lat. impérial *irradiatum,* supin de *irradiare* (→ Irradier), de *radius* « rayon ».

★ **I.** ♦ **1.** Émission de rayons lumineux, et, par ext., émission de radiations (visibles ou invisibles). ⇒ **Rayonnement.** *L'irradiation du soleil à travers les nuages.*

Il n'y avait pas à se tromper sur la nature de l'irradiation projetée par le centre 0.1
lumineux dont les rayons, nets et rectilignes, se brisaient à tous les angles (...) de la crypte. Cette lumière provenait d'une source électrique (...)
J. VERNE, l'Île mystérieuse, t. II, p. 796.

(...) les rayons du soleil reflètent leurs prismatiques irradiations sur les glaces de 1
Venise et les rideaux de damas. LAUTRÉAMONT, les Chants de Maldoror, VI.

Claude *(Lorrain)* sait noter dans leur irradiation et leurs colorations les feux du 2
jour changeant au crépuscule du matin comme à celui du soir.
René HUYGHE, Dialogue avec le visible, p. 148.

(1796). Illusion d'optique, par laquelle l'œil perçoit de la lumière au delà du périmètre réel des objets (dont le diamètre apparent se trouve ainsi exagéré). *Lunettes astronomiques permettant de corriger les phénomènes d'irradiation.*

♦ **2.** (1694). Didact. Mouvement qui part d'un centre et rayonne dans toutes les directions. — (1865). Anat. Disposition rayonnée des fibres, des vaisseaux...

(...) tardive, alentie et luxuriante comme la plus belle fleur et qui ne s'ouvrirait 2.1
qu'à midi, Mme Swann apparaissait, épanouissant autour d'elle une toilette toujours différente (...) puis elle luisait et déployait sur un long pédoncule, au moment de sa plus complète irradiation, le pavillon de soie d'une large ombrelle de la même nuance que l'effeuillaison des pétales de sa robe.
PROUST, À l'ombre des jeunes filles en fleurs, Pl., t. I, p. 636.

♦ **3.** (1873). Méd. (cour.). Action de soumettre l'organisme ou une de ses parties à un rayonnement ionisant. — Physiol. *Irradiation douloureuse :* propagation de la douleur depuis son point d'origine (→ Diffus, cit. 2, Proust).

Vous sentirez d'abord comme un chatouillement, puis un contact auquel succède 2.2
une piqûre, ensuite une douleur localisée en un point, enfin une irradiation de cette douleur dans la zone environnante.
H. BERGSON, Essai sur les données immédiates de la conscience (1889), p. 32.

♦ **4.** (1561, Calvin). Rayonnement (fig.). *Irradiation de l'esprit, du progrès.*

Je pensais : la bonté n'est qu'une irradiation du bonheur; et mon cœur se donnait 3
à tous par le simple effet d'être heureux.
GIDE, les Nouvelles Nourritures, III, p. 258.

♦ **5.** Ling. (Rare). Influence sémantique exercée par un élément linguistique sur un élément voisin (ex. : influence du sens du radical sur la valeur d'un suffixe).

★ **II.** (1926, *in* D. D. L.). Action d'irradier (II.). *Irradiation d'une tumeur par les rayons X. Irradiation par les ultraviolets. Une irradiation prolongée. — Irradiation par les sous-produits radioactifs d'une explosion atomique. Irradiation dangereuse, léthale, mortelle. Dangers d'irradiation.*

IRRADIER [i(ʀ)ʀadje] v. — XVIe; *irradié* «illuminé», v. 1470; rare av. 1808; lat. impérial *irradiare* «rayonner», de *ir-* (2. In-) et *radius* «rayon».

★ **I.** V. intr. ♦ **1.** Se propager en rayonnant à partir d'un centre, par irradiation*. ⇒ **Diffuser** (se), **rayonner.** *C'est de là que la lumière irradie* (Littré). ⇒ **Briller.** *Chaleur irradiant lentement.*

1 De profondes ravines irradiaient dans diverses directions et donnaient à la scène un caractère de solennité plus lugubre.
BAUDELAIRE, Trad. E. POE, Histoires extraordinaires, «Le scarabée d'or».

(1867). *La douleur irradie vers les régions éloignées du point lésé.*

2 La douleur irradiait dans le côté gauche et tuait en elle tout remords.
F. MAURIAC, la Fin de la nuit, VII.

REM. Dans ce sens, le pronominal *s'irradier,* qu'on rencontre parfois (attesté en 1842), suppose un transitif mal attesté.

♦ **2.** (Mil. XVIe). Fig. ⇒ **Développer** (se), **disperser** (se), **propager** (se).

3 Quand on aime, l'amour est trop grand pour pouvoir être contenu tout entier en nous; il irradie vers la personne aimée, rencontre en elle une surface qui l'arrête, le force à revenir vers son point de départ; et c'est ce choc en retour de notre propre tendresse que nous appelons les sentiments de l'autre et qui nous charme plus qu'à l'aller, parce que nous ne connaissons pas qu'elle vient de nous.
PROUST, À la recherche du temps perdu, t. IV, p. 14.

REM. L'emploi pronominal est également attesté dans ce sens.

★ **II.** V. tr. (1905, *in* T. L. F.). Exposer (des organismes ou des substances d'origine animale ou végétale) à l'action de certaines radiations, spécialt, à la radioactivité.

▶ **IRRADIÉ, ÉE** p. p. adj. (XVIe; «illuminé», en terme de mystique, v. 1470; repris XIXe).
Exposé à des radiations lumineuses. *Un ciel irradié* — (Au sens II de *irradier*). Soumis à la radioactivité.

4 L'alluminium irradié dissous dans HCl perd son activité qui se retrouve dans l'hydrogène dégagé. La matière active s'est transformée probablement en hydrogène phosphoré. On peut aussi, après dissolution de l'aluminium faire précipiter l'activité en ajoutant un phosphate que l'on précipite sous forme de phosphate de zirconium (insoluble en solution acide). La matière active se comporte comme du phosphore.
I. et F. JOLIOT, *in* Revue générale des sciences pures et appliquées, t. XLV, (1935), p. 235.

Spécialt (organismes vivants). Soumis aux effets biologiquement néfastes de la radioactivité. *Insectes irradiés expérimentalement. Les techniciens de la centrale nucléaire accidentellement irradiés sont actuellement en observation.* — N. *Un irradié, une irradiée. Les irradiés d'Hiroshima et de Nagasaki.*

IRRAISON [i(ʀ)ʀɛzɔ̃] n. f. — 1860, Goncourt; de *irraisonné,* d'après *raison.*

♦ Littér. et rare. Absence de raison, déraison*. *«L'irraison des sens»* (Léon Daudet, *in* T. L. F.).

IRRAISONNABLE [i(ʀ)ʀɛzɔnabl] adj. — V. 1361; de *ir-* (1. In-), et *raisonnable.*

♦ **1.** Philos. anc. Qui n'est pas doué de raison. *L'âme irraisonnable* (→ Habitude, cit. 5, Ronsard).

♦ **2.** (1836, Stendhal). Rare. Qu'on ne peut raisonner. ⇒ **Déraisonnable** (plus cour.). → Bousculement, cit. 1.

CONTR. Raisonnable. — Sage, sensé.
DÉR. Irraisonnablement.

IRRAISONNABLEMENT [i(ʀ)ʀɛzɔnabləmɑ̃] adj. — 1871, Goncourt; de *irraisonnable.*

♦ Littér. et rare. De manière irraisonnable (2.). ⇒ **Déraisonnablement.**

IRRAISONNÉ, ÉE [i(ʀ)ʀɛzɔne] adj. — 1842; de *ir-* (1. In-), et *raisonné.*

♦ Qui n'est pas raisonné; où n'intervient pas la raison. *Mouvement, geste irraisonné. Besoin, instinct, sentiment irraisonné. Passion irraisonnée. Antipathie, appréhension, crainte, haine, peur irraisonnée.* ⇒ **Incontrôlé, irrépressible.**

(...) une honte irraisonnée et invincible, comme un instinct.
Paul BOURGET, Un divorce, IV, p. 141.

Rare. Qui n'est pas produit par la raison. *Des «règles, absolues et irraisonnées»* (Viollet-le-Duc, *in* T. L. F.).

CONTR. Raisonné.

IRRASSASIABLE [i(ʀ)ʀasazjabl] adj. — 1649, Scarron; de *ir-* (1. In-), et *rassasier.*
Littéraire et rare.

♦ **1.** Qu'on ne peut rassasier. ⇒ **Insatiable.**

Il n'y a pas plus vorace que les gens maigres. Ils sont irrassasiables. 1
J. DUTOURD, les Horreurs de l'amour, p. 350.

Une faim, un appétit irrassasiable.

Ce qui les ruina surtout dans l'opinion, ce fut le choix de leur domestique. À 2
défaut d'un autre, ils avaient pris Marcel.
Son bec-de-lièvre, sa hideur et son baragouin écartaient de sa personne. Enfant abandonné, il avait grandi au hasard dans les champs et conservait de sa longue misère une faim irrassasiable. Les bêtes mortes de maladie, du lard en pourriture, un chien écrasé, tout lui convenait, pourvu que le morceau fût gros; — et il était doux comme un mouton; mais entièrement stupide.
FLAUBERT, Bouvard et Pécuchet, Folio, p. 296.

♦ **2.** Fig. Inapaisable. ⇒ **Inassouvissable.** *Être irrassasiable de sentiments, d'amour.* Vx. *«Irrassasiable en louanges»* (Sainte-Beuve, *in* T. L. F.). — *Haine, colère, vengeance; amour, besoin irrassasiable.*

Céda-t-il à ces expansions d'une haine irrassasiable, ou bien était-ce un raffinement 3
de perfidie? Le lendemain (...) il leur déclara qu'ayant trop de monde à nourrir, son intention n'était pas de les conserver.
FLAUBERT, Salammbô, Pl., t. I, p. 1001.

IRRASSASIÉ, ÉE [i(ʀ)ʀasazje] adj. — 1840; de *ir-* (1. In-), et *rassasié.*

♦ Littér. Qui n'est pas rassasié. ⇒ **Inassouvi.** *Être irrassasié après un gros repas. — Faim irrassasiée.*
Fig. *Tendresse irrassasiée.*

CONTR. Rassasié.

IRRATIONALISME [i(ʀ)ʀasjɔnalism] n. m. — 1912; attestation isolée, 1828; de *irrationnel,* p.-ê. par l'angl. *irrationalism* (1811).
Didactique.

♦ **1.** Système philosophique qui n'attribue à la raison qu'une place secondaire dans la connaissance.

♦ **2.** (Mil. XXe). Hostilité au rationalisme, absence de foi dans la raison.

Une civilisation de l'homme seul ne dure pas très longtemps et le rationalisme du 1
XVIIIe siècle finit par la rafale de passion et d'espoir que l'on sait : mais la culture de ce siècle ressuscitait tout ce qui renforçait son rationalisme, et la nôtre ressuscite tout ce qui renforce notre irrationalisme.
MALRAUX, les Voix du silence, p. 494.

Or l'irrationalisme ne cesse de s'aggraver. La moindre enquête sur la vie réelle 2
des gens révèle le rôle des cartomanciennes, des sorciers et rebouteux, des horoscopes.
Henri LEFEBVRE, la Vie quotidienne dans le monde moderne, p. 159-160.

CONTR. Rationalisme.
DÉR. Irrationaliste.

IRRATIONALISTE [i(ʀ)ʀasjɔnalist] adj. — 1922, *in* D. D. L.; de *irrationalisme,* ou de l'angl. *irrationalist,* 1836.

♦ Didact. Qui est marqué par l'irrationalisme. *Un philosophe, une doctrine irrationaliste.*
N. (1949, Vuillemin, *in* T. L. F.). Partisan de l'irrationalisme.

CONTR. Rationaliste.

IRRATIONALITÉ [i(ʀ)ʀasjɔnalite] n. f. — 1839, A. Comte; 1812, Laplace en math. (au sens 1 de *irrationnel*); de *irrationnel.*

♦ Didact. Caractère de ce qui est irrationnel. *L'irrationalité d'un principe.*

REM. Alors que l'*irrationnel* (n. m.) s'emploie absolument pour signifier «ce qui est irrationnel», *irrationalité* peut s'employer avec un complément de nom au sens de «caractère irrationnel». *L'irrationalité d'une doctrine, des faits.* → Absurdité, arbitraire; subjectivité.

La mise en évidence de l'irrationalité immédiate, confondante, de certains événements nécessite la stricte authenticité du document humain qui les enregistre.
A. BRETON, l'Amour fou, IV, p. 59.

IRRATIONNEL, ELLE [i(ʀ)ʀasjɔnɛl] adj. — 1361, «non doué de raison»; lat. *irrationalis,* de *ir-* (1. In-), et *rationalis.* → Rationnel.

♦ **1.** (1549). Math. *Nombre irrationnel,* qui ne peut être mis sous la forme d'un rapport entre deux nombres entiers; qui n'est ni entier, ni fractionnaire. *Racine irrationnelle. — Équation irrationnelle,* qui renferme une ou plusieurs expressions engagées sous des radicaux. — N. f. *Une irrationnelle. Les irrationnelles algébriques.*

♦ **2.** (1836). Qui n'est pas rationnel*, qui n'est pas conforme à la raison ou du domaine de la raison. ⇒ **Anormal, antilogique** (didact.), **déraisonnable, fou, illogique, irréfléchi** (B.). *Impulsion, conduite, poussée irrationnelle* (→ Hitlérien, cit. 2). *Suppositions, conclusions, croyances irrationnelles.* ⇒ **Gratuit.** *Constructions irrationnelles* (→ Incohérence, cit. 4). *La littérature fantastique et irrationnelle* (→ Fatrasie, cit. 1).

1 La scolastique veut toujours un point de départ fixe et indubitable et, ne pouvant le trouver ni dans les choses extérieures ni dans la raison, elle l'emprunte à une source *irrationnelle* quelconque, telle qu'une révélation, une tradition ou une autorité conventionnelle ou arbiraire.
Cl. BERNARD, Introd. à l'étude de la médecine expérimentale, I, II.

(Personnes ; facultés psychiques.) *C'est un être assez irrationnel. Un esprit irrationnel.*

N. m. (1866, Amiel). *L'irrationnel :* ce qui est inaccessible ou même contraire à la raison. *La griserie* (cit. 8), *le vertige de l'irrationnel* (→ Illuminer, cit. 26).

2 Presque tous nous sommes doubles. Plus l'homme se développe par la tête, plus il rêve le pôle contraire, c'est-à-dire l'irrationnel, le repos dans la complète ignorance, la femme qui n'est que femme, l'être instinctif qui n'agit que par l'impulsion d'une conscience obscure.
RENAN, Souvenirs d'enfance..., Préface, Œuvres, t. II, p. 716.

3 Et j'en dirai autant de la raison, laquelle est un principe de critique et de compréhension, alors que la puissance de création appartient indéniablement à l'irrationnel. Julien BENDA, la Trahison des clercs, p. 87.

4 *(L'homme)* s'avise d'être plongé dans le non-sens, dans l'incommensurable, dans l'irrationnel ; et toute chose lui apparaît infiniment étrangère, arbitraire, inassimilable. VALÉRY, Analecta, XLV.

♦ **3.** (1951). Hostile à la raison. *Offensive irrationnelle d'une certaine littérature.* ⇒ **Irrationaliste.**

CONTR. Rationnel.
DÉR. Irrationalisme, irrationalité, irrationnellement.

IRRATIONNELLEMENT [i(ʀ)ʀasjɔnɛlmɑ̃] adv. — V. 1840, A. Comte (*in* Académie, *Compl.* 1838-40) ; de *irrationnel.*

♦ Littér. ou didact. De façon irrationnelle. *Se comporter irrationnellement.*

IRRATTRAPABLE [i(ʀ)ʀatʀapabl] adj. — 1955 ; de *ir-* (1. In-), et *rattrapable.*

♦ Qui n'est pas rattrapable. *Situation, bévue irratrapable.*

1 Trop vieille ! L'idée la frappa comme une balle. Toute sa vie maintenant derrière elle, irrattrapable, enfuie, envolée, dissipée à jamais !
R. IKOR, les Fils d'Avrom, La greffe de printemps, p. 335.

2 Dans trois secondes, ça va être lâché. Révélé. Irrattrapable. La vérité c'est que je ne suis pas un homme, mais un Martien.
SAN-ANTONIO, J'ai essayé : on peut !, p. 9.

CONTR. Rattrapable.

IRRÉALISABLE [i(ʀ)ʀealizabl] adj. — 1831 ; de *ir-* (1. In-), et *réalisable.*

♦ **1.** Qui ne peut se réaliser. ⇒ **Impossible, impraticable, inexécutable.** *Projet, désir irréalisable. Une idée irréalisable, et d'ailleurs irréaliste*. C'est irréalisable* (→ Concorder, cit. 2, Proust).

À supposer que, pour une raison quelconque, cet intéressant projet devienne irréalisable. En ce cas, je me tuerai. G. DUHAMEL, Salavin, V, XIV.

♦ **2.** Qu'on ne peut atteindre. ⇒ **Chimérique, inaccessible, utopique.** *Rêve, désir irréalisable. Idéal irréalisable dans les conditions actuelles.*

N. m. *L'irréalisable :* ce qui ne peut être réalisé (et qu'on souhaiterait pouvoir réaliser ou voir se réaliser). ⇒ **Impossible** (n. m.), **utopie.** *Tenter de réaliser l'irréalisable.*

Philos. (Sartre). *Un, des irréalisables :* situation, fait qui ne peut se produire (pour une personne donnée).

CONTR. Réalisable.

IRRÉALISATION [i(ʀ)ʀealizɑsjɔ̃] n. f. — D. i. (XXe : 1937, R. Rolland, *in* T. L. F.) ; de *ir-* (1. In-), et *réalisation.*

♦ Littér. ou didact. Absence de réalisation. *L'irréalisation d'un projet, d'un besoin.*

CONTR. Réalisation.

IRRÉALISÉ, ÉE [i(ʀ)ʀealize] adj. — 1842 ; de *ir-* (1. In-), et *réalisé.*

♦ Littér. Qui n'a pas été réalisé. *Espoir, projet irréalisé* (→ Fatalité, cit. 15).

1 Il y a quelque chose dans la vie (...) d'ineffable dans ces yeux d'un père ou d'une mère où toute la vie est arrêtée à contempler sa fille avec amour et avec tristesse (...) Aussi le geste dont ils la regardent, geste (...) du souhait infini et irréalisé du bonheur qu'ils lui auraient voulu (...) PROUST, Jean Santeuil, Pl., p. 246.

(Personnes). Qui n'a pas pu se réaliser, s'accomplir.

N. m. *L'irréalisé :* ce qui n'a pas été réalisé, n'a pu l'être.

2 Mais c'était l'irréalisé, l'acte voulu, consenti par eux deux, qu'il n'accomplissait pas et dont la pensée, désormais, mettait entre eux un malaise, un mur infranchissable. ZOLA, la Bête humaine, IX, p. 309.

CONTR. Accompli, réalisé.

IRRÉALISER [i(ʀ)ʀealize] v. tr. — 1906 ; de *irréel,* d'après *réaliser.*

♦ Didact. ou littér. Conférer un caractère irréel à... — Philos. Rendre irréel par la pensée. ⇒ **Néantiser.**

Comme valeur (issue de la région Passion), le Neutre correspondrait à la force par laquelle la pratique sociale balaye et irréalise les antinomies scolastiques (...) 1
R. BARTHES, Roland Barthes, p. 135.

▶ **S'IRRÉALISER** v. pron.

Psychol. (Personnes). Perdre sa personnalité, son identité. — Littér. (Personnes ou choses). Devenir irréel.

Le brouillard léger du matin et cette profuse lumière où s'évaporait et s'irréalisait chaque objet favorisaient encore son vertige (...) 2
GIDE, les Caves du Vatican, IV, 7, *in* Romans, Pl., p. 809.

Absolument ou intransitivement :

Dans le second cas, je perds aussi le réel, mais aucune substitution imaginaire ne vient compenser cette perte (...) Dans le premier moment, je suis névrosé, j'irréalise ; dans le second moment, je suis fou, je déréalise. 3
R. BARTHES, Fragments d'un discours amoureux, p. 107.

REM. Le p. prés. adjectivé *irréalisant, ante,* [i(ʀ)ʀealizɑ̃, ɑ̃t] est attesté (1939, Sartre, *in* T. L. F.).

IRRÉALISME [i(ʀ)ʀealism] n. m. — 1907 ; de *irréel.*

♦ **1.** Manque de réalisme. *L'irréalisme d'une politique.* « *Faire d'une usine dont on ne sait que faire une usine à former des travailleurs peut sembler utopique aux uns, scandaleux aux autres. Mais l'irréalisme, n'est-ce pas de continuer à parler de formation dès qu'un secteur industriel est menacé, sans jamais regarder en face l'inefficacité des formations concrètement réalisées* » (*le Monde,* 25 janv. 1984, p. 2).

Rare. *Un, des irréalismes :* fait témoignant d'une absence de réalisme.

♦ **2.** (1962 ; probablt antérieur ; → Irréaliste). Arts. Effort pour s'exprimer sans se référer au réel. *L'irréalisme et le surréalisme, et l'abstraction.*

CONTR. Réalisme.
DÉR. Irréaliste.

IRRÉALISTE [i(ʀ)ʀealist] adj. et n. — 1927, au sens 2 (→ cit.) ; de *irréalisme.*

♦ **1.** Qui n'est pas réaliste, qui manque de réalisme. *Un système irréaliste.*

♦ **2.** De l'irréalisme (2.) ; partisan, tenant de l'irréalisme. — Nom :

C'est ce qui trop souvent fait défaut chez les « irréalistes » : les aventures sont imaginaires (...) B. CRÉMIEUX, *in* N. R. F., avril 1927, p. 547, *in* D. D. L., II, 15.

CONTR. Réaliste.

IRRÉALITÉ [i(ʀ)ʀealite] n. f. — 1885, Maupassant ; 1886, Villiers de l'Isle Adam ; de *irréel,* d'après *réalité.*

♦ **1.** Littér. ou didact. Caractère de ce qui est irréel ; l'irréel.

J'étais effrayé pourtant de penser que ce rêve avait eu la netteté de la connaissance. La connaissance aurait-elle, réciproquement, l'irréalité du rêve? 1
PROUST, À la recherche du temps perdu, t. X, p. 157.

Tous ces gens qui ne veulent pas voir l'agonie de notre vieux monde ne sont pas des sages. Leur placide candeur s'évertue dans une irréalité qui ressemble au néant. 2
G. DUHAMEL, Récits des temps de guerre, IV, XXXIII.

♦ **2.** (1903, Paul Janet, rapportant les paroles de malades, *in* T. L. F.). *Une, des irréalités :* chose, fait irréel.

CONTR. Réalité.

IRRECEVABILITÉ [i(ʀ)ʀəs(ə)vabilite] n. f. — 1874 ; de *irrecevable.*

♦ Dr. Caractère de ce qui n'est pas recevable. *Irrecevabilité d'une action en justice,* en raison d'une exception ou d'une fin de non-recevoir.

CONTR. Recevabilité.

IRRECEVABLE [i(ʀ)ʀəs(ə)vabl] adj. — 1588, Montaigne ; de *ir-* (1. In-), et *recevable.*

♦ Didact. (dr.), littér. ou style soutenu. Qui n'est pas recevable*, qui ne peut être admis, pris en considération. ⇒ **Inacceptable, inaccordable, inadmissible.** *Demande, proposition, témoignage irrecevable. Déclarer irrecevables des conclusions tardives. — Irrecevable à l'égard, à l'encontre de qqn. — Hypothèse, argument irrecevable.*

(Personnes). Qui n'est pas admis (à faire qqch. ; spécialt, à agir en justice).

CONTR. Recevable.
DÉR. Irrecevabilité.

IRRÉCONCILIABILITÉ [i(ʀ)ʀekɔ̃siljabilite] n. f. — D. i. (xxe); de *irréconciliable.*

♦ Didact. ou littér. Caractère de ce qui est irréconciliable.

IRRÉCONCILIABLE [i(ʀ)ʀekɔ̃siljabl] adj. — 1534; bas lat. *irreconciabilis,* de *ir-* (1. In-), et *reconciliare.* → Réconcilier.

♦ **1.** Avec qui il n'y a pas de réconciliation possible. — (Personnes). *Des ennemis irréconciliables de la démocratie, du communisme.* « *On cherchait à le rallier* (P.-L. Courier), *il n'était pas encore irréconciliable* » (Sainte-Beuve, *in* T. L. F.).

1 (...) elle se faisait par là un ennemi irréconciliable d'un homme qui se trouvait maître d'une partie de son secret (...)
LACLOS, les Liaisons dangereuses, CLXVIII.

N. *Un, une irréconciliable.*

(1669). Sentiments. Qui ne peut être apaisé (personnes ou choses); qui ne peut composer, transiger. *Haine, inimitié irréconciliable. Une irréconciliable hostilité.*

2 L'envie est plus irréconciliable que la haine.
LA ROCHEFOUCAULD, Réflexions morales, 328.

3 (...) Sainte-Beuve (...) mettra au compte d'une « irréconciliable indépendance » son désir de n'avoir aucune discussion avec ses justiciables.
Émile HENRIOT, les Romantiques, p. 165.

Spécialt (hist.). *Parti irréconciliable :* en France, parti d'opposition radicale en 1869, refusant toute composition avec Napoléon III. — N. *Les irréconciliables :* les membres de ce parti.

♦ **2.** (1587). Personnes; groupes. (Au pluriel). Entre lesquels il n'y a pas de réconciliation possible. *Des adversaires, des rivaux irréconciliables. Partis irréconciliables.*

4 Les deux peuples demeurèrent irréconciliables.
BOSSUET, Disc. sur l'hist. universelle, I, IX.

5 Ma chère Berthe, puisqu'un hasard bien singulier nous remet en présence après six ans de séparation, de séparation sans violence, allons-nous continuer à nous regarder comme deux ennemis irréconciliables?
MAUPASSANT, les Sœurs Rondoli, Rencontre, p. 251.

Au sing. (Avec un compl.). *Être irréconciliable avec quelqu'un.*

DÉR. Irréconciliabilité, irréconciliablement.

IRRÉCONCILIABLEMENT [i(ʀ)ʀekɔ̃siljabləmɑ̃] adv. — Fin xvie ; de *irréconciliable.*

♦ Rare. Sans réconciliation possible. *Ils sont irréconciliablement brouillés.*

IRRÉCONCILIÉ, ÉE [i(ʀ)ʀekɔ̃silje] adj. — D. i. (déb. xixe, La Harpe, *in* Académie, *Compl.,* 1838-40); de *irréconciliable,* et *réconcilié.*

♦ Didact. ou littér. Qui n'est pas réconcilié (avec qqn); qui n'a pas cédé sur ses opinions. « *Ne mettez jamais ensemble des ennemis irréconciliés* » (La Harpe, *in* Académie, *Compl.*).

IRRÉCOUVRABLE [i(ʀ)ʀekuvʀabl] adj. — 1840; déb. xve, « irréparable », Christine de Pisan, et l'adv. *irrecouvrablement,* P. Le Fruitier; de *ir-* (1. In-), et *recouvrable.*

♦ **1.** Dr. Qu'on ne peut recouvrer. *Impôts, sommes, taxes irrécouvrables. Créances irrécouvrables.*

♦ **2.** Fig. Littér. Qui ne peut se retrouver. ⇒ **Irretrouvable.** « *Ce moment insignifiant est unique, irrécouvrable, inimitable* » (Maeterlinck, *in* T. L. F.).

IRRÉCUPÉRABLE [i(ʀ)ʀekypeʀabl] adj. — Fin xive; « irréparable », 1386; bas lat. *irrecuperabilis,* de *ir-* (1. In-), et lat. class. *recuperare.* → Récupérer.

♦ **1.** Qui ne peut être récupéré. *Une vieille ferraille à peu près irrécupérable. Capital, somme irrécupérable.*

♦ **2.** (V. 1950). Personnes. Qui ne peut être réincorporé dans un groupe, un parti.

Ainsi rejoint-il (...) la troupe hétéroclite des instables, des ratés, des sans-foyer et des déracinés, des « inutilisables », des (comme disent les assistantes sociales) « irrécupérables ».
F. MALLET-JORIS, le Jeu du souterrain, p. 262.

CONTR. Récupérable.

IRRÉCUSABILITÉ [i(ʀ)ʀekyzabilite] n. f. — D. i. (attesté xxe); de *irrécusable.*

♦ Didact. ou littér. Caractère de ce qui est irrécusable. *L'irrécusabilité d'un témoin. L'irrécusabilité d'un fait, d'un témoignage, d'un signe.*

IRRÉCUSABLE [i(ʀ)ʀekyzabl] adj. — 1552, *irrécusable preuve;* bas lat. *irrecusabilis,* de *ir-* (1. In-), et bas lat. *recusabilis,* du lat. class. *recusare.*

♦ **1.** Dr. Qui ne peut être récusé. *Témoignage, pièce irrécusable.* — (1778). Personnes. *Juge, témoins irrécusables* (→ Évident, cit. 5).

— Mais, monsieur, dit César, il ne m'est pas défendu de songer à la réhabilitation, et les actes authentiques sont alors irrécusables (...) 1
BALZAC, César Birotteau, Pl., t. V, p. 580.

Par ext. « *Une épreuve irrécusable pour discerner la vérité de l'erreur* » (P.-L. Courier, *in* T. L. F.).

♦ **2.** Cour. Qu'on ne peut refuser, contester, mettre en doute. *Signes irrécusables.* ⇒ **Éclatant, indiscutable** (→ Grossesse, cit. 2). *La preuve irrécusable de...* ⇒ **Irréfragable, irréfutable.**

Un homme, peu préparé par son éducation et son tempérament naturel, a reçu, bien malgré lui, l'appel de Dieu, un appel irrécusable. 2
CLAUDEL, le Partage de midi, Préface, p. 12.

N. m. *L'irrécusable :* ce qui ne peut être mis en doute.

CONTR. Récusable. — Contestable, controversable, discutable, douteux, erroné, faux.
DÉR. Irrécusabilité, irrécusablement.

IRRÉCUSABLEMENT [i(ʀ)ʀekyzabləmɑ̃] adv. — 1782, Linguet; de *irrécusable.*

♦ Littér. ou didact. D'une manière irrécusable. ⇒ **Indiscutablement; certainement.**

CONTR. Douteusement; faussement.

IRRÉCUSÉ, ÉE [i(ʀ)ʀekyze] adj. — D. i.; attesté fin xixe (1893, Durkheim, *in* T. L. F.); de *ir-* (1. In-), et *récusé,* p. p. de *récuser.*

♦ Littér. Qui n'a pas, qui n'a jamais été récusé.

Un Dieu obscur, tacite, irrécusé, m'avait longtemps enjoint le vague savoir d'une foi et la loi d'un sévère devoir. Claude ROY, Nous, p. 515 (1972).

IRRÉDENTISME [i(ʀ)ʀedɑ̃tism] n. m. — 1890, P. Larousse, *Deuxième Suppl.;* ital. *irredentismo,* de *irredento* « non racheté, non délivré »; de *ir-* (1. In-), et *redento* « racheté », du lat. *redemptus,* p. p. de *redimere.*

Histoire.

♦ **1.** Doctrine et mouvement politiques des nationalistes italiens qui, après la formation de l'unité, ont réclamé l'annexion des territoires de langue ou de population italiennes non encore libérés de la domination étrangère *(Italia irredenta).*

♦ **2.** (1923, Barrès). Mouvement national s'inspirant des mêmes principes. *L'irrédentisme rhénan.*

IRRÉDENTISTE [i(ʀ)ʀedɑ̃tist] adj. et n. — 1890, P. Larousse, *Deuxième Suppl.;* ital. *irredentista,* ou de *irrédentisme.*

♦ Hist. Qui est inspiré par l'irrédentisme. *Politique, mouvement irrédentiste.*

N. *Un, une irrédentiste :* partisan de l'irrédentisme.

IRRÉDUCTIBILITÉ [i(ʀ)ʀedyktibilite] n. f. — 1762; de *irréductible.*

Didactique.

♦ **1.** Caractère de ce qui est irréductible. *Irréductibilité d'une équation, d'une rente.*

(1867). Caractère de ce qui ne peut être remis en place. *Irréductibilité d'une fracture.*

♦ **2.** (1935, *in* T. L. F.). Fig. **a** Caractère de ce qu'on ne peut ramener, réduire à autre chose. *L'irréductibilité d'un fait à un autre.* « *L'irréductibilité des faits de conscience aux objets de la nature* » (Vuillemin, *in* T. L. F.).

Nous nous trouvons en présence de deux visions profondes de la science et de la pensée en général; profondes et sans nul doute irréductibles. Le philosophe a tout à gagner à méditer cette irréductibilité.
Michel SERRES, Hermès I, La communication, p. 136.

b (Sans compl. en *à*). Caractère de ce qu'on ne peut réduire, vaincre, de ce dont on ne peut venir à bout. *L'irréductibilité d'une opposition, d'un caractère.*

IRRÉDUCTIBLE [i(ʀ)ʀedyktibl] adj. — 1672, en chimie; de *ir-* (1. In-), et *réductible.* → Réduire.

★ **I.** Adj. **A.** ♦ **1.** Sc. **a** Chim. Qui n'est pas réductible, qui ne peut être réduit, décomposé. *Oxyde irréductible,* qui ne peut être ramené à ses éléments.

b (1690). Math. *Fraction, équation, polynome irréductible,* qui ne peut être ramené à des termes plus simples entiers. *Élément irréductible* (d'un anneau) : élément n'admettant aucun diviseur propre, qui ne soit une unité de l'anneau.

c (1820). *Fracture, hernie irréductible,* dont la réduction* est impossible.

♦ **2.** (Après 1850). Didact. et littér. Qui ne peut être ramené à une autre chose, qui est spécifique ⇒ **Original.** *Fait, propriété, loi irréductible* (→ Incommensurable, cit. 4).

(1851, Cournot). *Irréductible à...* (→ Français, cit. 5; individu, cit. 15; induction, cit. 3). *Sentiment irréductible à la simple amitié. Notions irréductibles l'une à l'autre.*

1 Je ne puis expliquer autrement une série de phénomènes, irréductibles, me semble-t-il, au simple état tuberculeux. GIDE, l'Immoraliste, p. 53.

2 Ne voit-on pas que, selon l'idée même de synthèse, la vie serait irréductible à la matière et la conscience humaine irréductible à la vie? SARTRE, Situations III, p. 155.

♦ **3.** *Rente irréductible,* dont on ne peut réduire, diminuer le taux d'intérêt. *Souscription à titre irréductible.*

B. ♦ **1.** (1851, *contradictions irréductibles,* Cournot). Qu'on ne peut réduire, faire cesser; qui ne peut être entamé, dont on ne peut venir à bout. *Opposition, obstacles irréductibles.* ⇒ **Invincible** (→ Base, cit. 20; contradictoire, cit. 4; croire, cit. 55; esthétique, cit. 11). *Une volonté irréductible.* ⇒ **Indomptable.**

3 Il y a un point, en effet, sur lequel je désespérais de vous convaincre; nos natures différeront toujours sur ce point-là. D'où un certain désaccord entre nous qui demeurera toujours irréductible. F. PORCHÉ, Lettre à Gide, *in* GIDE, Corydon, Appendice, p. 207.

♦ **2.** (1859, Sainte-Beuve). Personnes. ⇒ **Intraitable.** *L'ambassadeur fut irréductible sur ce point.*

4 Il se déclarait désormais «*l'ennemi irréductible* de la Grande-Bretagne» et (...) Louis MADELIN, Hist. du Consulat et de l'Empire, Le Consulat, VI.

★ **II.** N. ♦ **1.** (1943). N. *Un, une irréductible :* celui, celle qui ne se laisse pas réduire (II., 2.). *Rien à faire, c'est un irréductible!* ⇒ **Réfractaire.**

♦ **2.** N. m. Ce qui est irréductible, ne se laisse pas réduire, n'admet pas d'être réduit.

5 (...) l'ambition de Flaubert est un fait avec toute sa contingence (...) mais (...) elle *se fait* et notre satisfaction nous est un garant de ce que nous pourrions saisir par delà cette ambition quelque chose de plus, quelque chose comme une décision radicale qui, sans cesser d'être contingente, serait le véritable irréductible psychique. Ce que nous exigeons — et qu'on ne tente jamais de nous donner — c'est donc un *véritable* irréductible, c'est-à-dire un irréductible dont l'irréductibilité serait *évidente* pour nous (...) SARTRE, l'Être et le Néant, p. 647.

CONTR. Réductible. — Apprivoisable.
DÉR. Irréductibilité, irréductiblement.

IRRÉDUCTIBLEMENT [i(ʀ)ʀedyktibləmɑ̃] adv. — 1914, G. Marcel, *in* T. L. F.; de *irréductible.*

♦ Littér. De manière irréductible.

À peine avais-je composé le numéro de Michel qu'un disque lança dans mon oreille son verdict, tout disposé à le répéter irréductiblement. Cecil SAINT-LAURENT, la Mutante, p. 340.

IRRÉEL, ELLE [i(ʀ)ʀeɛl] adj. — 1794, repris 1838-40, Académie, *Compl.*; de *ir-* (1. In-), et *réel.*

♦ **1.** Qui n'est pas réel, qui est en dehors de la réalité. ⇒ **Abstrait, imaginaire; fantastique.** *Homme, objet qui semble irréel* (→ Briquet, cit. 2; entrer, cit. 17; incorporel, cit. 2; inaccessible, cit. 10). *Aspect irréel.* ⇒ **Fantastique** (→ Fragilité, cit. 6). *Croire irréelles certaines passions, certaines difficultés.* ⇒ **Chimérique, vain** (→ Courtois, cit. 4; fléau, cit. 6). *Espoirs irréels.* ⇒ **Illusion.** *Vos craintes sont absolument irréelles, ce sont des fantômes, des chimères.* ⇒ **Irréalisable.** *Une beauté irréelle. L'irréel pays d'Eldorado.* ⇒ **Fabuleux.**

1 En ce sens, les petits drames de M. Maeterlinck, si délicieusement irréels, sont profondément vivants et vrais. R. DE GOURMONT, le Livre des masques, p. 21.

2 Il s'agit du pays de Tendre, dont Mademoiselle de Scudéry et son ami *(Pellisson),* par jeu, ont relevé le plan irréel et sentimental, avec toutes les voies de communication, où se retrouver, où se perdre. Émile HENRIOT, Portraits de femmes, p. 39.

N. m. (1890, Courteline). *L'irréel :* ce qui est irréel. *Le chimérique* (cit. 6) *et l'irréel.* — Psychol. *Sentiment d'irréel.* ⇒ **Irréalité.**

3 (...) ces jardins qui ne sont pas des jardins, ces lignes qui s'emmêlent avec une souplesse et une liberté sans fin, tout cet irréel précieux qui n'emprunte rien, ou presque rien, à la réalité des choses et ne paraît pas avoir d'autre objet que lui-même (...) Jérôme et Jean THARAUD, Marrakech, IV.

4 (...) le monde n'est pas «irréel» (je pourrais alors le parler : il y a des arts de l'irréel, et des plus grands), mais déréel : le réel en a fui, nulle part. R. BARTHES, Fragments d'un discours amoureux, p. 106.

♦ **2.** Par ext. Qui ne semble pas appartenir à la réalité. *«Je l'ai trouvée pourtant moins irréelle qu'au temps où nous jouions dans notre enfance»* (H. Bosco, *le Mas Théotime, in* T. L. F.). *Un endroit irréel.*

♦ **3.** (1907). Ling. *Mode irréel,* ou, n. m., *l'irréel :* «construction ou forme verbale susceptible d'exprimer que l'action énoncée est envisagée à titre d'hypothèse irréalisable» (Marouzeau). *Irréel du présent, dans le présent* (ex : si j'étais plus âgé, je prendrais ma retraite). *Irréel du passé, dans le passé* (ex. : s'il avait fait beau, je me serais promené).

CONTR. Authentique, effectif, réel.
DÉR. Irréalisme, irréalité, irréellement.

IRRÉELLEMENT [i(ʀ)ʀeɛlmɑ̃] adv. — XXe (1945, J. Gracq, *in* T. L. F.); de *irréel.*

♦ Littér. D'une manière irréelle.

La main se meut dans un temps peu humain, qui n'est pas celui de l'action viable, ni celui de l'espoir, mais plutôt l'ombre du temps, elle-même ombre d'une main glissant irréellement vers un objet devenu son ombre. M. BLANCHOT, l'Espace littéraire, p. 15 (1955).

CONTR. Réellement.

IRRÉFLÉCHI, IE [i(ʀ)ʀefleʃi] adj. — 1784; de *ir-* (1. In-), et *réfléchi,* p. p. de *réfléchir.*

A. ♦ **1.** Qui n'est pas réfléchi; qui agit sans réflexion. *Jeune homme irréfléchi.* ⇒ **Écervelé, étourdi, impulsif.** — *Un tempérament irréfléchi.*

(1790, Marat). *Un peuple irréfléchi.*

♦ **2.** (1810). Qui témoigne d'irréflexion, se fait sans réflexion. *Actes, mouvements irréfléchis.* ⇒ **Inconsidéré, instinctif, involontaire, machinal, mécanique;** → Coup de tête*, et aussi implacable, cit. 7. *Propos irréfléchis.* ⇒ **Déraisonnable, inconsidéré.** *Vaillance irréfléchie.* ⇒ **Audacieux** (→ Fureur, cit. 20).

Des actions irréfléchies qui avaient déchiré le cœur de son père. 1
Mme DE STAËL, Corinne, VIII, 1.

Plus de ces entraînements irréfléchis, dus, par exemple, à l'excitation que les vieux 2
chants d'une patrie éveillent, maladivement, dans le cœur de quelques derniers enthousiastes! VILLIERS DE L'ISLE-ADAM, Contes cruels, p. 246.

B. Qui n'est pas dicté par la raison. ⇒ **Instinctif, irrationnel.** *Attrait irréfléchi. «Ce chagrin d'enfant, violent, irréfléchi...»* (Martin du Gard). *Antipathie, hostilité irréfléchie.* ⇒ **Spontané.**

IRRÉFLECTIVITÉ [i(ʀ)ʀeflɛktivite] n. f. — 1916; de *ir-* (1. In-), et *réflectivité.*

♦ Neurol. Absence de réflexion. *Irréflectivité symptomatique d'un état morbide.*

CONTR. Réflectivité.

IRRÉFLEXION [i(ʀ)ʀeflɛksjɔ̃] n. f. — 1785; de *ir-* (1. In-), et *réflexion.*

♦ Manque de réflexion*. ⇒ **Étourderie, imprévoyance, inattention, inconscience, inconséquence, inconsidération, précipitation.** *Faute, bévue, sottise commise par irréflexion. Imprudence commise par irréflexion.* — *Une, des irréflexions :* acte irréfléchi. *Irréflexion d'enfant* (→ Envahissement, cit. 5).

CONTR. Réflexion.

IRRÉFORMABILITÉ [i(ʀ)ʀefɔʀmabilite] n. f. — 1801, Mercier; de *irréformable.*

♦ Didact. ou littér. Caractère de ce qui est irréformable, d'une personne irréformable. *L'irréformabilité du tempérament de quelqu'un, l'irréformabilité de quelqu'un.*

IRRÉFORMABLE [i(ʀ)ʀefɔʀmabl] adj. — 1594, Charron; bas lat. *irreformabilis,* de *ir-* (1. In-), et bas lat. *reformabilis,* du lat. class. *reformare.* → Réformer.

♦ **1.** Dr. Qui ne peut être réformé*. *Jugement, arrêt irréformable.*

♦ **2.** (1764). Didact. ou littér. Qui n'est pas susceptible de réformation, de correction (→ Hérésiarque, cit. 2). *Des vices irréformables.*

(...) non seulement cet abus paraissait à tout le monde irréformable, mais utile (...) 1
VOLTAIRE, Dict. philosophique, Vénalité.

Je ne prétends point réformer un monde irréformable. 2
Léon BLOY, le Désespéré, p. 113.

Sans doute *(le paysan)* cherche-t-il peu à se corriger. Mais on ne le voit pas non 3
plus se faire illusion sur les défauts ou les vices qu'il endure avec patience toute sa vie, les ayant jugés par avance irréformables (...)
BERNANOS, Journal d'un curé de campagne, *in* Œ. roman., Pl., p. 1048.

(Personnes, groupes). ⇒ **Incorrigible.**

CONTR. Réformable.
DÉR. Irréformabilité.

IRRÉFRAGABLE [i(ʀ)ʀefʀagabl] adj. — 1470; bas lat. *irrefragabilis*, de *ir-* (1. In-), et *refragari* «s'opposer à, voter contre».

♦ Didact. Qu'on ne peut contredire, récuser. ⇒ **Indiscutable, irrécusable.** *Autorité, témoignage, preuve irréfragable.* — (Personnes). «*Un Docteur* (en théologie) *Anglois, Alexandre de Hales, a été appelé le Docteur* irréfragable (→ ci-dessous, cit. 1)» (Trévoux).

1 Mille scolastiques sont venus ensuite, comme le docteur irréfragable, le docteur subtil, le docteur angélique (...) qui tous ont été bien sûrs de connaître l'âme très clairement (...) VOLTAIRE, Lettres philosophiques, XIII.

2 Ellénore n'avait eu jusqu'alors aucune notion de ce sentiment passionné, de cette existence perdue dans la sienne, dont mes fureurs mêmes, mes injustices et mes reproches, n'étaient que des preuves plus irréfragables. B. CONSTANT, Adolphe, III.

3 Ces circonstances sont désormais prouvées d'une manière irréfragable et par les dépositions des témoins, et par les confessions des acteurs, et par les propres lettres de Marie Stuart, dont M. Mignet, dans un éclaircissement final, met hors de doute l'authenticité. SAINTE-BEUVE, Causeries du lundi, 11 août 1851.

4 Tout d'abord, je vous rappellerai que le mot *contin* du document français indique un «continent» d'une façon irréfragable. J. VERNE, les Enfants du capitaine Grant, II, I.

5 Elle avait le génie de la harangue et personne ne savait mieux qu'elle faire appel aux bas instincts de la foule. L'emprise de sa parole enflammée était irréfragable. B. CENDRARS, Moravagine, *in* Œ. compl., t. IV, p. 114.

CONTR. Controversable, discutable.
DÉR. Irréfragablement.

IRRÉFRAGABLEMENT [i(ʀ)ʀefʀagabləmɑ̃] adv. — 1846, Proudhon; de *irréfragable*.

♦ D'une manière irréfragable. ⇒ **Indiscutablement.**

La coutume est irréfragablement violée! s'écria Merdanson, la peau de la face rougissant à l'égal de sa flamboyante chevelure. Robert MERLE, En nos vertes années, p. 242.

IRRÉFRÉNABLE [i(ʀ)ʀefʀenabl] adj. — Av. 1873, Taine; de *ir-* (1. In-), *réfréner*, et suff. *-able*.

♦ Rare. Impossible à réfréner. *Un sentiment irréfrénable.*

On n'y peut rien. C'est la misère des hommes qui veut ça (...) C'est irrésistible et irréfreinable *(sic)*. Les individus n'y sont pour rien. B. CENDRARS, Bourlinguer, p. 264.

IRRÉFRÉNÉ, ÉE [i(ʀ)ʀefʀene] adj. — D. i. (1886, Bloy, *le Désespéré*); de *ir-* (1. In-), et p. p. de *réfréner*.

♦ Littér. Qui n'est pas réfréné, réprimé (→ Ir-, cit. 2).

IRRÉFUTABILITÉ [i(ʀ)ʀefytabilite] n. f. — 1846, Lamartine; de *irréfutable*.

♦ Littér. Caractère de ce qui est irréfutable. *Irréfutabilité d'un fait.*

Vous m'avez fait cette objection avec une aisance qui est à peu près en raison de son apparente irréfutabilité. BAUDELAIRE, Trad. E. POE, Histoires extraordinaires, «Révélation magnétique».

IRRÉFUTABLE [i(ʀ)ʀefytabl] adj. — Av. 1747, Vauvenargues; de *ir-* (1. In-), et *réfutable*; cf. bas lat. *irrefutabilis*.

♦ Qui ne peut être réfuté. *Argument, objection irréfutable.* ⇒ **Inattaquable, invincible.** *Témoignages, preuves irréfutables.* ⇒ **Formel, indiscutable, irrécusable.** *Démonstration irréfutable. Une logique irréfutable.*

Ce raisonnement si logique était irréfutable. Georges LECOMTE, Ma traversée, p. 509.

N. m. *Le certain, l'irréfutable.*

DÉR. Irréfutabilité, irréfutablement.

IRRÉFUTABLEMENT [i(ʀ)ʀefytabləmɑ̃] adv. — 1845; de *irréfutable*.

♦ Littér. D'une manière irréfutable. *Prouver irréfutablement quelque chose.*

IRRÉFUTÉ, ÉE [i(ʀ)ʀefyte] adj. — 1840, Académie, *Compl.*; de *ir-* (1. In-), et *réfuté*, p. p. de *réfuter*.

♦ Littér. ou didact. Qui n'a pas été réfuté. *Témoignage, argument irréfuté. Preuve irréfutée, mais qui ne semble pas irréfutable.*

IRREGARDABLE [iʀ(ə)gaʀdabl] adj. — 1845, Balzac, *in* D. D. L.; de *ir-* (1. In-), *regarder*, et suff. *-able*.

♦ Impossible à regarder.

M. Jacques Thibau, qui sauva l'irregardable deuxième chaîne *(de télévision)*, la rendit variée, vivante, intelligente (...) MORVAN LEBESQUE, *in* le Canard enchaîné, 21 févr. 1968.

IRRÉGULARITÉ [iʀegylaʀite] n. f. — 1651; «illégalité (d'une possession)», v. 1361; bas lat. *irregularitas*, du bas lat. *irregularis*. → Irrégulier.

♦ **1.** **a** (1680). Caractère, aspect irrégulier*; aspect des choses qui manquent de régularité. — (Dans l'espace). *L'irrégularité d'un bâtiment* (→ Gradin, cit. 4), *d'un pavage. L'irrégularité de formes, de traits.* — (Dans le temps). Fait de se produire, de se dérouler avec des durées inégales. *L'irrégularité d'un mouvement,* — (1704). *L'irrégularité du pouls.* ⇒ **Inégalité.** — *L'irrégularité d'un phénomène.*

(...) ils sortent de l'art pour l'ennoblir, s'écartent des règles si elles ne les conduisent pas au grand et au sublime; ils marchent seuls et sans compagnie (...) toujours sûrs et confirmés par le succès des avantages que l'on tire quelquefois de l'irrégularité. LA BRUYÈRE, les Caractères, I, 61. 1

(...) on aimera mieux les croire *(les pendules)* déréglées, que de soupçonner la terre de quelque irrégularité dans ses révolutions. FONTENELLE, Entretien sur la pluralité des mondes..., 6e soir. 2

Ces colonies confient rectangulairement l'une à l'autre et s'emboîtent comme les pièces d'une marqueterie. A cette disposition de lignes droites, d'angles droits, on reconnaît l'œuvre du géomètre, non l'œuvre du géographe. Seules, les côtes avec leurs sinuosités variées, leurs fiords, leurs baies, leurs caps, leurs estuaires, protestent au nom de la nature par leur irrégularité charmante. J. VERNE, les Enfants du capitaine Grant, II, IX, p. 118. 2.1

b Caractère de ce qui n'est pas conforme à une règle. — (1893). *L'irrégularité d'une construction grammaticale, d'une conjugaison.* ⇒ **Exception.** «*L'irrégularité de vos orthographes*» (Destutt de Tracy).

Absolt. Caractère de ce qui n'est pas conforme au système, à la régularité d'une structure. *La régularité et l'irrégularité dans la langue* (cf. lat. *analogia* et *anomalia*).

c Vieilli. Caractère d'une personne, d'une action qui ne respecte pas la norme morale. *L'irrégularité de sa conduite.*

♦ **2.** (1611). *Une, des irrégularités.* **a** Chose ou action irrégulière. — (Spatial). *Irrégularités dans le plan, la construction d'un édifice* (⇒ **Asymétrie, défaut**). — (Temporel). *Irrégularités dans le mouvement d'un astre* (⇒ **Anomalie, défaut, perturbation**).

b Fait non conforme à une règle. ⇒ **Anomalie, exception.** *Irrégularités dans une conjugaison* (⇒ **Anomalie**).

c (1651). Spécialt. Action considérée comme contraire à la bonne règle (de vie); anomalie morale. *Les irrégularités dont sa vie n'est pas exempte.* ⇒ **Caprice, désordre, écart, erreur, faute, manquement.**

Jérôme, le plus vieux de ces quatre solitaires, en était aussi le plus débauché; tous les goûts, toutes les passions, toutes les irrégularités les plus monstrueuses, se trouvaient réunies dans l'âme de ce moine. SADE, Justine..., t. I, p. 143. 2.2

(...) il régnait en général une décence extérieure qui couvrait toutes les irrégularités, le vice ne s'affichait pas, au contraire. G. MATORÉ, *in* Th. GAUTIER, Préface Mlle de Maupin, Introd., p. XX. 3

♦ **3.** **a** (V. 1650, en dr. canon). Chose contraire à la loi. *Irrégularités dans une élection, une procédure.* ⇒ **Passe-droit.** *Commettre des irrégularités. Dénoncer les irrégularités d'une gestion, d'un gérant.* — (Dr. canon.). Situation d'une personne qui ne peut recevoir les ordres ou, les ayant reçus, devient incapable d'exercer ses fonctions. *Clerc tombant dans l'irrégularité.*

b (1937). Sports. Faute contre un règlement. «*La 1re mi-temps fut entachée d'irrégularités*» (*l'Auto, in* D. D. L., II, 5).

CONTR. Régularité; assiduité, constance; légalité.

IRRÉGULIER, IÈRE [iʀegylje, jɛʀ] adj. — Déb. XIVe; *irreguler*, v. 1283; bas lat. (ou lat. chrét.) *irregularis*, de *ir-* (1. In-), et lat. class. *regularis*. → Régulier.

Qui n'est pas régulier*.

♦ **1.** (1580). Cour. Qui n'est pas régulier dans sa forme, ses dimensions, sa disposition, son rythme. — (Spatial). *Polygone irrégulier.* ⇒ **Anormal.** *Forme, figure irrégulière.* ⇒ **Asymétrique, baroque, biscornu, hétéroclite.** — (1680). *Bâtiment irrégulier. Place irrégulière et mal pavée* (→ Cour, cit. 5; heurter, cit. 24). *Visage, traits irréguliers; d'une beauté* (cit. 20) *irrégulière. Écriture* (cit. 11 et 12) *irrégulière.*

(...) une vieille rue aux pavés irréguliers, et que les rares voitures évitent à cause de ces pavés. Pierre BENOIT, Mlle de la Ferté, p. 8. 1

(...) ses lèvres brillaient, elle revit leur mouvement lorsqu'il parlait, découvrant des dents un peu irrégulières. J. GREEN, Adrienne Mesurat, II, V. 2

(1771). Bot. *Fleurs, corolles irrégulières, calice irrégulier*, dont les divisions ne sont pas semblables entre elles.

(À la fois spatial et temporel). *Mouvement inégal* (cit. 9) *et irrégulier.* ⇒ **Convulsif, déréglé, désordonné, saccadé** (→ Accommoder, cit. 14).

(Dans le temps). Qui se déroule sans périodicité, avec des intervalles inégaux. *Détonations, fusillades irrégulières.* ⇒ **Discontinu** (→ Écumoire, cit.; individuellement, cit. 3). *Pouls irrégulier.* ⇒ **Inégal.** *Croissance irrégulière. Résultats irréguliers. Crises* (cit. 7) *périodiques ou irrégulières.* ⇒ **Accidentel.** *Fièvre irrégulière.* ⇒ **Erratique.** — *Le mouvement des bateaux, des trains est assez irrégulier.*

♦ **2.** [a] (V. 1361). Abstrait. Qui n'est pas conforme à la règle établie, à l'usage commun, à la norme morale ou sociale. *Être dans une situation irrégulière.* ⇒ **Illégitime.** *Procédure irrégulière.* ⇒ **Illégal.** *Actes, procédés irréguliers* (→ Estime, cit. 15). *C'est tout à fait irrégulier. Détention irrégulière.* ⇒ **Arbitraire.**

3 (...) c'est ainsi que commença pour moi cette vie irrégulière et désencadrée, cette éducation rompue à laquelle je ne devais que trop prendre goût.
GIDE, Si le grain ne meurt, I, IV, p. 97.

4 Or, Anna Lindsay, qui était toujours la maîtresse de Lamoignon, souffrait cruellement de sa situation irrégulière et rêvait de conquérir une place digne d'elle dans le monde (...) Émile HENRIOT, Portraits de femmes, p. 232.

[b] (XIVe). Gramm. Qui n'est pas ou pas entièrement conforme à un type considéré comme normal. ⇒ **Anomal.** *Phrases, constructions, formes irrégulières.* ⇒ **Incorrect** (→ Impropriété, cit. 2). *Déclinaisons, conjugaisons irrégulières. Substantifs, verbes irréguliers.* — (1690). Poésie. *Vers irréguliers.* ⇒ **Libre.**

[c] (1671). Spécialt. *Vie irrégulière,* qui ne se conforme pas à la norme morale.

♦ **3.** (Personnes). [a] (1763, Voltaire). *Troupes irrégulières, soldats irréguliers.* — N. m. Soldat qui n'appartient pas à l'armée régulière. → Franc-tireur, partisan.

[b] (V. 1300, en dr. canon). Qui ne se conforme pas aux règles de sa profession. *Courtier irrégulier.* ⇒ **Marron.** — Spécialt (dr. canon). *Clerc, prêtre irrégulier* (⇒ **Irrégularité**). — Dr. *Successeur* irrégulier* (→ Auteur, cit. 24; héritier, cit. 7).

[c] N. f. Fam. et vieilli. Compagne irrégulière, occasionnelle (d'un homme).

5 *(Une)* ravissante personne aux yeux en amande qui, à l'époque, était l'irrégulière du baron Foy. Edmonde CHARLES-ROUX, l'Irrégulière, p. 170.

Vx. Demi-mondaine, femme légère.

6 MANDOLINA, *à François.*
— Jeune homme, du citron!
FRANÇOIS, *à part, allant au buffet.*
— Être obligé de servir des irrégulières! Quel Métier! *(Haut. Lui présentant un citron sur une assiette.)* Voilà, mademoiselle...
E. LABICHE, le Choix d'un gendre, 6.

♦ **4.** (1684). Personnes. Qui n'est pas constamment égal à soi-même. ⇒ **Inégal.** *Employé, élève, athlète irrégulier,* qui n'est pas régulier dans son service, son travail, ses résultats.

CONTR. **Régulier. — Égal. — Normal, symétrique, uniforme; net, pur; correct; assidu.**
DÉR. **Irrégulièrement.**

IRRÉGULIÈREMENT

[iʀegyljɛʀmɑ̃] adv. — V. 1560; *irregulairement,* v. 1361; de *irrégulier.*

D'une manière irrégulière.

♦ **1.** (Au sens 1 de *irrégulier*). *Bâtiments, éléments disposés irrégulièrement.* — (Temporel). *Des explosions éclataient irrégulièrement. Le service postal, maritime se fait irrégulièrement. Il est payé assez irrégulièrement.* — Sans ponctualité. *Il vient irrégulièrement à son travail, au bureau.*

♦ **2.** En infraction avec une règle. *Perquisition effectuée irrégulièrement.* ⇒ **Illégalement.** *« Mariage irrégulièrement contracté »* (George Sand, *in* T. L. F.). — *« L'homme qui vit irrégulièrement, l'artiste »* (Larbaud, *in* T. L. F.). *Verbe irrégulièrement conjugué.*

CONTR. **Régulièrement.**

IRRÉLIGIEUSEMENT

[i(ʀ)ʀeliʒjøzmɑ̃] adv. — Fin XVe; de *irréligieux.*

♦ Didact. ou littér. De façon irréligieuse; avec irréligion. *Vivre irréligieusement.*

CONTR. **Religieusement.**

IRRÉLIGIEUX, EUSE

[i(ʀ)ʀeliʒjø, øz] adj. — 1403 (1447, selon T. L. F.) au sens 2; lat. *irreligiosus,* de *ir-* (1. In-), et *religiosus* « scrupuleux, pieux », de *religio.* → Religion.

♦ **1.** (1657, Pascal). Personnes. Qui n'a pas de croyance religieuse. Qui s'oppose à la religion par sa conduite, par ses discours, par ses écrits. ⇒ **Agnostique, antireligieux** (et REM. 1), **athée, impie, incrédule, incroyant, mécréant, sceptique;** → fam. Sans foi* ni loi. *Écrivain violemment irréligieux. — Les esprits irréligieux.* ⇒ **Areligieux, fort** (esprit), **libertin, penseur** (libre penseur).

1 (...) les impostures si hardies d'une compagnie (...) qui, sous des habits religieux, couvre des âmes si irréligieuses (...) PASCAL, les Provinciales, XV.

1.1 J'ai vraiment pris conscience de la religion, et de la possibilité d'être irréligieux, vers l'âge de huit, neuf ans. J.-M. G. LE CLÉZIO, la Fièvre, p. 145.

N. *Un irréligieux, une irréligieuse. « L'irréligieux n'admet pas de religion ou de culte et quelquefois même pas de Dieu; il est déiste ou athée »* (Lafaye).

♦ **2.** (Choses). Qui marque l'irréligion; qui est le fait d'un esprit irréligieux. *Écrits, ouvrages, propos, sentiments irréligieux. Opinions irréligieuses* (→ Embrasser, cit. 16).

Voltaire (...) était si supérieur à ses disciples, qu'il ne pouvait s'empêcher de rire quelquefois de leur enthousiasme irréligieux. 2
CHATEAUBRIAND, le Génie du christianisme, I, I, 1.

CONTR. **Religieusement.**
DÉR. **Irréligieusement.**

IRRÉLIGION

[i(ʀ)ʀeliʒjɔ̃] n. f. — 1527; lat. impérial *irrelígio;* de *ir-* (1. In-), et lat. class. *religio.* → Religion.

♦ Didact. ou littér. Manque de religion, d'esprit religieux. ⇒ **Athéisme, impiété, incrédulité, incroyance, indifférence** (cit. 9). *Être accusé d'irréligion. Croyant qui ne fait aucune allusion à l'irréligion d'un ami* (→ Foi, cit. 42). *L'esprit d'irréligion* ou *irréligiosité.*

Il avait un frère aîné, capitaine dans le même régiment, pour lequel était toute la prédilection de la mère, qui, dévote outrée, et dirigée par je ne sais quel abbé tartufe, en usait très mal avec le cadet, qu'elle accusait d'irréligion et même du crime irrémissible d'avoir des liaisons avec moi. ROUSSEAU, les Confessions, XII. 1

(...) au sortir de son ancienne cure si croyante, ce nouveau pays gâté par l'irréligion, respectueux des seules pratiques extérieures, le bouleversait dans la timidité inquiète de son âme. ZOLA, la Terre, V, IV. 2

Par métonymie. *L'irréligion :* les personnes irréligieuses. *Combattre l'irréligion.*

CONTR. **Dévotion, foi, piété, religion.**

IRRÉLIGIOSITÉ

[i(ʀ)ʀeliʒjozite] n. f. — Fin XVe; rare av. 1791; bas lat. *irreligiositas,* du lat. impérial *irreligio, onis,* du lat. class. *religio;* cf. moy. franç. *irreligieuseté.*

♦ Rare. Disposition d'esprit irréligieuse.

CONTR. **Religiosité.**

IRREMBOURSABLE

[i(ʀ)ʀɑ̃buʀsabl] adj. — 1867, Littré; de *ir-* (1. In-), et *remboursable.*

♦ Rare. Qui n'est pas remboursable. Syn. plus cour. : *non remboursable.*

IRRÉMÉDIABILITÉ

[i(ʀ)ʀemedjabilite] n. f. — D. i. (1928, A. Breton, *in* T. L. F.); de *irrémédiable.*

♦ Littér. ou didact. (Rare). Caractère irrémédiable; inéluctabilité.

IRRÉMÉDIABLE

[i(ʀ)ʀemedjabl] adj. — 1452; lat. *irremediabilis,* de *ir-* (1. In-), et *remediabilis* « guérissable », de *remediare.* → Remédier.

♦ À quoi on ne peut remédier*. *Mal, état de faiblesse* (cit. 3) *irrémédiable. Aggravation* (cit.) *irrémédiable d'un état de santé. Avaries* (cit. 6), *pertes irrémédiables.* ⇒ **Irréparable.** *Maux, coups, malheurs, désastres irrémédiables* (→ Épuiser, cit. 14). — *Fautes, défauts, vices irrémédiables* (→ Humeur, cit. 11). *Rien n'est irrémédiable* (→ Fatalité, cit. 1).

Je suis aux prises avec la pire de toutes les maladies, la plus soudaine, la plus douloureuse, la plus mortelle et la plus irrémédiable. 1
MONTAIGNE, Essais, II, XXXVII.

Cette défaite navale n'était pas irrémédiable. Si elle ruinait l'espoir de réduire l'Angleterre en la menaçant jusque chez elle, notre marine n'était pas détruite. La confiance l'était. J. BAINVILLE, Hist. de France, XIII, p. 240. 2

(...) l'effondrement de 1940 et l'abandon qui suivit parurent (...) à beaucoup monstrueux et irrémédiables. L'idée que, depuis toujours, les Français se faisaient d'eux-mêmes, l'opinion historique de l'univers sur leur compte, s'étaient soudain anéanties. Ch. DE GAULLE, Mémoires de guerre, t. II, p. 245. 3

Définitif, irrévocable. *Un destin irrémédiable.*

N. m. (1901). *L'irrémédiable* (→ Critiquer, cit. 5).

CONTR. **Remédiable, réparable.**
DÉR. **Irrémédiabilité, irrémédiablement.**

IRRÉMÉDIABLEMENT

[i(ʀ)ʀemedjabləmɑ̃] adv. — 1490; de *irrémédiable.*

♦ Littér. D'une manière irrémédiable. *Situation irrémédiablement compromise.* ⇒ **Définitivement, irréparablement** (→ Figure, cit. 23).

(...) le Président du Conseil n'est pas un imbécile, mais il manque irrémédiablement de ce que nos amis d'outre-Manche appellent le sens de l'humour (...)
ARAGON, les Beaux Quartiers, II, VII.

Irrévocablement. *Une vie irrémédiablement triste, irrémédiablement perdue. « Je manque irrémédiablement de sang-froid »* (Charles Du Bos, *in* T. L. F.).

IRRÉMISSIBLE

[i(ʀ)ʀemisibl] adj. — 1234; bas lat. *irremissibilis,* de *ir-* (1. In-), et lat. class. *remissum,* supin de *remittere* « remettre ».

Littéraire.

♦ **1.** Qui ne mérite pas de rémission, de pardon. ⇒ **Impardonnable.**

Crime (cit. 19) *irrémissible* (→ Adultère, cit. 8; irréligion, cit. 1). *Péché irrémissible. Faute, tort irrémissible.*

1 (...) rarement *(les femmes)* se pardonnent-elles l'avantage de la beauté. Et je dirai en passant que l'offense la plus irrémissible parmi ce sexe, c'est quand l'une d'elles en défait une autre en pleine assemblée; cela se venge ordinairement comme les assassinats et les trahisons. LA FONTAINE, les Amours de Psyché, Pl., p. 133.

2 On croit volontiers Mouchette capable de « se venger sur le bétail », crime, au village, irrémissible.
BERNANOS, Nouvelle histoire de Mouchette, *in* Œ. roman., Pl., p. 1318.

3 L'Église nous enjoint d'espérer sous peine de faute irrémissible.
J. GREEN, Journal, 3 févr. 1967, Ce qui reste de jour, p. 10.

Par ext. « *Un irrémissible mauvais goût en peinture* » (Huysmans, *in* T. L. F.). ⇒ **Inexcusable.**

N. m. (Mil. XIXe, Baudelaire). *L'irrémissible :* ce qui ne mérite pas de pardon.

4 Adorable sorcière, aimes-tu les damnés?
Dis, connais-tu l'irrémissible? BAUDELAIRE, les Fleurs du mal, « L'irréparable ».

♦ **2.** Qui ne peut changer. ⇒ **Irrémédiable, irréversible.** *Un échec irrémissible. Un destin irrémissible. La mort est irrémissible.*

♦ **3.** Vx. Qu'on ne peut remettre. *Des tâches irrémissibles.*

CONTR. Pardonnable, rémissible.
DÉR. Irrémissiblement.

IRRÉMISSIBLEMENT

IRRÉMISSIBLEMENT [i(ʀ)ʀemisibləmɑ̃] adv. — V. 1550; *irremissiblement,* 1521; de *irrémissible.*

♦ Littér. Sans rémission. *Il sera puni, condamné irrémissiblement.* ⇒ **Impardonnablement; miséricorde, pitié** (sans).

Ah! nous sommes damnés, irrémissiblement damnés, Fernando! s'écria-t-elle *(Inès)* avec transport; soyons du moins bien heureux pendant le peu de jours qui nous reste à vivre. STENDHAL, le Coffre et le Revenant, Pl., t. II, p. 1230.

Il est irrémissiblement perdu. ⇒ **Irrémédiablement.**

IRREMPLAÇABILITÉ

IRREMPLAÇABILITÉ [i(ʀ)ʀɑ̃plasabilite] n. f. — 1866, Goncourt; de *irremplaçable.*

♦ Rare. Caractère irremplaçable.

IRREMPLAÇABLE

IRREMPLAÇABLE [i(ʀ)ʀɑ̃plasabl] adj. — 1845, Richard de Radonvilliers; de *ir-* (1. In-), et *remplaçable.*

♦ **1.** Qui ne peut être remplacé. *Choses distinctes et irremplaçables l'une par l'autre.* — (Sans compl.). Qui n'a pas d'équivalent. ⇒ **Unique.** *Ce qu'un écrivain a d'unique et d'irremplaçable* (→ Entendre, cit. 49). *Un bibelot irremplaçable.* ⇒ **Unique.**

1 (...) chaque instant de notre vie est essentiellement irremplaçable; sache parfois t'y concentrer uniquement. GIDE, les Nourritures terrestres, p. 79.

♦ **2.** (Personnes). Qui ne peut être remplacé (par quelqu'un de même valeur). *Il n'est pas question de nous séparer de lui, c'est un homme irremplaçable. Nul n'est irremplaçable* (→ Interchangeabilité, cit. 1).

2 Ne t'attache en toi qu'à ce que tu sens qui n'est nulle part ailleurs qu'en toi-même, et crée de toi, impatiemment ou patiemment, ah! le plus irremplaçable des êtres.
GIDE, les Nourritures terrestres, Envoi, p. 186.

3 Au surplus, mon devoir est ici. Je suis irremplaçable, c'est bien évident.
G. DUHAMEL, Récits des temps de guerre, V.

CONTR. Interchangeable, remplaçable.
DÉR. Irremplaçabilité.

IRREMPLISSABLE

IRREMPLISSABLE [i(ʀ)ʀɑ̃plisabl] adj. — 1861, Sainte-Beuve; de *ir-* (1. In-), et *remplissable.*

♦ Vieilli. Qu'on ne peut remplir.

Elle trouva Saint-Pierre rempli de foule, et toujours irremplissable, entendit la messe de victoire, puis elle suivit au dehors le peuple qui se poussait pour sortir.
Ed. et J. DE GONCOURT, Madame Gervaisais, p. 108.

CONTR. Remplissable.

IRREMUABLE

IRREMUABLE [i(ʀ)ʀəmɥabl] adj. — 1613; de *ir-* (1. In-), *remuer,* et suff. *-able.*

♦ Vx. Qu'on ne peut remuer (on dirait plutôt *inremuable*).

IRRÉPARABILITÉ

IRRÉPARABILITÉ [i(ʀ)ʀepaʀabilite] n. f. — 1840, Proudhon; de *irréparable.*

♦ Rare. Caractère irréparable.

IRRÉPARABLE

IRRÉPARABLE [i(ʀ)ʀepaʀabl] adj. — 1234, rare au XVe; lat. *irreparabilis,* de *ir-* (1. In-), et *reparabilis,* de *reparare.* → Réparable, réparer.

Qui ne peut être réparé.

♦ **1.** (Abstrait). Dont les conséquences (néfastes, mauvaises) sont inéluctables. ⇒ **Irrémédiable.** *Dommage, tort, perte irréparable* (→ Considérer, cit. 10; écrouler, cit. 1; inconsolable, cit. 1). *Mal, désastre, malheur irréparable. Se compromettre* (cit. 12) *de façon irréparable. Affront* (cit. 11), *injure irréparable. Je n'ai rien dit d'irréparable. Faute, crime irréparable.* ⇒ **Irrémissible.** *Malentendu irréparable.*

Pour réparer des ans l'irréparable outrage. RACINE, Athalie, III, 5. 1

Nous avions prononcé tous deux des mots irréparables; nous pouvions nous taire, mais non les oublier. B. CONSTANT, Adolphe, IV. 2

(...) si tu ne veux pas qu'il se prononce entre nous des paroles irréparables (...) 3
Paul BOURGET, Un divorce, p. 91.

Ce qui a pu s'arranger cette nuit-là deviendrait irréparable dans quelques jours. 4
PROUST, À la recherche du temps perdu, t. XIII, p. 9.

N. m. (Déb. XIXe, Mme de Staël). *L'irréparable :* ce qui est irréparable.

C'est dans cette année fatale que l'irréparable a été accompli. J'ai tort d'écrire 4.1
l'« irréparable »... Disons : ce que le gouvernement ne se résout pas à réparer (...)
F. MAURIAC, Bloc-notes 1952-1957, p. 134.

Il *(Marius)* n'avait point examiné et pesé le droit que prend l'homme de disposer 5
de l'irrévocable et de l'irréparable. Il n'était pas révolté du mot *vindicte.*
HUGO, les Misérables, V, VII, II.

L'irréparable était accompli. Huit jours plus tôt, elle pouvait encore vivre sans lui. 6
Aujourd'hui, non. Elle était sienne; il l'entraînait dans son sillage.
MARTIN DU GARD, les Thibault, t. VIII, p. 14.

♦ **2.** Vieilli. (Du temps). **a** Dont la perte ne peut être réparée. *Jours, moments irréparables.*

b Où quelque chose d'irréparable survient, se décide.

♦ **3.** Rare. Personnes (noms dépréciatifs). Qui est tel d'une manière irréparable. « *Un irréparable crétin* » (Bloy). ⇒ **Incorrigible.**

♦ **4.** (Fin XIXe; concret; déjà 1365, *ruine inréparable* [d'un château]). Impossible ou très difficile à réparer. *Habit irréparable. Ce moteur a été tant de fois réparé qu'il est devenu irréparable* (→ fam. Fichu, mort).

CONTR. Arrangeable, réparable.
DÉR. Irréparabilité, irréparablement.

IRRÉPARABLEMENT

IRRÉPARABLEMENT [i(ʀ)ʀepaʀabləmɑ̃] adv. — 1370; de *irréparable.*

♦ Littér. D'une manière irréparable. ⇒ **Irrémédiablement.** *Situation irréparablement compromise* (cit. 13). *Être irréparablement enlaidi* (cit. 13; → Compagne, cit. 6). — Concret. « *L'étoffe avait été irréparablement gâtée* » (Gide, *Journal,* 21 nov. 1928, Pl., p. 896).

IRREPASSABLE

IRREPASSABLE [iʀ(ə)pasabl; iʀʀəpasabl] adj. — 1576; de *ir-* (1. In-), et *repassable,* de *repasser.*

♦ Vx. Qu'on ne peut passer, franchir une seconde fois. — REM. L'homonyme virtuel, du verbe *repasser,* serait plutôt réalisé par la variante *inrepassable.*

IRRÉPRÉHENSIBLE

IRRÉPRÉHENSIBLE [i(ʀ)ʀepʀeɑ̃sibl] adj. — V. 1400; bas lat. *irreprehensibilis,* de *ir-* (1. In-), et bas lat. *reprehensibilis,* du lat. class. *reprehensum,* supin de *reprehendere* « arrêter, retenir ».

♦ Littér. Qu'on ne peut reprendre, blâmer. ⇒ **Inattaquable, irréprochable.** *Il, elle est irrépréhensible. Dans cette affaire, votre collaborateur est irrépréhensible. Conduite irrépréhensible. Plaisirs irrépréhensibles.* ⇒ **Innocent.**

(...) des hommes irréprochables dans leur conduite et irrépréhensibles dans leurs 1
mœurs (...) BOURDALOUE, Sermon pour le 4e dimanche après Pâques.

(...) il y a plusieurs pièces de Corneille où l'on ne trouvera pas six vers irrépréhen- 2
sibles de suite. VOLTAIRE, Dict. philosophique, Vers et poésie.

(...) il se persuadait qu'une justice incapable d'erreur s'était exercée, ici et là, 3
comme toujours, dans d'irrépréhensibles arrêts, quoiqu'il se proclamât sans intelligence pour en pénétrer les indéchiffrables considérants.
Léon BLOY, le Désespéré, p. 51.

CONTR. Répréhensible.
DÉR. Irrépréhensiblement.

IRRÉPRÉHENSIBLEMENT

IRRÉPRÉHENSIBLEMENT [i(ʀ)ʀepʀeɑ̃sibləmɑ̃] adv. — V. 1508; de *irrépréhensible.*

♦ Littér. et rare. De façon irrépréhensible.

IRREPRÉSENTABLE

IRREPRÉSENTABLE [iʀ(ə)pʀezɑ̃tabl; iʀʀəpʀezɑ̃tabl] adj. — Av. 1622; de *ir-* (1. In-), et *représentable.*

♦ **1.** Didact. ou littér. Qu'on ne peut se représenter. ⇒ **Inimaginable.**

En vain essaierons-nous de nous figurer ce super-univers, ainsi que celui de l'atome. 1
La science nous oblige à croire qu'ils sont irreprésentables et que l'idée que nous en pouvons avoir ne peut s'exprimer que par le langage mathématique, intraduisible en langue ordinaire. Pierre ROUSSEAU, De l'atome à l'étoile, p. 124.

N. m. (XXe). *L'irreprésentable :* ce qui est irreprésentable.

Le sens poétique a bien des points communs avec le sens mystique. c'est le sens 2
(...) de ce qui doit être révélé (...) Il représente l'irreprésentable.
M. ALEXANDRE, Trad. NOVALIS, *in* Romantiques allemands, *in* D. D. L., II, 7.

♦ **2.** (1876). Qui ne peut être représenté (sur une scène). *Un spectacle irreprésentable.*

♦ **3.** Qu'on ne peut représenter graphiquement. *« Ce vol d'abeilles est irreprésentable. Nulle encre, nulle abaque n'accueillera son dessin » (le Nouvel Obs.,* 2 févr. 1981, p. 75).

IRRÉPRESSIBLE [i(ʀ)ʀepʀesibl] adj. — 1845; de *ir-* (1. In-), et *répressible.* → Réprimer.

♦ Qu'on ne peut réprimer, contenir. *Force, passion, tendance irrépressible.* ⇒ **Incoercible, irrésistible.** — *Un tic irrépressible. Rire irrépressible.* ⇒ **Irrésistible;** cf. Fou rire.

1 C'était là l'instinct irrépressible des paysans.
JAURÈS, Hist. socialiste..., t. III, p. 15.

2 Lettres de Mme de Sévigné, qu'il m'a pris une irrépressible envie de relire (...)
GIDE, Journal, 7 mars 1917.

3 Une des histoires de Jammes, qu'il racontait à ravir (...) et qui nous secouait de rires irrépressibles, car il y mettait un accent d'une inimaginable cocasserie (...)
GIDE, Ainsi soit-il, p. 80.

DÉR. Irrépressiblement.

IRRÉPRESSIBLEMENT [i(ʀ)ʀepʀesibləmɑ̃] adv. — Déb. XXe (1907, Claudel); de *irrépressible.*

♦ Littér. D'une manière irrépressible.

Elle s'occupa de Peter. Allongé sur le dos dans le sable, le garçonnet dormait la bouche ouverte. Julie le secoua sans obtenir de réaction. Elle lui souleva les paupières. Il avait les yeux légèrement révulsés. Il secoua la tête dans son sommeil. Il n'était pas exactement dans le coma mais il dormait très profondément, irrépressiblement, et il n'y avait rien d'autre à faire qu'attendre.
J.-P. MANCHETTE, Folle à tuer, p. 79.

IRRÉPROCHABILITÉ [i(ʀ)ʀepʀɔʃabilite] n. f. — 1791, Mme Roland; de *irréprochable.*

♦ Littér. et rare. Caractère d'une personne ou d'une chose irréprochable. *L'irréprochabilité de quelqu'un, de sa conduite.*

IRRÉPROCHABLE [i(ʀ)ʀepʀɔʃabl] adj. — 1565; *inreprochable,* v. 1460; de *ir-* (1. In-), et *reprochable,* de *reprocher.*

♦ **1.** À qui, à quoi on ne peut faire aucun reproche. — (Personnes). *Un homme, une épouse irréprochable.* ⇒ **Honnête, irrépréhensible, parfait; reproche** (sans); **tare** (sans); → Honte, cit. 35; fatal, cit. 10; frère, cit. 24. *Fonctionnaire irréprochable* (→ 2. Idéal, cit. 21). *Être irréprochable dans sa tenue* (→ Épingle, cit. 5; imperturbablement, cit. 3), *dans sa conduite.* ⇒ **Irrépréhensible** (cit. 1).

1 Le pape Damase, qui le connaissait pour un homme irréprochable et dans ses mœurs et dans sa foi (...)
FLÉCHIER, Hist. de Théodose, II, 51, *in* LITTRÉ.

2 Maintenant, assemblons en jury les hommes irréprochables, ceux qui ont droit de juger, ceux qui se sentent purs eux-mêmes (...)
MICHELET, Hist. de la Révolution franç., IV, X.

2.1 L'idéal pour Javert, ce n'était pas d'être humain, d'être grand, d'être sublime; c'était d'être irréprochable.
Or, il venait de faillir.
HUGO, les Misérables, Jean Valjean, IV, p. 176.

3 J'ai trop le sentiment de l'équité pour battre, outrager ou congédier un serviteur irréprochable.
BAUDELAIRE, le Spleen de Paris, XLII.

(Domaine intellectuel). ⇒ **Inattaquable, indiscutable.** *Argumentation, déduction, raisonnement, syllogisme irréprochable.*

(Actes). *Vie, conduite, mœurs irréprochables.* ⇒ **Inattaquable.** *Réputation, politesse, fidélité irréprochable* (→ Auditoire, cit. 3; dénaturer, cit. 11; glacer, cit. 33).

4 *(Elle)* avait trop d'orgueil pour n'être pas d'une irréprochable vertu.
STENDHAL, Lamiel, Appendice.

5 D'abord, fils moi-même de parents d'une moralité irréprochable, je trouvais à cette histoire une odeur répugnante.
J. ROMAINS, les Hommes de bonne volonté, t. III, XXIII, p. 308.

(Choses concrètes). Qui n'est pas sujet à critique; parfait dans son genre. *Contour* (cit. 6) *d'une irréprochable pureté. Habit, toilette, cravate irréprochable.* ⇒ **Impeccable** (→ Chaussette, cit. 2; envelopper, cit. 3; grave, cit. 12; incomparable, cit. 4). *Sa réception, son dîner était irréprochable.* → Ne laissait rien à désirer*. — Domaine artistique, littéraire. *Sonnet irréprochable.* ⇒ **Défaut** (sans).

♦ **2.** (Av. 1622). Dr. *Témoin irréprochable,* à l'encontre duquel aucun reproche ne peut être allégué.

CONTR. Condamnable, défectueux, reprochable.
DÉR. Irréprochabilité, irréprochablement.

IRRÉPROCHABLEMENT [i(ʀ)ʀepʀɔʃabləmɑ̃] adv. — 1613, Nostradamus; de *irréprochable.*

♦ Littér. D'une manière irréprochable. *Raisonnements irréprochablement déduits* (→ Argumentateur, cit. 2). *Vivre irréprochablement.*

Quant à sa fille, elle l'avait élevée irréprochablement, au point de vue de l'éducation officielle.
BARBEY D'AUREVILLY, les Diaboliques, « Le dessous de cartes... ».

IRRÉSISTIBILITÉ [i(ʀ)ʀezistibilite] n. f. — Av. 1714, Fénelon; de *irrésistible.*

Didactique ou littéraire.

♦ **1.** Théol. Impulsion irrésistible (de la grâce).

♦ **2.** (1752). Caractère d'une chose ou d'une personne irrésistible.

IRRÉSISTIBLE [i(ʀ)ʀezistibl] adj. — 1687; *irrésistable,* 1478; lat. médiéval *irresistibilis,* de *ir-* (1. In-), et lat. class. *resistere.* → Résister.

♦ **1.** À quoi, à qui on ne peut résister. *Force* (cit. 68), *courant* (cit. 11) *irrésistible. Une irrésistible poussée. Attaque, offensive irrésistible.* ⇒ **Foudroyant.** *Autorité, puissance irrésistible* (→ Enflammer, cit. 9; étudier, cit. 4; existence, cit. 31; flot, cit. 16; former, cit. 34; formule, cit. 2; frayeur, cit. 7). — Sentiments. *Attrait* (cit. 8), *charme, séduction, envoûtement* (cit. 3) *irrésistible* (→ Capricieux, cit. 3; exercer, cit. 32; fascinant, cit.; fontaine, cit. 5). *Penchant, mouvement, besoin, désir, amour irrésistible.* ⇒ **Impérieux, tyrannique** (→ Breuvage, cit. 5; calculateur, cit. 4; destructeur, cit. 3; 2. importer, cit. 29). — *Arguments* (cit. 15) *irrésistibles. Dialectique* (→ Cause, cit. 8), *évidence* (→ Frayer, cit. 10), *preuve, logique irrésistible.* ⇒ **Concluant, implacable.** *Hilarité* (cit. 4 et 5), *bonne humeur, rire irrésistible.* ⇒ **Irrépressible.** *C'est irrésistible, je ne peux pas m'en empêcher*.* ⇒ 1. **Fort** (plus fort que moi). *Destin irrésistible.* ⇒ **Inéluctable.**

Elle me voyait d'un autre côté entraîné par un goût irrésistible; ma passion de musique devenait une fureur (...) 1
ROUSSEAU, les Confessions, V.

(...) la tentation irrésistible d'un plaisir. 2
PROUST, À la recherche du temps perdu, t. XII, p. 236.

Végétation, flammes, geysers (cit. 2) *irrésistibles* (→ Abortif, cit.; frémissant, cit. 2). *« L'irrésistible nuit »* (→ Funeste, cit. 19, Baudelaire).

♦ **2.** (1787). Personnes. Qui séduit sans résistance possible. *Une femme irrésistible,* par sa beauté, son charme (→ Basin, cit. 1; excitant, cit. 4). *Séducteur irrésistible. Cet acteur est irrésistible dans son nouveau rôle.*

« Si Fortunio me voyait ainsi, je serais sûre de la victoire ». — En effet, elle était irrésistible. Mais comment vaincre un ennemi fuyant et qui ne veut pas combattre? 3
Th. GAUTIER, Fortunio, XI, p. 79.

Avec ses grands yeux sombres et doux, son esprit tout français, sa gaieté brillante, elle était irrésistible. 4
A. MAUROIS, Lélia, I, I.

♦ **3.** Qui fait rire. *Il est irrésistible quand il raconte cette histoire.*

CONTR. Résistible.
DÉR. Irrésistibilité, irrésistiblement.

IRRÉSISTIBLEMENT [i(ʀ)ʀezistibləmɑ̃] adv. — 1701; de *irrésistible.*

♦ D'une manière irrésistible. ⇒ **Impérieusement, tyranniquement.** *Pente irrésistiblement rapide* (→ Inexorable, cit. 10). *Notre champion s'est détaché irrésistiblement au dernier tour.* — *Amener, entraîner, inciter* (cit. 5) *qqn irrésistiblement* (→ Affolement, cit. 3). *Le prix de la vie montait irrésistiblement.* ⇒ **Implacablement** (→ Gaspiller, cit. 2). *Irrésistiblement comique, grotesque* (→ Commun, cit. 20).

(Au sens 2 de *irrésistible*). *Plaire irrésistiblement.*

IRRÉSOLU, UE [i(ʀ)ʀezɔly] adj. — 1538; de *ir-* (1. In-), et *résolu.* → Résoudre.

♦ **1.** Rare. Qui n'a pas été résolu, qui est resté sans solution (→ Indécis, cit. 1, Montaigne). *C'est un problème encore irrésolu.* ⇒ **Indécidé.**

♦ **2.** (1568). Personnes. **a** Qui n'est pas résolu*, qui a peine à se résoudre, à se déterminer. ⇒ **Flottant, hésitant, incertain, indécis, indéterminé, lanternier.** *Caractère irrésolu.* ⇒ **Vacillant.** *Il est irrésolu.* → Il ne sait pas ce qu'il veut*. *Rester irrésolu.* ⇒ **Suspendu, suspens** (en); → Entre le zist et le zest*. *« Ô rigoureux combat* (cit. 20) *d'un cœur irrésolu »* (Corneille). *Timide et irrésolu* (→ Fumée, cit. 10).

Non que j'imitasse pour cela les sceptiques, qui ne doutent que pour douter et affectent d'être toujours irrésolus, car au contraire, tout mon dessein ne tendait qu'à m'assurer et à rejeter la terre mouvante et le sable pour trouver le roc ou l'argile. 1
DESCARTES, Discours de la méthode, III.

Quand on est loin de ce que l'on aime, l'on prend la résolution de faire et de dire beaucoup de choses; mais quand on est près, l'on est irrésolu. 2
PASCAL, Disc. sur les passions de l'amour, LXIII.

N. *Un irrésolu, une éternelle irrésolue.*

(...) cela montre aux irrésolus qu'il est toujours temps de vouloir. 3
ALAIN, Propos sur le bonheur, p. 71.

b Qui ne se décide pas, dans une circonstance précise, et manifeste ses hésitations.

Édouard restait immobile, tête basse, irrésolu. Il étreignait la rampe d'une main 4 et, de l'autre, tiraillait sa moustache; il avait envie de redescendre les degrés, de s'enfuir. G. DUHAMEL, Salavin, III, XXVI.

CONTR. Décidé, résolu.
DÉR. Irrésolument.

IRRÉSOLUMENT [i(ʀ)ʀezɔlymɑ̃] adv. — 1580, *irresoluement*, Montaigne; de *irrésolu*.

♦ Rare. De façon irrésolue. *Se comporter irrésolument.*

CONTR. Résolument.

IRRÉSOLUTION [i(ʀ)ʀezɔlysjɔ̃] n. f. — 1553; de *ir-* (1. In-), et *résolution**.

♦ État ou caractère d'une personne qui est irrésolue. ⇒ **Embarras, hésitation, incertitude** (cit. 8), **indécision, indétermination, perplexité, vacillation** (→ Balancer, cit. 14). *L'irrésolution de qqn, son irrésolution. Il est toujours dans l'irrésolution, plongé dans un abîme* (cit. 22) *d'irrésolution. Il sera toujours victime de son irrésolution.*

1 (...) je ne sais même à quoi attribuer cette irrésolution *(de La Rochefoucauld).* Elle n'a pu venir en lui de la fécondité de son imagination, qui n'est rien moins que vive. RETZ, Mémoires, p. 155.

2 La brutalité *(est)* une disposition à la colère et à la grossièreté; l'irrésolution, une timidité à entreprendre; l'incertitude, une irrésolution à croire; la perplexité, une irrésolution inquiète. VAUVENARGUES, De l'esprit humain, XLV.

3 Le roi de Navarre, que son irrésolution rendait inoffensif, fut intimidé par un accueil glacial et une étroite surveillance. J. BAINVILLE, Hist. de France, IX, p. 158.

CONTR. Décision, détermination, résolution.

IRRESPECT [i(ʀ)ʀɛspɛ] n. m. — 1794, Pougens; de *ir-* (1. In-), et *respect*.

♦ Manque de respect; attitude qui manifeste le refus du respect (envers, à l'égard de ce qui devrait habituellement être respecté). ⇒ **Impertinence, insolence, irrévérence.** *L'irrespect de qqn pour, envers qqn, qqch. Irrespect total, fondamental. Irrespect envers l'autorité, envers les valeurs reconnues. Irrespect religieux, politique.*

1 Par quel hasard ce mépris à demi haineux, cette persécution mélangée de pitié, cet irrespect du malheur avaient-ils frappé le plus ancien pensionnaire? BALZAC, le Père Goriot.

N. B. Dans le texte définitif de 1843, Balzac a corrigé *cet irrespect* en *ce non-respect*; mais *irrespect* est bien dans le texte de l'éd. préoriginale de la *Revue de Paris* et dans la 2e éd. de 1835.

2 Nous sommes le siècle des chefs-d'œuvre de l'irrespect. Ed. et J. DE GONCOURT, Journal, p. 52.

3 Ce changement est bien marqué par la littérature. Après l'école de 1660, l'école de l'ordre et de l'autorité, celle de l'irrespect. Il est très significatif que la chute du Système *(de Law)* soit de 1720 et la publication des *Lettres persanes* de l'année suivante. J. BAINVILLE, Hist. de France, p. 264.

CONTR. Respect.

IRRESPECTUEUSEMENT [i(ʀ)ʀɛspɛktɥøzmɑ̃] adv. — 1710, Dancourt; de *irrespectueux*.

♦ Littér. D'une manière irrespectueuse. *Parler irrespectueusement à un supérieur.* ⇒ **Insolemment, irrévérencieusement.**

CONTR. Respectueusement.

IRRESPECTUEUX, EUSE [i(ʀ)ʀɛspɛktɥø, øz] adj. — 1611; de *ir-* (1. In-), et *respectueux*.

♦ Qui n'est pas respectueux; qui refuse de marquer du respect, qui se conduit sans respect (envers ce qui est habituellement respecté). ⇒ **Impertinent, impoli, insolent, irrévérencieux, irrévérent.** *Être irrespectueux envers ses parents, ses supérieurs. Enfant, élève, étudiant irrespectueux.* — N. (Rare). *Un irrespectueux, des irrespectueux. — Contenance, manières irrespectueuses. Propos irrespectueux.* ⇒ **Audacieux.** *Un sobriquet irrespectueux.*

Autant ma pensée était irrespectueuse et triviale, autant mes paroles se produisirent humbles et châtiées. Charles DE BERNARD, Un acte de vertu, VI, *in* LITTRÉ.

Irrespectueux de... : qui ne respecte pas... *Être irrespectueux des règles, de la loi. Être, se montrer « irrespectueux de la vie des animaux et des plantes »* (F. Perroux, *in* T. L. F.).

CONTR. Respectueux.
DÉR. Irrespectueusement.

IRRESPIRABILITÉ [i(ʀ)ʀɛspiʀabilite] n. f. — D. i. (xxe; 1933, *in* T. L. F.); de *irrespirable*.

♦ Didac. ou littér. Caractère de ce qui est irrespirable. *L'irrespirabilité de l'atmosphère.*

IRRESPIRABLE [i(ʀ)ʀɛspiʀabl] adj. — 1779; de *ir-* (1. In-), et *respirable*.

♦ **1.** Qui n'est pas respirable, qui est pénible ou dangereux à respirer. ⇒ **Asphyxiant, délétère.** *Air, gaz irrespirable.* — Par ext. Pénible à respirer. ⇒ **Suffocant.** *Atmosphère lourde, chaude, irrespirable.* ⇒ **Accablant** (→ Équatorial, cit.).

La respiration était douloureuse dans cet air comprimé, qui, bientôt désoxygéné et chargé d'acide carbonique, devint à peu près irrespirable. 0.1
J. VERNE, le Pays des fourrures, t. II, p. 270.

Cela se passe dans une atmosphère irrespirable, saturée d'essences et de parfums de fleurs. LOTI, l'Inde (sans les Anglais), IV, XII. 1

Comme si l'air fût devenu irrespirable, il avait porté à son col sa main de squelette, et il la tenait crispée sous son menton, pareille à une araignée de cauchemar. 2
MARTIN DU GARD, les Thibault, t. I, p. 55.

♦ **2.** (1923). Par métaphore (avec des n. tels que *air, atmosphère*) ou fig. Qui crée une impression d'étouffement (fig.), une impression pénible. ⇒ **Insupportable.** *Un monde sans espoir* (cit. 19, Malraux) *est irrespirable. Depuis leur brouille, l'atmosphère de la maison était devenue irrespirable.* ⇒ **Invivable** (fam.). *Une situation irrespirable.*

L'attentat autrichien, l'orage du procès Caillaux répandaient une atmosphère irrespirable, propice à l'extravagance. R. RADIGUET, le Diable au corps, p. 16. 3

N. m. *Vivre dans l'irrespirable.*

DÉR. Irrespirabilité.

IRRESPONSABILITÉ [i(ʀ)ʀɛspɔ̃sabilite] n. f. — 1790; de *irresponsable*.

♦ **1.** État d'une personne irresponsable (1.); absence de responsabilité (légale ou morale).

(...) cette irresponsabilité dans l'anonymat qui, sur tous les plans, est érigée en règle. DANIEL-ROPS, Ce qui meurt..., p. 11. 1

(...) lorsque *(cette littérature)* se fera provocation au meurtre, on verra l'écrivain, par un enchaînement paradoxal mais logique, poser explicitement le principe de sa totale irresponsabilité. SARTRE, Situations II, p. 175. 2

Dr. *L'irresponsabilité du chef de l'État. L'irresponsabilité parlementaire. Irresponsabilité et inviolabilité.* ⇒ **Immunité** — Dr. pénal. Dispense de responsabilité en matière criminelle (pour raison psychiatrique ou d'âge). *Plaider l'irresponsabilité.*

♦ **2.** Cour. Caractère d'une personne qui agit à la légère, sans assumer de responsabilité (alors qu'elle le devrait). *Un sentiment d'impuissance et d'irresponsabilité* (→ Épaule, cit. 22).

(...) il venait de perdre l'irresponsabilité de la première jeunesse; il entrait dans l'univers détestable des adultes. S. DE BEAUVOIR, la Force de l'âge, p. 26. 3

CONTR. Responsabilité.

IRRESPONSABLE [i(ʀ)ʀɛspɔ̃sabl] adj. — 1786; de *ir-* (1. In-), et *responsable*.

♦ **1.** Dr. Qui n'est pas responsable*, n'a pas à répondre de ses actes. *Le Président de la République est irresponsable, il ne peut être mis en accusation que dans le cas de haute trahison* (⇒ **Immunité**). — Dr. civil Qui n'est pas responsable (par suite de son âge, de son état mental...). *Les enfants, les aliénés sont irresponsables.*

♦ **2.** Qui ne répond pas ou n'a pas à répondre de ses actes. *« L'hypocrite prétexte que veut le lâche pour se déclarer irresponsable »* (J. Péladan, *in* T. L. F.). *« La masse irresponsable des brutes »* (Gobineau, *in* T. L. F.). — *Être, se sentir irresponsable de ses actes.* — Littér. (en parlant d'une chose). *La nature est irresponsable.*

(...) une sorte de fatalité le menait; on l'eût dit par instants presque irresponsable; et comme il ne se résistait jamais à lui-même, il n'admettait pas que rien pût lui résister, ni personne. GIDE, Si le grain ne meurt, II, II, p. 338. 1

♦ **3.** Cour. (Personnes, actions). Qui se conduit sans assumer de responsabilités, et, spécialt, de responsabilités morales, politiques; qui ne représente rien, agit pour son propre compte. *Il est complètement irresponsable. Une bureaucratie irresponsable. Des technocrates, des politiciens irresponsables. Désavouer les initiatives d'éléments irresponsables.*

Ah! qu'ils étaient faciles, nos songes d'intellectuels irresponsables! 2
J. GUÉHENNO, Journal d'un homme de 40 ans, p. 318, *in* T. L. F. (1934).

N. (1934). Personne qui agit à la légère. *C'est un irresponsable.* ⇒ **Inconscient.**

Qui dénote l'absence de responsabilités. *Attitude, action, réaction irresponsable. — Un comportement politique irresponsable.*

CONTR. Responsable.
DÉR. Irresponsabilité.

IRRÉTRÉCISSABILITÉ [i(ʀ)ʀetʀesisabilite] n. f. — Mil. xxe; de *irrétrécissable*.

♦ Techn. Caractère d'une fibre, d'un textile qui ne rétrécit pas, ne peut pas rétrécir.

Blanchiment, teinture unie, impression, ces trois techniques de base sont maintenant accompagnées de nombreux autres traitements, mécaniques ou chimiques, appelés à accroître les qualités d'usage des tissus de coton : irrétrécissabilité, infroissabilité, permanence des plis (...)
Pierre DE CALAN, le Coton et l'Industrie cotonnière, p. 7.

IRRÉTRÉCISSABLE [i(ʀ)ʀetʀesisabl] adj. — 1873; attestation isolée, 1845; de *ir-* (1. In-), et *rétrécir* (cf. *irrétréci,* antérieur).

♦ Qui ne peut rétrécir. *Tissu, toile irrétrécissable au lavage. Étoffe irrétrécissable.*

Fig. « *Une irrétrécissable durée* » (Bergson, *in* T. L. F.).

DÉR. Irrétrécissabilité.

IRRETROUVABLE [iʀ(ə)tʀuvabl; iʀʀətʀuvabl] adj. — Fin XIXe (1906, J. Rivière, *in* T. L. F.); de *ir-* (1. In-), et *retrouver.*

♦ Littér. Qu'on ne peut plus retrouver; impossible à retrouver. « *Les jours enfuis et irretrouvables de sa jeunesse* » (A. Theuriet). ⇒ **Irrécouvrable** (2.).

Lord Peemrose s'éloigna à travers les longs couloirs, se demandant s'il ne venait pas de laisser passer l'occasion irretrouvable.
M. DRUON, Rendez-vous aux enfers, III, v, p. 185.

N. m. (Rare). « *L'irretrouvable, l'ininventable, c'est la sensation* » (Gide, *in* G. L. L. F.).

IRRÉUSSITE [i(ʀ)ʀeysit] n. f. — 1746, Vauvenargues; de *ir-* (1. In-), et *réussite.*

♦ Rare. Manque de réussite, insuccès.

Ne pas réussir ne lui faisait nulle vergogne et son amour-propre était tel qu'il ne gardait aucun souvenir des irréussites. STENDHAL, Lamiel, Appendice.

IRRÉVEILLÉ, ÉE [i(ʀ)ʀeveje] adj. et n. — D. i.; de *ir-* (1. In-), et p. p. de *réveiller.*

♦ Littér. et rare. Qui n'est pas réveillé. — Nom :

Et le rouge des lourdes
Étoffes peintes
Que lavait l'Égyptienne, l'irréveillée,
De nuit, dans l'eau du fleuve.
Yves BONNEFOY, « Deux couleurs », Poèmes, p. 259.

IRRÉVÉLABLE [i(ʀ)ʀevelabl] adj. — 1836, Barbey d'Aurevilly; de *ir-* (1. In-), *révéler,* et *-able* (*révélable,* attesté en 1554, est resté rare).

♦ Littér. Qu'on ne doit pas, ne peut pas révéler. *Des secrets irrévélables.*

Ce déplorable corps nu, jeté sur la dalle de l'amphithéâtre, éventré par l'autopsie, environné d'irrévélables détritus, suintant déjà les affreuses liqueurs du charnier (...) Léon BLOY, le Désespéré (1886), p. 48.

IRRÉVÉLÉ, ÉE [i(ʀ)ʀevele] adj. — 1794, Pougens; de *ir-* (1. In-), et *révélé.*

♦ Littér. Qui n'est pas révélé, est tenu caché. ⇒ **Caché,** 1. **hermétique, inconnu,** 1. **secret.**

1 Que notre enfance nous fascine, cela arrive parce que l'enfance est le moment de la fascination, est elle-même fascinée, et cet âge d'or semble baigné dans une lumière splendide parce qu'irrévélée (...)
M. BLANCHOT, l'Espace littéraire, p. 26 (1955).

2 Ici sont relatés des faits proches (...) qui resteront irrévélés.
J.-M. G. LE CLÉZIO, le Déluge, p. 31.

N. m. Ce qui n'a jamais été révélé.

3 (...) vous me montriez en passant la Tour Saint-Jacques sous son voile pâle d'échafaudages qui, depuis des années maintenant *(en 1937),* contribue à en faire plus encore le grand monument du monde à l'irrévélé.
A. BRETON, l'Amour fou, IV, p. 69.

CONTR. Révélé.

IRRÉVÉREMMENT [i(ʀ)ʀeveʀamɑ̃] adv. — 1380; de *irrévérent.*

♦ Vx ou littér. et rare. *Parler irrévéremment de quelqu'un.*

IRRÉVÉRENCE [i(ʀ)ʀeveʀɑ̃s] n. f. — 1279; var. *inréverence,* 1429, au sens 2; lat. *irreverentia,* de *irreverens, entis* « irrespectueux ».

Littéraire ou style soutenu.

♦ **1.** Manque de révérence*, de respect. ⇒ **Désinvolture, impertinence, impolitesse, insolence, irrespect.** *L'irrévérence la plus choquante* (→ Fantaisie, cit. 1). *Parler, agir avec irrévérence.*

1 Comme avec irrévérence
Parle des Dieux ce maraud! MOLIÈRE, Amphitryon, I, 2.

♦ **2.** (1643; *inreverence,* 1429). *Une, des irrévérences* (vieilli). Action, parole marquée d'irrévérence. ⇒ **Injure.** « *Se rendre coupable d'irrévérences* » (Académie).

2 Les irrévérences de Modeste envers son père, les libertés excessives qu'elle prenait avec lui (...) BALZAC, Modeste Mignon, Pl., t. I, p. 540.

CONTR. Révérence; respect.
DÉR. Irrévérencieux.

IRRÉVÉRENCIEUSEMENT [i(ʀ)ʀeveʀɑ̃sjøzmɑ̃] adv. — 1839, cit.; de *irrévérencieux.*

♦ Littér. D'une manière irrévérencieuse, avec irrévérence. *Répondre irrévérencieusement.*

(...) ces petits grimauds qui se mêlent de noircir du papier et parlent irrévérencieusement des personnes de qualité.
Th. GAUTIER, Omphale, *in* Fortunio..., p. 235 (1839).

CONTR. Révérencieusement.

IRRÉVÉRENCIEUX, EUSE [i(ʀ)ʀeveʀɑ̃sjø, øz] adj. — 1776, Voltaire; de *irrévérence.*

♦ Littér. ou style soutenu. (Personnes, comportements). Qui fait preuve d'irrévérence, qui montre de l'irrévérence. ⇒ **Impertinent, impoli, irrespectueux, irrévérent; insolent.** *Femme frondeuse* (cit. 10), *irrévérencieuse envers les vieillards. Être irrévérencieux pour* (qqn, qqch.), *à l'égard de...* ⇒ **Respect** (manquer de). — *Propos irrévérencieux.* ⇒ **Irrévérent.**

Il y a, je le sais, dans cet acte hardi par lequel l'homme soulève le mystère des choses, quelque chose d'irrévérencieux et d'attentatoire, une sorte de lèse-majesté divine. RENAN, l'Avenir de la science, Œuvres, t. III, p. 742. 1

Habitué par une hérédité séculaire au respect religieux de toute autorité, il éprouvait une jouissance mêlée de peur à s'associer à un camarade aussi irrévérencieux de nature pour toute règle établie.
R. ROLLAND, Jean-Christophe, Le matin, p. 160. 2

CONTR. Respectueux, révérencieux.
DÉR. Irrévérencieusement.

IRRÉVÉRENT, ENTE [i(ʀ)ʀeveʀɑ̃, ɑ̃t] adj. — V. 1460, mais antérieur (*irreveremment,* 1380); de *ir-* (1. In-), et lat. *reverens,* p. prés. de *reverare* « révérer ».

♦ Vx. (Choses : actions, paroles). Qui manque de la révérence due (notamment à Dieu, aux choses saintes). ⇒ **Irrévérencieux; irrespectueux.** *Attitude, remarques irrévérentes.*

Sacré nom de Dieu! fit en même temps le rieur à mi-voix, mais pas de manière cependant qu'on n'entendit pas, près de là, le blasphème et l'autre irrévérente parole, qu'est-ce que tu fous donc, Mesnil, dans une église, à pareille heure?
BARBEY D'AUREVILLY, les Diaboliques, « À un dîner d'athées ».

CONTR. Respectueux, révérencieux.
DÉR. Irrévéremment.

IRRÉVERSIBILITÉ [i(ʀ)ʀevɛʀsibilite] n. f. — 1900, Bergson; de *irréversible.*

♦ Didact. Caractère de ce qui est irréversible. *L'irréversibilité d'un cycle, d'un processus.*

Comme le temps physique, le temps physiologique est irréversible. En réalité, il possède la même irréversibilité que les processus fonctionnels dont il est fait.
Alexis CARREL, l'Homme, cet inconnu, V, III.

Phys. *Irréversibilité d'un mouvement; d'une transformation énergétique.*

CONTR. Réversibilité.

IRRÉVERSIBLE [i(ʀ)ʀevɛʀsibl] adj. — 1892, H. Poincaré, *Thermodynamique, in* T. L. F.; de *ir-* (1. In-), et *réversible.* → Revers.

Didactique. Qui n'est pas réversible.

♦ **1.** Techn. Qui ne peut fonctionner que dans un seul sens. *Train d'engrenages irréversible. Mécanisme irréversible.*

♦ **2.** (1931). Qui ne peut se produire que dans un seul sens, sans pouvoir être renversé. *Processus, opération irréversible. Transformation irréversible* (→ Dégradation, cit. 6). *Temps irréversible* (→ Irréversibilité, cit.). *L'évolution de la situation semble irréversible.* — Chim. *Réaction chimique irréversible :* réaction complète, qui n'est pas interrompue par la réaction inverse. *Transformation, passage irréversible d'un état à un autre.*

Tout le monde connaît le second principe de la thermodynamique (...) la transformation de mouvement en chaleur n'étant pas réversible pleinement. Et sans doute nul n'aurait vu en cette condition autre chose qu'une difficulté de plus dans le maniement du monde, si le seigneur Temps n'avait en quelque sorte attendu ce changement irréversible, qui seul lui donne un objet. Le temps ne peut revenir; voilà que le devenir naturel ne peut pas non plus revenir (...)
ALAIN, Entretiens au bord de la mer, V, p. 110. 1

Organes et milieu intérieur se meuvent au rythme de processus irréversibles vers des transformations définitives, et la mort.
Alexis CARREL, l'Homme, cet inconnu, VII, IX. 2

♦ **3.** Sur quoi on ne peut intervenir. ⇒ **Irrévocable.** *Un engagement irréversible. Une action, une décision irréversible. — Troubles médicaux irréversibles. Décision militaire irréversible.*

N. m. *L'irréversible.*

CONTR. Réversible.
DÉR. Irréversibilité, irréversiblement.

IRRÉVERSIBLEMENT [i(ʀ)ʀevɛʀsibləmɑ̃] adv. — XXe (1955, Teilhard de Chardin); de *irréversible.*

♦ Didact. D'une manière irréversible. « *Le point de non-retour où le passé engage irréversiblement l'avenir* » (*le Monde,* 14 oct. 1969).

IRRÉVOCABILITÉ [i(ʀ)ʀevɔkabilite] n. f. — 1534; de *irrévocable.*

♦ Dr. ou littér. Caractère de ce qui est irrévocable. *Irrévocabilité d'une donation. — Irrévocabilité d'une décision, d'un résultat.* Fig. *Irrévocabilité du passé.*

IRRÉVOCABLE [i(ʀ)ʀevɔkabl] adj. — V. 1460; *inrevocable,* 1357 (antérieur; → Irrévocablement); lat. *irrevocabilis.* → Révoquer.

♦ **1.** Qui ne peut être révoqué. *Donation* irrévocable. Arrêt, verdict, jugement irrévocable* (→ Estimer, cit. 9; fidèlement, cit. 3; implacable, cit. 11). — *Vœux, serments irrévocables,* sur lesquels on ne peut revenir, qui engagent définitivement. ⇒ **Définitif.** *Détermination, volonté, décision* (cit. 4) *irrévocable.* ⇒ **Arrêté, fixe** (→ Contrecarrer, cit. 3). *Refus irrévocable* (→ Importunité, cit. 1).

1 J'ai ce testament très estable
Fait, de dernière volonté,
Seul pour tout et irrévocable. VILLON, le Testament, X.

2 Mon directeur de Paris, homme très éclairé cependant, voulait que je prisse résolument le sous-diaconat, le premier des ordres sacrés constituant un lien irrévocable. RENAN, Souvenirs d'enfance..., V, IV.

3 *(Il)* déclara qu'il avait l'intention de faire du théâtre, que c'était irrévocable, une force invincible l'y poussait, inutile de jeter des cris, c'était dit, et rien n'y ferait. ARAGON, les Beaux Quartiers, II, X.

Rare. (Personnes). *Demeurer le propriétaire irrévocable de qqch. Témoin irrévocable.*

N. m. *L'irrévocable.* ⇒ **Fatalité** (→ Aversion, cit. 10). — *L'irrévocable d'une décision.*

3.1 J'ai appris à quel point, en écrivant, on faisait de l'irrévocable. J.-R. BLOCH, « Deux hommes se rencontrent », 1910-1918, Albin Michel, p. 25.

♦ **2.** (1655). Qui ne peut être rappelé, qui ne peut revenir.

4 Un moment qui s'enfuit d'une course précipitée et irrévocable. BOSSUET, Oraison funèbre de Yolande de Monterby.

5 Le temps irrévocable a fui. L'heure s'achève. P.-J. TOULET, les Contrerimes, Chansons, II.

CONTR. Révocable.
DÉR. Irrévocabilité, irrévocablement.

IRRÉVOCABLEMENT [i(ʀ)ʀevɔkabləmɑ̃] adv. — 1266; de *irrévocable.*

♦ Littér. ou didact. D'une manière irrévocable. ⇒ **Définitivement.** *Décision irrévocablement prise.*

1 La donation entre vifs est un acte par lequel le donateur se dépouille actuellement et irrévocablement de la chose donnée, en faveur du donataire qui l'accepte. Code civil, art. 894.

2 Où est le cœur qu'irrévocablement
M'avez donné ? (...) Clément MAROT, Élégies, VII.

3 (...) je lui avais annoncé qu'irrévocablement j'étais décidé à ne pas épouser Albertine et allais cesser prochainement de la voir. PROUST, À la recherche du temps perdu, t. X, p. 315.

D'une manière définitive, sans recours possible.

4 Les deux enfants du capitaine se disaient que la question du salut de leur père allait irrévocablement se décider. Irrévocablement, on peut le dire, car Paganel (...) avait judicieusement démontré que les naufragés seraient rapatriés depuis longtemps déjà, si leur navire se fût brisé sur les écueils de la côte orientale. J. VERNE, les Enfants du capitaine Grant, III, VI.

IRRIGABLE [i(ʀ)ʀigabl] adj. — 1839; de *irriguer.*

♦ Susceptible d'être irrigué. ⇒ **Arrosable.** *Surface irrigable. Ce désert n'est pas irrigable.*

IRRIGATEUR, TRICE [i(ʀ)ʀigatœʀ, tʀis] n. et adj. — 1827, au sens 2; de *irriguer.*

♦ **1.** (1847, Balzac). Vx ou rare. Personne qui irrigue. — Par métaphore. « *Des drames fougueux* (ceux de A. Dumas) *où l'éruption volcanique était ménagée avec la dextérité d'un habile irrigateur* » (Baudelaire).

♦ **2.** N. m. Instrument servant à irriguer, à arroser. ⇒ **Arroseur.**

♦ **3.** N. m. (1832). Vx. Instrument qui servait à administrer automatiquement un lavement, une injection. ⇒ **Bock, seringue.** *Irrigateur vaginal.* — Adj. *Canule irrigatrice.*

IRRIGATION [i(ʀ)ʀigasjɔ̃] n. f. — XVe, méd. (1507, selon T. L. F.); rare av. 1764; lat. *irrigatio,* de *irrigatum,* supin de *irrigare.* → Irriguer.

♦ **1.** Méd. [a] Action de faire couler de l'eau (sur une partie malade, une plaie). « *L'irrigation a pour but de faire couler de l'eau sur une plaie, sur la peau ou dans une cavité. Elle est continue ou intermittente* » (Poiré).

[b] (1865). Injection à l'aide d'un irrigateur*.

♦ **2.** (1764). Cour. Arrosement (cit. 2) artificiel des terres (⇒ **Arrosage** [cit. 2], **baignage**). *Canaux d'irrigation.* ⇒ 2. **Bisse** (régional), **canal, colateur, rigole, saignée.** *Irrigation par déversement* (rigoles de niveau, rigoles de rases, plan incliné, ados), *par submersion, par infiltration, par aspersion. Irrigations destinées à féconder les terres arides* (→ Cours, cit. 4). *Barrage* permettant l'irrigation de régions nouvelles (périmètres d'irrigation). Eau d'irrigation.*

(...) ce barrage fut terminé vers le milieu du mois d'août (...) Les travaux d'irrigation dans la plaine conduits par Fresquin correspondaient au canal tracé par la nature au bas de la chaîne des montagnes du côté de la plaine, et d'où partirent les rigoles d'arrosement. Des vannes furent adaptées aux fossés que l'abondance des cailloux avait permis d'empierrer, afin de tenir dans la plaine les eaux à des niveaux convenables. BALZAC, le Curé de village, Pl., t. VIII, p. 729. 1

C'est dans les climats où il pleut le moins que l'eau sera le plus nécessaire pour la culture. Rappeler ce fait, c'est dire en un mot à quel point l'arrosage artificiel ou **irrigation** sera pour l'homme le mode supérieur de la conquête végétale dans tous les pays arides, semi-arides et désertiques. Jean BRUNHES, Géographie humaine, t. I, p. 70. 2

♦ **3.** (XXe). Par anal. Circulation naturelle (du sang, des liquides) dans l'organisme. *L'aorte fournit un tronc commun pour l'irrigation de l'estomac, du foie* (→ Collatéral, cit. 1).

♦ **4.** Fig. *L'irrigation de l'économie par des capitaux.*

CONTR. Assèchement, drainage.

IRRIGUER [i(ʀ)ʀige] v. tr. — 1505, au p. p.; repris 1835; lat. *irrigare,* de *ir-* (1. In-), et *rigare* « faire couler, arroser ».
Opérer l'irrigation de...

♦ **1.** Arroser en recourant à des procédés artificiels. *Irriguer des terres, des champs.* — Absolt. → cit. 1.

Il *(l'homme)* ne crée pas l'eau, il utilise l'eau qu'il découvre ou qu'il recueille. Il ne peut donc pas irriguer partout où il le voudrait (...) Jean BRUNHES, Géographie humaine, t. II, p. 788. 1

La « huerta » (du mot latin *hortus* qui signifie « jardin ») est un grand jardin irrigué, sur un sol fertile, qui permet les plus riches cultures. A. ALLIX, Géographie générale, p. 461. 2

♦ **2.** (1873). Méd. Vx. Arroser (une partie malade). *Irriguer une plaie.* ⇒ **Baigner.**

♦ **3.** (1947). Par anal. Arroser naturellement les tissus de l'organisme (en parlant du sang ou des liquides organiques). *Cette artère irrigue cette région. Le sang qui irrigue le corps.*

♦ **4.** Provoquer l'arrivée importante (de ce qui est assimilé à de l'eau). *Les routes qui irriguent une région. Les capitaux qui irriguent une économie.*

▶ **IRRIGUÉ, ÉE** p. p. adj. *Culture, plaine irriguée. Vallées bien irriguées. Terres irriguées. — Vignoble irrigué. Hectares irrigués.*

La mise en valeur des périmètres irrigués par les eaux de nouveaux barrages-réservoirs favorisera l'installation de nouvelles familles de cultivateurs car la substitution des cultures intensives aux cultures extensives entraînera, en Algérie, le morcellement de la grande propriété. Paul ROBERT, les Agrumes dans le monde, p. 13. 3

CONTR. Assécher, drainer.
DÉR. Irrigable, irrigateur.

IRRITABILITÉ [iʀitabilite] n. f. — 1754, Condillac, au sens 2; probablt antérieur (1672, en lat. : *irritabilitas*); lat. impérial *irritabilitas,* de *irritabilis.* → Irritable.

♦ **1.** (1778). Cour. Propension à la colère, disposition à s'irriter. ⇒ **Emportement, irascibilité.** *L'irritabilité de qqn. Une extrême irritabilité. Irritabilité nerveuse.*

Ils poussaient, exploitaient le peuple, chose peu difficile dans cet état d'irritabilité défiante et crédule à la fois, où mettent les grandes misères. MICHELET, Hist. de la Révolution franç., IV, IX. 1

(...) l'état d'extrême irritabilité nerveuse où je me trouvais depuis quelques jours me rendait vulnérable et me prédisposait à souffrir sans motif. E. FROMENTIN, Dominique, V. 2

Spécialt. Propension caractérielle à des réactions violentes. *Irritabilité paranoïaque.*

♦ **2.** Biol. « Propriété que possède tout élément anatomique d'être mis en activité et de réagir d'une certaine manière sous l'influence des excitants extérieurs » (Claude Bernard). ⇒ **Contractilité, excitabilité.** *L'irritabilité a été définie en 1672 dans le* Tractatus de natura substantiæ *du savant anglais Glisson. Irritabilité cellulaire, des fibres nerveuses, des fibres musculaires.*

Pathol. État (d'un tissu, d'un organe) qui réagit excessivement aux stimulations.

CONTR. Calme, flegme, impassibilité.

IRRITABLE [iʀitabl] adj. — 1757, au sens 2; « irritant », 1547; lat. *irritabilis,* de *irritare.* → Irriter.

♦ **1.** (1829). Cour. Qui s'irrite, est prompt à se mettre en colère. ⇒ **Atrabilaire, chatouilleux, emporté, épineux, irascible.** *Homme,* *caractère, tempérament, esprit irritable* (→ Affectif, cit. 2). *Femme querelleuse et irritable* (→ Habiter, cit. 1). *La maladie l'a rendu nerveux et irritable* (→ Aigrir, cit. 16).

1 Je sais bien qu'irritable, exigeant et morose,
Insatisfait, jaloux, malheureux pour un mot,
Je te cherche souvent des querelles sans cause (...)
Paul GÉRALDY, Toi et Moi, XIV.

2 Souvent un homme est irritable dans la mesure où il est tendre. Il ne supporte rien d'autrui parce qu'il supporte tout d'une personne unique.
F. MAURIAC, la Vie de Jean Racine, V.

3 Pendant tout le temps qu'il prépare son réquisitoire, il est tellement préoccupé, tendu, irritable, qu'il me semble être moi-même responsable du sort de l'assassin.
M. AYMÉ, la Tête des autres, I, 3.

D'humeur irritable (→ fam. Être à cran*). *Un amour-propre irritable*, particulièrement ombrageux.

♦ **2.** (1757). Biol. Vieilli. Susceptible de réagir à un stimulus. *La matière vivante est irritable et contractile* (cit.). ⇒ **Excitable.** *Tissus irritables.*

Qui réagit avec excès. *Un estomac irritable.* — *Avoir les nerfs irritables* : être d'un tempérament nerveux et irritable (1.).

CONTR. Calme.
DÉR. Irritabilité.

IRRITAMENT [iʀitamɑ̃] n. m. — Av. 1650, Guez de Balzac ; *irritement*, v. 1355 ; lat. *irritamentum* « ce qui irrite, stimule ».

♦ Vx (langue class.). Ce qui irrite, excite, stimule.

1. IRRITANT, ANTE [iʀitɑ̃, ɑ̃t] adj. — 1549 ; p. prés. de *irriter*. Qui irrite.

♦ **1.** Qui met en colère. ⇒ **Agaçant, crispant, désagréable, énervant, enrageant.** *Mot, propos irritants* (→ Caprice, cit. 11 ; frivolité, cit. 7). *La sonnerie irritante du réveille-matin* (→ Fausset, cit. 3). *Habitude irritante* (→ Honneur, cit. 86). — Spécialt. Qui irrite parce qu'on ne le comprend pas, qu'on ne peut le résoudre. *Un problème irritant. L'irritante question de l'inflation. Un mystère irritant* (→ Gouvernail, cit. 3 ; hiatus, cit. 7). — *Atmosphère irritante* (→ Guerre, cit. 42), horripilante.

1 L'embarras irritant de ne s'oser parler (...) RACINE, Bajazet, I, 1.

2 Le moment où la femme cesse de compter par printemps et commence à compter par hivers, est irritant.
HUGO, l'Homme qui rit, II, I, XI.

3 Mais, durant toute ma vie, excepté à l'âge de Chérubin, j'ai été plus sensible que tout autre à l'énervante sottise, à l'irritante médiocrité des femmes.
BAUDELAIRE, le Spleen de Paris, XLII.

4 C'était un petit homme barbu, courbé par l'âge et qui apportait à tous ses gestes une précision irritante. J. GREEN, Adrienne Mesurat, II, V.

(Personnes). *Il est irritant avec sa manie de... Un irritant bavard, un irritant plaisantin.*

♦ **2.** (1555). Vieilli. Qui détermine de l'irritation, de l'inflammation (dans l'organisme). ⇒ **Agressant** (rare). *Fumée irritante.* ⇒ **Âcre, suffocant.** *Les gaz lacrymogènes sont irritants. Épices, assaisonnements* (cit. 3) *irritants.* ⇒ **Échauffant** (→ Frelater, cit. 2). — Méd. *Médicaments, agents irritants.*

5 Par le sel irritant la soif est allumée (...) BOILEAU, le Lutrin, V.

N. m. (1835). *Les irritants* (caustiques, rubéfiants, vésicants...).

♦ **3.** (1753). Biol. Vieilli. [a] Qui provoque des réactions du fait de l'irritabilité*. — N. m. Vx. ⇒ **Excitant, stimulus.** *Claude Bernard distinguait les irritants physiques* (chaleur, lumière, électricité), *chimiques et vitaux.*

[b] (1851). Qui agit fortement sur les nerfs. ⇒ **Énervant, excitant.** *L'irritante électricité des jours orageux* (→ Accablant, cit. 2). *Fumet* (cit. 6) *irritant.*

♦ **4.** Vx. Qui irrite les nerfs, excite sensuellement. ⇒ **Excitant.** *Un parfum irritant.* — (Personnes). *Une femme coquette et irritante* (cf. Sainte-Beuve, *in* T. L. F.).

CONTR. Apaisant, calmant, lénifiant ; adoucissant, balsamique, émollient.
HOM. 2. Irritant.

2. IRRITANT, ANTE [iʀitɑ̃, ɑ̃t] adj. — 1440 ; p. prés. adj. de l'anc. v. *irriter*, 1314 ; bas lat. jurid. *irritare* « annuler », de *irritus* « vain ».

♦ Dr. Vx. Qui annule. *Condition, clause irritante*, qui rend nulle toute disposition contraire.

(1721). *Décret irritant*, dans les bulles* (1. Bulle) de Rome, dont l'inexécution fait perdre la grâce et entraîne la nullité.

HOM. 1. Irritant.

IRRITATIF, IVE [iʀitatif, iv] adj. — 1498 ; dér. sav. de *irritation**.
Médecine.

♦ **1.** Qui produit une irritation. *Action irritative.*

♦ **2.** Qui est causé par une irritation. *Diarrhée irritative. Lésion irritative.*

IRRITATION [iʀitɑsjɔ̃] n. f. — V. 1400 ; lat. *irritatio*, de *irritatum*, supin de *irritare*. → Irriter.

♦ **1.** État d'une personne irritée. ⇒ **Agacement, colère, énervement, exaspération, impatience, nervosité.** *L'irritation de qqn contre qqn, contre qqch. Son irritation fut vive. Être au comble de l'irritation* (→ Bracelet, cit. 1). *Éprouver de l'irritation contre qqn, à l'égard de qqn.* ⇒ **Humeur.** *Rougir d'irritation* (→ 1. Geste, cit. 15). *Irritation qui s'accroît* (cit. 11), *cède* (cit. 27), *diminue* (→ Ébauche, cit. 9). *Calmer l'irritation des esprits* (→ Filandreux, cit. 2). *Dans un état d'irritation* (→ Épancher, cit. 20 ; incrédulité, cit. 4). *Irritation qui suit l'excitation* (cit. 7). *Réagir, parler avec irritation.*

Une colère sourde contre tout le monde couvait en lui, et une irritation incessante, 1
qui se manifestait à tout propos, à tout moment, pour les causes les plus futiles.
MAUPASSANT, Bel-Ami, I, V.

Il est curieux que sous le coup de l'irritation on sente ses reproches si justifiés ; on 2
distingue la faute éclatante, on peut indéfiniment l'expliquer : survient un léger changement dans l'humeur et on ne comprend plus ce qu'on a dit.
J. CHARDONNE, Éva, p. 46.

♦ **2.** (1694). Inflammation* légère. *Irritation de la peau, des gencives, de la gorge, des bronches.* ⇒ **Brûlure, démangeaison, inflammation.**

Il faut saisir le double sens du mot irritation, si expressif, si lumineux dès qu'on y 3
pense. Selon les médecins ce mot désigne proprement un mal nouveau, qui résulte du mal lui-même par les convulsions petites ou grandes, toujours maladroites, que l'organisme essaie pour se délivrer. C'est ainsi qu'on s'irrite à tousser ou à se gratter. ALAIN, Propos, 19 juil. 1921, Cruels et frivoles spectateurs.

♦ **3.** (1834, Broussais). Biol. Vx. Action d'irriter* (4.), au moyen d'un stimulus. *Effets produits par l'irritation de tel nerf.*

Ce que Broussais nommait irritation se forme autour d'une lésion et s'étend de 3.1
proche en proche et toutes nos actions nous irritent en ce sens-là, car toutes offensent certaines surfaces.
ALAIN, les Aventures du cœur, *in* les Passions et la Sagesse, Pl., p. 399.

(1830). Physiol. Cour. État des nerfs irrités. ⇒ **Exaltation, exaspération, excitation, surexcitation.**

En proie à une irritation toute nouvelle, à une ivresse qui la livrait en quelque 4
sorte à la nature, Augustine écouta la voix éloquente de son cœur.
BALZAC, la Maison du chat-qui-pelote, Pl., t. I, p. 34.

CONTR. Adoucissement, apaisement, calme.

IRRITÉ, ÉE [iʀite] p. p. adj. ⇒ **Irriter.**

IRRITER [iʀite] v. tr. — 1355, au passif ; lat. *irritare* « exciter ; provoquer ».

♦ **1.** (1611 ; au p. p., 1355). Compl. n. de personne. Mettre (qqn) dans un état de colère latent ou contenu, de nervosité hostile. — (Sujet n. de personne). ⇒ **Agacer, aigrir, blesser, contrarier, courroucer, crisper, donner** (sur les nerfs), **énerver, exaspérer, excéder, fâcher, hérisser, horripiler, impatienter, indigner, piquer.** *Comprenez donc que vous l'irritez par vos propos, votre attitude...* (→ Aller, cit. 37 ; battement, cit. 7 ; boiteux, cit. 7 ; conversion, cit. 1 ; critère, cit. 4 ; entendre, cit. 55 ; faible, cit. 33 ; hormis, cit. 6). *Irriter qqn contre qqn, contre qqch. On vous a irrité contre moi. Vous commencez à m'irriter* (→ Échauffer* les oreilles à...). — *Irriter un animal* (→ Grondement, cit. 1).

Il (*Moïse*) déclare qu'enfin Dieu, s'irritant contre eux, les dispersera parmi tous les 1
peuples de la terre ; que, comme ils l'ont irrité en adorant les dieux qui n'étaient point leur Dieu, de même il les provoquera en appelant un peuple qui n'est point son peuple (...) PASCAL, Pensées, IX, 631.

Je lis Carlyle, qui m'irrite et me passionne à la fois. GIDE, Journal, 10 juin 1891. 2

Cette femme l'irritait dans tout ce qu'elle faisait et ses moindres gestes lui paraissaient déplaisants. 3
J. GREEN, Adrienne Mesurat, I, V.

(Sujet n. de chose). → Apitoiement, cit. 1 ; contenance, cit. 4 ; exister, cit. 7 ; faux-fuyant, cit. 2 ; fournir, cit. 5 ; infortune, cit. 2. *Un rien, la moindre chose suffit pour l'irriter* (→ Aliéner, cit. 6 ; conduite, cit. 21). *Cette affaire l'a irrité contre son associé. Ça m'irrite un peu.*

Mais quel sujet si grand contre lui vous irrite (...) ? 4
MOLIÈRE, le Misanthrope, V, 2.

Ici tous les objets vous blessent, vous irritent. RACINE, Athalie, II, 3. 5

(...) je me fâche parfois contre la mort ; elle est égalitaire à un degré qui m'irrite ; 6
c'est une démocrate qui nous traite à coups de dynamite.
RENAN, Souvenirs d'enfance..., VI, V.

(*Ces choses*) avaient le don d'irriter au plus haut degré Marchenoir. 7
Léon BLOY, le Désespéré, p. 200.

Le mensonge, qui est au fond de la nature humaine, l'irrite jusqu'à la rage. 8
André SUARÈS, Trois hommes, « Dostoïevski », V.

Manuel Roy lissait d'un doigt agacé sa moustache. Rien ne l'irritait plus que les 9
palinodies désuètes du vieux maître.
MARTIN DU GARD, les Thibault, t. VI, p. 200.

Absolt. *L'illogisme* (cit. 2) *irrite.*

(1640, Corneille). Pron. **S'IRRITER** : se mettre en colère. ⇒ **Bouillir, cabrer** (se), **émouvoir** (s', vx), **fâcher** (se) ; **monter** (se). *C'est un homme qui s'irrite facilement. Vous auriez tort de vous irri-*

ter. S'irriter contre qqn, contre qqch. ⇒ **Humeur** (avoir, prendre de l'humeur); → Admettre, cit. 14. *S'irriter de qqch.* (→ 2. Critique, cit. 5; froissement, cit. 10), *d'être, de voir...* (→ Bouder, cit. 2; contrefait, cit. 1).

10 Mais contre eux toutefois votre âme à tort s'irrite.
MOLIÈRE, Amphitryon, Prologue.

11 (...) il s'irrite des fautes de ceux-ci *(de ses propres enfants)* et ne dit jamais rien aux autres. ROUSSEAU, Lettre à d'Alembert.

12 (...) si des âmes pures (...) s'irritent contre ma pièce et la déchirent sans relâche (...) BEAUMARCHAIS, le Mariage de Figaro, Préface.

13 (...) au lieu de prendre un parapluie, je m'irritais follement contre l'état du ciel (...) STENDHAL, Armance, X.

14 Le peuple s'irritait jusqu'à élever contre la garde nationale la plus étrange accusation, celle de favoriser la cour, d'être du complot de Versailles.
MICHELET, Hist. de la Révolution franç., II, VII.

15 (...) il s'irritait de toute opposition systématique, acrimonieuse et obstinée.
Louis MADELIN, Hist. du Consulat et de l'Empire, Le Consulat, IX.

Récipr. *Ils s'irritaient l'un l'autre.*

♦ **2.** (1587; *inriter*, déb. XVIe). Vx ou littér. (Compl. n. de chose : sentiments, etc.). Rendre plus vif, plus fort. ⇒ **Animer, armer** (fig. et littér.), **attiser, augmenter, aviver** (cit. 9), **déchaîner, exacerber, exalter, exciter, fouetter, surexciter.** *« Vous irritez sa colère, au lieu de chercher à l'apaiser »* (Académie). *Irriter la passion, les désirs* (→ Agacer, cit. 6). *Irriter la curiosité, l'impatience de qqn. Irriter la douleur de qqn en croyant le consoler.* ⇒ **Aggraver.**

16 Enfin épargnez-moi ces tristes entretiens,
Qui ne font qu'irriter vos tourments et les miens. CORNEILLE, Polyeucte, II, 2.

17 Leur haine ne fera qu'irriter sa tendresse. RACINE, Andromaque, I, 1.

18 Me voir rappeler incessamment tant de doux souvenirs, c'était irriter le sentiment de mes pertes. ROUSSEAU, les Confessions, VI.

19 Il *(Chateaubriand)* en conclut qu'avec cette indépendance d'esprit il lui est impossible de toucher aux ouvrages de Chénier sans irriter les passions (...)
SAINTE-BEUVE, Chateaubriand, t. II, p. 85.

Pron. *Désir qui s'irrite* (→ Égarer, cit. 8; éteindre, cit. 36).

20 La haine dans mon cœur bout et s'irrite et monte
Et me prend à la gorge et me force à crier (...)
J.-M. DE HEREDIA, les Trophées, Romancero, « Triomphe du Cid ».

♦ **3.** (1536). Rendre douloureux, sensible en déterminant une légère inflammation. ⇒ **Brûler** (cit. 25), **enflammer.** *Piqûre, liquide qui irrite la peau. La fumée irrite l'œil. Ce que nos humeurs lavent ou irritent* (→ Charrier, cit. 4).

21 La vue des angoisses d'autrui m'angoisse (...) Un tousseur continuel irrite mon poumon et mon gosier. MONTAIGNE, Essais, I, XXI.

Pron. *Il a dû forcer sa voix, sa gorge s'est irritée.* — (Sujet n. de personne). *« On s'irrite à tousser ou à se gratter »* (→ Irritation, cit. 3).

♦ **4.** (1755, au p. p.). Sc. nat. Faire réagir sous l'effet d'une excitation* (3.), d'un stimulus (→ par métaphore Irritation, cit. 3.1). *Irriter une fibre musculaire, nerveuse.* — Cour. *Musique qui irrite les nerfs,* qui agace, énerve. ⇒ **Taper** (sur les nerfs).

▶ **IRRITÉ, ÉE** p. p. adj.

♦ **1.** (1356). Personnes. Qui est en colère. ⇒ **Cran** (à), **énervé, enragé, exaspéré, hors** (de soi), **impatient, nerveux.** *Être vivement irrité. Quand on est irrité, on ne sait plus ce qu'on dit. Moins inquiet qu'irrité* (→ 2. Froid, cit. 20). *Être irrité contre qqn.* ⇒ **Avoir** (en avoir après), **vouloir** (en vouloir à). *Un amant irrité* (→ Aigrir, cit. 8). — Poét. *Mer irritée.* ⇒ **Agité** (→ Élever, cit. 7). — Qui marque de la colère. *Un air irrité* (→ 1. Baiser, cit. 6). *Regards, yeux irrités* (→ Apercevoir, cit. 3; foudroyer, cit. 15).

22 Jugez combien ce front irrité contre moi (...) RACINE, Esther, II, 7.

23 La justice, jetant des rayons irrités (...) HUGO, l'Année terrible, mai 1871, III.

24 Je suis fort irrité contre tous! Ce peuple criard m'importune. GIDE, Saül, II, 4.

25 Les yeux qui, sous les paupières à demi baissées, semblaient impatients et irrités (...) A. MAUROIS, la Vie de Byron, II, XVI.

26 Allez-vous vous taire? gronda la jeune femme d'une voix irritée.
G. DUHAMEL, Chronique des Pasquier, IX, III.

♦ **2.** (1867). Parties du corps. Qui est enflammé. *Gorge irritée. Muqueuses, gencives irritées.*

CONTR. Apaiser, calmer, complaire; adoucir, amortir, diminuer. — Calme, patient.
DÉR. 1. **Irritant.** — Cf. **Irritable, irritation.**

IRRORATEUR [i(R)RɔRatœR] n. m. — 1825, Brillat-Savarin; de *irrorer.*

♦ Vx. Appareil qui envoyait un liquide parfumé en fines gouttelettes.

Il est cependant un autre jour dont le souvenir m'est je crois, aussi cher : c'est celui où je présentai au conseil d'administration de la société d'encouragement pour l'industrie nationale, mon irrorateur, instrument de mon invention, qui n'est autre chose que la fontaine de compression appropriée à parfumer les appartements. BRILLAT-SAVARIN, Physiologie du goût, 1825, p. 22, *in* T. L. F.

IRRORATION [i(R)RɔRasjɔ̃] n. f. — 1694, « aspersion d'une plante avec les humeurs d'un malade, pour le guérir »; sens mod., 1825; lat. *irroratio,* de *irroratum,* supin de *irrorare* (→ Irrorer), de *ros, roris* « rosée ».

♦ Didact. « Action d'exposer à la rosée ou à un arrosement, en forme de rosée » (Littré). *Bain par irroration.*

IRRORER [i(R)RɔRe] v. tr. — 1532, Rabelais; lat. *irrorare,* de *ir-* (Inlocatif), et *rorare* « arroser », de *ros, roris* « rosée ».

♦ Vx. Couvrir de rosée; arroser en fines gouttelettes.

IRRUER (S') [i(R)Rye] v. pron. — 1473, repris fin XIXe; lat. *irruere* « se précipiter ». → Ruer (se).

♦ Vx ou régional. S'élancer brusquement, faire irruption*.

Elles reculent devant le jet de soleil qui s'irrue et restent un moment en silence au fond de la salle. MAETERLINCK, la Princesse Maleine, 1889, *in* D. D. L., II, 2. 1

Par métaphore :

Soudain, d'Archias, gonflé comme une éponge, s'irruait un rêve torrentiel. En hurlements étouffés il parlait de ses dieux. 2
J. GIONO, Naissance de l'Odyssée, *in* Œ. roman., Pl., t. I, p. 9.

IRRUPTIF, IVE [iRyptif, iv] adj. — XXe; de *irruption,* et suff. *-if.* → Éruptif.

♦ Didact. et rare. Qui fait irruption; qui arrive brusquement.

Il ne faudrait pas croire cependant qu'il *(cet événement)* a surgi soudain (...) en imposant d'une manière irruptive et absolument déroutante pour notre réflexion, le fait brutal (...) Michel FOUCAULT, les Mots et les Choses, p. 328.

IRRUPTION [iRypsjɔ̃] n. f. — 1495; lat. *irruptio,* de *irruptum,* supin de *irrumpere,* de *in-* locatif, et *rumpere* « rompre, enfoncer ».

♦ **1.** Invasion* soudaine et violente (d'éléments hostiles dans un pays). ⇒ **Attaque, débordement, excursion, incursion, invasion.** *Les dangereuses irruptions des barbares dans l'Empire romain* (→ Côté, cit. 23). *Arrêter l'irruption ennemie* (→ Barrage, cit. 1). *Se livrer à des irruptions incessantes.*

Les féroces habitants du Nord ont fait dans tous les temps des irruptions dans les contrées du Midi. VOLTAIRE, Essai sur les mœurs, CLIX. 1

Loc. *Faire irruption* (→ ci-dessous, 4.).

♦ **2.** (1749). Vx. Envahissement (des eaux) qui débordent sur les terres avec violence. ⇒ **Débordement, inondation.** *Irruption soudaine, catastrophique des eaux d'un fleuve, de la mer.*

(...) la mer Méditerranée n'est point un golfe ancien de l'Océan (...) elle a été formée par une irruption des eaux (...) BUFFON, Hist. nat., Théorie terre, IIe disc. 2

♦ **3.** a (1789). Entrée de force et en masse (de personnes) dans un lieu, un local. *La foule révolutionnaire fit irruption dans l'Assemblée* (⇒ **Envahir**). *Irruption d'une centaine de manifestants dans la salle.*

(1833, Balzac). Par ext. Entrée brusque et inattendue (d'une, de quelques personnes).

— Pardonnez-moi, mademoiselle, cette irruption chez vous; mais je ne vous ai point trouvée hier quand je suis venue vous faire une visite (...) 3
BALZAC, la Cousine Bette, Œuvres, t. VI, p. 217.

b (1701). Apparition soudaine et massive (de qqch. d'abstrait). *L'irruption d'un sentiment dans le cœur. L'irruption d'un art, d'un style.*

♦ **4.** Loc. FAIRE IRRUPTION : envahir (au sens 1). *Les Barbares firent irruption en Occident.* — (Sens 2). *Les eaux, brisant les digues, ont fait irruption dans la plaine.* — (Sens 3). *Les insurgés firent irruption dans le palais.* — Par ext. Entrer de manière brusque, inattendue. *Il a fait irruption chez moi.* ⇒ **Intrusion** (→ Examen, cit. 9; hareng, cit. 4).

Bientôt un nouveau flot d'hommes fait irruption, déborde cette fois par la tribune publique et submerge l'assemblée. FRANCE, le Petit Pierre, XVI. 4

(Choses). *Quand l'industrie* (cit. 11) *fait irruption dans l'art...* ⇒ **Apparition.**

Aussi, rien n'était plus ennuyeux que cette pâle résurrection de la littérature d'autrefois. Ce calque froid (...) disparut quand la littérature nouvelle fit irruption avec fracas par le *Génie du christianisme.* 5
CHATEAUBRIAND, Mémoires d'outre-tombe, t. II, p. 208.

IS- ⇒ Iso-

-IS Suffixe servant à former des noms masculins sur une base verbale. Ex. : *gâchis, hachis, fouillis, éboulis.*

ISABELLE [izabɛl] adj. invar. — 1630, *isavelle;* 1595, *couleur d'Isabelle;* 1663, *soie isabelle;* esp. *Isabel,* prénom.

♦ **1.** De couleur jaune pâle. *Des rubans isabelle.* — (1746). Spécialt. Qui a une robe jaune pâle (chevaux). *Cheval, jument isabelle.*

Ta cavale isabelle 1
Hennit sous tes balcons. A. DE MUSSET, Premières poésies, « Le lever ».

On eût dit deux chevaux, ou tout au moins deux ânes, mâle et femelle, formes fines, pelage isabelle, jambe et queue blanches, zébrés de raies noires sur la tête, le cou et le tronc. J. VERNE, l'Île mystérieuse (1874), t. I, p. 397. 2

3 Elle m'a considéré d'un œil las et elle a ouvert. Elle m'a précédé dans un salon Louis XV à tentures ivoire. Elle était vêtue d'une robe de chambre en soie isabelle, elle avait aux pieds des mules avec des pompons blancs.
J.-P. MANCHETTE, Que d'os !, p. 132.

N. (1845). *Un isabelle :* un cheval isabelle.

N. m. (1640). *L'isabelle :* la couleur isabelle. *Un isabelle presque blanc.*

♦ **2.** (1872 ; p.-ê. autre origine). Cépage américain à raisins noirs. *L'isabelle est prohibé en France.*

ISALLOBARE [iza(l)lɔbaʀ] n. f. — 1948, *in* Larousse ; d'après *isobare,* avec intercalation du grec *allos* « autre ».

♦ Didact. Courbe joignant les points de la surface terrestre où les variations de la pression atmosphérique sont égales en un temps donné.

ISALLOTHERME [iza(l)lɔtɛʀm] n. f. — Mil. xxe (*in* Larousse, 1962) ; d'après *isotherme,* avec intercalation du grec *allos* « autre ».

♦ Didact. Courbe joignant les points de la surface terrestre où les variations de température sont égales en un temps donné.

-ISANT, ANTE ♦ **1.** Suffixe (⇒ **-iser**) qui, ajouté à un nom de langue, de peuple ou à un nom propre, désigne le spécialiste des études concernant cette langue, ce peuple, ce personnage. Ex. : *sémitisant* (langues sémitiques).

(...) la satrapie de Porel étant maintenant occupée par un fonctionnaire qui est un tolstoïsant de rigoureuse observance, il se pourrait que nous vissions *Anna Karénine* ou *Résurrection* (...) PROUST, Sodome et Gomorrhe, Pl., t. II, p. 935.

♦ **2.** Suffixe servant à former des adjectifs qui ont une valeur factitive. Ex. : *culpabilisant, euphorisant, sécurisant.*

REM. Certains adj. en *-isant* sont formés à partir d'un adj. (ou subst.) en *-iste* (ou *-isme*). Ex. : *communisant, fascisant, socialisant.*

ISARD [izaʀ] n. m. — 1553, *ysard ; bouc ysarus,* v. 1387, Gaston Phébus ; cf. basque *izar* « étoile, tache blanche sur le front des animaux » ; d'un mot ibérique prélatin (et probablt antérieur au basque) signifiant « étoile ».

♦ Chamois des Pyrénées (→ Haut, cit. 20).

C'est alors qu'on voit accourir de légers troupeaux d'isards qui, renversant sur leur dos leurs cornes recourbées, s'élancent de rochers en rochers, comme si le vent les faisait bondir devant lui, et prennent possession de leur désert aérien (...)
A. DE VIGNY, Cinq-Mars, XXII.

REM. La variante *izard* (Giraudoux, *Bella, in* T. L. F.) est rare et archaïque.

ISATINE [izatin] n. f. — 1843, Landais ; du lat. *isatis* (Linné) « pastel » (mot grec *isatis,* même sens ; → 1. Pastel), et suff. *-ine.*

♦ Chim. Composé obtenu en oxydant l'indigo par l'acide nitrique, substance en cristaux rougeâtres solubles dans les alcalis.

-ISATION Suffixe (de *-iser,* et *-ation*) servant à former des substantifs marquant un changement d'état. Ex. : *démocratisation, mémorisation, stabilisation, temporisation.*

ISATIS [izatis] n. m. — 1740, Trévoux ; grec *isatis* « pastel » (plante).

♦ **1.** Bot. ⇒ 1. **Pastel.**

♦ **2.** (1765). Renard* bleu des régions arctiques, très recherché pour sa fourrure.

1 Au-dessus de tous se place le renard bleu, connu zoologiquement sous le nom d'« isatis ». Ce joli animal est noir de museau, cendré ou blond foncé de poil et nullement bleu, comme on pourrait le croire.
J. VERNE, le Pays des fourrures, t. I, p. 212.

2 On a parfois proposé de placer le RENARD BLEU *(vulpes lagopus)* ou ISATIS dans un genre à part *(alopex),* car ses formes, ses mœurs, sont assez différentes de celles des autres renards. C'est un animal essentiellement polaire, propre à toute la zone arctique, depuis l'Europe jusqu'à l'Amérique (...) De petite taille avec de courtes oreilles, bas sur pattes, il porte une fourrure au duvet très fin qui varie en été du gris brun au gris nettement bleu et, sous l'action du froid, peut devenir complètement blanche en hiver, époque où elle acquiert sa plus grande valeur.
René THÉVENIN, les Fourrures, p. 48.

ISBA [izba] n. f. — 1797, Voyage de la Pérouse ; mot russe, cf. en 1669 *wisbys,* transcription du russe *v* (préposition) *isby* « aux isbas » ; le russe *isba* est d'origine incertaine (germ. **stuha* « endroit chauffé », lat. pop. **extupa* « étuve » ou mot slave, de *istopit'* « chauffer »).

♦ Maison traditionnelle, en bois de conifères, notamment en Russie du Nord. *Des isbas.*

1 Nous rencontrâmes aussi deux ou trois chariots de moujiks cherchant à regagner leurs isbas et fuyant devant la tempête. Th. GAUTIER, Voyage en Russie, p. 358.

Sa chambre (...) rappelait assez les intérieurs des pieuses isbas éclairées par de perpétuelles lampes allumées devant les figures propices des iconostases. 2
Léon BLOY, le Désespéré, p. 172.

Var. anc. : *izba.*

Je m'arrêtai devant une hôtellerie où j'eus assez de peine à me faire recevoir : tout était plein. L'izba était déjà encombrée. 3
Csse DE SÉGUR, le Général Dourakine, XIX.

ISCHÉMIE [iskemi] n. f. — 1832 ; grec *iskhaimos* « qui arrête le sang », et suff. *-émie.*

♦ Méd. Anémie* locale, arrêt ou insuffisance de la circulation du sang dans un tissu ou un organe.

DÉR. Ischémique.

ISCHÉMIQUE [iskemik] adj. et n. — 1867 ; de *ischémie.*

♦ Méd. Qui est provoqué par l'ischémie. *Gangrène ischémique.* Qui est atteint d'ischémie. — N. *Un, une ischémique :* personne atteinte d'ischémie.

ISCHI-, ISCHIO- Élément tiré du grec *iskhion* « ischion », qui entre dans la composition de mots d'anatomie.

ISCHIATIQUE [iskjatik] adj. — 1605, *goute ischiatique ;* n. f., *isciatique* « sciatique », 1532, Rabelais ; de *ischion.*

♦ (1761). Anat. Qui appartient, qui a rapport à l'ischion ou à l'articulation de la hanche*. *Artère, tubérosité ischiatique.*

ISCHION [iskjɔ̃] n. m. — 1538 ; grec *iskhion* « os du bassin où s'emboîte le fémur ; hanches ».

♦ Anat. Partie de l'os iliaque*, en bas et en arrière du bassin. *Les deux branches, ascendante et descendante, de l'ischion. Tubérosité de l'ischion* (à la jonction des deux branches). ⇒ **Sédentaire** (os). *Trou de l'ischion.* ⇒ **Ovalaire.**

Jusqu'au masseur qui y allait avec plus de vigueur contre ses ischions et ses os iliaques. GIRAUDOUX, Églantine, p. 187.

DÉR. Ischiatique.

ISCHNO- Élément, du grec *iskhnos* « maigre, grêle », entrant dans la composition de mots de sciences naturelles. Ex. : *ischnochiton* [isknɔkitɔ̃] n. m. (mollusque) ; *ischnocole* [isknɔkɔl] n. m. (araignée) ; *ischnogaster* [isknɔgastɛʀ] n. m. (guêpe) ; *ischnoglosse* [isknɔglɔs] n. f. (chauve-souris).

ISCHURIE [iskyʀi] n. f. — 1548, *in* D. D. L. ; grec *iskhouria* « rétention d'urine », de *iskhein* « arrêter, retenir », et *oûron* « urine » (→ -urie).

♦ Méd. « Suspension de l'excrétion urinaire due à ce que les uretères ou les conduits urinifères ne laissent plus passer le liquide sécrété par les glomérules » (Garnier). ⇒ **Rétention** (d'urine).

ISCHY- Préfixe utilisé en physique, du grec *ischus* « force, fermeté, puissance », et signifiant « puissance, énergie par unité de temps ». Ex. : *ischymétrie* [iskimetʀi] n. f. ; *ischymétrique* [iskimetʀik] adj.

ISÉICONIE [izeikɔni] n. f. — Mil. xxe ; de *is(o)-,* et grec *eikôn* « image ».

♦ Physiol. Identité des images perçues par les deux yeux.

DÉR. Iséiconique.

ISÉICONIQUE [izeikɔnik] adj. — Mil. xxe ; de *iséiconie.*

♦ Opt. Relatif à l'iséiconie. *Lunettes iséiconiques,* qui corrigent l'inégalité des images perçues par les deux yeux.

ISENTROPIQUE [izɑ̃tʀɔpik] adj. — 1903, in *Rev. gén. des sc.,* no 7, p. 360 ; de *is(o)-, entropie,* et suff. *-ique.*

♦ Phys. Dont l'entropie est ou reste constante.

L'état de tout corps gazeux est défini si l'on se fixe deux paramètres : par exemple la pression et le volume spécifique, ou la pression et la température, etc. Toute transformation d'un fluide peut donc être représentée par une équation entre *p* et *v.* On distingue les transformations isothermes (à température constante), adiabatique (sans échange de chaleur avec le milieu extérieur), réversible (qui peut être décrite en sens inverse), adiabatique réversible, isobare (à pression constante) et isochore (à volume spécifique constant). Une transformation adiabatique réversible le fait toujours à entropie constante : elle est dite isentropique.
M.-L. CHASSELOUP et L. LE MAÎTRE, les Centrales thermiques, p. 9.

-ISER Suffixe savant (du bas lat. *-izare*, correspondant au grec *-idzein*) entrant dans la formation de verbes dérivés de substantifs ou de noms de peuples, avec la valeur transitive et généralement factitive (ex. : *brutaliser, égaliser*, etc.).

1 La langue savante a en outre emprunté au latin, qui le tenait lui-même du grec, un suffixe *-iser*, lequel, devenu courant aujourd'hui, a formé sur des noms ou des adjectifs de nombreux verbes : *brutaliser, idéaliser, utiliser, vulgariser, dramatiser, égaliser, macadamiser, monopoliser, mécaniser, révolvériser*.
F. BRUNOT, la Pensée et la Langue, p. 212.

Cet élément est productif dans le discours, ajouté à une base substantive, et avec la valeur de : « donner le caractère de... »

2 Bergson expliquerait que la chute pantinise ces capitaines, ces ministres, ces diplomates. Les successeurs de Bergson que la chute les dépantinise et les montre tels qu'ils sont. Mais le ridicule de ces chutes ne provoque pas le rire.
COCTEAU, Journal d'un inconnu, p. 73.

3 Peut-être a-t-il *(M. Guy Mollet)* lu sans frémir ce que nous rapporte un correspondant de l'Associated Press en Égypte : « Toutes nos firmes sont sous séquestre, toutes les actions des compagnies passent aux Égyptiens. Plus de films ni de livres franco-britanniques. » Mais voici le pire : « Cent cinquante écoles et instituts vont être *égyptianisés*. »
F. MAURIAC, Bloc-notes 1952-1957, p. 287.

4 Ce soir, ça va, conclut Laurence après avoir examiné le buffet dressé au fond du salon que Marthe a « noëllisé » avec des bougies, un petit sapin, du gui, du houx, des cheveux d'ange, des boules brillantes.
S. DE BEAUVOIR, les Belles Images, p. 199.

Sur un nom de personne. *« Antigone : subtilement "brechtisée..." »* (*l'Express*, 1er janv. 1973, p. 4).

REM. Outre la valeur transitive et factitive, des verbes en *-iser* formés sur des noms de peuples ou de langue possèdent la valeur intransitive de : « se conformer aux habitudes de..., étudier la langue, la civilisation de... ». → Helléniser (II.). Cette valeur correspond à celle du suffixe *-isant*.

ISIAQUE [izjak] adj. — 1752, Trévoux ; lat. *isiacus*, même sens, et n. m. « prêtre d'Isis », grec *isiakos*.

♦ Didact. Relatif à la déesse Isis. *Culte, doctrine, mystères, processions isiaques. Sistre isiaque*, employé dans la célébration du culte isiaque (→ Faucille, cit. 3).

Pour la scène isiaque, son pouvoir tient non seulement au doute qu'elle éveille par analogie, mais au mélange bizarre de comique et de sérieux qu'elle met tout de suite en jeu, son air innocemment parodique m'amusant comme un carnaval, en même temps qu'elle me fait sentir un peu de la grandeur des mystères d'Isis, sous un travesti qui me permet d'en être touché sans que me bride la crainte de verser ainsi dans un vain mysticisme.
Michel LEIRIS, Frêle bruit, p. 271.

Archéol. *Table isiaque :* célèbre table de cuivre découverte à Rome en 1527, où sont représentés les mystères d'Isis.

ISINGLASS [izɛ̃glas] n. m. — 1803 (→ cit.) ; mot angl., 1660 (*isonglas*, 1545), altér. probable, d'après *glass* « verre », du néerl. *huisenblas*, du moyen néerl. *huusblas*, proprt « vessie d'esturgeon », de *huus* « esturgeon », et *blas* « vessie » (l'angl. est attesté dans les trois sens du français).

Technique, commerce.

♦ **1.** Mica utilisé, en feuilles transparentes, comme verre isolant. *« Une veine de granit-talbeux* (sic ; lire *talceux*) *ou isinglass »* (Volney, *Tableau des États-Unis, in* Mackenzie).

♦ **2.** (1876, *in* Littré, *Suppl.*). Gélose.

♦ **3.** (1877). Matière gélatineuse extraite des cartilages et des vessies natatoires de poissons, employée comme agent clarifiant et pour la fabrication de colles (⇒ **Ichtyocolle**).

ISLAM [islam] n. m. — 1697 ; arabe (ɔ)islām, proprt « soumission, résignation », nom d'action, du v. *aslama* « il s'est soumis », spécialt « il s'est soumis (à Dieu) », forme dérivée, 4e conjugaison, de *salama* « il est sain, libre, en sécurité » (aspect accompli). → Ci-dessous, cit. 1, et Musulman, salam, salamalec.

♦ **1.** Religion prêchée par Mahomet (Mohammed), fondée sur le Coran*. ⇒ **Islamique, mahométisme** (vx) ; **musulman.**

1 La foi que Mohammed devait à ses visions (...) se nomme *l'islam*. Nombreux sont ceux qui ont cherché à interpréter ce mot ; aucun n'y a réussi. On a dit : « *Islam* signifie : soumission à Dieu ». Ceci méconnaît la nature philologique et le sens de l'expression. Islam vient du verbe *salm* ou *salama*, qui exprime le repos, le temps de relâche après un devoir accompli, l'existence paisible. Le substantif verbal islam signifie : paix, protection, délivrance. Sur les lèvres de Mohammed, il désignait l'aspiration à une paix supérieure, à la piété divine.
MARTY, Trad. Moh. ESSAD BEY, Mahomet, p. 80.

2 Les Cinq Piliers de l'islam sont : 1° la profession de foi (...) selon la formule célèbre (...) *il n'y a de divinité que Dieu et Mohammed est l'envoyé de Dieu ;* 2° la prière canonique (...) cinq fois par jour, à heures fixes, précédée d'ablutions, avec attitudes et prosternations strictement réglées (...) 3° le jeûne (...) pendant les vingt-neuf ou trente jours du mois de ramadhân (...) 4° la dîme légale (...) 5° le pèlerinage (...) à La Mecque (...) et à Médine (...)
DERMENGHEM, Mahomet et la Tradition islamique, p. 56.

♦ **2.** (Avec *I* majuscule ; 1867). L'ensemble des peuples qui professent cette religion, et la civilisation qui les caractérise. *L'Islam. Les pays d'Islam.*

3 Cette histoire du monde musulman, depuis Mahomet, se termine au milieu du XVe siècle sur des promesses qui seront tenues. L'Islam se trouve à son apogée politique, dominant dans le bassin de la Méditerranée et sur une partie de l'Europe. L'univers islamique a revêtu des aspects bien divers depuis l'Empire arabe de Damas.
Gaston WIET, l'Islam, *in* Encycl. Pl. (Hist. universelle), t. II, p. 137.

L'Islam, c'est l'Occident de l'Orient (...) Chez les Musulmans comme chez nous, 4
j'observe la même attitude livresque, le même esprit utopique et cette conviction obstinée qu'il suffit de trancher les problèmes sur le papier pour en être débarrassé aussitôt.
Claude LEVI-STRAUSS, Tristes tropiques, p. 365.

DÉR. Islamique, islamiser, islamisme, islamite.

COMP. Islamologie, islamologue.

ISLAMIQUE [islamik] adj. — 1835, Lamartine, *in* T. L. F. ; de *islam*.

♦ Qui appartient, qui a rapport à l'islam (cit. 3). ⇒ **Musulman.** — *Études islamiques. École islamique.* ⇒ **Coranique.** *Maître dans une école islamique* (→ Khodja).

Le ministre de la Justice actuel du Sultan a professé pendant des années à l'Université d'El-Azar au Caire, à Stamboul, à Brousse, à Damas, est en correspondance avec les Oulémas jusqu'aux Indes, et n'est pas le seul qui soit en relations avec l'élite islamique d'Orient.
L.-H. LYAUTEY, Paroles d'action, p. 173.

(En composition). *« Un rapprochement franco-islamique »* (Grousset, *l'Épopée des croisades*, p. 281, 1939, *in* T. L. F.).

ISLAMISATION [islamizasjɔ̃] n. f. — 1903, in *Rev. gén. des sc.*, nº 4, p. 202. ; de *islamiser*.

♦ Action d'islamiser ; son résultat. *L'islamisation de l'Andalousie après le* VIIIe *siècle.*

Il suffit de jeter un coup d'œil sur une carte pour mesurer le chemin parcouru par les invasions arabes en cent ans. À cette extension territoriale démesurée va succéder un morcellement ininterrompu (...) Car la réussite prodigieuse de l'islamisation des territoires conquis va faire crouler le colosse (...)
Gaston WIET, l'Islam, *in* Encycl. Pl. (Hist. universelle), t. II, p. 72.

ISLAMISER [islamize] v. tr. — 1862, Renan ; de *islam*.

♦ Intégrer à l'islam (1. et 2.). *Islamiser un pays, une région, une communauté.*

▶ **ISLAMISÉ, ÉE** p. p. adj.

Qui a été intégré à l'Islam ou a subi une forte influence islamique. *Populations islamisées du Soudan, du Sénégal.* — N. (rare au fém.). *Les islamisés.*

Voici le sergent de retour ; c'est un islamisé du Soudan, qui parle fort passablement le français (...)
GIDE, Voyage au Congo, *in* Souvenirs, Pl., p. 811.

DÉR. Islamisation.

ISLAMISME [islamism] n. m. — 1697, d'Herbelot, *in* T. L. F. ; de *islam*.

♦ Religion musulmane. ⇒ **Mahométisme** (vx).

Cet antisémitisme *(de certains Noirs)* est dû en partie à la comédie d'arabisme et d'islamisme que se jouent les extrémistes noirs à la recherche d'un ailleurs spirituel.
R. GARY, Chien blanc, p. 148.

DÉR. Islamiste.

ISLAMISTE [islamist] adj. — 1803, Chateaubriand, *in* T. L. F. ; de *islamisme*.

♦ Relatif à l'islamisme. *Militant islamiste. « Mais l'itinéraire de ces soulèvements, de la répression à la révolution, s'inscrirait, après tout, dans la plus belle épopée populaire si l'on ne craignait si fort et partout qu'il soit relayé, canalisé, pris en charge par ce que nous avons appelé le "radicalisme islamiste" pour respecter les conceptions de nombreux amis selon qui l'islam ne saurait inviter qu'à la tolérance et au pacifisme »* (*le Nouvel Obs.*, nº 1003, 27 janv. 1984, p. 2). — N. *Un islamiste :* un partisan de l'islamisme.

ISLAMITE [islamit] adj. et n. — 1759, n., Diderot ; de *islam*.

♦ Vx. Qui professe la religion de l'islam. ⇒ **Mahométan, musulman.** — N. m. pl. *Les Islamites.*

ISLAMO- Premier élément de mots composés, tiré de *islam*. *« La zone islamo-syro-palestinienne* (de Beyrouth) *»* (*le Nouvel Obs.*, 6 avr. 1981, p. 46).

ISLAMOLOGIE [islamɔlɔʒi] n. f. — Mil. XXe ; de *islam*, et *-logie*.

♦ Didact. Étude de l'Islam. *« De Renan à Massignon, de Gibbs à Doughty, de Lévi-Provençal à Rodinson, Berque et Monteil (...) l'islamologie est une science où les Arabes ont souvent puisé une énergie intellectuelle pour contester le colonialisme »* (*le Nouvel Obs.*, 11 mars 1974, p. 58).

ISLAMOLOGUE [islamɔlɔg] n. — Mil. XXe ; de *islam*, et *-logue*.

♦ Didact. Spécialiste de l'islam.

ISLANDAIS, AISE [islɑ̃dɛ, ɛz] adj. — 1732, Trévoux; de *Islande.*

♦ **1.** De l'Islande. *L'ancienne poésie islandaise.* ⇒ **Saga, scalde.** — N. *Les Islandais :* les habitants de l'Islande, les personnes qui en sont originaires. *Un Islandais, une Islandaise.*

(1827). *L'islandais :* la langue parlée depuis le IXe siècle en Islande. *Vieil islandais, ancien islandais. L'islandais moderne.*

♦ **2.** (1883). En France, Pêcheur qui fait, qui faisait les campagnes de pêche à la morue sur les bancs d'Islande. ⇒ aussi **Terre-neuvas.** *Le pardon* des Islandais.*

1 Leur navire s'appelait la *Marie,* capitaine Guermeur. Il allait chaque année faire la grande pêche dangereuse dans ces régions froides où les étés n'ont plus de nuits (...) Quant à eux, les six hommes et le mousse, ils étaient des *Islandais* (une race vaillante de marins qui est répandue surtout au pays de Paimpol et de Tréguier, et qui s'est vouée de père en fils à cette pêche-là).
Ils n'avaient presque jamais vu l'été de France.
À la fin de chaque hiver, ils recevaient avec les autres pêcheurs, dans le port de Paimpol, la bénédiction des départs (...)
Ensuite ils partaient tous, comme une flotte, laissant le pays presque vide d'époux, d'amants et de fils. P. LOTI, Pêcheur d'Islande, p. 15-16.

Bateau qui arme, qui armait pour cette pêche.

2 Mais la *Marie* suivait l'usage de beaucoup d'Islandais, qui est de toucher seulement à Paimpol, et puis de descendre dans le golfe de Gascogne où l'on vend bien sa pêche, et dans les îles de sable à marais salants où l'on achète le sel pour la campagne prochaine. P. LOTI, Pêcheur d'Islande, p. 17.

ISMAÉLIEN, IENNE [ismaeljɛ̃, jɛn] adj. et n. — 1697, d'Herbelot, *in* T. L. F.; de *Ismaël* (var. *Ismaïl, Ismāᶜīl*), nom du fils du sixième imam Jaᶜfar al-Sādiq (Djafar el-Sadik), écarté de l'imamat par son père, qui désigna son cadet comme successeur.

♦ Didact (hist. des relig.). Membre d'une secte musulmane qui se détacha de la communauté chiite au IIe siècle de l'hégire (fin du VIIIe s.), et dont les adeptes réservaient le califat aux descendants d'Ismaël, aux Ismaélites. *Les Ismaéliens, pour qui la succession des imams historiques s'arrête au septième imam, sont aussi appelés* septimains.

Var. graph. : *ismaïlien* [ismailjɛ̃] (de la var. *Ismaïl,* → ci-dessus).

ISMAÉLISME [ismaelism] n. m. — 1839, Boiste; de *Ismaël* (→ Ismaélien), et suff. *-isme.*

♦ Didact. Mouvement sectaire des Ismaéliens*; ensemble de leurs dogmes (on dit aussi *ismaïlisme*).

ISMAÉLITE [ismaelit] n. m. — XXe, n.; adj., *femme ysmaelicte,* mil. XVe; lat. ecclés. *Isma(h)elita,* grec *Ismaêlitês,* pour traduire l'hébreu *yišmĕᶜèʾlī,* du nom d'Ismaël, fils d'Abraham et d'Agar (cf. Genèse, 16-17).

♦ Didact. et vx. Descendant d'Ismaël, fils d'Abraham, considéré comme l'ancêtre des tribus d'Arabie du Nord.

ISMAÏLIEN, IENNE [ismailjɛ̃, jɛn] adj. et n. ⇒ **Ismaélien.**

ISMAÏLISME [ismailism] n. m. ⇒ **Ismaélisme.**

ISME [ism] n. m. — 1930, *in* D. D. L.; du suff. *-isme.*

♦ Péj. et plais. Doctrine, théorie dont le nom est en *-isme. Il déteste tous les ismes* (→ aussi -isme). — REM. Le mot est souvent écrit entre guillemets.

On n'a pas dit grand chose de l'intérieur sur tout ça... Anarchisme, cubisme, surréalisme, communisme... Tous ces «ismes» ont finalement l'air d'avoir été fabriqués pour cacher la naissance de nouveaux noms. Ph. SOLLERS, Femmes, p. 151.

-ISME Suffixe, du grec *-ismos* (qui eut une extension parallèle à celle du suffixe verbal *-idzein* → -iser, et dans lequel on reconnaît l'élément nasal *-mo-* à l'origine de *-me* dans *enthousiasme, marasme, miasme, spasme...*), passé en français par l'intermédiaire du latin de basse époque *-ismus,* et qui sert à la formation de substantifs dérivés masculins, désignant une profession, une opinion (ex. : *socialisme, journalisme*), l'appartenance à un groupe ou à un système (ex. : *structuralisme*), etc. ⇒ **-iste.**

Le suffixe *-isme* est très productif; ajouté à un nom ou un adjectif, il forme des termes politiques et sociaux, avec la valeur axiologique de «système d'opinions» ou de «attitude, tendance»; des termes de philosophie, de religion ou de science («doctrine» ou «croyances»); des termes littéraires et artistiques («écoles, tendances»). Il a toujours la valeur de «attitude positive par rapport à (une croyance, etc., représentée par la base)». — Une deuxième valeur du suffixe est celle d' «attitude et activité» conforme à la tendance ou au modèle qu'exprime la base (*bovarysme, constructivisme,* etc.) ou favorable à une personne, un groupe humain, etc. (*américanisme ;* → Pro-). — À côté de sa valeur de «activité professionnelle» *(journalisme), -isme* a celle de «caractère ou état particulier, maladie» *(mongolisme, virilisme)* ou «activité quelconque» (*canoéisme,* etc.).

Outre les bases nominales et adjectives du lexique, *-isme* se construit avec des noms propres, notamment en politique (⇒ **Gaullisme**; → Pompidolisme; giscardisme; barrisme; mitterrandisme...), des verbes *(dirigisme),* des syntagmes *(aquoibonisme).*

(...) un des inventeurs du dilettantisme, du je m'enfichisme, de beaucoup de mots 1
en «isme» à la mode chez nos snobinettes (...) PROUST, Sodome et Gomorrhe, Pl., t. II, p. 876.

(...) tandis que Mme de Guermantes était Guermantes presque sans le vouloir, son 2
pailleronisme, son goût pour Dumas fils étaient réfléchis et voulus. PROUST, le Côté de Guermantes, Pl., t. II, p. 496.

Tout ce slavisme, ce tatarisme, cet ibérisme de famille qui fournit les surnoms, 3
les plaisanteries. GIRAUDOUX, Simon le Pathétique, p. 236.

Jérôme était pâle, casqué de migraine, indifférent au shakespearisme du décor, à 4
la forte silhouette du château d'Elseneur qui se dessinait dans la brume de la côte danoise. Maurice BEDEL, Jérôme 60° latitude Nord, XIX, p. 223.

Un des effets du système colonial est peut-être de dénationaliser le noir (...) en face 5
d'une Europe qui va se morcelant toujours davantage, nous pétrissons de nos mains un immense continentalisme (...) l'Afrique est un continent passablement vaste. J.-R. BLOCH, Cacaouettes et Bananes, p. 103.

Le développement considérable des dérivés en *-isme* (...) s'accentue : il n'inté- 6
resse plus seulement le vocabulaire philosophique, politique ou économique, d'où il semble parti, mais l'ensemble du lexique. Cette expansion est due non seulement à la vulgarisation au XIXe siècle de la philosophie, de l'économie et de la politique, parallèlement aux transformations sociales survenues en France depuis 1840, mais aussi à la formation et au développement du couple *-isme -iste* où *-iste* (...) renforce l'emploi de *-isme.* J. DUBOIS, Étude de la dérivation suffixale, p. 35.

Les mots en *-isme* sont fréquemment prononcés [izm], malgré les recommandations des puristes.

(...) le communisme (...) Il prononçait le *communizme* de façon appuyée, ce qui 7
tout d'un coup rapprochait son langage du parler de l'Américain. Mais celui-ci protestait que le communizme n'était qu'un prétexte (...) ARAGON, Blanche..., III, I, p. 369.

(...) ah, c'est là que vous en verrez d'autres! parce que le colonializme hollandais, 8
alors (...) ARAGON, Blanche..., III, I, p. 370.

Le dynamisme, ou, comme disent les gens vraiment convaincus, le dynamizme (...) 9
Jacques PERRET, Bâtons dans les roues, p. 92.

— C'est du défaitisme. 10
— N'employons plus jamais de mots en *isme,* Tania, voici cent ans qu'ils sont en train de nous dégrader... Défaite — oui, défaitisme — non. Marx — oui, marxisme, non. La Commune, oui mais «communisme»... la *psyché,* bon, cela signifie quelque chose, mais le psychisme va donc savoir ce que c'est. Déterminisme, populisme, terrorisme, freudisme, pacifisme, arrivisme, christianisme, scientisme, interventionnisme, spiritisme, surréalisme... de petits mots, tous pareils, seul le *isme* compte, dès qu'il apparaît on est sûr de s'enfoncer dans la médiocrité. Zoé OLDENBOURG, la Joie-Souffrance, p. 35.

REM. Les écrivains cités ont, semble-t-il, l'impression que la prononciation *-izme* est «marquée», c'est-à-dire choisie et expressive; en fait, la sonorisation de la sifflante *s* en *z* dans cette position est une tendance naturelle qui trahit plutôt un relâchement.

DÉR. Isme (n. m.).

ISMÉNÉEN, ENNE [ismeneɛ̃, ɛn] adj. et n. — 1852; de *Ismène,* grec *Ismênê,* nom d'une fille d'Œdipe, sœur d'Antigone, ou de *Isménios,* dieu du fleuve *Ismênos,* c'est-à-dire Apollon.

♦ Didact. *Jeux Isménéens :* dans la Grèce antique, jeux célébrés à Thèbes en l'honneur d'Ismène.

ISO- Préfixe, grec *is(o)-,* de *isos* «égal», qui entre dans la composition de nombreux mots scientifiques (opposé à *hétéro-,* à *aniso-*). Il apparaît aussi sous la forme *is-* (ex. : *iséiconie, isentropique*).

Outre «égal», il peut signifier «équivalent, même», et s'est spécialisé en chimie, à partir d'*isomère**, comme premier élément de noms d'isomères.

REM. Outre les composés traités à l'ordre alphabétique, on peut citer : *isoenzyme* [izoɑ̃zim] n. f. (*la Recherche,* juil. 1978, p. 683); *isophote* [izofɔt] n. m. *«Les isophotes radio, c'est-à-dire les courbes d'égale intensité des signaux radio»* (*la Recherche,* févr. 1980, p. 170); *isosyllabique* [izosi(l)labik] adj. «qui a le même nombre de syllabes».

ISOAGGLUTINATION ou **ISO-AGGLUTINATION** [izoaglytinasjɔ̃] n. f. — 1931; de *iso-,* et *agglutination.*

♦ Méd. Phénomène d'agglutination des hématies d'un sujet par introduction de sang d'un individu de même espèce, mais de groupe sanguin différent.

ISOAMYLE [izoamil] n. m. — Attesté 1897, Wurtz, *Deuxième Suppl.,* art. *Amylique* (alcools), mais probablt antérieur (→ Isoamylique); de *iso-,* et *amyle.*

♦ Chim. Radical univalent isomère de l'amyle.

DÉR. V. **Isoamylique.**

ISOAMYLIQUE [izoamilik] adj. — 1878; de *isoamyle,* ou de *iso-,* et *amylique.*

♦ Chim. Qui comporte le radical isoamyle. *Alcool isoamylique.*

ISOBARE [izobaʀ] adj. et n. f. — 1863, adj. et n., *Année sc. et industr.* 1864, p. 129; grec *isobarês* «d'un poids égal (à)», de *iso-* (→ Iso-), et *baros* «pesanteur, poids».

♦ Météor. D'égale pression atmosphérique. *Lignes, courbes isobares,* qui sur une carte relient des points de pression atmosphérique égale, à un instant et à une altitude donnés. Syn. : *isobarique.*

N. f. (1863). *Des isobares concentriques* (→ Cyclone, cit. 2). *Isobares et isallobares**.

(...) un système de lignes de flux et de surf*(aces)* équipotentielles — isobares qui représentent les couches continues. VALÉRY, Cahiers, t. II, Pl., p. 740.

DÉR. Isobarique.

ISOBARIQUE [izobaʀik] adj. — 1877; de *isobare.*

♦ Météor. Isobare*.

ISOBASE [izobaz] n. f. — 1927, Haug (→ cit.); angl. *isobase,* 1892; suédois *isobas,* 1890, G. de Geer; du grec *iso-* (→ Iso-), et *basis.* → Base.

♦ Géol. Courbe réunissant les points d'une même couche géologique situés à la même altitude actuelle.

L'intérêt principal de ces dépôts marins réside dans les altitudes auxquelles on les retrouve actuellement (...) En réunissant tous les points où les argiles se trouvent aujourd'hui à une même altitude, G. de Geer a obtenu des courbes qu'il a désignées sous le nom d'*isobases* et qui lui ont permis de faire ressortir sur une carte les mouvements qu'a subis le fond de la mer à *Yoldia* depuis la transgression (...) on constate (...) une grande conformité dans le contour des isobases des deux transgressions marines, de la fin du Quaternaire. E. HAUG, Traité de géologie, I, p. 501-502.

ISOBATHE [izobat] adj. et n. f. — 1904, in *Rev. gén. des sc.,* nº 11, p. 542; grec *isobathês* «également profond», de *iso-* (→ Iso-), et *bathos* «profondeur».

♦ Sc. (géogr.). D'égale profondeur. *Ligne, courbe isobathe,* reliant sur une carte les points d'égale profondeur. — N. f. (1931). *Une isobathe.*

ISOBUTANE [izobytan] n. m. — 1886, Wurtz, *Premier Suppl.*; de *iso-,* et *butane* (angl. *isobutane,* 1876).

♦ Chim., techn. Carbure d'hydrogène isomère du butane.

DÉR. Isobutanol.

ISOBUTANOL [izobytanɔl] n. m. — XXᵉ; de *isobutane,* et *-ol,* suff., en chimie, de noms d'alcools.

♦ Chim. Isomère du butanol.

ISOBUTYLE [izobytil] n. m. — 1880, Wurtz, *Premier Suppl.,* art. *Butylènes,* p. 374 b (probablt antérieur; → Isobutylique); de *iso-,* et *butyle* (angl. *isobutyl iodide,* 1866).

♦ Chim. Radical univalent, isomère du butyle $(CH_3)_2$ $CH\text{-}CH_2$-

DÉR. V. Isobutylique.

ISOBUTYLÈNE [izobitilɛn] n. m. — 1880, Wurtz, *Premier Suppl.,* p. 374 b; de *iso-,* et *butylène* (angl. *isobutylen,* 1872).

♦ Chim. Carbure éthylénique de formule $(CH_3)_2$ $C{=}CH_2$, que l'on extrait des gaz de distillation du pétrole, et qui sert à fabriquer des essences à haut indice d'octane et des matières plastiques (polybutylènes).

La polymérisation de l'isobutylène est effective en solution, à basse température, en présence de fluorure de bore ou de chlorure d'aluminium. Jean VÈNE, Caoutchoucs et Textiles synthétiques, p. 45.

ISOBUTYLIQUE [izobytilik] adj. — Av. 1878, Wurtz; de *isobutyle,* ou de *iso-,* et *butylique.*

♦ Chim. Se dit des corps dérivés de l'isobutyle.

ISOCALORIQUE [izokalɔʀik] adj. — Mil. XXᵉ; de *iso-,* et *calorique* (angl. *isocaloric,* 1922).

♦ Physiol. Qui, à poids égal, fournit le même nombre de calories. *Aliments isocaloriques.* ⇒ **Isodyname.**

ISOCARDE [izokaʀd] n. m. — 1800; lat. sc. *isocardia,* 1753, Klein; de *iso-* (→ Iso-), et *-cardia* (→ -carde), élément de noms de mollusques à coquille cordiforme (ceux-ci étant désignés par le terme générique *cardium*).

♦ Zool. Mollusque lamellibranche *(Isomyaires)* scientifiquement appelé *Isocardia,* à coquille équivalve en forme de cœur, qui comprend des espèces vivantes et des espèces fossiles.

ISOCÈLE [izɔsɛl] adj. — 1542; lat. *isosceles,* grec *isoskelês,* même sens, d'abord «qui a les jambes égales», de *iso-* (→ Iso-), et *skelos* «jambe».

♦ Géom. Qui a deux côtés égaux. *Triangle isocèle. La bissectrice de l'angle formé par les deux côtés égaux d'un triangle isocèle est médiatrice du troisième côté appelé base. Trapèze isocèle,* dont les côtés non parallèles sont égaux. — REM. Littré n'acceptait que l'orthographe *isoscèle* qu'il jugeait seule correcte et étymologique.

DÉR. Isocélie.

ISOCÉLIE [izɔseli] n. f. — 1873; *isoscélie,* 1867; de *isocèle,* d'après le grec *isoskelia* «égalité des côtés (proprt : des jambes)», de *isoskelês.* → Isocèle.

♦ Didact. Caractère d'une figure isocèle.

ISOCÉPHALIE [izosefali; izɔsefali] n. f. — Mil. XXᵉ; *isokêphalie,* 1930, Réau; de *iso-,* grec *kephalê* «tête» (→ Céphalo-), et suff. *-ie,* p.-ê. d'après le grec *isokephalos* «qui a la même taille».

♦ Didact (arts, archéol.). Alignement sur une même horizontale des têtes de tous les personnages, dans une composition figurée. *La règle d'isocéphalie fut observée dans l'art grec jusqu'au Vᵉ siècle avant J.-C. « L'influence de l'art parthe* (sur l'art du Gandhâra) *parvenue par voie de caravane terrestre, est sensible dans divers reliefs figurant une* Série de personnages alignés selon un principe de frontalité et d'isocéphalie *caractéristiques »* (O. Monod, in *le Musée Guimet,* I, p. 346, 1966).

ISOCHIMÈNE [izoʃimɛn] adj. et n. f. — 1817, A. de Humboldt, en franç., comme adj. : *lignes isochimènes;* du grec *iso-* (→ Iso-), et *kheimainein* «faire mauvais temps», de *kheima* «mauvais temps; hiver, mauvaise saison».

♦ Didact. Qui joint les points de même température moyenne hivernale. *Courbe, ligne isochimène.* — N. f. (1863, cit.). Isotherme moyenne d'hiver (opposé à *isothère*).

M. Garnier l'emploie souvent pour les tableaux de géographie physique, où l'on indique les isothermes ou lignes d'égale température, les isodynames, les isothères, les isochimènes et les autres lignes qui caractérisent le climat et le rôle physique d'un lieu donné. L. FIGUIER, l'Année scientifique et industrielle 1864, p. 334 (1863).

ISOCHORE [izɔkɔʀ] adj. — 1948; grec *isokhôros* (gramm.) «de même quantité», de *iso-* (→ Iso-), et *khôra* «espace occupé par qqn ou par qqch., place, position» (angl. *isochor,* n.; *isochoric,* adj., av. 1933).

♦ Didact. Relatif à des volumes égaux. *Transformation isochore,* à volume spécifique constant (→ Isentropique, cit.).

N. f. Courbe représentant une transformation isochore. *L'isochore de van't Hoff.*

ISOCHROMATIQUE [izokʀɔmatik; izokʀomatik] adj. — 1840; de *iso-,* et *chromatique* (angl. *isochromatic,* 1829).

♦ Didact. Dont la couleur est uniforme.

(1931). Photogr. Sensible à toutes les couleurs du spectre.

DÉR. V. Isochromatisme.

ISOCHROMATISME [izokʀɔmatism; izokʀomatism] n. m. — 1894, *Année sc. et industr.* 1895, p. 53; de *isochromatique,* d'après *chromatisme.*

♦ Didact. Caractère isochromatique.

ISOCHRONE [izokʀon] adj. — 1682; *isochron,* 1675; plur. *isokhronoi* (en caractères grecs dans le texte), 1629, Descartes; grec *isokhronos* «égal en durée», d'abord «contemporain», de *iso-* (→ Iso-), et *khronos* «temps, durée» (→ Chrono-).

♦ **1.** Sc. Dont la période a une durée constante (→ Tautochrone). *Oscillations isochrones du pendule. Mouvements, battements, vibrations isochrones. Qui présente des phases isochrones.* ⇒ **Isophase.** (On dit aussi *isochronique* [izokʀɔnik], 1867).

(...) il remarqua que ces deux jeunes gens avaient été élevés dans les mêmes idées et les mêmes croyances, et les oscillations de leur cœur lui parurent « isochrones », comme il le dit un jour à Scholastique.
La vieille servante, littéralement enchantée du mot, bien qu'elle ne le comprît pas, jura par sa sainte patronne que la ville entière le saurait avant un quart d'heure. J. VERNE, Maître Zacharius, p. 138.

♦ **2.** Méd. Se dit de neurones qui ont même chronaxie. ⇒ **Isochronisme** (cit. 2).

CONTR. Hétérochrone.
DÉR. Isochronisme.

ISOCHRONISME [izokʀɔnism; izokʀonism] n. m. — 1700; de *isochrone.*
Sciences.

♦ **1.** Phys. Caractère de ce qui est isochrone; égalité de durée (→ Tautochronisme). *L'isochronisme des oscillations du pendule.*

1 Le tic-tac de montre (...) battit vers son oreille (...)
La fille de l'évêque entendit, avant d'autres battements, son propre sommeil (...)
Le termès (...) sur le chêne du lit décrépi prêtait l'isochronisme des heurts de sa tête à la simulation du cœur de Faustroll.
A. JARRY, Gestes et Opinions du docteur Faustroll, XXXIII, Pl., p. 713.

♦ **2.** (1867). Physiol. Égalité de chronaxie* entre deux fibres musculaires ou nerveuses.

2 (...) un influx ne provoquera la formation d'un nouvel influx que dans les neurones contigus qui auront la même chronaxie que lui; l'influx ne se transmet qu'entre éléments *isochrones* (loi de l'isochronisme de L. Lapicque).
Paul CHAUCHARD, le Système nerveux et ses inconnues, p. 52.

♦ **3.** (1962). Télécomm. Identité de fréquence de plusieurs mouvements périodiques.

ISOCLINAL, ALE, AUX [izoklinal, o] adj. — 1886; du grec *isoklinês* (→ Isocline), avec suff. *-al* d'après *anticlinal* ou l'angl. *isoclinal,* 1882 en ce sens («isocline», 1839).

♦ Géol. Dont les flancs ont la même inclinaison. *Pli isoclinal. Structure isoclinale,* formée de plis isoclinaux parallèles. *Souvent « le plongement des couches est très régulier, la plupart des plis étant isoclinaux. Dans ces régions à* régime isoclinal, *les charnières anticlinales peuvent être détruites par les actions atmosphériques, tandis que les charnières synclinales resteront cachées dans la profondeur (...) La Stratigraphie, aidée de la Paléontologie, permettra seule (...) de compléter la coupe »* (E. Haug, *Traité de Géologie,* I, p. 199-200).

ISOCLINE [izoklin] adj. — 1845; grec *isoklinês* «qui penche également», de *iso-* (→ Iso-), et *klinein* «pencher».

♦ Sc. (géogr.; phys.). D'égale inclinaison magnétique. — (1873). *Lignes isoclines :* lignes qui sur une carte relient les points de la terre où l'inclinaison de l'aiguille aimantée est la même. — N. f. (1931). *Une isocline.*

ISOCORIE [izokɔʀi] n. f. — Mil. XXe (*in* Larousse, 1931); de *iso-,* et grec *korê* «pupille».

♦ Physiol. Égalité des deux pupilles.

ISOCYANATE [izosjanat] n. m. — 1866, Cloëz, *in* Wurtz, art. *Cyanique,* p. 1073 b; de *iso-,* et *cyanate* (rare; → Cyano-).

♦ Chim. Sel de l'acide isocyanique. *L'isocyanate d'ammonium est un isomère de l'urée. Isocyanates entrant dans la composition de vernis, laques.*

Un isocyanate peut réagir avec un alcool pour former un uréthane.
Jean VÈNE, les Plastiques, p. 121.

ISOCYANIQUE [izosjanik] adj. — 1866, Cloëz, *in* Wurtz, art. *Cyanique,* p. 1073 b; de *iso-,* et *cyanique.*

♦ Chim. Se dit d'un acide isomère de l'acide cyanique. *Les dérivés isocyaniques sont des liquides lacrymogènes.*

ISODACTYLE [izodaktil] adj. — 1867, *Isodactyles,* n. m. pl. «classe d'oiseaux»; adj., 1839, Boiste; de *iso-,* et *dactyle.*

♦ Didact. Dont les doigts sont égaux.

DÉR. Isodactylie.

ISODACTYLIE [izodaktili] n. f. — 1931; de *isodactyle.*

♦ Didact. Conformation anormale de la main, quand les doigts sont égaux en longueur.

ISODYNAME [izodinam] adj. et n. f. — 1834, adj. (bot.) «dont les forces d'accroissement sont égales des deux côtés»; (phys.) «dont la force est égale des deux côtés», 1873; adaptation du grec *isodunamos* «d'une puissance (ou d'une valeur) égale», de *iso-* (→ Iso-), et *dunamis* «puissance, force» (→ Dynam-, -dynamie).

♦ **1.** Adj. (1898, → cit.). Physiol. Qui apporte à l'organisme un même nombre de calories (que la même quantité d'un aliment différent). ⇒ **Isocalorique.** *« Les quantités de sucre ou de graisse (...) ne sont pas des quantités isodynames »* (*Année sc. et industr.* 1899, p. 160; 1898).

♦ **2.** N. f. (1863, Garnier, in *Année sc. et industr.* 1864, p. 334; → Isochimène, cit.). Géogr. Ligne isodynamique*. — Adj. (1873). Isodynamique*.

DÉR. Isodynamie.

ISODYNAMIE [izodinami] n. f. — 1907; de *isodyname;* attestation isolée, 1556, au sens «règle des équipollences»; grec *isodunamia* «égalité de puissance, de force ou de valeur», de *isodunamos.* → Isodyname.

♦ Physiol. Équivalence énergétique d'aliments différents permettant leur substitution réciproque dans la ration.

ISODYNAMIQUE [izodinamik] adj. — 1836, Houstien, d'après D. D. L.; de *iso-,* et *dynamique.*

♦ **1.** Sc. Dont la force est équilibrée par une autre. — Se dit d'une ligne reliant des points de la Terre où l'intensité horizontale du champ magnétique terrestre prend la même valeur (syn. : *isodyname*). — N. f. *Une isodynamique* (ou *une isodyname*).

Ces courbes sont totalement distinctes de celles d'égale inclinaison, qu'elles coupent sous toutes les directions, souvent même à angle droit, comme au nœud péruvien de Mr de Humboldt, et comme la ligne isodynamique, 60, suivie par M. Erman dans la Sibérie. M. Duperrey a trouvé que les courbes isodynamiques présentaient des formes analogues à celles des courbes isothermes, déterminées par M. de Humboldt, ou des lignes d'égale température moyenne (...)
G. LAMÉ, Cours de physique, t. II, II, p. 142 (1837).

♦ **2.** (1911). Physiol. Relatif à l'isodynamie.

ISODYNAMISME [izodinamism] n. m. — D. i. (probablt mil. XXe); de *iso-,* et *dynamisme.*

♦ Didact. Rapport de forces équilibré.

Entre l'homme qui invente et la machine qui fonctionne existe une relation d'isodynamisme, plus essentielle que celle que les psychologues de la Forme avaient imaginée pour expliquer la perception en la nommant isomorphisme (...) En fait, la véritable relation analogique est entre le fonctionnement mental de l'homme et le fonctionnement physique de la machine. Ces deux fonctionnements sont parallèles, non dans la vie courante, mais dans l'invention.
Gilbert SIMONDON, Du mode d'existence des objets techniques, p. 138.

ISOÉDRIQUE [izoedʀik] adj. — 1845; de *iso-, -èdre,* et suff. *-ique.*

♦ Minér. Dont les facettes sont semblables.

ISOÉLECTRIQUE [izoelɛktʀik] adj. — 1904, in *Rev. gén. des sc.,* no 22, p. 1029; de *iso-,* et *électrique.*

♦ Sc. Se dit d'un corps électriquement neutre.
Point isoélectrique : état d'une substance en suspension ou solution colloïdale (dans un liquide), qui est électriquement neutre.

(...) il suffit souvent d'arriver au point isoélectrique pour faire précipiter des colloïdes (...) Jules CARLES, la Chimie du vin, p. 80.

ISOÈTE [izɔɛt] n. m. — 1817; adaptation du grec *isoetes* «plante qui reste verte toute l'année», neutre substantivé de l'adj. *isoetês* «dont la durée égale l'année», de *iso-* (→ Iso-), et *etos* «an, année». Le latin a *isoetes* «joubarbe».

♦ Bot. Plante cryptogame vasculaire ptéridophyte *(Lycopodinées),* type de la famille des *Isoétées,* dont presque toutes les variétés sont lacustres.

ISOGAME [izɔgam] adj. — 1904, in *Rev. gén. des sc.,* no 7, p. 335; de *iso-,* et *-game.*

♦ Biol. Où se manifeste l'isogamie.

CONTR. Hétérogame.
DÉR. Isogamie (1.).

ISOGAMIE [izɔgami] n. f. — 1904, in *Rev. gén. des sc.,* no 1, p. 7; de *isogame.*

♦ **1.** Biol. Reproduction sexuée par union de deux gamètes de morphologie semblable (on dit aussi *homogamie*). *Isogamie observée chez les protozoaires, les algues.*

♦ **2.** (Av. 1973; de *iso-,* et *-gamie*). Ethnol. Union de deux individus de même statut social, de même classe ou caste (dans une société à castes).

CONTR. Anisogamie, hétérogamie.

ISOGENÈSE [izoʒənɛz] n. f. — Mil. xxe; de *iso-*, et *-genèse.*

♦ Biol. Identité de développement morphologique.

ISOGLOSSE [izɔglɔs] n. f. et adj. — V. 1900 (attesté 1908, Meillet, *in* T. L. F.); all. *Isogloss,* 1892, Bielenstein, du grec *iso-* (→ Iso-), et *-glôssos* «qui a la langue, qui parle (de telle ou telle manière)». → -glosse.

♦ Ling. Ligne correspondant à l'ensemble des lieux limites présentant un même phénomène linguistique (souvent phonétique ou phonologique, ou encore lexical, morphologique...) et séparant, sur une carte linguistique, deux aires dialectales distinctes. — Adj. *Lieux isoglosses.*

Mais revenons au problème des limites dialectales à partir d'un exemple précisément liégeois et que nous empruntons à Maurice Piron. L'auteur trace deux *isoglosses* ou limites entre deux traitements d'un même phénomène : d'une part la limite entre les prononciations *-ya* et *-yo* du suffixe latin *-ellum;* d'autre part, la limite entre les prononciations *k-* et *tch-* d'un *k-* latin suivi d'un *a.*
Pierre GUIRAUD, Patois et Dialectes français, p. 21.

ISOGONAL, ALE, AUX [izogonal, o; izɔgɔnal, o] adj. — xxe (*in* Larousse, 1931); de *isogone* (cf. angl. *isogonal,* 1857).

♦ Sc. (math.). Qui a rapport à des angles égaux, à l'égalité des angles. *Transformation isogonale* (ou *conforme*), qui conserve les angles. — *Droites isogonales :* droites passant par le sommet d'un angle et faisant, deux par deux, le même angle avec la bissectrice de cet angle. — Géogr. *Ligne isogonale :* courbe qui relie les points de même déclinaison magnétique. On dit aussi *isogone, isogonique.*

ISOGONE [izogon] adj. — 1682; grec *isogônios* «qui a des angles égaux; qui a le même nombre d'angles», de *iso-* (→ Iso-), et *gônia* «angle» (→ 1. -gone).

♦ Sc. (math.). À angles respectivement égaux. *Triangles isogones ou semblables.* — (1902). Géogr. *Lignes isogones :* lignes qui, sur une carte, relient les points de la terre ayant même déclinaison magnétique. Syn. : *isogonal,* 1. *isogonique**.

DÉR. Isogonal, 1. isogonique.

ISOGONIE [izogoni; izɔgɔni] n. f. — xxe; de *iso-*, et *-gonie* (→ 2. -gone), d'après 2. *isogonique* (angl. *isogony,* 1932).

♦ Biol. Caractère isogonique (d'un développement organique). Syn. : *isométrie.*

1. ISOGONIQUE [izogonik; izɔgɔnik] adj. — 1864 (ex. ci-dessous); de *isogone* (cf. angl. *isogonic,* av. 1859).

♦ Géogr. *Ligne isogonique* (ou *isogonale*) : isogone*. *«Je ne doute nullement que dans l'avenir on verra changer le lieu de réunion des aurores boréales dans la voûte du ciel, conformément au changement des lignes isogoniques et isocliniques»* (L. Figuier, *Année sc. et industr.* 1865, p. 111; 1864).

2. ISOGONIQUE [izogonik; izɔgɔnik] adj. — 1918, A. Pézard, *in* O. E. D.; de *iso-*, grec *gonos* «génération» (→ 2. -gone), et suff. *-ique.*

♦ Biol. *Croissance isogonique,* dans laquelle les diverses parties de l'organisme ont le même taux de croissance (opposé à *hétérogonique,* à *allométrique*). On dit aussi *isométrique.*

ISOGRAMME [izogʀam] n. m. — Mil. xxe; de *iso-*, et *-gramme* «graphique» (angl. *isogram,* 1882).

♦ Didact. Graphique obtenu en joignant les points de même intensité, en statistique.

ISOGROUPE [izogʀup] adj. — 1959, *iso-groupe,* Garnier et Delamare; de *iso-*, et *groupe* (sanguin).

♦ Méd. Qui appartient au même groupe sanguin.

(Cet oxygénateur) est immédiatement prêt à l'usage puisqu'il n'est pas nécessaire de disposer de sang isogroupe hépariné pour le mettre en route.
Claude D'ALLAINES, la Chirurgie du cœur, p. 86.

ISOHALIN, INE [izoalɛ̃, in] adj. et n. f. — 1948, n. f., Larousse; de *iso-*, grec *hals, halos* «sel», et suff. *-in* (angl. *isohaline,* 1902).

♦ Didact. (océanogr.). Qui réunit les points d'égale salinité, dans un plan de direction choisie. *Lignes isohalines.* — N. f. *Une isohaline.*

ISOHYÈTE [izojɛt] adj. et n. f. — 1948, n. f., Larousse; de *iso-*, et grec *huetos* «forte pluie, pluie continue», de *huein* «faire pleuvoir, mouiller de pluie» (cf. angl. *isohyet,* n., 1899; *isohyetose,* même sens, 1864).

♦ Météor. Se dit d'une ligne joignant les points du globe où les pluies moyennes sont égales pour une période considérée.

ISOHYPSE [izoips] adj. et n. f. — 1867, «de même altitude», *in* Littré, *Suppl.;* grec *isohupsês* ou *isohupsos* «d'une hauteur égale à», de *iso-* (→ Iso-), et *hupsos* «hauteur, élévation».

♦ N. f. (1948). Géogr. Courbe de niveau. — Adj. *Ligne isohypse.*

Une carte des chutes annuelles de neige, si elle avait quelque chance de pouvoir être établie correctement, donnerait, de prime abord, l'impression d'avoir été calquée sur celle des isohypses. Les anomalies de détail qui y apparaîtraient devraient être expliquées moins par la latitude que par l'exposition des massifs aux vents pluvieux.
Charles-Pierre PÉGUY, la Neige, p. 48.

(V. 1960). Météor. Courbe imaginaire reliant les points d'une surface isobare situés à la même altitude.

ISOIONIQUE [izojɔnik] adj. — 1962; de *iso-*, et *ionique;* probablt d'après l'angl. *isoionic,* 1926.

♦ Sc. Qui a la même quantité d'ions. *Solutions isoioniques.*

ISOKÉPHALIE [izokefali; izɔkefali] n. f. ⇒ **Isocéphalie.**

ISOLABLE [izɔlabl] adj. — 1845; de *isoler.*

♦ Qui peut être isolé, séparé. ⇒ **Dissociable, séparable.**

Chim. *Élément non isolable d'un composé.*

CONTR. Indissociable, inséparable.

ISOLANT, ANTE [izɔlɑ̃, ɑ̃t] adj. et n. m. — 1789, adj., en électricité; p. prés. de *isoler.*

★ **I. A.** Adj. Qui ne conduit pas l'électricité, la chaleur, etc. (opposé à *conducteur*).

♦ **1.** Qui ne conduit pas l'électricité. *Les corps isolants.* ⇒ **Diélectrique, non-conducteur.**

On pourra alors, en faisant cesser l'influence du conducteur, apprécier cette élec- 1
tricité accumulée comme à l'ordinaire. En faisant communiquer le corps collecteur au réservoir commun, cette accumulation n'a d'autre limite que l'instant où la force d'attraction l'emporte sur la résistance de la substance conductrice, ou bien des corps isolants, auquel cas il se fait une explosion et une combinaison de deux électricités.
M.-C. BAILLY DE MERLIEUX, Manuel de physique, 289 (1825).

Ce fil traînait sur le sol, mais sur toute sa longueur il était entouré d'une subs- 2
tance isolante, comme l'est un câble sous-marin, ce qui assurait la libre transmission des courants.
J. VERNE, l'Île mystérieuse, t. II, p. 787.

♦ **2.** Qui ne conduit pas la chaleur. *Bouteille* isolante* (ou, cour., *thermos**).

♦ **3.** (V. 1950). Qui isole, empêche la propagation des vibrations. *Matériaux isolants pour l'insonorisation.*

B. N. m. (1890). Substance non conductrice. *Un isolant électrique, thermique, acoustique* (ou *phonique*).

L'emploi des isolants aux silicones a permis d'accepter un échauffement plus 3
important sans risque de détérioration de l'isolant (...)
Gilbert SIMONDON, Du mode d'existence des objets techniques, p. 54.

Spécialt. Produit destiné à protéger l'intérieur d'un réservoir.

Fig. Barrière morale entre une personne et d'autres, entre plusieurs personnes. ⇒ **Bouclier, cocon, coquille, retranchement.**

Peut-être ferait-il un chef-d'œuvre le jour où il aurait imaginé autour de soi l'iso- 4
lant qui lui était nécessaire pour ne pas être blessé par les gens.
E. TRIOLET, Le premier accroc coûte deux cents francs, p. 262, 1945, *in* T. L. F.

★ **II.** (1867). Ling. *Langues isolantes,* caractérisées par la juxtaposition d'éléments simples dont la valeur grammaticale dépend de la place ou de l'intonation (ex. : le chinois). Comparer à *langues agglutinantes, amalgamantes, incorporantes, juxtaposantes.*

ISOLAT [izɔla] n. m. — 1947; de *isoler,* p.-ê. d'après *habitat.*

♦ **1.** Sc. Groupe ethnique isolé. — Groupe d'êtres vivants isolé. *«Dahlberg a montré antérieurement que l'on peut se faire une idée de la dimension des isolats par la fréquence des mariages consanguins. Si les isolats sont de petite dimension, ces mariages ont une fréquence élevée»* (*Population,* avril-juin 1947, *in* D. D. L., II, 9). — Par ext. *Isolat culturel :* culture particulière à une aire limitée, indépendante de la culture générale environnante.

♦ **2.** (1962, *in* Larousse; suff. *-at,* comme *filtrat,* etc.). Biol. Matériel obtenu à partir d'organismes vivants, à des fins d'examen ou en vue d'une culture. — Chim. Substance pure ou à peu près pure obtenue à partir d'organismes végétaux ou animaux. *Isolat de protéines.*

ISOLATEUR, TRICE [izɔlatœʀ, tʀis] adj. et n. m. — 1783, adj., *in* D. D. L.; dér. sav. de *isoler.*

♦ **1.** N. m. (1832). Chose destinée à empêcher un contact électrique. Spécialt (cour.). Support en matière isolante, destiné à soutenir les conducteurs d'électricité. *Isolateurs en porcelaine, en verre. Isolateurs en chaîne d'une ligne à haute tension.*

1 Il s'enfonçait en lui-même comme dans cette ruelle de plus en plus noire, où même les isolateurs du télégraphe ne luisaient plus sur le ciel.
MALRAUX, la Condition humaine, *in* Romans, Pl., p. 46.

Techn. Ce qui sert à éviter le contact entre deux choses. *Isolateurs de paille d'un xylophone.*

Littér. (Abstrait). Ce qui isole, forme écran. *Les « éclats de cent voix inconnues (...) constituaient autour de lui une immense onde bruissante et anonyme, parfait isolateur »* (Malègue, *Augustin ou Le maître est là*, t. I, p. 270, 1933, *in* T. L. F.).

♦ **2.** Adj. Qui sert à isoler (électriquement, acoustiquement), à éviter le contact entre deux choses. ⇒ **Isolant.** *Enceinte isolatrice.*

2 Les fils, se réunissant, formaient, sous une enveloppe isolatrice, une épaisse torsade (...)
Raymond ROUSSEL, Impressions d'Afrique, p. 199.

(Abstrait). *« Ce bien-être, ce confort isolateur où s'était maintenue jusqu'à présent la société genevoise »* (Gide, *Journal*, 1933, Pl., p. 1189, *in* T. L. F.).

ISOLATION [izɔlasjɔ̃] n. f. — 1774, sens 2; de *isoler.*

♦ **1.** (1803). Phys. Action d'isoler un corps conducteur d'électricité. — (Av. 1958). Techn. Action de protéger une pièce contre la chaleur, le froid, le bruit. ⇒ **Isolement, insonorisation.** *Isolation thermique.*

♦ **2.** (1774, Beaumarchais). Vx. Isolement (1. et 2.).

♦ **3.** (Déb. XXe). Psychan. « Mécanisme de défense, surtout typique de la névrose obsessionnelle, et qui consiste à isoler une pensée ou un comportement de telle sorte que leurs connexions avec d'autres pensées ou avec le reste de l'existence du sujet se trouvent rompues » (Laplanche et Pontalis). *Procédés d'isolation :* pauses, formules figées. — Dans un sens plus large :

(...) identifier l'*ego* à la discipline du sujet, c'est confondre l'isolation imaginaire avec la maîtrise des instincts.
LACAN, Écrits, p. 250.

ISOLATIONNISME [izɔlasjɔnism] n. m. — 1931; angl. des États-Unis *isolationism,* 1922, de *isolation* « isolement », d'après *isolationist.* → Isolationniste.

♦ Politique d'isolement (3.).

Il y a la doctrine de Monroë, l'isolationnisme, le mépris de l'Europe, et puis il y a l'attachement sentimental de chaque Américain pour son pays d'origine (...)
SARTRE, Situations III, p. 128.

DÉR. V. **Isolationniste.**

ISOLATIONNISTE [izɔlasjɔnist] n. et adj. — 1938, adj.; de *isolationnisme,* ou angl. des États-Unis *isolationist,* 1899, de l'angl. *isolation* « isolement » (→ Isolement, 3.), lui-même du franç. *isolation.*

♦ **1.** (1946). Partisan de l'isolationnisme. *Les isolationnistes américains.*

♦ **2.** Adj. Relatif à l'isolationnisme. *Politique isolationniste.*

ISOLÉ, ÉE [izɔle] adj. et n. — 1575, archit. « formant un édifice ou un groupe d'édifices indépendant »; répandu v. 1676; ital. *isolato,* p. p. de *isolare* « construire en îlot, séparer », de *isola* « maison indépendante, îlot de maisons », aussi « île », du lat. *insula,* mêmes sens (→ Île, insulaire).

♦ **1.** Séparé des choses de même nature. *Édifice, monument isolé. Campanile, baptistère* (cit.) *isolé,* séparé de l'église dont il dépend. *Colonne, statue isolée,* séparée de l'édifice qu'elle orne, du fond (→ Bosse, cit. 9). *Arbre isolé* (→ Accoster, cit. 4). *Écriture* (cit. 10) *à lettres isolées.* ⇒ **Séparé.** *Subdivision de la matière en corps isolés* (→ Individu, cit. 6).

1 Mais ce n'était qu'un très vulgaire coquelicot semblable à tous les coquelicots de France. Isolé dans cette prairie, il paraissait merveilleux (...)
GIDE, Ainsi soit-il, p. 88.

(1867). Électr. *Corps isolé,* qui n'est pas en contact avec un conducteur.

(En parlant d'un bruit). *Applaudissements, cris isolés,* distincts, perçus séparément.

2 D'abord un ou deux croassements isolés comme en signal, et puis cent, et puis mille, un concert affreux (...)
LOTI, l'Inde (sans les Anglais), III, III.

(1759). Qui est éloigné de toute habitation. ⇒ **Écarté, perdu, reculé, retiré.** *Endroit, lieu isolé* (→ Attirer, cit. 3; fantastique, cit. 8). *Grève isolée et vide* (→ Aigre, cit. 7). *Vivre seul dans une maison isolée* (→ 1. Garde, cit. 13). *Ferme isolée* (→ Gîter, cit. 4).

3 À moitié route, au bout d'une montée assez rude, l'on trouve une pauvre maison isolée, la seule que l'on rencontre dans un espace de huit lieues (...)
Th. GAUTIER, Voyage en Espagne, p. 90.

Géogr. (vieilli). *Îles* (cit. 4) *isolées,* par oppos. à celles qui sont voisines de la côte. *Oasis isolée en plein désert.*

Par métaphore :

Mais Rubens n'est point un génie isolé, et le nombre comme la ressemblance des talents qui l'entourent montre que la floraison dont il est la plus belle pousse est le produit de sa nation et de son temps. 4
TAINE, Philosophie de l'art, t. II, p. 50.

♦ **2.** (1694). Personnes. Qui est séparé des autres hommes. ⇒ **Seul, solitaire.** *Vieillard taciturne qui vit isolé.* ⇒ **Ermite, hibou** (fig.). *L'homme isolé et la horde* (cit. 3), *la foule.* ⇒ **Individu.** *Personnage isolé et puissant* (→ Finance, cit. 2). *Vivre isolé* (→ Camaraderie, cit. 5; éducation, cit. 17). *Il vit complètement isolé, à l'écart*, comme un reclus.* → Rester dans son coin*, dans sa tanière, sa tour* d'ivoire; vivre seul, ne voir personne. — Spécialt. ⇒ **Délaissé, esseulé.** *Se sentir isolé* (→ Écho, cit. 20). — (Avec un compl.). *Isolé du reste du monde* (→ Annihiler, cit. 2); *isolé de tout* (→ Chalumeau, cit. 2).

Le favori n'a point de suite; il est sans engagement et sans liaisons; il peut être entouré de parents et de créatures, mais il n'y tient pas; il est détaché de tout, et comme isolé. 5
LA BRUYÈRE, les Caractères, X, 18.

Isolés! Ah, Messieurs, le joli mot! il charme (...) 6
De ces cœurs isolés qui ne tiennent à rien!
Quand de l'architecture on saurait la manœuvre,
On aurait de la peine à mieux le mettre en œuvre.
BOURSAULT, Mots à la mode, 8 (1694), *in* LITTRÉ.

On ne vient à bout de rien à Paris quand on y vit isolé. 7
ROUSSEAU, les Confessions, VII.

Toujours vivre isolé sur la terre me paraissait un destin bien triste, surtout dans l'adversité. 8
ROUSSEAU, les Confessions, XII.

À présent dans ma pénible solitude, isolée de tout ce qui m'est cher, tête à tête avec mon infortune (...) 9
LACLOS, les Liaisons dangereuses, CVIII.

J'écrivis cette première méditation *(L'isolement)* un soir du mois de septembre 1819, au coucher du soleil, sur la montagne qui domine la maison de mon père, à Milly. J'étais isolé depuis plusieurs mois dans cette solitude. 10
LAMARTINE, Premières méditations, I, Commentaire.

L'homme isolé est un homme vaincu; pour avoir voulu être tout à fait libre, il est tout à fait esclave. 11
ALAIN, Propos, p. 184.

Les écrivains sédentaires qui recuisent dans leurs passions sont pessimistes parce qu'ils sont isolés. 12
A. MAUROIS, Études littéraires, Saint-Exupéry, III.

N. (XXe). *Un isolé :* une personne qui se tient à l'écart des autres, ou qui n'appartient à aucun groupe, habituellement.

Couples et bandes, et plus rares, des isolés, passaient et repassaient, toujours en état de dissémination, point encore agglomérés en foules, modérément rieurs. 12.1
R. QUENEAU, Pierrot mon ami, p. 8 (1947).

(1835). Milit. *Soldat, homme isolé,* qui n'appartient à aucun corps. — N. m. (1893). *Dépôt, centre d'accueil des isolés.*

♦ **3.** (1758). Fig. Détaché d'un contexte, sans rapport avec un contexte. *Phrase isolée.* ⇒ **Détaché.** *Ces propositions isolées ont un sens tout différent de celui qu'elles ont dans le contexte* (Littré). *Images isolées* (→ Cadre, cit. 9).

(1794). Séparé de son contexte, de son environnement, en vue d'une analyse (→ Isoler, 3.). *Comparaison de phénomènes sociaux isolés.*

(1831). Dont on ne connaît pas d'autre exemple. ⇒ **Particulier, rare.** *Fait, événement isolé* (→ Expérience, cit. 46; humanité, cit. 11). *Protestation, réclamation isolée* (⇒ **Individuel**). *Cas isolé.* ⇒ **Unique.**

Jusqu'ici, lorsqu'on avait voulu déprécier un ouvrage quelconque... on avait fait des citations fausses ou perfidement isolées; on avait tronqué des phrases et mutilé des vers (...) 13
Th. GAUTIER, Préface de Mlle de Maupin, p. 43 (éd. critique MATORÉ).

(...) je prouve que les phénomènes de fermentation sont tous des actes corrélatifs au développement de globules et de végétaux mycodermiques dont je donne un moyen de préparation et d'étude à l'état isolé et sans mélange. 14
PASTEUR, Lettre à J.-B. Dumas, sept. 1857, *in* Henri MONDOR, Pasteur, p. 57.

CONTR. Attaché, joint; fréquenté. — Groupé. — Conjoint, couplé. — Collectif, commun.

DÉR. Isolément, isoler. — V. Isolisme.

ISOLEMENT [izɔlmɑ̃] n. m. — 1701 (archit.), rare avant la fin du XVIIIe; de *isoler.*

♦ **1.** (1833). État d'une chose isolée. *« L'isolement de cette maison au milieu des bois »* (Académie).

(...) ensemble hétérogène *(un tel empire),* dont toutes les parties tendaient à l'isolement, et se fuyaient pour ainsi dire l'une l'autre. 1
MICHELET, Hist. de France, II, II.

(1701). Archit. Espace entre deux constructions, deux parties de construction qui ne se touchent pas.

(1783). Phys., techn. Rôle d'un système conçu pour s'opposer au passage du courant, de la chaleur, du bruit; mesures prises pour obtenir ce résultat. ⇒ **Isolation.**

(XXe). Électr. Qualité de la séparation électrique (entre deux conducteurs, deux points). *Isolement faible, partiel.*

Chim. Fait d'isoler (une substance). *Certains corps simples sont connus avant leur isolement effectif* (→ Fluor, cit. 2).

♦ **2.** (Av. 1778). État, situation d'une personne isolée. ⇒ **Solitude.** *Isolement et amour de l'indépendance chez les sauvages* (→ Barbare, cit. 13). *L'isolement d'un être supérieur* (→ Blasement, cit. Gautier). — (1778). État d'une personne moralement isolée. *Être* *tenu, laissé dans l'isolement.* ⇒ **Abandon, délaissement;** → Compenser, cit. 1.1. *Se retirer dans un isolement complet, total.* ⇒ **Claustration, cloître, exil, séquestration.** *Jours d'isolement et d'inaction* (→ Céder, cit. 17). *Sentiment triste d'isolement* (→ Gravité, cit. 10). — Allus. littér. *L'isolement,* titre de la première Méditation de Lamartine.

2 Le sentiment momentané de mon isolement ne m'accablait plus; il me recueillait en moi-même et concentrait les forces de mon cœur et de ma pensée.
LAMARTINE, Graziella, IV, I.

3 Figurez-vous l'isolement le plus complet, sans ami, sans conseil, sans connaissance, sans appui au milieu de personnes froides et indifférentes (...)
RENAN, Souvenirs d'enfance..., Appendice, 12 nov. 1845.

3.1 L'émir (...) était dans sa tente. Il ne se montra pas (...) il se retrancha dans cet isolement, qui constitue en partie la majesté des rois orientaux. On admire qui ne se montre pas, et surtout on le craint. J. VERNE, Michel Strogoff, p. 268.

4 Après Napoléon, les adolescents gardaient la nostalgie des attitudes spectaculaires; l'isolement splendide de Chateaubriand en était une.
A. MAUROIS, Olympio, II, I.

5 (...) son attitude de repli et sa retraite *(de Vigny)*, son isolement accepté, en marge de l'époque, et cette zone de silence et de solitude où (...) il va méditer et composer dans le silence son suprême chef-d'œuvre des *Destinées* (...)
Émile HENRIOT, les Romantiques, p. 151.

(1824). Spécialt. Situation d'un malade, d'un détenu que l'on isole. *Isolement des contagieux.* ⇒ **Quarantaine;** → Épidémie, cit. 4; hôpital, cit. 8. *Pavillon, camp d'isolement. Isolement des aliénés. Isolement cellulaire* (→ Force, cit. 47). *Le régime pénitenciaire auburnien préconise l'isolement absolu des détenus.*

6 (...) malgré l'isolement de certains détenus, une prison est une communauté (...)
CAMUS, la Peste, p. 187.

7 L'isolement est (...) l'une des mesures les plus importantes de la *thérapeutique (psychiatrique)*... avec des nuances graduées, il s'impose chaque fois qu'il est nécessaire de soustraire le malade à l'influence nuisible du milieu (...)
Ch. BARDENAT, *in* A. POROT, Manuel alphabétique de psychiatrie, art. *Isolement.*

♦ **3.** (1779, Beaumarchais). État d'un pays politiquement isolé. — (Déb. XXe). Absence d'engagement avec les autres nations. *Pays, nation qui se cantonne dans l'isolement. Politique d'isolement économique.* ⇒ **Autarcie.** *Isolement diplomatique.* — Allus. hist. *Le « splendide isolement »* (splendid isolation, v. 1896) *de l'Angleterre au XIXe siècle.*

8 Les murailles de Chine, les rideaux de fer, les isolements splendides et les doctrines de Monroë sont des expédients de rêveurs.
G. DUHAMEL, Manuel du protestataire, p. 29.

CONTR. Association, groupement. — Confrontation. — Contact, continuité. — Assimilation. — Compagnie, société...

ISOLÉMENT [izɔlemɑ̃] adv. — 1787; de *isolé.*

♦ **1.** D'une manière isolée. *Chacun pris isolément. Comparer* (cit. 3) *les synonymes au lieu de les définir isolément.* — Fig. *Considérer isolément les éléments d'un problème, d'une question...* (→ Économie, cit. 12). — Contr. : *en bloc, ensemble; conjointement.*

1 (...) il y en a qui sont des braves gens, si on les considère isolément.
ARAGON, les Beaux Quartiers, I, XXI.

♦ **2.** Vieilli. En restant à l'écart.

2 À l'intérieur d'Omsk (...) fourmillaient les soldats tartares (...) Ils ne marchaient point isolément, mais par groupes armés, en mesure de se défendre contre toute agression. J. VERNE, Michel Strogoff, p. 204.

ISOLER [izɔle] v. tr. — 1690, archit. (→ ex. Furetière, sens 1); « faire une île de (une prairie) », 1653, Saint-Amant. Cf. encore Balzac : *« Bientôt nous (...) fûmes comme deux êtres échoués dans une île déserte; car non seulement les malheurs isolent, mais encore ils font taire les mesquines conventions de la société » (le Lys dans la vallée,* p. 211, 1836, *in* T. L. F.).

♦ **1.** Séparer (qqch.) des objets environnants. ⇒ 1. **Détacher, séparer.** *« Pour embellir ce château, il le faudrait isoler, le détacher de la basse-cour qui y tient »* (Furetière, 1690). *Isoler des éléments qui étaient rassemblés, joints.* ⇒ **Disjoindre, écarter, éparpiller.** *Isoler un diamant de sa gangue.* ⇒ **Extraire, ôter.** — Par ext. *Isoler une ville ennemie en l'investissant de toutes parts.* ⇒ **Blocus; bloquer.** — (Sujet n. de chose). *L'interruption des communications a complètement isolé cette région.*

(1758). Phys. *Isoler un corps,* le mettre hors de contact avec tout corps conducteur d'électricité (⇒ **Isolant, isolateur, isolation**). — (V. 1950). Acoust. *Isoler une pièce, un studio,* l'insonoriser avec des matériaux isolants*.

Méd. *Isoler une plaie pour empêcher l'infection.*

(1821). Sc. (chim. et biol.). *Isoler un corps simple, un virus,* les séparer du milieu auquel ils sont d'ordinaire mêlés, ou de leur combinaison.

1 *L'expérimentation exige un système fermé qui puisse être artificiellement isolé.* Si nous voulons savoir dans quelles conditions l'eau va bouillir, nous isolons un groupe : source de chaleur, récipient, liquide (...) nous arrivons à le soustraire à la plupart des influences extérieures. A. MAUROIS, Un art de vivre, I, 7.

♦ **2.** (1752). Éloigner (qqn) de la société des autres hommes; rendre seul*. *Isoler qqn dans sa chambre.* ⇒ **Chambrer, confiner, reclure.**

(1824). Spécialt. Tenir à l'écart par mesure sanitaire ou de sécurité publique. *Isoler un malade contagieux, un malade mental agité.* ⇒ **Isolement;** → Contagion, cit. 1; exception, cit. 7.

Les isoler, c'était leur ôter la meilleure partie de leurs forces. 2
MICHELET, Hist. de la Révolution franç., VIII, V.

(...) la monstrueuse mésalliance, qui fit montrer au doigt le comte de Savigny et l'isola comme un pestiféré. 3
BARBEY D'AUREVILLY, les Diaboliques, « Le bonheur dans le crime ».

Sammécaud guettait depuis une heure l'occasion d'un entretien furtif avec Marie. Il réussit à la joindre et à l'isoler. 4
J. ROMAINS, les Hommes de bonne volonté, t. III, XV, p. 199.

(1847). Sujet n. de chose. Séparer moralement. *L'excès de travail cérébral* (cit. 2) *isole l'homme. Le sentiment de leur différence isole les hommes les uns des autres.*

Son ouïe rebelle l'isolait chaque jour davantage. 5
MARTIN DU GARD, les Thibault, t. II, p. 186.

♦ **3.** (1761, Rousseau, *in* T. L. F.). Abstrait. Considérer à part, hors d'un contexte. ⇒ **Abstraire** (→ Abstraction, cit. 3), **dégager, discerner, distinguer, individualiser, séparer.** *Il faut isoler ces deux questions* (⇒ **Disjoindre;** → Faire le départ*). *Isoler un mot dans une phrase* (→ Grille, cit. 20; guillemet, cit. 3). *Isoler un élément, une question pour l'étudier* (→ Braquer, cit. 6; corps, cit. 3; examinateur, cit. 2; expérience, cit. 27; genre, cit. 4). *Isoler une phrase de son contexte* (⇒ **Dépouiller**). *Il isole arbitrairement un fait et perd de vue l'ensemble.*

Suivre en toute recherche (...) la méthode des mathématiciens; extraire, circonscrire, isoler quelques notions très simples et très générales; puis, abandonnant l'expérience, les comparer, les combiner (...) 6
TAINE, les Origines de la France contemporaine, I, t. I, p. 315.

C'est le droit de l'historien d'isoler un grand aspect des choses. 7
JAURÈS, Hist. socialiste..., t. I, p. 11.

▶ **S'ISOLER** v. pron. (Av. 1697, Mme de Sévigné, *in* D. D. L.).
Se séparer des autres hommes, se retirer de façon à être isolé. ⇒ **Barricader** (se), **cantonner** (se), **claustrer** (se), **confiner** (se), **enfermer** (s'), **ensevelir** (s'), **enterrer** (s'), **réfugier** (se), **retirer** (se), **terrer** (se); → Faire le vide* autour de soi. *S'isoler dans un coin*, chez soi. S'isoler dans ses méditations, ses pensées.* ⇒ **Abstraire** (s'); **attention** (concentrer son). — Fig. *L'art s'isole orgueilleusement* (→ Infatuer, cit. 5).

Vous vous élevez bien haut, monsieur; vous commencez à vous isoler comme tous les hommes faits pour une grande renommée; peu à peu, la foule, qui ne peut les suivre, les abandonne, et on les voit d'autant mieux qu'ils sont à part. 8
CHATEAUBRIAND, Mémoires d'outre-tombe, t. VI, p. 276.

L'Église celtique s'isole de l'Église universelle : elle résiste à l'unité (...) 9
MICHELET, Hist. de France, I, IV.

S'isoler, c'est trahir. 10
HUGO, la Légende des siècles, XIX, Welf, castellan d'Osbor, II.

Parmi les hommes supérieurs, il en est qui, s'isolant dans leurs études, ont pour le tumulte des idées une pitié dédaigneuse (...) 11
PASTEUR, cité par Henri MONDOR, Pasteur, p. 165.

L'homme s'isole en soi; on dit qu'il s'individualise; mais cela n'est pas pour mieux développer en lui ses qualités universelles : c'est pour exalter son égoïsme. 12
DANIEL-ROPS, Ce qui meurt..., p. 102.

▶ **ISOLÉ, ÉE** p. p. adj. ⇒ **Isolé,** adj.

CONTR. Agglomérer, assimiler, associer, attacher, combiner, confronter, conjuguer, connecter, coordonner, coupler, grouper, incorporer, joindre, mêler, rassembler, réunir, unir.
DÉR. Isolable, isolant, isolat, isolateur, isolation, isolement, isolisme, isoloir.

ISOLISME [izɔlism] n. m. — 1791, Sade; de *isolé* ou *isoler,* et suff. *-isme.*

♦ Didact. et vx (terme propre à Sade et à son temps : Mercier, 1801). Isolement subi. *« Un " isolisme " affectif radical »* (S. de Beauvoir, à propos de Sade; l'auteur emploie aussi *isoliste*).

(...) la malheureuse Justine deux fois repoussée dès le premier jour qu'elle est condamnée à l'isolisme, entre dans une maison où elle voit un écriteau, loue un petit cabinet garni au cinquième, le paye d'avance, et s'y livre à des larmes d'autant plus amères qu'elle est sensible et que sa petite fierté vient d'être cruellement compromise. SADE, Justine..., t. I, p. 12 (1791).

ISOLOGIE [izɔlɔʒi] n. f. — 1965, *Cahiers de lexicologie,* I (sens 1); de *iso-,* et *-logie.*

♦ **1.** Ling. Relation de dépendance totale du signifié et du signifiant.

♦ **2.** (De *isologue*). Chim. Identité de la structure carbonée de deux corps à fonctions différentes.

ISOLOGUE [izɔlɔg] adj. et n. m. — 1853, C. Gerhardt, in *Oxford Dict., Deuxième Suppl.;* de *iso-,* et *(homo)logue.*

♦ Chim. Se dit de corps organiques à même « squelette » carboné, mais possédant des fonctions différentes. — N. m. (1867). *Isologue d'un alcool.*

DÉR. V. **Isologie** (2.).

ISOLOIR [izɔlwaʀ] n. m. — 1783, «tabouret isolateur»; de *isoler.*

♦ **1.** Vx. Support isolant. ⇒ **Isolateur.**

Ce fut le 6 février que fut commencée la plantation des poteaux, munis d'isoloirs en verre, et destinés à supporter le fil, qui devait suivre la route du corral.

J. VERNE, l'Île mystérieuse, t. II, p. 560.

♦ **2.** (1914; «endroit où l'on est à l'écart des autres hommes», 1849). Cour. Cabine où l'électeur s'isole pour préparer son bulletin de vote.

ISOMÈRE [izɔmɛʀ] adj. et n. m. — 1830, Berzelius, *in* Cottez, art. 2 *-mère*; adaptation du grec *isomerês* «pourvu d'une part égale», de *iso-* (→ Iso-), et *meros* «partie, part, portion».

Sciences.

♦ **1.** Se dit de composés ayant la même formule brute et des propriétés différentes dues à un agencement différent des atomes dans la molécule. *Composés isomères. Corps isomère d'un autre.* — N. m. *Un, des isomères. Le cyanate d'ammonium* (NH_4CNO) *est un isomère de l'urée* $CO(NH_2)_2$. ⇒ **Métamère, polymère.**

Il existe cependant un isomère géométrique de l'acide fumarique, l'acide maléique (...) capable chimiquement de subir la même hydratation. L'enzyme est totalement inactif à l'égard du second.
Mais en outre il existe deux isomères optiques de l'acide malique, qui possède un carbone asymétrique :
Ces deux corps, images dans une glace l'un de l'autre, sont chimiquement équivalents et pratiquement inséparables par les techniques chimiques classiques.

Jacques MONOD, le Hasard et la Nécessité, p. 72.

Isomères optiques (⇒ **Inverse,** II., 4.).

♦ **2.** (Mil. xxe). En physique nucléaire, se dit de deux noyaux de même composition, dont l'énergie est différente.

DÉR. Isomérie, isomérisation, isomériser, isomérisme.

ISOMÉRIE [izɔmeʀi] n. f. — V. 1831, Berzelius, d'après Wurtz; arithm., 1691 (du grec *isomerês* → Isomère); de *isomère.*

Sciences.

♦ **1.** Caractère des corps isomères. *Isomérie géométrique, optique.*

Il *(Berzélius)* désigna sous le nom de composés *métamériques* ceux dont les molécules d'égale grandeur renferment les mêmes atomes, en même nombre, mais groupés différemment. C'était là l'*isomérie* dans le sens restreint du mot.

A. WURTZ, Dict. de chimie, art. *Isomérie,* p. 142a.

♦ **2.** (Mil. xxe). *Isomérie nucléaire :* phénomène présenté par deux atomes, de même numéro atomique et même masse atomique, mais d'états énergétiques différents.

DÉR. Isomérique.

ISOMÉRIQUE [izɔmeʀik] adj. — V. 1831, Berzelius, d'après Wurtz; de *isomérie.*

♦ Sc. Isomère*. — Relatif à l'isomérie. *Des modifications isomériques.*

Après avoir qualifié d'isomériques les corps qui offrent, avec des propriétés différentes, la même composition centésimale, il *(Berzélius)* a partagé, en 1831, tous les corps isomères en deux classes.

A. WURTZ, Dict. de chimie, art. *Isomérie,* p. 142a.

ISOMÉRISATION [izɔmeʀizasjɔ̃] n. f. — 1905, in *Rev. gén. des sc.,* no 12, p. 564; de *isomère* (angl. *isomerization,* 1891).

♦ Sc. Transformation d'un corps en un isomère.

ISOMÉRISER [izɔmeʀize] v. tr. — Mil. xxe; de *isomère* (angl. *to isomerize,* 1891).

♦ Sc. Transformer (un corps) en un isomère.

ISOMÉRISME [izɔmeʀism] n. m. — 1867, Littré; de *isomère,* d'après l'angl. *isomerism,* 1838.

♦ Didact. Vieilli. État des corps isomères. ⇒ **Isomérie.**

ISOMÈTRE [izɔmɛtʀ] adj. — Attesté 1962; grec *isometros* «d'une mesure (ou d'une grandeur) égale», de *iso-* (→ Iso-), et *metron.* → Mètre.

♦ Métrique. Isométrique* (2.).

ISOMÉTRIE [izɔmetʀi] n. f. — Mil. xxe; arithm., 1797; de *iso-,* et *-métrie* (→ -mètre), d'après *isométrique.*

♦ Math. Transformation ponctuelle laissant invariantes les distances. ⇒ **Isométrique,** 3. *Isométries positives* (⇒ **Déplacement**), *donnant des figures directement égales* (ex. : translation, rotation), *et négatives, donnant des figures inversement égales* (ex. : symétrie par rapport à une droite).

Biol. Isogonie* (opposé à *allométrie*).

ISOMÉTRIQUE [izɔmetʀik] adj. — 1843; de *iso-, -mètre,* et suff. *-ique.*

♦ **1.** Sc. Dont les dimensions sont égales. *Cristaux isométriques.*

♦ **2.** (1958). Métrique. Dont les mètres sont égaux. Syn. : *isomètre. Strophe isométrique. Le quatrain est isométrique.*

♦ **3.** Math. *Transformation isométrique,* qui conserve la distance de deux points quelconques. ⇒ **Isométrie.** — (1902). Géom. *Perspective isométrique,* dans laquelle les axes de comparaison forment des angles égaux, l'échelle de réduction étant égale sur chaque axe.

♦ **4.** (1959, *in* D. D. L.). Physiol. Se dit des mouvements musculaires qui ont lieu sans raccourcissement. *Contraction isométrique,* dans laquelle la tension varie seule (comparer à *isotonique*). — Par ext. *Myographie isométrique :* enregistrement des forces développées lors des contractions isométriques.

♦ **5.** Biol. ⇒ 2. **Isogonique.**

ISOMÉTROPIE [izɔmetʀɔpi] n. f. — Mil. xxe; de *iso-, métro-,* et *-opie.*

♦ Physiol. Pouvoir identique, normal, de réfraction des deux yeux. ⇒ **Amétropie, hypermétropie, presbytie.**

ISOMORPHE [izɔmɔʀf] adj. — 1821; de *iso-,* et suff. *-morphe.*

Sciences.

♦ **1.** Chim. Qui affecte la même forme cristalline.

♦ **2.** (1905, Poincaré, *in* T. L. F.). Math. «Se dit de deux concepts liés par une relation d'isomorphie*» (Uvarov).

♦ **3.** (xxe). Ling. *Langues, systèmes isomorphes.* ⇒ **Isomorphisme.**

♦ **4.** Didact. Qui correspond à des réalisations de la même structure (dans quelque domaine que ce soit). *Organisations de parenté, systèmes sociaux, économiques... isomorphes.*

CONTR. Hétéromorphe.

DÉR. Isomorphisme.

ISOMORPHIE [izɔmɔʀfi] n. f. ⇒ **Isomorphisme.**

ISOMORPHISME [izɔmɔʀfism] n. m. — 1824; var. vieillie *isomorphie,* 1845; de *isomorphe* (*isomorphisme* est dû, selon Wurtz, à Mitscherlich).

Sciences.

♦ **1.** Chim. Propriété que possèdent deux ou plusieurs corps de constitution chimique analogue d'avoir des formes cristallines voisines.

♦ **2.** (1960; *isomorphie,* 1948). Math. Morphisme dont l'application est bijective.

♦ **3.** (xxe). Ling. Relation entre deux langues qui ont les mêmes structures, ou entre deux structures sémantiques d'ordre différent présentant des relations combinatoires identiques. *Hypothèse, émise par Sapir, d'un isomorphisme de la langue et des faits culturels.*

♦ **4.** Didact. Relation entre deux structures isomorphes, dans quelque domaine que ce soit.

ISONÈPHE [izɔnɛf] adj. et n. f. — Attesté xxe (*in* Larousse, 1931, adj.), sans doute antérieur (l'angl. *isoneph,* n., fin xixe, est probablt emprunté au français); de *iso-,* et grec *nephos* «nuage».

♦ Didact. (météor.). Qui relie les points de même nébulosité à la surface de la Terre. *Ligne isonèphe.* — N. f. *Les isonèphes.*

ISONIAZIDE [izɔnjazid] n. f. — Mil. xxe; de *isoni(cotinique),* dans *acide isonicotinique,* et *(hydr)azide.*

♦ Méd. Amide de l'acide nicotinique, bactériostatique du bacille tuberculeux.

L'*isoniazide* ou *rimifon,* antituberculeux majeur, a été découvert grâce à une série de recherches qui avait pour but d'obtenir des dérivés de la thiosemicarbaride.

A. GALLI et R. LELUC, les Thérapeutiques modernes, p. 113.

ISONITRILE [izɔnitʀil] n. m. — 1905, in *Rev. gén. des sc.,* no 17, p. 790; de *iso-,* et *nitrile.*

♦ Chim. Composé organique isomère d'un nitrile (formule générale $R-N=C$). Syn. : *carbylamine.*

ISONOMIE [izɔnɔmi] n. f. — 1823; grec *isonomia* «répartition égale; égalité de droits dans un gouvernement démocratique; démocratie», de *isonomos* «qui jouit de droits égaux à; fondé sur l'égalité de droits; démocratique», de *iso-* (→ Iso-), et *nomos* «ce qui est attribué en partage; usage; loi» (→ -nome).

♦ **1.** Vx. Égalité devant la loi.

♦ **2.** (1832; de *isonome,* adj. — *cristaux isonomes* —, adaptation du grec *isonomos*). Minér. (vieilli). Conformité dans le mode de cristallisation.

ISOPATHIE [izɔpati] n. f. — 1878; de *iso-,* et *-pathie* (angl. *isopathy,* 1855).

♦ Didact. (biol.). Doctrine selon laquelle l'organisme atteint de maladie fabrique des substances propres à la combattre.

1 *Isopathie* (...) Cette doctrine, qui remonte à Hippocrate (ce qui fait la maladie la guérit aussi), a été remise en honneur par l'école pastorienne sous le nom d'*immunisation active* et a eu pour conséquence l'emploi thérapeutique des sérums ou sérothérapie.
M. Garnier et J. Delamare, Dict. des termes techniques de médecine.

2 (...) en 1898, Collet remet en honneur, à la suite du travail de Kruger de Nîmes, l'isopathie, dont la méthode (...) était déjà connue en 1834 *(Bibliothèque homéopathique)*; il expose dans son livre *Isopathie* (1902) les résultats de sa technique, qui consiste dans l'emploi de sécrétions morbides diluées suivant les procédés homéopathiques et données de nouveau au malade.
Pierre Vannier, l'Homéopathie, p. 48.

ISOPENTANE [izopɛ̃tan] n. m. — xxe; de *iso-,* et *pentane* (angl. *isopentane,* 1876).

♦ Chim., techn. Hydrocarbure à cinq atomes de carbone, à chaîne ramifiée, utilisé dans les essences pour avion.

On l'obtient généralement *(l'isoprène)* à partir de l'isopentane extrait des pétroles (...) Jean Vène, Caoutchoucs et Textiles synthétiques, p. 23.

ISOPÉRIMÈTRE [izopeʀimɛtʀ] adj. — 1630; grec *isoperimetros,* même sens, de *iso-,* et *perimetros* «mesuré tout autour; qui mesure tout autour». → Périmètre.

♦ Géom. De périmètre égal. *Polygones isopérimètres.* — N. m. *Des isopérimètres.*

ISOPET [izɔpɛ] n. m. ⇒ **Ysopet.**

ISOPHASE [izofɑz] adj. — xxe; de *iso-,* et *phase.*

♦ Techn. Qui présente des phases isochrones. *Phare isophase,* dont les phases lumineuses et obscures sont d'égale durée.

ISOPLÈTHE [izɔplɛt] adj. et n. f. — Déb. xxe (*in* Larousse, 1931); all. *isoplethe,* 1877, Vogler, adaptation du grec *isoplêthês* «égal en nombre à, égal en grandeur», de *iso-* (→ Iso-), et *plêthos* «quantité» (→ Pléthore).

♦ Didact. (météor.). Qui relie les points de même intensité de précipitation à la surface de la Terre. *Ligne isoplèthe.* — N. f. *Les isoplèthes.*

ISOPODE [izɔpɔd] adj. et n. m. pl. — 1806, Latreille, *in* Cottez, art. 1. *Is(o)-;* de *iso-,* et suff. *-pode.*

♦ **1.** Adj. Zool. Vx. Dont les pattes sont toutes semblables.

♦ **2.** N. m. pl. Mod. *Les Isopodes :* ordre de crustacés malacostracés (super-ordre des *Peracarida* ou *Péracarides*), souvent parasites, sans carapace, à corps aplati, vivant dans les eaux douces et marines et sur terre. Syn. cour. ⇒ **Cloporte.** *Les Isopodes comptent plusieurs sous-ordres* (7 ou 8) *et un grand nombre de familles.* — Au sing. *Un isopode.* — Adj. *Crustacé isopode.*

L'ensemble des Isopodes est (...) extrêmement complexe. Ce groupe est connu depuis les régions abyssales jusqu'aux régions de haute montagne, sur tous les continents et sous tous les climats. Avec les Acariens et les Copépodes, ils constituent probablement dans le règne animal, l'un des groupes les plus différenciés et les plus originaux. Claude Delamare-Deboutteville, les Crustacés, *in* Encycl. Pl. (Zoologie), t. II, p. 390.

ISOPRÈNE [izɔpʀɛn] n. m. — V. 1868, Wurtz, art. *Caoutchouc;* angl. *isoprene,* 1860, Williams, de *iso-* (→ Iso-), et p.-ê. *pr(opyl)ène**.

♦ Chim. Carbure diéthylénique qui peut donner par polymérisation une substance analogue au caoutchouc (⇒ **Élastomère**). « *L'isoprène lui-même est un carbure d'hydrogène de formule brute* C_5H_3 » (J. Vène, *Caoutchoucs et Textiles synthétiques,* p. 14). Syn. : *méthylbutadiène.*

DÉR. Isoprénique.

ISOPRÉNIQUE [izɔpʀenik] adj. — Mil. xxe; de *isoprène.*

♦ Chim., techn. Qui se rapporte à l'isoprène. « *Les macromolécules isopréniques du caoutchouc brut* » (Jean Vène, *Caoutchoucs et Textiles synthétiques,* p. 10).

ISOPROPYL- Chim. Élément servant à former les mots désignant les corps substitués par un radical isopropyle.

ISOPROPYLE [izɔpʀɔpil] n. m. — Attesté 1868, *Bulletin de la Société de chimie,* d'après Wurtz, mais probablt antérieur (→ Isopropylique); de *iso-,* et *propyle;* cf. angl. *isopropyl,* 1866.

♦ Chim. Radical $(CH_3)_2CH$-, isomère du propyle.

DÉR. Isopropylique.

ISOPROPYLIQUE [izɔpʀɔpilik] adj. — 1864, Berthelot, d'après Wurtz, art. *Isopropylique (alcool),* p. 157 a; de *isopropyle.*

♦ Chim. Se dit de l'alcool et des autres composés dérivés du radical isopropyle.

ISOPTÈRES [izɔptɛʀ] n. m. pl. — 1873, *in* P. Larousse; de *iso-,* et *-ptère.*

♦ Zool. Ordre d'insectes sociaux à deux paires d'ailes très semblables, appelés couramment termites (⇒ **Termite**), comptant environ 2 000 espèces réparties en six familles (cinq de «termites inférieurs» et les *Termitidae* ou termites supérieurs, comptant plus des deux tiers des espèces actuelles). — Au sing. *Un isoptère.*

ISOREL [izɔʀɛl] n. m. — 1952, *in* T. L. F.; nom déposé, probablt formé sur *iso(ler).*

♦ Techn., cour. Matériau de la marque de ce nom, fait de particules de bois encollées et agglomérées en panneaux sous très forte pression. *Isorel dur* (le plus courant, et appelé le plus souvent *isorel,* sans autre spécification) *et isorel mou. Face satinée* (face de parement) *et face grenue d'un panneau d'isorel.* — Plur. non attesté.

Les chantiers éventrent la terre et construisent des murs toujours plus hauts, des murs chargés de miroirs et de vitres. Les plaques d'isorel recouvrent les paroles, les conditionneurs d'air ronflent dans les murs. 1
J.-M. G. Le Clézio, les Géants, p. 28.

Un barrotage en cornières d'acier et un toit en planches (...) recouvert d'isorel simplifient les problèmes d'étanchéité. 2
Bernard Moitessier, Cap Horn à la voile (1971), p. 85.

ISORYTHMIE [izoʀitmi] n. f. — Av. 1959 (*in* Encyclopédie de la musique); de *iso-,* *rythme,* et suff. *-ie.*

♦ Hist. de la mus. Identité des rythmes dans les différentes parties d'une œuvre. *Étude de l'isorythmie dans la musique polyphonique du* xive *siècle.*

DÉR. Isorythmique.

ISORYTHMIQUE [izoʀitmik] adj. — 1961 (→ cit.); de *isorythmie.*

♦ Hist. de la mus. Qui présente un rythme identique (de séquences musicales). *Les motets de G. de Machault «épousent strictement le plan adopté par Philippe de Vitry (...) dans le découpage isorythmique de la teneur. Mais quelle différence dans la qualité mélodique»* (Bernard Gagnepain, *la Musique française du Moyen Âge et de la Renaissance,* p. 63).

ISOSÉISTE [izoseist] ou **ISOSISTE** [izosist] adj. et n. f. — 1902, *isoséiste; isosiste,* 1931; de *iso-,* et du grec *seistos* «ébranlé, secoué», de *seiein* «ébranler, secouer (notamment, à propos d'un tremblement de terre)». → Séisme, sisme et sism-.

♦ Géol. *Ligne isosiste,* qui relie sur une carte les points où l'intensité d'un séisme* est la même. — N. f. *Les isosistes* (→ Épicentre, cit.).

ISOSONIE [izosɔni] n. f. — Av. 1959 (*in* Encyclopédie de la musique); de *iso-,* 2. *son,* et suff. *-ie,* p.-ê. d'après *sone**, unité de force sonore (→ Sonie).

♦ Didact. Égalité de la sonie (dans des sensations auditives causées par des sons ou des bruits de caractère différent). *Le niveau d'iso-*

sonie d'un son ou d'un bruit (par rapport à un son pur de référence) est exprimé en phones.

DÉR. Isosonique.

ISOSONIQUE [izosɔnik] adj. — V. 1960 (*in* Larousse, 1962); de *isosonie.*

♦ Didact. (acoust.). Relatif à l'isosonie. *Courbes isosoniques normalisées, définissant une échelle de sonie.*

ISOSPHÉRIQUE [izosfeʀik] adj. — 1867, Littré; de *iso-*, et *sphérique.*

♦ Didact. Relatif à des sphères égales; de sphère égale.

ISOSPONDYLES [izospɔ̃dil] n. m. pl. — Av. 1954 (→ cit.; classification de Boulenger); lat. sav. *Isospondyli,* av. 1933 (*in* O. E. D.), de *iso-* (→ Iso-), et *spondylus* «vertèbre», grec *sphondulos,* même sens. → Spondyle.

♦ Zool. Ordre de poissons téléostéens primitifs, dont les premières vertèbres ne sont pas différenciées (ex. : hareng, sardine, anchois, saumon, truite et divers poissons abyssaux). — Au sing. *Un isospondyle.*

Les *Isospondyles* sont les plus primitifs des Téléostéens, notamment par la structure de leur ceinture scapulaire. L'intestin comporte encore des rudiments de valvule spirale. Les écailles sont cycloïdes *(les Clupéiformes et les Salmoniformes sont les sous-ordres des Isospondyles).*
R. et M.-L. BAUCHOT, les Poissons, p. 70.

ISOSTASIE [izostazi] n. f. — 1900; angl. *isostasy,* 1889, terme dû à l'américain Dutton, de *iso-* (→ Iso-), et grec *stasis* «stabilité», de *histanai.* → Statique, et aussi stase, -stat.

♦ Géol. «Théorie ayant pour objet la répartition globale des divers matériaux constituant le globe terrestre» (Uvarov). → Isostatique, cit. Haug. — État d'équilibre des différents segments de l'écorce terrestre.

ISOSTATIQUE [izostatik] adj. — 1838, G. Lamé, *in* Cottez, art. *-stasie;* de *iso-*, et grec *statikos* «qui concerne l'équilibre des corps». → Statique.

♦ **1.** Mécan. Dont tous les points présentent la même formule d'équilibre. *Ligne, surface isostatique.*

♦ **2.** (V. 1900; d'après l'angl. *isostatic,* 1889, Dutton). Géophys. Relatif à l'isostasie. *Équilibre isostatique. «Au Miocène, une certaine détente se produisit et le relâchement des tensions entraîna une grande variété de phénomènes locaux : affaissements, compensations, relaxations, propagation d'ondes de glissement, — traduisant un retour à un nouvel équilibre isostatique»* (*Science et Vie,* nº 592, p. 128).

Dutton s'est demandé si des mouvements tendant à donner à la Terre sa figure d'équilibre ne pourraient pas suffire pour expliquer la formation des chaînes de montagnes en dehors de toute hypothèse sur le refroidissement de la planète et sur la constitution de son noyau central. Si la Terre était homogène, sa figure d'équilibre serait un ellipsoïde de révolution rigoureusement géométrique; mais comme elle est hétérogène, comme certaines parties de sa surface sont plus denses, d'autres moins denses, il doit se produire un renflement dans les endroits où s'accumule la matière la moins dense et, au contraire, une dépression où s'accumule la matière la plus dense. Dutton propose le nom d'*isostasie* pour la «condition d'équilibre de la figure vers laquelle la gravitation tend à réduire un corps planétaire, qu'il soit homogène ou non». Si la Terre est suffisamment plastique, elle tendra vers une figure isostatique.
É. HAUG, Traité de géologie, 1927, t. I, p. 516-517.

ISOSTÉRIE [izosteʀi] n. f. — XXᵉ; de *iso-*, et *-stérie* «structure spatiale», élément savant formé à partir du grec *stereos* «solide, cubique», en géom. (→ Stéréo-); p.-ê. d'après la série *isoster, isosteric, isosterism,* 1919, en angl. (correspondant au sens 2).

♦ **1.** Cristallographie. Caractère de composés cristallisés différents qui présentent des arrangements atomiques analogues.

♦ **2.** Chim. Identité de deux molécules, quant aux dimensions.

La chimie théorique indique que, dans ces cas *(antagonismes),* une molécule ou une partie de molécule occupe dans l'espace le même encombrement que celle dont elle est l'opposé *(isostérie).*
A. GALLI et R. LELUC, les Thérapeutiques modernes, p. 13.

ISOTACTIQUE [izotaktik] adj. — Mil. XXᵉ; adaptation de l'ital. *isotattico,* 1955, G. Natta, de *iso-* (→ Iso-), et grec *taktikos* «qui concerne l'arrangement (de qqch.)». → Tactique.

♦ Chim. Composé d'unités qui ont toutes la même configuration stéréochimique (à propos de polymères).

CONTR. Atactique.

ISOTHÉRAPIE [izoteʀapi] n. f. — Déb. XXᵉ, Landouzy; de *iso-*, et *thérapie.*

♦ Méd. «Méthode thérapeutique qui, comptant sur les *égalités* de puissance, d'action, de force, met en jeu les moyens d'amener les divinités, les éléments, les hommes, les animaux, les végétaux, en un mot les causes qui ont fait la maladie, à faire la guérison» (Landouzy, *in* Garnier et Delamare, *Dict. des termes techn. de médecine*). ⇒ aussi **Isopathie.**

DÉR. Isothérapique.

ISOTHÉRAPIQUE [izoteʀapik] adj. — Déb. XXᵉ; de *isothérapie.*

♦ Méd. De l'isothérapie.

D'autres produits sont encore utilisés *(pour la préparation des remèdes homéopathiques),* tels que des produits animaux : extraits physiologiques (organothérapie et opothérapie) et extraits pathologiques (biothérapiques et isothérapiques), endogènes ou hétérogènes.
Pierre VANNIER, l'Homéopathie, p. 117.

ISOTHÈRE [izotɛʀ] adj. et n. f. — 1817, A. de Humboldt, en français, comme adj.; de *iso-*, et grec *theros* «saison de la chaleur, été».

♦ Didact. Se dit de la ligne joignant les points de même température moyenne estivale. — N. f. (1867). Isotherme moyenne d'été (opposé à *isochimène*). → Isochimène, cit.

ISOTHERME [izotɛʀm] adj. et n. f. — 1816, A. de Humboldt, en français, sens 1, comme adj.; de *iso-*, et grec *thermos* «chaud» (ou, substantivement, *thermon* «chaleur, chaleur de l'été» ou *thermê* «chaleur, chaleur de fièvre»). → -therme.

Didact., cour. Qui a même température.

♦ **1.** Climatologie. *Lignes isothermes,* ou, n. f. (1873), *isothermes :* lignes qui, sur une carte, relient tous les points du globe ayant même température moyenne. *Isothermes annuelles. Isothermes de janvier,* dites parfois *isochimènes; isothermes de juillet,* dites parfois *isothères. Isothermes et isallothermes**. L'isotherme 18º.* — *Bande* ou *zone isotherme,* située entre deux isothermes.

Seulement, il faut remarquer que les lignes isothermes, sur lesquelles la chaleur se distribue à dose égale, ne suivent nullement les parallèles terrestres.
J. VERNE, le Pays des fourrures, t. I, p. 38.

♦ **2.** (1867). Phys. Qui se produit à température constante. *Dilatation isotherme d'un gaz* (on dit aussi *isothermique* dans ce sens).

♦ **3.** (Mil. XXᵉ). Qui se maintient à une température constante. *Camion, wagon isotherme. Compartiments isothermes.*

DÉR. Isothermie (2.), **isothermique.**

ISOTHERMIE [izotɛʀmi] n. f. — 1906, *in* D. D. L.; de *iso-*, et *-thermie.*

♦ **1.** Physiol. Uniformité de la température de l'organisme qui ne subit pas de variations en rapport avec celles du milieu ambiant.

♦ **2.** (1911, Poincaré, *in* T. L. F.; de *isotherme,* 2.). Fait d'être à la même température.

ISOTHERMIQUE [izotɛʀmik] adj. — 1845 (→ cit.); de *isotherme,* et suff. *-ique.*

♦ **1.** Géogr. Relatif à l'égalité des températures, aux lignes isothermes. *«Les manifestations organiques ne se transforment que quand les lois isothermiques se modifient»* (Gérard, *Géographie zoologique, in* d'Orbigny, *Dict. universel d'histoire naturelle,* t. VI, p. 139).

♦ **2.** (1877, Littré, *Suppl.*). Phys. Qui se produit à température constante (syn. : *isotherme,* 2.). *Lignes isothermiques :* courbes correspondant à la transformation d'un corps qui change d'état physique à température constante.

ISOTONE [izoton; izɔtɔn] adj. — 1934, in *Oxford Dict., Deuxième Suppl.;* t. dû à K. Guggenheimer, de *isotope,* avec substitution de *n* à *p* par référence au *p* de *proton* et au *n* de *neutron.*

♦ Sc. Qui possède le même nombre de neutrons (et un nombre différent de protons). *Atomes, noyaux isotones* (s'oppose à *isotope*).

ISOTONICITÉ [izotonisite] n. f. — Mil. XXᵉ; de *isotonique,* d'après *tonicité.*

♦ Physiol. Qualité de ce qui est isotonique (2.). — REM. S'emploie aussi au sens de *isotonie,* peut-être sous l'infl. de l'angl. *isotonicity.*

ISOTONIE [izotoni; izɔtɔni] n. f. — 1902; de *isotonique,* 1. (→ aussi -tonie).

♦ Sc. État de liquides, de solutions qui ont même tension osmotique, même concentration moléculaire (on dit aussi *isotonicité*).

ISOTONIQUE [izɔtɔnik; izɔtɔnik] adj. — 1897; all. *isotonisch*, 1884, H. de Vries, adaptation du grec *isotonos* « également tendu ; avec la même tension ou la même intensité », de *iso-* (→ Iso-), *tonos* « tension » (→ Tonus), et suff. *-isch* (→ -ique).

♦ **1.** Sc. Caractérisé par l'isotonie. — (1922). Méd., cour. *Sérum isotonique* (ou *physiologique*) : sérum artificiel, ayant la même concentration moléculaire que le sérum sanguin.

♦ **2.** (Mil. xxᵉ — 1951, Piéron — ; all. *isotonisch*, 1882, Fick). Physiol. Qui a une tonicité uniforme, ou une tonicité égale (à une autre à laquelle on la compare). *Contraction isotonique* : contraction musculaire pendant laquelle la tension reste pratiquement constante (comparer à *isométrique*).

DÉR. Isotonicité, isotonie.

1. ISOTOPE [izɔtɔp] n. m. et adj. — 1914, *in* T. L. F. ; mot créé en angl., comme nom, 1913, Soddy ; de *iso-* (→ Iso-), et grec *topos* « lieu, place ».

♦ **1.** Chacun des éléments de même numéro atomique (occupant la même place dans la classification de Mendéléïeff), mais de masse atomique différente (même nombre de protons, mais nombre différent de neutrons). *Un, des isotopes. Le deutérium, isotope de l'hydrogène. Les isotopes ont le même nombre d'électrons extérieurs, mais leurs noyaux n'ont pas le même nombre de neutrons. Transmutation d'un corps simple en de nouveaux isotopes. Isotopes naturels ou artificiels. Séparation des isotopes par centrifugation* (⇒ **Centrifugeuse,** 2.), *électrolyse, diffusion, distillation. Isotopes radioactifs* (radio-iode, radiophosphate, radiosodium, etc.). *Le carbone 14, isotope radioactif du carbone.* — Adj. *Noyaux isotopes* (opposé à *isotone*). Syn. : *isotopique.*

1 Des recherches d'un ordre tout différent, relatives à la radio-activité, sur lesquelles nous reviendrons, ont conduit Soddy à admettre qu'un grand nombre de corps considérés comme *simples* sont en réalité formés par le mélange d'un ou plusieurs corps appelés *isotopes*, de masses atomiques différentes, mais qui sont tellement identiques par toutes leurs propriétés chimiques et physiques, qu'aucune méthode de fractionnement n'a jusqu'ici permis de les séparer.
A. BOUTARIC, la Vie des atomes, p. 119.

2 Ces isotopes radio-actifs sont produits en quantité extraordinairement faible : la quantité limite accumulée dans la matière irradiée, quand la destruction compense la production, est de l'ordre de 100 000 atomes, avec une source de polonium émettant 1 milliard de rayons α par seconde.
I. et F. JOLIOT, *in* Revue générale des sciences pures et appliquées, t. XLV (1934), p. 235.

♦ **2.** Argot scol. *Isotope...* (suivi des deux derniers chiffres du millésime de l'année en cours) : bal annuel de l'École de physique et chimie industrielle de Paris.

DÉR. 1. **Isotopie,** 1. **isotopique.**
COMP. V. **Isotone, isotron.**

2. ISOTOPE [izɔtɔp] adj. — 1968 (→ 2. Isotopie, cit.) ; de 2. *isotopie.*

♦ Didact. (sémantique). Caractérisé par l'isotopie.

1. ISOTOPIE [izɔtɔpi] n. f. — 1924, *in* T. L. F. ; de 1. *isotope.*

♦ Sc. Propriété des corps isotopes.

2. ISOTOPIE [izɔtɔpi] n. f. — V. 1965, A.-J. Greimas ; de *iso-*, et du grec *topos*, dans ses emplois rhétoriques (notamment « fondement d'un raisonnement, sujet ou matière d'un discours »), et suff. *-ie.*

♦ Didact. (sémantique). Ensemble de catégories sémantiques (repérables en plusieurs points de l'énoncé) permettant d'assigner une valeur unique et cohérente aux unités ambiguës dans le discours. *L'isotopie « concret » permet de comprendre l'énoncé : « les Californiens craignent les avocats véreux » comme « craignent les fruits nommés avocats lorsqu'ils ont des vers ».*

Par extension :

L'isotopie décelée par les linguistes (Greimas) ne constitue pas seulement un espace linguistique, mais un espace social (ou plutôt des espaces sociaux). L'isotopie du mot, de l'assemblage des mots, de la phrase, du sens et du système, a pour conséquence l'isotopie de la chose écrite. Ce qui permet de pousser plus loin l'élucidation de son mode d'existence, particulièrement étrange, puisque nous avons devant nous l'existence à la fois mentale et sociale d'une forme, dotée de propriétés formelles (entre autres la récurrence). La notion d'isotopie appelant celle d'hétérotopie, il s'ensuit un classement formel (structural) des espaces mentaux et sociaux en isotopes et hétérotopes, avec des rapports et implications d'appartenance, d'inclusion et aussi d'exclusion, d'extériorité. Un tel classement peut prendre pour référence la chose écrite (qui précisément s'érige elle-même en contexte mental et social, et supplante les autres référentiels).
Henri LEFEBVRE, la Vie quotidienne dans le monde moderne, p. 299-300.

DÉR. 2. **Isotope.**

1. ISOTOPIQUE [izɔtɔpik] adj. — 1914, *in* T. L. F. ; angl. *isotopic*, 1913, Soddy, de *isotope* (→ 1. Isotope).

♦ Sc. Qui a les caractères d'un isotope ; relatif à un isotope. *Noyaux isotopiques* (ou *isotopes**). *Spin* isotopique. Marquage isotopique, en biologie.*

2. ISOTOPIQUE [izɔtɔpik] adj. — V. 1965, Greimas. → 2. Isotopie.

♦ Didact. (sémantique). Relatif à une isotopie, aux isotopies (→ 2. Isotopie).
REM. Plusieurs composés *(mono-, poly-isotopique...)* sont attestés.

ISOTRANSPLANT [izotʀɑ̃splɑ̃] n. m. — Mil. xxᵉ ; de *iso-*, et *transplant*, ou angl. *isotransplant*, 1953.
Biologie, chirurgie.

♦ **1.** Transplant* provenant d'un individu de même espèce (on dit aussi *homotransplant*). ⇒ **Homogreffe.**

♦ **2.** Transplant provenant d'un individu de même formule génétique.

ISOTRANSPLANTATION [izotʀɑ̃splɑ̃tasjɔ̃] n. f. — 1971, Manuila ; de *iso-*, et *transplantation*, ou angl. *isotransplantation* (1901, sens 1 ; sens 2, 1962).
Biologie, chirurgie.

♦ **1.** Homogreffe.

♦ **2.** (1972, Garnier et Delamare). Prélèvement et greffe d'un transplant provenant d'un individu de même formule génétique que le receveur (on dit aussi *transplantation isologue* ou *isogénique*).

ISOTRON [izɔtʀɔ̃] n. m. — Mil. xxᵉ ; de *iso(tope)*, et suff. *-tron*, d'après *cyclotron ;* terme créé av. 1945, d'après O. E. D., *Deuxième Suppl.*

♦ Sc. Appareil servant à la séparation des isotopes nouvellement créés, fondé sur la différence de vitesse de leur migration ou de leur diffusion.

ISOTROPE [izɔtʀɔp] adj. — 1840, Cauchy, *in* Cottez ; adaptation du grec *isotropos* « de même caractère », de *iso-* (→ Iso-), et *tropos* « direction ; manière, façon, mode ; manière d'être, caractère ». → -trope.

♦ Sc. (phys., etc.). Qui présente les mêmes propriétés (spécialt, les mêmes propriétés physiques) dans toutes les directions. *Les cristaux cubiques sont isotropes. L'espace* (cit. 8) *est isotrope.*

CONTR. Anisotrope.
DÉR. Isotropie.
COMP. Anisotrope.

ISOTROPIE [izɔtʀɔpi] n. f. — 1890 ; de *isotrope.*

♦ Sc. Caractère de ce qui est isotrope. *L'isotropie de l'œuf* (→ Anisotrope, cit.).

ISOVALÉRIQUE [izovaleʀik] ou **ISOVALÉRIANIQUE** [izovaleʀjanik] adj. — Fin xixᵉ ; de *iso-*, et *valérique, valérianique* (angl. *isovaleric*, 1882 ; *isovalerianic*, 1894).

♦ Chim. Se dit d'un acide, d'un aldéhyde isomère de l'acide et de l'aldéhyde valériques.

ISOVÈLE [izovɛl] adj. et n. f. — Mil. xxᵉ ; de *iso-*, et du lat. *velox* « rapide ». → Véloce.

♦ Didact. (météor.). Qui joint les points de la basse atmosphère où la vitesse du vent est la même. *Lignes isovèles.* — N. f. *Les isovèles.*

ISRAÉLIEN, ENNE [isʀaeljɛ̃, ɛn] adj. et n. — 1948 ; du nom de l'État d'*Israël*, fondé le 14 mai 1948 (→ Israélite).

♦ De l'État moderne d'Israël. → Israélite. *L'armée israélienne. Le peuple israélien. L'économie israélienne. Les Kibboutz* israéliens. Antisionistes hostiles à la politique israélienne. Le Parlement israélien.* ⇒ **Knesset.** — N. *Un Israélien, une Israélienne. Les Israéliens juifs et non juifs* (*arabes*, etc.).

ISRAÉLITE [isʀaelit] n. et adj. — 1458, *Israellite*, n. ; bas lat. *Israelita*, grec *Israêlitês*, adaptation à l'aide du suff. *-(i)tês* de l'hébreu *yisrĕʼēlī*, de *yisrāēl* « Israël », nom donné à Jacob après sa lutte avec Dieu (*Genèse*, xxxii) et, par ext., au peuple juif.

♦ **1.** Didact., hist. Descendant d'Israël, de Jacob.

♦ **2.** Personne qui appartient à la communauté, à la religion juive. ⇒ **Hébreu, juif ;** → Aventure, cit. 18 ; impartialité, cit. 1. — REM. Le mot s'emploie en concurrence avec *juif*, ce dernier ayant des connotations indésirables, notamment dans les époques marquées par l'antisémitisme. → Juif, REM.

Les Roumains, les Égyptiens et les Turcs peuvent détester les Juifs. Mais dans un salon français les différences entre ces peuples ne sont pas si perceptibles, et un Israélite faisant son entrée (...) contente parfaitement un goût d'orientalisme. 1
PROUST, À la recherche du temps perdu, t. VII, p. 15.

(1690). Loc. (Vx; langue class., par allusion à l'Évangile de Jean, I, 47). *Un bon israélite :* un homme franc, sincère.

Adj. (1480, *ysraelite*). ⇒ **Hébraïque, juif.** *Consistoire, culte israélite* (→ Chair, cit. 9). *Le chœur de jeunes filles israélites, dans* Esther *de Racine.*

2 — Vous croyez que Dieu est comme ça, Clémence? Qu'il s'occupe de votre dot? — Pourquoi pas? Il s'occupe bien des petits oiseaux. Mais monsieur est israélite, monsieur n'a pas lu l'Évangile. R. QUENEAU, les Enfants du limon, II, XLI.

ISRAÉLO- Premier élément de mots composés, signifiant «Israël; de Israël et...». *Le conflit, la guerre israélo-arabe. Les problèmes israélo-palestiniens, israélo-libanais, israélo-syriens.*

Avec des éléments liés *(-phile, -phobie...)* :

J'observe d'abord que l'israélophilie passionnelle d'un non-juif (Gabriel Aranda, collaborateur d'Albin Chalandon, a formellement déclaré qu'il ne l'était pas) pourrait faire basculer M. de Sarnez dans l'antisémitisme. Jean DANIEL, *in* le Nouvel Obs., n° 410, 18 sept. 1972, p. 18.

ISSANT, ANTE [isɑ̃, ɑ̃t] adj. et n. — 1561, n.; p. prés. adj. de *issir**. → Issu.

♦ Blason. Se dit de figures d'animaux qui, ne présentant que la partie supérieure du corps, paraissent sortir de la pièce* ou du champ de l'écu. *Lions issants.*

N. Figure d'un enfant à mi-corps sortant de la gueule d'un animal.

COMP. Contre-issant.

-ISSIME Suffixe (du lat. *-issimus*, repris à l'ital. *-issimo;* → en musique Pianissimo, prestissimo, etc.) entrant dans des adjectifs à valeur superlative. Ex. : *élégantissime* (1885, Goncourt, *in* T. L. F.), *richissime**, etc. Empruntés à l'ital. : *rarissime, sérénissime,* etc.

1 Est-il exact que vous ayez dit et écrit ceci : ce qu'il y a de plus profond dans l'homme, c'est la peau? — C'est vrai. — Qu'entendiez-vous par là? — C'est simplissime (...) VALÉRY, l'Idée fixe, 1932, *in* Œ., Pl., t. II, p. 215.

REM. Ce suffixe, parfois sous la forme italienne *-issimo*, a été mis à la mode dans les années 1950-1960 (cf. *Snobissimo*, de P. Daninos) et sert à former des adjectifs plus ou moins plaisants.

2 (...) Paris continue sa marche en avant vers le Paris parissime, capitale superspirituelle (...) Jacques PERRET, Bâtons dans les roues, p. 25.

ISSIR [isiʀ] v. intr. (trans. ind.). — Conjug. défective en franç. mod., seulement imparfait (→ cit. 1), passé simple (3e plur. : *issirent*), p. prés. (*issant**), p. passé (*issu**), infinitif (→ cit. 2). — Ancienne conjug. : *is, is, ist, eissons, eissiez, issent; j'issais; j'issis; j'eissirai* ou *j'istrai; is, issons; que j'isse.* — XIIe; *eissir*, 1080; *escir*, av. 950; lat. *exire* «sortir (d'un lieu); provenir, tirer son origine de», de *ex-* (→ 1. Ex-), et *ire* «aller» (comparer à *réussir*). Verbe supplanté au XVIe par *sortir.*

♦ Vx (déjà au XVIIe). Sortir. — Par archaïsme (littér.) :

1 Une colonne issait des prêles; elle portait une lourde végétation d'images et de plantes. J. GIONO, Naissance de l'Odyssée, *in* Œ. roman., Pl., t. I, p. 39.

2 (...) il *(Léon Bakst)* s'était établi avec son attirail de peintre dans un grand canapé en cuir de Russie dont on ne pouvait le faire issir. B. CENDRARS, Bourlinguer, p. 187.

DÉR. Issu.

ISSU, UE [isy] p. p. — V. 1200; *eissuz*, av. 1150; p. p. de *issir**, formé sur le doublet *istre* de l'infinitif.

♦ **1.** Qui est né, sorti (d'une personne, de parents, d'une race, d'une espèce). ⇒ **Descendre, provenir.** *Issu de sang royal, d'une famille illustre, de campagnards* (→ Anoblir, cit. 3; callosité, cit.; famille, cit. 19). *Frères* (cit. 1) *issus des mêmes père et mère.* — (1690). *Cousins issus de germains. — Tronc commun d'où sont issus les différents animaux* (→ Homme, cit. 7). *Arbres issus d'un semis* (→ 2. Franc, cit. 14). — Par anal. (origine dans l'espace). *Invasions issues du continent.* ⇒ **Partir** (→ Autochtone, cit. 2).

1 *(Sa taille, son air)* Feraient croire qu'il est issu du sang des Dieux (...) MOLIÈRE, Mélicerte, I, 2.

2 En regardant la croix, le tertre et les fleurs, nous songeons tous deux à ce mystère; petite fille qui était de son sang, issue de lui, qui avait ses yeux, et (...) probablement aussi une âme pareille, et qui est déjà rendue au sol breton. LOTI, Mon frère Yves, XCIX.

♦ **2.** (1656). Fig. Qui provient, résulte. *Progrès, révolution, expansionniste* (cit.) *issus de tel ou tel phénomène,* venu, sorti de... (→ Antisepsie, cit. 2; extrême, cit. 2). *Œuvres, idées, images issues de certaines circonstances, d'un certain univers* (→ Fruit, cit. 24; imprégner, cit. 10; incorporel, cit. 2). *Modes issues d'une même origine* (→ Incroyable, cit. 15).

3 Un messianisme d'origine chrétienne et bourgeoise, à la fois historique et scientifique, a influencé en lui *(Marx)* le messianisme révolutionnaire, issu de l'idéologie allemande et des insurrections françaises. CAMUS, l'Homme révolté, p. 234.

DÉR. et **HOM.** Issue.

ISSUE [isy] n. f. — V. 1165 (sens 1, a); *eissue* (sens 2), 1155; féminin substantivé de *issu.*

♦ **1.** a Vx. Action de sortir.

b Loc. mod. (1273). **À L'ISSUE DE** : en sortant de. ⇒ **Sortie** (à la), **sortir** (au). *À l'issue du spectacle, de la séance, du procès* (→ Expulser, cit. 2), *du dîner, de l'entrevue, de la cérémonie.* ⇒ **Fin.**

♦ **2.** Mod. Ouverture, passage offrant la possibilité de sortir. ⇒ **Dégagement, passage, porte, sortie.** *Percer, boucher, aveugler une issue. Issue permettant de s'échapper* (→ Galerie, cit. 4). *Chercher, découvrir une issue* (→ Apparaître, cit. 20; gouffre, cit. 2). *Issue secrète, dérobée.*

Issue est plus général que *sortie.* La sortie est le passage par où l'on sort habituellement; l'issue est toute ouverture par où l'on peut sortir. La porte est à la fois une sortie et une issue; la fenêtre n'est pas une sortie, mais, en un cas pressant, elle peut être une issue. LITTRÉ, Dict., art. *Issue.* 1

De cette façon, la barricade, murée sur trois rues (...) était vraiment presque inexpugnable; il est vrai qu'on y était fatalement enfermé. Elle avait trois fronts, mais n'avait plus d'issue. — Forteresse, mais souricière, dit Courfeyrac en riant. HUGO, les Misérables, V, I, VII. 2

(...) je ne me relevais jamais au milieu des nuits pour m'assurer que toutes les issues de ma chambre étaient fortement closes. MAUPASSANT, les Sœurs Rondoli, Lui. 3

(1690). Lieu par où peut sortir qqch. ⇒ **Débouché, dégorgeoir, déversoir, émonctoire, évacuation, exécutoire, soupape.** *Ménager une issue à la fumée, à la vapeur, à l'eau d'un réservoir. Source qui trouve une issue,* (vieilli) *qui trouve issue* (→ 1. Fougue, cit. 5). *Donner issue à...* — Par métaphore (→ Fermenter, cit. 3). *Donner issue à la colère.*

La joie n'ouvrait pas devant lui une de ces issues étroites et fascinantes où toute la vie se précipite. J. ROMAINS, les Hommes de bonne volonté, t. V, VII, p. 59. 4

(1764). **SANS ISSUE.** *Chemin, rue, voie sans issue.* ⇒ **Cul-de-sac, impasse** (cit. 1); → Boucherie, cit. 1; par métaphore dénouer, cit. 10.

(...) s'offrir à servir de guide dans un chemin détourné qu'il ne connaît pas, et dont il ne peut ensuite trouver l'issue. LA BRUYÈRE, les Caractères de Théophraste, De l'air empressé. 5

♦ **3.** (1555, repris XIXe). Fig. Possibilité, moyen de sortir d'affaire et d'aller plus avant. ⇒ **Échappatoire, solution.** *Chercher une issue à une difficulté. «Je ne vois pas d'autre issue. Se ménager des issues»* (Académie). *Situation sans issue* (→ Achopper, cit. 4). *Intrigue, passion sans issue* (→ Court, cit. 19; estival, cit. 2). *Une vie sans issue* (→ Folie, cit. 30).

C'est toi, Prince, qui rends nos esprits très habiles 6
À trouver une issue aux choses difficiles (...)
RONSARD, Pièces posthumes, Second livre des hymnes, X.

Bonaparte, de son côté, venait d'échouer en Syrie où il avait essayé de s'ouvrir un chemin. L'expédition d'Égypte était sans issue. J. BAINVILLE, Hist. de France, XVI, p. 387. 7

(...) elle devait se dire que pour échapper à son tuteur il n'y avait pas d'autre issue que le mariage. Émile HENRIOT, Portraits de femmes, p. 313. 8

(1501). Manière dont on sort d'une affaire, dont une chose tourne, arrive à son terme. ⇒ **Aboutissement, fin, fortune, résultat, succès** (vx). *Bonne, heureuse issue* (→ Grossesse, cit. 2). *Issue malheureuse, fatale d'un duel, d'une maladie* (→ Épouvantement, cit. 2; imminence, cit. 2). *Ignorer, ne pas prévoir l'issue d'une entreprise* (cit. 10; → État, cit. 125).

J'ai peur que votre effort n'ait pas trop bonne issue. MOLIÈRE, les Femmes savantes, IV, 4. 9

Certes, nos pères disaient bien que le hasard est grand; ils savaient qu'on ne peut rien affirmer de l'issue d'une affaire; mais, dans l'ensemble, cet imprévu imaginable, permettait cependant de décréter des lois durables, de signer des conventions fermes (...) VALÉRY, Regards sur le monde actuel, p. 207. 10

♦ **4.** ISSUES, n. f. pl. a (1751). Par métonymie. Ce qui reste des moutures après séparation de la farine (cit. 1). ⇒ **Son.** *Marchand de grains et issues.*

b (1332). Techn. Extrémités ou viscères des animaux formant, avec les abats, le «cinquième quartier».

CONTR. Accès, entrée; commencement.
HOM. Issu.

-ISTE Suffixe d'origine grecque (*-istês;* extension parallèle à celle du suff. verbal *-idzein*, → -iser; on y reconnaît l'élément *-tês*, → 2. -ite) passé en français par le latin *(-ista)* et qui sert à la formation de substantifs (désignant des personnes) et d'adjectifs correspondant en général à un dérivé (nom de chose, abstrait) en *-isme**. Les composés en *-iste* se rapportent à l'exercice par la personne désignée d'un métier, d'une activité *(journaliste, canoéiste)*, d'une spécialité *(linguiste)*, à son appartenance à une opinion. Ex., avec un nom propre «partisan de» : *gaulliste, castriste, titiste, péroniste* (⇒ -ien); avec un nom de groupe, de système, etc. : *communiste, structuraliste.*

REM. Des types nouveaux peuvent se développer, comme les noms tirés d'un nom de marque de véhicule, au sens de «adepte de» :

un «lanciaïste» (*l'Express*, 18 sept. 1972, p. 78) amateur des voitures de la marque Lancia; *un «kawasakiste»*, motocycliste sur Kawasaki (*l'Express*, 18 sept. 1972, p. 78). — Avec les noms propres, le système est ouvert; seules des difficultés phonétiques peuvent le bloquer. — Comme pour les comp. en *-isme*, les mots en *-iste* se prêtent à la préfixation par *anti- (anticastriste, antistructuraliste)* et, dans certains cas, par *pro- (procommuniste).*

ISTHME [ism] n. m. — 1538, *istme; isthmus*, 1527; lat. *isthmus* «isthme (1.); détroit», grec *isthmos* «passage étroit ou resserré; cou, gorge»; sens 2, par emprunt direct au grec.

♦ **1.** Langue de terre resserrée entre deux mers ou deux golfes et réunissant deux terres (en particulier une presqu'île au continent). *L'isthme de Corinthe, de Suez, de Panama* (→ Albinos, cit. 1; fermeture, cit. 2). *Le détroit, dans la configuration des eaux, correspond à l'isthme dans celle des terres.*

1 Les Vénitiens (...) avaient proposé à ce Soudan de couper l'isthme de Suez à leurs dépens, et de creuser un canal qui eût joint le Nil à la mer Rouge.
VOLTAIRE, Essai sur les mœurs, CXLI.

2 (...) l'établissement d'une colonie écossaise lui parut facile, et sa prospérité assurée; en effet, un bon port de relâche sur la route des Moluques et des Philippines devait attirer des navires, surtout quand le percement de l'isthme de Suez aurait supprimé la voie du cap de Bonne-Espérance. Harry Grant était de ceux qui préconisaient en Angleterre l'œuvre de M. de Lesseps et ne jetaient pas des rivalités politiques au travers d'un grand intérêt international.
J. VERNE, les Enfants du capitaine Grant, t. II, p. 96.

♦ **2.** (1552; *ismon*, v. 1240; grec *isthmion*). Anat. Partie rétrécie (d'un organe). *Isthme du gosier*, faisant communiquer la cavité buccale avec la trachée (→ 2. Bol, cit.). — (1902). *Isthme de l'encéphale :* partie de l'encéphale faisant communiquer le cervelet avec le cerveau. *Isthme de l'utérus :* segment intermédiaire entre le col et le corps de l'utérus.

DÉR. Isthmien. — V. Isthmique.

ISTHMIEN, IENNE [ismjɛ̃, jɛn] adj. — 1721, Trévoux, *in* F. E. W.; de *isthme.*

Didactique.

♦ **1.** (Antiq.). Relatif à l'isthme de Corinthe. *Jeux isthmiens.* ⇒ **Isthmique.**

♦ **2.** (1867). Relatif à un isthme (1.).

ISTHMIQUE [ismik] adj. — 1626; de *isthme*, ou grec *isthmikos* (attesté aux sens 1 et 2), p.-ê. par l'intermédiaire du lat. *isthmicus.*

Didactique.

♦ **1.** Antiq. Relatif aux jeux (*Jeux isthmiques*, 1636, ou *Isthmies*, [grec *isthmia*, n. neutre pl.], 1636) qui se disputaient tous les trois ans dans l'isthme de Corinthe, en l'honneur de Poséidon. *Odes isthmiques* (ou, vx, *isthmiennes*), écrites par Pindare à la gloire des vainqueurs aux jeux isthmiques. — N. f. pl. (1765). *Les Isthmiques*, ces hymnes (*les Isthmioniques*, 1616, vx, d'après le grec *isthmionikês* «qui chante les vainqueurs des jeux isthmiques»).

♦ **2.** Relatif à un isthme (1.).

♦ **3.** Anat. Relatif à un isthme (2.).

ISVOTCHIK [isvɔtʃik; izvɔtʃik] n. m. — Av. 1798, Casanova, *in* D. D. L.; mot russe.

♦ Didact. (terme de voyage). Cocher, en Russie, au XIXᵉ siècle (cf. Xavier Marnier, A. Dumas, Gautier, *in* D. D. L.). — REM. Le mot a en français plusieurs variantes graphiques.

Hé! Dérigny mon ami, faites donc marcher ces isvotchiks : nous avançons comme des tortues.
Cˢˢᵉ DE SÉGUR, le Général Dourakine, I.

ITACISME [itasism] n. m. — 1867, Littré.

♦ Var. anc. de *iotacisme.*

ITA EST [itaɛst] n. m. — 1743; mots lat. «il en est *(est)* ainsi *(ita)*».

Vx. Droit.

♦ **1.** Formule d'authentification d'un acte notarié. *Mettre, délivrer son* ita est.

♦ **2.** Officier du Châtelet qui délivrait l'*ita est* (selon Littré).

ITAGUE [itag] n. f. — 1765; *ytague*, XVIᵉ; *utague, vitage*, v. 1155; *utange*, v. 1138; orig. incert., p.-ê. de l'anc. scandinave **útstag*, composé (selon Kolb) de *út* «hors de», et *stag* «étai d'avant»; la multiplicité des variantes (aussi *étagle, étague, itacle, itaque, utacque*...) s'expliquerait en partie par le contact des différentes langues des marins.

♦ Mar. «Manœuvre souvent en chaîne ou en fil d'acier, fixée par son extrémité à une voile, une vergue qu'elle est destinée à hisser ou à déplacer dans un sens quelconque» (Gruss).

ITALIANISANT, ANTE [italjanizɑ̃, ɑ̃t] n. — 1908; p. prés. substantivé de *italianiser.*

♦ **1.** Artiste qui s'inspire de l'art italien. — Adj. *Peintre italianisant.*

C'est peu de dire que Gluck était rompu à l'art italien, qu'il était un italianisant.
R. ROLLAND, Musiciens d'autrefois, p. 229.

♦ **2.** (1923, Barrès, *in* T. L. F.). Spécialiste de la langue, de la littérature, de la civilisation italiennes. *Une de nos meilleures italianisantes.* — Adj. *Les étudiants italianisants.*

♦ **3.** Adj. (Choses). Influencé par la langue, la culture italiennes. *«Une mode italianisante»* (Viaux, *in* T. L. F.). *Un parler italianisant.*

ITALIANISATION [italjanizɑsjɔ̃] n. f. — 1578, *italianization*, au sens 1 de *italianiser;* de *italianiser.*

♦ Fait de rendre italien; processus d'assimilation à la civilisation italienne, à l'Italie.

ITALIANISER [italjanize] v. — 1578, *italianizer* (sens 1 et 2); *italianizé, italiannizé* (sens 2), 1566; *italiennizé* (sens 2), av. 1555; de *italien*, et suff. *-iser.*

♦ **1.** V. intr. (Vx ou hist. de la langue). Employer (dans une autre langue, notamment en français) une prononciation ou des expressions empruntées à l'italien. *Au XVIᵉ siècle, Henri Estienne se plaignait des trop nombreux Français qui italianisaient.*

♦ **2.** V. tr. Rendre italien; marquer d'un caractère italien. — Pron. (XVIIᵉ). *«La France du XVᵉ siècle s'était italianisée»* (Académie).

DÉR. Italianisant, italianisation.

ITALIANISME [italjanism] n. m. — 1715, «façon de parler italienne», *Menagiana* (*in* Trévoux, 1771); «imitation de la manière de parler italienne», 1578, H. Estienne (ce dernier employait *italianizement* pour l'emprunt lui-même; cf. Huguet et Godefroy); de *italien*, et suff. *-isme.*

♦ **1.** Manière de parler propre à l'italien et empruntée par une autre langue. *Les italianismes dans la poésie française du XVIᵉ siècle. On a dénoncé les italianismes (en français) au XVIIᵉ siècle.*

♦ **2.** (1829, Stendhal). Vieilli. Habitude, comportement propre aux Italiens.

ITALIEN, IENNE [italjɛ̃, jɛn] adj. et n. — V. 1265, *ytaliiens*, n. m. pl., *in* T. L. F.; du n. propre *Italie*, ou ital. *italiano*, de *Italia* «Italie», du lat. *Italia*, même sens, de *Itali, Italorum*, n. de peuple.

♦ **1.** (1551, personnes; 1606, choses). De l'Italie. ⇒ **Ausonien** (vx), **italique** (vx), **transalpin.** *Péninsule italienne. Îles italiennes. Race, nationalité italienne* (→ Impénétrable, cit. 21). *Vins* italiens. Cuisine italienne. Charcuterie italienne* (→ Coppa, salami...). *Le parmesan, le provolone, le gorgonzola, fromages italiens. Les restaurants italiens de Paris.* — N. m. *Un italien :* un restaurant italien. *Monnaie italienne.* ⇒ **Lire.** *Mœurs italiennes* (→ Hérisser, cit. 28). *Langue, littérature, peinture, musique... italiennes. Dialectes italiens* (⇒ **Bergamasque, campanien, florentin, ligure, lombard, ombrien, piémontais, sarde, sicilien, toscan, vénitien...**). *Chant, opéra italien* (→ Fioriture, cit. 2). *Les Comédiens Italiens*, troupe théâtrale installée à Paris de 1659 à la fin du XVIIIᵉ siècle, et qui joua notamment les œuvres de Marivaux (→ aussi 3.). *Comédie italienne.* ⇒ **Commedia dell'arte.** *Républiques italiennes, magistrats italiens* (⇒ **Podestat**) *du moyen âge. Formation de l'unité italienne au XIXᵉ siècle. Irrédentisme des nationalistes italiens. Le fascisme italien sous Mussolini.*

(...) ils éprouveraient sans cesse avec quelle facilité, quelle flexibilité, quelle mollesse, l'harmonie, la prosodie, les ellipses, les inversions de la langue italienne se prêtaient à l'art, au mouvement, à l'expression, aux tours de chant et à la valeur mesurée des sons (...) 1
DIDEROT, le Neveu de Rameau, Pl., p. 483.

(1587). *À la manière italienne*, ou, ellipt., *à l'italienne* (→ Hautin, cit.). *Champignons à l'italienne. Pâtes* à l'italienne. Riz à l'italienne.* ⇒ **Risotto.** *Café au lait à l'italienne.* ⇒ **Capuccino.** — *Stores à l'italienne.* — *Théâtre à l'italienne. Répétition* à l'italienne.* — *Format, mise en pages à l'italienne* (par oppos. à *à la française*), où la largeur est plus importante que la hauteur.

Selon la manière, la mode italienne. *Perspective* (cit. 2) *italienne.* — *Cuisine italienne. Restaurant italien* (→ Pizzeria, cit. 1).

N. (1551; *ytaliien*, v. 1265). Habitant, habitante de ce pays, ou personne qui en est originaire. *Un Italien, une Italienne. Les Italiens émigrés en France.* ⇒ fam. **Rital.**

♦ **2.** N. m. (1512). *L'italien :* la langue italienne (→ Bouillonnement, cit. 1; ficher, cit. 3). *L'italien dérive du latin vulgaire comme les* *autres langues romanes. Le dialecte toscan devenu l'italien classique. Mots français empruntés à l'italien.*

2 Le grand mouvement de la Renaissance (...) amène une véritable invasion de mots italiens, invasion que l'on peut constater dans toutes les branches de l'activité humaine, mais qui est surtout sensible dans la littérature proprement dite, les beaux-arts (surtout l'architecture et la musique), la guerre et le sport (notamment l'escrime et l'équitation)... Un millier de mots environ sont ainsi venus s'ajouter à notre vocabulaire. En outre, il ne faut pas oublier que l'italien (...) a contribué au développement du suffixe *ade*, et que nous lui devons le suffixe *esque*, et les superlatifs en *issime*.

DARMESTETER, Traité de formation de la langue franç., p. 22, *in* Dict. général de la langue franç.

Adj. *Les dialectes italiens.* → ci-dessus, 1.

♦ **3.** (1786, Mme de Staël, *in* T. L. F. ; de *Comédiens italiens*, par ellipse). Spécialt. N. m. pl. *Les Italiens :* théâtre parisien qui interpréta d'abord le répertoire de la comédie italienne, puis des pièces françaises (le *boulevard des Italiens*, à Paris, en a tiré son nom). → Fumer, cit. 10. *Une loge aux Italiens.*

DÉR. Italianiser, italianisme.

ITALIOTE [italjɔt] adj. et n. — 1721, Trévoux ; grec *italiôtês*, même sens, de *Italia* « Italie ».

♦ Didact. Relatif aux peuples de l'Italie ancienne parlant les langues osque, ombrienne et latine. ⇒ **Italique** (3.). *Céramiques italiotes.* — N. *Un, une italiote.*

Spendius, Antharite et Zanxas, quatre italiotes, un Nègre et deux Spartiates, s'offrirent comme parlementaires.

FLAUBERT, Salammbô (1862), Pl., t. I, p. 996.

ITALIQUE [italik] adj. et n. m. — 1568 ; *ytalique*, 1488 ; lat. *italicus* « d'Italie ; de la Grande Grèce », de *Italia*. → Italien.

♦ **1.** Vx. De l'Italie. ⇒ **Italien.** « *Les campagnes italiques* » (Voltaire).

♦ **2.** (1504, *yttalique*). Mod. *Lettres italiques* (ainsi appelées parce qu'elles avaient été dessinées en Italie par l'imprimeur Alde Manuce ; ⇒ **Aldin**), *caractères italiques*, légèrement inclinés vers la droite. *Citations, exemples imprimés en caractères italiques*, ou, ellipt., *en italiques.* — N. m. (1528, *ytalicque*). *L'italique :* le caractère italique (→ Caractère, cit. 6). « *On se sert de l'italique pour les mots que l'on veut distinguer du reste du texte* » (Académie). *Mettre un mot en italique.*

1 (...) il y avait aussi parmi eux de grands penseurs et de grands ironistes, qui, lorsqu'ils écrivaient, mettaient leurs mots profonds et fins en *italique*, pour qu'on ne s'y trompât point. R. ROLLAND, Jean-Christophe, Foire sur la place, p. 743.

♦ **3.** (XVIIIe). Qui appartient, qui a rapport à l'Italie ancienne. *Les peuples italiques*, et, n., *les Italiques :* habitants de l'Italie ancienne.

N. m. (Déb. XXe ; *langues italiques*, 1873). *L'italique :* les langues des peuples italiques (→ Celtique, cit.).

2 Il ne faut dire *italique* qu'en parlant de l'antiquité, et *italien* en parlant de ce qui est moderne, et de ce qui appartient à l'Italie d'aujourd'hui.

Dict. de TRÉVOUX, art. *Italique* (éd. 1743).

3 Si l'on met à part les nouveaux venus, Grecs et Étrusques, le cœur du pays est occupé par un ensemble de populations indo-européennes que l'on désigne du nom d'Italiques (...) Leurs langues (...) révèlent, à l'intérieur de la famille des langues indo-européennes, un apparentement au celtique qui a fait supposer, entre l'indo-européen et l'italique commun, une unité intermédiaire probable, l'italo-celtique. Mais, à l'intérieur du groupe italique lui-même, se distinguent nettement, d'une part, le latin (...) d'autre part, l'osque et l'ombrien.

Raymond BLOCH, Rome, *in* Encycl. Pl. (Hist. universelle), t. I, p. 846-847.

ITALO- Premier élément de mots composés, tiré de *italien* et signifiant « de l'Italie et... (d'un autre pays) ». Ex. : *italo-allemand, ande* [italoalmɑ̃, ɑ̃d] adj. (1934, *in* D. D. L.) ; *italo-américain, aine* [italoameʀikɛ̃, ɛn] adj. et n. ; *italo-français, aise* [italofʀɑ̃sɛ, ɛz] adj. (1901, *in* D. D. L.). — Nombreux ex. in *la Banque des mots*, no 11, p. 101.

ITE [it] n. f. — 1913, *in* Cottez ; de 1. *-ite* (3.), substantivé.

♦ Biochim. Sucre ne possédant que les fonctions alcool (opposé à *ose*). — Syn. : *itol.*

1. -ITE ♦ **1.** Suffixe savant d'origine grecque (*-itis*, féminin de *-itês*, → 2. -ite), repris par le latin médical et servant à désigner les maladies de nature inflammatoire *(actinite, angéite, angiocardite, angiocholite, angioleucite, annexite, apophysite, bronchite, cystite, hépatite, méningite, prostatite...).* ⇒ aussi **Arthrite.**

0.1 Ce sont des noms hybrides, mi-grecs mi-latins, avec des désinences en *ite* indiquant l'état inflammatoire (...)

FRANCE, le Crime de S. Bonnard, II, Œuvres, t. II, p. 465.

Ce suffixe médical (grec *-itis*) est parfois employé pour désigner des habitudes, des manies, que l'on compare plaisamment à des maladies. Ex. : *adjectivite* (R. Le Bidois), n. f., « manie d'employer les adjectifs » ; *réunionite*, « manie d'organiser (ou de participer à) des réunions ».

1 De sept à douze ans la manie collectionneuse qui va des billes aux timbres-poste se justifie par un besoin de classement du monde extérieur qui aide l'enfant à fixer ses idées. On a remarqué que les petits fugueurs sont plus facilement collectionneurs que les autres, comme aussi ceux qui souffrent d'un conflit familial. La « collectionnite » amortirait leur sentiment d'insécurité et leur vide affectif.

Luc BENOIST, Musées et Muséologie, p. 8.

2 Oui, c'est d'une *orgueillite* qu'il *(Suarès)* souffrait (ce mot, que j'inventais pour lui, convenait à merveille) ; d'une orgueillite invétérée.

GIDE, Ainsi soit-il, *in* Souvenirs, Pl., p. 1184.

♦ **2.** En biologie, *-ite* entre dans des noms féminins d'éléments anatomiques et cytologiques de très petites dimensions. Ex. : *dendrite.*

♦ **3.** En biochimie, Suffixe de noms de sucres ne possédant que les fonctions alcool (opposé à *-ose*). Ex. : *hexite.* Il est employé concurremment à *-itol* (du même, élargi à l'aide du suff. *-ol* « alcool »). Ex. : *sorbitol.* ⇒ **Ite, itol.**

♦ **4.** Suffixe de noms féminins d'explosifs. Ex. : *cheddite, mélinite.*

2. -ITE Suffixe d'origine grecque (*-[i]tês*), passé en français par le latin *(-ita)*, qui entre dans des substantifs (désignant des personnes) et des adjectifs. Il indique l'appartenance à un groupe (ex. : *carmélite, israélite, jésuite*). Dans cet emploi, il figure essentiellement dans des emprunts (au grec, au lat. ecclés., à l'angl.). ⇒ **-iste.** En minéralogie, il entre dans des noms féminins de minerais (ex. : *calcite*), et en paléontologie dans des noms d'animaux fossiles (ex. : *nummulite*).

3. -ITE Suffixe taxinomique (introduit en 1787) qui caractérise, en chimie, les sels d'acides dont le nom est en *-eux.* Ex. : *nitrite.*

-ITÉ Suffixe (du lat. *-itas*) servant à former des substantifs, sur une base adjective ou, exceptionnellement, nominale. Adj. en *-able* et *-ible* = *-abilité, -ibilité* (ex. : *manœuvrabilité, réversibilité*) ; adj. en *-aire* = *-arité* (ex. : *primarité*) ; adj. en *-al* et *-el* = *-alité* (ex. : *atonalité, fonctionnalité, fiscalité*) ; adj. en *-eux* = *-osité* (ex. : *adiposité, schistosité*) ; adj. en *-if* = *-ivité* (ex. : *sportivité, positivité*) ; adj. en *-ique* (ex. : *historicité*). Autres adj. (ex. : *factice* = *facticité*). Noms (ex. : *alumine* = *aluminité*).

Si l'on examine les aires d'emploi de *-ité*, on constate qu'elles sont essentiellement constituées par deux zones différentes. a) Philosophie et psychologie : *altérité..., apostériorité...* b) Vocabulaire industriel et scientifique ; ce suffixe désigne la qualité d'un métal, d'un produit, etc. : *aluminité..., aviabilité, etc.* Le suffixe *-ité* s'étend aussi aux aires d'emplois qui présentent des analogies de formations : économie politique..., linguistique..., médecine... Cette utilisation dans le vocabulaire scientifique donne au suffixe une valeur de prestige qui en étend l'emploi dans le vocabulaire commercial : *infroissabilité, lavabilité, etc.* On n'est pas surpris aussi d'en constater l'expansion dans le style journalistique ou administratif (...) 1

J. DUBOIS, le Système suffixal, p. 38-39.

Exemples de formations littéraires ou plaisantes (Queneau) avec ce suffixe :

(...) le cinéma sans couleur doit s'avouer impuissant à rendre la céruléinité de ses châsses *(yeux)*. R. QUENEAU, Loin de Rueil, p. 40. 2

Je déteste ces puretés arrogantes et insondables, qui méprisent, de haut, les charnalités qu'elles déchaînent, et dont la vertu se délecte au spectacle du péché. 3

A. ARNOUX, Suite variée, p. 4.

(...) j'aime trop le Foyer, chère mère, pour ne pas désirer le réintégrer au plus vite ; et vous, née turbineuse, mais à qui trente années de conjugalité bourgeoise et de mépris o-vo-ro-rier *(ouvrier)* ont inculqué l'esprit de classe, vous pressentez le danger de ces fréquentations que vous n'êtes plus en mesure de sélectionner (...) 4

A. SARRAZIN, la Traversière, p. 91 (1966).

1. ITEM [itɛm] adv. — 1279 ; adv. lat., « de même ».

♦ Comm. S'emploie dans les comptes, les états, pour éviter une répétition, avec le sens de : de même, de plus, en outre. *Fourni à M. X une paire de bottes ;* item, *une paire de souliers de chasse* (→ 1. Fondeur, cit. 1).

Vis-à-vis, c'est une bégueule qui joue l'importance, à qui l'on se résoudrait à dire qu'elle est jolie, parce qu'elle l'est encore (...) *Item*, elle est plus méchante, plus fière et plus bête qu'une oie. *Item*, elle veut avoir de l'esprit. *Item*, il faut lui persuader qu'on lui en croit comme à personne. *Item*, cela ne sait rien, et cela décide aussi. *Item*, il faut applaudir à ses décisions (...) 1

DIDEROT, le Neveu de Rameau, Pl., p. 459.

Montaudoin est lugubre avec ses histoires de trente-sept sous ; si j'étais à sa place, j'écrirais tous les jours sur mon livre de dépenses : « Item, pour mon voleur ! trente-sept sous ! » et je n'y penserais plus. 2

E. LABICHE, les 37 Sous de M. Montaudoin, 10.

HOM. 2. **Item.**

2. ITEM [itɛm] n. m. — 1948, *in* Höfler ; mot angl., « article, élément », du lat. *item.* → 1. Item.

♦ Didact. (anglic.). Élément minimal (d'un ensemble organisé) ; élément que l'on peut considérer isolément (dans un ensemble). *Les items d'une liste.* ⇒ **Unité.**

Élément isolable (dans une grille d'analyse, notamment un test). « *Une grille de 855 caractéristiques ou items, qui, appliqués à n'importe quelle œuvre picturale figurative (...) permet de la caractériser en la décomposant en éléments simples»* (*Science et Vie*, n° 592, p. 72).

HOM. 1. **Item.**

ITÉRATIF, IVE [iteRatif, iv] adj. — 1403, *yteratif;* lat. *iterativus* (sens 2 en bas lat.; sens 1 probable en lat. médiéval), de *iteratum*, supin de *iterare.* → Itérer.

♦ **1.** Dr. Qui est réitéré. *Itératif commandement.*

1 Les formalités des exploits seront observées dans les procès-verbaux de saisie-exécution; ils contiendront itératif commandement, si la saisie est faite en la demeure du saisi. Code de procédure civile, art. 586.

♦ **2.** (1840). Gramm. Se dit des formes propres à l'énoncé d'une action qui se répète. ⇒ **Fréquentatif.** *Verbes itératifs*, caractérisés en français par le préfixe *re- (rebattre, refaire...). Suffixe itératif* (ex. : *-oter*). — (Dans un autre sens). *Composés itératifs*, formés par la répétition du même mot *(passe-passe).*

♦ **3.** Mod. Qui est répété plusieurs fois. — Physiol. *Stimulation itérative. Système* (excitable) *itératif*, qui répond à plusieurs excitations électriques successives et identiques. — *Opération itérative* (en chirurgie), répétée, faite en plusieurs temps. ⇒ **Répétitif.**

2 Les heures que nous ne passions pas à la salle d'opérations, nous devions les consacrer à revoir les blessés étendus dans les salles, à renouveler leurs pansements, à les faire reporter sur la table en vue des interventions que l'on dit itératives. G. DUHAMEL, la Pesée des âmes, p. 236.

3 (...) elle *(la guérilla)* n'extermine pas, elle détruit localement l'adversaire, elle se veut durable, itérative et même permanente : c'est l'espace qui est ici vainqueur du temps. Ces deux formes extrêmes et idéales s'opposent donc point par point. Raymond ABELLIO, Ma dernière mémoire, t. II, p. 45-46.

Inform. Qui comporte des séquences d'instructions répétées.

♦ **4.** Math. Par itération. *Calcul itératif. «La connexion itérative n + 1»* (J. Piaget).

DÉR. Itérativement.

ITÉRATION [iteRasjɔ̃] n. f. — 1488; lat. *iteratio* «répétition, redite» (et n. de diverses opérations effectuées pour la seconde fois), de *iteratum*, supin de *iterare.* → Itérer.

Didactique.

♦ **1.** Rare. Répétition.

♦ **2.** (1677). Math. Méthode de résolution d'une équation par approximations* successives. *Chercher une solution approchée par itération.*

Possibilité d'ajouter une unité aux unités d'un ensemble.

(...) l'intuition du *n* + 1, donc la certitude (pratique ou mentale, peu importe) de pouvoir sans cesse ajouter une unité aux unités précédentes. Cette intuition de l'«itération» présente ainsi, selon Poincaré, les caractères d'un jugement synthétique *a priori*, au sens kantien. J. PIAGET, Épistémologie, *in* Encycl. Pl., Logique et connaissance scientifique, p. 68.

Inform. Exécution d'une boucle* (d'un programme), correspondant à un calcul répétitif.

♦ **3.** (XXe). Psychiatrie. Répétition involontaire et inutile d'un même acte moteur ou verbal.

ITÉRATIVEMENT [iteRativmɑ̃] adv. — 1528, en dr.; de *itératif.*

♦ Didact. D'une manière itérative, en réitérant. *Sommer itérativement.*

Et nous étant transporté au Châtelet, nous avons fait comparaître devant nous Joseph Pitrucci, dit Bat-la-route, ancien anspessade dans le régiment de Royal-Montferrat. Et, après lui avoir itérativement demandé de déclarer ses complices, nous l'avons fait, sur son refus, appliquer immédiatement à la question par l'exécuteur des hautes œuvres. BALZAC, Souvenirs d'un paria, Œuvres diverses, t. I, p. 293.

ITÉRER [iteRe] v. tr. — Conjug. *céder.* — 1488; lat. *iterare* «recommencer, répéter, reprendre», de *iterum* «pour la deuxième fois», neutre devenu adverbe d'un adj. marquant l'opposition de deux (comparer à *alter;* → Autre).

♦ **1.** Vx (dès le XVIIe). Répéter, faire une seconde fois. ⇒ **Réitérer.**

♦ **2.** Inform. Exécuter plusieurs fois (une boucle de programme, une instruction de routine).

ITHOS [itos] n. m. — 1672, Molière; grec *êthos*, prononcé *ithos* par iotacisme.

♦ Ancienn. Rhét. Partie de la rhétorique traitant de l'impression morale produite par l'orateur (par oppos. à *pathos*, l'expression passionnée ou émue). — REM. Ne s'emploie guère depuis Molière que dans l'expression *ithos et pathos* «discours emphatique, prétentieux», le compliment de Vadius ayant pris, du fait du pédantisme des deux personnages, une résonance ridicule.

1 — Vous avez le tour libre, et le beau choix des mots.
— On voit partout chez vous l'*ithos* et le *pathos.*
MOLIÈRE, les Femmes savantes, III, 3.

Guerre à la rhétorique et paix à la syntaxe! 2
Et tout quatre-vingt-treize éclata. Sur leur axe
On vit trembler l'athos, l'ithos et le pathos.
HUGO, les Contemplations, I, VII.

ITHYPHALLE [itifal] n. m. — 1546, Rabelais; grec *ithuphallos*, de *ithos*, et *phallos.* → Phallus.

♦ Didact. Pénis en érection. ⇒ **Lingam.** — (1752). Amulette en forme de phallus en érection, qui figurait dans les fêtes en l'honneur de Bacchus.

DÉR. Ithyphallique.

ITHYPHALLIQUE [itifalik] adj. — 1544 (1562, M. Scève, *in* T. L. F.); de *ithyphalle;* au sens II, du lat. *ithyphallicus*, du grec *ithuphallukos*, qui n'ont que le sens II.

Didactique.

★ **I.** ♦ **1.** Qui a rapport à l'ithyphalle. *Culte ithyphallique.*

On ne saurait pousser plus loin l'extravagance ithyphallique et le dévergondage d'imagination obscène. Th. GAUTIER, Constantinople, p. 179. 1

Il *(Eusèbe)* élève un monument, rien de moins, un monument ithyphallique à la déesse volupté. Ses peintures sont d'une liberté totale et d'ailleurs d'un art consommé. G. DUHAMEL, Défense des lettres, II, XVIII. 2

En forme de pénis érigé. *Un objet ithyphallique.* ⇒ **Phallique** (plus cour.).

♦ **2.** Qui est en état d'érection; représenté en état d'érection. *Figure, statue ithyphallique.*

Quand j'habitais le temple d'Héliopolis, j'ai souvent considéré tout ce qu'il y a sur les murailles (...) femmes à tête de vache prosternées devant des dieux ithyphalliques (...) FLAUBERT, la Tentation de saint Antoine, Pl., t. I, p. 141. 3

Quoique l'art paléolithique soit très normalement sous-tendu par des préoccupations orientées vers la reproduction, quoique parfois on y rencontre des figures humaines ithyphalliques ou des mâles pourvus d'attributs sexuels primaires, l'immense majorité des figures est dénuée de tels signes (...) A. LEROI-GOURHAN, le Geste et la Parole, t. II, p. 234. 4

♦ **3.** Vx. Qui célèbre l'ithyphalle; obscène. *Un «romancier ithyphallique»* (Léon Bloy).

Mon triste cœur bave à la poupe 5
Sous les quolibets de la troupe (...)
Ithyphalliques et pioupiesques
Leurs quolibets l'ont dépravé.
RIMBAUD, «Le cœur volé».

★ **II.** (1765). Métrique anc. *Vers ithyphallique :* vers de trois trochées caractéristique des chants phalliques.

ITINÉRAIRE [itineRɛR] n. m. et adj. — 1351, «description de voyage»; bas lat. *itinerarium*, neutre de l'adj. *itinerarius*, de *iter, itineris* «chemin».

★ **I.** N. m. ♦ **1.** (1805). Mod. Chemin à suivre ou suivi pour aller d'un lieu à un autre. ⇒ **Circuit, parcours.** *Je vais vous tracer, vous indiquer votre itinéraire. Il connaît mon itinéraire habituel* (→ Fortuit, cit. 4). *Suivre un certain itinéraire* (→ Emboîter, cit. 4). *Un itinéraire capricieux* (cit. 6), *changeant* (→ Broder, cit. 7). — *Itinéraire recommandé. Itinéraire de remplacement. Itinéraire bis :* itinéraire routier empruntant des voies moins importantes, pour éviter la surcharge des voies principales.

Il était impossible aux voitures de la noce d'aller directement à Saint-Paul. Force était de changer l'itinéraire, et le plus simple était de tourner par le boulevard. HUGO, les Misérables, V, VI, I. 1

(...) je fais mon itinéraire avec un plan de Paris et l'indicateur des lignes et des correspondances. MAUPASSANT, Toine, Le père Mongilet. 2

Il révisa notre itinéraire, prépara nos relais et couvrit de recommandations nos étapes. GIDE, Si le grain ne meurt, II, I, p. 294. 3

Notre promenade d'adieux fut aussi tendre et désespérée qu'il était possible. Nous avions pris notre itinéraire le plus contourné, le plus secret. J. ROMAINS, les Hommes de bonne volonté, t. III, XXIII, p. 311. 4

♦ **2.** (Premier sens attesté). Vieilli. Indication, parfois accompagnée d'une description, de tous les lieux par où l'on passe pour aller d'un pays à un autre. *L'Itinéraire de Paris à Jérusalem*, de Chateaubriand (1811). → ci-dessous, cit. 6. *Itinéraires touristiques.* ⇒ **Voyage.**

M. Caillié a donné aussi *de visu* le tracé des routes et des renseignements sur des pays pour lesquels on ne possédait jusqu'à présent que des itinéraires des Arabes, comptés par journée, et le plus souvent contradictoires, vagues et confus. BALZAC, le Feuilleton, XIII, Œuvres diverses, t. I, p. 631. 5

Il est possible que mon Itinéraire demeure comme un manuel à l'usage des juifs errants de ma sorte; j'ai marqué scrupuleusement les étapes et tracé une carte routière. CHATEAUBRIAND, Mémoires d'outre-tombe, t. II, p. 383. 6

♦ **3.** (1690). Fig. *Itinéraire intellectuel, spirituel.* ⇒ **Cheminement, voie.** *Pensée qui suit un itinéraire compliqué.* — *«Les règles ne sont que l'itinéraire du génie»* (Mme de Staël).

La vie est le voyage, l'idée est l'itinéraire. 7
HUGO, les Travailleurs de la mer, III, I, I.

★ **II.** Adj. (1686; bas lat. *itinerarius*, adj.). Didact. Qui a rapport aux chemins, aux routes. *Mesures itinéraires*, employées pour mesurer et indiquer les distances d'un lieu à un autre (stade, mille ou milliaire, lieue, nœud, etc.).

Vx. *Colonne itinéraire :* poteau indicateur aux carrefours.

ITINÉRANT, ANTE [itineʀɑ̃, ɑ̃t] adj. — 1873, cit. 1; angl. *itinerant*, lat. *itinerans*, p. prés. de *itinerari* «voyager».

♦ **1.** (Chez les méthodistes). Qui va de lieu en lieu prêcher la doctrine (par oppos. à *pasteur sédentaire*). *Des moines itinérants.*

1 Mais les vrais ministres et les agents les plus actifs du méthodisme, ce sont les prédicateurs itinérants qui font office de missionnaires, parcourent incessamment les contrées acquises à la foi et pénètrent même à tous risques dans les régions les plus sauvages. P. LAROUSSE, Dict., art. *Méthodiste.*

♦ **2.** (XXe). Cour. Qui se déplace dans l'exercice de sa charge, de ses fonctions, sans avoir de résidence fixe. ⇒ **Ambulant.** *Ambassadeur, instituteur itinérant.*

Qui voyage (en général). *Des peuples itinérants.* ⇒ **Nomade.** *«L'humanité itinérante»* (P. Morand, *in* T. L. F.).

N. Rare. *Un itinérant, une itinérante.*

♦ **3.** (Av. 1885). Qui se fait en se déplaçant; qui se déplace. *Mission itinérante. Exposition itinérante. Cours itinérant.*

2 *(Il)* avait une préférence marquée pour les entretiens itinérants. Il laissait sa voiture, donnait un rendez-vous au chauffeur et m'entraînait en me pressant le bras. G. DUHAMEL, Cri des profondeurs, IX.

3 Mon compagnon de voyage, un fonctionnaire qui n'ouvrait jamais la bouche et accomplissait notre mission itinérante avec ennui et, en quelque sorte, les yeux fermés, se montra enfin. Pierre GASCAR, les Bêtes, p. 192.

(Choses). Qui se déplace. *Bibliothèque itinérante.*

♦ **4.** (1918, *Larousse mensuel*). Spécialt. Qui s'occupe d'établir les itinéraires. *Commission itinérante.*

CONTR. **Sédentaire.**

-ITION Suffixe qui entre dans la formation de substantifs.

ITOL [itɔl] n. m. — Mil. XXe; de *-itol*, substantivé.

♦ Biochim. Polyalcool obtenu par hydrogénation d'un ose. Syn. : *ite.*

-ITOL. ⇒ 1. **-ite,** 3.

ITOU [itu] adv. — 1665, Molière, *Dom Juan* (la date de 1628, donnée par Dauzat, est contestée); altér. dial. de l'anc. franç. *et atot, et otot, atot*, encore XVIe, *à tout, atout* «avec».

♦ Fam. (d'abord populaire et rural) et vieilli. Aussi, de même, également. *Et moi itou* (→ Batifoler, cit. 1).

1 — Ah! ah! me conseilles-tu d'ôter mon chapeau? — Le chapeau et la familiarité itou. Voilà pourtant un *itou* qui n'est pas de trop bonne maison. MARIVAUX, le Préjugé vaincu, I.

2 — Je n'en puis plus, dit un des soldats.
— Et moi itou, dit un autre. STENDHAL, la Chartreuse de Parme, IV.

REM. De nos jours, s'emploie par plaisanterie.

3 — Silence! dit Sthène. Si l'on nous entendait parler, notre bon maître serait accusé de sorcellerie. — Brrr, fit le duc. Et son page itou. — Brrr, fit Mouscaillot. R. QUENEAU, les Fleurs bleues, p. 17.

-ITUDE Suffixe servant à former des noms abstraits, à partir d'adjectifs ou de leur racine. Ex. : *béatitude, exactitude, incertitude, latitude, plénitude.*

IULE [jyl] n. m. — 1611; lat. *iulus*, grec *ioulos* «objet velu», déjà spécialisé en sciences naturelles.

♦ **1.** Zool. Arthropode antennifère de la classe des myriapodes (appelé couramment *mille-pattes*), dont le corps est formé de 30 à 70 anneaux ayant chacun deux paires de pattes très courtes, noir et luisant, qui s'enroule en spirale en cas de danger.

♦ **2.** (1812). Bot. Chaton de certaines fleurs.

-IUM Élément final qui correspond aux noms de métaux.

I. U. T. [iyte] n. m. — 1966; sigle de *Institut Universitaire de Technologie.*

♦ Admin. Établissement d'enseignement supérieur, dispensant une formation intermédiaire entre celles de technicien et d'ingénieur. *«Valence attend toujours son futur I. U. T.»* (*l'Express*, 20 oct. 1972, p. 63).

IVE [iv] ou **IVETTE** [ivɛt] n. f. — Av. 1550, *in* D. D. L.; *yve*, XVe; *ivette*, 1701; forme féminine et dimin. de *if**.

♦ Bot. Germandrée à fleurs jaunes *(Labiées)*, dite aussi *petit if*, qui exhale une odeur aromatique résineuse. *Ive musquée. L'ive a été employée comme plante médicinale.*

I. V. G. [iveʒe] n. f. — 1975; sigle de *Interruption* volontaire de grossesse.*

♦ Admin. Avortement provoqué légal, pratiqué dans un délai déterminé après la conception (loi de 1975).

IVOIRE [ivwaʀ] n. m. — V. 1130-1140; a désigné l'éléphant (v. 1200); du lat. *eboreus* «d'ivoire», adj. substantivé au neutre, de *ebur, eboris* «ivoire».

♦ **1.** Matière fine, résistante, d'un blanc laiteux, qui constitue les défenses de l'éléphant (→ Éburnéen, cit.; éventrer, cit. 3). — Loc. (techn.). *Ivoire vert* (1837), pris sur l'animal vivant ou récemment abattu. *Ivoire mort* (1902), ou *bleu*, provenant des défenses de mammouths fossiles. — *Travailler, sculpter, ciseler l'ivoire* (→ Ciseleur, cit. 1; génération, cit. 10; grille, cit. 9). *Statue d'or et d'ivoire.* ⇒ **Chryséléphantin.** *Statuette, crucifix, manche, marteau, fiche, fichet, billes, navettes, peignes, brosses d'ivoire, en ivoire* (→ Bordereau, cit.; caramboler, cit. 1; cretonne, cit. 1; feuillure, cit.; frivolité, cit. 9; guitare, cit. 5; 1. harpe, cit. 1). *Qui est de la nature de l'ivoire, qui rappelle l'ivoire.* ⇒ **Éburnéen.** *L'ivoire du clavier, du piano. Touches d'ivoire.*

Adieu! Ta blanche main sur le clavier d'ivoire 1
Durant les nuits d'été ne voltigera plus (...)
A. DE MUSSET, Premières poésies, «Le saule», VII.

Je passerais ma vie touchant mon piano 1.1
En écoutant l'ivoire ordonner l'harmonie
Cet ivoire que choque parfois mon anneau
L'harmonie des beaux airs de France et d'Italie.
APOLLINAIRE, Poèmes divers, Pl., p. 581.

(V. 1165). Par compar. et métaphore (littér.). *Chair dont le grain* (cit. 22) *rappelle l'ivoire. Blanc comme l'ivoire, plus blanc que l'ivoire. D'ivoire :* d'une blancheur comparable à celle de l'ivoire. *Bras, cou, front, mains d'ivoire* (→ Apprivoiser, cit. 12; arrondir, cit. 6; branle, cit. 2; effaroucher, cit. 10). — *L'ivoire de son sein, de son cou* (cit. 5), la blancheur incomparable de... (→ Albâtre).

Et d'abord, sous la moire, 2
Avec ce bras d'ivoire
Enfermons ce beau sein (...) A. DE MUSSET, Premières poésies, «Le lever».

Je massacrai l'albâtre, et la neige, et l'ivoire, 3
Je retirai le jais de la prunelle noire,
Et j'osai dire au bras : Sois blanc, tout simplement.
HUGO, les Contemplations, I, VII.

Loc. *Tour d'ivoire.* ⇒ **Tour.** — *Porte d'ivoire* (d'après l'Énéide).

(1671). *Un ivoire, des ivoires :* objets (d'art) en ivoire. *Collection d'ivoires. «Un ivoire d'une finesse charmante»* (Zola, *Au bonheur des dames*).

♦ **2.** (1778, Buffon). Matière des dents et défenses de certains autres animaux (hippopotame, narval, morse, cachalot, etc.). ⇒ **Rohart.**

La victoire avait été facile. Les cinq amphibies *(il s'agit de morses)* étaient de grande taille. L'ivoire de leurs défenses, quoique un peu grenu, paraissait être de première qualité. J. VERNE, le Pays des fourrures, t. I, p. 203. 4

(1867). Anat. Partie dure des dents, revêtue d'émail* à la couronne et de cément* à la racine (⇒ **Dentiné, éburné**).

♦ **3.** Techn. *Ivoire végétal.* ⇒ **Corozo.** — *Ivoire artificiel :* composition à base de bois ou d'os imprégnés de chlorure de chaux ou d'alun. — (1562). *Noir d'ivoire :* poudre noire très fine employée en peinture, faite d'ivoires et d'os calcinés.

♦ **4.** Adj. (1900, *in* D. D. L.). D'une couleur jaune très pâle analogue à celle de l'ivoire. ⇒ **Ivoiré, ivoirien.** *«Des rubans (...) ivoire et coquelicot»* (Colette, *Claudine à l'école*). *Une peinture ivoire.* — N. m. *Préférez-vous le blanc cassé ou l'ivoire?*

DÉR. **Ivoiré, ivoirerie, ivoirier, ivoirin, ivorine** ou **ivoirine.**

IVOIRÉ, ÉE [ivwaʀe] adj. — 1857, Delacroix; de *ivoire.*

♦ Littér. De couleur ivoire (4.).

Il disparut bientôt, jetant quelques derniers traits d'or au faîte des arbres, et un ciel ivoiré, semé de lueurs mauves, s'étendit au-dessus de nous. Jacques MERCANTON, l'Été des Sept-Dormants, *in* Littératures de langue franç. hors de France, p. 600.

IVOIRERIE [ivwaʀʀi] n. f. — XVIIe, selon Dauzat; mil. XIXe (→ cit.); de *ivoire.*

Vieilli.

♦ **1.** Art de l'ivoirier.

♦ **2.** Objet en ivoire sculpté.

Resté toute la matinée dans une mauvaise disposition. Acheté les tableaux et des ivoireries. Rentré à la maison, où je me suis mis sur mon lit. E. DELACROIX, Journal, 23 sept. 1854.

IVOIRIEN, IENNE [ivwaʀjɛ̃, jɛn] adj. et n. — xxe; de *(Côte-d') Ivoire.*

♦ De la Côte-d'Ivoire. *L'économie ivoirienne.* — N. *Un Ivoirien, une Ivoirienne :* habitant, habitante de ce pays, ou personne qui en est originaire. *Les Ivoiriens.*

IVOIRIER, IÈRE [ivwaʀje, jɛʀ] n. — 1322; de *ivoire.*
Techn., commerce.

♦ **1.** Artiste, artisan qui sculpte l'ivoire (→ Hancher, cit. 3).

♦ **2.** Personne qui fait le commerce de l'ivoire, des objets en ivoire.

IVOIRIN, INE [ivwaʀɛ̃, in] adj. — 1544; de *ivoire.*

♦ Littér. et vieilli. Qui a l'éclat, l'apparence de l'ivoire. ⇒ **Éburnéen.** *Papier ivoirin. Faïence ivoirine.*
REM. On trouve chez E. de Goncourt (*in* T. L. F.) la var. *ivoréen, enne.* Qui a la couleur de l'ivoire. *Teinte ivoirine.* ⇒ **Ivoire** (4.), **ivoiré.**

IVORINE [ivɔʀin] ou **IVOIRINE** [ivwaʀin] n. f. — Fin xixe, *ivorine; ivoirine,* 1902; de *ivoire.*

♦ Techn. Matière plastique imitant l'ivoire. *Un bracelet en ivoirine.*

IVRAIE [ivʀɛ] n. f. — 1236; du lat. pop. *ebriaca herba,* du bas lat. *ebriacus,* doublet du lat. class. *ebrius* «ivre», l'ivraie causant une sorte d'ivresse.

♦ **1.** Plante monocotylédone *(Graminées),* herbacée, annuelle ou vivace, selon les variétés, appelée scientifiquement *Lolium* (→ Prairie, cit. 1.1). *Ivraie vivace. L'ivraie est particulièrement nuisible aux céréales.* ⇒ **Ray-grass, vorge, zizanie.** *Champ de blé plein d'ivraie. Arracher l'ivraie.*

♦ **2.** (1580). Loc. (À cause de la parabole de l'Évangile selon saint Matthieu, XIV, 27). *L'ivraie et le bon grain* * (cit. 9) : les méchants et les bons, le mal et le bien. — (1690). *Séparer l'ivraie d'avec le bon grain. Arracher* (cit. 2) *l'ivraie* (→ Inconsidéré, cit. 1). *Cribler* (cit. 1) *le froment et rejeter l'ivraie.* — (1759). *Ne recueillir que de l'ivraie :* n'être pas payé de ses peines.

(Le zèle) se change en haine et envie, et produit, au lieu du froment et du raisin, de l'ivraie et des orties (...) MONTAIGNE, Essais, I, LVI.

IVRE [ivʀ] adj. — V. 1140; du lat. *ebrius;* cf. l'anc. provençal *ibre, ivre,* aussi avec l'initiale *i-* expliqué par le yod de *ebrius.*

♦ **1.** Littér. ou style soutenu. (Personnes). Qui a trop bu d'alcool et notamment de vin; qui est saisi d'ivresse*. ⇒ **Ébriété; aviné, soûl,** fam. **beurré, bituré, blindé, bourré, brindezingue, bu, cuit, cuité, hourdé, mûr, noir, paf, pété, pinté, plein, poivre, rond,** 1. **schlas.** *Il est ivre, complètement ivre.* ⇒ **Boire** (avoir bu), **brindes** (être dans les), **brosse** (être en), **caisse** (avoir, prendre une), **cocarde** (avoir sa), **compte** (avoir son), **plumet, pompon** (avoir son); → Accoster, cit. 2; épouvanter, cit. 3; faiseur, cit. 1; fait, cit. 4; fête, cit. 4; gris, cit. 16 et 17; homme, cit. 98. *Cuver son vin, avoir la gueule de bois pour avoir été ivre. À moitié, à demi, aux trois quarts ivre.* ⇒ **Éméché, gai, gris, parti, pompette** (→ Enfler, cit. 10; gaillardise, cit. 2; être casquette*, vx). — (1530). Vx. *Être ivre comme une soupe* (I., 2.). — Loc. cour. *Ivre mort* ou *ivre-mort :* ivre à ne pouvoir agir, se mouvoir. — *Ivre à rouler, à tomber sous la table.* — *Ivre de... Ivre de vin, de bière, d'alcool.* — *Homme habituellement ivre.* ⇒ **Ivrogne.** Loc. *Ilote** (cit. 4) *ivre.* — *Bacchante* ivre.* — Par compar. *Chanceler, tituber comme un homme ivre.*

1 Il vaut mieux ivre se coucher
Dans le lit, que mort dans la tombe. RONSARD, Odes, IV, XXIV.

2 Je m'élançai vers lui et le relevai. Il était ivre, bestialement ivre; — il ne pouvait plus ni se tenir, ni parler, ni voir.
BAUDELAIRE, Trad. E. POE, «Aventures d'A. G. Pym», I.

3 Il *(Grantaire)* réalisait, dans toute son énergie, la vieille métaphore : ivre-mort. Le hideux philtre absinthe-stout-alcool l'avait jeté en léthargie.
HUGO, les Misérables, V, I, XXIII.

4 Je sais, nous avons, en France, pour l'homme ivre de vin, pour Silène, pour le pochard, tout au moins quand il reste gai, une indulgence bien coupable.
G. DUHAMEL, Scènes de la vie future, V.

Allus. littér. *Le sauvage ivre,* formule de Voltaire, évoquant le caractère irrégulier et brutal du théâtre Shakespearien (→ Fruit, cit. 42). — *«Quand Auguste buvait, la Pologne était ivre»* (→ 1. Boire, cit. 14, Voltaire).

♦ **2.** (1180, *je suis de parler ivre*). **IVRE DE...**

a Qui est exalté ou étourdi (comme une personne ivre) à cause de... ⇒ **Enivré, grisé.** *Soldatesque ivre de sang, de carnage. Danseuse ivre de mouvement* (→ Exprimer, cit. 40). *Être ivre de fatigue.*

5 (...) laissez les écoliers ivres de leur première pipe chanter à tue-tête les louanges de la femme grasse (...) BAUDELAIRE, Essais, Notes et Fragments, Choix de maximes consolantes sur l'amour, I.

(...) les mouches, ivres de lumière et de chaleur (...) 6
FRANCE, le Crime de S. Bonnard, II, Œuvres, t. II, p. 349.

Animaux. *«Abeille ivre de rosée»* (Hugo). *«Ces gros oiseaux rapaces ivres de sang»* (Maxime du Camp, *in* T. L. F.).

b (1180, *ivre d'amour*). Qui est transporté hors de soi (sous l'effet d'une émotion ou passion violente). *Ivre de joie, d'amour, d'enthousiasme* (cit. 23), *de bonheur, d'épouvante* (cit. 5), *de désir, de colère, de vanité, d'orgueil, d'audace, de tristesse...* (→ Chaîne, cit. 14; esclave, cit. 15; grelotter, cit. 3; histrion, cit. 5).

(...) dès que cette reine, ivre d'un fol orgueil (...) RACINE, Athalie, V, 3. 7

(...) il s'affaisse et chancelle, 8
Ivre de volupté, de tendresse et d'horreur.
A. DE MUSSET, Poésies nouvelles, «Nuit de mai».

c (1671). Vieilli ou littér. Qui est exalté (par une idée, une activité...). ⇒ **Transporté, troublé.** *Ivre de beauté* (→ Exalter, cit. 28). *«Ivres d'un rêve héroïque et brutal»* (→ Capitaine, cit. 4). *Hommes de la Renaissance tout ivres du renouveau des sciences et des arts* (→ Hybride, cit. 7). *Ivre de son importance, de ses titres.* — *Un mystique ivre de Dieu.*

Gens qui de leur savoir paraissent toujours ivres (...) 9
MOLIÈRE, les Femmes savantes, IV, 3.

(...) M. Fou*(c)*quet, qui était ivre de sa faveur, et qui a soutenu héroïquement sa disgrâce (...) Mme DE SÉVIGNÉ, 638, 18 août 1677. 10

Il *(Balzac)* a sa chambre qui donne sur des champs de vigne ensoleillés, et là il travaille, il ne descend que pour le dîner, ivre-fou de tout ce qu'il a écrit, le regard fixe encore, les mouvements un peu exaltés, répandant sur chacun un peu de son exaltation et de sa joie attendrie, car on ne se réveille de l'inspiration, comme du chloroforme, que progressivement. PROUST, Jean Santeuil, Pl., p. 485. 10.1

(...) les grandes dunes où parfois j'attendais la tombée du soir, ivre d'immensité, d'étrangeté, de solitude, le cœur plus léger qu'un oiseau. 11
GIDE, Si le grain ne meurt, II, II.

d Sans compl. en *de* (aux sens a, b ou c). *Un fracas* (cit. 4) *qui laisse les hommes sourds et ivres.*

Rare et littér. (Choses). *Le Bateau ivre,* poème de Rimbaud.

CONTR. Calme, froid (tête froide), **lucide, sobre.**
DÉR. Ivresse. — Cf. **Ivraie, ivrogne.**
COMP. Enivrer.

IVRESSE [ivʀɛs] n. f. — V. 1160; *ivrece,* v. 1130; de *ivre.*

♦ **1.** État d'une personne ivre*; intoxication produite par l'alcool et causant des perturbations dans l'adaptation nerveuse et la coordination motrice. ⇒ **Ébriété, enivrement, soûlerie;** et, fam. **beurrée, biture, cuite, pistache** (vx), **soûlographie.** *Être plongé dans l'ivresse* (→ 1. Étonner, cit. 1). *L'ivresse de qqn. Noyer son chagrin dans l'ivresse.* ⇒ **Alcool, soûlerie.** *Commencement, fin d'ivresse* (→ Cohérence, cit. 3; euphorie, cit. 2). *Provoquer l'ivresse de qqn, chez qqn.* ⇒ **Enivrer, monter** (à la tête). *Dissiper l'ivresse de qqn.* ⇒ **Dégriser, désenivrer, dessoûler.** *Effets de l'ivresse :* troubles de l'équilibre, migraine, diplopie (→ Abolir, cit. 8; brute, cit. 2; épaule, cit. 19; excitant, cit. 7; humilier, cit. 13; individu, cit. 22). *Brouillard, fumées, vapeurs de l'ivresse.* ⇒ **Hébétude, trouble;** → Bien-aimé, cit. 5. *Mal de tête, malaise d'après l'ivresse.* → fam. Gueule de bois. *Légère ivresse.* ⇒ **Griserie, pointe** (de vin). *Scène d'ivresse.* ⇒ **Bachique.** *«Qu'importe le flacon* (cit. 6) *pourvu qu'on ait l'ivresse»* (Musset). — Par anal. *Ivresse provoquée par l'absorption d'opium, d'éther, de haschisch* (→ Éthérique, cit.; indescriptible, cit. 2; et ci-dessous, cit. 3). *Ivresse cocaïnique, éthérique, morphinique.*

(...) l'ivresse étant une bonne épreuve et certaine de la nature d'un chacun, et (...) propre à donner aux personnes d'âge le courage de s'ébaudir en danses et en la musique, choses utiles et qu'ils n'osent entreprendre en sens rassis. 1
MONTAIGNE, Essais, II, II.

(...) à la manière des gens qui, sentant venir l'ivresse, veulent savoir dans quelle estime on les tient; car, dans le naufrage de l'ivresse, on peut observer que l'amour-propre est le seul sentiment qui surnage. 2
BALZAC, Modeste Mignon, Pl., t. I, p. 555.

Avant tout, je dois vous dire que ce maudit haschisch est une substance bien perfide; on se croit quelquefois débarrassé de l'ivresse, mais ce n'est qu'un calme menteur. BAUDELAIRE, les Paradis artificiels, Poème du haschisch, III. 3

L'ivresse ne manifeste en nous 4
Que ce que nous portons en nous-mêmes (...)
L'ivresse ne déforme pas; elle exagère;
Ou plutôt, elle fait rendre à chacun
Ce que souvent par excès de pudeur il cachait (...) GIDE, le Roi Candaule, I, 3.

Méd. *Coma de l'ivresse.*

Une, des ivresses : état, situation momentanée d'une personne ivre. *Pendant son ivresse.*

♦ **2.** Par ext. ⇒ **Excitation, griserie, transport.** *Un bercement les laissait engourdis* (cit. 13) *dans une ivresse tranquille. Danseurs cherchant l'ivresse, le vertige...* ⇒ **Étourdissement** (→ Envol, cit. 2). *Parfums capiteux, qui versent l'ivresse* (→ Griser, cit. 3). *Émotion* (cit. 16) *qui devient une ivresse. État de demi-ivresse qu'on connaît dans l'action, le travail* (→ 2. Boulot, cit. 3).

(...) une sorte d'ivresse, nullement sensuelle, analogue à celle que la musique donne à certaines personnes (...) 5
PROUST, À la recherche du temps perdu, t. VIII, p. 198.

Et, de nouveau, il eut la sensation d'être soulevé : ivresse joyeuse de l'acte; con- 6

fiance sans limite; activité vitale tendue à son paroxysme; et, par-dessus tout, exaltation de se sentir superbement grandi.
MARTIN DU GARD, les Thibault, t. II, p. 142.

7 Et ce qui le gonflait, ce n'était pas seulement cette ivresse que donne la campagne à ceux de la ville (...) MONTHERLANT, le Songe, I, v.

L'ivresse de..., causée par. *L'ivresse du combat* (→ Héros, cit. 16).

♦ **3.** (1691). Qualifié. *L'ivresse, une ivresse de...* État d'une personne transportée, vivement émue. ⇒ **Émotion, exaltation.** *L'ivresse de l'amour, des grandeurs, du pouvoir, du succès, de la victoire, du désir, des plaisirs...* (→ Agir, cit. 14; annoncer, cit. 17; avant-goût, cit. 2; époux, cit. 10). *Dans l'ivresse de l'improvisation* (→ Électriser, cit. 4), *de la folie sainte* (→ Exulter, cit. 1).
Ivresse d'altruisme (cit. 3).

8 De l'absolu pouvoir vous ignorez l'ivresse (...) RACINE, Athalie, IV, 3.

9 Bailly jura le premier, et prononça le serment si distinctement, si haut, que toute la foule du peuple, qui se pressait au dehors, put entendre, et applaudit, dans l'ivresse de l'enthousiasme. Des cris de Vive le Roi s'élevèrent de l'Assemblée et du peuple (...) MICHELET, Hist. de la Révolution franç., t. I, IV.

10 (...) l'ivresse de l'Art est plus apte que toute autre à voiler les terreurs du gouffre (...) BAUDELAIRE, le Spleen de Paris, XXVII.

(Qualifié par un adj.). *L'orgueil, ivresse morale* (→ Génésique, cit. 3).

11 Elle le savait, que l'amour, c'était seulement une petite ivresse courte d'où l'on sortait un peu triste (...) FRANCE, le Lys rouge, V.

(1732). *L'ivresse des sens.*

12 Je vois que de ses sens l'impétueuse ivresse
L'abandonne aux excès d'une ardente jeunesse (...)
VOLTAIRE, Adélaïde du Guesclin, I, 1.

13 Ô baiser! (...) Ivresse des sens, ô volupté!
A. DE MUSSET, la Confession d'un enfant du siècle, III, XI.

♦ **4.** (Av. 1742). *L'ivresse, une ivresse :* état d'euphorie, de ravissement, de béatitude... ⇒ **Enivrement, extase, joie;** → Abîmer, cit. 6. *Moments, heures d'ivresse* (→ Cadran, cit. 3; envoler, cit. 7). *Pâmé d'ivresse.* ⇒ **Volupté;** → Entre-, cit. 15. *Succomber à l'ivresse dans le bonheur* (→ Équilibrer, cit. 8). *Céder à une ivresse* (→ Plein, cit. 7). *Avec ivresse* (→ Encens, cit. 3).

14 (...) le plus beau moment d'une femme, le seul où elle puisse produire cette ivresse de l'âme, dont on parle toujours et qu'on éprouve si rarement, est celui où, assurés de son amour, nous ne le sommes pas de ses faveurs (...)
LACLOS, les Liaisons dangereuses, XLIV.

15 (...) il resta encore une seconde comme en suspens, écoutant avec ivresse le bruit du canon, respirant et savourant l'odeur de la poudre (...)
A. DE VIGNY, Cinq-Mars, X.

16 C'était une sorte d'attachement idiot plein d'admiration pour lui, de volupté pour elle, une béatitude qui l'engourdissait; et son âme s'enfonçait en cette ivresse et s'y noyait (...) FLAUBERT, Mme Bovary, II, XII.

17 Elle aimait, elle était aimée. Sans doute elle n'avait pas ressenti l'ivresse rêvée. Mais l'éprouve-t-on jamais? FRANCE, le Lys rouge, I.

(Av. 1711). État d'exaltation lyrique que fait naître l'inspiration, la création. ⇒ **Enthousiasme, exaltation.** *Une ivresse presque divine* (→ Griser, cit. 10).

18 Je les fis toutes deux (*l'Iliade et l'Odyssée*) plein d'une douce ivresse;
Je chantais, Homère écrivait. BOILEAU, Poésies diverses, XXX.

19 Je compris vite que l'ivresse sans vin n'est autre que l'état lyrique (...)
GIDE, Si le grain ne meurt, I, VII, p. 194.

♦ **5.** Littér. *(Une, des ivresses).* Sujet d'ivresse, chose qui plonge dans l'ivresse. ⇒ **Enchantement.**

20 Des costumes qui sont pour les yeux une ivresse (...)
BAUDELAIRE, les Fleurs du mal, CXXVI, IV.

21 Toucher à la victoire, c'est une ivresse. HUGO, Quatre-vingt-treize, III, IV, XI.

22 Partir à pied, quand le soleil se lève, et marcher dans la rosée, le long des champs, au bord de la mer calme, quelle ivresse!
MAUPASSANT, Monsieur Parent, À vendre.

CONTR. **Calme, froideur, lucidité, sobriété. — Désenchantement.**

IVROGNE [ivʀɔɲ] adj. — XVe; *yvroigne*, n. f., fin XIIe; *yvrongne*, v. 1283; de l'anc. n. f. *ivroigne* «ivresse», v. 1190; du lat. pop. **ebrionia* «ivresse», du lat. class. *ebrius*. → Ivre.

♦ Qui a l'habitude de s'enivrer, d'être ivre*. ⇒ **Alcoolique, intempérant.** *Il est voleur, ivrogne, noceur.* ⇒ **Bouteille** (aimer, cultiver la); → Incommunicable, cit. 9. *Ils sont volontiers ivrognes* (→ 1. Garde, cit. 53). *«Son teint de cocher ivrogne»* (Duhamel, *in* T. L. F.).

1 (...) un individu sans éducation, violent, querelleur, ivrogne, un vrai Caliban.
FRANCE, le Petit Pierre, X.

1.1 Héro — Crois-tu qu'on s'enivre pour s'amuser? Être ivrogne ce n'est pas une sinécure... Si tu savais l'attention et la persévérance qu'il faut! Toujours à remplir des verres et à les vider. On vous prend pour un riche oisif, en fait c'est un travail de plongeur. J. ANOUILH, la Répétition, p. 77.

N. *Un ivrogne, une ivrogne.* ⇒ **Alcoolique, buveur, dipsomane, éthylique, pilier** (de cabaret, d'estaminet...), **suppôt** (de Bacchus); fam. **biberon, biberonneur, boit-sans-soif, licheur, pochard, poivrot, sac** (à vin), **soiffard, soûlard, soûlot, soûlographe, tonneau, vide-bouteille...** *Un vieil ivrogne, un ivrogne incorrigible* (→ Excentrique, cit. 5; balbutiement, cit. 3; exaspérer, cit. 18; incohérent, cit. 2). *Des ivrognes, les ivrognes* (→ Boire, cit. 28; comparaître, cit. 6; excellent, cit. 5; expulser, cit. 5; galéjer, cit. 1). *Un ivrogne imbibé* d'alcool, qui bat les murs, marche en zigzag, titube. Il a une trogne, un nez rouge d'ivrogne. Voix d'ivrogne.* ⇒ **Rogomme.** *Serment* d'ivrogne*, qui ne sera pas tenu. *Bande, tas d'ivrognes!*

Ne croyez pas cependant que Saint-Amant soit un ivrogne vulgaire qui ne boit que pour boire : non, certes, c'est un ivrogne à la manière d'Hoffmann, un buveur poétique qui entend l'orgie à merveille, et qui sait tout ce qu'il peut jaillir d'étincelles du choc des verres de deux hommes d'esprit. 2
Th. GAUTIER, les Grotesques, p. 155-156.

Nombre d'ivrognes (...) pataugeaient en plein dans les bourbes de la chaussée. Quelques-uns, plus ivres, incapables de marcher tout seuls, s'avançaient en titubant, avec deux amis pour béquilles. Les uns avaient la face livide et terreuse, d'autres injectée, apoplectique, cardinalisée à la coction, comme dirait Maître Alcofribas Nasier, selon leur tempérament ou leur degré d'ivresse. 3
Th. GAUTIER, Voyage en Russie, p. 405-406.

L'ivrogne rentrait à tâtons, bousculant tout, rotant le blasphème et l'ordure et finalement se vautrait, en grognant à la manière d'un porc (...) 4
Léon BLOY, la Femme pauvre, I, VII.

CONTR. **Abstinent, sobre, tempérant.**

DÉR. **Ivrogner, ivrognerie, ivrognesse.**

IVROGNER [ivʀɔɲe] v. intr. — 1538, Estienne, *yvrongner;* de *ivrogne.*

♦ Fam. et vieilli. Avoir l'habitude de s'enivrer. ⇒ **Boire;** fam. **chopiner, licher, lichetrogner, picoler.**

Cela est-il beau d'aller ivrogner toute la nuit? MOLIÈRE, George Dandin, III, 6. 1

▶ **S'IVROGNER** v. pron. (1855, Goncourt, *in* D. D. L.).
S'adonner à la boisson.

Un d'eux disait : 2
— Allons, viens-t'en, Jérémie. J'allons passer l'temps aux dominos. C'est mé qui paye. L'autre hésitait encore (...) sachant bien qu'il allait encore s'ivrogner s'il entrait chez Paumelle *(le cabaretier)*, retenu aussi par l'idée de sa femme restée toute seule dans la masure.
MAUPASSANT, Contes du jour et de la nuit, «L'ivrogne», p. 70.

IVROGNERIE [ivʀɔɲʀi] n. f. — 1538, Estienne, *yvrongnerie;* de *ivrogne.*

♦ **1.** Habitude de boire trop d'alcool, comportement de l'ivrogne. ⇒ **Alcoolisme, dipsomanie, intempérance;** fam. **pochardise, poivrade, soûlographie** (→ 1. Continent, cit. 1; errement, cit. 4; excès, cit. 17; fait, cit. 4; ilote, cit. 3). *Un penchant, une tendance à l'ivrognerie. La crapule* (cit. 1), *la débauche, la gourmandise* (cit. 1), *l'ivrognerie.*

(...) les excès en toute chose poussent le corps dans la voie qui lui est propre. L'ivrognerie, comme l'étude, engraisse encore l'homme gras et maigrit l'homme maigre. BALZAC, Illusions perdues, Pl., t. IV, p. 468. 1

(...) il laissait sa femme conduire son propre bien, prenant dans ses continuelles courses de telles habitudes d'ivrognerie qu'il ne dessoûlait plus. 2
ZOLA, la Terre, I, III.

♦ **2.** (Mil. XVIe). Vx. *Une, des ivrogneries :* action de s'enivrer. ⇒ **Soûlerie.**

CONTR. **Sobriété, tempérance.**

IVROGNESSE [ivʀɔɲɛs] n. f. — 1611; de *ivrogne;* un homonyme en 1562, *yvrongnesse* «ivrognerie».

♦ Fam. et péj. Femme qui a l'habitude de s'enivrer.

Le temps déforme la jeunesse 1
Comme un vieux décor d'Opéra.
Gare à vous! c'est par l'ivrognesse
Que la bacchante finira.
HUGO, la Légende des siècles, LVI.

(...) me demandant pour quelle raison Paris offrait l'aspect d'une ville à ce point morte que pas même un clochard, une ivrognesse, un chien perdu ou quelque chiffonnier (...) ne s'était trouvé sur mon chemin (...) 2
Francis CARCO, Nostalgie de Paris, p. 32.

Elle ne sait pas combien je l'ai détestée, par la suite, pour avoir fourré son visage d'ivrognesse dans le décor de mon beau départ. Il y a toujours ainsi des têtes étrangères qui viennent sans permission traîner sur les souvenirs comme des cheveux sur la soupe. Geneviève DORMANN, la Fanfaronne, p. 57. 3

IXE [iks] n. m. — 1876, signalé à X par P. Larousse comme graphie parfois employée pour le tabouret ainsi appelé; *x*, transcrit graphiquement.

♦ **1.** Rare. La lettre *x.* ⇒ **X;** aussi **ikse.**

Reichac *(Reixach)* vingt dieux t'as pas encore compris : chac l'ixe comme ch-che et le ch à la fin comme k. Mince alors jte jure çuilà qu'est-ce qu'il peut être cloche (...) Claude SIMON, la Route des Flandres, p. 39 (1960).

♦ **2.** Objet en forme de X. — Mar. *Ixe de bôme :* support formé de deux planches croisées et articulées, destiné à soutenir la bôme lorsque la voile est ferlée.

IXÉ, ÉE [ikse] adj. — D. i. (v. 1970); de *X*, d'après l'angl. *X rated.*

♦ Catalogué sous la marque X, désignant les films pornographiques. *«Cinquante films pornos sont sur leurs catalogues. Et tous les trois mois, trois films nouveaux enrichissent leur patrimoine "ixé"»* (*le Nouvel Obs.*, 2 févr. 1981, p. 7).

IXIA [iksja] n. f. — 1627, *in* T. L. F.; mot lat. attesté chez Pline désignant plusieurs plantes; du grec *ixos* «gui».

♦ Bot. Plante monocotylédone *(Iridacées),* voisine de l'iris, bulbeuse, originaire d'Afrique australe, à fleurs régulières, très décoratives. *Des ixias.*

IXIÈME [iksjɛm] adj. numér. — xxe; de *x* (alg.) transcrit graphiquement. → Ixe.

♦ Rare. Qui désigne un nombre d'ordre élevé et indéterminé. ⇒ **Énième, nième.**

Si un jour l'un des héros préférés de Max Ophuls (...) se mettait en tête de faire du cinéma, il ferait sûrement (...) des films toujours terriblement ratés, charmants de bonne volonté, point ennuyeux (...)
Un drôle de dimanche en est l'ixième preuve.

J.-L. GODARD, Arts, n° 698, 26 nov. 1958, *in* Coll. des Cahiers du cinéma, p. 163.

IXODE [iksɔd] n. m. — 1795; grec *ixôdês* «gluant, collant», de *ixos* «gui» (on faisait de la colle avec les baies du gui), et *eidos* «forme, apparence».

♦ Zool. Genre d'acariens, dont l'espèce la plus commune est la tique* du chien *(Ixodes ricinus).*

Pour mon compte, je crois plutôt que ces incendies sont destinés à détruire des milliards d'ixodes, sorte d'insectes parasites qui incommodent particulièrement les troupeaux.

J. VERNE, les Enfants du capitaine Grant, t. I, p. 156.

DÉR. Ixodisme.

IXODISME [iksɔdism] n. m. — D. i. (mil. xxe); de *ixode.*

♦ Didact. Ensemble de troubles attribués aux piqûres d'ixodes.

IXTLE [ikst(ə)l] n. m. — 1931; mot mexicain.

♦ Didact. Plante textile, agave ou yucca.

IZBA [izba] n. f. ⇒ **Isba.**

IZOMBÉ [izɔ̃be] n. m. — xxe (*in* Larousse, 1931); mot d'une langue d'Afrique équatoriale.

♦ Techn. Bois d'un arbre d'Afrique équatoriale, utilisé en ébénisterie.

J

J [ʒi] n. m.

♦ **1.** Dixième lettre de l'alphabet, provenant le plus souvent du *j* ou du *g* latin, prononcée [j] avant le XIIIe siècle, puis [ʒ], autrefois transcrite *i*. *Dans sa forme, le* j *est un* i *prolongé nommé parfois* i *consonne, appellation phonétiquement impropre en ce qui concerne le français* (→ Yod). *J majuscule, j miniscule.*

♦ **2.** (Abrév., symboles). *J,* symbole du *joule**.

Loc. *Le jour J.* ⇒ **Jour.**

J 3 [ʒitʀwa] n. invar. — 1941; abrév. de *jeune 3e catégorie.*

♦ Vx. Carte d'alimentation réservée aux adolescents pendant la dernière guerre. *Un, une J3.* — Par métonymie. Son possesseur.

(...) tout ce qu'il possédait, il le donnait : son chocolat de J3, ses pullovers, l'argent qu'il soutirait à son père, celui qu'il lui prenait.
S. DE BEAUVOIR, la Force de l'âge, p. 543.

Par ext. Vx (employé de 1941 à 1960). Adolescent. *Une réunion de J3. Les J3 ou la Nouvelle École,* pièce de Roger Ferdinand (1943).

JÀ [ʒa] adv. — V. 980; du lat. *jam* «à l'instant, déjà, dorénavant, dès maintenant» et «dès lors, alors, d'autre part».

Vx ou archaïque.

♦ **1.** ⇒ **Déjà.**

1 Étant jà l'automne en sa force et le temps des vendanges venu (...)
P.-L. COURIER, Daphnis et Chloé, II.

♦ **2.** Vx. ⇒ **Certes.**

2 *(Le loup)* S'en allait l'emporter; le chien représenta
Sa maigreur : «Jà ne plaise à votre seigneurie
De me prendre en cet état-là».
LA FONTAINE, Fables, IX, 10.

COMP. V. **Déjà, jadis, jamais.**

JABADAO [ʒabadao] n. m. — D. incert., probablt fin XVIIIe; mot breton.

♦ Régional (Bretagne). Danse bretonne à figures.

Notre recteur à nous ne va pas jusque-là, mais il interdit les danses de nuit sous peine de damnation éternelle. Il en veut surtout au jabadao, réputé immodeste. Les prêtres, en général, tiennent à l'œil les sonneurs que condamnait déjà la Vieille Coutume de Bretagne.
Pierre Jakez HÉLIAS, le Cheval d'orgueil, p. 462.

JABIRU [ʒabiʀy] n. m. — 1754, *in* D.D.L.; *jabiru guacu,* 1678, en angl.; *iabiru,* 1648, Marcgrave, en lat. sc.; tupi-guarani *jabiru* (var. *jaburu, yabiru*).

♦ Zool. Oiseau (échassier) scientifiquement appelé *Mycteria* (famille des *Ciconiidés*), à gros bec, qui vit dans les régions chaudes des deux hémisphères. *Le jabiru vit au bord de l'eau et se nourrit de reptiles.* Au plur. *Des jabirus.*

1 (...) le jabiru, beaucoup plus grand que la cigogne, supérieur en hauteur à la grue, avec un corps du double d'épaisseur, et le premier des oiseaux de rivage, si on donne la primauté à la grandeur et à la force.
BUFFON, Hist. nat. des oiseaux, Le jabiru.

2 Cependant le major fut assez adroit pour frapper d'une balle au flanc un animal fort rare, et qui tend à disparaître. C'était un «jabiru», la grue géante des colons anglais. Ce volatile avait cinq pieds de haut, et son bec noir, large, conique, à bout très pointu, mesurait dix-huit pouces de longueur. Les reflets violets et pourpres de sa tête contrastaient vivement avec le vert lustré de son cou, l'éclatante blancheur de sa gorge et le rouge vif de ses longues jambes.
J. VERNE, les Enfants du capitaine Grant, II, X, p. 131.

3 Le Jabiru ne mange pas le poisson qui se débat. Il l'ingurgite mort. Il le saisit donc et referme son bec sur lui, sur la tête, sur le corps, le lance, le rattrape, le relance, le rattrape jusqu'à ce que mort s'ensuive.
Henri MICHAUX, Un barbare en Asie, p. 140.

JABLAGE [ʒablaʒ] n. m. — XXe (*in* Larousse, 1931); de *jabler.*

♦ Techn. Creusement d'un jable (1.).

JABLE [ʒabl] n. m. — 1397, «chanlatte»; du gallo-roman *gabulum* «gibet». → Gable.

Technique.

♦ **1.** (1564). Rainure pratiquée aux extrémités des douves d'un tonneau pour fixer les fonds.

Le tonnelet avait le fond barré par un ruban de coton maintenu sous un grand cachet de cire. Ils firent sauter les deux premiers cercles, et le fond quitta le jable d'un seul morceau.
A. T'SERSTEVENS, l'Or du «Cristobal», p. 124.

♦ **2.** (1443). Partie de la douve en saillie sur le fond du tonneau.

DÉR. Jabler, jablière.

JABLER [ʒable] v. tr. — 1573; de *jable.*

♦ Techn. Faire le jable de (une douve, un tonneau). *Jabler les tonneaux, les fûts.*

DÉR. Jablage, jableuse, jabloir, jabloire.

JABLEUSE [ʒabløz] n. f. — D. i. (XXe; 1948, Larousse); de *jabler.*

♦ Techn. Machine à jabler les tonneaux.

L'intérieur des carcasses est ensuite égalisé sur des tours ou jableuses qui ménagent la rainure ou jable où vient s'engager le fond.
J.-C. REGGIANI, Industries et commerce du bois, p. 102.

JABLIÈRE [ʒablijɛʀ] n. f. — 1867, Littré; de *jable,* suff. *-ire.*

♦ Techn. Syn. de *jabloir.*

JABLOTCHKOFF n. m. — Fin XIXe; du nom de *Iablotchkov* ou *Jablotchkov,* physicien russe (1847-1894).

♦ Vx. Appareil d'éclairage équipé d'une «bougie Jablotchkov».

À la lueur des éclairs, l'enfant aperçut enfin une masse blanche qui s'enfonçait dans l'eau.
— Merci, père Grondant, murmura-t-il avec un geste à l'adresse de l'orage; tu as allumé ton jablochkoff *(sic)* au bon moment.
Paul D'IVOI, le Docteur Mystère, p. 17.

JABLOIR n. m. ou **JABLOIRE** [ʒablwaʀ] n. f. — 1902, *jabloire; jabloir,* 1680; *jabloere,* 1604; de *jabler,* et *-oir, -oire.*

♦ Techn. Outil de tonnelier, sorte de rabot pour jabler.

JABORANDI [ʒabɔʀɑ̃di] n. m. — 1752, Trévoux; tupi *yaborandi* ou *jaburandi.*

♦ Bot. Plante dicotylédone *(Rutacées),* appelée scientifiquement *pilocarpus jaborandi,* arbre exotique dont les feuilles contiennent un alcaloïde, la pilocarpine*, utilisée comme sudorifique en médecine.

JABOT [ʒabo] n. m. — 1546, Rabelais, fig., «estomac» : *avoir dedans le jabot* «avoir en soi»; d'un rad. prélatin **gaba* «gorge, gosier», p.-ê. du gaulois. → Gaver.

★ **I.** ♦ **1.** (1555). Poche axiale ou latérale de l'œsophage des oiseaux, dans laquelle les aliments séjournent un certain temps et se ramollissent. *Jabot des rapaces, des galliformes, des grimpeurs. «Un jabot monstrueusement enflé»* (→ Boulant, cit.). *Relatif au jabot.* ⇒ **Ingluvial.** *Jabot et gésier* (cit.) *du dindon.*

Le jabot *(des oiseaux)* correspond à la panse des animaux ruminants; ils peuvent vivre d'aliments légers et maigres, parce qu'ils peuvent en prendre un grand volume en remplissant leur jabot, et compenser ainsi la qualité par la quantité (...) 1
BUFFON, Hist. nat. des oiseaux, Disc. s. nat. oiseaux.

(...) les coqs, les poules, les canards et les dindons se promènent librement dans la basse-cour, et remplissent leur jabot tout à leur aise. 2
CHAMFORT, Maximes, Sur la science, XLVII.

Vx. Estomac humain.

(1740, Académie). Loc. fam. (vieilli). *Se remplir le jabot :* se remplir l'estomac ; bien manger (→ Se remplir la panse*).

(1862, sans doute antérieur ; cf. le *Monsieur Jabot* de Töpffer). Loc. (allus. au jabot des oiseaux). *Faire jabot :* s'enorgueillir, se gonfler d'importance.

2.1 Et comme l'importance se gonfle de tout ce que les circonstances lui apportent, et fait jabot de tout, il faut dire que l'importance rend sot.
ALAIN, Mars..., les Passions et la Sagesse, Pl., p. 600.

♦ **2.** Zool. Chez les insectes, surtout hyménoptères, Dilatation de l'œsophage postérieur qui contient une réserve alimentaire.

★ **II.** (1680). Ornement (de dentelle, de mousseline...) attaché à la base du col d'une chemise, d'une blouse, et qui s'étale plus ou moins sur la poitrine. *Jabot de mousseline brodée* (⇒ 1. **Jabotière**), *de dentelle plissée. Les hommes portaient autrefois des jabots. Jabot de corsage* (→ Four, cit. 5).

3 (...) pour la première fois j'eus une chemise à jabot dont les tuyaux gonflèrent ma poitrine et s'entortillèrent dans le nœud de ma cravate.
BALZAC, le Lys dans la vallée, Pl., t. VIII, p. 784.

4 Il prenait force tabac, et avait une grâce particulière à chiffonner son jabot de dentelle d'un revers de main. HUGO, les Misérables, III, II, VI.

DÉR. **Jaboter,** 1. **jabotière,** 2. **jabotière.**

JABOTAGE [ʒabɔtaʒ] n. m. — 1845, Bescherelle ; de *jaboter.*

♦ Vieilli. Action de jaboter. ⇒ **Bavardage.**

Il entendait au salon, les jours à cent sous, ce jabotage en clichés qui court le long des salles et s'ébat à la sculpture. Alphonse DAUDET, l'Immortel, p. 98 (1883).

JABOTER [ʒabɔte] v. intr. — 1694, au sens 2 ; de *jabot.*

♦ **1.** (1770, Buffon). Rare (oiseaux). Pousser des cris en secouant le jabot. *Perruches qui jabotent.*

♦ **2.** Fam. et vieilli. Bavarder à plusieurs. ⇒ **Babiller, bavarder, cancaner, caqueter, jaser.** — Par ext. Cancaner.

1 Je lui dirai mon scrupule, et j'ajouterai que nous nous sommes arrêtés à l'idée d'un partage, par convenance, pour qu'on ne puisse pas jaboter.
MAUPASSANT, Bel-Ami, II, VI.

2 Sa femme (...) ne se plaignait pas. En revanche, les gens de la petite ville jabotaient, plaisantaient volontiers. G. DUHAMEL, Salavin, Journ., 4 juillet.

3 Vous m'excuserez un petit peu, tout folichon sur le retour, digressant de rime à raison, tout jabotant de mes amis au lieu de vous montrer les choses...
CÉLINE, Guignol's band, p. 45.

Argot. Vx. Parler devant la police, se « mettre à table ».

4 Quelques minutes après, on introduisait l'homme aux rouflaquettes auprès de moi. Il dit tout de suite :
— C'est pas tout ça, je ne jabote pas ! pour parler ici, du flan !
Qu'on m'emmène à la Sûreté, je verrai ce que j'ai à faire.
GORON, l'Amour à Paris, t. I, p. 19.

♦ **3.** V. tr. (1694). Vx et fam. Parler (une langue) de façon maladroite. *Jaboter l'anglais.*

DÉR. **Jabotage, jaboteur.**

JABOTEUR, EUSE [ʒabɔtœʀ, øz] n. — 1772, *in* D. D. L. au sens 2 et au fém. ; de *jaboter.*

♦ **1.** (1798). Rare. Oiseau qui jabote.

♦ **2.** Fam. et vx. Personne qui jabote.

1. JABOTIÈRE [ʒabɔtjɛʀ] n. f. — 1780 ; de *jabot,* et *-ière (-ier).*

♦ Vx. Mousseline pour faire les jabots.

HOM. 2. **Jabotière.**

2. JABOTIÈRE [ʒabɔtjɛʀ] n. f. — 1741, *in* D. D. L. ; de *jabot.*

♦ Variété d'oie sauvage (dite aussi *oie de Sibérie,* ou *de Guinée*).

(...) cette belle oie de Guinée (...) ressemble donc à l'oie sauvage par les couleurs du plumage, mais la grandeur de son corps et le tubercule élevé qu'elle porte sur la base du bec l'approchent un peu du cygne, et cependant elle diffère de l'un et de l'autre par sa gorge enflée et pendante en manière de poche ou de petit fanon, caractère très apparent et qui a fait donner à ces oies le nom de *jabotières.*
BUFFON, Hist. nat. des oiseaux, *in* Œ. compl., t. VIII, p. 445 (1783).

HOM. 1. **Jabotière.**

JACAMAR [ʒakamaʀ] n. m. — 1760, Brisson ; *iacamaciri,* 1648, Marcgrave, en lat. sc. ; du tupi-guarani *jacamaciri.*

♦ Zool. Genre d'oiseaux insectivores lévirostres *(Galbudidés),* scientifiquement nommé *galbula,* qui vit en Amérique tropicale ; individu de ce genre.

C'était un jacamar, en effet, bel oiseau dont le plumage assez rude est revêtu d'un éclat métallique. J. VERNE, l'Île mystérieuse, t. I, p. 332.

JACANA [ʒakana] n. m. — 1781, Buffon ; *iacana,* 1648, Marcgrave, en lat. sc. ; tupi-guarani *jasana,* p.-ê. par le portugais *jaçana.*

♦ Zool. Oiseau échassier charadriiforme des régions tropicales, aux doigts très longs, qui lui permettent de courir sur les végétaux aquatiques flottants des marais (famille des *Jacanidés*). *« L'Australie reste le paradis des oiseaux, des jacanas, du cygne noir, de l'oiseau lyre »* (*l'Express,* nº 1695, 30 déc.-5 janv. 1984, p. 37).

JACAPUCAYO [ʒakapykajo] n. m. — 1740, Trévoux, *jacapucaïo,* var. *jacapucaïa ;* mot d'une langue indienne d'Amérique du Sud.

♦ Bot. Arbre d'Amérique tropicale (*Myrtacées ;* nom sc. *lecythis ollaria*) dont le fruit, dit *marmite de singe,* contient des graines oléagineuses comestibles.

JACARANDA [ʒakaʀɑ̃da] n. m. — 1752, Trévoux ; *yacaranda,* 1614 ; tupi-guarani *jacaranda,* par le portugais.

♦ Arbre d'Amérique tropicale *(Bignoniacées)* dont on connaît une trentaine d'espèces. *Le* Jacaranda mimosaefolia *fournit un bois recherché en ébénisterie et improprement nommé palissandre. « Les jacarandas oscillants »* (→ Hircin, cit.).

(...) les villas cubiques s'édifient pêle-mêle au long d'avenues sinueuses poudrées du bleu-violet des jacarandas en fleurs (...) 1
Cl. LÉVI-STRAUSS, Tristes Tropiques, p. 82.

De grands arbres fringants jaillissaient çà et là au milieu des vastes pelouses. William reconnut un jacaranda dont les corolles en tresses gisaient au sol dans un amas de rubans violets. Il passa sous un bouquet de fleurs roses, délicates et frivoles, élevées à quatre mètres du sol au-dessus d'un tronc épineux, barbelé de longs asques en forme de gousses ou de pénis géants. 2
Patrick GRAINVILLE, les Flamboyants, p. 25.

JACARE [ʒakaʀ] ou JACARÉ [ʒakaʀe] n. m. — 1902, Larousse, *jacare ; jacaré,* 1948, Larousse (probablt par confusion avec le nom d'une plante) ; *jaccare,* 1765, *Encyclopédie ; jacaret,* av. 1685, Dellon, *in* Trévoux, 1771 (attesté jusque fin XIXe) ; var. *jacara,* 1866, Littré ; *iacare,* en lat. sc., 1648, Marcgrave ; tupi-guarani *jacare.*

♦ Caïman d'Amérique tropicale.

JACASSE [ʒakas] n. f. — 1867, Littré ; *Marie jacasse,* 1808, Hautel, *in* T. L. F. ; argot « femme », 1847 ; déverbal de *jacasser.*

★ **I.** (N. d'agent). ♦ **1.** Vx. Femme qui jacasse, parle beaucoup. *C'est une petite jacasse* (Littré).

♦ **2.** (1902). Fam. ou régional. Pie.

★ **II.** (N. d'action). Fin XIXe. Rare. Jacasserie.

À ces rires, à ces jacasses sur le bon vieux temps, je n'ai d'autre accès que l'écoute distraite, le rire à l'unisson quand je vois tout le monde se taper les cuisses, le verre et la cigarette en alternance, les pieux bâillements ravalés et le mal au crâne.
A. SARRAZIN, l'Astragale, p. 234.

JACASSEMENT [ʒakasmɑ̃] n. m. — 1857, Baudelaire ; proposé par Richard de Radonvilliers, 1845 ; de *jacasser.*

♦ **1.** Bavardage bruyant. ⇒ **Jacasserie.**

(...) le tapage des oiseaux ivres de lumière, et le jacassement des petites négresses (...) BAUDELAIRE, le Spleen de Paris, XXIV. 1

♦ **2.** (1878, Hector Malot, *in* T. L. F.). Cri de la pie.

(...) quelques jacassements de pie en quête des dernières baies rouges des sorbiers avaient par intervalles comme barbouillé ce silence (...) 2
L. PERGAUD, De Goupil à Margot, IX.

JACASSER [ʒakase] v. intr. — 1806, J. de Maistre, *in* T. L. F. ; étym. incert., probablt du rad. de *jaqueter, jaquetter* « jaser, bavarder ; crier (en parlant de la pie) », attesté en anc. franç. et régional (→ Jacter), avec suffixation *-asser* par connotation péjorative et/ou influence de *croasser** et *agacer* « crier (à propos de la pie) ; crier comme une pie » (→ Agace, agacer).

♦ **1.** (Sujet n. de personnes). Parler avec volubilité d'une voix criarde, fatigante à entendre. — Parler ensemble à voix haute de choses futiles. ⇒ **Bavarder, caqueter, jaser.** *Commères qui jacassent comme des pies*.*

(...) elle lui racontait des histoires, elle le faisait jaser, comme nous sommes là, pas vrai, tous les deux à jacasser (...) BALZAC, le Cousin Pons, Pl., t. VI, p. 643. 1

(...) cette grande salle, pareillement pourvue de divans, sur lesquels écrivains, acteurs, actrices jacassaient gaiement (...) 2
Georges LECOMTE, Ma traversée, p. 234.

Les petites filles au contraire restent à l'écart, revêches, s'éventent, jacassent, et répandent à la dérobée des épingles. GIRAUDOUX, Provinciales, p. 116. 3

♦ **2.** (1835). Pousser son cri (en parlant de la pie). — Par ext. (à propos d'autres oiseaux). Émettre des cris secs et répétés ressemblant à ceux de la pie.

Rare. (Sujet n. de choses). *« La pendule qui jacassait tout haut »* (Proust).

DÉR. Jacasse, jacassement, jacasserie, jacasseur, jacassier.

JACASSERIE [ʒakasʀi] n. f. — 1840; de *jacasser,* et *-erie.*

♦ Bavardage* de personnes qui jacassent (⇒ **Jacassement**).

Ce ne sont que jacasseries, minauderies, gentillesses raffinées.
Ed. et J. DE GONCOURT, la Femme au XVIIIe s., t. II, p. 133.

JACASSEUR, EUSE [ʒakasœʀ, øz] n. et adj. — 1866, n. m., Delvau, *in* T. L. F. (n. des deux genres, 1902, Larousse); de *jacasser.*

♦ **1.** Fam. N. Personne qui jacasse (1.); personne bavarde. ⇒ **Jacassier.** — Adj. Qui jacasse.

Les indigènes du village vinrent s'assembler autour du foyer, furieusement jacasseurs. CÉLINE, Voyage au bout de la nuit, p. 162.

♦ **2.** Adj. (1898, cit.). Qui jacasse (2.). *« Des oiseaux jacasseurs, aux riches plumages (...) »* (Jammes, *De l'angélus de l'aube à l'angélus du soir,* p. 283, *in* T. L. F.). — Fig. (Choses). Qui fait un bruit de jacassements (2.). *Acclamations jacasseuses.*

JACASSIER, IÈRE [ʒakasje, jɛʀ] n. et adj. — V. 1792, n. m.; de *jacasser.*

♦ Vx. Personne bavarde. ⇒ **Bavard, jacasseur** (1.). — (XIXe). Adj. Qui jacasse, aime à jacasser (→ Harangue, cit. 4).

JACÉE [ʒase] n. f. — V. 1300, *jacee;* lat. médiéval *jacea* « menthe », d'orig. incert.; la couleur mauve des fleurs suggère un rapprochement avec *jacinthe;* cf. grec *huakinthos,* nom de plusieurs plantes à fleurs bleues, d'une pierre précieuse bleue, d'une étoffe bleue (→ Hyacinthe).

♦ Bot. Espèce de centaurée* à fleurs mauves (famille des *Composacées*). — *Jacée des jardiniers.* ⇒ **Lychnide** (ou **lychnis**).

Nous marchons à la file indienne sur le bas-côté de la 161 B dont Blandine cueille méthodiquement les jacées. Hervé BAZIN, Cri de la chouette, p. 240.

JACENT, ENTE [ʒasɑ̃, ɑ̃t] adj. — Déb. XVIe; lat. *jacens,* p. prés. de *jacere* « être étendu, être couché » et, en bas lat., « être sans propriétaire ». → Gésir, sous-jacent, subjacent.

♦ Dr. (vx). Dont personne ne revendique la propriété. *Succession jacente.* ⇒ **Délaissé, vacant.** *Biens jacents.*

JACHÈRE [ʒaʃɛʀ] n. f. — 1690 (*jussiere, gaskiere,* XIIIe); *gaschiere* « terre labourée non ensemencée », v. 1200; *jachiere* « terre labourée », v. 1175; lat. médiéval *gascheria, gascaria* (attesté XIIe), à l'origine duquel on suppose un t. gallo-roman **ganskaria,* du gaulois **gansko-* « branche; charrue ». Le mot est apparu dans le domaine normanno-picard et wallon.

Techn. (agric.) et courant.

♦ **1.** État d'une terre labourable qu'on laisse temporairement reposer en ne lui faisant pas porter de récolte. *Alternance de culture et de jachère.* ⇒ **Assolement.** *Jachère complète, annuelle ou morte. La demi-jachère; jachère qui dure de deux à huit mois. Jachère d'été, d'hiver. Jachère forestière* (dans les pays tropicaux).

0.1 Les jachères, selon Bouvard, étaient un préjugé gothique. Cependant, Leclerc note les cas où elles sont presque indispensables. Gasparin cite un Lyonnais qui pendant un demi-siècle a cultivé des céréales sur le même champ; cela renverse la théorie des assolements. Tull exalte les labours au préjudice des engrais; et voilà le major Beatson qui supprime les engrais, avec les labours!
FLAUBERT, Bouvard et Pécuchet, p. 88.

Loc. En jachère. *Laisser une terre en jachère.*

1 (...) la moisson faite, on laisse la terre en jachère et l'on creuse ailleurs d'autres sillons. CHATEAUBRIAND, Mémoires d'outre-tombe, t. VI, p. 182.

2 Quand une terre a été appauvrie par des récoltes successives, on peut lui rendre une partie de sa fertilité en la mettant en *jachère,* c'est-à-dire en ne lui faisant pas porter de récolte pendant une année ou une fraction d'année, et en consacrant ce temps de repos à des façons culturales (labourages, hersages, roulages, etc.), qui ont pour effet d'ameublir le sol, de le rendre plus léger, de le nettoyer par la destruction des mauvaises herbes. P. POIRÉ, Dict. des sciences, art. *Jachère.*

(Fin XIXe). Figuré :

3 Il lui rappelait qu'en ce moment il n'écrivait à personne, qu'il avait mis tous ses amis en jachère. MONTHERLANT, les Lépreuses, II, XIV, p. 147.

♦ **2.** (XIVe; *jachiere,* v. 1265). *Une, des jachères :* terre en jachère (⇒ **Guéret**). *Emblaver, labourer des jachères* (→ Fauchaison, cit. 1). *Une jachère crayeuse* (→ Couleuvre, cit. 1). *Troupeau qui mange dans les jachères et dans les friches* (cit. 3).

CONTR. Culture.
DÉR. Jachérer.

JACHÉRER [ʒaʃeʀe] v. tr. — Conjug. *céder.* — 1600, *jascherer,* Olivier de Serres, *in* F. E. W.; *terres gascherees,* 1357; *ghaskerer* « labourer », XIIIe; de *jachère.*

♦ Techn. (agric.). Labourer (une jachère).

JACINTHE [ʒasɛ̃t] n. f. — XVIe; *jacincte,* n. m. (genre du mot au moyen âge), v. 1112; *jagonce,* XIIe; *jacunce,* 1080, *Chanson de Roland;* lat. *hyacinthus* (« fleur » et « pierre précieuse »), grec *huakinthos* (→ Hyacinthe, et aussi Jacée); les formes *jaconce,* XIIIe, *jagonce* et *jacunce,* par l'intermédiaire du syrien *jaqunta,* lui-même du grec.

♦ **1.** Vx. Pierre précieuse. ⇒ **Hyacinthe.** — Var. : *jaconce,* n. m., encore attesté chez Moréas, 1891 (*in* T. L. F.).

♦ **2.** (XVIe; *jacincte,* fin XVe; *jacintus,* déb. XIVe; anc. provençal *jacint,* XIVe). Plante monocotylédone *(Liliacées),* scientifiquement nommée *hyacinthus,* herbacée, vivace, bulbeuse, à feuilles linéaires, à hampe florale portant une grappe simple de fleurs campanulées, richement colorées et très parfumées. *Oignon, bulbe de jacinthe. Les clochettes* de la jacinthe. Jacinthe rose, bleue, mauve, blanche. Jacinthe en carafe, en pot, en terre. La jacinthe, plante d'ornement recherchée pour la beauté et la précocité de sa floraison. Jacinthe d'Orient, jacinthe de Paris, de Hollande. Jacinthe sauvage. Jacinthe des bois.* ⇒ **Endymion.** — REM. On a dit *hyacinthe* pour *jacinthe* en ce sens. → Hyacinthe, cit. 1, Chateaubriand.

(...) vous verrez peut-être poindre, en cornes vertes, en valves minuscules, les 1
jacinthes futures (...) Les bulbes bougent. COLETTE, Belles saisons, p. 9.

Un jour je lui demandai de m'apporter une jacinthe, vivante, dans un pot. Elle me 2
l'apporta et la mit sur le dessus de la cheminée (...) Je la regardais tous les jours, ma jacinthe. Elle était rose. J'aurais préféré une bleue. Au début elle allait bien, elle eut même quelques fleurs, puis elle capitula, ce ne fut bientôt plus qu'une tige flasque, parmi des feuilles pleureuses. L'oignon, à moitié sorti de la terre, comme à la recherche d'oxygène, sentait mauvais.
S. BECKETT, Premier amour, p. 48.

La fleur seule. *Botte de jacinthes* (→ Fleurir, cit. 19).

Par appos. Couleur de la fleur de jacinthe sauvage. *Bleu jacinthe. Des yeux jacinthe.*

♦ **3.** *Jacinthe musquée :* muscari* odorant. *Jacinthe à toupet :* muscari* chevelu. — Scille (plante).

JACISTE [ʒasist] adj. et n. — V. 1930; de J. A. C., acronyme formé des initiales de Jeunesse Agricole Chrétienne.

♦ De la J. A. C. [ʒiase]. — N. Membre de cette organisation. *Une jaciste.*

JACK [dʒak] n. m. — 1870; mot angl. utilisé dans diverses acceptions techniques (fin XVIe), de *Jack,* forme hypocoristique du prénom *John.*

Anglicisme.

♦ **1.** Techn. Pièce commandant les aiguilles dans une machine de bonneterie.

♦ **2.** (1882; 1880, sous la forme amér. *jack-knife* [dʒaknajf] « commutateur à lame », d'abord « grand couteau de poche », de *jack,* → ci-dessus, et *knife* « couteau »). Commutateur de standard téléphonique manuel, fiche mâle à deux conducteurs coaxiaux. ⇒ **Connecteur.** *Un jack de réponse.* — Par ext. Fiche à deux conducteurs coaxiaux. *Jack mâle, jack femelle. Raccorder une guitare électrique à un ampli au moyen d'un jack.*

JACKET [ʒakɛt] n. f. — 1930; *couronne Jacket,* 1928, *in* Höfler; angl. *jacket (crown),* 1903, de *jacket* « jaquette », t. appliqué à des objets destinés à couvrir, protéger (qqch.).

♦ Anglic. (chir. dent.). *Couronne jacket,* ou (ellipt.) *Jacket :* couronne* creuse en porcelaine, employée en prothèse esthétique, notamment pour les dents antérieures. Syn. ⇒ la forme francisée 2. **Jaquette** (II.).

HOM. Jaquette.

JACK POT ou **JACKPOT** [ʒakpɔt; dʒakpɔt] n. m. — V. 1970; angl. *jackpot,* mêmes sens; aussi « lot dont la masse s'augmente des enjeux successifs jusqu'à ce qu'il soit gagné », d'abord « poker dans lequel une paire de valets au moins est nécessaire pour ouvrir les paris », 1881, de *pot* « ensemble des mises, poule, pot », et *jack* « valet ».

♦ Anglic. Dans les jeux de hasard mécaniques (machines à sous), Combinaison gagnante, qui déclenche un mécanisme envoyant au joueur la totalité de l'argent accumulé dans la machine; cet argent. *Les « trop rares cascades de piécettes sonnantes et trébuchantes dans la sébile aux jack pots »* (*l'Express,* 26 juil. 1980; à propos des machines à sous de Monaco).

Par ext. La machine elle-même. *Jackpots alignés le long des murs d'une salle de jeux.*

Loc. et fig. *Gagner le jackpot* (angl. *to hit the jack-pot,* mil. XXe) : réussir brillament dans les affaires, parvenir à gagner beaucoup d'argent (cf. Gagner le gros lot). — *Course au jackpot.* « ... *il n'est le héros que d'une poignée, le roi de sa rue de Soho (...) Et il a le culot d'essayer de rentrer dans la course au jackpot avec ses pauvres armes de schpountz.* » (*Libération*, 26 oct. 1983).

JACO [ʒako] n. m. ⇒ **Jacquot.**

JACOB [ʒakɔb] n. m. — 1926; *pipe Jacob*, 1902, *in* T. L. F.; du nom propre *Jacob* pour des raisons incertaines (nom du patriarche ou prénom d'un inventeur ou fabricant).

♦ Vx. Pipe en terre dont le fourneau représente une tête de personnage barbu et enturbanné. « *Les vieux bourrent leur jacob* » (Genevoix, *la Boîte à pêche, in* T. L. F.).

JACOBÉE [ʒakɔbe] n. f. — 1680; *narcisse jacobée*, 1628; lat. sc. *jacobaea*, 1553 (pour traduire le franç. *herbe, fleur de Saint-Jacques*, 1546), féminin substantivé de l'adj. bas lat. *Jacobaeus* « de Jacobus, de Jacques », de *Jacobus* « Jacques ».

♦ Régional. Séneçon* (famille des *Composacées*), d'une espèce dite aussi *herbe de Saint-Jacques*. — Adj. *Séneçon jacobée.*

JACOBIEN, IENNE [ʒakɔbjɛ̃, jɛn] adj. et n. m. — 1881, *in* T. L. F.; du nom du mathématicien allemand Carl *Jacobi* (1804-1851).

♦ Math. Des théories mathématiques de Jacobi. *Déterminant jacobien, matrice jacobienne.* — N. m. *Jacobien :* courbe du troisième degré, lieu des points dont les polaires par rapport à trois coniques données concourent en un même point.

1. JACOBIN, INE [ʒakɔbɛ̃, in] n. — Mil. XIIIe; var. *jacopin, jaccopin;* du bas lat. *Jacobus* « Jacques », l'hospice Saint-Quentin des pèlerins pour Saint-Jacques de Compostelle, avec une chapelle du titre de Saint-Jacques, ayant été confié à ces religieux (v. 1218).

♦ **1.** N. m. Vx. Religieux, religieuse de l'ordre de Saint-Dominique. *Un couvent de Jacobins.* — Adj. *Moine jacobin.*

♦ **2.** [a] (1790). N. m. pl. Hist. *Les Jacobins :* membres d'une société politique révolutionnaire établie à Paris dans un ancien couvent de Jacobins. *Les Jacobins soutinrent Robespierre et le Comité de Salut public. Le Club des Jacobins* (→ Clameur, cit. 2; fédéral, cit. 1). *Les sections provinciales du Club des Jacobins.* Au sing. *C'est un Jacobin.*

1 Le 16, une pétition des Jacobins d'Auxerre demanda, non le procès mais nettement *la mort (de Louis XVI).* MICHELET, Hist. de la Révolution franç., VIII, VII.

Par anal. (→ Démagogue, cit. 3, Hugo) :

2 Le nom de *Jacobin*, qui voulait dire d'abord simplement Membre de la Société, étant donné le rôle pris par elle, a bientôt signifié, suivant les dates et suivant les opinions de celui qui parlait, ou un énergumène, un incendiaire, un terroriste, ou un républicain, un patriote, un démocrate.
BRUNOT, Hist. de la langue franç., t. IX, II, p. 813.

REM. Le terme est attesté au féminin (1796, *in* D. D. L.).

Fig. → Hydre, cit. 6, Hugo.

Adj. (1790). Hist. *Le parti jacobin. Doctrines jacobines.*

[b] N. Mod. Républicain intransigeant, partisan d'un pouvoir central fort, dans une république démocratique.

3 (...) ils ont beaucoup de considération pour moi; ils me croient un bon homme, seulement un peu bête. Si j'avais des idées, si je parlais, je serais à leurs yeux un horrible jacobin, un ennemi du juste-milieu, etc.
STENDHAL, Mémoires d'un touriste, I, p. 16.

4 Si redoutables qu'apparussent à première vue les conséquences d'une mise hors la loi des comités de salut public, j'admets que des jacobins les aient envisagées sans en frémir (...) F. MAURIAC, le Nouveau Bloc-notes 1958-1960, p. 60.

Adj. (1830, Stendhal). *Esprit jacobin. Politique, réaction jacobine.*

5 Les ministres M. R. P. ont collaboré, durant la dernière décennie, à une politique à la fois jacobine et inepte (...) F. MAURIAC, Bloc-notes 1952-1957, p. 132.

REM. De nombreux dérivés et composés ont eu cours pendant la Révolution et peu après : *jacobinade*, n. f. (*in* Brunot, t. IX, 2e partie, p. 814; repris début XXe, Martin du Gard, *in* G. L. L. F.); *jacobinerie*, n. f. (1801, cousin Jacques, *in* D. D. L.); *jacobinière*, n. f., (1795, *in* D. D. L.) « association de Jacobins »; *jacobiniser*, v. tr. (1792, *in* D. D. L.); *jacobinite*, n. f. (1796, *in* D. D. L.). → aussi Jacobite, REM.

DÉR. (Du sens 1) V. 2. **Jacobin.** — (Du sens 2.) **Jacobinisme.**
HOM. 2. **Jacobin.**

2. JACOBIN [ʒakɔbɛ̃] n. m. — 1750, *in* D. D. L.; de 1. *jacobin*, 1.

♦ **1.** Pigeon à plumes relevées autour du cou en forme de capuchon.

♦ **2.** (1775, *in* D. D. L.). Petit oiseau noir et blanc, du groupe des moines. ⇒ **Capucin.**

♦ **3.** (1790, *in* D. D. L.). Champignon comestible blanc et noir.

HOM. 1. **Jacobin.**

JACOBINISME [ʒakɔbinism] n. m. — 1791; de 1. *jacobin* (2.), et *-isme.*

♦ Hist. [a] Doctrine politique des jacobins.

[b] (1839, Stendhal). Par ext. Doctrine ou tendance politique qui rappelle celle des anciens jacobins. — Esprit jacobin.

(Il) avait l'insolence de prôner cet esprit de justice sans acception de personnes, que le marquis appelait un jacobinisme infâme.
STENDHAL, la Chartreuse de Parme, II.

JACOBITE [ʒakɔbit] adj. et n. — 1690, Furetière; *yaccoppite*, 1395; au sens 1, lat. médiéval *jacobita*, de *Jacobus* Baradaeus, n. propre du fondateur de la secte.

★ **I.** Relig. Membre d'une secte hérétique d'Orient fondée au VIe siècle par Jacob Baradée ou Zanzale. *Les coptes, chrétiens jacobites d'Égypte.* — Adj. *Église jacobite. Rite jacobite.*

★ **II.** (1690; angl. *jacobite*, 1689). Hist. Nom donné aux partisans de Jacques II Stuart après la seconde révolution d'Angleterre (1688). REM. On note *jacobisme* « attachement à la cause de Jacques II et des Stuart » chez Hugo (*l'Homme qui rit*, 1869), reformé sur *Jacobus* (l'angl. n'a que *jacobitism*).

★ **III.** Vx (1792-1797). Jacobin. — REM. Plusieurs dérivés sont attestés dans ce sens : *jacobitement*, adv. (1791); *jacobitique*, adj. (1791).

JACOBUS [ʒakɔbys] n. m. — 1622, *in* T. L. F.; lat. *Jacobus* « Jacques », la monnaie portant le nom latin du souverain.

♦ Hist. Ancienne monnaie d'or anglaise, frappée en 1603 sous le règne de Jacques Ier et qui valait une guinée environ.

JAÇOIT (QUE) [ʒaswakə] loc. conj. — XVIe; *jasoit que*, XIIIe; *ja seit que*, XIIe; de *jà* « déjà », *soit*, forme du v. *être*, et *que.*

♦ Vx (jusqu'au XVIIe s.; en droit ou burlesque). Quoique, bien que...

JACONAS [ʒakɔnas] n. m. — 1835; *jaconat*, 1761; p.-ê. altération de l'ourdou *jagannāthī*, n. f., substantivation de l'adj. formé sur *Jagannāthpūrī*, littérat « ville *(pūrī)* de Jagannāth (incarnation de Visnu) », n. d'une ville de l'Inde où ce tissu aurait été originairement fabriqué (mod. Puri, Orissa).

♦ Anciennt. Étoffe de coton, fine, légère, qu'on employait autrefois, unie ou imprimée, pour la confection des robes, des pièces de lingerie. *Robe, jupon de jaconas blanc. Jaconas broché à fleurs brillantes.* ⇒ **Brillanté.**

Comment, de la soie pour doublure, à deux francs!... tandis qu'on trouve du jaconas à dix sous, et même à huit sous, qui fait parfaitement l'affaire. 1
FLAUBERT, Mme Bovary, Folio, p. 357.

Fleurissez maintenant, fleurs de la fantaisie, 2
Sur la toile imprimée et sur le jaconas!
Th. DE BANVILLE, Odes funambulesques, Gaietés, « Premier soleil ».

JACONCE [ʒakɔ̃s] n. f. ⇒ **Jacinthe,** 1.

JACOT [ʒako] n. m. ⇒ **Jacquot.**

JACQUARD [ʒakaʀ] n. m. et adj. invar. — 1834, Boiste; nom propre de l'inventeur.

♦ **1.** Techn. *Métier Jacquard* ou *Jacquard :* métier* à tisser dont Joseph Jacquard (1752-1834) réalisa la mécanique vers 1780, sur le système de Vaucanson (on a dit : *métier à mécanique Jacquard*). *Les arcades servent à relier les fils de la chaîne aux crochets du métier Jacquard.*

♦ **2.** Adj. invar. (1936, *in* T. L. F.). Par anal. *Tissu jacquard*, à motifs géométriques, de plusieurs couleurs. *Tricot jacquard*, qui se fait avec des laines de plusieurs couleurs et qui présente des dessins bigarrés de formes variées et compliquées. *Point jacquard. Chandail jacquard. Gants jacquard.* — N. m. *Porter un jacquard. Tricoter en jacquard.*

DÉR. **Jacquardé.**

JACQUARDÉ, ÉE [ʒakaʀde] adj. — 1873, P. Larousse; de *jacquard.*

♦ Techn. Tissé avec le métier Jacquard. *Étoffe jacquardée.* — À mécanique Jacquard. *Métier jacquardé.*

1. JACQUE [ʒak] n. f. ou m. ⇒ 1. **Jaque.**

2. JACQUE [ʒak] n. f. — 1611, Cotgrave ; n. m. « pourpoint », 1364 ; de *Jacques* (lat. *Jacobus*), sobriquet donné aux paysans.

♦ Vén. Manteau de cuir pour garantir le chien qui chasse au sanglier.

(...) le sellier (...) lui établissait des jacques de cuir pour garantir les chiens d'attaque du noir[1] (...) le vêtement, taillé sur le corps du courant, doit lui couvrir tout le dessous de la gorge, des cuisses, ne laisser passer que les pattes et se boutonner sur le dos (...) Paul VIALAR, la Grande Meute, p. 347.

1. Le sanglier.

HOM. Jack, 1. Jacques, 2. jacques, 1. jaque, 2. jaque.

JACQUELINE [ʒaklin] n. f. — 1640, Oudin ; du prénom féminin, traditionnellement attribué à Jacqueline de Bavière (1401-1436).

Ancienn^t (régional : Flandres).

♦ **1.** Bouteille en grès à large panse.

♦ **2.** (1840). Cruche en faïence représentant un personnage ventru.

JACQUEMART [ʒakmaʀ] n. m. ⇒ **Jaquemart.**

JACQUERIE [ʒakʀi] n. f. — V. 1360 ; de *Jacques* (→ 1. Jacques, 1.), suff. *-erie.*

♦ **1.** Hist. Soulèvement des paysans français contre les seigneurs en 1358. — Littér. *La Jacquerie* (1828), scènes historiques de Mérimée.

♦ **2.** (1821). Révolte sanglante des classes pauvres de la paysannerie. ⇒ **Guerre** (des gueux), **insurrection, sédition, soulèvement ;** → Émeute, cit. 6. *Une terrible jacquerie.*

Toujours, de siècle en siècle, la même exaspération éclate, la jacquerie arme les laboureurs de leurs fourches et de leurs faux, quand il ne leur reste qu'à mourir. Ils ont été les Bagaudes chrétiens de la Gaule, les Pastoureaux du temps des Croisades, plus tard les Croquants et les Nu-pieds courant sus aux nobles et aux soldats du roi. Après quatre cents ans, le cri de douleur et de colère des Jacques, passant encore à travers les champs dévastés, va faire trembler les maîtres, au fond des châteaux. ZOLA, la Terre, I, V.

1. JACQUES [ʒak] n. m. — 1359, *les Jaques* « les paysans » ; aussi *Jaques Bonhomme*, 1359 ; emploi comme n. commun du nom propre *Jacques*, du bas lat. d'orig. hébraïque *Jacobus* « Jacob, Jacques ».

♦ **1.** Hist. Ancien sobriquet du paysan français, appelé aussi *Jacques Bonhomme.* — N. Paysan (dans quelques contextes historiques). *La révolte des Jacques.* ⇒ **Jacquerie.** *« Toute la cohue des Jacques et des rouges... »* (Hugo, *in* T. L. F.).

1 Les paysans du Ponthieu, de l'Amiénois, du Beauvaisis, de la Champagne, de l'Ile-de-France avaient pris les armes. Ils étaient exaspérés par la misère (...) en quelques jours ces Jacques devinrent très redoutables dans la vallée de l'Oise. LAVISSE et RAMBAUD, Hist. générale, t. III, II, p. 94-95.

Loc. (V. 1880). *Faire le Jacques* ou *faire le jacques :* faire l'idiot* (→ Exempt, cit. 10).

2 C'est commode pour ça l'Angleterre, ils vous ennuient jamais vraiment (...) à condition d'accord tacite que vous alliez pas faire le Jacques sur les midi devant « Drury Lane » ou vers cinq heures devant le « Savoy ». CÉLINE, Guignol's band, p. 32.

♦ **2.** (1866, Littré). Allus. littér. *Maître Jacques* (du nom d'un personnage de *l'Avare* de Molière) : homme qui, dans une maison, cumule plusieurs emplois ; factotum.

DÉR. Jacquerie.
HOM. Jacque, 2. jacques, 1. jaque, 2. jaque.

2. JACQUES [ʒak] n. m. — Mot régional, d. i. (attesté 1883, Delvau, *in* T. L. F.) ; *jacquot*, même sens, 1829, Boiste ; de *Jacques*, employé pour nommer des animaux familiers (→ aussi 1. Jacquet, Jacquot, jaquet, jaquette).

♦ Régional. Oiseau à comportement vif, un peu fou (geai ; plus rarement, corbeau, hibou, chouette).

HOM. Jacque, 1. Jacques, 1. jaque, 2. jaque.

1. JACQUET [ʒakɛ] n. m. — 1694, *jaquet*, Ménage ; dimin. pop. de *Jacques* (→ 2. Jacques).

♦ Vx ou régional. Écureuil (→ le composé Potron-jacquet).

HOM. 2. Jacquet, jaquet.
COMP. Potron-jacquet.

2. JACQUET [ʒakɛ] n. m. — 1827 ; p.-ê. du moyen franç. *jaquet, jacquet* « flatteur », ou du français « laquais » (fin XVIIIe), du prénom *Jacques* ; cf. la var. angl. *jockey* (→ Jockey), la dame qu'on avance la première s'appelant « postillon ». La parenté avec le trictrac, ainsi nommé par onomatopée, peut suggérer l'évocation d'un bruit sec par l'élément *jacqu-* (cf. *Jacques, jaquette* pour nommer des oiseaux bavards, et aussi *jacasser, jacter*).

♦ Ancienn^t. Variété de trictrac*, qui se joue à l'aide de pions *(dames)* que l'on déplace sur les cases d'un tableau à double compartiment suivant les nombres amenés par une paire de dés. *Jouer au jacquet. Joueur de jacquet.* ⇒ **Jacqueteur.** *Une partie de jacquet.*

Seuls, dans leur coin, l'Israélite et *(son compagnon)* (...) achevaient une partie de jacquet (...) MARTIN DU GARD, les Thibault, t. IV, p. 35.

(Déb. XXe). Partie de jacquet. *Faire un jacquet.* — (1911, Gide). La boîte qui sert à ce jeu. *Un jacquet en acajou.*

DÉR. Jacqueteur.
HOM. 1. Jacquet.

JACQUETEUR, EUSE [ʒaktœʀ, øz] n. — 1911, cit. ; de 2. *jacquet.*

♦ Rare. Joueur de jacquet.

J'avais cru décent (...) d'obéir au signal de ces dames, laissant aux prises les jacqueteurs (...) GIDE, Isabelle, III, *in* Romans, Pl., p. 623 (1911).

1. JACQUOT, JACOT ou **JACO** [ʒako] n. m. — 1779, *jaco*, Buffon ; *jacot*, 1812 ; orig. incert., dimin. pop. de *Jacques* ou onomatopée d'après le cri de l'oiseau ; comparer à *jacquot*, surnom du geai largement attesté régionalement, et à *jaquette* « pie ». → 2. Jacques.

♦ Perroquet gris cendré *(psittacus erythacus)* de la côte occidentale d'Afrique, type de la famille des *Psittacidés.*

Le jaco ou perroquet cendré. C'est l'espèce que l'on apporte le plus communément en Europe aujourd'hui, et qui s'y fait le plus aimer tant par la douceur de ses mœurs que par son talent et sa docilité (...) Le mot de *jaco*, qu'il paraît se plaire à prononcer, est le nom qu'ordinairement on lui donne (...) BUFFON, Hist. nat. des oiseaux, Le jaco.

2. JACQUOT [ʒako] n. m. — D. i. ; orig. incert.

♦ Argot ou dial. Anus.

— Ah ! fit La Crique, si on avait quelqu'un pour nous recoudre des boutons et refaire les boutonnières !
— Et aussi pour te racheter des cordons, et des jarretières, et des bretelles, hein ! Pourquoi pas pour te faire pisser pendant que tu y es et puis torcher le « jacquot » à « mocieu » quand il a fini de se vider le boyau gras, hein ! Louis PERGAUD, la Guerre des boutons, p. 104.

1. JACTANCE [ʒaktɑ̃s] n. f. — V. 1220 ; du lat. *jactantia* « vantardise », du p. prés. de *jactare*, au fig. « lancer avec ostentation, vanter, tirer vanité de », fréquentatif de *jacere* « jeter ; proférer ». → Jactation.

♦ Littér. ou style soutenu. Attitude d'une personne qui manifeste avec arrogance ou emphase la haute opinion qu'elle a d'elle-même. ⇒ **Orgueil, vanité, vantardise ;** → Bruit, cit. 39. *Un homme avantageux* (cit. 14) *et plein de jactance. Rabattre la jactance d'un fanfaron*.*

(...) cet air de jactance par lequel on semble s'exalter en soi et s'applaudir. SAINTE-BEUVE, Causeries du lundi, 2 déc. 1850. 1

Augereau se rendait ridicule à force de jactance : il jugeait de haut Bonaparte, qui, à l'entendre, lui devait tous ses succès. 2
Louis MADELIN, Hist. du Consulat et de l'Empire, Ascension de Bonaparte, XXI.

(Hier soir, après avoir écrit cela : au restaurant, à la table toute voisine, deux individus conversent, à voix non point forte, mais bien frappée, bien dressée, bien timbrée, comme si une école de diction les avait préparés à se faire écouter des voisins dans les lieux publics : tout ce qu'ils disent, phrase par phrase (sur quelques prénoms de leurs amis, sur le dernier film de Pasolini), tout est absolument conforme, prévu : pas une faille dans le système endoxal. Accord de cette voix qui ne choisit personne et de Doxa inexorable : c'est la jactance). R. BARTHES, Roland Barthes, p. 152. 3

Rare. *(Une, des jactances).* ⇒ **Fanfaronnade, vanterie.** *Ne croyez pas un mot de ses jactances. « Ses jactances et ses rodomontades »* (Sainte-Beuve, *in* T. L. F.).

CONTR. Bonhomie, modestie.
HOM. 2. Jactance.

2. JACTANCE [ʒaktɑ̃s] n. f. — 1878, Rigaud, *in* T. L. F. ; « parole », 1876 ; de *jacter*, et *-ance.*

♦ Fam. Bavardage.

HOM. 1. Jactance.

JACTATION [ʒaktasjɔ̃] n. f. — V. 1560, Paré ; lat. *jactatio* « action de jeter, de ballotter de-ci de-là, gestes désordonnés, agitation », de *jactatum*, supin de *jactare* « jeter de côté et d'autre, agiter, gesticuler », fréquentatif de *jacere* « jeter ». → 1. Jactance.

♦ Méd. Mouvements désordonnés, agités, des membres lors d'un état fébrile grave.

JACTER [ʒakte] v. intr. — 1821 ; *jaqueter* «parler», 1611, «jacasser (de la pie)», 1562 ; de 2. *jaquette,* mot dial. «pie». → aussi Jacasser.
REM. L'homonyme *se jacter* «se vanter», attesté en anc. franç. (1520, *in* D. D. L.), est un verbe distinct, du lat. *jactare.* → 1. Jactance.

♦ Fam. (d'abord argot). Parler*, bavarder (→ Fourneau, cit. 6). *Elles arrêtaient pas de jacter. Les flics l'on fait jacter.*

1 (...) elle a mis un doigt contre ses lèvres pour me dire de ne pas jacter. J'ai rien dit, naturellement. P. MAC ORLAN, Quai des brumes, VIII.

2 Le capitaine Bordeille parut ravi d'avoir jacté avec autant de distinction. R. QUENEAU, le Dimanche de la vie, p. 32.

3 Mais attends demain la promenade, Bon Dieu ! Toi, ou tu jactes pas, ou tu jactes, tu jactes qu'on peut plus t'arrêter. Je réponds qu'on est entre amies et qu'il n'est pas défendu de causer. A. SARRAZIN, la Cavale, p. 68.

(En emploi transitif) :

4 Les lèvres de madame Sabotier, voisine de Marthe, s'agitaient assidûment : ça devait jacter fiançailles. R. QUENEAU, Loin de Rueil, p. 112.

DÉR. 2. **Jactance, jacteur.** — V. aussi **Jacasser.**

JACTEUR, EUSE [ʒaktœʀ, øz] n. et adj. — 1881, Rigaud (1821, selon G. L. L. F.) ; de *jacter.*

♦ Argot fam. Personne qui jacte, parle sans cesse. ⇒ **Bavard.**

Adj. Qui jacte, concerne le fait de jacter, la parole.

Les spiquerines *(speakerines)* excellent dans cette sorte de phonation (...) Je ne peux pas analyser comme je voudrais cette tentative de réforme jacteuse, il faudrait des disques. Jacques PERRET, Bâtons dans les roues, p. 115.

JACULATION [ʒakylasjɔ̃] n. f. — 1530, «action de lancer une arme de jet», repris en 1884 au sens mod. ; lat. impérial *jaculatio,* de *jaculari.* → Jaculatoire.

♦ Littér. et rare. Élan d'enthousiasme. ⇒ **Effusion, élan.** — Relig. Oraison jaculatoire.

JACULATOIRE [ʒakylatwaʀ] adj. — 1604, François de Sales, *in* T. L. F. ; lat. ecclés. *jaculatorius,* même sens, en bas lat. «qui sert à l'exercice du javelot», de *jaculari* «lancer le javelot», dénominatif de *jaculum* «javelot», de *jacere* «jeter».

♦ **1.** Relig. *Oraison* jaculatoire :* prière* courte et fervente (→ 2. Efficace, cit. 3).

1 (...) c'est ce qu'on appelle (...) prières jaculatoires et dévotes élévations de l'âme à Dieu. Ce sont certaines paroles vives et affectueuses par où l'âme s'élance vers Dieu (...) Ces prières sont courtes, et ne consistent qu'en quelques mots ; mais ce sont des mots pleins d'énergie, et si je l'ose dire, pleins de substance. De là vient qu'on les nomme prières jaculatoires, parce que ce sont comme des traits enflammés qui tout à coup partent de l'âme, et percent le cœur de Dieu. BOURDALOUE, Pensées, Usage des oraisons jaculatoires.

♦ **2.** (1856, Barbey d'Aurevilly, *in* T. L. F.). Littér. Qui exprime l'élan, la ferveur, l'effusion.

2 La langue est ferme, poétique et pure, volontiers lyrique, mais sans effet jaculatoire. Émile HENRIOT, les Romantiques, p. 150.

JADE [ʒad] n. m. — 1612, *un jade ;* 1661, *le jade ;* du n. f. *ejade* «jade» (1633), par mauvaise coupe du syntagme *l'ejade ;* de l'esp. *ijada* «flancs» (du lat. *ilia ;* → Iliaque) dans *(piedra de la) ijada* «(pierre des) flancs», nom donné au jade par les conquistadors parce que celui-ci, selon les Indiens, préservait des coliques néphrétiques.

♦ **1.** Pierre fine, formée de cristaux microscopiques (de trémalite, etc.). Silicate naturel d'aluminium et de calcium, très dur, dont la couleur varie du blanc olivâtre au vert sombre. *Jade de Chine, du Mexique. Jade oriental. Bijou*, statuette de jade* (→ cit. 1, 3 et 4). — *(Un, des jades).* Objet en jade. *Collection de jades chinois* (→ cit. 2).

1 Le jade vert n'a pas plus de valeur réelle que le jade blanc, et il n'est estimé que par des propriétés imaginaires, comme de préserver ou guérir de la pierre, de la gravelle, etc., ce qui lui a fait donner le nom de *pierre néphrétique* (...) on m'a demandé souvent à emprunter quelques-unes de ces pierres vertes pour les appliquer, comme amulettes, sur l'estomac et sur les reins (...) BUFFON, Hist. nat. des minéraux, Jade.

2 (...) les jades étaient tenus en haute estime par l'aristocratie et par les savants chinois, non seulement à titre d'objets précieux, mais surtout parce qu'on leur attribuait des vertus purifiantes qui protègent le corps contre toutes les influences néfastes. De là, les multiples parures en jade, servant à indiquer le rang ou la profession (...) Louis RÉAU, Hist. universelle des arts, t. IV, V, p. 291.

3 La coupe était de jade ; non point de jade vert (...) mais de jade blanc et diaphane (...) du jade que les rites réservent aux princes, aux vice-rois et aux ministres. Claude FARRÈRE, la Bataille, VI.

4 Thérèse, dans une robe de pongé ornée de vert, avec un collier de jade, baroque, s'embêtait. ARAGON, les Beaux Quartiers, I, XXV.

♦ **2.** Littér. Couleur verte du jade. *Le jade du lac.*

Adj. De la couleur du jade. *Vert jade. Un boléro de moire vieux rose et jade.*

DÉR. **Jadéite.**

JADÉITE [ʒadeit] n. f. — 1873, Littré, *Suppl. ;* de *jade.*

♦ Minér. Variété de jade. *La jadéite est verte ou blanchâtre, translucide et fusible.*

JADIS [ʒadi ; ʒadis] adv. — V. 1112 ; contraction de *ja a dis* «il y a déjà* des jours» ; *ja,* du lat. *jam* (→ Jà), *a* (3e pers. de l'indic. prés. de *avoir*) «il y a», et *di* «jour», du lat. *dies.*

♦ **1.** Dans le temps* passé, il y a longtemps. ⇒ **Anciennement** (cit. 2), **autrefois.** *Jadis vivait un célèbre assassin* (cit. 9, Boileau ; → Animer, cit. 6 ; garnir, cit. 1 ; géant, cit. 1 ; heaume, cit. 1). *Il était jadis un prince...* ⇒ **Fois** (une). *Ne faites pas comme moi jadis* (→ Incendiaire, cit. 6). *Le luxe que déployaient jadis les grands seigneurs* (→ Folie, cit. 27). *Le quai d'où partaient jadis des bateaux* (→ Gabare, cit. 2). *Comme jadis dans son enfance* (→ Élan, cit. 10 ; fermer, cit. 22). *Des impressions* (cit. 27) *éprouvées jadis. Une odeur respirée jadis* (→ Essence, cit. 5). — (Devant un adj.). *Un rabat jadis blanc* (→ Antique, cit. 5). *Une femme jadis belle* (→ 1. Bien, cit. 58). *Du cuir jadis noir, roussi par l'usure* (→ Houseau, cit. 2). — *Enjouée jadis, elle est devenue d'humeur* (cit. 12) *difficile.* — *Les saints personnages, la foi naïve de jadis.* ⇒ **Antan** (→ Grammaire, cit. 7 ; hagiographie, cit. 2). — *Jadis et Naguère* (1884), poèmes de Verlaine (⇒ **Naguère**).

(...) N'est-ce pas cette même Agrippine 1
Que mon père épousa jadis pour ma ruine (...) RACINE, Britannicus, I, 4.

Jadis, aux premiers temps féodaux, dans la camaraderie et la simplicité du camp et du château fort, les nobles servaient le roi de leurs mains (...) 2
TAINE, les Origines de la France contemporaine, II, t. I, p. 134.

(...) certaines modes en dissimulant aux yeux des hommes le corps tout entier des femmes donnaient jadis du prix à une robe effleurée (...) 3
A. MAUROIS, Climats, I, IV.

M. de Loménie était resté Hubert pour ses compagnons de jadis. Leurs femmes le tutoyaient presque toutes (...) ARAGON, les Beaux Quartiers, I, XV. 4

♦ **2.** Adj. *Au temps jadis* (→ Associé, cit. 2). — Littér. *Ballade des dames du temps jadis,* de Villon.

♦ **3.** N. m. Littér. *Le jadis, les jadis :* le temps, les temps passés. *« L'ailleurs et le jadis »* (Bachelard, *in* T. L. F.).

CONTR. **Aujourd'hui, avenir** (dans l'), **demain.**

JADOT [ʒado] n. m. — 1867, Littré ; *jadeau,* av. 1553, Rabelais ; du dial. de l'Ouest *jade* «jatte», et *-ot.*

♦ Techn. Instrument métallique utilisé par les boulangers pour donner aux pains la forme d'une couronne.

JAFFE [ʒaf] n. f. — 1918, *in* Esnault ; «soupe», 1628, sens abandonné (encore chez Le Breton, *le Rififi,* 1953) ; orig. incert., d'un verbe signifiant «bouillir, écumer», selon Esnault.

♦ Argot et fam. Nourriture ; repas. *À la jaffe ! à table !*

Le soir je me charge de la jaffe, aidé par Martine. SAN-ANTONIO, le Secret de Polichinelle, p. 125.

DÉR. **Jaffer.**

JAFFER [ʒafe] v. intr. — 1824, *in* T. L. F. ; de *jaffe.*

♦ Argot. Manger. ⇒ **Bouffer, brifer.**

La tortore *(nourriture)* tenait une telle place dans l'existence de Pierrot, que refuser de jaffer en sa compagnie lui apparaissait comme un affront mortel (...) 1
A. SIMONIN, Touchez pas au grisbi, p. 31.

— J'ai les crochets, moi, grommelle l'Enflure cul-soutanée *(jeu de mots sur soustané, cul et soutane)* si je jaffe pas dans les immédiats, j'vais tomber en digue dondaine. SAN-ANTONIO, Remets ton slip, gondolier ! p. 61. 2

JAGUAR [ʒagwaʀ] n. m. — 1731, *jaguarete ; jaguar,* 1761, Buffon ; plusieurs formes antérieures, très altérées, *janowara,* 1722, *iarnare,* 1575, Thevet ; tupi *jaguara,* par le port. *jaguarete ;* une var. *janware* avait donné les premières formes attestées.

♦ Grand mammifère carnivore *(Félidés)* de l'Amérique du Sud, scientifiquement appelé *panthera unca,* à pelage fauve moucheté de taches noires ocellées. *Le jaguar, animal féroce et nocturne, très voisin du léopard, vit dans les hautes herbes, les forêts et grimpe facilement aux arbres.* — *Le Jaguar,* poème de Leconte de Lisle *(Poèmes barbares).*

Le jaguar ressemble à l'once par la grandeur du corps, par la forme de la plupart des taches dont sa robe est semée, et même par le naturel ; il est moins fier et moins féroce que le léopard et la panthère. Il a le fond du poil d'un beau fauve (...) le poil plus long que la panthère et plus court que l'once ; il l'a crêpé lorsqu'il est jeune, et lisse lorsqu'il devient adulte. 1
BUFFON, Hist. nat. des animaux, Le jaguar.

2 (...) ses mouvements sont veloutés comme ceux d'un jeune jaguar, et sous leur nonchalante lenteur on sent une vivacité et une prestesse prodigieuses.
Th. GAUTIER, Fortunio, I.

3 Et le jaguar, du creux des branches entr'ouvertes,
Se détend comme un arc et le saisit au cou *(le bœuf).*
LECONTE DE LISLE, Poèmes barbares, « Le jaguar ».

4 C'était un jaguar, d'une taille au moins égale à celle de ses congénères d'Asie, c'est-à-dire qu'il mesurait plus de cinq pieds de l'extrémité de la tête à la naissance de la queue. Son pelage fauve était relevé par plusieurs rangées de taches noires régulièrement ocellées et tranchait avec le poil blanc de son ventre. Harbert reconnut là ce féroce rival du tigre, bien autrement redoutable que le couguar, qui n'est pas le rival du loup.
J. VERNE, l'Île mystérieuse, t. I, p. 351.

REM. Le mot sert à désigner une automobile de fabrication britannique, couramment abrégé en *jag* ou *jague* [ʒag] et employée — comme d'autres noms de marque — comme symbole de luxe.

DÉR. Jaguarion. — (Du même rad.) **Jaguarondi.**

JAGUARION [ʒagwaʀjɔ̃] n. m. — 1975; de *jaguar,* et *(l)ion.*

♦ Zool. Hybride de jaguar et de lionne.

JAGUARONDI ou **JAGUARUNDI** [ʒagwaʀɔ̃di] n. m. — Fin XIXe; mot d'une langue indienne du Brésil, probablt apparenté au tupi *jaguara.* → Jaguar.

♦ Zool. Mammifère carnivore *(Félidés*)* d'Amérique tropicale, scientifiquement appelé *felis eyra,* grand chat sauvage à petite tête et à poil roux, aux formes grêles.

JAILLIR [ʒajiʀ] v. intr. — *Je jaillis, tu jaillis, il jaillit, nous jaillissons, vous jaillissez, ils jaillissent; je jaillissais; je jaillis; je jaillirai; jaillis, jaillissons; que je jaillisse* au subj. prés. et imparf.; *jaillissant; jailli.* — V. 1175; *galir,* v. trans. au sens de « lancer vivement », v. 1112; croisement probable (cf. P. Guiraud) de formes apparentées au lat. *jaculari* « lancer » avec un roman **galire,* du rad. gaulois **gali-* « bouillir, jaillir, sourdre ». → 1. Gaillard.

♦ **1.** (En parlant d'un liquide, d'un fluide). Sortir avec force en formant un jet*. ⇒ **Couler, saillir** (vx), **sourdre.** *Geyser qui jaillit à trente mètres de hauteur. Courant* (cit. 3) *qui jaillit au pied d'un talus. Fontaine où l'eau jaillit à profusion* (→ Aqueduc, cit. 2). *Pétrole, gaz naturel jaillissant d'un puits de forage. Sang qui jaillit d'une blessure* (→ Éperon, cit. 6). ⇒ **Gicler.** *La boue jaillit et l'éclaboussa*.*

1 (...) la lave jaillit (...) roule en torrents, ou se répand comme un déluge de feu (...) cette même lave, gonflée par son feu intérieur, éclate à sa surface, et jaillit de nouveau pour former des éminences élevées au-dessus de son niveau.
BUFFON, Hist. nat. des minéraux, Des matières volcaniques.

2 Je rêve assis au bord de cette onde sonore
Qu'au penchant d'Hélicon, pour arroser ses bois,
Le quadrupède ailé fit jaillir autrefois. André CHÉNIER, Élégies, XXVIII.

3 Source limpide et murmurante
Qui de la fente du rocher
Jaillis en nappe transparente
Sur l'herbe que tu vas coucher (...) LAMARTINE, Harmonies (...), XVI.

4 (...) le sang jaillit à gros bouillons de deux plaques rouges laissées sur la poitrine par la chair amputée (...) Th. GAUTIER, Voyage en Espagne, p. 31.

5 Mais le cidre, pendant sa démonstration, souvent leur jaillissait en plein visage (...)
FLAUBERT, Mme Bovary, II, XIV.

6 La vague en poudre ose jaillir des rocs!
VALÉRY, Poésies, Charme, « Le cimetière marin ».

7 Deux larmes jaillirent de ses paupières.
MARTIN DU GARD, les Thibault, t. III, p. 258.

(Mil. XVIe, Ronsard). Par anal. (en parlant de la lumière, d'un son, etc.). Se produire avec force. *Un jet de clarté jaillit de la torche* (→ Agonisant, cit. 1). *Étincelle* (cit. 2) *qui jaillit. Faire jaillir des étincelles d'un caillou* (cit. 5), *d'une enclume* (→ Brasillement, cit. ; forgeron, cit.). *Flamme* (1. Flamme, cit. 3) *qui jaillit d'un briquet* (cit. 1). *Flamboiements* (cit. 3) *d'incendie jaillissant au loin. Un feu d'où jaillissent des gerbes d'étincelles* (⇒ **Pétiller**). *Éclair* (→ 1. Foudre, cit. 5; fulguration, cit. 1), *étoile* (cit. 8), *lumière, clarté qui jaillit* (→ Garçonnier, cit. 5; et, par métaphore, épaule, cit. 8). *Des cris, des rires jaillissent.* ⇒ **Fuser.** *Un sanglot désespéré* (cit. 24) *jaillit de sa gorge* (→ Comprimer, cit. 1). *Ce mot jaillit spontanément sur toutes les lèvres* (→ Autobus, cit. 1).

8 Nos regards se rencontrèrent et je ne sais pas ce qu'il vit dans le mien, mais je sais que sa figure se décomposa tout à coup, qu'un grand cri jaillit de sa poitrine, qu'il me dit d'une voix à fendre l'âme (...)
Alphonse DAUDET, le Petit Chose, I, III.

9 Un éclat de rire jaillissait d'une fille que je ne voyais pas (...)
F. MAURIAC, le Nœud de vipères, XVIII.

10 Brusquement, une grande lueur jaillit du côté d'où étaient venus les cris (...)
CAMUS, la Peste, p. 276.

♦ **2.** (1852). Sujet n. de personne ou de chose. Sortir par un mouvement rapide (désordonné ou non). *Flot, foule d'ouvriers jaillissant des ateliers* (cit. 4). *Essaim* (cit. 2) *qui jaillit de la ruche.* ⇒ **Élancer** (s'). *L'épée* (cit. 9) *jaillit hors du fourreau.*

11 Le premier des policemen, touché à l'estomac (...) par un poing qui jaillit et disparut comme un piston de moteur (...) tomba en avant (...)
Louis HÉMON, Battling Malone, II.

(...) la plaine herbue d'où les alouettes, par intervalles, semblaient jaillir comme des jets de joie (...) L. PERGAUD, De Goupil à Margot, VI. 12

De la rue du Faubourg-Poissonnière, une ombre a jailli, un homme lancé au pas de course. C'est Édouard. G. DUHAMEL, Salavin, III, XVI. 13

Du passage souterrain jaillissait, sans trêve, un flot de voyageurs.
MARTIN DU GARD, les Thibault, t. IV, p. 113. 14

♦ **3.** (1831, Hugo). En parlant d'un objet dont la forme ou la situation suggère une impression d'élan. Apparaître, pointer brusquement. ⇒ **Dresser** (se), **élever** (s'), **sortir.** *Les bourgeons jaillissent de la branche.* ⇒ **Partir, pointer, saillir** (→ Bois, cit. 24; cache-pot, cit.). *Des germes enfouis jaillissent en pousses inattendues* (cit. 5). *Des gencives d'où jaillissent des crocs* (cit. 2) *pointus. Le dos brun jaillit du corsage* (→ Calice, cit. 3).

Les palmes (...) des très jeunes arbres, qui jaillissent en faisceau de la terre humide et chaude. LOTI, l'Inde (sans les Anglais), III, X. 15

♦ **4.** (1818). Abstrait. Se manifester, se dégager soudainement. ⇒ **Apparaître, dégager** (se), **surgir** (→ Image, cit. 47). *Tendance qui jaillit du sein de la collectivité* (→ Éducatif, cit. 6). *Idée, projet en germination* (cit. 2) *qui jaillit enfin à la lumière* (→ Inconscient, cit. 9). *Il n'y a rien chez lui qui jaillisse de l'âme* (→ Froideur, cit. 3). — Loc. prov. *De la discussion* jaillit la lumière.*

Une pensée jaillie avec l'éclat de la lumière me dit intérieurement : « Voilà ta vigne ! » BALZAC, le Curé de village, Pl., t. VIII, p. 627. 16

Mais elle triomphait maintenant et l'amour, si longtemps contenu, jaillissait tout entier avec des bouillonnements joyeux. Elle le savourait sans remords, sans inquiétude, sans trouble. FLAUBERT, Mme Bovary, II, IX. 17

(...) le sentiment qui jaillit le plus volontiers de mon cœur, c'est celui de la reconnaissance. GIDE, Ainsi soit-il, p. 155. 18

(...) la vérité jaillira de l'apparente injustice. CAMUS, la Peste, p. 248. 19

♦ **5.** S'exprimer avec force, avec éclat, avec esprit... *Les traits plaisants jaillissaient autour de la table.* ⇒ **Fuser, pétiller** (→ Instantanéité, cit. 1, Gautier).

▶ **JAILLI, IE** p. p. adj. *Gerbe d'eau jaillie d'un bassin de marbre* (→ Circuler, cit. 5). — *Flot* (cit. 16) *d'amertume jailli du cœur.* — (Au sens 4). → ci-dessus, cit. 16.

DÉR. Jaillissant; jaillissement.
COMP. Rejaillir.

JAILLISSANT, ANTE [ʒajisɑ̃, ɑ̃t] adj. — 1680; p. prés. de *jaillir.*

♦ **1.** Qui jaillit. *Fontaine* (cit. 5, par métaphore), *source* jaillissante. Vague jaillissante* (→ par métaphore, Cheveu, cit. 25).

(...) des compartiments mêlés d'eaux plates et d'eaux jaillissantes (...)
LA BRUYÈRE, les Caractères, XVI, 43.

♦ **2.** (Abstrait). *Émotion jaillissante* (→ Dégel, cit. 2). *Des réflexions jaillissantes* (→ Écrivain, cit. 13). *Un esprit facile* (cit. 16) *et jaillissant.*

JAILLISSEMENT [ʒajismɑ̃] n. m. — 1740, Académie; *jallissement,* 1611; du rad. du p. prés. de *jaillir,* et *-ment.*

♦ Action de jaillir, mouvement de ce qui jaillit. *Le jaillissement d'une vague* (→ Écumer, cit. 1), *d'une gerbe de feu* (1. Feu, cit. 35). *Un jaillissement de vapeur.* ⇒ **Jet.**

Maintenant je serais bien surpris si dans le voisinage du point où elle *(une source)* sort, il n'y avait pas d'autres jaillissements, ou suintements. 1
J. ROMAINS, les Hommes de bonne volonté, t. V, XIV, p. 108.

(XIXe). Fig. Apparition, manifestation subite. *Un jaillissement de force, de vie.* ⇒ **Éruption** (→ Exploser, cit. 3). *De sublimes jaillissements d'idées, d'imagination* (→ Affleurement, cit. 2). *Le jaillissement de l'inspiration.*

À travers tout cela, de perpétuels jaillissements de talent et une élévation extraordinaire qui jette hors du connu (...) SAINTE-BEUVE, Chateaubriand, t. II, p. 91. 2

(...) un imaginatif fécond (...) que le jaillissement de ses hypothèses inspiratrices eût rendu aventureux (...) Henri MONDOR, Pasteur, X, p. 187. 3

JAÏN [ʒain, dʒain] ou **JAÏNA** [dʒajna; ʒaina] n. et adj. — 1873, *jain,* Larousse; *jaïna,* 1877, Littré; sous la forme *djaïna,* toujours en usage, 1870, P. Larousse; mot hindou, de *Djina,* titre honorifique porté par le fondateur du *jaïnisme* et signifiant « vainqueur, conquérant ».

♦ Didact. Qui professe le jaïnisme, appartient au jaïnisme. ⇒ **Jaïniste.** *Les jaïns. La communauté jaïna.*

La société indienne est restée presque entièrement brâhmanique, après avoir expulsé le bouddhisme de son sein et n'en avoir conservé la trace que dans la secte moderne des jaïnas. Émile BURNOUF, la Science des religions, p. 78 (1876).

DÉR. Jaïnisme.

JAÏNISME [ʒainism; dʒainism] n. m. — 1873; de *jaïn,* et *-isme.*

♦ Didact. Religion hindoue, qui se propose de délivrer l'âme de la transmigration (ce qui implique notamment l'*ahimsa,* la non-violence envers tout ce qui vit). *Le jaïnisme et la communauté hindoue* (cit. 2).

DÉR. Jaïniste.

JAÏNISTE [ʒainist; dʒainist] n. — xxe; de *jaïnisme,* et *-iste.*

♦ Didact. Adepte du jaïnisme. — Adj. *Morale jaïniste.* ⇒ **Jaïn.**

JAIS [ʒɛ] n. m. — 1669; *geais,* 1611; *gest,* v. 1268; contraction de *jaiet,* xiie; lat. d'orig. grecque *gagates,* proprt «pierre de Gages» du n. de *Gages,* ville d'Asie Mineure.

♦ **1.** Variété de lignite combustible, imprégnée d'asphalte, substance compacte, fibreuse et dure, d'un noir luisant, qu'on peut tailler ou travailler au tour et polir comme l'ébène. *Gisement de jais. Objets de tabletterie en jais. Jais taillé à facettes. Bijoux* de deuil en jais. Jais naturel, véritable.*

♦ **2.** *Jais artificiel, faux jais :* verre teint en noir ou métal émaillé noir utilisé en bijouterie*. *Perles de jais,* et, ellipt., *des jais* (→ Falbalas, cit. 2). — REM. Dans ce sens on rencontre les syntagmes *jais blanc* (Zola, *Pot-Bouille*), *jais bleu* (Littré).

♦ **3.** Loc. compar. (V. 1510). *Moustache noire* comme du jais* (→ Impérial, cit. 4). *Grillon* (cit. 2) *noir comme jais. Des yeux noirs qui brillent d'un éclat* (cit. 22) *de jais.*

(1808). *De jais :* d'un noir profond et lustré *(noir de jais). Des yeux de jais* (→ Étinceler, cit. 7; ivoire, cit. 3).

1 L'une pâle aux cheveux de jais. VERLAINE, Parallèlement, «Les amies», I.

Adjectif :

2 Elle était brune, brune de cheveux jusqu'au noir le plus jais, le plus miroir d'ébène que j'ai jamais vu reluire sur la voluptueuse convexité lustrée d'une tête de femme.
BARBEY D'AUREVILLY, les Diaboliques, «Le plus bel amour de Dom Juan».

HOM. Geai, jet.

JAJA [ʒaʒa] n. m. — 1918, *in* Esnault; de *jarret* «coup d'eau-de-vie» (1899).

♦ Argot. Vin. *Un coup de jaja.*

Je bois
N'importe quel jaja
Pour oublier les amis de ma femme (...) Boris VIAN, «Je bois».

JALAGE [ʒalaʒ] n. m. — 1331, *jaillage;* de *jale,* et *-age.*

♦ Hist. (sous la Féodalité). Droit prélevé par le seigneur sur le vin vendu en jale*.

JALAP [ʒalap] n. m. — 1654; *xalapa,* 1640, de l'esp. *Jalapa* (anciennt écrit *Xalapa*), nom d'une ville mexicaine.

♦ **1.** Plante dicotylédone d'Amérique *(Convolvulacées)* dont la racine tubéreuse renferme une résine utilisée en médecine comme purgatif drastique. *Jalap turbith.* ⇒ **Ipomée.** *Faux jalap,* nom donné à une belle-de-nuit. *Teinture de jalap composée,* dite aussi *eau-de-vie allemande.*

♦ **2.** Résine extraite de la racine de jalap et contenant deux glucosides, la *convolvuline* et la *jalapine.*

JALE [ʒal] n. f. — V 1174, «jatte»; de l'anc. franç. *jalaie* «mesure pour les liquides, les grains», bas lat. *galleta* «seau»; forme francienne de *gale, galon.* → Gallon.

♦ Régional. Grande jatte. Baquet.

DÉR. Jalage.

JALEO [xaleo] ou francisé [ʒaleo] n. m. — 1902, Larousse; mot espagnol.

♦ Danse populaire du Sud de l'Espagne.

N. m. pl. *Jaleos :* exclamations, battements de mains accompagnant les flamencos.

JALET [ʒalɛ] n. m. — 1461; «galet», v. 1195; var. francienne de *galet*.*

♦ Anciennt. Petit caillou rond qu'on lançait avec une arbalète. *Arbalète à jalet.*

JALMINCE [ʒalmɛ̃s] adj. — 1900; de *jaloux,* et suff. argotique *mince.*

♦ Argot. Jaloux.

Maintenant, ma Félochette, elle drive ce sagouin de Toinet dans une poussette anglaise et te le promène comme un Saint Sacrement. Y m'arrive d'en être jalmince, parfois, de ce gosse. De me sentir lésé.
SAN-ANTONIO, Remets ton slip, gondolier!, p. 143.

JALON [ʒalɔ̃] n. m. — 1613, *jallon,* dans un sens obscur; *jalon,* en horticulture, 1690; orig. incert., p.-ê, de *jalir,* anc. forme de *jaillir.*

♦ **1.** Tige plantée en terre pour prendre un alignement*, déterminer une direction. *Se servir de bâtons, de perches, de poteaux pour jalons. Planter, aligner des jalons. Jalons servant à l'arpentage, à la levée d'un plan, à des travaux de nivellement, de terrassement. Placer des jalons pour tracer une allée, construire un mur* (⇒ **Bornoyer**). *Jalons utilisés pour le pointage d'un mortier.* — *Jalonmire,* muni à sa partie supérieure d'une mire. *Des jalons-mires.*

(...) une route disparue sous la neige, mais indiquée de distance en distance au moyen de perches servant de jalons. Th. GAUTIER, Voyage en Russie, p. 248. 1

Par métaphore :

Comme des jalons laissés en arrière, ils nous tracent le chemin que nous avons suivi dans le désert du passé. 2
CHATEAUBRIAND, Mémoires d'outre-tombe, t. I, p. 151.

♦ **2.** (1829, Boiste). Ce qui sert à situer, diriger. ⇒ **Marque, repère.** *Ces données vous serviront de jalons pour diriger vos recherches* (Hatzfeld). *Les jalons d'une démonstration, d'un exposé* (cit. 2). — Loc. *Poser, planter des jalons :* faire les premières démarches, préparer une action (→ Préparer* le terrain; et aussi amorcer, cit. 5). *Premier jalon.* ⇒ **Commencement.**

Les intérêts de notre vie sont si multiples qu'il n'est pas rare que dans une même circonstance les jalons d'un bonheur qui n'existe pas encore soient posés à côté de l'aggravation d'un chagrin dont nous souffrons. 3
PROUST, À la recherche du temps perdu, t. II, p. 218.

Les paysans lisent l'almanach. Quoi de plus beau pour eux? Les jours qui viennent, et les mois, et les saisons, ce sont des jalons sur leurs projets. 4
ALAIN, Propos, 31 août 1910, L'almanach.

Or, Caillaux, lui, venait d'éviter à la France la guerre avec l'Allemagne; et il avait même posé les jalons d'un durable rapprochement franco-allemand. 5
MARTIN DU GARD, les Thibault, t. V, p. 189.

DÉR. Jalonner.

JALONNEMENT [ʒalɔnmɑ̃] n. m. — 1838, Académie, *Compl.;* de *jalonner.*

♦ **1.** Action de jalonner. *Le jalonnement d'un terrain. Panneaux de jalonnement.*

♦ **2.** Milit. Action de déplacer des jalonneurs.

♦ **3.** Fig. *Les jalonnements d'un raisonnement.*

JALONNER [ʒalɔne] v. intr. et tr. — 1690; de *jalon.*

★ **I.** V. intr. ♦ **1.** Planter des jalons pour déterminer un alignement, une direction, etc.

♦ **2.** Fig. Disposer des repères.

En somme, je commence à trouver des repères, à jalonner. 1
J. ROMAINS, les Hommes de bonne volonté, t. IV, VII, p. 64.

★ **II.** V. tr. ♦ **1.** (1690). Déterminer, marquer la direction, l'alignement, les limites de (qqch.), au moyen de jalons, de repères. *Jalonner une allée, un chemin, une ligne téléphonique pour en indiquer le tracé*. Jalonner les limites d'un champ. Jalonner un champ avec des repères, au moyen de, par des repères. Jalonner une limite de tas de pierres.*

Par métaphore :

Je retrouve à présent les traces d'anciens sentiers que je frayais, que j'ai laissés recouvrir par mille branches, et que je n'ai même pas jalonnés. 2
GIDE, Journal, Numquid et tu?, 20 juin 1917.

(1867). Milit. Délimiter en plaçant des jalonneurs. *Jalonner un front, un objectif* (par des jalonneurs, un tir, etc., en se plaçant en jalonneur).

♦ **2.** (1834, Lamartine). Fig. *Les savants ne font d'âge en âge que jalonner la route à ceux qui suivront* (Littré).

J'ai vu des brouillons de la jeunesse de Bonaparte; il jalonnait le chemin de la gloire comme Rancé le chemin du ciel. 3
CHATEAUBRIAND, la Vie de Rancé, I, p. 35.

♦ **3.** (Sujet n. de chose). [a] Concret. Déterminer, délimiter (à la manière de jalons). ⇒ **Échelonner (s').** *Poteaux, buissons jalonnant les limites d'un champ.*

Des tonneaux d'huile, des balles de laine, des caisses de fils jalonnaient la longue cour de l'usine. A. MAUROIS, Bernard Quesnay, III. 4

[b] Abstrait. *Les événements saillants qui jalonnent sa vie.* ⇒ **Marquer** (→ Étape, cit. 9).

Lorsqu'on visite un pays nouveau pour soi, les souvenirs d'objets inaccoutumés, d'actions imprévues, forment des points de repère, et en jalonnant le temps, le mesurent et en font sentir l'étendue. Th. GAUTIER, Voyage en Russie, p. 322. 5

Ils *(les enfants)* vivaient dans un monde merveilleux, jalonné de fêtes pieusement célébrées. F. MAURIAC, le Nœud de vipères, VII. 6

▶ **JALONNÉ, ÉE** p. p. adj. *Allée jalonnée. Champ jalonné. Camp* (cit. 2) *d'instruction jalonné de tranchées.*

DÉR. Jalonnement, jalonneur.

JALONNEUR [ʒalɔnœʀ] n. m. — 1835, Académie; de *jalonner.*

♦ **1.** (1867). Celui qui pose des jalons (ouvrier, technicien, etc.).

♦ **2.** (1835). Milit. Soldat qu'on place, qui se place, en guise de jalon, pour déterminer une direction, un alignement, un itinéraire.

REM. Le féminin *jalonneuse* est virtuel.

JALOUSEMENT [ʒaluzmɑ̃] adv. — Fin XIIIe; de *jaloux.*

♦ **1.** Avec un soin jaloux, inquiet. *Garder jalousement un secret.*

1 On préparait une grande attaque : c'était un terrible secret que les états-majors gardaient jalousement. A. MAUROIS, les Silences du colonel Bramble, XV.

2 (...) il était intéressant de savoir ce que Victor *(Hugo)*, jalousement élevé par les soins exclusifs de «sa mère vendéenne», pouvait devoir à ce père jacobin.
Émile HENRIOT, les Romantiques, p. 26.

♦ **2.** D'une manière jalouse, avec jalousie. *Conserver jalousement quelques heures de solitude* (→ Écrasant, cit. 4).

♦ **3.** Avec de la jalousie amoureuse. *Observer jalousement les progrès d'un rival. Aimer qqn jalousement.*

JALOUSER [ʒaluze] v. tr. — Fin XIIIe (fin XIVe selon T. L. F.); de *jaloux,* et suff. verbal.

♦ Être jaloux (2.) de, regarder, considérer (qqn) avec jalousie*, envie. ⇒ **Envier; envie** (porter envie). *Jalouser son prochain, ses concurrents, ses rivaux. — Jalouser les heureux de ce monde, le sort du voisin* (→ Geindre, cit. 8).

1 Et mon esprit, toujours du vertige hanté,
Jalouse du néant l'insensibilité. BAUDELAIRE, Nouvelles Fleurs du mal, VIII.

2 Les intrigues de l'Élysée, où l'on jalousait et craignait son prestige, l'en avaient longtemps écarté (...) Georges LECOMTE, Ma traversée, p. 41.

▶ **SE JALOUSER** v. pron. (Récipr.). *Villes, pays qui se jalousent* (→ Haut, cit. 2). *Petits clans qui se jalousent.*

▶ **JALOUSÉ, ÉE** p. p. adj.
Que l'on jalouse. *Des avantages très jalousés. Une femme détestée et jalousée* (→ Expulser, cit. 4).

REM. Le mot est relativement détaché de *jaloux* et de *jalousie* dont il ne conserve guère qu'une acception. On rencontre cependant des exemples (exceptionnels) où *jalouser* s'applique à la jalousie amoureuse (ici au p. p. substantivé).

3 De la part d'un amoureux qui ennuie, la jalousie doit inspirer un souverain dégoût qui va même jusqu'à la haine, si le jalousé est plus aimable que le jaloux.
STENDHAL, De l'Amour, p. 113, *in* T. L. F.

1. JALOUSIE [ʒaluzi] n. f. — V. 1170, au sens I, 3; de *jaloux,* et suff. *-ie,* le sens II de l'ital. *gelosia,* même sens.

★ **I.** ♦ **1.** (XIIIe). Attachement vif et ombrageux. ⇒ **Soin.**

1 Nos muses à leur tour, de même ardeur saisies,
Vont redoubler pour toi leurs nobles jalousies (...)
CORNEILLE, Poésies diverses, XII.

♦ **2.** (1501). Mod. Sentiment hostile né de l'envie que provoque le spectacle du bonheur, des avantages d'autrui; inquiétude qu'inspire la crainte de partager un avantage ou de le perdre au profit d'autrui. ⇒ **Dépit, envie** (cit. 3). → Déclencher, cit. 2; élever, cit. 40; encyclopédie, cit. 3; gâteau, cit. 4; incivilité, cit. 2. *La jalousie de qqn, sa jalousie à l'égard de qqn.* Absolt. *La jalousie est «comme un aveu contraint du mérite qui est hors d'elle»* (La Bruyère; → Émulation, cit. 1). — *Concevoir, éprouver, avoir de la jalousie pour...* (→ Prendre ombrage* de...). — *Jalousie professionnelle* (→ Infime, cit. 1), *sociale* (→ Habilement, cit. 4). *Jalousie réciproque entre concurrents, rivaux... Jalousie entre deux communautés, deux villages* (→ Rivalité de clocher*). *Être dévoré de jalousie, crever de jalousie. — Basse* (1. Bas, cit. 33), *noire jalousie* (→ Calomniateur, cit. 4). *Jalousie impuissante* (cit. 16), *stérile, secrète* (→ Exciter, cit. 11). *Mesquines, petites jalousies* (→ Bassement, cit. 1). *Pointe de jalousie. Noble jalousie.* ⇒ **Émulation.** — Vx. *Une haute* (cit. 59, 60) *jalousie. — Exciter* (cit. 6) *la jalousie de qqn* (→ Écorce, cit. 5). — *Se brouiller* (cit. 23) *par jalousie. Craindre la jalousie de qqn* (→ Hôtel, cit. 14).

2 *(La jalousie est)* une passion stérile qui laisse l'homme dans l'état où elle le trouve (...) qui le rend froid et sec sur les actions ou sur les ouvrages d'autrui, qui fait qu'il s'étonne de voir dans le monde d'autres talents que les siens (...) vice honteux, et qui par son excès rentre toujours dans la vanité et dans la présomption (...) Toute jalousie n'est point exempte de quelque sorte d'envie, et souvent même ces deux passions se confondent. LA BRUYÈRE, les Caractères, XI, 85.

3 La jalousie des personnes supérieures devient émulation, elle engendre de grandes choses; celle des petits esprits devient de la haine.
BALZAC, le Contrat de mariage, Pl., t. III, p. 103.

4 Gianni, qui cachait une nature aimante sous de froids dehors, souffrait de cet inégal partage d'affection, mais sans que cette prédilection pour Nello lui donnât aucune jalousie contre son jeune frère.
Ed. DE GONCOURT, les Frères Zemganno, VIII.

(...) jalousie (maladie endémique du monde littéraire)... 5
A. THIBAUDET, Flaubert, p. 66.

La méchanceté humaine, qui est grande, se compose, pour une large part, de jalousie et de crainte. Le malheur la désarme (...) 6
A. MAUROIS, le Cercle de famille, III, XIII.

Loc. Vx. *Faire jalousie à qqn* (→ Ineptie, cit. 3)₂ lui inspirer de la jalousie.

♦ **3.** (Premier sens attesté). Sentiment douloureux que font naître, chez la personne qui l'éprouve, les exigences d'un amour inquiet, le désir de possession* exclusive de la personne aimée, la crainte, le soupçon ou la certitude de son infidélité. *Les chagrins, les douleurs, les peines, les tortures, les fureurs de la jalousie* (→ Aigu, cit. 11; aviver, cit. 10). *Triste, amère* (cit. 3) *jalousie. Accès, crise de jalousie* (→ Gin, cit. 1). *Jalousie cachée, dissimulée* (cit. 17), *inavouée* (cit. 2). *Jalousie découverte* (→ Défiance, cit. 7). *Furieuse jalousie. Jalousie mortelle. Il est malade de jalousie, il est d'une jalousie folle, féroce. Sa maîtresse était d'une si atroce jalousie...* (→ ci-dessous, cit. 21). *Les curiosités* (cit. 17), *les doutes* (cit. 20), *les craintes, les inquiétudes, les soupçons* que la jalousie excite, qui nourrissent la jalousie. Causer* (cit. 1), *donner de la jalousie à qqn. Jalousie causée par l'amour-propre* (cit. 8), *par l'orgueil blessé. Jalousie qui fait naître, fait croître* (cit. 12) *un amour* (→ Aigrir, cit. 14; émotion, cit. 7). *La jalousie finit sitôt qu'on passe du doute à la certitude* (cit. 6). *Jalousie qui survit à l'amour* (→ Éteindre, cit. 4). *Exciter* (cit. 9), *endormir, égarer la jalousie de qqn* (→ Baguette, cit. 5, Beaumarchais; favoriser, cit. 11). *L'apaisement* (cit. 2) *de la jalousie. Jalousie d'un amant, d'un mari* (→ Cervelle, cit. 2). *La jalousie le possède, le tourmente. Être torturé, fou de jalousie. Elle le fait mourir de jalousie. — La Jalousie du Barbouillé,* farce de Molière.

(...) la plus vaine et tempêtueuse maladie qui afflige les âmes humaines, qui est la jalousie. MONTAIGNE, Essais, III, V (→ aussi Aliment, cit. 4). 7

Les maux les plus cruels ne sont que des chansons 8
Près de ceux qu'aux maris cause la jalousie. LA FONTAINE, la Coupe enchantée.

La jalousie est, en quelque manière, juste et raisonnable, puisqu'elle ne tend qu'à conserver un bien qui nous appartient ou que nous croyons nous appartenir (...) 9
LA ROCHEFOUCAULD, Réflexions et Maximes, 28.

Il y a dans la jalousie plus d'amour-propre que d'amour. 10
LA ROCHEFOUCAULD, Réflexions et Maximes, 324.

Il y a une certaine sorte d'amour dont l'excès empêche la jalousie. 11
LA ROCHEFOUCAULD, Réflexions et Maximes, 336.

La jalousie naît toujours avec l'amour, mais elle ne meurt pas toujours avec lui. 12
LA ROCHEFOUCAULD, Réflexions et Maximes, 361.

(...) il n'y a que les personnes qui évitent de donner de la jalousie qui soient dignes qu'on en ait pour elles. LA ROCHEFOUCAULD, Réflexions et Maximes, 359. 13

On tire ce bien de la perfidie des femmes, qu'elle guérit de la jalousie. 14
LA BRUYÈRE, les Caractères, III, 25.

Le tempérament a beaucoup de part à la jalousie, et elle ne suppose pas toujours une grande passion. LA BRUYÈRE, les Caractères, IV, 29. 15

La sombre Jalousie, au teint pâle et livide, 16
Suit d'un pied chancelant le Soupçon qui la guide (...) VOLTAIRE, Henriade, IX.

Parmi nous (...) la jalousie a son motif dans les passions sociales plus que dans l'instinct primitif. Dans la plupart des liaisons de galanterie, l'amant hait bien plus ses rivaux qu'il n'aime sa maîtresse (...) ROUSSEAU, Émile, V. 17

(...) la jalousie mortelle qui me déchirait le cœur (...) 18
Abbé PRÉVOST, Manon Lescaut, II, p. 151.

(...) la jalousie (...) n'est qu'un sot enfant de l'orgueil, ou c'est la maladie d'un fou. 19
BEAUMARCHAIS, le Mariage de Figaro, IV, 13.

Les femmes fières dissimulent leur jalousie par orgueil. 20
STENDHAL, De l'amour, XXXVII.

Il songea involontairement à sa première maîtresse, qu'il avait surnommée *Mignonne* par antiphrase, parce qu'elle était d'une si atroce jalousie, que pendant tout le temps que dura leur passion, il eut à craindre le couteau dont elle l'avait toujours menacé. BALZAC, Une passion dans le désert, Pl., t. VII, p. 1080. 21

L'horrible jalousie rétrospective, la pire de toutes, parce qu'elle se prend à tout sans pouvoir s'assurer de rien, rongea le cœur et brisa le cerveau du malheureux artiste. G. SAND, Elle et Lui, XII. 22

Il en était fier, par conséquent jaloux. Il n'y a pas que l'amour seul qui donne de la jalousie; une faveur, un mot bienveillant, un sourire d'une belle bouche, peuvent l'inspirer jusqu'à la rage à certaines gens. 23
A. DE MUSSET, la Confession d'un enfant du siècle, IV, I.

Considérez que cette fière jalousie, que les hommes apportent dans l'union des sexes, est un sentiment sauvage, fondé sur l'illusion la plus ridicule. Il repose sur l'idée qu'on a une femme à soi quand elle s'est donnée, ce qui est un pur jeu de mots. FRANCE, la Rôtisserie de la reine Pédauque, Œuvres, t. VIII, p. 191. 24

Ah! cette irritation rongeuse qu'il venait de reconnaître, il l'avait éprouvée bien souvent encore par toutes les petites meurtrissures inavouables qui semblent faire des bleus incessants aux cœurs amoureux. Il se rappelait toutes les impressions pénibles de menue jalousie tombant sur lui, à petits coups, le long des jours. 24.1
MAUPASSANT, Fort comme la mort, p. 313.

La jalousie n'est souvent qu'un inquiet besoin de tyrannie appliqué aux choses de l'amour. 25
PROUST, À la recherche du temps perdu, t. IX, p. 111 (→ aussi Exorciser, cit. 3).

L'amour, sans la jalousie, n'est pas l'amour. 26
Paul LÉAUTAUD, Propos d'un jour, p. 33.

La jalousie fut chez moi un mal soudain et terrible. Si, apaisé, je cherche aujourd'hui à en retrouver les causes, il me semble qu'elles étaient très diverses. Il y avait d'abord un grand amour et le désir naturel de conserver en moi les moin- 27

dres parcelles de ces matières précieuses qu'étaient le temps d'Odile, ses paroles, ses sourires, ses regards... Je voulais régner sur l'esprit d'Odile (...)
A. MAUROIS, Climats, I, VIII.

28 La jalousie naît de l'insoutenable vision du plaisir qu'une créature aimée reçoit d'une autre et lui prodigue. F. MAURIAC, la Pharisienne, V.

28.1 La jalousie est une équation à trois termes permutables (indécidables) : on est toujours jaloux de deux personnes à la fois : je suis jaloux de qui j'aime et de qui l'aime. R. BARTHES, Fragments d'un discours amoureux, p. 80.

Par ext. *Jalousie fraternelle* (cit. 2), *maternelle.*

★ **II.** (1549, Estienne; ital. *gelosia* «jalousie», de *geloso* «jaloux»). ♦ **1.** Vx. Treillis de bois ou de métal au travers duquel on peut voir sans être vu.

♦ **2.** (1757). Volet mobile composé de lames verticales, articulées de manière à être orientables. ⇒ **Contrevent, persienne** (cit. 1), **store.** *Baisser, lever une jalousie* (→ Coller, cit. 4; éloigner, cit. 24). *Fenêtres munies de jalousies. Jalousies formées de lattes de bois parallèles.*

29 (...) un amant ne s'expliquait pas autrement sous les fenêtres de sa maîtresse, qui ouvrait en ce moment-là ces petites grilles de bois nommées jalousies, tenant lieu de vitres, pour lui répondre dans la même langue.
VOLTAIRE, Essai sur les mœurs, CLXXVII.

29.1 Une grande clarté, qu'ils virent tout à coup du côté du jardin, au travers des jalousies, les obligea de s'en approcher, pour voir d'où elle venait.
A. GALLAND, les Mille et Une Nuits, t. II, p. 19.

30 Par les jalousies baissées il venait assez de lumière pour accuser le désordre du matin dans la pièce. ARAGON, les Beaux Quartiers, I, XXI.

La Jalousie, roman de Robbe-Grillet (le titre joue sur les sens I, 2, et II).

CONTR. **Débonnaireté, indifférence.**

2. JALOUSIE [ʒaluzi] n. f. — 1542; altér. d'après 1. *jalousie,* de *gelesie,* XVe; lat. médiéval *gelesia* ou *gelasia;* probablt du gaul. **gelisia.*

♦ **1.** Vx. Amarante.

♦ **2.** Mod. Œillet* de poète *(Dianthus carbatus).*

JALOUX, OUSE [ʒalu, uz] adj. — 1487; *jalous,* déb. XIIIe; *jalos,* v. 1175; *gelos,* v. 1160; du lat. pop. *zelosus,* du grec *zelos* «zèle, émulation» (→ Zèle), p.-ê. par l'anc. provençal *gilos* (évoqué pour rendre compte de la finale anormale — au lieu de *-eux, euse*).

♦ **1.** Vieilli ou littér. *Jaloux de* (qqch.) : particulièrement attaché à (qqch. qui tient à cœur). ⇒ **Attaché** (à), **soucieux** (de). *Être jaloux de sa réputation, de son honneur, de ses prérogatives, d'un droit* (→ Dépôt, cit. 5), *de sa gloire* (→ Copie, cit. 13), *de sa domination* (→ Émanation, cit. 7; épris, cit. 12; évaporer, cit. 1; honnête, cit. 15). *Être jaloux de son indépendance, de sa liberté.*

1 Vous n'avez qu'à choisir, car chacun est jaloux
De l'honneur d'être votre époux. LA FONTAINE, Fables, IX, 7.

2 Cruel! pouvez-vous croire
Que je sois moins que vous jalouse de ma gloire? RACINE, Bajazet, II, 5.

Vx (sans compl.). *Le Dieu jaloux :* nom donné à Dieu, dans la Bible, pour faire entendre qu'il veut être aimé et servi exclusivement, sans partage.

3 N'adorez point de dieu étranger. Le seigneur s'appelle le *Dieu* jaloux; Dieu veut être aimé uniquement. BIBLE (SACY), Exode, XXXIV, 14.

4 Comme il *(Dieu)* est beaucoup plus jaloux de nos affections que de nos respects, il est visible qu'il n'y a point de crime qui lui soit plus injurieux ni plus détestable que d'aimer souverainement les créatures (...)
PASCAL, Lettres, 1er avr. 1648.

5 Ce Dieu jaloux, ce Dieu victorieux
Est le seul qui commande aux cieux. RACINE, Esther, I, 5.

Jaloux de (suivi d'un inf.). Qui a à cœur de, qui tient absolument à. ⇒ **Désireux, soucieux.** *Être jaloux de faire qqch., d'obtenir une faveur, de garder* (cit. 41) *un secret* (→ Besoin, cit. 59).

6 Quelle est l'âme philosophique et belle, jalouse d'être parfaite (...) qui consentirait à se sacrifier à de telles vanités (...)
RENAN, l'Avenir de la science, VII, Œuvres, t. III, p. 826.

Loc. (Choses). *Avec un soin* jaloux :* avec une vigilance particulière, ombrageuse (→ Agencer, cit. 1).

7 La collection pour laquelle nous écrivons ces lignes (...) se compose d'études gardées dans l'atelier par l'artiste avec un soin jaloux, comme des notes prises sur nature (...) Th. GAUTIER, Souvenirs de théâtre..., Benjamin de Francesco.

8 Elle exerçait ses fonctions de médecin avec une ferveur jalouse. Il ne fallait ni la contrarier ni l'aider. J. GREEN, Adrienne Mesurat, I, VII.

♦ **2.** (1573). Qui éprouve de l'ombrage, de la jalousie* (1. Jalousie, I., 1.) à l'idée qu'un autre jouit ou pourrait jouir d'un avantage que lui-même ne possède pas ou qu'il désire posséder exclusivement. *C'est un homme jaloux et malveillant.* ⇒ **Envieux** (cit. 3.; → aussi Bâtisseur, cit. 1; grincheux, cit. 3). — *Être jaloux du succès, de la réussite, des lauriers, de la situation, de la fortune de qqn.*

9 (...) mais jamais homme n'osa dire et confesser qu'il fut envieux et jaloux de la prospérité d'autrui, tant l'envie est un vice abject, pusillanime et vilain.
RONSARD, Œuvres en prose, De l'envie.

10 Rendre le ciel jaloux de sa vive couleur.
RONSARD, Amours de Marie, II, 4 (→ Rose).

(...) jaloux de toute renommée, il la regardait comme une usurpation sur la sienne : il ne devait y avoir que Napoléon dans l'univers. 11
CHATEAUBRIAND, Mémoires d'outre-tombe, t. II, p. 240.

L'on ne saurait croire combien, tout en affectant de les dédaigner, les femmes du monde sont jalouses de ces couronnes, de ces applaudissements, de ces ovations, de cet éclat qui accompagnent la cantatrice (...) 12
Th. GAUTIER, Portraits contemporains, Madame Sontag.

Être jaloux de qqn. ⇒ **Jalouser** (→ Attirant, cit. 4; empire, cit. 15; figure, cit. 3; hôte, cit. 1). *Jaloux les uns des autres* (→ Clan, cit. 2; gratte-papier, cit. 1).

La servante au grand cœur dont vous étiez jalouse, 13
Et qui dort son sommeil sous une humble pelouse (...)
BAUDELAIRE, les Fleurs du mal, Tableaux parisien, C.

Par ext. *Cœur jaloux, âme jalouse. — Rivaux qui se considèrent d'un œil* jaloux* (→ Entreprendre, cit. 4). *Regard haineux et jaloux.* — Fig. *Le geste* (1. Geste, cit. 4), *jaloux de la parole.*

(...) La fortune jalouse 14
N'a pas en votre absence épargné votre épouse. RACINE, Phèdre, III, 4.

N. *Un jaloux, une jalouse* (rare en emploi absolu, à cause du sens 3). *Il a de nombreux jaloux, son succès lui a fait des jaloux.*

C'est un bien qui me doit faire mille jaloux (...) 15
MOLIÈRE, le Dépit amoureux, III, 9.

Les rieurs seraient contre les Évangélista, qui ne manquaient pas de jaloux. 16
BALZAC, le Contrat de mariage, Pl., t. III, p. 152.

♦ **3.** (V. 1175). Qui éprouve de la jalousie* (1. Jalousie, I., 3.) en amour, qui est «tourmenté par la crainte de l'infidélité» (Littré). ⇒ (argot, fam.) **Jalmince.** → Apte, cit. 5; avilir, cit. 16; badin, cit. 1; brûler, cit. 28; froidement, cit. 2; guère, cit. 4. *Amant jaloux, mari jaloux* (→ Excusable, cit. 2; guitare, cit. 1). *Très jaloux, terriblement jaloux.* ⇒ **Défiant, soupçonneux.** — Loc. *Jaloux comme un tigre*. — Femme jalouse* (→ Humilité, cit. 20).

Si Titus est jaloux, Titus est amoureux. RACINE, Bérénice, II, 5. 17

(...) il était en même temps si jaloux qu'il me désolait à chaque instant par d'injustes soupçons. A. R. LESAGE, Gil Blas, VII, VII. 18

Être jaloux, c'est tout à la fois le comble de l'égoïsme, l'amour-propre en défaut, et l'irritation d'une fausse vanité. 19
BALZAC, Physiologie du mariage, Pl., t. X, p. 775.

Je ne vous avais jamais vu jaloux, mais vous l'êtes comme un Othello. 20
A. DE MUSSET, Un caprice, VIII.

Elle était admirablement belle, et l'idée que tant d'autres le savaient aussi bien que moi ne fut pas longue à me saisir le cœur aigrement... Être jaloux, on ne l'avoue guère (...) E. FROMENTIN, Dominique, XII. 21

Cette crainte éternelle qu'ils avaient de se perdre faisait le plus clair de leur amour. Ils ne s'aimaient pas, et pourtant ils étaient jaloux. 22
Alphonse DAUDET, le Petit Chose, II, XIII.

Tu te promèneras dans le parc, mais je te défends de sortir : je suis très jaloux. 23
SARTRE, la P... respectueuse, II, 5.

Être jaloux de qqn, éprouver de la jalousie à son égard, le soupçonner d'infidélité. *Il est jaloux de sa femme* (→ Fi, cit. 1), *de sa maîtresse. Femme jalouse de son mari.*

Brutal, avare, amoureux et jaloux à l'excès de sa pupille, qui le hait à la mort. 24
BEAUMARCHAIS, le Barbier de Séville, I, 4.

Quand une femme n'est plus jalouse de son mari, tout est dit, elle ne l'aime plus. 25
BALZAC, Petites misères de la vie conjugale, Pl., t. X, p. 1030.

(...) on ne peut être jaloux de quelqu'un qu'on n'aime point. 26
G. DUHAMEL, Chronique des Pasquier, VII, XXV.

Être jaloux de qqn, de qqch. (par rapport à la personne aimée) : ne pas supporter les sentiments que cette personne a (pour qqn, qqch.).

Réellement, je ne suis que mortellement jaloux des gens qui font la cour à une femme que j'aime; bien plus, je le suis même de ceux qui lui ont fait la cour dix ans avant moi. STENDHAL, Vie de Henry Brulard, 25. 27

Chaque fois qu'elle avait remarqué, admiré, aimé, désiré quelque chose, il en avait été jaloux : jaloux de tout d'une façon imperceptible et continue, de tout ce qui absorbait le temps, les regards, l'attention, la gaîté, l'étonnement, l'affection d'Annette, car tout cela la lui prenait un peu. Il avait été jaloux de tout ce qu'elle faisait sans lui, de tout ce qu'il ne savait pas, de ses sorties, de ses lectures, de tout ce qui semblait lui plaire, jaloux d'un officier blessé héroïquement en Afrique et dont Paris s'occupa huit jours durant, de l'auteur d'un roman très louangé, d'un jeune poète inconnu qu'elle n'avait point vu mais dont Musadieu récitait les vers, de tous les hommes enfin qu'on vantait devant elle (...) 27.1
MAUPASSANT, Fort comme la mort, p. 313.

(Choses). *Naturel, caractère jaloux et soupçonneux.* ⇒ **Craintif.** *Une humeur jalouse. Un amour inquiet et jaloux, passion jalouse* (→ Conjuguer, cit. 2). ⇒ **Exclusif.** *Soupçons jaloux.*

De jaloux mouvements doivent être odieux, 28
S'ils partent d'un amour qui déplaise à nos yeux;
Mais tout ce qu'un amant nous peut montrer d'alarmes
Doit, lorsque nous l'aimons, avoir pour nous des charmes (...)
MOLIÈRE, Don Garcie, I, 1.

Dès qu'aux soupçons jaloux mon esprit s'abandonne (...) 29
A. DE MUSSET, Louison, II, 13.

N. *Un jaloux, une jalouse. C'est un affreux jaloux, un jaloux odieux* (→ Entretenir, cit. 36; et aussi accès, cit. 6; côté, cit. 3; inoculer, cit. 7). *Les soupçons les plus légers suffisent au jaloux* (→ Bagatelle, cit. 14). *Une jalouse* (→ Acier, cit. 5).

Jamais, avant mon mariage, je n'avais pensé à la jalousie, sinon comme à un sentiment de théâtre et avec un grand mépris. Un jaloux tragique était, pour moi, Othello; un jaloux comique, Georges Dandin. A. MAUROIS, Climats, I, VI. 30

Comme jaloux, je souffre quatre fois : parce que je suis jaloux, parce que je me reproche de l'être, parce que je crains que ma jalousie ne blesse l'autre, parce que 31 je me laisse assujettir à une banalité : je souffre d'être exclu, d'être agressif, d'être fou et d'être commun. R. BARTHES, Fragments d'un discours amoureux, p. 173.

CONTR. Commode (mari), **débonnaire.**

DÉR. Jalousement, jalouser, jalousie.

JAM [(d)ʒam] n. f. ⇒ **Jam session.**

JAMAÏQUAIN, AINE [ʒamaikɛ̃, ɛn] adj. et n. — 1842; de *Jamaïque*, et suff. *-ain.*

♦ De la Jamaïque. ⇒ **Antillais.** *Les Jamaïquains. Le calypso, le reggae, danses d'origine jamaïquaine.*

REM. Autre graphie *Jamaïcain, Jamaïcaine.*

JAMAIS [ʒamɛ] adv. de temps — 1080, *Chanson de Roland;* comp. de *ja*, du lat. *jam* «déjà», et de *mais*, du lat. *magis* «plus».

♦ **1.** (Avec un sens positif). En un temps quelconque, un jour*, à aucun (positif) moment. → Aucun, I.

1 L'observation de la langue française conduit rapidement à remarquer que dans un certain type de phrases (...) *aucun, rien, jamais, guère, plus, non plus*, etc. peuvent être appelés à figurer respectivement au lieu de... *un, quelque chose, un jour, beaucoup, encore, aussi... (Ils)* ont pour fonction de classer ce qu'ils expriment hors du champ de ce qui est aperçu comme réel ou comme réalisable.
DAMOURETTE et PICHON, Essai de grammaire de la langue franç., t. VI, § 2241.

(Dans un contexte négatif). *Je ne pense pas l'avoir jamais vu. Ils désespéraient d'en sortir jamais* (→ Fourvoyer, cit. 2). — (Dans un contexte interrogatif). *A-t-on jamais vu cela?* ⇒ **Déjà** (→ Audace, cit. 21). *« Et quel temps fut jamais si fertile* (cit. 4) *en miracles? »* (Racine). *Quelqu'un aurait-il jamais cru que...?* (→ Affaire, cit. 71). *Sait-on jamais? Je ne sais si mon cœur s'apaisera* (cit. 19) *jamais.* — (Dans un contexte conditionnel). *Si jamais à mes vœux vous fûtes favorable* (→ Grâce, cit. 15, Racine). *Un menteur s'il en fut* (→ 1. Être, cit. 32) *jamais. Si jamais je vous y prends. Si jamais je l'attrape* (cit. 11). → Par hasard*; fam. des fois*. — Dans un contexte comparatif. *(... que jamais). Plus belle, plus gaillarde* (cit. 4) *que jamais* (→ Exhaler, cit. 21). *Avec plus d'animosité* (cit. 11), *de fureur* (→ Couver, cit. 9), *plus violemment que jamais* (→ Édit, cit. 1). *Maintenant, aujourd'hui, plus que jamais* (→ Grenier, cit. 5). *C'est mieux, c'est pire que jamais* (→ Fin, cit. 10). — (Dans un contexte superlatif). *La plus belle chose que j'aie jamais vue* (→ Assortiment, cit. 5). *La bataille la plus disputée qui fût jamais* (→ Heureusement, cit. 1).

2 (...) plus fort que jamais amoureux je devins. RONSARD, Élégies, I.

3 Le plus grand scélérat qui jamais ait été (...) MOLIÈRE, Tartuffe, III, 6.

4 Je te défends de me jamais voir. MOLIÈRE, l'Avare, IV, 5.

5 Si je suis jamais roi, je ferai faire défense à toutes les filles de se mêler de faire des livres (...) FURETIÈRE, le Roman bourgeois, I, p. 88.

6 Hélas! fus-je jamais si cruel que vous l'êtes? RACINE, Andromaque, I, 4.

7 Je sens bien que la fin de mes jours approche et que je suis à la veille du plus grand malheur qui m'arrivera jamais. VOITURE, Lettres amoureuses, V, p. 8.

8 Il est inouï qu'on se soit jamais servi en France de bâtons pour chasser.
J.-F. REGNARD, Voyage en Laponie, p. 82.

9 (...) bien que sa nuit se fût passée sans sommeil, il se sentait plus libre et plus dispos que jamais. A. DE MUSSET, le Fils du Titien, IV.

10 (...) je n'ai qu'un regret, c'est d'y avoir jamais mis les pieds.
A. DE MUSSET, Il ne faut jurer de rien, II, 14.

11 Je suis plus pauvre que jamais.
Et que personne (...) VERLAINE, Chanson pour elle, VII.

12 (...) je vous interdis de jamais sonner à cette grille. J. GREEN, Léviathan, II, VI.

12.1 Nous ne nous entretenons jamais que de Dieu.
M. JOUHANDEAU, la Jeunesse de Théophile, p. 191.

12.2 Je n'ai aucune idée de Dieu, je n'en veux pas avoir. Si je le trouvais jamais, ce serait dans un dénuement si absolu, au fond d'un désespoir si parfait, que je n'ose pas même l'imaginer, et il me semble que je le détesterais.
BERNANOS, Dialogue d'ombres, *in* Œ. roman., p. 44.

(Avec un *ne* explétif). *Elle est plus belle qu'elle n'a jamais été. Il lui parla plus franchement qu'il n'avait jamais osé le faire.*

13 (...) quelques hommes, ministres, chefs de groupes, grands bureaucrates, qui sont plus puissants que Louis XIV ou Napoléon ne le furent jamais.
MAUROIS, Mondes imaginaires, Par la faute de M. de Balzac, p. 107.

Loc. adv. **À JAMAIS.** Littér. ou style soutenu. Dans tout le temps à venir, pour toujours*. ⇒ **Éternellement** (cit. 6), **retour** (sans retour). *S'unir pour toujours à qqn et renoncer à jamais aux autres. Fini à jamais* (→ Balayer, cit. 13; et aussi aspirer, cit. 20; asseoir, cit. 47; asservir, cit. 12; auréole, cit. 4; chanter, cit. 17; faire, cit. 37 et 139; inhabile, cit. 2). — *À tout jamais* (→ Fragile, cit. 11; guérir, cit. 45).

14 Et la tombe à jamais soit légère à ses os.
RONSARD, Pièces retranchées, Épitaphe de Loyse de Mailly.

15 Vous avez apaisé ma tristesse inféconde
Et dans mon cœur aussi vous chantez à jamais!
LECONTE DE LISLE, Poèmes antiques, «Nox».

16 Malgré moi, je ramène mon regard sur la route que nous allons peut-être, dans une seconde, quitter à jamais (...) G. DUHAMEL, Scènes de la vie future, VI.

N. m. Poétique :

16.1 Elles l'emportent (...)
Dans l'à jamais de la fleur éphémère.
Yves BONNEFOY, «la Terre», Poèmes, p. 273.

POUR JAMAIS, même sens. *Renoncer pour jamais à une occupation* (→ Fracas, cit. 6). *Banni* (cit. 28) *pour jamais de ma patrie. Perdu pour jamais* (→ Guêpe, cit. 1; et aussi attacher, cit. 25; bonhomie, cit. 2; cacher, cit. 37; faiblesse, cit. 3).

Je n'écoute plus rien; et pour jamais, adieu. 17
Pour jamais! Ah! Seigneur, songez-vous en vous-même
Combien ce mot cruel est affreux quand on aime? RACINE, Bérénice, IV, 5.

Ils savourèrent longuement l'amère mélancolie des derniers jours passés au foyer 18
triste et cher que l'on quitte pour jamais.
R. ROLLAND, Jean-Christophe, L'adolescent, p. 226.

♦ **2.** (*Jamais* servant à former une négation de temps).

a (V. 1196). Avec *ne. Ne... jamais, jamais... ne :* en nul temps, à aucun (négatif) moment. → Aucun, II. ⇒ **Onques** (vx). *Il ne l'a jamais vue. Nos beaux jours ne reviennent jamais* (→ Âge, cit. 46). *Je n'avais jamais pensé cela. N'être jamais surpris de ce qui arrive* (→ Accommoder, cit. 17). *On ne sait jamais ce qui peut arriver!* — Ellipt. *On ne sait jamais! — Je n'ai jamais rien entendu* (ou *entendu rien*) *de tel. Il n'est presque jamais chez lui.* ⇒ **Guère.** *Jamais secret ne fut mieux gardé* (cit. 40). *Jamais nous ne fûmes plus attentifs. Je ne me serais jamais cru tant de vigueur* (→ Affaire, cit. 30). *Je n'ai jamais souffert davantage* (→ Insuffisant, cit. 3). — Avec un futur, un impératif. *Je n'irai jamais! Ne faites jamais plus cela! N'avouez jamais!* — REM. L'article indéfini se supprime souvent après *jamais*, devant un nom sujet ou objet direct.

Jamais surintendant ne trouva de cruelles. BOILEAU, Satires, VIII. 19

(...) ne reparais jamais ici, et ne compte pas sur moi pour te fournir des éléments 20
de conspiration! BALZAC, Un épisode sous la Terreur, Pl., t. VII, p. 433.

Elle *(cette lettre)* est toujours là, dans la malle... Qu'elle y reste! On ne sait jamais. 21
G. DUHAMEL, Salavin, VI, XII.

Jamais vocation d'écrivain ne fut plus évidente; jamais vie ne fut plus entièrement 22
consacrée à une œuvre. A. MAUROIS, Études littéraires, M. Proust, I.

Ceux de Paris par exemple et même ceux de Neuilly ricanent en entendant pro- 22.1
noncer mon nom ce qui ne leur arrive jamais d'ailleurs (...)
R. QUENEAU, Loin de Rueil, p. 31.

N. m. Loc. **AU GRAND JAMAIS... NE** (souvent renforçant un premier *jamais*). *Jamais, au grand jamais, je n'accepterai. Jamais, au grand jamais ne s'était vue pareille fricassée* (cit. 2) *d'armée, de voitures, d'artillerie.*

Jamais, au grand jamais, elle ne me quitta (...) RACINE, les Plaideurs, I, 4. 23

Toi que mes bras au grand jamais n'enlaceront (...) 24
ARAGON, les Yeux d'Elsa, Plainte de la marquise de Pescaire.

Jamais, au grand jamais je ne me suis occupé de marché noir, sinon comme client 24.1
et dans la mesure où mes moyens me le permettent.
M. AYMÉ, le Vin de Paris, Le faux policier, p. 166.

NE... JAMAIS QUE... : en aucun temps autre chose que... *Vous ne serez jamais qu'un ignorant. Il n'a jamais fait que s'amuser* (→ aussi Innocenter, cit. 2). — Par ext. (*jamais* prenant le sens logique de «tout compte fait, après tout»). *Ce n'est jamais qu'un enfant. Ce n'est pas si loin, cela ne fait jamais que dix kilomètres. Cela ne mènerait jamais qu'au 20 ou 25 du mois* (→ Ban, cit. 1).

Par *jamais* on marque ici que, quel que soit l'acharnement qu'on mette à fouiller 25
la réalité, on n'arrive pas à trouver de choses vraiment effrayantes et inacceptables.
DAMOURETTE et PICHON, Essai de grammaire de la langue franç., t. VII, § 2988.

NE... JAMAIS PLUS*, NE PLUS JAMAIS... *Elle ne souriait plus jamais* (→ Figer, cit. 11). *On n'emploie plus jamais cette expression.* ⇒ **Désormais** (→ Fille, cit. 41). *Nous ne l'avons jamais plus revu.*

b (Avec *sans*). *Elle le harcèle de questions sans qu'il s'impatiente jamais. Il l'écoute sans jamais s'impatienter,* ou, littér., *sans s'impatienter jamais* (→ aussi Insinuer, cit. 11). *Poursuivre un idéal sans jamais l'atteindre* (cit. 36).

Et de bien d'autres traits il s'est senti piquer, 26
Sans que jamais sa gloire ait fait que s'en moquer.
MOLIÈRE, les Femmes savantes, IV, 3.

♦ **3.** Avec un sens négatif (par ellipse de *ne*). — (Dans une réponse où les termes de la question ne sont pas repris). — *L'avez-vous déjà vu? — Jamais,* je ne l'ai jamais vu. — *Le ferez-vous encore? — Jamais plus. Jamais! Jamais de la vie!* → De ma vie*, la semaine des quatre jeudis*, à la Saint-Glinglin, aux calendes* (cit. 3) grecques, quand les poules* auront des dents, quand les ânes* parleront latin (vx).

— Et parlait-elle de moi? 27
— Jamais, répondit Sancha (...)
STENDHAL, Romans et Nouvelles, Coffre et revenant.

— Quel mariage? — Le vôtre! — Moi? Jamais de la vie! 28
FLAUBERT, l'Éducation sentimentale, II, VI.

— Mes mille francs, jamais! J'aime mieux crever... Ah! ils sont cachés, bien 29
cachés, va! On peut retourner la maison, je défie qu'on les trouve...
ZOLA, la Bête humaine, p. 43.

(Dans un complément, une proposition marquant l'opposition avec ce qui a été précédemment exprimé). *Il faut chercher l'approbation* (cit. 8), *jamais les applaudissements* (Montesquieu). *Nous voyons parfois les X..., mais jamais les Y...* (ou : *les Y..., jamais*). — REM. La langue classique employait l'expression *mais non jamais.* — *Elle aimait plaisanter mais jamais méchamment.* Ellipt. *C'est le moment, le cas ou jamais de... :* c'est le moment de... (ou alors ce ne sera jamais le moment). *Maintenant, aujourd'hui ou jamais*

(→ Devoir, cit. 26; et aussi attachement, cit. 15; fin, cit. 34; flacon, cit. 5; imposteur, cit. 2). Prov. *Mieux vaut tard* que jamais.*

30 Les envieux mourront, mais non jamais l'envie. MOLIÈRE, Tartuffe, V, 3.

31 Ces mots tracés au crayon s'effaceront peut-être, mais jamais les sentiments gravés dans mon cœur. LACLOS, les Liaisons dangereuses, LXIX.

32 Ce serait ici le cas ou jamais de faire une théorie sur la beauté des haillons, car, il faut le dire, beaucoup de ces draperies, qui abusent de loin, vues de près sont des guenilles. E. FROMENTIN, Un été dans le Sahara, p. 148.

33 De nos jours, on plaisante avec les prêtres, mais jamais avec les médecins (...) J. ANOUILH, Ornifle, III, p. 201.

Régional. *Comme jamais :* comme il est impossible, extrêmement (→ Fam. Comme c'est pas possible*). — Renforcé :

33.1 Il fait doux comme jamais de la vie, suggérait la voix de la grande Mindeur (...) M. AYMÉ, la Vouivre, p. 134.

(Devant un adjectif ou un participe). *Jamais assis* (→ Fixe, cit. 2), *jamais lassés* (→ Gymnastique, cit. 12). *Un amour jamais satisfait, jamais rassasié* (→ Exaltation, cit. 9). *Toujours attaqué* (cit. 31) *et jamais vaincu. Jamais fâché, toujours en belle humeur* (cit. 43). *Avec une probité jamais démentie. Son style est élégant, jamais recherché* (Académie). — REM. Littré constatait que cette tournure «condamnée par plusieurs grammairiens (...) a pour elle l'usage.

34 Ces jeûnes sévères et presque jamais interrompus. MASSILLON, Panégyrique de saint Benoît.

35 Il veut que ses spectacles donnent sans cesse une impression de jamais vu. A. ARTAUD, Lettres, À mademoiselle Yvonne Gilles, *in* Œ. compl., t. III, p. 120.

CONTR. Constamment, fréquemment, généralement, souvent, toujours.

JAMBAGE [ʒɑ̃baʒ] n. m. — 1369; de *jambe,* et suff. *-age.*

★ **I.** ♦ **1.** Chacun des deux montants verticaux d'une baie de cheminée (cit. 3), de fenêtre, de porte (⇒ **Pied-droit**). *Jambages d'une porte à arcade* (→ Bossage, cit. 1).

(1416). Chaîne de pierre ou de maçonnerie qui soutient l'édifice et sur lequel sont posées les grosses poutres. ⇒ **Jambe** (→ Gothique, cit. 8).

1 On communiquait avec le dehors par la porte de Suse, dont les jambages se voient encore à l'intérieur de ce qu'on appelle aujourd'hui la «Porte Dorée». RENAN, Vie de Jésus, Œuvres, t. IV, p. 308.

Jambages de cheminée. ⇒ **Pied-droit.**

♦ **2.** (1680, Richelet). Chacun des éléments verticaux des lettres *m, n* et *u. Les trois jambages du m. Jambages galopant les uns après les autres* (→ Furibond, cit. 4). — Trait vertical (du *p,* du *q*) situé au-dessous de la ligne. *Les jambages du p et du q. Hampes et jambages.*

2 (...) une simple lettre se compose de plusieurs parties : le corps, partie essentielle à laquelle peuvent s'ajouter des hampes au-dessus de la ligne, des jambages en dessous ou les deux à la fois. Herbert HERTZ, la Graphologie, p. 19.

3 (... dans l'écriture à la main, je ne fais jamais qu'une faute, fréquente : j'écris «n» pour «m», je m'ampute d'un jambage, je veux des lettres à deux jambes, non à trois). R. BARTHES, Roland Barthes, p. 101.

♦ **3.** Techn. Poutre verticale, support (d'un marteau-pilon, d'un mouton).

★ **II.** (Av. 1834, mais ne semble attesté ni en ancien ni en moyen franç.). Hist. *Droit de jambage :* droit du seigneur de mettre sa jambe dans le lit nuptial d'une vassale, en symbole du droit de cuissage*.

JAMBARD ou **JAMBART** [ʒɑ̃baʀ] n. m. — 1305, adj., «qui a de fortes jambes», surnom de personne; n. m., 1843, Gautier; de *jambe.*

♦ Arm. Vx. ⇒ **Jambière.**

1 Les jambes sont enfermées dans des espèces de *cnémides* ou jambards de laine blanche bordées d'un liséré bleu et laissant le genou et le cou-de-pied à découvert. Th. GAUTIER, Voyage en Espagne, p. 287.

2 *(Le petit Jésus)* le ventre sanglé d'or, une jambe dans un jambard d'émeraudes. Ed. et J. DE GONCOURT, Madame Gervaisais, p. 158.

JAMBE [ʒɑ̃b] n. f. — 1080, *Chanson de Roland,* en parlant des animaux; du bas lat. *camba, gamba* «jarret du cheval», et, par ext., «patte du cheval et des quadrupèdes», du grec *kampê,* proprt «courbure; articulation», employé en lat. vulg. à la place de *crus, cruris* «jambe».

★ **I.** ♦ **1.** (Mil. XIIe). Partie de chacun des membres inférieurs de l'homme, qui s'étend du genou au pied (⇒ **Cheville, jarret, mollet**). *L'articulation du genou* (cit. 1) *réunit la cuisse* (cit. 1) *à la jambe. Os de la jambe.* ⇒ **Péroné, tibia.** *Principaux muscles de la jambe :* jambier, jumeaux, péronier, plantaire, soléaire, tendon d'Achille.

1 La jambe ou troisième segment du membre inférieur est essentiellement constituée, comme l'avant-bras, par deux os, qui se disposent parallèlement entre eux dans le sens de la longueur du membre : l'un, situé en dedans et très volumineux, c'est le *tibia;* l'autre, situé en dehors et beaucoup plus grêle, c'est le *péroné.* L. TESTUT, Traité d'anatomie, t. I, p. 418.

Cour. Cette partie (distincte de la cuisse), ou le membre inférieur tout entier (y compris la cuisse et le genou). ⇒ **Membre** (inférieur); fam. **béquille,** 1. **canne, flûte, fumeron, gambette, gigot, gigue, guibole, patte, pilier, pincette, quille.** *Le dessus de la jambe. Le gras de la jambe.* ⇒ **Mollet.** *Avoir des jambes longues* (→ Foulée, cit. 4), *élancées. De grandes jambes en échalas* (cit. 2). — Fam. *Jambes d'araignée, de faucheux, jambe héronnière.* ⇒ **Échasse.** *Longueur exagérée des jambes.* ⇒ **Macroskélie** (cf. les composés du grec *skelos*). — *Jambes courtes* (→ Braie, cit. 2). *Être court* (cit. 6) *de jambes, bas sur jambes* (→ fam. Court en pattes, bas sur pattes, bas du cul). *Forme, galbe des jambes. Grosses jambes* (→ Grimper, cit. 15), *jambes énormes* (cit. 9), *épaisses, lourdes* (→ Charnel, cit. 7). ⇒ **Pilier, poteau** (fam.). *Jambes minces* (→ Avantage, cit. 18; fillette, cit. 1). — Loc. Vx. *Jambes de fuseau,* très maigres. — *Jambes sèches de coq* (cit. 5.3). *Jambes maigres comme des allumettes*.* Fam. *Avoir les jambes en queues de sucette,* maigres et droites. *Avoir les jambes bien faites;* (collectif) *avoir la jambe bien faite* (→ Élégant, cit. 4; 2. épier, cit. 4; faire, cit. 261). *Jambes bien tournées* (→ 2. Bas, cit. 3; encore, cit. 12), *jambes galbées* (cit.), *fines* (→ Enlacer, cit. 11), *fuselées. Elle a de belles jambes. Jambes musclées. Jambes mal faites, cagneuses, arquées* (cit. 2), *croches* (vx), *torses* (→ Fléchir, cit. 13; 2. grêle, cit. 1; hâter, cit. 11), *tortues* (vx; → Après, cit. 84), *circonflexes* (cit. 2). — Loc. fam. *Jambes en serpette, en manches de veste. Jambes Louis XV,* arquées à la façon des pieds d'un fauteuil Louis XV. — *Avoir les jambes nues* (→ Gracilité, cit. 3). *Nu-tête et nu-jambes.* ⇒ 1. **Nu** (→ Huron, cit. 1). *Jambes couvertes par des chaussettes, des bas* (→ Assaut, cit. 16). *Jambes gantées* (cit. 3) *de bas, gainées* (cit. 3) *de soie, de dentelle. Jarretière, jarretelle qui maintient le bas sur la jambe. Pantalon, jambart, jambière, guêtre, botte... cnémide* (cit. 1) *qui protège la jambe. Anneaux* (cit. 6) *de jambe.* ⇒ **Jambelet.** *Robe à mi-jambe,* à mi-mollet. *Montrer, découvrir* (cit. 5) *ses jambes* (→ Flottant, cit. 4).

Ses jambes sont des colonnes de marbre blanc, 2
Posées sur des bases d'or pur.
BIBLE (SEGOND), Cantique des cantiques, V, 15 (→ aussi Albâtre, cit. 2).

— Ma Mère-grand, que vous avez de grandes jambes! 3
— C'est pour mieux courir, mon enfant.
Ch. PERRAULT, Contes, «Le petit chaperon rouge».

(...) lorqu'on voit le pied, la jambe se devine (...) 4
A. DE MUSSET, Premières poésies, «Namouna», I, IV.

(...) sa jambe, qu'elle laissait souvent voir par la manière dont, sans y entendre malice, elle relevait sa robe quand il avait plu (...) 5
BALZAC, la Vieille Fille, Pl., t. IV, p. 254.

(...) les jambes moulées par ces chausses en soie qui en prenaient si juste le contour musclé. 6
BARBEY D'AUREVILLY, les Diaboliques, «Le bonheur dans le crime».

(...) des bottes de cuir blanc de Russie, où ses jambes de coq ballottaient comme des flûtes dans leur étui (...) Th. GAUTIER, le Capitaine Fracasse, II. 7

Les jambes de Diane sont fines, sèches, un peu longues, comme il sied à des jambes de divinité campagnarde faites pour arpenter les taillis et forcer les biches à la course (...) Th. GAUTIER, Souvenirs de théâtre..., p. 52. 8

Tes nobles jambes, sous les volants qu'elles chassent, 9
Tourmentent les désirs obscurs et les agacent.
BAUDELAIRE, les Fleurs du mal, Spleen et Idéal, LII.

(...) ses jambes longues et blondes et magnifiquement déliées et musclées, des jambes nobles. CÉLINE, Voyage au bout de la nuit, p. 209. 10

Position des jambes. Plier, fléchir, tendre, allonger les jambes. Être couché les jambes allongées (→ Aigu, cit. 2); *être assis les jambes pendantes* (→ Endormir, cit. 33), *ballantes* (cit. 1). *Être assis jambe de-ci* (ou *de-çà*) *jambe de-là* (⇒ **Califourchon**). *Être assis les jambes pendantes* (ne touchant pas le sol). *Serrer qqch. entre ses jambes, entre les jambes. Croiser* (cit. 2), *décroiser les jambes* (→ Asseoir, cit. 17). *Écarter, écarquiller* (cit. 4) *les jambes. Jambes écartées* (→ Appui, cit. 1; étrier, cit. 6). — *Tomber les jambes en l'air* [leʒɑ̃bɑ̃lɛʀ] → ci-dessous le sens fig. → fam. Les quatre fers* en l'air.

(...) une jambe étendue et l'autre un peu repliée, dans une pose pleine de grâce et d'abandon (...) Th. GAUTIER, Mlle de Maupin, IV. 11

Rôle des jambes dans la station debout (⇒ **Appui**), *la marche, la course* (→ Extension, cit. 1), *la danse* (→ Assemblé, cit.; entrechat, cit. 3). *Courir de toute la vitesse de ses jambes* (→ Intention, cit. 13). → À grandes enjambées*. *Se dandiner* (cit. 3) *d'une jambe sur l'autre. Girls* (cit. 2) *qui lèvent la jambe. Sa jambe s'est enfoncée jusqu'au genou* (cit. 4) *dans la terre.*

Avoir de bonnes jambes (⇒ **Ingambe**), *de mauvaises jambes :* marcher, courir facilement ou non. *Personne solide, assurée* (cit. 64), *bien d'aplomb* (cit. 12), *bien campée sur ses jambes.* — *Jambe malade, cassée, démise* (→ Aventure, cit. 11; bandage, cit. 2; haut, cit. 62). *Jambes paralysées* (⇒ **Paraplégie**), *atrophiées. Avoir les jambes inégales.* ⇒ **Bancal, boiteux** (→ Patte* folle). *Boiter* (cit. 1) *d'une jambe. Tirer, traîner la jambe* (→ Débandage, cit. 2). *Jambe amputée; personne amputée d'une jambe.* ⇒ **Unijambiste.** *Homme sans jambes.* ⇒ **Cul-de-jatte, tronc** (homme-tronc). — *Avoir les jambes raides, gonflées par la fatigue* (cit. 10), *ankylosées* (cit. 2). *Se dérouiller, se dégourdir les jambes.* — (La force dans les jambes étant liée à l'état général de l'individu). *Avoir les jambes molles, lourdes.* Fam. *Avoir les jambes pâles.* — Loc. fam. *Avoir les jambes comme du coton, les jambes en pâté de foie.* — *Jambes qui fléchissent* (cit. 16), *flageolent* (cit. 1). → Faiblesse, cit. 10. *Ses jambes le trahissent, ne peuvent plus le porter, se dérobent sous lui. L'émotion coupe, amollit* (cit. 2) *les jambes.*

Ses jambes plus molles que coton ployèrent sous lui (...) 12
Th. GAUTIER, le Capitaine Fracasse, X.

12.1 Robert, comme un jeune chat, grimpa un talus fort à pic, et arriva le premier à la crête supérieure, au désespoir de Paganel, humilié de voir ses grandes jambes de quarante ans vaincues par de petites jambes de douze ans.
J. VERNE, les Enfants du capitaine Grant, II, VI, p. 83.

13 (...) je sens mes jambes qui tremblent encore de l'horrible vision que je viens d'avoir (...) Alphonse DAUDET, le Petit Chose, II, XIV.

14 (...) j'allais m'évanouir, mes jambes ne me portaient plus.
R. RADIGUET, le Diable au corps, p. 22.

15 (...) les soldats pénétrèrent bruyamment dans leurs chambrées. Quelques-uns traînaient la jambe. Ils se hâtèrent de chausser leurs espadrilles.
P. MAC ORLAN, la Bandera, VI.

Trembler, vaciller sur ses jambes. Ne plus pouvoir se tenir sur ses jambes. Être, se sentir faible sur ses jambes.

Loc. fam. *Avoir les jambes qui rentrent dans le corps :* être épuisé pour avoir trop marché. → ci-dessous Avoir dix kilomètres dans les jambes.

15.1 Les jambes me rentrent dans le corps (...) mais au moins je me suis promené.
Ch. PAUL DE KOCK, la Grande Ville, t. I, p. 230. (éd. 1842).

Loc. *Jouer des jambes :* partir en courant.

À TOUTES JAMBES : le plus vite possible (en parlant d'une personne qui court). *Courir à toutes jambes* (→ Battre, cit. 27; évaltonner [s'], cit.). *Partir, fuir* (cit. 2), *s'enfuir* (cit. 2) *à toutes jambes* (→ Épouvanter, cit. 13; héros, cit. 21). → Mettre les cannes*.

(1690, Furetière). *Prendre ses jambes à son cou** : partir, s'enfuir sur l'heure en courant (les jambes paraissant atteindre la hauteur du cou lorsqu'on court très vite).

16 Alors, se voyant dans la basse-cour, il a pris ses jambes à son cou, et ne savait où donner de la tête. Mme DE GENLIS, *in* LITTRÉ.

17 (...) ils repartirent à toutes jambes, évidemment pour avertir leurs camarades, ou la police, ou peut-être ameuter les gens du prochain village.
LOTI, les Désenchantées, II, VI.

17.1 Pense un peu! Un contre mille!... Salut!... Mes jambes à mon cou.
CÉLINE, Guignol's band, p. 137.

Fam. *Avoir dix kilomètres dans les jambes :* avoir parcouru dix kilomètres. — Fam. *En avoir plein les jambes :* avoir trop marché, être fatigué. — Syn. : *plein les pattes, plein les guibolles.* — *N'avoir plus de jambes :* ne plus avoir la force de marcher.

18 Je voudrais bien savoir ce que vous pensez faire d'un maître à danser à l'âge que vous avez... Est-ce que vous voulez apprendre à danser pour quand vous n'aurez plus de jambes? MOLIÈRE, le Bourgeois gentilhomme, III, 3.

19 En hiver, les pédestrians qui ont déjà quinze kilomètres dans les jambes arrivent, vers une heure, sur les Vaux-de-Cernay (...) COLETTE, Belles saisons, p. 12.

(1907, Rolland). *Avoir des jambes de vingt ans :* avoir encore de bonnes jambes. *Ah, je n'ai plus mes jambes de vingt ans.*

20 Le vieux Schulz avait le cœur inondé de bonheur; il respirait sans oppression, et il avait des jambes de vingt ans.
R. ROLLAND, Jean-Christophe, La révolte, p. 561.

Loc. fig. et littér. *Avoir de la jambe,* de l'allure.

20.1 (Il était très bien Langlois : des moustaches fines, un beau plastron, de la jambe; il savait parler; et pas fainéant).
J. GIONO, Un roi sans divertissement (L. de poche), p. 45.

Donner des jambes (à qqn) : donner la force de marcher (en parlant d'une émotion, d'un sentiment). *La crainte, la peur donne des jambes* (→ Donner des ailes*; et aussi ingambe, cit. 1).

BELLE JAMBE. *Faire la belle jambe :* mettre ses jambes en valeur (dans la manière qu'on a de marcher); par ext. (vx) faire le beau. — Loc. (Av. 1857, E. Sue, *in* D. D. L.). Fig. Mod. *Faire une belle jambe à qqn :* ne servir à rien (en parlant d'un avantage qui n'est qu'apparent). *Il m'a assuré de son estime, cela me fait une belle jambe!* Dans le même sens (vx). *Rendre la jambe mieux faite (à qqn).*

21 Plût à Dieu l'avoir tout à l'heure, le fouet (...) et savoir ce qu'on apprend au collège! — Oui, ma foi! cela vous rendrait la jambe bien mieux faite.
MOLIÈRE, le Bourgeois gentilhomme, III, 3.

22 — (...) le cardinal André, en te proposant sa voix, t'a affirmé dernièrement encore que tu avais derrière toi toute l'Église. — Voilà qui me fait une belle jambe.
GIDE, les Caves du Vatican, I, 2.

Loc. fam. (connotant l'érotisme). *Lever la jambe, avoir souvent la jambe en l'air, les jambes en l'air :* être de mœurs légères (le sujet désigne une femme). ⇒ **Cuisse.** — *Partie de jambe(s) en l'air :* ébats sexuels. → Lombaire, cit.

(1904, *in* Petiot). Sports. *Jeu de jambes :* mouvements des jambes adaptés aux besoins du sport pratiqué, pour le meilleur résultat possible (dans les sports où les bras jouent le rôle principal : boxe, tennis...). *Avoir un bon jeu de jambes. Jeu de jambes rapide, précis.*

22.1 C'est (...) avant tout le reste, un bon jeu de jambes qui fait le champion.
Henri COCHET, le Tennis, p. 53.

(1932, *in* Petiot). **EN JAMBES.** *Être en jambes :* avoir les jambes souples et fortes, être en forme pour ce qui est des jambes (en particulier, dans les sports où le train inférieur est très sollicité). *Joueur de tennis, skieur, coureur cycliste qui se sent en jambes, qui est en jambes. «Au programme : cinq sommets de plus de 3 000 mètres. Évidemment, il faut être bon skieur, être en jambes et se lever tôt le matin pour participer. Bref, le soir, on est heureux de quitter les skis pour dormir»* (le Point, 5-11 déc. 1983, p. 183). *Se mettre en jambes :* s'échauffer les jambes, le train inférieur.

RONDS DE JAMBE : mouvement gracieusement arqué des jambes que l'on fléchit. *Faire des ronds de jambe. Saluer avec des ronds de jambe.* — Fig. *Faire des ronds de jambes :* faire beaucoup de manières en vue de plaire.

Être dans les jambes de qqn, entre ses jambes, trop près de lui, et, par ext., sur son chemin. *Ne restez pas dans nos jambes, vous nous gênez. Chien qui se jette dans les jambes de qqn* (→ Élancer, cit. 6).

Les petits, Laure et Jules, toujours dans ses jambes, l'occupaient, le chatouillaient au cœur. ZOLA, la Terre, IV, II. 23

Jusqu'à quand le trouverai-je dans mes jambes, celui-là! (...) 24
COLETTE, la Vagabonde, p. 236.

Jeter le chat aux jambes de qqn. ⇒ **Chat** (cit. 11). → Calviniste, cit. 4.

Fam. **TENIR LA JAMBE À (qqn),** le retenir plus qu'il ne le souhaiterait par les discours, les confidences... qu'on lui impose. *Il m'a tenu la jambe jusqu'à midi.* ⇒ **Jamber.**

Vieilli. *N'aller que d'une jambe,* se dit d'une affaire qui marche mal. Var. *Aller d'une jambe, sur une jambe.*

Vx. *Rompre bras et jambes (à qqn),* le rouer de coups.

(1885, *in* Petiot). *Casser, couper bras et jambes.* ⇒ **Bras** (*supra* cit. 18).

Ces émotions me coupent les jambes. Asseyons-nous. 24.1
Françoise SAGAN, Bonjour tristesse, p. 106, *in* T. L. F.

PAR DESSOUS LA JAMBE. — Vx. *Jouer qqn par-dessous la jambe,* obtenir aisément l'avantage sur lui. — (1671, Molière). Vx. *Traiter qqn par-dessous la jambe,* en faisant peu de cas de sa personne.

(...) je les aurais joués tous deux par-dessous la jambe (...) 25
MOLIÈRE, les Fourberies de Scapin, I, 2.

Mod. **PAR-DESSUS LA JAMBE.** *S'acquitter de ses fonctions par-dessus la jambe,* de façon désinvolte, peu consciencieuse.

(1931). *Tirer dans les jambes de qqn,* lui nuire*, généralement par des moyens détournés, de façon peu loyale.

(...) répondre à l'appel de nos amis anglais, comme nous faisons toujours dès qu'ils s'interrompent de nous tirer dans les jambes (...) 25.1
F. MAURIAC, Bloc-notes 1952-1957, p. 264.

Ellipt. Fam. et vieilli (cit. de P. J. Toulet, 1920, *in* T. L. F.), probablt de *tenir la jambe* ou de *jamber. La jambe :* ça suffit (→ La barbe*). — Adj. Vx. *Être jambe,* ennuyeux. *«Elle le trouve trop jambe»* (P. Morand, 1933, *in* T. L. F.).

♦ **2.** (Fin XVIe). *Jambe de bois* (fam. ou régional *jambe en bois*) : prothèse en bois adaptée au moignon d'un amputé, et qui remplace ce membre ou le segment de membre perdu. ⇒ **Pilon** (→ Enflammer, cit. 5). — *Jambe artificielle, articulée :* appareil de prothèse articulé qui est préféré de nos jours à la jambe de bois.

C'est ainsi qu'il déboursa trois cents francs pour une jambe de bois dont elle jugea convenable de faire cadeau à Hippolyte. Le pilon en était garni de liège, et il avait des articulations à ressort, une mécanique compliquée recouverte d'un pantalon noir, que terminait une botte vernie. FLAUBERT, Mme Bovary, II, XII. 26

Loc. fam. (1808). *C'est un cautère** (cit. 2), *un emplâtre sur une jambe de bois,* un remède inefficace.

L'un ou l'autre, d'ailleurs, c'est le même emplâtre sur une jambe de bois. 27
ZOLA, la Terre, V, IV.

♦ **3.** [a] Patte (des animaux, surtout des quadrupèdes). ⇒ **Patte.** *Les jambes courtes du cochon* (→ Grogner, cit. 2). *Les jambes fines de la gazelle* (cit.). *Taille disproportionnée des jambes de la gerboise* (cit.), *de la girafe* (cit. 1). *Le lynx est bas* (1. Bas, cit. 3) *sur ses jambes. Chien qui lève la jambe.* — (Oiseaux). *Les longues jambes du jobiru* (cit. 2).

(...) je ne voudrais pas jurer que quelques-uns de ces maudits chiens ne levassent la jambe et ne pissassent contre les orgues renversées, ces animaux étant fort diurétiques de leur nature (...) SCARRON, le Roman comique, I, XV. 28

[b] (1080, premier sens attesté). Spécialt. Partie des membres postérieurs (du cheval*), entre le fémur et l'astragale, qui correspond à l'avant-bras des membres antérieurs. ⇒ **Gigot.** — Par ext. *Jambe de devant :* avant-bras (→ Encenser, cit. 4; entamer, cit. 15). *Un cheval de course à jambe très longue. Étrivières* (cit. 2) *qu'on passe aux jambes des pouliches.*

La jambe se trouve placée entre la cuisse et le jarret : les os qui la supportent sont le tibia et le péroné (...) C'est une région très osseuse, avec des tendons mais peu de muscles. Mal protégée de ce fait elle est vulnérable (coups de pieds, fêlures, fractures). Raymond AMIOT, le Cheval, p. 33. 29

[c] (Bouch.). *Jambe de bœuf* (⇒ **Jarret**), *de porc* (⇒ **Jambonneau**).

[d] Zool. Chez les oiseaux, Tibia et tarse. Chez les insectes, Tibia. — Dernier article des pattes, chez plusieurs articulés.

♦ **4.** (1879, *in* D. D. L.). *Jambe d'une culotte, d'un pantalon :* chacune des deux parties qui couvrent les jambes (au sens large), comme les manches couvrent les bras. *Il faut allonger la jambe droite.*

★ **II.** (Par anal. de forme ou de fonction). ♦ **1.** Objet, partie qui soutient. *Les jambes d'un compas* (⇒ **Branche**), *d'un siphon.*

Partie située entre la paraison (2.) et le pied (d'un verre). *Jambe pleine, creuse, unie, renflée.*

Charpent. Étai oblique d'une ferme qui soulage l'entrait et soutient le mur. *Jambe sous-poutre :* chaîne de pierre de taille ou de maçonnerie destinée à renforcer un mur à l'endroit où il supporte une poutre. ⇒ **Jambage.** *Jambe boutisse, jambe étrière.*

(Autom.). Tige reliant l'essieu au cadre du châssis.

Aviat. Support (d'un train d'atterrissage).

♦ **2.** Mar. *Jambe de chien :* nœud particulier destiné à raccourcir un cordage.

♦ **3.** *Jambe de maille :* fil qui forme un des côtés d'une maille. — *Jambe :* aile d'un verveux.

DÉR. **Jambage, jambart, jambé, jambée, jambelet, jamber, jambette, jambier, jambière, jambin, jambon.**

COMP. **Croc-en-jambe, enjamber, entre-jambes, mi-jambe** (à), **unijambiste.**

JAMBÉ, ÉE [ʒɑ̃be] adj. — 1582 ; de *jambe,* et suff. *-é.*

♦ Vx ou par plais. (Ne s'emploie que dans les expressions *bien jambé, mal jambé*). Qui a la jambe bien faite, mal faite. *Enfant bien jambé.*

1 (...) les petites señoritas, vives comme le vif-argent, et déjà jambées de mollets de danseuses (...) Ed. et J. DE GONCOURT, Journal, 22 juil. 1867.

2 Dans le grand miroir enguirlandé de fouets et de cravaches, elle se vit pâle, haute et bien jambée. COLETTE, Julie de Carneilhan, p. 206.

JAMBELET [ʒablɛ] n. m. — 1877 ; de *jambe,* d'après *bracelet.*

♦ Rare. Bijou en anneau que l'on porte à la jambe, homologue du bracelet pour le bras.

JAMBER [ʒɑ̃be] v. tr. — Déb. XXe (1901, Bruant) ; de *(tenir la) jambe,* et suff. verbal.

♦ Pop. et vx. Importuner (qqn).

Heureusement qu'i' nous parle pas des ouvriers d'usine qu'ont fait leur apprentissage à la guerre et d'tous ceux qui sont restés chez eux sous des prétextes de défense nationale mis sur pattes en cinq sec! murmura Tirette. I' nous jamberait avec ça jusqu'à la Saint-Saucisson. H. BARBUSSE, le Feu, t. I, 1, IX, p. 54.

JAMBETTE [ʒɑ̃bɛt] n. f. — XIIIe, « jambe (d'une femme) » ; de *jambe,* et *-ette (-et).*

♦ **1.** (1538). Vx ou par plais. Petite jambe. ⇒ **Gambette.** — Loc. *Donner la jambette à qqn* (vx), lui faire un croc-en-jambe*.

♦ **2.** (1622). Régional. Petit couteau de poche à lame rentrante.

♦ **3.** (V. 1400). Techn. Petite pièce de bois verticale pour soutenir quelque partie de la charpente.

La maison, dont les formes furent renforcées par des jambettes et des arcs-boutants, put dès lors supporter des poids considérables, car elle était pour ainsi dire casematée. J. VERNE, le Pays des fourrures, t. II, p. 234.

N. f. pl. (1831). Mar. Montants , bouts d'allonges qui dépassent le plat-bord d'un bâtiment, et sur lesquels on tourne des manœuvres.

JAMBIER, IÈRE [ʒɑ̃bjeʀ, jɛʀ] adj. et n. — V. 1560, Paré, n. m. ; adj., 1611, Cotgrave ; 1409, au sens 2 ; de *jambe,* et *-ier.*

♦ **1.** Anat. Relatif à la jambe. *Muscles jambiers. Aponévrose jambière.* — N. m. *Le jambier antérieur et le jambier postérieur,* les deux muscles jambiers. ⇒ **Tibial.**

♦ **2.** N. m. (1409). Boucherie. Pièce de bois courbe servant à maintenir écartées les jambes postérieures d'une bête abattue.

♦ **3.** N. m. (1803). Techn. Étrier de cuir qui s'attache aux jambes et sert à grimper.

JAMBIÈRE [ʒɑ̃bjɛʀ] n. f. — 1203 ; de *jambe.*

♦ **1.** Pièce d'armure qui recouvre la jambe et parfois le genou. ⇒ **Jambard.** *Jambière de métal. Jambière grecque, romaine.* ⇒ **Cnémide, jambard.**

♦ **2.** (1851, Nerval, *in* T. L. F.). Pièce du vêtement, de l'équipement qui enveloppe et protège la jambe. ⇒ **Chausse** (vx), **gamache** (vx), **guêtre, houseau, leggings.** *Jambières de toile, de drap, de cuir.*

(...) les Askris apparurent, bien minablement vêtus avec leurs vestes kaki, leurs jambières dépareillées, et des godillots trop larges pour leurs jambes maigres et nerveuses de grands garçons mal nourris (...) Jérôme et Jean THARAUD, Marrakech, VIII.

Spécialt. *Jambières renforcées de métal, de bois, des joueurs de hockey, de rugby* (→ Casque, cit. 2). — Gymnastique, danse. Pièce tubulaire de tricot qui couvre la jambe de la cheville au genou ou à mi-cuisses, et qui conserve les muscles de la jambe au chaud.

JAMBIN [ʒɑ̃bɛ̃] n. m. — 1723 ; de *jambe,* suff. *-in.*

♦ Techn. (pêche) et régional. Filet, nasse allongée.

JAMBON [ʒɑ̃bɔ̃] n. m. — Fin XIIIe ; de *jambe.*

A. ♦ **1.** Cuisse ou épaule de porc que l'on sale et que l'on prépare pour être conservée. *Jambons crus* (*jambon de Parme, de Westphalie, de Mayence, de Bayonne, des Alpes, de Savoie...* ellipt. du Parme, du Bayonne...). *Jambons de pays :* jambons crus de provenance rurale. *Jambon d'Auvergne, du Morvan. Jambon persillé*.* — *Jambon à l'os :* préparé et présenté avec son os (la plupart des jambons, notamment des jambons cuits, étant désossés). *Jambons fumés. Jambons cuits, fumés ou non* (*jambon d'York,* 1859 ; *jambon de Paris, jambon blanc...*). *Jambon de montagne espagnol* (serrano). Techn. (charcuterie). *Préparation des jambons :* grattage, dégraissage, découennage, désossage, salage, fumage, cuisson. *Jambon de derrière, de devant. Le maigre, le gras du jambon. Couenne de jambon. Jambon consommé froid, chaud ; en tranches, en pâté* (→ Foie, cit. 2). *Sandwich au jambon. Œufs, omelette au jambon. Jambon au madère. Acheter un jambon, du jambon. Foire aux jambons.*

(Il) mangeait volontiers salé. À cette fin, *(il)* avait ordinairement bonne munition de jambons de Mayence et de Bayonne (...) RABELAIS, Gargantua, III. 1

De quand sont vos jambons? Ils ont fort bonne mine. LA FONTAINE, Fables, IV, 4. 2

Du jambon tiède dans un plat colorié, 3
Du jambon rose et blanc parfumé d'une gousse
D'ail (...) RIMBAUD, Poésies, XIX.

(...) un jambon ordinaire d'un rose pâle, un jambon d'York à la chair saignante, sous une large bande de graisse. ZOLA, le Ventre de Paris, t. II, p. 75. 3.1

Elle mord à même une lame de jambon maigre, serrée entre deux biscottes (...) COLETTE, la Chatte, p. 30. 4

(Le baron Hachamoth) opta pour une rétrospective du bon déjeuner qu'il venait de faire. La saveur du jambon lui revint aussitôt à la mémoire, dominante, avec toutes ses variations du gras marginal, qu'il absorbait malgré les ordonnances, jusqu'à la noix centrale et compacte. Il essaya de retrouver dans ses souvenirs une tranche équivalente et n'en trouva de meilleure que celle qu'il avait mangée à Saulieu à l'hôtel de la Côte-d'Or. R. QUENEAU, les Enfants du limon, II, XXV. 4.1

Par anal. *Jambon de sanglier, d'ours, de renne.*

REM. Les emplois absolus de *jambon* désignent souvent le jambon cuit dit *jambon de Paris (Une tranche de jambon ; un sandwich jambon beurre),* les autres types de jambon étant désignés explicitement.

Par comparaison :

Quelques tranches de nuages roses et bruns qui restent encore dans le ciel ont la couleur innocente et saine du jambon fumé. PROUST, Jean Santeuil, Pl., p. 365. 5

♦ **2.** (XVe). Fam. et fig. Cuisse. *Il, elle a de gros jambons. Exposition de jambons sur la plage.*

♦ **3.** (1768). Vx. Coquillage bivalve. Syn. : *jambonneau.*

Loc. fig. (fam.) *Yeux bordés, encadrés de jambon,* aux paupières rougies, éraillées.

B. (1852, Gautier). Fam. et vx. Guitare, violon. *Gratter, racler le jambon. « Un racleur de jambon »* (Queneau, *Loin de Rueil,* p. 176, *in* T. L. F.).

DÉR. **Jambonné, jambonneau, jambonnette.**

JAMBONNÉ, ÉE [ʒɑ̃bɔne] adj. — 1891, Huysmans ; de *jambon.*

♦ Vieilli. Fumé, noirci (comme un jambon fumé).

Figuré (ici, emploi passif, supposant un verbe *jambonner*) :

L'oncle Ganse, un être aussi gentiment démodé, un bibelot de prix, enfin juste de quoi tourner la tête au vieux maître, jambonné par trente-cinq ans de vie littéraire. BERNANOS, Un mauvais rêve, *in* Œ. roman., Pl., p. 885.

JAMBONNEAU [ʒɑ̃bɔno] n. m. — 1606 ; de *jambon.*

A. ♦ **1.** Petit jambon fait avec la partie de la jambe du porc située au-dessous du genou.

Les jambonneaux désossés venaient au-dessus, avec leur bonne figure ronde, jaune de chapelure, leur manche terminé par un pompon vert. 1
ZOLA, le Ventre de Paris, t. I, p. 55-56.

Le menu (...) comportait de fondants jambonneaux de cochon cuits en pot-au-feu, habillés de leur lard rosé et de leur couenne, mouillés de leur bouillon qui fleurait un peu le céleri (...) COLETTE, l'Étoile Vesper, p. 13. 2

♦ **2.** (1894). Fam. Cuisse (humaine). ⇒ **Jambon.**

♦ **3.** (1742, Arveiller). Coquillage du genre *pinna.*

B. (1879, Huysmans). Fam. et vx. Guitare. *« Il pinçaient du jambonneau »* (Huysmans). ⇒ **Jambon,** B.

JAMBONNETTE [ʒɑ̃bɔnɛt] n. f. — D.i. (mil. XXe) ; de *jambon,* suff. diminutif *-ette.*

♦ Cuis. Plat de viande (de volaille...) présentée roulée comme un petit jambon. *« Quant aux viandes, on aura le choix entre le magret de canard* (...) *la jambonnette de poulette à la vapeur de marjolaine »* (*l'Express,* 21 mars 1981, p. 62).

JAMBOREE [ʒɑ̃bɔʀi] n. m. — 1910 ; mot angl., d'abord « fête bruyante », du hindi.

♦ Réunion internationale de scouts*. Au plur. *Des jamboree* ou *des jamborees* [deʒɑ̃bɔʀi].

(...) on décida (...) de favoriser (...) dans les Jamboree les contacts fraternels entre garçons de pays différents. Ce sont désormais d'immenses camps, où chaque délégation s'efforce de montrer ce que le scoutisme a su produire de mieux dans sa patrie : installations pleines d'ingéniosité, de confort et d'élégance dues à l'habileté et à l'imagination des garçons, démonstrations grandioses ou pittoresques au théâtre, aux feux de camp ou à l'arène, dans lesquelles on s'efforce de faire revivre l'histoire nationale ou les traditions populaires, chants, danses, mimes, etc. Les grands défilés de tous les participants sont une des principales attractions des Jamboree : si les rangs n'ont pas toujours la rectitude des parades militaires, en revanche le chatoiement des étendards, des fanions, des costumes bigarrés des éclaireurs, l'enthousiasme des garçons, qui se traduit par des cris et des hurras interminables, le plaisir visible qu'ils ont à sentir le coude à coude de tant de nations, tout contribue à faire de ces rallyes un spectacle sans pareil.
Henri VAN EFFENTERRE, Histoire du scoutisme, p. 88.

JAMBOSE [ʒɑ̃boz] ou **JAMEROSE** [ʒamʀoz] n. m. — 1602, *jambos*, au sens 2; *jambose*, 1787, cit.; du lat. bot. *jambos* (→ Jambosier), et *rose*.

♦ **1.** Vx. Jambosier (ou jamerosier).

Un cercle d'orangers, de bananiers et de jamroses, plantés autour d'une pelouse (...) BERNARDIN DE SAINT-PIERRE, Paul et Virginie, p. 47.

♦ **2.** Fruit du jambosier ou jamerosier. ⇒ **Jambose.**

JAMBOSIER [ʒɑ̃bozje] ou **JAMEROSIER** [ʒamʀozje] n. m. — 1789; *jamerosier* ou *jamrosier*, 1832, G. Sand, d'après *rosier; jambos*, 1602; lat. bot. *jambos*, du port., malais *djambou*.

♦ Bot. Plante dicotylédone, arbre ou arbrisseau exotique *(Myrtacées)* à grandes fleurs et à grosses baies rouges comestibles sentant la rose (d'où leur nom de *pommes de rose*). ⇒ **Jambose;** → la forme Jam(e)rose.

JAM-SESSION [dʒam sesjɔ̃; dʒam seʃən] n. f. — V. 1935; mot amér., de *jam* «marmelade», et *session* «réunion, séance».

♦ Anglic. Réunion de musiciens de jazz qui improvisent. ⇒ argot **Bœuf.** *Enregistrement d'une jam-session. « Le jazz salué par l'Afrique. Dommage que l'orchestre soit remplacé par des bandes enregistrées, remarquables, d'ailleurs : les beaux moments de danse du spectacle pourraient devenir jam-sessions endiablées»* (*l'Express*, nº 1585, 20-26 nov. 1981, p. 23). — Abrév. *Une jam.*

J'étais donc très excitée en arrivant au concert Armstrong, surtout que les organisateurs avaient annoncé que ce serait une jam-session.
Marie CARDINAL, les Mots pour le dire, p. 52.

1. JAN [ʒɑ̃] n. m. — XIIIe, *jaam; gean*, déb. XVe; var. de *ajonc*, mot préroman.

♦ Régional (Normandie, Bretagne). Ajonc. ⇒ aussi **Jaugue.**

HOM. Gens, gent, 2. jan.

2. JAN [ʒɑ̃] n. m. — 1510; orig. incert., p.-ê. du prénom *Jean*, pour des raisons inconnues.

Jeux.

♦ **1.** Coup, qui, au trictrac, fait perdre ou gagner des points.

♦ **2.** (1752). Chacune des deux tables du jeu de trictrac*. *Petit jan, grand jan.*

HOM. Gens, gent, 1. jan.

JANGADA [ʒɑ̃gada] n. f. — 1848, Jal; mot portugais (1504), du malayalam (langue dravidienne du Sud de l'Inde) *šangādam, xangādam* «radeau».

♦ Radeau de bois très léger portant une cabane d'habitation et utilisé pour la pêche sur les rivières ou les côtes, dans le Nord du Brésil et au Pérou. *La Jangada*, roman de J. Verne.

JANGAG [ʒɑ̃gag] n. m. — 1873, Larousse; probablt d'une langue de l'Inde.

♦ Rare. Toile de coton fabriquée en Inde.

JANIE [ʒani] n. f. — 1873, P. Larousse; de *Janus* «le dieu à double face», à cause du genre ambigu de ce végétal.

♦ Bot. Algue rouge *(Floridés cryptonémiacées)* à fronde filiforme et calcifiée.

JANIN [ʒanɛ̃] n. m. — 1622; *jannain, genin*, 1566; de *Jean*, prénom courant qui a pris comme *Jacques* des valeurs péj. → Jean-foutre.

♦ Vx. Homme trompé. — Spécialt. Mari trompé.

JANISSAIRE [ʒanisɛʀ] n. m. — 1546; *jehanicere*, 1457; ital. *giannizzero*, du turc *yenī tcherī* «nouvelle milice», de *tcheri (čeri)* «troupe».

♦ **1.** Hist. Soldat d'élite de l'infanterie turque, appartenant à la garde du sultan. *L'odjak, milice des janissaires instituée au* XIVe *siècle. Hallebarde* (cit. 1) *des janissaires.*

(...) le Grand Seigneur environné, dans son superbe sérail, de quarante mille janissaires. PASCAL, Pensées, II, 82. 1

Les janissaires lui disaient *(à Desgranges)*, et c'est l'opinion commune dans le peuple, que le sultan a quatorze hommes à tuer par jour. 1.1
E. DELACROIX, Journal, 28 déc. 1850.

Par compar. (Péj.) :

Ce François Ier avec son grand nez de janissaire est une des figures les plus sinistres de l'histoire, digne d'un Henri VIII. P. CLAUDEL, Journal, mars 1933. 1.2

♦ **2.** Fig. et vieilli. Satellite d'une autorité despotique.

(...) les jésuites (...) ces *prétoriens* ou janissaires du Saint-Siège, devenus odieux au Saint-Siège même, et proscrits par lui avec opprobre (...) 2
D'ALEMBERT, Éloge d'Olivet, Note 1.

JANOTERIE [ʒanɔtʀi] n. f. — 1800, *in* Wartburg; de *Janot*. → Janotisme, et aussi janin.

♦ Vx. Niaiserie, stupidité.

JANOTISME ou **JEANNOTISME** [ʒanɔtism] n. m. — 1829, *jeannotisme; janotisme*, 1779; de *Janot* ou *Jeannot*, nom d'un personnage de théâtre de la fin du XVIIIe, type de l'ingénu niais et ridicule.

Vieux.

♦ **1.** Simplicité niaise. ⇒ **Sottise.**

♦ **2.** Construction vicieuse de la phrase donnant lieu à des amphibologies grotesques (ex. : *elle offrit des crêpes à ses invités qu'elle avait fait sauter elle-même*).

Le *mauvais* français n'est souvent que du néo-français qui n'ose pas dire son nom. En soulignant ce qu'ils jugent être des fautes, des erreurs, etc. (...) on ne peut que faciliter la tâche de ceux qui veulent conserver au français classique toute sa pureté. Je ne reculerai même pas à l'occasion devant l'homologation des pataquès, cuirs, velours, impropriétés, janotismes, quiproquos, lapsus, etc. Il y a peu de fautes stériles. *Pipe en écume de mer* est plus «poétique» que *pipe de Kummer* (à supposer que cette étymologie soit la bonne)...
R. QUENEAU, Bâtons, chiffres et lettres, p. 69.

JANSÉNIEN, IENNE [ʒɑ̃senjɛ̃, jɛn] adj. — 1752, Trévoux; du nom de *Jansen*. → Jansénisme.

♦ Vx ou hist. Qui a rapport à Jansen, au jansénisme. *« La faction janséniennne »* (Sainte-Beuve). ⇒ **Janséniste.**

JANSÉNIQUEMENT [ʒɑ̃senikmɑ̃] adv. — Av. 1872, Gautier; du rad. de *janséniste*.

♦ Rare. D'une manière janséniste, austère.

JANSÉNISME [ʒɑ̃senism] n. m. — Mil. XVIIe (*in* Richelet, 1680); de *Jansénius*, nom lat. de Corneille *Jansen* (1585-1638), évêque d'Ypres, suff. *-iste*.

♦ **1.** Théol. Doctrine de Jansénius sur la grâce* et la prédestination*; mouvement religieux et intellectuel animé par les partisans de cette doctrine. ⇒ aussi **Augustinisme.** *Selon le jansénisme, la grâce du salut n'est accordée qu'aux seuls élus. Hostilité de Louis XIV au jansénisme* (→ Apparent, cit. 3). *Le jansénisme, hérésie* condamnée par la bulle* Unigenitus (1713). *Morale austère du jansénisme. Port-Royal, berceau* (cit. 12) *du jansénisme. La querelle du jansénisme et du molinisme, illustrée par les* Provinciales *de Pascal* (1656). *Le* Port-Royal *de Sainte-Beuve, tableau du jansénisme* (→ Instructif, cit. 3). *Aspects politiques du jansénisme au* XVIIIe *siècle* (opposition à l'influence des jésuites).

Le Péché originel comme il *(le jansénisme)* l'entendait, la déchéance complète de la nature, l'impuissance radicale de la volonté, la Prédestination enfin, composaient, non pas un système de défense, mais un défi contre la philosophie et les opinions survenantes toutes flatteuses pour la nature, pour la volonté, pour la philanthropie universelle. SAINTE-BEUVE, Port-Royal, Disc. prélim., I, p. 19-21. 1

C'est le Dieu de l'Ancien Testament, surtout, qui mobilisera l'énergie révoltée. Inversement, il faut se soumettre au Dieu d'Abraham, d'Isaac et de Jacob quand on a achevé, comme Pascal, la carrière de l'intelligence révoltée. L'âme qui doute le plus aspire au plus grand jansénisme. CAMUS, l'Homme révolté, p. 443. 2

Par métonymie. *Le jansénisme :* les jansénistes.

♦ **2.** [a] (V. 1840). Morale austère, sévère. ⇒ **Puritanisme.**

Ce reproche rejoint celui que m'adresse Étienne Borne dans Forces Nouvelles où il dénonce notre jansénisme politique, notre rigueur intolérante et qui a tout détruit. F. MAURIAC, le Nouveau Bloc-notes 1958-1960, p. 139. 3

[b] Rigorisme en matière esthétique (art, littérature). *Le jansénisme de l'expression, du style* (→ Janséniste, 2).

DÉR. Janséniste.

JANSÉNISTE [ʒɑ̃senist] n. et adj. — 1656, Pascal; de *Jansénius*. → Jansénisme.

♦ **1.** [a] N. Partisan de la doctrine du jansénisme. ⇒ **Augustinien,** 2. *Les jansénistes et la grâce efficace* (1. Efficace, cit. 8, Pascal). *Les* *convulsionnaires*, jansénistes fanatiques. Les appelants s'opposèrent en 1717 à la bulle Unigenitus qui condamnait les jansénistes. Les luttes entre jésuites et jansénistes.*

1 Les jansénistes accusèrent les jésuites de professer une morale trop relâchée, et affectèrent une excessive pureté de mœurs et de principes ; les jansénistes furent donc en France des espèces de puritains catholiques, si toutefois ces deux mots peuvent s'allier. BALZAC, le Médecin de campagne, Pl., t. VIII, p. 489.

[b] Adj. (Fin XVII[e]). *Parti janséniste* (→ Brûler, cit. 56). *L'esprit janséniste* (→ Constitution, cit. 9).

2 (...) n'est-il pas vrai que, si l'on demande en quoi consiste l'hérésie de ceux que vous appelez Jansénistes, on répondra incontinent que c'est en ce que ces gens-là disent « que les Commandements de Dieu sont impossibles ; qu'on ne peut résister à la Grâce, et qu'on n'a pas la liberté de faire le Bien et le Mal ; que Jésus-Christ n'est pas mort pour tous les hommes, mais seulement pour les Prédestinés et enfin, qu'ils soutiennent les Cinq Propositions condamnées par le Pape ? » PASCAL, Provinciales, XVII.

♦ **2.** (1690). Fig. [a] N. Personne qui fait preuve d'une rigueur extrême (dans ses idées, ses conceptions). « *Ces jansénistes de la peinture et de la poésie* » (→ Forme, cit. 57, Valéry).

[b] Adj. Puritain ; austère, sévère. *Une morale janséniste. Une conception janséniste de l'art.* ⇒ **Ascétique.**

3 (...) sa mère, petite femme toute vive, tout énergique, et qui n'avait rien d'ailleurs de janséniste, sinon la vertu (...) j'ai prononcé ce mot de *janséniste* ; car il est naturel de chercher d'où vint à M. de Mussy cette légère teinte de rigorisme qui distinguait sa religion. SAINTE-BEUVE, Chateaubriand..., t. II, p. 263.

Spécialt. *Christ, crucifix janséniste :* Christ en croix représenté les bras presque à la verticale.

♦ **3.** Techn. *Reliure janséniste* : à l'époque classique (XVIIe-XVIIIe siècles) reliure très sobre, sans ornements.

DÉR. Jansénìquement.

JANSKY [ʒɑ̃ski] n. m. — 1972, in *Encycl. Univ.* ; du nom de Karl G. *Jansky*, qui mit en évidence des ondes électromagnétiques de source extraterrestre, 1933.

♦ Astron. Sous-multiple, utilisé en radioastronomie et radarastronomie, de l'unité de densité de flux, égal à 10^{-26} watts par mètre carré de surface réceptrice dans 1 hertz de bande passante (10^{-26} W. m^{-2}. H_z^{-1}).

Pour illustrer les performances des grands radiotélescopes actuels, il suffit de dire que la densité de flux des plus petites radio-sources actuellement détectables est égale à un centième de jansky (...) Encycl. Universalis, art. *Radioastronomie.*

JANTE [ʒɑ̃t] n. f. — V. 1170 ; d'un lat. *cambita*, puis *gambita*, probablt d'un gaulois **cambita*, de **cambo* « courbé ».

♦ Cercle de bois ou de métal qui forme la périphérie d'une roue*, d'un volant. *Jante réunie au moyeu par des rais. Bandage*, boudin* d'une jante. Pneu* monté sur jante métallique. Jante en une seule pièce. Puits de jante. Jante de sécurité pour pneus sans chambre. Jante plate, jante à bossage.*

Loc. (1903, *in* Petiot). *Sur la jante :* sur un pneu dégonflé. *Arrête-toi, tu as crevé, tu roules sur la jante.* — Fig. Épuisé, « à plat », en parlant d'une personne. *J'ai pas dormi de la nuit, je suis sur la (les) jante(s).*

DÉR. Jantier, jantille.
COMP. Déjanter.

JANTHINE [ʒɑ̃tin] n. f. — 1808 ; lat. sc. *helix janthina*, Linné, de *janthinus*, grec *ianthinos* « violet ».

♦ Zool. Mollusque gastéropode à coquille d'un bleu violet, qui sécrète un mucus dont il entoure des bulles formant flotteur. Syn. cour. : *violet*.*

JANTIER [ʒɑ̃tje] n. m. ou JANTIÈRE [ʒɑ̃tjɛʀ] n. f. — 1763, *jantier ; jantière*, 1783 ; de *jante*, et *-ier, -ière.*

♦ Techn. Instrument pour assembler les jantes et les roues.

JANTILLE [ʒɑ̃tij] n. f. — 1304, *gantille* ; « poteau vertical », 1301, de *jante*, et *-ille.*

♦ Techn. anc. Aube de la roue d'un moulin hydraulique. ⇒ **Palette.**

HOM. Gentille.

JANUS [ʒanys] n. m. — Mot lat., nom d'un dieu *Janus bifrons*, qui présidait aux portes, aux passages. → Janvier.

♦ **1.** Archéol. Porte voûtée servant de passage sur une voie publique romaine.

♦ **2.** Littér. Personnalité qui présente deux aspects très différents, parfois opposés (comme le dieu romain Janus, *bifrons*, c'est-à-dire représenté avec deux visages). *Cet homme est un janus : il est employé de banque, et le soir il est pianiste dans un bar.* — (Aussi pour évoquer la fausseté, la duplicité). Vieilli. *C'est un janus, un vrai janus*, un hypocrite, un fourbe.

JANVIER [ʒɑ̃vje] n. m. — V. 1119, *jenvier* ; du lat. *januarius*, de *Janus*, dieu à qui ce mois était dédié.

♦ Premier mois de l'année (dans le calendrier actuel). *Le 1er janvier*, considéré en Occident comme le premier jour de l'année et le plus souvent férié. → Jour de l'an ; calende, cit. 2. *On célèbre l'Épiphanie* ou fête* (cit. 5) *des Rois le 6 janvier. Dans le calendrier républicain, Nivôse va du 21 décembre au 19 janvier et Pluviôse du 20 janvier au 18 février. Janvier, mois d'hiver** (→ Glace, cit. 7 ; installer, cit. 13). — Loc. *Du 1er janvier à la Saint-Sylvestre :* toute l'année.

Fêtons donc (...) janvier, premier mois qui nous hisse vers une lumière plus généreuse et voit les jours grandir (...) janvier se fait lentement plus clair que décembre (...) Source encore glacée, miroirs gelés, Rois sortant tout raidis d'or des ténèbres de décembre, c'est janvier, en marche vers la Chandeleur, qui détient l'indiscernable futur. COLETTE, Belles saisons, p. 73-74.

Le père janvier, le bonhomme janvier : personnage folklorique analogue au père Noël*.

Loc. fig. Vx. *Un soleil de janvier :* une personne sans énergie.

JAP [ʒap] ou, à l'américaine, [dʒap] n. m. — 1947 ; mot amér., abréviation de l'angl. *Japanese*, « japonais ».

♦ Fam. et péj. (terme à l'origine hostile, parfois raciste, mais parfois simplement condescendant). Japonais.

JAPHÉTIQUE [ʒafetik] adj. et n. — 1826, Balbi, *in* T. L. F. : *langues japhétiques* ; 1840 « indo-européen » ; de *Japhet*, nom du troisième fils de Noé, dans la Bible, considéré comme l'ancêtre des aryens.

♦ **1.** Vx (employé à l'époque de l'affaire Dreyfus, selon le témoignage de Proust). Non juif. ⇒ **Aryen.** *Peuple, nation, race japhétique.* — N. *Un, une japhétique.*

♦ **2.** *Langues japhétiques.* [a] Vx. Langues indo-européennes.

[b] (1924). Se dit de langues appartenant à un groupe hypothétique comprenant les langues caucasiennes, l'étrusque, l'élamite, le basque, les langues asianiques (*théorie japhétique* du linguiste soviétique Marr).

JAPON [ʒapɔ̃] n. m. — 1730 ; « japonais », 1667 ; nom propre du pays.

♦ **1.** Porcelaine du Japon. *Service à thé en japon.* — (1864). Objet en japon. *Une collection de japons anciens.*

♦ **2.** (1879, Mallarmé). Papier de couleur ivoire, originairement fabriqué au Japon avec des fibres de mûrier. *Édition de luxe sur japon impérial.*

Las, un beau jour (...) des japons nacrés et dorés (...) il avait commandé des vergés à la forme, spéciaux, dans les vieilles manufactures de Vire (...) HUYSMANS, À rebours, XII.

♦ **3.** (1902). Bois de teinture rouge.

JAPONAIS, AISE [ʒapɔnɛ, ɛz] adj. et n. — 1589 ; *iapponais*, 1580, *in* D. D. L. ; de *Japon*, nom géographique.

♦ **1.** [a] Adj. Du Japon. ⇒ **Nippon.** *La population, l'économie japonaise. L'art japonais. Un boudoir* (cit. 1) *du style japonais. La cuisine japonaise. Le cinéma japonais. — Une moto, une voiture japonaise. Magnétoscopes japonais. — L'histoire, la tradition japonaise. Les religions japonaises :* bouddhisme et shinto*. *Prêtre, bonze* japonais. — Monnaie japonaise.* ⇒ **Yen.** — *Le folklore japonais est devenu à la mode en Europe occidentale vers la fin du XIX[e] siècle* (⇒ **Honorable, mousmé...**). — *Les minorités japonaises des États-Unis, du Brésil.*

(Dans des expressions). Vx. *Lutte japonaise :* le jiu-jitsu. ⇒ **Judo** (mod.). — *Jardin japonais. Estampes japonaises.*

[b] N. *Un Japonais, une Japonaise.*

[c] N. m. (1873, P. Larousse). *Le japonais*, langue parlée au Japon. *Apprendre le japonais. Traduire un roman du japonais. Le japonais s'écrit à l'aide des caractères empruntés au chinois, de nature idéographique* (⇒ **Kandji**) *et à l'aide de deux syllabaires de nature phonétique* (⇒ **Kana ; hiragana, katakana**).

Adj. *La grammaire japonaise. — Mots japonais empruntés en français* (et désignant des réalités japonaises) : (arts traditionnels : peinture, musique, théâtre...). ⇒ **Biwa, bonsaï, bugaku, bunraku, emakimono, gagaku, haikai, kaiku, ikebana, kabuki, kakémono, kana, kandji, koto, kyogen, makémono, netsuké, nô, shamisen** ; (alimentation) **miso, saké, sashimi, sukiyaki, sushi, tempura, wasabi, yakitori ; hashi** (baguettes) ; (habillement, logement) **inrô, kimono,** 1. **obi, riokan, tatami, tokonoma** ; (sports : arts martiaux ; jeux) **aïkido, dan, go, jiu-jitsu** (pour jujitsu), **judo, karaté, kata, katana, kendo, kyu, kyudo, nunchaku, pachinko, sumo** ; (histoire, traditions) **bakufu, bushi** (et dér.), **daïmio, geisha, hara-kiri, meiji, mikado, ronin, samouraï** (samuraï), **seppuku, shogun**; (religion) **kami, koan, satori, shintô** (et dér.), **torii, zen**; (médecine traditionnelle) **kuatsu.**

♦ **2.** (Dans des loc., appliqué à des objets prétendûment japonais). *Billard* japonais.*

DÉR. Japonaiser, japonaiserie ou **japonerie.**

JAPONAISER [ʒapɔneze] v. tr. — 1873, cit.; de *japonais.*

♦ Rendre japonais, faire ressembler aux Japonais (ou à une chose japonaise). ⇒ **Japoniser.**

Le premier soin de Passepartout, ainsi japonaisé, fut d'entrer dans une « tea-house » de modeste apparence, et là, d'un reste de volaille et de quelques poignées de riz, il déjeuna en homme pour qui le dîner serait encore un problème à résoudre.
J. VERNE, le Tour du monde en 80 jours, p. 195 (1873).

JAPONAISERIE [ʒapɔnɛzʀi] ou **JAPONERIE** [ʒapɔnʀi] n. f. — 1850, Goncourt, *japonaiserie; japonerie,* 1889, Loti; de *japonais* ou *Japon,* et *-erie.*

♦ **1.** Caractère japonais; ensemble des choses japonaises (en art).

1 Le goût de la chinoiserie et de la japonaiserie, ce goût nous l'avons eu des premiers.
Ed. et J. DE GONCOURT, Journal, t. III, p. 180.

♦ **2.** Objet d'art, bibelot de style japonais.

2 Et, à Mlle Claudel qui avait collectionné quelques japonaiseries qu'elle admire de tout son cœur, il apprend qu'elle n'a là que de mauvaises copies de mauvaises choses de la décadence.
J. RENARD, Journal, 19 mars 1895.

3 Des lanternes de papier, des nattes peintes, des ombrelles déployées, tout un étalage de ces japonaiseries alors en pleine vogue (...)
G. DUHAMEL, Chronique des Pasquier, II, X.

JAPONISANT, ANTE [ʒapɔnizɑ̃, ɑ̃t] n. — 1881, Goncourt « personne qui aime et recherche les japoneries »; p. prés. de *japoniser.*

♦ (XXe). Didact. Spécialiste de la langue, de l'histoire ou de la civilisation japonaise.

JAPONISER [ʒapɔnize] v. — 1876, Goncourt, *japonisé,* 1829, dans *épingle japonisée,* « à tête colorée »; de *Japon,* et *-iser.*

♦ **1.** V. intr. Littér. S'intéresser aux choses du Japon, à la culture japonaise.

♦ **2.** (1905, au p. p.). V. tr. Rendre japonais. ⇒ **Japonaiser.** — Pron. *Se japoniser* (Loti, *Madame Chrysanthème*).

DÉR. (Du sens 1) **Japonisant.**

JAPONISME [ʒapɔnism] n. m. — 1876; de *Japon,* et *-isme.*
Rare.

♦ **1.** Goût pour les objets d'art japonais.

♦ **2.** Influence japonaise, en art.

JAPONISTE [ʒapɔnist] n. — 1872; de *Japon,* et *-iste.*

♦ Rare. Amateur ou connaisseur de l'art japonais, de la civilisation japonaise (→ Japonisant).

JAPONITE [ʒapɔnit] n. f. — 1981; de *Japon,* et *-ite,* suff. médical.

♦ Plais. Référence systématique aux réalités japonaises contemporaines (en économie). « *Il n'est pas sûr que (...) nos dirigeants ne vont pas succomber aux poisons de la "japonite aiguë" (...) Ces armées du levant (...) version new-look du "péril jaune" — obsèdent les opinions publiques* » (*le Point,* mars 1981, p. 67).

JAPPAGE [ʒapaʒ] n. m. — 1845; de *japper,* et *-age.*

♦ Rare. Cri de certains animaux (chacal, renard...) rappelant le jappement du chien.

JAPPANT, ANTE [ʒapɑ̃, ɑ̃t] adj. — XVIIe; p. prés. de *japper.*

♦ Rare. Qui jappe. — Qui consiste en jappements, ressemble à un jappement. *Voix jappante.*

JAPPE [ʒap] n. f. — 1704, au sens 2; déverbal de *japper.*
Régional.

♦ **1.** Jappement.

1 Des jappements brisent le calme du plateau. Les chiens sont lancés à fond de train. Ils aboient, mais dans la course et l'excitation, leurs jappes se muent en hurlements. Les chiens sont au comble du bonheur.
Jean-Yves SOUCY, Un dieu chasseur, p. 10. — REM. Roman québécois.

♦ **2.** Fig. Bavardage, loquacité (notamment, agressive).

2 Depuis le départ, ils l'avaient abruti de télégrammes, lui, le Breton laconique qui devait toujours s'arracher les mots de la gorge. — Ils n'ont que de la jappe, conclut-il.
Roger VERCEL, Remorques, p. 76.

JAPPEMENT [ʒapmɑ̃] n. m. — 1529; de *japper,* et *-ment.*

♦ **1.** Action de japper; cri du chien quand il jappe (⇒ **Jappe**). *Le basset « poursuivait les papillons de ses jappements aigus »* (Green).

(...) le basset jaune courait ventre à terre et poursuivait les papillons de ses jappements aigus. 1
J. GREEN, Adrienne Mesurat, II, I.

Cri du chacal, du renard. ⇒ **Glapissement, jappage.**

Fig. et littér. Bruit analogue à un jappement.

(...) les premiers jours, j'avais cru que la voisine avait un chien, à cause du jappement prolongé, presque humain, qu'avait pris un certain tuyau de cuisine chaque fois qu'on ouvrait le robinet. 2
PROUST, le Côté de Guermantes, Pl., t. II, p. 391.

♦ **2.** Fig. et rare. Bavardage bruyant. *Les jappements des mécontents.*

JAPPER [ʒape] v. intr. — 1549; *japer,* mil. XIIIe; orig. obscure, p.-ê. onomatopée.

♦ **1.** Pousser des aboiements aigus et clairs (se dit surtout des jeunes chiens). ⇒ **Aboyer.** *Chien qui jappe et gronde* (cit. 1) *en dormant* (→ Faible, cit. 24).

Mme Lefevre trouva fort beau ce roquet immonde (...) Il ne jappait d'ailleurs que pour réclamer sa pitance; mais, dans ce cas, il jappait avec acharnement. 1
MAUPASSANT, Contes de la bécasse, « Pierrot ».

Top tournait autour de ce trou qui avait été recouvert d'un panneau en bois. Quelquefois même, il cherchait à glisser ses pattes sous ce panneau, comme s'il eût voulu le soulever. Il jappait alors d'une façon particulière, qui indiquait à la fois colère et inquiétude. 2
J. VERNE, l'Île mystérieuse, t. I, p. 293.

Pousser le cri propre à son espèce, en parlant du renard, du chacal, parfois de la hyène. ⇒ **Glapir.**

Sujet n. de chose. Produire un bruit analogue à un jappement.

♦ **2.** (Fin XIVe). Fig. (Personnes). Crier, parler bruyamment de manière déplaisante. ⇒ **Clabauder, criailler.** → Gueule, cit. 9.

DÉR. Jappage, jappant, jappe, jappement, jappeur.

JAPPEUR, EUSE [ʒapœʀ, øz] adj. et n. — 1546; de *japper,* et *-eur.*

♦ Qui jappe, qui a l'habitude de japper. *Un roquet jappeur. Une chienne jappeuse.*

N. Rare (au sens 2 de *japper*). Personne qui jappe, criaille.

1. JAQUE [ʒak] n. m. ou (Furetière, Académie) n. f. — 1364, au plur.; probablt de *Jacques,* ancien sobriquet du paysan français, notamment des paysans insurgés en 1358 (→ Jacquerie).

♦ Justaucorps rembourré, généralement à manches que portaient les hommes au moyen âge. ⇒ **Jaquette** (vx). *Porter une jaque, un jaque. — Jaque de mailles :* corps d'armure* en mailles de fer.

DÉR. Jaquette.

HOM. Jack, jacque, 1. **jacques,** 2. **jacques,** 2. **jaque.**

2. JAQUE [ʒak] n. m. — 1611, *iaque; jaca,* 1553, *chiacare,* v. 1525, de l'italien; du tamoul ou du malayalam (langues dravidiennes) *tsjaka,* p.-ê. par l'italien.

♦ Bot. Fruit composé, ovoïde et volumineux, produit par le jaquier*. *La pulpe farineuse du jaque renferme des graines comestibles de la grosseur d'une châtaigne.*

DÉR. Jaquier ou **jacquier.**

HOM. Jack, jacque, 1. **jacques,** 2. **jacques,** 1. **jaque.**

JAQUELIN [ʒaklɛ̃] n. m. ou **JAQUELINE** [ʒaklin] n. f. ⇒ **Jacqueline.**

JAQUEMART ou **JACQUEMART** [ʒakmaʀ] n. m. — 1534, Rabelais, *in* T. L. F.; anc. prov. *jacomar* (1472), de *Jaqueme,* nom propre correspondant à *Jacques.*

♦ **1.** Figure de métal ou de bois sculpté représentant un homme d'armes muni d'un marteau avec lequel il frappe les heures sur le timbre ou la cloche d'une horloge placée en haut d'un édifice (beffroi, église, tour...). *Le jaquemart de la cathédrale de Strasbourg.*

Ils n'avaient pour eux que la fréquence et la régularité, qui les faisaient apparaître et disparaître à dates fixes, comme les personnages du Jaquemart, mais la fantaisie en était exclue. 1
A. BLONDIN, Un singe en hiver, p. 137.

J'étais un jour occupé, devant l'église Notre-Dame, à considérer Jacquemart, sa femme et son enfant qui martelaient midi. 2
Aloysius BERTRAND, Gaspard de la nuit, p. 41.

(*In* Balzac). Marteau d'un jaquemart.

♦ **2.** (1902, Larousse). Ancienn. Jouet d'enfant formé de deux petits automates frappant alternativement sur une enclume placée entre eux.

JAQUET [ʒakɛ] n. m. — 1788, *in* D.D.L.; dim. pop. de *Jacques*. → 2. Jacques.

♦ Petite bécassine.

(...) la jungle grise des ajoncs était peuplée par toute la gent madrée et maléfique des eaux stagnantes (...) jaquets téméraires, sarcelles tourmentées (...)
Jean RAY, les Derniers Contes de Canterbury, p. 131.

HOM. 1. **Jacquet**, 2. **jacquet.**

1. JAQUETTE [ʒakɛt] n. f. — 1375; de 1. *jaque*, et *-ette*.

★ **I.** (Vêtements).

♦ **1.** (Mil. xve). Vx. ⇒ 1. **Jaque.** *Jaquette à plis, froncée* (cit. 12) *à la taille* — (1446). Robe que portaient les petits garçons avant leur première culotte.

1 Oh! si j'avais encore quelques moments de pures caresses qui vinssent du cœur, ne fût-ce que d'un enfant encore en jaquette (...)
ROUSSEAU, Rêveries, IXe promenade.

♦ **2.** (1832, Musset). Vêtement* masculin de cérémonie à pans ouverts descendant jusqu'aux genoux. *Les basques d'une jaquette d'alpaga* (cit. 1; → Épouvantail, cit. 2; fil, cit. 4). *La jaquette se portait encore naguère aux galas officiels, aux courses, dans les mariages. — Être en jaquette.*

1.1 — Vous êtes en jaquette, Simon!
— Visite officielle. GIRAUDOUX, Simon le pathétique, p. 226.

2 (...) il avait su concilier ses habitudes d'élégance avec l'avis qu'on lui avait donné de venir sans aucune cérémonie : jaquette noire bordée; pantalon rayé (...)
J. ROMAINS, les Hommes de bonne volonté, t. III, XI, p. 147.

♦ **3.** (1783; *jaquette de tailleur*, 1908). Veste* de femme, boutonnée par devant, ajustée à la taille et à basques plus ou moins longues. *La jaquette d'un tailleur. Jaquette bien cintrée.*

3 Un splendide costume tailleur, en velours souris, la moule, l'épouse du col aux pieds. La jaquette surtout, oh! la jaquette!... étroite en haut, évasée en bas, la basque brodée battant le genou, comme une seconde petite jupe (...)
COLETTE, les Vrilles de la vigne, p. 158.

4 Sa jaquette de serge à parements de taffetas était entrouverte et laissait voir un luxueux jabot de dentelle qui s'épandait sur le devant d'une blouse blanche.
J. GREEN, Adrienne Mesurat, I, XI.

5 Hélène retira la jaquette de son tailleur, cette jaquette coupée droit et croisée comme un veston d'homme. G. DUHAMEL, Chronique des Pasquier, X, VII.

★ **II.** 1909, Bruant; la locution fait image et est évidemment motivée par la forme des basques du vêtement; le sens *jaquette* «anus» (1928), figuré de *jaquette de culasse* (d'un canon), mentionné par Esnault, est selon toute vraisemblance venu renforcer cette motivation. (Argot). *Être de la jaquette (flottante)* : être homosexuel. *La jaquette flottante* : les homosexuels.

6 Je file un coup de saveur (*un regard*) autour de moi. Ça paraît tranquille. Le loufiat qui m'a servi et m'a tout l'air d'appartenir à la jaquette flottante s'extasie devant une photo de magazine représentant le plus bel athlète in the world.
SAN-ANTONIO, Au suivant de ces messieurs, p. 65.

★ **III.** (1874, *in* Littré, *Suppl.*) Techn. Par métaphore de I.

♦ **1.** Manchon d'acier renforçant le tube d'un canon.

♦ **2.** *Jaquette thermostatique* : dispositif destiné à maintenir constante la température d'une enceinte.

2. JAQUETTE [ʒakɛt] n. f. — 1951; angl. *jacket*. → Jacket.

♦ **1.** Chemise protégeant la couverture d'un livre relié ou broché. *Jaquette illustrée en couleurs.*

Les livres sont présentés, le plus souvent possible, sous une couverture bariolée que l'on appelle «jacket», mot d'origine discutable si l'on en croit les étymologistes. Un éditeur me disait, récemment, avoir reçu, d'un libraire, par télégramme, la commande d'un livre, et le message se terminait en ces termes : «Si pas jaquette, annuler commande (...)»
G. DUHAMEL, Refuges de la lecture, Préface, p. 15.

Jaquette de disque. La jaquette d'une cassette. «Un film de cinéma est interdit aux moins de 18 ans? Rien ne l'indiquera sur la jaquette de la cassette» (*l'Express*, 6-12 janv. 1984, p. 38).

♦ **2.** (1938; *couronne jaquette*, 1930, *in* Höfler; angl. *jacket (crown)* → Jacket). Couronne creuse, en porcelaine, en résine, etc., employée en prothèse dentaire esthétique. Syn. : *jacket.*

JAQUIER ou **JACQUIER** [ʒakje] n. m. — 1803, Boiste; fin XVIIe; de 2. *jaque.*

♦ Plante dicotylédone *(Moracées)* scientifiquement appelée *Artocarpus integrifolia*, arbre lactescent des régions tropicales, très voisin de l'arbre* à pain et produisant les jaques (→ 2. Jaque). ⇒ **Artocarpe.** *Jaquier de Malaisie, du Brésil.*

1. JAR ou **JARS** [ʒaʀ] n. m. — Fin xve (éd. 1526), «bavardage, caquet»; «argot», 1615; formé sur le rad. de *jargon**.

♦ Argot anc. du milieu des voleurs. Langue secrète, argot*. *Dévider*, jaspiner, rouler le jar* : parler argot. *Entraver le jar* : comprendre l'argot. — Fig. *Entendre le jar* : comprendre à demi-mot; être très malin, très habile*.

REM. Les emplois récents du mot semblent plus littéraires que spontanés.

(...) tenez, prenez une lettre en jars du détenu à sa gagneuse... si elle est esbrouffante à souhait!... CÉLINE, Entretiens avec le professeur Y, p. 73. 1

Posément, je pose des questions, je réponds aux siennes, je fais salon. C'est qu'elle ne jaspine pas le jar, cécolle, et qu'elle est très réservée, très «détenue-modèle», et certainement pas récidiviste (...) A. SARRAZIN, la Cavale, p. 154. 2

HOM. Jard, 1. **jarre**, 2. **jarre, jars.**

2. JAR [ʒaʀ] ⇒ 1. **Jard.**

JARARACA [ʒaʀaʀaka] n. m. — 1765; *jaraca*, 1721; mot tupi-guarani (Brésil), par le portugais.

♦ Zool. Serpent venimeux d'Amérique du Sud (nom sc. : *Bothrops brasiliensis*).

1. JARD (Académie) ou **JAR** [ʒaʀ] n. m. — 1694, Ménage, *jar, jart*; d'un gallo-rom. **carra* «pierre».

♦ Régional, géogr. ou techn. (carriers). Sable* caillouteux d'origine fluviale. *Les bancs de jard de la Loire, d'une rivière.*

(...) le jard, nom du gros sable que charrie la Loire (...)
BALZAC, le Lys dans la vallée, Pl., t. VIII, p. 790.

DÉR. 2. **Jarreux.**
HOM. Jar, 1. **jarre**, 2. **jarre, jars.**

2. JARD [ʒaʀ] ⇒ 2. **Jarre.**

1. JARDE [ʒaʀd] n. f. ou **JARDON** [ʒaʀdɔ̃] n. m. — 1678; *zardre*, 1516, *in* D.D.L.; 1642, *jardon*, ital. *giarda* ou *giardone*, arabe *djărăd* (mot véhiculé par les Arabes en Sicile).

♦ Vétér. Tumeur* osseuse de la face externe du jarret du cheval*.

2. JARDE [ʒaʀd] n. f. — 1902; du rad. de 2. *jarre*, **jard*.

♦ Techn. Tache (fêlure ou corps étranger) dans un diamant. — Syn. : 2. *jardinage.*

JARDIN [ʒaʀdɛ̃] n. m. — Mil. XIIe (av. 1150); *gardin*, v. 1138; dér. du latin médiéval *hortus* «jardin», *gardinus* «jardin clos», du francique **gart*, **gardo*; cf. all. *Garten*, angl. *garden*, anc. franç. *gart, jart.*

A. ♦ **1.** Terrain, généralement clos, où l'on cultive des végétaux utiles ou d'agrément. *Jardin de rapport, jardin fruitier, jardin potager** (cit. 1.1); (rare) *jardin légumier, maraîcher.* ⇒ **Clos, closerie, fruitier, hortillonnage, marais, pépinière, potager, verger; courtil** (vx), **ouche** (régional). *Jardin d'agrément*, généralement attenant à une maison d'habitation. *Grand jardin d'agrément planté d'arbres.* ⇒ **Parc.** *Petit jardin.* ⇒ **Jardinet.** — *Disposition, éléments d'un jardin.* ⇒ **Allée, bassin, berceau, bordure, bosquet, cabinet** (de verdure), **carré, charmille, corbeille** (de fleurs), **grotte, haie, kiosque, labyrinthe, massif, orangerie, parterre, pelouse, pergola, pièce** (d'eau), **planche, plate-bande, serre, tapis** (vert), **tonnelle, treillage, treille, voûte** (de feuillage). *Gazons, pelouses, massifs d'un jardin* (→ Floraison, cit. 1). *Jardin orné d'arbres, de buis* taillés, de statues* (→ Entendre, cit. 89). *Jardin enclos.* → Parcelle, cit. 1. *Le mur* (→ Coutume, cit. 6; crépir, cit.), *la grille* (cit. 10, 12, 14) *du jardin, d'un jardin. — Meubles de jardin; table, chaise de jardin* (→ Écuelle, cit. 3). — *Les arbres* (cit. 14), *les fleurs, les plantes du jardin* (→ Avant-coureur, cit. 2; commun, cit. 22; feuillaison, cit.; garder, cit. 27; gerbe, cit. 5; giron, cit. 1; inattendu, cit. 5). *Les produits du jardin* (légumes, fruits...). *Les odeurs, les exhalaisons* (cit. 4) *des jardins. Cultiver, soigner, sarcler un jardin, son jardin.* ⇒ **Jardinage, jardiner, jardinier** (→ Bêche, cit. 1; couper, cit. 2; germe, cit. 8). *Réception, fête donnée dans un jardin.* ⇒ **Garden-party.** *Aller au jardin, dans le jardin. Il est au jardin, à soigner les fleurs. Elle lit dans le jardin. Le jardin de qqn, son jardin. Le jardin d'une maison, d'un hôtel particulier. Le jardin et la cour. Maison située entre cour et jardin. Jardin privatif** (II., 2.).

Deux allées principales, formant la croix, divisaient le jardin en quatre morceaux. 0.1
Les légumes étaient compris dans les plates-bandes, où se dressaient, de place en place, des cyprès nains et des quenouilles.
FLAUBERT, Bouvard et Pécuchet, Folio, p. 74.

Une mer de verdure, en face, à droite, à gauche, partout. Une mer roulant sa houle 0.2
de feuilles jusqu'à l'horizon, sans l'obstacle d'une maison, d'un pan de muraille, d'une route poudreuse. Une mer déserte, vierge, sacrée, étalant sa douceur sauvage dans l'innocence de la solitude. Le soleil seul entrait là, se vautrait en nappe d'or sur les prés, enfilait les allées de la course échappée de ses rayons, laissait pendre à travers les arbres ses fins cheveux flambants, buvait aux sources d'une

lèvre blonde qui trempait l'eau d'un frisson. Sous ce poudroiement de flammes, le grand jardin vivait avec une extravagance de bête heureuse, lâchée au bout du monde, loin de tout, libre de tout. C'était une débauche telle de feuillages, une marée d'herbes si débordante, qu'il était comme dérobé d'un bout à l'autre, inondé, noyé. Rien que des pentes vertes, des tiges ayant des jaillissements de fontaine, des masses moutonnantes, des rideaux de forêts hermétiquement tirés, des manteaux de plantes grimpantes traînant à terre, des volées de rameaux gigantesques s'abattant de tous côtés. ZOLA, la Faute de l'abbé Mouret, p. 156.

1 Un vrai jardin, presque un parc, isolait, toute blanche, une vaste villa de grande banlieue parisienne. COLETTE, Chéri, p. 19.

2 Notre jardin était, comme tous ceux d'Elbeuf, un jardin de curé : parterres de bégonias et de géraniums, bordures de myosotis ou d'héliotropes (...) A. MAUROIS, Mémoires, I, X.

Loc. *Jardin de curé :* jardin bien entretenu, généralement enclos, où poussent de nombreuses plantes (→ ci-dessus, cit. 2). — Admin. *Jardin familial :* terrain loué, cultivé par le locataire pour sa propre consommation. *Jardin ouvrier.*

Art, architecture des jardins. Jardin Renaissance. Jardin classique. — (1807, *jardin français*). *Jardin à la française,* formé de parterres, de terrasses, de bassins... disposés symétriquement en terrain plat (→ Classer, cit. 5). *Jardin baroque,* orné de grottes, de rocailles, de cascades... — (1771). *Jardin anglais* (ou *à l'anglaise*), *jardin pittoresque :* « jardin irrégulier où l'art est caché sous l'apparence d'une nature agreste » (Littré). *Jardins exotiques, orientaux. Les jardins du M'zab.* → Palmeraie, cit. 1.

3 Ce n'était pas, comme on le pense bien, un jardin anglais, mais un antique jardin à la mode française, qui en vaut bien une autre : de belles allées sablées bordées de buis, de grands parterres brillant de couleurs bien assorties, de jolies statues d'espace en espace, et, dans le fond, un labyrinthe en charmille. A. DE MUSSET, Nouvelles, « Margot », III.

4 (...) ils *(Bouvard et Pécuchet)* trouvèrent dans leur bibliothèque l'ouvrage de Boitard, intitulé *l'Architecte des Jardins.* L'auteur les divise en une infinité de genres. FLAUBERT, Bouvard et Pécuchet, II.

5 (...) Imaginez un jardin de Lenôtre,
Correct, ridicule et charmant.
Des ronds-points ; au milieu, des jets d'eau ; des allées
Toutes droites ; sylvains de marbre ; dieux marins
De bronze ; çà et là des Vénus étalées ;
Des quinconces, des boulingrins (...)
VERLAINE, Poèmes saturniens, « Paysages tristes », IV.

(1713). *Jardins suspendus* (→ Contenir, cit. 4), *étagés, en terrasses** (→ Croupe, cit. 8 ; étage, cit. 11 ; gradin, cit. 4). — Allus. hist. *Les jardins suspendus de Babylone,* édifiés sur l'ordre de Sémiramis.

Araignée (cit. 9) *des jardins :* araignée commune, fréquente dans les jardins. — *Fleurs de jardin,* par oppos. à *fleurs des champs.*

6 On y voyait *(dans le verger)* briller mille fleurs des champs, parmi lesquelles l'œil en démêlait avec surprise quelques-unes de jardin, qui semblaient croître naturellement avec les autres. ROUSSEAU, Julie ou la Nouvelle Héloïse, IV, XI.

(Déb. XXe). **JARDIN PUBLIC :** jardin d'agrément, espace vert ménagé dans une ville (⇒ **Parc, square ;** → Flâne, cit. 1 ; fuite, cit. 4). → Pépinière, cit. 1. *La chaisière* d'un jardin public. Concert dans un jardin public* (→ Cuivre, cit. 8 ; gratifier, cit. 3). — *Jardin* (même sens). *Le jardin des Tuileries, le jardin du Luxembourg,* à Paris.

(1799). *Cité-jardin.* ⇒ **Cité** (5.). — (1732). *Jardin botanique,* pour l'étude scientifique des végétaux. *Le Jardin des plantes,* au Muséum d'histoire naturelle de Paris. — *Jardin alpin :* jardin botanique où sont cultivées des plantes de haute montagne. — (1834, Michelet). Par ext. *Jardin zoologique* (⇒ **Zoo**), *jardin d'acclimatation**.

*Jardin décoratif. Jardins extrême-orientaux à valeur symbolique, religieuse. Jardin zen**.

6.1 On a vu, dans le passé extrême-oriental, des ascètes de l'esthétique aboutir à la contemplation d'un jardin qui ne soit qu'une surface de sable blanc, mais une surface rompue rythmiquement par un rocher noir qui lui restituait l'échelle d'un univers fini ; c'est l'art figuratif épuré jusqu'à la soustraction imminente, mais dont toute la force réside dans l'imminence toujours reculée. A. LEROI-GOURHAN, le Geste et la Parole, t. II, p. 254.

(Av. 1778, Voltaire). Allus. hist. *Le jardin d'Épicure,* lieu ouvert où Épicure donnait son enseignement à ses disciples (titre donné par Anatole France au recueil d'essais et d'aphorismes qu'il publia en 1894). — *Le jardin de l'Académie.* — *Le jardin des Oliviers**, (vx) *le jardin des olives.* — Myth. *Le jardin des Hespérides,* où poussaient des pommes d'or gardées par un dragon à cent têtes.

6.2 Quand il descend de la station de Garavan, quelle que soit la saison qui le voit venir en ce pays enchanté, le voyageur peut se croire parvenu en ce jardin des Hespérides dont les pommes d'or excitèrent les convoitises du vainqueur du monstre de Némée. G. LEROUX, le Parfum de la dame en noir, p. 96.

Bibl. *Le jardin de délices, le jardin d'Eden :* le paradis* terrestre (→ Chérubin, cit. 1). Fig. ⇒ **Eden, eldorado.** *Jardin élyséen* (cit. 1). — *Le jardin des supplices* (où était Jésus : le jardin des Oliviers). → Perdre, cit. 6.1.

Par anal. *Le Jardin des supplices,* œuvre de O. Mirbeau.

Loc. fig. *Jeter une pierre, des pierres dans le jardin de qqn,* l'attaquer indirectement. *C'est une pierre dans son jardin,* une attaque voilée, une allusion désobligeante, etc.

7 (...) il était né caustique, et les pierres qu'il jetait dans le jardin des autres atteignaient toujours quelqu'un. BARBEY D'AUREVILLY, les Diaboliques, À un dîner d'athées, p. 298.

Loc. prov. « *Il faut cultiver* (cit. 3) *notre jardin* », propos mis par Voltaire dans la bouche de Candide (*Candide,* XXX), pour exprimer l'idée que l'homme devrait agir, travailler sans perdre son temps à des spéculations. *Et maintenant, cultivons notre jardin.* « *Le peuple ? Il cultive son jardin* » (R. Rolland, *Jean-Christophe, in* T. L. F.).

♦ **2.** (1902). **a** **JARDIN D'HIVER :** pièce vitrée où les plantes sont à l'abri du froid (⇒ **Serre**).

La véranda avait été entièrement vitrée et transformée en un jardin d'hiver, clos et tiède comme une serre. MARTIN DU GARD, les Thibault, t. IX, p. 60. 8

b (Mil. XXe). *Jardin japonais :* jardin miniature, ensemble de plantes grasses, de coquilles, de céramiques, d'arbres en miniature (⇒ **Bonsaï**), de cailloux de couleur, de petits accessoires disposés dans un récipient.

♦ **3.** Loc. (1869). Théâtre. *Côté jardin :* le côté gauche de la scène. *Côté cour et côté jardin :* (→ Côté, *infra* cit. 13).

B. (Trad. de l'all. *Kindergarten,* Froebel, 1840). **JARDIN D'ENFANTS :** établissement d'éducation pour les enfants trop jeunes pour suivre les classes du premier degré. ⇒ **Garderie, maternelle** (école). *Éducatrice dans un jardin d'enfants.* ⇒ **Jardinière** (d'enfants).

C. ♦ **1.** (1532, Rabelais). Par métaphore. Région riche, fertile*. « *Le jardin de l'Italie* » (E. Quinet, *in* T. L. F.).

(...) je suis né et ai été nourri jeune au jardin de France : c'est Touraine. RABELAIS, Pantagruel, IX. 9

♦ **2.** (Déb. XXe). *Les jardins abyssaux :* la végétation sous-marine.

♦ **3.** Fig. et vx. *Le jardin des racines grecques :* nom donné par les grammairiens de Port-Royal (Lancelot, en 1657) à leur recueil de racines grecques, et repris par quelques grammairiens traitant des racines grecques, latines des mots français.

♦ **4.** Littér., poét. Lieu, milieu où s'épanouit qqch. *Le, les jardins de l'enfance.* → Le vert paradis*.

Loc. *Jardin secret :* domaine secret des sentiments, des pensées les plus intimes.

DÉR. Jardiner, jardinerie, jardinet, jardinier, jardiniste.

1. JARDINAGE [ʒaʀdinaʒ] n. m. — 1564 ; « ensemble de jardins », 1281 ; de *jardiner.*

♦ **1.** (V. 1393). Cour. Action de cultiver les jardins ; technique de la culture des jardins. ⇒ **Agriculture, arboriculture, horticulture, plantation.** *Les produits du jardinage. Opérations de jardinage.* ⇒ **Arroser, biner, bouturer, butter, décroûter, déplanter, labourer, mouver** (la terre), **sarcler, terrer.** *Outils, instruments de jardinage. Un amateur de jardinage* (→ Bourgeois, cit. 4).

On jouit, par le jardinage, des pures délicatesses de l'agriculture. Joseph JOUBERT, Pensées, XIII, XXXVIII. 1

À ouvrir la terre, ne fût-ce que l'espace d'un carré de choux, on se sent toujours le premier, le maître, l'époux sans rivaux... Le jardinage lie les yeux et l'esprit à la terre (...) COLETTE, la Naissance du jour, p. 134. 2

Ils changèrent de chemin, car par le chemin qu'il prenait toujours Jean ne passait pas devant le camélia, parce que cela retardait pour aller à la grotte où étaient serrés des outils de jardinage, sa bêche, son râteau. PROUST, Jean Santeuil, Pl., p. 334. 2.1

♦ **2.** (1564). Vx. Produits du jardin ; légumes.

♦ **3.** (1812). Techn. (sylv.). *Coupe par jardinage.* ⇒ **Jardinatoire.**

Le *jardinage* en sylviculture est un mode d'exploitation qui consiste à enlever çà et là des arbres vieux et dépérissants en même temps que d'autres sujets en bon état et destinés au commerce et à la consommation locale. POIRÉ, Dict. des sciences, art. *Jardinage.* 3

2. JARDINAGE [ʒaʀdinaʒ] n. m. — 1754, *Encyclopédie ;* du rad. de *jardineux**, francique **gard.*

♦ Techn. Défaut (d'un diamant), taches dues à une fêlure ou une substance étrangère (syn. : 2. *jard*). *Crapauds et jardinages. Pierres affectées de jardinage* (ou *jardines*). ⇒ **Jardineux.**

JARDINATOIRE [ʒaʀdinatwaʀ] adj. — 1873, Pierre Larousse ; de *jardin(er),* et *-atoire.*

♦ Techn. (sylv.). *Coupe jardinatoire :* coupe selon la méthode du jardinage. ⇒ 1. **Jardinage,** 3.

JARDIN D'ENFANTS [ʒaʀdɛ̃dɑ̃fɑ̃] n. m. ⇒ **Jardin** (B.)

JARDINER [ʒaʀdine] v. — 1527 ; de *jardin.*

★ **I.** V. tr. ♦ **1.** Vx. Cultiver (des fleurs, des plantes de jardin).

♦ **2.** (1548). Sylv. *Jardiner un bois, une futaie,* l'exploiter selon la méthode du jardinage*. → ci-dessous, II., 2., intransitif.

P. p. adj. Plus cour. *Forêt, futaie jardinée.*

♦ **3.** Fauconn. Mettre (un oiseau) dehors, pour qu'il prenne l'air. — Pron. (1562). *Oiseau qui se jardine.*

★ **II.** V. intr. (1600, O. de Serres) ♦ **1.** Cour. Travailler à un jardin; cultiver, entretenir un jardin (lorsqu'il ne s'agit pas d'une occupation principale, d'une profession). ⇒ **Arboriser** (→ Amputer, cit. 4). *Il jardine pour se distraire, pour se détendre.*

1 Il (*l'enfant*) n'aura pas vu deux fois labourer un jardin, semer, lever, croître des légumes, qu'il voudra jardiner à son tour. ROUSSEAU, Émile, II.

2 La ville ne vaut rien (...) Dormez la fenêtre ouverte. Vous avez un jardin? Jardinez un peu, c'est excellent. J. CHARDONNE, les Destinées sentimentales, p. 219.

♦ **2.** Techn. (sylv.). Employer la méthode du jardinage* (1. Jardinage, 3.), dans l'exploitation d'une forêt. *Couper en jardinant* (→ Futaie, cit. 2).

DÉR. 1. **Jardinage, jardinatoire.**

JARDINERIE [ʒaʀdinʀi] n. f. — 1974; de *jardin,* et suff. *-erie.*

♦ Comm. Magasin de grande surface où l'on vend tout ce qui concerne le jardin. *La surface d'exposition, la pépinière d'une jardinerie.* — REM. Le mot peut remplacer l'anglicisme *garden-center.* « *L'épouse (...) d'un enragé du jardinage* (dit :) *On commence (...) par faire la tournée des grainetiers, quincailliers, jardineries. On part le coffre bourré de sacs de terre, d'arbres* » (*l'Express,* 14 avr. 1979, p. 89).

JARDINET [ʒaʀdinɛ] n. m. — V. 1280, *gardinet;* de *jardin.*

♦ Petit jardin. *Les jardinets des pavillons de banlieue.*

JARDINEUX, EUSE [ʒaʀdinø, øz] adj. — 1622; de *gart, jard,* formes anc. de 2. *jarre.*

♦ Techn. Se dit d'une pierre fine qui présente des traces de jardinage*. *Diamant jardineux, pierre jardineuse. Émeraude jardineuse,* dont le vert est mêlé de brun.

DÉR. 2. **Jardinage.**

JARDINIER, IÈRE [ʒaʀdinje, jɛʀ] n. et adj. — V. 1180; de *jardin,* et *-ier.*

★ **I. A.** N. m. et f. ♦ **1.** Personne dont le métier est de cultiver les jardins. *Jardinier fleuriste, pépiniériste.* ⇒ **Arboriculteur, arboriste** (vx), **horticulteur, légumiste** (vx), **maraîcher, pépiniériste.**

Spécialt (plur cour.). Personne qui entretient, cultive, moyennant rétribution, un ou plusieurs jardins d'agrément. → Entretien, cit. 2; 1. gens, cit. 34; gravier, cit. 2. *Il est très riche : il a un chauffeur et un jardinier.*

1 (...) il ressemble au jardinier actif qui n'est content de lui, que si les diverses planches du potager en sont chacune à un certain état de préparation, promettent chacune quelque chose. J. ROMAINS, les Hommes de bonne volonté, t. IV, XIX, p. 210.

Instruments, outils de jardinier. ⇒ **Arrosoir, bêche, binette, brouette, cisaille, ciseaux, croissant, cueilloir, fourche, houlette, pelle, plantoir, râteau, ratissoire, serfouette, serpe, tondeuse.**

REM. Dans cette acception, le féminin est peu usité. → Chirurgien, cit. 4.

2 Au milieu d'un jardin bien lisse, une jardinière, dont le teint est aussi blanc que celui d'une petite maîtresse de la Chaussée-d'Antin, tient à la main un arrosoir (...) BALZAC, Dict. des enseignes, *in* Œ. diverses, t. I, p. 155.

La Belle Jardinière, nom donné à un tableau de Raphaël, représentant la Madone, l'Enfant Jésus et saint Jean-Baptiste parmi des fleurs.

Loc. prov. *Faire comme le chien du jardinier* (⇒ **Chien,** *infra* cit. 39).

♦ **2.** Personne dont le métier est d'agencer, de dessiner des jardins. *Jardinier paysagiste.* ⇒ **Jardiniste.**

♦ **3.** N. f. (1935). *Jardinière d'enfants :* éducatrice s'occupant d'un jardin* d'enfants. — *Jardinière de neige :* personne s'occupant des enfants dans une station de sports d'hiver.

B. N. m. (1817). Nom courant de plusieurs oiseaux des jardins, tels que le *bruant ortolan.*

3 Le *Jardinier brun* d'Australie, le *Paradisier-jardinier,* le *Jardinier doré du Queensland,* d'autres oiseaux encore (...) construisent des berceaux, des tonnelles, des allées avec terrasses ou esplanades où ils réunissent des éléments décoratifs de couleur voyante. Roger CAILLOIS, Esthétique généralisée, II, p. 23.

★ **II.** Adj. (1568, R. Garnier). ♦ **1.** Relatif aux jardins. *Culture, exploitation jardinière. Plantes jardinières.* Avec un jardin. *Maisons jardinières.*

♦ **2.** Techn. (sylv.). *Exploitation jardinière.* ⇒ 1. **Jardinage,** 3.

DÉR. Jardinière.
HOM. (Du fém.) **Jardinière.**

JARDINIÈRE [ʒaʀdinjɛʀ] n. f. — 1589, «ensemble d'outils de jardinier»; de *jardinier.*

★ **I.** (Objets). ♦ **1.** (XVIIe). Vx. Coiffure (cit. 3, Mme de Sévigné) du XVIIe siècle.

♦ **2.** (1812). Meuble supportant ou contenant un récipient où l'on fait pousser des plantes ornementales, des fleurs. Sorte de caisse, généralement oblongue, où l'on fait pousser des fleurs dans un appartement, sur un balcon... ⇒ **Balconnière** (→ Fourrager, cit. 3). *Jardinière de métal, de céramique.*

L'antichambre était alors encombrée de trois jardinières pleines des plus magnifiques fleurs, deux oblongues et une ronde, toutes trois en bois de palissandre, et d'une grande élégance (...) BALZAC, l'Initié, Pl., t. VII, p. 367. 1

♦ **3.** (1810, *in* D. D. L.). Cuis. Mets composé d'un mélange de légumes* cuits (carottes, petits pois, haricots, pommes de terre, navets...) et servi généralement en garniture d'un plat de viande. *Jardinière au jus, à la mayonnaise. Servir une jardinière. Veau jardinière.*

♦ **4.** (1873, *in* Littré, *Suppl.*). Voiture à deux ou à quatre roues, utilisée par les maraîchers. Par ext. ⇒ **Baladeuse.**

★ **II.** (1867). Insecte des jardins, notamment courtilière, carabe doré; autres insectes qui attaquent les plantes potagères.

C'est une bête qui était là embusquée, un nécrophore, la jardinière, un scarabée splendide et agile, vert, pourpre, flamme et or, une pierrerie armée qui court et qui a des griffes. C'est un insecte de guerre casqué, cuirassé, éperonné, caparaçonné, un chevalier brigand de l'herbe. HUGO, Post-Scriptum de ma vie, Promontorium somnii, II, p. 38. 2

HOM. Fém. de **Jardinier.**

JARDINISTE [ʒaʀdinist] n. — 1832; de *jardin,* et *-iste.*

♦ Rare. Artiste qui dessine des jardins. Architecte, dessinateur de jardins. — On dit plutôt *architecte-paysagiste*.* Syn. : *jardinier,* A., 2. *Décorateur jardiniste.*

JARDON [ʒaʀdɔ̃] n. m. ⇒ **Jarde.**

JARGAUDER [ʒaʀgode] v. intr. — 1650, Ménage; de 1. *jars.*

♦ Agric. S'accoupler* avec l'oie, en parlant du jars*.

1. JARGON [ʒaʀgɔ̃] n. m. — V. 1180, *gargun* «langage des oiseaux, gazouillis»; «verbiage», déb. XIIIe; en anc. gascon «langue incompréhensible», v. 1180; orig. incert., p.-ê. du rad. onomatopéique *garg-* «gosier» (→ Gargouille), selon Guiraud, par **garricare,* dér. gallo-roman de *garrire* «bavarder».

♦ **1.** Langage corrompu, déformé, fait d'éléments disparates. ⇒ **Baragouin, charabia** (→ Barbarisme, cit. 2; incohérent, cit. 3). *Jargon barbare* (cit. 18). *Jargon français des Levantins, des Arabes* (⇒ **Sabir**). *Le pidgin*, jargon anglais parlé en Extrême-Orient.*

— Le plaisant baragouin! il est bon sur ma foi (...) 1
Ton jargon allemand est superflu, te dis-je (...) MOLIÈRE, l'Étourdi, V, 5.

Il revit son frère, bambin de trois ans (...) courant à sa rencontre, et se suspendant à son bras pour lui conter dans son jargon les menus faits de sa journée (...) MARTIN DU GARD, les Thibault, t. IX, p. 81. 2

Par ext. Langage incompréhensible. «*Je ne sais quelle langue parlent ces gens-là, je ne comprends pas leur jargon* » (Académie). — Abusivt (péj.), en parlant d'un dialecte, d'un patois..., ou même d'une langue :

Privé de toute communication avec la France, il avait gardé son ancien jargon briard dans toute sa pureté native (...) Th. GAUTIER, Voyage en Espagne, p. 149. 3

♦ **2.** Péj. Langage particulier à un groupe, caractérisé par sa complication, l'affectation de certains mots, de certaines tournures. ⇒ **Argot.** *Le jargon des alchimistes, des astrologues; le jargon prophétique* (→ Ambigu, cit. 1). *Le jargon des Précieuses. Jargon pseudo-scientifique. Le jargon de la publicité, du sport* (→ Ébouriffant, cit.), *des sciences. Jargon ridicule et barbare* (cit. 17). *Le jargon administratif.* — (En mettant l'accent sur le caractère conventionnel, affecté...). *Le jargon de la dévotion* (→ Cajoler, cit. 6), *de la galanterie* (→ Fadeur, cit. 5).

J'ai vu chez moi un mien ami, par manière de passe-temps, ayant affaire à un de ceux-ci (*des « savanteaux »*) contrefaire un jargon de galimatias, propos sans suite, tissu de pièces rapportées (...) MONTAIGNE, Essais, I, XXV. 4

— Mais je ne saurais, moi, parler votre jargon. 5
— L'impudente! appeler un jargon le langage
Fondé sur la raison et sur le bel usage! MOLIÈRE, les Femmes savantes, II, 6.

— (...) jamais le jargon de la métaphysique n'a fait découvrir une seule vérité, et il a rempli la philosophie d'absurdités dont on a honte, sitôt qu'on les dépouille de leurs grands mots. ROUSSEAU, Émile, IV. 6

— (...) il aimait la piété, mais la piété mondaine, de bon ton, sans barbarie scolastique ni jargon mystique (...) RENAN, Souvenirs d'enfance..., III, II. 7

L'opinion courante n'aime pas le langage des intellectuels. Aussi a-t-il été souvent fiché sous l'accusation de jargon intellectualiste. Il se sentait alors l'objet d'une sorte de racisme : on excluait son langage, c'est-à-dire son corps : «tu ne parles pas comme moi, donc je t'exclus.» R. BARTHES, Roland Barthes, p. 107. 8

On qualifie péjorativement de *jargon* l'ensemble lexical d'une langue commune lié à des domaines où la technique (d'application ou de recherche) est la plus spécialisée, lorsque cet ensemble ne relève pas de la compétence lexicale moyenne, c'est-à-dire celle de l'« honnête homme », comme on disait naguère (...) Ce reco- 9

dage périme le corps des tautologies ou jugements sémiotiques, et fait changer les valeurs de vérité. Le jargon obéit donc à une nécessité de recherche et d'expression : il établit de nouvelles distinctions, ou déplace les distinctions qu'il matérialise dans des signes. C'est une des fonctions du langage de déborder le code pour se recoder lui-même. Le moment créateur est hors code, et la phrase qui l'exprime est inacceptable; cette asémanticité de courte durée est seule garante de l'évolution du langage qui fait un saut aveugle dans l'inconnu. Néanmoins, il apparaît que les ennemis du jargon ne sont pas présents à ce moment-là pour s'en indigner; ils rencontrent le mot bien après, lorsqu'il est déjà codé, et par hasard.
Josette REY-DEBOVE, « Du bon usage du jargon », *in* le Bulletin, E. H. E. S. S., mars 1980.

Discours pathologique, sur le plan phonétique ou sémantique. ⇒ **Jargonaphasie.**

♦ **3.** (V. 1270, *gargon*). Ling. « Langue artificielle employée par les membres d'un groupe désireux de n'être pas compris des non initiés ou au moins de se distinguer du commun » (Marouzeau). ⇒ **Argot** (cit. 8). *Les ballades en jargon attribuées à Villon; le jargon de Villon.* ⇒ **Jobelin** (II., cit. 3). *Le jargon des malfaiteurs.* ⇒ **Bigorne** (vx).

10 Les ballades en jargon constituent une œuvre cohérente et unitaire qui pourrait s'intituler : *Les jeux de la Mort, du Hasard et de l'Amour ou les dangers de la Coquille (...)*
À la base, le code primaire est celui du jargon des coquillards qui dérive son vocabulaire de la langue commune, par différents procédés qui sont, d'ailleurs, toujours vivants dans les argots et parlers populaires actuels.
Pierre GUIRAUD, le Jargon de Villon..., p. 7-8.

DÉR. Jargonner, jargonnesque, jargonnier.
COMP. Jargonagraphie, jargonaphasie, jargonomimie.

2. JARGON [ʒaʀgɔ̃] n. m. — 1664 (1723, selon T. L. F.); ital. *giargone*, de l'anc. franç. *jacunce, jargunce*, lat. *hyacinthus*. → Jacinthe. Technique.

♦ **1.** Petite pierre rouge ressemblant à l'hyacinthe.

♦ **2.** (1773). Zircon* d'une variété de teinte jaune.

Les chaînes (...) dont les chatons portent des pierres appelées jargon, qui imitent parfaitement le diamant (...) VOLTAIRE, Correspondance, 3712, 7 déc. 1770.

JARGONAGRAPHIE [ʒaʀgɔnagʀafi] n. f. — Mil. xxe, *in* Larousse; de 1. *jargon*, et *agraphie*.

♦ Méd. Écriture confuse, dépourvue de sens.

JARGONAPHASIE [ʒaʀgɔnafazi] n. f. — 1906, Garnier-Delamare; de 1. *jargon*, et *aphasie*.

♦ Méd. Forme d'aphasie sensorielle caractérisée par un débit rapide, une déformation phonétique, l'emploi d'un mot pour un autre et la création de mots, qui rendent le discours incompréhensible.

La grande jargonaphasie de Wernicke, je connaissais.
R. GARY, Clair de femme, p. 109.

REM. Dans le même texte, l'auteur emploie l'expression synonyme : *aphasie jargonesque* (p. 123).

JARGONNANT, ANTE [ʒaʀgɔnɑ̃, ɑ̃t] adj. — 1968, *in* P. Gilbert; p. prés. de *jargonner*.

♦ Qui jargonne (I., 2.), parle d'une manière propre à un groupe restreint, en jargon. « *Le langage jargonnant de l'université* » (*le Nouvel Obs.*, 17 avr. 1968).

JARGONNER [ʒaʀgɔne] v. — v. 1225; *gargonner*, fin xiie; de 1. *jargon*; s'est employé aussi au sens de « chanter, gazouiller », en parlant des oiseaux (→ Complainte, cit. 1, Ronsard), et en parlant du jars. → ci-dessous, II.

★ **I.** ♦ **1.** Parler un jargon. S'exprimer d'une façon peu intelligible.

1 J'apprends l'anglais par forme de désœuvrement; et, à mon retour, sinon à ton arrivée, nous pourrons jargonner ensemble.
SAINTE-BEUVE, Correspondance, 10, 14 sept. 1822.

2 Il n'est pas très difficile de bavarder (...) avec de petites filles japonaises. L'honorable voyageur jargonnait très médiocrement; mais ses trois partenaires rivalisaient de bonne volonté pour bien l'entendre. Claude FARRÈRE, la Bataille, XXIII.

Transitif :

3 *(Notre armée)* assemblage confus d'hommes faits, de vieillards, d'enfants descendus de leurs colombiers, jargonnant normand, breton, picard, auvergnat, gascon, provençal, languedocien.
CHATEAUBRIAND, Mémoires d'outre-tombe, t. II, p. 42.

♦ **2.** (1966). Parler un langage obscur, compliqué, rempli de termes techniques.

♦ **3.** Spécialt. Parler de la manière caractéristique de la jargonaphasie. — Transitif :

4 Une nouvelle dialectique. Libérer enfin le langage de la pensée. Jargonner encore cent millions de mots. Et cela s'accompagne, sans qu'on le sache, et bien sûr, de logorrhée, on ne peut plus s'arrêter de jargonner, parce que tous les freins sont brisés, il n'y a pas de contrôle. R. GARY, Clair de femme, p. 110.

★ **II.** (V. 1560; *gargonner*, xiiie; par croisement avec *jargo*, forme dial. de *jars*). Cacarder, en parlant du jars.

Eh! bien le jars, il jargonne. Claude MAURIAC, le Dîner en ville, p. 151 (1959). 5

DÉR. Jargonnant, jargonneur.

JARGONNESQUE [ʒaʀgɔnɛsk] adj. — 1845; *jargonesque*, 1566, H. Estienne; de 1. *jargon*, et suff. *-esque*.

♦ **1.** Rare. Qui tient du jargon, a les caractères du jargon. *Parler jargonnesque.* ⇒ **Argotique.** « *Un dérivé jargonnesque* » (P. Guiraud, *in* T. L. F.).

C'est à Marcel Schwob que revient le mérite de nous avoir fait connaître cet argot, grâce à la publication des documents jargonnesques du procès des Coquillards, qui eut lieu à Dijon, en 1455. 1
J. LACASSAGNE et P. DEVAUX, l'Argot du milieu, Avertissement, p. 15 (1948).

Parmi les dialectes auxquels puise notre jargon, on relèvera l'importance des parlers de l'Est (...) Ajoutons que ces mots jargonnesques doivent s'insérer dans les structures d'un système qui les intègre compte tenu de leurs règles de dérivation et des contraintes historiques et chronologiques auxquelles ils sont subordonnés. Pierre GUIRAUD, le Jargon de Villon..., p. 28. 2

♦ **2.** *Aphasie jargonnesque.* ⇒ **Jargonaphasie.**

JARGONNEUR, EUSE [ʒaʀgɔnœʀ, øz] n. — 1529, G. Tory; de *jargonner*.

♦ Personne qui jargonne* (I.) *Le galimatias des jargonneurs.*

La gauche non plus ne manque pas de jargonneurs technocrates!
Jean THÉVENOT, Hé! la France..., p. 34.

JARGONNIER, IÈRE [ʒaʀgɔnje, jɛʀ] adj. — xxe; de 1. *jargon*, et *-ier*.

♦ Rare. Du jargon. ⇒ **Argotique.**

Passant de la langue dans le jargon, ils *(ces mots)* vont signifier tout autre chose que ce qu'ils signifiaient pour les gens du vulgaire, les masses. Ils cesseront de dire ce qu'ils disaient en français, en anglais ou en russe, pour prendre le sens jargonnier. ARAGON, la Culture et les Hommes, p. 14.

JARGONOMIMIE [ʒaʀgɔnɔmimi] n. f. — 1968, Larousse; de 1. *jargon*, et *mim(ique)*.

♦ Méd. Tendance d'un malade à s'exprimer par des gestes grotesques, clownesques.

JARNI [ʒaʀni] interj. — xive; abrév. de *jarnidieu*, altér. de *je renie (Dieu)*. → Jarnidieu.

♦ Vx. Juron paysan. ⇒ **Jarnicoton, jarnidieu.** — Var. : *jerni* [ʒɛʀni].

— Oh! Piarrot, ce n'est pas ce que tu penses. Ce Monsieur veut m'épouser, et tu ne dois pas te bouter en colère.
— Quement? Jerni! tu m'es promise. MOLIÈRE, Dom Juan, II, III.

JARNICOTON [ʒaʀnikɔtɔ̃] interj. — xvie; altér. de *je renie coton* pour *je renie Dieu*. → Jarnidieu.

♦ Juron familier et vieilli, euphémisme que le père Coton (1564-1626) confesseur d'Henri IV, aurait demandé au roi d'employer, à la place de *Jarnidieu!*

— Je n'en ferai rien, dit l'aubergiste, tu as assez bu comme ça.
— Jarnicoton, je ne suis point ivre. Vas-y voir toi-même.
R. QUENEAU, les Fleurs bleues, p. 181.

REM. Le mot a eu une variante *jarnigoton* (d'après *goton*), 1734.

JARNIDIEU [ʒaʀnidjø], JARNIBLEU [ʒaʀniblø] interj. — 1611, sous la forme *jarnigoy*, mais antérieur dans l'usage; cf. *Jargny bieu*, xve; altér. de *je renie Dieu*.

♦ Vx. Juron (altéré aussi en *jarnigoi, jarniguienne*).

Jarnibleu! Tous ces visages à la bouche tordue, ces milliers et ces milliers d'yeux (...)
BERNANOS, Dialogues des Carmélites, I, 1, *in* Œ. roman., Pl., p. 1569.

JARNIGOI [ʒaʀnigwa], JARNIGUIENNE [ʒaʀnigjɛn] interj. ⇒ **Jarnidieu.**

JAROSSE [ʒaʀɔs] ou JAROUSSE [ʒaʀus] n. f. — 1326, *jarroce*; *jarosse*, 1340; mot dial., orig. inconnue; mot gaulois.

♦ **1.** Gesse* (notamment la gesse chiche).

♦ **2.** Ers.

JAROVISATION [ʒaʀɔvizɑsjɔ̃] n. f. — 1931, Larousse; du russe *jarovoe* « blé de printemps ».

♦ Agric. Syn. de *vernalisation*.

1. JARRE [ʒaʀ] n. f. — V. 1200, *jare*, cité par Arveiller (mot du franç. parlé dans le royaume de Jérusalem); 1441; anc. provençal *jarra*, arabe *djărrăh*.

♦ **1.** Grand récipient de forme ovoïde, en grès, terre cuite, et destiné à conserver l'eau, l'huile, etc. *Jarre provençale, en terre vernissée* (→ 1. Brick, cit. 1). *Jarres de grès. Jarres ornant une allée, un jardin. Jarre antique.*

1 C'étaient *(ces baignoires)* d'énormes jarres d'argile comme celles où l'on conserve l'huile; ces baignoires d'un nouveau genre étaient enterrées jusqu'aux deux tiers à peu près de leur hauteur. Th. GAUTIER, Voyage en Espagne, p. 183.

2 J'ai vu jadis, à Cnossos, les grandes jarres où les rois de la Crète primitive conservaient les fruits et le froment. G. DUHAMEL, Refuges de la lecture, I, p. 45.

2.1 Il y avait, à l'ombre de la véranda, des jarres poreuses où l'eau de la source gardait, avec sa fraîcheur, une saveur encore souterraine. Henri FAUCONNIER, Malaisie, p. 96.

Par métaphore. (⇒ **Amphore**).

3 Elle vient contre lui. Il la saisit par ses hanches courbes. Elle est comme une jarre entre ses mains (...) Il tient dans ses mains toute la rondeur de la jarre de chair. J. GIONO, Regain, II, v.

Jarre funéraire. ⇒ **Urne.**

♦ **2.** (1820). *Jarre électrique :* grande bouteille de Leyde.

HOM. Jar, 1. jard, 2. jarre, 1. jars.

2. JARRE [ʒaʀ] n. m. — 1680; *gart*, 1260; var. *jar, jars*, d'un francique **gard* «baguette, aiguillon».

♦ (Surtout au plur.). Poil droit et raide qui se trouve mêlé au poil fin de certaines fourrures et à la laine dans la toison des ovidés. *Le poil d'hiver* (bourre) *des animaux à fourrure pousse sous le jarre. Toison jarrée, jarreuse, contenant du jarre. Enlever le jarre, les jarres.* ⇒ **Éjarrer.** *La bourre et les jarres constituent le pelage.*

Le père Ursin m'apprit à enlever les jars, c'est-à-dire les poils brillants qui ne prennent pas la teinture et gâtent les pièces finies. A. MAUROIS, Mémoires, I, VI.

REM. L'orthographe *jard*, conforme à l'étymologie, n'est guère usitée. Les spécialistes écrivent *jarre* (→ Fourrure, cit. 7) ou, plus rarement, *jars* (cf. Beaudoin, *in* Littré).

DÉR. 1. Jarreux.
COMP. Éjarrer.
HOM. Jar, 1. jarre, jard, 1. jars.

JARRET [ʒaʀɛ] n. m. — XVIe; *jaret*, XIIIe; *garet*, v. 1170; probablt du mot gaul. **garra* «jambe»; cf. gallois *garr*, breton *gâr*. → Garrot.

♦ **1.** Face, région postérieure du genou*, chez l'homme. ⇒ **Poplité** (creux). *Pli* du jarret. Ses cheveux* (cit. 19) *lui tombaient au jarret,* au niveau, à la hauteur du jarret. *Enfoncer dans l'eau jusqu'aux jarrets. — Jarret ferme* (cit. 4), *solide. Se tenir ferme sur ses jarrets. Jarret souple. Élasticité* (cit. 5), *souplesse du jarret. Fléchir, plier le jarret. — Blessure, douleur au jarret* (→ Boiter, cit. 2).

1 Ses jarrets plièrent, elle se mit à genoux devant M. Madeleine (...) HUGO, les Misérables, I, v, XIII.

2 Antoine se promenait à travers cette installation luxueuse, le jarret tendu, comme un coq dans sa basse-cour. MARTIN DU GARD, les Thibault, t. V, p. 171.

Loc. fig. *Avoir du jarret. Avoir un jarret, des jarrets d'acier :* être infatigable à la marche, à la course. — Fig. *Être ferme sur ses jarrets :* faire bonne contenance, attendre de pied ferme. *Tendre le jarret :* faire l'important (→ ci-dessus, cit. 2). — *Plier les jarrets :* fléchir, céder.

Loc. fig. Vieilli. *Couper les jarrets à qqn,* l'empêcher d'agir.

♦ **2.** [a] (V. 1170). Chez les animaux. Endroit où se plie la jambe de derrière, chez les mammifères ongulés. *Les jarrets d'un mouton, d'un bœuf.* — Spécialt (chez les équidés). Articulation du membre postérieur entre la jambe et le canon* (→ Crin, cit. 3; croupe, cit. 2). *Le pli* (face avant), *la pointe, la corde, le creux* (face arrière) *du jarret. Os du jarret :* astragale, calcanéum. *Mal, tumeur du jarret.* ⇒ **Capelet, éparvin, jarde, malandre, vessigon.** *Cheval sur les jarrets, cheval jarreté, jarretier, dont les jarrets sont trop rapprochés (jarrets crochus).* — Par ext. *Le jarret d'un chien* (→ Foxhound, cit.).

3 (...) nous n'allons pas vite avec ce sable où s'enfoncent les chevaux jusqu'aux jarrets. A. DE VIGNY, Cinq-Mars, VI.

4 (...) les vaches, un jarret replié, étalaient leur ventre sur le gazon (...) FLAUBERT, Mme Bovary, II, VIII.

5 Des mâtins de Tartarie, presque aussi hauts que des ânes, couleur de feu, l'échine large et le jarret droit, étaient destinés à poursuivre les aurochs. FLAUBERT, la Légende de saint Julien l'Hospitalier, I.

[b] Morceau de boucherie, constituant la partie supérieure des jambes de devant et de derrière, partie inférieure de la noix et de l'épaule. ⇒ **Trumeau.** *Du jarret de veau. Jarret (de porc) à la choucroute. Jarret avant, arrière* (en charcuterie).

♦ **3.** (1561, *in* D. D. L.). Techn. (allus. à l'angle, à la saillie que forme un jarret de cheval). [a] Bosse, saillie qui rompt la continuité d'une ligne, et, spécialt, d'une courbe* (en architecture, en menuiserie). *«Il y a des jarrets dans cette voûte»* (Littré). *Cette voûte présente un jarret* (Hatzfeld). ⇒ 1. **Jarreter.**

[b] Coude formé par deux tuyaux.

[c] (Par allus. au jarret tendu). Longue branche d'arbre nue et isolée.

DÉR. Jarreté, 1. jarreter.
COMP. Coupe-jarrets.

JARRETÉ, ÉE [ʒaʀte] adj. — 1694; de *jarret*.

♦ **1.** (En parlant des équidés). Qui a les membres postérieurs tournés en dedans et trop rapprochés. *Cheval*, mulet jarreté. — Danseur jarreté.* — Syn. : *jarretier, ière. Poney jarretier. Jument jarretière.*

♦ **2.** (1835). Techn. (archit.). Qui présente un jarret. *Courbe, voûte jarretée. Pilastre jarreté.*

JARRETELLE [ʒaʀtɛl] n.f. — 1892, *in* T. L. F., au sens 2; Courteline, 1893 (→ Délacer, cit. 2); de *jarretière*.

♦ **1.** Bande élastique adaptée au corset, à la gaine ou au *porte-jarretelles* et servant à maintenir le bas tendu au moyen d'une petite pince (⇒ **Attache, bande, ruban**). *Jarretelles réglables. Boucle de jarretelle.*

Ses jarretelles avaient imprimé sur ses cuisses une dentelle rose. 1
MONTHERLANT, le Songe, I, IV.

Son genou levé révèle une jambe bien moulée, gainée, découverte jusqu'aux jarretelles sur la chair dont les teintes chaudes tranchent avec les reflets moirés des bas. Pierre KLOSSOWSKI, la Révocation de l'Édit de Nantes, p. 56. 2

♦ **2.** Vx. Ruban extensible, fixé au-dessus du mollet et maintenant tendues des chaussettes d'homme, au moyen d'une bande munie d'une pince. → Fixe-chaussettes, support-chaussettes, tire-chaussettes.

1. JARRETER [ʒaʀte] v. intr. — Conjug. *jeter*. — 1694; de *jarret*.

♦ Techn. (archit.). Former un jarret (2.), un coude. *Voûte, pilastre qui jarrette.*

2. JARRETER [ʒaʀte] v. tr. — Conjug. *jeter*. — 1582, «fixer avec des jarretières»; contraction de *jarreterer*, de *jarretière*.
Vieux.

♦ **1.** Garnir de jarretières, mettre des jarretières à... — Pron. *Se jarreter.* — Au p. p. *Être mal jarreté.*

♦ **2.** (1900). Par analogie :

Des gars, en grands chapeaux de paille blanche jarretés de velours noir (...) COLETTE, Belles saisons, p. 160.

JARRETIER, IÈRE [ʒaʀtje, jɛʀ] adj. ⇒ **Jarreté.**

JARRETIÈRE [ʒaʀtjɛʀ] n. f. — 1360, *jartiere*; anc. gascon *gareter*, n. m., v. 1400; de *jarret*.

♦ **1.** (1360). Anciennt. Cordon, ruban, bande élastique destinée à fixer les bas en les entourant au-dessus ou au-dessous du genou (⇒ **Attache, fixe-chaussette**; → 2. Bas, cit. 3). *Paire de jarretières de soie, de caoutchouc, élastiques. Attacher, nouer, détacher, dénouer ses jarretières. Jarretière à boucle. Jarretières anciennes, ornées d'un bijou. Jarretières d'homme. — La jarretière de la mariée :* jarretière ornée qui, traditionnellement, est partagée entre les invités d'une noce.

(...) attachez sur son genou, avec des jarretières couleur de rose, un bas blanc bien tiré (...) DIDEROT, Salons, La chaste Suzanne. 1

Un bas rosâtre, orné de coins d'or, à la jambe, 2
Comme un souvenir est resté;
La jarretière, ainsi qu'un œil secret qui flambe,
Darde un regard diamanté. BAUDELAIRE, les Fleurs du mal, CX.

Mme B..., après nous avoir dit qu'elle adorait son mari, nous raconte qu'il met des bas, qu'il porte des jarretières, et qu'il lui faut en été des petits caleçons en toile bleue, pareils à des culottes de suisse. J. RENARD, Journal, 8 sept. 1889. 2.1

Elle (...) montrait ses jarretières qui avaient des petites roses de tissu (...) 3
ARAGON, les Beaux Quartiers, II, XVIII.

Ah! oui!... (il reprend sa canne). Vous préférez votre bois de Boulogne! votre théâtre! vos petits messieurs de l'orchestre avec leurs jarretières en guise de cravate. E. LABICHE, Deux merles blancs, II, 5. 4

(1606). Hist. *L'Ordre de la Jarretière,* institué en 1348 par Édouard III d'Angleterre. *L'insigne de la Jarretière est un ruban que le chevalier porte en écharpe, et qui est orné d'un bijou en forme de jarretière.*

♦ **2.** Dartre entourant la jambe.

♦ **3.** Mar. «Tresses cousues sur l'arrière des voiles, le long de la têtière, et terminées, à l'une de leurs extrémités par une boucle, à l'autre par une garcette ou un bout de ligne» (Gruss).

♦ **4.** Milit. Cordage* employé dans l'ancienne artillerie.

♦ **5.** Techn. Fil conducteur utilisé pour les raccords sur un circuit électrique, téléphonique.

♦ **6.** Lépidope (poisson très allongé et rubané).

DÉR. Jarretelle.

1. JARREUX, EUSE [ʒaʀø, øz] adj. — 1782; *jardoux*, v. 1268; de 2. *jarre*, et suff. *-eux*.

♦ Techn. Qui contient du jarre. *Laine jarreuse.*

2. JARREUX, EUSE [ʒaʀø, øz] adj. — D.i.; de *jar*. → 1. Jard.

♦ Régional. Forme de gravier caillouteux. *Terre jarreuse.*

JARRISSADE [ʒaʀisad] n. f. — 1873, Larousse; « cépée de chênes », 1845, Bescherelle; prov. *garrissado, jarrissado* « chênaie, terre inculte », de l'anc. franç. *jarris* « houx » (XIIe), de *garris* « lande » (XIIIe), du préceltique *carra* « pierre », qui est à la base de mots désignant des terres incultes, et par suite des lieux plantés de chênes.

♦ Régional. Clairière dans une forêt.

1. JARS [ʒaʀ] n. m. — XIIIe; étym. incert.; selon Bloch et Wartburg, même mot que *jard* « aiguillon » (du francique **gard*; → 2. Jarre) par compar. de la verge du jars avec un aiguillon; selon Guiraud, de l'anc. franç. *garse* « lancette » d'où *jarsier* (→ Gercer) « donner des coups avec un objet pointu (le bec) », le jars étant combatif.

♦ Mâle de l'oie* domestique (→ Hancher, cit. 2). ⇒ **Oie**, cit. 1. *Le jars s'accouple avec l'oie.* ⇒ **Jargauder.**

1 Au bord du chemin herbu, la Trouille, sans hâte, promenait ses oies, sous le roulement de l'averse. En tête du troupeau, trempé et ravi, le jars marchait; et, lorsqu'il tournait à droite son grand bec jaune, tous les grands becs jaunes allaient à droite. ZOLA, la Terre, I, III.

2 Et il y a Huret, avec sa tête de grand jars prêt à siffler. J. RENARD, Journal, 2 mars 1895.

DÉR. Jargauder.

HOM. Jar, 1. jard, 2. jard, 1. jarre, 2. jarre, 2. jars, 3. jars.

2. JARS [ʒaʀ] n. m. ⇒ **1. Jar.**

3. JARS [ʒaʀ] n. m. pl. ⇒ **2. Jarre.**

1. JAS [ʒa] n. m. — 1643; provençal *jas*, cf. anc. franç. *joal, jouail*; du lat. pop. **jacium* « gîte ».

♦ Mar. « Barre transversale d'une ancre fixe ou mobile, et pouvant dans ce cas se placer le long de la verge » (Gruss). Syn. : *Jouail. Jas en bois, en fer forgé. Enrouler accidentellement la chaîne sur le jas.* ⇒ **Surjaler.**

2. JAS [ʒa] n. m. — 1208, anc. provençal *jas*, d'un lat. pop. **jacium* « lieu où on est couché », de *jacere*.

★ **I.** Régional. Bergerie, dans les Alpes et le Midi de la France.

(...) il fallait d'abord aller au village, puis prendre à gauche après l'aire où sont les rouleaux à blé, puis monter à l'échine du jas Berre, puis traverser le bois de pins, puis chercher dans la colline la blessure toute saignante de sa carrière d'argile (...) J. GIONO, le Serpent d'étoiles, p. 13.

★ **II.** (1873). Techn. Premier bassin où entre l'eau de mer, dans les marais salants.

JASANT, ANTE [ʒazɑ̃, ɑ̃t] adj. — 1925, Genevoix; *jasante*, n. f. « prière » en argot, 1883, Delvau; p. prés. de *jaser*.

♦ Rare. Qui jase, babille. *Une voix jasante.* — Fig. *Une eau jasante, un ruisseau jasant.*

JASEMENT [ʒazmɑ̃] n. m. — 1538; de *jaser*, et *-ment*.

♦ Rare. Action de jaser; résultat de cette action (bruit).

JASER [ʒaze] v. intr. — 1538; *gaser*, v. 1500; orig. incert., p.-ê. du rad. onomatopéique *gas-*. → Gazouiller.

Vieilli, littéraire ou plaisant.

A. ♦ **1.** Babiller sans arrêt pour le plaisir de parler, dire inlassablement des futilités. ⇒ **Babiller, bavarder, caqueter, causer, jaboter, jacasser** (cit. 1). *Laisser jaser un enfant tout à son aise* (→ Endoctriner, cit. 2). *Bavards* (cit. 5), *commères qui aiment à jaser.* — *Jaser avec qqn. Jaser sur qqch.* — REM. Le mot, vieilli en français central, est resté courant en français du Canada, où il signifie simplement « deviser, bavarder », sans nuance péjorative.

1 Il faut souffrir qu'elle jase à son aise. MOLIÈRE, les Femmes savantes, V, 3.

Ils causaient entre eux d'un air paisible et indifférent. La fille jasait sans cesse, et gaîment. Le vieux homme parlait peu (...) HUGO, les Misérables, III, VI, I. 2

Fam. Parler avec indiscrétion de ce qu'on devrait taire, trahir des secrets. ⇒ **Bavarder.** *Interroger* (cit. 4) *qqn habilement pour le faire jaser.* ⇒ **Parler** (→ Converser, cit. 2).

Si vous me promettiez de tenir votre langue, je vous conterais... mais non; car vous iriez tout dire... vous ne pouvez rien taire; un peu de discrétion est bien rare aujourd'hui. Les gens crèveraient plutôt que de ne point jaser (...) P.-L. COURIER, IIe lettre partic., 28 nov. 1820. 3

D'ailleurs, maintenant que tu es avertie, il te sera facile de faire jaser les gens. F. MAURIAC, la Fin de la nuit, II, p. 47. 4

Fam. Parler; discuter, faire une conférence. — Avec un compl. *Jaser de qqch.* Ellipt. *Jaser philosophie, politique.*

♦ **2.** (1690, Furetière). Faire des commentaires plus ou moins désobligeants et médisants sur qqn ou qqch. ⇒ 2. **Causer, gloser, médire; critiquer.** *Jaser de qqch., sur qqch., sur qqn. Impossible d'accepter dans ces conditions* (cit. 2), *tout le monde en jaserait.* — Absolt. *On les voit toujours ensemble : cela fait jaser* (→ Intime, cit. 6).

On commençait de jaser beaucoup à Paris sur les frasques du ministre des Affaires étrangères. A. MAUROIS, Chateaubriand, VIII, V. 5

B. ♦ **1.** (Mil. XVIe, Ronsard). Émettre des cris ou des sons qui évoquent un babil. ⇒ **Gazouiller.** *Hirondelles qui jasent.*

Oh! quand donc aurez-vous fini, petits oiseaux, 6
De jaser au milieu des branches et des eaux (...)
HUGO, les Contemplations, II, IX.

Spécialt. Pousser son cri* (geai*, perroquet*, pie*). ⇒ **Jacasser, piailler.** — Fig. *Jaser comme une pie, une pie borgne** (→ Avorton, cit. 4).

♦ **2.** (Sujet n. de chose). *Un jet d'eau qui jase.* → Entretenir, cit. 15.

Dans le fond des bosquets où jasent les ruisseaux. BAUDELAIRE, les Fleurs du mal, CXI. 7

C. V. tr. Rare. Dire en jasant. *« Ce qu'un oiseau chante, un enfant le jase »* (Hugo, *Quatre-vingt-treize, in* T. L. F.).

DÉR. Jasant, jasement, jaserie, jaseur.

JASERAN [ʒazʀɑ̃] n. m. — XIIIe, *jaseran; jazerant*, fin XIIe; *jazerenc*, adj., 1080, *Chanson de Roland*; de l'arabe *djăzāʾir* « Algérie; Alger », d'où venaient beaucoup de cottes de maille.

♦ **1.** (XIIe). Anciennt. Corps d'armure, chemise de mailles. ⇒ **Haubert.** — Par ext. Collet de mailles lacé.

♦ **2.** (*Jasiran*, 1527). Mod. (techn.). Chaîne* de cou à mailles d'or ou d'argent très fines. *Croix, médaillon suspendu au cou par un jaseran d'or.* — REM. La var. *jaseron* est tardive et rare :

(...) de grosses coques de perle aux oreilles et le col cerclé de cinquante tours de jaserons. Th. GAUTIER, Portraits contemporains, p. 191.

HOM. (De *jaseron*) Forme du v. **jaser.**

JASERIE [ʒazʀi] n. f. — 1538; de *jaser*, et *-erie*.

♦ Fam. et rare. ⇒ **Babil, bavardage, caquetage.**

Et au lieu du coup brutal et régulier de la rime, voici (...) la jaserie miroitante de diaprée des assonances (...) CLAUDEL, Sur Francis Jammes, *in* Revue de Paris, avr. 1946.

JASEUR, EUSE [ʒazœʀ, øz] adj. et n. — V. 1530, adj.; n., 1538; de *jaser*, et *-eur*.

♦ **1.** Qui jase, qui a l'habitude de jaser. ⇒ **Babillard, bavard, causeur** (→ Béjaune, cit. 2). — Par anal. *Une source jaseuse* (→ Glisser, cit. 15). *Pie jaseuse.*

Le vent du Rhin secoue sur le bord les osiers
Et les rosiers jaseurs et les fleurs nues des vignes.
APOLLINAIRE, Alcools, Rhénanes, Mai.

N. *Un jaseur intarissable.*

♦ **2.** N. m. (1731, *in* D. D. L.). Zool. Oiseau passereau *(Ampélidés)*, de la taille d'un étourneau, scientifiquement appelé *ampelus* ou *bombycilla* selon les espèces, qui vient en France des régions boréales.

CONTR. (Du sens 1) **Discret.**

JASIONE [ʒazjɔn] n. f. — 1789, Lamarck, *in* D. D. L.; du grec *iasiônê*.

♦ Bot. Plante à petites fleurs monopétales bleues *(Campanulacées)*, cultivée dans les jardins de rocaille.

JASMIN [ʒasmɛ̃] n. m. — Mil. XVIe, Ronsard; *jassemin*, 1512; *jasimin*, XIVe; catalan *gessami*, ital *gelsomino*; de l'arabe *yāsămin, yāsĭmīn*.

♦ **1.** [a] Arbuste sarmenteux et vivace *(Oléacées)* à grandes fleurs (cit. 5) jaunes ou blanches, souvent très odorantes, solitaires ou groupées en cymes. *Principales variétés de jasmins : jasmin blanc* ou *jasmin commun; jasmin cytise, jasmin jonquille, jasmin d'Espagne*, cultivé dans tout le Midi de la France pour ses fleurs utilisées en parfumerie ; *jasmin d'hiver* ou *d'Italie*, plante ornementale à fleurs jaunes inodores.

b (Mil. XVIe, Ronsard). La fleur de cette plante. *Bouquet* (1. Bouquet, cit. 3) *de jasmin. Cueillette du jasmin dans le Midi. Blancheur comparable aux jasmins* (→ Défaut, cit. 18). — *Thé au jasmin.* — *Essence de jasmin. Eau, poudre de jasmin.*

1 Le cinquième *(bateau)* était grand, tapissé tout exprès (...)
De bouquets de jasmin, de grenade et d'orange. CORNEILLE, le Menteur, I, 5.

2 Elle n'avait jamais vu de camélias blancs, elle n'avait jamais senti le cytise des Alpes, la citronnelle, le jasmin des Açores... toutes ces odeurs divines qui sont comme l'excitant de la tendresse, et qui chantent au cœur des hymnes de parfums. BALZAC, le Curé de village, Pl., t. VIII, p. 557.

♦ **2.** (V. 1560, Paré). Parfum de la fleur de jasmin. Parfum* extrait des fleurs de *jasmin commun* et de *jasmin d'Espagne. Eau de Cologne au jasmin.*

3 (...) le souvenir du parfum double qui s'attache aux tentures : tabac anglais et jasmin un peu trop doux (...) COLETTE, la Vagabonde, p. 245.

4 Le soir venait (...) Les jasmins qui, par leurs efforts de tout le jour, étaient parvenus vers le crépuscule à se cramponner à ma fenêtre, devaient céder quand je l'ouvrais et m'inondaient de parfum, de pollen, d'étamines (...)
J. GIRAUDOUX, Siegfried et le Limousin, p. 260.

♦ **3.** (Qualifié ; désignant d'autres plantes). *Jasmin de Virginie.* ⇒ **Bignone.** — *Jasmin en arbre.* ⇒ **Seringat.** — Régional. *Jasmin des ânes.* ⇒ **Clématite.**

DÉR. Jasmone.

JASMONE [ʒasmɔn] n. f. ou m. — 1907, *Larousse mensuel* ; de *jasmin*, suff. *-one*.

♦ Chim. Cétone de formule brute $C_{11}H_{10}O$, à parfum caractéristique, qu'on trouve dans l'essence de jasmin.

À ces corps on peut ajouter le jasmone synthétique à violente odeur de jasmin.
Charles BOURGEOIS, Chimie de la beauté, p. 25.

JASPAGE [ʒaspaʒ] n. m. — 1873, Larousse ; de *jasper*.

♦ Techn. Opération qui consiste à imiter le jaspe, à produire des jaspures* sur un livre, un mur.

JASPE [ʒasp] n. m. — V. 1119 ; empr. au lat. *iaspis*, d'orig. grecque.

♦ **1.** Roche siliceuse à base de quartz à calcédoine, finement rubanée, colorée en vert, rouge, brun ou noir. *Cassure, fracture* (cit. 1) *terreuse, du jaspe, des jaspes. Jaspe onyx. Jaspe rubané de l'Oural. Jaspe noir.* ⇒ **Pierre** (de touche). *Jaspe sanguin* : variété de calcédoine* verte à taches rouges. — *Colonne de jaspe poli* (→ Étoile, cit. 30). *Marbre blanc incrusté* (cit. 1) *de jaspe. Vase, coupe de jaspe.*

1 Les jaspes d'une seule couleur sont les plus purs et les plus fins ; ceux qui sont tachés, nués, ondés ou veinés, peuvent être regardés comme des jaspes impurs (...) BUFFON, Hist. nat. des minéraux, Jaspes.

2 Comme les fleurs exotiques qui ornent les vases de jaspe de ses consoles (...)
BARBEY D'AUREVILLY, les Diaboliques, Dessous de cartes..., p. 205.

Par ext. Objet d'art en jaspe. *Collection de jaspes.*

♦ **2.** (1680). Techn. (reliure). Couleurs dont on marbre la tranche ou le plat d'un livre.

DÉR. Jaspé, jasper, jaspique, jaspoïde.

JASPÉ, ÉE [ʒaspe] adj. et n. m. — 1552 ; de *jaspe*.

♦ **1.** Dont la couleur, la bigarrure, naturelle ou non, évoque le jaspe. *Marbre jaspé. Agathe jaspée. Reliure en veau jaspé.*

(...) un gros hanneton des dunes, jaspé comme un œuf de vanneau.
COLETTE, la Paix chez les bêtes, Poum.

♦ **2.** (1877, Littré). Techn. *Acier jaspé*, offrant des jaspures obtenues par une trempe particulière dite *au jaspé*.

HOM. Jasper.

JASPER [ʒaspe] v. tr. — 1564 ; de *jaspe*.

♦ Bigarrer par bandes ou par taches multicolores et irrégulières pour donner un aspect jaspé. ⇒ **Bigarrer.** *Jasper un lambris.* — Spécialt (reliure). *Jasper la tranche, le plat d'un volume*, y semer des points de couleur. ⇒ **Marbrer.**

Au participe passé :

Et je vis sur le sable un serpent jaune et vert,
Jaspé de taches noires. HUGO, les Orientales, XXVI.

DÉR. Jaspage, jaspé, jaspure.
HOM. Jaspé.

JASPIN [ʒaspɛ̃] n. m. — 1865, Esnault ; déverbal de *jaspiner*.

♦ Fam. (d'abord argot), rare. Bavardage. ⇒ **Jaspinage.**

Je voudrais entendre leur jaspin ! (...) CÉLINE, Guignol's band, p. 135.

JASPINAGE [ʒaspinaʒ] n. m. — 1883, Larchey, *Suppl.*, de *jaspiner*.

♦ Fam. (d'abord argot). Action de jaspiner. ⇒ **Jaspin.**

JASPINER [ʒaspine] v. — Av. 1715, selon Esnault ; var. *jaspiller*, déb. XVIIe, VX ; du même rad. que *jaser*, croisé avec *japiner*, régional, de *japper*, et suff. *-iner*.

♦ **1.** V. tr. Vx. Parler (un argot).

Posément, je pose mes questions, je réponds aux siennes, je fais salon. C'est qu'elle ne jaspine pas le jar[1] (...) et qu'elle est très réservée, très « détenue-modèle », et certainement pas récidiviste (...) A. SARRAZIN, la Cavale, p. 154. 1
(1) *Le jar* : l'argot.

♦ **2.** V. intr. Fam. Bavarder, parler. ⇒ **Jaser.** *Il n'arrête pas de jaspiner.* — Trans. ind. *Jaspiner de choses et d'autres.*

Est-ce que tu vas courir dans la *vergne*, au lieu d'entrer *jaspiner* avec les *vieux*. 2
Ch. PAUL DE KOCK, la Grande Ville, t. I, p. 181 (éd. 1842).

Mais pardon. Je jaspine de choses oubliées et d'affaires que tu as sous les yeux, c'est bête. 3
Germain NOUVEAU, Lettre à Jean Richepin, 27 juil. 1875, Pl., p. 826.

Spécialt, argot anc. Trop parler. ⇒ **Bavarder.**

Que serait-il devenu si Sansblair eût *jaspiné* (bavardé) ? 4
Louise MICHEL, la Misère, t. III, p. 645.

DÉR. Jaspin, jaspinage, jaspineur.

JASPINEUR, EUSE [ʒaspinœʀ, øz] n. — 1846, Esnault ; *jaspineux*, 1845, Bescherelle ; de *jaspiner*.

♦ Fam. Bavard.

Volpatte qui s'immobilisait, se remue et dit : 1
— Vous m'empêchez de dormir, les jaspineurs !
H. BARBUSSE, le Feu, t. II, II, XIX, p. 17.

(...) un tour de bouton qui imposerait silence général à tous les jaspineurs publics, tripatouilleurs d'abstraction et prophètes à cachet (...) 2
Jacques PERRET, Bâtons dans les roues, p. 13.

JASPIQUE [ʒaspik] adj. — 1867, Littré ; de *jaspe*, et *-ique*.

♦ Didact. Formé de jaspe.

JASPOÏDE [ʒaspɔid] adj. — 1867, Littré ; de *jaspe*, et *-oïde*.

♦ Didact. Qui ressemble au jaspe.

JASPURE [ʒaspyʀ] n. f. — 1606 ; *jasprure*, 1557 ; de *jasper*, et *-ure*.

♦ **1.** Couleur, bigarrure de ce qui est jaspé, de ce qu'on a jaspé. *La jaspure d'un volume.* ⇒ **Marbrure.**

♦ **2.** Ensemble de taches naturelles rappelant celles du jaspe. *La jaspure d'une tulipe.* ⇒ **Bigarrure.**

♦ **3.** Techn. Coloration (de l'acier) obtenue par la trempe au jaspé.

JASSERIE [ʒasʀi] n. f. — D. i. (1868, Heuzé, *in* T. L. F.) ; de 2. *jas*.

♦ Régional (Auvergne). Petite construction élevée en montagne, servant d'abri aux bergers pendant l'été et où on fabrique des fromages. ⇒ **Buron.**

Vue de près, la Tour Maure semblait plus anormale encore qu'en photo. La construction s'était manifestement appuyée sur quelques bâtiments préexistants, de ces étables montagnardes que les Auvergnats nomment jasseries.
J.-P. MANCHETTE, Folle à tuer, p. 145.

JATO [ʒato ; dʒato] n. m. invar. — XXe ; initiales de l'angl. *j(et) a(ssisted) t(ake) o(ff)* « décollage assisté par fusée ».

♦ Techn. Décollage d'un avion par fusée à poudre ; (par ext.) la fusée elle-même. *Les hydrocarbures sont « les combustibles habituels des JATO »* (J.-F. Théry, *Carburants nouveaux*, p. 62).

JATROPHE [ʒatʀɔf] n. m. — 1846, Bescherelle ; du grec *iatros* « médecin », et *phagein* « manger ».

♦ Bot. Genre d'*Euphorbiacées* comprenant des espèces ornementales, ou officinales, appelé couramment *médicinier. Le Jatrophe manihot est plus connu sous le nom de manioc**.

JATTE [ʒat] n. f. — V. 1398 ; *gate*, v. 1180 ; du lat. *gabata* « écuelle, jatte ».

♦ **1.** Vieilli ou régional (cour. en Belgique). Vase de forme arrondie, très évasé et tout d'une pièce, sans rebord ni anse ni manche.

⇒ 1. **Bol,** 1. **coupe.** *Jatte de bois, de faïence. Une jatte en porcelaine* (→ Étagère, cit. 3), *en terre. Grande jatte.* ⇒ **Jale.** *Une jatte pleine de lait* (→ Crème, cit. 1). Par ext. La jatte et son contenu. *Une jatte de lait* (→ Cerise, cit. 5).

1 En avançant d'un pas, Godefroid vit la poterie des plus pauvres ménages : des jattes en terre vernie où nageaient des pommes de terre dans de l'eau sale.
BALZAC, l'Initié, Pl., t. VII, p. 365.

2 (...) une jatte de fraises blanches. COLETTE, Prisons et Paradis, p. 91.

3 Pauline (...) posait sur un guéridon de fer une jatte en verre pleine de miel (...)
J. CHARDONNE, les Destinées sentimentales, p. 220.

(1856, Hugo). Le contenu d'une jatte. ⇒ **Jattée.** *Manger une jatte de crème, de fruits.*

♦ **2.** Techn. Bassine ou récipient pour la colle (en reliure).

♦ **3.** Loc. *Cul*-de-jatte* (⇒ **Cul,** cit. 13 et 14). — Rare. Dispositif où s'asseoit un cul-de-jatte.

4 Le cul-de-jatte palmé se haussa sur les talons postiches de sa jatte (...)
Alfred JARRY, Gestes et opinions du Dr Faustroll, Pl., p. 706.

DÉR. Jattée.
COMP. Cul-de-jatte.

JATTÉE [ʒate] n. f. — Déb. XVIIe, Pasquier; de *jatte,* et *-ée.*

♦ Rare. Contenu d'une jatte. *Une jattée de crème.*

(...) il met une jattée de lait bien crémée, fleurante, toute ridée comme une peau de vieille.
J. GIONO, Présentation de Pan, Appendices, *in* Œ. roman., Pl., t. I, p. 767.

JAUGE [ʒoʒ] — V. 1268; d'un francique **galga,* plur. de *galgo* « perche », l'instrument avec lequel on jaugeait les récipients se composant de deux perches.

★ **I.** ♦ **1.** Capacité que doit avoir un récipient déterminé. *Ce tonneau, ce boisseau, ce litre n'est pas de jauge, n'a pas la jauge* (Académie).

♦ **2.** (1723; « évaluation de la capacité », 1690). Mar. « Capacité cubique intérieure du navire exprimée en tonneaux de jauge, unité de 2 m³ 83, représentant dans le système métrique le tonneau anglais » (Capitant, *Voc. juridique*). ⇒ **Tonnage.** *Jauge brute, nette. Certificat de jauge délivré par le service des douanes après jaugeage*.*
En yachting, Formule internationale calculée d'après les caractéristiques (longueur, poids, surface de voilure, section de la coque) du yacht, et permettant la comparaison de bateaux de différents types qui participent à une course-croisière. ⇒ **Rating.** *Jauge internationale* (abrév. : *J. I.*).

Les *règles de jauges* sont aux voiliers de compétition l'équivalent des règles de la formule 1 pour les voitures de compétition. Pour les voiliers, les *règles de jauge* sont définies par la Fédération internationale de la voile; actuellement, les plus grands voiliers de compétition répondent à la norme de la *jauge internationale* de 12 mètres. Ce chiffre ne représente pas la longueur du voilier, mais la valeur numérique que ne doit pas dépasser la formule de *jauge* quand on y introduit les grandeurs caractéristiques du bateau : sa longueur et sa largeur, la profondeur de la quille, la surface de la voile (...) La Recherche, no 151, janv. 1984, p. 94.

♦ **3.** (1867, Littré). Techn. Quantité déterminée de mailles existant dans une surface donnée de tricot.

♦ **4.** Action de jauger. ⇒ **Jaugeage.** — Loc. *Robinets de jauge,* qui renseignent sur les niveaux de l'eau contenue dans une chaudière ou un réservoir.

★ **II.** ♦ **1.** (1467). Instrument ou objet étalonné qui sert à fixer la jauge (I.), à mesurer la contenance d'un récipient ou le niveau de son contenu (baguette, règle, verge graduée, canne de niveau). *Jauge d'essence, de niveau d'huile.*

♦ **2.** Techn. Barrique, fût... servant d'étalon pour mesurer et échantillonner les autres.

♦ **3.** (1676, Félibien). Techn. Instrument servant à mesurer les dimensions de corps solides. *Jauge de charpentier.* ⇒ **Règle.** *Jauge de filetage, de longueur, de profondeur. Jauge extensible.*

(1386). Agric. Cheville de fer qui, par sa position sur la haie de la charrue, règle le degré de pénétration du soc. — (1690). Par ext. Distance, sillon provisoire laissé entre la terre labourée et celle qui va l'être. *Jauge de labour.*

(1867, Littré). Petite tranchée creusée à la bêche pour y conserver provisoirement des plants que l'on repiquera ailleurs. *Jauge de plantation. Mettre du plant en jauge* (⇒ **Pépinière**).

♦ **4.** Techn. Barre de fer avec laquelle le forgeron manie l'enclume ou de grosses masses de fer.

★ **III.** Instrument servant à jauger (fig.), à évaluer une grandeur physique. *Jauge de température* (parfois constituée par un papier adhésif qui vire au noir à une température déterminée). — *Jauge de contrainte, jauge extensométrique.* — *Jauge à rayons bêta* (pour vérifier l'épaisseur de pellicules minces).

DÉR. Jauger, jaugette.

JAUGEAGE [ʒoʒaʒ] n. m. — 1611; *gaujage,* 1248; de *jauger.*

♦ **1.** Action de jauger. *Jaugeage des tonneaux, des foudres. Formules de jaugeage. Robinet pour le jaugeage* : robinet de jauge*. *Jaugeage d'un réservoir. Jaugeage d'un cours d'eau,* évaluation de son débit (cit. 5).

(1698). Mar. Ensemble des mesures et calculs nécessaires pour déterminer la jauge d'un navire.

♦ **2.** (1690, Furetière). Droit perçu à l'occasion d'un jaugeage.

♦ **3.** Par anal. (Choses solides). *Le jaugeage du bois.*

JAUGER [ʒoʒe] v. tr. — Conjug. *bouger.* — V. 1268; de *jauge.*

★ **I.** ♦ **1.** Prendre la jauge de (un récipient pour les liquides) ou contrôler avec une jauge la capacité de... (→ Commissaire, cit. 4). *Jauger un réservoir, un tonneau.*
Par anal. *Jauger un volume, un tas de sable.* ⇒ **Cuber.**
(V. 1680). Mar. *Jauger un navire.*

On jauge le vaisseau et on voit combien de tonneaux il peut contenir. 1
RACINE, Notes historiques, XXXVI (v. 1680).

(1867). Techn. *Jauger une pompe,* évaluer son débit.

♦ **2.** (1787). Fig. Apprécier (qqch., qqn) par un jugement de valeur. ⇒ **Apprécier, juger.** *Jauger un écrivain à sa juste valeur* (→ Comprendre, cit. 32). *Jauger un enfant dès l'école* (→ Assigner, cit. 9). *Jauger qqn d'un coup d'œil.* — *Jauger une idée, une théorie.*

On commettrait une grave erreur, ce me semble, en jugeant la France, en jaugeant sa valeur réelle et profonde, simplement par ce qui se manifeste d'elle aujourd'hui. GIDE, Attendu que..., p. 163. 2

Il hésita un peu et attendit qu'Antoine eût de nouveau tourné la tête vers lui; d'un coup d'œil, il parut jauger définitivement son homme. 3
MARTIN DU GARD, les Thibault, t. III, p. 200.

Mais il y a, autre part, pas très loin politiquement de vous, des hommes lucides qui sont capables, eux, de jauger une personnalité exceptionnelle et de lui permettre de donner sa mesure. J. ANOUILH, Pauvre Bitos, p. 137. 3.1

Bien que *La Mort d'Ivan Ilitch* soit un roman chrétien dans son essence, Tolstoï jauge les « hommes forts » de Paris ou de Londres sans recourir à l'Évangile. 3.2
MALRAUX, l'Homme précaire et la Littérature, p. 134.

★ **II.** (Sujet n. de chose). ♦ **1.** (1694). Avoir un tirant d'eau de... *Péniche jaugeant un mètre.*

♦ **2.** (1807). Avoir une capacité de... ⇒ **Mesurer, tenir.** **a** Mar. *Navire qui jauge 1 200 tonneaux.*

— Vous avez là un beau navire, mylord, dit-il. 3.3
— Un bon navire surtout, répondit Glenarvan.
— Et quel est son tonnage ?
— Il jauge deux cent dix tonneaux.
J. VERNE, les Enfants du capitaine Grant, II, VII.

b (1843). Rare. (Récipients). ⇒ **Contenir.** *Verre qui jauge un quart de litre.*

Il s'était fait faire un splendide verre en cristal de Bohême, qui jaugeait, Dieu me damne ! une bouteille de bordeaux tout entière (...) 4
BARBEY D'AUREVILLY, les Diaboliques, « Le rideau cramoisi ».

DÉR. Jaugeage, jaugeur.

JAUGETTE [ʒoʒɛt] n. f. — 1957, cit.; de *jauge,* et *-ette (-et).*

♦ Rare ou régional. Petite jauge (II.).

Mon oncle prit un gros dé à coudre de cuivre, fixé au bout d'un petit manche de bois noir. — Voici la jaugette pour mesurer la charge, me dit-il. Elle est graduée en grammes et décigrammes, ce qui nous permet une précision suffisante.
PAGNOL, la Gloire de mon père, t. I, p. 196 (1957).

JAUGEUR [ʒoʒœʀ] n. m. — 1248, *gaujeor;* de *jauger.*

Technique.

♦ **1.** Homme employé à jauger. — REM. Dans ce sens, le fém. *jaugeuse* est virtuel.

♦ **2.** (1912, in *Larousse mensuel*). Appareil à jauger.

JAUGUE [ʒog] n. f. — Attesté 1796; aussi *jogue,* du gaul. **jouga.*

♦ Régional. Ajonc (dans les Landes).

Hier nous sommes allés voir si les pins poussaient dans notre métairie incendiée. Ils poussent dru, mais la broussaille aussi. Les ajoncs, les « jaugues » les recouvrent presque. F. MAURIAC, Bloc-notes, 1952-1957, p. 226.

JAUMIÈRE [ʒomjɛʀ] n. f. — 1667; altér. de *heaumière;* de *heaume* (vx) « barre du gouvernail », moy. néerl. *helm;* anc. scandinave *hjalm.*

♦ Mar. « Ouverture pratiquée dans la voûte d'un navire pour le passage de la mèche du gouvernail*, dont la tête dépasse, et sur laquelle la barre est fixée» (Gruss). *Trou de jaumière :* orifice de passage de la mèche du gouvernail.

JAUNASSE [ʒonas] adj. — 1821, Balzac; cf. l'anc. franç. *galnace* «qui tire sur le jaune», XIIIe; de *jaune,* et *-asse.*

♦ D'un jaune sale, incertain. ⇒ **Jaunâtre.**

JAUNÂTRE [ʒonɑtʀ] adj. — XVIIe; *jaunastre,* 1530; de *jaune,* et *-âtre.*

♦ Qui tire sur le jaune* (⇒ **Jaunasse**), d'un jaune terne. — REM. Le mot a en général une nuance péjorative. *Brique* (cit. 1, 2), *glaise jaunâtre. Un blanc jaunâtre* (→ Coton, cit. 3; hoazin, cit. 1; indien, cit. 5). *Visage cadavérique* (cit. 1) *et jaunâtre. Le soleil jaunâtre du crépuscule* (→ 1. Fumer, cit. 8).

1 L'ombre d'un corps avec la chair et le sang de la peau, forme une faible teinte jaunâtre. DIDEROT, Essai sur la peinture, III.

2 (...) le ventre et le dessous de la gorge *(de l'autour)* sont ordinairement blancs ou blancs jaunâtres (...) BUFFON, Hist. nat. des oiseaux, L'autour.

3 (...) leurs briques ternes *(des maisons)* avaient pris la couleur de la glaise jaunâtre (...) A. MAUROIS, les Silences du colonel Bramble, p. 16.

JAUNE [ʒon] adj. et n. — XIIe; *jalne,* 1080, *Chanson de Roland;* du lat. *galbinus* «vert pâle ou jaune», de *galbus* «jaune».

★ **I.** Adj. ♦ **1.** Qui est d'une couleur placée dans le spectre entre le vert et l'orangé, et dont la nature offre de multiples exemples : *être jaune comme l'or* (⇒ **Doré**), *le safran, la paille, le miel, le soufre, le citron. La teinte jaune du beurre, de l'huile, des épis mûrs* (⇒ **Blond**). *Matières organiques donnant une teinte jaune aux feuilles* (xanthophylle), *à l'urine* (xanthine)... ⇒ **Xanth-,** préf. *Les fleurs* (cit. 5) *jaunes de la ficaire* (cit.), *du genêt, du mimosa, du souci, du tournesol* (→ Fouetter, cit. 20). — *Plumage jaune du canari, du serin. Bec jaune des oisillons.* — Loc. fig. *Bec jaune.* ⇒ **Bec.** *Montrer à qqn son bec jaune* ou *béjaune** (cit. 1). — *Papillons jaunes.* ⇒ **Xanthie.** — *Chien à poil jaune* (→ Griffon, cit. 3). — *Pierre jaune.* ⇒ **Topaze.** (Choses naturelles; en général avec une nuance dépréciative). *Des eaux jaunes et limoneuses.* → Arène, cit. 4. — *Brouillard* (cit. 6) *jaune* (→ Espace, cit. 20). — (Dans des noms de cours d'eau). *Le fleuve Jaune. Le Nil jaune.*

1 Comme une peau de tigre, au couchant s'allongeait
Le Nil jaune, tacheté d'îles. HUGO, les Orientales, I, IV.

De longues dents jaunes (→ Haquenée, cit. 2). *Cheveux jaunes :* cheveux blonds d'une teinte très (trop) colorée (→ Dégingandé, cit. 1; face, cit. 5).

(V. 1165). En parlant de la peau. *Visage jaune de hâle* (cit. 3). *Teint jaune et bilieux.* — (Personnes). *Il est jaune, maigre, souffreteux* (→ Baguette, cit. 4; escogriffe, cit. 2; gastrique, cit. 1; infant, cit. 2). *Être jaune comme un citron*, un coing** (cit. 2), *comme cire** (vieilli) : être très jaune.

2 Le visage avait alors une teinte jaune semblable à celle qui colore les austères figures des abbesses célèbres par leurs macérations. BALZAC, le Curé de village, Pl., t. VIII, p. 640.

Spécialt (en parlant d'une personne atteinte de jaunisse) :

2.1 Vaucorbeil allait partir, quand Pécuchet l'arrêta.
— «Vous m'oubliez, Docteur!»
Sa mine jaune était lamentable, avec ses moustaches, et ses cheveux noirs qui pendaient sous le foulard mal attaché.
— «Purgez-vous» dit le médecin; et lui donnant deux petites claques comme à un enfant : «Trop de nerfs, trop artiste!»
— «Il me semble» dit Pécuchet «que nous aurons bientôt du grabuge?» Car il voyait tout en noir, peut-être à cause de sa jaunisse.
FLAUBERT, Bouvard et Pécuchet, Folio, p. 224.

REM. Les derniers emplois, presque toujours péjoratifs, reflètent les connotations négatives, voire maléfiques de la couleur jaune, dans la civilisation française médiévale, connotations que l'on retrouve dans plusieurs emplois concrets et figurés. Il en va de même pour *rouge* et *roux,* au point que dans le texte ci-après, *jaune* est un synonyme (affectif) de *roux* :

2.2 Pourquoi l'appelez-vous Poil de Carotte? À cause de ses cheveux jaunes? — Son âme est encore plus jaune, dit madame Lepic.
J. RENARD, Poil de Carotte, p. 293, *in* T. L. F.

(Qualifiant des objets fabriqués, peints). *Un jouet jaune. Un sous-marin jaune. Un décor, une façade jaune. Un mur jaune.* «*Le petit pan de mur jaune*» (Proust; → Mur, *infra* cit. 16). *Le mystère de la chambre jaune,* roman de Gaston Leroux. *La ligne jaune,* signalisation routière.

(Vêtements). *Un pantalon jaune. Souliers jaunes. Une jupe jaune à fleurs. Gants jaunes.* — Loc. *Nain* jaune.*

(Lumière). *Clarté, lueur jaune.* — (De la source lumineuse). *Lampe jaune. Phares jaunes.*

Spécialt (qualifiant des êtres ou objets de même espèce et pouvant avoir d'autres couleurs). *Argile jaune.* ⇒ **Ocre.** *Cuivre, or jaune. Ambre jaune. Marbre jaune. Nénuphar jaune.* ⇒ **Jaunet.** — *Un vin jaune* (→ Vin de paille*). — *Blés, feuilles jaunes* (opposé à *vert*).

Loc. (1834, Balzac). *Le métal jaune :* l'or. *Une pièce jaune,* en or. ⇒ **Jaunet.**

Biol. *Corps jaune :* masse jaune dans l'ovaire, formée par un follicule de Graaf après la chute de l'ovule. *La lutéine, hormone sécrétée par le corps jaune.*

Adv. (XVIIIe, Saint-Simon). Fig., fam. *Rire* jaune,* d'un rire forcé, contraint, qui dissimule mal le mécontentement, le dépit, la gêne.

(Chamillart) était un bon et très honnête homme (...) d'ailleurs très borné (...) riant jaune avec une douce compassion à qui opposait des raisons aux siennes. 3
SAINT-SIMON, Mémoires, I, LVI.

Mithoerg, décontenancé, souriait un peu jaune. 4
MARTIN du GARD, les Thibault, t. V, p. 38.

♦ **2.** (1814, Nysten). Méd. *Fièvre* jaune.*

♦ **3.** (1840, Académie, *Compl.*). *Race jaune :* race humaine, en majeure partie asiatique, caractérisée par des yeux bridés et une peau de couleur brun très clair. *Peuples jaunes :* Chinois, Japonais, Mongols, Inuit (Esquimaux). *Femmes* (cit. 114) *jaunes. Avoir la peau jaune, être jaune :* appartenir à la race jaune. → ci-dessous, II., 4., (n.) — Loc. *Le péril jaune :* menace supposée que ferait peser l'Asie sur les autres continents à cause de son taux de natalité élevé. — Par extension :

(...) croyez pas que j'exagère... si je vous dis que demain la France sera toute jaune 4.1
par les seuls effets des mariages (...) que le sang des blancs est dominé, que les blancs peuvent aller tous s'atteler, très vite, leur dernière chance... pousse-pousse ou mourir de faim... allez pas dire que j'exagère... CÉLINE, Rigodon, p. 228.

♦ **4.** (1901, *in* Esnault). Hist. *Syndicats jaunes* (dont l'insigne était un genêt et un gland jaune) : organisations syndicales créées en 1899 contre les syndicats ouvriers (→ ci-dessous, II., B., 2.).

(...) le syndicat maison (...) ramassis de briseurs de grèves et de truqueurs d'élec- 4.2
tions. Ce syndicat jaune est l'enfant chéri de la direction (...)
Robert LINHART, l'Établi, p. 67.

♦ **5.** Emplois spéciaux (comme au sens 4, la valeur dépréciative du mot est ici sensible). **a** (1859, *passeport sur papier jaune*). *Passeport jaune :* passeport des anciens forçats libérés.

— Oh! la casaque rouge, le boulet au pied, une planche pour dormir, le chaud, 4.3
le froid, le travail, la chiourme, les coups de bâton! La double chaîne pour rien. Le cachot pour un mot. Même malade au lit, la chaîne. Les chiens, les chiens sont plus heureux! Dix-neuf ans! J'en ai quarante-six. À présent le passeport jaune! Voilà. HUGO, les Misérables, I, II, III.

b (La couleur jaune étant imposée aux Juifs depuis le moyen âge). *Bonnet jaune des Juifs. Étoile jaune,* signe distinctif imposé aux Juifs par les nazis.

c *Drapeau jaune,* signalant que la mer est dangereuse sur une plage.

★ **II.** N. m. **A.** (Choses). ♦ **1.** (V. 1170, Chrétien de Troyes). *Le jaune, du jaune.*

a Une des sept couleurs fondamentales du spectre solaire, placée entre le vert et l'orangé. *Couleur qui tire sur le jaune.* ⇒ **Jaunâtre.** *Jaune tirant sur le brun.* ⇒ **Bronze, saure.** *Le mélange du jaune et du bleu donne le vert*. Tourner au jaune.* ⇒ **Jaunir; jaunissement** (→ Gras, cit. 10). *Teinter de jaune.* ⇒ **Jaunir; jaunissage.** *Peindre des volets en jaune.*

La couleur du cuivre pur est d'un rouge orangé, et cette couleur, quoique fausse, 5
est plus éclatante que le beau jaune de l'or pur.
BUFFON, Hist. nat. des minéraux, Du cuivre.

Fam., vx. *Être peint en jaune :* être trompé par sa femme (le jaune étant considéré, depuis des temps très anciens et pour des raisons obscures, comme la couleur de l'infamie, du déshonneur). Mod. *Le jaune, couleur des cocus.*

b Le jaune du vêtement, de la parure. *Être (habillé) en jaune* (→ Épitoge, cit.). *Porter du jaune. Le jaune ne va pas à son teint, ne lui va pas.*

Vulcain, en garçon chic, tout de jaune habillé, ganté de jaune (...) 6
ZOLA, Nana, I.

c (Qualifié). *Un jaune, des jaunes.* Ton, nuance de jaune. *Un jaune clair, éclatant, faible* (cit. 27), *foncé, franc* (2. Franc, cit. 13), *vif... Faisan* (cit. 1) *aux plumes d'un jaune doré. Bœuf* (cit. 5), *cheval à la robe d'un jaune pâle* (⇒ **Isabelle**). *Barbouillage* (cit. 3) *d'un jaune sale. Un jaune pisseux.* — *Un jaune d'ambre* (→ Grappe, cit. 5), *de cire* (→ Fente, cit. 1), *un jaune mirabelle* (→ Ardoisé, cit. 1). *Une bande pâle, d'un jaune citron.* → Orangé, cit. 2.

(...) dans notre climat la couleur ordinaire du canari est uniforme, d'un jaune citron 7
sur tout le corps (...) La femelle est d'un jaune plus pâle que le mâle.
BUFFON, Hist. nat. des oiseaux, Le serin des Canaries.

Considérez au Louvre, dans l'*Esther* de Véronèse, la charmante suite des jaunes 8
qui, vaguement pâlis, foncés, argentés, rougis, verdis, teintés d'améthyste et toujours tempérés et reliés, se fondent les uns dans les autres, depuis la jonquille pâle et la paille luisante, jusqu'à la feuille morte et la topaze brûlée (...)
TAINE, Philosophie de l'art, t. II, p. 336.

(En emploi adjectival, mais le mot *jaune* et le mot précisant la nuance restant tous deux invariables). *Des fleurs jaune d'or* (→ Bas-fond, cit. 1). *Sable jaune vif* (→ Beau, cit. 31). *Étoffe jaune orange* (→ Fanfreluche, cit. 3), *jaune chamois, jaune citron, jaune canari** (1876), *jaune feuille-morte, jaune paille, jaune pipi* (fam.), *jaune* *serin... Du poil jaune filasse. Un mélange jaune caramel* (→ Gâchis, cit. 1).

9 (...) on voyait leurs corps couleur de bronze jaune doré s'agiter avec une souplesse de couleuvre (...) Th. GAUTIER, le Roman de la momie, I.

10 Un soleil, une lumière, que faute de mieux je ne puis appeler que jaune, jaune soufre pâle, citron pâle or. Que c'est beau le jaune!
VAN GOGH, Lettres à son frère Théo, *in* CLARAC, I, p. 83.

10.1 (...) photographiant d'un œil haineux les supporteurs du C. M. Haut-Médoc, reconnaissables à leur insigne jaune pipi (...)
René FALLET, le Triporteur, p. 320.

Loc. (1836; de *un jaune* [ci-dessous, 3.] *d'œuf*). *Un pantalon, des pantalons jaune d'œuf.*

♦ **2.** (1669). Matière colorante jaune, employée en teinturerie, en peinture. *Jaunes végétaux.* ⇒ **Curcumine, fustet** (fustine), **genestrolle** (genêt), **nerprun, quercitrine, safran, stil-de-grain.** *Jaunes minéraux : jaune d'antimoine, de cadmium* (⇒ **Cadmium**), *de chrome* (jaune anglais, jaune d'or...), jaune d'outremer, d'urane, de zinc. Jaune de Cassel* ou *de Paris, jaune de Naples. Un tube de jaune.*

10.2 La *Femme au bain* (...) pour les clairs, de *rouge de Venise* et *blanc*, dans laquelle, suivant l'endroit des clairs, *jaune de Naples* et *blanc*, de *jaune de Naples, blanc* et *noir pèche*, de *blanc* et *noir pèche*. Les ombres préparées avec tons de reflets orangés les plus chauds et des tons gris d'ombre par places, tels que *blanc, jaune de Naples* et *terre d'ombre*, etc. E. DELACROIX, Journal, 14 mai 1830.
Cf. *Ibid.* 15 janv. 1853, «*jaune de zinc*».

♦ **3.** Objet de couleur jaune; partie jaune d'un objet. *Le jaune d'un drapeau, d'une décoration. Jouer le jaune, miser sur le jaune* (à certains jeux). **1538.** *Le jaune de l'œuf*, un jaune d'œuf.* — Ellipt. (par oppos. au *blanc*). *Le jaune, un jaune* (→ Germe, cit. 5).

11 Il a découvert que l'omelette était beaucoup plus délicate quand on ne battait pas le blanc et le jaune des œufs ensemble (...)
BALZAC, la Rabouilleuse, Pl, t. III, p. 977.

♦ **4.** N. f. Vx. Eau-de-vie jaune, vieillie en fût (opposée à la *blanche*).

B. (Personnes). ♦ **1.** (1867). Personne de race jaune. *Eurasien né d'un Blanc et d'une Jaune. Les Jaunes.*

12 Ce sont les Blancs, et eux seuls, qui ont fait l'Occident. La distance qui les sépare des Noirs, des Rouges, est immense, et si les Jaunes sont capables d'une efficacité comparable, ils souffrent techniquement d'un retard de trois siècles.
André SIEGFRIED, l'Âme des peuples, Conclusion.

♦ **2.** Membre d'un syndicat jaune. (1899). Mod. Ouvrier qui refuse de prendre part à une grève*. ⇒ **Briseur** (de grève), **renard.** *Grévistes* (cit. 2) *qui huent les jaunes.*

13 (...) il entre à la Maison des Syndicats, il demande le Comité de Grève (...) une quinzaine d'ouvriers, assez mornes (...) Armand s'avance vers eux et il leur dit : «Voilà, camarades, je ne veux plus être un jaune, je suis venu à vous (...)»
ARAGON, les Beaux Quartiers, III, XXIII.

DÉR. Jaunasse, jaunâtre, jauneau, jaunet, jaunir, jaunisse, jaunotte.

JAUNEAU [ʒono] n. m. — 1845; de *jaune*, et *-eau*.

♦ Régional. Ficaire (plante).

JAUNÉE [ʒone] n. f. — 1694, *joannée*, Ménage; altér. de *jeannée*, de Saint-*Jean*, probablt à cause de la couleur du feu, l'étymologie n'étant plus perçue, comme le montre l'exemple de George Sand.

♦ Régional. Feu de la fête de la Saint-Jean. *« La jaunée de la Saint-Jean »* (G. Sand, *les Maîtres Sonneurs, in* T. L. F.).

JAUNET, ETTE [ʒonɛ, ɛt] adj. et n. m. — V. 1150; de *jaune*.

★ **I.** Adj. Légèrement jaune (ne semble se dire que du teint des personnes).

1 (...) tu es une La Bertellière, une femme solide. Tu es bien un petit brin jaunette, mais j'aime le jaune. BALZAC, Eugénie Grandet, Pl., t. III, p. 603.

★ **II.** N. m. ♦ **1.** (1539, *in* D. D. L.). Régional. *Jaunet d'eau :* nénuphar jaune.
Jaunet : renoncule à fleurs jaunes, bouton d'or.

♦ **2.** (1640). Fam., vx (ou archaïsme littér.). Pièce d'or.

2 J'ai tâché de vous rattraper cinquante louis (...) Mais les oiseaux sont envolés. Dites adieu à vos *jaunets!*
BALZAC, Madame de La Chanterie, Pl., t. VII, p. 281.

3 Si vous voulez sacrifier trois pièces d'or, je vous dirai son nom.
— Martin Canivet, dit-il en s'emparant avidement des jaunets. Sacrifiez-en trois autres et je vous unirai à lui.
Jean REY, les Derniers Contes de Canterbury, p. 44.

JAUNIR [ʒoniʀ] v. — V. 1213, v. tr.; v. intr., v. 1230; de *jaune*.

★ **I.** V. tr. ♦ **1.** Sujet n. de chose. Rendre jaune*, colorer de jaune. *Le soleil, la sécheresse jaunit les blés, l'herbe. L'automne a jauni les feuilles. Graisse* (cit. 17) *qui jaunit les doigts du mécanicien.*

1 (...) les ormeaux, que l'arrière-saison n'avait jaunis encore qu'au sommet (...)
P.-J. TOULET, la Jeune Fille verte, p. 297.

(...) le rideau de tulle que le temps et la poussière avaient jauni. 2
J. GREEN, Léviathan, I, VIII.

(1530). Pron. (passif). *Se jaunir* (→ Frottement, cit. 6).

♦ **2.** Rare ou techn. (Sujet n. de personne). Effectuer le jaunissage de...

★ **II.** V. intr. Devenir jaune, prendre une teinte jaune. *Feuilles qui jaunissent* (→ Crevasser, cit. 2). *Dentelle, soie, papier qui a jauni. Couleur, lumière qui jaunit.* ⇒ **Pâlir.**

Depuis les dernières averses de l'été, la nappe verte, toujours grandissante, avait 3
peu à peu jauni. C'était maintenant une mer blonde, incendiée, qui semblait refléter le flamboiement de l'air, une mer foulant sa houle de feu, au moindre souffle. ZOLA, la Terre, III, IV.

Je chantais l'an passé quand les feuilles jaunirent (...) 4
ARAGON, le Crève-cœur, Elsa je t'aime.

▶ **JAUNI, IE** p. p. adj. (XIIIe).

Devenu jaune. *Gazon jauni (par le soleil). Arbre aux feuilles jaunies* (→ Entamer, cit. 6). *La lune... «Sur le clocher jauni».* → Clocher, cit. 4, Musset. — *Visage jauni par le hâle* (cit. 4). *Cheveux jaunis* (→ Aspirer, cit. 1.2). *Doigts décharnés et jaunis* (→ Gonfler, cit. 26). *Vitres jaunies par les mouches.* ⇒ **Sali** (→ Gloria, cit. 1). *Dents jaunies, jaunies par le tartre. Doigts jaunis par la nicotine.*

Déjà plus d'une feuille sèche 5
Parsème les gazons jaunis (...)
Th. GAUTIER, Émaux et Camées, «Ce que disent les hirondelles».

La voici sur l'escalier (...) avec sa robe trop longue qu'effrangent ses talons, son 6
fichu Marie-Antoinette, jauni par la fumée de la salle (...)
COLETTE, la Vagabonde, p. 58.

DÉR. Jaunissage, jaunissant, jaunissement, jaunissure.

JAUNISSAGE [ʒonisaʒ] n. m. — 1881, in T. L. F.; de *jaunir*.

♦ Techn. Opération qui, dans la dorure en détrempe, consiste à appliquer une couleur jaune sur tous les endroits non recouverts de feuilles d'or.

JAUNISSANT, ANTE [ʒonisɑ̃, ɑ̃t] adj. — V. 1550, Du Bellay; p. prés. de *jaunir*.

♦ **1.** Qui jaunit, qui est en train de jaunir. *Blé jaunissant* (→ Javelle, cit. 1, Du Bellay). *Les feuillages jaunissants de l'automne* (→ Bois, cit. 9). — Qui prend une teinte jaune, du fait de l'éclairage, de la lumière.

(...) la verdure des arbres restée vive dans les parties basses du panneau de soie et de laine, mais ayant «passé» dans le haut, faisait se détacher en plus pâle, au-dessus des troncs foncés, les hautes branches jaunissantes, dorées et comme à demi effacées par la brusque et oblique illumination d'un soleil invisible.
PROUST, Du côté de chez Swann, Pl., t. I, p. 61.

♦ **2.** Vx. Jaunâtre. *Écailles* (cit. 2) *jaunissantes.*

JAUNISSE [ʒonis] n. f. — XIIIe; *jalnice* au XIIe; *jaloncie*, fin XIe, de *jaune*, et suff. *-isse*.

♦ **1.** Méd. Symptôme de maladies de foie*, consistant en une coloration* jaune de la peau. Cour. Ictère. ⇒ **Cholémie, ictère.** → Jaune, cit. 2.1.

(...) nous en voyons *(des bêtes)* qui ont les yeux jaunes comme nos malades de jaunisse (...) MONTAIGNE, Essais, II, XII. 1

— Et de quoi meurt-il? — De chagrin, de jaunisse, du foie, et tout cela compli- 2
qué de bien des choses de famille. BALZAC, le Cousin Pons, Pl., t. VI, p. 691.

Loc. fig. *Faire une jaunisse de qqch. :* être très dépité par... *Il va en faire, il va en avoir une jaunisse, si son frère est reçu avant lui.*

♦ **2.** (1651, Bonnefons, *in* T. L. F.). Agric. *Jaunisse des arbres, de la betterave, de la vigne,* caractérisée par le jaunissement des feuilles.

♦ **3.** (1742). Techn. Maladie des vers à soie, qui leur fait prendre une teinte jaunâtre.

JAUNISSEMENT [ʒonismɑ̃] n. m. — 1636; de *jaunir*.

♦ **1.** Fait de devenir jaune, de jaunir (II.). *Le jaunissement des blés qui mûrissent.*

La difficulté consiste donc à trouver une convenable compensation de gris, pour balancer le jaunissement et l'ardent des teintes.
E. DELACROIX, Journal, 5 oct. 1847.

♦ **2.** Le fait de jaunir (I.) qqch. *Le jaunissement de qqch. par la lumière.*

JAUNISSURE [ʒonisyʀ] n. f. — 1564; de *jaunir*.

♦ Teinte jaune due au vieillissement d'une couleur, d'une chose. — *Une, des jaunissures :* salissure, tache jaune, jaunâtre. *Les jaunissures d'une édition du XIXe siècle.*

JAUNOTTE [ʒonɔt] n. f. — D. i. ; 1907, *in* T. L. F, de *jaune*.

♦ Régional (Centre et Est de la France). Chanterelle (3.). ⇒ **Girolle.**

JAURÈSIEN, IENNE [ʒɔʀɛsjɛ̃, jɛn] adj. — D. i., probablt peu après la mort de Jaurès : 1914 ; du nom de Jean *Jaurès*.

♦ De Jaurès, de sa politique. *Le socialisme jaurèsien.*

JAURÉSISTE [ʒɔʀesist] adj. et n. — 1902, Péguy, *in* D. D. L. ; de *Jaurès*.

♦ Partisan de Jaurès.

JAVA [ʒava] n. f. — 1922 ; argot *faire la java* (1901) «danser en remuant les épaules ; orig. inconnue ; plus probablt apparenté à 2. *Javanais* qu'à l'île de *Java*, sans rapport apparent avec la danse.

★ **I.** ♦ **1.** Danse à trois temps, assez saccadée, populaire dans les grandes villes (lancée à Paris) et liée aux bals musettes*. *Bal populaire où l'on danse la java. « La java s'en va »*, tiré de la chanson de C. Nougaro, *« Le jazz et la java »*.

♦ **2.** Air, musique sur lequel, laquelle se danse la java. *Jouer une java à l'accordéon.*

1 Il *(le piano mécanique)* avale, par une mince bouche bordée de cuivre, des jetons de vingt centimes, et les rend au centuple en polkas métalliques, en javas de fer-blanc terne, trouées de grands trous de silences phtisiques.
COLETTE, la Naissance du jour, p. 206.

♦ **3.** Loc. fig., fam. *Connaître la java :* connaître la musique* (I., 5.). *En voilà un qui connaît la java !*

★ **II.** (1951, Esnault). Pop. (cour. en milieu rural). ⇒ **Noce, nouba.** *Faire la java :* faire la noce, la foire. *Quelle java ! Une sacrée java. Partir en java :* sortir avec l'idée de s'amuser sans retenue, d'en profiter. *Emmener ses potes en java.* — Iron. (en parlant de mauvais traitements → Danse) :

2 — Pour sûr, Léon, c'est la foire ! C'est même la java !
René FALLET, le Triporteur, p. 426.

3 Pouvaient-ils réellement se trouver dans un bureau de l'antigang et en même temps faire la java chez moi en compagnie de prostituées ! Ce sont des flics que la P. J. emploie ou bien des gurus ? Martin ROLLAND, la Rouquine, p. 214.

4 Tu penses pas que Riton va maintenant rabattre dans le secteur pour vous emmener en java ? Vaudrait certainement mieux vous casser aussi.
Albert SIMONIN, Touchez pas au grisbi, p. 13.

1. JAVANAIS, AISE [ʒavanɛ, ɛz] adj. et n. — 1813 ; *javan*, 1806, *in* D. D. L. ; de *Java*.

♦ De l'île de Java. ⇒ **Indonésien.**

N. m. et f. Habitant de Java.

N. m. (1873). Groupe de langues malayopolynésiennes (indonésien) parlées à Java et Sumatra.

2. JAVANAIS [ʒavanɛ] n. m. — 1857, Esnault ; p.-ê. d'après le présent de *avoir : j'ai, j'avais*, d'après 1. *javanais* (avec l'idée de langue exotique, incompréhensible).

♦ Argot conventionnel consistant à intercaler dans les mots les syllabes *va* ou *av.* ⇒ 1. **Argot** (REM. 2). *Exemple de javanais :* chaussure = chavaussavurave [ʃavosavyʀav].

1 Elle n'est pas si gravosse que ça ! pense Olivier en javanais, mais elle pouvait tout de même user du massage Gandhour ou du Point-Roller.
R. SABATIER, les Fillettes chantantes, p. 152.

Adjectif (vieux).

2 La langue javanaise, la langue argotique de toutes les impures de Paris, — le croirait-on, — a été inventée à Saint-Denis, par les pensionnaires pour se cacher des sous-maîtresses. Ed. et J. DE GONCOURT, Journal, t. I, p. 185.

JAVART [ʒavaʀ] n. m. — V. 1398 ; de l'occitan *gavarri ;* du rad. gallo-rom. **gaba* (→ Gaver, jabot), et suff. *-art.*

♦ **1.** Vétér. Tumeur de la partie inférieure des membres chez le cheval, le bœuf. *Javart entre le paturon et la couronne. Javart cutané. Javart encorné.*

(...) c'était un bidet du Béarn, âgé de douze ou quatorze ans, jaune de robe, sans crins à la queue, mais non pas sans javarts aux jambes (...)
A. DUMAS, les Trois Mousquetaires, t. I, p. 16 (1844).

♦ **2.** (1931, Larousse). Bot. Maladie des châtaigniers due à un champignon.

JAVEAU [ʒavo] n. m. — 1572 ; au XIIIe, emploi fig. «tas, monceau (de victimes)» ; forme masc. de *javelle**.

♦ Techn. (eaux et forêts) ou régional. Île* de sable, de limon, formée par le débordement d'un cours d'eau.

JAVEL (EAU DE) [odʒavɛl] n. f. — 1830 ; nom d'un ancien village, aujourd'hui quartier du XVe arrondissement de Paris, où se trouvait une usine de produits chimiques.

♦ **1.** Mélange en solution aqueuse d'hypochlorite et de chlorure de sodium (initialement de potassium), utilisé comme désinfectant et décolorant (⇒ **Javelliser**). *Laver un carrelage à l'eau de Javel. Utilisation de l'eau de Javel en blanchisserie ; pour la purification de l'eau.* ⇒ **Javellisation.**

Le bord des marches était de bois, souvent lavé d'ailleurs, car il exhalait une odeur d'eau de javel. G. DUHAMEL, Cri des profondeurs, I. 1

REM. Apparu en 1795 sous l'appellation *lessive de Javelles :*

Cet agent chimique étant déjà beaucoup employé dans les blanchisseries (...) il falloit bien lui donner un nom que les ouvriers pussent retenir et articuler facilement. C'est vraisemblablement par ce motif que les entrepreneurs de la manufacture d'acides, à Javelles, près Paris, l'avoient d'abord nommé *lessive de Javelles.* 2
Journal des arts et manufactures, n° 3, Prairial an III, (1795), p. 256-257.

♦ **2.** Pop. *De la javel :* de l'eau de Javel.

DÉR. Javellisation, javelliser.

HOM. Javelle ; formes du v. javeler.

JAVELAGE [ʒavlaʒ] n. m. — 1793 ; de *javeler.*

♦ **1.** Agric. Action de javeler (les céréales).

Temps durant lequel on laisse les javelles* sur terre afin de les faire bien sécher.

♦ **2.** (1866). Techn. Opération par laquelle on met le sel en javelles (3.).

REM. Le T. L. F. signale un homonyme, dér. de *eau de Javel.*

JAVELER [ʒavle] v. — Conjug. *appeler.* — 1611, au sens I, 1 ; «jeter par tas», 1125 ; de *javelle* (1.).

★ **I.** ♦ **1.** V. tr. Mettre en javelle. ⇒ **Enjaveler.** *Javeler le blé, les blés.*

♦ **2.** (Fin XIXe, *Dictionnaire général*). Mettre le sel en javelles (3.).

★ **II.** V. intr. (1690 ; *se javeler,* même sens, 1583). Devenir jaune, en parlant d'une céréale mise en javelle. *« Il faut laisser javeler ce blé, cette avoine »* (Académie).

▶ **JAVELÉ, ÉE** p. p. adj. (1867, Littré). *Avoines javelées,* dont les grains ont noirci et sont devenus pesants pour avoir été mouillés en javelles.

DÉR. Javelage, javeleur.

JAVELEUR, EUSE [ʒavlœʀ, øz] n. — 1611, Cotgrave ; de *javeler,* et *-eur.*

♦ **1.** Agric. Personne qui met les moissons en javelle.

♦ **2.** N. f. (1877, Littré, *Suppl.*). Machine à javeler le blé ; (anciennt) dispositif (râteau à longues dents) adapté aux anciennes moissonneuses. — (1910, *in* T. L. F.). Appos. *Moissonneuse javeleuse.*

1. JAVELINE [ʒavlin] n. f. — 1451 ; du rad. de *javelot.*

♦ Didact. Arme de jet, formée d'une hampe mince et d'un fer généralement long et aigu. *La javeline est plus longue que le dard, plus mince et plus légère que le javelot.* ⇒ 1. **Dard, javelot** (1.). *Se servir d'une javeline comme d'une lance, d'une pique.*

Les écuyers, tous les jours, s'amusaient au maniement de la javeline. Julien y excella bien vite. FLAUBERT, la Légende de saint Julien l'Hospitalier, I.

2. JAVELINE [ʒavlin] n. f. — 1867 ; de *javelle.*

♦ Agric. Petite javelle.

JAVELLE [ʒavɛl] n. f. — V. 1195, aussi «monceau, tas» ; *gevele,* v. 1160, même sens ; l'anc. franç. a aussi le masc. *javel* «tas» (→ Javeau) ; d'un gaul. **gabella.*

♦ **1.** (V. 1560 ; *gavelle,* v. 1283). Brassée de céréales ou de plantes oléagineuses, coupées et non liées, qui demeurent couchées sur le sillon avant d'être mises en gerbes ou en moyettes. *Mettre du blé en javelle.* ⇒ **Enjaveler, javeler ; javelage.** *Lier plusieurs javelles en un faisceau.* ⇒ **Gerbe** (cit. 1).

Les plaines étaient couvertes de javelles et de meules de foin, dont l'odeur me portait à la tête sans m'enivrer, comme faisait autrefois la fraîche senteur des bois et des halliers d'épines fleuries. NERVAL, les Filles du feu, Sylvie, VIII. 1

(...) elle, de nouveau ployée, le suivait, la main droite armée de sa faucille, dont elle se servait pour ramasser parmi les chardons sa brassée d'épis, qu'elle posait ensuite en javelle, régulièrement, tous les trois pas. ZOLA, la Terre, III, IV. 2

Un moissonneur des environs qui portait une javelle contre sa poitrine avait été piqué au cœur et était mort une heure après. GIRAUDOUX, Églantine, p. 14. 3

♦ **2.** (1307). Régional. Fagot* de sarments, d'échalas, de lattes. *Mettre une javelle au feu.*

Loc. *Tonneau qui tombe en javelle,* dont les douves tombent, se séparent. — (1704, Trévoux). Fig. et vx. *Tomber en javelle :* tomber en morceaux, en ruine.

♦ **3.** (1893). Techn. Tas de sel tiré d'un marais salant et constitué sur la table salante.

DÉR. Javeler, javeline. — (Du même rad.) 1. **Javotte.**
COMP. Enjaveler.
HOM. Javel.

JAVELLISATION [ʒavelizɑsjɔ̃] n. f. — 1916, *in* D. D. L.; de *(eau de) Javel.*

♦ Purification, stérilisation (de l'eau) par l'eau de Javel (le chlore actif détruisant les matières organiques contenues). ⇒ **Verdunisation.**

JAVELLISER [ʒavelize] v. tr. — 1919; de *(eau de) Javel,* et suff. verbal.

♦ Stériliser (l'eau) par addition d'eau de Javel.

P. p. adj. *Eau javellisée,* verdunisée. *Le goût et l'odeur désagréables de certaines eaux javellisées proviennent non de l'eau de Javel elle-même, mais de la combinaison du chlore avec les résidus présents dans l'eau* (notamment les phénols).

JAVELOT [ʒavlo] n. m. — V. 1130; des formes de l'anc. gascon *(gaveloc, *zageloc,* cf. le cymrique *gaflog* «fourchu») du rad. celtique **gabal-* «fourche», gaul. **gabalus.*

♦ **1.** Arme de trait, dard assez long et lourd qu'on lançait à la main ou à l'aide d'une machine. ⇒ **Dard, hast** (ou **haste**), **javeline, lance, sagaie** (→ Arme, cit. 40). *Le pilum*, javelot des Romains; l'angon** (cit.), *la framée, javelots des Francs. Javelot de chasse, de guerre. Javelot empoisonné* (→ Casse-tête, cit. 1). *Darder* (vx), *lancer un javelot* (→ Cible, cit. 1).

1 Hippolyte lui seul, digne fils d'un héros,
Arrête ses coursiers, saisit ses javelots (...)
RACINE, Phèdre, V, 6 (→ Dard, cit. 1).

2 C'est une blessure insignifiante, mais elle contraint Siméon à un geste de douleur et à abaisser un instant son bouclier vivant. Jester pousse son cri. Isidore lance son arme. Le javelot frôle l'enfant et va frapper le colosse.
Jean D'ORMESSON, la Gloire de l'Empire, p. 346.

♦ **2.** (1880, *in* Petiot). Sports. **a** Instrument de lancer, en forme de lance, employé en athlétisme. *Le javelot réglementaire mesure 2,60 mètres et pèse 800 grammes. Le lancer du javelot.*

b (1908). Sport olympique du lancer du javelot. *Épreuve de javelot. Le record du javelot. Champion de javelot.*

DÉR. Javeloté. — (Du même rad.) 1. **Javeline.**

JAVELOTÉ, ÉE [ʒavlɔte] adj. — 1963; de *javelot.*

♦ Sports. *Tir javeloté,* au hand-ball, Tir au but de loin, en sursaut élevé (geste rappelant le lancer du javelot).

1. JAVOTTE [ʒavɔt] n. f. — 1832, Raymond; mot d'orig. gaul., de même rac. que *javelle*.*

♦ Masse de fer dans laquelle est encastrée l'enclume* d'une forge*. — On dit aussi *javelotte.*

2. JAVOTTE [ʒavɔt] n. f. — 1808; déverbal du normand *javoter,* var. de *jaboter* «babiller». → Jaboter.

♦ Régional. Femme bavarde. *C'est une javotte, une vraie pie.*

JAYET [ʒajɛ] n. m. — Av. 1150, *jaiet; noir comme jayet,* v. 1510; du lat. *gagates.* → Jais.

♦ **1.** Vx. Jais. *«Une cocarde de rubans passementée de jayet»* (Huysmans, *Marthe, in* T. L. F.).

♦ **2.** Appos. ou adj. invar. Noir de jais. *Un cheval jayet* (encore chez A. France, *in* T. L. F.).

JAZZ [dʒɑz] n. m. — 1918, *jazz-band* «orchestre»; *jezz* «air de jazz», 1918, *in* Höfler; empr. de l'anglo-amér. *jazz,* d'orig. obscure; on évoque souvent un sens dialectal (région de la Nouvelle-Orléans) obscène, *to jass* «coïter».

♦ **1.** Vx. *Jazz-band,* et, par abrév. (1925), *jazz.* Orchestre de danse jouant dans le style propre aux Noirs américains (→ ci-dessous, 2., et aussi berceuse, cit. 3; dérailler, cit. 2; grassement, cit. 3). *Danser le charleston, le fox-trot au son d'un jazz.*

1 Les deux jazz-bands du *Miami,* l'un noir et l'autre blanc, se succèdent sans répit, dans un mouvement continu et harmonieux de bielles (...) un bruit brûlant d'usine à fabriquer la joie domine la salle. Les deux jazz-bands ronflent en sourdine ainsi que des turbines (...) P. MAC ORLAN, Quai des Brumes, XIII (1927).

♦ **2.** (1920). Mod. Musique d'un genre né aux États-Unis de la rencontre des cultures musicales africaine et européenne, d'abord propre aux Noirs puis devenu très rapidement interracial, et caractérisée entre autres par l'emploi privilégié de certains instruments (notamment percussions et instruments à vent : saxophone, trompette...), par une articulation particulière du rythme et du phrasé donnant une impression de balancement caractéristique, le *swing,* et par un traitement spécifique des sonorités et des timbres instrumentaux. *Blues*, negro-spirituals* et ragtimes sont à l'origine du jazz* (→ aussi Gospel, rhythm and blues). *Les époques du jazz, les styles du jazz* (traditionnel — Nouvelle-Orléans, Chicago —, swing, be-bop, cool, etc.). *Le jazz classique* (cf. Middle-jazz). — *Jazz funky, jazz hot, jazz cool, jazz free...* (⇒ **Free-jazz** et → ci-dessous, *jazz-rock*). *Le style hot, caractéristique du jazz des années 1940-50 «requiert l'emploi de procédés tels que le glissando, l'inflexion, l'attaque, le vibrato, les sons bouchés et grinçants»* (A. Hodeir). *Styles de jazz au piano* (⇒ **Boogie-woogie, ragtime**). *Qualité rythmique du jazz.* ⇒ **Swing.** *Improvisation individuelle, collective, en jazz.* ⇒ **Bœuf, jam-session, solo** et aussi **break.** *Musicien de jazz qui utilise les harmonies d'un thème*.* ⇒ **Chorus,** 2. *Arrangement, arrangeur de jazz.*

Harlem, c'est la patrie du jazz. Le jazz, c'est la mélodie nègre du sud débarquant 1.1
à la gare de Pennsylvanie, plaintive et languissante, soudain affolée par ce Manhattan adoré, où tout est bruit et lumière (...) Paul MORAND, New York, p. 239.

Le jazz est la transposition dans le domaine instrumental de la musique jusqu'alors simplement vocale et rythmique des Noirs des États-Unis. Ses trois principales caractéristiques sont : 1° Le *swing* qui est la pulsation rythmique propre à la musique noire (...) 2° *L'adaptation de la technique vocale noire au jeu instrumental :* le chant des Noirs se caractérise par de nombreuses inflexions, un vibrato plus rapide et plus marqué que le nôtre, des contrastes plus violents (...) 3° Un *style mélodique* (...) provenant des *blues* (...) À ces trois caractéristiques s'ajoutent le fait que *création* et *exécution* sont (...) étroitement liées (...) Enfin le jazz est généralement une musique *collective.* 2
Hugues PANASSIÉ, Dict. de jazz, p. 163-164.

L'évolution du bop *(style moderne de jazz)* a conduit le jazz vers une forme de musique policée où le critique voit la promesse d'un avenir intéressant pour un art élaboré, raffiné, d'où l'improvisation n'est pas exclue et dont les structures harmoniques et rythmiques élargissent les cadres traditionnels. 3
Lucien MALSON, les Maîtres du jazz, p. 123.

En composition. *Jazz bop.* ⇒ **Be-bop.** — *Jazz-rock :* musique de jazz influencée par le rock* (pour l'instrumentation, la simplicité rythmique).

— Une seconde, j'ai dit. Quel groupe? 4
— La Fonction de l'Orgasme, il a répondu et j'ai ouvert des yeux ronds mais il a précisé tout de suite : C'est le nom du groupe, c'est un groupe de jazz-rock.
— Ah! j'ai fait avec soulagement, un groupe pop.
— Pas pop. Jazz-rock. J.-P. MANCHETTE, Polar, Morgue pleine, p. 23.

DÉR. Jazzifier, jazzique, jazzistique.
COMP. Free-jazz, jazzman.

JAZZIFIER [dʒɑzifje; ʒɑzifje] v. tr. — 1961, *in* Höfler; angl. *to jazzify,* de *jazz.*

♦ Adapter une œuvre musicale pour un orchestre de jazz. — Au p. p. *«Du reggae un peu plus occidentalisé, plus jazzifié que celui d'un Marley»* (*l'Express,* 26 juil. 1980, p. 22). — REM. Le verbe *jazzer* s'est employé dans le même sens (1928, *in* D. D. L. : *«une mélodie "classique" est jazzée»*).

JAZZIQUE [dʒɑzik] adj. — 1971, *in* Rey-Debove et Gagnon; de *jazz.*

♦ Relatif au jazz, à la musique de jazz. *Les thèmes jazziques de la musique de Scott Joplin.*

JAZZISTIQUE [dʒɑzistik] adj. — 1954, *in* Rey-Debove et Gagnon; de *jazz,* sur le modèle des mots en *-istique* (*stylistique,* etc.).

♦ Relatif au jazz, à son esthétique. *Les querelles jazzistiques sur le style.*

JAZZMAN [dʒɑzman] n. m. — V. 1930 (1948, *in* Höfler); mot anglo-amér., «joueur de jazz», de *jazz,* et *man* «homme».

♦ Anglic. Musicien, instrumentiste de jazz. — Au plur. *Jazzmen* [dʒɑzmɛn]. *Louis Armstrong, Sydney Bechet, célèbres jazzmen de style Nouvelle-Orléans.* — REM. On rencontre aussi le substantif *jazziste* (1943, *in* D. D. L.).

J. C. Abrév. de *Jésus-Christ,* dans les dates. *En 50 après J.-C.*

JDANOVIEN, IENNE [ʒdanɔvjɛ̃, jɛn] adj. et n. — Mil. XXe; de *Jdanov.*

♦ De Jdanov, théoricien soviétique de l'art socialiste d'État. *«Quant à sa conception jdanovienne de la culture, on en a eu quelques exemples lorsqu'il* (le président Tchernenko) *s'est attaqué à ces "groupes musicaux dont les répertoires, de nature douteuse" provoquent des "dégâts idéologiques et esthétiques" au sein du peuple soviétique»* (*l'Express,* n° 1702, 17-23 févr. 1984, p. 22).

JDANOVISME [ʒdanɔvism] n. m. — Mil. XXe; de *Jdanov.*

♦ Théorie jdanovienne de l'art au service exclusif de la société socialiste, prolétarienne, selon des critères définis par l'État. « *On parlait de réalisme socialiste, de jdanovisme (...) on écrivait contre l'art abstrait* » (P. Soulages, in *le Nouvel Obs.*, 11 mai 1981, p. 84).

JE [ʒə] pron. pers. — 1080, *Chanson de Roland; eo, io,* 842, *Serments de Strasbourg,* puis *jo* et *je;* lat. class. *ego.*

REM. S'écrit *j'* devant voyelle ou *h* muet.

♦ **1.** Pronom personnel de la première personne du singulier des deux genres, au cas sujet (⇒ **Me, moi**). *Je parle; j'entends; je hais; j'habite. Je me décide. J'y vais. Je ne sais combien, pourquoi. Je ne sais qui, je ne sais où. Je ne sais quoi**. — Forme renforcée : *moi, je sais.*

1 Moi, je ne verrai plus, je serai morte, moi (...)
Csse DE NOAILLES, l'Ombre des jours, Les regrets.

2 Rien n'existe?... Moi, j'existe. Il n'y a pas de raison d'agir?... Moi, j'agis. Ceux qui aiment la mort, qu'ils meurent s'ils veulent! Moi, je vis, je veux vivre.
R. ROLLAND, Jean-Christophe, Dans la maison, p. 1010.

3 Je tiens la clef de ces parades
Ça me plaît de dire Moi je (...)
ARAGON, Le Crève-cœur, Romance du temps qu'il fait.

3.1 Mme Verdurin ne laissait pas trop voir, sauf par une maussaderie qui eût averti un homme plus perspicace, le peu de cas qu'elle faisait de ce qu'écrivait Chochotte. Elle lui reprocha seulement une fois d'écrire si souvent « je ». Et il avait en effet l'habitude de l'écrire continuellement, d'abord parce que, par habitude de professeur, il se servait constamment d'expressions comme « j'accorde que », et même, pour dire « je veux bien que », « je veux que » (...)
PROUST, le Temps retrouvé, Pl., t. III, p. 792.

REM. 1. Dans l'ancienne langue, *je* accentué pouvait être séparé du verbe. Il reste un vestige de cet usage dans la langue juridique : *Je soussigné* Untel certifie que...* Dans le langage courant, de nos jours, *je* doit nécessairement s'appuyer sur une forme verbale de la première personne du singulier; autrement on emploie *moi.* → Moi. (*« L'intérêt que moi-même y cherchais »,* Gide, *la Porte étroite,* IV, p. 86).

2. L'inversion ne peut se faire avec toutes les formes verbales. Chaque fois qu'elle existe *je* devient syllabe muette. Ex. : *irai-je* [iʀɛj]. → Inversion.

a) L'inversion est impossible avec les formes verbales terminées par une syllabe fermée (ex. : *pars-je*) ou un son nasal (exception faite pour *entends-je*).

b) Elle ne se fait pas avec les terminaisons de son *i, u, oi* sauf pour certaines formes très usitées : *Que dis-je? Où suis-je? Qu'y puis-je?* (remplaçant *peux-je*). *À peine eus-je terminé... Que vois-je? Combien vous dois-je?*

c) Elle est courante avec les terminaisons en *ai, ais* des temps autres que le présent de l'indicatif. *Lequel prendrai-je? L'avouerai-je? Finirai-je demain? Dormais-je ou étais-je éveillé?* Toutefois elle se fait aussi au présent pour des formes verbales très courantes généralement monosyllabiques : *Où vais-je? Que fais-je? Ai-je bien fait?*

d) On peut la pratiquer avec des terminaisons en *e* muet qu'on change alors en *é* [ɛ] (emploi littéraire). *Rêvé-je? Puissé-je le convaincre! Dussé-je payer de ma vie...*

4 (...) l'*e* muet du pronom *je* ne peut pas porter l'accent (...) on ne peut donc le faire précéder d'un autre *e* non accentué. Aussi a-t-on tourné la difficulté en altérant la forme verbale et en remplaçant l'*e* par un *é* (ou un *è*) [...] Ce pis-aller, qui n'est d'ailleurs possible que dans le style écrit, a fait commettre plus d'un barbarisme (...) MM. Damourette et Pichon ont relevé des formes telles que *connaissé-je* (R. Bazin), *allé-je* (Verlaine), *metté-je* (Balzac) [...] Autant de preuves que l'inversion de *je* est dangereuse et qu'il n'y faut recourir qu'avec prudence.
G. et R. LE BIDOIS, Syntaxe du franç. moderne, § 849.

5 Qui m'en a détaché? Qui suis-je, et que dois-je être?
LAMARTINE, Premières méditations, « L'immortalité ».

6 Causé-je trop longtemps avec un ami (...)
G. DUHAMEL, les Plaisirs et les Jeux, p. 175.

3. *Je* peut être remplacé par *nous* chaque fois que le sujet souhaite donner plus de modestie à ses paroles, ses écrits, ou parfois au contraire plus d'apparat. → Nous.

♦ **2.** N. m. invar. *Employer le « je » dans un récit, une autobiographie* (→ Parler à la 1re personne). *Le moi, le je reviennent très souvent dans les vers de Villon* (→ Égotiste, cit.).

7 Cette idée me sourit. Oui, mais cette effroyable quantité de *Je* et de *Moi!* Il y a de quoi donner de l'humeur au lecteur le plus bénévole. Je et *Moi,* ce serait, au talent près, comme M. de Chateaubriand, ce roi des *égotistes.*
« De *je* mis avec *moi* tu fais la récidive... »
Je me dis ce vers à chaque fois que je lis une de ses pages.
STENDHAL, Vie de Henry Brulard, 1.

8 Ce *Je,* accusé justement d'impertinence dans beaucoup de cas, implique cependant une grande modestie; il enferme l'écrivain dans les limites les plus strictes de la sincérité. En réduisant sa taille, il la rend plus facile.
BAUDELAIRE, l'Art romantique, XXI.

Philos. *Le je :* le principe auquel l'individu attribue ses états et ses actes. *Le « je » et le « moi » sont opposés dans des sens divers par certains philosophes.* ⇒ **Ego, moi.**

9 Jamais, jusqu'à lui *(Descartes),* philosophe ne s'était si délibérément exposé sur le théâtre de sa pensée, payant de sa personne, osant le *Je* pendant des pages entières (...)
VALÉRY, Variété V, p. 232.

Un homme se sent exister comme conscience avant toute philosophie (...) Appelons *je* cette conscience (...) A ce *je* s'oppose le *moi* comme la pensée de lui-même. 10
René LE SENNE, *in* CUVILLIER, Nouveau voc. de la langue philosophique, art. *Je.*

JEAN [dʒin] ou **JEANS** [dʒins] n. m. — 1948, attestation isolée, S. de Beauvoir, *in* Höfler (écrit *jean*); mot amér. « treillis », abrév. de *blue-jean.*

Anglicisme.

♦ **1.** ⇒ **Blue-jean..** « *Le barbu au jean effiloché qui dessine sur le trottoir* » *(le Nouvel Obs.,* 30 avr. 1973, p. 52). *Un jean, des jeans. — Un jeans.*

(Du temps que ce vêtement était à la pointe de la mode, une firme américaine vantait le bleu délavé de ses *jeans : it fades, fades and fades...*) 1
R. BARTHES, Fragments d'un discours amoureux, p. 129.

♦ **2.** Pantalon du même tissu, quelle que soit sa couleur. *Elle portait un jean, un jeans vert.*

♦ **3.** (1960). Au sing. *Du jean :* toile servant à confectionner ces pantalons. ⇒ **Denim** (anglic.). *Une veste en jean rose.* — REM. On emploie aussi la forme plurielle *jeans,* en ce sens.

De dos, avec son collant framboise, sa mini-jupe en jeans, sa chemisette et son débardeur multicolore (...) elle paraît dix-sept ou dix-huit ans (...) 2
F. MALLET-JORIS, le Jeu du souterrain, p. 281.

DÉR. Jeannerie.

HOM. (De *jean*) **Djinn, gin.**

JEAN- Élément de mots composés de formation populaire, tiré du prénom *Jean.* ⇒ **Jean-fesse, jean-foutre, jean-jean, jean-le-blanc.**

JEAN-FESSE [ʒɑ̃fɛs] n. f. — 1723; de *Jean,* et *fesse,* atténuation de *Jean-foutre.*

♦ Fam., vx. Incapable, jean-foutre* (ex. de A. France, de Bernanos, *in* T. L. F.).

JEAN-FOUTRE [ʒɑ̃futʀ] n. m. invar. — 1657, *in* D. D. L.; d'un emploi injurieux de *Jean,* et 2. *foutre.*

♦ **1.** Pop., vx. Ladre, gredin.

Je voudrais bien savoir quel est le Jean-f... (il lâcha le mot tout au long) qui dit n'avoir jamais eu peur!... 1
BARBEY D'AUREVILLY, les Diaboliques, p. 35.

Buteau est un jean-foutre! cria Fouan, subitement furieux, et sans lui donner le temps d'achever. 2
ZOLA, la Terre, II, IV.

Vous croyez que ce n'est pas à les tuer? Ah! les deux Jean-foutre! Ah! les rosses! 3
COURTELINE, le Train de 8 h 47, III, I.

♦ **2.** Mod., fam. Individu incapable, sur lequel on ne peut compter. ⇒ **Je-m'en-foutisme.**

Les jean-foutre et les gens probes 4
Médis'nt du vent furibond
Qui rebrouss' les bois,
Détrouss' les toits,
Retrouss' les robes (...)
Georges BRASSENS, le Vent.

Voyez-vous, cette niaise, conclut-il tout haut, la voyez-vous qui croit sur parole un jean-foutre de renégat, un marchand de phrases, la pire espèce d'arlequin! 5
BERNANOS, Sous le soleil de Satan, Œ. roman., Pl., p. 90.

REM. On trouve chez Giono (*in* Œ., Pl., t. I, p. 735) la forme régionale *faire le jean-femme.* On trouve chez Stendhal la variante euphémistique *Jean-sucre,* n. m.

DÉR. Jean-foutrerie.

JEAN-FOUTRERIE [ʒɑ̃futʀəʀi] n. f. — 1790; de *jean-foutre.*

♦ Fam. Caractère de jean-foutre. ⇒ **Incapacité.** — *Une, des jean-foutreries :* action de jean-foutre.

JEAN-JEAN ou **JEANJEAN** [ʒɑ̃ʒɑ̃] n. m. et adj. invar. — 1828, « conscrit niais »; réduplication de *Jean* (→ Jean-foutre).

♦ Vx. Personne niaise. ⇒ **Niais; jeannot.**

Adj. (1898, Huysmans). Niais. *Il a l'air un peu jean-jean.*

JEAN-LE-BLANC [ʒɑ̃ləblɑ̃] n. m. invar. — 1555; de *Jean,* et *blanc.*

♦ Rapace du genre *Circaète.* — Par comparaison :

Habile en faux-fuyants, j'avais jusque-là esquivé le sujet. Dès qu'il me semblait planer au-dessus de ma tête à la façon du rapace jean-le-blanc faisant « le Saint-esprit », immobile dans le ciel, j'aiguillais la conversation sur la température extérieure.
René FALLET, Y a-t-il un docteur dans la salle, p. 281.

JEANNETON [ʒantɔ̃] n. f. — XIXe; *janneton,* 1689, La Fontaine; du prénom *Jeannette.*

♦ Vx, fam. Servante d'auberge. — Fille aux mœurs légères. — Maîtresse (d'un homme).

1. JEANNETTE [ʒanɛt] n. f. — xve, *janecte*, au sens I, 1548, « sorte d'étoffe ou de fourrure »; prénom fém., dimin. de *Jeanne*.

★ **I.** Régional. Narcisse des poètes.

1 (...) des primevères de Pâques, des jeannettes jaunes au cœur safrané, et des violettes (...) COLETTE, les Vrilles de la vigne, p. 55.

★ **II.** (Objets fabriqués). ♦ **1.** (xviiie). Techn., vx. Jenny*.

♦ **2.** (1782, d'après Littré, *Suppl.*). *Croix à la jeannette* : croix suspendue à une chaîne, un ruban attaché autour du cou. Par ext. *Une jeannette*, le bijou.

2 Elle avait une petite jeannette en velours qui brillait sur son cou comme l'anneau noir que la fantasque nature met à la queue d'un angora blanc. BALZAC, Pierrette, Pl., t. III, p. 715.

♦ **3.** (1922, Larousse). Planchette montée sur pied qu'on pose sur une table et utilisée pour le repassage des manches.

3 (...) comment on vient à bout de la manche la plus compliquée par un emploi judicieux de la jeannette, et comment, d'une main prudente, on tâte de la chaleur d'un fer en l'approchant de la joue (...) Edmonde CHARLES-ROUX, l'Irrégulière..., p. 99.

2. JEANNETTE [ʒanɛt] n. f. — D. i., xxe (1933, *in* T. L. F.); de *Jeanne (d'Arc)*, patronne de ce mouvement, et *-ette*, au sens I.

★ **I.** Petite fille appartenant au scoutisme féminin catholique.

★ **II.** ♦ **1.** Mar., régional (Bretagne et côtes du Ponant). Jeune marin (mousse, novice) peu expérimenté, peu solide, par oppos. aux « hommes », aux matelots confirmés. *Ça s'est mis à souffler de suroît, quarante cinq nœuds de vent, c'était pas du temps pour les jeannettes !*

♦ **2.** Régional (Belgique). Fam. Homosexuel.

JEANNOT [ʒano] n. m. — 1845, *in* D. D. L.; *janot*, 1550; *jehannot*, fin xive; dimin. péj. de *Jean*. → Jean-foutre.

♦ Vx, fam. Personne niaise et ridicule. ⇒ **Jean-jean.** — Adj. *Un air jeannot.*

JEANNOTISME [ʒanɔtism] n. m. — 1786, *in* D. D. L.

♦ ⇒ **Janotisme.**

JÉCISTE [ʒesist] adj. et n. — V. 1930; des initiales de *(la) J(eunesse) é(tudiante) c(hrétienne)*, mouvement créé en 1929.

♦ De la J. E. C. *L'organisation jéciste. Des étudiants jécistes.* — Membre de cette organisation.

JECTISSE [ʒɛktis] ou **JETISSE** [ʒ(ə)tis] adj. — 1690, *jectisse*, Furetière; *jetisse*, 1549; *fossé geteïz*, v. 1210; de *jecter*, anc. forme de *jeter*.

♦ Techn. a *Terres jectisses* ou *jetisses*, remuées d'un endroit en un autre, rapportées. *Terres jectisses provenant du curage des fossés.*

b *Pierre jectisse* ou *jetisse*, en maçonnerie, Pierre qui peut se poser à la main.

JEEP [dʒip; ʒip] n. f. — 1944, *in* Höfler; mot amér. tiré des initiales G. P. prononcées [dʒipi], de *general purpose* « tous usages », appliqué à un type de véhicule militaire léger.

♦ Véhicule militaire léger, automobile à quatre roues motrices utilisé par les armées alliées pendant la Seconde Guerre mondiale, puis comme véhicule civil.

1 Paris avec ses *Jeeps*, ses gros camions ornés de l'étoile blanche américaine, ses vélos-moteurs, ses vieux fiacres, ses socles privés de leurs statues (...) Francis CARCO, Ombres vivantes, p. 206 (1952).

2 Puis, un matin, une jeep est passée. La nouvelle s'est répandue comme une traînée de poudre : « Les Américains, les Américains ! » Claude OLIEVENSTEIN, Il n'y a pas de drogués heureux, p. 29.

Véhicule civil de forme analogue, utilisé comme voiture de tourisme robuste et tout-terrain. *Il a acheté une jeep japonaise.*

3 Il descendit les routes des cols, il longea les chemins creux à Guernesey, il roula en jeep à travers des déserts, en Libye. J.-M. G. LE CLÉZIO, la Fièvre, p. 32.

JEFFERSONNIE [ʒefɛʀsɔni] n. f. — 1878; de *Jefferson*, nom propre, et *-ie*.

♦ Bot. Plante dicotylédone *(Berbéridées)* originaire de l'Amérique du Nord et cultivée comme ornementale.

JÉHOVISTE [ʒeɔvist] adj. et n. — 1855, Renan, *in* T. L. F.; de *Jéhovah*, nom adapté de Yahvé.

Didactique (religion).

♦ **1.** Se dit des textes du Pentateuque où Dieu est nommé par le tétragramme (et non par le nom Élohim). *Fragment, rédaction jéhoviste.*

♦ **2.** Adj. et n. Rédacteur, compilateur des fragments jéhovistes du Pentateuque.

JÉJUNAL, ALE, AUX [ʒeʒynal, o] adj. — D. i. (xxe); de *jéjunum*, suff. *-al*.

♦ Anat., méd. Du jéjunum.

JÉJUNITE [ʒeʒynit] n. f. — D. i. (xxe); de *jéjunum*, et *-ite*.

♦ Pathol. Inflammation intestinale localisée au jéjunum. ⇒ **Entérite, iléite.**

JÉJUNO- Premier élément de composés d'anatomie, tiré de *jéjunum*. Voir à l'ordre alphabétique.

JÉJUNO-ILÉITE [ʒeʒynoileit] n. f. — xxe; de *jéjuno-*, *iléon*, et *-ite*.

♦ Pathol. Inflammation associée du jéjunum et de l'iléon. ⇒ **Jéjuno-iléon.** *Des jéjuno-iléites.*

JÉJUNO-ILÉON [ʒeʒynoileɔ̃] n. m. — 1902; *jéjuno-iléum*, 1878, Larousse; de *jéjuno-* (→ Jéjunum), et *iléon*.

♦ Anat. Portion de l'intestin grêle s'étendant du duodénum au cæcum. *Des jéjuno-iléons.*

DÉR. Jéjuno-iléite.

JÉJUNOSCOPE [ʒeʒynɔskɔp] n. m. — V. 1970 (*Science et Vie*, 1973); de *jéjuno-* (→ Jéjunum), et *-scope*.

♦ Méd. Endoscope servant à l'exploration du jéjunum.

JÉJUNOSTOMIE [ʒeʒynɔstɔmi] n. f. — 1912, Garnier; de *jéjuno-* (→ Jéjunum), et *-stomie*.

♦ Chir. Ouverture à la paroi abdominale d'une anse du jéjunum.

JÉJUNUM [ʒeʒynɔm] n. m. — V. 1370 ou xve, Chauliac; bas lat. méd. *jejunum intestinum* « intestin à jeun », de *jejunus* « qui est à jeun » (→ Jeun), à cause du peu de matières qu'il contient.

♦ Anat. Premier segment du jéjuno-iléon (intestin grêle), faisant suite au duodénum.

DÉR. Jéjunal, jéjunite.
COMP. V. **Jéjuno-, jéjuno-iléon.**

JELLABA [dʒɛ(l)laba] n. f. ⇒ **Djellaba.**

JE-M'EN-FICHISME [ʒmɑ̃fiʃism] n. m. — 1891; de *je m'en fiche*. → Ficher.

♦ Fam. Attitude d'indifférence* envers ce qui devrait intéresser ou préoccuper. ⇒ **Je-m'en-foutisme.** *Des je-m'en-fichismes.* — REM. On écrit aussi *je m'en fichisme, je m'enfichisme, j'menfichisme.*

Il faut de la passion, du parti pris, une sorte d'aveuglement prémédité, de j' m'en fichisme, pour vivre et pour agir, — et pour écrire. Paul LÉAUTAUD, Propos d'un jour, p. 102. 1

Cet homme que j'ai devant moi est foncièrement un brave homme. Il n'aurait pu en arriver à ce degré de scepticisme, de je-m'enfichisme, que par l'effet d'une contagion en profondeur (...) J. ROMAINS, Une femme singulière, XXV. 2

Haï par les Grands qu'il heurtait constamment, téméraire dans le je m'enfichisme, sans escorte, sans gardes (...) Henri MICHAUX, p. 160. 3

DÉR. Je-m'en-fichiste.

JE-M'EN-FICHISTE [ʒmɑ̃fiʃist] adj. et n. — 1891; de *je-m'en-fichisme* (ou directement de *je m'en fiche*), et *-iste*.

♦ Fam. Qui fait preuve de je-m'en-fichisme. ⇒ **Indifférent, insouciant.** — N. *Un, une je-m'en-fichiste.* — REM. On écrit aussi *je m'en fichiste, je (-) m'enfichiste.*

(...) Vieil était de Ménilmontant. C'était un gentil garçon, un aimable je-m'en-fichiste et fantaisiste, mi-peintre, mi-musicien, ayant le mot pour rire, toujours prêt à vous rendre service en paroles mais n'aimant pas mettre la main à l'ouvrage, un véritable soldat à la manque. B. CENDRARS, la Main coupée, *in* Œ. compl., t. X, p. 4.

JE-M'EN-FOUTISME ou **J'M'EN FOUTISME** [ʒmɑ̃futism] n. m. — 1893, Courteline; de *je m'en fous*, de 2. *foutre*, et *-isme*.

♦ Fam. Le fait de se foutre (de qqch., de tout); indifférence. ⇒ **Je-m'en-fichisme.**

1 (...) il fut charmant de fausseté onctueuse, de je-m'en-foutisme ému, d'éloquence ronflante et banale.
COURTELINE, Messieurs les ronds-de-cuir, 4e tableau, II.

2 Daudet nous parle du chic de son fils Lucien, de son «jemenfoutisme» à lui en ce qui concerne sa toilette (...) J. RENARD, Journal, 8 mars 1891.

Var. graphiques : → Je-m'en-fichisme. Les Goncourt écrivent : *le je m'en fous,* dans le même sens.

JE-M'EN-FOUTISTE ou **J'M'EN FOUTISTE** [ʒmɑ̃futist] — 1884, écrit *jemenfoutiste; je-m'en-foutiste,* 1886, Goncourt; de *je m'en fous* (→ 2. Foutre), et *-iste.*

♦ Fam. Je m'en fichiste. *C'est une je-m'enfoutiste.*

JE NE SAIS COMBIEN, COMMENT, OÙ, QUEL, QUI... [ʒənsɛ kɔ̃bjɛ̃, kɔmɑ̃, zu, kɛl, ki] ⇒ **Savoir.**

JE-NE-SAIS-QUOI ou **JE NE SAIS QUOI** [ʒənsɛkwa] — 1639, Sorel; 1531, Estienne, comme adj.; *ne sai quoi,* fin XIIIe; de *je, ne, sais,* et *quoi.*

♦ Vx ou allus. littér. Chose qu'on ne peut définir ou exprimer, bien qu'on en sente nettement l'existence ou les effets. ⇒ **Chose** (quelque chose). *Elle a un je ne sais quoi qui plaît. Ce je ne sais quoi de flétri* (cit. 22) *dans son visage* (→ Frémissant, cit. 6; exprimer, cit. 31). *«Ces je ne sais quoi qu'on ne peut expliquer»* (→ Attacher, cit. 55, Corneille, et aussi amour, cit. 9, Corneille). — *«Un je ne sais quoi qui n'a plus de nom dans aucune langue»* (→ Cadavre, cit. 2, Bossuet).

1 La cause *(de l'amour)* en est *un je ne sais quoi...,* et les effets en sont effroyables. Ce *je ne sais quoi,* si peu de chose qu'on ne peut le reconnaître, remue toute la terre, les princes, les armées, le monde entier. PASCAL, Pensées, II, 162.

2 Pourquoi aime-t-on une femme? Bien souvent, cela tient uniquement à ce que la courbe de son nez, l'arc de ses sourcils, l'ovale de son visage, que sais-je? ont ce je ne sais quoi auquel correspond en vous un autre je ne sais quoi qui fait le diable à quatre dans votre imagination. LOTI, Aziyadé, III, XL.

Absolt. *«Le je-ne-sais-quoi et le presque-rien»,* essai de Vladimir Jankélévitch.

JENNÉRIEN, IENNE [ʒɛnɛʀjɛ̃, jɛn; ʒenneʀjɛ̃, jɛn] adj. — 1852, *in* D. D. L.; du nom du médecin anglais Edward *Jenner* (mort en 1823), et *-ien,* d'après l'angl. *jennerian* (1801).

♦ Méd. *Vaccination jennérienne :* vaccination antivariolique par inoculation du *cow-pox,* mise au point par Jenner en 1796.

JENNY [ʒeni] n. f. — 1762, *in* Brunot; mot angl. correspondant au prénom franç. *Jeannette,* symbolisant la fileuse.

♦ Techn. anc. Machine à filer le coton. ⇒ (vx) 1. **Jeannette, mule-jenny** (cit.).

JÉRÉMIADE [ʒeʀemjad] n. f. — V. 1738, Voltaire, antérieur (abbé de Choisi, *in* Trévoux); du lat. *Jeremias* «Jérémie», prophète célèbre par ses lamentations.

♦ Fam. Plainte sans fin qui importune. ⇒ **Doléance, gémissement, lamentation, plainte, regret.** *Il est excédé par ses récriminations et ses jérémiades* (→ Désaccord, cit. 3). *Nous ne sommes pas ici pour entendre vos jérémiades. Des jérémiades sans fin sur ses ennuis, à propos de la crise, de la hausse des prix.*

1 Tu ne vas pas pleurnicher. Je suis écœuré de tes jérémiades.
G. DUHAMEL, Salavin, III, XXVI.

Collectif. *Aimer la jérémiade.*

2 J'ai envie de m'adonner à la jérémiade. Je trouve injuste que la guerre s'adjuge ma jeunesse. Benoîte a commencé à vivre, elle. Moi, j'en ai marre d'être «avant», spectatrice de la vie des autres, à la fois servante de Molière et confidente de Racine. Quand donc rentrerai-je dans le vif du sujet?
Benoîte et Flora GROULT, Journal à quatre mains, p. 21.

DÉR. Jérémiader.

JÉRÉMIADER [ʒeʀemjade] v. intr. — 1845, proposé par Richard de Radonvilliers, *jérémier;* 1857, Goncourt, repris XXe; de *jérémiade,* et suff. verbal.

♦ Rare. Faire des jérémiades. ⇒ **Gémir, plaindre** (se).

1 Le vieux Pontife *(le président de la République)* qui tout dernièrement dépouillait les Français tout en jérémiadant.
H. BARBUSSE, Staline, p. 37 (1935), *in* D. D. L., II, 7.

2 (...) je me répétais : «À quoi bon?». Alors encore l'écouter jérémiader au surplus, c'était vraiment trop. CÉLINE, Voyage au bout de la nuit, p. 270 (1950).

REM. Le dér. *jérémiadeur, euse* est attesté.

JEREZ [xeʀɛs] ou francisé [keʀɛs] n. m. — 1840, Gautier; nom d'une ville du Sud de l'Espagne où l'on produit ce vin.

♦ Vin de Jerez. ⇒ **Xérès** (→ Gamme, cit. 10, Gautier).

JERK [dʒɛʀk] n. m. — 1965, *in* Gilbert; mot angl., proprt «saccade, secousse».

♦ Anglic. Danse qui consiste à imprimer des secousses rythmées à tout le corps (tête et bras compris), comme si on entrait en transes.

Le tiers de la population française avait moins de vingt ans. On le gavait d'idoles, de copains, de yé-yé, de twist, de folksong, de rock-n'-roll, de rythm and blue, de jerk, de trémulations du bassin, de désarticulations de la fosse iliaque, de démembrements de la ceinture pelvienne, de dislocations de la soudure de l'ilion, de l'ischion et du pubis. P. GUTH, Lettre ouverte aux idoles, p. 56 (1968).

DÉR. Jerker.

JERKER [dʒɛʀke] v. intr. — 1966, *in* Gilbert; de *jerk,* et suff. verbal.

♦ Danser le jerk. *«Jerker à mort toute une soirée»* (*Salut les copains,* juil. 1967).

DÉR. Jerkeur.

JERKEUR, EUSE [dʒɛʀkœʀ, øz] n. — V. 1970; de *jerker.*

♦ Danseur, danseuse de jerk. *«Les twisteuses ont été balayées par les jerkeuses»* (*le Nouvel Obs.,* 25 juin 1973, p. 40).

JÉROBOAM [ʒeʀɔbɔam] n. m. — 1906, *Nouveau Larousse illustré, Suppl.;* mot angl., 1816; nom d'un roi d'Israël qui, selon la Bible, conduisit son royaume au péché.

♦ Grosse bouteille d'une contenance de quatre bouteilles* (normales). *Un jéroboam de champagne a une contenance de 3,20 l. Un jéroboam de bordeaux a une contenance de 3 litres. Des jéroboams.*

Un panier de bouteilles dûment assorties brinqueballait devant moi sur le strapontin. J'y avais fait ajouter un jéroboam de champagne brut pour nous deux et une bouteille de chartreuse verte pour Lucie. 1
B. CENDRARS, la Main coupée, *in* Œ. compl, t. X, p. 88.

(...) chaque fois que je débarquais, comme j'apportais une bouteille de calvados au président de la République, un jéroboam (...) 2
B. CENDRARS, Bourlinguer, IV, p. 43.

JERRYCAN ou **JERRICAN** [ʒeʀikan; dʒeʀikan] n. m. — 1949, *jerrycan; jerrican,* 1944, *in* Höfler; de l'angl. *Jerry,* surnom donné par les Américains aux Allemands, et *can* «récipient».

♦ Anglic. Bidon* quadrangulaire muni d'une poignée, contenant environ 20 litres, et utilisé pour la manutention et la distribution des carburants. *Un jerrican, un jerrycan d'essence.* ⇒ **Nourrice, bidon.** *«Nous y ajoutons* (à la moto) *un porte-bagage, deux jerricans d'essence...»* (*Match,* 16 févr. 1974). *Des jerrycans.*

Un homme tue un homme, un homme vole une voiture, un homme renverse un jerrycan d'essence sur le sol de l'édifice, puis gratte une allumette (...)
J.-M. G. LE CLÉZIO, les Géants, p. 245 (1973).

REM. On a proposé (1971) la graphie *jerricane,* par francisation graphique.

JERSEY [ʒɛʀzɛ] n. m. — 1881; «drap», 1666; de *Jersey,* île anglo-normande, réputée pour la qualité de sa laine.

♦ **1.** Corsage de fine laine maillée qui moule le buste. *Jersey boutonné, jersey à col roulé. Des jerseys.*

Ô grasse en des jerseys de poult-de-soie (...) 1
VERLAINE, Parallèlement, «Dédicace».

Il était petit, vêtu d'un jersey bleu foncé qui serrait son buste étroit et ses bras sans force. J. GREEN, Léviathan, I, V. 2

♦ **2.** (1889, *in* Höfler). Tissu tricoté à l'aide d'un seul fil formant des mailles toujours semblables sur une même face. *Jersey de laine, de soie... Robe en jersey. Combinaison en jersey indémaillable.* — (1930). *Point de jersey :* point de tricot exécuté en alternant un rang de mailles à l'endroit et un rang de mailles à l'envers.

Butat parlait d'éclairs au chocolat, de robes en jersey de fil (...) d'ondulation permanente (...) M. AYMÉ, Maison basse, p. 187. 3

JERSIAIS, AISE [ʒɛʀzjɛ, ɛz] adj. — 1866, Hugo, *les Travailleurs de la mer; jersoyais,* Chateaubriand, *Mémoires d'outre-tombe;* du rad. du nom de *Jersey,* île anglo-normande.

♦ De Jersey.

L'austérité religieuse est moindre dans la première île que dans la seconde, le dimanche jersiais a la clef des champs que n'a pas le dimanche guernesiais.
HUGO, l'Archipel de la Manche, XII.

Spécialt. *Race jersiaise :* race de bovins issue d'un croisement entre une race irlandaise et une race germanique. *Vaches jersiaises.*

N. m. Parler normand (français) parlé naguère à Jersey (et à peu près éliminé par l'anglais). — Adj. *Le vocabulaire jersiais.*

JERVINE [ʒɛʀvin] n. f. — 1898, *Nouveau Larousse illustré ;* orig. inconnue.

♦ Chim., biol. Alcaloïde toxique contenu dans les tiges souterraines de certains ellébores.

JÉSUITE [ʒezɥit] n. m. — 1585, n. m. ; *jésuiste,* 1548 ; de *Jésus,* dans *Compagnie de Jésus.*

♦ **1.** Membre de l'ordre religieux appelé *Compagnie* ou *Société de Jésus,* fondé en 1534 par Ignace de Loyola. *Le général* des Jésuites. Restrictions mentales, direction d'intention, casuistique des jésuites. Collège de jésuites. L'opposition entre jésuites et jansénistes, au XVIIe siècle* (→ 1. Efficace, cit. 8 ; janissaire, cit. 2 ; janséniste, cit. 2 ; mâcher, cit. 5.

1 On a tant parlé des jésuites, qu'après avoir occupé l'Europe pendant deux cents ans, ils finissent par l'ennuyer (...) On leur a reproché dans six mille volumes leur morale relâchée (...) VOLTAIRE, Dict. philosophique, Jésuites.

(1950, *in* D. D. L.). Abrév. fam. *Jèse, jèze. Il a été élevé chez les jèses. « Les très érudits "jèzes" de Saint-Louis-de-Gonzague » (l'Express,* 15 sept. 1979, p. 129).

Adj. (1873, Larousse). *Le parti jésuite.*

1.1 L'esprit jésuite, trop calomnié, cherchait seulement à se garder des conséquences doctrinaires, au nom de la morale la plus commune.
ALAIN, les Passions et la Sagesse, De la philosophie religieuse, Pl., p. 804.

Arts. *Style jésuite :* style d'architecture baroque, adopté par les jésuites au XVIIe siècle (ex. : Le Gesù de Rome).

1.2 Sa pensée molle s'abandonnait à l'amoureux de cet art jésuite, épandu et fondu comme la caresse d'une main sensuelle, dans le travail magnifique du décor et l'adoration de la richesse des choses.
Ed. et J. DE GONCOURT, Madame Gervaisais, p. 189.

2 (...) ils entrèrent dans l'église éblouissante d'ors et de flammes de cierges (...) Ils s'émerveillaient pieusement des balcons dorés, des colonnes à torsades, de tout le luxe en stuc du style jésuite. APOLLINAIRE, l'Hérésiarque..., p. 155.

♦ **2.** (1656, Pascal). Péj. (à cause de la casuistique des moralistes jésuites). Personne qui recourt à des astuces hypocrites. *Quel jésuite ! C'est un jésuite,* (rare) *une jésuite. Nous sommes tous des jésuites* (→ Fraternité, cit. 8).

Adj. (1749). ⇒ **Hypocrite, jésuitique.** *Il est un peu jésuite. Un air* (cit. 10) *jésuite.*

3 Le jésuite, le plus jésuite des jésuites est encore mille fois moins jésuite que la femme la moins jésuite, jugez combien les femmes sont jésuites !
BALZAC, la Femme et l'Amour, p. 62.

DÉR. Jésuitement, jésuiterie, jésuitière, jésuitique, jésuitiser, jésuitisme.

JÉSUITEMENT [ʒezɥitmɑ̃] adv. — 1890, Clemenceau ; de *jésuite.*

♦ Rare. D'une manière jésuite, hypocrite. ⇒ **Jésuitiquement.**

JÉSUITERIE [ʒezɥitʀi] n. f. — 1879, *in* T. L. F. ; de *jésuite.*
Vieilli et péjoratif.

♦ **1.** Ensemble des jésuites.

♦ **2.** Propos, actions hypocrites (dans un contexte anticlérical).

JÉSUITIÈRE [ʒezɥitjɛʀ] n. f. — 1850, Gobineau, *in* T. L. F. ; de *jésuite.*

♦ Vieilli et péj. Maison, collège de jésuites.

(...) les justes récriminations du prolétaire qui accuse avec raison la République française de ne pas avoir su créer des établissements qui lui permettent de fermer les jésuitières de bas étage où l'on exploite l'enfance du peuple (...)
Louise MICHEL, la Misère, t. II, 1881, p. 439.

JÉSUITIQUE [ʒezɥitik] adj. — 1599 ; de *jésuite,* et *-ique.*

♦ **1.** Péj. Relatif aux jésuites. *Morale jésuitique :* morale de restrictions mentales attribuée aux jésuites.

♦ **2.** (1831, Balzac). Par ext. Digne d'un jésuite (2.). ⇒ **Hypocrite.** *Formule, procédé jésuitique* (→ Imperturbable, cit. 4). Fig. Fourbe, hypocrite.

1 Aussi à toutes les agaceries de sa mère, répondait-elle par ces phrases si improprement appelées jésuitiques, car les jésuites étaient forts, et ces réticences sont les chevaux de frise derrière lesquels s'abrite la faiblesse.
BALZAC, Albert Savarus, Pl., t. I, p. 763.

2 Malgré ses larmoyantes et jésuitiques remontrances sur le thème constant (...) de l'apprenti sorcier (...) Annie LECLERC, Parole de femme, p. 146.

DÉR. Jésuitiquement.

JÉSUITIQUEMENT [ʒezɥitikmɑ̃] adv. — Av. 1755, Montesquieu ; de *jésuitique,* et *-ment.*

♦ D'une manière jésuitique, hypocritement (⇒ **Jésuitement**), en se servant d'équivoques.

Il crut qu'en se donnant jésuitiquement un caractère politique qu'il n'avait pas plus que moi, il aplanirait bien des difficultés dans la suite de son voyage, et il écrivit à Châh-Ahmed une lettre fort ambiguë (...)
V. JACQUEMONT, Correspondance, t. II, p. 89.

JÉSUITISER [ʒezɥitize] v. tr. — 1848, au p. p., Sainte-Beuve ; comme v. intr. « faire le jésuite », Académie, *Compl.,* 1840 ; de *jésuite.*

♦ Vieilli et péj. Soumettre à l'influence des jésuites.

JÉSUITISME [ʒezɥitism] n. m. — 1622 ; *jésuisme,* 1555 ; de *jésuite.*
Péjoratif.

♦ **1.** (1622). Système moral reproché aux jésuites.

Mon âme se soulève à cet opportunisme, à ce jésuitisme qui ruse avec le siècle, qui est fait seulement pour jeter le doute parmi les croyants (...) 1
ZOLA, Rome, p. 690.

♦ **2.** (1832, Stendhal, *Souvenirs d'égotisme*). Attitude, conduite jésuitique. ⇒ **Hypocrisie.** *Le jésuitisme d'une personne, d'un comportement.*

J'étais sincèrement royaliste, mon bon. Quand les convictions sont sincères, il y a quelque jésuitisme à vouloir qu'elles ne rapportent rien. 2
J. ANOUILH, Pauvre Bitos, p. 46.

JÉSUS [ʒezy] n. m. — 1740, Trévoux ; de *Jésus,* nom propre.

★ **I. 1.** Image, statuette de Jésus enfant. *Un jésus en plâtre.* — (1870, Rimbaud). Par ext. Enfant mignon, aimable. *C'est un jésus, un vrai jésus.* → ci-dessous, le sens 3.

(XXe ; *p'tit jésus de cire,* 1753, Vâdé). Terme d'affection à l'adresse d'un enfant. *Ne pleure pas, mon jésus.*

(...) je vais être un homme, il le faut, une sorte d'homme, de vieil enfant, j'aurai une gouvernante, elle m'aimera bien, elle me donnera la main, pour traverser, elle me lâchera dans les squares, je me tiendrai bien, je me mettrai dans un coin et je me peignerai la barbe, je la lisserai, pour être plus beau, un peu plus beau, si ça pouvait se passer comme ça. Elle me dira, Viens, mon Jésus, il est temps de rentrer. S. BECKETT, Textes pour rien, p. 131. 1

♦ **2.** (V. 1545 ; *Jhesu !,* 1496, de la Vigne). Interj. *Jésus ! Doux Jésus ! Jésus Marie ! Jésus Marie Joseph !* (interj. courantes naguère, surtout en milieu rural). — Vx. *Jésus Dieu !*

(...) cinq ou six laquais qui étaient derrière criaient : « Jésus Maria ! » et tremblaient déjà de peur. RETZ, Mémoires, p. 34. 2

♦ **3.** (1835, Raspail). Prostitué homosexuel. *Petit jésus :* prostitué très jeune. — (Dans un nom, un surnom). *Jésus la Caille,* roman de Carco.

(...) cette fille, pour eux, c'était comme la floraison des (...) *jésus* du bagne *(mignons du bagne).* Louise MICHEL, la Misère, t. II, p. 468. 3

(...) il aperçut un tout jeune homme bien frisé, bien pommadé, un de ceux que les antiphysiques — dans leur argot spécial auquel je ne veux faire que cet emprunt — appellent un petit Jésus. GORON, l'Amour à Paris, t. II, p. 732. 4

♦ **4.** (1704 ; *papier du nom de Jésus,* 1633). Vx. Papier qui portait en filigrane le monogramme (I. H. S.) de Jésus. Mod. Format de papier (56 x 76). *Petit jésus* (56 x 72). — Par appos. *Papier jésus.*

★ **II.** (Attesté XXe). Gros saucisson court fabriqué dans le Jura, en Alsace et en Suisse. *Jésus de Lyon. Jésus de Morteau.* ⇒ **Morteau.**

1. JET [ʒɛ] n. m. — V. 1155, « action de lancer les dés » ; aussi « lien », au XIIe siècle, déverbal de *jeter.*

★ **I. 1.** Action de jeter ; mouvement d'une chose lancée parcourant une certaine trajectoire. *Amplitude, longueur, courbe du jet.* ⇒ **Trajectoire.** *Le jet d'une bombe, d'une grenade, d'une pierre* (Académie). — (V. 1170, Wace). Pour exprimer la distance. *À la distance, à la portée d'un jet de pierre*. À un jet de pierre. Jet vertical de projectiles par les mâchicoulis* (→ Hourd, cit.).

(...) tandis que le Christ s'était éloigné d'eux dans le jardin, à la distance d'un jet de pierre (...) LOTI, Jérusalem, p. 147. 1

(1819, *in* Petiot). Sports. *Lanceur de disque, de javelot qui réussit un jet exceptionnel.* ⇒ 2. **Lancer.** — *Le jet de l'éponge :* le fait de jeter l'éponge* (en boxe).

(Mil. XVIe ; « projectile », fin XIVe). *Armes* de jet,* destinées à lancer un trait (fronde, arbalète...) ou à être lancées (⇒ **Trait**).

♦ **2.** (1386). Mar. *Jet à la mer. Le jet d'un filet.* — Loc. *Ancre* à jet,* « de dimension assez faible pour pouvoir être mouillée sans écubier spécial » (Gruss, *Ancre*).

Dr. comm. Action de jeter à la mer une partie du chargement « dans le but d'alléger et de sauver le navire » (Gruss). Par métonymie. Les objets jetés à la mer.

♦ **3.** (XVIe). Techn. Opération par laquelle on jette ou fait couler* dans le moule le métal en fusion. Rare, sauf dans la locution adverbiale : *D'un seul jet. Fondre, couler une statue d'un seul jet,* d'une seule pièce.

♦ **4.** Loc. (1753, Buffon). **D'UN SEUL JET, D'UN JET :** d'un coup, d'une seule venue. *Poème écrit d'un seul jet, d'un jet.* ⇒ **Coup** (d'un), **haleine** (d'une); **rapidement.** *Concevoir d'un seul jet* (→ Constructeur, cit. 2). *Courbe* (cit. 5) *venue d'un seul jet, sans retouches.*

2 La lettre qu'il écrit le 20 novembre, il l'écrit d'un jet, presque sans rature; elle a jailli, spontanée, vigoureuse, émouvante, des profondeurs de son intelligence et de son cœur. Louis BARTHOU, Mirabeau, p. 125.

Du même jet : du même coup (→ Improviser, cit. 1).

(1549; *dou premier get* «d'emblée», fin XIVe, Froissart). **PREMIER JET :** première expression de ce que l'artiste jette sur la toile, sur le papier, avant toute retouche. *Le premier jet d'un ouvrage, d'un tableau.* ⇒ **Croquis, ébauche, esquisse** (→ Épreuve, cit. 35).

3 (...) oubliez toujours que vous faites un livre; il sera aisé d'y mettre des liaisons; c'est l'air de vérité qui ne se donne pas quand il n'y est pas du premier jet, et l'imagination la plus heureuse ne le remplace pas. GIDE, Journal, 17 déc. 1916.

Court poème composé en une seule fois. *Les jets de Byron* (Flaubert, *in* G.L.L.F.).

★ **II.** Mouvement par lequel une chose jaillit, fuse, s'écoule avec plus ou moins de force.

♦ **1.** (Fin XIIe). Mouvement d'un liquide, d'un fluide qui s'échappe avec force d'un orifice généralement petit. ⇒ **Jaillissement.** *Jet de liquide, de vapeur* (→ Fumée, cit. 8; fuser, cit. 8). *Projeter, lancer un jet de salive.* ⇒ **Crachat** (→ Courbe, cit. 6). *Jet d'un liquide organique, jet de sang.* ⇒ **Émission** (→ Écoulement, cit. 3; fécondant, cit. 1). *Jet de sperme.* ⇒ **Éjaculation.** *Faire pénétrer un jet de liquide au moyen d'une seringue.* ⇒ **Injecter.** *Jet d'une pompe* (→ Bras, cit. 47), *d'un geyser* (cit. 1), *d'un robinet.* — *Douche en jet.* Absolt. *Passer sous le jet* (de la douche). ⇒ **Douche.** — *Jet qui rebondit.* ⇒ **Rejaillir.**

4 Elle (*Éponine*) appuyait en parlant sa main percée sur sa poitrine où il y avait un autre trou, et d'où il sortait par instants un flot de sang comme le jet de vin d'une bonde ouverte. HUGO, les Misérables, IV, XIV, VI.

5 Il prit une outre en peau, la leva au-dessus de sa tête, et laissa couler un jet mince sur ses dents à peine entrouvertes. P. MAC ORLAN, la Bandera, XI.

Jet aiguille : jet de liquide, de section très étroite. *Jet éventail :* jet de liquide en forme d'éventail.

♦ **2.** (1671). **JET D'EAU :** gerbe d'eau jaillissant verticalement et retombant dans un bassin (cit. 6). → Bouillir, cit. 1; comprimer, cit. 10; impression, cit. 37. *Faisceau, combinaisons de jets d'eau.* ⇒ **Artichaut, girandole** (1.), **jeu** (d'eau). *Le bruit d'un jet d'eau* (→ Chuchoter, cit. 4; glouglouter, cit. 4; grésillement, cit. 3). — *Le jet d'eau,* poème de Baudelaire (→ Entretenir, cit. 15). *La colombe poignardée et le jet d'eau,* calligramme d'Apollinaire.

6 Le profond silence était à peine troublé par le bruit d'un petit jet d'eau qui, s'élevant à quelques pieds, dans un coin de la chambre, retombait dans sa coquille de marbre noir. STENDHAL, Romans et Nouveautés, Le coffre et le revenant.

7 Qui fait rêver les oiseaux dans les arbres
Et sangloter d'extase les jets d'eau,
Les grands jets d'eau sveltes parmi les marbres.
VERLAINE, Fêtes galantes, «Clair de lune».

Par ext. Ajutage à l'extrémité du tuyau d'où part le jet d'eau. ⇒ **Ajutage.** — Dispositif permettant l'écoulement de l'eau, au bas d'une fenêtre, d'une porte. — Abusif (et cour.). *Jet, jet d'eau :* tuyau d'arrosage.

♦ **3.** (XVIIIe). **JET DE... :** rayons, mouvement de ce qui jaillit (lumière, chaleur). *Jets de clarté, de lumière.* ⇒ **Ruissellement** (→ Agonisant, cit. 1). *Jet de feu* (1. Feu, cit. 12), *de flammes.* (1752). Par métonymie. Fusée à gerbes divergentes.

8 Les rayons du soleil entraient dans le sentier avec une sorte d'impétuosité (...) et ces vigoureux jets de lumière enveloppaient de leurs teintes rouges une chaumière située au bout de ce chemin sablonneux.
BALZAC, le Médecin de campagne, Pl., t. VIII, p. 422.

9 Mâles et femelles se dispersaient comme des souris devant le jet lumineux d'une lampe de poche. P. MAC ORLAN, Quai des Brumes, VIII.

Fig. Flot, flux, jaillissement (→ Bêlement, cit. 2; frère, cit. 8).

10 À ce jet furieux de paroles tout le groupe hautain des jeunes lords répondit par un sourire. HUGO, l'Homme qui rit, VIII, VIII.

Fig., fam. **À JET CONTINU :** sans interrompre le débit. *Débiter des mensonges à jet continu.*

♦ **4.** Techn. Les gaz éjectés d'une fusée, d'une tuyère de turboréacteur. *Réacteur à inverseur de jet.*

♦ **5.** Sc. [a] Ensemble d'atomes ou de molécules se propageant en ligne droite avec des vitesses parallèles, dans un milieu où il ne rencontre aucun obstacle. *Jet atomique, moléculaire.* «*Ils ont trouvé des indications assez convaincantes en faveur d'une désintégration de cette particule en trois «jets» (assemblages de particules élémentaires rapides, se déplaçant toutes à peu près dans la même direction)*» (*la Recherche,* juil. 1979, p. 766). *L'axe d'un jet.*

[b] *Jet de vague :* courant prolongeant une vague.

[c] (Équivalent franç. de l'anglic. *jet-stream**). *Jet* ou *courant jet.*

★ **III.** ♦ **1.** (1419). Bot. Nouvelle pousse d'un arbre. ⇒ **Drageon, pousse, rejet, rejeton.** «*Cet arbre a donné de beaux jets cette année*» (Littré). *Jet de vigne.* ⇒ **Bourgeon** (spécialt). — Rameau, tige secondaire. *Canne d'un seul jet,* et, absolt., *un jet :* une canne faite d'un rameau, d'une branche sans nœud.

Des pointes de branches, des jets de ronces leur égratignaient les mains (...) 11
P. NIZAN, le Cheval de Troie, p. 27.

Le rotin*, utilisé pour faire des cannes sans nœud.

♦ **2.** *Arbre d'un seul jet,* d'une seule venue. ⇒ **Brin.** *Fûts* (cit. 2) *d'un haut jet,* qui s'élancent d'un jet (→ Futaie, cit. 2 et 4).
Par métaphore :

Prise dans sa robe de mérinos, elle était tout d'un jet comme un jeune arbre. 12
FRANCE, le Crime de S. Bonnard, III, Œuvres, t. II, p. 366.

♦ **3.** Techn. *Jet d'abeilles,* nouvel essaim qui sort de la ruche.

COMP. Brise-jet. — Jet-stream.
HOM. Geai, jais.

2. JET [dʒɛt] n. m. — 1957, *in* Höfler; mot angl., de *jet plane,* de *jet* «jaillissement d'un gaz», et *plane* «avion».

♦ Anglic. Avion à réaction (spécialt pour le transport des passagers). *Prendre un jet.* «*Le Boeing 747 qui emportera d'un seul coup 450 passagers (quand les plus gros jets actuels ont 180 places)*» (*Science et Vie,* no 593, p. 96). → Jumbo-jet.

«Aller à Athènes en Caravelle, c'est tout de même dommage», disait papa. Moi j'aime les jets. L'avion pique brutalement vers le ciel, je l'entends crever les murs de ma prison : mon étroite vie cernée par des millions d'autres, dont j'ignore tout. S. DE BEAUVOIR, les Belles Images, p. 216. 1

Mais déjà elle n'est plus l'Empire, déjà les *jets* et les avionnettes ont remplacé les paquebots et les *praus.* MALRAUX, Antimémoires, p. 396. 2

COMP. V. **Jet-set** (ou **jet-society**).

JETABLE [ʒ(ə)tabl] adj. — Mil. XXe; de *jeter,* et *-able.*

♦ Se dit d'un objet destiné à être jeté et remplacé après un ou plusieurs usages et non conservé et entretenu. *Assiette en carton jetable. Briquet jetable. Rasoirs jetables.*

JETAGE [ʒ(ə)taʒ] n. m. — 1788, «coulée (d'un métal)»; de *jeter,* et *-age.*

♦ **1.** (1867, Littré). Rare. Action de jeter. «*Le jetage d'un pont sur une rivière*» (Littré), «*le jetage du bois flotté dans les cours d'eau*» (Littré, *Suppl.*; Hatzfeld).

♦ **2.** (1832). Vétér. Écoulement nasal purulent chez les animaux atteints de certaines maladies : gourme*, morve*, pneumonie (→ Chtouille, altér. de *jetouille*). — Par anal. «Écoulement nasal abondant, chez l'homme» (Garnier).

JET D'EAU [ʒɛdo] n. m. ⇒ **Jet** (II., 2.).

JETÉ [ʒ(ə)te] n. m. — 1704, Trévoux, *in* Wartburg; Rameau, 1725, *in* T. L. F.; p. p. substantivé de *jeter.*

♦ **1.** Danse. «Saut lancé par une seule jambe et reçu sur l'autre, cette dernière restant levée pendant la course aérienne» (M. Bourgat). *Jeté simple.* — **JETÉ BATTU :** jeté orné d'un croisement de jambes pendant le saut.

♦ **2.** (1883 Daudet). Action de jeter. ⇒ **Jet.**

(1901, *in* Petiot). Sport (haltérophilie). Mouvement consistant à amener la barre des haltères au bout des bras tendus verticalement, par flexion et détente brusques des jambes. *Épaulé et jeté* ou *épaulé-jeté.* ⇒ **Épaulé.**

♦ **3.** (1867, Littré). En tricot, Brin, fil jeté sur l'aiguille entre deux mailles. — (1883, Daudet; dans quelques syntagmes). Bande d'étoffe que l'on étend sur un meuble en guise d'ornement. — (1900). *Un jeté de lit. Un jeté de table brodé.*

(...) lorsque Paquita se présente (...) essaye quelques pas d'une danse rustique (...) le faux maître de ballet, enchérissant sur les rires et les murmures de ses élèves, lui déclare que jamais elle ne pourra faire proprement une pirouette ni un jeté battu. Th. GAUTIER, Souvenirs de théâtre..., p. 139. 1

(1856, Barbey d'Aurevilly). Façon de jeter (un vêtement...) sur l'épaule; disposition des plis d'un vêtement.

L'Aumône admirait sincèrement la prestance de son interlocuteur, le jeté de la cape (...) le nœud de la lavallière (...) R. QUENEAU, Loin de Rueil, p. 29. 2

♦ **4.** (1885, Gevaert *in* T. L. F.). Mus. Coup d'archet vif, utilisant le rebondissement sur la corde.

HOM. Jetée; formes du v. **jeter.**

JETÉ, ÉE p. p. adj. ⇒ **Jeter.**

JETÉE [ʒ(ə)te] n. f. — 1216, «distance parcourue par une chose jetée» (→ Jet); «action de jeter», 1362; p. p. substantivé de *jeter.*

★ **I.** ♦ **1.** Vx ou rare. Action de jeter (qqch.) «*La jetée aux ordures des manuscrits*» (Goncourt, *in* T. L. F.).

♦ **2.** Action de se jeter. Bond (rare; un seul ex. dans le T. L. F. : « *d'une même jetée* » (La Varende).

♦ **3.** (1723). Techn. Vx. Opération par laquelle on coule la fonte; fonte coulée.

★ **II.** Cour. ♦ **1.** (1362). Construction formant une chaussée qui s'avance dans l'eau, destinée à protéger un port, à limiter un chenal. ⇒ **Abri** (abris marins); **digue, estacade.** — REM. *Digue,* plus général que *jetée* comprend toute construction destinée à contenir les eaux (barrages, etc.); en outre «au bord de la mer, la *digue* est en général parallèle à la côte, la *jetée* avance dans la mer...» (Bénac). — *Jetée de bois, de pierres, de béton. Jetée protégeant un port* contre la violence des lames.* ⇒ **Môle.** *Entrée* (cit. 3) *d'un navire entre les jetées. Navire à l'abri derrière une jetée* (→ Ancrage, cit. 1). *Jetée où s'effectue l'embarquement* (cit.), *le débarquement des passagers, des marchandises* (⇒ **Débarcadère, embarcadère**). *Extrémité, pointe d'une jetée.* ⇒ **Musoir.** *Brise-lame* (cit.) *d'une jetée.* ⇒ (anglic.) **Break-water.** *Promeneurs, pêcheurs sur une jetée* (→ Actif, cit. 1; hameçon, cit. 1). — *Jetée flottante :* pont flottant de grandes dimensions permettant la circulation de matériel roulant. — *Jetée dans un cours d'eau,* pour modifier, redresser le lit, aménager un abri, un port, protéger la berge, etc.

1 On a fait (...) des jetées de pierre, qui s'avancent fort loin dans la mer (...)
RACINE, Explication des médailles, III.

1.1 Les deux jetées de Dunkerque qui prolongent le quai du port s'avançent loin dans la mer. Les gens de la noce occupaient toute la largeur de la jetée du nord, et ils atteignirent bientôt une petite maisonnette située à son extrémité, où veillait le maître du port. J. VERNE, Un hivernage dans les glaces, p. 221.

2 De la pointe de la jetée le coup d'œil sur la ville est merveilleux.
MAUPASSANT, Au soleil, Alger.

Techn. *Jetée pétrolière :* long appontement pour l'accostage des pétroliers géants.

(1908, G. Leroux). *Jetée-promenade.*

♦ **2.** Techn. Amas de pierres, de gravier, de terre, jeté «dans la longueur d'un mauvais chemin pour le rendre plus praticable» (Académie).

♦ **3.** Par anal. Dispositif reliant les installations principales d'un aérodrome aux avions.

★ **III.** (1894, Esnault). Argot, vx. Somme de cent francs. *Une demi-jetée :* cinquante francs.

HOM. Jeté, formes du v. **jeter.**

JETER [ʒ(ə)te] v. tr. — Prend deux *t* devant un *e* muet : *je jette, il jette, nous jetons; je jetterai; je jetterais; que je jette, que nous jetions; jette, jetons, jetez; jetant, jeté.* — 1080; *getter,* fin IXe; du lat. pop. *jectare,* du lat. class. *jactare,* d'après les comp. *injectare,* etc.

★ **I.** Envoyer (qqch.) à une certaine distance de soi, dans une direction déterminée ou non.

♦ **1.** ⇒ **Lancer, projeter.** *Action de jeter une chose.* ⇒ 1. **Jet.** *Jeter une balle* (→ Calculer, cit. 7), *une pierre* (→ Gamin, cit. 2), *le disque* (→ Gymnase, cit. 2), *la barre* (1903, *in* Petiot). —*Arme qu'on jette* ⇒ 1. **Jet.** (arme de), **projectile.** *Jeter la francisque* (cit. 1). *Jeter une lance* (→ Esquiver, cit. 2), *un javelot, une bombe* (cit. 4, fig). *Jeter un grappin** (cit. 1 et 3). Fig. *Jeter le grappin* sur...* — (Avec un compl. de lieu). *Jeter qqch. dans, sur, vers... Jeter sa casquette* (cit. 3) *en l'air*, par terre* (→ Genre, cit. 45). — Loc. fig. *Jeter son bonnet* par-dessus les moulins. Jeter qqch. par-dessus son épaule. Jeter de l'eau sur un feu, un brasier.* Loc. *Jeter de l'huile** (cit. 32) *sur le feu.*

1 (...) comme un frondeur fait avec sa fronde tourner la pierre qu'il veut jeter loin de lui. FÉNELON, Télémaque, XII.

2 Pour l'avertir, Rodolphe jetait contre les persiennes une poignée de sable.
FLAUBERT, Mme Bovary, II, X.

Jeter qqch. au visage, à la figure, à la tête de qqn. ⇒ **Balancer, envoyer,** 2. **flanquer** (→ Défi, cit. 1; émargement, cit.; jettatore, cit.). — Pron. (récipr.). *Se jeter qqch. à la figure* (→ 2. Bûcher, cit. 1).

3 Je l'ai vu jeter à la tête d'un maître d'hôtel un excellent poulet, dans lequel il croyait voir je ne sais quel insultant hiéroglyphe.
BAUDELAIRE, le Spleen de Paris, XXII

Fig. *Jeter (qqch.) à la tête de qqn :* faire étalage (de qqch.) d'une manière déplaisante. *Il vous jette à la tête son érudition. Jeter (qqch.) au nez*, à la tête, à la figure, à la face de qqn :* faire brutalement état de qqch.; reprocher (→ Afféterie, cit. 3). *On ne cesse de lui jeter à la tête sa mauvaise conduite, son attitude passée.*

4 (...) Brichot sait tout, et nous jette à la tête, pendant le dîner, des piles de dictionnaires. PROUST, À la recherche du temps perdu, t. X, p. 109.

Jeter qqch. dans les jambes de qqn (même sens).

4.1 Tu crois ça, toi! parce que tu n'oses pas monter en chemin de fer, tu t'imagines que les autres ont peur de se déranger. Tâche plutôt de retourner ton bas de laine (...).
Et Lucienne ne cesse de jeter des choses dans les jambes de Ragotte.
J. RENARD, Nos frères farouches, Ragotte, *in* Œuvres, t. II, Pl., p. 355.

Jeter la pierre à qqn. ⇒ **Pierre** (cit. 6 et *supra*). Allus. évang. *Jeter la première pierre* à qqn* (→ Adultère, cit. 3; envie, cit. 33). — *Jeter des pierres dans le jardin* de qqn.*

Jeter de la poudre aux yeux.* ⇒ **Éblouir.** *Jeter l'éponge** : déclarer forfait, comme le boxeur sur le ring.

♦ **2.** (XIIe). Laisser tomber, faire tomber* (qqch.) quelque part. ⇒ **Balancer** (cit. 7). *Jeter des projectiles du haut du toit* (→ Insurrection, cit. 4). *Jeter un fardeau, son sac à terre. — Faire jeter, jeter qqn par la fenêtre*.* ⇒ **Défenestrer** (→ Écumer, cit. 6; faiblir, cit. 4; fouler, cit. 7). *Ils furent jetés dans la rivière* (→ Arriver, cit. 1).

Semblablement où est la reine 5
Qui commanda que Buridan
Fût jeté en un sac en Seine?
VILLON, Testament, «Ballade des dames du temps jadis».

(...) il alla chez elle plein de fureur, brisa une partie de ses meubles, jeta les autres par les fenêtres, et le lendemain il l'épousa. 6
A. R. LESAGE, le Diable boiteux, X.

Au dernier moment, j'enfermerai le manuscrit dans une bouteille, et je jetterai le tout à la mer. BAUDELAIRE, Trad. E. POE, Histoires extraordinaires, «Manuscrit trouvé dans une bouteille». 7

Fig. *Jeter l'argent, des biens par les fenêtres** (cit. 7.1 et 7.2).

Loc. (mar., cour.). *Jeter l'ancre** (cit. 2, 5 et 6). — *Jeter une bouée* (cit. 1, fig), *le chalut* (cit. 1), *le loch*, la sonde*.*

♦ **3.** Techn. Disposer, établir (qqch.) dans l'espace, d'un point à un autre. *Jeter une passerelle entre les rives d'un torrent, sur un ruisseau, un fossé. Jeter un pont*.* ⇒ **Construire** (→ Espacer, cit. 2; feston, cit. 2; 1. frayer, cit. 3).

Là-bas, 8
Ce sont des ponts tressés en fer
Jetés, par bonds, à travers l'air (...)
VERHAEREN, Campagnes hallucinées, La ville.

Par métaphore :

Mais voilà qu'une passerelle est jetée sur l'abîme. 9
J. ROMAINS, les Hommes de bonne volonté, t. V, XV, p. 114.

♦ **4.** (1611). Envoyer (qqch.) en direction de qqn, d'un animal, pour donner (souvent avec une idée de brutalité, de mépris). *Jeter un os* à un chien, du grain aux pigeons* (→ Empresser, cit. 8). *Jeter de l'argent, jeter sa bourse à qqn* (→ Acteur, cit. 7; blanc cit. 34; embrasure, cit. 5).

Et tu leur jetteras des sequins d'or, toi-même (...) 10
HUGO, la Légende des siècles, XVIII, Confiance du marquis Fabrice, VIII.

(...) nous avons été donner à manger aux pigeons de la mosquée de Bajazet (...) C'est une œuvre pie que de leur jeter du grain. 11
FLAUBERT, Correspondance, 270, 14 nov. 1850.

Nous leur jetions des poignées de dragées, et toute notre route était semée de bonbons. LOTI, Mon frère Yves, XLVII. 12

Loc. *Jeter son mouchoir* à qqn. Jeter son gant** (cit. 15 et 16) *à un rival* (→ aussi Gage, cit. 8). *Jeter le gant*.* — Fig. *Jeter qqch. aux chiens,* le prodiguer, le dilapider (⇒ **Gaspiller**). *Jeter des perles* aux pourceaux.*

Jeter un sort (à qqn) : envoyer, diriger le mauvais sort (sur qqn). ⇒ **Jeteur, jettatura.**

♦ **5.** [a] (XIIe). Abandonner, rejeter comme encombrant ou inutile. ⇒ **Abandonner, balancer** (fam.), **balanstiquer** (argot), **débarrasser** (se), **défaire** (se). *Vieux papiers, vieux objets à jeter, bons à jeter. Jeter un vieux chapeau, des vêtements usagés* (→ Faire, cit. 113). *Jeter là (qqch.).* → Églogue, cit. 1; haillon, cit. 6. *Jeter une chose au rebut*, au panier, à la poubelle, dans la corbeille à papier* (→ Fragment, cit. 3). ⇒ **Flanquer** (fam.). — *Jeter qqch., des objets en l'air, au vent, aux quatre vents.* ⇒ **Disperser, éparpiller.** *Jeter qqch. au feu.* ⇒ **Détruire.** — *Jeter ses outils.* — *Jeter ses armes aux pieds de l'ennemi,* et, absolt, *jeter ses armes :* se rendre, renoncer au combat (→ Couard, cit. 2; honteux, cit. 7). — Mar. *Jeter des marchandises à la mer, par-dessus bord.* ⇒ 1. **Jet.**

Ils tirent à vingt pas; ils jettent aussitôt leurs fusils; et (...) se précipitant entre les hommes et les chevaux, ils tuent les chevaux avec leurs poignards et attaquent les hommes, le sabre à la main. VOLTAIRE, Louis XV, 34, *in* LITTRÉ. 13

Quand on m'aura jeté, vieux flacon désolé, 14
Décrépit, poudreux, sale, abject, visqueux, fêlé (...)
BAUDELAIRE, les Fleurs du mal, Spleen et Idéal, XLVIII.

Nathanaël, à présent, jette mon livre. Émancipe-t'en. Quitte-moi. 15
GIDE, les Nourritures terrestres, p. 185.

Jean l'attendait dans l'automobile (...) Il ouvrait la vitre pour jeter une cigarette à peine fumée et la refermait aussitôt. 16
J. CHARDONNE, les Destinées sentimentales, p. 396.

Au p. p. *Une faucille* (cit. 4) *d'or «jetée dans le champ des étoiles»* (Hugo).

Loc. fig. — (1564). *Jeter le froc** (cit. 7, 8 et 9) *aux orties.* ⇒ **Renier.** — *Jeter le manche* après la cognée :* abandonner, renoncer. — *Jeter le masque*.* — *Jeter du lest** (⇒ **Lâcher**). — *On presse l'orange et on jette l'écorce** (cit. 5, Voltaire). — Loc. *Jeter le bébé* avec l'eau du bain.*

Jeter de l'argent. ⇒ **Dilapider, gaspiller.** *Jeter l'argent, son bien par les fenêtres** (cit. 7.1 et 7.2; → aussi Économe, cit. 4). *Il jette les millions sans compter* (cit. 26). ⇒ **Prodiguer.**

Aujourd'hui il roulait carrosse et jetait l'argent par les fenêtres; demain il allait dîner à quarante sous. A. DE MUSSET, Nouvelles, Les deux maîtresses, I. 17

b Fam. Compl. n. de personnes. Rejeter, abandonner (qqn). *Il a peur de se faire jeter par son amie. Il s'est fait jeter. S'il continue à m'emmerder, je le jette!*

♦ **6.** (1080, *Chanson de Roland*). Déposer, mettre, poser, placer (qqch. quelque part) avec une idée de vivacité, de rapidité; ou sans ordre ni soin, au hasard. *Jeter ses vêtements autour de soi* (→ Ablution, cit. 2). *Jeter pêle-mêle des papiers, des documents sur une table de travail* (⇒ **Joncher, parsemer, semer**).

18 Jeté comme la graine au gré de l'air qui vole (...) HUGO, Feuilles d'automne, I.

19 Il tira son portefeuille, jeta un billet sur la table (...)
MARTIN DU GARD, les Thibault, t. II, p. 119.

Spécialt. *Jeter les cartes,* les poser vivement sur la table. Par ext. Jouer (→ As, cit. 1). *Jeter les dés** (→ Hasard, cit. 2 et 30). *Les dés sont jetés. Jeter des lettres à la boîte* (→ Éveiller, cit. 17), *à la poste* (→ Expression, cit. 18; facteur, cit. 10). ⇒ **Mettre.**

20 — Je veux voir les lettres... Oh! rien que pour les lire, et vous les jetterez vous-même à la poste après. BALZAC, Albert Savarus, Pl., t. I, p. 808.

20.1 Alors il résolut de jeter à la poste, avant l'heure du train, une lettre à l'adresse du jeune Desvignes, secrétaire bénévole qu'il utilisait parfois.
BERNANOS, l'Imposture, *in* Œ. roman., Pl., p. 378.

Placer avec force ou violence. — Loc. *Jeter qqch. dans la balance*. Jeter un poids dans le plateau de la balance.* Fig. *Jeter son épée dans la balance. Jeter un argument, sa parole, son autorité, dans la balance* (cit. 16). → Interview, cit. 3. — Par anal. *Jeter son autorité dans le débat* (cit. 4).

21 (...) elle l'entendit qui ouvrait des bocaux et jetait des poids dans une balance.
J. GREEN, Adrienne Mesurat, II, V.

Jeter un aliment dans la poêle, la casserole (→ Hacher, cit. 3). — Fam. *Se jeter qqch. dans le gosier* (cit. 3), le manger, le boire.

Absolt. (fam.). *S'en jeter un* (verre), *s'en jeter un derrière la cravate :* boire quelque chose.

21.1 — Ne restons pas là, dit Malinier. On va aller s'en jeter un. Mais tu parles d'une rencontre. M. AYMÉ, Travelingue, p. 39.

Typogr. *Jeter du blanc, des interlignes* (dans la composition).

Spécialt. Mettre (un vêtement) avec vivacité, s'en couvrir à la hâte (en parlant de ce qui couvre le corps, sans être enfilé, boutonné...). *Jeter un manteau, une cape, une pèlerine, sur ses épaules* (cit. 10).

22 Elle jeta un châle sur ses épaules, descendit au jardin.
F. MAURIAC, Génitrix, V.

(1684). Arts, vieilli. *Peintre qui sait jeter une draperie avec élégance.* ⇒ **Jeté,** 3.

Loc. fig. *Jeter un voile* sur qqch.* (→ Alanguissement, cit. 2).

23 Jetons sur ces scènes honteuses le manteau de Noé.
F. MAURIAC, le Nœud de vipères, XX.

Fig. *Jeter (qqch.) sur le papier :* écrire, noter rapidement. *Jeter des lettres, des dessins sur le papier* (→ Fleurir, cit. 26). *Jeter ses idées sur le papier,* les noter à la hâte (→ Bouillonner, cit. 6). ⇒ **Écrire, noter.**

24 Voilà tout ce que mon imagination me fait jeter sur ce papier, sans art (...) à course de plume. Mme DE SÉVIGNÉ, 891, 23 janv. 1682.

25 D'ailleurs, il ne s'était pas borné à jeter des chiffres et des plans sur le papier.
J. ROMAINS, les Hommes de bonne volonté, t. V, XXII, p. 179.

⇒ **Établir, poser.** *Jeter les fondations* d'un édifice, les fondements*, les bases d'une science* (→ Carte, cit. 16), *d'une doctrine. Jeter les bases d'une entente.*

26 (...) il jette avec une rare sûreté de vues les bases d'une Église destinée à durer.
RENAN, Vie de Jésus, Œuvres, t. IV, p. 266.

♦ **7.** (1689, Racine). ⇒ **Répandre.** *Jeter de l'ombre, de la lumière sur qqch. Lampe qui jette une lueur sur qqch.* (→ Globe, cit. 12). *Jeter de l'ombre** (→ Cache-nez, cit.; conifère, cit.). Fig. *Cet ouvrage jette des lumières nouvelles sur la question.*

27 C'est un livre bien remarquable que ce livre de Du Bellay *(Défense et illustration de la langue française)*; c'est un de ceux qui jettent le plus de jour sur l'histoire de la littérature française. NERVAL, la Bohème galante, p. 76.

♦ **8.** (Le compl. désigne une chose abstraite). ⇒ **Répandre, semer.** *Jeter l'effroi, l'épouvante, la panique, la terreur quelque part, parmi des personnes* (→ Apocalypse, cit. 4; guerrier, cit. 6). *Jeter le trouble* dans les esprits* (→ Bouleverser, cit. 8; ironie, cit. 1), *le désordre dans les pensées* (→ Galimatias, cit. 3). *Jeter la honte, l'opprobre* (→ Calomniateur, cit. 6), *le désarroi* (→ Gaffe, cit. 4). — (Sujet n. de personne ou de chose). *Jeter un froid*.*

28 (...) je ne veux que l'harmonie, et c'est moi qu'on accuse de jeter le trouble partout. G. DUHAMEL, Chronique des Pasquier, II, XXII.

(Au passif). *Le sort en est jeté :* tout est décidé; il n'y a plus rien à faire (→ Les jeux* sont faits). ⇒ **Alea jacta est** (→ 1. Dé, cit. 3).

Mettre, placer. *Jeter la faute* (cit. 35), *la responsabilité de qqch. sur qqn.* ⇒ **Rejeter.** *Jeter sur le dos** (cit. 20) *de qqn. Jeter le discrédit, la déconsidération* (cit. 1) *sur qqn.*

★ **II.** Faire mouvoir (une partie de son corps); faire sortir de soi.

♦ **1.** (1678, La Fontaine). Diriger vivement (une partie du corps) dans telle direction. *Jeter sa tête en avant, contre l'épaule de qqn* (→ Courbure, cit. 5). *Jeter ses bras, ses poings, ses griffes en avant* (→ Apôtre, cit. 9; caressant, cit. 3). *Elle lui jeta ses bras autour du cou* (→ Agripper, cit. 3). *Jeter un pied, une jambe en avant, de côté* (⇒ **Jeté**).

Pron. *Bras qui se jettent en l'air* (→ Immersion, cit. 3).

Au participe passé :

Une petite larme ou deux, des bras jetés au cou (...) 29
MOLIÈRE, le Malade imaginaire, I, 5.

Par ext. *Jeter l'œil*, un œil, un coup d'œil, les yeux, la vue*, le regard* sur qqch., qqn.* ⇒ **Regarder.**

♦ **2.** (V. 1050). Faire sortir de soi. ⇒ **Émettre, répandre.** *Jeter des larmes*, des pleurs. Jeter son venin** (au propre et au fig.). — *Cheval qui jette sa gourme,* et, absolt, *qui jette* (⇒ **Jetage**). — Fig. *Jeune homme qui jette sa gourme** (→ Homme, cit. 124).

Zool. *Jeter un essaim** (→ Essaimer, cit. 1).

(V. 1322). Le sujet désigne un végétal. *Jeter ses racines, de profondes racines*. Jeter des bourgeons*.* ⇒ 1. **Jet** (III., 1.). *Vigne qui jette ses vrilles* (→ Faîtage, cit. 1).

(1080, *Chanson de Roland*). Sujet n. de chose. *Jeter des feux* (1. Feu, cit. 59 et 66), *des flammes. Diamants qui jettent mille feux.* ⇒ **Flamboyer** (→ Asphalte, cit. 2; hennir, cit. 5). — Loc. *Jeter feu* et flamme* (cit. 10) : s'emporter. — *Jeter des clartés* (cit. 3), *une lueur, un rayon* (→ Crépuscule, cit. 1; illuminer, cit. 18). *Jeter un éclat*, un vif éclat* (→ Apparaître, cit. 9; cristal, cit. 4; fleur, cit. 40). *Jeter des étincelles.* ⇒ **Étinceler.** — Fig. *Jeter un jour*. — Jeter des odeurs, des parfums* (→ Écœurant, cit. 2; éparpiller, cit. 5; houri, cit. 2).

Fam. (Personnes). *En jeter :* avoir belle apparence, faire impression. *« Elle en jette, dit Boris avec admiration »* (Sartre). — (Choses). *Sa nouvelle voiture en jette drôlement. Ça en jette!*

Le moteur partit au quart de tour. — Et maintenant, — dit-il, — le moulin va 29.1
pouvoir en jeter terriblement. Paul MORAND, Bouddha vivant, p. 27.

♦ **3.** (V. 1050). Sujet n. de personne. Émettre (un son, des paroles...) avec une certaine force, une certaine brusquerie. *Jeter une note* (→ Cuivré, cit. 3). *Jeter un cri, des cris** (cit. 1 et 25). → Bravement, cit. 2. *Jeter les hauts cris* (cit. 15 et 16). → Attendre, cit. 110; fermier, cit. 1. *Jeter des cris d'angoisse* (cit. 8), *de douleur...*

Jeter un blâme, des menaces, des anathèmes* (cit. 3 et 6), *des insultes.* ⇒ **Proférer.** *Jeter des brocards* (cit. 1), *des quolibets, des moqueries* (→ Amuser, cit. 19). *Jeter des paroles, de grands mots en l'air* (→ Érudition, cit. 2). *Jeter une parole à propos* (→ Falloir, cit. 31), *une assertion* (cit. 6) *au hasard.*

Antoine croyait entendre la voix rageuse de son père, debout, dressé, jetant sa 30
malédiction dans la nuit. MARTIN DU GARD, les Thibault, t. IV, p. 36.

♦ **4.** Sujet n. de personne. Faire signifier, proclamer, publier. *Jeter le dévolu*. — Fig. Jeter son dévolu** (cit. 3) *sur qqn.*

★ **III.** ♦ **1.** (Fin IXe). Pousser, diriger avec force, avec violence, dans telle direction, vers tel lieu. ⇒ **Envoyer, pousser.** — (Compl. n. de chose ou d'animal). *Jeter ses chevaux de côté* (→ Frôler, cit. 6), *sa voiture dans un chemin de traverse* (→ Freiner, cit. 1). *Vaisseau que le vent jette à la côte, jette à terre* (→ Échouer, cit. 1). *Galet* (cit. 1), *gravier que la mer jette sur le rivage* (→ Grève, cit. 7). — (Compl. n. de personne). *Jeter qqn contre un mur. Jeter qqn dehors.* → Mettre à la porte* (→ ci-dessous, cit. 31.1). *Jeter qqn en prison** (→ Enchaîner, cit. 6, fig.), *dans les fers*; aux oubliettes*, dans un in pace* (cit. 2). *Jeter un condamné au feu, aux lions* (→ Confesseur, cit. 2; inquisiteur, cit. 3). — Fig. *Être jeté sur le pavé*.*

Entre les phrases, les cahots jetaient les interlocuteurs l'un sur l'autre. 31
ARAGON, les Beaux Quartiers, II, XXVII.

— Et qu'est-ce que je deviens dans tout ça, demanda Clémence. 31.1
— Ce que vous voudrez.
— Je ne comprends pas ce que monsieur veut dire.
— Naturellement vous ne pouvez plus rester à notre service.
— On me jette dehors si je comprends bien monsieur.
R. QUENEAU, les Enfants du limon, II, XLI.

En emploi absolu. → ci-dessus, I., 5., b.

Fig. (Sujet n. de chose abstraite; compl. n. de personne). ⇒ **Pousser, précipiter.** *Un étranger que le hasard avait jeté dans sa vie* (→ Certain, cit. 9). *Son caprice* (cit. 5) *le jette à la tête du premier venu. La tendresse, la passion qui le jette vers...* (→ Aigrir, cit. 14). *La guerre jette les nations les unes contre les autres.* → Écrasement, cit. 3.

Sujet n. de personne; compl. n. de chose abstraite (psychologique). *Jeter ses forces dans la bataille* (→ Gage, cit. 14).

Techn. *Jeter le métal fondu dans le moule,* et, par ext., *jeter une figure en moule, en sable* (dans un moule de sable). ⇒ **Fondre.** — (Passif et p. p.). *Être jeté en moule.*

(Le colosse de Rhodes) ouvrage immense, jeté en fonte par un Indien (...) 32
VOLTAIRE, Essai sur les mœurs, XCII.

Jeter de l'argent sur le marché, dans la circulation, dans le circuit (→ Équipement, cit. 6). (Passif et p. p.). *Tout l'argent jeté sur le marché.*

Quoique nos bâtiments représentent bien les soixante mille francs que nous avons 33 jetés dans le pays, cet argent nous fut amplement rendu par les revenus que créent les consommateurs. BALZAC, le Médecin de campagne, Pl., t. VIII, p. 352.

♦ **2.** (XIIIe). Sujet n. de personne ou de chose. Mettre (qqn) brusquement, brutalement (dans une disposition d'esprit, dans un état). ⇒ **Plonger.** *Jeter qqn dans l'angoisse* (cit. 14), *dans le trouble* (→ Ardent, cit. 35), *l'inquiétude* (cit. 11), *l'embarras*, la perplexité* (→ Embarrasser, cit. 8), *le désespoir** (cit. 14), *l'épouvante* (→ Aimer, cit. 50), *la stupeur* (→ Inattendu, cit. 1). *Jeter qqn dans la rêverie* (→ Attendrissement, cit. 4)... — *Jeter l'âme, le cœur, l'esprit de qqn dans...* (→ Fougueux, cit. 2). — *Jeter qqn hors de lui* (→ Clameur, cit. 4), *hors de ses gonds* (cit. 4).

34 (...) des remerciements, des douceurs charmantes, des agréments qui nous jettent dans la confusion. Mme DE SÉVIGNÉ, 1158, 30 mars 1689.

35 J'ai toujours aimé l'eau passionnément, et sa vue me jette dans une rêverie délicieuse, quoique souvent sans objet déterminé. ROUSSEAU, les Confessions, XII.

36 Ce raisonnement, si juste en apparence, acheva de jeter Mathilde hors d'elle-même. STENDHAL, le Rouge et le Noir, II, XXXVIII.

37 Oui, femmes, quoi qu'on puisse dire,
Vous avez le fatal pouvoir
De nous jeter par un sourire
Dans l'ivresse ou le désespoir.
A. DE MUSSET, Poésies nouvelles, À Mademoiselle***.

38 Évariste exprimait surtout des idées vagues et pures, qui jetaient Élodie dans le ravissement. FRANCE, Les dieux ont soif, IV.

♦ **3.** (Sujet n. de personne). **JETER BAS, À BAS, À TERRE...** : faire tomber brutalement. ⇒ **Abattre** (cit. 1), **renverser, terrasser.** — Compl. n. de chose. *Jeter bas une maison,* la démolir (→ Équipe, cit. 1; immeuble, cit. 6); *jeter bas un arbre,* l'abattre (→ Arrêter, cit. 21; écorcer, cit. 1). — (Compl. n. de personne). *Jeter bas un cavalier.* ⇒ **Démonter.** *Jeter qqn par terre* (→ Accès, cit. 10). Fig. *Il a jeté à bas tous nos espoirs.* ⇒ **Anéantir, détruire,** et, fam., 1. **ficher,** 2. **foutre.**

39 Il murmurait des choses incohérentes : « Une pichenette! Il a suffi d'une pichenette pour le jeter bas. Et maintenant, le consentement du monde entier ne suffirait pas à le remettre debout ». G. DUHAMEL, Salavin, II.

▶ SE JETER v. pron.

♦ **1.** Réfl. (Fin Xe). Sauter, se laisser choir. *Se jeter à l'eau, dans l'eau, à la mer...* (→ Gagner, cit. 57; garer, cit. 6; godille, cit. 2; gribouille, cit.). *Se jeter la tête* la première dans...* ⇒ **Plonger.** *Se jeter dans un précipice, dans un fossé* (→ Enivrer, cit. 28; hardi, cit. 2). *Se jeter par la fenêtre.*

40 (...) il ne s'agissait donc plus de reculer. Il entra, comme qui se jette tête baissée dans un gouffre. LOTI, les Désenchantées, V, XXXII.

♦ **2.** Aller d'un mouvement précipité. ⇒ **Élancer** (s'), **précipiter** (se). *Se jeter dans une pièce* (→ Fermer, cit. 3), *dehors* (→ Fêter, cit. 1). *Se jeter dans une bouche de métro.* ⇒ **Engouffrer** (s'). *Se jeter en arrière* (→ Fracasser, cit. 3), *de côté* (→ Fourchu, cit. 1), *contre un mur* (→ Idée, cit. 38), *au devant de qqn* (→ Follement, cit. 2). — *Se jeter sur une piste.* ⇒ **Engager** (s'). → Franchir, cit. 11. *Se jeter à la légère dans un piège, une embuscade, une souricière.* ⇒ **Donner** (II., 2.). → Conspirateur, cit. — *Se jeter à terre, sur son lit.* ⇒ **Coucher** (se). → Frissonner, cit. 3. *Se jeter à genoux* (→ État, cit. 14).

41 (...) Alcippe me salue (...) et se jette hors d'une portière, de peur de me manquer. LA BRUYÈRE, les Caractères, XI, 74.

42 (...) il m'arrivait de sauter, de courir sans raison, et puis de me jeter à plat ventre dans l'herbe (...) MARTIN DU GARD, les Thibault, t. IV, p. 114.

43 (...) les murs, avec leurs anfractuosités, leurs ouvertures où l'on peut se jeter en cas de péril, lui donnaient l'impression d'un refuge latéral toujours disponible. J. ROMAINS, les Hommes de bonne volonté, t. IV, VIII, p. 78.

Se jeter aux pieds, aux genoux de qqn* (→ Embrasser, cit. 8; fuir, cit. 3). *Se jeter dans les bras** (cit. 22 et 25, fig.), *entre les bras de qqn* (→ Étouffer, cit. 9; extravagant, cit. 4). *Se jeter au cou*, à la tête* de qqn.* — (Récipr.). *Se jeter au cou, dans les bras l'un de l'autre.* ⇒ **Embrasser** (s'). → Innocemment, cit. 3, fig.; instinctif, cit. 2.

44 (...) mais moi je me jetai à ses genoux en sanglotant (...) Alphonse DAUDET, le Petit Chose, I, XII.

45 Parfois dans la nuit chaude, l'enfant entendait pleurer sa mère, et il venait pieds nus, en chemise, se jeter dans ses bras. ARAGON, les Beaux Quartiers, I, IX.

Troupes qui se jettent dans un pays. ⇒ **Envahir, ruer** (se). *Se jeter à l'attaque, à l'assaut, dans la mêlée.* ⇒ **Élancer** (s'), **précipiter** (se). → 1. Geste, cit. 18. — *Se jeter sur qqn pour l'attaquer.* ⇒ **Assaillir, courir** (sur), **entrer** (dedans), **sauter** (dessus, au collet), **tomber** (sur; sur le casaquin*), **voler** (dans les plumes). → Arrêter, cit. 1; garrotter, cit. 6. *Oiseau de proie, autour qui se jette sur une alouette* (→ Descendre, cit. 1). *Furet* (cit. 1) *qui se jette sur un lapin.* — Récipr. *Galopins* (cit. 4) *qui se jettent les uns sur les autres.*

46 Il serra le poing, et pan, dans la gueule de son concitoyen! Ils se jetèrent l'un sur l'autre. ARAGON, les Beaux Quartiers, II, XXI.

Se jeter sur qqn pour l'embrasser (→ Amoureusement, cit. 1; bras, cit. 10; effroi, cit. 4). — *Se jeter sur la nourriture* (→ Goulu, cit. 1).

♦ **3.** (V. 1050). Fig. S'engager avec fougue, sans mesurer les risques. *Se jeter tête baissée, à corps* (cit. 31) *perdu dans une entreprise, un travail, une passion...* ⇒ **Engager** (s'), **lancer** (se). *Se jeter avec audace*, étourderie dans une affaire. Se jeter dans le journalisme* (→ Aborder, cit. 13), *dans un parti, dans l'action* (cit. 11). *Se jeter d'un excès* (cit. 3) *dans l'autre, dans les travers* (→ Fils, cit. 6), *les extrémités. Se jeter au travers, en travers d'un projet* (→ Entreprise, cit. 9). — Loc. fig. *Se jeter à l'eau* : se décider brusquement, se lancer (dans une entreprise, un travail).

Je me jetai dans le travail, je m'occupai de science, de littérature et de politique (...) BALZAC, le Lys dans la vallée, Pl., t. VIII, p. 1028. 47

D'habitude, rien ne m'intimide moins qu'un micro. Mais cette fois, je parlerai et on me verra. J'enveloppe d'un regard méfiant les lampes, les écrans, les câbles (...) C'est le moment de me jeter à l'eau. 47.1
F. MAURIAC, Bloc-notes 1952-1957, p. 332.

♦ **4.** (1751). En parlant des cours d'eau. Déverser ses eaux. ⇒ **Affluer.** *Rivière* qui se jette dans un fleuve; fleuve* qui se jette dans la mer.* ⇒ **Déboucher, déverser** (se), **emboucher** (s'). — *L'eau du bassin se jette dans une citerne.* ⇒ **Décharger** (se).

(...) la Rieule, petite rivière qui se jette dans l'Andelle (...) 48
FLAUBERT, Mme Bovary, II, I.

Par analogie :

Nous trouvâmes notre affaire sans aller bien loin, en vue de l'endroit où la rue Gay-Lussac se jette dans la rue Claude-Bernard. 49
G. DUHAMEL, le Temps de la recherche, XI.

▶ JETÉ, ÉE

♦ **1.** P. p. adj. Voir ci-dessus à l'article.

♦ **2.** Adj. Fam. (Personnes). Fou, cinglé. *Il, elle est complètement jeté(e).*

DÉR. 1. **Jet, jetable, jetage, jeté, jetée, jeteur, jeton.**
COMP. Surjeter.

JETEUR, EUSE [ʒ(ə)tœʀ, øz] n. m. — V. 1180, « celui qui jette (des pierres) »; « *jeteur de vers* », 1670, Molière; de *jeter,* et *-eur.*

♦ **1.** Rare. Personne qui jette (qqch.).

♦ **2.** Loc. (1842, Balzac). *Jeteur de sort* : sorcier qui jette un sort. ⇒ **Jettatore.** Var. pop. (régional). *Jeteux de sort.*

JETISSE [ʒətis] n. f. ⇒ Jectisse.

JETON [ʒ(ə)tõ] n. m. — Av. 1250; de *jeter,* au sens anc. « calculer », et *-on.*

♦ **1.** (1317). Anciennt. Pièce* plate et ordinairement ronde, dont on se servait pour calculer, et dont on se sert encore pour représenter une certaine valeur, une certaine somme, un numéro d'ordre, etc. *Jeton d'os, d'ivoire, de galalithe, de métal.*

Un homme stupide ayant lui-même calculé avec des jetons une certaine somme (...) 1
LA BRUYÈRE, les Caractères de Théophraste, De la stupidité.

Tout était en or de vieille date (...) monnaies française, espagnole et allemande, quelques guinées anglaises, et quelques jetons dont nous n'avions jamais vu aucun modèle. 2
BAUDELAIRE, Trad. E. POE, Histoires extraordinaires, « Le scarabée d'or ».

(1690, Furetière). Mod. *Jetons servant à marquer les points, au jeu*.* ⇒ **Marque.** *Jetons et plaques* servant de mise à la roulette.* — *Restaurant où l'on paye avec des jetons achetés à la caisse* (→ Bouillon, cit. 12). *Jeton de téléphone*, de distributeur automatique.* — *Jetons numérotés utilisés dans les banques, etc.* (⇒ **Numéro**). *Jeton de contrôle* (⇒ **Marron**). — *Les jetons du métro, à New York.*

Edmond jouait à une table. Il avait les poches pleines de jetons et de plaques. Il faisait un petit banco, qu'il rafla. Il gagnait dix mille francs. 3
ARAGON, les Beaux Quartiers, III, V.

Pop. (et argotique). *Prendre un jeton, un jeton de mate* (de *mater* « regarder ») : observer subrepticement des ébats érotiques, une nudité, etc. *Se payer un jeton* (→ Se rincer* l'œil).

Si nous montions de temps en temps nous payer un jeton dans la chambre au miroir, cela était rare, un divertissement de métier, rien de plus. 3.1
Martin ROLLAND, la Rouquine, p. 99.

Loc. (1685). **JETON DE PRÉSENCE,** ou (absolt) **JETON** : pièce remise à chacun des membres présents d'un conseil, d'une assemblée, pour représenter une somme conventionnelle correspondant à leurs honoraires* ou au remboursement de frais. Par ext. Ces honoraires eux-mêmes (⇒ **Salaire**). *Jetons de présence attribués aux membres d'un conseil d'administration de société* anonyme, aux membres d'une académie, d'un chapitre* (⇒ **Méreau**). *Académicien assidu pour toucher les jetons.* ⇒ **Jetonnier** (vx). — Par analogie :

Chacun d'eux décroche en entrant, d'une immense table noire, un jeton de métal qui porte son numéro. Sans doute, l'ouvrier doit-il, en arrivant dans l'atelier, le remettre au chef d'atelier (...) puis il le lui reprendra en sortant le soir et le jettera ici, dans cette caisse qui a la forme d'une énorme boîte aux lettres et dans laquelle, en effet, une équipe sortante précipite à l'instant même ses jetons... Le lendemain, chacun retrouve son jeton à la même place que la veille, et ainsi nul ne saurait échapper au contrôle. G. LEROUX, Rouletabille chez Krupp, p. 90. 3.2

♦ **2.** (1808, Hautel). Fam. *Faux comme un jeton* (les jetons imitant parfois les pièces de monnaie), se dit d'une personne de caractère dissimulé, faux et hypocrite. *Elle est fausse comme un jeton.*

— (1910, Esnault). *C'est un faux jeton,* un hypocrite, un mouchard. *Ah, le salaud, le faux jeton!* — Syn. : *faux cul, faux derche.* Adj. *Il, elle est un peu, drôlement faux jeton.*

4 Est-ce qu'ils n'avaient pas convenu de toute cette mise en scène quand ils étaient restés seuls en face l'un de l'autre, avec ce faux jeton de docteur Schmitt?
SARTRE, le Sursis, p. 47.

4.1 — Faut pas pleurer, lui dit Gabriel. Il était un peu faux jeton sur les bords votre jules. R. QUENEAU, Zazie dans le métro, p. 174.

(Déb. XXe). Fam. *Vieux jeton :* vieillard rétrograde.

4.2 Ils sont forts quand même, allez, les vieux jetons, ils tiennent le coup!
BERNANOS, Un mauvais rêve, *in* Œ. roman., Pl., p. 888.

Vx. *Un jeton :* un faux jeton.

4.3 — Allons, dit Valentine en promenant sur ses compagnes un regard hautain, j'ai bien fait de ne pas croire à vos protestations menteuses! Vous êtes des *jetons,* je vous méprise! Louise MICHEL, la Misère, t. I, p. 239.

♦ **3.** **a** (1884). Fig., pop. Coup de poing. *Il lui a flanqué un de ces jetons!*

4.4 Aux Mésanges, Irène, beurrée de pommade résolutive aux impacts bleuissants des jetons refilés par Mina, repose dans son paddock *(lit)* monumental, les doigts de pied en éventail. Albert SIMONIN, Hotu soit qui mal y pense, p. 53.

b Coup, heurt. *Ma voiture a pris un sacré jeton.*

♦ **4.** (1916, Esnault). Par ext. *Avoir les jetons :* avoir peur*. — (Mil. XXe). *Donner, filer, foutre les jetons à qqn,* lui faire peur.

5 Ce que j'aurai peur! se dit-il. Ah! là! là! ce que j'aurai les jetons.
SARTRE, le Sursis, p. 265.

♦ **5.** Techn. Petite règle servant à vérifier la régularité des caractères d'imprimerie.

DÉR. Jetonnier.

JETONNIER [ʒ(ə)tɔnje] n. m. — 1685, Furetière, *Factum;* de *jeton,* et *-ier.*

♦ Vx, iron. Académicien assidu aux séances pour toucher les jetons de présence. — Adj. *« La gent jetonnière »* (A. France).

1 (...) une académie se formait, non pas telle que celle des jetonniers français (...) C'était une académie dans le goût de celle des Sciences et de la Société de Londres. VOLTAIRE, Correspondance avec le roi de Prusse, 122, avr. 1740.

2 (...) séances d'été, intimes, familières, à cinq, six «jetonniers» somnolant sous le chaud vitrage. Alphonse DAUDET, l'Immortel, p. 258.

JET(-)SET [dʒɛtsɛt] n. m. ou **JET(-)SOCIETY** [dʒɛtsɔsajti] n. f. — 1967, *jet(-)set, in* Höfler; *jet(-)society,* 1972; de l'angl. *jet* (→ 2. Jet), et *set* «groupe», ou *society* «société».

♦ Ensemble des personnes qui voyagent beaucoup en avion. — Par ext. Ensemble des personnalités qui comptent dans la vie mondaine internationale et qui voyagent souvent en avion (hommes politiques, diplomates, banquiers, vedettes, etc.). *« (...) une autre affaire de drogue qui touche le milieu du jet-set romain »* (*l'Express,* no 1106, 8 sept. 1972, p. 87). *« Cette équipe de lanceurs de mode qu'on appellera bientôt le "jet-set", cet univers en apparence désinvolte est un monde dur »* (*l'Express,* 14 oct. 1974, p. 71). *« (...) un playboy de la Jet Society... »* (*l'Express,* no 1442, 24 févr. 1979, p. 99). — REM. On rencontre aussi le fém. *la jet set. « Cette "jet-set", il la trouve vulgaire (...) ce sont des parasites de luxe »* (*l'Express,* 21 juin 1980, p. 135).

JET-STREAM [dʒɛtstʀim] n. m. — 1955, Larousse; mot angl., de *jet* «jet», et *stream* «courant».

♦ Anglic., sc. Courant rapide dans les couches élevées de la troposphère, au-dessus des zones subtropicales. — On dit aussi *courant-jet* [kuʀɑ̃ʒɛ], ou simplement *jet* (recomm. off.). *« Un "jet-stream" soufflant à 300 km/h entre 9 000 et 12 000 m d'altitude »* (*la Recherche,* mars 1981, p. 383).

JETTATORE [ʒɛtatɔʀ; dʒɛttatɔʀe] n. m. — 1817, Stendhal, cit. (publié 1826-1827); mot napolitain, «jeteur», de l'ital. *gettare* «jeter».

♦ Didact. ou littér. En Italie du Sud, Jeteur* de sort, personne qui pratique la *jettatura*.*

— (...) on le dit un peu *jetatore* (sic). — Ah! quelle mauvaise plaisanterie, dit le marquis pâlissant. Mais il fallait au moins m'avertir un moment plus tôt : je lui aurais jeté ma tasse de café à la figure.
Il faut rompre la colonne d'air entre l'œil du jetatore et ce qu'il regarde. Un liquide jeté est très-propre à cet effet : un coup de fusil vaut encore mieux. C'est en qualité de *jetatore* qu'un serpent ou un crapaud regarde fixement un oiseau qui chante au haut d'un arbre, et de chute en chute le force à tomber dans sa gueule. STENDHAL, Rome, Naples et Florence, 2 juil. 1817, p. 295.

JETTATURA [dʒɛtatuʀa] n. f. — 1817 (publié 1826-1827), Stendhal, *Rome, Naples et Florence,* p. 294-295; mot ital., de *gettare (il malaugurio)* «jeter un mauvais sort».

♦ Didact. ou littér. En Italie du Sud, Mauvais œil, envoyé par le *jettatore*.*

(...) les oreilles conjurent, tendues en cornes vers le ciel, une éventuelle jettatura. 1
Telle s'offre, à l'enthousiasme populaire, ma brabançonne à poil ras (...)
COLETTE, la Maison de Claudine, La «Merveille», éd. L. de poche, p. 139.

Réal crut lui voir faire — en Italien qui conjure la *jettatura* — un rapide signe 2
de croix. Louis MADELIN, Hist. du Consulat et de l'Empire, Avènement de l'Empire, IV.

Ici, c'était la maison du boucher, probablement les abattoirs, lui répondis-je. Nous 3
ne pouvons remuer la terre sans mettre à jour des ossements, dont ces têtes et toutes ces cornes.
— Mais pourquoi les exposez-vous?
— J'ai beaucoup voyagé en Amérique du Sud, commandant, lui dis-je. C'est contre la jettatura. B. CENDRARS, la Main coupée, *in* Œ. compl., t. X, p. 264.

REM. Le mot a connu une francisation *jettature* [ʒɛtatyʀ; ʒetatyʀ] (le *Charivari,* 9 oct. 1841).

(...) le traditionnel gilet de satin noir, un paquet de breloques en corail contre la 4
jettature (...) Ed. et J. DE GONCOURT, Madame Gervaisais, p. 289.

JEU [ʒø] n. m. — XIIe; *giu,* 1080, *Chanson de Roland,* «amusement»; *gius* «sport (antique)», v. 1160; du lat. *jocus* «badinage, plaisanterie».

★ **I.** ♦ **1.** Activité physique ou mentale, gratuite, généralement fondée sur la convention ou la fiction, qui n'a, dans la conscience de la personne qui s'y livre, d'autre fin qu'elle-même, et que le plaisir qu'elle procure. ⇒ **Amusement, divertissement, récréation; ludique** (activité ludique). *L'amour, le besoin du jeu chez l'enfant. L'éducation par le jeu. L'imagination se donne libre cours dans le jeu. Thème de jeu.* — Loc. adv. *Par jeu :* sans autre motif que le plaisir*, le besoin d'agir. *Faire quelque chose par jeu* (→ Irréel, cit. 2). *Agir par jeu* (→ Gratuitement, cit. 7).

Avoir, s'il se peut, un office lucratif, qui rende la vie aimable (...) écrire alors par 1
jeu, par oisiveté. LA BRUYÈRE, les Caractères, XII, 21.

Une activité en laquelle se mêlent les deux faits psychiques qui dominent dans 2
l'enfance, les sensations et les mouvements, c'est le *jeu.* L'enfant joue avec ardeur. Et le jeu stimule la croissance de son corps comme celle de son esprit (...) CLAPARÈDE voit dans le jeu «une libre poursuite de buts fictifs». Tel est le caractère propre de l'activité ludique. Le domaine du jeu est le paradis du *comme si.* La fillette donne à manger à sa poupée comme si celle-ci avait faim et pouvait avaler (...) Le jeu a pour fonction de permettre à l'individu de réaliser son moi, de déployer sa personnalité, de suivre momentanément la ligne de son plus grand intérêt dans les cas où il ne peut le faire en recourant aux activités sérieuses.
F. CHALLAYE, Psychologie de l'enfant, I, IV, p. 424.

L'Art doit être rapproché du Jeu : c'est un libre jeu avec les sensations, les sen- 3
timents, les idées. Tous deux vivent de fictions, de conventions, et se désintéressent des valeurs pratiques. P. GUILLAUME, Manuel de psychologie, V, p. 71.

J'avais, dit-il, tellement le jeu dans la tête, que les précepteurs et les régents per- 4
daient leur latin en me le voulant apprendre.
G. DUHAMEL, Refuges de la lecture, IV, p. 169.

Le point de départ est la définition suivante, qui résume une analyse magistrale : 4.1
le *jeu* dans son aspect essentiel est une action libre, exécutée «comme si» et sentie comme située hors de la vie courante, mais qui cependant peut absorber complètement le joueur sans qu'il trouve en elle aucun intérêt ou en obtienne aucun profit (...) Roger CAILLOIS, l'Homme et le Sacré, p. 199.

Comparer la définition de M. Émile Benveniste : *jeu* est toute activité réglée qui 4.2
a sa fin en elle-même et ne vise pas à une modification utile du réel.
Roger CAILLOIS, l'Homme et le Sacré, p. 200.

Dans les *jeux d'acquisition,* l'enfant est, suivant une expression courante, tout yeux 4.3
et tout oreilles, il regarde, écoute, fait effort pour percevoir et comprendre : choses et êtres, scènes, images, récits, chansons semblent le capter totalement. Dans les *jeux de fabrication,* il se plaît à assembler, combiner entre eux des objets, à les modifier, les transformer et en créer de nouveaux. Loin d'être éclipsées par les jeux de fabrication, la fiction et l'acquisition y jouent souvent un rôle.
Pourquoi a-t-on donné à ces activités diverses le nom de jeu? Évidemment par assimilation à ce qu'est le jeu chez l'adulte.
Il est d'abord délassement et, par là, s'oppose à l'activité sérieuse qu'est le travail. Mais ce contraste ne peut exister chez l'enfant qui ne travaille pas encore et dont le jeu est toute l'activité. Il convient pourtant d'examiner si l'activité qui délasse n'a pas quelque ressemblance avec celle de l'enfant.
Le jeu n'est pas essentiellement ce qui ne demanderait pas d'effort, à l'encontre du labeur quotidien, car il peut appartenir au jeu d'exiger et de libérer des quantités beaucoup plus considérables d'énergie que ne pourrait faire une tâche obligatoire : ainsi de certaines compétitions sportives ou même d'œuvres poursuivies solitairement, mais librement. Le jeu ne fait pas non plus qu'utiliser les forces laissées sans emploi par le travail.
Henri WALLON, l'Évolution psychologique de l'enfant, p. 58.

REM. La définition générale de la notion de *jeu* est controversée : les éléments généralement retenus sont la liberté («tout jeu est d'abord et avant tout une action libre», Huizinga, *Homo ludens,* p. 25), la gratuité et le caractère improductif (cf. Alain : *«le jeu rejette tout capital accumulé»,* in *les Passions et la Sagesse,* Pl., p. 112), la définition spatiotemporelle («activité séparée», Caillois, *les Jeux et les hommes,* p. 42), l'incertitude du résultat. Cependant, le caractère réglé, ordonné (idée de code partagé, entraînant celle d'infraction : tricher) peut être contesté, au profit de la notion de fiction, d'imaginaire («les jeux ne sont pas réglés et fictifs. Ils sont plutôt ou réglés ou fictifs», Caillois, *les Jeux et les hommes,* p. 43); cette position est d'ailleurs elle aussi contestée. De même, la présence de plusieurs partenaires n'est pas générale; l'enfant peut jouer seul, mais on peut considérer qu'il y a alors internalisation de la pluralité. L'étude des emplois du mot et de ses métaphores montre que les potentialités de la notion sont multiples et parfois contradictoires : les *jeux d'argent,* les *jeux sportifs* sont souvent intéressés, le caractère inoffensif coexiste avec la conception ludique de la lutte, de la guerre : ce ne sont pas de «vrais» jeux, mais le mot *jeu* est utilisé à leur propos. Enfin la nature psychique profonde du jeu (Freud : «le jeu a pour fonction d'aménager le déplaisir en produisant du plaisir»), son rôle dans l'épistémologie génétique (*jeux d'acquisi-*

tion; → ci-dessus, cit. 4.3, Wallon) et sa définition éthologique (→ ci-dessous, I., 3.) compromettent certains critères, élaborés pour rendre compte de l'activité consciente, humaine et adulte, tandis que l'extension du concept à un modèle abstrait mathématisable *(théorie des jeux),* englobant l'économie et la guerre, suppriment certains de ces critères essentiels.

(Un jeu, des jeux). Exercice concret de cette activité. *Un jeu brutal, bruyant* (cit. 4), *dangereux, paisible, puéril. Découvir, inventer un jeu nouveau, amusant, passionnant. Prendre part à un jeu.* ⇒ **Jouer.** *Se livrer, s'adonner à son jeu favori.* ⇒ **Passe-temps** (→ Étude, cit. 7).

5 Ces deux rivaux un jour ensemble se jouant,
Comme il arrive aux jeunes gens,
Le jeu devint une querelle. LA FONTAINE, Fables, X, 11.

6 (...) la comédie est bien un jeu, un jeu qui imite la vie.
H. BERGSON, le Rire, p. 69.

7 (...) cette espèce de jeu qui consistait à ne plus conduire sa pensée et à la laisser librement s'enrouler et se dérouler autour d'un souvenir ou d'un projet (...)
J. GREEN, Adrienne Mesurat, I, IV.

8 Le jeu pouvait se borner au plaisir de bavarder sans témoins, de chercher la place et la nuance d'un coussin de plus pour le salon, de préparer le thé ensemble, en faisant marcher les petites casseroles d'émail et les robinets à gaz.
J. ROMAINS, les Hommes de bonne volonté, t. V, IV, p. 27.

Les petits jeux des enfants (→ Appliquer, cit. 36). *Des jeux d'enfant* (→ Bibliothèque, cit. 6). *Jeux folâtres** (cit. 1). ⇒ **Batifolage; batifoler, folâtrer** (cit. 2). *La bascule, l'escarpolette, le saute-mouton..., jeux enfantins* (cit. 1). *Jeux d'illusion ou d'imitation* (jouer à la poupée, à l'épicier...), *jeux de manipulation* (jouer au sable...), *jeux de groupe. Jeu d'attrape.* ⇒ **Espièglerie.** *Jeux éducatifs, jeux d'éveil. Des jeux de son âge* (→ Consumer, cit. 14), *qui ne sont plus de son âge* (→ Brouette, cit. 2). — *Les jeux de Gargantua* (Rabelais, *Gargantua,* XXII). *Les Plaisirs et les Jeux,* de G. Duhamel (1922). — Mus. *Jeux,* ballet de C. Debussy (1913).

Activité érotique de caractère ludique. ⇒ **Ébat**(s). *Jeux lascifs des amants* (→ Attraper, cit. 7; cour, cit. 24). *Jeux amoureux, érotiques.*

Poét. (vx). *Les jeux de Mars :* la guerre. *Les jeux de Vénus :* l'amour.

Myth. *Les Jeux :* divinités allégoriques qui présidaient à la gaieté, aux plaisirs. *Les jeux et les ris* (→ Grincer, cit. 14).

9 Et l'essaim des jeux et des ris,
Doux vol qui folâtre et se joue,
Niche sous la poudre de riz
Dans les roses de votre joue.
Th. DE BANVILLE, Odes funambulesques, « La voyageuse », I.

Loc. **JEUX DE MAIN** (Académie) ou **JEU DE MAINS,** où l'on échange des coups légers par plaisanterie. — Prov. (1690, Furetière). *Jeu(x) de main, jeu(x) de vilain* (par allus. aux *vilains* du moyen âge qui vidaient leurs différends à coups de poing) : les jeux de main, jeux grossiers et vulgaires, finissent presque toujours mal (s'emploie aussi dans le contexte érotique).

Vieilli. **JEU DE (DU) PRINCE :** caprices, fantaisies que les puissants n'hésitent pas à satisfaire au mépris des humbles, des faibles (par allus. à la fable de La Fontaine *le Jardinier et son Seigneur*).

10 Le bon homme disait : « Ce sont là jeux de prince. »
Mais on le laissait dire : et les chiens et les gens
Firent plus de dégat en une heure de temps
Que n'en auraient fait en cent ans
Tous les lièvres de la province. LA FONTAINE, Fables, IV, 4.

11 Ce sont là jeux de prince :
On respecte un moulin, on vole une province.
François ANDRIEUX, le Meunier de Sans-Souci.

12 Mézerai, qui faisait l'office de secrétaire, lut le mot *Jeu;* mais le hasard est souvent malin; parmi les façons de dire proverbiales qui étaient citées, il y avait *Jeux de prince, qui ne plaisent qu'à ceux qui les font,* pour signifier une malignité ou une violence faite par quelqu'un qui est en puissance.
SAINTE-BEUVE, Causeries du lundi, 5 janv. 1852.

Loc. fig. *Se faire un jeu de qqch. Ce n'est qu'un jeu.* — Péj. *Se faire un jeu des chagrins d'autrui,* s'en amuser. ⇒ **Jouer** (se). *Se faire un jeu de tourmenter quelqu'un* (→ Battre, cit. 92), *de violer ses promesses* (→ Inconséquent, cit. 3), y prendre plaisir, comme à un jeu.

♦ **2.** (1558, Du Bellay). Activité qui présente un ou plusieurs caractères du jeu (gratuité, caractère inoffensif, facilité ou agrément).

(Jeu de...). Ce qui relève ou semble relever du caprice (cit. 13), de la fantaisie pure. *Un jeu de l'imagination* (→ 1. Bouffe, cit. 2). *Les jeux de l'esprit. Les jeux de la plume* (→ Griffonnage, cit. 1). — Par métaphore. *Les jeux du destin, de la fortune, du sort. Le Jeu de l'amour et du hasard,* comédie de Marivaux (1730). *Le Jeu de l'amour et de la mort,* drame de Romain Rolland (1925).

13 (...) cette volonté de faire table rase et de reconstruire ne sont pas seulement le jeu d'un esprit, mais la recherche d'une volonté.
A. MAUROIS, Études littéraires, P. Valéry, III.

14 (...) la peste les laissait oisifs (...) livrés, jour après jour, aux jeux décevants du souvenir. CAMUS, la Peste, p. 85.

15 (...) le surréalisme a rendu et rend des services, en particulier dans l'étude du rêve et des jeux de l'inconscient. Émile HENRIOT, les Romantiques, p. 469.

Par métonymie. *Les jeux de la Nature :* productions dont la nature semble avoir créé les formes étranges pour son divertissement. *Les fossiles* (cit. 1) *étaient interprétés comme des jeux de la nature.*

Ce qui est limité aux apparences, dépourvu de signification, de valeur profonde. *N'allez pas prendre la chose au sérieux : c'est un jeu.* → C'est pour rire. *Ne voyez là qu'un jeu. Son emphase* (cit. 2) *n'est qu'un jeu. La littérature n'est-elle qu'un jeu d'amateur* (cit. 6), *qu'un jeu de l'esprit* (cit. 51). ⇒ **Badinage** (cit. 1).

(...) par un jeu de l'optique, l'horizon recule et les galeries suspendues en l'air se découpent sur les fonds du ciel et de la terre. 16
CHATEAUBRIAND, le Génie du christianisme, III, V, IV.

(1666, Molière). **JEU DE MOTS :** allusion plaisante fondée sur l'équivoque de mots qui ont une ressemblance phonétique mais contrastent par le sens (→ Facétie, cit. 2). *Jeu de mots facile* (⇒ **Calembour;** → Enfilade, cit. 4), *grossier, malheureux. L'abus des jeux de mots conduit à l'affectation* (cit. 9), *au gongorisme* (cit. 2).

(...) ces « Jeux de mots » que Robert Desnos, poursuivant une veine ouverte par Marcel Duchamp, poussa à la perfection et où tout est rime, où la rime est prise à son comble, ne se borne plus aux bouts-rimés, mais pénètre le vers entier comme dans le célèbre distique : 17
« Gal, amant de la reine, alla (tour magnanime),
Galamment de l'arène à la Tour Magne, à Nîmes.
ARAGON, le Crève-cœur, La rime en 1940.

Littér. *Jeu poétique, stylistique :* écriture, style considéré comme un exercice formel.

En plusieurs endroits de ses lettres, madame Desbordes-Valmore s'efforce de rassurer son époux : ces vers, à l'en croire, ne sont qu'un jeu poétique. 18
Émile HENRIOT, Portraits de femmes, p. 319.

Loc. comm. (1891). **JEU D'ÉCRITURES** (cit. 21) : opération comptable purement formelle, sans incidence pratique sur le compte qui en fait l'objet.

Ce qui est sans gravité, ne tire pas à conséquence. ⇒ **Bagatelle, plaisanterie** (→ Errement, cit. 4). *Prendre qqch. en jeu,* en riant, comme une plaisanterie. — Loc. (Vieilli). *Cela passe le jeu :* cela passe les bornes de la plaisanterie. — Loc. cour. *N'être qu'un jeu, être un jeu pour qqn :* être sans gravité, et, spécialt, n'offrir que peu de difficultés, être facile, aisé. *Grimper* (cit. 2) *à l'arbre ne fut pour lui qu'un jeu. Il se fit un jeu d'obtenir leur consentement,* il l'obtint très facilement. *Se faire un jeu des difficultés,* en triompher aisément. ⇒ **Jouer** (se); **jongler** (avec).

La mort aux rats, les souricières, 19
N'étaient que jeu au prix de lui. LA FONTAINE, Fables, III, 18.

Moitié de ce fardeau ne vous sera que jeu. LA FONTAINE, Fables, VI, 16. 20

Des plus fermes États la chute épouvantable, 21
Quand il *(Dieu)* veut, n'est qu'un jeu de sa main redoutable.
RACINE, Esther, III, 4.

À peine arrivée, elle découvrit qui était l'adversaire et crut que ce lui serait un jeu d'en venir à bout. F. MAURIAC, la Pharisienne, XIII. 22

Loc. **JEU D'ENFANT** (même sens et emplois). *C'est un jeu d'enfant :* c'est très facile. *Ce ne sera qu'un jeu d'enfant pour lui.*

♦ **3.** (Chez l'animal). Comportement non dirigé vers les objectifs normaux des activités analogues de l'adulte ou du jeune, mais essentiellement vers l'exercice et la maîtrise des capacités comportementales (simulacres de luttes, de chasse, de coït, etc., chez les mammifères).

★ **II.** ♦ **1.** (V. 1160). « Organisation de l'activité ludique sous un système de règles définissant un succès et un échec, un gain et une perte » (Lalande); (dr.) contrat aléatoire par lequel deux ou plusieurs parties s'engagent à remettre une chose ou une somme d'argent à celui des contractants qui sera le gagnant.

♦ **2.** *(Le jeu). Gagner** (cit. 46), *perdre*, tricher* au jeu. Les gagnants et les perdants du jeu. Battre* son adversaire au jeu. Quel était votre partenaire à ce jeu? Elle est très forte* à ce jeu. Le jeu a tourné à l'avantage de...* ⇒ **Partie.** *Interrompre le jeu* (→ Évaluer, cit. 4). *La règle* du jeu.* — Fig. Les conventions établies. — *Le jeu :* l'ensemble des règles à respecter. *C'est le jeu,* (vx) *c'est le droit du jeu.* ⇒ **Régulier** (→ Gâteau, cit. 3). Fam. *Ce n'est pas de jeu, c'est pas de jeu, c'est pas du jeu.* ⇒ **Irrégulier** → fam. C'est de la triche*. — Loc. *Jouer le jeu :* se conformer strictement aux règles du jeu, et, fig., aux règles d'une activité.

Ce n'était pas de jeu. Thérèse n'avait pas voulu cela. 23
F. MAURIAC, la Fin de la nuit, II, p. 28.

Les lois morales sont les règles d'un jeu auquel chacun triche et cela depuis que le monde est monde. COCTEAU, le Grand Écart, p. 137. 24

« Il ne joue pas le jeu », disent les Anglais d'un homme qui triche en amour, en affaires, en politique. A. MAUROIS, Un art de vivre, III, 7. 25

L'étonnement, l'inquiétude sinon le scandale que je suscite, me rendent conscient de ma singularité. Je ne joue pas le jeu. Profiter du monde et trahir le monde, c'est ce qu'après tout il y a peut-être raison de ne pas pardonner. 25.1
F. MAURIAC, Bloc-notes 1952-1957, p. 59.

De là, venait peut-être sa haine *(celle du baron de Berlinges)* des pinces-sans-rire, personnages qu'il considérait en quelque sorte comme des tricheurs au jeu de la conversation, faisant toujours une chose qui n'était pas de jeu. 25.2
PROUST, Jean Santeuil, Pl., p. 717.

— Mais tout de même... si je pouvais t'aider. 25.3
— Si tu m'aidais? — Non. Ça ne serait pas de jeu. Il me semblerait que je triche.
GIDE, les Faux-monnayeurs, *in* Romans, Pl., p. 959.

♦ **3.** *(Un jeu, des jeux).* **[a]** Jeux qui font appel à la dextérité, à l'agilité, à la vigueur ou à l'adresse physique. *Jeux corporels, physiques. Les jeux et exercices* (cit. 2) *du corps. Jeux de plein air* (→ Fête, cit. 13). *Jeux de mains.* ⇒ **Main** (chaude), **mourre.** *Jeux* *de balle*, jeux de ballon; jeux de poursuite.* ⇒ **Barres, cache-cache, chat** (coupé, perché, sans but), **cligne-musette, coin** (quatre coins), **gribouillette.** *Jeu de cache*-tampon* ou *cache-mouchoir. Jeu du mouchoir* (ou *chandelle*). *Jeu de colin*-maillard, de saute-mouton, des gendarmes et des voleurs. Jeu où l'on saute à cloche*-pied.* ⇒ **Marelle.** — *Jeux d'adresse.* ⇒ **Baguenaudier, bagues, billard, bloquette, bouchon, boules, bowling, carotte, croquet, gobelets** (→ Escamotage, cit. 1), **grâces, jonchets, mail, mikado, osselets, palet, paume, quilles, siam, tonneau, volant.** *Jeu de massacre** (fig. ⇒ **Massacre**). *Jeu de passe-passe*.* — *Jeu sportif :* jeu constituant une activité sportive. ⇒ **Sport.** → Handicap, cit. 2. *Jeux de plage :* jeux sportifs pratiqués sur les plages. — Spécialt. *Jeu d'équipe :* sport dans lequel deux équipes se disputent l'avantage selon des règles précises. *Le football, le hockey, le base-ball sont des jeux d'équipe.*

26 Je vous remercie (...) de jouer au mail; c'est un aimable jeu pour les personnes bien faites et adroites comme vous (...) Mme DE SÉVIGNÉ, 157, 15 avr. 1671.

27 Du temps de Plutarque, les parcs où l'on combattait à nu, et les jeux de la lutte, rendaient les jeunes gens lâches, les portait à un amour infâme (...) MONTESQUIEU, l'Esprit des lois, VIII, XI.

... **DE JEU** : réservé à un, à des jeux. *Aire de jeu :* espace réservé aux jeux des enfants et comportant éventuellement des installations appropriées (dans un square, un jardin public, etc.). *Les bacs à sable, toboggans, balançoires d'une aire de jeu.*

28 J'ai demandé quelquefois pourquoi l'on n'offrait pas aux enfants les mêmes jeux d'adresse qu'ont les hommes : la paume, le mail, le billard, l'arc, le ballon, les instruments de musique. On m'a répondu que quelques-uns de ces jeux étaient au-dessus de leurs forces, et que leurs membres et leurs organes n'étaient pas assez formés pour les autres. ROUSSEAU, Émile, II.

Terrain de jeu : terrain pour les jeux sportifs, en particulier les jeux d'équipe.

29 Là, on se préparait pour jouer au tennis (...) chacun rejoignait le terrain du jeu. J. CHARDONNE, les Destinées sentimentales, p. 114.

Organisation des joueurs et des actions, au cours d'un jeu sportif (→ aussi, ci-dessous, le sens IV). *Distribuer le jeu, c'est ça le football.* → Place, cit. 15. — *Faute d'un joueur qui se place sur le terrain d'une manière interdite par la règle du jeu.* ⇒ **Hors-jeu.**

(1636, au jeu de paume; 1928, au tennis). Dans quelques jeux de balle de caractères sportif (paume [ancienn], tennis), Chacune des divisions de la partie ou set. *Une manche en six jeux. Le premier jeu d'un set.*

Balle de jeu. Gagner un jeu. Jeu!, exclamation qui signale la fin d'un jeu, gagné par l'un des joueurs. — Loc. (1936). *Être à deux de jeux :* avoir gagné chacun cinq jeux; (fig.) être à égalité.

29.1 Et, là-dessus, les deux correspondants se séparèrent, assez contents, en somme, de savoir que l'un n'avait pas distancé l'autre. En effet, ils étaient à deux de jeu. J. VERNE, Michel Strogoff, p. 13.

(Dans le sens a, ci-dessus, ou aux sens b, d ou e). *Un jeu amusant, intéressant. Ce jeu est idiot.* Fam. *Jeux de con :* jeux absurdes, dans l'esprit « bête et méchant ». *« Les jeux de con du professeur Choron »,* (publiés par *Hara-Kiri*). — Fig. *C'est un jeu de con,* une activité absurde, inepte (et éventuellement dangereuse pour le joueur).

b Jeux qui font appel aux facultés d'invention, à la mémoire, à l'érudition... *Jeux intellectuels, spirituels. Jeux de société*, jeux à gages* (cit. 7), *jeux innocents ** (cit. 16), *petits jeux,* qui consistent en devinettes, en dialogues improvisés, et où le manquement aux règles est sanctionné par le dépôt d'un gage* et par une pénitence*. ⇒ **Corbillon, pigeon** (vole). *Le jeu des métiers, des portraits.* — *Jeux d'esprit.* ⇒ **Charade, énigme, logogriphe, mot** (mots croisés), **rébus.** *Le jeu des bouts-rimés. Ce jeu est un vrai casse-tête.*

30 Il y a des ouvrages qui commencent par A et finissent par Z... On les appelle des jeux d'esprit. LA BRUYÈRE, les Caractères, VI, 103.

31 (...) ne vous compromettez pas dans ces jeux d'enfants. Laissez les écoliers se former auprès des *bonnes,* ou jouer avec les pensionnaires *à de petits jeux innocents.* LACLOS, les Liaisons dangereuses, CXV.

Jeux radiophoniques, télévisés. — (1966). *Jeu concours :* jeu public, souvent radiophonique. *Jeu des 1 000 francs.* ⇒ **Banco.**

31.1 Il ne paraît pas indispensable d'insister sur quelques autres aspects de cette consommation langagière : les jeux et concours télévisés, les mots croisés. Plus proche de notre propos serait l'analyse du *ludique combinatoire* (précisément les mots croisés, mais aussi le tiercé). Henri LEFEBVRE, la Vie quotidienne dans le monde moderne, p. 264.

(V. 1160, *faire un jeu parti à qqn* « proposer une alternative »; v. 1200, sens mod.). Hist. de la littér. **JEU PARTI** : pièce médiévale qui mettait en scène deux personnages dialoguant en vers sur un thème donné. — (Fin XIIIe). **JEU.** Pièce médiévale en vers, dramatique ou comique. *Le Jeu de Robin et de Marion. Jeux liturgiques, sacrés, profanes. Meneur* de jeu.*

En poésie, « Vers amoureux ou badin, ou faits sur de petits sujets » (Trévoux). *Divers jeux rustiques,* poèmes de Du Bellay (1558).

c (Au plur.). Épreuves publiques dont les participants entrent en compétition pour gagner le prix réservé au vainqueur.

(V. 1160, *gius*). Antiq. Compétitions sportives tenant la plus grande place dans les jeux publics. *Les Anciens célébraient, donnaient des jeux en l'honneur d'un dieu, à l'occasion d'une victoire* (→ Entrer, cit. 54). *Jeux albains, en l'honneur de Minerve. Jeux capitolins, séculaires de Rome. « Du pain et des jeux »* (→ Panem et circenses). *Les jeux agonistiques*, gymniques*. Jeux du cirque* (cit. 1), *du stade* (courses de chars, lancement du disque*, luttes de gladiateurs...). — *Dans l'ancienne Grèce on célébrait de grands jeux solennels à intervalles réguliers ou à dates fixes sous la présidence d'un agonothète*, d'un asiarque* : jeux éleusiniens* (→ Athlète, cit. 5), *isthmiques, néméens, panathéniens, pythiques* (ou *pythiens*). — (Déb. XVIe). *Les jeux Olypiques*,* qui avaient lieu à Olympie tous les quatre ans (⇒ **Olympiade**). — (1894, P. de Coubertin). Mod. **JEUX OLYMPIQUES** : grande réunion sportive internationale qui a lieu tous les quatre ans. ⇒ **Olympiade, olympique.** *Les jeux Olympiques* de Moscou, en 1980, de Los Angeles, en 1984.* Absolt. *Les premiers jeux d'Athènes.*

Le cirque de Malaga est d'une grandeur vraiment antique (...) Cela donne une idée de ce que pouvaient être les arènes romaines et de l'attrait de ces jeux terribles où des hommes luttaient corps à corps contre des bêtes féroces sous les yeux d'un peuple entier. Th. GAUTIER, Voyage en Espagne, p. 207. 32

Je regarde avec une fureur concentrée le public du cirque : il halette de plaisir, il râle sourdement. C'est le public de toujours, le public des autodafés et des jeux sanglants. G. DUHAMEL, les Plaisirs et les Jeux, II, III. 33

La plupart des exercices qui figurent à nos *Jeux* ont autrefois préparé et accru la force des nations en armes. Les armes aujourd'hui servent moins constamment, et surtout elles ont trop changé : nos sports tendent vers la grâce et le bonheur de l'inutilité. Jean PRÉVOST, Plaisirs des sports, p. 45. 33.1

Littér. *Jeux floraux** (cit.). *Académie* (cit. 6) *des Jeux Floraux. Mainteneur* des Jeux Floraux de Toulouse.*

d Jeux fondés sur des combinaisons de calcul, sur le hasard, ou sur le calcul et le hasard réunis. *Jeux de calcul* ou *de combinaison.* ⇒ **Dames, échecs** (cit. 13 et 20). *Jeux de hasard** (cit. 1 et 2). ⇒ **Baccara, biribi, boule, cartes, chemin de fer, cheval** (petits chevaux), **hoca** (vx), **loterie, loto, oie** (jeu de l'), **roulette...; dé** (jeux de dés). *Jeux de cartes et de hasard.* ⇒ **Carte.** *Jeux de hasard enfantins : pair ou impair** (cit. 2), *pile* ou face (croix ou pile). Jeux mixtes,* où le hasard peut être plus ou moins corrigé à l'aide du calcul ou de certaines combinaisons. ⇒ **Domino** (cit. 3); **mah-jong.**

Par métaphore. Toute entreprise à la fois aléatoire (cit. 1) et soumise à un système de règles. *La vie est un jeu* (→ Échiquier, cit. 3). *Le jeu politique et parlementaire* (→ Brouiller, cit. 1). *Un jeu de dupes** (cit. 9). *Le jeu de la coquetterie* (cit. 9).

Spécialt. **JEUX D'ARGENT,** où les joueurs risquent une somme dans l'espoir de gagner la partie. *Les jeux d'argent sont presque tous des jeux de hasard; cependant, un jeu d'adresse* (billard...) *peut comporter un enjeu* (⇒ **Poule**). — *Mettre* (qqch.) au jeu.* ⇒ **Jouer, miser, ponter, renvier.** *Argent* mis au jeu, en jeu, sur le jeu.* ⇒ **Enjeu; mise;** 3. **cave,** 1. **masse** (I., 7.), **paroli,** 1. **passe.** *Législation et police des jeux. La ferme* des jeux.* — (Après 1550). Absolt. **LE JEU** (baccara, boule, poker, roulette...). *S'adonner au jeu.* ⇒ **Jouer.** *Aimer le jeu* (→ Amateur, cit. 7). *Être possédé par le démon, la passion du jeu.* ⇒ **Joueur** (→ Invétérer, cit. 1). *Les dangers du jeu* (→ Décevant, cit. 1). *Être refait, prendre une culotte, se décaver, se ruiner au jeu* (→ Entortiller, cit. 1). — *Dettes de jeu, dettes d'honneur* (cit. 31). — *Les chances* (cit. 5) *au jeu font l'objet de calculs de probabilité* (→ Cas, cit. 30; ⇒ **Martingale**). *Prendre sa revanche au jeu.* ⇒ **Racquitter** (se). *Heureux* au jeu, malheureux en amour.* — *Cercle, établissement*, salle de jeu.* ⇒ **Brelan** (vx), **casino, tripot** (péj.). *Jetons de jeu. Croupier* (cit. 2) *qui promène son rateau sur le tapis* vert d'une table de jeu. Termes de jeu.* ⇒ **Banco, banque** (cit. 4). *Être interdit de jeu,* interdit dans les salles de jeu.

N'auriez-vous point perdu tout votre argent au jeu? LA FONTAINE, Fables, VIII, 11. 34

Montez dans une maison de jeu, je ne sais où elles sont, mais je sais qu'il y en a au Palais-Royal. Risquez les cent francs à un jeu qu'on nomme la roulette, et perdez tout ou rapportez-moi six mille francs. BALZAC, le Père Goriot, Pl., t. II, p. 966. 35

De même que le métal monnayé représente presque toutes les jouissances, le jeu résume presque toutes les émotions; chaque carte, chaque coup de dé entraînent la perte ou la possession d'un certain nombre de pièces d'or ou d'argent, et chacune de ces pièces est le signe d'une jouissance indéterminée. A. DE MUSSET, Nouvelles, Fils du Titien, VII. 36

La passion du jeu fait voir ce besoin d'aventure tout nu, en quelque sorte, sans aucun ornement étranger; car le joueur n'a jamais de sécurité, et je crois que c'est cela même qui l'intéresse. Aussi le vrai joueur n'aime pas trop ces jeux où l'attention, la prudence, le savoir-faire corrigent beaucoup la chance. Au contraire, un jeu comme la roulette, où il ne fait qu'attendre et risquer, le transporte d'autant plus. ALAIN, Propos, 1er nov. 1913, Le jeu. 37

(...) il y avait l'espoir fabuleux du gain. On connaît cette chance immanquable des novices aux tables de jeu. Elle ne fit pas défaut à Armand. Il gagna plusieurs jours de suite d'assez petites sommes peut-être mais, au fur et à mesure qu'il se risquait, il lui passa jusqu'à mille et deux mille francs dans les doigts. ARAGON, les Beaux Quartiers, III, I. 38

La loi n'accorde aucune action pour une dette du jeu ou pour le paiement d'un pari (...) Dans aucun cas, le perdant ne peut répéter ce qu'il a volontairement payé, à moins qu'il n'y ait eu, de la part du gagnant, dol, supercherie ou escroquerie. Code civil, art. 1965 et 1967. 39

« Opération aléatoire dans laquelle une personne risque une certaine somme d'argent dans l'espoir de réaliser un bénéfice par le fait de certains événements indépendants de son activité tels que fluctuation des cours d'une marchandise, place obtenue par un cheval dans une course, sortie d'un numéro dans une loterie » (Capitant, *Voc. juridique*). *Jeu de Bourse.* ⇒ **Agiotage, spéculation.** *Le jeu aux courses.* ⇒ **Pari.**

e Jeux faisant appel à des mécanismes ou à des dispositifs électroniques et mettant en jeu des aptitudes humaines physiques (adresse) et mentales.

39.1 L'évolution des jeux est significative : des jeux d'équipe ou de compétition, des traditionnels jeux de cartes, ou encore des baby-foot, à l'immense génération des flippers (déjà l'écran, mais pas encore «télé», un mixte d'électronique et de gestuel) aujourd'hui dépassés par les tennis électroniques et autres jeux computérisés, écrans striés de molécules à grande vitesse, manipulation atomistique (...) le ludique est partout, jusques et y compris dans le «choix» d'une marque de lessive dans un hypermarché. J. BAUDRILLARD, De la séduction, p. 215-216.

[f] Didact. Situation qui met en présence deux ou plusieurs sources (joueurs) en interaction, les choix de chacune influençant sans la déterminer la situation en évolution et la réalisation d'un événement déterminé. *Modèle mathématique d'un jeu. Jeux stratégiques. Jeu à somme nulle,* où la somme algébrique des gains est nulle. *Jeu équilibré,* à chances égales; ex. : pile ou face.

Théorie des jeux, mettant en relief les analogies du comportement des agents économiques et des différents partenaires d'un jeu lors de l'élaboration d'une stratégie ou de la prise d'une décision. — *Jeu d'entreprise :* simulation (sur ordinateur) de la gestion d'une entreprise. — *Jeux de langage* (trad. de l'angl. *language games,* Wittgenstein). *Jeu stratégique, militaire.* ⇒ **Kriegspiel, wargame.**

39.2 (...) il est impossible d'ouvrir quelque ouvrage contemporain de biologie sans retrouver sans cesse les problèmes d'information (...) Un autre exemple très frappant est celui de la «théorie des jeux» ou de la décision, ajustée aux besoins de l'économétrie par V. Neumann et Morgenstern. Or, cette technique, dont l'utilité se trouve être de plus en plus grande pour l'étude des comportements humains (de la perception, avec Tanner, jusqu'aux conduites morales avec Braitswaithe), a eu des répercussions dans les sciences de la nature (...) Ashby a montré récemment que l'on peut fonder l'un des modèles les plus simples de régulation biologique ou nerveuse sur des «stratégies», et sur une table d'imputation relevant de la théorie des jeux. J. PIAGET, Épistémologie des sciences de l'homme, p. 96-97.

♦ **4.** Loc. (1578; *entrer en gieu,* dans un sens plus général, v. 1200).
[a] **EN JEU, DANS LE JEU.** *Entrer en jeu,* «se dit, à certains jeux de cartes, de celui qui, ayant levé une main, est en état de jouer comme il lui plaît» (Académie); ouvrir le jeu, la partie. Fig. Se mettre de la partie*, «entrer dans une affaire, dans une discussion, avoir son tour, soit pour agir, soit pour parler, etc.» (Académie, art. *Entrer*). ⇒ **Intervenir** (→ Exorde, cit. 3). *À leur tour, les experts sont entrés en jeu.* — (Sujet n. de chose). *Facteurs qui entrent en jeu dans une affaire.* ⇒ **Jouer.**

40 C'est seulement lorsque j'ai agi que cette clairvoyance entre en jeu pour justifier à mes yeux ce que j'ai fait. MARTIN DU GARD, les Thibault, t. III, p. 221.

(Dans les jeux sportifs). *Mettre, remettre la balle en jeu.* Absolt. *L'équipe invitée remet en jeu.*

Entrer (cit. 35) *dans le jeu :* prendre part à une entreprise déjà commencée. ⇒ **Participer** (→ fam. Entrer dans la danse, dans le mouvement).

Fig. *Entrer dans le jeu de qqn,* s'associer à ses entreprises, entrer dans ses intérêts, se faire son second ou son complice. *Faire entrer, mettre qqn dans son jeu.*

41 La future duchesse de Châteauroux avait mis le beau Richelieu, son oncle, dans son jeu. Émile HENRIOT, Portraits de femmes, p. 163.

D'entrée (*supra* cit. 22) *de jeu.*

[b] **AU JEU.** *Se piquer au jeu :* continuer à jouer, par entêtement*, malgré les pertes subies. — Fig. S'obstiner, malgré des difficultés, des échecs qui ne font que stimuler l'amour-propre, que fouetter le désir de gagner, de venir à bout des obstacles. ⇒ **Opiniâtrer** (s'). *Plus on lui résistait, plus il se piquait au jeu.* — *Se prendre, se laisser prendre au jeu,* en arriver à se passionner pour une entreprise tentée d'abord sans conviction.

42 (...) moins il se pique et *(se)* passionne au jeu, *(plus)* il le conduit (...) avantageusement et sûrement. MONTAIGNE, Essais, III, X.

43 (...) se piquant à ce jeu comme un joueur à sa martingale (...) BALZAC, les Petits Bourgeois, Pl., t. VII, p. 120.

44 Il était bien résolu à ne pas se laisser prendre au jeu, et à conserver sa bonne humeur. Il ne voulait pas que cette conversation fût autre chose qu'un exercice spéculatif, une partie de dames où les pions étaient des hypothèses politiques. MARTIN DU GARD, les Thibault, t. V, p. 186.

[c] Fig. *Être* (1. Être, cit. 79) *du jeu, dans le jeu :* prendre part, être associé à qqch. (→ fam. Être dans le coup*).

45 Moi je ne suis plus dans le jeu. C'est pour cela que je suis libre de venir vous dire ce que la pièce ne pourra vous dire. GIRAUDOUX, Électre, Entracte.

[d] *(En jeu). Mettre en jeu toutes ses ressources,* les employer, les déployer (→ Cyclotron, cit.). — *Mettre qqn en jeu,* le mêler à une affaire, à son insu, au risque de le compromettre (→ fam. Mettre dans le coup). *Mettre en jeu la vie d'un homme,* l'exposer, la risquer (→ Billot, cit. 2). *Cette décision met en jeu l'existence du ministère.*

46 Ha! Monsieur, est-ce vous, de qui l'audace insigne
Met en jeu mon honneur... ? MOLIÈRE, le Dépit amoureux, III, 8.

Être en jeu (→ Hasard, cit. 28; humilité, cit. 8) : être l'objet d'un débat, être en cause*, en question*. *Votre vie est en jeu :* il y va de votre vie.

47 Il s'en montrait très vexé, sa réputation était en jeu. Hardi là! est-ce que Rognes se laisserait battre par Brinqueville? ZOLA, la Terre, IV, III.

48 Pour elle *(la France),* ce qui est en jeu, ce n'est pas seulement l'expulsion de l'ennemi hors de son territoire, c'est aussi son avenir comme nation et comme État. Qu'elle demeure prostrée jusqu'à la fin, c'en est fait de sa foi en elle-même et, par là, de son indépendance. Ch. DE GAULLE, Mémoires de guerre, t. II, p. 1.

[e] Loc. prov. *Le jeu ne vaut pas,* ou *n'en vaut pas la chandelle*,* ou (vx) *les chandelles* (cit. 6).

La petite chose, certes, lui eût été agréable. Mais il fallait la payer de trop de dérangement. Le jeu n'en valait pas la chandelle. 49
MONTHERLANT, les Célibataires, II, VI.

Tirer son épingle (cit. 6) *du jeu.*

♦ **5.** (1200, *gieu;* dans des expressions). Somme d'argent risquée au jeu. *Jouer petit, grand jeu* (→ État, cit. 96), *un jeu d'enfer, à se ruiner. Jouer gros jeu :* au fig. prendre de grands risques. ⇒ **Risque; risquer** (gros). — *Faites vos jeux. Les jeux sont faits, rien ne va plus.* Fig. *Les jeux sont faits :* tout est décidé, les dés sont jetés.

(...) je suis prêt à accepter, à approuver tous tes reproches, à me charger de toutes les fautes que tu voudras si cela peut t'aider le moins du monde à te consoler, à atténuer le choc, mais il est trop tard maintenant, les jeux sont faits, je n'y puis rien changer, ce voyage a eu lieu, Cécile va venir (...) 49.1
Michel BUTOR, la Modification, p. 134-135.

(...) je jouais gros jeu, en trompant un homme de condition qui, pour mes péchés, peut-être ne tarderait guère à découvrir la fourberie. 50
A.-R. LESAGE, Gil Blas, VII, X.

Le Banquier oublia de dire ces phrases qui se sont à la longue converties en un cri rauque et inintelligible : «Faites le jeu! — Le jeu est fait! — Rien ne va plus». 51
BALZAC, la Peau de chagrin, Pl., t. IX, p. 17.

À présent, il est trop tard; «les jeux sont faits, rien ne va plus». 52
GIDE, Journal, octobre 1943.

(...) les cercles où l'on joue gros jeu sur le hasard des cartes. 53
CAMUS, la Peste, p. 14.

★ **III.** Ce qui sert à jouer.

♦ **1.** (V. 1200, *jus d'eskés* «un jeu d'échecs»). Instruments du jeu. *Un jeu de construction. Les pièces d'un jeu d'échecs. Pions d'un jeu de dames. Maillets d'un jeu de croquet. Jeu de boules*. Installer un jeu de quilles*, un jeu de ping-pong. Offrir un jeu de patience* à un enfant* (⇒ **Puzzle**). *Jeux de construction; jeux d'assemblage* (⇒ **Lego, meccano** [marques déposées]). — (1451). Ensemble de cartes. *Étaler* (cit. 45) *un jeu de 32 cartes** (⇒ **Piquet**), *un jeu entier de 52 cartes. Le lindor* d'un jeu de nain jaune. — Commerce, marchand de jeux de société.* ⇒ **Tabletier, tabletterie.** *L'industrie des jeux et jouets*. Éditeur qui fabrique des jeux éducatifs. — Vendre des jeux électroniques. Des consoles de jeux vidéo. «(...) pour les petits, les jeux électroniques peuvent servir d'initiation avant de se lancer dans le pays des ordinateurs ou des consoles vidéo»* (*le Monde de l'Éducation,* n° 100, déc. 1983, p. 21). «*Les spécialistes voient dans l'industrie des jeux vidéo l'affaire du siècle et des pluies de dollars à ramasser à la pelle (...) Il est vrai que l'explosion des jeux vidéo au début des années 80 put faire croire à des croissances de marché quasi exponentielles pendant quelque temps*» (*Contact,* n° 229, déc. 1983, p. 19).

Madame Monis battait machinalement un jeu de cartes de ses mains tachées de son (...) 54
J. CHARDONNE, les Destinées sentimentales, p. 443.

♦ **2.** (1580). Assemblage de cartes plus ou moins favorable qu'un joueur a en main. *Avoir un beau jeu, beau jeu* (→ Fiche, cit. 2). *Avoir du jeu. Il a un jeu superbe; son jeu est superbe. Le jeu maître,* celui qui domine, doit gagner. — *Avoir des atouts** (cit. 1, 2 et 3) *dans son jeu.* — *Bien jouer son jeu :* conduire habilement son entreprise. — *Faire le jeu de qqn :* agir, souvent inconsciemment, au mieux des intérêts de quelqu'un (→ 1. Bourre, cit. 6; immoralisme, cit. 2).

(...) cette révolution leur a paru faire plus ou moins le jeu des puissances dites libérales : France et Angleterre (...) 55
J. ROMAINS, les Hommes de bonne volonté, t. I, X, p. 107.

Je me représente en ce moment le Kaiser comme un joueur qui aurait un beau jeu en main, et, devant lui, des partenaires timides (...) 56
MARTIN DU GARD, les Thibault, t. VI, p. 63.

Loc. fig. *Avoir beau jeu* (⇒ **Beau,** *supra* cit. 65), avoir toute facilité (pour). — Vx. *Donner beau jeu, prêter beau jeu à qqn* (→ Ambigu, cit. 1, Montaigne).

(...) trois jours d'une solitude insupportable et d'un silence où l'épouvante aurait beau jeu (...) 57
J. GREEN, Adrienne Mesurat, II, III.

Tu auras beau jeu avec un homme chez lequel, dit-on, on marchanderait mes vers... Mais prends garde à ce piège; pour moi, je n'en crois pas un mot. 57.1
Germain NOUVEAU, Lettre à Léopold Silvy, 18 janv. 1909, Pl., p. 957.

Montrer, abattre, étaler* (cit. 6) *son jeu :* agir avec franchise, dévoiler ses intentions, sa manière d'agir. *Cacher** (cit. 6 et 7), *couvrir* son jeu :* dissimuler. — *Le dessous, les dessous du jeu.* ⇒ **Carte** (le dessous des cartes).

Mais Balzac a voulu encore, combinaisons au jour, chiffres alignés, protêts en main, dévoiler les dessous du jeu (...) comme s'il devait toujours être lu (...) par de sévères vérificateurs aux comptes. 58
Émile HENRIOT, les Romantiques, p. 300.

La maison appartenait à un vendeur d'esclaves. Ah! on ne cachait pas son jeu, en ce temps-là! On avait du coffre, on disait : «Voilà, j'ai pignon sur rue, je trafique des esclaves, je vends de la chair noire». 58.1
CAMUS, la Chute, p. 53.

Vx. *Voir beau jeu :* être témoin d'un spectacle, d'un événement extraordinaire (→ Corde, cit. 5). Par antiphr. *Faire voir beau jeu à quelqu'un,* lui faire subir quelque épreuve, le maltraiter.
Voir beau jeu : subir une épreuve, un mauvais traitement.

59 Bertrand dit à Raton : « Frère, il faut aujourd'hui
Que tu fasses un coup de maître.
Tire-moi ces marrons. Si Dieu m'avait fait naître
Propre à tirer marrons du feu,
Certes marrons verraient beau jeu ». LA FONTAINE, Fables, IX, 17.

60 Mon cousin Jupiter, dit-il, verra dans peu
Un assez beau combat, de son trône suprême.
Toute sa cour verra beau jeu. LA FONTAINE, Fables, XII, 21.

61 Viennent ces sœurs; toutes, je te répond*(s)*,
Verront beau jeu, si la corde ne rompt. LA FONTAINE, Contes, IV, 12.

Le grand jeu : le jeu complet des tarots, en cartomancie. *Faire le grand jeu.* — REM. L'expression *jouer le grand jeu* est traitée ci-dessous (→ IV.), et le syntagme donne lieu à des effets sur les deux sens. *Le Grand Jeu,* revue proche du mouvement surréaliste, publiée (1928-1929) par René Daumal, Roger Gilbert-Lecomte, Roger Vailland, A. Rolland de Renéville. *Le Grand Jeu,* film de Jacques Feyder (1934).

62 — J'ai les *sangs tournés,* donnez-moi le grand jeu! s'écria la Cibot, il s'agit de ma fortune. BALZAC, le Cousin Pons, Pl., t. VI, p. 629.

63 Carmen reprit donc les cartes en les brouillant : « Tiens, dit-elle, je vais te faire le grand jeu. Tire une carte... » ARAGON, les Beaux Quartiers, II, XXXI.

♦ **3.** (1687; *jeu de voiles,* av. 1683). Série complète de même nature et d'emploi analogue. *Un jeu de brosses, de clefs, de limes, d'aiguilles, de cravates. Un jeu de linge. Un jeu de rampes électriques* (→ Éclairer, cit. 22). *Combiner* (cit. 2) *un jeu de miroirs.* ⇒ **Système.** — Imprim. *Jeu d'épreuves :* série d'épreuves du même ouvrage. — Mar. *Jeu d'avirons, de pavillons, de voiles.*

64 Alors Carhaix sourit et montra tout un jeu de minuscules clochettes, installé entre deux piliers, sur une planche. HUYSMANS, Là-bas, III.

65 Vers le milieu de septembre, je rassemblai le meilleur de ma modeste garde-robe, renouvelai mon jeu de cravates et partis. GIDE, Isabelle, I.

(1515). Mus. *Jeu d'orgue**, ou *d'orgues :* rangée de tuyaux de même espèce et de même timbre, formant une suite chromatique de sons. — (1898). *Jeu d'orgue :* tableau électrique qui commande les éclairages (théâtre, salles de spectacles).

♦ **4.** (1385). Lieu (de certains jeux). *Le jeu de boules du Luxembourg. Jeu de paume.* ⇒ **Paume.**

★ **IV.** (V. 1200, fig.). ♦ **1.** La manière dont on joue. *Un jeu habile, prudent, téméraire, subtil.* Fig. *Jouer** *un jeu dangereux, serré.* ⇒ **Jouer** (I., D., 2.). — *Jouer franc jeu* (→ 2. Franc, cit. 9). *Y aller* (cit. 66) *de franc** *jeu* (→ Amour-propre, cit. 7) : agir franchement, avec bonne foi; syn. : *y aller beau jeu bon argent** (*infra* cit. 57) (1657, langue class.; encore au XIXe) :

65.1 (...) ils avaient la plupart du temps une singulière façon d'envisager les faits et surtout leurs conséquences, ayant chacun « leur manière à eux » de voir et d'apprécier. Mais enfin, comme ils y allaient bon jeu, bon argent, et ne s'épargnaient en aucune occasion, on aurait eu mauvaise grâce à les en blâmer. J. VERNE, Michel Strogoff, p. 9-10.

*Jouer (un) double** (cit. 11) *jeu* (→ Fureter, cit. 6). — *Quel jeu jouez-vous? Cessez ce jeu* (→ Fâcher, cit. 19).

66 C'est moi que tu redoutes, pour moi que tu joues ce jeu dont le sens m'échappe encore. Tu as un amant, n'est-ce pas? Qui est-il? GIRAUDOUX, Électre, II, 5.

67 (...) le jeu subtil de l'éternelle duplicité slave (...) MARTIN DU GARD, les Thibault, t. VII, p. 93.

68 J'ai tout de suite lu dans votre jeu. F. MAURIAC, la Fin de la nuit, VIII, p. 177.

Lire, voir clair dans le jeu de quelqu'un, percer son jeu, deviner ses intentions. — *La finesse, la fourberie de son jeu* (→ Esprit, cit. 123; fourbe, cit. 6).

♦ **2.** (1690, en musique et en escrime). Façon de manier une arme, un instrument. (En escrime). Façon d'escrimer, de faire des armes. *Escrimeur au jeu habile, prompt. Savoir le jeu de son adversaire,* connaître les coups dont il use habituellement et, au fig., sa manière d'agir. — Mus. Manière de jouer d'un instrument. *Le jeu d'un flûtiste* (→ Flûter, cit. 1), *d'un violoniste, d'un pianiste. Il a une bonne main droite, mais le jeu de la main gauche est un peu lourd. Un jeu brillant, gauche, nuancé, souple.*

69 C'est une belle épée. Son jeu est net. Il a de l'attaque, pas de feintes perdues, du poignet, du pétillement, de l'éclair, la parade juste, et des ripostes mathématiques, bigre! et il est gaucher. HUGO, les Misérables, III, IV, IV.

70 Elle chanta, s'accompagnant d'un jeu sûr, assez expressif. Son soprano très grêle, donnait à l'étrange mélodie une valeur de mystère et d'irréalité. Claude FARRÈRE, la Bataille, XI.

♦ **3.** (1680, Richelet; certainement antérieur; le sens général, « manière d'agir » est attesté dès 1200). Manière de jouer, d'interpréter un rôle. *Le jeu de Raimu, de Greta Garbo. Le jeu, les nuances du jeu d'un acteur* (→ Émotion, cit. 17; fixer, cit. 5). *Un jeu pathétique, poignant, sobre. Le jeu muet d'une mime.*

71 Ce rire du désespoir est l'effet le plus difficile et le plus remarquable que le jeu dramatique puisse produire (...) Mme DE STAËL, Corinne, XVII, IV.

72 Toutes les fois que Monnier joue, il attire au théâtre un public spécial d'artistes et de connaisseurs, mais son jeu est trop fin, trop vrai, trop naturel pour amuser beaucoup la foule. Th. GAUTIER, Portraits contemporains, Henry Monnier.

VIEUX JEU (1511, *c'est le vieux jeu* « ce n'est plus d'usage, plus à la mode »). Loc. adj. (1877, Meilhac et Halévy; alors repris au *jeu* des comédiens). *Être vieux jeu :* ne pas être en accord avec la mode, le goût (cit. 50) du jour. Adj. invar. *Elle est, elles sont vieux jeu. Jeune fille affligée d'une mère vieux jeu. Un mobilier vieux jeu.* ⇒ **Démodé.**

La mère du jeune bey, — *une 1320,* ainsi que les dames vieux jeu sont désignées par les petites fleurs de culture intensive écloses dans la Turquie moderne (...) 73
LOTI, les Désenchantées, I, III.

Je vais peut-être vous paraître vieux jeu, mais j'ai un mépris sans bornes pour ces femmes qui vont d'amant en amant, le plus souvent sans amour, pour des raisons de prestige ou de carrière (...) A. MAUROIS, Terre promise, XXII. 74

Mais enfin, grand-mère, ne sois pas vieux jeu : Gonzague ne peut pas se marier avant plusieurs années (...) Hervé BAZIN, Cri de la chouette, p. 117. 74.1

(...) c'est une vieille demoiselle, un peu guindée, vieux jeu, vous voyez... 74.2
F. MALLET-JORIS, le Jeu du souterrain, p. 119.

Rôle, comédie qu'on joue. *Être pris** *à son propre jeu. Naïf qui se laisse prendre** *au jeu d'une coquette.* ⇒ **Manège.** *Jouer le jeu du désespoir* (→ Espiègle, cit. 2), *de la crainte.*

Il parla avec fougue de la mission Müller, des espoirs tenaces de Stefany. Il se prenait lui-même à son jeu. MARTIN DU GARD, les Thibault, t. VII, p. 232. 75

Jouer le grand jeu : déployer tous ses talents de comédien pour convaincre, séduire (→ Faire, cit. 30), et, par ext., tous ses artifices, toutes ses ressources pour arriver à ses fins. *Elle lui a joué le grand jeu pour le séduire, elle lui a joué le grand jeu de la séduction.*

(...) de jeu. Qui concerne le jeu théâtral.

Je l'ai vu *(Jacques Copeau),* cent fois, donner aux acteurs des indications de jeu non point purement verbales, mais en bondissant sur la scène, en esquissant lui-même le geste, en prenant lui-même l'attitude qu'il jugeait convenables. 76
G. DUHAMEL, le Temps de la recherche, XVI.

Jeu de scène : ensemble d'attitudes, des gestes, de mouvements qui concourent à un effet scénique (→ Coquet, cit. 12). *Jeux de scène réglés par le metteur en scène.*

Jeu de (suivi du nom d'une partie du corps). Manière de mettre en œuvre. *Le jeu de mains d'un pianiste. Boxeur qui a un mauvais jeu de jambes**.

Il avait acquis une droite redoutable, une gauche foudroyante, un jeu de jambes vertigineux. R. QUENEAU, Loin de Rueil, p. 61. 76.1

♦ **4.** *Jeu de physionomie :* mouvement des traits qui change l'expression du visage, le rend particulièrement expressif à un moment donné. *Cet acteur a des jeux de physionomie saisissants.*

Quel jeu de physionomie! qu'il a de feu dans le regard! 77
FAVART, Soliman II, I, 10, *in* LITTRÉ.

(...) une physionomie dont l'ensemble indiquait une grande finesse, beaucoup de grâce dans le jeu des yeux où se retrouvait l'expression particulière aux femmes de l'ancienne cour et que rien ne saurait définir. 78
BALZAC, la Bourse, Pl., t. I, p. 339.

♦ **5.** (Choses). *Jeu de lumière :* combinaison de reflets mobiles et changeants produits soit par une lumière fixe sur un corps en mouvement, soit par une lumière qui se déplace sur un corps immobile. *Jeu de lumière dans l'eau, sur l'eau. Jeu fugitif* (cit. 7) *d'un rayon sur un toit. — Les jeux de lumière du théâtre,* produits par des sources lumineuses mobiles de formes et de colorations diverses *(jeu de projecteurs).*

Un *sereno* (...) marchait devant nous, portant au bout de sa lance une lanterne dont les vacillantes lueurs produisaient toutes sortes de jeux d'ombre et de lumière (...) Th. GAUTIER, Voyage en Espagne, p. 129. 79

Techn. Éclat (d'un diamant taillé). *Ce diamant a un joli jeu* (syn. : *il joue bien*).

(1704). **JEU D'EAU :** combinaison de formes variées qu'on fait prendre à un ou plusieurs jets* d'eau, en changeant les ajutages, et, par ext., le dispositif utilisé à cet effet. *Installer un jeu d'eau dans un bassin. La chute* (cit. 4) *d'un jeu d'eau. Les jeux d'eau de Versailles.* — Mus. *Jeux d'eau de la Villa d'Este,* de Liszt. *Jeux d'eau,* de M. Ravel (1901).

★ **V.** ♦ **1.** (1677, *jeu* [des muscles]). Mouvement aisé, régulier (d'un objet, d'un organe, d'un mécanisme...). ⇒ **Fonctionnement.** *Le jeu d'un ressort, d'un verrou. Le jeu des muscles* (→ Abandonner, cit. 33; cuisse, cit. 3). *Le libre jeu des articulations* (→ Aplomb, cit. 3). — Par métaphore. *Libre jeu. Laisser leur libre jeu aux dons naturels* (→ Honneur, cit. 56). *Libre jeu des facultés* (→ Conception, cit. 3), *de l'intelligence* (→ Inhérent, cit. 3).

♦ **2.** (1762, Rousseau). Fig. ⇒ **Action.** *Par le jeu d'alliances secrètes* (→ Ignorer, cit. 13), *de causes diverses* (→ Géologie, cit. 2). *Le jeu aveugle de forces contraires* (→ Carnage, cit. 5; équilibre, cit. 12). *Le jeu de forces extérieures* (→ Forme, cit. 79). *Le jeu des parties sexuelles dans la fructification* (cit. 1, Rousseau). — *(En jeu). Les forces en jeu, mises en jeu.*

La nuit dérobe les formes, donne de l'horreur aux bruits; ne fût-ce que celui d'une feuille, au fond d'une forêt, il met l'imagination en jeu (...) 80
DIDEROT, Salons, Vernet, Sept petits paysages.

Les peines trop vives exagèrent le jeu du grand sympathique. Cette exaltation de la sensibilité entretient dans une constante irritation la muqueuse de l'estomac. 81
BALZAC, le Lys dans la vallée, Pl., t. VIII, p. 955.

(...) le jeu rapide des doigts dépeçant la viande (...) 82
E. FROMENTIN, Un été dans le Sahara, p. 277.

La Grande tricotait, seule dans la cuisine; et, sans ralentir le jeu des aiguilles, elle les regarda fixement (...) ZOLA, la Terre, II, VII. 83

(...) dans la détente de leur bras, dans le jeu encore puissant de leurs muscles, dans leurs sauts encore agiles, on sentait la fatigue et la hâte d'arriver à la fin. 84
LOTI, Figures et choses..., Danse des épées.

Pendant que les syndicats particuliers se développent et se multiplient, leur orga- 85

nisation d'ensemble grossit automatiquement, par le jeu du système, simple et robuste, établi dès l'origine (...)
J. ROMAINS, les Hommes de bonne volonté, t. V, XXIV, p. 230.

♦ **3.** (1689). Techn. Espace ménagé pour la course d'un organe, le mouvement aisé d'un objet. *Jeu du cylindre,* entre le piston et le couvercle ou le fond du cylindre. *Donner du jeu, un léger jeu, trop de jeu à une fenêtre, un tiroir.* — Par métaphore. → ci-dessous, cit. 86. — Fig. *Laisser un peu plus de jeu aux transactions* (→ Impôt, cit. 6). ⇒ **Marge.** — Défaut de serrage, d'articulation* entre deux pièces d'un mécanisme. *Axe qui a du jeu* (→ aussi Caronade, cit. 1). *Jeu latéral, longitudinal. Cette pièce a du jeu, il faut la revisser.*

86 Je voudrais que vous eussiez été saignée (...) cela vous eût débouché les veines, cela eût donné du jeu et de l'espace à votre sang (...)
Mme DE SÉVIGNÉ, 1160, 6 avr. 1689.

COMP. Antijeu, enjeu, entrejeu, hors-jeu, surjeu.

JEUDI [ʒødi] n. m. — Déb. XIIIe; *juesdi,* XIIe; lat. *Jovis dies* «jour de Jupiter».

♦ Le cinquième jour de la semaine. *Les écoliers français* (cit. 7) *avaient naguère congé tous les jeudis* (→ Fillette, cit. 1; gage, cit. 7). *Train qui circule le jeudi et le samedi* (→ Immobiliser, cit. 2). *C'était jeudi, jour de marché* (→ Foisonner, cit. 5). *J'irai vous voir jeudi, jeudi prochain, jeudi soir, un jeudi. Un jeudi ensoleillé, maussade, pluvieux.* — *Le jeudi gras :* le jeudi qui précède le Mardi-gras. *Le jeudi de la Mi-Carême. Le jeudi saint, le jeudi de l'absoute** (vx), ou *le jeudi absolu* (vx) : le jeudi qui précède Pâques.

1 (...) les jésuites avaient formé le complot d'assassiner, le jeudi saint (...) le roi d'Espagne et toute la famille royale (...)
D'ALEMBERT, Correspondance avec Voltaire, 4 mai 1767.

2 Deux fois par semaine, le dimanche et le jeudi, il fallait mener les enfants en promenade.
Alphonse DAUDET, le Petit Chose, I, VI.

Le jeudi noir, celui du krach boursier de Wall Street (en octobre 1929).

Loc. fig. *La semaine des trois* (vx), *des quatre jeudis :* jamais. → Gueux, cit. 8.

JEUN (À) [aʒœ̃] loc. adv. — Déb. XIIIe; également adj. jusqu'au XVIe; lat. *jejunus.*

♦ (Déb. XIIIe). Sans avoir rien mangé* de la journée, avec l'estomac vide. *Être à jeun* (→ Faiblesse, cit. 10). *Un loup à jeun et affamé* (→ Attirer, cit. 5). *Partir, marcher à jeun* (→ Estafilade, cit.). *Rester à jeun.* ⇒ **Jeûne** (faire), **jeûner.** *Être à jeun pour communier.* — *Remède qu'il faut prendre à jeun.*

1 Celui qui boit à jeun trois fois cette fontaine,
Soit passant ou voisin, il devient amoureux.
RONSARD, Sonnets pour Hélène, II, «Stances...»

2 Vraiment, nous voici bien : lorsque je suis à jeun,
Tu me viens parler de musique.
LA FONTAINE, Fables, IX, 18.

3 Il arriva vers huit heures et demie du soir, presque à jeun, et tellement épuisé par la faim et par la douleur, qu'il écouta la Vauthier lorsqu'elle lui proposa de prendre part à son souper (...)
BALZAC, l'Initié, Pl., t. VII, p. 406.

4 Un galant à jeun ne sait point trouver de jolies paroles comme celui qui s'est éclairci les idées avec une petite pointe de vin.
G. SAND, la Mare au diable, XII.

5 Jacques finit par échouer à la table d'un café de la place de la Bastille. À jeun depuis hier, il avait soif et faim.
MARTIN DU GARD, les Thibault, t. VII, p. 141.

(1846, Sand). Fam. Se dit d'une personne, et, spécialt, d'un ivrogne qui n'a pas encore rien bu. *Quand il est à jeun, il n'est pas méchant.*

CONTR. Rassasié, repu, soûl.

JEUNE [ʒœn] adj. et n. — XIIIe, au sens I; *jovene,* XIe; *juefne, joene,* XIIe (sens I); lat. class. *juvenis,* devenu *jovenis,* avec *o* bref en latin populaire.

★ **I.** Adj. Peu avancé en âge, par rapport à la durée de vie moyenne de son espèce (êtres vivants) ou à la durée normale, attendue.

♦ **1.** (Personnes). En général avant le nom, en épithète. Qui est dans la jeunesse. *Être jeune, tout jeune* (→ Et, cit. 14; frimas, cit. 8; ineffaçable, cit. 5). *Il est encore bien jeune.* ⇒ **Jeunet, jeunot** (→ Si on lui pressait, tordait le nez, il en sortirait encore du lait*). *Elle le trouvait trop jeune* (→ Avance, cit. 35). *Le plus jeune des deux; le plus jeune et l'aîné.* ⇒ **Benjamin, cadet** (→ Inintelligible, cit. 3). *Être encore jeune* (→ 1. Flétrir, cit. 22; 1. frayer, cit. 4; gaupe, cit. 3). *«Jeune encore, ardent* (cit. 20), *impétueux»* (Voltaire). *N'être plus jeune, plus très jeune, plus tout jeune :* avoir atteint un âge moyen. *Quand j'étais jeune* (→ Enrager, cit. 5). *Se marier jeune. Mourir jeune* (→ Flamber, cit. 6). — Loc. prov. *Celui qui meurt jeune est aimé des dieux* (→ Aimer, cit. 75; inconséquence, cit. 6). — *Jeune être* (→ Appartenir, cit. 12). — *Un jeune enfant* (→ Briser, cit. 25). *Il a deux jeunes enfants, deux enfants encore jeunes.* — Loc. *Jeune femme*, jeune fille*, jeune homme*, jeunes gens*, jeune personne*. Un jeune homme imberbe* (cit. 2). *Une jeune fille ingénue. Mon jeune ami* (→ Affadir, cit. 7). *Jeunes époux* (→ Auspice, cit. 4; filer, cit. 3). — Loc. *Jeune premier** (→ Guère, cit. 10). *Jeune patron*. Un jeune cadre* dynamique.* — *Un jeune audacieux* (cit. 12), *un jeune écervelé, un jeune étourdi* (→ Article, cit. 9). *Un jeune fat* (→ Incroyable, cit. 14); *un jeune freluquet* (cit. 3). *Jeune blanc-bec. Une jeune beauté. La jeune Tarentine* (→ 1. Flûte, cit. 1, A. Chénier). — *Jeune et jolie* (→ Barbon, cit. 1). *Être jeune et beau* (→ Agréable, cit. 12). *«Charmant, jeune, traînant tous les cœurs après* (cit. 35) *soi»* (Racine). *«Il ne sert de rien d'être belle* (cit. 8) *sans être jeune»* (La Rochefoucauld). — *Nous avons été jeunes avant vous; nous savons ce que c'est d'être jeune. N'avez-vous pas été jeune et fait des fredaines* (cit. 1) *comme les autres?* — *Paraître jeune, plus jeune que son âge.* — Loc. *Faire* jeune :* donner l'impression d'être jeune, plus jeune que l'on n'est. *Ils font jeunes,* ou, adv., *ils font jeune.*

Je suis jeune, il est vrai, mais aux âmes bien nées, 1
La valeur n'attend pas le nombre des années.
CORNEILLE, le Cid, II, 2.

Et tu entreras là à vingt ans, et tu en sortiras à cinquante. Tu entreras jeune, rose, 2
frais, avec tes yeux brillants et toutes tes dents blanches, et ta belle chevelure d'adolescent, tu sortiras cassé, courbé, ridé, édenté, horrible, en cheveux blancs.
HUGO, les Misérables, IV, IV, II.

Quand on est jeune, on a des matins triomphants, 3
Le jour sort de la nuit comme d'une victoire (...)
HUGO, la Légende des siècles, II, Booz endormi.

J'ai grand effort à faire pour me persuader que j'ai l'âge à présent de ceux qui 4
me paraissaient si vieux quand j'étais jeune.
GIDE, Journal, 9 juin 1930.

Il n'était plus jeune cet homme-là. Il devait même être tout près de la retraite. 5
CÉLINE, Voyage au bout de la nuit, p. 30.

Il faut avouer que pour un vieux de la vieille je faisais un peu jeune, malgré ma 6
barbe et ma crasse.
J. ROMAINS, les Hommes de bonne volonté, t. II, XVIII, p. 206.

Pierre Gilieth était âgé de trente-huit ans. Le soir, aux lumières, il paraissait un 7
peu plus jeune.
P. MAC ORLAN, la Bandera, I.

REM. *Jeune* peut être employé en épithète placée après le nom, pour marquer une différence de sens avec les syntagmes où l'adj. est normalement antéposé *(un homme, une femme jeune...). Ce n'est plus tout à fait un jeune homme, disons plutôt un homme jeune.*

(1913). Par ext. Formé de personnes jeunes. *Un jeune public, la jeune génération* (→ Faillite, cit. 6). *La jeune France. Clientèle jeune.* — Démogr. *Population jeune.*

Loc. *Jeune Turc.* ⇒ 1. **Turc.** *Jeune loup.* ⇒ **Loup.**

♦ **2.** (XIVe). Animaux. Avant le nom, en épithète. *Jeune chat, jeune chien. Gaieté* (cit. 4) *de jeune animal. Jouer, s'ébrouer comme un jeune animal. Le cerf et ses jeunes faons* (→ Bois, cit. 46). *Jeunes porcs dans leur auge* (cit. 1). *Faire le jeune chien*.* — Par métaphore. *Jeune chien. Jeune loup*.*

Un souriceau tout jeune, et qui n'avait rien vu. LA FONTAINE, Fables, VI, 5. 8

REM. Ne semble guère s'employer en parlant des animaux inférieurs.

Plantes. *Jeune plant. Jeune arbres* (→ Gazon, cit. 4). *Chaussée plantée de jeunes trembles* (→ Après, cit. 30). — *Les jeunes verdures des bois* (→ Hanneton, cit. 2); *la jeune frondaison* (cit. 2) *des marronniers et des platanes.* — Par métaphore. *«Jeunes et tendres fleurs par le sort agitées»* (→ Fille, cit. 15, Racine). — REM. Dans cet emploi comme en 3, une métaphorisation anthropomorphique est sensible.

♦ **3.** (1873, Larousse). En épithète, après le nom. (En parlant des choses qui, relativement, existent depuis peu de temps). ⇒ **Nouveau, récent.** *Tissus jeunes de l'organisme* (→ 2. Greffe, cit. 5). *Montagnes vieilles et montagnes jeunes. Un pays jeune. L'industrie* (cit. 14) *française est plus jeune que l'industrie anglaise. Une doctrine jeune* (→ Intolérant, cit. 3).

♦ **4.** (Déb. XIIIe). En attribut, ou en épithète postposée. Qui a les caractères physiques, moraux d'une personne peu avancée en âge (en parlant de gens de tous âges). *Soyez jeune! Restez jeune! Vous êtes toujours jeune, vous n'avez pas changé. Demeurer jeune et désirable. À plus de cinquante ans, il était encore tout jeune.* ⇒ **Vert** (→ Avachir, cit. 1; cul-de-sac, cit. 27). *Vouloir rester jeune* (→ Fatuitié, cit. 3). *Femme éternellement jeune* (→ Fuyant, cit. 8). — JEUNE DE... *Être jeune de corps, de visage, de cœur, de caractère, d'esprit.*

Pour vouloir la république (...) il fallait (...) être jeune, avoir cette jeunesse d'âme, 9
cette chaleur de sang, cet aveuglement fécond, qui voit déjà dans le monde ce qui n'est encore qu'en âme, et qui, le voyant, le crée (...)
MICHELET, Hist. de la Révolution franç., V, V.

Oui, Marat même est jeune en ce moment. Avec ses quarante-cinq ans, sa longue 10
et triste carrière, brûlé de travail, de passions, de veilles, il est jeune de vengeance et d'espoir.
MICHELET, Hist. de la Révolution franç., IV, VI.

«Peu de gens savent vieillir», a dit M. de La Rochefoucauld. M. de Chateaubriand 11
le savait moins que personne mais il sut rester jeune bien longtemps (...) Sauf les toutes dernières années, il était par l'imagination la jeunesse même.
SAINTE-BEUVE, Chateaubriand, t. I, p. 75, note.

Il *(Chateaubriand)* est le Prince, a dit quelqu'un, de cette jeunesse qui n'a pas su 12
être jeune, et qui, les années venues, ne saura pas vieillir.
SAINTE-BEUVE, Chateaubriand, t. I, p. 126.

Par anal. *Sentiments jeunes et ardents.* ⇒ **Vif.**

(...) elle *(ta lettre)* a remué en moi des vieux sentiments toujours jeunes. 13
FLAUBERT, Correspondances, t. III, (éd. Charpentier, p. 273).

♦ **5.** (V. 1213). En attribut. Qui a la crédulité, l'ingénuité de la jeunesse. ⇒ **Naïf.** *Vous croyez cela? vous êtes encore jeune! Mon Dieu qu'il est jeune!* (Académie).

14 Candeur et crédulité, c'est le caractère du premier âge révolutionnaire, qui a passé sans retour (...) Touchante histoire qu'on ne relira jamais sans larmes (...) Il s'y mêle un sourire amer : Quoi! nous étions donc si jeunes, tellement faciles à tromper! quoi! dupes à ce point! MICHELET, Hist. de la Révolution franç., IV, I.

15 C'est si simple, n'est-ce pas, l'amour? Tu ne lui prêtais pas ce visage ambigu, tourmenté? On s'aime, on se donne l'un à l'autre, nous voilà heureux pour la vie, n'est-ce pas? Ah! que tu es jeune, et pis que jeune, toi qui ne souffres que de m'attendre! COLETTE, la Vagabonde, p. 224.

Par ext. Un peu léger.

15.1 Fringué comme tu es, avec ta gueule déjà pas franche, je te trouve jeune d'aller croire que tu pourrais faire le grossium en viande.
M. AYMÉ, le Vin de Paris, Traversée de Paris, p. 49.

♦ **6.** (Fin xve, *jeune âge*). Placé devant un nom désignant une durée. Qui appartient aux personnes peu avancées en âge. *Jeune âge.* ⇒ **Jeunesse** (→ Âge, cit. 31; aiguille, cit. 8; drame, cit. 9; instruire, cit. 8). *Dans mon jeune temps* (→ Faillir, cit. 7). *Les histoires de mon jeune temps* (→ Attacher, cit. 38). — Poét. *Nos jeunes ans* (cit. 12). *Nos jeunes années* (cit. 9). → Briser, cit. 4. *Les jeunes saisons :* la jeunesse (→ Errance, cit. 4).

16 (...) le contact avec la misère dans son jeune âge avait comme tari son imagination (...) J. CHARDONNE, les Destinées sentimentales, p. 193.

Qui appartient aux personnes peu avancées en âge ou présente les caractères de la jeunesse. *Corps, visage, sourire jeune.* — REM. Placé devant le nom, *jeune* indique surtout l'appartenance à une personne peu âgée *(jeune cœur)*; placé après le nom, il peut s'appliquer aux personnes âgées *(cœur jeune)*. *Jeune visage. Front jeune* (→ Couronner, cit. 8). *Fraîcheur d'une peau jeune.* ⇒ 1. **Frais.** *Corps jeune.* (→ Cabotinage, cit. 2). *Jeune sang, jeune sève* (→ Bouillonner, cit. 4). *Avoir le sang jeune* (→ Carnation, cit. 2). *Un jeune cœur* (→ Arriver, cit. 31). *Avoir le cœur* (cit. 76) *jeune, un cœur toujours jeune* (→ Appétit, cit. 23). *Jeunes cerveaux* (→ Bouillonner, cit. 4), *jeunes esprits* (→ Incroyance, cit. 1). *Une jeune ardeur* (⇒ **Juvénile**). *Un jeune courage. Jeunes amours* (→ Aube, cit. 9).

17 *(Ces écrits)* qui gâtent tous les jours tant de jeunes esprits.
MOLIÈRE, Sganarelle, 1.

18 Tenez, mon cœur s'émeut à toutes ces tendresses,
Cela ragaillardit tout à fait mes vieux jours,
Et je me ressouviens de mes jeunes amours.
MOLIÈRE, les Femmes savantes, III, 6.

19 Elle restait assise auprès de Louise, qui souriait de ses yeux jeunes, les joues roses, ses cheveux gris frisés sous son chapeau de paille.
J. CHARDONNE, les Destinées sentimentales, p. 373.

20 La blancheur de ses cheveux légers faisait plus jeune encore ce sourire et tout son visage. MARTIN DU GARD, les Thibault, t. I, p. 152.

♦ **7.** (1779). Qui convient, qui sied à la jeunesse. *Le bleu, le blanc sont les couleurs jeunes. Une mode jeune. Une coiffure jeune. Une tenue jeune et sportive. Elle portait une toilette jeune, printanière.* — Adv. (Déb. xxe). *S'habiller jeune :* porter ce que portent les personnes jeunes. *Elles s'habillent trop jeune pour leur âge.*

♦ **8.** (1536). Qui est relativement moins âgé que la plupart des personnes de même métier, de même état. *Un jeune auteur* (→ Aventurier, cit. 14). *Jeune écrivain* (cit. 8). *Un jeune médecin* (→ Capacité, cit. 9). *Jeune prélat, jeune ministre. Il a été élu académicien bien jeune* (Académie). *Un jeune président.*

♦ **9.** (1651, Corneille). Qui est né après (une personne de même nom).

[a] (Opposé à *aîné*). ⇒ **Cadet, junior.** *Fromont jeune et Risler aîné,* œuvre de A. Daudet.

[b] (Opposé à *père, ancêtre*). *Dupont père et Dupont jeune.* ⇒ **Fils.** N. m. (1690, Furetière). *Pline le Jeune et Pline l'Ancien.*

♦ **10.** (1536). Qui est nouveau (dans un état, une occupation). ⇒ **Nouveau.** *Jeunes mariés :* personnes récemment mariées. *Des époux jeunes ne sont pas toujours des jeunes mariés. Jeune médecin.*

21 (...) elle s'abandonna avec une gentillesse de jeune mariée amoureuse.
J. ROMAINS, les Hommes de bonne volonté, t. V, XXVI, p. 260.

Fam. *Être jeune dans le métier,* l'exercer depuis peu de temps. ⇒ **Inexpérimenté, novice.** *Il est encore jeune en affaire.* — Figuré (choses) :

21.1 Sûrement, c'était un bateau qui était jeune dans le métier.
MONTHERLANT, le Démon du bien, p. 202.

♦ **11.** (1690, Furetière). Fam. Qui est un peu juste, un peu court, insuffisant en quantité. *C'est un peu jeune. « On dit quand on a consommé la meilleure partie de quelque chose, que le reste en sera bien jeune »* (Furetière, 1690). *C'est un peu jeune, comme raisonnement, comme arguments.* ⇒ 1. **Court.**

★ **II.** N. ♦ **1.** (V. 1155; au compar., *les juignurs,* déb. xiie). Personne jeune. *Un, une jeune.* — Surtout au masc. plur. *Les jeunes.* ⇒ **Adolescent,** (fam. **ado**), **gens** (jeunes gens), **J3** (vx), **jeunesse** (→ Annihiler, cit. 2; atavique, cit. 1; formidablement, cit. 2; fortune, cit. 1; glouton, cit. 3). *Tous, les jeunes comme les vieux* (→ Convention, cit. 13). *Place aux jeunes! Outrances, hardiesses* (cit. 27) *de jeune. L'intolérance* (cit. 7) *des jeunes. L'amour fait tout entreprendre* (cit. 1) *aux jeunes. Les jeunes ne savent plus s'amuser* (→ Fleur, cit. 14). *Bande, réunion de jeunes. Nous serons entre jeunes.* — *Faire le jeune, la jeune :* vouloir paraître jeune.

Pour le jeune ou pour le barbon 22
À tout âge l'amour est bon.
MOLIÈRE, Poésies diverses, Intermède nouveau du Mariage forcé.

(...) vous m'avez comme reproché d'être un peu jeune. Je vous dirai ceci : que les jeunes ont des façons brusques, mais souvent le cœur modeste, tandis que les vieux, souvent, avec des apparences saintes, ont le cœur dur et orgueilleux. 23
MONTHERLANT, le Maître de Santiago, III, 4.

Les « jeunes » veulent consommer maintenant. Et vite. Ce marché fut vite détecté et exploité. De sorte que les « jeunes » tendent à s'établir dans une vie quotidienne parallèle, la leur et la même, hostile à celle des parents et lui ressemblant le plus possible. Ils marquent de leur présence et de leurs « valeurs » les adultes, les biens des adultes, le marché des adultes. Cependant, comme « jeunes », ils restent marginaux. Ils ne parviennent pas à formuler leurs tables de valeurs, encore moins à les imposer. 24
Henri LEFEBVRE, la Vie quotidienne dans le monde moderne, p. 174.

Loc. *Maison des Jeunes et de la Culture.*

♦ **2.** (1607). Rare. Petit d'un animal. ⇒ **Petit.** *Le jeune d'un animal. Une chienne et ses jeunes* (ses chiots). *Chatte qui va avoir des jeunes,* des chatons.

CONTR. (Du sens I) **Âgé, doyen, vieux.** — (Du sens I, 7) **Caduc, confit.** — (Du sens I, 9) **Aîné; père; ancien.** — (Du sens II) **Vieillard, vieux** (subst.).

DÉR. Jeunement, jeunesse, jeunet, jeunot.

COMP. Jeune-France, jeune-Turc (V. 1. **Turc**). — **Rajeunir.**

JEÛNE [ʒøn] n. m. — xive; *jeüne,* déb. xiie; déverbal de *jeûner**.

♦ **1.** Privation volontaire de toute nourriture. ⇒ **Abstinence.** *Le jeûne, pratique d'ascétisme*. Ascètes* (cit. 2) *épuisés par le jeûne* (→ Aiguillon, cit. 6). *Les jeûnes des fakirs* (cit. 2). *S'imposer un jeûne.* ⇒ **Jeun** (rester à), **jeûner.** *Pratiquer le jeûne. Jeûne austère, rigoureux. Faim d'inanition causée par un jeûne prolongé. Jeûne volontaire pour protester :* grève de la faim. *Jeûne passager prescrit à titre médical.* ⇒ 1. **Diète.** *Jeûne hygiénique.*

(Mil. xiie). Pratique religieuse observée dans un esprit de mortification, et qui consiste dans l'abstention totale ou partielle de nourriture, entre le lever et le coucher du soleil, pendant une période déterminée. *Le jeûne du ramadan*, du carême*. Observer, rompre le jeûne* (→ Chocolat, cit. 2). *Jeûne rituel.* — Relig. chrét. ⇒ **Carême, pénitence.** *Indiction** (cit.) *d'un jeûne. Jours de jeûne.* ⇒ **Quatre-temps, vigile.** *Jeûne de l'Église primitive.* ⇒ **Xérophagie.** — *Jeûne eucharistique :* abstention d'aliments solides dans les heures qui précèdent la communion.

Je suis friand de poisson et fais mes jours gras des maigres et mes fêtes des jours de jeusne *(jeûne)*... MONTAIGNE, Essais, III, XIII. 1

(...) vous en pourriez boire le matin *(du vin),* et quand il vous plairait, sans rompre le jeûne (...) PASCAL les Provinciales, V. 2

(Que tous les Juifs) 3
pendant ces trois jours gardent un jeûne austère. RACINE, Esther, I, 3.

Il jeûnait plus longtemps qu'autrui les jours de jeûne, 4
Quoiqu'il perdît sa force et qu'il ne fût plus jeune.
HUGO, la Légende des siècles, IX, L'an neuf de l'Hégire.

On était au 8 novembre, qui correspondait, cette année, avec l'ouverture de ce mois de ramazan, pendant lequel il y a jeûne austère tous les jours (...) 5
LOTI, les Désenchantées, V, XXX.

♦ **2.** (V. 1210). Privation forcée d'aliments (→ 1. Friand, cit. 2). *Pauvres gens, chevaux étiques* (cit. 2) *exténués* (cit. 1) *de jeûnes. Pour survivre à un jeûne prolongé, certains animaux, certaines plantes, se nourrissent de leur propres organes* (→ Autophagie, histolyse).

Après avoir donné son aumône au plus jeune, 6
Pensif, il s'arrêta pour les voir. — Un long jeûne
Avait maigri leur joue, avait flétri leur front.
HUGO, les Rayons et les Ombres, XXXI.

Fig. Abstention ou privation. *« Le jeûne de la parole »* (Balzac).

Il réserve, l'ingrat, ses caresses à d'autres, 7
Et nourrit leurs plaisirs par le jeûne des nôtres. MOLIÈRE, Sganarelle, 5.

Ce qui me tourmentait le plus, c'était le jeûne infligé à mes sens. Mon énervement était celui d'un pianiste sans piano, d'un fumeur sans cigarettes. 8
R. RADIGUET, le Diable au corps, p. 97.

JEUNE-FRANCE [ʒœnfʀɑ̃s] n. m. et adj. — 1833, Gautier; de *jeune,* et *France.*

♦ Hist. de la littér. Membre du groupe de jeunes écrivains et artistes qui représentaient l'aile extrémiste du romantisme. *Les jeunes-France.* — Adj. *La tendance jeune-France.*

JEUNEMENT [ʒœnmɑ̃] adv. — V. 1360; *jouenement,* fin xiiie, au sens 1; de *jeune,* et *-ment.*

♦ **1.** Vx. D'une manière jeune. *« Vivre jeunement »* (Goncourt). *Il « courut jeunement à son secours »* (Montherlant, *in* T. L. F.).

♦ **2.** (1655). Vén. *Cerf dix-cors jeunement,* qui a ses dix cors depuis peu (opposé à *bellement*).

♦ **3.** Littér., rare. Nouvellement.

JEÛNER [ʒøne] v. intr. — XIIIe; *jeüner*, v. 1119; lat. ecclés. *jejunare*, du lat. class. *jejunus* «qui n'a pas mangé».

♦ **1.** Se priver volontairement de nourriture.

(Dans un contexte religieux). S'abstenir d'aliments ou de certains aliments, pour faire acte de dévotion, de mortification; observer un jeûne (cit. 4) rituel. *Chrétiens qui jeûnent fréquemment* (→ Austère, cit. 16), *qui jeûnent tout le carême. Musulman qui jeûne pendant le Ramadan. Jeûner au pain et à l'eau.*

Lorsque vous jeûnez, ne prenez pas un air triste, comme les hypocrites, qui se rendent le visage tout défait, pour montrer aux hommes qu'ils jeûnent.
BIBLE (SACY), Évangile selon saint Matthieu, VI, 16.

Il vaut mieux ne pas jeûner et en être humilié, que de jeûner et en être complaisant. PASCAL, Pensées, VII, 499.

Est-il donc, pour jeûner, quatre-temps ou vigile? BOILEAU, le Lutrin, I.

(...) elle (...) jeûnait très exactement les jours d'obligation.
SAINT-SIMON, Mémoires, V, XI.

.1 Lalla aime bien jeûner pourtant, parce que, quand on ne mange pas et qu'on ne boit pas pendant des heures, et des jours, c'est comme si on lavait l'intérieur de son corps. Les heures paraissent plus longues, et plus pleines, car on fait attention à la moindre chose. Les enfants ne vont plus à l'école, les femmes ne travaillent plus dans les champs, les garçons ne vont plus à la ville. Tout le monde reste assis à l'ombre des huttes et des arbres, en parlant un peu et en regardant les ombres bouger avec le soleil. J.-M. G. LE CLÉZIO, Désert, p. 157.

(En dehors de toute idée religieuse : jeûne médical, diététique, etc.). *Il est végétarien et il a en outre pris l'habitude de jeûner une semaine tous les deux ou trois mois. La page-conseil de notre diététicienne : jeûnez, c'est une cure de jouvence!*

♦ **2.** (V. 1160). Être privé de nourriture, par force, faute d'aliments; rester à jeun. *La marmotte, le loir jeûnent tout l'hiver. Jeûner jusqu'au soir.* ⇒ **Jeun** (rester à), **jeûne.** *Faire jeûner un malade.* — Par exagér. Ne pas manger à sa faim. *Mère qui fait, qui laisse jeûner ses enfants* (→ Grapiller, cit. 3).

5 Depuis lors mes finances ont souvent été fort courtes, mais jamais assez pour être obligé de jeûner. ROUSSEAU, les Confessions, IV.

Rare. *Jeûner de qqch.* (aliment, boisson), s'en passer.

REM. Dans les deux acceptions, le verbe peut s'employer avec un compl. exprimant la durée.

5 J'ai prié sans relâche et jeûné quatre jours,
Je me suis repenti (...)
LECONTE DE LISLE, Poèmes barbares, «Les deux glaives», I.

♦ **3.** (XIIIe). Fig. et littér. Se priver ou être privé (de qqch.). *Jeûner de qqch.* — Spécialt (fam.). Rester chaste.

CONTR. Alimenter (s'), déjeuner, manger.
DÉR. Jeûne, jeûneur.
COMP. Déjeuner.

JEUNESSE [ʒœnɛs] n. f. — XIVe; *joefnesse*, v. 1160, au sens I, 1; de *jeune*, et *-esse*.

★ **I.** État, temps d'un être vivant jeune.

♦ **1.** (Personnes). Temps de la vie entre l'enfance et la maturité (⇒ **Âge**). *L'adolescence, première partie de la jeunesse* (⇒ **Adolescence**). — REM. Dans l'usage, *jeunesse* a souvent un sens plus large, et peut comprendre les dernières années de l'enfance et les premières de la maturité, la notion variant sensiblement avec l'âge de celui qui en parle. — Loc. Littér. *La jeunesse, première saison*, printemps*, matin* de la vie* (→ aussi Les beaux jours* de la vie, le bel âge*). — *La première, la prime jeunesse* (→ Attachement, cit. 19; enveloppe, cit. 5; imagination, cit. 17; infidélité, cit. 10). — Loc. (euphém.). *N'être plus de la première jeunesse :* n'être plus jeune. — *La tendre jeunesse* (→ Les jeunes*, les vertes années, et aussi athlète, cit. 2). — Vieilli. *Seconde jeunesse :* période allant de l'adolescence à l'âge adulte ⇒ **Adolescence.** — Littér. *La jeunesse en sa fleur* (→ Briller, cit. 9; coton, cit. 6; étamine, cit. 2). — *En pleine jeunesse, à la fleur* (cit. 25) *de la jeunesse.* — *La jeunesse qui s'envole* (→ Adieu, cit. 13, Hugo). *Le peu de jeunesse qui lui reste* (→ Farceur, cit. 7). *«La jeunesse est une fleur qui tombe»* (Bossuet, *Oraison funèbre Marie-Thérèse*). *La jeunesse est une attente* (cit. 18), *le temps où l'on admire* (→ Humilier, cit. 14), *où l'on comprend mal les conventions* (cit. 9). — *La jeunesse de qqn, sa jeunesse. Le temps heureux de ma jeunesse* (→ Élégance, cit. 6). *Dans ma jeunesse, ma verte jeunesse* (→ Affirmation, cit. 3; animal, cit. 10; étude, cit. 14). *Au temps de ma jeunesse* (→ fam. De mon temps*). *En sa jeunesse* (→ Entreprise, cit. 1). — *Employer sa jeunesse aux études* (cit. 17). *Gaspiller sa jeunesse. Les excès, les dérèglements* (cit. 5), *les fredaines* (cit. 3) *de sa jeunesse.* — **... DE JEUNESSE :** qui est propre au jeune âge. *Péché* de jeunesse. Étourderie* (→ Aviser, cit. 13), *folie, écart* (cit. 7), *erreur* (cit. 34) *de jeunesse. Œuvre de jeunesse* (→ Essai, cit. 15); *toile de jeunesse* (→ Influence, cit. 13). — (Qualifié par un adj.). Époque où une personne est, était jeune. *Jeunesse heureuse, malheureuse, orageuse, folle* (→ Arondelle, cit.), *oisive, studieuse... «Au temps de ma jeunesse folle»* (→ Étudier, cit. 2, Villon). — (Non qualifié). *«Ma jeunesse ne fut qu'un ténébreux orage»* (→ Brillant, cit. 5, Baudelaire). *«Cueillez, cueillez votre jeunesse».* (→ Cueillir, cit. 5, Ronsard; et aussi beauté, cit. 18). — Prov. *Il faut que jeunesse se passe :* il faut être indulgent aux écarts des jeunes gens (→ Frasque, cit. 2).

Le vrai trésor de l'homme est la verte jeunesse, 1
Le reste de nos ans ne sont que des hivers. RONSARD, Pièces posthumes, Stances.

(...) confions-nous toutes ces étourderies, car il faut que jeunesse se passe. 2
Mme DE SÉVIGNÉ, 913, 3 mai 1683.

La jeunesse est le temps d'étudier la sagesse; la vieillesse est le temps de la pratiquer. ROUSSEAU, Rêveries..., 3e promenade. 3

Amis, qu'est-ce qu'une grande vie? sinon une pensée de la jeunesse exécutée par l'âge mûr. A. DE VIGNY, Cinq-Mars, XX (→ Exécuter, cit. 26). 4

Elle semblait n'avoir jamais eu de jeunesse, son regard ne parlait jamais du passé. 5
BALZAC, Mme de La Chanterie, Pl., t. VII, p. 270.

La marquise avait eu, dans la force du terme, ce qu'on appelle une jeunesse orageuse (...) A. DE MUSSET, Nouvelles, Emmeline, III. 6

Dis, qu'as-tu fait, toi que voilà, 7
De ta jeunesse? VERLAINE, Sagesse, III, VI.

Seconde jeunesse : sorte de nouvelle jeunesse qui semble rendre à certaines personnes d'âge mûr, les ardeurs, les passions de leur jeune temps (notamment dans la vie amoureuse, sentimentale).

Plus elle (*Mlle Cormon*) s'avança vers cette fatale époque si ingénieusement nommée *la seconde jeunesse*, plus sa défiance augmenta. 8
BALZAC, la Vieille Fille, Pl., t. IV, p. 253.

♦ **2.** (XVIe). Animaux. Période qui va de la naissance au développement complet des organes. *Les chiens, les chats sont joueurs dans leur jeunesse.*

(Plantes) :

Comme on voit sur la branche au mois de mai la rose, 9
En sa belle jeunesse, en sa première fleur (...)
RONSARD, Amours de Marie, II, IV.

♦ **3.** (Choses). Littér. Le premier temps qui suit la naissance, l'apparition. *La jeunesse du monde.*

♦ **4.** (V. 1361). *La jeunesse de qqn, de qqch.* **a** Le fait d'être jeune. *La condamnation prononcée contre lui fut légère en raison de sa jeunesse. Grande, extrême jeunesse* (→ Atermoiement, cit. 1). *Tant de jeunesse désarme* (→ Blanc-bec, cit. 2). *Vous avez la jeunesse et l'avenir...* (→ Heure, cit. 62).

— Rodrigue a du courage. — Il a trop de jeunesse. 10
— Les hommes valeureux le sont du premier coup. CORNEILLE, le Cid, II, 3.

J'admire ton courage, et je plains ta jeunesse. 11
Ne cherche point à faire un coup d'essai fatal;
Dispense ma valeur d'un combat inégal (...) CORNEILLE, le Cid, II, 2.

b (1555, Ronsard). Le fait d'exister depuis peu de temps. *«La force des peuples barbares tient à leur jeunesse et disparaît* (cit. 19) *avec elle»* (Hugo, *la Jeunesse d'un arbre*).

(Choses). État d'une chose qui existe depuis relativement peu de temps. *Jeunesse d'un vin, d'une eau-de-vie.*

Cent ans, c'est la jeunesse d'une église et la vieillesse d'une maison. Il semble que le logis de l'homme participe de sa briéveté et le logis de Dieu de son éternité. 12
HUGO, les Misérables, II, IV, I.

Il a tort de vouloir des eaux-de-vie pures, qui gardent si longtemps le défaut de la jeunesse, cette rudesse, qui oblige à les laisser dormir. 13
J. CHARDONNE, les Destinées sentimentales, p. 119.

c État physique ou moral d'une personne jeune. *La fraîcheur, l'éclat* (cit. 30) *de la jeunesse* (→ Abrutir, cit. 1). *Le charme de la jeunesse.* → La beauté du diable. *La chaleur, la vigueur, l'emportement* (cit. 3), *les élans* (→ Arrière-saison, cit. 4), *les ardeurs* (cit. 23), *les passions* (→ Catéchisme, cit. 2), *la fougue* (→ Autorité, cit. 47), *les illusions* (cit. 20), *l'inexpérience* (cit. 1), *l'idéalisme* (cit. 4), *l'intransigeance* (cit. 3) *de la jeunesse. Comprimer son exubérante* (cit. 2) *jeunesse. Avoir beauté, santé et jeunesse.*

La jeunesse est une ivresse continuelle : c'est la fièvre de la raison. 14
LA ROCHEFOUCAULD, Réflexions et Maximes, 271.

Je veux te raconter, ô molle enchanteresse! 15
Les diverses beautés qui parent ta jeunesse (...)
BAUDELAIRE, les Fleurs du mal, Spleen et Idéal, LII.

(...) la jeunesse en face de la maturité; l'audace, le goût du risque, en face de la prudence. MARTIN DU GARD, les Thibault, t. III, p. 128. 16

Le plus grand désir des hommes est la jeunesse éternelle. Depuis Merlin jusqu'à Cagliostro, Brown-Séquard et Voronoff, charlatans et savants ont poursuivi le même rêve et souffert la même défaite. Personne n'a découvert le suprême secret. Alexis CARREL, l'Homme, cet inconnu, V, V. 17

D'ailleurs, la fille de la Berma n'eût-elle pas eu sans cesse des ouvriers chez elle, qu'elle eût tout de même fatigué sa mère, comme les forces attractives, féroces et légères de la jeunesse fatiguent la vieillesse, la maladie, qui se surmènent à vouloir les suivre. PROUST, le Temps retrouvé, Pl., t. III, p. 997. 17.1

♦ **5.** **a** Caractère, ensemble de caractères propres à la jeunesse, mais qui peuvent se conserver jusque dans la vieillesse. *Être plein de jeunesse, bouillant de jeunesse* (→ Avoir le sang qui bout* dans les veines). *«Il y a tout dans ce jeune homme, excepté* (cit. 8) *de la jeunesse»* (Stendhal). *Il a encore beaucoup de jeunesse pour son âge.* ⇒ **Fraîcheur, verdeur, vigueur.** *L'action exige de la jeunesse, de l'aveuglement* (→ Étourdi, cit. 4). *La fontaine de Jouvence redonnait la jeunesse. Retrouver sa jeunesse. Cela lui a rendu sa jeunesse.* — *Air de jeunesse. Une figure pleine de jeunesse* (→ Impérial, cit. 4), *un front* (cit. 14) *sans jeunesse.* — *La jeunesse de son sourire. Cœur encore plein de jeunesse* (→ Adieu, cit. 12). — *Jeunesse de corps, de visage, de cœur* (cit. 77), *d'esprit* (→ Fraîcheur, cit. 16). *L'âge est venu sans refroidir la jeunesse du cœur* (→ Affection, cit. 14).

18 (...) Dionysius, ce bon dieu qui redonne aux hommes la gaieté, et la jeunesse aux vieillards (...) MONTAIGNE, Essais, II, II.

19 C'est la plus belle des jeunesses : la jeunesse de l'esprit quand on n'est plus jeune (...) Paul LÉAUTAUD, Propos d'un jour, p. 56.

20 (...) chez elle, aucun trait n'a vieilli (...) même dans le visage (...) Une certaine tension de l'esprit entretient une perpétuelle jeunesse.
J. CHARDONNE, les Destinées sentimentales, p. 302.

Loc. *Une seconde, une nouvelle jeunesse* (pour une personne d'âge mûr, ou même âgée). — *N'avoir pas eu de jeunesse.*

b Caractère jeune (d'une oeuvre humaine). *Un art, un texte plein de jeunesse. Son style manque de jeunesse, d'élan.*

♦ **6.** Caractère (d'une chose) plein de force, de vivacité ; état de ce qui donne l'impression d'un développement. ⇒ **Fraîcheur, vivacité.** « *Je ne sais quel épanouissement plus actif de sève nouvelle et de jeunesse* » (Fromentin, *in* T.L.F.). *La jeunesse éternelle* (cit. 34) *de la mer, de la forêt* (cit. 4), *de la nature.*

21 La jeunesse et la puissance de la végétation lui parurent si merveilleuses qu'il ne douta pas un instant qu'il ne fût dans le Paradis terrestre.
A. HERMANT, l'Aube ardente, III.

★ **II.** ♦ **1.** (1377, *jouesce*). Les personnes jeunes. ⇒ **Jeune** (les jeunes) ; les jeunes gens, garçons ou filles, jeunes hommes ou jeunes femmes (→ Avantageux, cit. 13 ; conformer, cit. 6 ; filtrer, cit. 9 ; hammam, cit.). *La jeunesse et les gens d'âge mûr. Aimer fréquenter* (cit. 11) *la jeunesse. Rimbaud est aimé de la jeunesse* (→ Insolence, cit. 5). *Une belle jeunesse. La jeunesse française.* — Prov. *Les voyages* forment la jeunesse.* — *Si jeunesse savait, si vieillesse pouvait...* (H. Estienne, *les Prémices,* Épigr., CXCI) : si les jeunes avaient l'expérience des vieux et si les vieux avaient la vigueur des jeunes. — *Il faut que jeunesse jette sa gourme* (→ 2. Farce, cit. 11). — Loc. prov. (Vx). *Jeunesse revient de loin* : les jeunes gens résistent aux plus graves maladies, et, fig., sont capables de revenir au bien après de grands écarts. — *La jeunesse de la cour* (→ 1. Bas, cit. 43), *d'une ville* (→ Indisciplinable, cit. 3), *d'un pays, du monde entier* (→ Berner, cit. 4), *d'une époque. La jeunesse agricole, étudiante, ouvrière chrétienne* (⇒ **Jaciste, jéciste, jociste**). *La jeunesse pauvre* (→ Fondation, cit. 5). — Loc. *Camp*, chantier* de jeunesse ; auberge de la jeunesse, de jeunesse. Secrétariat d'État à la Jeunesse et aux Sports.*

22 (...) la jeunesse du quartier latin avait subi l'influence de ses *étudiants,* comme beaucoup de gens s'efforcent de ressembler aux gravures de mode.
BAUDELAIRE, Curiosités esthétiques, VII, II.

23 Comme la jeunesse se jette aisément aux périls, dans les sauvetages, dans la révolte, dans la guerre, on l'a vu, on le voit, on le verra.
ALAIN, Propos, 1er mai 1933, Deux morts.

24 (...) c'est la fièvre de la jeunesse qui maintient le reste du monde à la température normale. Quand la jeunesse se refroidit, le reste du monde claque des dents.
BERNANOS, les Grands Cimetières sous la lune, p. 228.

25 C'était (*le Palais de Glace*) le refuge d'une jeunesse errante qui cherchait dans le sport un prétexte à rassemblements.
J. CHARDONNE, les Destinées sentimentales, p. 456.

26 Tous nos concitoyens accueillaient ordinairement l'été avec allégresse. La ville s'ouvrait alors vers la mer et déversait sa jeunesse sur les plages.
CAMUS, la Peste, p. 129.

26.1 Depuis quelques années, on (« il » ou « ils ») tenta littéralement d'institutionnaliser la jeunesse. Se préoccupe-t-on d'elle pour lui permettre de mener une vie spécifique, avec des activités appropriées ? Ici ou là, on y pense, des gens de bon vouloir. En vain. Ce qui l'emporte, c'est l'intégration de la jeunesse au marché, à la consommation, en lui procurant une quotidienneté parallèle. On tend à constituer une essence, la juvénilité, dotée d'attributs et de propriétés commercialisables, possédée par une part de la population priviligiée ou censée telle, justifiant ainsi la production et la consommation d'objets marqués (vêtements entre autres que résument et symbolisent les « blue jeans »).
Henri LEFEBVRE, la Vie quotidienne dans le monde moderne, p. 315.

(XXe). Généralt au plur. Groupes organisés de jeunes gens. *Les Jeunesses hitlériennes. Les jeunesses communistes. Les jeunesses musicales.*

26.2 Le mouvement des « jeunesses socialistes » de la Drôme, qui ne tarda pas à grouper deux bonnes centaines d'adhérents, tint ses premiers succès de ces nouveautés.
Raymond ABELLIO, Ma dernière mémoire, t. II, p. 254.

Loc. *La jeunesse dorée.* ⇒ **Doré** (cit. 5).

(Fin XIIIe). Les enfants et les adolescents. *Exercer* (cit. 8), *instruire* (cit. 7) *la jeunesse. Éducation donnée à la jeunesse* (→ Humaniste, cit. 4). *Lectures, émissions, spectacles pour la jeunesse. Édition, livres pour la jeunesse. C'est un mauvais exemple pour la jeunesse.*

27 (...) cette police de la plupart de nos collèges m'a toujours déplu (...) C'est une vraie geôle de jeunesse captive. On la rend débauchée, l'en punissant avant qu'elle le soit. MONTAIGNE, Essais, I, XXVI.

28 (...) mais je tiens sans cesse
Qu'il nous faut en riant instruire la jeunesse. MOLIÈRE, l'École des maris, I, 2.

Fam. (en interpellant un groupe de jeunes gens ; avec l'article défini) :

29 Et, redressant la tête, il nous disait, histoire de souffler un peu : — Eh bien ! ça va, la jeunesse ? ALAIN-FOURNIER, le Grand Meaulnes, I, III.

♦ **2.** (Av. 1605). Fam., vieilli ou régional. *(Une, des jeunesses).* Fille ou femme très jeune (→ Fraîcheur, cit. 13 ; éprouver, cit. 36). *S'attacher à une jeunesse* (→ Déraison, cit. 2). *Vieillards qui épousent des jeunesses.* ⇒ aussi **Tendron.**

Je suis tout réjoui de voir cette jeunesse. RACINE, les Plaideurs, III, 4. 30

Il n'y avait pas là de ces jeunesses vert tendre, de ces petites demoiselles qu'exécrait Byron, qui sentent la tartelette (...) 31
BARBEY D'AUREVILLY, les Diaboliques, « Le plus bel amour de Dom Juan ».

— Hein ? Tu as le toupet !... Un vieux de trente-trois ans épouser une jeunesse de dix huit ! Rien que quinze ans de différence ! Est-ce que ce n'est pas une dégoûtation ?... On t'en donnera, des poulettes, pour ton sale cuir ! 32
ZOLA, la Terre, III, VI.

Tout le monde se regardait, ne sachant trop quelle tête faire ; quelques jeunesses mal élevées étouffèrent un fou rire (...) 33
PROUST, le Temps retrouvé, Pl., t. III, p. 999.

Rare. Jeune garçon (A. France, *in* T.L.F.).

CONTR. (Du sens I) **Vieillesse.** — (Du sens I, 1) **Arrière-saison, automne** (de la vie) ; **âge.** — **Caducité.** — (Du sens II) **Vieux** (les vieux).

JEUNET, ETTE [ʒœnɛ, ɛt] adj. et n. — XIIIe ; *jovenete,* 1164 ; dimin. de *jeune.*

♦ **1.** Fam. (Personnes). Bien jeune. ⇒ **Jeunot.** *Il est un peu jeunet. Elle est encore jeunette.*

Pourtant si je suis brunette 1
Ami, n'en prenez émoi :
Autant suis ferme et jeunette
Qu'une plus blanche que moi. Clément MAROT, Chansons, XXXVI.

André Beaunier. Trente ans, figure grasse, blanche, imberbe. Tout petit, riant, jeunet, l'air d'un séminariste qu'un excès amuse. 1.1
J. RENARD, Journal, 30 oct. 1899.

N. (Rare). « *L'ancien et le jeunet* » (Cendrars, *in* T.L.F.).

♦ **2.** (Fin XIXe ; choses, actions). *Une allure jeunette. Habit* (cit. 15) *jeunet.*

(...) elle n'avait plus rien de jeunet dans la tournure et sentait bien toute l'accablante lourdeur de ses soixante-seize ans. LOTI, Pêcheur d'Islande, II, VIII. 2

JEUNE-TURC [ʒœntyʀk] n. et adj. ⇒ **Turc.**

JEÛNEUR, EUSE [ʒønœʀ, øz] n. — 1546, adj., Rabelais ; *jeüneor,* v. 1400 ; de *jeûner,* et *-eur.*

♦ Personne qui jeûne. *Les jeûneurs hindous.* → aussi Gréviste de la faim.

JEUNISME [ʒœnism] n. m. — 1975, cit. ; de *jeune,* et *-isme,* dans *racisme.*

♦ Attitude de prévention systématique contre les jeunes (analogue au racisme). Syn. : *racisme antijeunes.*

Il y avait d'abord le racisme, ce mépris pour certaines races prétendument inférieures. Il y avait aussi le sexisme, cette discrimination fondée sur le sexe, qui relègue les femmes dans des rôles subalternes. Voici maintenant le jeunisme, la haine des jeunes, qui se répand comme un nouveau fléau moral et social. Comme une psychose collective.
Roger-Gérard SCHWARTZENBERG, *in* le Monde, 23 oct. 1975, p. 1.

JEUNOT, OTTE [ʒœno, ɔt] adj. et n. m. — 1904, *in* Esnault ; de *jeune,* et *-ot.*

♦ Adj. Fam. Jeune. ⇒ **Jeunet.** *Il est un peu jeunot pour faire la loi.*
N. m. Fam. Jeune homme. *Un petit jeunot.*

Ce fut finalement un jeunot qui, à force de se frapper le front, finit par se souvenir.
Claude COURCHAY, La vie finira bien par commencer, p. 38.

JÈZE [ʒɛz] n. m. ⇒ **Jésuite.**

JIGGER [(d)ʒigœʀ] n. m. — 1887, « cuve à teinture », dans un contexte angl. ; 1899, *in* Höfler, électr. (mot dû à Marconi) ; mot angl., proprt « cribleur ».

♦ Anglic. Techn. (électr.). Transformateur pour coupler les circuits radio-électriques.

JINGLE [(d)ʒingœl] n. m. — 1979, *in* Rey-Debove et Gagnon ; mot angl., « son de cloche » (1599), et iron., « court slogan publicitaire » (1930).

♦ Anglic. Motif sonore court employé en association avec un slogan publicitaire (radio, télévision). « *(...) les radios libres pourront à l'avenir — cinq minutes par heure vraisemblablement — diffuser des "jingles" à la gloire des annonceurs du cru* » (*le Point,* no 603, 9-15 avr. 1984, p. 67). « *Nerveuse et sûre d'elle, c'est une fonceuse et elle* (la voiture) *nous balance dans la vue ses quatre cents mètres départ arrêté en 19"5 sur un jingle (bande son musicale) de Julien Clerc* » (*le Matin de Paris,* 17 avr. 1984, p. 8). — REM. On a proposé pour cet anglicisme les équivalents français *sonal* (recomm. off., arrêté du 18 janv. 1973) et *ritournelle publicitaire* (resté inusité en français central, assez courant en français canadien).

JINGLET ou **GINGLET** [ʒɛ̃glɛ] n. m. — 1852, *ginglet;* abrév. de *rejinglet,* var. de *reginglard.* → Ginguet.

♦ Petit vin. ⇒ **Ginguet, reginglard ; piquette.**

Le petit jinglet du cru lui irritait l'estomac.
Ed. et J. DE GONCOURT, Manette Salomon (1867), p. 250.

JINGO [ʒɛ̃go] ou [djingo] n. m. — 1880, *in* T. L. F. ; mot angl., du juron angl. *by jingo,* d'orig. obscure et de même valeur que *by Jove* « par Jupiter », euphémisme pour *by God.*

♦ Hist. Anglais chauvin, nationaliste exalté.

Adj. *« Les passions jingoes »* (Jaurès, *in* T. L. F.). — REM. on trouve chez Jaurès le dér. *jingoïste.*

JINGUER [ʒɛ̃ge] v. intr. ⇒ **Ginguer.**

JIN-SENG [ʒinsɛŋ] n. m. ⇒ **Ginseng.**

JITTER-BUG [(d)ʒitɛʀbœg] n. m. — V. 1950 ; mot angl. des États-Unis, de *to jitter* « s'agiter, être nerveux », et *bug* « insecte ».

♦ Anglic. Ancienn. Danse américaine très agitée, sur un rythme de jazz, à la mode en France immédiatement après la guerre de 1940-45. *« Tous ces mots qu'on croit pérennes et qui ne le sont pas plus que swing, jitter-bug, aéronefs... »* (Jacques Lacarrière, *Chemin faisant,* p. 189).

JIU-JITSU [ʒjyʒitsy] n. m. — 1906, *in* Petiot ; *jujëtsu,* 1903 ; mot japonais *(jujitsu)* signifiant « art de la souplesse ».

♦ Technique japonaise de combat sans armes consistant en prises et coups qui exigent plus de souplesse et de méthode que de force. *Le jiu-jitsu, art militaire des Samouraïs et sport populaire des Japonais.* ⇒ **Judo.**

(...) il fallait tout de même apprendre à se défendre aux jeunes volontaires. On leur enseignerait la savate, et même quelques trucs de jiu-jitsu, la boxe.
ARAGON, les Beaux Quartiers, I, VII.

Mais combat n'est pas sport : les partisans de la boxe française répètent qu'elle est plus efficace que la boxe anglaise : comme elle est, d'un côté, moins efficace que le jiu-jitsu, ce n'est pas elle qu'il faudrait adopter.
Jean PRÉVOST, Plaisirs des sports, p. 89.

1. J. O. [ʒio] n. m. — 1927, abrév. de *Journal officiel.*

♦ Cour. Le Journal officiel (de la République française) qui succéda en 1871 au *Journal Officiel de l'Empire* (1869). *Achetez le J. O. d'hier ; la loi y est.*

2. J. O. [ʒio] n. m. pl. — 1948 ; *Larousse mensuel.*

♦ Abrév. de *Jeux Olympiques. Les J. O. :* les Jeux Olympiques.

(...) les J. O. de Mexico s'achevaient, et la France n'avait pas de médaille d'or.
Claude COURCHAY, La vie finira bien par commencer, p. 27.

JOAILLERIE [ʒoajʀi] n. f. — 1434, *juelerye ;* de *joaillier,* et *-erie.*

♦ **1.** Art de monter les pierres précieuses ou fines pour en faire des joyaux* (→ Guillochure, cit. 2). *La mise à jour, le polissage, le sertissage sont des opérations de joaillerie* (⇒ **Serte, sertissure**).

♦ **2.** (1611, *joyaulerie*). Métier, commerce du joaillier. *Travailler dans la joaillerie* (⇒ **Bijouterie**). *Joaillerie-orfèvrerie*.*

♦ **3.** (1690, Furetière). Marchandise du joaillier. *Fabricant de joaillerie. Expert en joaillerie.*

Quelquefois elle se couronnait d'un petit diadème de joaillerie légère, qui lui était ensemble seyant et superflu.
COLETTE, Belles saisons, Disc. de réception.

♦ **4.** Atelier, magasin de joaillier. ⇒ **Bijouterie.** *Une grande joaillerie parisienne. Cette joaillerie a été cambriolée.*

JOAILLIER, IÈRE [ʒoaje, jɛʀ] n. — 1675 ; *jouaillier,* déb. XVIe ; *joelier,* v. 1360 ; de *joiel, joel,* formes anc. de *joyau.*

♦ **1.** Cour. Personne qui fabrique des joyaux et qui en fait commerce (⇒ **Bijoutier, orfèvre**). *Magasin de joaillier. Bijoutier*-joaillier ; joaillier-orfèvre*. Commander une bague de fiançailles à son joaillier.*

♦ **2.** Techn. *Joaillier :* ouvrier ou artisan spécialisé dans la joaillerie. *Pinces, bouterolles, scies, forets, loupe de joaillier.* Par appos. *Ouvrier joaillier.*

DÉR. Joaillerie.

JOANNITE [ʒoanit] n. ⇒ **Johannite.**

1. JOB [ʒɔb] n. m. — 1867 ; p.-ê. du moy. franç. *jobe* « niais » (→ Jobard) ; cf. *battre le job* « simuler la niaiserie », 1770 dans la langue poissarde.

♦ Loc. fam. (Vieilli). *Monter le job à qqn,* lui monter la tête, l'abuser. Pron. (1920). *Se monter le job,* (1881) *se chauffer le job :* se monter la tête, se faire des illusions.

C'est bien lui ! Parfaitement, c'est ce sale veau de simili pendu qui nous a monté le job avec son fameux trésor qu'il avait eu soin préalablement d'enlever et de remplacer par des cailloux.
L. FORTON, les Pieds-Nickelés, *in* l'Épatant, 1911, p. 162.

2. JOB [(d)ʒɔb] n. m. — Attestation isolée, 1819, dans un contexte angl. ; répandu fin XIXe (1893, Claudel) et surtout v. 1949 ; angl. *job,* proprt « besogne, travail de peu d'importance ».

♦ Anglic., fam. Travail rémunéré, qu'on ne considère généralement pas comme un véritable métier. *Étudiant qui cherche un job. Trouver un job, un bon job.* — Travail, emploi rémunéré.

Il était arrivé à Londres vingt ans avant moi pour occuper un « job » chimiste (...) 1
CÉLINE, Guignol's band, p. 31.

Plus le job est important, plus il faut justifier ses appointements. 2
Pierre DANINOS, Un certain Monsieur Blot, p. 150.

Pas dingue, elle avait mis au point un turbin impeccable. Son job, c'était *secrétaire de direction (...)* 3
Albert SIMONIN, Touchez pas au grisbi, p. 102.

C'est son job, c'est pas son job. ⇒ **Boulot, métier.**

Suivant le processus traditionnel, nous devions agir d'après des renseignements 4
obtenus par un informateur. Personnellement, la voie publique, ce n'était pas mon job !
Martin ROLLAND, la Rouquine, p. 211.

REM. Le mot est féminin en français du Canada.

JOBARD, ARDE [ʒɔbaʀ, aʀd] adj. et n. — 1808, Esnault (1807, *jobbard, in* T. L. F.) ; *joubard,* 1571 ; du moy. franç. *jobe* (1547, Du Fail) « niais », probablt apparenté à **job* « gosier » (selon Guiraud, qui rejette l'hypothèse du n. pr. *Job*), du roman **gaba* « gorge, jabot » (→ Gaver), par l'intermédiaire d'une forme en **gaub-,* le *jobard* étant « un *gobeur* qu'on gave (en lui faisant tout avaler) » ; → ci-dessous cit. 6, et aussi Gober, jobelin ; et cf. le sémantisme « faire, dire des choses vaines ; s'amuser », du dialectal *jober.*

♦ Crédule*jusqu'à la bêtise. ⇒ **Naïf, niais ; jobelin** (I., vx). *Il est, il a l'air jobard.* — Par ext. *Une crédulité jobarde* (→ Comprimer, cit. 6).

(...) si tu te connais aux chiffres, tu m'as l'air assez jobard sur le reste (...) 1
BALZAC, Splendeurs et Misères des courtisanes, Pl., t. V, p. 795.

(...) est-ce que vous seriez assez jobard pour vouloir payer les dettes de monsieur 2
Bernard ? BALZAC, l'Initié, Pl., t. VII, p. 369.

N. (→ Gouapeur, cit. 1, Balzac). *C'est un pauvre jobard.*

(...) toutes les sociétés sont formées de jobards, et, à leur tête, il y a toujours des 3
farceurs qui les exploitent. HUYSMANS, Là-bas, XVII.

Il y avait longtemps que nous ne croyions plus à rien, même pas à rien. Les nihi- 4
listes de 1880 étaient une secte mystique, des rêveurs, les routiniers du bonheur universel. Nous, nous étions aux antipodes de ces jobards et de leurs fumeuses théories. Nous étions des hommes (...)
B. CENDRARS, Moravagine, *in* Œ. compl., t. IV, p. 125.

— Je ne suis pas assez grand pour le voir tout seul, si cela est ? 5
— Non. Je ne le crois pas.
— Vous me prenez pour un imbécile, pour un jobard ?
J. ANOUILH, Pauvre Bitos, p. 147.

Les *coquillards* étaient (...) des « niais ». Entendez des trompeurs qui contrefai- 6
saient les niais pour mieux duper leurs victimes (...) C'est là un sémantisme fondamental dans les argots. Les ballades de Villon sont données sous le titre de *jargon* et *jobellin,* entendez le « langage des *jobs* » ou « niais », mot qui survit dans l'actuel *jobard.*
Pierre GUIRAUD, le Jargon de Villon ou le gai savoir de la Coquille, p. 282.

CONTR. Malin ; fin.
DÉR. Jobardement, jobarder, jobarderie ou **jobardise.**

JOBARDEMENT [ʒɔbaʀdəmɑ̃] adv. — 1886, Bloy ; de *jobard,* et *-ment.*

♦ Rare. D'une manière jobarde. ⇒ **Naïvement, niaisement.**

(...) jobardement épris de toute absconse doctrine capable de travestir son néant, fanatique de littérature décente et d'art correct, ami respectueux de cabots puissants (...)
Léon BLOY, le Désespéré, p. 18.

JOBARDER [ʒɔbaʀde] v. tr. — 1839, Balzac, *in* D. D. L. ; de *jobard,* et suff. verbal.

♦ Rare. Duper*, tromper*, comme on abuse un jobard.

(...) pour que vous ne soyez pas *jobardé* par Étienne, dit Finot en regardant Lucien d'un air fin.
BALZAC, Illusions perdues, Pl., t. IV, p. 764.

JOBARDERIE [ʒɔbaʀdəʀi] ou **JOBARDISE** [ʒɔbaʀdiz] n. f. — 1836, *jobarderie; jobardise,* 1887, Lafarge; de *jobard,* et *-erie, -ise.*

♦ Caractère, comportement de jobard. ⇒ **Bêtise, crédulité, niaiserie.**

1 Il est clair qu'Édouard ne viendra pas. L'attendre plus longtemps serait pure niaiserie, complaisance indigne, jobarderie. G. DUHAMEL, Salavin, III, XVI.

REM. On a employé aussi *jobardisme.*

2 La frénésie californienne, la prostitution et le jobardisme civilisateur battaient leur plein. Léon BLOY, le Désespéré, p. 30.

JOBELIN, INE [ʒɔblɛ̃, in] adj. et n. m. — V. 1460, Villon, adj., au sens II; n., v. 1470; selon Guiraud, déverbal de *jobeliner* «parler du gosier, parler un langage inarticulé, incompréhensible», de **job* «gosier» (→ Jaboter, jargonner), avec influence de *jobe* «niais»; → ci-dessous cit. 3; et Jobard (cf. aussi *jobiner* «dépouiller», XVIe).

★ **I.** Adj. (1611, de *jobe*). Vx. Niais, naïf. ⇒ **Jobard.**

1 Monsieur Kupfergrun s'installa en pleine clarté, et le halo d'une des hautes chandelles de suif sanctifia d'or liquide sa bonne face jobeline.
Jean RAY, les Derniers Contes de Canterbury, p. 22.

★ **II.** N. m. (V. 1470; cf. *le Jargon et Jobelin de maistre François Villon,* 1489). Ling., hist. Argot des gueux, au XVe siècle. ⇒ **Jargon.**

2 (...) l'argot véritable — pas celui qui est trop «fabriqué» — est en fait une langue relativement stable, car sans tradition écrite, elle a conservé des termes utilisés déjà par Villon dans ses ballades en jobelin.
R. QUENEAU, Bâtons, Chiffres et Lettres, p. 70.

3 Le *jargon* est un langage cryptique destiné à soustraire la communication à l'intelligence des dupes. Le *jobelin* est un langage mystificateur, tel celui de Pathelin délirant au fond de son lit.
Lorsque Villon présente les ballades argotiques comme le *jargon* et *jobelin Me François Villon,* il s'agit bien de deux mots différents : elles sont écrites dans le jargon des Coquillards et sous une forme codée qui a pour but de mystifier le lecteur. Pierre GUIRAUD, Dictionnaire des étymologies obscures, p. 363.

Adj. (V. 1460). *Jargon jobelin :* cet argot.

JOCASSE [ʒɔkas] n. f. — 1764, Valmont de Bomare; p.-ê. du francique **joc, juc* «perchoir» (→ Jucher), ou altér. de *jacasse**; de l'angl., d'après F. Salerne, *in* T. L. F.

♦ Régional. Grosse grive*, appelée aussi *litorne*.*

JOCISTE [ʒɔsist] adj. et n. — V. 1930, selon Dauzat (1937, adj., *in* T. L. F.); des initiales de la *Jeunesse ouvrière chrétienne.* → Jaciste, jéciste.

♦ De la J. O. C. [ʒiose]. — Membre de cette organisation.

Bien sûr, cette petite Sagan, je parierais qu'elle ne connaît pas de jociste, ni de militants communistes (...) F. MAURIAC, Bloc-notes 1952-1957, p. 357.

JOCKEY [ʒɔkɛ] n. m. — 1776, *in* Höfler; var. *jacquys, jacquet, jaquet,* après 1776; angl. *jockey,* dimin. de *Jock,* forme écossaise de *Jack.*

A. ♦ **1.** (1819; nombreuses var. depuis 1776; encore chez Balzac). Jeune domestique qui conduisait une voiture en postillon, suivait son maître à cheval. ⇒ **Groom.**

♦ **2.** (1776, Duc de Croÿ; *jacquei,* attestation isolée, 1776, Bachaumont). Celui dont le métier est de monter les chevaux* dans les courses (⇒ **Cavalier**). *Entraînement, régime sévère des jockeys. Les jockeys doivent être légers. L'entraîneur a donné ses instructions au jockey. Ce jockey est un ancien lad*. — Jockey en course. Casquette* (cit. 1), *casaque* de jockey* (→ Pesage, cit.). *Jockey d'obstacle,* qui monte en courses d'obstacle. Par ext. *Jockey amateur, dans une course, un concours.* ⇒ **Gentleman-rider.**

1 Les jockeys, en casaque de soie, tâchaient d'aligner leurs chevaux et les retenaient à deux mains. Quelqu'un abaissa un drapeau rouge. Alors, tous les cinq, se penchant sur les crinières, partirent. FLAUBERT, l'Éducation sentimentale, IV.

2 D'abord cet être particulier, le jockey, sur lequel tant de regards sont fixés, et qui devant le paddock est là morne, grisâtre dans sa casaque éclatante (...)
PROUST, À l'ombre des jeunes filles en fleurs, Folio, p. 565 (→ Paddock, cit. 2).

REM. Le mot n'a pas de féminin. *Femme-jockey* (in *la Banque des mots,* no 21, p. 80). *Elle est jockey.* On a tenté la forme *joquette*.*

♦ **3.** Adj. (1919, *in* Esnault). *Régime jockey :* régime alimentaire très léger comme celui des jockeys. Par ext. Privations alimentaires, ordinaire insuffisant.

3 Toi, chez toi, tu ne manquais de rien. C'était le biftèque à tous les repas, le piano et les leçons d'anglais. Mais moi, c'est le régime jockey.
M. AYMÉ, Travelingue, p. 181.

B. (Objets). Rare. **a** Chapeau haut de forme. ⇒ **Ascot.**

b (1837; *jockei,* 1829). Mode. Garniture de robe, volant attaché près de l'épaule (de 1830 à 1860 environ).

C. (1863, Vigny; abrév. de *jockey-club*). *Le Jockey,* nom d'un cercle aristocratique fondé en 1833 en France, avec la dénomination d'un cercle hippique anglais (1828). *Le Jockey est un cercle très fermé.*

JOCKO [ʒɔko] n. m. et adj. — 1766, Buffon; *enjoko,* 1748, dans un sens imprécis («singe anthropoïde»); mot d'une langue du Congo ou du Gabon, *n'cheko;* cf. angl. *engeco* (1625).

♦ **1.** (1789, Buffon). Vx. ⇒ **Orang-outan.**

Vx. Terme de mépris. ⇒ **Singe.**

A-t-on jamais vu un jocko pareil! — Adieu, Criqueville!
E. LABICHE, la Chasse aux corbeaux, III, 4.

♦ **2.** Adj. (1865; de *jocko* «boulanger», 1851, en argot; du nom propre *Jocko,* par ex. dans une pièce de 1824 où un acteur jouait le rôle du singe). *Pain jocko,* et, n. m., *jocko :* long pain fantaisie.

JOCOTHÉRAPIE [ʒɔkoteʀapi] n. f. — Mil. XXe; du lat. *joci* «jeux», et *-thérapie.*

♦ Didact. Psychothérapie faisant appel au jeu (mot hybride).

JOCONDE [ʒɔkɔ̃d] n. f. — 1884, J. Péladon; de *la Joconde,* nom donné à un célèbre portrait par Léonard de Vinci, supposé être celui de la femme de *Francesco del Giocondo,* Monna Lisa.

♦ Vx. Jeune femme (énigmagique, séduisante) comparable au portrait célèbre par Léonard de Vinci.

Loc. fam. *Faire sa joconde :* affecter un air énigmatique, distant (d'une femme).

JOCRISSE [ʒɔkʀis] n. m. et adj. — 1618; comme nom propre, 1587; nom propre d'un personnage du théâtre comique, type de benêt, à rattacher à l'anc. franç. *joque sus,* n. m. «benêt», proprt *joque* (juche) *dessus* «reste à attendre».

♦ **1.** Vx ou littér. Benêt qui se laisse mener, qui s'occupe des menus soins du ménage. ⇒ **Benêt, niais, nigaud, sot.** *«C'est un Jocrisse qui mène les poules pisser»* (Furetière, repris du premier emploi, 1587).

Je ne l'aimerais point (*un mari*) s'il faisait le jocrisse (...) 1
MOLIÈRE, les Femmes savantes, V, 3.

Mais si l'amabilité est si funeste à ceux qui la pratiquent, envers les domestiques 1.1
elle se présente comme un fait si exceptionnel que les domestiques d'une maison bourgeoise où vous venez quelquefois dîner et avec qui vous êtes aimable, quoique vous leur ayez donné des étrennes (...) vous considèrent comme une sorte de jocrisse, de lâche ou de faible d'esprit (...) PROUST, Jean Santeuil, Pl., p. 668.

♦ **2.** Vx. Valet niais, maladroit, ridicule.

Il avait pour tout domestique une espèce de Jocrisse, garçon du pays, assez niais, 2
façonné lentement aux exigences de du Bousquier qui lui avait appris, comme à un orang-outang, à frotter les appartements, essuyer les meubles, cirer les bottes, brosser les habits (...) BALZAC, la Vieille Fille, Pl., t. IV, p. 229.

♦ **3.** Adj. *Il, elle est un peu jocrisse.*

Shannon avait une belle désinvolture irlandaise, et un bagout qui désarmait. Kent 3
était plus terne, plus jocrisse, plus honnête.
Paul MORAND, Bouddha vivant, p. 101.

DÉR. Jocrisserie.

JOCRISSERIE [ʒɔkʀisʀi] n. f. — 1843, Balzac, *in* T. L. F.; de *jocrisse,* et *-erie.*

♦ Littér., rare. Niaiserie.

Nulle invention, nulle fantaisie, nulle tentative de nouveauté, nulle infusion d'inédite jocrisserie dans cette imbécile apothéose de la Canaille.
Léon BLOY, le Désespéré, p. 238.

JOD [jɔd] n. m.

♦ Graphie allemande de *yod*.*

(...) actuellement, notre *l* mouillé se change en jod; nous disons *éveyer, mouyer,* comme *essuyer, nettoyer;* mais nous continuons à écrire *éveiller, mouiller.*
F. DE SAUSSURE, Cours de linguistique générale, Introd., VI, p. 49.

JODEL [ʒɔdɛl] n. m. — XXe; mot de la Suisse alémanique, d'orig. onomatopéique. → Jodler.

♦ Son, appel jodlé. ⇒ **Tyrolienne.**

(...) on entendit nettement le jodel que lançait l'un des deux hommes restés en arrière et, à la façon particulière dont il le modula, les guides reconnurent tout de suite le yodler. R. FRISON-ROCHE, Premier de cordée, p. 135-136 (1941).

JODHPURS [ʒɔdpyʀ] n. m. pl. — 1946; n. m. sing., 1939, *Adam* (revue), *in* D. D. L.; mot angl., abrév. de *Jodhpur breeches* «pantalons de Jodhpur», de *Jodhpur,* nom d'une ville indienne du Rajasthan.

♦ Pantalon de cheval, serrant la jambe du genou au pied et évitant le port de la botte.

(...) faire crever des chevaux rien que pour le plaisir d'appuyer sur le bouton de 1
ce chronomètre et promener ses fesses dans ces culottes ou ces jodhpurs (...)
Claude SIMON, la Route des Flandres, p. 120 (1960).

(...) elle alla chez le tailleur de la Croix-Saint-Ouen pour qu'il exécutât, à ses mesu- 2
res, une culotte comme il n'aurait jamais rêvé qu'une femme pût en porter. Dès cette première rencontre, face à la modeste cliente qui lui demandait de copier des

jodhpurs prêtés par un palefrenier anglais, il dut comprendre à quel point cette visiteuse était différente de ce qu'il avait rencontré jusqu'à ce jour.
Edmonde CHARLES-ROUX, l'Irrégulière, p. 167.

JODLÉE [ʒɔdle] n. f. — Déb. XXe; de *jodler*, d'après *jodel.*

♦ Régional. Vocalise faite en jodlant. — REM. On écrit aussi *yodlée : « leurs cris, leurs yodlées montent jusqu'à nous »* (Corinna Bille, *Fraise*, p. 8).

JODLER [ʒɔdle] ou **IODLER** [jɔdle] v. tr. — 1891, *in* T. L. F.; *iouler*, 1840; *yodler*, en 1883, Daudet; de l'all. dial. *jodeln*, altér. de *joelen, jolen*, de l'onomat. *jo.*

♦ Vocaliser en passant de la voix de poitrine à la voix de tête et vice versa, sans transition (⇒ **Tyrolienne; jodel**).

1 (...) un chœur d'inspiration noble comme on en entend en Suisse allemande dans les clubs où l'on sait jodler. P. MAC ORLAN, Quai des brumes, IV.

On écrit aussi *iodler, yodler.*

2 (...) un gros homme d'une cinquantaine d'années, longue barbe sur la poitrine, longue chevelure dans le dos, des lunettes, une culotte courte, des bas blancs, des souliers à boucles d'argent, chante, non, yodle.
J. GREEN, Journal, 10 févr. 1958, Vers l'invisible 1958-1967, p. 16.

DÉR. Jodlée, jodleur.

JODLEUR, EUSE [ʒɔdlœʀ, øz] n. — Mil. XXe; *yodleur, in* Larousse, 1933; de *jodler.*

♦ Régional. Personne qui jodle. — REM. On écrit aussi *yodleur, euse : « la yodleuse nostalgique »* (Corinna Bille, *Juliette*, p. 131).

JOGGER [(d)ʒɔge] v. intr. — 1978, *Elle;* de l'angl. *to jog* (→ Jogging), et *-er.*

♦ Anglic. Pratiquer le jogging*. *« Sportive, pour jogger, ou s'affairer à la maison, une combinaison en éponge... »* (*l'Express*, 24 févr. 1979, p. 160). ⇒ **Joggeur.**

JOGGEUR, EUSE [(d)ʒɔgœʀ, øz] n. — 1978; de l'angl. *to jog* (→ Jogging), d'après l'angl. *jogger.*

♦ Anglic. Personne qui pratique le jogging*. *« Les joggeurs retrouveront aux sports d'hiver chaussures à leurs pieds légers »* (*l'Express*, 8 déc. 1979, p. 47). — (1979). Avec la graphie anglaise *jogger* [djɔgœʀ]. *« À l'entrée du Bois de Boulogne, un "jogger" passe entre les voitures... »* (*l'Express*, n° 1470, 8 sept. 1979, p. 141).

JOGGING [(d)ʒɔgiŋ] n. m. — 1964, attestation isolée, in *l'Express* (Höfler); 1974, *Bibliographie de la France*, 10 mars, p. 1318; angl. *jogging*, de *jog* «petit trot», de *to jog* «aller son petit bonhomme de chemin»; cf. l'expression *jogging along* «ça va, on se maintient».

♦ Anglic. Exercice physique qui consiste à courir à petite allure en terrain varié ou en ville, seul ou en groupe, sans esprit de compétition. ⇒ **Footing.** *Faire du jogging. « (...) les adeptes du jogging qui encombrent la chausssée de la Ve Avenue... »* (*l'Express*, 2 juin 1979, p. 35). *« Tout commence par le tour du pâté de maisons. Au petit trot, comme pour se dérouiller. C'est le jogging, une manière de retrouver ses jambes, un grand cri du corps contre la suprématie de la tête, une volonté aussi d'allonger l'espérance de vie : le risque d'accident coronarien n'est-il pas cinq fois plus grand chez les gens qui n'ont aucune activité physique? Le jogging, ce n'est pas du sport, juste un entretien du corps. Il se pratique partout, seul ou avec des copains. Il ne coûte rien »* (*le Nouvel Obs.*, n° 914, 15-21 mai 1982, p. 76). — REM. On a cherché un équivalent français de cet anglicisme à la mode — comme le fut naguère *footing* — mais sans succès.

Par métonymie. *Un jogging :* un survêtement destiné au jogging, utilisé pour pratiquer le jogging.

JOHANNIQUE [ʒɔanik] adj. — 1863, Renan; du bas lat. ecclés. *Johannes* «Jean».

♦ Didact. Relatif à l'apôtre Jean. *L'évangile johannique; les Épîtres johanniques. L'école johannique d'Asie Mineure.*

(...) quand nous comparons le style et les pensées de l'auteur de l'*Apocalypse* au style et aux pensées de l'auteur du quatrième Évangile et de la première épître johannique (...) RENAN, Vie de Jésus, Appendice, Œuvres, t. IV, p. 426.

JOHANNISBERG [ʒɔanisbɛʀg] n. m. — 1845, *in* T. L. F.; de *vin de Johannisberg* (1840); de *Johannisberg*, nom d'un village allemand.

♦ Vin allemand réputé, produit dans la vallé du Rhin, près de Johannisberg.

JOHANNISME [ʒɔanism] n. m. — 1873, P. Larousse; dér. sav. du lat. *Johannes* «Jean».

♦ Didact. Théologie contemplative, à caractère mystique, issu de l'évangile de saint Jean.

JOHANNITE ou **JOANNITE** [ʒɔanit] n. et adj. — 1767; *Joannites* «partisans de saint Jean Chrysostome», 1752; *johannite*, 1867, Littré; du nom lat. de Jean, *Johannes.*

♦ Relig. Membre d'une secte chrétienne d'Orient, où le baptême se fait au nom de saint Jean-Baptiste.

En 1873, il entre dans la secte des Herrenhütter, confie tout son procès au Conseil des Sept Vieillards Johannites et signe un acte par lequel il fait don de toute sa fortune éventuelle et des ses possessions californiennes à la confrérie, «afin que dans ces belles vallées la souillure de l'or soit effacée par la pureté adamiste.»
B. CENDRARS, l'Or, p. 252.

JOIE [ʒwa] n. f. — 1080; *goie*, v. 1150; du lat. *gaudia*, plur. neutre de *gaudium*, pris comme fém. en latin populaire.

♦ **1.** Émotion agréable et profonde, sentiment exaltant ressenti par toute la conscience humaine.

La joie n'est qu'un épanouissement du cœur. CORNEILLE, Disc. à l'Acad. 1

La joie est une agréable émotion de l'âme, en laquelle consiste la jouissance qu'elle a du bien que les impressions du cerveau lui représentent comme sien. 2
DESCARTES, Les passions à l'âme, II, 91 (→ aussi Chatouillement, cit.).

La joie intérieure n'est pas (...) un fait psychologique isolé (...) À son plus bas degré, elle ressemble assez à une orientation de nos états de conscience vers l'avenir (...) Enfin, dans la joie extrême, nos perceptions et nos souvenirs acquièrent une indéfinissable qualité, comparable à une chaleur ou à une lumière, et si nouvelle, qu'à certains moments (...) nous éprouvons comme un étonnement d'être. 3
H. BERGSON, Essai sur les données immédiates de la conscience, p. 8.

REM. *La joie* se distingue du *bonheur* en ce qu'elle n'a pas le même caractère de calme plénitude et de durée (→ Bonheur, 2.); du *plaisir*, en ce qu'elle concerne toute la sensibilité et qu'elle constitue une émotion, un sentiment* (→ Plaisir; et aussi ci-dessous, cit. 5); de la *gaieté* et de *l'enjouement** (cit. 2) qui désignent surtout une disposition ou une humeur (→ Gaieté, cit. 1; et aussi Inaltérable, cit. 5, et ci-dessous, cit. 4, Vauvenargues).

Le premier degré du sentiment agréable de notre existence est la gaieté; la joie est un sentiment plus pénétrant. Les hommes enjoués n'étant pas d'ordinaire si ardents que le reste des hommes, ils ne sont peut-être pas capables des plus vives joies; mais les grandes joies durent peu et laissent notre âme épuisée. 4
VAUVENARGUES, De l'esprit humain, XXIII, De la gaieté, de la joie...

La différence que les analyses classiques mettent entre plaisir et joie consiste surtout dans le caractère plus stable, plus lucide, et plus complet de la joie; mais c'est dans sa *spiritualité* qu'il faut voir la source profonde de ces caractères (...) Il existe un plaisir des sens (...) mais il ne saurait se muer en joie véritable s'il ne s'y joint une espèce de «ravissement», une satisfaction centrale de l'être (...) 5
Jean MAISONNEUVE, les Sentiments, p. 59-60.

*Joie et amour** (cit. 26); *joie et santé* (→ Effondrer, cit. 7), *et espérance* (cit. 33). *La joie et la douleur, et la tristesse. La joie dans la pauvreté est préférable à la richesse.* → prov. Contentement passe richesse. *L'élégie* (cit. 1) *«peint des amants la joie et la tristesse»* (Boileau).

Louée soit la joie, et louée la douleur! L'une et l'autre sont sœurs, et toutes deux sont saintes. Elles forgent le monde et gonflent les grandes âmes. Elles sont la force, elles sont la vie, elles sont Dieu. Qui ne les aime point toutes deux n'aime ni l'une, ni l'autre. Et qui les a goûtées sait le prix de la vie et la douceur de la quitter. 6
R. ROLLAND, Michel-Ange, p. 12.

(...) comme la joie est le signe évident d'une bonne attitude viscérale, on peut parier que toutes les pensées qui vont à la joie disposent aussi à la santé. 7
ALAIN, Propos, 28 sept. 1921, Art de se bien porter.

Expressions, manifestations de la joie. ⇒ 2. **Rire,** 2. **sourire; épanouissement, rayonnement** (→ Grimer, cit. 1; enthousiasme, cit. 12; exprimer, cit. 39). *Visage qui exprime la joie.* ⇒ **Éclatant, épanoui, radieux, rayonnant, réjoui.** *La joie éclate* (cit. 28) *sur son visage. Sa joie éclate* (→ Attendre, cit. 42; couver, cit. 5). *«Éruption* (cit. 2) *de joie»* (Hugo). — *Communiquer* (cit. 8), *épancher sa joie* (→ 1. Chant, cit. 7). *Dissimuler* (cit. 5), *cacher sa joie* (→ Grâce, cit. 32). *Sa joie ne peut se dissimuler* (→ Heureux, cit. 48). — *Frémir, tressaillir de joie; tressaillement de joie* (→ Avertir, cit. 17; forfanterie, cit. 2). *Bondir, frétiller, sauter, danser, trépigner de joie* (→ Feuilleton, cit. 1; héritier, cit. 1). *Se pâmer de joie. Pleurer* de joie. Pleurs, larmes de joie* (→ Émotion, cit. 12; extasier, cit. 1). *Des yeux qui pétillent de joie. Les accents, le ton de la joie* (→ Corde, cit. 17; fauvette, cit.). *Crier, cris de joie.* ⇒ **Acclamation, exclamation** (→ Angoisse, cit. 8; étouffer, cit. 26; germe, cit. 8; hirondelle, cit. 7). *Chanter sa joie* (→ Écouter, cit. 15); *chant de joie* (⇒ **Hosanna,** cit. 1). — *L'Hymne à la Joie de la IXe Symphonie de Beethoven* (→ Abîme, cit. 24).

(...) il faut (...) bien distinguer la joie d'avec le rire. La joie existe par elle-même, mais elle a des manifestations diverses. Quelquefois elle est presque invisible; d'autres fois, elle s'exprime par les pleurs. 8
BAUDELAIRE, Curiosités esthétiques, VI, V.

Joie calme, douce, sereine. ⇒ **Aise** (I., 2.), **contentement, satisfaction** (→ Bienfait, cit. 14; cristallin, cit. 3; ébaudir, cit. 3; embrumer, cit. 2; étreinte, cit. 6). *Joie intérieure* (→ Bienheureux, cit. 5), *cachée, secrète* (→ Agrément, cit. 8). *Joie inexprimable* (cit. 2 et 3), *indicible, indescriptible. Joie infinie, intense, vive, extrême* (cit. 14), *extraordinaire. Une immense joie.* ⇒ **Allégresse, délice, enchantement** (2), **exaltation, exultation, ivresse, jubilation, ravisse-**

ment (→ Blêmir, cit. 2; étoile, cit. 13; facteur, cit. 11; faible, cit. 15). *Une joie sans mélange* (→ Base, cit. 15). *Joie surhumaine* (→ Absorber, cit. 10). *Joie délirante* (cit. 1), *éclatante, enivrante* (→ Effusion, cit. 2; épaule, cit. 14), *enthousiaste* (→ Enthousiasme, cit. 18), *extatique.* — *Joie naturelle, innocente, naïve, fraîche* (→ Capable, cit. 5; évaporer, cit. 5; imperméable, cit. 4). *Joie brusque, subite* (→ Éclairer, cit. 9; éclat, cit. 8). *« Le doux saisissement d'une joie imprévue »* (Gresset). — *Joie amère* (cit. 8), *imparfaite, médiocre; joie mêlée de larmes* (→ Accabler, cit. 15; croix, cit. 11). *Fausse* (1. Faux, cit. 29) *joie. Joie mauvaise, sanguinaire, féroce* (cit. 6), *furieuse* (cit. 17). *Joie indomptée* (cit. 4), *farouche, belliqueuse* (→ Fanfare, cit. 4). — *Joie honteuse* (→ Aumône, cit. 14), *furtive* (cit. 12), *discrète, muette* (→ Éloquent, cit. 4). *Joie bruyante, insolente* (→ Fléau, cit. 9), *turbulente, tumultueuse* (→ Bacchante, cit. 2). — *Joie durable, passagère* (→ Fugacité, cit. 3). *« Toute joie veut la profonde, profonde éternité »* (Nietzsche, *Ainsi parlait Zarathoustra*).

9 La profonde joie a plus de sévérité que de gaieté; l'extrême et plein contentement, plus de rassis que d'enjoué. MONTAIGNE, Essais, II, XX.

10 (...) un certain frémissement presque imperceptible qui est comme celui de la joie intérieure, une joie si profonde que rien ne saurait l'altérer, comme ces grandes eaux calmes, au-dessous des tempêtes.
BERNANOS, Journal d'un curé de campagne, p. 131.

11 Pourquoi renoncer, surtout, à de petites joies qui peuvent nous aider à en atteindre d'autres, de grandes? G. DUHAMEL, Salavin, VI, III.

12 Il y a des joies calmes (...) caractérisées surtout par un sentiment de bien-être et de force, par la conscience d'une plus grande puissance physique et mentale (...) Il y a, d'autre part, des joies exubérantes caractérisées par une suractivité mentale et par un sentiment spécial de plaisir qui accompagne cette activité (...)
Georges DUMAS, Tristesse et Joie, III, p. 118-119.

Joie de l'âme (cit. 53), *du cœur* (→ Couvrir, cit. 24). — (Vx). *« Être dans la joie de son cœur »* (Académie) : être transporté de joie.

13 Me voici à la joie de mon cœur, toute seule dans ma chambre à vous écrire paisiblement (...) Mme DE SÉVIGNÉ, 144, 13 mars 1671.

Vx. *Se donner au cœur, à cœur joie.* Loc. *À cœur joie.* ⇒ **Cœur** (cit. 60 et 61; → aussi Avant, cit. 61).

Spécialt. *Joie mystique, céleste, paradisiaque.* ⇒ **Béatitude, extase** (→ Eucharistie, cit. 2). *Trouver la paix et la joie* (→ Anachorète, cit. 2). *Jésus, que ma joie demeure...*, titre français d'un célèbre choral de J.-S. Bach.

13.1 Certitude. Certitude. Sentiment. Joie. Paix.
Dieu de Jésus-Christ (...)
Joie, joie, joie, pleurs de joie. PASCAL, Mémorial.

Éprouver de la joie. Avoir de la joie, beaucoup de joie. Loc. littér. *Avoir joie à* (et inf.), *de* (et nom). *Être dans la joie, au comble* (cit. 2) *de la joie; être brisé* (cit. 35), *comblé* (cit. 5), *transporté de joie.* ⇒ **Ange** (aux anges). → Aventure, cit. 10; honte, cit. 43; illumination, cit. 2. *Ne plus se sentir de joie; être fou* de joie, ivre* de joie.* ⇒ **Exulter, jubiler, rayonner, triompher.** *Être plein de joie* (→ Emparer, cit. 13; étendre, cit. 51). *Excès* (cit. 7) *de joie* (→ Baigner, cit. 18), *épanouissement* (cit. 10), *extase de joie* (→ Abîmer, cit. 6). *La joie qui l'envahit. Cœur plein, gonflé* (cit. 25) *de joie* (→ Glacer, cit. 7). *La joie inonde, remplit, submerge le cœur* (→ Contenir, cit. 11; filer, cit. 7; éclatement, cit. 2). — *Joie qui succède à la tristesse* (→ Après la pluie*, le beau temps). *Tristesse allégée* (cit. 3) *par un peu de joie* (⇒ **Consolation**). *Souvenir d'une joie passée* (→ Approche, cit. 27; attrister, cit. 7). *Alternative* (cit. 1) *de joie et de malheur*, de tristesse* (→ Bizarre, cit. 6). *Brouiller* (cit. 12), *empoisonner* (cit. 10), *troubler la joie de qqn* (→ Bannir, cit. 14).

14 Ceux qui sèment dans les larmes moissonneront dans la joie.
BIBLE (SACY), Psaumes, CXXV, 6.

15 À ces mots le corbeau ne se sent pas de joie (...) LA FONTAINE, Fables, I, 2.

Être en joie (→ Amoureusement, cit. 3), *en état de joie* (→ Équilibre, cit. 7). *Mettre en joie.* ⇒ **Réjouir.** *Âme, cœur en joie.* ⇒ **Fête** (II., en fête).

16 Le père Duroy mis en joie par le cidre et quelques verres de vin, lâchait le robinet de ses plaisanteries (...) MAUPASSANT, Bel-Ami, II, I.

Faire (1. Faire, cit. 35) *la joie de qqn*, être, constituer une cause, une source de joie (→ Fil, cit. 34). — Par ext. Cause de joie. *Son fils est sa seule joie* (→ Enfant, cit. 24; 1. devoir, cit. 23; inespéré, cit. 1).

17 Enfants, ma seule joie en mes longs déplaisirs (...) RACINE, Athalie, I, 3.

18 Songez que je suis ce qu'il aime le mieux, presque sa seule joie sur la terre. S'il venait à me perdre, je ne sais vraiment pas comment il supporterait ce malheur.
A. DE MUSSET, Carmosine, III, 5.

19 Ô doux et grand Racine (...) Vous êtes maintenant mon amour et ma joie, tout mon contentement et mes plus chères délices. FRANCE, le Petit Pierre, XXXIV.

20 Ce qui m'est l'être de mon être ma prunelle ma douceur ma joie majeure mon souci tremblant (...) ARAGON, le Roman inachevé, p. 54.

Événement, chose qui apporte (cit. 38 et 41), *donne de la joie* (⇒ **Agréable; égayer, réjouir**). *Joie de créer* (cit. 11). ⇒ **Ardeur.** — Loc. *La joie de vivre :* état d'euphorie lié au sentiment d'exister, d'agir. *Il respire la joie de vivre.* → Être bien dans sa peau*. *Sa joie de vivre fait plaisir à voir.* — *La joie de la réussite.* ⇒ **Fierté, triomphe.** *Joie de posséder* (→ Assouvissement, cit. 1; harmoniser, cit. 2), *de donner, de faire le bien* (→ 1. Goûter, cit. 5; hanter, cit. 14). *Il était tout à la joie de la contempler* (→ Abaisser, cit. 2). *Quelle joie de se retrouver!* (→ Absence, cit. 7). *Quand j'aurai la joie de vous revoir...* ⇒ **Avantage, plaisir.** — *Faire une chose dans la joie* (→ Conversion, cit. 8), *avec joie. Voulez-vous venir avec nous? Avec joie! Accepter avec joie. Le travail par la joie.*

J'y cours (...) avec joie, et je ne pouvais recevoir une commission plus agréable (...) Je suis une ambassadrice de joie. 21
MOLIÈRE, le Bourgeois gentilhomme, III, 7 et 8.

Le bonheur des autres devient la joie de ceux qui ne peuvent plus être heureux. 22
BALZAC, le Lys dans la vallée, Pl., t. VIII, p. 999.

Il reprenait tout à coup tant de joie à l'existence qu'il s'empressait de répandre 22.1
autour de lui gaieté et confort, c'est-à-dire plaisanteries, cigarettes, coups de vin.
J. CHARDONNE, les Destinées sentimentales, p. 348.

Interj. fam. *Joie!* ⇒ **Chic, chouette.** Loc. Vx. *Une mère la joie, un père la joie.* ⇒ **Rabat-joie.**

♦ **2.** (V. 1170, au sens de «manifestation d'amour»). *Une joie, des joies.* Cette émotion, liée à une cause particulière. *C'est une joie de vous revoir.* Loc. *Fausse joie.* ⇒ 1. **Faux.** *Se faire une joie de... :* se réjouir d'une chose actuelle ou attendue, et aussi, se promettre une joie d'un événement attendu. *Il se faisait une joie de ce voyage, il a été bien déçu. Il s'était fait une joie de nous accompagner.* — *Quelle joie!*

Je me faisais une joie de ce que la fortune n'avait amené aucun Grec pour cette 22.2
journée (...) RACINE, Plan du 1er acte d'Iphigénie en Tauride.

Il y a de merveilleuses joies dans l'amitié. On le comprend sans peine si l'on remarque que la joie est contagieuse. Il suffit que ma présence procure à mon ami un peu de vraie joie pour que le spectacle de cette joie me fasse éprouver à mon tour une joie; ainsi la joie que chacun donne lui est rendue (...) 23
ALAIN, Propos, 27 déc. 1907, Amitié.

(1230). Par métonymie. Cause de joie.

Si posséder est un plaisir, donner est une joie. 24
G. DUHAMEL, les Plaisirs et les Jeux, III, XV.

♦ **3.** a Comportement joyeux. ⇒ **Entrain, gaieté, liesse, réjouissance, rigolade.** *La joie bruyante des convives. Fête* où règne la joie. Vive la joie!* — Loc. *Être à la joie, dans la joie.*

On chantait, on dansait, on riait, on priait. Tout le monde était dans la joie. 25
CHATEAUBRIAND, Mémoires d'Outre-tombe, t. II, p. 220, *in* T. L. F.

Vive la joie! (...) criait un homme au gosier desséché. 26
BALZAC, Annette, t. I, p. 167, *in* T. L. F.

Joie collective, publique.

Il y avait ce jour-là bal masqué, grand bruit, grande foule. Les rues d'Aix étaient encombrées de voitures appartenant à des curieux venus de Chambéry et même de Genève. Tout cet éclat de la joie publique redoublait la sombre mélancolie de Mina. 27
STENDHAL, Romans et Nouvelles, Mina de Vanghel.

Loc. *Feu de joie.* ⇒ 1. **Feu** (cit. 32, 33 et *supra*). — *Jour de joie.*

b Littér. Atmosphère joyeuse. *Joie immense* (cit. 12), *universelle, qui imprègne* (cit. 7) *l'air, l'atmosphère.*

♦ **4.** Par antiphr. (Plur.). Ennuis, désagréments. *Encore une panne, ce sont les joies de la voiture! Les joies du mariage.*

♦ **5.** (V. 1170). Vx. (Pour *plaisir,* avec le sens du lat. *gaudium*). Plaisir des sens (→ Garce, cit. 1). *Les enfants « que l'on conçoit en joie »* (Molière, → Dette, cit. 1). Loc. mod. (XIIIe, *femme de joie; fille de joye,* 1389). *Fille de joie.* ⇒ **Fille,** II., 5. (cit. 37 et 41).

Mon père a un peu mangé, un peu trop aimé la joie, ce qui n'enrichit pas une famille (...) 28
MARIVAUX, la Vie de Marianne, VI.

♦ **6.** (Emploi spécial du sens 3). *Les joies* (au plur.). Plaisirs, jouissances, et, par ext., choses, événements qui sont des causes de plaisir. *Les joies de la vie.* ⇒ **Agrément, bienfait, douceur, félicité, jouissance, satisfaction.** *Les joies de la gloire, de la considération* (cit. 8), *de l'amour* (→ Fièvre, cit. 8). *Petites, menues joies* (→ Inracontable, cit. 1). *Une vie sans joies.* — Spécialt. *Les joies du monde, de la terre,* opposées au vrai bonheur, à la béatitude (cit. 10), à la joie intérieure (→ Attacher, cit. 48; circonstance, cit. 1). — *Joies des sens, joies de la chair.* ⇒ **Jouissance, plaisir, volupté** (→ Étancher, cit. 6; évoquer, cit. 22; imparfait, cit. 3; inceste, cit. 4).

Les joies temporelles couvrent les maux éternels qu'elles causent. 29
PASCAL, Lettre à Mlle de Roannez, 2.

Bien qu'elle n'eût jamais éprouvé pour son compte les joies sensuelles de l'amour, elle trouvait absurde de prétendre en priver pendant de longs mois un gentilhomme robuste, bon mangeur, et chasseur. 30
J. ROMAINS, les Hommes de bonne volonté, t. III, VIII, p. 123.

CONTR. Affliction, 2. chagrin, consternation, dépit, désenchantement, désespoir, désolation, deuil, douleur, ennui, épreuve, mélancolie, peine, tristesse.
DÉR. Joyeux — V. Jouasse ou joisse.
COMP. Rabat-joie.

1. JOIGNANT, ANTE [ʒwaɲɑ̃, ɑ̃t] adj. — V. 1240, «bien cousu»; p. prés. de *joindre.*

♦ (1538). Vx. Qui est tout proche, qui touche, qui jouxte. ⇒ **Adjacent, attenant, contigu.** *Les maisons joignantes.*

HOM. (Du masc.) 2. **Joignant.**

2. JOIGNANT [ʒwaɲɑ̃] adv. et prép. — V. 1283; p. prés. de *joindre,* comme 1. *joignant.*

Vieux.

♦ **1.** Adj. Près*. *Être joignant, tout joignant.*

♦ **2.** Prép. (1580, Montaigne). Près de. ⇒ **Jouxte** (vx), **près, proche.** *« Une maison joignant, tout joignant la sienne »* (Académie). ⇒ **Jouxter.**

— C'est mon trésor que l'on m'a pris.
— Votre trésor? où pris? — Tout joignant cette pierre.
La Fontaine, Fables, iv, 20.

HOM. 1. **Joignant.**

JOIGNEUR [ʒwaɲœʀ] n. m. — 1877, Littré; *joignour* « menuisier », xive; *joignere* « plaque de fer protégeant l'essieu », v. 1280; de *joindre,* d'après les formes *joignons, joignez,* et *-eur.*

♦ **1.** (Av. 1885, Hugo). Celui qui joint. *« Des joigneurs de mains »* (Hugo, *in* G. L. L. F.).

♦ **2.** (1877). Techn., vx. Ouvrier qui fait des jointures en cousant à la main.

JOINDRE [ʒwɛ̃dʀ] v. tr. — *Je joins, tu joins, il joint, nous joignons, vous joignez, ils joignent; je joignais, nous joignions; je joignis; je joindrai; je joindrais; joins, joignons; que je joigne, que nous joignions; que je joignisse; joignant; joint.* — 1080, *Chanson de Roland;* du lat. *jungere « réunir, attacher ».*

Mettre ensemble; mettre avec.

♦ **1.** (xiie). **a** V. tr. Mettre, placer (des choses) ensemble, de telle sorte qu'elles se touchent (⇒ **Accoler, affleurer, approcher; contact**) ou qu'elles tiennent ensemble (⇒ **Attacher; assembler** [cit. 3], **unir**). *Joindre une chose à une autre, une chose et une autre. Joindre deux, plusieurs choses (ensemble). Joindre des pièces, des éléments en un ensemble* (⇒ 1. **Ajuster, articuler, combiner, emboîter, embrever** (2.), **empatter, enchevaucher, enlier**), *à l'aide d'un lien* (⇒ **Lier**), *d'une cheville...* (⇒ **Cheviller, boulonner, visser...**), *d'une agrafe* (⇒ **Agrafer**), *d'un raccord* (⇒ **Raccorder**), *de colle* (⇒ **Coller**)... *Joindre bout à bout.* ⇒ **Aboucher, abouter, ajointer.** Fig. *Joindre les deux bouts** (cit. 17). — *Joindre intimement, solidement deux choses.* ⇒ **Agglutiner, conglutiner, souder.** *Action de joindre deux choses* (⇒ **Jonction, liaison**). — Spécialt. *Joindre les mains** (→ Creux, cit. 23; hésitation, cit. 10). Pron. *Mains qui se joignent.* ⇒ **Entrelacer** (→ Farandole, cit. 2). — *Joindre les talons* (→ Incliner, cit. 18), *les pieds* (→ ci-dessous, Joint, p. p. adj., 1., Pieds* joints). *Joindre les lèvres, les mâchoires.* ⇒ **Serrer** (→ Approcher, cit. 1).

1 Puis les pâles amants joignant leurs mains démentes
L'entrelacs de leurs doigts fut leur seul laps d'amour
Apollinaire, Alcools, p. 75.

(Sujet n. de chose). *Force cohésive qui joint,* unit, resserre. *Point où une chose en joint une autre.* ⇒ **Contact** (point de).

b (1662). Intrans. Se toucher sans laisser d'interstice. *Planches qui joignent bien* (⇒ **Jointif**). Par ext. *Porte, fenêtre qui joint,* dont les éléments joignent (contr : *jouer, bâiller*).

2 Qu'importe que les fenêtres joignent exactement, à des gens qui paieraient un courant d'air, un vent coulis, s'il pouvaient se le procurer?
Th. Gautier, Voyage en Espagne, p. 184.

♦ **2.** (1580, Montaigne). Sujet n. de chose. Faire communiquer, mettre en communication (deux ou plusieurs choses). *Voie qui joint deux lignes de chemin de fer.* ⇒ **Embrancher.** *Bretelle qui joint deux autoroutes. Canal qui joint deux cours d'eau. — Isthme qui joint deux continents.* ⇒ **Relier, réunir.**

(Sujet n. de personne). Vx. Aller d'un lieu, d'un endroit à un autre.

3 Rien n'est plus aisé en Allemagne que de joindre le Rhin au Danube (...)
Voltaire, Dict. philosophique, Chemins.

♦ **3.** Mettre ensemble, réunir dans l'espace ou abstraitement (sans envisager de contact ou d'assemblage). ⇒ **Assembler, rassembler, réunir.** *Joindre deux choses semblables.* ⇒ 2. **Appareiller, apparier** (1.). *Joindre des objets pour former une collection, une série.* ⇒ **Grouper.** — Fig. *Joindre tous les efforts, toutes les bonnes volontés.* ⇒ **Conjuguer, unir.** *Le ciel joignit plusieurs qualités en sa personne* (→ Aimer, cit. 71).

4 Sertorius pour vous est un illustre appui;
Mais en faire le mien, c'est me ranger sous lui;
Joindre nos étendards, c'est grossir son empire.
Corneille, Sertorius, iii, 2.

5 (...) Joignons nos efforts (...)
Molière, Tartuffe, iv, 2.

6 Joignons tous dans ces bois
Nos flûtes et nos voix.
Molière, le Malade imaginaire, Prologue.

♦ **4.** (1647, Descartes). *Joindre qqch. à qqch.,* mettre avec (une chose, un ensemble préexistant). ⇒ **Adjoindre, ajouter** (→ Augmenter, cit. 8). *Joignez cette pièce au dossier* (⇒ **Insérer, intercaler**). — *Joindre une ville, une province à un pays, à un empire.* ⇒ **Annexer, englober** (cit. 1), **incorporer.** *Il acheta la terre voisine et la joignit à son domaine. Joindre une fonderie à un haut fourneau* (cit. 2), *un atelier à une usine. Joindre une gourde* (cit. 1) *à ses bagages.* ⇒ **Mettre** (avec). — *Joindre une prime, une gratification* (cit. 3) *à un salaire.* ⇒ **Ajouter.** *De grands avantages sont joints à ce poste.* ⇒ **Attacher.** *Joindre une profession à une autre* (→ Épineux, cit. 1; gitan, cit. 1). — Loc. *Joindre l'utile à l'agréable* (→ Égayer, cit. 7). — *Joindre le geste à la parole. — Elle joignit ses instances* (cit. 3) *aux miennes pour le décider.*

(...) pour se justifier entièrement, M. de Valmont a joint à ses discours une foule de Lettres, formant une correspondance régulière (...) 7
Laclos, les Liaisons dangereuses, clxviii.

(...) notre auteur se flattait d'y avoir joint le pathétique à l'imbroglio (...) 8
Maurice Rat, *in* Beaumarchais, la Mère coupable.

Joignez à cela que... : ajoutez à cela que... → ci-dessous Joint, p. p. adj., 5., Joint que. — (1679, Bossuet). Unir en soi (une qualité, un caractère à un, une autre). ⇒ **Allier, associer, unir.** *Joindre la force* (cit. 5) *à la beauté, l'imagination à la culture* (→ Épique, cit. 3). — Pron. *L'art se joignait en elle au génie* (→ Épistolier, cit. 2). ⇒ **Coexister** (avec).

Cette femme était belle comme une déesse; elle joignait aux charmes du corps tous ceux de l'esprit (...) 9
Fénelon, Télémaque, iii.

(...) à son mal se joignait une mélancolie, plus cruelle que le mal. 10
R. Rolland, Vie de Beethoven, p. 6.

Dr. *Joindre une instance, une cause à une autre. Joindre l'incident à la cause principale. Joindre le profit au défaut*.*

♦ **5.** (xiiie). Sujet et compl. n. de personne. **a** Unir (des personnes; une personne à une autre) par un lien* moral. *Joindre indissolublement un homme et une femme par les liens du mariage* (⇒ **Conjoindre, marier**). *« Le sang les avait joints, l'intérêt les sépare »* (→ Autant, cit. 3, La Fontaine). — *Joindre les cœurs, les âmes...* ⇒ **Accorder, unir.**

L'amitié nous joignit bien plus que la nature. Rotrou, Antigone, iii, 7. 11

Vous verrez (...) si leur foi donnée 12
N'avait pas joint leurs cœurs depuis plus d'une année.
Molière, l'École des maris, iii, 5.

Mais ce lien du sang qui nous joignait tous deux (...) Racine, Britannicus, iv, 2. 13

L'hymen qui va nous joindre unit nos intérêts. Voltaire, Mérope, iii, 6. 14

b Pron. (V. 1180). **Se joindre à :** se mettre, aller avec (qqn). ⇒ **Réunir** (se), **unir** (s'). *Pourquoi ne pas vous joindre à nous, nous ferions le voyage ensemble. Se joindre à la foule, à un cortège.* ⇒ **Mêler** (se). → Hurleur, cit. 1. *Se joindre à un parti, à une organisation, à une coalition.* ⇒ **Adhérer** (II.), **agréger** (s'), **associer** (s'), **coaliser** (se), **suivre.** *Joignez-vous à moi pour empêcher cela* (→ Avilissement, cit. 5). Par ext. *Mon mari se joint à moi pour vous envoyer tous nos vœux.*

Ce voyage proposé donna envie à Mme la duchesse de Chaulnes de le faire aussi. 15
Je me joignis à elle (...) Mme de Sévigné, 1047, 13 nov. 1687.

Par ext. Prendre part à. ⇒ **Associer** (s'), **participer** (à). *Se joindre à la conversation, à la discussion, au débat. Nous nous joignons à votre protestation.*

Me sera-t-il permis de me joindre à vos vœux? Racine, Iphigénie, ii, 2. 16

Une conversation (...) s'ensuivit sans que je prisse la peine de m'y joindre. 17
Céline, Voyage au bout de la nuit, p. 197.

c *Joindre qqn :* atteindre, rejoindre (qqn). — (Av. 1696, La Bruyère). ⇒ **Aborder, accoster, atteindre** (4.). → Enlever, cit. 23; 1. fou, cit. 23. *Ses poursuivants n'ont pas pu le joindre.* ⇒ **Attraper.** — Rencontrer, être en communication avec (qqn). *Je n'arrive pas à la joindre.* ⇒ **Rencontrer.** *Je pourrai vous joindre chez vous et nous partirons ensemble.* ⇒ **Prendre; retrouver.** *J'ai téléphoné à plusieurs reprises, mais je n'ai pas réussi à le joindre.* ⇒ **Toucher.**

(...) j'ai su inspirer la sécurité à l'ennemi, pour le joindre plus facilement dans sa retraite (...) 18
Laclos, les Liaisons dangereuses, cxxv.

— Voulez-vous avoir la bonté de téléphoner chez M. Machetu; qu'on le joigne où il est, s'il n'est pas chez lui, et qu'on lui demande de passer immédiatement ici. 19
J. Anouilh, Ornifle, ii, p. 94.

Fig. *Volonté de joindre la perfection* (→ Éprendre, cit. 13). ⇒ **Rejoindre, atteindre.**

d (1673, Racine). Vx. *Régiment qui joint sa division.* ⇒ **Jonction.** *Joindre son corps, son unité.* — rem. On dit de nos jours *rejoindre.*

(...) la gauche marcha avec les maréchaux de Villeroy et de Boufflers, lequel avait joint depuis deux jours (...) 20
Saint-Simon, Mémoires, I, xii.

♦ **6.** Faire accoupler (des animaux). — Pron. (Animaux). ⇒ **Accoupler** (s'). *« Le bélier se joint avec la chèvre comme le cheval avec l'ânesse »* (Buffon; → aussi Imprégnation, cit. 1).

♦ **7.** (Sujet et compl. n. de chose). Rare. Atteindre, toucher. *Buffet qui joint le plafond* (→ Couronnement, cit. 3).

▶ **SE JOINDRE** v. pron.

Réfl. (Personnes). → ci-dessus, 5., b. — Spécialt. → ci-dessus, 6. — Récipr. *Ils ne sont pas arrivés à se joindre. Se joindre en un tout.*

Les routes se joignent ici. ⇒ **Rejoindre** (se). — *Se joindre à qqch.* → ci-dessus, cit. 10 et *supra.*

▶ **JOINT, JOINTE** p. p. adj. (1080, *Chanson de Roland*).

♦ **1.** Qui est, qui a été joint. *Objets joints en un faisceau. Éléments joints dans un assemblage. Écus joints,* dans un blason. ⇒ **Accolé, attenant.** — *Pieds* joints; à pieds joints. Mains* jointes pour la prière.* — *Planches bien jointes* (⇒ **Jointif**), *mal jointes* (⇒ **Disjoint**). *Par l'interstice, l'entrebâillement des volets mal joints. Pièces solidement jointes* (⇒ **Adhérent, attaché**).

21 (...) leurs fenêtres mal jointes, leurs portes toujours ouvertes (...)
Alphonse DAUDET, Contes du lundi, Le concert de la Huitième.

22 Les jambes emmêlées, les hanches et les poitrines jointes, ils *(les danseurs)* avançaient avec des oscillations cadencées et des visages impassibles.
J. CHARDONNE, les Destinées sentimentales, III, IV.

Par ext. Dont les éléments sont bien joints (⇒ **Fermé**), bien assemblés. *Armure bien jointe* (→ Armer, cit. 19).

♦ **2.** Mis ensemble, avec... *Efforts joints* (⇒ **Conjugué**). *Mots joints* (→ Composer, cit. 34). Par pléonasme. *Vertus, idées jointes ensemble* (→ Apostolique, cit. 5, Fléchier; inséparable, cit. 1, Descartes). — JOINT À. ⇒ **Ajouté.** *Lettre jointe à un paquet. Clause jointe à un traité.* ⇒ **Additionnel.** *Ville jointe à une province.* ⇒ **Annexé.** *Avantages joints à une situation.* ⇒ **Attaché, connexe, inhérent.** *Force jointe à l'agilité* (cit. 1); *vertu jointe à la beauté,* etc. (→ Contrition, cit. 1; entreprenant, cit. 6; époux, cit. 11; escamotage, cit. 1; galanterie, cit. 6; gloire, cit. 10).

23 Ces deux adverbes joints font admirablement.
MOLIÈRE, les Femmes savantes, III, 2.

♦ **3.** Vx (en parlant des personnes). ⇒ **Uni.** *Soyez joints, mes enfants* (→ Accorder, cit. 1).

24 Le Ciel pour être joints ne nous fit pas tous deux (...)
MOLIÈRE, l'École des maris, III, 9.

♦ **4.** (1690). CI-JOINT : joint ici-même, joint à ceci. ⇒ 1. **Ci** (2., REM.); **inclure** (ci-inclus). *La lettre ci-jointe.* — (Adj. invar.). *Ci-joint la copie. Vous trouverez ci-joint copie du document. Ci-joint l'expédition du jugement* (Académie). — (Devant un nom précédé d'un article). *Vous trouverez ci-jointe la copie, une copie de l'acte* (Littré). ⇒ **Inclure** (ci-inclus).

25 J'ai donc l'honneur de vous adresser ci-jointe, pour être transmise à M. le Ministre de la Guerre, ma demande de mise en disponibilité.
L.-H. LYAUTEY, *in* A. MAUROIS, Lyautey, p. 93.

♦ **5.** Loc. conj. (1580, Montaigne). Vx. JOINT QUE... : joint à cela que, outre que, ajoutez que... — REM. On dit plus ordinairement *joint à cela que* (Académie).

26 *Joint que.* — Est encore fréquent au XVIe siècle. On le trouve dans Larivey (...) dans d'Aubigné et dans Régnier (...) Au commencement du XVIIe siècle, Malherbe le condamne très nettement; c'est pour lui une vieille liaison qui sent sa chicane et dont il ne faut point user du tout (...) Les auteurs continuent à s'en servir (...) Bossuet en fait constamment usage.
F. BRUNOT, Hist. de la langue franç., t. III, p. 390-391.

CONTR. Disjoindre. — Dépecer, désagréger, détacher, fractionner, isoler, séparer; éloigner.
DÉR. Joignant, joigneur, 1. **joint.** — (Du p. p. *joint*) 1. **joint, jointe, jointée, jointif, jointoyer.**
COMP. Disjoindre, rejoindre.
HOM. Voir 1. **Joint,** 2. **joint.**

1. JOINT [ʒwɛ̃] n. m. — XIIIe, « joug »; p. p. substantivé de *joindre.*

♦ **1.** (1391). Techn. Endroit, ligne, surface où se rejoignent les éléments (d'un assemblage*, d'une construction). *Le joint. Joints debout.* — (En maçonnerie). Face par laquelle une pierre de taille se joint latéralement à une autre. — Menuis. Face latérale d'une planche. *Raboter les joints de deux ais.*

♦ **2.** Espace, interstice qui subsiste entre des éléments joints. *Refaire, raccorder, remplir un joint, des joints dans une maçonnerie, entre des pavés* (⇒ **Jointoyer, rejointoyer, ruiler**). *Joints d'une fenêtre* (→ Intromission, cit. 1).

1 Nous rangions de cent façons différentes les petites maisonnettes de bois sculpté et peint autour de l'église à clocher pointu, à murailles roses où le joint des briques était marqué par de fines raies blanches.
Th. GAUTIER, Voyage en Russie, IV.

Géol. Cassure* peu étendue; fente de stratification (⇒ 2. **Délit**).

♦ **3.** (1690). Vx, anat. Endroit où deux os s'articulent. ⇒ **Articulation** (1.), **jointure.** *Le joint de l'épaule, du genou. Trouver le joint en découpant un poulet.*

Loc. (1798). *Chercher, trouver le joint,* le moyen de résoudre une difficulté, l'artifice, l'expédient qui permet de réussir.

2 Il se disait, de son côté : — Il sera bien temps tout à l'heure d'aborder la question. Je vais chercher un joint. Il ne trouva pas de joint et ne dit rien, reculant devant les premiers mots à prononcer sur ce sujet délicat.
MAUPASSANT, Bel-Ami, I, V.

3 Enfin l'essentiel, dit Ribouldingue, c'est que j'ai trouvé le joint; faites comme j'vous ai dit, moi j'me débine.
L. FORTON, les Pieds-Nickelés, *in* l'Épatant, 1908, p. 16.

♦ **4.** (1845, Bescherelle). [a] Articulation entre deux pièces, mécanisme destiné à transmettre un mouvement. *Joint élastique en caoutchouc. Joint de cardan*. Joint à rotule, joint coulissant.* Dispositif qui rend solidaires les extrémités de deux rails contigus. — Union des extrémités de conducteurs électriques.

[b] (XXe). Cour. Garniture ou dispositif assurant l'étanchéité d'un assemblage. *Joint de robinet, de tuyauterie, en caoutchouc, en liège. Joint autoclave.* — *Joint de culasse :* dans un moteur d'automobile, Plaque métallique souple interposée entre le bloc-carter des cylindres et l'ensemble des culasses.

♦ **5.** (D.i.; probablt emploi figuré du sens concret, « objet qui sert à joindre »). *Les joints :* les boucles d'oreilles que portaient les compagnons* du tour de France, à la fois symbole d'appartenance à une société compagnonnique et signe de la maîtrise professionnelle (les aspirants n'en portaient pas). *Lorsqu'un compagnon jugé indigne subissait la conduite* de Grenoble, on lui arrachait les joints des oreilles. Aujourd'hui, les joints ne sont en principe plus portés qu'à l'occasion de certaines solennités.*

CONTR. Cassure, coupure, fente, interruption, séparation, solution.
COMP. Ajointer. — Couvre-joint, serre-joint.
HOM. 2. **Joint;** formes du v. **joindre.**

2. JOINT [ʒwɛ̃] n. f. — 1970, *l'Express* (un peu antérieur); argot amér. *joint* (même orig. que le franç. *joint*) « piqûre hypodermique; cigarette de marijuana ».

♦ Anglic. Fam. Cigarette de haschisch. « *Et c'est le dîner fin, la balade en voiture de sport, le joint sur la plage de Malibu* » (*le Nouvel Obs.*, 28 nov. 1977, p. 140).

Un peu plus tard, des joints de consolation commencèrent à circuler, les Australiens passèrent une énorme cigarette au couple français voisin de Siatévitch. 1
Daniel ODIER, l'Année du lièvre, p. 123.

Je la revois, assise en tailleur sur le parquet (son appartement était vide, un lit, une lampe, des coussins, c'est tout), préparant les joints les plus chargés possible (...) J'arrivais, et tout son travail était de m'amener vite à une sorte de coma éveillé qui rejoigne le sien... 2
Philippe SOLLERS, Femmes, p. 95-96.

HOM. 1. **Joint;** formes du v. **joindre.**

JOINTAGE [ʒwɛ̃taʒ] n. m. — 1931, Larousse; de *jointer,* et *-age.*

♦ Techn. Action de jointer; son résultat.

JOINTE [ʒwɛ̃t] n. f. — Mil. XIIe; p. p. fém. substantivé de *joindre.*

♦ Vx. (T. de manège). Paturon du cheval.

DÉR. Jointé.

JOINTÉ, ÉE [ʒwɛ̃te] adj. — 1583, *bas-jointé* (en parlant d'un cerf); de *jointe.*

♦ Techn. (vén.). *Cheval court-jointé, long-jointé,* dont le paturon est trop court, trop long (par rapport au canon). *Cheval droit-jointé; bas-jointé* (paturon long et trop incliné).

HOM. Jointée; formes du v. **jointer.**

JOINTÉE [ʒwɛ̃te] n. f. — V. 1225; du p. p. *joint.*

♦ Vx. Ce que le creux des deux mains jointes peut contenir.

(...) c'était la veillée de Noël. Ce jour-là, les laboureurs dételaient de bonne heure; ma mère leur donnait à chacun, dans une serviette, une belle galette à l'huile, une rouelle de nougat, une jointée de figues sèches (...)
F. MISTRAL, Mes origines, Mém. et Récits, p. 24.

HOM. Jointé; formes du v. **jointer.**

JOINTEMENT [ʒwɛ̃tmɑ̃] n. m. — 1872; de *jointer,* et *-ment.*

♦ Rare. Action de joindre; fait d'être joint (⇒ **Jonction**), de former un joint.

JOINTER [ʒwɛ̃te] v. tr. — 1471; au p. p., repris XIXe; de *joint,* adj. Technique.

♦ **1.** V. tr. ind. *(Jointer à...).* Être joint (à) par un ajustement technique, par un joint. « *La partie supérieure du piston, qui jointait fort exactement au tube, grâce à des bandes de caoutchouc placées sur son contour* » (*Année sc. et industr.* 1862, p. 73 [1861]).

♦ **2.** V. tr. (Mil. XXe). Assembler (des feuilles de contre-plaqué) en rapprochant et en collant les bords des feuilles de placage.

DÉR. Jointage, jointement.
HOM. Jointé, jointée.

JOINTIF, IVE [ʒwɛ̃tif, iv] adj. — V. 1440; de *joint,* p. p. de *joindre,* et *-if,* ou de l'anc. franç. *jointis* (1155). Technique.

♦ **1.** Qui est joint*, qui est en contact par les bords. *Planches jointives.*

♦ **2.** Dont les éléments sont joints. *Cloison jointive :* cloison de planches non assemblées entre elles par rainures et languettes (opposé à *cloison assemblée* ou *d'assemblage*). — N. f. (1867). *Une jointive :* une cloison jointive.

♦ **3.** Fig. et vieilli. Contigu. *Terrain jointif à un autre.* «*Une attaque jointive avec notre attaque...*» (Joffre, *in* T. L. F.).

DÉR. Jointivement.

JOINTIVEMENT [ʒwɛ̃tivmɑ̃] adv. — 1867, Littré; de *jointif*, et *-ment.*

♦ Techn. D'une manière jointive. *Planches posées, disposées jointivement.*

JOINTOIEMENT [ʒwɛ̃twamɑ̃] n. f. — 1832, Raymond; de *jointoyer*, et *-ment.*

♦ Techn. Action de jointoyer; résultat de cette action. *Un jointoiement au ciment* (Académie). — Fig. et rare. Jointure.

JOINTOYER [ʒwɛ̃twaje] v. tr. — Conjug. *broyer.* — 1335; *jointoier*, fin XIIe; de *joint*, p. p. de *joindre.*

♦ **1.** Techn. Traiter (une maçonnerie, un mur) de sorte que les joints* en affleurent exactement le parement (soit qu'on remplisse les joints de plâtre, de mortier, soit qu'on les lisse à la truelle. ⇒ **Gobeter.** *Jointoyer un mur.* — Absolt. *Il faut jointoyer.*

Au participe passé :

Ce qui reste de la vieille abbaye gothique *(de Chaalis).* La galerie de Dom, ces murs de pierre admirablement jointoyés, la pierre blonde et rose comme les eaux-fortes du XVIIIe. CLAUDEL, Journal, 23 oct. 1938.

♦ **2.** Fig. et littér. Assembler étroitement. *Jointoyer les épisodes d'un récit, les scènes d'une pièce.*

DÉR. Jointoiement, jointoyeur.

JOINTOYEUR [ʒwɛ̃twajœʀ] n. m. — 1906, *Nouveau Larousse Illustré, Suppl.*; de *jointoyer.*

Technique.

♦ **1.** Ouvrier, maçon qui effectue les jointoiements. — REM. Dans ce sens, le féminin *jointoyeuse* est virtuel.

♦ **2.** Outil utilisé pour lisser les joints dans des revêtements en béton, en asphalte.

JOINTURE [ʒwɛ̃tyʀ] n. f. — 1080, *Chanson de Roland;* du lat. *junctura*, du supin de *jungere.* → Joindre.

1 JOINT, JOINTURE. L'endroit où deux choses se joignent. *Joint* exprime cette idée sans aucun accessoire, *jointure* y ajoute celui d'arrangement, d'agencement des parties jointes. LAFAYE, Dict. des synonymes, *Joint.*

♦ **1.** Endroit où les os* se joignent. ⇒ **Article** (cit. 1), **articulation, attache** (→ Emboîter, cit. 8). *La saillie de la jointure des doigts* (⇒ **Nœud**). *Faire craquer ses jointures.*

2 Il crispait ses poings à faire craquer les jointures (...) MARTIN DU GARD, les Thibault, t. I, p. 228.

Tumeur aux jointures, chez le chien. ⇒ **Buture.** *Jointure du cheval :* le boulet, et, par ext., le paturon (qui s'articule au canon par le boulet). ⇒ **Jointe, jointé.**

♦ **2.** (V. 1119). Endroit où deux parties se joignent (⇒ 1. **Joint**); façon dont elles sont jointes (⇒ **Assemblage**). «*Ces deux pierres, ces deux morceaux de bois sont si bien ajustés qu'on ne peut apercevoir la jointure*» (Académie). *Cuirasse sans jointure* (→ Glisser, cit. 20). *Jointure parfaite, étanche.*

CONTR. Bâillement, ouverture.

JOJO (AFFREUX) [afʀøʒoʒo] n. m. — V. 1973; du nom du personnage créé par le dessinateur français Ami.

♦ Fam. Enfant insupportable. «*Les garçons coursent les filles (...) "À l'attaque!" hurlent les affreux jojos groupés en bande, déboulant dans la cour*» (*l'Express*, 22 mars 1980, p. 132). — Par ext. Personne qui s'exprime sans ménagements, passe pour un «enfant terrible». «*Empêcheurs de tourner en rond, "affreux jojos" : avec une telle réputation, il faut des nerfs solides (...) pour être le Monsieur Consommation d'une entreprise*» (*l'Express*, no 1 450, 21 avr. 1979, p. 96).

(...) affreux jojos, fils de milliardaires jouant à la guerre dans le parc familial. Michel DÉON, les Vingt Ans du jeune homme vert, p. 20.

JOKARI [ʒɔkaʀi] n. m. — D. i. (av. 1950); mot basque.

♦ **1.** Régional. Sorte de pelote basque sans fronton.

♦ **2.** (1950, *in* D. D. L.; nom déposé). Jeu composé d'une boîte lestée reliée par un long élastique à une balle sur laquelle on tape avec une raquette en bois et qui revient vers l'envoyeur.

JOKER [ʒɔkɛʀ] n. m. — 1912, *in* Höfler; mot angl., proprt «farceur», de *to joke* «plaisanter».

♦ Jeu. Carte à jouer à laquelle le détenteur est libre d'attribuer telle ou telle valeur, dans certains jeux.

Par métaphore :

Il *(Balzac)* se veut anthropologue, spécialiste de la duchesse comme de l'usurier. Ne met-il pas sa valeur d'entomologiste au service du capricorne et de la cétoine? Comme c'est intéressant, les mœurs de ces peuples étranges! Gobseck, Goriot ou Coralie, quand les «femmes naturelles» commencent aux marquises! Avec une exception pour le personnage cher à son cœur, mobile joker de son jeu de cartes : l'ambitieux. MALRAUX, l'Homme précaire et la Littérature, p. 120.

JOLI, IE [ʒɔli] adj. — XIIIe; *jolif, ive* «lascif», v. 1138; *jolif* «gai, enjoué», v. 1170; probablt de l'anc. scandinave *jól*, nom d'une grande fête du milieu de l'hiver.

REM. En épithète, l'adj. est le plus souvent antéposé, quand il n'est pas accompagné d'un adverbe ou d'un complément.

♦ **1.** [a] (V. 1360). Vx. Qui est agréable par son esprit, sa gentillesse, son enjouement. ⇒ **Agréable, aimable.**

Vous l'accusez toujours *(Coulanges)* de n'être joli qu'avec les ducs et pairs; je l'ai pourtant vu bien plaisant avec nous (...) Mme DE SÉVIGNÉ, 1216, 18 sept. 1689. 1

(D'une production artistique, littéraire) :

À mon gré, le Corneille est joli quelquefois. BOILEAU, Satires, III. 2

[b] (XIIIe). Vx. Qui plaît ou cherche à plaire par le soin apporté à son physique, à sa toilette. ⇒ **Coquet** (→ Affiquet, cit. 1), **élégant.** — N. *Faire la jolie* (→ 1. Aller, cit. 41).

Fig. Recherché. *Pline est inégal* (cit. 15), *Térence un peu joli.*

Mod. *Joli cœur*. Ni fier-à-bras* (cit. 3), *ni joli cœur. Faire le joli cœur.*

(...) nous ne sommes pas des savants, des mirliflores, des jolis cœurs; nous sommes des praticiens, des guérisseurs. FLAUBERT, Mme Bovary, II, XI. 3

Celui-là, enfin, fait le joli cœur auprès d'une comédienne, et songe avant tout à avancer ses affaires. Paul LÉAUTAUD, le Théâtre de Maurice Boissard, I. 4

♦ **2.** (V. 1360). Mod. Très agréable à voir ou à entendre; (personne) très agréable à regarder. ⇒ 1. **Beau, bellot,** 1. **bien, gentil, girond, gracieux, mignon, pimpant;** fam. **bath,** 2. **chouette.**

REM. On oppose souvent *joli* à *beau, beau* impliquant régularité et majesté, *joli*, grâce et agrément. — *Il est assez joli. Un garçon assez joli, un assez joli garçon.* — (Surtout en parlant des femmes). *Elle est très jolie, plus jolie que sa sœur. Personne jolie qui efface des beautés* (cit. 39) *plus régulières. Une jolie fille* (→ Flatteur, cit. 10), *un joli brin* de fille. Une très jolie fille. Jolie femme* (→ Affriander, cit.; auréole, cit. 9; 1. boire, cit. 13; enlaidir, cit. 6; entrée, cit. 8; entreprenant, cit. 5). *Jeune et jolie.* ⇒ **Désirable** (→ Barbon, cit. 1; garçon, cit. 8). — *Jolie comme un amour* (cit. 45), *comme un cœur*, comme un ange, comme un chérubin. Jolie à croquer* (cit. 7). — *Une jolie petite fille* (→ Coquet, cit. 5), *un joli petit garçon. Elle est charmante, mais pas très jolie.* — Loc. *Joli garçon* (→ Éduquer, cit. 7; faraud, cit. 3; gâter, cit. 30). (En emploi adj.). *Il est plutôt joli garçon.* — *Rendre joli.* ⇒ **Enjoliver** (→ 2. Air, cit. 14). — REM. *Joli* ne s'applique guère qu'en parlant des enfants et des jeunes femmes; dans les autres cas, l'adj. est ironique ou stylistique (→ ci-dessous, cit. 5, La Fontaine, appliqué par le renard au corbeau).

Que vous êtes joli! Que vous me semblez beau! LA FONTAINE, Fables, I, 2. 5

Dites. Qu'elle est jolie et qu'elle a les yeux doux! RACINE, les Plaideurs, III, 4. 6

On oppose même quelquefois le *joli* au beau. Elle n'est pas belle dit-on, mais elle est *jolie*. Mais *joli* n'exclut ni le grand, ni le beau, quand on le joint avec femme. C'est une *jolie* femme (...) On ne dit pas, c'est un *joli* homme dans le sens qu'on dit, c'est une *jolie* femme. L'un est une louange, et l'autre une espèce de raillerie. Dict. de Trévoux, art. *Joli.* 7

Les élèves de Monsieur *Rodin* étaient peu nombreux, mais choisis; il n'avait en tout que quatorze filles et quatorze garçons. Jamais il ne les prenait au-dessous de douze ans, ils étaient toujours renvoyés à seize; rien n'était joli comme les sujets qu'admettait *Rodin.* Si on lui en présentoit un qui eût quelques défauts corporels, ou point de figure, il avait l'art de le rejeter sous vingt prétextes (...) SADE, Justine..., t. I, p. 104. 7.1

Il faut enfin parler de la Parisienne (...) 8
Elle-même se dit point belle, mais jolie (...) VERLAINE, Invectives, XLII.

Fam. *Soyez poli, si vous n'êtes pas joli!*

Loc. Vx. *Joli homme :* bel homme. «*Blessé dans sa fatuité de joli homme*» (Zola, *Rome*, p. 389). Syn. mod. : *joli garçon.*

N. (en appellatif, avec le possessif). *Oui, mon joli. Ma jolie!* ⇒ 1. **Beau, mignon.**

Par ext. *Jolie figure. Joli minois, joli museau...* (→ Fluet, cit. 2; grand, cit. 40). *Avoir de jolis traits.* ⇒ **Ciselé, délicat.** *De jolis yeux* (→ Assaisonnement, cit. 8). *Jolie fossette* (cit. 2). *Jolies jambes* (→ 1. Faire, cit. 261). *Une jolie voix* (→ Féminin, cit. 5).

Je préfère une jolie bouche à un joli mot, et une épaule bien modelée à une vertu, même théologale; je donnerais cinquante âmes pour un pied mignon, et toute la poésie et tous les poètes pour la main de Jeanne d'Aragon ou le front de la vierge de Foligno. Th. GAUTIER, Mlle de Maupin, V. 9

(1690, Furetière). Animaux. *Un joli petit chat. De jolis oiseaux* (→ Fauvette, cit.). — REM. Plus encore que pour les personnes, l'adjectif est très sélectif et ne s'emploie qu'avec les noms d'espèces jugées agréables, sauf par effet stylistique *(une jolie araignée, un joli serpent).*

[b] (V. 1360). Choses. ⇒ **Charmant, ravissant.** *Un joli pays* (→ Appauvrissement, cit. 1). *Une jolie petite ville* (→ Fond, cit. 4). *Jolie maison. Joli spectacle, joli coup d'œil.* Par ext. *Joli voyage, jolie traversée* (→ 2. Exprès, cit. 2). *Joli mois de mai.* — *Joli meuble. Jolie reliure. Aimer les jolies choses. Joli tableau.* — Très agréable à entendre. *Une jolie voix. Une jolie chanson.* Par ext. (un peu affecté). Agréable. *Un joli vin gouleyant.* — *De jolis mouvements.* ⇒ **Gracieux, harmonieux** (→ Cadencé, cit. 4). *Un joli mot* (→ Affût, cit. 2; autorail, cit. 1; caravansérail, cit. 2). *Un joli coup, une jolie feinte. Jolie performance. Bravo, joli! très joli!*

10 J'ai (...) un secrétaire très joli, dont on m'a remis la clef (...)
LACLOS, les Liaisons dangereuses, I.

11 (...) l'endroit se prêterait merveilleusement à une station. À cause du site, qui est très joli (...) J. ROMAINS, les Hommes de bonne volonté, t. V, XIV, p. 101.

Avec une nuance critique (distingué de *beau*). *Une peinture qui n'est que jolie* (→ Idéalité, cit. 2).

Emplois spéciaux. Mar. *Jolie brise,* intermédiaire entre *petite brise* et *bonne brise. Joli frais.*

N. m. *Le joli* : ce qui est joli. *Le joli et le charmant. Le joli et le beau. Le joli en peinture* (→ Contestation, cit. 4).

12 Le *beau* proprement dit, c'est l'harmonie sensible à l'intelligence, jugée par le goût (...) Le *gracieux,* le joli, l'élégant, le mignon, le coquet inspirent (...) une sympathie protectrice pour des êtres ou des objets petits et faibles (...) C'est en cela qu'il nous procure un agréable accroissement de notre sentiment du moi : le charme. Ch. LALO, Notions d'esthétique, II, IV, III.

Adv. *Faire* (1. Faire, cit. 167) *joli.* ⇒ 1. **Bien.** *Ça fait joli, ici.*

♦ **3.** (V. 1550). Fam. Digne de retenir l'attention, qui mérite d'être considéré. *Une jolie somme. De jolis bénéfices.* ⇒ **Considérable, coquet.** *Obtenir de jolis résultats.* — Vieilli. *Il est d'une jolie force au violon* (→ Instrument, cit. 7). — *Avoir une jolie situation.* ⇒ **Avantageux, intéressant.**

13 Les employés de restaurant ne sont pas payés, mais avec les «bonnes-mains» se font d'assez jolies journées. GIDE, Journal, 9 mai 1927.

C'est bien joli, mais... : ce n'est pas sans intérêt, mais malgré tout...

♦ **4.** (1671, Molière). Spécialt. ⇒ **Amusant, piquant plaisant.** *Un joli tour. Selon le joli mot de Voltaire. Le plus joli c'est qu'il ignore tout.* — N. m. *Le joli de l'histoire, c'est que...*

♦ **5.** (1673, Molière). *Joli* s'emploie comme *beau* en parlant de ce qui est laid, désagréable, mauvais, raté, ridicule... *Un joli monsieur, un joli coco* (fam.) : un individu peu recommandable, sans moralité. ⇒ 1. **Beau, charmant.** *C'est du joli monde, tout ça!* — (Choses). *Elle est jolie leur science!* (→ Il, cit. 16). *Vous avez une jolie idée* (cit. 17) *de moi! Vous êtes joli, affublé de la sorte! Nous voilà dans un joli pétrin. Il nous a joué un joli tour.* «*Tout ce joli monde a été conduit au dépôt*» (I., 3.)». — Impers. *C'est joli de dire du mal des absents!* — Répété. *Ce n'est pas joli joli.*

14 Je viens d'apprendre là-bas, à la porte, de jolies nouvelles; qu'on se moque ici de mes ordonnances (...) MOLIÈRE, le Malade imaginaire, III, 5.

15 Vraiment, mon oiseau, vous faites là un joli métier, répondit en souriant la princesse (...) VOLTAIRE, la Princesse de Babylone, III.

16 (...) une coquine fieffée, très propre à porter son amant à faire des dettes, puis des faux, et plus tard même quelque joli petit crime conduisant droit en cour d'assises (...) STENDHAL, Romans et Nouvelles, Philibert Lescale.

17 Ma joie serait grande de le pouvoir nommer fripon, fripouille, canaille, crapule, voyou, filou, jolis noms chargés d'évoquer ce que par dérision vous appelez un joli monde. Jean GENET, Journal du voleur, p. 172.

N. m. *C'est du joli!* : c'est mal. → C'est du beau*, du propre. *La grève* (cit. 14) *générale, ce sera du joli!*

18 — Une erreur judiciaire à Monpaillard! Ah ça va en faire du joli!
A. ALLAIS, l'Affaire Blaireau, p. 44.

CONTR. Laid.
DÉR. Joliesse, joliet, joliment. — V. **Joliveté.**
COMP. Enjoliver, jolibois.

JOLIBOIS [ʒɔlibwa] n. m. — 1846; de *joli,* et *bois.*

♦ Régional. Variété de daphné*, arbrisseau à fleurs précoces et très odorantes (notamment daphné morillon).

J'irais chercher dans la forêt de Maidières, le «jolibois», cet arbrisseau qui fleurit déjà quand les noisetiers n'ont pas de chatons et que les hêtres n'ont pas encore de bourgeons, tout rouge avec des fleurs petites. Pas beau si l'on veut, mais tellement odorant que pour un bouquet dans une chambre, il faut laisser les fenêtres ouvertes. Georges NAVEL, Travaux, p. 82.

REM. On dit aussi *bois joli, bois gentil.*

JOLIESSE [ʒɔljɛs] n. f. — 1843, Balzac; *jolyesse* «agrément, plaisir», emploi isolé, XIVe; de *joli,* et *-esse.*

♦ Littér. Caractère de ce qui est joli (au sens 2). ⇒ **Beauté, gentillesse, grâce, jolité.** *La joliesse de ses traits.* ⇒ **Délicatesse.**

1 (...) en retrouvant la lumière de ses regards, la joliesse de ses gestes (...)
BALZAC, Honorine, Pl., t. II, p. 274.

Tu m'as plu par ta joliesse 2
Et ta folle frivolité. VERLAINE, Dédicaces, À G...

Afin, sa joliesse dépassant la mienne, qu'il lui fût plus facile d'attirer les hommes, 3
Stilitano lui donna mes vêtements. Jean GENET, Journal du voleur, p. 150.

Rare. *(Une, des joliesses).* Acte d'une personne qui cherche à être agréable.

CONTR. Laideur.

JOLIET, ETTE [ʒɔljɛ, ɛt] adj. — 1376; «gai, joyeux», fin XIIe; dimin. de *joli.*

♦ Vx ou régional. Assez joli. ⇒ **Bellot, mignon.**

(...) la Bioque joue à la marelle. Elle a tracé sur la route, avec un bout de brique, les cinq cases ordinaires, et elle saute, et elle saute à cloche-pied de l'une à l'autre en chantant : «Je suis joliette, tiens voilà mon nom, j'aime à la folie les charmant garçons (...)»
J. GIONO, Angiolina, *in* Œ. roman., Appendices, t. I, Pl., p. 735.

JOLIMENT [ʒɔlimɑ̃] adv. — 1285, *joliement* «gaiment»; *jolivement,* XIIIe; de *joli.*

♦ **1.** (1609). D'une manière jolie, agréable. ⇒ 1. **Bien.** *Objet joliment décoré.* ⇒ **Délicatement.** *Être joliment habillé* (→ Ficeler, cit. 2). *Compliment joliment tourné.* — (1867, Littré). Par antiphr. *Vous voilà joliment arrangé!*

Que *riche appartement* est là joliment dit! MOLIÈRE, les Femmes savantes, III, 2. 1

Impossible de répondre plus joliment 2
À question plus spécieuse. GIDE, le Roi Candaule, I, 3.

♦ **2.** (1676, Mme de Sévigné). D'une façon considérable. ⇒ **Beaucoup,** 1. **bien, drôlement.** «*Nous avons été joliment téméraires*» (→ Frotter, cit. 26, Mme de Sévigné). *Vous vous êtes joliment trompé* (Académie). *On est joliment bien ici.*

On assure que le président a des millions, quel mal y aurait-il à ce qu'il mît sa 3
filleule dans son testament? Personne n'en serait surpris, et ça arrangerait joliment nos affaires. ZOLA, la Bête humaine, I.

Et vous avez joliment bien fait de dormir à votre contentement. 4
ZOLA, Rome, p. 67.

(1830). Iron. Très mal; pas du tout. «*La duchesse, une amie!... Oui, joliment!*» (A. Daudet, *in* T. L. F.).

CONTR. Laidement, mal.

JOLITÉ [ʒɔlite] n. f. — 1898; de *joli,* d'après *joliveté.*

Rare (mot à la mode autour de 1900, dans l'usage recherché).

♦ **1.** Caractère de ce qui est joli. «*Elle n'a plus ni jolité ni coquetterie*» (Renard, *Journal*). — Par métonymie. Jolie femme (D'Esparbès, *in* T. L. F.).

♦ **2.** *(Une, des jolités).* ⇒ **Grâce, joliveté** (D'Esparbès, *in* T. L. F.).

♦ **3.** Bibelot (Proust, *le Temps retrouvé,* Pl., t. III, p. 710).

JOLIVETÉ [ʒɔlivte] n. f. — Fin XIIe, «gaieté, entrain»; «frivolité», v. 1165; de *jolif,* anc. forme de *joli**.

♦ **1.** Vx. Caractère de ce qui est joli. — Syn. rare : *jolité.* ⇒ **Joliesse.**

♦ **2.** *(Une, des jolivetés).* [a] (1670). Trait d'esprit.

[b] (XVe). Vx. Ouvrage mignon, jolie babiole. (Ne s'employait guère qu'au pluriel; Michelet, *in* T. L. F.).

[c] (1690, Furetière). Geste gracieux. «*S'étirant, tournant, faisant mille jolivetés*» (A. Arnoux, *in* T. L. F.).

1. JONC [ʒɔ̃] n. m. — V. 1175; *junc,* v. 1160; du lat. *juncus.*

★ **I.** ♦ **1.** (V. 1160). Plante monocotylédone *(Joncacées)* herbacée, généralement vivace, à hautes tiges droites et flexibles qui croît dans l'eau, les marécages, les terrains très humides. *Feuilles linéaires ou cylindriques du jonc* (→ Jonquille). *Les joncs d'un étang* (→ Désert, cit. 3), *d'un marais. Lieu rempli de joncs.* ⇒ **Jonceux; jonchaie.** *Joncs qui plient, sifflent, tremblent sous le vent* (→ Bruire, cit. 4; étourdissement, cit. 2). *Friselis* (cit. 2), *frisson* (cit. 33) *des joncs. Couper des joncs à la faux* (→ 2. Faux, cit. 1). *Faucarder les joncs et les herbes. Tige de jonc* (→ ci-dessous, I., 2., a : *jonc* «tige»). — *Brins de joncs tressés.* → Polycolore, cit. — *Principales variétés de joncs : jonc commun* ou *à mèche, jonc glauque* ou *jonc des jardiniers.*

Ainsi qu'au bord d'une rivière 1
Un jonc se penche sous le vent. RONSARD, Odes, I, X.

Le soir je m'embarquais sur l'étang, conduisant seul mon bateau au milieu des 2
joncs et des larges feuilles flottantes du nénuphar.
CHATEAUBRIAND, Mémoires d'outre-tombe, t. I, p. 128.

Par compar. *Être droit*, mince, souple, flexible* (cit. 2) *comme un jonc.*

(...) sa taille encore un peu frêle d'enfant tout récemment grandie était droite 3
comme un jonc, avec des épaules bien effacées (...) LOTI, Matelot, XXXIV.

♦ **2.** (1817; *jonc fleuri,* 1764; *in* D. D. L.). Qualifié, désignant d'autres végétaux. *Jonc des chaisiers, des tonneliers.* ⇒ **Scirpe.** *Jonc fleuri.* ⇒ **Butome.** *Jonc marin* (→ Guéret, cit. 2), *jonc épineux.* ⇒ **Ajonc.**

♦ **3.** **a** (1841). Tige droite de cette plante. *Canne* de jonc, de jonc d'Inde* (⇒ **Rotin**). — (1824, *in* D. D. L.). Canne, badine de jonc. *Il trouve très chic de se promener avec un jonc.* ⇒ **Badine, cravache.**

4 Le premier semblait être un bon enfant comparé à ce jeune homme sec et maigre qui fouettait l'air avec un jonc dont la pomme d'or brillait au soleil.
BALZAC, Une ténébreuse affaire, Pl., t. VII, p. 460.

b (XVe). *Du jonc.* Tiges, brins de jonc employés pour la confection des liens*, d'ouvrages de sparterie*, de vannerie*. *Corbeille*, panier* de jonc.* ⇒ **Cabas** (→ Exposer, cit. 17). *Natte* en jonc tressé.* ⇒ **Paillasson.** *Bouteille clissée de jonc* (→ Gourde, cit. 2). *Empailler des chaises avec du jonc.* ⇒ **Joncer.** — *Fromage de jonc.* ⇒ 2. **Jonchée.**

5 Les navires des Indes, qui étaient de jonc, tiraient moins d'eau que les vaisseaux grecs et romains, qui étaient de bois (...)
MONTESQUIEU, l'Esprit des lois, XXI, VI.

6 Elles nattaient leurs cheveux avec des bouquets ou des filaments de joncs (...)
CHATEAUBRIAND, Mémoires d'outre-tombe, t. I, p. 319.

7 Toutes les chambres sont carrelées en briques (...) ces briques sont recouvertes de nattes de roseau en hiver et de jonc en été (...)
Th. GAUTIER, Voyage en Espagne, p. 75.

Par anal. Vieilli. *Jonc de fer.*

8 La comtesse semblait soucieuse. Elle s'assit dans un fauteuil et regarda Olivier plaçant dans le jour voulu une chaise de jardin en jonc de fer.
MAUPASSANT, Fort comme la mort, p. 228.

★ **II.** (1631). Bague, bracelet dont le cercle est partout de même grosseur. *Porter au doigt un jonc d'or.*

DÉR. Joncacées, joncer, jonceux, jonchaie, 2. **jonchée, joncher, jonchère, jonchet.**
HOM. 2. **Jonc.**

2. JONC [ʒɔ̃] n. m. — 1790, en argot, orig. incert. ; p.-ê. de 1. *jonc,* au sens II.

♦ **1.** Argot. L'or (métal), en tant que matière.

1 Passez-moi votre briquet, minable déchet !
— Oui, oui...
Et le comte s'empresse, tend fébrilement au truand un Dunhill *(marque de briquet)* en jonc mastar *(très grand).*
SAN-ANTONIO, Remets ton slip, gondolier !, p. 179.

♦ **2.** (1842). Or monnayé, pièces d'or.

1.1 Nous avons du *jonc* nous autres, et on t'en donnera, si tu es sur le *sable.*
Ch. PAUL DE KOCK, la Grande Ville, t. I, p. 182 (éd. 1842).

Or (métal), en tant que valeur d'échange, monnayé (pièces) ou non (lingots). ⇒ **Joncaille.**

2 Quand je lui ai annoncé la couleur, Oscar a fait la moue :
Du jonc ! c'est pas le moment de vendre, les cours sont en perte de vitesse depuis quinze jours.
Albert SIMONIN, Touchez pas au grisbi, p. 207.

♦ **3.** (1885 ; par ext. du sens 2). Argent, monnaie (métallique ou fiduciaire).

3 À c't'époque-là, c'était l'bon temps
La Méloche avait dix-huit ans
Et la Filoche était rupin *(riche)*
Il allait, des fois, en sapin *(en fiacre)*
Il avait du jonc dans sa poche
À la Bastoche.
A. BRUANT, « À la Bastoche ».

DÉR. Joncaille, jonché.
HOM. 1. **Jonc.**

JONCACÉES ou JUNCACÉES [ʒɔ̃kase] n. f. pl. — 1798 ; de *jonc,* et *-acées.*

♦ Bot. Famille de plantes phanérogames angiospermes *(Monocotylédones herbacées ;* ordre des *Liliales)* annuelles ou vivaces, à feuilles alternes et à rhizome rampant, ayant pour type le *jonc. Principales joncacées.* ⇒ **Jonc, luzule.** — Au sing. *Une joncacée.*

JONCAILLE [ʒɔ̃kaj] n. f. — 1928, Esnault ; de 2. *jonc,* et *-aille.*

♦ Argot. L'or en lingots ou en bijoux. ⇒ 2. **Jonc.** *Planquer la joncaille.*

Les inspecteurs m'ont déposée au Greffe, soigneusement : livraison faite. Mes biftons *(billets de banque)* comptés, enregistrés, mis en sûreté avec la joncaille et le transistor (...)
A. SARRAZIN, la Cavale, p. 9.

JONCER [ʒɔ̃se] v. tr. — Conjug. *placer.* — 1858 ; de 1. *jonc.*

Technique.

♦ **1.** Garnir de jonc un siège. *Joncer une chaise, un fauteuil.* ⇒ **Canner.**

♦ **2.** Frotter (une peau de chèvre...) avec une tresse de jonc.

▶ **JONCÉ, ÉE** p. p. adj.

♦ **1.** *Chaise joncée.*

♦ **2.** Littér., rare. Qui ressemble à un jonc (droit et mince). *« Une grande gaupe à la taille joncée »* (Huysmans).

JONCEUX, EUSE [ʒɔ̃sø, øz] adj. — 1901 ; cf. *joncheux,* 1580 « de jonc » ; de 1. *jonc,* et *-eux.*

♦ Régional. Parsemé de joncs. *L'herbe jonceuse* (Colette, *Sido*).

Il peignit une plaine marécageuse, une sorte de désert solognot, où le jonc noir-vert tremblait (...) dans des flaques couleur de plomb. Du premier plan (...) jusqu'à l'horizon (...) ce n'étaient que marais jonceux, plate désolation.
COLETTE, la Femme cachée, Le paysage, p. 173-174, 1924, *in* D. D. L., II, 16.

JONCHAIE [ʒɔ̃ʃɛ] n. f. — 1771 ; de 1. *jonc,* et *-aie.*

♦ Agric. Lieu où poussent des joncs. — Syn. : *joncheraie, jonchère* (1.).

HOM. Jonchet ; formes du v. **joncher.**

JONCHÉ, ÉE [ʒɔ̃ʃe] adj. — 1881, cit. ; de 2. *jonc.*

♦ Argot, vx. Doré.

Le ratichon tombe par terre, Colas lui offre la *fourchette (main)* droite et ramasse de la gauche le calice *jonché* (doré) que le ratichon avait laissé choir avec lui (...)
Louise MICHEL, la Misère, t. II, 1881, p. 459.

HOM. Jonchée ; formes du v. **joncher.**

1. JONCHÉE [ʒɔ̃ʃe] n. f. — XIVe ; « litière de joncs », v. 1175 ; de *joncher.*

Littéraire ou style soutenu.

♦ **1.** Amas (de branchages, de fleurs, d'herbes) dont on jonche* le sol, dans les rues, les églises, etc. pour une solennité. *La chapelle disparaît sous une jonchée de fleurs* (→ par métaphore, Haie, cit. 1). — Par anal. *Une jonchée de feuilles mortes.*

(...) la procession de la Fête-Dieu défilait très lente, sur une verte jonchée de fenouils et de roseaux coupés dans les marais d'en bas. LOTI, Ramuntcho, I, XXI. 1

Dans l'Inde, on ne porte point de bouquets aux dieux, mais on fait d'admirables jonchées pour leurs autels : des jasmins à profusion — rien que les corolles, arrachées de la tige, — et des gardénias, et d'épaisses fleurs au parfum de tubéreuse, formant des nappes odorantes, sur la blancheur desquelles on sème ensuite quelques roses du Bengale, ou quelques hibiscus bien rouges (...) 2
LOTI, l'Inde (sans les Anglais), II, I.

♦ **2.** Grande quantité (d'objets épars sur le sol). *Une jonchée de plumes* (→ 1. Coq, cit. 11), *de débris. Une jonchée de cadavres.*

L'amoureux pensa que tout l'azur et tout l'or du ciel croulaient sur lui. Le sable du jardin lui parut une jonchée de diamants (...) 3
Léon BLOY, la Femme pauvre, II, IV.

HOM. Jonché, 2. **jonchée ;** formes du v. **joncher.**

2. JONCHÉE [ʒɔ̃ʃe] n. f. — 1379 ; de 1. *jonc.*

♦ **1.** Vx. Petit panier de jonc à égoutter le lait caillé.

♦ **2.** (1583). Mod., régional. Petit fromage fait dans ce panier.

HOM. Jonché, 1. **jonchée ;** formes du v. **joncher.**

JONCHEMENT [ʒɔ̃ʃmɑ̃] n. m. — 1605 ; de *joncher,* et *-ment.*

♦ Rare. Action de joncher.

JONCHER [ʒɔ̃ʃe] v. tr. — V. 1165, « parsemer de joncs, de tiges de joncs » ; *junchier, jonchier,* 1080, *Chanson de Roland ;* de 1. *jonc.*

♦ **1.** Parsemer* le sol de (un lieu) de branchages, de feuillages, de fleurs... ⇒ 1. **Jonchée.** *« Les habitants jonchèrent les rues pour le passage de la procession »* (Académie). — Couvrir d'objets quelconques, jetés ou répandus çà et là en grande quantité. *L'automne* (cit. 3) *jonche la terre de feuilles mortes.* — Poétique :

Apollon, irrité contre le fier Atride, 1
Joncha son camp de morts (...)
LA FONTAINE, Fables, XI, 3.

Au participe passé :

(...) tu foulais, monté sur une douce ânesse, 2
Des chemins tout jonchés de fleurs et de rameaux (...)
BAUDELAIRE, les Fleurs du mal, Révolte, CXVIII.

♦ **2.** (Le sujet désigne les choses éparses). ⇒ **Couvrir.** *Feuilles qui jonchent la terre. Fleurs qui jonchent les marches d'un autel.*

Les feuilles mortes tombaient des grands arbres dans un poudroiement de lumière et jonchaient d'or le sol où nous marchions. FRANCE, le Petit Pierre, XXXII. 3

Antoine rangeait des papiers ; sous le bureau, la corbeille était pleine, et des feuillets déchirés jonchaient le tapis. MARTIN DU GARD, les Thibault, t. VII, p. 259. 4

▶ **JONCHÉ, ÉE** p. p. adj.

(Au sens 1 du verbe). Parsemé de végétaux. → ci-dessus, cit. 2. — Couvert (de choses éparses). *Sol jonché de débris.* → Géant, cit. 2. *Champ jonché d'éclats de pierre.* → Hamada, cit. 1. *Champ de bataille jonché de cadavres.*

DÉR. Jonchée, jonchement. — V. **Jonchet.**
HOM. V. **Jonché,** 1. **jonchée,** 2. **jonchée.**

JONCHERAIE [ʒɔ̃ʃʀɛ] n. f. — 1926, *in* D. D. L.; issu du croisement de *jonchère,* et de *jonchaie.*

♦ Régional. ⇒ **Jonchaie, jonchère** (1.). *Traverser une joncheraie* (→ Hourvari, cit. 1).

JONCHÈRE [ʒɔ̃ʃɛʀ] n. f. — XIIIe; *jonchiere,* mil. XIIe; de 1. *jonc.* Régional.

♦ **1.** Lieu où poussent des joncs. ⇒ **Jonchaie.** *Traverser la pointe d'une jonchère* (→ Glissement, cit. 2).

♦ **2.** (1867, Littré). Grosse touffe de joncs sur pied. *L'épaisseur d'une jonchère* (→ Hallali, cit. 1).

HOM. Forme du v. **joncher.**

JONCHET [ʒɔ̃ʃɛ] n. m. — 1474 (1483, selon T. L. F.); var. anc. *honchet, onchet,* → cit. 1; de 1. *jonc,* ou de *joncher.*

♦ Chacun des bâtonnets de bois, d'os, qu'on joue à jeter pêle-mêle sur une table pour les retirer ensuite un à un avec un crochet (ou touche) sans faire bouger les autres. *Le jeu* des jonchets. Jouer aux jonchets. Jonchets de bois, d'os, d'ivoire.* — REM. On a écrit également *honchet, onchet.*

1 (...) nous étions tous trois couchés sur les marches, emportés par l'attention que demandait une partie d'onchets que nous faisions avec des tuyaux de paille et des crochets armés d'épingles. BALZAC, le Lys dans la vallée, Pl., t. VIII, p. 936.

2 Les colonnes (...) se dressent, plus distinctes que le jonchet au doigt d'un seul machiniste. GIRAUDOUX, Ondine, II, 1.

HOM. Jonchaie; formes du v. **joncher.**

JONCTIF, IVE [ʒɔ̃ktif, iv] adj. — 1934, Tesnières; bas lat. gramm. *junctivus* «subjonctif», du lat. class. *junctum.* → Jonction.

♦ Ling. Se dit des éléments de la langue dont la fonction est de relier entre eux les mots «pleins». — Syn. : *mots grammaticaux.*

JONCTION [ʒɔ̃ksjɔ̃] n. f. — V. 1245, «union charnelle»; lat. *junctio, onis,* de *junctum,* supin de *jungere.* → Joindre.

♦ **1.** (1477). Action de joindre une chose à une autre; le fait d'être joint. ⇒ **Adjonction, assemblage, conjonction** (I.), **liaison, réunion, union** (→ Cohérence, cit. 2). *La jonction d'une chose à une autre, de deux choses (par qqn). Jonction bout à bout de deux éléments.* ⇒ **Abouchement, aboutage, apposition.** — Méd. *Mode de jonction des os.* ⇒ **Articulation.** *Jonction par adhésion*.* ⇒ **Adhérence, soudure.** *Point de jonction des lèvres.* ⇒ **Commissure.**

Fait de réunir (des éléments abstraits). *La jonction des efforts.* ⇒ **Conjugaison, union.** *La jonction du mot et de l'idée* (→ Abstraction, cit. 5). *La jonction de deux choses inconciliables* (cit. 3). *Jonction des esprits, des âmes* (cit. 37). ⇒ **Contact, étreinte.**

1 La *jonction,* dit-il *(l'abbé Girard, auteur d'un « Dictionnaire de synonymes »),* regarde proprement deux choses éloignées qu'on rapproche, ou qui se rapprochent l'une auprès de l'autre; l'*union* regarde particulièrement deux différentes choses qui se trouvent bien ensemble. Le mot de *jonction* semble supposer une marche ou quelque mouvement; celui d'*union* renferme une idée d'accord ou de convenance : on dit la *jonction* des armées, et l'*union* des couleurs (...) Encycl. (DIDEROT), art. *Jonction.*

(1690, Furetière). Dr. *Jonction de causes :* «décision par laquelle le tribunal, saisi de deux causes liées assez étroitement (...) pour que la solution de l'une doive influer sur celle de l'autre, — ou de deux demandes dont l'une est incidente à l'autre (...) ordonne leur réunion pour qu'il soit statué sur les deux par un seul jugement» (Capitant, *Voc. juridique*). *Jonction de causes connexes*.*

♦ **2.** Action par laquelle deux choses entrent, sont mises en contact. ⇒ 1. **Rencontre.** *Jonction naturelle de deux cours d'eau* (⇒ **Confluent**); *jonction par un canal* (cit. 4). *Jonction de deux routes, de deux voies de chemin de fer.* ⇒ **Bifurcation.** *Gare de jonction. Voie de jonction* (ou *de raccordement*). *Jonction de deux circuits électriques**, branchement, raccordement. *Cavalier** (IV.) *de jonction d'un engin spatial. Point de jonction.* — (1819, Boiste, *in* D. D. L.). Lieu de rencontre. *À la jonction des deux routes.*

2 *(Ils)* ne le quittèrent qu'à la jonction de la route de Montégnac et de celle de Bordeaux à Lyon. BALZAC, le Curé de village, Pl., t. VIII, p. 721.

♦ **3.** (1581). Action de se joindre (en parlant de troupes, de groupes). ⇒ **Réunion.** *Les éléments* (cit. 9) *de la troupe ont fait, ont effectué, ont opéré leur jonction.*

3 — Madame, vous n'avez pas un instant à perdre, dit le valet de chambre, les Prussiens, les Autrichiens et les Anglais vont faire leur jonction à Blois ou à Orléans (...) BALZAC, la Femme de trente ans, Pl., t. II, p. 702.

♦ **4.** Électron. Contact entre deux semi-conducteurs de type différent permettant le redressement du courant (⇒ **Diode**). *Combinaison de jonctions.* ⇒ **Transistor.**

Syn. (rare) de *interface**.

CONTR. Disjonction, dislocation. — Bifurcation, séparation.
DÉR. V. **Jonture.**

JONCTURE [ʒɔ̃ktyʀ] n. f. — 1960; de *jonction,* et suff. *-ure,* pour rendre l'angl. *juncture,* courant dans la langue didactique.

♦ Didact. Attache.

Le suffixe se présente sous la forme *-té,* avec deux variantes combinatoires *-ité* ou *-eté.* Ces variantes dépendent des attaches, ou si l'on veut des *jonctures* en empruntant le terme à la phonologie : ce mot de joncture a l'avantage de rapprocher le phénomène morphologique de l'attache de celui de la syllabation : les conditions en sont parallèles. Jean DUBOIS, Étude sur la dérivation suffixale, p. 2.

JONGLAGE [ʒɔ̃glaʒ] n. m. — Mil. XXe (1941, *in* T. L. F.); de *jongler,* et *-age.*

♦ Techn. Ensemble des techniques utilisées par les jongleurs (3.). ⇒ **Jongler** (2.), **jonglerie** (1., b).

JONGLER [ʒɔ̃gle] v. intr. — XVe; 1690, au sens 1; *jongler à qqn* (Froissart) «s'amuser avec qqn»; anc. franç. *jogler,* v. 1160; du lat. *joculari* «plaisanter», avec infl. possible d'un francique **jangalôn* et de l'anc. franç. *jangler* «bavarder»; repris 1546 «plaisanter».

♦ **1.** Vx. Faire des tours d'adresse (⇒ **Jonglerie,** 1., a; **jongleur,** 2.).

♦ **2.** Mod. Lancer en l'air plusieurs objets (boules, etc.) qu'on reçoit et relance alternativement en entrecroisant leurs trajectoires. → Jonglerie, cit. 1.1. *Jongler avec des boules, des cerceaux, des massues, des torches* (⇒ **Jongleur,** 3.).

Enfin Gianni triomphait de la difficulté de jongler avec trois objets de pesanteur différente, un boulet, une bouteille, un œuf : tour qu'il terminait en recevant l'œuf dans le cul de la bouteille. Ed. DE GONCOURT, les Frères Zemganno, IV. 1

♦ **3.** (1873). Par métaphore ou fig. *Jongler avec...,* manier de façon adroite et désinvolte. *Jongler avec les idées, avec les chiffres.* ⇒ **Jouer.** *Jongler avec les difficultés,* s'en jouer. ⇒ **Jeu** (se faire un jeu de).

(...) une phraséologie vague, qui jongle avec le secret des siècles et l'inconnu de l'être (...) GIDE, Journal, 19 juin 1910. 2

Il ne faudrait pourtant pas prendre pour de la pensée l'art de jongler avec les sophismes comme Robert-Houdin avec ses gobelets (...) Julien BENDA, la Trahison des clercs, Préface, p. 73. 3

(...) ces chiffres avec lesquels jongle Balzac (...) Émile HENRIOT, les Romantiques, p. 297. 4

♦ **4.** Régional (Canada). Réfléchir, méditer à qqch.; être songeur.

DÉR. Jonglage, jonglerie, jongleur.

JONGLERIE [ʒɔ̃gləʀi] n. f. — 1581, «mensonge»; *juglerie,* 1119; de *jongler,* avec infl. de l'anc. franç. *janglerie,* de *jangler* «bavarder». → Jongler.

♦ **1.** a Tour d'adresse manuelle.

b Technique du jongleur (3.). ⇒ **Jonglage.** *La jonglerie exige une grande adresse.*

Dans la jonglerie, qui est aussi une spécialité acrobatique, où l'œil, le cerveau et le corps entier se partagent les responsabilités du travail, RASTELLI avait (...) dépassé tous ses devanciers par la difficulté matérielle, l'ingéniosité, la complexité du numéro (...) G. FRÉJAVILLE, *in* Encycl. (DE MONZIE), XVI, 44-9. 1

Celui-ci jonglait avec des bougies allumées, qu'il éteignit successivement quand elles passèrent devant ses lèvres, et qu'il ralluma l'une à l'autre sans interrompre un seul instant sa prestigieuse jonglerie. J. VERNE, le Tour du monde en 80 jours, p. 200. 1.1

♦ **2.** (Déb. XVe). Cour., par métaphore (souvent péj.). Exercice de virtuosité. *D'éblouissantes jongleries poétiques.*

(...) il *(E. Poe)* n'était pas loin de les considérer *(ses contes étranges),* comme de faciles jongleries, comparativement aux ouvrages de pure imagination. BAUDELAIRE, Edgar Poe, sa vie et ses œuvres, II. 2

Vos romans sont poétiques et, quant à votre forme, je préfère sa simplicité sans ornement à ces jongleries où chaque mot semble briller d'un éclat isolé. A. MAUROIS, les Roses de septembre, I, I. 3

♦ **3.** (1784). Manœuvre tendant à duper. *Jongleries de charlatan* (⇒ **Charlatanisme, hypocrisie**).

— J'ai une religion, ma religion, et même j'en ai plus qu'eux tous, avec leurs momeries et leurs jongleries! FLAUBERT, Mme Bovary, II, I. 4

♦ **4.** Régional (Canada). Songerie.

JONGLEUR, EUSE [ʒɔ̃glœʀ, øz] n. — 1572; *jougleur,* déb. XIIIe; *jogleor, jugleor* «ménestrel», v. 1135; lat. *joculator* «rieur, bon plaisant», avec infl. de l'anç. franç. *jangler.* → Jongler.

♦ **1.** (XIIe). Anciennt. Ménestrel* ambulant qui récitait ou chantait des vers, en s'accompagnant d'un instrument. ⇒ **Ménestrel, troubadour, trouvère;** → Fatrasie, cit. 2. *Les jongleurs se produisaient* *dans les châteaux, les tournois, les fêtes publiques.* — REM. Dans ce sens, le fém. (littér. et rare) est *jongleresse.*

1 Fatigué de racler psaltérion et viole,
Cercamon le jongleur au sacré monastère
Est venu savourer le charme du mystère,
Le Nirvâna en Dieu, la paix du cimetière.
F. MISTRAL, les Olivades, Le mirage, p. 151.

2 Le « jongleur » du moyen âge, musicien, conteur, chanteur, comédien, poète, marchand d'herbes et d'onguents à l'occasion, faisait aussi des tours d'escamoteur et d'acrobate pour amuser ses auditeurs et montrait des animaux dressés. En réalité, remarque Victor FOURNEL, les jongleurs « étaient les artistes universels embrassant toutes les branches des connaissances humaines, dans leur rapport avec l'amusement de l'esprit ou des yeux ».
G. FRÉJAVILLE, *in* Encycl. (DE MONZIE), XVI, 76-12.

♦ **2.** (1549). Vx. Personne qui fait des tours d'adresse pour divertir le public. ⇒ **Bateleur, saltimbanque; acrobate, antipodiste, équilibriste, escamoteur, prestidigitateur.** *Jongleur hindou.* ⇒ **Psylle.** — *Le Jongleur de Notre-Dame,* miracle en trois actes inspiré d'une légende médiévale, 1902.

3 Aussi devint-il *(le Pont-Neuf)* bientôt le rendez-vous de tous les oisifs parisiens, dont le nombre est grand, et partant de tous les jongleurs, vendeurs d'onguents et filous, dont les métiers sont mis en branle par la foule, comme un moulin par un courant d'eau.
NERVAL, Contes..., La main enchantée, IV.

4 Même quand elle marche on croirait qu'elle danse,
Comme ces longs serpents que les jongleurs sacrés
Au bout de leurs bâtons agitent en cadence.
BAUDELAIRE, les Fleurs du mal, Spleen et Idéal, XXVII.

♦ **3.** (1572). Mod. Personne dont le métier est de jongler (2.). *Tours de jongleur.* ⇒ **Jonglage, jonglerie.**

5 Gianni était un jongleur de première force, ses mains étaient douées d'un toucher de caresse et d'enveloppement (...)
Ed. DE GONCOURT, les Frères Zemganno, IV.

5.1 Ce premier travail accompli, chaque jongleur se mit à repousser individuellement les balles de son vis-à-vis, effectuant un continuel échange qui se prolongea ensuite sans interruption.
Raymond ROUSSEL, Impressions d'Afrique, p. 38.

Appos. ou adj. *Clown jongleur. Une otarie jongleuse.*

♦ **4.** (Fin XVIIIe). Fig. *Un habile jongleur de mots.*

6 (...) à vingt-cinq ans il *(Hugo)* aura déjà écrit ses *Ballades,* il est déjà l'étourdissant jongleur de mots et le rythmicien prestigieux des *Djinns* (...)
Émile HENRIOT, les Romantiques, p. 83.

♦ **5.** (1752, Trévoux). Didact., vx. Devin qui guérit ou qui prédit l'avenir. — (1732). Vx. Sorcier (chez les indigènes d'Amérique).

JONKHEER [jɔnkɛʀ; ʒɔnkɛʀ] n. m. — 1906, *Nouveau Larousse illustré, Suppl.*; mot holl.; all. *Junker.*

♦ Noble hollandais non titré (au-dessous du chevalier).

JONQUE [ʒɔ̃k] n. f. — 1601; *joncque,* 1571; *juncque,* v. 1540; *ionct.* v. 1525; *junc* en 1521 (etc.); empr. au javanais *(d)jong,* par l'ital. et le néerlandais, le portugais *junco* ayant servi d'intermédiaire.

♦ Voilier* d'Extrême-Orient à trois mâts, dont les voiles de nattes ou de toile sont cousues sur de nombreuses lattes horizontales en bambou. *La jonque, navire de mer et de rivière.*

1 Les sampans et les jonques, qui depuis trois jours s'étaient tenus blottis, s'en vont vers le large; la baie est couverte de leurs voiles blanches (...)
LOTI, Mme Chrysanthème, XXXIV.

2 Tout le monde connaît Hong-Kong, sa rade, ses jonques, ses sampans, les buildings de Kowloon, et l'étroite robe à jupe entravée, fendue sur le côté jusqu'à la cuisse, dont sont vêtues les eurasiennes (...)
A. ROBBE-GRILLET, la Maison de rendez-vous, p. 13.

3 (...) une partie des jonques d'Indochine sont construites en lamelles de bambou tressées comme un panier, que l'on enduit ensuite d'une mixture constituée par de la bouse de vache et de l'huile de bois mélangée avec de la résine. Ce véritable bordé, parfaitement étanche mais un peu... flexible, reçoit alors une armature en bois assez rudimentaire au premier examen (et même après un examen approfondi (...)
Bernard MOITESSIER, Cap Horn à la voile, p. 18.

JONQUILLE [ʒɔ̃kij] n. et adj. — 1596, écrit *iouquille; jonquille,* 1660; esp. *junquilla,* de *junco* « jonc », du lat. *juncus* (→ Jonc).

♦ **1.** N. f. Variété de narcisse* à fleurs jaunes et odorantes, scientifiquement appelée *Narcissus jonquilla* (famille des *Amaryllidacées*), dont les feuilles rappellent celles du jonc*. *La jonquille, plante d'ornement, est aussi cultivée pour son parfum.* — Spécialt. La fleur de cette plante (→ Couche, cit. 4). *Un bouquet de jonquilles.*

1 (...) la collation dans un lieu tapissé de jonquilles (...)
Mme DE SÉVIGNÉ, 161, 26 avr. 1671.

♦ **2.** Adj. invar. (1748). De la couleur (jaune vif) de cette fleur. *Jaune jonquille. Velours jonquille. Des rubans jonquille.*

1.1 (...) une première fois dans un tampon ovale, en noir sur le fond jonquille de l'étui, entouré d'une couronne de médailles sans doute obtenues lors de successives expositions internationales (...)
Claude SIMON, le Palace, p. 134-135.

Spécialt. *Diamant jonquille* (couleur très rare).

N. m. Peint. *Un beau jonquille, du jonquille :* couleur secondaire composée avec du blanc et du jaune.

2 Il y a des canaris panachés dans toutes les couleurs simples que nous avons indiquées; mais ce sont les jaunes jonquille qui sont le plus panachés de noir.
BUFFON, Hist. nat. des oiseaux, Le serin des Canaries.

JOQUETTE [ʒɔkɛt] — 1974, *Match*; de *jockey*.*

♦ Rare. Femme-jockey.

JORAN [ʒɔʀɑ̃] ou **JURAN** [ʒyʀɑ̃] n. m. — 1877, *joran,* Littré; *juran,* mil. XXe; de *Jura.*

♦ Régional. Vent frais du nord-ouest soufflant sur le sud du Jura et sur le lac Léman.

JORDANESQUE [ʒɔʀdanɛsk] adj. — 1870, Goncourt, *in* D. D. L.; du n. du peintre flamand Jacob *Jordaens* (1593-1678), et *-esque.*

♦ Littér. Gras et rouge, rubicond (comme le sont les personnages peints par Jordaens).

Un journaliste, à la face jordanesque dans une chair épaisse et verruqueuse.
Ed. DE GONCOURT, la Faustin, p. 165 (1882), *in* D. D. L., II, 14.

JORDANIEN, ENNE [ʒɔʀdanjɛ̃, ɛn] adj et n. — 1949; de *Jordanie,* et *-ien.*

♦ De Jordanie. *L'économie jordanienne. L'arabe jordanien.* — N. *Un Jordanien, une Jordanienne :* habitant ou habitante de Jordanie, ou personne qui en est originaire.

JORDANON [ʒɔʀdanɔ̃] n. m. — Déb. XXe (1936, Cuénot, *in* T. L. F.), terme proposé en 1916 par J. P. Lotsy; du nom de A. *Jordan,* botaniste français (1819-1897), et *-on.*

♦ Bot. Lignée pure, naturelle, s'établissant par autofécondation stricte, de certaines plantes, par opposition aux *espèces linnéennes* (ou *linnéons*).

J'ORDONNE ou **JORDONNE** [ʒɔʀdɔn] loc. — 1808; emploi substantivé de *j'ordonne.* → Ordonner.

♦ Fam., vieilli. Surnom donné aux personnes qui donnent constamment des ordres. *Un jordonne. C'est un monsieur, une madame, une mademoiselle jordonne.*

JORDONNER [ʒɔʀdɔne] v. intr. — 1842, Hugo; de *j'ordonne,* d'après le précédent.

♦ Fam., vx. Donner constamment des ordres.

JORURI [ʒɔʀyʀi] n. m. — Attesté XXe; mot jap. *jōruri,* du n. propre d'une héroïne d'un récit (déb. XVIe).

Didactique.

♦ **1.** Ballade épique, généralement à sujet amoureux dans la littérature traditionnelle japonaise (notamment au XVIIe siècle), narrée et accompagnée au biwa*. *C'est le joruri qui sert de trame narrative au théâtre de poupées.* ⇒ **Bunraku.**

♦ **2.** Texte d'une pièce de bunraku*. *Chikamatsu Monzaemon fut le plus grand auteur de joruri.*

1. JOSEPH [ʒozɛf] adj. invar. — 1756, *Encyclopédie, papier joseph; Joseph collé, fluent...,* 1723; prénom de l'inventeur *Joseph* Montgolfier.

♦ Techn. *Papier joseph :* papier mince et transparent, employé comme filtre en chimie.

HOM. 2. **Joseph.**

2. JOSEPH [ʒozɛf] n. m. — 1756, *in* D. D. L.; de *Joseph,* nom du mari de la Vierge Marie, dans les Évangiles.

♦ (Attesté mil. XXe chez Roger Vailland). Fam. (vieilli ou régional). Personne niaise.

Je ne m'en ressens pas pour m'asseoir dans les courants d'air et poser au joseph, à seule fin qu'une vieille pie me refile un rond en sortant de la messe.
BERNANOS, l'Imposture (1948), *in* Œ. roman., Pl., p. 476.

Adj. *« Il était bien Joseph »* (Huysmans, *les Sœurs Vatard, in* Cressot).

HOM. 1. **Joseph.**

JOSÉPHINE [ʒozefin] n. f. — XXe; prénom féminin.

♦ Fam. (péj. ou iron.). Femme, compagne.

C'est là qu'il a fourré sa Joséphine quand elle a commencé à lui casser les pieds.
R. QUENEAU, Loin de Rueil, p. 16.

JOSÉPHISME [ʒozefism] n. m. — 1876; du n. de *Joseph II,* empereur germanique (1741-1790).

♦ Hist. Doctrine politique anticléricale de Joseph II.

1. JOTA [xɔta] n. f. — 1840 (→ 2. Jota); mot espagnol, du lat. *iota*, mot grec. → Iota.

♦ Phonème guttural [x], noté *j*, de la langue espagnole. *De nombreux Français ont du mal à prononcer la jota.*

HOM. 2. Jota.

2. JOTA [xɔta] n. f. — 1840-42, Académie, *Compl.*; mot espagnol d'orig. incert.; soit altér. aragonaise de l'anc. castillan *sotar* «danser», du lat. *saltare*, soit de l'arabe *šaṯha*.

♦ Danse populaire espagnole*, particulièrement en honneur dans la province d'Aragon, à trois temps. *La jota aragonaise** (et, ellipt, *l'aragonaise*), *écrite à trois-quatre ou trois-huit, se danse pour toutes les fêtes, même religieuses. Jouer une jota* (→ Guitare, cit. 4). *Fandangos* (cit. 2) *et jotas.*

1 La soirée se termine par un petit bal improvisé, où l'on ne danse hélas! ni jota, ni fandango, ni bolero (...) Th. GAUTIER, Voyage en Espagne, p. 160.

2 Chaque province d'Espagne a ses danses : l'Aragon, la fameuse jota, d'origine basque, ou peut-être arabe, mais d'un style brillant et noble. Francis DE MIOMANDRE, Danse, p. 39.

HOM. 1. Jota.

JOTTE [ʒɔt] n. f. — Déb. XIIe, *joute verte; jotte*, 1538; bas lat. *jotta* «bouillon» (VIe), probablt d'orig. gauloise (formes apparentées dans plusieurs langues celtiques); d'abord «légumes mis dans la soupe».

♦ Régional ou vx. Bette, cardon. — Ravenelle.

JOTTEREAU [ʒɔtʀo] n. m. — 1732, Trévoux; *jauttereau*, 1704; *joutereau*, 1678; de l'anc. franç. *joette* «petite joue»; rad. lat. *gaba*, ou altér. du provençal *gauteiras*, de *gauta* forme provençale correspondant à *joue**.

♦ Mar. Pièce de bois dur ou de tôle solidement fixée de chaque côté d'un mât pour supporter les élongis. *Jottereaux d'un mât* (⇒ 3. **Flasque**). *Jottereau de l'avant.* ⇒ 1. **Dauphin.**

JOUABLE [ʒwabl] adj. — 1741, Voltaire; de *jouer*, et *-able*.

♦ **1.** Qui peut être joué (III.). *Ce morceau, cette pièce n'est pas jouable.* — Mus. (d'un instrument). *Ce piano est ancien, mais après une bonne restauration, il sera tout à fait jouable.* — REM. Emploi à mettre en rapport avec la construction transitive *jouer un instrument* (→ Jouer, III., *infra* cit. 56.1).

♦ **2.** Qui peut être joué (II.). *Ce jeu n'est pas jouable par temps de pluie.*

Spécialt. Qui peut être joué avec quelque chance de gain, de succès. *Contre un tel adversaire, la partie sera certainement difficile, mais elle est jouable.* — Fig. (dans un domaine différent de celui du jeu, des sports). *C'est jouable :* cela peut être entrepris, tenté, avec quelque chance de réussite. *Il veut faire redémarrer une entreprise qui vient de déposer son bilan : sans capitaux, ce n'est pas jouable,* c'est voué à l'échec.

(1924, *in* Petiot). Se dit du ballon qui peut être joué, du terrain sur lequel on peut jouer. *Ce terrain est très jouable; difficilement jouable par temps pluvieux.*

CONTR. et **COMP.** Injouable.

JOUAIL [ʒwaj] n. m. — 1771, Trévoux; de *joug*.

♦ Mar. Syn. de 1. *jas.*

JOUAILLER [ʒwaje] v. intr. — 1718, Académie; de *jouer*, et *-ailler*. Familier, vieilli.

♦ **1.** Jouer petit jeu, uniquement pour se divertir. — *Jouailler à la Bourse* (L.-P. Fargue, *in* T. L. F.).

♦ **2.** Jouer médiocrement et sans passion (d'un instrument; à un jeu).

(Il) va jouaillant un peu du cistre (...) ROUSSEAU, les Confessions, XI.

JOUAL [ʒwal] n. m. — 1960; *parler joual*, adv. «parler mal, de manière relâchée», av. 1920 (d'après A. Laurendeau); attesté 1930 (T. L. F.); prononciation populaire de *cheval* d'où *choval, joual* [ʃwal; ʒwal] dans certaines régions du Québec et ailleurs.

♦ Mot utilisé au Québec pour désigner globalement les écarts (phonétiques, lexicaux, syntaxiques; anglicismes) du français populaire canadien (dont la phonétique est assez éloignée de celle du français canadien des classes cultivées et dont le lexique est fortement anglicisé), soit pour les stigmatiser soit pour en faire un symbole d'identité. ⇒ **Franco-canadien, québécois.** «*Le mot* joual *est une espèce de description ramassée de ce que c'est que le parler joual*» (J.-P. Desbiens). «*Exit le joual. Ce qui se fait aujourd'hui au Québec, c'est le québécois*» (*l'Express*, 13 déc. 1980).

Adj. (parfois invar. en genre). «*La langue jouale*» (J.-P. Desbiens). «*La grammaire joual*» (Réjean Ducharme). — Par appos. «*C'est Louis Caron, l'être joual supérieur*» (Réjean Ducharme).

DÉR. Joualiser.

HOM. Joualle.

JOUALISANT, ANTE [ʒwalizɑ̃, ɑ̃t] adj. et n. — D. incert. (1973, *in* T. L. F.); p. prés. de *joualiser*.

♦ (Personne) qui parle, écrit en joual. *Un écrivain joualisant.* — N. *Les joualisants québécois.*

JOUALISER [ʒwalize] v. intr. — D. i. (XXe); de *joual*.

♦ Parler, écrire joual. *Les écrivains qui ont joualisé au théâtre.*

DÉR. Joualisant.

JOUALLE [ʒwal] n. f. — XVIe; forme fém. de l'anc. franç. *jouau* «pièce de bois pour attacher la vigne», du rad. lat. *jugum* (→ Joug).

♦ Vitic. Vigne plantée de telle façon qu'à des rangées de ceps succèdent des terres intercalaires cultivées en céréales ou en légumes, etc. *Vigne à joualles, en joualles.* — On écrit aussi *joalle, joual* (n. m.). — Var. graphique et phonét. : *jouelle* [ʒwɛl] n. f.

HOM. Joual.

JOUASSE ou **JOISSE** [ʒwas] adj. — Mil. XXe; de *joie, joyeux*.

♦ Fam. Joyeux. *Il était drôlement jouasse. T'es pas jouasse?*

Là, elle élevait vraiment la voix et monsieur Salomon, tout éclairé du visage et même franchement jouasse, tapait sur son piano comme un sourd. E. AJAR (R. GARY), l'Angoisse du roi Salomon, p. 338.

L'immense bouche jouasse du ciel remplie de caquets les macérait, les ressassait dans une salivation infernale et grouillante (...) P. GRAINVILLE, les Flamboyants, p. 162.

REM. On trouve chez R. Gary (*Au-delà de cette limite...*, p. 118) le dérivé *jouasserie* au sens de «joyeuseté».

JOUBARBE [ʒubaʀb] n. f. — 1538; *jobarbe*, XIIe; du lat. *Jovis barba* «barbe de Jupiter».

♦ Plante grasse, dicotylédone *(Crassulacées)*, scientifiquement appelée *Sempervivum*, herbe ou arbrisseau indigène ou exotique, à tige velue et à feuilles charnues groupées en rosette d'où s'élève un panicule de fleurs roses ou jaunâtres. *La joubarbe, plante grasse ornementale et médicinale.*

Et mon regard rêveur s'abaisse volontiers
Vers la loge, où, contents végètent mes portiers :
Près du carreau poudreux où l'homme fait sa barbe
J'aime le petit pot où croupit la joubarbe.
Charles CROS, le Coffret de santal, «Paysage», Pl., p. 150.

Joubarbe des toits (→ Enraciner, cit. 1). ⇒ **Artichaut** (sauvage). *Joubarbe des vignes.* ⇒ **Orpin.** *Petite joubarbe :* orpin blanc.

JOUE [ʒu] n. f. — 1273; *joe*, 1080; orig. incert., p.-ê. du prélatin (gaulois?) **gaba* (→ 2. Gave), par une forme **gauta*.

A. ♦ **1.** Partie latérale de la face (cit. 2 et 7) humaine, s'étendant entre le nez et l'oreille, du dessous de l'œil au menton. *Les joues, parois latérales de la bouche. Parties de la joue.* ⇒ **Méplat, pommette.** *Muscles* (buccinateur, masséter, zygomatique), *os de la joue* (⇒ **Génal, malaire**). — *Fossettes** (cit. 4) *des joues. Barbe qui pousse sur les joues, envahit les joues.* (→ 1. Barbe, cit. 10, 12, 14 et 17). *Duvet follet* (cit. 4) *qui pousse sur les joues.* — *Se farder* (cit. 9), *se poudrer les joues. Rouge à joues. Des larmes brûlantes* (cit. 3) *roulent sur les joues* (→ Humecter, cit. 2). — Fam. *Se caler* les joues :* manger; bien manger. Vx. *Se faire des joues* (même sens). — Joues pâlies, amaigries (cit. 6). *Joues caves, creuses* (cit. 16), *creusées* (→ Carrure, cit. 3). *Joue flasque, pendante.* ⇒ **Abajoue, bajoue.** *Avoir de grosses joues* (⇒ **Joufflu, mafflu;** → Fontaine, cit. 8), *des joues empâtées* (cit. 3) *rebondies* (→ Friser, cit. 14), *rondes* (→ Brugnon, cit. 1). Loc. fam. *Il a des joues comme des fesses* (→ ci-dessous, en comp., cit. 1.1 : Joues-fesses). *Joues fraîches, lisses, veloutées* (→ 1. Fruit, cit. 17). *Joues pâles, empourprées* (cit. 4 et 5), *enflammées* (cit. 4), *roses, rouges comme une pomme d'api* (cit. 2, Hugo), *comme une tomate. Joues vermeilles* (→ Fleurir, cit. 24). *Joues brûlantes* (→ Effleurer, cit. 8). *Joues en feu* (→ Bas-fond, cit. 2; exsangue, cit. 3). *Joue qui se colore, rougit* (→ Embarras, cit. 16; inventer, cit. 16). *Rougeur qui s'épand* (cit. 12) *sur la joue* (→ Buée, cit. 2). *Joues couperosées, striées de fibrilles* (cit. 1). *Joues gonflée par une fluxion* (cit. 4).

La nuit même ne pouvait les séparer : elle les surprenait souvent couchés dans le même berceau, joue contre joue, poitrine contre poitrine, les mains passées mutuellement autour de leurs cous et endormis dans les bras l'un de l'autre. 1
BERNARDIN DE SAINT-PIERRE, Paul et Virginie, p. 24.

Notre petit Fantec est réjouissant à voir. Il a des joues-fesses remarquables et un teint «pièces-de-deux-sous» fort réussi. 1.1
J. RENARD, Journal, 3 mai 1890.

Elle avait (...) des joues hâves toutes sillonnées de petites lignes.
J. GREEN, Adrienne Mesurat, I, I.

(...) Roy qui, le feu aux joues, venait de faire le récit des manifestations chauvines auxquelles il avait pris part, la veille au soir.
MARTIN DU GARD, les Thibault, t. VII, p. 228.

.1 La petite servante rougit. Sa joue était une pomme mûre dans les branches vertes du matin. J. GIONO, Naissance de l'Odyssée, *in* Œ. roman., Pl., t. I, p. 56.

Par métaphore. *Joues incarnates* (cit. 2) *d'une pêche.*

Vieilli. *Baiser* (cit. 1) *la joue* (de qqn). *Baiser qqn à la joue, sur la joue* (→ Accoler, cit. 1; galant, cit. 19). — Mod. *Embrasser qqn* (cit. 3) *sur la joue, sur les deux joues* (→ 1. Bécot, cit. 1). *Un baiser sur la joue* (→ Bonjour, cit. 3; effleurer, cit. 7). *Caresser* (cit. 6) *la joue de qqn. Tape amicale, gifle* (cit. 5) *sur la joue* (→ Congédier, cit. 2; imbécile, cit. 8). — *Coup sur la joue.* ⇒ **Gifle, soufflet.** *Gifler* (cit. 2 et 5) *qqn sur les deux joues. Appliquer* (cit. 4) *un soufflet, une giroflée sur la joue.* — *Tendre la joue,* pour recevoir un baiser. — Allus. bibl. (→ Frapper, cit. 1). *Présenter, tendre l'autre joue, la joue :* s'exposer volontairement à un redoublement d'outrages.

L'Évangile ordonne bien à celui qui reçoit un soufflet d'offrir l'autre joue, mais non pas de demander pardon. ROUSSEAU, les Confessions, IX.

(...) elle lui prit la tête à deux mains (...) et lui posa sur les joues deux baisers fraternels. G. DUHAMEL, Salavin, III, XXVIII.

Loc. ***Être joue à joue, joue contre joue*** (spécialt, en dansant). *Danser joue contre joue.* — N. m. *Faire du joue-à-joue, du joue contre joue.*

.1 Reverrions-nous jamais son vrai visage, son profil de camée, cette peau de pêche faite pour le joue-à-joue? Hervé BAZIN, Qui j'ose aimer, XII, p. 107.

♦ **2.** (1578). **EN JOUE.** *Coucher*, mettre en joue un fusil, une carabine.* ⇒ **Épauler** (→ Baguette, cit. 8). — Ellipt. *En joue!,* ou *Joue!,* commandement militaire enjoignant aux soldats de mettre leurs fusils en position de tir. *En joue! Feu!*

Plus. cour. *Coucher*, mettre, tenir une cible* (personne ou chose) *en joue,* la viser avec une arme à feu portative. ⇒ 1. **Viser.** *Il nous a mis, nous a couché en joue.*

(...) les hommes qui l'accompagnaient nous couchèrent en joue avec des carabines (...) A. R. LESAGE, Gil Blas, V, I.

(...) au-dessus d'un buisson apparaît la tête du lion. Il nous avait sentis et regardait de notre côté. Je le mets en joue et tire : la tête disparaît derrière le buisson (...) A. MAUROIS, les Silences du colonel Bramble, VI.

Fig. et Vx. *Coucher en joue qqch. :* viser, surveiller pour obtenir.

♦ **3.** (V. 1393). En parlant de certains animaux. Partie latérale de la tête correspondant à la *joue* de l'homme. *Joues du singe* (→ Face, cit. 14), *du cheval, du bœuf.* — Bouch. *Joue de bœuf.* — Cuis. *Joue de lotte, de raie.*

B. ♦ **1.** (1867, Littré; 1426, dans un autre sens techn.; 1446, «mur latéral»). Techn. L'une des deux faces extérieures de la caisse (d'une poulie). *La joue droite, les joues d'une poulie. Joue de poulie.* — *Joues de coussinet* :* parois latérales des coussinets d'une voie ferrée. — (1845, Bescherelle). *Joue d'une solive,* sa face latérale considérée de l'entrevous.

♦ **2.** (1680). Panneau latéral entre le siège et les bras (d'un fauteuil, d'un canapé). *Fauteuil à joue ouverte, à joue pleine* (⇒ **Jouée**).

♦ **3.** (1721). Mar. *Joues d'un navire :* partie renflée de l'avant, sur le côté. ⇒ **Épaule.**

DÉR. Jouée.
COMP. Abajoue, bajoue.
HOM. Joug; formes du v. **jouer.**

JOUÉE [ʒwe] n. f. — XIIIe; *joee,* v. 1155; «mur d'assise d'un moulin à vent», 1313; de *joue,* et *-ée.*

Technique.

♦ **1.** Épaisseur de mur dans l'ouverture (d'une porte, d'une fenêtre).

♦ **2.** (1690, Furetière). Par anal. «Partie latérale en forme de triangle comprise entre une lucarne* et le toit sur lequel elle se détache» (Réau, *Dict. d'art*).

♦ **3.** (1867, Littré). Morceau d'étoffe garnissant l'espace compris entre le siège et le bras (⇒ **Joue,** B., 2.) d'un fauteuil ou d'un canapé.

HOM. Formes du v. **jouer.**

JOUELLE [ʒwɛl] n. f. — 1551; fém. de l'anc. franç. *jouau* (→ Joualle).

♦ Régional (agric.). Support en forme de joug servant à attacher la vigne.

JOUER [ʒwe] v. — XIIIe; *juer, joer,* 1080, *Chanson de Roland* «s'amuser, se distraire; jouer (aux échecs)»; du lat. *jocari* «badiner, plaisanter».

★ **I.** V. intr. et pron. ♦ **1.** [a] V. intr. Se livrer au jeu (I., 1.). ⇒ **Amuser** (s'), **divertir** (se). *Les enfants s'amusent, se divertissent, se récréent en jouant. Fillette grognon* (cit. 1) *qui ne peut pas jouer. Il passe tout son temps à jouer. Faire jouer un enfant* (→ Endormir, cit. 38). *Les élèves jouent pendant la récréation*. Des gamins* (cit. 5) *qui jouent dans la rue.* ⇒ **Ébattre** (s'), **ébrouer** (s'). *Allez jouer dehors! Pouce*, je ne joue plus. Jouer bruyamment, avec ardeur, entrain. Jouer avec un camarade* (→ Gras, cit. 39), *un cousin* (→ Harem, cit. 5). *Nous allons jouer ensemble. Ce n'était pas sérieux, c'était pour jouer.* ⇒ **Plaisanter,** 1. **rire.**

Les jeux des enfants sont de graves occupations. Il n'y a que les grandes personnes qui jouent. H. BARBUSSE, le Feu, t. I, VI. 1

[b] Pron. (V. 1165). *Se jouer.* — Vx. Jouer. *Homme facétieux* (cit. 4) *qui aime à se jouer.* — Littér. *Des insectes se jouent dans un rayon de soleil.* ⇒ **Folâtrer.** — Loc. (Sujet n. de personne). *En se jouant, comme en se jouant. Faire une chose* (difficile) *en se jouant, comme en se jouant.* ⇒ **Facilement** (→ Bondir, cit. 7; 2. fait, cit. 19).

♦ **2.** (Sujet n. de chose). [a] V. intr. Littér. Se mouvoir comme au gré de son caprice, de sa fantaisie. *Source qui joue entre les pierres.* — Mar. *La brise joue,* elle change de direction.

Spécialt. Provoquer un léger mouvement, des effets variés et changeants. → ci-dessous, cit. 3 et 5. *Sourire qui joue sur les lèvres* (→ Ébauche, cit. 9). *Moires qui jouent sur la mer* (→ Cerne, cit. 2).

[b] V. pron. *Se jouer.* → ci-dessous, cit. 2 et 3. *La brise se joue dans les branches* (→ Haleine, cit. 19). *Lumière qui se joue dans les plis d'une étoffe* (→ Glacer, cit. 34).

(...) les creux vallons, où les rivières, par mille détours, semblent se jouer au milieu des riantes prairies. FÉNELON, Télémaque, II. 2

La lune était sereine et jouait sur les flots. HUGO, les Orientales, X. 3

(...) la tête couverte d'un coqueluchon où ses cheveux blonds se jouaient dans la dentelle noire. 4
FRANCE, la Rôtisserie de la reine Pédauque, XII, Œ., t. VIII, p. 100.

L'immense vaisseau semblait désert. Le soleil de la soirée jouait à travers les vitraux (...) G. DUHAMEL, Chronique des Pasquier, VIII, XVI. 5

♦ **3.** (1559; en parlant d'un oiseau, v. 1265). V. intr. seulement. (Choses). Se mouvoir avec aisance (dans un espace déterminé). *Jouer à l'aise* (→ Guêpe, cit. 6). — Mar. *Barque qui joue sur son ancre,* qui se balance.

(1867, Littré). Se déplacer, ne pas garder sa forme (en parlant d'une surface, d'un assemblage). *Meuble, panneau de bois qui joue,* dont l'assemblage ne joint plus exactement, par suite de dilatations, de contractions. ⇒ **Jeu** (avoir du). *L'humidité fait jouer les boiseries.* ⇒ **Gondoler.**

(...) les bois des volets et des portes avaient joué, et ne fermaient plus ou fort mal. 6
Th. GAUTIER, Omphale, *in* Fortunio, p. 233.

♦ **4.** Fonctionner à l'aise, sans frotter ni accrocher. ⇒ **Fonctionner.** *Ressort, verrou qui ne joue plus. Faire jouer la clef dans la serrure.* — Par ext. Fonctionner. *Faire jouer un mécanisme. Les pompiers firent jouer les pompes* (→ Mettre en action). *Faire jouer les eaux :* provoquer des jeux* d'eau en manière de spectacle. — Fig. *Faire jouer les grandes eaux :* pleurer abondamment. *Faire jouer un fourneau* (cit. 8), *une mine,* les faire éclater.

(...) l'amorce est déjà conduite, et la mine prête à jouer (...) 7
LA BRUYÈRE, les Caractères, VIII, 43.

(...) il trouverait bien la manière de faire jouer les verrous et la serrure de la porte extérieure. LOTI, les Désenchantées, II, XIV. 8

♦ **5.** (XVIIe). Abstrait. Agir. ⇒ **Intervenir; jeu** (entrer, être en). *La question d'intérêt ne joue pas entre eux. Une circonstance fâcheuse a joué contre lui.* — (Factitif). *Faire jouer,* mettre en œuvre. *Faire jouer des ressorts secrets.* ⇒ **Jeu** (mettre en). *Faire jouer la corde sensible.*

Agrippine ne s'est présentée à ma vue (...) 9
Que pour faire jouer ce ressort odieux. RACINE, Britannicus, III, 9.

Il serait étrange que l'illusion ne jouât pas dans les jugements que portent les uns sur les autres des hommes de professions ou d'occupations différentes. 10
J. PAULHAN, Entretien sur des faits divers, p. 30.

Depuis son unique tentative de suicide (...) même aux heures de désespoir, avait joué en elle, toujours vivace, l'instinct de conservation. 11
F. MAURIAC, la Fin de la nuit, I, p. 18.

★ **II.** (V. 1160). V. tr. ind. *(avec, à)* et direct. **A.** ♦ **1. JOUER AVEC (qqch.).** [a] *Petite fille qui joue avec sa poupée.* ⇒ **Amuser** (s'); **joujou** (faire). → Figurine, cit. 1. *Jouer avec un cerceau, des balles.*

[b] Manipuler pour s'amuser ou distraitement, d'un geste plus ou moins machinal. *Jouer avec des brins de paille* (→ Coussinet, cit. 2), *avec un couteau* (cit. 8). *Ne laissez pas les enfants jouer avec la serrure.* — (Le sujet désigne un animal). *Jouer avec sa proie,* s'en amuser, la laisser en vie.

(...) cet instinct qui porte la femme à jouer avec sa proie comme le chat joue avec la souris qu'il a prise. BALZAC, les Chouans, Pl., t. VII, p. 883. 12

(...) il jouait avec ses doigts délicatement, tout en lui contant mille douceurs. 13
FLAUBERT, Mme Bovary, III, VII.

Elle jouait, d'une main, avec sa chaîne de grosses perles, nouait et dénouait leur nacre éternelle (...) autour de ses grands doigts flétris et soignés. 14
COLETTE, la Fin de Chéri, p. 101.

[c] (Abstrait). *Jouer avec les mots, avec les idées.* ⇒ **Jongler.**

Je connais beaucoup de peuples, mais en vérité, j'en connais peu qui aient autant d'aptitude à jouer familièrement avec les idées, les images, les vocables et les signes. G. DUHAMEL, la Turquie nouvelle, I. 15

Jouer avec les cœurs, les sentiments, les passions. → Agacer, cit. 6. *Jouer avec la vie de quelqu'un.*

Fig. Exposer avec légèreté, imprudence. *Jouer avec sa vie, avec sa santé,* risquer de la perdre, de la compromettre. *Jouer avec sa réputation* (→ 1. Grief, cit. 7). *Jouer avec le feu* (→ 1. Feu, cit. 18 et 19).

♦ **2. JOUER À...** **a** (Un jeu déterminé). *Jouer à cache-cache* (→ Enfance, cit. 5), *à colin-maillard* (cit. 1), *à la dînette* (→ Cafouiller, cit.). — *Jouer à* (suivi d'un inf.). *Jouer à se poursuivre* (→ 1. Fou, cit. 9), *à faire des pâtés.*

16 Quand un enfant joue au volant, il s'exerce l'œil et le bras (...)
ROUSSEAU, Émile, II.

Imiter (par jeu). *Jouer à l'explorateur, à la marchande, au papa et à la maman, au docteur, à l'infirmière* (→ aussi Glorieux, cit. 15). *Jouer à la guerre, à la noce. Jouer à la mariée.*

17 (...) d'ailleurs, une jeune fille aime toujours à jouer à la *maman.* À l'âge où j'étais, un enfant remplace alors la poupée.
BALZAC, les Secrets de la princesse de Cadignan, Pl., t. VI, p. 52.

17.1 Tous les enfants parlent à leurs joujoux; les joujoux deviennent acteurs (...) Les enfants témoignent par leurs jeux de leur grande faculté d'abstraction et de leur haute puissance imaginative. Ils jouent sans joujoux. Je ne veux pas parler de ces petites filles qui jouent à la madame, se rendent des visites (...) Les pauvres petites imitent leurs mamans : elles préludent déjà à leur immortelle puérilité future (...) Mais la diligence, l'éternel drame de la diligence joué avec des chaises (...) Quelle simplicité de mise en scène! (...) Et les enfants qui jouent à la guerre! Non pas dans les Tuileries avec de vrais fusils et de vrais sabres, je parle de l'enfant solitaire qui gouverne et mène à lui seul au combat deux armées (...)
BAUDELAIRE, Curiosités esthétiques, Morale du joujou.

18 À ton âge, les enfants jouent encore à la poupée ou à la marelle; et toi, pauvre petite, sans jouets ni compagnes, tu as joué au meurtre, parce que c'est un jeu qu'on peut jouer toute seule. SARTRE, les Mouches, III, 2.

18.1 Rien de féroce ne tachait les fusiliers marins.
Leurs chefs étaient des héros charmants. Ces jeunes hommes, les plus braves du monde, et dont pas un ne reste, jouaient à se battre, sans la moindre haine. Hélas! des jeux pareils finissent mal. COCTEAU, Thomas l'imposteur, p. 104.

*Jouer aux cartes** (cit. 6), *aux dames, aux dominos** (→ 1. Ensemble, cit. 4), *aux échecs** (cit. 1, 14 et 17).

Absolt. *S'attabler* pour jouer. Jouer contre quelqu'un* (→ Inonder, cit. 6). *À qui de jouer? À vous de jouer* (fig. : à vous d'agir). *Jouer sans prendre**. (Aux cartes). *Jouer en carreau, dans la couleur**. (Aux dames). *Souffler* n'est pas jouer. — Jouer à qui perd* gagne.*

(À un sport). *Jouer au football* (cit. 1), *au tennis* (→ Fraîche, cit. 4). *Jouer à... de façon habituelle* (⇒ **Pratiquer**) *ou occasionnelle.*

b Fig. Affecter d'être, se donner l'air de... *Jouer à l'indispensable* (cit. 13), *au généreux.* ⇒ **Poser.** *Jouer à la vertu.*

19 Avait-il besoin d'affecter une contenance funèbre et de jouer au pleureur (...)?
BAUDELAIRE, les Paradis artificiels, Mangeur d'opium, VII.

20 Nana (...) sortait peu, jouant à la solitude et à la simplicité. ZOLA, Nana, VIII.

Jouer à l'imbécile, jouer au con : faire l'imbécile (en agissant comme un imbécile).

20.1 Antoine alla examiner le triporteur (...) « Ça tiendrait peut-être les trois cents kilomètres à condition de ne pas jouer au con en route... »
René FALLET, le Triporteur, p. 62.

20.2 — Tu auras à manger si tu parles, m'a dit le barbu.
— De quoi, bon Dieu?
— Ne joue pas au con, il m'a répondu. Avec moi, ça ne prend pas. Je sais d'où tu sors, figure-toi, flic. J.-P. MANCHETTE, Morgue pleine, p. 119.

♦ **3.** V. tr. **a** Vx. *Jouer les échecs* (cit. 14), *l'hombre* (cit. 1)..., savoir y jouer.

b Mod. Pratiquer (un type de jeu). *Jouer le bridge-contrat.*

c Faire (une partie). *Jouer une partie de dames, un match de rugby...* — Au p. p. *Une partie bien ou mal jouée* (→ par métaphore, Échiquier, cit. 3). — *Jouer sa partie** (au fig. → Indifférence, cit. 4). *Jouer la belle*, la revanche.* Au p. p. *Partie bien, mal jouée.* Fig. *La partie est jouée.* — Pron. *Le bridge se joue à quatre. Match qui s'est joué entre le Racing et Lens.* — Impers. *Il va se jouer entre eux une rude partie.*

21 Nous sommes manche à manche, baron, nous jouerons la belle quand vous voudrez. BALZAC, la Cousine Bette, Pl., t. VI, p. 306.

22 Maître Lagatut, dis-je par derrière, nous jouerons cela à trois, si vous voulez bien : un *rams,* ce sera plus gai. LOTI, Mon frère Yves, XXXIV.

Fig. (au passif). *C'est joué, c'est joué d'avance :* le résultat est certain. *Ce n'est pas joué du tout,* (fam.) *c'est pas joué :* cela peut échouer, la réussite n'est pas assurée.

d Mettre en jeu (un élément du jeu). — *Jouer une balle* (au tennis). — *Jouer un pion, une pièce,* les déplacer (aux dames, aux échecs). — *Jouer une carte,* la produire. *Jouer la couleur. Jouer un roi, un pique.* Ellipt. *Jouer cœur* (cit. 7). Loc. fig. *Jouer cartes sur table.*

23 (...) la dernière carte est une carte dangereuse pour l'unique raison qu'elle est la dernière. Elle n'est bonne qu'aussi longtemps qu'elle n'est pas jouée. Il faudrait jouer toujours les parties difficiles sans abattre la dernière carte.
P. NIZAN, le Cheval de Troie, p. 111.

e *Jouer le jeu** (II., 2.) : respecter les règles du jeu.

23.1 L'étonnement, l'inquiétude sinon le scandale que je suscite, me rendent conscient de la singularité. Je ne joue pas le jeu. Profiter du monde et trahir le monde, c'est ce qu'après tout il a peut-être raison de ne pas pardonner.
F. MAURIAC, Bloc-notes 1952-1957, p. 59.

♦ **4.** V. tr. (Compl. n. de personne). **a** Vx. *Jouer un adversaire,* jouer contre lui. — Loc. (vx). *Jouer quelqu'un par-dessous la jambe** (aux jeux de paume et de volant), « en faisant passer la balle, le volant, sous la jambe » (Hatzfeld). ⇒ **Jambe** (cit. 25, au fig.).

b *Jouer qqn.* ⇒ **Abuser, berner** (cit. 2), **tromper,** (fam.) **rouler;** → Envelopper, cit. 22; 2. franc, cit. 4. *Il s'est fait jouer, on l'a joué.*

Mettez pour me jouer vos flûtes mieux d'accord. MOLIÈRE, l'Étourdi, I, 4. 24

Comme il les a joués avec son air mélancolique et insouciant! Il est le maître de la cour à présent! C'est fini, le Roi va, dit-on, le faire duc et pair (...) 25
A. DE VIGNY, Cinq-Mars, XIV.

Passif et p. p. *Il a été joué.*

— Je suis trahie, trompée, abusée, jouée, rouée, perdue, et je veux le tuer, le déchirer. BALZAC, les Chouans, Pl., t. VII, p. 1050. 26

L'homme, la femme, tombés à terre, pleuraient, gueulaient, dans le désespoir sauvage de n'être pas les plus forts, d'avoir été joués par cette garce de gamine. 27
ZOLA, la Terre, IV, VI.

La Prusse se crut donc atrocement jouée : elle avait, en acceptant le Hanovre, encouru la méprisante rancune de toute l'Europe, et voici qu'on s'apprêtait à lui retirer cette proie, « prix de la trahison », disait le roi de Suède. 28
Louis MADELIN, Hist. du Consulat et de l'Empire, Vers l'Empire Occident, XIII.

B. (Dans le contexte des jeux d'argent et de hasard). Intrans. et trans. indir. *(à).* ♦ **1.** Intrans. ou absolt. S'adonner aux jeux de hasard; être joueur*. *Il joue, il joue tous les soirs au casino.* ⇒ **Flamber.** *Il a joué et perdu.* → 2. Importer, cit. 21. *Jouer et gagner* (cit. 8 et 9). *Il devrait arrêter de jouer.* — Prov. *Qui a joué jouera :* on ne guérit pas de la passion du jeu.

Il *(Pippo)* joua le soir comme d'ordinaire, et perdit; les jours suivants, il ne fut pas plus heureux. Ser Vespasiano avait toujours le meilleur dé, et lui gagnait des sommes considérables. A. DE MUSSET, Nouvelles, Fils du Titien, II. 29

(Quant à l'enjeu). *Jouer à dix francs le point. Jouer pour des haricots,* sans mises réelles.

♦ **2.** *Jouer à* (un jeu de hasard et d'argent). *Jouer au baccara, au poker* (→ ci-dessus, A., 2., a : Jouer aux cartes). *Jouer à la roulette, au bingo.* — Loc. *Jouer à quitte* ou double.* — Par anal. (le compl. désigne une activité où l'on peut gagner ou perdre). *Jouer à la Bourse*. Jouer à la loterie, au tiercé, au quarté, au loto.* ⇒ **Parier.**

(...) il jouait à la Bourse, spéculait, commanditait des inventions nouvelles (...) 30
MARTIN DU GARD, les Thibault, t. III, p. 50.

À droite du bar, s'ouvraient les salles proprement dites, les trois salles. Dans la première, le salon jaune, d'un vieux jaune sombre, on jouait au baccara, trois grandes tables; dans la deuxième, qui était rouge, au trente-et-quarante; et dans la troisième, la verte, au poker. ARAGON, les Beaux Quartiers, III, I. 31

(À la Bourse). *Jouer à la baisse, à la hausse* (cit. 3) : spéculer sur la baisse, sur la hausse des valeurs. — REM. Voir aussi D., 3. (v. tr.).

C. JOUER SUR... ♦ **1.** Mettre en jeu (qqch.) dans l'espoir d'un gain. *Jouer sur une matière première, sur le cours des devises.* — Fig. *Jouer sur la défaite* (→ Fournisseur, cit. 1), *la faiblesse, la misère d'autrui...,* miser sur elle pour en tirer profit.

♦ **2.** Loc. (Correspond à *jeu* de mots*). *Jouer sur un mot, sur les mots :* tirer parti des équivoques que créent les homonymies, les à peu près.

Puis jouant sur le mot république (comme *chose publique*), il fait semblant de croire que république ne signifie aucune forme de gouvernement. 32
MICHELET, Hist. de la Révolution franç., V, III.

Gosse joue sur les mots. Il ne s'est jamais agi de « littérature européenne », ainsi qu'il le prétend (...) mais de « *culture* européenne » (...) 33
GIDE, Journal, 9 oct. 1916.

D. Se comporter dans un jeu (de la manière qu'indique l'adverbe, le complément circonstanciel). ♦ **1.** Intrans. ou absolt (avec un adv. ou une loc. adverbiale). *Jouer bien, mal. Tu joues comme un pied, comme un cochon,* très mal. *Elle joue divinement,* très bien. — Loc. (propre et fig.). *Jouer serré. Jouer sur le velours,* à coup sûr, en étant sûr de gagner. *Jouer sur les deux tableaux. Jouer au plus fin*.*

Au p. p. : *Ça c'est joué! Bien joué! :* fig. bien réussi.

Bien joué, Marguerite. À toi la première partie, mais à moi la revanche, je l'espère! A. DUMAS, la Tour de Nesle, III, 5. 34

♦ **2.** V. tr. Avoir, pratiquer (un type de jeu [IV., 1.]). Loc. *Jouer franc jeu. Jouer double jeu.* — *Jouer un jeu direct, habile, mesquin, sournois.* — *Jouer son jeu :* employer dans la partie sa manière habituelle de jouer; utiliser les éléments dont on dispose pour le jeu. *Il joue admirablement son jeu.*

Sports. *Jouer la touche :* pratiquer un jeu où l'on met fréquemment en touche (et non pas : « mettre le ballon en touche », autre sens de *jouer*).

Jouer la touche, consiste, pour une équipe menant à la marque à quelques minutes de la fin, à expédier le ballon hors des limites, ce qui — course du ramasseur de balles, remise en jeu — fait gagner des secondes aurifères en l'occurence. 34.1
René FALLET, le Triporteur, p. 400.

Jouer le béton.*

♦ **3.** V. tr. Mettre en jeu (qqch.), risquer au jeu. ⇒ **Hasarder.** *Jouer* *des sommes importantes. Jouer ses derniers sous.* → Gêne, cit. 8. *Jouer mille francs sur un cheval.* ⇒ **Miser, parier.**

(Sans compl.). *Jouer sur le favori.* — Au p. p. *La somme jouée.* → Cas, cit. 7. — Loc. *Jouer gros jeu,* un enjeu important (⇒ **Enjeu**). Ellipt. *Jouer gros**. ⇒ **Risquer.**

Par ext. *Jouer l'apéritif :* décider à plusieurs, par un jeu de hasard, qui paiera l'apéritif. → Consommation, cit. 9.

Fig. Risquer de manière hasardeuse. Loc. *Jouer son va*-tout. Jouer le tout pour le tout. — Jouer sa fortune, sa réputation.* ⇒ **Exposer.** *Tout jouer sur un coup de dés,* sur une opération hasardeuse. *Jouer sa vie, la jouer à croix* (cit. 18) *ou pile* (vx), *à pile ou face* (cit. 26).

35 (...) j'avais joué et perdu mon âme, en partie liée, avec une insouciance et une légèreté héroïques (...) BAUDELAIRE, le Spleen de Paris, XXIX.

36 (...) cette martingale d'insubordination qui étonnait ses camarades, et qu'il jouait contre ses chefs avec la même audace qu'il aurait joué sa vie s'il fût allé au feu (...) BARBEY D'AUREVILLY, les Diaboliques, « Le rideau cramoisi ».

37 Et sous ces gouvernements-là *(révolutionnaires)* tout ne se paye pas par un déjeuner que l'on a perdu, et on ne joue pas un déjeuner mais on joue sa tête, ou on joue sa peau, selon que l'on préfère s'adresser aux fournisseurs civils, ou aux fournisseurs militaires. Ch. PÉGUY, la République..., p. 310.

38 La France jouait son destin au combat. DE GAULLE, Mémoires de guerre, p. 575, *in* T. L. F.

Pron. *Des fortunes se jouent au casino.* Impers. *Il se joue un jeu d'enfer.*

Parier sur. *Jouer un cheval. Jouer les outsiders.* — (Avec un attribut du compl.). *Jouer un cheval gagnant, placé.* — Figuré :

39 — Je ne voudrais pas vous ruiner, mon Père. Jouez-moi placé. Pas gagnant. Je crains, tout bien pesé, de n'être qu'un homme de second plan. J. ANOUILH, Ornifle, I, p. 45.

*Jouer la carte** (et adj. ou compl.). *Jouer la carte politique.*

E. JOUER DE (qqch.). ♦ **1.** Se servir de (une chose, un instrument) avec plus ou moins de virtuosité, de vélocité, d'adresse. *Jouer du bâton**, *du couteau* (cit. 14), *du revolver. Jouer de l'éventail* (→ Chasse-mouches, cit.). — Loc. (le compl. désigne une partie du corps). Agiter. *Jouer des coudes** (cit. 8 et 9; → Cohue, cit. 2). *Jouer des jambes**, *des flûtes**, *des gambettes**, *des guibolles* (⇒ **Courir**; → S'enfuir, se sauver). *Jouer de l'œil* (→ 1. Coqueter, cit. 3), *de la prunelle :* regarder*, spécialt, en prenant des airs avantageux; décocher des œillades*, et, spécialt, des œillades provocantes. — Fam. *Jouer de la mâchoire** : manger.

40 (...) tous les chats (...) se sont jetés avec fureur les uns sur les autres, et ont joué ensemble de la dent et de la griffe (...) LA BRUYÈRE, les Caractères, XII, 119.

41 (...) la foule fut agitée par un mouvement si furieux, que la jeune personne resta seule et séparée de sa conductrice. Moi-même, j'étais à quelques pas de mon inconnue, combattant pour ne pas être écrasé, et jouant des coudes et du corps. BALZAC, Souvenirs d'un paria, Œuvres diverses, t. I, p. 269.

42 (...) le pauvre homme avait beau jouer de la prunelle, lancer des regards assassins dans les loges, rire de façon à montrer ses trente-deux dents, tendre le jarret (...) Th. GAUTIER, le Capitaine Fracasse, II.

43 (...) un bonze jouant de l'éventail, ou une dame prenant une tasse de thé. LOTI, Mme Chrysanthème, XI.

44 C'est le temps où les bûcherons jouent de la cognée, dans les petits bois à flanc de coteau. ALAIN, Propos, 25 avr. 1908, Puissance du bateau.

♦ **2.** (V. 1225). *Jouer d'un instrument** (cit. 4) *de musique,* s'en servir de manière à produire des sons musicaux (→ ci-dessous III., 1., v. tr., *jouer un air,* etc.). *Jouer de la flûte* (→ Concert, cit. 14), *de la harpe* (1. Harpe, cit. 3), *de l'harmonica* (cit. 2). *Savoir jouer du piano* (→ Accord, cit. 24). *Jouer faux* (1. Faux, cit. 38) *du violon. Jouer du cor**. ⇒ **Sonner.**

45 (...) les esclaves ont commencé à chanter et à jouer du luth pour amuser les vieilles dames. LOTI, les Désenchantées, III, XVI.

46 Il sortit de son gilet tunisien une flûte de roseau, dont il commença de jouer exquisement. GIDE, Si le grain ne meurt, II, II, p. 342.

46.1 En peu de jours, le jeune Alsacien avait si bien appris le doigté spécial de ce clavier, qu'il était arrivé à jouer du Schultze comme on joue du piano. Sa tactique consistait simplement à montrer autant que possible son propre mérite, mais de manière à laisser toujours à l'autre une occasion de rétablir sa supériorité sur lui. J. VERNE, les Cinq Cents Millions de la Bégum, p. 122.

Absolt. Faire de la musique instrumentale. *Jouer en mesure* (→ Ignorant, cit. 7). *Jouer en public* (→ Exhiber, cit. 3). *Jouer médiocrement* (→ Compositeur, cit.), *délicieusement* (→ Contribution, cit. 3), *avec brio. L'orchestre s'est arrêté de jouer.*

47 Un petit orchestre à cordes, dissimulé dans la verdure, commença à jouer, en sourdine. MARTIN DU GARD, les Thibault, t. VI, p. 17.

REM. Voir aussi III., 1.

♦ **3.** (XVIIe). **a** Loc. fig. *Jouer de bonheur**. *Jouer de malchance**, *de malheur** (⇒ **Échouer**). *Jouer d'adresse**.

48 Mais j'ai moi-même enfin assez joué d'adresse (...) CORNEILLE, le Menteur, V, 6.

Vieux (avec l'article) :

49 Vous jouez d'un malheur insurmontable, vous perdez toujours. Mme DE SÉVIGNÉ, 255, 9 mars 1672.

b Exploiter, tirer profit (de qqch.). *Jouer de son ascendant, de son infirmité. Jouer de la facilité* (cit. 20) *d'humeur d'une personne,* pour en abuser.

♦ **4.** User de quelque chose comme d'un jouet, s'en faire une sorte d'amusement. *Il joue cruellement de votre douleur.* ⇒ **Jeu** (se faire un jeu de). Par anal. *Épave dont jouent le vent et la mer* (→ Élargir, cit. 13).

♦ **5. SE JOUER DE** v. pron. **a** Exploiter facilement, en se moquant. *Se jouer de la crédulité* (cit. 1) *de qqn.*

b Traiter avec facilité. *Se jouer des difficultés.* ⇒ **Jeu** (se faire un jeu de), **jongler** (avec). — Spécialt. ⇒ **Moquer** (se). *Molière s'est joué des médecins* (→ Apprendre, cit. 50). *Vous voulez vous jouer de moi* (→ Éprouver, cit. 8).

(...) la main des Parques blêmes 50
De vos jours et des miens se joue également. LA FONTAINE, Fables, XI, 8.

Mais les dieux, qui se jouent des desseins des hommes, nous réservaient à d'autres dangers. FÉNELON, Télémaque, I. 51

« Ô sort, comme tu te joues de nous ! » Th. GAUTIER, Mlle de Maupin, VIII. 52

(...) il voulut, Bourlier étant mort pair de France, prononcer l'éloge du défunt devant la Chambre haute; l'évêque défroqué le fit avec ce tact étonnant qui se jouait des plus délicates situations. Louis MADELIN, Talleyrand, V, XXXIV. 53

★ **III.** V. tr. ♦ **1.** Interpréter (de la musique). → ci-dessus, II., E., 2. (v. intr.). *Jouer une sonate* (→ Graduer, cit. 2), *une contredanse, les mazurkas de Chopin* (→ Exécutant, cit. 1). *Jouer une marche* (→ Clairon, cit. 2). *Jouer un air* (→ 1. Finale, cit. 2), *des exercices* (→ Illico, cit. 1) *au piano, sur la flûte* (1. Flûte, cit. 3). *Jouer un petit air à l'harmonica. Il prit son pipeau et nous en joua un air.* — Loc. fam. (fig.). *En jouer un air :* se sauver. — *Fanfare** (cit. 2), *orchestre qui joue un morceau, un hymne* (cit. 10). *Partition impossible à jouer.* ⇒ **Injouable** (cit. 2). — *Jouer du Mozart.* — Ellipt. *Jouer Chopin, Ravel. La radio jouait (du) Wagner. — Tu nous joueras un tango sur ton pick-up.*

(...) un orgue de Barbarie, jouant une valse, passait sous sa fenêtre (...) A. DE MUSSET, Les deux maîtresses, I. 54

L'orchestre lointain, composé d'un piano et d'un aigre violon, s'évertuait à jouer un tango pour un unique couple de danseurs (...) MARTIN DU GARD, les Thibault, t. V, p. 241. 55

Voulez-vous nous permettre de jouer, mon camarade étant violon, un petit concerto de Chrétien Bach ? J. GIONO, Jean le Bleu, IV. 56

On a calculé qu'il faudrait vingt-sept jours et demi pour jouer tout Bach. GIRAUDOUX, les Aventures de Jérôme Bardini, p. 71. 56.1

Pop. ou fam. *Jouer un disque,* le passer. *Je vais te jouer mes nouveaux disques.*

Pron. *Ce morceau se joue à quatre mains.*

Mus. *Jouer un instrument,* en jouer. *Un jeune virtuose qui joue le piano comme un dieu. Tu le joues souvent, ton violon? —* Au passif. *Les instruments à cordes qui sont peu joués perdent de leur richesse de timbre.*

♦ **2.** **a** Représenter sur la scène ou à l'écran. *Jouer une comédie, un drame, une tragédie. Jouer Macbeth* (→ Frénésie, cit. 9), *le Cid. Théâtre qui joue des pièces grivoises* (cit. 4). *On joue Ruy Blas en matinée au Français.* ⇒ **Donner.** Par ext. *Jouer du Shakespeare; jouer Shakespeare. — Faire jouer une pièce* (→ Interdiction, cit. 2) *dans un ton de farce* (2. Farce, cit. 4). ⇒ **Monter, représenter.**

b (XXe). Passer (un film). *Qu'est-ce qu'on joue au cinéma ce soir?* ⇒ **Donner.**

(...) les comédies ne sont faites que pour être jouées. MOLIÈRE, l'Amour médecin, Au lecteur. 57

Lorsqu'une pièce est faite pour être jouée, il est injuste de n'en juger que par la lecture. VAUVENARGUES, Réflexions et Maximes, DXX. 58

La vogue de cette pièce tenait principalement aux circonstances; le tocsin, un peuple armé de poignards, la haine des rois et des prêtres, offraient une répétition à huis clos de la tragédie qui se jouait publiquement : Talma, débutant, continuait ses succès. CHATEAUBRIAND, Mémoires d'outre-tombe, t. II, p. 9. 59

Pron. (sens passif). *Pièce qui se joue à bureaux fermés. Ce film se joue en exclusivité sur les Champs-Élysées* (⇒ **Passer**).

Allus. littér. *Tirez le rideau, la farce** *est jouée.*

♦ **3.** **a** (Le compl. est le mot *tour* ou un synonyme). *Jouer une farce* (2. Farce, cit. 6), *un tour* (→ Attraper, cit. 16), *un bon, un mauvais tour* (→ 2. Adresse, cit. 13), *un tour de cochon** *à quelqu'un,* lui faire quelque plaisanterie ou lui causer sournoisement quelque préjudice; tromper, décevoir; être néfaste. *La farce** *est jouée.* — Par ext. *Tu ne fais pas assez attention à ta santé, cela te jouera un vilain tour.*

Cette fois, *mes qualités* me jouèrent le mauvais tour que m'auraient pu faire mes défauts. CHATEAUBRIAND, Mémoires d'outre-tombe, t. IV, p. 29. 60

Voici une vie nouvelle qui s'ouvre devant nous; entrons-y sans remords, sans méfiance et tâchons seulement qu'elle ne nous joue pas les mêmes tours que l'ancienne (...) Alphonse DAUDET, le Petit Chose, II, XIV. 61

Pardonnez-moi si je l'ai oublié. Ma mémoire me joue de ces tours. F. MAURIAC, Bloc-notes 1952-1957, p. 142. 61.1

b Interpréter (une œuvre dramatique). *Jouer une scène de Molière, un acte de Pirandello. Acteur qui joue une pièce de Marivaux,* par ext., *qui joue du Marivaux. Il a beaucoup joué Marivaux.* Au p. p. *L'auteur le plus joué de la saison. — Jouer la comédie :* (vx) exercer la profession de comédien; mod., fig. (1672) affecter des sentiments qu'on n'a pas (→ **Comédie**, cit. 9, 14).

Il faut convenir qu'il est impossible de vivre dans le monde sans jouer de temps en temps la comédie. Ce qui distingue l'honnête homme du fripon, c'est de ne la 62

jouer que dans les cas forcés et pour échapper au péril; au lieu que l'autre va au-devant des occasions.
CHAMFORT, Maximes et Pensées, Sur l'homme et la société, XXV.

63 Il avait été pitre chez Bobèche et paillasse chez Bobino. Il avait joué le vaudeville à Saint-Mihiel. HUGO, les Misérables, III, VII, III.

c Absolt (ou intrans.). *Jouer dans un film.* ⇒ **Tourner.** *Jouer avec feu* (→ Brûler* les planches), *jouer avec talent* (→ Fantaisie, cit. 27). *Jouer d'inspiration* (cit. 3). *Actrice qui ne sait pas jouer* (→ Four, cit. 11), *qui joue mal* (→ Galerie, cit. 9). *Jouer à la Comédie-Française.* ⇒ **Entendre** (se faire). *Il joue souvent à la télé. Il a joué dans plusieurs émissions, feuilletons.*

64 Elle disait, en effet, qu'on ne joue bien qu'en jouant avec son cœur (...)
FRANCE, Hist. comique, II.

65 (...) ce vieux qui a été à l'Odéon. C'est vrai qu'il joue coco et faux (...)
A. MAUROIS, Bernard Quesnay, VII.

65.1 Quand je vis je ne me sens pas vivre. Mais quand je joue c'est là que je me sens exister.
A. ARTAUD, le Théâtre et son double, Le théâtre de Séraphin, Idées/Gallimard, p. 225.

d Interpréter (un rôle). *Jouer un rôle* (au propre et au figuré). *Jouer un personnage.* ⇒ **Incarner.** *Ce comédien* (cit. 3) *a joué de nombreux personnages, les personnages d'Alceste, de Tartuffe.* Ellipt. *Jouer Tartuffe, Antigone, Néron. Jouer les grandes coquettes.* — Fig. *Jouer un mauvais, un sot* (→ Exposer, cit. 27), *un vilain personnage, un personnage ridicule.* Loc. *Jouer l'arlésienne*.* — Allus. littér. « *L'esprit* (cit. 87) *ne saurait jouer longtemps le personnage du cœur* » (La Rochefoucauld). Fig. *Jouer l'étonné* (→ Fil, cit. 7), *les incompris* (cit. 3), *les victimes. Jouer les durs*, les gros bras, les casseurs, l'idéaliste* (→ Illusion, cit. 28). ⇒ 1. **Faire.** *Jouer l'étonnement, le désespoir.* ⇒ **Feindre, simuler.**

66 L'intérêt parle toutes sortes de langues, et joue toutes sortes de personnages, même celui de désintéressé. LA ROCHEFOUCAULD, Réflexions morales, XXXIX.

67 Elle *(Mlle de Fiennes)* voulut jouer la délaissée (...)
Mme DE SÉVIGNÉ, 261, 1er avr. 1672.

67.1 *Saint-Florent* qui jouait la délicatesse, mais qui était bien loin de celle que je devais lui supposer, ne voulut pas absolument prendre ce que je lui offrais (...)
SADE, Justine..., t. I, p. 61.

68 Nul ne sait mieux jouer les sentiments, se targuer de grandeurs fausses, se parer de beautés morales, se respecter en paroles, et se poser comme un Alceste en agissant comme Philinte. BALZAC, Une fille d'Ève, Pl., t. II, p. 90.

69 À quoi sert de jouer l'indifférent quand on aime, sinon à souffrir cruellement le jour où la vérité l'emporte?
A. DE MUSSET, Nouvelles, Frédéric et Bernerette, VIII.

70 Chacun de ces jeunes gens, sitôt qu'il était devant les autres, jouait un personnage et perdait presque tout naturel. GIDE, les Faux-monnayeurs, I, I.

e (Sujet n. de chose). « *Cette étoffe joue la soie* » (Académie). ⇒ **Imiter.**

71 (...) des candélabres de zinc jouant le bronze florentin. ZOLA, Nana, II.

▶ **SE JOUER** v. pron. Voir à l'article, ci-dessus.

▶ **JOUÉ, ÉE** p. p. adj. Voir à l'article, ci-dessus.

DÉR. Jouable, jouailler, jouet, 1. **jouette,** 2. **jouette, joueur.**
COMP. Déjouer, rejouer.
HOM. Jouée.

JOUET [ʒwɛ] n. m. — 1523; *juet,* mil. XIIIe; de *jouer.*

♦ **1.** (XIIIe). Objet dont les enfants se servent pour jouer*. ⇒ **Jeu, joujou.** *Jouets en bois, en caoutchouc, en matière plastique, en peluche. Jouets éducatifs, mécaniques, électroniques, scientifiques* (→ Gyroscope, cit. 2). *Jouets pour fillettes, pour garçons. Jouets anciens.* ⇒ **Baigneur, bilboquet, bimbelot, canonnière, cerceau,** 2. **cerf-volant, cheval** (de bois, mécanique), **clifoire, crécelle, diabolo, écoufle, flûteau,** 2. **fronde, hochet, jacquemart, pantin, passe-boules, sarbacane.** *Jouets actuels.* ⇒ **Animal** (animaux en caoutchouc, etc.), **auto, avion, modèle** (réduit), **panoplie, poupée, soldat** (de plomb), **toupie, trottinette** (vieilli), **yo-yo.** — REM. Il est impossible d'épuiser les noms des principaux jouets, ceux-ci étant pour la plupart des réductions et imitations d'objets de la culture (véhicules, armes, personnages, instruments, machines...), chacun avec sa valeur symbolique. *Musée du jouet. Commerce, marchand de jouets. Rayon des jouets. Industrie du jouet. Casser ses jouets* (→ Incurieux, cit. 1).

0.1 Les murs ne se voyaient pas, tellement ils étaient revêtus de joujoux (...) Il y avait là un monde de jouets de toute espèce, depuis les plus chers jusqu'aux plus modestes, depuis les plus simples jusqu'aux plus compliqués. « Voici, dit-elle, le trésor des enfants (...) Choisissez. »
Cette aventure est cause que je ne puis m'arrêter devant un magasin de jouets et promener mes yeux dans l'inextricable fouillis de leurs formes bizarres et de leurs couleurs disparates, sans penser à la dame habillée de velours et de fourrure, qui m'apparaît comme la Fée du Joujou.
BAUDELAIRE, Curiosités esthétiques, La morale du joujou.

1 Elle regardait autour d'elle, agitée d'un plaisir de petite fille qui trouve et manie un jouet nouveau (...) MAUPASSANT, Notre cœur, II, II.

2 La maison (...) toute en panneaux de papier, et se démonte, quand on veut, comme un jouet d'enfant. LOTI, Mme Chrysanthème, VI.

3 Même un laid petit joujou le fait crier d'enthousiasme. Et pourtant, il a sa part (...) Ça ne fait rien; il s'arrête, dans la rue, le nez juste à la hauteur de ces tristes vitrines où quatre jouets de fer-blanc peinturluré sommeillent sous une poussière centenaire. G. DUHAMEL, les Plaisirs et les Jeux, II, II.

(1893). Par anal. *Bouchon qui sert de jouet à un jeune chat.*

♦ **2. a** (1580, Montaigne). *Le jouet de qqn.* Personne dont on se moque, dont on se joue. *Infirme qui est le jouet de gamins cruels.* — Loc. *Servir de jouet à tous* (⇒ **Plastron, tête** [de Turc]).

Après avoir été, par un malheur inouï, séparée de ce grenadier de la garde, nommé Fleuriot, elle a été traînée, pendant deux ans, à la suite de l'armée, le jouet d'un tas de misérables. BALZAC, Adieu, Pl., t. IX, p. 779. 4

b *(Le jouet de qqch.).* Personne qui est victime (d'une illusion, d'une tromperie). *Être le jouet d'une illusion* (cit. 15; → Erreur, cit. 38), *d'une hallucination* (cit. 10), *d'un mirage, d'une mystification* (→ Illusion, cit. 8).

(...) la pauvre femme aurait pu se persuader qu'elle avait été le jouet d'un cauchemar, si le désir de se préparer une tasse de thé ne l'avait conduite dans la cuisine (...) MARTIN DU GARD, les Thibault, t. VIII, p. 43. 5

c (Av. 1600, d'Aubigné). Personne, chose qui semble livrée, abandonnée à une volonté, une force extérieure. ⇒ **Esclave; automate.** *Elle fait de lui ce qu'elle veut, elle en a fait son jouet.* ⇒ **Asservir.** — *(Le jouet de...). L'homme, jouet du sort* (→ Équanimité, cit. 3). — *Être le jouet des vents* (→ Aiglon, cit.), *de vents contraires* (cit. 7). *Le bateau est le jouet du flux* (cit. 6) *et du reflux.* — *L'homme, jouet des passions* (→ Fil, cit. 16), *de ses folles* (→ 1. Fou, cit. 49) *espérances.*

Ce n'est plus le jouet d'une flamme servile (...) RACINE, Andromaque, II, 5. 6

Quel malheur pour un homme si distingué d'être le jouet d'une baladine de dernier ordre! Il y perdra tout, il s'avilira, il ne sera plus reconnaissable (...) 7
BALZAC, la Fausse maîtresse, Pl., t. II, p. 44.

Quand donc les circonstances générales sont assez inquiétantes pour affecter sensiblement les vies privées, que la chose publique paraît le jouet des événements (...) 8
VALÉRY, Regards sur le monde actuel, p. 79.

HOM. Formes du v. **jouer.**

1. JOUETTE [ʒwɛt] n. f. — 1795; probablt de *jouer.*

♦ Techn. ou régional. Trou peu profond creusé par le lapin de garenne. *Ce n'est pas un vrai terrier, ce n'est qu'une jouette.*

HOM. 2. **Jouette.**

2. JOUETTE [ʒwɛt] adj. — D. i.; de *jouer.*

♦ Régional (Belgique). Qui ne pense qu'à jouer, qu'à s'amuser. *Cet enfant est jouette.* — (D'un adulte). Préoccupé par des bagatelles.

HOM. 1. **Jouette.**

JOUEUR, EUSE [ʒuœʀ, øz; ʒwœʀ, øz] n. — Fin XIIe; *joeresse* « danseuse », v. 1155; *joeor* « jongleur », v. 1210; de *jouer,* et *-eur.*

♦ **1.** (V. 1165, *juëre as dés*). Personne qui joue* (actuellement ou habituellement) à un jeu* (II., 3.). **JOUEUR DE...** *Joueur de boules* (cit. 11), *de football* (cit. 2), *de golf* (→ Éphèbe, cit. 4). ⇒ **Bouliste, footballeur, golfeur.** *Joueur, joueuse de tennis* (→ Baigneur, cit. 30; étoile, cit. 29). ⇒ (vx) **Tennisman, tenniswoman.** *Joueur de rugby.* ⇒ **Rugbyman.** — *Joueur, joueuse de cartes, de dominos* (→ Estaminet, cit. 3). *Un grand joueur d'échecs. Les joueurs d'une équipe* sportive.* ⇒ **Équipier** (cit. 1). *Bon, médiocre joueur. Joueurs de force inégale* (cit. 3). *Un fameux joueur, un fort joueur. Un joueur acharné, passionné. Un rude joueur,* un joueur très habile (au propre et au fig.).

Que vous êtes, Madame, une rude joueuse en critique (...) 1
MOLIÈRE, Critique de l'École des femmes, III.

Il ferma le livre; et, d'un geste précis de joueur de boule, pliant les jarrets, balançant le bras, il lança le volume jusque sur la table. 2
MARTIN DU GARD, les Thibault, t. V, p. 57.

Personne qui aime à jouer. *Une joueuse enragée, passionnée. Ce sont des joueurs infatigables.*

Adj. (1792, Beaumarchais; 1690, *in* Furetière, mais sans exemple). *Un enfant joueur.* — *L'humeur joueuse d'un jeune animal* (→ Gorge, cit. 24). *Un chaton joueur.*

Je suis joueur et je n'ai jamais touché une carte. 3
FLAUBERT, Correspondance, 320, 9 mai 1852.

♦ **2.** (V. 1400). Absolt. Personne qui joue (actuellement ou habituellement) à des jeux d'argent, qui a la passion du jeu*. ⇒ **Jouer** (II., B., 1.). *Un joueur heureux* (→ Angoisse, cit. 10), *malchanceux* (→ Déveine, cit.), *malheureux. Joueur qui se ruine. Joueur invétéré, incorrigible. Les joueurs du casino.* — Adj. (→ ci-dessous, cit. 5). *Avoir un mari joueur. Il est très joueur. Un tempérament joueur* (→ Invétérer, cit. 1).

Qu'un joueur est heureux! Sa poche est un trésor! 4
Sous ses heureuses mains le cuivre devient or. J.-F. REGNARD, le Joueur, III, 6.

Un jeune homme assez libertin, joueur, prodigue et querelleur (...) 5
BEAUMARCHAIS, la Mère coupable, II, 22.

(...) vous pourrez admirer un véritable joueur, un joueur qui n'a pas mangé, dormi, vécu, pensé, tant il était rudement flagellé par le fouet de sa martingale, tant il souffrait travaillé par le prurit d'un coup de *trente et quarante.* 6
BALZAC, la Peau de chagrin, Pl., t. IX, p. 13.

Autour d'une vaste table ovale sont réunis des joueurs de différents caractères et de différents âges. Il n'y manque pas les filles indispensables, avides et épiant les chances, courtisanes éternelles de joueurs en veine. 7
BAUDELAIRE, Curiosités esthétiques, VII, I.

Par anal. *Joueur à la hausse, à la baisse :* personne qui joue à la hausse (⇒ **Haussier**), à la baisse (⇒ **Baissier**), en Bourse.

♦ **3.** Loc. **BON, MAUVAIS JOUEUR.** (Au propre et au fig.). *Beau joueur :* celui qui s'incline loyalement devant la victoire, la supériorité de l'adversaire. *Se montrer beau joueur* (→ Inspirer, cit. 12). *Il faut être beau joueur. — Mauvais joueur :* celui qui se fâche de ses pertes, refuse d'accepter sa défaite.

7.1 Beau joueur, en un mot, est celui qui possède assez d'équanimité pour ne pas confondre les domaines du jeu et de la vie; celui qui montre, même quand il perd, que pour lui le jeu reste jeu, c'est-à-dire un délassement auquel il n'accorde pas une importance indigne d'un cœur bien né et par les hasards duquel il tient pour indécent de se laisser abattre. Roger CAILLOIS, l'Homme et le Sacré, p. 209.

♦ **4.** (XIIIe). Personne qui joue d'un instrument en vue de divertir le public. — Loc., vx. *Joueur de gobelets* :* jongleur. — *Joueur de marionnettes*.* ⇒ **Montreur.** — Spécialt, mod. (en parlant de certains instruments de musique). *Joueur de flûte* (→ 1. Flèche, cit. 4), *de cornemuse...* (→ Highlander, cit.). — REM. On dit *joueur de...* lorsque le mot particulier n'est pas très courant : on ne dit pas *joueur de piano, de violon.* Le fém. semble rare.

8 Le comte fit longuement une moue de scepticisme, qui creusait ses joues grasses et portait ses lèvres en avant, comme chez un joueur d'ocarina. J. ROMAINS, les Hommes de bonne volonté, t. II, XI, p. 155.

♦ **5.** N. m. Techn. Instrument qui met le lecteur (d'une machine sonore) en action. *Joueur manuel, automatique* (*Science et Vie,* n° 105, p. 42).

JOUFFLU, UE [ʒufly] adj. — 1530; croisement de l'anc. franç. *giflu,* et de *joue.*

♦ **1.** Qui a de grosses joues*. *Visage joufflu.* ⇒ **Bouffi, mafflu, rebondi** (→ Comme une lune*). *Un gros homme joufflu* (→ 1. Idéal, cit. 6). *Bébé joufflu.* ⇒ **Poupard.** — N. *Un gros joufflu* (→ Fontaine, cit. 8).

1 C'était une grosse joufflue, dont l'enjouement et l'embonpoint me plaisaient fort. A. R. LESAGE, Gil Blas, I, V.

2 Des amours joufflus et dorés soutenaient, des deux côtés d'un vaste lit Régence, des rideaux de brocart. A. MAUROIS, les Roses de septembre, I, VI.

(Choses). Qui a des formes rebondies. *Nuage joufflu. « Des jambons joufflus »* (Cendrars, *Bourlinguer*). — (Abstrait; stylistique, par compar. avec le sens 1). *« Des discours plus amples, plus joufflus encore que sa personne »* (Chateaubriand, *in* T. L. F.).

♦ **2.** N. m. Fam. (argot). Derrière.

3 Nonobstant quelques soupirs distraits, la grosse vache se laisse perpétrer *(sic)* sans broncher. Mise à jour, satisfait, Bérurier l'abandonne après une belle claque amitieuse sur le joufflu. SAN-ANTONIO, Remets ton slip, gondolier !, p. 103-104.

JOUG [ʒu] n. m. — XIIIe; *jou,* déb. XIIe, au fig.; au sens 1, *les jugs des baès,* v. 1170; du lat. *jugum.*

♦ **1.** Pièce de bois qu'on met sur la tête des bœufs pour les atteler. ⇒ **Attelage, harnachement, harnais** (→ Capharnaüm, cit. 2; grincer, cit. 8). *Le joug, dont la forme s'adapte à l'endroit sur lequel il doit porter, est relié au timon ou à la chaîne d'attelage. Joug de nuque, joug frontal,* dits *jougs de tête; joug de garrot, joug d'encolure. Joug simple* ou *jouguet,* pour une seule bête. *Joug double rigide ou articulé,* pour un couple de bêtes. *Bœuf qui reçoit le joug, est attelé au joug.*

1 Il fallait mettre au joug deux taureaux furieux. CORNEILLE, Médée, II, 2.

2 (...) quatre paires de jeunes animaux à robe sombre mêlée de noir fauve à reflets de feu, avec ces têtes courtes et frisées qui sentent encore le taureau sauvage, ces gros yeux farouches, ces mouvements brusques, ce travail nerveux et saccadé qui s'irrite encore du joug et de l'aiguillon et n'obéit qu'en frémissant de colère à la domination nouvellement imposée. G. SAND, la Mare au diable, II.

2.1 À ce train *(de devant)* était fixé un timon de trente-cinq pieds, le long duquel six bœufs accouplés devaient prendre place. Ces animaux, ainsi disposés tiraient de la tête et du cou par la double combinaison d'un joug attaché sur leur nuque et d'un collier (...) J. VERNE, les Enfants du Capitaine Grant, t. II, p. 109.

2.2 La charrue, la terre, le bouvier, tout cela lui est intérieur; tout cela ensemble est un bœuf. Telle est la bonne volonté du bœuf; regarde le marcher, tirer, tourner. Joug, fatalité. ALAIN, Propos, Pl., p. 471.

♦ **2.** (V. 1120). Littér., par métaphore ou fig. Contrainte matérielle ou morale qui pèse lourdement sur celui qui la subit, entrave ou aliène sa liberté. ⇒ **Contrainte, domination.** *Le joug de l'envahisseur, du tyran, du gouvernement* (cit. 24), *de la loi. Le joug de la nécessité* (→ Fléchir, cit. 21), *des préjugés* (→ Emprisonner, cit. 2). *Le joug du péché* (→ Atteler, cit. 6; attacher, cit. 96). *Le joug du mariage* (→ Authentique, cit. 1). ⇒ **Chaîne, collier.** — *Imposer un joug* (→ Faveur, cit. 19). *Le joug qui pesait sur les villes grecques* (→ Appesantir, cit. 8). — **SOUS LE JOUG.** *Mettre sous le joug.* ⇒ **Asservir, subjuguer** (→ Invoquer, cit. 8). *Ployer, fléchir, être courbé* (cit. 32) *sous le joug* (→ Généreux, cit. 3). *Enfant sous le joug de sa mère* (→ Indépendance, cit. 4). *Tomber sous le joug de quelqu'un,* en son pouvoir*. — *Subir le joug* (→ Côté, cit. 15; destinée, cit. 19). *Être impatient* de toute espèce de joug* (→ Fier, cit. 17). ⇒ **Attache, servitude.** *Briser, rompre, secouer le joug.* ⇒ **Affranchir** (s'). → Ascendant, cit. 7; asservissement, cit. 2; contraindre, cit. 7; exhorter, cit. 8; immanquable, cit. 1. *Délivrer, affranchir* (cit. 2) *un pays d'un rude joug.* ⇒ **Assujettissement, dépendance, esclavage, oppression, sujétion.** — *« Libre du joug superbe où je suis attaché »* (→ Heureux, cit. 46, Racine).

J'ai souffert sous leur joug *(de vos yeux)* cent mépris différents. 3
MOLIÈRE, les Femmes savantes, I, 2.

Assurément nous nous y opposons, mon ange, répondit *Cœur-de-fer,* vous devez servir nos intérêts ou nos plaisirs; vos malheurs vous imposent ce joug, il faut le subir; mais vous le savez, *Thérèse,* il n'y a rien qui ne s'arrange dans le monde, écoutez-moi donc, et faites vous-même votre sort : consentez de vivre avec moi, chère fille, consentez à m'appartenir en propre, et je vous épargne le triste rôle qui vous est destiné. SADE, Justine..., t. I, p. 43-44. 3.1

(...) en Prusse, le joug militaire pèse sur vos idées, comme le ciel sans lumière sur votre tête. CHATEAUBRIAND, Mémoires d'outre-tombe, t. VI, p. 27. 4

(...) la France du Nord, qui reconnaissait mal le joug du roi de Germanie (...) MICHELET, Hist. de France, II, III. 5

(...) une créature dont le joug lui plaisait toujours, quelque lourd qu'il fût. BALZAC, les Chouans, Pl., t. VII, p. 1046. 6

Son labeur journalier était sans doute un joug trop pesant pour elle, qui est toute indépendance et tout caprice. BALZAC, le Médecin de campagne, Pl., t. VIII, p. 411. 7

(...) ces Serbes, ces Roumains, ces Italiens, qui se trouvent de force incorporés à l'Empire, ils sont en effervescence, ils n'attendent qu'une heure favorable pour secouer le joug ! (...) MARTIN DU GARD, les Thibault, t. V, p. 129. 8

REM. Les emplois correspondant à une contrainte souhaitable, salutaire, sont rares et stylistiques. *« L'âme heureusement captive sous ton joug... »* (Gide, *in* T. L. F.) — Relig. *Le joug aimable, léger du Seigneur* (d'après Matthieu, 11, 30).

♦ **3.** (1690, Furetière). Antiq. rom. Pique attachée horizontalement sur deux autres fichées en terre, et sous laquelle on faisait passer les vaincus pour marquer symboliquement leur soumission; assemblage de ces trois piques. *Les Samnites firent passer les Romains sous le joug aux Fourches Caudines.* → Fourches caudines. — Fig. et littér. *Passer sous le joug :* se soumettre honteusement.

♦ **4.** Techn. Fléau* (d'une balance).

CONTR. (De 2.) **Indépendance, liberté.**
HOM. Joue; formes du v. **jouer.**

JOUIR [ʒwiʀ] v. tr. ind. — XIIIe; *joïr,* fin XIIe; *goïr,* v. 1112; d'un lat. pop. *gaudire,* du lat. class. *gaudere* « se réjouir ».

★ **I.** Avoir du plaisir. ♦ **1. JOUIR DE...** [a] Compl. n. de chose. Tirer plaisir*, agrément, profit (de qqch.). ⇒ **Apprécier, goûter, savourer; profiter** (de). *Jouir de la vie* (→ Arranger, cit. 19; demain, cit. 4; écouler, cit. 11; exhorter, cit. 5). *Jouir du présent, de l'instant.* ⇒ **Cueillir** (→ Carpe diem). *Jouir de son reste*. Jouir pleinement, avec délice, d'un plaisir* (→ Communicatif, cit. 2). *d'un bonheur* (→ Consolation, cit. 5), *de sa victoire, de son triomphe. Jouir de la présence de qqn.* — Absolt, vx. → ci-dessous, cit. 4 et 4.1.

Je jouirai du fruit de mes travaux. LA FONTAINE, Fables, IV. 3. 1

Les plaisirs que je ne partage pas avec vous, il me semble n'en jouir qu'à moitié. LACLOS, les Liaisons dangereuses, CXVI. 2

Ce n'était plus l'espoir du succès qui me faisait agir : le besoin de voir celle que j'aimais, de jouir de sa présence, me dominait exclusivement. B. CONSTANT, Adolphe, III. 3

Aimons donc, aimons donc! de l'heure fugitive 4
Hâtons nous, jouissons! LAMARTINE, Premières Méditations, « Le lac ».

Même après l'Orient, la Grèce est belle. J'ai profondément joui au Parthénon. Ça vaut le gothique, on a beau dire, et je crois surtout que c'est plus difficile à comprendre. FLAUBERT, Lettre à Louis Bouilhet, 10 févr. 1851. 4.1

(...) ces dormeuses qui ne dorment plus tout à fait, mais qui évitent de remuer, pour jouir de leur paresse. ZOLA, la Terre, V, VI. 5

(...) il m'était impossible de jouir pleinement d'un bien que je ne l'eusse conquis moi-même. G. DUHAMEL, Chronique des Pasquier, I, Introd. 6

Une demi-heure après il gisait dans une eau tiède, odorante, troublée d'un parfum laiteux, et il jouissait du luxe et du bien-être, de l'onctueux savon, des bruits adoucis de la maison, comme s'il les eût mérités par un très grand courage ou savourés pour la dernière fois. COLETTE, la Fin de Chéri, p. 160. 7

[b] Éprouver le plaisir sexuel, et, spécialt, avoir un orgasme*. → (fam.) Prendre son pied, (argotique) prendre son fade. *Il, elle ne jouit pas, pas bien.* → (fam.) Peine à jouir. *Faire jouir son, sa partenaire.*

J'ai mal fait l'amour à Paméla (...) quelquefois, elle paraissait jouir, c'était sans doute pour me faire plaisir. R. VAILLAND, Drôle de jeu, p. 19, *in* T. L. F. 7.1

Il me serra contre lui avec fougue; et puis de nouveau il entra en moi. « Je veux que tu jouisses en même temps que moi, dit-il. Tu veux? tu me diras : c'est maintenant... » 7.2
Je pensais avec agacement : voilà ce qu'ils ont trouvé : la synchronisation! (...) Même si nous jouissons ensemble, en serions-nous moins séparés? (...) j'acceptais de soupirer, de geindre; pas très adroitement, j'imagine, puisqu'il me demanda :
— Tu n'as pas joui?
— Si, je t'assure. S. DE BEAUVOIR, les Mandarins, II, II, p. 75.

REM. Ce sens très courant dans l'usage moderne rend difficile l'emploi du verbe dant tout autre contexte, sauf dans des syntagmes et expressions particuliers.

[c] Fam. Éprouver un grand plaisir (avec une allusion érotique plus ou moins forte). *Ça le fait jouir de nous voir en panne, ce sadique!*

[d] Fam. (Par antiphr.). Éprouver une douleur physique. *C'est surtout quand on a réduit la fracture que j'ai joui.* — (Factitif). *Ça te fait mal? Non, ça me fait jouir!*

[e] Dr. *Jouir d'un bien,* en avoir l'usage, en tirer les fruits*. ⇒ **Jouis-**

sance, usufruit. *La propriété implique le droit d'user, de jouir et de disposer de la chose* (→ Esclave, cit. 5).

f Compl. n. de personne. Vx. *Jouir de quelqu'un :* « avoir la liberté, le temps de conférer avec lui, de l'entretenir, d'en tirer quelque service, quelque plaisir. *Nous jouirons de lui pendant son séjour à la campagne. « Il est si occupé que l'on ne saurait jouir de lui »* (Académie, 8ᵉ éd.). Mod. *Jouir de la présence, de la compagnie de quelqu'un.*

g (XIIIᵉ). Mod. Spécialt. Disposer (de qqn) charnellement pour en tirer son plaisir. *Jouir d'une femme* (→ Concevoir, cit. 3; crime, cit. 19).

8 *(Selon Dion Cassius)* les graves sénateurs de Rome proposèrent un décret, par lequel César, âgé de cinquante-sept ans, aurait le droit de jouir de toutes les femmes qu'il voudrait. VOLTAIRE, Essai sur les mœurs, Introd.

9 Il y a des femmes qui inspirent l'envie de les vaincre et de jouir d'elles (...)
BAUDELAIRE, le Spleen de Paris, XXXVI.

10 Une de ces femmes dont on ne jouit pas simplement — quand on est un homme délicat (...) J. ROMAINS, les Hommes de bonne volonté, t. III, XVIII, p. 253.

♦ **2.** Absolt. **a** (XVIIᵉ). Vieilli (à cause de l'emploi spécial, 1., b). Profiter pleinement des plaisirs que procure ce que l'on a, ce qui s'offre. *Être avide de jouir* (→ Cupide, cit.). *Posséder n'est rien, c'est jouir qui rend heureux* (cit. 37). *L'avarice* (cit. 2) *amasse sans jouir. Hâte-toi de jouir* (→ Enfuir, cit. 6), *jouis dès aujourd'hui* (cit. 4). *Des concupiscents* (cit. 9.2) *acharnés à jouir. Jouir est une science* (→ Exercice, cit. 9).

11 (...) les vrais optimistes n'écrivent pas : ils mangent, ils jouissent.
G. DUHAMEL, les Plaisirs et les Jeux, V, v.

b (Sujet n. de chose). Rare :

11.1 Puis, il félicita M. de Guersaint, dont l'orgueil paternel jouissait divinement.
ZOLA, Lourdes, p. 237.

★ **II.** (XIIIᵉ). Littér. ou style soutenu. **JOUIR DE... :** posséder

♦ **1.** (1580, Montaigne). Avoir la possession (d'un bien, d'un avantage). ⇒ 1. **Avoir, bénéficier, posséder.** *Jouir d'une santé solide, de toutes ses facultés. Jouir d'une grosse fortune, de revenus considérables, d'un traitement de faveur* (cit. 17), *de prérogatives* (→ Corporatif, cit. 2), *de privilèges* (→ Aubain, cit. 2), *d'avantages* importants. Jouir d'une grande liberté.* ⇒ **Disposer.** *Jouir de l'estime* (cit. 8) *des gens sérieux, d'un immense crédit. La considération, la popularité, la renommée, la gloire dont il jouit* (→ Commerçant, cit. 3; 1. fort, cit. 38; ignorant, cit. 10).

12 Il fut obligé de prendre la profession de modèle, car il jouissait d'un beau physique. BALZAC, les Petits Bourgeois, Pl., t. VII, p. 221.

13 J'ai longtemps habité Montmartre, on y jouit d'un air très pur, de perspectives variées, et l'on y découvre des horizons magnifiques (...)
NERVAL, Promenades et Souvenirs, I.

14 (...) les Tascher de la Pagerie ne jouissent pas d'une grande considération.
R. RADIGUET, le Bal du comte d'Orgel, p. 17.

Dr. *Jouir d'un droit,* en être titulaire. ⇒ **Jouissance** (3.). → Électeur, cit. 2; étranger, cit. 35. *Jouir d'un droit sans l'exercer.*

15 Tout Français jouira des droits civils. Code Civil, Art. 8 (Texte de 1804).

♦ **2.** (1690, Furetière). Sujet n. de chose. *Cet appartement jouit d'une belle vue. Lieu qui jouit du droit d'asile* (cit. 5). *Billets qui jouissent du cours légal* (→ Inconvertible, cit. 2).

▶ **SE JOUIR** v. pron. Passif. Littéraire, rare :

16 Une telle passion ne s'écrit pas. Se jouit. Hélène CIXOUS, Souffles, p. 217.

CONTR. Pâtir, souffrir.
DÉR. Jouissance, jouissant, jouisseur, jouissif.
COMP. Réjouir.

JOUISSANCE [ʒwisɑ̃s] n. f. — 1466, au sens 2; du rad. du p. prés. de *jouir,* et *-ance.*

Le fait de jouir.

♦ **1. a** (1503; 1488, dans un contexte religieux). Plaisir* réel et intime que l'on goûte pleinement. ⇒ **Plaisir; délice, satisfaction;** et aussi **hédonisme.** *Les jouisances de l'âme** (⇒ **Blandice** [cit. 2], **délectation, joie**), *de l'esprit* (→ Érudit, cit. 2), que ressent l'âme, etc. *Jouissances des sens, de la chair.* ⇒ **Bien-être, volupté** (→ Génération, cit. 9; honorable, cit. 11). *Une jouissance pure, noble* (→ Assouvissement, cit. 2), *grossière, matérielle, rare, exceptionnelle, inconnue. Douce, vive, immense jouissance* (→ Flâneur, cit. 1; impression, cit. 20). *Sa fortune* (cit. 45) *ne lui donnait aucune jouissance. Jouissance que procure la satisfaction d'un besoin*. Avoir, éprouver une jouissance* (→ Irrévérencieux, cit. 2). *La jouissance de qqch.,* que procure qqch. *Les jouissances de l'amour* (→ Fois, cit. 10), *de l'art* (→ Gravure, cit. 3), *de la vanité, de l'amour-propre* (→ Enivrer, cit. 12). *La jouissance de faire souffrir* (→ Inexplicable, cit. 7). *Épuiser* (cit. 18) *toutes les jouissances de la vie.* ⇒ **Délice, douceur.** Absolt. *Les satiétés de la jouissance* (→ Blasement, cit.).

1 Décidément la jouissance d'amour-propre d'un auteur a quelque chose de physique. Tous les traits s'épanouissent et toute la personne est atteinte d'une titillation voluptueuse. B. CONSTANT, Journal intime, Mi-août 1804.

Aucune jouissance ne peut se comparer à celle de la vanité triomphante. 2
BALZAC, les Employés, Pl., t. VI, p. 1019.

(...) j'aimerais mieux donner, comme Sardanapale, ce grand philosophe que l'on a si mal compris, une forte prime à celui qui inventerait un nouveau plaisir; car la jouissance me paraît le but de la vie, et la seule chose utile au monde. 3
Th. GAUTIER, Mˡˡᵉ de Maupin, Préface, p. 29.

(...) obligé de chercher dans l'opium un soulagement à une douleur physique, et ayant ainsi découvert une source de jouissance morbides (...) 4
BAUDELAIRE, les Paradis artificiels, Poème du haschisch, I.

Jouissance sexuelle. → ci-dessous, b.

b Spécialt, absolt. Plaisir sexuel (⇒ **Jouir,** 2., b). *Absence de jouissance* (→ Frigidité, cit. 1). *Parvenir à la jouissance.* ⇒ **Orgasme.**

Mais comment put-il venir dans la tête d'un homme raisonnable que la délicatesse eût quelque prix en jouissance? Il est absurde de vouloir soutenir qu'elle y soit nécessaire; elle n'ajoute jamais rien au plaisir des sens, je dis plus, elle y nuit (...) 4.1
SADE, Justine..., t. I, p. 193.

L'âpre stérilité de votre jouissance 5
Altère votre soif et roidit votre peau (...)
BAUDELAIRE, les Épaves, Pièces condamnées, III.

REM. Verlaine emploie le mot *jouissement,* n. m.

c Psychan. (Lacan). Instance distincte du plaisir, dont la place est symbolisée par le phallus*, « partie manquante dans l'image désirée ». *La castration, refus de jouissance.*

♦ **2.** (1446). Action d'user, de se servir de quelque chose, d'en utiliser les avantages, d'en tirer les satisfactions qu'elle est capable de procurer. *Obtenir la libre jouissance d'un objet, d'un lieu.* ⇒ **Usage** (→ Exaspérer, cit. 11). *Avoir la jouissance d'un jardin.* Absolt (vieilli). *La jouissance affaiblit le désir.* ⇒ **Satisfaction.** *« Ce n'est pas la possession qui nous rend heureux, c'est la jouissance »* (Mᵐᵉ de Lambert).

Quelque précaution qu'on puisse prendre, la jouissance use les plaisirs, et l'amour avant tous les autres. ROUSSEAU, Émile, V. 6

(...) il allait voir ses livres devenir la proie d'un dur créancier, quand Boileau, généreux comme un souverain, et devançant Colbert, les lui acheta en exigeant qu'il en gardât la jouissance. SAINTE-BEUVE, Causeries du lundi, 5 janv. 1852. 7

Dr. Fait d'user d'une chose (dont on est ou non propriétaire) et d'en percevoir les fruits. *La jouissance est un des attributs de la propriété. Maison à vendre avec entrée en jouissance immédiate. Trouble de jouissance. L'usufruitier a la jouissance d'un bien sans en avoir la propriété.* ⇒ **Usufruit.** *Usufruitier qui entre en jouissance* (→ État, cit. 65). *Loyer d'un bail* (cit. 5) *de 18 années de jouissance. — Jouissance des lieux* (par le locataire). — *Jouissance légale :* droit d'usufruit des père et mère sur les biens personnels de leurs enfants mineurs non émancipés.

Le père durant le mariage, et, après la dissolution du mariage, le survivant des père et mère, auront la jouissance des biens de leurs enfants jusqu'à l'âge de dix-huit ans accomplis, ou jusqu'à l'émancipation qui pourrait avoir lieu avant l'âge de dix-huit ans. Code civil, art. 384. 8

Écon., bourse. Droit de disposer de ce que rapporte un prêt, un placement (intérêts, dividendes). *La jouissance de la rente 3 % part du premier janvier. — Action de jouissance :* « action (de société) dont la valeur nominale effectivement libérée a été remboursée par la société aux actionnaires » (Capitant).

Par ext. Date à partir de laquelle ce droit commence. *Jouissance d'une action le 1ᵉʳ juillet.*

♦ **3.** Dr. Fait d'être titulaire (d'un droit). *Avoir la jouissance de ses droits sans en avoir l'exercice** (cit. 20), *capacité de jouissance* opposé à *capacité d'exercice. Incapacité de jouissance* (→ Incapacité, 3.). *Les incapables* (cit. 13) *de jouissance.*

CONTR. Abstinence, ascèse; privation.
COMP. Cojouissance, non-jouissance.

JOUISSANT, ANTE [ʒwisɑ̃, ɑ̃t] adj. — 1549; *joïssant,* v. 1165; p. prés. de *jouir.*

♦ **1.** Vx. Qui jouit, a la jouissance de quelque chose.

Un mari fort amoureux, 1
Fort amoureux de sa femme,
Bien qu'il fût jouissant, se croyait malheureux. LA FONTAINE, Fables, IX, 15.

Ce refus *(de disparaître),* l'attachement inconsolable aux êtres et au monde, expliquent la rudesse et la tendresse des livres de Martin du Gard. Trapus, lourds d'un poids de chair humiliée et jouissante, ils sont encore tout englués dans la vie dont ils sont nés. CAMUS, Essais critiques (Martin du Gard), Pl., p. 1154. 1.1

♦ **2.** Fam. Réjouissant, délicieux. ⇒ **Jouissif.** — Spécialt. Qui donne un plaisir érotique.

Tu as vu ses fringues? Ma vie ne se passera pas sans que j'aie une femme comme ça. Une femme du grand monde. Ça doit être jouissant. 2
SARTRE, l'Âge de raison, XIII. p. 231.

JOUISSEUR, EUSE [ʒwisœʀ, øz] n. et adj. — 1846, Bescherelle; *joysseur,* 1529, t. de dr. *faire (qqn) jouisseur de...,* 1509; du rad. du p. prés. de *jouir,* et *-eur.*

♦ **1.** N. Personne qui ne songe qu'aux jouissances matérielles de la vie. ⇒ **Épicurien, hédoniste, sybarite, viveur** (→ Pourceau* d'Épicure). *Oisifs et jouisseurs* (→ 2. Champagne, cit. 1). *C'est une jouisseuse. Un jouisseur éclectique* (cit. 2).

1 Je ne suis pas un exalté, je ne suis pas un passionné; j'ai plus de jugement que d'instinct, de curiosité que d'appétits, de fantaisie que de persévérance. Je ne suis au fond qu'un jouisseur délicat, intelligent et difficile.
MAUPASSANT, Notre cœur, III, I.

♦ **2.** Adj. (1885, Goncourt). *Il est assez jouisseur. Un « petit bourgeois jouisseur »* (M. Aymé, *in* T. L. F.). — *Un monde jouisseur. Une classe jouisseuse.*

Par ext. *Égoïsme, raffinement jouisseur. « Une expression exténuée et jouisseuse »* (Lorrain, *in* T. L. F.).

2 (...) la rage froide et jouisseuse avec laquelle il *(Thackeray)* accable l'avarice, l'orgueil, la prostitution des classes riches.
J. GREEN, Journal, 15 oct. 1967, Ce qui reste de jour, p. 42.

Qui exprime la recherche du plaisir. *Des lèvres jouisseuses.*

REM. La connotation érotique et sexuelle est fréquente, mais moins fortement marquée que pour *jouir* et *jouissance.*

CONTR. Ascète.

JOUISSIF, IVE [ʒwisif, iv] adj. — Mil. XXe; du rad. du p. prés. de *jouir,* et *-if.*

♦ Fam. Qui procure un vif plaisir, qui réjouit. ⇒ **Jouissant** (2.). — Par ext. Plaisant, ou, par antiphr., Pénible, douloureux. *Un coup de marteau sur les doigts, c'est jouissif.*

JOUJOU [ʒuʒu] n. m. — 1715; *faire jojo,* déb. XVe; forme enfantine de *jouer, jouet,* p.-ê. avec infl. de la finale de *bijou.*

Langage enfantin.

♦ **1.** FAIRE JOUJOU : jouer. *Faire joujou avec une poupée, à la poupée.* ⇒ **Jouer.** *Faire joujou avec qqn.* ⇒ **Jouer.**

0.1 — Ça t'apprendra à faire joujou avec un avoué! E. LABICHE, Mon Isménie, 7.

♦ **2.** (1721, Trévoux). Jouet. ⇒ **Babiole** (vx), **jouet** (→ Balle, cit. 2; examiner, cit. 6; floraison, cit. 4, friandises, cit. 3). *Joujoux de Noël, des étrennes* (cit. 3).

1 Le joujou est la première initiation de l'enfant à l'art, ou plutôt c'en est pour lui la première réalisation, et, l'âge mûr venu, les réalisations perfectionnées ne donneront pas à son esprit les mêmes chaleurs, ni les mêmes enthousiasmes, ni la même croyance. BAUDELAIRE, Curiosités esthétiques, IV, La morale du joujou.

♦ **3.** Fig. Se dit d'un objet petit et mignon; d'une mécanique très perfectionnée, dont l'aquisition semble être un luxe. ⇒ **Bijou.** *Une petite maison de campagne très mignonne, un vrai joujou.*

♦ **4.** *Le joujou de qqn.* ⇒ **Jouet.**

2 Elle avait toujours l'air d'un joujou, d'un délicieux joujou blanc coiffé de fleurs d'oranger. MAUPASSANT, Bel-Ami, II, X.

COMP. Joujouthèque.

JOUJOUTHÈQUE [ʒuʒutɛk] n. f. — 1972, in *la Clé des mots;* de *joujou,* d'après les mots en *-thèque : bibliothèque, discothèque,* etc., mot hybride.

♦ Rare. Collection de jouets d'enfant rassemblée pour le prêt ou l'utilisation sur place. ⇒ **Ludothèque.** *« Les collectivités peuvent également se servir en jouets à la joujouthèque, et les prêter à leur tour, ou alimenter leurs salles de jeux. Car cette joujouthèque devient très vite un* Centre pédagogique du Jouet... *»* (*Lyon Magazine,* 15 oct. 1980, p. 59).

JOULE [ʒul] n. m. — Av. 1890, P. Larousse, *Deuxième Suppl.;* angl. *joule* (1882); du nom du physicien anglais J. P. *Joule* (1818-1889).

♦ Phys. Unité de mesure de travail, d'énergie et de quantité de chaleur (symb. : *J*) correspondant au travail produit par une force de un newton* dont le point d'application se déplace de un mètre dans la direction de la force. *Un joule vaut* 10^7 *ergs. Une calorie* vaut environ 4,18 joules.*

COMP. Kilojoule, mégajoule.

JOUR [ʒuʀ] n. m. — Fin XIIe; *jorn, jor,* v. 1050, au sens I, 1; après 950 au sens II; de *diurnum,* adj. substantivé en lat. vulg. de *dies* « jour » (→ Midi, et les noms des jours de la semaine). → Diurne.

★ **I.** Clarté, lumière; ce qui donne de la lumière.

A. ♦ **1.** Clarté que le soleil répand sur la terre. ⇒ **Lumière.** *Le jour tombe du ciel, du zénith* (→ Aplomb, cit. 11; forêt, cit. 3). *Le jour luit, rayonne* (→ Encens, cit. 6; exaspérer, cit. 14). *La lumière du jour* (→ Éteindre, cit. 55). — *Le jour paraît* (cit. 1), *apparaît, se lève, naît, point* (→ Poindre), *monte* (→ Astre, cit. 3; clair, cit. 4; hauteur, cit. 24). *Le jour naissait* (cit. 17), *calme et glacial. Le jour chasse la nuit, le crépuscule* (cit. 5 et 7). *Jour naissant* (→ Écaille, cit. 10), *grandissant* (→ Estomper, cit. 1). *La naissance, le point, la pointe du jour.* ⇒ **Aube** (cit. 1 et 2), **aurore** (cit. 16, 19 et 27), **lever, matin,** 1. **point,** cit. 54 (→ Aider, cit. 2; blanchir, cit. 2; blé, cit. 2; blémir, cit. 3; émerger, cit. 3). *Premières lueurs*, premiers rayons* du jour.* — Loc. *Le petit jour :* la faible clarté de l'aube (→ Cesser, cit. 8; filtrer, cit. 10). *Au petit jour.* ⇒ **Chant** (du coq). → Étendre, cit. 31. — *Jour clair, éblouissant* (→ Armure, cit. 1). — Loc. *Le grand jour, le plein jour,* la lumière du milieu de la journée (→ Fantôme, cit. 6). *En plein jour :* en pleine lumière, et, par ext., au milieu de la journée (→ ci-dessous, II.; et aussi Cavalerie, cit. 3; gémissant, cit. 2), *sombre* (→ Aurore, cit. 3; estomper, cit. 3; hublot, cit. 1). *Le jour crépusculaire de minuit, dans les zones polaires* (→ Éternel, cit. 35). — *Le jour baisse* (cit. 24), *tombe. Au jour tombé* (→ Anuiter, cit. 1). *L'obscurcissement, le déclin, la chute, la tombée du jour.* ⇒ **Brune, crépuscule, soir.** *Entre le jour et la nuit.* → Entre chien* et loup. — *Il fait** (cit. 199) *jour, tout à fait jour.* ⇒ **Clair** (→ 2. Floche, cit.). *Quand il fut jour...* (→ Apôtre, cit. 1). — *Voici le jour; c'est le jour* (→ Chandelle, cit. 2).

Dieu dit : « Que la lumière soit! » Et la lumière fut. Dieu vit que la lumière était bonne, et Dieu sépara la lumière et les ténèbres. Dieu appela la lumière « jour », et les ténèbres « nuit ». Il y eut un soir et il y eut un matin : premier jour. 1
BIBLE (JÉRUSALEM), Genèse, I, 1.

(...) lorsque le soleil entre dans sa carrière, 2
Et que, n'étant plus nuit, il n'est pas encor jour. LA FONTAINE, Fables, X, 14.

Je voudrais bien savoir (...) pourquoi il ne fait point jour la nuit. 3
MOLIÈRE, George Dandin, III, 1.

Déjà le jour plus grand nous frappe et nous éclaire (...) RACINE, Iphigénie, I, 1. 4

Le jour sort de la nuit comme d'une victoire (...) 5
HUGO, la Légende des siècles, II, Booz endormi.

Le lever et le coucher du jour décidaient du travail (...) ZOLA, la Terre, III, IV. 6

Et puis le jour arrivait — un vilain jour, il est vrai, une étrange lividité jaune, mais enfin c'était le jour, moins sinistre que la nuit. LOTI, Mon frère Yves, XXIX. 7

À peine je sors de mon lit, avant le jour, au petit jour, entre la lampe et le soleil, heure pure et profonde, j'ai coutume d'écrire ce qui s'invente de soi-même. 8
VALÉRY, Analecta, p. 12.

Loc. fig. *Demain* il fera jour :* il faut attendre* pour agir.

Ne te reproche rien, ami, répondit Michel Strogoff, qui passa sa main sur ses yeux. Avec toi pour guide, je puis agir encore. Prends donc quelques heures de repos. Que Nadia se repose aussi. Demain, il fera jour! 8.1
J. VERNE, Michel Strogoff, p. 368.

Poét. *Les feux, les premiers feux* (cit. 63) *du jour* (→ Fumant, cit. 3; irradiation, cit. 2). *L'astre* (cit. 4) *du jour.* ⇒ **Soleil.** *« Le roi brillant* (cit. 4) *du jour ».*

Loc. compar. (Le jour, symbole de clarté, de beauté). *Beau*, belle comme le jour :* très beau. Fig. *C'est clair* comme le jour.* ⇒ **Évident.** — *Pur comme le jour.* Allus. littér. *« Le jour n'est pas plus pur que le fond de mon cœur »* (→ Chaste, cit. 3, Racine).

Ces femmes qui (...) ne sont point satisfaites du peintre s'il ne les fait toujours plus belles que le jour. MOLIÈRE, le Sicilien, XI. 9

Le jour, opposé à *la nuit** (→ Beauté, cit. 8). — Fig. *Être comme le jour et la nuit,* très différents*, opposés.

♦ **2.** (1176, *au jour*). Source de lumière naturelle, clarté qui permet de voir. *Laisser entrer le jour dans une pièce* (→ Bouche, cit. 5). *Cabanon* (cit. 2) *qui tire son jour d'une cour, prend jour sur une cour. Le jour passe à travers* (→ Force, cit. 82). *Se placer vers le jour, contre le jour.* ⇒ **Contre-jour.** *Avoir le jour dans les yeux. Jour tamisé, insuffisant.* ⇒ **Demi-jour** (→ Galamment, cit. 2; indécis, cit. 5). *Jour zénithal* (venant du haut).

Poussée contre cette fenêtre, la table de M. Bergeret recevait les reflets d'un jour avare et sordide. FRANCE, le Mannequin d'osier, I, Œuvres, t. XI, P. 225. 10

(...) elle *(cette pièce)* prend jour sur une courette où donne également la chambre de Philippe au premier. GIDE, Journal, 1909, Mort de Ch.-L. Philippe. 11

L'air libre (→ Furet, cit. 2). Loc. *(À jour). Mettre à jour une chose enfouie, cachée,* la déterrer, la sortir (→ Fétide, cit. 1; gangue, cit. 3; grotesque, cit. 1).

♦ **3.** Par métaphore ou fig. (dans des loc. verbales). Symbole de la vie. ⇒ **Vie.** *Donner le jour à un enfant.* ⇒ 2. **Être** (I., 1.); **naissance; enfanter, procréer.** *Devoir le jour à... Voir, recevoir le jour, venir au jour.* ⇒ **Naître** (→ Abreuver, cit. 6; augure, cit. 2). *Devoir le jour à qqn :* avoir pour mère ou pour père. *Perdre* le jour; arracher le jour à quelqu'un* (→ État, cit. 55). *Être indigne* (cit. 1) *du jour.*

On m'a dit qu'il n'est point de passion plus belle, 12
Et que ne pas aimer, c'est renoncer au jour.
MOLIÈRE, la Princesse d'Élide, 5e Intermède.

Il est beau que, dans cet ultime délire, il *(Hugo)* ait encore composé un vers parfait : *« C'est ici le combat du jour et de la nuit. »* Ce qui résume sa vie, et toutes les vies. A. MAUROIS, Olympio..., X, VIII. 13

Vx (langue class.). *Respirer le jour.* → Appeler, cit. 16.

♦ **4.** (1572). Rare. Lumière, clarté (autre que celle du soleil). *Le jour d'une lampe* (⇒ **Abat-jour**), *d'une lanterne* (→ Blafard, cit. 2). *La lune distille* (cit. 2) *un jour égal.* — Fig. (→ Appeler, cit. 17).

Une lampe astrale y répandait *(dans la salle à manger)* ce jour jaune qui donne tant de grâce aux tableaux de l'école hollandaise. 14
BALZAC, la Maison du chat-qui-pelote, Pl., t. I, p. 30.

Représentation picturale de la clarté (jour solaire ou sens étendu).

♦ **5.** Fig. (dans des loc. avec *à, dans, en*). Clarté, lumière. *Être en jour, mettre en jour, au jour :* être, rendre visible. *Émerger* (cit. 4) *au jour, au grand jour,* aux yeux de tous (→ Intrigue, cit. 11). *Exposer, étaler* (cit. 19) *dans le grand jour* (vx), *au grand jour.* ⇒ **Divulguer, publier; publiquement.** *Mettre à jour, en plein jour les* *desseins secrets de quelqu'un.* ⇒ **Découvrir, deviner, pénétrer.** *Jeter* un jour nouveau sur une question obscure.*

15 Et je ne sais quel fruit peut prétendre un amour
Qui fuit tous les moyens de se produire au jour.
MOLIÈRE, la Princesse d'Élide, I, 1.

16 Ma pensée au grand jour partout s'offre et s'expose;
Et mon vers, bien ou mal, dit toujours quelque chose. BOILEAU, Épitres, IX.

17 (...) j'ai trouvé dans ses démonstrations *(le livre du Dr Clarke)* un jour que je n'avais pu recevoir d'ailleurs.
VOLTAIRE, Mélanges littéraires, Au P. Tournemine, 1735.

♦ **6.** Éclairage particulier; aspect que révèle cet éclairage. ⇒ **Apparence** (2.), **aspect.**

18 Hors du jour convenable, le tableau n'est qu'un amas de taches luisantes et grasses (...) DIDEROT, Peint. en cire, Œuvres, t. XV, p. 387, *in* LITTRÉ.

SOUS UN JOUR. *Les projecteurs montrent cette statue sous un jour insolite.* — Fig. *Montrer, présenter qqch., qqn sous un jour favorable* (cit. 8), *flatteur, sous le jour des affaires, sous le jour commercial* (cit.), sous l'angle*, du point* de vue...

19 Du reste, il n'est pas mauvais que vos amis vous connaissent sous votre véritable jour. M. AYMÉ, la Tête des autres, II, 4.

FAUX JOUR. Mauvais éclairage, qui abuse le spectateur en l'empêchant de bien voir les objets (→ Afin, cit. 6). *Travailler dans un faux jour.* ⇒ **Contre-jour.**

B. (1334). Par métonymie. ♦ **1.** Ouverture qui laisse passer le jour. *Percer un jour dans une muraille.* Dr. « Ouverture pratiquée dans une construction pour éclairer et aérer » (Capitant). ⇒ **Vue; fenêtre.** *Jour sur la voie publique. Jour pratiqué dans un mur mitoyen ou non mitoyen* (cf. Code Civil, art. 675 et 676). *Jours de souffrance, ou de tolérance,* uniquement destinés à donner du jour.

19.1 Il était trop important pour moi de connaître les mœurs du nouveau personnage qui m'offrait un asyle pour que je négligeasse rien de ce qui pouvait me les dévoiler; je suis les pas de Rosalie, elle me place près d'une cloison assez mal jointe, pour laisser entre les planches qui la forment, plusieurs jours suffisans à distinguer tout ce qui se passe dans la chambre voisine. SADE, Justine..., t. I, p. 106.

20 Le propriétaire d'un mur non mitoyen, joignant immédiatement l'héritage d'autrui, peut pratiquer dans ce mur des jours ou fenêtres à fer maillé et verre dormant (...) Ces fenêtres ou jours ne peuvent être établis qu'à vingt-six décimètres (huit pieds) au-dessus du plancher ou sol de la chambre qu'on veut éclairer (...)
Code civil, art. 676 et 677.

21 (...) mal éclairé d'ailleurs par des jours de souffrance pris sur une cour voisine.
BALZAC, la Bourse, Pl., t. I, p. 335.

21.1 Inondé de lumière, il semblait un peu dérouté devant ce monde d'ombres aux écoutes de ses prochaines paroles; aussi détournait-il le regard de la grande ténèbre d'alentour pour le fixer sur un mince jour-de-souffrance perçant le mur d'en face et légèrement teinté de lune.
Jean RAY, les Derniers Contes de Canterbury, p. 22.

Jours entre les tuiles d'un toit. (→ Faîte, cit. 2).

♦ **2.** Cout. Ouverture décorative pratiquée en tirant les fils d'un tissu. ⇒ **Ajour.** *Faire des jours dans une broderie, sur une pièce de linge, un ourlet. Faire des jours à un mouchoir. Jour Venise, jours fantaisie. Jour échelle.* Par ext. *Un jour* : une ligne de jours.

22 (...) un drap très fin, marqué d'un grand G brodé, avec un jour simple (...)
ARAGON, les Beaux Quartiers, II, XIX.

♦ **3.** (Mil. XVIe). **À JOUR.** ⇒ **Ajouré** (→ Imperceptible, cit. 10). *Découper à jour* (→ Chantourner, cit.). *Clôture à jour.* ⇒ **Claire-voie.** *Des bas à jour* (→ Gronder, cit. 21).

23 (...) une de ces élégantes cloisons à jour semblables à des grilles de chœur ou de parloir (...) Th. GAUTIER, Voyage en Russie, p. 178.

(1689; sens propre, v. 1620). Loc. *Percer (qqn, un secret...) à jour.* ⇒ **Percer.**

♦ **4.** *Se faire jour.* **a** (1667, Racine). Vx. Passer au travers, se frayer un passage.

b (1835). Mod. ⇒ **Apparaître, dégager** (se), **émerger** (2.), **transparaître.** *La vérité commence à se faire jour.*

24 Comme il fallait cependant que l'orgueil se fit jour de quelque façon, elle voulait s'exposer avec témérité à tous les dangers que son amour pouvait lui faire courir.
STENDHAL, le Rouge et le Noir, II, XXXII.

♦ **5.** Loc. Vieilli. *Laisser jour à qqch.* : laisser voir. *Trouver jour pour, à* (et inf.), trouver un moyen pour. ⇒ **Ouverture.** *Voir jour à...* (même sens).

★ **II.** Espace de temps déterminé par la rotation de la Terre sur elle-même.

♦ **1.** (Après 950). Espace de temps entre le lever et le coucher du soleil. ⇒ **Journée.** *Du jour.* ⇒ **Diurne** (2.). → Cours, cit. 7. *Heures de jour et heures de nuit.* ⇒ **Heure.** *Le début* (⇒ **Matin**), *le cœur* (cit. 25), *le milieu* (⇒ **Midi**), *la fin* (⇒ **Soir**) *du jour* (→ Anguleux, cit. 2; aube, cit. 10). *La dernière heure du jour* (→ Brèche, cit. 1), *l'heure* (cit. 46) *indécise entre le jour et la nuit.* → Entre chien* et loup. *Vers le début* (⇒ **Tôt**), *la fin* (⇒ **Tard**) *du jour. Avant le jour, jusqu'au jour* (→ Arbalète, cit. 3; boire, cit. 13). — *Durée du jour. Inégalité des jours* (→ Écliptique, cit. 1). *Les jours accourcissent, raccourcissent. Accourcissement* (cit. 2) *du jour* (→ Automne, cit. 4 et 5). *Jour égal à la nuit.* ⇒ **Équinoxe** (cit.). *Les grands jours d'été* (→ Éphémère, cit. 2). *Le jour; pendant, durant le jour. Tout le jour, tout le long du jour* (→ Bleuir, cit. 3; broncher, cit. 1; courtine, cit. 4; éteindre, cit. 65; grappillage, cit. 2).

— **DE JOUR** : pendant le jour. *Travailler de jour.* Qui a lieu le jour. *Service de jour* (→ Avion, cit. 3). Spécialt. ⇒ **Diurne.** *Papillon de jour.* ⇒ aussi **Belle-de-jour.**

Ils percent de nuit la maison, à l'endroit qu'ils ont marqué de jour. 25
RACINE, Livres annotés, Livre de Job, XXIV, 16.

Le jour même a des saisons : le matin est le printemps du jour, le soir en est l'automne (...) 26
DIDEROT, Opinions des anciens philosophes (Pythagorisme) *in* LITTRÉ.

Il ne nous restait que le temps qu'il fallait pour arriver de jour et nous nous hâtâmes de partir. ROUSSEAU, les Confessions, IV. 27

Le jour, je m'égarais sur de grandes bruyères terminées par des forêts. 28
CHATEAUBRIAND, René.

Femmes, éternelles Pénélopes, qui défont le jour ce qu'elles ont tissé la nuit. 29
MONTHERLANT, le Démon du bien, p. 226.

(En opposition avec *nuit*). *Le jour et la nuit, les jours et les nuits* (→ Accablant, cit. 2; consacrer, cit. 4; cruel, cit. 20; emportement, cit. 2; hallucination, cit. 8). — Loc. **NUIT ET JOUR, JOUR ET NUIT** : sans cesse, sans arrêt, continuellement (→ Baiser, cit. 3; cesser, cit. 24; étude, cit. 6). *Être aux aguets* (cit. 3) *jour et nuit* (→ Argus, cit. 1; attacher, cit. 79; attentif, cit. 11). *Ne s'arrêter ni jour ni nuit* (→ Entretenir, cit. 15). *Faire du jour la nuit* : dormir le jour et veiller la nuit.

Dire qu'il pervertit l'ordre de la nature, 30
Et fait du jour la nuit, oh! la grande imposture!
MOLIÈRE, le Dépit amoureux, III, 6.

— Nuit et jour à tout venant 31
Je chantais, ne vous déplaise. LA FONTAINE, Fables, I, 1.

Dr. « Temps qui s'écoule entre le lever et le coucher du soleil et en dehors duquel il est interdit d'accomplir ou de signifier certains actes » (Capitant).

♦ **2.** (V. 1050). Espace de temps qui s'écoule pendant une rotation de la terre sur elle-même et qui sert d'unité de temps (→ An, cit. 21). *Qui dure un jour.* ⇒ **Diurne** (1.), **éphémère.** *C'est à un jour de train. Suivant les critères choisis, le jour ne commence et ne finit pas aux mêmes heures.* ⇒ **Temps** (astronomique, civil...). — *Jour astronomique : jour sidéral*; jour solaire vrai* (temps compris entre deux passages du soleil au méridien, de midi à midi). *Jour solaire moyen* (plus long d'environ 4 minutes que le jour sidéral). *Jour civil,* de minuit à minuit. *Jour religieux,* du coucher au coucher du soleil. — *Le jour, unité de temps, vaut vingt-quatre heures. Division de l'année en jours.* ⇒ **Calendrier.** *Les jours de l'année* (→ Assez, cit. 31). *Le premier jour de l'année.* Ellipt. *Le jour de l'An.* — *Jours intercalaires** (⇒ **Bissexte**), *complémentaires* du calendrier révolutionnaire* (⇒ **Sans-culottide**). *Nom des sept jours du calendrier grégorien* (⇒ **Semaine; dimanche, lundi, mardi, mercredi, jeudi, vendredi, samedi**), *des dix jours du calendrier révolutionnaire* (⇒ **Décade**). *Nom de jours du mois romain.* ⇒ **Calendes, ides, nones.** *Numéro du jour dans le mois.* ⇒ **Quantième.** *Jours pairs, jours impairs. Mois de trente, trente et un jours* (→ Échéance, cit. 1). *Les vingt-huit ou vingt-neuf jours de février.* — *Jours de solstice.* ⇒ **Alcyonien.** *Durée de sept* (⇒ **Semaine**), *huit* (⇒ **Huitaine**), *dix* (⇒ **Décade**), *quinze* (⇒ **Quinzaine**) *jours.*

Il y a un jour dans l'année, Messieurs, où la vertu est récompensée. 32
RENAN, Discours et Conférences,
Rapport sur les prix de vertu, Œuvres, t. I, p. 819.

Phileas Fogg avait, « sans s'en douter », gagné un jour sur son itinéraire, — et cela uniquement parce qu'il avait fait le tour du monde en allant vers l'*est,* et il eût, au contraire, perdu ce jour en allant en sens inverse, soit vers l'*ouest.* 32.1
J. VERNE, le Tour du monde en 80 jours, p. 329.

Dr. Espace de temps de vingt-quatre heures, de minuit à minuit, servant au calcul des délais. *Jour franc** (*infra* cit. 15). *Jour fixe,* déterminé dans l'exploit d'ajournement. *Assignation, assigner à jour fixe. Assigner* (cit. 18) *de jour à jour. Déclaration de naissance à faire dans les trois jours de l'accouchement* (cit. 1).

(...) je vous préviens que je ferai jouer impitoyablement l'indemnité par jour de retard inscrite dans notre contrat. 33
J. ROMAINS, les Hommes de bonne volonté, t. V, XVII, p. 277.

Poét. **LE JOUR, LES JOURS** : le temps (→ Abîme, cit. 16). *Le flot, la course, la fuite* (cit. 12), *la suite des jours* (→ Enfuir, cit. 7; engager, cit. 31; extase, cit. 5). « *Le jour succède au jour* » (→ Hiver, cit. 11, Musset). *Au fil des jours.* — Prov. *Les jours se suivent et ne se ressemblent pas.*

♦ **3.** (1080, jour fixé pour une fête). *Le jour de..., un jour* (employé pour situer un événement, énoncer une durée dans le temps, avec plus ou moins de précision). ⇒ **Date** (→ Acte, cit. 12). — *Le jour d'avant* (⇒ **Veille**), *d'après* (⇒ **Lendemain**), *il y a un jour* (⇒ **Hier,** cit. 1 et 4), *il y a deux jours* (⇒ **Avant-hier**), *dans un jour* (⇒ **Demain**), *dans deux jours* (⇒ **Après-demain**), *il y a peu de jours, quelques jours* (→ Capitole, cit. 3). *Au bout de trois, de peu de jours* (→ Apprivoiser, cit. 16; fugitif, cit. 16). *Depuis quelques jours* (→ Abordable, cit.). *Dans huit jours, dans tant de jours* (→ Beau, cit. 32; 1. ban, cit. 1). *Compter les jours avec impatience.* — *À jour fixe, à jour arrêté* (cit. 73), *à jour nommé. Fixer, choisir un jour.* — Loc. *Prendre jour* (pour un rendez-vous). — *D'autres jours* (→ Abattre, cit. 5). *Le même jour* (→ Hasard, cit. 41). *Ce jour-là* (→ Agile, cit. 1). *Rappelez-vous, c'était le jour où...* ⇒ **Fois.** — *Le premier, le dernier jour.* Fig. Le début, la fin (→ Abandonner, cit. 4; critique, cit. 20; grâce, cit. 83). *Dès les premiers jours.*

⇒ **Temps** (→ Assaillir, cit. 8; assignat, cit. 2). — *Un jour plus tôt, plus tard.*

34 Qu'importe qui vous mange, homme ou loup? Toute panse
Me paraît une à cet égard;
Un jour plus tôt, un jour plus tard,
Ce n'est pas grande différence. LA FONTAINE, Fables, X, 3.

35 — C'était le jour béni de ton premier baiser.
MALLARMÉ, Poésies, Premiers poèmes, « Apparition ».

Jour pour jour : dans le passé, il y a une ou plusieurs années exactement. *Il y a cinq ans jour pour jour.* — *À pareil jour* (même sens).

36 Messieurs, il y a tout juste un an, jour pour jour, qu'a débuté la grève d'où est sortie notre association (...) ARAGON, les Beaux Quartiers, II, II.

Loc. fig. (en parlant d'une époque indéterminée). *Venir à son jour et à son heure,* au jour fixé par le destin, inéluctablement.

(Dans le passé). *Un jour...* (→ Absolu, cit. 5; aimer, cit. 60). ⇒ **Autrefois.** *Un jour que...* (→ Audience, cit. 13). *Un beau* (cit. 33) *jour* (→ Art, cit. 65). — *L'autre* (cit. 27) *jour,* un jour récent (→ Acteur, cit. 1; capacité, cit. 3; inconstance, cit. 2).

37 Un jour d'entre les jours (ainsi que disent les conteurs orientaux, incertains comme moi de la chronologie)... FRANCE, le Petit Pierre, II.

Vx. *Il y a beau jour, beaux jours* (→ Atteler, cit. 7), il y a bien longtemps. (Mod.). *Un beau jour* : un certain jour (dans le passé ou dans l'avenir).

(Dans le futur, dans l'avenir*). *Un jour...* (→ Acheter, cit. 12; adieu, cit. 7; attente, cit. 17; féroce, cit. 4; interroger, cit. 3). — *Un de ces jours* : dans un avenir imprécis. (→ Comédie, cit. 7; fouet, cit. 7). — *Quelque jour* (→ Académie, cit. 2; accorder, cit. 5). — *Un jour ou l'autre* : tôt ou tard.

38 On a pour ma personne une aversion froide,
Et quelqu'un de ces jours il faut que je me pende.
MOLIÈRE, le Misanthrope, III, 1.

39 *Un jour tout sera bien,* voilà notre espérance;
Tout est bien aujourd'hui, voilà l'illusion.
VOLTAIRE, Poème sur le désastre de Lisbonne.

CHAQUE JOUR (→ Amener, cit. 17; annales, cit. 1; fois, cit. 17). *La tâche, la pratique de chaque jour.* ⇒ **Journalier, quotidien** (→ Ascèse, cit. 5). *Périodique paraissant chaque jour.* ⇒ **Journal, quotidien.** *Carnet muni d'une feuille pour chaque jour* (⇒ **Agenda**). — Par ext. Continuellement, sans arrêt (→ Accumuler, cit. 7 et 8; flotter, cit. 16). — Prov. *À chaque* (cit. 1) *jour suffit sa peine.*

TOUS LES JOURS. ⇒ **Toujours** (→ Accabler, cit. 20; apporter, cit. 5; création, cit. 6; forcer, cit. 31). *Tous les jours que le bon Dieu fait. Tous les jours un peu plus* : graduellement (→ Aller, cit. 111). *Choses qui arrivent tous les jours* : couramment (→ Agitation, cit. 10). *Cela se voit tous les jours.* — *De tous les jours* : courant, habituel, ordinaire* (→ Honnêtement, cit. 2; improviser, cit. 1). *Les habits de tous les jours.*

40 (...) il avait la malpropreté, l'inconvenance et la stupidité inouïe d'aller se promener au Luxembourg avec ses habits « de tous les jours » (...)
HUGO, les Misérables, III, VI, III.

Pop. *C'est du tous les jours* : c'est un fait ordinaire. ⇒ **Ordinaire.**

41 Quand on a goûté des négresses, les blanches, monsieur Armand, ce n'est plus ça, c'est fade, c'est du tous les jours. ARAGON, les Beaux Quartiers, I, X.

JOUR APRÈS JOUR : quotidiennement, de manière habituelle.

42 Vous ignorez qu'il y a, tout près de vous, une multitude de malheureux pour lesquels vivre n'est rien d'autre que de peiner jour après jour, l'échine courbée sous le travail sans salaire convenable, sans sécurité d'avenir, sans possibilité d'espérance! MARTIN DU GARD, les Thibault, t. VI, p. 226.

DE JOUR EN JOUR. ⇒ **Graduellement; peu** (à peu). → Abandonner, cit. 26; aller, cit. 48; arme, cit. 34; bibliothèque, cit. 7; gaucherie, cit. 3; habitude, cit. 23. *Enfler* (cit. 12), *se fortifier* (cit. 11) *de jour en jour.*

D'UN JOUR À L'AUTRE : d'un moment, d'un instant à l'autre, incessamment.

Spécialt. (Le jour où l'on est, où l'on parle). *Ce jour même, ce* (cit. 5) *jour.* ⇒ **Aujourd'hui** (cit. 10); **hui, jourd'hui** (vx). *Au jour d'hui* (vx). *Au jour d'aujourd'hui* (pop.). — Prov. *Il ne faut pas remettre au lendemain ce que l'on peut faire le jour même.*

DU JOUR : du jour même. *Les nouvelles* du jour.* ⇒ **Actualité** (d'). → Feuille, cit. 10; fonction, cit. 5. *Des œufs du jour,* pondus le jour même. *Le menu, le plat du jour.* — *La fête, la solennité du jour* (→ Antienne, cit. 1; honneur, cit. 76). *L'office*, le saint du jour.* Par ext. *L'ordre* du jour.* ⇒ **Ordre** (cit. 13, 14, 15). — **DU JOUR AU LENDEMAIN** : d'un moment à l'autre, sans intervalle, sans transition.

43 (...) cela ne se trouve pas du jour au lendemain.
RACINE, Lettres, 184, 1er août 1698.

44 Si bien assise en effet que soit une maison de commerce, l'obligation de restituer du jour au lendemain une pareille somme ne va pas sans certains ébranlements (...)
Pierre BENOIT, Mlle de la Ferté, p. 84.

À JOUR : au courant. *Mettre à jour; mise à jour* (→ Date, cit. 5; intérieur, cit. 12). *Avoir ses comptes* à jour; livre de commerce à jour. Mettre, tenir sa correspondance*, son courrier* à jour. Mettre à jour une encyclopédie, un ouvrage de droit.* ⇒ **Actualiser.**

♦ **4.** Durée d'un jour. ⇒ **Journée.** *En un, en plusieurs jours* (→ Arriver, cit. 64). « *Qu'en un lieu, en un jour, un seul fait* (cit. 6) *accompli...* » *En peu de jours* (→ Arrêter, cit. 16). *Passer, vivre un jour, un seul jour sans elle...* (→ Aimer, cit. 18). *Tout le jour* (→ Assemblée, cit. 2). *Un jour entier, plein. Un caprice de quelques jours* (→ Amour, cit. 12). *Restez donc ici quelques jours* (→ Arranger, cit. 20). *Le jour paraît long, passe vite.* — Loc. *Long* comme un jour sans pain.*

Jour d'arrêt (cit. 7). *Jours de prison.* → ci-dessous, *infra* cit. 53, absolt.

PAR JOUR : dans une journée. ⇒ **Journellement, quotidiennement.** *Une, plusieurs fois par jour, une fois* (cit. 7) *le jour* (→ Communier, cit. 1). *Dix heures par jour* (→ Asseoir, cit. 38). *Payer qqn, donner à qqn tant par jour* (→ Barboter, cit. 10). *Une idée par jour,* chaque jour.

Émile de Girardin (...) annonça, le 29 février 1848, qu'il ouvrait une colonne de son journal. *La Presse,* à la discussion de toutes les idées justes et utiles que les lecteurs voudraient suggérer. La colonne s'appelait « Une idée par jour ». La rubrique, affirme-t-on, ne parut qu'une seule fois (...) 45
GUERLAC, les Citations françaises, p. 228.

AU JOUR LE JOUR. [a] *Gagner sa vie, vivre au jour le jour,* en gagnant seulement, chaque jour, de quoi subsister (→ Filer, cit. 1). Fig. *Vivre, faire quelque chose au jour le jour,* sans se préoccuper du lendemain, sans prévoir l'avenir.

Lucien vécut au jour le jour, dépensant son argent à mesure qu'il le gagnait, ne songeant point aux charges périodiques de la vie parisienne (...) 46
BALZAC, Illusions perdues, t. IV, p. 809.

Vivre au jour le jour, sans souci du lendemain, sans préoccupations pour l'avenir, sans doutes, sans craintes, sans espoir, sans rêves (...) 47
FLAUBERT, Correspondance, 28, 24 févr. 1839.

Vieilli ou régional (même sens). *Au jour la journée.*

(...) un de ces artisans, pauvres de père en fils, qui vivent aujourd'hui au jour la journée, et qui meurent aussi gueux que quand ils sont nés. 47.1
A. GALLAND, les Mille et Une Nuits, t. III, p. 231.

[b] D'une manière régulière, au fur et à mesure. *Le travail avance au jour le jour.*

Je déplore de ne point avoir pris note, au jour le jour, de tout ce qu'il nous fut donné de voir et d'éprouver (...) GIDE, Ainsi soit-il, p. 124. 48

DE JOUR, se dit d'un service de vingt-quatre heures. *Il est de jour.* ⇒ **Service** (de). *L'officier de jour.*

Il était de jour lorsque Monsieur le Prince attaqua les lignes (...) 49
RACINE, Notes historiques, IX.

♦ **5.** (Déb. XIIe). *Un, des jours.* Durée d'un jour, considérée d'après le caractère ou les événements qui la remplissent. ⇒ **Journée.**

(V. 1274; d'après le temps qu'il fait). *Les beaux* jours* (→ Ainsi, cit. 22; 1. air, cit. 7; été, cit. 4; hélas, cit. 6). Par métaphore. « *C'est le soir d'un beau jour* » (→ 1. Fin, cit. 23, La Fontaine). *Les jours les plus chauds, caniculaires, torrides* (→ Bas-fond, cit. 2; imprégner, cit. 6). *Un jour de pluie* (on ne dit pas *mauvais jour,* dans ce sens). *Jours d'orage, de gelée* (→ 1. Fumer, cit. 11). — (1844, *in* D. D. L.). *Ennuyeux* comme un jour de pluie* (→ Confiner, cit. 10).

Ainsi, durant les jours pluvieux de novembre, 50
Me voilà donc contraint de rester dans ma chambre (...)
BAUDELAIRE, Poèmes attribués, III.

(D'après le caractère religieux, social ou légal). *Jour de fête* (cit. 2, 3 et 5) *religieuse, liturgique. Les jours du calendrier liturgique* (⇒ **Férié**). *Jours aliturgiques. Fêtes tombant le même jour* (⇒ **Occurrent**). *Période de huit, de neuf jours* (⇒ **Octave, neuvaine**). *Le jour de Pâques. Jour des Rois* (⇒ **Épiphanie**). *Jour du Seigneur* (⇒ **Sabbat; dimanche**). *Jour des Morts* : le deux novembre. *Jour de la Fête-Dieu* (cit.), *de la Saint-Jean* (→ Fixer, cit. 22). — *Jour de Dieu!* sorte de juron. — *Jour de colère** (⇒ **Dies irae**). *Le jour du Jugement** (→ Compte, cit. 25). — *Jour de fête légale. Jour férié*. Jour de fête.* ⇒ **Fête** (→ Attrister, cit. 7; héros, cit. 6; hors, cit. 2). *Jour calendaire*.* — *Les jours gras** (cit. 3 et 5), *maigres*. Le jour de la fête patronale. Le jour anniversaire de l'armistice,* et ellipt, *le 11 Novembre, jour de l'armistice.*

*Jour ouvrable** (où l'on travaille). — (XIVe). Vx. *Jour ouvrier.*

Dr. *Jours utiles,* pendant lesquels un acte peut encore être accompli. *Jours de planche,* pendant lesquels un navire « reste à la disposition des affréteurs ou des destinataires pour le chargement ou le déchargement de la cargaison » (Capitant).

Ancienn (dans une période de restriction, spécialt en 1940-45, en France). *Les jours avec et les jours sans* (un produit, une denrée).

— Salut! dit-il en pénétrant à l'intérieur de la buvette. 50,1
Une vieille femme borgne à cheveux gris, rinçait des verres dans un baquet.
— Jour avec, n'est-ce pas? dit Simon qui désirait un peu d'alcool. Qu'avez-vous à me servir? Francis CARCO, les Belles Manières, p. 103.

(D'après l'emploi qui est fait de la journée). *Jour de travail. Jour de repos, de sortie, de promenade* (→ Canard, cit. 2). *Jour de départ, d'arrivée* (cit. 2), *d'entrée* (→ Arc, cit. 15). *Jour d'ouverture* (→ Assesseur, cit. 2), *de relâche, de fermeture. Jour de marché* (→ Bourg, cit. 1; fondouk, cit. 2). *Jour de gala* (cit. 6), *de réception.*

Pour satisfaire aux besoins de son esprit, madame Rabourdin prit un jour de réception par semaine (...) BALZAC, les Employés, Pl., t. VI, p. 868. 51

Emplois absolus. [a] Vieilli ou dans un usage mondain. *C'est son jour,* son jour de réception.

52 Je n'ai dîné chez moi que les jours où nous avons eu les gens qu'on appelle des amis, et je n'y suis restée que pour mes jours. J'ai mon jour, le mercredi, où je reçois. BALZAC, Mémoires de deux jeunes mariées, Pl., t. I, p. 252.

52.1 Je vais aux «Jours» des uns, des autres, dîners, soirées.
Alphonse DAUDET, l'Immortel, p. 179.

b *On lui doit quinze jours* (de travail, de salaire). *Payer, donner ses huit** (cit. 2) *jours à un domestique.*

53 (...) c'est à lui tout naturellement qu'elle s'adressa pour réclamer son dû. Plus de quinze jours qu'on lui devait, et ses huit jours.
ARAGON, les Beaux Quartiers, I, XXIV.

c Jour de punition (notamment dans l'armée). *L'adjudant lui a flanqué huit jours.* ⇒ argot milit. **Cran.**

(D'après le caractère heureux ou malheureux, important ou non). — REM. En ce sens, jour, surtout au pluriel, désigne une durée indéterminée. — *Jours de deuil, de douleur, de malheur, de misère, de souffrance* (→ Arriver, cit. 42; envoler, cit. 7; heureux, cit. 53). — Relig. *Jour de colère* (→ Dies irae). *Jours de bonheur, de joie* (→ Désenchanter, cit. 3). *Ami, compagnon des bons, des mauvais jours* (→ Attacher, cit. 100). *Jours néfastes, tristes* (→ Fortune, cit. 18; implorer, cit. 2). *Jours critiques. Jours infortunés* (cit. 1), *fortunés* (cit. 3). *Jours heureux* (→ Autant, cit. 24). *Aujourd'hui, c'est un beau, un bon jour pour moi.* — Loc. Vx. *Souhaiter le bon jour.* ⇒ **Bonjour.** — *Jour faste, favorable, à marquer d'un caillou blanc.* — *Jour solennel; grand* jour. Le public des grands jours* (→ Gêner, cit. 26). — (Hist.). *Les grands jours :* assises extraordinaires tenues dans une province par des juges tirés des cours supérieures. — *«Le jour de gloire** (cit. 14) *est arrivé». Jour décisif, historique. Le jour de qqn,* celui où il, elle est à l'honneur, qui lui est favorable. *Rien ne marche, aujourd'hui, ce n'est pas mon jour.*

54 C'est Monsieur le Conseiller (...) qui vous souhaite le bon jour (...)
MOLIÈRE, la Comtesse d'Escarbagnas, III.

55 *(Ses vertus)* ont fait du jour de sa mort le plus beau, le plus triomphant, le plus heureux jour de sa vie. BOSSUET, Oraison funèbre de Michel Le Tellier.

56 Sangaride, ce jour est un grand jour pour vous. QUINAULT, Athys, I, 6 *in* Littré.

57 Messieurs! ce sabre (...) est le plus beau jour de ma vie.
Henri MONNIER, Grandeur, et décadence de M. J. Prudhomme, II, 13.

Jour attendu où un grand événement doit se produire. (1796). Vx. *le jour du peuple, du grand œuvre,* le moment de la Révolution. — Cf. mod. Le grand soir.

Milit. *Le jour J,* fixé pour une attaque, une opération militaire. — Par ext. Jour fixé pour une entreprise importante.

57.1 Pour tout arranger, je m'aperçus après calcul des tours de gardes que la surveillante chargée de me fouiller la veille du jour J. était exactement celle qu'il ne me fallait pas. A. SARRAZIN, la Traversière, p. 213.

Hist. *les Cent-Jours.* ⇒ **Cent.**

(1297). Plur. Spécialt. Jours où se tient une assemblée, des assises. *Être dans un jour de gaieté, de bonne humeur. Avoir son jour d'entêtement* (→ Enfourcher, cit. 1). *Être dans son bon, son mauvais jour.*

♦ **6.** Espace de temps, époque marquée par des circonstances, des événements. ⇒ **Époque.** *Les jours héroïques, anciens, passés* (→ Bulletin, cit. 3; ensevelir, cit. 20; fidèle, cit. 15). *Dans les anciens jours* (→ Autel, cit. 24). *«L'homme des anciens jours» :* le vieillard (Chateaubriand, *Atala*). *«Je me souviens/Des jours anciens/Et je pleure...»* (Verlaine). — *Nos jours : notre époque* (→ Badiner, cit. 8).— *De nos jours :* à notre époque. ⇒ **Actuellement, aujourd'hui** (→ Arrière-garde, cit. 3; ascension, cit. 9, baron, cit. 4; camouflage, cit. 2).— *Jusqu'à ce jour, jusqu'à nos jours* (→ Accorder, cit. 7; homme, cit. 6).

58 Mais peut-être que nos neveux regretteront la félicité de nos jours avec la même erreur qui nous fait regretter le temps de nos devanciers (...)
BOSSUET, 4e sermon pour la fête de tous les saints.

DU JOUR : de notre époque. *Le goût** (cit. 48 et 50) *du jour, la mode du jour* (→ Insuccès, cit. 2). *C'est le héros du jour, l'homme* du jour :* le héros du moment.

59 (...) la métaphysique du jour diffère de celle de l'antiquité (...)
CHATEAUBRIAND, le Génie du christianisme, III, II, 3.

♦ **7.** *Un jour :* un court espace de temps, peu de temps. ⇒ **Moment.** *En un jour* (→ Achéron, cit. 1; année, cit. 4; blanchir, cit. 12). Prov. *Paris n'a pas été bâti en un jour. Un asile d'un jour* (→ Attendre, cit. 14). *Vedettes d'un jour.* ⇒ **Éphémère** (fig.). → Fouetter, cit. 6. *Cela n'aura qu'un jour* (→ Aveugle, cit. 17). — On dit parfois (dans le même sens). *Deux jours, trois jours.*

60 Ce n'est pas l'ouvrage d'un jour. LA FONTAINE, Fables, XII, 14.

61 Mille ans ne sont qu'un jour à ses yeux *(de Dieu).*
MASSILLON, Carême, Rechute, 1.

62 Pourquoi penser aux plaisirs, quand on n'a que deux jours à vivre.
Mme de MAINTENON, Lettre à Mme de Caylus, 2 nov. 1717.

63 L'homme vit un jour sur la terre
Entre la mort et la douleur (...) LAMARTINE, Premières méditations, XXXVII.

♦ **8.** (Mil. XVIe; au plur., v. 1135). Journée, moment de la vie (de qqn). *Notre premier* (⇒ **Naissance.** → Affection, cit. 6), *notre dernier jour* (⇒ **Mort**). *Les derniers jours d'un condamné. Tous les jours de sa vie.* — Absolt. *Les jours de qqn, ses jours.* ⇒ **Vie** (→ Âge, cit. 24; expérience, cit. 32; fatal, cit. 11). *L'auteur*, les auteurs* (cit. 11) *de ses jours. Abréger* (cit. 7), *finir* (cit. 4) *ses jours* (→ Détruire, cit. 39; éterniser, cit. 5). *Attenter* (cit. 6) *à ses jours, faire le sacrifice de ses jours* (→ Balancer, cit. 20). *Passer, user, gaspiller* (cit. 3) *ses jours* (→ Auprès, cit. 12; genre, cit. 12). — *Couler* des jours heureux.* — Vx et littér. *Les Parques filent* (cit. 4 et 5) *les jours, se jouent* (cit. 50) *de nos jours. Jours filés d'or et de soie, heureux. Les beaux* jours.* ⇒ **Jeunesse, printemps** (de la vie). → Âge, cit. 46. — *Les derniers jours, les vieux jours de qqn.* ⇒ **Vieillesse** (→ Assurer, cit. 13; hospice, cit. 1; intense, cit. 4).

(Car nous sommes d'hier, et ne savons rien, parce que nos jours sur la terre sont comme l'ombre)... BIBLE (SACY), Livre de Job, VIII, 9.

(...) des jours filés d'or et de soie, et la vie la plus fortunée (...)
BEAUMARCHAIS, la Mère coupable, I, IV.

Il y a si peu de jous dans la vie : faites que pas un d'eux ne ressemble au suivant.
Pierre LOUŸS, les Aventures du roi Pausole, I, IX.

Relig. Journée (dans la vie du monde). *Les derniers jours,* qui précèdent le jugement dernier. *Les saints des derniers jours :* les Mormons.

CONTR. Obscurité. — Nuit. — Soir, soirée.
DÉR. Journade, journée.
COMP. V. Ajourer, ajourner. — Aujourd'hui, bonjour, contre-jour, demi-jour, toujours. — Jourd'hui.

JOURD'HUI [ʒuʀdɥi] n. m. — V. 1150; de *jour, de* et *hui.*

♦ Vx. Le jour actuel. *Ce jourd'hui.* ⇒ **Aujourd'hui.**

(...) si dans ce jourd'hui je l'avais écarté,
Tu verrais dès demain Éraste à mon côté. CORNEILLE, Mélite, IV, 1 *(var.).*

JOURNADE [ʒuʀnad] n. f. — 1459; de *jour,* p.-ê. par le provençal.

★ **I.** Vx. Cotte à longues manches (XVe-XVIe siècles).

★ **II.** Régional. ⇒ **Journal,** II., 1.

JOURNAL [ʒuʀnal] adj. et n. — XIVe; *jornel, jornal,* adj., v. 1119 (sens I); du lat. *diurnalem* «de jour» (de *diurnum* → Jour), devenu *jornal, journal,* var. *journel.*

★ **I.** Adj. ♦ **1.** Vx. Relatif à chaque jour. *L'étoile journale* (l'étoile du matin); *le cours journal du Soleil* (cf. Huguet).

♦ **2.** (1543). Mod., comm. *Livre journal,* et, n. m., *journal :* livre de commerce, registre de comptes.

Tout commerçant est tenu d'avoir un livre journal qui présente, jour par jour, ses dettes actives et passives, les opérations de son commerce (...) et généralement tout ce qu'il reçoit et paye, à quelque titre que ce soit (...)
Code de commerce, art. 8.

★ **II.** N. m. ♦ **1.** (V. 1150; lat. médiéval *jornalis,* 800). Vx. Ce qu'on peut labourer en une journée, et, par ext., Mesure de terre correspondant à cette surface. *Vigne de six journaux* (→ Établir, cit. 37, Sand). — REM. Ce dernier sens est encore d'usage dans certaines régions. ⇒ aussi **Journau, journée.**

(...) ce vicinal empire de chemins et de sentiers qui se ramifiaient sur cent journaux de terre. Hervé BAZIN, Qui j'ose aimer, 1, p. 18. 1.

(...) il y a encore des chevaux pour labourer les petits champs d'un journal et laisser des tas de crottin chaud fumer le long des ornières. 1..
Hervé BAZIN, Cri de la chouette, p. 88.

♦ **2.** (1319, «livre d'enregistrement des actes»; 1371, «livre de prières quotidiennes»). Mod. Relation quotidienne des événements; écrit portant cette relation. *Tenir un journal* (→ Événement, cit. 15). *Écrire le journal de sa vie, son journal* (⇒ **Mémoire; cahier; note** → Annotation, cit. 1; essentiel, cit. 22; fictif, cit. 1). *Auteur d'un journal.* ⇒ **Diariste.** *Le journal de Byron, de Stendhal, des Goncourt* (→ Intrépidement, cit. 5), *de Gide* (→ Entraînement, cit. 8). *Journal de voyage en Italie,* de Montaigne. *Journal intime.* → Carnet de bord (fam.). *Roman en forme de journal. Le Journal d'une femme de chambre,* de Mirabeau. *Le Journal d'un curé de campagne,* de Bernanos.

(...) il avait commencé un journal de sa vie où il marquait les événements saillants de la journée (...) BALZAC, les Employés, Pl., t. VI, p. 949. 2

Or, si je n'ai pas tenu journal de mes aventures, pendant la première guerre mondiale, je dispose d'un ensemble de documents dont la valeur, à mes yeux, dépasse de beaucoup celle d'un journal intime. G. DUHAMEL, la Pesée des âmes, p. 24. 3

Depuis son retour, pour se soulager, il tenait un journal et le contact total, admirable, de l'esprit de Byron avec le réel, la poésie abrupte des raccourcis, faisaient de ce journal un chef-d'œuvre. A. MAUROIS, la Vie de Byron, II, XX. 4

Avec des mots si j'essaie de recomposer mon attitude d'alors, le lecteur ne sera pas dupe plus que moi. Nous savons que notre langage est incapable de rappeler même le reflet de ces états défunts, étrangers. Il en serait de même pour tout ce journal s'il devait être la notation de qui je fus. Je préciserai donc qu'il doit renseigner sur qui je suis, aujourd'hui que je l'écris. Il n'est pas une recherche du temps passé, mais une œuvre d'art dont la matière-prétexte est ma vie d'autrefois. 4.1
Jean GENET, Journal du voleur, p. 75.

Mar. *Journal de bord*, journal de passerelle. Le journal du bord. Journal de mer, de navigation :* le «cahier de rapport de mer» (Gruss). *Journal des machines,* tenu par le chef mécanicien.

Un timonier est allé regarder l'heure à la montre. Par déférence pour la lune, il doit noter, sur ce grand registre toujours ouvert, qui est le *journal du bord,* l'instant très précis auquel elle s'est couchée. LOTI, Mon frère Yves, LXXXIV. 5

Aviat. *Journal de bord :* compte rendu chronologique des données relatives à la navigation en vol et à la mission.

Régional (Belgique). *Journal de classe :* agenda journalier des notes et travaux scolaires à domicile.

♦ **3.** (1625, dans un titre). [a] Vieilli. Publication* périodique relatant les évènements saillants dans un ou plusieurs domaines. ⇒ **Bulletin, gazette** (cit. 2), **périodique, revue.** *Ensemble des journaux.* ⇒ **Presse.** *Journal d'un parti.* ⇒ **Organe.** *Journal illustré.* ⇒ **Illustré**; → Papetier, cit. *Le journal des Savants,* fondé en 1665 (→ Avilissant, cit. 1), *le Journal de Trévoux* (1701), *le Journal encyclopédique* (cit. 1), etc. *s'appelleraient aujourd'hui des Revues. — Journal de médecine.* — Mod. *Journal de mode* (→ Correspondance, cit. 10). *Journeaux d'enfants. Journal paraissant le samedi. Journal du Dimanche.* — REM. Dans ce sens, on peut dire *Journal quotidien* (→ *infra* cit. 8, Sainte-Beuve) comme on dit *Journal hebdomadaire* (⇒ **Hebdomadaire, magazine**).

6 Tout faiseur de journaux doit tribut au Malin.
LA FONTAINE, Lettre à Simon..., févr. 1686, *in* LITTRÉ.

7 Sous lui *(Louis XIV)* les journaux s'établissent. On n'ignore pas que le *Journal des Savants,* qui commença en 1665, est le père de tous les ouvrages de ce genre (...) VOLTAIRE, le Siècle de Louis XIV, XXXI.

8 Il n'y a à Paris que deux Revues qui vivent et qui paient tant bien que mal (et même assez bien), les nôtres. Et puis il y a les journaux quotidiens, *les Débats, la Presse :* le reste ne vaut pas l'honneur d'être nommé (littérairement parlant). Et puis rien (...) j'oublie pourtant quelques journaux spéciaux, *Gazette des femmes, Journaux des enfants,* où d'honnêtes gens vivotent à tant la colonne.
SAINTE-BEUVE, Correspondance, 1267, 16 nov. 1841.

[b] (1777, *Journal de Paris,* premier quotidien français d'actualité). Cour. Publication quotidienne consacrée à l'actualité, dans tous les domaines. ⇒ **Feuille** (cit. 10), **gazette, quotidien** (→ fam. Baveux (vx), canard, feuille de chou*). *Les journaux.* ⇒ **Presse; média.** *Le Journal de Paris,* premier quotidien français (1777). *Le Journal officiel*. Journal de doctrine* (vx; → Éprouver, cit. 16). *Journal d'opinion* (→ Courtier, cit. 3). *Journal polémique* ⇒ **Brulôt** (fig.). *Journal gouvernemental; d'opposition* (→ Franc-parler, cit. 3). *Journaux politiques* (→ 1. Politique, cit. 13). *Un journal de droite, de gauche. Journal d'information*. Grand journal, journal à gros tirage*, tirant à tant d'exemplaires. Journaux de province. Les journaux du matin, du soir* (→ Houleux, cit. 2; illustrer, cit. 9). Dans des titres. *Le petit Journal. Le Journal de Genève. — Contenu d'un journal.* ⇒ **Annonce,** (petites annonces), **article** (cit. 16), 1. **bande** (bandes dessinées), **bulletin, chronique, colonne, correspondance, courrier** (4.), **écho, éditorial, entrefilet, éphéméride, fait** (cit. 24, fait divers*), **feuilleton** (cit. 1 et 3), **illustration, interview, leader, manchette, mondanités, nécrologie, nouvelles, publicité, réclame, reportage, roman-feuilleton, rubrique.** *Les titres, les colonnes, les photos, les dessins d'un journal. La première page* du journal.* ⇒ **Une.** *Dimensions d'un journal.* ⇒ **Format.** *Supplément* hebdomadaire d'un journal. — Fabrication d'un journal. Composition, mise en page, impression d'un journal* (⇒ **Imprimerie**). *Épreuve de journal.* ⇒ **Morasse.** *Rédaction* d'un journal* (⇒ **Journaliste**). *Rédacteur en chef, secrétaire de rédaction d'un journal. Collaborer à un journal.* ⇒ **Collaborateur.** *Correspondant, envoyé spécial d'un journal. — Style des journaux.* ⇒ **Journalistique** (→ Hyperbole, cit. 2). *Administration, direction, gérance d'un journal.* ⇒ **Directeur, éditeur, gérant** (cit. 3). — *Réglementation, obligations des journaux.* ⇒ **Censure; insertion** (cit. 1), **rectification, réponse, reproduction.** *Rôle d'information, de propagande des journaux. Influence des journaux sur l'opinion. — Éditer, publier un nouveau journal. Le lancement d'un journal. L'audience d'un journal. — Distribution, vente d'un journal. Faire le service* d'un journal. S'abonner à un journal.* ⇒ **Abonnement** (→ Facteur, cit. 9). *Bande* d'envoi d'un journal. Acheter un journal au numéro*. Crieur*, vendeur, marchand de journaux* (→ Aboiement, cit. 1; artère, cit. 4; belvédère, cit.; brandir, cit. 2). *Kiosques à journaux* (→ Arborer, cit. 7). *Journaux invendus* (⇒ **Bouillon**).

9 À la campagne, on ne connaît pas les noms propres des journaux, ils s'appellent tous les *nouvelles.* BALZAC, les Paysans, Pl., t. VIII, p. 208.

10 Tout journal, de la première ligne à la dernière, n'est qu'un tissu d'horreurs. Guerres, crimes, vols, impudicités, tortures (...) une ivresse d'atrocité universelle. Et c'est de ce dégoûtant apéritif que l'homme civilisé accompagne son repas de chaque matin (...) Je ne comprends pas qu'une main pure puisse toucher un journal sans une convulsion de dégoût.
BAUDELAIRE, Journaux intimes, Mon cœur mis à nu, LXXXI.

11 Me voilà réduit, en fait de journaux, à l'honorable *Courrier des Ardennes,* propriétaire, gérant, directeur, rédacteur en chef et rédacteur unique : A. Pouillard!
RIMBAUD, Correspondance, 25 août 1870.

12 Le journal, malgré toutes ses imperfections, malgré les servitudes parfois intolérables de la mode et des publicités, malgré les impérieuses consignes des partis politiques ou des bailleurs de fonds, consignes dont je n'ai jamais tenu compte, le journal, malgré sa docilité évidente à l'égard du public dont il flatte par trop souvent les faiblesses, le journal est l'un des instruments dont l'écrivain doit se servir pour agir de manière intermittente, mais vive, sur certains éléments de l'auditoire. G. DUHAMEL, la Pesée des âmes, XI.

12.1 Un journal est un lieu carré où les auteurs et le public s'accouplent monstrueusement jusqu'à ce qu'il ne reste plus que des imbéciles.
VALÉRY, Cahiers, Pl., t. II, p. 1150.

Par appos. *Papier* journal. — Journal :* papier journal. *« Un paquet enveloppé de journal »* (Gide, *Journal,* Pl., p. 460).

(1843, Balzac). *Un journal, le journal :* un exemplaire de journal. *Lire le journal, son journal. Déplier, éployer* (cit. 4) *son journal. Découper un article dans le journal.*

Monté sur une chaise, dont il avait recouvert la paille d'un journal déplié, Haverkamp, en bras de chemise, était occupé à enlever des liasses de journaux et des paperasses diverses, qui chargeaient les rayons supérieurs d'un casier de bois blanc. J. ROMAINS, les Hommes de bonne volonté, t. II, VI, p. 54. 13

(...) un empilement désordonné de journaux, donc, achetés, déployés, lus, digérés, repliés et reposés (ou plutôt rejetés) dans le temps qu'il faut à un homme normal pour avaler en vitesse son petit déjeuner (...) Claude SIMON, le Palace, p. 23. 13.1

(...) il aperçut le journal qu'il avait trimbalé toute la journée de la veille plié dans sa poche (et même pas lu, une fois la manchette et le sous-titre parcourus d'un coup d'œil machinal (...) Claude SIMON, le Palace, p. 117. 13.2

« J'ai lu cela dans le journal » (Académie). → Frire, cit. 5 (fam.). *Lire quelque chose sur le journal.*

Disons que, de nos jours, le tour *dans* le journal est plus châtié, plus littéraire; *sur* le journal, sans être incorrect, est plutôt populaire. 14
C'est également l'avis de GOUGENHEIM : « (...) la langue cultivée dit *dans un journal,* comme *dans un livre* (...) la langue populaire dit *sur le journal,* comme *sur une affiche* (...) » (Syst. gram. de la 1. fr. p. 311).
A. BOTTEQUIN, Subtilités et Délicatesses de langage, p. 236.

Par anal. *Journal mural. Journal mural manuscrit, en Chine.* ⇒ **Dazibao.**

(Av. 1896, Goncourt). Par ext. L'administration, la direction, les bureaux d'un journal. *Écrire au journal. Aller au journal. Le bureau des dépêches du journal. Son journal l'a envoyé à l'étranger.*

♦ **4.** (1880, Ch. Cros, *in* D. D. L.; *« le journal parlé ayant sur ses confrères imprimés cette supériorité de n'être pas limité par la place »* 1895, in *Année sc. et industr.* 1896, p. 448; *journal téléphoné,* in *Année sc. et industr.* 1896, p. 445). Bulletin quotidien d'information. *Journal parlé* (radiodiffusé), *télévisé, filmé. Journal lumineux,* faisant apparaître le texte des nouvelles par la combinaison de nombreuses ampoules rapidement allumées et éteintes (anciennt) ou par un procédé électronique. Absolt. Journal radiodiffusé ou télévisé. ⇒ **Nouvelles.** *C'est l'heure du journal. Le présenteur du journal de 20 heures.*

DÉR. Journalier, journaliser, journalisme, journaliste.

JOURNALEUX, EUSE [ʒuʀnalø, øz] n. — 1902, Bruant; de *journaliste,* avec suff. péj. de remplacement.

♦ Rare. Mauvais journaliste. Journaliste (péj.).

(...) le chroniqueur célèbre (...) avait découvert un sonnet de Verlaine qui lui paraissait être le comble de l'imbécillité démente (...) De cette infamie, je rendais responsable le journaliste, tous les journaleux (...)
Francis JOURDAIN, Sans remords ni rancune, p. 73-74, (éd. Corréa).

JOURNALIER, IÈRE [ʒuʀnalje, jɛʀ] adj. et n. — 1535; de *journal,* adj., « quotidien ».

♦ **1.** [a] Adj. Qui se fait chaque jour*. ⇒ **Diurnal, quotidien.** *Travail journalier* (→ Contraire, cit. 15). *Tâche journalière* (→ Aiguillon, cit. 5). *Existence, expérience journalière* (→ Aménagement, cit. 2; attitude, cit. 13). *Intimité* (cit. 6), *fréquentation journalière.*

Ayant, comme j'ai fait, pratiqué la misère 1
De cette pauvre vie, et les maux journaliers
Qui sont des cœurs humains compagnons familiers. RONSARD, Élégies, XV.

(...) lourdes ténèbres de l'existence commune et journalière (...) 2
BAUDELAIRE, les Paradis artificiels, Poème du haschisch, I.

1549. Vx. *Ouvrier journalier,* qui travaille à la journée.

[b] N. (V. 1550). *Un journalier, une journalière* (se dit surtout des ouvriers agricoles). ⇒ **Ouvrier.** *Engager des journaliers pour la moisson* (⇒ **Aoûteron**).

(...) les chemins vicinaux où les journaliers piochent et pellent la terre jaune des champs à travers lesquels on trace les routes. 3
Ch.-L. PHILIPPE, le Père Perdrix, I, III.

♦ **2.** (1570). Vx. Qui est sujet à changer d'un jour à l'autre. ⇒ **Changeant, incertain.** *« La guerre est journalière »* (Corneille; → Incertitude, cit. 1). *Le sort des armes est journalier.*

Je puis échouer, les armes sont journalières, mais je puis réussir aussi, *et, en trois jours, un temps brumeux et des circonstances un peu favorisantes peuvent me rendre maître de Londres, du Parlement, de la Banque.* 4
BONAPARTE, Déclaration à Lombard, cité par Louis MADELIN, Hist. du Consulat et de l'Empire, Avènement de l'Empire, II.

Humeur, beauté journalière, changeante. — *Elle est journalière :* sa beauté est changeante.

Journalier comme peut l'être la beauté d'une femme blonde, Diard était du reste vantard, grand parleur, et parlait de tout. BALZAC, les Marana, Pl., t. IX, p. 796. 5

Vx. *Femme journalière.* ⇒ **Capricieux.**

JOURNALISER [ʒuʀnalize] v. — 1693; de *journal.*

♦ **1.** V. intr. (1693). Vx, fam. Faire des journaux.

♦ **2.** V. tr. (1962, Larousse). Passer (une écriture comptable) au journal.

JOURNALISME [ʒuʀnalism] n. m. — 1781, Mercier; de *journal,* et *-isme.*

♦ **1.** Profession, métier de journaliste. *Faire du journalisme. Entrer, se jeter dans le journalisme* (→ Aborder, cit. 13; éperonner, cit. 6).

1 Le journalisme mène à tout — à condition d'en sortir.
Jules JANIN, *in* GUERLAC, Citations variées, p. 227.

2 C'est le grand méfait du journalisme : de vous forcer à écrire, lorsque parfois l'on n'en a nulle envie. GIDE, Journal, 15 mai 1942.

♦ **2.** Vieilli. Ensemble des journaux, des journalistes. ⇒ **Presse.** *Le journalisme parisien, français. La puissance, le rôle du journalisme.*

3 — L'influence et le pouvoir du journal n'est qu'à son aurore, dit Finot, le journalisme est dans l'enfance, il grandira. Tout, dans dix ans d'ici, sera soumis à la publicité. BALZAC, Illusions perdues, t. IV, p. 737.

4 D'abord, le grand fléau qui nous rend tous malades,
Le seigneur Journalisme et ses pantalonnades;
Ce droit quotidien qu'un sot a de berner
Trois ou quatre milliers de sots, à déjeuner (...)
A. DE MUSSET, Poésies nouvelles, « Sur la paresse ».

♦ **3.** Mod. Le genre, le style propre aux journaux. *Ce récit n'est pas d'un grand écrivain, mais c'est du bon journalisme. C'est du vrai journalisme.*

JOURNALISTE [ʒuʀnalist] n. — 1704, Trévoux; de *journal,* et *-iste.*

♦ **1.** Vieilli. Personne qui fait, publie un journal. *Théophraste Renaudot fut le premier journaliste français.* ⇒ **Gazetier** (vx).

♦ **2.** Mod. Personne qui collabore à l'élaboration (et, spécialt, à la rédaction) d'un journal. ⇒ **Rédacteur; chroniqueur, commentateur, correspondant, courriériste, critique, échotier, éditorialiste, envoyé** (spécial), **nouvelliste, publiciste, reporter, salonnier.** *Journaliste satirique, violent.* ⇒ **Pamphlétaire, polémiste** (→ Éreintage, cit. 1). *Journaliste politique, parlementaire. Mauvais journaliste.* ⇒ **Articlier, folliculaire, journaleux;** → fam. Pisseur de copie, pisse-copie. *Journaliste qui fait les chiens écrasés. Journaliste travaillant à la pige.* ⇒ **Pigiste** (syn. : *journaliste indépendant,* anglic. *journaliste free lance*). *Carte d'identité professionnelle du journaliste, établie depuis 1935. La copie* (cit. 5), *le papier d'un journaliste. Une journaliste.*

1 Tu n'as que trop les qualités du journaliste; le brillant et la soudaineté de la pensée. BALZAC, Illusions perdues, Pl., t. IV, p. 663.

2 Pour comble, ma voyageuse à moi, celle que le destin me réservait en partage, est une journaliste, qui a gardé aux mains ses gants sales du paquebot : indiscrète, fureteuse, avide de copie pour une feuille nouvellement lancée (...)
LOTI, les Désenchantées, II, IV.

Journaliste accrédité auprès d'un service public. Journaliste politique, parlementaire, sportif, scientifique.

3 C'est par une tautologie que l'on définit généralement le journaliste : « Celui qui consacre la plus grande partie de ses activités à l'exercice du journalisme, et qui en tire la majorité de ses revenus. » Définition peu satisfaisante, peut-être, mais plus exacte que celle du *Petit Larousse :* « Personne qui écrit dans un journal ». Car — sans parler des journalistes de radio et de télévision ou d'agence — il est des journalistes qui n'écrivent jamais et il est des professeurs, des écrivains, des spécialistes de tous ordres qui écrivent plus ou moins régulièrement « dans les journaux » sans pour autant pouvoir prétendre à l'appellation de journaliste.
Philippe GAILLARD, Technique du journalisme, p. 16.

4 Si tu savais ce qu'est le milieu des journalistes! C'est à croire que cette race-là n'existe pas plus que les saisons et les victoires de jadis. Des intellectuels? Ils savent à peine écrire. Des historiens? Ils inventent une histoire destinée à être débitée au gré des intérêts qui les gouvernent. Des créateurs? Même pas. Des larbins dociles à l'échine assouplie par les nécessités quotidiennes.
Geneviève DORMANN, le Chemin des dames, p. 89.

♦ **3.** Personne qui s'occupe de l'information dans un système de médias (→ ci-dessus, cit. 3). *Journaliste d'agence. Journaliste de radio, de télévision.*

DÉR. Journaleux, journalistique.

JOURNALISTIQUE [ʒuʀnalistik] adj. — 1834, Balzac, *in* D. D. L.; de *journaliste,* et *-ique.*

♦ **1.** (Souvent péj.). Propre aux journaux, à leur contenu. *Genre, style journalistique. Mot de création journalistique* (→ 2. Apache, cit. 1).

1 (...) un fait qui passe pour constant, mais que je rapporte sans le garantir; si vous me permettez d'employer cette formule journalistique et pleine de charlatanisme. BALZAC, *in* Œuvres diverses, 2, 657 (1834), *in* D. D. L., II, 9.

2 N'eût-elle que cela d'instructif, son œuvre journalistique (...) renseigne (...) sur cette préparation de Balzac à la connaissance de son siècle (...)
Émile HENRIOT, les Romantiques, p. 321.

3 Ce qui me frappe c'est à quel point les suites du romantisme et l'usage de la langue journalistique nous ont habitués à l'exagération constante de l'expression : notre forme première d'écriture est le superlatif; il faut se travailler en diable pour éplucher cette mauvaise herbe (...)
J.-R. BLOCH, Deux hommes se rencontrent, p. 213.

♦ **2.** Propre aux journaux, à la presse. *Les mœurs, les habitudes journalistiques.*

REM. L'adv. *journalistiquement* est attesté (1920, Léon Daudet, *in* T. L. F.).

JOURNAU [ʒuʀno] n. m. — XIVe, var. de *journal.*

♦ **1.** Régional. Journal (II., 1.).

♦ **2.** Hist. Corvée d'une journée de travail.

JOURNÉE [ʒuʀne] n. f. — Fin XIIe; *jornee,* v. 1155; de *jour.*

♦ **1.** Espace de temps qui s'écoule du lever au coucher du soleil. ⇒ **Jour** (II., 1., 4. et 5.; → An, cit. 21). *Au début, au milieu de la journée* (→ 1. Hier, cit. 3). *À la fin de la journée, en fin de journée* (→ Caresser, cit. 11). *Passer la journée, ses journées à...* (→ Bannir, cit. 33; bougonner, cit.). *Il passe ses journées à dormir. Au cours de la journée* (→ Blanc, cit. 30), *le long de la journée* (→ Gras, cit. 44), *pendant la journée* (→ Exercer, cit. 44). *Journée entamée* (cit. 5), *qui se termine. Demi-journée* (⇒ **Matinée; après-midi**). *Moment de la journée. Journée qui se passe en agitations* (cit. 4), *en futilités* (cit. 3). *Des journées entières. La journée d'hier* (1. Hier, cit. 2), *du lendemain* (→ Caractère, cit. 6). *Les journées de la vie* (→ Ineffaçable, cit. 2). *La journée du dimanche* (→ Annonciateur, cit. 6). — *Journée qui paraît courte, longue...* (→ Créer, cit. 24; expression, cit. 23). « *Les boiteuses* (cit. 9) *journées* » (Baudelaire). *Monotonie des journées* (→ Haleter, cit. 9). *Emploi de la journée. Bien employer sa journée. Perdre sa journée* (→ Ennuyeux, cit. 10, Renard). *Il n'a pas perdu sa journée.*

La plus perdue de toutes les journées est celle où l'on n'a pas ri. 1
CHAMFORT, Maximes et Pensées, XLVIII.

Il *(Frédéric)* passait quelquefois des journées entières dans sa chambre à se promener de long en large, sans ouvrir un livre et ne sachant que faire. 2
A. DE MUSSET, Nouvelles, Frédéric et Bernerette, VII.

(...) je puis avoir besoin de vous envoyer en courses à n'importe quel moment de la journée (...) Nous verrons. 3
J. ROMAINS, les Hommes de bonne volonté, t. II, VI, p. 65.

Par métaphore, poét. ⇒ **Vie.** «*Achever* (cit. 18), *finir* (cit. 3) *sa journée* » (Chénier).

Loc. *À longueur de journée* (→ Ininterrompu, cit. 2), sans s'interrompre; tout le temps. *Toute la journée* (→ Alibi, cit. 2). *Je ne l'ai pas revu de toute la journée* (→ Appeler, cit. 24). — Loc. *Toute la sainte journée* (→ Galérien, cit. 3). ⇒ **Continuellement.** *À n'importe quel moment de la journée.*

Par rapport au temps, à la température... (⇒ **Jour,** II., 5.). — REM. Dans ce sens, *journée* marque plus que *jour* le caractère diurne de la durée considérée. *Journée chaude, tiède* (→ Étancher, cit. 5; exhaler, cit. 2; fluide, cit. 6; 1. frais, cit. 7). *Journée d'été* (→ Frôler, cit. 5), *d'automne* (→ Fureur, cit. 24).

JOURNÉE DE... : journée passée, consacrée à... *Journée de travail* (→ Grincheux, cit. 3), *de repos.*

Journée heureuse, bienheureuse (cit. 8). *Belle journée* (→ Émarger, cit. 1). *Bonne journée.* « *La fameuse journée...* » (→ Célébrer, cit. 4, Racine). *Journée bien employée, bien remplie.*

IL revit le jour de sa première communion. Journée d'affres et de tremblement (...) J. ROMAINS, les Hommes de bonne volonté, t. IV, VII, p. 57. 4

Jour où il s'est passé des événements remarquables. *Journée historique* (cit. 10). *La journée de la Saint-Barthélemy* (→ Intercéder, cit. 3). *Journée d'insurrection, d'émeute* (→ Essuyer, cit. 15). — *Les journées de juillet 1830.* ⇒ **Glorieux** (les trois glorieuses, cit. 3). → Abdiquer, cit. 3; anonyme, cit. 2. *La journée des Dupes** (→ Cabale, cit. 5).

(1195). Spécialt. Jour de Bataille, et, par ext., Bataille, combat. *Dure, terrible, sanglante journée.* Loc. fig. *Ce fut une chaude journée,* une dure bataille et une rude épreuve.

Dans cette terrible journée où aux portes de la ville et à la vue de ses citoyens, le Ciel sembla vouloir décider du sort de ce prince *(Condé)...* 5
BOSSUET, Oraison funèbre de Louis de Bourbon.

(...) l'État s'effondrant sous la menace de son armée et devant la rue, non celle de Paris où les « journées » en 1830 furent appelées glorieuses et le sont demeurées (...) F. MAURIAC, le Nouveau Bloc-notes 1958-1960, p. 82. 5.1

♦ **2.** (V. 1155). *Journée de travail,* et, absolt, *journée :* le travail effectué pendant une journée. *La fatigue de la journée* (→ Excitant, cit. 8). *Dure, harassante* (cit. 2) *journée. Journée de douze, de seize heures* (cit. 14). *Vendre sa journée* (→ Héroïsme, cit. 3; honnêtement, cit. 1). *Prix, salaire de la journée.*

(...) je n'ai jamais vu réclamer dès le matin le prix de la journée. 6
BALZAC, les Chouans, Pl., t. VII, p. 990.

Si elle s'occupe, elle a l'air de faire des journées dans sa propre maison; si elle est assise, elle semble se reposer. GIRAUDOUX, Provinciales, p. 41 (1909). 6.1

(...) Miraud obtint d'emporter les panneaux, à condition d'abandonner le salaire de sa semaine en cours, et de faire gratis quatre journées de travail supplémentaires. J. ROMAINS, les Hommes de bonne volonté, t. I, XXIV, p. 288. 7

Spécialt. Durée légale de la journée de travail dans l'industrie, le commerce. *Réclamer la journée de sept heures. Instaurer la journée de huit heures.* — Loc. (Av. 1960). *La journée continue,* où le travail n'est pas (ou est à peine) interrompu, et qui se termine plus tôt. *Faire la journée continue,* avoir ce genre d'horaire.

7.1 Le père Raimondet, comme on dit aujourd'hui, fait la «journée continue», et ne ferme pas son magasin entre midi et deux heures.
J. DUTOURD, Pluche, XI, p. 127.

Aller en journée.

8 (...) elle ressemblait tout à fait à une couturière en journée.
BALZAC, la Cousine Bette, Pl., t. VI, p. 137.

Travailler, être payé à la journée. ⇒ **Journalier.** — Loc. (Vx). *À la journée :* continuellement.

9 Je n'emploierai point pour vous rassurer les grandes phrases d'honneur et de dévouement dont on abuse à la journée; je n'ai qu'un mot : mon intérêt vous répond de moi (...)
BEAUMARCHAIS, le Barbier de Séville, I, 4.

Femme, homme de journée, qui fait des travaux domestiques à la journée (→ Homme, femme de ménage*). *Gens de journée* (→ Approuvé, cit.).

(1260). Vx ou régional. Salaire d'une journée de travail. *On lui doit deux journées. Il a bien gagné sa journée* (aussi, iron. : il aurait mieux fait de s'abstenir). *Il apportait sa journée à ses parents.*

♦ **3.** (V. 1207). Chemin effectué (ou qu'on peut effectuer) en une journée. ⇒ **Distance.** *S'en aller à petites, à grandes journées.* — Vx. *Voyager à petites, à grandes journées,* par petites, par grandes étapes. *Il y a deux journées de marche, de voyage, de train... jusqu'à telle ville.*

10 Le prince d'Orange (...) s'avança à grandes journées (...)
RACINE, les Campagnes de Louis XIV.

11 (...) continuant notre voyage à petites journées, nous arrivâmes, au bout de la dixième, à la ville de Ségorbe (...)
A. R. LESAGE, Gil Blas, X, III.

♦ **4.** (V. 1170). Vx ou régional. Unité de surface, correspondant à la terre pouvant être travaillée dans une journée. ⇒ **Journal,** II., 1.

JOURNEL, ELLE [ʒuʀnɛl] adj. — V. 1119, *jornel;* var. de *journal,* (I.).

♦ Vx. Journalier.

DÉR. Journellement.

JOURNELLEMENT [ʒuʀnɛlmɑ̃] adv. — Mil. XVIe; *journelement,* 1473; de *journel,* var. de *journal* «journalier».

♦ **1.** Tous les jours, chaque jour*. ⇒ **Quotidiennement.** *S'endormir* (cit. 16) *journellement avec le même calme. Dire son bréviaire, ses heures* (cit. 41) *journellement. Être tenu journellement au courant* (cit. 16) *des nouvelles.*

♦ **2.** (1801, *in* T. L. F.). Vieilli. Tous les jours. ⇒ **Continuellement, souvent.** *Cela se voit, se rencontre journellement. «Les scènes que Pylade faisait journellement à Oreste»* (A. Dumas père, *in* T. L. F.).

JOUTE [ʒut] n. f. — V. 1360; *jouste,* XIIIe; *joste,* v. 1130; déverbal de *jouter.*

♦ **1.** Anciennt. Combat singulier à la lance et à cheval. *Les joutes et les tournois* du moyen âge se déroulaient en champ clos.* ⇒ **Lice.** *Courir une joute.*

1 Car on ne combat plus pour l'honneur d'une jouste *(joute)*
D'un prix, ou d'un tournoi (...)
RONSARD, Second livre de poèmes, «Pais au roi Henry II».

(1671, Pomey). Mod. *Joute sur l'eau :* divertissement sportif où deux hommes debout chacun à l'arrière d'une barque cherchent à se faire tomber à l'eau à l'aide de longues perches (→ Fête, cit. 12). *Les joutes lyonnaises. Les passes d'une joute.*

Vx. Combat d'animaux. *Une joute de coqs.*

♦ **2.** (1683, cit. 2; «campagne militaire», 1178). Fig., littér. ⇒ **Dispute, duel, escrime, lutte, rivalité.** *Joute entre deux adversaires. Joutes oratoires* (→ Adversaire, cit. 8), *poétiques. Une joute de paroles, de plaisanteries.*

2 Quand, la première fois, un athlète nouveau
Vient combattre en champ clos aux joustes du Barreau.
BOILEAU, le Lutrin, VI.

3 Et ces sonorités connues réveillaient en lui mille souvenirs : fièvres de meetings, joutes oratoires, péroraisons pathétiques, ovations d'une foule délirante (...)
MARTIN DU GARD, les Thibault, t. V, p. 289.

Spécialt. Discussion vive (cf. Goncourt, Proust, *in* T. L. F.).

HOM. Formes du v. **jouter, joutte.**

JOUTER [ʒute] v. intr. — 1390, Froissart; *jouster,* XIIIe; *joster,* XIIe; *juster,* 1080, *Chanson de Roland;* d'un lat. pop. **juxtare* «toucher à», de la prép. *juxta* «près de».

♦ **1.** Anciennt. Combattre de près, à cheval, avec des lances.

1 Il n'était pas permis ordinairement à un bachelier, à un écuyer, de *jou(s)ter* contre un chevalier.
VOLTAIRE, Essai sur les mœurs, XCVII.

2 C'est de là que le roi Boabdil regardait les cavaliers arabes jouter dans la Vega contre les chevaliers chrétiens.
Th. GAUTIER, Voyage en Espagne, p. 177.

Combattre sur l'eau avec des perches (dans une joute nautique).

(1559, Amyot; animaux). *Faire jouter des coqs.*

♦ **2.** (1555). Fig., littér. Rivaliser dans une lutte. ⇒ **Disputer, lutter.** *Il n'est pas de force à jouter contre lui. Jouter de finesse, de ruse avec qqn. Jouter* (avec qqn) *à qui* (et futur ou conditionnel).

Il eût été assez curieux de me voir, moi, ministre de Louis XVIII, lui, Talma, roi de la scène, oubliant ce que nous pouvions être, jouter de verve en donnant au diable la censure et toutes les grandeurs du monde. 3
CHATEAUBRIAND, Mémoires d'outre-tombe, t. IV, p. 337.

Fig. (Sujet n. de chose). Rivaliser.

Et le sculpteur vint faire sa déclaration au général, brigadier de cavalerie, fendu du talon jusqu'à ses oreilles faunesques qui joutaient de couleurs violentes avec celles de Freydet (...) 4
Alphonse DAUDET, l'Immortel, p. 238.

DÉR. Joute, jouteur.

JOUTEUR, EUSE [ʒutœʀ, øz] n. — XVIe; *jousteur,* fin XIVe; *josteor,* v. 1176 : *justeür,* v. 1155; de *jouter,* et *-eur.*

Littéraire ou didactique.

♦ **1.** Personne qui joute contre quelqu'un.

Par métaphore :

Le monde comme champ clos où le jouteur même le plus fort verra, un jour, son étoile décliner.
Michel LEIRIS, Frêle bruit, p. 247.

Par anal. Personne qui participe à une joute nautique.

♦ **2.** (Souvent par métaphore du sens 1). Adversaire qui s'oppose à qqn, notamment dans une discussion, un débat. *C'est un rude jouteur. «Le jouteur de Dieu» :* celui qui s'oppose à Dieu (Jouhandeau, *M. Godeau, in* T. L. F.).

JOUTTE [ʒut] n. f. — V. 1120; lat. médiéval *jutta,* du bas lat. *jotta* (VIe), «bouillon, sauce», mot gaulois.

♦ Régional. Bette*. — Var. : *jote, jotte* [ʒɔt], *joute.*

HOM. Joute, formes du v. **jouter.**

JOUVENCE [ʒuvɑ̃s] n. f. — XIIIe; *jovence,* fin XIIe; d'un lat. *juventa,* refait sur *jouvenceau.*

♦ **1.** Vx (encore chez Chateaubriand). ⇒ **Jeunesse.**

L'an se rajeunissait en sa verte jouvence, 1
Quand je m'épris de vous, ma Sinope cruelle (...)
RONSARD, Pièces retranchées, Les Amours, Sonnets.

♦ **2.** Loc. mod. *Fontaine* de Jouvence,* dont les eaux donnent la jeunesse. — Fig. Source de jeunesse, de rajeunissement. *Eau, bain, cure de jouvence.*

Ma santé est comme il y a six ans : je ne sais d'où me revient cette fontaine de Jouvence (...) 2
Mme DE SÉVIGNÉ, 450, 29 sept. 1675.

(...) au sortir de ce bain de jouvence qu'est le dormir, je ne sens pas trop mon âge. 3
GIDE, Journal, 6 févr. 1944.

JOUVENCEAU, ELLE [ʒuvɑ̃so, ɛl] n. — Fin XVe; *jovencel,* v. 1170; *juvencel,* v. 1120; d'un lat. pop. **juvencellus, juvencella,* du bas lat. *juvenculus,* du lat. class. *juventus* «jeune».

♦ Vx ou par plais. Jeune homme, jeune fille. ⇒ **Adolescent, fille, garçon.** *Un beau jouvenceau.* ⇒ **Éphèbe.** *Une jouvencelle.* ⇒ **Bachelette** (vx).

Passe encor de bâtir; mais planter à cet âge! 1
Disaient trois jouvenceaux, enfants du voisinage.
LA FONTAINE, Fables, XI, 8.

Je me comporte en toutes choses comme un jouvenceau qui se promène avec une jolie femme : je fais des folies, je paye sans discuter et je ne regarde pas la monnaie qu'on me rend. 2
G. DUHAMEL, les Plaisirs et les Jeux, II, III.

REM. On trouve encore la forme *jouvencel* au XIXe s., par archaïsme.

Décidément j'enlaidis; *j'en suis affligé.* Ah! je ne suis plus ce magnifique jouvencel d'il y a dix ans. Dans onze mois, j'aurai 30 ans. 30 ans, c'est l'âge de raison. Je n'en ai guère pourtant. 3
FLAUBERT, Lettre à sa mère, 20 janv. 1851.

JOUXTE [ʒukst] prép. — XIIIe; réfection, d'après le lat. *juxta,* de l'anc. prép. *joste, jouste, juste* (1080), «près de».

♦ **1.** Vx. ⇒ **Près, proche** (de). *Jouxte l'église.*

♦ **2.** (V. 1314). Dr. Conformément à; selon. *Jouxte la copie originale.*

CONTR. Loin.
DÉR. V. **Jouxter.**

JOUXTER [ʒukste] v. tr. — 1376; réfection, d'après le lat. *juxta* (→ Jouxte), de l'anc. franç. *joster* (1155). → Jouter.

♦ Vx ou littér. (repris au XIXe dans un style prétentieux mais courant). Avoisiner, être près de. *Terre jouxtant un champ.* ⇒ **Attenant, contigu, voisin.** *Sa maison jouxte la mienne.*

L'alignement de ses prés et des fossés jouxtant la route (...) 1
BALZAC, Eugénie Grandet, Pl., t. III, p. 586.

(...) quartier autrefois dit de Plaisance, quartier qui n'a vraiment rien de la ville italienne et qui jouxte Vaugirard sur la pente à peine sensible des collines méridionales. 2
G. DUHAMEL, Inventaire de l'abîme, I.

Pron. *Se jouxter.*

3 Mer livide, nuages compacts maintenant se jouxtent inextricables en monolithes qui voltigent à tous les angles de la terre (...)
P. GRAINVILLE, les Flamboyants, p. 11.

JOVIAL, ALE, AUX [ʒɔvjal, o] adj. — 1532; lat. impérial *jovialis* « de Jupiter » — dieu ou planète —, pris par les astrologues médiévaux au sens de « né sous le signe de Jupiter », signe de bonheur et de gaieté; infl. probable de l'ital. *giovale*.

♦ **1.** Qui est plein de gaieté franche, simple et communicative, comme une personne contente de vivre, un bon vivant*. ⇒ **Enjoué, gai, gaillard, joyeux.** *Un homme jovial* (→ Exubérant, cit. 5; héros, cit. 38). *Une joviale personne. De bonne humeur, jovial et cordial* (→ Fier, cit. 13). *Des hommes joviaux* (Littré). — Par ext. *Visage, air jovial. Une mine joviale de bon papa*. Face joviale et réjouie*. Caractère jovial, humeur joviale* (→ Établissement, cit. 5).

1 Il est gai, *jovial*, familier (...) LA BRUYÈRE, les Caractères, XI, 123.

2 C'était un homme à gros ventre et à joviale figure qui embrassait bruyamment une fille de joie, épaisse et charnue. HUGO, Notre-Dame de Paris, I, II, VI.

3 C'est certainement un jovial garçon, car sa voix, sans aucun éclat, a un accent de gaieté secrète, véritablement irrésistible.
BERNANOS, Sous le soleil de Satan, p. 157.

Littér. (Choses). *Un « livre jovial »*, gai, plaisant.

REM. Le plur. masc. *jovials* est attesté, concurremment à *joviaux*.

♦ **2.** (Mil. XVIe, Ronsard). Didact. De Jupiter (le dieu). — (XXe). ⇒ **Jovien.**

CONTR. Bilieux, chagrin, froid, maussade, sombre, triste.
DÉR. Jovialement, jovialité.

JOVIALEMENT [ʒɔvjalmɑ̃] adv. — 1831, Musset; de *jovial*, et *-ment*.

♦ Littér. D'une manière joviale.

Le commandant de bord me reçut jovialement à la coupée (...)
CENDRARS, Bourlinguer, p. 41.

JOVIALITÉ [ʒɔvjalite] n. f. — 1622; de *jovial*.

♦ **1.** Caractère jovial; humeur joviale*. ⇒ **Gaieté** (cit. 14). *Il est plein de jovialité. Saluer qqn avec jovialité* (→ Gauche, cit. 13). *Une grosse* (cit. 26) *jovialité. Jovialité cordiale. Une « jovialité de boutiquier bien vivant »* (Maupassant).

1 (...) ni les claustrations de l'étude, ni le renoncement à tous les plaisirs de la vie, ni la maladie même ne purent abattre cette jovialité herculéenne, selon nous, un des caractères les plus frappants de Balzac.
Th. GAUTIER, Portraits contemporains, H. de Balzac.

2 Sans un soupçon de cette odieuse, de cette basse, de cette grossière, de cette vulgaire, de cette populacière jovialité, que je hais. Souvent cordial, toujours cordial, jamais jovial, tel est ce fin peuple. Ch. PÉGUY, Victor-Marie comte Hugo, p. 52.

Loc. *Être toute jovialité* : avoir un comportement très jovial.

♦ **2.** *Une, des jovialités* (rare), parole(s) joviale(s).

CONTR. Chagrin, maussaderie, tristesse.

JOVICENTRIQUE [ʒɔvisɑ̃tʀik] adj. — 1867, *in* Littré; du lat. *Jovis*, génitif de *Jupiter*, *centre*, et *-ique*.

♦ Didact. Qui est relatif au centre de la planète Jupiter.

JOVIEN, ENNE [ʒɔvjɛ̃, ɛn] adj. et n. — 1554; lat. *Jovis*, génitif de *Jupiter*.

♦ Didact. Relatif à la planète Jupiter. *La grande « tache rouge » jovienne. Les satellites joviens.* — N. Astrol. Personne née sous le signe de Jupiter. ⇒ **Jupitérien; jovial.**

JOYAU [ʒwajo] n. m. — V. 1135, au plur., *joiaux; joyau*, 1379; plutôt que du lat. pop. **jocalis*, plur. *jocalia* en lat. médiéval (de *jocus* « jeu »), dér. direct de *jeu*, et suff. *-au* (comme dans *boyau, tuyau*).

Littéraire ou style soutenu.

♦ **1.** Objet de matière précieuse (or, argent, pierreries...), généralement unique en son genre et de grande valeur, qui est destiné à orner ou à parer. ⇒ **Bijou** (plus cour.). *Trônes constellés de joyaux* (→ Féerique, cit.). *Les joyaux de la couronne*, transmis héréditairement de souverain à souverain. *Être paré de joyaux.* ⇒ **Parure** (→ Atourner, cit. 1).

1 (...) quand les langes à dentelles, tapis brodés et joyaux d'or trouvés sur moi par les brigands n'indiqueraient pas ma haute naissance (...)
BEAUMARCHAIS, le Mariage de Figaro, III, 16.

2 Ce diadème, en dépit de sa monture un peu massive, constituait par le nombre, la grosseur et la qualité des diamants incrustés dans une plaque d'or un joyau de haut prix que la mère de Yonnel avait jadis porté.
Francis CARCO, les Belles Manières, III, X.

Littér. Éclat, reflet brillant. *Des joyaux de lumière.*

♦ **2.** (1801, Mercier; *jüel*, déb. XIIIe, en parlant d'une personne, puis 1809, Chateaubriand, *les Martyrs*). Fig. Chose rare et belle, de grande valeur. *Joyaux conquis dans les dangers* (→ Héroïque, cit. 21). *La beauté et la grâce sont les plus rares joyaux* (→ Bijou, cit. 4).

Vous avez retourné des âmes comme on retourne la terre, leur découvrant à elles-mêmes leurs joyaux. MONTHERLANT, les Jeunes Filles, p. 15. 3

Le joyau, un joyau de... : ce qu'il y a de plus remarquable dans... *Un joyau de l'art gothique.*

DÉR. Joaillier.

JOYEUSEMENT [ʒwajøzmɑ̃] adv. — 1273, *joieusement; joiosement*, v. 1155; de *joyeux*, et *-ment*.

♦ **1.** Avec joie, d'une manière joyeuse. *Accepter joyeusement un présent, une offre* (→ Assumer, cit. 6). *Chanter, danser joyeusement* (→ Bûche, cit. 1). *Vivre joyeusement, passer joyeusement le temps.* — *« Cet accent joyeusement méridional »* (Daudet, *Tartarin*, *in* T. L. F.).

Oh! plus fort, on irait, au fourneau qui s'allume,
Chanter joyeusement en martelant l'enclume,
Si l'on était certain de pouvoir prendre un peu,
Étant homme, à la fin! de ce que donne Dieu!
RIMBAUD, Poésies, IV, « Le forgeron ».

♦ **2.** (En parlant de choses). Avec vivacité, en donnant une impression de gaieté. *Les cloches sonnaient joyeusement. Le soleil inondait joyeusement la chambre. Le ruisseau coulait joyeusement.*

CONTR. Tristement.

JOYEUSERIE [zwajøzʀi] n. f. ⇒ **Joyeuseté** (REM.).

JOYEUSES [ʒwajøz] n. m. pl. — 1881; de *joyeux*.

♦ Pop., argot. Testicules. — Syn. : *valseuses*.

Alors, je crois bien que Môssieur peut numéroter ses joyeuses. 1
Michel DE SAINT-PIERRE, les Aristocrates, p. 342.

Il me met un bourre-pif colossal (...) Pour me réconforter, un de ses compagnons me file un coup de genou dans les joyeuses, et, instantanément, mon cœur me remonte dans la gargane, sans doute parce que je l'avais placé trop bas! 2
SAN-ANTONIO, Au suivant de ces messieurs, p. 140.

JOYEUSETÉ [ʒwajøzte] n. f. — V. 1282; de *joyeux*, au fém., et suff. *-eté*.

Littéraire (archaïsme érudit).

♦ **1.** *La joyeuseté (de...)*, humeur joyeuse. *« L'expression de cette joyeuseté factice »* (E. Sue, *in* T. L. F.).

(Compl. n. de chose). *La joyeuseté d'une couleur vive.* ⇒ **Gaieté.**

♦ **2.** *(Une, des joyeusetés).* Propos, action qui amuse. ⇒ **Plaisanterie.** *Des joyeusetés de bouffon. Dire des joyeusetés* (→ Coulisse, cit. 5).

Ainsi les joyeusetés rabelaisiennes préparaient Molière dans une littérature plus 1
parfaite (...) BALZAC, le Feuilleton..., XLI, Œuvres diverses, t. I, p. 430.

Il parlait maintenant avec des intonations d'acteur, avec un jeu plaisant de figure 2
qui divertissaient la jeune femme habituée aux manières et aux joyeusetés de la grande bohème des hommes de lettres. MAUPASSANT, Bel-Ami, II, I.

REM. Balzac, dans sa correspondance, emploie *joyeuserie* (au sens 1).

JOYEUX, EUSE [ʒwajø, øz] adj. et n. — V. 1360; *joieus*, fin XIIe; *joiuse*, 1080; *goiuse*, fém., v. 1050; de *joie*; correspond au lat. *jocundus*.

A. Adj. ♦ **1.** Qui éprouve, ressent de la joie*. ⇒ **Gai, heureux.** *Se sentir joyeux, léger, plein d'enthousiasme* (→ Âme, cit. 57; enivrer, cit. 28). *Être joyeux de faire quelque chose, d'être quelque part* (→ Animer, cit. 42). *« Qui sont partis joyeux... »* (→ Capitaine, cit. 6). — Qui aime à rire, à jouer, à manifester sa joie. ⇒ **Enjoué, jouette** (régional). *Un joyeux enfant* (cit. 24), *un enfant joyeux. Joyeux garçon, joyeux luron.* ⇒ **Agréable, amusant, bon, gaillard** (cf. Boute-en-train). *Les Joyeuses Commères de Windsor*, titre français d'une comédie de Shakespeare. Loc. *Joyeux compère, compagnon* (vx). *Joyeux drille*.* — (Groupes, collectivités). *Être en joyeuse compagnie. Le joyeux monde de la bohème* (→ Existence, cit. 11). *Une bande joyeuse* (→ Brigantin, cit.). — Par ext. *Être de joyeuse humeur* (cit. 14 et 40). ⇒ **Jovial.** *Une vie libre et joyeuse* (→ Étudiant, cit. 3; gaieté, cit. 2). — (V. 1220). JOYEUSE VIE. *Mener joyeuse vie :* mener une vie de plaisirs. — (Formule de souhait; vieilli). *Bonne et joyeuse vie !*

Toute chose t'égaye, et rien ne t'inquiète. 1
En bonne foi, crois-tu (...)
Avoir de grands sujets de paraître joyeux? MOLIÈRE, le Misanthrope, III, 1.

(...) je mènerai joyeuse vie et je me griserai tous les jours (...) 2
LOTI, Aziyadé, III, XXXIX.

On est joyeux, sans savoir, d'un rien, d'un beau soleil (...) des bêtises (...) Mais enfin tellement joyeux, d'une telle joie à vous étouffer, qu'on sent bien qu'on désire autre chose en secret. BERNANOS, Sous le soleil de Satan, Prologue, III. 3

♦ **2.** Loc. (V. 1200). *La joyeuse Angleterre* (trad. de l'expr. angl. *merry England*). — Qui exprime la joie. *Joyeuses figures* (→ Effrontement, cit. 1), *mines joyeuses.* ⇒ **Épanoui, radieux, réjoui.** *Bai-*

sers (cit. 20) *joyeux. Une voix joyeuse. Acclamations, cris joyeux* (→ Entendre, cit. 35). *Un joyeux éclat de rire* (→ Fuser, cit. 10). — *Joyeuse musique.* ⇒ **Allègre.** *Joyeuse fanfare* (→ Caserne, cit. 2). *Un joyeux carillon* (cit. 2 et 3).

4 Cette fois, par exemple, on éclata. Le rire,
Sonore et convulsif, orageux et profond,
Joyeux jusqu'à l'extase et gai jusqu'au délire,
Comme un flot de cristal montait jusqu'au plafond.
Th. DE BANVILLE, Odes funambulesques, Gaietés, « Belle Véronique ».

5 Son air sérieux la surprit (...) elle essaya de sourire, mais devant cette mine faussement joyeuse, elle ne put s'empêcher de fermer les yeux (...)
J. GREEN, Adrienne Mesurat, I, IV.

Allus. hist. *La guerre** (cit. 35) *fraîche et joyeuse.*

♦ **3.** (Choses). Qui donne une impression de gaieté, de vivacité. ⇒ **Gai** (plus cour.). *Un joyeux soleil. Un ciel bleu et joyeux. Un joyeux ruisseau. « Le train joyeux filait »* (Zola, *in* T. L. F.). — Spécialt. *Vin, cidre joyeux.* — REM. Ce sens est souvent confondu avec le sens 4.

♦ **4.** (V. 1360). Qui apporte la joie. *Une joyeuse nouvelle. Joyeux anniversaire, joyeuse fête!* ⇒ **Heureux.** *Souhaiter un joyeux Noël à qqn. Joyeux Noël!* — Anciennt. *Don de joyeux avènement**.

B. N. m. (1855). Surtout au plur. Soldat des compagnies* de discipline. *« Joyeux, fais ton fourbi »* (chanson des bataillons d'Afrique).

6 On s'étonne que la presse embauchât, par exemple, les Joyeux. Ils tenaient le secteur entre les fusiliers et les zouaves.
COCTEAU, Thomas l'imposteur, p. 104 (→ Héroïsme, cit. 14).

7 (...) Léon devenait le seul obstacle, et il se mit à le haïr. « Il dégoûterait un adjudant des joyeux, ce crocodile (...) » Jean PRÉVOST, les Frères Bouquinquant, p. 30.

REM. L'emploi substantif de *joyeux* au sens 1 (*« ces joyeux, ces vivants, ces heureux de vivre »,* Goncourt, *in* T. L. F.) semble rare.

C. N. f. ♦ **1.** Vx ou archaïsme. Surnom de l'épée de certains personnages médiévaux, notamment Charlemagne.

8 L'empereur tout le premier s'équipe.
Rapidement il a vêtu sa brogne *(tunique cuirassée)*
lacé son heaume, et il a ceint Joyeuse,
qui pour le soleil même ne perd pas son éclat (...)
la Chanson de Roland, éd. A. Pauphilet, Pl., p. 98.

♦ **2.** Au plur. ⇒ **Joyeuses.**

CONTR. Désenchanté, désolé, dolent, morne, sombre, triste. — Douloureux, mauvais, pénible.
DÉR. Joyeusement, joyeuses, joyeuseté.

JUBARTE [ʒybaʀt] n. f. — 1765; altér., sous l'infl. de l'angl. *jubartes* (1616), de *gibbar* (1611) « baleine à bosse »; du lat. *gibbus* « bosse ».

♦ Zool. Baleine* à bosse. — Syn. : *mégaptère.*

JUBÉ [ʒybe] n. m. — 1386; du premier mot francisé de la prière *Jube, Domine...* « ordonne, Seigneur... », prononcée en ce lieu, impér. de *jubere.*

★ **I.** Archit. Tribune transversale en forme de galerie, élevée entre la nef et le chœur, dans certaines églises. ⇒ **Ambon.** *Monter au jubé. Le jubé de Saint-Étienne-du-Mont, à Paris.*

Toujours, même dans les édifices les plus modestes, quelque curiosité retenait mon attention : des stalles, des miséricordes, un retable, un jubé, des statues de bois ou de pierre, des dalles gravées. S. DE BEAUVOIR, Tout compte fait, p. 252.

★ **II.** Loc. (V. 1470, *venir à jubé,* du lat. *jube* « ordonne »). Vieilli. *Amener qqn à jubé,* l'obliger à se soumettre.

JUBÉA ou **JUBÆA** [ʒybea] n. m. — 1902, *jubea,* Larousse; *jubæa,* 1873, Larousse; lat. mod. *jubæa,* de *Juba II,* roi de Mauritanie (~ 52-23).

♦ Bot. Palmier du Chili (famille des *Palmacées*). *Les graines du jubéa sont comestibles. Des jubéas, des jubæas.*

JUBILAIRE [ʒybilɛʀ] adj. — 1566; de *jubilé,* et *-aire.*
Didactique.

♦ **1.** Qui a accompli cinquante ans de fonction, d'exercice. *Chanoine jubilaire. Docteur jubilaire.*

♦ **2.** (1599, Marnix). Qui a rapport au jubilé catholique. *La période jubilaire.* — (1766). *Année jubilaire* ou *année sainte.*

Et ce soir même (...) Commence cette année jubilaire que le Pape nouveau accorde. Extinction des dettes, libération des prisonniers, suspension de la guerre, fermeture des prétoires, restitution de toute propriété.
CLAUDEL, l'Annonce faite à Marie, IV, 5.

Fait pour un jubilé. *Médaille, livre jubilaire.*

JUBILANT, ANTE [ʒybilɑ̃, ɑ̃t] adj. — 1825, Brillat-Savarin, *in* D. D. L.; p. prés. de *jubiler.*

♦ Qui jubile; qui exprime la jubilation. *Un air jubilant.* — Fig. *« Le jubilant alléluia »* (Claudel).

La jubilante physionomie de ce religieux plein d'intelligence plut immédiatement à Marchenoir. Léon BLOY, le Désespéré, p. 69. 1

(...) quand l'illustre poète *(Hugo)* se fera pincer en flagrant délit, par un mari jaloux (...) Sainte-Beuve jubilant enregistrera (...) tous les détails de cette scandaleuse aventure. Émle HENRIOT, les Romantiques, p. 271. 2

JUBILATION [ʒybilɑsjɔ̃] n. f. — Fin XIVe; *jubilaciun,* v. 1120, « chant d'allégresse »; du lat. *jubilatio* « cri de joie », de *jubilatum,* supin de *jubilare.* → Jubiler.

♦ Action, fait de jubiler; joie vive, expansive, exubérante. ⇒ **Gaieté, joie.** *Une explosion d'allégresse et de jubilation* (→ Chant, cit. 4). *Quelle jubilation!* ⇒ **Réjouissance.** *Hosanna* (cit. 1), *cri de triomphe et de jubilation.*

M. du Maine crevait de joie (...) son salut aux présidents eut un air de jubilation (...) SAINT-SIMON, Mémoires, V, I. 1

Après la complète disparition de l'opulente boule de feu *(le soleil),* Schahnidjar redescendait au bras de sa compagne, en pensant d'avance aux mets savants et aux boissons choisies appelés à lui procurer sous peu le bien-être et la jubilation.
Raymond ROUSSEL, Impressions d'Afrique, p. 370. 1.1

(...) cette attente *(la guérison des leurs)* leur paraissait plus cruelle encore, au milieu de la jubilation générale. CAMUS, la Peste, p. 294. 2

Fig. et littér. *« La jubilation des cloches »* (Chateaubriand), *« du rossignol »* (P.-J. Jouve, *in* T. L. F.).

CONTR. Affliction, chagrin, déplaisir, douleur.

JUBILATOIRE [ʒybilatwaʀ] adj. — 1828, Sainte-Beuve (*in* T. L. F.); de *jubiler,* et *-atoire.*

♦ Didact. Qui exprime de la jubilation.

L'opinion courante veut toujours que la sexualité soit agressive. Aussi, l'idée d'une sexualité heureuse, douce, sensuelle, jubilatoire, on ne la trouve dans aucun écrit. Où donc la lire? Dans la peinture, ou mieux encore : dans la couleur.
R. BARTHES, Roland Barthes, p. 146.

JUBILÉ [ʒybile] n. m. — Après 1450; *jubileus,* 1235; adj., fin XIIIe; lat. *jubilæus, annus jubilæus,* de l'hébreu *yōbhēl* « corne » (cet instrument servant à annoncer la fête), par attraction de *jubilare.* → Jubiler.

♦ **1.** [a] Relig. judaïque anc. Solennité publique célébrée tous les cinquante ans. *À l'occasion du jubilé les dettes étaient remises, les héritages rendus à leurs propriétaires, et les esclaves mis en liberté.* — *Livre des jubilés :* Apocalypse juive divisée en périodes de cinquante ans.

[b] (Mil. XVe). Relig. cathol. « Indulgence* plénière solennelle et générale accordée par le pape en certains temps et à certaines occasions » (Académie). *Le jubilé est accordé aux fidèles pour une année, dite année sainte, et sous la condition d'accomplir certaines pratiques de dévotion. Année du jubilé.* ⇒ **Jubilaire.** *La cérémonie du jubilé.*

(1680). Ensemble de ces pratiques. — Loc. (1671, Mme de Sévigné, *in* D. D. L.). *Faire son jubilé,* observer ces pratiques pour obtenir les indulgences jubilaires.

(...) le grand jubilé (...) attirait à Rome une si prodigieuse foule, qu'en 1350 on y compta deux cent mille pèlerins. VOLTAIRE, Essai sur les mœurs, LXVIII.

♦ **2.** (Fin XIVe). Cour. Fête célébrée à l'occasion du cinquantenaire* de l'entrée dans une fonction, dans une profession. *Le jubilé universitaire du professeur X. Le jubilé parlementaire du sénateur Y.*
Fête pour le cinquantenaire d'un mariage.

DÉR. Jubilaire.
HOM. Jubiler.

JUBILER [ʒybile] v. intr. — V. 1190, *jubiler la loenge;* v. intr., déb. XIIIe, « pousser des cris de joie »; repris 1752, Restaut; du lat. *jubilare* « pousser des cris, crier après (qqn) », en lat. chrét. « pousser des exclamations de joie », avec infl. réciproque de *jubilæus.* → Jubilé.

♦ Se réjouir vivement (de qqch.). *Il n'avait pas tant espéré; vous pensez s'il jubile! Jubiler de qqch.* — *Jubiler de* (et inf.). *Il jubile de voir son ennemi écrasé* (→ aussi Boire, cit. 32; extermination, cit. 2).

(Il) déposa son colis compromettant à la consigne. Allégé de ce poids, il jubila en regardant d'un air goguenard l'employé. P. MAC ORLAN, Quai des brumes, VIII.

Par métaphore. (Sujet n. de chose). Littér. *« Le printemps jubile partout »* (Cocteau, *in* T. L. F.).

REM. Céline *(Mort à crédit)* emploie le dérivé régulier (mais inusité) *jubileur.*

CONTR. Affliger (s').
DÉR. Jubilant, jubilatoire.
HOM. Jubilé.

JUBIS [ʒybis] n. m. — 1723; var. de *gibet,* 1608; probablt de l'arabe *zabīb.*

♦ Régional (Provence). Raisin séché en grappe.

JUC [ʒyk] n. m. — D. i. (attesté xxe); var. de *joc* (1376), du francique **juk,* équivalent germanique du lat. *jugum.* → Jucher.

♦ Régional. Bâton servant de juchoir, de perchoir. « *Un juc à perroquet* » (Claudel, *in* T. L. F.).

JUCHÉE [ʒyʃe] n. f. — 1873, *in* P. Larousse; de *jucher; se mettre à la juchée* (fig., sens érotique), v. 1610, Béroalde de Verville.

♦ Techn. (chasse). Lieu où juchent les faisans.

HOM. Jucher (et p. p.).

JUCHER [ʒyʃe] v. — V. 1155, *joschier; jucher* sous l'infl. de *hucher;* probablt de l'anc. franç. *jochier,* de *joc* (attesté plus tard), de *juc,* d'un francique **juk* «joug», par ext. «perchoir».

♦ **1.** V. intr. (Rare). Se poser, se percher en un lieu élevé pour dormir (en parlant des oiseaux). ⇒ **Percher** (se). *Faisans qui juchent sur une branche. Les poules juchent dans le poulailler.* — Par ext. (en parlant d'animaux grimpeurs). — (Personnes). *Jucher sur un haut tabouret.* — REM. Le passif est plus courant (→ ci-dessous, Juché). — (1867, *in* Littré). Fig. (En parlant des gens qui logent très haut). « *Il est allé jucher à un septième étage* » (Académie).

0.1 (...) ils remarquèrent un objet pyramidal dressé à l'horizon dans une cour de ferme. On aurait dit une grappe de raisin noir monstrueuse, piquée de points rouges çà et là. C'était, suivant l'usage normand, un long mât garni de traverses où juchaient les dindes se rengorgeant au soleil.
FLAUBERT, Bouvard et Pécuchet, *in* Œ., Pl., t. II, p. 899.

♦ **2.** V. tr. (1588, Montaigne). Cour. Placer (qqn, qqch.) très haut. *Jucher un enfant sur ses épaules, un bibelot sur une armoire.*

1 (...) les balles *(de laine)* énormes sur lesquelles, quand elle était plus petite, son père la juchait. A. MAUROIS, le Cercle de famille, I, XI.

► **SE JUCHER** v. pron. (1342, au fig.; xive, au sens propre). Réfl. « *Quand les poules se juchent* » (Académie). *L'oiseau se juche sur un arbre.* — (Personnes). Se placer sur une hauteur, dans une position haute. *Se jucher sur un escabeau. Se jucher sur de hauts talons.* — « *Où est-il allé se jucher?* » (Académie). ⇒ **Loger** (se).

2 Un nain a un excellent moyen d'être plus haut qu'un géant, c'est de se jucher sur ses épaules. HUGO, l'Homme qui rit, II, I, V, III.

► **JUCHÉ, ÉE** p. p. adj.

Placé, posé comme sur un perchoir, en un lieu élevé. *Être juché sur une échelle, un tabouret* (→ Annoncer, cit. 4), *sur un âne* (→ Grapiller, cit. 4). — (Choses). *Maison juchée sur un tertre* (→ Éventer, cit. 11). *Ville juchée sur une falaise.*

3 (...) c'était au moment où les muezzins chantaient, comme juchés dans le ciel, tout au bout des gigantesques fuseaux de pierre que sont les minarets (...)
LOTI, les Désenchantées, III, IX.

4 Bien que cette ancienne cuisine fût juchée au dernier étage d'un immeuble voisin de la cathédrale, et qui dominait la ville, on ne voyait ni le lac, ni les Alpes.
MARTIN DU GARD, les Thibault, t. V, p. 9.

CONTR. Descendre.
DÉR. Juchée, juchoir.
COMP. Déjucher.
HOM. Juchée.

JUCHOIR [ʒyʃwaʀ] n. m. — 1538; de *jucher,* et *-oir.*

♦ Agric. Endroit où juchent les poules, les oiseaux de basse-cour. Perche ou bâton aménagé pour faire jucher les oiseaux. ⇒ **Perchoir.** *Juchoirs de poulailler. Les juchoirs d'une cage.*

1 Quand Charles vit les murs jaunâtres et enfumés de la cage où l'escalier à rampe vermoulue tremblait sous le pas pesant de son oncle, son dégrisement alla *rinforzando.* Il se croyait dans un juchoir à poules.
BALZAC, Eugénie Grandet, Pl., t. III, p. 522.

2 (...) les juchoirs mobiles, les pondoirs en osier attachés au mur par une tringle de bois, les boîtes à élevage. Ed. et J. DE GONCOURT, Manette Salomon, p. 270.

Fig. et littér. Lieu où l'on juche; habitation haut perchée.

JUDAÏCITÉ [ʒydaisite] n. f. — 1931, «ensemble des juifs», Weill, *in* T. L. F.; du rad. de *judaïque,* et *-ité.*

♦ Didact. Fait d'être de religion juive, d'appartenir à la communauté juive. ⇒ **Judaïté, judéité.** « ... *ne plus renier sa judaïcité, ni ses origines algériennes ni, surtout, sa vie passée* » (*F Magazine,* no 26, avr. 1980, p. 75).

JUDAÏQUE [ʒydaik] adj. — V. 1450; *judeique,* 1414; lat. *judaicus,* grec *ioudaikos,* de *ioudaios* «juif».

♦ **1.** Didact. ou littér. Qui appartient aux anciens juifs, à la religion juive, au judaïsme. ⇒ **Juif.** *La religion, la loi judaïque. Le monde judaïque au temps de Jésus. La bible judaïque :* l'Ancien Testament*. *Les Antiquités judaïques,* de Flavius Josèphe.

La gnose par ses origines grecques reste conciliatrice et tend à détruire l'héritage judaïque dans le christianisme. CAMUS, l'Homme révolté, p. 51.

♦ **2.** (1648, Pascal). Fig. et vx. Qui est trop étroitement attaché à la lettre d'une doctrine. « *Interprétation judaïque* » (Académie). ⇒ **Étroit.** *Le* « *sens littéral et judaïque* (de ses aventures) » (A. France, *le Lys rouge, in* T. L. F.).

DÉR. Judaïcité, judaïquement, judaïté.

JUDAÏQUEMENT [ʒydaikmɑ̃] adv. — 1636; de *judaïque.*

♦ Didact. et rare. D'une manière judaïque; à la manière des juifs. (Au sens 2 de *judaïque*). Littéralement. *Interpréter judaïquement un texte.*

JUDAÏSANT, ANTE [ʒydaizɑ̃, ɑ̃t] adj. et n. — 1735; p. prés. de *judaïser.*

♦ Relig. Qui observe la loi judaïque. *Secte judaïsante.* — N. Personne qui appartient à la judaïté, qui se réclame de la judaïcité. — N. (1775). Spécialt. (Hist.). Juif converti au christianisme (notamment sous la contrainte, et resté secrètement fidèle à la judaïté). *Judaïsant d'Espagne, du Portugal.* ⇒ **Marrane.**

JUDAÏSATION [ʒydaizasjɔ̃] n. f. — 1886; de *judaïser.*

♦ Relig. ou didact. Fait de judaïser (une personne, un pays); processus par lequel qqn, un lieu se judaïse, devient juif.

REM. Le mot, comme *judaïser* est d'abord surtout attesté dans des contextes racistes, antisémites.

JUDAÏSER [ʒydaize] v. intr. — Fin xive; attestation isolée, xiiie; lat. ecclés. *judaizare,* grec *ioudaizein,* de *ioudaios,* de *Iouda* «Juda».

♦ **1.** Relig. ou didact. Observer les cérémonies, les pratiques de la loi judaïque. *Judaïser en observant les préceptes de l'Ancien Testament. Chrétien qui judaïse.* ⇒ **Judaïsant.**

Fig. Donner une interprétation judaïque d'un texte.

♦ **2.** V. tr. Rendre juif. Peupler d'habitants juifs. — Pron. *Se judaïser.* — Au p. p. *Des païens, des chrétiens judaïsés. Pays judaïsé.*

REM. Le verbe, surtout au sens 2, et le p. p. sont souvent attestés dans des contextes racistes.

DÉR. Judaïsant, judaïsation. — REM. Les comp. **déjudaïser** et **rejudaïser** sont attestés.

JUDAÏSME [ʒydaism] n. m. — V. 1220; «terre des juifs», v. 1213; lat. ecclés. *judaïsmus,* grec *ioudaismos,* de *ioudaizein.* → Judaïser.

♦ **1.** Religion des juifs, descendants des Hébreux et héritiers de leurs livres sacrés. ⇒ **Hébreu, juif.** *Le judaïsme, religion monothéiste, fut fondé par Abraham et organisé par Moïse qui reçut la Loi* (Torah). *Le judaïsme ne reconnaît pas Jésus pour le Fils de Dieu. Le christianisme* (cit. 11), *transformation du judaïsme.*

Le judaïsme à l'origine fut une religion fermée; mais, dans l'intervalle, pendant de longs siècles, le judaïsme a été ouvert; des masses très considérables de populations non israélites de sang ont embrassé le judaïsme; en sorte que la signification de ce mot, au point de vue de l'ethnographie, est devenue fort douteuse. 1
RENAN, Discours et Conférences, Le judaïsme..., Œuvres, t. I, p. 941.

Le judaïsme, pris soit dans Moïse, soit dans les prophètes, ne peut pas être regardé comme représentant la pensée des Sémites dans toute sa pureté, puisqu'il est en majeure partie d'origine âryenne. 2
Émile BURNOUF, la Science des religions, p. 305.

Civilisation juive; conception juive du monde.

♦ **2.** Appartenance à la communauté juive; attachement aux valeurs juives. ⇒ **Judaïcité, judaïté, judéité.** *Un judaïsme superficiel, profond, sincère.* — REM. Dans ses emplois de la fin du xixe s., le mot est en général raciste («appartenance à la race juive»).

♦ **3.** Communauté des juifs. *Le judaïsme nord-américain, maghrébin. Anatomie du judaïsme français contemporain,* ouvrage de Rabi.

COMP. Antijudaïsme.

JUDAÏTÉ [ʒydaite] n. f. — xxe; du rad. de *judaïque.*

♦ Didact. La réalité juive, la condition de juif. ⇒ **Judéité; judaïcité.**

Edmond Fleg, qui a tant fait pour la défense, l'illustration et le rayonnement en tous domaines de la «judaïté», avait composé il y a bientôt cinquante ans une *Anthologie juive* qu'il a remaniée et enrichie jusqu'après la guerre (...)
V.-H. DEBIDOUR, Revue des livres nouveaux, Bulletin des Lettres, no 294, 15 janv., 1968, p. 32.

JUDAS [ʒyda] n. m. — 1497; *juda,* v. 1220, au sens I; nom d'un disciple de Jésus, *Judas Iscariote,* qui, selon les Évangiles, le trahit et le livra; du grec *Ioudas,* nom d'orig. hébraïque.

★ **I.** Personne qui trahit. ⇒ **Fourbe, hypocrite, traître.** *C'est un Judas* (→ Baiser* de Judas).

Adj. *« Que cela est Judas »* (Molière). ⇒ **Traître.**

★ **II.** (1788, *in* D. D. L.). Fig. Petite ouverture pratiquée dans un plancher, un mur, une porte, pour épier sans être vu (→ Écoutille, cit. 3). *Ouvrir, fermer un judas. Judas grillé* (2. Grillé, cit. 3), *grillagé d'une porte.* ⇒ **Guichet.** *Judas de prison. Regarder par le judas.*

1 Cornélius alla pousser deux volets de fer pour fermer sans doute les *judas* par lesquels il avait regardé si longtemps dans la rue, et vint reprendre sa place.
BALZAC, Maître Cornélius, Pl., t. IX, p. 919.

2 De leur île, comme des voisins malveillants derrière leur judas, ils observent le vieux continent. R. RADIGUET, le Bal du comte d'Orgel, p. 18.

3 Le judas du plafond se prêtait mieux qu'aucune porte latérale à une fermeture hermétique garantie par son propre poids.
Raymond ROUSSEL, Impressions d'Afrique, p. 428.

4 — Essuie tes pieds, jeta Gracieuse à travers le judas. Simon s'exécuta consciencieusement. Francis CARCO, les Belles Manières, p. 63.

Judas optique ou *judas :* dispositif optique traversant une porte, et permettant de voir de l'intérieur vers l'extérieur.

JUDÉEN, ENNE [ʒydeɛ̃, ɛn] adj. et n. — 1833; «juif», 1878, Claude Bernard, *in* T. L. F.; de *Judée,* n. géographique.

Didactique.

♦ **1.** Qui est relatif à la Judée ou au royaume de Juda. ⇒ **Juif** (I., 1.). *Le plateau judéen. Villes judéennes.* — N. Habitant(e) ou originaire de la Judée, du royaume de Juda.

♦ **2.** Vx. Judaïque, juif.

JUDÉITÉ [ʒydeite] n. f. — 1962, A. Memmi, cit.; du rad. de *judaïque,* de *judeus* «juif», et suff. *-ité.*

♦ Didact. Fait d'être juif. ⇒ **Judaïté; judaïcité, judaïsme.** *Perdre, retrouver sa judéité.*

Dans les pages qui vont suivre, j'appellerai judéité le fait d'être juif, l'ensemble des caractéristiques sociologiques, psychologiques et biologiques qui font le Juif.
Albert MEMMI, Portrait d'un juif, p. 17 (1962).

JUDELLE [ʒydɛl] n. f. — 1760; *jodelle,* 1555, Belon; *joudelle,* 1532; *iauoutelle,* fin XIIe; orig. inconnue.

♦ Régional. Foulque* noire (oiseau). *« De grandes passées de bécasses et de judelles »* (Queffélec, *le Recteur de l'île de Sein, in* T. L. F.).

JUDÉO- Élément, tiré du lat. *judæus* «juif» et servant à former des mots composés. ⇒ **Judéo-allemand, judéo-chrétien, judéo-christianisme, judéo-espagnol.**

On peut signaler aussi : *judéo-alexandrin, ine* [ʒydeoalɛksɑ̃dʀɛ̃, in] adj.; *judéo-alsacien, ienne* [ʒydeoalzasjɛ̃, jɛn] adj.; *judéo-berbère* [ʒydeobɛʀbɛʀ] adj.; *judéo-germanique* [ʒydeoʒɛʀmanik] adj. (1930); *judéo-grec, grecque* [ʒydeogʀɛk] adj.; *judéo-hellénistique* [ʒydeoelenistik; ʒydeoɛllenistik] adj.; *judéo-italien, ienne* [ʒydeoitaljɛ̃, jɛn] adj. (n. m., «italien transcrit en caractères hébraïques»); *judéo-russe* [ʒydeoʀys] adj.; *judéo-maçonnique* [ʒydeomasɔnik] adj. (1930); *judéo-provençal, ale, aux* [ʒydeopʀɔvɑ̃sal, o] adj. (n. m., «parler provençal des juifs du Comtat Venaissin»); *judéo-slave* [ʒydeoslav] adj. (1930). — REM. Parmi ces mots, plusieurs appartiennent ou ont appartenu au vocabulaire raciste et antisémite, notamment politique. → Judéo-maçonnique, judéo-marxiste (on peut citer aussi : *judéo-bolchévique*).

Mais elles devenaient pires, ces élections, à mesure que je grandissais, à mesure aussi que se faisait plus furibonde la bataille contre ce qu'on appelait autour de moi « la judéo-maçonnerie ». F. MAURIAC, Bloc-notes 1952-1957, p. 53.

JUDÉO-ALLEMAND, ANDE [ʒydeoalmɑ̃, ɑ̃d] adj. et n. — XIXe; de *judéo-,* et *allemand.*

♦ Relatif aux juifs d'Allemagne.

N. m. Ling. Se dit d'un parler allemand, contenant des emprunts à l'hébreu et parlé par les Juifs allemands d'Europe centrale et d'Amérique. ⇒ **Yiddish.**

JUDÉO-ARABE [ʒydeoaʀab] adj. et n. — Attesté mil. XXe; de *judéo-,* et *arabe.*

♦ **1.** Relatif à la fois aux Juifs et aux Arabes. *La civilisation judéo-arabe en Espagne. Les problèmes, les conflits judéo-arabes. Œuvrer pour une réconciliation judéo-arabe.*

♦ **2.** Relatif aux communautés juives des pays arabes, notamment au Maghreb. *La culture judéo-arabe de Tunisie.* — N. *Les judéo-arabes.*

JUDÉO-ARAMÉEN, ENNE [ʒydeoaʀameɛ̃, ɛn] adj. et n. — XXe; de *judéo-,* et *araméen.*

♦ Didact. Qui concerne les juifs de langue araméenne.

N. m. Ling. Parler araméen des juifs après l'exil babylonien. *Judéo-araméen occidental* (palestinien), *oriental* (babylonien).

JUDÉO-CHRÉTIEN, ENNE [ʒydeokʀetjɛ̃, ɛn] adj. et n. — 1867, *in* Littré.; de *judéo-,* et *chrétien.*

A. Adj. ♦ **1.** Didact. Qui est relatif au judéo-christianisme; qui appartient à la fois au judaïsme et au christianisme. *Religions judéo-chrétiennes.* ⇒ **Christianisme, judaïsme; judéo-christianisme.**

♦ **2.** Commun aux traditions juives et chrétiennes. *Doctrine judéo-chrétienne. Les valeurs judéo-chrétiennes.*

♦ **3.** A la fois juif et chrétien (notamment, dans le contexte raciste et antisémite; ⇒ **Judéo-français**). *« Le syndicat de la haute banque judéo-chrétienne »* (Clemenceau, *in* T. L. F.).

B. N. Chrétien d'origine juive resté attaché à la loi et à la foi juives. — Par ext. Juif converti au christianisme (notamment, dans le contexte antisémite).

JUDÉO-CHRISTIANISME [ʒydeokʀistjanism] n. m. — 1867, *in* Littré; de *judéo-* et *christianisme.*

Didactique.

♦ **1.** Ensemble des dogmes et préceptes communs au judaïsme et au christianisme.

Toutes les connexions du judéo-christianisme avec le mithriacisme ou les religions iraniennes, avec les innombrables cultes morts, ne font pourtant qu'épaissir ce mystère (...) F. MAURIAC, Bloc-notes 1952-1957, p. 16.

♦ **2.** Doctrine de certains chrétiens du premier siècle selon laquelle l'initiation au judaïsme était indispensable aux chrétiens.

JUDÉO-ESPAGNOL, OLE [ʒydeoɛspaɲɔl] adj. et n. — Mil. XXe; de *judéo-,* et *espagnol.*

♦ Didact. Des israélites d'Espagne. *La culture judéo-espagnole. Les philosophes judéo-espagnols.* — N. *Les judéo-espagnols.* — N. m. Ling. Dialecte (espagnol) des israélites d'Espagne, encore parlé par certaines communautés séfardim (→ Séfarad). ⇒ **Ladino.**

JUDÉO-FRANÇAIS, AISE [ʒydeofʀɑ̃sɛ, ɛz] adj. et n. — D. i.; de *judéo-,* et *français.*

A. Adj. Commun aux Juifs et aux Français. Des juifs de France. *« La symbiose judéo-française »* (Blumenkranz, *in* T. L. F.). — *Les milieux judéo-français.* ⇒ **Judéo-chrétien.** — REM. Le mot peut avoir des connotations antisémites.

B. N. m. Ling. ♦ **1.** Langue supposée (erronément) des juifs de France, au moyen âge. *S'il y eut des parlers judéo-provençaux, il n'y eut jamais de judéo-français.*

♦ **2.** Transcription du français en caractères hébraïques (au moyen âge).

JUDÉO-MAÇONNIQUE [ʒydeomasɔnik] adj. et n. — D. i. (1939, *in* T. L. F.; certainement antérieur); de *judéo-,* et *maçonnique.*

♦ Vieilli et péj. (mot appartenant au vocabulaire raciste antisémite) Relatif aux juifs et aux francs-maçons (→ Judéo-, cit. : judéo-maçonnerie). — N. m. *« Le judéo-maçonnique, voilà l'ennemi »* (journal de 1939 cité au cours du procès Pétain, *in* T. L. F.).

JUDÉO-MARXISTE [ʒydeomaʀksist] adj. et n. — D. i. (XXe); de *judéo-,* et *marxiste.*

♦ Vx et péj. (mot appartenant au vocabulaire raciste antisémite et anticommuniste). Relatif aux juifs et au marxisme; au marxisme des juifs.

JUDICATIF, IVE [ʒydikatif, iv] adj. — D. i. (1803, Destutt de Tracy, *in* T. L. F., art. *Juger,* REM.); dér. sav. du supin de *judicare.*

♦ Didact. et rare. Judicatoire. — Gramm. Vx. *Mode judicatif,* et, n. m., *le judicatif.* ⇒ **Indicatif.**

JUDICATOIRE [ʒydikatwaʀ] adj. — XIIIe; bas lat. *judicatorius,* du lat. class. *judicatum,* supin de *judicare* «juger».

♦ **1.** Vx. Qui a rapport au jugement (1.).

♦ **2.** Mod. Philos. Qui se rapporte au jugement (3.). *Acte judicatoire* (ex : assertion, négation).

JUDICATUM SOLVI [ʒydikatɔm sɔlvi] — Mots lat. signifiant proprt « que ce qui est jugé soit payé ».

♦ Dr. *Caution judicatum solvi.* ⇒ **Caution.**

JUDICATURE [ʒydikatyʀ] n. f. — 1426; lat. médiéval *judicatura*, du lat. class. *judicatum*, supin de *judicare* « juger ».

♦ **1.** Vx ou hist. Profession, charge de juge* et de toute personne employée à l'administration de la justice (→ Gens de robe*). *Charge, office de judicature* (→ Inamovibilité, cit. 3). *Fonctions de judicature* (→ Greffier, cit. 1).

♦ **2.** Hist. des relig. Dignité de juge, chez les Hébreux.

JUDICIAIRE [ʒydisjɛʀ] adj. — V. 1400; lat. *judiciarus*, de *judicium*, de *judex* « juge ».

♦ **1.** Relatif à la justice et à son administration. *Pouvoirs législatif, exécutif et judiciaire. Tribunaux judiciaires. Réforme judiciaire*, de la justice. *Police* judiciaire* (par oppos. à *police administrative*). *Secrétaire judiciaire assermenté* (→ Commis-greffier*). *Identité* judiciaire.* — Vx. *Médecine judiciaire.* ⇒ **Légal.**

Loc. (V. 1870). Vx. *Roman judiciaire*, ancienne désignation du roman policier (s'est dit notamment à propos de Gaboriau).

Chronique judiciaire, dans un journal (→ Pitoyable, cit. 2.1).

♦ **2.** (1400). Qui se fait en justice; par autorité de justice. *Acte, action judiciaire.* ⇒ **Juridique** (→ Enregistrement, cit. 1; greffier, cit. 1). *Débat judiciaire.* ⇒ **Débat** (2.). *Aveu* (cit. 27 et 28) *judiciaire. — Casier* judiciaire. — Contrat, vente, liquidation judiciaire* (→ Insolvabilité, cit.; reclus, cit. 5). — *Mener une enquête* judiciaire. Poursuites* judiciaires. Une erreur* judiciaire* (→ Épiphénomène, cit.). *Formes, termes judiciaires.* ⇒ **Procédure** (→ Intermédiaire, cit. 4). *Ordre* judiciaire. Assistance** (cit. 12), *conseil* judiciaire* (→ Assistance. cit. 6). *Témoin judiciaire.*

Dr. anc. *Combat** (cit. 10) *judiciaire. Duel* judiciaire. Épreuves* judiciaires.* ⇒ **Jugement** (de Dieu); **ordalie.** — Vx. *Genre judiciaire :* genre d'éloquence, rhétorique de l'attaque et de la défense. ⇒ **Polémique.**

♦ **3.** Vx. Relatif au jugement. [a] Loc. *Astrologie** (cit. 2) *judiciaire*, qui prédit l'avenir par l'étude des astres et en infère un jugement sur les choses, alors que l'« astrologie naturelle » (l'astronomie) se contente d'observer.

[b] (1669, *la judiciaire*, n. f., « partie de la rhétorique »). Philos. Vx. *Faculté judiciaire*, et, n. f., *la judiciaire :* pouvoir de discerner le vrai du faux, de juger, d'apprécier. ⇒ **Jugement, raison.** *Troubler, embrouiller la judiciaire de qqn. Une bonne, une forte judiciaire.*

DÉR. Judiciairement.
COMP. Extrajudiciaire (voir 1. Extra-).

JUDICIAIREMENT [ʒydisjɛʀmɑ̃] adv. — 1690, Furetière; *judicierment*, 1453; de *judiciaire.*

♦ Didact. (dr.). En forme judiciaire. *Informer, poursuivre judiciairement. Cas où la paternité hors mariage peut être judiciairement déclarée* (→ Enlèvement, cit. 4).

Enfin, il fut convenu qu'on partagerait la terre, mais que la maison et le mobilier, ainsi que les bêtes, seraient vendus judiciairement, puisqu'on ne pouvait s'entendre. ZOLA, la Terre, IV, VI.

Fam. « *Finir judiciairement une bouteille* » (Claudel, *in* G. L. L. F.), dans les formes, cérémonieusement.

JUDICIEUSEMENT [ʒydisjøzmɑ̃] adv. — 1611; de *judicieux.*

♦ **1.** Littér. ou style soutenu. D'une manière judicieuse. ⇒ **Bien, intelligemment** (→ En connaissance* de cause). *Il a judicieusement fait remarquer que... Se servir judicieusement de qqch.* (→ Avec à-propos, à bon escient*).

1 (...) la douceur des remèdes que vous avez si judicieusement proposés.
MOLIÈRE, M. de Pourceaugnac, I, 8.

♦ **2.** Avec à-propos, à bon escient.

2 Il faut beaucoup de raison, de modestie et de bonté pour se servir judicieusement du petit mot « oui ». G. DUHAMEL, les Plaisirs et les Jeux, III, IX.

JUDICIEUX, EUSE [ʒydisjø, øz] adj. — 1580, Montaigne; dér. sav. du lat. *judicium* « jugement, discernement ».

Littéraire ou style soutenu.

♦ **1.** (Personnes). Qui a beaucoup de jugement*, qui a le jugement bon. ⇒ **Raisonnable, sage, sensé.** *Un homme judicieux* (→ Illusion, cit. 13; important, cit. 8). *Un esprit judicieux.* ⇒ **Droit** (→ Frivole, cit. 5).

La Princesse ma mère montre un esprit judicieux dans le choix qu'elle a fait (...) 1
MOLIÈRE, les Amants magnifiques, II, 3.

Il *(Chapelain)* manquait essentiellement de génie, d'étincelle, et il n'était judicieux que dans les matières solides. SAINTE-BEUVE, Correspondance, t. I, p. 173. 2

N. Rare. *Les judicieux :* les gens judicieux.

♦ **2.** (1647, Rotrou; choses). Qui provient d'un bon jugement. ⇒ **Intelligent, pertinent, rationnel.** *Un choix judicieux. Remarque judicieuse* (→ Amène, cit. 2; hasarder, cit. 11). *Critique judicieuse. Raisonnement judicieux.* ⇒ **Logique.** *Une judicieuse prévoyance* (→ Expérience, cit. 19). *Un judicieux emploi de sa vie. Il serait plus judicieux de renoncer.* ⇒ **Bien, bon.**

Son récit est lucide et entremêlé de quelques réflexions fines et judicieuses. 3
CHATEAUBRIAND, Mémoires d'outre-tombe, t. III, p. 129.

Vos critiques sont judicieuses : tout le monde me les a faites, et je ne puis avoir raison contre tout le monde. 4
PROUDHON, cité par SAINTE-BEUVE, Proudhon..., p. 84.

CONTR. Absurde, fou, inconséquent, stupide.
DÉR. Judicieusement.

JUDO [ʒydo] n. m. — 1931, *in* Larousse XXᵉ s.; mot japonais (v. 1880) signifiant « principe de la souplesse », de *jū* « doux, souple », et *dō* « méthode, principe ».

♦ Sport de combat d'origine japonaise, adaptation du *jujitsu* (⇒ **Jiu-jitsu**), art martial qui se pratique à mains nues, sans porter de coups, le but du combat étant de faire tomber ou d'immobiliser l'adversaire par des prises fondées sur l'utilisation du moindre déséquilibre. *Prise de judo. Faire du judo.* ⇒ **Judoka.** *Ceinture* noire de judo.* ⇒ aussi **Dan.** *Champion, championnat de judo.*

DÉR. Judoka.

JUDOKA [ʒydɔka] n. — 1944, *in* Petiot; mot japonais, de *judo.*

♦ Personne qui pratique le judo. *Elle est judoka. Des judokas. Les judokas sont classés selon leur force par la couleur de leur ceinture.*

JUERGA [xwɛʀga] n. f. — Mil. XXᵉ (*in* Larousse, 1968); mot espagnol.

♦ Séance de chants et de danses flamencos.

JUGAL, ALE, AUX [ʒygal, o] adj. — 1541, *in* D. D. L.; lat. *jugalis*, de *jugum* « joug ».

Anatomie.

♦ **1.** Qui a la forme d'un joug. *Os jugal :* os de la pommette (syn. : *malaire*). — *Apophyse jugale*, qui se rattache à l'os jugal.

L'appareil maxillo-dentaire a acquis une structure mécanique complexe qui divise les lignes de force entre les dents antérieures qui saisissent et les dents jugales qui broient. A. LEROI-GOURHAN, le Geste et la Parole, t. I, p. 74-75.

Ligament jugal.

♦ **2.** De la joue. *Muqueuse jugale.*

JUGE [ʒyʒ] n. m. — V. 1170, « personne chargée d'arbitrer un différend »; au sens mod., 1174; lat. *judicem*, accusatif de *judex*, de *jus*, *juris* « droit », et *dicere* « dire ».

♦ **1.** Dr. et cour. Magistrat chargé d'appliquer les lois et de rendre la justice. *Charge de juge.* ⇒ **Judicature.** *Robe, toque de juge. Le juge, homme de robe*. Juges des tribunaux judiciaires.* ⇒ **Magistrature** (*assise* ou *du siège*). *Juges administratifs, des tribunaux administratifs.* ⇒ **Juridiction, tribunal.** *Les juges titulaires de la Cour internationale de justice. La compétence, la juridiction d'un juge.* — REM. À la différence des magistrats du ministère public (→ Parquet), les *juges* sont inamovibles. D'autre part, *juge* employé absolument ne désigne que les *juges* de l'ordre judiciaire, par opposition aux *juges administratifs* qui portent le titre de *conseiller* (d'État, de Préfecture...). — *Obligation pour le juge de juger. Juge poursuivi pour déni de justice.* ⇒ **Déni** (cit. 3 et 4), **prise** (à partie).

Les fonctions judiciaires sont distinctes et demeureront toujours séparées des fonctions administratives. Les juges ne pourront, à peine de forfaiture, troubler, de quelque manière que ce soit, les opérations des corps administratifs, ni citer devant eux les administrateurs pour raison de leurs fonctions. 1
Loi des 16-24 août 1790, art. 13.

Juge équitable (cit. 7), *intègre, incorruptible. Circonvenir, corrompre un juge. Les épices** (cit. 3) *des anciens juges. Impartialité, partialité, sévérité d'un juge. Récuser un juge.* ⇒ **Récusation.** *Les juges siègent, délibèrent, se prononcent.* ⇒ **Audience, délibération, délibéré, jugement, prononcé, rôle.** *Le juge siège comme arbitre* (→ Plaideur, cit. 2).

Juges ordinaires, qui ont la plénitude de juridiction et qui statuent dans les tribunaux civils et dans les cours d'appel. *Pouvoir discrétionnaire, pouvoir souverain d'appréciation des juges ordinaires, juges du fond*. Juges extraordinaires*, dont la compétence est limitée à certaines matières (justice de paix, tribunaux de commerce, conseils de prud'hommes, Cour de cassation). — *Juge au tribunal* *de première instance. Les juges du tribunal de commerce.* ⇒ **Consulaire** (→ Commerçant, cit. 3). *Juges titulaires**, par oppos. aux *juges suppléants** et aux *assesseurs**. *Renvoi* à l'audience du tribunal, décidé par le juge des référés**, qui est chargé de rendre des décisions en manière de référé.

2 Les tribunaux de première instance et les cours d'appel se composent d'un certain nombre de juges qui, dans les cours d'appel, prennent le nom de conseillers. Ils sont nommés par décret. DALLOZ, Nouveau répertoire, art. *Tribunaux*, n° 51.

3 (...) quand l'affaire à juger était une pure *question de fait*, ne donnant lieu à aucune difficulté de droit, la Cour suprême *(la Cour de cassation)* n'a rien à examiner dans la décision rendue. On dit alors qu'il y a eu *appréciation souveraine* des juges du fond.
A. COLIN et H. CAPITANT, Cours élém. de droit civil franç., t. I, n° 29.

Spécialt. (Dr.). Magistrat statuant dans un tribunal civil ou un tribunal de commerce (par oppos. à *conseiller*, désignant les juges des cours d'appel et de la Cour de cassation). — (1806). *Juge-commissaire*, commis aux fins d'enquête (cit. 1) par un tribunal (→ Affirmer, cit. 5; concordat, cit. 1). *Juge rapporteur.* — *Juge de mise en état*, chargé de l'information et du suivi de la procédure dans les instances civiles. *Juge de l'application des peines*, chargé de la surveillance de l'exécution des décisions pénales, et de la détermination des modalités du traitement pénitentiaire des condamnés.

Juge consulaire : juge au tribunal de commerce.

Cour. **JUGE D'INSTRUCTION*** (cit. 15) et, absolt, *juge :* magistrat spécialement chargé d'informer (cit. 10) en matière criminelle ou correctionnelle. ⇒ argot **Curieux** (cit. 10). *Juge d'instruction qui procède à l'interrogatoire* de l'inculpé, décerne un mandat de dépôt ou d'arrêt* (cit. 6; → aussi Arrêter, cit. 36). *Juge d'instruction qui ordonne une perquisition.* — *Des juges d'instruction*, titre du chapitre VI du livre I du Code d'instruction criminelle.

(1688, Miège). **JUGE DE PAIX :** magistrat d'un cadre spécial, qui statue comme juge unique, tantôt en premier, tantôt en dernier ressort, sur des affaires généralement peu importantes en matière civile et en matière de simple police. *Les tribunaux civils sont juges d'appel des jugements rendus en premier ressort par les juges de paix. La juridiction du juge de paix est en principe limitée au canton* (juge cantonal). *Circonscription* d'un juge de paix. Sommation à comparaître devant le juge de paix.* ⇒ **Citation** (→ Comparoir, cit. 1). *Juge de paix qui donne audience* (cit. 14), *qui appose* (cit. 3) *les scellés.* — *Juge* (même sens). *Conciliation des parties par l'entremise du juge.*

Absolt. Tribunal, juridiction. *Porter une affaire, une contestation devant le juge, devant les juges*, en justice. *Nous irons devant le juge.*

Dr. canon. *Juge ecclésiastique.* ⇒ **Official.**

Hist. *Juge athénien* (cit. 2). ⇒ **Héliaste.** — *Juge mage* ou *majé (majeur) :* en Provence et dans les villes de consulat, au moyen âge, Magistrat chargé de la justice dans une ville. — *Juge au tribunal de l'Inquisition.* ⇒ **Inquisiteur.** *Juges de l'ancien régime.* ⇒ **Prévôt, viguier.** *Juge pédané.* — *Juge arabe* (⇒ **Cadi**), *espagnol* (⇒ **Alcade**). — *Franc* juge.* — *Grand juge :* ministre de la Justice, sous le premier Empire. — *Juges ordinaires* et *juges de privilège* (sous l'ancien régime). *Juges royaux.*

(V.1170). Antiq. juive. Titre des magistrats suprêmes qui gouvernèrent le peuple juif avant l'établissement de la royauté. *Le livre des Juges*, septième livre de l'Ancien Testament.

4 Moins qu'une histoire suivie, le *Livre des Juges* est une suite d'apologues historiques bâtis tous sur le même modèle... Ces sauveurs providentiels sont les Juges.
DANIEL-ROPS, le Peuple de la Bible, II, III.

♦ **2.** (V. 1170). Personne appelée à faire partie d'un jury* où à se prononcer comme arbitre. *Les jurés* sont juges du fait. Les juges d'un concours*, chargés de se prononcer sur la valeur des concurrents.

Hist. *Juge de camp, le juge du Camp :* officier qui présidait aux combats judiciaires.

(1872, *in* Petiot; attestation isolée, 1858). Sports. *Juge des courses. Les juges d'un match de boxe. Juge-arbitre d'un tournoi de tennis.* ⇒ **Arbitre.** *Juge de ligne* (tennis). *Juge de touche.*

5 Les cinq juges, choisis parmi des connaisseurs de villages différents, pour intervenir dans le cas de litige, et quelques autres portant des espadrilles et des pelotes de rechange. LOTI, Ramuntcho, I, IV.

♦ **3.** (1356, *vray juge*). Autorité suprême qui juge, qui a le droit et le pouvoir de juger. *Dieu est le souverain juge, le juge suprême. Le «juge naturel»* (Bonald). *L'Église est juge des choses de la foi. Dans les choses de théâtre, le public est le juge absolu* (→ Démentir, cit. 1). — Loc. *Être (à la fois) juge et partie** (cit. 23).

6 La Syrie à vos lois est-elle assujettie,
Pour souffrir qu'une femme y soit juge et partie? CORNEILLE, Théodore, V, 7.

6.1 (...) personne parmi nous ne peut s'ériger en juge absolu, et prononcer l'élimination définitive du pire des coupables, puisque nul d'entre nous ne peut prétendre à l'innocence absolue.
CAMUS, Réflexions sur la guillotine, *in* Essais, Pl., p. 1055.

♦ **4.** (V. 1270-78, *Roman de la Rose; juge de qqch.*, 1564). Personne appelée à donner une opinion, à porter un jugement sur une question (surtout dans des expressions). *Prendre qqn pour juge. Soyez-en juge. Je vous en fais juge* (→ aussi Imprimer, cit. 29). *Être son propre juge* (→ Employeur, cit. 13).

Je vous fais juge vous-même des réparations qu'elle *(l'offense)* demande. 7
MOLIÈRE, Dom Juan, III, 4.

«Ceci est trop, et trop beau!» Car la lucidité ne m'a pas été refusée, et je demeure mon juge le plus sévère. 8
COLETTE, Belles saisons, Disc. de réception à l'Académie.

(1564). Personne capable de porter un jugement sur telle ou telle chose. ⇒ **Estimateur, expert.** *Être bon, mauvais juge en la matière. Les femmes sont des juges très éclairés en matière de mérite masculin* (→ Galanterie, cit. 6, Montesquieu). *Un juge compétent en littérature* (→ Idiome, cit. 3). — *S'établir* (cit. 32), *se faire, se constituer juge de ses propres actes* (→ Avancement, cit. 5). — *S'ériger* (cit. 11) *en juge :* prétendre avoir le droit ou la compétence de juger dans un domaine quelconque. — Fig. (Choses). *La conscience* (cit. 14, 15), *juge infaillible du bien et du mal* (→ Espèce, cit. 32).

Un versificateur ne connaît point de juge compétent de ses écrits; si on ne fait pas de vers, on ne s'y connaît pas; si on en fait, on est son rival. 9
VAUVENARGUES, Réflexions et Maximes, 499.

On n'est pas juge de la peine d'autrui : ce qui afflige l'un fait la joie de l'autre; les cœurs ont des secrets divers, incompréhensibles à d'autres cœurs. 10
CHATEAUBRIAND, Mémoires d'outre-tombe, t. II, p. 345.

(...) il n'y a que les malheureux qui puissent être juges de la misère (...) 11
BALZAC, l'Initié, Pl., t. VII, p. 374.

REM. Le fém. *la juge* est attesté (→ ci-dessous, cit. 12, au fig.; et, au sens propre, *«une juge qui refusait (...) de céder aux pressions hiérarchiques»* (*F Magazine*, mars 1980, p. 51). En parlant d'une femme, on dit aussi *un juge, une femme juge*, et (en attribut) *elle est juge.*

À ce théâtre *(les Folies-Nouvelles)*, la fille se sent dans son salon. Elle a les poses penchées de l'orgueil du chez soi et de la calèche. Elle est la juge et la faiseuse des succès littéraires avec ses souteneurs du monde. 12
Ed. et J. DE GONCOURT, Journal, 5 nov. 1855.

♦ **5.** (1914, *in* D. D. L.; choses). Spécialt. (Sports). Col de montagne qui, dans une course cycliste, «juge» et élimine les concurrents (aussi : *juge de paix*).

JUGÉ, ÉE [ʒyʒe] adj. et n. ⇒ **Juger.**

JUGÉ (AU) [oʒyʒe] loc. adv. ⇒ **Juger** (5.).

JUGEABLE [ʒyʒabl] adj. — 1575; *jujable* «condamnable», fin XIIe; de *juger*, et *-able.*

♦ **1.** Dr. Qui peut être mis en jugement. — Qui peut être décidé par un jugement. *Une cause jugeable.*

♦ **2.** (1842, Comte). Log., philos. Sur quoi on peut porter un jugement.

JUGEANT, ANTE [ʒyʒɑ̃, ɑ̃t] adj. — 1825, Stendhal; p. prés. de *juger.*

♦ Rare. Qui juge, porte des jugements.

JUGEMENT [ʒyʒmɑ̃] n. m. — 1080, *Chanson de Roland*, «arrêt, sentence»; «action de juger», XIIe; de *juger.*

♦ **1.** [a] Dr., cour. Action de juger; réunion, audience au cours de laquelle une cause est jugée. *Le jugement d'un procès*, le fait de l'instruire et de le juger. *Le jugement d'un accusé, d'un criminel* (par le juge). *Le jugement du juge*, celui qu'il rend. — *Mettre, poursuivre qqn en jugement.* ⇒ **Justice, procès, tribunal.** *Ester en jugement* (→ Autorisation, cit. 2; autoriser, cit. 6). — *Juridictions d'instruction et juridictions de jugement.*

Résultat de cette action. ⇒ **Décision; arrêt, sentence, verdict.** *Prononcer, rendre un jugement. Jugement avant dire droit* (ou *avant faire droit*), ordonnant une expertise, une enquête (cit. 1 et 2), un interrogatoire (cit. 1)... *Prononcer, rendre un jugement. Jugement incident, interlocutoire, préparatoire, provisoire; jugement définitif. Jugement de sursis. Jugement contradictoire* et *jugement par défaut. Faire opposition à un jugement. Jugement sur opposition. Jugement de délibéré. Jugement de débouté. Jugement de condamnation. Jugement en premier, en dernier ressort*. Faire appel* (cit. 18 et 20) *d'un jugement. Confirmer un jugement. Exécution, signification d'un jugement.* — Texte d'un jugement. *La langue, le style d'un jugement.*

Spécialt. Dr. (en France). Décision d'une juridiction ne portant pas le nom de Cour (les décisions d'une cour se nomment *arrêts**).

(1690, Furetière). Écrit contenant les termes de la décision. *Dépôt des jugements au greffe. Minute du jugement. Énoncé, motifs, dispositif du jugement. Copies, expéditions du jugement. Formule exécutoire du jugement.* ⇒ **Grosse.**

Le président et le greffier signeront la minute de chaque jugement aussitôt qu'il sera rendu (...) 1
La rédaction des jugements contiendra les noms des juges (...) les motifs et le dispositif des jugements. Code de procédure civile, art. 138 et 141.

Allus. littér. «*Les jugements de cour vous rendront blanc* (cit. 12) *ou noir*» (La Fontaine).

b Par anal. Sentence rendue par une autorité (temporelle ou spirituelle). ⇒ **Décret.** *Les jugements de Dieu sont impénétrables* (cit. 12; → Créature, cit. 6). — Dr. féod. JUGEMENT DE DIEU. ⇒ **Épreuve** (épreuve judiciaire), **ordalie.**

(XIIIe, *jugement*). Relig. chrét. LE JUGEMENT DERNIER (⇒ **Fossoyeur**) ou *le Jugement* (souvent écrit *Jugement,* avec la majuscule), celui que Dieu (selon la foi chrétienne) prononcera à la fin du monde, sur le sort de tous les vivants et des morts ressuscités (→ Compte, cit. 25). *Au jour du Jugement. L'ange du jugement. La trompette* du jugement (dernier),* qui doit réveiller les morts pour les faire comparaître devant Dieu.

2 Que la trompette du jugement dernier sonne quand elle voudra, je viendrai, ce livre à la main, me présenter devant le souverain juge.
ROUSSEAU, les Confessions, I.

3 Roi, entends notre parole. Tu avais condamné la reine sans jugement, et c'était forfaire. Aujourd'hui tu l'absous sans jugement : n'est-ce pas forfaire encore? (...) Conseille-lui plutôt de réclamer elle-même le jugement de Dieu. Que lui en coûtera-t-il, innocente, de jurer sur les ossements des saints qu'elle n'a jamais failli? Innocente, de saisir un fer rougi au feu? Ainsi le veut la coutume (...)
J. BÉDIER, Tristan et Iseut, XII.

Représentation du Jugement dernier (peinture, sculpture). *Le Jugement dernier peint par Michel-Ange au mur de la Sixtine. Les Jugements derniers sculptés aux tympans des cathédrales d'Autun, de Vézelay, etc.*

c Loc. Allus. bibl. *Jugement de Salomon :* jugement empreint de sagesse et d'équité et qui ordonne, le plus souvent, un partage par moitié.

d Relig. Comparution de l'âme d'un humain devant Dieu, aussitôt après sa mort. — On dit aussi, dans ce sens, *jugement particulier.*

♦ **2.** (V. 1200). Opinion* portée, exprimée sur qqn ou qqch. (→ Approcher, cit. 45). *Édicter* (cit. 2), *émettre* (cit. 5), *exprimer un jugement. Formuler, porter des jugements avantageux* (→ Caractère, cit. 20), *un jugement dur* (cit. 25), *impartial* (→ Compliment, cit. 3), *sain et raisonnable* (→ Confronter, cit. 2) *sur qqn, qqch. Jugement favorable* (⇒ **Approbation** [vx], **estimation**), *défavorable* (⇒ **Blâme, critique, réprobation**). *Jugements erronés* (cit. 1), *étriqués* (cit. 9), *faux* (1. Faux, cit. 3), *implacables* (cit. 11). «*On n'épargne* (cit. 32) *que soi-même dans ses jugements*» (Bossuet). *Objectivité* d'un jugement. Incertitude des jugements humains* (→ Apprécier, cit. 4; égard, cit. 4). *Jugements qu'on attribue* (cit. 17), *qu'on prête à qqn. Corroborer* (cit. 3) *un jugement. Revenir sur ses jugements.* ⇒ **Déjuger** (se). → Humiliant, cit. 5. — *Jugement préconçu* (⇒ **Préjugé**), *hâtif, avancé sans preuves* (⇒ **Présomption**). *Former des jugements téméraires* (→ Accuser, cit. 23; indiscret, cit. 13).

4 (...) les jugements se forment en moi et, une fois établis, après deux ou trois secousses ou épreuves, ils sont affermis et ne délogent plus.
SAINTE-BEUVE, Correspondance, t. I, p. 353.

5 Le fait d'être communément reçus, qui donnait autrefois une force invincible aux jugements et aux opinions, les déprécie aujourd'hui.
VALÉRY, Regards sur le monde actuel, p. 169.

6 (...) des romans comme ceux de Hemingway, où nous ne connaissons guère les héros que par leurs gestes et leurs paroles et les vagues jugements qu'ils portent les uns sur les autres. SARTRE, Situations I, p. 48.

Par métaphore. *Le jugement de l'histoire* (→ Confirmer, cit. 10), *de la postérité* (→ Film, cit. 1).

(Av. 1662, Pascal). Façon de juger particulière à qqn. ⇒ **Opinion, vue** (point de vue); **avis, idée, pensée, sentiment.** *Suspendre son jugement. S'en remettre au jugement de qqn. Je livre, je soumets cela à votre jugement.* ⇒ **Appréciation.** *Se contenter d'un jugement sommaire.* ⇒ **Aperçu.** *Du jugement des Anciens...* (→ Grec, cit. 3). *L'opinion* (cit. 35) *est un groupe de jugements... Redouter le jugement d'un médecin.* ⇒ **Pronostic.**

7 Qui voudrait ne suivre que la raison serait fou au jugement du commun des hommes. Il faut juger au jugement de la plus grande partie du monde.
PASCAL, Pensées, II, 82.

8 Un compositeur allemand (...) revenait, dans la ville jadis témoin de ses jeunes misères, soumettre ses œuvres à notre jugement.
BAUDELAIRE, l'Art romantique, XXI.

9 Ces dernières années de guerre, les réflexions qu'il avait été amené à faire pendant les longues insomnies de la clinique, avaient mis un grand désarroi dans la plupart de ses jugements antérieurs.
MARTIN DU GARD, les Thibault, t. VIII, p. 252.

Techn. (organisation du travail). *Jugement d'allure :* estimation par laquelle un observateur apprécie l'allure d'un exécutant par rapport à une allure de référence.

♦ **3.** (V. 1361, Oresme). **a** Didact. Faculté* de l'esprit permettant de juger (plus ou moins bien) des choses qui ne font pas l'objet d'une connaissance immédiate certaine, ni d'une démonstration rigoureuse; l'exercice même de cette faculté. *La passion altère* (cit. 6) *le jugement* (→ 1. Garde, cit. 44).

Fausser (→ Coter, cit.), *redresser le jugement. Erreur* (cit. 5) *de jugement.* ⇒ **Aberration.** *Être trompé par son jugement* (→ 1. Faux, cit. 11). — *Avoir le jugement droit, sain, solide, un profond jugement* (→ Étude, cit. 16), *une certaine sûreté de jugement* (→ Couloir, cit. 3). ⇒ **Œil** (Avoir le coup d'œil juste, sûr...). *Droiture* du jugement.* ⇒ **Rectitude.** *Avoir le jugement peu formé* (cit. 43), *dépravé... Maturité du jugement.*

b Absolt. *Le jugement,* bon jugement. ⇒ **Discernement, doigté, entendement, finesse, intelligence, perspicacité, raison, sens** (bon sens, sens commun*), **tact; jugeote** (fam.); → ci-dessous, cit. 11 et 14. *Avoir du jugement* (→ Faculté, cit. 9), *manquer de jugement.* ⇒ **Voir** (juste, faux). *Homme de jugement :* judicieux, perspicace (→ De tête*). *Être sans jugement.* ⇒ **Aveugle, écervelé, sot.** *La colère lui enlève tout jugement. Il manque un peu de jugement. «Autant de jugement que de barbe au menton»* (La Fontaine, III, 5).

(...) avec mon petit sens, mon petit jugement, je vois les choses mieux que tous les livres (...) MOLIÈRE, Dom Juan, III, 1. 10

On est quelquefois un sot avec de l'esprit, mais on ne l'est jamais avec du jugement. LA ROCHEFOUCAULD, Réflexions morales, 456. 11

Tout le monde se plaint de sa mémoire, et personne ne se plaint de son jugement. 12
LA ROCHEFOUCAULD, Réflexions morales, 89.

(...) il la tient pour sensée et de bon jugement. RACINE, les Plaideurs, II, 4. 13

C'est une grande misère que de n'avoir pas assez d'esprit pour bien parler, ni assez 14
de jugement pour se taire. Voilà le principe de toute impertinence.
LA BRUYÈRE, les Caractères, V, 18.

Notre goût juge de ce que nous aimons, et notre jugement décide de ce qui con- 15
vient : voilà leurs fonctions respectives (...) Joseph JOUBERT, Pensées, IX, LXV.

(...) un homme passionné, il est vrai, mais doué de hautes lumières pour éclairer 16
sa passion, d'un très ferme jugement et d'une grande liberté d'esprit.
MICHELET, Hist. de la Révolution franç., V, I.

Sur ce point, son jugement si fin, si profond, si sagace faisait défaut; il admirait 17
un peu au hasard et en quelque sorte d'après la notoriété publique.
Th. GAUTIER, Portraits contemporains, H. de Balzac, V.

Il n'y a qu'une chose qu'on veuille avoir réellement, et non pas seulement en appa- 17.1
rence, c'est un bon jugement; seulement chacun croit qu'il a le jugement bon.
ALAIN, Propos, Pl., p. 23.

♦ **4.** (1647, Descartes). Psychol. «Décision mentale par laquelle nous arrêtons d'une façon réfléchie le contenu d'une assertion* et nous le posons à titre de vérité» (Lalande). ⇒ **Affirmation, association; et aussi 2. prédication.** *Le jugement, opération fondamentale de la pensée. Jugement et affirmation d'un rapport. Jugement et croyance.* — Cette assertion. ⇒ **Proposition.** (→ Évidemment, cit. 1, Descartes). *Jugement et concept. Position de la conscience antérieure à tout jugement.* ⇒ **Antéprédicatif.** *Le raisonnement, combinaison logique de jugements.*

Le doute consiste en ce que l'esprit flotte entre plusieurs représentations, donc 18
entre plusieurs jugements. Quand l'esprit, en un domaine déterminé, ne voit plus de place que pour un seul jugement, il ne doute plus, et par conséquent il *croit.*
J. LAPORTE, Conscience de la liberté, p. 196.

Log. «Fait de poser... l'existence d'une relation déterminée entre deux ou plusieurs termes*» (Lalande); cette relation. *Jugement analytique, synthétique, assertorique, hypothétique* (→ Antécédent, cit. 3). *Jugement d'inhérence, de relation. Jugement de réalité,* qui énonce un fait. *Jugement de valeur* (→ Fatalité, cit. 8), qui formule une appréciation.

Jugement sémiotique : assertion qui restitue le code sémantique (notamment les définitions actuelles des mots employés). *La tautologie est un jugement sémiotique.*

Eco appelle jugement sémiotique (*la Structure absente,* p. 122) un jugement qui 19
affirme ce qui est prévu par le code. Il semble qu'on doive envisager quatre situations de l'énoncé par rapport au code sémantique et au jugement sémiotique : 1) ce que dit l'énoncé est entièrement prévu par le code, 2) ce que dit l'énoncé est partiellement prévu par le code, ce qui n'est pas prévu restant compatible avec le code, 3) ce que dit l'énoncé est partiellement prévu par le code, ce qui n'est pas prévu étant incompatible avec le code, 4) ce que dit l'énoncé est entièrement incompatible avec le code. Josette REY-DEBOVE, le Sens de la tautologie, *in* le Français moderne, oct. 1978, p. 326.

JUGEOTE [ʒyʒɔt] n. f. — Mil. XIXe (1871, Flaubert, *Correspondance*); de *juger.*

♦ Fam. ⇒ **Jugement, sens** (bon sens). *Il n'a pas pour deux sous de jugeote! — La jugeote de qqn, sa jugeote.*

C'est bien la jugeote d'un pédagogue, incapable d'apprécier le grand gentilhomme 1
des décadences, qui veut retourner à la vie sauvage.
BAUDELAIRE, l'Art romantique, XXVI.

(...) cette faculté principalement intuitive qu'en bon français on nomme la jugeote. 2
G. DUHAMEL, Défense des lettres, XIV.

C'est un optimisme inhérent, propre, conditionnel à l'action et sans laquel elle ne 3
pourrait se déclencher. Il n'annihile nullement le sens critique et n'obnubile pas la jugeote. B. CENDRARS, Moravagine, *in* Œ. compl., t. IV, p. 131.

On écrit parfois *jugeotte.*

Moi, dans ma petite jugeotte de femme (...) J. RENARD, Journal, 5 déc. 1889). 4

J'agirai selon ma jugeotte et ma nature. 5
BERNANOS, Dialogue des carmélites, *in* Œ. roman., Pl., p. 1665.

JUGER [ʒyʒe] v. tr. — Conjug. *bouger.* — V. 1283, au sens 1; *jugier,* 1080, «condamner»; du lat. *judicare.*

♦ **1.** Dr. et cour. **a** Soumettre (une cause) au jugement, à la décision de sa juridiction, statuer en qualité de juge*. *Juger une affaire* (→ Équité, cit. 7; influençable, cit. 1; juge, cit. 3). *Juger un litige, un crime* (→ Ecclésiastique, cit. 3; 2. pouvoir, cit. 16). *Cas* diffi-*

cile à juger. ⇒ **Trancher** (→ Argument, cit. 14). — Pron. (sens passif). *Le procès se jugera cet hiver* (→ Événement, cit. 2).

b (Compl. n. de personne). Soumettre (une personne, un accusé) à un jugement. *Juger un accusé* (→ Assise, cit. 7), *un prévenu, un voleur* (→ Authentique, cit. 7). *Un innocent qui a été jugé et condamné* (→ Élever, cit. 13).

1 Il nous veut tous juger les uns après les autres. RACINE, les Plaideurs, I, 1.

2 Ils me feraient arrêter sûr! Qui me jugerait alors? Des types spéciaux armés de lois terribles qu'ils tiendraient on ne sait d'où (...)
CÉLINE, Voyage au bout de la nuit, p. 160.

c Absolt. Rendre la justice* (→ 1. Être, cit. 58; fonction, cit. 7). *Droit, pouvoir de juger.* ⇒ **Compétence, pouvoir; judiciaire, juridictionnel; justice** (→ Bailli, cit.). *Refus de juger.* ⇒ **Déni** (cit. 3). *Le tribunal* jugera.* ⇒ **Conclure, décider, prononcer, statuer.** *Juger au nom de la loi, juger à huis clos, par contumace, en dernier ressort. Juger en connaissance de cause, juger sur pièces** (aussi sens 4). *Juger sans preuves* (→ par métaphore, Envie, cit. 4). *Juger en conscience, avec équité.*

3 Le 27 octobre, les juges envoyés à Marseille par le Parlement d'Aix, jugeaient dans les formes anciennes, avec les procédures secrètes, tout le vieil attirail barbare, sans tenir compte du décret contraire, sanctionné le 4 octobre.
MICHELET, Hist. de la Révolution franç., III, III.

d Par anal. *Dieu juge les hommes* (→ Boue, cit. 5; incirconcis, cit. 4). *L'avenir nous jugera comme nous jugeons le passé* (→ Blasphème, cit. 6, Renan).

4 Et maintenant, ô rois! comprenez; instruisez-vous, vous qui jugez la terre.
BIBLE (SACY), Psaumes, II, 10.

♦ **2.** Décider en qualité d'arbitre. ⇒ **Arbitrer.** *Le jury* qui juge les candidats d'un concours, d'un examen. La postérité jugera qui vaut le mieux des deux.* ⇒ **Apprécier.** — (Compl. n. de chose). *Juger un différend. Juger les prétentions de qqn.*

(Dans une partie, un jeu). *Juger les coups.*

JUGER DE... (trans. ind.). *Juger d'un duel.* — Loc. (1547). *Juger des coups* (cit. 2, fig.).

5 Vénus était au milieu de la carrière, qui jugeait du combat.
RACINE, Livres annotés, Sophocle, Trachiniennes, 522.

Prendre nettement position sur (une question); résoudre (une alternative). ⇒ **Décider** (→ Ignominieux, cit. 3; indifférent, cit. 1). *Juger d'un poème qu'il est bon ou mauvais* (→ Critique, cit. 11).

Absolt. *Critérium* (cit. 1) *pour bien juger. Cela vous permettra de mieux juger.*

(1656, Molière). Trans. dir. *C'est à vous de juger ce qu'il faut faire, comment il faut agir. Vous pouvez juger si nous devons partir ou rester.* — (Construit avec *si*). *Il est difficile de juger si c'est affaire de probité ou d'habileté* (cit. 8). ⇒ **Discerner, distinguer.**

♦ **3.** Soumettre (une personne ou une chose) au jugement de la raison, de la conscience (⇒ **Apprécier, considérer, examiner**) pour se faire une opinion..., ou, encore, porter un jugement, émettre une opinion sur (qqn, qqch.). *Juger favorablement qqch.* ⇒ **Apprécier, approuver, estimer; aimer.** *Juger qqch. mal, défavorablement.* ⇒ **Blâmer, condamner, critiquer, désapprouver.** *Juger bien ou mal un ouvrage, un livre, un film. Juger la conduite* (cit. 27) *du prochain. — Juger qqn selon des principes étroits* (cit. 14), *sous un certain angle* (cit. 6), *d'après l'image* (cit. 26) *qu'on s'est faite.* ⇒ **Cataloguer, classer** (fam.), **étiqueter.** *Juger autrui d'après soi-même* (→ Mesurer à sa toise*). *Être jugé à sa juste valeur.* ⇒ **Coter, évaluer, jauger** (→ Gerçure, cit. 3), **peser.** *C'est à l'œuvre qu'on juge l'artisan.* ⇒ **Connaître.** *Juger les gens* (cit. 23) *sur la mine, sur le dehors* (cit. 19). *Juger l'arbre* (cit. 42) *d'après les fruits. Juger la fin* (cit. 33) *sur les moyens. Juger qqn, qqch. de l'extérieur* (cit. 9), *de haut* (cit. 126; → Engager, cit. 17). *Juger froidement, sainement la situation. Juger qqn, qqch. favorablement, défavorablement, avec indifférence...* ⇒ **Œil** (voir d'un bon, d'un mauvais œil, d'un œil indifférent). — Absolt. *« Plus on juge, moins on aime »* (cit. 41, Balzac). *Ne jugez pas. Juger témérairement* (→ Attention, cit. 3). *Comparer, c'est juger. A juger sur les apparences, par ce que l'on voit... Juger en homme sensé, en expert. « Je ne juge pas, je condamne »* (→ Exécuter, cit. 23). *Juger par soi-même* (→ Antitotalitaire, cit.).

6 Ne jugez point, afin que vous ne soyez point jugés. Car on vous jugera du jugement dont vous jugez, et l'on vous mesurera avec la mesure dont vous mesurez.
BIBLE (SEGOND), Évangile selon saint Matthieu, VII, 1.

7 La nature a donné aux grands hommes de faire, et laissé aux autres de juger.
VAUVENARGUES, Réflexions critiques, V, VI.

8 Quand on aime, c'est le cœur qui juge. Joseph JOUBERT, Pensées, V, 37.

9 Juger son père, est un parricide moral. BALZAC, les Marana, Pl., t. IX, p. 838.

10 Je suis trop chrétien (...) pour n'avoir pas une horreur invincible du *jugement,* une peur, une horreur de *juger,* une sorte d'horreur pour ainsi dire physique, insurmontable. *Ne jugez pas afin que vous ne soyez pas jugés,* c'est l'une des paroles les plus redoutables qui aient été prononcées (...)
Ch. PÉGUY, Victor-Marie comte Hugo, p. 215.

Se juger, v. pron. (Réfl.). *Se juger soi-même* (→ Infériorité, cit. 2). *Il se juge sévèrement.*

11 Du moins ai-je appris à me juger sans indulgence, et plus sévèrement même que ne ferait un ennemi. GIDE, Journal, 4 déc. 1942.

12 Tu te jugeras donc toi-même, lui répondit le Roi. C'est le plus difficile. Il est bien plus difficile de se juger soi-même que de juger autrui. Si tu réussis à bien te juger, c'est que tu es un véritable sage. SAINT-EXUPÉRY, le Petit Prince, X.

(Récipr.). *Se juger les uns les autres.* — (Passif). *Comment se juge une œuvre d'art.* — Trans. ind. (1536). **JUGER DE...** *L'homme* (cit. 54) *juge de toutes choses. Bien juger, mal juger des choses* (→ Absolu, cit. 32; aptitude, cit. 3; éloigner, cit. 19). *Juger de la beauté* (cit. 5). — Loc. *Juger d'une chose comme un aveugle* des couleurs. Juger des hommes* (→ Approfondir, cit. 8), *des gens sur l'apparence* (cit. 12 et 13). *Attendez* (cit. 57) *pour juger de ce qu'il vaut. Il n'est pas en état d'en juger* (→ Convenir, cit. 5). *Il en juge à son idée* (cit. 54). *Si j'en juge par mes propres sentiments...* (→ Épisode, cit. 3). *A en juger par son attitude. Il est difficile d'en juger.* ⇒ **Dire, penser** (d'en dire, d'en penser qqch.). *Autant qu'on puisse en juger.* ⇒ **Sembler** (à ce qu'il semble). *Jugez-en par vous-même.* ⇒ **Conclure.** — Spécialt. *L'oreille juge de la différence des sons.* ⇒ **Apprécier** (→ Conséquence, cit. 1), **discerner.**

Si on juge de l'amour par la plupart de ses effets, il ressemble plus à la haine qu'à l'amitié. LA ROCHEFOUCAULD, Réflexions morales, 72. 13

Juger des hommes par les fautes qui leur échappent *(contre les usages)*... avant qu'ils soient assez instruits, c'est en juger par leurs ongles ou par la pointe de leurs cheveux. LA BRUYÈRE, les Caractères, XII, 36. 14

Est-ce donc sur des conjectures qu'il faut juger de pareils faits? 15
BEAUMARCHAIS, la Mère coupable, I, 6.

L'homme, disait M..., est un sot animal, si j'en juge par moi. 16
CHAMFORT, Caractères et Anecdotes, Un sot animal.

Il ne jugeait pas aussi défavorablement qu'on le croirait peut-être de la promptitude avec laquelle sa dame lui avait donné rendez-vous. 17
A. DE MUSSET, Nouvelles, Fils du Titien, IV.

Sous chaque feuille des arbres devait se cacher un cri-cri au moins à en juger par le potin assourdissant qu'ils faisaient tous ensemble. 18
CÉLINE, Voyage au bout de la nuit, p. 123.

♦ **4.** (Avec un compl. construit avec un adj. ou une complétive). Considérer (qqn, qqch.) comme. ⇒ **Estimer, trouver.** *On ne le jugeait pas très fort* (cit. 12). *Juger qqn bizarre, inexplicable* (cit. 7), *insignifiant* (cit. 8). — Au p. p. *Des voisins jugés suspects* (→ Fournée, cit. 7). — *Un calme qu'il jugea anormal* (→ Annonciateur, cit. 6). — Au p. p. *Une insistance* (cit. 2) *jugée déplacée. Fracture* (cit. 2) *jugée grave. — Faites-le si vous le jugez convenable. Les choses qu'on juge être les meilleures* (→ Générosité, cit. 3). *Si vous le jugez bon. Juger bon, à propos de* (et inf.). ⇒ **Croire.** *Jugez-vous cela (comme) improbable?* (cit. 5). *Si vous jugez sa présence nécessaire, je le ferai venir.* ⇒ **Considérer, envisager, regarder.** — *Il ne jugea pas nécessaire de parler* (→ Articuler, cit. 14). *Quand il juge à propos de le faire* (→ Fastueux, cit. 4; il, cit. 6).

Soudain elle lui parut si naïve et si jeune, elle qu'il jugeait à première vue peut-être un peu trop frottée de lectures! LOTI, les Désenchantées, IV, XXIII. 19

Il le trouve bien peu réservé avec le fond des choses. Il le juge outré dans sa foi, et outré dans son doute. André SUARÈS, Trois hommes, « Pascal », II. 20

Il se jugeait lui-même dominé, à certaines heures, par la manie de la persécution. 21
P. MAC ORLAN, la Bandera, VII.

En peu de mots j'avertis l'officier que j'étais médecin moi-même, que je n'avais ni trachome ni conjonctivite d'aucune sorte et que je jugeais son examen superflu. 22
G. DUHAMEL, Scènes de la vie future, I.

Byron d'un œil lucide, sans amour, la mesurait, et la jugeait « une parfaitement bonne personne », mais une anxieuse, destinée à se tourmenter toujours, et (ce qu'il haïssait le plus chez une femme) une romanesque. 23
A. MAUROIS, la Vie de Byron, II, XXII.

(Avec une complétive). ⇒ **Penser.** *Je jugeai que sa présence était nécessaire* (→ Controuver, cit.). *Il jugeait qu'on l'avait fourvoyé* (cit. 4). *Jugez-vous qu'il soit l'heure de rentrer?*

(Avec une proposition à l'inf.). Rare. *Je ne jugeai pas devoir faire cela* (→ Familiariser, cit. 5). — Pron. (sens réfléchi). *Se juger esclave* (cit. 8) *d'un régime. Se juger injurié* (→ Fluxion, cit. 4), *insensé* (cit. 3)... ⇒ **Considérer** (se). *Se juger perdu.* ⇒ **Voir** (se). — (Récipr.). *Ils se jugèrent faits l'un pour l'autre* (Académie).

♦ **5.** (V. 1485). Spécialt. ⇒ **Conjecturer, deviner.** **a** Emploi verbal. Vén. *Juger la bête :* reconnaître son espèce, sa taille, etc., uniquement d'après ses traces, ses gardes (1. Garde, cit. 88).

b N. m. Loc. (1867, *in* Littré). **AU JUGER.** *Tirer au juger* (ou au *jugé*), à l'endroit où l'on présume que se tient le gibier (ou un ennemi). — Fig. *Au juger :* d'une manière approximative. ⇒ **Estime** (à l'). *Estimer* une distance au juger.* ⇒ **Vue** (à vue de pays; à première vue, et, fam., à vue de nez).

Le mieux est de se précipiter, au juger. J. RENARD, Poil-de-Carotte, p. 5. 24

Lancé au juger, le baiser tombe sur l'oreille qui est molle, douce et finement velue, comme la feuille de la menthe. G. DUHAMEL, les Plaisirs et les Jeux, VI, III. 25

(Avec le p. p.). *Au jugé* (même sens).

Ça grouillait sous les arbres. Chasseriau tira au jugé. 26
SARTRE, la Mort dans l'âme, p. 188.

♦ **6.** (1636). Trans. ind. (surtout à l'impér.). Littér. ou style soutenu. *Juger de...* ⇒ **Imaginer, représenter** (se). *Jugez de ma surprise. Vous jugerez aisément du reste* (→ Crayonner, cit. 4). — (Avec une complétive ou une interrogative indirecte). *On jugeait à ses traits qu'elle devait plaire aux hommes* (→ Guitare, cit. 2). *Vous pouvez juger aisément combien il fut heureux* (→ aussi Auguste, cit. 11). *Jugez s'ils ont été contents!*

Jugez s'il aura lieu de souffrir ma présence (...) 27
MOLIÈRE, le Dépit amoureux, IV, 1.

28 Jugez combien ce coup frappe tous les esprits (...) RACINE, Britannicus, V, 5.
29 Juge de mes douleurs (...) RACINE, Mithridate, I, 1.
30 (...) trop heureux qu'elle voulût bien me promettre le secret, sur lequel même vous jugez que je ne comptais guère(s). LACLOS, les Liaisons dangereuses, XLIV.

♦ **7.** (1564). Absolt, psychol. (Correspond à *jugement*). « Affirmer ou nier une existence ou un rapport » (Cuvillier). *Juger est une des fonctions* (cit. 13, Voltaire) *de l'entendement. L'art* (cit. 20) *de juger et l'art de raisonner*. Exercer* (cit. 12) *un esprit à bien juger. « Penser, c'est juger »* (Kant).

31 (...) la puissance de bien juger et distinguer le vrai d'avec le faux, qui est proprement ce qu'on nomme le bon sens ou la raison, est naturellement égale en tous les hommes. DESCARTES, Discours de la méthode, I.
32 La vraie perfection de l'entendement est de bien juger.
Juger, c'est prononcer au dedans de soi sur le vrai et sur le faux; et bien juger, c'est y prononcer avec raison et connaissance.
BOSSUET, Traité de la connaissance de Dieu..., I, XVI.

Log. Affirmer ou nier un rapport entre un sujet et un attribut; ou, de façon générale, entre plusieurs termes*. ⇒ **Jugement.** *Concevoir* (cit. 8) *et juger.*

▶ **SE JUGER** v. pron. Voir ci-dessus à l'article.

▶ **JUGÉ, ÉE** p. p. adj. Voir ci-dessus à l'article.

Spécialt. (Dr.). *Cause entendue et jugée. Autorité* (cit. 30) *de la chose* jugée* (→ 1. Fin, cit. 41). — Loc. (adage). *Bien jugé, mal appelé.*

N. m. *Le bien* jugé, le mal* jugé.*

(Personnes). Qui a été jugé. *Prévenu jugé, non encore jugé.* — Nom :

33 Elle sentait vaguement ce qui reste de suspicion ou au moins de prévention contre une jugée comme elle. Ed. et J. DE GONCOURT, Madame Gervaisis, p. 27.

N. m. *Au jugé,* loc. adv. (→ ci-dessus, cit. 26).

DÉR. Jugeable, jugement, jugerie, jugeote, jugeur.
COMP. Déjuger (se), méjuger, préjuger.

JUGÈRE [ʒyʒɛʀ] n. f. — 1542; lat. *jugerum* « arpent ».

♦ Didact. (hist.). Mesure de superficie de l'antiquité romaine (environ vingt-cinq ares?).

JUGERIE [ʒyʒʀi] n. f. — 1845; « cour de justice », 1749, péj.; « juridiction », 1340; de *juger.*

♦ Péj. (Vieilli). Mauvaise manière de juger (cf. Léon Bloy, P. Mille, *in* T. L. F.).

JUGEUR, EUSE [ʒyʒœʀ, øz] n. — XIIIe, « juge »; *jugeour,* 1080, *Chanson de Roland; jugedor,* v. 1050; de *juger.*

★ **I.** Hist. Juge, juré ou conseiller pouvant donner un jugement (certains juges n'étant que rapporteurs). Cf. Chateaubriand, *in* T. L. F.

★ **II.** Péjoratif et rare. ♦ **1.** (1773, Beaumarchais). Personne qui se plaît à juger de tout sans la compétence nécessaire.

Adj. Qui juge de tout.

1 (...) elle avait la prétention de faire des mots; elle était souverainement jugeuse. Littérature, politique, hommes et femmes, tout subissait sa censure (...)
BALZAC, la Femme de trente ans, Pl., t. II, p. 714.

♦ **2.** (1870). Personne qui porte des jugements.

2 Il était le conseilleur et le jugeur terrible qui, devant un tableau, mettait le doigt sur la plaie, jetait sa critique à l'endroit juste.
Ed. et J. DE GONCOURT, Manette Salomon, p. 350.

JUGLANDACÉES [ʒyglɑ̃dase] ou **JUGLANDÉES** [ʒyglɑ̃de] n. f. pl. — 1902, *juglandacées,* Larousse; *juglandées,* 1817, *in* D. D. L.; lat. bot. *juglandeae,* 1816, Candolle; du lat. *juglans, -andis* « noyer », et *-acée, -ée.*

♦ Bot. Famille de plantes phanérogames angiospermes, classe des Dicotylédones apétales, comprenant des arbres de grande taille à bois dur, souvent résineux (ordre des *Juglandales*). *Types principaux de juglandées :* juglans ou noyer, pacanier, hickory. — Au sing. *Une juglandacée, une juglandée.*

JUGULAIRE [ʒygylɛʀ] adj. et n. — 1532, adj., Rabelais; dér. sav. du lat. *jugulum* « gorge ».

★ **I.** ♦ **1.** Adj. Anat. Qui appartient à la gorge. *Glandes jugulaires. Veines jugulaires,* et, n. f., *les jugulaires,* les quatre veines situées dans les parties latérales du cou.

♦ **2.** N. m. pl. (1803). Zool. Vx. Poissons dont les nageoires ventrales sont placées sous la gorge (Cuvier).

★ **II.** N. f. (1831, Balzac). Attache qui maintient une coiffure d'uniforme en passant sous le menton. ⇒ **Bride, mentonnière.** *Jugulaire en feutre, en cuir* (⇒ **Courroie**). *Jugulaire d'un casque militaire, d'un chapeau de scout. Baisser, serrer la jugulaire d'un casque.*

Fatale imprudence! nous n'avions pas assuré les jugulaires de notre casquette et le vent assez frais, augmenté par la rapidité du convoi filant à toute vapeur, nous la cueillit avec une dextérité digne de Robert Houdin ou de Macaluso, le prestidigitateur sicilien. Th. GAUTIER, Voyage en Russie, p. 23. 1

Exclam. *Jugulaire, jugulaire!, service, service!* — N. et adj. Strict sur la discipline (en parlant d'une personne). — REM. S'écrit avec ou sans trait d'union.

Les mecs ont dirigé un car de ronde sur les lieux et, bon, je n'avais pas tellement prêté attention jusque là, mais ils ont découvert le meurtre et ça s'est agité sévère au commissariat. Ils ne me parlaient plus, les mecs. Les vaches. Tout d'un coup ils étaient devenus jugulaire-jugulaire, et c'est tout juste s'ils m'ont pas foutu dehors. J'oublierai pas. J.-P. MANCHETTE, Morgue pleine, p. 72. 2

REM. L'adv. *jugulairement,* dans le même sens, est attesté (1885, G. Frison, *in* D. D. L.).

JUGULER [ʒygyle] v. tr. — V. 1213, abandonné au XVIe; repris 1773, Beaumarchais, « accuser, condamner »; lat. *jugulare* « égorger », de *jugulum* « gorge ». → Jugulaire.

♦ **1.** Vx. (Compl. n. de personne). [a] Saisir à la gorge. ⇒ **Égorger, étrangler.** — Figuré :

Le serviteur exonéré par son maître prend à la gorge le malheureux qui lui doit à lui-même une faible somme (...) Le reste de la parabole n'est pas fait pour vous, n'est-ce pas? L'éventualité d'un seigneur qui vous jugulerait à son tour est une invention des prêtres. Léon BLOY, la Femme pauvre, II, XXIII. 1

[b] (1789). Fam. et vx. Enlever tout l'argent de (qqn). ⇒ **Pressurer.**

[c] (1821). Vx. « Ennuyer excessivement, tourmenter, importuner. *Vous me jugulez* » (Littré). « *Le problème, qui le jugulait alors...* » (Stendhal, *Lamiel, in* T. L. F.).

♦ **2.** (1836, *juguler une maladie*). Mod. [a] (Compl. n. de chose). Arrêter, interrompre le développement, le progrès de (qqch.). ⇒ **Détruire, dompter, enrayer, étouffer, stopper.** *Juguler une maladie. La fièvre a été rapidement jugulée. Juguler une révolte, un mouvement d'opinion* (→ Défaitisme, cit. 1). *Juguler une crise. Juguler les passions.* ⇒ **Asservir.**

[b] (Compl. n. de personne). Tenir en bride*, empêcher (qqn) d'agir.

(...) le fils avait toujours été jugulé par la mère. F. MAURIAC, Génitrix, III. 2
Quand j'arriverai à Paris et que je tiendrai dans mes bras Guiguite, le mal sera jugulé. MONTHERLANT, les Lépreuses, II, XX, p. 215. 3

▶ **JUGULÉ, ÉE** p. p. adj.

Vx. Étranglé. — Mod. Enrayé (en parlant d'un mal).

REM. Les dér. *jugulation,* n. f., *jugulateur,* adj. et n. m., sont attestés, mais très rares.

JUIF, JUIVE [ʒɥif, ʒɥiv] n. et adj. — V. 1220, *juiu, juieu,* fém. *juieue* d'où *juive,* sur lequel a été refait le masc. *juif* (*juef,* mil XIIe); *judeu,* v. 980; du lat. *judaeum,* du grec *ioudaios* « de Juda », de l'hébreu *Yehūdī,* de *Yehūdā* « Juda », nom de la tribu israélienne apparue après l'Exil, au IVe s. avant l'ère chrétienne.

♦ **1.** N. [a] Descendant d'Abraham (⇒ **Hébreu, israélite**), appartenant au peuple sémite* monothéiste qui vivait en Palestine et dont la dispersion (cit. 2) ou *diaspora* commença vers cette époque pour s'achever au second siècle. — REM. Dans ce sens, le mot s'écrit avec J majuscule.

Les Juifs de l'ancienne Palestine. Les Juifs n'ont pas reconnu Jésus pour leur Messie.

On peut affirmer que, dès le Ier siècle avant Jésus-Christ, il y avait des Juifs dans la plupart des provinces de l'Empire romain, surtout celles qui entouraient la Méditerranée et bordaient le pont-Euxin (...) Ces déracinés regardent comme leur patrie le pays où ils sont nés, mais ils ne se fondent pas dans la population qui les environne; leur religion s'y oppose, autant que leur orgueil et ils ne cessent pas d'appartenir à la nation juive. Ch. GUIGNEBERT, le Monde juif..., p. 279. 1

Le Juif errant, personnage que la légende suppose condamné à errer jusqu'à la fin du monde, pour avoir injurié le Christ portant sa croix (titre d'un roman de E. Sue).

REM. En parlant des *Juifs* du royaume biblique de Juda, on dit aussi *judéen*, enne.*

[b] Personne appartenant à la descendance de ce peuple, répandu dans le monde entier notamment en Europe centrale et occidentale, sur le pourtour de la Méditerranée, puis en Amérique du Nord, demeuré généralement fidèle à la religion et attaché aux traditions judaïques. ⇒ **Israélite.** *Sous l'Ancien Régime, le prêt à intérêt, interdit aux chrétiens, était pratiqué par les juifs. Un juif allemand, un juif polonais, un juif new-yorkais. Hostilité à l'égard des juifs.* ⇒ **Antisémitisme.** *Persécutions subies par les Juifs* (→ Autodafé, cit. 2; impliquer, cit. 1; infamant, cit. 3). *Juif christianisé par contrainte et resté fidèle à sa religion.* ⇒ **Marrane.** *Massacre de Juifs, des Juifs.* ⇒ **Pogrom; holocauste.** *Les Juifs ont obtenu le partage de la Palestine et la création de l'État moderne d'Israël en 1947.* ⇒ **Israélien, sionisme, sioniste.** *Juifs orientaux* (⇒ **Séfarade**), *occidentaux* (⇒ **Ashkenaze**). *Naturalisation des Juifs de France sous la Révolution. Juifs et non Juifs* (⇒ **Goy**) *d'une communauté.* — REM. Dans cet emploi, on rencontre les deux graphies *juif* et *Juif.*

1.1 *Le roi, regardant le tas d'or.* Produit d'une saignée des juifs. Peuple aurifère.
Gucho, à part : Voir les autres rôtir me suffit.
Le marquis, au roi : Les hébreux...
Le roi : Dis les juifs :
Le marquis : Les juifs, Sire, industrieux, nombreux,
Demandent, prosternés que le roi les tolère
En Espagne (...) HUGO, Torquemada, III, 2.

2 À Rome, où ils s'installèrent plus tard, les Juifs ne tardèrent pas non plus à être nombreux. Cicéron parle de leur cohésion, de leur sens communautaire, de leur esprit d'entreprise, mais déplore que tant de bon argent romain soit, par eux, exporté vers Jérusalem. DANIEL-ROPS, le Peuple de la Bible, IV, II.

3 (...) à la fin de l'Ancien Régime, le roi cherche à tenir la balance égale entre les Juifs, dont l'activité commerciale lui rend des services, et les Français, qui supportent difficilement ces concurrents redoutables. Sa protection a préparé lentement, avec les précautions nécessaires, une assimilation que rendaient délicate et les habitudes particularistes des Juifs et les préventions excessives des chrétiens. Fr. OLIVIER-MARTIN, Précis d'hist. du droit franç., § 848.

4 La question juive fut posée à la Constituante par Mirabeau et l'abbé Grégoire (...) Le 3 août 1789, Grégoire fit à la Constituante un tableau des persécutions que venaient encore de subir les Juifs en Alsace, ajoutant que, «comme ministre d'une religion qui regarde tous les hommes comme frères», il venait défendre «un peuple proscrit et malheureux». A. RAMBAUD, Hist. de la civilisation franç., t. II, p. 131.

4.1 C'était une juive (*Mme Marie*) et il avait fallu l'ascendant de son charme et l'expérience de ses vertus pour que Mme Santeuil, issue d'un milieu où pesait sur les juifs la défiance la plus profonde, ait pu s'attacher à une juive comme à une sœur. PROUST, Jean Santeuil, Pl., p. 581.

♦ **2.** (Attesté XVIIe). Vx (langue class.; à cause de l'exercice de la profession d'usurier, autorisée pour les juifs). Usurier.

Fig. et péj. Personne âpre au gain.

5 Comment diable! quel Juif, quel Arabe est-ce là? C'est plus qu'au denier quatre. MOLIÈRE, l'Avare, II, 1.

♦ **3.** Loc. (1931). *Le petit juif,* endroit sensible du coude.

♦ **4.** Adj. (1611). Relatif à la communauté des Juifs anciens ou actuels. *Le peuple juif.* — Syn. : *le peuple élu** (→ Endroit, cit. 3). *Religion juive.* ⇒ **Israélite; judaïsme** (→ Baptême, cit. 5). *La torah** (ou thora, tôrâ), *loi juive. Les livres sacrés juifs* (la Bible, le Pentateuque; → Ancien Testament*) *et l'interprétation de ces livres.* ⇒ **Cabale, massorah, talmud, thora.** *Messianisme*, syncrétisme juif. Fêtes juives.* ⇒ **Pâque, pardon** (grand pardon : yom kippour), **pentecôte, scénopégie.** *La Pâque* juive. Viande abattue selon les rites juifs.* ⇒ **Kasher.** *Coutumes, institutions juives.* ⇒ **Circoncision, lévirat, phylactère, sabbat.** *Temple juif.* ⇒ **Sanctuaire, synagogue; tabernacle.** *Les hosannas* d'une prière juive. Prêtres, docteurs juifs.* ⇒ **Lévite, rabbi, rabbin, sacrificateur, sanhédrin, scribe.** *Prosélyte juif. Sectes ou tendances juives anciennes.* ⇒ **Assidéen, essénien, pharisien, saducéen, thérapeute, zélote.** *Sectes juives modernes : juifs orthodoxes; juifs progressistes* (réformés, libéraux). *Vêtements religieux juifs.* ⇒ **Pectoral, rational, taleth.** *Quartier juif.* ⇒ **Ghetto, juiverie, mellah.** *Langue des communautés juives d'Europe de l'Est.* ⇒ **Yiddish.** *Raconter des histoires juives. L'humour juif de Woody Allen.*

6 (...) j'ai la conviction qu'il y a dans l'ensemble de la population juive, telle qu'elle existe de nos jours, une part considérable de sang non sémitique (...)
(...) chez les juifs, la physionomie particulière et les habitudes de vie sont bien plus le résultat de nécessités sociales qui ont pesé sur eux pendant des siècles, qu'elles ne sont un phénomène de race.
RENAN, Discours et Conférences, Judaïsme..., Œ., t. I, p. 941-943.

Qui concerne les juifs. *La Question juive,* œuvre de Sartre.
Qui est propre aux juifs, à une communauté juive. *La cuisine juive.* — N. f. (en loc. adj.). *À la juive. La carpe à la juive.*

REM. Tant comme nom que comme adjectif, le mot a revêtu selon les époques des connotations diverses, souvent liées à l'hostilité de la majorité chrétienne (thème du juif usurier, aux XVIIe et XVIIIe s.) puis au racisme antisémite* à partir de la deuxième moitié du XIXe s. De là les emplois insultants (en appellatif, notamment), les synonymes injurieux (→ Youtre, youpin...), les emplois figurés plus ou moins diffamatoires (→ ci-dessus, la cit. 5 et les emplois adj. au sens de «avare» [en attribut]). Il en va de même pour les dérivés (*juivaille,* n. f., v. 1810, *in* D. D. L.) et composés (→ Judéo-). À certaines époques, on a conseillé d'éviter le mot *juif* au bénéfice d'un terme plus neutre (→ Israélite); mais, comme pour *nègre,* longtemps évité au profit de *noir,* le mot a été repris et revendiqué (*la conscience juive, le renouveau juif,* etc.).

CONTR. 1. **Gentil, goy.**

DÉR. V. **Juiverie.** — REM. Plusieurs dérivés et composés sont liés à la péjoration raciste (→ ci-dessus).

COMP. Antijuif.

JUILLET [ʒɥijɛ] n. m. — 1213; réfection de l'anc. franç. *juignet,* «petit juin» (dimin. de *juin*), d'après le lat. *Julius* (*mensis*) «mois de Jules César», le septième mois de l'année romaine.

♦ Septième mois de l'année, de trente et un jours, qui correspond à la saison chaude dans les climats tempérés de l'hémisphère nord, et souvent à la saison des pluies (hivernage) en zone tropicale. *Le mois de juillet. Juillet, mois des moissons.* ⇒ **Messidor** (cit. 19; du 20 juin au 19 juillet). → Fructidor, cit. *Les chaleurs de juillet-août* (⇒ **Thermidor**). *Le soleil de juillet* (→ Flamber, cit. 3). *Les vacanciers de juillet. Prendre ses vacances en juillet, au mois de juillet.*

L'inexorable juillet arrive, et en même temps les fêtes de la moisson, le triomphe de l'année, le banquet de la plénitude. MICHELET, la Femme, II, XIV.

Le 14 Juillet, anniversaire de la prise de la Bastille et fête nationale française (→ Illumination, cit. 11) — *Les journées de Juillet* (1830) ou *les Trois Glorieuses**. (→ Abdiquer, cit. 3; anonyme, cit. 2). *La révolution de Juillet; la monarchie* de Juillet* (→ Barricade, cit. 6). *La colonne de Juillet,* commémorant cette révolution, sur la place de la Bastille, à Paris.

DÉR. Juillettiste.

JUILLETTISTE [ʒɥijetist] n. — 1969, *in* P. Gilbert; de *juillet.*

♦ Fam. et rare. Vacancier du mois de juillet. *Les juillettistes et les aoûtiens.* — Var. graphique (rare) : *juilletiste.*

JUIN [ʒɥɛ̃] n. m. — V. 1119; du lat. *junius mensis* «mois de *Junius* Brutus», premier consul.

♦ Sixième mois de l'année, de trente jours, qui correspond au début de la saison chaude dans les régions tempérées de l'hémisphère nord. *Le mois de juin. Juin, mois des prairies, des fenaisons.* (⇒ **Prairial,** du 20 mai au 18 juin), *mois des premières moissons* (⇒ **Messidor**). → Bocage, cit. 1; floréal, cit.; grange, cit. 1. *Les longs soirs de juin* (→ Gorger, cit. 7). *L'été commence au solstice* de juin. À la mi-juin. Faucher en juin. — La session de juin des examens.*

On était au 23 décembre 1864. Ce décembre, si triste, si maussade, si humide 1
dans l'hémisphère boréal, aurait dû s'appeler juin sur ce continent. Astronomiquement, l'été comptait déjà deux jours d'existence. J. VERNE, les Enfants du capitaine Grant, t. II, IX, p. 117.

(...) juin, où le soleil se couche à peine, et traîne son crépuscule sous l'horizon sep- 2
tentrional. ALAIN, Propos, 6 juil. 1921, L'ordre extérieur...

Au plur. (Rare, poét.). *« Tels les Juins suivant les Mais »* (Verlaine). *Les journées de Juin* (1848), troubles sociaux qui éclatèrent à la fermeture des ateliers nationaux. *Les insurgés de juin. — Juin 1940, Juin 40 :* la période qui commence après l'armistice avec l'Allemagne, marquée par le début de la résistance et par l'*appel du 18 juin* (1940) du général de Gaulle. — *Le débarquement du 6 juin 1944 :* le débarquement des Alliés sur les côtes de Normandie.

JUIVERIE [ʒɥivʀi] n. f. — Mil. XIVe; *juierie,* v. 1207; *geuerie, juerie,* XIIe; refait d'après *juif, juive,* et *-erie.*

♦ **1.** Hist. Quartier juif, communauté juive de la diaspora. *Les juiveries du bassin de la Méditerranée au Ier siècle.*

(...) en 19, Tibère fait déporter environ 4 000 membres de la juiverie, en état de 1
porter les armes, dans l'île de Sardaigne. Ch. GUIGNEBERT, le Monde juif..., p. 278.

♦ **2.** (1607). Vx. Établissement de prêt, mont de piété.

♦ **3.** (Sens le plus ancien; repris fin XIXe; av. 1893, Taine). Péj. et insultant. Ensemble des Juifs, société juive.

Des Juifs, rien que des Juifs, ici, toute une juiverie pâle, anémiée par l'Inde et les 2
maisons trop closes (...) LOTI, l'Inde (sans les Anglais), III, XII.

♦ **4.** Péj. et insultant. Caractère juif (dans un contexte antisémite, conscient ou non).

Elle m'est peu sympathique, prononce d'une manière vulgaire et a la juiverie 3
peinte sur la figure. E. DELACROIX, Journal, 4 avr. 1849.

Vx. Histoire juive (en fait, histoire antisémite). *« Une juiverie contée ce soir par Hervieu »* (Goncourt, *Journal,* in T. L. F.).

REM. Les emplois 3 et 4 font que, même au sens 1, le mot ne peut plus s'employer dans la langue courante.

JUJUBE [ʒyʒyb] n. m. — 1256, *jajube;* d'une forme méridionale **gigube,* du lat. pop. **zizupus,* altér. du lat. *zizyphum,* grec *zizuphon* «jujubier».

♦ **1.** (Parfois n. f.). Fruit du jujubier*.

♦ **2.** (1845). Pâte extraite de ce fruit, parfois utilisée comme remède contre la toux. Pâte pectorale faite de gomme arabique et de sirop. *Vendre du jujube.* — REM. Certains auteurs, à la suite de Littré et de Hatzfeld, réservent le genre masculin au suc et font le fruit du féminin. L'Académie ne les a pas suivis. — Le mot a vieilli avec la chose.

Mais, vers une borne, voici
Accourir, mauvais et transi
Un noir angelot qui titube
Ayant trop mangé de jujube. RIMBAUD, Poésie, « L'angelot maudit ».

DÉR. Jujubier.

JUJUBIER [ʒyʒybje] n. m. — 1546, *in* D. D. L.; de *jujube,* et *-ier.*

♦ Bot. Plante dicotylédone *(Rhamnacées)* scientifiquement appelée *Ziziphus,* arbre ou arbuste épineux à fruit comestible (⇒ **Jujube**). *Le jujubier de Palestine ou* «épine du Christ» *aurait servi à la confection de la couronne du Crucifié.*

L'ombre du palais, avec ses terrasses superposées, se projetait sur les jardins 1 comme une monstrueuse pyramide. Ils entrèrent par la haie de jujubiers en abattant les branches à coups de poignard. FLAUBERT, Salammbô, Pl., t. I, p. 812.

2 La broussaille que les bivouacs des nomades et des vagabonds ont tondue, calcinée, réduite à l'état de remblai, sans venir à bout des jujubiers et des cèdres penchés en arrière, coureurs éblouis à bout d'espace et de lumière (...), le tronc dégagé, les branches tendues vers le sol (...) Kateb YACINE, Nedjma, p. 65.

JUKE-BOX [(d)ʒukbɔks; ʒykbɔks] n. m. — 1947 au Canada, Gabrielle Roy, *in* D. D. L.; répandu en France après 1950; mot angl. des États-Unis, de *juke* « petit bar où il y a de la musique pour danser », et *box* « boîte ».

♦ Anglic. Machine sonore publique faisant passer automatiquement le disque demandé. — Plur. *Des juke-boxes. « Johnny n'entend plus le vieux rock qui crisse sous le saphir usé du juke-box »* (*l'Express*, n° 1380, 19 déc. 1977, p. 155). *« Les tableaux de Richard Lindner* (artiste de pop'art) *ont l'éclat (...) d'une ville pleine de feux rouges, de juke boxes et de néons criards »* (*le Nouvel Obs.*, 1er janv. 1978, p. 14).

1 Il était rentré dans un bar des Champs-Élysées, avait tenté de s'enivrer et s'était vaguement colleté avec un autre ivrogne (...) parce que le malheureux occupait obstinément le juke-box et qu'il était, pour sa part, décidé à y mettre vingt fois le disque qu'il avait dansé, écouté, chantonné avec Lucile. F. SAGAN, la Chamade, p. 149.

2 Dans le café, les gens entraient et sortaient toujours (...) De temps en temps, quelqu'un mettait une pièce dans le juxe-box, et une espèce de musique monotone, rythmée brutalement, s'étalait dans la salle. J.-M. G. LE CLÉZIO, le Déluge, VI, p. 139.

3 (...) le tintement des fortunes digérées, pièce à pièce, par les juke-boxes. A. SARRAZIN, la Cavale, p. 79.

(1982, *in* D. D. L.). Abrév. fam. : *juke. « C'est le moment où j'ai été recharger le juke à l'autre bout de la salle, histoire de couvrir le bruit »* (*Libération*, 16 sept. 1981, p. 26).

JULEP [ʒylɛp] n. m. — XIVe; *gulbe*, v. 1300, « potion »; *juleph*, v. 1350; esp. *julepe*, de l'arabe *djūlāb*, persan *goulāb* « eau de rose », par le lat. médiéval *gilebum* (XIe).

★ **I.** Pharm. ♦ **1.** Vx. Potion. *« Julep hépatique* (cit. 1), *soporatif et somnifère »* (Molière).

♦ **2.** Vieilli (le dernier ex. cité *in* T. L. F. date de 1902). Potion à base d'eau et de sucre aromatisé à l'aide d'une essence végétale, servant de véhicule, d'excipient à divers médicaments.

★ **II.** (1919, Claudel : *les juleps américains*; angl. *julep*, même orig.). Boisson à la menthe (plus souvent : *mint-julep*).

JULES [ʒyl] n. m. — 1866, *in* Delvau; du prénom *Jules*.

♦ **1.** Pop. et vieilli. Vase de nuit. — Tinette. — Syn. (vx) : *thomas*.

0.1 Le plus étonnant, c'est qu'il ne s'appelait pas Jules. Son véritable prénom était Thomas. Mais ma chère tante ayant entendu dire que les gens de la campagne appelaient Thomas leur pot de chambre, avait décidé de l'appeler *(son mari)* Jules, ce qui est encore plus usité pour désigner le même objet. L'innocente créature, faute d'avoir fait son service militaire, l'ignorait, et personne n'osa l'en informer, même pas Thomas-Jules, qui l'aimait trop pour la contredire, surtout quand il avait raison! M. PAGNOL, la Gloire de mon père, p. 61.

1 (...) le contexte sonore *(en prison)* se compose de bruits d'assiettes (...) de couvercles de jules plaqués, de toux (...) A. SARRAZIN, la Cavale, p. 363.

♦ **2.** (Attesté mil. XXe). Argot puis fam. Homme du milieu, souteneur. ⇒ **Alphonse, julot.** *Un vrai Jules. Le pain des jules.*

Fam. (Surtout avec un possessif). Compagnon (d'une femme), mari, amant. ⇒ **Homme**; fam. **mec.** *C'est son nouveau jules.* — REM. Il arrive que le mot, même dans cet emploi lexicalisé, s'écrive avec un *J* majuscule.

2 Quelqu'un de la famille! demande-t-il avec sollicitude.
— Son Jules, répond Chantal en désignant la vieille femme du pouce. R. QENEAU, le Dimanche de la vie, p. 106.

3 — C'est comme ça qu'elle est quand elle a un jules, dit Zazie, la famille ça compte plus pour elle. R. QUENEAU, Zazie dans le métro, p. 12.

4 Cinq minutes au moins elle a sonné avant que son Jules réponde. Il semblait pas en confiance. Il voulait reconnaître la voix, s'assurer qu'elle était seule. Albert SIMONIN, Touchez pas au grisbi, p. 26.

JULIEN, ENNE [ʒyljɛ̃, ɛn] adj. — 1671, *période julienne*; au fém., 1690, Furetière, *année julienne*; du lat. *Julianus*, de *Julius*, prénom de César.

♦ *Calendrier* julien*, calendrier réformé par Jules César, et modifié à son tour par Grégoire XIII. ⇒ **Grégorien.** *Année julienne* : année de 365 ou 366 jours (bissextile). — *Correction julienne*, introduisant dans le calendrier l'année bissextile. *Ère, période julienne*, période de 7 980 années juliennes, où l'an 1 de l'ère chrétienne correspond à l'an 4714 (du monde).

HOM. (Du fém.) 1. **Julienne**, 2. **julienne.**

1. JULIENNE [ʒyljɛn] n. f. — 1482; du prénom *Julien*, par une évolution inconnue.

♦ Régional. Lingue ou molve; grande morue. — Syn. : *colin, merlus.*

HOM. **Julienne** (fém. de *julien*), 2. **Julienne.**

2. JULIENNE [ʒyljɛn] n. f. — 1680; *juliane*, 1665; du prénom *Jules* ou *Julien*; évolution obscure.

★ **I.** Plante dicotylédone *(Crucifèracées)* scientifiquement nommée *Hesperis*, bisannuelle ou vivace, plante à fleurs en grappes ou à tiges rampantes cultivée comme ornementale. — Syn. : *girarde. La julienne des dames ou des jardins est cultivée pour ses fleurs en grappes terminales blanches ou violettes très parfumées. La julienne de Mahon* (ou *giroflée de Mahon*, ou *julienne maritime*), *à tige rampante, est utilisée pour les bordures.*

Elle déclara qu'on lui avait prescrit le jeûne. Ils s'en informèrent; ce n'était pas vrai. Le jour de la Fête-Dieu, les juliennes disparurent d'une plate-bande pour décorer le reposoir; elle nia effrontément les avoir coupées. FLAUBERT, Bouvard et Pécuchet, Folio, p. 394.

★ **II.** Cuis. ♦ **1.** (1691). Préparation de légumes en filaments minces utilisée, soit en garniture, soit pour des potages. ⇒ **Brunoise.** *Le waterzoi contient en général une julienne.*

♦ **2.** Potage contenant cette préparation. *Servir une julienne.*

HOM. **Julienne** (fém. de *julien*), 1. **julienne.**

JULOT [ʒylo] n. m. — 1910, Esnault; dimin. de *Jules*.
Argot familier.

♦ **1.** Souteneur. ⇒ **Jules**; 2, **mac.** *Le julot d'une femme*, son souteneur.

Lorsque je parle de « beaux julots », et j'insiste là-dessus, il ne s'agit pas du tout de 1
types à la gueule d'Adonis ou de sosies de Rudolph Valentino! Les beaux julots, c'est la grosse entreprise : six femmes, sept, parfois dix qui travaillent pour leur compte. M. ROLLAND, la Rouquine, p. 122.

(...) elle était tuée à coups de surin par son julot parce qu'elle avait rencontré un 2
fils de famille qui voulait la sauver du trottoir. É. AJAR (R. GARY), l'Angoisse du roi Salomon, p. 48.

Homme du milieu. ⇒ **Mec.**

♦ **2.** Amant. ⇒ **Jules.** *Son petit julot.* — Homme en tant qu'amant.

(...) vous savez comment elle est, chez elle c'est toujours le cœur qui commande, 3
et elle était mal tombée avec ce julot, avec le cœur c'est toujours des histoires d'aveugle. É. AJAR (R. GARY), l'Angoisse du roi Salomon, p. 270.

JUMAR [ʒymaʀ] n. m. — 1967; de *Jüsy* et *Marti*, noms de deux alpinistes.

♦ Alpin. Poignée-frein placée sur la corde, en escalade artificielle. *« Il faut aussi avoir une bonne condition physique pour remonter des puits verticaux en se hissant à l'aide de jumars le long de cordes »* (*Contact*, n° 216, juin 1982, p. 11).

Le jumar est une poignée évidée dans laquelle est aménagée une gorge semi-circulaire où passe la corde. Un verrou dentelé est maintenu par un ressort en appui sur la corde. De sorte que la poignée peut glisser sur la corde vers le haut, mais ne peut revenir en arrière. Fixée par une cordelette au baudrier, cette poignée permet de s'assurer, de se maintenir sur une corde sans l'aide du premier de cordée. Elle est d'autre part très utile pour diverses manœuvres : hisser le sac de charge, bloquer le deuxième depuis le relais, etc. René DESMAISON, 342 heures dans les Grandes Jorasses, p. 50.

HOM. **Jumart.**

JUMARAS [ʒymaʀa(s)] n. m. — 1873; altér. de *jamavas* (1723), du ourdou *jama-vas*.

♦ Vx. Taffetas de l'Inde.

JUMART [ʒymaʀ] n. m. — 1685; *jeumarre*, 1670; franco-provençal *jumar, jumare*, du provençal *jumere*, du grec *khimaira*. → Chimère.

♦ Vx. Animal légendaire, croisement de l'âne ou du cheval et d'un bovin (ânesse et taureau).

HOM. **Jumar.**

1. JUMBO [dʒœmbo] n. m. — 1953; mot anglais des États-Unis, surnom de l'éléphant (l'éléphant du zoo de Londres acheté par Barnum en 1882 portait ce nom), « chose, personne grosse et volumineuse ».

♦ Techn. Anglic. Chariot à portique supportant une perforatrice.

2. JUMBO [dʒœmbo] n. m. ⇒ **Jumbo-jet.**

JUMBO-JET [dʒœmbodʒɛt] n. m. — 1967, *in* Höfler; de l'anglo-amér. *jumbo* (→ Jumbo), et *jet* «avion à réaction».

♦ Anglic. Avion géant à réaction (en particulier le Boeing 747). *Des jumbo-jets.* — REM. L'équivalent français est *(avion) gros-porteur,* mais *jumbo-jet,* et surtout l'abrév. *jumbo,* est très employé dans la langue du tourisme. «*Parti sur un Jumbo, je suis descendu au Boeing 707, puis rétréci* (sic) *à un Armstrong-Siddeley à hélice*» (*Lui,* Noël 1973, p. 108).

JUMEAU, ELLE [ʒymo, ɛl] adj. et n. — V. 1170, n. f.; masc. v. 1175; adj., fin XIIe; a remplacé la forme *gemel, gemeau,* dont le *e* devant *m* s'est labialisé en *u;* du lat. *gemellus.* → Gémeau.

★ **I.** ♦ **1.** Se dit de deux ou plusieurs enfants nés d'un même accouchement. *Frères jumeaux, sœurs jumelles. Des enfants jumeaux; des filles jumelles. Ils sont jumeaux.* — Au sing. *C'est son frère jumeau, sa sœur jumelle.*

1 (...) un autre petit sauvage, sorti je ne sais d'où, et si parfaitement semblable au premier qu'on aurait pu le prendre pour son frère jumeau.
BAUDELAIRE, le Spleen de Paris, XV.

1.1 Les naufragées, ravissantes sœurs jumelles de nationalité espagnole, étaient si pareilles de visage qu'on ne pouvait les distinguer l'une de l'autre.
Raymond ROUSSEL, Impressions d'Afrique, p. 238.

Par métaphore :

2 Les misères et les grandeurs sont sœurs jumelles, elles naissent ensemble (...)
CHATEAUBRIAND, Mémoires d'outre-tombe, t. V, p. 275.

N. (V. 1165). *Des jumeaux.* ⇒ vx **Besson** (cit.), **gémeau.** *Elle a accouché de deux jumeaux. Elle accoucha de trois jumeaux* (Académie). *Mettre au monde au monde quatre, cinq jumeaux.* ⇒ **Quadruplés, quintuplés.** *L'aîné(e) de deux jumeaux. Le sort du jumeau restant après la mort de son frère.* → Déparier, cit. — REM. L'emploi du fém. *jumelle* est limité par la fréquence de l'homonyme 1. *jumelle,* III. (instrument d'optique). — *Vrais jumeaux,* provenant d'un seul œuf divisé en deux (on dit aussi, didact., *jumeaux univitellins* ou *homozygotes*). *Les vrais jumeaux sont toujours de même sexe et se ressemblent, ils ont «un seul et même bagage héréditaire»* (→ Mésologique, cit.). *Faux jumeaux,* provenant de deux ovules fécondés simultanément par deux spermatozoïdes (on dit aussi, didact., *jumeaux bivitellins* ou *dizygotes, jumeaux biovulaires*). *Les faux jumeaux peuvent être de sexe différent et ne pas se ressembler.* ⇒ **Fécondation** (multiple). *Être le jumeau, la jumelle de qqn* (→ Épannelage, cit.). *Jumeaux qui naissent réunis.* ⇒ **Siamois.** *Se ressembler comme deux jumeaux. Étonnante ressemblance de jumeaux* (→ Ménechme, cit. 2).

3 La parfaite ressemblance des jumeaux excita l'intérêt le plus puissant.
BALZAC, Une ténébreuse affaire, Pl., t. VII, p. 598.

4 Tantôt les jumeaux viennent de deux œufs simultanément émis (par un seul ovaire ou par les deux), et fécondés chacun par un spermatozoïde : ce sont les *faux jumeaux,* ou jumeaux fraternels. Tantôt, ils viennent d'un seul œuf, fécondé par un seul spermatozoïde, lequel œuf, à un moment de son développement, s'est fragmenté en deux pour produire deux embryons : ce sont les *vrais jumeaux,* ou jumeaux identiques.
Jean ROSTAND, l'Homme, II.

N. B. Les syntagmes *jumeaux fraternels, identiques,* ne sont pas imposés.

Les jumeaux (myth.) : Castor et Pollux; (hist. rom.) Romulus et Remus. — Signe du zodiaque. ⇒ **Gémeaux.**

Au sing. *Un jumeau et sa jumelle. C'est le jumeau, la jumelle de X.*

4.1 (...) est-il vrai que, par une anomalie étrange ce soit le jumeau venu au monde le premier qui soit le moins vieux et qui n'hésite pas? L'OFFICIER DE SANTÉ JADIN : Exact aussi. Si les naissances des jumeaux ont eu lieu à cheval sur la nuit de la Saint-Sylvestre, le jumeau le plus vieux a même une année de moins que son cadet.
GIRAUDOUX, la Folle de Chaillot, I, p. 55, *in* T. L. F.

(Animaux). *Des chatons jumeaux,* de la même portée.

♦ **2.** Réplique physique ou morale (d'une personne). ⇒ **Ménechme, sosie** (→ Identité, cit. 5).

5 Son pareil le suivait : barbe, œil, dos, bâton, loques,
Nul trait ne distinguait, du même enfer venu,
Ce jumeau centenaire (...)
BAUDELAIRE, les Fleurs du mal, Tableaux parisiens, XC.

♦ **3.** (1690). Se dit de deux fruits qui croissent joints ensemble. *Pommes, cerises jumelles.*

♦ **4.** (Fin XIIe). Se dit de deux objets, de deux choses semblables.

[a] Cour. *Maisons jumelles, tours jumelles.* — Loc. *Lits jumeaux.* ⇒ **Lit.** — *Des berceaux jumeaux.*

6 (...) les courtes oreilles aiguës et comme détachées semblaient deux tourelles jumelles, épiant les bruits de la campagne (...)
L. PERGAUD, De Goupil à Margot, p. 40.

7 Jaurès désirait que les deux manifestes fussent affichés, ensemble, en deux placards jumeaux, à des milliers d'exemplaires, dans tout Paris (...)
MARTIN DU GARD, les Thibault, t. VI, p. 260.

8 Et nos deux culottes sport pareilles pour le tandem, avec les deux pull-overs jumeaux? COLETTE, Belles saisons, p. 12.

Navires jumeaux (cf. anglic. Sister-ship).

[b] (1752, n. m. pl.; *gémeaux,* mil. XVIe). Anat. *Jumeaux. Muscles jumeaux,* les deux muscles de la jambe* qui forment le mollet et se terminent en formant le tendon* d'Achille. *Muscles jumeaux pelviens,* les deux muscles de la partie profonde de la fesse allant du bassin au grand trochanter.

[c] (1690). Littér. (au sing.). Qui est formé de deux parties semblables. ⇒ **Double.** *Une table jumelle. Une meule jumelle* (Claudel, *l'Annonce faite à Marie*).

[d] *Jumeau de qqch :* réplique, analogue exact. *L'objet jumeau, le jumeau de...*

[e] (Personnes; choses humaines). *Cœurs, esprits jumeaux. Des âmes jumelles.* ⇒ **Sœur.** «*Les deux voix si étrangement jumelles des demoiselles Simplicie*» (Bernanos, *in* T. L. F.). — N. *C'est son jumeau spirituel.*

★ **II.** N. m. (XXe; 1931, *in* Larousse; de *muscles jumeaux*). Bouch. Partie antérieure de l'épaule de bœuf au-dessous du paleron, estimée pour le pot-au-feu. *Acheter une livre de jumeau pour le pot-au-feu.*

DÉR. Jumeler, jumelle.
COMP. Bijumeau, quadrijumeau, trijumeau.
HOM. Jumel; formes du v. **jumeler;** (du fém.) 1. **jumelle.**

JUMEL [ʒymɛl] adj. m. — 1872; nom propre de Alexis *Jumel* (1785-1823), ingénieur français.

♦ Techn. *Coton jumel,* nom d'une variété de coton* produite en Égypte.

HOM. Fém. de **jumeau;** formes du v. **jumeler;** 1. **jumelle.**

JUMELAGE [ʒymlaʒ] n. m. — 1873, *in* P. Larousse; de *jumeler.*

♦ **1.** Mar. Consolidation par des jumelles (1. Jumelle, II.).

♦ **2.** Action de jumeler (1. ou 2.); résultat de cette action. *Le jumelage de deux roues sur un même moyeu. Dispositif de jumelage des pneus.*

Procédé de groupement d'automotrices, d'autorails conduit par une seule personne.

♦ **3.** Par métonymie. Choses jumelées. — Milit. Assemblage de deux ou plusieurs armes automatiques, dont le tir est commandé par une seule détente. *Un jumelage de mitrailleuses.*

♦ **4.** (V. 1950). *Jumelage de villes :* coutume consistant à associer deux villes situées dans deux pays différents (ou dans deux régions différentes), afin de susciter entre elles des échanges. *Jumelage de Paris et de Rome, de Chartres et de Ravenne.*

JUMELER [ʒymle] v. tr. — Conjug. *appeler.* — 1721, Trévoux; *gemellé,* 1660; *jumellé,* 1680; de *jumelle* et *jumeau.*

♦ **1.** Techn. Fortifier, consolider par des jumelles* (→ 1. Jumelle, II., 1.). — Mar. *Jumeler un mât, une vergue.* ⇒ **Renforcer.**

♦ **2.** (1765). Ajuster* ensemble (deux objets, deux choses semblables). ⇒ **Accoupler.** *Jumeler des poutres, des renforts.* — *Jumeler des mitrailleuses. Jumeler les roues, les pneux* (d'un camion). *Jumeler des automotrices.*

♦ **3.** Admin. et cour. *Jumeler des villes.* ⇒ **Jumelage** (3.).

♦ **4.** Fig. et littér. (Rare). Compl. n. de personne. Pron. *Se jumeler à, avec qqn pour...* — Au passif :

(...) se dire encore que le succès immédiat nous importe peu, que nous sommes sûrs d'avoir été agrégés et jumelés pour un but et un résultat, et que ce que nous faisons, tôt ou tard sera reconnu (...)
Ed. et J. DE GONCOURT, Journal, 17 janv. 1865.

▶ **JUMELÉ, ÉE** p. p. adj.

♦ **1.** Techn. Consolidé par des jumelles. *Mât jumelé.*

♦ **2.** (1868). Cour. Disposé par couples. ⇒ **Gemellé, géminé.** *Fenêtres jumelées. Colonnes jumelées* — Techn. *Bielles* jumelées. Roues jumelées :* roues doubles à pneus indépendants à l'arrière des poids lourds.

Fig. *Billets de loterie jumelés. Pari jumelé.*

N. f. pl. *Des jumelées :* des pièces assemblées par jumelage (1.).

♦ **3.** (Mil. XXe). *Villes jumelées,* associées par un jumelage (3.).

DÉR. Jumelage.

1. JUMELLE [ʒymɛl] n. f. — 1234, sens I.; fém. de *jumeau*.*

★ **I.** Blason. *Jumelles :* pièce honorable formée de deux divisions (filets) parallèles.

★ **II.** ♦ **1.** (1332). Techn. Charpent. et mécan. (surtout au plur.). Pièces semblables dans le même outil, la même machine. *Les jumelles d'une presse.* — (1907). *Jumelle de ressort :* articulation reliant les extrémités des ressorts de suspension à lames aux longerons du châssis d'une automobile.

♦ **2.** (1634, *gemelles*). Mar. Pièce de bois dur qui sert à consolider un mât.

Ponts et chaussées (au sing.). Rangée de pavés qui forme la moitié du ruisseau du côté de la chaussée, celle du côté du trottoir étant la *contre-jumelle.*

★ **III.** (1829; *lorgnettes jumelles*, 1825). Instrument portatif à deux lunettes*, double lorgnette*. *Une jumelle marine. Observer à la jumelle.* — Surtout au plur. *Des jumelles de campagne* (→ Gaffe, cit. 8), *des jumelles de spectacle, de théâtre. Jumelles de chasse, d'excursion. Regarder avec des jumelles. Jumelles en bandoulière dans un étui, en sautoir autour du cou. Emporter ses jumelles aux courses, au théâtre. Jumelles à prismes*.* — Abusivt. *Une paire de jumelles.*

Les femmes étaient toutes armées de leurs jumelles, les vieillards rajeunis nettoyaient avec la peau de leurs gants le verre de leurs lorgnettes.
BALZAC, la Peau de chagrin, Pl., t. IX, p. 179.

HOM. Jumel, jumelle (fém. de *jumeau*), formes du v. **jumeler.**

2. JUMELLE* [ʒymɛl] n. f. ⇒ **Jumeau.**

JUMENT [ʒymɑ̃] n. f. — 1174, au sens 1; «bête de somme», v. 1120, sens lat.; du lat. *jumentum* «bête d'attelage»; a éliminé *ive*, du lat. *equa.*

♦ **1.** Femelle du cheval. ⇒ **Cavale, haquenée** (→ Chauvir, cit. 2; enfourcher, cit. 2; foin, cit. 2; galop, cit. 1; hennir, cit. 4). *Jeune jument.* ⇒ **Pouliche.** *Monter une jument. Jument employée aux travaux des champs. Donner un étalon* à une jument.* ⇒ **Assortir; étalonnage.** *Jument qui souffre l'étalon, qui en veut. Boucler* une jument. Jument pleine* (→ Gras, cit. 40), *qui met bas.* ⇒ **Pouliner.** *La jument et ses poulains*.* ⇒ **Suitée.** *Le mulet, la mule, produit de l'âne et de la jument* (→ Baudouiner, cit.). *Jument destinée à la reproduction.* ⇒ **Mulassière, poulinière.**

1 Cette charrette était attelée de quatre bœufs fort maigres, conduits par une jument poulinière dont le poulain allait et venait à l'entour de la charrette comme un petit fou qu'il était.
SCARRON, le Roman comique, I, I.

2 (...) elle montait une superbe jument qu'il n'était pas facile de faire obéir (...)
A. DE MUSSET, Nouvelles, Emmeline, V.

3 Dans les fermes des collines les juments ne sont pas grasses et lourdes; comme on attend d'elles moins gros travail que bonne espérance de poulains, on les laisse galoper dans les hauts campas.
J. GIONO, Jean-le-Bleu, VIII.

♦ **2.** Fig. et fam. Péj. [a] *Jument poulinière :* femme qui a de nombreux enfants, matrone.

[b] Par compar., métaphore ou fig. Femme au corps lourd, épais.

4 Et des femmes circulaient en jupes sordides, en camisoles défaites, montrant des flancs et des seins de juments surmenées.
ZOLA, Rome, p. 324.

DÉR. Jumenterie, jumentés, jumenteux.

JUMENTERIE [ʒymɑ̃tʀi] n. f. — 1867, *in* Littré; de *jument*, et *-erie.*

♦ Techn. Haras* (cit. 1) où l'on produit des étalons.

JUMENTÉS [ʒymɑ̃te] n. m. pl. — 1873, *in* P. Larousse; de *jument*, et *-és.*

♦ Vx. Équidés*.

JUMENTEUX, EUSE [ʒymɑ̃tø, øz] adj. — 1812; de *jument*, et *-eux.*

♦ Méd. Vx. *Urine jumenteuse*, trouble comme celle du cheval.

JUMP [dʒœmp] n. m. — 1932, en sports, *in* Petiot; mot angl., de *to jump* «sauter».

Anglicisme.

♦ **1.** Sports. Fait de dépasser, de «sauter» un concurrent.

♦ **2.** Sports. Influx nerveux, disposition d'un coureur à dépasser ses performances habituelles.

Le jump, véritable influx électrique qui saisit par à-coups certains coureurs aimés des dieux et leur fait alors accomplir des prouesses surhumaines.
R. BARTHES, Mythologies, p. 114.

♦ **3.** Au bridge, Enchère supérieure à celle qui est requise par les règles (pour obliger l'adversaire à surenchérir, pour informer le partenaire d'une main forte, etc.).

1. JUMPER ou JUMPEUR [dʒœmpœʀ] n. m. — 1897; angl. *jumper*, de *to jump* «sauter».

Sports.

♦ **1.** Turf. Cheval spécialisé dans le jumping*. *Le cavalier monte un jumper. Des jumpeurs.*

♦ **2.** (1908). Athlète spécialiste des courses de haies. *L'enlever du jumper dans le passage de la haie.*

HOM. 2. **Jumper.**

2. JUMPER [dʒœmpœʀ] n. m. — 1925, *in* D.D.L.; angl. *jumper* (1853), p.-ê. de l'ancien mot *jump* (1654), «manteau court pour homme», *in* Rey-Debove et Gagnon.

♦ Mode. Vêtement de femme, en forme de chasuble.

HOM. 1. **Jumper.**

JUMPING [dʒœmpiŋ] n. m. — 1901, *in* Höfler; mot angl., «saut», de *to jump* «sauter».

♦ Sports. Saut d'obstacles à cheval.

Ce sport *(l'équitation)* revêt d'ailleurs des formes multiples : depuis les reprises de manège et les promenades à travers la campagne, jusqu'aux concours hippiques et aux *jumpings* les plus sévères, et bien entendu aux courses de toutes catégories.
Pierre ARNOULT, les Courses de chevaux, p. 53.

JUNCACÉES [ʒɔ̃kase] n. f. pl. ⇒ **Joncacées.**

JUNGERMANNIALES [juŋgœʀmanjal] n. f. pl. — D. i. (XXe : *in* Quillet, 1969); *jongermanniées, in* Larousse du XIXe siècle; *jungermanniacées, in* Larousse 1948; du nom de *Jungermann*, botaniste allemand.

♦ Bot. Ordre d'hépatiques* dont le type est le *Jungermannia*, caractérisé par un gamétophyte formé d'une tige feuillée. — Au sing. *Une jungermanniale.*

JUNGIEN, IENNE [juŋgjɛ̃, jɛn] adj. et n. — Mil. XXe; de *Jung*, psychiatre et psychanalyste suisse (1875-1961).

♦ Didact. Qui concerne les théories psychiatriques et psychanalytiques de Jung et de ses disciples. *Conceptions jungiennes de l'inconscient collectif. Tests jungiens de la personnalité. La thérapeutique jungienne est distincte des thérapeutiques freudienne et adlérienne.* — REM. On dit aussi *jungérien, ienne* [juŋgeʀjɛ̃, jɛn].

Adj. et n. Adepte de la psychanalyse de Jung. *Les Jungiens et les Adlériens.*

JUNGLE [ʒɔ̃gl], cour. [ʒœ̃gl] n. f. — 1867; n. m., 1796; mot angl. (1777), de l'hindoustani *jangal* «steppe, territoire inhabité, couvert de végétation impénétrable», issu du sanskrit *jangala* «désert».

♦ **1.** Dans les pays de mousson, Forme de savane couverte de hautes herbes, de broussailles et d'arbres, où vivent les grands fauves. *Lianes, tiges, serpents de la jungle. Être perdu dans la jungle. Le Livre de la jungle*, de R. Kipling.

Ma police d'assurance contre le choléra, la dissenterie et la fièvre des Jungles (les trois grandes maladies de l'Inde), ne me quitte pas, et je compte bien ne l'ouvrir qu'à Paris. 0.1
V. JACQUEMONT, Lettre à P. Jacquemont, 15 mai 1830.

La jungle est un embryon de forêt vierge, comme le makis *(sic)* de la Corse; c'est un fouillis d'arbustes qui n'arrivent jamais à la hauteur d'arbres : je n'en ai guère vu dépassant neuf pieds. Ce sont invariablement, jusqu'ici, des tamarix nains, qui paraissent d'une grande ressource aux indigènes comme chauffage. 0.2
Guillaume LEJEAN, le Pandjab et le Cachemir, *in* le Tour du monde 1868, t. II, p. 183.

(...) rien d'humain ne paraît s'indiquer nulle part. Seulement des arbres, des arbres et des arbres, dont les têtes se succèdent, magnifiques et pareilles (...) Là-bas, des lacs, où sont maîtres les crocodiles et où viennent boire, au crépuscule, les troupeaux d'éléphants sauvages. C'est la forêt, la jungle (...) 1
LOTI, l'Inde (sans les Anglais), II, I.

L'Inde présente comme milieux principaux : la forêt tropicale humide (...) des savanes du type jungle, épaisses et broussailleuses (Tigre, *Cuon, Antilope*, Faisans, Paon)... 2
É. DE MARTONNE, Traité de géographie physique, t. III, p. 1448.

Par anal. Végétation épaisse, touffue.

Par métonymie. Les animaux de la jungle. *«Maintenant, la jungle chasse»* (F. de Croisset, *in* G. L. L. F.).

Par métaphore. (→ Explorer, cit. 8).

♦ **2.** (1904, *in* Höfler). Endroit, milieu humain où règne la loi des fauves, de la sélection naturelle. *C'est une vraie jungle.* — Loc. (1899). *La loi de la jungle*, la loi du plus fort.

(...) c'était avec un visage dur que Salavin fonçait dans la jungle parisienne. 3
G. DUHAMEL, Salavin, V, VIII (1920).

(...) une société sans injustice, sans corruption, sans privilège, et où la règle ne sera plus celle de la jungle : l'entre-mangement universel (...) 4
MARTIN DU GARD, les Thibault, t. V, p. 230.

REM. Au sens 1, on relève la variante graphique *jongle* sur la prononciation anc. du mot (Hugo, *les Châtiments*, «L'année terrible», *in* T. L. F.).

JUNIOR [ʒynjɔʀ] adj. et n. — 1761, *in* D. D. L.; t. de sports, 1884, *in* Petiot; mot lat., «plus jeune», compar. de *juvenis* «jeune», par l'angl., usage passé dans cette langue au moyen âge, puis au XVIIe.

♦ **1.** Se dit quelquefois (dans le commerce ou encore plaisamment) d'un frère plus jeune, pour le distinguer d'un aîné. ⇒ **Cadet, puiné.** *Durand junior.*

♦ **2.** Sports (adj. et n.). Se dit d'une catégorie intermédiaire entre celle des «seniors» et celle des «cadets» (16-21 ans). *Catégorie junior. Joueurs juniors. Équipe junior de football* (cit. 1). — N. *Championnat des juniors. Un junior.*

♦ **3.** (V. 1970). Qui concerne les jeunes, est destiné aux jeunes. *S'habiller en style junior.* — N. *Les juniors :* les jeunes. *Une presse qui s'adresse surtout aux juniors.*

♦ **4.** N. (Angl. *junior*). Enfant (par rapport au père). — Appellatif. *Ça va, junior!*

JUNIPERUS [ʒynipeʀys] n. m. invar. — 1873, *in* P. Larousse; mot latin.

♦ Bot. (n. sc.). Genévrier.

JUNKER [juŋkœʀ] n. m. — 1875, *in* D. D. L.; *jungker,* 1402; mot all. pour *Jungherr* «jeune seigneur», de *jung* «jeune», et *Herr* «seigneur». → Jonkheer.

♦ Didact. (hist.). Hobereau prussien; jeune noble allemand. *La caste des junkers.*

JUNKIE [dʒœŋki] n. et adj. — 1968, *in* Höfler; mot angl. des États-Unis, de l'amér. *junk* «drogue dure», proprt «camelote».

♦ Anglic. Fam. Toxicomane qui consomme des drogues dures. *«Au deuxième* (étage), *les vrais drogués, les junkies, et ceux qui ont abusé de l'acide (...)»* (*l'Express,* 25 sept. 1972, p. 93). *«Autrefois, les junkies se recrutaient parmi les individus les plus brillants; maintenant, la drogue traduit un simple comportement de désespoir qui n'épargne aucune catégorie sociale»* (*le Nouvel Obs.,* 22 oct. 1973, p. 44). — Au fém. *«On a beau engueuler une junkie, lui péter ses seringues d'un talon rageur, la fatalité de l'héro* (héroïne) *est plus forte»* (*Actuel,* n° 50, déc. 1983, p. 62).

Adj. *«Entre un père zonard et une mère junkie, elle a déjà vécu toute une vie»* (*le Point,* mars 1981, p. 25). — (1974, *in* D. D. L.). Abrév. fam. : *un junk.*

JUNONIEN, IENNE [ʒynɔnjɛ̃, jɛn] adj. — 1840; surnom de Janus, 1752; de *Junon,* épouse de Jupiter et reine des dieux, lat. *Juno.*

Didactique ou littéraire.

♦ **1.** Relatif à Junon. *Le culte junonien. Le paon, oiseau junonien.*

♦ **2.** Propre à Junon. *Beauté junonienne.*

Raphaël (...) lui a attribué *(à la Vierge)* une espèce de beauté ronde, une santé presque junonienne.
Éd. et J. DE GONCOURT, Idées et Sensations, in SAINTE-BEUVE, Nouveaux lundis, 14 mai 1866.

JUNTE [ʒœ̃t] n. f. — 1669; *juncte,* 1581; esp. *junta,* fém. de *junto* «joint», du lat. *junctus,* de *jungere* «joindre».

♦ Conseil, assemblée* administrative, politique, en Espagne, au Portugal ou en Amérique latine. *Junte du commerce. Juntes révolutionnaires, insurrectionnelles espagnoles, en 1821. Junte militaire s'emparant du pouvoir, en Amérique du Sud.*

(1871, «gouvernement dictatorial»). Par anal. (dans d'autres pays). *Junte (militaire) :* groupe de militaires de haut rang qui prennent ou tentent de prendre le pouvoir politique. ⇒ **Putsch.**

De Gaulle écarté ou réduit à l'impuissance, il ne nous resterait aucun recours : rien à attendre de la gauche, il va sans dire. Ce serait à Paris la junte militaire.
F. MAURIAC, le Nouveau Bloc-notes 1958-1960, p. 250.

Junte révolutionnaire : gouvernement issu d'une révolution.

JUPE [ʒyp] n. f. — V. 1188, «pourpoint d'homme» et (antérieur) «ce vêtement, porté par une femme»; sens mod., 1603; empr., par l'intermédiaire de la Sicile (*jupa*), de l'arabe *djūbbăh* «vêtement long en laine (pour les hommes)»; anciennt, «vêtement d'homme descendant des épaules aux cuisses»; au sens I, a remplacé *cotte, cotillon.*

★ **I.** ♦ **1.** Vêtement féminin qui descend «depuis la ceinture plus ou moins bas, suivant la mode» (Académie). — Vx. *Jupe de dessus* (*jupe* au sens moderne). *Jupe de dessous.* ⇒ **Jupon, sous-jupe** (→ Gaze, cit. 2).

Spécialt (langue class.). Robe de dessous. *Corps de jupe :* corsage. *Bas de jupe :* jupon.

Mod. Vêtement féminin de dessus ajusté en haut à la ceinture (alors que la *robe** comporte une partie haute couvrant le buste). *Jupe simple* (→ Atour, cit. 8). *Courte jupe de paysanne.* ⇒ **Cotte.** *Jupe longue* (→ Bouffer, cit. 4; fixer, cit. 14), *traînant par terre. Jupe au genou* (cit. 5), *à la cheville,* descendant jusqu'aux genoux, jusqu'aux chevilles. *Jupe très courte.* ⇒ **Jupette, mini-jupe.** *Jupe large* (→ Balayer, cit. 3, Baudelaire). *Jupe droite. Jupe étroite, entravée; jupe fourreau. Jupe portefeuille. Ampleur d'une jupe* (→ Fronce, cit.). *Coupe d'une jupe : jupe droite, en forme, à godets, à lés, à volants, à plis. Jupe froncée, plissée. Jupe bouffante. Ganses, volants au bas d'une jupe.* ⇒ **Balayeuse.** *Biais*, arrondi d'une jupe. Jupes à bouillons*, à plissés*. Jupe à corselet,* rattachée à un corselet. *Jupe à bretelles. Ceinture de jupe. Jupe et veste d'un tailleur.* — Par ext. *La jupe d'une robe,* la partie inférieure, à partir de la ceinture (→ ci-dessous, cit. 3.1). *Maillot à jupe.* ⇒ **Jupette.** — *Jupe de coton, de futaine* (→ 1. Frais, cit. 38), *de lainage, de velours. Jupe de gaze très courte des danseuses.* ⇒ **Tutu** (→ Étincelle, cit. 13). *Jupe pailletée* (→ Étoffe, cit. 2). *Jupe d'amazone.* ⇒ **Amazone.** *Jupe de tennis, très courte* (jupette). — *Jupe qui vole, flotte au vent* (→ Flottant, cit. 4). *Soulever, relever sa jupe* (→ 1. Cotte, cit. 2). *Froissement* (cit. 5) *de jupe.* — *Repasser sa jupe. Cintre à jupes.*

Son jupon de laine tricotée, qui dépasse sa première jupe faite avec une vieille 1
robe, et dont la ouate s'échappe par les fentes de l'étoffe lézardée (...)
BALZAC, le Père Goriot, Pl., t. II, p. 852.

Quand de sa jupe qui tournoie 2
Elle soulève le volant,
Sa jambe, sous le bas de soie,
Prend des lueurs de marbre blanc.
Th. GAUTIER, Émaux et Camées, «Inès de las Sierras».

Élise portait une robe de lingerie garnie de rose. Le corsage (...) la manche courte 3
(...) L'invention était dans la jupe : froncée à la taille sous trois gros gansés roses, elle remontait en épanouissant ses fronces sur le corsage, formant une sorte de corolle dentelée aux seins.
ARAGON, les Beaux Quartiers, III, IV.

Pendant ce dialogue, la femme a ouvert sa porte tout à fait, et s'est avancée dans 3.1
l'embrasure. Elle porte une robe noire à longue et large jupe, que recouvre aux trois quarts un tablier gris à fronces, noué autour de la taille. Le bas du tablier est très ample, ainsi que la jupe, tandis que le haut n'est qu'un simple carré de toile protégeant le devant du corsage.
A. ROBBE-GRILLET, Dans le labyrinthe, p. 63.

♦ **2.** (1665). *Les jupes :* ensemble formé par la jupe de dessus et le ou les jupons. *Relever, trousser* ses jupes* (→ Fourmi, cit. 8; genou, cit. 2; gonfler, cit. 8). *Sous les jupes* (→ Grisette, cit. 1).

L'implacable enfant, 4
Preste et relevant
Ses jupes (...)
VERLAINE, Fêtes galantes, «Colombine».

♦ **3.** [a] Loc. *Porter la jupe, les jupes :* jouer le rôle traditionnel de la femme. *Dans ce ménage c'est le mari qui porte les jupes* (→ Culotte, cit. 4).

[b] (1846, Balzac : *courir après les jupes*). Fig. et vx. *Une jupe :* une femme. ⇒ **Jupon** (2.).

Est-ce que deux roquentins comme nous doivent se brouiller pour une jupe? 5
BALZAC, la Cousine Bette, Pl., t. VI, p. 307.

Il lui semblait que plusieurs années s'étaient écoulées depuis qu'il n'avait tenu une 6
femme dans ses bras, et, comme le matelot qui s'affole en revoyant la terre, toutes les jupes rencontrées le faisaient frissonner.
MAUPASSANT, Bel-Ami, I, VI.

[c] Loc. (1839, Balzac). *Avoir des enfants dans ses jupes,* des enfants qui s'accrochent à soi, ne veulent pas s'éloigner (en parlant d'une femme). → Homme, cit. 104. *Enfants qui se cramponnent à la jupe de leur mère,* qui ne veulent pas la quitter d'un pas (→ Arracher, cit. 26). — Fig. *Cet enfant ne quitte pas la jupe, les jupes de sa mère, est cousu à sa jupe.*

Comment aurait-il une maîtresse? Il quitte si peu ma jupe qu'il m'en ennuie. Il 7
m'aime mieux que ses yeux, il s'aveuglerait pour moi.
BALZAC, César Birotteau, Pl., t. V, p. 326.

(...) Mme Lhermier, par exemple, qui cousit sa fille à ses jupes, empêcha tout 8
mariage (...)
COLETTE, la Naissance du jour, p. 66.

♦ **4.** Par ext. Ce vêtement, chez l'homme (dans quelque cas et avec une valeur stylistique). *La jupe des Écossais* (⇒ **Kilt**), *des evzones grecs* (⇒ **Fustanelle**; → Évaser, cit. 1).

L'Albanie était alors presque inconnue. Ses montagnes sauvages rappelèrent à 9
Byron l'Écosse de ses vacances enfantines. Les hommes portaient une courte jupe, presque semblable au kilt, et un manteau en peau de chèvre.
A. MAUROIS, la Vie de Byron, I, XIII.

♦ **5.** Vieilli. Partie évasée (de quelques vêtements). *Une redingote à jupe.*

★ **II.** Fig. Techn. (attesté 1952 en mar.). ♦ **1.** (XXe). Surface latérale (d'un piston) qui s'adapte à la paroi interne du cylindre.

♦ **2.** Carénage de tôle, aérodynamique, de la partie inférieure (d'une locomotive, d'un wagon, ou d'une voiture). *«Et qui suit de près les courses a aussi remarqué que, tout récemment, les voitures se sont dotées de "jupes" collant au sol»* (*Sciences et Avenir,* n° 391, sept. 1979, p. 65). *«La guéguerre n'a pris fin que cette année. Les voitures à jupes sont interdites de course»* (*le Nouvel Obs.,* n° 989, 21-27 oct. 1983, p. 58).

♦ **3.** Cylindre flottant de matière souple qui enferme le coussin d'air permettant le fonctionnement d'un aéroglisseur.

DÉR. Jupette, jupier, jupon.
COMP. Jupe-culotte. — Mini-jupe, sous-jupe.

JUPE-CULOTTE [ʒypkylɔt] n. f. — 1896, *in* D. D. L.; de *jupe,* et *culotte.*

♦ Vêtement féminin, sorte de culotte très ample dont la forme rappelle celle d'une jupe. *Des jupes-culottes.* — Par anal. Vêtement analogue pour homme.

Comme en 1815 c'était le défilé le plus disparate des uniformes des troupes alliées; et parmi elles, des Africains en jupe-culotte rouge, des Hindous enturbannés de blanc suffisaient pour que de ce Paris où je me promenais je fisse toute une imaginaire cité exotique (...) PROUST, le Temps retrouvé, Pl., t. III, p. 763.

JUPETTE [ʒypɛt] n. f. — 1894; de *jupe,* et *-ette.*

♦ **1.** Jupe très courte ne couvrant que le haut des cuisses. ⇒ **Mini-jupe.** *Jupette plissée de tennis.*

1 (...) les robes de petites filles, nous y sommes jusqu'au cou. Toute la gent féminine, haut troussée, jusqu'aux aïeules octogénaires, agite sous notre nez ses jupettes de fillettes (...) P. GUTH, Lettre ouverte aux idoles, Sheila, p. 90.

♦ **2.** Partie d'un maillot de bain de femme qui couvre le haut des cuisses à la manière d'une jupe.

2 C'était une jeune fille de vingt ans avec des yeux gris-bleu, une émouvante pluie de cheveux mordorés et trois mètres cinquante de jambes sous un maillot de bain à jupette. Christine DE RIVOYRE, le Voyage à l'envers, p. 43.

JUPIER, IÈRE [ʒypje, jɛʀ] n. — 1881, au fém.; de *jupe.*

♦ Techn. Tailleur, couturière qui a pour spécialité la jupe de femme.

JUPITÉRIEN, IENNE [ʒypiteʀjɛ̃, jɛn] adj. — 1764, Voltaire, *Dict. philosophique,* «adorateur de Jupiter»; de *Jupiter,* et *-ien.*

♦ **1.** Relatif au dieu Jupiter. ⇒ **Jovien.** — De la planète Jupiter.

♦ **2.** (1834, Balzac). Qui a un caractère impérieux, dominateur. *« La contraction jupitérienne de ses sourcils »* (Balzac, *la Duchesse de Langeais*). *Un front jupitérien.* — (Choses naturelles). *Orage, nuage jupitérien.*

JUPON [ʒypɔ̃] n. m. — 1380, *juppon; gippon,* 1376; en gascon, 1347, *jupoun* «tunique d'homme, à manches»; de *jupe,* et suff. *-on.*

♦ **1.** (1680). Jupe de dessous. ⇒ **Cotillon, cotte.** *Anciens jupons à armature.* ⇒ **Crinoline, panier.** *Porter plusieurs jupons superposés. Le jupon et la combinaison, articles de lingerie féminine. Jupons de basin* (→ Affaire, cit. 64), *de linon, de soie, de nylon. Jupon empesé. Jupon à volants, à dentelles. En corset et en jupon* (→ Frusque, cit. 1). *Jupon troussé* (→ 1. Fou, cit. 50).

1 (...) elle dénoua son dernier jupon, qui glissa le long de ses jambes, tomba autour de ses pieds et s'aplatit en rond par terre. MAUPASSANT, Contes de la Bécasse, Farce normande.

2 (...) sous sa jupe usagée son jupon de flanelle rouge dépassait un peu. COLETTE, Belles saisons, p. 49.

Loc. *Se suspendre aux jupons d'une femme.* ⇒ **Jupe** (3., b). → Camisole, cit. 2; croupe, cit. 5.

3 Les enfants se suspendaient aux jupons de leurs mères pour obtenir quelque bâton de sucre (...) BAUDELAIRE, le Spleen de Paris, XIV.

♦ **2.** (1823, Hugo). Fig. Femme, fille (avec une connotation érotique). ⇒ **Jupe.**

4 C'est une chose singulière comme je suis écarté de la femme. J'en suis repu (...) Je n'éprouve même vis-à-vis d'aucun jupon le désir de curiosité qui vous pousse à dévoiler l'inconnu et à chercher du nouveau. FLAUBERT, Correspondance, 96, 26 mai 1845.

Collectivt. *Courir le jupon. Coureur de jupons* (Colette, 1900). *Trousseur de jupons.* ⇒ **Juponnier.**

♦ **3.** **a** (1652; reprise du sens médiéval). Vx. Vêtement masculin; pourpoint à longues basques.

b Courte jupe portée par les hommes, dans certains pays. ⇒ **Fustanelle, kilt, philibeg, sarong.**

♦ **4.** Morceau de papier, de tissu plissé ou froncé entourant un objet. *« Un jupon de papier autour des ampoules électriques »* (Colette, *la Naissance du jour, in* T. L. F.).

DÉR. Juponnage, juponnaille, juponner, juponnier.

JUPONNAGE [ʒypɔnaʒ] n. m. — Déb. XXe (1913, Colette, au sens 2); autre sens en 1800 (*in* D. D. L.), «matelassage»; de *juponner* ou de *jupon.*

♦ **1.** Fait de juponner (un vêtement, une robe).

♦ **2.** **a** Ensemble de jupons; jupon empesé (pour faire bouffer une robe).

b Étoffe, papier froncé autour d'un objet, d'une lampe.

JUPONNAILLE [ʒypɔnaj] n. f. — XXe (1936, La Varende); de *jupon,* et suff. péj. *-aille.*

♦ Péj. et vx. Collectif. *La juponnaille :* les femmes, les filles.

JUPONNER [ʒypɔne] v. tr. — 1800, *in* D. D. L.; v. intr., 1819, «gonfler comme un jupon»; de *jupon.*

A. Couture. ♦ **1.** **a** Vx. Soutenir, doubler (une partie d'un habit).

b Donner de l'ampleur à (un vêtement) en l'évasant. *Juponner une jaquette.*

c Mod. Soutenir (une robe, une jupe) par un jupon ample ou épais. *Juponner une robe d'été.* ⇒ **Juponnage.**

♦ **2.** Garnir (un objet) d'un papier ou d'un tissu froncé. ⇒ **Jupon** (4.). — Au p. p. *« Une toilette de fer juponnée d'une cretonne »* (P. Vialar, *in* T. L. F.).

B. (1872; au p. p., 1800; compl. n. de personne). Vx. Habiller (qqn) d'un jupon. — Pron. (1893). *Se juponner.*

Il sonnait un coup sec, puis, du bout de ses doigts, battait le rappel sur la porte pour indiquer que c'était lui et ne pas obliger sa maîtresse à se juponner précipitamment, si, à cette minute, par hasard, elle se coiffait devant la glace, en chemise. COURTELINE, Boubouroche (Nouvelle), I.

▶ **JUPONNÉ, ÉE** p. p. adj. (1824, *in* D. D. L.; *habit juponné,* 1800).

♦ **1.** Cout. *Collet juponné,* soutenu par un ample jupon. *Une robe juponnée.* — (Au sens A, 1, b). *Redingote juponnée.* — (Au sens A, 2). *Table juponnée,* habillée d'un tapis allant jusqu'au sol.

♦ **2.** Vx. Qui porte des jupons (d'une certaine manière). *Une femme bien juponnée.*

JUPONNIER [ʒypɔnje] n. et adj. m. — 1886, Bloy; «celui qui fabrique des casaques», XIVe; de *jupon.*

♦ Vieilli. Homme qui «court le jupon», qui cherche à séduire les femmes. — Adj. (→ Frigide, cit. 3, Bloy). — REM. On trouve une var. *juponnard* (Léautaud, *in* D. D. L.).

JURABLE [ʒyʀabl] adj. — 1228; de *jurer.*

♦ Hist. *Fief jurable,* pour lequel le serment de fidélité était exigé.

JURANÇON [ʒyʀɑ̃sɔ̃] n. m. — 1840-1842, Académie; nom d'une localité des Pyrénées-Atlantiques.

♦ Vin de Jurançon et des environs (Béarn). *Un verre de jurançon. Du jurançon sec, doux.*

JURANDE [ʒyʀɑ̃d] n. f. — XVIe; de *juré,* et suff. *-ande.*
Histoire. Charge de juré; ensemble des jurés.

♦ **1.** Dans les anciennes corporations de métier, Charge conférée à un ou plusieurs membres de la corporation choisis pour la représenter (⇒ **Juré,** I., 1.), défendre ses intérêts et veiller à l'application du règlement intérieur.

♦ **2.** Temps d'exercice de cette charge.

♦ **3.** (1690, Furetière). L'assemblée, le corps des jurés* (I., 2., a), des jurats*. *Jurandes et maîtrises.* ⇒ **Corporation** (cit. 1.; → Association, cit. 10; encombrement, cit. 7).

JURASSIEN, IENNE [ʒyʀasjɛ̃, jɛn] adj. et n. — 1840-1842, Académie; de *Jura,* et *-ien.*

A. ♦ **1.** Relatif, propre au Jura. *Les montagnes jurassiennes.* — Géogr. *Type de relief jurassien,* analogue au relief du Jura (→ ci-dessous, B.).

♦ **2.** Qui habite le Jura. *Montagnards jurassiens.* — N. *Un Jurassien, une Jurassienne.*

B. (1886, Lapparent). Géol. Jurassique. *Terrain, plissement jurassien.*

JURASSIQUE [ʒyʀasik] adj. et n. m. — 1829, Brongniart; de *Jura.*
Géologie.

♦ **1.** Se dit des terrains secondaires compris entre le trias et le crétacé, qui forment la majeure partie du Jura. *Système, période jurassique.*

N. m. *Le jurassique,* partie centrale de l'ère secondaire, subdivisée en deux sous-systèmes. ⇒ **Lias, oolithique.** *Étages du jurassique :* oolithique supérieur *(Portlandien),* moyen *(Kimméridgien; Lusitanien,* groupant l'*Argovien,* le *Rauracien,* le *Séquanien),* inférieur *(Oxfordien, callovien, bathonien, bajocien);* liasique supérieur *(Aalénien, toarcien),* moyen *(Charmouthien),* inférieur *(Sinémurien, hettangien),* rhétien (parfois rattaché au Trias). *Les ammonites, bélemnites, gastéropodes, les grands reptiles* (ichtyosaures), *les premiers oiseaux* (archéoptéryx) *du jurassique.*

♦ **2.** Relatif à cette période géologique. *Calcaire jurassique. Les reptiles jurassiques.*

JURAT [ʒyʀa] n. m. — 1461 ; mot occitan, correspondant à *jiré* en langue d'oïl (→ Juré) ; cf. *juraty* à Bordeaux, trad. du lat. médiéval *juratus* (1215).

♦ Dr. anc. Magistrat municipal dans certaines villes de l'Ouest de la France, sous l'Ancien Régime. ⇒ **Échevin** (cit. 2), **juré** (I., 2., a). *L'ensemble des jurats.* ⇒ **Jurade.**

JURATOIRE [ʒyʀatwaʀ] adj. — 1274 ; du lat. jur. *juratorius* (*juratoria cautio,* VIe), du supin du lat. class. *jurare.* → Jurer.

♦ Dr. *Caution** (cit. 10) *juratoire :* serment fait en justice de se représenter en personne ou de rapporter une chose.

JURÉ, ÉE [ʒyʀe] adj. et n. — V. 1200 ; lat. juridique *juratus,* p. p. de *jurare.* → Jurer.

Qui est consacré dans ses fonctions par le serment qu'il a prêté (en parlant des titulaires de certaines charges).

★ **I.** ♦ **1.** Adj. et n. (1260, Étienne Boileau). Dr. anc. [a] Qui avait prêté serment en accédant à la maîtrise, dans une corporations*. *Syndics et jurés d'une corporation. Les maîtres et jurés d'un métier. Un juré vendeur de volaille. Juré lingère* (Littré). *Maître juré.* — Fig. *Maître juré filou* (cit. 1, Molière). — N. m. Titulaire d'une jurande*. *Corps municipal des jurés* (→ Commune, cit. 1). ⇒ **Jurat** (en pays occitan).

[b] Adj. *Métier juré,* qui détenait un monopole professionnel. — *Ville jurée,* organisée selon le système corporatif.

♦ **2.** Adj. Loc. mod. (1580, Montaigne). *Ennemi* (cit. 17) *juré.* ⇒ **Déclaré.**

★ **II.** N. (1588, en parlant de l'Angleterre ; en France, 1791 ; servit longtemps à désigner le *jury,* avant que ce mot ne se répande, cf. Brunot, *Hist. de la langue franç.,* t. IX, p. 1029-1035 ; l'empr. à l'angl. s'est fait d'après *jury* ou *juryman* « juré »). Dr. Citoyen, citoyenne appelé(e) à faire partie d'un jury* ; membre d'un jury. *Le jury de la cour d'assises a été réduit de douze à sept jurés* (Ordonnance du 20 avr. 1945). *Jurés titulaires et jurés suppléants forment la liste de session. Depuis l'ordonnance du 17 novembre 1944, les femmes sont admises aux fonctions de juré. Appel des jurés. Serment des jurés* (Code de procédure civile, art. 312). *L'accusé peut récuser quatre jurés.* ⇒ **Récusation.** *Messieurs les jurés...* (→ Honorable, cit. 7). *Les préventions des jurés* (→ Atmosphère, cit. 13 ; innocence, cit. 9). *Entortiller* (cit. 2) *les jurés.* — Absolt. *Les jurés :* les membres du jury, dans une cour d'assises.

1 Les membres du jury, ou *jurés,* sont de simples citoyens qui remplissent occasionnellement, temporairement, des fonctions judiciaires (...) les jurés sont là pour exprimer le sentiment populaire. Les jurés apprécient le fait et statuent sur la culpabilité : la cour est juge du droit et se prononce sur l'application de la peine.
H. DONNEDIEU DE VABRES, Précis de droit criminel, § 945.

2 (...) aux Assises de Rouen j'imaginais irrésistiblement les jurés stupides prenant la place des accusés, et ces derniers réciproquement assis sur les bancs du jury (...)
GIDE, Journal, 21 janv. 1946.

DÉR. Jurande.
HOM. Jurer.

JUREMENT [ʒyʀmɑ̃] n. m. — V. 1200, « serment » ; de *jurer.*

♦ **1.** Vx. Action de jurer, de faire un serment sans nécessité ni obligation. *On ne vous croira pas, malgré tous vos jurements* (Académie).

♦ **2.** (V. 1534 ; de *jurer* I., 3.). Vieilli. Exclamation, imprécation sacrilège proférée par dérision ou dans une intention d'offense. ⇒ **Blasphème, juron, imprécation, sacre** (→ Cynisme, cit. 1). — *Les jurements des charretiers* (cit. 1), *des postillons* (→ Atteler, cit. 2). *Proférer des jurements, d'horribles jurements.*

1 Eh ventrebleu ! s'il y a ici quelque chose de vilain, ce ne sont point mes jurements, ce sont vos actions (...)
MOLIÈRE, la Comtesse d'Escarbagnas, 8.

2 Les langues se délièrent ; un incendie de ricanements, de jurements et de chansons fit explosion.
HUGO, les Misérables, IV, III, VIII.

3 (...) et pris d'une colère furieuse, il se mit à frapper le bois de ses pieds, de ses mains, de tout son petit corps, avec des cris, des appels, des jurements trop gros pour sa bouche.
Ed. et J. DE GONCOURT, Madame Gervaisais, p. 321.

REM. Le *jurement* est explicitement sacrilège et peut être une formule, voire une phrase, alors que le *juron* (cit. 1) est lexicalisé (c'est un mot ou un groupe de mots : syntagme) et que son caractère sacrilège est masqué (le nom de Dieu y est déformé, par exemple) ou transféré (l'obscénité remplace le blasphème). → Juron, b.

Littér. et vieilli. Bruit discordant, désagréable. « *Les jurements d'une chatte en folie* » (Zola, *in* T. L. F.). « *Les jurements du vent* » (Richepin, *in* T. L. F.).

JURER [ʒyʀe] v. tr. — 1842, *Serments de Strasbourg, iurat* « (il) fait serment » ; du lat. *jurare.*

★ **I.** ♦ **1.** (1080). Vx ou littér. Attester (Dieu, une chose sacrée) par un serment*. *Jurer Dieu, les dieux, le Styx* (→ Assembleur, cit. 1). — (Avec une proposition en *de* et inf., *que* et indic. pour complément second). *Jurer le ciel, sa foi, son honneur de dire la vérité. Jurer Dieu que l'on dit la vérité.*

(...) Je jure le ciel que je le défendrai ici contre qui que ce soit (...) 1
MOLIÈRE, Dom Juan, III, 4.

Loc. cour. (1713 ; *jurer son grand Dieu,* 1690). *Jurer ses grands dieux que... :* assurer avec force.

Mais Marie-Claire interrogée, jura ses grands dieux qu'elle ne savait rien (...) 2
H. BOSCO, le Sanglier, VI.

♦ **2.** (XIIe). [a] *Jurer qqch. par..., sur..., devant* (qqn ; une réalité sacrée). *Je le jure par Dieu, par le ciel...*

[b] Trans. ind. ou intrans. Affirmer qqch. par un serment. *Jurer (de qqch.) sur la Bible, sur le crucifix. En jurer par...* — (XVIIe). *Jurer par* (qqch., qqn), *devant* (qqn), *sur* (qqch.). → ci-dessous, cit. 4 et 6. *Jurer sur la tête* de qqn.* — Loc. fig. *On ne jure plus que par lui :* on l'admire* tellement qu'on croit tout ce qu'il dit, qu'on l'imite en tout... — (Absolt). *Il faut jurer avant de témoigner.*

Et moi je vous dis de ne point jurer du tout, ni par le ciel, parce que c'est le trône de Dieu (...) 3
BIBLE (SACY), Évangile selon saint Matthieu, V, 34.

Ainsi que par César, on jure par sa mère. RACINE, Britannicus, I, 2. 4

J'en jure par les ondes du Styx (...) FÉNELON, Télémaque, VI. 5

Jurez donc avec moi, jurez sur cette épée, 6
Par le sang de Caton, par celui de Pompée. VOLTAIRE, la Mort de César, II, 4.

On ne jurait plus que par lui. Il se souciait assez peu de ce succès qui le tirait de l'obscurité où il aurait voulu rester, mais il ne lui était pas possible de s'y soustraire (...) 7
GAUTIER, le Capitaine Fracasse, X.

♦ **3.** (Fin XIIIe). Invoquer une chose, un être sacré avec hostilité ou dérision. ⇒ **Jurement** (2.), **juron.**

[a] V. tr. Vx. *Jurer Dieu, le nom de Dieu.*

(...) le curé se mit en colère tout de bon. On a voulu dire qu'il jura Dieu, mais je ne puis croire cela d'un curé du bas Maine. 8
SCARRON, le Roman comique, I, XIV.

[b] V. intr. (XIIIe). Proférer des imprécations, des jurons. ⇒ **Blasphémer, sacrer ; imprécation, jurement, juron.** — Loc. *Il jure comme un païen** (vieilli ; → Boire, cit. 16) ; *jurer comme un charretier*.* *Jurer et maugréer* (→ Bénitier, cit. 2), *et grommeler* (cit. 1), *et tempêter* (→ Gourmer, cit. 8), *et sacrer* (→ Cabale, cit. 4). *Un homme grossier et emporté, qui jure sans cesse.*

Ah ! ah ! je m'en vais te donner un Louis d'or (...) pourvu que tu veuilles jurer... 9
Il faut jurer... — Va, va, jure un peu, il n'y a pas de mal.
MOLIÈRE, Dom Juan, III, 2 *(var.).*

J'ai aimé Bénichat, encore qu'il fût par moments grossier et brutal. Il jurait. Les jurons me font peur. Et il jurait haut, d'une voix si rauque que toute sa poitrine en gargouillait de colère (...) Par bonheur, ces accès de fureur balsphématoire l'emportaient rarement. Mais, une fois chauffé, il y prenait plaisir. Et il avait alors un goût, qui me bouleversait, du sacrilège. 10
H. BOSCO, Antonin, p. 34.

De prison en prison je traversai la Yougoslavie. J'y rencontrai des criminels, violents et sombres, jurant dans une langue sauvage, où les injures sont les plus belles du monde. 10.1
Jean GENET, Journal du voleur, p. 122.

Jurer contre qqn, contre qqch. Jurer après qqn, qqch. ⇒ **Crier, pester.**

Quand un homme jure après ses bottes, ou après son bouton de col, ce discours ne vaut pas qu'on l'écoute. 11
ALAIN, Propos, 6 nov. 1913, Savoir écouter.

[c] Trans. Rare. *Jurer un affreux blasphème, un gros mot :* proférer, prononcer.

♦ **4.** (1665, Boileau ; le sujet désigne une source sonore). Produire un son discordant. ⇒ **Dissoner.** *Violon qui jure sous l'archet* (cit. 1). *Faire jurer une discordante guitare* (Montesquieu, *Lettres persanes,* LXXVIII).

♦ **5.** (XVIIe ; sujet n. de chose). Produire une discordance, aller mal (avec), être mal assorti. ⇒ **Détonner, dissoner, hurler** (5.). *Ce costume jure avec sa beauté* (→ Imposant, cit. 6). *Cette couleur jure grossièrement* (cit. 3) *avec le ton de ses cheveux. Choses qui jurent entre elles,* et, absolt, *qui jurent.* ⇒ **Disparate.**

(...) comme des couleurs mal assorties, comme des paroles qui jurent et qui offensent l'oreille (...) 12
LA BRUYÈRE, les Caractères, VI, 71.

Les cinq croisées percées à chaque étage ont de petits carreaux et sont garnies de jalousies dont aucune n'est relevée de la même manière, en sorte que toutes leurs lignes jurent entre elles. 13
BALZAC, le Père Goriot, Pl., t. II, p. 850.

Tout de luxe de l'hôtel et du service, avec lequel jadis elle jurait, en paraissait presque trop simple, les tasses de vermeil sortaient naturellement des buffets, les domestiques mettaient leurs livrées dès l'aurore. 13.1
GIRAUDOUX, Églantine, p. 96.

★ **II.** (Idée d'affirmation, de promesse). ♦ **1.** (V. 1460). Promettre (qqch.) par un serment* plus ou moins solennel. ⇒ **Promettre.** — (Dans les expressions figées ; compl. sans déterminant). *Jurer attachement à Dieu* (→ Aujourd'hui, cit. 36). *Jurer foi et hommage à son seigneur, à son suzerain* (→ Féal, cit. 2). *Jurer fidélité* (cit. 8 ; → Hommage, cit. 10), *foi* (cit. 4), *obéissance*, soumission*... Jurer amitié à qqn* (→ Caresser, cit. 17). — *Il lui jura un amour éternel* (→ Ardeur, cit 15 ; inconstant, cit. 6 et 7). — Pron. (récipr.). *Se jurer un amour immortel* (cit. 14).

Idoménée et les autres rois jurent la paix. FÉNELON, Télémaque, XI. 14

(...) je viens aux pieds de l'autel 15
Me jurer à genoux un hommage éternel. VOLTAIRE, Mérope, V, 2.

(Le compl. est un pronom). *Levez la main droite et dites : je le jure.* *Jurer de...* (et inf.). *Jurer de faire qqch.* ⇒ **Engager** (s'). *Jurer solen-*

nellement, devant Dieu, de... (→ Accusé, cit. 2; formule, cit. 3). *Le témoin jure « de dire toute la vérité, rien que la vérité ». L'hommage* (cit. 3), *cérémonie par laquelle le vassal jurait de rester fidèle à son suzerain.* — Par ext. Promettre (à qqn de...). *Il lui a juré de se bien tenir* (→ Blesser, cit. 22), *de ne pas recommencer.* — *Jurer de vivre sans maîtresse* (→ Cesse, cit. 6).

16 Le roi et ses successeurs, à leur avènement, jureront d'observer fidèlement la charte. Charte de 1830, art. 65.

16.1 Vous jurez et promettez de dire la vérité, toute la vérité, rien que la vérité. H. MONNIER, Scènes populaires, « La cour d'assises », t. 1, p. 75.

Jurer qu'on fera telle chose (→ Appliquer, cit. 4).

17 Les janissaires jurèrent sur leur barbe qu'ils n'attaqueraient point le roi (...) VOLTAIRE, Hist. de Charles XII, VI.

18 Jure-moi que tu me pardonneras, maman. Je lui jurai tout ce qu'elle voulut, au risque d'être cent fois parjure; je m'en souciais bien! BARBEY D'AUREVILLY, les Diaboliques, « Le plus bel amour ».

(1759; au conditionnel). Avoir la conviction intime d'une ressemblance. ⇒ **Croire** (on croirait), **dire** (on dirait). *Vous jureriez, on jurerait un tableau de Monet.*

18.1 Le décor : on jurerait la boutique d'un antiquaire. Sacha GUITRY, N'écoutez pas, Mesdames!, p. 14.

♦ **2.** (1580). Littér. Décider avec solennité ou avec force (qqch.). *Jurer la mort d'un tyran* (→ Hurler, cit. 19). *Ils ont juré sa perte, sa ruine.* — *Jurer de...* (et inf.). *Jurer que...* « *Le corbeau* (cit. 1)... *Jura, mais un peu tard, qu'on ne l'y prendrait plus* » (La Fontaine).

Littér. et vx (sujet n. de chose) :

19 (...) cette ingrate princesse,
Dont la haine a juré de nous troubler sans cesse. RACINE, Alexandre, IV, 4.

Au passif :

20 Ah! si du fils d'Hector la perte était jurée,
Pourquoi d'un an entier l'avons-nous différée? RACINE, Andromaque, I, 2.

♦ **3.** (Mil. XVIIe). Affirmer solennellement, fortement (à qqn). ⇒ **Affirmer, assurer, déclarer.** *Jurer qqch. à qqn. Jurer à qqn que... Je vous jure que je n'ai pas fait cela* (→ Arriver, cit. 44). *Je vous jure que non.* — (Avec l'idée d'attestation, comme au sens I). *Je te jure que c'est vrai, je te le jure sur la tête de ma mère. Jure-le et crache par terre! Croix* de bois, croix de fer, je le jure!*

21 Je vous jure que je n'ai bougé de chez moi (...) MOLIÈRE, George Dandin, III, 7.

Je vous jure : je vous affirme, je vous certifie.

22 (...) une façon directe, analytique, piquante, qui ne ressemblait pas à un faux-fuyant, je vous jure. SAINTE-BEUVE, Causeries du lundi, 13 oct. 1851.

Fam. Exclam. d'indignation. *Ah! quel salaud, je te jure!* — Pop. *Y en a des, j'vous jure!*

22.1 La dame se retourna. Ah, je vous jure. M. DURAS, Moderato cantabile, p. 16.

(Au conditionnel). *Je ne jurerais pas que... Je n'en suis pas certain* (→ ci-dessous, 4.). *On aurait juré que...*, on l'aurait cru. *A l'entendre* (cit. 69), *vous aviez juré que cette révolution était spécialement dirigée contre lui.*

♦ **4.** (1656). **JURER DE** (qqch.)... : affirmer de façon catégorique (qu'une chose est ou n'est pas, se produira ou ne se produira pas). *J'en jurerais* (je le crois). Cf. J'en mettrais ma main au feu, ma tête à couper. *Je n'en jurerai pas* (je ne le crois pas). *C'est bien possible, mais je n'en jurerais pas.* — *Il ne faut jurer de rien** (prov. et titre d'une comédie de Musset) : il ne faut jamais répondre de ce qu'on fera, ni de ce qui peut arriver (Académie). → Défier, cit. 7; élastique, cit. 5; et aussi la loc. Il ne faut pas dire « Fontaine*, je ne boirai pas de ton eau ».

23 J'en aurais bien juré qu'elle aurait fait le tour (...) MOLIÈRE, la Princesse d'Élide, I, 2.

24 On ne doit pas jurer de ce dont on n'est pas sûr. RENAN, Souvenirs d'enfance, Appendice, 11 sept. 1846.

▶ **SE JURER** v. pron. (réfl.).

Prendre la ferme décision (de faire qqch.). *Il s'est juré de ne pas recommencer.* ⇒ **Promettre** (se); → Accueillir, cit. 6; amputer, cit. 5; faillir, cit. 4.

▶ **JURÉ, ÉE** p. p. adj. *Foi jurée.* — Par ext. *Haine jurée.* ⇒ **Juré** (adj. et n.).

CONTR. Abjurer. — Accorder (s'), allier (s'), assortir, cadrer, concorder, consonner.
DÉR. Jurable, juré, jurement, jureur, juron.
HOM. Juré (adj. et nom).

JUREUR, EUSE [ʒyʀœʀ, øz] n. — V. 1223; n. m., v. 1175, *jurir* « témoin de probité », en droit; de *jurer.*

♦ **1.** Dr. anc. Qui a prêté serment. — (1795). Hist. Par appos. *Les prêtres jureurs* ou *assermentés** : le clergé constitutionnel, sous la Révolution. — N. *Les jureurs.*

♦ **2.** Personne qui jure, blasphème. ⇒ **Blasphémateur.**

Le prince ne souffre pas les impies, les blasphémateurs, les jureurs, les parjures, ni les devins. BOSSUET, Politique, VII, V, XV.

JURIDICO- Premier élément d'adj. composés didactiques, signifiant « à la fois juridique et... ». — Ex. : *juridico-administratif* [ʒyʀidikoadministʀatif] (*in* P. Gilbert); *juridico-fiscal* [ʒyʀidikofiskal] (*l'Express*, 2 oct. 1978, p. 144); *juridico-politique* [ʒyʀidikopolitik]; *juridico-social* [ʒyʀidikosɔsjal].

JURIDICTION [ʒyʀidiksjɔ̃] n. f. — 1209, *juridicion*; « territoire », 1539; *jurisdiction*, var. employée jusqu'au XVIIIe, Rousseau; lat. *jurisdictio* « action, droit de rendre la justice », de *jus, juris* « droit », et *dictio*, du supin de *dicere*, suppression du *s* probablt d'après *juridicus, juridique.*

♦ **1.** Pouvoir de juger, de rendre la justice; étendue et limite de ce pouvoir. ⇒ **Circonscription, compétence, for** (vx), **judicature, ressort, siège.** *La juridiction de qqn, d'un tribunal. Juridiction pleine, entière* (→ Indépendance, cit. 15). *Juridiction suprême. Juridiction laïque, séculière. Juridiction en matières religieuses. L'évêque possède la juridiction ordinaire.* ⇒ **Ordinariat.** *Juridiction temporelle d'un évêché.* ⇒ **Temporalité.** — Dr., anc. *Juridiction du bailli* (⇒ **Bailliage, gouvernance**), *du châtelain* (⇒ **Châtellenie**), *des maréchaux* (⇒ **Maréchaussée**), *du prévôt* (⇒ **Prévôté**), *du sénéchal* (⇒ **Sénéchaussée**), *du verdier* (⇒ **Verderie**), *du viguier* (⇒ **Viguerie**), *du présidial* (⇒ **Présidialité**)... *Juridiction forestière.* ⇒ **Gruerie.** — Dr. mod. *Juridiction arbitrale, contentieuse** (1.), *gracieuse** (3.), *civile, répressive. Conflit, contestation de juridiction. Le juge, le magistrat, le tribunal exerce sa juridiction. En France, la juridiction du juge de paix est limitée au canton. Bannir* (cit. 3) *qqn d'une juridiction. Dans la juridicition; hors de la juridiction. Juridiction d'instruction.* — *Privilège de juridiction*, attribué par la loi à des juridictions d'exception, en faveur de certaines personnes (dignitaires, magistrats, fonctionnaires) qui en sont justiciables, en matière pénale. — Dr. intern. *Immunité* de juridiction.*

Il avait été visiteur général de la Catalogne, avec une jurisdiction sur les troupes (...) RACINE, Notes historiques, XLIX. 1

(Le sanhédrin), qui était comme (...) le conseil perpétuel de la nation où la suprême juridiction était exercée. BOSSUET, Hist., II, 10, *in* LITTRÉ. 2

Leur *juridiction* souveraine, absolue, héréditaire, et qui n'oubliait jamais, était redoutée de tous (...) MICHELET, Hist. de la Révolution franç., III, III. 3

Fig. et littér. (Vieilli). Compétence, domination, pouvoir (→ Faible, cit. 34). *La juridiction de la médecine* (→ Guérir, cit. 40, Montaigne). — Loc. (Vx). *Cela n'est pas de votre juridiction* : cela ne vous regarde pas, ne dépend pas de vous.

♦ **2.** (1538). Tribunal, ensemble de tribunaux de même catégorie, de même degré. ⇒ **Chambre** (3.), **conseil** (III.), **cour** (III., 2.), **judicature, tribunal; droit** (*infra* cit. 61). *Porter une affaire devant la juridiction compétente.* ⇒ **Déférer, saisir** (→ Échangiste, cit. 1). *Recours à la juridiction supérieure.* ⇒ **Appel** (6.). *Degré, ordre, nature des juridictions* (→ Incompétence, cit. 1). *Degrés dans la hiérarchie des juridictions.* ⇒ **Instance.** — *Juridictions administratives, civiles, de droit commun* (par oppos. aux *juridictions d'exception*), *juridictions commerciales. Juridictions de simple police, correctionnelles, criminelles.* — Dr. pén. *Juridictions d'instruction, de jugement.* — *Juridictions françaises, étrangères* (→ Crime, cit. 18).

(...) quand *(ils)* eurent instruit Lucien du peu de cas qu'un poète devait faire du Tribunal de Commerce, juridiction établie pour les boutiquiers, le poète se trouvait déjà sous le coup d'une saisie. BALZAC, Illusions perdues, Pl., t. IV, p. 924. 4

Les plus importantes classifications des juridictions sont (...) 1° Les juridictions « de droit commun » et les juridictions « d'exception » (...) Dans tous les ordres de juridiction, on rencontre cette distinction (...) 2° La deuxième division aboutit non plus à une juxtaposition des juridictions, mais à une superposition (...) Il y a des juridictions inférieures (...) et (...) des juridictions supérieures ou d'appel. Paul CUCHE, Précis de procédure civile et commerciale, Introd., 4. 5

DÉR. Juridictionnel.

JURIDICTIONNALISATION [ʒyʀidiksjɔnalizasjɔ̃] n. f. — V. 1960; dér. sav. de *juridictionnel.*

♦ Dr. admin. Action de confier à une juridiction (un contrôle).

JURIDICTIONNEL, ELLE [ʒyʀidiksjɔnɛl] adj. — 1802; « qui administre la justice », 1537; de *juridiction.*

♦ Dr., admin. Relatif à la juridiction, au fait de juger. *Pouvoir juridictionnel. Le contrôle juridictionnel de la Cour de cassation, de la Cour des comptes.*

DÉR. Juridictionnalisation.

JURIDIQUE [ʒyʀidik] adj. — 1410; lat. *juridicus*, de *jus, juris* « droit ».

♦ **1.** Qui se fait, s'exerce en justice, devant la justice. ⇒ **Judiciaire.** *Intenter une action juridique* (Académie). *Accusation juridique* (→ Épreuve, cit. 31, Voltaire). *Preuve juridique* (→ Certificat, cit. 1, Rousseau).

♦ **2.** (1558). Qui a rapport au droit (lat. *jus*). ⇒ 3. **Droit** (III.). *Fait matériel, sans conséquences juridiques, et fait juridique, produisant un effet de droit sans manifestation de la volonté initiale de celui qui y est soumis. Formes de l'acte juridique* (→ Formalisme, cit. 1). *Actes juridiques*, produisant des effets de droit, du fait de la volonté de son auteur et soumis à des formes légales. ⇒ **Légal.**

Constitution (cit. 8), *régime, situation, statut juridique* (→ Classe, cit. 1; contribuable, cit.; gérance, cit.; état, cit. 92). *Capacité juridique* (→ Aptitude, cit. 12). *Importance juridique de la famille* (cit. 29). — *Science, philosophie juridique.* ⇒ 3. **Droit** (IV.); → Criminel, cit. 2; histoire, cit. 34. *Vocabulaire juridique; langue juridique. Études juridiques. Recevoir une solide formation juridique. Notions juridiques. — Phénomènes juridiques et éthiques* (cit. 3). *Au point de vue juridique, sur le plan juridique* (→ Exécution, cit. 16). *Aspects juridiques de la guerre* (cit. 1). — Loc. *Vide* juridique.*

(...) on peut définir l'*acte juridique* une manifestation de volonté qui est faite avec l'intention d'engendrer, de modifier ou d'éteindre un droit.
(...) lorsqu'il n'y a pas opération *volontaire, intentionnelle,* il n'y a pas *acte juridique.* On appellera *faits juridiques* tous les événements qui entraînent la naissance, la transmission, la transformation, l'extinction de droits sans impliquer l'intervention d'une volonté intentionnelle.
A. COLIN et H. CAPITANT, Cours élém. de droit civil franç., t. I, nº 49 et 51.

DÉR. Juridiquement, juridisme.

JURIDIQUEMENT [ʒyʀidikmɑ̃] adv. — Déb. xvᵉ; de *juridique.*

♦ **1.** Devant la justice, en justice. *Accuser juridiquement qqn* (→ Ensorceler, cit. 1, Voltaire). *Demander juridiquement qqch.* (→ Baguette, cit. 3, Voltaire). *Interdire juridiquement qqn.* ⇒ **Judiciairement** (→ Imbécile, cit. 5, Saint-Simon). *Sentence juridiquement prononcée, motivée.*

♦ **2.** (V. 1460, Chastellain). Au point de vue du droit. *Économiquement et juridiquement* (→ Compréhensif, cit. 5; esclave, cit. 5). *Être juridiquement dans son tort. Juridiquement et légalement, et constitutionnellement.*

JURIDISME [ʒyʀidism] n. m. — 1940, *in* D. D. L.; de *juridique.*

♦ Didact. Attitude de qqn qui s'en tient à la lettre des textes juridiques, du droit (loi, jurisprudence, coutume, etc.). ⇒ **Formalisme, légalisme.** *Faire preuve d'un juridisme excessif.*

(...) le «juridisme» français est leur terreur *(aux Marocains).*
F. MAURIAC, Bloc-notes 1952-1957, p. 80.

REM. Valéry avait employé la var. *jurisme* (*Cahiers,* Pl., t. 2, p. 1459), directement tirée du latin : *«le jurisme a empoisonné le monde».*

JURISCONSULTE [ʒyʀiskɔ̃sylt] n. — 1393; lat. *jurisconsultus,* de *jus, juris* «droit», et *consultus* «réfléchi, avisé», p. p. de *consultare.* → Consulter.

♦ Juriste expérimenté; spécialt, personne qui fait profession de donner des avis sur des questions juridiques. ⇒ **Légiste.** *Consultation, avis de jurisconsulte. Un éminent, un savant jurisconsulte; un jurisconsulte de talent* (→ Comparse, cit. 1). *Recueil d'écrits des jurisconsultes romains.* ⇒ **Digeste.** *Interprétation de la loi par les jurisconsultes* (⇒ **Doctrine**) *et par les tribunaux* (⇒ **Jurisprudence**). *Les grands jurisconsultes, exégètes du Code civil. Jurisconsultes qui interprètent une loi*, un code, la jurisprudence.*

L'interprétation a pour but de préciser le sens des termes de la loi, de rechercher l'esprit qui a inspiré ses auteurs, et de déterminer l'exacte portée d'application de ses dispositions. Elle est l'œuvre d'une part des jurisconsultes qui se consacrent à son étude, de l'autre, des tribunaux chargés d'appliquer le Droit aux litiges soumis à leur jugement. Il y a donc deux organes d'interprétation des lois : la Doctrine et la Jurisprudence.
A. COLIN et H. CAPITANT, Cours élém. de droit civil franç., t. I, nº 24.

REM. Le fém., *une jurisconsulte,* est normal.

JURISPRUDENCE [ʒyʀispʀydɑ̃s] n. f. — 1562; bas lat. *jurisprudentia* «science du droit», de *jus, juris,* et *prudentia* «compétence, connaissance pratique». → Prudence.

♦ **1.** (1562). Vx. Science du droit. ⇒ **Droit.** *La section de jurisprudence de l'Académie des Sciences morales et politiques* (Académie). *Terme de jurisprudence* (→ Contentieux, cit. 3).

♦ **2.** (1611). Mod. Ensemble des décisions* des juridictions sur une matière ou dans un pays, en tant qu'elles constituent une source de droit. — Par ext. Ensemble des principes juridiques qui s'en dégagent (droit coutumier). ⇒ **Coutume, doctrine.** *La jurisprudence des anciens parlements* (→ Asile, cit. 13). *Recueils de jurisprudence* (→ Forme, cit. 74). *Annotateur, commentateur des décisions de jurisprudence.* ⇒ **Arrêtiste.** — *Interprétation* des lois, œuvre de la jurisprudence et des jurisconsultes* (cit.). *Législation, jurisprudence et doctrine* (cit. 5). *La jurisprudence admet, reconnaît, distingue... D'après la jurisprudence...* (→ Emprise, cit. 2; espèce, cit. 20; fondateur, cit. 4). *D'après une jurisprudence déjà ancienne...* (→ Grève, cit. 17). *La jurisprudence n'est pas encore fixée sur ce point. Le tribunal s'est conformé à la jurisprudence en cours.*

1 C'est en introduisant dans le Code l'idée qu'il pourra être sans cesse tempéré et éclairé par *la jurisprudence,* inspirée par l'équité naturelle, que, suivant les termes de la biographie des Portalis, celui-ci «sauva la vie du Code Napoléon».
Louis MADELIN, Hist. du Consulat et de l'Empire, Le Consulat, XII.

2 On appelle «jurisprudence» la façon dont les lois sont interprétées par les tribunaux. Comparé au rôle du législateur, le rôle du juge semble modeste : en réalité il est presque égal.
La jurisprudence présente des caractères qui lui sont propres (...) Les tribunaux statuent (...) sur (...) des *questions de détails* (...) *isolées* les unes des autres (...) Il résulte de là une *grande variété* (...)
Néanmoins la jurisprudence finit toujours par arriver à des solutions fixes (...) la jurisprudence a eu une allure très inégale dans l'interprétation des textes. Elle s'est montrée *tour à tour très hardie et très timide.*
M. PLANIOL, Traité élémentaire de Droit civil, t. I, nº 122 à 125.

Décision, arrêt qui est à l'origine d'une jurisprudence. — Loc. (1804). *Faire jurisprudence :* pour une décision de justice, Devenir un élément de la jurisprudence, servir de référence pour les cas semblables. — Fig. *Faire jurisprudence :* faire autorité.

(...) mon grand-père que je considérais comme meilleur juge et dont la sentence, faisant jurisprudence pour moi, m'a souvent servi dans la suite à absoudre des fautes que j'aurais été enclin à condamner (...) 3
PROUST, À la recherche du temps perdu, t. I, p. 27.

♦ **3.** Ensemble des décisions d'un tribunal; manière dont un tribunal juge habituellement une question. *La jurisprudence de la Cour de cassation n'a jamais varié sur ce point.*

♦ **4.** Fig. et rare. Usage, coutume (établis par une autorité).

DÉR. Jurisprudent, jurisprudentiel.

JURISPRUDENT [ʒyʀispʀydɑ̃] n. m. — 1639; de *jurisprudence,* d'après *prudent.*

♦ Vx. Juriste (repris ironiquement à la fin du xixᵉ; A. Daudet, 1888). — En adj. (avec l'idée de *prudent*). *«Un monsieur très jurisprudent...»* (Verlaine, *Correspondance, in* T. L. F.).

JURISPRUDENTIEL, ELLE [ʒyʀispʀydɑ̃sjɛl] adj. — 1845; dér. sav. de *jurisprudence.*

♦ Didact. Qui se rapporte à la jurisprudence, résulte de la jurisprudence. *Précédent jurisprudentiel. Débats jurisprudentiels* (→ Archive, cit. 9).

JURISTE [ʒyʀist] n. — V. 1361; lat. médiéval *jurista,* de *jus, juris* «droit».

♦ Didact. Personne qui a de grandes connaissances juridiques, et, spécialt, auteur d'ouvrages, d'études juridiques. ⇒ **Arrêtiste, jurisconsulte, jurisprudent** (vx), **légiste, loi** (homme de loi). *Juriste éminent, émérite* (cit. 3). *Un juriste de premier plan. Cette étudiante est déjà une bonne juriste.*

(...) cette œuvre, dont l'élaboration avec le grand juriste disparu *(Ambroise Colin)* représente les plus belles, les plus fructueuses années de ma vie de travail.
H. CAPITANT, Avant-propos 7ᵉ éd., *in* A. COLIN et H. CAPITANT, Cours élém. de droit civil franç., t. I, p. X.

Par ext. Étudiant, spécialiste du droit. *Les scientifiques et les juristes.*

JUROLOGIE [ʒyʀɔlɔʒi] n. f. — V. 1980; mot mal formé, de *juron* (ou de *jurer*), et *-logie.*

♦ Fam. Étude des jurons et «gros mots». *«Humour et érudition deviennent complices de cette "jurologie" où les arcanes du sexe et du sacré sont éclairés par la linguistique et l'anthropologie, l'histoire et la psychanalyse»* (*le Nouvel Obs.,* nº 851, 2 mars 1981, p. 11).

JURON [ʒyʀɔ̃] n. m. — 1599, «serment»; sens mod., 1606; de *jurer,* et suff. *-on.*

♦ [a] Terme dont on se sert pour jurer. ⇒ **Jurement, sacre.** *Le juron consiste souvent en un euphémisme vidé de son sens.* ⇒ **Exclamation** (cit. 2). *Gros juron, vilain, terrible juron* (→ Empoigner, cit. 2). *Juron plaisant, drolatique* (→ Gros, cit. 27). *Pousser, lâcher un juron. Juron servant d'imprécation, d'insulte, d'injure* (cit. 8). *Juron invoquant le diable, les morts, la vie* (ex. [vx] : *vertu de ma vie; sur ma vie...*). *Juron employant ou déformant le nom de Dieu** (*supra* cit. 55). ⇒ **Parbleu, pardi, sacristi, sapristi** («sacrer Dieu»); et aussi, vx, **cadediou** (cap* de Dious, juron gascon), **corbleu** (cordieu), **jarnidieu** (et, par euphém., jarnibleu, jarnicoton), **morbleu** (mordieu, mordienne, etc.), **palsambleu** (palsangué, palsanguienne), **pâques-Dieu, pardieu** (pardienne, pargué, parguenne), **têtebleu** (tétigué, tétiguenne), **tudieu, ventrebleu** (→ par euphém. ventre*-saint-gris), **vertubleu** (vertudieu, vertigué, vertuchou). *Jurons modernes* (ex. : *bordel de Dieu, nom de Dieu, tonnerre de Dieu, vingt dieux...*).

Les jurements, considérés comme des blasphèmes, avaient toujours été défendus (...) par l'autorité (...) 0.1
Les jurons où les noms sacrés étaient déformés, tronqués ou remplacés, n'avaient jamais eu la même gravité. Une commode hypocrisie faisait tolérer *ventrebleu* ou *morbleu* (...)
(...) les marquis (...) semaient leurs propos de ces jurons que la civilité interdisait aux gens du commun; toutefois la piété croissante rendit peu à peu suspect tout ce qui ressemblait à un jurement (...) Il y a des inventions bouffonnes (...) des pré-

ciosités (...) Mais, en dehors de ces fantaisies, nul doute que pas mal de formes n'aient été créées (...) pour permettre d'échapper aux soupçons d'impiété.

F. BRUNOT, Histoire de la langue française, t. IV, La langue classique (1660-1715), p. 384-387.

1 (...) et, dans le grand silence funèbre, il entend soudain un brutal « Nom de Dieu », qui l'emplit d'effroi, comme si quelqu'un d'autre (...) Il se tourne ; mais non : il est seul. C'est bien de lui qu'a jailli ce juron sonore, du fond de lui qui n'a jamais juré. André GIDE, Romans, les Faux-Monnayeurs, *in* Rom., Pl., p. 967.

b Exclamation familière ou grossière, qui n'évoque pas une chose sacrée. *Jurons familiers* (ex. : *nom d'un petit bonhomme** [vieilli], *nom d'un chien**, *nom** *de nom, sac** *à papier* [vieilli], *tonnerre**, *bagasse, funérailles, punaise...* [régional : Sud] ; *fouchtra* [régional : Auvergne]). *Jurons grossiers.* → Gros mot* (ex. : *bordel, foutre, merde, putain...* et leur combinaisons).

1.1 — Deux heures ! nom d'un petit Mouzaia !
— Qu'est-ce que ç'est que ça ?
— C'est un juron industriel... que j'ai inventé un jour où j'ai perdu cinq mille francs sur les mines... E. LABICHE, la Chasse aux corbeaux, III, 5.

2 Il est à supposer que les jurons, qui sont des exclamations entièrement dépourvues de sens, ont été inventés comme instinctivement pour donner issue à la colère, sans rien dire de blessant ni d'irréparable. Et nos cochers, dans les encombrements, seraient donc philosophes sans le savoir. ALAIN, Propos, 17 nov. 1913, Injures.

c (1690, Furetière). Spécialt. Façon de jurer habituelle à une personne. *Ventre-Saint-Gris était le juron d'Henri IV. C'est son juron, son grand juron.*

3 Mon grand-père employait son grand juron contre cette Mme Vignon : Le diable te crache au cul ! STENDHAL, Vie de Henry Brulard, 17.

JURY [ʒyʀi] n. m. — 1588, en parlant de l'Angleterre (écrit *juri*) ; en parlant de la France, 1790, *in* Höfler ; on a employé aussi *juré*, dans ce sens ; angl. *jury*, lui-même de l'anc. franç. *juree (jurée)*, « serment, enquête », de *jurer*.

♦ **1.** Dr. crim. **a** « Institution en vertu de laquelle de simples citoyens sont appelés spécialement à participer, comme juges du fait, à l'exercice de la justice criminelle » (Capitant). *Le jury a été institué en France en 1790 par l'Assemblée constituante.*

b (En France). Spécialt. Ensemble des jurés* inscrits sur les listes départementales annuelles ou sur une liste de session *(liste du jury)*, et, spécialt, groupe de neuf (anciennement douze, puis sept) jurés tirés au sort pour chaque affaire *(jury de jugement). Du jury et de la lumière de le former*, titre d'un chapitre du Code d'instruction criminelle (art. 381406). *Le jury écoute les débats, peut demander des éclaircissements. Avant la loi du 25 novembre 1941, le jury statuait seul sur le fait, sous la présidence d'un chef de jury tiré au sort* (→ Énoncé, cit. 2), *et rendait un verdict** *sur lequel la cour se prononçait* (→ Estimer, cit. 9) ; *depuis, la cour et le jury se réunissent en chambre du conseil pour délibérer en commun.*

1 La cour et le jury délibéreront, puis voteront (...) sur le fait principal d'abord (...) La décision de la cour et du jury tant contre l'accusé que sur les circonstances atténuantes, se forme à la majorité.
En cas de réponse affirmative sur la culpabilité, la cour et le jury délibéreront sans désemparer sur l'application de la peine (...)
Code d'instruction criminelle, art. 345-348-351.

Dr. pén. *Jury d'assises*, siégeant pour juger les criminels déférés devant cette juridiction.

Vx. Hist. du dr. *Jury d'accusation.*

En Angleterre, aux États-Unis, *Grand jury* (calque de l'angl.) : jury d'accusation.

♦ **2.** (1793, Carnot, *in* Brunot). Assemblée, commission chargée officiellement de l'examen d'une question. *Jury d'honneur* : « réunion d'arbitres désignés pour décider d'une question qui intéresse l'honneur » (Académie).

Dr. civ. *Jury d'expropriation.* ⇒ **Expropriation.**

Cour. Ensemble d'examinateurs. ⇒ **Examen.** *Le président, les membres du jury. Jury de concours, d'agrégation, d'examen, de thèse. Délibération du jury. Le jury a été sévère, indulgent pour les candidats.*

(1794). *Le jury d'une exposition de peinture, d'un prix littéraire*, chargé de décerner les prix. *X, membre influent du jury. Le jury (du) Goncourt*, du prix Goncourt.

2 Quand je montai au tableau à mon tour, devant le jury, ma timidité redoubla, je m'embrouillai en regardant ces Messieurs et surtout le terrible M. Dausse, assis à côté et à droite du tableau. STENDHAL, Vie de Henry Brulard, 24.

1. JUS [ʒy] n. m. — V. 1165, Chrétien de Troyes ; du lat. *jus, juris* « sauce, jus ».

♦ **1.** Liquide contenu dans une substance végétale, et qui peut en être extrait par pression, par décoction. ⇒ **Suc.** *Le jus des fruits* (1. Fruit, cit. 20). *Exprimer**, *extraire** *le jus d'une orange, d'un citron à l'aide d'un presse-citron. Jus qui fuse* (cit. 6), *qui jaillit, coule d'un fruit.* ⇒ **Juter ; juteux** (→ Dessert, cit. 3). *Le jus d'une grappe* (cit. 3) *de raisin, d'une grenade* (cit. 3 et 4). *Jus de raisin vert.* ⇒ **Verjus.** — Loc. prov. (Vx). *C'est jus vert ou verjus* : c'est la même chose ; c'est indifférent. — *Préparation et conserve industrielles des jus de fruits ou de légumes frais. Jus de fruits frais. Du jus d'ananas frais. Un jus d'orange, s'il vous plaît.*

REM. La plupart des jus de fruits du commerce étant en conserve, on emploie souvent *orange pressée, citron pressé,* pour désigner le jus frais de ces fruits.

Jus en boîte. Bouteille, boîte de jus de tomate, de pamplemousse, de pomme. Jus concentrés. ⇒ **Concentré, sirop.** *Boisson au jus de citron* (⇒ **Citronnade**), *d'orange* (⇒ **Orangeade**), *de grenade* (⇒ **Grenadine**), *de réglisse* (⇒ **Coco**). — Spécialt. (Vx). *Jus de réglisse**, extrait de la racine de réglisse, préparé en bâtons ou en pâte.

— Vous plaît-il un morceau de ce jus de réglisse ? 1
— C'est un rhume obstiné, sans doute ; et je vois bien
Que tous les jus du monde ici ne feront rien. MOLIÈRE, Tartuffe, IV, 5.

Pauline (...) coupa et pressa le citron, vérifia la propreté du verre, versa le sucre en 2
poudre, le jus acide (...) J. CHARDONNE, les Destinées sentimentales, p. 198.

L'exquise fraîcheur de leur jus a certainement favorisé la vente des oranges. 3
Cependant, il a fallu que le public prenne l'habitude d'en boire et tout d'abord de l'extraire du fruit (...) un verre de jus s'avale vite et (...) il faut plusieurs fruits pour remplir un verre. D'où la campagne que le *California Fruit Growers Exchange* et le *Florida Citrus Exchange* mènent depuis de nombreuses années pour inciter le consommateur à boire des jus d'agrumes *frais*. D'où leur ardeur à répandre (...) des extracteurs électriques qui, en un instant, vident le fruit de son jus. Des distributeurs automatiques de jus viennent d'être installés à Chicago (...) la machine vous livre un verre en carton plein jusqu'aux bords d'un jus d'oranges, de grapefruit ou de citron glacé. Paul ROBERT, les Agrumes dans le monde, p. 259.

Loc. vieillie. *Le jus de la treille* (→ Fond, cit. 1), *de la vigne* : le vin.

Loc. fig. *Avoir du jus de navet** *dans les veines* : être sans énergie, être mou, sans volonté. — Syn. : *du sang de navet.*

♦ **2.** (1538). Liquide (sang, etc.) extrait d'une subtance animale par cuisson, macération... *Jus de viande*, et, absolt, *jus* (→ 1. Feu, cit. 22). *Carottes au jus. Arroser** *un gigot de son jus. Viande qui cuit dans son jus. Sauce** *au jus (de viande). Tu veux du jus, plus de jus ?*

(...) ne pourriez-vous pas nous brouiller ces œufs dans le jus de ce gigot ? — Oh ! 4
très volontiers, répondit le chef (...) je m'approchai du feu, et, tirant de ma poche un couteau de voyage, je fis au gigot défendu une douzaine de profondes blessures, par lesquelles le jus dut s'écouler jusqu'à la dernière goutte.
BRILLAT-SAVARIN, Physiologie du goût, Les œufs au jus, t. II, p. 156-157.

(...) des rouelles aux carottes et aux girolles, qui ne perdaient rien de leur volume 5
ni de leur jus. COLETTE, Prisons et Paradis, p. 80.

Le jus de cuisson. — Par ext. *Le jus d'un bouillon de légumes* (→ Bouillon, cit. 8.1). *Faire bouillir, épaissir le jus.*

Loc. fam. *Cuire** *dans son jus* : avoir très chaud. — *Laisser qqn cuire, mariner, mijoter dans son jus*, le laisser aux prises avec des difficultés ou en proie à sa mauvaise humeur.

♦ **3.** Liquide de nature imprécise (en général péj.). *Du jus de chique. « Je marche dans un jus noir »* (Claudel, *in* T. L. F.).

Spécialt. **a** (1884). Fam. Café. *Un bon jus* (→ Percolateur, cit. 2). — REM. Le mot est d'usage restreint ; on ne dirait guère : *une tasse de jus.*

(...) il est maintenant devant un jus bouillant sur un zinc (...) 5.1
R. QUENEAU, Pierrot mon ami, p. 47.

Loc. *Jus de chapeau, de chaussette, de chique...* : mauvais café. *Soldat qui est* (de corvée) *de jus. Au jus là-dedans !*

Plan rapproché de Roland, de dos, qui a déposé les quarts vides sur la pile de 5.2
cartons. Il les remplit et se retourne.
ROLAND,
— Au jus, là-dedans !
Puis il prend les quarts et va vers les paillasses les tendre aux détenus toujours couchés.
J. BECKER et J. GIOVANNI, le Trou, 1960, *in* l'Avant-Scène, n° 13, p. 16, 1962.

Dans la cuisine (...) on se bat pour des quarts de jus. 6
R. DORGELÈS, les Croix de bois, IV.

(Orig. incertaine ; il pourrait s'agir de *jus*, 7., « bénéfice, profit »). *C'est du trente au jus* : la libération du contingent aura lieu dans trente jours. — *Premier, deuxième jus* : soldat de 1re, 2e classe.

b (1884). Fam. Eau (en tant que milieu liquide, jamais en tant que boisson, et seulement dans quelques expressions). *Balancer un type au jus*, le jeter à l'eau (→ Franchir, cit. 3). *Se jeter au jus, dans le jus* (vieilli).

Les noyés qui, selon le courant, s'en vont échouer à Puteaux, à Argenteuil quand 7
ils se sont jetés dans le jus à Charenton par exemple, ou à Bercy (...) C'est autre chose que le plongeon dans une eau morte.
Francis CARCO, Ombres vivantes, p. 219.

♦ **4.** (1908). Fam. Dissertation scolaire ; exposé, discours. ⇒ **Laïus, topo.** *Il nous a fait un petit jus bien senti. Ton jus était pas mal, mais un peu long.*

♦ **5.** (1914, « eau des accumulateurs » ; de *jus*, 3., b, « eau », avec infl. du sens 6). Fam. Courant électrique. *Mettre le jus*, le contact. *Il n'y a plus de jus*, plus de courant électrique. ⇒ aussi **Court-jus.**

Il y a des petits cailloux blancs sur la mousse au bord de l'eau et il en prend et 8
vise les vaches mais elles sont loin on va s'approcher il faut traverser la clôture sans prendre de jus dans les pattes. Tony DUVERT, Paysage de fantaisie, p. 22.

♦ **6.** (1895, *in* Esnault). *Avoir du jus*, de la vigueur. — (1916 ; de *en avoir plus*, 1866). Fam. et vieilli. *Jeter du, son jus* : avoir de l'éclat, faire de l'effet. *Une toilette qui jette du jus.*

Loc. mod. (1883). *Ça vaut le jus*, la peine. — (Idée de qualité). *Du* *même jus :* du même acabit. — *Pur jus :* qui présente tous les caractères de son type. → Pure laine* (A., 4.; québécisme).

Ellipt. *Quel jus!*

9 Voilà le colonel. Sosthène il a plus sa robe... il s'est changé en bleu de chauffe, hautes bottes caoutchouc, le colonel sapé de même... sérieux tous les deux... absolument « Experiments » grand laboratoire!
Ah! le jus!...
Je lui fais remarquer :
— Vous êtes beau. CÉLINE, le Pont de Londres, p. 48.

♦ **7.** (1867, Delvau). Vx. Profit (d'une affaire). ⇒ **Juteux.**

DÉR. Jusée, juter, 1. juteux.
COMP. (Du 5). **Court-jus. — Thé-jus. — Verjus.**

2. JUS [ʒys] n. m. — 1890; lat. *jus, juris* « le droit ».

♦ Didact. (dr. rom., hist.). Ce qui est licite, les règles juridiques. ⇒ **Jus gentium.**

JUSANT [ʒyzɑ̃] n. m. — 1484, *iusant*; n. m., 1634, *jussan*, mot de l'Ouest de la France; probablt de l'adv. bas lat. *jus* « en bas » (980), de *jusum*, du lat. class. *deorsum*, avec influence du franç. *sus*; cf. aussi l'anc. gascon *iusant* « inférieur; du nord ».

♦ Mar. Marée descendante. ⇒ **Baissant** (n. m.), **perdant, reflux.** *Courant de jusant.*

1 Balancés, ballottés, en proie à tous jusants
Sur la mer où luisaient les astres favorables (...)
VERLAINE, Poèmes divers, « Prière ».

2 Si nous nous engagions dans ce canal, nous risquerions d'être entraînés au large par le courant, qui est d'une violence extrême. Or, si je ne me trompe, c'est un courant de jusant. Voyez, la marée baisse sur le sable. Prenons donc patience, et, à mer basse, il est possible que nous trouvions un passage guéable (...)
J. VERNE, l'Île mystérieuse, t. I, p. 33.

Par ext. Courant de jusant.

3 On a donc jeté l'ancre debout au jusant (...) la longueur de chaîne filée se compte par maillons. J.-R. BLOCH, Sur un cargo, p. 18.

Adj. *« Le flot jusant »* (Céline, *Guignol's band,* p. 48).

Par métonymie. Moment du jusant. *Au jusant, avant le jusant.*

Par métaphore. *« Jusant de l'action et de l'inaction »* (P. Morand, *in* T. L. F.).

JUSÉE [ʒyze] n. f. — 1765, *Encyclopédie*; de 1. *jus*, et suff. *-ée*.

♦ Techn. Liquide acide obtenu en lessivant, à l'eau, du tan déjà épuisé. *Bain de jusée,* pour le gonflement des peaux. ⇒ **Tannage.**

JUS GENTIUM [ʒysʒɛ̃sjɔm] n. m. — D. i.; expression latine signifiant « droit des gens ».

♦ Antiq. lat. Droit appliqué aux étrangers (par oppos. à *jus civile,* « droit des citoyens »). — Mod. Droit international.

JUSQU'AU-BOUTISME [ʒyskobutism] n. m. — D. i. (xxe); de *jusqu'au-boutiste*, et *-isme*.

♦ Politique, conduite du jusqu'au-boutiste. ⇒ **Extrémisme.**

Var. graphique :

(...) fléchir son jusqu'auboutisme, c'est essentiel.
Hervé BAZIN, les Bienheureux de la désolation, p. 39.

JUSQU'AU-BOUTISTE [ʒyskobutist] n. — 1917, R. Rolland; *jusqu'auboutien*, 1877, *in* D. D. L.; de *jusqu'au bout*, et *-iste*.

♦ **1.** Partisan de la guerre jusqu'au bout, jusqu'à la victoire. — Var. : *jusqu'auboutiste.*

1 Même ceux qui sont foncièrement patriotes et jusqu'au-boutistes ont reconnu l'impossibilité d'employer une autre voie.
R. ROLLAND, Journal, Cahier XX, décembre 1917.

2 Or nos nationalistes sont les plus germanophobes, les plus jusqu'au-boutistes des hommes (...) Ils poussent bien à la continuation de la guerre. Mais ce n'est que pour exterminer une race belliqueuse (...)
PROUST, le Temps retrouvé, Pl., t. III, p. 798.

3 M. Bontemps ne voulait pas entendre parler de paix avant que l'Allemagne eût été réduite au même morcellement qu'au moyen âge, la déchéance de la maison de Hohenzollern prononcée, et Guillaume ayant reçu douze balles dans la peau. En un mot, il était ce que Brichot appelait un « jusqu'auboutiste », c'était le meilleur brevet de civisme qu'on pouvait lui donner.
PROUST, le Temps retrouvé, Pl., t. III, p. 728.

4 En fait, voilà des années que nous entendons dire partout qu'il n'existe pas de solution militaire au problème algérien. C'était admis dans le privé par les plus déterminés *jusqu'au-boutistes.*
F. MAURIAC, le Nouveau Bloc-notes 1958-1960, p. 387.

♦ **2.** Par ext. Personne qui va jusqu'au bout de ses idées, de son action (notamment, en politique). ⇒ **Extrémiste.** *Des partis, des syndicats jusqu'auboutistes.*

CONTR. Modéré.
DÉR. Jusqu'au-boutisme.

JUSQUE, JUSQU' et (vx ou poét.) JUSQUES [ʒysk] prép. et conj. — xiie; *jusque, jusche*, v. 980, *Passion du Christ*; du lat. *de usque*, ou *inde* (« d'ici ») *usque* (« jusqu'à »); p.-ê. aphérèse de *enjusque* (attesté seulement au xiie), de *inde usque*.

REM. La forme *jusques,* avec l's adverbial, fréquente dans l'ancienne langue, s'emploie encore parfois pour des raisons d'euphonie, notamment en poésie.

Préposition marquant le terme final, la limite que l'on ne dépasse pas. S'emploie comme préposition (I.), comme adverbe (II.), et comme conjonction (*jusqu'à ce que,* III.).

★ **I.** Prép. (suivie le plus souvent de *à*, d'une autre préposition ou d'un adverbe).

A. JUSQU'À (introduisant un complément).

♦ **1.** (V. 980; lieu). En parcourant toute la distance (concrète ou métaphorique) qui sépare de..., en joignant, en rejoignant. ⇒ **À.** *Aller jusqu'à Moscou, jusqu'au Mexique. Il a couru jusqu'à la gare. Il est venu jusqu'à ma place pour me serrer la main. Rempli jusqu'au bord. « Notre corps va jusqu'aux étoiles »* (Bergson; → Homme, cit. 55). *Jusqu'à terre. Branches qui plient jusqu'à terre* (→ Étais, cit. 2). *Jusqu'aux extrémités* (cit. 1) *de la terre. Il la suivrait jusqu'au bout* (cit. 18) *du monde.* — Loc. *Jusqu'à la gauche*.* — *Porter, élever* (cit. 30) *qqn jusqu'aux nues.* — Syn. plus cour : *aux nues. Plonger son épée jusqu'à la garde* (1. Garde, cit. 84 et 86). *Vêtements usés jusqu'à la corde* (cit. 13). *Boire* (cit. 37 et 38) *le calice jusqu'à la lie. Remuer les âmes jusqu'au fond* (→ Intrigue, cit. 11). *Jusqu'au fond de l'âme* (→ Former, cit. 5). *Il a été atteint* (cit. 20) *jusqu'au fond de l'être* (→ aussi Atteindre, cit. 17 et 23). — Fig. *Pousser une action jusqu'à l'achèvement* (cit. 1). *Aller jusqu'au bout*. Ses maux s'augmentèrent* (cit. 18) *jusqu'aux derniers excès.* — Loc. (avec *point**). *Jusqu'à un certain point* (→ Faire, cit. 34; intraitable, cit. 1). *Jusqu'à ce point* (→ Empêcher, cit. 18; gradation, cit. 1). *Jusqu'à quel point* (→ Authentique, cit. 14; faiseur, cit. 19; incompréhensible, cit. 4; interverti, cit. 1). — *Jusqu'à l'extrême* (cit. 25). *Jusqu'à concurrence* de...*

Sion, jusques au ciel élevée autrefois, 1
Jusqu'aux enfers maintenant abaissée (...) RACINE, Esther, I, 2.

(L'ombre) Semble élargir jusqu'aux étoiles 2
Le geste auguste du semeur. HUGO, Chansons des rues et des bois, II, 3.

Frédéric se sentit blessé, jusqu'au fond de l'Âme... Il avait envie de mourir. 3
FLAUBERT, l'Éducation sentimentale, I, VI.

Quel bonheur de pouvoir dire tout ce que l'on sent à quelqu'un qui vous comprend *jusqu'au bout* et non pas seulement *jusqu'à un certain point,* à quelqu'un qui achève votre pensée avec le même mot qui était sur vos lèvres (...) 4
LOTI, Aziyadé, III, XL.

(Suivi d'un mot désignant une partie du corps). *Rougir jusqu'aux oreilles* (→ Gauchement, cit. 2), *jusqu'au blanc* (cit. 22) *des yeux. Un habit boutonné* (cit. 2) *jusqu'au menton. Dans l'herbe jusqu'au ventre* (→ Étoile, cit. 15). *Jusqu'aux cuisses, jusqu'aux genoux* (cit. 2 et 4), *jusqu'à mi-jambes* (→ Houppelande, cit. 3), *jusqu'à la ceinture* (→ Camail, cit. 2). — *Elle frissonna* (cit. 7) *jusqu'aux entrailles. Imprégner* (cit. 12) *jusqu'aux moelles. Le froid le saisit jusqu'au cœur* (cit. 36). *Se gratter* (cit. 24) *jusqu'au sang.* — *Maîtresse femme jusqu'au bout des ongles* (→ 1. Commode, cit. 9). *S'attendrir jusqu'aux larmes* (→ Attendrissement, cit. 3). *La tête rasée jusqu'à la peau* (→ Exception, cit. 10), *jusqu'au cuir* (cit. 1). — Fig. *Être plongé jusqu'au cou* (cit. 10) *dans les études, dans les affaires.*

(...) d'autres avaient leur burnous rabattu jusqu'aux yeux, le haïk relevé jusqu'au nez (...) E. FROMENTIN, Un été dans le Sahara, p. 232. 5

(Suivi d'un nom abstrait, pour marquer l'excès d'une qualité ou d'un défaut). *Pousser la méchanceté jusqu'au sadisme* (→ Guerre, cit. 12). *Son respect pour elle allait jusqu'à l'adoration* (cit. 4). *Être respectueux jusqu'à l'adoration. Empressée jusqu'à l'humilité* (cit. 24). *Poli jusqu'à l'obséquiosité* (→ Courber, cit. 26). *Audacieux* (cit. 6) *jusqu'à la témérité. Brave jusqu'à la folie* (cit. 15). *Poète jusqu'à la bêtise* (→ Fou, cit. 34).

Quand on dit : *cela est vrai jusqu'à une certaine limite,* on restreint la caractéristique *vrai,* en s'arrêtant à un point. Mais il arrive souvent au contraire qu'on se sert du même procédé de langage pour marquer que le développement atteint et passe un degré où la caractéristique se change en une autre, qui est comme l'extrémité de la première : *indulgent* **jusqu'à la faiblesse,** *pénétrant* **jusqu'à la divination;** — *brave* **jusqu'à la témérité,** *intraitable* **jusqu'à la folie** (Renan, Vie de Jésus, XX). F. BRUNOT, la Pensée et la Langue, p. 693. 6

(Avec un pronom personnel compl.). *Il est venu jusqu'à moi.* — Vx. *« Pour pénétrer jusques à lui »* (→ Attirail, cit. 4, La Bruyère). — *Comment arriver jusqu'à elle?* (→ Inaccessible, cit. 17). *Jusqu'à lui* (→ Atteindre, cit. 43). *La lumière de certaines étoiles* (cit. 16) *n'est pas encore arrivée jusqu'à nous* (→ Hellène, cit. 2).

(Devant un infinitif, après les verbes *aller**, *pousser*, etc., pour marquer la limite extrême, la conséquence d'un état ou d'une action). *Il est allé jusqu'à prétendre qu'on ne l'avait pas averti. Pousser l'audace* (cit. 20) *jusqu'à forcer une porte.* ⇒ **Point** (au point de).

(Elle) souhaiterait de se voir sa femme, jusqu'à lui donner tout son bien par contrat de mariage (...) MOLIÈRE, l'Avare, IV, 1. 7

8 La servitude abaisse les hommes jusqu'à s'en faire aimer.
VAUVENARGUES, Réflexions et maximes, 22.

9 (...) elle l'admirait comme son maître. Son génie allait jusqu'à l'effrayer; elle croyait apercevoir plus nettement chaque jour le grand homme futur dans ce jeune abbé. STENDHAL, le Rouge et le Noir, I, XVII.

10 Sa tendresse pour moi allait jusqu'à troubler sa raison, si lucide et si ferme en toutes choses. FRANCE, le Petit Pierre, I.

11 J'irai jusqu'à t'accorder que de toutes les images qui ne sont pas son portrait, c'est la plus ressemblante. J. ROMAINS, les Hommes de bonne volonté, IV, XIII, p. 140.

11.1 Le grain de sénevé, «la plus petite de toutes les semences», quelque ch(*ose*) d'introuvable et d'invisible, et l'amour de Dieu qui en peu de temps grandit et se multiplie de toutes parts jusques à tout remplir : dans ses branches, les oiseaux, les bonnes pensées, viennent se donner rendez-vous. CLAUDEL, Journal, juin 1934.

♦ **2.** (V. 980; *jusqu'à demain*, v. 1176, Chrétien; temps). En traversant toute la durée qui sépare de... *Rester éveillé* (cit. 29) *jusqu'au matin. Jusqu'au point du jour. Jusqu'à une heure avancée. Jusqu'au soir* (→ Fureur, cit. 24; glaner, cit. 1; hauteur, cit. 14). *Jusqu'à la dernière minute* (→ Évanouissement, cit. 1; hasarder, cit. 13). *Jusqu'au dernier moment* (→ Affecter, cit. 11). *Jusqu'à la fin, jusqu'au bout. Jusqu'à ce jour* (→ Étude, cit. 33). *Jusqu'à nos jours* (→ Inquisition, cit. 1). *Il a vécu jusqu'à quatre-vingt-quatre ans* (→ Garder, cit. 7). *Ne touchez à rien jusqu'à mon retour* (→ Empressement, cit. 2). *Elle garda le silence jusqu'à sa mort* (→ Avaler, cit. 10; intolérance, cit. 3). *Jusqu'à l'heure de sa mort* (→ Apprendre, cit. 28; estampille, cit. 1). — (Dans le passé). *Jusqu'à ces dernières années, les choses se passaient autrement.* — (Vers le passé). *Tradition qui remonte jusqu'aux siècles les plus reculés* (→ Antiquité, cit. 4). — *Jusqu'à l'infini* (→ Épuiser, cit. 29). — Vx. *Jusques à l'infinité* (cit. 3) *des temps* (La Bruyère). — *Jusqu'au jugement dernier* (→ Fossoyeur, cit. 2). — Loc. *Jusqu'à plus ample informé*. Jusqu'à nouvel ordre** (→ Imitation, cit. 18).

12 Autant que toi sans doute il te sera fidèle,
Et constant jusques à la mort. BAUDELAIRE, les Fleurs du mal, CX.

13 Ne t'ai-je pas aimé jusqu'à la mort moi-même. VERLAINE, Sagesse, II, IV, I.

14 J'ai reçu le mandat de défendre Paris contre l'envahisseur. Ce mandat, je le remplirai jusqu'au bout.
Général GALLIENI, Proclamation à l'armée de Paris, 3 sept. 1914.

REM. Suivi d'un mot énonçant le temps, *jusque* peut être précédé de la préposition *pour. En voilà pour jusqu'à demain* (→ Abréger, cit. 1; fricot, cit. 2). ⇒ **Pour**.

♦ **3.** *De..., depuis...* (qqch.), *jusqu'à...* (qqch.), marquant le point de départ dans le temps ou dans l'espace. *De la corniche jusqu'aux fondations* (cit. 1). *Du matin jusqu'au soir* (→ Aucun, cit. 31). *Du haut jusqu'en bas* (→ Frayeur, cit. 1), *jusques en bas* (→ Haut, cit. 74). *Depuis** (cit. 20 à 24 et 27 à 30) *en haut jusqu'en bas. Salle tapissée de fusils et de sabres depuis en haut jusqu'en bas* (→ Carabine, cit.). *Écorché* (cit. 3) *depuis la tête jusqu'aux pieds* (→ Habiller, cit. 2). *Équiper* (cit. 4) *depuis les pieds jusqu'à la tête.*

15 Mais vous, ami, prenez Narbonne, et je vous laisse
Tout le pays d'ici jusques à Montpellier (...)
HUGO, la Légende des siècles, X, Aymerillot.

16 Du haut jusques en bas de l'échelle fatale (...)
BAUDELAIRE, les Fleurs du mal, CXXVI, VI.

17 Ainsi, la Beauce, devant lui, déroula sa verdure, de novembre à juillet, depuis le moment où les pointes vertes se montrent, jusqu'à celui où les hautes tiges jaunissent. ZOLA, la Terre, III, I.

♦ **4.** (1547, J. Bouchet; totalité). *Jusques* combiné avec *y compris**, *inclus**, *inclusivement**, pour marquer que la limite extrême introduite par *jusque* est comprise. *Jusques et y compris la page vingt. Jusqu'au 17 décembre inclus* (cit. 2).

17.1 Cette ignorance ne l'empêcha pas de venir à bout de tout le repas, jusques et y compris la peau du saucisson et la croûte du gruyère.
R. QUENEAU, le Dimanche de la vie, p. 85.

Combiné avec un mot marquant la totalité *(tous, tout)*, et dans un sens voisin de «même». ⇒ **Même** (→ aussi ci-dessous, II., emploi adverbial). *Tous, jusqu'à sa femme, l'ont abandonné. Il a tout perdu, jusqu'à sa chemise. Tous me sont tombés dessus, jusqu'au maçon* (→ Friponner, cit.). *Il payait tout, jusqu'aux notes de la manucure* (→ Exceptionnel, cit. 9). *Tout le troupeau jusqu'au moindre agneau* (→ 1. Ferme, cit. 15). *Tous jusqu'au dernier* (→ Gouffre, cit. 4).

18 Tous les gens querelleurs, jusqu'aux simples mâtins,
Au dire de chacun, étaient de petits saints. LA FONTAINE, Fables, VII, 1.

19 Ma force à lutter s'use et se prodigue.
Jusqu'à mon repos, tout est un combat (...)
A. DE MUSSET, Derniers vers, Poèmes posthumes, p. 259 (→ Force, cit. 22).

B. Suivi d'une prép. autre que *à* (lieu ou temps) : *après, dans, chez, en, entre, par-dessus, passé, sous, sur, vers... Jusqu'après sa mort. Jusque dans un lieu* (→ Arbre, cit. 19 et 46; ébranler, cit. 8; enfer, cit. 3; garnison, cit. 5). *Il l'accompagne jusque chez lui* (→ Face, cit. 58). *Il est allé jusqu'en Chine. Suivre qqn jusqu'en enfer* (→ Caractère, cit. 24). *En avoir jusque par dessus la tête :* être excédé*. *Nous avons travaillé jusque passé minuit. Jusque sous les climats polaires* (→ Fraise, cit. 1). *Jusque sur les toits* (→ Fermer, cit. 36). *Je vous attendrai jusque vers onze heures et* (cit. 31) *demie.*

Hé bien! de leur amour tu vois la violence, 20
Narcisse : elle a paru jusque dans son silence. RACINE, Britannicus, II, 8.

(...) elle se plaisait en cette maison tranquille, et même elle y demeura jusques 21
après Pâques. FLAUBERT, Mme Bovary, II, XIV.

Durant tout le moyen âge et jusques au milieu du XVIIIe siècle. 22
André SUARÈS, Vues sur l'Europe, p. 131.

C. (V. 1165, *jusque ci*). Suivi d'un adv. de lieu ou de temps : *alors, à présent, aujourd'hui, demain, hier, ici, là, maintenant, où, tantôt... Ce pays jusqu'alors fermé aux étrangers* (→ Établir, cit. 4). *Le ciel demeuré jusqu'alors d'une limpidité immaculée* (→ Gâter, cit. 43). *Jusques alors* (→ Ardeur, cit. 19). *Une terre où jusqu'à présent je n'ai fait que passer* (→ Habiter, cit. 11). *Il n'avait eu jusqu'à présent qu'à se louer de ses fils* (→ Instinct, cit. 6). *Jusqu'ici :* jusqu'à cet endroit ou jusqu'à maintenant. *L'épidémie n'est pas arrivée jusqu'ici. Vous avez résisté jusqu'ici* (→ Courber, cit. 4). *Jusque-là :* jusqu'à cet endroit ou jusqu'à ce moment-là. *Une robe qui descend jusque-là. Jusque-là, il avait toujours évité d'en parler* (→ Garder, cit. 73). — Loc. fam. *En avoir jusque-là :* avoir trop mangé*, être repu. *On s'en est mis jusque là.* — (1673; → ci-dessous, cit. 22.1). Par ext. Être excédé*. — Syn. : *en avoir jusque par-dessus, en avoir par-dessus la tête, plein le dos, en avoir marre* (→ ci-dessous, cit. 23 et 27.1). *J'en ai jusque-là de vos histoires!* — *Jusqu'où* (relatif ou interrogatif). *Jusqu'où allez-vous? Jusqu'où cela va-t-il nous mener? Nul n'a su jusqu'où* (→ Fille, cit. 25). — Vx. *Jusques où* (→ Hasarder, cit. 4).

En un mot, j'ai déjà de Marseille et de votre absence jusque là. 22.1
Mme DE SÉVIGNÉ, Lettre à Mme de Grignan, 16 janv. 1673.

(...) je crois avoir déjà vu que *le chanoine* en a jusque-là de la duchesse (...) 23
Mme DE SÉVIGNÉ, 539, 19 mai 1676.

Sans doute il est fâcheux d'en venir jusque-là (...) MOLIÈRE, Tartuffe, IV, 5. 24

Tu vois, ami lecteur, jusqu'où va ma franchise. 25
A. DE MUSSET, Premières poésies, Namouna, I, LXXV.

Vous avez été courageux jusqu'ici, il ne faut pas flancher 26
R. DORGELÈS, Partir, X, p. 225.

Il n'est pas une ville française jusqu'où ne viennent saigner les blessures ouvertes 27
sur le champ de bataille. G. DUHAMEL, Vie des martyrs, p. 7.

Lionel resta encore une dizaine de minutes à se goberger et, tournant le dos à la 27.1
toile, déclara :
— J'en ai jusque-là. M. AYMÉ, le Vin de Paris, «La bonne peinture», p. 188.

Jusqu'où la charité peut-elle aller trop loin? 27.2
F. MAURIAC, le Nouveau Bloc-notes 1958-1960, p. 122.

Avec certains adverbes (*contre, loin, récemment, tard,* etc.) précédés ou non d'un adverbe de quantité (*assez, bien, fort, tant, très,* etc.). *Il a travaillé jusque tard, jusque très tard dans la nuit. Jusque récemment, jusque tout récemment.*

Il vient jusque tout contre la duchesse (...) François DE CUREL, les Fossiles, I, III. 28

REM. Devant *demain, hier, maintenant, tantôt,* on emploie généralement *jusqu'à* (*jusque demain* serait archaïque ou affecté). *Réfléchissez jusqu'à demain**. — Devant *après, après-midi, après-demain, avant-hier,* l'addition de *à* est facultative. Si l'on dit bien : *jusqu'après sa mort,* il semble préférable de dire, malgré l'hiatus : *jusqu'à après-demain, jusqu'à avant-hier.*

Tu vas rester jusqu'à après-demain. Louis DAUDET, Fausse étoile, p. 208. 29

Jusqu'à hier ils ont donné signes de vie (...) GIDE, Journal, 23 déc. 1927. 30

REM. La construction de *jusque,* suivi de *aujourd'hui,* a fait l'objet de longues discussions au XVIIe et au XVIIIe s.; les uns, considérant que cet adverbe contenait l'article *au,* préconisaient *jusqu'aujourd'hui*; les autres opinaient pour *jusqu'à,* en alléguant que *aujourd'hui* était un adverbe authentique. Dans la dernière édition de son *Dictionnaire,* l'Académie admet *jusqu'à aujourd'hui.* ⇒ **Aujourd'hui.** — Vx. *Jusques aujourd'hui* (cit. 11).

Qu'aucuns monstres par moi domptés jusqu'aujourd'hui 31
Ne m'ont acquis le droit de faillir comme lui. RACINE, Phèdre, I, 1.

(...) car tu n'as pas, je pense, 32
Mené jusqu'aujourd'hui cette affreuse existence?
A. DE MUSSET, Poésies nouvelles, «Dupont et Durand».

(...) jusqu'aujourd'hui l'espèce est demeurée indécise et flottante (...) 33
GIDE, Journal, Voyage en Andorre, Seo d'Urgel, 1910.

Il en était ainsi jusqu'à aujourd'hui (...) F. MAURIAC, Asmodée, I, VII. 34

Loc. interrogative. *Jusqu'à quand? Jusqu'à quand resterez-vous avec nous?* — Vx ou littér. *Jusques à quand?*

Jusques à quand, Ô ciel, et par quelle raison 35
Prendrez-vous contre moi des traits dans ma maison? CORNEILLE, Cinna, V, 2.

Jusqu'à quand souffre-t-on que ce peuple respire. RACINE, Esther, II, 1. 36

Jusques à quand dureront les cierges perpétuels devant la Vierge de Lourdes? 37
M. BARRÈS, Amitiés françaises, p. 208.

Et nous sommes seuls à dire : non. Jusques à quand? 37.1
F. MAURIAC, le Nouveau Bloc-notes 1958-1960, p. 30.

★ **II.** (1561, Calvin). Emploi adverbial (incluant dans une totalité, une série, l'objet ou le sujet introduit). ⇒ **Même.** *La terre, la mer, l'air, la nuit et jusqu'à l'éther* (cit. 6) *lui appartiennent. Il détestait son humilité* (cit. 20), *ses manières obéissantes et jusqu'à sa bonté. Il y a des noms et jusqu'à des personnes que j'ai complètement oubliés* (→ Fouiller, cit. 29).

Il livra tout, les papiers de Léopold, les ornements d'église, un fourneau et jus- 38
qu'à la grosse tuile. M. BARRÈS, la Colline inspirée, XI.

Spécialt (devant un objet ou un sujet isolé qu'il met en relief). *Il y avait là jusqu'à un phonographe* (→ Café-concert, cit.). *Vous avez com-*

promis jusqu'à mon honneur (→ Géronte, cit. 1). *Ils réclamaient jusqu'à l'argent des cadeaux* (→ Grossir, cit. 7; et aussi arbre, cit. 10; habile, cit. 1; fortune, cit. 32).

39 (...) que répondrais-je à ces critiques qui condamnent jusques au titre de ma tragédie (...) RACINE, Alexandre, 1re préface.

40 (...) il regrettait jusqu'à la senteur du gaz et au tapage des omnibus. FLAUBERT, l'Éducation sentimentale, I, VI.

41 Ainsi, jusqu'à la source de sa vie était empoisonnée. R. ROLLAND, Jean-Christophe, Le matin, p. 142.

42 Cet emploi *(adverbial)* se présente, par ex., dans une énumération : « *Fontenelle, le cardinal de Rohan..., jusqu'à l'abbé d'Olivet,* tout fut contre moi » VOLT., *Let.*, 31 août 1749; « Binet, Madame Lefrançois, Artémise, les voisins, et *jusqu'au maire,* monsieur Tuvache, tout le monde l'engagea » FLAUB., *Bov.*, II, 2; dans ces deux phrases, *jusque* conserve encore quelque chose de sa valeur propre (terme d'une énumération, point final d'une série). Le voici devant un sujet isolé : « Cet air de discrétion qu'avait remarqué *jusqu'à son cocher* » PROUST, *Swann*, II, 121; Cf. : « Les paroissiens ont déserté, *jusqu'aux marguilliers* ont disparu » LA BRUY., *Car.*, XV, 5. — *Jusqu'à* peut, de même, régir un objet direct : « J'aimais *jusqu'à ses pleurs* que je faisais couler » RAC., *Brit.*, 402; « J'ai perdu *jusqu'à la fierté* Qui faisait croire à mon génie » MUSS., *Tristesse.* — Ainsi employé, *jusqu'à* met le sujet ou l'objet en vif relief, et en vient à prendre le sens de l'adverbe *même.* G. et R. LE BIDOIS, Syntaxe du franç. moderne, § 1897.

REM. Devant un objet indirect amené lui-même par *à*, cette construction risque d'être équivoque, avec certains verbes. *Il a emprunté jusqu'aux secrétaires* peut avoir deux sens. L'équivoque disparaît si l'objet est placé avant le verbe (→ ci-dessous, cit. 43) ou s'il y a d'autres objets coordonnés *(Il a emprunté une voiture et jusqu'aux secrétaires).*

43 Jusqu'au chien du logis il s'efforce de plaire. MOLIÈRE, les Femmes savantes, I, 3.

Suivi d'un pronom relatif *(qui, que, dont, où),* dans une proposition indépendante de valeur exclamative. *Jusqu'à lui, qui nous trahit! Jusqu'au son de sa voix que je ne peux plus supporter!*

44 Jusqu'à ses yeux, dont l'expression changeait (...) Alphonse DAUDET, Sapho, IV.

45 La raison humaine était fatiguée (...) La philosophie même vacillait (...) Jusqu'à la science, où se manifestaient les signes de fatigue de la raison. R. ROLLAND, Jean-Christophe, Nouvelle journée, IV.

46 Jusqu'aux arbres qui lui paraissaient avoir changé (...) GIRAUDOUX, Bella, IX.

Il n'est pas jusqu'à... qui ne... (avec le subj.). *Il n'est pas jusqu'à son regard qui n'ait changé.* — (REM. L'omission du second *ne* et l'emploi de l'indicatif sont peu réguliers (→ ci-dessous, cit. 49, Gide).

47 Il n'est pas jusqu'au fat qui lui sert de garçon
Qui ne se mêle aussi de nous faire leçon (...) MOLIÈRE, Tartuffe, I, 2.

48 Il n'est pas jusqu'aux lettres, aux télégrammes flatteurs reçus par Odette, que les Swann ne fussent incapables de garder pour eux. PROUST, À la recherche du temps perdu, t. III, p. 108.

49 (...) il n'est pas jusqu'à ses lacets de souliers, qui s'achèvent juste avec le nœud. GIDE, les Faux-monnayeurs, IV.

★ **III.** Conj. ♦ **1.** (Av. 1405). **JUSQU'À CE QUE** : jusqu'au moment où. — REM. Dans cet emploi, *jusque* « marque le point d'arrivée dans le temps et suppose en outre une continuité qui a là son "terminus" » (G. et R. Le Bidois, *Syntaxe du franç. moderne*, § 1419).

(V. 1460; avec le subj.). *Jusqu'à ce que je revienne. Jusqu'à ce que ses jambes lui fassent mal* (→ Fatiguer, cit. 18; et aussi fédératif, cit. 1; 2. fumer, cit. 2; idéologie, cit. 7).

REM. 1. Avec *attendre, jusqu'à ce que* se réduit à *que* (→ Attendre, cit. 50 à 53).

2. Après une proposition négative, *jusqu'à ce que* a le sens de *avant que. Ne partez pas jusqu'à ce qu'il soit revenu. Cette génération* (cit. 21) *ne passera point jusqu'à ce que tout cela se fasse.*

50 Les hommes ont la volonté de rendre service jusqu'à ce qu'ils en aient le pouvoir. VAUVENARGUES, Réflexions et Maximes, 81.

51 Je verrai cet instant jusqu'à ce que je meure (...) HUGO, les Contemplations, IV, XV.

52 Un bourdon se cognait au plafond et aux glaces, jusqu'à ce qu'il eût découvert la fenêtre ouverte. F. MAURIAC, Genitrix, VII.

(Avec l'indic.). Vx ou littér. — REM. La langue classique, avant le XVIIIe s., employait souvent l'indicatif après *jusqu'à ce que,* pour exprimer un fait réel au passé. Rien n'empêche de l'employer encore ainsi quand on veut insister sur la réalité du fait, ou quand la conjonction se trouve assez éloignée du verbe, ou quand elle a perdu de sa valeur de conjonction.

53 *(Les Romains)* devinrent les maîtres du monde, jusqu'à ce qu'enfin leurs divisions les rendirent esclaves. VOLTAIRE, Lettres philosophiques, VIII.

54 Je m'étais fait un grand magasin de ruines, jusqu'à ce qu'enfin, n'ayant plus soif à force de boire la nouveauté et l'inconnu, je m'étais trouvé une ruine moi-même. A. DE MUSSET, la Confession d'un enfant du siècle, I, IV.

55 (...) ils reprirent haleine; jusqu'à ce qu'enfin Louis, s'étant à demi soulevé, regarda la fenêtre blanchissante (...) F. MAURIAC, *in* Revue des Deux Mondes, 15 oct. 1926.

♦ **2.** (V. 1175, Chrétien, *jusque tant que...; jusqu'à tant,* 1247). Vx ou régional. **JUSQU'À TANT QUE...**

56 Plusieurs années s'écoulèrent ainsi, grâce aux subventions d'Estelle jusqu'à tant que la mère mourût. Émile HENRIOT, Aricie Brun, III, I, p. 219.

JUSQU'AU TEMPS QUE... (littér.) : jusqu'au moment où...

57 Ce sont tous les amants qui crurent l'existence
Pareille au seul amour qu'ils avaient ressenti
Jusqu'au temps qu'un poignard l'exil ou la potence
Comme un dernier vers à la stance
Vienne à leur cœur dément apporter démenti
ARAGON, les Yeux d'Elsa, « Cantique à Elsa », 5.

(V. 1210). Vx ou littér. **JUSQUE-LÀ QUE...** (et l'indic.). ⇒ **Point** (à tel point que).

Un rien presque suffit pour le scandaliser; 58
Jusque-là qu'il se vint l'autre jour accuser
D'avoir pris une puce en faisant sa prière (...) MOLIÈRE, Tartuffe, I, 5.

(Ils se font) gloire de leurs débauches, *jusque-là même qu'*il s'en trouve parmi eux qui s'en vantent quelquefois, bien qu'ils n'y aient point de part (...) 59
Paul HAZARD, la Crise de la conscience européenne 1680-1715, t. I, p. 76, *in* G. et R. LE BIDOIS, Syntaxe du franç. moderne, § 1521.

JUSQU'AU POINT QUE... (vx) : à tel point que...

Je rêve (...) que je trouve progressivement mon ouvrage à partir de pures conditions de forme, de plus en plus réfléchies, — précisées jusqu'au point qu'elles proposent ou imposent presque (...) un *sujet.* VALÉRY (→ Forme, cit. 56). 60

COMP. Jusqu'au-boutisme, jusqu'au-boutiste.

JUSQUIAME [ʒyskjam] n. f. — XIIIe, bas lat. *jusquiamus;* du lat. *hyoscamos,* grec *huoskuamos,* de *hûs* « porc », et *kuamos* « fève », littéralt « fève de cochon ».

♦ **1.** Plante dicotylédone herbacée *(Solanacées),* à fleurs jaunes rayées de pourpre, scientifiquement appelée *Hyoscyamus,* qui doit à l'hyoscyamine* qu'elle contient ses propriétés narcotiques et toxiques. *Jusquiame noire,* utilisée en médecine comme calmant. — Syn. : *herbe des chevaux, herbe aux poules, herbe à la teigne. Jusquiame du Pérou* (Datura Stramoine).

Alfandri fut le premier à s'apercevoir que les brûlures du garçon avaient besoin de soins. Il y alla d'une demi-once de baume à la jusquiame, et d'un pansement à la charpie habilement noué. 1
Herbert LE PORRIER, le Luthier de Crémone, p. 36.

♦ **2.** Extrait vénéneux de cette plante, à effet hallucinatoire.

Des hommes qui portaient, en signe de désespoir, des manteaux faits de haillons ramassés, s'établirent au coin des carrefours (...) Les plus dangereux étaient les buveurs de jusquiame; dans leurs crises ils se croyaient des bêtes féroces et sautaient sur les passants qu'ils déchiraient. 2
FLAUBERT, Salammbô, Pl., t. I, p. 958.

JUSSIÉE [ʒysje] n. f. — 1807; *jussie,* 1803; lat. sc. *jussievia,* ou *jussiæa* (Linné), du nom de *Jussieu,* célèbre botaniste français (1699-1777).

♦ Bot. Plante dicotylédone *(Œnothéracées),* exotique et vivace, herbe ou arbrisseau aquatique à grandes fleurs jaunes ornementales, acclimatée en France pour la décoration des pièces d'eau. *Jussiée à grandes fleurs.*

JUSSIF, IVE [ʒysif, iv] adj. et n. m. — XXe (*in* Larousse, 1931); du lat. *jussum,* supin de *jubere* « engager à, ordonner ».

♦ Didact. (ling.). Qui est relatif à une injonction, à un ordre. *Un énoncé jussif à l'impératif*.* — N. m. *Le jussif :* l'impératif.

JUSSION [ʒysjɔ̃] n. f. — Av. 1590, Brantôme; *tenir en jussion* « en sujétion », v. 1450; bas lat. jussio « ordre », du lat. class. *jussum,* supin de *jubere* « ordonner ».

♦ Dr. anc., hist. *Lettres de jussion :* lettres adressées par le roi aux cours souveraines et portant commandement* d'enregistrer une ordonnance, un édit.

S'il *(le roi)* estime que les remontrances *(des cours)* ne sont pas justifiées, il prescrit l'enregistrement par des lettres péremptoires, appelées *lettres de jussion.*
Fr. OLIVIER-MARTIN, Précis d'hist. du droit franç., no 896.

JUSTAUCORPS [ʒystokɔʀ] n. m. — 1617, écrit *just-au-corps;* var. anc. *juste-au-corps;* de *juste, au,* et *corps.*

♦ **1.** Ancienn. Vêtement serré à la taille et muni de manches et de basques généralement assez longues. ⇒ **Jaque, pourpoint, soubreveste.** *Justaucorps de laine* (→ Haut-de-chausses, cit. 2), *de velours. Justaucorps entrouvert sur la chemise* (→ Hiatus, cit. 4).

L'habit de fantaisie de celui qui devait revêtir la bure était un justaucorps violet d'une étoffe précieuse (...) CHATEAUBRIAND, Vie de Rancé, p. 34.

Par métonymie. Hist. *Justaucorps à brevet :* gentilhomme autorisé à porter par brevet le même justaucorps que le roi.

♦ **2.** Mode. Vêtement féminin qui épouse la forme du haut de corps; veste serrée. *« Un torse brun, gainé d'un petit justaucorps de tricot sans manches »* (Colette, *la Naissance du jour, in* T. L. F.).

♦ **3.** (D'abord « collant d'équilibriste »). Mod. Maillot collant d'une seule pièce qui couvre le buste, utilisé pour la danse et la gymnastique. ⇒ **Collant.** *Un justaucorps de danseuse en forme de débardeur. « L'École de danse : adolescentes en collants roses, justaucorps à jupette translucide, silhouettes graciles »* (*Libération,* l'Opéra de Paris, 12 janv. 1984). — REM. On emploie aussi dans ce sens le faux anglicisme *body.*

JUSTE [ʒyst] adj. et n. m. — V. 1120; du lat. *justus.*

★ **I.** Adj. **A.** (Personnes et choses). Idées de justice ou d'exactitude.

♦ **1.** (V. 1120; personnes; en épithète, après le nom). [a] Qui se comporte, qui agit conformément à la justice, à l'équité (cit. 14). ⇒ **Équitable.** *Un homme juste et bon* (→ Fiel, cit. 5; absoudre, cit. 5). *Soyons justes* (→ Crime, cit. 8). *Un État juste* (→ Enseignement, cit. 2). *Un peuple, une nation juste. Un régime juste. Être juste pour, envers, à l'égard de qqn... Il faut être juste; pour être juste* : sans parti pris. ⇒ **Honnête, loyal.** — *Une âme, une conscience* juste.* ⇒ **Droit.** *Magistrat juste.* ⇒ **Impartial, intègre.** — Par exclamation : *Juste ciel!* (cit. 58); *justes dieux!* (→ Aimer, cit. 42).

1 — Juste Ciel! où va-t-il s'exposer? RACINE, Bajazet, III, 4.

2 On ne peut être juste si on est humain.
VAUVENARGUES, Réflexions et maximes, 28.

3 (...) l'homme juste a l'estime de son valet.
ROUSSEAU, Julie ou la Nouvelle Héloïse, IV, X.

4 Il faut être juste avant d'être généreux, comme on a des chemises avant d'avoir des dentelles. CHAMFORT, Maximes et Pensées, Sur les sentiments, XXVI.

5 Il faut être bon, mais avant tout il faut être juste : on peut tolérer celui qui ne fait pas le bien, mais celui qui fait le mal est un ennemi de l'ordre.
É. DE SENANCOUR, De l'amour, p. 150.

N. m. (1672). *Un, les justes. Être un juste* (→ Honnête, cit. 7). *La conscience du juste* (→ Humeur, cit. 33). *Dormir* du sommeil du juste,* d'un sommeil que ne trouble aucun remords, d'un sommeil paisible et profond.

5.1 Il n'y a pas de justes, mais seulement des cœurs plus ou moins pauvres en justice. Vivre, du moins, nous permet de le savoir et d'ajouter à la somme de nos actions un peu de bien qui compensera, en partie, le mal que nous avons jeté dans le monde. CAMUS, Réflexions sur la guillotine, *in* Essais, Pl., p. 1055.

[b] Relig. Qui observe exactement, scrupuleusement les devoirs de la religion. *Des pêcheurs qui se croient* (cit. 73) *justes. Un homme juste et craignant Dieu. Un homme juste et sage, juste et charitable.*

N. m. (V. 1120). Plus cour. dans cet emploi. *Le juste paie pour les pécheurs* (→ Acquitter, cit. 2). *La piété, l'humilité* (cit. 13) *du juste. La couronne* du juste. Les justes et les impies* (→ Ange, cit. 6). *Le paradis*, séjour des justes.* — *« Je suis innocent* (cit. 9) *du sang de ce juste ».*

6 Malédiction de Yahvé sur la maison du méchant!
Mais il bénit la demeure des justes. BIBLE (JÉRUSALEM), Proverbes, III, 33.

7 Mais les justes recevront la terre en héritage, et ils y demeureront durant tout le cours des siècles. BIBLE (SACY), Psaumes, XXXVI, 31.

8 Je vous dis de même qu'il y aura plus de joie dans le ciel pour un seul pécheur qui fait pénitence, que pour quatre-vingt-dix-neuf justes, qui n'ont pas besoin de pénitence. BIBLE (SACY), Évangile selon saint Luc, XV, 7.

9 L'impie observe le juste, et cherche à le faire mourir; mais Dieu ne l'abandonnera point. PASCAL, Pensées, VII, 446.

Spécialt. *Les* (trente-six) *Justes*, de la tradition juive. *Le Dernier des justes,* ouvrage de A. Schwartz-Bart. — *Le Juste* : le Christ.

Spécialt. Non-juif ayant sauvé des juifs en danger, pendant la Deuxième Guerre mondiale.

♦ **2.** (V. 1283; choses; en épithète, avant ou après le nom). Qui est conforme à la justice, au droit, à l'équité. ⇒ **Équitable.** *Une belle et juste cause. Une cause juste* (→ Clémence, cit. 7). *Guerre* (cit. 37) *juste* (→ Côté, cit. 35). *Conditions justes* (→ Hic, cit. 3). ⇒ **Correct, honnête, loyal.** *Juste partage. Juste récompense. Juste indemnité* (cit. 1). *Par un juste retour* (→ Arme, cit. 21). *Un juste retour des choses. Tenir pour justes les lois établies* (cit. 41; → Fondement, cit. 1). *Ce qui est licite* n'est pas nécessairement juste.* — *Un impôt, une taxe juste. Punition, châtiment juste; loi, jugement, décret, mesure juste.* — Vx. *Justes noces* : mariage légitime. — Loc. *Convoler* en justes noces* (→ Agnation, cit.). — *Nous ne trouvons pas juste que...* ⇒ **Bon** (→ Estimer, cit. 16). — Impers. *Il est juste d'acquitter* (cit. 6) *ses dettes. Il* (cit. 21) *est juste, il n'est pas juste que...* (→ Berger, cit. 15; église, cit. 7; force, cit. 45). — Fam. *C'est pas juste! j'ai rien fait!* — Littér. *Il n'est pas juste de...* (et inf.), *que...* (et subj.).

10 L'extrême espèce d'injustice, selon Platon, c'est que ce qui est injuste soit tenu pour juste. MONTAIGNE, Essais, III, XII.

11 (...) ne pouvant faire que ce qui est juste fût fort, on a fait que ce qui est fort fût juste. PASCAL, Pensées, V, 298.

12 La notion de quelque chose de juste me semble si naturelle, si universellement acquise par tous les hommes, qu'elle est indépendante de toute loi, de tout pacte, de toute religion. VOLTAIRE, le Philosophe ignorant, XXXII.

13 Rien n'est juste que ce qui est honnête; rien n'est utile que ce qui est juste.
ROBESPIERRE, *in* MICHELET, Hist. de la Révolution franç., IX, V.

14 Une guerre de Saint Louis est une guerre juste. Un traité de Saint Louis est un traité juste. Telle est la guerre chrétienne, puisqu'il faut bien que ces deux mots aillent ensemble. Une juste guerre, à défaut d'une juste paix, et pour préparer une juste paix. Et la croisade elle-même est une juste guerre.
Ch. PÉGUY, Note conjointe, Sur Descartes, p. 158.

15 (...) N'est-il pas juste
Que chacun dispose de son bien comme il lui plaît? GIDE, le Roi Candaule, I, 3.

16 Car s'il est juste que le libertin soit foudroyé, on ne comprend pas la souffrance de l'enfant. CAMUS, la Peste, p. 244.

N. m. (V. 1361). ⇒ **Justice.** *Le vrai, le beau et le juste* (→ Faire, cit. 134). *Le sentiment du juste et de l'injuste* (→ Éteindre, cit. 19; indignation, cit. 6).

♦ **3.** (V. 1587; avant le nom, en épithète). ⇒ **Fondé, légitime.** *Avoir un juste sujet de s'alarmer* (cit. 1). *Juste grief* (1. Grief, cit. 5). *Juste haine* (cit. 14). *Un juste dépit* (→ Animer, cit. 18). *Juste fureur* (→ Braver, cit. 4). *Un juste courroux* (→ Battre, cit. 70). *De justes revendications* (→ Étendard, cit. 8). — *Les événements ont donné raison à vos justes craintes.* ⇒ **Justifier.** *J'ai de justes raisons de me méfier de lui* (Académie).

Britannicus, Madame, eut des desseins secrets 17
Qui vous auraient coûté de plus justes regrets. RACINE, Britannicus, V, 6.

(...) au lieu de revenir sur ces griefs, je m'en tiens à vous faire une demande aussi simple que juste (...) LACLOS, les Liaisons dangereuses, XLI. 18

Loc. *À juste titre*.* ⇒ **Droit** (à bon). *À juste raison*.*

♦ **4.** (Avant ou après le nom, en épithète selon les syntagmes). Qui a de la justesse*, qui convient bien, est bien tel qu'il doit être. ⇒ **Adéquat, approprié, convenable, exact.** *Garder la juste mesure. Juste milieu** (cit. 18, 19 et 20). *Estimer* (cit. 1) *les choses à leur juste prix. Jauger un écrivain à sa juste valeur.* ⇒ **Réel, véritable, vrai** (→ Fatuité, cit. 7). — *Calcul, solution, compte juste. L'addition est juste.* ⇒ **Exact.** — *Horloge qui indique l'heure juste. Midi* (cit. 7.1) *juste. À la seconde juste où...* ⇒ **Même, précis** (→ Approche, cit. 6). *À l'endroit juste où... À juste portée.* — *La juste valeur des mots* (→ Bon, cit. 23). *Prose juste et vigoureuse* (→ Emploi, cit. 3). *Expression* (cit. 3), *mot juste.* ⇒ **Propre** (→ Captiver, cit. 8). *Au sens le plus juste du terme.* ⇒ **Rigoureux, strict.** — *Sons justes à l'oreille* (→ Harmonie, cit. 19). *Une voix très juste.* — Spécialt. *Intervalles* justes* (consonants). — *Juste rapport, justes proportions.* ⇒ **Équilibre.** *Corps* (cit. 25) *aux justes proportions.* ⇒ **Harmonieux, heureux.** — Qui correspond bien à ce qu'il est sensé exprimer, manifester. *Geste, mouvement, jeu scénique juste. Un acteur qui cherche le ton juste.*

Sa lumière *(du Titien)* est si juste, que, quand on regarde un de ses tableaux et ensuite le ciel, on ne s'aperçoit pas d'avoir passé de l'image à l'objet même. 19
CHATEAUBRIAND, Mémoires d'outre-tombe, t. VI, p. 175, note 1.

Le geste est vrai, juste, actuel surtout; c'est bien ainsi que nous nous levons, que nous nous asseyons, que nous tenons notre chapeau (...) 20
Th. GAUTIER, Portraits contemporains, Gavarni.

Connaître la valeur juste des mots, dit-il *(Lacretelle)*, est le grand secret de bien écrire. Le mot le plus nu, mis en bonne place, fait bien plus d'effet que le terme rare. A. MAUROIS, Études littéraires, Lacretelle, I. 21

J'ai vérifié les devoirs de Marcellin. Les additions sont justes. Les multiplications aussi. Mais il soustrait mal. H. BOSCO, Un rameau de la nuit, p. 185. 22

Spécialt. (Après le nom, en épithète). [a] (V. 1283, Beaumanoir). Vieilli. Qui fonctionne avec exactitude et précision. ⇒ **Exact.** *Une balance, une montre juste. Ce fusil est très juste* (Académie).

[b] (Mil. XVIIe, Rousseau; en parlant d'un son, d'une source sonore). Qui est exactement conforme à ce qu'il doit être (opposé à *faux*). *Faire accorder un piano qui n'est plus juste. Voix juste. Note juste,* qui rend exactement le son voulu (→ par métaphore Butin, cit. 4).

Tout le monde a une voix quelconque (...) étendue ou restreinte, juste ou fausse, le plus souvent juste et peu étendue (...) 23
Albert LAVIGNAC, la Musique et les Musiciens, II, p. 63.

♦ **5.** (1580, Montaigne). Fig. (Le plus souvent après le nom, en épithète). Qui est conforme à la vérité, à la raison, au bon sens. ⇒ **Authentique, exact, logique, raisonnable, rationnel, vrai.** *Dire des choses très justes* (→ Gobeur, cit. 2). *C'est juste; rien de plus juste.* ⇒ **Correct** (→ Idée, cit. 37). *Comparaison, image juste.* ⇒ **Heureux** (→ Amour, cit. 23; fortune, cit. 36). *Observations fines, sensées et justes* (→ Assentiment, cit. 8; inintelligence, cit. 1). *La vue d'ensemble* (cit. 14) *la plus juste. Se faire, donner une idée juste de...* (→ Abus, cit. 5; inédit, cit. 3). *De justes raisons.* ⇒ **Pertinent** (→ Ingénieux, cit. 3). — Impers. *Il est juste de...* (et inf.) : il est exact. *Il ne serait pas tout à fait juste de dire... C'est juste! :* c'est exact. — Ellipt. *Très juste! :* c'est très exact.

L'idée essentielle me paraît juste, incontestable (...) 24
SAINTE-BEUVE, Correspondance, t. I, p. 298.

Ce qu'il soutient *(Brunetière)* n'est pas toujours très juste; mais toujours très solidement établi. Oserait-on dire même : d'autant mieux établi que moins juste. 25
GIDE, Journal, 2 déc. 1942.

Aucune force au monde ne peut empêcher une idée juste d'être juste! 26
MARTIN DU GARD, les Thibault, t. VIII, p. 26.

(...) ils *(les malades)* paraissaient se faire une idée plus juste de leurs intérêts et ils réclamaient d'eux-mêmes ce qui pouvait leur être le plus favorable. 27
CAMUS, la Peste, p. 279.

N. m. *Être dans le juste* (→ Force, cit. 70).

♦ **6.** (Mil. XVIe; personnes; aptitudes, sens). Qui apprécie bien, avec exactitude (les êtres ou les choses). *Un juste appréciateur* (cit.). *Avoir* (1. Avoir, cit. 25) *le coup d'œil, l'oreille juste* (→ 1. Faux, cit. 38). — Fig. *Esprit juste et carré* (cit. 2; → Caractère, cit. 20). *Le sentiment juste du moment opportun* (→ Insinuation, cit. 1).

(...) mes yeux pour vous sont plus justes que ceux des autres : je pourrais bien vous trouver abattue et fatiguée au travers de leurs approbations. 28
Mme DE SÉVIGNÉ, 143, 11 mars 1671.

Ce n'est point un grand avantage d'avoir l'esprit vif, si on ne l'a juste. La perfection d'une pendule n'est pas d'aller vite, mais d'être réglée. 29
VAUVENARGUES, Réflexions et Maximes, 204.

Le romantique regarde une armoire à glace et croit que c'est la mer. Le réaliste regarde la mer et croit que c'est une armoire à glace. Mais l'homme qui a l'esprit juste dit, devant la glace : « C'est une armoire à glace » et, devant la mer : « C'est la mer ». J. RENARD, Journal, 5 déc. 1909. 30

B. (V. 1460, Villon; choses). Idée d'insuffisance. (Souvent avec les adv. *bien, trop...,* la loc. adv. *un peu...*). ♦ **1.** (Déb. XVIIe, d'Aubigné). Abstrait. Qui suffit à peine. ⇒ **Court.** *Repas trop juste pour dix personnes. Vous n'aurez que trois minutes pour changer de train : ce sera juste. C'est tout ce qui lui reste pour finir le mois? c'est un peu juste.* ⇒ **Jeune** (1.).

31 Qui veut faire sa dépense juste, la fait étroite et contrainte.
MONTAIGNE, Essais, III, IX.

32 Mme de Chaulnes doit être arrivée hier à Paris; et c'est justement aujourd'hui, ou hier samedi, qu'ils *(M. et Mme de Chaulnes)* doivent être partis; cela sera bien juste.
Mme DE SÉVIGNÉ, 1210, 28 août 1689.

(Financièrement). *« Les fins de mois sont bien justes »* (Camus, *in* T. L. F.).

(En parlant des personnes). *Être juste, un peu juste :* manquer d'argent. *Je suis assez juste en ce moment, je ne pourrai rien vous prêter.*

32.1 Ils étaient plutôt justes à ce moment-là (...)
F. MALLET-JORIS, le Jeu du souterrain, p. 139.

♦ **2.** Concret. Trop serré, trop ajusté (vêtement, assemblage, etc.). *Ce pantalon est trop juste.* — Vx. *Juste à qqn* (mod. : *pour qqn*).

33 Tu n'as qu'un pantalon de nankin fait cette année, ceux de l'année dernière te sont justes (...)
BALZAC, les Illusions perdues, Pl., t. IV, p. 590.

Vx (langue class.). *Un vêtement juste,* qui va bien.

N. m. (V. 1155). Vx (langue class.). *Un juste,* vêtement (masculin, puis féminin) ajusté (comme le justaucorps). *Le juste à la Figaro, à la Suzanne* (par allus. au *Mariage de Figaro,* acte V), à la mode avant la Révolution.

★ **II.** Adv. ♦ **1.** (Mil. XVIIe). Avec justesse, exactitude; comme il convient. ⇒ **Justement.** *Raisonner, penser juste* (→ Habitude, cit. 18). *Voir* juste. Parler juste.* ⇒ **Propos** (avec à-propos). → Antithèse, cit. 1; hardiesse, cit. 5. *Calculer juste. Deviner* (cit. 3), *tomber juste* (→ Impair, cit. 2). — *Chanter juste. Dire juste,* avec un ton et des intonations justes (→ Déclamation, cit. 3). *Acteur qui dit juste.*

Avec précision. *Tirer* (→ 1. Bas, cit. 61), *viser juste. Peser juste. Mesurer juste* (→ Avoir le compas dans l'œil*). *Frapper* (cit. 19 et 26), *toucher juste* (→ Hoquet, cit. 6) : atteindre très exactement le but visé, et, au fig., agir ou parler exactement comme il convient.

34 Il faut chercher seulement à penser et à parler juste, sans vouloir amener les autres à notre goût (...)
LA BRUYÈRE, les Caractères, I, 2.

35 Madame de Mortsauf avait vu juste, je lui devais donc tout : pouvoir et richesse, le bonheur et la science (...)
BALZAC, le Lys dans la vallée, Pl., t. VIII, p. 910.

36 — Deux cent trente, et soixante-dix, trois cents tout ronds... C'est bien ça, j'avais calculé juste (...)
ZOLA, la Terre, V, 1.

37 Peu porté lui-même au paradoxe — par une sorte de respect filial de la vérité, et aussi par l'habitude professionnelle de penser juste — il ne détestait pas chez autrui.
J. ROMAINS, les Hommes de bonne volonté, t. IV, IX, p. 90.

En art. *Tracer, rendre juste. Jouer, dire juste* (au théâtre).

♦ **2.** (1636). Exactement, précisément. — (Spatial). *Juste au coin de la rue* (→ Alignement, cit. 1), *au-dessus des arbres* (→ Face, cit. 60). *Cela s'est passé juste comme il voulait* (→ aussi Ébauche, cit. 7). *Projectile reçu juste entre les yeux* (→ Cassie, cit.). — (Abstrait). *Juste autant d'amour que de vertu...* (→ Étonnant, cit. 8). — (Temporel). *Il arriva tout juste à ce moment. Juste pendant cet arrêt* (→ 1. Gare, cit. 5). *Juste ce qu'il faut...* (→ Charme, cit. 16).

38 — (...) Sa probité? — Tout juste autant qu'il en faut pour n'être point pendu.
BEAUMARCHAIS, le Barbier de Séville, I, 4.

39 (...) il trouve toujours à dire, juste au moment convenable, un mot spirituel et fin.
STENDHAL, le Rouge et le Noir, II, XIII

40 (...) les Grecs (...) plaçaient, au contraire, leurs théâtres, juste à l'endroit d'où l'œil pouvait le plus être ému par les perspectives.
MAUPASSANT, la Vie errante, La Sicile.

41 Mais il n'avait d'yeux que pour l'ombre. « Qu'elle est belle sur le mur! Juste assez étirée, juste comme je l'aimerais... »
COLETTE, la Chatte, p. 10.

Juste devant, derrière, à côté, au milieu. Juste dans, sur... Juste avant, après...

Juste! (vieilli); *tout juste!* : en effet, exactement; c'est bien ça. — Fam. *Tu t'appelles Jean? Tout juste, Auguste.*

41.1 — Tiens, je parie que c'est Barbaroux!
— Mademoiselle Frisette!... mademoiselle Frisette!...
— Juste.
E. LABICHE, Frisette, 18.

(Avec le nom d'une heure). *Il est cinq heures juste.* — (Plais.). *Il est moins juste :* c'est l'heure, c'est l'heure ronde. *C'était moins juste :* il n'était que temps (pour se tirer d'un mauvais pas, d'une difficulté, d'une affaire fâcheusement engagée, etc.).

♦ **3.** (XIXe; → ci-dessous, cit. 42). D'une manière trop stricte, en quantité à peine suffisante. *Compter, prévoir un peu trop juste.* — *Arriver juste, bien juste,* au tout dernier moment. ⇒ **Justesse** (de). — *Son salaire l'empêche juste de crever* (cit. 25) *de faim. Cela lui coûte juste la peine de se baisser* (cit. 32). ⇒ **Ne** (ne... que), **seulement.** *Rester juste de temps de... Il partait juste comme vous arriviez.* ⇒ **Peine** (à peine); **venir** (de). — *Bien juste, tout juste. Savoir tout juste lire* (→ Facilité, cit. 10). *Son estomac* (cit. 5) *est tout juste rassasié. Il s'est vendu tout juste cinq cents exemplaires,* au plus, tout au plus (→ Insuccès, cit. 2). *C'est tout juste passable.* ⇒ **Peine** (à).

42 *(Il)* n'eut que le temps tout juste de parer du sabre (...)
J.-A. DE GOBINEAU, Nouvelles asiatiques.

Spécialt. *Cette robe vous habille trop juste,* elle est trop étroite, elle vous serre trop.

♦ **4.** Loc. adv. (Av. 1787). AU JUSTE. ⇒ **Exactement.** *Qu'est-ce que c'est au juste que cette histoire?* (cit. 50). *Je n'en sais rien au juste. Il ne savait pas au juste où...* (→ Chanceler, cit. 5; confus, cit. 4).

Il y en avait *(des chats)* toujours une bande, douze, quinze, vingt, on ne savait pas au juste (...) 43
ZOLA, la Terre, II, 1.

Il ne sait même pas au juste si son nom se termine par un *d* ou par un *t*... 44
G. DUHAMEL, Salavin, Journal, 4 février.

— Pourquoi allumer aussi ce couloir et pas seulement votre chambre? — Une habitude que j'ai. Je ne sais pas au juste. 44.1
M. DURAS, Moderato cantabile, p. 61-62.

Au plus juste : le plus exactement possible, sans dépasser. *Faire des comptes* (cit. 15) *au plus juste.*

(1808; *comme juste,* 1768, Rousseau). COMME DE JUSTE : comme il se doit. ⇒ **Raison** (comme de). — REM. Cette locution, considérée comme populaire par Littré et condamnée par les puristes, est admise par l'Académie (à l'article *De*) et consacrée, de nos jours, par l'usage littéraire.

On racontait qu'en 1814 il avait apporté à Louis XVIII, détalant vers Gand, d'une main la caisse de son arrondissement, et de l'autre un coulis de truffes (...) Louis XVIII avait, comme de juste, pris la caisse sans dire seulement merci. 44.2
BARBEY D'AUREVILLY, les Diaboliques, « À un dîner d'athées ».

Mais Christophe se réservait, comme de juste, la plus belle *(des marches triomphales).* 45
R. ROLLAND, Jean-Christophe, L'aube, p. 83.

Je dessinais. J'écrivais (...) comme de juste on me flattait. 46
COCTEAU, la Difficulté d'être, p. 46.

CONTR. Abusif, absurde, approximatif, arbitraire, boiteux, calomnieux, criminel, damné, dépravé, déraisonnable, désaccordé, faux, incorrect, inéquitable, inexact, inique, injuste, réprouvé.

DÉR. Justement, justesse. — (Du sens I, B) **Justin.**

COMP. 1. **Ajuster,** 2. **ajuster, injuste, justaucorps, juste-milieu.**

JUSTEMENT [ʒystəmɑ̃] adv. — (V. 1175; de *juste*).

★ **I.** ♦ **1.** Rare. Avec justice, conformément à la justice. *Juger, récompenser, punir, indemniser justement qqn. Répartir justement les revenus. Être justement puni* (→ Gâter, cit. 35). *Ses efforts ont été justement récompensés.*

(1265). De façon légitime. *Être justement célèbre.*

♦ **2.** (XIIIe). Avec raison, à bon droit. *Être très justement alarmé* (cit. 2). *Se flatter* (cit. 58) *justement. Craindre justement pour son sort* (→ Grenouille, cit. 4). *Être justement blessé d'un soupçon* (→ Incrédule, cit. 6).

♦ **3.** Avec justesse, pertinence. *Estimer, apprécier justement le danger, la situation. On dira plus justement que...* ⇒ **Adéquatement, pertinemment** (→ Imitateur, cit. 5). *Efforcez-vous de penser plus justement.* ⇒ **Juste** (adv.).

Il a tort en effet, 1
Et vous vous êtes là justement récriée.
MOLIÈRE, les Femmes savantes, V, 4.

★ **II.** (V. 1360). Cour. Adv. de phrase (pour marquer l'exacte concordance de deux faits, d'une idée et d'un fait). ♦ **1.** Précisément. ⇒ **Juste** (II., 2). — *Pourquoi faire ceci justement ce jour-là? Il vient justement de partir. Je dois justement vous voir demain. Je l'ai justement rencontré hier. C'est justement ce qu'il ne fallait pas faire.* ⇒ **Exactement, précisément.**

On a choisi justement ce moment (→ Épier, cit. 10). *On cherchait justement qqn* (→ Fil, cit. 10). *Forcé* (cit. 12) *justement de s'absenter ce jour-là. Justement, le voici* (→ Falloir, cit. 12). *Nous parlions justement de lui quand il est entré* (→ Quand on parle du loup*, on en voit la queue).

Et voilà justement comme on écrit l'histoire. 2
VOLTAIRE, Charlot..., I, 7.

(...) voilà justement des choses que, moi, je ne vois pas. Si vous ne m'aviez pas montré tout ça, je ne l'aurais jamais découvert tout seul. 3
G. DUHAMEL, Salavin, III, VI.

♦ **2.** (V. 1360). Spécialt. Précisément, à plus forte raison (en tête de phrase). *« Il sera peiné de l'apprendre. — Justement, ne lui dites rien! »*

♦ **3.** Vieilli. *Tout justement :* seulement, à peine. — Syn. mod. : *tout juste*.*

CONTR. Iniquement, injustement, faussement. — Faux (à), tort (à).

JUSTE-MILIEU [ʒystəmiljø] n. m. — Av. 1662, Pascal, « modération, point de vue éloigné des extrêmes »; de *juste,* et *milieu.*

♦ **1.** (1831, *in* D. D. L.). Hist. Gouvernement modéré (défini par Louis-Philippe).

(...) cette secte nouvelle *(le Romantisme)* qui professait un égal mépris pour l'opposition politique modérée, pour la peinture de Delaroche ou la poésie de Delavigne, et pour le roi qui présidait au développement du juste-milieu, n'aurait pas trouvé de raisons d'exister. 1
BAUDELAIRE, Sur mes contemporains, Pétrus Borel, Pl., p. 727.

Il arrangeait les bourgeois qu'il peignait en portiers songeurs, travaillait à les poétiser, tâchait de mettre une lueur de rêverie dans un ancien député du juste-milieu. 2
Ed. et J. DE GONCOURT, Manette Salomon, p. 163.

♦ **2.** Adj. Vx. Péj. Qui est partisan de ce gouvernement, qui s'y rapporte.

3 Il est juste-milieu, botaniste et pansu.
VERLAINE, Monsieur Prudhomme, Pl., p. 61.

JUSTESSE [ʒystɛs] n. f. — 1611 ; de *juste*, et suff. *-esse*.

♦ **1.** Qualité qui rend une chose parfaitement adaptée ou appropriée à sa destination. *Cette balance est d'une extrême justesse* (Académie). *Justesse d'une vis qui entre exactement dans son écrou* (Hatzfeld).

(Abstrait). ⇒ **Convenance, correction, exactitude.** *La justesse de l'expression au XVIIe siècle* (→ Admirablement, cit. 1). *Le français dit les choses avec plus de justesse* (→ Éclaircir, cit. 6). *Justesse des intonations* (→ Harmonie, cit. 15). *Justesse d'un mot, d'une réflexion* (→ Bataille, cit. 11). *Comparaison qui manque de justesse* (→ 2. Instant, cit. 5). *Justesse d'un récit, d'une évocation.* ⇒ **Authenticité, vérité.**

1 Une justesse grammaticale qui va jusqu'à l'affectation. RACINE, Port-Royal.

2 La précision et la justesse du langage dépendent de la propriété des termes qu'on emploie. VAUVENARGUES, De l'esprit humain, XIII, p. 189.

3 (...) ce qu'il faut rechercher, ce n'est pas la petite certitude des minuties, c'est la justesse du sentiment général, la vérité de la couleur.
RENAN, Vie de Jésus, Introd., Œuvres, t. IV, p. 81.

♦ **2.** (1665, Retz). Qualité qui permet d'exécuter très exactement une chose; manière dont on exécute qqch. sans la moindre erreur. ⇒ **Précision.** *La justesse du tir. — Tirer avec beaucoup de justesse.* ⇒ **Juste** (II., 1.). *Chanter avec justesse.*

4 Tout nous peut être mortel, même les choses faites pour nous servir; comme dans la nature, les murailles peuvent nous tuer, et les degrés nous tuer, si nous n'allons avec justesse. PASCAL, Pensées, VII, 505.

5 Si vous aviez vu la violente contorsion que cet éclat de bombe fit à son épée (...) vous admireriez l'adresse et la justesse de la main qui a mesuré le coup.
Mme DE SÉVIGNÉ, 1108, 19 déc. 1688.

♦ **3.** (V. 1660, Pascal). Spécialt. Qualité qui permet d'apprécier très exactement les choses. *Justesse de l'oreille, du coup d'œil* (→ Hors, cit. 18). — Fig. *Justesse d'esprit.* ⇒ **Raison, rectitude** (→ Appréhender, cit. 7; brillant, cit. 15; esprit, cit. 125). *La justesse d'appréciation (de qqn).* — Valeur logique et adaptation à la réalité (d'un contenu intellectuel). *La justesse de ses idées, d'une remarque. Remarques d'une grande justesse.*

6 Ses idées sur le théâtre sont d'une singularité et d'une justesse remarquables, et prouvent une grande habitude de la matière (...)
Th. GAUTIER, Souvenirs de théâtre..., Contes d'Hoffmann.

7 Car les enfants apprécient avec une parfaite justesse la valeur morale de leurs maîtres. FRANCE, le Livre de mon ami, Livre de Pierre, II, X.

♦ **4.** Loc. adv. **DE JUSTESSE...** [a] (1878). *Gagner de justesse,* se dit d'un cheval qui franchit le poteau d'arrivée avec une très faible avance sur son principal concurrent. — Par anal. Avec une très faible avance. *Gagner, l'emporter, réussir de justesse. — D'extrême justesse* (même sens).

[b] Avec un peu de marge. ⇒ **Peu** (de). *Éviter* (cit. 5) *de justesse une collision. Il a pu atteindre son train, mais de justesse.* ⇒ **Juste** (II., 3.).

8 On me coinça entre deux cabines, au revers d'une courtine. Je méchappai de justesse (...) CÉLINE, Voyage au bout de la nuit, p. 111.

9 Comme il le poursuivait son chemin, une voiture corna derrière lui. Il était si plein de l'image de Jacqueline qu'il ne se déplaça pas. La petite auto fit un crochet de justesse (...) ARAGON, les Beaux Quartiers, I, XXIII.

CONTR. Approximation, discordance, erreur, fausseté, faute, impertinence.

JUSTICE [ʒystis] n. f. — 1080, *Chanson de Roland; justise,* v. 1050; lat. *justitia, de justus.* → Juste.

A. ♦ **1.** Caractère d'une personne qui possède un jugement moral et une intention d'équité, juste appréciation, reconnaissance et respect des droits et du mérite de chacun. ⇒ **Droiture, équité, impartialité, intégrité** (cit. 7), **probité** (→ Enrichir, cit. 14). *La justice de qqn, sa justice. Être dénué de justice. La justice d'un roi. La justice est l'une des quatre vertus cardinales**. *Justice et bonté* (cit. 4 et 8), *et charité* (→ Commencement, cit. 3). *Agir avec justice.* — Relig. *La justice de Dieu* (cit. 8) *est énorme* (cit. 2), *infinie* (cit. 4 et 6). *La justice et la miséricorde de Dieu* (→ Courroucé, cit. 2). *La justice céleste, divine, providentielle.*

REM. Le syntagme *justice humaine* concerne plutôt les sens 2 et 4, où l'on emploie aussi : *justice divine.*

1 Non, non, ne le croyez pas, que la justice habite jamais dans les âmes où l'ambition domine. BOSSUET, Oraison funèbre de Michel Le Tellier.

2 La justice n'est qu'une vive appréhension qu'on ne nous ôte ce qui nous appartient; de là vient cette considération et ce respect pour tous les intérêts du prochain, et cette scrupuleuse application à ne lui faire aucun préjudice. Cette crainte retient l'homme dans les bornes des biens que la naissance ou la fortune lui ont donnés; et sans cette crainte, il ferait des courses continuelles sur les autres.
LA ROCHEFOUCAULD, Maximes supprimées, 578.

2.1 — Voilà des systèmes absurdes qui te conduiront bientôt à l'Hôpital, ma fille, dit la Dubois en fonçant le sourcil; crois-moi, laisse-là la justice de Dieu, ses châtiments ou ses récompenses à venir, toutes ces platitudes-là ne sont bonnes qu'à nous faire mourir de faim. SADE, Justine, t. I, p. 36.

3 La justice (...) est le respect, spontanément éprouvé et réciproquement garanti, de la dignité humaine, en quelque personne et dans quelque circonstance qu'elle se trouve compromise et à quelque risque que nous expose sa défense.
PROUDHON, De la Justice dans la Révolution, *in* THAMIN et LAPIE, Lectures morales, p. 417.

Je croirais à tout ce qu'on voudra, mais la justice de ce monde ne me donne pas 3.1
une rassurante idée de la justice dans l'autre. Dieu, je le crains, fera encore des bêtises : il accueillera les méchants au Paradis et foutra les bons dans l'Enfer.
J. RENARD, Journal, 26 janv. 1906.

(...) ce prêtre, qui avait lu Anatole et Renan, et qui en parlait tranquillement, avec 4
justice et justesse. R. ROLLAND, Jean-Christophe, Dans la maison, p. 1035.

La justice me tourmente aussi : j'ai peur de la confondre parfois avec la charité. 5
À d'autres moments, ces deux qualités me paraissent ennemies : la pure justice n'est pas charitable, la grande charité n'est pas juste.
G. DUHAMEL, Salavin, Journal, 27 janvier.

(1546). Relig. Observation exacte des devoirs de la religion. ⇒ **Juste.** *Marcher dans les voies de la justice. État de péché et état de justice* (→ Humilité, cit. 13).

♦ **2.** (V. 1050). Absolt. Principe moral de conformité au droit* (3. Droit, II., 1.) positif (⇒ **Légalité, loi**) ou naturel. ⇒ **Équité.** (cit. 17, 18 et *supra*); 3. **droit** (II., 1.). *Le concept* (cit. 2), *l'idée de justice* (→ Intellectuel, cit. 6). *Amour, culte* (cit. 14) *de la justice* (→ Équité, cit. 9; injustice, cit. 6). *L'humanité* (cit. 13) *recherche la justice et le bonheur. Se battre pour la justice* (→ Idéologue, cit. 4). *Faire régner la justice, règne de la justice. Liberté et justice* (→ Imposer, cit. 12), *égalité et justice. Force** (cit. 45) *et justice* (→ Abdication, cit. 1). *La guerre* (cit. 2) *abolit toute justice.*

La justice en soi, naturelle et universelle, est autrement réglée, et plus noble- 6
ment, que n'est cette autre justice spéciale, nationale, contrainte aux besoins de nos polices *(sociétés)*... MONTAIGNE, Essais, III, I.

(...) le droit a ses époques (...) Plaisante justice qu'une rivière borne! Vérité au 7
deçà des Pyrénées, erreur au delà. Ils confessent que la justice n'est pas dans ces coutumes, mais qu'elle réside dans les lois naturelles, connues en tout pays.
PASCAL, Pensées V, 294
(→ aussi Affection, cit. 3; essence, cit. 10; établir, cit. 41).

J'ai passé longtemps de ma vie en croyant qu'il y avait une justice, et en cela je 8
ne me trompais pas; car il y en a, selon que Dieu nous l'a voulu révéler. Mais je ne le prenais pas ainsi, et c'est en quoi je me trompais; car je croyais que notre justice était essentiellement juste (...) PASCAL, Pensées, VI, 375.

(...) il craignait (...) que la justice ne fût d'une part et les juges de l'autre (...) 9
A.-R. LESAGE, le Diable boiteux, V.

La justice est un rapport de convenance qui se trouve réellement entre deux cho- 10
ses (...) Il est vrai que les hommes ne voient pas toujours les rapports (...) La justice élève sa voix; mais elle a peine à se faire entendre dans le tumulte des passions. MONTESQUIEU, Lettre persanes, LXXXIV.

Toute justice vient de Dieu, lui seul en est la source; mais si nous savions la rece- 11
voir de si haut, nous n'aurions besoin ni de gouvernement ni de lois. Sans doute il est une justice universelle émanée de la raison seule; mais cette justice, pour être admise entre nous, doit être réciproque. ROUSSEAU, Du contrat social, II, VI.

La justice est la liberté en action. 12
La justice est le droit du plus faible.
La justice sans force, et la force sans justice : malheur affreux!
Joseph JOUBERT, Pensées, XV, 16, 17, 18.

La justice est si sacrée, elle semble si nécessaire au succès des affaires, que ceux- 13
là mêmes qui la foulent aux pieds prétendent n'agir que d'après ses principes.
CHATEAUBRIAND, Mémoires d'outre-tombe, t. III, p. 195.

(...) la Justice (...) veut que chacun réponde pour ses œuvres, en bien ou en mal. 14
Ce que vos aïeux ont pu faire compte à vos aïeux, nullement à vous.
MICHELET, Hist. de la révolution franç., III, XII.

Ceux qui firent descendre la Révolution de la Justice au Salut, de son idée posi- 15
tive à son idée négative, empêchèrent par cela même qu'elle ne fût une religion.
MICHELET, Hist. de la Révolution franç., V, XII.

Toutes les notions morales se compénètrent, mais il n'en est pas de plus instruc- 16
tive que celle de justice (...) parce qu'elle englobe la plupart des autres (...) et surtout parce qu'on y voit s'emboîter l'une dans l'autre les deux formes de l'obligation. La justice a toujours évoqué des idées d'égalité, de proportion, de compensation. H. BERGSON, les Deux Sources de la morale et de la religion, I, p. 68.

Agir selon la justice, contre la justice (→ Blâme, cit. 5). *Avoir la justice pour soi,* le bon droit (→ Égorger, cit. 3) — *Avec justice :* avec juste raison* (→ Cesser, cit. 13). — *En bonne justice* ou (vx) *de toute justice :* selon ce qui est de droit. — *C'est justice, ce n'est que justice.* ⇒ **Juste** (1., 2.). *Il est de stricte, de toute justice* (et inf.).

Loc. *Il n'y a pas de justice;* fam., *y a pas de justice :* ce n'est pas juste.

(Qualifié). *La justice sociale, économique, fiscale.* — Loc. *Justice immanente** (cit. 3). *Justice commutative** (ou *rectificative, mutuelle*) et *justice distributive**.

Quelle étonnante ambiguïté dans la notion de la Justice. Cela vient sans doute 17
principalement de ce que le même mot s'emploie pour désigner la Justice Distributive et la Justice Mutuelle. Or ces deux fonctions se ressemblent si peu, que la première enferme l'inégalité, et la seconde l'égalité.
ALAIN, Propos, 16 juil. 1912, Police et Justice.

Loc. adj. Vx. **DE JUSTICE :** juste, équitable.

♦ **3.** Vieilli. Caractère juste, équitable de (qqch.). *La justice d'une cause, d'une demande. La justice d'une décision.* ⇒ **Bien-jugé.**

♦ **4.** (V. 1196). Pouvoir de faire régner le droit (et, spécialt, le droit positif); exercice de ce pouvoir. — REM. Dans ce sens, le mot est souvent qualifié par un adj. ou un compl. *La justice punit et récompense. Justice humaine et justice divine* (→ Attribut, cit. 5; contrition, cit. 2). *La justice doit être ferme et constante* (→ Inégal, cit. 13, Bossuet). *Exercer la justice avec rigueur, fermeté, équité. Justice imparfaite, boiteuse. Justice équitable, injuste; douce, sévère, punitive, vindicative.* ⇒ **Talion** (loi du), **vindicte.** *Faire de* *la justice un métier* (→ Aviser, cit. 26). *Vendre, acheter* (cit. 7) *la justice.*

18 On ne voit dans ses jugements *(du juge ambitieux)* qu'une justice imparfaite, semblable (...) à la justice de Pilate (...)
BOSSUET, Oraison funèbre de Michel Le Tellier.

19 La religion est, par anticipation, la justice divine. L'Église s'est réservé le jugement de tous les procès de l'âme. La justice humaine est une faible image de la justice céleste, elle n'en est qu'une pâle imitation appliquée aux besoins de la société. BALZAC, le Curé de village, Pl., t. VIII, p. 650.

20 Cela allait au point qu'il eût voulu changer entièrement la distribution de la justice et que, lorsqu'il se découvrait quelque larronnerie grave, on pendît non point le voleur, mais le volé. NERVAL, Contes et Facéties, La main enchantée, II.

21 Le grand malheur est que la justice des hommes intervienne toujours trop tard; elle réprime ou flétrit des actes, sans pouvoir remonter plus haut ni plus loin que celui qui les a commis. BERNANOS, Journal d'un curé de campagne, p. 183.

Loc. ...**DE JUSTICE** : utilisé par la justice, pour punir, réprimer. — Anciennt. *Barre de justice,* les fers* (cit. 18). *Bois de justice.* ⇒ **Échafaud, pilori.** — Par métonymie. (Vx). *Une justice, les justices.* ⇒ **Fourche** (patibulaire). → Grève, cit. 8. — *Maison de justice,* établie près de chaque cour d'assises.

22 Dans les vingt-quatre heures qui suivront cette signification *(de l'acte de renvoi à la cour d'assises et de l'acte d'accusation),* l'accusé sera transféré de la maison d'arrêt dans la maison de justice établie près la cour où il doit être jugé.
Code d'instruction criminelle, art. 243.

Loc. *Justice sommaire, expéditive :* action répressive (policière, etc.) au mépris des règles de la justice. ⇒ **Exécution** (sommaire), **lynchage.**

23 De temps en temps la police fait assassiner par ses agents les plus dangereux et les plus connus de ces misérables dans des querelles de cabaret, provoquées à dessein, et cette justice, bien qu'un peu sommaire et barbare, est la seule praticable, vu l'absence de preuves et de témoins (...)
Th. GAUTIER, Voyage en Espagne, p. 270.

Administrer, exercer, rendre la justice. ⇒ **Juger; juge, jury, tribunal.** *Pouvoir de rendre la justice.* ⇒ **Judiciaire** (pouvoir), **juridiction** (1.). *Lieu où l'on rend la justice.* ⇒ **Juridiction** (2.), **siège.** *Relever de la justice de tel ou tel pays, de tel ou tel tribunal.* ⇒ **Justiciable** (être). *Déni** (2.) *de justice.* — *Cour de justice.* ⇒ **Cour, parlement** (vx). *Haute* (cit. 38 et 39) *cour de justice. Frais* (cit. 17) *de justice* (→ Incarner, cit. 7).

24 Le devoir des juges est de rendre la justice; leur métier de la différer. Quelques-uns savent leur devoir, et font leur métier. LA BRUYÈRE, les Caractères, XIV.

25 Jean continua. Maintenant, il en était à la justice, à cette triple justice du roi, de l'évêque et du seigneur, qui écartelait le pauvre monde suant sur la glèbe. Il y avait le droit coutumier, il y avait le droit écrit, et par-dessus tout il y avait le bon plaisir, la raison du plus fort. Aucune garantie, aucun recours, la toute-puissance de l'épée. Même aux siècles suivants lorsque l'équité protesta, on acheta les charges, la justice fut vendue. ZOLA, la Terre, I, V.

Dr., anc. *Justice déléguée* (par le roi aux magistrats). *Justice retenue* (retirée par le roi aux juges normalement compétents). *Justice seigneuriale*; haute, basse justice* (→ ci-dessous, B., 1.). *Mains* de justice. Lit* de justice.*

25.1 — Le comte était un grand seigneur, il avait sur ses terres droit de justice basse et haute. A. DUMAS, les Trois Mousquetaires, t. I, p. 348.

♦ **5.** Reconnaissance du droit, du bon droit (dans des syntagmes verbaux). *Attendre* (cit. 79 et 80) *justice de qqn. Espérer* (cit. 2), *demander justice de qqn, à qqn sur qqch. « Las d'avoir toujours raison et jamais justice »* (→ Clabauder, cit. 2, Rousseau). *La justice que l'on doit aux autres* (→ Attendre, cit. 32). *Dette* (cit. 12) *de justice. Obtenir justice de qqn, sur qqch.*

26 Je vous irai moi-même en demander justice.
— N'oubliez pas alors que je la dois à tous. CORNEILLE, Théodore, I, 4.

27 (...) si l'on ne me fait retrouver mon argent, je demanderai justice de la justice.
MOLIÈRE, l'Avare, V, 1.

(XIIe; *faire la justice de qqn,* 1080). **FAIRE JUSTICE.** **a** Vx. *Faire justice de qqn,* le punir, le châtier, le traiter comme il le mérite. — Absolt. *Faire justice :* punir. — Mod. *Faire justice de qqch. :* récuser, réfuter. *Faire justice des prétentions de qqn* (→ Dédaigner, cit. 5). *Le temps a fait justice de cette renommée usurpée.* — Vieilli. *Se faire, se rendre justice :* se juger soi-même équitablement, et aussi, mod., se tuer pour se punir d'un crime, d'une mauvaise action dont on se reconnaît coupable. *Le meurtrier se fit justice* (Académie).

28 Il ajoute : « Dis-lui que je me fais justice,
Que je n'ignore pas ce que j'ai mérité. »
Puis soudain dans le Tibre il s'est précipité (...) CORNEILLE, Cinna, IV, 1.

29 Les trônes s'élèvent et disparaissent en France avec une effrayante rapidité. Quinze ans font justice d'un grand empire, d'une monarchie et aussi d'une révolution. BALZAC, Une fille d'Ève, Pl., t. II, p. 158.

b (Mil. XVIIe). **FAIRE JUSTICE** (vieilli), **RENDRE JUSTICE (à qqn),** lui reconnaître son droit, lui accorder ce qu'il est juste qu'il ou elle obtienne, réparer* les torts dont il ou elle a injustement souffert. — Fig. *Faire justice, rendre justice au mérite*. Faire justice, rendre justice à qqn,* reconnaître ses mérites, le justifier, lui rendre hommage, le récompenser*. *L'avenir, la postérité lui rendra justice.* — *(Une, cette justice). Il faut lui rendre cette justice qu'il a fait ce qu'il a pu. La justice, une justice qu'on doit lui rendre, c'est que...* — *Se rendre justice* (à soi-même) : reconnaître ses propres mérites. *Se dénier justice* (→ Génie, cit. 44).

30 *(Le temps)* ce juge incorruptible qui fait justice à tous.
Louis BARTHOU, Mirabeau, p. 315.

31 Une justice que je dois rendre à mes professeurs, c'est qu'il me firent comprendre le génie grec, qu'ils ne comprenaient pas eux-mêmes. FRANCE, la Vie en fleur, XVI.

J'occupe seul la chambre la plus vaste, la mieux exposée. Rendez-moi cette justice que j'ai offert à Geneviève de lui céder ma place... 32
F. MAURIAC, le Nœud de vipères, I.

(...) l'avenir nous rendra justice! Dans ce domaine du *mensonge utile,* nous avons, en France, accompli des prodiges, depuis quatre ans! 33
MARTIN DU GARD, les Thibault, t. VIII, p. 262.

Se faire justice à soi-même, se faire justice : se venger*.

Mais ce n'est pas au peuple à se faire justice (...) CORNEILLE, Œdipe, V, 1. 34

Chacun doit se faire justice lui-même, sinon il n'est qu'un imbécile. Celui qui remporte la victoire sur ses semblables, celui-là est le plus rusé et le plus fort. 35
LAUTRÉAMONT, les Chants de Maldoror, II.

Après tout, la France était attaquée; le peuple se faisait justice lui-même : il n'y avait qu'à laisser faire. MARTIN DU GARD, les Thibault, t. VIII, p. 68. 36

♦ **6.** (1306, Joinville : *les justices et les jugements*). Vieilli. *(Une, des justices).* Acte de justice.

Je suis las de mes justices et las de mes bienfaits. 36.1
MONTHERLANT, la Reine morte, II, I, 3, *in* T. L. F.

B. ♦ **1.** (XIIe; *basse, haute justice,* 1283). Organisation du pouvoir judiciaire; ensemble des organes chargés d'administrer la justice, conformément au droit positif. ⇒ **Droit** (*infra* cit. 61). *Relatif à la justice.* ⇒ **Judiciaire, juridique** (vx). *Les formes* (cit. 65 et 68), *le cérémonial de la justice. Demander l'aide, l'appui* (cit. 23) *de la justice. Recourir à la justice.* — *Défense des droits* devant la justice.* ⇒ **Procédure.** — *En justice. Exercice d'un droit en justice.* ⇒ **Action, poursuite** (→ Assistance, cit. 12). *Exercer un droit en justice.* ⇒ **Actionner, agir, défendre, plaider, poursuivre, requérir.** *Ester* en justice* (→ Assistance, cit. 6; brûlot, cit. 3). *Demande en justice.* ⇒ **Demande** (3.), **plainte.** *Débats en justice.* — *Litiges* soumis à la justice.* ⇒ **Procès.** *Personnes en litige devant la justice.* ⇒ **Défendeur, demandeur, intimé, plaideur, plaignant.** *Action reçue, acceptée par la justice.* ⇒ **Recevable, valable.** *Temps consacré par la justice à l'examen d'une affaire.* ⇒ **Vacation.** — *Être appelé, assigné, cité par la justice, devant la justice, en justice.* ⇒ **Assignation, assigner; citation, citer** (→ Cédule, cit.). *Se présenter devant la justice.* ⇒ **Comparaître, comparution; comparoir** (vx). — (Dr. crim.). *Envoyer un coupable devant la justice.* ⇒ **Déférer, traduire; accusation, renvoi.** *Ordre d'arrestation*, de comparution devant la justice.* ⇒ **Mandat** (d'amener, d'arrêt, de comparution...). *Assister, défendre un accusé devant la justice.* ⇒ **Avocat.** — *En justice. Témoigner en justice.* ⇒ **Témoin.** *Déclaration en justice* (→ Aveu, cit. 28). *Outrage* à la justice. Sanction en justice.* — Loc. fam. (1671). *Se brouiller* (cit. 25), *être brouillé avec la justice :* s'exposer aux poursuites de la justice à la suite de quelque méfait. *Avoir des démêlés avec* (cit. 2) *avec la justice.* — *Autorité** (cit. 22) *de justice* (→ Expropriation, cit. 3; hargne, cit. 3). *Visite domiciliaire faite par autorité de justice. Descente* de justice.* — *Décisions de la justice.* ⇒ **Arrêt** (5.), **jugement, ordonnance, sentence...** (→ Extrait, cit. 3; huissier, cit. 7). *Les décisions de la justice, source de droit.* ⇒ **Jurisprudence.** *Annuler en justice une décision.* ⇒ **Appel.** — *Palais* de justice,* où siègent les tribunaux. — *Ministre, ministère de la justice* (→ ci-dessous, 4.).

(...) quoique fûmes occis 37
Par justice (...) VILLON, Poésies diverses, Épitaphe...

Cet affront vous regarde, Seigneur Anselme, et c'est vous qui devez vous rendre partie contre lui, et faire toutes les poursuites de la justice (...) 38
MOLIÈRE, l'Avare, V, 5.

Et pour votre procès, dont vous pouvez vous plaindre, 39
Il vous est en justice aisé d'y revenir. MOLIÈRE, le Misanthrope, V, 1.

La justice est un être de raison représenté par une collection d'individus sans cesse renouvelés, dont les bonnes intentions et les souvenirs sont, comme eux, excessivement ambulatoires. Les Parquets, les Tribunaux ne peuvent rien prévenir en fait de crimes, ils sont inventés pour les accepter tout faits. 40
BALZAC, Splendeurs et misères des courtisanes, Pl., t. V, p. 808.

L'Assemblée (...) commença son beau travail sur l'organisation d'une justice digne de ce nom, non payée, non achetée, ni héréditaire, sortie du peuple et pour le peuple. MICHELET, Hist. de la Révolution française, III, IV. 41

Il vaudrait mieux que j'allasse prévenir la justice. Dans ce cas-là, dit avec amertume le jeune vagabond, vous trouverez des magistrats, mais vous ne trouverez pas la justice. Louise MICHEL, la Misère, t. III, p. 556. 41.1

(...) les tortures, la séquestration arbitraire, la loi violée par les magistrats, cette décadence effroyable de la justice chez nous concerne les Français, en dehors et au-dessus de toutes les conjonctures particulières. 41.2
F. MAURIAC, Bloc-notes 1952-1957, p. 155.

(1690). ...**DE JUSTICE** : qui appartient à la justice (personnes). *Gens de justice,* les membres du corps* de la magistrature, du ministère* public, du barreau, des offices publics et ministériels (→ Approche, cit. 10; hors, cit. 29). *Officiers de justice* (→ Calomnieux, cit.). *Auxiliaires* de la justice. Le coroner*, officier de justice anglais.* — Dr., anc. *Officier de justice.* ⇒ **Bailli, lieutenant** (criminel), **prévôt, sénéchal...** *Bedeau** (2.) *de justice. Chevaliers de justice,* s'est dit de certains chevaliers de Malte.

Loc. *Repris de justice.* ⇒ **Repris de justice.** — *Auditeur de justice :* élève de l'École de la magistrature.

♦ **2.** Police judiciaire. *La justice le recherche* (→ Identité, cit. 13). *La justice s'assure de l'identité des inculpés.* ⇒ **Identité** (judiciaire); **anthropométrie.**

♦ **3.** (V. 1283). Qualifié. Ensemble des juridictions de même ordre, de même classe. *Justice administrative* (tribunaux administratifs, conseil d'État...). *Justice civile. Justice commerciale.* ⇒ **Commerce.**

Justice prud'homale. Justice militaire (→ Armée, cit. 14). *Justice maritime*, de la marine militaire. *Justice pénale. Justice politique. Justice internationale. — La justice républicaine, révolutionnaire. La justice capitaliste, bourgeoise* (dans un contexte critique). — Dr., anc. *Justice seigneuriale*, connaissant des questions de droit commun et se divisant en *haute* et *basse justice*. ⇒ **Bas** (*infra* cit. 23). — *Justice féodale*, connaissant des différends relatifs aux tenures (justice foncière). — *Justice séculière, temporelle* et *justice ecclésiastique. — Les justices :* les juridictions.

42 Il y a des gens qui avaient imaginé (...) d'abolir toutes les justices des seigneurs.
MONTESQUIEU, l'Esprit des lois, II, IV.

Vx. Tribunal. — Loc. *Justice de paix*, le tribunal* du juge de paix. ⇒ **Juge.**

43 Ce hasard d'un huissier qui fait tout et d'un huissier qui ne fait rien est fréquent dans les justices de paix, au fond des campagnes.
BALZAC, les Paysans, Pl., t. VIII, p. 66.

♦ **4.** *La justice :* l'administration centrale, le ministère de la Justice. ⇒ **Chancellerie; chancelier** (vx), **garde** (des Sceaux). *Le portefeuille de la Justice. Sous-secrétaire à la Justice.*

C. (1555, Ronsard). LA JUSTICE (A. ou B.), personnifiée par une femme aux yeux bandés portant une balance et un glaive. *Le bandeau**, *la balance* (cit. 4) *et le glaive* (cit. 7), *emblèmes, symboles de la Justice* (→ 1. Homicide, cit. 9). *Le bras* (cit. 31) *de la Justice. —Avoir la Justice et la Vérité pour conseillères* (→ Autorité, cit. 8). *La Justice*, fresque de Raphaël.

44 Comme il disait tels mots, de Justice entourna
Les yeux d'un bandeau noir, et puis il lui donna
Une balance d'or dedans la main senestre,
Et un glaive tranchant au milieu de la dextre :
Le glaive, pour punir ceux qui seront mauvais;
La balance, à poiser *(peser)* également les faits
Des grands et des petits, comme équité l'ordonne;
Le bandeau, pour ne voir en jugement personne.
RONSARD, Premier livre des hymnes, « De la Justice ».

Loc. fam. *Être raide* comme la justice.* — Rare. (A. France, *in* T. L. F.). *Lent comme la justice.* — Loc. prov. *La justice arrive d'un pied boiteux* (Horace, *Odes*, III, 2), elle arrive avec lenteur, parfois à contretemps.

CONTR. Abus, crime, iniquité, injustice.
DÉR. 1. **Justicier,** 2. **justicier.**

JUSTICIA [ʒystisja] n. f. — Attesté XXᵉ; *justicie*, in *Nouveau Larousse illustré*, 1948; mot latin.

♦ Bot. Plante dicotylédone gamopétale proche de l'acanthe, cultivée en serre comme ornementale; le genre *Justicia* comprend environ cent espèces, souvent d'usage médicinal. — REM. On trouve parfois *justicia*, n. m.

JUSTICIABILITÉ [ʒystisjabilite] n. f. — Av. 1706; dér. sav. de *justiciable*.

♦ Dr. État d'une personne justiciable.

JUSTICIABLE [ʒystisjabl] adj. et n. — XVᵉ; *justichiable*, fin XIIᵉ; au sens de « juste », *justisable*, mil. XIIᵉ; de 1. *justicier*.

★ **I.** Adj. **A.** ♦ **1.** *Justiciable de... :* qui relève de certains juges, de leur juridiction*. *Criminel justiciable des tribunaux français.* ⇒ **Compétence.** (→ Crime, cit. 18). *Les ministres sont justiciables de la Haute Cour.* — REM. En parlant de choses, on dit *être, relever de la compétence* de...*

♦ **2.** (1635). Responsable devant la justice. — (Sans compl.). *Être, devenir justiciable.*

(Choses; actes). Justifiable. « *Cette confiscation est infiniment moins justiciable que la vente très légale des biens ecclésiastiques* » (Mᵐᵉ de Staël, *in* T. L. F.).

♦ **3.** Par anal. Qui peut être jugé par. *Être justiciable de l'opinion, de la critique.*

B. (1811). Fig. ♦ **1.** Qui relève (d'un traitement). *Malade, maladie justiciable d'une cure thermale, d'un traitement chimiothérapique. Vous n'êtes pas justiciable d'une opération.*

♦ **2.** Qui relève de (un procédé, une méthode, une discipline...). *Théorie justiciable de diverses vérifications. Ceci n'est pas justiciable d'un raisonnement, de preuves.*

1 Puisque le mythe est une parole, tout peut être mythe, qui est justiciable d'un discours.
R. BARTHES, Mythologies, p. 193.

★ **II.** N. (V. 1265). Personne qui relève de juges, de tribunaux. *L'inamovibilité* (cit. 2 et 3) *des juges conçue comme une garantie de bonne justice pour les justiciables* (→ aussi Cour, cit. 26). *Le justiciable de qqn, d'un juge, d'un tribunal.*

2 Danton s'expliqua : « Je suis votre justiciable, dit-il aux Jacobins, je suis responsable de ma conduite devant vous. »
Louis BARTHOU, Danton, p. 210.

3 Simplicité des procédures, rapidité des solutions, diminution des frais, protection des justiciables contre les agents d'affaires, tels sont les objectifs poursuivis par les auteurs de la réforme.
L.-H. LYAUTEY, Paroles d'action, p. 95.

DÉR. Justiciabilité.

JUSTICIALISME [ʒystisjalism] n. m. — V. 1960; esp. *justicialismo*, de *justicia*. → Justice.

♦ Hist. Système politique de Juan Domingo Peron, homme politique argentin (1895-1974), syndicalisme populaire et autoritaire.

DÉR. Justicialiste.

JUSTICIALISTE [ʒystisjalist] ajd. et n. — V. 1960; de *justicialisme*, ou directement de l'espagnol.
Histoire.

♦ **1.** Adj. Relatif au justicialisme. « *Lorenzo Miguel, "patron" de l'Union des Ouvriers métallurgistes, aujourd'hui vice-président du Parti justicialiste, apporte les hommes de main des* bandas *ou* patotas *syndicales, bandes et gangs dont s'entourent les boss des grandes unions ouvrières* » (*le Nouvel Obs.*, janv. 1984, p. 66).

♦ **2.** N. Partisan du justicialisme. *Un, une justicialiste.*

JUSTICIARD, ARDE [ʒystisjaʀ, aʀd] n. m. — 1834, Balzac, *in* T. L. F.; de 2. *justicier*, et *-ard*.

♦ Péj. et vx. Justicier. « *Je ne suis pas un écrivassier ou un justiciard* » (Pierre Nora, *les Français d'Algérie*, p. 173, Julliard, 1961).

1. JUSTICIER [ʒystisje] v. tr. — V. 1131, « gouverner »; *justisier*, v. 1119; au sens ci-dessous, v. 1175; de *justice*, et *-ier*.

♦ Vx. Punir* (un condamné), lui faire subir une peine corporelle, en exécution d'une sentence, d'un arrêt. *Justicier un criminel.* — Au p. p. *Justicié, ée.*

DÉR. Justiciable.
HOM. 2. **Justicier.**

2. JUSTICIER, IÈRE [ʒystisje, jɛʀ] n. et adj. — V. 1131; en dr. féodal, 1119; de *justice*, et *-ier*.

♦ **1.** [a] N. Personne qui rend la justice, qui fait régner la justice ou l'applique. *Saint Louis, roi et justicier. — Le justicier de Dieu* (au nom de Dieu).

Le czar Pierre 1ᵉʳ abattait lui-même les têtes de ses sujets : en sa personne se confondent le juge et le justicier, et le justicier est vénéré parce qu'il est à la fois la tête qui condamne et le bras qui exécute la sentence. 1
BALZAC, Souvenirs d'un paria, II, in Œuvres diverses, t. I, p. 229.

Féod. Personne qui a droit de justice en un lieu. *Haut, bas justicier.*

[b] Adj. *Seigneur justicier, dame justicière.*
Rare. *Le bras justicier*, de la justice.

♦ **2.** N. m. Personne qui agit en redresseur de torts, en vengeur des innocents et punisseur des coupables. *Les justiciers des romans d'aventures. Se faire le justicier de...* (qqn, qqch.; une injustice).

Cicéron est un justicier par la pensée de même que Brutus est un justicier par l'épée. 1.1
HUGO, les Misérables, t. 2, p. 419, *in* T. L. F.

Au dedans, dès le douzième siècle, le casque en tête et toujours par chemins, il est le grand justicier, il démolit les tours des brigands féodaux, il réprime les excès des forts, il protège les opprimés, il abolit les guerres privées, il établit l'ordre et la paix (...) 2
TAINE, les Origines de la France contemporaine, I, t. I, p. 17.

Il (...) attendait (...) que la place arrivât dans le viseur (il lui restait deux bombes de cinquante kilos). Indifférent aux mitrailleuses de terre, il se sentait à la fois justicier et assassin, plus dégoûté d'ailleurs de se prendre pour un justicier que pour un assassin. 3
MALRAUX, l'Espoir, 1937, p. 520.

♦ **3.** Adj. (V. 1131). Qui fait régner la justice. *Un dieu justicier. Ange justicier. — Un bandit justicier*, qui veut corriger des injustices.

(Au sens 2). « *Des éclats justiciers, de tonnantes algarades* » (cit. 3). *Geste, regard, ton justicier. Des mots justiciers. Un livre justicier et accusateur.*

(1873, Zola). Qui se fait justice lui-même. — N. m. *Se faire le justicier des iniquités.*

♦ **4.** N. m. (Villiers de L'Isle-Adam, *in* T. L. F.). Rare. Bourreau.

DÉR. Justiciard.
HOM. 1. **Justicier.**

JUSTIF [ʒystif] n. f. ⇒ **Justification** (II.).

JUSTIFIABLE [ʒystifjabl] adj. — Fin XIIIᵉ, « qui rend juste », attestation isolée; sens actuel, XVIIIᵉ (av. 1765 dans une trad. de Hume); de *justifier*.

♦ **1.** Qui peut être justifié, excusé. ⇒ **Défendable, excusable.** *Sa conduite est justifiable. Ses procédés ne sont pas justifiables* (Académie).

♦ **2.** Qui peut être motivé, expliqué (→ Condition, cit. 10). *Un* *choix justifiable. Des opinions sans base justifiable. — Justifiable aux yeux de qqn, vis-à-vis de qqn. Une promotion justifiable par des mérites.*

Si la cause de cet empire *(d'une femme)* semble répréhensible aux yeux de la justice, il est justifiable aux yeux de la nature.
BALZAC, l'Interdiction, Pl., t. III, p. 35.

CONTR. **Injustifiable, insoutenable.**

JUSTIFIANT, ANTE [ʒystifjɑ̃, ɑ̃t] adj. — 1345, *sauvegarde justifiante ;* p. prés. de *justifier.*

★ **I.** ♦ **1.** (XVIIe). Théol. *Grâce justifiante,* qui rend juste, qui rétablit le pécheur dans son innocence.

♦ **2.** Qui justifie.

La dernière ligne *(d'un roman),* célébrant « *l'ombre éternisée d'Alice* », donne à penser que l'écriture est justifiante, et que le pays des merveilles est le seul qui vaille d'être aimé.
P.-H. SIMON, *in* le Monde, 15 nov. 1967.

★ **II.** (Au sens II de *justifier*). Qui fournit la justification (II.). *Clavier justifiant de photocomposeuse.*

JUSTIFICATEUR, TRICE [ʒystifikatœʀ, tʀis] adj. et n. m. — 1512, n. ; l'adj. n'est attesté qu'en 1801, Mercier ; bas lat. ecclés. *justificator,* du supin de *justificare.* → Justifier.

★ **I.** Adj. Rare. Qui justifie (qqn). *Des témoignages justificateurs.*

★ **II.** N. m. (1723). Techn. ♦ **1.** Ouvrier typographe qui fait la justification.

♦ **2.** Outil qui sert à la justification.

JUSTIFICATIF, IVE [ʒystifikatif, iv] adj. et n. m. — 1535 ; dér. sav. du supin du lat. ecclés. *justificare* « justifier ».

♦ **1.** Qui sert à justifier qqn. *Fait, mémoire justificatif.*

Justificatif de... : qui justifie, qui légitime. *L'esthétique* (cit. 5), *principe justificatif de l'existence.*

♦ **2.** Qui sert à prouver ce qu'on allègue. *Documents justificatifs. Pièces justificatives.* — Fig. (→ Honneur, cit. 41). *Reçus, bordereaux justificatifs,* constatant les entrées ou les sorties de valeurs.

Presse. *Exemplaires, numéros justificatifs :* exemplaires (d'un journal, d'une revue...) adressés aux personnes qui ont fait insérer une annonce.

♦ **3.** N. m. (Attesté 1913, J. Rivière, *in* T. L. F.). *Justificatif.* [a] Pièce justificative. *On vous adressera les justificatifs. — Justificatif d'émission de radio.*

[b] Exemplaire justificatif (d'une publication). — Syn. : *numéro justificatif.*

JUSTIFICATION [ʒystifikasjɔ̃] n. f. — V. 1361 ; *justificaciun,* v. 1120 ; lat. ecclés. *justificatio,* du supin de *justificare.* → Justifier.

★ **I.** ♦ **1.** Action de justifier (qqn), de se justifier ; paroles, acte par quoi on justifie. *La justification d'un suspect par le jury, par un témoin. Donner sa propre justification. Qu'avez-vous à dire pour votre justification ?* ⇒ **Décharge, défense, excuse.** *Parler pour sa justification* (→ Excuser, cit. 10). *Ses mémoires contiennent la justification de sa conduite, de ses actes. Demander des justifications.* ⇒ **Compte.** *Chercher, fournir des justifications.* ⇒ **Alibi, argument, démonstration, explication, raison.** *Je ne vous demande pas de justification.* ⇒ **Compte.** — *Avoir, trouver une justification de...* (et infinitif).

1 Vous aurez beau consulter vos avocats, ils ne vous trouveront pas de justification pour ce mauvais procédé (...)
LACLOS, les Liaisons dangereuses, CXVIII.

2 L'autobus qui passe est plein de visages non pas joyeux, sans doute, ni même paisibles, mais, comment dire ? justifiés. Oui, qui ont une justification toute prête. Pourquoi êtes-vous ici, à cette heure-ci ? Ils sauront répondre.
J. ROMAINS, les Hommes de bonne volonté, t. I, VI, p. 64.

(Correspond à *justifier,* I., A., 4. et 5.). Fait de justifier ; chose, événement qui justifie (qqn, un acte, une situation). « *L'enfant est sa joie et sa justification* (de la femme) » (S. de Beauvoir, *le Deuxième Sexe, in* T. L. F.).

(Mil. XVIe). Action de justifier (qqch.) ou de présenter comme juste. *Prétendre donner une justification de la guerre.* ⇒ **Apologie** (→ Agoniser, cit. 1).

3 Le jour où le crime se pare des dépouilles de l'innocence, par un curieux renversement... c'est l'innocence qui est sommée de fournir ses justifications.
CAMUS, l'Homme révolté, p. 14.

Ce qui justifie, sert à justifier. *L'épargne* (cit. 9), *justification morale du capitalisme. Demander, exiger une justification.*

(1564). Théol. « Rétablissement du pécheur en l'état d'innocence, par la grâce » (Hatzfeld).

♦ **2.** Action d'établir (une chose) comme réelle ; résultat de cette action. ⇒ **Preuve.** *Justification d'un fait, d'une identité, d'un paiement. Allégations qui ne sont assorties* (cit. 22) *d'aucune justification.*

Techn. *Justification du tirage d'un imprimé :* chiffre des exemplaires tirés, imprimé sur chaque exemplaire. *La justification de tirage, du tirage.*

★ **II.** (1569). Imprim. [a] Action de donner aux lignes la longueur requise. *Justification automatique, par traitement de texte. Justification et interlignage.*

[b] Longueur d'une ligne d'impression, définie par le nombre de caractères d'un type donné ; la ligne elle-même. *Cadrat* pour la justification. Justification précisée en points Didot, Pica. La justification et les marges d'un livre.* — Abrév. fam. : *justif* [ʒystif]. — Par ext. (abusif en techn.). Dimensions du texte imprimé, en largeur et en hauteur.

(...) les volumes de cette collection sont très chers. La justification annonce plutôt le désir de multiplier les livraisons que de les diminuer. 4
BALZAC, le Feuilleton, III, *in* Œuvres diverses, t. I, p. 367.

La justification est la longueur d'une ligne. Elle est dite fausse ou bâtarde, quand la ligne est plus longue ou plus courte qu'une colonne normale, notamment pour les chapeaux, les encadrés, les habillages de clichés, ou pour faire ressortir, par une marge, un alinéa important. 5
Philippe GAILLARD, Technique du journalisme, p. 93.

CONTR. (Des sens I, 1 et 2) **Accusation, calomnie.**
COMP. (Du sens I) **Autojustification.**

JUSTIFIER [ʒystifje] v. tr. — V. 1120, au sens A, 2 ; du bas lat. ecclés. *justificare,* de *jus* « droit », et *facere* « faire ».

★ **I. A.** Trans. dir. ♦ **1.** (1564). Rare. (Sujet n. de personne). Rendre juste, conforme à la justice.

(...) ne pouvant fortifier la justice, on a justifié la force, afin que le juste et le fort fussent ensemble, et que la paix fût, qui est le souverain bien. 1
PASCAL, Pensées, V, 299.

Théol. *Dieu justifie les hommes par sa grâce. Le confessionnal* (cit. 2), *tribunal qui justifie les pécheurs.* ⇒ **Laver.**

♦ **2.** (Sujet n. de personne ou de chose). Montrer l'innocence de (qqn), sa conduite, en démontrant que l'accusation n'est pas fondée. ⇒ **Couvrir, décharger, défendre, disculper, excuser, innocenter** (→ Apologiste, cit. 2). *Justifier un frère, un ami auprès de celui qui l'accuse, le blâme. Justifier qqn d'une erreur.* — (Sujet n. de chose). *Ses bonnes intentions le justifient pleinement.* ⇒ **Laver.**

Je justifierais les femmes de bien des choses dont on les accuse (...) 2
MOLIÈRE, l'Impromptu de Versailles, I.

La grande question dans la vie, c'est la douleur que l'on cause et la métaphysique la plus ingénieuse ne justifie pas l'homme qui a déchiré le cœur qui l'aimait. 3
B. CONSTANT, Adolphe, Réponse de l'éditeur.

Vous veniez accuser cet homme, vous l'avez justifié (...) vous vouliez le perdre, vous n'avez réussi qu'à le glorifier. 4
HUGO, les Misérables, VIII, IX, IV.

(...) Planche n'étant nullement justifié auprès de moi du tort que je lui impute, j'aimerais mieux crever de faim que de lui demander un service dans les circonstances actuelles. 5
G. SAND, Lettres à Musset, VIII, 15 juin 1834.

Pron. *Se justifier :* montrer, prouver son innocence, son bon droit. ⇒ **Excuser** (cit. 18). *Il a tenté en vain de se justifier.*

Dois-je alléguer, pour me justifier, la nécessité, maîtresse des hommes et des dieux, qui me conduisit comme elle conduit l'univers ? 6
FRANCE, le Petit Pierre, XXXII.

(Compl. n. de chose). *Justifier la conduite de qqn. Justifier sa propre conduite. Justifier une opinion de jeunesse* (→ Exciper, cit. 2).

(...) je ne puis même obtenir la liberté de dire deux mots pour justifier mes intentions sur le sujet de cette comédie. 7
MOLIÈRE, les Précieuses ridicules, Préface.

(...) il n'était pas homme à chercher des excuses (...) plutôt proclamait-il les raisons qui *justifiaient,* à ses yeux, ce qu'on avait fait. 8
Louis MADELIN, Hist. du Consulat et de l'Empire, Avènement de l'Empire, VI.

C'est seulement lorsque j'ai agi que cette clairvoyance entre en jeu pour justifier à mes yeux ce que j'ai fait (...) 9
MARTIN DU GARD, les Thibault, t. III, p. 221.

♦ **3.** (1585). Sujet n. de chose. Rendre (qqch.) légitime. *Théorie qui justifie tous les excès.* ⇒ **Autoriser, légitimer.** *Le besoin ne suffit pas à justifier de telles exactions.*

Notre défiance justifie la tromperie d'autrui. 10
LA ROCHEFOUCAULD, Réflexions morales, 86.

Prov. *La fin justifie les moyens,* maxime attribuée tantôt à Machiavel, tantôt aux Jésuites.

Leur maxime *(des Jésuites),* banalisée depuis, mais si forte, que « la fin justifie les moyens ». Oui, mais il faut que la fin soit grande. 11
J. ROMAINS, les Hommes de bonne volonté, t. III, XVII, p. 230.

On dit que la fin justifie les moyens (elle les condamne tout aussi bien). 12
J. PAULHAN, Entretien sur des faits divers, p. 56.

♦ **4.** (XVIIe). Dans un sens affaibli. (Sujet n. de personne ou de chose). Faire admettre ou reconnaître (qqch.) comme légitime, correct, fondé en raison. ⇒ **Expliquer, motiver.** *Justifier une démarche, une demande. Justifiez vos critiques. Justifier une expression, une locution* (→ Appui, cit. 36). *Justifier qqch. par... Une coutume difficile à justifier, que la raison ne peut justifier* (→ Civilisation, cit. 15). *Il éprouvait une joie que rien ne justifiait. Justifier un surnom par sa conduite* (→ Épigramme, cit. 8). *Son revenu ne justifie pas* *ce train de vie.* ⇒ **Compte** (rendre compte de...). *Justifier que...* (→ Attacher, cit. 35). *Cela ne justifie pas que vous renonciez.*

13 Quelques-unes de ces pages *(d'Henriette Renan)* justifient en plus d'un endroit la gratitude admirative qu'il a *(Renan)* manifestée à sa sœur.
Émile HENRIOT, Portraits de femmes, p. 407.

14 Presque toute vie d'homme est corrompue par le besoin qu'il a de justifier son existence. Les femmes sont moins sujettes à cette infirmité.
MONTHERLANT, Pitié pour les femmes, p. 250.

♦ **5.** (Mil. XVIIe). Sujet n. de chose. Confirmer* (un jugement, un sentiment). ⇒ **Vérifier.** *L'événement a justifié notre opinion, nos craintes, nos espoirs, notre attente.* — (Sujet n. de personne). *Vous avez justifié mes espoirs* (→ Content, cit. 13).

15 L'expérience a justifié ses sentiments (...)
BOSSUET, Oraison funèbre de Henriette-Marie de France (1669).

♦ **6.** (1368, *Ordonnances des Roys de France*). Montrer (qqch.) comme vrai, juste, réel, par des arguments, des preuves. ⇒ **Démontrer, prouver.** *Justifier ce qu'on avance, ce qu'on affirme. Justifier un fait. Justifier une assertion par des preuves. Justifier l'emploi* (cit. 7) *des sommes reçues. Justifier que... Il devra justifier qu'il possède bien ce titre.*

16 Je n'avance rien qu'il ne me soit aisé de justifier. MOLIÈRE, l'Avare, V, 5.

17 Commandez : laissez-nous, de votre nom suivis,
Justifier partout que nous sommes vos fils. RACINE, Mithridate, III, 1.

B. (Trans. ind.). Dr. *Justifier de. Justifier de* (qqch.), en faire, en apporter la preuve*. *Justifier de son identité en montrant ses papiers. Justifier de sa capacité professionnelle* (→ Artisan, cit. 7). — (Sujet n. de chose). *Reçu qui justifie d'un paiement.*

★ **II.** (1521). Imprim. *Justifier le composteur,* le fixer sur la justification* (II.) voulue. *Justifier une ligne,* la mettre à la longueur requise au moyen de blancs.

18 L'ancienne typographie est un art d'exactitude (...) il arrivait qu'une ligne mal justifiée, c'est-à-dire mal composée, s'échappât de l'ensemble et se répandît sur le sol.
G. DUHAMEL, Chronique des Pasquier, V, IX.

18.1 Le télétypesetter est un téléimprimeur perfectionné. Son appareil émetteur justifie les lignes, c'est-à-dire qu'il les coupe à la longueur exigée par la colonne du journal. Philippe GAILLARD, Technique du journalisme, p. 39.

▶ **SE JUSTIFIER** v. pron. (Du sens I). Réfl.

Démontrer son innocence (→ Artifice, cit. 8). *Répondre à des reproches en se justifiant* (→ Éclairer, cit. 13). *N'avoir aucune excuse pour se justifier* (→ Accabler, cit. 7). *Se justifier auprès de qqn* (et, vx, *à qqn*). — *Je veux me justifier de ces accusations, de ces calomnies* (Académie). ⇒ **Laver** (se).

19 Notre ami demanda s'il ne pourrait point voir Sa Majesté, et se justifier à son maître de sa conduite (...) Mme DE SÉVIGNÉ, 761, 13 déc. 1679.

20 (...) j'ai bien à cœur de me justifier des reproches qu'il me fait.
LACLOS, les Laisons dangereuses, CVII.

21 C'était la pièce fausse, me répondit-il tranquillement, comme pour se justifier de sa prodigalité. BAUDELAIRE, le Spleen de Paris, XXVIII.

Passif. (Choses). Être justifié. *Se justifier par...*

22 Jean souffrait de poursuivre un but évidemment égoïste et qui ne se justifiait que par la sauvegarde de sa propre personne.
J. CHARDONNE, les Destinées sentimentales, p. 187.

Être fondé sur de bonnes raisons. ⇒ **Expliquer** (s'). *Locution qui se justifie très bien* (→ Chez, cit. 17). *Des craintes qui ne se justifient guère.*

23 Un goût peut se justifier. En dégustant du cognac, oncle Philippe définit très bien ses préférences et reconnaît distinctement la qualité.
J. CHARDONNE, les Destinées sentimentales, p. 242.

▶ **JUSTIFIÉ, ÉE** p. p. adj.

♦ **1.** (Personnes). Disculpé, innocenté. — Relig. Qui a retrouvé l'innocence par la grâce.

♦ **2.** (Choses). Qui a un juste fondement, qui est légitime, motivé. *Châtiment justifié. Accusations* (cit. 8) *justifiées. Réclamation justifiée* (→ Le bien-fondé* d'une réclamation). *Un reproche tout à fait justifié* (→ Féconder, cit. 6). *Être en butte* (cit. 5) *à des attaques justifiées. L'emploi de* faire (cit. 117) *semble particulièrement justifié quand...*

Par ext. Fondé, légitime. *Une vie justifiée. Ce que l'homme souhaite être : « une réalité justifiée »* (Sartre, Baudelaire). — *Sentiments justifiés. Émotions justifiées.* — Loc. *Il est (paraît) justifié de...*

DÉR. Justifiable, justifiant.

JUSTIN [ʒystɛ̃] n. m. — XXe ; de *juste* (I., B.).

♦ Régional. Corsage ajusté pour femmes, en Bretagne.

JUTAGE [ʒytaʒ] n. m. — Mil. XXe ; de *juter.*

♦ Techn. Opération par laquelle on remplit de jus chaud les boîtes de conserves contenant des légumes ou des fruits.

1. JUTE [ʒyt] n. m. — 1849 ; angl. *jute* (1746), du bengali *jhuto.*

♦ **1.** Plante dicotylédone *(Tiliacées),* scientifiquement appelée *Corchorus,* herbacée, exotique, cultivée pour les fibres textiles longues et soyeuses de ses tiges. — Syn. : *corète, chanvre du Bengale.*

♦ **2.** (1902). Cour. Fibre textile qu'on en tire après rouissage et décorticage. *Le jute, résistant et bon marché, est utilisé dans la fabrication des cordes, des ficelles, des toiles à sac, à linoléum. Grosse toile de jute.*

Toile fabriquée avec cette fibre.

La chambre est tapissée de jute, mais ici pend un beau tapis (...)
F. MALLET-JORIS, le Jeu du souterrain, p. 45.

2. JUTE [ʒyt] n. f. — Attesté mil. XXe ; déverbal de *juter* (3.).

♦ Fam. et vulg. Sperme.

(...) tu jouis pas t'es pas assez grand non j'ai pas de jute mais j'ai le plaisir.
Tony DUVERT, Paysage de fantaisie, p. 50.

JUTER [ʒyte] v. intr. — 1844 ; de 1. *jus.*

★ **I.** ♦ **1.** Rendre du jus. *Pêche, fruit qui jute.* — Par anal. (fam.). ⇒ **Baver.** *Pipe qui jute.*

Je ne connais rien de plus agaçant que des semelles qui jutent et qui font ghi, ghi, 1
ghi, tout le long du chemin. J'aime mieux aller nu-pieds.
HUGO, les Misérables, III, VIII, VII.

(...) ces pissenlits qui jutaient sous les pieds. J. GIONO, Jean-le-Bleu, II. 2

♦ **2.** Pop. **a** (1907). Baver.

b Éjaculer.

Écoute bouge pas sois pas vache je suis en train de jouir tu fais comme tu veux 3
après — t'as juté ? Tony DUVERT, Paysage de fantaisie, p. 56.

★ **II.** Fig. ♦ **1.** (1908 ; de 1. *jus,* 4.). Argot scolaire. Vieilli. Faire un « jus », parler en public. ⇒ **Laïusser.**

♦ **2.** (De 1. *jus,* 6.). Vx. Argot des peintres. *Jeter du jus :* avoir du chic.

DÉR. Jutage, 2. jute.

1. JUTEUX, EUSE [ʒytø, øz] adj. — XVIe ; de 1. *jus,* avec *-t-* épenthétique.

♦ **1.** **a** Qui a beaucoup de jus. ⇒ 1. **Jus** (1.). *Grappe* (cit. 3) *de raisin juteuse. Poire juteuse.* ⇒ **Fondant.** — Comm. *Fruits juteux et fruits secs.*

b Qui produit du jus. ⇒ 1. **Jus** (2.). *Une poularde bien juteuse.*

c Imbibé d'eau, de liquide.

♦ **2.** (1830, *in* Esnault ; correspond à 1. *jus,* 7.). Fam. Qui rapporte beaucoup ; très profitable, très rémunérateur. *Une affaire juteuse. Un poste juteux. Une place juteuse. Ce doit être juteux. Un coup juteux. Un « mirobolant et juteux contrat »* (Léon Bloy, *in* T. L. F.).

HOM. 2. Juteux.

2. JUTEUX [ʒytø] n. m. — 1907 ; de l'élément *ju-,* de *adjudant,* d'après 1. *juteux,* et les loc. *premier, deuxième jus* « soldat de première, deuxième classe ».

♦ Fam. (d'abord argot milit.). Adjudant.

Il n'était pas juteux de profession, mais sorte de policier auxiliaire, de contrôleur 1
toute main, d'inspecteur volant d'organismes éphémères.
Jacques PERRET, Bande à part, p. 21.

Pendant cinquante-deux mois, il faudrait obéir aux sergents, aux juteux (...) 2
SARTRE, le Sursis, p. 92.

REM. Sur *adjudant* et *juteux,* J. Perret forge l'adjectif *adjuteux* (→ Bleusaillon, cit.).

HOM. 1. Juteux.

JUVÉNAT [ʒyvena] n. m. — XIVe, « assemblée de jeunes gens » ; au sens actuel, 1902, Huysmans ; dér. sav. du lat. *juvenis* « jeune homme », et *-at.*

♦ Relig. Stage en usage dans certains ordres religieux, spécialt chez les Jésuites, et qui prépare au professorat. ⇒ **Alumnat.**

(XXe). Établissement où ce stage a lieu. — Ensemble des religieux d'un juvénat.

Par ext. Établissement secondaire catholique préparant au séminaire.

JUVÉNILE [ʒyvenil] adj. et n. m. — V. 1460 ; *juvenil,* v. 1112 ; du lat. *juvenilis* « jeune », de *juvenis.*

★ **I.** Adj. **A.** ♦ **1.** Littér. ou style soutenu. Se dit des qualités propres à la jeunesse. ⇒ **Jeune.** *Caractère juvénile.* ⇒ **Juvénilité.** *Fraîcheur, grâce juvénile. Contours juvéniles* (→ Fourreau, cit. 7). *La gracilité* (cit. 1) *juvénile de ses épaules. Sourire juvénile. Ardeur, zèle juvénile* (→ Ardent, cit. 16).

1 Tout était juvénile sur ces visages : la roseur de la joue sous la barbe naissante, l'œil frais derrière le binocle, la gaucherie, la vivacité, le lyrisme des sourires qui proclamaient la joie d'éclore, d'espérer tout, d'exister.
MARTIN DU GARD, les Thibault, t. IV, p. 10.

(Personnes). *Il est resté très juvénile.* ⇒ **Adolescent.**

♦ **2.** Composé de jeunes. *Un public juvénile.* — Qui concerne les jeunes, la jeunesse. — Loc. *Délinquance juvénile :* délinquance des mineurs. — *Morbidité, mortalité juvénile.*

B. ♦ **1.** (1931, *in* Larousse). Didact. *Eaux juvéniles :* eaux thermales arrivant en surface.

♦ **2.** Zool. *Hormone juvénile,* qui inhibe l'apparition des caractères adultes chez l'insecte.

★ **II.** N. (1978; angl. *juvenile*). Anglic. Techn. (zool., pisciculture, etc.). *Un juvénile :* un jeune (d'une espèce animale). *« 60 % des œufs pondus* (de manchots) *ne donnerait pas des juvéniles »* (*la Recherche,* oct. 1978).

2 La maîtrise complète de la production de juvéniles suppose que l'on domine la maturation sexuelle, la fécondation, l'incubation des œufs *(de poissons),* le développement larvaire et finalement, si l'on vise un élevage semi-intensif, que l'on domine aussi le sevrage, c'est-à-dire l'accoutumance de l'animal à l'aliment inerte qui lui sera donné par l'éleveur. la Recherche, nº 107, janvier 1980.

CONTR. Sénile, vieux.
DÉR. Juvénilement, juvénilisme.

JUVÉNILEMENT [ʒyvenilmɑ̃] adv. — 1544; de *juvénile.*

♦ Littér. D'une manière juvénile (I., 1.).

JUVENILIA [ʒyvenilja] n. m. pl. — 1855, Nerval; en latin, XVIe; lat. mod. (XVIe), neutre pluriel du lat. class. *juvenilis.* → Juvénile.

♦ Didact. Œuvres, poésies d'enfance et d'extrême jeunesse. *Les juvenilia de Rimbaud.*

JUVÉNILISME [ʒyvenilism] n. m. — 1906, Garnier; de *juvénile,* et *-isme.*

♦ Méd. Infantilisme atténué; retard pubertaire.

JUVÉNILITÉ [ʒyvenilite] n. f. — 1495; lat. *juvenilitas,* de *juvenilis.* → Juvénile.

♦ **1.** Littér. Caractère juvénile (I., 1.). ⇒ **Jeunesse.** *La juvénilité de son expression, de ses enthousiasmes. Il était d'une juvénilité exquise* (→ Bégaiement, cit. 1).

(...) brusquement son visage se transfigure. Une juvénilité mystérieuse détend les traits contractés, toute l'ancienne gentillesse les illumine.
MONTHERLANT, le Songe, II, XIX.

♦ **2.** Didact. Caractère, état des êtres humains jeunes (→ Jeunesse, cit. 26.1).

CONTR. Sénilité.

JUXTA- Élément tiré du lat. *juxta* « près de », et servant à former quelques mots savants. ⇒ **Juxta-articulaire, juxta-épiphysaire, juxtaliminaire, juxtalinéaire, juxtaposer, juxtaposition, juxtatropical.** — REM. On peut citer d'autres composés plus rares, notamment, en anatomie, *juxtamédullaire* [ʒykstamedylɛʀ] adj.; *juxtapleural, ale, aux* [ʒykstaplœʀal, o] adj.; *juxta-thyroïdien, ienne* [ʒykstatiʀɔidjɛ̃, jɛn] adj.; *juxtatrachéal, ale, aux* [ʒykstatʀakeal, o] adj., en médecine, *juxtatumoral, ale, aux* [ʒykstatymɔʀal, o] adj., en géographie, *juxtaglaciaire* [ʒykstaglasjɛʀ] adj.

JUXTA-ARTICULAIRE [ʒykstaaʀtikylɛʀ] adj. — 1910 (et probablt 1904), *in* T. L. F., art. *Juxta-;* de *juxta-,* et *articulaire.*

♦ Anat. et méd. Qui se trouve dans le voisinage immédiat d'une articulation. *Ganglion juxta-articulaire. Nodosités juxta-articulaires* (dans le rhumatisme).

JUXTA-ÉPIPHYSAIRE [ʒykstaepifizɛʀ] adj. — 1928, Barbier, *in* T. L. F., art. *Juxta-;* de *juxta-, éphiphyse,* et *-aire.*

♦ Anat. et méd. Qui se trouve dans le voisinage immédiat de l'épiphyse.

JUXTALIMINAIRE [ʒykstaliminɛʀ] adj. — Mil. XXe; de *juxta-,* et *liminaire.*

♦ Physiol. Se dit d'un stimulus très proche de celui qui serait susceptible d'être perçu et de produire une réaction.

JUXTALINÉAIRE [ʒykstalineɛʀ] adj. — 1843 (1847, Rénier, *in* T. L. F.); de *juxta-,* et *linéaire.*

♦ Didact. *Traduction juxtalinéaire,* où le texte et la version se répondent ligne à ligne dans deux colonnes contiguës.

DÉR. Juxtalinéairement.

JUXTALINÉAIREMENT [ʒykstalineɛʀmɑ̃] adv. — 1893, J. Renard; de *juxtalinéaire.*

♦ Didact. De façon juxtalinéaire; face à face (dans un texte).

JUXTAPOSABLE [ʒykstapozabl] adj. — 1927, Elie Faure, *in* T. L. F.; de *juxtaposer.*

♦ Qui peut être juxtaposé. *Éléments juxtaposables.*

JUXTAPOSANT, ANTE [ʒykstapozɑ̃, ɑ̃t] adj. — 1933, Marouzeau; p. prés. de *juxtaposer.*

♦ Ling. Qui exprime les relations grammaticales par des affixes juxtaposés (et, spécialt, antéposés). *Langues juxtaposantes* (comparer à : *langues agglutinantes, amalgamantes, incorporantes, isolantes*).

JUXTAPOSER [ʒykstapoze] v. tr. — 1836, trans; au p. p., 1803; v. pron., 1823; p. p., en chimie *(molécules juxtaposées),* 1793; de *juxta-,* et *poser.*

♦ Poser, mettre (une ou plusieurs choses) à côté*, près* d'une autre ou de plusieurs autres, sans liaison. *Juxtaposer une chose à une autre* (→ Contrepoint, cit. 2), *une chose et une autre, juxtaposer deux choses.* ⇒ **Accoler** (II.). *Juxtaposer les termes d'une série. Les néo-impressionnistes juxtaposaient les couleurs pures. Juxtaposer deux termes par une apposition. Juxtaposer deux mots pour former un composé. Juxtaposer deux propositions.* — Rare. *« Juxtaposer du rouge sur du rouge et du bleu sur du bleu »* (Huysmans, *in* T. L. F.)

(...) grandes plaques dédoublées par le milieu et dont on a juxtaposé les deux morceaux de façon à former des dessins symétriques, comme on en obtient en ébénisterie par le placage des bois. LOTI, Jérusalem, p. 92. 1

(Sujet n. de chose). *Un tableau qui juxtapose des tons francs, un vert à un rouge, et un rouge.*

▶ **SE JUXTAPOSER** v. pron. *Couleurs qui se juxtaposent. Des croyances qui se juxtaposent sans s'organiser.* — Rare. (Le sujet désigne une chose). Être placé tout près de.

▶ **JUXTAPOSÉ, ÉE** p. p. adj. (1793, en chimie; au sens général, *juxta-posé,* 1803).

Qui est mis à côté, tout près de, sans lien, sans liaison. *Groupes d'immigrants* (cit. 1), *« juxtaposés ou superposés aux groupes déjà installés »* (Valéry). *Les touches juxtaposées des impressionnistes. Les termes juxtaposés du style impressionniste* (cit. 2).

Il *(ce temple)* est formé d'un faisceau d'églises ou de chapelles juxtaposées et indépendantes les unes des autres. Th. GAUTIER, Voyage en Russie, XVI. 2

(Abstrait). Exprimé à la suite, mais sans liaison. *Des idées, des arguments juxtaposés.* — Qui coexiste sans liaison profonde.

Les institutions, les lois, les mœurs n'y sont point juxtaposées comme dans un amas, par hasard ou caprice, mais liées entre elles, par convenance ou nécessité, comme dans un concert. 3
TAINE, les Origines de la France contemporaine, III, t. I, p. 281.

(Personnes) :

S'il n'est point de nœud qui les unisse, les hommes sont juxtaposés et non liés. 4
SAINT-EXUPÉRY, Pilote de guerre, XXVI.

Nous sommes là, les uns à côté des autres, impénétrables (...) juxtaposés, comme les galets au bord du lac (...) MARTIN DU GARD, les Thibault, t. V, p. 95. 5

Ling. *Mots juxtaposés.* — N. *Les juxtaposés,* se dit des composés (cit. 34) « improprement dit(s)... constitué(s) par le simple rapprochement de deux termes » (Marouzeau). *Propositions juxtaposées,* « placées les unes à côté des autres, sans aucun lien grammatical » (G. et R. Le Bidois, *Syntaxe du français moderne,* § 1112). *Propositions temporelles, hypothétiques juxtaposées* (ex. : la porte était-elle fermée, il entrait par la fenêtre; à peine arrivé, il se mettait à table).

CONTR. Éloigner, espacer. — Distant.
DÉR. Juxtaposable, juxtaposant.

JUXTAPOSITION [ʒykstapozisjɔ̃] n. f. — 1664 (édition), *le Monde de M. Descartes,* « accroissement de molécules » (la date parfois donnée de 1636 n'est pas certaine); sens général, mil. XVIIIe (1755, Rousseau); de *juxta-,* et *position.*

♦ Action de juxtaposer; résultat de cette action. ⇒ **Assemblage.** — *La juxtaposition de deux choses* (→ Fondamental, cit. 3; fusion, cit. 4).

(...) ses tons qui, pris à part, seraient gris ou neutres, acquièrent par la juxtaposition une puissance et un éclat surprenants. 1
Th. GAUTIER, Souvenirs de théâtre..., Noces de Cana.

(1840). Ling. Rapprochement de deux ou plusieurs termes juxtaposés. ⇒ **Parataxe**; et aussi **asyndète.** *La juxtaposition des mots dans la phrase chinoise* (→ Idéographie, cit. 2).

2 La construction par simple juxtaposition des termes, verbes ou compléments, — l'asyndète des grammairiens — produit un effet de rapidité; tous les mots de liaison non indispensables sont supprimés (...) Cette construction est familière à Mauriac chez qui l'accumulation des verbes sans conjonction entre eux (...) traduit l'atmosphère de fièvre et d'angoisse où respirent ses personnages (...)

René GEORGIN, la Prose d'aujourd'hui, Juxtapositions.

JUXTATROPICAL, ALE, AUX [ʒykstatʀɔpikal, o] adj. — 1877; de *juxta-*, et *tropical.*

♦ Géogr. Qui est près des tropiques (opposé à *intertropical, tropical*).

JY [ʒi] interj. ⇒ **Gy.**

K

K [kɑ] n. m. — XIIIᵉ; du *K* lat., anc. transcription du *x (kyste)* ou rarement du *χ* grecs* *(kilo)*; du *K* germanique *(képi)* ou slave *(knout)*; transcription du son [k] d'une langue orientale *(moka, panka)*.

♦ **1.** Onzième lettre de l'alphabet *(k, K)* servant à noter une consonne occlusive sourde vélaire [k] dans des mots empruntés. *Un k minuscule. K majuscule.*

♦ **2.** Mar. Onzième pavillon du Code international de signaux, signifiant «stoppez votre navire immédiatement».

♦ **3.** Chim. (De *kakium**). *K,* symbole du *potassium.*

Phys. *K,* symbole du *kelvin** (temp. thermodynamique). — Désigne souvent une constante.

Inform. *K* ou *Ka,* symbole de l'unité de capacité de mémoire (abrév. de *kilo*). *K octet.*

♦ **4.** Abrév. *K.O.* ⇒ **K.O.**

HOM. 1. Cas, 2. cas.

KA [ka] n. m. ⇒ **Kaon.**

KABBALE [kabal] n. f. — 1532, Rabelais; de l'hébreu rabbinique *gabbalah* «tradition».

Didactique.

♦ **1.** Tradition juive donnant une interprétation mystique et allégorique de l'Ancien Testament. ⇒ **Cabale,** I., 1. (vieilli). *Théories de la kabbale.* ⇒ **Cabalisme.**

(...) cette force magique que possèdent dans la Kabbale les assemblages de lettres et de nombres, dont le mystérieux pouvoir domine les destinées et force l'avenir.
Jérôme et Jean THARAUD, l'Ombre de la Croix, II.

REM. La graphie *cabale,* dans ce sens, est archaïque.

♦ **2.** ⇒ **Cabale** (I., 2.).

DÉR. Kabbaliste.

KABBALISTE [kabalist] n. — 1532, *cabaliste;* de *kabbale.* → Cabale.

♦ Relig. Spécialiste de la Kabbale* juive. ⇒ **Cabaliste** (vieilli).

Par anal. Personne adonnée aux mystères de la Kabbale.

J'ai bien peur que non seulement ces soi-disant astrologues, mais encore que tous les mages, que tous les théosophes, que tous les occultistes et kabbalistes de l'heure actuelle ne sachent absolument rien.
HUYSMANS, Là-bas, IX.

KABIG [kabig] n. m. — Attesté mil. XXᵉ, évidemment antérieur en franç. régional de Bretagne; mot breton.

♦ Manteau court de drap à capuche, non doublé, muni sur le devant d'une poche formant manchon, porté à l'origine en Bretagne.

Il ne suffit pas de dire : je suis Breton, ni même : je parle breton. Il suffit encore moins de se mettre un kabig sur le dos, d'orner sa voiture d'un drapelet *gwenn-ha-du* et d'un BZH pour aller courir les *festou-noz.*
Pierre-Jakez HÉLIAS, le Cheval d'orgueil, p. 536.

KABLOUNA [kabluna] n. m. — 1861; mot inuit (eskimo).

♦ Didact. Personne de race blanche, pour les Inuit (Eskimos).

KABUKI [kabuki] n. m. — 1895, Encycl. Berthelot, art. *Japon;* mot japonais dont les trois caractères (syllabes) signifient «chant», «danse», «personnage».

♦ Didact. Genre théâtral japonais traditionnel à grand spectacle, très stylisé, avec musique et danses, développé à partir du XVIIᵉ siècle. *Les acteurs de kabuki sont tous des hommes, éventuellement travestis. Musique de kabuki :* chants, shamisen, percussion (parfois empruntée au *nô*).

Le terme de kabuki recouvre aujourd'hui une forme de spectacle composite, comportant des drames, des danses et des sortes de ballets. Dans certaines pièces, qui s'apparentent à la fois à nos opéras et à nos revues de music-hall, ces trois éléments se combinent. SIEFFERT, la Littérature japonaise, p. 162. 1

Depuis longtemps, le kabuki est un événement auquel participent autant le public que les acteurs. L'animation est parfois plus grande dans la salle que sur scène. Avant et pendant la représentation, qui peut durer six heures, vont et viennent petits marchands ambulants ou employés du théâtre passant des messages. Les spectateurs, au fil des heures, mangent, fument, boivent et bavardent.
D. et V. ELISSEEF, la Civilisation japonaise, p. 373. 2

En apposition :

Pour exécuter son étrange gymnastique — qui tenait du mime kabuki, de la colère enfantine et des contorsions de jeune chien — Baba s'était accroupie sur la natte festonnée posée au milieu de la pièce.
Christine DE RIVOYRE, la Mandarine, p. 192. 3

KABYLE [kabil] n. et adj. — 1739, *in* T. L. F.; 1697, *Cobeilles,* in *Bible orientale* d'Herbelot; *Cabilah,* 1761; arabe *qăbīlăh* «tribu», plur. *qăbā'il.*

♦ De la Kabylie, vaste région montagneuse d'Algérie. *Un, une Kabyle. Origine berbère* des Kabyles.* — Adj. *Chaîne* (cit. 26) *des montagnes kabyles. Cheval* kabyle. Chien kabyle. Langue, dialecte kabyle.*

Un sabre kabyle à fourreau d'argent pendait à son épaule gauche (...) 1
E. FROMENTIN, Une année dans le Sahel, p. 283.

La Kabylie du Djurjura est la région la plus peuplée de l'Algérie (...) Le surpeuplement a amené les Kabyles à pratiquer l'émigration temporaire. 2
Augustin BERNARD, Afrique septentrionale et occidentale, p. 206 et 208, *in* P. VIDAL DE LA BLACHE, Géographie universelle.

N. m. (1867). *Le kabyle,* ensemble des dialectes et parlers berbères de Kabylie. — Adj. *Le vocabulaire kabyle.*

KACHA [kaʃa] n. f. — 1863, *kasha,* Cˢˢᵉ de Ségur, *le Général Dourakine; kâscha,* 1852, *in* D. D. L.; mot russe.

♦ Plat populaire russe à base de bouillie de sarrasin. *Kacha polonaise :* plat d'orge mondé, cuit dans du lait et additionné d'œufs frais battus et de crème aigre. — Var. rare : *kache* (1902).

HOM. 2. Kasha.

KACHOUBE [kaʃub] adj. et n. — 1952, in *les Langues du monde;* mot polonais.

♦ Membre d'une population d'origine polonaise, établie à l'Ouest de Gdańsk. *«Il vit, de surcroît, au sein d'une famille divisée; il a deux pères, l'un polonais, l'autre allemand, et une mère kachoube c'est-à-dire ni polonaise ni allemande»* (*l'Express,* 15 sept. 1979).

N. m. Dialecte polonais «lékhite» (enclavé dans une zone germanophone comme le Souabe) parlé par les Kachoubes.

KACOCHNYK [kakɔʃnik] n. m. ⇒ **Kakochnik.**

KADDISCH [kadiʃ] n. m. — 1817, *kadisch, in* D. D. L.; *kaddesh,* 1666 (cf. *kiddish,* 1613, en angl.); mot araméen, «saint».

♦ Didact. (relig.). Prière juive en araméen récitée à la fin de chaque partie de l'office.

KADI [kadi] n. m. ⇒ **Cadi.**

KADSURA [katsuʀa] n. m. — 1873, *in* P. Larousse; mot japonais.

♦ Bot. Arbrisseau sarmenteux à fleurs blanchâtres et à follicules* charnus rouges, originaire de l'Asie orientale *(Magnoliacées). Kadsura du Japon.*

KÆMPFÉRIE [kɛmpfeʀi] n. f. — 1873, *in* P. Larousse; de *Kaempfer,* botaniste hollandais.

♦ Bot. Plante *(Zingibéracées)* herbacée, tropicale, à rhizomes tuberculeux, et qui possède des propriétés stimulantes.

1. KAFIR [kafiʀ] n. m. — 1799; *kafer,* 1683; *kafier,* Arveiller, 1723; mot arabe, «incroyant, infidèle».

♦ Pour les musulmans, Incroyant, infidèle. ⇒ **Giaour, roumi.**

2. KAFIR [kafiʀ] n. m. ⇒ **Kéfir.**

KAFKAÏEN, ÏENNE [kafkajɛ̃, jɛn] adj. — V. 1950, *kafhien;* Daniel-Rops, 1939, *in* D. D. L.; *kafkéen,* 1961, P. Nora; de *Kafka,* écrivain tchèque.

♦ **1.** De Kafka.

Flaubert fut l'un des rares écrivains que Kafka lut et aima avec persévérance, et qui eut sur lui une influence constante. Bouvard et Pécuchet représentent un premier état de certains personnages kafkaïens.
J. DUTOURD, le Fond et la Forme, p. 126 (1958).

♦ **2.** (Mil. XXe). Qui rappelle l'atmosphère oppressante des romans de Kafka. *Un monde kafkaïen. Une situation kafkaïenne. C'est kafkaïen!*

REM. On rencontre la var. *kafkéen, enne* [kafkeɛ̃, ɛn].

KAGOU [kagu] n. m. — XXe (1953, Guillet); orig. inconnue, probablt mot indigène.

♦ Zool. Oiseau de la Nouvelle-Calédonie, échassier gris aux pattes et au bec rouges, aux mœurs nocturnes, porteur d'une huppe de grande taille (n. sc. : *Rhynochetos jubatus;* famille des *Rhynochétidés*).

KAHOUA [kawa] n. m. ⇒ **Cahoua.**

KAÏD [kaid] n. m. Vx. ⇒ **Caïd.**

KAIFFA [kɛfa] n. m. — 1840, Académie, *Compl.;* mot arabe.

♦ Vx. Préparation alimentaire, faite de fécule, farine de riz, sucre, etc., servant à faire des potages.

KAIMAC [kɛmak] n. m. — 1457, *kaymac;* mot turc, «crème».

♦ Vx. «Crème (alimentaire) en usage chez les Orientaux» (Académie, 1878).

KAÏNITE [kainit] n. f. — 1872, *in* Littré, *Suppl.;* all. *Kaïnit,* Zincken, 1865; du grec *kaïnos* «nouveau, neuf», en raison de la formation relativement récente de ce minéral.

♦ Didact. (minér.). Chlorosulfate double naturel hydraté de potassium et de magnésium. *La kaïnite, engrais* potassique.*

KAÏNOPHOBIE [kainofɔbi] n. f. — XXe; du grec *kainos* «nouveau», *et phobie.*

♦ Méd. Peur maladive de tout ce qui est nouveau. ⇒ **Misonéisme.**

KAIRE [kɛʀ] n. m. — 1544; portugais *cairo,* d'une langue dravidienne.

♦ Vx. Mar. Cordage en bourre de coco.

HOM. Caire, kère.

KAISER [kajzœʀ; kɛzɛʀ] n. m. — Attesté 1913, Péguy; probablt 1870-1871; *kaÿser,* attestation isolée, 1859 (cit. 1); mot all., «empereur», du lat. *Cæsar.* → César.

♦ Empereur d'Allemagne (de 1870 à 1918) → Fait, cit. 25; heurter, cit. 30. *«Je n'ai pas voulu cela», proclamait le Kaiser* (Guillaume II) *en 1918.*

1 (...) Vous ne vous doutiez point
Que vous aviez sur vous l'œil fixe de la peine;
Et que quelqu'un savait dans cette ombre malsaine
Que Joss fût kaÿser et que Zéno fût roi.
HUGO, la Légende des siècles, XV, III, XVI (1859).

2 (...) Guillou... (on l'appelait ainsi depuis la guerre, puisqu'il avait cette malchance de porter le même prénom que le kaiser — la baronne prononçait «késer»).
F. MAURIAC, le Sagouin, p. 22.

KAISERLICK [kɛzɛʀlik] n. m. — 1809, Stendhal; *kaiserlique,* 1792; all. *kaiserlich* «impérial».

♦ **1.** Vx ou hist. Soldat de l'empereur d'Allemagne, pendant la Révolution française. *Les kaiserlicks étaient aussi nommés «impériaux».*

♦ **2.** Hist. Émigré français exilé pendant la Révolution dans un des pays germaniques coalisés contre la France.

KAKAPO [kakapo] n. m. — Mil. XXe, dans les dict.; probablt XIXe en zool. (1843 en anglais); mot maori, de *kaka* «perroquet», sans doute onomatopéique (→ Cacatoès), et *po* «nuit».

♦ Zool. Perroquet *(Psittacidés)* vert et brun des zones montagneuses de Nouvelle-Zélande, qui vit la nuit (n. sc. : *Strigos habroptilus*).

KAKATOÈS [kakatɔɛs] n. m. ⇒ **Cacatoès** (et REM.).

KAKÉMONO [kakemɔno] n. m. — 1878, Goncourt; mot japonais, «chose suspendue», de *kakeru* «suspendu», et *mono* «chose». → Makémono.

♦ Peinture japonaise sur soie ou sur papier, beaucoup plus haute que large et suspendue verticalement dans une pièce à la place d'honneur. *Le kakémono peut s'enrouler autour d'un bâton de bois précieux.* — REM. On écrit aussi *kakemono,* sans accent.

Le premier kakémono, d'O Kio, représente des petits chiens, lippus, mafflus, rhomboïdaux, dont l'un dort, la tête posée sur le dos de l'autre, dessinés d'un pinceau courant dans un lavis d'encre de Chine, mêlé d'un peu de couleur rousse sur les chiens, d'un peu de couleur verdâtre sur une plante herbacée. 1
Ed. et J. DE GONCOURT, Journal, 14 déc. 1894.

C'est une toile toute en hauteur, faite comme un kakémono. En réalité, on devrait la dérouler comme un kakémono. G. DUHAMEL, l'Archange de l'aventure, V. 2

Je me souviens que l'on changeait souvent les rouleaux exposés au musée de Kyoto (...) Mais il y avait à Kyoto un musée, non une de ces collections cachées dont le Japon tirait autrefois une œuvre pour chaque chambre, pour chaque jour; non une de ces cellules où un kakemono zen est déroulé fugitivement au-dessus d'une terre cuite haniwa naïve et rusée comme un écureuil, ou d'une divinité bouddhique. 3
MALRAUX, Antimémoires, p. 585.

KAKERLAK [kakɛʀlak] n. m. — Déb. XVIIIe, *cakerlah;* néerl. *kakkerlah* «blatte», d'une langue indienne d'Amérique du Sud. → Cancrelat.

♦ Blatte des régions tropicales.

1. KAKI [kaki] n. m. — 1822; *ssibu-kaki,* 1765; plusieurs variantes (*caque,* 1820; *kake,* 1820); mot japonais, passé en lat. sc. (1712, Kaempfer; repris par Linné).

♦ Plaqueminier* du Japon, arbre ou arbrisseau dont les fruits d'un jaune orangé ont la forme de tomates. — Ce fruit. *Des kakis.*

(...) une épicerie où Guillaume *(Apollinaire)* venait s'approvisionner de truffes blanches (...) de nèfles, de kakis. Francis CARCO, Nostalgie de Paris, p. 154.

HOM. 2. Kaki.

2. KAKI [kaki] n. m. et adj. — 1916, *in* Höfler; *khaki,* 1898; angl. *khakee* (1863), *khaki,* de l'hindoustani *khâki* «couleur de poussière», du persan *khâh* «poussière».

♦ **1.** N. m. Vx. Tissu de couleur brun jaunâtre, utilisé par l'armée britannique en Inde.

♦ **2.** Adj. (1902; *khaki,* 1900). D'une couleur brun jaunâtre. *Toile kaki* (→ Hétéroclite, cit. 5). *Chemise kaki des armées française, anglaise, américaine.* — N. m. (1916). *Le kaki, couleur peu voyante et peu salissante, utilisée surtout pour les vêtements militaires, sportifs ou rustiques. Chasseur habillé de kaki.*

Les uniformes de ces rescapés sont uniformément jaunis par la terre; on dirait qu'ils sont habillés de kaki. Le drap est tout raidi par la boue ocreuse qui a séché dessus (...) 1
H. BARBUSSE, le Feu, t. I, III.

Une ceinture de flanelle d'un rouge lie de vin serrait à la taille leur vareuse militaire kaki. P. MAC ORLAN, la Bandera, VI. 2

À droite comme à gauche, d'autres corps sont couchés sur d'autres lits, identiques, alignés contre un mur nu, le long duquel est fixé, un mètre au-dessus des têtes, la planche surchargée de sacs-à-dos, de valises en bois, de vêtements pliés, kakis ou verdâtres, et de vaisselle en aluminium. 3
A. ROBBE-GRILLET, Dans le labyrinthe, p. 162.

Par métonymie. *Des hommes, des soldats kakis.* — N. m. (Vx). *Un kaki :* un soldat.

Var. graphique : *khaki* (cf. P. Morand, Montherlant, *in* G. L. L. F.).

HOM. 1. Kaki.

KAKOCHNIK [kakɔʃnik] n. m. — 1853, Mérimée, *in* D. D. L.; mot russe.

♦ Coiffure en forme de diadème que portaient les femmes de l'ancienne Russie.

REM. On a écrit aussi *kacochnyk* (ex. chez Proust).

KALA-AZAR [kalaazaʀ] n. m. — 1909; mot d'Assam, de *kala* «noir», et *azar* «maladie», p.-ê. par l'angl. (1883).

♦ Méd. Maladie grave provoquée par un protozoaire parasite, la leishmanie*. *Kala-azar méditerranéen*, qui atteint la rate, chez les enfants. *Kala-azar asiatique*, avec atteinte de la rate, du foie, des ganglions lymphatiques, du sang et de la peau. ⇒ **Leishmaniose.**

KALACHNIKOV [kalaʃnikɔf] n. f. — 1972; nom d'une marque soviétique d'armes automatiques.

♦ Pistolet-mitrailleur soviétique du modèle de ce nom. *«Les fusils et les kalachnikovs partent tout seuls»* (*l'Express*, 9 oct. 1972, p. 134). *«Des soldats en treillis (...) la kalachnikov en bandoulière»* (*l'Express*, 21 avr. 1979, p. 115).

KALANCHOÉ [kalɑ̃kɔe] n. m. — 1763; mot chinois, par le latin scientifique (1700).

♦ Bot. Plante originaire d'Asie, d'Afrique australe et de Madagascar, à fleurs tubulaires disposées en grappes, cultivée comme ornementale et pour ses propriétés médicinales. *Kalanchoé penné.*

Heureux d'avoir enfin appris, hier, le nom de la curieuse plante dont j'élève ici, dans sept pots, grande quantité de rejetons. C'est une des trente-six espèces connues de «Kalanchoé(s)», crassulacées, toutes tropicales. Elle a cette particularité de se reproduire, non seulement par graines (sans doute), mais aussi bien, ou mieux, par rejetons, lesquels naissent au bord des feuilles, puis s'émancipent et sitôt tombés à terre s'enracinent. C'est cette bizarrerie qui m'avait requis et que j'avais observée au cours de l'été dernier. *(Kalanchoé Daigremontiana).*
GIDE, Journal (1939-1945), Pl., p. 150.

KALÉIDOSCOPE [kaleidɔskɔp] n. m. — 1836, G. Lamé, *Cours de physique*, t. II, p. 129, mais antérieur; dès 1818 au fig.; angl. *kaleidoscope*, 1817, D. Brewster; du grec *kalos* «beau», *eidos* «aspect», et *skopein* «regarder»; var. : *caléidoscope* (Littré).

♦ **1.** Petit instrument cylindrique, dont le fond est occupé par des fragments mobiles de verre colorié qui, en se réfléchissant sur un jeu de miroirs angulaires disposés tout au long du cylindre, y produisent d'infinies combinaisons d'images* aux multiples couleurs*.

1 La date de l'année 1823 était pourtant indiquée par deux objets à la mode alors dans la classe bourgeoise, qui étaient sur une table, savoir un kaléidoscope et une lampe de fer-blanc moiré. HUGO, les Misérables, II, III, I.

2 Un autre jeu dont je raffolais, c'est cet instrument de merveilles qu'on appelle kaléidoscope; une sorte de lorgnette qui, dans l'extrémité opposée à celle de l'œil, propose au regard une toujours changeante rosace, formée de mobiles verres de couleur emprisonnés entre deux feuilles translucides. L'intérieur de la lorgnette est tapissé de miroirs où se multiplie symétriquement la fantasmagorie des verres, que déplace entre les deux feuilles le moindre mouvement de l'appareil.
GIDE, Si le grain ne meurt, I, I, p. 12.

2.1 Cette manœuvre, capable d'engendrer une infinité de résultats fortuits, pouvait se comparer aux tapes légères qui, appliquées sur le tube d'un kaléidoscope, donnent naissance dans le domaine visuel à des mosaïques de cristaux d'une polychromie éternellement neuve. RAYMOND ROUSSEL, Impressions d'Afrique, p. 47.

(V. 1880). Par métaphore. *D'incohérentes visions de kaléidoscope* (→ Assembler, cit. 10).

3 (...) l'abus de l'image est une source de trouble profond pour la langue (...) La mode est un peu courte, les noms en faveur s'usent trop vite (...) Ce n'est plus un mouvement, mais un tourbillon. Là aussi on «tourne», mais si ce kaléidoscope donne la sensation de l'animé, il est loin d'arriver à la netteté.
F. BRUNOT, la Pensée et la Langue, p. 78.

♦ **2.** (1818, dans un titre : *le Kaléidoscope philosophique et littéraire*). Fig. Succession rapide et changeante (de sensations, d'impressions).

4 (...) ces poneys vont comme le vent, et mon dos-à-dos m'entraîne sans autre direction que la fantaisie du cocher. Il tourne à droite, à gauche, pousse droit devant lui; quartier malais, boutiques européennes, chaumières gracieuses, palais magnifiques, places, ponts, rivières et campongs, édifices publics et végétation merveilleuse, c'est un panorama grandiose, un kaléidoscope enchanteur.
Désiré CHARNAY, Six semaines à Java, *in* le Tour du monde, 1880, t. I, p. 3.

DÉR. Kaléidoscoper, kaléidoscopie, kaléidoscopique.

KALÉIDOSCOPER [kaleidɔskɔpe] v. tr. — 1895, Verlaine, *in* T. L. F.; de *kaléidoscope.*

♦ Vieilli. Faire voir, montrer (qqch.) comme dans un kaléidoscope.

KALÉIDOSCOPIE [kaleidɔskɔpi] n. f. — 1836, Balzac, *in* D. D. L.; de *kaléidoscope.*

♦ Littér. Spectacle que donne un kaléidoscope. — Spectacle coloré et changeant, analogue à celui produit par un kaléidoscope.

Il était alors dix heures du matin. Les rayons du soleil frappaient la surface des flots sous un angle assez oblique, et au contact de leur lumière décomposée par la réfraction comme à travers un prisme, fleurs, rochers, plantules, coquillages, polypes, se nuançaient sur leurs bords des sept couleurs du spectre solaire. C'était une merveille, une fête des yeux, que cet enchevêtrement de tons colorés, une véritable kaléidoscopie de vert, de jaune, d'orange, de violet, d'indigo, de bleu, en un mot, toute la palette d'un coloriste enragé.
J. VERNE, Vingt mille lieues sous les mers, p. 173 (1877).

KALÉIDOSCOPIQUE [kaleidɔskɔpik] adj. — 1835, Balzac, sens fig.; de *kaléidoscope.*

♦ **1.** Du kaléidoscope.

♦ **2.** Fig. Coloré et qui change rapidement.

Aller voir la pièce, avec sa mise en scène kaléidoscopique et mouvementée, donne assez l'illusion qu'on a l'heur d'être un bibliophile milliardaire, possesseur d'un exemplaire enluminé, raffinement inédit, au cinématographe. 1
A. JARRY, Critiques de théâtre, Crainquebille, *in* Œ. compl., t. VII, p. 259.

Et il est vrai que le LSD suscite des phénomènes de remémoration extrêmement intenses, que, sous son influence, le passé explose à la conscience de façon kaléidoscopique (...) Claude OLIEVENSTEIN, Il n'y a pas de drogués heureux, p. 126. 2

REM. L'adv. *kaléidoscopiquement* est attesté chez Rostand (*in* T. L. F.).

KALI [kali] n. m. — 1553, Belon; arabe *(ɔ)ǎlqīly(ŭ)* «cendres des plantes alcalines», d'où «soude». → Alcali.

♦ **1.** Plante à feuilles épineuses (*Chénopodiacées*; n. sc. : *Salsola-soda)* qui pousse sur les côtes de l'Europe méridionale, et dont on retirait autrefois la soude* par incinération.

(...) je me laverai, s'il vous plaît, les mains quarante fois avec du kali[1] (...)

1. Plante qui croît au bord de la mer, qu'on recueille et qu'on brûle verte. Ses cendres sont ce qu'on nomme la soude. On appelle aussi cette plante soude.
A. GALLAND, les Mille et une Nuits, t. I, p. 372.

♦ **2.** (1867, *in* Littré). Chim. Vx. Cendres de cette plante; soude ou potasse qu'on en retirait.

COMP. Kalicine, kalicytie, kaliémie.

KALICINE [kalisin] n. f. — 1873, *in* P. Larousse; de *kali*, et suff. chimique *-ine.*

♦ Chim., minér. Bicarbonate naturel de potassium.

KALICYTIE [kalisiti] n. f. — xxe; de *kali*, suff. *-cyte*, et *-ie.*

♦ Biol. Taux de potassium dans les cellules tissulaires et les globules du sang. *Taux normal de kalicytie chez l'homme : 4,50 à 6,60 g par litre d'eau intracellulaire.*

KALIÉMIE [kaljemi] n. f. — 1938, Garnier-Delamare; de *kali*, et *-émie.*

♦ Biol. Taux de potassium dans le sang. *Taux normal de kaliémie chez l'homme : 0,21 g par litre de plasma.*

KALISME [kalism] n. m. — 1900, *in* D. D. L.; de *kalium.*

♦ Méd. Intoxication par les sels de potassium, aiguë (troubles gastro-intestinaux et cardiaques) ou chronique, professionnelle (le plus souvent lésions de la peau).

KALIUM [kaljɔm] n. m. — 1842; lat. sav., de l'arabe *kali* «potasse».

♦ Chim. Vx. Potassium (symb. *K*).

DÉR. Kalisme.

KALLIKRÉINE [ka(l)likʀein] n. f. — Mil. xxe; all. *Kallikrein* (H. Kraut et al., 1930); du grec *kallikreas* «mésentère, pancréas», de *kalos* «beau», et *kreas* «chair».

♦ Chim., biol. Enzyme à propriétés vasodilatatrices et hypotensives, isolée du pancréas, de l'urine et de la salive.

KALMIE [kalmi] ou **KALMIA** [kalmja] n. f. — 1777, Encyclopédie, *Suppl.*; de *Kalm*, botaniste suédois.

♦ Bot. Arbrisseau vénéneux de l'Amérique du Nord *(Éricacées)*, rappelant le rhododendron et cultivé pour la beauté de ses fleurs blanches ou roses.

KALMOUK [kalmuk] adj. et n. — 1721, *kalmouk, kalmouch*; 1771, Trévoux, n. m. pl. *les Kalmouks*; mot mongol.

★ **I.** *De Kalmoukie* (U. R. S. S.). *Mœurs kalmouks.*

Elle n'avait pas de beauté : petite, les yeux légèrement discordants, la pointe du nez kalmouke (...) SAINTE-BEUVE, Nouveaux lundis, 25 nov. 1861.

Fém. *Kalmouk* ou *kalmouke*, (vx) *kalmouque.*

N. m. Langue mongole occidentale, parlée dans le bassin oriental de la Volga (syn. : *oïrat*), dans l'Oural (*kalmouk de l'Oural* ou *Orenbourg*; syn. : *torgut*) et dans la région d'Astrakhan.

REM. On a écrit *kalmouque* (Balzac), *kalmouck* et *kalmouch.*

★ **II.** (1792, *calmouc*; *kalmouck*, 1867). Vx. Tissu de laine dont la trame n'est pas peignée.

KALPAK, KALPACK [kalpak] n. m. ⇒ **Colback.**

KAMA [kama] n. m. — 1873, *in* P. Larousse ; mot turc.

♦ Grand poignard sans garde, à poignée conique, à large lame à deux tranchants (chez les Géorgiens, les Kurdes, les Tcherkesses).

KAMALA [kamala] n. m. — 1865, *in* Littré-Robin ; mot sanscrit, de *kamalam* « lotus ».

♦ Techn. Poudre orangée obtenue par la réunion des minuscules poils glanduleux qui couvrent les fruits d'un arbrisseau, le *Mallotus philippinensis (Euphorbiacées),* originaire de l'Inde. *On utilise le kamala pour la teinture des soies et comme remède ténifuge*.*

KAMCHADALE [kamʃadal] ou **KAMTCHADALE** [kamtʃadal] adj. et n. — 1761, *kamschadale ;* du rad. de *Kamchatka,* la finale (d'un adj. dérivé russe ?) étant inexpliquée.

♦ Didact. Du Kamchatka. — (1797). *Langue kamtchadale,* et, n. m., *le kam(t)chadale :* langue sibérienne parlée au Kamchatka.

KAMI [kami] n. m. — 1845, Bescherelle, au plur., *kamis ;* mot jap., « supérieur, seigneur ».

♦ **1.** Titre de noblesse au Japon.

♦ **2.** Divinité, dans la religion shintoïste (cf. Kamikaze « vent divin »).

KAMICHI [kamiʃi] n. m. — 1741, *kamichy ;* mot indien caraïbe.

♦ Zool. Grand oiseau *(Échassiers, palamédéides ;* n. sc. *Palamedea)* d'Amérique du Sud.

(...) c'est la voix du kamichi, grand oiseau noir très remarquable par la force de son cri et par celle de ses armes ; il porte sur chaque aile deux puissants éperons, et sur la tête une corne pointue de trois ou quatre pouces de longueur (...) implantée sur le haut du front (...) et vers sa base (...) revêtue d'un fourreau semblable au tuyau d'une plume. BUFFON, Hist. nat. des oiseaux, Le kamichi.

KAMIK [kamik] n. m. — 1939, Wyss-Dunant, *in* D. D. L. ; mot inuit (eskimo).

♦ Didact. Botte en cuir de phoque des Inuits (Eskimos).

KAMIKAZE [kamikaz] n. m. et adj. — V. 1950 (1945 en angl., où le sens originel est attesté chez Lafcadio Hearn en 1896) ; mot jap., proprt « vent divin », de *kami* « dieu », et *kaze* « vent », nom donné à un typhon qui arrêta providentiellement une invasion mongole au XIIIᵉ siècle.

♦ **1.** Avion chargé d'explosifs, dont le pilote se sacrifiait en l'écrasant contre l'objectif (au Japon, à la fin de la Seconde Guerre mondiale : 1944-1945) ; le pilote lui-même.

♦ **2.** Par ext. Personne d'un grande témérité. *Un « kamikaze du volant » (le Nouvel Obs.,* 9 juin 1969). — Par appos. *« Candidat kamikaze » (l'Express,* 7 mai 1973).

Adj. Qui tient du suicide.

KAMPONG [kɑ̃pɔ̃ŋ] n. m. — 1875, *in* Littré, *Suppl. ;* mot malais, « enclos ; village, quartier », soit par le portugais (mot attesté en 1613), soit, plus probablt, par l'anglais (1679).

♦ Géogr. En Indonésie, Agglomération de petite taille.

(...) Plus loin, près de l'église catholique, la voie se bifurque. À gauche s'ouvre la grande route postale qui mène, à travers des kampongs, à Priaman et à Padang-pandjang (...). D. D. VETH, À travers l'île de Sumatra, *in* le Tour du monde, 1880, t. II, p. 146.

On trouve aussi la forme *kampung.*

KAMPUCHÉEN, ENNE [kɑ̃pytʃeɛ̃, ɛn] adj. et n. — 1979 ; de *Kampuchea,* nom du Cambodge depuis 1976.

♦ Du Kampuchea. *Le peuple kampuchéen.* ⇒ **Cambodgien, khmer.** — N. *Un Kampuchéen, une Kampuchéenne. « Donner à tous les Kampuchéens et Kampuchéennes l'ordre de travailler deux fois, dix fois plus dur que le peuple vietnamien » (l'Express,* 1ᵉʳ sept. 1979, p. 148).

KAMPUNG [kɑ̃pɔ̃ŋ] n. m. ⇒ **Kampong.**

KAMSIN [xamsin] ou, francisé [ʀamsin] n. m. ⇒ **Khamsin.**

1. KAN [kɑ̃] n. m. ⇒ 1. **Khan.**

2. KAN [kɑ̃] n. m. ⇒ 2. **Khan.**

KANA [kana] n. m. — D. i. (mil. XXᵉ dans les dict., dans les composés ; 1873, *in* P. Larousse, art. *Japonais*) ; mot jap. attesté en angl. en 1874 et isolément en 1727 sous la forme *kanni* (Oxford Dict., *Deuxième suppl.*).

♦ Signe syllabique dans l'écriture japonaise, appartenant à l'un des deux systèmes (hiragana et katakana). *Les kana* (invar.), *les kanas sont des formes simplifiées et abrégées des caractères chinois.* — Le syllabaire. *Manuel d'école primaire écrit en kana.*

Cette écriture *(japonaise)* qu'il faut tant d'années pour apprendre. Cinq mille idéogrammes chinois (kanji) servant tantôt de mots, tantôt de racines de mots, tantôt d'éléments phonétiques, auxquels s'ajoutent deux syllabaires (kana) pour composer une sorte d'algèbre bâtarde qu'on ne possède bien qu'en étant familier avec le contexte, c'est-à-dire la langue. Le kana (qui avait suffi à lui seul au XIᵉ siècle à Mᵐᵉ Murasaki pour rédiger Genji) ne sert plus aujourd'hui qu'à marquer les désinences, les flexions, à transcrire les mots d'origine occidentale, les noms propres, etc. YÉFIME, le Japon, p. 112.

HOM. **Khanat.**

KANAK, KANAKE [kanak] adj. et n. ⇒ **Canaque.**

KANAMYCINE [kanamisin] n. f. — Après 1957 (date de la découverte) ; du lat. mod *kanamyceticus,* nom d'un streptomycète isolé par les biologistes japonais Okami et Umezawa, du japonais *kana,* et suff. *-mycine.* → Auréomycine.

♦ Pharm. Antibiotique à rayon d'action très large, mais dont l'emploi est restreint par quelques inconvénients (action sur le nerf auditif et le parenchyme rénal). *« Des pneumocopes* (qui) *deviennent successivement résistants à la streptomycine, à la kanamycine, à la tétracycline... » (Sciences et Avenir,* oct. 1981, p. 94).

KANAT [kana] n. m. ⇒ **Khanat.**

KANDJAR [kɑ̃dʒaʀ] n. m. — 1835 ; *chanzar* (Arveiller), 1519 ; *cangeare,* 1617 ; *kindjial,* 1787 ; *kangiar,* 1812 ; arabe *hăndjăr* « coutelas ».

♦ Poignard* oriental à longue lame tranchante et à pommeau orné d'ailes, dont la poignée n'a pas de garde.

Ces kandjars, dont l'acier terne et bleuâtre perce les cuirasses comme des feuilles de papier, et qui ont pour manche un écrin de pierreries (...) 1
Th. GAUTIER, Constantinople, p. 130 (1853).

Var. graphique : *kangiar, khandjar.*

On voit toujours les poignées de deux ou trois kangiars ou yatagans, poignards et sabres courts des Orientaux, sortir de cette ceinture et briller sur la poitrine. 2
LAMARTINE, Voyage en Orient, Les Druges, 3 oct. 1832.

Alors, d'un simple mouvement du khandjar, de gauche à droite (il n'y a de pesée à exercer que pour l'entame ; le cuir humain résiste d'abord un peu ; une fois dedans, cela va tout seul), Saad détache cette tête et la pose, grasse de sang, sur la table (...) J.-R. BLOCH, la Nuit kurde, p. 85-86. 3

KANDJI ou **KANJI** [kɑ̃dʒi] n. m. — Mot japonais.

♦ Didact. Caractère chinois utilisé dans l'écriture japonaise. *Les kanjis* et *les kanas*.*

KANGOUROU [kɑ̃guʀu] n. m. — 1744, *kanguro ; kangourou,* 1808, rare av. fin XIXᵉ ; angl. *kangaroo,* 1770, Cook ; mot angl., d'une langue australienne, mais le caractère normal du terme est contesté ; les indigènes disaient, semble-t-il, *patagorong.*

♦ **1.** Grand mammifère australien herbivore *(Marsupiaux, macropodidés),* caractérisé par des pattes postérieures très développées, lui permettant des sauts de plusieurs mètres en longueur comme en hauteur, et des pattes antérieures fort courtes, impropres à la locomotion. *Le kangourou se tient souvent debout, prenant appui sur sa queue longue et forte. La femelle du kangourou abrite ses petits dans sa poche ventrale après qu'ils y ont achevé leur gestation. Kangourou de petite taille.* ⇒ **Wallaby.**

J'allais voir à Kew les kanguroos, ridicules bêtes, tout juste l'inverse de la girafe (...) quadrupèdes-sauterelles (...) 1
CHATEAUBRIAND, Mémoires d'outre-tombe, I, XII, 5, t. I, p. 520 (éd. Levaillant).

Cependant, Harbert, tout à sa science favorite, l'histoire naturelle, fit un retour sur les kangourous, en disant : 2
« Du reste, nous avons eu affaire à l'espèce la plus difficile à prendre. C'étaient des géants à longue fourrure grise ; mais, si je ne me trompe pas, il existe des kangourous noirs et rouges ; des kangourous de rochers, des kangourous rats, dont il est plus aisé de s'emparer. On en compte une douzaine d'espèces...
— Harbert, réplique sentencieusement le marin, il n'y a pour moi qu'une seule

espèce de kangourou, le « kangourou à la broche », et c'est précisément celle qui nous manquera ce soir. » J. VERNE, l'Île mystérieuse, t. I, p. 155.

REM. Jules Verne, dans *les Enfants du capitaine Grant*, écrit *kanguroo*.

3 Le fait qu'à sa naissance un être soit impuissant à subsister par lui-même, faute d'une maturation suffisante de ses organes a été assimilé à un cas de prématuration. Nul exemple n'est plus saisissant que celui du kangourou, dont le petit ne quitte l'utérus de sa mère que pour réintégrer sa poche ventrale, où il attendra de pouvoir enfin supporter les rudes contacts du monde extérieur.
Henri WALLON, l'Évolution psychologique de l'enfant, p. 42.

REM. Le mot a et a eu plusieurs variantes graphiques : en outre *kanguroo, kangouroo* (1875, *in* D. D. L.).

♦ **2.** Techn. (En apposition). Muni de multiples ou de grandes poches. *Sac kangourou.*

♦ **3.** Fig. et vx. (Plais.). Puce (semble être un emploi d'auteur).

4 Le kangourisme (qui dévore la Gaule cisalpine) c'est (...) il y a deux espèces de Kangourous : le grand, très commun à la Nouvelle-Hollande, où il saute d'une pierre à l'autre (...) le petit, très commun en Europe, où il saute d'une personne à l'autre. Rodolphe TÖPFFER,
Voyages en zig-zag, Aux Alpes et en Italie, 1837, 4e journée, p. 20.

KANJI [kɑ̃dʒi] n. m. ⇒ **Kandji.**

1. KANOUN [kanun] n. m. — 1819, *canoun, in* D. D. L. ; mot arabe.

♦ Instrument oriental à cordes (cinquante à soixante), sorte de harpe horizontale comparable au psaltérion.

HOM. 2. Kanoun.

2. KANOUN [kanun] n. m. — 1939, Montherlant, *in* D. D. L. ; antérieur en franç. d'Algérie ; mot arabe d'Algérie.

♦ Fourneau, brasero au charbon de bois (pour le chauffage, la cuisine), au Maghreb.

Elles restaient, stupidement, dans la pièce que le kanoun ne parvenait pas à chauffer. MONTHERLANT, les Lépreuses, II, *in* Romans, Pl., p. 1448.

HOM. 1. Kanoun.

KANTIEN, IENNE [kɑ̃sjɛ̃, jɛn] adj. et n. — 1798, adj. et n., *in* D. D. L. ; de *Kant.*

♦ Philos. Qui a rapport à la philosophie de Kant. *Les catégories kantiennes. Impératif kantien. Le criticisme kantien.*

1 Cette Kritik (...) qui allait changer le cours de la pensée philosophique, vit enfin le jour en 1781 et, en exposant la synthèse critique théorique dans toute sa plénitude, elle mit définitivement fin à la période précritique de la pensée kantienne.
Yvon BELAVAL, Hist. de la philosophie, La révolution kantienne, p. 31.

N. (1798). *Un kantien, une kantienne,* disciple ou partisan des théories kantiennes. ⇒ **Kantiste.**

2 L'émigration juive allemande vers les États-Unis avant la dernière guerre comptait beaucoup de kantiens (...)
Yvon BELAVAL, Hist. de la philosophie, La révolution kantienne, p. 100.

COMP. Néo-kantien.

KANTISME [kɑ̃tism] n. m. — 1804, *in* D. D. L. ; var. *kantianisme,* 1801, de Villers ; de *Kant,* philosophe allemand, 1724-1804.

♦ Philos. Doctrine de Kant. *Le kantisme, ou idéalisme* transcendental. Le kantisme, forme de rigorisme moral.*

1 Ah ! vous rougissez, mon camarade ?... les mœurs ont bien changé ; avec ces idées d'ordre légal, de kantisme et de liberté, la jeunesse s'est gâtée.
BALZAC, le Bal de Sceaux, Pl., t. I, p. 106.

2 Je compte, Halévy, que vous ne réglerez point ces débats par les méthodes kantiennes, par la philosophie kantienne, par la morale kantienne. *Le kantisme a les mains pures,* mais il n'a pas de mains.
Ch. PÉGUY, Victor-Marie, comte Hugo, p. 223.

COMP. Néokantisme.

KANTISTE [kɑ̃tist] adj. et n. — 1800, *in* D. D. L. ; de *Kant.*

♦ Vx. Partisan de Kant, de ses théories (cf. Stendhal, Barrès, *in* T. L. F.). *Philosophe kantiste.* ⇒ **Kantien.**

KAOLIANG [kaɔljɑ̃] n. m. — V. 1948 ; angl. *kaoliang* (1904), mot chinois, de *kao* « haut », et *liang* « grain ».

♦ Variété de sorgho.

KAOLIN [kaɔlɛ̃] n. m. — 1739 ; *kao-lin,* 1712 (le mot, en anglais, est dans la *Cyclopædia* de Chambers, av. 1741) ; chinois *kaoling,* proprt « colline *(ling)* élevée », de *kao* « haut », nom du lieu où l'on extrayait le *kaolin.*

♦ Roche argileuse formée de kaolinite associée avec une substance analogue hydratée, et avec d'autres minéraux argileux. *Le kaolin résulte de l'altération de minéraux de roches éruptives ou cristallines, comme le feldspath** (→ Kaolinisation, cit.) ; *il se présente sous la forme d'une argile blanche, réfractaire et friable qui entre dans la composition des pâtes céramiques*, de la porcelaine*.* ⇒ **Terre** (à porcelaine). *Gisements, mine, amas, filon de kaolin. Emploi de kaolin dans la fabrication des excipients pharmaceutiques.*

Regardez cette tasse, cette blancheur éclatante et chaude, cette délicate matière diaphane, si légère et que l'on sent inaltérable (...) Cette belle porcelaine est produite à Limoges grâce au kaolin, grâce à des artistes (...)
J. CHARDONNE, les Destinées sentimentales, p. 129.

REM. La graphie *caolin* est archaïque.

DÉR. Kaolinique, kaolinisation, kaoliniser, kaolinite.

KAOLINIQUE [kaɔlinik] adj. — 1844, Brongniart ; de *kaolin.*

♦ Didact. Relatif au kaolin. — Qui contient du kaolin. *Sable kaolinique.*

KAOLINISATION [kaɔlinizɑsjɔ̃] n. f. — 1867 ; de *kaolin.*

♦ Didact. Transformation en kaolin, sous l'influence des eaux d'infiltration, du feldspath des roches cristallines.

Sous l'action de l'acide carbonique dissous dans les eaux d'infiltration, les silicates peuvent être transformés en carbonates, les silicates doubles sont dédoublés. La plus fréquente de ces réactions est la décomposition des feldspaths, qui sont des silicates doubles d'aluminium et de potassium, de sodium ou de calcium. En présence de l'eau et de l'acide carbonique, il se produit (...) un hydrosilicate d'aluminium, qui, à l'état de pureté, est connu sous le nom de kaolin. C'est le phénomène de la *kaolinisation,* qui joue un rôle si important dans la désagrégation des granites (...) Émile HAUG, Traité de géologie, t. I, p. 366.

KAOLINISER [kaɔlinize] v. tr. — 1867, *in* Littré ; de *kaolin.*

♦ Didact. Transformer naturellement en kaolin.

KAOLINITE [kaɔlinit] n. f. — 1898, *in* T. L. F. ; de *kaolin,* et *-ite.*

♦ Chim., techn. Silicate d'alumine hydraté ($Al_2 O_3 2Sio_2 2H_2O$), qui se présente sous forme de cristaux du système triclinique de très petites dimensions et de couleur blanche. *La kaolinite forme avec l'eau une pâte très plastique, onctueuse.*

KAON [kaɔ̃] ou **KA** [ka] n. m. — V. 1960 (1958, *kayonen,* en angl.) ; de *K* (méson K), et *-on,* d'après *électron, méson.*

♦ Phys. Particule élémentaire dont la masse est neuf cent soixante-dix fois plus grande que l'électron. — Syn. : *méson* K. Le « choc d'un neutron et d'un proton produisant un micron négatif, un proton et un kaon négatif (...) Les kaons négatifs, hadrons étranges caractéristiques de la désintégration des particules charmés* (...) »* (*Sciences et Avenir,* sept. 1980, p. 114).

KAORI [kaɔʀi] n. m. ⇒ **Kauri.**

KAPO ou **CAPO** [kapo] n. m. — V. 1940 (Esnault) ; all. *Kapo,* soit abrév. des mots all. *Kamerad Polizei,* soit de l'ital. *capo* « chef ».

♦ Détenu chargé de commander les autres détenus, dans les camps de concentration nazis.

Sur une ligne dont les extrémités se perdent dans le brouillard, comme autant 1
d'insectes en silhouettes, d'insectes misérables et désarmés, les femmes se mettent en place, se courbent. Tout hurle. Les S. S. (...) les capos.
C. DELBO, Aucune de nous ne reviendra, p. 54.

La presse s'était régalée de son procès en « dénazification », pour lequel cependant 2
d'anciens détenus de K. Z. étaient venus témoigner que leurs kapos avaient redoublé de mauvais traitements à leur égard après avoir lu le Juif Süss.
M. TOURNIER, le Vent Paraclet, p. 197.

KAPOK [kapɔk] n. m. — 1680, *capok ; capuk,* 1751 ; *kapoc,* 1921, *in* D. D. L. ; malais *kapūq,* par le néerlandais.

♦ Fibre végétale, imperméable, imputrescible et très légère, constituée par les poils fins et soyeux qui recouvrent les graines du kapokier. *Matelas, coussins rembourrés de kapok. Le kapok, ayant la propriété de flotter sur l'eau, sert à la fabrication d'appareils de sauvetage* (bouées, ceintures).

Elle a même un coussin de kapok et un grand morceau de plastique à peine crevé.
Tony DUVERT, Paysage de fantaisie, p. 195.

DÉR. Kapokier.

KAPOKIER [kapɔkje] n. m. — 1691, *capoquier ;* de *kapok.*

♦ Grand arbre de Java (*Malvacées ;* n. sc. *Ériodendron*) qui fournit le kapok. ⇒ **Fromager.**

Ils s'arrêtaient sous un énorme kapokier, au tronc lisse.
Claude COURCHAY, La vie finira bien par commencer, p. 217.

KAPOUT ou **CAPOUT** [kaput] n. m. — 1896-1898, *kapout,* Barrès, *in* T. L. F.; all. *kaputt* «abîmé, démoli», du franç. *capot.*

♦ Fam. (dans une allus. à la langue allemande). Tué, détruit.

1. KAPPA [ka(p)pa] n. m. — 1690, Furetière; mot grec.

♦ Lettre de l'alphabet grec $\varkappa$, correspondant au son *k* [k].

HOM. 2. Kappa.

2. KAPPA [kapa] n. f. — 1884, *Année sc. et industr.,* 1885, p. 445; mot indonésien, par le néerlandais.

♦ Plante originaire de Java, utilisée comme textile et, usée, comme matériau de remplissage pour les matelas.

HOM. 1. Kappa.

KARAKUL [kaʀakyl] n. m. ⇒ **Caracul.**

KARATA [kaʀata] n. m. — 1654; *karoüta,* 1614; du tupi-guarani *caraota.*

♦ Variété d'aloès d'Amérique tropicale et des Caraïbes.

KARATÉ [kaʀate] n. m. — 1956, *in* D. D. L.; en anglais, 1955; mot japonais, littéralt «main vide».

♦ Art martial japonais, méthode de combat sans armes fondée sur l'emploi de coups portés aux points vitaux de l'adversaire, essentiellement avec le poing et le pied; sport de combat codifié qui en dérive, dans lequel les coups sont retenus avant l'impact. *Pratiquer le judo et le karaté. Ceinture noire de karaté. Personne qui pratique le karaté.* ⇒ **Karatéka.** *Katas* de karaté. Le kung-fu chinois est proche du karaté.*

KARATEKA [kaʀateka] n. — 1966; mot japonais. → Judoka.

♦ Personne qui pratique le karaté. *Un, une karateka.* — On écrit aussi *karatéka. «Pantalons de karatéka bouffants, serrés à la taille avec une longue ceinture»* (*F Magazine,* févr. 1981, p. 7).

KARBAU [kaʀbo] ou **KÉRABAU** [keʀabo] n. m. — V. 1900 (1878); mot malais.

♦ Variété domestique de buffle de l'Inde, répandue en Malaisie.

KARI [kaʀi] n. m. ⇒ **Cari** (cit.), **curry.**

KARITÉ [kaʀite] n. m. — 1868, in *le Tour du monde* (1), p. 98; mot soudanais.

♦ **1.** Arbre *(Sapotacées;* n. sc. *butyrospernum)* qui croît en Afrique équatoriale et dont la graine renferme une substance grasse : *le beurre de karité* (→ ci-dessous, 2.). — Syn. : *arbre à beurre, arbre à huile.*

1 Il faut citer, en premier lieu, une sorte de chêne, le karité, qui porte des fruits analogues à ceux du marronnier d'Inde, et dont la chair est blanche et compacte.
L. FIGUIER, l'Année scientifique et industrielle 1889, p. 451 (1888).

♦ **2.** *Beurre de karité* ou *karité :* substance comestible grasse, extraite de la graine de cet arbre. *Le beurre de karité est utilisé dans la fabrication de produits de beauté.*

2 Elle prit le pot de karité, me frictionna de la tête aux pieds.
N. DIALLO, De Tilème au Plateau, p. 18, *in* I. F. A.

3 (...) au troisième jour de leur captivité, l'œil étincelant d'une vengeance où la morgue le disputait à la haine, le sorcier écorchait plus qu'il ne rasait leur crâne, passé ensuite au beurre de karité.
Yambo OUOLOGUEM, le Devoir de violence, p. 20-21.

♦ **3.** *Noix de karité* ou *karité,* le fruit de cet arbre.

KARMA [kaʀma] ou **KARMAN** [kaʀman] n. m. — 1931; en angl., 1828; mot sanscrit, «acte».

♦ Didact. Dogme central de la religion hindouiste selon lequel la destinée d'un être vivant et conscient est déterminée par la totalité de ses actions passées, de ses vies antérieures. Pouvoir, dynamisme des actes passés, en tant que détermination de l'individu transitoire.

1 Le *karman* ou «acte» est devenu le dogme central de la religion *(hindouiste)*... Tout acte, toute intention, inscrit dans la personne un effet qui mûrit, soit dans cette vie, soit, plus souvent, dans une vie future et qui constitue le destin de l'être (...) La loi du *karman* atteint tous les vivants, y compris les dieux.
Louis RENOU, l'Hindouisme, p. 56.

2 On peut voir dans le péché originel la source d'une maya universelle, et dans l'hérédité, un karma où l'Occidental hériterait les maladies de ses parents comme l'Hindou subit les conséquences de ses vies antérieures; mais la transmigration est toujours un jugement avec sursis alors que le chrétien joue son destin une fois pour toutes.
MALRAUX, Antimémoires, p. 346.

Le karma est l'enchaînement (désastreux) des actions (de leurs causes et de leurs effets). Le bouddhiste veut se retirer du karma : il veut suspendre le jeu de la causalité; il veut absenter les signes, ignorer la question pratique : que faire? Je ne cesse, moi, de me la poser et je soupire après cette suspension du karma qu'est le nirvâna.
R. BARTHES, Fragments d'un discours amoureux, p. 77. 3

KARMAN [kaʀman] n. m. — V. 1960 (cf. *Karman vortex,* en angl., «tourbillon de Karman», 1928); de *(raccord de) Karman,* du nom d'un ingénieur américain d'origine hongroise, Théodore von *Karman,* 1881-1963.

♦ Aviat. Pièce profilée qui évite la formation de tourbillons au raccordement de l'aile et du fuselage.

Les stratifiés ont permis de réaliser des éléments d'avion aux formes tourmentées (...) telles que carénage, coupoles, et karman.
J.-C. DESJEUX et J. DUFLOS, les Plastiques renforcés, p. 97.

HOM. V. Karma.

KARMATIQUE [kaʀmatik] adj. — 1840, Nerval, *in* T. L. F.; de *Karmates,* nom d'une secte chiite, de l'arabe *qarmaṭī.*

♦ Didact. *Écriture karmatique :* écriture arabe des deux premiers siècles de l'hégire, sans diacritiques, plus arrondie que le confique.

KARPATIQUE [kaʀpatik] adj. ⇒ **Carpatique.**

KARST [kaʀst] n. m. — 1892, comme nom propre, dans ce contexte; Martonne, 1928, comme n. m. (1902 en angl.); nom d'une région de Yougoslavie où ce phénomène et particulièrement répandu.

♦ Géol., géogr. Ensemble des phénomènes de corrosion du calcaire.

On aura un *karst* jeune ou un *karst* ancien (...) un *karst* profond (holokarst), un *karst superficiel,* des types karstiques variés ou encore des phénomènes karstiques dans des roches de compositions déterminées. Par exemple : la corrosion des calcaires marneux prendra le nom de *mérokarst.*
Félix TROMBE, la Spéléologie, p. 16.

DÉR. Karstique, karstologie.

KARSTIQUE [kaʀstik] adj. — 1906, in *Rev. gén. des sc.,* n° 5, p. 246 (selon T. L. F., 1902); de *karst.*

♦ Géogr. Qui a rapport au *karst* ou plateau calcaire où prédomine l'érosion chimique. *Relief karstique* (syn. : *relief calcaire*) *caractérisé par l'enfouissement des eaux. Dolines karstiques.*

(...) petites plaines à végétation exhubérante surmontées de plateaux karstiques déserts, ou de crêtes (...)
Lucien FEBVRE, la Terre et l'Évolution humaine, p. 253 (1922).

KARSTOLOGIE [kaʀstɔlɔʒi] n. f. — 1980, in *la Recherche* n° 111, p. 554; de *karst,* et *-logie;* cf. angl. *karstology,* 1968.

♦ Didact. Étude des phénomènes de corrosion du calcaire. ⇒ **Karst.**

KART [kaʀt] n. m. — 1960, *in* Höfler; mot angl., abrév. de *go-kart,* adapt. commerciale de *go-cart* «poussette, chariot».

♦ Anglic. Petit véhicule automobile sans carrosserie, ni boîte de vitesses, ni suspension. *Des karts. Course de karts.*

HOM. Carte, quarte.

KARTING [kaʀtiŋ] n. m. — 1960, *in* Höfler; mot angl., de *kart.* → Kart.

♦ Anglic. Sport pratiqué avec les karts. *Faire du karting. Piste de karting.*

Ils *(des savants de huit à douze ans)* créaient également des sources modulées de bruits (marteaux-piqueurs devant les maternelles, engins de chantier dans les cimetières, karting devant les hôpitaux, etc.).
Jean CAYROL, Histoire de la mer, p. 171.

KARYO- ⇒ **Caryo.**

KARYOKINÈSE [kaʀjokinɛz] n. f. ⇒ **Caryocinèse.**

KASATCHOK [kazatʃɔk] n. — 1845, *in* D. D. L.; mot russe, de *kasak* «cosaque».

♦ Didact. Danse cosaque vive et agitée, remise à la mode comme danse de salon au début des années 70.

KASBAH [kazba] n. f. ⇒ **Casbah.**

KASCHER [kaʃɛʀ] adj. — 1866; mot hébreu.

♦ Dont la consommation est permise par la loi hébraïque. *Viande kascher. Nourriture kascher.*

REM. Nombreuses variantes graphiques : *cacher, cascher, casher* [kaʃɛʀ], *cawcher, kocher* [kɔʃɛʀ].

1 (...) son homonyme *tréf* (...) désigne, dit Dahl, une nourriture interdite par l'Ancien Testament, comme non-kocher (...) ARAGON, Blanche..., III, I, p. 376.

Où l'on vend de la nourriture autorisée par la loi hébraïque. « *Des pâtisseries où l'on vend des gâteaux juifs, des charcuteries cascher* » (S. de Beauvoir).

2 Ils atteignirent le *ghetto* de Paris, dont le noyau est constitué par la rue des Rosiers, frôlèrent des boutiques aux inscriptions en yiddish, des boucheries *cawchères*, des étalages de pain azyme. G. SIMENON, Pietr-le-Letton (Rencontre), p. 61.

3 À côté du vaste océan, flottent de petits océans d'odeurs, fritures italiennes, sauces anglaises, hamburgers et saucisses allemandes, charcuterie kosher pour cette immense population juive de Brooklyn auquel est venu s'annexer Coney Island (...) Paul MORAND, New-York, p. 71.

1. KASHA [kaʃa] n. f. ⇒ **Kacha.**

2. KASHA [kaʃa] n. m. — 1916, *in* T. L. F.; marque déposée, d'après *kashwi.* → Cachemire.

♦ Tissu de laine très fin.

HOM. 1. **Kasha** ou **kacha.**

KATA [kata] n. m. — D. i. (v. 1960?); mot japonais, même sens, d'abord « forme ».

♦ Dans les arts martiaux japonais, Suite codée de mouvements transmise par la tradition, simulacre de combat contre un ou plusieurs adversaires, qui s'exécute le plus souvent seul (karaté) ou à deux (judo) et qui constitue un exercice d'entraînement à la pureté du geste, du style. *Les katas de karaté, de judo. Compétition de katas. Épreuve de katas dans les passages de ceintures.*

KATABATIQUE [katabatik] adj. — Mil. XXe dans les dict. (1918 en angl., *katabatic*); grec *katabatikos,* de *katabainein* « descendre », de *kata* « vers le bas », et *bainein* « marcher ».

♦ Didact. (météor.). *Vent katabatique :* vent à composante verticale descendante. *La bora est un vent katabatique.* — On écrit aussi *catabatique.*

KATAFRONT [katafʀɔ̃] n. m. — Mil. XXe; du grec *kâta,* et *front* (mot hybride).

♦ Didact. (météor.). Front dans lequel l'air actif est moins actif que l'air passif. — On écrit aussi *catafront.*

KATAKANA [katakana] n. m. — D. i.; mot jap., de *kana* (→ Kana), et *kata* « angle ».

♦ Didact. L'un des deux syllabaires japonais, dont les signes (⇒ **Kana**) sont de forme angulaire.

KATANA [katana] n. m. — D. i.; mot japonais.

♦ Sabre des samouraïs japonais, légèrement courbe, à lame étroite, à dos épais, à un seul tranchant. *Poignée gainée de galuchat, garde* (tsuba) *ouvragée d'un katana.*

KATIBA [katiba] n. f. — V. 1960; mot arabe.

♦ Groupe de combattants de 120 hommes, en Algérie. « *Une katiba, groupe de maquisards (...)* » (*l'Express,* 3 juil. 1977, p. 105). « *Un corps de bataille de vingt-cinq katibas de plus de cent hommes chacune* » (*l'Express,* 13 oct. 1979, p. 146).

KAURI [kɔʀi] n. m. — 1864, J. Verne, *Voyage au centre de la terre, in* T. L. F.; mot angl. (1823), du maori, désignant l'arbre — la résine est dite *kauri-gum.*

Didactique.

♦ **1.** Conifère d'Asie tropicale et d'Océanie (genre *Agathis;* famille des *Abiétacées*), dont le bois est utilisé en ébénisterie. ⇒ **Dammara.** « *La résine de kauri, substance qui est d'un usage très répandu aux États-Unis pour la fabrication des vernis* » (*Année sc. et industr.,* 1883, p. 291).

Là, les colons retrouvèrent aussi de magnifiques kauris, disposés par groupes, et dont les troncs cylindriques, couronnés d'un cône de verdure, s'élevaient à une hauteur de deux cents pieds. C'étaient bien là ces arbres-rois de la Nouvelle-Zélande, aussi célèbres que les cèdres du Liban. J. VERNE, l'Île mystérieuse, t. II, p. 734 (1874).

♦ **2.** Résine fournie par cet arbre. ⇒ **Dammar.** *Le kauri est employé dans la fabrication de vernis.*

REM. On rencontre aussi la forme *kaori* [kaɔʀi] (1891).

HOM. **Cauri** ou **cauris.**

KAVA ou **KAWA** [kava] n. m. — 1855, Nysten; *kawa,* 1888; mot du Sud-Ouest polynésien (1817 en anglais).

♦ Bot. Variété de poivrier *(Piper methysticum)* qui pousse en Polynésie et dont la racine est utilisée pour fabriquer une boisson enivrante; cette boisson.

DÉR. **Kawaïsme.**

KÂVYA [kavja] n. m. et adj. — 1951; n. sanskrit, *kāvya-,* de *kavi-* « poète ».

Didactique (histoire littéraire).

♦ **1.** Style littéraire très raffiné, élaboré selon les canons de la poétique et principalement caractérisé par le double sens *(śleṣa),* qui se développa en Inde à partir du premier millénaire.

Adj. (invar. en genre). *Style kâvya.* — Var. graphique : *kāvya.*

L'Inde traditionnelle connaît des disciplines où prévalent les valeurs directes du langage (...) Mais plus nombreux, plus importants peut-être, sont les modes de pensée caractérisés par les valeurs indirectes ou, disons plutôt, par l'usage d'une sémantique double. C'est, à la suite des vieux hymnes du Veda, et parfois même en liaison avec eux, le tantrisme, la philosophie linguistique, la poétique (...) du côté de la création littéraire, le kâvya. Il y a là une sur-sémantique, une forcerie du langage, soit que l'ambiguïté ait été délibérément admise (dans les hymnes comme dans le kâvya), soit qu'on ait cherché à ramener à l'unité les notions disparates (...) Louis RENOU, l'Inde fondamentale, p. 20 (1966).

♦ **2.** Morceau dans ce style. *Les kāvya* (ou *kāvyas*) *de Kālidāsa.*

KAWAÏSME [kavaism] n. m. — XXe; de *kawa.* → Kava.

♦ Méd. Intoxication passagère ou chimique par les boissons à base de kawa*.

KAYAC ou **KAYAK** [kajak] n. m. — 1851, *kayak; kaïk,* 1842; *cayac,* 1829, *in* D. D. L.; mot esquimau.

♦ **1.** Canot de pêche groënlandais, étroit et long, constitué de peau tendue sur une carcasse légère.

Nous fûmes accueillis dans le port de Pröven par la plus singulière flottille et les plus étranges bateliers qui aient jamais escorté un navire. C'étaient les Groënlandais et leurs fameux kayaks. 1

Le kayak est certainement la plus frêle des embarcations qui aient jamais porté le poids d'un homme. Construite en bois très-léger, la carcasse du bateau a neuf pouces de profondeur, dix-huit pieds de longueur et autant de pouces de large, vers le milieu seulement; elle se termine à chaque bout par une pointe aiguë et recourbée par le haut. On recouvre le tout de peaux de phoques rendues imperméables, et si admirablement cousues par les femmes au moyen de fil de nerfs de veaux marins, que pas une goutte d'eau ne passerait à travers les coutures; le dessus du canot est garni comme le fond; seulement, pour donner passage au corps du chasseur, on a laissé une ouverture parfaitement ronde et entourée d'une bordure de bois (...) Adolphus W. GREELY, l'Expédition de la baie de Lady Franklin, *in* le Tour du monde, 1886, t. II, p. 8.

Le kayak est une longue pirogue, relevée des deux bouts, faite d'une charpente extrêmement légère, sur laquelle sont tendues des peaux de phoque bien cousues avec des nerfs de veau marin. J. VERNE, le Pays des fourrures, t. I, p. 120. 2

Le 19 mai (1896) ils étaient partis vers le Spitzberg. Épuisés, courant maints dangers, ils progressaient péniblement tantôt en naviguant dans les kayacs, tantôt en traversant de larges icebergs (...) Edouard PEISSON, l'Étonnante Aventure de Roald Amundsen, III, p. 50. 3

♦ **2.** Petite embarcation de sport en toile, dérivée du kayak groënlandais, aux extrémités très fines, à une ou deux places, qui se manœuvre avec une pagaie double (à la différence du *canoë**). *Descendre une rivière en kayac.* — Sport pratiqué avec ce type de bateau. *C'est un passionné de kayak.* ⇒ **Kayakiste.**

DÉR. **Kayakiste.**

COMP. **Canoë-kayak.**

KAYAKISTE [kajakist] n. m. — 1943, *in* Petiot; var. *kayakeur,* 1941; de *kayak**.

♦ Sports. Sportif qui pratique le kayak. ⇒ **Canoéiste.**

KAZAKH [kazak] adj. et n. — XXe; mot turc.

♦ Du Kazakhstan (république d'U. R. S. S.); de Kazakhie (région naturelle).

N. m. Langue du groupe türk, parlée en Kazakhie, et qui comptait plus de 3 200 000 locuteurs en 1941.

Syn. (vx) : *kazahk-kirghiz.*

KCHATRIYA ou **KCHATRYA** [kʃatʀija] n. m. — 1839; *kchetreya,* 1813, *in* D. D. L.; *catry,* 1666; mot sanscrit, *ksatriya,* qui a donné le hindi *khatri* (d'où la forme *catry*).

♦ Didact. Membre de la caste des guerriers, en Inde. — On trouve aussi la graphie *kshatriya.*

KEBAB [kebab] n. m. — 1902, *in* Larousse; mot turc.

♦ Viande coupée en morceaux et rôtie à la broche. ⇒ **Chiche-kebab.**

1 Le mouton coupé par petits morceaux (kebab) grésille enfilé par des brochettes perpendiculaires, s'illuminent d'ardents reflets de braise.
Th. GAUTIER, Constantinople (1853), p. 97.

Var. graphique : *kébabe, kebbab.*

2 (...) les boîtes arméniennes entre la Vingt-Sixième et la Vingt-Huitième rues, où l'on se fait servir le traditionnel kebbab au yaourt et la compote d'oranges aux clous de girofle. Paul MORAND, New-York, p. 149.

KÉBOUR [kebuʀ], **KÉBROQUE** [kebʀɔk] n. m. ⇒ **Képi.**

KEEPSAKE [kipsɛk] n. m. — 1828, *in* Höfler; mot angl. (1790), de *to keep* «garder» et *sake* (*for my sake* «pour l'amour de moi»).

♦ Anciennt. Livre-album, généralement illustré de fines gravures, qu'il était de mode d'offrir en cadeau, comme souvenir, à l'époque. *Les keepsakes, recueils de vers, de prose et de musique, furent très en vogue sous la Restauration et sous la monarchie de Juillet.*

1 (...) de charmants petits tableaux d'intérieur, de gracieuses scènes de la vie élégante, comme nul keepsake, malgré les prétentions des réputations nouvelles, n'en a depuis édité.
BAUDELAIRE, Curiosités esthétiques, Salon de 1845, II, A. Devéria.

2 Quelques-unes de ses camarades apportaient au couvent les keepsakes qu'elles avaient reçus en étrennes. FLAUBERT, Mme Bovary, I, VI.

3 (...) les premiers *keepsakes (en l'année 1817)* venaient de paraître, la mélancolie pointait pour les femmes, comme, plus tard, le byronisme pour les hommes (...)
HUGO, les Misérables, I, III, III.

Vieilli. *Figure, image de keepsake,* d'une élégance raffinée, délicate, un peu mièvre (dans un contexte romantique). *«Des Anglaises à profil de keepsake»* (Flaubert). *Un décor de keepsake.*

KEF [kɛf] n. m. ⇒ **1. Kief.**

KEFFIEH [kefje; kefjɛ] n. m. — XXe (angl. *keffiyeh,* 1817); mot arabe, *kaffiyah* ou *kuffiyeh* (→ Coufieh), que l'on a rapproché du lat. tardif *cofea.* → Coiffe.

♦ Coiffure des Bédouins, des habitants d'Arabie, des Palestiniens, formée d'un carré de tissu plié en triangle et retenu par un lien *(agal).* — Syn. anc. : *coufieh**. *«À demi masqué par son keffieh à carreaux, un homme à mobylette s'engage dans le chemin de la vallée (...) C'est un feddaï»* (*le Nouvel Obs.,* 22 oct. 1973, p. 70).

Var. graphique : *kéffié, kéfié, kuffieh.* — Var. ancienne. ⇒ **Coufieh.**

Je suis reparti vêtu d'une djellaba crasseuse, le visage dissimulé dans un kéfié.
Paul RIBEAUD, le Paria, p. 267.

KÉFIR, KÉPHIR ou **KÉPHYR** [kefiʀ] n. m. — 1885, *Année sc. et industr.* 1886, p. 370; *kéfir,* 1901; mot caucasien.

♦ Boisson gazeuse et acidulée, obtenue en faisant fermenter du petit-lait (de chèvre, de jument ou de vache) avec une levure dite *grains de kéfir. «Il saupoudre de sucre deux verres de képhir dans lesquels il trempe une tranche de pain noir»* (*Actuel,* févr. 1980, p. 84). — REM. On écrit aussi *kafir* [kafiʀ].

KELVIN [kɛlvin] n. m. — 1953 (1968, Treizième Conférence des poids et mesures); de *degré Kelvin,* en angl. *degree Kelvin* (1911); du nom de Lord *Kelvin,* physicien angl.; on avait désigné par *kelvin* (1892 en angl.) le kilowatt-heure.

♦ Phys. *Kelvin,* ou *degré Kelvin* (ou *degré absolu*) : unité de température (symb. *K*), définie par le zéro absolu (0 °K = − 273,15 °Celsius) et le point triple de l'eau (273,16 °K = 0,01 °Celsius). *Le point d'ébullition de l'eau est 375,15 kelvins. Température exprimée en kelvins.*

DÉR. Kelvinomètre.

KELVINOMÈTRE [kɛlvinɔmɛtʀ] n. m. — D. i.; de *kelvin, -o-* de liaison, et *-mètre.*

♦ Techn. Appareil servant à mesurer la température de couleur de la lumière. ⇒ **Photocolorimètre** (cit.).

KÉMIA [kemja] n. f. — D. i. (usuel en français d'Algérie probablt depuis la fin du XIXe); arabe d'Algérie *kmyā.*

♦ Régional. Hors-d'œuvre variés (olives, fèves, escargots, calamars, sardines à l'escabèche, etc.) accompagnant l'apéritif (anisette, en général).

KENDO [kɛndo] n. m. — V. 1970 (1921 en angl., trad. du jap., *in* Oxford, *Deuxième Suppl.*); mot japonais.

♦ Art martial japonais, escrime pratiquée avec un sabre fait de fines lamelles de bambou assemblées. *«Le kendo, escrime au sabre de bois, méthode favorite des étudiants japonais pour en découdre avec la police»* (*le Nouvel Obs.,* 27 juin 1974, p. 58). *Il est premier dan de kendo.*

KENNÉDIE ou **KENNEDYE** [kenedi] n. f. — 1839, Boiste; de *Kennedy,* jardinier anglais.

♦ Arbrisseau d'Australie *(Papilionacées)* dont la tige ligneuse et grimpante peut dépasser sept mètres de haut et porte des grappes de grosses fleurs pourpres. *La kennédie est cultivée comme plante ornementale dans les jardins européens.*

KÉNOTRON [kenɔtʀɔ̃] n. m. — 1922, M. de Broglie, *in* T. L. F.; angl. *Kenotron,* d'abord marque déposée (1915), du grec *kenos* «vide», et suff. *-tron.*

♦ Électr. Valve redresseuse à vide très poussé, employée en radiologie et en T. S. F.

KENTIA [kɛntja] n. m. — 1846, d'Orbigny; lat. mod. *kentia,* 1836, C. L. Blume, *in* Oxford, *Deuxième Suppl.*; de *Kent,* horticulteur anglais.

♦ Palmier australien *(Palmacées),* cultivé en Europe comme plante d'appartement.

KENTROPHYLLE [kɛ̃tʀɔfil] n. m. — 1832, Raymond; grec *kentron* «aiguille», et *-phylle.*

♦ Bot. Gros chardon à fleurs jaunes *(Composacées)* qui croît dans les terrains incultes.

KÉNYEN, ENNE [kenjɛ̃, ɛn] adj. et n. — 1973; de *Kénya.*

♦ Du Kénya. *L'économie kényenne.* — N. *Un Kényen, une Kényenne.* — REM. La var. *kényan, anne* ou *kenyan, anne* est empruntée à l'anglais *kenyan* (1938, *in* Oxford, *Deuxième Suppl.*). *«Le grand port kenyan de Mombasa»* (*l'Express,* 1er sept. 1979, p. 87).

KÉPHIR, KÉPHYR [kefiʀ] n. m. ⇒ **Kéfir.**

KÉPI [kepi] n. m. — 1809; all. de Suisse *Käppi,* dimin. de *Kappe* «bonnet».

♦ **1.** Coiffure rigide, de drap ou de toile, à fond plat et surélevé, munie d'une visière, qui fut longtemps portée par les militaires de tous grades et que portent encore les officiers, aspirants et sous-officiers de l'armée de terre, les légionnaires, les gendarmes (cit. 3), les agents de police, les facteurs... — Syn. argotiques : *kébour* (1909, *in* Esnault); *kébroque* (1915, *in* Esnault). *Képi galonné. Le bandeau**, *le calot**, *le turban** *d'un képi. Casser la visière d'un képi* (→ 1. Falot, cit. 4). *Les officiers des armées de mer et de l'air ne portent pas le képi, mais la casquette**. *Képi de saint-cyrien.* ⇒ **Shako.** *Le képi est longtemps resté la* «coiffure de la plupart des jeunes garçons dans les lycées, collèges, pensions, etc.» (Littré).

Comme tout bon soldat d'active, il a voulu se distinguer en cassant la visière de son képi, à la Bat' d'Af', et il a encore enjolivé ce couvre-chef, plus aplati qu'une galette, d'une jugulaire tressée du meilleur effet. 1
R. DORGELÈS, les Croix de bois, IV.

Le facteur est le bienvenu partout; on aime à voir son képi et sa boîte de cuir s'arrêter aux portes (...) ALAIN, Propos, 17 déc. 1908, Facteur des Postes. 2

Sur la route, il y avait un soldat. Un grand gaillard, avec le képi en arrière. 3
ARAGON, les Beaux Quartiers, I, XXV.

(...) ce qui me faisait dodeliner c'est pas ce qu'il disait, c'était son képi... j'ai vu des revues un peu partout depuis les Bouffes... mille opérettes à grands spectacles... jamais vu des képis comme lui, si bordés que les siens, or argent verdures... on peut dire le képi-tiare... CÉLINE, Rigodon, p. 150. 4

♦ **2.** Mode. *Képi-foulard,* coiffure de femme.

On jugeait que l'achat d'un képi-foulard, ou d'un dolman aux sept brandebourgs en poil de chèvre (...) Edmonde CHARLES-ROUX, l'Irrégulière, p. 116. 5

DÉR. Képissier.

KÉPISSIER [kepisje] n. m. — 1955, *Dict. des métiers*; de *képi,* par anal. avec *tapissier, matelassier,* etc.

♦ Techn. Ouvrier qui fait les képis, fabricant de képis.

KÉPLÉRIEN, IENNE [kepleʀjɛ̃, jɛn] adj. — 1840, Académie, *Compl.*; de *Képler,* astronome allemand.

♦ Didact. Qui concerne Képler et ses théories. *Hypothèses képlériennes.*

Qui se conforme aux lois de Képler. *Mouvement téplérien. Trajectoire téplérienne.* — REM. On écrit parfois *keplerien,* sans accents.

Les deux étoiles fantastiques du matin et du soir se sont réunies en une seule Vénus, seulement sur la trajectoire keplerienne, non ailleurs.

ALAIN, 81 Chapitres, *in* les Passions et la Sagesse, II, III, Pl., p. 1123.

KÉRABAU [kerabo] n. m. ⇒ **Karbau.**

KÉRAT-, KÉRATO- Éléments, tirés du grec *keras, keratos* « corne, cornée ». — Var. : *cérato-.* ⇒ **Cératoglosse.**

KÉRATALGIE [keratalʒi] n. f. — Mil. xxe; de *kérat-,* et *-algie.*

♦ Méd. Vive douleur de la cornée. *Kératalgie causée par une érosion de la cornée.*

KÉRATECTOMIE [keratɛktomi] n. f. — 1855, Nysten; de *kérat-,* et *-ectomie.*

♦ Méd. Excision d'une partie de la cornée.

KÉRATINE [keratin] n. f. — Attesté 1855 (*in* Littré-Robin), mot créé par Simon (av. 1849); de *kérat-,* et suff. *-ine.*

♦ Biochim. Substance protéique soufrée *(Scléroprotéine)* qui constitue la majeure partie des productions épidermiques chez l'homme et les animaux : cheveux, cornes, laine, ongles, plumes, poils, sabot (on la trouve également dans les cellules superficielles de l'épiderme).

DÉR. **Kératiniser.**

KÉRATINISATION [keratinizasjɔ̃] n. f. — 1892, *in* D. D. L.; de *kératiniser.*

♦ **1.** Anat. Fait de se kératiniser. ⇒ **Leucoplasie;** et aussi **kératose.**

♦ **2.** Pharm. Enrobage des capsules et pilules médicamenteuses au moyen d'une solution de kératine.

KÉRATINISÉ, ÉE [keratinize] p. p. adj. — 1889; de *kératiniser.*

♦ **1.** Anat., physiol. Chargé de kératine.

(...) ma remarquable façon d'attraper les puces le séduisait. Pas deux comme moi (...) pour les mettre en boîte, les plus rétives, les plus kératinisées, les plus impatientes (...)

CÉLINE, Voyage au bout de la nuit, p. 175 (1932).

♦ **2.** Enrobé d'une solution de kératine. *Pilules kératinisées.*

KÉRATINISER [keratinize] v. — 1905, *in* D. D. L.; de *kératine.*

♦ **1.** V. pron. Anat. S'infiltrer de kératine (en parlant des cellules de l'épiderme et des muqueuses).

♦ **2.** V. tr. Pharm. *Kératiniser des pilules,* les enrober dans une substance analogue à la kératine.

DÉR. **Kératinisation, kératinisé.**

KÉRATIQUE [keratik] adj. — 1865, *in* Littré-Robin, *Addenda;* de *kérat-,* et suff. *-ique.*

♦ Anat. Relatif à la cornée. ⇒ **Cornéen** (plus cour.).

KÉRATITE [keratit] n. f. — 1827; de *kérat-,* et suff. *-ite.*

♦ Méd. Inflammation de la cornée. *Kératite superficielle, interstitielle; sèche, suppurée.*

COMP. V. **Kérato-conjonctivite.**

KÉRATO- ⇒ **Kérat-.**

KÉRATOCÈLE [keratɔsɛl] n. f. — 1839, Boiste, *cératocèle;* de *kérato-,* et *-cèle.*

♦ Méd. Hernie* d'une membrane interne de l'œil à travers une ulcération de la cornée.

KÉRATOCÔNE [keratokon] n. m. — 1900, *in* Larousse; de *kérato-,* et *cône.*

♦ Méd. Cornée de forme conique, très proéminente en son centre, le plus souvent congénitale, et accompagnée de forte myopie.

KÉRATO-CONJONCTIVITE [keratokɔ̃ʒɔ̃ktivit] n. f. — 1827, Raymond (*in* T. L. F.); de *kérato-* ou *kératite,* et *conjonctivite.*

♦ Méd. Inflammation simultanée de la cornée et de la conjonctive.

Les chamois du Valais « ont été frappés par une épizootie très contagieuse, la kérato-conjonctivite » (*l'Écho des pêcheurs,* n° 267, p. 20).

On doit noter toutefois que la réverbération des rayons solaires sur la neige, surtout durcie, provoque assez souvent une kérato-conjonctivite dite « ophtalmie des neiges » qui peut s'aggraver jusqu'à l'ulcération de la cornée. Le port de lunettes correctement teintées est donc toujours à conseiller.

Charles-Pierre PÉGUY, la Neige, p. 109.

KÉRATODERMIE [keratodɛrmi] n. f. — 1900, *in* D. D. L.; de *kérato-,* et *-dermie.*

♦ Méd. Épaississement anormal de la couche cornée de la peau aux mains ou à la plante des pieds. ⇒ **Hyperkératose, kératose.** *Kératodermie héréditaire, professionnelle.*

KÉRATOLYSE [keratɔliz] n. f. — 1902; de *kérato-,* et *-lyse.*

♦ Méd. Dissolution des couches cornées de la peau (mains, pieds).

KÉRATOMALACIE [keratomalasi] n. f. — 1855, Nysten; de *kérato-,* grec *malakos* « mou », et suff. *-ie.*

♦ Méd. Ramollissement de la cornée compliquant une infection chronique, surtout chez les enfants en bas âge mal nourris.

KÉRATOME [keratom] n. m. — 1845, Bescherelle; de *kérat-,* et suff. *-ome.*

♦ Méd. Épaississement circonscrit de la peau, ayant l'aspect d'une corne.

KÉRATOPLASTIE [keratoplasti] n. f. — 1878; de *kérato-,* et *-plastie.*

♦ Méd. Opération qui consiste à remplacer un fragment de cornée malade par un fragment de cornée saine et transparente *(greffe de la cornée). La kératoplastie, ou greffe de la cornée, permet de rendre la vue à un aveugle par opacité cornéenne.*

DÉR. **Kératoplastique.**

KÉRATOPLASTIQUE [keratoplastik] adj. — 1911; de *kératoplastie.*

♦ Méd. Qui durcit la peau.

KÉRATOSE [keratoz] n. f. — 1884, *in* Littré-Robin; de *kérat-,* et suff. *-ose.*

♦ Méd. Épaississement de la couche cornée de l'épiderme. *Kératose sénile.*

COMP. **Parakératose.**

KÉRATOTOMIE [keratɔtɔmi] n. f. — 1855, Nysten; de *kérato-,* et *-tomie.*

♦ Méd. Section de la cornée dans l'opération de la cataracte.

KERDOMÈTRE [kɛrdɔmɛtr] n. m. — Mil. xxe (*in* Larousse, 1962); du grec *kerdos* « profit », et *-mètre.*

♦ Didact. Appareil destiné à mesurer les niveaux de bruit sur les lignes téléphoniques.

KÈRE [kɛr] n. f. — 1604; grec *khêr* « déesse de la mort; mort ».

♦ Didact. Dans la mythologie grecque, Personnage féminin (déesse, génie) symbolisant la destinée et la mort.

HOM. **Caire, kaire.**

KÉRION [kerjɔ̃] n. m. — 1845, Bescherelle; grec *kêrion* « rayon de miel ».

♦ Méd. Teigne de la barbe et du cuir chevelu, qui se présente en plaques enflammées, boursouflées, couvertes de pus et de croûte.

KÉRITHÉRAPIE [keriterapi] n. f. — 1931, *in* Larousse; du grec *kêros* « cire », et *-thérapie.*

♦ Méd. Traitement par la paraffine (enveloppements chauds dans le rhumatisme, solution de paraffine appliquée sur les brûlures).

KERMA [kɛrma] n. m. — D. i. (v. 1970); mot angl., de *k(inetic) e(nergy) r(elieved) in m(aterial)* « énergie cinétique dégagée dans la matière ».

♦ Sc. Grandeur employée en physique nucléaire, dans l'étude des effets des rayonnements ionisants sur la matière. *L'unité de kerma est le gray**.

KERMÈS [kɛʀmɛs] n. m. — V. 1500, in *Hortus Sanitatis;* arabe *(ʔăl)-qīrmīz,* par l'esp. *alkermes.* → Cramoisi.

♦ **1.** Insecte hémiptère *(Cochenilles, Coccidés)* parasite du chêne-kermès (⇒ **Chêne**), et dont les œufs, séchés et traités par un acide, servaient à fabriquer une teinture écarlate. — Par ext. Cette teinture. *Kermès animal, végétal.*

♦ **2.** Pharm. Oxysulfure d'antimoine, poudre brune insoluble dans l'eau, recommandée comme expectorant. *Kermès médicinal* ou *minéral* (minéral officinal), communément appelé *poudre des Chartreux.*

(...) des adorateurs du *kermès,* des guérisseurs de hasard, qui font consister toute le science de la médecine à savoir préparer des drogues chimiques.
A.-R. LESAGE, Gil Blas, X, I.

♦ **3.** (1584, *kermez).* Chêne arbustif dit aussi *chêne-kermès,* caractéristique des garrigues méditerranéennes, et dont la feuille coriace et épineuse rappelle la feuille du houx.

DÉR. (Du 2) **Kermétisé.**
COMP. Chêne-kermès.
HOM. Kermesse.

KERMESSE [kɛʀmɛs] n. f. — 1391; flamand *kerkmisse,* proprt «messe d'église» et, par ext., «fête patronale».

♦ **1.** Régional. En Hollande, en Belgique, dans le Nord de la France, Fête villageoise ou foire annuelle célébrée avec de grandes réjouissances en plein air. ⇒ **Ducasse** (régional). *Les orgies des anciennes kermesses flamandes* (→ Inaccoutumé, cit. 3, Voltaire). *Spectacle forain* (cit. 3) *d'une kermesse. La Kermesse héroïque,* film de Jacques Feyder (1935). — Spécialt (peint.). Tableau représentant une kermesse, une scène de kermesse. *La truculente Kermesse de Rubens. Les kermesses de Téniers.*

1 Ce débordement de vie animale, qui en France, est mêlé de curiosités maladives et d'imaginations lugubres, s'étale en Bourgogne comme une kermesse large et bonasse.
TAINE, Philosophie de l'art, t. II, p. 7.

2 Peu m'importe, d'ailleurs, la tour Eiffel. Elle ne fut que le phare d'une kermesse internationale, selon l'expression consacrée, dont le souvenir me hantera comme le cauchemar, comme la vision réalisée de l'horrible spectacle que peut donner à un homme dégoûté la foule humaine qui s'amuse.
MAUPASSANT, la Vie errante, I.

3 Les kermesses flamandes, anciens plaisirs de peuples qui ne savent plus s'amuser.
Paul MORAND, Rien que la Terre, p. 164.

♦ **2.** (1879). Fête populaire; fête foraine en plein air. *Une atmosphère de kermesse,* bruyante et joyeuse.

♦ **3.** Fête de bienfaisance qui se déroule en plein air. *La kermesse de l'école.*

HOM. Kermès.

KERMÉTISÉ, ÉE [kɛʀmetize] adj. — 1869, Flaubert; de *kermès* (2.).

♦ Pharm. (Vieilli). Qui contient du kermès (2.) officinal.

KÉROGÈNE [keʀɔʒɛn] n. m. — 1959, *in* T. L. F.; du grec *kêros* «cire», et *-gène.*

♦ Géol. Matière organique extraite des schistes bitumeux et susceptibles de donner des hydrocarbures par distillation.

KÉROSÈNE [keʀɔzɛn] n. m. — 1863; var. *kérosine,* 1862; du grec *kêros* «cire», et suff. *-ène.*

♦ Carburant obtenu par distillation des huiles brutes de pétrole, et utilisé notamment pour l'alimentation des réacteurs d'avions.

Dix minutes plus tard, grimpés sur la terrasse et respirant à pleins poumons la puissante odeur de kérosène qui devient aujourd'hui le parfum des ailleurs, nous vîmes la Caravelle, crachant deux filets gris, se cabrer sur la piste (...)
Hervé BAZIN, Cri de la chouette, p. 142.

KÉROTRACOSE [keʀotʀakoz] n. f. — V. 1970; pour *kérototrachose,* de *kérato-,* et rad. grec de *trachome.*

♦ Didact. (anat.). Superposition des cellules mortes et des nouvelles, épaississant la peau.

KÉROUB [keʀub] n. m. ⇒ **Khéroub.**

KERRIE [keʀi; kɛʀi] ou **KERRIA** [kɛʀja] n. f. — 1842; *kerria,* 1833; de *Ker,* botaniste anglais.

♦ Bot. Arbuste ornemental *(Rosacées)* originaire du Japon et cultivé en France pour ses longues grappes de fleurs jaune d'or sous le nom de *Spirée du Japon.*

KÉRYGME [keʀigm] n. m. — Attesté mil. XXe; empr. au grec *kêrugma* «proclamation par héraut», de *kêrux.*

♦ Théol. cathol. Annonce de la bonne nouvelle à un incroyant, par un missionnaire.

(...) la catéchèse baptismale représente déjà un état développé de la Parole. C'est avec la première annonce de Jésus-Christ, le kérygme du Salut, comme dit saint Paul, que commencera l'Église. 1
P.-A. LIÉGÉ, le Mystère de l'Église, *in* Initiation théologique, t. IV, p. 358.

Jésus leur dit : «Qui pensez-vous que je suis?». Ils répondirent : «Tu es la manifestation eschatologique du fondement de notre être, le kérygme par lequel nous trouvons le sens ultime de nos relations interpersonnelles. 2
J. GREEN, Journal, 8 juin 1976, La terre est si belle, p. 14.

KETCH [kɛtʃ] n. m. — 1780; *quesche,* 1677; *quaiche,* 1751; *cache,* 1666; mot angl., p.-ê. altér. de *catch* «chasse».

♦ Voilier à deux mâts, dont le mât d'artimon, plus petit que le mât avant (grand mât), est implanté devant l'axe du gouvernail (à la différence du *yawl). Ketch marconi. Ketch aurique des pêcheurs d'Écosse, de Bretagne.* ⇒ **Dundée.**

Sur le port, près des goélettes ou des ketches où habitent des familles de navigateurs vagabonds, un blême mannequin parisien, débarqué par l'hydravion du matin, se fait photographier pour Marie-France.
Benoîte GROULT, la Part des choses, p. 226.

KETCHUP [kɛtʃœp] n. m. — 1873, *in* Höfler; attestation isolée, *calchup,* 1826; *catsup,* 1821; *ket-chop,* 1816 (encore dans le *Grand Dict. de cuisine* d'Alexandre Dumas, 1870); mot angl. (*catchup,* 1690; *ketchup,* 1711), probablt du chinois *kôetchiap* ou malais *kêchap.*

♦ Sauce anglaise généralement vendue toute préparée, à base de tomates, légèrement piquante et sucrée. *Une bouteille de ketchup.* — Var. anc. : *catsup.*

Sortez-les de la graisse et mettez-les dans une casserole avec du bon jus, une cuillérée de bon vin rouge et du *catsup.* Servez avec le jus et quelques champignons marinés.
Encycl. domestique, t. I, p. 120, Salmon, 1830, art. *Beefsteaks* ou *Biftecks.*

KETMIE [kɛtmi] n. f. — 1763; *ketmia,* 1694, Tournefort; lat. bot. mod. *ketmia,* arabe *hâtmī, hitmi* «guimauve».

♦ Arbre ou arbrisseau *(Vialvacées)* des régions chaudes, dont certaines variétés sont cultivées en France. *Les ketmies sont des hibiscus*. Ketmie à chanvre. Les graines de la ketmie musquée ou abelmosque** (⇒ **Ambrette**) *fournissent le musc végétal. Le fruit de la ketmie est le nafé**.

KÉTOL [ketɔl] n. m. — Mil. XXe; angl. *ketol* «alcool cétonique», de *ketone* «cétone».

♦ Sc., techn. Mélange dont le principal constituant est une cétone provenant de la distillation du bois. *Le kétol est un combustible liquide.*

KEUPER [køpɛʀ] n. m. — 1876, Brongniart, *in* T. L. F.; *keuprique,* adj., 1840; en all., fin XVIIIe, d'après la *Grande Encyclopédie Berthelot;* cf. *keuprique,* adj., 1875, *in* P. Larousse; mot allemand.

♦ Didact. (géol.). Étage supérieur du trias germanique. *Le keuper, ou étage des marnes irisées, se divise en norien et carnien.*

KÉVATRON [kevatʀɔ̃] n. m. — Mil. XXe (*in* Larousse, 1962); de *KeV,* symbole du kilo-électron-volt, et élément final de *cyclotron.*

♦ Phys. Accélérateur de particules dont l'énergie est inférieure à 1 million de kilo-électron-volts.

KEYNÉSIEN, IENNE [kɛnezjɛ̃, jɛn] adj. — Attesté 1952 dans un titre, *in* T. L. F. (angl. *keynesian,* 1937); du nom du célèbre économiste anglais John Maynard, lord *Keynes* (1883-1946).

♦ Écon. De Keynes, de ses conceptions économiques (politique de développement de la production et de l'emploi par intervention, contrôle des investissements, etc.).

Cependant cette analyse devait bientôt être complétée par les théories keynésiennes qui introduisirent dans l'étude de la répartition un certain nombre de données globales relatives au comportement des agents économiques (...)
Jean-Paul COURTHÉOUX, la Politique des revenus, p. 90.

REM. Les dér. *keynésianisme* [kɛnezjanism] n. m.; *keynésisme* [kɛnezism] n. m. (rare), sont également attestés.

Kg Symbole du *kilogramme;* kgf : symbole du *kilogramme-force;* kgm : symbole du *kilogrammètre;* kg/m : symbole du *kilogramme par mètre;* kg/m² : symbole du *kilogramme par mètre carré;* kg/m³ : symbole du *kilogramme par mètre cube;* kgp : symbole du *kilogramme-poids.* ⇒ **Kilogramme.**

KHÂGNE [kɑɲ; kaɲ] n. f. — 1888; de 1. *cagne* (3.) «paresse», par ironie, ou de 1. *cagneux;* l'orthographe *kh-* est pseudo-grecque.

♦ Fam. Classe des lycées qui prépare à l'École normale supérieure (Lettres), classe suivant l'hypokhâgne (syn : *première supérieure*).

Un après-midi, dans la cour de la Sorbonne, je contredis vivement, sur je ne sais plus quel sujet, un jeune homme au long visage ténébreux (...) Il s'appelait Michel Riesmann et finissait sa deuxième année de khâgne.
S. DE BEAUVOIR, Mémoires d'une jeune fille rangée, p. 242.

REM. On écrit aussi *cagne.*

DÉR. **Khâgneux.**
COMP. **Hypokhâgne.**

KHÂGNEUX, EUSE [kɑɲø, øz; kaɲø, øz] n. — 1888; de *khâgne.*

♦ Fam. Élève, ancien élève d'une classe de khâgne.

La Commission du Dictionnaire ne s'ouvrait qu'aux anciens Khâgneux, ou à ceux qui avaient une compétence reconnue en matière de langage, comme c'est le cas aujourd'hui de Georges Duhamel.
F. MAURIAC, le Nouveau Bloc-notes 1958-1960, p. 343.

REM. On écrit aussi *cagneux, euse* [kaɲø, øz].

KHALIFAT [kalifa] n. m. ⇒ **Califat.**

KHALIFE [kalif] n. m. ⇒ **Calife.**

KHALKHA [kalka] n. m. — Attesté mil. XXe (*les Langues du monde,* 1952); mot mongol appartenant à cette langue.

♦ Didact. Langue parlée en Mongolie extérieure, la plus parlée des langues mongoles actuelles.

KHAMMÈS [kamɛs] n. m. invar. — 1847, *khammas,* A. Cochut, *in* T. L. F.; mot arabe maghrébin, de l'arabe *ḫamsa* «cinq».

♦ Au Maghreb, Métayer percevant le cinquième des revenus de la terre qu'il cultive.

KHAMSIN [xamsin] ou, francisé [ʀamsin] n. m. — 1853, cit. 1; *hamchin,* 1664; *camsin,* 1771, Trévoux; *camslin,* 1755, Fourmont; arabe d'Égypte; arabe class. *ḫāmsīn* «cinquante» (parce que ce vent a coutume de souffler de Pâques à la Pentecôte, c.-à-d. durant cinquante jours), de *ḫamsa* «cinq».

♦ Vent de sable analogue au sirocco, en Égypte.

1 Ce lambeau se nouait négligemment autour de ses reins, et laissait voir presque à nu un corps hâlé, bistré, bronzé, cuit et recuit à la flamme des soleils, aux souffles torrides du khamsin.
Th. GAUTIER, Constantinople (1853), p. 300.

2 Le khamsin soufflait dur, ce matin-là, et, décollant contre le vent, sous le commandement de Saint-Péreuse, les pilotes et nos trois Blenheims virent brusquement surgir des tourbillons de sable trois Blenheims anglais qui s'étaient trompés de sens et venaient à leur rencontre, vent dans le dos.
R. GARY, la Promesse de l'aube, p. 344.

Var. graphique : *khamçin;* (vx) *chamsin.*

1. KHAN ou, vx, **KAN** [kɑ̃] n. m. — 1697; *cham,* 1549; *kaan, kan, can,* dès 1298, Marco Polo; persan *khan;* spécialt, «gouverneur de province, en Perse» (1666, *can,* Thévenot).

♦ Titre que prenaient les souverains mongols (cf. Gengis Khan), les chefs tartares, et qui passa avec eux dans l'Inde et jusqu'au Moyen-Orient, où il est encore porté, de nos jours, par certains chefs religieux islamiques (→ Commander, cit. 12; horde, cit. 1).
Par ext. Titre honorique.

Il y avait, à Shyraz, un peintre appelé Misza-Hassan, et on ajoutait *Khan,* non pas qu'il fût, le moins du monde, décoré d'un titre de noblesse; seulement sa famille avait jugé à propos de lui conférer le khanat dès sa naissance; c'est une précaution souvent usitée, car il est agréable de passer pour un homme distingué (...)
J.-A. DE GOBINEAU, Nouvelles asiatiques, p. 125.

DÉR. **Khanat.** — V. **Khanoun.**
HOM. **Camp, 2. khan, quand, quant.**

2. KHAN ou, vx, **KAN** [kɑ̃] n. m. — 1678, *khan; kan,* 1457; arabo-persan *ḫān* «caravansérail».

♦ Caravansérail, marché public ou lieu de repos des caravanes, au Moyen-Orient.

1 Nous sommes trois marchands de Moussoul, arrivés depuis environ dix jours, avec de riches marchandises que nous avons en magasin dans un khan[2] *(note de l'auteur)* où nous avons pris logement.
2. Khan ou caravanserail *(sic) :* bâtiment qui, dans l'Orient, sert de magasin ou d'auberge pour les marchands; les caravanes y sont reçues pour un prix modique.
A. GALLAND, les Mille et une Nuits, t. I, p. 103 (1765).

2 On ne vous doit rien dans ce khan, lorsque vous n'avez pas de firman de poste : c'est à vous de vous procurer des vivres comme vous pouvez. Mon janissaire allait à la chasse dans les villages (...)
CHATEAUBRIAND, Itinéraire..., *in* SAINTE-BEUVE, Chateaubriand..., t. II, p. 60.

3 Il faut décrire une fois pour toutes ce qu'on appelle un kan dans la Syrie et en général dans toutes les contrées d'Orient : c'est une cabane dont les murs sont de pierres mal jointes, sans ciment (...) Les murs ont à peu près sept à huit pieds de haut; ils sont recouverts de quelques pièces de bois brut (...) le tout est ombragé de fagots desséchés, qui servent de toit; l'intérieur n'est pas pavé (...) Quand le voyageur arrive à la porte de ces kans, il descend de chameau ou de cheval, il fait détacher les nattes de paille et les tapis de Damas qui doivent lui servir de couche; on les étend dans un coin de la maison enfumée (...)
LAMARTINE, Voyage en Orient, Les Druzes, 3 oct. 1832.

De ruelles en ruelles, de carrefours en carrefours, nous arrivâmes à un grand khan 4
morne et délabré, aux hautes arcades, aux longs murs de pierre, destiné à loger les caravanes de chameaux (...)
Th. GAUTIER, Constantinople, p. 220.

REM. On trouve au XIXe s. la variante *khani,* empruntée du turc, désignant une auberge en Grèce (cf. E. About, *in* T. L. F.).

DÉR. **Camp, 1. khan, quand, quant.**

KHANAT ou **KANAT** [kana] n. m. — 1832, *khanat; kanat,* 1678; de 1. *khan.*

♦ **1.** Pays soumis à un khan.

Il est alors descendu plus au sud, jusque dans le Turkestan libre. Là, aux khanats de Boukhara, de Khokhand, de Koundouze, il a trouvé des chefs disposés à jeter leurs hordes tartares dans les provinces sibériennes et à provoquer une invasion générale de l'empire russe en Asie.
J. VERNE, Michel Strogoff, p. 21.

♦ **2.** (1845). Dignité de khan (→ 1. Khan, cit.).

HOM. **Kana.**

KHANDJAR [kɑ̃dʒaʀ] n. m. ⇒ **Kandjar.**

KHANI [kani] n. m. ⇒ 2. **Khan** (REM.).

KHANOUN [kanun] n. f. — 1851, Nerval; turc *khānim,* fém. de *khān.* → 1. Khan.

♦ Femme d'un khan. — Femme possédant une haute situation sociale, au Proche-Orient. *« Les deux khanouns »* (Mérimée, *in* T. L. F.).

La khanoun était somptueusement parée, comme le sont chez elles les dames turques, surtout lorsqu'elles attendent quelque visite.
Th. GAUTIER, Constantinople, p. 203 (1853).

Var. graphiques : *khanun, canoun.*

KHARIDJISME [kaʀidʒism] n. m. — 1902; de *khāridjite.*

♦ Didact. Doctrine d'un mouvement politico-religieux de l'Islam, puritain et fanatique, qui se forma à propos d'une controverse sur la légitimité du califat.

KHARIDJITE ou **KHARIJITE** [kaʀidʒit] n. et adj. — 1873; mot arabe.

♦ Didact. Partisan du kharidjisme. *Les khāridjites existent de nos jours en Afrique du Nord, à Oman et à Zanzibar.*

DÉR. **Khāridjisme.**

KHÉDIVAL, ALE, AUX [kedival, o] ou **KHÉDIVIAL, IALE, IAUX** [kedivjal, jo] adj. — 1894, *khédival; khédivial,* 1890, *in* P. Larousse, *Deuxième Suppl.;* de *khédive.*

♦ Didact. Qui dépend du khédive. *Les possessions khédiviales.*

En 1841, le sultan de Constantinople accorde la dignité khédiviale héréditaire aux descendants de Méhémet Ali. Mais déjà l'impérialisme britannique gangrène les principaux rouages du nouvel État. Le khédive Ismaël (1863-1879) enfin lance le pays dans une «occidentalisation» forcée.
Jean ZIEGLER, Main basse sur l'Afrique, p. 131.

KHÉDIVAT [kediva] ou **KHÉDIVIAT** [kedivja] n. m. — 1890, *khédivat; khédiviat,* 1878; de *khédive.*

♦ Didact. Fonction, dignité de khédive; durée pendant laquelle elle s'exerçait.

KHÉDIVE [kediv] n. — 1869; turc *khediw,* proprt «roi, souverain», du persan *ḫedīv,* en persan class. *ḫudaiw,* de *ḫudā* «dieu, seigneur».

♦ **1.** N. m. Titre porté par le vice-roi (ou pacha) d'Égypte entre 1867 et 1914 (→ Khédival, cit.).

♦ **2.** N. f. Vx. Cigarette de tabac du Levant, autrefois.

— À nos santés, Gigi! Tu auras une khédive avec ta tasse de café. À la condition que je ne voie pas le bout de ta cigarette mouillé, et que tu fumes sans crachoter des brins de tabac en faisant *ptu, ptu...*
COLETTE, Gigi, p. 38.

DÉR. **Khédival** ou **khédivial, khédivat** ou **khédiviat.**

KHÉROUB [keʀub] n. m. — Déb. XXe; hébreu *kerob,* adapté en bas lat. en *chem,* d'où *cherub* (XIIIe) en anc. franç., et *chérubin**.

♦ Didact. Ange (dans le contexte des religieux de l'Orient ancien).

Var. graphique : *kéroub.* « *Des chérubins ou kéroubs en forme de taureaux ailés* » (A. France, *in* G. L. L. F.).

KHI [ki] n. m. — 1832, Raymond; mot grec.

♦ Lettre de l'alphabet grec (Χ, χ) notant une gutturale sourde aspirée [x].

HOM. Qui.

KHLONG [klõg] n. m. ⇒ **Klong.**

KHMER, KHMÈRE [kmɛʀ] adj. et n. — 1873, *in* D. D. L.; mot hindou.

♦ Des Khmers, population d'origine hindoue qui habite le Cambodge. ⇒ **Cambodgien, kampuchéen.** *Art khmer :* art ancien du Cambodge. *Le célèbre temple khmer d'Angkor.*

Bien que nous sachions qu'une tête bouddique khmère implique des siècles de bouddhisme, nous la regardons comme si le sculpteur en avait inventé l'esprit et la complexité.
MALRAUX, les Voix du silence, p. 617.

(1970). *La République khmère. Les réfugiés khmers en Thaïlande.* — N. *Un Khmer, une Khmère.* ⇒ **Cambodgien.**

Loc. *Khmer rouge :* partisan du communisme khmer, dirigé par Pol Pot, responsable d'un régime destructeur de la population et du pays. — Adj. *Le régime khmer rouge.*

REM. Les spécialistes font parfois le mot invariable : *les inscriptions khmer* (*l'Histoire et ses méthodes,* Encycl. Pl., *in* T. L. F.).

N. m. Langue du groupe môn-khmer; ensemble de ces langues (cambodgien, talaing, ou môn, khasi, moi, etc.). — Spécialt. Le cambodgien. — Adj. *La grammaire khmer.*

KHODJA [kɔdʒa] n. m. — 1876, J. Verne, *Michel Strogoff,* mais p.-ê. (par confusion) dans une autre acception; certainement antérieur (*hoiah,* 1625, en angl.); turc et persan *khōjah.*

♦ Didact. Maître dans une école islamique. *Khodjas, mollahs et imams.*

KHÔL, KOHL [kol] ou **KOHOL** [kɔɔl] n. m. — 1717, *kool; kouhel,* 1646; *kohl,* 1787, Volney; arabe *kuḥl* « collyre d'antimoine ».

♦ Fard de couleur sombre appliqué sur les paupières, les cils, les sourcils, à l'origine dans le monde arabe. *Khôl en poudre. Khôl liquide appliqué avec un pinceau. Khôl en crayon.*
Var. graphiques : *kohel* (Nerval), *koheul, k'hol.*

1 (...) de longues paupières, qu'à leur couleur bistrée on pourrait croire teintes de *k'hôl* à la manière orientale.
Th. GAUTIER, Fortunio, I, p. 25 (1837).

2 Il avait des cheveux bouclés d'un noir admirable, des yeux peints de kohol, aussi beaux que ceux d'une femme (...)
J.-A. DE GOBINEAU, Nouvelles asiatiques, p. 131.

3 Un adroit maquillage de crayon brun, de kohel bleuté, de raisin rouge ne suffisait-il pas (...) à attirer l'attention sur les yeux et la bouche, les trois lumières, les trois aimants de mon visage?
COLETTE, la Vagabonde, p. 126.

KHOTBA [kɔtba] n. f. — XIXe; mot arabe, *khutbah, khotbali,* de *khataba* « prêcher ».

♦ Didact. Prône du vendredi à la mosquée.

KIBBOUTZ [kibuts] n. m. — V. 1950 (1953, *kibbouts* et *kiboutsim, in* T. L. F.); la chose existe depuis 1909 (en Palestine); mot hébr. *qibbūs* « collectivité », plur. *qibbūṣīm,* de *qibbēṣ* « rassembler ».

♦ Exploitation agricole collective, en Israël. *Des kibboutz* ou (plur. hébreu) *des kibboutzim.* — *Membre d'un kibboutz.* ⇒ **Kibboutznik.** « *Le kibboutz ne représente plus qu'une part infime de la société israélienne, mais c'est une de ses composantes essentielles* » (*l'Express,* 7 mai 1973, p. 228). « *Les kibboutzim juifs de Palestine* » (*le Nouvel Obs.,* 9 juin 1973, p. 28).

REM. On écrit parfois *kibbouts.*

DÉR. Kibboutzique.

KIBBOUTZIQUE [kibutsik] adj. — 1951, *in* D. D. L.; de *kibboutz.*

♦ Didact. et rare. Relatif à un kibboutz. « *Le mouvement kibboutzique* » (*le Monde,* 14 janv. 1973).

KIBBOUTZNIK [kibutsnik] n. invar. — V. 1950 (1953, *in* T. L. F.); mot hébreu.

♦ Didact. Habitant, membre d'un kibboutz. « *Les kibboutznik ne font qu'un, travaillent ensemble, sont prêts à se sacrifier pour le groupe (...)* » (*l'Express,* 7 mai 1973, p. 222). — REM. On écrit aussi *kibboutsnik.*

KIBITKA [kibitka] n. f. — 1812, J. de Maistre, *in* T. L. F.; var. *kibik,* 1814; *kibick,* 1806; mot russe.

★ **I.** Charrette, voiture russe à chevaux. *Des kibitkas* ou (plur. russe) *des kibitki.*

La charrette arriva bientôt au tournant de la route. C'était un véhicule fort délabré, pouvant à la rigueur contenir trois personnes, ce qu'on appelle dans le pays une kibitka. 1
J. VERNE, Michel Strogoff, p. 353 (1876).

Le passage de l'Oural fut un désastre. Il y avait un orage de neige. Les chevaux et les kibitki s'enfoncèrent; il fallut descendre, c'était en pleine nuit, et attendre qu'on les eût dégagés. 2
GIDE, Dostoïevski, p. 78.

REM. Nombreuses var. au XIXe s. (*in* D. D. L.) : *kibik, kibic, kibick, kibiick.*

★ **II.** (1873, *in* D. D. L.; var. *kibtka*). Tente circulaire de feutre des Tartares. ⇒ **Yourte.**

KIBLA ou **KIBLAH** [kibla] n. f. — 1670; *al-kible,* 1612, Vigenère; mot arabe, *qibla,* de *qabola* « être à l'opposé ».

♦ Point vers lequel les Musulmans doivent se tourner pour prier (direction de la Mecque). *Niche dans la muraille d'une mosquée, marquant la kibla.* ⇒ **Mihrâb.**

KICHE [kiʃ] n. f. ⇒ **Quiche.**

KICHENOTTE [kiʃnɔt] n. f. ⇒ **Quichenotte.**

Sous la kichenotte tuyautée, une coiffure de paysanne qu'on ne pouvait décemment porter que pour tailler des rosiers ou ramasser des baies, la belle Nadia Redburn avait un visage d'une effrayante pâleur, baigné de larmes et agité de tics.
Maurice DENUZIÈRE, Fausse-Rivière, p. 21.

KICK [kik] n. m. — 1922, *in* Höfler; abrév. de *kick-starter* (1919); angl. *kick-starter* (1916), de *to kick* « donner des coups de pieds », et *starter* « ce qui donne le départ ».

♦ Dispositif de lancement d'un moteur (en particulier, de motocyclette) à l'aide du pied. *Des kicks.* « *Un type façon cow-boy (...) avec jeans repassés qui démarre au kick sa 1340 cc alors qu'il possède un démarreur électrique* » (*Moto-Revue,* 6 mai 1981, p. 19).

KICK-STARTER [kikstartɛʀ] n. m.

♦ Anglic. Vieilli. ⇒ **Kick** (étym.).

KID [kid] n. m. — 1931; mot angl., proprt « chevreau ».

★ **I.** Fourrure lustrée du chevreau. *Vêtement en kid.*

★ **II.** Anglic. Enfant, gamin. *Le Kid,* titre d'un film de Charlie Chaplin (parfois traduit en : *le Gosse*).

KIDNAPPAGE [kidnapaʒ] n. m. — 1931; de *kidnapper.*

♦ Rare. Enlèvement, rapt. ⇒ **Kidnapping.**

Ça va : la boîte est sur le territoire des concessions; donc, pas de police chinoise. Et le kidnappage y est moins à craindre même qu'ici : trop de gens (...) J'y passerai entre onze et onze et demie.
MALRAUX, la Condition humaine, p. 163
(*note de l'auteur :* « Terme shangaïen : de l'angl. *kidnapped,* enlevé »).

KIDNAPPER [kidnape] v. tr. — 1931; attestation isolée, 1861; attestation isolée dans un autre sens, 1783, *in* Proschwitz; de l'amér. *to kidnap,* de *kid* « enfant », et *to nap* « saisir ».

♦ **1.** Enlever (une personne) en général pour en tirer une rançon. *Kidnapper un enfant. Se faire kidnapper.* ⇒ **Enlever.** *Action de kidnapper.* ⇒ **Kidnappage, kidnapping.** — Passif et p. p. *Il a été kidnappé.*

♦ **2.** Fam. Subtiliser (qqch.). *Il a kidnappé mon stylo.*

DÉR. Kidnappage.

KIDNAPPEUR, EUSE [kidnapœʀ, øz] n. — 1953; *kidnapper,* 1936, *in* Höfler; « recruteur qui engageait des hommes libres pour les revendre comme esclaves », 1783; angl. *kidnapper,* de *to kidnap.* → Kidnapper.

♦ Personne qui kidnappe (qqn). ⇒ **Ravisseur.**

Tu veux pas me faire croire que tu lis pas les journaux, non?
— Je les lis, bien sûr, mais parole, j'ai rien vu dedans au sujet de Riton depuis que vous avez trouvé drôle de nous faire passer pour des kidnappeurs (...)
Albert SIMONIN, Touchez pas au grisbi, p. 211.

KIDNAPPING [kidnapiŋ] n. m. — 1935, *in* Höfler; mot angl., du verbe *to kidnap.* → Kidnapper.

♦ Rapt, enlèvement, en vue d'extorquer une rançon. ⇒ **Kidnappage.**

Les faits divers les plus marquants, ce furent le kidnapping du bébé de Lindbergh, 1 le suicide de Kreuger, l'arrestation de Mme Hanau, la catastrophe du *Georges-Philippart.* S. DE BEAUVOIR, la Force de l'âge, p. 116.

2 (...) elle connaissait des parents qui en cas de kidnapping se feraient plutôt payer par les ravisseurs pour les reprendre *(les enfants).*
Hervé BAZIN, Cri de la chouette, p. 50.

1. KIEF [kif] n. m. — 1789, *in* D. D. L.; *keif,* 1681, puis 1779, *in* D. D. L.; *kaif,* 1670; mot turc *kayf,* arabe *kēf* «aise, état de béatitude».

♦ Repos absolu au milieu du jour, chez les Turcs. — État de béatitude.

1 Je traversais donc la plaine à cette heure du jour que les Méridionaux consacrent à la sieste, et les Turcs au kief. NERVAL, Voyage en Orient, VII, II.

1.1 M. Lagier a représenté un Turc faisant le kief après avoir fumé l'opium ou le hachich (...) Th. GAUTIER, Constantinople, p. 8.

2 La troisième phase, séparée de la seconde par un redoublement de crise, une ivresse vertigineuse suivie d'un nouveau malaise, est quelque chose d'indescriptible. C'est ce que les Orientaux appellent le *kief;* c'est le bonheur absolu.
BAUDELAIRE, Du vin et du haschisch, I.

Var. : *kef.*

HOM. 2. Kief, 1. kif, 2. kif.

2. KIEF [kif] n. m. ⇒ 1. **Kif.**

KIESELGUHR ou **KIESELGUR** [kizɛlgyʀ] n. m. — 1824, Beudant; mot all., de *Kiesel* «galet», et *Guhr* ou *Gur* «masse humide émanant de la roche».

♦ Minér. Roche formée par l'accumulation de coques (frustules) de diatomées, constituées par de la silice hydratée non cristallisée. — Syn. : *terre d'infusoires.* — REM. On écrit parfois le mot avec la majuscule. *Le Kieselguhr se rencontre dans les sédiments lacustres et marins.* — Syn. : *tripoli, diatomite. Les sédiments actuels analogues au Kiselguhr sont appelés boues à Diatomées. Utilisation du kieselguhr pour la fabrication de la dynamite, d'isolants thermiques, de bétons.*

KIÉSÉRITE [kjezeʀit] n. f. — 1873, *in* P. Larousse; du nom de D. G. *Kieser,* savant allemand (1779-1852).

♦ Chim. Sulfate naturel hydraté de magnésium ($H^2Mg\ SO^5$).

1. KIF ou **KIEF** [kif] n. m. — 1855, *kif; kief,* 1857, Fromentin; arabe moderne *kēf* «aise, béatitude» (→ 1. Kief), puis «cannabis», à partir de l'expression *ḥă-šīštī-l-kēf* «l'herbe qui procure la béatitude».

♦ Chanvre indien (⇒ **Haschisch, marijuana**) mélangé à du tabac pour être fumé. *Fumer du kif.*

1 (...) gens ruinés par un caïd, dépouillés par un cadi, trompés par une femme, et qui, dégoûtés des hommes, se réfugient dans le vagabondage, n'attendant plus désormais de secours que du hasard et de bonheur que du kif qu'ils fument sans arrêt dans leurs pipettes nacrées. Jérôme et Jean THARAUD, Rabat, VIII.

2 Quelques vieux arabes étaient là, accroupis sur des nattes et fumant le kief (...)
GIDE, Si le grain ne meurt, II, II, p. 341.

Var. graphique : *kiff.*

3 Le patron tendit à Sartre une pipe au long tuyau, au fourneau minuscule, bourré d'une fine poussière : du kiff (...) S. DE BEAUVOIR, la Force de l'âge, p. 340.

4 Ils parlaient un peu, en fumant des feuilles de kif enroulées.
J.-M. G. LE CLÉZIO, Désert, p. 11.

COMP. Kifomanie.
HOM. 1. Kief, 2. kif.

2. KIF [kif] n. m. et adv. — 1914, *in* Esnault; de *kif-kif.*

♦ Fam. *C'est du kif :* c'est la même chose. ⇒ **Kif-kif** (→ Cavaler, cit. 3). *C'est pas du kif :* c'est différent. — Adv. Vx. *« C'est kif comme s'i' disait... »* (Barbusse).

Et s'il y en a qui ne sont pas contents, c'est du kif (...)
René FALLET, le Triporteur, p. 68.

KIF-KIF [kifkif] adj. invar. — 1867, Delvau; arabe d'Algérie *kīf* «comme», en emploi redoublé adverbial, intensif.

♦ Fam. Pareil, la même chose. *Celui-ci ou celui-là, c'est kif-kif! Ce que tu fais ou rien, c'est kif-kif.* — Syn. : *c'est du kif* (→ 2. Kif).

1 (...) c'est kif-kif toutes les fois. COURTELINE, le Train de 8 h 47, I, VI.

2 Ce n'était point une divinité du Styx, non, mais cela ne valait guère mieux : à peu près « kif-kif » (...) LOTI, les Désenchantées, I, III.

3 Oh! moi, j'ai pas eu de chance...
J'ai attendu trop longtemps pour demander à changer
... et puis maintenant... je m'en f...iche...
Faire ça ou tourner la meule... KIFKIF... pourvu
que j'atteigne ma retraite, c'est tout ce que je demande
GORON, l'Amour à Paris, t. III, p. 1619.

Loc. pop. et vieillie. (1883). *Kif-kif bourricot* (même sens; littéralt, «pareil à l'âne»), «formule libre, chère aux Algériens, qui passa en France pour le superlatif de toute ressemblance» (Esnault).

4 Dans la petite maison de jardinier de Villeneuve-sur-Lot (...) elle *(la mère de l'auteur)* t'a vu à la télévision. Elle sait que tu sors de Centrale. Dans sa tête, Centrale et Agrégation, c'est *Kif Kif bourricot* comme disait mon père dans ses accès de gaieté. P. GUTH, Lettre ouverte aux idoles, Antoine, p. 66.

Conj. Comme, de même que. *« Nous ramassons les miettes des autres, kif-kif les petits pierrots des squares »* (Hirsch, *in* G. L. L. F.).

DÉR. 2. **Kif.**

KIFOMANIE [kifɔmani] n. f. — XXe; de 1. *kif,* et *-manie.*

♦ Méd. Intoxication chronique des fumeurs de kif.

KIKI [kiki] n. m. et adj. — 1876, *kique,* Chautard; «cou de volaille», 1867; abrév. de *quiriquiqui* «gosier», onomatopée. → Quiqui.

★ **I.** N. m. ♦ **1.** Fam. Gorge, gosier. ⇒ **Gavion, quiqui.** *Serrer le kiki à qqn,* l'étrangler. — (Sujet n. de chose). *« Un type qui a les foies, ça lui serre le kiki à ne pas pouvoir dire "pain" »* (Vercel, *in* T. L. F). *Couper le kiki à qqn.*

Personnellement, je n'ai jamais vu aucun de mes antagonistes, mais nous nous repérions au son, à la voix, au vocabulaire, et j'étais facilement reconnaissable disant son fait au type (...) lui coupant le kiki, non pas dans un français académique mais dans le langage de son pays, le plus populaire et le plus grossier. 1
B. CENDRARS, Trop c'est trop, p. 22.

Soudain, il se sentit le kiki serré. R. QUENEAU, le Dimanche de la vie, p. 61. 2

♦ **2.** Loc. vieillie (onomat.). *Faire kiki (des kikis) à qqn,* des chatouilles, des caresses (cf. J. Vallès, *in* T. L. F.). ⇒ **Guili-guili, gouzi-gouzi.**

♦ **3.** Loc. fam. (V. 1965; orig. obscure, appellatif analogue à *mon coco*). *C'est parti, mon kiki :* ça marche, on commence.

★ **II.** Adj. (1933, Colette, *in* T. L. F.; abrév. de *riquiqui*). Vieilli. Riquiqui, médiocre, mesquin.

KIL [kil] n. m. — 1880, *in* Esnault; abrév. de *kilo* (2.).

♦ Pop. Litre (de vin). *Un kil de rouge.* ⇒ **Kilo** (2.). → Rouquin, cit. 3.

Tiens, ma vieille elle a soixante-cinq ans, j'habite avec elle. Eh bien, à son âge, elle se tape encore son kil de rouge dans la journée. 1
SARTRE, la Mort dans l'âme, p. 247.

Variante : *kile.*

(...) c'était un soiffard qui pouvait entonner des kiles et des kiles et des kiles de pinard et que rien ne pouvait faire remuer, même pas la présence tonnante de Dieu-le-Père en uniforme d'adjudant le sommant de rectifier sa tenue, le menaçant des pires représailles, de le déférer en conseil de guerre (...) 2
B. CENDRARS, la Main coupée, *in* Œ. compl., t. X, p. 134.

REM. L'emploi au sens de «kilogramme» (1881, *in* Lorchey, *Suppl.*) ne semble guère vivant.

KILIM [kilim] n. m. — D. i.; turco-persan *kilim.*

♦ Tapis du Kurdistan, de Turquie orientale (Anatolie), d'Iran occidental. *« Des kilims de Mésopotamie : ce sont des tapis tissés, puis brodés par des femmes au point de chaînette, avec des laines filées à la main, teintes selon des méthodes ancestrales »* (*l'Express,* no 1472, 22-28 sept. 1979, p. 42).

KILO [kilo] n. m. — 1858; abrév. de *kilogramme;* un homonyme fin XVIIIe (1794-95), signifiant «mille»; du grec *khilioi* «mille».

♦ **1.** (1858). Cour. Kilogramme (unité de poids). ⇒ **Kilogramme** (2.). → Inopportunité, cit. *Cinquante kilos. Il pèse 70 kilos. Un litre d'eau pèse un kilo. Un kilo de sucre. Vente, prix au kilo. Cela vaut dix francs le kilo. Véhicule de 2 000 kilos de charge utile. Une livre* ou un demi-kilo.* — Fig. *« Nous faisions du lord Byron au kilo »* (A. Dumas fils, *in* T. L. F.), au poids, en grande quantité.

Un mois de sommeil sur chaque paupière voilà ce que nous portions et autant derrière la tête, en plus de ces kilos de ferraille. 1
CÉLINE, Voyage au bout de la nuit, p. 32.

♦ **2.** (Av. 1878, Rigaud). Pop. Vx. Litre (de vin). ⇒ **Kil.** *Un kilo de rouge.*

Cette nuit même, les trois associés réunis se partageaient le butin et desséchaient quelques «kilos» de cacheté pour remédier dans la mesure de leurs moyens à la mévente du vin et aussi fêter l'heureuse réussite de leur ingénieuse combine. 2
L. FORTON, les Aventures des Pieds-Nickelés, *in* l'Épatant, 1909, p. 83.

DÉR. Kil.

KILO- Préfixe du grec *khilioi* «mille, mille fois», forme simplifiée pour *kilio,* qui a servi dès la Révolution (1790) à composer les noms de mesure valant mille fois l'unité, la quantité exprimée. — Outre les mots traités à l'ordre alphabétique, on peut mentionner : *kilocurie* [kilokyʀi] n. f.; *kiloélectronvolt* ou *kilo-électronvolt* [kiloelɛktʀɔ̃vɔlt] n. m.; *kilolitre* [kilolitʀ] n. m.; *kiloparsec* [kilopaʀsɛk] n. m.; *kilostère* [kilostɛʀ] n. m., qui signifient «mille (unités)»; et dans d'autres domaines : *kilo-franc; kilo-octet* (ou *K-octet*).

KILOAMPÈRE [kiloɑ̃pɛʀ] n. m. — 1931, *in* Larousse; de *kilo-*, et *ampère*.

♦ Sc. Unité d'intensité électrique valant mille ampères (symb. *kA*).

COMP. Kiloampèremètre.

KILOAMPÈREMÈTRE [kiloɑ̃pɛʀmɛtʀ] n. m. — Mil. xxe; de *kiloampère*, d'après *ampèremètre*.

♦ Sc. Appareil à lecture directe mesurant les courants continus de forte intensité.

KILOBAR [kilobaʀ] n. m. — xxe; de *kilo-*, et *bar*.

♦ Didact. Pression de mille bars.

KILOCALORIE [kilokalɔʀi] n. f. — 1933, *in* T. L. F., art. *kilo-*; de *kilo-*, et *calorie*.

♦ Phys. Grande calorie ou millithermie *(mth)*, valant 1 000 calories. — REM. Cette unité n'est plus utilisée.

KILOCYCLE [kilosikl] n. m. — 1931; de *kilo-*, et *cycle*.

♦ Vx. Kilohertz*.

KILOGRAMME [kilɔgʀam] n. m. — 1795 (loi du 18 germinal an III); de *kilo-*, et *gramme*.

♦ **1.** Didact. (admin.). Unité de masse du système* international, valant mille grammes, et définie par la masse de l'étalon en platine irridié déposé au pavillon de Breteuil, à Sèvres (symb. : *kg*). *Kilogramme par mètre :* unité de masse linéique (symb. : *kg/m*) équivalant à la masse linéique d'un corps homogène de section uniforme dont la masse est 1 kilogramme et la longueur 1 mètre. *Kilogramme par mètre carré :* unité de masse surfacique (symb. : *kg/m²*) équivalant à la masse surfacique d'un corps homogène d'épaisseur uniforme dont la masse est 1 kilogramme et la surface 1 mètre carré. *Kilogramme par mètre cube* (symb. : *kg/m³*) : unité de masse volumique équivalant à la masse volumique d'un corps homogène dont la masse est 1 kilogramme et le volume 1 mètre cube.

(1931). **KILOGRAMME-POIDS** ou **KILOGRAMME-FORCE :** ancienne unité de mesure (symb. : *kgp* ou *kgf*), aujourd'hui remplacée par le newton*, représentant la force avec laquelle une masse de 1 kilogramme est attirée par la Terre. — REM. Cette unité n'est plus employée, sa valeur, comme celle de l'accélération de la pesanteur, variant en fonction du lieu.

♦ **2.** Unité de poids correspondant au poids d'une masse d'un kilogramme (→ ci-dessus, Kilogramme-poids). ⇒ (cour.) **Kilo** (abrév. : *kg*). *Cent kilogrammes.* ⇒ **Quintal.** *Mille kilogrammes.* ⇒ **Tonne.** REM. La langue courante, et notamment l'usage parlé, ne connaissent guère que l'abréviation *kilo**, qui n'est pas acceptée scientifiquement comme symbole.

KILOGRAMMÈTRE [kilɔgʀammɛtʀ] n. m. — 1847, Péclet; de *kilo-*, *gramme*, et *mètre*.

♦ Phys. Vieilli. Kilogramme* par mètre (symb : *kgm*). — *Kilogrammètre par seconde* (unité de puissance).

KILOHERTZ [kiloɛʀts] n. m. — Mil. xxe (1958, *in* T. L. F.); de *kilo-*, et *hertz*.

♦ Phys. Unité de fréquence des ondes radioélectriques correspondant à 1 000 cycles, longueur d'onde de 300 km (symb. : *kHz*). ⇒ **Kilocycle** (vx).

KILOJOULE [kiloʒul] n. m. — 1908, *in* T. L. F., art. *Kilo-*; de *kilo-*, et *joule*.

♦ Sc. Unité de travail du système M. T. S., valant 1 000 joules*; travail d'une force égale à un sthène* dont le point d'application se déplace de 1 mètre dans la direction de la force (abrév. : *kJ*).

KILOMÉTRAGE [kilɔmetʀaʒ] n. m. — 1867, *in* Littré, au sens 1; de *kilométrer*.

♦ **1.** Action de kilométrer; résultat de cette action. *Le kilométrage d'un parcours.*

♦ **2.** Nombre de kilomètres. *« Le kilométrage exact entre deux capitales de votre choix »* (Camus, *in* T. L. F.).

Jetant au panier le tracé initial, qui avait le mérite d'être le plus court et le plus logique, mais l'inconvénient de se heurter au bloc des propriétaires, elle *(la compagnie)* décida, en accord avec les Ponts et Chaussées, de suivre tout simplement la route qui serpentait déjà entre les bourgs et les villages touchés par le chemin de fer. Cela impliquait un *kilométrage* beaucoup plus long et des méandres grotesques.
Claude MICHELET, Des grives aux loups, p. 88-89.

♦ **3.** Plus cour. Nombre de kilomètres parcourus. ⇒ aussi **Millage.** *Kilométrage d'une voiture, indiqué au compteur. Voiture d'un faible kilométrage. Location avec kilométrage illimité.*

KILOMÈTRE [kilɔmɛtʀ] n. m. — 1790; de *kilo-*, et *mètre*.

♦ **1.** Unité pratique de distance qui vaut mille mètres* (abrév. : *km*). *La distance entre les villes s'exprime en kilomètres. Faire, courir, parcourir trois kilomètres à pied* (→ Hygiène, cit. 7). *Faire des kilomètres, marcher pendant des kilomètres,* une longue distance. — (En voiture). *J'ai fait cinq cents kilomètres dans la matinée.* ⇒ **Borne** (fam.). *Voiture qui fait 130 kilomètres à l'heure* (cf. ellipt. Faire du cent trente à l'heure).

Elle habitua peu à peu ses sœurs à faire des kilomètres, inaugurant cette nouvelle 1
hygiène comme une pratique de dévotion.
M. JOUHANDEAU, Tite-le-Long, XX.

(1888, *in* Petiot). Collectivt, fam. *Manger, bouffer du kilomètre :* faire de la route sans s'arrêter.

Tout à l'heure, pensait-il, on causera d'homme à homme, mais avant ça, t'auras 2
bouffé du kilomètre. Je m'appelle plus mon nom si je te tiens pas dans les brancards jusqu'à la fin.
M. AYMÉ, le Vin de Paris, Traversée de Paris, p. 44.

Sports. *Kilomètre lancé :* épreuve sportive, course dans laquelle les concurrents sont chronométrés, après avoir atteint leur pleine vitesse, sur une distance d'un kilomètre. *Kilomètre lancé à skis.*

Fig. *Des kilomètres de* (qqch. de longueur mesurable) : des longueurs importantes. — *Kilomètre carré* (abrév. : *km²*) : unité de superficie qui vaut un million de mètres carrés ou 100 hectares (→ Exiguïté, cit. 4). *La superficie de la France est de 550 985 km²* (environ cinquante-cinq millions d'hectares). *Kilomètre cube* (abrév. : *km³*) : un milliard de mètres cubes.

♦ **2.** Transport pour un kilomètre. *Prix du kilomètre de chemin de fer, d'avion.*

(En composition). *Kilomètre-voyageur; kilomètre-marchandise :* unité statistique correspondant au transport d'un voyageur, d'une unité de poids (de marchandises) sur un kilomètre.

♦ **3.** (Expression scientifiquement incorrecte). *Kilomètres-heure :* kilomètres parcourus en une heure, vitesse en kilomètre par heure. Abrév. : *kmh.* — REM. On a dit (vieilli) : *kilomètre à l'heure, kilomètre par heure.*

Ellipt. (vieilli). Kilomètre par heure. *« ...il lançait sa machine à une vitesse de quatre-vingts kilomètres »* (Zola, *la Bête humaine, in* T. L. F.).

Kilomètre-seconde : distance de 1 km parcourue en 1 seconde.

♦ **4.** Par métonymie (suivi d'un chiffre). Point marquant une distance mesurée en kilomètres par rapport à une origine. *Nous sommes au kilomètre 200.*

REM. L'abréviation normale est *km.* On rencontre parfois *kil.* et *kilom.* (*kilo* est exclu, cette forme correspondant à *kilogramme*).

DÉR. Kilométrer, kilométrique.

KILOMÉTRER [kilɔmetʀe] v. tr. — 1867, *in* Littré; de *kilomètre*. Rare.

♦ **1.** Mesurer en kilomètres. *Kilométrer un parcours.*

♦ **2.** Jalonner de bornes kilométriques. *Kilométrer une route.* — Au p. p. *Distance, route kilométrée.*

DÉR. Kilométrage.

KILOMÉTRIQUE [kilɔmetʀik] adj. — 1811, *in* D. D. L.; de *kilomètre*.

♦ **1.** Cour. Qui a rapport au kilomètre; est évalué en kilomètres. *Mesure kilométrique d'une distance. Distance kilométrique d'une ville à une autre inscrite sur un poteau indicateur.* — *Bornes kilométriques marquant chaque kilomètre sur une route. La borne kilométrique 312. Poteau kilométrique.*

♦ **2.** Didact. Dont l'ordre de grandeur est le kilomètre. *Ondes kilométriques.*

♦ **3.** Cour. Par kilomètre. *Prix de revient kilométrique d'une voie, d'un pipe-line.* — *« La recette kilométrique des chemins de fer français »*, calculée par kilomètre (*Année sc. et industr.* 1865, p. 468, 1864).

DÉR. Kilométriquement.

KILOMÉTRIQUEMENT [kilɔmetʀikmɑ̃] adv. — 1867, *in* Littré; de *kilométrique*.

♦ Didact. En kilomètres, par kilomètres.

KILOTONNE [kilotɔn] n. f. — 1957, Général Billotte, *in* T. L. F.; de *kilo-*, et *tonne*.

♦ Mille tonnes (de trinitrotoluène); unité de puissance explosive des charges nucléaires, équivalant à l'énergie dégagée par l'explosion de mille tonnes de T. N. T.

Je ne croyais pas qu'une fille pouvait rire encore ainsi, sur le second versant du XXe siècle, alors qu'une bombe atomique de 20 kilotonnes pouvait faire quarante mille morts. P. GUTH, le Mariage du naïf, XV, p. 157.

DÉR. **Kilotonnique.**

KILOTONNIQUE [kilotɔnik] adj. — V. 1970; de *kilotonne*.

♦ Didact. Qui est d'une puissance d'une kilotonne, ou de l'ordre d'une kilotonne, en parlant d'une charge nucléaire. « *Une charge nucléaire kilotonnique* » (*le Monde*, 7 nov. 1973).

KILOVAR [kilovaʀ] n. m. — Mil. XXe; de *kilo-*, et *var*.

♦ Sc. Mille vars (symb. : *kvar*). — *Kilovar heure* : énergie mise en œuvre par 1 kilovar pendant une heure.

KILOVOLT [kilovɔlt] n. m. — 1900, *Année sc. et industr.*, 1901, p. 231; de *kilo-*, et *volt*.

♦ Phys. (Vx). Unité de différence de potentiel ou de tension électrique valant 1 000 volts.

KILOVOLTAMPÈRE [kilovɔltɑ̃pɛʀ] — Mil. XXe; de *kilo-*, et *voltampère*.

♦ Phys. Mille voltampères (symb. : *kVA*).

KILOWATT [kilowat] n. m. — 1889, *la Science illustrée*, t. II, p. 319, in *Année sc. et industr.* 1890, p. 398 (écrit *kilo-watt*); de *kilo-*, et *watt*, d'après l'angl. *kilowatt* (1884, *in* Oxford, *Deuxième Suppl.*).

♦ Cour. Ancienne unité de puissance du système M. T. S. (remplacé par le système S. I.) valant 1 000 watts (abrév. : *kW*). *Des kilowatts.*

COMP. **Kilowattheure.**

KILOWATTHEURE [kilowatœʀ] n. m. — 1894, Sachs-Villatte; de *kilowatt*, et *heure*.

♦ Unité pratique de travail; travail accompli en une heure par un moteur d'une puissance de 1 000 watts (abrév. : *kWh*). → Indexer, cit. 1.

KILT [kilt] n. m. — 1792; mot angl. désignant la jupe des Écossais et des Grecs, de *to kilt* « retrousser, plisser ».

♦ **1.** Jupe courte et plissée en tartan, pièce du costume national des Écossais. *Le plaid* et le kilt des Écossais. Un Écossais en kilt* (→ Jupe, cit. 9).

♦ **2.** Jupe analogue à celle du costume national écossais, portée par les femmes.

KIMBERLITE [kɛ̃bɛʀlit] n. f. — D. i. (XXe); angl. *kimberlite*, 1886; de *Kimberley*, première mine de diamants exploitée en Afrique du Sud.

♦ Minér. Roche éruptive dans laquelle on trouve le diamant. « *Les cheminées volcaniques de kimberlite* » (*la Recherche*, févr. 1974, p. 173). « *Une corrélation très nette entre les anomalies magnétiques d'Afrique et la présence de rochers contenant de la kimberlite, ce minerai dans lequel se dissimulent les diamants* » (*Sciences et Avenir*, n° 413, juil. 1981, p. 72).

KIMONO [kimɔno] n. m. — 1899, *in* D. D. L.; *kimona*, 1796; *guimon*, 1680; *gimon*, 1603; mot jap., « vêtement », d'abord par le portugais *guimaõ* (1544).

♦ **1.** Vêtement japonais, tunique à manches, d'une seule pièce, croisée devant et retenue par une ceinture. *Kimono d'homme, de femme. Kimono de soie brodée. Large ceinture des kimonos de femme.* ⇒ **Obi.** *Kimono de judo, de karaté.*

1 Toute nue, la marquise Yorisaka s'enveloppa d'un kimono à grands ramages, mit ses pieds dans des sandales à brides d'étoffe (...) Claude FARRÈRE, la Bataille, XII.

1.1 Mokuami nous montre ce même milieu en contact avec les bourgeois « évolués », portant kimono et chapeau melon, canne à pommeau d'argent et bottines à boutons (...) SIEFFERT, la Littérature japonaise, p. 165.

♦ **2.** (En Occident). Peignoir léger de femme rappelant ce vêtement (→ Glisser, cit. 10).

2 (...) la fraîcheur, sur la peau, d'un kimono de shantung bleuâtre (...) COLETTE, la Vagabonde, p. 215.

Par appos. *Manches kimono* : manches non rapportées, qui font corps avec le vêtement. *Robe kimono*, à manches kimono. *Corsage, manteau kimono.*

Tu vois, on commençait à porter des manches kimono. Ce qu'il était chic, mon petit costume (...) MARTIN DU GARD, les Thibault, t. III, p. 26. 3

KINA [kina] n. f. — 1801, Stendhal; *quina*, 1682, La Fontaine; de *quinquina*.

♦ Vx. Poudre de quinquina.

KINASE [kinaz] n. f. — 1902, Delézenne; du grec *kinein* « mettre en mouvement », et *-ase*. → aussi Entérokinase.

♦ Biol. Enzyme capable d'activer, de catalyser une autre enzyme.

KINÉ [kine] n. m. ou f. ⇒ **Kinésithérapeute; kinésithérapie.**

KINESCOPE [kinɛskɔp] n. m. — XXe (1948); autre sens, 1873; du grec *kinêsis* « mouvement », et *-scope*; n. de marque.

♦ Vieilli. Procédé permettant de conserver sous forme de films les émissions de télévision (remplacé par le magnétoscope*).

(...) il paraît normal, également, d'utiliser le kinescope pour diffuser en différé certains reportages, qu'ils soient passés ou non sur l'antenne au moment où on les effectuait. Étienne LALOU, Regards neufs sur la télévision, p. 109 (1957).

KINESCOPIE [kinɛskɔpi] n. f. — XXe; du grec *kinêsis* « mouvement », et *-scopie*.

♦ Méd. Détermination du siège d'un corps étranger dans l'œil, au moyen de divers repères qui permettent de délimiter le globe oculaire.

KINÉSI [kinezi] n. m. ou f. ⇒ **Kinésithérapeute; kinésithérapie.**

KINÉSI- Élément, du grec *kinêsis* « mouvement ». — Var. : *cinési-*.

-KINÉSIE ⇒ **-cinésie.**

KINÉSIMÈTRE [kinezimɛtʀ] n. m. — XXe; de *kinési-*, et *-mètre*.

♦ Méd. Instrument destiné à mesurer l'ampleur des mouvements.

1. KINÉSIQUE [kinezik] adj. ⇒ **Kinesthésique.**

2. KINÉSIQUE [kinezik] adj. et n. f. — V. 1960; angl. *kinesic* (adj.), *kinesics* (n.), 1952, Birdwhistell; du grec *kinesis* « mouvement ».

♦ Didact. Relatif à la communication par gestes. ⇒ **Gestuel.**

N. f. Science de la communication paralinguistique au moyen des gestes, des positions du corps et des membres.

KINÉSITHÉRAPEUTE [kineziteʀapøt] n. — 1948, *Journ. off.*, probablt antérieur; de *kinési-*, et *thérapeute*.

♦ Cour. Praticien de la kinésithérapie. *Un, une kinésithérapeute.* — Appos. *Masseur kinésithérapeute.*

Abrév. cour. *Kinési* (1969, *in* D. D. L.), ou *kiné* (1979, *in* D. D. L.), n.

Certes, je ne me vois pas dans les yaourts ou en train de masser des malades, mais je me demande bien pourquoi une agrégée de l'Université ne gagnerait pas autant qu'un expert en yaourt ou un kinési. Yanni HUREAUX, la Prof, p. 190.

KINÉSITHÉRAPIE [kineziteʀapi] n. f. — 1847; de *kinési-*, et *-thérapie*.

♦ Traitement des maladies de l'appareil de soutien (os, articulations) par des mouvements imposés combinés à des massages. — Abrév. : *kinési* (1974, *in* D. D. L.), ou *kiné* (1969, *in* D. D. L.), n. f.

KINESTHÉSIE [kinɛstezi] n. f. — V. 1900 (Bloch-Wartburg), *in* Piéron, 1945; angl. *kinaesthesis*, 1880; de *kinési-*, et grec *aisthêsis* « sensation » (→ -esthésie).

♦ Psychol. Sensation interne du mouvement des parties du corps assurée par le sens musculaire (sensibilité profonde des muscles) et par les excitations de l'oreille interne. « *Le terme "kinesthésie" désigne aussi bien la perception des déplacements des différentes parties du corps les unes par rapport aux autres que celle des déplacements globaux du corps»* (*la Recherche*, nov. 1974, p. 990).

DÉR. **Kinesthésique.**

KINESTHÉSIQUE [kinɛstezik] ou **KINÉSIQUE** [kinezik] adj. — 1893, *kinesthésique*, Flournay; *kinésique*, mil. xxᵉ; de *kinesthésie*, d'après l'angl. *kinæsthetic* (1880), de *kinesthæsis*. → Kinesthésie.

♦ Physiol. Qui se rapporte à la kinesthésie. *Hallucination kinesthésique :* fausse impression de mouvement ou de contraction des muscles. *Sens kinesthésique.* ⇒ **Kinesthésie.** *Images kinesthésiques.*

Si je rapproche de moi l'objet ou si je le fais tourner dans mes doigts «pour le voir mieux», c'est que chaque attitude de mon corps est d'emblée pour moi puissance d'un certain spectacle, que chaque spectacle est pour moi ce qu'il est dans une certaine situation kinesthésique, qu'en d'autres termes mon corps est en permanence mis en station devant les choses pour le percevoir et inversement les apparences toujours enveloppées pour moi dans une certaine attitude corporelle.
MERLEAU-PONTY, Phénoménologie de la perception, p. 349.

KINÉTOSCOPE [kinetɔskɔp] n. m. — 1893, *in* D. D. L.; du grec *kinêtos* «mobile», et *-scope*.

♦ Techn., anciennt. Appareil permettant la projection de photographies prises à très courts intervalles et dont le déroulement rapide donne une impression de mouvement (→ Image, cit. 10). *Le kinétoscope précéda de peu la projection des bandes sur un écran.* ⇒ **Cinéma.**

Avec le *kinétoscope*, c'est le nom qu'il donne à cet appareil nouveau, M. Édison a fait pour l'œil ce qu'il avait fait pour l'oreille avec le phonographe. Il a commencé par créer un instrument appelé le *kinetograph*, au moyen duquel il est parvenu à photographier tous les mouvements des corps animés à raison de 46 photographies par seconde, et ce sont ces photographies qui, placées dans le kinétoscope et passant très rapidement devant l'œil du spectateur, lui donnent l'illusion d'un tableau animé.
L. FIGUIER, l'Année scientifique et industrielle, 1895, p. 84 (1894).

REM. La forme francisée de *kinetograph*, *kinétographe* [kinetɔgʀaf], est attestée (1896, *in* D. D. L.).

KING-CHARLES [kiŋʃaʀl] n. m. invar. — 1845, *king's charles;* angl. *king Charles's spaniel* «épagneul du roi Charles».

♦ Variété d'épagneul*, petit chien à poils longs, autrefois nommé *gredin.*

Fi du chien bellâtre, de ce fat quadrupède, danois, king-charles, carlin ou gredin, si enchanté de lui-même qu'il s'élance indiscrètement dans les jambes ou sur les genoux du visiteur (...)
BAUDELAIRE, le Spleen de Paris, I.

KININE [kinin] n. f. — V. 1960; angl. *kinin*, 1954; abrév. de *bradykinin;* du grec *kinein* «mettre en mouvement».

♦ Chim., biol. Ensemble des substances peptidiques provenant de la décomposition des globulines sanguines sous l'effet d'enzymes qui agissent comme vasodilatateurs et augmentent la perméabilité vasculaire.

HOM. **Quinine.**

KINKAJOU ou **KINCAJOU** [kɛ̃kaʒu] n. m. — 1672, Denis, *quincajou; kinkajou*, 1776, Buffon; d'une langue indienne d'Amérique, apparenté au montagnais *karkajou* (→ Carcajou) et à l'algonquin *gwingwaage.*

♦ Petit mammifère carnivore *(Procyonidés)* au pelage gris-roux, à longue queue prenante, qui vit en Amérique centrale et en Amérique du Sud. *Le kinkajou est arboricole; il se nourrit d'oiseaux, d'œufs, de fruits, de miel.*

1 Un quadrupède à tête de chat, gros comme un renard, s'y balançait pendu par sa queue flexible, prêt à s'élancer sur les congos qu'il guettait de son côté; je reconnus de suite le kinkajou, carnassier fort rare aux États-Unis, et célèbre par cette propriété qu'il partage avec les singes d'avoir la queue prenante. Avant que j'eusse eu le temps de le viser, il avait ramassé son corps souple sur lui-même, et s'était laissé tomber sur sa proie comme une masse, les pattes en avant.
M. POUSSIELGUE, Quatre mois en Floride, *in* le Tour du monde, 1870, t. I, p. 407.

2 S'ils avaient eu l'intelligence d'un écureuil, l'adresse d'un kinkajou, la vitalité d'un ver de terre (...)
J.-M. G. LE CLÉZIO, les Géants, p. 241.

KINNARA [kinaʀa] n. m. invar. — 1840-1842, Académie, *Compl.;* sanskrit *kim-nara*, de *kim* «quel» et *nara* «être humain».

♦ Didact. Génie de la mythologie indienne, dépendant d'Indra, à figure mi-humaine mi-animale. *Les kinnara.*

KINNOR [kinɔʀ] n. m. — 1844; *cinnor*, 1809, Chateaubriand; hébreu *kinnor.*

♦ Didact. Lyre hébraïque dont on jouait dans les temples (notamment dans le temple de Jérusalem).

1. KINO [kino] n. m. — 1803; d'un mot mandingue de Gambie, *cano*, appelé dans la pharmacopée écossaise *Gummi Kino* en 1774 (*Oxford Dictionary).*

♦ Pharm. Suc desséché de plusieurs plantes *(eucalyptus rostrata, pterocarpus, butea fondosa)*, colorant la salive en rouge et qu'on utilise comme astringent, comme hémostatique.

2. KINO [kino] n. m. — V. 1965; mot russe, même sens, probablt passé dans l'usage français parisien par apocope de *kinopanorama*, nom d'une salle de la capitale spécialisée à l'origine dans la projection de films soviétiques.

♦ Fam. Salle de cinéma, cinéma. ⇒ **Ciné.** *Si on allait au kino, je me ferais bien une toile.*

KIOSQUAIRE [kjɔskɛʀ] n. — V. 1960; de *kiosque.*

♦ Personne qui tient un kiosque à journaux. *«Les marchands et kiosquaires parisiens ont repris la vente des quotidiens»* (*le Monde*, 28 mai 1968).

REM. Cette forme semble plus rare que *kiosquier* et *kiosquiste.*

KIOSQUE [kjɔsk] n. m. — 1654; *chiosque*, 1608, Arveiller; ital. *chiosco* (xviᵉ), du turc *kieuchk (köşk)* «pavillon de jardin», du persan *kūšh* «palais».

♦ **1.** Pavillon* de jardin ouvert de tous côtés, en Turquie et au Moyen-Orient. *Médine et ses kiosques brillants* (→ Aiguille, cit. 17). — Par ext. Pavillon de jardin dans le même style. ⇒ **Belvédère, gloriette.**

Un kiosque public, bâti sous ces arbres, offre sa terrasse embaumée aux promeneurs; on y vient fumer et prendre le café pour respirer la fraîcheur du lit du fleuve. 0.1
LAMARTINE, Voyage en Orient, 13 avr. 1833.

Près de chaque bassin s'élevait un kiosque formé de colonnettes supportant un toit léger et entouré d'un balcon à claire-voie, où l'on pouvait jouir de la vue des eaux et respirer la fraîcheur du matin et du soir, à demi couché sur des sièges rustiques de bois et de jonc. 1
Th. GAUTIER, le Roman de la momie, V.

(...) on l'aimait, ce jardin (...) parce qu'il avait (...) un jet d'eau dans un bassin de marbre à la mode ancienne, et un petit kiosque tout déjeté par le temps (...) 2
LOTI, les Désenchantées, I, II.

(1893, *kiosque de la musique*). *Kiosque à musique, kiosque :* abri circulaire du même genre, dans un jardin public, sur une place, destiné à recevoir les musiciens d'un concert public en plein air. *Société d'harmonie qui donne un concert au kiosque municipal.*

En haut de ce plateau, non loin du rebord septentrional, se déploie la place des Fêtes, avec ses rangées d'arbres, ses gazons, son kiosque à musique, et son entourage de vieilles maisons basses. 3
J. ROMAINS, les Hommes de bonne volonté, t. IV, I, p. 7.

(Le) kiosque à musique dont on apercevait de loin le toit de tôle rouge et les minces colonnes. Tout autour de cet édifice qui semblait vouloir imiter l'architecture chinoise, on avait disposé des chaises pliantes (...) 4
J. GREEN, Adrienne Mesurat, I, XI.

♦ **2.** (1848, *kiosque de journaux*, *in* D. D. L.). *Kiosque à journaux, kiosque :* édicule établi sur les voies, dans les lieux publics, et où l'on vend des journaux, des revues, des livres. ⇒ **Aubette** (régional). *Les kiosques à journaux avaient primitivement la forme d'un petit kiosque de jardin. Kiosque à journaux sur un boulevard, dans une gare.* ⇒ **Bibliothèque.** *Journaux, illustrés* (cit. 9) *qui tapissent la façade d'un kiosque* (→ Arborer, cit. 7). *Tenancier d'un kiosque.* ⇒ **Kiosquaire, kiosquier, kiosquiste.**

Il vit un kiosque à journaux et s'en approcha : «*Paris-Midi*, s'il vous plaît.» 5
SARTRE, l'Âge de raison, VIII.

Édicule analogue où l'on vend divers objets, des fleurs.

♦ **3.** (1902). Mar. Abri vitré sur le pont d'un bâtiment pour protéger le personnel et les appareils de navigation. *Kiosque de timonerie.* — (Mil. xxᵉ). Superstructure du sous-marin dont la partie supérieure, ou *baignoire*, sert de passerelle pendant la marche en surface.

♦ **4.** Techn. Partie centrale du chapiteau d'un cirque à mât unique. — Syn. : *corniche* (in *Vie et Langage*, 1962).

DÉR. **Kiosquaire, kiosquier, kiosquiste.**

KIOSQUIER, IÈRE [kjɔskje, jɛʀ] n. — D. i. (mil. xxᵉ); de *kiosque.*

♦ Personne qui tient un kiosque à journaux. — Syn. : *kiosquaire, kiosquiste.*

KIOSQUISTE [kjɔskist] n. — D. i. (mil. xxᵉ); de *kiosque.*

♦ Personne qui tient un kiosque à journaux. — Syn. : *kiosquaire, kiosquier.*

KIP [kip] n. m. — Av. 1970 (1955, en angl.); mot thai.

♦ Unité monétaire du Laos.

J'ai retourné l'enveloppe et j'ai tout vu en même temps : le papier sali, le grand timbre du Laos à 70 kips (...)
Geneviève DORMANN, le Bateau du courrier, p. 190.

KIPPA [kipa] n. f. — D. i.; mot hébreu, «calotte».

♦ Calotte portée par les Juifs pratiquants. *« Sur l'avenue du 8-mai-1945, les Champs-Élysées sarcellois, des gamins, l'étoile de David sur la poitrine et la kippa posée sur leur tignasse bouclée, font pétarader leur "mob" »* (*l'Express*, 30 sept. 1983, p. 72).

KIPPER [kipœʀ] n. m. — 1888, *in* Höfler; attestation isolée, 1802-1803, *in* Höfler; mot angl., d'abord «saumon mâle» en anc. angl.; orig. inconnue.

♦ Hareng ouvert, légèrement fumé et salé. *Manger des kippers au breakfast.*

KIR [kiʀ] n. m. — xxe (v. 1960); du nom du chanoine *Kir* (1876-1968), qui fut maire de Dijon.

♦ Boisson composée d'un mélange de vin blanc (à l'origine, du bourgogne aligoté) et de liqueur de cassis. *« Mes amis, disait-il de sa voix chevrotante, je vous invite à boire notre vieil apéritif bourguignon (...) Il y en a même qui l'appellent le "kir". L'appellation fera le tour du monde, pour le grand bénéfice des cassissiers de Dijon »* (in *le Nouvel Obs.*). — Syn. : *vin blanc cassis* (ou, fam., *blanc-casse*), *blanc cassé.* — Par ext. *Kir royal, kir-champagne* : boisson analogue au kir, mais préparée avec un champagne, un vin champagnisé ou mousseux, et de la liqueur de cassis, de framboise (*kir framboisé*). — *Kir au vin rouge*, dit *cardinal.*

KIRGHIZ, IZE [kiʀgiz] adj. et n. — 1721, *kyrgesses*, n. m. pl.; *kirghise*, adj., 1854; en angl., *Kirgessi*, 1652; mot de cette langue, par le russe *Kirgiz.*

♦ De la population d'Asie centrale occidentale, vivant à peu près dans les limites de la République soviétique de Khirgizie. *L'économie kirghize.* — N. *Un Kirghiz, une Kirghize.*

N. m. Langue du groupe turk parlée au Kazakhstan (vieilli; syn. mod. : *kazakh**). — Langue du même groupe (syn. : *kara-kirghiz* ou *burut*) parlée par les Kirghizes.

REM. Les spécialistes font souvent le mot invariable. *Une kirghiz, les kirghiz.*

KIRSCH [kiʀʃ] n. m. — 1782; *Kirch-wasser*, 1775 (encore chez Barbey, 1836); mot all. et alsacien *Kirchwasser*, proprt «eau (*Wasser*) de cerise (*Kirsch*)».

♦ Eau-de-vie* de cerises aigres et de merises, fabriquée notamment en Allemagne et dans l'Est de la France. *Un verre de kirsch. Ananas au kirsch. Un gâteau au kirsch.*

1 Une bouteille de marasquin et une de kirsch ont, malgré du café exquis, achevé de nous plonger dans une extase œnologique (...)
BALZAC, Un début dans la vie, Pl., t. I, p. 718.

2 Le domestique nous apporta le thé.
Claire, avec un doux sourire, que ses lunettes rendaient légèrement sinistre, m'offrit une tasse de la chaude infusion chinoise, sucrée et aromatisée de kirsch, par ses soins prévenants.
VILLIERS DE L'ISLE-ADAM, Tribulat Bonhomet, p. 101.

REM. On a écrit *kirch.*

3 Vétéran, est-il bon le kirch, ici?
Il est chenu! c'est de la Forêt-Noire toute pure.
Ch. PAUL DE KOCH, la Grande Ville, t. I, p. 261.

KISS KISS [kiskis] interj. ⇒ **Kss kss.**

KISWAHILI [kiswaili] n. m. ⇒ **Souahéli.**

KIT [kit] n. m. — 1958, *in* Höfler; angl. *kit*, proprt «boîte à outils»; moy. angl. *kit, kitte* «tonneau» (1374), du moy. néerlandais.

♦ Anglic. Ensemble des éléments constitutifs d'un objet vendu prêt à être monté. *« La mode du kit s'installe. Pourquoi? Les fabricants et vendeurs d'objets en pièces détachées invoquent le besoin de création, l'économie d'argent réalisée et la simplification du transport »* (*l'Express*, 30 janv. 1978, p. 23). *Voiture, bateau, meuble, appareil, jouet en kit, vendu en kit. Des kits.*

Recomm. off. : *prêt-à-monter; lot* (A., 3.).

KITCHENETTE [kitʃənɛt] n. f. — 1936, M. Dekobra, *in* Höfler; mot angl. des États-Unis (attesté 1910), dimin. de *kitchen.*

♦ Anglic. Petite cuisine, en général trop exiguë pour pouvoir y prendre aucun repas. *Studio avec kitchenette.* — Recomm. off. : *cuisinette.*

1 Si j'étais encore Américaine, j'irais prendre dans la glacière de ma *kitchenette* le grand verre de jus d'orange ou de pamplemousse que j'y laissais toujours à rafraîchir.
Philippe HÉRIAT, les Enfant gâtés, p. 91 (1939).

2 (...) un petit logement (...) qui comportait deux pièces, une entrée minuscule et une de ces cuisines que les Américains appellent kitchenettes.
G. DUHAMEL, le Temps de la recherche (1947), VIII.

Mais le pis peut-être que ce sont les pensions de famille 3
Où ça sent à la fois la poudre de riz et la camomille
Chambre avec kitchinette *(sic)* et le robinet d'eau froide larmoie.
ARAGON, le Roman inachevé, p. 240.

KITSCH ou **KITCH** [kitʃ] adj. invar. et n. m. — V. 1960 (1962, Edgar Morin, *l'Esprit du temps*); de l'all. *kitsch* (Bavière), v. 1870; de *kitschen* «rénover, revendre du vieux», d'abord «nettoyer en enlevant les déchets»; *kitsch* est attesté en angl. dès 1926.

♦ **1.** Se dit d'un style ou d'une attitude esthétique caractérisés par l'usage dévié d'éléments démodés (⇒ **Rétro**) ou populaires produits par l'économie industrielle, considérés comme de mauvais goût par la culture établie et valorisés dans leur utilisation seconde. *Décoration kitsch, style kitsch. Une robe kitsch. « La foire à la brocante (...) sera décidément très kitch »* (*le Nouvel Obs.*, 21 mars 1973, p. 65). — *« La vogue nostalgique de nos souvenirs d'enfance, notre goût décadent de la débilité kitsch, notre sens du second degré »* (*le Magazine littéraire*, déc. 1974, p. 34). *« Une histoire un peu kitsch, mauvais goût, horrible à raconter... »* (*le Nouvel Obs.*, 6 août 1973, p. 36).

N. m. *« Le triomphe du kitsch et du pompier dans les arts plastiques »* (*l'Express*, 27 avr. 1974, p. 114). *Le Kitsch, l'art du bonheur*, ouvrage d'Abraham Moles.

Du passé nous ne supportons que la ruine, le monument, le kitsch ou le rétro, qui est *amusant;* nous le réduisons, ce passé, à sa seule signature.
R. BARTHES, Fragments d'un discours amoureux, p. 210.

♦ **2.** Par ext. D'un mauvais goût baroque et provoquant.

KIWI [kiwi] n. m. — 1828, *kivi-kivi*, Lesson, *in* D. D. L.; *kiwi*, 1832-1834, Dumont d'Urville, *in* T. L. F.; mot angl., du maori.

★ **I.** Aptéryx* (oiseau). → 2. Dodo, cit.

Les chasseurs trouvèrent par bandes nombreuses les kiwis si rares au milieu des contrées fréquentées par les indigènes. C'est dans ces forêts inaccessibles que se sont réfugiés ces curieux oiseaux chassés par les chiens zélandais. Ils fournirent aux repas des voyageurs une abondante et saine nourriture.
J. VERNE, les Enfants du capitaine Grant, t. III, XVI, p. 210-211.

★ **II.** (V. 1970; angl. *kiwiberry, kiwi fruit* «fruit kiwi», ce mot désignant en argot les Néo-Zélandais). Fruit exotique (originaire de Chine), oblong, à la pulpe verdâtre, recouvert d'une fine écorce brune. *« Les inévitables kiwis, fruits insipides qui n'ont pour plaire que leur jolie couleur verte »* (*l'Express*, 20 oct. 1979, p. 32).

KJÖKKENMÖDDING [kjøkɛnmødiŋ] n. m. — 1878, *kjökkenmödding, in* D. D. L.; mot danois, «débris (*mödding*) de cuisine (*kjökken*)».

♦ Didact. Amas de débris culinaires et ménagers de populations protohistoriques.

KLAXON [klaksɔn] n. m. — 1911, *in* D. D. L.; nom de la firme américaine qui frabriqua la première ce genre d'avertisseur; du grec *klaxein* «retentir, crier».

♦ Avertisseur* sonore (d'automobile et d'autres véhicules) à commande mécanique ou électrique (→ Bateau, cit. 4). *Le klaxon a remplacé l'ancienne trompe d'auto. Bruits de klaxons. Donner un coup de klaxon. Slogan rythmé à coups de klaxon. Klaxon de ville. Klaxon de route.*

Se rappeler que le klaxon est utilisé au Japon de façon intensive et inutile. Cet instrument aux notes aiguës, les mettent *(sic)* dans le ravissement, fait de Tokyo une ville plus bruyante et enrageante que Rome ou New-York. 1
Henri MICHAUX, Un barbare en Asie, p. 205.

Un commerce frénétique allume toute l'électricité de l'Inde et enchevêtre les appels des klaxons dans le crépuscule pluvieux : mais ce n'est qu'un soir au siècle du déclin de l'Europe (...) 2
MALRAUX, la Métamorphose des dieux, p. 13.

Commande de cet avertisseur. *Où est le klaxon?* — Recomm. offic. : *avertisseur.*

DÉR. Klaxonner.

KLAXONNER [klaksɔne] v. — 1930, *in* Höfler; de *klaxon.*

♦ **1.** V. intr. Actionner le klaxon. ⇒ **Avertir,** 2. (t. recommandé). *Klaxonner pour doubler un véhicule. Interdiction de klaxonner.* — (Sujet n. de véhicule) :

C'est toujours la même auto qui passe, la même qui débraye, qui accélère, qui klacksonne *(sic)*, qui passe en seconde, qui stoppe net, qui débouche de la rue d'Antin, qui revient par la rue Ventadour. 1
Henri MICHAUX, La nuit remue, p. 35.

Le camion-citerne passa au ras du trottoir, à quelques centimètres du jeune garçon qui ne bougea pas; puis, en klaxonnant, il s'éloigna vers l'extérieur de la ville. 2
J.-M. G. LE CLÉZIO, la Fièvre, p. 227.

♦ **2.** V. tr. Donner un coup de klaxon à l'intention de (qqn), pour attirer l'attention, prévenir, avertir de son arrivée. *Klaxonner un cycliste, un piéton, un automobiliste. — On te klaxonnera quand on sera en bas de chez toi pour que tu descendes.*

KLEBS [klɛps] n. m. ⇒ **Clebs.**

KLEENEX [klinɛks] n. m. invar. — 1965; mot amér. (1925); marque déposée.

♦ Mouchoir de papier jetable de la marque de ce nom.

1 Diane se démaquillait dans la salle de bains (...) devant le pick-up (...) Antoine, raidi, écoutait les bruits légers dans la salle de bains. Le déchirement des kleenex, le crissement de la brosse à cheveux couvraient largement pour lui les violons et les cuivres du concerto. F. SAGAN, la Chamade, p. 115-116.

2 Je n'ai pas craqué! Je me suis accrochée. Non, je n'ai pas pleuré. Je viens de me moucher. C'est pour cela que je tiens un kleenex dans mes mains. J'ai simplement les yeux rouges (...) Yanny HUREAUX, la Prof, p. 120.

3 Tandis que la Lincoln démarrait, Julie, sur la banquette arrière, se retourna. Par la vitre, elle vit son analyste qui lui faisait au revoir de la main, et l'infirmière, Mme Cécile, qui agitait un kleenex. J.-P. MANCHETTE, Folle à tuer, p. 18.

KLEPHTE [klɛft] adj. et n. ⇒ **Clephte.**

KLEPPER [klɛpœʀ] n. m. — Fin XIXe; orig. inconnue.

♦ Rare. Race de chevaux russes de l'île d'Oesel.

KLEPTOMANE [klɛptɔman] n. ⇒ **Cleptomane.**

KLEPTOMANIE [klɛptɔmani] n. f. ⇒ **Cleptomanie.**

KLING KLING [kliŋkliŋ] onomat. — 1833, Th. Gautier; onomat., probablt germanique.

♦ Bruit de sonnette. ⇒ **Drelin-drelin.**

KLIPPE [klipə] n. m. — 1907, in *Rev. gén. des sc.*, no 13, p. 563; all. *Klippe* «écueil».

♦ Géol. Butte constituée par un lambeau de recouvrement propulsé lors d'une orogénèse, qui se superpose à des terrains sédimentaires plus récents, le contact entre eux formant une faille horizontale. ⇒ 2. **Faille.** — Plur. all. *Des klippen* [klipɛn].

KLIPPER [klipœʀ] n. m. ⇒ 1. **Clipper.**

KLONG [klɔ̃ŋ] n. m. — 1926, cit. (1898 en angl.; Oxford Dict., *Deuxième Suppl.*); mot thaï.

♦ Canal, en Thaïlande. *Les klongs de Bangkok. Se promener en barque sur les klongs. Les klongs ont peu à peu été bouchés et remplacés par des rues.*

Les rives se déroulent, touffues, ne laissant aucune clairière; parfois coupées d'un «klong», ou canal, qui débouche, à la fois sentier, tuyau d'eau, égout. Paul MORAND, Rien que la Terre, 1926, p. 120.

REM. On écrit aussi *khlong. «Dégoter un petit sampan pour se faufiler dans les khlongs. Ces canaux grouillants de vie et d'odeurs»* (*le Nouvel Obs.*, 22 janv. 1973, p. 54).

KLYSTRON [klistʀɔ̃] n. m. — 1939, var. *clystron* (in *Larousse mensuel*, 1954); mot angl. (1939), du grec *kluzein* «battre de ses flots, envoyer un jet de liquide». → Clystère.

♦ Phys. Tube électromagnétique, utilisé comme oscillateur ou amplificateur, dans la gamme des ondes centimétriques.

Km Symbole du *kilomètre*. — *Km² :* symbole du *kilomètre-carré*. — *Km³ :* symbole du *kilomètre-cube*. — *Km/h :* symbole du *kilomètre-heure*.

KNÉMIDE [knemid] n. f. ⇒ **Cnémide.**

KNESSET [knesɛt] n. f. — Mot hébreu, «assemblée», nom propre.

♦ *La Knesset :* l'assemblée nationale de l'État d'Israël.

KNICKERBOCKERS [knikœʀbɔkœʀ] ou, plus cour., **KNICKERS** [knikœʀ] n. m. pl. — 1884, *in* Höfler; *knicker-bockers*, 1863, Mérimée; *knickers*, 1939; mot angl., du nom d'un héros de Washington Irving, *Dietrich Knickerbocker*, évoquant les premiers colons néerlandais de New York.

♦ **1.** Vieilli. Culotte, pantalon de golf.

♦ **2.** Mod. Pantalon de sport resserré au dessous du genou, utilisé pour le ski, l'alpinisme... (→ Fuseau, cit. 3). — Dans ce sens, on emploie aussi *knicker*, n. m.

Il portait des knickerbockers, charmantes culottes anglaises qui se bouclent sous le genou et retombent sur la jambe, des bas écossais, une chemise molle, une cravate aux rayures de son club. COCTEAU, le Grand Écart, p. 143 (1923).

KNOCK-DOWN [nɔkdawn] n. m. et adj. — 1909, *in* Petiot; loc. angl., de *to knock* «frapper», et *down* «à terre».

♦ Anglic. Mise à terre d'un boxeur qui n'est pas encore hors de combat. ⇒ **Knock-out.**

Adj. (1936). *Le boxeur est knock-down. «Il ne fut knock-down que quatre secondes»* (*Écho des sports*, 1936).

KNOCK-OUT [nɔkawt] ou **K.-O.** [kao] n. m. et adj. invar. — 1899, *in* Höfler; *K.-O.*, 1909; loc. angl., de *to knock* «frapper», et *out* «dehors».

♦ **1.** N. m. Mise hors de combat d'un boxeur resté à terre plus de dix secondes comptées par l'arbitre. *Victoire par knock-out à la cinquième reprise. Être battu par K.-O.* — Loc. (1934). *K.-O. technique :* mise hors de combat d'un boxeur par arrêt du match décidé par l'arbitre (pour infériorité manifeste, blessure, etc.).

Par ext. *K.-O. debout :* situation d'un boxeur rendu presque inconscient par les coups, mais ayant gardé suffisamment de contrôle de lui-même pour rester debout. *Le K.-O. debout entraîne en principe l'interruption momentanée du combat et le compte des secondes au même titre que le knock-down.*

♦ **2.** Adj. **a** (1905; *K.-O.*, 1909). Boxe. *Mettre un boxeur knock-out.* ⇒ **Knock-outer.** *Il était knock-down mais pas encore knock-out. Boxeur groggy* qui finit par s'écrouler knock-out. Être mis K.-O., être K.-O.*

Il les battra tous, murmura-t-il, encore un peu étourdi et les yeux vagues... tous! En cinq ans de ring je n'avais été mis «knock-out» que quatre fois, et ce garçon-ci, depuis quinze jours que je travaille avec lui, me met régulièrement «knock-out» deux fois par jour! Louis HÉMON, Battling Malone, IV. 1

Ricardo ne bougeait plus. Le Chato avait essayé en vain de lui parler, de le faire se redresser, afin qu'il n'eût pas, sous le crayon, et sous la caméra des reporters, dont on voyait se braquer les chambres noires, pareille figure d'homme knock-out. Joseph PEYRÉ, Sang et Lumières, p. 405. 2

Un vrai boxeur. Professionnel : Guyot. Il venait de mettre *knock-out*, en deux rounds, un gars de chez eux, très entraîné, costaud, bien nourri. Mais déjà il n'y pensait plus. Francis CARCO, Ombres vivantes, p. 219. 3

b (1946; *K.-O.*, 1948). Fam. Assommé. *Il est knock-out.* — (Plus cour.). *Il est complètement K.-O.* ⇒ **Groggy.** — Par ext. Très fatigué, épuisé. *Son voyage l'a mis K.-O. La discussion l'a laissé K.-O.* ⇒ **Lessivé, sonné, vanné.**

HOM. (De *K.-O.*) **Cahot, chaos.**
DÉR. Knock-outer.

KNOCK-OUTER [nɔkawte] v. tr. — 1906, *in* Höfler; de *knock-out.*

♦ Argot des sports ou fam. Mettre (qqn) knock-out.

KNÖDEL ou **KNŒDEL** [knødɛl] n. m. — D. i. (attesté 1930, cit.); mot allemand.

♦ Boulette de pâte, servie comme accompagnement d'un plat, ou (sucrée) comme dessert, en Allemagne.

Pas de cuisine non plus pour ce dernier, pas de ces knœdel au miel que le consul d'Allemagne avait proclamés inimitables, même en Bade (...) GIRAUDOUX, les Aventures de J. Bardini, p. 63 (1930).

KNOUT [knut] n. m. — 1681, *knout, knut;* mot russe, «fouet» (XIIIe), de l'anc. nordique *knútr* «nœud».

♦ Instrument de supplice de l'ancienne Russie, sorte de fouet* à lanières de cuir terminées par des crochets ou des boules de métal; supplice que l'on infligeait avec cet instrument. *Condamner qqn au knout.*

(...) les Russes (...) regarderont toujours les hommes libres (...) comme des hommes nuls, sur lesquels deux seuls instruments ont prise, savoir l'argent et le knout. ROUSSEAU, Considérations sur le gouvernement de Pologne, XV. 1

Le knout! 2
— Oui! s'écria Ivan Ogareff, qui ne se possédait plus, le knout à cette vieille coquine, et jusqu'à ce qu'elle meure.
Un soldat tartare, portant ce terrible instrument de supplice, s'approcha de Marfa Strogoff.
Le knout se compose d'un certain nombre de lanières de cuir, à l'extrémité desquelles sont attachés des fils de fer tordus. On estime qu'une condamnation à cent vingt coups de ce fouet équivaut à une condamnation à mort. Marfa Strogoff le savait, mais elle savait aussi qu'aucune torture ne la ferait parler, et elle avait fait le sacrifice de sa vie. J. VERNE, Michel Strogoff, p. 314.

DÉR. Knouter.

KNOUTER [knute] v. tr. — 1840, A. Dumas, *in* D. D. L.; p. p. substantivé, 1801; de *knout.*

♦ Fouetter à l'aide du knout.

— Je te ferai knouter au prochain relais! 1
— Entends-tu, postillon du diable! Eh! là-bas!
J. VERNE, Michel Strogoff, p. 148-150.

2 Au lieu de fouetter Torchonnet comme il le méritait, par exemple, je l'ai battu, knouté à le mettre en pièces.
Comtesse DE SÉGUR, l'Auberge de l'Ange gardien, XXII.

Au p. p. *Condamné knouté.* — N. *Le knouté et le knouteur* (A. Dumas, *in* D. D. L.).

KNOW-HOW [no(h)ao] n. m. invar. — 1970, *in* Höfler; angl. *know-how,* 1952; expr. anglaise, littéralt « savoir comment ».

♦ Anglicisme. Savoir-faire, connaissances particulières afférentes au fonctionnement d'une technique, d'un procédé, et qui permettent de l'utiliser à plein. *Contrat de know-how :* cession, avec un procédé technique, de toutes les informations acquises par l'expérience le concernant. *« Un marché des licences, know-how, procédés et technologies »* (*Science et Vie,* mai 1973). — Équivalent français : *savoir-faire.*

(La) stratégie informatique suppose des actions en matière de recherche et de fabrication de composants. Sans doute ces deux secteurs ne sont pas de même nature (...) Mais ils posent des questions semblables : comment améliorer notre « know-how » dans des domaines où le savoir évolue rapidement (...)
Simon NORA et Alain MINC, l'Informatisation de la société, p. 90.

Ko Abrév. de *kilo-octet.* → Octet.

K.-O. [kao] ⇒ **Knock-out.**

KOALA [kɔala] n. m. — 1817, Cuvier; angl. *koala* (1802), altér. d'un mot d'Australie *kula* (d'où l'angl. *koola*).

♦ Mammifère australien (*Marsupiaux*), animal grimpeur, recouvert d'un pelage gris très fourni, qui le fait ressembler à un petit ours, et qui se nourrit exclusivement de feuilles d'eucalyptus. *Des koalas. Le koala est l'un des animaux fétiches de l'Australie.*

KOAN [kɔan, kɔɑ̃] n. m. invar. — Attesté mil. xxe; mot japonais.

♦ Didact. Paradoxe proposé par un maître zen à la méditation de son disciple (ex. d'un koan classique : le maître frappe dans ses mains et demande : « Voilà le bruit des deux mains. Quel est le bruit d'une seule main? »).

C'est cela que l'on recommande à l'exercitant qui travaille un *koan* (ou anecdote qui lui est proposée par son maître) : non de le résoudre, comme s'il avait un sens, non même de percevoir son absurdité (qui est encore un sens) mais de le remâcher « jusqu'à ce que la dent tombe ». R. BARTHES, l'Empire des signes, p. 99.

KOB [kɔb] n. m. — 1764, Buffon; mot wolof (Sénégal).

♦ **1.** Mammifère ongulé (*Hippotraginés*), grande antilope aux longues cornes en lyre. *Kob de Buffon* (Adenata kob).

1 Nous devons ajouter à ces quatre (...) espèces de gazelles deux autres animaux qui leur ressemblent (...) le premier s'appelle *koba* au Sénégal (...) le second, que nous appellerons *kob,* est aussi un animal du Sénégal que les Français y ont appelé *petite vache brune.* BUFFON, Hist. nat. des animaux, Les gazelles.

2 (...) une cohorte de grands kobs roux, sanglés de muscles, haletant de panique (...)
P. GRAINVILLE, les Flamboyants, p. 12.

Var. : *coba* (en franç. d'Afrique) :

3 Il traînait un coba aussi grand qu'un cheval-du-fleuve.
Birago DIOP, les Nouveaux Contes d'Amadou Koumba, p. 168, *in* I.F.A.

REM. On écrit aussi *cob, cobe.*

♦ **2.** Antilope, de taille plus réduite, de la famille des Réduncinés. *Cob defossa* ou *cob onctueux* (Kobus defossa). *Cob des roseaux* (Redunca redunca).

HOM. Cob.

KOBOLD [kɔbɔld] n. m. — 1835, Nerval, *Faust*; *cobolde,* 1732; cf. *cobold* « cobalt », 1671; all. *Kobold.*

♦ Esprit familier, dans les contes allemands. *Les kobolds sont considérés comme les gardiens des métaux précieux enfouis dans la terre.* ⇒ **Lutin, troll.**

1 Je remontai au fond de ce gouffre à la tiède clarté du soleil, plaignant de tout mon cœur les pauvres ouvriers travaillant sous terre à des œuvres de patience, comme des gnomes ou des kobolds.
Th. GAUTIER, Constantinople, p. 309 (1853).

2 Dans l'herbe noire
Les Kobolds vont.
VERLAINE, Romances sans paroles, Paysages belges, Charleroi.

3 (...) il me semble qu'une nichée de rats me grignotent les entrailles, pendant qu'un nain horrible, un Kobold en capuchon, tunique et chausses rouges, descendu dans mon estomac, l'entame à coups de pic et le creuse profondément.
FRANCE, les Sept Femmes de Barbe-Bleue, La chemise, p. 130.

KOCH (BACILLE DE) [basildəkɔk] n. m. ⇒ **Bacille.**

REM. Le nom du médecin allemand *Koch* a aussi donné le dér. *kochine* [kɔkin] (1891, in *Année sc. et industr.* 1892, p. 321), ancien nom de la *tuberculine.*

KOCHER [kɔʃɛʀ] adj. invar. ⇒ **Kascher.**

KOCHIA [kɔʃja] n. f. — 1846, Bescherelle, *Kochie*; du nom de W. D. J. *Koch,* botaniste prussien.

♦ Bot. Plante phanérogame des lieux arides (*Chénopodiacées*), dont une espèce appelée *sapinette* est cultivée comme ornementale.

KODAK [kɔdak] n. m. — 1889, mot anglo-amér., créé arbitrairement par le fabricant américain G. Eastman pour ses possibilités d'emprunts en toutes langues; marque déposée en 1888.

♦ Appareil photographique de cette marque. *Des touristes avec leurs kodaks en bandoulière.*

(...) ce n'est pas une beauté, et puis elle vient mal en photographie, ce sont des instantanés que j'ai faits moi-même avec mon kodak (...) 1
PROUST, A l'ombre des jeunes filles en fleurs, Pl., t. I., p. 783.

Cela fait touriste tout d'un coup, il n'e manque plus qu'un kodak. 2
J. ANOUILH, Ornifle, acte II, p. 81.

KOFF [kɔf] n. m. — 1783; néerl. *kof.*

♦ Mar. Navire marchand hollandais, portant un grand mât et un mât de misaine munis de voiles à livarde.

En grand secret, je fis venir d'Italie des ouvriers spécialistes; un koff, regréé par mes soins d'une nouvelle livarde et d'un hunier, remonta nuitamment, à plusieurs reprises, la rivière Ouse, avec un chargement de cuivre et d'étain.
Jean RAY, les Derniers Contes de Canterbury, p. 73.

KOHL, KOHOL [kol, kɔl], **KOHEUL** [kɔøl] n. m. ⇒ **Khôl.**

KOINÈ [kɔinɛ] n. f. — Déb. xxe; mot grec, « dialecte commun », fém. subst. de l'adj. *koinos* « commun à plusieurs personnes ».

Didactique.

♦ **1.** Langue commune de la Grèce aux époques hellénistique et romaine. — REM. Se dit aussi de la fusion de plusieurs parlers grecs avec l'attique au IVe s. avant l'ère chrétienne.

♦ **2.** Par ext. Langue commune (vulgaire, vernaculaire) d'un groupe humain répandu en plusieurs lieux. — Langue étrangère véhiculaire, pour les locuteurs ayant des langues maternelles différentes.

♦ **3.** Ensemble de traits culturels communs. *Une koinè esthétique, juridique, idéologique.*

KOLA ou **COLA** [kɔla] n. m. et f. — 1610, *cola; kola,* 1829; lat. sav. (fin XVIe), mot soudanais.

♦ **1.** N. m. Bot. Kolatier. *Graine, noix, rouge de kola.*

♦ **2.** N. m. et f. Graine de cet arbre (appelée *noix*); produit tonique, stimulant qui en est extrait. *Le kola contient plusieurs alcaloïdes* (caféine, théobromine); *on l'utilise comme tonique et stimulant et comme aliment d'épargne. L'abus de la kola* (⇒ **Kolatisme**) *détermine des palpitations, de l'insomnie.*

Grâce aux piqûres (et aux tablettes de kola toutes les deux heures [...]) il parvenait à donner son effort quotidien; mais dans un état voisin du somnambulisme.
MARTIN DU GARD, les Thibault, t. VII, p. 90.

N. m. Spécialt. Boisson à base de kola (dans ce sens, on écrit souvent *cola*).

DÉR. Kolatier, kolatisme.

KOLATIER [kɔlatje] n. m. — 1905, in *Rev. gén. des sc.,* n° 9, p. 409; de *kola.*

♦ Arbre d'Afrique (*Sterculiacées*) qui produit la noix de kola.

Aller quérir de larges feuilles de bananier ou de kolatier afin d'en envelopper les pieds et les mains des vingt-sept Seigneuries (...)
Yambo OUOLOGUEM, le Devoir de violence, p. 47.

KOLATISME [kɔlatism] n. m. — 1935; de *kola.*

♦ Méd. Intoxication ou toxicomanie dues à la consommation abusive de noix de kola.

KOLBACK [kɔlbak] n. m. ⇒ **Colback.**

KOLINSKI [kolɛ̃ski] n. m. — 1922, in *Larousse universel*; mot russe.

♦ Fourrure de putois ou de loutre de Sibérie.

KOLKHOZE [kolkoz] n. m. — 1935, *kolkhose; kolkos,* 1931, dans une trad. du russe par J. Guéhenno; mot russe (1927), de *kol(lektivnoje) choz(jajstvo)* « économie collective ».

♦ Exploitation agricole collective, en U. R. S. S., dans laquelle la terre, les bâtiments d'exploitation, le matériel et une partie du bétail sont mis en commun. — On écrit aussi *kolkhoz* (1937, *in* D. D. L.), *kolkhose. Des kolkhozes, des kolkhoz. L'artel, forme de kolkhoze généralisée en 1935 et progressivement abandonnée.*

Nous visitons (...) un kolkhoze modèle (...) c'est aujourd'hui l'un des plus prospères. On l'appelle «le millionnaire» (...) Ce kolkhoze s'étend sur un très vaste espace... *(il)* a pu réaliser (...) des bénéfices extraordinaires, lesquels (...) ont permis d'élever à seize roubles cinquante le taux de la journée de travail. Comment ce chiffre est-il fixé? Exactement par le même calcul qui, si le kolkhoze était une entreprise agricole capitaliste, dicterait le montant des dividendes (...) Cela serait parfait s'il n'y avait pas d'autres kolkhozes, pauvres ceux-là, et qui ne parviennent pas à joindre les deux bouts. GIDE, Retour de l'U. R. S. S., II.

DÉR. Kolkhozien.

KOLKHOZIEN, IENNE [kɔlkozjɛ̃, jɛn] adj. et n. — 1933, *in* D. D. L.; de *kolkhoze.*

♦ Relatif à un kolkhoze. *Économie kolkhozienne. La jeunesse kolkhozienne. Marché kolkhozien.*

1 (...) il l'a baptisé «Pravda» en hommage à il ne savait quelle bande dessinée qu'il n'a jamais lue, qui lui semble refléter l'âpreté un brin kolkhozienne de la Créature (...) Pierre MERTENS, les Bons Offices, p. 256.

N. Membre d'un kolkhoze.

2 Les Russes en se retirant ne laissent derrière eux que le désert et des ruines. L... remarquait à ce sujet que la loi communiste favorise la bonne exécution des ordres de Staline. Un petit propriétaire français, en juin 40, ne pouvait se décider à mettre le feu à sa maison ou à sa grange. Un kolkhozien n'a pas les mêmes scrupules. Jean GUÉHENNO, Journal des années noires, 26 août 1941.

KOMINFORM [kɔminfɔʀm] n. m. (n. propre). — 1948; du russe *Kkom(mounistitcheski) Inform,* d'après *komintern.*

♦ Bureau d'information des partis communistes, qui remplaça, en 1947, le Komintern*.

KOMINTERN [kɔmintɛʀn] n. m. (n. propre). — 1919; du russe *Kom(mounisticheski) Intern(atsional).*

♦ Organe exécutif central de la IIIe Internationale communiste. *Le Komintern a été dissous en 1943 et remplacé en 1947 par le Kominform*.*

En 1919, lors de la formation du Komintern, Lénine et Trotski croyaient encore en l'imminence de la révolution européenne, et même ils estimaient que le régime bolchévique, dans un pays aussi arriéré que la Russie, ne pourrait pas tenir sans le secours immédiat de la révolution allemande et de la révolution polonaise. Raymond ABELLIO, Ma dernière mémoire, t. II, p. 59.

KOMMANDANTUR [kɔmɑ̃dɑ̃tyʀ] n. f. — 1914; *commandantur,* 1871, *in* D. D. L.; mot allemand, de *Kommandant,* empr. au franç. *commandant.*

♦ Local où se trouve installé un commandement militaire, en Allemagne ou dans les territoires occupés par l'armée allemande. *Aller à la kommandantur.* — Par ext. Ce commandement lui-même. *Décision de la kommandantur.*

KOMMANDO [kɔmɑ̃do] n. m. — V. 1941; «groupe de prisonniers de guerre travaillant hors du camp», 1918, Dauzat; mot all. → Commando.

♦ Subdivision d'un camp de prisonniers allemands pendant la Seconde Guerre mondiale.

Mon mari est en Silésie, dans un kommando. Il a vingt-huit ans, moi, vingt-cinq, la guerre ne finira jamais. M. AYMÉ, le Passe-muraille, p. 152.

KOMPAS [kɔ̃pa] n. m. — XXe (1839 en angl., *in* Oxford Dict., *Deuxième Suppl.,* art. *Kempas*); mot malais.

♦ Arbre de Malaisie *(Koompassia malaccensis)* au bois dur.

(...) au pied de deux grands arbres : un kompas au tronc si droit et si haut qu'il paraissait mince, un ara massif étendant jusqu'au bord de la jungle, comme pour en contenir l'assaut, les contreforts de ses racines. Henri FAUCONNIER, Malaisie, p. 27 (1930).

Var. : *kempas.*

KOMSOMOL [kɔmsɔmɔl] n. m. — 1962; mot russe, abrév. de *Kom(munisticheskii) So(youz) Mol(odözhi)* «union de la jeunesse communiste».

♦ Membre de l'organisation soviétique des jeunesses communistes. *«À quoi rêvent les jeunes komsomols russes ou ouzbecks qui l'escaladent* (le pic du communisme)?» (*l'Express,* 12 janv. 1980, p. 65).

KONEL [kɔnɛl] n. m. — V. 1950; de *co(balt),* et *n(ick)el.*

♦ Techn. Alliage de nickel, de cobalt et de titane, utilisé dans la construction des lampes radiophoniques sous forme d'anodes, de grilles, supports, etc.

Certains alliages sont également utilisés *(en industrie radiophonique),* tels que le konel (nickel : 70 %, cobalt : 19,5 %, titane : 2,8 %), de même que des alliages fer-nickel-tungstène, des alliages fer-nickel-cobalt et des alliages de platine à 5 % de nickel. Gaston COHEN, le Cuivre et le Nickel, p. 93.

KONZERN [kɔ̃tsɛʀn] n. m. — V. 1920-1923 (1924, in *Revue des Deux-Mondes,* T. L. F.); mot all., «consortium», de l'angl. *concern,* attesté en 1881.

♦ Écon., hist. Forme d'intégration économique pratiquée en Allemagne, après la guerre de 1914-1918; société organisée selon cette forme. ⇒ **Cartel, trust.**

En Allemagne (...) l'intégration a pris une extension considérable. Dans la période 1920-1923, se créent plusieurs entreprises gigantesques : les *konzerns.* Le konzern était une société puissante (...) qui exploitait une série d'entreprises se rattachant à un même processus de production. G. PIROU, Traité d'économie politique, t. I, p. 159.

KOPECK [kɔpɛk] n. m. — 1806, *in* D. D. L.; *copek,* 1607; mot russe, *kopejka,* probablt de *kop'ja* «lance», cette arme figurant sur les premières pièces.

♦ **1.** Monnaie de la Russie, puis de l'Union soviétique, valant le centième du rouble*.

Quelques-uns (...) murmurent une prière, et, en se relevant, jettent un kopek *(sic)* dans le tronc placé à la porte. Th. GAUTIER, Voyage en Russie, XIII.

♦ **2.** Loc. fam. *Ne pas avoir un kopek :* ne pas avoir d'argent du tout (syn. : *pas un centime, pas un rond, pas un sou*). *Plus un kopeck.*

KOPPA [kɔ(p)pa] n. m. — 1752, *coppa;* lat. *koppa,* mot grec, même sens.

♦ Didact. Ancienne lettre de l'alphabet grec, utilisée comme signe numérique, valant 90 si l'accent supérieur est placé à droite et 90 000 si l'accent inférieur est placé à gauche.

HOM. Coppa.

KORAN [kɔʀɑ̃] n. m. ⇒ **Coran.**

KORÉ [kɔʀe] ou **KORÊ** [kɔʀɛ] n. f. — XXe (1933, Malègue, *in* T. L. F.); mot grec, «jeune fille».

♦ Arts. Statue de l'art grec archaïque représentant une jeune fille (le masculin correspondant est *kouros*).

REM. On trouve parfois la graphie *coré.*

Le XIXe siècle dira que les Corés ont été démodées au temps de Périclès, les Vierges romanes, démodées au XIXe siècle. Mais si Athènes laisse enterrées les Corés enfouies devant l'invasion perse, si la chrétienté du XVe siècle ensevelit maintes Madones de piété du XIVe, ce n'est pas, comme on l'a dit, parce qu'elles ont cessé de plaire : c'est parce qu'elles sont *entrées dans le temps,* et ont perdu ainsi l'éternité divine manifestée par les œuvres qui leur ont succédé. Elles ne l'en avaient pas moins possédée. MALRAUX, la Métamorphose des dieux, p. 27.

KORRIGAN, ANE [kɔʀigɑ̃, an] n. — 1831, Michelet, *Journal;* mot breton.

♦ Esprit* malfaisant, dans les traditions populaires bretonnes. ⇒ **Fée, nain** (→ Forêt, cit. 4).

Si vous interrogez les gens du pays, ils vous répondront brièvement que ce sont *(les pierres renversées de Loc Maria Ker)* les maisons des Korrigans, des Courils. MICHELET, Hist. de France, III, t. II, p. 93 (1834). 1

Le gouvernement craint moins l'émeute que l'efflorescence çà et là, d'une malveillance sournoise. L'esprit de Pataud, qui s'apparente aux elfes et aux korrigans, promène sa menace difficile à situer. J. ROMAINS, les Hommes de bonne volonté, t. V, XXVIII, p. 300. 2

KOTO [kɔto] n. m. — D. i. (attesté 1907 in *Nouveau Larousse illustré,* probablt antérieur); 1795 en anglais; mot japonais.

♦ Instrument de musique japonais, cithare, à cordes de soie enduites de cire, et dont on joue avec un plectre ou avec les doigts. *Le koto à six cordes est réservé au culte shintô, le koto à treize cordes est utilisé dans la musique profane.*

Le Japon
comme un long kotô
tout entier
a frémi sous le doigt
du Soleil levant. CLAUDEL, Cent phrases pour éventails.

KOUAN-HOUA [kwanwa] n. m. — 1808, *in* T. L. F.; mot chinois.

♦ Ling. Le plus important des dialectes chinois modernes, employé dans toute la Chine, sauf sur la côte du Sud-Est. — Syn. : *langue mandarine, mandarin.*

KOUBBA [kuba] n. f. — 1845, Bescherelle, *Suppl.; kubbe,* 1776; *cube,* 1568; *cubee,* 1608; arabe *gubbah, qubba* «dôme, coupole». → Alcôve.

♦ Monument élevé sur la tombe d'un marabout. *La koubba est un édifice cubique surmonté d'une coupole hémisphérique.*

On écrit aussi *kouba, koubah.*

1 (...) deux chats (...) qui dorment pelotonnés à l'ombre des *koubas.*
E. FROMENTIN, Une année dans le Sahel, p. 70.

2 On nomme « zaouia » une petite mosquée unie à une koubba (tombeau d'un marabout)... MAUPASSANT, la Vie errante, D'Alger à Tunis, I.

KOUGLOF [kuglɔf] n. m. — 1861 ; *kougelhof,* Erckmann-Chatrian ; *gougloff,* 1827 (*in* D. D. L.) ; mot alsacien et alémanique *gugelhupf,* de l'all. *Kugel* « boule ».

♦ Gâteau alsacien, brioche à pâte levée de forme caractéristique (cheminée centrale), garnie de raisins de corinthe.

REM. Le mot présente de nombreuses variantes : *kougloff, kougelhof, kugelhof, kougelhoff.*

KOULAK [kulak] n. m. — 1917 ; mot russe, « gros fermier », p.-ê. à rattacher au turc *kulak* « poing ».

♦ Hist. Riche paysan propriétaire, en Russie, puis en Union soviétique. *La lutte contre les koulaks ; l'élimination des koulaks* (dite *dékoulakisation* [dekulakizasjɔ̃] n. f.).

Un décret de mai 1929 définit le koulak afin de le différencier du paysan moyen. En février 1930, un décret nouveau organise la lutte contre les koulaks.
Jean BRUHAT, Hist. de l'U. R. S. S., p. 90.

KOULIBIAC [kulibjak] n. m. — 1902, *in* Larousse ; *koulbac,* 1855 ; russe *kulebjaka,* d'orig. obscure.

♦ Pâté de poisson, servi chaud, d'origine russe. — Var. : *coulibiac.* « *Les coulibiacs de feuilletage aux choux* » (Goncourt, *Manette Salomon,* p. 112).

KOUMIS [kumis] n. m. — 1832, Raymond, *in* D. D. L. ; *kumis,* 1823 ; *komiis,* 1663 ; *cosmos,* 1634 ; mot tartare.

♦ Lait de jument fermenté, employé comme boisson en Asie centrale.

Var. : *koumys, koumiss* (1832), *koumyss.*

— Ce sont des outres, répondit Nicolas, et il y en a, ma foi, une demi-douzaine !
— Elles sont pleines ?...
— Oui, pleines de koumyss, et voilà qui vient à propos pour renouveler notre provision.
Le « koumyss » est une boisson fabriquée avec du lait de jument ou de chamelle, boisson fortifiante, enivrante même, et Nicolas ne pouvait que se féliciter de la trouvaille. J. VERNE, Michel Strogoff, p. 373 (1876).

KOURGANE [kuʀgan] n. m. — 1852, Mérimée (trad. de Pouchkine) ; mot russe (xvᵉ), du turc ; p.-ê. apparenté au persan *gurxane,* de *gūr* « sépulture », et *xāne* « maison ».

♦ Didact. Tumulus des steppes du nord de la mer Noire et de la mer d'Azov. — REM. On écrit parfois *kourgan* [kuʀgan].

KOUROS [kuʀos] n. m. — xxᵉ (1934, *in* T. L. F.) ; mot grec, « jeune garçon ».

♦ Arts. Statue grecque archaïque représentant un jeune homme (le fém. correspondant est *koré*). *Des kouros,* ou (plur. grec) *des kouroï.*

À Thèbes, dominant une campagne encore verte, il y a dans le petit musée des kouroï archaïques. L'un d'eux a le sourire en arc qui relève les coins des lèvres, un sourire moqueur provocant comme on en voit aux Étrusques.
J. GREEN, Journal, 17 oct. 1976, La terre est si belle, p. 43.

KOURTCHATOVIUM [kuʀtʃatɔvjɔm] n. m. — 1967 ; du physicien russe *Kurtchatov.*

♦ Sc. Élément chimique de numéro atomique 104 (symb. : *Ku*). ⇒ **Rutherfordium.** — On écrit aussi parfois *kurtchatovium.*

KOWEITIEN, IENNE [kowɛtjɛ̃, jɛn] adj. et n. — Attesté 1962, *in* Larousse ; de *Koweït.*

♦ Du Koweït. *L'économie koweitienne.* « *Le bras de mer qui y conduit est contrôlé par deux îles koweitiennes* » (*l'Express,* 2 avr. 1973). « *L'énorme budget militaire koweitien* » (*le Nouvel Obs.,* 4 avr. 1974, p. 28).

REM. On rencontre aussi la forme (de l'angl., plus conforme à l'arabe) *koweiti,* plur. invar. ou accordé. « *Les dirigeants koweitis semblant ainsi dans l'obligation de se tourner vers l'ennemi de leurs ennemis* » (*l'Express,* 2 avr. 1973).

N. « *Il sait bien, comme tous les Koweitiens, qu'autour de sa villa somptueuse, le sable est là qui l'attend* » (*le Nouvel Obs.,* 30 avr. 1973).

Kr [kaɛʀ] Symbole chimique du *krypton.*

KRAAL [kʀaal] n. m. — 1735 ; mot néerl. (afrikaans), de même rac. que l'esp. *corral* et le port. *curral* « enclos ».

♦ **1.** Village, chez les Hottentots.

♦ **2.** (1877, *in* Littré, *Suppl.*). Enclos pour les éléphants.

Tous les éléphants capturés étaient groupés dans un kraal barbare, fait de pieux énormes. Paul MORAND, Rien que la Terre, p. 172. 1

L'éléphant rejoint pour mourir un kraal spécial où tous les éléphants meurent. 2
GIRAUDOUX, Églantine, p. 210.

♦ **3.** (xxᵉ ; 1929, P. Morand). Enclos pour le bétail, en Afrique du Sud.

KRACH [kʀak] n. m. — 1811, *krak ;* mot néerl. *krach,* 1881, sous l'infl. de l'allemand ; sens développé par l'infl. de l'angl. *crash* (1817).

♦ Effondrement des cours (cit. 21) de la bourse*. ⇒ **Banqueroute, catastrophe, débâcle** (financière). *Krach révélant l'existence d'une crise* économique. Le krach de Vienne, en 1873 ; le krach de l'Union générale, en 1882.*

Aujourd'hui, une femme mariée disait à une de ses amies : « Je n'ai eu qu'un bon 1
mois, cette année (...) celui du krach ! La joie intérieure que cette ruine universelle de la plupart de ses connaissances a causée à Charles, ça l'a distrait, pour un moment, de la persécution, qu'il a besoin d'exercer sur ceux qui vivent, côte à côte, avec lui ». Ed. et J. DE GONCOURT, Journal, 31 mai 1882.

Il avait fini par tout perdre, dans le krach formidable où s'engloutissait la fortune 2
de la ville entière. ZOLA, Rome, p. 63.

Les cours des valeurs industrielles montaient de plus en plus haut, à la Bourse de 3
New York (...) tandis que l'indice des prix des marchandises accusait une baisse légère. Soudain, à la fin d'octobre 1929, un krach retentissant secoua Wall Street ; les cours des actions industrielles s'effondrèrent ; en un mois l'ensemble des valeurs cotées à la Bourse de New York subit une perte d'environ 32 milliards de dollars. Et la période de dépression commença (...)
REBOUD et GUITTON, Précis d'économie politique, t. II, p. 711.

« En somme, un boum d'abord, un krach ensuite ? Boum et crac ! » répéta-t-il en 4
riant ; la formule produisait toujours son effet.
Roger IKOR, les Fils d'Avrom, Les eaux mêlées, p. 484.

HOM. Crac, crack, craque, krak ; formes du v. **craquer.**

KRAFT [kʀaft] n. m. — 1931, *in* Larousse ; p.-ê. du suédois *kraftpapper,* de *kraft* « force » et *papper* « papier », l'allemand semblant plus récent.

♦ Papier d'emballage très résistant fabriqué à partir de pâtes à papier au sulfate. *Prendre du kraft pour entourer un colis.* — En appos. *Papier kraft. Recouvrir ses livres de papier kraft.*

KRAK ou **CRAC** [kʀak] n. m. — P.-ê. xiiᵉ (1195, *crac*) ; repris xixᵉ, *krak* (1871) ; arabe *karāk* « château fort », de l'araméen ou du syriaque.

♦ Château fort établi au XIIᵉ siècle par les Croisés, en Syrie. *Le krak (le Krak) des Chevaliers.*

HOM. Crac, crack, craque, krach ; formes du v. **craquer.**

KRAKEN [kʀakɛn] n. m. — 1771, *in* T. L. F. ; *kraxen,* 1764 ; mot norvégien, *kraken, krakjen.*

♦ Monstre marin fabuleux des légendes scandinaves (cf. Serpent de mer).

(...) nous étions pris de vertige en descendant avec une horrible vélocité dans 1
un enfer liquide où l'air devenait stagnant et où aucun son ne pouvait troubler les sommeils du kraken. BAUDELAIRE, Trad. E. POE, Histoires extraordinaires, « Manuscrit trouvé dans une bouteille ».

Eh bien, dis-je, ce sont là de véritables cavernes à poulpes, et je ne serais pas 2
étonné d'y voir quelques-un de ces monstres.
— Quoi ! fit Conseil, des calmars, de simples calmars, de la classe des céphalopodes ?
— Non, dis-je, des poulpes de grande dimension. Mais l'ami Ned s'est trompé sans doute, car je n'aperçois rien.
— Je le regrette, répliqua Conseil. Je voudrais contempler face à face l'un de ces poulpes dont j'ai tant entendu parler et qui peuvent entraîner des navires dans le fond des abîmes. Ces bêtes-là, ça se nomme des krak...
— Craque suffit, répondit ironiquement le Canadien.
— Krakens, riposta Conseil, achevant son mot sans se soucier de la plaisanterie de son compagnon. J. VERNE, Vingt mille lieues sous les mers, XVIII.

KRAMERIE [kʀamʀi] n. f. — 1873, *in* P. Larousse ; lat. bot. *krameria* (Linné), du nom du botaniste autrichien *Kramer.*

♦ Bot. Sous-arbrisseau d'Amérique du Sud *(Polygalées),* dont les longues racines rampantes sont employées en médecine (*ratanhia* du Pérou). *La kramerie a des propriétés toniques et astringentes*.*

KRAPFEN [kʀapfɛn] n. m. — D. i. (répandu mil. xxᵉ) ; mot allemand et alsacien.

♦ Beignet en forme d'anneau (comme les *doughnuts* américains), qui se mange soupoudré de sucre.

KRAUROSIS [kʀɔʀozis] n. m. — 1931, *in* Larousse; du grec *krauros* «sec».

♦ Méd. Sclérose sèche, atrophique, de la muqueuse du prépuce ou de la vulve (chez la femme, en rapport avec la ménopause).

KREEP [kʀip] n. m. — 1972; mot angl., 1971; de *K*, symbole du potassium, angl. *Rare-Earth Element* «terre rare», et *P*, symbole du phospore.

♦ Anglic. Substance trouvée sur la Lune, qui contient de grandes quantités de potassium, de phosphore et de terres rares.

Des roches riches en éléments radio-actifs (uranium et thorium surtout) et en éléments réfractaires qui se solidifient à hautes températures, tels que le calcium et aussi en terres rares (baryum, europium). Ces roches qui ne sont pas très éloignées des basaltes sont souvent appelées «kreep». le Monde, 20 déc. 1972, p. 20.

KREMLIN [kʀɛmlɛ̃] n. m. — 1762; russe *kreml'n'*, de *kreml'* «citadelle, forteresse» (XVe).

♦ Partie centrale et fortifiée des anciennes villes russes. *Le kremlin de Kolomna, de Nijni-Novgorod, de Smolensk, de Moscou.*

La ville haute, avec son kremlin, dont la circonférence mesure deux verstes, et qui ressemble à celui de Moscou, était alors fort abandonnée. Le gouverneur n'y demeurait même plus. J. VERNE, Michel Strogoff, p. 71 (1876).

Absolt. *Le Kremlin,* celui de Moscou; le pouvoir soviétique central.

COMP. V. **Kremlinologie, kremlinologue.**

KREMLINOLOGIE [kʀɛmlinɔlɔʒi] n. f. — 1966 (cf. *Kremlinology,* en angl., 1958); de *Kremlin* (de Moscou), n. pr., et *-logie.*

♦ Didact. (polit.). Étude de la politique, du gouvernement de l'U. R. S. S.

KREMLINOLOGUE [kʀɛmlinɔlɔg] n. m. — 1963; de *Kremlin,* et *-logue;* var. plus rare *kremlinologiste,* 1966, angl. *Kremlinologist,* 1960.

♦ Didact. (polit.). Spécialiste de l'étude de la politique du gouvernement soviétique. ⇒ **Soviétologue.** *Les kremlinologues américains.* «*La ratification des accords Salt II était plus que douteuse, les deux grands s'armaient de plus belle et, disait déjà en octobre un expert kremlinologue du Département d'État (...) "ils ne s'entendaient sur à peu près rien"*» (*l'Express,* 5 janv. 1980).

Les bons offices, souvent douteux, des «kremlinologues» et des «pékinologues», ne peuvent apporter que des remèdes précaires à la première ignorance. Claude ROY, *in* le Nouvel Obs., p. 31, no 406, 21 août 1972.

KREUTZER [kʀøtsɛʀ] n. m. — 1757, *kreyser; cruckars,* 1485-1550; mot all., de *Kreutz* «croix».

♦ Ancienne monnaie allemande. — Ancienne monnaie autrichienne, centième partie du florin.

Je m'inondai l'estomac d'un tokai rouge à trois kreutzers le verre (...) NERVAL, la Pandora, I.

KRIEGSPIEL [kʀikʃpil] n. m. — 1922, *in* Larousse; mot. all., de *Krieg* «guerre», et *Spiel* «jeu».

♦ Didact. Étude sur la carte de thèmes tactiques et stratégiques avec la figuration d'unités de manœuvre. ⇒ (anglic.) **Wargame.**

J'y arrivais après vingt ans de vie militaire de France, nourri dans les arcanes des États-Majors, des brevets, des manœuvres et des kriegspiels (...) L.-H. LYAUTEY, Paroles d'action, p. 292.

KRILL [kʀil] n. m. — Répandu v. 1970; mot norvégien (attesté en anglais, 1907).

♦ Petit crustacé ressemblant à la crevette, qui vit dans l'Antarctique, en bancs serrés. *La pêche du krill. Le krill constitue la nourriture principale des baleines bleues.* «*(...) le krill de l'Antarctique* (Euphausia superba). *Depuis plusieurs années, des savants soviétiques et japonais ont étudié la distribution, l'abondance et l'utilisation de ce crustacé (...)*» (*Science et Vie,* févr. 1976, p. 73).

KRISS [kʀis] n. m. — 1529; malais *kris.*

♦ Poignard malais à lame sinueuse. *Un kriss malais.*

1 (...) un kriss malais dont la lame ondule comme une flamme (...) Th. GAUTIER, Pied de momie, *in* Fortunio..., p. 311.

2 C'est un beau kriss, dit-il. Le fourreau n'a rien de remarquable, mais regarde la courbure du manche; on dirait un torse musculeux contracté, prêt à bondir. Et l'ondulation de la lame, ces cinq couches d'acier fondues les unes dans les autres (...) Henri FAUCONNIER, Malaisie, p. 139.

Var. graphique : *criss* (→ Attaquer, cit. 46).

KRONPRINZ [kʀɔ̃npʀints] n. m. — 1890; mot. all., de *Krone* «couronne», et *Prinz* «prince».

♦ Titre donné au prince héritier allemand avant 1918. *Le Kronprinz :* le fils de Guillaume II, Frédéric-Guillaume.

KRONSTADT [kʀɔ̃nʃtat] n. m. ⇒ **Cronstadt.**

KROUMIR [kʀumiʀ] n. m. — 1881, au sens I; sens II, *in* D. D. L.; p.-ê. du nom de la tribu tunisienne des *Kroumirs* (1866), arabe *hŭmăyr,* à cause de leur réputation de pillards.

★ **I.** Fam. et vx. Individu méprisable ou misérable. *Un vieux kroumir.*

★ **II.** (Évolution de sens obscure). Chausson de basane, qu'on porte dans des sabots, des bottes.

KRYPTON [kʀiptɔ̃] n. m. — 1898; angl. *krypton* (1898), du grec *kruptos* «caché».

♦ Chim. Gaz rare de l'atmosphère, élément de no at. 36 (symb. : *Kr*) poids at. 23, 80, temp. de fusion − 151,6 °C, temp. d'ébullition − 152,30 °C, densité 3,733 (à 0 °C), valence O. «*Les expériences effectuées auprès de l'accélérateur Alice à Orsay, grâce au premier faisceau de krypton d'énergie suffisante, ont montré qu'au-delà de 450 MeV, les ions krypton étaient bien au contact des noyaux d'uranium ou de bismuth, que des réactions nucléaires avaient lieu, mais pas celles qu'on attendait*» (*la Recherche,* no 47, juillet-août 1974, p. 167). — REM. On a écrit *crypton* (1903, in *Rev. gén. des sc.,* no 2, p. 101).

KSAR [ksaʀ] n. m. — 1849, *in* T. L. F.; *ksour,* au plur., av. 1845, Bescherelle, *Suppl.*; mot arabe *qasr,* plur. *qusūr,* du lat. *castrum* «place forte». → Alcazar.

♦ Lieu fortifié, en Afrique du Nord. *Le mot ksar entre dans de nombreux noms de localités* (Ksar-es-Souk...). — Plur. *Des ksour* (parfois écrit *ksours,* avec l's du pluriel français). — REM. On trouve *k'sour* au singulier dans Fromentin (*Un été dans le Sahara,* p. 265).

Dans le Sud *(du Maghreb)*... les habitants se groupent près des palmeraies et, dans chaque palmeraie, en une série de villages fortifiés, appelés *ksours,* entourés de murs d'enceinte et flanqués de tours d'angle (...) Le ksar est un centre de ravitaillement pour les nomades... *(c')*est une véritable ville en miniature, très différente des bourgades des paysans kabyles ou rifains.
Augustin BERNARD, Afrique septentrionale et occidentale, *in* P. VIDAL DE LA BLACHE, Géographie universelle, t. XI, p. 93.

KSHATRIYA [kʃatʀija] n. m. ⇒ **Kchatriya.**

KSI ou **XI** [ksi] n. m. — D. i.; mot grec.

♦ Lettre de l'alphabet grec (ξ), correspondant à *x.*

KSS KSS [ksks] ou **KISS KISS** [kiskis] interj. — 1858, *kss kss; kiss kiss,* 1888; *xss, xss,* 1789; onomatopée; cf. *gzz...,* in Rabelais, *Tiers livre.*

♦ Interjection servant à exciter des adversaires au combat, souvent des chiens. «*Je fais kss! kss!*» (J. Renard, *Journal,* 3 août 1892).

KUATSU [kwatsu] n. m. — V. 1970; mot japonais.

♦ Méd. Procédé de réanimation de la médecine traditionnelle asiatique, consistant en des stimulations manuelles de certaines régions de la peau, des massages de la région cardiaque, et des compressions abdominales destinées à provoquer l'expiration.

KUFIEH ou **KUFFIEH** [kufjɛ] n. m. ⇒ **Keffieh**; et aussi **coufieh.**

KÛFIQUE [kufik] adj. et n. m. ⇒ **Coufique.**

KUGELHOF [kuglɔf] n. m. ⇒ **Kouglof.**

KUMMEL [kymɛl] n. m. — 1857, *in* D. D. L.; mot all. *Kümmel* «cumin» (v. 1800).

♦ Alcool aromatisé au cumin*, originaire d'Allemagne et de Russie.

Il se délivra un instant de Rosemonde, occupée à boire un petit verre de kummel, à légers coups de langue. ZOLA, Paris, t. I, p. 244 (1898).

KUMQUAT [kɔmkwat; kumkwat] n. m. — 1891, *kum-quat;* du chinois cantonais, var. de *kin kü* «orange d'or», probablt. par l'angl. *camquit* (1699), *kum-kat* (1841), etc.

♦ Fruit d'un citrus* (« citronnier du Japon »), très petite orange amère qui se mange souvent confite.
Arbre qui produit ce fruit.

REM. On écrit parfois *qumquat* (*l'Express,* 17 juin 1974, p. 137).

KUNG-FU [kuŋfu] n. m. — Répandu v. 1970 ; mot chinois.

♦ Art martial chinois, proche du karaté japonais. *Pratiquer le kung-fu. Films de kung-fu, produits à Hong-kong.*

Var. graphique : *« Après les avoir estourbis à coups de manchette de karaté et de Kun Fu »* (*l'Express,* 1er avr. 1980, p. 47).

KURDE [kyʀd] adj. et n. — 1697, *curdes ;* repris XIXe (1835, Lamartine) ; mot indigène, se rattachant au grec *kurtioi,* en lat. *Cyrtii,* de *Kardoukhoi,* nom d'un peuple aux confins de l'Arménie et de l'Assyrie.

♦ Du Kurdistan, territoire partagé entre la Turquie, l'Iran, la Syrie, l'Irak et l'U. R. S. S. *Tribus kurdes. Les minorités kurdes réprimées.* — N. *Un, une Kurde. Les Kurdes.*

N. m. (1826, Balbi, *in* T. L. F.). Langue indo-européenne du groupe iranien, faisant partie des langues du Nord-Ouest de la zone (avec le baloutche et d'autres langues), subdivisée en deux grands groupes de parlers (*kurmanji* et parlers du Sud). *Le kurde était* (v. 1940) *parlé par environ 5 millions de personnes.*

KURSAAL [kyʀsal] n. m. — 1883, ex. ci-dessous ; *cursaal,* 1836, Mérimée, *Correspondance, in* T. L. F. ; mot all., de *Kur* « cure », et *Saal* « salle ».

Vx (à la mode à la fin du XIXe et déb. XXe).

a Salle de réunion pour les curistes, dans une ville d'eau.

b ⇒ **Casino.** « *Son casino* (de Deauville) *est devenu un vaste kursaal avec des allures de kermesse...* » (*le Triboulet,* 26 août 1883, *in* D. D. L.).

KURTCHATOVIUM [kyʀtʃatɔvjɔm] n. m. ⇒ **Kourtchatovium.**

KVAS [kvas] n. m. ⇒ **Kwas.**

kW Symbole du *kilowatt.* — *kWh :* symbole du kilowatt heure.

KWA [kwa] adj. invar. — 1885, in *les Langues dans le monde ;* mot signifiant « homme » dans plusieurs des langues de ce groupe.

♦ Ling. Se dit d'un groupe de langues africaines de l'Ouest, parlées en Côte-d'Ivoire (sous-groupe Volta-Comoé ; sous-groupe des « langues lagunaires de Côte-d'Ivoire ») ; au Togo, au Bénin, au Nigéria. *L'ewé, le yoruba, l'igbo sont des langues kwa. Toutes les langues kwa connues sont des langues à tons.*

HOM. Quoi.

KWAS [kvas] n. m. — 1824, Nysten ; *quassetz,* 1540 ; *quas,* 1656 ; *kvas,* 1688 ; *quass,* 1820 ; mot russe *kvas,* plur. *kvasty* (d'où la forme *quassetz),* p.-ê. à rattacher au lat. *caseus* « fromage ».

♦ Boisson légèrement alcoolisée obtenue par la fermentation de seigle et d'orge ou de fruits acides.

0.1 De petites boutiques (...) de gâteau et de pommes vertes, de lait aigre, de bière et de kwas s'élevaient à droite et à gauche de la chaussée de planches (...)
Th. GAUTIER, Voyage en Russie, p. 408.

1 On avait (...) savouré après le café et le brou de noix, des kwas, des poter et des stout.
HUYSMANS, À rebours, p. 17.

Variantes graphiques : *kvas, kwass.*

2 Les Russes mangent presque exclusivement des hors-d'œuvre : des concombres salés, des champignons secs, des œufs de poisson. Ils mangent debout, en buvant du kvas.
G. DUHAMEL, Salavin, III, XVII.

KWASHIORKOR [kwaʃjɔʀkɔʀ] n. m. — Mil. XXe ; mot des populations d'Accra, au Ghana ; par l'anglais (1935).

♦ Syndrome de dénutrition infantile, spécialement des carences en protéines, qui se manifeste par une grande maigreur, un ventre ballonné, une altération de la pigmentation, et de graves troubles du développement.

L'état de famine aiguë est aujourd'hui rare et dû le plus souvent à des circonstances particulières (Biafra en 1968-1970, Bengale en 1971), mais dans une grande partie du monde, surtout dans les zones tropicales, les hommes souffrent de sous-alimentation et de malnutrition et particulièrement du manque de protéines. Il en résulte une faiblesse générale et diverses carences, parmi lesquelles le kwashiorkor, découvert par Lieurade en 1932, anglicisé dans la suite, qui sévit chez les enfants d'Afrique après le sevrage.
A. SAUVY, Croissance zéro ? (1973), p. 143.

K-WAY [kawɛ] n. m. — V. 1965 ; marque déposée, formation anglaise.

♦ Légère veste imperméable de la marque de ce nom, en nylon, à capuche, sorte d'anorak qui se replie dans une poche qu'on peut attacher à la ceinture.

KYM-, KYMA-, KYMO- Élément, du grec *kuma* « flot, onde ».

KYMOGRAPHE [kimɔgʀaf] n. m. — 1891, *Encycl. Berthelot,* art. *Circulation ; kymographion,* 1855, Nysten ; d'abord en all., 1847, Ludwig ; de *kymo-,* et *-graphe.*

♦ Didact. (méd.). Appareil d'enregistrement graphique ou radiographique des mouvements d'organes dans leurs phases successives. *Utilisation du kymographe pour l'inscription des contractions cardio-vasculaires.* — Anciennt. *Kymographe de Ludwig,* pour enregistrer la pression artérielle.

REM. On trouve aussi *kymogramme* [kimɔgʀam] n. m. « tracé du kymographe » ; *kymographique* [kimɔgʀafik] adj. « du kymographe ».

KYMOGRAPHIE [kimɔgʀafi] n. f. — 1935, *in* D. D. L. ; de *kymo-,* et *-graphie.*

♦ Didact. (méd.). Enregistrement sur un seul cliché radiographique des ombres successives que donne un organe en mouvement, à l'aide du kymographe.

KYMRIQUE [kimʀik] ou **KYMRI** [kimʀi] adj. et n. — 1846, *kimraeg,* 1842 ; gallois *cymraeg* « gallois ».

♦ **1.** Didact. Qui a rapport aux Kymris, peuple celtique du Nord de la France et de la Belgique, au temps de César (les Cimbres).

♦ **2.** Littér. ou didact. Qui a rapport au pays de Galles. ⇒ **Gallois.** — N. m. Langue celtique parlée au pays de Galles. — REM. Le mot a été appliqué au breton du pays de Léon (cf. A. Arnoux, *in* T. L. F.).

Avant la conquête romaine, le gaulois et le kymri étaient seuls parlés dans tout l'archipel britannique ; cette conquête ne changea rien au langage ni à la civilisation des insulaires. 1
G. FLOURENS, Revue des cours scientifiques, I, p. 441, no 32, 9 juil. 1864.

(...) le recueil des *Mabinogion,* la perle de la littérature galloise, l'expression la plus complète du génie kymrique. 2
RENAN, Essais de morale et de critique, La poésie des races celtiques, Œuvres, t. II, p. 254.

REM. On a écrit aussi *cymrique* [simʀik].

KYOGEN [kjɔʒɛn] n. m. — D. i. ; mot jap., proprt « mots fous ».

♦ Didact. Style théâtral japonais, traditionnel et comique. *Les spectacles de nô* comportent en général des intermèdes de kyogen. Acteur de kyogen.*

KYRIE [kiʀje] ou **KYRIE ELEISON** [kiʀjeeleisɔn] n. m. invar. — 1840-1842, Académie, *Compl. ; kirie leyson,* v. 1170 ; grec *Kurie* « Seigneur » (vocatif de *Kurios*), et *eleêson* « aie pitié », impératif aoriste de *eleo* « j'ai pitié ».

♦ Invocation par laquelle commencent les litanies, au cours de la messe. *Réciter le kyrie.* Musique sur laquelle se chante cette invocation. *Le kyrie est un chant alterné, dont les formules sont répétées neuf fois (Kyrie, eleison ; Christe, eleison ; Kyrie, eleison,* trois fois chacune). *Le kyriale contient les chants de l'ordinaire de la messe et débute par le kyrie. Des kyrie.*

Partie, moment de la messe comprenant cette invocation. *Avant, après le kyrie. Les têtes « se relevèrent au Kyrie Eleison »* (Huysmans, *l'Oblat*).

DÉR. Kyrielle.

KYRIELLE [kiʀjɛl] n. f. — 1665, sens 2 ; *keriele* « litanie », v. 1155 ; de *kyrie eleison* « litanie » ; le mot, rare ou vieilli dans la langue classique (cf. Furetière), connaît un regain de faveur au XIXe.

♦ **1.** Longue suite (de paroles). *Une kyrielle de reproches, d'injures, de mots* (→ Decrescendo, cit.).

Spécialt. *Jeu des kyrielles,* par reprise de la dernière syllabe (*marabout, bout de ficelle, selle de cheval, cheval de bois, bois de campêche...*).

♦ **2.** (Fin XVe). Suite, série interminable. ⇒ **Quantité, séquelle.** *La kyrielle de ses ennuis, de ses mauvaises actions* (→ Compte, cit. 14). *Des kyrielles.*

Courte n'était, pour sûr, la kyrielle *(de ses amants).* 1
LA FONTAINE, Contes, I, 4 (1665).

Le moindre bruit qui m'arrive du dehors me fait frissonner ; un charretier qui passe en chantant, un orgue de barbarie qui jette au vent sa kyrielle d'airs connus, dont les notes affaiblies viennent jusqu'à mon oreille troublée. 1.1
Louise MICHEL, la Misère, t. I, p. 217.

(...) et je ruminais la kyrielle de mes mécontentements et de mes déconvenues, quand il me sembla soudain qu'on venait de crier mon nom. 2
G. DUHAMEL, Cri des profondeurs, X.

3 (...) une eau (...) toute barbotante d'une kyrielle de petits bachots et remorqueurs (...)
CÉLINE, Voyage au bout de la nuit, p. 170.

KYRIOLOGIQUE [kiʀjɔlɔʒik] adj. ⇒ **Curiologique.**

KYSTE [kist] n. m. — Av. 1478, *kyst,* Guy de Chauliac; *kisti,* dans une éd. antérieure; grec *kustis* «vessie» → Cyst(o)-.

♦ **1.** Production pathologique (tumeur bénigne) constituée par une cavité contenant une substance liquide, molle ou rarement solide, isolée des tissus voisins par une paroi conjonctive. *Tumeur enfermée dans un kyste.* ⇒ **Enkysté.** *Kystes congénitaux, kyste du poumon, kyste branchial* (cou). *Kyste dentifère* (des maxillaires). *Kyste hydatique**, produit par l'échinocoque. *Kyste sacculaire,* formé par oblitération d'un sac herniaire. *Kyste sébacé.* ⇒ **Loupe, stéatome** (vx), **tanne.** *Kystes synoviaux* (⇒ **Ganglion**) : petites tumeurs siégeant à la face dorsale du poignet. *Kyste de l'ovaire.* — *Kyste interne. Kyste formant une excroissance*.*

(...) l'eau avait gagné, gagné, gagné le cœur, gagné la poitrine; il s'était senti mourir en sentant les kystes crever.
BALZAC, les Employés, Pl., t. VI, p. 958.

Par métaphore. Formation étrangère, parasitaire et durable, au sein d'un milieu (→ Corps étranger).

♦ **2.** Biol. Forme que peuvent prendre certains organismes (protistes), certaines parties végétales monocellulaires ou pluricellulaires. *Kyste de protection, de reproduction* (renfermant les spores).

DÉR. et **COMP. Kysteux, kystique. — Enkysté.**

KYSTEUX, EUSE [kistø, øz] adj. — 1845, Bescherelle; de *kyste.*

♦ Méd. Qui contient des kystes.

KYSTIQUE [kistik] adj. — 1721, *kistique,* Trévoux; de *kyste.*

♦ **1.** Méd. Relatif au kyste (1.); de la nature du kyste; qui renferme des kystes. *Tumeur, cavité kystique. Maladie kystique de la mâchoire, des reins.*

Cette tumeur, à la coupe, se montre formée d'une membrane isolable, distincte de la paroi épendymaire formant une cavité close, indépendante du ventricule qu'elle remplit, et cloisonnée. Des cavités secondaires ainsi formées s'écoule tantôt un liquide clair et tantôt un liquide positivement hémorragique. À la base inférieure de cette tumeur kystique, la membrane interne est hérissée de nodules irréguliers et durs. «Un examen histologique pratiqué par Mlle Soyez (Germaine) nous a renseigné sur la nature de cette tumeur. Il s'agit d'une tumeur épithéliale kystique développée aux dépens du revêtement du 3e ventricule.»
B. CENDRARS, Moravagine, *in* Œ. compl., t. IV, p. 258.

♦ **2.** Zool., bot. Du kyste (2.). *Forme kystique des helminthes.*

KYU [kju] n. m. — 1950, *in* Petiot; en angl., 1937, J. Kano; mot jap.

♦ Dans les arts martiaux japonais et les sports de combat qui en dérivent (judo, karaté, etc.), Chacun des degrés qui marquent la progression du pratiquant, avant la ceinture noire. *Les différents kyus sont associés à une couleur de ceinture* (sixième kyu : ceinture blanche; cinquième : jaune; quatrième : orange; troisième : verte; deuxième : bleue; premier : marron). *Les kyus et les dans* (grades de la ceinture noire).

KYUDO [kjudo] n. m. — D. i. (répandu v. 1980); mot jap., proprement «la voie (*do*) de l'arc».

♦ Tir à l'arc japonais qui se pratique avec un grand arc asymétrique fait de lames de bambou assemblées par collage, et dont l'objet est moins l'habileté à toucher la cible que l'expérience spirituelle du dépouillement intérieur. *La pratique du kyudo s'enracine dans le syncrétisme shinto-bouddhique propre à la culture japonaise.*

L

L [ɛl] n. m. ou f.

♦ Douzième lettre et neuvième consonne de l'alphabet, servant à transcrire une consonne sonore, dentale, latérale. 1 *minuscule*, L *majuscule*.

1 (...) je vous jure que je n'ai pas cru être drôle, j'ai dit qu'elle avait des cheveux filasse. J'en suis désolé. — Fillasse, dit Mme de Thianges en se tordant. Ah! c'est raide, mais c'est bien joli! — C'est vous qui y mettez maintenant de l'esprit, madame, dit Jean, faisant allusion au redoublement de l'*l*.
PROUST, Jean Santeuil, Pl., p. 663.

2 Juste au coin de la dernière maison, debout contre l'arête du mur, dans la bande de neige blanche en forme d'L comprise entre celui-ci et le sentier, le corps coupé verticalement par l'angle de pierre (...) le gamin est en observation (...)
A. ROBBE-GRILLET, Dans le labyrinthe, p. 50.

REM. 1. À la finale, après une consonne, les groupes *ul, il* se prononcent [yl, il] *(calcul, profil)* [kalkyl, pʀɔfil] ou [y, i] *(cul, fusil)* [ky, fyzi]. Après une voyelle, le groupe *il* se prononce : dans *ail* [aj] *(détail, rail)* [detaj, ʀaj] ou, rare, [ɛl] *(cocktail)* [kɔktɛl]; dans *eil* [ɛj] *(vermeil)* [vɛʀmɛj]; dans *ueil* ou *euil* [œj] *(orgueil, fauteuil)* [ɔʀgœj, fotœj]; dans *ouil* [uj] *(fenouil)* [fənuj]; dans *oil* [wal] *(poil)* [pwal].

2. À l'intérieur des mots, le *double l* se prononce [ll] *(allusion)* [allyzjɔ̃] ou [l] *(ballade)* [balad]. Lorsqu'il est précédé d'une consonne, *ill* se prononce [ij] *(sillon)* [sijɔ̃]), sauf dans les mots *tranquille* [tʀɑ̃kil], *ville* [vil] et *mille* [mil] et leurs dérivés, où il se prononce [il] ou [ill]; après voyelle, *ill* se prononce [j] *(oreiller)* [ɔʀeje] *(pouilleux)* [pujø].

3. Au XIXe s. le groupe *ill* était encore prononcé (lj) (l mouillé), comme le *gli* italien ou le *ll* espagnol. Littré recommande pour *meilleur* la prononciation «mè-lyeur» [mɛljœʀ], qui n'existe plus de nos jours.

3 (...) le marquis entra, regarda les copies, et remarqua avec étonnement que Julien écrivait *cela* avec deux ll, *cella*.
STENDHAL, le Rouge et le Noir, II, II.

Spécialt. *l* (minuscule), abréviation du *litre**, et de la *livre** (demi-kilo). *L* (majuscule), chiffre romain valant 50, et, lorsqu'il est surmonté d'un trait horizontal, 50 000 (L̄). — L ou £, abréviation de *livre* sterling*.

1. LA [la] art. déf. f. ⇒ 1. **Le.**

2. LA [la] pron. pers. f. ⇒ 2. **Le.**

3. LA [la] n. m. — V. 1220; première syllabe de *labii* dans l'hymne de saint Jean-Baptiste.

♦ **1.** Sixième note de la gamme, premier degré de l'échelle fondamentale, dont la fréquence sert de référence. *La note* la; *jouer un* la. *Le* la$_3$ (440 hz) *a été choisi pour accorder les instruments.* ⇒ **Diapason.** *Le diapason donne le* la; *donner le* la *avec un diapason; piano qui donne le* la *à l'orchestre.*

Loc. fig. (1831). *Donner le la :* donner le ton*.

1 Inerte, tout brûle dans l'heure fauve
Sans marquer par quel art ensemble détala
Trop d'hymen souhaité de qui cherche le *la* (...)
MALLARMÉ, Poésies, «L'après-midi d'un faune», Pl., p. 51.

2 (...) il s'agissait, pour Massis, de donner le *la* à la critique (...)
GIDE, Journal, 29 nov. 1921.

♦ **2.** Ton correspondant. *Concerto en la bémol.*

♦ **3.** (1867, *in* Littré). Signe qui représente cette note.

HOM. 1. **La,** 2. **la, là.**

La [ɛla] Symbole chimique du lanthane*.

LÀ [la] adv. et interj. — 1080, *lai;* deuxième moitié Xe, *lai, lay;* du lat. *illac* «par là».

★ **I.** Adv. désignant le lieu (propre ou fig.) et, plus rarement, le moment.

A. (Employé seul). ♦ **1.** Dans tel lieu (autre que celui où l'on est), par oppos. à *ici.* ⇒ **Ici** (cit. 16). *Ne restez pas ici, allez là.* — REM. *Là* est plus vague qu'*ici.* «Il a besoin, pour être entendu, d'être accompagné d'un signe de l'œil ou de la main, ou d'avoir été déterminé auparavant dans le discours» (Lafaye, *Dict. des synonymes*, p. 673).

Ici s'offre un perron; là règne un corridor; 1
Là ce balcon s'enferme en un balustre d'or.
BOILEAU, l'Art poétique, I.

Le peu qui lui restait a passé, sou par sou, 2
En linge, en aliments, ici, là, Dieu sait où.
LAMARTINE, Jocelyn, Prologue.

Oui, entrez là; demandez un clerc qui s'appelle Fortunio. Qu'il vienne ici; j'ai à lui parler. 3
A. DE MUSSET, le Chandelier, I, 2.

Je l'aperçus penchée derrière M. Sureau et le baisant là, précisément, derrière l'oreille. 4
G. DUHAMEL, Salavin, I, I.

Le grand rire innocent résonna de nouveau, et Chéri chercha la source de ce rire, là, ici, ailleurs, partout ailleurs que dans la gorge de la femme (...) 5
COLETTE, la Fin de Chéri, p. 79.

(Dans un lieu plus ou moins éloigné, que l'on désigne de façon plus ou moins précise). *Il l'a menée là. Là, plus rien ne l'atteindrait* (→ Fond, cit. 11). *Je dirai : j'étais là; telle chose m'advint* (cit. 2, La Fontaine). *Les clés ne sont pas là, elle n'y* sont pas.*

Songe à la douceur 6
D'aller là-bas vivre ensemble (...)
Là, tout n'est qu'ordre et beauté,
Luxe, calme et volupté.
BAUDELAIRE, les Fleurs du mal, Spleen et idéal, LIII.

— Où vas-tu? — Là. — Où, là? 7
ZOLA, Germinal, II, IV.

Là était, de toute évidence, le quartier général des habitués de Sousceyrac. 8
Pierre BENOIT, le Déjeuner de Sousceyrac, p. 107.

(Dans le lieu où l'on est, abusivement employé pour *ici*). *Laissez-moi* là. Je reste là. Ne restez pas là, circulez! Viens là, approche-toi. Qui va* (→ Aller, cit. 13) *là? Halte*-là!*

Et tu vis là, chez moi, comme un chanoine (...) 9
FLAUBERT, Mme Bovary, III, II (→ Chanoine, cit. 4).

Spécialt. **ÊTRE LÀ :** être présent. *Monsieur est-il là? Non, Monsieur est sorti. Soyez là, les absents ont toujours tort. Vous êtes déjà là? Loin, mais toujours présent dans nos pensées, il me gênait* (cit. 12) *plus que s'il avait été là. J'étais là quand... Les régiments sont là dans les casernes* (→ Attendre, cit. 47). *Le tableau est là dans ma mémoire* (→ Calquer, cit. 1). *Les faits sont là* (→ Facile, cit. 20; aussi ci-dessous, B., *Là* suivi de *qui*).

J'ajoute mon souhait, voilà 10
Lequel : Écris un peu, mais sois là.
MALLARMÉ, Vers de circonstance, «Dédicaces...», LXXXI.

Elle tendait tous ses muscles, et bridait ses pensées à l'aide de deux ou trois mots toujours les mêmes, répétés au fond d'elle : «Il est là, devant moi (...) Voyons, il est toujours là (...) Mais est-il encore là, devant moi, véritablement? (...)» 11
COLETTE, Chéri, p. 180.

Fam. *Être un peu là :* tenir beaucoup de place, être important.

Mais j'suis là (...) — J'suis même un peu là, comme on dit. 12
H. BARBUSSE, le Feu, t. I, XII.

♦ **2.** À ce moment. *Là, il interrompit son récit et ralluma sa pipe. Vous attendez qu'il entre et là vous vous jetez sur lui.*

Il nous ramènera le choléra! C'est seulement là que tu seras contente. 12.1
CÉLINE, Mort à crédit, *in* T. L. F.

♦ **3.** Dans cela, en cela. *Ne voyez là aucune malveillance. Là est toute la morale de notre époque* (→ Fricoter, cit. 2). *Tout... est là :* tout ce qu'il y a d'important, d'essentiel est dans la chose dont on parle. *«Voir, sentir, exprimer* (cit. 21), *tout l'art est là»* (Goncourt). — Ellipt. *Tout est là :* c'est la chose importante. *La santé, tout est là!*

Dans pareil cas. *C'est l'homme qu'il fallait là* (→ Audacieux, cit. 6).

♦ **4.** (Avec *en*). À ce point. *Demeurons*, restons*-en là. En arriver** (cit. 44), *en venir* là. En être là :* être parvenu à un certain point, un certain résultat. *Nous n'en sommes pas là. Vous n'en êtes encore que là? J'en étais* (cit. 84) *là de mes réflexions quand... S'en tenir* là.*

(...) les choses n'en sont point encore là. 13
MOLIÈRE, le Malade imaginaire, I, 7.

♦ **5.** Renvoyant à une phrase, une circonstance désignée par le contexte. *Qu'avez-vous fait là? Qu'allez-vous penser là! Ce que vous me racontez là est très curieux* (→ 1. Fin, cit. 31).

14 Ouais! vous le prenez là d'un ton bien absolu.
MOLIÈRE, les Femmes savantes, V, 3.

B. (Suivi d'une proposition relative).

C'EST LÀ QUE... (lieu). *C'est là que nous devons aller. C'est là qu'il fut tué.* — (Temps). *C'est là qu'il sent la partie perdue.* — Fig. *C'est là que nous pourrons juger de ses intentions.*

15 Je veux des maladies d'importance : de bonnes fièvres continues (...) c'est là que je me plais, c'est là que je triomphe (...)
MOLIÈRE, le Malade imaginaire, III, 10.

16 Ah! frappe-toi le cœur, c'est là qu'est le génie.
C'est là qu'est la pitié, la souffrance et l'amour (...)
A. DE MUSSET, Premières poésies, « À mon ami Édouard B. ».

17 M. Seguin avait derrière la maison un clos entouré d'aubépines. C'est là qu'il mit sa nouvelle pensionnaire.
Alphonse DAUDET, Lettres de mon moulin, « La chèvre de M. Seguin ».

REM. Dans la langue classique, on employait souvent : *C'est là où...*, quand nous disons aujourd'hui : *c'est là que. « C'est là encore où gît la gloire »* (La Bruyère, XII, 119). Ce tour est archaïque.

18 C'est bien là où il tend et ce qu'il désire (...) GIDE, les Faux-monnayeurs, III, X.

LÀ OÙ... (lieu). *Je suis allé là où vous avez été.* — Fig. Dans le cas où, lorsque... *N'employons pas l'autorité* (cit. 12) *là où il ne s'agit que de raison. « Là où il n'y a pas d'amour, il n'y a pas de femme »* (→ Idée, cit. 47).

19 Là où il y a division du travail, il y a association et il y a aussi convergence d'effort. H. BERGSON, l'Évolution créatrice, p. 128.

20 (...) ne pas même comprendre que la curiosité de l'art commence là où les sens cessent de servir! HUYSMANS, Là-bas, I.

21 Là où Dieu vous appelle, il faut monter (...)
BERNANOS, Sous le soleil de Satan, I, p. 122.

Spécialt (marquant l'opposition). Alors que, au lieu que, tandis que. *Là ou tu crois lui montrer ton affection, il verra une preuve de faiblesse. Cela lui donne à imaginer qu'elle est incertaine* (cit. 18), *là où nous l'avons vue calme et assurée.*

22 (...) le jeune Russe avait voulu être léger comme Dorat, là où il eût fallu être simple et intelligible (...) STENDHAL, le Rouge et le Noir, II, XXVII.

23 N'être plus rien, là où l'on a régné (...)
BALZAC, le Lys dans la vallée, Pl., t. VIII, p. 964.

LÀ OÙ..., LÀ... *Là où commence l'action de la justice, là doivent cesser* (cit. 5) *les vengeances populaires.* — REM. Cette répétition de *là* ne se justifie que quand il importe d'insister fortement sur la concordance des lieux. Le premier *là* est parfois supprimé (→ ci-dessous, cit. 26).

24 Là où est la France, là est la patrie.
GAMBETTA, Discours et Plaidoyers politiques, III.

25 Là où était notre trésor, là aussi était notre cœur.
F. MAURIAC, le Nœud de vipères, XX.

26 Pour un homme de sa taille, *où* est son œuvre, *là* est sa patrie.
R. DOUMIC, *in* Revue des Deux-Mondes, 1er juin 1928, *in* G. et R. LE BIDOIS, Syntaxe du franç. moderne, 555.

ÊTRE LÀ... QUI... *Ils sont là qui l'attendent depuis deux heures. Elle est là qui pleure.* — N. B. Ce tour, dans lequel le pronom relatif* est séparé de son antécédent, met en vif relief le verbe de la proposition relative.

27 Mais la nature est là qui t'invite et qui t'aime (...)
LAMARTINE, Premières méditations, « Le vallon ».

28 Même quand je me crois seule, il est là qui m'embête. ZOLA, la Terre, V, III.

29 Nous étions là cinq ou six qui allions de long en large (...)
G. DUHAMEL, Salavin, I, XII.

C. (Accompagnant un pronom *ou* un adjectif démonstratif, qu'il ne fait que renforcer).

C'EST LÀ, suivi d'un nom ou d'une relative attribut. ⇒ **Voilà.** *Ce sont là vos parents? C'est là votre erreur* : voilà* votre erreur. *C'est là une chose très importante* (→ Individu, cit. 7). *Ce sont là les maximes des intolérants* (cit. 4). *Ce ne sont pas là mes affaires* (cit. 12). *C'est là le hic* (cit. 1). *C'est là ce qui m'étonne* : c'est cela qui m'étonne.

30 Est-ce donc là, dit-il, ce qu'on m'avait promis? LA FONTAINE, Fables, I, 4.

31 C'est donc là, songeait-elle, cet homme formidable qui fait trembler Carthage?
FLAUBERT, Salammbô, XI.

32 Ce furent là les adieux de la saison (...) E. FROMENTIN, Dominique, XI.

33 Tu peux te taire parmi nous, si c'est là ton humeur (...)
SAINT-JOHN PERSE, Œuvre poétique, « Gloire des rois, Amitié du prince », I.

34 Le démonstratif de valeur neutre *ce* est si naturellement associé à *là*, dans *cela*, qu'employé seul il paraît faible, et l'on sent le besoin de le renforcer, après *c'est* ou *ce sont*, par l'adverbe (...) Dans cet emploi, l'adverbe a toute sa force et il récupère l'accent grave qu'il a perdu dans *cela*.
G. et R. LE BIDOIS, Syntaxe du franç. moderne, 211.

CELUI-LÀ *(celle-là, ceux-là, celles-là).* ⇒ **Celui-ci** (cit. 1 à 4). *« Et s'il n'en reste qu'un je serai celui-là »* (Hugo, *les Châtiments,* Ultima verba). *Celle-là* (employé absolt) : cette aventure, cette histoire-là. *Elle est bien bonne, celle-là!*

35 Celle-là est trop forte, par exemple! COURTELINE, Boubouroche, II, 2.

36 Vous ne vous attendiez pas à celle-là!
Clément VAUTEL, Mon curé chez les riches, p. 133.

REM. *Celui-là* (*celle-là, ceux-là,* etc.) peut se construire avec une proposition relative, soit quand le relatif est assez éloigné (→ ci-dessous, cit. 37, Musset), soit lorsqu'il s'agit d'insister fortement, par exemple quand le démonstratif est accompagné d'un terme comme *seul, seulement, même, surtout.* Dans les autres cas, l'emploi du démonstratif renforcé (par *là*) se justifie rarement.

Que celui-là se livre à des plaintes amères, 37
Qui s'agenouille et prie au tombeau d'un ami (...)
A. DE MUSSET, Poésies nouvelles, « Souvenir ».

Ces grands desseins (...) mal soutenus par ceux-là mêmes qui les avaient formés (...) FRANCE, l'Orme du mail, Œuvres, t. XI, XIII, p. 149. 38

Ce ne sont pas mes premiers souvenirs que je prétends écrire ici, mais ceux-là seuls qui se rapportent à cette histoire. GIDE, la Porte étroite, I. 39

(...) tous ces hommes ne sont plus ceux-là que vous avez connus naguère. 40
G. DUHAMEL, Récits des temps de guerre, I, À travers le territoire.

(Avec un adjectif démonstratif). ⇒ 1. **Ce** (adj.). *Ces gens-là. Qui est ce garçon-là? Ce jour-là, ce soir-là* (→ Force, cit. 18; fortifier, cit. 13). *En ce temps-là. À ce point-là? Ce point de vue là.* — REM. Selon Littré, on ne met pas le trait d'union quand le nom auquel se joint *là* en est séparé par un complément : *ce marchand de vin là.* En fait, « l'usage ne s'embarrasse pas toujours de cette distinction » (Hanse).

Cette nuit-là pas une étoile ne brillait (...) HUGO, la Légende des siècles, XXIV. 41

D. ♦ **1.** (Précédé d'une préposition).

DE LÀ : en partant de cet endroit. *Il est allé à Paris et, de là, en Angleterre. Ne bougez pas de là.* — En se plaçant à cet endroit. *On voyait un calvaire* (cit. 4) *et de là on découvrait la route.*

(L'amant) doit (...) être conduit fatalement chez elle par un parent ou un ami, et sortir de là tout rêveur et mélancolique. MOLIÈRE, les Précieuses ridicules, 4. 42

Fig. En se fondant sur ce fait, d'après cela. *On peut conclure de là que...* (→ Induire, cit. 11). — En conséquence. *Il n'a pas assez travaillé; de là, son échec.* ⇒ **Où** (d'où). — *De là vient que...* : c'est pourquoi, il s'ensuit que... *De là vient qu'il* (l'homme) *est toujours disposé à nier tout ce qui lui est incompréhensible* (cit. 5, Pascal).

De là à... De là au village, il y a deux bons kilomètres. — Fig. *Il y a loin de là à ce que je fais* : ce que je fais est tout différent. *De là à prétendre qu'il est infaillible, il y a loin**, il s'en faut* de beaucoup, il y a de la marge*. — Ellipt. *Mais de là à vouloir que j'aie du génie...* (→ Inconfortable, cit. 2).

À... de là (temporel). *À quelques jours de là* : quelques jours plus tard.

À quelque temps de là, la Cigogne le prie. LA FONTAINE, Fables, I, 18. 43

À quelques semaines de là, maman demanda de l'argent. 44
G. DUHAMEL, Chronique des Pasquier, I, XVII.

D'ICI LÀ... : entre ce moment et un autre moment postérieur. ⇒ **Ici** (cit. 24). *Venez me voir à Noël, mais écrivez-moi d'ici là. Confirmer* (cit. 10) *d'ici là. D'ici là, il pourrait bien y avoir du grabuge* (cit. 1).

DE-CI DE-LÀ : en divers endroits (⇒ **Delà,** II., 1.); en diverses occasions.

(Précédé d'une loc. prép.). *Hors** (cit. 29) *de là!* (vx) : sortez de là. — Fig. En dehors de cela, à part cela. *Hors de là pas de salut. Hors de là tout est vain* (→ Génie, cit. 30). *Hors de là que peut-il faire? — Loin, non loin de là.* — Fig. *Il n'est pas décidé, loin de là! — L'échelle du fenil* (cit. 1) *était près de là.*

JUSQUE-LÀ : jusqu'à ce point, jusqu'à ce moment. ⇒ **Jusque** (cit. 23 et 24).

Du bout de l'horizon accourt avec furie 45
Le plus terrible des enfants
Que le Nord eût portés jusque-là dans ses flancs. LA FONTAINE, Fables, I, 22.

(V. 1208). **PAR LÀ** : par cet endroit. *Passons par là.* — Fig. *Il faudra bien en passer* par là. — Elle est par là,* de ce côté-là. *Quelque part par là* : aux environs. — Fig. Par ce moyen, par ces mots, de cette façon. *Que faut-il entendre par là?* (→ Café, cit. 5). — Vx. Pour cette raison (→ ci-dessous, cit. 46, Corneille).

Et par là cet honneur n'était dû qu'à mon bras. CORNEILLE, le Cid, I, 3. 46

C'est assez qu'on ait vu par là qu'il ne faut point 47
Agir chacun de même sorte. LA FONTAINE, Fables, II, 10.

— (...) Oui, devant Dieu, j'aurais tout fait pour vous. 48
— Tout fait pour moi? Qu'entendez-vous par là?
A. DE MUSSET, le Chandelier, III, 4.

(...) elle me montra, par un geste de la main, les massifs d'un parc à l'anglaise qui serpentait autour du château et me répondit : 49
— Madame est par là (...) BALZAC, le Message, Pl., t. II, p. 174.

C'est en Sicile que la chose se passe, ou quelque part par là. 50
ALAIN, Propos, 1er déc. 1909, Une page d'histoire.

« Nous sommes libéraux de père en fils », disaient-ils, voulant exprimer par là qu'ils restaient des négociants irréprochables (...) 51
BERNANOS, Sous le soleil de Satan, Prologue, p. 4.

PAR-CI, PAR-LÀ (avec ou sans virgule) : en divers endroits, de côté et d'autre; à diverses reprises. ⇒ **Ci, par.** *Il prête quelques écus par-ci par-là* (→ Bon, cit. 54). *J'ai relevé dans ce livre quelques fautes par-ci, par-là.*

(...) et plusieurs autres que tu pourras par-ci par-là trouver en la lecture des auteurs. RONSARD, Œuvres en prose, Art poétique. 52

ÇÀ ET LÀ : de côté et d'autre. ⇒ **Çà** (cit. 2 et 3). *Des bouts de fil* (cit. 4) *traînaient çà et là. Des guêpes* (cit. 3) *volent çà et là.*

53 Je n'étais qu'une âme errante qui divaguait çà et là dans la campagne pour user ses jours. LAMARTINE, Graziella, IV, XI.

54 Ma jeunesse ne fut qu'un ténébreux orage
Traversé çà et là par de brillants soleils (...)
BAUDELAIRE, les Fleurs du mal, Spleen et idéal (→ Brillant, cit. 5).

♦ **2.** [a] (1532, «dans les enfers»; av. 1616, «en bas»). **LÀ-BAS.** — Vx. Au-dessous. *Descendez là-bas.* — Spécialt. *Là-bas :* l'enfer (→ ci-dessous, cit. 55, La Fontaine). *Là-bas,* titre d'un roman de Huysmans. — Mod. À quelque distance plus ou moins grande du lieu où l'on est (par oppos. à *ici*). *Je ne veux pas être récompensé de ma sagesse ici* (cit. 3) *par des faveurs là-bas.* — REM. *Ici* tendant de plus en plus à être remplacé par *là* pour marquer le lieu, *là* tend, à son tour, à se renforcer en *là-bas.* — (En parlant d'un lieu éloigné, qu'il est souvent inutile de préciser). *Une fois là-bas, qu'avez-vous fait? Là-bas, il a souffert des fièvres* (→ Atteinte, cit. 17). *Cela fait* (cit. 120) *bientôt neuf mois qu'il est là-bas. Ils l'ont fait venir de là-bas* (→ Intendant, cit. 6).

55 Diogène là-bas est aussi riche qu'eux,
Et l'avare ici-haut comme lui vit en gueux.
LA FONTAINE, Fables, IV, 20.

56 (...) et là-bas, au lointain, nous voyons le troupeau s'avancer dans une gloire de poussière. Alphonse DAUDET, Lettres de mon moulin, «Installation».

57 Là-bas, sur le viaduc, glissait l'express de six heures.
F. MAURIAC, Destins, III, p. 57.

LÀ CONTRE (vieilli) : contre cela. ⇒ **Contre.** *On ne peut pas aller là contre :* on ne peut rien faire contre cela.

58 Hé bien! oui : vous dit-on quelque chose là contre?
MOLIÈRE, les Femmes savantes, II, 6.

59 Vous savez, les femmes, un rien les trouble! (...) Et l'on aurait tort de se révolter là contre (...) FLAUBERT, Mme Bovary, II, VI.

60 Que peut faire la raison là contre? G. DUHAMEL, les Plaisirs et les Jeux, I, II.

[b] (V. 1160). **LÀ-DEDANS :** à l'intérieur de ce lieu, de cet endroit. — Fam. *Debout, là-dedans!* — Fig. Dans cela. *Je ne vois rien d'étonnant là-dedans.* ⇒ **Dedans** (cit. 9 et 10).

LÀ-DESSOUS. ⇒ **Dessous** (cit. 13).

(1080, *là sus*). **LÀ-DESSUS.** ⇒ **Dessus** (cit. 12 à 14).

[c] **LÀ-HAUT :** dans ce lieu au-dessus. *Il demeure là-haut* (→ Case, cit. 1; hune, cit.). *Nous serons là-haut en dix minutes par le funiculaire* (cit. 3). — Fig. Dans le ciel* (cit. 44, La Fontaine), par oppos. à *là-bas* (vx). → Gouverner, cit. 1; harmonie, cit. 6.

61 (...) vous le troisième parmi les chrétiens, m'avez fait comprendre qu'il y avait quelque chose là-haut! Et il montra le ciel.
BALZAC, le Médecin de campagne, Pl., t. VIII, p. 516.

62 Un jour, elle se dit en regardant la montagne : Comme on doit être bien là-haut!
Alphonse DAUDET, Lettres de mon moulin, «La chèvre de M. Seguin».

★ **II.** Interj. ♦ **1.** (1611). **LÀ!** (parfois *là! là!* répété). S'emploie dans les dialogues pour appeler l'attention de l'interlocuteur, soit pour le mettre en garde ou l'exhorter, soit pour l'apaiser, le rassurer. *Hé là! doucement... Là, là, calmez-vous, s'il vous plaît!* — REM. Au XVIIe s., *là,* dans cet emploi, s'écrivait souvent sans accent grave (par ex., dans les premières éditions de Molière). Telle est l'orthographe préconisée par Furetière et par l'Académie (de la deuxième à la sixième édition de son Dictionnaire).

63 La, la, tout doux... Eh la, eh la!... La, la, mon petit ami, apaisez-vous un peu.
MOLIÈRE, le Malade imaginaire, I, 6 *(passim).*

64 *(Il)* s'arrêta doucement : — Là! là! dit-il, tout beau (...)
René BOYLESVE, l'Enfant à la balustrade, I, III.

♦ **2.** Fam. Pour reprendre un terme que l'on vient d'exprimer. *Il fait un froid, mais là, un froid du diable! «Avez-vous de l'amour pour elle, là, ce que l'on appelle de l'amour...?»* (Marivaux).

65 (...) l'horreur du mercredi, jour de la leçon de géométrie, à quoi il ne pouvait rien, mais alors là, rien comprendre. ARAGON, les Beaux Quartiers, I, IX.

CONTR. Ici; ailleurs, part (autre part).
COMP. Cela, delà, voilà.
HOM. 1. **La,** 2. **la,** 3. **la, lacs.**

LABADENS [labadɛ̃s] n. m. — 1857; nom d'un maître de pension, dans une pièce de Labiche.

♦ Rare et vieilli. Camarade de collège, de pension.

REM. Le mot est rare, mais s'est encore employé au XXe s.

(...) mon père, qui faisait une cure à Vittel (...) demanda conseil à deux anciens ministres qu'il rencontrait à la buvette de la Source, mon labadens André Tardieu et le ridicule Georges Leygues.
Francis JOURDAIN, Sans remords ni rancune, p. 93.

LABARUM [labaʀɔm] n. m. — 1556; mot lat. d'orig. obscure.

♦ Hist. Étendard* romain sur lequel Constantin fit placer la croix et le monogramme de Jésus-Christ avec l'inscription «In hoc signo vinces» (par ce signe tu vaincras).

LÀ-BAS [labɑ] loc. adv. ⇒ Là, I., D., 2.

LABBE [lab] n. m. — Av. 1788, Buffon; du suédois *labbe* «sorte de mouette».

♦ ⇒ **Stercoraire.**

Pencroff reconnut plusieurs labbes, sortes de goélands auxquels on donne quelquefois le nom de stercoraires (...) J. VERNE, l'Île mystérieuse, t. I, p. 38.

LABDANUM [labdanɔm] n. m — 1732; var. de *ladanum**, v. 1300, dont une autre altération est *laudanum**; lat. *ladanum.*

♦ Ladanum* (résine). — Parfum ambré extrait de cette résine.

Le labdanum est une résine exsudant naturellement des rameaux et des feuilles de diverses espèces appartenant au genre *Cistus* (...) Le labdanum se présente en pains gluants et noirâtres ou en bâtons plus durs, possédant une odeur balsamique très suave. Charles BOURGEOIS, Chimie de la beauté, p. 27.

LABEL [labɛl] n. m. — 1899, *in* Höfler; mot angl., «étiquette», lui-même empr. à l'anc. franç. *label,* var. de *lambeau.*

Anglicisme.

♦ **1.** (1906). Marque apposée sur un produit pour certifier qu'il a été fabriqué dans les conditions de travail et de salaire fixées par le syndicat ou l'association propriétaire de la marque.

Les syndicats peuvent déposer leurs marques ou labels (...) 1
Ces marques ou labels peuvent être apposés sur tout produit ou objet de commerce pour en certifier l'origine et les conditions de fabrication. Ils peuvent être utilisés par tous les individus ou entreprises mettant en vente ces produits.
Code du travail, Livre III, art. 20.

Le carton s'ornait seulement d'un encadrement rouge, de la marque «L'Indispensable» inscrite en capitales tout en haut, et du label au centre de la roue dont les couteaux constituaient les rayons. A. ROBBE-GRILLET, le Voyeur, p. 55. 2

♦ **2.** (1938). Marque qui garantit l'origine ou la qualité d'un produit. *Label d'exportation.*

(...) chaque label doit faire l'objet d'un *règlement* précisant les normes et spécifications des produits, les conditions de contrôle de la production, les modalités de remboursement du client en cas de non-conformité aux normes et ce règlement devra recevoir l'agrément ministériel; ce texte met fin aux abus de certaines entreprises qui se réclamaient de pseudo-labels de garantie dépourvus de sérieux et déposés pour les besoins de la cause. 3
Jean-Michel WAGRET, Brevets d'invention et Propriété industrielle, p. 96-97.

Fig. Signe servant de caution pour des raisons publicitaires, politiques, etc. *Le punk, «promu "label", permet de faire vendre les disques de groupes inconnus»* (*l'Écho des savanes,* n° 34, 1977).

♦ **3.** Régional (Canada). Étiquette. *Cognac X label rouge.*

HOM. Labelle.

LABELLE [labɛl] n. m. — 1815, *in* T.L.F.; lat. *labellum* «petite lèvre».

Didactique.

♦ **1.** Pétale inférieur de la corolle des orchidées.

Large, étalée en une lèvre inférieure rose et pourpre, elle *(la pièce florale)* reçoit le nom de labelle. L. PLANTEFOL, Botanique et Biologie végétale, *in* T. L. F.

♦ **2.** Bord renversé de certains coquillages.

♦ **3.** (1910). Pièce buccale articulée à l'extrémité du labium des insectes.

HOM. Label.

LABEUR [labœʀ] n. m. — V. 1120, *labu;* lat. *labor* «effort, fatigue». → Labour.

♦ **1.** (V. 1120). Littér. ou régional. Travail pénible et soutenu. ⇒ **Besogne, travail.** *Un dur, un pénible labeur* (→ Travail de forçat*). *Un patient labeur* (→ Aveugle, cit. 17). *Labeur assidu, incessant. Façonner qqch. par un long labeur :* élaborer* (→ Élaboration, cit. 3). *Labeur ingrat* (→ Confiner, cit. 9; fer, cit. 7). *S'atteler* à un labeur ingrat, difficile. Qui demande un dur labeur.* ⇒ **Laborieux.** *Vivre de son labeur.* → Ne vivre que de ses bras*. *Recueillir le fruit* (cit. 36, La Fontaine) *de son labeur. Bêtes* (cit. 10) *de labeur,* qui servent aux travaux de la terre.

Rien çà-bas *(ici-bas)* qui ne soit par naturel devoir, 1
Esclave de labeur : non seulement nous hommes,
Qui vrais enfants de peine et de misère sommes,
Mais le Soleil, la Lune et les Astres des Cieux
Font avecques (avec) travail leur tour laborieux.
RONSARD, Second livre des Hymnes, «De la mort».

Rien qui fasse diversion à ce labeur affolant. Point de jeux, point d'amis. 2
R. ROLLAND, Jean-Christophe, Le matin, p. 143.

Si chaque homme, cependant, savait ce que signifie une journée de labeur à la chaîne, puis une semaine de journées implacablement pareilles, puis un mois de jours identiques, un an enfin, il serait plus aisé de faire comprendre à quel point il est indispensable de mettre ceux qui peuvent dépasser ce stade inférieur en mesure de le dépasser. DANIEL-ROPS, Ce qui meurt et ce qui naît, p. 153. 3

REM. Dans son emploi général, le mot ne s'utilise que dans un contexte noble et dans le ton littéraire, soutenu. — Son emploi comme synonyme de *travail* est au contraire populaire.

4 Avec eux, c'était labeur, labeur. Et midi *(rien à faire)* pour sortir le soir. Dans un sens ils avaient pas tort. M. AYMÉ, le Passe-muraille, p. 262.

♦ **2.** (1730). Imprim. *Le labeur* (singulier collectif; jamais avec l'article indéfini) : les ouvrages d'une certaine importance et de longue haleine, par oppos. aux travaux de ville, dits *bibelots* ou *bilboquets. Cette imprimerie ne fait que le labeur* (Académie). *Imprimeur de labeur* (⇒ **Labeurier**).

Par métonymie. *Le labeur* : l'ensemble des entreprises d'imprimerie spécialisées dans le labeur, la branche labeur de l'imprimerie. *La presse et le labeur. Les syndicats du labeur.*

DÉR. Labeurier.

LABEURIER [labœʀje] n. m. — 1874; de *labeur.*

♦ Techn. (imprim.). Ouvrier spécialisé dans la composition du labeur*. — Imprimeur de labeur.

LABFERMENT [lapfɛʀmɑ̃] n. m. — 1949; *lab-ferment,* 1905, in *Rev. gén. des sc.*, nº 1, p. 5; de l'all. *Lab* «présure», et *ferment.*

♦ Chim. Ferment de la présure* qui coagule le lait.

LABIACÉES [labjase] n. f. pl. ⇒ Labié.

LABIAL, ALE, AUX [labjal, o] adj. — 1753; au sens 2, 1580; dér. sav. du lat. *labium* «lèvre».

♦ **1.** Relatif aux lèvres. *Muscle labial. Mouvement labial.*

1 Ce susurrement continu et menu, coupé par intervalles, de soupirs, ce murmure labial, — si impressionnant dans les ténèbres d'une église muette, — n'était troublé par rien (...) BARBEY D'AUREVILLY, les Diaboliques, «À un dîner d'athées».

♦ **2.** (1580, *in* T.L.F.). Phonét. *Consonne* labiale,* et, n. f. (1857, *Année sc. et industr.* 1858, p. 249), *une labiale* : consonne qui s'articule essentiellement avec les lèvres. B, P, M *sont des labiales* (→ Articuler, cit. 10). — *Voyelle labiale,* prononcée en arrondissant les lèvres comme dans O et U. ⇒ **Arrondi** (2.).

2 L'obstruction complète des occlusives *p, b* et de la nasale *m* est obtenue en pressant les lèvres l'une contre l'autre, d'où leur nom de bilabiales, qui vient du latin *labia* «lèvre». Pour les fricatives *f, v,* la lèvre inférieure est rapprochée du tranchant des incisives supérieures, d'où leur nom de labiodentales. Le terme «labial» recouvre les bilabiales et les labiodentales. François DELL, les Règles et les Sons, p. 64.

♦ **3.** Zool. Relatif au labium. *Palpe labial.*

DÉR. Labialiser.
COMP. Apico-labial.

LABIALISATION [labjalizɑsjɔ̃] n. f. — 1904; de *labialiser,* et *-ation.*

♦ Phonét. Action de labialiser, de se labialiser. ⇒ **Arrondissement** (2.). *La labialisation du* é *de «gémeau» en* u *au contact du* m *a donné «jumeau».* — Défaut de prononciation qui consiste dans la labialisation des consonnes.

LABIALISER [labjalize] v. tr. — 1846, Bescherelle, *Suppl.;* de *labial,* et *-iser.*

♦ Phonét. Prononcer en donnant une valeur labiale. — Pron. Devenir labial. *Consonne qui se labialise.* — Au p. p. *Consonne labialisée.*

DÉR. Labialisation.

LABIATACÉES [labjatase] n. f. pl. ⇒ Labié.

LABIATIFLORE [labjatiflɔʀ] adj. — 1828; comp. sav. du lat. *labium* «lèvre» (→ Labial), et *-flore.*

♦ Bot. Se dit des fleurs composées dont les fleurons sont labiés, et des plantes qui portent ces fleurs.

LABIDONTE [labidɔ̃t] adj. — 1951; du lat. *labium* «lèvre», et *-(o)donte.*

♦ Didact. (anat.). Dont les mâchoires (comme les lèvres) sont dans le prolongement l'une de l'autre.

(...) l'homme actuel est psalidodonte, c'est-à-dire que ses dents supérieures forment ciseaux avec les dents inférieures, à l'inverse des hommes de la préhistoire et de certains animaux à nourriture unique, qui sont labidontes (dents bout à bout). Paul-Louis ROUSSEAU, les Dents, p. 11.

LABIÉ, ÉE [labje] adj. — 1694; dér. sav. du lat. *labium* «lèvre».

♦ **1.** Adj. (1718). Bot. Se dit d'une fleur dont la corolle présente deux lobes en forme de lèvres, et, par ext., de la plante qui porte ces fleurs. *Plantes labiées.*

♦ **2.** N. f. pl. (1783). Bot. LABIÉES, LABIACÉES ou LABIATACÉES : famille de plantes phanérogames angiospermes, classe des dicotylédones gamopétales, comprenant des herbes, quelquefois des sous-arbrisseaux et des arbustes à tige quadrangulaire, à feuilles odorantes et à fleurs bilabiées. *Les labiées croissent en toutes régions et surtout dans les régions tempérées. Types principaux de labiées :* agripaume, ballote, basilic, bétoine, brunelle, bugle, calament, coléus, crapaudine, dracocéphale, épiaire, galéopsis, germandrée, gléchome, hormin ou horminelle, hysope, lamier, lavande, lycope, marjolaine, marrube, menthe, mélisse, mélitte, micromérie, molucelle, monarde, népète, origan, phlomis, plectranthus, pogostémon (patchouli), preslie, romarin, sarriette, sauge, scutellaire, serpolet, stachys (crosne), thym, verveine.

Harbert découvrit, vers l'angle sud-ouest du lagon, une garenne naturelle, sorte de prairie légèrement humide, recouverte de saules et d'herbes aromatiques qui parfumaient l'air, telles que thym, serpolet, basilic, sarriette, toutes espèces odorantes de la famille des labiées, dont les lapins se montrent si friands. J. VERNE, l'Île mystérieuse, t. I, p. 253.

Au sing. *Une labiée.*

♦ **3.** (1899). Didact. (zool.). En forme de lèvre.

COMP. Bilabié.

LABILE [labil] adj. — V. 1457, au sens 2; bas lat. *labilis,* de *labi* «glisser, tomber».

Didactique.

♦ **1.** (1840). Bot. Qui est sujet à tomber, à changer. *Pétales labiles. Gènes labiles* (→ Mutable). *Vitamine labile,* peu stable.

(1840). Biol. *Cellules labiles,* qui se renouvellent durant toute la vie de l'organisme.

♦ **2.** Fig. Qui est sujet à faillir, à changer. *Mémoire* labile,* défectueuse, sujette aux éclipses.

(...) si bien que le goût ne se publie point, qu'il ne souffre pas la recette et que, même éclatant aux yeux, même reconnu de tous, il demeure encore, entre toutes les qualités d'une œuvre humaine, la plus brillamment labile. G. DUHAMEL, le Temps de la recherche, VII. 1

Didact. Qui s'efface, peut disparaître.

Spécialt, psychanalyse :

(Dans la psychanalyse des psychoses) le transfert des conflits infantiles est possible mais il est labile; le patient réagit aux frustrations en se retirant de la réalité et par conséquent du transfert. Daniel LAGACHE, la Psychanalyse, p. 99. 2

CONTR. Fixe, permanent.
DÉR. Labilité.

LABILITÉ [labilite] n. f. — 1904, in *Rev. gén. des sc.*, nº 5, p. 247; cf. *labileté,* en moy. franç., 1527, Marot, au fig.; de *labile,* et *-ité.*

♦ Didact. Caractère de ce qui est labile. *La labilité d'un caractère, d'une structure...* — Instabilité du caractère. «*Troisième composante : la labilité du criminel. C'est-à-dire que ce dernier possède une personnalité fragile, en équilibre instable, prête à basculer à la moindre secousse*» (*Sciences et Avenir,* nº 16, p. 9).

LABIODENTAL, ALE, AUX [labjodɑ̃tal, o] adj. et n. f. — 1909; comp. sav. du lat. *labium,* et de *dental.*

♦ Phonét. *Consonne labiodentale,* ou, n. f., *une labiodentale* : consonne qui s'articule par l'action combinée de la lèvre inférieure et des dents de la mâchoire supérieure. [f] *et* [v] *sont des fricatives labiodentales* (→ Labial, cit. 2).

Les occlusives naissaient sur cette barrière de chair, les labio-dentales y étaient prononcées doucement, avec un léger chuintement d'air. J.-M. G. LE CLÉZIO, la Fièvre, p. 51.

REM. La graphie *labio-dental* est plus ancienne.

LABIO-VÉLAIRE [labjovelɛʀ] adj. et n. f. — 1908, *Larousse mensuel;* comp. sav. du lat. *labium* (→ Labiodental), et *vélaire.*

Didactique (phonétique).

♦ **1.** Adj. Se dit d'une consonne comportant deux occlusions quasi simultanées, l'une au niveau des lèvres, l'autre au niveau du voile du palais. Ex. : [kp]. *Une consonne labio-vélaire.*

♦ **2.** N. f. *Une labio-vélaire* : une consonne labio-vélaire.

REM. On écrit aussi *labiovélaire.*

LABIUM [labjɔm] n. m. — XXᵉ; mot lat., «lèvre». → Labial.

♦ Zool. Pièce inférieure de l'appareil buccal des insectes. ⇒ **Labre** (pièce supérieure). *Labium muni de palpes, prolongé par un labelle* (3.). *Labium en gouttière des insectes piqueurs.*

DÉR. (Du lat. *labium*) **Labial.**

LABO [labo] n. m. — 1894, *in* D. D. L.; abrév. de *laboratoire.*

♦ Fam. ⇒ **Laboratoire.** *Il fait une expérience dans le labo. Des labos. Apprendre l'anglais dans un labo de langues.*

LABORANTIN, INE [labɔʀɑ̃tɛ̃, in] n. — V. 1918, d'abord au fém.; all. *Laborantin,* fém. de *Laborant,* du lat. *laborare* «travailler».

♦ Personne qui remplit dans un laboratoire des fonctions d'aide, d'auxiliaire, d'assistant. ⇒ **Garçon (de laboratoire), préparateur.**

1 Je suis retourné dans le grand laboratoire. J'ai travaillé avec Mme Houdoire, cette jeune femme (...) qui remplit ici des fonctions de laborantine, comme dit Sternovitch (...) Elle s'occupe des cultures et des étuves, elle prend la température des animaux, fait parfois des piqûres, tient les registres.
G. DUHAMEL, Chronique des Pasquier (1937), VI, VIII.

2 Centre Hospitalier cherche laborantins(ines) si possible polyvalents, pour assurer garde de nuit par roulements.
J.-M. G. LE CLÉZIO, le Déluge, II, p. 82. — Texte d'une offre d'emploi dans les Annonces d'un journal.

LABORATOIRE [labɔʀatwaʀ] n. m. — 1620 (dans une pharmacie); du supin du lat. *laborare* «travailler».

★ **I.** ♦ **1.** (1671). Local spécialement aménagé pour faire des expériences, des recherches, des préparations scientifiques. Abrév. fam. : *labo. Laboratoire bien installé, muni de tous les agencements* (cit. 5) *modernes. Appareils*, instruments* de laboratoire* (les instruments de chimie, de physique sont indiqués sous ces mots). *Laboratoire d'essais, d'études, d'analyses. Laboratoire de chimie, de physique, de biologie, de médecine. Laboratoire d'usine, d'hôpital, d'école. Homme de laboratoire. Chercheurs des laboratoires* (→ Génie, cit. 46). *Chef de laboratoire; assistant* (cit. 5), *garçon* (cit. 20) *de laboratoire.* ⇒ **Laborantin, préparateur.** *Animaux de laboratoire, destinés aux expériences.* ⇒ **Animalerie** (1.), **animalier** (2.). → Inoculation, cit. 3. *Produit de laboratoire, fait en laboratoire,* par oppos. à *produit industriel.*

1 Laboratoires et découvertes sont des termes corrélatifs. Supprimez les laboratoires, les sciences physiques deviendront l'image de la stérilité et de la mort.
PASTEUR, cité par Henri MONDOR, Pasteur, V.

2 On entretenait, au laboratoire de la rue d'Ulm, le microbe du choléra des poules en ensemençant chaque jour sur milieu stérile une goutte de la culture de la veille. Les cultures successives que l'on obtenait étaient très virulentes et tuaient en vingt-quatre heures les poules inoculées. Henri MONDOR, Pasteur, VIII.

3 (...) l'Amérique leur offrait, surtout, de beaux laboratoires et toutes les chances temporelles d'un travail fécond. G. DUHAMEL, la Pesée des âmes, VIII.

4 J'ai pratiqué l'incision des bubons. J'ai pu ainsi provoquer des analyses où le laboratoire croit reconnaître le bacille trapu de la peste. CAMUS, la Peste, p. 61.

5 (...) ce réduit qualifié laboratoire, parce que mon père y manipulait de petites bouteilles. G. DUHAMEL, Chronique des Pasquier, III, VI.

(1620). Par ext. Arrière-boutique où les pharmaciens, les confiseurs... préparent leurs produits. ⇒ **Atelier, officine.**

6 — Je cours, dit l'apothicaire, chercher dans mon laboratoire un peu de vinaigre aromatique. FLAUBERT, Mme Bovary, II, XIII.

(XXe). Par ext. Entreprise fabriquant des produits pharmaceutiques. *Laboratoire pharmaceutique.*

Fig. Lieu où se prépare, s'élabore quelque chose (→ Essai, cit. 1).

7 Il y a des lieux qui semblent être le laboratoire des factions (...)
CHATEAUBRIAND, Mémoires d'outre-tombe, t. II, p. 15.

8 Toute la matière législative et administrative passait par ses mains; il était le laboratoire des lois, des décrets, des sénatus-consultes (...)
Louis MADELIN, Hist. du Consulat et de l'Empire, Vers l'Empire d'Occident, IV.

9 Dans cette sorte de laboratoire, qu'est une classe de jeunes comédiens (...)
Louis JOUVET, Réflexions du comédien, p. 57.

♦ **2.** *Laboratoire de langues :* salle comprenant des cabines où les élèves peuvent pratiquer oralement une langue étrangère à l'aide d'un magnétophone qui leur permet d'enregistrer leurs paroles et de les comparer à celles du maître.

♦ **3.** (En composition, comme deuxième élément). Où l'on fait des recherches, des essais. *Ferme-laboratoire. Usine-laboratoire.* «*Théâtre-laboratoire*» (*le Monde, in* P. Gilbert). *Bouée*-laboratoire.*

★ **II.** (1757). Techn. Partie d'un fourneau à réverbère où l'on met la matière à fondre.

LABORIEUSEMENT [labɔʀjøzmɑ̃] adv. — 1489; *laboureusement,* v. 1370, Oresme; de *laborieux,* et *-ment.*

♦ **1.** D'une manière laborieuse, avec travail et peine. *Faire laborieusement la tâche qu'on s'est proposée* (→ Creuser son sillon*).

Je travaille assez peu, étant fort épuisé et très envahi par cette vie d'ici : je pousse laborieusement mon 2d volume, inquiet de ne pas m'en tirer plus lestement.
SAINTE-BEUVE, Correspondance, 1215, 8 juin 1841.

♦ **2.** Avec difficulté, avec peine. ⇒ **Péniblement.** *Des manières laborieusement conquises* (→ Inné, cit. 1).

♦ **3.** Péj. D'une manière qui manque de spontanéité, de facilité. *Un livre laborieusement écrit.* ⇒ **Lourdement.**

CONTR. **Facilement; paresseusement.**

LABORIEUX, EUSE [labɔʀjø, øz] adj. — V. 1200, «consacré au travail»; lat. *laboriosus* «qui demande du travail», de *labor.* → Labeur.

♦ **1.** (V. 1200). Vieilli ou littér. (l'épithète peut être antéposé). Qui coûte beaucoup de peine, de travail, d'efforts, de fatigues. ⇒ **Difficile, fatigant, pénible.** *Une entreprise laborieuse. Des recherches, des solutions laborieuses. Assimilation* (cit. 8) *lente et laborieuse. Accouchement* (→ Forceps, cit.), *enfantement laborieux* (→ Enfantement, cit. 4, fig.).

Rien de plus laborieux que le passage d'une conception abstraite à une œuvre effective. LITTRÉ, Dict., Préface (→ Exécution, cit. 12). 1

Mon intention était d'entrer au château, comme à l'ordinaire; mais un accouchement très laborieux d'une femme de la campagne m'avait retenu fort tard (...) 2
BARBEY D'AUREVILLY, les Diaboliques, «Le bonheur dans le crime».

Seulement l'attitude de la Prusse détruisait ce laborieux échafaudage que l'Empereur construisait, à Paris, en vue d'une paix générale. 3
Louis MADELIN, Hist. du Consulat et de l'Empire, Vers l'Empire d'Occident, XIII.

L'odeur du laboratoire le ranima. Il était alors aux prises avec une analyse laborieuse dont les péripéties le passionnaient fort. G. DUHAMEL, Salavin, III, XXVI. 4

♦ **2.** (V. 1370). En parlant des personnes. Qui travaille beaucoup. ⇒ **Actif, diligent, travailleur.** *Les hommes économes et laborieux* (→ Inégalité, cit. 4). *Un artisan laborieux. Érudit* (cit. 6) *laborieux; poète exact et laborieux* (→ Facile, cit. 12). *Patient* et laborieux* (→ Burineur, cit.). *Une génération laborieuse et tenace* (→ Économe, cit. 4). *Ville laborieuse* (→ Faubourg, cit. 2; généraliser, cit. 9). — Par ext. *Vie laborieuse :* vie de travail (→ Engendrer, cit. 5; évangile, cit. 3; faire, cit. 129).

C'est que, pas plus que ce n'est le désir de devenir célèbre, mais l'habitude d'être laborieux, qui nous permet de produire une œuvre (...) 5
PROUST, À la recherche du temps perdu, t. V, p. 63.

Quatre ou cinq mois d'un travail assidu (...) sous la direction d'un professeur avisé, laborieux (...) J. GREEN, Léviathan, I, V. 6

Loc. cour. *Les masses, les classes laborieuses,* qui n'ont pour vivre que leur travail. ⇒ **Travailleur** (→ Fraternité, cit. 10).

♦ **3.** Mod. Péj. Dans lequel on sent l'effort. ⇒ **Lourd.** *Un style laborieux. Des déclarations laborieuses et embarrassées.*

CONTR. **Aisé, facile. — Fainéant, inactif, oisif, paresseux.**
DÉR. **Laborieusement.**

LABOULBÉNIACÉES [labulbenjase] n. f. pl. — 1897, *l'Année biol.*; du botaniste *Laboulbène,* et suff. *-acées.*

♦ Bot. Famille de champignons parasites des insectes, dont le type est le *Laboulbénia* (genre décrit par Montagne et Charles Robin en 1853).

LABOUR [labuʀ] n. m. — V. 1180; déverbal de *labourer.*

♦ **1.** Travail de labourage, façon donnée à une terre pour la retourner et l'ameublir*. ⇒ **Façon; labourage, labourer.** *Le labour consiste à enfouir les couches superficielles avec ce qui les recouvre* (végétation, engrais) *et à ramener en surface les couches profondes, en découpant dans le sol des mottes, des bandes de terre qu'on retourne. Outils, instruments de labour.* ⇒ **Agricole** (outillage). *Labour à bras* (à la bêche, à la houe). *Labour à la charrue*. Labours superficiels ou légers,* dits *pseudo-labours* (⇒ **Cultivateur, herse, scarificateur**). *Labours ordinaires,* avec des charrues tirées par un attelage ou un tracteur. *Labours profonds. Labours à grande profondeur, avec une charrue défonceuse* (⇒ **Défoncement**). *Labours de défoncement, de défrichement, de jachère, de déchaumage, d'enfouissement... Bandes de terre parallèles faites par le labour* (⇒ **Raie, rayon, sillon; dérayure, enrayure**). *Labour en billons*, en planches, à plat. Écobuer*, fumer une terre avant le labour. Briser, effriter* les mottes après le labour.* ⇒ **Hersage, roulage.** *Labour d'automne* (→ Fumer, cit. 15), *d'hiver* (⇒ **Hivernage, parage**), *de printemps. Donner un labour préparatoire à une terre; donner deux, trois, quatre labours* (⇒ **Quartager, retercer; retroussage**). *Champ en labour* (→ Alterner, cit. 2; enfoncer, cit. 19). — *De labour. Bœuf, cheval de labour* (→ Chaîne, cit. 12; cheviller, cit. 2).

À aucune époque, quand il s'était loué chez les autres, il n'avait fouillé la terre d'un labour si profond : elle était à lui, il voulait la pénétrer, la féconder jusqu'au ventre. Le soir, il rentrait épuisé, avec sa charrue dont le soc luisait comme de l'argent. ZOLA, la Terre, III, I. 1

Un, les labours : la période où l'on laboure. — Par compar. ou par métaphore littéraire :

1.1 C'était comme en labour de terre difficile
L'instant nu, déchiré
Où l'on sent que le fer trouve le cœur de l'ombre
Et invente la mort sous un ciel qui change.
Yves BONNEFOY, Poèmes, « Le feuillage éclairé », II, Mercure de France, 1978, p. 132.

♦ **2.** (V. 1180). Par métonymie. Terre labourée. ⇒ **Guéret.** *Labours prêts à être ensemencés* (→ Fumer, cit. 1). *Semeur dans ses labours.*

2 Sous le ciel vaste, un ciel couvert de la fin d'octobre, dix lieues de culture étalaient en cette saison les terres nues, jaunes et fortes, des grands carrés de labour, qui alternaient avec les nappes vertes des luzernes et des trèfles.
ZOLA, la Terre, I, I.

3 Les champs moissonnés, les labours ondulaient avec une souplesse retenue et qui semblait aux yeux une sorte de toucher velouteux.
M. GENEVOIX, Raboliot, I, III.

LABOURABLE [labuʀabl] adj. — 1308; de *labourer,* et *-able.*

♦ Qui peut être labouré. ⇒ **Arable, cultivable** (→ Grain, cit. 8). *Assécher* (cit. 1) *une terre pour la rendre labourable. — Les terres labourables* (s'opposent aux *prairies naturelles,* aux *vergers,* aux *vignes,* aux *jardins*). *La surface des terres labourables dans un pays.*

LABOURAGE [labuʀaʒ] n. m. — Mil. XIIIe, « travail des champs »; de *labourer,* et *-age.*

♦ **1.** (XVIe). Absolt et vx. Le travail de la terre, l'agriculture (*laboureur* a eu le même sens).

1 Labourage et pâturage sont les deux mamelles dont la France est alimentée et les vraies mines et trésors du Pérou.
SULLY, Économies royales, t. III.

2 Lorsque Sully disait l'autre mot célèbre, « labourage et pâturage sont les deux mamelles de la France », il partait de cette idée juste que l'agriculture est la source de notre richesse.
J. BAINVILLE, Hist. de France, X, p. 191.

♦ **2.** (1530). Mod. Le fait de labourer (une terre). ⇒ **Labour;** et aussi **billonnage, binage, défonçage, hersage, roulage;** → Cultiver, cit. 1. *Le labourage d'un champ. Labourage primitif à la houe* (⇒ **Houement**). *Labourage à la charrue**.

3 Le *labourage* consiste dans l'ensemble des opérations effectuées pour faire les labours. On emploie à cet effet les diverses espèces de charrues.
P. POIRÉ, Dict. des sciences, art. *Labourage.*

♦ **3.** (XXe). Sc. Formation de sillons parallèles sur la surface la plus tendre, par contact et frottement de deux surfaces.

LABOURER [labuʀe] v. tr. — XIIIe; *laborer* « travailler, peiner », v. 950; encore dans ce sens au XVIIe (→ cit. 1); « travailler la terre », 1155; du lat. *laborare* « travailler », qui a éliminé *arer.* → Araire, aratoire.

♦ **1.** Vx. Travailler; faire de pénibles efforts, se fatiguer.

1 Je me divertis autant à causer avec vous, que je laboure avec les autres.
Mme DE SÉVIGNÉ, Lettres, 473, 1er déc. 1675.

♦ **2.** (XIIe). Mod. Ouvrir et retourner (la terre) avec un instrument aratoire, outil à main (bêche, binette, houe), ou une charrue*. ⇒ **Cultiver; bêcher,** 3. **billonner, biloquer, biner** (cit. 4), **binoter, creuser, défoncer, écrouler, effondrer, fouiller, gratter, herser, houer, piocher, retourner, scarifier, serfouir, sombrer, soulever; dérayer, endosser.** *Labourer une terre, un champ* (→ 1. Enrayure, cit.; fellah, cit. 1), *une vigne* (→ Façonner, cit. 9), *une jachère.* — Au p. p. *Terre labourée.* ⇒ **Guéret, labour** (→ ci-dessous, cit. 4).

2 Il laboure le champ que labourait son père.
Mme DE RACAN, Douceurs de la retraite.

3 (...) il *(Hulot)* aperçut une femme d'une trentaine d'années, occupée à labourer la terre à la houe, et qui, toute courbée, travaillait avec courage (...)
BALZAC, les Chouans, Pl., t. VII, p. 1020.

4 Au sortir de la forêt, nous nous sommes trouvés dans les terres labourées. Nous emportions beaucoup de notre patrie à la semelle de nos souliers (...)
NERVAL, les Filles du feu, « Angélique », XI.

5 Plus laborieux qu'industrieux, ils labourent encore souvent les terres fortes et profondes de leurs plaines avec la petite charrue du Midi, qui égratigne à peine le sol.
MICHELET, Hist. de France, III, Tableau de la France.

N. m. Régional (Belgique). *Marcher dans un labouré.*

Par métaphore, plais. :

5.1 (...) une cargaison de futilités parisiennes aussi complète qu'il était possible de la faire; et, où, depuis la cravache qui sert à commencer un duel, jusqu'aux beaux pistolets ciselés qui le terminent, se trouvaient tous les instruments aratoires dont se sert un jeune oisif pour labourer la vie.
BALZAC, Eugénie Grandet, éd. 1838, p. 85.

Absolt. *Il est temps de labourer. Labourer avant l'hiver.* ⇒ **Hiverner.** *Labourer avec des bœufs, au tracteur.*

Par ext. *Charrue, socs qui labourent à grande profondeur.*

♦ **3.** (1660, d'une ancre). Par anal. Creuser*, ouvrir (comme le soc de la charrue laboure la terre). ⇒ **Déchirer.** *Ancre* (cit. 1) *qui laboure le fond,* et, absolt, *qui laboure.* ⇒ **Chasser.** *L'étrave d'un brise-glace laboure les ice-fields* (cit. 3). *Un vent violent laboure les flots* (→ Heure, cit. 99). — Au p. p. *Piste labourée par le galop des chevaux.* Fig. *Visage labouré de rides.* ⇒ **Sillonné.**

6 Que ne suis-je insensible? ou que n'est mon visage
De rides labouré (...)
RONSARD, Amours de Marie, XXII.

Animé d'un souffle impétueux, le navire, avec sa quille, comme avec le soc d'une charrue, laboure à grand bruit le champ des mers. 7
CHATEAUBRIAND, Mémoires d'outre-tombe, t. I, p. 260.

J'avais des armes plein ma chambre. Je pris un poignard, et j'en labourai le bras d'Alberte à la saignée. Je massacrai ce bras splendide d'où le sang ne coula même pas. 8
BARBEY D'AUREVILLY, les Diaboliques, « Le rideau cramoisi ».

Pour tromper la faim qui lui labourait l'estomac, il *(Roubaud)* eut l'idée de mettre la table. 9
ZOLA, la Bête humaine, I, p. 4.

Une double ride laboure dans le beau front large un sillon harmonieux. 10
R. ROLLAND, Vie de Tolstoï, p. 98.

Au p. p. adj. Fortement marqué de sillons. — Fig. Ridé.

Un *vrai* Français, avec une face tassée, labourée, ravinée (...) 11
SARTRE, la Mort dans l'âme, p. 33.

Réfl. indirect. *Se labourer le visage avec les ongles en signe de désespoir.* ⇒ **Déchirer, écorcher, égratigner, griffer.**

(...) elle cria longuement, assise sur ce lit, se labourant le front avec ce qui lui restait d'ongles (...) 12
LOTI, Matelot, LIII.

DÉR. Labour, labourable, labourage, laboureur, laboureuse.

LABOUREUR [labuʀœʀ] n. m. — Déb. XIIIe, *loreür* « celui qui travaille »; *laborëur* « celui qui travaille la terre; paysan » → sens 2; de *labourer,* et *-eur.*

♦ **1.** (1530). Celui qui laboure un champ. *Le laboureur et sa charrue* (→ Fer, cit. 9). *Laboureurs, semeurs et herseurs* (cit. 1).

C'étaient des laboureurs, gens de main-d'œuvre, pliés en deux sur le dos de leurs sillons. 1
E. FROMENTIN, Dominique, II.

Le laboureur, fidèle ouvrier de la terre, 2
Penché sur la charrue, ouvre d'un soc profond
Le sein toujours blessé, le sein toujours fécond.
Albert SAMAIN, Aux flancs du vase, Le laboureur.

♦ **2.** Vx ou poét. ⇒ **Agriculteur, cultivateur, paysan** (→ Arbre, cit. 38; faucille, cit. 1). *Marchands, artisans et laboureurs* (→ Approuvé, cit.). *Le laboureur et le pasteur.* ⇒ **Labourage** (et pâturage). → Caserner, cit. 1.

Un riche laboureur, sentant sa mort prochaine, 3
Fit venir ses enfants, leur parla sans témoins.
LA FONTAINE, Fables, V, IX.

En appos. *Soldat laboureur.* « *Le soldat laboureur de l'ancienne Rome* » (Bernanos, *in* T. L. F.).

LABOUREUSE [labuʀøz] n. f. — 1931, Larousse; *laboureur,* n. m., 1611; de *labourer,* et *-euse (-eur).*

♦ Régional. Taupe-grillon (insecte).

1. LABRADOR [labʀadɔʀ] n. m. — 1803; *pierre de Labradǫr,* 1783; de *Labrador,* péninsule au Nord-Est de l'Amérique du Nord.

♦ ⇒ **Labradorite.**

2. LABRADOR [labʀadɔʀ] n. m. — 1900, *in* T. L. F.; de *chien de Labrador* (1867), de *Labrador.*

♦ Chien de chasse, du groupe des retrievers*, à poil ras, servant à chasser le gibier aquatique.

LABRADORITE [labʀadɔʀit] n. f. — 1842; de *Labrador,* région où l'on trouve ce minéral, et *-ite.*

♦ Minér. Feldspath formé de calcium et de sodium (plagioclases). → Feldspath. — REM. On dit aussi *labrador.*

La partie nord du mont Franklin se composait uniquement à sa base de deux vallées (...) accidentées de grosses tumeurs minérales, saupoudrées d'obsidiennes et de labradorites.
J. VERNE, l'Île mystérieuse, t. II, p. 761 (1874).

1. LABRE [labʀ] n. m. — 1797; du lat. sc. *labrus* (1738), de *labrum* « lèvre ».

♦ Poisson acanthoptérygien *(Labridés)* comestible, à dentition double et lèvres épaisses (appelé aussi *vieille, tourd, perroquet* ou *tanche de mer, crahotte, vras*), qui vit dans les eaux peu profondes des côtes rocheuses et se nourrit de crustacés, de mollusques. *La chair du labre est peu estimée.* — REM. Ce nom est employé surtout sur la côte méditerranéenne. Sur les côtes Atlantique et de la Manche, on dit plutôt *vieille.*

HOM. 2. Labre.

2. LABRE [labʀ] n. m. — 1817; lat. *labrum* « lèvre ».

♦ Zool. [a] Lèvre supérieure des insectes (la lèvre inférieure étant le *labium*).

b Chez les Mollusques, Bordure externe de l'ouverture allant de la suture à la base de la columelle.

HOM. 1. **Labre.**

LABRET [labʀɛ] n. m. — D. i. (xxe); mot angl. *labret,* même sens (1857); dér. sav. du lat. *labrum* «lèvre».

♦ Didact. Pièce allongée ou circulaire de matière dure qui, chez certains peuples, est insérée dans la lèvre pour l'agrandir et la déformer. ⇒ **Plateau** (*infra* cit. 2).

Tout nu, peint de rouge, le nez et la lèvre inférieure transpercés de la barrette et du labret, emplumé, l'Indien (...)
Claude Lévi-Strauss, Tristes tropiques, p. 185 (1955).

LABRIT [labʀi] n. m. — xxe; *labry,* 1877; de *Labrit,* n. d'un chef-lieu de canton des Landes.

♦ Chien de berger du Midi de la France qui tient du griffon et du lévrier. *Un labrit des Pyrénées.* — On écrit parfois *labri* (H. Pourrat, *in* T. L. F.).

LABYRINTHE [labiʀɛ̃t] n. m. — 1553, du Bellay, *labyrinth; labarinte,* 1418; lat. *labyrinthus,* du grec *laburinthos.*

★ **I.** ♦ **1.** (1418). Enclos qui enfermait des bois coupés par un réseau inextricable de sentiers, des bâtiments, des galeries aménagées de telle sorte qu'une fois engagé à l'intérieur, on ne pouvait en trouver l'unique issue. *Le labyrinthe de la mythologie fut construit par Dédale sur l'ordre de Minos, roi de Crète, pour y enfermer le Minotaure. Thésée sortit du labyrinthe grâce au fil d'Ariane.*

1 C'est moi, Prince, c'est moi dont l'utile secours
Vous eût du Labyrinthe enseigné les détours.
Racine, Phèdre, ii, 5.

2 (...) nous abordâmes dans l'île. Nous vîmes le fameux labyrinthe, ouvrage des mains de l'ingénieur Dédale, et qui était une imitation du grand labyrinthe que nous avions vu en Égypte.
Fénelon, Télémaque, v.

3 (...) c'est un personnage féroce *(Minos)* qui, au fond de son palais du Labyrinthe, nourrit son monstre domestique, le Minotaure, des jeunes Athéniens qu'il réclame chaque année (...)
Daniel-Rops, le Peuple de la Bible, II, ii.

Labyrinthe d'Égypte : vaste édifice funéraire d'Amenemhat III, construit près de sa pyramide au Fayaum et décrit par Hérodote (aujourd'hui en ruines).

Par métaphore. *Le labyrinthe des choses humaines. Un fil conducteur à travers le labyrinthe des faits. Faire le premier pas dans le labyrinthe de ses confessions* (→ Fangeux, cit. 3, Rousseau). *S'engager dans un labyrinthe de difficultés* (→ Incident, cit. 13).

♦ **2.** (1540). Fig. Complication inextricable. ⇒ **Complication, confusion, enchevêtrement** (→ aussi Écheveau, forêt). *Le labyrinthe de ses pensées. Le labyrinthe des démarches administratives, de la loi. Un labyrinthe de problèmes, de difficultés; d'erreurs, d'incertitudes.*

4 Je m'y trouvai dans un labyrinthe d'embarras, de difficultés (...)
Rousseau, Rêveries..., 3e promenade.

5 (...) le cœur de la femme est un labyrinthe si plein de détours, de faux-fuyants et de recoins obscurs, que les grands poètes eux-mêmes qui s'y sont aventurés, la lampe d'or du génie à la main, n'ont pas toujours su s'y reconnaître, et que personne ne peut se vanter de posséder le peloton conducteur qui mène à la sortie de ce dédale.
Th. Gautier, Fortunio, xv.

6 (...) en instruction criminelle, un bout de fil qui passe vous fait trouver un peloton avec lequel on se promène dans le labyrinthe des consciences les plus ténébreuses (...) Balzac, Splendeurs et Misères des courtisanes, Pl., t. V, p. 1021.

♦ **3.** Par ext. Réseau compliqué (de chemins, de galeries...) dont on a peine à sortir. ⇒ **Dédale, lacis.** *Le labyrinthe compliqué des rues de Venise* (→ Imprévu, cit. 3). *Égaré, fourvoyé* (cit. 2) *dans l'inextricable labyrinthe des ruelles obscures. Le labyrinthe de galeries et de souterrains d'un château* (cit. 1). *Un labyrinthe d'escaliers* (→ Guider, cit. 1).

7 C'est une montée inimaginable à travers un labyrinthe de ruelles, emmêlées, tortueuses, entre les murs sans fenêtres des maisons mauresques.
Maupassant, la Vie errante, D'Alger à Tunis, i.

8 Il aimait (...) tout le labyrinthe de couloirs, de cabinets secrets, de salons, de vestiaires, de garde-manger, de galeries qu'était l'hôtel de Balbec.
Proust, À la recherche du temps perdu, t. IX, p. 311.

9 (...) il (...) descendit à travers le labyrinthe des souks.
G. Duhamel, Salavin, VI, xv.

♦ **4.** (1677). Dans un parc, un jardin, Petit bois coupé d'allées entrelacées.

10 Ce n'était pas, comme on le pense bien, un jardin anglais, mais un antique jardin à la mode française, qui en vaut bien une autre (...) de jolies statues d'espace en espace, et, dans le fond, un labyrinthe en charmille. Margot regardait le labyrinthe, dont la sombre entrée la faisait rêver.
A. de Musset, Nouvelles, Margot, iii.

11 Il y avait aussi un ancien labyrinthe aux haies de buis, mangé des herbes folles, mais encore reconnaissable. On avait taillé deux poteaux de pierre pour en marquer l'entrée (...) H. Bosco, Un rameau de la nuit, p. 152.

Labyrinthe optique, ou *labyrinthe de glaces :* série de miroirs enchevêtrés formant des allées entrelacées. — *Un labyrinthe cloisonné de glaces.* → Miroir, cit. 4.1.

♦ **5.** (1852). Archit. Dallage en méandres d'un pavement d'église, que les fidèles suivaient à genoux. Syn. : *chemin de Jérusalem. Le labyrinthe de la cathédrale de Chartres.*

♦ **6.** Techn. Entrecroisement des galeries d'une carrière depuis longtemps exploité. — Carrelage* à carreaux entremêlés.

♦ **7.** Suite complexe de lignes, de traits, figurant un labyrinthe (I., 1.). *Test du labyrinthe.*

★ **II.** (1690). Anat. Ensemble des cavités sinueuses de l'oreille interne. ⇒ **Oreille** (→ Exercer, cit. 4).

Aussi leur ensemble *(des compartiments)* est-il désigné sous le nom d'*oreille interne,* à cause de leur position profonde dans l'intérieur de l'os, ou encore de *labyrinthe,* à cause de leur complication relative. Cette oreille interne comprend donc trois parties distinctes : 1° le *vestibule* (...); 2° les *canaux demi-circulaires;* 3° le *limaçon.* A. Pizon, Anatomie et Physiologie humaines, p. 228. 12

DÉR. **Labyrinthé, labyrinthique, labyrinthite.**

COMP. **Labyrinthiforme, labyrinthodonte.**

LABYRINTHÉ, ÉE [labiʀɛ̃te] adj. — Déb. xixe, Chateaubriand, au fig.; de *labyrinthe.*

♦ Littér. En forme de labyrinthe. *Un pavement labyrinthé.*

LABYRINTHIFORME [labiʀɛ̃tifɔʀm] adj. — 1893; de *labyrinthe.*

♦ Didact. En forme de labyrinthe.

LABYRINTHIQUE [labiʀɛ̃tik] adj. — 1549 (abstrait); de *labyrinthe,* et *-ique* ou du bas lat. *labyrinthicus.*
Didactique.

♦ **1.** Qui appartient à un labyrinthe, inextricable comme un labyrinthe. — On dit aussi dans ce sens *labyrinthien, ienne :*

(...) un jardin merveilleux plein de fortes senteurs et d'allées labyrinthiennes. 1
J. Green, Léviathan, I, xiii.

(Abstrait). D'une complexité inextricable (littér.).

Il suffit de suivre à la trace, peu de temps, les parcours répétés des mots pour apercevoir, en une sorte de vision, la construction labyrinthique de l'être. 2
Georges Bataille, l'Expérience intérieure, p. 109.

♦ **2.** (1814). Anat., méd. Du labyrinthe, de l'oreille interne. *Nerf labyrinthique. Syndrome labyrinthique.*

LABYRINTHITE [labiʀɛ̃tit] n. f. — 1912, *in* D. D. L.; de *labyrinthe,* et *-ite.*

♦ Méd. Inflammation du labyrinthe de l'oreille interne, le plus souvent par complication d'une otite de l'oreille moyenne.

LABYRINTHODONTE [labiʀɛ̃tɔdɔ̃t] n. m. — 1873; de *labyrinthe,* et *-odonte* (grec *odontos*) «dent», proprt «dents en labyrinthe».

♦ Paléont. Grand batracien fossile du trias, caractérisé par la structure compliquée des dents. — On trouve parfois la var. *labyrinthodon* [labiʀɛ̃tɔdɔ̃], n. m.

LAC [lak] n. m. — V. 1175; «fosse», première moitié xiie; lat. *lacus* «cuve, réservoir»; aussi «étang»; «fosse» en lat. chrétien.

♦ **1.** Grande nappe naturelle d'eau douce ou (plus rarement) salée, à l'intérieur des terres. ⇒ **Étang, mer** (mer fermée); **lacustre.** *Lac* (ou mer) *d'Aral. On peut se demander si on a affaire à une mer* (cit. 6) *ou à un lac. Le lac Baïkal. Les Grands Lacs canadiens. Le lac Léman ou lac de Genève. Le lac du Bourget, le lac d'Annecy. Lac de cratère, lac de cirque. Petit lac d'eau de mer.* ⇒ **Lagon.** *Lac salé en partie desséché. Lac asphaltique*.* ⇒ **Chott.** *Lac d'Écosse.* ⇒ **Loch.** *Lacs des Alpes et du Jura, encaissés dans les montagnes* (→ Encaissement, cit. 2; fermer, cit. 24). *Grau* faisant communiquer un petit lac avec la mer. — Transparence, limpidité d'un lac* (→ Candide, cit. 3). *Eaux dormantes, bleues ou grises* (cit. 23) *d'un lac. Petite marée d'un lac.* ⇒ **Seiche.** — (En parlant de l'eau d'un lac, de sa surface). *Lac qui brille* (cit. 3) *sous le soleil. «Le cristal azuré du lac»* (Rousseau, *Julie...,* ii, 17). — *Promenade en bateau sur un lac* (→ Esquif, cit. 1; guide, cit. 1). *Naviguer sur un lac. Se baigner dans un lac. Les cygnes* (cit. 4) *d'un lac. Lac poissonneux*. Végétation flottante d'un lac. Bords, grève* (cit. 1), *rivage d'un lac. Île* (cit. 1) *au milieu d'un lac. Village bâti sur un lac.* ⇒ **Lacustre.** *Assécher, combler* un lac. Le Lac,* poème de Lamartine.

Ô lac, l'année à peine a fini sa carrière (...) 1
Lamartine, Premières méditations, «Le lac» (→ Flot, cit. 2).

Qui de nous, Lamartine, et de notre jeunesse, 2
Ne sait par cœur ce chant, des amants adoré,
Qu'un soir, au bord d'un lac, tu nous as soupiré?
A. de Musset, Lettre à Lamartine.

Cependant, la route était nettement tracée. Ici, elle s'allongeait directement entre l'épais fourré des plantes marécageuses; là, elle contournait les rives sinueuses de vastes étangs, dont quelques-uns, mesurant plusieurs verstes de longueur et de largeur, ont mérité le nom de lacs. 2.1
J. Verne, Michel Strogoff, p. 218.

3 Dans Aix, sur les coteaux pleins de ruisseaux errants,
De quoi souffriez-vous, mon tendre Lamartine?
J'ai vu votre beau lac farouche, étroit, grondant (...)
Csse DE NOAILLES, les Forces éternelles, « Poètes romantiques ».

4 Les lacs sont *alimentés* soit par des *affluents, tributaires* superficiels, soit par afflux d'eau souterraine. Si le lac a un *émissaire*, son *eau* est ordinairement *douce*. L'écoulement se fait : soit par un *déversoir ;* le lac est alors *ouvert ;* — soit par voie souterraine. Certains lacs reçoivent une partie du débit des rivières à la crue, et la restituent à la décrue *(lacs de trop-plein)*.
BAULIG, Voc. de géomorphologie, 177.

Ellipt. *Le lac* (selon les contextes) : le lac dont il est question. *Il habite Montreux, près du lac.*

4.1 Shelley et Byron firent ensemble un pèlerinage littéraire autour du lac. Ils visitèrent les lieux où Rousseau avait placé la Nouvelle Héloïse : Clarens, « le doux Clarens, berceau de tout amour vraiment passionné », la Lausanne de Bibbon, le Ferney de Voltaire. A. MAUROIS, Ariel ou la Vie de Shelley, p. 197.

Par anal. *Lac artificiel,* destiné à l'agrément *(le lac du Bois de Boulogne)* ou à l'utilité *(lac d'un barrage-réservoir)*.

Par métaphore. Ce qui évoque une étendue d'eau (→ 2. Envers, cit. 14).

5 Au lac de tes yeux très profond
Mon pauvre cœur se noie et fond (...) APOLLINAIRE, Ombre de mon amour, IV.

Loc. fig. et fam. (V. 1880 *in* Larchey). *Tomber dans le lac :* échouer, n'avoir pas de suite. *Son projet est dans le lac.* ⇒ **Eau** (à l'eau). — REM. *Tomber dans le lac* a le sens de « tomber* à l'eau » et non celui de « tomber dans le lacs », locution archaïque et homonyme, « tomber dans le piège, se laisser prendre au piège ». → Lacs.

6 L'affaire que j'ai montée est dans le lac (...) D'ailleurs je les connais, ce sont des timorés. A. SERGENT, Je suivis ce mauvais garçon, *in* Rey et Chantreau, Dict. des expressions, art. *Lac.*

♦ **2.** Par anal. et exagér. Quantité considérable de liquide répandu. *Un lac de sang* (→ Effort, cit. 3), *de boue* (→ Excrément, cit. 6).

7 Delacroix, lac de sang hanté des mauvais anges (...)
BAUDELAIRE, Spleen et idéal, VI.

♦ **3.** Fig. et littér. Étendue, surface importante, distincte de ce qui l'entoure. *Un lac de lumière, d'ombre. « Le lac de verdure de la pelouse »* (Léon Gozlan, *in* T. L. F.). Abstractions. *« Un lac nocturne de pensées ensevelies »* (Sainte-Beuve, *in* T. L. F.).

8 Je n'aime pas beaucoup, en général et particulièrement chez Barrès, le recours à de certains tours poétiques et à des mots prédestinés : « Lac de beauté », « ciel de beauté » (...) GIDE, Journal, 12 juil. 1931.

♦ **4.** Anat. Espace intertissulaire contenant un liquide organique (lymphe, sang...). *Les lacs lymphatiques sous-muqueux.*

DÉR. Lacustre.
HOM. Lack, laque.

LAÇAGE [lasaʒ] n. m. — 1845, Bescherelle ; *lachage* « attachement », v. 1320 ; de *lacer,* et *-age.*

♦ Action de lacer ; résultat de cette action. *Laçage d'une bottine.* ⇒ **Lacement.**

LACANIEN, IENNE [lakanjɛ̃, jɛn] adj. et n. — Mil. XXe ; de J. *Lacan,* psychiatre et psychanalyste français, et *-ien.*

♦ Didact. De Lacan. Partisan de Lacan. — N. *Un lacanien, une lacanienne. « Si l'on en croit les journaux, les lacaniens tiendraient les freudiens de stricte obédience pour des demeurés, et les junguiens pour des cryptonazis »* (*le Nouvel Obs.*, 27 mai 1983, p. 22).

LACCASE [lakaz] n. f. — 1895, *in* T. L. F. ; de *laque,* et *-ase.*

♦ Chim. Diastase extraite de l'arbre à laque et susceptible de fixer l'oxygène sur des composés polyphénoliques (gaïacol, etc.). *La laccase existe aussi dans les betteraves, les navets, le trèfle.*

LACCIFÈRE [laksifɛʀ] adj. — 1873, P. Larousse ; de *laque,* et *-fère.*

♦ Didact. *Plante laccifère,* qui produit de la laque.

LACCOLITHE [lakɔlit] n. m. — 1890, P. Larousse, *Deuxième Suppl. ;* du grec *lakkos* « fosse », et *lithos* « pierre ».

♦ Géogr. Masse de roches volcaniques insinuées dans une série sédimentaire, n'atteignant pas la surface, où elle crée cependant des reliefs bombés. — On trouve parfois la graphie *laccolite.*

LACÉ [lase] n. m. — 1803, Boiste ; p. p. de *lacer.*

♦ Techn. Entrelacement de petits grains de verre dont on orne les lustres. *Du lacé.*

LACÉDÉMONIEN, IENNE [lasedemɔnjɛ̃, jɛn] n. et adj. — 1284, n. m. pl. ; de *Lacédémone* (Sparte), ville de la Grèce antique, et *-ien.*

♦ **1.** De Lacédémone (Sparte) → aussi Laconien. *Les Lacédémoniens.* ⇒ **Spartiate** (→ Balance, cit. 28). *Guerre du Péloponnèse entre les Athéniens et les Lacédémoniens.* — Adj. *Athlètes lacédémoniens. La rudesse des mœurs lacédémoniennes.*

(...) il fut reproché à un soldat lacédémonien qu'étant à l'expédition d'une guerre, on l'avait vu sous le couvert d'une maison. Ils étaient si durcis à la peine, que c'était honte d'être vu sous un autre toit que celui du ciel, quelque temps qu'il fît. MONTAIGNE, Essais, II, IX. 1

Le caractère des Lacédémoniens était grave, sérieux, sec, taciturne. On n'aurait pas plus tiré parti d'un Athénien en l'ennuyant, que d'un Lacédémonien en le divertissant. MONTESQUIEU, l'Esprit des lois, XIX, VII. 2

♦ **2.** Digne de Sparte ; austère, frugal ; ascétique. *« Une concision toute lacédémonienne »* (Mérimée) → Laconique. *« Sobriété lacédémonienne »* (Gautier). ⇒ **Spartiate.**

Le meilleur vin me paraît presque de la piquette dans un verre mal tourné, et j'avoue que je préférerais le brouet le plus lacédémonien sur un émail de Bernard de Palissy au plus fin gibier sur une assiette de terre. Th. GAUTIER, Mlle de Maupin, V. 3

LACEMENT [lasmɑ̃] n. m. — 1611 ; de *lacer.*

♦ **1.** Action de lacer ; son résultat. ⇒ **Laçage.**

♦ **2.** Techn. Couture faite avec l'alène, en bourrellerie.

LACER [lase] v. tr. — Conjug. *placer.* — XIIIe ; *lacier,* 1080, *Chanson de Roland,* lat. *laqueare* « lier, garrotter », de *laqueus* « nœud coulant, piège, lien ». → Lacs.

♦ **1.** Attacher (deux choses, deux éléments d'une chose) avec un lacet. ⇒ **Attacher, lier.** *Lacer ses souliers. Aider une femme à lacer son corset.*

(...) les Lombards, les Toscans même prirent les modes des Français. Ces modes étaient extravagantes : c'était un corps *(corset)* qu'on laçait par derrière, comme aujourd'hui ceux des filles (...) VOLTAIRE, Essai sur les mœurs, LXXXII. 1

(Anciennt). Par ext. (vx). *Lacer une femme,* lui lacer son corset. *Elle se faisait lacer par sa bonne.*

(...) Valérie, debout devant la cheminée, où brûlait une falourde, se faisait lacer par Wenceslas. BALZAC, la Cousine Bette, Pl., t. VI, p. 494. 2

Passif et p. p. *Ce vêtement est lacé devant. — Escrimeuse lacée dans un gilet* (cit. 5) *d'armes.*

(...) cette taille était prise (c'est le mot, tant elle était lacée !) dans le corselet luisant d'un spencer de soie (...) 3
BARBEY D'AUREVILLY, les Diaboliques, « Le rideau cramoisi ».

♦ **2.** Mar. anc. *Lacer une bonnette,* la joindre à une voile principale à l'aide d'un lacet*. — Techn. *Lacer un filet,* en faire les mailles. ⇒ **Mailler.** *Alène à lacer,* de bourrelier.

♦ **3.** (1530). Fig. (Techn.). Couvrir la femelle, en parlant du chien.

▶ **SE LACER** v. pron. *Souliers qui se lacent difficilement.* — (Réfl. ; sujet n. de personne). Vx. *Elle se laçait très serré :* elle laçait son corset très serré.

▶ **LACÉ, ÉE** p. p. adj. Voir ci-dessus à l'article.

CONTR. Délacer.
DÉR. Laçage, lacé, lacement, lacerie, laceur, lacis, laçure.
COMP. Délacer, enlacer, entrelacer.
HOM. Lasser.

LACÉRABLE [laseʀabl] adj. — 1867, Littré ; de *lacérer,* et *-able.*

♦ Qui peut être lacéré.

LACÉRATION [laseʀɑsjɔ̃] n. f. — Av. 1380 ; *laceracion,* 1356 ; lat. *laceratio,* du supin de *lacerare.* → Lacérer.

♦ **1.** Action de lacérer, de déchirer. ⇒ **Déchirement.**

♦ **2.** Dr. [a] Dr. anc. Action de lacérer* un écrit, un livre par autorité de justice. ⇒ **Dilacération.** *« Le jugement ordonna la lacération de cet écrit, comme d'un libelle injurieux »* (Académie).

[b] Mod. *Lacération, par ordre de l'Administration, des affiches apposées abusivement* (Loi du 29 juil. 1881, art. 17).

♦ **3.** Méd. Déchirure ou broiement accidentels de la peau et du tissu sous-cutané. — Chir. Ablation d'une tumeur, d'une partie de tissu par déchirures répétées au moyen d'un instrument tranchant.

COMP. Dilacération.

LACÉRER [laseʀe] v. tr. — Conjug. *céder.* — 1355, au p. p., fig., 1509, à l'actif « mettre en pièce (un corps) » ; lat. *lacerare,* de l'adj. *lacer* « mutilé, mis en pièce ».

♦ **1.** (Le compl. désigne une matière souple : tissu, papier). Mettre en lambeaux, en pièces. ⇒ **Déchirer.** *Lacérer ses vêtements* (→ Gémir, cit. 3), *les vêtements d'un cadavre* (→ Fléchir, cit. 2).

Pour lacérer ledit présent procès-verbal. RACINE, les Plaideurs, II, 4. 1
Un nom, c'est un haillon que les hommes lacèrent, 2
Et cela se disperse au vent. HUGO, la Légende des siècles, XLVI.

Littér. (premier emploi attesté, correspondant au lat. *lacer*). Déchirer (les chairs, le corps).

3 L'insecte assaillait tout le pourtour de la corolle, le lardait, le mordait, le lacérait enfin avec une rage impuissante d'abord, puis triomphante enfin (...)
GIDE, Journal, 12 nov. 1917.

3.1 Après la légende de Phéior, le moine Valdivieso décrivait deux martyres fameux, celui de Jérémie (...) puis celui de saint Ignace livré aux bêtes, qui lacérèrent son corps tandis que son âme, par antithèse, montait vers le paradis (...)
Raymond ROUSSEL, Impressions d'Afrique, p. 315.

Fig. ⇒ **Déchirer.**

4 (...) ces douleurs fulgurantes qui lui lacéraient le corps, après la chute, après l'incendie. MARTIN DU GARD, les Thibault, t. VIII, p. 159.

♦ **2.** Dr. **a** Dr. anc. Déchirer* (un écrit, un livre) par arrêt du autorité de justice. ⇒ **Dilacérer.** *Ce livre fut lacéré et brûlé par arrêt du Parlement* (Académie).

b Mod. *Lacérer une affiche.*

5 Le curé ou desservant a (...) le droit de lacérer les affiches apposées sur son presbytère, à moins qu'il ne s'agisse d'affiches apposées par ordre de l'Administration, et si les murs du presbytère ont été réservés, par arrêté municipal, à l'affichage des actes officiels.
DALLOZ, Dict. pratique de droit (13e éd.), art. *Affiche*, no 13.

▶ **LACÉRÉ, ÉE** p. p. adj. *Vêtements lacérés. — Corps mutilé et lacéré. — Affiche lacérée.*

DÉR. Lacérable.
COMP. Dilacérer.

LACERIE [lasʀi] n. f. — 1867, Littré; de *lacer*, et *-erie*.

♦ Techn. Fin tissu en paille ou d'osier. — La graphie *lasserie* est rare.

LACERON [lasʀɔ̃] n. m. — 1531; *lasseron*, 1398.

♦ Vx ou régional. ⇒ **Laiteron.**

LACERTIDE [lasɛʀtid] adj. et n. m. — 1974, *la Recherche;* de *Lacerta* «constellation du Lézard», dont une étoile présente cette particularité, et suff. *-ide.*

♦ Astron. Dont le spectre ne présente pas de raie (permettant d'apprécier la distance). *Étoile, quasar lacertide.* — N. m. (Rare). *Un lacertide.*

Les lacertides, enfin, sont des objets dont le spectre est continu, dépourvu de raies d'émission ou avec des raies d'émission extrêmement faibles, ce qui a longtemps été un obstacle majeur à la connaissance de leur déplacement vers le rouge.
La Recherche, no 114, sept. 1980, p. 902.

LACERTIENS [lasɛʀtjɛ̃] n. m. pl. — 1817, Cuvier; du lat. *lacerta* «lézard».

♦ Zool. Ordre de reptiles. ⇒ **Sauriens.** *Principaux lacertiens.* ⇒ **Gecko, lézard, soinque, varan.** — Au sing. *Un lacertien.* — On trouve aussi *lacertiliens* [lasɛʀtiljɛ̃] n. m. pl. (1902, Larousse). Au sing. *Un lacertilien.*

LACET [lasɛ] n. m. — XVe; *lacés*, 1315; de *lacs*, et suff. *-et.*

♦ **1.** Cordon* étroit, plat ou rond, qu'on passe dans des œillets* pour attacher ou serrer un vêtement, attacher* une chaussure (⇒ **Attache**). *Lacet de coton, de soie, de cuir. Lacet ferré aux deux bouts, qui servait à attacher le haut-de-chausses au pourpoint.* ⇒ **Aiguillette.** *Les ferrets* d'un lacet. Lacets à ferrets. Passer un lacet de serrage dans une coulisse*. Une paire de lacets de souliers fantaisie, à houppettes de cuir. Serrer, lier, nouer* (⇒ **Lacer**), *desserrer, dénouer* (⇒ **Délacer**) *le lacet, les lacets d'un soulier, d'un corset. Chaussures sans lacets.* — Spécialt. Lacet de soulier. *Son lacet s'est défait, s'est cassé.*

1 La reine du lieu (...) chaussait sans pudeur sa jambe adorable; ses mains (...) faisaient se jouer à travers les œillets le lacet du brodequin comme une navette agile, sans songer au jupon qu'il fallait rabattre. BAUDELAIRE, la Fanfarlo.

2 Elle se déshabillait brutalement, arrachant le lacet mince de son corset, qui sifflait autour de ses hanches comme une couleuvre qui glisse.
FLAUBERT, Mme Bovary, III, VI.

3 Il se baissa pour nouer ses lacets de souliers. SARTRE, la Mort dans l'âme, p. 11.

Mar. «Cordage* qui sert à lacer* une bonnette, ou une voile additionnelle, à une voile principale» (Gruss).

♦ **2.** (1867). Par anal. (de forme* avec la disposition du *lacet*). Succession d'angles aigus de part et d'autre d'un axe. ⇒ **Zigzag.** *Chemin, voie en lacet, en lacets.* ⇒ **Virage.** *Route de lacets* (→ Culminant, cit. 4). *Les lacets d'un chemin de montagne.* — Rare. *Les lacets que fait une rivière sinueuse.* ⇒ **Contour, détour, méandre.**

4 (...) la caravane venait de s'engager dans un de ces étroits chemins en lacet au milieu des sapins (...) Alphonse DAUDET, Tartarin sur les Alpes, XII.

Mouvement latéral (d'un véhicule). *Axe de lacet d'un avion.*

♦ **3.** Cordon* utilisé autrefois en Turquie pour étrangler un condamné. *Le sultan fit envoyer le lacet au grand vizir disgracié* (Académie).

♦ **4.** (1525). Nœud* coulant utilisé pour la capture du gibier. ⇒ **Lacs, piège.** *Le lacet, engin* (cit. 9) *de chasse prohibé sauf pour le menu gibier à plumes. Poser, tendre des lacets. Chasse au lacet. Braconnier qui attrape* (cit. 1) *des lièvres au lacet.* ⇒ **Collet.** — *Lacet pour prendre des grives* (cit. 1), *des passereaux.* ⇒ **Filet.**

Les enfants le voulaient saisir dans un lacet (...) 5
HUGO, la Légende des siècles, LIII.

Fig. Littér. et vx. ⇒ **Piège.** *« Elle* (la vanité) *vous tend des lacets »* (Bossuet, *Honneur du monde,* 1). *Je me suis laissé prendre aux lacets de cet intrigant* (Académie).

♦ **5.** (1849, *in* D. D. L.). Spécialt. Tresse plate de passementerie, unie ou ouvragée. *Lacet vendu au mètre.* ⇒ **Ganse.**

Cordon de fil plat utilisé dans la confection de certaines dentelles d'imitation. *Dentelle au lacet.*

Techn. Petite ferrure à deux branches servant à fixer un anneau *(anneau à lacet).* — Broche mobile d'une charnière.

COMP. Passe-lacet.

LACEUR, EUSE [lasœʀ, øz] n. — 1769; «fabricant de lacets», 1260; de *lacer*, et *-eur.*

♦ Techn. Personne qui fabrique des filets pour la pêche ou la chasse.

LÂCHAGE [lɑʃaʒ] n. m. — 1855, mar.; de 1. *lâcher*, et *-age.*

♦ **1.** (1867, Littré). Action de lâcher. — Fig. et fam. Action de quitter brusquement, d'abandonner qqn. ⇒ **Abandon, inconstance.**

Il était victime de l'ignoble lâchage de ministres qui préféraient sacrifier leurs amis les plus anciens, ceux qui avaient rendu le plus de services à la République, à leur portefeuille menacé par une extrême gauche calomnieuse, vindicative, impérieuse et féroce. PROUST, Jean Santeuil, Pl., p. 595.

(1903, *in* Petiot). Sports. Action de distancer (un concurrent).

♦ **2.** (Mil. XXe). Fait de lâcher, de ne plus fonctionner, brusquement. *Le lâchage des freins.*

LÂCHE [lɑʃ] adj. — V. 1131, *lasche;* de 1. *lâcher.*

★ **I.** Non tendu. (Concret et abstrait). ♦ **1.** (XIIIe). Qui n'est pas tendu. ⇒ **Détendu, flasque** (cit. 4), **mou.** *Fil lâche. Ressort lâche. Il faut tenir cette corde un peu lâche* (Académie). *Fibre musculaire lâche* (⇒ **Laxité**).

Par anal. Qui n'est pas serré. *Un nœud trop lâche. Enlacement* (cit. 2) *lâche.* ⇒ **Flottant, flou, vague.**

Puis il (...) se résolut (...) à nouer une cravate lâche, à endosser une vareuse, pensant que cette toilette négligée d'artiste plairait à cette femme. 1
HUYSMANS, Là-bas, X.

Spécialt. *Tissu lâche,* «dont la trame n'est pas assez battue ou la chaîne assez serrée» (Académie).

♦ **2.** Par ext. (Vieilli). *Ventre lâche :* ventre trop «libre», sujet au relâchement*.

♦ **3.** Fig. et littér. (Ce sens tend à vieillir du fait de la fréquence du sens II, 2). Qui manque d'énergie et de concision, n'est pas «serré». *Style lâche et inexpressif* (cit. 1) *qui affadit* un sujet.* ⇒ **Languissant, mou, traînant** (→ Familiarité, cit. 15). *Bannir* (cit. 21) *les expressions lâches, négligées.*

La composition du *Moïse sauvé* est languissante, le vers lâche et prosaïque, le style plein d'antithèses et de mauvais goût. 1.1
CHATEAUBRIAND, le Génie du christianisme, *in* T. L. F.

★ **II.** (Abstrait). En parlant de personnes.

♦ **1.** Vieilli ou littér. Qui manque d'énergie, de vigueur morale. ⇒ **Flasque, mou, pusillanime, veule.** *Faut-il qu'il soit feignant* (cit. 2) *et lâche! Être lâche devant la tentation.* ⇒ **Faible.**

Je n'ai vu autre effet aux verges, sinon de rendre les âmes plus lâches ou plus malicieusement opiniâtres. MONTAIGNE, Essais, II, VIII. 2

Et cependant mon cœur est encore assez lâche 3
Pour ne pouvoir briser la chaîne qui l'attache (...)
MOLIÈRE, le Misanthrope, IV, 3.

Entre celui qui espère toujours et celui qui n'espère plus, je ne sais lequel est le plus lâche. BALZAC, le Médecin de campagne, Pl., t. VIII, p. 502. 4

Hélas! me voici lâche et flasque comme une corde brisée, me voici par terre, me roulant avec mon amour désolé comme avec un cadavre, et je souffre tant que je ne peux pas me relever pour l'enterrer ou pour le rappeler à la vie. 5
G. SAND, Lettres à Musset, XVI.

(...) à force de m'habituer à ne pas vouloir, qu'il s'agît de travail ou d'autre chose, j'étais devenu plus lâche. 6
PROUST, À la recherche du temps perdu, t. XIII, p. 19.

N. m. *Le lâche renonce avant* (cit. 22) *d'avoir entrepris.*

♦ **2.** Cour. (Avant ou après le nom, en épithète). Qui manque de courage, recule devant le danger, le risque, s'abaisse servilement devant la force, la puissance. ⇒ **Capon, couard, foireux** (fam.), **peureux, pleutre, poltron.** *Être lâche devant le danger, devant la mort* (→ Avancer, cit. 17; impétueux, cit. 5). *Lâches et vils devant les puissants* (→ Envieux, cit. 4). — En épithète (plus rare). *Un officier lâche.*

7 Un traître en nous quittant
Nous affaiblit bien moins qu'un lâche défenseur. RACINE, Alexandre, II, 5.

N. *Les dérobades, les reculades* d'un lâche* (→ Égratigner, cit. 3). ⇒ **Dégonflé**; → fam. Couille* molle. *Des lâches qui ne songent qu'à fuir, qu'à capituler, qu'à déserter.* ⇒ **Capitulard, déserteur, fuyard, traître.** — (En apostrophe). *Salauds, lâches!*

8 (...) je serais un lâche si je rompais d'une semelle devant le colonel, il m'a perdu dans l'opinion de la ville, je ne puis me réhabiliter que par sa mort (...) BALZAC, la Rabouilleuse, Pl., t. III, p. 1077.

9 (...) les lâches qui offrirent de se rendre ne furent même pas entendus. FLAUBERT, Salammbô, VIII.

10 Il n'y a que les fous et les lâches qui refusent la guerre quand leur Patrie est en danger (...) CÉLINE, Voyage au bout de la nuit, p. 65.

11 Toute vertu est courage; c'est pourquoi le mot «lâche» est la plus grave des injures. ALAIN, Propos, p. 131.

(1647, Corneille). Spécialt. Qui est d'autant plus brutal, cruel, qu'il est assuré de l'impunité, qu'il se sait à l'abri des ripostes, des représailles. ⇒ **Bas, déloyal, vil.** *Hommes lâches et corrompus* (→ Barbarie, cit. 4). *Cruels et lâches persécuteurs* (→ Asile, cit. 20). — N. *Le lâche!* ⇒ **Coquin.** *Grand lâche! Espèce de lâche! Bande de lâches! Brutalité d'un lâche.* → Coup de pied de l'âne*. *Ce lâche sait bien qu'on ne peut lui rendre la pareille* (→ Critique, cit. 27).

12 Lâche, disait-elle, cette voix, tu as *enfin* giflé quelqu'un pour une fois? Ton fils. Tu te venges sur lui de tous les coups de pied au cul reçus dans ta vie! ARAGON, les Beaux Quartiers, II, XXI.

♦ **3.** (Choses; souvent antéposé, en épithète). Qui porte la marque de la lâcheté*. ⇒ 1. **Bas** (cit. 35), **méprisable, vil.** — REM. Dans cet emploi les nuances «manque d'énergie» (→ le sens II, 1) et «manque de courage» (→ II, 2) sont souvent confondues. — *Un lâche procédé* (→ Besoin, cit. 32), *un procédé assez lâche. Lâche injustice* (→ Honorer, cit. 12). *Lâche attentat* (→ Favorable, cit. 6). *Un crime bas et lâche* (→ Indignité, cit. 2). *De lâches complaisances* (cit. 8). — Qui marque la faiblesse, le manque d'énergie. *Lâche indolence* (cit. 3). *La lâche habitude de fumer* (cit. 29) *en travaillant.* — *«Gémir, pleurer, prier est également lâche»* (Vigny). → Énergiquement, cit. *Il est lâche de s'abaisser* (cit. 8) *ainsi.*

13 Dois-je prendre pour juge une troupe insolente (...)
Qui sert mon ennemi par un lâche intérêt? RACINE, la Thébaïde, II, 3.

14 (...) nous ne voulons pas blesser les êtres que nous aimons; nous nous refusons, pour des raisons confuses, des plaisirs certains qu'ensuite nous regrettons. Je disais qu'il y a là une sorte de bonté lâche (...) il vaut mieux (...) avoir le courage de savoir ce que nous aimons, et de regarder la vie en face. A. MAUROIS, Climats, II, XV.

CONTR. Étroit, serré, tendu; concis, nerveux (style), **vigoureux. — Ardent, audacieux, brave, courageux, énergique, hardi, héroïque** (cit. 15), **indomptable, intrépide, téméraire, vaillant, valeureux. — Héros, preux.**

DÉR. Lâchement, lâcheté.

LÂCHÉ, ÉE [laʃe] adj. — 1842; p. p. de 1. *lâcher.*

♦ **1.** Arts. Qui est fait à la hâte ou avec quelque négligence; qui manque de vigueur. *Composition lâchée. Dessin, ouvrage lâché.* *«Ce qui est pis encore, c'est l'exécution lâchée, l'impersonnalité de cette peinture molle et acide»* (Huysmans, *l'Art moderne*, in T. L. F.). — N. m. *Un lâché* : un ouvrage lâché.

♦ **2.** Fig. Négligé. *Une attitude lâchée.*

HOM. Lâchée, 1. **lâcher,** 2. **lâcher.**

LÂCHÉE [laʃe] n. f. — 1611; «relâchement», XIVe; p. p. de 1. *lâcher*, au fém.

♦ **1.** Vx. Le fait de laisser aller, partir.

♦ **2.** Le fait d'émettre. *«Une lâchée de sons éclatants»* (M. Aymé).

HOM. Lâché, 1. **lâcher,** 2. **lâcher.**

LÂCHEMENT [laʃmɑ̃] adv. — XVIe; *lascement, laschement*, v. 1155; de *lâche*, et *-ment.*

★ **I.** ♦ **1.** D'une manière lâche (I., 1.). *Un paquet lié trop lâchement* (Littré).

1 Une cravate rouge flottait lâchement autour de son cou (...) J. GREEN, Adrienne Mesurat, II, V.

♦ **2.** (1538). Vx. ⇒ **Mollement.** *Il travaille bien lâchement* (Académie).

★ **II.** (1538; → Lâche, II.). Avec bassesse, honteusement, indignement (→ Blâmable, cit. 1). *Ils l'ont lâchement assassiné.*

2 Vengez-moi d'une ingrate et perfide parente,
Qui trahit lâchement une ardeur si constante (...) MOLIÈRE, le Misanthrope, IV, 2.

D'une manière qui trahit la peur. *Fuir lâchement. Il évitait* (cit. 32) *lâchement votre regard.*

3 L'autre a fui lâchement, tel qu'un vil assassin. VOLTAIRE, Mérope, II, 2.

CONTR. Énergiquement, vigoureusement; dignement; bravement, courageusement, vaillamment, valeureusement.

1. LÂCHER [laʃe] v. tr. — XVIe; *lascher*, XIIIe; *laschier*, 1080, *Chanson de Roland*; autres emplois en anc. et moyen franç. : «délier, libérer d'un vœu, libérer (un prisonnier)»; lat. pop. **laxicare*, devenu *lassicare* par dissimilation, fréquentatif du lat. class. *laxare.*

♦ **1.** [a] Rendre moins tendu ou moins serré. ⇒ **Desserrer, détendre, relâcher.** *Cette corde est trop tendue, lâchez-la un peu* (Académie). *Lâcher sa ceinture d'un cran*, et, fig., *lâcher d'un cran*.*

(...) il ferma les yeux et il lâcha la détente. La poupée fut nettement décapitée. BAUDELAIRE, le Spleen de Paris, XLIII. 1

(1080). *Lâcher la bride*, les rênes à un cheval* (cit. 14), lui tenir la bride plus longue pour lui permettre de courir. ⇒ **Carrière** (donner). — (V. 1200, *lasquier sa main*). Par ext. *Lâcher la main* : cesser de tenir la bride haute en abaissant la main. — (V. 1235, *laschier les frains*). Fig. *Lâcher le frein* (vx), *la bride* à quelqu'un*, le libérer de la discipline, de la sujétion habituelle, lui rendre la liberté d'agir à sa guise (→ Égarer, cit. 13; essentiel, cit. 18; honte, cit. 24). *Lâcher la bride à ses passions*, leur donner libre cours. — Par ext. *Lâcher la main* : se relâcher de sa sévérité, de sa fermeté.

(Si la nature) a prescrit *(aux animaux)* certaines saisons et limites à la volupté vénérienne, elle nous a lâché la bride à toutes heures et occasions. MONTAIGNE, Essais, II, XII. 2

(Mil. XIIIe). Spécialt, vx. Méd. *Laxatif*, purgatif* pour lâcher le ventre.*

(Il m'ordonne) le soir de petits pruneaux pour lâcher le ventre. MOLIÈRE, le Malade imaginaire, III, 10. 3

[b] Intrans. Se rompre. ⇒ **Casser.** *Ce nœud, cet emballage va lâcher. Câble usé qui lâche. Attention, ça va lâcher!*

(La remorque) s'était coupée dangereusement en deux endroits. Elle tint pourtant jusqu'à six heures du matin, puis elle lâcha (...) Roger VERCEL, Remorques, V. 4

♦ **2.** (1306, *laschier, cops de bastons*). Vieilli. Décocher, lancer par une brusque détente. ⇒ **Envoyer.** *Lâcher un coup de poing, une ruade.* ⇒ **Détacher.** — Spécialt. Faire éclater, faire partir. *Lâcher un coup de fusil. Navire qui lâche une bordée** (cit. 1). *Avion qui lâche une fusée* (cit. 5).

L'autre qui s'en doutait lui lâche une ruade 5
Qui vous lui met en marmelade
Les mandibules et les dents. LA FONTAINE, Fables, V, 8.

C'est Lescaut, dit-il, en lui lâchant un coup de pistolet; il ira souper ce soir avec les anges. Abbé PRÉVOST, Manon Lescaut, p. 118. 6

(1580, Montaigne). Fig. et mod. Émettre avec plus ou moins de brusquerie, d'incongruité (un mot, des paroles... qui surprennent ou choquent). ⇒ **Lancer.** *Lâcher des grivoiseries, de grosses plaisanteries* (→ Esclaffer, cit. 2; gâter, cit. 40) *à la face* (cit. 18) *de quelqu'un. Lâcher un rire* (→ Gêner, cit. 25).

(...) l'habitude l'entraînant, il se versait à boire coup sur coup, et lâchait des gaillardises. FLAUBERT, Trois contes, «Un cœur simple», II. 7

♦ **3.** (1538). Cesser de tenir, de garder. *Lâcher sa proie.* ⇒ **Échapper** (laisser), **tomber** (laisser). *Il lâcha le poignet de l'enfant* (→ Échapper, cit. 12). *Ne lâchez pas la rampe.* Loc. fig. *Lâcher la rampe*.* — *Lâchez-moi, vous me faites mal.* ⇒ **Laisser.**

Le sort est une main qui nous tient, puis nous lâche (...) HUGO, la Légende des siècles, VI, I, Le détroit d'Euripe. 8

L'effet fut si extraordinaire, que Delhomme, Fouan, Clou, Bécu, demeurèrent béants, les yeux arrondis. Lequeu en lâcha son journal (...) ZOLA, la Terre, IV, V. 9

Il lâchait et rattrapait son monocle. J. ROMAINS, les Hommes de bonne volonté, III, XVI, p. 209. 10

Loc. *Lâcher prise.* ⇒ **Prise.**

Lâcher pied. ⇒ **Pied** (cit. 37).

Fam. *Donner, lâcher de l'argent, des sous, des picaillons*, et, ellipt., fam., *les lâcher* (les sous). ⇒ **Allonger** (I., 3.). *Un vieil avare, un vieux pignouf, un radin qui les lâche avec un élastique*.*

(...) nous ne sommes faits ni l'un ni l'autre pour être des commerçants. Nous n'avons ni l'amour du gain, ni cette difficulté de lâcher toute espèce d'argent, même le plus légitimement dû (...) BALZAC, Illusions perdues, Pl., t. IV, p. 1040. 11

Encore une fois, je veux m'enrichir, je ne lâcherai pas un sou. A. JARRY, Ubu roi, II, 6. 12

♦ **4.** (1552, *lascher les larmes*). Laisser s'écouler (une humeur du corps). Spécialt. *Vieillard gâteux qui lâche tout sous lui*, qui souille son linge, son lit. — *Lâcher un vent, un pet.* ⇒ **Péter.** *Cheval qui lâche du crottin et du gaz* (cit. 3).

(1635). Loc. *Lâcher de l'eau.* ⇒ **Pisser.**

Fig. Émettre* involontairement. *Lâcher un hurlement de douleur.* — Spécialt. Dire* inconsidérément, à l'étourdie. *Lâcher une bourde, une sottise.*

(...) une parole lâchée ne se peut plus rappeler. RACINE, Remarques sur l'Odyssée, I. 13

♦ **5.** [a] (Av. 1544, Marot). *Lâcher qqn*, cesser d'être avec. ⇒ **Abandonner, laisser, quitter.** *Ne pas lâcher quelqu'un d'une semelle*.*

[b] *Lâcher qqch., qqn pour* : cesser d'avoir, de garder pour avoir, prendre... *Lâcher... pour... Lâcher la proie pour l'ombre** (→ aussi Aventure, cit. 27). *Le chien qui lâche sa proie pour l'ombre*, fable de La Fontaine. — Par ext. *Il a lâché le métier, ses études... pour*

(et subst. ou inf.). *Tout lâcher pour une fille.* ⇒ **Délaisser, plaquer** (→ Gaudriole, cit. 4).

Au participe présent :

14 (...) le fils à Bécu, âgé de onze ans, était un gaillard hâlé et solide déjà, aimant la terre, lâchant l'école pour le labour (...) ZOLA, la Terre, I, IV.

15 (...) malgré le remède, ce rhumatisme empira si bien que le médecin obligea petit Jacques à lâcher ses fourneaux pour être valet. M. JOUHANDEAU, Chaminadour, Contes brefs, VII, Petit Jacques.

c (1808). Fam. *Lâcher quelqu'un,* le quitter brusquement, rompre les relations plus ou moins étroites qu'on entretenait avec lui. *Lâcher son patron* (→ Grève, cit. 10). *Lâcher les copains.* ⇒ **Lâcheur** (→ Fulgurant, cit. 7). — Spécialt (dans les relations sentimentales, érotiques). *Femme qui lâche son amant.* ⇒ **Délaisser, plaquer.** *Il, elle s'est fait lâcher.* ⇒ **Jeter** (fam.).

16 Puis il conclut : « Enfin, c'est une bien gentille maîtresse. Je serais rudement bête de la lâcher ». MAUPASSANT, Bel-Ami, I, VII.

Fam. et vieilli. *Lâcher quelqu'un,* le quitter (concrètement).

17 (...) je passerai chez vous entre six et sept. Nous dînerons ensemble et je vous lâcherai à dix heures. FLAUBERT, Correspondance, 825, 19 nov. 1865.

d (1884, *in* Petiot). Spécialt (argot sportif). Distancer (un concurrent) dans une course. *Lâcher le peloton.* — Au p. p. *Coureur lâché dès le premier tour.*

♦ **6.** **a** (1538, « laisser échapper de ses mains »). Cesser de retenir ou de détenir (qqch.); laisser aller, partir. *Lâcher ce qu'on tenait et le laisser tomber. Lâcher une colombe* (cit. 1), *des pigeons, un ballon, un appareil d'un bateau-transport* (→ Hydravion, cit.). *Lâchez tout ! Avion qui lâche des bombes. Lâcher du lest**. ⇒ **Jeter.** — Mar. *Lâcher les amarres.* ⇒ **Larguer.**

17.1 « Lâchez tout ! »
Le ballon s'éleva lentement, mais j'éprouvai une commotion qui me renversa au fond de la nacelle. J. VERNE, Un drame dans les airs, p. 181.

18 Un domestique, derrière son dos, tenait les fusils, les chargeait et les passait à son maître ; un autre valet, caché dans un massif, lâchait un pigeon de temps en temps, à des intervalles irréguliers (...) MAUPASSANT, les Contes de la Bécasse, La bécasse.

19 Il n'y avait pas un canon de D. C. A. dans toute la ville. Ils ont lâché leurs bombes sur un marché. SARTRE, l'Âge de raison, p. 127.

b *Lâcher les eaux d'un bassin, d'une fontaine,* les faire couler. — Par anal. *Le ciel lâche une averse* (→ Faiblir, cit. 5). — Par ext. ⇒ **Ouvrir.** *Lâcher une écluse* (cit. 4, par métaphore), *une vanne, un robinet, une bonde** (cit. 1, fig.).

20 (...) il lâche les écluses de l'Océan (...) RACINE, les Campagnes de Louis XIV.

21 (...) il a lâché le robinet du réservoir, le jardin est inondé. BALZAC, le Lys dans la vallée, Pl., t. VIII, p. 773.

c Fig. Exprimer enfin ce qu'on s'est longtemps retenu de dire*. *Lâchons le mot* (→ Ganache, cit. 4). — Par anal. *Lâcher un secret.* — Fam. *Lâcher le morceau, le paquet* (1878) : tout avouer.

22 Mais puisque la parole enfin en est lâchée (...) MOLIÈRE, Tartuffe, IV, 5.

23 — Vous l'intimideriez, dit-elle à la baronne, elle ne lâcherait rien en devinant que vous êtes intéressée à ses confidences, laissez-moi la confesser. BALZAC, la Cousine Bette, Pl., t. VI, p. 456.

24 (...) il *(Mathieu)* l'accablait de questions. Boris était au supplice, il essayait cent fois de détourner la conversation, mais Mathieu était tenace comme un pou ; Boris finissait par lâcher le morceau (...) SARTRE, l'Âge de raison, p. 146.

d (1468). *Lâcher qqn.* Vx. *Lâcher un prisonnier.* ⇒ **Relâcher** (mod.) ; → Incident, cit. 5. — Laisser partir. *Je vous confie mon fils, ne le lâchez pas trop tard, il doit se coucher de bonne heure.*

e (Le compl. désigne un animal). Mettre (un animal) en liberté (dans un lieu). *Lâcher un âne* (cit. 1) *dans un pré.*

Chasse. Lancer* (un animal) à la poursuite, à l'attaque d'un gibier. *Lâcher le faucon* (cit. 3). *Lâcher un furet* (cit. 1) *dans un terrier. Lâcher les chiens après, contre, sur un cerf.* — Cour. *Lâcher les chiens.*

25 Dès les vingt ans, la maladie et la misère se partagent cette vie, comme deux chiennes éternelles, lâchées par le maître des meutes infernales. André SUARÈS, Trois hommes, « Dostoïevski », I.

26 Au fou... Lâchez les chiens ! R. DORGELÈS, les Croix de bois, I.

26.1 Pourquoi ne pas lâcher les chiens ? Immobiles, muets, nos deux corps ont déjà bondi l'un sur l'autre. De loin, mais farouchement, ils se dévorent déjà... Claude MAURIAC, le Dîner en ville, p. 243.

f Fig. (Avec un compl. second). *Lâcher quelqu'un (un animal) après, contre, sur une personne. Lâcher les huissiers après, sur un débiteur,* « leur donner charge de faire contre lui des actes de leur ministère » (Académie).

27 (...) ils lâchèrent sur moi deux auteurs associés à une même gazette (...) LA BRUYÈRE, Disc. de réception à l'Académie, Préface.

CONTR. Agripper, appuyer, cramponner (se), empoigner, étreindre, tenir. — Contenir, endiguer, garder, retenir. — Attraper, capturer, gripper, happer.
DÉR. Lâchage, lâche, lâché, lâchée, 2. lâcher, lâcheur.
COMP. Relâcher.
HOM. Lâché, lâchée, 2. lâcher.

2. LÂCHER [lɑʃe] n. m. — 1873 ; de 1. *lâcher,* 1.

♦ **1.** Action de lâcher (5.). Spécialt. *Lâcher de pigeons, de ballons.*

1 L'énorme fumée d'un train se morcelle dans le crépuscule comme un lâcher de pigeons mauves. Léon-Paul FARGUE, Poèmes, p. 51.

2 (...) sur la chaussée les voitures déboulaient de la porte Saint-Martin comme un lâcher de tatous (...) J.-P. MANCHETTE, Que d'os, p. 13.

♦ **2.** Sports. En gymnastique, Action de lâcher les prises sur l'engin. *Un lâcher de barre.*

HOM. Lâché, lâchée. — Formes de 1. **lâcher.**

LÂCHETÉ [lɑʃte] n. f. — XVIe ; *lascheté,* v. 1131, au sens 2 ; de *lâche,* et *-té.*

♦ **1.** (1370). Vieilli ou littér. Manque d'énergie, de fermeté, de vigueur morale qui fait reculer devant l'effort et subir passivement les influences extérieures. ⇒ **Faiblesse, pusillanimité, veulerie.** *S'abandonner par lâcheté à la paresse, à l'indolence.* ⇒ **Mollesse.** *Lâcheté devant l'effort.* ⇒ **Paresse.** *Céder par lâcheté à tous les caprices de qqn.* — Par ext. *La lâcheté de son attitude.*

(...) cette lâcheté molle et timide qui empêche, ou de voir la Vérité ou de la suivre (...) PASCAL, Fragment d'une 19e Provinciale. 1

Il n'y a point de vertu sans force, et le chemin du vice est la lâcheté. ROUSSEAU, Julie ou la Nouvelle Héloïse, V, I. 2

C'est par lâcheté et non par manque de lumière que nous ne lisons pas dans notre cœur (...) STENDHAL, Armance, V. 3

Il y a une certaine lâcheté, ou plutôt une certaine mollesse chez les honnêtes gens. BAUDELAIRE, Journaux intimes, Mon cœur mis à nu, XI. 4

Il s'était senti envahi d'une grande lâcheté de tout l'être, d'un besoin de se laisser vivre, tranquillement, sans une pensée, tombé à une mollesse alanguie et bienheureuse de convalescent. COURTELINE, Messieurs les ronds-de-cuir, 1er tableau, I. 5

♦ **2.** Cour. Manque de bravoure, de courage devant le danger. ⇒ **Couardise, pleutrerie, poltronnerie.** *Troupes qui doivent leur défaite à leur lâcheté. Fuir avec lâcheté. Avouer* (cit. 27) *sa lâcheté.*

(...) la lâcheté est contraire au courage, comme la peur (...) à la hardiesse. DESCARTES, les Passions de l'âme, II, 59. 6

Manque de courage moral, de franchise, de loyauté, de dignité, qui porte à profiter de l'impunité. ⇒ **Bassesse, vilenie.** *Tout ce qu'il y a de bassesse et de lâcheté au fond du cœur humain* (→ Financier, cit. 2). *Il y a de la lâcheté dans cette imposture* (cit. 5). *Lâcheté et hypocrisie.*

(Lui) qui avait tant de raisons de se reconnaître dans ce tableau de la conscience professionnelle, approuvait cependant avec lâcheté. J. ROMAINS, les Hommes de bonne volonté, t. II, VI, p. 62. 7

Par anal. Manque de cœur, de générosité, d'humanité, envers ceux que l'on peut impunément maltraiter, bafouer...

(...) depuis trois ans, il l'avait soigneusement évitée, par suite de cette lâcheté naturelle qui caractérise le sexe fort (...) FLAUBERT, Mme Bovary, III, VIII. 8

Par ext. *La lâcheté de sa conduite.*

♦ **3.** *(Une, des lâchetés).* Action, manière d'agir d'un lâche*. ⇒ **Bassesse, indignité, trahison, vilenie.** *Abandonner son parti est une lâcheté. Cette défection, cette dérobade est une lâcheté. Commettre des lâchetés* (→ Embûche, cit. 2). — *Être capable des pires lâchetés. Battre* un ennemi à terre, s'acharner sur les vaincus est une lâcheté.*

C'est une lâcheté (...) 9
De battre un ennemi qui ne peut se défendre. J. MAIRET, la Mort d'Asdrubal, I, 3.

Votre empire et le mien seraient trop achetés, 10
S'ils coûtaient à Porus les moindres lâchetés. RACINE, Alexandre, I, 2.

(Votre femme) Est par vos lâchetés souveraine sur vous. 11
Son pouvoir n'est fondé que sur votre faiblesse. MOLIÈRE, les Femmes savantes, II, 9.

Trop souvent l'histoire des faiblesses des femmes est aussi l'histoire des lâchetés des hommes. HUGO, Post-Scriptum de ma vie, Tas de pierres, VI. 12

Est-ce que vous trouvez que c'est une lâcheté, de se tuer ? MONTHERLANT, Pitié pour les femmes, p. 200. 13

CONTR. Ardeur, énergie, force. — Audace, bravoure, courage, hardiesse, héroïsme, intrépidité, vaillance. — Dignité, générosité, loyauté.

LÂCHEUR, EUSE [lɑʃœʀ, øz] n. — 1858 ; de 1. *lâcher* (5., c).

♦ Fam. Personne qui abandonne facilement et sans scrupule ses amis, son parti. *Ne comptez pas sur elle : c'est une lâcheuse.* — Personne qui néglige ses amis. *Vieux lâcheur ! on ne te voit pas souvent. Il y a six mois que tu ne m'as pas donné signe de vie, sacrée lâcheuse !*

Dis, donc, Zizi, il ne vient pas, ton frère (...) C'est donc un lâcheur ! ZOLA, Nana, X.

LACINIÉ, ÉE [lasinje] adj. — 1676 ; du lat. *laciniatus* « découpé ».

♦ (Bot). Qui est irrégulièrement découpé en lanières étroites et longues. *Feuilles laciniées.*

Un peu plus haut, des œillets délicats, laciniés à l'excès, presque décolorés, mais à l'odeur délicieuse. GIDE, Nouveaux prétextes, Journal sans dates, IX.

DÉR. **Laciniure.**

LACINIURE [lasinjyʀ] n. f. — 1805, Cuvier; de *lacinié,* et *-ure.*

♦ Bot. Découpure étroite et longue (d'une feuille).

LACIS [lasi] n. m. — xvᵉ; *laceïz,* v. 1130; de *lacer,* et *-is.*

♦ **1.** Réseau de fils entrelacés. *Faire du lacis. Un lacis de soie.* — Spécialt. Variété de dentelle au fuseau.

0.1 L'un deux avait des lacis de cordelettes autour des jambes et était chaussé de souliers d'osier. Gaston LEROUX, Rouletabille chez le tsar, p. 154, *in* T. L. F.

♦ **2.** (1690). Anat. Réseau plus ou moins compliqué (de vaisseaux sanguins ou de filets nerveux entrelacés). ⇒ **Entrelacement.** *Le lacis des petites veines* (→ Gaine, cit. 11). *Lacis de fibres nerveuses.* ⇒ **Plexus.**

1 Supposez des hommes écorchés qui se promèneraient tout sanglants dans les rues avec leurs artères noires et leurs veines bleues, leurs chairs rouges, leurs lacis de nerfs et leurs muscles tressaillants, rien ne serait plus horrible. Th. GAUTIER, Souvenirs de théâtre..., Plastique de la civilisation.

♦ **3.** (1844, Balzac; v. 1170, en archit.). Réseau compliqué. *Un lacis de fils de fer, de voies ferrées. Un lacis de ruelles.* ⇒ **Labyrinthe.**

2 Sans cesse, des trains filaient dans l'ombre croissante, parmi l'inextricable lacis des rails (...) ZOLA, la Bête humaine, I, p. 29.

3 (...) cette foule immense qui s'écoulait avec peine dans le lacis des rues étroites (...) Jérôme et Jean THARAUD, Marrakech, XVII.

4 (...) leurs grands arbres, tout en bas, abritent dans le lacis de leurs racines les écrevisses de la rivière. GIDE, Si le grain ne meurt, I, II, p. 53.

5 Ils s'enfoncèrent dans le lacis des petites rues qui crevassent le pâté de constructions, entre le boulevard Saint-Germain et la Seine. G. DUHAMEL, Salavin, III, VII.

(1840, Balzac). Fig. *Le lacis inextricable* (cit. 1) *de la procédure.*

LACK, LAC ou **LAKH** [lak] n. m. — 1770, *lack; lekke,* 1678; *lac,* 1867, Littré; transcription de l'indo-aryen *lākh* ou du persan *lāk,* du sanskrit *lākshā* «cent mille».

♦ *Un lack de roupies :* cent mille roupies.

HOM. **Lac, laque.**

LACONIEN, IENNE [lakɔnjɛ̃, jɛn] adj. — 1636; *à la laconienne* «laconiquement», 1554; de *Laconie.*

♦ Didact. De Laconie, région grecque (Péloponnèse) dont la capitale est Sparte (Lacédémone). — N. *Un Laconien, une Laconienne.*

N. m. Dialecte dorien de Laconie (dans l'Antiquité).

LACONIQUE [lakɔnik] adj. — 1529; «laconien», 1536; soit de *Laconie,* du lat. *laconicus,* soit du grec *lakonikos,* proprt «de Laconie», les Laconiens ou Lacédémoniens s'étant rendus célèbres pour la concision de leur langage.

♦ Qui s'exprime en peu de mots. ⇒ **Bref, concis.** *Tacite est un auteur laconique* (Académie). — Par ext. *Langage, réponse laconique. Style laconique.* ⇒ **Lapidaire.** *Exposé laconique.* ⇒ **Court, succinct** (→ Exercer, cit. 41). *Communiqué laconique. Épitaphe* (cit. 4) *laconique.*

1 Mais sur tous certain Grec renchérit et se pique
D'une élégance laconique
Il renferme toujours son conte en quatre vers (...) LA FONTAINE, Fables, VI, 2.

2 Lent, posé, réfléchi, circonspect dans sa conduite, froid dans ses manières, laconique et sentencieux dans ses propos (...) ROUSSEAU, les Confessions, V.

3 (...) il est habituellement bref, précis et clair; le langage le plus laconique et le plus lumineux s'agite et se débat sur sa langue (...) BAUDELAIRE, Trad. E. POE, Nouvelles histoires extraordinaires, «Le démon de la perversité».

CONTR. **Diffus, long, prolixe.**
DÉR. **Laconiquement, laconisme.**

LACONIQUEMENT [lakɔnikmɑ̃] adv. — 1558; de *laconique,* et *-ment.*

♦ D'une manière laconique. *Écrire, répondre laconiquement.* ⇒ **Brièvement.** *Texte rédigé laconiquement.*

L'inconnu fit un pas et, sans sortir les mains de ses poches, dit laconiquement : «Bonjour». G. DUHAMEL, Salavin, V, V.

LACONISME [lakɔnism] n. m. — 1556, en parlant des Laconiens; sens étendu, 1636; du rad. de *laconique.*

♦ Littér. Manière de s'exprimer en peu de mots. ⇒ **Brièveté, concision.** *Le laconisme de Sénèque, de Tacite. Le laconisme d'un orateur, de qqn* (dans l'expression orale ou écrite).

(...) voyant un homme froid et sans façons, *(ils)* prirent sa simplicité pour de la hauteur, sa franchise pour de la rusticité, son laconisme pour de la bêtise (...) ROUSSEAU, les Confessions, XII. 1

(Choses, expressions). *Le laconisme du style, d'une réponse. Le laconisme d'un télégramme.*

Nous l'ouvrons *(la missive)* d'une main fiévreuse, et nous y lisons cette phrase écrite avec l'effrayant laconisme du style électrique : «Léon Gozlan est mort cette nuit.» Th. GAUTIER, Portraits contemporains, Léon Gozlan. 2

Est-ce parce que j'ai senti enfin, sous le laconisme de vos lettres, un peu d'affection vraie et émue? LOTI, les Désenchantées, IV, XXVII. 3

LACROSSE [lakʀɔs] n. m. — Attesté 1888, *in* Petiot; agglutination de *la crosse.*

♦ Régional (Canada). Jeu proche du hockey* sur gazon, mais opposant deux équipes de six joueurs, et qui consiste à lancer ou à porter une balle de caoutchouc mousse entre deux poteaux *(buts),* au moyen d'une crosse qui se termine en fourche et porte une poche en filet. *«Le lacrosse estival et le hockey hivernal sont les deux grands sports canadiens»* (Petiot).

LACRYMA-CHRISTI [lakʀimakʀisti] n. m. invar. — 1534, Rabelais; mot lat. signifiant «larme du Christ».

♦ Vin muscat du sud de l'Italie. *Du lacryma-christi provenant des vignes cultivées au pied du Vésuve.*

La vigne célèbre dont le vin est appelé *lacryma-christi* se trouve dans cet endroit, et tout à côté des terres dévastées par la lave. Mᵐᵉ DE STAËL, Corinne, XI, IV. 1

Écrit *lacrima christi :*

Le *lacrima christi* est imbuvable pour moi. C'est du vin ordinaire de Bourgogne dans chaque bouteille duquel on aurait fait fondre deux livres de sucre. STENDHAL, Journal, 10 oct. 1811. 2

LACRYMAL, ALE, AUX [lakʀimal, o] adj. — Av. 1470; *lacrimel,* n. m., 1314, au sens de «sac lacrymal»; lat. médiéval *lacrimalis,* de *lacrima* «larme».

♦ Didact. Qui a rapport aux larmes*, à la production ou à l'écoulement* des larmes. *Canal, conduit* lacrymal. Caroncule* lacrymale. Glande lacrymale,* qui sécrète les larmes. *Sac* lacrymal :* petite poche communiquant à sa partie inférieure avec le canal nasal. *Inflammation du sac lacrymal.* ⇒ **Dacryocystite.** — Pathol. *Fistule* du sac lacrymal* ou *fistule lacrymale,* qui apparaît à la suite d'une *tumeur lacrymale* (⇒ **Ægilops**).

Et, soudain, je lui vis les yeux pleins de larmes. Parce que je souffre aussi d'une telle disposition de ma nature (...) je considère avec une véritable sympathie ceux qui éprouvent cette douce et délivrante misère. Je juge même avec admiration, peut-être avec envie, ceux qui sont plus doués que moi, en ce qui touche cette fonction des glandes lacrymales. G. DUHAMEL, le Temps de la recherche, XIV. 1

Littér. Qui ressemble à des larmes.

Un hydrolat lacrymal lave 2
Les cieux vert-chou (...) RIMBAUD, Poésies, XXIX, «Mes petites amoureuses».

LACRYMATION [lakʀimasjɔ̃] n. f. — 1932, Daudet, *in* D. D. L.; lat. *lacrimatio,* de *lacrima.*

♦ Didact. ou littér. (rare). Action de pleurer.

À chaque rencontre — il y en eut sûrement plus de six — de Bernanos, attendrissement profond, étreintes de main prolongées, lacrymation, pâleur attendrie. Léon DAUDET, cité par BERNANOS, Essais et Écrits de combat, Pl., t. I, p. 1302.

LACRYMATOIRE [lakʀimatwaʀ] adj. et n. m. — 1690, Furetière, n. m.; adj., 1808; bas lat. médical *lacrimatorius* «qui combat le larmoiement», du supin de *lacrimare* «pleurer», de *lacrima* «larme».

♦ **1.** Didact. (Antiq. rom.). Petit vase funéraire, en terre cuite ou en verre, que les archéologues ont longtemps cru destiné à recueillir les larmes des pleureuses et qui «selon toute apparence, contenait les huiles odorantes dont on parfumait le bûcher avant de l'allumer» (Académie). — Adj. *Vase, urne lacrymatoire.*

Elle faisait des stations aux boutiques de mosaïques, de bijouterie, aux devantures des antiquaires, à l'étal du bric-à-brac antique, aux vitrines poussiéreuses encombrées de lampes étrusques, de majoliques, de fragments de lacrymatoires irisés, de sébilles de vieilles monnaies. Ed. et J. DE GONCOURT, Madame Gervaisis, p. 35. 1

♦ **2.** (1842, E. Sue, *in* T. L. F.). Littér. et plais. Qui fait verser des larmes.

(...) tous ces idiots romantiques, avec leur pensée rance, leur émotion lacrymatoire, ces rebâchages *(sic)* séniles qu'on veut que nous admirions (...) R. ROLLAND, Jean-Christophe, La révolte, I, p. 413. 2

LACRYMOGÈNE [lakʀimɔʒɛn] adj. — 1915, Larousse; de *lacrymo-,* élément tiré du lat. *lacrima* «larme», et *-gène.*

♦ **1.** Cour. Qui détermine la sécrétion des larmes. *Des fumées lacrymogènes.* (Dans quelques expressions). *Gaz lacrymogène.* — Par ext. Qui dégage une substance lacrymogène. *Grenade lacrymogène. La police* dut faire usage de grenades lacrymogènes.*

♦ **2.** Fam. et plais. Qui fait pleurer. ⇒ **Lacrymatoire.** *Un mélo tout ce qu'il y a de lacrymogène.*

LACRYMO-NASAL [lakʀimonazal] adj. m. — 1962, Larousse; de *lacrymo-*, élément tiré du lat. *lacrima* «larme», et *nasal.*

♦ Anat. *Canal lacrymo-nasal,* reliant le sac lacrymal et les fosses nasales.

LACS [la] n. m. — 1080, *Chanson de Roland, laz; lacs,* v. 1360 d'après *lacet, lacer;* lat. *laqueus.*

Didactique ou vieux.

♦ **1.** Hist., archéol. Cordon* mince et fin servant de lien, d'attache. *Autrefois le sceau était attaché aux édits avec des lacs de soie de diverses couleurs* (Académie).

Blason. Cordon entrelacé dont les extrémités sortent par le bas de l'écu, à dextre et à sénestre, en formant houppe.

♦ **2.** (V. 1175). Nœud* coulant pour capturer le gibier ou certains animaux nuisibles. ⇒ **Lacet, piège, rets.** *Rat pris aux lacs* (→ Approcher, cit. 24). *Prendre des alouettes aux lacs.* ⇒ **Filet.** *Chasse* au lacs.*

1 Il s'en va près d'un antre et tend à l'environ
Des lacs à prendre loups (...)
LA FONTAINE, Fables, VI, 2.

♦ **3.** Fig. (Vx). ⇒ **Piège.** *Il est tombé dans le lacs que lui ont tendu ces intrigants* (Académie). — Fam. (vx). *Tomber dans le lacs, être dans le lacs :* «tomber, être dans l'embarras» (Littré). ⇒ **Lac,** REM.

2 Ne songe qu'à combattre, à vaincre, à te tirer
De ces lacs dangereux où ton plaisir t'invite.
CORNEILLE, Imitation de Jésus-Christ, III, 665.

3 Il ira dans la ville, et là les vierges folles
Le prendront dans leurs lacs aux premières paroles.
A. DE VIGNY, Poèmes philosophiques, «Colère de Samson».

♦ **4.** (1420). Loc. LACS D'AMOUR : cordons décoratifs entrelacés en forme de 8 couché. *Chiffre brodé, gravé en lacs d'amour. Dans les armoiries, les lacs d'amour réunissaient souvent les initiales du mari et de la femme.* — Motif décoratif analogue.

4 (...) nous aurions bien des affaires (...) si nous nous mettons à faire des lacs d'amour à tous nos D. et à toutes nos L. *(selon une mode allemande du temps).*
Mme DE SÉVIGNÉ, Lettres, 832, 17 juil. 1680.

♦ **5.** Chir. Lien résistant pour effectuer des tractions.

DÉR. Lacet.

HOM. 1. La, 2. la, 3. la, là, las.

LACT-, LACTO- Premier élément tiré du lat. *lac, lactis* «lait», servant à former de nombreux mots savants. Outre les mots traités à l'ordre alphabétique, on peut signaler : *lactobutyromètre* [laktobytiʀɔmɛtʀ] n. m. (1932, *in* T. L. F.); *lactogène* [laktɔʒɛn] adj.; *lactogenèse* [laktɔʒənɛz] n. f.; *lactoscope* [laktɔskɔp] n. m. (1933).

LACTACIDÉMIE [laktasidemi] n. f. — Mil. XXe; de *(acide) lact(ique),* et *-émie.*

♦ Méd. Teneur en acide lactique du sang. *Augmentation de la lactacidémie après un effort musculaire.*

1. LACTAIRE [laktɛʀ] adj. — 1803; «qui produit du lait», 1605; lat. *lactarius,* de *lac, lactis* «lait».

♦ Didact. Qui a rapport au lait, à l'allaitement. *Conduits lactaires.*

HOM. 2. Lactaire.

2. LACTAIRE [laktɛʀ] n. m. — 1816, *in* D. D. L.; lat. *lactarius,* voir le précédent.

♦ Bot. Champignon *(Agaricacées),* dit aussi laitier, qui laisse échapper, quand on le rompt, un suc laiteux blanc ou coloré, doux ou piquant. *Lactaire délicieux* (⇒ **Barigoule,** régional), *lactaire poivré* (tous deux comestibles). *Lactaires vénéneux.*

HOM. 1. Lactaire.

LACTALBUMINE [laktalbymin] n. f. — V. 1900, *Nouveau Larousse illustré;* de *lact(o)-,* et *albumine.*

♦ Chim. Albumine du lait, coagulable par la chaleur.

Les matières azotées du lait sont, pour la presque totalité, des protides : caséine, lactalbumine et lactoglobuline (...)
La *lactalbumine* présente un intérêt technologique en ce sens qu'elle est coagulée par l'action de la chaleur. Par conséquent tout traitement thermique du lait provoquera, selon qu'il est léger ou prononcé, une coagulation plus ou moins grande de l'albumine.
André ECK, le Lait et l'Industrie laitière, p. 12-13.

LACTAME [laktam] n. f. — 1907, in *Rev. gén. des sc.,* no 7, p. 475; de *lact(o)-,* et *am(ide).*

♦ Chim. Amide caractérisé par le groupement -NH-CO-, et correspondant à un amino-acide. ⇒ **Aminé.**

LACTARIUM [laktaʀjɔm] n. m. — 1949, *Larousse mensuel, in* D. D. L.; lat. sc. mod., formé sur le lat. *lac, lactis* «lait».

♦ Didact. Établissement où l'on collecte et l'on conserve du lait humain. *«Le lait humain est certainement l'aliment idéal du nouveau-né. Il existe en France un nombre assez important de lactariums qui font un travail utile et difficile, celui de récolter du lait humain et de le redistribuer dans les hôpitaux où il est utilisé surtout pour les nouveau-nés à risques, prématurés notamment»* (*la Recherche,* janv. 1983, p. 17).

LACTASE [laktaz] n. f. — V. 1900; de *lact(o)-,* et suff. *-ase.*

♦ Biochim. Diastase, produite par certains micro-organismes, qui dédouble le lactose en glucose et lévulose.

LACTATE [laktat] n. m. — 1787, Fourcroy; de *lact(o)-,* et suff. *-ate.*

♦ Chim. Sel ou ester de l'acide lactique. *Lactate d'argent, de calcium, de fer.*

LACTATION [laktɑsjɔ̃] n. f. — 1623; bas lat. *lactatio,* du supin de *lactare* «avoir du lait, allaiter», de *lac, lactis* «lait».

Physiologie.

♦ **1.** Sécrétion et écoulement du lait chez la femme et les femelles des mammifères après la parturition. *La prolactine, hormone de la lactation. Troubles de la lactation.*

(...) l'injection en fin de gestation d'une dose convenable de prolactine suffit à déclencher la lactation. R. FABRE et G. ROUGIER, Physiologie médicale, p. 732.

♦ **2.** Allaitement. — Période de l'allaitement (surtout en parlant des animaux). *Des vaches en période de lactation.*

LACTÉ, ÉE [lakte] adj. — V. 1398; lat. *lacteus* «laiteux».

♦ **1.** Littér. Qui ressemble au lait, a l'aspect du lait. *Suc lacté. Un blanc* lacté.* ⇒ **Lactescent.**

(...) pas une seule de ces taches de rousseur, qui font payer à ces blondes dorées leur blancheur lactée, n'altérait son teint. 1
BALZAC, la Cousine Bette, Pl., t. VI, p. 159.

(1645). Anat. *Veines lactées :* les vaisseaux chylifères (ainsi nommés à cause de la couleur blanchâtre du chyle*).

(1559). Cour. *Voie lactée :* bande blanchâtre et floue qu'on aperçoit dans le ciel pendant les nuits claires et qui est constituée par un énorme groupement d'étoiles et d'autres corps célestes (apparence du plus grand axe de notre galaxie). ⇒ **Galaxie** (cit. 1); **nébuleuse.**

Voie lactée ô sœur lumineuse 2
Des blancs ruisseaux de Chanaan
Et des corps blancs des amoureuses (...)
APOLLINAIRE, Alcools, p. 21.

♦ **2.** (1873). Didact. Qui a rapport au lait. *Sécrétion lactée.* ⇒ **Lactation.** — Vx. *Fièvre lactée.* Syn. : *fièvre de lait.*

♦ **3.** Cour. Qui consiste en lait, qui est à base de lait. *Farine* lactée* (→ Flatulence, cit.). *Dessert lacté. Chocolat lacté,* au lait. — (1814). Méd. *Diète* lactée, régime lacté,* où l'on ne prend que du lait. ⇒ **Lactothérapie.**

LACTÉAL, ALE, AUX [lakteal, o] adj. — XXe, absent des dict. généraux; dér. sav. du lat. *lacteus* «de lait», de *lac, lactis* «lait». → Lact(o)-.

♦ Didact. (méd. et chir. dentaires). *Dents lactéales,* synonyme savant de *dents de lait. Denture lactéale.*

LACTÉINE [laktein] n. f. — 1850, *in* D. D. L.; dér. sav. du lat. *lac, lactis* «lait».

♦ Didact. Lait déshydraté. — Var. : *lactoline,* n. f., vx (1835, *in* D. D. L.); *lactéoline,* n. f. (1867, Littré).

LACTESCENCE [laktesɑ̃s] n. f. — 1812; de *lactescent.*

♦ Littér. État d'un liquide lactescent.

LACTESCENT, ENTE [laktesɑ̃, ɑ̃t] adj. — 1783, au sens 1; lat. *lactescens,* p. prés. de *lactescere* «devenir laiteux».

♦ **1.** Sc. Qui contient un suc laiteux. *Champignon lactescent.*

♦ **2.** Par ext. (en parlant d'un liquide). Qui ressemble à du lait. *Sérosité lactescente.*

♦ **3.** (1821). Littér. Qui ressemble à du lait; d'un blanc de lait. ⇒ **Lacté** (→ Baigner, cit. 26, Rimbaud).

DÉR. **Lactescence.**

LACTIFÈRE [laktifɛʀ] adj. — 1665; bas lat. *lactifer* «qui produit du lait», de *lac, lactis* «lait», et *fer.* → -fère.

♦ Sc. (anat.). Qui amène, porte ou produit du lait. *Conduits lactifères.* Bot. *Plantes lactifères :* plantes qui renferment un suc laiteux (ou *latex*). *La laitue, plante lactifère.*

LACTIQUE [laktik] adj. — 1787; de *lact-*, et suff. *-ique.*

♦ **1.** Chim. *Acide lactique* (vx, *caséique*) : acide-alcool qui existe dans le lait aigri et se trouve également dans un grand nombre de végétaux (opium, tamarin...) et de composés (vin...). *L'acide lactique, utilisé comme remède contre la diarrhée* verte infantile. Sel de l'acide lactique.* ⇒ **Lactate.**

♦ **2.** (1841). Chim., biol. Qui transforme les sucres en acide lactique. *Ferment lactique :* bacille du lait qui transforme le lactose en acide lactique. *Fermentation lactique.*

Si le développement de la levure de Cagniard transforme le sucre en alcool, si un autre infiniment petit est nécessaire à la transformation lactique (...)
Henri MONDOR, Pasteur, IV.

LACTO- ⇒ **Lact-.**

LACTOBACILLE [laktobasil] n. m. — Mil. XXe; de *lact(o)-*, et *bacille.*

♦ Didact. Bactérie capable de transformer les sucres en acide lactique. *«La flore de la cavité buccale que nous venons d'évoquer est extrêmement variée. Il s'agit de bactéries : principalement des streptocoques, des lactobacilles, des actinomyces»* (*la Recherche,* juil.-août 1981, p. 802).

LACTODENSIMÈTRE [laktodɑ̃simɛtʀ] n. m. — 1841, *lacto-densimètre, in* D. D. L.; de *lacto-*, et *densimètre.*

♦ Techn. Appareil servant à mesurer la densité du lait.

LACTODUC [laktodyk] n. m. — Mil. XXe (attesté 1966); de *lact(o)-*, d'après *aqueduc.*

♦ Didact., techn. Canalisation servant au transport du lait. *Lactoduc d'une coopérative fromagère.*

LACTOFLAVINE [laktoflavin] n. f. — V. 1950; de *lact(o)-*, et *flavine* (découverte par Kuhn en 1933).

♦ Chim. Vitamine B_2 qu'on trouve dans le lait (⇒ **Riboflavine**).

1 À partir du pigment du petit-lait, Kuhn isola une substance cristallisée très active, qu'il appela «lactoflavine» et qui se présente sous forme d'aiguilles jaunes.
Suzanne GALLOT, les Vitamines, p. 58.

2 Les facteurs du groupe B interviennent de la façon suivante :
La lactoflavine agit sur la croissance (...) Elle joue également un rôle dans le phénomène de l'absorption intestinale ainsi que dans l'excrétion de plusieurs substances.
Suzanne GALLOT, les Vitamines, p. 80.

LACTOGLOBULINE [laktoglɔbylin] n. f. — V. 1900, *Nouveau Larousse illustré;* de *lact(o)-*, et *globuline.*

♦ Chim., biol. Protéine contenue dans le liquide (lactosérum) qui reste après la coagulation du lait et qui représente environ la moitié de toutes les protéines du lait.

LACTOLINE [laktɔlin] n. f. ⇒ **Lactéine.**

LACTOMÈTRE [laktɔmɛtʀ] n. m. — 1839, Boiste; de *lact(o)-*, et *-mètre.*

♦ Didact. Appareil servant à apprécier la qualité d'un lait, et, spécialt, sa richesse en beurre. ⇒ **Galactomètre, pèse-lait.**

LACTONE [laktɔn] n. f. — 1855, *Dict. de médecine,* Nysten-Littré-Robin; de *lact(o)-*, et suff. chim. *-one.*

♦ Chim. Un des esters fourni par certains acides-alcools ou acides-phénols (par ext., ceux dans lesquels la fonction acide et la fonction alcool sont séparées par 2, 3 atomes de carbone). *Lactones de la série grasse, de la série aromatique* (coumarine).

LACTOPROTÉINE [laktopʀotein] n. f. — 1864, in *Année sc. et industr.* 1865, p. 257; de *lact(o)-*, et *protéine.*

♦ Chim., biol. Nom d'ensemble des protéines du lait, dont les plus importantes sont la lactoglobuline et la lactalbumine.

LACTOSE [laktoz] n. m. — 1855, Nysten-Littré-Robin, *Additions;* de *lact(o)-*, et suff. *-ose.*

♦ Chim. Sucre fermentescible contenu dans le lait des mammifères ($C_{12}H_{22}O_{11}$), dédoublable en glucose* et galactose*. *Hydrolyse du lactose sous l'action de la lactase*. Transformation du lactose en acide lactique par le ferment lactique*.* ⇒ aussi **Lacté.** — REM. On dit aussi *sucre de lait.*

LACTOSÉRUM [laktoseʀɔm] n. m. — 1908, *in* D. D. L.; de *lact(o)-*, et *sérum.*

♦ Didact. Petit lait.

LACTOSURIE [laktozyʀi] n. f. — 1905, in *Rev. gén. des sc.,* n° 18, p. 835; de *lactos(e)*, et *-urie.*

♦ Physiol. Présence de lactose dans l'urine de la femme enceinte, peu de temps avant l'accouchement, et chez la femme qui allaite.

LACTOTHÉRAPIE [laktoteʀapi] n. f. — XXe; de *lact(o)-*, et *thérapie.*

♦ Méd. Emploi thérapeutique du lait (surtout sous forme de diète lactée).

LACTUCARIUM [laktykaʀjɔm] n. m. — 1831, *in* D. D. L.; du lat. *lactuca* «laitue», et suff. *-(a)rium.*

♦ Didact. Suc laiteux narcotique obtenu par incision des tiges de laitues* montées et desséchées au soleil. *Propriétés narcotiques et sédatives du lactucarium,* dit *opium* de laitue. Sirop de lactucarium opiacé, prescrit contre la toux.*

LACUNAIRE [lakynɛʀ] adj. — 1822, selon Bloch et Wartburg (1840-1842, Académie, *Compl.*); de *lacune,* et *-aire.*

♦ **1.** Sc. ou littér. Qui offre, présente des lacunes. *Tissu lacunaire.*

♦ **2.** Qui a des manques. ⇒ **Incomplet.** *Documentation lacunaire.* ⇒ **Lacuneux.** *Une éducation lacunaire.*

(...) les vestiges de la civilisation matérielle sont pour la plupart de datation très imprécise; ils sont en outre dispersés au hasard des trouvailles, et leur répartition sporadique, extrêmement lacunaire, rend périlleuse toute interprétation d'ensemble.
Georges DUBY, Guerriers et Paysans, p. 11.

♦ **3.** Psychopathol. Qui présente des lésions circonscrites des centres nerveux, correspondant à de petites cavités du tissu cérébral, déterminant des troubles moteurs, la démence. — N. *Un, une lacunaire.*

LACUNE [lakyn] n. f. — 1515; lat. *lacuna* «fossé, mare». → Lagune.

♦ **1.** Vx. Espace vide, solution de continuité dans un corps. ⇒ **Espace, fente.**

Il entra par une lacune de la palissade dans l'enceinte de l'éléphant et aida les mômes à enjamber la brèche. HUGO, les Misérables, t. II, p. 159, *in* T. L. F. 0.1

Sc. nat. Petite cavité du tissu cellulaire, espace interstitiel entre les cellules (⇒ **Méat**). *Lacunes des centres nerveux.*

Bot. Espace libre dans l'épaisseur d'un tissu.

Vétér. Partie du dessous du sabot*, chez le cheval.

Phys. «Emplacement laissé libre dans le réseau (cristallin) par un électron en mouvement» (Piraux, *Lexique de l'énergie atomique*). *Chaque lacune possède une charge électrique égale et de signe inverse à celle de l'électron libre; cette charge attire un électron de remplacement.*

♦ **2.** (Av. 1616, d'Aubigné). Interruption involontaire et fâcheuse dans un texte, un enchaînement de faits ou d'idées; absence d'un ou de plusieurs termes dans une série. ⇒ **Hiatus, interruption, omission.** *Présenter des lacunes. Remplir, combler** (cit. 10), *suppléer* une lacune. Lacunes et faiblesses* (cit. 23) *d'une doctrine. Lacunes dans un raisonnement, une démonstration, une argumentation, un plan.* ⇒ **Insuffisance.** *Lacunes de mémoire.* ⇒ **Déficience, trou** (→ Compte, cit. 23); **oubli.** *Il y a de graves lacunes dans ses connaissances* (⇒ **Ignorance**). *Une lacune d'éducation.*

Il y a des événements de ma vie qui me sont aussi présents que s'ils venaient d'arriver; mais il y a des lacunes et des vides que je ne peux remplir qu'à l'aide de récits aussi confus que le souvenir qui m'en est resté. 1
ROUSSEAU, les Confessions, III.

Je n'entends rien à vos rigueurs, mon cher disciple : voilà deux lettres de moi sans réponse et une lacune de six mois entre nous. RIVAROL, Lettres, XIX. 2

(...) la conversation était tombée sur les fautes et les lacunes des dictionnaires (...) 3
HUGO, les Misérables, II, VI, VI.

(...) l'art d'expérimenter, conduisant du premier anneau de la chaîne au dernier, sans lacune et sans hésitation (...) Henri MONDOR, Pasteur, V. 4

5 Je possède une mémoire excellente dans laquelle il y a, pourtant, non des lacunes — ce qui serait trop peu dire — mais de véritables déserts, des gouffres de fumeuses ténèbres. G. DUHAMEL, Chronique des Pasquier, I (Avant-propos), p. 28.

DÉR. Lacunaire, lacuneux.

LACUNEUX, EUSE [lakynø, øz] adj. — 1783; de *lacune*, et *-eux*.

♦ **1.** Bot. Se dit d'un tissu végétal présentant un espace entre les cellules. « *Parenchyme lacuneux* » (Plantefol).

♦ **2.** Incomplet, qui a des manques (en parlant d'un écrit, d'un texte). ⇒ **Lacunaire.**

LAÇURE [lasyʀ] n. f. — XIIe, *laceüre ;* de *lacer*, et *-ure*.

♦ **1.** Rare. Action de lacer.

♦ **2.** Partie d'un vêtement, fermée par un lacet passant dans des œillets.

LACUSTRE [lakystʀ] adj. — 1573, rare jusqu'au XIXe; de *lac*, d'après *palustre*.

♦ **1.** Relatif aux lacs. *Terrain d'origine lacustre.* Littér. *Un bleu lacustre*, de lac. — Géol. *Bassin lacustre.*

♦ **2.** Qui se trouve, vit auprès d'un lac, dans un lac. *Animaux lacustres, faune lacustre, plantes lacustres. — Habitation, retraite lacustre*, au bord d'un lac, sur l'îlot d'un lac. *Cités, villages lacustres*, bâtis sur pilotis.

♦ **3.** *Cités lacustres du néolithique récent* (vers le milieu du IIIe millénaire av. J.-C.). ⇒ **Palafitte.**

1 La moitié du village a des airs de cité lacustre : les maisons sont en bois, avec des toits verts, on les a bâties sur pilotis pour éviter l'humidité. SARTRE, Situations III, p. 95.

2 La zone néolithique de notre pays la mieux connue est celle qui se rattache à la civilisation des cités lacustres ou des palafittes, fort bien étudiée dans la région des lacs suisses (lac de Neuchâtel). Les habitants des cités lacustres vivaient de l'élevage (...) mais aussi de la chasse et de la pêche. Leurs maisons étaient (...) bâties sur pilotis : les eaux des lacs leur offraient ainsi une partie de leur nourriture et une protection contre les fauves. J. NAUDOU, la Protohistoire, *in* Encycl. Pl. (Hist. universelle), t. I, p. 78.

N. m. pl. *(Des, les lacustres).* Habitants d'une cité lacustre.

COMP. Sous-lacustre.

LAD [lad] n. m. — 1854; mot angl. « jeune gars ».

♦ Anglic. Jeune garçon d'écurie chargé de garder, de soigner les chevaux de course. *Lad qui monte à l'entraînement. De nombreux jockeys sont d'anciens lads.*

1 D'antichambre en écurie, frotté à toutes les roublardises, à toutes les rapacités, à tous les vices des domestiques de grande maison, il est passé lad, au haras d'Eaton. O. MIRBEAU, Journal d'une femme de chambre, p. 363.

2 (...) lui (...) tenant sur le bras sa minuscule selle de poupée d'où pendent les étriers qui s'entrechoquent avec un tintement argentin, marchant à côté d'elle vers les balances derrière le cheval trempé et fumant que mène par la bride un de ces petits lads aux cheveux sales et trop longs, aux vêtements élimés et à la pâle figure de voyou (...) Claude SIMON, la Route des Flandres, p. 42.

LADANUM [ladanɔm] n. m. — 1256; lat. *ladanum*, grec dorien *ladanon* « gomme du ciste ». → Laudanum.

♦ Gomme*-résine aromatique fournie par divers arbustes du genre Ciste* dits *ladanifères. Le ladanum s'emploie en parfumerie* (on écrit parfois *labdanum*). — On trouve parfois la var. *ladanon* [ladanɔ̃].

LÀ-DEDANS [lad(ə)dɑ̃] loc. adv. ⇒ **Là,** I., D., 2.

LADÈRES [ladɛʀ] n. m. pl. — 1902, Larousse; orig. inconnue.

♦ Géol. Grès ou poudingue très durs formant des blocs épars.

LÀ-DERRIÈRE [ladɛʀjɛʀ], **LÀ-DEVANT** [lad(ə)vɑ̃] adv. ⇒ **Là.**

LÀ-DESSOUS [lad(ə)su], **LÀ-DESSUS** [lad(ə)sy] adv. ⇒ **Là.**

LADIN [ladɛ̃] n. m. — 1813, *in* D. D. L.; mot rhéto-roman, du lat. *latinus* « latin ».

♦ Ling. Ensemble des parlers rhéto-romans (romanche) de l'Engadine (vallée de l'Inn). Syn. : *engadinois.*

LADINO [ladino] n. m. — D. i.; mot espagnol. → Ladin.

♦ Parler espagnol des juifs séfarades d'Espagne, puis de leurs descendants (Balkans, Afrique du Nord, Grèce, Moyen-Orient). ⇒ **Judéo-espagnol.** *Le ladino est une forme d'espagnol archaïque et hébraïsée.*

LADITE [ladit] adj. fém. ⇒ **Ledit.**

LADRE [lɑdʀ] n. et adj. — V. 1170; *lazre*, v. 1160; fém. *ladresse*, 1533; du lat. *Lazarus*, nom du pauvre couvert d'ulcères, dans la parabole de saint Luc, XVI, 19 ou nom du ressuscité par le Christ. → Lazaret.

★ **I. A.** ♦ **1.** Vx. *Ladre, ladresse :* celui, celle qui a la lèpre (au sens anc. et général du mot). ⇒ **Lépreux** (→ Foyer, cit. 1). — Adj. (invar. au fém.). *Cette femme est ladre.*

Certains villages italiens, aussi bien que certaines bourgades françaises, sont des foyers de lèpre. Et j'en étais certain. Dom Folengo était ladre. Je couchais dans le lit d'un lépreux. Les draps n'avaient même pas été changés. 1
APOLLINAIRE, l'Hérésiarque..., p. 228.

♦ **2.** Adj. (1564). Se dit du porc, du bœuf... atteint de ladrerie. *Truie ladre* (Académie). — Par ext. « *C'est par l'absorption de viande ladre insuffisamment cuite que l'on peut s'infecter du ver solitaire* » (Garnier).

B. N. m. Vétér. *Taches de ladre :* partie de la peau du cheval dépourvue de pigment et généralement de poils (autour des yeux, du nez). *Cheval qui a du ladre, des taches de ladre aux naseaux.*

★ **II.** Fig. ♦ **1.** Adj. Vx. Insensible physiquement, et, par ext., moralement (par allus. à l'insensibilité dermique des lépreux).

♦ **2.** N. m. et f. (1640). Vx ou littér. (souvent plais.). La forme du fém. *ladresse* est inusitée. Académie, huitième éd., écrit *une ladre.* LADRE. ⇒ **Avare** (cit. 14), **fesse-mathieu** (cit. 2), **grigou** (cit. 3). *Un vieux ladre.*

Le *ladre* est (...) l'avare que n'émeuvent ni le spectacle de la misère ni les cris de la détresse. Dans l'*Avare* de Molière, Frosine, ayant en vain imploré l'assistance d'Harpagon, s'écrie à la fin : « Le *ladre* a été ferme à toutes mes attaques » *(Avare, II, 5).* LAFAYE, Dict. des synonymes, Avare. 2

L'argent (...) fait (...) du plus généreux, un ladre. HUYSMANS, Là-bas, I. 3

Adj. ⇒ **Avare, chiche.** *Un homme, une femme très ladre. Elle est un peu ladre.*

(...) elle ne serait qu'une maîtresse désespérée, qui vient supplier la tante de son amant, une parente riche et ladre (...) 3.1
BERNANOS, Un mauvais rêve, *in* Œ. roman., Pl., p. 998.

(...) le généreux, si on l'enrichit, devient ladre. 4
SAINT-EXUPÉRY, Terre des hommes, p. 190.

CONTR. Généreux.

DÉR. Ladrement, ladrerie (cf. aussi Maladrerie).

LADREMENT [lɑdʀəmɑ̃] adv. — 1844, G. Sand, *in* T. L. F.; de *ladre.*

♦ Vx. D'une manière avaricieuse. ⇒ **Chichement.**

LADRERIE [lɑdʀəʀi] n. f. — 1492; de *ladre*, et *-erie.*

★ **I.** ♦ **1.** Vx. ⇒ **Lèpre.**

♦ **2.** (1530, écrit *laderye*). Hôpital où l'on soignait les lépreux. ⇒ **Léproserie, maladrerie.** — Par ext. Ensemble des ladres, des lépreux et aussi des mendiants (→ **Brigand,** cit. 2).

Le Mas Vieux a sa chapelle, d'un roman primitif et sa ladrerie devenue étable. 0.1
Paul MORAND, l'Homme pressé, p. 32, *in* T. L. F.

♦ **3.** (1564). Mod., vétér. Maladie causée chez certains animaux (porc, bœuf) par le développement de larves de ténia (cysticerques) dans les muscles ou sous la langue. *La ladrerie* (cysticercose), *forme d'épizootie* fréquente chez le porc. Langueyage des animaux atteints de ladrerie.*

★ **II.** (Av. 1660, Scarron). Vx ou littér. Avarice* sordide. ⇒ **Lésine, sordidité** (→ Commun, cit. 17, Mme de Sévigné).

(...) quoiqu'elle fût peut-être plus avare et plus économe que son frère qu'elle surpassait en inventions de ladrerie. BALZAC, Maître Cornélius, Pl., t. IX, p. 915. 1

Figuré :

Il n'y a pas deux façons d'aimer (...) Ou plutôt, si, il y en a deux : il y a la façon de ceux qui aiment avec tout eux-mêmes, et la façon de ceux qui ne donnent à l'amour qu'une part de leur superflu. Dieu me préserve de cette ladrerie de cœur! R. ROLLAND, Jean-Christophe, Dans la maison, I, p. 936. 2

CONTR. (Du sens II) **Générosité.**

LADRESSE [lɑdʀɛs] n. f. ⇒ **Ladre,** I.

LADURE [ladyʀ] n. f. — 1872, Littré, *Additions ;* breton de Vannes *ladur.*

♦ Techn. « Petite aire circulaire en surélévation placée à la croisée des œillets et servant à stocker la récolte journalière de sel » (*les Salines*, in *la Banque des mots*, no 14).

LADY [lɛdi; ledi] n. f. — 1750; attestation isolée, 1669; mot anglais «dame».

♦ Titre donné aux femmes des lords et des chevaliers. — Par ext. Dame anglaise. *Une jeune lady. Des ladies* [lediz].

1 Émilie crut reconnaître en elle une illustre lady qui était venue habiter depuis peu de temps une campagne voisine. BALZAC, le Bal de Sceaux, Pl., t. I, p. 99.

2 (...) les portraits anonymes des ladies anglaises à boucles blondes qui, sous leur chapeau de paille rond, vous regardent avec leurs grands yeux clairs. FLAUBERT, Mme Bovary, I, VI.

(1801, *in* Höfler). Fig. *C'est une vraie lady,* une femme élégante, distinguée (→ au masc. Gentleman).

LAGA [laga] adv. — 1837, Vidocq; de *là*, et suff. pop. *-ga*, parfois *-go*.

♦ Argot. Là.

Je gagne la sortie de la gare. Il y a laga un employé grand et austère comme un avis de décès qui, alerté, me barre le passage. SAN-ANTONIO, Au suivant de ces messieurs, p. 76-77.

LAGAN [lagɑ̃] n. m. — V. 1175; de l'anc. scandinave *lag* «disposition juridique», et suff. *-an* (d'orig. incertaine).

♦ Techn., dr. Épave ou débris flottant.

LAGENA [laʒena] n. f. — 1846, *Dict. d'hist. nat.*, «genre de *buccins*» (Klein); *lagene*, xve, «bouteille»; sens mod., v. 1900, *Nouveau Larousse illustré*; lat. *lagœna* «bouteille».

Didactique (zoologie).

♦ **1.** Foraminifère de la famille des *Lagénidés* qui vivent en milieu froid.

♦ **2.** Partie terminale du limaçon de l'oreille, chez les oiseaux et les reptiles. Partie de l'oreille interne, chez les poissons (appendice du *saccule*).

L'oreille des poissons ne correspond qu'à notre seule oreille interne. Elle comprend des canaux semi-circulaires, siège de l'équilibration et la lagena, ébauche du limaçon qui, chez l'homme, est le siège de l'audition. R. et M.-L. BAUCHOT, les Poissons, p. 47.

REM. On trouve aussi *lagene* [laʒɛn] (1873, Larousse).

LAGÉNI-, LAGÉNO Élément, du lat. *lagœna* «bouteille», servant à former quelques mots scientifiques. Ex. : *lagéniforme,* adj. (1867, Littré) «qui a la forme d'une bouteille»; *lagénidés.*

LAGIDIUM [laʒidjɔm] n. m. invar. — 1833, n. m. (*lagidium*), Meyen (in *Dict. d'hist. nat.*, 1846); lat. zool., de *lagidion* «petit lièvre».

♦ Didact. (zool.). Rongeur des Andes, appelé plus couramment *lièvre des pampas* ou *viscache**. Syn. : *lagotis.*

LAGMI [lagmi] n. m. — 1873, P. Larousse; mot arabe maghrébin «vin de palmier».

♦ Didact. Liquide sucré qui fournit par fermentation un «vin de palme»; cette boisson.

Ils boivent de la boukha et du lagmi, du vin de palmier. G. DUHAMEL, Salavin, Deux hommes, p. 291.

REM. On écrit aussi *lagmy.*

LAGO- Élément tiré du grec *lagôs* «lièvre», qui sert à former des mots savants. ⇒ **Lagomorphes, lagophtalmie, lagostome, lagotriche.**

LAGOMORPHES [lagɔmɔʀf] n. m. pl. — 1898, in *Nouveau Larousse illustré*; de *lago-*, et *-morphe.*

♦ Zool. Ordre de mammifères comprenant les lièvres et les lapins. — Au sing. *Un lagomorphe.*

LAGON [lagɔ̃] n. m. — 1721, Trévoux; ital. *lagone* «grand lac», augmentatif de *lago* «lac», plutôt que de l'esp. *lagòn*, non attesté.

♦ **1.** Techn. (géogr.). Petit lac d'eau salée, lagune peu profonde entre la terre et un récif corallien, par les brèches duquel pénètre la marée (⇒ **Étang, lac, mare**). *Le fond des lagons est généralement couvert d'une vase qui se consolide en calcaire; il porte des têtes de corail, des pitons.*

♦ **2.** Cour. (abusif en science). Lagune* centrale d'un atoll.

Les petits animalcules qui sécrètent ce polypier *(le madrépore)* vivent par milliards au fond de leurs cellules. Ce sont leurs dépôts calcaires qui deviennent rochers, récifs, îlots, îles. Ici, ils forment un anneau circulaire, entourant un lagon ou petit lac intérieur, que des brèches mettent en communication avec la mer. Là, ils figurent des barrières de récifs (...) J. VERNE, Vingt mille lieues sous les mers, XIX.

LAGOPÈDE [lagɔpɛd] n. m. — 1770, Buffon; *lagopode,* 1759 (selon Arveiller); *lagopos,* 1681; lat. *lagopus, lagopodis,* mot grec, proprt «pied de lièvre».

♦ Zool. Oiseau *(Gallinacées)* de taille moyenne, dont le tarse et les doigts sont couverts de plumes. *Le lagopède vit dans les forêts de montagne. Lagopède blanc.* ⇒ **Gélinotte** (blanche). *Lagopède d'Écosse* (⇒ **Grouse**); *lagopède des Alpes.*

Les Oiseaux du groupe des Lagopèdes présentent des phénomènes parallèles *(de dimorphisme) :* les *Lagopus* des régions septentrionales (...) et des hautes montagnes deviennent blancs en hiver (...) par une mue du plumage d'été brun ou noir, tandis que le *Lagopus scoticus* des îles Britanniques (...) ne revêt jamais (...) le plumage blanc hivernal (...) E. DE MARTONNE, Géographie physique, t. III, p. 1389.

LAGOPHTALMIE [lagɔftalmi] n. m. — 1570, *in* D.D.L.; de *lago-*, et *-ophtalmie.*

♦ Méd. Mauvaise fermeture des paupières (brièveté congénitale des paupières, paralysie de la face, brides cicatricielles empêchant l'occlusion).

LAGOSTOME [lagɔstɔm] n. m. — XIXe; de *lago-*, et *stoma* «bouche».

♦ Anat. ⇒ **Bec-de-lièvre.**

LAGOTIS [lagɔti(s)] n. m. — 1846 (en angl., 1833, Bennett); lat. zool., du grec *lagôs* «lièvre», et *ous, ôtos* «oreille».

♦ Zool. Syn. de *lagidium.*

Les naturalistes rapprochent des chinchillas les LAGOTIS (...) habitants des mêmes régions et ayant avec eux quelques ressemblances, mais un pelage gris jaunâtre d'une moins belle qualité. René THÉVENIN, les Fourrures, p. 63.

LAGOTRICHE [lagɔtʀiʃ] n. m. — 1817, *in* D.D.L.; *lagothrix,* déb. XIXe; lat. sc. *lagothrix,* de *lago-*, et grec *thrix* «poil».

♦ Zool. Mammifère simien dit *singe* laineux.*

LAGREMUSE [lagʀəmyz] n. f. — XVIe; provençal *lagramuso,* forme d'oc de *larmuse, larmuise,* du bas lat. *lacrimusa.*

♦ Régional (pays d'oc). Petit lézard gris. ⇒ **Larmuse.**

Sur sa silhouette, se balançait la queue d'une lagremuse. J. GIONO, Naissance de l'Odyssée, *in* Œ. roman., t. I, Pl., p. 78.

LAGUIOLE [lagjɔl] n. m. — 1962, Larousse; de *Laguiole,* nom de lieu (Aveyron).

★ **I.** Cuis. Fromage au lait de vache, proche du Cantal, et fabriqué dans le massif de l'Aubrac.

★ **II.** Couteau de la coutellerie de Laguiole; spécialt, couteau de poche, à une seule lame. *Un Laguiole* ou *un laguiole.*

LAGUIS [lagi] n. m. — 1786; pour l'*agui.* → Agui.

♦ Mar. Boucle de cordage constituée d'un nœud de chaise dans l'œil duquel on a repassé le brin libre, de manière à former un nœud coulant. *Le laguis permet de serrer une charge par le seul effet de son poids.* — Loc. *Faire laguis :* préparer, nouer un cordage en laguis.

LAGUNAGE [lagynaʒ] n. m. — Mil. XXe (attesté 1973); de *lagune,* et *-age.*

♦ Techn. Création de bassins ou étangs pour l'épuration par l'action oxydante naturelle des micro-organismes.

LAGUNAIRE [lagynɛʀ] adj. — 1886, Lapparent; de *lagune,* et *-aire.*

♦ Géogr. D'une lagune. *Eaux lagunaires.*

LAGUNE [lagyn] n. f. — 1574; *lacune,* 1547; ital. de Venise *laguna,* du lat. *lacuna.* → Lacune.

♦ **1.** Étendue d'eau de mer, comprise entre la terre ferme et un cordon littoral (lido) généralement percé de passes (*graus* en Languedoc). ⇒ **Étang** (littoral). *Îles* (cit. 4), *îlots d'une lagune. Côte* formée de cordons littoraux et de lagunes. Un dédale de lagunes* (→ 1. Feu, cit. 60). — *Venise est bâtie sur les îles d'une lagune* (→ Canal, cit. 3). *Lagunes de la mer Noire.* ⇒ **Liman.** *Lagune asséchée et cultivée, en Belgique.* ⇒ **Moere.** *Auge* (4.) *marginale laissée par une lagune primaire.*

(...) Venise dormait encore (...) les brouillards se jouaient sur la lagune déserte et couvraient d'un rideau les palais silencieux. 1
A. DE MUSSET, Nouvelles, «Le fils du Titien», IV.

Si la flèche peut progresser jusqu'à fermer complètement la baie, on a une lagune avec *cordon littoral.* La lagune est destinée à être (...) comblée par les apports 2

continentaux des ruisseaux (...) ou même par ces sédiments fins qu'apportent les marées lorsqu'elles franchissent le cordon littoral par des coupures appelées *graus* en Provence et en Languedoc (...)
E. DE MARTONNE, Géographie physique, t. II, p. 982.

♦ **2.** Étendue d'eau centrale d'un atoll* (syn. abusif : *lagon**).

DÉR. Lagunage, lagunaire, laguneux.

LAGUNEUX, EUSE [lagynø, øz] adj. — D. i. (1944, A. Arnoux, *in* T.L.F.); de *lagune.*

♦ Rare. ⇒ **Lagunaire.** *Paysage laguneux.*

LAGURIER [lagyʀje] n. m. — 1846, Bescherelle; de *lagure,* même sens; du rad. du grec *lagôs* «lièvre», et *oura* «queue».

♦ Bot. Graminée qui croît spontanément dans les dunes côtières et possède un panicule ovale à glume plumeuse qui lui donne un aspect décoratif.

LÀ-HAUT [lao] adv. ⇒ **Là,** I., D., 2.

1. LAI, LAIE [lɛ] adj. — V. 1155, «ignorant, illettré»; sens actuel, v. 1190; bas lat. ecclés. *laicus* «qui est du peuple, qui n'est pas clerc», du grec *laikos* «du peuple», de *laos* «peuple».

A. Adj. ♦ **1.** Vx. ⇒ **Laïque.**

1 (...) il n'y avait point de condamnation de dépens en cour laie.
MONTESQUIEU, l'Esprit des lois, XXVIII, XXXV.

♦ **2.** Mod. (relig.). *Moine, frère lai :* frère servant. ⇒ **Convers.** *Sœur laie* (vieilli).

2 — Nous le jurons, disent encore à genoux les deux sœurs jeunes laies en fondant en larmes, parce qu'elles n'étaient pas animées par une résolution aussi forte que celle de la supérieure.
A. DE VIGNY, Cinq-Mars, IV.

3 La perfection de l'homme simple et paisible est sans doute celle du frère lai, qui passe des champs à la chapelle, de la bêche au psautier, et qui, pour son délassement, incline devant Dieu des épaules que, le reste du temps, le labour courbe vers la terre.
André SUARÈS, Trois hommes, «Pascal», I.

B. N. m. Vx. Laïque. *Les clercs* et les lais.*

HOM. 2. Lai, laid, laie, lais, lait, lei.

2. LAI [lɛ] n. m. — Mil. XIIe, Marie de France, p.-ê. du celtique. Cf. l'irlandais *laid* «chant des oiseaux, chanson, pièce de vers». On a proposé aussi l'anc. provençal *lais* «chant des oiseaux», du lat. *(versus) laicus,* désignant une forme d'expr. pop., par oppos. aux genres musicaux religieux inspirés par les clercs.

♦ Hist., littér. Poème narratif ou lyrique, au moyen âge. *Lai en octosyllabes. Le Lai du chèvrefeuille* (→ Beau, cit. 26), *le Lai du rossignol,* de Marie de France. *Origine du lai* (→ Composition, cit. 6). — REM. Il ne faut pas confondre le *lai* d'origine celtique avec les *lais* (legs) du *Petit Testament de Villon.*

Les *lais* français se présentent comme de courts romans de cent à mille vers, rimés avec soin, retraçant de tendres et soupirantes histoires d'amour. Une vingtaine d'entre eux nous sont parvenus, sur lesquels une douzaine peuvent être attribués avec certitude à Marie de France (...) On peut regretter qu'une telle veine, après elle, se soit presque aussitôt tarie.
R. JASINSKI, Hist. de la littérature franç., t. I, p. 35.

COMP. Virelai.

HOM. 1. Lai, laid, 1. laie, 2. laie, 3. laie, 4. laie, lais, lait, lei (V. Leu).

LAÏC [laik] n. ⇒ **Laïque.**

LAÏCAT [laika] n. m. — 1877; de *laïc,* et *-at.*

♦ Didact. Ensemble de chrétiens non ecclésiastiques à l'intérieur de l'Église catholique. *«À la Libération, le laïcat prend son essor»* (*l'Express,* 16 oct. 1972, p. 75).

HOM. Laïka.

LAICHE ou **LAÎCHE** (Académie) [lɛʃ] n. f. — Fin XIe, *lesche;* du bas lat. *lisca* (VIIIe); mot probablt d'orig. prégermanique ou prélatine.

♦ Régional. Carex* (plante). → Anthologie, cit., Chateaubriand. Var. ⇒ 1. **Lèche.**

Le pâtis est dru pour la saison, sans mousse, sans laîche, et les normandes (...) broutent en s'envoyant de temps en temps des coups de langue dans les naseaux.
Hervé BAZIN, Cri de la chouette, p. 89.

HOM. 1. Lèche, 2. lèche; formes du v. lécher.

LAÏCISATEUR, TRICE [laisizatœʀ, tʀis] adj. et n. — 1913, Proust; de *laïciser,* et *-ateur.*

♦ Didact. ou littér. Qui prône ou qui favorise la laïcisation.

LAÏCISATION [laisizasjɔ̃] n. f. — V. 1870; Goncourt, 1886; de *laïciser,* et *-ation.*

♦ Didact. ou littér. Action de laïciser; résultat de cette action. *Laïcisation de l'enseignement :* action d'écarter tout esprit confessionnel de l'enseignement officiel. — Spécialt. Remplacement d'un personnel religieux par un personnel laïc. *Laïcisation d'un hôpital.*

(...) une sévère laïcisation de l'enseignement, de la vie et de la morale scolaire, 1
familiale et civique (...)
Ch. PÉGUY, la République..., p. 27.

Des mesures de laïcisation en Alsace-Lorraine (...) l'expulsion des religieuses dans 2
diverses villes (...) tout cela a provoqué parmi les catholiques une vive irritation (...)
L. DUGUIT, Traité de droit constitutionnel, t. V, p. 376.

LAÏCISER [laisize] v. tr. — V. 1870 (attesté 1885, Lemaître); de *laïc* (→ Laïque), et *-iser.*

♦ **1.** Rendre (qqn, une pensée, un sentiment...) laïque (→ Froc, cit. 6). — Pron. :

(...) si l'on déracine les dogmes, le sentiment religieux persistera. Il prendra une 1
forme différente. Regardez autour de vous : tout l'effort de la raison n'a pu l'ébranler, au contraire! Le sentiment religieux, il se laïcise déjà, il est partout!
MARTIN DU GARD, Jean Barois, III, L'âge critique, I.

Spécialt (en parlant du clergé, d'un prêtre). Faire perdre sa qualité de prêtre.

M. Venois avait laissé ses supérieurs croire qu'il passait par une crise de doute. 1.1
S'il leur avait dit avoir perdu la foi, ils ne lui auraient pas permis de rester dans le clergé, ils l'auraient laïcisé. Or, il voulait rester prêtre.
A. BILLY, Sur les bords de la Veule, p. 118.

♦ **2.** Organiser suivant les principes de la laïcité*. *La Révolution a laïcisé l'état civil. Laïciser les institutions, l'administration d'un pays. Laïciser une école, un hôpital en remplaçant le personnel religieux par des laïques. Laïciser l'enseignement* (⇒ **Laïcisation**).

(...) la bourgeoisie parisienne laïcisait, à son profit, les services de la cité. 2
JAURÈS, Hist. socialiste..., t. I, p. 150.

DÉR. Laïcisateur, laïcisation.

LAÏCISME [laisism] n. m. — 1840-1842, Académie *Compl.;* de *laïc,* et *-isme.*

Didactique.

♦ **1.** Anciennt. «Doctrine tendant à réserver aux laïques une certaine part dans le gouvernement de l'Église» (Académie).

♦ **2.** (XXe). Mod. «Doctrine qui tend à donner aux institutions un caractère non religieux» (Académie).

(Le XIXe siècle) aura vu (...) la haine du haut et du bas clergé disparaître dans leur haine commune pour le laïcisme (...)
Julien BENDA, la Trahison des clercs, p. 99.

LAÏCISTE [laisist] adj. — 1959, *in* D. D. L.; de *laïc,* et *-iste.*

♦ Didact. Partisan du laïcisme (2.), appliqué en France à la scolarité. *Des organisations laïcistes.*

LAÏCITÉ [laisite] n. f. — 1871, *in* Littré, *Suppl.; de laïc,* et *-ité.*

♦ **1.** Caractère laïque.

♦ **2.** «Conception politique impliquant la séparation de la société civile et de la société religieuse, l'État n'exerçant aucun pouvoir religieux et les Églises aucun pouvoir politique» (Capitant). ⇒ **Église, État.** *Les principes de la laïcité.*

(...) deux faits prépondérants continuent à exercer leur action sociale. Le premier, 1
c'est le progrès continu de la laïcité, c'est-à-dire de l'État neutre entre les religions, tolérant pour tous les cultes et forçant l'Église à lui obéir en ce point capital (...)
RENAN, Réponse au disc. de réception de Pasteur, 27 avr. 1882. Œ., t. I, p. 775.

Les gages qu'il a donnés jusqu'ici à la République et à la laïcité sont minces. 2
J. ROMAINS, les Hommes de bonne volonté, t. II, XV, p. 166.

Par ext. Caractère de ce qui est organisé selon la laïcité. *La laïcité de l'enseignement*.*

L'enseignement public est laïque. La loi du 28 mars 1882 l'avait dit, et le Préam- 3
bule de la Constitution le répète. La laïcité est la conséquence de la neutralité de l'État, qui ne peut mettre son enseignement au service d'une confession religieuse, et la garantie de l'unité morale d'une nation divisée sur le problème théologique. Elle comporte l'exclusion de tout contrôle ecclésiastique sur l'enseignement public, la laïcité du personnel enseignant et celle des programmes.
J. DONNEDIEU DE VABRES, l'État, p. 109.

LAID, LAIDE [lɛ, lɛd] adj. — XVIe; *lait,* 1080, *Chanson de Roland,* au sens fort («hideux»); sens affaibli, 1155; du francique **laip;* cf. anc. all. *leid* «désagréable».

♦ **1.** Qui produit une impression désagréable en heurtant le sens esthétique, ou qui, simplement, s'écarte, en tel ou tel genre, de l'idée que l'on a du beau*, de la beauté*. ⇒ **Abominable, affreux, atroce, dégoûtant, déplaisant, désagréable, disgracieux, effrayant, effroyable, hideux, horrible, ignoble, inesthétique** (cit. 2), **informe, moche** (fam.), **monstrueux, repoussant, répugnant, tarte** (fam.), **vilain.** *«Tout ce qui est utile est laid»* (Gautier). → Beau, cit. 5; ignoble, cit. 7. — REM. Comme tout adj. d'appréciation, *laid* est relatif aux normes sociales du locuteur. → aussi Beau.

(En parlant des êtres humains). Qui déplaît par l'imperfection, la difformité de son corps, et, spécialt, de son visage. ⇒ **Blèche** (argot), **difforme** (cit. 2), **moche** (fam.), **tourné** (mal tourné), **vilain.** *Rendre laid, se rendre laid.* ⇒ **Amochir** (pop.), **défigurer, déformer, enlaidir.** *Homme laid; laid de figure* (→ Camus, cit. 1; élancé, cit. 1). *Il est laid comme un crapaud*, un démon*, un diable, un pou*, un singe*. Être laid comme le péché*, comme les sept péchés capitaux; laid à faire peur*, à faire fuir,* etc. ⇒ **Épouvantail, macaque, magot** (vx), **marsouin** (vx), **monstre, sapajou.** *Il est trop laid pour être infidèle* (cit. 10). *Un homme assez, très, effroyablement laid. Femme, fille laide.* ⇒ **Guenon, horreur, laideron, maritorne** (→ Remède* à l'amour). *La plus laide, les plus laides* (→ Enjoliver, cit. 1; fille, cit. 9). *Être vieille et laide* (→ Frayeur, cit. 6). *Laide à effrayer* (→ Huileux, cit. 3).

1 Guillerargues disait hier que Pelisson abusait de la permission qu'ont les hommes d'être laids. Mme DE SÉVIGNÉ, Lettres, 367, 5 janv. 1674.

2 (...) deux femmes, l'une plus belle que le jour, l'autre maigre, marquée de petite vérole, et par là, si vous voulez, assez laide; je le vois aimer la laide au bout de huit jours (...) STENDHAL, De l'amour, XVII.

3 (...) j'aimerais mieux une femme laide et spirituelle, qu'une belle qui ne sait pas dire deux mots. BALZAC, les Paysans, Pl., t. VIII, p. 250.

4 — J'ai toujours été laid comme un crapaud! dit Pons au désespoir. BALZAC, le Cousin Pons, Pl., t. VI, p. 620.

5 (...) plus laide qu'un péché mortel (...) A. DE MUSSET, Nouvelles, « Le fils du Titien », IV.

6 Elle est bien laide. Elle est délicieuse pourtant! Le Temps et l'Amour l'ont marquée de leurs griffes (...) Elle est vraiment laide; elle est fourmi, araignée, si vous voulez, squelette même (...) BAUDELAIRE, le Spleen de Paris, XXXIX.

7 Il avait la cruauté tranquille de la jeunesse, pour qui une femme n'existe pas, quand elle est laide, — à moins qu'elle n'ait passé l'âge où l'on inspire la tendresse, et qu'elle n'ait plus le droit qu'à des sentiments graves, paisibles, quasi religieux. R. ROLLAND, Jean-Christophe, L'adolescent, I.

8 Rien que des êtres tarés, déchus, disgraciés, misérables, laids à décourager la pitié. GIDE, Journal, 3 mars 1943.

9 C'était une agréable dame des champs, très laide; avec tant de bonté dans son œil crevé, tant de bonté dans son œil vivant, tant de bonté dans sa moustache, dans son nez priseur, dans ses joues décollées, dans sa bouche aux lèvres noires qu'elle en était effroyablement laide. J. GIONO, Jean le Bleu, VI.

N. f. *Une laide; des, les laides* (→ Beauté, cit. 28; intérêt, cit. 32). — N. m. (Rare). *« C'est* (la petite vérole) *une excuse pour les laids »* (P.-L. Courier, *in* T. L. F.).

Parties du corps (visage). *Visage laid; tête, figure laide* (→ Chiffonner, cit. 6; éclairer, cit. 25). *Un visage plutôt disgracieux que franchement laid.* ⇒ **Ingrat.** *Gargouille* (cit. 1) *à laide figure. — Laide grimace** (→ Gueule, cit. 1).

(En parlant des animaux). *Oiseau gauche* (cit. 4) *et laid.*

(En parlant des choses inanimées). *Monument laid, place laide* (→ Baroque, cit. 3; intime, cit. 11). *Laide bâtisse* (→ Bureau, cit. 4). *Ville, région laide et triste. Chambre laide; meubles laids* (→ Frelaté, cit. 6). *Appartement laid et cossu, arrangé sans goût* (→ pop. Tocard).

10 J'ai aimé ces villas laides.
Et pour aimer choses si laides
il faut aimer tendrement.
Laideur, ma pauvre maîtresse,
je te plains, et je t'épouse
plus vite que la beauté.
COCTEAU, Discours du grand sommeil, Adieu aux fusiliers marins.

(Du temps). Vx. *Qu'il fasse* (cit. 197) *beau, qu'il fasse laid.* ⇒ **Mauvais.** *« S'il fait laid à droite... ».* → Gauche, cit. 10, Montaigne.

♦ **2.** (V. 1155). Sur le plan moral. Qui inspire le dégoût, l'horreur, le mépris... ⇒ **Bas, dégoûtant, déplaisant, honteux, ignoble, vilain.** *Le vice est laid. La misère est laide* (→ Avilir, cit. 28). *Une laide doctrine* (→ Honorable, cit. 10). Spécialt. *Parole, action laide.* ⇒ **Déshonnête, malhonnête, malséant, sale.** — (Lang. enfantin). *Il est laid de..., c'est laid de...* (et inf.). *C'est laid de fourrer ses doigts dans son nez!* ⇒ **Vilain.** Par ext. et fam. *Hou! qu'il est laid.*

11 Dans la ménagerie infâme de nos vices,
Il en est un plus laid, plus méchant, plus immonde!
BAUDELAIRE, les Fleurs du mal, Au lecteur (→ Ennui, cit. 27).

N. *Hou! le laid!, la laide!*

♦ **3.** N. m. LE LAID. ⇒ **Laideur.** *Contraste*, opposition du laid et du beau. La haine du laid* (→ Étayer, cit. 8). *Le laid et le grotesque dans l'art, en littérature.*

12 (...) des pédants étourdis (l'un n'exclut pas l'autre) prétendent que le difforme, le laid, le grotesque, ne doit jamais être un objet d'imitation pour l'art (...) HUGO, Cromwell, Préface.

13 Le laid (...) peut être un objet de l'art, et prendre une valeur esthétique positive. A. LALANDE, Voc. philosophique, art. *Laid.*

CONTR. Beau.
DÉR. Laidement, laideron, laideur.
COMP. Enlaidir.
HOM. 1. Lai, 2. lai, 1. laie, 2. laie, 3. laie, 4. laie, lais, lait, lei.

LAIDEMENT [lɛdmɑ̃] adv. — 1080, *Chanson de Roland;* de *laid,* et *-ment.*

D'une manière laide.

♦ **1.** Avec laideur (1.). *Tableau laidement encadré.* ⇒ **Vilainement.** *Il grimace laidement* (Académie).

Sa mère tombait dans de brefs sommeils comme dans des trous et ronflait laidement. F. MAURIAC, Génitrix, p. 384, *in* T. L. F. 1

♦ **2.** Rare. Avec bassesse, malhonnêteté. ⇒ **Ignoblement.** *Il s'est comporté laidement à mon égard.*

Elle le savait bien que cela finirait; et ce qu'elle ferait au bout de cette impasse, elle l'avait décidé aussi. Seulement, pourquoi si vite? Pourquoi si laidement? Alphonse DAUDET, la Petite Paroisse, p. 168, *in* T. L. F. 2

CONTR. Joliment; bellement.

LAIDERON [lɛdʀɔ̃] n. m. et adj. — V. 1530, Marot, n. f.; de *laid,* et suff. *(e)ron.*

♦ Jeune fille ou jeune femme laide (→ Hommage, cit. 15). — REM. Le mot a longtemps été du féminin, et parfois écrit *laidron,* au XVIIIe s. On rencontre parfois la forme *laideronne.* — Mod. *Cette fille est un laideron, un vrai laideron. Qu'est-ce que c'est que ce petit laideron?*

Je vous avertis que mademoiselle Corneille est une laideron extrêmement piquante (...) VOLTAIRE, Correspondance, 2079, 27 janv. 1762. 1

M. Le Blond me présenta l'une après l'autre ces chanteuses célèbres (...) *Venez, Sophie* (...) Elle était horrible. *Venez, Cattina* (...) Elle était borgne. *Venez, Bettina* (...) La petite vérole l'avait défigurée (...) Durant le goûter (...) elles s'égayèrent. La laideur n'exclut pas les grâces; je leur en trouvai (...) Enfin, ma façon de les voir changea si bien, que je sortis presque amoureux de tous ces laiderons. ROUSSEAU, les Confessions, VII. 2

(...) pour danser avec une laideron comme moi, tu laissais de côté une belle fille (...) G. SAND, la Petite Fadette, XX. 3

La première fois que Sirdah ouvrit les yeux, on s'aperçut qu'elle louchait affreusement; sa mère, très orgueilleuse de sa propre beauté, fut humiliée d'avoir procréé un laideron et prit en aversion cette enfant qui blessait sa vanité. Raymond ROUSSEL, Impressions d'Afrique, p. 247. 3.1

Adj. féminin. *Laideronne :*

(...) cette petite Infante laideronne et bougonne, qui (...) finit par devenir Reine de France et de Navarre. Louis BERTRAND, Louis XIV, I, I. 4

Au plur. (pouvant désigner un homme et une femme). *« Ces deux laiderons »* (A. France).

LAIDEUR [lɛdœʀ] n. f. — 1265, *ledeur* (personnage du *Roman de la Rose*); a *laidor* « laidement », v. 1160; en concurrence avec *laidece* (XIIe), *laideté* (XIIIe), *laidure* (XIIIe); de *laid,* et *-eur.*

Caractère, état de ce qui est laid*.

♦ **1.** (Au physique). ⇒ **Difformité, disgrâce** (3.), **hideur.** *Être d'une laideur affreuse, effroyable, horrible, monstrueuse, repoussante. Femmes dégoûtantes de laideur* (→ Idiot, cit. 11). *La laideur de qqn, de son visage. Sa laideur lui interdit* (cit. 4) *les succès amoureux. Pour l'homme qui aime, la laideur est beauté* (cit. 27, Stendhal). *Déguiser, montrer sa laideur. Sa laideur la désole* (→ Beauté, cit. 28). *Elle rit de sa laideur* (→ Haquenée, cit. 2). *La laideur n'exclut pas les grâces* (→ Laideron, cit. 2, Rousseau). *Laideur vivante, pittoresque, intelligente, spirituelle, grandiose* (→ Étrange, cit. 11; faiblesse, cit. 43; fulgurant, cit. 5; goguenard, cit. 4). *La laideur d'Ésope, de Socrate, de Scarron, de Mirabeau, de Quasimodo. Avoir de la laideur et de l'esprit* (→ Bourgeon, cit. 4). — *« L'or même à la laideur donne un teint de beauté »* (Boileau). → Affreux, cit. 8.

Une laideur et une vieillesse avouée est moins vieille et moins laide à mon gré qu'une autre peinte et lissée. MONTAIGNE, Essais, III, V. 1

(...) la laideur qui produit le dégoût est le plus grand des malheurs; ce sentiment, loin de s'effacer, augmente sans cesse et se tourne en haine. ROUSSEAU, Émile, V. 2

(...) quoiqu'il n'y en eût aucune de jolie, la gentillesse de quelques-unes faisait oublier leur laideur. ROUSSEAU, Rêveries..., 9e promenade. 3

Quand cette espèce de cyclope parut (...) à la perfection de sa laideur, la populace le reconnut sur-le-champ, et s'écria d'une voix : — C'est Quasimodo (...) HUGO, Notre-Dame de Paris, I, V. 4

Sachez tirer parti de la laideur elle-même (...) Pour certains esprits plus curieux et plus blasés, la jouissance de la laideur provient d'un sentiment encore plus mystérieux, qui est la soif de l'inconnu, et le goût de l'horrible. BAUDELAIRE, Essais, Notes et Fragments, I. 5

Pour un homme tel que lui, épris plus que personne de la beauté physique, la laideur était une honte. R. ROLLAND, Vie de Michel-Ange, I, II. 6

(Choses). *La laideur d'un spectacle, d'un mouvement, d'une œuvre... Ce pays, cette ville est d'une laideur épouvantable. Aimer une chose pour sa laideur* (→ Éclectisme, cit. 2).

(...) je trouvai que la civilisation avait son bon côté, je n'ai pas dit son beau côté, car tout ce qu'elle produit est malheureusement entaché de laideur (...) Th. GAUTIER, Voyage en Espagne, p. 260. 7

Il s'appelle Maurice. Juliette a horreur de ce prénom, qui a dû lui déplaire toujours (...) mais dont elle ne sent bien la laideur que depuis qu'elle est mariée. J. ROMAINS, les Hommes de bonne volonté, t. II, I, p. 6. 8

♦ **2.** (Au moral). ⇒ **Bassesse, turpitude** (→ Effiler, cit. 4; innocent, cit. 3). *La laideur du vice, du péché. La laideur d'une action. La laideur de Judas. On voit le vice s'y étaler dans toute sa laideur.*

9 (...) Dieu, malgré le péché et son énorme et infinie laideur, en tire le bien qu'il veut. BOSSUET, Élévation sur le mystère, XII, X.

10 (...) la comédie du Tartuffe (...) a fait beaucoup de bien aux hommes, en montrant l'hypocrisie dans toute sa laideur (...)
VOLTAIRE, Lettre au roi de Prusse, 37, déc. 1740.

♦ **3.** (XVIe). *Une, des laideurs.* Chose ou action laide. (En gén. au plur., et impliquant un jugement sur le plan intellectuel ou moral : un objet laid, une personne laide [→ Laideur, 1.], ne sont jamais appelés *des laideurs*). ⇒ **Horreur, misère, saleté, verrue, vice, vilenie.** *Les laideurs et les infirmités de la vie* (→ Humour, cit. 2). *La guerre engendre bien des laideurs* (→ Inciter, cit. 4). *Les laideurs de la vie moderne* (→ Haut, cit. 23).

11 (...) une chambre *(d'enfant)* adoucie et comme ennoblie par le soir qui enveloppe ses banalités et ses laideurs. F. MAURIAC, l'Enfant chargé de chaînes, XIX.

CONTR. Beauté, 2. charme, grâce, harmonie.

1. LAIE [lɛ] n. f. — V. 1354; *lehe*, v. 1170; du francique *lêha.* Cf. moyen haut all. *liehe.*

♦ Femelle du sanglier* (⇒ **Truie**). *L'aigle, la laie et la chatte,* fable de La Fontaine (III, 6). → Creuser, cit. 11; gésine, cit. 1. *La laie et ses marcassins*.*

1 Les hommes de l'échelon, paysans ou bûcherons, savaient très bien cerner à plusieurs le troupeau sauvage, et tomber de tout leur poids sur la jeune bête; quant à la redoutable laie, il n'en fut jamais question. Ainsi l'État-Major s'amusa de plusieurs petits sangliers, aussi familiers que des chiens.
ALAIN, Souvenirs de guerre, *in* les Passions et la Sagesse, Pl., p. 449.

Par anal. Femelle du pécari.

2 Plusieurs hardes de pécaris avaient établi leur souille dans les marécages de la côte orientale de l'île et y demeuraient enfouis pendant les heures les plus chaudes de la journée. Mais tandis que la laie assoupie se confondait tout à fait avec la boue dans son immobilité végétale, sa portée s'agitait et se disputait sans cesse avec des grognements aigus. M. TOURNIER, Vendredi..., p. 37.

HOM. 1. **Lai,** 2. **lai, laid,** 2. **laie,** 3. **laie,** 4. **laie, lait, lei.**

2. LAIE [lɛ] n. f. — Fin XIIe; de 1. *layer;* P. Guiraud rapproche le mot de *laier, layer* «laisser un espace vide».

♦ Techn. Espace déboisé, rectiligne, tracé dans une forêt «pour y établir des divisions ou coupes» (Capitant). ⇒ 1. **Layon** (plus cour.). *Laie sommière,* à laquelle aboutissent d'autres lignes de coupe. *Laie servant de chemin, de sentier. Tracer des laies.* ⇒ 1. **Layer.**

DÉR. 1. **Layon.**
HOM. V. 1. **Laie.**

3. LAIE [lɛ] n. f. — 1751, au sens 2; «boîte, coffret», 1357; moy. néerl. *laeye* «coffre». → Layette.

♦ **1.** Auge d'un pressoir.

♦ **2.** Mus. Partie inférieure du sommier de l'orgue, qui abrite les soupapes et emmagasine l'air que les porte-vents lui envoient de la soufflerie (on écrit aussi *laye*).

HOM. V. 1. **Laie.**

4. LAIE [lɛ] n. f. — 1675; même origine que 2. *laie.*

♦ Marteau de tailleur de pierres, à un ou deux taillants, droits ou dentelés.

DÉR. 2. **Layer.**
HOM. V. 1. **Laie.**

LAÏKA [lajka; laika] n. — 1931, *in* T. L. F.; mot russe «aboyeur», de *laïat'* «aboyer».

♦ Chien de Sibérie, robuste, de taille moyenne. *Les laïkas sont utilisés comme auxiliaires de chasse. Une chienne laïka* (qui portait d'ailleurs ce nom) *a été envoyée dans l'espace par un satellite artificiel soviétique* (1957).

(...) c'est par centaines de mille qu'ils *(les écureuils petit-gris)* tombent chaque année dans la seule taïga sibérienne. Le mode de chasse est très particulier à ces pays et a pour principal auxiliaire la *laïka*, sorte de chien-loup qui suit sur la neige la piste du petit animal et s'arrête en aboyant au pied de l'arbre où il s'est réfugié, jusqu'à ce que le chasseur arrive pour le tuer au fusil.
René THÉVENIN, les Fourrures, p. 87.

HOM. Laïcat.

1. LAINAGE [lɛnaʒ] n. m. — 1690, Furetière; «laine», 1302; *lanage,* fin XIIIe; de *laine,* et *-age.*

♦ **1.** (XIIIe). Rare. Toison des moutons. ⇒ **Laine.**

1 Quel superbe animal! continua le savant (...) Son lainage a quelque chose de moelleux, d'ondoyant, de gras au toucher.
BALZAC, la Peau de chagrin, p. 233, *in* T. L. F.

♦ **2.** Cour. Étoffe de laine. *Robe de lainage* (→ Fer, cit. 3; fourreau, cit. 8). *Pièce de lainage. Gros lainage; lainage fin.*

Ses mains croisées sur sa poitrine, remontant petit à petit par des mouvements frileux le long de ses épaules, serraient le lainage autour de son cou (...) 2
Ed. DE GONCOURT, les Frères Zemganno, I.

♦ **3.** Objet manufacturé en laine. *La production française de lainages.*

(1876, Zola). Spécialt. Vêtement de laine tricotée. *Mettre un lainage sur une robe d'été. Mets ton lainage.* ⇒ **Laine.**

Il y avait deux grandes armoires pleines de langes et de robes, et de lainages tricotés par les cousines de Martigues. PAGNOL, Fanny, *in* T. L. F. 3

♦ **4.** Hist. Dîme portant sur la tonte des moutons, en usage vers le XIIIe siècle (Centre de la France).

HOM. 2. **Lainage.**

2. LAINAGE [lɛnaʒ] n. m. — 1723; de *lainer.*

♦ Techn. Action de lainer (le drap). *L'opération du lainage. Le lainage du drap.*

HOM. 1. **Lainage.**

LAINE [lɛn] n. f. — V. 1120; du lat. *lana.*

A. ♦ **1.** Matière souple provenant du poil de l'épiderme des ovidés (et de quelques autres mammifères), constituée par des fibres séparées pouvant être utilisées comme matière textile*. *Bêtes à laine :* agneaux, brebis, béliers, moutons*; chèvres, chameaux, lamas (⇒ **Lainier, lanifère, lanigère**). *Moutons à laine et moutons de boucherie. La toison* des ovidés est formée de laine et de jarre. Élevage* (cit. 1) *des moutons pour leur laine. La laine est essentiellement constituée de kératine*. Relatif à la laine, de la nature de la laine.* ⇒ **Lainier, lanice, lanugineux.** — *Brins*, fibres, mèches, touffes* (⇒ **Flocon,** 1.) *de laine. Vrillement des brins de laine* («crochet»). *Suint*, graisses, impuretés mêlées à la laine d'une toison. Laine brute, crue* (non apprêtée), *laine grasse, en suint. Laine mécheuse*, en bourre*, jarreuse, floconneuse*. Finesse, élasticité, résistance* (ou *force, nerf*), *souplesse, nuance et lustre d'une laine. Longueur des fibres de laine : laine courte, longue. Laine lisse, ondulée. Laine grosse et longue.* ⇒ **Riflard.** *Couleur naturelle de la laine.* ⇒ **Beige.** *Laine blanche* (cit. 11). — *Qualités des laines : laine de mouton d'un an, laine mère*, laine d'agneau* (⇒ **Lambswool,** anglic.), *de première tonte* (⇒ **Agneline**); *laine de mouton mérinos*, de mouton d'Écosse* (⇒ **Cheviotte**), *laines croisées* (de moutons croisés de Mérinos), *laine de chèvre angora* (⇒ **Mohair**), *laine angora*, laine de lama* (⇒ **Alpaga, carmeline, vigogne**). *Laines de première qualité* (poussant sur le cou, les épaules, le dos, les flancs), *de dernière qualité* (poussant près que la queue). ⇒ **Couaille.** — *Laine vierge,* provenant de la tonte d'animaux vivants (opposé à *laine morte, laine secondaire,* techn.). *Pure laine vierge. Laine mélangée. — Enlever la laine des moutons* (⇒ **Tondre, tonte**), *des peaux de mouton* (⇒ **Délainage, délainer**). *Peau mégissée avec sa laine.* ⇒ **Agnelin.** *Surtondre la laine.* ⇒ **Surtonte.** — *Ballots, balles* (2. Balle, cit. 3) *de laine. Triage des laines. Laine lavée à dos, à froid, à fond. — Traitement, travail de la laine : lavage*, battage** (⇒ **Battre; arçon** [2.], **brisoir**), *dessuintage et dégraissage* (⇒ **Dégraisser, déshuiler, dessuinter; dégorger** [3.]; **smectique**); *cardage ou peignage* (⇒ **Cardage, carde** [I., 2.], **carder; peignage, peigne**), *carbonisage* (⇒ **Carbonisage; épaillage, épailler**). *Écharper, écharpiller la laine; éplucher la laine* (⇒ **Trieuse, volette**). *Démêler, débourrer la laine* (⇒ **Débourrage, démêlage**). *Déchet du peignage, du cardage des laines.* ⇒ 1. **Bourre** (A.), **retirons.** *Laine cardée* (⇒ **Étaim**), *peignée* (⇒ **Peigné**). *Pure laine peignée. Filer** (cit. 1) *la laine.* ⇒ **Filage, filature.** *Métier à filer la laine.* ⇒ **Mule-jenny.** *Fil de laine.* ⇒ **Estame.** *Tissage* de la laine* (⇒ **Tisser; bobinage, ourdissage; réunisseuse**). *Opérations effectuées sur les laines tissées :* foulage*, lainage* (ou garnissage), épincetage (ou époutiage, I., 3.), tondage, apprêt*, lustrage, décatissage* (ou délustrage), ébrouage* (ou ébrouissage), teinture ou blanchiment (⇒ **Soufrer, soufroir**). — *Industrie, commerce de la laine.*

Les montagnes sont couvertes de troupeaux, qui fournissent des laines fines recherchées par toutes les nations connues. FÉNELON, Télémaque, VII. 1

(...) la laine est moins une substance de la nature qu'une production du climat, aidé des soins de l'homme (...) BUFFON, Hist. nat. des animaux, Le mouflon. 2

Tous les ans on fait la tonte de la laine des moutons, des brebis et des agneaux (...) La laine des moutons est ordinairement plus abondante et meilleure que celle des brebis; celle du cou et du dessus du dos est la laine de la première qualité; celle des cuisses, de la queue (...) n'est pas si bonne (...) On préfère aussi la laine blanche à la grise, à la brune et à la noire (...) pour la qualité, la laine lisse vaut mieux que la laine crépue (...) BUFFON, Hist. nat. des animaux, La brebis. 3

Les femmes de son temps mettaient tout leur souci 4
À surveiller l'ouvrage, à mériter ainsi
Qu'on lût sur leur tombeau, digne d'une Romaine :
Elle vécut chez elle, et fila de la laine.
F. PONSARD, Lucrèce, I, 1.

(...) la folie d'acheter était à son plus haut et les spéculateurs, ardents à leur jeu, ne voyaient pas les montagnes de laine accumulées au delà des océans dans les estancias argentines, dans les fermes australiennes, prêtes à s'écrouler sur l'Europe. 5
A. MAUROIS, Bernard Quesnay, XXI.

♦ **2.** Cette matière, traitée pour être utilisée. *Matelas*, coussin* garni de laine. Mélange de laine et de goudron utilisé pour le calfatage.* ⇒ **Ploc.** — (1274, *dras de laine*)... *de laine. Tissus*, étoffes* *de laine.* ⇒ **Lainage; anacoste, barège, beige, biset,** 1. **blanchet, bouracan, burat,** 1. **bure, bureau** (I.), **cachemire, cadis, calmande, casimir, castorine, cheviotte,** 2. **crêpe, drap** (I.), **droguet, escot, estamet, étamine, flanelle,** 2. **frise, gabardine, granité, jersey, lasting, loden, marègue, mérinos, mousseline, napolitaine, orléans, picote, prince de galles, prunelle, ras, ratine, reps, serge, sergette, stoff, tamise, tartan, tiretaine, tweed, velours.** *Étoffes de laine épaisse, agglomérée.* ⇒ **Feutre; molleton, moquette.** *Étoffes* de soie et laine* (⇒ **Alépine, buratin, pongé, sayette, silésienne**).

Laine filée. Laine à tricoter (⇒ **Tricot, tricotage**), *à repriser. Laine trois fils, quatre fils; laine bouclette*. Pelote*, peloton, écheveau* de laine. Houppe, pompon de laine* (⇒ 2. **Floc, floquet**). *Ruban de laine. — Tapis, moquette de laine. Tapis de haute laine,* à longs poils, fait avec la laine la plus longue. — *Ouvrage, couverture de laine au crochet* (cit. 1). *Laine tricotée; bonneterie* de laine* (⇒ **Chandail, sweater, tricot**). *Châle*, cache-nez* (cit.), *fichu de laine* (→ Frileusement, cit. 1). *Gants, mitaines de laine. Gilet, veste de laine. Bas, chaussettes de laine. Laine à matelas.*

Vêtements en laine, en tissu de laine ou en laine tricotée. *Béret* (cit. 1), *cape* (cit. 1) *de laine. Tailleur de laine, complet pure laine. Langes* de laine.* — Loc. fig. *Bas de laine.* ⇒ 2. **Bas.**

6 Les fougères (...) couvraient le flanc des montagnes comme d'un immense tapis de haute laine frisée (...) LOTI, Ramuntcho, I, XII.

7 Il descendit rapidement sur la laine élastique et haute qui couvrait tous les parquets de sa maison (...) COLETTE, la Fin de Chéri, p. 25.

8 Un vieux drapier (...) penche (...) ses lunettes d'écaille sur les tissus français (...) Épris de belle laine, comme d'autres (...) aiment le beau bois, le beau cuir, il palpe avec amour une ratine souple. A. MAUROIS, Bernard Quesnay, XXVIII.

9 *(Elle)* prend son tricot, laisse tomber une maille sans la relever, ferme les yeux, la laine blanche emmêlée dans ses mains.
J. CHARDONNE, les Destinées sentimentales, p. 256.

La laine : les vêtements de laine (tricotée ou tissée). *La laine habille chaudement.* — Loc. Vx. *Tirer la laine.* ⇒ **Tire-laine.**

Loc. *Laine des Pyrénées :* tissu de laine moelleux, duveté. *Robe de chambre en laine des Pyrénées.*

♦ **3.** [a] (V. 1900). Fam. *Une laine :* un vêtement de laine. *Prends ta laine, prends une laine, il fait froid ce soir.*

9.1 Elle le couvrit de son châle violet. Ils étaient enveloppés tous deux dans cette vieille laine. F. MAURIAC, le Mystère Frontenac, *in* T. L. F.

9.2 Un nouveau frisson lui parcourut le dos et elle se leva pour enfiler une petite laine.
P. FOURNEL, les Grosses Rêveuses, p. 54.

[b] Brin de laine.

♦ **4.** Loc. *Pure laine* (d'un tissu, d'un vêtement). — Loc. fig. (régional). Sans mélange. *C'est un Québécois pure laine.*
Mi-laine, mi-coton.

♦ **5.** Loc. fig. (1550, *piez de laine*). *Jambes de laine,* molles (→ Jambes de coton*). — N. m. Vx. *Un jambe de laine :* un paresseux.

10 (...) elle dort ou veut dormir trois heures après son dîner, et (...) pendant ce temps, ses jambes sont de laine (...) Mme DE SÉVIGNÉ, Lettres, 1039, 25 sept. 1687.

(1640). *Se laisser manger, tondre la laine sur le dos :* être exploité, volé (*infra* cit. 20).

11 Je suis mouton, et pour toute la vie;
Mais d'un habit de loup je m'affuble à propos,
Pour ôter aux méchants l'envie
De venir me manger la laine sur le dos.
LEBRUN, *in* M. RAT, Petit dict. des locutions franç., art. *Laine.*

12 On ne tond rien sur ce qui n'a pas de laine.
BALZAC, les Paysans, Pl., t. VIII, p. 128.

13 D'ailleurs, il n'avait pas un centime, personne à présent ne le payait, on lui mangeait la laine sur le dos, un pauvre boutiquier comme lui ne pouvait faire d'avances. FLAUBERT, Mme Bovary, III, VI.

Vieilli. *Y laisser, y perdre de la laine.* → Y laisser des plumes*.

♦ **6.** Par métaphore. Cheveux frisés, crépus. ⇒ **Laineux;** → Épater, cit. 10; homme, cit. 16.

14 (...) un nègre dont le poil est de la laine de mouton noir (...)
SAINT-JOHN PERSE, Œuvre poétique, « Éloges », XII.

B. ♦ **1.** Bot. Duvet de certaines plantes (→ Lanifère, lanigère, lanugineux).

♦ **2.** Chim. anc. *Laine philosophique* (vx), *laine de fer :* oxyde de zinc en flocons.

♦ **3.** Géol. (au plur.). *Laines,* se dit d'un banc de sulfate de chaux en cristaux allongés.

♦ **4.** Techn. Se dit de divers produits fibreux fabriqués soit pour être utilisés comme la laine cardée (en isolants, etc.), soit comme textiles. *Laine de bois; laine cellulaire; laine artificielle* (cellulose nitrifiée). *Laine de caséine* (à base d'aluminium). *Laine de laitier,* servant d'isolant.

(1934, *in* D. D. L.). Cour. *Laine de verre :* verre étiré en fils extrêmement fins, servant d'isolant (thermique et sonore), d'emballage protecteur ou de matière filtrante. — (1882). *Laine minérale.* — *Laine de roche.*

Demi-laine : bande de fer renforçant le seuil d'une porte cochère.

DÉR. 1. **Lainage, lainé, lainer, lainerie, lainette, laineux, lainier, lainure.**
COMP. Tire-laine.

LAINÉ, ÉE [lene] adj. — V. 1200, *lané;* de *laine,* et *-é.*

♦ Littér. Couvert de laine (se dit d'un animal). *Agneau lainé.*

(L'esprit des veillées) amenait un mouton bien lainé, pattes liées, dans la toison duquel la compagnie se tenait les pieds chauds.
COLETTE, De ma fenêtre, 5 déc. 1940, p. 41.

HOM. Lainer.

LAINER [lene] v. tr. — 1250, « apprêter la laine »; de *laine,* et *-er.*

♦ **1.** Rendre moelleux (un tissu de laine). *Lainer le drap :* redresser et lisser le poil du fond de l'étoffe. ⇒ **Draper, garnir.**

♦ **2.** Par anal. Saupoudrer (un papier de tenture) de laine hachée, pour imiter le velouté d'une étoffe.

♦ **3.** N. m. Techn. *Le lainer d'une étoffe,* son velouté.

DÉR. 2. **Lainage, laineur,** 1. **laineuse.**
HOM. Lainé.

LAINERIE [lɛnʀi] n. f. — Attestation isolée, 1295, au sens 4; de *laine,* et *-erie.*

♦ **1.** (1771, Trévoux). Techn. et comm. Fabrication des étoffes de laine (filature, tissage). — (1723). Produits de cette fabrication (lainage).

♦ **2.** (1842). Lieu où l'on tond les bêtes à laine.

♦ **3.** (1803). Atelier où l'on effectue le lainage des draps, dans une usine.

♦ **4.** Magasin de gros où l'on vend des laines.

LAINETTE [lɛnɛt] n. f. — 1867; une première fois au XVe, « duvet d'oisillon »; de *laine.*

♦ **1.** Régional. Mousse de consistance laineuse.

♦ **2.** (1926). Techn. Déchets de laine.

LAINEUR, EUSE [lɛnœʀ, øz] n. — 1765, *Encyclopédie; laneres,* 1247; de *lainer.*

♦ Techn. Ouvrier, ouvrière qui laine le drap.

HOM. (Du fém.) 1. **Laineuse,** 2. **laineuse;** fém. de **laineux.**

1. LAINEUSE [lɛnøz] n. f. — 1824; de *lainer.*

♦ Techn. Machine à lainer. — On dit aussi *lainière* [lɛnjɛʀ].

HOM. 2. **Laineuse.** — V. aussi **Laineur, laineux.**

2. LAINEUSE [lɛnøz] n. f. — 1877, Littré, *Suppl.;* de *laineux* (au fém.).

♦ Chenille du cerisier; chenille du chêne (d'apparence laineuse).

HOM. 1. **Laineuse.** — V. aussi **Laineur, laineux.**

LAINEUX, EUSE [lɛnø, øz] adj. — 1694; *laneux,* v. 1500, au sens 2; de *laine,* et *-eux.*

♦ **1.** (Mil. XVIe, Ronsard). Qui est garni de laine, qui a beaucoup de laine. *Moutons très laineux. Drap laineux, étoffe très laineuse.*

Le cousin mettait tous les jours une veste de chasse, marque de son rang social, tratidionnelle sur les domaines. Laineuse, lourde et sentant le suint. 1
J. MALÈGUE, Augustin ou Le maître est là, t. I, p. 195, *in* T. L. F.

Par anal. *Plante, tige laineuse,* couverte de duvet, de poils. *« Les Edelweiss (...) où plusieurs capitules arrondis sont entourés par un groupe de grandes bractées laineuses »* (L. Plantefol, *Botanique et Biologie végétale, in* T. L. F.).

♦ **2.** (1774, Buffon). Qui a l'apparence de la laine. *Cheveux* (cit. 2) *laineux.*

La tête était forte, rejetée en arrière, comme entraînée par le poids d'une toison dense et laineuse, d'un blond blanchissant. 2
MARTIN DU GARD, les Thibault, t. VI, p. 193.

DÉR. 2. **Laineuse.**
HOM. (Du fém.) 1. **Laineuse,** 2. **laineuse.** — V. aussi **Laineur.**

LAINIER, IÈRE [lɛnje, jɛʀ; lenje, jɛʀ] n. et adj. — 1296; « gardien de troupeau qui détourne la laine », déb. XIIIe; de *laine.*

★ **I.** N. Personne qui vend ou qui travaille la laine. — Par appos. *Commerçants, ouvriers lainiers.*

★ **II.** ♦ **1.** Adj. (1723). Relatif à la laine (en tant que matière première ou marchandise). — (1867). *L'industrie lainière. Entreprise lainière. Le marché lainier.*

♦ **2.** Élevé pour sa laine (animaux). *Race lainière de moutons. Mouton lainier.* — Syn. : *à laine.* ⇒ **Lanifère, lanigère.**

LAINIÈRE [lɛnjɛʀ] n. f. ⇒ 1. **Laineuse.**

LAINURE [lɛnyʀ ; lenyʀ] n. f. — Mil. XXe ; le mot existe en moy. franç. (*lanure,* XIVe) au sens de « lainage » ; de *laine,* et *-ure.*

♦ Techn. Fentes horizontales rapprochées dans la pâte de certains fromages (gruyère, etc.).

LAÏQUE ou **LAÏC, ÏQUE** [laik] adj. et n. — 1487 ; lat. ecclés. *laïcus.* → Lai.

♦ **1.** Qui ne fait pas partie du clergé. — Spécialt. Qui n'a pas reçu les ordres de cléricature, en parlant d'un chrétien baptisé. *Les personnes laïques, les chefs laïques et ecclésiastiques* (cit. 2) *d'une paroisse, d'un peuple. Tribunal, juridiction laïque.* ⇒ **Séculier.**

1 Ainsi ce qu'on gagna dans la Réforme en rejetant le pape ecclésiastique, successeur de saint Pierre, fut de se donner un pape laïque (...)
BOSSUET, Hist. des variations..., V, VIII.

N. *Un laïc, un laïque. L'ordre des laïques* (→ Bailli, cit.). — REM. On écrit indifféremment *un laïc, des laïcs* (→ Concret, cit. 3 et gêner, cit. 15, Benda ; enfermer, cit. 10, Suarès) et *un laïque* (→ Arracher, cit. 15, Renan ; critique, cit. 27, Gautier ; fortune, cit. 38, Stendhal).

2 Les pasteurs qui ont fondé leurs Églises *(des protestants)* étaient presque tous de simples laïques (...) FÉNELON, t. II, p. 5, *in* LITTRÉ.

3 Les Messieurs de Port-Royal n'étaient point des clercs. Les uns ne s'en jugeaient pas dignes ; les autres y répugnaient de nature, ou par état. Ils formaient une espèce de tiers ordre. Ils étaient à peine des laïcs, et ne voulaient point être des moines. André SUARÈS, Trois hommes, « Pascal », p. 16.

4 Aujourd'hui la partie est jouée ; l'humanité est nationale ; le laïc a gagné (...) Le clerc n'est pas seulement vaincu, il est assimilé (...) Toute l'humanité est devenue laïque, y compris les clercs. Julien BENDA, la Trahison des clercs, p. 244.

Par ext. *La société laïque,* par oppos. au clergé (cit. 3). *Condition laïque. Rendre à la vie laïque.* ⇒ **Séculariser ; laïciser.** *Habit laïque.*

5 Madame de Warens imagina de me faire instruire au séminaire (...) Il *(l'évêque)* permit que je restasse en habit laïque jusqu'à ce qu'on pût juger, par un essai, du succès qu'on devait espérer. ROUSSEAU, les Confessions, III.

♦ **2.** Fig. (Avec un nom désignant ordinairement un ecclésiastique, un ou des religieux). *Missionnaire laïque. Congrégation* (cit. 3), *couvent laïque.* — Allus. hist. *Un saint laïque,* expression appliquée à Littré par Pasteur (*Discours de réception à l'Académie,* 27 avril 1882).

6 Nous sommes *(Diderot et moi)* des missionnaires laïques qui prêchons le culte de sainte Catherine (...) VOLTAIRE, Lettre à Catherine II, 132, 1er nov. 1773.

♦ **3.** Qui est indépendant de toute confession religieuse (⇒ **Laïcité**). *L'État laïque* (→ Immixtion, cit. 1). *L'enseignement laïque* (→ Instruction, cit. 6, Constitution de 1946). — Contr. : *confessionnel. École primaire laïque.* — N. f. Fam. *La laïque* (→ La communale*, la maternelle*).

7 (...) selon les maximes de l'Assemblée, si, devant l'État laïque, les croyances et les cultes sont libres, devant l'État souverain les Églises sont sujettes.
TAINE, les Origines de la France contemporaine, III, t. I, p. 278.

8 À l'école, Armand a haï ses condisciples. Il avait le travail facile, mais sous la table, en détestation de la laïque, il disait son chapelet.
ARAGON, les Beaux Quartiers, I, IX.

CONTR. Clerc, ecclésiastique, congréganiste. — Hiératique (1.), **religieux.**
DÉR. Laïquement. — V. Laïciser, laïcisme, laïciste, laïcité.

LAÏQUEMENT [laikmɑ̃] adv. — 1913, Péguy ; de *laïque,* et *-ment.*

♦ D'une manière laïque.

Le sentiment du devoir, ou pour parler plus laïquement, de la loi, s'est à ce point relâché, qu'une seule application de celle-ci un peu stricte ferait crier à la tyrannie.
GIDE, Journal, 30 avr. ou 1er mai 1917.

LAIRD [lɛʀ(d)] n. m. — 1779, *in* Höfler ; une fois en 1698 ; *lair,* 1573 ; mot écossais, var. de l'angl. *lord.*

♦ Propriétaire d'une terre et d'un manoir, en Écosse.

LAIS [lɛ] n. m. invar. — V. 1179 ; déverbal de *laisser.*

♦ **1.** Anc. dr. Legs. — Hist. de la littér. *Les lais des Testaments de Villon.* — REM. Il ne faut pas confondre *lais* (legs) avec *lai,* poème du moyen âge. → 2. Lai (REM.).

1 Certains lais *(que je fis)* l'an cinquante six,
Qu'aucuns, sans mon consentement,
Voulurent nommer Testament (...) VILLON, le Testament, LXXV.

♦ **2.** N. m. pl. (1495). Dr. Terrains que les eaux de mer ou de rivière laissent à découvert en se retirant. *Droit d'accession* sur les lais.* ⇒ **Accroissement, accrue, atterrissement, relais.** *Lais et relais de la mer. Lais de rivière.* ⇒ **Alluvion.**

2 (...) les rivages, lais et relais de la mer (...) qui ne sont pas susceptibles d'une propriété privée, sont considérés comme des dépendances du domaine public.
Code civil, art. 538.

Géogr. Syn. de *laisse* (III.). *Lais de haute mer.*

♦ **3.** (1586). Eaux et forêts. Jeune baliveau laissé dans une coupe de taillis pour devenir arbre de futaie.

HOM. Lai, laie, lait, les.

LAÏS [lais] n. f. — 1648, Scarron ; encore chez Balzac ; nom de plusieurs courtisanes célèbres de l'Antiquité grecque.

♦ Littér. et vx. Femme galante qui s'est acquis une grande réputation de beauté, d'esprit, etc.

(...) aux temps les plus fréquents en Phrynés, en Laïs,
Plus d'une Pénélope honora son pays (...) BOILEAU, Satires, X.

LAISSE [lɛs] n. f. — 1178 ; déverbal de *laisser* « lien que l'on laisse aller, qu'on garde lâche » ; selon Guiraud, représente l'adj. *laxus, a* « ample, étendu ».

★ **I.** Lien avec lequel on attache un chien (ou un autre animal) pour le mener, le maintenir à ses côtés. *Laisse de cuir qui s'accroche au collier d'un chien* (cit. 21). *Laisse à double extrémité pour attacher deux chiens* (⇒ **Couple**). *Chien qui tire sur sa laisse.* — Loc. *En laisse. Mener, tenir en laisse. Chien en laisse.* — Par ext. *Chat, ourson, cheval en laisse* (→ Belluaire, cit. 2).

(...) son chien (...) est attaché avec une laisse d'or et de soie. 1
LA BRUYÈRE, les Caractères, X, 29.

(...) il avait horreur d'être promené au bout d'une laisse par un domestique (...) 2
J. ROMAINS, les Hommes de bonne volonté, t. IV, VIII, p. 84.

(1690, Furetière). Fig. *Mener, tenir quelqu'un en laisse,* l'empêcher d'agir librement, lui imposer sa volonté. ⇒ **Attache** (à l'). — *Briser sa laisse.*

Le comte Paul est-il tenu en laisse comme un homme qui peut s'enfuir ? Croyez- 3
vous que nous ayons besoin de le faire garder par la gendarmerie ?
BALZAC, le Contrat de mariage, Pl., t. III, p. 147.

Je plains Pauline, dit-elle de sa voix nette, mais elle récolte ce qu'elle a semé. Elle 4
a voulu tenir son mari en laisse ; elle a suscité un besoin d'évasion. Avec un peu d'indulgence et d'humour, elle aurait sauvé l'essentiel.
A. MAUROIS, les Roses de septembre, I, IX.

(1471). Par ext. Cordon de chapeau. *Une laisse de soie.*

★ **II.** (V. 1220 ; repris au XIXe en hist. littér. ; proprt « dit, récité en se laissant aller, d'un trait »). Hist. de la littér. Tirade, couplet d'une chanson de geste. *Les laisses de la Chanson de Roland.*

Ouvrez la *Chanson de Roland,* par exemple, et sans vous embarrasser du mot à 5
mot, lisez à haute voix une laisse ou deux du vieux texte.
Émile HENRIOT, Portraits de femmes, p. 16.

★ **III.** (1421, dans un toponyme). Géogr. ou régional. Espace que la mer laisse à découvert à chaque marée. ⇒ **Lais** (2.). *Laisse de haute mer, de basse mer :* lignes de marée haute et de marée basse, limites entre lesquelles la marée oscille.

La mère et la fille sortirent ensemble (...) pour chercher du bois le long des grè- 6
ves, sur la laisse de haute mer.
Henri QUEFFÉLEC, le Recteur de l'île de Sein, p. 63, *in* T. L. F.

★ **IV.** (V. 1387, Gaston Phébus ; *lesse de foire,* v. 1202). Chasse. Syn. de *laissées.* ⇒ **Laissées** (→ Étron, cit. 1).

LAISSÉES [lese] n. f. pl. — V. 1387, Gaston Phébus ; p. p. substantivité de *laisser.*

♦ Chasse. Fiente des bêtes noires. ⇒ **Excrément, fumée,** 1. **moquette** (2.). — On dit aussi *laisses.*

HOM. Laisser.

LAISSÉ(E)-POUR-COMPTE ou **LAISSÉ(E) POUR COMPTE** [lesepuʀkɔ̃t] adj. — 1873 ; de *laisser pour compte.*

♦ **1.** Comm. Se dit d'une marchandise dont le destinataire refuse de prendre livraison parce qu'elle ne remplit pas les conditions stipulées à la commande. *Marchandise laissée-pour-compte.* — N. m. *Le laissé-pour-compte :* ce qui a été refusé.

♦ **2.** (Déb. XXe). Fig. Ce dont personne ne veut (chose ou personne). — N. *Les laissés-pour-compte que l'on n'a pas emmenés* (→ Hop, cit. 1), *qui ne se sont pas mariés... Les laissés-pour-compte de la société, du progrès.*

La plupart des liaisons sont faites de « laissés pour compte » qui se rencontrent et trompent ensemble leurs regrets. Paul LÉAUTAUD, Propos d'un jour, p. 26.

LAISSER [lese] v. tr. — XIIIe ; *laszier,* fin IXe, *Eulalie ;* du lat. *laxare,* proprt « relâcher, laisser aller ».

REM. *Laisser* a eu, jusqu'au XVIIe s., au futur de l'indicatif, une double forme : *laissera* et *lairra,* de l'ancien verbe *laier.*

★ **I.** (Fin IXe). Ne pas intervenir. **A.** « Semi-auxiliaire » (avec l'infinitif).
♦ **1.** (Suivi d'un inf.). Ne pas empêcher de... ⇒ **Consentir, permettre, souffrir** (que quelqu'un, quelque chose fasse, soit...). *Laisser partir quelqu'un. Laisser échapper* un objet, le laisser choir, tomber* (→ 2. Boucan, cit. 2). — Mar. *Laisser tomber l'ancre :* mouiller*. — Fig. *Laisser tomber*, laisser choir quelqu'un. Laisser tomber*

qqch., un projet. — Ne laisser entrer personne. Laisser entrer la lumière du jour (→ Bouche, cit. 5). *S'effacer* (cit. 28) *pour laisser passer quelqu'un. Laissez passer cet homme.* ⇒ **Laissez-passer.** «*Laissez venir à moi les petits enfants* (cit. 1)». *Laisser passer du temps.* ⇒ **Attendre.** — Fig. *Laisser venir, mûrir quelque chose.* — *Laisser aller** (cit. 82 à 84). — Fam. *Laisser courir** : ne pas intervenir. — (Mil. XIe). *Laisser-courre** (cit. 4). ⇒ **Laisser-courre.** *Laisser flotter* (cit. 9) *les rênes. Laisser agir une personne. — Laisser faire quelque chose à quelqu'un. Laisser faire quelqu'un,* le laisser agir comme il l'entend. *Laissez-moi faire* (→ Attraper, cit. 12). — Loc. *Laisser faire à qqn* (vx), le laisser agir. «*Faites* (cit. 82) *votre devoir, et laissez faire aux dieux*» (Corneille). — Absolt. *Laisser faire :* ne pas intervenir dans la conduite des gens, le déroulement des événements. «*Laisser faire, laisser passer*», devise du libéralisme* économique, de l'école libérale* (formule attribuée à Gournay ou à d'Argenson). — *Laisser quelqu'un finir, achever* (cit. 2) *quelque chose. Laissez-moi travailler* (→ Armoire, cit. 2). *Laissez-moi vous parler sans ambages* (cit. 2). *Laissez-les dire**. — Prov. *Bien faire et laisser dire* (*infra* cit. 49). *Laissez-les se disputer. Laisser dormir* une personne,* et, fig., *une chose. Laissez vivre qqn. Laissez-les vivre,* slogan contre l'avortement. *Laissez mourir qqn* (→ Conscience, cit. 18; infuser, cit. 2). — Loc. fam. *Laisser pisser le mérinos.* (Sans compl.). *Ça va comme ça, laisse pisser* (syn. de *laisser aller, laisser courir*). — *Laisser errer ses pas. Laisser échapper ses larmes* (→ Fixe, cit. 5). *Il laisse éclater son dépit. Laisser voir* son trouble.* ⇒ **Découvrir, dévoiler, montrer.** *N'en rien laisser voir.* — (Sujet n. de chose). *Matière poreuse qui laisse passer l'air. Robe qui laisse voir la naissance du cou.*

1 Laisse faire le temps, ta vaillance et ton roi. CORNEILLE, le Cid, V, 7.

2 L'hypocrite les laissa faire (...) LA FONTAINE, Fables, III, 3.

3 Il ouvre un large bec, laisse tomber sa proie. LA FONTAINE, Fables, I, 2.

4 (...) une figure longue et toute couverte de taches rouges, excepté sur le front, qui laissait voir une pâleur mortelle. STENDHAL, le Rouge et le Noir, I, XXV.

5 Hélas! je suis, Seigneur, puissant et solitaire,
Laissez-moi m'endormir du sommeil de la terre!
A. DE VIGNY, Livre mystique, «Moïse».

6 Laissez, laissez mon cœur s'enivrer d'un *mensonge* (...)
BAUDELAIRE, les Fleurs du mal, Spleen et idéal, XL.

7 Ne jamais laisser entrer sur son domaine, et à plus forte raison ne jamais l'y appeler soi-même, un plus puissant que soi.
André SIEGFRIED, La Fontaine..., p. 139.

8 Exprès, il laissait sa tête baller en arrière aux cahots de la course.
COCTEAU, les Enfants terribles, p. 35.

9 Nous sommes arrivés au moment où, si tous font comme toi, si tous laissent les choses aller, la catastrophe est inévitable (...)
MARTIN DU GARD, les Thibault, t. V, p. 181.

10 Dans les verbes pronominaux, de quelque nature qu'ils fussent, un ancien usage, qui subsistait encore à l'époque classique, faisait que l'infinitif objet perdait son *se* caractéristique, quand le verbe principal était *sentir, voir, laisser, faire,* etc. (...) *Laisser : Pour moi, je suis d'avis que vous les* **laissiez battre** (CORN., Ill., 690); *— il n'est pas honnête de me* **laisser morfondre** (VOLT., L'Ing., ch. IV).
En langue moderne, cette particularité a cessé. Le *se* demeure : *Son mari lui écrivait... qu'il se sentait* **s'affaiblir** (LAM., Raph., 162); *— elle l'avait vue* **s'arrêter** (ZOLA, Cont. Nin., 38), *— je l'ai senti* **s'éteindre** peu à peu (LOTI, Pitié, 238).
F. BRUNOT, la Pensée et la Langue, p. 349.

10.1 Elle dit que je n'ai qu'à laisser tomber, qu'elle est au-dessus de ça.
F. MALLET-JORIS, le Jeu du souterrain, p. 74.

REM. Le participe de *laisser* suivi d'un infinitif s'accorde, en principe, avec le complément d'objet lorsque celui-ci fait l'action exprimée par l'infinitif : *on les a toutes laissées aller* (Académie, art. *Aller*). *Les familiarités* (cit. 11, Lamartine) *qu'il avait laissées lui-même s'établir entre nous.*

11 *Cette femme que j'ai laissée peindre,* veut dire : à qui j'ai laissé le loisir de peindre; *cette femme que j'ai laissé peindre,* veut dire : que j'ai permis que l'on peignît. En un mot, quand le pronom est régime du verbe *laisser,* il détermine l'accord du participe; si au contraire il est régime de l'infinitif qui suit, le participe reste invariable. Dans le premier cas, on dira : *Cette femme que l'on a laissée faire;* et dans le second : *Les maux que l'on a laissé faire; Malheureuse, tu t'es laissé charmer.* LITTRÉ, Dict., art. *Laisser,* Rem. 4.

12 (...) nos officiers nous ont laissé tomber, les villageois nous haïssent et les Fritz s'avancent dans la nuit. SARTRE, la Mort dans l'âme, p. 97.

Cependant plusieurs grammairiens considèrent que le participe de *laisser,* tout comme le participe de *faire,* forme avec l'infinitif qui le suit un «bloc indivisible», une sorte de locution verbale, et qu'il doit, par conséquent, rester constamment invariable. Ils s'appuient sur l'autorité de bons écrivains depuis l'époque classique jusqu'à nos jours. Racine fait dire à Néron, en parlant de Junie : *«Je l'ai laissé passer dans son appartement»* (*Britannicus,* II, 2). Grevisse (no 794, Rem. 2) relève de nombreux exemples d'auteurs modernes qui ne font pas l'accord. Toutefois, il est des cas où l'accord du participe s'impose sous peine d'équivoque (→ ci-dessus, cit. 11, Littré).

♦ **2.** (V. 1160, Enéas). **SE LAISSER** (et l'inf.). — *Se laisser vivre.* ⇒ **Vivre.** *Se laisser tomber*, choir, glisser... Se laisser aller* à, dans, sur... quelque chose* (→ Aller, cit. 87 à 89; brider, cit. 4). *Se laisser aller à faire quelque chose.* Absolt. *Se laisser aller** (cit. 86). ⇒ **Abandonner** (s'), **détendre** (se), **relâcher** (se). — (Mil. XIe, Alexis). Pron. à sens passif. (Le sujet correspond au compl. du verbe à l'infinitif). *Ne vous laissez pas abattre* (cit. 11), *réagissez! Se laisser guider* (cit. 12) *par quelqu'un, par son flair, son inspiration* (⇒ **Suivre**). *Se laisser mener par le bout du nez* (→ Faiblesse, cit. 24). *Se laisser surprendre par les événements* (cit. 14). *S'en laisser accroire* (cit. 3), *conter* (cit. 10). *S'y laisser prendre. Se laisser attendrir, fléchir, impressionner, persuader. Se laisser tenter* (→ Approche, cit. 19), *séduire* (→ Garde, cit. 34). ⇒ **Succomber.** *Se laisser baiser la main* (→ Formalité, cit. 9). *Je me suis laissé dire* que... — Se laisser faire :* n'opposer aucune résistance à la volonté d'autrui, subir ses exigences, ses affronts. → Se laisser bouffer* (fam.). *Ne vous laissez pas faire, réclamez, ripostez.* — Fam. Accepter quelque chose d'agréable. *Allons, laissez-vous faire, l'occasion ne se présentera pas de sitôt. Je crois que je vais me laisser faire.* → Se faire une douce violence*. — Par ext. (Le sujet désigne une qualité). *Un courage qui ne se laisse pas abattre.*

Toujours par quelque endroit fourbes se laissent prendre. 13
LA FONTAINE, Fables, III, 3.

(...) je me laisse emporter insensiblement à la tentation de parler de vous. 14
RACINE, Britannicus, Épître.

— Savez-vous ce qu'on dit? demanda le garçon au banquier. 14.1
— Qu'est-ce qu'on dit?
— Que vous êtes le Bon Dieu!
— Je me le suis laissé dire, fit l'autre.
GIDE, le Prométhée mal enchaîné, Romans, Pl., p. 330.

Les hommes aiment, les femmes se laissent aimer. 15
Paul LÉAUTAUD, Propos d'un jour, p. 25.

Un enfant heureux se laisse vivre et accepte de ses parents la vérité (...) 16
A. MAUROIS, Vie de Byron, I, IV.

M. Thibault ne demandait qu'à se laisser convaincre. 17
MARTIN DU GARD, les Thibault, t. III, p. 252.

Fam. (Le sujet désigne une chose, toujours avec un sens passif). *Un vin qui se laisse boire; un gâteau qui se laisse manger; un film qui se laisse voir...,* qu'on boit, mange, voit... sans effort, sans déplaisir, et, par plais., avec plaisir.

— C'est du vin de Bracieux. — Il est bon. — I's'laisse boire, oui... 17.1
GENEVOIX, Raboliot, p. 204, in T. L. F.

REM. Malgré de nombreux exemples littéraires, la règle est d'accorder le participe passé de *laisser* avec le sujet lorsque c'est celui-ci qui fait l'action exprimée par l'infinitif : *Elle s'est laissée tomber, glisser, vivre. Elle s'est laissée aller au courant* (→ Appartenir, cit. 11, Gautier), *à la tentation* (→ Bride, cit. 11). Il ne s'accorde pas quand le sujet de *laisser* est l'objet de l'infinitif. *Elle s'est laissé prendre, mener, convaincre, gifler* (par quelqu'un). *L'oreille la plus délicate s'y fût laissé prendre* (par cette ressemblance de sons). → Gosier, cit. 6, Baudelaire. «*Je suis toute décontenancée d'être à Paris (...) Je me suis laissé accabler de visites*» (Mme de Sévigné, 866, 1er nov. 1680). — G. et R. Le Bidois (*Syntaxe du franç. moderne,* no 1 091) donnent les exemples suivants :

Elle s'est laissé gagner par la fièvre de spéculation (...) 18
Émile AUGIER, les Effrontés, I, 4.

Je me suis laissée aller moi-même *(dit une femme)* à parler trop. 19
Charles VILDRAC, la Brouille, III, 4.

Je vous répète que nous nous sommes laissé abrutir par la philosophie de l'histoire. 20
J. ROMAINS, les Hommes de bonne volonté, t. II, XX, p. 222.

B. ♦ **1.** (Fin Xe). Avec un compl. déterminé par un adj., une complétive. Maintenir (qqn ou qqch.) dans un état, un lieu, une situation; ne rien faire pour qu'il ou elle change. *Laisser quelqu'un debout.* ⇒ **Maintenir, tenir.** *Relever un genou* (cit. 12) *et laisser l'autre ployé. Laisser le champ* libre. Laisser quelqu'un dehors* (→ Grossier, cit. 12). *Laisser qqn, un animal, une chose quelque part, dans, sur, sous, entre...,* etc. *On l'a laissé dans ses fonctions.* ⇒ **Garder, conserver.** *Laisser qqn en liberté* (→ Inculpé, cit. 2). *Laissez-le en repos. — Laisser qqn en paix, le laisser tranquille,* ne pas tourmenter, importuner (→ Évangéliser, cit. 3; exercice, cit. 12). — (Sujet n. de chose). *La nouvelle nous laisse sceptique. Cela me laisse indifférent* (cit. 14), *froid* (→ Blesser, cit. 15). — *Laisser qqn dans le doute, l'erreur, l'ignorance* (cit. 17). *Laissez-la à son travail, à ses occupations,* et, fig., *à son ignorance* (cit. 12). *Laisser la porte ouverte, les volets clos* (→ Hermétiquement, cit. 2). *Laisser une terre,* et, fig., *une intelligence en friche* (cit. 7 et 8). *Laisser les choses en place, comme on les a trouvées. Laisser les choses en l'état. Laisser qqch. de côté*.* ⇒ **Négliger, omettre** (→ Faux, cit. 31). *Laisser un nom en blanc* (cit. 27). *Laisser un affront impuni* (cit. 1).

Laissez-moi, je vous prie, à mon aveuglement (...) 21
MOLIÈRE, les Femmes savantes, V, 1.

L'étourdie avait cru laisser sa porte entrouverte, nous la trouvâmes fermée, et la clef était restée en dedans (...) LACLOS, les Liaisons dangereuses, LXXI. 22

Vous n'avez pas encore assez de barbe autour du bec pour me faire la semonce et je vous conseille de me laisser en paix. G. SAND, François le Champi, XXI. 23

Ce spectacle me laissa froid, je l'avoue (...) 24
Alphonse DAUDET, le Petit Chose, I, I.

(Sans détermination du compl.). *Laisser qqn,* le laisser tranquille, en paix. *Allons, laissez-moi, à la fin!*

(Avec un compl. en *à*). *Laisser la bride sur le cou à qqn. Laisser à qqn le champ libre, lui laisser le champ libre.* → ci-dessous, B., 3.

♦ **2.** Ne pas s'occuper de... *Laissons-les, puisqu'ils prétendent se passer de nous. Laissez donc cela, ce n'est pas un travail pour vous.* — Absolt. *Laissez, je vous en prie, c'est moi qui paie.*

Mais laissons ce discours et voyons ma ballade. 25
MOLIÈRE, les Femmes savantes, III, 3.

26 Parlons de sa personne, et laissons sa noblesse. MOLIÈRE, Tartuffe, II, 2.

♦ **3.** (1611). **LAISSER (qqn, qqch.) À (qqn)** : maintenir avec; ne pas enlever à (qqn), ne pas priver (qqn) de... *Laisser les enfants à leur mère. Laisser aux rois leurs trônes* (→ Agissant, cit. 6). *Laissez-lui la vie. Laisser la paix à qqn* (⇒ **Ficher**), *lui laisser la liberté, sa liberté* (→ Gênant, cit. 1). *Laissez-lui le temps d'agir* (→ Croître, cit. 8; fortifier, cit. 7). *Le temps que lui laisse son travail. Laisser à qqn une chance* (→ Assujettir, cit. 10), *un espoir* (→ Investigateur, cit. 3). *Laissez-lui ses illusions. « Ce peu que mes vieux ans* (cit. 13) *m'ont laissé de vigueur ».*

♦ **4.** Compl. n. de chose. **a** Ne pas ôter, ne pas supprimer (avec un compl. de lieu). *Laisser des fautes, des erreurs, des répétitions dans un texte* (→ Corriger, cit. 7, Pascal).

b Avec un compl. second de personne, en *à*. *Laisser qqch. à qqn. Laissez-moi un peu de temps, le temps* de...*

27 Son fils peut me ravir le jour que je lui laisse. RACINE, Andromaque, I, 2.

28 (...) je suis à vos genoux, j'y réclame le bonheur que vous voulez me ravir, le seul que vous m'ayez laissé (...) LACLOS, les Liaisons dangereuses, LVIII.

29 Le trajet dans le train lui laissa le temps de réfléchir et aussi de rêver. J. ROMAINS, les Hommes de bonne volonté, t. V, XI, p. 83.

★ **II.** Ne pas s'approprier. ♦ **1.** Ne pas prendre (ce qui se présente, ce qui s'offre). *Manger les raisins et laisser les pépins. Manger l'huître et laisser les écailles* (cit. 12). *Les voleurs n'ont rien laissé,* ils ont tout pris. — Loc. *C'est à prendre ou à laisser,* il faut prendre la chose telle quelle ou ne pas la prendre du tout (→ Décider, cit. 29). — *Laisser une marchandise pour compte,* la refuser (→ aussi Laissé* pour compte). *Laisser une marge, une place* (quelque part, à qqch., pour qqch.). *Laisser une route à sa droite et prendre à gauche.*

30 « — Voilà ce qu'il y a », dit-elle, avec un air de dire « À prendre ou à laisser ». MARTIN DU GARD, les Thibault, t. VI, p. 268.

♦ **2.** (1538). **LAISSER... À (qqn)** : ne pas prendre pour soi (afin qu'un autre prenne).

a Compl. n. de chose. ⇒ **Réserver.** *Laisse un morceau de gâteau à ton frère. Il a pris le petit morceau et lui a laissé le gros. Laissez-lui-en un peu. Laissez-nous de la place; laissez-leur le passage. Laisser la parole à qqn. Ne laisser place à aucun doute* (→ Adhésion, cit. 2). — Ne pas faire soi-même (afin qu'un autre le fasse). *Laisser un travail à faire à quelqu'un.* — Fig. *Laisser à quelqu'un le soin* de...* (→ Fournir, cit. 3). *Laisser le choix* à quelqu'un. Ne rien laisser au hasard** (cit. 23).

31 Mettez ce qu'il en coûte à plaider aujourd'hui.
Comptez ce qu'il en reste à beaucoup de familles :
Vous verrez que Perrin tire l'argent à lui,
Et ne laisse aux plaideurs que le sac et les quilles. LA FONTAINE, Fables, IX, 9.

32 (...) moi passant dans une allée du square, à moitié courant; elle qui s'efface un peu pour me laisser le passage (...) J. ROMAINS, les Hommes de bonne volonté, t. III, IV, p. 61.

33 (...) les efforts des générations classique et romantique ne nous laissaient qu'un seul domaine à explorer, celui de la littérature érudite. J. PAULHAN, les Fleurs de Tarbes, p. 33.

34 (...) le docteur dit (...) que s'il croyait en un Dieu tout-puissant, il cesserait de guérir les hommes, lui laissant alors ce soin. CAMUS, la Peste, p. 143.

Laisser du travail, des consignes à qqn. ⇒ **Confier, remettre;** → aussi III., 4., 5., 6. (autres sens; construction analogue).

Spécialt. *Laisser une chose à quelqu'un* : n'en pas vouloir pour soi et la réserver à celui pour qui elle est faite ou semble faite. *Laissez ces bas amusements* (cit. 8) *aux gens grossiers. Il faut laisser ces procédés aux charlatans* (→ Fournir, cit. 3).

35 Vous devriez brûler tout ce meuble inutile *(les livres),*
Et laisser la science aux docteurs de la ville (...) MOLIÈRE, les Femmes savantes, II, 7.

36 Laissez les pleurs, Esther, à ces jeunes enfants. RACINE, Esther, I, 3.

LAISSER À DÉSIRER. ⇒ **Désirer.**

LAISSER À PENSER, À JUGER... : laisser (à qqn) le soin de penser, de juger par soi-même, ne pas expliquer ce qu'on trouve évident. *Je vous laisse à penser si ce gîte était sûr* (→ Blottir, cit. 2), *s'il était heureux, quelle fut sa joie !*

37 (...) et je vous laisse à penser si (...) le parterre ose nous contredire. MOLIÈRE, les Précieuses ridicules, IX.

Absolt. (Sujet n. de chose). *Cela laisse à penser,* donne matière à réflexion.

b Rare. (Compl. n. de personne). *Laisser qqn à qqn.* ⇒ **Confier.** *Laisser un enfant à ses grands-parents, à la garde de qqn.* → ci-dessous, le sens III, 2 (avec d'autres constructions que *à*...).

★ **III.** (Deuxième moitié Xᵉ). Ne pas garder avec soi, pour soi. ⇒ **Abandonner.** ♦ **1.** Se séparer de, abandonner (une personne, un objet...). ⇒ **Quitter.**

a (Compl. n. de personne). *Laisser ses parents, ses amis pour voyager. Je ne peux vous laisser, venez avec moi. Adieu, je vous laisse. Laissez-nous, nous avons à causer.*

Spécialt. Quitter volontairement et définitivement. *Elle a laissé son mari.* ⇒ **Lâcher.**

Ne plus vivre avec, du fait de la mort. *Il laisse une veuve et deux enfants.*

b (Compl. n. de chose). *Laisser son appartement pour aller loger ailleurs* (→ Hôtesse, cit. 7). *« Le temps a laissé son manteau De vent, de froidure* (cit. 2) *et de pluie »* (Ch. d'Orléans). — Allus. littér. *Laissez toute espérance, vous qui entrez* (« Lasciate ogni speranza, voi ch'entrate », Dante, *Inferno,* III, 9), inscription à la porte de l'Enfer de Dante. ⇒ **Renoncer** (à); → Espérance, cit. 16 et 17.

Vous aurez fait sortir ma sœur d'un convent, pour la laisser ensuite ? 38
MOLIÈRE, Dom Juan, V, 3.

Le Verbe, image du Père, 39
Laissa son trône éternel,
Et d'une mortelle mère
Voulut naître homme et mortel. RACINE, Poésies diverses, I, IX, IV.

(...) il laisse en mourant un monde qui ne se sent pas de sa perte (...) 40
LA BRUYÈRE, les Caractères, II, 1.

Il ne voulait laisser personne, ni la Reine ni le Dauphin, ni madame Elisabeth, 41
ni Mesdames. La Reine ne pouvait se décider non plus à laisser telle dame confidente, telle femme qui avait ses secrets. On ne voulait partir qu'en masse, en troupe, en corps d'armée. MICHELET, Hist. de la Révolution franç., IV, XII.

Les soucis mêmes qu'ils avaient la veille ne les avaient pas suivis, ils les avaient 42
laissés dans leurs maisons de la ville comme on laisse pendant quelques heures pour prendre l'air un mort qu'on veillait. P. NIZAN, le Cheval de Troie, I, I.

♦ **2.** (Mil. XIᵉ). Avec un compl. n. de personne ou de chose déterminé par un attribut. *Laisser* (une personne, une chose) *en tel ou tel état. Laisser quelqu'un seul,* le quitter pour qu'il soit seul. ⇒ **Retirer** (se). *Je l'ai laissé bien triste. Elle le laissa tout interdit* (→ Imbécile, cit. 8). *Il l'a laissé dans l'embarras, dans la misère. On l'a laissé pour mort sur le champ de bataille,* on l'abandonna, le croyant mort. — *Portrait qu'on laisse inachevé. Laisser tout en désordre.* Fig. *Un fracas* (cit. 4) *qui laisse tout le monde sourd. Des colères qui le laissaient pantelant* (→ Explosion, cit. 8). *Cette résolution la laissa épuisée* (→ Faiblir, cit. 8).

(...) elle passa dans son appartement, et nous laissa tête à tête, ma Belle et moi (...) 43
LACLOS, les Liaisons dangereuses, XXIII.

(...) elle s'y rendrait aussitôt que sa femme de chambre l'aurait laissée seule (...) 44
LACLOS, les Liaisons dangereuses, LXXI.

J'ai été laissé pour mort par des voleurs. 45
MAUPASSANT, Contes de la Bécasse, La peur.

Au premier mot, nous avons laissé nos femmes et nos enfants en larmes; nous 46
avons laissé nos charrues, nos ustensiles, dans les champs (...) Nous sommes venus, sans prendre le temps de nous habiller tout à fait (...)
MICHELET, Hist. de la Révolution franç., III, X.

Laisser (une personne, une chose) *en tel ou tel lieu, en compagnie de telle ou telle personne. Laisser ses bagages à la consigne, ses enfants chez sa sœur...* → ci-dessus, Laisser un enfant *à* qqn (II., 2., b). *Laisser ses armes* (cit. 13) *dans le combat. Son cheval fourbu* (cit. 1) *le laissa à mi-côte. Il les a tous laissés sur la route.* ⇒ **Camper, planter** (là). *Laisser qqn en plan*, en rade*. Laisse là tous les livres. Laissez-moi là.*

(...) Vous mourûtes aux bords où vous fûtes laissée ! 47
RACINE, Phèdre, I, 3 (→ Blessé, cit. 4).

Laisser un coureur derrière soi. ⇒ **Dépasser, devancer.** Fig. *Laisser quelqu'un derrière soi pour la célébrité, le talent, le mérite...* ⇒ **Surpasser.** *Au quinzième siècle, l'Italie laissait loin derrière* (cit. 7) *elle l'Europe entière.*

(...) je laissai loin derrière moi presque tous ceux qui étaient partis avec tant 48
d'ardeur. FÉNELON, Télémaque, V.

(V. 1170). Spécialt. Abandonner involontairement (qqch.). ⇒ **Oublier.** *Laisser un colis dans un train.*

♦ **3.** Se séparer d'une partie de soi-même, abandonner (quelque chose de soi).

a (Sujet n. d'être animé). ⇒ **Perdre.** *Renard laissa sa queue dans un piège* (→ Gage, cit. 5). *Laisser sa vie au combat; y laisser la vie.* Fam. *Y laisser sa peau, ses os.* Fig. *L'affaire fut rude, il y laissa des plumes, des poils* (fam.) : il lui en coûta des ennuis, de l'argent. *Dépenser à y laisser sa dernière chemise* (→ Importer, cit. 35).

(...) une autre Iphigénie 49
Sur ce bord immolée y doit laisser sa vie. RACINE, Iphigénie, V, 6.

(...) ce que vous appelez notre amitié peut laisser des plumes dans cette histoire. 50
G. DUHAMEL, Salavin, V, XVI.

Notre vie intérieure, si l'on en croit Bergson, ne parvient pas à l'expression sans 51
laisser en route le plus précieux d'elle-même.
J. PAULHAN, les Fleurs de Tarbes, p. 65.

b (Sujet et compl. n. de chose). ⇒ **Déposer.** *Liquide qui laisse un dépôt. Fleuve qui laisse des alluvions, un limon* (→ Inonder, cit. 2). *La rosée avait laissé des guipures* (cit. 2) *d'argent sur les plantes.*

c (Av. 1690, Furetière). Le compl. désigne les traces d'une chose passée, d'une personne absente ou qui n'est plus. Faire (une marque, une trace qui reste). — (Sujet n. de chose). *Éraflure* (cit. 2), *coup qui laisse des marques, des cicatrices. Goût qu'un aliment laisse dans la bouche.* — Fig. *Laisser un goût d'amertume* (cit. 10), *d'indifférence.* — *Ce document ne doit pas laisser de trace* (→ Envoler, cit. 2). *Le passé laisse des regrets, des remords* (→ Arracher, cit. 49). — (Sujet n. de personne). *Les hommes croient* *laisser quelque trace* (→ Apparition, cit. 3). *Mirabeau a laissé un grand nom* (→ Auréole, cit. 2). *Laisser des descendants* (→ Héréditaire, cit. 1), *des héritiers* (→ ci-dessus, III., 1., b). *Cet écrivain a laissé des mémoires, un tableau fidèle de son époque. Laisser un souvenir* (→ Gracile, cit. 2; indigène, cit. 7), *une empreinte ineffaçable* (cit. 5). — «*Voilà ce qu'après* (cit. 4) *toi tu laisses sur la terre*» (Musset).

52 (...) il en est comme de ces beaux songes qui ne vous laissent au réveil que le déplaisir de les avoir crus. MOLIÈRE, le Malade imaginaire, III, 3.

53 Vous trouverez ci-joint le paquet de vos lettres. Je compte que vous me renverrez en échange toutes celles de ma fille; et que vous vous prêterez à ne laisser aucune trace d'un événement dont nous ne pourrions garder le souvenir (...)
LACLOS, les Liaisons dangereuses, LXII.

54 Choses de mon enfance, quelle impression vous m'avez laissée!
Alphonse DAUDET, le Petit Chose, I, II.

55 Je partirais sans laisser ni de traces ni d'adresse.
CÉLINE, Voyage au bout de la nuit, p. 313.

♦ **4.** (Compl. n. de chose; compl. second [facultatif] n. de personne, en *à*). Remettre (qqch. à qqn) en partant. ⇒ **Confier, remettre.** *Laisser sa clé à la concierge; il a oublié de laisser sa clé. Laisser sa carte à quelqu'un. Partir sans laisser d'adresse* (cit. 1). *Laisser sa place à quelqu'un. Je vous laisse ce document afin que vous en preniez connaissance. Laisser un gros pourboire; laisser des arrhes.* ⇒ **Donner.**

56 (...) Hélène me faisait valoir que sa mère lui laissait un petit crédit pour ses frais de tramway et d'omnibus (...)
J. ROMAINS, les Hommes de bonne volonté, t. III, XXIII, p. 317.

57 (...) les importants, qui priaient leur visiteur de laisser une note résumant son cas (...) CAMUS, la Peste, p. 122.

♦ **5.** Vendre* à un prix avantageux pour le client. ⇒ **Céder.** *Je vous laisse ce tapis pour mille francs, à mille francs. Je vous le laisserai pour presque rien.*

♦ **6.** (1080, *Chanson de Roland*, «léguer»). Donner, céder (un bien, une somme...) de son vivant ou par testament, par voie de succession*. *Laisser une maison à ses enfants. Laisser l'usufruit de ses biens* (→ Indivis, cit. 1). *L'héritage* que nous ont laissé nos parents.* ⇒ **Léguer, transmettre.** *Laisser ses biens à un indigne héritier* (cit. 1). *Laisser de l'argent à charge de fonder* (cit. 10) *des messes.*

58 Item, laisse et donne en pur don
Mes gants et ma huque *(toque)* de soie
A mon ami Jacques Cardon (...) VILLON, le Lai, XVI.

59 Cet homme, par son testament (...)
Leur laissa tout son bien par portions égales. LA FONTAINE, Fables, II, 20.

59.1 Le surlendemain de notre pacte criminel, le Comte apprit qu'un oncle sur la succession duquel il ne comptait nullement, venait de lui laisser quatre-vingt mille livres de rente (...) SADE, Justine..., t. I, p. 20.

60 Peu d'années après, il mourut, jeune encore, laissant à sa fille une immense fortune, une mère faible et la disgrâce de la cour (...)
STENDHAL, Mina de Vanghel.

61 Et puis, il y avait les cent cinquante francs de rente, provenant de la maison vendue, que le père laisserait certainement à celui de ses enfants qui l'aurait gardé.
ZOLA, la Terre, IV, II.

★ **IV.** (Déb. XIIe). ♦ **1.** Vx. Ne pas continuer (de faire, d'être quelque chose). ⇒ **Cesser.**

62 Un Stoïcien (...) dit qu'il a laissé d'être Épicurien pour cette considération (...) qu'il trouve leur route trop hautaine et inaccessible (...)
MONTAIGNE, Essais, II, XI.

♦ **2.** (Mil. XIe, *ne laissier de*). **NE PAS LAISSER DE** (littér.), ou **NE PAS LAISSER QUE DE** (vieilli) : ne pas cesser de, ne pas s'abstenir de... (⇒ **Manquer**). *Il ne laisse pas de se montrer à la hauteur* (cit. 14) *des événements. Cette lutte ne laissait pas que d'agiter* (cit. 11) *Paris. Il ne laisse pas d'être ému.*

63 Le soin meurtrier pourtant ne laisse pas
D'accompagner tes misérables pas. RONSARD, Second livre des Odes, Ode IV.

64 Un reste d'honneur et de religion, que je ne laissais pas de conserver parmi des mœurs si corrompues (...) A. R. LESAGE, Gil Blas, IV, I.

65 Ma femme ne laisse pas que d'être ennuyeuse.
B. CONSTANT, Journal intime, 11 sept. 1812.

66 Je ne laissai pas de sentir la haute sagesse renfermée dans les maximes de mon bon maître. FRANCE, la Rôtisserie de la reine Pédauque, Œ., t. VIII, p. 127.

67 Ce qui donc ne laisse pas de me tourmenter, c'est le désaccord chaque jour plus sensible à nos yeux entre les inventions de l'esprit et l'état de la vie morale et le rythme de la vie sociale. G. DUHAMEL, Défense des lettres, Préface.

67.1 Loin des livres, mais seul au soleil silencieux avec la puissance de l'espace, (sinon habillant de l'esprit dès que l'ombre des feuilles m'habille, me couche et laisse que je rayonne et fait que je chante par ce changement simple), les mots nombreux le cèdent et s'éteignent (...) P. VALÉRY, Cahiers, Pl., t. II, p. 1250.

REM. Précédé de *mais, pourtant...*, ou accompagné d'un complément, d'une subordonnée exprimant l'opposition, la restriction *ne pas laisser de* prend la valeur de «néanmoins, n'en... pas moins». *Malgré ses incartades* (cit. 2), *Alceste ne laisse pas d'intéresser et de plaire. Quand bien même ils savent que c'est flatterie* (cit. 4), *ils ne laissent pas d'en être dupes.*

68 Cela choque le sens commun;
Mais cela ne laisse pas d'être. MOLIÈRE, Amphitryon, II, I.

69 Ces deux damoiselles, bien que rivales, ne laissaient pas d'être amies (...)
CORNEILLE, Clitandre, Argument.

(...) les apôtres, tout sanctifiés et tout régénérés qu'ils avaient été par ce sacrement, ne laissaient pas d'être encore imparfaits. 70
BOURDALOUE, Sermon pour la fête de la Pentecôte, II.

CONTR. Contrôler, diriger, empêcher, efforcer (s'), résister; changer, déplacer, modifier; enlever, ôter. — Cueillir, emparer (s'), prendre. — Conserver, détenir, emmener, emporter, entretenir, garder, maintenir. — Continuer.

DÉR. Lais (V. aussi **legs**), **laisse, laissées.**

COMP. Laissé-pour-compte, laisser-aller, laisser-courre, laisser-sur-place, laisse-tout-faire, laissez-faire, laissez-passer. — Délaissement, délaisser.

HOM. Laissées.

LAISSER-ALLER [leseale] n. m. — 1786, Mirabeau; de *laisser*, et *aller.*

♦ **1.** Absence de contrainte dans les attitudes, les manières, le comportement (individuel). ⇒ **Abandon, désinvolture.** *Le laisser-aller de sa conversation. Le laisser-aller d'une personne à la bonne franquette* (cit. 3). *Aimer le laisser-aller des personnes qui ne s'observent pas, ne s'étudient pas* (→ Garde-à-vous, cit. 2).

(...) ce qui frappa le plus Rodolphe fut l'adorable laissez-aller *(sic)*, la franchise italienne de cette femme qui s'abandonnait entièrement à sa compassion. 1
BALZAC, Albert Savarus, Pl., t. I, p. 785.

♦ **2.** Cour. Absence de soin. *Le laisser-aller de sa tenue.* ⇒ **Débraillé, négligé.**

(...) il n'est pas familier. Il déteste le laisser-aller, le bruit, la poussière et les coups de coude. André SUARÈS, Trois hommes, «Ibsen», III. 2

Négligence, relâchement (dans le comportement). *Il y a un peu de laisser-aller dans le travail, dans la gestion de cette entreprise.* ⇒ **Désordre, incurie.** *Lutter contre le laisser-aller.*

Évidemment la Prusse a su mettre à profit le laisser-aller, le «je m'en fichisme» augural d'un chef d'État fataliste : elle a poussé ses hommes un peu partout. 2.1
BERNANOS, la Grande Peur des Bien-Pensants, p. 58, *in* T. L. F.

♦ **3.** Attitude qui consiste à ne pas se contraindre en société (d'un groupe humain).

(...) la masse américaine (...) respecte (...) aime le système américain. Sous une apparence toute superficielle, de laisser-aller et de désordre, c'est une des foules les plus dociles, les plus obéissantes qui soient. 3
André SIEGFRIED, l'Âme des peuples, VII, IV.

CONTR. Affectation, contrainte, correction, discipline, recherche, réserve, retenue. — Application, ordre, zèle.

LAISSER-COURRE [lesekuʀ] n. m. invar. — Av. 1391, Gaston Phébus; de *laisser*, et *courre*, forme anc. de *courir.*

♦ Vén. Moment de la chasse où l'on découple les chiens. — (1583). Lieu où les chiens sont découplés (→ Courre, cit. 4).

(1769). Sonnerie, fanfare qui signale le laisser-courre.

Par ext. La chasse elle-même.

La forêt de Saint-Germain où il devait chasser le lendemain, en lui promettant de le faire assister aux émotions nouvelles pour lui d'un laisser-courre.
PONSON DU TERRAIL, Rocambole, t. 1, II, p. 352, *in* T. L. F.

LAISSER-FAIRE [lesɛfɛʀ] n. m. ⇒ **Laissez-faire.**

LAISSER-PASSER [lesepase] n. m. ⇒ **Laissez-passer.**

LAISSER-SUR-PLACE [lesesyʀplas] n. m. — Mil. XXe; de *laisser, sur*, et *place.*

♦ Comm. Forme de vente consistant à déposer des marchandises chez un commerçant et à ne les facturer que lorsque celui-ci les aura vendues. Syn. : *dépôt-vente.*

LAISSES [lɛs] n. f. pl. ⇒ **Laissées.**

LAISSE-TOUT-FAIRE [lɛstufɛʀ] n. m. — 1694, Boursault; de *laisser, tout*, et *faire.*

♦ Tablier, manteau très court, au XVIIe et au début du XVIIIe siècle.

LAISSEZ-FAIRE [lesefɛʀ] n. m. — 1843; de *laisser* à l'impératif, et *faire.*

♦ Attitude qui consiste à ne pas intervenir, notamment en économie. ⇒ **Libéralisme.** *Le laissez-faire* (aussi : *le laissez-faire, laissez-passer*) *des économistes libéraux.* — Var. : *laisser-faire.*

CONTR. Interventionnisme.

LAISSEZ-PASSER [lesepase] n. m. invar. — 1673, *laisser-passer; laissez-passer*, 1790; de *laisser*, et *passer.*

Permission d'entrer, de sortir, de circuler.

♦ **1.** Dr. comm. Titre, certificat qui doit accompagner les marchandises soumises aux impôts indirects et qui sont exemptes ou affranchies de droit au départ. ⇒ **Passavant** (→ aussi Acquit-à-caution).

♦ **2.** (1792). Dr. public et cour. Pièce autorisant une personne à entrer, à sortir, à circuler librement (⇒ **Ausweis** [all.], **coupe-file, passeport, permis, sauf-conduit**). *Montrer son laissez-passer.*

1 Sans grande peine, il avait procuré à la jeune femme les laissez-passer nécessaires.
MARTIN DU GARD, les Thibault, t. VIII, p. 203.

Var. : *laisser-passer.*

2 Le laisser-passer examiné et visé, Marcel se vit, sans manifester aucune surprise, présenter un mouchoir blanc, avec lequel les deux acolytes en uniforme lui bandèrent soigneusement les yeux.
J. VERNE, les Cinq Cents Millions de la Bégum, VII, p. 109.

LAIT [lɛ] n. m. — V. 1155; du lat. *lactem,* accusatif pop., du lat. class. (neutre) *lac, lactis.*

★ **I.** Liquide blanc, opaque, très nutritif (riche en graisses émulsionnées), sécrété par les glandes mammaires* des femelles des mammifères*.

♦ **1.** Aliment naturel des jeunes mammifères; spécialt, en parlant de l'espèce humaine, des nourrissons. *Lait humain et lait des mammifères. Lait de femme, lait maternel. Sécrétion, montée du lait chez la mère. Canaux excréteurs du lait.* ⇒ **Galactophore, lactifère.** *Absence pathologique de lait.* ⇒ **Agalactie.** *Premier lait d'une accouchée.* ⇒ **Colostrum.** *Remède facilitant la sécrétion du lait.* ⇒ **Galactagogue.** *Tire-lait*,* pour aspirer le lait du sein. — *Femme qui nourrit* un enfant de son lait.* ⇒ **Allaitement, allaiter** (cit. 1), **lactation; nourrice.** *Bébé, nouveau-né, nourrisson qui suce* le lait maternel.* ⇒ **Téter** (→ Battre, cit. 3, La Bruyère; instinct, cit. 12). *Le lait d'une nourrice* (→ Essayer, cit. 1). *La Goutte** (1. Goutte, I., 4.) *de lait. Voilà déjà quelques mois qu'il n'est plus nourri au lait* (⇒ **Sevrer**). — *Lait maternisé :* lait de vache auquel on a donné les propriétés chimiques du lait de femme. *Enfant nourri au lait maternisé, à l'aide d'un biberon.*

1 Sa nourrice avait peu de lait; celle-ci en a comme une vache.
Mme DE SÉVIGNÉ, Lettres, 153, 8 avr. 1671.

2 Ce choix *(de la nourrice)* n'est point un si grand mystère (...) mais je ne sais si l'on ne devrait pas faire un peu plus d'attention à l'âge du lait aussi bien qu'à sa qualité. Le nouveau lait est tout à fait séreux (...) Peu à peu le lait prend de la consistance et fournit une nourriture plus solide à l'enfant devenu plus fort pour la digérer.
ROUSSEAU, Émile, I (→ aussi Absorbant, cit. 1; carnivore, cit.; chyle, cit. 1; farineux, cit. 1; intempérie, cit. 1).

3 L'enfant s'est détaché, mûr enfin pour la nuit,
Et, les yeux clos, s'endort d'un bon sommeil sans fièvres,
Une goutte de lait tremblante encor aux lèvres.
Albert SAMAIN, Aux flancs du vase, Le bonheur.

4 À la montée du lait commence l'amour maternel.
GIDE, Journal, 29 janv. 1912.

Loc. *Croûtes* de lait. Fièvre de lait,* accompagnant parfois la montée du lait. — *Dent de lait.* ⇒ **Dent.** — (Mil. XIIIe, *agneau de lait*). *Veau* de lait, cochon* de lait,* qui tète encore. — (1538). *Frère de lait; sœur de lait.* ⇒ **Frère** (*infra* cit. 16).

4.1 La «fièvre de lait» lui avait émaillé tout le corps de croûtes craquelées noires, grises, jaunes, verdâtres. M. JOUHANDEAU, la Jeunesse de Théophile, p. 76.

Par métaphore. *Sucer la haine* (cit. 28) *des rois, l'amour de la liberté avec le lait,* les recevoir dès la première enfance. — (1538). Fig. La première nourriture de l'âme, de l'esprit (→ Idiome, cit. 3).

5 France, mère des arts, des armes, et des lois,
Tu m'as nourri longtemps du lait de ta mamelle (...) DU BELLAY, les Regrets, IX.

6 (...) je vous apprends (...) que je suis accouchée d'un garçon, à qui je vais faire sucer la haine contre vous avec le lait (...)
Mme DE SÉVIGNÉ, Lettres, 7, 15 mars 1648.

7 Empoisonné, dès l'adolescence, de tous les écrits du dernier siècle, j'y avais sucé de bonne heure le lait stérile de l'impiété (...)
A. DE MUSSET, la Confession d'un enfant du siècle, V, VI.

8 (...) si, comme beaucoup le prétendent, les qualités de l'âme se sucent avec le lait.
FRANCE, le Petit Pierre, I.

Loc. fam. *Si on lui pressait, si on lui pinçait le nez il en sortirait du lait,* se dit, par plais., d'un enfant, d'un adolescent qui prétend se comporter comme un adulte. — Prov. *Le vin est le lait des vieillards.*

9 (...) il déplorait l'ignorance de ceux qui nomment le vin le lait des vieillards.
A. R. LESAGE, Gil Blas, II, III.

10 Des galopins qui étaient hier en nourrice! Si on leur pressait le nez, il en sortirait du lait! Et ça délibère demain à midi! HUGO, les Misérables, III, V, VI.

10.1 Tu vois ce morveux, comme il reluque mes femmes; c'est vicieux ces mômes-là, et c'est tout p'tit, on leur pincerait le nez, il en sortirait du lait.
R. QUENEAU, le Chiendent, p. 197.

♦ **2.** Lait de quelques mammifères domestiques (notamment la vache), destiné à l'alimentation humaine. — REM. Sans compl., et selon les contextes, il s'agit du lait des mammifères élevés à cet effet, et surtout (en Europe) de la vache, secondairement de la chèvre et de la brebis. — *Le lait est le seul aliment complet naturel, contenant des glucides* (lactose), *des lipides* (globules de graisse ⇒ **Crème, fleurette**), *des protéines* (matières azotées ⇒ **Caséine**), *des matières minérales* (sels, etc.), *des enzymes et des vitamines, en solution ou en suspension* (émulsion) *dans de l'eau* (partie séreuse du lait ⇒ **Sérum**). *Mesure de la densité du lait, richesse du lait en graisses.* ⇒ **Butyromètre, galactomètre, lactodensimètre, lactomètre, pèse-lait.** — *Production, commerce, industrie du lait.* ⇒ **Laiterie** (B.). *Animaux élevés pour leur lait.* — *Vache à lait :* vache laitière. Fig. *C'est sa vache à lait.* ⇒ **Vache.** — *Lait de vache, de brebis, de chèvre, d'ânesse, de chamelle. Récolter le lait.* ⇒ **Traire, traite.** *Lait bourru, cru, encore chaud, mousseux, venant d'être trait* (→ Gaver, cit. 3). *Ramassage, transport du lait. Récipients à lait.* ⇒ **Berthe** (II.), 2. **bouille,** 2. **canne.** *Bidon, pot, bouteille, carton de lait* (→ Balader, cit. 1). — *Pot* à lait, pot au lait. La Laitière* et le Pot au lait,* fable de La Fontaine. — *Coopérative, établissement où l'on rassemble, où l'on traite le lait.* ⇒ **Fruitière, laiterie.** *Vente du lait, du beurre et du fromage.* ⇒ **Crémerie, crémier, laitier.** — *Opérations subies par le lait. Enlever la crème du lait.* ⇒ **Écrémer.** *Lait écrémé, lait demi-écrémé, lait maigre* (⇒ **Puron**). *Lait entier. Couper, mouiller le lait,* l'étendre d'eau. — *Battre le lait pour faire du beurre.* ⇒ **Baratte; beurre.** — (1552). *Petit-lait* (⇒ **Petit-lait**), *lait de beurre.* ⇒ **Babeurre, ribot; délaiter** (→ Adoucir, cit. 2; baratte, cit.). — *Lait qui coagule.* ⇒ **Cailler, tourner; grumeau.** *Faire cailler le lait avec de la présure*. Lait caillé* (cit. 1). ⇒ **Caillé, kéfir, yogourt** (ou **yaourt**). *Lait de jument fermenté.* ⇒ **Koumis.** *Le lasī* (ou *lassi*), *boisson indienne faite de lait caillé et d'eau. Égoutter du lait caillé. Aliment fabriqué avec la caséine* du lait.* ⇒ **Fromage** (cit. 1 et 3). — *Filtrer le lait* (⇒ **Couloir,** I.). *Faire bouillir le lait pour le stériliser. Lait qui bout* (cit. 1), *monte, s'échappe, se sauve.* Par métaphore. *Monter* (cit. 20) *comme un lait qui bout. Anti-monte-lait :* petit appareil pour empêcher le lait en ébullition de se sauver. *Peau* à la surface du lait bouilli. Lait bouilli, stérilisé, pasteurisé** (→ Firme, cit. 1); *lait U.H.T. :* lait pasteurisé à ultra haute température; *lait longue conservation.* — *Procédés modernes de conservation du lait.* — (1874). *Lait concentré.* — *Lait condensé*, sucré ou non sucré. Lait homogénéisé. Lait sec, en poudre. Lait en boîte, en tube. Lait prédigéré. Lait aromatisé.* — *Lait battu et aromatisé, servi très frais.* ⇒ **Milk-shake** (anglic.).

On voyait nager le lait clair sur tous les vases; et tous ceux qui servaient à traire 11
le lait étaient tout prêts. RACINE, Remarques sur l'Odyssée, IX.

Son mari lit le journal, que la concierge monte chaque matin avec la boîte à lait. 12
J. ROMAINS, les Hommes de bonne volonté, t. II, I, p. 5.

Il regarde ces quatre visages sur lesquels le sourire fait des plis, comme la peau 13
qui vient sur le lait. G. DUHAMEL, Salavin, III, IX.

(...) la cuisine (...) où reposent de larges jattes (...) remplies de lait sous une nappe 14
de crème (...) J. CHARDONNE, les Destinées sentimentales, p. 85.

Le lait de femelles de mammifères non élevés à cet effet. *Du lait de chatte. La chienne n'a plus de lait.*

Cette baleine était une femelle dont les mamelles fourniraient une grande quantité 14.1
d'un lait qui, conformément à l'opinion du naturaliste Dieffenbach, pouvait passer pour du lait de vache, et, en effet, il n'en diffère ni par le goût, ni par la coloration, ni par la densité. J. VERNE, l'Île mystérieuse, t. I, p. 438.

Le lait, en tant qu'aliment, matière première pour la cuisine. *Boire du lait. Se mettre au lait,* au régime lacté*. *Digestion du lait* (→ Estomac, cit. 3). *Le lait peut servir de contrepoison*. Bol, bolée, verre, timbale, jatte de lait* (→ Écuelle, cit. 3). *Tasse de lait chaud; lait bouillant* (→ Café, cit. 4), *glacé.* — *Café, thé, chocolat au lait. Lait-grenadine. Bouillie* (cit. 2), *soupe, entremets, crème au lait. Lait noisette,* additionné de chicorée. Fig. *Monter comme une soupe* au lait.* — *Un peu de lait, un nuage de lait.*

Rien que de l'eau chaude, avec un soupçon de thé et un nuage de lait. 15
A. DE MUSSET, Un caprice, VI.

La vieille rapportait un bol de lait mousseux. Marcelle le lui prit des mains et 16
but à longs traits. SARTRE, le Sursis, p. 39.

Aujourd'hui encore, il se boit parfois à Paris, dans des milieux de durs ou de goua- 16.1
pes, un étrange lait-grenadine, venu d'Amérique.
R. BARTHES, Mythologies, p. 77.

(Autres usages de lait). *Bains* (cit. 6) *de lait* (→ Hétaïre, cit. 6). *Savon de toilette au lait.*

Par compar. Littér. *Blancheur du lait, blanc* comme le lait.* ⇒ **Lacté, lactescent, laiteux.** *Une peau* de lait.* — Loc. Régional. *Bouquet de lait :* primevère. — *Doux comme le lait.*

Fig. Allus. littér. *Le lait de la tendresse humaine,* trad. de Shakespeare, *Macbeth,* I, 5.

Le printemps, doux comme le lait, emplissait l'atmosphère, il coulait avec les fleurs 17
et les senteurs des feuilles fraîches, avec la tiédeur des brises et les caresses attardées et glissantes du vent. Edmond JALOUX, Le reste est silence, p. 79.

T. bibl. *Le miel et le lait,* symbole d'abondance.

(...) la Bible nous décrit Canaan comme une terre fabuleuse, où «le lait et le miel 18
coulent», où l'on produit tout à foison.
DANIEL-ROPS, le Peuple de la Bible, II, II.

Loc. fig. (1579). *Il avale cela doux comme du lait* (vx). *Boire du lait, du petit-lait :* se délecter, éprouver une vive satisfaction d'amour-propre, d'orgueil, etc.

— Pouah! Le dévouement et le travail. Le travail et le dévouement. Vous buvez 19
cela comme petit-lait. J. ANOUILH, Ornifle, II, p. 73.

★ **II.** (XIIIe, au sens 1). Liquide ayant l'apparence du lait.

♦ **1.** [a] Suc blanchâtre de certains végétaux (⇒ **Laiteron, laitue**). *Lait de figuier* (cit. 2). *Lait des plantes à caoutchouc.* ⇒ **Latex.** *Lait de coco*.*

Elle (...) s'arrêtait par moments pour arracher ces petites herbes qui donnent une 20
goutte de lait lorsqu'on les plie (...) J. GREEN, Adrienne Mesurat, I, IV.

[b] Albumine de l'œuf. *Le lait d'un œuf à la coque peu cuit.*

[c] *Lait de pigeon :* sécrétion du jabot des pigeons avec laquelle ils nourrissent leurs petits.

♦ **2.** Préparation d'apparence laiteuse. (1825, *in* D.D.L.). *Lait d'amandes :* émulsion d'amandes. ⇒ **Amandé.** — (1751). *Lait de poule :* jaune d'œuf battu avec du lait et de l'eau chaude sucrée et aromatisée. — (1818, *in* D.D.L.). *Lait de beauté, lait d'iris, lait démaquillant.* — (1611). Vx. *Lait virginal :* produit de beauté pour la peau.

Chim. *Lait de chaux* (⇒ **Chaux,** *supra* cit. 1). *Lait de soufre* (vx). *Lait de ciment.*

♦ **3.** (1599). Plante à suc blanc. — (1845). *Lait de couleuvre :* euphorbe. *Lait d'âne* (nom de plante). ⇒ **Laiteron.**

DÉR. Laitage, laitance, laite, laiterie, laiteux, 1. **laitier,** 2. **laitier,** 3. **laitier, laitue.** — (Du grec *gala*) V. **Gala-, galact-, galaxie.** — (Du lat. *lac*) V. **Lact-, lacté.**
HOM. V. 2. **Lai.**

LAITAGE [lɛtaʒ] n. m. — 1376, *lettage ;* de *lait.*

♦ Le lait ou les substances alimentaires tirées du lait (crème, beurre, fromage...). → Collation, cit. 4 ; four, cit. 3 ; fromage, cit. 2. — *Aimer les laitages,* et, collectivt, *le laitage.*

De petites nations, comme la Hollande ou le Danemark, vivant sous un climat aussi humide, réussissent pourtant à se nourrir et même à exporter leurs beurres, leurs laitages, ou leurs volailles. Paul MORAND, Londres, p. 270, *in* T. L. F.

LAITANCE [lɛtɑ̃s] n. f. — Fin XIVe ; *leitanche,* 1300 ; de *lait.*

♦ **1.** Matière blanchâtre, molle, constituée par le sperme des poissons. ⇒ **Laite.** *Poisson mâle qui a de la laitance.* ⇒ **Laité.**

Par ext. Testicules des poissons.

Prenez, pour six personnes, deux laitances de carpes bien lavées que vous ferez blanchir (...) BRILLAT-SAVARIN, Physiologie du goût, t. II, p. 154.

♦ **2.** Techn. (vx). Ciment délayé dans de l'eau. Syn. : *lait de ciment.*

LAITE [lɛt] n. f. — 1350, *lecte ;* de *lait.*

♦ Syn. de *laitance* (1.).

J'ai une cousine millionnaire, qui a pour toute nourriture le vendredi saint un hareng, dont, encore le père mange la laite.
Ed. et J. DE GONCOURT, Journal, 1852, p. 51, *in* T. L. F.

DÉR. Laité.
HOM. Lette.

LAITÉ, ÉE [lete] adj. — XVIe ; *laitié, laictié,* 1393 ; de *laite.*

♦ **1.** Qui a de la laitance ; mâle, en parlant d'un poisson (par oppos. à *œuvé*). *Carpe laitée ; hareng laité.*

(Les docteurs) en mangèrent goulûment *(des brochets),* soit œuvés, soit laités.
VOLTAIRE, Dialogues, XV, IV.

♦ **2.** (1662 ; de *lait*). Vx. Qui a du lait. — Loc. (1668, Molière, *l'Avare,* II, 5). *Poule laitée :* personne craintive, lâche. → (mod.) Poule* mouillée.

(XVIIe). Vx. *Café laité,* au lait.

LAITERIE [lɛtʀi] n. f. — 1315 ; de *lait,* et *-erie.*

A. ♦ **1.** Lieu où s'effectue la collecte et le traitement du lait, et, par ext., la fabrication du beurre (⇒ **Beurrerie**). *Laiterie d'une ferme,* où s'effectue la collecte du lait avant le ramassage et la fabrication du beurre fermier. *La laiterie du hameau* (cit. 4) *du Petit Trianon.*

1 La laiterie spécialement les émerveilla. Des robinets dans les coins fournissaient assez d'eau pour inonder les dalles ; et en entrant, une fraîcheur vous surprenait. Des jarres brunes, alignées sur des claires-voies étaient pleines de lait jusqu'aux bords. Des terrines moins profondes contenaient de la crème. Les pains de beurre se suivaient, pareils aux tronçons d'une colonne de cuivre, et de la mousse débordait les seaux de fer-blanc, qu'on venait de poser par terre.
FLAUBERT, Bouvard et Pécuchet, II, Folio, p. 81.

♦ **2.** (1840). Magasin où l'on vend du lait, des produits laitiers (beurre, fromage) et des œufs. ⇒ **Crémerie** (plus cour.).

2 Sur le trottoir d'en face, une laiterie flambe innocemment, claire comme les manches de la crémière (...) ARAGON, les Beaux Quartiers, II, I.

♦ **3.** (1928). Usine où l'on traite le lait (→ Écrémage, homogénéisation ; concentration, dessication, passage à haute température, pasteurisation ; conditionnement, mise en boîtes...).

B. Industrie, commerce du lait ; ensemble des opérations dont le lait fait l'objet depuis la traite jusqu'à la vente au consommateur (et, par ext. jusqu'à la vente des dérivés du lait). *La laiterie proprement dite* (à l'exclusion de la beurrerie, de la fromagerie et de la fabrication des laits fermentés) *comprend la traite, la collecte, le ramassage, les divers traitements, le conditionnement, la distribution...*

LAITERON [lɛtʀɔ̃] n. m. — 1550, *laidéron ;* du lat. *lactarius* « qui a rapport au lait ».

♦ Plante dicotylédone, annuelle ou vivace, dont les tiges, les feuilles contiennent une sorte de latex, régionalement appelée *laite, lait d'âne, lâcheron, laitue de lièvre...* (famille des Composées, *Liguliflores ;* n. sc. : *sonchus*).

LAITEUSEMENT [lɛtøzmɑ̃] adv. — 1881, Goncourt ; de *laiteux.*

♦ Littér. Avec une couleur, une apparence laiteuse. *« Une lumière si laiteusement cristalline »* (Goncourt, *in* G.L.L.F.) ; *« cet ivoire laiteusement transparent »* (Goncourt, *in* T.L.F.).

LAITEUX, EUSE [lɛtø, øz] adj. — 1564, p.-ê. déb. XVe ; de *lait,* et *-eux.*

♦ **1.** Qui a l'aspect, et, spécialt, la couleur blanchâtre du lait. ⇒ **Blanc, lactescent, opalin.** *Faisceau laiteux d'un projecteur* (→ Balayer, cit. 8). *Globes* (cit. 15) *laiteux d'une lampe. Halo* (cit. 3) *laiteux. Lumière laiteuse. Mur laiteux, d'un blanc laiteux* (→ 1. Flanquer, cit. 4). *Suc laiteux* (latex). *Chair laiteuse, d'un blanc laiteux.*

Là-haut, tout est blancheur apaisée, laiteux, doux au regard. Un ciel de lumière et de brume, qui rappelle plutôt la Bretagne que la Méditerranée, confond les mille petits murs qui séparent les terrasses dans la même pâleur argentée. 1
Jérôme et Jean THARAUD, Rabat, II.

Une nuit toujours éclatante, laiteuse, qui passait sur le monde sa couche de nacre (...) GIRAUDOUX, Suzanne et le Pacifique, IV. 2

Verte, opaline ou laiteuse, c'est toujours de l'absinthe. 3
COLETTE, Belles saisons, Mes cahiers, p. 150.

Gina avait (...) une chair laiteuse toute éclairée de blancheur (...) 4
J. GIONO, le Chant du monde, I, IX.

La mort avait taillé une déesse en pierre bleue dans une belle jeune femme, qui avait été apparemment opulente et laiteuse, à en juger par son extraordinaire chevelure. J. GIONO, le Hussard sur le toit, p. 115. 5

Spécialt. *Huître laiteuse,* qui contient des larves en incubation.

♦ **2.** (1832). Vx. Qui a rapport à la lactation ou à l'allaitement. *Maladies laiteuses* (de la mère). — Mod. *Croûtes laiteuses :* eczéma du nourrisson.

♦ **3.** (1690). Qui contient un suc laiteux (plantes). *Tige laiteuse.*

DÉR. Laiteusement.

1. LAITIER, IÈRE [lɛtje, jɛʀ ; letje, jɛʀ] n. et adj. — 1225 ; de *lait,* et *-ier.*

★ **I.** N. et adj. ♦ **1.** Personne qui vend du lait (⇒ **Crémier**), et, spécialt, qui livre le lait (à domicile, chez les détaillants). *La voiture du laitier.* — Par appos. *Marchand, garçon laitier.*

Tu es seul le matin va venir 1
Les laitiers font tinter leurs bidons dans les rues (...) APOLLINAIRE, Alcools, p. 7.

Allus. littér. *La Laitière et le Pot au lait,* fable de La Fontaine (VII, 10) dans laquelle la laitière Perrette fait des « châteaux (cit. 5) en Espagne » qu'un petit accident suffit à anéantir (→ Compter, cit. 2).

♦ **2.** Adj. (1290). *Vache laitière,* qui donne du lait, qui est élevée pour son lait. → Élevage, cit. 1. — N. f. (1762, Académie). *Une laitière, une bonne laitière.*

(...) tout en goguenardant, il examinait de près la vache, la trouvait telle qu'il la faut pour être une bonne laitière (...) ZOLA, la Terre, II, VI. 2

★ **II.** Adj. (1751). Relatif au lait, matière première alimentaire. *Industrie, production laitière. Exploitation laitière* (fermière, coopérative, industrielle). *Centrale, coopérative laitière. Produits laitiers. Beurre laitier.* — *Voiture laitière,* et, n. f., *une laitière :* voiture aménagée pour le transport des bidons de lait.

DÉR. Laitière.
HOM. (Du masc.) 2. **Laitier,** 3. **laitier.** — (Du fém.) **Laitière.**

2. LAITIER [lɛtje] n. m. — 1676, « scorie de haut-fourneau » ; de *lait,* et *-ier.*

♦ Techn. Ensemble des matières vitreuses qui se forment à la surface des métaux en fusion et qui rassemblent les impuretés provenant de la gangue des minerais, etc. *Écoulement des laitiers par une ouverture ménagée dans la dame** (3. Dame, 4.) *du haut-fourneau*. Dans la métallurgie du fer, on ajoute des fondants* (cit. 3) *au minerai pour permettre la formation du laitier. Utilisations du laitier : sables de laitier* pour le ballast (cit. 1), fabrication des *briques de laitier..., ciment de laitier* (mélange de laitier et de chaux), *laine de laitier.*

Il faut tout d'abord bien noter les différents buts de l'opération *(de fusion du minerai),* à savoir :
1° Obtenir le métal à l'état liquide ;
2° Former un laitier (ou une scorie) qui sépare la gangue.
Léon GUILLET, les Techniques de la métallurgie, p. 30.

(1786). Vx. *Laitier des volcans :* lave vitreuse (→ Basalte, cit., Buffon).

HOM. 1. **Laitier**, 3. **laitier.**

3. LAITIER [letje] n. m. — 1867; de *lait,* et *-ier.*

♦ Régional. Lactaire (champignon).

HOM. 1. **Laitier**, 2. **laitier.**

LAITIÈRE [lɛtjɛʀ] n. f. — 1962, *in* Larousse; de 1. *laitier* (adj.).

♦ Techn. Pot à lait à couvercle mobile et à une anse.

HOM. Fém. de 1. **laitier.**

LAITON [lɛtɔ̃] n. m. — V. 1220; *laicton,* v. 1225; var. *leiton, laton,* v. 1170; arabe *lātūn* «cuivre», du turc *altun* «or».

♦ Alliage* de cuivre et de zinc, pouvant contenir d'autres métaux *(laitons spéciaux). Le laiton est aussi appelé* cuivre* jaune. *Laitons utilisés dans les bijoux d'imitation* (chrysocale, tombac). *Laitons spéciaux au plomb, à l'étain, à l'aluminium* (dit *laiton d'aluminium). Le laiton est ductile et malléable. Tréfiler* du laiton; fil de laiton* (ou *d'archal*). Tube, étui de cartouche, douille de lampe en laiton. Forme de chapeau, fleur artificielle en fil de laiton.* — Par ext. *Du laiton :* du fil de laiton.

Elle portait au doigt un petit anneau que sa mère lui avait donné; il était de laiton, autrement appelé aurichalque.
A. FRANCE, Vie de Jeanne d'Arc, t. I, p. 524, *in* T.L.F.

DÉR. Laitonnage, laitonner.
HOM. Letton.

LAITONNAGE [lɛtɔnaʒ] n. m. — 1895, *Encyclopédie;* de *laiton,* et suff. *-age.*

♦ Techn. Opération par laquelle on fait déposer par électrolyse une mince couche de laiton à la surface d'une pièce.

LAITONNER [lɛtɔne] v. tr. — 1845; *latonné,* p. p., 1419; de *laiton,* et *-er.*

Technique.

♦ **1.** Garnir de fils de laiton. *Laitonner une forme de chapeau.*

Elise portait une charlotte rose à grand nœud laitonné blanc.
ARAGON, les Beaux Quartiers, p. 411.

♦ **2.** Recouvrir de laiton. *Laitonner un objet en fer. Métal laitonné.*

LAITUE [lety] n. f. — V. 1120-1130, Ph. de Thaon; lat. *lactuca,* de *lac, lactis* «lait», à cause du suc de cette plante.

♦ **1.** Plante dicotylédone *(Composées*; Liguliflores),* scientifiquement appelée *lactuca,* qui présente de nombreuses variétés vivaces ou annuelles, dont certaines sont cultivées comme légumes pour leurs feuilles (→ Bouquet, cit. 3). *Faire pousser des laitues. Les feuilles de laitue se mangent crues* (en salade) *ou cuites. Salade* de laitue. Cœurs de laitue braisés. Laitue sauvage. Laitue cultivée, potagère : laitue pommée*; laitue romaine* (⇒ **Chicon, romaine**). *Laitue scarole* (⇒ **Scarole**), *batavia* (⇒ **Batavia**). —*Acheter une laitue pour faire de la salade. — Le suc de laitue, utilisé en pharmacie comme calmant.* ⇒ **Lactucarium, thridace.**

♦ **2.** Salade de laitue. *Servir une laitue. Cette laitue est trop vinaigrée.*

♦ **3.** Par anal. (Qualifié; désignant des plantes). *Laitue de brebis* (mâche), *de chien* (chiendent, pissenlit), *de lièvre* (laiteron).

LAÏUS [lajys] n. m. — 1842; du nom de *Laïus,* père d'Œdipe, le sujet de composition française *le Discours de Laïus* ayant été proposé au concours d'entrée à Polytechnique en 1804.

♦ **1.** Fam. (d'abord argot de l'école Polytechnique). Allocution, discours. *Faire un laïus à la fin d'un banquet.* ⇒ **Speech.** *Un grand laïus.*

1 Dans le dialecte de l'École *(polytechnique),* tout discours est un laïus; depuis la création du cours de composition française en 1804, l'époux de Jocaste, sujet du premier morceau oratoire traité par les élèves, a donné son nom au genre.
DE LA BÉDOLLIÈRE, les Français peints par eux-mêmes, t. V, p. 116, *in* Littré, *Suppl.*

2 Vois-tu, ma tante, en français, un laïus c'est un sermon, mais en grec c'est un bonhomme que Jocaste avait épousé (...)
FRANCE, Jocaste, XII, Œuvres, t. II, p. 119.

♦ **2.** Manière de parler, d'écrire, vague et emphatique. *Ce n'est que du laïus.* ⇒ **Bla-bla.**

DÉR. Laïusser.

LAÏUSSER [lajyse] v. intr. — 1891, Esnault, d'abord argot de Polytechnique; de *laïus,* et *-er.*

♦ Fam. Discourir, pérorer, faire des laïus. *Laïusser pendant plus d'une heure.*

DÉR. Laïusseur.

LAÏUSSEUR, EUSE [lajysœʀ, øz] adj. et n. — 1892; de *laïusser.*

♦ Fam. Qui aime à faire de longs laïus; bavard intarissable.

LAIZE [lɛz] n. f. — V. 1140, *laise;* du lat. pop. **latia* «largeur», de *latus* «large». → Alaise.

♦ **1.** Techn. Largeur d'une étoffe entre les deux lisières. ⇒ **Lé.** Quantité de tissu correspondant à une largeur.

La robe de mousseline semée de fleurs à jour que brodent les infantes pour sa majesté la reine avance dans le plus profond secret. Il n'y a plus que deux laizes à faire.
BALZAC, le Père Goriot, Pl., t. II, p. 926.

Largeur du papier en bobines (exprimée en centimètres). *Laize de 85 centimètres.*

♦ **2.** (1831). Mar. Chacune des bandes de tissu formant une voile.

HOM. Lèse-.

LAKH [lak] n. m. ⇒ **Lack.**

LAKISME [lakism] n. m. — 1832, *in* D.D.L.; de *lakiste,* et *-isme.*

♦ Hist. de la littér. Tendance, style des poètes lakistes*.

LAKISTE [lakist] adj. et n. — 1825, *in* Höfler; angl. *lakist,* de *lake* «lac».

♦ Hist. de la littér. Se dit des poètes romantiques anglais appartenant à l'«École des lacs» (ils habitaient ou fréquentaient la région des lacs [Lake district]). *Les poètes lakistes.*

(...) un feutre noir, à larges bords, à l'imitation des quakers et des poètes lakistes; une vaste houppelande fermée et drapée sur ma poitrine (...) 1
VILLIERS DE L'ISLE-ADAM, Tribulat Bonhomet, p. 43.

Gilberte, plus moderne, resta impassible. Quoique fille de Swann, comme un canard couvé par une poule, elle était plus lakiste, disait : «Je trouve ça d'un touchant; il a une sensibilité charmante». 2
PROUST, le Temps retrouvé, Pl., t. III, p. 992.

Parce qu'il résidait avec Wordsworth et Coleridge dans le pays des lacs, Robert Southey (...) eut l'honneur d'être rangé à leurs côtés dans l'«École lakiste». 3
René LALOU, Littérature anglaise, p. 72.

DÉR. Lakisme.

LALALA... LALALA [lalala] onomat. — D. i.; d'un rad. onomatopéique *lall-.*

♦ Onomatopée exprimant un chantonnement, une nique, une moquerie, etc. → Tralala.

C'est le vieux Charles Trenet qui va vous endormir les nerfs... «Revoir Paris... lalala... lalala...» Violons et batterie douce pour le décollage.
Geneviève DORMANN, Je t'apporterai des orages, p. 169.

-LALIE, LALO- Éléments, tirés du grec *lalein* «parler», servant à former quelques mots savants. ⇒ **Bradylalie, dactylolalie, écholalie, embololalie, glossolalie, lalomanie, lalopathie, lalopathologie.**

LALLATION [la(l)lasjɔ̃] n. f. — 1808, Boiste; lat. *lallare* «dire lala», du rad. onomat. *lall-,* onomatopée.

Didactique.

♦ **1.** Syn. de *lambdacisme.*

♦ **2.** (1912, *in* D.D.L.). Émission de sons plus ou moins articulés par l'enfant, avant l'acquisition du langage. ⇒ **Gazouillis.** *La lallation précède le babillage* (sons articulés).

LALO [lalo] n. m. — 1761; mot africain.

♦ En Afrique noire, Feuilles de baobab desséchées et pulvérisées, servant d'assaisonnement.

Ses feuilles sont les parties dont ces Nègres font le plus d'usage. Ils les font sécher à l'ombre et les réduisent en une poudre verte qu'ils appellent *lalo* (...) Ils en font un usage journalier dans leurs aliments. 1
ADANSON, *in* Encycl. DIDEROT (Suppl.), art. *Baobab,* extrait d'un Mémoire de 1761.

Un couscous étuvé comme il faut et malaxé avec la quantité juste nécessaire de poudre de baobab, de lalo, qui l'aide si bien à descendre de la bouche au ventre (...) 2
Birago DIOP, les Nouveaux Contes d'Amadou Koumba, *in* Pages africaines, I.

LALOMANIE [lalɔmani] n. f. — XXe; de *lalo-,* et *-manie.*

♦ Didact. et rare. Loquacité excessive. ⇒ **Logorrhée.**

LALOPATHIE [lalopati] n. f. — 1974; de *lalo-*, et *-pathie.*

♦ Didact. et rare. Trouble de la parole et du langage.

LALOPATHOLOGIE [lalopatɔlɔʒi] n. f. — xxe; de *lalo-*, et *pathologie.*

♦ Didact. et rare. Ensemble d'études portant sur les troubles de la parole.

1. LAMA [lama] n. m. — 1598, cité comme mot indien, puis 1637; esp. *llama,* mot quichua (Pérou).

♦ Mammifère ongulé *(Camélidés)* plus petit que le chameau et sans bosse, qui vit dans les régions montagneuses d'Amérique du Sud (Pérou, etc.), sauvage ou domestiqué. *Espèces de lamas.* ⇒ **Alpaga, guanaco** (cit. Buffon), **vigogne.** *Laine* de lama. Étoffe, tissu en poil, en laine de lama.*

Quoique ce lama fût encore jeune (...) il avait néanmoins près de cinq pieds de hauteur (...) Cet animal est, dans le nouveau continent, le représentant du chameau dans l'ancien; il semble en être un beau diminutif, car sa figure est élégante (...) comme le chameau, il est propre à porter des fardeaux; il a le poil laineux, les jambes assez minces (...)
BUFFON, Hist. nat. des animaux, Additions, Du lama.

Tissu de poils de lama. *Un châle en lama.*

HOM. 2. **Lama.**

2. LAMA [lama] n. m. — 1629; du tibétain *blama,* de *bla* «le supérieur» et *ma* «homme».

♦ Prêtre, moine bouddhiste, au Tibet et chez les Mongols. ⇒ **Lamaserie.**
Personnage sacré, dignitaire ecclésiastique considéré comme l'incarnation de ses prédécesseurs. *Grand lama :* souverain spirituel et temporel du Tibet. On l'appelle aussi *Bouddha vivant.*

1 (...) la croyance de la métempsycose, qui passa depuis si longtemps de l'Inde en Tartarie, est l'origine de cette opinion populaire que la personne du grand lama est immortelle. VOLTAIRE, Mélanges historiques, Lettres chinoises, XI.

2 (...) l'appui des lamas tibétains ne lui fit jamais défaut.
Jean D'ORMESSON, la Gloire de l'Empire, t. II, p. 554.

En comp. *Dalaï-lama* (de *dalai* «océan») : grand lama. *Le dalaï-lama est le pape du lamaïsme.* → Impeccable, cit. 1.

DÉR. Lamaïque, lamaïsme, lamaïste, lamaserie.
HOM. 1. **Lama.**

LAMAGE [lamaʒ] n. m. — xxe (*in* Larousse, 1931); de *lamer,* et *-age.*

♦ Techn. Opération qui consiste à préparer, à aplanir (⇒ **Dresser,** II.) une surface avec une lame tournante, une fraise.

LAMAÏQUE [lamaik] adj. — 1840, Académie; de 2. *lama,* et *-ique.*

♦ Didact. Relatif au lamaïsme.

LAMAÏSME [lamaism] n. m. — 1845; *lamisme,* 1813, *in* D.D.L.; de 2. *lama,* et *isme.*

♦ Didact. Forme de bouddhisme* qui domine au Tibet et en Mongolie (tantrisme); Église tibétaine.

La forme particulière que le bouddhisme a prise au Tibet porte le nom de lamaïsme. «Lama» fut d'abord un titre honorifique qu'on décernait à des moines d'un rang supérieur (...) Le lamaïsme exprime donc la théocratie telle qu'elle s'exerce au Tibet par l'intermédiaire des moines.
Henri ARVON, le Bouddhisme, p. 96.

LAMAÏSTE [lamaist] adj. et n. — 1845; *lamiste,* 1773; de 2. *lama.*

♦ Didact. Adepte du lamaïsme. *Les populations lamaïstes de Mongolie.*

LAMANAGE [lamanaʒ] n. m. — 1355; du moyen franç. *laman,* probablt du néerl. *lootsman* «pilote».
Marine.

♦ **1.** Pilotage des navires à l'entrée et à la sortie des ports, dans les passes, les chenaux, les «baies, goulets, écueils près de terre, côtes, rades et rivières» (Gruss). *Droit de lamanage :* salaire du pilote lamaneur.
Mouvement des navires pilotés, dans un port.

♦ **2.** Amarrage des navires à quai. *Équipe de lamanage.* ⇒ **Lamaneur,** 2.

LAMANEUR [lamanœʀ] n. m. — 1584; de *laman* (→ Lamanage), et *-eur.*
Marine.

♦ **1.** Pilote commissionné pour pratiquer le lamanage dans un lieu donné. En appos. *Pilote lamaneur.*

♦ **2.** Ouvrier qui reste à quai et veille à l'amarrage des bateaux. *«Les filins noués aux amarres lourdes que les lamaneurs hissèrent à quai»* (P. Hamp, *Champagne, in* T.L.F.).

LAMANTIN [lamɑ̃tɛ̃] n. m. — Mil. xviie; *lamentin,* 1640; *manati,* 1533; esp. *manati* «vache de mer», mot d'orig. caraïbe (de la langue golibi) signifiant d'abord «mamelle», altéré p.-ê. sous l'infl. de *lamenter,* à cause du cri de l'animal.

♦ Zool. Mammifère marin *(Siréniens)* scientifiquement appelé *manatus,* au corps en fuseau terminé par une nageoire non échancrée. *Les lamantins vivent surtout dans les embouchures de fleuves des régions tropicales, ils sont herbivores. Les lamantins, comme les dugongs*, appartiennent à la classe des Siréniens*.* Syn. cour. : *bœuf marin, vache marine.*

(...) une tête énorme émergea de la surface des eaux, qui ne paraissaient pas être profondes en cet endroit. 1
Harbert reconnut aussitôt l'espèce d'amphibie auquel appartenait cette tête conique à gros yeux, que décoraient des moustaches à longs poils soyeux. «Un lamantin!» s'écria-t-il. J. VERNE, l'Île mystérieuse, t. I, p. 214.

Joyau plus vrai, parce que porter à rêver semble tenir à sa nature même : au zoo de Dakar, dans un bassin que l'on dirait creusé juste à sa taille, le lamantin aux formes indécises de bête pas encore entièrement dégagée de son milieu originel, espèce de gros têtard en cours de mue, géant maladroit et tout moussu plutôt que squameux ou velu (...) Michel LEIRIS, Frêle bruit, p. 236 (→ Roussalka, cit.). 2

LAMARCKIEN, IENNE [lamaʀkjɛ̃, jɛn] adj. et n. — 1904, *in Rev. gén. des sc,* no 12, p. 596; de *Lamarck* (1744-1829).

♦ Didact. Relatif au biologiste Lamarck ou au lamarckisme*. *Les théories lamarckiennes et darwiniennes.*
Partisan du lamarckisme.
N. *Les lamarckiens.*

Les naturalistes (...) se partagent en deux camps : les *Néo-Darwiniens* qui, avec Weismann, croient la sélection (aidée de la panmixie) suffisante à tout expliquer, et les *Lamarckiens* qui, avec Spencer, le nient et continuent à plaider l'hérédité des caractères acquis. Yves DELAGE, l'Hérédité, p. 868 (1903).

LAMARCKISME [lamaʀkism] n. m. — 1900; de *Lamarck,* naturaliste français (1744-1829), et *-isme.*

♦ Sc. Théorie transformiste qui explique l'évolution* des êtres vivants par leur adaptation au milieu, et par l'hérédité* des caractères acquis. *Lamarckisme et darwinisme*.*

Si les caractères acquis sont héréditaires, chaque génération fait faire un nouveau progrès à l'adaptation de l'espèce, et tous ces petits progrès expliquent sans difficulté l'évolution de celle-ci. C'est le triomphe du lamarckisme.
Yves DELAGE, l'Hérédité, p. 217 (1903).

COMP. Néo-lamarckisme.

LAMARTINIEN, IENNE [lamaʀtinjɛ̃, jɛn] adj. — 1832, *in* D.D.L.; absent des dict. av. 1922 *(Larousse universel);* de *Lamartine.*

♦ De Lamartine. *Le lyrisme lamartinien.* — Qui évoque Lamartine et son œuvre.

Ce grand frisson presque douloureux qui ne fait que nous émouvoir, les médiocres, c'est-à-dire presque tous les hommes, mais qui fait pousser aux hommes de génie leurs plus beaux cris lamartiniens. J. RENARD, Journal, 3 oct. 1906, p. 732.

LAMASERIE [lamazʀi] n. f. — 1850, Hugo; var. *lamasserie,* 1857, *in* D.D.L.; de 2. *lama,* et *-erie.*

♦ Couvent de lamas*. ⇒ **Bonzerie** (vieilli).

(...) nous apercevions, loin devant nous, reluire aux rayons du soleil la toiture dorée de deux magnifiques lamaseries, qui sont bâties au nord de la ville. Nous cheminâmes longtemps à travers des tombeaux; car partout les hommes se trouvent environnés des débris des générations éteintes. 1
E.-R. HUC, Souvenirs d'un voyage dans la Tartarie..., t. I, p. 36.

(...) les gratte-ciel s'élèvent, sur une ligne; pareils à des lamaseries, dans un Lhassa inexpugnable, ils prennent une hauteur qu'ils n'ont pas (...) 2
Paul MORAND, New-York, p. 67.

LAMBDA [lɑ̃bda] n. m. — Av. 1550; mot grec.

★ **I.** Onzième lettre de l'alphabet grec*, correspondant au *l* latin.

★ **II.** ♦ **1.** (1877). Anat. Point situé au sommet de l'os occipital. ⇒ **Fontanelle;** → Suture lambdoïde*.

♦ **2.** Phys. (à cause de la forme de la courbe). Appos. *Point lambda* (ou *température lambda*) : température extrêmement basse (2,17 °K) au-dessous de laquelle les propriétés physiques de l'hélium liquide sont très différentes de celles des liquides normaux.

★ **III.** Adj. invar. Fam. Moyen, quelconque (opposé à *alpha*). *Ce bouquin est trop difficile pour le lecteur lambda. «Le politicien moderne lambda»* (*Libération,* 12 janv. 1984). *«Vous vous demandez ce qu'un journaliste vient faire à bord d'un laboratoire spatial? (...) Je représente ici le "citoyen lambda", le témoin. Mon* *job : observer, écouter, et rendre compte»* (*les Nouvelles*, nº 2926, 12 avr. 1984, p. 67).

DÉR. Lambdacisme, lambdatique, lambdoïde.

LAMBDACISME [lɑ̃bdasism] n. m. — 1765, *Encyclopédie,* art. *labdacisme;* lat. *lambdacismus.*

♦ Didact. Vice de prononciation qui consiste à bégayer sur la lettre *l*, à la mouiller mal à propos ou à prononcer le *r* comme un *l*. Syn. : *lallation* (1.).

LAMBDATIQUE [lɑ̃bdatik] adj. — 1920; de *lambda,* et *-ique.*

♦ Didact. (anthrop.). Du lambda, en tant que repère pour les mensurations anthropologiques. *Point lambdatique, os lambdatique.*

LAMBDOÏDE [lɑ̃bdɔid] adj. — 1534, Rabelais; grec *lambdoeidês,* de *lambda,* et *-oïde.*

♦ Didact. Dont la forme rappelle celle d'un lambda majuscule. — Anat. *Suture lambdoïde,* entre le bord postérieur du pariétal et l'écaille de l'occipital.

LAMBEAU [lɑ̃bo] n. m. — V. 1250, *lambiau* «morceau ce chair»; *labeaus,* plur. v. 1165, en héraldisme (→ Lambel); du francique **labba* «chiffon». P. Guiraud suggère un croisement avec *lambre, lambe* «lamelle», du lat. *lamnula.*

♦ **1.** (1480). Morceau* d'une étoffe déchirée. ⇒ **Loque** (→ Déchirure, cit. 1). *Lambeaux d'habits.* ⇒ **Débris** (→ Artiste, cit. 13). *Lambeaux effilés et effrangés* (cit. 2) *d'une vieille tapisserie.* — EN LAMBEAUX : déchiré (vêtements). *Des mendiants en lambeaux,* vêtus de lambeaux. *Mettre qqch. en lambeaux.* ⇒ **Déchiqueter, déchirer, délabrer, lacérer; pièce** (mettre en pièces). — *Bergers* (cit. 6) *couverts de lambeaux.* ⇒ **Haillon; déguenillé, dépenaillé.** — Par métaphore. *Lambeaux de pourpre ou de bure* (1. Bure, cit. 1, Chateaubriand).

1 Je l'ai trouvé couvert d'une affreuse poussière,
Revêtu de lambeaux, tout pâle (...) RACINE, Esther, II, 1.

2 Sans appui qu'un bâton, sans foyer, sans asile,
Revêtu de ramée ou de quelques lambeaux (...)
André CHÉNIER, Bucoliques, «Le mendiant».

3 (...) pincé entre ses deux pouces et ses deux index, un lambeau de drap noir déchiqueté, tout couvert de taches sombres. HUGO, les Misérables, V, IX, IV.

4 Enfin, elle rentra, épuisée, les savates en lambeaux (...)
FLAUBERT, Trois contes, «Un cœur simple», IV.

Par métaphore (littér.). Zone allongée, comparable à un lambeau. *Des lambeaux de nuages.*

5 (...) ce lambeau d'azur, ce chiffon de ciel borné par les murs de notre étroit jardin (...) COLETTE, Histoires pour Bel-Gazou, XVI.

♦ **2.** Par anal. Morceau (de chair, de papier...) arraché*. *Lambeaux de chair. Peau qui s'en va* (cit. 109) *en lambeaux, par lambeaux. Lambeaux de cuir* (→ Adhérer, cit. 1). — *Affiches en lambeaux.*

6 Des lambeaux pleins de sang et des membres affreux (...)
RACINE, Athalie (→ Chair, cit. 5).
N. B. À l'encontre de Littré et de P. Larousse, Hatzfeld voit ici le sens de «morceau de tissu arraché...».

7 Et le sombre Chasseur des plaines, l'Aigle noir,
Retourne au nid avec un lambeau de chair fraîche.
LECONTE DE LISLE, Poèmes tragiques, «La chasse de l'aigle».

8 Deux griffes d'acier, derrière lui, l'ont saisi aux épaules, le tirent. Rompu, écartelé, il hurle... On le traîne sur des clous, son corps est en lambeaux (...)
MARTIN DU GARD, les Thibault, t. VIII, p. 153.

♦ **3.** Fragment, partie détachée (d'un tout). *Lambeaux d'une succession. Vent qui apporte* (cit. 10) *des lambeaux de musique. Un lambeau de conversation.* → Attraper, cit. 18. *Plusieurs États se formèrent des lambeaux de l'Empire romain* (Académie).

9 (...) ils mêlent Jésus-Christ avec Bélial; ils cousent l'étoffe vieille avec la neuve (...) des lambeaux de mondanité avec la pourpre royale (...)
BOSSUET, Oraison funèbre de Nicolas Cornet.

10 (...) les compilateurs, qui vont de tous côtés chercher des lambeaux des ouvrages des autres, qu'ils plaquent dans les leurs comme des pièces de gazon dans un parterre (...) MONTESQUIEU, Lettres persanes, LXVI.

11 Et je sentais un lambeau de ma vie
Qui se déchirait lentement.
A. DE MUSSET, Poésies nouvelles, «La nuit de décembre».

12 Je retrouve des lambeaux de passé accrochés partout, comme des pontons pourris, des barques naufragées dans la vase du fleuve.
F. MAURIAC, la Province, p. 37.

♦ **4.** (1838, *in* D. D. L.). Chir. Segment de parties molles qu'on ménage dans l'amputation d'un membre pour pouvoir recouvrir le squelette.

LAMBEL [lɑ̃bɛl] n. m. — XVᵉ; spécialisé de l'anc. forme de *lambeau.*

♦ Blason. Brisure formée d'un filet horizontal garni de pendants en queue d'aronde et posé à la partie supérieure de l'écu (→ Couleur, cit. 11). *Lambel des branches cadettes.*

1 Avez-vous oublié qui je suis, et le rang que je tiens dans la famille? Ah! vraiment, petit cadet, je vous en ferai bien ressouvenir; si vous me fâchez, je vous réduirai au lambel. Mᵐᵉ de SÉVIGNÉ, Lettres, 7, 15 mars 1648.

C'était, au sommet de l'arc, un écusson, le blason des La Mortola barré du lambel de la branche cadette. G. LEROUX, le Parfum de la dame en noir, p. 358. 2

LAMBETH WALK [lɑ̃bɛswɔ(l)k] n. m. — 1938, date de la création de cette danse; de *Lambeth,* n. d'un quartier de Londres, et *walk* «marche, promenade».

♦ Anglic., vx. Danse à quatre temps, d'origine anglaise, à la mode vers 1938. *«Le lambeth walk, la danse à succès de l'avant-guerre, retentit de nouveau dans les discothèques»* (*l'Express,* 27 janv. 1979).

LAMBIC ou **LAMBICK** [lɑ̃bik] n. m. — 1873, *lambic; lambick,* 1832; de *lambiek,* mot flamand.

♦ Bière* belge forte, fermentant sous l'influence de levures sauvages. *Boire du lambick.* — En appos. *Gueuse* lambic.* — On écrit aussi *lambick.*

LAMBIN, INE [lɑ̃bɛ̃, in] n. — 1584; de *lambeau,* par substitution de suffixe.

♦ Fam. Personne qui agit habituellement avec lenteur et mollesse. *Un fichu lambin qui est toujours le dernier* de la file.* ⇒ **Mollasson** (fam.), **traînard.** — Adj. (1727). ⇒ **Lent.** *Il est plutôt lambin que paresseux.* ⇒ **Indolent.** *Écolier lambin. Ce qu'elle est lambine pour s'habiller!* ⇒ **Long** (à).

J'espérais que mon mémoire serait assez tôt mis au net pour pouvoir vous le porter ce soir; mais mon lambin de secrétaire ne finit point. 1
SAINT-SIMON, Mémoires, III, LII.

Comme ces grands seigneurs sont longs à s'habiller! 2
Le monde est si lambin que ça m'en fait bâiller. A. DE MUSSET, Louison, II, 1.

— Sonnez donc, Bécu, cria-t-il. Ça les fera venir, ces lambins! 3
ZOLA, la Terre, III, VI.

CONTR. Dynamique, empressé, expéditif, vif.
DÉR. Lambiner.

LAMBINAGE [lɑ̃binaʒ] n. m. — 1879, A. Daudet; de *lambiner,* et *-age.*

♦ Fam. et rare. Le fait de lambiner, de traîner. ⇒ **Flânerie, paresse.**

Avec (...) ses lambinages maladifs, Cyprien devait, dans son art, après avoir flâné, travailler, les jours de secousse, dans un coup de feu (...)
HUYSMANS, En ménage, V, p. 119 (1881).

REM. On dit aussi *lambinerie,* n. f. (1808).

LAMBINER [lɑ̃bine] v. intr. — 1642; de *lambin.*

♦ Fam. Agir avec une lenteur, une mollesse excessive, perdre son temps à des riens. ⇒ **Lanterner, traînasser, traîner.** *Ne lambinez pas en chemin.* ⇒ **Amuser** (s'), **attarder** (s').

Jusqu'au docteur Lamberdesc qui lambinait quand on l'appelait d'urgence chez ces gens-là. Laissons-leur un peu le temps de mourir.
ARAGON, les Beaux Quartiers, I, V.

CONTR. Dépêcher (se), **presser** (se).
DÉR. Lambinage.

LAMBIS [lɑ̃bi] n. m. — 1743, Trévoux; p.-ê. altér. de *alambic.*

♦ (Cour. en français des Antilles). Coquillage marin *(Strombidés)* de grande taille.

Jean se retrouva au port, se rencoigna dans une tache d'ombre, près d'un énorme tas de conques de lambis. 1
Claude COURCHAY, La vie finira bien par commencer, p. 118.

Ses tas nacrés de lambis, les gros coquillages contournés et découpés comme des orchidées roses (...) Roger VERCEL, l'Île des revenants, p. 128. 2

LAMBLIA [lɑ̃blija] n. m. — V. 1960; du nom du médecin tchèque W. *Lambl.*

♦ Méd. Protozoaire flagellé parasite de l'intestin humain.

DÉR. Lambliase.

LAMBLIASE [lɑ̃blijaz] n. f. — 1927, *in* D. D. L.; de *lamblias,* et *-ase.*

♦ Méd. Ensemble de troubles causés par les vers intestinaux appelés *lamblias* ou *giardias** : entéro-colite, amaigrissement, parfois aussi cholécystite.

LAMBOURDE [lɑ̃buʀd] n. f. — 1294; de l'anc. franç. *laon* «planche» (francique **lado*), et de l'anc. franç. *bourde* «poutre», bas lat. *burdo.* P. Guiraud y voit un composé de *lambe,* forme de *lambre* «lame» (→ Lambris), et de *hourde* «poutrelle».

★ **I.** Techn. Menuis. Pièce de bois ou poutrelle métallique supportant les frises d'un parquet. *Lambourdes établies sur plâtre. Poser des lambourdes.*

1 Eh non, il *(le feu)* n'avait pas été mis. De la lanterne, le feu avait pris à la paille et couru le long des lambourdes. Henri POURRAT, la Tour du levant, p. 38.

★ **II.** Par anal. ♦ **1.** Maçonn. Pierre calcaire tendre des environs de Paris (ainsi nommée parce qu'elle forme le lit inférieur des carrières).

♦ **2.** (1771). Agric. Rameau très court de poirier ou de pommier, portant à son extrémité un gros bouton à fruit.

2 (...) Abdalonim (...) ouvrit une grande chambre quadrangulaire, divisée au milieu par des piliers de cèdre. Des monnaies d'or, d'argent et d'airain, disposées sur des tables ou enfoncées dans des niches, montaient le long des quatre murs jusqu'aux lambourdes du toit. FLAUBERT, Salammbô, Pl., t. I, p. 861.

LAMBREQUIN [lɑ̃bʀəkɛ̃] n. m. — 1581, en blason; *lambequin*, 1450; *lampequin*, xve; du rad. de *lambeau* par substitution de suffixe, et suff. dimin. néerl. *-quin*, ou, selon P. Guiraud, diminutif de *lambre* «lame», du lat. *lamnula*, même sens.

♦ **1.** Anciennt. Bande d'étoffe enroulée autour du cimier d'un casque. — Bande d'étoffe pendant au bas d'une cuirasse. Spécialt (au plur.). Blason. Bandes d'étoffe découpées descendant du heaume* et encadrant l'écu.

♦ **2.** (1844). Bordure à festons, garnie de franges, de houppes et décorant une galerie de fenêtre*, un ciel de lit*... *Lambrequin d'un dais*, d'un store.* — Par anal. Ornement découpé, fortement échancré, en bois ou en métal, bordant un auvent, un pavillon...

Le corbillard révolutionnait le quartier (...) les voisins se penchaient aux fenêtres. Et tout ce monde causait du lambrequin à franges de coton blanches. ZOLA, l'Assommoir, IX.

Spécialt (comm.). «Toile fixée à la partie antérieure d'un store et portant l'inscription des produits vendus ou le nom de l'établissement» (B. de Plas et H. Verdier, *la Publicité*, p. 72).

LAMBRIS [lɑ̃bʀi] n. m. — 1327; *lanbrus*, fin XIIe; dér. régressif de *lambrisser*, ou, selon P. Guiraud, de l'anc. franç. *lambre* «lame», du lat. *lamnula* (→ Lambrequin), et suff. *-is*.

♦ **1.** Revêtement (en marbre, en stuc ou en bois; ⇒ **Boiserie**), formé de cadres et de panneaux, sur les murs d'une pièce, d'un appartement. *Lambris peints en blanc* (→ Aligner, cit. 6). *Faire peindre ses lambris* (→ Appartenir, cit. 26). *Lambris de hauteur*, s'élevant jusqu'à la corniche. *Lambris d'appui*, s'élevant jusqu'à la cimaise*. *Moulures, pilastres*, plinthe* d'un lambris. Faux lambris*, constitué par des moulures ou peintures sur plâtre, imitant le bois ou le marbre.

1 (...) vingt mille francs en or, que j'ai dans le lambris de mon alcôve (...) MOLIÈRE, le Malade imaginaire, I, 7.

2 (...) derrière ces rideaux épais, au fond de quelque immense et brillante galerie, peut-être allait-il apparaître une princesse endormie depuis cent ans (...) sortant d'une colonne de marbre, entrouvrant un lambris doré! A. DE MUSSET, Contes, «La mouche», III.

Par ext. Revêtement de menuiserie plus ou moins ouvragé d'un plafond. *Lambris de plafond. Dormir* (cit. 5, La Fontaine) *sous de riches lambris. Lambris à caissons.*

3 Ils *(les charpentiers)* préparent les lambris précieux
Où la ville
Peindra de faux cieux. RIMBAUD, Une saison en enfer, «Délires», II.

3.1 Le revêtement des murs était tout en marbre blanc; au plafond, une immense glace carrée s'encadrait dans un large lambris doré et très-orné, laissant pendre, au milieu, un lustre à quatre branches (...) ZOLA, le Ventre de Paris, t. I, p. 81.

Fig. (poét. ou plais.). *Lambris dorés, riches lambris* : la décoration intérieure d'une demeure somptueuse.

4 (...) les arbres touffus nous donnaient une ombre plus agréable que les lambris dorés des palais des rois. FÉNELON, Télémaque, II.

5 La vie des champs n'a point son égale, tu possèdes le vrai bonheur, loin des lambris dorés (...) ZOLA, la Terre, I, V.

Vx. *Les célestes lambris* : le paradis.

♦ **2.** Techn. Enduit de plâtre posé sur des lattes jointives, sous les chevrons d'un comble.

6 Sous les lambris des mansardes, des jeunes hommes pleins de talent entassent des feuilles de copie. COURTELINE, les Linottes, *in* T. L. F.

♦ **3.** (Par ext. du sens 2). Cour. Pan de mur en pente constitué par un lambris (2.); mur mansardé d'un comble, d'une soupente. *La bibliothèque ne rentre pas sous le lambris, il faut la poser contre le mur de pignon.*

LAMBRISSAGE [lɑ̃bʀisaʒ] n. m. — 1454; de *lambrisser*.

♦ Action de lambrisser. *L'opération du lambrissage* (syn. rare : *lambrissement*, n. m.). Résultat de cette action. *Un lambrissage bien exécuté.*

LAMBRISSER [lɑ̃bʀise] v. tr. — 1449; *lambroisier*, v. 1220; *lambruschier*, v. 1160; du bas lat. **lambruscare*, de *lambrusca* «vigne sauvage», la vigne constituant souvent un motif ornemental.

♦ **1.** Revêtir de lambris*. *Faire lambrisser un plafond* (Académie). Au p. p. (plus cour.). *Salons lambrissés.*

Il fit quelques pas et se trouva dans une immense salle gothique extrêmement sombre, et toute lambrissée de chêne noir (...) 1
STENDHAL, le Rouge et le Noir, I, XVIII.

Cette salle était lambrissée d'une boiserie de chêne à petits panneaux, formant des cadres d'égale grandeur, et rehaussée de quelques légères arabesques d'un or éteint en harmonie avec le ton du bois. Th. GAUTIER, Voyage en Russie, p. 38. 2

Les murs lambrissés, et peints à l'huile, d'un blanc jaune, n'avaient ni tableaux, ni gravures. BARBEY D'AUREVILLY, les Diaboliques, «Le rideau cramoisi». 2.1

♦ **2.** Techn. Étendre un enduit de plâtre sur (les parois). ⇒ **Lambris**, 2. *Lambrisser un comble, une soupente.* Au p. p. *Mansarde lambrissée.*

Spécialt. *Lambrisser un comble, une soupente*, en revêtir les parois de plâtre posé sur un lattis.

(...) on lambrissa les greniers pour y pratiquer des cellules (...) 3
RACINE, Port-Royal.

(...) sous les combles, se trouvaient encore trois bonnes pièces lambrissées où l'on ne pénétrait, malheureusement, qu'en traversant le grenier. 4
G. DUHAMEL, Chronique des Pasquier, V, VI.

▶ **LAMBRISSÉ, ÉE** p. p. adj. Voir ci-dessus les sens 1 et 2. Aussi, cour. *Mur lambrissé* : mur en pente (d'un comble, d'une mansarde).

DÉR. Lambris, lambrissage.

LAMBROTTE [lɑ̃bʀɔt] n. f. — 1873, P. Larousse; var. régionale (Gascogne) du moyen franç. *lambruche**.

♦ Vitic. Grappe de raisin peu fournie en grains.

LAMBRUSQUE [lɑ̃bʀysk] n. f. — 1509; *lambrusce*, xve; lat. pop. *lambrusca*, lat. class. *labrusca*.

♦ Vx ou régional. Vigne* sauvage.
Raisin de cette vigne (plus petit que le raisin cultivé).
REM. On rencontre aussi *lambruche* [lɑ̃bʀyʃ].

LAMBSWOOL [lɑ̃bswul] n. m. — 1959, *in* Höfler; attestation isolée *lamb's wool*, 1958; mot angl., de *lamb* «agneau», et *wool* «laine».

♦ Anglic. Laine très légère provenant de jeunes agneaux. *Un pullover en lambswool.* — REM. On a proposé comme francisation le mot-valise *agnelaine*.

LAME [lam] n. f. — V. 1112, *lamme*; du lat. *lamina*.

★ **I.** ♦ **1.** Bande de métal plate et mince, de forme allongée. *Lame d'étain, de plomb. Inscription gravée sur une lame de cuivre.* ⇒ **Plaque.** *Armure en lames de fer.* ⇒ **Barde.** *Petite lame.* ⇒ **Lamelle.** *Réduire du métal en lames.* ⇒ **Laminer.** — Techn. *Ressort* à lames* : élément de la suspension d'une automobile*, formé de plusieurs lames d'acier de longueur décroissante, superposées et assemblées. *Lame maîtresse*, la plus longue et la plus résistante de cet ensemble. — *La lame d'une anticathode.*

Cyrus Smith prit ensuite deux lames de zinc, dont l'une fut plongée dans l'acide azotique, l'autre dans la dissolution de potasse. Aussitôt un courant se produisit, qui alla de la lame du flacon à celle du tube, et ces deux lames ayant été reliées par un fil métallique, la lame du tube devint le pôle positif et celle du flacon le pôle négatif de l'appareil. J. VERNE, l'Île mystérieuse, t. II, p. 560. 0.1

Lame de métal servant d'anche. ⇒ **Languette**, 3.

(1653). Spécialt (au plur.). Fils d'or ou d'argent très minces qui entrent dans le tissage des étoffes dites *lamées**. ⇒ **Paillette.**

Elle s'amusait, parfois, à draper sur moi le burnous noir léger, rayé de lames d'or (...) COLETTE, la Maison de Claudine, Le manteau de spahi. 1

Rare au singulier :

Au milieu de cela, elle avait eu aussi l'invention des toilettes de féerie : c'était elle qui avait introduit la *lame* dans les robes de bal, édité les premières robes à *étincelles*, étonné les bals citoyens des Tuileries avec ces jupes et ces corsages où scintillaient des élytres d'insectes des Antilles. 2
Ed. et J. DE GONCOURT, Manette Salomon, p. 17.

Par anal. (de forme). *Lame d'ivoire* (→ Écrire, cit. 10), *de verre* (→ Éolien, cit. 2). *Rayons qui s'infléchissent* (cit. 3) *sur une lame de verre.* — Spécialt, menuis. *Lames de bois contreplaquées. Lames d'une persienne*. Lame de parquet.*

Zabel souleva soigneusement une lame du plancher de sa chambre et glissa la boîte à cigares dans la cavité, puis il remit la lame à sa place, la recloua avec les mêmes pointes et remplit la rainure de poussière. 2.1
P. MAC ORLAN, Quai des brumes, VII.

♦ **2.** (1764 en bot., à propos des champignons). Sc. nat. Formation mince et allongée (couches cellulaires, os, membranes...). → Feuille, cit. 14. — Bot. *Lame d'une feuille.* ⇒ **Limbe.** *Lame d'un bulbe de lis.* ⇒ **Écaille.** *Lame saillante des graminées.* ⇒ **Ligule.** — Se dit de petites cloisons rayonnantes, qui portent l'hymenium, à la face intérieure du chapeau des champignons, dits *à lames.* — Minér. *Lames de schiste* (→ 2. Étai, cit. 1), *de mica.* — Anat. *Lames vertébrales. Lames osseuses du nez.* ⇒ **Cornet.**

Lame criblée : lame horizontale de l'os ethnoïde*, perforée de nombreux orifices par où passent les nerfs olfactifs.

2.2 Cette tumeur (...) amincit surtout le segment inférieur du ventricule, l'infundibulum et la lame terminale laissant complètement intacte l'hypophyse (...)
B. CENDRARS, Moravagine, *in* Œ. compl., t. IV, p. 259.

Embryol. *Lames des feuillets* embryonnaires. Lames épithéliales. Lames latérales :* partie ventrale du mésoblaste, placée autour du tube digestif, qui s'individualise à la fin de la neurulation, et qui demeure insegmentée (à la différence de la partie dorsale qui subit une métamérisation conduisant à l'apparition des somites).

2.3 *(Le mésoblaste)* n'est pas homogène, il laisse apparaître *(les somites, les néphrotomes)* plus ventralement encore la double couche des *lames latérales, pariétoplèvre* externe et *splanchnoplèvre* au contact du tube entérique, avec l'étroite cavité cœlomique limitée par ces deux feuillets (...)
Albert DALCQ, l'Œuf et son dynamisme organisateur, p. 40.

♦ **3.** (Av. 1328). **a** Partie tranchante (d'un couteau, d'un outil servant à couper, gratter, tailler...). *Lame de cisaille, de ciseau, de poignard* (→ Étui, cit. 3), *de scie. Lames d'une faucheuse* (Faucheux, A., 2., cit. 3). *Lame de fer d'un décrottoir*. Lame de couteau.* ⇒ **Alumelle** (vx). *Lame d'un couteau* (cit. 20) *à greffe. Couteau** (cit. 13) *de poche à lame rentrante* (→ Eustache, cit. 1), *à lames multiples. Onglet* d'une lame de canif*. Lame de rasoir à main. Lame d'un kriss* (cit. 1) *malais. — Dos, morfil, plat, tranchant d'une lame. Brèche sur une lame. Lame acérée* (→ Enclume, cit. 1), *effilée, ébréchée, émoussée. Aiguiser, affûter une lame...*

3 Montefiore (...) ne voyait plus rien, si ce n'est la lame du poignard dont les rayons luisants l'aveuglaient.
BALZAC, les Marana, Pl., t. IX, p. 819.

4 Celui-ci tire de sa poche un canif américain, composé de dix à douze lames qui servent à divers usages. Il ouvre les pattes anguleuses de cette hydre d'acier (...)
LAUTRÉAMONT, les Chants de Maldoror, III.

5 (...) non pas un petit rasoir mécanique, mais une forte lame emmanchée de corne, à l'ancienne mode.
G. DUHAMEL, Salavin, V, X.

Loc. fig. (1882). *Visage en lame de couteau*, effilé* (cit. 5) *comme une lame,* maigre et très allongé.

6 Le visage pâle, livide, en lame de couteau, s'il est permis d'emprunter cette expression vulgaire (...)
BALZAC, le Colonel Chabert, Pl., t. II, p. 1096.

Spécialt. *Lame d'épée* à un tranchant, à deux tranchants. Lame colichemarde*.* — Absolt. *Une lame :* une épée (cit. 9). *Les fameuses lames de Tolède.*

7 Sur la lame d'acier bleuâtre, relevée de quelques minces filets d'or, se voyait imprimée la marque d'un des plus célèbres armuriers de Tolède (...) Sigognac (...) tâta du doigt le fil et la pointe, et l'appuyant contre la porte, il courba la lame presque jusqu'à son poignet afin d'en éprouver la souplesse.
Th. GAUTIER, le Capitaine Fracasse, IX.

7.1 Seul le dessus de la table, sous l'abat-jour conique de la lampe, est éclairé, ainsi que la baïonnette posée au milieu. Sa forte et courte lame à deux tranchants symétriques présente, de part et d'autre de l'axe médian, deux plans de pente contraire d'acier poli, dont l'un renvoie les rayons de la lampe vers le centre de la chambre.
A. ROBBE-GRILLET, Dans le labyrinthe, p. 80.

(1690). Par métonymie. *Une bonne, une fine lame :* un habile escrimeur. ⇒ **Épée** (→ Égratignure, cit. 2). *Une fine lame,* se dit aussi d'une personne fine et rusée (→ Une fine mouche*).

7.2 Le lendemain, quand elle se leva, son plan était fait. Georges l'aimait (...) c'était sûr. Songeait-il à l'épouser? (...) Elle se doutait bien que non, la fine lame!
A. DAUDET, Fromont jeune et Risler aîné, p. 70.

Prov. *La lame use le fourreau*.*

b Petit rectangle d'acier mince tranchant sur deux côtés, qui s'adapte à un rasoir mécanique. *Lame de rasoir. Un paquet de lames.*

c Techn. Partie tranchante des machines-outils destinées à dresser une surface. *Lame à surfacer* (⇒ **Lamage**). *Lame de forme,* dont l'arête est de forme complémentaire à celle du profil à usiner. *Lame d'alésage. Fraise à lames rapportées.*

★ **II.** (Fin xve; 1611, Cotgrave selon T. L. F.). Mar. et cour. Ondulation de la mer sous l'action du vent, qui s'amincit à son sommet, écume et déferle. ⇒ **Vague** (plus cour.). *Les lames.* ⇒ **Flot.** *Lame longue. Lame courte. Crête, creux d'une lame. Lame qui déferle, se brise sur les rochers. Chalutier* (cit.) *roulé par les lames. Chaloupe qui bondit* (cit. 13) *sur les lames. Épave* (cit. 2) *ballottée par les lames. Marins qui s'abritent* (cit. 3) *des lames dans le rouf.* ⇒ **Paquet** (de mer); **baleine** (argot). — *Lame de fond :* lame soudaine, provenant d'un phénomène sous-marin. — *Lame sourde,* qui s'élève sans bruit.

8 Parvenu à la grève, je vis une mer calme que ne ridait pas le plus petit souffle; la lame mince comme une gaze se déroulait sur le sablon sans bruit et sans écume.
CHATEAUBRIAND, Mémoires d'outre-tombe, t. IV, p. 90.

8.1 C'était à croire qu'un raz de marée, provoqué par quelque commotion sous-marine, soulevait ces lames monstrueuses et les précipitait sur la muraille de Granite-house.
Lorsque les colons, penchés à leurs fenêtres, observaient ces énormes masses d'eau qui se brisaient sous leurs yeux, ils ne pouvaient qu'admirer le magnifique spectacle de cette impuissante fureur de l'Océan.
J. VERNE, l'Île mystérieuse, t. II, p. 460-461.

9 Au fond de ces creux, il faisait plus noir, et après chaque lame passée, on regardait derrière soi arriver l'autre; l'autre encore plus grande, qui se dressait toute verte par transparence; qui se dépêchait d'approcher, avec des contournements furieux, des volutes prêtes à se refermer (...)
LOTI, Pêcheur d'Islande, II, I.

Une grande lame déferla au vent, et l'embrun pulvérisé vola jusque sur la plage arrière du *Nikko.* 10
Claude FARRÈRE, la Bataille, XXV.

Par métaphore et fig. Mouvement, phénomène violent et soudain.

Passions du fond caché, lames de fond : le plus souvent, elles dorment; mais il arrive, soulevées, qu'elles emportent les rives de la paix commune. 11
André SUARÈS, Trois hommes, « Dostoïevski », V.

Une nostalgie soudaine, une vague de détresse, violente comme une lame de fond, le submergea. 12
MARTIN DU GARD, les Thibault, t. VII, p. 275.

DÉR. Lamé, lamer.

COMP. Brise-lames.

LAMÉ, ÉE [lame] adj. et n. m. — 1532, adj.; de *lame,* et *-é.*

♦ **1.** Se dit d'un tissu où entre un fil retors, composé d'une âme (de laine, de soie) entourée d'un fil de métal précieux laminé. *Tissu lamé or. Tissu lamé.* — N. m. (1625). *Une robe de lamé.*

Aussi, quand je vous voyais revenir dans votre grande robe lamée d'or, avec vos trois diadèmes l'un sur l'autre, étincelante de diamants (...) 1
A. DE MUSSET, Bettine, VI.

Au milieu des flocons, des étoffes lamées 2
Et des meubles voluptueux (...)
BAUDELAIRE, les Fleurs du mal, CX.

Ta robe de Bohême onduleuse et lamée 3
Où l'or parmi la soie allume maint éclair (...)
Albert SAMAIN, le Chariot d'or, Élégies.

♦ **2.** Fig. et littér. Qui présente par endroit des bandes brillantes, luisantes (comme une étoffe lamée). — REM. Dans ce sens, *lamé* s'emploie avec un compl. introduit par *de.*

Un nuage se tord, écharpe grise lamée brusquement de stries écarlates. 4
Laurent TAILHADE, Contes et Poèmes en prose, Les noces de Messidor.

(...) la splendeur des eaux pourpres lamées de graisses et d'urines, où trame le savon comme de la toile d'araignée. 5
SAINT-JOHN PERSE, Œuvre poétique, t. I, Éloges, p. 62.

LAMELLAIRE [lamelɛʀ; lamɛllɛʀ] adj. — 1807; de *lamelle.*

♦ Sc. Dont la structure est faite de lamelles. *Corps, tissu lamellaire.* Spécialt. *Cassure lamellaire,* à facettes brillantes (→ Laminaire). — REM. Un homonyme, n. m., désigne un mollusque (vx).

LAMELLATION [lamelasjɔ̃; lamɛllasjɔ̃] n. f. — 1861, « disposition en lamelle »; de *lamelle.* → Lamellé.

♦ (xxe). Techn. Fabrication du contre-plaqué par superposition de feuilles de bois minces comprimées à chaud *(bois lamellé).*

(...) un autre avantage du contre-plaqué est de présenter des caractéristiques mécaniques constantes (...) les variations et défauts de structure du bois étant sensiblement éliminés par la lamellation.
J.-C. REGGIANI, Industries et Commerce du bois, p. 49.

LAMELLE [lamɛl] n. f. — 1408; *lemele,* v. 1160, « lame d'un couteau, d'une épée » jusqu'au xvie; lat. *lamella.*

♦ **1.** Petite lame* très mince. *Lamelle de zinc, de verre... Étoffe passementée de lamelles d'or.* ⇒ **Clinquant.** — (1883). Spécialt. Très fine lame de verre pour les examens au microscope.

Pour examiner ses liquides, Pasteur en prenait une goutte, la plaçait sur une lame de verre, l'étalait puis la recouvrait avec une lamelle de verre moins large et portait sous le microscope cette goutte maintenue entre deux lames.
Henri MONDOR, Pasteur, IV.

Découper du gruyère, des champignons en lamelles, en fines lamelles.

Petite lame naturelle. ⇒ **Lame,** I., 2. *Lamelles d'épiderme qui se détachent par exfoliation*.* ⇒ **Pellicule, plaque.** *Lamelles de mica* (Académie).

Biol. Feuillet, petite couche cellulaire.

♦ **2.** Techn. Étroite fente dans la bande de roulement (d'un pneumatique), obtenue par insertion d'une lamelle (1.) métallique dans l'alliage du moule.

DÉR. Lamellaire, lamellation, lamellé, lamelleux.

LAMELLÉ, ÉE [lamele; lamɛlle] adj. — 1783, Buffon, en bot.; de *lamelle,* et *-é.*

♦ **1.** Adj. Didact. Qui est disposé ou se laisse diviser en lamelles. ⇒ **Lamelleux.** *L'ardoise* est lamellée.* — Qui est garni de lamelles. *Le chapeau de certains champignons est lamellé en dessous* (Académie).

♦ **2.** N. m. Techn. *Lamellé collé :* matériau constitué de lamelles de bois collées les unes sur les autres fil à fil, souvent sous forte pression. *Charpente moderne en lamellé collé. Raquette de tennis en lamellé collé. L'une des premières utilisations du lamellé collé fut la fabrication des hélices d'avions.*

LAMELLEUX, EUSE [lamelø, øz; lamɛllø, øz] adj. — 1775, de *lamelle,* et *-eux.*

♦ Minér. Lamellé. *Structure lamelleuse du feldspath*.*

LAMELLI- Élément, tiré du lat. *lamella* «lamelle», servant à former quelques mots savants dans le domaine de la zoologie. ⇒ **Lamellibranches, lamellicornes, lamelliformes, lamellirostres.**

LAMELLIBRANCHES [lamelibʀɑ̃ʃ; lamɛllibʀɑ̃ʃ] n. m. pl. — 1816; de *lamelli-,* et *branchie.*

♦ Zool. Classe de mollusques aquatiques acéphales, bivalves, aux branchies en forme de lamelles. ⇒ **Acéphales** (vx), **bivalves, pélécypodes** (vx). *Les lamellibranches sont munis de branchies en forme de lamelles enfermées dans le manteau. Classification des lamellibranches en trois ordres* (anisomyaires*, isomyaires, protochonques). *Principaux lamellibranches :* anodonte, anomie, aspergille, avicule, gryphée, huître, isocarde, lime, lithodome, méléagrine, moule, mulette, ostrade, pédum, peigne, perne, pétoncle, pholade, pinne (marine), solen, spondyle, taret, tridacne, vénéricarde, vénus. — Au sing. *Un lamellibranche.*

LAMELLICORNES [lamelikɔʀn; lamɛllikɔʀn] n. m. pl. — 1805, Cuvier; de *lamelli-,* et *corne.*

♦ Zool. Sous-famille de scarabéidés dont les antennes portent des prolongements ou lamelles qui peuvent s'écarter comme un éventail. *Principaux lamellicornes :* anomala, hanneton, lucane, scarabée, valgue (ou valgus). — Au sing. *Un lamellicorne.*

LAMELLIFORME [lamelifɔʀm; lamɛllifɔʀm] adj. — 1827, Académie; de *lamelli-,* et *forme.*

♦ Didact. En forme de lamelle.

LAMELLIROSTRES [lameliʀɔstʀ; lamɛlliʀɔstʀ] n. m. pl. — 1817, *in* D. D. L.; de *lamelli-,* et *-rostre.*

♦ Zool. Sous-ordre de palmipèdes, comprenant des oiseaux au bec large garni sur les bords de lamelles transversales qui ont l'apparence de dents aiguës. ⇒ **Ansériforme.** *Le canard, l'oie appartiennent aux lamellirostres.* — Au sing. *Un lamellirostre.*

LAMENTABLE [lamɑ̃tabl] adj. — XVe; lat. *lamentabilis,* de *lamentari.* → Lamenter.

A. ♦ **1.** Vx ou littér. Qui donne sujet de se lamenter, de déplorer; qui inspire la pitié. ⇒ **Déplorable, désolant, douloureux, misérable, navrant, pitoyable, triste.** *Un sort lamentable* (→ Haine, cit. 7). *Une vision lamentable et funeste*.* — *Spectacle lamentable* (→ Ilotisme, cit. 2). *Face* (cit. 7) *lamentable d'un mutilé.*

1 Ces histoires de morts lamentables, tragiques,
Dont Paris tous les ans peut grossir ses chroniques (...) BOILEAU, Satires, X.

1.1 Supportez d'être appelée une nerveuse. Vous appartenez à cette famille magnifique et lamentable qui est le sel de la terre.
PROUST, Du côté de Guermantes, Pl., p. 305.

♦ **2.** Cour. Mauvais au point d'attrister; (intensif) très mauvais. ⇒ **Mauvais, pitoyable.** *Danser d'une façon (cit. 27) lamentable. Élocution lamentable* (→ Éloquence, cit. 13). *Résultats lamentables,* peu brillants. *Ce bouquin, ce film, cette pièce est lamentable, complètement lamentable.* ⇒ **Nul.** — (Personnes). *Un orateur lamentable. Il a été lamentable.* ⇒ **Minable, nul, piteux** (→ Au-dessous* de tout).

2 (...) ô le plus lamentable des êtres (...)
Edmond ROSTAND, Cyrano de Bergerac, I, 4 (→ Atome, cit. 16).

B. Qui exprime une lamentation, une plainte. *Voix, appels lamentables. Il prononça ces mots d'un ton lamentable. Hurler* (cit. 2) *d'une façon lamentable.*

3 Alors triste messager d'un événement si funeste, je fus aussi le témoin, en voyant le Roi et la Reine, d'un côté de la douleur la plus pénétrante, et de l'autre des plaintes les plus lamentables (...)
BOSSUET, Oraison funèbre de Marie-Thérèse d'Autriche.

4 (...) un second coup cassa apparemment la patte à un chien, car il se mit à pousser des cris lamentables. STENDHAL, le Rouge et le Noir, I, XXX.

5 Il eut un sourire lamentable, un de ces sourires dont on voile les plus horribles souffrances, mais il répondit d'un ton caressant et navré (...)
MAUPASSANT, la Femme de Paul, p. 24.

REM. Sans être vieilli ni littéraire, cet emploi subit l'influence du sens A, 2, le plus courant.

CONTR. Heureux, réjouissant. — Joyeux.
DÉR. Lamentablement.

LAMENTABLEMENT [lamɑ̃tabləmɑ̃] adv. — Av. 1450; de *lamentable,* et *-ment.*

♦ **1.** Vx ou littér. En donnant sujet à des lamentations, à de la pitié.

♦ **2.** Mod. D'une manière lamentable (A., 2.). *Il joue, il écrit lamentablement. Sa tentative a lamentablement échoué. Il s'est lamentablement dégonflé.*

♦ **3.** D'un ton lamentable (B.). *Geindre* (cit. 5), *pleurer lamentablement.*

LAMENTATEUR, TRICE [lamɑ̃tatœʀ, tʀis] adj. et n. — 1788, Mercier; de *(se) lamenter,* et *-eur.*

♦ Rare. Qui aime se lamenter. *Les «lamentateurs de l'école de Lamartine»* (Gautier).

Ses yeux, surtout, m'étonnèrent. Fixés sur la Vierge lamentatrice, ils lui parlaient comme cent bouches auraient parlé.
Léon BLOY, la Femme pauvre, p. 87, *in* T. L. F.

LAMENTATION [lamɑ̃tasjɔ̃] n. f. — XIVe; *lamentacion,* v. 1225; lat. *lamentatio,* du supin de *lamentari.* → Lamenter.

♦ **1.** Plainte bruyante et prolongée. ⇒ **Complainte** (vx), **cri, gémissement, plainte, pleur** (→ Hurler, cit. 8). *Faire entendre, pousser des lamentations.*

(...) ces douleurs qui s'exhalent en cris et en lamentations (...) 1
MARIVAUX, le Paysan parvenu, VII.

Dans notre vallée de larmes, ainsi qu'aux enfers, il est je ne sais quelle plainte éter- 2
nelle, qui fait le fond ou la note dominante des lamentations humaines; on l'entend sans cesse, et elle continuerait quand toutes les douleurs créées viendraient à se taire. CHATEAUBRIAND, Mémoires d'outre-tombe, t. II, p. 126.

Pour peu que l'on touche à ses blessures, le petit Bernard Roussel pousse de 3
longues lamentations (...) G. DUHAMEL, Récits des temps de guerre, III, XV.

Par métaphore (→ Houle, cit. 5).

(Hist. des relig.). *Lamentations de Jérémie, livre des Lamentations,* livre de l'Ancien Testament que la tradition attribue au prophète Jérémie et qui est composé de cinq élégies sur la destruction de Jérusalem par les Chaldéens et la désolation des Hébreux. *Chœur des lamentations* (→ Chevroter, cit. 1). *Mur des lamentations,* mur de Jérusalem, devant lequel les Israélites pleurent chaque vendredi la ruine de Jérusalem.

Et c'est devant ces blocs, où, du moins, le peu qu'il en subsiste à la base des cons- 4
tructions d'Hérode, que les fils d'Israël viennent encore pousser les plaintes déchirantes qui ont valu à cette ruine le nom de «mur des lamentations».
DANIEL-ROPS, le Peuple de la Bible, III, I.

♦ **2.** (XIIIe). Le plus souvent au pluriel. Suite de paroles exprimant le regret douloureux, la récrimination (→ Éclaircissement, cit. 6). *Se répandre en lamentations stériles.* ⇒ **Lamenter** (se). *Lamentations continuelles. Faites-moi grâce de vos lamentations.* ⇒ **Jérémiade.**

LAMENTER [lamɑ̃te] v. — V. 1225, intr.; bas lat. *lamentare,* lat. class. *lamentari.*

★ **I.** V. intr. (Vx). Exprimer sa douleur, ses regrets par de longues plaintes bruyantes; se lamenter. *Cygne mourant qui lamente* (→ Flanc, cit. 15).

D'un crêpe noir Hécube embéguinée 1
Lamente, pleure, et grimace toujours (...)
RACINE, Poésies diverses, 2e appendice, VI.

Rare. Au sens de *se lamenter,* et employé en incise.

Vérane se heurta le front d'un coup de poing. 1.1
— Ma femme est morte, lamenta-t-il.
Francis CARCO, Nostalgie de Paris, p. 254.

Spécialt. Pousser son cri (se dit du crocodile, d'oiseaux). *Le crocodile lamente.*

(...) le vent soufflait dans les arbres, et la hulotte lamentait (...) 2
CHATEAUBRIAND, Mémoires d'outre-tombe, t. V, p. 465.

★ **II.** V. tr. (Fin XIVe). Vx ou littér. Déplorer vivement.

Le chantre désolé, lamentant son malheur (...) BOILEAU, le Lutrin, IV. 3

Ils affectaient parfois de lamenter la fuite du temps : tous ceux qui ont le 4
cœur plein se plaisent à amplifier ce thème (...) G. DUHAMEL, Salavin, III, XV.

Spécialt. Dire, chanter, sur un ton de lamentation. *Lamenter une complainte* (cit. 4).

Lamentant tristement une chanson bachique (...) BOILEAU, Satires, III. 5

▶ **SE LAMENTER** v. pron. (Mil. XVe).

Mod. Se répandre en lamentations*. ⇒ **Désoler** (se), **gémir** (cit. 3), **plaindre** (se), **pleurer.** *Malade qui se lamente* (→ Foyer, cit. 1). *Se lamenter sur son sort, sur son bonheur perdu* (⇒ **Regretter**). *Rien ne sert de se lamenter sur les erreurs du passé.* ⇒ **Déplorer.** *Il se lamente d'être sans le sou. Se lamenter d'avoir essuyé un échec.* — Par exagér. *Elle se lamente sans cesse sur la cherté de la vie. Quand finirez-vous de vous lamenter ainsi à tout propos?* ⇒ **Pleurnicher.**

(...) il y avait autrefois un grain de sable qui se lamentait d'être un atome ignoré 6
dans les déserts (...) VOLTAIRE, Zadig, XVI.

Et elle se lamenta sur ce que tout le monde avait son malheur. Ainsi, elle et son 7
homme, en enduraient-ils des misères, depuis qu'ils avaient eu le bon cœur de se dépouiller pour leurs enfants! Dès lors, elle ne s'arrêta plus. C'était son éternel sujet de plaintes. ZOLA, la Terre, III, II.

8 (...) une consommation de pétrole et de coke bien faite pour navrer le chef du matériel, le parcimonieux M. Bourdon, qui s'en lamentait en effet (...)
COURTELINE, Messieurs les ronds-de-cuir, 3e tableau, I.

9 La misérable (...) ne pouvait se consoler de n'avoir pas d'enfant (...) elle s'en lamentait en secret (...) Léon BLOY, la Femme pauvre, II, XVII.

Par métaphore. *Vent qui se lamente dans les pins* (→ Grincer, cit. 11).

10 L'âpre bise d'hiver, qui se lamente au seuil
Souffle dans le logis son haleine morose!
RIMBAUD, Poésies, « Étrennes des orphelins », II.

11 Les grands vents d'équinoxe se lamentaient à travers les pins indéfiniment et sur les vagues fauves des fougères. F. MAURIAC, l'Enfant chargé de chaînes, XX.

CONTR. Réjouir (se).
DÉR. Lamenteur.

LAMENTIN [lamɑ̃tɛ̃] n. m. ⇒ **Lamantin.**

LAMENTO [lamɛnto] n. m. — 1842; mot ital. signifiant « plainte ».

♦ Complainte des gondoliers de Venise. — Par ext. (Mus.). Air triste et plaintif, qui semble un chant de douleur* (→ Écacher, cit. 4). *Le lamento d'Ariane, de Monteverdi.*

LAMER [lame] v. tr. — xxe (1931, Larousse); « couvrir d'une pierre tombale », fin xve; de *lame.*

♦ Techn. Dresser, aplanir (une surface) avec une lame tournante. *Fraise à lamer.*

DÉR. Lamage.

LAMIACÉES [lamjase] n. f. pl. — 1873, P. Larousse; dér. sav. du lat. *lamium* « ortie » (→ 1. Lamier), et suff. *-acées.*

♦ Vx. (Bot.). Labiacées.

LAMIALES [lamjal] n. f. pl. — Mil. xxe; dér. sav. du lat. *lamium* « ortie », et suff. *-ales.*

♦ Bot. Ordre de plantes comprenant les labiacées et quelques autres familles (on emploie plutôt *Tubiflorales*). — Au sing. *Une lamiale.*

LAMIE [lami] n. f. — 1527; lat. *lamia,* mot grec.

♦ **1.** Myth. (gréco-romaine). Monstre mythique, qui passait pour dévorer les enfants. *La lamie, à buste de femme sur corps de serpent* (→ Goule, cit. 2).

1 On fait mention aussi, dans l'antiquité, de lamies, de larves, de monstres et autres marionnettes terribles hochant les mâchoires.
Th. GAUTIER, Souvenirs de théâtre..., Les marionnettes.

2 Lilith, la nocturne, la démoniaque, reste la femme la plus énigmatique de la Bible. Son adresse? Isaïe, chapitre XXXIV, verset 14. Les rabbins nous disent qu'elle fut la première femme d'Adam et que, l'ayant abandonné, elle fut changée en diablesse et faisait périr les enfants. Proche parente, nous apprennent les commentateurs, des lamies romaines. J. GREEN, La Terre est si belle, 23 juin 1978, p. 312.

♦ **2.** (1551). Zool. Requin* de grande taille (trois à quatre mètres), à museau conique et à dents triangulaires. — N. sc. : *lamna.* Syn. régionaux : *chien-dauphin, touille.*

1. LAMIER [lamje] n. m. — 1765, *Encyclopédie*; lat. *lamium* « ortie ».

♦ Bot. Plante dicotylédone de l'hémisphère Nord *(Labiées),* annuelle, vivace, à larges feuilles opposées, aux fleurs rouges ou blanches, dont de nombreuses espèces, communes dans les champs et les haies, sont improprement appelées orties rouges *(lamier pourpre)* et orties blanches *(lamier blanc). Les lamiers ne piquent pas. Propriétés hémostatiques du suc de lamier blanc.*

2. LAMIER, IÈRE [lamje, jɛʀ] n. — 1263 au masc.; de *lame,* et suff. *-ier.*

♦ Techn. (Vx). Personne qui fabriquait des lames pour les métiers à tisser. — Personne qui fabrique des lames d'or, d'argent.

LAMIFIÉ [lamifje] n. m. — V. 1970; nom déposé; de *lame,* et *-ifié.*

♦ Stratifié en papier de cellulose.

LAMINAGE [laminaʒ] jn. m. — 1731, *in* D. D. L.; de *laminer.*

♦ **1.** Techn. Opération qui consiste à étirer mécaniquement un bloc de métal en barres ou en feuilles. ⇒ **Aplatissage, aplatissement, étirage.** *Laminage à chaud, à froid* (⇒ **Écrouissage**). *Laminage des tôles d'acier, des profilés de cuivre. En bijouterie, on obtient par laminage les parties linéaires des bijoux.* — Par anal. *Laminage du verre fondu, d'une pâte céramique. Le laminage du caoutchouc le transforme en feuilles déchiquetées.*

♦ **2.** (1880, Lapparent). Géol. Amincissement et déformation (d'une couche) lors d'un plissement. ⇒ **Étirement.**

(...) dans les plis déversés ou couchés, l'un des flancs, par suite de poussées d'inégale intensité, peut être étiré, laminé, jusqu'à suppression complète (...) les couches elles-mêmes subissent une déformation, un allongement dans le sens de la poussée, accompagnée d'amincissement, en d'autres termes un *laminage.*
Émile HAUG, Traité de géologie, t. I, p. 229.

♦ **3.** Techn. Étirage (d'une fibre textile). — *Laminage de la vapeur,* diminution de pression de la vapeur pour régler la vitesse d'une locomotive.

♦ **4.** (Mil. xxe). Fig. Action de réduire très fortement l'importance (de qqch. ou de qqn). ⇒ **Écrasement.** *Le laminage de tel parti politique, après un scrutin.*

1. LAMINAIRE [laminɛʀ] n. f. — 1828; du lat. *lamina.* → Lame.

♦ **1.** Bot. Algue marine brune *(Phéophycées)* dont la partie foliacée se présente en longs rubans aplatis. *Les laminaires renferment de l'iode, de la soude, de l'insuline...*

♦ **2.** Racine de laminaire, augmentant de volume en milieu humide (utilisée autrefois en chirurgie).

HOM. 2. **Laminaire.**

2. LAMINAIRE [laminɛʀ] adj. — 1840-1842, Académie; du lat. *lamina.* → Lame.

♦ **1.** Minér. Composé de lamelles parallèles. *Cassure laminaire dans une couche géologique.*

♦ **2.** Phys. Qui s'effectue par glissement de couches de fluide les unes sur les autres. *Écoulement, régime laminaire* (opposé à *turbulent) d'un fluide à grande viscosité dans un tube cylindrique. Phénomène de décrochage caractérisant le passage d'un régime laminaire à un régime turbulent* (autour d'une aile d'avion, d'une voile de bateau, d'un safran* de gouvernail, etc.).

♦ **3.** Aviat. *Profil laminaire :* profil très effilé des ailes d'avions supersoniques.

HOM. 1. **Laminaire.**

LAMINÉ, ÉE [lamine] adj. et n. m. ⇒ **Laminer.**

LAMINECTOMIE [laminɛktɔmi] n. f. — 1901, *in* D. D. L.; du lat. *lamina* « lame », et *-ectomie.*

♦ Chir. Résection des segments vertébraux qui limitent en arrière les trous vertébraux *(lames vertébrales)* afin de décomprimer la moelle épinière (inflammation, tumeur) ou d'accéder à la dure-mère lors d'une intervention sur la colonne vertébrale et la moelle épinière.

LAMINER [lamine] v. tr. — 1743, Trévoux; au p. p., « orné de petites lamelles », 1596; du lat. *lamina.* → Lame.

♦ **1.** Techn. Réduire (une masse métallique) en feuilles*, en lames ou en barres minces d'épaisseur uniforme, en la comprimant fortement. ⇒ **Étirer.** *Laminer une barre de métal à froid, à chaud.* — Pron. (Sens passif). *Le cuivre se lamine à chaud ou à froid* (⇒ **Écrouir**).

♦ **2.** *Laminer un volume à relier,* en diminuer l'épaisseur par passage au laminoir.

♦ **3.** Fig. Diminuer, réduire (qqch.) jusqu'à l'anéantissement. *Laminer des profits. Laminer les revenus par l'impôt. « Laminer les marges bénéficiaires »* (*l'Express,* avr. 1966). ⇒ aussi **Laminage.**

Les contraintes découlant de stratégies de long terme, qui échappent aux forces ou aux paris des individus et des groupes, sont laminés. 1
S. NORA, et A. MINC, l'Informatisation de la société, p. 121.

▶ **LAMINÉ, ÉE** p. p. adj.

♦ **1.** *Aciers laminés. Fer laminé,* dit fer-blanc*. *Bandes de métal laminées ensemble :* doublons*.

Par métaphore :

Il *(monsieur Sauvager)...* avait un nez d'oiseau de proie, une bouche serrée, les joues laminées par l'étude et creusées par l'ambition. 2
BALZAC, le Cabinet des antiques, Pl., t. IV, p. 417.

Profits laminés. Parti politique laminé après des élections. — *« L'Europe, laminée entre ces deux colosses que sont les États-Unis et la Russie »* (→ Européen, cit. 2).

♦ **2.** N. m. (1962). LE LAMINÉ : demi-produit ou produit fini obtenu par laminage. *Les laminés finis comprennent les barres, les profi-*

lés (cornières, poutrelles), les rails, les tôles fortes, moyennes et fines, les feuillards et les fils machine.

DÉR. Laminage, laminerie, lamineur, laminoir.

LAMINERIE [laminʀi] n. f. — 1845, Bescherelle; de *laminer,* et *-erie.*

♦ Techn. (Vx). Atelier de laminage. ⇒ **Laminoir.**

LAMINEUR, EUSE [laminœʀ, øz] n. — 1823, Boiste, au masc.; de *laminer,* et *-eur.*

Technique.

♦ **1.** Ouvrier, ouvrière procédant aux opérations de laminage. ⇒ **Aplatisseur,** 1.

Lamineurs noirs bâtis pour un œuvre éternel
Qui s'étend de siècle en siècle toujours plus vaste...
Émile VERHAREN, la Multiple Splendeur, p. 131, *in* T. L. F.

♦ **2.** Adj. Qui lamine. *Cylindre lamineur.*

♦ **3.** N. m. (1873). Machine à laminer les lingots devant servir au monnayage ou aux ouvrages d'orfèvrerie.

LAMINEUX, EUSE [laminø, øz] adj. — 1832; bas lat. *laminosus,* de *lamina* «lame».

♦ Didact. Qui est ou semble formé de petites lames. Anat. *Tissu lamineux :* tissu conjonctif lâche disposé en lames parallèles.

LAMINOIR [laminwaʀ] n. m. — 1643; de *laminer,* et *-oir.*

♦ **1.** (1643). Techn. et cour. Machine composée de deux cylindres* d'acier tournant en sens inverse, entre lesquels on fait passer un métal ou un alliage à laminer*. ⇒ **Aplatissoir, blooming** (anglic.), **étireuse, presse.** *Les cylindres d'un laminoir sont à surface rectiligne ou cannelée. Batterie* de laminoirs. Train de laminoir.* ⇒ **Train.** *Forger* au laminoir un métal malléable*. Passer un fil d'or au laminoir* (⇒ **Écacher**). *Faire passer le métal au laminoir.*

1 L'acte d'un doigt d'enfant illumine dans l'instant une capitale, pulvérise une colline, conduit tout incandescent sous le laminoir un bloc de métal de cent tonnes.
VALÉRY, Regards sur le monde actuel, p. 262.

Par métaphore (→ Amincir, cit. 2, Balzac).

2 Nous y pesions toutes nos idées; nous les passions au laminoir, au crible (...)
GIDE, Si le grain ne meurt, II, I, p. 316.

(1834, Balzac). Fig. *Passer au laminoir :* être soumis à de pénibles épreuves. *(Faire) passer quelqu'un, quelque chose au laminoir,* lui imposer de rudes épreuves ou une sévère discipline, un examen sévère.

3 Venez me voir. J'ai à vous parler du Médecin de campagne, qui doit maintenant passer au laminoir de votre critique...
BALZAC, Correspondance, 1834, p. 526, *in* T. L. F.

♦ **2.** (1907). Techn. Machine à cylindres lisses pour le glaçage des cartons et des papiers. — Appareil permettant d'aplatir les cahiers d'un volume à relier.

LAMPADAIRE [lɑ̃padɛʀ] n. m. — 1535 attestation isolée; repris en 1752; lat. médiéval *lampadarium* «chandelier», du bas lat. *lampade.* → Lampe.

♦ **1.** Anciennt. Support vertical destiné à soutenir une ou plusieurs lampes. *Lampadaires en bronze ouvragé, des* XVII*e et* XVIII*e siècles.*

♦ **2.** Mod. Appareil d'éclairage électrique monté sur un haut support, qui se pose par terre. *Lampadaire en fer forgé, en cuivre, en acajou. Abat-jour d'un lampadaire. Lampadaire d'appartement.*

♦ **3.** Candélabre*, pylône supportant une source de lumière pour l'éclairage public. *Les lampadaires d'une rue, d'une place* (→ Clignotant, cit. 3). ⇒ **Bec de gaz.**

1 (...) une rue noire et grasse, à la rampe infinie de lampadaires (...)
Léon-Paul FARGUE, Poèmes, p. 43.

2 À ce (...) moment, les lampadaires de notre ville, qu'on allumait de plus en plus tard, resplendirent brusquement. La haute lampe (...) éclaira subitement l'homme (...)
CAMUS, la Peste, p. 116.

LAMPADÉDROMIES [lɑ̃padedʀɔmi] n. f. pl. — 1902, Larousse; *lampadodromie,* 1873, Larousse; grec *lampadêdromia.*

♦ Didact. ⇒ **Lampadéphories.**

LAMPADÉPHORE [lɑ̃padefɔʀ] adj. et n. ⇒ **Lampadophore.**

LAMPADÉPHORIES [lɑ̃padefɔʀi] n. f. pl. — XVIII*e*; de *lampadéphore,* et *-ie.*

♦ Antiq. grecque. Course aux flambeaux. — Syn. : *lampadédromies.*

LAMPADISTE [lɑ̃padist] n. m. ⇒ **Lampadophore.**

LAMPADOPHORE [lɑ̃padɔfɔʀ] adj. et n. — 1599 «course aux flambeaux»; sens mod. en 1732, Trévoux; grec *lampadêphoros,* de *lampas, lampados* «flambeau», et *phorein* (→ -phore).

♦ **1.** Antiq. grecque. Qui porte un flambeau dans une cérémonie religieuse. — Celui qui donnait le signal dans une course* aux flambeaux* (en élevant une torche). — Celui qui prenait part à une course aux flambeaux. — On dit aussi *lampadiste,* n. m. du grec *lampadistês.*

♦ **2.** Littér. Porteur de lumière.

Ses purs ongles très haut dédiant leur onyx,
L'Angoisse, ce minuit, soutient, lampadophore,
Maint rêve vespéral brûlé par le Phénix
MALLARMÉ, Poésies, «Plusieurs sonnets», IV.

REM. On trouve parfois *lampadéphore* [lɑ̃padefɔʀ].

DÉR. (Du grec *lampadéphoria* «action de porter le flambeau») **Lampadéphories.**

LAMPANT, ANTE [lɑ̃pɑ̃, ɑ̃t] adj. — 1593, *in* D. D. L.; provençal *lampant,* p. prés. du v. *lampa* «briller», du grec *lampein* «briller».

♦ Rare. Propre à alimenter une lampe à flamme. — Cour. (Huile). *Huile lampante, pétrole lampant :* huile légère de pétrole, raffinée pour l'éclairage.

On conçoit (...) que les plus gros consommateurs de pétrole lampant soient les pays agricoles. Il est vrai qu'en beaucoup d'endroits, la vieille lampe à mèche a été remplacée par le bec Auer à vapeur de pétrole (...)
Étienne DALEMONT, le Pétrole, p. 19.

LAMPARO [lɑ̃paʀo] n. m. — 1901; mot provençal; de l'esp. *lámpara* «lampe», altér. de *lampada.* → Lampe.

♦ Régional. Lampe, phare utilisé pour attirer le poisson. *Pêche au lamparo.*

Souvent, aussi, des pêcheurs qui utilisaient le lamparo, promenant à la surface de la mer une lumière qui oscillait au gré des mouvements de la barque.
Max GALLO, la Baie des anges, p. 247.

Par ext. Filet (senne tournante) associé à ce foyer lumineux, utilisé en Méditerranée. — Bateau sur lequel on pratique cette pêche.

1. LAMPAS [lɑ̃pa] n. m. — Déb. XIII*e*; de *lampe* «fanon de bœuf», var. de *lape,* même sens, lui-même de l'anc. bas francique **laba* «bout d'étoffe» (→ Lambeau). P. Guiraud y voit un dér. de l'anc. franç. *lamper* «briller» (d'un feu) dans l'emploi fig. de «feu, inflammation».

♦ **1.** Vétér. Gonflement de la muqueuse du palais, chez le cheval.

♦ **2.** Pop. et vx. (Du sens dial. «luette» ou «palais» avec infl. probable de *lamper*). Gosier. *Humecter, arroser le lampas :* boire*.

DÉR. Lampassé.

2. LAMPAS [lɑ̃pas] n. m. — 1765; *lampasse,* 1723; orig. incertaine, p.-ê. à rattacher à la famille de *lambeau.*

♦ Étoffe de soie, à grands dessins tissés en relief. — *Le lampas, originaire des Indes et de Chine, «se distingue du damas par un fond satiné plus chatoyant sur lequel les dessins se détachent en mat»* (Réau).

Les grands et larges fauteuils couverts en lampas à fleurs (...) 1
BALZAC, le Médecin de campagne, Pl., t. VIII, p. 360.

(...) des chaises plus petites (...) en ébène et revêtues de lampas cerise et blanc 2
d'une exquise rareté.
Th. GAUTIER, Fortunio, I.

REM. On trouve encore l'orthographe *lampasse* au XIX*e* s. (Balzac).

DÉR. V. **Lampèze.**

LAMPASSÉ, ÉE [lɑ̃pase] adj. — 1502; autre sens, 1547; de 1. *lampas,* et *-é.*

♦ Blason. Dont la langue est d'un émail particulier, en parlant de certains animaux héraldiques (carnassiers, etc.).

Les lions lampassés de gueules
Blasonnés sur leur écusson.
Th. GAUTIER, Émaux et Camées, «Le souper des armures».

LAMPE [lɑ̃p] n. f. — 1119 au sens A, 1; du bas lat. *lampada* «torche, lampe», accusatif de forme grecque, du lat. class. *lampas, lampadis,* mot grec.

Ustensile ou appareil destiné à produire de la lumière*, et, par ext., (1690) de la chaleur, (XX*e*) des ondes électromagnétiques. ⇒ **Éclairage; éclairer; lumière.**

A. (Pour éclairer). ♦ **1.** Récipient contenant un liquide ou un gaz combustible destiné à produire de la lumière (⇒ **Lumignon, veilleuse,** pop. **calbombe**). *Lampe antique, lampe à huile :* petit vaisseau terminé par un bec, que l'on remplissait d'huile. ⇒ **Calen** (régional). *L'anse* (cit. 2) *d'une lampe antique. Lampe de bronze, de* *cuivre, d'argent* (→ Étoile, cit. 30). Allus. littér. *La lampe d'Aladin* (→ Génie, cit. 6). — *Lampe formée par un simple godet de verre.* ⇒ **Lampion.** — Spécialt. *Lampes d'église, de sanctuaire,* qui, selon la liturgie catholique, doivent brûler devant le tabernacle *(lampe d'autel),* les reliques, statues et images des saints. *Les lampes doivent en principe être suspendues à la voûte et alimentées d'huile d'olive ou de cire d'abeille. « L'installation permanente de l'électricité dans les lampes du sanctuaire est un abus... »* (B. Rousseau, in *Dict. de liturgie romaine*). *Partie supérieure* (⇒ **Panache**), *inférieure d'une lampe d'église.* — *Cul** (cit. 22) *de lampe.*

1 (...) et des lampes autour,
Les gardes de ce Saint, qui brûlent nuit et jour (...)
RONSARD, Pièces posthumes, Hymne XIII.

2 Et toi, lampe nocturne, astre cher à l'amour,
Sur le marbre posée, ô toi? qui, jusqu'au jour,
De ta prison de verre éclairais nos tendresses,
Tu fus le seul témoin de ses douces caresses. André CHÉNIER, Élégies, XXXV.

3 (...) l'esprit de la dame palpita encore comme la flamme dans le bec d'une lampe.
BAUDELAIRE, Trad. E. POE, Nouvelles histoires extraordinaires, « Portrait ovale ».

4 Au plafond de l'autre chapelle, brûlait cette minuscule lampe de la lumière perpétuelle qui ne doit jamais s'éteindre dans les églises consacrées. La flamme faible reposait sur un bout de liège qui flottait dans l'huile. Le verre était rouge.
H. BOSCO, Hyacinthe, p. 219.

Lampes munies de dispositifs améliorant leur puissance. Réservoir, dispositif de réglage, manchon, mèche*, verre, support d'une lampe. Verre de lampe.* ⇒ **Verre.** *Lampe munie d'un globe* (cit. 12), *d'un réflecteur* (⇒ **Réverbère**). — Mar. *Lampe d'habitacle.* ⇒ **Verrine.** — *Lampe d'Argand, de Quinquet* (⇒ **Quinquet**), *lampe Carcel* (⇒ **Carcel**), *lampe de Franchot, à modérateur**, anciens types de lampes à huile. *Lampe hydrostatique** (cit.). *Huile** (cit. 9) *de lampe.* → au fig., ci-dessous *supra* cit. 17. — (1873, Larousse). *Lampe à pétrole*, à essence. Lampe à gaz*, lampe à manchon incandescent* (⇒ **Bec**). *Lampe à acétylène*.* — *Lampe Pigeon* (nom de marque).

5 Imaginez une lampe Carcel gigantesque à six rangs de mèches, autour de laquelle pivotent lentement les parois de la lanterne, les unes remplies par une énorme lentille de cristal, les autres ouvertes sur un grand vitrage immobile qui met la flamme à l'abri du vent.
Alphonse DAUDET, Lettres de mon moulin, « Phare des Sanguinaires ».

6 Tu devrais souffler la calebombe, à cause des mouches.
Laurent se leva et souffla dans le verre de la lampe. Une odeur de pétrole se répandit aussitôt (...) G. DUHAMEL, Chronique des Pasquier, VIII, XV.

7 Sur la table, Antoine, en entrant, avait tout aussitôt reconnu sa lampe, — une grosse toupie à pétrole, coiffée d'un abat-jour de carton vert, sous lequel, jadis, par les nuits chaudes de juin bourdonnantes de phalènes, il avait préparé tant d'examens, tandis que tout dormait dans la maison.
MARTIN DU GARD, les Thibault, t. IX, p. 66.

8 (...) une lampe à gaz en forme de lyre (...)
J. ROMAINS, les Hommes de bonne volonté, t. V, XXV, p. 238.

9 (...) des moquettes épaisses couvrirent les parquets, et les lampes devinrent des colonnes d'onyx pâle, surmontées d'une boule de cristal, où l'on voyait baisser la saxoléine, sous des abats-jour ornés de volants de dentelle (...) et qui sentaient le pétrole. J. CHARDONNE, les Destinées sentimentales, p. 35.

10 C'était certainement une simple petite lampe comme on en voit dans les cuisines de campagne; une lampe de cuivre posée sur le coin d'une table et qui fournit une lumière médiocre (...) H. BOSCO, Hyacinthe, p. 92.

10.1 Après avoir rôdé autour de nous, sa petite lampe Pigeon à la main, ma mère avait été prise de longues quintes de toux (...) Hervé BAZIN, Cri de la chouette, p. 85.

Fonctionnement, entretien des lampes. Garnir, remplir, entretenir une lampe (→ Gratter, cit. 13). *La flamme* (cit. 5 et 6) *d'une lampe. Lampe qui file* (cit. 17), *fume*; lampe fumeuse* (cit. 1). *Lampe qui baisse, s'éteint. Moucher, souffler la lampe. Allumer* (cit. 1) *la lampe à l'aide d'un allumoir*. Lampe qui flambe, brûle.* ⇒ 1. **Feu, lumière** (→ Cierge, cit. 1). *Employé, service chargé des lampes, de l'éclairage.* ⇒ **Lampiste, lampisterie.** — *Lumière, lueur, feu* (1. Feu, cit. 59), *clarté d'une lampe. « La clarté déserte de ma lampe »* (→ Blancheur, cit. 1. 2, Mallarmé). *Veiller, travailler à la lueur d'une lampe. Près de la lampe, sous la lampe* (→ Causer, cit. 4; famille, cit. 25; intimité, cit. 5). *Office religieux dit à la lueur des lampes.* ⇒ **Lucernaire.**

11 À la pâle clarté des lampes languissantes (...)
BAUDELAIRE, les Épaves, Pièces condamnées, III.

12 — Vite soufflons la lampe, afin
De nous cacher dans les ténèbres!
BAUDELAIRE, Nouvelles Fleurs du mal, III.

13 (...) son regard s'attacha sur la lampe (...) Toute l'huile était consumée. — Tiens, fit Désirée (...) la lampe de Mademoiselle est vide. Je l'avais pourtant remplie avant-hier. J. GREEN, Adrienne Mesurat, I, XVI.

Spécialt. *Lampe de sécurité, de sûreté* (anciennes lampes de mineurs...) dont la flamme est isolée pour éviter incendies ou explosions. — *Lampe-tempête,* dont la flamme est protégée du vent par un verre de forme spéciale (⇒ **Verrine**).

14 Puis une lueur montait, faible et jaune, au-delà du comptoir. C'était la lampe, une lampe-tempête énorme, d'ordinaire accrochée à une tige de fer, au-dessus des balances. H. BOSCO, Antonin, p. 53.

Par métaphore et fig. La lampe, symbole de la lumière. *« Cette éclatante lumière, mise comme une lampe éternelle pour éclairer l'univers »* (Pascal). — Allus. bibl. *Mettre la lampe sous le boisseau* (cit. 1), *sur le chandelier* (cit. 1).

15 Car le précepte est une lampe, et la loi une lumière, et les avertissements qui instruisent sont le chemin de la vie. BIBLE (CRAMPON), Proverbes, VI, 23.

16 Et l'Écriture dit expressément que Dieu n'extermina pas toute la famille de Joram, voulant conserver à David la lampe qu'il lui avait promise. Or cette lampe, qu'était-ce autre chose que la lumière qui devait être un jour révélée aux nations?
RACINE, Athalie, Préface.

L'huile de la lampe, symbole de ce qui se consume. *Il n'y a plus d'huile* dans la lampe, la lampe s'éteint** (cit. 35 et 44). — Vx. ou littér. *Sentir l'huile** (cit. 28) *et la lampe.*

(...) je serais usé de corps et d'âme; car notre pauvre lampe ne brûle pas long- 17
temps. A. DE VIGNY, Servitude et Grandeur militaires, III, V.

Lampes à huile, symbole du temps passé. *Du temps des lampes à huile, et des navires à voile.*

♦ **2.** (1683). Fig. et fam. (avec infl. probable de *lamper*). Estomac, ventre. — Loc. (1915). *S'en mettre, s'en foutre plein la lampe :* manger, boire beaucoup.

...je les ai vus *(ces nègres anthropophages)* s'en retourner après victoire dans leur 18
village, chargés de plus de cent paniers de viande humaine bien saignante pour s'en foutre plein la lampe!... CÉLINE, Voyage au bout de la nuit, p. 132.

Notre petit garçon aurait bien voulu boire de la bière, il aimera s'en mettre plein 18.1
la lampe, il te ressemble. Tu as vu à table, comme il visait la bouteille? Mais moi, j'ai versé dans son verre de l'eau de la carafe.
IONESCO, la Cantatrice chauve, p. 13.

Par métaphore (plaisant) :

C'étaient des orties géantes, il y en avait d'un mètre de haut, je les arrachais, cela 18.2
me soulageait, et pourtant ce n'est pas de ma nature d'arracher les mauvaises herbes, bien au contraire, je leur en foutrais du fumier plein la lampe si j'en avais.
S. BECKETT, Premier amour, p. 28.

♦ **3.** (1879, J. Verne, → cit. 20.1). Appareil d'éclairage par l'électricité*. ⇒ **Électrique** (cit. 2).

a Source de lumière (électrique). ⇒ **Ampoule, tube.** *Lampe à incandescence*. Ampoule de verre, filament, culot, douille* (à baïonnette, à vis) *d'une lampe. Lampe au tungstène. Formes de lampes : lampes sphériques, lampes « oignon », lampes « flamme ». Lampe en verre dépoli.* — *Lampes à décharge dans un gaz.* — *Lampe à arc,* dans laquelle un arc de décharge entre deux charbons constitue la source de lumière. — *Lampes à vapeur de sodium, de mercure, à tube de quartz. Lampes au néon, lampe crypton; lampes fluorescentes.* ⇒ **Tube.** *Lampe à iode, à halogène.* — *Flux lumineux* (en lumens), *intensité lumineuse* (→ Bougie, cit. 3), *puissance* (en watts), *résistance d'une lampe.* — *Installation, suspension, fixation des lampes dans un local. Lampe fixée au mur par une applique* (⇒ **Applique**), *lampe suspendue au plafond* (⇒ **Couronne, lustre, suspension**), *montée sur pieds* (⇒ **Lampadaire**). *La lampe, les lampes d'un projecteur, d'un phare.* — *Il faut changer la lampe. La lampe a sauté, a claqué.*

Les lampes utilisées pour l'éclairage sont en général des ampoules en verre clair 19
n'absorbant que 1 % de la lumière émise par le filament.
Raymond JOUAUST, l'Éclairage, p. 61.

La locomotive siffla. Dans la lumière blafarde des lampes à arc, d'épaisses 20
bouffées blanches montaient vers la verrière.
MARTIN DU GARD, les Thibault, t. VI, p. 145.

Tout à coup, s'allumant sous l'action de quelque pile invisible, une lampe électri- 20.1
que (...) projeta brillamment sur le mur un grand carré de lumière dû aux efforts combinés d'une lentille et d'un réflecteur.
Raymond ROUSSEL, Impressions d'Afrique, p. 148.

Spécialt. *Lampe témoin,* servant à signaler le fonctionnement, la mise en marche d'un appareil. *La lampe témoin d'une machine à laver. Des lampes-témoins.*

b Ensemble constitué par la source lumineuse et l'appareillage destiné à recevoir la lampe (au sens a), l'ampoule. *Pied, tige, abat-jour* (cit. 1), *tulipe, fil, commutateur, prise de courant d'une lampe. Changer l'ampoule d'une lampe. Lampe de bureau, de travail. Lampe de chevet*. Lampe astrale.* ⇒ **Globe.** *Lampe applique.* ⇒ **Applique** (2.). *Brancher* (cit. 2) *une lampe. Lampe baladeuse*, lampe à crochet, à pinces.* — (Déb. XXe). *Lampe de poche, à pile; lampe à boîtier* plat, lampe cylindrique (lampe torche)* → Écoutille (cit. 2). *Lampe électrique* (spécialt) : lampe mobile, de poche. *Faisceau* (cit. 8), *jet* (cit. 9) *d'une lampe électrique.* — Vieilli. *Lampe à gaz.* ⇒ **Bec de gaz.**

Les préparatifs achevés, le contre-maître et Marcel s'accrochèrent à la benne, le 20.2
câble fila sur les poulies et la descente commença. Éclairés par deux petites lampes électriques, tous deux causaient en s'enfonçant dans les profondeurs de la terre.
J. VERNE, les Cinq Cents Millions de la Bégum, VI, p. 101 (1879).

(...) il prend dans une de ses poches la seconde lampe électrique. Il l'allume (...) 21
L'autre lampe électrique est tombée sur le sol (...) « La pile peut encore servir (...) » Il ramasse la lampe.
J. ROMAINS, les Hommes de bonne volonté, t. II, XX, p. 239.

(...) la lumière qui passait par la baie de la cuisine venait d'une lampe-tempête 21.1
accrochée au hangar, très haut, et qui danse dans le vent léger de la nuit.
M. DURAS, Dix heures et demie du soir en été, p. 84.

B. (Autre usage que l'éclairage). ♦ **1.** (1690, Furetière; du sens A, 1). Récipient dont le combustible est destiné à produire de la chaleur. — *Lampe à alcool, à esprit-de-vin,* utilisée dans les laboratoires de chimie, etc. ⇒ **Réchaud.** *Lampe à flamme intense,* dirigée à l'aide d'un chalumeau* (4.). ⇒ **Éolipile.** *Lampe d'émailleur, lampe de plombier.* — *Lampe destinée à brûler une substance aromatique. Lampe à opium* (→ Fumée, cit. 6; 1. goutte, cit. 46).

(...) un socle d'argent ciselé, posé sur un plateau de nacre, élevait une lampe à 22
opium, dont la flamme, voilée par des papillons et des mouches d'émail vert, scintillait comme une émeraude. Les pipes, les aiguilles, les fourneaux, les boîtes de corne et de porcelaine étaient rangés à l'entour. Claude FARRÈRE, la Bataille, VI.

23 Sur la table du salon (...) le domestique a disposé le plateau avec deux tasses à café, la lampe à alcool, la petite bouilloire.
J. CHARDONNE, les Destinées sentimentales, p. 315.

*Lampe à souder** (⇒ **Chalumeau**); fig., argôt milit. : mitraillette.

23.1 L'étoile blanche plane ainsi, haut dans le ciel, par-dessus la terre plate encombrée de cubes de ciment et de routes. Le point incandescent de la lampe à souder, le point presque invisible qui va jusqu'au fond du cerveau en passant par les yeux.
J.-M. G. LE CLÉZIO, les Géants, p. 39.

♦ **2.** (xxe). Par anal. (du sens A, 3). Tube électrique, électronique, n'ayant pas l'éclairage pour objet. *Lampe à rayons ultraviolets, infrarouges. Lampe électronique. Lampe de T. S. F.* (vx), *lampe de radio; lampe émettrice, génératrice. Poste récepteur à six, huit lampes. Lampe amplificatrice, de puissance, lampe modulatrice. Lampe grillée; changer une lampe. Les lampes de radio sont en général remplacées par des transistors. — Lampe à deux électrodes* (lampe diode), *à trois électrodes* (lampe triode), *lampe audion. Lampe à grille, lampe bigrille*. Lampe valve, pour redresser les courants. Lampe écrou,* avec une électrode supplémentaire. *Lampe à pente variable.*

24 Un progrès technique allait tout révolutionner : l'application à la T. S. F. du tube à vide (lampe électronique) [...] Cette étonnante carrière de la lampe de T. S. F. est due à ses propriétés multiples qui permettent d'en faire à volonté un relais amplificateur, un redresseur de courant alternatif et par là même un détecteur, un générateur de courants alternatifs (...) un modulateur, etc. (...) Toutes ces qualités sont à mettre à l'actif des électrons libérés dans le « vide » des lampes.
Robert BUREAU, la T. S. F., p. 9.

25 Mais il se produit dans ces cadrans, dans ces lampes-radio, dans ces aiguilles, toute une alchimie invisible. De seconde en seconde, ces gestes secrets, ces mots étouffés, cette attention préparent le miracle.
SAINT-EXUPÉRY, Terre des hommes, *in* T. L. F.

DÉR. Lamperon, lampette, lampier, lampiste, lampotte.
COMP. Lampemètre.

LAMPÉE [lɑ̃pe] n. f. — 1678; p. p. fém. de *lamper.*

♦ Fam. Grande gorgée* de liquide, avalée d'un trait. *Boire à grandes lampées. Boire, ingurgiter une lampée de vin, de bière. Vider son verre d'une seule lampée. Il a tout avalé en deux ou trois lampées.*

1 Tous venaient de faire descendre leur soupe d'une grande lampée d'eau fraîche, la bonne boisson claire des fins de quinzaine. ZOLA, Germinal, II, IV.

2 — Laissez donc cela : vous allez vous rendre malade! Encore! À pleines lampées, boire de l'eau froide, quand il gèle au dehors!
MONTHERLANT, le Maître de Santiago, I, 1.

LAMPEMÈTRE [lɑ̃pmɛtʀ] n. m. — Mil. xxe; de *lampe,* et *-mètre.*

♦ Techn. Appareil de mesure des caractéristiques d'une lampe (état du filament, isolement des électrodes, émission cathodique).

LAMPER [lɑ̃pe] v. tr. — 1642; forme nasalisée de *laper*.*

♦ Fam. Boire d'un trait ou à grandes gorgées. ⇒ **Entourer, siffler.** *Lamper un verre* (→ 1. Claquer, cit. 2).

1 Vous allez me griser! dit le clerc en lampant un neuvième verre de vin de champagne. BALZAC, Modeste Mignon, Pl., t. I, p. 555.

2 (...) il sirotait mièvrement son vin dans son angle de table quand les autres lampaient le leur (...) BARBEY D'AUREVILLY, les Diaboliques, « À un dîner d'athées ».

3 À peine assis, ils lampèrent leur soupe à grand bruit.
F. MAURIAC, le Sagouin, p. 37.

DÉR. V. **Lampas, lampée.** — V. aussi **Lampe** (s'en mettre plein la lampe), **lampon.**

LAMPERON [lɑ̃pʀɔ̃] n. m. — 1471; de *lampe.*

Technique.

♦ **1.** Godet de verre contenant le combustible et la mèche d'une lampe d'église.

♦ **2.** (1577). Tuyau, languette qui tient la mèche d'une lampe.

LAMPE-TÉMOIN [lɑ̃ptemwɛ̃] n. f. ⇒ Lampe.

LAMPE-TEMPÊTE [lɑ̃ptɑ̃pɛt] n. f. ⇒ Lampe.

LAMPETRA [lɑ̃petʀa] n. f. ⇒ Lamproie.

LAMPETTE [lɑ̃pɛt] n. f. — 1532, « petite lampe »; de *lampe,* et *-ette;* var. *lamprette.*

♦ (1812). Régional. Agrostemma, notamment la lychnide* ou lychnis (nielle des blés).

Mai, le pimpant et le coquet jeune homme
Une lampette à son bonnet vert-pomme.
A. BERRY, les Esprits de Garonne, I, II, La pêche, *in* DUPRÉ.

LAMPÈZE [lɑ̃pɛz] n. m. — 1923, *in* Larousse; orig. incert., p.-ê. de 2. *lampas.*

♦ Techn. Tissu à fond de satin, imitant la tapisserie, et utilisé pour l'ameublement.

LAMPIER [lɑ̃pje] n. m. — V. 1210; de *lampe,* et *-ier.*

★ **I.** Archéol. Support de lampe; lustre (spécialt dans une église, un cimetière).

★ **II.** (V. 1260). Anciennt. Artisan qui fabriquait des lampes, des appareils d'éclairage (le mot *lampiste* n'est attesté qu'en 1855).

LAMPION [lɑ̃pjɔ̃] n. m. — 1510, « lanterne de bateau »; de l'ital. *lampione,* augmentatif de *lampa* « lampe », lui-même du franç. *lampe.*

♦ **1.** Anciennt. Godet (de verre, de terre, de métal) contenant une matière combustible (huile, essence, suif...) et une mèche, utilisé pour les illuminations. *If** (2.) *garni de lampions. Le clignotement des lampions. Cordon de lampions.*

Une espèce de lampion (...) dont la mèche nageait dans une graisse fétide illuminait les parois lustrées de cet affreux séjour. 0.1
A. DUMAS, le Comte de Monte-Cristo, *in* T. L. F.

♦ **2.** (1750). Mod. Lanterne vénitienne; cylindre ou sphère de papier plissé. *Un lampion de papier rouge. Bougie qui brûle à l'intérieur d'un lampion. Décorer un jardin avec des lampions multicolores. Illumination* aux lampions.*

(...) à la clarté de vingt mille lampions qui changeront la nuit en jour (...) 1
VOLTAIRE, Correspondance, 970, 7 août 1750.

(...) précédé de 20 000 flambeaux, on s'achemine du parvis au Château. La nuit est en effet tombée : les torches, les lampions, les girandoles s'allument. 2
Louis MADELIN, Hist. du Consulat et de l'Empire, Avènement de l'Empire, XV.

Des lampions!, cri scandé par la foule (en 1827) réclamant des illuminations. *Crier, réclamer sur l'air des lampions,* en trois syllabes détachées, sur une seule note (→ Hurleur, cit. 1). *Crier : « remboursez! »; « au balcon! »... sur l'air des lampions.*

♦ **3.** (1827; var. : *chapeau en lampion;* du sens 1). Anciennt. Chapeau tricorne (des cavaliers, de militaires).

♦ **4.** Vx. S'en mettre dans le lampion. ⇒ **Lampe,** A., 2.

LAMPISTE [lɑ̃pist] n. — 1797, *in* D. D. L.; de *lampe,* et *-iste.*

♦ **1.** Vx. Personne qui fabrique ou vend des lampes (à combustible liquide ou gazeux). *Lampiste, fabricant de lampes de pétrole, à acétylène.* — Par appos. *Ouvrier lampiste.*

♦ **2.** (1860). Mod. Personne qui entretient des lampes, s'occupe de l'éclairage. *La lampiste d'un couvent. Les lampistes d'un théâtre.* — Spécialt. Agent des chemins de fer assurant l'entretien et les petites réparations des lampes et lanternes.

Les lampistes courent çà et là, portant de longues brochettes de quinquets. 1
Th. GAUTIER, *in* G. MATORÉ, Voc. de la société sous Louis-Philippe, p. 146, note 3.

L'aïeule y remplit (...) l'office de balayeuse, de cuisinière, de lampiste (...) 2
MONTALEMBERT, Hist. des moines de l'Occident, t. I, p. 167.

♦ **3.** (xxe; 1934, Alain, *in* T. L. F.). Fig. Subalterne au poste le plus modeste, et, par ext., subalterne à qui on fait endosser injustement les responsabilités. *C'est toujours le lampiste qui trinque pour les autres.*

DÉR. Lampisterie.

LAMPISTERIE [lɑ̃pistəʀi] n. f. — 1845, Bescherelle; de *lampiste.*

♦ **1.** (1845). Vx. Industrie, commerce des lampes à réservoir. ⇒ **Lampe** (1.). — REM. Pour l'éclairage électrique, on parle de l'industrie des Lampes et de la Lustrerie.

La lampisterie s'est surtout développée depuis l'invention des lampes à huile, quinquets ou modérateurs. Après avoir eu une vogue considérable, grâce à l'éclairage au pétrole, elle voit aujourd'hui décroître ses débouchés.
R. CAZAUD, *in* Larousse industr., art. *Éclairage,* V.

♦ **2.** (1867, Littré). Lieu où l'on entrepose, entretient et répare les lampes et lanternes. *La lampisterie d'une gare*.*

LAMPON [lɑ̃pɔ̃] n. m. — 1648, Scarron; de *lampons,* impér. du v. *lamper* « buvons! ».

♦ Vx. Couplet de chanson (chansons à boire, chansons satiriques), au XVIIe siècle.

LAMPOTTE [lɑ̃pɔt] n. f. — 1828, Mozin; emploi fig. de *lampote* « petite lampe », XIVe; dimin. de *lampe.*

♦ Régional (Nord-Ouest). Patelle (coquillage).

LAMPOURDE [lɑ̃puʀd] n. f. — 1600, O. de Serres; provençal *lampourdo,* de l'anc. provençal *laporda,* lat. *lappa* « bardane ».

♦ Bot. Plante à fleurs groupées en capitules *(Ambrosiacées)*, herbacée, annuelle (n. sc. : *xanthium*), dont une variété est appelée (ainsi que la scrofulaire) *herbe aux écrouelles* ou *petite bardane.*

LAMPRILLON [lɑ̃pʀijɔ̃] n. m. — 1587; *lampreon*, v. 1280; de *lampr(oie)*, et *-illon.*

♦ **1.** Petite lamproie des rivières et ruisseaux.

♦ **2.** Larve de lamproie, utilisée comme appât (et appelée aussi *ammocète*).

LAMPROIE [lɑ̃pʀwa] n. f. — 1178; du bas lat. *lampreda.*

♦ Zool. Poisson cyclostome, au corps cylindrique, ayant l'apparence d'une anguille, mais portant sept orifices branchiaux de chaque côté (n. sc. : *lampetra*). *La bouche de la lamproie est molle, arrondie, munie de pointes cornées. Lamproie marine*, pouvant atteindre un mètre; *lamproie fluviale* (dite aussi *fifre, sept-œils, sept-trous*), *petite lamproie de rivière. Larve de lamproie* (ammocète). — *Lamproie en matelote, à la bordelaise.*

La carte du Café anglais (...) me paraît bien maigre (...) comparée à la carte du dîner de Trimalcion. — (...) Qui a mangé des murènes et des lamproies engraissées avec de l'homme?
Th. GAUTIER, Préface de Mlle de Maupin, p. 35 (éd. critique MATORÉ).

DÉR. Lamprillon, lamproyon.

LAMPROYON [lɑ̃pʀwajɔ̃] n. m. — V. 1398; de *lamproie*, et *-on.*

♦ Syn. de *lamprillon.*

LAMPYRE [lɑ̃piʀ] n. m. — 1803, Boiste; *lampyride*, 1542; soit du lat. *lampyris*, soit du grec *lampudis*; de *lampein* «briller».

♦ Zool. Insecte coléoptère *(Téléphoridés)* dont la larve est phosphorescente (n. sc. du *ver* luisant*).

DÉR. Lampyridés.

LAMPYRIDÉS [lɑ̃piʀide] n. m. pl. — 1828; de *lampyre*, et *-idés.*

♦ Zool. Famille d'insectes coléoptères comprenant les lampyres. *Les lampyres, les lucioles sont des lampyridés.* — Au sing. *Un lampyridé.*

LANATOSIDE [lanatozid] n. m. — V. 1970; de *(Digitalis) lanata*, n. sav. de la plante, et *-oside.*

♦ Glucoside extrait de la digitale laineuse, doué de propriétés cardiotoniques.

LANÇAGE [lɑ̃saʒ] n. m. — XVIIe «action de lancer un navire»; de 1. *lancer*, et *-age.*

♦ **1.** (1893; 1880, Zola «action de lancer qqn»). Rare. Lancement (publicitaire). — REM. *Lancement**, dans ce sens, est un peu plus tardif.

Il se fait un tel bruit à Paris sur mon aventure que vous ne pouviez pas souhaiter de meilleur lançage pour la *Papesse Jeanne.*
A. JARRY, Lettre au Dr Saltas, 19 mai 1906, *in* Œ. compl., t. VII, p. 283.

♦ **2.** Techn. Enfoncement d'un pieu au moyen d'injections d'air comprimé ou d'eau près de sa pointe, grâce à des tuyaux dits *lances.*

1. LANCE [lɑ̃s] n. f. — 1080, *Chanson de Roland*; de lat. *lancea*, probablt d'orig. celtique.

♦ **1.** Anciennt. Arme d'hast* à longue hampe* terminée par un fer pointu. *La lance, arme de jet* (⇒ **Dard, javeline, javelot**) *ou de choc* (⇒ **Pertuisane, pique**). *Jeter la lance* (→ Esquiver, cit. 2; gymnase, cit. 2). *Brandir* (cit. 1), *pointer sa lance* (→ Fanon, cit. 2). *Tuer quelqu'un d'un coup de lance* (→ Enfuir, cit. 4; étonner, cit. 20). — *Bois, manche d'une lance.* ⇒ **Hast** (vx). *Douille*, pointe d'un fer de lance. La lance des soldats macédoniens* (⇒ **Sarisse**), *des hastaires*, des dragons, des lanciers*, des uhlans. Charge à la lance.*

1 Pisistrate porta un coup de lance si violent contre Adraste, que le Daunien devait succomber : mais il l'évita; et pendant que Pisistrate, ébranlé du faux coup qu'il avait donné, ramenait sa lance, Adraste le perça d'un javelot au milieu du ventre.
FÉNELON, Télémaque, XV.

2 Et voici un chef de province lointaine, qui fait son entrée au galop de fantasia, l'air sauvage et magnifique, suivi de cavaliers brandissant des lances.
LOTI, l'Inde (sans les Anglais), V, II.

Myth. *La lance d'Achille :* la lance avec laquelle Achille infligea une blessure qui ne put être guérie qu'avec de la rouille prélevée sur cette lance même. — Fig. (→ 1. Flèche, cit. 8).

3 (...) votre lettre (...) m'a fait plus de plaisir que l'*Avis aux deux* prétendus *sages* ne m'a pu causer de peine. Votre plume est comme la lance d'Achille, qui guérissait les blessures qu'elle faisait. VOLTAIRE, Correspondance, 3002, 8 janv. 1767.

La lance des chevaliers, au moyen âge (→ Haut, cit. 13; heaume, cit. 2). *Écuyer* (cit. 1) *qui portait la lance.* ⇒ **Porte-lance.** *Gonfanon* d'une lance. Lances de combat à fer émoulu ou lances à outrance. Morne* d'une lance de tournoi.* — Loc. *Courir une lance (dans un tournoi) :* faire un assaut, la lance en avant. Par anal. *Courir une lance au jeu de bague*.* — Hist. *Lance mousse*, à pointe émoussée. ⇒ **Agrape.** *Lance courtoise, gracieuse :* lance de joute émoussée.

Il y a toujours des Chevaliers errants dans le monde. Ils ne redressent plus les 4
torts avec la lance, mais les ridicules avec la raillerie (...)
BARBEY D'AUREVILLY, les Diaboliques, «À un dîner d'athées».

(...) Kaherdin s'était fièrement arrêté, en voyant poindre contre lui un hardi baron, 5
le frère du comte Riol. Tous deux se heurtèrent des lances baissées. Le Nantais brisa la sienne sans ébranler Kaherdin, qui, d'un coup plus sûr, écartela l'écu de l'adversaire et lui planta son fer bruni dans le côté jusqu'au gonfanon.
J. BÉDIER, Tristan et Iseut, XV, p. 162.

Loc. (Anciennt). *Lance aux dames :* la dernière joute d'un tournoi. — *Cheval de lance*, dressé aux joutes.

Loc. fig. *Baisser la lance devant son adversaire*, pour signifier qu'on s'avouait vaincu. — Fig. (Vx). *Baisser la lance :* céder, s'incliner (→ Baisser* pavillon).

ROMPRE UNE LANCE, DES LANCES, avec qqn, contre qqn : soutenir une discussion*, une controverse contre lui. *Rompre une lance, des lances pour qqn*, le défendre contre ceux qui l'attaquent (par allus. aux lances brisées par les chevaliers combattant pour leurs dames). Rare. *Briser des lances* (même sens).

L'un ferme et net, athlète au besoin, brisait des lances dans les mêlées pour son 6
ami, et le couvrait de son bouclier (...)
SAINTE-BEUVE, Chateaubriand, t. II, p. 109.

Ils rompaient des lances avec tant d'ardeur qu'un témoin les aurait crus brouillés 7
à mort. A. HERMANT, l'Aube ardente, I.

Contre quoi vais-je maintenant rompre des lances? songea-t-il, en souriant de lui- 8
même. J'ai presque l'air de m'insurger contre ce que je veux défendre (...)
MARTIN DU GARD, les Thibault, t. V, p. 273.

Vx. *Lance d'Argail :* lance enchantée qui renversait toujours l'adversaire (Argail est un personnage de l'Arioste), et, fig., puissance irrésistible.

Relig. *La Sainte Lance*, dont fut percé Jésus.

FER DE LANCE : fer d'une lance; (par ext.) ornement de ferronnerie en forme de fer de lance. *Les fers de lance d'une grille.* — Par compar. Bot. *Feuille en fer de lance.* ⇒ **Hasté; lancéolé.** — Minér. *Gypse* fer-de-lance.* — Fig. Partie d'un dispositif (d'abord, d'un dispositif militaire) qui agit directement et efficacement contre un adversaire. *Les commandos de parachutistes sont le fer de lance de cette armée.* — Par métaphore. *Le fer de lance d'une offensive économique.*

♦ **2.** Objet ou engin mince, droit, rigide (rappelant la lance par sa forme). ⇒ **Lancéolé, lanciforme.** *Les lances des épis.* → Accourcir, cit. 3. — En appos. *Brochet* lance.* ⇒ **Lépidostée.**

Sport. Longue perche utilisée pour les joutes sur l'eau. — Mar. *Lance de sonde :* instrument de sondage.

(1873, Larousse). Cour. *Lance à eau*, et, absolt, *lance :* ajutage métallique adapté à l'extrémité d'un tuyau d'arrosage ou de pompe, et servant à diriger le jet d'eau. *Lance d'arrosage, lance d'incendie. Pompiers qui mettent les lances en batterie pour éteindre le feu** (→ Essai, cit. 14).

Il dirigeait avec précision sa lance sur le brasier (...) Au moment où le premier 9
avion arrivait sur lui comme un obus, il brandit sa lance, aspergea furieusement la carlingue (...) MALRAUX, l'Espoir, II, II, XIII.

Techn. Tuyau métallique capable d'injecter de l'air comprimé, de l'eau pour faciliter l'enfoncement des pieux.

Chir. Instrument tranchant et piquant. ⇒ **Lancette.**

Agric. Branche droite.

Techn. Tige qui termine une canne à pêche. ⇒ **Scion.**

♦ **3.** Par métonymie. Vx. Soldat armé de la lance. ⇒ **Lancier.** *Une armée de cinq cents lances.* — Formation militaire comprenant le chevalier armé de la lance et des hommes d'armes.

DÉR. Lanceron, lancette, lanciforme, lançon.
COMP. Porte-lance.
HOM. 2. Lance. — Formes du v. 1. Lancer.

2. LANCE [lɑ̃s] n. f. — 1562; p.-ê. de l'ital. *lanza, slanza* «eau; urine» → Chaude-lance.

♦ Argot. Vx. Eau. *Du pivois sans lance :* du vin pur, qui n'est pas coupé d'eau.

DÉR. Lansquiner.
HOM. 1. Lance.

LANCÉ [lɑ̃se] n. m. — 1701, «moment où on lance le cerf»; du p. p. de 1. *lancer.*

♦ **1.** (1883, Huysmans). Mouvement pour s'élancer. — Geste pour lancer, jeter.

♦ **2.** Vén. ⇒ 2. **Lancer** (*supra* cit. 2).

♦ **3.** (1873; de *lancer* la navette, 1765). Techn. Tissage au moyen de plusieurs navettes de couleurs différentes.

HOM. Lancée, 2. **lancer**; formes du v. 1. **lancer.**

LANCE-AMARRES [lɑ̃samaʀ] n. m. pl. — Mil. XXe; de 1. *lancer,* et *amarres.*

♦ Mar. Dispositif pour lancer les amarres.

(...) je n'ai pas hésité à plonger dans l'écluse de Miraflores pour attraper un lance-amarres mal envoyé, car tout doit se passer très vite (...)
Bernard MOITESSIER, Cap Horn à la voile, p. 110.

LANCE-BALLES [lɑ̃sbal] n. m. — 1880; de 1. *lancer, et balles.*

♦ Vx. Jouet à ressort, pour lancer des balles.

LANCE-BOMBES [lɑ̃sbɔ̃b] n. m. invar. — V. 1914 (*in* Gide, *Journal,* 1918); de 1. *lancer,* et *bombe.*

Dispositif, engin conçu pour lancer des bombes. — En appos. (ou emploi adjectival). *Lance-bombes :* qui lance des bombes, qui est conçu pour lancer des bombes. *Vaisseau, navire lance-bombes. Dispositif lance-bombes d'un avion bombardier.*

♦ **1.** Vx. Pièce d'artillerie de calibre moyen, lançant des bombes. ⇒ **Mortier, lance-mines.**

1 (...) les pionniers vont venir cette nuit, pour préparer les escaliers d'attaque (...) On doit installer des canons de 37 et des lance-bombes (...)
R. DORGELÈS, les Croix de bois, V.

♦ **2.** Aviat. Appareil installé à bord d'un avion de bombardement, pour le largage des bombes. « *Ces avions* (des bombardiers de la dernière guerre)... *servaient à bombarder l'Égypte, dans des conditions rudimentaires, puisqu'il n'y avait pas de lance-bombes automatique et que les soldats étaient obligés de jeter les engins à la main* » (*le Point,* 23-29 mars 1981, p. 134).

2 C'était un avion de tourisme, assez rapide. Il lança une bombe à cinq cents mètres du train; sans doute n'avait-il ni viseur ni lance-bombes et tirait-il par la fenêtre.
MALRAUX, l'Espoir, I, I, II, II.

LANCÉE [lɑ̃se] n. f. — 1810, au sens 2; de 2. *lancer.*

♦ **1.** (1873). Rare. Élan de ce qui est lancé; vitesse acquise. « Un lévrier qui détalait à fond de train avec une lancée vraiment extraordinaire » (A. Daudet, *le Nabab, in* T. L. F.). — Mar. ⇒ **Erre.**

Cour. *Être sur sa lancée. Faire plusieurs mètres sur sa lancée avant de s'arrêter. Courir, continuer sur sa lancée.* — Fig. *Sur sa lancée :* en continuant. *Continuer sur sa lancée :* poursuivre une action en utilisant l'élan initial.

Vous feriez mieux de faire la vaisselle (...)
— Nous ne demandons pas mieux. Mais alors, faites la guerre, vous (...)
Et sur sa lancée, Toto composa l'hymne des Rochambelles qui ne comporte pas moins de 80 couplets.
Yvan AUDOUARD, *in* le Canard enchaîné, 16 avr. 1969.

Rare. *Être dans la lancée de qqch.* (Ricœur, *in* T. L. F.).

♦ **2.** Méd. (Vx). Élancement. *Avoir des lancées. Panaris qui donne des lancées.*

HOM. Lancé, 2. **lancer**; formes du v. 1. **lancer.**

LANCE-ENGINS [lɑ̃sɑ̃ʒɛ̃] n. m. invar. — 1962, *in* T. L. F.; de *lancer,* et *engin.*

♦ Dispositif militaire qui effectue le lancement de missiles (ou engins). *Des lance-engins.* — En appos. *Sous-marin lance-engins.*

LANCE-FLAMMES [lɑ̃sflam] n. m. invar. — 1916, H. Bordeaux; de 1. *lancer,* et *flamme.*

♦ Engin de combat servant à projeter des liquides enflammés. *Lance-flammes portatifs. Chars armés de lance-flammes.*

Le jet du lance-flammes, phosphorescent dans l'obscurité, arrivait par là et aspergeait le plafond, le mur de face et le plancher, d'un mouvement assez lent, comme si le fasciste qui tenait la lance eût soulevé sans cesse une longue colonne d'essence.
MALRAUX, l'Espoir, I, II, I, I.

LANCE-FUSÉES [lɑ̃sfyze] n. m. invar. — 1931, Larousse 1923, appos. : *pistolets lance-fusées;* de 1. *lancer,* et *fusée.*

♦ Dispositif de guidage et de lancement de projectiles autopropulsés. ⇒ **Bazooka, lance-roquettes.** *Lance-fusées anti-chars* (abrév. milit. : *L. F. A. C.*). *Lance-fusées multiples.* — En appos. *Navire lance-fusées.*

LANCE-GRENADES [lɑ̃sgʀənad] n. m. invar. — 1922; de 1. *lancer,* et *grenade.*

♦ Engin servant à lancer des grenades. *Lance-grenades adaptable au mousqueton réglementaire de certaines unités de maintien de l'ordre, utilisé pour lancer des grenades lacrymogènes.* ⇒ (fam.) **Lance-patates.**

Adj. *Canon lance-grenades.*

LANCE-HARPON [lɑ̃saʀpɔ̃] adj. et n. m. — D. i.; de 1. *lancer,* et *harpon.*

♦ *Canon lance-harpon* ou *lance-harpon :* engin servant à lancer un harpon lourd, notamment pour la chasse aux cétacés. *Des lance-harpons.*

LANCEMENT [lɑ̃smɑ̃] n. m. — 1306; repris XIXe; de 1. *lancer,* et *-ment.*

A. ♦ **1.** Action de lancer (A., 1.), de projeter. *Lancement du disque, du javelot* (⇒ **Jet,** 2. **lancer**). *Lancement d'une grenade à main.*

Je ne l'explique pas, madame, je le constate une fois de plus; l'effet tient évidemment à la manière dont le boomerang est lancé et à sa conformation particulière. 0.1
Mais, quant à ce lancement, c'est encore le secret des Australiens!
J. VERNE, les Enfants du capitaine Grant, t. III, XVI, p. 231.

Spécialt. Projection d'un corps au moyen d'un dispositif de propulsion. *Lancement d'un engin balistique, d'une torpille, d'une fusée, d'un satellite artificiel. Compte à rebours avant le lancement. Lancement réussi. Rampe* de lancement. Aire, base de lancement. Centre, ensemble de lancement.*

Le lancement des grenades reprit. Les assiégés ne pouvaient riposter. En cinq 0.2
minutes, trois grenades entrèrent à travers deux fenêtres visées.
MALRAUX, la Condition humaine, Pl., p. 254.

♦ **2.** (De *lancer* A., 3.). Ponts et Chaussées. *Lancement d'un pont métallique.*

♦ **3.** (De *lancer* A., 4.). *Lancement du corps en arrière.*

B. ♦ **1.** Le fait de mettre en marche, de donner une impulsion, un mouvement. *Le lancement d'un moteur.*

♦ **2.** (1859; a éliminé *lançage*). Mar. *Lancement d'un navire :* « mise à l'eau d'un navire par glissement sur un plan incliné » (Gruss). ⇒ **Ber, couette, savate.** *Cérémonie du lancement d'un navire.*

Ce train-là, qui allait au Havre, était très chargé, car il y avait une fête pour le 1
lendemain dimanche, le lancement d'un navire. ZOLA, la Bête humaine, p. 48.

♦ **3.** Le fait de lancer, de donner le départ à (qqch.), d'envoyer. *Le lancement des invitations; d'un programme.*

(1862, Hugo, *Correspondance*). Fig. Action de lancer (un produit, une entreprise commerciale, financière, littéraire, artistique...) par des moyens de publicité* destinés à assurer son succès. *Le lancement d'une affaire, d'une entreprise. Lancement d'un journal, d'une pièce de théâtre, d'un film, d'un produit de beauté. Le lancement d'un emprunt par l'État. Le lancement d'une souscription. Lancement d'un roman.* ⇒ **Circulation** (mise en), **publication.** — Par ext. *Lancement d'un artiste, d'un auteur.*

Le rapport lu, ce matin-là, nous en vînmes donc à ce que j'appelais le lancement 2
de notre nouveau produit. Chaque fois que je prononçais le mot de lancement, Didier ouvrait des yeux scandalisés... Pourquoi, disait-il, lancer notre produit? Ou cette préparation est bonne, et alors elle doit avoir le succès qu'elle mérite. Ou cette préparation est mauvaise, et en ce cas, nous n'avons pas lieu de nous en occuper. J'entends bien qu'il n'est pas inutile de la faire connaître à Messieurs les pharmaciens et les médecins... Mais un lancement! Tu parles de nos bons médicaments... comme s'il s'agissait d'un apéritif.
G. DUHAMEL, Cri des profondeurs, II.

LANCE-MINES [lɑ̃smin] n. m. invar. — 1914; trad. de l'all. *Minenwerfer.* ⇒ **Lance-bombes.**

LANCE-MISSILES [lɑ̃smisil] n. m. invar. — 1971; de 1. *lancer,* et *missile.*

♦ Techn. Engin servant à lancer des missiles. — En appos. « *Des sous-marins nucléaires lance-missiles* » (*Science et Vie,* 1972).

LANCÉOLE [lɑ̃seɔl] n. f. — 1557, « variété de plantain »; sens mod., 1842; bas lat. *lanceola,* dér. de *lancea.* → Lance.

♦ **1.** Bot. Organe (feuille, pétale...) en forme de fer de lance*.

♦ **2.** Techn. Petite tige (lance) d'une fusée de feu d'artifice.

LANCÉOLÉ, ÉE [lɑ̃seɔle] adj. — 1778, Lamarck; lat. *lanceolatus,* de *lanceola.* → Lancéole.

♦ **1.** Bot. En forme de fer de lance*. ⇒ **Aigu.** *Bractées lancéolées. Feuilles lancéolées.*

♦ **2.** (1890). Arts. Caractérisé par des lancettes. *Gothique lancéolé :* gothique de la dernière période, caractérisé par ses ogives* en arc brisé très aigu (⇒ **Lancette**). *Arc lancéolé.*

Et c'est un bonheur délicieux de rechercher, dans ces exquis monuments, la marque spéciale de chaque art, de discerner tantôt le détail venu d'Égypte, comme l'ogive lancéolée qu'apportèrent les Arabes (...)
MAUPASSANT, la Vie errante, La Sicile.

LANCE-PATATES [lɑ̃spatat] n. m. invar. — Après 1968; de 1. *lancer*, et *patate* «pomme de terre», à cause de la forme des projectiles.

♦ Fam. Lance-grenade projetant des grenades lacrymogènes. *«Sur le campus, ils sont accueillis par des salves de pierres. Pour se dégager, ils utilisent frénétiquement les "lance-patates"»* (*l'Express*, 9 avr. 1973, p. 83).

LANCE-PIERRE, LANCE-PIERRES [lɑ̃spjɛʀ] n. m. invar. — 1894, *in* D. D. L.; le mot a désigné en argot milit. le fusil (1915); de 1. *lancer*, et *pierre*.

♦ Instrument composé d'un support à deux branches, en forme d'U ou de triangle, muni de deux élastiques reliés par une pochette de cuir où l'on place les pierres à lancer. ⇒ **Fronde.** *Enfants qui cassent des vitres, chassent les oiseaux avec des lance-pierre (ou avec des lance-pierres).*

Loc. fam. *Avec un lance-pierres* (avec des verbes comme *manger*) : vite et insuffisamment. — *Payer les gens avec un lance-pierre, ou lance-pierres,* très peu.

LANCEQUINE [lɑ̃skin] n. f. ⇒ **Lansquine.**

LANCEQUINER [lɑ̃skine] v. ⇒ **Lansquiner.**

1. LANCER [lɑ̃se] v. tr. — Conjug. *placer.* — XIVe; *lancier*, 1080, *Chanson de Roland*; bas lat. *lanceare* «manier la lance».

A. ♦ **1.** Envoyer loin de soi et généralement dans une direction déterminée, en imprimant une impulsion assez forte. ⇒ **Jeter, projeter.** *Lancer des pierres (contre, sur, à...). Lancer des cailloux* (cit. 2) *contre une fenêtre, un volet. Lancer un harpon* (cit.) *sur une baleine. Lancer un objet à la tête de qqn. Lancer un livre sur une table* (→ Jouer, cit. 2). *Ils lançaient leur casquette sous un banc* (→ Genre, cit. 45). *Lancer des pétards entre les jambes des passants* (→ Fulminate, cit. 2). *Lance-lui le ballon. Lancer une balle à main nue, avec une chistera, une raquette, une crosse. Il brandissait un bâton et faisait mine de le lancer. Lancer qqch. en l'air* (→ Fatal, cit. 5), *par terre, au loin.*

1 Il dit, et il lança son dard (...) mais il le lança avec tant de fureur, qu'il ne put mesurer son coup (...) le dard ne toucha point Hippias.
FÉNELON, Télémaque, XIII.

2 Un jour (...) je m'exerçais machinalement à lancer des pierres contre les troncs des arbres, et cela avec mon adresse ordinaire, c'est-à-dire sans presque en toucher aucun. ROUSSEAU, les Confessions, VI.

3 (...) déjà dans les chemins les cailloux commençaient à rouler après moi, lancés cependant encore d'un peu trop loin pour pouvoir m'atteindre.
ROUSSEAU, les Confessions, XII.

4 Lancer le disque au loin d'une main assurée (...)
LAMARTINE, Nouvelles méditations, III.

5 Et, le soir, on lançait des flèches aux étoiles.
HUGO, la Légende des siècles, II, La conscience.

6 Demachy, sa musette déjà vide, a ramassé les grenades d'un copain tombé et les lance, avec un grand geste de frondeur. R. DORGELÈS, les Croix de bois, XII.

Spécialt. Sport. *Lancer le disque, le javelot, le marteau, le poids.* ⇒ 2. **Lancer.** — Absolt. *Il a lancé à 80 m.*

Absolt. Envoyer la ligne au loin, dans la pêche au lancer. ⇒ 2. **Lancer.**

6.1 D'un coup de main dans les herbes, je rafle deux ou trois sauterelles que j'introduis dans ma boîte percée de trous et je commence à pêcher. Je *lance* entre les branches de la rive et les touffes de joncs (...)
André HARDELLET, Lourdes, lentes..., p. 28.

Par anal. (Dans le langage poétique ou le style soutenu). *Jupiter, Dieu lance la foudre* (1. Foudre, cit. 8), *le tonnerre* (→ Gronder, cit. 5).

(Sujet n. de chose). *Bourrasque* (cit. 6) *qui lance des paquets d'eau contre les vitres.*

Spécialt. Lancer à l'aide d'un engin balistique ou d'un dispositif. *Lancer des pierres* avec une fronde*, des flèches* avec un arc** (→ Cambrer, cit. 4). — *Lancer une fusée, un projectile*, un satellite radioguidé.* ⇒ **Lancement,** 1. *Portée* du projectile qu'on lance. Lancer des pierres à l'aide d'une catapulte.* ⇒ **Catapulter.** — *Aviateur qui lance des bombes sur une ville.* ⇒ **Bombarder, lâcher, larguer.**

7 Mais son poing était parti comme une balle de plomb lancée par une fronde.
P. MAC ORLAN, la Bandera, XX.

8 — Les gardes d'assaut sont sur la batterie? demanda Salazar. Ils avaient envoyé un courrier au train : ils lanceraient une fusée «quand ils arriveraient aux batteries». MALRAUX, l'Espoir, I, I, II, II.

Loc. fig. *Lancer une bombe*, un pétard**, une nouvelle sensationnelle.

♦ **2.** (V. 1650). Sujet n. de chose. Envoyer hors de soi, faire jaillir, sortir de soi, avec force, avec vivacité. ⇒ **Émettre.** *Volcan qui lance des nuages de cendre* (→ Ébullition, cit. 3). *Cheminée qui lance de la fumée* (→ Incurver, cit. 1). — *Plante qui lance un germe* (cit. 9). ⇒ **Pousser.** — *Les traits de feu que lance le soleil.* ⇒ **Darder.** *Étincelles, rayons que lancent des pierres précieuses* (→ Bluette, cit. 1; brillanter, cit. 1). *Ses yeux lançaient des éclairs.*

(...) les yeux petits et même enfoncés, mais qui lançaient avec force le feu dont mon sang était embrasé. ROUSSEAU, les Confessions, II. 9

(...) la colline du Trocadéro, qui lançait des feux comme une parure de diamants (...) FRANCE, le Lys rouge, II. 10

L'œil de mon père lançait des éclairs nacrés. 11
G. DUHAMEL, Chronique des Pasquier, III, I.

(Sujet n. d'être animé). Émettre (un son, des paroles...) avec une certaine impétuosité, une certaine vigueur. *Grenouilles* (cit. 5), *oiseaux qui lancent leur cri* (cit. 28). *Chanteuse qui lance une fausse* (1. Faux, cit. 37) *note. Lancer un appel.*

Des cloches tout à coup sautent avec furie 12
Et lancent vers le ciel un affreux hurlement (...)
BAUDELAIRE, les Fleurs du mal, Spleen et Idéal, LXXVIII.

(...) leur rire de gaminerie, qu'elles lançaient comme un défi à tout et à tous (...) LOTI, les Désenchantées, V, XXXII. 13

(...) le clairon du poste (...) lança le refrain de la bandera et les notes allègres du défilé. P. MAC ORLAN, la Bandera, X. 14

Lancer une plaisanterie, des grossièretés, une bourde. ⇒ **Lâcher.** *J'en ai horreur, lança-t-elle avec feu.* ⇒ 1. **Dire** (→ Braquer, cit. 5).

La charmante Dugazon (...) s'avança sur la scène vers la loge royale (...) et lança ce mot qui bientôt pouvait lui coûter la vie : «Ah! combien j'aime ma maîtresse!» 15
MICHELET, Hist. de la Révolution franç., V, III.

Spectacles. Vx. *Lancer le couplet, le trait,* l'envoyer avec effet.

♦ **3.** Techn. Envoyer d'un point à un autre. *Lancer un pont (sur une rivière).*

♦ **4.** (V. 1180, d'un oiseau). Faire mouvoir avec rapidité (une partie du corps) dans une direction déterminée. *Lancer la tête en arrière* (⇒ **Rejeter**), *la jambe de côté* (cit. 43), *les bras en avant* (→ Fois, cit. 28). *L'enfant lance ses petits bras vers sa mère.* ⇒ **Tendre.**

Une femme, à quatre pattes, sa chevelure huileuse et frisée répandue sur le visage, lance mille fois de suite en avant et en arrière sa tête qui balaie la poussière de sa crinière échevelée. Jérôme et Jean THARAUD, Rabat, IV. 16

Cottard était tombé. On vit encore l'agent lancer son pied à toute volée dans le tas qui gisait à terre. CAMUS, la Peste, p. 328. 17

♦ **5.** (V. 1270). Envoyer dans la direction de qqn (un regard). *Lancer un clin d'œil complice, une œillade hardie* (→ Garce, cit. 2), *un regard interrogatif* (cit. 1). — (Avec une idée d'hostilité). *Lancer un regard fulgurant* (cit. 2), *furieux, plein de fiel* (cit. 4), *de haine.*

Sammécaud, entre deux œillades langoureuses qu'il lançait à Marie, mais qu'elle était trop ocupée pour remarquer, mit la conversation sur Barrès. 18
J. ROMAINS, les Hommes de bonne volonté, t. III, XIV, p. 186.

♦ **6.** (V. 1220). Vieilli ou régional. Envoyer (un coup). ⇒ **Envoyer, flanquer** (fam.), 1. **foutre** (fam.). *Il lui lança son pied au derrière. Je vais te lancer ma main sur la figure.* ⇒ **Allonger** (fam.), **appliquer** (fam.). — *Lancer un coup, une gifle, une attaque. Lancer un coup** (→ Fracasser, cit. 3) *de pied énergique* (cit. 1). ⇒ **Décocher, détacher, porter.** *Cheval qui se cabre* (cit. 5) *et lance des ruades.*

Soulas, à poing fermé, lança une gifle, que le gamin évita d'un saut. 19
ZOLA, la Terre, IV, I.

Si l'auto de Mrs Lytton pouvait comprendre mes pensées, elle lancerait de belles ruades pour jeter l'ingrat dans le ruisseau. 20
G. DUHAMEL, Scènes de la vie future, VI.

♦ **7.** Envoyer sans ménagement à l'adresse de qqn (des paroles, des écrits). *Lancer des épigrammes* (cit. 8), *des brocards** (vx), *des traits contre qqn* (⇒ **Attaquer**). *Lancer des accusations, un défi. Lancer des blasphèmes*, des injures, des insultes.* ⇒ **Dégorger, éructer, lâcher, vomir.** *Lancer un pamphlet comme un brûlot* (cit. 2, Jaurès). *Lancer un mandat d'amener contre un inculpé. Lancer un ultimatum.* — Au p. p. *Anathème, décret* (⇒ **Décréter**), *interdit, monitoire lancé par l'Église.* ⇒ **Fulminer.**

À partir de ce jour, Boileau ne cessa dans ses écrits, de lancer des épigrammes contre Perrault et contre son illustre frère (...) 21
SAINTE-BEUVE, Causeries du lundi, 29 déc. 1851.

Il se sent un peu la responsabilité d'un pape sur le point de lancer une bulle d'excommunication (...) 22
J. ROMAINS, les Hommes de bonne volonté, t. III, III, p. 49.

B. ♦ **1.** (Mil. XVIe). Pousser en avant, faire partir impétueusement dans une direction déterminée. *Lancer des chevaux à fond de train* (→ Halter, cit.), *à toute volée* (→ Fantasia, cit. 1). *Lancer un limier sur une piste* (→ par métaphore Instinct, cit. 21). *Lancer des soldats à l'attaque, contre une barricade* (→ 1. Général, cit. 19).

(...) deux grands chevaux (....) qu'un cocher (...) tient et lance d'un quadruple cordon de soie orangée. Valery LARBAUD, Barnabouth, Journal, 20 août. 23

De la rue du Faubourg-Poissonnière, une ombre a jailli, un homme lancé au pas de course. G. DUHAMEL, Salavin, III, XVI. 24

Spécialt. Vén. *Lancer un cerf* (→ Hallali, cit. 3), le débusquer de son gîte ou de sa cachette. *Lancer le gibier* (→ Discerner, cit. 1).

Le lièvre était gîté dessous un maître chou. 25
On le quête, on le lance, il s'enfuit par un trou. LA FONTAINE, Fables, IV, 4.

♦ **2.** Déclencher, faire se mouvoir. **a** Concret. (1765). Mettre en mouvement, donner de l'élan à. *Lancer une locomotive* (→ Brancher, cit. 3).

(1530). Spécialt. Mar. *Lancer un navire,* procéder à son lancement. ⇒ **Mettre** (à l'eau, à la mer); **lancement.**

Techn. *Lancer un moteur,* le mettre en marche et lui faire donner ensuite son rendement optimum. *Kick* servant à lancer le moteur d'une moto.*

Par métaphore. *Lancer un adolescent dans le commerce.* ⇒ **Diriger.** *Lancer qqn dans le monde.* Absolt. *Lancer une femme,* la faire sortir de l'anonymat, la faire connaître dans le monde (vieilli). → ci-dessous, 4., a. — *Lancer les recherches, les investigations dans une direction, sur une piste.*

26 Il engageait les mères à lancer leurs enfants dans les professions indépendantes et industrielles (...) BALZAC, le Bal de Sceaux, Pl., t. I, p. 80.

27 *(Il)* aurait voulu vendre tout et lancer son fils dans quelque profession libérale. ZOLA, la Terre, II, I.

28 Il fallait à tout prix lancer les recherches sur cette nouvelle voie. MARTIN DU GARD, les Thibault, t. III, p. 172.

b Fig. ⇒ **Déclencher.** *Lancer une offensive, une attaque, une campagne publicitaire. Lancer une opération, un programme. Lancer un emprunt.* — REM. Cette acception glisse souvent au sens 4, b.

Au participe passé :

29 5 h 5, lut le général doucement, 10e brigade. Attaque lancée — tir de barrage ennemi peu efficace — violent feu de mitrailleuses. A. MAUROIS, les Silences du colonel Bramble, XV.

♦ **3.** Fam. Engager (qqn) dans un sujet de conversation. *On a eu tort de le lancer là-dessus.* — Passif et p. p. *Le voilà lancé, il ne s'arrêtera plus. Quel bavard! quand il est lancé, plus moyen de lui fermer le bec.* — Spécialt. *Elle avait bu trois coupes de champagne, elle était joliment lancée.* ⇒ **Partir** (être parti).

♦ **4. a** (1820). Faire connaître (qqn) en le mettant en valeur, en crédit. ⇒ **Pousser.** *Lancer qqn dans le monde,* et, ellipt., *lancer un artiste, un homme politique. Producteur qui lance une actrice à grand renfort de publicité.* — Au p. p. *Un chanteur très lancé,* qui a conquis la notoriété, qui est très en vogue. *Critique très lancé dans les milieux artistiques.*

30 J'étais très lancé autrefois. Je dînais chez le maréchal, chez le prince, chez les ministres (...) tous ces gens-là voulaient m'avoir parce que je les amusais ou qu'ils avaient peur de moi. Alphonse DAUDET, Lettres de mon moulin, «Portefeuille de Bixiou».

30.1 (...) je l'avais trouvée intéressante et je lui avais fait offrir un cachet pour venir jouer chez moi devant tout ce que nous faisons de mieux comme gratin. Je peux dire, d'un mot un peu bête et prétentieux, car au fond le talent n'a besoin de personne, que je l'ai lancée. PROUST, le Temps retrouvé.

REM. Les emplois absolus de 2., a, ci-dessus *(lancer qqn dans le monde)* ne seraient plus compris, à cause de cette acception *(lancer une femme).*

b (1877, *in* D. D. L.). Employer tous les moyens publicitaires propres à mettre en train (une affaire), à mettre en circulation et à faire connaître (un produit). ⇒ **Promouvoir; lancement,** cit. 2. *Lancer une marque de liqueur, un nouveau modèle d'autobus* (cit. 1). *Lancer un slogan. Lancer une pièce de théâtre* (→ Fortune, cit. 48). *Lancer une mode, la mode,* en être le promoteur, la faire adopter par le public. ⇒ **Répandre.**

31 (...) en 1806, Oberkampf allait achever de *lancer* ses indiennes imprimées et Ternaux ses cachemires, et cent autres industriels vingt nouveaux produits. Louis MADELIN, Hist. du Consulat et de l'Empire, Vers Empire d'Occident, VII.

32 Toutes choses égales, il me semble plus facile de lancer un nouveau grand magasin. J. ROMAINS, les Hommes de bonne volonté, t. III, XVI, p. 220.

c Adresser à un public plus ou moins vaste (une déclaration). *Lancer un message, un appel, un S. O. S. Lancer une proclamation.*

33 (...) ces moines (...) que le pape fait consulter avant de lancer une encyclique. J. ROMAINS, les Hommes de bonne volonté, t. IV, X, p. 112.

C. V. intr. Régional (Belgique, Nord) ou fam. (par infl. probable de *lancinant,* de *élancer*). Élancer, en parlant de douleurs, d'un mal. *Une migraine qui lance. Un abcès qui lance.* — Fam. *Ça me lance.* ⇒ **Élancer.**

▶ **SE LANCER** v. pron. (V. 1240).

♦ **1.** (Passif). Être lancé. *Un volant se lance avec une raquette. — La mode se lance à Paris.*

♦ **2.** (Récipr.). Lancer l'un à l'autre. *Fillettes* (cit. 1) *qui se lancent des boules de neige. Marins qui se lancent des amarres* (cit. 2).

♦ **3.** (V. 1175). (Réfl.). ⇒ **Élancer** (s'), **jeter** (se), **précipiter** (se). *Se lancer d'une grande hauteur. Se lancer sur une proie.* ⇒ **Fondre.** *Il s'est lancé contre son adversaire. Se lancer les uns contre les autres* (→ Entre-dévorer, cit. 3). *Le taureau se lance dans l'arène.* ⇒ **Entrer.**

34 Dans la profonde mer Œnone s'est lancée. RACINE, Phèdre, V, 5.

35 Des rues en contrebas, la foule se lança à l'assaut à travers les escaliers. MALRAUX, l'Espoir, I, I, I, III.

Spécialt. Prendre son élan. *Recule-toi, que je puisse me lancer.*

— Autom. Prendre une vive allure. *La route est trop encombrée, impossible de se lancer.*

(1790, Saint-Martin). Entrer, s'aventurer, s'engager résolument, hardiment et parfois témérairement (dans...), se livrer impétueusement à... ⇒ **Élancer** (s'), **embarquer** (s'), **engager** (s'), **entrer.** *Se lancer tête baissée, à corps perdu dans l'inconnu* (→ Improvisateur, cit. 5), *dans l'aléatoire* (cit. 2). *Se lancer dans de folles dépenses, dans des spéculations hasardeuses. — Se lancer dans de longues explications* (cit. 4). ⇒ **Commencer** (entamer, etc.). *Le voilà lancé dans une interminable digression.* ⇒ **Partir.** — Absolt. et fam. Hasarder une tentative. *Tant pis, je me lance!*

Cinq jours après, réunion à Auteuil, des mêmes, moins Copeau. Après maintes 36
réticences je me lance dans la lecture de *la Porte Étroite.* GIDE, Journal, 19 nov. 1907.

— «Le connaissez-vous bien, mon frère?» demanda-t-il enfin, tout prêt à se lan- 37
cer, avec conviction, dans un panégyrique d'Antoine. MARTIN DU GARD, les Thibault, t. VI, p. 274.

Quand on me reconduisait à la porte, après que j'avais donné à la famille les con- 38
seils et remis mon ordonnance, je me lançais dans des tas de commentaires rien que pour éluder l'instant du paiement (...) CÉLINE, Voyage au bout de la nuit, p. 242.

Allons, il ne ferait jamais rien de bon dans la politique. Mieux valait se lancer 39
dans la galanterie. ARAGON, les Beaux Quartiers, II, XIV.

Spécialt. *Se lancer dans le monde,* et, absolt, *se lancer :* chercher à se faire connaître, à devenir quelqu'un d'important. *Un débrouillard qui a su se lancer.* — Par plais. *Tu t'es offert un smoking? Eh bien, mon vieux, tu te lances!*

Une fois donc qu'il eût remis un pied dans le monde, il pensa qu'il n'avait rien de 40
mieux à faire que de s'y lancer tout à fait, en se fiant à son talent. SAINTE-BEUVE, Causeries du lundi, 22 sept. 1851.

▶ **LANCÉ, ÉE** p. p. adj.

♦ **1.** *Pierres lancées au loin. Engin lancé d'une base militaire.* — Fig. *Appel, cri, coup d'œil lancé. Coups lancés énergiquement.*

Techn. *Point lancé,* effectué en passant au-dessus de plusieurs fils.

Sports. *Kilomètre* lancé.*

♦ **2.** *Arrêter* (cit. 7) *un cheval lancé, lancé à fond de train. — Moteur lancé. — États lancés dans la course aux armements* (→ Force, cit. 46). *Une fois lancé, il ne s'arrêtera plus. — Attaque lancée* (→ ci-dessus, cit. 39). — Sports. *Départ lancé et départ arrêté.*

♦ **3.** *Chanteur, critique lancé.* ⇒ **Connu** (→ ci-dessus, cit. 30 et *supra*).

DÉR. Lançage, lancé, lancement, lanceur, lançoir.

COMP. Lance-bombes, lance-engins, lance-flammes, lance-fusées, lance-grenades, lance-mines, lance-missiles, lance-pierre, lancer franc, lance-roquettes, lance-satellites, lance-torpilles.

HOM. V. **Lancé, lancée, 2. lancer.**

2. LANCER [lɑ̃se] n. m. — 1735, au sens 4; inf. de 1. *lancer* substantivé.

♦ **1.** Action de lancer. ⇒ **Lancement.** *Un lancer de grenades. Un lancer de ballons, de pigeons voyageurs.* ⇒ **2. Lâcher.**

♦ **2.** Sports. Épreuves d'athlétisme consistant à lancer le plus loin possible un engin particulier (poids, disque, javelot, marteau). ⇒ **Armé, arraché, rotation.** *Endroit d'où s'effectue le lancer.* ⇒ **Cage, cercle, plateau.** *Lancer du disque* (⇒ **Butoir, discobole**). *Lancer en spirale, en vague. Cage d'où s'effectue le lancer du marteau. Lancer du poids. Course, saut et lancer. Lancer en ligne, en front, avec ou sans élan. Concourir dans les épreuves de lancer. Au troisième lancer, il battit son propre record.*

(...) je maintiens que l'athlétisme féminin — course, sauts, lancers — peut donner 1
des joies de haute qualité, aussi bien sportives qu'esthétiques. MONTHERLANT, les Olympiques, p. 85.

♦ **3.** (1902). *Pêche au lancer,* et, ellipt., *le lancer :* pêche à la ligne, en eau douce ou salée, qui consiste à lancer au loin un leurre plus ou moins lesté, qu'on ramène à soi au moyen d'un moulinet* dont le fonctionnement assure le mouvement attractif de l'appât. *Lancer lourd, mi-lourd. Lancer léger. Canne à lancer en bambou, en duralumin. Prendre un brochet, une truite au lancer. Un fervent du lancer.* — Par ext. *Acheter un lancer,* la canne et le moulinet.

♦ **4.** (1735). Vén. Lieu et moment de la chasse (cit. 3) où le gibier, la bête est débusqué par les chiens. — Par ext. Sonnerie de trompe annonçant que la bête est sur pied. — REM. En ce sens, on écrit aussi *lancé.*

(...) il porte le cor à ses lèvres, de tout son souffle sonne le lancer. Sa fan- 2
fare emplit le hallier. M. GENEVOIX, Forêt voisine, IX.

DÉR. Lancée.

COMP. Lancer franc.

HOM. Lancé, lancée, 1. lancer.

LANCER FRANC [lɑ̃sefʀɑ̃] n. m. — 1937, *in* D. D. L.; de 1. *lancer,* et 2. *franc.*

♦ Sports. (Rare). Penalty, au football. — Au basket, au handball, lancer libre, joué à la main.

LANCERON [lɑ̃sʀɔ̃] n. m. — 1412; de *lance.*

♦ Jeune brochet, au corps effilé. ⇒ **Lançon.**

LANCE-ROQUETTES [lɑ̃sʀɔkɛt] n. m. invar. — 1953; de 1. *lancer,* et *roquette.*

♦ Engin portatif d'infanterie, sorte de long tube servant à lancer les roquettes. ⇒ **Bazooka, lance-fusées.**

LANCE-SATELLITES [lɑ̃ssatelit] n. m. — 1966, *in* P. Gilbert; de 1. *lancer,* et *satellite.*

♦ Lanceur de satellites artificiels. — On écrit aussi au sing. *lance-satellite : « Le programme européen pour la mise au point d'un lance-satellite lourd... »* (Revue *Ingénieurs et Techniciens* nº 200, p. 45).

LANCE-TORPILLES [lɑ̃stɔʀpij] n. m. invar. — 1885, *Année sc. et industr.* 1886, p. 149; de 1. *lancer,* et *torpille.*

♦ Dispositif aménagé à bord d'un sous-marin ou d'un navire de guerre pour le lancement des torpilles. *Lance-torpilles aérien, sous-marin.* — (1885). En appos. *Tube lance-torpilles.*

LANCETTE [lɑ̃sɛt] n. f. — V. 1200, «petite lance»; 1256, sens mod.; dimin. de *lance.*

♦ **1.** Chir. Petit instrument à lame plate, acérée et tranchante, utilisé pour la saignée, la vaccination, les petites incisions. *Châsse mobile d'une lancette. Lancette pour saignée.* ⇒ **Phlébotome.** *Lancette à vacciner.* ⇒ **Vaccinostyle.**

1 (...) c'est une fluxion (...) Vite une lancette pour percer cela.
MOLIÈRE, Dom Juan, IV, 7.

2 Quoiqu'il eût envoyé chercher une grande quantité de sangsues par le piqueur, il *(le médecin)* jugea qu'une saignée était urgente et n'avait point de lancette sur lui.
BALZAC, le Lys dans la vallée, Pl., t. VIII, p. 928.

Loc. fig. (Vx). *Coup de lancette :* méchanceté. ⇒ **Pique.**

♦ **2.** (1829). Surtout dans : *à lancette.* « Arc en tiers-point surhaussé, ressemblant à une pointe de lance » (Réau). *Ogive à lancette. Gothique à lancettes.* ⇒ **Lancéolé.**

LANCEUR, EUSE [lɑ̃sœʀ, øz] n. — XIVe; *lanceor,* déb. XIIIe, «celui qui jette une lance»; de 1. *lancer,* et *-eur.*

A. ♦ **1.** Personne qui lance (A.) quelque chose.

1 Une masse brillante siffla à mon oreille gauche, frappa violemment le fond, tomba à mes pieds (...) C'était une arme que je n'ai jamais revue : un morceau de bois de quarante centimètres, dans lequel était planté perpendiculairement un énorme clou. Il en arriva quelques autres. En approchant, il eût été facile aux lanceurs de m'atteindre à coup sûr. MALRAUX, Antimémoires, Folio, p. 176.

Sports. Athlète spécialisé dans les lancés. *Un lanceur de javelot. L'armé*, le lancé... mouvements du bras du lanceur.* — (Cricket, base-ball). Celui qui envoie (à la main) la balle que l'équipe ou le batteur adverse essaiera d'intercepter. ⇒ **Batteur** (5.).

2 Le lanceur adverse *(au base-ball),* placé au centre du losange, lance la balle au batteur qui doit la renvoyer dans certaines limites pour avoir le droit de commencer à marquer une course (...)
J. DAUVEN, Technique du sport, Que sais-je?, nº 63, p. 115.

♦ **2.** (1877). Techn. Appareil qui lance un liquide, un gaz.

♦ **3.** (Mil. XXe). Astronaut. *Lanceur de satellites,* et, ellipt., *lanceur :* tout engin (fusée) utilisé pour le lancement des satellites artificiels. — Syn. : *lance-satellites.*

3 Concevoir et construire les plates-formes ne suffit pas : il faut encore lancer *(les satellites)... (Il faut)* éviter que ne se développe sur un point crucial, les lanceurs, une dépendance qu'on essaie de limiter par ailleurs.
Simon NORA et Alain MINC, l'Informatisation de la société, p. 69.

B. (1865). Personne qui lance (B., 4.), est habile à lancer (une affaire, une mode). *« C'est un habile lanceur d'affaires »* (Académie). *Une lanceuse de mode* (absolt et vx, *une lanceuse*). *Un lanceur d'innovations*. Un impresario*, grand lanceur de nouvelles vedettes. « Latouche, le premier éditeur de Chénier, le lanceur de Balzac et George Sand »* (Henriot, *les Romantiques,* p. 78).

LANCHE [lɑ̃ʃ] n. f. — 1678, Colbert; probablt esp. *lancha* (1587), du port. *lancha* (v. 1540), abrév. de *lanchara,* du malais *lančar-an,* adj., dans *pērahu lančar-an* «embarcation légère»; l'angl. *launch* et l'ital. *lancia* (1642) venant aussi de l'espagnol.

♦ Mar. anc. Petit navire à deux mâts, à voiles carrées et grand mât incliné en arrière (en Espagne et en Amérique latine, au XVIIe siècle). — Bateau de pêche espagnol, au XIXe siècle (Littré).

LANCIER [lɑ̃sje] n. m. — V. 1215, «celui qui porte une lance»; bas lat. *lancearius,* de *lancea.* → Lance.

♦ **1.** Anciennt. Soldat, et, spécialt, cavalier armé de la lance* (→ Épique, cit. 5). *Les lanciers du premier, du second Empire. Régiment de lanciers.* Ellipt. *Le 27e (de) lanciers. Coiffure des lanciers.* ⇒ **Chapska.** *Lancier allemand.* ⇒ **Uhlan.** *Les lanciers du Bengale.*

(...) Lucien était sous-lieutenant au 27e régiment de lanciers, lequel a des passe-poils amarante (...) 1
Dois-je regretter le 9e, où il y avait aussi une place vacante? se disait Lucien (...) Le 9e a des passe-poils jaune jonquille (...) cela est plus gai (...)
STENDHAL, Lucien Leuwen, II (→ Hussard, cit. 2).

Des lanciers à turbans et à écharpes flottantes galopent dans un claquement d'étoffe. J. GIONO, le Grand Troupeau, *in* Œ. roman., Pl., t. I, p. 716. 2

♦ **2.** (V. 1855). *Quadrille* des lanciers,* et, ellipt., *les lanciers :* ancienne danse, d'origine irlandaise, composée de cinq figures *(lancers),* introduite en France en 1856. *Danser les lanciers. L'air des lanciers.*

LANCIFORME [lɑ̃sifɔʀm] adj. — 1845; de *lance,* et *-forme.*

♦ Didact. et rare. Qui est en forme de lance*.

LANCINANT, ANTE [lɑ̃sinɑ̃, ɑ̃t] adj. — 1546, Rabelais; lat. *lancinans,* p. prés. de *lancinare* «déchirer». → Lanciner.

♦ **1.** Qui se fait sentir par des élancements aigus. *Douleur** (cit. 5) *lancinante. « Mon vieil ami, qui souffre de rhumatismes lancinants »* (Colette, *la Vagabonde, in* T. L. F.). — REM. Ce sens figure seul dans Littré et Académie (1935).

♦ **2.** (1835, Balzac). Fig. Qui obsède, tourmente ou importune. ⇒ **Obsédant.** *Une pensée lancinante accapare son esprit* (→ Abandonner, cit. 11). *Soucis, souvenirs, regrets lancinants* (→ Apaiser, cit. 14; assaillir, cit. 11). *Désirs lancinants. — Cette musique lancinante m'est insupportable.* — (Personnes). *Cet enfant est lancinant, fais-le taire. Tu es lancinante avec tes questions.* ⇒ **Ennuyeux.**

(...) c'était l'effet de la lancinante curiosité qui avait saisi toute la ville. 1
BALZAC, la Vieille fille, Pl., t. VI, p. 299.

Les doux paysages, la tiède atmosphère, le beau ciel (...) qui (...) avaient calmé les lancinantes fantaisies de ce malade, étaient impuissants aujourd'hui. 2
BALZAC, le Lys dans la vallée, Pl., t. VIII, p. 918.

Un insecte lime à son établi. Tout n'est que douceur lancinante. 3
Léon-Paul FARGUE, Poèmes, p. 112.

Il lui venait de sa jeunesse douce, confiante et heureuse, des regrets lancinants et des remords qui la rendaient âpre et mauvaise (...) 4
Edmond JALOUX, le Jeune Homme au masque, VIII.

DÉR. Lancinement, lancination.

LANCINATION [lɑ̃sinasjɔ̃] n. f. — 1771, Trévoux; de *lanciner,* et *-ation.*

♦ Douleur qui se manifeste par des élancements aigus. — Fig. Tourment obsédant.

Je me rappelle des sensations tourbillonnantes, quelque chose de brûlant, de frénétique, d'intolérable, une terrassante névralgie de tout mon être intime, une lancination continue, et, — grandissant, grandissant toujours, le rêve d'en finir, un projet de suicide (...) Paul BOURGET, le Disciple, IV, VI.

REM. On rencontre aussi *lancinement* [lɑ̃sinmɑ̃] n. m. (1842, Académie, *Compl.*).

LANCINER [lɑ̃sine] v. — 1616; lat. *lancinare* «déchiqueter, mettre en pièces», p.-ê. (Wartburg) avec infl. de *lancer* «élancer».

Rare, littéraire.

♦ **1.** V. intr. Être lancinant, donner des élancements douloureux. — Fig. Faire souffrir, obséder d'une manière lancinante.

♦ **2.** V. tr. (1904). Tourmenter de façon lancinante. *Ce souci me lancine.*

Une autre pensée le lancinait depuis le matin : l'arrivée de Daniel.
MARTIN DU GARD, les Thibault, t. V, p. 285.

DÉR. Lancinement.

LANCIS [lɑ̃si] n. m. — 1765, *Encyclopédie,* au sens mod.; 1694, «pierre posée en profondeur»; de l'anc. franç. *lanceïz,* XIIe, «action de lancer, de se lancer à l'assaut», spécialisé dès le XIIIe dans des emplois techniques : *caïnes lenceïces* «chaînes mobiles (d'un pont-levis)»; cf. Volant et au XIVe, en Flandres, en architecture; dér. de 1. *lancer,* et *-is.*

♦ Archéol. et archit. Opération par laquelle on substitue aux pierres détériorées d'un parement des pierres neuves que l'on enfonce dans les parties évidées.

LANÇOIR [lɑ̃swaʀ] n. m. — 1311, *in* D. D. L.; de 1. *lancer*, et *-oir.* Technique.

♦ **1.** Morceau de bois arrêtant l'eau du bief d'un moulin.

♦ **2.** Couloir en pente dans une exploitation forestière de montagne où l'on fait glisser les arbres abattus.

LANÇON [lɑ̃sɔ̃] n. m. — 1672; de *lance.*

♦ **1.** Poisson au corps effilé *(Ammodytidés),* appelé aussi anguille de sable. — *Pêche au lançon,* en se servant de lançons (morts ou vivants) comme appât. — Syn. : *équille*.*

♦ **2.** Régional. Jeune brochet. ⇒ **Brocheton.**

HOM. Formes du v. 1. **lancer.**

LAND [lɑ̃d], plur. **LÄNDER** [lɛndɛʀ] n. m. — Attesté XXe dans l'usage courant en franç.; mot all. «terre», spécialt «territoire; État fédéré».

♦ État fédéré de l'Allemagne fédérale (généralt écrit avec un L majuscule). *Le land de Bavière. « Le caractère fédéral, qui distribue largement les pouvoirs entre la Fédération et les Länder »* (*l'Express,* 17 mars 1979, p. 90). — Plur. francisé : *des lands.*

Nous aurions simplement gardé une certaine autonomie, un peu à la manière des lands de l'Allemagne de l'Ouest. Paul RIBEAUD, le Paria, p. 136.

HOM. Lande.

LANDAGE [lɑ̃daʒ] n. m. — Av. 1867, Littré; de *lande,* et *-age.* Régional (Ouest : Normandie).

♦ **1.** Ajonc (plante de la lande).

♦ **2.** Lieu où poussent les ajoncs.

Elle mit assez de temps à disparaître dans ces landages où nul arbre ne borne l'essor du regard. BARBEY D'AUREVILLY, Une vieille maîtresse, t. II, p. 101.

LANDAIS, AISE [lɑ̃dɛ, ɛz] adj. — 1851, Michelet; de *Landes,* nom géogr., et *-ais.*

♦ Des Landes (région correspondant à peu près aux départements français de la Gironde et des Landes). *La forêt landaise. Berger* landais. Chevaux, moutons landais.*

Loc. *Courses landaises :* sorte de corrida pratiquée dans cette région avec des *vaches landaises,* sans mise à mort.

N. Personne originaire des Landes ou habitant cette région.

LANDAMMAN [lɑ̃damɑ̃] n. m. — 1813; empr. du Suisse alémanique *Landammann,* de *Land* «pays» et *Amann* «bailli».

♦ Régional (Suisse). Magistrat, chef du pouvoir exécutif dans certains cantons suisses. *Le landamman du canton d'Uri, d'Appenzel, Saint-Gall.*

C'est une magnifique table du seizième siècle (...) autour de laquelle méditaient ces avoyers et ces landammans redoutés des empereurs (...)
HUGO, le Rhin, p. 378, *in* T. L. F.

LAND ART [lɑ̃daʀt] n. m. — V. 1970; amér. *land art,* 1967, «art de la Terre, art terrestre».

♦ Américanisme. Arts. Forme d'art consistant en interventions sur la nature (non utilitaires et à finalité esthétique). *« Les tenants du land-art (qui consiste à inscrire de faux indices sur le terrain)... »* (P. Ajame, *le Nouvel Obs.,* 19 juin 1978, p. 75).

LANDAU [lɑ̃do] n. m. — 1814; *landaw,* en 1829; de *Landau,* nom de la ville allemande où cette voiture fut d'abord fabriquée.

♦ **1.** Anciennt. Voiture à quatre roues et à capote formée de deux soufflets qui se replient à volonté (→ Fouetter, cit. 3). *Des landaus.*

1 Mardoche, habit marron, en landau de louage,
Par devant Tortoni passait en grand tapage.
A. DE MUSSET, Premières poésies, « Mardoche », XX.

2 Sur une moitié du siège des landaus s'élevait le cocher. L'autre, momentanément privée du valet de pied, restait vide comme un socle qui attend sa statue.
PROUST, Jean Santeuil, Pl., p. 660.

♦ **2.** Mod. Voiture d'enfant à grandes roues, à caisse suspendue.

3 (...) marcher, marcher, tantôt le long des murs, tantôt au bord du trottoir, éviter les landaux, contourner les groupes (...) J.-M. G. LE CLÉZIO, le Déluge, p. 76.

DÉR. Landaulet.

LANDAULET [lɑ̃dolɛ] n. m. — 1836; dimin. de *landau.*

♦ **1.** Anciennt. Petit landau à capote d'une seule pièce.

♦ **2.** Vx. Petit coupé (voiture automobile) semi-décapotable.

Il possédait, quant à lui, un landaulet 9 H-P de Dion, monocylindre, dont les départs à froid étaient malheureusement un peu difficiles.
J. ROMAINS, les Hommes de bonne volonté, t. III, XI, p. 152.

LANDE [lɑ̃d] n. f. — V. 1120; gaul. *landa,* restitué par les langues celtiques et qui a passé dans les langues germaniques et romanes (lat. médiéval, anc. gascon, etc.) au sens général de «terre». Cf. breton *lann.*

♦ Étendue de terre où ne croissent que certaines plantes sauvages (ajonc, bruyère, fougère, genêt...). *Les landes des régions granitiques* (Bretagne, plateau Central, Ardennes), *des terrains tertiaires* (Sologne, Gascogne). *Landes broussailleuses du Midi de la France* (⇒ **Garrigue**), *de Corse* (⇒ **Maquis**). *Lande à bruyères* (⇒ **Brande**). *Lande où l'on mène paître les bestiaux.* ⇒ **Pâtis.** *Se promener sur la lande. La lande est stérile** (à la différence de la *friche**) *à moins d'un amendement du sol ou d'une plantation en bois* (pins, etc.). *Lande bretonne* (→ Gaélique, cit.; infrangible, cit. 1). *Landes de Gascogne, plantées en pins* (→ Arc, cit. 10; fruste, cit. 5; hérisser, cit. 9).

Puis voici une lande, une lande de lave couverte de genêts fleuris, une lande 1
d'or (...) MAUPASSANT, la Vie errante, La Sicile.

Et tout alentour la lande sauvage, aux bruyères roses, aux ajoncs couleur d'or, 2
exhalant une senteur douce de genêts fleuris. LOTI, Mon frère Yves, II.

Elle se trouva alors dans une lande à peu près rase, hérissée par endroits de touf- 3
fes d'ajoncs d'un vert sombre. Des flaques d'eau brillaient, glauques, sur le sable. Des mousses y baignaient, énormes éponges rousses, sur lesquelles rampaient des limaces rouges. Pierre BENOIT, Mlle de la Ferté, p. 35.

Spécialt. *Les Landes* (Sud-Ouest de la France). *Le département des Landes. Pins des Landes.* ⇒ **Landais.**

DÉR. Landage (cf. Landais).

LANDERIRA [lɑ̃dəʀiʀa], **LANDERIRETTE** [lɑ̃dəʀiʀɛt] interj. — 1867, *landerira, in* Littré; *landerirette,* 1648, Scarron; de *la-* onomat., et syllabes destinées à rythmer le chant.

♦ Mots employés dans les refrains de chansons. ⇒ **Tralala, tradéridéra,** etc.

Il ripaille à huis clos, en public il sermonne,
Chante landerirette après alleluia (...) HUGO, les Châtiments, IV, VII.

LANDGRAVE [lɑ̃dgʀav] n. m. — XVIe; *landegrave,* v. 1265; *andegraive,* déb. XIIIe; *landegrave* au XIIIe; moy. haut all. *Landgrave,* de *Graf* «comte», et *Land* «pays».

♦ Hist. Titre, dignité de certains princes souverains, en Allemagne. *Le landgrave de Hesse* (→ Assurer, cit. 51).

Au fém. *Landgrave* (1649) ou *landgravine* (1873). Femme d'un landgrave. *« La landgrave douairière de Hesse-Hambourg »* (Chateaubriand).

DÉR. Landgraviat.

LANDGRAVIAT [lɑ̃dgʀavja] n. m. — 1575; de *landgrave.*

♦ Hist. Dignité du landgrave. État gouverné par un landgrave.

LANDIER [lɑ̃dje] n. m. — V. 1150; de l'anc. franç. *andier,* fin XIIe, par agglutination de l'article; d'un gaulois **andéros* «taureau, taurillon», d'après les têtes d'animaux ornant les anciens landiers.

♦ Grand chenet* de cuisine, muni de crochets latéraux pour les broches (⇒ **Hâtier**) et d'un récipient au sommet. *Landiers de fer* (→ Flamboyer, cit. 3). *Landiers devant le foyer, dans une cheminée.*

(...) faire cuire cela ici, sans broche et sans landiers, ça deviendra du charbon!
G. SAND, la Mare au diable, VIII.

COMP. Alandier.

LANDLORD [lɑ̃dlɔʀ] n. m. — 1835; mot angl., de *land* «terre», et *lord* «seigneur».

♦ Hist. En Angleterre, Grand propriétaire terrien.

LANDOLPHIE [lɑ̃dɔlfi] ou **LANDOLPHIA** [lɑ̃dɔlfja] n. f. — 1804; du nom de *Landolphe,* navigateur français.

♦ Bot. Liane de la famille des Apocyanées, dont plusieurs espèces donnent un latex riche en caoutchouc.

LANDSTURM [lɑ̃dʃtuʀm] n. m. — 1813; mot all., «levée en masse», proprt «tempête *(Sturm)* sur le pays».

♦ Dans les pays germaniques, Formation militaire comprenant généralement des réservistes âgés.

Le Cabinet prussien avait imaginé de mettre en mouvement, sous un nom qui caractérisait déjà la nature des soldats qu'il prétendait armer, ***landsturm,*** la masse

entière des habitants de la campagne. Les ordres donnés à cette armée révolutionnaire, ont à-la-fois le cachet de l'inexpérience, de la déraison et de la barbarie.
Mercure de France, mai 1813, p. 428, *in* D. D. L., II.

Dans l'armée suisse, Classe des hommes âgés de 42 à 50 ans (⇒ aussi **Élite, landwehr**).

LANDTAG [lãdtag] n. m. — 1668; mot all., de *Land* «territoire», et *tag* «jour».

♦ Hist. Assemblée délibérante, dans la plupart des États germaniques. ⇒ 2. **Diète.**

LANDWEHR [lãdvɛʀ] n. f. — 1809; mot all., de *Land* «territoire», et *Wehr* «défense, force».

♦ Dans les pays germaniques, Armée territoriale.

Spécialt. (Suisse). Dans l'armée, Classe des hommes âgés de 32 à 42 ans (⇒ aussi **Élite, landsturm**).

LANERET [lanʀɛ] n. m. — 1373; dimin. de *lanier.*

♦ Chasse. Mâle du lanier* (oiseau de proie). ⇒ **Faucon.**

LANGAGE [lɑ̃gaʒ] n. m. — V. 1160; *lengatge,* v. 980; de *langue.*

★ **I. A.** ♦ **1.** Fonction d'expression de la pensée et de communication entre les hommes, mise en œuvre au moyen d'un système de signes vocaux (parole) et éventuellement de signes graphiques (écriture) constituant une langue. ⇒ **Verbe; langue,** II., **parole,** II. *Les universaux* du langage. La double articulation** (I., 3.), *les structures* du langage. Pathologie du langage. Langage intérieur,* production de phrases pensées mais non exprimées. ⇒ **Endophasie.** *Langage extérieur,* mis en œuvre par les organes de la phonation (⇒ **Discours, parole**) ou noté par des signes matériels (⇒ **Alphabet, écriture**). *Exprimer qqch. par le langage.* ⇒ **Dire, exprimer** (cit. 6); **parler; écrire.** *Expression* (cit. 20) *par le langage.* ⇒ **Forme** (II., 3.). *Le langage est formé de sons articulés* (cit. 11) *ou de leur transcription. Éléments du langage.* ⇒ **Phonème, son; morphème, mot, syntagme, phrase.** *Problème de l'origine du lange; hypothèses sur l'apparition du langage dans l'espèce humaine. Création, fixation du langage par l'homme* (→ Fabriquer, cit. 17; interjection, cit. 2). «*Le premier langage de l'homme... est le cri* (cit. 21) *de la nature*» (Rousseau). — *Le langage et la pensée* (→ Idiome, cit. 4), *et l'idée* (cit. 14). *Le langage et le moi, et les sentiments* (→ Impersonnel, cit. 3). *Le langage est convention* (cit. 7). ⇒ **Signe.** *Le langage est ellipse* (cit. 3, Sartre). *Le langage, instrument de communication, intermédiaire entre les hommes* (cit. 8). *Troubles de la communication par le langage, troubles du langage.* ⇒ **Aphasie.** *La schizographie, trouble de l'usage écrit du langage.* — *Étude du langage, des faits de langage.* ⇒ **Grammaire** (cit. 9), **grammairien; linguiste, linguistique** (phonétique, sémantique, lexicologie, syntaxe, etc.). — *Philosophie du langage :* étude philosophique du langage humain naturel, au niveau le plus général (⇒ aussi **Sémiotique**). *Platon, Aristote, les Stoïciens, saint Augustin, Abélard, Locke, Condillac, Wittgenstein, philosophes du langage.*

1 La poésie est un art du langage. Le langage, cependant, est une création de la pratique. Remarquons d'abord que toute communication entre les hommes n'a quelque certitude que dans la pratique, et par la vérification que nous donne la pratique.
VALÉRY, Variété V, p. 142.

2 L'intelligence humaine tire du langage, pour les opérations de toutes les heures, les mêmes services qu'elle tire des chiffres pour le calcul. C'est une conséquence de l'infirmité de notre entendement (...) qu'il nous est plus facile d'opérer sur les signes des idées que sur les idées elles-mêmes (...) Tel est le service rendu par le langage; il objective la pensée.
Michel BRÉAL, Essai de sémantique, p. 270.

3 Sans le langage articulé, la civilisation n'existerait pas. L'usage de la parole, comme celui de la main, a aidé beaucoup au développement du cerveau.
Alexis CARREL, l'Homme, cet inconnu, III, X.

4 Le langage (...) est un acte physiologique en ce qu'il met en œuvre plusieurs organes du corps humain. C'est un acte psychologique en ce qu'il suppose l'activité volontaire de l'esprit. C'est un acte social en ce qu'il répond à un besoin de communication entre les hommes. Enfin, c'est un fait historique, attesté sous des formes très variées (...)
J. VENDRYES, le Langage, Préface, p. 1-2.

5 L'on dira donc (pour acquit de conscience) que le langage comporte — comme les grammaires l'enseignent, et les dictionnaires, ne fût-ce que par leur aspect, le confirment — d'une part des signes qui tombent sous le sens : soit bruit, son, image écrite ou tactile; de l'autre, des idées, associées à ces signes en telle sorte que le signe, sitôt apparu, les évoque. En bref, un corps et une âme, une matière et un esprit.
J. PAULHAN, les Fleurs de Tarbes, p. 70-71.

6 (...) en partant de la conception (...) de Saussure, on nous concédera bien que, parmi les signes extérieurs par lesquels peut se manifester la pensée, le langage est celui qui la serre de plus près. Nous croyons même qu'il existe un très grand domaine de pensée qui serait impossible sans le langage. C'est qu'à côté du langage extérieur, il existe un langage intérieur (...)
DAMOURETTE et PICHON, Essai de grammaire, § 3.

REM. La *parole* s'oppose au *langage :* 1. En tant qu'elle ne désigne que le *langage extérieur.* 2. En tant qu'action par laquelle s'exerce une *fonction* (le langage). → Parole. — *Langue** désigne un *système* (d'expression) et non une *fonction.*

7 L'intention *(de parler),* qui n'est point nécessairement langage, pas même langage intérieur, aboutit au langage intérieur ou à la parole.
H. DELACROIX, le Langage et la Pensée, p. 523.

♦ **2.** Didact. Ensemble formé par la langue* (système abstrait) et la parole* (ou discours*), tels qu'ils sont distingués depuis Saussure.

B. *(Un, des langages).* ♦ **1.** Système de signes* vocaux ou graphiques permettant la communication* entre systèmes (organismes : personnes, animaux; machines). ⇒ **Code;** → Communiquer, cit. 10. — REM. Dans cet emploi, *langage* est qualifié par un adj. ou un compl. *Langage naturel :* code linguistique humain, représenté par la totalité des langues* du monde (ce sens s'identifie au sens 1). *Langage artificiel,* reposant sur des axiomes et des règles de formation des énoncés, évitant les ambiguïtés des langues naturelles et visant à la cohérence formelle. — REM. Dans cet emploi, *langage* est, en français, critiquable; il s'agit d'un système et donc d'une *langue* (l'infl. de l'angl. *language* est ici évidente comme ci-dessous, cit. 10.1 et *supra. Langage formel, formalisé, symbolique. Langage de la logique, de l'algèbre.* — *Langage* (naturel ou artificiel) *décrivant une langue* (naturelle ou artificielle). ⇒ **Métalangage.** — *Langage second :* code s'appliquant aux productions d'une langue naturelle. *Langage chiffré, codé, secret,* permettant d'assurer le secret dans la transmission des messages. ⇒ **Chiffre, code** (spécialt). — Cour. *Langage clair :* le langage naturel ainsi codé. *Transcrire un message chiffré en langage clair* (⇒ **Décoder**). — *Langage conventionnel, sténographique* (⇒ **Sténographie**), *morse*.* — *Langages subrogés. Langage sifflé, tambouriné.* — (Signes non langagiers). *Le langage digital des sourds-muets.* ⇒ **Dactylolalie** (vx); → ci-dessous, 2.

Spécialt. Inform. Ensemble codé de signes utilisé pour la programmation de problèmes spécifiques (scientifiques, de gestion, etc.) permettant de formuler des instructions adaptées à un calculateur électronique. *Langage machine,* avec lequel on donne des instructions à un ordinateur* (⇒ **Algol, cobol, fortran**). *Langage d'exécution, de procédure. Langage de programmation. Langage de commande, de contrôle.* — REM. Cette adaptation de l'anglais, qui ne connaît pas l'opposition *langue* (système)/*langage* (fonction), est maladroite : *langue* ou *code* conviendrait mieux. — Dans ce contexte, *langage naturel* est utilisé en contraste avec *langage machine.*

Les ordinateurs de la décennie 1950 étaient encore complexes, difficiles à manier (...) Leurs défaillances signifiaient des réparations fréquentes (...) De plus, ces premiers ordinateurs n'étaient accessibles qu'en «langage machine» (...) seuls pouvaient le comprendre quelques informaticiens rompus à un dialogue aussi hermétique. 8
Simon NORA et Alain MINC, l'Informatisation de la société, p. 18.

Langage algorithmique (de programmation), indépendant de tout matériel. *Langage symbolique :* langage de programmation autre qu'un langage machine (chaque instruction, représentée par un symbole, ne peut être exécutée par la machine qu'après traduction). *Langage d'assemblage* (1.). ⇒ **Assembleur** (3.).

♦ **2.** Cour. Système ou ensemble de signes permettant l'expression et la communication, et que l'on compare au véritable langage humain.

[a] (Expression et communication humaine). *Le langage du geste* (cit. 8), *de la pantomime.* ⇒ **Gestuelle.** *Le langage des mimiques faciales, des gestes est variable selon les sociétés. Un langage physique à base de signes* (cit. 12.1). *Le langage visuel des objets.* — Spécialt. Système conventionnel où chaque élément (objet, action...) correspond à une signification simple ou complexe. *Le langage des fleurs** (→ Interpréter, cit. 3), *du blason.*

Camille ne comprit rien, ni à ces dessins qu'elle distinguait à peine, ni à ces signes qu'elle ne connaissait pas; mais elle avait remarqué, du premier coup d'œil, que ce jeune homme ne remuait pas les lèvres; — prête à sortir, elle s'arrêta. Elle voyait qu'il parlait un langage qui n'était celui de personne, et qu'il trouvait moyen de s'exprimer sans ce fatal mouvement de la parole, si incompréhensible pour elle, et qui faisait le tourment de sa pensée. Quel que fût ce langage étrange, une surprise extrême, un désir invincible d'en voir davantage, lui firent reprendre la place qu'elle venait de quitter (...) 9
A. DE MUSSET, Contes, Pierre et Camille, VII.

Tous les organes des sens peuvent servir à créer un langage. Il y a le langage olfactif et le langage tactile, le langage visuel et le langage auditif. Il y a langage toutes les fois que deux individus, ayant attribué par convention un certain sens à un acte donné, accomplissent cet acte en vue de communiquer entre eux. 10
J. VENDRYES, le Langage, Introd., p. 9.

Manifestation de la pensée, du sentiment, de la sensation. *Le langage des yeux* (→ Interprète, cit. 11).

Avec deux yeux bavards parfois j'aime à jaser; 10.1
Mais le seul vrai langage au monde est un baiser.
A. DE MUSSET, Poésies nouvelles, «Idylle».

[b] (Expression et communication non humaine). Système de communication propre aux espèces animales. ⇒ **Code, sémiotique.** *Le langage des animaux, le langage des bêtes* (vx).

(...) ils *(les animaux)* gémissent ou crient d'une manière à nous faire connaître leurs besoins, et il semble qu'on ne puisse leur refuser quelque espèce de langage. 11
BOSSUET, Traité de la connaissance de Dieu, V, 1.

La tendance générale est de considérer le langage animal comme ne reposant pas sur des systèmes de signes mais sur un «code de signaux» (Benveniste) : d'une part, il n'y a ni dialogue ni composition libre d'éléments; d'autre part, les signaux utilisés sont essentiellement de nature imitative ou mimique (mais il reste à déterminer s'il y a déjà imitation différée). 11.1
J. PIAGET, Épistémologie des sciences de l'homme, p. 345.

★ **II.** Façon particulière de s'exprimer. ♦ **1.** Usage du langage propre à un groupe ou à un individu. ⇒ **Langue** (II.). — REM. Pour désigner cette valeur, l'usage scientifique emploie plus spécifiquement *niveau de langue, discours* ou encore *lexique, vocabulaire. Le langage commun* (cit. 17), *courant, général, ordinaire, quotidien. Un lan-*

gage simple (→ Chercher, cit. 20; dire, cit. 106). *Langage parlé. Langage populaire, faubourien* (cit. 1), *poissard*. Langage de carrefour*, des halles. Langage argotique* (cit.). ⇒ **Argot** (cit. 1 et 2). *Langage cru*, libre, grossier, trivial, vulgaire. — Langage littéraire, écrit* (→ Écriture, cit. 16; écrivain, cit. 11). *Langage prosaïque* (⇒ **Prose**), *poétique, lyrique** (⇒ **Poésie**). *Langage choisi, noble, relevé* (→ Adulation, cit. 1), *soutenu. — Le beau langage.* ⇒ **Usage.** *Employer un langage incorrect, impur.* ⇒ **Baragouin, charabia, jargon, patois, sabir**; → Petit-nègre. *Langage académique, châtié, guindé* (⇒ **Purisme**). *Langage affecté* (cit. 5), *affêté* (cit. 3), *amphigourique, précieux* (⇒ **Amphigouri, préciosité**). *Langage archaïque* (⇒ **Archaïsme**), *vieux langage* (→ Érudit, cit. 6). *Langage d'aujourd'hui, langage moderne, nouveau.* ⇒ **Néologie** (→ Assujettir, cit. 15). — *Un langage clair, direct, expressif* (→ Efforcer, cit. 15; équivoque, cit. 21). *Langage ésotérique* (cit. 3), *hermétique, secret, incompréhensible, inintelligible, confus* (→ Intelligible, cit. 4).

12 Le Parnasse parla le langage des halles (...) BOILEAU, l'Art poétique, I.

13 Je vis de bonne soupe, et non de beau langage.
MOLIÈRE, les Femmes savantes, II, 7.

14 Plusieurs étrangers se sont imaginé que nous n'avions qu'un langage pour la prose et pour la poésie : ils se sont bien trompés.
VOLTAIRE, Commentaires sur Corneille, Nicomède, III, 2.

15 (*Le grec*) Un langage sonore, aux douceurs souveraines,
Le plus beau qui soit né sur des lèvres humaines.
André CHÉNIER, Poèmes, « L'Invention ».

16 Du reste son langage, empreint d'une sorte d'insolence modérée et sournoise, était réservé et presque choisi (...) HUGO, les Misérables, III, VIII, XX.

17 Par-dessus tout, entretenir le culte du beau langage, véhicule de la pensée française, — et la politesse de l'esprit, sans laquelle les idées les meilleures peuvent devenir malfaisantes. Louis BERTRAND, Louis XIV, III, I.

18 Rien de meilleur que d'exprimer le surnaturel dans un langage commun, vulgaire, avec les mots de tous les jours. BERNANOS, Sous le soleil de Satan, I, III.

19 Raisonner avec un langage mal fait, c'est peser avec de faux poids.
A. MAUROIS, Un art de vivre, I, 4.

Absolt. *Le langage :* l'expression orale et écrite dans une langue donnée et selon une norme sociale; l'usage accepté, la norme. *Correction du langage. Des subtilités de langage.* ⇒ **Atticisme.** *Codifier, fixer, épurer le langage.* ⇒ **Grammaire** (→ Concentration, cit. 2; correctement, cit. 1). *« En matière de langage, le peuple fait loi »* (→ Convertir, cit. 4, P.-L. Courier). — *Défauts, impropriétés*, fautes, incorrections de langage.* ⇒ **Barbarisme, cuir, solécisme** (→ Gaucherie, cit. 5; infirmité, cit. 4; insuffisance, cit. 3).

20 Quand on lui demandait son avis de quelque mot français, il (*Malherbe*) renvoyait ordinairement aux crocheteurs du Port-au-Foin, et disait que c'étaient ses maîtres pour le langage (...) RACAN, Mémoire pour la vie de Malherbe.

21 (...) il fallut à cette époque intermédiaire (*le début du XVIIe s.*) des professeurs de grammaire et de rhétorique qui donnassent la loi et fixassent ses règles au langage nouveau. SAINTE-BEUVE, Causeries du lundi, 5 janv. 1852.

Manière de parler propre à quelqu'un; accent* (cit. 12), prononciation, ton (langage parlé); style écrit (→ ci-dessus cit. 16). — *Tournures, expressions propres au langage de qqn.* ⇒ **Idiotisme** (2. Idiotisme, cit. 2). — *Le langage d'un écrivain,* sa manière d'écrire. ⇒ **Langue, style.**

22 Il avait votre port, vos yeux, votre langage (...) RACINE, Phèdre, II, 5.

Spécialt. Ensemble des éléments caractéristiques (syntaxe et surtout vocabulaire) propres à un domaine d'activités ou de connaissances, sur le plan de l'expression par le discours. *Langages spéciaux. Mots, termes du langage administratif, du palais, du langage juridique.* ⇒ **Lexique, terminologie, vocabulaire.** *En langage d'apothicaire* (cit. 3). *Langage scientifique* (→ Enseignement, cit. 5), *philosophique* (→ Boursoufler, cit. 1). *Langage technique*, technologique, didactique.*

23 (...) un style qui serait (...) rythmé comme le vers, précis comme le langage des sciences (...) FLAUBERT, Correspondance, 318, 24 avr. 1852.

REM. Les emplois sont souvent ambigus; ils désignent à la fois des usages, des « stratégies de discours » et des ensembles terminologiques.

♦ **2.** (Abusif dans l'usage didact.). Langue*, idiome (→ Former, cit. 41; intelligible, cit. 6). *Les mots d'un langage* (→ Impérieusement, cit. 2). *Le langage et les coutumes d'un pays. Adopter* (cit. 2) *le langage et les coutumes d'un pays. Adopter* (cit. 6) *un langage. Étendre* (cit. 14), *répandre le langage de son pays. Parler, écrire* (cit. 28) *un langage, en un langage* (→ Hébraïsme, cit. 1). *Connaissance d'un langage* (→ Insensible, cit. 18). *Le langage celtique* (cit.), *français* (→ Genre, cit. 21). Vx. *Confusion des langages à la tour de Babel* (cit. 1).

24 À quoi Pantagruel dit : « Que (*quel*) diable de langaige est ceci? Par Dieu, tu es quelque hérétique (...)
RABELAIS, Pantagruel, VI, ... à un Limousin qui contrefaisait le langage français.

♦ **3.** Usage qui est fait du langage quant au fond, au contenu du discours. ⇒ **Discours.** *Parler, tenir un certain langage à qqn* (→ Arrêter, cit. 3; bonjour, cit. 4, La Fontaine; cesser, cit. 14). *Changer* (cit. 19 et 41) *de langage* (⇒ **Ton**), *changer son langage* (→ Enfuir, cit. 1; inconstance, cit. 10). — *Langage franc, direct, droit. Liberté de langage.* ⇒ **Franc-parler.** *Incontinence, intempérance de langage. Langage appris, de perroquet* (⇒ **Psittacisme**). *Langage fallacieux* (cit. 1), *flatteur, menteur. Langage acerbe, méchant; cynique; circonspect, prudent. Langage orgueilleux. Forfanterie* (cit. 5) *de langage. Langage subtil; subtilité de langage* (⇒ **Argutie**). — *Le langage de Lapalisse, de monsieur Prud'homme.*

Hé quoi, Mathan! D'un prêtre est-ce là le langage? RACINE, Athalie, II, 5. 25

Tels sont les hommes : ils changent de langage comme d'habits : ils ne disent la vérité qu'en robe de chambre; en habit de parade ils ne savent que mentir (...) 26
ROUSSEAU, Lettre à Mgr de Beaumont.

Quelle brutalité forcenée de langage et de pensée! quelle inélégance de manières et de tenue! Th. GAUTIER, Mlle de Maupin, X. 27

Une fois de plus, mais cette fois plus que jamais, je parlerai mon langage, assuré qu'il ne sera entendu que de ceux qui le parlent avec moi, qui le parlaient bien avant qu'ils ne m'eussent lu, qui le parleront lorsque je ne serai plus (...) 28
BERNANOS, les Grands Cimetières sous la lune, I, III.

Loc. fig. (Vx). *En langage d'apothicaire** (en comptant très cher).

Par métaphore. *Le langage de l'affection* (cit. 15), *du sentiment, des passions* (→ Accusation, cit. 10; exclamation, cit. 1; forme, cit. 35). *Le langage de l'amour* (→ Enthousiasme, cit. 17), *du cœur*. Le langage de l'envie* (cit. 4). *Tenir le langage de la raison.*

Que de vie, cependant, je sens au fond de mon âme! Jamais, quand le sang le plus ardent coulait de mon cœur dans mes veines, je n'ai parlé le langage des passions avec autant d'énergie que je le pourrais faire en ce moment. 29
CHATEAUBRIAND, Mémoires d'outre-tombe, t. V, p. 383.

(...) vous ne pouvez pas comprendre. Vous parlez le langage de la raison, vous êtes dans l'abstraction. CAMUS, la Peste, p. 102. 30

♦ **4.** Fig. Manifestation de la nature ou de l'art, considérée comme un ensemble de signes déchiffrables (→ ci-dessus I., B., 2.). *Le langage que parle la nature* (→ Création, cit. 7). *Le langage de la peinture, de l'architecture.* — (En parlant d'un style, d'une école, d'un créateur). *Le langage des préraphaélites, des impressionnistes. Le langage harmonique* (cit. 2) *de Debussy.*

Car tout parle dans l'univers; 31
Il n'est rien qui n'ait son langage (...) LA FONTAINE, Fables, XI, Épilogue.

(*Celui*) Qui plane sur la vie, et comprend sans effort 32
Le langage des fleurs et des choses muettes!
BAUDELAIRE, les Fleurs du mal, Spleen et Idéal, III.

Lorsque la sculpture bavarde, je m'en détourne. Lorsque la musique décrit, je m'en détourne. Si l'architecture tend devant mes yeux un décor sans épaisseur, et derrière lequel il n'y a rien, je m'en détourne. D'une peinture qui fait danser ses personnages, je me détourne. Je veux que chacun des arts parle le langage qui lui est propre, au lieu de bégayer dans une langue étrangère. 33
ALAIN, Propos, 3 juin 1921, Du langage propre à chaque art.

Mais quel langage parlent les précolombiens encore obscurs, les monnaies gauloises, les bronzes des steppes dont nous ignorons quelles peuplades les fondirent? Quel langage parlent les bisons des cavernes? 34
MALRAUX, les Voix du silence, p. 64.

♦ **5.** (V. 1135). Absolt et vx. Action de parler, discours, propos (→ Éloquence, cit. 18, Pascal).

Spécialt. (Vx). Verbiage.

— ... Si je,... — Point de langage. — Mais quoi...? — Je n'entends rien. 35
MOLIÈRE, le Misanthrope, I, 3.

DÉR. Langagier.

LANGAGIER, IÈRE [lɑ̃gaʒje, jɛʀ] adj. — 1382, *langager,* au sens 1; de *langage,* et *-ier.*

♦ **1.** (Encore au XVIe). Bavard.

♦ **2.** (XXe, Paulhan, Étiemble). Mod. Du langage. *Structures, habitudes langagières.*

REM. Cet adjectif a l'avantage de permettre la distinction entre ce qui a trait à la langue, au langage et ce qui a trait à son étude (→ Linguistique). Cependant, *linguistique* est plus courant, même dans ce sens. → aussi Verbal.

C'est au point que la conscience langagière d'un peuple doit s'employer, d'une action insensible mais têtue, soit à maintenir en valeur les termes dont elle use, soit à leur substituer de nouveaux termes qui fassent le même service. 1
J. PAULHAN, les Fleurs de Tarbes, p. 77 (1941).

Des rapports langagiers, c'est-à-dire constitués par la forme du langage et dans cette forme, se substituent aux rapports fondés sur l'activité (travail et division du travail, coopération dans et pour une « œuvre » ou un « produit », sentiments, etc. 2
Henri LEFEBVRE, la Vie quotidienne dans le monde moderne, p. 226.

Par ext. (Des personnes). Préoccupé des questions de langue.

C'est parce qu'un écrivain ne s'est pas assez soucié de mots qu'un lecteur le trouve tout langagier, astucieux, verbal. J. PAULHAN, les Fleurs de Tarbes, p. 117. 3

DÉR. Langagièrement.

LANGAGIÈREMENT [lɑ̃gaʒjɛʀmɑ̃] adv. — Attesté 1978; de *langagier.*

♦ Quant au langage. ⇒ **Linguistiquement** (plus cour.). *« Se sentir (...) langagièrement à l'aise avec l'habitant »* (*le Figaro,* 21 mai 1978).

LANGE [lɑ̃ʒ] n. m. — V. 1170, au sens de « vêtement, étoffe de laine »; sens mod., 1538; lat. *laneus,* de *lana* « laine ».

♦ **1.** Large carré de laine ou de coton dont on emmaillotait* un très jeune enfant de la taille aux pieds. ⇒ **Maillot.** *Lange molletonné. Lange de coton. Langes d'un nouveau-né* (→ Bénir, cit. 23). *Mettre un enfant dans ses langes.* ⇒ **Langer** (→ Incarner, cit. 1). — Par ext. ⇒ **Couche.** *Nourrisson qui mouille ses langes.*

1 Elle allaita elle-même son enfant, lui fit des langes avec sa couverture, la seule qu'elle eût sur son lit (...) HUGO, Notre-Dame de Paris, I, VI, III.

2 Sur la table, au centre, sur le dos, l'enfant parmi les langes, se laissait palper.
CÉLINE, Voyage au bout de la nuit, p. 249.

Loc. (Déb. XIXe, Chateaubriand). *Dans les langes :* en bas âge, dans la toute première enfance (→ Au berceau). *Langue maternelle qu'on apprend dans les langes* (→ Idiome, cit. 3).

Fig. Dans les débuts. ⇒ **Début** (à ses), **enfance** (dans l').

3 Hérodote (...) a peint le monde encore dans les langes, s'il faut ainsi parler, d'où lui-même il sortait (...) P. L. COURIER, Hérodote, Préface du traducteur.

Par métaphore. (Littér.). *Les langes :* ce qui entrave, restreint la liberté.

3.1 Nous déchirerons, s'il se peut, ces langes de police dont il est honteux que le théâtre soit encore emmaillotté au dix-neuvième siècle.
HUGO, Préface d'Hernani, *in* T. L. F.

4 L'humanité chérit ses langes; mais elle ne pourra grandir qu'elle ne sache s'en délivrer. GIDE, les Nouvelles Nourritures, IV, II.

♦ **2.** Techn. Drap de laine, de flanelle, placé sur la planche à graver pour uniformiser l'action de la presse sur le papier.

DÉR. Langer.

LANGER [lɑ̃ʒe] v. tr. — Conjug. *bouger.* — 1869, *in* Littré, *Suppl.*, au p. p.; de *lange.*

♦ Envelopper d'un lange, de langes. *On ne lange plus les tout petits que pour la nuit.*

LANGOUREUSEMENT [lɑ̃guʀøzmɑ̃] adv. — Fin XIVe; de *langoureux,* et *-ment.*

♦ D'une manière langoureuse. *Amoureux qui se regardent langoureusement. S'éveiller* (cit. 24), *s'étirer langoureusement.*

Il roulait des regards langoureusement en découvrant ses dents blanches.
FLAUBERT, Mme Bovary, t. II, p. 67 (*in* T. L. F.).

LANGOUREUX, EUSE [lɑ̃guʀø, øz] adj. — XIIIe; *langerus,* v. 1050; de *langueur,* et *-eux.*

♦ **1.** Vx. Qui est affaibli, déprimé par la maladie. ⇒ **Languissant.**

♦ **2.** (XVe). Vx ou iron. Qui manifeste une langueur* réelle ou feinte, particulièrement en amour. *Un soupirant langoureux.* — Vx. N. *Faire le langoureux.*

1 Faudra-t-il de sens froid, et sans être amoureux,
Pour quelque Iris en l'air faire le langoureux;
Lui prodiguer les noms de Soleil et d'Aurore,
Et, toujours bien mangeant, mourir par métaphore? BOILEAU, Satires, IX.

2 (...) décidez donc ce beau Berger à être moins langoureux; et apprenez-lui (...) que la vraie façon de vaincre les scrupules, est de ne laisser rien à perdre à ceux qui en ont. LACLOS, les Liaisons dangereuses, II.

Prendre un air langoureux, une pose langoureuse. ⇒ **Alangui, amoureux, languide** (vieilli). *Lancer* (cit. 18) *des œillades langoureuses. Regard, ton langoureux.* ⇒ **Mourant.** *Échanger des propos langoureux.* ⇒ **Roucouler.**

3 (...) de petits vers doux, tendres et langoureux. MOLIÈRE, le Misanthrope, I, 2.

4 (...) un certain regard langoureux qui promet beaucoup (...)
LACLOS, les Liaisons dangereuses, II.

5 Sa taille fine, ses délicates proportions lui permettaient d'avoir des manières langoureuses qui sentaient l'affection (...)
BALZAC, Illusions perdues, Pl., t. IV, p. 534.

6 C'est l'extase langoureuse,
C'est la fatigue amoureuse (...) VERLAINE, Romances sans paroles, I.

♦ **3.** Fig. Qui évoque la langueur amoureuse ou y invite. *Romance langoureuse. Tango langoureux. Rythme langoureux.* — Par métaphore. (Littér.). *La chanson langoureuse du vent* (→ Hibou, cit. 4).

7 Lesbos, terre des nuits chaudes et langoureuses.
BAUDELAIRE, les Épaves, Pièces condamnées, II.

8 Le violon frémit comme un cœur qu'on afflige;
Valse mélancolique et langoureux vertige!
BAUDELAIRE, les Fleurs du mal, Spleen et Idéal, XLVII.

CONTR. Alerte, fougueux, impétueux, véhément, vif.
DÉR. Langoureusement.

LANGOUSTE [lɑ̃gust] n. f. — XIIIe; *languste,* v. 1120, « sauterelle »; encore dans Corneille *(Hymnes,* 7); anc. provençal *langosta,* altér. du lat. class. *locusta* « sauterelle ».

♦ **1.** Grand crustacé* marin *(Décapodes macroures)* aux pattes antérieures dépourvues de pinces, aux antennes longues et fortes, et dont la chair est très appréciée. *Carapace violacée ou verdâtre de la langouste vivante, devenant rouge à la cuisson. Pêcher la langouste avec des casiers*, des caudrettes*. Balance à langoustes.* ⇒ **Langoustier.** *Préférer la langouste au homard*. Conserves de langouste. — Bouillabaisse* (cit. 2) *de langouste. Salade de langouste aux œufs durs* (→ Crabe, cit. 2). *Coquille de langouste à la mayonnaise. Langouste à l'américaine, au court-bouillon, au gratin. Queues de langouste au champagne.*

1 Il (...) s'arrêtait parfois devant les poissonnières dont les bancs bordent la rue Rambuteau. Elles ont de grands tas roses de crevettes, des paniers rouges de langoustes cuites, liées, la queue arrondie (...) tandis que des langoustes vivantes se meurent, aplaties sur le marbre.
ZOLA, le Ventre de Paris, t. I, p. 196, Charpentier-Fasquelle 1953 (1875).

Édouard est radieux. Cette langouste lui est une affaire personnelle. Il accueille les éloges comme si la chair de cette langouste était son œuvre de chimiste, une de ses trouvailles de laboratoire. G. DUHAMEL, Salavin, III, XII. 2

♦ **2.** Fig. et fam. (vulg.). Femme, maîtresse. ⇒ **Langoustine,** 2.

DÉR. Langoustier, langoustine.

LANGOUSTIER [lɑ̃gustje] n. m. — 1769; de *langouste.*

♦ **1.** Filet à langoustes.

♦ **2.** N. m. Bateau équipé pour la pêche de la langouste, du homard. — Adj. ou appos. *Bateau langoustier.*

Le langoustier de Luis est une bonne grosse baille en bois, très haute sur l'eau, vieille de cinquante ans, solide comme la plupart des bateaux de pêche construits avec de gros échantillonnages faits pour résister au temps. Environ vingt mètres de long sur six de large, un moteur Diesel et une installation frigorifique permettant de stocker six tonnes de langoustes. L'armement de pêche est complété par dix doris (...) Bernard MOITESSIER, Cap Horn à la voile, p. 126.

REM. *Langoustière* est aussi attesté dans ce sens.

LANGOUSTINE [lɑ̃gustin] n. f. — 1802; de *langouste.*

♦ **1.** Petit crustacé marin *(Décapodes macroures)* aux pinces longues et grêles que l'on pêche pour sa chair délicate. Syn. : *homard de Norvège. Langoustines en beignets, à la mayonnaise.*

Le pain dur est pour demain! Aujourd'hui, dorades, sardines, langoustines, poisson, poisson frais venu des mers calmes. 1
CAMUS, l'État de siège, p. 197, *in* T. L. F.

♦ **2.** Fig. et fam. (vulg.). Maîtresse (s'emploie avec un possessif). → Langouste (2.), sauterelle.

Tu crois qu'elle reviendra? laissa-t-il échapper à haute voix. 2
— Qui?
— Mariette, tu sais bien je t'ai raconté.
— Qu'est-ce que ça peut me foutre.
— Je te parle poliment.
— Quel âge qu'elle a, ta langoustine?
M. AYMÉ, le Vin de Paris, Traversée de Paris, p. 60.

LANGUE [lɑ̃g] n. f. — Fin Xe; du lat. *lingua,* qui a les deux grandes acceptions (I et II).

★ **I.** ♦ **1.** (Fin Xe). Organe charnu, musculeux, allongé, mobile, placé dans la cavité buccale. ⇒ fam. **Bavarde, lavette, menteuse;** ⇒ vx Chiffon rouge. *Relatif à la langue.* ⇒ **Lingual** et le préf. **gloss(o)-.** *Portion pharyngienne, buccale de la langue. Faces (supérieure et inférieure), bords, base, pointe ou sommet* (⇒ **Bout**) *de la langue. Squelette ostéo-fibreux de la langue* (⇒ **Hyoïde**). *Muscles de la langue; muqueuse, papilles** (cit. 1) *de la langue. Replis de la muqueuse, à la face inférieure de la langue.* ⇒ **Filet** (1.), **frein; barbillon.** *Qui est sous la langue.* ⇒ **Hypoglosse, sublingual.** — *Privé de langue.* ⇒ **Aglosse.** — *Aspects pathologiques de la langue : langue blanche, chargée, rouge, sèche* (→ Fébricitant, cit.). *La langue de qqn, sa langue. Avoir une grande langue. Avoir la langue sèche, ardente de soif* (→ Ardeur, cit. 5). *Langue qui s'empâte, s'embarrasse; empâtement de la langue. Langue épaisse, pâteuse. — Maladies, inflammations de la langue.* ⇒ **Glossite, hypoglossite.** *Tumeurs, ulcérations de la langue* (⇒ **Grenouillette**). — *Instrument pour abaisser la langue.* ⇒ **Abaisse-langue.** *Médecin qui examine la langue d'un malade. Tirez la langue et faites ah! — La langue, organe du goût.* ⇒ **Goût, gustation** (→ Dégustation, cit.; huître, cit. 1). *La langue sert à la déglutition* (→ 2. Bol, cit.). — *Passer sa langue sur qqch.* ⇒ **Lécher, pourlécher.** *Mouiller ses lèvres avec sa langue* (→ Gonfler, cit. 12); *s'humecter* (cit. 5) *le pouce à coups de langue. Clapper** (cit. 1), *claquer* (cit. 2) *la langue. Claquement de langue* (→ Exprimer, cit. 19). *Boire en attirant le liquide avec la langue.* ⇒ **Laper.** *Goûter qqch. du bout de la langue. Se brûler la langue. Terre bolaire qui happe* à la langue. — Montrer, sortir la langue* (→ Grain, cit. 1). *Chien* (cit. 12) *qui tire la langue, qui a la langue pendante* (→ Haleter, cit. 2). — Fig. *Tirer la langue :* désirer ardemment qqch., sans obtenir satisfaction, être dans le besoin. *Faire tirer la langue à quelqu'un.* ⇒ **Languir.**

Je tondis de ce pré la largeur de ma langue. LA FONTAINE, Fables, VII, 1. 1

(...) le bourreau, lui ayant enfoncé des tenailles en la bouche, lui arracha la langue jusqu'à la racine et la jeta au feu. GIDE, Journal, 3 avr. 1945. 2

Ce pouls qui bat à coups précipités comme son coeur, qui devient intense, plein, bruyant; cet oeil rouge, incendié, puis vitreux; cette langue qui halète, énorme et grosse, d'abord blanche, puis rouge, puis noire, et comme charbonneuse et fendillée, tout annonce un orage organique sans précédent. 2.1
A. ARTAUD, Le Théâtre et son double, p. 26.

Loc. *Tirer la langue,* la sortir, soit par réflexe (notamment, en ayant l'esprit absorbé), soit par un geste qui (dans nos cultures) manifeste l'agression, la dérision. → Grimace, cit. 5. *Tirer la langue à qqn. Maman, elle m'a tiré la langue!*

(...) l'écolier penché sur sa page d'écriture, et qui tire la langue. 3
BERNANOS, Journal d'un curé de campagne, p. 229.

Baiser avec introduction de la langue; faire un baiser langue en bouche → Patin (rouler un).

Loc. *Langue fourrée. — Caresses érotiques avec la langue* → Bucco-génital, lécher.

Langues d'animaux. Langue de serpent. ⇒ **Dard** (poét.). *La langue d'un boeuf, d'un veau.* Spécialt. Cet organe, comestible. *De la langue de boeuf. La langue fait partie des abats. Manger de la langue.* Cuis. *Langue fourrée*, salée, fumée. Langue de porc.* ⇒ **Languier.** *Langues de mouton braisées.* Allus. littér. *Les langues d'Ésope.*

4 Xanthus (...) lui commanda (*à Ésope*) d'acheter ce qu'il y aurait de meilleur (...) Il n'acheta (...) que des langues (...) l'entrée, le second, l'entremets, tout ne fut que langues (...) Et qu'y a-t-il de meilleur que la langue? reprit Ésope : c'est le lien de la vie civile, la clef des sciences, l'organe de la vérité et de la raison (...) Eh bien, dit Xanthus (...) achète-moi demain ce qu'il y a de pire (...) Le lendemain Ésope ne fit servir que le même mets, disant que la langue est la pire chose qui soit au monde : « C'est la mère de tous débats (...) la source des divisions et des guerres (...) » LA FONTAINE, Vie d'Ésope.

4.1 Ensuite arrivaient les grands plats : les langues fourrées de Strasbourg, rouges et vernies, saignantes à côté de la pâleur des saucisses et des pieds de cochon. ZOLA, le Ventre de Paris, t. I, p. 56.

Par métaphore. **LANGUE DE...** (suivi d'un nom d'animal), désigne des objets plats et allongés. → Langue III., ci-dessous, et les comp. — REM. Ces composés désignent des plantes, d'après leurs feuilles, des coquillages, des outils, etc.

4.2 Les *langues* (...) sont des herbes désignées d'après leurs feuilles; feuilles simples de forme ovale et qui les apparente aux *oreilles* (...) c'est ainsi que les *langues* et les *oreilles* désignent des champignons, en particulier de l'espèce parasite qui s'attache aux arbres.
On trouve surtout des *langues de boeuf, de mouton, de chat* et divers mammifères; d'autre part des *langues d'oiseaux : oie, passereau, pic, poulet;* enfin des *langues de serpent* (...) Dans tous les cas il s'agit de plantes à feuilles simples de formes plus ou moins allongées (...) Les langues d'oiseau sont plus petites que les langues de mammifères. Il s'agit toujours de feuilles simples, de forme ovale, souvent pointues ou lancéolées (...) Pierre GUIRAUD, Structures étymologiques du lexique français, p. 161-162.

Loc. fig. **LANGUE DE BELLE-MÈRE :** serpentin qui se déroule en produisant un son continu et nasillard, lorsqu'on souffle à son extrémité. Syn. : *sans-gêne.*

♦ **2.** (XIIIe). Cet organe, considéré en tant qu'organe de la parole chez l'homme. *Rôle de la langue dans l'articulation* (cit. 6) *des sons* (→ Articuler, cit. 10). ⇒ aussi **Apical** (2.), **apicolabial.** — Par métaphore et fig. (dans des loc.). ⇒ **Parole; bec** (*supra* cit. 7), **bouche.** Fam. ⇒ **Bavarde, menteuse, platine, tapette.** *Avoir la langue acérée, bien affilée*, bien pendue** : parler beaucoup, facilement. ⇒ **Bavard.** *Langue dorée*. Sa langue va comme un claquet* de moulin. Avoir la langue trop longue. Ne pas savoir tenir sa langue :* ne pas savoir se taire quand il faudrait, être indiscret. *La langue lui démange** (cit. 4). *Avoir un boeuf* sur la langue. Tu as avalé ta langue? S'avaler* (cit. 34) *la langue d'ennui. Avoir un mot sur le bout de la langue* (→ Sur le bord des lèvres*). *Se mordre la langue,* pour se retenir de parler (par crainte de dire une sottise, de révéler un secret), et aussi se repentir vivement d'avoir parlé. *Avoir un cheveu sur la langue.* ⇒ **Zézayer.** Prov. *Il faut tourner sept fois sa langue dans sa bouche avant de parler :* il faut réfléchir* longuement avant de parler. — *Langue embarrassée* (cit. 19), *enchaînée* (cit. 4), *engourdie* (cit. 12); *qui balbutie* (cit. 3 et 14), *bégaye* (cit. 1, 2 et 6), *fourche** (cit. 2). *La langue lui a fourché*.* ⇒ **Lapsus** (linguae). *Assouplir* (cit. 5), *délier** (cit. 4), *dénouer** (cit. 4 et 5) *la langue de qqn. — Jeter, donner sa langue au chat** (*infra* cit. 15), *au chien :* renoncer à deviner. — *Prendre langue avec qqn,* prendre contact avec lui, en vue d'un entretien, lui parler. ⇒ **Aboucher** (s'). — Absolt. Loc. fig. Vx. *Avoir (bien) de la langue :* parler avec aisance. → ci-dessous, cit. 10. *Donner de la langue à qqn.* → cit. 14.

5 (...) le Créateur n'a donné à ceux de votre espèce une langue que pour avaler, et non pas pour parler. CYRANO DE BERGERAC, Lettres satiriques, Contre un médisant.

6 Veuillent les Immortels, conducteurs de ma langue,
Que je ne dise rien qui doive être repris! LA FONTAINE, Fables, XI, 7.

7 L'on voudrait avoir cent langues pour se faire connaître (...) PASCAL, Discours sur les passions de l'amour.

8 Et de quelle langue voulez-vous vous servir avec moi?... Parbleu! de la langue que j'ai dans ma bouche. MOLIÈRE, le Mariage forcé, IV.

9 Que n'ai-je la langue aussi bien pendue? MOLIÈRE, le Médecin malgré lui, II, 4.

10 Je suis bien aise de savoir que vous avez de la langue, et cela m'apprendra à ne vous plus rien dire. MOLIÈRE, George Dandin, II, 5.

11 Elle a converti son docteur, cette fine langue dorée de ma mère! BEAUMARCHAIS, le Mariage de Figaro, IV, 1.

12 On peut considérer la langue de l'homme, dans le mécanisme de la parole, comme la corde qui lance d'elle-même la flèche qu'on y a ajustée. Joseph JOUBERT, Pensées, III, XV.

13 Je m'embarquai dans la chaloupe du bâtiment avec le capitaine pour aller prendre langue à terre. CHATEAUBRIAND, Itinéraire..., I.

14 Faites-en un avocat (...) dans ce métier-là, ses défauts deviendront peut-être des qualités, car l'amour-propre donne de la langue à la moitié des avocats. BALZAC, Un début dans la vie, Pl., t. I, p. 736.

14.1 Je cherche depuis quinze jours, je donne ma langue aux chiens... Monsieur Gavard le connaît certainement... J'ai dû le rencontrer quelque part, je ne me souviens plus... ZOLA, le Ventre de Paris, t. I, p. 118.

14.2 Une peur, mêlée de respect, les retenait. Il était possible que des inspecteurs de police, chargés de surveiller les passagers, fussent secrètement embarqués à bord du *Caucase,* et mieux valait tenir sa langue, l'expulsion, après tout, étant encore préférable à l'emprisonnement dans une forteresse. J. VERNE, Michel Strogoff, p. 97.

La journée des femmes commençait, autour des cafetières, les poings sur les hanches, les langues tournant sans repos, comme les meules d'un moulin. ZOLA, Germinal, II, II. 15

Je faisais « Heu... Mérovée!... Heu, heu, heu. » J'aurais donné ma langue au chat, pour peu que c'en eût été l'usage dans la classe de huitième préparatoire. FRANCE, Livre de mon ami, Livre de Pierre, II, VII. 16

Mais entêtons-nous à parler 16.1
Remuons la langue
Lançons des postillons
On veut de nouveaux sons de nouveaux sons de nouveaux sons
On veut des consonnes sans voyelles
Des consonnes qui pètent sourdement
Imitez le son de la toupie
Laissez pétiller un son nasal et continu
Faites claquer votre langue
Servez-vous du bruit sourd de celui qui mange sans civilité
Le raclement aspiré du crachement ferait aussi une belle consonne.
APOLLINAIRE, Calligrammes, « La Victoire », Pl., p. 310.

Alors écoutez-moi, mon ami, et sachez tenir votre langue. 17
A. MAUROIS, les Discours du Dr O'Grady, VIII.

(En parlant du contenu du discours). ⇒ **Langage, II.; discours, parole.** *La langue du juste* (→ Chanceler, cit. 1), *du détracteur* (cit. 1). — *Langue flatteuse, médisante, traîtresse* (→ Adresse, cit. 9; flatter, cit. 43). *Langue envenimée* (cit. 9), *venimeuse*; langue d'aspic** (cit. 4 et 5), *langue de serpent*, langue de vipère. Langue vipérine.* — Par ext. (En parlant de la personne qui parle). *C'est une méchante langue* (1618, *in* D.D.L.), *une bonne langue* (iron.), une personne qui aime à calomnier, à médire (⇒ **Calomnie, médisance**). *C'est une langue de vipère. — Blessures* (cit. 7) *que fait la langue. Coup de langue :* médisance; épigramme cruelle. *Assassiner* (cit. 8) *à coups de langue.*

(...) une (...) de ces femmes qui donnent toujours le petit coup de langue en passant (...) MOLIÈRE, l'Impromptu de Versailles, I. 18

La langue, dit un apôtre, est un feu dévorant (...) MASSILLON, Carême, Médisance, *in* Littré. 19

Les langues ont toujours du venin à répandre (...) MOLIÈRE, Tartuffe, V, 3. 20

(...) les morts mêmes dans le tombeau ne trouvent pas un asile contre sa mauvaise langue. LA BRUYÈRE, les Caractères de Théophraste, De la médisance. 21

Loc. **MAUVAISE, MÉCHANTE LANGUE :** langage envieux, méchant. — Par métonymie. Personne qui a un tel langage. *Les méchantes langues font courir sur son compte des bruits fâcheux. Taisez-vous, mauvaise langue!* — Adj. (attribut). *Elles sont plutôt mauvaises langues.*

Si je vous disais que je suis presque heureuse de ne plus habiter Dax. Nulle part, il n'y a d'aussi méchantes langues. P. BENOIT, Mlle de la Ferté, p. 61. 22

— Faut-il que les gens soient mauvaises langues dans ce milieu! Parce qu'on m'a vu déjeuner deux ou trois fois avec elle, on est venu te raconter des choses. J. ANOUILH, Ornifle, II, p. 103. 23

★ **II.** (Fin Xe). ♦ **1.** Système d'expression du mental et de communication, commun à un groupe social humain (communauté linguistique). ⇒ **Idiome** (cit. 3, 5 et 7). — REM. Pour l'opposition entre *langue* et *langage* et entre *langue* et *discours,* voir ci-dessous, spécialt, et aussi *langage.*

(...) une langue est la forme linguistique idéale qui s'impose à tous les individus d'un même groupe social. J. VENDRYES, le Langage, p. 285. 24

En un sens général, le mot (*langue*) est souvent employé comme synonyme de langage. Quand on l'en distingue, c'est pour l'appliquer à telle forme de langage particulière, limitée à un groupe (...) Une langue déterminée se définit par l'ensemble des procédés linguistiques qui s'imposent à un groupe d'hommes. En un sens plus spécial, on appelle langue, par opposition à dialecte, un idiome nettement différencié (...) et tel que les sujets parlants d'un autre groupe ne le comprennent pas sans apprentissage; par l'opposition à patois, un idiome consacré par un usage particulièrement étendu, ou par une certaine qualité de civilisation (...) J. MAROUZEAU, Lexique de la terminologie linguistique, p. 128. 25

Variantes géographiques, dialectes, parlers*, patois* d'une langue. Les mots* d'une langue.* ⇒ **Lexique, vocabulaire** (→ Agencer, cit. 4). *Syntaxe, morphologie d'une langue.* ⇒ **Grammaire** (cit. 3, 6, 8, 9 et 10), **linguistique.** *Dictionnaire* de la langue anglaise, russe. — Classement des langues d'après leurs caractères apparents. Langues amalgamantes. Langues analytiques** (cit. 5), *synthétiques. Langues inversives*, transpositives** (à construction libre). *Langues isolantes*, juxtaposantes, agglutinantes*, holophrastiques*, polysynthétiques. Langues formatives*, flexionnelles*. Langues casuelles*. Langues monosyllabiques* (monosyllabisme). *Langues à tons*. Langue à clicks.* — REM. Cette terminologie est en partie abandonnée. *Parenté des langues. Familles de langues. Langue mère, langue fille* (→ Anthropomorphisme, cit. 2, Bréal). *Langues sœurs. Langue primitive* (vx); *langues dérivées. Langues proches, qui se ressemblent. Comparaison des langues* (→ Étymologie, cit. 1). — *Langue commune,* qui s'est étendue à plusieurs groupes sociaux ou qui a procédé d'une différenciation. *Langue de civilisation, de culture. — Langue vernaculaire*. Langue véhiculaire*. Pays où l'on parle deux, plusieurs langues.* ⇒ **Bilingue, plurilingue.** *Peuples de même langue. Frontière* (cit. 5) *de langues. Langue mixte, langue hybride* (cit. 8) : sabir, pidgin... *Langue artificielle internationale :* espéranto* (cit.), interlingua, volapük*. — *Langue sacrée, liturgique,* utilisée dans la liturgie d'une religion. *L'hébreu, langue liturgique juive. Le latin, langue liturgique des catholiques romains. Langue diplomatique, langue du commerce. — Langue administrative, lan-*

gue de l'État. L'arabe, le français et l'anglais sont des langues utilisées par certains États africains (où d'autres langues sont parlées en tant que langues maternelles). — *Langue officielle d'un État. Langue nationale,* qui n'a pas le statut de langue officielle, mais qui est considérée comme importante et spécifique dans un pays. — Bibl. *La confusion* des langues.* ⇒ **Babel.** *L'esprit en chaque langue a sa forme particulière* (→ Former, cit. 41, Rousseau).

26 Toutes nos langues sont des ouvrages de l'art. On a longtemps cherché s'il y avait une langue naturelle et commune à tous les hommes; sans doute, il y en avait une; et c'est celle que les enfants parlent avant de savoir parler.
ROUSSEAU, Émile, I.

27 (...) le goût qu'on a dans l'Europe pour les Français est inséparable de celui qu'on a pour leur langue; et combien l'estime dont cette langue jouit est fondée sur celle que l'on sent pour la nation.
RIVAROL, Discours universel sur la langue française, p. 15.

Langue dominante, langue de colonisation. Langue dominée. Conflit des langues, dans une société. Contacts entre langues. Langues en contact. Influence d'une langue sur une autre (⇒ **Adstrat, superstrat**). *Politique des langues. Le bureau des langues du Canada.*

28 (...) la langue est la représentation fidèle du génie des peuples, l'expression de leur caractère, la révélation de leur existence intime, leur Verbe, pour ainsi dire.
MICHELET, Hist. de France, I, IV.

29 L'histoire de France commence avec la langue française. La langue est le signe principal d'une nationalité.
MICHELET, Hist. de France, III, Tableau de la France.

30 Dès le début du XIIe siècle, la France des premières croisades tend de la sorte à créer, à constituer en dignité, par-dessus la diversité et la rusticité de ses dialectes et de ses patois, cette merveille, une langue littéraire.
J. BÉDIER, Chanson de Roland, Avant-Propos, p. XVI.

31 La plupart des minorités ethniques, au XIXe siècle, en même temps qu'elles luttaient pour leur indépendance, ont passionnément tenté de ressusciter leurs langues nationales. Pour pouvoir se dire Irlandais ou Hongrois, il faut sans doute appartenir à une collectivité qui jouisse d'une large autonomie économique et politique, mais pour être Irlandais, il faut aussi penser Irlandais, ce qui veut dire avant tout : penser en langue irlandaise.
SARTRE, Situations III, p. 243.

REM. La notion de «langue», intuitivement claire, correspond en fait à un niveau d'abstraction considérable, eu égard aux variantes et usages d'une langue particulière. Parler de «français», c'est en fait parler d'une classe d'usages, tant chronologiques (ancien, moyen français, français moderne) que spatiales (dialectes), sociales (sociolectes), etc. Ces nouvelles entités sont à leur tour des abstractions par rapport à la variété des réalisations du discours. La «langue» considérée peut diminuer ses variantes (par réduction des dialectes; établissement d'une norme), mais celles-ci restent toujours très importantes, pour peu que la communauté linguistique soit nombreuse.

Classification des langues. Principales familles de langues :

Langues indo-européennes* (cit. 1 et 2) : *hittite**; — *langues indo-aryennes :* sanscrit*, prâkrits (mahratte*, etc.), pali*, hindi* (et hindoustani*), bengali*, singhalais, tsigane (gitan); — *iranien* (parsi, persan...); — *tokharien; — arménien; — langues helléniques** (cit. 1) : grec*; — *illyrien; — albanais; — langues italoceltiques :* italique* (cit. 2) : ombrien, osque, sabellien, latin*, langues romanes* (dites autrefois néo-latines : français, espagnol, italien, portugais, roumain, romanche, etc.); celtiques* et néo-celtiques; — *langues germaniques** (allemand, anglais, néerlandais, langues scandinaves, etc.); — *langues du groupe baltique* (lette, lituanien); — *langues slaves** (russe, ukrainien, polonais, serbe, bulgare, etc.).

Langues chamito-sémitiques : phénicien, hébreu* (→ Hébraïque, cit. 2), akkadien, araméen (cit. → aussi Syriaque); — arabe* (→ Arabique, cit.); — éthiopien, chaldéen, égyptien, copte* (cit. 1 et 2); — berbère (→ aussi Kabyle).

Autres langues d'Europe : *langues asianiques* (élamite, lydien, sumérien...); — *langues «méditerranéennes»* (étrusque); — *langues caucasiennes* (géorgien, etc.); — *basque* (non classé).

Langues d'Asie. 1. Eurasie et Asie septentrionale : — *langues ouralo-altaïques* ou touranien : langues ouraliennes (finno-ougriennes : lapon, finnois*, hongrois*; samoyèdes : yourak, etc.); — langues turque*, mongole et toungouze (mandchou); — coréen — japonais*; — aïno — 2. Sud de l'Inde : *langues dravidiennes* (tamoul, telugu, malayalam, etc.). — 3. Asie du Sud-Est : *langues tibéto-birmanes* (tibétain, birman); *langues thaï* (annamite, siamois...); chinois*.

Langues des îles d'Asie et d'Océanie : *langues malayo-polynésiennes :* indonésien (malais); mélanésien; *langues australiennes, langues papoues.*

Langues de l'Afrique subsaharienne (d'après *les Langues du monde ancien et moderne,* t. I, C. N. R. S.; classement fondé sur les travaux de Koelle, Delafosse, Westermann, Greenberg).

A. Langues de l'Afrique Noire.

I. Langues du Soudan occidental et de la Guinée : — a) Langues ouest-atlantiques. — Branche nord : peul, serer, wolof (Sénégal); langues cangin; langues bak; langues du Sénégal oriental et de Guinée Bissau (dont le basari) — Bijago, — Branche sud. — b) Groupe mandé (langues mandingues) : azer, bambara, ben, bisa, blé, bobo, bozo, mwa, mwan, numu, samo, soninké, soso, tura (ou wen), vay, yauré. — c) Groupe songhai-zarma : songhai, zarma, dendi. — d) Langues voltaïques : groupe oti-volta (mossi ou more, dagbane, nanumle, etc.); groupe gurma, yom (pilapila), etc.; groupe gurunsi; langues apparentées. — e) Langues «résiduelles» du Togo (14 langues aussi rattachées au groupe kwa). — f) Langues kru (kru, bassa, grebo, bakwe, bete, de, kran, kwaa, guéré). — g) Langues kwa : groupe de l'ouest (abouré, baoulé, agni, akan, guang, etc.; langues «lagunaires» de Côte d'Ivoire (dont l'ébrié, l'attié); ga, adangme éwé; yoruba; nupe; bini; idoma, agatu, iyala; igbo; ijo.

II. Langues des plateaux (Afrique centrale) : — a) Langues Bénoué-Congo, dont le birom, l'irigwe, le jarawa, le kagoro, le kaje. — b) Langues de l'Adamawa (mundang, tuburi, durru, namshi, kutin, fali, mbum, lakka...). — c) Sous-groupe oubanguien (divisé en 8 groupes : gbaya, manza, mbaka-ma'bo, banda, ngbandi sango, yakoma, zande, nzakara, barambo, pambia, bwaka, monjombo, gbanziri, mundu, mayogo, bangba, amadi mondunga, mba, dongo. — d) Groupe soudanais central : langues sara-bongo (tar barma, kuka, sara, mbai...), langues moru-mangbetu (moru, logo, mangbetu, lombi, mangbutu, mamvu, lendu, etc.).

III. Langues du Soudan oriental du Nord. Groupe saharien (kanuri, kanembu-kanembu, zagaoua); groupe maba-masalit; groupe tama-mararit; mimi; groupe daju; fur; langues des monts Nuba (koalib, tegali, talobi, tumtum, katla...); groupe nyimang; groupe temein; groupe nubien; groupe koma; berta; tabi; kunama.

IV. Langues du Soudan oriental du Sud. — a) Langues nilotiques : dinka, nuer, lwo. — b) Langues para-nilotiques : bari, lotuho, toposa, turkana, karimojong, teso, maasai; groupe kalenjin : pokot, nandi, datog. — c) Groupe surma : didinga, murle, suri, majang, kwegu, zilmamu, tirma, cai, mun ou mursi.

V. Langues bantu (bantoues). Nombreuses langues classées en quinze zones; notamment basa (basaa), bemba, bobangi, bulu, duala (douala), ewondo, fang, fanagalo (ou kaffir), fiot (ou vili), ganda, kamba, kikuyu, kongo, lingala, lozi, luba, lunda, makua, mongo, nyanja, rundi (kirundi), rwanda (kinyarwanda), shona, sotho, swahili, tiv, tswana, tunen, xhosa, yao, ziba (ou haya), zulu (zoulou).

B. Langues tchadiques (157 langues recensées). — Ouest-Est : groupes hausa (haoussa)-gwandara; angas-sura; ron; bole-tangale; warji-diriya; burrum-zaranda; bade-ngizim; kuang-kera; nancere-gabri, somraimiltu; sokoro; dangla-migama; mokulu; mubi-toram. — Centre-Ouest : tera; bura-margi; higi; bata; hidkala; mandara; sukur; matakam; daba. — Centre-Est : kotoko; masa-musgu.

C. Langues khoisan. Langues à clicks (clics), des Hottentots ou Boschimans, divisées en 3 groupes : ! khung, khoe (nama, kxoe, kwadi...), ! kwi.

Langues «indiennes» (d'après P. Rivet et C. Loukotka; classement fondé sur les travaux de Powell, Kroeber, Sapir, Voegelin, etc.).

Langues d'Amérique du Nord (Mexique excepté).

Groupe algonquin-wakash (env. 50 langues). — Famille algonquin : groupe central et oriental (cree, montagnais, ojibwa...; shawnee, delaware..., micmac); groupe blackfoot; groupe cheyenne; groupe arapaho. — Famille beothuk. — Famille ritwan. — Famille chimakum. — Famille wakash (nootka, kwakiutl). — Famille kutenai. — Famille salish (près du Pacifique).

Groupe eskimo-aleut. — Famille eskimo ou inuit. — Famille aleut (unalaska, atka).

Groupe hoka-siou (sioux). — Famille hoka : groupe shasta, groupe chimariko, groupe yana, groupe washo, groupe pomo, etc.; groupe yuma (dont le mohave), groupe seri, etc. — Famille yuki (Californie). — Famille keres (Nouveau-Mexique). — Famille tunica. — Famille caddo : groupe caddo, groupe pawnee (wichita, pawnee...). — Famille iroquois (dont le huron, l'onondaga, l'oneida, le mohawk, le cherokee. — Famille yuchi. — Famille muskogee : groupe muskogee (choctaw, etc., tuskegee, creek ou muskogee); groupe timucua; groupe natchez. — Famille siou (sioux) : groupe de la vallée du Mississipi (dakota, assiniboin, mandan, winnebago...); groupe du Missouri (dont le crow); groupe de la vallée de l'Ohio, groupe oriental (catawba).

Groupe na-dene. Famille athapascan : groupe du nord (Rocheuses); groupe du Pacifique; groupe du Sud-Ouest (dont : navaho ou navajo, apache, mescalero, kiowa). — Famille eyak. — Famille tlingit. — Famille haida.

Groupe penutia. — Famille penutia de Californie; groupe wintun; groupe maidu; groupe miwok; groupe costano; groupe yokuts (mariposan). — Famille chinook. — Famille kalapuya. — Famille takelma. — Famille yakona. — Famille coos. — Famille sahaptin. — Famille tsimshian.

Groupe uto-aztec-tano. — Famille uto-aztec : famille shoshone (groupe des plateaux : comanche...); groupe de la Kern River; groupe de Californie du Sud; groupe hopi; groupe pima; groupe opata-tarahumar; groupe «aztécoïde» (huichol, cora, nahua ou nahuatl). — Famille tano. — Famille kiowa. — Famille zuni.

Langues du Mexique et de l'Amérique centrale. — Famille kwitlatek. — Famille lenka. — Famille maya-soke : groupe maya-quiché (quichua) : sous-groupe wastek, sous-groupe maya; sous-groupe tchol (chol); sous-groupe tseltal; sous-groupe quiché (voir ci-dessous : langues d'Amérique du Sud). Groupe mixe-soke. Groupe sinka. Groupe totonak. — Famille miskito-matagalpa. — Famille otomang : groupe otomi-pame (dont l'otomi); groupe mistek (mistèque ou misteco)..., groupe sapoteq (sapotèque). — Famille paya. — Famille tarask (tarasque). — Famille xikak. — Famille wave, etc.

Langues de l'Amérique du Sud et des Antilles (108 familles de langues distinguées). Principales familles : araukan; arawak (23 groupes, dont l'arawak des Antilles, des Guyanes, de l'Orénoque, du bassin de l'Amazone, de Bolivie, etc.); aymara (Pérou); aymoré (Brésil); bororo; chibcha (Costa Rica, Nicaragua, Colombie, Équateur); tchon (Terre de Feu); guaykuru (rives du Paraguay et du Parana); karib (ou carib; très nombreuses langues, dont le galibi, réparties en 7 groupes en Guyane, au Venezuela, en Amazonie); kitchwa (quichua, quiché; cinq groupes de langues, dont la langue des Incas, propagée en Équateur, au Pérou, en Bolivie); nambikwara; pana; tukano (trois groupes); tupi-guarani; zé.

La langue latine (→ Barbare, cit. 18; berceau, cit. 14). *Langues romanes* (→ ci-dessus). *La langue anglaise* (→ Goddam, cit. Beaumarchais). — *Langue française* (cit. 3, Rivarol). ⇒ **Français** (cit. 12, 13 et 16). *Langue d'oc, d'oïl :* groupe des parlers de France correspondant à l'emploi de *oil* ou de *oc* (⇒ **Occitan;** et aussi **franco-provençal**) pour «oui».

(...) remettre en usage les antiques vocables, et principalement ceux du langage Wallon et Picard, lequel nous reste par tant de siècles l'exemple naïf de la langue Française, j'entends de celle qui eut cours après que la Latine n'eut plus d'usage en notre Gaule (...) 32
RONSARD, Œuvres en prose, La Franciade, Au lecteur apprenti(f).

Je sais aussi des lettrés dont toute l'émotion se passe à se dire : «C'est la fin de la langue française», à remarquer que l'Académie a accueilli tel mot, à dire que Heredia a adhéré au vers libre. 32.1
PROUST, Jean Santeuil, Pl., p. 631.

Langues anciennes, langues classiques (spécialt, le grec et le latin).

Langues orientales (qualificatif sans contenu scientifique; purement pédagogique et institutionnel). *L'École des langues orientales* (argot d'école : *langues o* [lɑ̃gzo]). Par métonymie. *Professeur aux langues orientales. Diplômé des langues orientales.*

Qualités d'expression (cit. 5 et 6) *d'une langue. La pensée et la langue,* ouvrage de F. Brunot. *Élégance, clarté* (cit. 10 et 14), *flexibilité* (cit. 3), *harmonie* (cit. 22) *d'une langue. Euphonie* (cit. 2), *musique, douceur d'une langue. Intonation* (cit. 5), *accent d'une langue* (→ Criard, cit. 2). *Les grâces* (cit. 74) *d'une langue. Langue chantante*, agréable à l'oreille. Langue dure, gutturale. Langue barbare, incompréhensible.* ⇒ **Baragouin.** — *Pauvreté, richesse d'une langue; langue pauvre, riche, souple, complexe. Langue mâle* (→ Allure, cit. 6). — *Génie** (cit. 12, 17 et 18) *d'une langue, de la langue.*

Il n'y a point de langue assez riche pour fournir autant de termes, de tours et de phrases que nos idées peuvent avoir de modifications. 33
ROUSSEAU, Émile, II.

L'art de raisonner se réduit à une langue bien faite. 34
CONDILLAC, la Logique..., II, 5.

35 Les Grecs se plaisaient à parler leur langue, et à la sentir couler ou sous leur plume ou de leur bouche ; elle les charmait. C'est que leur langue était aisée (...)
Joseph JOUBERT, Pensées, XVII, XXVII.

36 De vieux civilisés comme nous parlent une langue très abstraite, compliquée à l'excès par la surcharge des significations, simplifiée à l'excès par le sacrifice des formes (...) VALÉRY, Variété IV, p. 151.

Origine, histoire, évolution d'une langue (→ Archaïsme, cit. 1 ; historique, cit. 3 et 11). *Histoire de la langue française. Étymologies* (cit. 8) *d'une langue. Étude scientifique des langues.* ⇒ **Linguistique.** *Unités d'une langue.* ⇒ **Phonème ; morphème, mot, phrase.** *Phonologie, morphologie, syntaxe, lexique, sémantique d'une langue. Dictionnaire de langue.* ⇒ **Dictionnaire.** — *Fixer, codifier* (cit. 1) *une langue, la langue* (→ Classique, cit. 2). *Langue fixée* (cit. 15 et 16). *Emploi de mots nouveaux dans une langue* (⇒ **Néologie**). *Mot, expression passée dans une langue* (⇒ **Emprunt**). *Tournure propre à une langue* (⇒ **Idiotisme**). — *Enrichir* (cit. 9 et 11), *améliorer* (→ Définition, cit. 7), *renouveler* (→ Hardi, cit. 17) *la langue. Appauvrir la langue. Épurer* (cit. 8, 10 et 12) *la langue.* Prov. *L'usage* est le tyran des langues.* — *Défense et illustration de la langue française,* de Du Bellay (→ Floral, cit. ; imitation, cit. 14). *Remarques sur la langue française,* de Vaugelas (1647). *Observations sur la langue française* (Ménage, 1672). — Absolt. La langue, considérée par rapport à un usage idéal (→ Auteur, cit. 31, Boileau). *Fautes de langue.* — REM. Dans ce sens, *langage* est plus courant.

37 Le maniement et emploi des beaux esprits donne prix à la langue (...)
MONTAIGNE, Essais, III, V.

38 Toute langue vit, travaille, respire, souffre, s'exalte et succombe en se transformant. On peut tout retirer à un peuple malheureux (...) il est presque impossible de lui retirer son langage.
G. DUHAMEL, Refuges de la lecture, VIII, p. 240.

39 (...) le fait de style résulte d'un sentiment de liberté que l'artiste conçoit en face de la langue. Celle-ci se présente à lui comme un trésor inépuisable de mots et de tours (...) R.-L. WAGNER, Introd. à linguistique franç., p. 42.

(La langue, dans sa relation avec les locuteurs). Système linguistique, dans ses rapports avec l'individu. LANGUE MATERNELLE : système linguistique naturel, homogène ou non (cas des variétés mixtes) dans laquelle un sujet a mené à bien son apprentissage du langage dans une communauté linguistique, les rôles des composantes de cette communauté (famille, école, groupe de pairs) variant en fonction des cultures. *La différence fondamentale entre créoles et pidgins vient de ce que seuls les créoles peuvent être des langues maternelles. La langue maternelle n'est pas forcément la langue de la mère ;* ex. : *il est américain, mais sa langue maternelle est l'italien* (son père était italien et sa mère grecque : on parlait italien dans la famille). — LANGUE SECONDE : langue maîtrisée après la langue maternelle, mais dont l'apprentissage est requis dans une partie de la communauté concernée (à la différence de la *langue étrangère,* apprise par choix individuel et par décision didactique). *La langue seconde peut être une langue officielle, une langue véhiculaire.* — *La langue de qqn,* sa langue maternelle ou la langue dans laquelle il s'exprime le plus normalement. *Comment dites-vous cela dans votre langue ?* — *Parler, écrire, lire, comprendre, connaître, savoir une, deux, plusieurs langues.* ⇒ **Bilinguisme ; bilingue, trilingue ; polyglotte.** *Bien, mal parler une langue. Baragouiner* (cit. 2) *une langue. Exprimer* (cit. 4 et 24) *qqch., s'exprimer* (cit. 41) *dans une langue. Langue apprise. Langues étrangères* (par rapport à une langue de référence) ; spécialt, langue considérée comme objet d'apprentissage (→ Enrichir, cit. 5). *Traduire une langue dans une autre.* ⇒ **Interprète, traducteur, traduction.** *Passage d'une langue à une autre* (→ Inexactitude, cit. 2 ; intraduisible, cit. 1). *À quelle langue appartient ce mot ? Spécialiste en langue latine* (latiniste), *italienne* (italianisant), *espagnole* (hispaniste), *allemande* (germaniste), *slaves* (slaviste), *chinoise* (sinologue), *sanskrite* (sanskritiste)... *Langues mortes,* qui ne sont plus parlées, par oppos. à *langues vivantes* (→ Goût, cit. 44). *Spécialiste des langues anciennes.* ⇒ **Paléologue** (vx). *Langue inconnue, indéchiffrable* (→ Formule, cit. 2). Absolt. *Les langues :* les langues étrangères (surtout vivantes). *Don** (*supra,* cit. 13) *des langues. Maître, professeur, école, cours de langues. Étude* (cit. 11 et 12) *des langues. Apprendre les langues* (→ Entendre, cit. 4), *une langue, par la conversation, les méthodes audiovisuelles*, le dictionnaire* et la grammaire*.* ⇒ aussi **Apprenant.** *Laboratoire de langues. Bain de langue.* ⇒ **Bain** (A., 3.).

40 L'on ne peut guère charger l'enfance de la connaissance de trop de langues (...)
LA BRUYÈRE, les Caractères, XIV, 71.

41 Les langues sont la clef ou l'entrée des sciences (...)
LA BRUYÈRE, les Caractères, XII, 19.

42 C'est Charles-Quint lui-même qui a dit qu'*un homme qui sait quatre langues vaut quatre hommes.* Mme DE STAËL, Corinne, VII, I.

43 Nul, dans une littérature vivante, n'est juge compétent que des ouvrages écrits dans sa propre langue.
CHATEAUBRIAND, Mémoires d'outre-tombe, t. II, p. 143.

43.1 O bouches l'homme est à la recherche d'un nouveau langage
Auquel le grammairien d'aucune langue n'aura rien à dire
Et ces vieilles langues sont tellement près de mourir
Que c'est vraiment par habitude et manque d'audace
Qu'on les fait encore servir à la poésie.
APOLLINAIRE, Calligrammes, « la Victoire », Pl., p. 310.

(Déb. XXe). Spécialt. Ling. Système d'expression potentiel, opposé au *discours** ou à la *parole,* qui en est l'utilisation momentanée. *Un mot sans contexte, considéré en langue. Saussure définit la langue comme « un système de signes distincts correspondant à des idées distinctes »* (*Cours de linguistique générale,* p. 26). *La langue est une forme** (cit. 41, Saussure), *un système de différences, de valeurs*. Passage de la langue à la parole.* ⇒ **Actualiser ; actualisation.** *Distinguer la langue, ses variantes* (usages, normes) *et ses réalisations.*

En séparant la langue de la parole, on sépare du même coup : 1° ce qui est social de ce qui est individuel ; 2° ce qui est essentiel de ce qui est accessoire et plus ou moins accidentel. 43.2
La langue n'est pas une fonction du sujet parlant, elle est le produit que l'individu enregistre passivement (...) La parole est au contraire un acte individuel.
F. DE SAUSSURE, Cours de linguistique générale, Introd., II, p. 30.

Langue et discours sont deux réalités liées. On peut imaginer une langue sans discours (quand on ne pense à rien) ou sans parole (le discours intérieur), mais non un discours organisé sans langue. 43.3
Bernard POTTIER, Systématique des éléments de relation, p. 8.

♦ **2.** Langage parlé ou écrit, spécial à certaines matières, à certains milieux ; aspect que peut prendre une langue donnée. ⇒ **Langage** (II., 1.). *Langue parlée et langue écrite. La langue de la conversation* (→ Gallicisme, cit. 2). *Langue populaire. Langue des halles. Langue verte*.* ⇒ **Argot** (cit. 2 et 3), **argotique.** *Langue littéraire, poétique* (→ Genre, cit. 14). *Langue commune* (→ Homonyme, cit.). *Langues spéciales. Langue savante, vulgaire. Langue scientifique, philosophique.* ⇒ **Jargon.**

En France, à côté de la langue littéraire qui s'écrit partout et que les gens cultivés ont la prétention de réaliser en parlant, il y a des dialectes (...) D'autre part, à l'intérieur d'une seule ville, comme Paris, il y a un certain nombre de langues diverses qui se superposent (...) la langue des salons n'est pas celle des casernes, ni la langue des bourgeois celle des ouvriers (...) 44
J. VENDRYES, le Langage, p. 285.

♦ **3.** Utilisation individuelle du langage*, façon de s'exprimer par le langage. Syn. : *langage* (II.). *La langue d'un écrivain* (→ Cent, cit. 6 ; ellipse, cit. 2 ; épouser, cit. 20). ⇒ **Style.** *Langue noble, simple et familière, gauche et embarrassée* (cit. 22). *Langue empreinte de provincialisme.* — REM. Dans cette acception, *langue* est parfois employé abusivement pour *style**.

Le grand talent était rare *(sous la Révolution),* plus rare l'invention politique, la langue fort monotone, toujours calquée sur Rousseau. Grande, immense différence avec le seizième siècle, où chacun a une langue forte, une langue sienne, qu'il fait lui-même, et dont les défauts énergiques intéressent, amusent toujours. 45
MICHELET, Hist. de la Révolution franç., IV, X.

Qu'y a-t-il donc de si rare chez cet homme fluide, incertain ? D'abord, il y eut l'ami de Proust. Et puis, il y a l'écrivain, un des inventeurs à part entière du style contemporain. Quand la langue de Morand est apparue en France, elle n'était la fille de personne, neuve comme le jazz, précise comme la photo. 45.1
Pascal JARDIN, la Guerre à neuf ans, p. 113.

Type de discours. Loc. *Langue de bois :* le discours des dirigeants, dans les pays de l'Est (désigné par les opposants au régime). *« La langue de bois des dirigeants soviétiques servirait-elle à masquer cette inavouable profession de foi ? »* (*l'Express,* 4-10 nov. 1983, p. 66). Par ext. Toute façon de s'exprimer qui abonde en stéréotypes et en formules figées. *« (...) on est assommé par la langue de bois, quel que soit celui qui l'emploie (...) Au point qu'on devrait inventer une sorte de châtiment pour ceux qui emploient certaines expressions »* (*le Nouvel Obs.,* 9-15 déc. 1973, p. 38).

Depuis que quelques-uns des acteurs de notre vie publique se sont donné pour rôle de « parler vrai », il est convenu de condamner la « langue de bois » de la plupart des hommes politiques et de vanter le langage neuf dont usent ceux qui (...) savent apparemment se faire entendre de l'opinion. 45.2
À y bien regarder, ce qui distingue la « langue de bois » de la « parole vraie », c'est principalement la pauvreté de son contenu, ou, si l'on préfère, le caractère très général des notions qu'elle véhicule. Les vastes mobilisations se font à ce prix. L'inconvénient est qu'elles ne vont pas sans malentendus (...)
Entre la « langue de bois », qui laisse dans le flou l'action qu'elle accompagne, et le discours prétendu « véridique », qui a d'autant plus de force qu'il ne s'accompagne d'aucune action, le langage que le peuple attend de ses dirigeants est celui qui limite au strict minimum la part de dissimulation qu'impose toujours la conduite des hommes. Thomas FERENCZI, *in* le Monde, 15 mars 1984.

♦ **4.** Fig. et littér. *La langue des dieux :* la poésie (→ Improviser, cit. 1). Allus. littér. (→ Harmonie, cit. 28, Musset ; 1. harpe, cit. 6, Lamartine).

♦ **5.** Par ext. Mode d'expression. *La langue des signes.* ⇒ **Langage.** *La langue musicale* (→ Exprimer, cit. 36 ; idiome, cit. 2).

Que d'attention chez les Romains à la langue des signes ! 46
ROUSSEAU, Émile, IV.

(Berlioz) nous a donné une langue musicale d'une vérité psychologique et d'une souplesse admirables (...) R. ROLLAND, Musiciens d'aujourd'hui, p. 56. 47

★ **III.** (XIIe). Par anal. du sens I. Chose plate et allongée (surtout dans des expressions). *Petite langue.* ⇒ **Languette.** — *Les langues de feu* de la Pentecôte* (→ Aile, cit. 14). *Langue de feu :* flamme allongée (→ Coquemar, cit. 1 ; éparpiller, cit. 17). — (Mil. XIVe). *Langue de terre :* bande de terre plus ou moins longue et étroite. ⇒ (spécialt) **Isthme, péninsule, presqu'île** (→ Finir, cit. 22). — Géogr. *Langue glaciaire :* glacier* d'écoulement (partie allongée d'un glacier alpin).

Des chèvres, des vaches, et leur conducteur, qui tirait de son cornet des sons agrestes, passaient en ce moment sur une langue de terre restée à sec entre la plaine inondée et la Thièle. Des pierres placées aux endroits les plus difficiles, soutenaient, ou continuaient cette sorte de chaussée naturelle (...) 48
É. DE SENANCOUR, Oberman, IV.

49 Soudainement, le bois sec et léger prit flamme,
Une langue écarlate en sortit, et, rampant
Jusqu'au ventre, entoura l'homme, comme un serpent.
LECONTE DE LISLE, Poèmes tragiques, « L'holocauste ».

Techn. Outil, instrument plat et allongé. — Coin en bois placé sous l'étrave d'un navire sur cales. — Tuyau dont l'orifice est aplati.

COMP. Abaisse-langue. — Langue-de-bœuf, langue-de-carpe, langue-de-cerf, langue-de-chat, langue-de-chien, langue-de-femme, langue-d'oiseau, langue-de-serpent, langue-de-vache.

DÉR. Langage, langué, languette, langueyer, languier.

LANGUÉ, ÉE [lɑ̃ge] adj. — 1450; de *langue.*

♦ Blason. Se dit d'un oiseau dont la langue est d'un autre émail que le corps.

LANGUE-DE-BŒUF [lɑ̃gdəbœf] n. f. — XIIIe (v. 1240, *langue de boef*); de *langue, de,* et *bœuf.*

♦ **1.** Anciennt. Demi-pique (en usage au moyen âge).

♦ **2.** (1676). Mod. (Techn.). Outil de maçon.

♦ **3.** (1790, p.-ê. du lat. *lingua bubula,* bas lat. *lingua bouina* et *lingua bouis*). Fistuline (champignon). — Syn. : *foie-de-bœuf.*

REM. 1. Tous les comp. de *langue* font leur plur. comme suit : *des langues-de-bœuf.*
2. *Langue-de-bœuf* désigne régionalement de nombreuses plantes.

LANGUE-DE-CARPE [lɑ̃gdəkaʀp] n. f. — 1765, Encyclopédie; de *langue, de,* et *carpe.*
Technique.

♦ **1.** Ciseau en double biseau arrondi.

♦ **2.** (1873, Larousse). Foret très fin.

♦ **3.** Pioche (utilisée dans les remblayages de voies de chemin de fer).
Plur. : *Des langues-de-carpe.*

LANGUE-DE-CERF [lɑ̃gdəsɛʀ] n. f. — 1530; de *langue, de,* et *cerf.*

♦ Régional. Scolopendre officinale (fougère). *Des langues-de-cerf.*

LANGUE-DE-CHAT [lɑ̃gdəʃa] n. f. — 1765; de *langue, de,* et *chat.*

♦ **1.** Vx. Coquillage en forme de lame arrondie au bout.

♦ **2.** (1867). Mod. et cour. (*in* Littré). Petit biscuit plat, allongé, à extrémité arrondie à pâte croquante. *Croquer des langues-de-chat.*

♦ **3.** (1882). Techn. Burin de graveur.

LANGUE-DE-CHIEN [lɑ̃gdəʃjɛ̃] n. f. — XVe; de *langue, de,* et *chien.*

♦ Régional. Cynoglosse officinale. *Des langues-de-chien.*

LANGUE-DE-FEMME [lɑ̃gdəfam] n. f. — D. i.; attesté régionalement (Normandie, Charente); de *langue, de,* et *femme.*

♦ Régional. Brize* intermédiaire, graminée aux épillets plats. *Des langues-de-femme.*

LANGUE-DE-SERPENT [lɑ̃gdəsɛʀpɑ̃] n. f. — 1319; de *langue, de,* et *serpent.*

♦ **1.** Anciennt. Produit destiné à déceler les poisons dans un mets (déb. du moyen âge). ⇒ **Languier.**

♦ **2.** Régional. Ophioglosse (plante). *Des langues-de-serpent.*

LANGUE-DE-VACHE [lɑ̃gdəvaʃ] n. f. — 1812; de *langue, de,* et *vache.*

♦ **1.** Régional. Consoude (plante). *Des langues-de-vache.*

♦ **2.** (1877, Littré, *Suppl.*). Techn. Enclume pointue à une extrémité, arrondie à l'autre.

LANGUEDOCIEN, IENNE [lɑ̃gdɔsjɛ̃, jɛn] adj. — 1721, Trévoux, *languedochien*; de *Languedoc.*
Du Languedoc.

♦ **1.** Adj. et n. (Personne) originaire du Languedoc ou habitant le Languedoc. — *À la languedocienne,* se dit de préparations culinaires.
N. m. (1756). Ensemble des parlers occitans du Languedoc.

♦ **2.** Préhist. Se dit d'un faciès de l'industrie lithique moustérienne du Sud de la France.

LANGUE-D'OISEAU [lɑ̃gdwazo] n. f. — 1812, Mozin; de *langue, d(e),* et *oiseau.*

♦ Régional. Stellaire holostée (plante). *Des langues-d'oiseau.*

LANGUETTE [lɑ̃gɛt] n. f. — V. 1354; *languete* « petite langue », 1266; *langhete,* 1302; dimin. de *langue,* I.

♦ **1.** Objet, pièce en forme de petite langue. ⇒ **Linguiforme.** *Couper une languette de pain, de fromage.* ⇒ 1. **Lèche** (II.), 1. **liche, lichette.** « *Tailler un morceau d'étoffe en languette* » (Académie). *Languette de cuir d'un porte-feuille.* ⇒ **Patte.** — *Languette d'une chaussure* montante, d'un soulier.*

La ville s'élevait peu à peu et nous montrait ses phares, son palais lourdement 1
épaté sur la languette de terre nommée Ras-et-Tin (le cap du figuier).
M. DU CAMP, le Nil, Égypte et Nubie, p. 5, *in* T. L. F.

♦ **2.** (1554). Techn. (Menuis.). Tenon* destiné à entrer dans une rainure pour assurer l'assemblage de deux planches* (ex. : dans un parquet). — Contr. : *jointif* (planches jointives). *Assemblage à rainures et à languettes d'un parquet*.*

Chaque ais aura une rainure et une languette, afin qu'ils s'emboîtent l'un dans 2
l'autre (...) BIBLE (SACY), Exode, XXVI, 17.

(Maçonn.). Séparation à l'intérieur d'une cheminée*.

(1611). Mus. Petite lame de métal faisant office d'anche dans certains instruments à vent (harmonica, par ex.), ou couvrant l'anche d'un tuyau d'orgue; petite pièce de bois adaptée au sautereau.

(1530). Aiguille* du fléau (d'une balance).

♦ **3.** Sc. nat. Appendice long et plat, mince (bot., zool.).

LANGUEUR [lɑ̃gœʀ] n. f. — 1125; lat. *languor, oris.*

♦ **1.** Vieilli. État d'une personne dont les forces (cit. 10) vont diminuant graduellement et lentement. ⇒ **Abattement, adynamie, affaiblissement, affaissement, alanguissement, anéantissement, dépérissement, épuisement, étisie, marasme.** *Dépérir* (cit. 1) *de langueur. Malade consumé de langueur.* ⇒ **Consomption; languir; languide.** *Fièvre* (cit. 1) *qui fait tomber dans une langueur extrême. — Maladie de langueur due à l'anémie*, à la neurasthénie.*

Bientôt les pauvres gens tombèrent en langueur; 1
Il ne se forma plus de nouveau sang au cœur (...) LA FONTAINE, Fables, III, 2.

(...) nous sommes résolus, si son mal se tourne en langueur, de nous en aller en Pro- 2
vence (...) Mme DE SÉVIGNÉ, 262, 6 avr. 1672.

(...) la mort de Mlle Herminie de Stasseville, victime d'une maladie de lan- 3
gueur (...) BARBEY D'AUREVILLY, les Diaboliques, « Le dessous de cartes... ».

Fig. Défaut d'activité. ⇒ **Atonie, dépression, léthargie, marasme, stagnation.**

Les sept cent cinquante-neuf plantations distribuées dans soixante-une vallées sor- 4
taient de leur langueur, et il s'en formait d'autres (...)
G.-T. RAYNAL, Hist. philosophique, VII, 14, *in* LITTRÉ.

♦ **2.** Littér. Asthénie causée par une fatigue nerveuse, des chagrins. ⇒ **Abattement, dépression, ennui.** *Langueur d'âme*. Périr de langueur* (→ Crever, cit. 22).

Alors vous faites de la nostalgie, de la langueur, de la déception, de la neurasthé- 5
nie (...) Je me trompe? COLETTE, la Fin de Chéri, p. 91.

Ensuite, pendant des semaines, il tombait en langueur, affectait de ne s'intéresser 6
plus à quoi que ce fût (...) G. DUHAMEL, Chronique des Pasquier, III, VIII.

♦ **3.** Mod. Mélancolie douce et rêveuse, tristesse vague. *Langueur mystique* (→ Assoupir, cit. 8).

Plus sédentaire, je fus pris non de l'ennui, mais de la mélancolie; les vapeurs succé- 7
dèrent aux passions; ma langueur devint tristesse; je pleurais et soupirais à propos de rien (...) ROUSSEAU, les Confessions, V.

Les sanglots longs 8
Des violons
De l'automne
Blessent mon cœur
D'une langueur
Monotone. VERLAINE, Poèmes saturniens, « Paysages tristes », V.

Quelle est cette langueur 9
Qui pénètre dans mon cœur?
VERLAINE, Romances sans paroles, III (→ Cœur, cit. 40).

Spécialt. État de l'âme fréquent dans l'amour où, à l'émoi sensuel, se mêlent tantôt un bonheur attendri, tantôt un sentiment d'inquiétude. *Langueur amoureuse. Un amoureux tout rempli de langueur.* ⇒ **Langoureux** (→ Bémol, cit. 3). *Tomber en de douces langueurs* (→ Frisson, cit. 15).

(...) tes yeux, aux miens découvrant ta langueur, 10
Me demandaient quel rang tu tenais dans mon cœur (...) RACINE, Alexandre, IV.

(Dans le temple de Vénus) une secrète et douce langueur s'emparait de moi (...) 11
FÉNELON, Télémaque, IV.

(...) tandis qu'ils s'efforçaient à trouver les phrases banales, ils sentaient une même 12 langueur les envahir tous les deux; c'était comme un murmure de l'âme, profond, continu, qui dominait celui des voix. FLAUBERT, Mme Bovary, II, III.

13 Et leurs pieds se cherchant et leurs mains rapprochées
Ont de douces langueurs et des frissons amers.
BAUDELAIRE, les Fleurs du mal, CXI.

14 Tout l'accablait de langueur, la tiédeur de ce jour immobile, l'odeur des feuilles, le silence profond. P.-J. TOULET, la Jeune Fille verte, V.

15 Adrienne (...) noire et changée dans son nuage de tulle, accable de sa langueur l'épaule de son mari (...) COLETTE, la Maison de Claudine, p. 85.

15.1 Ce Satyre — figure de l'Immédiat — est le contraire même du Langoureux. Dans la langueur, je ne fais qu'attendre : « Je ne finissais pas de te désirer ». (Le désir est partout; mais, dans l'état amoureux, il devient ceci, de très spécial : la langueur). R. BARTHES, Fragments d'un discours amoureux, p. 185.

Fig. *La langueur d'un chant* (→ Découragement, cit. 1), *d'un flamenco* (cit. 2) *andalou. Langueur tendre d'un parfum* (→ Bien-être, cit. 2).

♦ **4.** Manque d'activité, d'énergie. ⇒ **Apathie, assoupissement, indolence** (cit. 5), **mollesse, nonchalance, paresse.** *Donner des signes de langueur.* ⇒ **Relâchement.**

16 Aussi n'avait la mienne *(ma complexion)* autre vice que langueur et paresse. Le danger n'était pas que je fisse mal, mais que je ne fisse rien. Nul ne pronostiquait que je dusse devenir mauvais, mais inutile. On y prévoyait de la fainéantise, non pas de la malice. MONTAIGNE, Essais, I, XXVI.

17 Quittez, dit-il, la couche oisive
Où vous ensevelit une molle langueur (...) RACINE, Poésies diverses, VII, Mardi.

18 Et Stamboul, dans l'air devenu sec et limpide, reprenait son indicible langueur orientale (...) LOTI, les Désenchantées, III, IX.

Fig., littér. Manque de chaleur, de mouvement. *Langueur du style. Langueur d'une tragédie* (→ Hors, cit. 14). *Vers qui tombe en langueur* (→ Historien, cit. 8).

Beaux-arts. ⇒ **Morbidesse.** *Langueur d'une compositon.*

CONTR. Activité, animation, ardeur, chaleur, force, furie, vie, vitalité, vivacité.

LANGUEYAGE [lɑ̃gɛjaʒ] n. m. — 1803; *langueaige,* 1465; de *langueyer.*

♦ Vétér. Examen de la face inférieure de la langue du porc présumé ladre, pour voir si elle présente des kystes formés par les cysticerques.

LANGUEYER [lɑ̃geje] v. tr. — 1378; *langayer,* 1350; de *langue.* Technique.

♦ **1.** Vétér. Procéder au langueyage de (un porc).

♦ **2.** Vx. Délier la langue de (qqn), faire parler.

♦ **3.** (1840). Munir de languettes (un tuyau à anches). *Langueyer un tuyau d'orgue.*

DÉR. Langueyage, langueyeur.

LANGUEYEUR [lɑ̃gɛjœʀ] n. m. — XVIe; *langoieur,* 1378; de *langueyer,* et *-eur.*

♦ Techn. (Vétér.). Celui qui est chargé de langueyer les porcs. — REM. Le fém. *langueyeuse* est virtuel.

LANGUIDE [lɑ̃gid] adj. — 1523; lat. *languidus.*

♦ Vieilli ou littér. (Personnes). Qui est dans un grand état de faiblesse. ⇒ **Languissant.** *« Battant en retraite, je montais chez Maman, languide, mais lucide »* (H. Bazin, *Qui j'ose aimer, in* T. L. F.). — (Choses). Qui exprime de la langueur. *Baisers* (cit. 23, Verlaine) *languides. Air languide.* ⇒ **Langoureux.**

1 (...) Toute notre ardeur abattue et languide.
CORNEILLE, Imitation de Jésus-Christ, III, 1971.

2 (...) une tempe à demi cachée par une lourde boucle noire, un œil languide et tristement rêveur (...) GIDE, Isabelle, IV.

(Choses). Qui évoque, engendre la langueur.

3 Il passa cette dernière journée en compagnie des siens, tout imprégné de la tristesse languide qui suit les renoncements. J. KESSEL, l'Équipage, p. 153.

LANGUIER [lɑ̃gje] n. m. — 1319, au sens 2; de *langue.*

♦ **1.** (1573). Vx ou techn. Langue ou gorge de porc fumée.

♦ **2.** Hist. Pièce d'orfèvrerie sur laquelle on disposait les langues-de-serpent*.

LANGUIR [lɑ̃giʀ] v. intr. — V. 1130; lat. pop. *languire,* du lat. class. *languere.*

♦ **1.** Vieilli. Être dans un état prolongé de faiblesse physique, perdre lentement et graduellement ses forces. ⇒ **Décliner, dépérir, étioler** (s'). *« Il est malade, il y a trois ans qu'il languit »* (Académie). *Enfant qui languit, se consume* (cit. 14), *s'étiole* (cit. 2).

1 Quand mon heure viendra, Déesse, je te prie,
Ne me laisse longtemps languir en maladie,
Tourmenté dans un lit (...) RONSARD, Second livre des hymnes, « De la mort ».

2 J'ai langui, j'ai séché, dans les feux, dans les larmes. RACINE, Phèdre, II, 5.

(...) ces lépreux qui (...) languissaient aux carrefours des cités, en horreur à tous les hommes. CHATEAUBRIAND, le Génie du christianisme, IV, VI, II. 3

Par métaphore :

(...) mon imagination, qui s'anime à la campagne et sous les arbres, languit et meurt dans la chambre et sous les solives d'un plancher. 4
ROUSSEAU, les Confessions, IX.

Chaque fois que l'art languit, on le renvoie à la nature, comme on mène un malade aux eaux. GIDE, Nouveaux prétextes, p. 15. 5

Par anal. (Le sujet désigne un végétal). *Greffer* (cit. 3) *un arbuste qui languit.*

Il faut aussi que le climat soit chaud; sinon, l'arbre qui est délicat gèlera, ou tout au moins languira, et ne pourra pas épanouir ses pousses. 6
TAINE, Philosophie de l'art, t. I, p. 51.

Ses lèvres, comme un bouton de rose cueilli depuis deux matins, semblaient languir (...) CHATEAUBRIAND, Atala, p. 144. 7

♦ **2.** Poét. (En parlant de la nature quand son activité se ralentit). *« La nature languit, toutes choses languissent pendant l'hiver »* (Académie).

(Personnes). Manquer d'activité, d'ardeur, d'énergie. *Languir dans l'inaction.* ⇒ **Moisir** (fam.).

(...) j'eus le temps (...) de déplorer ma timidité, ma faiblesse, et mon indolence qui, malgré le feu dont je me sentais embrasé, me laissait languir dans l'oisiveté d'esprit toujours à la porte de la misère. ROUSSEAU, les Confessions, VII. 8

♦ **3.** (Sujet n. de chose). Manquer d'animation, d'entrain, de vigueur. ⇒ **Traîner.** *La conversation* (cit. 11) *languit.* ⇒ **Languissant.** *Spectacle qui languit* (→ Ennui, cit. 18). *L'intérêt, l'action languit* (→ Arrêter, cit. 24). — *Le procès languit,* traîne en longueur*. *Le commerce, les affaires languissent.* ⇒ **Stagner, végéter.**

(...) je veux des discours qui sonnent la première charge dans le plus fort du doute : les siens languissent autour du pot. Ils sont bons (...) pour le sermon, où nous avons loisir de sommeiller (...) MONTAIGNE, Essais, II, X. 9

Tout le monde paraissait être de mon avis, et la conversation languissait, comme il arrive toujours quand on ne dit que du bien de son prochain (...) 10
LACLOS, les Liaisons dangereuses, LXX.

— Ceci est pour vous, dit-elle en déroulant le canevas; mais depuis trois mois l'ouvrage a bien langui. BALZAC, le Lys dans la vallée, Pl., t. VIII, p. 908. 11

L'attente et l'intérêt ne doivent jamais languir ou retomber un seul instant durant cinq actes (...) GIDE, Attendu que..., p. 186. 12

♦ **4.** (1273). Vx ou littér. (Sujet n. de personne). Subir des souffrances physiques ou morales plus ou moins vives, mais éprouvantes par leur persistance. *Languir dans les tourments, dans les fers. Visages hâves* (cit. 4) *des ouvriers qui languissent au fond des mines.* — Par exagér. (Cour.). *Languir dans l'attente* d'une nouvelle.* ⇒ **Attendre** (longuement, vainement). *Languir d'ennui*, d'impatience*.* ⇒ **Ennuyer** (s'), **morfondre** (se), **sécher.** *Languir loin d'un être cher* (→ Existence, cit. 18; indifférence, cit. 24), souffrir d'être séparé de lui. — Fam. *Elle languit de vous.*

Je languis quand je suis un moment sans vous voir (...) 13
MOLIÈRE, l'École des maris, II, 7.

(...) je me verrais condamné à languir entre ces murailles, à traquer les bêtes des bois pour distraire mon désespoir! VILLIERS DE L'ISLE-ADAM, Axel, III, 1. 14

Elle languit d'ennui dans l'attente. GIDE, le Retour de l'enfant prodigue, p. 75. 15

À voir ces foules souffreteuses qui languissent, pendant des heures, avant d'accéder à quelque porte, je me sens toujours attristé, offensé, honteux. 16
G. DUHAMEL, Biographie des mes fantômes, V.

Spécialt. *Languir d'amour** (→ Bien-aimé, cit. 4), *de désir*,* et, absolt (vx), *languir (pour qqn)* : (en) être amoureux.

Oui, Prince, je languis, je brûle pour Thésée. RACINE, Phèdre, II, 5. 17

Avant de vous avoir vue, je languissais déjà d'amour pour vous; je vous appelais, je vous cherchais, et je me désespérais de ne point vous rencontrer dans mon chemin (...) Th. GAUTIER, Mlle de Maupin, XIII. 18

LANGUIR APRÈS... : attendre avec impatience (une chose dont on éprouve vivement le besoin, le désir). ⇒ **Désirer.** *Languir après une lettre, après quelques jours de congé.* ⇒ **Soupirer.**

(...) je languis après les jours de vous écrire, comme on craint les jours de poste pour écrire à ceux qu'on n'aime pas. Mme DE SÉVIGNÉ, 148, 23 mars 1671. 19

Il y a que je languis après une lettre qui tarde (...) 20
APOLLINAIRE, Calligrammes, Il y a, p. 156.

Absolt. *Dis vite, ne me fais pas languir.* ⇒ **Attendre, tirer** (la langue).

Tu ne languiras pas longtemps, je t'en réponds (...) 21
MOLIÈRE, l'École des maris, II, 9.

Nous partirons (...) pour la profession de ma chère fille Nanette, que je ne veux pas faire languir davantage. RACINE, Lettres, 193, 31 oct. 1698. 22

Spécialt. *Faire languir un soupirant,* le faire attendre longtemps avant d'accéder à ses désirs.

Bonne la loi de Cypre, où la fille au rivage, 23
Embrassant un chacun, gagnait son mariage,
Sans laisser tant languir un amant en souci.
RONSARD, Pièces posthumes, « Sonnets ».

Il veut, dit-il, crever six chevaux à me faire sa cour! Oh! je sauverai la vie à ces chevaux-là. Je n'aurais jamais la patience d'attendre si longtemps. Vous savez qu'il n'est pas dans mes principes de faire languir, quand une fois je suis décidée, et je le suis pour lui. LACLOS, les Liaisons dangereuses, LXXIV. 24

▶ **SE LANGUIR** v. pron.

Régional (Sud de la France). Languir. *Se languir de qqn, de qqch.* : souffrir de l'absence de...

Un matin, comme il achevait de la traire, la chèvre se retourna et lui dit dans son patois : 25

« Écoutez, Monsieur Seguin, je me languis chez vous. Laissez-moi aller dans la montagne. »
Alphonse DAUDET, Lettres de mon moulin, « La chèvre de M. Seguin ».

26 — C'est donc ça ! Son fils lui envoie une lettre tous les jours ! Et alors, peuchère, il se languit de l'avoir ! — Moi, je crois plutôt qu'il se languit d'avoir la première et que son fils ne lui a pas encore écrit. PAGNOL, Fanny, I, 2.

CONTR. Développer (se), épanouir (s'), prospérer. — Complaire (se).
DÉR. Languissant, languissement.
COMP. Alanguir.

LANGUISSAMMENT [lɑ̃gisamɑ̃] adv. — 1573 ; de *languissant*, et *-ment*.

♦ Littér. D'une manière languissante. *Traîner languissamment ses pieds* (→ Emprisonner, cit. 3). *Toucher languissamment une guitare* (cit. 3). *Fleurs étiolées* (cit. 1) *qui penchent languissamment la tête.*

1 Sa tête sur un bras languissamment penchée (...) CORNEILLE, Rodogune, V, 4.

2 Je l'avais trouvée *(Mme Récamier)* languissamment étendue sur une chaise longue, et je me suis demandé, en la quittant, si j'avais vu la statue de la pudeur ou bien celle de l'amour.
CHATEAUBRIAND, Mémoires d'outre-tombe, t. IV, p. 266, Note 2.

3 Il y avait encore les deux rivières (...) L'une se traînait languissamment à travers ses roseaux et s'attardait sous les vieux remparts (...)
J. GREEN, Léviathan, I, VI.

CONTR. Vivement. — Froidement.

LANGUISSANT, ANTE [lɑ̃gisɑ̃, ɑ̃t] adj. — 1280 ; *languissan*, 1181 ; p. prés. de *languir*.

♦ **1.** (1487). Vieilli. Qui languit*, est abattu, anémié. ⇒ **Abattu, atone, langoureux** (vx), **languide** (vieilli). *Corps amaigri* (cit. 5) *et languissant.* ⇒ **Anémié.** *Vieillard languissant.* ⇒ **Faible** (→ Attachement, cit. 13). — *Elle est toute languissante d'ennui. Prendre un air languissant.* ⇒ **Alangui, indolent.** — (En parlant des végétaux). Qui s'étiole. *Végétation languissante.* — REM. Dans les deux exemples suivants (cit. 1 et 2), la distinction est malaisée entre l'adjectif et le participe présent, qui s'accordait parfois.

1 Languissante elle *(la rose)* meurt, feuille à feuille déclose.
RONSARD, Second livre des amours, Amours de Marie, « Stances », IV.

2 Le malheureux lion, languissant, triste et morne,
Peut à peine rugir, par l'âge estropié. LA FONTAINE, Fables, III, 14.

3 La pauvre Madelonne *(Mme de Grignan)* est toujours languissante ; sa mauvaise santé fait le plus grand chagrin de ma vie. Mme DE SÉVIGNÉ, 714, 27 févr. 1679.

4 Et, alentour, des arbustes languissants, des herbages brûlés sont comme pour jeter ici, dans ce Sud indien éternellement humide et vert, la notion de l'anormale sécheresse dont tout le Nord, tout le pays radjpoute est en train de mourir.
LOTI, l'Inde (sans les Anglais), IV, II.

5 Après quoi, Constant vieillira ; et sa femme aussi, languissante jusqu'à tant qu'elle devienne sa veuve ; et elle lui survivra quinze ans.
Émile HENRIOT, Portraits de femmes, p. 251.

Par ext. Qui manque de force. *Vieillesse languissante* (→ Courber, cit. 5). *Santé languissante.* ⇒ **Défaillant.** *Gestes languissants.* ⇒ **Mou, nonchalant.**

Par métaphore :

6 (...) il y a des jouissances étiques et languissantes (...)
MONTAIGNE, Essais, III, V.

7 À la pâle clarté des lampes languissantes (...)
BAUDELAIRE, les Épaves, Pièces condamnées, III.

♦ **2.** (V. 1280). Littér. ou plais. Qui languit d'amour, exprime une langueur amoureuse. ⇒ **Langoureux, languide, mourant.** *Un amoureux languissant.* ⇒ **Transi.** — Par ext. *Une blonde* (cit. 9) *aux yeux languissants. Un regard languissant.* — REM. « Au fig. *languissant* marque l'état ou la façon d'être naturels, *langoureux*, une affectation de langueur pour se faire plaindre ou pour séduire par une douceur exagérée » (Bénac).

8 Mes soupirs languissants et mes tristes regrets. MOLIÈRE, le Sicilien, 3.

9 (...) les baisers, languissants ou joyeux.
BAUDELAIRE, les Épaves, Pièces condamnées, II.

10 Toute brûlante ! toute mourante ! toute languissante ! Tu me tends la main, tu ouvres les lèvres (...) CLAUDEL, Cinq grandes odes, Première ode.

Qui représente ou évoque la langueur amoureuse, dans le domaine de l'expression artistique.

10.1 Il est un air pour qui je donnerais
Tout Rossini, tout Mozart et tout Weber,
Un air très vieux, languissant et funèbre,
Qui pour moi seul a des charmes secrets. G. DE NERVAL, « Fantaisie ».

♦ **3.** (1487). Fig. et cour. Qui manque d'animation, d'énergie, d'entrain. *Affecter* (cit. 2) *un ton de voix languissant.* ⇒ **Mourant, traînant.** *Conversation* (cit. 6 et 7) *languissante.* ⇒ **Morne, terne.**

11 Je jugeai devoir animer un peu cette scène languissante (...)
LACLOS, les Liaisons dangereuses, CXXV.

Qui manque d'ardeur, de ferveur. *De languissantes pratiques de dévotion* (→ Alors, cit. 3). — Qui ne présente qu'une faible activité. *Commerce languissant. Carrière* (2. Carrière, cit. 23) *languissante.*

12 Je ne puis appeler la vie cette activité languissante qui me sépare de la mort.
FRANCE, *in* Carnets intimes, 13 avr. 1911.

Spécialt. Littér. *Style, vers languissants.* ⇒ 1. **Froid, inanimé, lâche** (→ 1. Faux, cit. 51 ; inexact, cit. 1).

La composition du *Moïse sauvé* est languissante, le vers lâche et prosaïque (...) 13
CHATEAUBRIAND, le Génie du christianisme, II, I, IV.

CONTR. Actif, ardent, énergique, remuant, vif.
DÉR. Languissamment.

LANGUISSEMENT [lɑ̃gismɑ̃] n. m. — XIVe ; du rad. du p. prés. de *languir*, et *-ment*.

Littéraire et vieilli.

♦ **1.** « État de celui qui languit, et, particulièrement, qui languit d'amour » (Littré). ⇒ **Langueur.**

Ces regards dérobés, brûlants de passion,
Ces doux languissements, ces mignardes caresses (...)
DESPORTES, Élégies, I, 19, *in* LITTRÉ.

♦ **2.** État d'une chose qui languit. *Le languissement des affaires.*

LANI- Élément tiré du lat. *lana* « lainé », et entrant dans la formation de quelques mots techniques ou savants, tels que : *laniidés, lanifère, lanigère.*

LANIAIRE [lanjɛʀ] adj. — 1846, Bescherelle ; du lat. *laniare* « déchirer ».

♦ Didact. *Dents laniaires :* dents incisives (parce qu'elles déchirent les aliments).

HOM. Lanière.

LANICE [lanis] adj. — 1606 ; *lanieche*, 1290 ; du lat. *lana* « laine ».

♦ **1.** Vx. Qui provient de la laine.

♦ **2.** Mod. (Techn.). *Bourre* lanice*, utilisée pour les matelas.

LANIER [lanje] n. m. — V. 1245 ; *falcon lanier*, XIIe ; de l'agglutination de l'art. défini et de **anier*, de l'anc. franç. *ane* « canard » et suff. *-ier*, calque du germanique *anothapuh* « qui prend des canards », de *ane* « canard ».

♦ Techn. Oiseau rapace* diurne, faucon* femelle que l'on dressait autrefois pour la chasse. *Mâle du lanier.* ⇒ **Laneret.** — Par appos. *Faucon lanier.*

DÉR. Laneret.

LANIÈRE [lanjɛʀ] n. f. — XIIe, *lasnière ;* de l'anc. franç. *lasne*, métathèse consonantique probablt de (sous l'infl. de *laz* « lacet ») l'anc. franç. **nasle*, du francique **nastila* « lacet » (cf. le wallon *nale* « ruban » et *nalière* « lacet de cuir »). P. Guiraud voit dans *nasle* un dér. du lat. *lacinia* « morceau d'étoffe », d'après *lacer, lacero* « déchiré ».

♦ **1.** Longue et étroite bande* (de cuir* ou d'une autre matière). ⇒ **Courroie.** *Lanière de fouet*. Cingler, fouetter avec une lanière, des lanières.* → 2. Cingler, cit. 2. *Lanières qui font partie du harnachement du cheval.* ⇒ **Guide, longe, rêne.** *Lanières de cuir servant à faire des bretelles de fusil, à porter des fardeaux* (⇒ **Bretelle, bricole**). *Lanière de sécurité.* ⇒ **Attache,** II., 1. *Lanière d'un fléau.* ⇒ **Escourgeon.**

Quant aux oliviers, ils font pitié sous cette pluie (...) et sous le vent glacé qui déchire leur maigre feuillage, en les frappant comme avec des lanières. 1
E. FROMENTIN, Une année dans le Sahel, p. 105.

Au milieu du portique, en plein soleil, une femme nue était attachée contre une 2
colonne, deux soldats la fouettant avec des lanières (...)
FLAUBERT, la Tentation de saint Antoine, p. 5.

Spécialt. Lanière de fouet.

Au-dessous, jetée sur le sol, dans le coin le plus obscur, une lanière repliée, de cel- 3
les que les toucheurs de bœufs nomment « coutelas », aiguë à sa pointe, large de trois doigts à sa base, pareille à un plat serpent noir.
BERNANOS, Sous le soleil de Satan, II, XII.

♦ **2.** Bande longue et mince. *Découper qqch. en lanières, en faire des lanières. Drap déchiré en lanières.* ⇒ **Lambeau.**

Spécialt. Large bande de tissu de crin, pour effectuer des frictions.

HOM. Laniaire.

LANIFÈRE [lanifɛʀ] adj. — 1747 ; de *lani-*, et *-fère*.

Didactique.

♦ **1.** Qui porte, produit de la laine. *Animaux lanifères. Le mouton, la vigogne, animaux lanifères.* ⇒ **Lainier.**

♦ **2.** Par anal. Qui est couvert d'un duvet semblable à de la laine, d'une substance laineuse ou cotonneuse. *Feuilles lanifères.* ⇒ **Lanigère, lanugineux.**

LANIGÈRE [laniʒɛʀ] adj. — XVe ; lat. *laniger,* de *lana* «laine», et *gerere* «porter».
Didactique.

♦ **1.** Zool. Couvert de laine. *Le mouton, le lama, animaux lanigères.* ⇒ **Lainier, lanifère.**

♦ **2.** Par anal. (Zool., bot.). Recouvert d'une substance cotonneuse rappelant la laine. ⇒ **Lanifère, lanugineux.** *Puceron* lanigère du pommier. Le coing, fruit lanigère.*

LANIIDÉS [laniide] n. m. pl. — 1902, Larousse ; de *lani-,* et *-idés.*

♦ Zool. Famille d'oiseaux passereaux, comprenant les pies-grièches. — Au sing. *Un laniidé.*

LANISTE [lanist] n. m. — Fin XVe, attestation isolée, repris au XVIIe ; lat. *lanista* «maître des gladiateurs», d'orig. étrusque.

♦ Antiq. lat. Celui qui achetait, formait et louait ou vendait des gladiateurs (cit. 2). — On emploie aussi la forme latine *lanista.*

LANITAL [lanital] n. m. — Mil. XXe ; 1936, en ital., Ferreti ; nom déposé ; mot ital., contraction de *lana* «laine», et *italiano* «italien».

♦ Techn. Textile artificiel qui provient de la caséine du lait solubilisée, puis précipitée en filaments rendus insolubles par le formol. *D'une extrême plasticité, le lanital ne peut guère s'utiliser que mélangé avec la laine, soit pour la bonneterie, soit pour la draperie.*

De toutes les fibrannes (fibres courtes), c'est le lanital qui semble se rapprocher le plus de la laine, *par sa composition chimique tout au moins* (...)
Au point de vue solidité et ténacité, le lanital ressemble aux laines fatiguées. Sa résistance à la rupture est plus faible que celle de la laine (...) le lanital ne possède pas la matité de la laine ; il se présente, au contraire, en fibres brillantes évoquant l'aspect de la laine lustrée (laine de Mohair)...
Le lanital se teint beaucoup plus vite que la laine, mais il retient moins bien le colorant que cette dernière et les autres textiles, à égalité de colorant.
Raymond THIÉBAUT, la Filature, p. 120-121.

LANLAIRE [lɑ̃lɛʀ] onomat. invar. — 1745, en loc. ; orig. obscure ; Wartburg rattache *(l)anlaire* «baliverne, individu méprisable» à l'expression *en l'air* (cf. Paroles en l'air). L'explication la plus courante fait du mot un refrain de chanson populaire, aux syllabes fantaisistes.

♦ Vx (en usage au XIXe) ou régional. *Faire lanlaire* (euphémisme de *foutre* ou *fiche*). *Envoyer faire lanlaire :* envoyer promener (→ 1. Foutre).

1 — Va te faire lanlaire ! Voilà un pâté sur la requête !
BALZAC, le Colonel Chabert, Pl., t. II, p. 1090.

1.1 — C'est un jeune artiste, monsieur... qui prétend que vous l'avez engagé à venir vous voir...
— Qu'il aille donc se faire... lanlaire ! celui-là.
Ch. PAUL DE KOCK, la Grande Ville, t. I, p. 326.

2 Je m'en soucie au point, si tu veux,
Tu peux t'aller faire lanlaire ! VERLAINE, Jadis et Naguère, VIII.

LANO- Élément tiré de *lanoline,* et servant à former des mots de chimie industrielle. ⇒ **Lanostérol, lanovaseline.**

LANOLINE [lanɔlin] n. f. — 1887 ; du lat. *lana* «laine», et *oleum* «huile».

♦ Didact., techn. Substance onctueuse, molle et jaunâtre, extraite du suint de la laine du mouton, et utilisée pour la préparation des pommades, des cosmétiques. *Crème, savon à la lanoline.*

Suzanne enduit son cou délicat de lanoline et l'emmaillotte *(sic)* de vieux linge usé (...) quand je m'indigne, Suzanne (...) dit : «Penses-tu que je vais m'abimer la peau pour un homme ? Je n'ai pas de peau de rechange. S'il n'aime pas la lanoline, qu'il s'en aille. Je ne force personne.»
COLETTE, les Vrilles de la vigne, Belles-de-jour, p. 148-149.

LANOSTÉROL [lanɔsteʀɔl] n. m. — XXe ; de *lano-,* et *-stérol.*

♦ Chim. Alcool libre de la lanoline.

LANOVASELINE [lanɔvazlin] n. f. — XXe ; de *lano-,* et *vaseline.*

♦ Chim. Mélange de lanoline et de vaseline.

LANSONIEN, IENNE [lɑ̃sɔnjɛ̃, jɛn] adj. — Attesté mil. XXe ; du nom du critique Gustave *Lanson.*

♦ Relatif à la critique littéraire traditionnelle telle que la concevait G. Lanson.

LANSQUENET [lɑ̃skənɛ] n. m. — V. 1490 ; empr. à l'all. *Landsknecht* «valet de ferme», de *Land* «terre, pays», et *Knecht* «valet».

♦ **1.** Hist. Fantassin allemand qui servait en France comme mercenaire aux XVe et XVIe siècles. *Pique, hallebarde* (cit. 4) *des lansquenets.*

(...) elle changeait aussi souvent de parti que jadis les lansquenets (...) 1
FURETIÈRE, le Roman bourgeois, II, p. 183.

Un homme qu'un piquet de lansquenets escorte. 2
HUGO, la Légende des siècles, XVIII, La confiance du marquis Fabrice, XII.

♦ **2.** (Fin XVIe). Anciennt. Jeu de cartes (introduit en France par les *lansquenets* allemands et pratiqué, dans le peuple, jusqu'en 1870 environ). ⇒ aussi **Bassette.** *Jouer au lansquenet, une reprise de lansquenet* (→ Hombre, cit. 2). *Hasarder* (cit. 3) *une grosse somme au lansquenet.* — Par ext. Salle de jeu où l'on jouait au lansquenet.

Vous êtes pilier-né de tous les lansquenets (...) Dans ces lieux, jour et nuit, 3
ce n'est que brigandage. J.-F. REGNARD, le Joueur, I, 7.

Et si je gagne ce soir cinq à six mille francs au lansquenet (...) 4
BALZAC, les Comédiens sans le savoir, Pl., t. VII, p. 39.

LANSQUINE [lɑ̃skin] n. f. — 1928, Galtier-Boissière ; *lancequine,* 1866, *in* Esnault ; déverbal de *lansquiner.*

♦ Argot anc. Pluie. Syn. : 2. *lance.* — On trouve aussi la forme *lancequine.*

LANSQUINER [lɑ̃skine] v. — 1811, Esnault ; *lancequiner,* 1800 ; de *lancer,* argot «uriner», de 2. *lance.*
Argot.

♦ **1.** Impers. Pleuvoir (→ Rabouin, cit., Hugo).

(...) il y a du vent, on est en novembre, il pleut même, et Lalix continue son chemin, sous la pluie, mais il finit par lansquiner trop fort, alors Lalix s'arrête sous un porche et sur son visage dégoulinent des gouttes d'eau de pluie ou des larmes. 1
R. QUENEAU, les Fleurs bleues, p. 266.

♦ **2.** Intrans. (1836). Pisser.

À hauteur d'un marchand de vélos, je m'arrêtai un instant au bord du trottoir dans la position réglementaire du pisseur debout, et les onze copains en profitèrent pour serrer un peu la file avant de faire de même et lansquiner à leur aise, haut et dru, jusqu'au mitan de la grande rue. 1.1
Jacques PERRET, Bande à part, p. 196.

(...) j'avais un brave monsieur en robe de chambre qui fait lansquiner son cador. 2
Le gaille *(chien)* ressemble à un O'Cedar et le monsieur à un plumeau sans plumes.
SAN-ANTONIO, Au suivant de ces messieurs, p. 161.

DÉR. Lansquine.

LANTANIER [lɑ̃tanje] n. m. — 1817, *in* D. D. L. ; lat. sc. *lantana* (Liné), de *lantane* «viorne», mot d'orig. gauloise.

♦ Bot. Plante dicotylédone *(Verbénacées)* communément appelée *camara,* arbrisseau ou arbuste exotique, cultivé dans les serres d'Europe pour ses fleurs aux couleurs changeantes, du jaune d'or au vermillon. — On trouve aussi la forme latine *lantana* [lɑ̃tana].

LANTERNE [lɑ̃tɛʀn] n. f. — 1080, *Chanson de Roland* ; lat. *lanterna,* var. nasalisée du lat. *laterna* ; P. Guiraud suppose un croisement avec *lent* pour le sens fig. ancien (→ ci-dessous 3., Rem.).

★ **I.** ♦ **1.** Boîte à parois ajourées, translucides ou transparentes, dans laquelle on abrite une source de lumière (chandelle, lampe, ampoule électrique). *Lanterne en métal ajouré. Lanterne à parois de corne, de mica, de verre, de papier, de toile métallique. Lanterne de forme cylindrique. Lanterne à base carrée, hexagonale. Plafond, toit de la lanterne. Allumer, éteindre sa lanterne. Lanterne blanche, rouge. La lanterne rouge à la fin d'un convoi.* Fig. → ci-dessous, 3. *La lanterne rouge des anciennes maisons de prostitution** (→ Prostitution, cit. 1, Balzac). *Grande lanterne.* ⇒ **Falot, fanal.** *Lanterne de veilleur, de pêcheur* (→ 1. Feu, cit. 60). *Lanterne d'une porte, d'un corridor* (cit. 2), *d'une carriole* (cit. 1). *Lanterne-applique* (contre un mur). *Accrocher une lanterne. Tenir une lanterne à la main.* — Allus. hist. «*Diogène (le philosophe grec) se promenait en plein midi, une lanterne à la main, cherchant, disait-il, un homme*» (Hatzfeld).

(Sa) main balançait un rouge lumignon dans les losanges vitrés d'une lanterne. 1
Aloysius BERTRAND, Gaspard de la nuit, Chroniques, II.

(...) une petite porte sous une lanterne en potence qui clignait comme un œil 2
malade et dont la poulie grinçait.
FRANCE, le Chat maigre, I, Œuvres, t. II, p. 140.

Le vestibule (...) s'éclaire d'une volumineuse lanterne de fer forgé (...) 3
J. ROMAINS, les Hommes de bonne volonté, t. I, III, p. 39.

Lanternes chinoises : lanternes décoratives de diverses formes et ornées de dessins, de peintures. *Lanternes vénitiennes :* lanternes en papier de couleur, généralement plissées en accordéon (cit. 2), qui servent aux illuminations. ⇒ **Lampion** (2.).

On avait mis dans les arbres deux ou trois lanternes chinoises (...) 4
FLAUBERT, l'Éducation sentimentale, III, II.

La lueur des lanternes vénitiennes effleurait les pelouses proches et les massifs de 5
roses (...) J. CHARDONNE, les Destinées sentimentales, p. 398.

Lanterne sourde, dont on peut cacher la lumière à volonté.

Celui qui tient une lampe est vu plutôt qu'il ne voit, à moins qu'il n'ait une lan- 6
terne sourde. VOLTAIRE, Philosophie, Bible expliquée, Juges, note *o, in* LITTRÉ.

7 (...) un homme (...) s'approcha lentement avec une lanterne sourde, dont il portait les rayons au visage de chaque individu, et qu'il souffla, ayant démêlé celui qu'il cherchait entre tous (...) A. DE VIGNY, Cinq-Mars, XIV.

♦ **2.** (1835). Vx. Appareil d'éclairage (lanterne, 1.) placé à l'avant d'un véhicule. — Mod. *Lanternes d'automobiles,* l'éclairage le plus faible. ⇒ **Veilleuse.** *Allumez vos lanternes à l'entrée du souterrain. Se mettre en lanternes.*

♦ **3.** Loc. fig. *C'est la lanterne rouge :* c'est le dernier* de la file, du classement (par allus. à la lanterne rouge que porte, à l'arrière, le dernier véhicule d'un convoi).

(1924, *in* D. D. L.). Cyclisme. *La lanterne rouge :* le dernier du peloton, du classement.

Prendre des vessies pour des lanternes : commettre une grossière méprise. *Il veut nous faire prendre des vessies pour des lanternes,* nous faire croire des choses absurdes. — REM. D'après Wartburg, on trouve dès le XIIIe s. *vendre pour lanterne vessie* «faire croire des choses bizarres et absurdes».

8 (...) eux, que dupe la peur d'être dupe et la crainte de prendre pour lanternes des vessies (...) GIDE, Nouveaux prétextes, p. 110.

8.1 *(Un ensorceleur)* s'était juré de me mystifier, m'écartant des régions qu'il eût fallu prospecter, me frappant, ici, de cécité et, là, me faisant prendre des vessies pour des lanternes... Michel LEIRIS, Frêle bruit, p. 340.

REM. Cette expression bien vivante se rattache à un sens figuré vivant du XVIe s. (Du Fail, Rabelais) au XVIIIe s. : *lanternes* «contes absurdes, ridicules». → Baliverne, fadaise.

9 (...) je vous donnerais un beau soufflet, si j'avais l'honneur d'être auprès de vous, et que vous me vinssiez conter ces lanternes. Mme DE SÉVIGNÉ, 84, 28 août 1668.

♦ **4.** (XVIe). [a] Anciennt. Fanal spécialement destiné à l'éclairage de la voie publique. ⇒ **Réverbère.** *Lanterne de rue. Blafardes* (cit. 2) *lanternes qui éclairent le pavé.*

[b] Loc. (1789). *Mettre à la lanterne :* «se servir des cordes des réverbères pour pendre ceux que désignait la fureur populaire» (Littré). «*Ah ça ira, ça ira, ça ira, Les Aristocrates* (cit. 2) *à la lanterne !*» (refrain révolutionnaire). ⇒ **Potence.**

10 Ce pauvre garçon, très respectueux, n'avait jamais servi d'autre maître que mon frère; il fut tout troublé, lorsqu'au souper il lui fallut s'asseoir à table avec nous. Les voyageurs fort patriotes, parlant d'accrocher les aristocrates à la lanterne, augmentaient sa frayeur. CHATEAUBRIAND, Mémoires d'outre-tombe, t. II, p. 32.

♦ **5.** Appareil de projection*. — (1685). **LANTERNE MAGIQUE :** lanterne de fer-blanc munie d'un dispositif optique permettant de projeter agrandies sur un écran des images peintes sur verre. *Le singe qui montre la lanterne magique,* fable de Florian, où le singe invite les spectateurs à admirer des images qu'ils ne peuvent voir, puisqu'il «*N'avait oublié qu'un point : c'était d'éclairer sa lanterne*».

Loc. *Oublier d'allumer la lanterne :* oublier le point essentiel pour se faire comprendre. *Éclairer la lanterne de qqn,* lui fournir les lumières nécessaires pour qu'il comprenne clairement, soit mis au fait.

11 (...) Les spectateurs, dans une nuit profonde,
Écarquillaient leurs yeux et ne pouvaient rien voir (...)
Moi, disait un dindon, je vois bien quelque chose;
Mais je ne sais pour quelle cause
Je ne distingue pas très bien.
Pendant tous ces discours, le Cicéron moderne
Parlait éloquemment, et ne se lassait point,
Il n'avait oublié qu'un point.
C'était d'éclairer sa lanterne. FLORIAN, Fables, II, 7.

12 Le soir, une lanterne magique étala sur une toile blanche ses pièges et ses mystérieux tableaux, à la grande surprise de Charles. BALZAC, Une double famille, Pl., t. I, p. 950.

13 L'histoire, bornée à n'être plus que la reproduction inanimée d'événements passés, n'est guère qu'une lanterne magique qui peut encore émouvoir et amuser, mais qui ne peut aspirer à instruire et à moraliser. BALZAC, le Feuilleton, XL, Œuvres diverses, t. I, p. 427.

Lanterne de projection : appareil de projection utilisé dans les salles de cours ou de conférences. ⇒ **Projecteur, rétroprojecteur.**

♦ **6.** Enceinte vitrée enfermant la source lumineuse, à la partie supérieure (d'un phare, d'un bateau-feu, d'une bouée lumineuse...).

★ **II.** (1508). Par anal. de forme. ♦ **1.** (1546, *in* D. D. L.). Archit. Dôme vitré, surmontant un édifice pour l'éclairer par en haut. Par appos. *Tour lanterne :* tour ajourée, surmontée d'une coupole, qui s'élève à la croisée du transept pour éclairer cette partie de l'église. *Tour lanterne d'une église romane.* — Tourelle* ajourée souvent garnie de colonnettes, isolée ou surmontant un dôme, un comble. *Lanterne de Démosthène. Lanterne des Invalides, du château de Chambord* (⇒ aussi **Campanile**). — *Lanterne des morts :* sorte de colonne creuse en pierres, à claire-voie dans sa partie supérieure et à l'intérieur de laquelle on plaçait une lampe pour indiquer la nuit l'emplacement d'un cimetière. — Vx. Petite tribune d'où l'on entend et voit sans être vu, à l'intérieur d'une salle de réunion, d'une église.

♦ **2.** Techn. Vx. Petite armoire vitrée des essayeurs d'or, (mod.) des horlogers. — (1611). Pignon de bois à petits barreaux verticaux parallèles où viennent s'engrener les dents d'une roue. *Lanterne d'une broyeuse à chanvre. — Lanterne d'aspiration :* crépine.

Mar. Partie creusée sous les ferrures fixées au gouvernail, pour permettre le passage des ferrures de l'étambot.

♦ **3.** (1805, Cuvier, *lanterne*). Zool. *Lanterne d'Aristote :* appareil masticateur des oursins (en forme de lanterne, comme l'avait observé Aristote).

♦ **4.** (Vx). Argot. Ventre. *Avoir la lanterne :* avoir faim.

DÉR. Lanterneau, lanterner, lanternier, lanterniste, lanternon.

LANTERNEAU [lɑ̃tɛʀno] n. m. — 1843; sens techn., 1721; de *lanterne,* et suff. *-eau.*

♦ **1.** Vieilli. ⇒ **Lanternon.**

♦ **2.** (V. 1960). Ouverture pratiquée dans le toit d'une remorque («caravane») pour donner de l'air, de la lumière. «*Les caravanes seront équipées (...) de lanterneaux verticaux*» (Fédération française de Camping).

LANTERNEMENT [lɑ̃tɛʀnəmɑ̃] n. m. — 1869, Flaubert; de *lanterner.*

♦ Rare. Le fait de lanterner*, de faire attendre (qqn) ou de traîner. ⇒ **Lanternerie.**

Les actions avaient été livrées. Mais Arnoux, tout de suite, les avaient vendues; et avec l'argent s'était associé à un marchand d'objets religieux. Là-dessus, réclamations de Mignot, lanternements d'Arnoux; enfin, le patriote l'avait menacé d'une plainte en escroquerie, s'il ne restituait ses titres ou la somme équivalente. FLAUBERT, l'Éducation sentimentale, t. II, p. 260 (*in* T. L. F.).

LANTERNER [lɑ̃tɛʀne] v. — 1392, dans divers sens érotiques disparus; sens mod., 1552, Rabelais; de *lanterne.*

A. V. intr. ♦ **1.** Perdre son temps en s'amusant à des riens, ou par irrésolution. ⇒ **Baguenauder, flâner, lambiner, musarder, traîner** (→ Enfermer, cit. 20). *Que faites-vous là à lanterner, dépêchez-vous ! Sans lanterner :* sans attendre, sans délai*.

— Vous feriez bien mieux, monsieur le raisonneur, de me payer mes cent écus et les intérêts sans lanterner, je vous en avertis. 1
BEAUMARCHAIS, le Barbier de Séville, III, 5.

Marcel n'était pas là. Il devait aller le soir aux *Deux Orphelines.* Je parie qu'il aura lanterné, sera arrivé en retard et n'aura plus trouvé de places. 2
GIDE, Journal, 1er janv. 1923.

♦ **2.** *Faire lanterner :* faire attendre. «*On va le faire lanterner un peu, ça lui fera les pieds*» (R. Queneau).

B. V. tr. ♦ **1.** (1773, Diderot, *in* D. D. L.). Vx. Faire attendre (qqn) plus qu'il n'est nécessaire, en le remettant de jour en jour, généralement en le trompant par de faux prétextes, de vaines promesses (→ Expectant, cit. 2). *Voilà deux mois que vous nous lanternez, vous vous moquez de nous* (→ Amuser).

Au fond, le résumé de la sagesse humaine consistait à traîner les choses en longueur; à dire non, puis enfin oui; car l'on ne maniait vraiment les générations qu'en les lanternant ! HUYSMANS, À rebours, XIII. 3

♦ **2.** (1611). Vx, absolt. Dire des choses sans importance, d'où (trans.) Ennuyer, importuner.

♦ **3.** (1790, Brunot). Vx. Pendre à la lanterne*.

DÉR. Lanternement, lanternerie.

LANTERNERIE [lɑ̃tɛʀnəʀi] n. f. — 1542; de *lanterner.*

♦ Vx. Action de lanterner, en traînant ou en hésitant. ⇒ **Lanternement.** «*Il a manqué son affaire à force de lanternerie*» (Académie). Par ext. Chose vaine qui fait perdre le temps. ⇒ **Fadaise, lanterne.**

(...) le moyen qu'ils vous donnent le temps de lire de telles lanterneries ? Mme DE SÉVIGNÉ, 141, 3 mars 1671.

LANTERNIER [lɑ̃tɛʀnje] n. m. — V. 1260; de *lanterne,* et *-ier.*

♦ **1.** Vx. Fabricant, marchand de lanternes.

(XIXe; de *lanterne rouge*). Fam. et vieilli. Patron de maison close. «*Elle ne demeurait guère plus dans un établissement où elle ne voulait pas permettre au "lanternier" de s'immiscer dans ses affaires*» (Ed. de Goncourt, *la Fille Élisa, in* T. L. F.).

♦ **2.** (1680). Anciennt. Allumeur des lanternes publiques.

♦ **3.** (1523, Rabelais). Vx. Diseur de lanternes, de fadaises.

♦ **4.** (1587). Vieilli. Celui qui lanterne, hésite. ⇒ **Irrésolu, lambin.**

LANTERNISTE [lɑ̃tɛʀnist] n. — 1696, *in* D. D. L.; de *lanterne,* et *-iste.*

♦ Hist. Nom donné aux membres d'une académie de Toulouse (XVIIIe siècle) qui se rendaient avec une lanterne à leurs réunions nocturnes.

LANTERNON [lɑ̃tɛʀnɔ̃] n. m. — 1758, au sens 2; de *lanterne,* et *-on.*

♦ **1.** (1803). Petite lanterne sur un édifice, une coupole.

♦ **2.** Cage vitrée au-dessus d'un escalier, d'un atelier. Syn. : *lanterneau.*

LANTHANE [lɑ̃tan] n. m. — 1845, Bescherelle; *latane,* 1839; francisation du lat. sc. *lanthanum,* du grec *lanthanein* «être caché».

♦ Chim. Corps simple, métal du groupe des terres* rares (symb. *La,* dens. 5,98 à 6,18; valence 3; p. at. 138,91; n° at. 57), blanc, malléable, non ductile, oxydable à l'air.

DÉR. Lanthanide.

LANTHANIDE [lɑ̃tanid] n. m. — Mil. XXe; de *lanthane,* et *-ide.*

♦ Didact. Un des éléments contenus dans les minerais dits «terres rares» (le premier étant le lanthane). *Le cérium*, métal le plus commun du groupe des lanthanides.*

LANTIPONNAGE [lɑ̃tipɔnaʒ] n. m. — 1666, Molière; de *lantiponner.*

♦ Fam. et vx. Bavardage, discours inutile.

1 Ah! vartigué, Monsieur le Médecin, que de lantiponnages.
MOLIÈRE, le Médecin malgré lui, II, 2.

2 Il confrontait intimement la merveilleuse histoire neuve et les vieux lantiponnages appris et rabâchés de veillées en veillées.
J. GIONO, Naissance de l'Odyssée, p. 68.

LANTIPONNER [lɑ̃tipɔne] v. intr. — 1666, *lantiponer,* Molière; de *lent,* par contamination avec *lanterner,* et adjonction d'un élément d'orig. obscure *-pon-,* p.-ê. à rattacher morphologiquement au lat. *ponere* «poser».

♦ Fam. et vx. Perdre son temps en discours inutiles, tergiverser.

1 Et testigué! ne lantiponez *(sic)* point davantage, et confessez à la franquette que v'estes médecin. MOLIÈRE, le Médecin malgré lui, I, 5.

1.1 (...) ils lantiponnaient, bras dessus bras dessous et récitaient à mi-voix (...) les litanies balbutiantes des tendresses. HUYSMANS, les Sœurs Vatard, p. 198.

2 Quand elle était vide (*la boutique*), je lantiponnais, car m'y retrouver seul, en tête à tête avec Cassius, par exemple, m'emplissait de frayeur. Cassius, plus encore que Barnabé, provoquait en moi un malaise, y soulevait une indéfinissable inquiétude, dus peut-être à ce fait qu'il hantait seul la cave. H. BOSCO, Antonin, p. 59.

DÉR. Lantiponnage.

LANTURLU [lɑ̃tyʀly] interj. — 1629; formation onomatopéique à rattacher à *lanlaire* et à *turelure.*

Vieux.

♦ **1.** Mot revenant dans le refrain d'une chanson politique, sous Richelieu, et qui fut employé pour exprimer un refus moqueur, donner une réponse évasive. «*Il lui a répondu lanturlu*» (Académie). → Faire lanlaire*. — On a écrit aussi *lanturelu.*

♦ **2.** Vx. Jeu de carte où la carte la plus forte est le valet de trèfle.

LANUGINEUX, EUSE [lanyʒinø, øz] adj. — V. 1550; lat. *lanuginosus,* de *lanugo.*

Didactique.

♦ **1.** Qui a l'apparence de la laine. *Cheveux, poils lanugineux.*

♦ **2.** Couvert de duvet. *Feuilles, tiges lanugineuses* (⇒ **Lanifère, lanigère**). *Fruit à la peau lanugineuse.*

LANUGO [lanygo] n. m. — 1839, → cit.; mot lat. «substance laineuse, duvet»; de *lana.* → Laine.

♦ Biol. Fin duvet qui recouvre le corps du fœtus à la naissance et qui disparaît en très peu de temps.

Pendant la première partie du cinquième mois de la vie embryonnaire, les poils sont encore plus rares que les bulbes sous-épidermiques (...) les premiers poils qui paraissent, ceux nommés *lanugo,* offrent sur tous les points du corps le même degré de développement (...) Au commencement du sixième mois tous les lanugos ont percé l'épiderme et paraissent à la surface de la peau.
F. E. GUÉRIN, Dict. pittoresque d'hist. nat., VIII, 186a (1839), *in* D. D. L., II, 8.

LAOTIEN, IENNE [laɔsjɛ̃, jɛn] adj. et n. — XIXe; var. *laocien, langien,* 1765; de *Laos.*

♦ Du Laos. *L'économie laotienne. — Les laotiens.* — N. m. *Le laotien,* langue thaï parlée au Laos.

LAP [lap] pron. — V. 1880; apocope de *la peau;* → Peau, II., 3.

♦ Argot. Rien. — Surtout dans l'expression : *Bon à lap* (*à lape, à lappe*) : bon à rien.

— Paraît que le...ème qui nous a relevé à Berry s'est fait poirer une tranchée.
— Ça ne m'étonne pas de ces enfoirés-là.
— Des bons à lappe qu'ont même pas été foutus de creuser de bons gourbis (...)
R. DORGELÈS, les Croix de bois, p. 252, *in* CELLARD et REY.

LAPALISSADE [lapalisad] n. f. — 1861, Goncourt; de *La Palisse,* ou *La Palice,* nom d'un capitaine du XVe s. sur lequel on fit une chanson populaire pleine de vérités évidentes.

♦ Affirmation dont l'évidence toute formelle prête à rire (⇒ **Évidence, tautologie, truisme**). *Dire des lapalissades* (ex. : *s'il n'est pas parti, c'est qu'il est resté*).

Peut-être dans la conversation ces jongleries donnent-elles une impression de «brillant»; à la lecture, on voit trop combien ces belles envolées sont creuses : bien souvent elles dissimulent des lapalissades.
S. DE BEAUVOIR, Tout compte fait, p. 175.

LAPAROSCOPE [lapaʀɔskɔp] n. m. — Mil. XXe; probablt antérieur (*laparoscopie,* 1916, *in* D. D. L.); du grec *lapara* «flanc», et *-scope.*

♦ Méd. Sonde fine munie d'un système d'éclairage (⇒ **Endoscope**) destinée à être introduite par cathétérisme dans la cavité abdominale en vue d'un examen direct des viscères.

LAPAROSCOPIE [lapaʀɔskɔpi] n. f. — 1916; du grec *lapara* «flanc» et *-scopie.*

♦ Méd. Examen interne des viscères au laparoscope. → Endoscopie; cœliscopie.

LAPAROSTAT [lapaʀɔsta] n. m. — V. 1960; du grec *lapara* «flanc», et rad. de *istanai* «fixer».

♦ Chir. Écarteur destiné à maintenir séparées les bords de l'incision de la paroi abdominale au cours d'une opération.

LAPAROTOMIE [lapaʀɔtɔmi] n. f. — 1790; du grec *lapara* «flanc», et suff. *-tomie.*

♦ Chir. Ouverture chirurgicale de la paroi abdominale.

J'avais frissonné en rencontrant un rideau rigide, une chair de bois qui ne cédérait qu'à la mort (...) 1
— Péritonite aiguë généralisée... Une laparotomie serait inutile (...)
Roger VERCEL, Capitaine Conan, VI, p. 110.

Par métaphore :

Les derniers communards égalitaires, les Drs Guillotin, opèrent cyniquement les reins et les lombes aristocrates. Ils se sont faits les directeurs spirituels de la moelle épinière et pratiquent froidement la laparotomie des consciences. 2
B. CENDRARS, Moravagine, *in* Œ. compl., t. IV, p. 64-65.

LAPEMENT [lapmɑ̃] n. m. — 1611, *lappement;* de *laper,* et *-ment.*

♦ Action de laper; bruit ainsi produit. — On écrit aussi *lappement.*

Je retrouve, au salon, de vieilles Anglaises du corps diplomatique, de mûres et fades créatures à exclamations, à monosyllabes inintelligents, à travers le lappement d'une tasse de thé et la déglution d'un sandwich.
Ed. et J. DE GONCOURT, Journal, 2 sept. 1872.

LAPER [lape] v. tr. — V. 1165; d'un rad. onomatopéique *lap-* exprimant le lapement, et bien attesté dans diverses langues germaniques et romanes.

♦ **1.** (En parlant d'un animal). Boire* à petits coups de langue. *Chat qui lape du lait. Chiens qui lapent leur écuellée de soupe* (→ Chenil, cit. 2). — REM. On écrit aussi *lapper* (orthographe ancienne).

Ce brouet fut par lui servi sur une assiette : 1
La cigogne au long bec n'en peut attraper miette;
Et le drôle (*le renard*) eut lapé le tout en un moment.
LA FONTAINE, Fables, I, 18.

(...) madame Vauquer descendit au moment où son chat venait de renverser d'un coup de patte l'assiette qui couvrait un bol de lait, et le lapait en toute hâte. 2
BALZAC, le Père Goriot, Pl., t. II, p. 879.

Elle lappait l'eau tiédie, dans la cuvette de zinc que je rinçais pour elle. 3
COLETTE, la Paix chez les bêtes, «Lola».

(Emploi absolu). *Chien qui lape bruyamment.*

♦ **2.** Fam. (En parlant d'une personne). Boire avec avidité.

Elle pompa le lait, puis elle appuya ses lèvres sur le verre pour me faire baisser la main et elle but en lappant avec un petit bout de langue pointu comme une aiguille. 4
J. GIONO, Jean le Bleu, VII, p. 201.

Par ext. Prendre (une nourriture solide) à petits coups de langue. *Laper des grains* (cit. 1).

DÉR. Lapement, lapeur.

LAPEREAU [lapʀo] n. m. — Fin XIVe; *lapriel,* 1330, d'un rad. ibéro-romain **lappa-* « pierre plate » (cf. port. *lapa* « roche saillante, caverne » et *laparo* « lapereau »), le mot étant attesté d'abord dans le nord du gallo-roman où l'on faisait probablt commerce des peaux de lapins, ces animaux étant très nombreux. Cette hypothèse est contestée par P. Guiraud qui rattache *lapereau,* l'anc. franç. *lapriel* et le port. *laparo* au lat. *leporellus* « levreau », le petit lapin étant assimilé à un petit lièvre.

♦ Jeune lapin*. *Portée de lapereaux. — Un lapereau rôti à la broche* (→ Frein, cit. 3).

Gilles mangeait des pâtés de bœuf (...) des rosées de lapereaux et d'oiselets (...)
HUYSMANS, Là-bas, VIII.

LAPEUR, EUSE [lapœʀ, øz] adj. et n. — Attesté XXe; de *laper.*

♦ (Personne) qui lape (un liquide). — On écrit aussi *lappeur.* « *L'Américain, buveur de bière et lappeur de lait* » (*l'Express,* 9 juin 1979, p. 110).

LAPIAZ [lapjɑz] ou **LAPIÉ** [lapje] n. m. — V. 1860; mot régional; formes patoises romandes et savoyardes *lapja, lapye; lapies,* n. f. pl., « dalles », 1453, Fribourg; du lat. *lapis* « pierre ».

♦ Géogr. Ciselure superficielle que les eaux ont creusé en terrain calcaire. — Surtout au plur. : *des lapiaz, des lapiés.*

1 C'est surtout dans les Alpes qu'on a étudié les lapiés, appelés aussi rascles dans le Jura, Karren ou Schrattent dans les pays germaniques (...) Dans tous les cas il est évident que la dissolution chimique a attaqué la roche, agissant le long des chemins suivis par l'eau de ruissellement.
E. DE MARTONNE, Traité de géographie physique, t. II, p. 656.

2 On se demande quel *(sic)* est l'origine de ces innombrables crevasses qui laissent entre elles de non moins innombrables arrêtes ou pyramides. M. Desor nomme un pareil ensemble *lapiaz,* la carte fédérale *lapié* et de Charpentier *lapis.*
A. FAURE, Recherches géologiques dans les parties de la Savoie, du Piémont et de la Suisse voisine du Mont-Blanc, 1896, t. III, p. 71.

DÉR. Lapiazé.

LAPIAZÉ, ÉE [lapjɑze] adj. — Mil. XXe; de *lapiaz.*

♦ Géogr. Couvert de lapiaz.

LAPICIDE [lapisid] adj. et n. m. — 1867, Littré; du lat. *lapicida* « tailleur de pierres, graveur sur pierre », de *lapis* « pierre », et *coedere* « tailler ».

♦ **1.** Vx. Sc. nat. Se dit de plantes qui vivent dans les interstices des roches, de mollusques qui creusent les roches.

♦ **2.** N. m. (1876, *in* Littré, *Suppl.*). Archéol. Ouvrier qui grave dans la pierre une inscription, une ornementation. *Inscription fautive à cause d'une erreur du lapicide.* — Par ext. Ouvrier qui taille la pierre.

À Cnossos, chacun vaquait à ses travaux (...) un lapicide faisait une marqueterie.
DANIEL-ROPS, le Peuple de la Bible, II, II.

1. LAPIDAIRE [lapidɛʀ] n. m. — V. 1120; lat. *lapidarius.*

★ **I.** Didact. Au moyen âge, Traité sur les pierres précieuses.

★ **II.** ♦ **1.** (V. 1265). Artisan qui taille, polit, grave les pierres précieuses. — Commerçant en pierres précieuses autres que le diamant (→ Beau, cit. 88). *Diamant* (cit. 12) *taillé par un grand lapidaire. Débouchoir* de lapidaire.* Par appos. *Ouvrier lapidaire qui travaille pour un joaillier, un bijoutier.*

1 Une si riche queue *(celle du paon)* et qui semble à nos yeux
La boutique d'un lapidaire. LA FONTAINE, Fables, II, 17.

2 Il appréciait les choses avec le sang-froid d'un lapidaire essayant des bijoux de qualité douteuse, et se trompait rarement sur le choix de celles qui méritaient de lui de la peine et du temps. E. FROMENTIN, Dominique, X.

♦ **2.** (1845, Bescherelle). Techn. Petite meule destinée au polissage des pierres précieuses, des verres, des pièces métalliques.

DÉR. Lapidairerie.
HOM. 2. Lapidaire.

2. LAPIDAIRE [lapidɛʀ] adj. — 1704, « propre aux inscriptions »; « de pierre », v. 1282; → 1. Lapidaire.

♦ **1.** Didact. Relatif aux pierres, précieuses ou non. *Musée lapidaire,* où sont conservées les pierres sculptées. — *Inscriptions lapidaires,* gravées sur la pierre des monuments. — *Style lapidaire* : style de ces inscriptions, caractérisé par sa concision et certaines abréviations (notamment les inscriptions latines).

La Chapelle, ouvrage du XVIe siècle, ciselée sur tous les angles, vrai bijou d'orfèvrerie lapidaire. 0.1
FLAUBERT, Par les champs et par les grèves, p. 176 (*in* T. L. F.).

♦ **2.** (1907). Cour. Qui évoque par sa concision et sa vigueur le style des inscriptions. ⇒ **Concis, court, laconique.** *Style, formule lapidaire.*

(...) ses répliques, qui étaient d'une excessive noblesse, à la fois lapidaires et infinies (...) GIDE, Si le grain ne meurt, I, IX, p. 253. 1

Bacon essaye de fixer en formules lapidaires les procédés de la pensée scientifique. 2.
Léon BRUNSCHVICG, Descartes, p. 7.

REM. *Lapidaire* se dit d'un style qui reste grammaticalement correct, *télégraphique* d'un style qui supprime des mots-outils non indispensables.

Par ext. *Un ton lapidaire et tranchant.*

REM. L'adv. *lapidairement* est attesté (R. Huyghe, *in* T. L. F.).

CONTR. Long, verbeux.
HOM. 1. Lapidaire.

LAPIDAIRERIE [lapidɛʀʀi] n. f. — 1876; de 1. *lapidaire,* et *-erie.*

♦ Techn. Travail, industrie du lapidaire.

LAPIDATEUR, TRICE [lapidatœʀ, tʀis] n. — 1487, au masc.; lat. *lapidator.*

♦ Rare. Personne qui lapide. — REM. On dit aussi *lapideur, euse* (de *lapider*).

LAPIDATION [lapidɑsjɔ̃] n. f. — 1611; « massacre, dévastation », fin XIIIe; lat. *lapidatio,* du supin de *lapidare.* → Lapider.

Didactique ou littéraire.

♦ **1.** Action de lapider, de tuer à coups de pierres. Supplice de celui, de celle qu'on lapide. *La fosse de lapidation où est conduite la femme adultère, dans l'Évangile. La lapidation de saint Étienne.*

Les frondes ont été les premières armes des hommes, et les lapidations leurs premiers supplices. BERNARDIN DE SAINT-PIERRE, *in* T. L. F. 1

♦ **2.** Action de jeter des pierres pour blesser, pour détériorer; résultat de cette action.

Elle *(Madame de Verdelin)* ira visiter l'auteur des *Lettres de la Montagne* à Motiers, et elle y assistera à la fameuse « lapidation » quand les excités du pays viendront briser les fenêtres de l'écrivain à coups de pierres. 2
Émile HENRIOT, Portraits de femmes, p. 194.

LAPIDER [lapide] v. tr. — V. 980; lat. *lapidare,* de *lapis* « pierre ».

♦ **1.** Tuer à coups* de pierres, en jetant des pierres. *La loi de Moïse ordonne de lapider les adultères* (cit. 3).

Après la légende de Phéior, le moine Valdivieso décrivait deux martyrs fameux, celui de Jérémie lapidé par ses compatriotes à l'aide de nombreux silex tranchants et pointus (...) Raymond ROUSSEL, Impressions d'Afrique, p. 315. 0.1

La bigamie, dans ces tribus-là, c'est un crime inouï. Alors on l'a lapidée (...) il paraît qu'on avait creusé un trou, une fosse très profonde (...) Et elle s'y est couchée d'elle-même, sans dire un mot (...) C'est leur grand-prêtre qui a commencé. Il a d'abord lu la sentence (...) Et puis, le premier, il a pris un énorme moellon, et il l'a lancé de toutes ses forces dans le trou (...) ça a déchaîné la foule. Il y avait de gros tas tout préparés, chacun puisait dedans et lançait des blocs de pierre dans le trou. MARTIN DU GARD, les Thibault, t. III, p. 25. 1

♦ **2.** Frapper avec des pierres; jeter des pierres sur (qqch.). — Au participe passé :

Après les derniers coups de goupillon sur la fosse béante, sur le cercueil descendu avec des bruits de caisse cognée et lapidée de petites pierres au rappel des cordes, Marcel et Solange (...) prennent une décision surprenante. 1.1
Hervé BAZIN, Cri de la chouette, p. 58.

♦ **3.** Par ext. Attaquer, maltraiter en jetant des pierres sur (qqn). *Foule qui lapide un malfaiteur tombé entre ses mains. Se faire lapider.*

(...) il arrive jusqu'à sa voiture à travers une grêle de cailloux, blessé à la tête, en plusieurs endroits du corps, et il n'est sauvé que parce que ses chevaux, lapidés eux-mêmes, prennent le mors aux dents. 2
TAINE, les Origines de la France contemporaine, t. I, III, p. 29.

Les ouvriers se mirent à ramasser des pierres et à lapider les gardes qui regardaient ce violent remue-ménage avec des figures qui ne bougeaient pas (...) Un garde reçut une brique en plein visage et tomba sur le dos (...) 3
P. NIZAN, le Cheval de Troie, II, X.

♦ **4.** (1549). Fig. et vieilli (ou stylistique). Maltraiter, critiquer durement, injurier. ⇒ **Pierre** (jeter la pierre à quelqu'un).

Madame, c'est bien tôt commencer de tourmenter un serviteur et le lapider. 4
Marguerite DE NAVARRE, Nouvelles, X, *in* LITTRÉ.

Voilà mon ancienne thèse, qui me fera lapider un jour : c'est que le public n'est ni fou ni injuste (...) Mme DE SÉVIGNÉ, 112, 6 août 1670. 5

▶ **LAPIDÉ, ÉE** p. p. *Femme adultère lapidée.* — N. *Le cadavre d'un lapidé.*

LAPIDIFICATION [lapidifikɑsjɔ̃] n. f. — 1690, Furetière; de *lapidifier,* et *-ation.*

♦ Géol. Transformation des sédiments en roches. *Lapidification d'un terrain sableux.*

LAPIDIFIER [lapidifje] v. tr. — V. 1560, Paré; du lat. *lapis, lapidis* «pierre», et suff. *-ifier.*

♦ Géol. Amener (des éléments minéraux) à la consistance de la pierre. — Pron. «*Corps qui se lapidifie*» (Académie). *Sédiments qui se sont lapidifiés.* ⇒ **Pétrifier** (se). — REM. *Lapidifier* se dit des éléments minéraux, *pétrifier* des éléments organiques.

DÉR. **Lapidification.**

LAPIÉ [lapje] n. m. ⇒ **Lapiaz.**

LAPILLEUX, EUSE [lapi(l)lø, øz] adj. — 1842; bas lat. *lapillosus* «couvert de petits cailloux», de *lapillus* «petite pierre», dimin. de *lapis* «pierre».

♦ Didact. et rare. Dur comme la pierre. — Spécialt. *Fruit lapilleux,* dont la chair contient des grains très durs. ⇒ **Pierreux.**

LAPILLI [lapi(l)li] n. m. pl. — 1829, Boiste; mot ital., plur. de *lapillo* (1824), lat. *lapillus,* dimin. de *lapis* «pierre».

♦ Géol. Petites pierres poreuses projetées par les volcans en éruption. ⇒ **Cendre** (volcanique).

Lorsque les projections sont d'un moins gros calibre, elles prennent le nom de *lapilli.* Leur aspect est vacuolaire, en raison des nombreuses bulles de gaz que le magma a emmagasinées au moment de l'explosion. Ce sont de véritables *scories* de verre fondu. Émile HAUG, Traité de géologie, t. I, p. 254.

LAPIN, INE [lapɛ̃, in] n. — 1458; de *lapereau** avec changement de finale; d'après P. Guiraud, il y a eu un croisement probable avec *laper* «manger avec avidité»; a remplacé *connin, conin,* éliminé à cause de la paronymie avec le dér. de *con.*

♦ **1.** Petit mammifère rongeur *(Léporidés)* à grandes oreilles, à petite queue, très prolifique, répandu sur tout le globe. *Le lapin* (⇒ 3. **Bouquet,** 1. **bouquin**), *la lapine et les lapereaux*. Les grandes oreilles, la couette, les dents de rongeur du lapin. Le lapin clapit**, pousse le cri de son espèce. *La myxomatose*, maladie infectieuse du lapin. — Lapin de garenne*, buissonier,* qui vit en liberté, gîtant dans des terriers. *Gîte du lapin.* ⇒ **Clapier, halot, rabouillère, terrier.** *Chasse au lapin* (→ Imiter, cit. 4). *Collet* à lapin. Furet* (cit. 1) *qui chasse le lapin. Lapin qui fuit, détale; saut de lapin. Tirer un lapin au débouler*. — Lapin domestique ou clapier* (cit. 2), dit aussi *lapin de chou* (→ Goût, cit. 4). *Couinement du lapin. Élevage du lapin.* ⇒ **Cuniculiculture.** *Élever des lapins* (→ Fumier, cit. 5), *faire de l'herbe pour les lapins. Une grosse lapine. Assommer, écorcher un lapin. Cabane à lapins.* ⇒ **Clapier** (cit. 1). — Fig. *Cabane*, cage* à lapins* (→ Cages* à poules). *Espèces de lapins domestiques : lapin russe, lapin des Flandres, lapin angora, lapin papillon, lapin bélier... — Les lapins sont chassés ou élevés pour leur chair et leur fourrure. — Jean Lapin, Jeannot Lapin,* nom souvent donné à cet animal par la tradition des contes et des fables.

1 L'aigle donnait la chasse à maître Jean Lapin (...) LA FONTAINE, Fables, II, 8.

2 La fécondité du lapin est encore plus grande que celle du lièvre (...) il est sûr que ces animaux multiplient si prodigieusement dans les pays qui leur conviennent, que la terre ne pourrait y fournir à leur subsistance; ils détruisent les herbes, les racines, les grains, les fruits, les légumes, et même les arbrisseaux et les arbres; et si l'on n'avait pas contre eux le secours des furets et des chiens, ils feraient déserter les habitants de ces campagnes. BUFFON, Hist. nat. des animaux, Le lapin.

2.1 Enfin, après une heure de fouilles, quatre rongeurs furent pris au gîte. C'étaient des lapins assez semblables à leurs congénères d'Europe, et qui sont vulgairement connus sous le nom de lapins d'Amérique.
J. VERNE, l'Île mystérieuse, t. I, p. 255.

2.2 Des lapins sortirent de leurs terriers, et broutaient le gazon.
Un coup de feu partit, un deuxième, un autre, — et les lapins sautaient, déboulaient. Victor se jetait dessus pour les saisir, et haletait trempé de sueur.
FLAUBERT, Bouvard et Pécuchet, p. 361 (Folio).

3 Et aussitôt, par les bois de la Sauvagère, par les friches du Beuvron, par les fourrés de Bouchebrand, des centaines de lapins pullulaient. Raboliot les voyait bondir pardessus les touffes de breumaille, s'y couler à pattes tricotantes, montrer à l'orée des terriers le temps à peine d'un clin d'œil, une touffe de queue blanche qui s'enfonçait dans le trou noir. M. GENEVOIX, Raboliot, III, V.

REM. Comme pour la plupart des noms d'animaux possédant une forme féminine, cette forme est d'un emploi incertain. On emploie *lapine* chaque fois que le sexe est perçu et pertinent, mais aussi *lapin,* en parlant d'une femelle. En outre le mot désigne à la fois l'individu et l'espèce (il est alors toujours masc.) et la plupart des emplois spéciaux et fig. sont au masculin.

Peau de lapin. Casquette (cit. 8) *en peau de lapin. La fourrure du lapin est très employée en raison de son bas prix. Manteau, doublure, couverture de lapin. Poil de lapin* (→ Habillement, cit. 8). *Utilisation du poil de lapin en chapellerie* (feutres).

N. m. *Le, du lapin.* La chair comestible du lapin (⇒ **Gibier**). → aussi Fin, cit. 7. *Manger du lapin* (→ Grillade, cit.). *Râble de lapin. Lapin rôti, sauté* (→ Frugal, cit. 6). *Lapin en sauce. Lapin en gibelotte; civet de lapin. Lapin chasseur. Pâté de lapin. Servir du chat pour du lapin* (→ Hachis, cit. 3).

(...) un lapin chasseur longtemps mijoté, savoureux, parfait de tous points (...) 4
J. ROMAINS, les Hommes de bonne volonté, t. V, X, p. 78.

Loc. *Lapin de gouttière :* chat.

♦ **2.** Loc. fig. **a** *(Lapin,* n. m.). *Courir comme un lapin :* courir très vite, s'enfuir. — *Ne pas valoir un pet* (cit. 5) de lapin.*

Le coup du lapin : coup violent sur la nuque (comme celui qu'on donne, du tranchant de la main, sur les vertèbres cervicales d'un lapin d'élevage, pour le tuer). *Il lui a fait le coup du lapin, ça l'a étendu pour le compte.*

Spécialt. Choc à la nuque éprouvé fréquemment dans les collisions de véhicules automobiles et résultant de la projection à des vitesses différentes, sous l'impact, des masses du corps et de la tête.

Il y a peu de temps, j'étais au volant de ma voiture stoppée par un feu rouge de l'avenue Foch. J'étais en train d'examiner un poil que je venais d'arracher de ma narine droite quand un choc violent me fit le coup du lapin. 4.1
SIM, Elle est chouette, ma gueule, p. 251.

Vx. *Sentir le lapin :* avoir une forte et mauvaise odeur corporelle. *Pattes de lapin :* favoris courts.

Fig. et fam. *Chaud lapin :* homme porté sur les plaisirs sexuels. → Chaud de la pince*. — *Un vrai lapin, un fameux lapin, un lapin :* un homme actif, rusé, brave. ⇒ **Gaillard.**

On dira : «c'est un gaillard, celui-là, c'est un luron, c'est un lapin», il aura le poids, on l'écoutera, ce sera un monsieur fort. 4.2
FLAUBERT, Correspondance, 10 sept. 1850.

Lagardy ne donnera qu'une seule représentation; il est engagé en Angleterre à des appointements considérables. C'est, à ce qu'on assure, un fameux lapin! 5
FLAUBERT, Mme Bovary, II, XIV.

— Je ne me sens ni Français ni Russe, dit-il. Mais quand j'étais là-haut avec les autres grivetons, je me plaisais avec eux. 6
— Ce sont des lapins, dit-elle.
Boris feignit de se méprendre.
— Oui : de fameux lapins.
— Non, non : des lapins qui se sauvent. Comme ça! dit-elle, en faisant courir sa main droite sur la table. SARTRE, la Mort dans l'âme, p. 61.

(1788, argot anc.). Vx. *Lapin ferré :* gendarme.

(Appellatif, avec un possessif). *Mon petit lapin, mon lapin* (employé pour les personnes des deux sexes).

— Voyons, n'aie pas honte, mon petit lapin... Il faut que tu t'habitues, il n'y a point là de vilaines choses. ZOLA, la Terre, IV, IV. 7

b *(Lapine,* n. f.). Femme qui a de nombreux enfants. ⇒ **Lapinisme.** — Par appos. *C'est une vraie mère lapine.*

♦ **3.** N. m. (De *voyager en lapin,* «à côté du cocher»). Vx. Voyageur ou colis que le cocher d'une voiture de place ne déclare pas.

Sur le devant de cette voiture, il existait une banquette de bois, le siège de Pierrotin, et où pouvaient tenir trois voyageurs, qui, placés là, prennent comme on le sait le nom de *lapins.* Par certains voyages, Pierrotin y plaçait quatre lapins (...) 8
BALZAC, Un début dans la vie, Pl., t. I, p. 605.

♦ **4.** **a** (Mil. XIXe). Vx. Paiement éludé. *Poser un lapin :* ne pas payer (une prostituée). → Payer en monnaie de singe*.

Elle n'usait de la poste restante que pour tâcher de lever les «michets» que son âge mûr ne lui permettait plus d'aguicher le soir dans le jardin du music-hall! Cette fois, elle en était quitte pour ce que dans l'argot parisien on appelle un «lapin». GORON, l'Amour à Paris, t. I, p. 348. 9

b Mod. et fam. *Poser un lapin à qqn,* le faire attendre en ne venant pas à un rendez-vous. *Elle lui a posé un lapin et il ne l'a jamais revue depuis.*

Pour nos sentiments, nous en avons parlé trop souvent pour le redire, bien souvent un amour n'est que l'association d'une image de jeune fille (qui sans cela nous eût été vite insupportable) avec les battements de cœur inséparables d'une attente interminable, vaine, et d'un «lapin» que la demoiselle nous a posé. 10
PROUST, la Prisonnière, Pl., t. III, p. 66.

(Hors du syntagme *poser un lapin*).

Ou bien Ilse vient au rendez-vous et accepte les propositions d'une autre personne que Roger, ou elle ne vient pas du tout et c'est le lapin dans toute son horreur, dans toute sa tristesse (...) 10.1
J. GREEN, Journal, 20 avr. 1968, Ce qui reste de jour, p. 89.

Le studio, qui est une commodité, peut très bien devenir, au bout de quelques mois, un inconvénient, comme il arrive souvent en amour, où il faut des traverses, de la contradiction, des picotements, des attentes, des lapins, pour que cela dure un peu. J. DUTOURD, les Horreurs de l'amour, p. 401. 11

LAPINER [lapine] v. intr. — 1732; de *lapin,* et *-er.*

♦ Agric. Se dit de la lapine qui met bas.

LAPINIÈRE [lapinjɛʀ] n. f. — 1762, *in* D. D. L.; de *lapin.*

Didactique ou technique.

♦ **1.** Lieu peuplé de lapins.

♦ **2.** (1873). Endroit, construction où l'on élève des lapins. ⇒ **Clapier.**

LAPINISME [lapinism] n. m. — XXe; de *lapin.*

♦ Fam. et iron. Fécondité excessive (d'un couple, d'un peuple). *Ils ont quatorze enfants, c'est du lapinisme!*

Alors, comme ça, dit-il, Simon, c'est votre seul enfant?
— Oh! non dit Yankel avec un bon et fier sourire, j'en ai quatre! Deux garçons, deux filles...
— Bigre! Vous donnez dans le lapinisme?
Roger IKOR, les Fils d'Avrom, Les eaux mêlées, p. 546.

LAPINOT [lapino] n. m. — 1929, → cit.; de *lapin,* et *-ot.*

♦ Régional. Jeune lapin. ⇒ **Lapereau.**

Le chien et le lapin (...) Le lapinot sent ton chien dans l'oreille.
J. GIONO, Colline, p. 112 (1929), *in* D. D. L., II, 9.

LAPIS [lapis] ou **LAPIS-LAZULI** [lapislazyli] n. m. — 1580, *lapis; lapis-lazuli,* XIIIe; comp. du lat. *lapis* «pierre», et de *lazuli* «azur», lat. médiéval *lazulum,* de l'arabe pop. *lāzūrd,* arabe class. *lāzāwārd* «lapis-lazuli», du persan *lāžward.* → Azur.

♦ Minér. Pierre d'un bleu d'azur ou d'outremer, silicate essentiel du groupe des feldspathoïdes. ⇒ **Azurite** (vx); **lazulite.** *Les lapis-lazuli sont employés dans les mosaïques, les incrustations décoratives, dans la confection des joyaux. Marbre incrusté de lapis et de turquoises* (→ Grille, cit. 9). *La poudre de lapis était utilisée comme colorant.* ⇒ **Outremer.** — Par appos. *Bleu lapis* (→ Inodore, cit. 2).

1 C'est avec les parties bleues du lapis que se fait l'outremer; le meilleur est celui dont la couleur bleue est la plus intense.
BUFFON, Hist. nat. des minéraux, Lapis-lazuli.

2 La quenouille est d'ébène incrusté de lapis. HUGO, les Contemplations, II, III.

3 (...) un ciel outremer comme du lapis-lazuli (...)
FLAUBERT, Correspondance, 266, 20 août 1850.

3.1 Sur la gauche, à l'extrémité du golfe, des tas de sable semblaient de grandes vagues blondes arrêtées, tandis que la mer, plate comme un dallage de lapis-lazuli, montait insensiblement jusqu'au bord du ciel.
FLAUBERT, Salammbô, Pl., t. I, p. 827.

4 Les briques émaillées sur lesquelles la poudre bleue de lapis-lazuli brille d'un éclat incomparable, s'ornaient de mille fleurs et de bêtes stylisées.
DANIEL-ROPS, le Peuple de la Bible, III, III.

Par métaphore. Bleu intense.

5 Il y a aussi la Provence d'hiver, le ciel de lapis-lazuli, la promenade sur les mornes, et le château dans les rochers.
Germain NOUVEAU, Œuvres en prose, Notes parisiennes, Pl., p. 442.

LAPON, ONE ou **ONNE** [lapɔ̃, ɔn] adj. et n. — 1671; lat. médiéval *Lapo, onis,* du suédois *Lapp.*

♦ De Laponie. *Hutte, tente lapone.* — N. *Les Lapons. Les Lapons élèvent le renne.*
(1709, Regnard). *Le lapon,* langue finno-ougrienne parlée en Laponie.

LAPPE [lap] pron. ⇒ **Lap.**

LAPPEMENT [lapmɑ̃] n. m., **LAPPER** [lape] v., **LAPPEUR** [lapœʀ] n. m. ⇒ **Lapement, laper, lapeur.**

1. LAPS [laps] n. m. — 1266; du lat. *lapsus* «écoulement, cours», p. p. de *labi* «glisser, couler».

♦ LAPS DE TEMPS : durée, moment. *En un laps de temps assez court, assez long.* «*La prescription est un moyen d'acquérir ou de se libérer par un certain laps de temps...*» (Code civil, Art. 2 219).

1 (...) laquelle maladie, par laps de temps naturalisée (...)
MOLIÈRE, M. de Pourceaugnac, I, 8.

2 Il s'écoula, dès ce moment, un certain laps de temps pendant lequel il n'eut aucune perception claire des choses terrestres (...)
BALZAC, la Peau de chagrin, Pl., t. IX, p. 31.

REM. Le mot est très rarement employé isolément.
«*Quand nous arrivez-vous pour passer un laps dans la capitale?*» (Flaubert, *Correspondance, in* T. L. F.).

HOM. 2. **Laps.**

2. LAPS, LAPSE [laps] adj. — 1690, *laps,* Furetière; *lapse,* 1314; lat. *lapsus* «qui est tombé», p. p. de *labi* «glisser, tomber».

♦ Relig. Dans l'expr. *laps et relaps, lapse et relapse :* qui a quitté (une première fois) la religion catholique.

HOM. 1. **Laps.**

LAPS DE TEMPS [lapsdətɑ̃] n. m. ⇒ 1. **Laps.**

LAPSUS [lapsys] n. m. invar. — 1833, Nodier, *in* D. D. L.; *lapsus calami,* 1630, *in* Bloch et Wartburg; du lat. *lapsus linguæ, lapsus calami* «faux pas de la langue, de la plume».

♦ Emploi involontaire d'un mot pour un autre, en langage parlé *(lapsus linguæ)* ou écrit *(lapsus calami). Faire un lapsus, des lapsus en parlant.* ⇒ **Fourcher** (la langue lui a fourché). *Effet comique tiré de lapsus* (⇒ **Contrepèterie**). *L'étude des lapsus par Freud.*

— Tu sais, Marguerite, comme j'ai l'oreille fine. Aucune erreur : tu as dit boulebard. C'est un lapsus, voilà tout. G. DUHAMEL, Salavin, Journal, 1er juin. 1

Les cauchemars de la peinture flamande nous frappent par la juxtaposition à côté du monde vrai de ce qui n'est plus qu'une caricature de ce monde; ils offrent des larves qu'on aurait pu rêver. Ils prennent leur source dans ces états semi-rêvés qui provoquent les gestes manqués et les dérisoires lapsus de la langue. 1.1
A. ARTAUD, le Théâtre et son double, Théâtre oriental et Théâtre occidental, Idées/Gallimard, p. 108-109.

(1826, *lapsus memoriæ*). Par ext. *Lapsus de mémoire...*

(...) je m'attendrai toujours à toutes les distractions et à tous les *lapsus* de pinceau de la part de quelqu'un *(Lamartine)* qui, ayant à parler de Camille Desmoulins pour son *Vieux Cordelier,* a trouvé moyen de le comparer à Fénelon. 2
SAINTE-BEUVE, Causeries du lundi, 4 août 1851.

LAPTOT [lapto] n. m. — 1752, Trévoux; orig. incertaine.

♦ Vx. Au Sénégal et dans les ports d'Afrique Noire, Piroguier, matelot ou débardeur.

Au même moment entraient dans le port de Mandouka ceux qu'on appelait les laptots de l'Humko; c'étaient des conducteurs de radeaux, des bûcherons de la Hourla... Lentement glissaient les esquifs de rondins antiques sur l'eau grasse auréolée de fuel, de sillages odorants, de mazout... Des attroupements s'agglutinaient au bord des bassins pour saluer par des chants et des danses l'enchaînement ligneux, bossué de cette armada fruste et sereine...
P. GRAINVILLE, les Flamboyants, p. 295-296.

LAQUAGE [lakaʒ] n. m. — 1881, Ed. de Goncourt; de *laquer,* et *-age.*

♦ **1.** Opération par laquelle on laque une matière, un support.

À ces laquages sur bois il faut joindre les laquages sur écaille et ivoire, où des fleurs et des rinceaux prennent ces épais reliefs, qui font croire à l'application d'une feuille de métal.
Ed. DE GONCOURT, la Maison d'un artiste, t. 2, p. 328, *in* T. L. F.

♦ **2.** (1920, Calmette). Méd. *Laquage du sang :* hémolyse du sang *(sang laqué).*

LAQUAIS [lakɛ] n. m. — 1470, var. *alacays; halagues,* XVe; orig. incert.; p.-ê. du catalan *alacay,* esp. *alacayo;* du grec médiéval *oulakès* «valet d'armes», du turc *ulaq* «coureur», ou de l'arabe *alqā'id* «le chef». On a parfois évoqué l'anc. provençal *lecai* «glouton», mais cette hypothèse n'est pas satisfaisante.

♦ **1.** Anciennt. Valet* en livrée*, souvent employé à suivre son maître, sa maîtresse. ⇒ **Valet; domestique, groom** (→ Gamin, cit. 1). *Le maître et ses laquais* (→ Barboter, cit. 10; fils, cit. 7). *Laquais qui sert à table, rince les verres* (→ Écrit, cit. 14). *Laquais armé, au XVIe siècle.* ⇒ **Estafier.**

Vous êtes un (...) de ces hommes dorés, armoriés, rentés, qui ont de grosses prébendes (...) qui se pavanent, laquais devant, laquais derrière, en berline de gala (...) 1
HUGO, les Misérables, I, I, X.

♦ **2.** Fig. et littér. *Une âme* (cit. 73) *de laquais,* basse*, servile*. *Menteur, effronté, insolent comme un laquais. Il n'est pas digne d'être le laquais de cette femme* (→ Homme, cit. 122). — Fig. Homme servile (→ Fossoyeur, cit. 4).

Admirez maintenant cette tranquillité si frappante des familiers, des flatteurs, des laquais. ALAIN, Propos, 1929, Pl., p. 887. 2

DÉR. **Laquéisme.**

LAQUE [lak] n. — Déb. XVIe; *lacce,* XVe; lat. médiéval *lacca,* arabo-persan *lākk,* de l'hindoustani *lakh,* du sanskrit *laksha* «teinture rouge, d'origine végétale ou animale; résine, insecte *(coccus lacca)* dont on l'obtient».

★ **I.** N. f. ♦ **1.** Matière résineuse (latex) d'un rouge* brun, qui exsude des branches de certains arbres d'Extrême-Orient de la famille des térébinthacées (*arbres à laque* ou laquiers, suma[s]). *Diastase contenue dans la laque.* ⇒ **Laccase.** *Les arbres à laque sont cultivés en Extrême-Orient. Utilisations de la laque* (→ *infra,* II.). — *Arbre à laque,* se dit aussi d'une légumineuse-papilionacée. ⇒ 2. **Butée.**

Adj. *Gomme laque,* se dit improprement de cette résine, et (stricto sensu) de la matière visqueuse sécrétée par un insecte *(Coccus lacca).*

♦ **2.** Par ext. Vernis chimique, transparent, coloré. *Laque à la nitrocellulose. Applications de la laque comme isolant, dans la peinture des carrosseries,* etc. (→ Garage, cit. 6).

(1846). Substance insoluble obtenue par la combinaison d'un colorant soluble et d'un mordant. *Laque à l'alumine*. Laque de garance.* — (1864). *Laque d'aluminium, de chrome.*

Les colorants à mordants métalliques (...) teignent la laine préalablement (...) traitée (...) par des sels métalliques, avec lesquels ces colorants forment des laques, citons : l'Alizarine (laque d'aluminium), le Noir Diamant (laque de chrome), la Cochenille (laque d'étain). Jean MEYBECK, les Colorants, p. 113. 1

♦ **3.** (V. 1960). Produit que l'on vaporise sur les cheveux pour les fixer. *Une bombe de laque.*

♦ **4.** *Vernis laque* ou *laque :* vernis à ongles.

★ **II.** ♦ **1.** N. m. ou f. Vernis* préparé avec la résine du sumac (→ *supra,* I., 1.); matière (bois, carton) enduite de ce vernis (⇒ **Laquer**). *Objet, bibelot* (cit. 1), *meuble, cabinet, paravent de laque, en laque. Tabletterie de laque. Laque noir, rouge. « Le beau laque de Chine »* (Académie). *Laque du Japon.* — REM. On rencontre le féminin en ce sens chez quelques écrivains. *La laque de la Chine* (Voltaire, → Étrenne, cit. 2). *Laque éraflée* (Aragon, → Époque, cit. 13). Quelques auteurs réservent le masculin pour le sens 2, *infra :*

1.1 À tous les angles de cette chambre d'une grande élévation et d'un large espace, il y avait des encoignures en faux laque de Chine, et sur l'une d'elles on voyait, mystérieux et blanc, dans le noir du coin, un vieux buste de Niobé d'après l'antique, qui étonnait là, chez ces bourgeois vulgaires.
BARBEY D'AUREVILLY, les Diaboliques, « Le rideau cramoisi ».

2 (...) les laques sculptés *(les objets de laque)*... furent souvent admirables sous les Ming (...) sous K'ien-Long, le mobilier impérial est exécuté en laque sculptée.
Jeannine AUBOYER, les Arts d'Extrême-Orient, p. 121.

♦ **2.** N. m. Objet d'art en laque; en bois, en carton... laqué (→ Exotique, cit. 5). *Collection de laques. Laques de Coromandel. Un beau laque.*

3 Mes laques et mes grès, qu'une vitre défend (...)
HUGO, les Voix intérieures, XXII.

DÉR. Laquer, laqueur.
HOM. Lac, lack.

LAQUÉ, ÉE [lake] adj. ⇒ **Laquer.**

LAQUÉISME [lakeism] n. m. — 1704, *in* D. D. L.; *laquaïsme,* 1610, D. D. L.; de *laquais,* et *-isme.*

♦ Vx et rare. Condition de laquais.

LAQUER [lake] v. tr. — 1830, au p. p.; de *laque,* et *-er.*

♦ **1.** Enduire de laque (véritable); vernir avec du laque.

♦ **2.** Recouvrir d'une peinture imitant le brillant du laque. *« Laquer un meuble de bois blanc »* (Académie).

1 Pour laquer un objet — ou un panneau (...) il faut appliquer des couches successives bien égales, minces, bien poncer chacune d'entre elles.
Jean RUDEL, Technique de la peinture, p. 49.

▶ **LAQUÉ, ÉE** p. p. et adj.

♦ **1.** Enduit de laque (véritable). *Paravent chinois laqué.*

♦ **2.** Verni, peint à la laque. *Mobilier de bois laqué bleu* (→ Fourre-tout, cit. 1). *Murs laqués.* — Spécialt. *Ongles laqués,* vernis. — *Peinture laquée,* imitant le brillant du laque.

Par métaphore :

2 (...) les visages devenaient laqués de sueur. MALRAUX, l'Espoir, I, I, I, III.

♦ **3.** (1907). Cuis. (Trad. du chinois). Badigeonné de sauce pendant cuisson. *Canard laqué :* préparation chinoise où le canard assaisonné et rôti, est badigeonné plusieurs fois pendant la cuisson à l'aide d'une sauce où sont mêlées « les quatre-épices, la sauce soja, le sucre en poudre, ou mieux, le miel » (R. Oliver). *Porc laqué.*

♦ **4.** (1907). Méd. *Sang laqué :* solution d'hémoglobine obtenue en ajoutant de l'eau distillée à des globules rouges séparés du sang par centrifugation.

DÉR. Laquage, laqueur.

LAQUEUR [lakœʀ] n. m. — 1875; de *laquer.*

♦ Techn. Ouvrier qui applique des laques d'Extrême-Orient ou des vernis, pour décorer des meubles ou ouvrages en bois. — REM. On dit parfois *laquiste* (av. 1924). — Le fém. *laqueuse* est virtuel.

Au Japon, entre un aquarelliste de *Kakémonos* — la seule peinture de là-bas — et un laqueur, il y a égalité, parité. Il est vrai qu'il faut dire que le plus souvent le peintre et le laqueur, l'artiste et l'ouvrier, ne font qu'un.
Ed. et J. DE GONCOURT, Journal, 1885, p. 518 (*in* T. L. F.).

LAQUEUX, EUSE [lakø, øz] adj. — 1765, *Encyclopédie;* de *laque,* et *-eux.*

♦ Rare. Qui a l'aspect de la laque.

Il est probable que les premiers Vénitiens peignirent sur des fonds très blancs; leurs chairs brunes ne semblent que de simples glacis laqueux sur un fond qui transparaît toujours. E. DELACROIX, Journal, 5 oct. 1847.

LARAIRE [laʀɛʀ] n. m. — V. 1560; lat. *lararium,* de *lar.* → Lare.

♦ Didact. (Antiq. rom.). Autel, niche, petite chapelle que les Romains réservaient dans leur maison au culte des lares. ⇒ **Autel** (domestique). *Le laraire était une sorte de chapelle*, d'oratoire privé.*

(...) les Romains mêmes pouvaient, dans des laraires, ou des temples particuliers, rendre des honneurs divins à leurs ancêtres (...)
MONTESQUIEU, Grandeur et décadence des Romains, XII.

LARBIN [laʀbɛ̃] n. m. — 1827; d'abord argot « mendiant »; orig. obscure; p.-ê. de *habin* « chien », avec agglutination de l'article défini, de *happer.* P. Guiraud évoque une forme *labrin,* avec métathèse du *r,* forme de *labrit*;* l'évolution sémantique de « chien » à valet « est normale » (→ Canaille).

♦ **1.** Fam. et péj. Domestique, laquais (→ Côtelette, cit. 3). — *Avoir l'air d'un larbin* (→ Honorer, cit. 28).

Il avait l'air d'un larbin de grande maison qui reconduit à la grille du parc le repasseur de couteaux et ciseaux entré par mégarde.
J. ROMAINS, les Hommes de bonne volonté, t. III, XVIII, p. 241.

Par compar. (Péj.). *Se conduire comme un larbin,* servilement. *Avoir une mentalité de larbin.*

♦ **2.** (1932, Céline). Fig. Homme servile. *C'est un vrai larbin avec le Directeur.*

DÉR. Larbinisme.

LARBINISME [laʀbinism] n. m. — Fin XIXe; de *larbin,* et *-isme.*

♦ Fam. et péj. Attitude de larbin, de laquais.

(Des) millions d'hommes à qui on a inculqué savamment la peur (...) le tremblement, l'agenouillement, le désespoir, le larbinisme.
Aimé CÉSAIRE, Disc. sur le colonialisme, p. 22.

LARCIN [laʀsɛ̃] n. m. — 1246; *larrecin,* 1130; lat. *latrocinium,* de *latro.* → Larron.

♦ **1.** Littér. Petit vol commis furtivement (cit. 1, Rabelais) et sans violence. ⇒ **Filouterie** (→ Filoutage, cit. 2), **maraudage, vol, volerie.** *Faire, commettre un larcin.* ⇒ **Chaparder** (fam.), **dérober, marauder, voler.** *Petit larcin, larcin véniel* (→ Honte, cit. 8).

Or, une nuit, on lui vola une douzaine d'oignons. Dès que Rose s'aperçut du larcin, elle courut prévenir Madame, qui descendit en jupe de laine. 1
MAUPASSANT, Contes de la Bécasse, Pierrot.

Par ext. Vol (en général).

Par métonymie. Chose volée. *Restituer son larcin.*

♦ **2.** (1615). Fig. et vx. Emprunt à un auteur. ⇒ **Plagiat.**

(...) tous les livres semblent n'avoir parlé que pour lui. Il n'ouvre jamais la bouche que nous n'y trouvions un larcin, et il est si accoutumé à mettre au jour son pillage, que même quand il ne dit mot, c'est pour dérober cela aux muets. 2
CYRANO DE BERGERAC, Œuvres diverses, Lettres satiriques, p. 105.

Va, va restituer tous les honteux larcins 3
Que réclament sur toi les Grecs et les Latins.
MOLIÈRE, les Femmes savantes, III, 3.

(...) je m'inquiétais peu de ces larcins qui n'étaient pas les premiers de la même main que j'avais endurés sans m'en plaindre. ROUSSEAU, les Confessions, XII. 4

♦ **3.** (1573). Vx ou plais. Faveur obtenue, succès remporté en amour. *Un doux larcin :* un baiser dérobé à une femme (Littré).

(...) les dames de ces lieux 5
Se plaignent justement des larcins de vos yeux,
Si vous leur dérobez leurs conquêtes plus belles
Et de tous leurs amants faites des infidèles. MOLIÈRE, l'Étourdi, V, 8.

LARD [laʀ] n. m. — Fin XIIe, *lart;* lat. *lardum,* de *laridum,* forme antérieure.

★ **I.** ♦ **1.** [a] Graisse* ferme formant une couche épaisse dans le tissu sous-cutané du porc. *Lard de porc. Pièce de lard levée sur le côté du porc.* ⇒ 2. **Flèche.** *Barde* de lard.* — Spécialt. Lard (de porc) utilisé dans l'alimentation (en charcuterie* ou en cuisine). *Saveur du lard* (→ Gîter, cit. 3). *Lard gras, gros lard,* qui ne contient aucune partie de chair musculaire, opposé à *lard maigre, petit lard* (mêlé de chair, de maigre). *Lard fumé, salé. Tranche de lard. Garnir un rôti, une volaille de morceaux de lard.* ⇒ **Barder, entrelarder, larder.** *Ôter le lard.* ⇒ **Délarder.** *Petit morceau de lard.* ⇒ **Lardon** (→ Fricot, cit. 2). *Levure* du lard. Couteau à lard.* ⇒ **Tranchelard.** — *Omelette, salade au lard,* préparée avec des lardons. *Pois au lard.*

Cent pourceaux choisis, dont les pires 1
Avaient quatre grands doigts de lard. SCARRON, Virgile travesti, I.

Cependant la tante venait de verser dans un plat le contenu de la poêle, une tranche de lard frite avec des œufs. NERVAL, Sylvie, VI. 2

Quenu, aidé d'Auguste et de Léon, emballait les saucissons, préparait les jambons, fondait les saindoux, faisait les lards de poitrine, les lards maigres, les lards à piquer. ZOLA, le Ventre de Paris, t. I, p. 127. 2.1

[b] Graisse des cétacés et de certains animaux amphibies. *Du lard de baleine, d'hippopotame.*

♦ **2.** Régional (Centre, Canada...). Porc prêt à tuer; porc tué, comestible.

Loc. fig. *Un gros lard :* un homme gros, gras. *« L'officier de la Gestapo, un gros lard »* (Carco).

Loc. **TÊTE DE LARD :** personne entêtée, de mauvais caractère.

De quoi? On n'admet pas la discipline? On veut faire son petit révolté? Tu as compris, maintenant, tête de lard? M. AYMÉ, la Tête des autres. 2.2

♦ **3.** Loc. fam. (au sens 1 ou 2 de *lard*). *(Se demander) si c'est du lard ou du cochon,* de quoi il s'agit, quelle est la nature du problème, des inconvénients.

2.3 Regardez ce petit truc-là. Quand je m'ennuie, je le compte. On ne sait pas exactement si c'est un dôme ou une arche, du lard ou du cochon mais ça fait trente-trois et on est bien content de trouver du nouveau à ces moments-là.
J. GIONO, le Hussard sur le toit, p. 367.

2.4 (...) les bracelets d'acier aux poignets de la petite Noire. Elle rembrunit, se demandant si c'est du lard ou du cochon. SAN-ANTONIO, J'ai essayé : on peut !, p. 19.

♦ **4.** (Du sens 1). Graisse humaine (dans quelques expr.). *Gras** (cit. 15) *à lard :* très gras. — *Faire du lard, se faire du lard :* devenir gras (spécialt, à ne rien faire).

3 (...) Napoléon, qui était un bon homme, les avait nourris d'or *(les maréchaux)*, ils devenaient gras à lard qu'ils ne voulaient plus marcher.
BALZAC, le Médecin de campagne, Pl., t. VIII, p. 466.

4 Et pourtant qu'est-ce que ça pouvait lui faire, à celle-là, qu'il ait la guerre ? Elle continuerait à faire du lard en quelque trou de campagne.
SARTRE, le Sursis, p. 105.

Loc. *Rentrer dans le lard* (à qqn), l'agresser (physiquement ou verbalement).

Vx. Peau (humaine), dans un contexte érotique (notamment avec le v. *frotter*).

5 (...) *Lard,* dans l'expression *frotter son lard,* fréquente chez Rabelais et chez les écrivains du XVIe siècle : du Fail, Bouchet, etc.
L. SAINÉAN, la Langue de Rabelais, t. II, p. 304.

★ **II.** Fig. ♦ **1.** (1787). *Pierre de lard :* talc blanc utilisé par les tailleurs. ⇒ **Stéatite.**

♦ **2.** (1701). Partie de l'arbre qui est sous l'écorce. ⇒ **Aubier.**

DÉR. Larder, lardeux, lardon.
HOM. Lare.

LARDACÉ, ÉE [laʀdase] adj. — 1824, Nysten ; du lat. *lardum* « lard », et suff. *-acé.*

♦ Pathol. Se dit de tissus pathologiques rappelant le lard par leur aspect. *Rein lardacé. Tissus lardacés.*

Vous opérez demain la nouvelle arrivée (...) Vous avez vu : un encéphaloïde lardacé du sein droit. Ed. et J. DE GONCOURT, Sœur Philomène, p. 21 (*in* T. L. F.).

LARDAGE [laʀdaʒ] n. m. — 1902 ; de *larder ;* en moy. franç., XIVe, « droit perçu sur le lard » ; de *lard.*

♦ **1.** Action de larder.

♦ **2.** Ensemble de lardons, lard servant à larder. *Préparer le lardage d'un morceau de bœuf.*

LARDER [laʀde] v. tr. — 1155 ; de *lard,* et *-er.*

♦ **1.** Garnir (une pièce de viande) de lardons longs et minces introduits dans l'épaisseur du morceau. *Larder un morceau de bœuf à l'aide d'un couteau, d'une broche* (⇒ **Lardoire**).

♦ **2.** (1867, Littré). Techn. *Larder une pièce de bois,* y planter de nombreux clous pour faire tenir le plâtre qu'on veut y appliquer. — (1678). Mar. Garnir une toile (à voile...) d'une couche de filins effilochés et enduits de suif (⇒ **Larderasse**). — (1902, Larousse). *Larder une étoffe, un tissu :* engager à faux la navette dans les fils de la chaîne, ce qui provoque un entrelacement irrégulier des fils, défaut appelé « lardure ».

Entailler (un espace pour un bec de carre, une serrure) dans l'épaisseur d'une porte.

♦ **3.** (V. 1265). Par anal. et fam. Percer* de coups, piquer à plusieurs reprises. *Larder quelqu'un de coups d'épée, de couteau.* — *Se larder les doigts de coups d'aiguille.* ⇒ **Piquer** (se). — *Se larder le pouce* (→ Délacer, cit. 2).

1 (...) le sang coule, sa vue doit vous réjouir. Ne vous attendrissez pas : pensez à larder au bon endroit. Pour arracher ensuite la baïonnette de la poitrine du cadavre, il est bon de lui poser le pied sur le ventre.
A. MAUROIS, les Discours du Dr O'Grady, X.

Par métaphore :

1.1 Alors une forte odeur d'évier me pinçait les narines, me lardait de pointes d'alcali. J'avais le nez verni. B. CENDRARS, Moravagine, *in* Œ. compl., t. IV, p. 98.

♦ **4.** (1611). Fig. *Larder quelqu'un d'épigrammes*, de railleries, de moqueries..., de traits*.* ⇒ **Poursuivre.**

2 (...) une pluie de menues épigrammes dont elle tentait de le larder, mais qu'elle appointait et dirigeait assez mal, de sorte que lui ne faisait que s'en amuser.
GIDE, Si le grain ne meurt, I, III, p. 78.

Larder un discours de citations latines, d'allusions...* ⇒ **Entremêler, semer, truffer.**

3 Je ne me permettrai plus de caresses sans les larder de versets de la Bible.
BALZAC, le Lys dans la vallée, Pl., t. VIII, p. 979.

▶ **LARDÉ, ÉE** p. p. adj.

♦ **1.** Garni de lardons. *Veau fricassé et lardé* (→ Dévorer, cit. 5). *« Une savoureuse portion de veau, généreusement lardée, fricassée dans la poêle et garnie de carottes »* (Martin du Gard, *les Thibault, in* T. L. F.).

♦ **2.** Techn. *Pièce de bois lardée. Paillet lardé servant à aveugler une voie d'eau.* — *Étoffe lardée.*

♦ **3.** (En parlant d'un style). Émaillé de citations trop nombreuses. ⇒ **Entrelardé.**

(...) il écrivait dans un style prétentieux, bariolé de calembours et lardé de pédantismes agressifs (...) R. ROLLAND, Jean-Christophe, Foire sur la place, I, p. 677. 4

♦ **4.** Par ext. Garnir de façon hétéroclite.

(...) tous ces rubans dont vous voilà lardé depuis les pieds jusqu'à la tête (...) 5
MOLIÈRE, l'Avare, I, 4.

DÉR. Lardage, larderasse, lardoire.
COMP. Délarder, entrelarder.

LARDERASSE [laʀdəʀas] n. f. — 1867 ; de *larder,* et *-asse.*

♦ Mar. Corde d'étoupe* ou de chanvre* grossier.

LARDEUX, EUSE [laʀdø, øz] adj. — 1873 ; de *lard,* et *-eux.*

♦ Rare. Qui ressemble au lard. ⇒ **Lardiforme.**

LARDIER [laʀdje] n. m. — Fin XIIe ; de *lard,* et *-ier.*

♦ Anciennt. Coffre servant de garde-manger. — Saloir.

LARDIFORME [laʀdifɔʀm] adj. — 1867, Littré ; de *lard,* et *-forme.*

♦ Rare. Qui ressemble au lard. ⇒ **Lardeux.**

LARDOIRE [laʀdwaʀ] n. f. — 1389 ; de *larder,* et *-oire.*

♦ **1.** Brochette creuse servant à larder la viande. *Lardoire à pointe, à lance, à sonde.* — Par métaphore :

— Une dernière condition, dit Théodose : tu m'aiderας contre Dutocq.
— Non, répondit Cérizet, il est assez cuit par toi, sans que j'aille encore lui donner des coups de lardoire : il rendrait tout son jus.
BALZAC, les Petits Bourgeois, Pl., t. VII, p. 217.

♦ **2.** (1730). Techn. Sabot métallique en pointe, dont on arme l'extrémité d'un pieu.

♦ **3.** (1842). Fam. Arme pointue (baïonnette, etc.).

LARDON [laʀdɔ̃] n. m. — Déb. XIIIe ; de *lard,* et *-on.*

★ **I.** ♦ **1.** Morceau de gros lard coupé long et mince, qu'on introduit dans la viande avec une lardoire. — Petit morceau de lard maigre qu'on fait revenir* pour accompagner certains plats. *Frisée aux lardons.*

Pendant vingt-cinq minutes, elle *(la truffe)* dansera dans l'ébullition constante, entraînant dans les remous et l'écume (...) une vingtaine de lardons, mi-gras, mi-maigres, qui étoffent la cuisson. COLETTE, Prisons et Paradis, Rites. 1

♦ **2.** (1765). Techn. Petit morceau de métal que l'on introduit dans une fissure pour la boucher. — Pièce longue et étroite faisant partie de la potence d'une montre à roue de rencontre. — Typogr. Signes étrangers disséminés dans la composition.

★ **II.** Fig. (idée de « piquer »). ♦ **1.** (1466). Fig. et vx. Trait piquant, raillerie. ⇒ **Quolibet, sarcasme.** — REM. Ce sens était courant au XVIIIe s. Cf. Saint-Simon (*in* Hatzfeld), Lesage, Voltaire, Rousseau, Regnard (*in* Littré).

Que voulez-vous ? nous sommes dans les lazzis, dans les lardons, dans ce qui est éternel en France contre tout pouvoir qui y donne prise. 1.1
SAINTE-BEUVE, Nouveaux Lundis, t. 7, p. 183 (*in* T. L. F.).

♦ **2.** (Hist.). Au XVIIe et au XVIIIe siècles, Petite gazette publiée en Hollande et circulant clandestinement en France.

Ayant consulté M. Bayle (...) touchant l'étymologie du mot de *lardon,* dans cette signification de Gazette, voici ce qu'il me répondit : Je crois que c'est à Paris que le titre de *lardon* a été donné à nos petites nouvelles raisonnées (...) On croit qu'on a nommé ces Gazettes de la sorte, du mot de *lardon,* dans la signification d'un trait piquant ; et que la figure longue et étroite du papier sur lequel on imprime ces nouvelles, y a aussi contribué. 2
MÉNAGE, Dict. étymologique, *in* Dict. de Trévoux.

★ **III.** ♦ **1.** (1878). Pop. ou fam. Petit enfant. → Petit salé (2. Salé). *Elle trimballe ses lardons.*

(...) l'officier de ravitaillement : on l'a rencontré entre chien et loup, sortant d'un sous-sol avec deux bouteilles de blanc dans chaque bras, le frère. On aurait dit une nourrice portant quatre lardons. H. BARBUSSE, le Feu, t. I, II. 3

Des enfants, des enfants (...) Des gosses, des mioches, des bambins, des lardons, des salés (...) L'argot ne saurait suffire, ils sont trop ! 4
COLETTE, les Vrilles de la vigne, p. 217.

♦ **2.** Vx. Personne grasse. *Vieux lardons, gros lardons.* ⇒ **Lard.**

LARDONNER [lardɔne] v. tr. — 1432, «garnir»; de *lardon,* et *-er.*

♦ Couper, tailler en lardons (I., 1.).

LARDU [lardy] n. m. — 1951, Esnault; de *quart* «commissariat», en largonji, donnant *larduquart,* puis *lardu,* var. *nardu.*
Argot.

♦ **1.** Commissariat. *Se retrouver au lardu.*

♦ **2.** Commissariat de police. *«C'était le lardu de la volante qui dirigeait le coup de serviette* (descente de police) *dans les boîtes de Montmartre cette nuit-là»* (A. Le Breton, *Langue verte et noirs desseins*).

♦ **3.** N. m. pl. LARDUS : policiers. ⇒ **Poulet.**

Je ne doute pas de votre maîtrise, au volant ni ailleurs, mais je ne veux en aucun cas vous mouiller dans cette salade. Lorsque les lardus se pointeront chez vous (...)
A. SARRAZIN, la Cavale, p. 177.

LARDURE [lardyr] n. f. — 1785; «lardon», 1530; de *lard.*

♦ Techn. Défaut d'une étoffe de laine, entrelacement défectueux des fils de trame.

LARE [lar] n. m. — 1488; lat. *lar, laris,* surtout au plur. *lares.*

♦ **1.** Chez les Romains, Esprit tutélaire chargé de protéger la maison, la cité, les rues. *Les lares des carrefours.* — Spécialt. *Lares familiaux, domestiques :* les âmes (des ancêtres défunts) protectrices du foyer. *Les lares et les pénates**. *Lieu où l'on adorait les lares.* ⇒ **Laraire.**

1 Ces âmes humaines divinisées par la mort étaient ce que les Grecs appelaient des *démons* ou des *héros.* Les Latins leur donnaient le nom de *Lares, Mânes, Génies.*
FUSTEL DE COULANGES, la Cité antique, I, II.

Adj. *Les dieux lares.*

1.1 (...) la famille, toujours un peu sauvage, est civilisée de deux côtés, soit par le commerce et la passion politique du chef, soit par les Humanités, qui ressortent des cahiers de l'enfant, se mêlant aux dieux lares; et telle est la véritable école du soir. ALAIN, les Sentiments familiaux, *in* les Passions et la Sagesse, Pl., p. 350.

♦ **2.** Fig. et poét. *Abandonner, revoir ses lares, les lares paternels.* ⇒ **Foyer, maison, pénates.**

2 Un rat hôte d'un champ, rat de peu de cervelle,
Des lares paternels un jour se trouva sou *(soûl).* LA FONTAINE, Fables, VIII, 9.

3 Tout en me souvenant de mon pays, je ne me sentais aucun désir de le revoir; des dieux plus puissants que les lares paternels me retenaient (...)
CHATEAUBRIAND, Mémoires d'outre-tombe, t. II, p. 162.

DÉR. Laraire.
HOM. Lard.

LARGABLE [largabl] adj. — 1931, Larousse; de *larguer,* et *-able.*

♦ Qui peut être largué (d'un avion, d'un véhicule spatial). *Cabine largable. Réservoir largable.*

LARGAGE [largaʒ] n. m. — Mil. XXe (les essais de cabines largables Leduc ont commencé en 1949); de *larguer.*

♦ **1.** Action de larguer (d'un planeur, d'un avion, d'un véhicule spatial). *Largage automatique de la cabine. Largage de bombes, de parachutistes* (⇒ **Parachutage**). *Système de largage d'une cabine. Vérins de largage. Commande, manette de largage.*

Les avions-cargos qui assurent ces opérations *(de parachutage)* ont la possibilité de voler sans leur porte arrière, c'est-à-dire que toute la partie terminale de leur fuselage est enlevée, permettant ainsi le largage de matériel de gros gabarit (...) Deux méthodes peuvent alors être utilisées : le largage par gravité et le largage par éjection. Jean PELLANDINI, le Parachute, p. 35.

♦ **2.** (De *larguer,* 3.). Fig. et fam. *Le largage d'un employé.* ⇒ **Renvoi, vidage** (fam.).

LARGANDO [largɑ̃do] adv. et n. m. — Attesté XXe; mot ital., «en élargissant». → Largo.

♦ Mus. En s'élargissant (mouvement).

LARGE [larʒ] adj., n. m. et adv. — V. 1050; forme féminine de l'anc. franç. *larc,* du lat. *largus* «abondant», d'où «généreux»; a supplanté l'adj. *lé,* du lat. *latus* «large». → Lé.

REM. Déjà, en latin, *largus* tendait à se substituer à *latus,* à cause de l'identité de la syllabe finale de *largus* et de *longus.* Le sens étymologique moins usité de nos jours, est cependant resté vivant (voir notamment, I., 4., 6., 8.). Il est parfois difficile de le distinguer des sens figurés. Il subsiste, en revanche, d'une façon très nette dans certains dérivés : *largement, largesse.*

★ **I.** Adj. ♦ **1.** Plus souvent antéposé, en épithète. Qui a une étendue supérieure à la moyenne, dans le sens de la largeur. ⇒ **Largeur.** *Une large bande de tissu, une bande large, assez large, très large; cette bande est plus large que la table. Aussi large que long**. ⇒ **Carré.** *Large et profond, large et court. Doigts larges et carrés* (cit. 1) *du bout. Ruban, courroie large* (→ Gibecière, cit. 1). *Large bande, large ceinture. Bords larges, larges bords d'un chapeau* (→ Cache-nez, cit.). *Chapeau à larges bords. Large avenue, large route, rue* (→ Bas-côté, cit. 2; grandiose, cit. 1; îlot, cit. 6). *«L'air* (1. Air, cit. 5) *est pur, la route est large...»* (Déroulède). *Large rivière* (→ Guéable, cit. 2), *rivière large. Large cour d'honneur* (cit. 88). *Large pièce* (→ Enfilade, cit. 2). *Large escalier* (cit. 4). *Larges gradins* (cit. 4). *Bureau long et large* (→ 1. Glacis, cit. 3). *Large divan, large lit* (→ Installation, cit. 2). — *Rendre qqch. plus large.* ⇒ **Élargir, rélargir.**

(...) les dossiers larges (...) invitaient au repos (...) 1
J. GREEN, Adrienne Mesurat, I, I.

(...) il se réservait (...) une pièce large et haute où il pouvait (...) recevoir (...) les visiteurs (...) J. CHARDONNE, les Destinées sentimentales, p. 463. 2

Large face (→ Apoplectique, cit. 2; assécher, cit. 3). *Un large front** (cit. 3 et 15). *Il avait un front large, très large. De larges épaules**; *une large carrure* (→ Estomac, cit. 13; gaillard, cit. 13). *Large poitrine. Large croupe* (cit. 5), *larges hanches* (cit. 2). — Par ext. (En parlant d'une personne, d'un animal). *Large de carrure, d'épaules, des hanches...* ⇒ 1. **Fort** (→ Contrefait, cit. 2). — *Cheval large du devant, du derrière,* dont les membres sont écartés*. ⇒ **Ouvert.**

Tes pieds sont aussi fins que tes mains, et ta hanche 3
Est large à faire envie à la plus belle blanche (...)
BAUDELAIRE, les Épaves, XX.

Par ext. Qui mesure en largeur. *Large de quelques centimètres, de cent mètres* (→ Cent, cit. 2; fluidité, cit. 1).

♦ **2.** (Antéposé, en épithète). Vaste, en parlant d'une ouverture, d'un passage. *Large ouverture.* ⇒ **Évasé.** *Large fente* (→ Assez, cit. 6). *Large bouche :* bouche largement fendue. *Ouvrir la bouche large d'une aune* (cit. 2). *Le corbeau «ouvrit un large bec»* (cit. 1, La Fontaine). Par ext. *Large sourire,* épanoui.

(...) et vous avez la bouche si large que je crains quelquefois que votre tête ne tombe dedans. 4
CYRANO DE BERGERAC, Œuvres diverses, Lettres satiriques, p. 99.

Large porte (→ Étroit, cit. 6). *Ouvrir les fenêtres toutes larges.* ⇒ **Grand.** *Fenêtres larges ouvertes.* — REM. Comme pour *grand** on fait généralement l'accord (cf. cependant Daudet, *in* Grevisse : *«Ses yeux large ouverts»* où *large* est adverbial).

Les feux chauffaient tellement la pièce, qu'on laissait larges ouvertes les deux fenêtres et la porte, par lesquelles entrait la bonne odeur pénétrante des foins, fraîchement coupés. ZOLA, la Terre, II, VI. 5

♦ **3.** (Après le nom). Qui n'est pas serré, pas tendu. ⇒ **Lâche, largue** (mar.). Vêtements, habit large, trop large. ⇒ **Ample** (→ Flotter, cit. 8). *Jupe large* (→ Balayer, cit. 3, Baudelaire).

♦ **4.** Qui est étendu (dans quelque sens que ce soit). *Décrire une large boucle* (cit. 6), *une large courbe. De larges cercles* (→ Figurer, cit. 6; fusée, cit. 4). — (D'un volume). Vx. *Larges gouttes* (cit. 7 et 10). ⇒ **Gros.** — (Quant à la surface). Vieilli. ⇒ **Grand** (I., 3.); **étendu, vaste.** *Large espace libre.* ⇒ **Spacieux.** *Large superficie* (→ Extensif, cit.1). *Large plaie* (→ Instrument, cit. 9).

Il lui fait dans le flanc une large blessure. RACINE, Phèdre, V, 6. 6

(...) de larges pleurs tombaient de ses yeux (...) 7
CHATEAUBRIAND, les Martyrs, XVIII.

♦ **5.** Vx. ⇒ **Abondant, copieux.** *Large souper* (→ Frugal, cit. 1), *large beuverie d'alcool* (cit. 2). *De larges revenus.* ⇒ **Grand, important.**

♦ **6.** Fig. Qui a une grande extension, une grande importance. ⇒ **Abondant, considérable, copieux, important, vaste.** *Ouvrir de larges débouchés, un large champ à... Faire une large part à qqch.* (→ Hasard, cit. 27). *Dans une large mesure* (→ Incidence, cit. 5). — *Faire de larges concessions. Large crédit* (→ Grossiste, cit.). *Large pouvoir* (→ Agent, cit. 5).

Et jamais fils d'Adam, sous la sainte lumière, 8
N'a de l'est au couchant, promené sur la terre
Un plus large mépris des peuples et des rois.
A. DE MUSSET, Poésies nouvelles, «Rolla», II.

(...) monter ensuite (...) avec des associés qu'il aurait sous sa coupe, une entreprise immobilière de large envergure. 9
J. ROMAINS, les Hommes de bonne volonté, t. III, XIII, p. 183.

Spécialt. (Après le nom). *Sens**, *acception* (cit.) *large.* ⇒ **Étendu.** *Dans un sens large* (lato sensu). *Dans le sens le plus large* (→ Bord, cit. 26).

♦ **7.** Fig. (Après le nom). Qui n'est pas strict, rigoureux, serré. — Péj. Qui manque de rigueur (morale). ⇒ **Lâche, latitudinaire, laxiste.** *Avoir une conscience large* (→ 1. Avoir, cit. 19).

Les mondains (...) qui se conduisent par les principes les plus larges, dans un point où la religion est plus resserrée et moins indulgente. 10
BOURDALOUE, Pensées, t. II, p. 291.

Qui n'est pas étriqué, mesquin, borné. *Idées, opinions larges. Il a les idées larges.* — *Rêver d'une existence* (cit. 19) *large et poétique. Science large et libre* (→ Humanisme, cit. 3). *Détails sobres et larges,* largement traités par le peintre (→ Habileté, cit. 2). *Coup de pinceau, trait large* (→ 1. Ferme, cit. 8). *Manière large.*

⇒ **Libre, souple.** *Style large, large et nourri** (→ Faire, cit. 226). — Placé avant le nom, dans des syntagmes formés avec des mots brefs. *Avoir de larges idées, de larges vues. — Peindre à larges traits. Brosser une large fresque* (cit. 9). *Large synthèse. Large tour d'horizon.*

11 Sa manière *(de Sénèque)* est précise, vive, énergique, serrée ; mais elle n'est pas large. DIDEROT, Essai sur les règnes de Claude et Néron, I, 127.

12 Chaque année rendait le dessin de Gavarni plus souple, plus libre, plus large ; le crayon ni la pierre lithographique ne lui offraient plus de résistance, et il en faisait ce qu'il voulait. Th. GAUTIER, Portraits contemporains, Gavarni.

13 Plus un tableau est grand, plus la touche doit être large (...) BAUDELAIRE, Curiosités esthétiques, IX, Salon de 1859, IV.

14 (...) ne te crois pas obligé de faire l'esprit large (...) SARTRE, l'Âge de raison, p. 309.

Loc. (par métonymie). *Être large d'idées :* avoir des idées « larges », être compréhensif. (En épithète). *Des gens plutôt larges d'idées, libéraux. Des ministres protestants très larges d'idées* (→ 1. Grave, cit. 12).

14.1 Je suis très large d'idées et, selon moi, pourvu qu'on les pratique sincèrement, toutes les religions sont bonnes. PROUST, Sodome et Gomorrhe, *in* T. L. F.

♦ **8.** (XIe, « généreux »). **a** (Personnes). Qui ne se restreint pas dans ses dépenses, qui dépense, qui donne volontiers. *Il n'est pas très large avec ses domestiques.* ⇒ **Généreux ; largesse.**

b *Vie large,* aisée, où l'on dépense largement.

14.2 Vous n'avez pas été très larges, mes enfants. Douze mille francs de rente à un garçon qui vous restitue une fortune, c'est pour rien. F. MAURIAC, le Nœud de vipères, p. 243, *in* T. L. F.

15 Il aimait la vie large, plus que large : *la vie où l'on peut dépenser sans compter.* Louis MADELIN, Talleyrand, II, XIII.

★ **II.** N. m. (XIVe). ♦ **1.** (... DE LARGE,... EN LARGE). Étendue dans le sens de la largeur*. *Allée, route de quatre mètre de large. Tapis de tant de long sur tant de large. Deux enjambées* (cit. 2) *de large.*

EN LONG ET EN LARGE : alternativement en longueur et en largeur. *Aller en long et en large* (vieilli). — REM. De nos jours, *en long et en large* signifie plutôt : dans tous les sens. — Fig. et fam. De toutes les façons. *Tu nous emmerdes en long, en large et en travers. Explorer en long et en large* (→ Inconscient, cit. 12). Vx. *Au long et au large.*

16 Après ces ménagements et ces récompenses, rien d'étonnant si l'émeute se répand en long et en large aux environs (...) TAINE, les Origines de la France contemporaine, III, t. I, p. 98.

DE LONG EN LARGE : en longueur, puis en largeur, et, par ext., en faisant sans cesse le même parcours, dans les deux sens. *Aller, marcher, se promener* de long en large* (→ Douillette, cit. 2 ; impatient, cit. 8).

17 Il fallut rester à se promener de long en large, comme des matelots de quart (...) Alphonse DAUDET, Contes du lundi, Les mères.

♦ **2.** (DU LARGE, AU LARGE). Grand espace. *Donner du large,* de l'espace (→ Agrandir, cit. 1). *Être au large :* avoir beaucoup de place, être à l'aise.

18 Feignez un homme de la taille du mont *Athos,* pourquoi non ? une âme serait-elle embarrassée d'animer un tel corps ? elle en serait plus au large (...) LA BRUYÈRE, les Caractères, XII, 119.

Fig. *Au large :* dans l'aisance, l'opulence matérielle. *Il est au large.*

19 Qui cherche à vivre au large est toujours à l'étroit. CORNEILLE, Imitation de Jésus-Christ, I, 25.

20 Je suis riche (...) me voilà au large, et je commence à respirer. LA BRUYÈRE, les Caractères, XIII, 25.

Spécialt et vx. Dans une situation morale facile.

21 Nous voici bien au large (...) mon révérend père. Grâce à vos *opinions probables,* nous avons une belle liberté de conscience. PASCAL, les Provinciales, V.

Au large ! se dit ellipt pour *Passez au large ! :* écartez-vous !

♦ **3.** *Le large :* la haute mer*. *Le large, le grand large* (→ Attraction, cit. 13 ; calanque, cit. 1). *Prendre, gagner* le large.* ⇒ **Alarguer** (→ Balayer, cit. 3). *Regarder au large, vers le large* (→ Embarquer, cit. 10). *La vie du large* (→ Ascétique, cit. 1). *Le vent, la houle, l'odeur... du large* (→ Bourrasque, cit. 4 ; fouetter, cit. 13). *L'appel** (I., 9.) *du large.*

22 (...) le large houleux, inhumain, avec ses batailles navales à cinquante milles de Malte, avec ses grappes de bateaux coulés près de Palerme, avec ces profondeurs labourées par des poissons de fer, le large serait tout contre elle, elle découvrirait partout sur les flots sa présence glaciale et la haute mer se lèverait à l'horizon comme un mur sans espoir. SARTRE, le Sursis, p. 48.

Fig. et fam. *Prendre, gagner le large :* s'en aller, partir, et, spécialt, décamper, s'enfuir, fuir (→ Faire, cit. 277). *Le coupable a pris le large.*

23 — Non pas, dit le vieillard, qui prit d'abord le large. LA FONTAINE, Fables, VI, 8.

24 Je suis déjà plus qu'à moitié neurasthénique, et je le deviendrai tout à fait si je ne prends pas le large. Il faut que je parte. Edmond JALOUX, Fumées dans la campagne, XX.

★ **III.** Adv. ♦ **1.** Sur un vaste espace. *Cheval qui va au large,* qui s'éloigne du centre de la volte. *Conduire, mener large :* faire aller large son cheval.

(1874, P. Larousse, art. *Mener*). Fig. et fam. *Ne pas en mener large :* être dans une situation critique, très mal à l'aise, plein d'inquiétude, de peur...

À quatre heures du matin, nous étions tous debout, et nous n'en menions pas large (...) MARTIN DU GARD, les Thibault, t. VII, p. 88. 25

Mais c'est que vous seriez capable de donner un mauvais coup ! Hier soir, je n'en menais pas large (...) F. MAURIAC, le Mal, XII. 26

Le capitaine (...) évoquait les mœurs et coutumes des Druzes chez lesquels il est de tradition qu'à l'âge de la puberté les garçons s'offrent des fugues parfois lointaines pour lesquelles on les châtie cruellement, encore qu'elles leur vaillent l'estime de la tribu et qu'elles soient même nécessaires à leur passage à l'état d'homme. Gustin, qui vérifiait l'exactitude de l'expression « n'en mener pas large », tenta de vanter les mérites de l'ethnologie (...) Jacques LAURENT, les Bêtises, p. 18. 26.1

♦ **2.** D'une manière lâche, peu ajustée, ample. *Habiller large* (→ Aise, cit. 2), de vêtements larges.

(...) des gens rustiques (...) chaussés large et grossièrement (...) LA BRUYÈRE, les Caractères de Théophraste, De la rusticité. 27

♦ **3.** Fig. D'une manière peu rigoureuse. *Mesurer, calculer large. Voir large :* avoir de larges vues, voir grand. *Concevoir large* (→ *supra,* I., 7.).

(...) il préfère calculer large. Claude COURCHAY, La vie finira bien par commencer, p. 180. 28

CONTR. Étroit ; effilé, long, maigre, mince. — Serré, tendu. — Court, petit, restreint. — Rigoureux, scrupuleux, sévère, strict ; étriqué ; bégueule, exclusif, formaliste, intolérant, mesquin ; avare, borné, 1. **chiche, coriace** (fig.), **égoïste.**

DÉR. Largement, largesse, larget, largeur. — V. aussi **Largue.**

COMP. Élargir, rélargir.

LARGEMENT [laʀʒəmɑ̃] adv. — Fin XIIe ; de *large,* et *-ment.*

♦ **1.** Sur une grande largeur, un large espace. *Fleur largement épanouie* (cit. 24). *Tunique largement ouverte, échancrée, décolletée. Col largement ouvert. Ouvrir largement la fenêtre* (→ 1. Battant, cit. 4). *Communiquer largement,* par une large ouverture (→ Chambre, cit. 15). *Couler, s'épancher* (cit. 16), *déborder largement* (→ Expansion, cit. 5). *Largement répandu.*

Lentement, avec ses jambes, ses bras, il chercha tous les coins de mollesse et de fraîcheur de ce lit si bon, dans ce linge si propre. Il en prit possession largement, totalement. René BENJAMIN, Gaspard, p. 87, *in* T. L. F. 0.1

♦ **2.** D'une façon considérable, abondamment. ⇒ **Large, abondamment, amplement, beaucoup, copieusement.** *Produits largement utilisés* (→ Huile, cit. 6). *Boire et manger largement* (→ Entre-temps, cit. 1). *Nourrir trop largement ses chevaux* (→ Gonfler, cit. 32).

(...) c'est modestie à eux de ne promettre pas encore plus largement. LA BRUYÈRE, les Caractères, IX, 6. 1

Ce n'est pas que la chirurgie lui fît peur ; il vous saignait les gens largement comme des chevaux (...) FLAUBERT, Mme Bovary, I, IX. 2

♦ **3.** D'une manière large (I., 7.), non minutieuse. — (Arts). *Peindre, dessiner, composer largement. Sculpteur qui gâche* (cit. 1) *largement son plâtre.*

(Domaine intellectuel). *Penser largement.*

♦ **4.** D'une manière plus générale, moins restrictive (en parlant du sens d'un mot). *« L'avocat ou plus largement, l'esprit, la profession, les mœurs de l'avocat »* (Albert Thibaudet, *Réflexions sur la littérature, in* T. L. F.).

♦ **5.** Sans compter, sans se restreindre. *Dépenser, donner largement,* sans compter*, à pleines mains (→ Aumône, cit. 1 ; état, cit. 73). — *Gagner* (cit. 3) *largement sa vie.* ⇒ **Bien.** *Il nous reste largement de quoi vivre,* plus qu'il n'est nécessaire (→ Fournisseur, cit. 3). *Vivre largement.*

Mlle de Lespinasse n'était point jolie ; mais, par l'esprit, par la grâce, par le don de plaire, la nature l'avait largement récompensée. SAINTE-BEUVE, Causeries du lundi, 20 mai 1850. 3

♦ **6.** En calculant large. ⇒ **Moins** (au). *« Il a largement dix mille livres de rente »* (Littré). — Depuis longtemps. *Il est largement quatre heures. Billet, coupon largement périmé* (→ Fraude, cit. 8).

Il était largement trois heures de l'après-midi lorsque Angélique vint place du Marché reprendre ses affaires. ARAGON, les Beaux Quartiers, I, XXIV. 4

Sans difficulté. *Il a été largement reçu à l'examen.* → Haut la main*.

CONTR. Étroitement, peu.

LARGESSE [laʀʒɛs] n. f. — V. 1265 ; *largece,* v. 1155 ; de *large* I., 8.

♦ **1.** (Abstrait). Disposition à être généreux. ⇒ **Générosité, libéralité.** *La largesse de qqn. Elle manque de largesse. Donner, distribuer avec largesse.* ⇒ **Abondance.** *Traiter ses hôtes avec largesse.* ⇒ **Munificence** (→ Faire bien les choses* ; fam. se fendre*). *Profiter de la largesse de qqn.*

Lengaigne s'en alla avec son fils Victor, exaspéré et malade de cette largesse du voisin : la terre ne lui coûtait guère, il avait assez volé le monde ! ZOLA, la Terre, I, IV. 1

Faire largesse de qqch. : distribuer, donner largement, généreusement. → Friche, cit. 1.

Louer, célébrer, rendre hommage, dédier des actions de grâce, inventer des thèmes d'espoir, recueillir le moindre atome de joie pour en tirer subsistance, pour 2

en faire usage et largesse, tel fut, tel est, tel sera, jusqu'à la minute suprême, je l'espère, le soin majeur de ma vie.
G. DUHAMEL, Manuel du protestataire, Préface.

♦ **2.** (V. 1360). (Concret; général au plur.). *Une, des largesses.* Don fait d'une manière large, généreuse. ⇒ **Cadeau, don, présent.** *Faire des largesses aux pauvres* (→ 1. Étranger, cit. 20). *À force de largesses* (→ Gagner, cit. 38). — Fig. *Les largesses de la nature.* ⇒ **Bienfait.**

3 (...) mais dites pourquoi est-ce
Qu'un Poète, un Orateur, un Philosophe adresse
Ses livres aux grands Rois? pourquoi tant d'artisans
Offrent-ils leurs labeurs aux Princes courtisans,
Sinon pour avoir d'eux quelque largesse honnête?
RONSARD, Second livre des hymnes, « De l'or ».

4 Il n'y a point de génie (...) que le Roi, par ses largesses, n'ait excité à travailler.
RACINE, les Campagnes de Louis XIV.

5 (...) ils ignorent la nature (...) ses dons et ses largesses.
LA BRUYÈRE, les Caractères, VII, 21.

CONTR. Avarice.

LARGET [laʀʒɛ] n. m. — 1867, Littré; autre sens, dans le textile, 1765; l'adj. *larget* « un peu large » date du XIIIe; de *large.*

♦ Techn. Bloc d'acier rectangulaire, aplati (épaisseur de moins d'un quart de la largeur).

LARGEUR [laʀʒœʀ] n. f. — V. 1170; de *large,* I., et *-eur.*

♦ **1.** Une des dimensions* d'une surface (opposé à *longueur*); la dimension moyenne d'un volume (opposé à *longueur* et à *hauteur*); du point de vue de l'observateur, la dimension horizontale parallèle à la ligne des épaules (opposé à *hauteur* et *profondeur* ou *épaisseur*); étendue mesurée dans cette dimension. *La largeur d'une rivière, d'un fossé se définit comme la plus petite dimension, par rapport à sa longueur et comme une dimension dans le sens horizontal, par rapport à sa profondeur* (qui peut être plus grande que la largeur). *Une fenêtre dont la largeur est supérieure à la hauteur. Longueur, largeur, hauteur de l'arche* (cit. 1) *de Noé. Largeur d'un bateau.* ⇒ **Bau,** 2. *Largeur d'un arbre, d'un cylindre* (⇒ **Diamètre, grosseur**). *Largeur d'un meuble, d'un coffre* (cit. 1), *d'une embrasure* (cit. 4). *Largeur des ailes, largeur d'une voilure.* ⇒ **Envergure.** *Largeur d'un coupon d'étoffe, d'un tissu.* ⇒ **Laize, lé.** *Étoffe en grande largeur* (120-140 cm), *en petite largeur* (60-80 cm). — *Largeur de la rue, de la chaussée* (→ Camion, cit. 1; encombrer, cit. 1). *Dans, sur toute la largeur de la rue. Largeur d'un cours* (cit. 4) *d'eau.* — *Largeur du dos* (→ Gros, cit. 5), *des épaules* (⇒ **Carrure**), *des hanches* (cit. 3). ⇒ **Ampleur.** — *Croître en largeur, augmentation en largeur.* ⇒ **Élargir; élargissement.** *Dans le sens de la largeur.* ⇒ **Travers** (en).

0.1 Cette muraille était, de haut en bas, fendue par un couloir sinueux, haut de mille pieds peut-être, d'une largeur parfois à peine suffisante pour laisser passer trois chameaux de front.
Pierre BENOÎT, l'Atlantide, p. 102, *in* T. L. F.

Loc. fam. *Dans les grandes largeurs :* largement, fortement, tout à fait. *Il s'est fichu de lui dans les grandes largeurs.*

1 Si tu crois que tu es drôle, mon cher, tu te fourres le doigt dans l'œil, et dans les grandes largeurs.
ARAGON, les Beaux Quartiers, II, XXXIV.

♦ **2.** Fig. Caractère de ce qui n'est pas borné, mesquin, restreint, étriqué. ⇒ **Large** (I., 7.); **ampleur.** *Traiter un problème avec largeur* (→ Considérer, cit. 14). — *Largeur d'esprit, d'idées.* ⇒ **Compréhension.** *Largeur de l'intelligence* (→ Immoralisme, cit. 1). *Largeur de vues.* ⇒ **Élévation.**

2 Ni l'héroïsme de François Xavier, ni l'habileté et parfois la largeur d'esprit des jésuites n'ont pu les empêcher *(les Églises de la Chine et du Japon)* de crouler.
RENAN, Questions contemporaines, II, Œuvres, t. I, p. 247.

3 Vous ne prendrez pas mes paroles en mauvaise part, et vous ne les croirez pas dictées par quelque prévention religieuse indigne d'un philosophe?
— En aucune façon, répondit Valerio; je connais la largeur et la liberté de vos idées (...)
J.-A. DE GOBINEAU, Nouvelles asiatiques, p. 302.

LARGHETTO [laʀgeto; laʀgɛtto] adv. et n. m. — 1765, *Encyclopédie;* mot ital., dimin. de *largo.*

♦ Mus. (Indication de mouvement dans une partition). Un peu moins lentement que largo. — (1834, Landais). *Un larghetto. Des larghettos.*

(...) l'œuvre entière avait été écrite pour le second morceau : le larghetto, où Christophe avait peint une petite âme ardente et ingénue, qui était, ou devait être le portrait de Minna.
R. ROLLAND, Jean-Christophe, le Matin, p. 209, *in* T. L. F.

LARGO [laʀgo] adv. — 1705; mot ital., « large, largement ».

♦ Mus. Avec un mouvement lent et ample, majestueux. — N. m. (1829). *Un largo :* morceau, mouvement destiné à être joué largo. *Le largo d'une sonate, d'une symphonie.* — Plur. : *des largo* ou *des largos* (plur. francisé).

Les *andante* et les *largo* de ses sonates *(de Beethoven)* lui suffisent largement pour épancher les ombres et les lumières des profondeurs de l'âme (...)
R. ROLLAND, Vie de Beethoven, IV, p. 171.

DÉR. (De l'ital.) **Larghetto.**

LARGONJI [laʀgɔ̃ʒi] n. m. — 1881, Esnault; du mot *jargon,* transformé par un code argotique.

♦ Forme d'argot où les mots traités ont leur consonne initiale remplacée par un *l* (si le mot commence déjà par un *l,* c'est la consonne de la syllabe suivante qui est remplacée) et replacée à la fin du mot (sans suffixe). Jargon = L + argon + j (ji). — Par ext. Code analogue, avec un suffixe (ex. : boucher = L + oucher + b + em [⇒ **Loucherbem**]; trois = L + ois + tr + é).

Ce code fait son apparition dans l'argot français avec Vidocq, d'abord sous sa forme la plus simple; l'initiale (K) est remplacée par *l* et rejetée à la fin du mot sans adjonction de suffixe; on obtient une clé L... K ou *largonji,* codage du mot *jargon;* l'élément *ji* final est la forme prononcée (...) de l'initiale *j;* le *largonji* est un code oral.
Pierre GUIRAUD, l'Argot, p. 67.

LARGUE [laʀg] adj. — 1553, *in* D. D. L.; ital. *largo* « large », du lat. *largus.*

Marine.

♦ **1.** Vx. *Vent largue :* vent oblique par rapport à l'axe longitudinal du navire. *Vent grand largue* (vx), et, ellipt., *grand largue* (mod.), intermédiaire entre le *vent largue* et le vent en poupe. — Adv. *Aller, courir largue, grand largue :* naviguer avec le vent largue (⇒ **Navigation**).

Pencroff n'était pas resté inactif. Il avait viré de bord, et le *Bonadventure,* grand largue, toutes voiles portant, filait rapidement vers le cap Griffe.
J. VERNE, l'Île mystérieuse, t. II, p. 485.

♦ **2.** Qui n'est pas tendu, raidi, en parlant d'un cordage. ⇒ **Large** (I., 3.). *Cordage, filin, manœuvre largue.*

LARGUER [laʀge] v. tr. — 1678; de *largue.*

A. ♦ **1.** Mar., cour. Lâcher ou détacher (un cordage, une manœuvre). ⇒ **Filer** (I., 2.), **lâcher.** *Larguer les amarres** (⇒ **Démarrer**), *l'écoute de foc, les ris. Largue! larguez!,* commandement pour larguer. Par ext. *Larguer une voile.* ⇒ 1. **Détacher; déferler.**

On les interrompait pour les envoyer sur les vergues faire quelque manœuvre du matin, larguer le ris de chasse ou rectifier la voilure (...) 1
LOTI, Mon frère Yves, XCII.

On débarque le pilote. Sous le feu de la lampe électrique, de son canot qui danse, il salue de la main notre navire affranchi; on largue l'échelle, nous partons. 2
CLAUDEL, Connaissance de l'Est, p. 220.

♦ **2.** (1908; de l'esp. ou du port. *largar* « lâcher »). Lâcher, laisser tomber (d'un avion). *Larguer des parachutistes.* Au p. p. *Parachutistes largués en territoire ennemi. Larguer des bombes.*

♦ **3.** (1899, Esnault). Fig. et fam. Se débarrasser de (qqch., qqn). *Il a largué ses collaborateurs.* ⇒ **Renvoyer, vider** (fam.). *Il a largué toutes ses relations. Elle a largué son fiancé.* ⇒ **Abandonner, droper** (fam.), **jeter.** *Il s'est fait larguer en douceur. Il a été largué.*

(...) tu lui lâcheras assez de pognon pour qu'il ne te largue pas. 3
CARCO, Jésus-la-Caille, p. 121.

(1970, *in* Petiot). Sports (autom.). Distancer. *Larguer ses concurrents.* Fig. (surtout au passif et p. p.). *Il est complètement largué :* il ne suit pas, il ne comprend plus. → Ne pas être dans le coup (opposé à *être branché*). — N. « *Si malgré ça* (un dictionnaire de rock) *vous vous faites traiter de largués...* » *(le Canard enchaîné,* 11 avr. 1984, p. 7).

B. Intrans. (1694). Mar. Vx. Se désunir, se disjoindre, en parlant de la charpente d'un bâtiment. *Ce bâtiment a largué de l'avant* (Littré).

DÉR. Largage, largable, largueur.

LARGUEUR [laʀgœʀ] n. m. — 1976; de *larguer,* et *-eur.*

♦ Techn. (milit.). Spécialiste chargé, à bord d'un avion, du parachutage de personnel ou de matériel. — REM. Le fém. *largueuse* est virtuel.

LARICIO [laʀisjo] n. m. et adj. — 1836; mot ital., du lat. *(pinus) laricеus,* de *larix;* cf. anc. franç. *larice* « mélèze ».

♦ Variété de pin qui pousse en Corse, et dont le bois très résineux résiste à l'humidité. — En appos. *Pins laricios.*

LARIGOT [laʀigo] n. m. — 1534; *larigot va larigot,* 1403, refrain d'une chanson de Christine de Pisan; pour *l'harigot* (1556), var. *arigot* (1589), *hérigot;* orig. incert.; P. Guiraud fait état d'un croisement de *larigot* avec *larynx.*

♦ **1.** Vx. Petite flûte* rustique.

♦ **2.** (1685, Furetière). Mod. Un des jeux de l'orgue, appelé aussi *petit nasard.*

♦ **3.** Loc. adv. (Déb. XVIe, Menot; cf. Flûter, XVe, « boire beaucoup »). Cour. *Boire* à tire-larigot,* d'un trait, en vidant une bouteille après l'autre. ⇒ **Beaucoup.**

Et, pour l'apaiser, lui donnèrent à boire à tire-larigot (...)
RABELAIS, Gargantua, VII.

LARIX [laʀiks] n. m. — 1523; 1213, *larice;* lat. *larix.*

♦ Bot. Nom scientifique du mélèze.

LARME [laʀm] n. f. — V. 1196; *lairme, lerme,* v. 1050; du lat. *lacrima.*

♦ **1.** Au plur. Liquide transparent sécrété par les glandes lacrymales, baignant la conjonctive de l'œil et des paupières. — Au sing. Goutte de liquide transparent qui s'écoule de l'œil lors d'une sécrétion accrue des larmes, sous l'effet d'une irritation chimique ou physique ou d'une émotion. ⇒ **Pleur; pleurer; lacrymal.** — REM. La sécrétion des larmes est constante et a pour effet de lubrifier et de nettoyer la surface de l'œil. Dans le langage courant, le mot n'est utilisé que pour désigner les *larmes* apparentes provenant d'une sécrétion accrue. — *Fumée, gaz lacrymogène* qui fait venir les larmes aux yeux. Écoulement pathologique des larmes.* ⇒ **Épiphora, larmoiement.** — *Verser des larmes d'admiration, de colère, de dépit, de douleur, de joie, de rage...* (→ Éclater, cit. 15). *Larmes qui perlent, tremblent dans les yeux, jaillissent des paupières, coulent* (cit. 7), *roulent sur la joue. Laisser couler* (cit. 6) *ses larmes. Mêler ses larmes à celles de qqn* (→ Peiner, cit. 2). *Répandre des larmes amères* (cit. 3 et 10), *brûlantes* (cit. 3). — Loc. *Pleurer à chaudes* larmes,* en versant des larmes abondantes. — *Crise* (cit. 4) *de larmes. Verser des larmes sur un défunt* (cit. 3). *Spectacle qui excite* (cit. 4), *arrache, tire les larmes, fait monter les larmes aux yeux, remplit les yeux de larmes.* ⇒ **Attendrir** (cit. 5, 6, 8 et 13), **émouvoir; pitié** (faire). *Les larmes lui montent* (cit. 18) *aux yeux.* — Fam. *Mettre la larme à l'œil de qqn. Être ému, touché jusqu'aux larmes. Élans d'attendrissement* (cit. 3) *qui vont jusqu'aux larmes. — Avoir les larmes aux yeux. Avoir les yeux embus* (cit. 1), *embrumés* (cit. 1), *embués* (cit. 2), *humectés* (cit. 2), *mouillés* (→ Briller, cit. 10), *noyés de larmes. Des yeux gros* (cit. 10) *de larmes, pleins de larmes* (→ Gonfler, cit. 4), *brouillés* (cit. 30), *brûlés par les larmes* (→ Éteindre, cit. 54). *Ses yeux se voilent de larmes* (→ Enchanté, cit. 13). *Visage baigné, inondé* (cit. 8), *ruisselant, trempé de larmes* (→ Essuyer, cit. 4). — *Être au bord des larmes,* prêt à pleurer. — *Écraser une larme. Essuyer* (cit. 6) *une larme, ses larmes. Comprimer, contenir, contraindre* (cit. 2), *dévorer* (cit. 25), *refouler, rentrer, retenir ses larmes. Commander à ses larmes* (→ Alarme, cit. 13).

1 Les larmes sont le langage muet de la douleur. Mais pourquoi? Quel rapport y a-t-il entre une idée triste, et cette liqueur limpide et salée, filtrée par une petite glande au coin externe de l'œil, laquelle humecte la conjonctive et les petits points lacrymaux, d'où elle descend dans le nez et dans la bouche par le réservoir appelé sac lacrymal, et par ses conduits?
VOLTAIRE, Dict. philosophique, Larmes.

2 (...) ces compagnes de la volupté, ces douces larmes, toujours prêtes à se joindre à tout sentiment délicieux, sont déjà sur le bord de nos paupières (...)
ROUSSEAU, Émile, II.

3 Mes yeux se sont remplis de larmes en copiant cette page de ma polémique, et je n'ai plus le courage d'en continuer les extraits.
CHATEAUBRIAND, Mémoires d'outre-tombe, t. IV, p. 244.

4 La moindre chose m'émeut, me fait venir les larmes aux yeux (...)
STENDHAL, Journal, p. 174.

5 Les soleils mouillés
De ces ciels brouillés
Pour mon esprit ont les charmes
Si mystérieux
De tes traîtres yeux,
Brillant à travers leurs larmes.
BAUDELAIRE, les Fleurs du mal, Spleen et Idéal, LIII.

6 Puis une larme, qui s'était peu à peu amassée dans l'angle des paupières, devenue assez grosse pour tomber, glissait sur sa joue, et quelquefois s'arrêtait à sa bouche. Le vieillard en sentait la saveur amère.
HUGO, les Misérables, V, VIII, IV.

7 Et me voilà pleurant sur son épaule, pleurant à chaudes larmes sans pouvoir m'arrêter (...) Alphonse DAUDET, le Petit Chose, II, III.

7.1 Il faut vous dire que, depuis le jour de l'enterrement, je ne pleurais plus du tout, et voilà que, pendant l'ouragan dont l'approche m'avait bouleversée, j'ai senti tout d'un coup que les larmes commençaient à me sortir des yeux, lentes, rares, petites, brûlantes. Oh! ces premières larmes, comme elles font mal! Elles me déchiraient comme si elles eussent été des griffes, et j'avais la gorge serrée à ne plus laisser passer mon souffle. Puis, ces larmes devinrent plus rapides, plus grosses, plus tièdes. Elles s'échappaient de mes yeux comme d'une source, et il en venait tant, tant, tant, que mon mouchoir en fut trempé, et qu'il fallut en prendre un autre. Et le gros bloc de chagrin semblait s'amollir, se fendre, couler par mes yeux.
MAUPASSANT, Fort comme la mort, p. 161.

8 Mais les larmes commençaient à couler lourdes, rapides, sur ses joues; et puis des sanglots vinrent soulever sa poitrine profonde.
LOTI, Pêcheur d'Islande, III, IX.

8.1 La plus sotte exagération est celle des larmes. Elle agace comme un robinet qui ne ferme pas. J. RENARD, Journal, 29 mars 1889.

9 Il fermait nerveusement les yeux, pour refouler ses larmes (...)
MARTIN DU GARD, les Thibault, t. VII, p. 234.

9.1 Qui fera l'histoire des larmes? Dans quelles sociétés, dans quels temps a-t-on pleuré? Depuis quand les hommes (et non les femmes) ne pleurent-ils plus? Pourquoi la « sensibilité » est-elle à un certain moment retournée en « sensiblerie »? Les images de la virilité sont mouvantes; les Grecs, les gens du XVIIe siècle pleuraient beaucoup au théâtre. Saint Louis, au dire de Michelet, souffrait de n'avoir pas reçu le don des pleurs. R. BARTHES, Fragments d'un discours amoureux, p. 214.

Peut-être « pleurer » est-il trop gros; peut-être ne faut-il pas renvoyer tous les pleurs 9.2
à une même signification; peut-être y a-t-il dans le même amoureux plusieurs sujets qui s'engagent dans des modes voisins, mais différents, de « pleurer ». Quel est ce « moi » qui a « les larmes aux yeux »? Quel est cet autre qui, telle journée, fut « au bord des larmes »?
R. BARTHES, Fragments d'un discours amoureux, p. 214.

Balancer (cit. 28) *entre le rire et les larmes. Un sourire mouillé de larmes* (→ Gaulois, cit. 8). *Sourire entre ses larmes.* — Loc. *Rire* aux larmes.*

Nature nous découvre cette confusion : les peintres tiennent que les mouvements 10
et plis du visage qui servent au pleurer servent aussi au rire (...) Et l'extrémité du rire se mêle aux larmes. MONTAIGNE, Essais, II, XX.

Nous avons ri aux larmes de votre Mme de la Charce et de Philis, sa fille aînée, 11
âgée de trente-neuf ans : je la vois d'ici. Mme DE SÉVIGNÉ, 442, 9 sept. 1675.

Fam. (Vieilli). *Être dans les larmes.*

— Vous ne m'avez même pas invité à votre repas de noce. 11.1
— J'y ai pensé... mais vous êtes dans les larmes.
— Je suis dans les larmes... c'est vrai... mais on ne peut pas toujours pleurer... voilà six mois. LABICHE, Célimare le bien-aimé, I, 6 (Th. compl., t. 3, p. 19).

En imposer (cit. 36) *par des larmes feintes, hypocrites*.* Fam. *Larmes de crocodile** : larmes feintes, hypocrites.

(Ils) mystifieraient leurs pères, et seraient prêts à verser dans le sein de leurs mères 12
des larmes de crocodile (...)
BALZAC, la Fille aux yeux d'or, Pl., t. V, p. 275.

Loc. *Avoir toujours la larme à l'œil :* avoir tendance à pleurnicher, montrer une sensibilité excessive ou affectée. ⇒ **Larmoyer, pleurnicher;** → Abreuver, cit. 8.

Sans être prodigue de son argent, il l'était de sa sensibilité; il avait facilement la 13
larme à l'œil (...) R. ROLLAND, Jean-Christophe, Antoinette, p. 831.

(Dans le langage mystique). *Le don* des larmes :* « faculté que possèdent certaines personnes de verser des larmes dans la prière » (Académie).

Il avait le don des larmes, signe de *prédestination,* disent les Mystiques. Ces larmes 14
furent l'allégresse cachée, l'occulte trésor d'une des existences les plus dénuées et les plus tragiques de ce siècle. Léon BLOY, le Désespéré, p. 32.

Par anal. *Avoir le don des larmes,* se dit de quelqu'un qui pleure facilement (→ 1. Flétrir, cit. 15).

M. de Vardes répondit parfaitement bien et d'un air pénétré, et ce don des lar- 15
mes que Dieu lui a donné ne fit pas mal son effet dans cette occasion.
Mme DE SÉVIGNÉ, 915, 26 mai 1683.

Par ext. *Voix mouillée de larmes,* qui tremble d'émotion, de sanglots contenus. — Loc. *Avoir des larmes dans la voix,* une voix émue, troublée (d'une personne prête à pleurer). *Chanter avec des larmes dans la voix* (→ 1. Bière, cit. 3).

(...) selon une expression devenue aujourd'hui vulgaire, il eut des larmes dans la 16
voix (...) BALZAC, l'Initié, Pl., t. VII, p. 349.

Par hyperb. Littér. *Une pluie* (→ Germer, cit. 8), *des averses* (cit. 9), *des flots, un torrent de larmes. Arroser* (cit. 6 à 9) *qqn, qqch. de larmes. Être baigné de larmes* (→ Idée, cit. 49).

Souvent elle *(Calypso)* demeurait immobile sur le rivage de la mer, qu'elle arro- 17
sait de ses larmes (...) FÉNELON, Télémaque, I.

Loc. cour. *Pleurer, verser toutes les larmes de son corps.*

Quenu pleurait toutes les larmes de son corps. Il restait là, suffoquant. 17.1
ZOLA, le Ventre de Paris, t. I, p. 70.

EN LARMES : en train de pleurer abondamment. ⇒ **Larmoyant.** *Être en larmes, tout en larmes. — Fondre* en larmes.*

(...) les croisant *(ses mains)* sur ses yeux avec l'expression du désespoir : « Ah! 18
malheureuse! », s'écria-t-elle; puis elle fondit en larmes.
LACLOS, les Liaisons dangereuses, XXIII.

La vérité est que tu fais affreusement souffrir cette petite. Je la rencontre tou- 19
jours en larmes. J. ANOUILH, Ornifle, II, p. 103.

Larmes de sang : larmes causées par une douleur cruelle, un chagrin mêlé de rage, de remords... (→ Mésalliance, cit. 2). *Cette faute mériterait d'être pleurée avec des larmes de sang* (Académie).

♦ **2.** (V. 1196). Fig. (au plur.). Littér. Affliction, chagrin. *Être, languir* (cit. 2), *vivre dans les larmes. Être abreuvé* (cit. 4) *de larmes. Confier* (cit. 6) *ses larmes. Joie mêlée de larmes* (→ Croix, cit. 11). *Insulter* (cit. 9) *aux larmes de qqn. — Cela lui a coûté* bien des larmes* (⇒ **Mal, souffrance**).

Sa perte à ses vainqueurs coûtera bien des larmes. RACINE, Iphigénie, II, 2. 20

(...) cette créature juge que ce qui lui a coûté tant de larmes autrefois, ne vaut 21
pas une seule goutte d'eau « jaillissant en vie éternelle ».
F. MAURIAC, Souffrances et Bonheur du chrétien, Préface.

Essuyer, sécher les larmes de qqn. ⇒ **Consoler.**

On craint qu'il n'essuyât les larmes de sa mère. RACINE, Andromaque, I, 4. 22

D'un regard pitoyable ils ont séché mes larmes (...) 23
MOLIÈRE, les Femmes savantes, I, 2.

Mêler ses larmes à celles de qqn, partager sa peine.

Poét. (par allus. à une expression de l'antienne *Salve Regina*). *La terre, vallée de larmes* (→ Douleur, cit. 2, Chateaubriand; indomptable, cit. 4, Voltaire).

(...) il fonda ce haut spiritualisme qui pendant des siècles a rempli les âmes de 24
joie à travers cette vallée de larmes.
RENAN, Vie de Jésus, Œuvres, t. IV, p. 195.

♦ **3.** (1538). Bot. Écoulement, naturel ou accidentel, de la sève de certains végétaux. *Larmes de la vigne. Larmes de la gomme des cerisiers* (cit. 2).

(1655). Vén. *Larmes de cerf :* liquide épais et noirâtre sécrété par les larmiers*.

Poét. *Les larmes de l'aurore** : la rosée.

25 Les larmes du matin qui pleuvent goutte à goutte
Sur la mousse J.-M. DE HEREDIA, les Trophées, « Pan ».

♦ **4.** (V. 1462). Par ext. Ornement en forme de larme sur les tentures funèbres. *« Un drap mortuaire semé de larmes »* (Académie). *Manteau semé de larmes d'argent* (→ Attente, cit. 11 ; étoile, cit. 11).

♦ **5.** (XIIIe). Fig. et fam. Très petite quantité (d'une boisson). ⇒ **Goutte.** *Je ne boirai qu'une larme de vin.*

26 (...) Gervaise (...) apporta sur un coin de l'établi des verres et le fond d'une bouteille de cognac. Lantier (...) s'écria : — Une larme seulement, madame, je vous prie. ZOLA, l'Assommoir, VIII, t. II, p. 2.

♦ **6.** Phys. anc. **LARMES BATAVIQUES :** gouttes de verre trempé qui se forment quand on laisse tomber du verre fondu dans l'eau froide. — Par anal. :

27 (...) je me revois maintenant dans une grotte du Vaucluse en contemplation devant une petite construction calcaire (...) imitant à s'y méprendre la forme d'un œuf dans un coquetier. Des gouttes tombant du plafond de la grotte venaient régulièrement heurter sa partie supérieure très fine et d'une blancheur aveuglante. En cette lueur me parut résider l'apothéose des adorables *larmes bataviques.* Il était presque inquiétant d'assister à la formation continue d'une telle merveille.
A. BRETON, l'Amour fou, p. 16.

DÉR. Larmer, larmier, larmoyer.
COMP. Larme-de-Job ou **larme-du-Christ.**

LARME-DE-JOB [laʀmdəʒɔb] n. f. — 1752, *larme-de-Job,* Trévoux ; de *larme,* et *Job.*

♦ Vx ou régional. Plante herbacée, exotique, appelée aussi *coïx* ou *larmille,* dont le fruit est un grain ovale, dur et brillant, semblable à une perle, et utilisé pour la confection de colliers, de chapelets. *Des larmes-de-Job.* — On dit parfois *larme-du-Christ.*

LARMER [laʀme] v. intr. — XIIe, *lermer,* et jusqu'au XIVe ; *larmer,* du XIIIe au XVe, « pleurer » ; repris par Huysmans (1887) au sens de « couler comme une larme » ; le sens de « pleurer » est resté vivant dans les dialectes de l'Ouest ; de *larme,* et *-er.*

♦ Fam. et régional. Pleurer. ⇒ **Larmoyer.**

(...) il nous faisait rigoler parce qu'il croyait qu'« une femme à poil », ça voulait dire « une femme à barbe ». Georges s'est fichu de lui. Et quand Boris a compris qu'il se trompait, j'ai cru qu'il allait se mettre à larmer.
GIDE, les Faux-monnayeurs, III, XVII, *in* Romans, Pl., p. 1237.

LARMIER [laʀmje] n. m. — 1321 ; de *larme,* parce que ce dispositif ne laisse écouler les eaux de pluie que par gouttes ou « larmes ».

★ **I.** Archit. Saillie d'une corniche*, creusée par-dessous en gouttière et qui laisse égoutter l'eau à une certaine distance des parements de l'édifice (⇒ **Mouchette**). *Ornements d'un larmier.* ⇒ **Modillon, mutule.**

1 Des hirondelles (...) rentraient vite dans leurs nids jaunes sous les tuiles du larmier.
FLAUBERT, Mme Bovary, II, VI.

Dr. Tuile ou pierre plate terminant la pente d'un mur non mitoyen.

★ **II.** ♦ **1.** (1655 ; var. *lermière,* XVe ; *larmière*). Vén. Glande située au-dessous de l'angle interne de l'œil chez les cervidés et qui sécrète l'humeur dite *larmes* de cerf.*

♦ **2.** (1680). Vétér. (Au plur.). Parties de la tête du cheval qui correspondent aux tempes chez l'homme. *« Saigner un cheval aux larmiers »* (Académie).

♦ **3.** (1834, Balzac). Par anal. Angle interne de l'œil, d'où s'écoulent les larmes.

2 Quoique le larmier des yeux de Goriot fût retourné, gonflé, pendant, ce qui l'obligeait à les essuyer assez fréquemment (...)
BALZAC, le Père Goriot, Pl., t. II, p. 862.

LARMOIEMENT [laʀmwamɑ̃] n. m. — 1538 ; de *larmoyer,* et *-ment.*

♦ **1.** Écoulement continuel de larmes, dû à la fatigue, à l'irritation de l'œil. *Larmoiement dû au coryza.*

♦ **2.** Pleurnicherie. *La véritable pitié « ne tient pas au larmoiement »* (→ Éminence, cit. 3, Suarès).

La mère, après ces bonnes paroles encourageantes, se confondit en remerciements et en larmoiements. CÉLINE, Voyage au bout de la nuit, p. 201.

LARMOYANT, ANTE [laʀmwajɑ̃, ɑ̃t] adj. — 1470, *in* D.D.L. ; p. prés. de *larmoyer.*

♦ **1.** Qui larmoie, qui verse des larmes. *Yeux larmoyants. « On la trouva toute larmoyante »* (Académie). ⇒ **Éploré, larmes** (en).

Et ces plaques de rouge, qui est-ce qui ne les a pas vues sur le visage des enfants, lorsqu'ils ont froid (...)? Et ces yeux larmoyants, et ces menottes engourdies et gelées (...) DIDEROT, Salon de 1765. 1

♦ **2.** (Avec une nuance péj.). ⇒ **Pleurnicheur.** *Vieille fille larmoyante. Voix larmoyante. — Récit larmoyant,* fait sur un ton pleurard.

Aimons ! chantons ! trêve aux paroles ! 2
Préférons, puisqu'enfin nos cœurs flambent encor,
Aux discours larmoyants le choc des coupes d'or (...)
HUGO, les Voix intérieures, VI.

♦ **3.** Hist. littér. Qui vise à attendrir, à faire pleurer (en parlant de la poésie dramatique). *Comédie* (cit. 18) *larmoyante. Le genre larmoyant au XVIIIe siècle,* et, n. m., *le larmoyant.*

Un drame court et non versifié, 3
Dans le grand goût du larmoyant comique (...) VOLTAIRE, le Pauvre Diable.

Le XVIIIe siècle a vu naître une forme inattendue de comédie, la comédie qui fait pleurer (...) Cette comédie d'un genre sérieux s'appelle, en vers, *la comédie larmoyante,* en prose, *le drame bourgeois.* L'inventeur de la comédie larmoyante est Pierre-Claude Nivelle de La Chaussée (...) 4
M. BRAUNSCHVIG, Notre littérature..., t. II, p. 232.

LARMOYER [laʀmwaje] v. — Conjug. *aboyer.* — Fin XIIe ; de *larme,* et *-er.*

A. V. intr. ♦ **1.** Être atteint de larmoiement. — (En parlant des yeux). *Malade, vieillard dont les yeux larmoient.* ⇒ **Pleurer.**

Les yeux (...) clignotants et chassieux (...) larmoyaient sans cesse et les larmes lui brûlaient les lèvres (...) APOLLINAIRE, l'Hérésiarque..., p. 125. 1

Elle me couchait dans la sciure dont la forte odeur de bois vert me donnait une espèce de rhume des foins qui me faisait éternuer, larmoyer. 2
B. CENDRARS, Bourlinguer, p. 189, *in* T. L. F.

L'abbé me regardait plus attentivement. Il s'essuya les yeux. 3
— Je m'excuse, dit-il, je larmoie ; c'est mon âge. Les yeux, les yeux des vieillards, cela pleure (...) H. BOSCO, Un rameau de la nuit, p. 263.

♦ **2.** (Sujet n. de personnes). Souvent péj. ⇒ **Pleurnicher.** *Quand finiras-tu de larmoyer ?* — Fig. Se lamenter.

Lors le richard, en larmoyant, lui dit : 3.1
— Je pleure, hélas ! de ce pauvre Holopherne,
Si méchamment mis à mort par Judith.
RACINE, Poésies diverses, Épigramme, VIII.

♦ **3.** Poét. Avoir l'apparence, l'éclat d'une larme.

(...) Sur un des doigts osseux 4
Une opale larmoie au chaton d'une bague.
LECONTE DE LISLE, Poèmes tragiques, « Le lévrier de Magnus », I.

B. V. trans. Littér. Dire (chanter, etc.) avec des intonations larmoyantes. *Acteur qui larmoie ses répliques.*

Vous larmoyez votre programme. Comment voulez-vous qu'il excite ? Claironnez-le ! P. GUTH, le Mariage du naïf, p. 128. 5

CONTR. Rire.
DÉR. Larmoiement, larmoyant, larmoyeur.

LARMOYEUR, EUSE [laʀmwajœʀ, øz] adj. et n. — 1700 ; de *larmoyer,* et *-eur.*

♦ Rare. Personne qui larmoie, qui pleure facilement. ⇒ **Pleurnicheur.** Adj. *Un bambin larmoyeur.*

Il y avait bien assez de larmoyeurs, bien assez de pleurnicheurs, bien assez de gens sensibles pour tomber dans les bras les uns des autres et pour pousser des soupirs au lieu de serrer les poings. G. DUHAMEL, Cri des profondeurs, V.

LARMUSE [laʀmyz] n. f. — XVIe ; lat. *lacrimusa.* → Lagremuse.

♦ Régional. Lézard gris.

L'idée de toucher une larmuse lui faisait mal dans le ventre. Non que ces bêtes mordent, mais c'est leur souffle ! 1
Henri POURRAT, les Vaillances, farces et gentillesses de Gaspard des montagnes, p. 170, *in* T. L. F.

REM. Le mot est du domaine franco-provençal ; il a plusieurs variantes : *larmuise,* etc. ; la forme *larmeuse* (1957, Pagnol) est probablement due à une fausse étym. (sur *larme*). → Lagremuse.

J'entendais chanter les cigales, et sur le mur couleur de miel, des larmeuses immobiles, la bouche ouverte, buvaient le soleil. C'étaient de petits lézards gris, qui avaient le brillant de la plombagine. 2
PAGNOL, la Gloire de mon père, t. I, p. 107.

LARRON [laʀɔ̃] n. m. — XIe ; *ladron,* v. 980 ; du lat. *latronem,* accusatif de *latro* « voleur ».

♦ **1.** Vx. Brigand, voleur qui agresse ses victimes. *Lieu hanté* (cit. 1) *de larrons.*

Que, sans peur du larron, trafique le marchand (...) 1
Mathurin RÉGNIER, Satires, I.

Mod. (allus. bibl.). Chacun des deux brigands crucifiés en même temps que le Christ. *Le bon larron* (qui se repentit avant de mourir), *le mauvais larron* (→ Calvaire, cit. 3).

♦ **2.** (XIIIe). Vx. Personne qui dérobe furtivement quelque chose. ⇒ **Voleur.** *Attraper* (cit. 14) *un larron.*

2 Pour un âne enlevé deux voleurs se battaient;
L'un voulait le garder, l'autre le voulait vendre (...)
(...) Arrive un troisième larron
Qui saisit maître Aliboron. LA FONTAINE, Fables, I, 13.

3 (...) dressez-lui-moi son procès, comme larron (...) MOLIÈRE, l'Avare, V, 3.

Fig. (vieilli ou littér.). *Larron d'amour, larron d'honneur.* ⇒ **Séducteur, suborneur.**

4 Un trésor est chez moi. C'est l'honneur d'une fille (...)
(...) Or il faut que je sorte une heure, et moi qu'on nomme
Ruy Gomez de Silva, je ne puis l'essayer
Sans qu'un larron d'honneur se glisse à mon foyer! HUGO, Hernani, I, 3.

Loc. prov. Mod. *S'entendre* comme larrons en foire,* à merveille, comme des voleurs qui sont de connivence pour monter un coup.

5 Ils s'entendent tous deux comme larrons en foire.
MOLIÈRE, le Dépit amoureux, III, 8.

6 — Qu'est-ce que vous avez donc toujours à comploter ensemble? demanda-t-il. Ils répondirent par une plaisanterie. Ils s'entendaient tous trois, comme larrons en foire. R. ROLLAND, Jean-Christophe, L'adolescent, p. 356.

Prov. *L'occasion fait le larron :* souvent les circonstances font faire des choses auxquelles on n'aurait jamais songé.

«Le troisième larron» : la personne qui profite du conflit des deux autres (par allusion à la fable de La Fontaine : *les Voleurs et l'Âne*).

REM. Le fém. *larronnesse* [laʀɔnɛs] est archaïque (Hugo l'emploie); en revanche *larronne* [laʀɔn] se dit et s'écrit : *«il faudra compter avec une troisième «larronne» : Perrine Pelen* (il s'agit d'une compétition de ski féminin, in *F Magazine,* févr. 1980, p. 56).

♦ **3.** [a] (V. 1600). Techn. *Larron d'eau :* canal ou déversoir pratiqué pour l'écoulement des eaux (d'une rivière, d'un étang...).

[b] (1690, Furetière). Typogr. Défaut d'un feuillet dont le pli n'a pas été rogné lors de la reliure du livre. — Par ext. Défaut d'impression dû au pli accidentel d'une feuille mise sous presse.

DÉR. Larronneau, larronner.

LARRONNEAU [laʀɔno] n. m. — 1487; de *larron,* et *-eau;* a éliminé la forme *laronceau,* plus ancienne.

♦ Vx. Petit larron qui ne commet que des vols insignifiants.

LARRONNER [laʀɔne] v. — 1534, Rabelais; de *larron,* et *-er.*

♦ Vx. Commettre des larcins. ⇒ **Voler.** *«Il s'imaginait qu'il serait ministre de la dette publique, et en attendant, pillait et larronnait pour s'y entraîner»* (Léon Daudet, *Sylla et son destin, in* T. L. F.).

LARRONNERIE [laʀɔnʀi] n. f. — Déb. XVIe; «repaire de voleurs», mil. XVe; de *larron.*

♦ Vx. Vol; acte digne d'un larron (Nerval, *in* G. L. L. F.).

LARTON [laʀtɔ̃] n. m. — XVIIIe, selon Esnault, puis 1827, Vidocq; de *arton* (1455) par agglutination de l'article, du lat. médiéval *artes,* du grec *artos* «pain de froment».

♦ Argot anc. Pain. *Larton brutal :* pain noir; *larton savonné :* pain blanc (Hugo, *les Misérables*).

LARVAIRE [laʀvɛʀ] adj. — 1876; 1845, Bescherelle, autre sens; de *larve,* et *-aire.*

♦ **1.** Zool. Propre aux larves (2.), qui est à l'état de larve. *Forme, état, stade larvaire. Insecte qui dépouille* (cit. 12) *son enveloppe larvaire.*

♦ **2.** (1876). Fig. et cour. Qui n'existe qu'à l'état d'ébauche. ⇒ **Embryonnaire.** *Des sentiments larvaires, à peine ébauchés.* — (Surtout dans) *État larvaire.* ⇒ **Larvé.**

Il nous peint ceux-ci *(les sentiments)* bien souvent douteux encore, et pour ainsi dire à l'état larvaire. GIDE, Dostoïevsky, p. 146.

LARVE [laʀv] n. f. — 1495; lat. impérial *larva* «masque» et «fantôme».

★ **I.** Didact. (antiq. rom.). Esprit des morts qui poursuit les vivants. ⇒ **Lémure.** — Par ext. ⇒ **Fantôme.** *Évoquer* (cit. 5) *les larves. Larves qui hantent les forêts* (→ Écheveler, cit. 3).

1 Filles de l'Achéron, pestes, larves, furies (...) CORNEILLE, Médée, I, 4.

2 Son glissement, ses attitudes, son geste rapide et mystérieux le faisaient ressembler à ces larves crépusculaires qui hantent les ruines (...)
HUGO, les Misérables, II, I, XIX.

★ **II.** ♦ **1.** (1762; de *larva,* au sens «épouvantail, masque», la *larve* étant considérée comme le masque de l'insecte parfait). Zool. Forme embryonnaire particulière aux insectes (et, par ext., aux autres animaux à métamorphoses*), caractérisée par une vie libre menée hors de l'œuf* (⇒ **Métamorphose; anamorphose,** 2.). *Larves d'insectes* (cit. 2). ⇒ **Ver.** *Larve de mouche.* ⇒ **Asticot.** *Larve de phrygane.* ⇒ **Ver** (d'eau). *Larves d'abeilles* (cit. 5), *d'hyménoptères* (cit.), *de névroptères.* ⇒ **Lion** (de pucerons). *Larve de hanneton*.* ⇒ **Man, turc, ver** (blanc). *Larve de papillon.* ⇒ **Chenille, teigne.** *Métamorphose d'une larve en chrysalide*, en nymphe*. Insectes à larves parasites.* ⇒ **Liparis, œstre.**

Je rapportai à La Roque quantité de larves d'oryctes *(des coléoptères)* que j'élevai dans une caisse pleine de sciure, mais qui moururent toujours avant de parvenir à la nymphose, pour cette raison, je crois, qu'il leur faut s'enfoncer en terre pour se métamorphoser. GIDE, Si le grain ne meurt, I, IV, p. 103. 3

Larve de ténia. ⇒ **Cénure, échinocoque.** — *Larve de crustacé.* ⇒ **Nauplius, zoé.** — *Larve de batraciens.* ⇒ **Axolotl, têtard.** — *Larve de certains poissons.* ⇒ **Alevin.** *L'ammocète, larve de la lamproie.*

♦ **2.** Par métaphore (littér. et rare). Premier rudiment, embryon de qqch. (→ Architecture, cit. 10).

Une révolution est la larve d'une civilisation. 4
HUGO, Littérature et Philosophie mêlées, Journal..., 1830, Feuillets sans date.

♦ **3.** Par anal. Enfant très jeune, nourrisson.

(...) il contemplait le nourrisson, petite larve chaude, aveugle et fripée, dont la figure, à peine grosse comme un demi-poing d'adulte, sortait des linges. 4.1
M. DRUON, les Grandes Familles, t. I, p. 14.

Par compar. *Vivre comme une larve,* d'une vie inférieure et ralentie, purement végétative. — (Av. 1872, Gautier). Fig. *Une larve (humaine) :* un être inférieur, qui paraît incomplètement évolué (→ Gâteux, cit. 1).

Celui qui, dans le monde moderne, se refuserait à contracter un certain nombre d'assurances, du même coup se condamnerait soit à vivre comme une larve, soit à courir d'extravagantes aventures. 5
G. DUHAMEL, Scènes de la vie future, XIII.

Ces larves de nos grandes villes qu'on voit se rassembler, dans la nuit qui tombe, autour des bassines des soupes populaires, à l'entrée des asiles où l'on dort pour quelques sous, si, être homme, c'est donner un sens à ses actes, tendre vers un accomplissement, faire effort, vivre enfin, quel sens a leur lamentable existence? Ces débris d'hommes sont-ils encore humains? 6
DANIEL-ROPS, Ce qui meurt..., p. 136.

DÉR. Larvaire, larvé.
COMP. Larvicide, larvipare, larvivore.

LARVÉ, ÉE [laʀve] adj. — 1814, *fièvres larvées;* de *larve,* et *-é.*

★ **I.** Méd. Se dit d'une maladie qui se manifeste par des symptômes atypiques ou atténués. *Appendicite, épilepsie larvée.* — (Vx). *Fièvre larvée :* forme du paludisme où l'accès fébrile est remplacé ou masqué par d'autres symptômes rendant le diagnostic difficile. *Formes insidieuses* (cit. 2) *et larvées d'une maladie.*

(...) une maladie latente est une maladie qui ne se manifeste pas encore. Une maladie larvée, au contraire, se manifeste hautement, mais elle emprunte la forme d'une autre. Paul BOURGET, Un divorce, p. 122. 1

★ **II.** (1924). Cour. Qui n'éclate pas, n'«éclôt» pas. *Révolution, guerre larvée. Instinct qui existe à l'état larvé* (→ Freudien, cit.). ⇒ **Embryonnaire, larvaire.**

(...) l'état de guerre civile larvée, dans lequel nous vivions tous en Europe, ne laissait à aucun homme le pouvoir de se retrancher : bon gré mal gré, nous étions engagés dans un débat où il y allait de la conception même que nous nous faisions de la créature humaine et de son destin terrestre. 2
MAURIAC, Journal du temps de l'Occupation, p. 335, *in* T. L. F.

LARVICIDE [laʀvisid] adj. et n. m. — 1962; de *larve,* et *-cide.*

♦ Didact. Propre à tuer les larves. — N. m. *Les larvicides dans l'éradication du paludisme.*

LARVIPARE [laʀvipaʀ] adj. — 1867, Littré; de *larve,* et *-pare.*

♦ Didact. Se dit des insectes qui pondent des larves et non des œufs.

LARVIVORE [laʀvivɔʀ] adj. — 1873, Larousse; de *larve,* et *-vore.*

♦ Biol. Qui se nourrit de larves.

LARYNG- ⇒ **Laryngo-.**

LARYNGAL, ALE, AUX [laʀɛ̃gal, o] adj. et n. f. — Av. 1909, Niedermann, in *Larousse mensuel;* du rad. de *larynx.*

♦ Didact. (phonét.). Dont le point d'articulation se situe dans le larynx, au niveau de la glotte. ⇒ **Glottal.** *Occlusive laryngale.* ⇒ **Glotte** (coup de glotte). *Fricative laryngale.* ⇒ **H** (H aspiré). — *Souffle laryngal* (ou *laryngien*).

Certaines langues connaissent aussi des articulations *pharyngales* (...) et *laryngales* (dans le larynx même). Bertil MALMBERG, la Phonétique, p. 37.

N. f. (1913). *Une laryngale :* une réalisation laryngale de phonème, un phonème laryngal.

LARYNGÉ, ÉE [laʀɛ̃ʒe] adj. — 1743; rad. grec de *larynx.*

♦ Qui a rapport ou appartient au larynx. ⇒ **Laryngien.** *Artères laryngées. Nerfs laryngés. Œdème laryngé. Hyperesthésie* (cit. 2) *laryngée.*

LARYNGECTOMIE [laʀɛ̃ʒɛktɔmi] n. f. — 1890, *in* P. Larousse, *Deuxième Suppl.*; de *laryng-,* et *-ectomie.* → tomie.

♦ Chir. Ablation chirurgicale partielle ou totale du larynx (à distinguer de la *laryngotomie**).

DÉR. Laryngectomiser.

LARYNGECTOMISER [laʀɛ̃ʒɛktɔmize] v. tr. — xxᵉ; de *laryngectomie,* et *-iser.*

♦ Procéder à une laryngectomie sur (qqn).

LARYNGIEN, IENNE [laʀɛ̃ʒjɛ̃, jɛn] adj. — 1753; dér. savant de *larynx.*

♦ Qui appartient au larynx. ⇒ **Laryngé.** *Cavité laryngienne. Vestibule laryngien.* — Phonét. *Son laryngien,* produit par la vibration des cordes vocales avant qu'il ne soit modifié par le passage dans les cavités orales, pharyngales et nasales.

LARYNGISME [laʀɛ̃ʒism] n. m. — 1898, *Nouveau Larousse illustré*; de *larynx (laryng-),* et *-isme.*

♦ Méd. État caractérisé par une tendance à présenter des spasmes du larynx (⇒ **Laryngospasme**).

LARYNGITE [laʀɛ̃ʒit] n. f. — 1834; rad. grec de *larynx,* et suff. *-ite.*

♦ Inflammation aiguë ou chronique du larynx (maux de gorge). *Laryngite diphtérique.* ⇒ **Croup.** *Laryngite striduleuse.* ⇒ **Croup** (faux). *Enrouement*, toux* dus à une laryngite* (→ Éreintant, cit.). *Laryngite tuberculeuse.*

(...) un chien-loup dont la voix était cassée comme s'il avait une laryngite.
BALZAC, Eugénie Grandet, Pl., t. III, p. 522.

LARYNGO-, LARYNG- Éléments, tirés du grec *laruggos* (⇒ **Larynx**), qui servent à former de nombreux mots didactiques (physiol., méd.). Voir à l'ordre alphabétique, et aussi *trachéo-laryngotomie.*

LARYNGOCENTÈSE [laʀɛ̃gosɛ̃tɛz] n. f. — xxᵉ; de *laryngo-,* et grec *kentêsis* « ponction ».

♦ Méd. Ponction du larynx (pour prélever un fragment en vue d'un examen, pour évacuer une collection purulente).

LARYNGOLOGIE [laʀɛ̃gɔlɔʒi] n. f. — 1867; « traité sur le larynx », 1793; de *laryngo-,* et *-logie.*

♦ Méd. Étude anatomique, fonctionnelle et pathologique du larynx.

DÉR. Laryngologique, laryngologue ou laryngologiste.

LARYNGOLOGIQUE [laʀɛ̃gɔlɔʒik] adj. — 1832; de *laryngologie.*

♦ Méd. De la laryngologie.

LARYNGOLOGUE [laʀɛ̃gɔlɔg] n. — 1931; de *laryngologie.*

♦ Spécialiste en laryngologie. ⇒ **Oto-rhino-laryngologiste.** — On trouve parfois *laryngologiste* (1897).

LARYNGOPATHIE [laʀɛ̃gopati] n. f. — 1875, *in* D. D. L.; de *laryngo-,* et *-pathie.*

♦ Méd. Affection du larynx.

LARYNGOPHARYNX [laʀɛ̃gofaʀɛ̃ks] n. m. — Mil. xxᵉ; de *laryngo-,* et *pharynx.*

♦ Anat. Partie du pharynx comprise entre le larynx et l'ouverture de l'œsophage.

LARYNGOPHONE [laʀɛ̃gɔfɔn] n. m. — 1942, Saint-Exupéry; de *laryngo-,* d'après *microphone.*

♦ Techn. Microphone appliqué sur le cou et qui fonctionne par les vibrations du larynx.

LARYNGOPLASTIE [laʀɛ̃goplasti] n. f. — xxᵉ; de *laryngo-,* et *-plastie.*

♦ Chir. Opération réparatrice du larynx.

LARYNGOPLÉGIE [laʀɛ̃goplɛʒi] n. f. — 1909, Garnier; de *laryngo-,* et *-plégie.*

♦ Méd. Paralysie des muscles laryngiens.

LARYNGORÉFLEXE [laʀɛ̃goʀeflɛks] adj. — 1900, *in* D. D. L.; de *laryngo-,* et *réflexe.*

♦ Physiol., méd. Dû à un réflexe du larynx. *L'atropine « est utilisée en médication préanesthésique pour éviter la syncope laryngoréflexe »* (A. Galli et R. Leluc, *les Thérapeutiques modernes).*

LARYNGOSCOPE [laʀɛ̃gɔskɔp] n. m. — 1860, in *Année sc. et industr.* 1861, p. 337; mot forgé et présenté en français par J. N. Czermak; de *laryngo-,* et *-scope.*

♦ Méd. Appareil permettant d'examiner la cavité laryngienne.

DÉR. Laryngoscopique.

LARYNGOSCOPIE [laʀɛ̃gɔskɔpi] n. f. — 1861, *in* D. D. L.; de *laryngo-,* et *-scopie.* → Laryngoscope.

♦ Méd. Examen, exploration du larynx, pratiqué à l'aide du laryngoscope *(laryngoscopie indirecte)* ou de la spatule ouvre-bouche *(laryngoscopie directe).*

LARYNGOSCOPIQUE [laʀɛ̃gɔskɔpik] adj. — 1865, Littré-Robin; de *laryngoscope,* et *-ique.*

♦ Relatif à la laryngoscopie. *Examen laryngoscopique.*

LARYNGOSPASME [laʀɛ̃gospasm] n. m. — 1892, *in* D. D. L.; de *laryngo-,* et *spasme.*

♦ Méd. Contraction spasmodique du larynx avec accès de suffocation. ⇒ **Laryngisme.** *Laryngospasme du nourrisson.*

LARYNGOTOMIE [laʀɛ̃gɔtɔmi] n. f. — 1584, *in* D. D. L.; grec *laruggotomia* (→ Larynx), et suff. *-tomie.*

♦ Chir. Opération consistant à inciser le larynx (à distinguer de la *laryngectomie**). *Laryngotomie totale, partielle. Laryngotomie associée à une trachéotomie* (laryngo-trachéotomie, ou trachéo-laryngotomie). Spécialt. Incision de la partie antérieure du larynx sur la ligne médiane.

DÉR. Laryngotomique.

LARYNGOTOMIQUE [laʀɛ̃gɔtɔmik] adj. — 1873, Larousse; de *laryngotomie,* et *-ique.*

♦ Méd. Relatif à la laryngotomie.

LARYNGO-TRACHÉAL, ALE, AUX [laʀɛ̃gotʀakeal, o] adj. — 1834, *in* D. D. L.; de *laryngo-,* et *trachéal.*

♦ Anat. Relatif au larynx et à la trachée.

LARYNGO-TRACHÉITE [laʀɛ̃gotʀakeit] n. f. — 1855, Nysten-Littré-Robin, *Dict. de méd.*; de *laryngo-,* et *trachéite.*

♦ Méd. Inflammation associée du larynx et de la trachée. *Laryngo-trachéite grippale, diphtérique.*

LARYNGO-TRACHÉOTOMIE [laʀɛ̃gotʀakeɔtɔmi] n. f. — 1855, Nysten-Littré-Robin, *Dict. de méd.*; de *laryngo-, trachéo-,* et *-tomie.*

♦ Méd., chir. Ouverture chirurgicale du larynx et de la trachée. Syn. : *trachéo-laryngotomie.*

LARYNX [laʀɛ̃ks] n. m. — 1538; *laringue,* 1532, Rabelais; grec *larugx, laruggos* « gosier ».

♦ Anat., cour. Conduit médian, impair situé entre la partie buccale du pharynx et la trachée qui, par le jeu des cordes vocales, constitue l'organe essentiel de la phonation. ⇒ **Glotte.** *Squelette du larynx :* cartilages impairs (thyroïde, cricoïde et épiglottique), cartilages pairs (aryténoïdes, corniculés, cunéiformes et sésamoïdes). *Saillie du larynx.* ⇒ **Nœud, pomme** (d'Adam). *Glande thyroïde* située en avant du larynx.* — *Cancer, tuberculose du larynx. Inflammation du larynx.* ⇒ **Laryngite.** *Spasme du larynx.* ⇒ **Croup** (faux croup). *Tubage* du larynx. Opération du larynx.* ⇒ **Laryngotomie.**

1 — Elle m'étrangle! au secours, Catherine! cria Nicolas d'une voix qui passait péniblement le larynx. BALZAC, les Paysans, Pl., t. VIII, p. 178.

1.1 Il le fit se mettre tout droit, la poitrine en avant, la bouche grande ouverte, et pour l'instruire par l'exemple, poussa des intonations d'une voix fausse; celle de Victor lui sortait du larynx péniblement tant il le contractait — quand un soupir commençait la mesure, il partait tout de suite, ou trop tard. FLAUBERT, Bouvard et Pécuchet, p. 395 (Folio).

2 Oh... fit-il, debout devant la glace, pour essayer sa voix. Elle restait rauque, mais elle avait retrouvé du timbre, et il sentait son larynx momentanément dégagé. MARTIN DU GARD, les Thibault, t. IX, p. 17.

DÉR. Laryngal, laryngé, laryngien, laryngisme, laryngite.
COMP. V. Laryngo-.

1. LAS, LASSE [lɑ, lɑs] adj. — V. 950, «malheureux, misérable»; lat. *lassus.*

♦ **1.** (1080, *Chanson de Roland*). Qui éprouve une sensation de fatigue (cit. 7) générale et vague, une inaptitude à l'action, au mouvement. ⇒ **Faible, fatigué; lassitude.** *Triste et las* (→ Angoisse, cit. 12). *Être las, se sentir las après une journée de travail, une longue marche. Se réveiller las. Las de marcher, de travailler; las de travail* (→ Famille, cit. 25). *Très las, las à n'en plus pouvoir.* ⇒ **Anéanti, éreinté, recru.** *Je me sens un peu las. Avoir l'air las.*

1 On va bien loin, dit-on, quand on est las; mais quand on a les jambes rompues, on ne va plus du tout. Mme DE SÉVIGNÉ, 208, 4 oct. 1671.

2 Quand on est las, las à pleurer du matin au soir, las à ne plus avoir la force de se lever pour boire un verre d'eau, las des visages amis vus trop souvent et devenus irritants (...) MAUPASSANT, Au soleil, p. 10.

3 Elle était endormie parce qu'elle était lasse et cette lassitude faisait penser à des lassitudes de petit enfant. Ch.-L. PHILIPPE, Bubu de Montparnasse, II, X.

4 Nous jouissions de cette oisiveté vague dont on éprouve la bonté quand on est vraiment las. H. BARBUSSE, le Feu, X.

5 Elle mettait son orgueil, le soir, à ne plus pouvoir tenir les yeux ouverts, tant elle était lasse. F. MAURIAC, le Sagouin, p. 117.

Par ext. *Les jambes lasses. Chair* (cit. 57) *heureuse et lasse...*

6 (...) cela faisait une douleur dans les bras, dans les bras fatigués de laver à terre, dans les jambes lasses des fardeaux portés, dans les reins cassés par de longues complaisances. ARAGON, les Beaux Quartiers, I, XXIV.

♦ **2.** (V. 1190). Littér. LAS DE... (et nom, inf.) : fatigué et dégoûté de. Qui ne peut plus supporter (qqn, qqch.) ou faire (quelque action) par ennui, fatigue, dégoût... ⇒ **Dégoûté, ennuyé, irrité, lassé;** → Écœuré, cit. 3. *Las d'appeler* (cit. 20), *d'espérer, d'attendre* (cit. 24 et 114), *de souffrir* (→ Exiler, cit. 8). *Las de vivre*, las de la vie. Las de tout, las et découragé*.* ⇒ **Désenchanté.** *Las à mourir* (→ Fadeur, cit. 2). *Las et saturé de plaisirs.* ⇒ **Soûl.** *Être las des façons* (cit. 46), *des courbettes de qqn. Être las de son métier* (→ Honnête, cit. 13). «*Las du triste hôpital* (cit. 5)...» (Mallarmé). *Las de qqn* (→ Empoisonnement, cit. 3; 2. être, cit. 26; homme, cit. 106).

7 Quand nous sommes las d'aimer, nous sommes bien aises qu'on nous devienne infidèle, pour nous dégager de notre fidélité. LA ROCHEFOUCAULD, Maximes supprimées, 581.

8 Las de se faire aimer, il veut se faire craindre. RACINE, Britannicus, I, 1.

9 Lasse enfin d'elle-même et du jour qui l'éclaire. RACINE, Phèdre, I, 1.

10 Je suis las des musées, cimetières des arts. LAMARTINE, Voyage en Orient, Athènes.

11 (...) il était las des affaires et plus encore des gens (...) P.-J. TOULET, la Jeune Fille verte, II.

12 Jacques, voilà que je suis lâche et vieux, las de combattre et de défendre. CLAUDEL, l'Annonce faite à Marie, I, III.

Loc. *De guerre lasse.* ⇒ **Guerre** (cit. 55, 56 et *supra*).

CONTR. Dispos, frais, gaillard, reposé.

2. LAS [lɑs] interj. — V. 1050; mot invar., XIIe; de l'adj. *las* «malheureux».

♦ Vx ou archaïque. ⇒ **Hélas!** (→ Aller, cit. 110, Ronsard).

— Où voulez-vous courir? — Las! que sais-je? MOLIÈRE, Tartuffe, V, 1.

LASAGNE [lazaɲ] n. f. — 1640; «beignet», 1556; ital. *lasagna;* p.-ê. du bas lat. **lasania* «sorte de nouilles», de *lasanum* «trépied, vase de nuit». On a parfois rapproché *lasagne* du franç. *losange,* mais cette hypothèse manque de base.

♦ Cuis. Pâtes italiennes, en forme de larges rubans ondulés. *Des lasagnes. Lasagnes vertes.* — Au sing. *Une lasagne.*

Trois plats contiennent des pâtes cuites à l'eau mais variées : des spaghettis, leurs ficelles nageant dans un liquide incolore, des lasagnes, un peu plus larges mais aussi livides, et des macaronis tubulaires et blafards. Albert T'SERSTEVENS, l'Itinéraire espagnol, p. 234, *in* T. L. F.

HOM. Lazagne.

LASCAR [laskaʀ] n. m. — 1830; «matelot des Indes», 1610; emprunt probable, par l'angl., au port. *lascar,* lui-même du persan *läskär* «armée», par l'hindoustani *lachkari.*

Familier.

♦ **1.** Homme brave, hardi, décidé et malin. ⇒ **Gaillard.**

A-t-il du toupet, le vieux Lascar! me dit l'invalide dans son langage soldatesque. BALZAC, Gobseck (1830), Pl., t. II, p. 670. 1

♦ **2.** Homme malin, ou qui fait le malin (avec une nuance d'admiration ou de réprobation amusée).

Les deux lascars, pour le costume, ressemblaient à des contremaîtres, à des maquignons, à des marchands forains. G. DUHAMEL, Salavin, V, XVII. 2

♦ **3.** (Du sens étym.). Matelot engagé dans un port, plus ou moins clandestinement.

Je comprends qu'il vient de Samos avec un chargement de vin (...) que ses lascars l'ont lâché parce qu'ils avaient trop bu ou qu'il les a débarqués (...) B. CENDRARS, Bourlinguer, p. 168. 3

LASCIF, IVE [lasif, iv] adj. — 1488; lat. *lascivus* «folâtre, enjoué», sens repris par Hugo : *le chevreau lascif* (→ Cytise, cit. 1).

♦ **1.** Littér. ou plais. Fortement enclin aux plaisirs amoureux. ⇒ **Libidineux, luxurieux, paillard** (fam.), **sensuel, voluptueux.** *Homme lascif, lascif comme un bouc*. Femme lascive.* — *Tempérament lascif.* ⇒ **Amoureux.** *Cœur lascif* (→ Hennissement, cit. 4, Bossuet). — Par ext. *Bouche lascive.* — Fig. *Brise lascive* (→ Frémir, cit. 6).

Qu'on se représente mon tempérament ardent et lascif, mon sang enflammé, mon cœur enivré d'amour, ma vigueur, ma santé, mon âge; qu'on pense que dans cet état altéré de la soif des femmes, je n'avais encore approché d'aucune (...) ROUSSEAU, les Confessions, V. 1

Tu la verras bientôt, lascive et caressante, 2
Tourner vers les baisers sa tête languissante. André CHÉNIER, Bucoliques, XV.

Son œil pétillait d'impureté et de rage. Sa bouche lascive rougissait le cou de la jeune fille. Elle se débattait dans ses bras. Il la couvrait de baisers écumants. HUGO, Notre-Dame de Paris, XI, I. 3

Messaline, en riant, se mettait toute nue, 4
Et sur le lit public, lascive, se couchait. HUGO, la Légende des siècles, VIII.

Regrettez-vous le temps où les Nymphes lascives 5
Ondoyaient au soleil parmi les fleurs des eaux (...)
A. DE MUSSET, Poésies nouvelles, «Rolla», I.

♦ **2.** Par ext. Qui est empreint d'une grande sensualité, porté à la luxure. ⇒ **Impur, lubrique, sensuel, voluptueux.** *Des poses lascives. Posture, danse* lascive* (⇒ **Almée,** cit. 3). «*La valse* impure, au vol lascif et circulaire*» (Hugo). *Trémoussements lascifs* (→ Goule, cit. 4). *Regards lascifs.* ⇒ **Concupiscent.** — *Jeux lascifs* (→ Attraper, cit. 7). *Embrassements* (cit. 5) *lascifs. Amour lascif.* ⇒ **Charnel.** — REM. Pour Littré, qui ne peut oublier le sens du lat. *lascivus,* une nuance de «folâtrerie» s'attache à l'adjectif *lascif.* De nos jours, il emporte plutôt une idée de langueur sensuelle.

(Ceux) À qui l'amour lascif règle la fantaisie. Mathurin RÉGNIER, Satires, XII. 6

(...) jamais, ni dans ce temps-là ni depuis, je n'ai pu parvenir à faire une proposition lascive, que celle à qui je la faisais ne m'y ait en quelque sorte contraint par ses avances, quoique sachant qu'elle n'était pas scrupuleuse, et presque assuré d'être pris au mot. ROUSSEAU, les Confessions, III. 7

(...) leur danse consiste dans les ondulations harmonieusement lascives du torse, des hanches et des reins, avec des renversements de bras par-dessus la tête. Les traditions arabes se sont conservées dans les pas nationaux, surtout en Andalousie. Th. GAUTIER, Voyage en Espagne, p. 218. 8

CONTR. Chaste, continent, frigide, froid, pur.
DÉR. Lascivement.

LASCIVEMENT [lasivmɑ̃] adv. — 1542; de *lascif,* et *-ment.*

♦ Littér. D'une manière lascive. ⇒ **Sensuellement, voluptueusement.** *Danser lascivement. Être lascivement enlacés.*

Il faut, dit Aristote, toucher sa femme prudemment et sévèrement, de peur qu'en la chatouillant trop lascivement le plaisir la fasse sortir hors des gonds de raison. MONTAIGNE, Essais, III, V. 1

On entendrait quelquefois, au fond de cette serre, le pas en verre de l'éternité, musique tremblante qui lèche le sommeil. Comme cela. Lascivement. Indolemment. Pour soi. J.-M. G. LE CLÉZIO, la Fièvre, p. 214. 2

CONTR. Chastement.

LASCIVETÉ [lasivte] ou LASCIVITÉ [lasivite] n. f. — V. 1460, *lasciveté; lascivité,* 1512, *in* D. D. L.; bas lat. *lascivitas,* de *lascivus.*

♦ Littér. Tempérament, caractère lascif. ⇒ **Impudicité, lubricité, volupté.**

Nous et elles *(les femmes)* sommes capables de mille corruptions plus dommageables et dénaturées que n'est la lasciveté (...) MONTAIGNE, Essais, III, V. 1

(...) le principe femelle, ce jour-là dominait, confondait tout : une lasciveté mysti- 2

que circulait dans l'air pesant; déjà les flambeaux s'allumaient au fond des bois sacrés; il devait y avoir pendant la nuit une grande prostitution.
FLAUBERT, Salammbô, Pl., t. I, p. 1021.

CONTR. Chasteté, frigidité, pureté.

1. LASER [lazɛʀ] n. m. — 1549; *lazre,* fin XIe; lat. *laser* «résine de la féru ou silphium». → Laserpitium.

♦ Bot. Plante *(Ombellifėracées)* à racine cylindrique, à larges feuilles, à fleurs blanches en ombelles.

HOM. 2. **Laser.**

2. LASER [lazɛʀ] n. m. — 1960; mot angl., abrév. de *Light Amplification by Stimulated Emission of Radiations.*

♦ Phys. Amplification quantique de radiations lumineuses ou infrarouges, monochromatiques et cohérentes* dont l'émission stimulée permet d'obtenir des faisceaux très directifs modulables et de grande puissance. *Microcoagulation de tissus au moyen du laser.* ⇒ **Maser.** *Les rayons émis par les lasers sont capables de détruire la matière. Bistouri au laser. Laser à gaz* (CO_2, hélium-néon), *à solide. Laser à verre dopé, à rubis* (synthétique). *Laser à cristaux paramagnétiques, à semi-conducteurs* (⇒ **Diode**). *Laser chimique à hydracide* (HF). *Laser continu. Laser à impulsions. Laser déclenché, pulsé. Élément actif, milieu accepteur d'un laser. — Gyromètre à laser, fusil à laser. — Emploi du laser dans l'animation lumineuse des salles publiques, en spectroscopie, dans les télécommunications, la transmission des images de télévision, l'holographie*, la granulométrie, la télémétrie, le tir, le guidage des missiles* (notamment par l'illumination des cibles), *le traitement des surfaces, l'usinage de précision, les contre-mesures, le perçage, la soudure, la fusion nucléaire, la microchirurgie, la destruction de tumeurs cutanées, la cancérologie, la détection de gaz neurotoxiques* (par leur analyse spectrale). ⇒ **Maser, pompage** (optique).

Par appos. *Radar laser* ⇒ **Lidar.** *Faisceau laser, rayon, tir laser.* «*Canons-laser*» (*Sciences et Avenir,* janv. 1981). — *Tube laser.*

Par ext. (abusif). Faisceau lumineux et mobile permettant des effets spéciaux, spécialt dans les dancings. «*Bonne sono et joli jeu de laser*» (*l'Express,* no 1432, 16 déc. 1978, p. 165).

REM. Le jargon scientifique familier connaît un verbe *laser* [laze] «utiliser le laser...». *«"Tu lases à combien?", "l'argon lase vert"... La façon dont les chercheurs scientifiques conjuguent* LASER *comme s'il s'agissait d'un verbe donne une idée de l'importance de ces cinq lettres dans leur travail quotidien»* (*la Recherche,* janv. 1980, p. 62).

DÉR. Laserie.
COMP. Lasérothérapie.
HOM. 1. **Laser.**

LASERIE [lazʀi] n. f. — V. 1970; de 2. *laser.*

♦ Techn. «Se dit d'un diamant dont les inclusions ont été modifiées artificiellement au rayon laser» (Voc. du diamant, *la Banque des mots,* 9, 82).

LASÉROTHÉRAPIE [lazeʀoteʀapi] n. f. — 1967, *in* Höfler; de *laser,* et *-thérapie.*

♦ Méd. Traitement médical utilisant le laser.

LASERPITIUM [lazɛʀpisjɔm] n. m. — 1873, Larousse; mot lat., du lat. *laser.* → 1. Laser.

♦ Bot. Plante *(Ombellifėracées)* comportant des espèces odorantes, d'un vert glauque.

LASSANT, ANTE [lɑsɑ̃, ɑ̃t] adj. — 1680; p. prés. de *lasser.*

♦ **1.** Vx. Qui fatigue, lasse. ⇒ **Éreintant, fatigant.**

1 Un travail lassant, une contemplation continuelle étaient les principales règles de ceux qui s'engageaient à ce pieux institut. FLÉCHIER, Panégyrique, II, 60.

♦ **2.** Mod. Qui fatigue en ennuyant. ⇒ **Ennuyeux.** *Des discours, des reproches lassants. Répétitions lassantes. C'est lassant, d'entendre répéter ces arguments. Il est lassant avec ses éternelles jérémiades.*

2 Celle-ci *(cette revue)* m'a paru (...) plus lassante que celle de *la Pucelle (de Chapelain).* RACINE, Lettres, 95, 21 mai 1692.

CONTR. Reposant; agréable.

LASSER [lɑse] v. tr. — 1080, *Chanson de Roland* (v. 1165, Énéas, selon T. L. F.); lat. *lassare,* de *lassus.* → Las.

♦ **1.** Vx. Rendre physiquement las. ⇒ **Fatiguer.** *Ce voyage, ce travail a dû le lasser.* «*Il m'a lassé le bras en s'appuyant sur moi*» (Académie).

1 (...) ce palais superbe qui occupe (...) tant d'esprits et qui lasse tant de mains (...) MÉNAGE, Préface aux œuvres de Malherbe.

Je lasse maintenant deux chevaux par jour à courir pour soigner les malades (...) 2
BALZAC, le Médecin de campagne, Pl., t. VIII, p. 359.

Par métaphore (poét.). «*La moisson de nos champs lassera les faucilles* (cit. 2)» (Malherbe). *Fruits* (cit. 10) *qui lassent les branches.* — Fig. :

Louis XVI espérait toujours lasser la révolution, pour la dompter enfin. 3
JAURÈS, Hist. socialiste..., t. I, p. 348.

♦ **2.** (V. 1265). Mod. Fatiguer en ennuyant. ⇒ **Affadir** (fig. et vx), **blaser, décourager, dégoûter, fatiguer, harasser.** *Qui lasse.* ⇒ **Lassant.** *Lasser son auditoire, son public.* ⇒ **Assommer, endormir, ennuyer.** *Un importun, un fâcheux qui lasse tout le monde.* ⇒ **Excéder, impatienter.** «*Il nous lassait sans jamais se lasser*» (Voltaire; → Compiler, cit.). *Au risque de vous lasser de mes écritures* (cit. 19), *de mes demandes...*

Jupiter, voyant nos fautes, 4
Dit un jour, du haut des airs :
Remplissons de nouveaux hôtes
Les cantons de l'univers
Habités par cette race
Qui m'importune et me lasse. LA FONTAINE, Fables, VIII, 20.

Il est bon d'être lassé et fatigué par l'inutile recherche du vrai bien, afin de tendre les bras au Libérateur. PASCAL, Pensées, VI, 422. 5

Absolt. *La grâce* (cit. 71) *ne lasse jamais. L'art de ne pas lasser* (→ Guinder, cit. 13). «*Qui délasse* (cit. 5) *hors de propos, il lasse*» (Pascal). «*Le fat lasse, ennuie* (cit. 8)...» (La Bruyère). *Tout passe*, tout lasse, tout casse.*

(...) rien ne lasse comme les choses extraordinaires devenues communes. Il n'y a que les besoins renaissants qui puissent donner du plaisir tous les jours. 6
VOLTAIRE, Lettres d'Amabed, XVII.

♦ **3.** (1485). Décourager, rebuter. *Lasser la patience*, l'attention* (cit. 12) *de qqn.* ⇒ **Épuiser.** *Lasser les bontés du souverain* (→ Crédit, cit. 9, Molière). *Lasser le courage*, l'enthousiasme de qqn.* ⇒ **Rebuter.**

Ne vous suffit-il pas de lasser la patience des hommes, sans lasser encore celle de mon Dieu? BIBLE (SACY), Isaïe, VII, 13. 7

La plus charmante conversation lasse l'oreille d'un homme occupé de quelque passion. VAUVENARGUES, Réflexions et maximes, 518. 8

(...) les maux ont lassé mon courage (...) VOLTAIRE, Mérope, II, 5. 9

Un enthousiasme que rien ne lasse, et que tout alimente. 10
R. ROLLAND, Jean-Christophe, L'aube, p. 26.

▶ **SE LASSER** v. pron.

♦ **1.** (V. 1175). Vx. Se fatiguer physiquement (→ Enchâsser, cit. 2, La Fontaine). «*Ils se sont lassés à force de courir*» (Littré).

— Et vos ailes aux pieds sont un don de leurs soins *(des poètes).* 11
(MERCURE)
— Oui : mais, pour aller plus vite.
Est-ce qu'on s'en lasse moins? MOLIÈRE, Amphitryon, Prologue.

♦ **2.** (XIIe). Se fatiguer (d'une chose) généralement par ennui, par importunité; en avoir assez; devenir las de... *Se lasser de faire qqch.* (→ Aride, cit. 10). *On se lasse de tout* (→ Campagne, cit. 13; ferveur, cit. 4; grâce, cit. 63). *Bonté qui se lasse* (→ Foudroyer, cit. 17).

On se lasse parfois d'être femme de bien. MOLIÈRE, Amphitryon, II, 7. 12

(...) l'imagination (...) se lassera plutôt de concevoir, que la nature de fournir. 13
PASCAL, Pensées, II, 72.

Quand les autres me fatiguent, c'est que je me lasse de moi-même. 13.1
J. RENARD, Journal, 27 août 1895.

(À la forme négative). *Ne pas se lasser, ne pouvoir, ne jamais se lasser de qqch., de faire qqch. On ne se lasse pas de...* (→ Escorte, cit. 6). *L'amour ne se lasse jamais* (→ Épancher, cit. 17).

Les enfants ne se lassent pas de jouer; et les savants ne se lassent pas de comprendre, comme ils disent. André SUARÈS, Trois hommes, «Ibsen», IV. 14

(...) une fraîche volupté dont je ne me fusse jamais lassé et que j'eusse pu goûter indéfiniment (...) PROUST, À la recherche du temps perdu, t. XI, p. 85. 15

Sans se lasser : inlassablement.

On rit cent fois de suite, sans se lasser, de cette étudiante qui vient d'écrire dans un thème français : «Charlotte était percluse de douleurs sur la tombe de Werther». SARTRE, les Mots, p. 28. 15.1

▶ **LASSÉ, ÉE** p. p. adj. (V. 1160). ⇒ **Fatigué.** *Lassé d'une course, d'une gymnastique* (cit. 12). *Jamais lassé.*

Tout lassé que j'étais, ma frayeur et mon zèle 16
M'ont donné pour courir une force nouvelle; RACINE, Mithridate, V, 4.

C'était après leur journée, une lourde journée de juillet, que le porteur d'eau, le charpentier, le maçon du pont Louis XVI, que l'on construisait alors, allaient piocher au Champ-de-Mars. A ce moment de la moisson, les laboureurs ne se dispensèrent point de venir. Ces hommes lassés, épuisés, venaient, pour délassement, travailler encore aux lumières. MICHELET, Hist. de la Révolution franç., III, XII. 17

Fig. *Sourire lassé.* ⇒ **Las.** *Orgueil lassé* (→ Fierté, cit. 3). Allus. littér. «*Mon cœur* (cit. 71), *lassé de tout...*» (Lamartine).

Il était lassé de tout, et regrettait cependant le bonheur, comme si les illusions lui étaient restées. Mme DE STAËL, Corinne, I, I. 18

(...) le livre de notre jeune ami a-t-il des sourires lassés, des attitudes de fatigue qui ne sont ni sans beauté, ni sans noblesse. 19
FRANCE, *in* PROUST, les Plaisirs et les Jours, Préface.

CONTR. Délasser, reposer; amuser, animer, distraire, électriser, émerveiller, encourager, engouer, enthousiasmer, stimuler...
DÉR. Lassant.
COMP. Délasser, inlassable.
HOM. Lacer, lacet.

LASSERIE [lasʀi] n. f. ⇒ **Lacerie.**

LASSIS [lasi] n. m. — XVIe, «fichu de réseau» (Huguet); *laceis,* v. 1130; var. de *lacis.*

♦ Anciennt. Bourre* de soie; étoffe faite avec cette bourre.
HOM. Lacis.

LASSITUDE [lasityd] n. f. — V. 1380; lat. *lassitudo* «fatigue», de *lassus.* → Las.
État d'une personne lasse.

♦ **1.** Sensation de fatigue générale et vague. ⇒ **Abattement, fatigue.** *Brisé* (cit. 34), *courbaturé* (cit. 2), *rompu, mort de lassitude* (→ Courbatu, cit. 1). *Lassitude du corps* (→ Application, cit. 8). *Lassitude physique. La lassitude de la vieillesse* (→ Insipidité, cit. 1). *Tomber de sommeil* et de lassitude. Lassitude accablante, épuisante. Marcher, se traîner avec lassitude. Usé* par la lassitude. Ôter la lassitude.* ⇒ **Délasser.**

1 Des milliers d'Américains servaient aux Espagnols de bêtes de somme, et on les tuait quand leur lassitude les empêchait de marcher.
VOLTAIRE, Essai sur les mœurs, CXLVIII.

2 Ce suprême effort l'avait épuisé. Sa lassitude était maintenant telle, que tous les trois ou quatre pas il était obligé de reprendre haleine, et s'appuyait au mur.
HUGO, les Misérables, V, III, VII.

3 (...) toujours épuisée et accablée, atteinte de ce qu'on pourrait appeler la lassitude chronique (...) HUGO, les Misérables, IV, XII, I.

4 Que nos rideaux fermés nous séparent du monde,
Et que la lassitude amène le repos!
BAUDELAIRE, les Épaves, Pièces condamnées, III.

Par ext. Fatigue locale. ⇒ **Courbature.**

5 Forcée de monter et de descendre sans cesse les étages, j'ai des lassitudes dans les jambes, que le soir je tombe comme une masse de plomb.
BALZAC, le Cousin Pons, Pl., t. VI, p. 642.

♦ **2.** (1652, La Rochefoucauld). État d'abattement mêlé d'ennui, de dégoût, de découragement. *Lassitude morale, intellectuelle.* ⇒ **Désespérance** (cit. 4). *Abandonner une entreprise par lassitude.* ⇒ **Découragement.** *Céder par lassitude.* → De guerre* lasse. *La lassitude que nous avons des vieilles connaissances* (cit. 29). *La lassitude d'un peuple opprimé* (→ Courber, cit. 12).

6 Néron fut clément par dissimulation dans sa jeunesse, et Auguste par lassitude dans sa vieillesse. DIDEROT, Essai sur les règnes Claude et Néron, II, 52.

7 Rien ne peut exprimer la lassitude des autres, leur ennui, leur dégoût, leur découragement. Ils attendaient impatiemment l'heure bénie qui allait les rendre au repos. MICHELET, Hist. de la Révolution franç., V, X.

8 *(Il)* poussa un soupir conventionnel de lassitude, que démentait l'expression satisfaite du visage. MARTIN DU GARD, les Thibault, t. III, p. 115.

Par ext. *La lassitude d'un regard, d'un visage.*

9 (...) l'incurable mélancolie de ses beaux yeux, le pessimisme de ses lèvres, l'infinie et noble lassitude de ses mains. PROUST, les Plaisirs et les Jours, p. 162.

CONTR. Bien-être, fraîcheur, entrain, repos, santé. — Courage, encouragement, enthousiasme.

LASSO [laso] n. m. — 1826, *in* D. D. L.; esp. d'Argentine *lazo,* par l'angl., du même rad. que «lacs».

♦ Longue corde dont on se sert pour attraper les bœufs, les chevaux sauvages, etc. *Attraper un cheval avec un lasso, au lasso. Le nœud coulant d'un lasso. Gauchos et cow-boys munis de leurs lassos. Lasso et bolas.* ⇒ **Bolas.** — Var. graphique (de l'espagnol) : *lazo* (vx).

1 Il était étranglé! Les noirs lui avaient jeté autour du cou ce terrible lazo avec lequel on étrangle, au Mexique, les taureaux sauvages.
BARBEY D'AUREVILLY, les Diaboliques, «La vengeance d'une femme».

2 (...) la poursuite des chevaux, pour prendre au lasso ceux dont il convenait de s'emparer, suffisait à remplir de variété nos longues joies équestres. Il fallait faire volter brusquement la monture, la faire obliquer d'un angle précis, afin de permettre le lancement du nœud coulant.
M. CONSTANTIN-WEYER, Source de joie, p. 147.

Vx. Lanière garnie de boules de plomb (bolas). → Frapper, cit. 15, Hugo.

3 Le lazo, au contraire, n'abandonne pas la main qui le brandit. Il se compose uniquement d'une corde longue de trente pieds, formée par la réunion de deux cuirs bien tressés, et terminée par un nœud coulant qui glisse dans un anneau de fer. C'est ce nœud coulant que lance la main droite, tandis que la gauche tient le reste du lazo dont l'extrémité est fixée fortement à la selle.
J. VERNE, les Enfants du capitaine Grant, t. I, p. 168.

LASTEX [lastɛks] n. m. invar. — 1942, *in* D. D. L.; croisement de *latex,* et *elastic;* marque déposée anglaise.

♦ Filé de caoutchouc (latex) recouvert de fibres textiles naturelles ou artificielles.

LASTING [lastiŋ] n. m. — 1837; attestation isolée, *lastaing,* 1830; angl. *lasting,* abrév. de *everlasting,* proprt «qui dure toujours».

♦ Étoffe rase, en laine peignée, à armure satin. *Lasting uni, rayé; pantalon, gilet, veste de lasting. Soutane de lasting* (→ Effilocher, cit. 2). *Cravate de lasting.* — Plur. *Lastings.*

(...) elle le voyait toujours là (...) avec son bonnet grec sur l'oreille et sa veste de lasting. FLAUBERT, Mme Bovary, I, IX. 1

Un méchant paletot de lasting craquait à ses épaules. Ses orteils se montraient par les trous de ses bottes. Des éraflures et des contusions faisaient saigner son visage. Il était amaigri prodigieusement, et roulait des yeux, comme un loup. 2
FLAUBERT, Bouvard et Pécuchet, p. 240.

LATANIER [latanje] n. m. — 1645, *lattanier;* du caraïbe *alattani, alátani.*

♦ Bot. Plante monocotylédone *(Palmiers),* arbre des îles de l'océan Indien. *Le livistona,* ou *latanier de Bourbon. Des perruches* (cit.) *descendaient des lataniers.*

Les paillottes construites sur pilotis, brûlées de soleil, béaient, portes ouvertes, gueules d'ombre. Les parois en feuilles de latanier s'effritaient.
Geneviève DORMANN, le Bateau du courrier, p. 118.

LATENCE [latɑ̃s] n. f. — 1885, Laforgue; du rad. de *latent;* probablt d'après l'angl. *latency* (1882 en méd.).

♦ **1.** Littér. *Une, des latences :* phénomène latent, sentiment latent qui n'est pas réalisé. ⇒ **Virtualité.**

Comme les grandes comédiennes, comme les grands poètes, comme les grands savants, les cantatrices d'un style supérieur sont tissées de virtualités et de latences. 0.1
Léon DAUDET, la Femme et l'Amour, p. 123.

♦ **2.** (1920). Didact. État de ce qui est caché, latent. *Période de latence d'une maladie.*

(1936, J. Romains, *in* T. L. F.). Psychol. *Période, phase, temps de latence :* intervalle qui sépare l'action du stimulus et la réponse du sujet. *Délai de latence.*

L'électrochoc détermine une crise très comparable à la crise épileptique. On distingue entre la phase de passage du courant (perte de conscience), la phase de latence et enfin la crise elle-même. D'une façon générale on vise à obtenir la crise complète et non l'infracrise ou crise incomplète (phase de latence seule). 1
Guy PALMADE, la Psychothérapie, p. 23.

(Attesté 1946, Mounier). Psychan. *Période de latence :* période où la sexualité est peu active chez l'enfant, entre la fin de la période prégénitale infantile (vers 6 ans) et le début de la puberté. *« La puberté est précédée d'une longue période de latence sexuelle »* (D. Lagache).

Entre la sixième année et la puberté, la *période de latence* correspond à une décroissance de la poussée instinctuelle, déterminée par la culture plutôt que par la croissance biologique. L'enfant oublie la «perversité polymorphe» des années antérieures (amnésie infantile) et développe contre les instincts des digues de la moralité. Daniel LAGACHE, la Psychanalyse, p. 31. 2

CONTR. Crise.

LATENT, ENTE [latɑ̃, ɑ̃t] adj. — V. 1370, Oresme; lat. *latens,* p. prés. de *latere* «être caché».

♦ **1.** Qui demeure caché, ne se manifeste pas. ⇒ **Caché, secret.** *Affinité, complicité latente.* ⇒ **Profond, sous-jacent.** *Danger, conflit latent. Révolte latente qui finira par éclater* (⇒ **Couver**). *Travail de gestation*, lent, insensible, latent. Demeurer à l'état latent.*

(...) des haines latentes qui glacent lentement le cœur et sèchent les larmes au jour des adieux éternels. BALZAC, le Lys dans la vallée, Pl., t. VIII, p. 849. 1

Quand le globe est menacé d'une catastrophe, on en est averti par des commotions latentes; on a peur; on écoute la nuit; on reste les yeux attachés sur le ciel sans savoir ce que l'on a et ce qui va arriver. 2
CHATEAUBRIAND, Mémoires d'outre-tombe, t. III, p. 65.

Dans le premier acte, Phèdre ne doit montrer que ses possibilités. Elles y sont toutes déjà, mais à l'état latent, et ce serait une grave erreur de donner aux premières déclarations, dans l'admirable dialogue avec Œnone, toute l'ampleur pathétique dont vous êtes capable et que vous devez réserver pour les actes suivants. 3
GIDE, Attendu que..., p. 186.

♦ **2.** Emplois spéciaux. **a** (1814). Méd. *Maladie latente,* qui ne s'est pas encore déclarée, dont les symptômes sont trop vagues pour permettre le diagnostic (→ Larvé, cit. 1, Bourget). *Cutiréaction* (cit.) *qui révèle l'existence d'un foyer tuberculeux latent. Infection latente.*

b (1789). Phys. *Chaleur latente :* quantité de chaleur nécessaire pour faire passer 1 g de substance de l'état solide à l'état liquide *(chaleur latente de fusion),* ou de l'état solide à l'état gazeux *(chaleur latente de sublimation),* ou de l'état liquide à l'état de vapeur *(chaleur latente de vaporisation)* sans changement de température.

Image latente, impressionnée sur la surface sensible, mais non développée (photogr.).

c (1867). Bot. *Œil latent* (d'un arbre cultivé).

d Ling. *Phonème latent; consonne, voyelle latente,* qui n'est pas réalisé dans la chaîne parlée, mais qui fait partie du système phonologique de la langue et doit être invoqué pour expliquer certains phénomènes.

e Psychan. *Contenu** *latent* (du rêve). *Activer un élément latent.*

CONTR. Apparent, manifeste, patent.

DÉR. Latence.

LATÉR-, LATÉRO-, -LATÈRE Éléments, du lat. *latus, eris* «côté».

REM. 1. Outre ces formes, traitées à l'ordre alphab. *(latéro-),)* on peut signaler : *latéro-abdominal, ale, aux,* adj. ; *latéro-ventral, ale, aux,* adj. 2. On trouve aussi la forme *latéri-* : dans *latérinervé, ée,* adj. «à nervures latérales (feuilles)».

LATÉRAL, ALE, AUX [lateʀal, o] adj. et n. f. — 1315, rare jusqu'au XVIIe ; lat. *lateralis* «qui tient aux côtés».

♦ **1.** Qui appartient au côté*, qui est situé sur le côté de qqch. *Partie latérale du corps.* ⇒ **Flanc.** *Moitiés latérales et symétriques du cerveau* (→ Hémisphère, cit. 7). *Ligament latéral interne d'une articulation* (→ Faisceau, cit. 9). *Rainures latérales d'un panneau. Panneaux latéraux d'une glace* (cit. 24) *à trois faces. Galeries latérales d'une mine* (→ Exploiter, cit. 1). *Chapelle, nef latérale.* ⇒ **Collatéral ; bas-côté.** — (Ponts et Chaussées). *Canal** (cit. 5) *latéral au Rhin, à la Loire.*

1 (...) des chapelles latérales, des parties sombres de l'Église, il s'échappait quelquefois comme des exhalaisons de soupirs (...) FLAUBERT, Mme Bovary, III, I.

2 De gare en gare, avec de longs stationnements sur des voies latérales, peu à peu le train avançait vers Paris. J. CHARDONNE, les Destinées sentimentales, p. 344.

3 (...) le judas du plafond se prêtait mieux qu'aucune porte latérale à une fermeture hermétique garantie par son propre poids.
Raymond ROUSSEL, Impressions d'Afrique, p. 428.

Sports (par oppos. à *central*). *Deux arrières latéraux.*

Anat. *Incisive latérale* : deuxième incisive du graphique de chaque demi-mâchoire. — N. f. *Une latérale. Latérale droite et latérale gauche. Latérales supérieures et latérales inférieures* (de la mâchoire supérieure et de la mâchoire inférieure).

(1916, Saussure). Phonét. Se dit d'une consonne produite par un abaissement des côtés de la langue qui laisse passer l'air, la partie centrale de la langue (pointe ou dos) restant en contact avec le point d'articulation caractéristique de la consonne produite. *Les consonnes latérales fricatives,* audibles par friction de l'air. *Les consonnes latérales non fricatives,* audibles par résonance de l'air (ex. : [l] en français). — N. f. (*In* Marouzeau, 1933). *Une latérale* : une consonne latérale.

4 L'articulation *latérale* ; la langue appuie contre la partie antérieure du palais, mais en laissant une ouverture à droite et à gauche (...)
F. DE SAUSSURE, Cours de linguistique générale, p. 74.

♦ **2.** (Attesté XXe : 1914, Jaurès, *in* T. L. F.). Fig. Qui n'est pas direct. *Étudier un problème d'une manière latérale.* ⇒ **Indirect ; détourné.**

5 Le monde latéral de l'artiste n'est nullement celui de l'art (hier, de la beauté), comme le voulaient les esthètes, mais de sa vocation ; nul n'atteint au génie en plusieurs arts. MALRAUX, l'Homme précaire et la Littérature, p. 151.

Annexe, accessoire ; secondaire (opposé à *central*). *Des objectifs latéraux.*

CONTR. Central.

DÉR. Latéralement, latéralisation, latéralisé, latéralité.

LATÉRALEMENT [lateʀalmɑ̃] adv. — 1521, *laterallement* ; de *latéral.*

♦ **1.** Didact. D'une manière ou dans une position latérale ; de côté, sur le côté (→ Forme, cit. 19).

1 Le soleil baissait à l'horizon et, entre deux nuages, ses rayons entraient latéralement dans les tribunes (...) CAMUS, la Peste, p. 262.

Latéralement à : sur le côté de.

1.1 Les Cisterciens (...) donnèrent généralement à leurs églises une disposition qui se distingue par la présence de quatre chapelles placées latéralement au sanctuaire.
Albert LENOIR, l'Architecture monastique cistercienne, t. I, p. 333, *in* T. L. F.

♦ **2.** Fig. et littér. Indirectement. *Il s'est occupé de cette question dans sa thèse, mais un peu latéralement.*

2 Ainsi nous avons vécu, hier 5 octobre, une journée historique. Latéralement, il est vrai. Nous étions, pour cette fois, tout à fait sur le bord de l'Histoire. Notre déveine voudra sûrement que nous allions tôt ou tard nous y fourrer en plein milieu. J. ROMAINS, les Hommes de bonne volonté, t. I, p. 28.

LATÉRALISATION [lateʀalizasjɔ̃] n. f. — Mil. XXe ; par un verbe virtuel *latéraliser.* → Latéralisé.

♦ Didact. Organisation entre trois et six ans de l'asymétrie du corps du côté droit (droitiers) ou gauche (gauchers) liée à la localisation des fonctions du langage ; processus aboutissant à la latéralité*. *La latéralisation à gauche est souvent héréditaire.*

LATÉRALISÉ, ÉE [lateʀalize] adj. — V. 1960 ; autre sens, 1833, *in* D. D. L. ; de *latéral.*

♦ Méd. *Bien, mal latéralisé* : qui a bien, mal acquis la latéralité. *Un enfant bien latéralisé.*

LATÉRALITÉ [lateʀalite] n. f. — 1846, *in* D. D. L. ; *mouvements de latéralité,* «de côté», sens archaïque, 1805, Cuvier ; de *latéral,* et *-ité.*

♦ Didact. (méd., psychol.). Prédominance fonctionnelle de l'un des deux côtés du corps humain (avec les effets de comportement qui en découlent). ⇒ **Latéralisation.** *La latéralité amène l'individu à utiliser, de préférence, les membres du côté droit ou ceux du côté gauche : main droite ou main gauche* (⇒ **Manualité**), *jambe droite ou gauche, œil droit ou œil gauche* (⇒ **Ocularité**).

En prenant l'observation et en faisant l'examen du malade, le médecin homéopathe s'applique, non seulement à établir son diagnostic clinique, mais encore à dépister toute une série de manifestations, de modalités symptomatiques que sont les diverses influences du mouvement (...) que sont également toutes les modalités d'aggravation ou d'amélioration des symptômes, et même de latéralité.
Pierre VANNIER, l'Homéopathie, p. 106.

LATERE (A) [alateʀe] ⇒ **Légat** (a latere).

LATÉRISATION [lateʀizasjɔ̃] n. f. ⇒ **Latéritisation.**

LATÉRITE [lateʀit] n. f. — 1867, Littré ; angl. *laterite* (1807, Buchanan) ; du lat. *later* «brique», et *-ite.*

♦ Minér. (et cour. dans les régions de la francophonie où ce minéral est répandu, Afrique sahélienne en particulier). Roche jaspée d'un beau ton rouge de brique. *La latérite provient de la décomposition, en surface, de roches très diverses.*

On donne à cette roche, de couleur rouge brique, le nom de *latérite* (...) La latérite est localisée dans les régions des pluies tropicales. Elle occupe principalement les plateaux et les régions montagneuses (...)
Émile HAUG, Traité de géologie, t. I, p. 400.

Cette roche, sous sa forme pulvérulente ; terre de latérite. *Pistes en latérite de l'Afrique tropicale.*

DÉR. Latéritique, latéritisation.

LATÉRITIQUE [lateʀitik] adj. — 1907, in *Rev. gén. des sc.,* n° 15, p. 628 ; de *latérite.*

♦ Minér. De latérite. *Argiles latéritiques. Sol latéritique. Alluvions latéritiques.*

LATÉRITISATION [lateʀitizasjɔ̃] n. f. — V. 1960 ; *latérisation,* 1908 ; de *latérite.*

♦ Minér. Transformation d'un sol en latérite.

LATÉRODORSAL, ALE, AUX [lateʀodɔʀsal, o] adj. — 1898, *in* D. D. L. ; de *latéro-,* et *dorsal.*

♦ Didact. Situé sur les côtés de la partie dorsale.

LATÉROFLEXION [lateʀoflɛksjɔ̃] n. f. — 1855, *Dict. de méd.* Nysten-Littré-Robin ; de *latéro-,* et *flexion.*

♦ Pathol. Déviation latérale d'un organe. *Latéroflexion de l'utérus.* → Latéroversion.

LATÉROPOSITION [lateʀopozisjɔ̃] n. f. — 1900, *in* D. D. L. ; de *latéro-,* et *position.*

Didactique.

♦ **1.** Déplacement latéral d'un organe. *Latéroposition de l'utérus.* ⇒ **Antéposition, rétroposition.** *Utérus en latéroposition,* situé, en totalité, à droite ou à gauche (⇒ aussi **Latéroversion**).

♦ **2.** Déviation d'une ou plusieurs dents sur l'arcade dentaire. *Latéroposition des dents* (syn. : *latéroversion,* 2.).

LATÉRO-TERMINAL, ALE, AUX [lateʀotɛʀminal, o] adj. — XXe ; de *latéro-,* et *terminal.*

♦ Chir. *Anastomose latéro-terminale,* par les côtés de l'extrémité.

LATÉRO-VENTRAL, ALE, AUX [lateʀovɑ̃tʀal, o] adj. — XXe ; de *latéro-,* et *ventral.*

♦ Didact. Sur les côtés de la partie ventrale.

LATÉROVERSION [lateʀovɛʀsjɔ̃] n. f. — 1855, *Dict. de méd.* Nysten-Littré-Robin ; de *latéro-,* et *version* (1.).

Didactique.

♦ **1.** Inclinaison latérale (d'un organe). *Latéroversion de l'utérus.* → Antéversion, rétroversion; et aussi latéroposition.

♦ **2.** *Latéroversion des dents.* ⇒ **Latéroposition** (2.).

LATEX [latɛks] n. m. invar. — 1706; mot lat. «liqueur, liquide».

♦ Bot. Suc visqueux, généralement d'aspect laiteux, sécrété par les cellules (laticifères*) de certains végétaux (euphorbe, figuier...), à l'intérieur de canaux *laticifères.* ⇒ **Lait** (végétal); **émulsion.** *Le latex s'écoule des tiges soit spontanément, soit à la suite d'une incision. Saigner un hévéa* pour en recueillir le latex.* ⇒ **Gomme.** *Latex de l'antiaris toxicana utilisé par les indigènes pour empoisonner leurs flèches.* ⇒ **Upas.** *Ouvrier qui récolte le latex en saignant l'hévéa* (⇒ **Saigneur**). *Caoutchouc*, gutta-percha obtenus par coagulation du latex.* — Par ext. *Latex artificiels destinés à la fabrication de caoutchoucs synthétiques.*

La plupart des plantes caoutchoutifères laissent exsuder quand on les incise un latex assez fluide; lorsque le latex a coulé quelque temps il se forme bien un exsudat solide sur la plaie qui n'est autre que du caoutchouc, mais la plus grande partie de celui-ci est contenue dans le latex fluide qu'il est nécessaire de recueillir ou de coaguler immédiatement sur la blessure même.
Auguste CHEVALIER, le Caoutchouc, p. 54.

COMP. V. **Laticifère.**

LATHRÉE [latʀe] n. f. — 1873; *lathrea,* 1846, *Dict. univ. d'hist. nat.* : lat. bot. *lathrea,* grec *lathraios* «caché», trad. de *clandestine,* nom donné à la plante par Tournefort.

♦ Didact. Plante qui pousse sur les racines des arbres, dans les lieux ombragés *(Orobranchacées).*

Une lathrée écailleuse, étrange et monochrome, d'un rose violâtre de faïence, éclôt d'une souche racineuse. M. GENEVOIX, Forêt voisine, p. 41.

LATHYRISME [latiʀism] n. m. — Fin XIXᵉ; du lat. *lathyrus* (→ Lathyrus), et *-isme.*

♦ Méd. Intoxication provoquée par la consommation de graines ou de farine de gesse (plante légumineuse cultivée surtout dans les Balkans, en Afrique du Nord et en Inde), qui se manifeste essentiellement par des troubles nerveux (paralysies, manque de coordination des mouvements).

LATHYRUS [latiʀys] n. m. — 1608, *latiris;* mot lat.; du grec *lathyris.*

♦ Bot. Nom scientifique de la gesse*.

DÉR. **Lathyrisme.**

LATICIFÈRE [latisifɛʀ] adj. et n. m. — 1840-1842, Académie, *Compl.;* du rad. du lat. *latex, icis* (→ Latex), et suff. *-fère.*

♦ **1.** Bot. Qui contient le latex. *Cellules, conduits laticifères.*

♦ **2.** N. m. [a] Cellule ou file de cellules végétales sécrétant le latex. [b] Vieilli. Plante laticifère.

LATICLAVE [latiklav] n. m. — 1595; lat. *laticlavia* (tunica), d'après *laticlavus,* de *latus* «large», et *clavus* «bande de pourpre cousue à la tunique».

♦ Didact. (antiq. rom.). Large bande de pourpre appliquée sur la tunique des sénateurs. Par ext. Cette tunique*. *Porter, recevoir le laticlave. Le laticlave du consul* (cit. 2).

1 Dans les laticlaves des patriciens j'ai circulé majestueusement.
FLAUBERT, la Tentation de saint Antoine, Pl., t. I, p. 174.

2 Les toges du forum, les plis des laticlaves,
César spirituel! Sophocle éblouissant!
Germain NOUVEAU, les Musées, Pl., p. 509.

3 La tunique des militaires était plus courte que celle des civils; et celle des simples citoyens, que celle des sénateurs, bordée au surplus d'une large bande de pourpre : le laticlave. J. CARCOPINO, la Vie quotidienne à Rome, p. 183.

LATIF [latif] n. m. — 1933, Marouzeau; dér. sav. du lat. *latus,* p. p. de *ferre* «porter».

♦ Gramm. Accusatif exprimant le but vers lequel tend l'action du verbe.

LATIFACE [latifas] adj. — Mil. XXᵉ; de *latus* «large», et *face.*

♦ Didact. (anthrop.). Dont le visage est plus large que long (on dit aussi *lativulte,* de *latus,* et *vultus* «visage»).

CONTR. **Longiface** ou **longivulte.**

LATIFOLIÉ, ÉE [latifɔlje] adj. — 1840-1842, Académie *Compl.;* lat. *latifolius,* de *latus* «large», et *folium* «feuille».

♦ Bot. Qui a de larges feuilles.

LATIFUNDIA [latifɔ̃dja] n. m. pl. ⇒ **Latifundium.**

LATIFUNDIAIRE [latifɔ̃djɛʀ] adj. — V. 1900; de *latifundia,* et *-aire.*

♦ Didact. Des latifundia; qui constitue un latifundium, ou qui est de la nature des latifundia. *Des propriétés latifundiaires.* — REM. On écrit parfois *latifondiaire* d'après l'italien.

Déjà, dans l'antiquité, la propriété latifondiaire fut l'objet de jugements sévères. 1
G. PIROU, Traité d'économie politique, t. I**, p. 68 (note 2).

La rupture avec l'ancienne classe politique, mais aussi avec l'intelligentsia — très puissante en Égypte — de la gauche marxiste, est brutale. Une première réforme agraire est opérée. Elle vise à briser le pouvoir des latifundiaires et à créer une classe nouvelle de petits propriétaires. 2
Jean ZIEGLER, Main basse sur l'Afrique, p. 144.

LATIFUNDISTE [latifɔ̃dist] n. m. — 1960; de *latifundia,* et *-iste.*

♦ Propriétaire d'un grand domaine agricole exploité de façon archaïque. — REM. Le terme s'emploie notamment pour désigner des propriétaires d'Amérique centrale ou d'Amérique du Sud. «*(...) des gouvernements élus prétendaient édifier une industrie brésilienne. On a vu où cela menait : aux menaces d'expropriation des latifundistes, à l'évasion des capitaux...*» (*le Nouvel Obs.,* 14 août 1972, p. 21).

Péj. Grand propriétaire terrien.

LATIFUNDIUM [latifɔ̃djɔm], plur. **LATIFUNDIA** [latifɔ̃dja] n. m. — Av. 1890, Larousse; *latifunde,* 1596; mot lat., de *latus* «large», et *fundus* «terre, domaine».

♦ **1.** Antiq. rom. Grand domaine d'exploitation rurale, dont le développement, en éliminant progressivement la petite propriété, eut de graves conséquences économiques et sociales jusqu'à la chute de l'Empire romain.

♦ **2.** Mod. Grand domaine agricole, souvent insuffisamment cultivé, appartenant à un particulier (⇒ **Latifundiste**), à une famille.

(...) à la lisière de Fatima, quartier où, dans des baraquements sur pilotis plantés sur le marais, vit la multitude anonyme de ceux qui ont fui le latifundium, nous découvrîmes le dépôt d'ordures de la ville.
Jean ZIEGLER, Main basse sur l'Afrique, p. 269.

DÉR. **Latifundiaire, latifundiste.**

LATILIGNE [latiliɲ] adj. — Mil. XXᵉ; de *latus* «large», et *ligne.*

♦ Anthrop. «Se dit d'un type d'individu chez lequel prédominent les dimensions transversales par rapport aux dimensions longitudinales» (Garnier et Delamare, *Dict. des termes techniques de médecine*).

CONTR. **Longiligne.**

LATIN, INE [latɛ̃, in] adj. et n. — 1119, adj. et n. m.; *la gent latine* (v. 1195) «les peuples d'Occident»; lat. *latinus.*

★ **I.** Adj. ♦ **1.** (1549). Antiq. Du Latium; qui est relatif au Latium.

Les villes latines étaient des colonies d'Albe qui furent fondées par Latinus Sylvius. Outre une origine commune avec les Romains, elles avaient encore des rites communs (...) MONTESQUIEU, Grandeur et Décadence des Romains, I. 1

♦ **2.** Des provinces ou des peuples soumis à la domination de Rome et ayant adopté sa langue et sa civilisation. ⇒ **Romain.** *Les villes latines. Les peuples latins. Antiquité, mythologie latine. Les civilisations latines. L'expansion du christianisme dans le monde latin. La langue latine* (→ Après, cit. 21; barbare, cit. 10).

N. *Les Latins. Un Latin* (rare; inus. au fém.). *Les Latins et les Germains, et les Slaves.*

Les Latins s'écoutaient parler, et les Grecs se regardaient dire (...) Les premiers aspiraient au nombre, à la pompe, à la dignité, à l'éloquence; les seconds, à la clarté et à la grâce. Joseph JOUBERT, Pensées, XVII, XXIX. 2

(...) l'assimilation complète d'une population nombreuse et saine, ces anciens Gaulois restés les plus prolifiques et vigoureux des paysans, devenus en quarante années les plus civilisés de tous les Latins. 3
J. CARCOPINO, Hist. romaine, t. II, p. 999.

(1119). Spécialt. De la langue latine. *Déclinaisons latines. Désinences* (cit. 2) *latines. Alphabet* latin. Tournure latine.* ⇒ **Latinisme.** *Nom latin. Étymologie* (cit. 8) *latine. Grammaire* (cit. 4) *latine. Vers latins.* ⇒ **Hexamètre** (cit. 2), **ïambe, pentamètre, trochée.** — Écrit en latin. *Manuscrit latin* (→ Foule, cit. 24). *Textes latins* (→ Glace, cit. 13). — Qui écrit en latin. *Auteurs* (cit. 37) *latins* (→ Familier, cit. 5; imitation, cit. 14). — (Dans l'enseignement). *Thème latin. Composition* (cit. 8), *version latine. — La littérature latine classique, tardive, médiévale, moderne* (⇒ **Néo-latin**).

À force de temps et d'exercice, je suis parvenu à lire assez couramment les auteurs latins, mais jamais à pouvoir ni parler ni écrire dans cette langue (...) 4
ROUSSEAU, les Confessions, VI.

(...) un samedi (...) M. Beaussier annonça que j'étais premier, en version latine (...) 5

La version, paraît-il, était difficile. Les plus habiles s'étaient égarés en maint endroit. Ils avaient cherché et n'avaient pas trouvé. Mon étourderie m'avait servi.
FRANCE, la Vie en fleur, VII.

♦ **3.** Loc. **LE QUARTIER LATIN** : quartier de Paris, situé sur la rive gauche de la Seine, où s'élevait l'ancienne Université (dont l'enseignement était donné en *latin*) et où se trouvent encore quelques facultés, plusieurs lycées et plusieurs grandes écoles. *Les étudiants* (cit. 3 et 4) *du Quartier latin. Restaurants, pensions du Quartier latin* (→ Avaler, cit. 8; interne, cit. 1).

♦ **4.** Par ext. D'origine latine (et surtout par oppos. à *anglo-saxon* et à *germanique*). *Les langues latines* (ou *néo-latines*). → Berceau, cit. 14. ⇒ 2. **Roman.** *Nations latines, peuples latins,* dont la langue et la civilisation sont essentiellement d'origine latine (Italie, France, Espagne...). *Amérique latine :* l'Amérique centrale et l'Amérique du Sud, où l'on parle des langues (espagnol et portugais) venues du latin. ⇒ **Latino-américain.** — *Civilisation, culture latine* (→ Appoint, cit. 5; centre, cit. 14; croûte, cit. 8). *Esprit* (→ Contrepoids, cit. 6), *tempérament latin. Individualisme latin* (→ Anonymat, cit.).

6 La nation française, la plus cultivée des nations latines, penche vers la poésie classique, imitée des Grecs et des Romains. La nation anglaise, la plus illustre des nations germaniques, aime la poésie romantique et chevaleresque (...)
Mme DE STAËL, De l'Allemagne, II, XI.

7 Seulement, pas de bavardages : les Latins parlent toujours trop (...)
A. MAUROIS, les Discours du Dr O'Grady, VI.

8 La civilisation latine (...) apparaît comme une évidente réalité (...) La marque latine partout où elle a été implantée, se reconnaît immédiatement. Il ne s'agit pas de couleur politique, mais de culture, tandis qu'autour des sociétés proprement latines se dessinent des zones de sympathie, des affiliations. On dresserait aisément une carte des pays qui relèvent de cette atmosphère et l'on serait étonné de l'étendue de la zone ainsi couverte.
André SIEGFRIED, l'Âme des peuples, II, I, Le réalisme latin.

♦ **5.** (Fin XIIe). Relig. *Église* latine :* Église chrétienne d'Occident qui célèbre les offices en latin, par oppos. à l'*Église orthodoxe grecque* ou *Église d'Orient. Rite latin. — Croix* latine.*

9 L'administration de Basile ne fut guère plus heureuse. C'est sous son règne qu'est l'époque du grand schisme qui divisa l'Église grecque de la latine.
VOLTAIRE, Essai sur les mœurs, XXIX.

♦ **6.** (1573). Mar. *Voile latine :* voile triangulaire à antenne, qui était en usage sur la Méditerranée (→ 1. Balancelle, cit. 1; épanouir, cit. 4).

★ **II.** N. m. (1119). *Le latin :* la langue latine. *Des gaulois qui écorchaient le latin* (→ Cuir, cit. 7). *Mot traduit du latin, qui vient du latin* (→ Affliction, cit. 1; exaltation, cit. 1). *Le latin, langue indo-européenne* (cit. 1). *Le latin, langue morte qui fait partie des humanités classiques. Dire la messe en latin* (→ Intolérant, cit. 4). *Apprendre, enseigner le latin* (→ Enseignement, cit. 6; étude, cit. 11; français, cit. 17). *Faire* (cit. 52) *du latin. Entendre* (cit. 11) *le latin. Écrire en latin* (→ 1. Coulant, cit. 2). *Parler le latin, parler latin. Être bourré* (cit. 6), *farci de latin* (→ Érudit, cit. 1). *Latin classique. Latin impérial* (du temps de l'Empire). *Latin littéraire. Latin archaïque. Bas latin :* latin des derniers temps de l'Empire romain et du moyen âge. ⇒ **Latinité** (basse). *Latin tardif. Latin médiéval; latin moderne* (botanique, zoologique). *Latin populaire, vulgaire :* latin parlé, notamment aux basses époques et jusqu'au moyen âge (abrév. : *lat. pop.*). *Latin d'Espagne, de Gaule, d'Illyrie... Latin religieux, ecclésiastique; latin juridique* (au moyen âge et ensuite). *Latin scientifique. Latin d'Église; le latin du Vatican. — Le latin de Cicéron, de Virgile; d'Érasme, de Descartes.*

10 La difficulté fut que je n'avais pas fait mes études, et que je ne savais pas même assez de latin pour être prêtre. ROUSSEAU, les Confessions, III.

11 Le patrimoine héréditaire du français se compose essentiellement de mots *latins.* Ce n'est d'ailleurs pas le *latin littéraire* de Cicéron ou de Virgile qui est à l'origine de notre vocabulaire, mais le latin familier *vulgaire* des soldats, des marchands et des colons qui vinrent s'établir dans la Gaule celtique (...)
F. BRUNOT et Ch. BRUNEAU, Grammaire historique, no 257.

12 Au dire des spécialistes, neuf cent quatre-vingt-dix sur mille des mots qui composent la langue française viennent du latin qui, lui-même, s'était formé, comme le grec ou le sanscrit, aux dépens des parlers védiques.
G. DUHAMEL, Refuges de la lecture, VIII.

Latin de cuisine : mauvais latin, tel que pourrait le parler ou l'écrire une personne inculte; mauvais latin d'écolier. *Latin de sacristie :* mauvais latin ecclésiastique.

Loc. *Être au bout de son latin :* se trouver complètement désemparé, ne plus savoir que dire ni que faire (→ Goinfre, cit. 1).

(1338, en parlant des oiseaux qui se taisent; *latin* «jargon des oiseaux», v. 1150; sens mod., 1566). **PERDRE SON LATIN** : dépenser en pure perte son temps et sa peine (→ Endoctriner, cit. 1; jeu, cit. 4). *N'insiste pas, tu y perdras ton latin.* — Spécialt. Ne pas parvenir à expliquer ou à comprendre qqch. (⇒ **Incompréhensible**). *Quel embrouillamini! C'est à y perdre son latin.*

13 — Ma foi, dit Aufrère, il est à souhaiter que les hommes ne changent pas, car l'observateur y perdrait son latin. G. DUHAMEL, Salavin, V, XIV.

DÉR. Latiniser, latinisme, latiniste, latinité.
COMP. Afro-latin, gréco-latin. — Latino-américain.

LATINISANT, ANTE [latinizɑ̃, ɑ̃t] adj. et n. — 1842; p. prés. de *latiniser.*

Didactique.

♦ **1.** Qui, dans un pays de rite grec, suit les rites de l'Église latine. *Grecs latinisants.* — Subst. *Les latinisants d'Orient.*

♦ **2.** Qui connaît le latin. ⇒ **Latiniste.** *Une excellente latinisante.*

LATINISATION [latinizasjɔ̃] n. f. — 1722; de *latiniser.*

Didactique.

♦ **1.** Action de latiniser un mot.

♦ **2.** Fait de marquer (qqn ou qqch.) d'un caractère latin. *La latinisation d'un peuple, d'un pays.*

LATINISER [latinize] v. — Av. 1544; bas lat. *latinizare,* du lat. class. *latinus.* → Latin.

★ **I.** V. tr. ♦ **1.** (V. 1534). Revêtir (un mot) d'une forme latine, soit à l'aide d'une désinence, soit en le traduisant. *«Beaucoup de nos vieux auteurs qui ont latinisé leurs noms les ont rendus tout à fait méconnaissables»* (Académie). *Latiniser des mots français* (→ Franciser, cit. 1). *Latiniser les mots d'une manière ridicule* (→ Style macaronique*).

♦ **2.** (1873). Par ext. Marquer d'un caractère latin, de l'esprit latin. *Latiniser la Bible* (→ Helléniser, cit. 2).

Apulée nous laisse entrevoir ce que pensait, comment agissait un Africain latinisé 1
de ce temps-là. Louis BERTRAND, le Livre de la Méditerranée, p. 127.

★ **II.** V. intr. ♦ **1.** (1551). Vieilli. Connaître le latin; affecter de parler latin. *Pédant qui latinise à outrance.*

Rabelais (...) n'a pas écrit pour les lettrés de son temps : il aurait dans ce cas 2
rédigé en latin. Il a écrit pour ceux qui ne latinisaient pas, ou guère.
Lucien FEBVRE, Combats pour l'histoire, p. 261, *in* T. L. F.

♦ **2.** (1842). Relig. Pratiquer le culte de l'Église latine, en parlant de chrétiens d'Orient. ⇒ **Latinisant.**

DÉR. Latinisant, latinisation, latiniseur.

LATINISEUR [latinizœʀ] n. m. — 1572; de *latiniser,* et *-eur.*

♦ Vx (ou hist.). Personne qui affecte de parler latin. — REM. Le fém. est virtuel.

LATINISME [latinism] n. m. — 1584; de *latin,* et *-isme.*

♦ Construction ou emploi propre à la langue latine. *Les latinismes, idiotismes du latin.* — (1602). Par anal. Construction latine, mot latin que l'on introduit dans une autre langue. *La rive contraire* (pour la rive «opposée») *est un latinisme.*

L'on écrit régulièrement depuis vingt années; l'on est esclave de la construction; l'on a enrichi la langue de nouveaux mots, secoué le joug du latinisme, et réduit le style à la phrase purement française (...) LA BRUYÈRE, les Caractères, I, 60.

LATINISTE [latinist] n. — 1464; de *latin,* et *-iste.*

♦ Savant ou lettré qui s'occupe de philologie ou de littérature latine. ⇒ **Latinisant.** — Étudiant de latin.

Deux hommes du monde restant seuls vivants dans une île déserte, où ils n'auraient 1
à faire preuve de bonnes façons pour personne, se reconnaîtraient à ces traces d'éducation, comme deux latinistes citeraient correctement du Virgile.
PROUST, le Temps retrouvé, Pl., t. III, p. 741.

Adj. (→ Érudition, cit. 5).

(Héloïse) savante, lettrée, latiniste, élevée au culte du beau savoir par l'oncle Ful- 2
bert, la jeune fille était des auditrices de ce merveilleux Abélard.
Émile HENRIOT, Portraits de femmes, p. 9.

LATINITÉ [latinite] n. f. — V. 1355; lat. *latinitas,* de *latinus.* → Latin.

♦ **1.** Manière d'écrire ou de parler en latin; caractère latin de la langue employée. *La latinité d'une expression. «Élégante, mauvaise latinité»* (Académie). *La latinité de Tacite. — Basse* (1. Bas, cit. 44) *latinité :* civilisation et langue latine de la basse époque (plus tardive que le latin impérial), après la chute de l'Empire romain. → Bas latin*. — Époque qui correspond à ce stade de la civilisation romaine.

Le livre du jésuite Jouvancy fit alors grand bruit (...) il voulut plaire à Rome et 1
aux siens, et (...) il employa la plus belle latinité (...) à flatter et à établir les prétentions les plus ultramontaines (...) SAINT-SIMON, Mémoires, IV, VII.

— Il poculerait est de la plus haute latinité, madame, reprit gravement le substi- 2
tut (...) BALZAC, le Député d'Arcis, Pl., t. VII, p. 712.

♦ **2.** [a] (1935, Académie). Par ext. Monde latin, civilisation latine. *L'esprit de la latinité* (→ Implanter, cit. 5).

[b] Ensemble des peuples qui parlent les langues issues du latin. — Ensemble des traits culturels spécifiques communs à ces peuples. *«Au départ, un constat tout bête : de Bucarest à Lisbonne,*

de Montréal au Cône Sud, les idiomes locaux ont la même origine. Concluez : “Les langues constituent le ciment de la latinité moderne” *(Francis Germain). En poussant le raisonnement, la Roumanie et l'Uruguay auraient donc davantage de points communs que le Japon et les États-Unis (...) Vous avez dit latinité? Francis Germain préfère cette formule choisie :* “C'est une manière de continuer à exister culturellement en dépit du rouleau compresseur de la standardisation *(comprenez l'anglo-saxonnisation)*”... » (*Libération,* 12 déc. 1984, p. 25).

3 Le domaine géographique de la latinité est essentiellement celui de l'ancien Empire romain, pas intégralement toutefois : la Méditerranée orientale (...) a été largement recouverte par l'invasion turque, comme la Méditerranée africaine par l'Islam. La Grèce a été ainsi pénétrée d'influences turques, et l'Espagne d'influences arabes. En revanche, la latinité s'étend aujourd'hui à l'Amérique dite latine, espagnole et portugaise, qui possède de ce fait une incontestable unité de culture.
André SIEGFRIED, l'Âme des peuples, II, I, Le réalisme latin.

LATINO-AMÉRICAIN, AINE [latinoameʀikɛ̃, ɛn] adj. — 1931, Larousse; de *latin,* et *américain.*

♦ Qui concerne l'Amérique latine, de langue et de culture espagnole *(hispano-américain)* ou portugaise *(luso-américain). Les républiques latino-américaines des Andes.* ⇒ **Andin.**

LATIROSTRE [latiʀɔstʀ] adj. — 1807; de *lat(i)-,* élément tiré du lat. *latus* «large», et *-rostre.*

♦ Didact. (zool.). À bec large. *Oiseaux latirostres.*

LATITUDE [latityd] n. f. — 1314, «largeur»; sens géogr. dès le XIVe; lat. *latitudo* «largeur, étendue, ampleur», de *latus* «large».

★ **I.** ♦ **1.** Vx. Largeur. — Spécialt et vx. Large acception ou extension. *« Ce principe peut avoir une grande latitude »* (Académie).

1 Ce vague qui plane sur l'objet de ses études *(du philologue),* cette nature *sporadique,* comme disent les Allemands, cette latitude presque indéfinie qui renferme sous le même nom des recherches si diverses, font croire volontiers qu'il n'est qu'un amateur, qui se promène dans la variété de ses travaux et fait des explorations dans le passé (...)
RENAN, l'Avenir de la science, Œuvres, t. III, p. 830.

♦ **2.** (1762, Bonnet). Faculté, pouvoir d'agir (en toute liberté). — Mod. *Donner, laisser toute latitude à qqn* (pour faire qqch.). ⇒ **Facilité, liberté** (→ Carte* blanche; coudées* franches). *Avoir toute latitude d'accepter ou de refuser. Disposer d'une grande latitude.*

★ **II.** (1525). ♦ **1.** Géogr. (Par oppos. à *longitude*). L'une des coordonnées sphériques d'un point de la surface terrestre; distance angulaire de ce point à l'équateur mesurée en degrés par l'arc du méridien terrestre. *Tous les points d'un parallèle* ont la même latitude. Peuples qui sont sur la même latitude, mais séparés par 180° de longitude* (⇒ **Périœciens**). *Déterminer la latitude d'un lieu à l'aide du sextant* (→ Hauteur, cit. 12). *Paris est à 48° de latitude nord. Le 52e parallèle de latitude sud* (→ Est, cit. 2). *Latitude australe, boréale. Hautes latitudes, élevées* (proches des pôles) *où l'on trouve les glaciers* (1. Glacier, cit. 1).

2 Ces marchands faisaient leur route, tenant à peu près le quarantième degré de latitude nord, par des pays qui sont au couchant de la Chine (...)
MONTESQUIEU, l'Esprit des lois, XXI, XVI.

3 (...) quelques petites îles qu'on lui avait dit être situées par 60° de latitude sud et 40°20' de longitude ouest.
BAUDELAIRE, Trad. E. POE, Aventures d'A. Gordon Pym, XVI.

4 C'était par le vingtième parallèle de latitude, dans la région des alizés (...)
LOTI, Mon frère Yves, XI.

Mar. Action de calculer la latitude.

5 Cette navigation sans histoire : une droite de soleil vers dix heures, une latitude à midi (...)
Bernard MOITESSIER, Cap Horn à la voile, p. 143.

(1575, Paré). Par ext. Région considérée du point de vue du climat auquel elle est soumise en fonction de sa *latitude.* ⇒ **Climat.** *Les douces latitudes de nos climats* (→ Instinct, cit. 14). *Espèce animale qui ne peut vivre sous toutes les latitudes. À cette latitude...*

♦ **2.** (1585). Astron. Distance angulaire d'un astre à l'écliptique. *Latitude géocentrique*, héliocentrique* d'une planète.*

LATITUDINAIRE [latitydinɛʀ] n. et adj. — 1704, Trévoux; subst., «partisan d'une doctrine étendant le salut à tout le genre humain», 1696; du rad. du lat. *latitudo, inis.* → Latitude.

♦ **1.** Vx. (Théol.). Celui qui prend trop de libertés avec les principes de la religion.

♦ **2.** (1704). Mod. et littér. Par ext. et adj. D'une morale très large, très relâchée. ⇒ **Laxiste.**

CONTR. Étroit, rigoriste.
DÉR. Latitudinarisme.

LATITUDINAL, ALE, AUX [latitydinal, o] adj. — 1853, *axe latitudinal;* du rad. du lat. *latitudo, inis.*

♦ **1.** Mar. *Plan latitudinal :* plan vertical qui passe par la plus grande largeur du navire. ⇒ **Transversal.**

♦ **2.** Didact. Vertical mais non méridien. *Sillon latitudinal* (→ Micromère, cit.).

LATITUDINARISME [latitydinaʀism] n. m. — 1817, Lamennais; dér. sav. de *latitudinaire.*

♦ Didact. (relig.). Système accordant des libertés dans les principes d'une religion.

LATOMIES [latɔmi] n. f. pl. — 1515; du lat. *latomia,* empr. du grec.

♦ Antiq. grecque et rom. Carrières servant de prison. *Les latomies de Syracuse.*

Puis nous allons aux Latomies, immenses excavations à ciel ouvert, qui furent d'abord des carrières et devinrent ensuite des prisons où furent enfermés, pendant huit mois, après la défaite de Nicias, les Athéniens capturés (...)
MAUPASSANT, la Vie errante, La Sicile.

LATO SENSU [latosɛ̃sy] adv. — Attesté XXe; mots lat.

♦ Didact. Au sens large. *Les hommes,* lato sensu, *c'est-à-dire les humains* (opposé à *stricto sensu*).

Distinction, qu'il y a lieu de faire, entre le jeu *lato sensu* et le jeu *stricto sensu.* Dans mon cas, les deux se confondent, et c'est pourquoi mon «art poétique» doit être aussi «savoir vivre» (ou vice versa).
Michel LEIRIS, Frêle bruit, p. 310.

-LÂTRE, -LÂTRIE Éléments, tirés du grec *latreuein* «servir», qui signifient «adorateur, adoration». → Androlâtre, androlâtrie, astrolâtrie, autolâtre, gastrolâtre, iconolâtre, -lâtrie; idolâtre, -lâtrie; ophiolâtrie; xylolâtrie; zoolâtre, -lâtrie.

LATREUTIQUE [latʀøtik] adj. — 1867, Littré; du grec *latreutikos,* «qui concerne l'adoration de la divinité», de *latreuein* «servir», de *latris* «serviteur d'un culte».

♦ Didact. (relig.). Se dit du culte offert à Dieu en tant qu'Être souverain.

Je sais ce dont il s'agit quand on parle d'après saint Paul de la théologie de la souffrance et d'après Bossuet de la participation des fidèles au sacrifice latreutique, eucharistique et impératoire de la messe.
A. BILLY, Sur les bords de la Veule, p. 204.

LATRIE [latʀi] n. f. — 1376; lat. ecclés. *latria,* du grec *latreia.*

♦ Relig. chrét. *Culte de latrie :* la forme la plus élevée d'adoration, qui ne doit être accordée qu'à Dieu seul, par oppos. au *culte de dulie*.*

(...) un respect pour le Roi trop peu distant de l'adoration de latrie (...) 1
SAINT-SIMON, Mémoires, III, LVII.

Par métaphore :

On peut pratiquer le culte de latrie à son égard *(V. Hugo),* mais ce n'est pas de nature à l'honorer le mieux. Émile HENRIOT, les Romantiques, p. 94. 2

Fig. (littér. et rare). Adoration.

Il y a vraiment, en ce moment, un engouement des morts, qui va à la latrie de leurs ordures. Ed. et J. DE GONCOURT, Journal, 1864, p. 21, *in* T. L. F. 3

LATRINES [latʀin] n. f. pl. — 1437; lat. impérial *latrina,* de *lavatrina* «lavabo», de *lavare.* → Laver.

♦ Lieux d'aisances sommaires (sans installation sanitaire). ⇒ **Cabinet, fosse** (d'aisances). *Latrines publiques.* ⇒ **Vespasienne.** *Latrines militaires.* ⇒ **Feuillées.** *Une odeur de latrines* (→ Haleine, cit. 34). *Latrines à la turque.*

(...) tout ce qui est utile est laid, car c'est l'expression de quelque besoin, et ceux de l'homme sont ignobles et dégoûtants, comme sa pauvre et infirme nature. — L'endroit le plus utile d'une maison, ce sont les latrines. 1
Th. GAUTIER, Mlle de Maupin, Préface.

J'en ai vu tant, déjà, d'*établissements de premier ordre!*... Côté artistes : des cases sordides, sans air, et l'escalier de fer aboutissant à des latrines immondes (...) 2
COLETTE, la Vagabonde, p. 132.

(1858). Au sing. (Rare). *La latrine d'un cachot* (→ In pace, cit. 1, Hugo).

Par métaphore (littér.). *« La latrine et l'égout du sort »* (Hugo, *in* T. L. F.).

REM. Boris Vian (*Sur Sartre, in* D. D. L.) a risqué l'adj. dérivé *latrinaire.*

LATRODECTE [latʀɔdɛkt] n. m. — V. 1870, Lachâtre; lat. sav. *latrodectus.*

♦ Zool. Genre d'arachnides, comprenant de grosses araignées* noires. *La* malmignatte, *espèce de latrodecte répandue dans le midi de la France.*

DÉR. Latrodectisme.

LATRODECTISME [latʀɔdɛktism] n. m. — D. i. (xxe); de *latrodecte*, et *-isme*.

♦ Didact. Empoisonnement dû à la piqûre venimeuse des latrodectes.

LATTAGE [lataʒ] n. m. — 1503; de *latter*, et *-age*.

♦ **1.** Action de latter.

♦ **2.** (1508). Ouvrage composé de lattes. ⇒ **Lattis.**

LATTE [lat] n. f. — xvie; *late*, v. 1155; bas lat. *latta*, probablt d'orig. germanique, p.-ê. à cause de l'importance des lattes dans la construction des maisons de bois des colons germaniques. Pour P. Guiraud, l'orig. du mot est à chercher dans le lat. *latitare* «porter souvent», fréquentatif de *ferre* «porter» (supin *latum*), d'où *latte* «support».

A. ♦ **1.** Longue pièce de charpente en bois, mince, étroite et plate; par ext., toute pièce de bois de forme semblable. ⇒ **Planche.** *Latte de châtaignier, de chêne, de sapin. Lattes d'un plancher*. Lattes clouées sur les chevrons pour porter les tuiles ou les ardoises d'un toit.* ⇒ **Tavaillon, volige.** *Lattes jointives*, destinées à recevoir un enduit de plâtre. — *Faire un treillage avec des lattes. Lattes d'un caillebotis** (cit. 2), *d'une tonnelle de jardin* (→ Feuillu, cit. 1). *Petite latte d'un moulin.* ⇒ **Claquet.**

1 (...) pendant six mois, nous ne rencontrâmes point notre voisin et nous n'entendîmes aucun bruit chez lui, malgré le peu d'épaisseur de la cloison qui nous séparait, et qui était une de ces cloisons faites en lattes et enduites en plâtre, si communes dans les maisons de Paris. BALZAC, Z. Marcas, Pl., t. VII, p. 737.

2 Sur les lattes du parquet frotté à outrance, un rayon de soleil jetait un trait de métal (...) J. GREEN, Adrienne Mesurat, I, I.

♦ **2.** (1808). Vx. Milit. Ancien sabre de cavalerie, à longue lame étroite et droite.

♦ **3.** Régional (Belgique). Règle plate graduée.

B. ♦ **1.** (V. 1803, *in* Esnault). Argot fam. Au plur. Savates, chaussures. — (1937, *in* Esnault). Par ext. Pieds. *À coups de lattes dans le train, dans le cul.*

3 Je vais descendre ça et en même temps chopper le Pierre pour qu'il me rende mes bricoles, outils, linge (...) Comme il fera chaud avant que je remette les lattes ici (...) A. SARRAZIN, l'Astragale, p. 121.

4 Il part en arrière. Nouveau coup de pied à la lune, mais, comme je manque de recul, au lieu de prendre ça à la mâchoire, il le bloque dans cette partie de son individu où sont rassemblés les accessoires lui permettant de perpétuer son nom. Un coup de latte à cet endroit fait plus de mal qu'un coup à l'amour-propre... SAN-ANTONIO, Au suivant de ces messieurs, p. 75-76.

♦ **2.** (1898, *in* Petiot). Fam. Ski.

DÉR. Latter, lattis.
COMP. Chanlatte.

LATTÉ, ÉE [late] adj. et n. m. — xviie; p. p. de *latter*.

♦ Garni de lattes. *Plafond latté. Pont latté d'un yacht.* — Techn. *Panneau latté* : contreplaqué formé de deux plaques et d'une âme formée de lamelles ou de petits blocs de bois juxtaposés. — N. m. *Du latté.* « *Une porte de studio* (insonorisé) *est composée d'une succession de couches de bois* (latté) *collées...* » (*Revue du Son*, no 160, p. 351).

LATTER [late] v. tr. — xvie; *later*, 1288; de *latte*.

★ **I.** ♦ **1.** Garnir de lattes. *Latter un plafond.* — *Latter à lattes jointives, à claire-voie.*

♦ **2.** Techn. (industr. du bois). Empiler (des planches) en laissant des espaces entre elles pour l'aération.

★ **II.** Argot fam. Donner un coup, des coups de pied (de lattes*) à. *Je vais te latter le train!* ⇒ **Botter.**

CONTR. Délatter.
DÉR. Lattage, latté.
COMP. Délatter.

LATTICE [latis] n. m. — Mil. xxe; mot angl. «treillis».

♦ (Anglic.). Math., log. Treillis (voir ce mot).

LATTIS [lati] n. m. — Av. 1502; *lacteys*, 1449; *latiç*, xiiie; de *latte*, et suff. *-is*.

♦ Ouvrage en lattes. ⇒ **Lattage,** 2. *Le lattis d'un plafond, d'un toit. Disposer un lattis sur les chevrons d'un comble* pour le lambrisser. Couvrir d'un hourdage* un lattis de plancher.* ⇒ **Couchis.**

Morceaux d'ardoise, morceaux de tuf jonchaient le pied des murs, donnant une idée de l'état de ceux-ci (...) et de celui des toits (...) parcourus d'ondulations suspectes incriminant des solives probablement aussi pourries que le lattis. Hervé BAZIN, Cri de la chouette, p. 75.

Par ext. Poutre de pont en treillis de bois ou de fer.

LATTORFIEN [latɔʀfjɛ̃] n. m. — 1924, Poiré, *Suppl.*; en all., 1893, Mayer Eymar, d'après É. Haug; de *Lattorf*, village de la principauté d'Anhalt.

♦ Didact. (géol.). Syn. de *Sannoisien* (étage de l'oligocène).

LATVIEN, IENNE [latvjɛ̃, jɛn] adj. — xxe; de *latvie*, letton *latvija*.

♦ Didact. De Lettonie (ou Latvie). ⇒ **Letton.**

LAUDANISÉ, ÉE [lodanize] adj. — 1831, *potion laudanisée*; dér. sav. de *laudanum*.

♦ Chim., pharm. Qui contient du laudamum. *Cataplasme laudanisé.*

LAUDANUM [lodanɔm] n. m. — xive; *laudamum*, xiiie; altér. du lat. *ladanum* «résine du ciste», grec *ladanon*.

♦ Pharm. Anciennt. Opium purifié. — (1620). Mod. (relativement cour.). Teinture alcoolique d'opium (→ Balsamique, cit. 1). *Le laudanum, remède soporatif et calmant. Prendre du laudanum* (→ Enivrer, cit. 1; fiole, cit. 2). *Une fiole de laudanum* (→ Provision, cit. 2).

Écoute. Je prends de l'opium (...) Mes gouttes de laudanum sont très faibles. Je dors. BALZAC, la Femme de trente ans, Pl., t. II, p. 730. 1

Malheureux, malade, ne trouvant même plus de plaisir véritable à écrire, il prenait du laudanum pour essayer de ne plus souffrir. A. MAUROIS, la Vie de Byron, II, XXIV. 2

Et puis — ajoute-t-il négligemment — n'oublions pas la fiole de laudanum, une vaste carafe, ma foi! car nous sommes trop loin des pharmacies de Londres pour renouveler fréquemment notre provision. Francis CARCO, Nostalgie de Paris, p. 119. 3

DÉR. Laudanisé.

LAUDATEUR, TRICE [lodatœʀ, tʀis] n. et adj. — xvie; repris en 1801; lat. *laudator, trix*, du supin de *laudare* «louer».

Littéraire.

♦ **1.** N. Personne qui fait l'éloge de (qqn, qqch.), qui loue. ⇒ **Adulateur, louangeur.** *Les laudateurs d'un écrivain.*

Et m'auront (...) pour (...) laudateur (...) de leurs prouesses et glorieux faits d'armes. RABELAIS, le Tiers livre, Prologue.

♦ **2.** Adj. (avec un n. de chose). Qui exprime une louange. ⇒ **Laudatif.** *Inscriptions, banderoles laudatrices.* « *Un mot laudateur, un mot flatteur...* » (Goncourt, *Journal*, *in* T. L. F.).

CONTR. Blasphémateur, contempteur, dénigreur, détracteur.

LAUDATIF, IVE [lodatif, iv] adj. — 1787; lat. *laudativus*, du supin de *laudare* «louer».

♦ **1.** Qui contient un éloge. ⇒ **Élogieux, louangeur.** *Terme laudatif* (→ 1. Bien, cit. 1). *Inscription laudative* (→ Écrivain, cit. 1).

Poli, laudatif, admiratif pour les suffisances qui se proclament intelligences supérieures, mon mépris caché rit et place sur tous ces visages enfumés d'encens des masques de Callot. CHATEAUBRIAND, Mémoires d'outre-tombe, t. II, p. 104.

♦ **2.** (Personnes). Qui fait un éloge. *Ce critique est rarement laudatif.*

(Choses). *Air laudatif. Attitude laudative.* ⇒ **Complimenteur, flatteur.**

CONTR. Critique, répréhensif.

LAUDES [lod] n. f. pl. — V. 1112; lat. ecclés. *laudes*, plur. de *laus, laudis* «louange».

♦ Liturgie cathol. Partie de l'office divin qui se chante à l'aurore après matines, et qui est principalement composée de psaumes à la louange du Seigneur. *Les laudes sont avec les vêpres une des Heures* solennelles. Oraison de la vigile* dite à laudes.*

Le moine psalmodie à genoux les laudes, sur les colonnes calcinées de Saint-Paul (...) CHATEAUBRIAND, Mémoires d'outre-tombe, t. VI, p. 117.

LAUDISME [lodism] n. m. — 1873, P. Larousse, en moy. franç. *lausisme*; dér. sav. du lat. *laus, laudis* «louange, hommage». → Laudatif.

♦ Hist. Au moyen âge, Droit perçu par le seigneur en contrepartie de son consentement à l'aliénation du fief d'un vassal (droit sur les ventes de fonds).

LAURACÉES [lɔʀase] n. f. pl. — 1850; du lat. *laurus* «laurier», et suff. *-acées.*

♦ Bot. Famille de plantes dicotylédones, dialypétales, comprenant des arbres et arbustes aromatiques (camphrier, cannelier, laurier, sassafras) qui croissent dans les régions chaudes et tempérées. *L'avocatier* appartient à la famille des lauracées.* — Au sing. *Une lauracée.*

REM. On a dit *laurinées* [lɔʀine] (1808; du lat. *laurinus* «de laurier»).

LAURATE [lɔʀat] n. m. — 1873, P. Larousse; de *laur(ique),* et suff. *-ate.*

♦ Chim. Sel de l'acide laurique. *Laurate de cétyle,* contenu dans le blanc de baleine.

LAURE [lɔʀ] n. f. — 1670; lat. médiéval *laura,* mot grec «conduit, chemin étroit», puis «réunion de cellules où vivaient les anachorètes».

♦ **1.** Hist. ecclés. Dans les premiers temps du christianisme et en Orient, Petit hameau d'ermites qui vivaient solitaires dans des cellules et ne se réunissaient qu'une fois la semaine.

La prière, la contemplation, le travail de leur petit ménage (...) partage *(sic)* leur temps, à l'imitation des anciennes laures. SAINT-SIMON, Mémoires, I, I.

♦ **2.** (Av. 1873, P. Larousse). Monastère orthodoxe. *La laure de Kiev.*

HOM. Lord, lors.

LAURÉ, ÉE [lɔʀe] adj. — 1496, *poetes laurez; lauree couronne,* 1545; lat. *laureatus* «couronné de laurier», de *laurea* «laurier» → Lauréat.

♦ Littér. Orné, couronné de laurier* (→ Immortalité, cit. 7). *Empereur lauré. Beauté laurée.* — Numism. *Figure, tête laurée.* — Fig. *«Le trop lauré Alfred de Vigny»* (→ Indic, cit. 2).

1 La tête laurée, il aurait rappelé les têtes des empereurs romains, très beau et maître du monde, comme si le sang d'Auguste avait battu dans ses veines. ZOLA, Rome, p. 88.

2 Sa figure morte éclairait le linge autour d'elle. D'une beauté laurée si radieuse que nous crûmes voir le jeune Virgile. COCTEAU, la Difficulté d'être, p. 173.

DÉR. Laurer.

LAURÉAT, ATE [lɔʀea, at] adj. et n. — 1530, comme adj.; lat. *laureatus* «couronné de laurier», de *laurea* «laurier».

♦ **1.** Adj. (1743). Didact. *Poète lauréat,* solennellement couronné de laurier en consécration de son talent.

Par ext. Qui a remporté un prix dans un concours. *Les élèves lauréats. Étudiante lauréate.*

♦ **2.** N. (1822). Cour. Personne qui a remporté un prix dans un concours. *Les lauréats du Concours général. Lauréat en histoire. Lauréat du Concours des Jeux floraux.* ⇒ **Vainqueur.** *Les lauréats du prix Nobel. Une lauréate du prix Goncourt. Lauréat de l'Académie française. Liste de lauréats.* ⇒ **Palmarès.**

1 Quand il arrivait à la distribution des récompenses, il dépeignait la joie des lauréats en traits dithyrambiques. FLAUBERT, Mme Bovary, II, VIII.

2 C'est ainsi, qu'au premier concours de poésie dont elle *(Louise Colet)* fut proclamée lauréate, à l'Académie, Népomucène Lemercier, d'enthousiasme, fit doubler le prix en sa faveur. Émile HENRIOT, Portraits de femmes, p. 353.

LAURENTIE [lɔʀɑ̃si] n. f. — 1873; de *Laurenti,* savant ital., d'après P. Larousse.

♦ Bot. Plante dicotylédone *(Lobéliacées),* herbacée, annuelle, qui croît sur le littoral méditerranéen.

LAURÉOLE [lɔʀeɔl] n. f. — Déb. XIVe; du lat. *laureola* «rameau de laurier».

♦ Vx ou régional. Plante du genre daphné*.

LAURER [lɔʀe] v. tr. — 1888; de *lauré.*

♦ Littér. Couronner (de lauriers, etc.).

Soulevée d'enthousiasme, la salle presque tout entière salua d'une interminable acclamation ce nom *(Baudelaire)* que pour la prolonger encore, Mendès répéta en le laurant de fleurs nouvelles. Georges LECOMTE, Ma traversée, p. 310.

LAURIER [lɔʀje] n. m. — XIIIe; *lorer, lorier,* 1080, *Chanson de Roland;* de l'anc. franç. *lor,* du lat. *laurus.*

★ **I.** ♦ **1.** [a] Plante dicotylédone *(Lauracées),* scientifiquement appelée *laurus,* aux nombreuses variétés : *laurier commun* (Laurus nobilis : → ci-dessous, b), *laurier camphrier* (Laurus camphora; ⇒ **Camphrier**), *laurier cannelier* (Laurus cinnamomum; ⇒ **Cannelier, cinname**), *laurier avocatier* (Laurus persea; ⇒ **Avocatier**), *laurier marbré* ou *nectandra...* — *Laurier-sauce :* le laurier commun (→ ci-dessous).

[b] (1080). Cour. Arbre aromatique à feuilles lancéolées, luisantes et persistantes, à fleurs en ombelles d'un jaune pâle. *Laurier noble, laurier d'Apollon* (→ Fureur, cit. 27), *laurier des poètes. Le laurier, vert en toutes saisons, pousse dans les régions tempérées et chaudes* (→ Garantir, cit. 16; hortensia, cit. ; hôte, cit. 15). *Bois, haie de lauriers. Orangers et lauriers en pots* (→ Enterrer, cit. 3). *Feuilles de laurier utilisées en assaisonnement** (d'où le nom de *laurier-sauce,* parfois donné au laurier). → Bouillir, cit. 1; court-bouillon, cit. *Les feuilles de laurier ont des propriétés excitantes et fébrifuges; l'huile de ses baies entre dans la composition du baume de Fioraventi.*

Nous n'irons plus au bois, les lauriers sont coupés. 1
J. BANVILLE, Cariatides, Les stalactites.

(...) dans le frissonnement de fer d'un bosquet de laurier, une vieille maison (...) 2
J. GIONO, le Chant du monde, I, IX.

Le laurier, arbre consacré à Apollon (qui, après avoir tué le serpent Python, entre à Delphes une branche de laurier à la main).

(1850). En appos. *Vert laurier :* nuance de vert assez vif.

♦ **2.** *Le, du laurier :* feuilles de cet arbre. *Mettre du laurier dans une sauce. «Un bouquet de laurier et de thym pendait»* (Zola, *in* T. L. F.).

Laurier des pâtissiers : feuilles d'une variété de laurier.

Combien m'est présente la forte odeur, un peu cyanhydrique, du «laurier des pâtissiers» mijotant sur la flamme!... Soudain séchée, la verdure nous mitraillait d'un jet d'étincelles. COLETTE, De ma fenêtre, 30 oct. 1940, p. 23. 2.1

(1552, Ronsard). Feuilles de laurier symboliques, servant à couronner des vainqueurs (⇒ **Lauréat**). *La couronne de laurier, qui ornait le front des poètes, des généraux vainqueurs, des empereurs. La Gloire* (cit. 28) *représentée sous les traits d'une femme couronnée de lauriers. Front ceint de laurier* (⇒ **Lauré**). *Couronne* (cit. 8) *de laurier d'or de Napoléon, de César* (→ Chauve, cit. 2).

Sus donque, Muse! emporte au ciel la gloire 3
Que j'ai gagnée, annonçant la victoire
Dont à bon droit je me vois jouissant,
Et de Ronsard consacre la mémoire,
Ornant son front d'un Laurier verdissant.
RONSARD, 5e Livre des odes, Ode XXXVI.

Qu'un superbe laurier soit votre diadème (...) RACINE, la Thébaïde, IV, 3. 4

Et la gloire, à ses yeux se voilant d'innocence, 5
Cache ses lauriers sous des fleurs. HUGO, Odes et Ballades, IV, V.

(Av. 1613). Par métonymie. La gloire, le succès public (dans des emplois métaphoriques et fig., des loc.). — Littér. ou plais. *Les lauriers du guerrier, du vainqueur*.* ⇒ **Gloire, succès; lauréat.** *Les lauriers de la victoire* (→ Arroser, cit. 10; assez, cit. 53). *Aimer les lauriers* (→ Amant, cit. 4). *Cueillir des lauriers, se couvrir de lauriers. Être chargé, couvert de lauriers.* — Vx. *Flétrir les lauriers de qqn,* souiller sa gloire (→ Blanchir, cit. 12). — Loc. mod. *Se reposer sur ses lauriers;* (vieilli) *à l'ombre de ses lauriers :* jouir d'un repos mérité par de glorieux succès, et, par ext., se contenter d'un premier succès. On dit aussi dans ce dernier sens, *s'endormir sur ses lauriers.*

(Nos guerriers) Se promettent déjà des moissons de lauriers. 6
RACINE, Alexandre, I, 2.

Un officier qui a servi longtemps avec honneur dans les armées du roi, et qui se repose à présent dans son château à l'ombre de ses lauriers (...) 7
A. R. LESAGE, Estebanille Gonzales, 37, *in* LITTRÉ.

Le vieux maréchal Kellermann, le vainqueur de Valmy, demandait à l'Empereur de lui donner un corps d'armée, jaloux des lauriers que venaient de faucher en magnifiques gerbes ses jeunes camarades. 8
Louis MADELIN, Hist. du Consulat et de l'Empire, Vers l'Empire d'Occident, p. 208.

Allus. hist. *«Les lauriers de Miltiade m'empêchent de dormir»,* réponse de Thémistocle, jaloux des lauriers conquis par Miltiade à la bataille de Marathon.

★ **II.** Par anal. de forme. Se dit d'arbres qui ne sont pas des lauracées.

(1617). **LAURIER ROSE,** *laurier-rose* ou *laurelle, rosage :* arbrisseau du genre *Nerium (Apocynées)* à grandes fleurs roses ou blanches (→ Flore, cit. 2; gerbe, cit. 5; glisser, cit. 15). *Laurier-rose des Alpes.* ⇒ **Rhododendron.** *Des lauriers-roses.*

Au milieu d'un de ces bassins s'épanouit, comme une immense corbeille, un gigantesque laurier rose d'un éclat et d'une beauté incomparables. Au moment où je le vis, c'était comme une explosion de fleurs, comme le bouquet d'un feu d'artifice végétal (...) Th. GAUTIER, Voyage en Espagne, p. 176. 9

(1690). *Laurier-cerise* (Cerasus laurocerasus; *Rosacées*). *Des lauriers-cerises.* Syn. : *laurier-amandier.* — *Laurier tulipier.* ⇒ **Magnolia.** *Des lauriers tulipiers.* — (1667). *Laurier-tin* (Viburnum tinus). ⇒ **Viorne.** *Des lauriers-tins.*

Vx. *Laurier d'Alexandrie, alexandrin :* houx.

DÉR. Laurinées.

COMP. V. ci-dessus II. **(laurier-rose, laurier-cerise, laurier-tin,** etc.).

LAURINÉES [lɔʀine] n. f. pl. ⇒ **Lauracées.**

LAURIQUE [lɔʀik] adj. — 1867, Littré; du lat. *laurus* «laurier».

♦ Chim. *Acide laurique :* acide gras, que l'on peut extraire des baies de laurier, du beurre de coco (formule $C_{11}H_{23}CO_2H$). — Syn. : *acide dodécyclique.*

DÉR. V. **Laurate.**

LAUSE ou **LAUZE** [loz] n. f. — 1866, Littré, *lause; lauze,* 1801, Stendhal; *pierre loze,* 1573; de l'anc. provençal *lauza, lausa* «dalle», lui-même du gaulois **lausa,* p.-ê. emprunté à une langue préceltique.

♦ Régional (Sud-Est). Pierre plate utilisée comme dalle ou comme tuile. ⇒ 2. **Lave.**

1 Au bout se levaient deux bornes géantes, la Roche Sannadoire et la Roche Tuillière, celle qui fournit les lauzes dont on couvre les toits.
Henri POURRAT, la Tour du levant, p. 127.

2 Les deux hommes avaient quitté Courmayeur le matin même, à l'heure où la rosée nocturne s'évapore en fumées bleues des lourds toits de lauzes grises.
R. FRISON-ROCHE, Premier de cordée, p. 10.

REM. On écrit aussi *lose, loze.*

LAVABILITÉ [lavabilite] n. f. — 1958; de *lavable,* et *-ité.*

♦ Techn. Qualité d'un objet qui peut être lavé sans altération de son aspect.

LAVABLE [lavabl] adj. — XVe; de *laver,* et *-able.*

♦ Qui peut être lavé, supporte le lavage. *Étoffe lavable. Peinture, papier peint lavable.* ⇒ **Lessivable.**

Le bois des meubles, et jusqu'au métal du lit étaient peints d'un blanc brillant, lavable et cru. M. DRUON, les Grandes Familles, t. I, p. 11, *in* T. L. F.

DÉR. **Lavabilité.**

LAVABO [lavabo] n. m. — 1560, au sens I, 2, «linge»; «bassin», 1503; mot lat. signifiant «je laverai», futur de *lavare.* → Laver.

★ **I.** Liturgie. ♦ **1.** (1721, Trévoux). Prière dite par le célébrant au moment où il se lave les mains avant la consécration et qui commence par *Lavabo inter innocentes manus meas* (Je laverai mes mains parmi les innocents).

Par ext. Action du prêtre qui se lave les mains. — Canon d'autel au coin de l'épître où sont les versets du lavabo.

Moment de la messe où le prêtre fait cette action.

0.1 Au lavabo, monseigneur le majordome et monseigneur le maître de chambre, que deux cardinaux accompagnaient, versèrent l'eau sur les augustes mains de l'officiant (...)
ZOLA, Rome, p. 286.

♦ **2.** (1560). Linge avec lequel le prêtre essuie ses mains. — Fontaine d'ablutions placée à la droite de l'autel.

★ **II.** (1801). Cour. (Du sens précédent). ♦ **1.** (1801). Vx. Table de toilette*, meuble garni d'une cuvette et d'un pot à eau. — REM. On dit aujourd'hui *table de toilette.*

♦ **2.** (1805). Mod. Dispositif de toilette fixe, à hauteur de table, avec cuvette (et, de nos jours), robinets d'eau courante et système de vidange. *Lavabo en zinc, en marbre, en grès cérame, en faïence. Lavabo surmonté d'un miroir mural, de planchettes où l'on range les objets de toilette. Lavabo installé dans une chambre* (→ Bordure, cit. 8), *une salle de bains, un cabinet d'aisances. Petit lavabo, pour se laver les mains.* ⇒ **Lave-mains.** *Lavabos à cuvettes multiples.*

1 (...) il pénétra dans le cabinet de toilette. Là, il s'arrêta, découragé. C'était, sur une étagère de bambou, au-dessus de la tablette du lavabo, un tohu-bohu de fioles. Il empoigna résolument les flacons de parfums... frotta les étiquettes (...) puis il savonna la cuvette (...) HUYSMANS, Là-bas, X.

2 Le marbre rouge d'une table-lavabo encastrait des cuvettes blanches à initiales, et deux appliques électriques soutenaient des lis en perles.
COLETTE, Chéri, p. 86.

♦ **3.** Par ext. Pièce réservée à ce dispositif (on dit plus couramment : *cabinet de toilette*). — REM. *Lavabo* désigne d'ordinaire un lieu public où l'on ne se lave que les mains.

Au plur. (Déb. XXe). Par euphém. *Les lavabos :* les cabinets d'aisances auprès desquels se trouve généralement un lavabo. ⇒ **Toilette** (les toilettes). *Où sont les lavabos? Les lavabos sont au sous-sol.*

3 Mathieu (...) regardait les doigts maigres d'Ivich que le sang barbouillait déjà (...) — Vous êtes folle! dit-il. Venez avec moi aux toilettes, la dame des lavabos va vous panser. SARTRE, l'Âge de raison, XI.

4 — Vous avez été prendre de l'héroïne dans le lavabo du restaurant.
— Mais non, c'est une vieille habitude que j'ai d'aller au lavabo.
Pierre DRIEU LA ROCHELLE, le Feu follet, p. 14.

LAVAGE [lavaʒ] n. m. — 1432; de *laver.*

♦ **1.** [a] Action de laver* (qqch.). *Lavage des murs, des vitres. Lavage d'une voiture, du pont d'un navire* (⇒ **Nettoyage**). *Lavage à grande eau* (→ 2. Pompe, cit. 2). *Lavage du linge.* Absolt. *Jour de lavage.* ⇒ **Lessive.** *Frais de lavage et de repassage. Vêtement usé par de nombreux lavages. Tissu qui résiste au lavage.*

Les trottoirs sentent le savon noir. Lavage des façades et des trottoirs, même quand il pleut à flots. Manie nationale, universelle *(en Belgique).* 1
BAUDELAIRE, Argument du livre sur la Belgique, IV.

[b] Rare. Action de laver qqn *(le lavage d'un enfant à grande eau),* de se laver.

Parfois un arrêt auprès d'un ruisseau permettait un lavage à froid qui raffermit. Il abandonnait ses pieds à l'eau vive; elle emportait la boue (...) 2
J. CHARDONNE, les Destinées sentimentales, p. 348.

[c] (1888). Spécialt. Chir. *Lavage antiseptique* des plaies avec une solution de Dakin.* Méd. Nettoyage d'un organe au moyen d'irrigations. *Lavage de l'urètre, de la vessie, de l'estomac. Lavage de l'intestin.* ⇒ **Lavement.** *Bock, canule, seringue, sonde utilisés pour les lavages.*

(1740). Techn. *Lavage de la laine.* ⇒ **Dégorgement.** *Lavage des chiffons pour la fabrication du papier de luxe. — Lavage des minerais* (par bains, courants d'eau). — *Lavage des cendres pour en retirer les parties solubles.* ⇒ **Lavure, lixiviation.** — *Lavage du beurre à l'eau froide, après le barattage.* — Chim. *Lavage d'une solution pour en ôter les impuretés.* ⇒ **Décantage, décantation.**

[d] Le fait d'effacer, d'enlever en lavant. *Le lavage d'une tache.*

♦ **2.** Fig. Fait d'effacer, de faire disparaître. *Lavage d'un chèque :* action d'en effacer les inscriptions afin de le falsifier.

Les filles, les voleurs à la tire, les joueurs de bonneteau, les spécialistes du vol à l'américaine ou du lavage des chèques se reconnaissent entre eux. 2.1
G. SIMENON, les Mémoires de Maigret, p. 171.

Vieilli. Vente au rabais (pour se débarrasser de qqch.). *Le lavage d'un mobilier* (cf. Goncourt, Zola, *in* T. L. F.).

♦ **3.** Fig. et fam. *Lavage de tête :* verte réprimande. ⇒ **Savon** (fam.).

Alors, il conta en détail la façon dont le chef de l'exploitation l'avait reçu. Oh! un lavage de tête en règle! ZOLA, la Bête humaine, p. 9. 3

♦ **4.** Loc. fig. (Mil. XXe). *Lavage de cerveau** (trad. de l'angl. *brain washing*) : action psychologique forcée et complète sur une personne, l'amenant à modifier ses convictions, ses habitudes culturelles, et à en adopter d'autres. ⇒ **Lessivage.**

Le fameux «lavage de cerveau» a fait passer chez nous la plupart de nos prisonniers; mais qu'est-ce que c'était? Leur dire : «Pourquoi vous battez-vous contre nous?» et dire aux paysans : «Le communisme est d'abord une assurance contre le fascisme» (...) Mais je sais que le lavage de cerveau ne s'est pas limité à ces manifestations anodines. Les séances d'autocritique ont été souvent des séances d'accusation, suivies d'exclusions, d'arrestations et d'exécutions. «Retourne-toi résolument contre l'ennemi tapi à l'intérieur de ton crâne!» 4
MALRAUX, Antimémoires, Folio, p. 539-540.

♦ **5.** Fig. Rare. (Compl. n. de personne). Le fait de réhabiliter, de blanchir* (qqn).

COMP. **Prélavage.**

LAVALLIÈRE [lavaljɛʀ] n. f. et adj. — 1874; de *La Vallière,* nom propre.

★ **I.** N. f. (1874). De *Mademoiselle de La Vallière. Lavallière* ou, par appos., *cravate lavallière :* cravate large et souple, qui se noue en formant deux coques. *Les peintres portaient des lavallières* (→ aussi Cravate, cit. 2). — Parfois écrit (→ cit. 1) comme le n. propre, *La Vallière* (vx).

(...) un col rabattu, échancré sur une cravate bouffante bleu foncé, à vermicelles blancs, forme La Vallière. HUYSMANS, À rebours, IX. 1

(...) un feutre à larges bords, une cravate lavallière noire, un veston, d'étoffe épaisse (...) J. ROMAINS, les Hommes de bonne volonté, t. III, V, p. 90. 2

(...) dans combien de mains s'était gonflée et élargie la magnifique soie bleu-ciel de ma Lavallière avant de me confier à Louisa seconde. 3
J. GIONO, Jean le Bleu, II.

★ **II.** Adj. (1874; du *duc de La Vallière,* célèbre bibliophile du XVIIIe). Reliure. *Maroquin lavallière :* maroquin couleur feuille morte.

LAVANCHE [lavɑ̃ʃ] ou **LAVANGE** [lavɑ̃ʒ] n. f. — 1572, *lavanche; lavange,* 1690; anc. provençal *lavanca,* d'un lat. supposé **lavanca,* issu par changement de suffixe du lat. tardif *labina* «éboulement», lat. *labi* «glisser».

♦ Régional et vx. ⇒ **Avalanche** (encore chez Gautier, *in* G. L. L. F.).

LAVANDE [lavɑ̃d] n. f. — 1383; var. *lavende,* fin XIIIe; probablt de l'ital. *lavanda,* proprt «qui sert à laver», la lavande servant à parfumer l'eau de toilette; de *lavare* «laver».

♦ **1.** Plante dicotylédone *(Labiées),* arbrisseau vivace, aux feuilles linéaires, aux fleurs bleues en épi terminal d'un parfum délicat, qui croît en abondance dans les terrains calcaires de Provence et des Alpes. *Grande lavande* (Lavandula spica), *ou lavande aspic, dite aussi lavande mâle. On tire l'huile d'aspic* de la grande lavande. Lavande officinale* (Lavandula vera) *ou lavande femelle, utilisée en*

parfumerie. — Lavande sauvage de la garrigue (→ 1. Ciste, cit.), *de la montagnette* (→ Fleurer, cit. 2). *Champ de lavande. Senteur violente des lavandes.* ⇒ **Aromate** (cit. 5). *Lavande qui embaume* (cit. 5).
Les feuilles et les fleurs séchées de cette plante. *Sachets de lavande.*

1 J'ai glissé cette lettre dans mon *Imitation*, un vieux livre qui appartenait à maman, et qui sent encore la lavande, la lavande qu'elle mettait en sachet dans son linge, à l'ancienne mode. BERNANOS, Journal d'un curé de campagne, p. 193.

♦ **2.** (Déb. XXe). Eau, essence de lavande (→ 2. Aspic, cit.). *Un flacon de lavande.*

♦ **3.** (V. 1898). Par appos. *Bleu lavande,* ou, ellipt., *lavande* : bleu mauve assez clair.

2 Claudie dansait avec un jeune poète qui portait un pantalon de velours lavande, un sweatshirt, et un anneau d'or à une oreille (...) S. DE BEAUVOIR, les Mandarins, p. 505.

DÉR. Lavandé, 2. lavandière, lavandin.

LAVANDÉ, ÉE [lavɑ̃de] adj. — 1669; de *lavande.*

♦ **1.** Régional ou littér. De la couleur gris-bleu de la lavande.

♦ **2.** Parfumé de lavande.

(...) les draps seraient rèches et lavandés, la fenêtre n'ouvrirait pas sur la rue (...) A. SARRAZIN, l'Astragale, p. 198.

1. LAVANDIÈRE [lavɑ̃djɛʀ] n. f. — 1180; de *laver,* et l'élément *-andière,* de *-ande* (lat. *-andus*) que l'on trouve aussi en ital. (→ Lavande), en provençal, etc., et qui a servi à former *buanderie**; cf. anc. provençal *lavandiera ;* masc. *lavandier* au XIVe.

★ **I.** Anciennt ou poét. Femme qui lave le linge à la main. ⇒ **Blanchisseuse, laveuse.** *Lavandières qui battent le linge au bord de la rivière. Les lavandières du Portugal* (chanson).

★ **II.** (1555). Bergeronnette* ou hoche-queue.

(...) et semblant imiter du battement de leur queue celui qu'elles *(les laveuses)* font pour battre leur linge : habitude qui a fait donner à cet oiseau le nom de lavandière (...) BUFFON, Hist. nat. des oiseaux, La lavandière.

2. LAVANDIÈRE [lavɑ̃djɛʀ] n. f. — 1907, Larousse; de *lavande,* et *-ière.*

♦ Terrain planté de lavande. — REM. On dit aussi *lavanderaie,* n. f. (1931, Larousse) ou *lavanderie,* n. f. (1962, Larousse).

LAVANDIN [lavɑ̃dɛ̃] n. m. — XXe (1945, Bosco, *in* T. L. F.); de *lavande,* et *-in.*

♦ Techn. Hybride de lavande et d'aspic (⇒ 2. **Aspic**), cultivé pour son essence. *Essence de lavandin,* utilisée en savonnerie, en parfumerie.

Les lavandins, au bord des allées, resplendiraient, mais bientôt il faudrait les tailler pour ne pas fatiguer la plante. R. SABATIER, les Enfants de l'été, p. 109.

LAVARET [lavaʀɛ] n. m. — 1552, Rabelais; de *lavarè,* mot savoyard; bas lat. *levaricinus.*

♦ Variété de corégone* *(Coregonus lavaretus),* poisson de lac à chair très estimée.

LAVASSE [lavas] n. f. — 1447; de *laver,* et suff. péj. *-asse.*

♦ **1.** Vx. « Pluie subite et impétueuse » (Littré).

♦ **2.** (1829). Mod. et fam. Boisson, sauce, soupe, infusion... trop étendue d'eau, fade. *Ce café est imbuvable, c'est de la lavasse* (→ fam. Eau* de vaisselle).

Alors, quoi, tu ne sais même pas faire le café? Ça, c'est de la lavasse, du jus de chaussettes, du crachat de chique mélangé à de l'eau. J. CAU, la Pitié de Dieu, p. 213.

Par métaphore. « *Une lavasse de lieux communs...* » (Huysmans).

♦ **3.** Fam. et vx. Femme mal tenue (t. injurieux; → Pouffiasse, etc.).

LAVATÈRE [lavatɛʀ] n. f. — 1808, Boiste; lat. *lavatera* (1771, Linné), probablt du nom de *Lavater.*

♦ Bot. Plante herbacée *(Malvacées),* à variétés décoratives, arbrisseau à fleurs roses ou violacées. *La lavatère d'Hyères (Lavatera albia),* arbrisseau à nombreuses fleurs roses. — On écrit aussi *lavatera.*

LAVATORY [lavatɔʀi] n. m. — 1894, *in* Höfler; « boutique de coiffeur avec cabinet de toilette », 1890; mot angl.; du bas lat. *lavatorium.* → Lavoir.

♦ Vieilli. Lavabos publics avec cabinets d'aisances. *Des lavatories.*

Le « lavatory » était un local, au sous-sol, spacieux et illuminé; ses petits carreaux de faïence blanche, qui recouvraient les murs et scintillaient, me rappelaient les stations du métro de Paris. Le gérant exigeait une propreté flamande. Au cours de ses fréquentes tournées d'inspection, avec l'autorité que confèrent une jaquette noire, un gilet à cœur et un pantalon rayé, il entrait dans chaque cabinet, soulevait le siège, plongeait dans la lunette et flairait, humait, cherchant l'odeur. Henri CALET, la Belle Lurette, p. 90.

1. LAVE [lav] n. f. — 1739; *laive* « pierre volcanique », 1587; ital. *lava,* mot napolitain, du lat. *labes* « éboulement ».

♦ **1.** [a] Didact. et cour. Matière en fusion des éruptions volcaniques* qui se refroidit sous diverses formes et constituée de silicates (ou de carbonates) naturels en fusion, contenant en proportion variable des cristaux et des gaz, qui s'échappent des appareils volcaniques en éruption. ⇒ aussi **Cendre** (volcanique). *Laves poreuses* (→ Friable, cit.). *Lave incandescente* (cit. 1). *La lave se répand comme un déluge de feu* (→ Dévastation, cit. 2). *Coulée de lave.* — Spécialt. Cette matière solidifiée, formée en général de silicates vitreux pouvant contenir des cristaux et des vacuoles. ⇒ **Andésite, trachyte; basalte** (pauvre en silice). *Lave vacuolaire* (ex. : *la ponce*). *Lave cordée,* plissée et dégazéifiée. *Champ de lave. Strates de laves consolidées. Décomposition des laves* (⇒ **Ylia**).

(...) des torrents bouillonnants de lave en fusion, roulant au loin leurs flots brûlants et destructeurs, manifestent au dehors le mouvement convulsif des entrailles de la terre. BUFFON, Époques de la nature, 4e époque. 1

Le relief d'un volcan du genre du Vésuve est donc formé de strates alternantes de laves consolidées et de produits de projections (cendres et brèches). Les laves sont la partie la plus solide de l'édifice, chaque coulée formant en principe une strate massive et compacte; elles remplissent en outre les fentes, formant comme des piliers ou murs de consolidation. E. DE MARTONNE, Géographie physique, t. II, p. 727. 2

[b] Géol. *Lave torrentielle :* dépôt boueux laissé, en fin de crue, dans un chenal d'écoulement, ou sur un cône de déjection, par un écoulement torrentiel.

♦ **2.** Lave pétrifiée utilisée comme pierre de construction (→ Bâtir, cit. 49). *Églises d'Auvergne bâties et couvertes en lave. La lave, réfractaire à la chaleur et aux acides, est employée à la fabrication de tables de laboratoire. Lave émaillée; peinture sur lave* (→ Intégrité, cit. 1). « *Une collection exclusive de tables basses en lave d'Auvergne* » (*Décoration internationale,* no 64, sept. 1983, p. 58).

Non loin de là, à Saint-Amand, nous nous sommes arrêtés pour regarder le beffroi qui nous a paru extrêmement curieux (...) La pierre est d'un assez vilain gris de lave. Julien GREEN, Journal, 28 juil. 1938. 2.1

♦ **3.** Par métaphore et fig. (du sens 1). Ce qui brûle, dévaste. (→ Indignation, cit. 10).

(...) je sentais couler dans mon cœur comme des ruisseaux d'une lave ardente (...) CHATEAUBRIAND, René, p. 191. 3

DÉR. Lavique.
HOM. 2. Lave, formes du v. **laver.**

2. LAVE [lav] n. f. — 1312; du lat. médiéval *lapida* « pierre ».

♦ Vx ou régional. Pierre plate calcaire. « *Un toit de laves* » (Pergaud, *De Goupil à Margot, in* T. L. F.). ⇒ **Lause.**

HOM. 1. Lave, formes du v. **laver.**

LAVÉ, ÉE [lave] p. p. adj. ⇒ **Laver.**

LAVE-DOS [lavdo] n. m. invar. — 1902, *Nouveau Larousse illustré ;* de *laver,* et *dos.*

♦ Brosse à long manche pour se laver et se frictionner le dos.

LAVÉE [lave] n. f. — 1752, Wartburg; de *laver.*

♦ Techn. Quantité de laine en suint qu'on lave en une fois.

HOM. Laver.

LAVE-GLACE [lavglas] n. m. — 1962, Gilbert; de *laver,* et *glace.*

♦ Appareil qui envoie un jet d'eau sur le pare-brise et parfois sur la lunette arrière d'une automobile. *Des lave-glaces. Lave-glace mécanique, à pression. La commande du lave-glace est intégrée à celle de l'essuie-glace.*

LAVE-LINGE [lavlɛ̃ʒ] n. m. invar. — V. 1970; de *laver,* et *linge,* d'après *lave-vaisselle.*

♦ Rare. Machine à laver le linge. ⇒ **Machine** (à laver). « *Les lave-linge* » (titre du *Monde,* 1974, in *la Banque des mots*). « *Le lave-linge pour cinq kilos de linge sec règne en maître* » (*F Magazine,* no 25, mars 1980, p. 17).

LAVE-MAINS [lavmɛ̃] n. m. invar. — 1471 ; de *laver*, et *mains*.

♦ Vieilli. Petit bassin où l'on se lave les mains ; petit réservoir d'eau placé à l'entrée d'un réfectoire, etc. ⇒ **Lavabo.** *Le lave-mains d'une sacristie.*

LAVEMENT [lavmɑ̃] n. m. — Déb. XIIIe, relig. ; de *laver*.

A. (1552). Vx. Action de laver ; lavage*, ablution. — Liturgie rom. Ablution, lotion. *Le lavement des mains* (du prêtre). *Le lavement des pieds*, cérémonie qui a lieu le jeudi saint en souvenir de l'action de Jésus qui, le jour de la Cène, lava les pieds de ses apôtres. — REM. En ce sens, *lavement* ne s'emploie plus que dans ces deux expressions, du fait de la fréquence du sens 2.

B. ♦ **1.** (1628, Paré). Mod. Injection d'un liquide dans le gros intestin, par l'anus, au moyen d'un appareil. ⇒ **Clystère** (vx) **remède** (par euphém.) ; **bock, canule, clysoir, irrigateur, seringue** (→ fam. et vx Bouillon* pointu ; Anodin, cit. 2 ; beau, cit. 81). *Lavements simples, médicamenteux. Lavements émollients, astringents, purgatifs. Lavement baryté*, au sulfate de baryum, en vue d'un examen radiologique. *Prendre un lavement* (→ 2. Hâte, cit. 8). *Lavement à la graine de lin. Herbes pour les lavements* (→ Botanique, cit. 3). *Poire à lavement.*

1 Cette diarrhée est venue avec l'excessive chaleur, je suis tout neuf, je n'ai rien fait que pris quelques lavements à la graine de lin.
BALZAC, Correspondance, 1840, *in* T. L. F.

1.1 Monsieur le marquis devrait être mort ; il n'a survécu que grâce à des lavements d'huile camphrée. PROUST, Du côté de Guermantes, Pl., t. II, p. 588.

♦ **2.** Fig., pop. et vieilli. Personne importune (→ Colique).

2 — Ah ça ! vous n'avez pas bientôt fini de faire le phoque ? En voilà un vieux lavement ! COURTELINE, Messieurs les ronds-de-cuir, 1er tableau, III.

LAVE-PHARES [lavfaʀ] n. m. invar. — V. 1970 ; de *laver*, et *phare*.

♦ Dispositif analogue à l'essuie-glace et au lave-glace, qui permet de nettoyer les phares d'une voiture en marche.

LAVE-PONT [lavpɔ̃] n. m. — 1928 ; de *laver*, et *pont*.

♦ Mar. Balai-brosse à long manche pour laver le pont d'un navire. *Des lave-ponts.*

LAVER [lave] v. tr. — V. 980 ; du lat. *lavare* « laver, nettoyer » et aussi « baigner (un lieu) » en parlant d'un cours d'eau.

★ **I.** ♦ **1.** Compl. n. de chose. [a] Nettoyer (qqch.) avec un liquide, et, spécialt, avec de l'eau*. ⇒ **Abluer** (vx), **ablutionner, décrasser, décrotter, dégraisser, lotionner, nettoyer, relaver.** *Action de laver qqch.* ⇒ **Ablution, lavage, lavement** (1.), **lotion, nettoyage.** *Laver du linge avec de l'eau et du savon** (⇒ **Savonner**), *avec un détersif. Laver qqch. à l'eau froide, laver à l'eau chaude* (⇒ 1. **Échauder**). *Laver un carrelage avec une brosse*, une éponge*, un torchon** (⇒ **Serpillière**). — *Laver du linge**. ⇒ **Aiguayer, blanchir** (3.), **buer** (régional), **essanger, guéer ; blanchissage, buandier,** 1. **lavandière, laverie, lavoir, lessive.** *Tissu qui peut être lavé.* ⇒ **Lavable.**

1 Cependant, Gervaise lavait son linge de couleur dans l'eau chaude, grasse de savon, qu'elle avait conservée. ZOLA, l'Assommoir, I, t. I, p. 23.

2 Les plus modérés veulent que les pauvres soient bien lavés, parce que, disent-ils, l'eau ne coûte rien. Erreur ; l'eau coûte de la peine, et le savon coûte de l'argent. Il faut du temps aussi pour laver les mioches, et du temps pour laver les blouses et les culottes. ALAIN, Propos, 13 nov. 1909, La morale...
REM. Cet exemple illustre aussi le sens 4 : *laver qqn.*

Loc. fig. (V. 1800). *Il faut laver son linge sale en famille :* c'est entre soi et non en public qu'il faut régler les fâcheuses affaires domestiques. — REM. Cette locution (dont Napoléon se servit en rabrouant un jour les membres du Corps législatif) se trouve dans un passage des « Mémoires de Casanova », cité par Guerlac. — Voltaire, à propos des poèmes de Frédéric II de Prusse qu'il était chargé de revoir, écrivait : « le roi m'envoie son linge sale à blanchir ».

3 (...) entre nous, pas de cérémonies, nous nous connaissons assez pour laver notre linge ensemble. BALZAC, le Cousin Pons, Pl., t. VI, p. 550.

4 On serait bien avancé, si les voisins entendaient. On irait en justice, et les bons y perdraient peut-être plus que les mauvais. Tous se turent : il *(Delhomme)* avait raison, ça ne valait rien de laver son linge sale devant les juges.
ZOLA, la Terre, V, VI.

Absolt et spécialt. Laver le linge. *Femme* (cit. 121) *de ménage qui lave et repasse* (→ Brider, cit. 1). — Loc. MACHINE À LAVER : appareil ménager (électrique, etc.) qui brasse le linge dans un liquide détersif. ⇒ **Lave-linge.** *Elle vient d'acheter une nouvelle machine à laver.*

Laver la vaisselle, les uste,siles de cuisine.* ⇒ **Plonge** (faire la). *Laver des écuelles* (cit. 2). *Laver les assiettes avec une lavette*. Eau qui a servi à laver la vaisselle* (⇒ **Lavure, rinçure**). *Laver et frotter les verres* (⇒ **Rincer**). *Machine à laver la vaisselle.* ⇒ **Lave-vaisselle.** — Absolt et vx. *Pierre à laver :* évier. — Vx. *Laver les vaisselles.*

5 Il a été deux ans entiers (...) à laver les vaisselles.
RACINE, Œ. div. en prose, Lett. à auteur des *Hérésies imaginaires.*

Laver le plancher, le carrelage. Laver la maison (→ Frotter, cit. 4). *Laver le pont d'un navire, une barque* (→ Fauberder, cit. ; gondole, cit. 2). *Faire laver sa voiture.*

[b] Par métaphore. *Les pluies ont lavé le pavé* (→ Grand, cit. 28).

(...) ce beau château Louis XIII dont les briques rouges, lavées par la pluie, luisent à mi-côte entre les massifs. 6
Alphonse DAUDET, Contes du lundi, Partie de billard.

[c] Techn. *Laver les laines*, pour les débarrasser de la graisse, du suint...* ⇒ **Dégorger** (faire). *Laver la laine à dos, avant la tonte.* — *Laver le minerai, pour en séparer la terre, les impuretés.* ⇒ **Laverie.** *Orpailleur qui lave le minerai aurifère. Laver les cendres* (d'une fonderie de métaux précieux) *pour en retirer les parcelles d'or, d'argent.* — *Laver les chiffons* (dans la fabrication du papier). → Filigrane, cit. 1 — *Laver le beurre après le barattage.* — *Laver une épreuve photographique. Instantané* (cit. 3) *mal lavé.* — *Laver le papier*, le tremper dans une solution d'alun pour l'empêcher de boire. — *Laver un livre*, en plonger les feuilles dans une solution acidulée pour enlever les taches, les rousseurs.

♦ **2.** Vx (langue class. ; sens du latin). Baigner de ses eaux (le sujet désigne un cours d'eau). « *La Seine au pied des monts que son flot* (cit. 1) *vient laver* » (Boileau).

Et jusqu'au pied des murs que la mer vient laver. RACINE, Bajazet, V, 11. 7

♦ **3.** Arts. Mêler d'eau. *Laver une couleur.* ⇒ **Délayer** (1.). *Laver un dessin*, l'ombrer, le colorier avec de l'encre de Chine, de la sépia, des couleurs délayées dans de l'eau. ⇒ **Lavis.**

Elle apprit à monter à cheval, à danser et à dessiner. Elle lava des aquarelles et des sépias (....) BALZAC, le Curé de village, Pl., t. VIII, p. 564. 8

♦ **4.** (Compl. n. d'être animé). [a] (1080, *Chanson de Roland*). Nettoyer le corps, une partie du corps de (une personne, un animal) avec de l'eau ; nettoyer (une partie du corps). *Laver qqn dans le bain.* ⇒ **Baigner, étuver** (1.). — *Laver les mioches* (→ ci-dessus, cit. 2). — *Laver la figure d'un enfant.* ⇒ **Débarbouiller, frotter** (I., 3.). *Laver les mains de qqn* (→ Essuyer, cit. 1). *Laver son corps* (→ Hétaïre, cit. 2). — *Laver son chien.*

D'abord, après l'accouchement, on lave l'enfant avec quelque eau tiède où l'on mêle ordinairement du vin. Cette addition de vin me paraît peu nécessaire. 9
ROUSSEAU, Émile, I.

Ta fille est belle et vierge, et tout cela se vend ! 10
Pour aller au sabbat, c'est toi qui l'as lavée,
Comme on lave les morts pour les mettre au tombeau (...)
A. DE MUSSET, Poésies nouvelles, « Rolla », III.

Edmond eut honte de ses mains, qu'il n'avait pas lavées depuis le déjeuner. 11
ARAGON, les Beaux Quartiers, II, XVII.

(1538). Fig. *Laver la tête de qqn, à qqn*, le réprimander sévèrement (→ Passer un savon* à). *Tu vas te faire laver la tête.* ⇒ **Engueuler** (fam.).

(Neptune) Après avoir lavé la tête 12
Aux vents auteurs de la tempête (...) SCARRON, Virgile travesti, I.

Vous voudriez pouvoir laver la tête à votre domestique comme vous vous lavez le corps, c'est-à-dire d'une façon désagréable. 12.1
Ch. PAUL DE KOCK, la Grande Ville, t. I, p. 24.

Ils me laveront la tête un peu vivement, et ce sera tout. Un ancien de chez eux reste un collègue, quoi qu'il arrive. 13
J. ROMAINS, les Hommes de bonne volonté, t. II, V, p. 47.

Spécialt. *Laver une plaie.* ⇒ **Absterger, déterger ;** → Étendre, cit. 11. *Laver une plaie par instillation*.* — *Laver un organe interne par des injections.* ⇒ **Injecter ; lavage, lavement** (→ Balayer, cit. 17).

[b] **SE LAVER**, suivi d'un compl. d'objet. *Se laver la figure* (→ Échauder, cit. 1), *les mains** (→ Évier, cit. ; flamber, cit. 9 ; hoquet, cit. 4). *Se laver les pieds** (⇒ **Pédiluve**). *Bassin pour se laver les mains* (⇒ **Aquamanile**). *Se laver les dents.*

Il ne comprit jamais, par exemple, que l'on se lavât le visage avant de se laver les mains. Il disait à Berthe : « Tu touches ta figure avec tes mains sales, c'est une drôle de façon pour se laver. » Ch.-L. PHILIPPE, Bubu de Montparnasse, II. 14

Allus. évang. *Ponce-Pilate se lava les mains et se déclara innocent* (cit. 9) *du sang de Jésus.* — Fig. *Se laver les mains de qqch.*, décliner toute responsabilité qui pourrait en découler, et aussi, ne plus s'en préoccuper.

Si ces jeunes gens sont fusillés, c'est qu'on l'aura bien voulu ! répond-il *(Corentin)* à haute voix, maintenant je m'en lave les mains. 15
BALZAC, Une ténébreuse affaire, Pl., t. VII, p. 521.

(...) de l'air du monsieur qui, ayant rempli sa mission, se lave les mains du reste. 16
J. ROMAINS, les Hommes de bonne volonté, t. V, XXVII, p. 279.

[c] (XIIe). **SE LAVER**, v. pron. Laver son corps. ⇒ **Nettoyer** (se) ; **ablution, bain, toilette** (→ Aller, cit. 114 ; étuve, cit. 1 ; et ci-dessus, cit. 14). *Se laver dans une cuvette, un lavabo, une baignoire, un tub, sous la douche. Se laver à grande eau* (→ Ajuster, cit. 17 ; baille, cit. 1). *Il ne se lave jamais* (→ Empester, cit. 3).

(C'était) Fouillade, le torse nu, qui se lavait à grande eau. Maigre comme un insecte, agitant de longs bras minces, frénétique et tumultueux, il se savonnait et s'aspergeait la tête, le cou et la poitrine jusqu'au grillage proéminent de ses côtes. 17
H. BARBUSSE, le Feu, t. I, XI.

— Monsieur, dit l'homme, je vous demande pardon, mais vous avez probablement un (...) robinet de cuisine, un petit lavabo. J'aurais besoin de me laver, oui (...) 18
J. ROMAINS, les Hommes de bonne volonté, t. I, VIII, p. 86.

Dans la lumière grise de l'aube, l'homme et Nour se lavaient selon l'ordre rituel, partie après partie, recommençant trois fois. L'eau du puits était froide et pure, 18.1

l'eau née du sable et de la nuit. L'homme et l'enfant baignaient encore leur face et lavaient leurs mains, puis ils se tournaient vers l'Orient pour faire leur première prière.
J.-M. G. LE CLÉZIO, Désert, p. 20.

♦ **5.** (V. 1120). Par métaphore. **a** ⇒ **Purifier.** *Le baptême* lave l'âme. Eau qui lave, purifie.* ⇒ **Lustral.** *La confession lave l'âme du pécheur.*

b Fig. *Laver qqn, se laver d'un soupçon*, d'une imputation*, d'une calomnie* (cit. 1). ⇒ **Disculper, justifier.** *Se laver du péché* (→ Hérésie, cit. 10), *d'une faute* (⇒ **Expier**). *Laver sa conscience.*

19 (...) un mémoire justificatif où il se lavait, sans trop de peine, de l'accusation de lèse-majesté. Maurice RAT, Notice du *Mariage de Figaro.*

20 (...) il avait besoin de laver son imagination de toutes les façons d'agir vulgaires, de toutes les pensées désagréables au milieu desquelles il respirait à Verrières.
STENDHAL, le Rouge et le Noir, I, XXII.

21 Depuis deux jours, il se sentait délivré d'elle, de ses sortilèges. Pas seulement délivré : nettoyé (...) Oui, il lui semblait être lavé d'une sorte de souillure (...)
MARTIN DU GARD, les Thibault, t. VII, p. 178.

Laver son honneur, sa réputation...

22 (...) l'honneur sali ne se lave qu'avec du sang.
CYRANO DE BERGERAC, Lettres satiriques, Contre un poltron.

★ **II.** ♦ **1.** Enlever*, faire disparaître au moyen d'un liquide. *Laver une tache, une souillure de boue, une saleté.*

22.1 Je me déshabille vivement pour laver la poussière du train, et derrière les volets, clos à cause du soleil, nous vagabondons en chemise avec volupté.
COLETTE, Claudine à l'école, p. 182, *in* T. L. F.

♦ **2.** (1564). Par métaphore et fig. *Laver un affront* (cit. 8), *une injure* dans le sang,* s'en venger par la violence, en tuant l'offenseur. — *Laver ses taches, ses péchés par des pleurs, dans les pleurs,* les faire disparaître par le repentir (→ Bourbeux, cit. 3; faner, cit. 19).

23 Il expire *(Pyrrhus)*; et nos Grecs irrités
Ont lavé dans son sang ses infidélités.
RACINE, Andromaque, V, 3.

24 Le bain sacré de la pénitence où il venait laver les souillures de son âme (...)
MASSILLON, Oraison funèbre de Villars.

25 Le cœur d'un homme vierge est un vase profond :
Lorsque la première eau qu'on y verse est impure,
La mer y passerait sans laver la souillure,
Car l'abîme est immense, et la tache est au fond.
A. DE MUSSET, Premières poésies, « La coupe et les lèvres », IV, I.

♦ **3.** (V. 1190). *Laver un affront, un outrage* (→ Arrogant, cit. 6). *Laver la honte.* ⇒ **Effacer, purger.** *Laver les péchés* de qqn.*

26 (...) je saurai (...) laver par ta punition la honte de t'avoir fait naître.
MOLIÈRE, Dom Juan, IV, 4.

♦ **4.** Fam. **a** Se débarrasser de (qqch. de compromettant).

b Se débarrasser de (qqch.) en vendant. ⇒ **Lavage.**

27 — Vendez-vous, monsieur? (...)
— Qui est-ce qui *lave* sa contremarque?
— Dix sous d'un parterre... qui est-ce qui veut dix sous? j'en donne dix sous.
Ch. PAUL DE KOCK, la Grande Ville, t. I, p. 163.

c Faire disparaître l'origine illégale de (l'argent). ⇒ **Blanchir.**

28 — Ces types ne sont pas des joueurs. Ils lavent de l'argent (...) On n'a pas besoin d'expliquer au fisc, ou aux flics ou à quiconque, l'origine des sommes gagnées au jeu, puisque précisément elles ont été gagnées devant témoins. L'Américain de Dieppe perdait volontairement contre Pérez et le chauffeur. Il n'était pas en train de jouer avec eux. Il leur payait une très grosse somme.
J.-P. MANCHETTE, Que d'os!, p. 169.

► **LAVÉ, ÉE** p. p. adj.

♦ **1.** *Linge bien, mal lavé. Ranger la vaisselle lavée. — Beurre mal lavé.*
Arts. *Dessin lavé.*

♦ **2.** Fig. Délavé, très pâle. *Couleur lavée. Des yeux d'un bleu lavé. Ciel* (cit. 40) *lavé* (→ Heurter, cit. 37).

♦ **3.** (Personnes). *Enfant bien lavé.* — Subst. *Un mal lavé :* une personne sale.

♦ **4.** *Tache, souillure lavée.* — Fig. *Péchés lavés,* pardonnés, remis.

CONTR. Barbouiller, contaminer, salir, souiller, tacher. — Accuser, imputer.
DÉR. Lavable, lavage, 1. lavandière, lavasse, lavée, lavement, laverie, lavette, laveur, lavis, lavoir, lavougne, lavure.
COMP. Délaver, relaver. — Lave-dos, lave-glace, lave-linge, lave-mains, lave-phares, lave-pont, lave-vaisselle, lave-vitre.
HOM. Lavée.

LAVERIE [lavʀi] n. f. — 1555, « petite pièce où l'on lave la vaisselle »; de *laver,* et *-erie.*

♦ **1.** (1776). Techn. Lieu, usine où on lave le minerai, la houille.

♦ **2.** (1951, in *Larousse mensuel*). *Laverie automatique :* blanchisserie équipée de machines à laver où les clients, souvent, surveillent eux-mêmes le lavage.

LAVETTE [lavɛt] n. f. — 1636; de *laver.*

♦ **1.** Morceau de linge ou brosse à long manche avec lequel on lave la vaisselle.

(...) elle démoule des petits fromages de pays, puis se met à rincer les faisselles (...) 1
La lavette brasse de l'aluminium dans la bassine (...)
Hervé BAZIN, Cri de la chouette, p. 153.

♦ **2.** Régional (Suisse). Carré de tissu éponge servant à la toilette.

Il se penche et presse sur son front une lavette mouillée (...) 2
Anne-Lise GROBETY, Zéro positif, p. 116.

♦ **3.** (XXe; « maladroit », 1862). Fig. et fam. Homme mou, veule, sans énergie. *Une vraie lavette. « Pornographe! Fausse membrane! Pétroleux! Lavette! Égout!... Voilà comment qu'elle le traitait! »* (Céline, *Mort à crédit, in* T. L. F.).

♦ **4.** Pop. Langue.

LAVEUR, EUSE [lavœʀ, øz] n. — 1390; de *laver.*

♦ **1.** Personne qui lave, moyennant rétribution. *Laveur de vaisselle, dans un restaurant.* ⇒ **Plongeur.** *Laveur de voitures, dans un garage. — Une laveuse de vaisselle* (→ Gardeur, cit. 1). ⇒ **Domestique.** *Une laveuse :* domestique qui se charge du lavage. ⇒ **Blanchisseuse, lavandière**; → Chuchotis, cit.; frange, cit. 2. *Laveur de vitres* (d'un immeuble).

(...) c'est une laveuse au lavoir 1
Tapant ferme et dru sur la lessive. VERLAINE, Dédicaces, IV.

Il y a cent ans, une épidémie de peste a tué tous les habitants d'une ville de Perse, sauf précisément le laveur des morts qui n'avait jamais cessé d'exercer son métier. 2
CAMUS, la Peste, p. 147.

Ouvrier chargé du lavage (d'un minerai, de la fonte, etc.).

Mêlée à la poussière et aux blocs de crasse, la fonte était récupérée par le lavage des scories, pelle par pelle, dans un courant d'eau. 3
Je mangeais près de lui *(le père)* avec l'équipe de laveurs (...)
Georges NAVEL, Travaux, p. 27.

Spécialt. *Laveur d'or.* ⇒ **Orpailleur.**

(...) j'allai établir mon camp de laveur d'or, dans la montagne, sur les rives du torrent (...) 4
B. CENDRARS, l'Or, p. 135.

♦ **2.** (1873, Larousse, « machine à laver le linge »). Appareil à laver. *Laveur de tubercules, de racines* (appareils agricoles). *Laveur, laveuse mécanique, électrique :* machine à laver (*laveuse* est cour. en franç. du Canada : *laveuse-sécheuse, laveuse-essoreuse, laveuse automatique, laveuse à tambour*).
Appareil épurateur utilisé dans l'industrie du gaz, le raffinage des produits pétroliers, etc. *« Le mélange* (d'huile traitée et d'acide sulfurique) *est agité dans une "laveuse" doublée de plomb... »* (J. Beck, *le Goudron de houille,* p. 38).

♦ **3.** Par appos. ou adj. *Raton laveur.* ⇒ **Raton.**

LAVE-VAISSELLE [lavvɛsɛl] n. m. invar. — 1969; de *laver,* et *vaisselle.*

♦ Machine à laver la vaisselle. *Des lave-vaisselle automatiques.*

Si je réussissais l'affaire Messina, je lui *(à Marlyse)* offrirais un lave-vaisselle. J'en ai assez de la voir plonger ses jolies mains dans l'eau grasse.
Roger BORNICHE, le Gringo, p. 151.

LAVE-VITRE [lavvitʀ] n. m. — 1973, in *la Banque des mots;* de *laver,* et *vitre.*

♦ Appareil destiné à nettoyer les vitres, vitrages. *Des lave-vitres.*

LAVIGNON [laviɲɔ̃] n. m. — 1754, *Encyclopédie,* art. Coquille; var. *availlon,* dial., XVIe; d'un lat. pop. *lepas, adis,* mot grec, « sorte de coquillage ».

♦ Régional. Coquillage *(Scrobicularia piperata)* qui se mange cru dans la région de Royan.

LAVIQUE [lavik] adj. — 1840; de 1. *lave,* et *-ique.*

♦ Didact. Qui a le caractère des laves. *Roche lavique.*

La végétation paraissait être moins fournie dans la partie de la montagne exposée au nord-est, et on y apercevait des zébrures assez profondes, qui devaient être des coulées laviques. J. VERNE, l'Île mystérieuse, t. I, 1874, p. 120.

LAVIS [lavi] n. m. — 1676; de *laver,* suff. *-is.*

♦ **1.** Procédé qui consiste à teinter un dessin au moyen d'encre de Chine, de sépia, de bistre ou de couleurs étendues d'eau (⇒ **Aquarelle**). *Dessin fait, colorié* au lavis.* ⇒ **Lavé.** *Employer le lavis. Plan au lavis.*

♦ **2.** Dessin exécuté selon ce procédé. *Lavis sur traits de crayon, de plume. Lavis d'encre de Chine. « Les lavis de sépia* (de Fragonard) *sont admirables de fraîcheur et de transparence »* (Réau, Dict. d'art).

1 Le lavis des mappes *(cartes)* de nos géomètres m'avait (...) rendu le goût du dessin.
ROUSSEAU, les Confessions, V.

2 Le Japon a posé l'harmonie comme rivale de la mort. Votre lavis, c'est l'harmonie entre l'homme et l'univers. MALRAUX, Antimémoires, Folio, p. 571.

LAVOIR [lavwaʀ] n. m. — V. 1360; *laveür, lavur* «évier», 1283; de *laver*, et *-oir*, ou du lat. *lavatorium*.

♦ **1.** Vx. ⇒ **Évier.** *Lavoir de cuisine* (Littré). — Lavabo, dans une communauté, un couvent, une sacristie.

Bac en ciment pour laver le linge.

♦ **2.** (1611). Lieu où on lave le linge; construction destinée au lavage du linge. *Lavoir public, communal; lavoir édifié à l'emplacement d'une source, au bord d'une rivière. Enceinte couverte, dalles, bassin, réservoir d'un lavoir. Laver le linge, la lessive au lavoir* (→ Grain, cit. 22).

1 Le lavoir était situé vers le milieu de la rue (...) C'était un immense hangar, à plafond plat (...) ZOLA, l'Assommoir, I, t. I, p. 15.

2 Il y avait encore, contre le quai de Gèvres, un grand lavoir, avec ses charpentes verdies par l'eau, dans lequel on entendait les rires et les coups de battoir des blanchisseuses. ZOLA, Son Excellence Eugène Rougon, t. I, p. 98.

LAVOUGNE [lavuɲ] n. f. — 1961; de *laver*, et un suff. *-ougne* qui, d'après Cellard et Rey, évoque la saleté (→ Bougnat, gougnafier).

♦ Argot. Lavage; lessive, vaisselle. *«Les jours de lavougne»* (A. Sarrazin, *la Cavale*, p. 191).

DÉR. Lavougner.

LAVOUGNER [lavuɲe] v. tr. — 1961, cit.; de *lavougne*.

♦ Argot. Faire la lessive; laver (le linge).

(...) je n'ai plus de chemisier propre, et laver aujourd'hui (...) trêve de lessive, on n'entend parler que de ça depuis ce matin. Les détenus lavougnent comme prévu : je ne peux quand même pas assurer le ménage, le raccommodage, l'entretien de ma carcasse et de mon affaire, et la lessive par-dessus le marché.
A. SARRAZIN, la Cavale, p. 190 (1961/62).

LAVURE [lavyʀ] n. f. — XIVe; *laveüre*, v. 1155; *lavadure*, v. 1050; de *laver*, et *-ure*.

♦ **1.** Liquide qui a servi à laver qqch. ou qqn. Spécialt. *Lavure de vaisselle**. ⇒ **Eau, rinçure.**

Fig. Bouillon, potage fade et insipide. ⇒ **Lavasse.**

♦ **2.** Action de laver. *Eau de lavure.* Spécialt. **a** Opération par laquelle on lave certaines matières. ⇒ **Lavage.** *Lavage du minerai, des cendres ou des balayures des ateliers d'orfèvres.* — (1611). Par métonymie. Parcelles de métal précieux obtenues par lavure. *Lavures de fondeurs, de la Monnaie.*

1 (...) là s'arrêtent les Temples, éboulés au plus bas, lumineux comme des lingots oubliés dans la lavure des cendres. Paul MORAND, Rien que la terre, p. 37.

b (1690). Reliure. Opération par laquelle on plonge les feuilles d'un livre dans une solution acidulée, pour en faire disparaître les taches.

♦ **3.** Par métonymie. (Au plur.). Parcelles (de métal précieux) recueillies par la lavure (2.). *Lavures d'or, d'argent.*

♦ **4.** (1879, Huysmans; *lavure de vaisselle*, 1849, Flaubert). Fig., de 1. Argot. Personne vile, racaille. ⇒ **Raclure.**

2 Sur la zone, les hommes comme mon père, comme moi, on les appelait des lavures. On respectait les voleurs, les tueurs qui se risquaient. Pas les mendigots. Pas les dégonflés. Louis CALAFERTE, Partage des vivants, p. 74.

LAWN-TENNIS [lawntenis; lontenis] n. m. invar. — 1880; mot angl. (1874), «paume *(tennis)* de pelouse *(lawn)*».

♦ Vx ou admin. ⇒ **Tennis.** *Fédération française de Lawn-Tennis. Une partie de lawn-tennis* (→ Avantage, cit. 24.1).

Terrain pour ce jeu (→ Tennis).

Juste au milieu de ce verger on avait abattu quelques pommiers, afin d'obtenir la place nécessaire au lawn-tennis, et un filet goudronné, tendu par le travers de cet espace, le séparait en deux camps. MAUPASSANT, Fort comme la mort, p. 199.

LAWRENCIUM [lɔʀɑ̃sjɔm] n. m. — 1962, *in* G. L. E.; angl. *lawrencium*, Berkeley, 1961; du nom du physicien E. O. *Lawrence*, et *-ium*.

♦ Chim. Élément transuranien (série des actinides*), le dernier des éléments de transition; symb. *Lw*, nº at. : 103, p. at. : 257.

LAWSONIA [losɔnja] n. m. — 1821; *lawsonie*, 1803; lat. savant *lawsonia*, du nom du botaniste angl. Isaac *Lawson*.

♦ Bot. Arbuste originaire d'Arabie (famille des *lythracées*) dont la racine fournit un colorant rouge (henné).

LAXATIF, IVE [laksatif, iv] adj. et n. m. — XIIIe; lat. médiéval *laxativus*, du supin de *laxare* «lâcher».

♦ **1.** Adj. Qui relâche l'intestin, purge légèrement. ⇒ **Cathartique, purgatif.** *Remède, médicament laxatif. Substance, tisane laxative. Les pruneaux, le miel sont laxatifs, ont des propriétés laxatives.*

L'eau de mer est déclarée laxative. Il se peut que le sulfate de calcium et le sulfate de magnésie qu'elle contient provoquent un tel effet lorsqu'on sort à terre, dans des conditions normales, mais, après expérience, je nie absolument qu'elle le soit en mer. Alain BOMBARD, Naufragé volontaire, p. 65. 1

Par plaisanterie :

Je ne sais si la peur est un peu laxative (...) J.-F. REGNARD, le Légataire universel, IV, 4. 2

♦ **2.** N. m. *Un laxatif. Principaux laxatifs :* bourdaine, casse, lin (graine de), magnésie, mercuriale, rhubarbe, tamarin (...) *Laxatif utilisé en suppositoires, en lavements. Prendre des laxatifs.*

CONTR. Astrictif, astringent, constricteur.

LAXISME [laksism] n. m. — 1912; du lat. *laxus* «desserré, lâche». Didactique.

♦ **1.** Doctrine morale, théologique (et, par ext., philosophique) tendant à supprimer les interdits, à concilier des éléments opposés.

Je suis pour ma part choqué par le manque de rigueur et d'austérité intellectuelle de cette philosophie *(de Teilhard de Chardin)*. J'y vois surtout une systématique complaisance à vouloir concilier, transiger à tout prix. Peut-être après tout Teilhard n'était-il pas pour rien membre de cet ordre *(les Jésuites)* dont, trois siècles plus tôt, Pascal attaquait le laxisme théologique. 1
Jacques MONOD, le Hasard et la Nécessité, p. 50.

C'est probablement cet aspect conscient et voulu de son expérience qui est le plus mal connu. Le vocabulaire qu'elle emploie peut prêter à équivoque. Cet abandon, cette désappropriation, cette souplesse de l'âme qu'elle prône sont interprétées *(sic)* par ses adversaires *(de Jeanne Guyon)* comme un laxisme. 2
F. MALLET-JORIS, Jeanne Guyon, p. 515.

♦ **2.** Tendance marquée à la conciliation, à la tolérance (excessive). *Accuser un critique de laxisme. Vous supportez tous ces anglicismes? C'est du laxisme!*

CONTR. Purisme, rigorisme.

LAXISTE [laksist] adj. et n. — 1908, cit.; du lat. *laxus*, suff. *-iste*.

♦ Didact. Qui professe ou concerne le laxisme. *Il est un peu laxiste. Morale laxiste. Un dictionnaire laxiste.* — N. *Un, une laxiste.* ⇒ **Latitudinaire.** *C'est un laxiste en matière de langage.*

Jaurès tient pour la méthode douce et conciliante (...) c'est un probabiliste dans toute la force du terme, — ou même un laxiste. Vaillant recommande la méthode forte et batailleuse (...) c'est un tutioriste et une sorte de janséniste.
G. SOREL, Réflexions sur la violence, p. 38, *in* D. D. L., II, 15.

CONTR. Puriste, rigoriste.

LAXITÉ [laksite] n. f. — Mil. XVIe, Amyot; lat. *laxitas* «relâchement», de *laxus* «lâche».

♦ Didact. État de ce qui est lâche, distendu. — Physiol. «Défaut de tension et de résistance dans les fibres musculaires, conjonctives ou élastiques» (Garnier).

CONTR. Distension, tension.

LAYE [lɛ] n. f. ⇒ **3. Laie.**

1. LAYER [leje] v. tr. — Conjug. *payer*. — 1307, au sens 2; probablt du francique **lâkan* «munir d'une marque indiquant une limite». Technique (Eaux et Forêts).

♦ **1.** Marquer (les arbres à épargner) dans une coupe.

♦ **2.** (1690). Faire traverser (un bois) par une laie, un layon. *Layer un bois, une forêt.* — Par ext. Délimiter (une superficie de bois) par une laie périphérique.

DÉR. 2. **Laie, layeur.**

2. LAYER [leje] v. tr. — 1471; de 4. *laie* «rayure faite sur la pierre en layant».

♦ Dresser (le parement d'une pierre) avec une laie.

LAYETERIE [lɛjɛtʀi] n. f. — 1765, *Encyclopédie*; de *layette* «coffre».

♦ Techn. Industrie des caisses et des emballages. — On trouve aussi la graphie *layetterie.*

LAYETIER [lɛjtje] n. m. — 1582; de *layette* «coffre», et *-ier.*

♦ Techn. Ouvrier (ou artisan industriel) qui fabrique des layettes, des caisses et emballages en bois. *Layetier-emballeur.*

Une industrie caractéristique en Russie est celle de layetier. — L'imitation de l'Occident le cède au pur goût de l'Asie dans la confection des malles; il y en a toujours de nombreux magasins à Nijni-Novgorod, et c'était là que nous faisions nos plus longues stations. Th. GAUTIER, Voyage en Russie, II, p. 410.

LAYETTE [lɛjɛt] n. f. — Mil. XIVe, «boîte, coffret où l'on range des objets personnels»; de 3. *laie* «boîte, coffret»; P. Guiraud y voit un déverbal de *laier* «ménager un espace vide». → 2. Laie.

♦ **1.** Vx. Tiroir où l'on rangeait des papiers. — Petit coffre*, petite caisse en bois (⇒ **Emballage**). — Spécialt. *Layettes du trésor des chartes :* «cartons des Archives nationales, renfermant les originaux des actes de la chancellerie royale, par opposition aux *registres,* contenant seulement la copie des documents» (Lepointe).
Mod., techn. Petit meuble à tiroirs nombreux destiné au rangement de menus objets. *Les layettes aux fournitures d'un atelier d'horlogerie.*

♦ **2.** (1671). Mod. (par métonymie, du contenant au contenu). Ce qui sert à vêtir un nouveau-né. ⇒ **Linge, trousseau.** *Préparer une layette. Tricoter de la layette. Bonneterie où l'on vend des articles de layette.*

Avant l'événement, j'avais de mes doigts cousu la layette et brodé, garni moi-même les bonnets. BALZAC, Mémoires de deux jeunes mariées, Pl., t. I, p. 254.

DÉR. Layeterie, layetier.

LAYETTERIE [lɛjɛtʀi] n. f. ⇒ **Layeterie.**

LAYEUR [lɛjœʀ] n. m. — 1669; de 1. *layer,* et *-eur.*

♦ Techn. Celui qui laye, trace des laies. — REM. Le fém. *layeuse* est virtuel.

1. LAYON [lɛjɔ̃] n. m. — 1865; de 2. *laie.*

♦ Petite laie; sentier tracé pour faciliter la marche des chasseurs. *Layon pratiqué dans les tirés* d'une chasse*.*
REM. Alors que 2. *laie* est un mot technique ou juridique, *layon,* sans être courant, est du langage commun, au sens de «sentier en forêt». Le mot est fréquent dans la langue littéraire.

1 (...) de l'allée un layon moussu, un ruisselet d'ombre glauque où des taches de soleil brillaient comme des galets, s'est insidieusement détaché et nous a détaché avec lui. Nous le suivons, nous tournons, nous franchissons des lignes que le soleil enfile d'un jet, des fossés tremblotants d'eau cachée.
M. GENEVOIX, Forêt voisine, p. 40.

2 (...) à la fin je me fatiguai de marcher complètement à travers bois et suivis un layon mais mon ombre était alors sur ma gauche, au bout d'un moment je trouvai un autre layon qui le croisait perpendiculairement (...)
Claude SIMON, la Route des Flandres, p. 138.

3 Comme un fleuve laiteux, le ciel coulait entre les palmes noires et déchiquetées des sapins, reproduisant là-haut l'image rectiligne du layon que suivaient les fugitifs. Roger IKOR, les Fils d'Avrom, La greffe de printemps, p. 72.

4 (...) ainsi dans la forêt, furtif, parabolique, le chevreuil qui déboule et suit d'un trait le layon. Claude ROY, Nous, p. 192.

HOM. 2. Layon.

2. LAYON [lɛjɔ̃] n. m. — 1867, Littré; forme agglutinée de *l'hayon,* de *haie.*

♦ Techn. ou régional. Partie mobile qui ferme l'arrière d'un tombereau. ⇒ **Hayon.**

HOM. 1. Layon.

LAZAGNE [lazaɲ] n. m. — 1836; de l'ital. *lasagna,* par métaphore → Lasagne.
Argot ancien ou littéraire.

♦ **1.** Lettre. *Balancer une lazagne.*

♦ **2.** (V. 1860, *in* Cellard et Rey, par abrév. de *porte-lazagne*). Porte-monnaie. ⇒ **Lazingue.**

DÉR. Lazingue.
HOM. Lasagne.

LAZARET [lazaʀɛ] n. m. — 1567, «léproserie»; de l'ital. *lazzaretto,* altér. de *Nazareto;* nom donné à l'hôpital *Santa Maria di Nazaret,* lieu de quarantaine, par croisement probable avec *Santo Lazzaro* «patron des lépreux».

♦ **1.** Établissement où s'effectue le contrôle sanitaire, l'isolement des malades contagieux, dans un port, une station frontière, un aérodrome. *Les personnes et les marchandises venant de pays où règnent des maladies épidémiques sont examinées dans le lazaret. Les voyageurs subirent la quarantaine* au lazaret.*

1 C'était le temps de la peste de Messine. La flotte anglaise y avait mouillé et visita la felouque sur laquelle j'étais. Cela nous assujettit en arrivant à Gênes (...) à une quarantaine de vingt-et-un jours. On donna le choix aux passagers de la faire à bord ou au lazaret (...) Tous choisirent la felouque. L'insupportable chaleur, l'espace étroit, l'impossibilité d'y marcher, la vermine, me firent préférer le lazaret, à tout risque. ROUSSEAU, les Confessions, VII.

1.1 — Oui, le palais où *nous* sommes cloués tient de la prison et de l'asile, de la basse-fosse et du lazaret. Voilà avec quoi l'Église désormais a partie liée.
A. ARTAUD, Dossier des Cenci, Appendice, *in* Œ. compl., t. IV, p. 327.

♦ **2.** Établissement sanitaire, hôpital ressemblant à un lazaret.

(...) le médecin du bord déclara qu'il était impossible de poursuivre le voyage (...) 2
et qu'il allait téléphoner à l'hôpital de la Conception. Au prix de mille douleurs, le blessé fut acheminé vers ce lazaret sordide, semblable, au cœur de la ville joviale *(Marseille),* à quelque ulcère honteux, à quelque réduit de la désespérance.
G. DUHAMEL, Salavin, VI, XXIX.

Local destiné à l'isolement de nouveaux arrivants dans un établissement de soins.

LAZARISTE [lazaʀist] n. m. — 1721, *lazarite;* de *Saint-Lazare,* nom d'un prieuré.

♦ Membre de l'ordre religieux fondé en 1625 par saint Vincent de Paul. *Les lazaristes sont appelés prêtres de la Mission.* — En appos. *Frère, père lazariste.*

LAZARONE [ladzaʀɔne] ou [lazaʀɔ̃] n. m. ⇒ **Lazzarone.**

LAZARONISME [ladzaʀɔnism] ou [lazaʀɔnism] n. m. ⇒ **Lazzaronisme.**

LAZINGUE [lazɛ̃g] n. m. — 1930; var. de *lazagne,* pour *porte-lazagne.*

♦ Argot. Portefeuille, porte-monnaie.

— Les papiers de cette voiture!... la carte grise!... votre permis de conduire! Tiens! vous êtes à la circulation maintenant, charrie Paulo, sortant son lazingue.
Albert SIMONIN, Hotu soit qui mal y pense, p. 128.

LAZO [lazo] n. m. Vx. ⇒ **Lasso.**

LAZULITE [lazylit] n. m. — 1795; de *lazuli.* → Lapis-lazuli.

♦ Didact. Lapis-lazuli.

LAZZARONE [ladzaʀɔne] ou [lazaʀɔ̃] n. m. — 1782, Mercier, *lazzaron;* nombreuses variantes depuis 1665; du napolitain *lazzarone* «mendiant», de *lazzaro.* → Ladre.

♦ Littér. Homme du bas peuple, à Naples. *«Des lazzaroni»* (Académie). → Bronze, cit. 3, Gautier. — *Les lazzaroni du port de Naples ont une solide réputation de paresse.*

Nelson, que j'avais rencontré plusieurs fois dans Hyde Park, enchaîna ses victoires à Naples dans le châle de lady Hamilton, tandis que les lazzaroni jouaient à la boule avec des têtes.
CHATEAUBRIAND, Mémoires d'outre-tombe, t. II, p. 155.

On écrit parfois *lazarone.*

DÉR. Lazzaronisme.

LAZZARONISME [ladzaʀɔnism] ou [lazaʀɔnism] n. m. — 1841; de *lazzarone,* et *-isme.*

♦ Vx. Indolence, paresse (attribuée à une population, à l'hérédité).

(...) elle demeura quelque temps amollie, détendue, dans une délivrance de ses idées, un paresseux lazzaronisme d'âme.
Ed. et J. DE GONCOURT, Madame Gervaisais, p. 44.

On écrit parfois *lazaronisme.*

LAZZI [ladzi] n. m. — 1700, «pantomime, bouffonnerie»; orig. incert.; p.-ê. de l'esp. *lazo* «ruse», proprt «lacet» (→ le franç. *lacs*); l'hypothèse du rattachement à l'ital. *lazzi* (pluriel), de *l'azzi,* abrév. de *l'azzioni* «jeux de scène bouffons», du lat. *actio* «action», est contestable.
REM. Plur. *Des lazzi; des lazzis.*

A. N. m. pl. ♦ **1.** Vx. Suite d'actions, de gestes qui forment un jeu de scène bouffon. ⇒ **Pantomime; bouffonnerie.**

C'est, au fond, une scène de lazzi : passe encore si cette scène était nécessaire; 1
mais elle ne sert à rien.
VOLTAIRE, Commentaires sur Corneille, Nicomède, II, 3.

(...) à cette pensée nous prit un subit frisson, que des marionnettes allaient, par 1.1
leurs lazzis, dérider nos fronts mornes, car il semblait que sur une telle scène à la verve des acteurs de bois dût applaudir la claque d'os des maxillaires.
A. JARRY, les Minutes de sable mémorial, Pl., t. I, p. 180.

♦ **2.** (1732). Par ext. Plaisanteries bouffonnes et moqueuses. *«Il l'a poursuivi de ses lazzi»* (Académie).

Malgré les dires de la ville et les lazzi du commerce, malgré les charitables sup- 2
positions de son prochain, il resta confiné dans le vieux, humide, et sale rez-de-chaussée. BALZAC, le Curé de village, Pl., t. VIII, p. 552.

Aux récréations, la petite *baronne* fut accablée de ces lazzis bêtement méchants, 2.1
si douloureux aux cœurs sensibles, et qui, entre enfants, sont décochés avec une sorte d'innocence cruelle. Louise MICHEL, la Misère, t. I, p. 237.

Il en était résulté, de part et d'autre *(entre Talleyrand et Fouché),* une haine acide 3
se manifestant par un constant échange de mauvais procédés, de réciproques traquenards — et aussi de continuels *lazzi;* car ils ne manquaient ni l'un ni l'autre de mordant, encore que leurs esprits fussent d'aloi fort différent.
Louis MADELIN, Talleyrand, III, XXII.

B. N. m. sing. ⇒ **Moquerie, plaisanterie, raillerie.** — REM. Cet emploi est condamné (au nom de l'étymologie) par l'Académie, *lazzi* étant en italien une forme plurielle. — *Un lazzi.*

4 Il faisait ce lazzi pour mieux m'engager à ne lui pas manquer de parole.
A. R. LESAGE, Guzman d'Alfarez, V, 1.

5 Voici cependant un lazzi que je vous fais passer, parce que je le tiens de la première main. MIRABEAU, *in* CHAMFORT, Lettres de Mirabeau, I, 22 juin 1784.

6 Cependant, à un dernier lazzi du chef d'orchestre qui répondit à Gambara, les convives s'étaient retirés en riant aux éclats.
BALZAC, Gambara, Pl., t. IX, p. 433.

7 La verve de chacun est souveraine. Un lazzi suffit pour ouvrir le champ à l'inattendu. HUGO, les Misérables, III, IV, V.

7.1 Sa lessive terminée, le matelot, par plaisanterie, donna son savon à Fogar, en accompagnant ce présent intentionné d'un lazzi amical sur la couleur de peau du jeune nègre. Raymond ROUSSEL, Impressions d'Afrique, p. 363.

REM. Si l'on admet cet emploi, le plur. francisé *des lazzis* est alors normal. → ci-dessus cit. 1.1, 2.1 et ci-dessous cit. 8.

8 Sa complaisance, qui décevait ses amis secrets et comblait ses adversaires, suscita un carnaval de lazzis et d'injures. M. BARRÈS, Leurs figures, p. 311.

L. C. R. [ɛlseɛʀ] n. f. — Sigle.

♦ Lettre* de change-relevé.

1. LE [lə] (masc.), **LA** [la] (fém.), **LES** [le] (plur.), art. défini. — 980; des cas-objet du lat. *ille*, qui ont donné aussi les pronoms personnels *le, la, les.*

REM. 1. *Le, la* se réduisent à *l'* devant une voyelle ou un *h* muet : *l'ami, l'école, l'habit.* Combinés avec *à* et *de, le* et *les* ont formé par «écrasement» *au* et *aux, du* et *des ;* avec *en, les* a donné *ès.*

2. Dans l'ancienne langue, *le, la, les* étaient d'un emploi beaucoup plus restreint qu'aujourd'hui ; on les trouvait rarement devant les noms abstraits, ou sans extension, ou devant les noms propres. Cette absence d'article s'est maintenue en français moderne : — dans les proverbes, les devises, les comparaisons usuelles : *noblesse oblige, dur comme fer ;* — devant le second nom de groupes consacrés par un usage ancien : *les us et coutumes, les Ponts et Chaussées ;* — après une préposition, lorsque le groupe préposition-nom a la valeur d'un adjectif ou d'un adverbe : *peindre d'après nature ;* — dans des locutions verbales stéréotypées, où un verbe très usuel *(avoir, faire, prendre...)* forme avec le nom une unité de sens *(avoir froid, faire fête, prendre parti).* Dans ce cas, comme dans le précédent, le nom sans article ne peut recevoir la détermination d'un adjectif ou d'une proposition relative, sauf cas consacrés par l'usage *(avoir grand-faim) ;* — devant les noms propres de personnes ou de villes (sauf intention particulière entraînant l'article. → *infra,* I., 3.). — Dans tous les autres cas, l'absence d'article répond au désir de donner plus de rapidité à une énumération *(Femmes, moine, vieillard...* La Fontaine), plus de généralité à un attribut *(c'est sottise que de le croire)...*

★ **I.** LE, LA, LES devant un nom.

♦ **1.** (Devant un nom générique, espèce, concept, etc.). *Le chien est un mammifère carnivore. C'est la femme* (cit. 50) *qui fait le monde. L'homme est un dieu tombé qui se souvient des cieux* (Lamartine). — Par métaphore. Devant un nom propre.

1 Sur le Racine mort le Campistron pullule ! HUGO, les Contemplations, I, VII.

REM. Dans l'ex. suivant, l'élision normale de *le, la* est supprimée, ce qui crée un effet stylistique.

1.1 (...) elle *(la petite Bretonne)* rapporta sa liste de mots français et se mit à réciter tout bas : «le avril, la biquette, la dure, la erreur, le messager, le monsieur, le toc-toc, le trisaïeul, le tuf, la vermine, le vilain, le vis-à-vis, la volée, le zèle, le zouave...» PROUST, Jean Santeuil, Pl., p. 126.

Par iron. ou emphatiquement. *Ce n'est pas un poète, c'est le poète. C'est la belle vie.*

2 Enfin il résolut de rapporter ses sentiments, ses idées, ses affections à une femme, une femme ! La PHAMME ! *(sic).*
BALZAC, la Maison Nucingen, Pl., t. V, p. 611.

(Au pluriel, pour désigner tous ou presque tous les individus d'une espèce, d'un ensemble). *Les hommes sont méchants.*

3 L'homme est plus intéressant que les hommes ; c'est lui, et non pas eux que Dieu a fait à son image.
GIDE, Littérature et Morale, *in* Journal 1889-1939, Pl., p. 93.

3.1 Il ne se disait pas qu'il y avait dans le canal des cygnes mais «les» cygnes, et dans le terrain un camélia mais «le» camélia, qui étaient des choses probablement aussi uniques en leur genre et en tous cas aimées et connues en tant qu'elles étaient bien celles-ci. PROUST, Jean Santeuil, Pl., p. 334.

(Au pluriel, devant un nom propre de famille, pour désigner tous les individus d'une même famille, d'une même dynastie). *Les Durand sont venus nous voir. Les Bourbons. Les Médicis.* — *«Les Rougon-Macquart», «Les Oberlé», «Les Roquevillard»,* titres de romans. — (En parlant des individus célèbres d'une famille). *Les Goncourt :* les frères Goncourt. *Les Horaces.* — Par ext. (pour désigner les individus qui peuvent être assimilés par leurs mérites, leurs œuvres, etc., à celui qui porte tel nom). *Les Homères et les Virgiles.*

♦ **2.** «Article de notoriété». (Devant un nom désignant un objet unique très connu, ce qui est conforme à l'usage, à la norme ou, du moins, ce qui est connu du lecteur, de l'interlocuteur). *Le Soleil, la Lune* (ou : *le soleil, la lune*). *Mettre le couvert. Fumer la pipe. Garder la chambre. Jouer la comédie.*

(Avec des noms de maladie). *Avoir la rougeole, la fièvre.* — (Notoriété occasionnelle, résultant du contexte, des circonstances, etc.). *Le six février 1934. Le dix de ce mois. L'heure est grave* (l'heure présente). *Fermez la porte. Les enfants sont sortis. J'irai dans les trois jours* (ceux qui suivent le moment dont on parle). — REM. Un nom qui vient d'être présenté avec l'article indéfini peut, s'il est repris immédiatement après, être précédé de *le, la* ou *les.*

Certain fou poursuivait à coups de pierre un sage. 4
Le sage se retourne (...) LA FONTAINE, Fables, XII, 22.

Comme il débutait dans le pays, il avait soigné les choses (...) 5
FLAUBERT, Mme Bovary, I, IV.

(Devant les noms de parties du corps, *le, la, les* suffisant souvent pour désigner le possesseur, en particulier quand le contexte contient un pronom personnel ou réfléchi). *Baisser les yeux. Demeurer les bras* (cit. 19) *croisés. Un frisson* (cit. 4) *lui secoua les épaules. Je lui ai fermé la bouche* (cit. 15 et 21). *Il s'est cassé la jambe.*

Le cœur me battait fort en poussant la barrière du jardin. 6
GIDE, la Porte étroite, III. — Comparer : «Mon cœur battait si fort que je crois qu'elle le sentit (...)» *(ibid.,* II).

REM. 1. À cet emploi «notoire» de l'article peut se rattacher ce qu'on a appelé l'emploi «typique». *Jouer à l'innocent. Faire l'imbécile. «Qui veut faire l'ange fait la bête»* (Pascal). *«En faisant ici les Bohèmes»* (Hugo). ⇒ **Faire,** III., 5. (cit. 157 à 163).

2. Se rattache également à cette nuance l'emploi de *le, la, les,* avec affection ou prétention, devant des noms désignant des objets familiers, ou dont on est propriétaire.

Le chauffeur dit : *ma* voiture, mais le patron dit : *la* voiture, et ce n'est pas par modestie. 7
A. HERMANT, *in* F. BRUNOT et Ch. BRUNEAU, Grammaire historique, n° 494.

Pour les petites Herpain, *la* maison de la rue Carnot n'était ni belle, ni laide. C'était *la* maison. A. MAUROIS, le Cercle de famille, I, VII. 8

♦ **3.** Employé particulièrement devant les noms déterminés par un complément, ou une proposition. *Le Livre de mon ami,* ouvrage d'A. France. *La peur de vivre. La lutte pour la vie. Les grenouilles qui demandent un roi* (La Fontaine). *C'est l'homme dont je vous ai parlé. L'espoir de réussir. J'ai la certitude qu'il s'est trompé.*

(Devant des noms propres qui habituellement ne prennent pas l'article). *Le Bossuet des Oraisons funèbres. Le Néron de Racine. Le Néron que l'on découvre au quatrième acte de* Britannicus. — *Le Paris de ma jeunesse. Ce n'est plus le Berlin que j'ai connu.* — (Ces mêmes noms étant accompagnés d'un adjectif à valeur déterminative). *Le grand Corneille. Le vieux Paris. La Tunis arabe* (J. Romains).

Ce n'était pas le Paris clair et bien dessiné qu'on découvre du haut des collines illustres, c'était une immensité confuse (...) 9
G. DUHAMEL, Chronique des Pasquier, I, III.

(...) il fut question d'un immeuble, de sérieuse importance, situé sur le territoire de la commune de Saint-Cyr (non pas le Saint-Cyr l'École, mais le Saint-Cyr sous Dourdan). J. ROMAINS, les Hommes de bonne volonté, t. V, VI, p. 51. 10

♦ **4.** Employé avec une valeur démonstrative ou exclamative. *Oh ! le beau chien. Debout* (cit. 13), *les morts !*

Passez votre chemin, la fille, et m'en croyez. LA FONTAINE, Fables, III, 1. 11

Dormez, les champs ! dormez, les fleurs ! dormez, les tombes ! 12
HUGO, les Contemplations, VI, À celle qui est restée en France, VIII.

«Adieu, les camarades», nous dit-il tout à coup (...) 13
PROUST, À la recherche du temps perdu, t. I, p. 165.

♦ **5.** Employé avec une valeur distributive : — (Devant un nom au singulier désignant une unité, ou un objet pris comme unité). ⇒ **Chaque, par.** *Cent francs la pièce.* — (Devant un nom de division du temps pour marquer la fréquence). *Elle sort deux fois* (cit. 7 et 9) *le mois.*

Pendant tout l'hiver, trois ou quatre fois la semaine à la nuit noire, il arrivait dans le jardin. FLAUBERT, Mme Bovary, II, X. 14

(Devant un nom de jour, pour indiquer la périodicité). *Le médecin reçoit le lundi* ou *les lundis* (chaque lundi).

♦ **6.** (Après certaines prépositions, et devant un nom de nombre, pour indiquer une approximation, en particulier dans les compléments de temps). *Sur les deux heures, vers les huit heures.* — REM. Cet emploi est légèrement familier.

Qu'il fasse beau, qu'il fasse laid, c'est mon habitude d'aller sur les cinq heures du soir me promener au Palais-Royal. DIDEROT, le Neveu de Rameau. 15

Quand le courrier de Banon passe à Vachères, c'est toujours dans les midi. 16
J. GIONO, Regain, I, I.

— Quel est le chiffre du loyer ? — Tout compris, ça ira chercher dans les neuf mille cinq. 17
J. ROMAINS, les Hommes de bonne volonté, t. XXIV, XI, p. 102.

♦ **7.** (Au sing.). Devant les noms propres de personne. (*La* indiquant qu'il s'agit de la femme ou, parfois, de la fille du chef de famille). *La Thénardier* (dans *les Misérables*). — Fam. (Régional, rural). *La Jeanne est une bonne fille.*

Excepté pendant le temps où elle vaquait aux soins du ménage, la Sauviat était toujours assise sur une mauvaise chaise (...) 18
BALZAC, le Curé de village, Pl., t. VIII, p. 539.

Il se sent redevenir le Claudius, le vrai gars de Clochemerle (...) 19
G. CHEVALLIER, Clochemerle, VIII.

REM. À l'imitation de l'italien qui met volontiers l'article devant les noms propres, le français depuis trois siècles emploie quelquefois l'article devant les noms de femmes célèbres (actrices, danseuses, courtisanes, criminelles...) : *la Champmeslé, la Clairon, la Brinvilliers, la Pavlova*. Cet emploi n'a jamais été très naturel en français où (à l'exception du milieu rural et notamment devant un prénom) les connotations péjoratives l'emportent, sauf à propos de certaines cantatrices italiennes ou connues en Italie *(la Callas, la Tebaldi)*.

20 En l'appelant la Molé (...) M. de Charlus lui faisait justice. Car toutes ces femmes étaient des actrices du monde (...)
PROUST, À la recherche du temps perdu, t. XII, p. 91.

Péj. *«À mort le Blum!»* (*in* M. Aymé).

♦ **8.** Introducteurs attitrés du nom commun. (Pour modifier par métonymie le sens des noms propres devant lesquels ils sont placés). *La Citroën* (l'automobile) *de mon père. Les Rubens* (les tableaux de Rubens) *de ce musée. Le Corneille* (le texte de Corneille) *est joli* (cit. 2) *quelquefois*. — REM. L'article se met au genre du nom sous-entendu. *La Renault* (l'automobile), mais *le Renault* (le tracteur, le camion). Il en est de même devant les noms de bateaux, de paquebots, d'avions, etc., à moins qu'ils n'impliquent une comparaison, une assimilation. *Le Normandie, le Ville-d'Oran,* mais *la Malle des Indes* (bateaux); *le Constellation,* mais *la Caravelle* (avions); *le Mistral,* mais *la Flèche d'or* (trains).

21 (...) raide, tendre et pâle comme on l'est, vierge, dans les Greco.
GIRAUDOUX, Églantine, III.

(Pour transformer en substantifs des mots de toute espèce). *«Les Misérables», «Les Superbes», «Les Humbles»* (titres de romans). — *Le liquide des eaux. L'épais des forêts. L'homme ne désire que le difficile* (cit. 19, 20, 21). — *Les vivants. Le blessé. L'être. Le manger et le boire. — Ignorer le pourquoi et le comment* (cit. 17, 18 et 19). *Les mais, les si, les car* (cit. 8). *Le moi est haïssable* (cit. 9). *Les moins de vingt ans. Le qu'en dira-t-on. Le «qui te l'a dit» d'Hermione. Le cogito cartésien. Le* to be or not to be *d'Hamlet.*

22 — (...) voilà qui est poussé dans le dernier galant (...)
— C'est là savoir le fin des choses, le grand fin, le fin du fin.
MOLIÈRE, les Précieuses ridicules, IX.

23 Le stupide, attendri, sur l'affreux se penchant,
Le damné bon faisant rêver l'élu méchant!
HUGO, la Légende des siècles, LIII.

24 Ah! dans ces tristes décors
Les Déjà sont les Encors! (...)
(...) Ah, dans ces mornes séjours
Les Jamais sont les Toujours!
VERLAINE, Parallèlement, «Révérence parler», IV.

25 Et nous, les petits, les obscurs, les sans-grades.
Edmond ROSTAND, l'Aiglon, II, 9.

26 Je vous épargnerai (...) les «peut-être», les «si j'ose dire», les «en quelque sorte», et autres mantilles du langage, dont un Renan peut seul se parer avec grâce.
FRANCE, le Livre de mon ami, Livre de Suzanne, III, II.

27 Le trop amène le trop peu. Il n'est pas de pires malades que les trop bien portants.
R. ROLLAND, Jean-Christophe, Buisson ardent, p. 1409.

♦ **9.** *Le* art. masc. formant, avec des adjectifs d'ordre moral ou abstrait, des syntagmes nominaux «neutres», où il a le sens de «la chose...», «ce qu'il y a de...». *L'ennuyeux, c'est qu'on n'aura pas le temps de les prévenir. C'est ça, l'important.* — (Avec l'adjectif au superlatif). *Vous ne savez pas le plus beau! Le plus difficile reste à faire.* — (Suivi d'un complément). *Il n'a pas l'air d'apprécier le cocasse de cette aventure. Le plus étonnant de l'histoire, c'est qu'on ne s'est aperçu de rien.*

★ **II.** *Le, la, les* devant un qualificatif.

A. (Devant un adjectif qualificatif se rapportant à un nom déjà exprimé). *Les affaires politiques et les militaires.*

28 L'un a du moins les affaires de terre, et l'autre les maritimes.
LA BRUYÈRE, les Caractères, VIII, 19.

29 *(Il)* implorait du secours, tout au moins celui d'une main humaine, à défaut de la divine, à l'existence de laquelle il ne croyait pas.
A. DE CHÂTEAUBRIANT, la Réponse du Seigneur, Prologue.

Fam. et par plais. *Préférez-vous les en noir ou les en couleur?*, les cartes postales en noir, en couleurs.

30 (...) les chasseurs à pied et les chasseurs à cheval, ça fait deux. — Zut! dit Barque, j'oubliais les à cheval.
H. BARBUSSE, le Feu, I, VII.

B. (Avec un nom accompagné de plusieurs adjectifs).

♦ **1.** Répété devant des adjectifs juxtaposés et précédant le nom.

31 La saine, la forte, la libre nature humaine, voilà la seule vertu (...)
R. ROLLAND, Jean-Christophe, L'adolescent, p. 267.

♦ **2.** Répété devant des adjectifs coordonnés qualifiant des êtres ou des objets différents, mais non répété s'il s'agit d'un seul être ou d'un seul groupe d'êtres. *La grande et la petite industrie. L'histoire grecque et la romaine. Le spirituel et malin critique. Les lois divines et humaines.*

32 Mais si les lois, au lieu d'être confondues ainsi par la pensée, sont conçues comme étant en opposition, alors la dualité des choses entraîne naturellement celle de l'article (...) *«Les lois divines et les humaines* (mais on dit mieux : *et les lois humaines*)... »
G. et R. LE BIDOIS, Syntaxe du franç. moderne, § 87.

33 (...) pas un ministre ne m'obligera de dire *l'histoire ancienne et moderne* quand je veux distinguer l'une de l'autre et que ma conscience m'ordonne de dire *l'histoire ancienne et la moderne.*
A. HERMANT, Xavier..., 4e entretien.

REM. Après ni* disjonctif, la répétition de l'article est obligatoire.

Évidemment, je ne considère ni la République romaine, ni la batave, ni l'helvétique, mais seulement la française. 34
FRANCE, l'Orme du mail, XIII, Œuvres, t. XI, p. 147.

C. *À la...,* suivi d'un adjectif féminin, et servant à former une locution adverbiale qui exprime la manière. *Se lancer à la légère. Jardins à la française*. Filer à l'anglaise*. Agir à l'étourdie. Pâtes à l'italienne. Ragoût à l'ancienne.* — REM. Dans ces expressions, l'article remplace un nom féminin sous-entendu, d'où la construction analogue avec un nom, souvenir de l'ancien cas-complément. *Élevé à la diable (à la manière du* diable). *Cheveux à la Jeanne d'Arc.* On trouve une survivance analogue du cas-complément après l'article dans *la Saint-Jean (la fête de* saint Jean).

(...) il tâchait de former son fils, voulant qu'on l'élevât durement, à la spartiate (...) 35
FLAUBERT, Mme Bovary, I, I.

★ **III.** *Le, la, les* et le superlatif* (⇒ **Plus, moins; mieux, pire, pis**). *L'homme est un roseau, le plus faible de la nature...* (Pascal). *La plus belle fille du monde ne peut donner que ce qu'elle a. Et les plus malheureux osent pleurer le moins* (Racine, *Iphigénie*, I, 5). *Le mieux est l'ennemi du bien.*

REM. 1. Répétition de l'article. Quand le superlatif suit le nom, l'article se répète, par pléonasme*, devant le superlatif. *La fille la plus belle. «Les plus désespérés sont les chants les plus beaux»* (Musset). — Jusqu'au XVIIIe s., les écrivains n'énonçaient l'article qu'une fois, au risque de donner au superlatif l'apparence d'un comparatif : *«Chargeant de mon débris les reliques plus chères»* (les plus chères), Racine, *Bajazet*, III, 2. — On trouvait aussi le superlatif après un nom introduit par l'article indéfini :

(...) c'est une chose la plus aisée du monde (...) MOLIÈRE, l'Avare, III, 1. 36
— De qui parlez-vous et quel mal ai-je causé? 37
— Un mal le plus cruel de tous, car c'est un mal sans espérance (...)
A. DE MUSSET, les Caprices de Marianne, I, 5.

2. Accord de l'article et du superlatif. — a) L'article s'accorde avec le nom ou pronom auquel se rapporte le superlatif quand on compare plusieurs êtres ou objets. *Cet élève est le plus travailleur. C'est la femme la plus élégante que je connaisse. Voici les deux livres les plus rares de ma bibliothèque.* — b) L'article reste invariable *(le)* quand on veut marquer qu'un être ou un objet atteint, au moment indiqué par le contexte, le plus haut degré d'une certaine qualité. *C'est ce jour-là qu'elle a été le plus souffrante.* Cette règle logique (puisque *le plus* signifie ici «au plus haut point») n'est pas toujours observée par les écrivains (Ex. : Bossuet, cit. 38, *infra*).

(Jésus-Christ) est venu surprendre la reine dans le temps que nous la croyions la plus saine, dans le temps qu'elle se trouvait la plus heureuse. 38
BOSSUET, Oraison funèbre de Marie-Thérèse d'Autriche.

(...) aux instants où elle était le plus heureuse, son visage devenait plus grave. 39
Marcel ARLAND, Monique, III.

C'est souvent lorsqu'elle est le plus désagréable à entendre qu'une vérité est le plus utile à dire (...) 40
GIDE, Journal, 5 juil. 1944.

c) L'article reste de même à la forme neutre *(le)* quand le superlatif modifie un verbe ou un adverbe. *«C'est la femme que j'ai le plus aimée»* (Académie). *Les livres qu'il a le plus sévèrement critiqués.*

★ **IV.** *Le, la, les,* combinés avec des indéfinis, des possessifs, etc. **L'UN... L'AUTRE, L'UN OU (ET) L'AUTRE.** ⇒ **Autre, un.** — **LE (LA) MÊME, LES MÊMES.** ⇒ **Même.** — **L'ON.** ⇒ **On.** — **TOUT LE, TOUTE LA, TOUS LES.** ⇒ **Tout.** — **LE MIEN, LE TIEN,** etc. ⇒ **Mien, tien, sien,** etc. — **LA PLUPART.** ⇒ **Plupart.**

HOM. La, là, lé.

2. LE [lə], LA [la], LES [le] pron. pers.

— Xe; *lo* en 842, *Serments de Strasbourg*; lat. *ille*; même étym. que 1. *Le*.

REM. 1. *Le* est le pronom personnel objet ou attribut de la 3e personne (*le* masc. sing. et neutre; *la,* fém. sing.; *les,* plur. masc. et fém.).

2. *Le* et *la* s'élident en *l'* devant un verbe commençant par une voyelle ou un *h* muet, et devant *en* et *y* : *je l'entends; ils l'hébergent; elle l'y a mis; je l'en remercie.* Placés après un impératif positif, *le* et *la* ne s'élident que dans les groupes *l'en* et *l'y* : *faites-la entrer; faites-le apporter; faites-l'en retirer.*

3. *Le, la, les* accompagnent toujours un verbe ou les présentatifs *voici, voilà.*

★ **I.** *Le, la, les,* objet direct.

♦ **1.** Représentant normalement un nom ou un pronom qui vient d'être exprimé. *Je le connais. Nous la voyons souvent. Regardez-les. Et celui-là, le connaissez-vous? Il prétend qu'on l'a volé.*

Cet animal est triste et la crainte le ronge. LA FONTAINE, Fables, II, 14. 1
Ces matinées ténébreuses de l'hiver, qu'il les haïssait! 2
F. MAURIAC, Génitrix, XVI.

Représentant, par anticipation, un nom ou un pronom qui va être exprimé.

Il fallait l'éblouir ou l'attendrir, cette femme! 3
FRANCE, les Désirs de Jean Servien, XIV.

4 (...) la comprend-il assez, sa sonate, le petit misérable?

PROUST, À la recherche du temps perdu, t. I, p. 286.

(*Le, la, les,* compléments de *voici*, voilà**). *Le voici, la voilà, les voilà.*

5 Mon sillon? Le voilà. Ma gerbe? La voici.

HUGO, les Contemplations, IV, XIII.

REM. *Le, la, les* ne peuvent, en principe, représenter un nom indéterminé ou formant une locution verbale; on trouve pourtant parfois cette construction.

6 Nulle paix pour l'impie. Il la cherche, elle fuit (...) RACINE, Esther, II, 8.

7 (...) faites miséricorde, parce que vous l'avez reçue; faites miséricorde, afin que vous la receviez (...)

BOSSUET, Sermon pour le lundi 1re semaine de Carême, Sur l'aumône, I.

8 (...) les pédants (...) ont (...) tort quand ils condamnent : «J'ai demandé grâce et je l'ai obtenue». Cette tournure n'est point grammaticale, mais elle est française, ce qui vaut mieux. A. HERMANT, Xavier, 6e entretien.

9 Je n'étais pas loin de me faire horreur comme se le ferait peut-être à lui-même quelque parti nationaliste (...)

PROUST, À la recherche du temps perdu, t. XV, p. 52.

♦ **2.** *Le,* de valeur neutre, représentant un terme, un verbe, un concept ou un membre de phrase qui vient d'être énoncé (→ *infra,* cit. 11, Racine et 13, Duhamel) ou qui va l'être. *Cela vous le savez comme moi. Tout ce qui est arrivé, nous l'avions prévu. Partez, il le faut*. Je vais vous le dire, ce qu'il a fait!*

10 — Rodrigue, qui l'eût cru? — Chimène, qui l'eût dit?
— Que notre heur fût si proche et sitôt se perdît?

CORNEILLE, le Cid, III, 4.

11 Qu'il meure, puisqu'enfin il a dû le prévoir,
Et puisqu'il m'a forcée enfin à le vouloir. RACINE, Andromaque, V, 1.

12 Si je vous le disais pourtant, que je vous aime (...)

A. DE MUSSET, Poésies nouvelles, «À Ninon».

13 Notre grammaire est compliquée. Je le sais bien.

G. DUHAMEL, Chronique des saisons amères, p. 24.

REM. Dans ce dernier exemple, *le* n'est pas indispensable et ne sert qu'à mettre en relief la proposition qui suit. Au contraire, l'emploi de *le* est obligatoire quand il représente une proposition détachée (→ *supra,* cit. 10, Corneille) ou une complétive qui précède *(Que cela vous ennuie, je le sais bien).*

14 Que charité soit synonyme d'amour, tu l'avais oublié (...)

F. MAURIAC, le Nœud de vipères, VII.

♦ **3.** *Le, la, les,* formant avec certains verbes des gallicismes où il est parfois difficile de discerner quel mot représente le pronom.

a **LE.** *Je ne l'entends* pas de cette oreille. Le disputer* (cit. 7 et 8) *à qqn. Je vous le donne en cent, en mille. Le céder* (cit. 7) *à, l'emporter* (cit. 35 à 41) *sur qqn... Le faire au sentiment* (→ Faire, cit. 79 à 81). *Le prendre* sur un ton... Se le tenir* pour dit. Il ne se l'est pas fait dire* (cit. 74) *deux fois.*

15 — Commencez donc. — Messieurs... — Oh! prenez-le plus bas (...)

RACINE, les Plaideurs, III, 3.

16 Et pour le trancher net, je ne m'accommode point de votre félicité.

DIDEROT, le Neveu de Rameau.

b **LA.** *La bailler* (cit. 3) *belle* (cit. 77 et 78), *bonne. L'échapper belle. Il la trouve mauvaise. Vous me la paierez, celle-là! Se la couler* (cit. 33) *douce. Il ne faut pas nous la faire. Ferme-la* (la bouche). Fam. *La sauter :* avoir faim.

17 (...) puisque Swann veut nous la faire à l'homme du monde (...)

PROUST, À la recherche du temps perdu, t. II, p. 69.

18 Vous n'êtes pas un bleu, vous; ce n'est pas de ce matin que vous comptez à l'escadron, et vous la connaissez il y a belle lurette. Mais l'important n'est pas de la connaître : c'est de la pratiquer. COURTELINE, Lidoire, I.

c **LES.** Fam. ou pop. *Les mettre** (les jambes, les bouts, les voiles, les bâtons...) : déguerpir. *Se les caler* (les joues). *Les allonger, les lâcher* (l'argent). *Les avoir à zéro* (les fesses) : avoir peur.

19 Tu n'a pas l'air de te les caler avec des briques.

Clément VAUTEL, Mon curé chez les pauvres, p. 127.

d Par euphémisme (désignant les parties sexuelles). Fam. ou pop. *Il y a de quoi se la mordre! Tu nous les casses! On se les gèle, ici! Tu peux toujours te l'accrocher! Se les gratter :* ne rien faire.

19.1 Elle se campe devant moi, le ventre en avant, fléchit sur ses cuisses; ses mains écartent. «Regarde-*le*, mon Stève. Regarde-le, celui de ta salope.» Et je *le* vois pour la première fois, car avant ça ne comptait pas.

André HARDELLET, Lourdes, lentes..., p. 47.

♦ **4.** (Place de *le, la, les*).

a Avant le verbe, ou avant *voici, voilà. Je le connais. Il la voit, nous les avons vus. Les voici. La voilà.*

b *Le, la, les,* se plaçant après l'impératif à forme positive dont ils sont compléments. *Regardez-le (-la, -les). Laissez-la avancer. Menez-l'y. Avertissez-l'en.* — REM. Dans la poésie classique, la voyelle finale de *le, la,* pouvait s'élider : *«Mettons-le en notre gibecière»* (La Fontaine, *Fables,* V, 3) compte pour huit pieds. — Quand deux impératifs étaient coordonnés, le personnel objet pouvait être placé avant le second impératif : *«Sèche tes pleurs, Sabine, ou les cache à ma vue»* (Corneille, *Horace,* IV, 7); *«Enseignez toutes les nations, et les baptisez...»* (Bossuet).

c *Le, la, les,* compléments d'un infinitif dépendant d'un premier verbe (aller, croire, penser, savoir...) et se plaçant normalement entre ce verbe et l'infinitif, lorsque tous deux ont le même sujet. *J'irai le (la, les) voir.* — REM. L'ancienne langue plaçait souvent le pronom avant le premier verbe : *Je la dois attaquer, mais tu la dois défendre* (Corneille, *le Cid,* III, 4). Certains écrivains contemporains emploient encore cet archaïsme «distingué» (Ch. Bruneau).

(...) j'avais besoin de prétextes pour l'aller rejoindre. 20

BALZAC, le Lys dans la vallée, Pl., t. VIII, p. 965.

Son père, le voulant réjouir, lui fit cadeau d'une grande épée sarrasine. 21

FLAUBERT, Trois contes, «La légende de saint Julien l'Hospitalier», I.

(...) et les moiteurs de mon front blême, 22
Elle seule les sait rafraîchir, en pleurant.

VERLAINE, Poèmes saturniens, «Melancholia», VI.

(...) à l'idée qu'on le pourrait entendre du dehors. 23

GIDE, la Symphonie pastorale, 29 mai, p. 156.

(...) quel autre l'eût pu faire? J. ROMAINS, les Copains, I. 24

Le (la, les) placé après *ne pas,* quand l'infinitif est accompagné d'une négation. *Je préfère ne pas le recevoir.* — REM. Dans l'ancienne langue, le pronom se plaçait souvent entre *ne* et *pas.*

(...) il reçut cent coups de bâton pour ne le pas violer. 25

MONTESQUIEU, Lettres persanes, LIX.

Le (la, les) placé avant le verbe, quand celui-ci et l'infinitif qui le suit n'ont pas le même sujet. *Je l'ai envoyé chercher, mais il n'était pas chez lui. Où est votre voiture? Je la fais laver.* — REM. Il en est ainsi notamment lorsque *le (la, les)* est à la fois complément du verbe régissant et sujet de l'infinitif. *Il faut le faire manger, cet enfant. Il la fait démarrer* (sa voiture).

d (Avec des pronoms compléments de fonctions différentes).

Complément d'objet direct, placé immédiatement avant le verbe, quand les pronoms ne sont pas de la même personne. *«On me l'a dit, il faut que je me venge»* (La Fontaine). *«... lorsque j'ai fait un vers, et que je l'aime, Je me le paye, en me le chantant à moi-même!»* (Rostand, *Cyrano de Bergerac,* II, 7). *Ne me le donnez pas.*

Placé en tête quand les pronoms sont tous les deux de la 3e personne : *Je le lui ai dit. Il les y a envoyés. Je les en ai débarrassés.*

Placé en tête des deux pronoms quand le verbe est un impératif à forme positive. *Dites-le-lui; donnez-la-moi; enveloppez-les-nous. Avertissez-l'en* (P. Benoit, *les Compagnons d'Ulysse,* V, p. 141). — REM. 1. L'ordre inverse est usuel dans la langue familière : *«Faites-le composer avec soin* (l'article)... *et puis adressez-moi-le par la poste»* (Sainte-Beuve, *Lettre à Buloz,* 23 nov. 1837). — L'expression *Se le tenir pour dit* peut se construire avec les deux ordres : *tenez-vous-le pour dit* (Académie, Lemaitre, Mauriac...) ou (moins couramment), *tenez-le-vous pour dit* (Colette).

2. Avec *laisser, faire* et les verbes de perception *(voir, entendre,* etc.), la place des pronoms personnels soulève un problème délicat. «Si le verbe principal et l'infinitif ont chacun un pronom personnel complément, on place chaque pronom devant son verbe... *Je les vois me suivre... Ce livre, on nous laisse le lire.* Toutefois, quand le pronom personnel complément de l'infinitif est *le, la, les,* on peut le juxtaposer, devant le verbe principal, au pronom complément de ce verbe principal...» (Grevisse, § 483, 4e, N.B.). Il se place alors soit après *me, te, nous, vous,* soit avant *lui, leur. Il refusa de me la laisser prendre. «On le lui fit bien voir»* (La Fontaine, *Fables,* VII, 1). *«Mais un peu de courage vous le fera trouver»* (La Fontaine, *Fables,* V, 9). Un autre ordre consiste à disjoindre les deux pronoms et à placer devant le premier verbe le pronom sujet de l'infinitif : *Nous les avons vus l'emmener de force.*

Cette dernière combinaison, je ne l'avais pas dite à ma mère; le reste suffisait déjà pour la faire me juger fou. GIDE, Si le grain ne meurt, II, II, p. 355. 26

(...) il espérait (...) que nul ne le verrait plus, et qu'il ne verrait plus les autres le voir. F. MAURIAC, le Désert de l'amour, III. 27

3. Pour le choix des pronoms — objet direct *(le)* ou objet indirect *(lui)* — dans la proposition infinitive construite avec *faire.* → Faire (IV., Rem. 2 et cit. 181, 182, 184, 186, 187, 191, 192, 193 et 195); et aussi Lui; leur.

♦ **5.** (Omission de *le, la, les*).

Le (la, les) souvent omis, pour des raisons phonétiques, devant *lui* ou *leur,* dans la langue classique et encore aujourd'hui dans la langue familière.

Le Pape envoya le Formulaire, tel qu'on lui demandait (...) 28

RACINE, Port-Royal.

(...) comme les hommes ne se dégoûtent point du vice, il ne faut pas aussi *(non plus)* se lasser de leur reprocher (...) LA BRUYÈRE, les Caractères, Préface. 29

J'ai besoin de la clef d'Hector. Mireille le sait. Cours lui demander. 30

Béatrix BECK, Léon Morin, prêtre, II, p. 25.

Le, neutre, souvent supprimé, notamment dans des comparatives, des incises, auprès de verbes comme «voir, pouvoir, savoir, croire, falloir, faire...». *Vous voyez, il est encore en retard. Venez quand vous pourrez. Tant que vous voudrez. Comme* (cit. 23) *on* (le) *dit... «Parlez sans vous troubler, si vous pouvez»* (Beaumarchais, *le Barbier de Séville,* III, 2). — *Cela va sans dire* (cit. 31); *ce n'est pas pour dire. Si j'ose dire.* — REM. Avec *faire* remplaçant dans une comparative un autre verbe, l'emploi de *le* est facultatif. → Faire (VI.; et cit. 210 à 214).

♦ **6.** (Répétition de *le, la, les*).

Le (la, les) normalement répété devant chaque verbe coordonné ou juxtaposé. *Je l'aime et l'admire.* — REM. Quand le verbe est à un temps composé, on répète le pronom si l'auxiliaire est lui-même répété. *Je l'ai vu et l'ai observé* (mais : *je l'ai vu et observé*).

31 (...) et sa fureur extrême
Le fatigue, l'abat ; le voilà sur les dents. LA FONTAINE, Fables, II, 9.

32 Je la retire, la considère et la jette dans un coin.
G. DUHAMEL, Récits des temps de guerre, I, Hist. Carré...

REM. En français classique, surtout en poésie, le pronom était parfois omis devant le second verbe :

33 Cet hymen m'est fatal, je le crains et souhaite (...) CORNEILLE, le Cid, I, 2.

★ **II.** Attribut.

♦ **1.** *Le, la, les* représentant un mot qui vient d'être exprimé ou, plus rarement, qui va être exprimé. *« Charmante, elle l'est dès maintenant »* (Maurois, *Ariel,* p. 77). *« Vous l'êtes, mal élevées, toutes les deux »* (H. Bernstein, *la Rafale,* II, 4).

♦ **2.** (Accord du pronom attribut).

a *Le, (la, les),* s'accordant en genre et en nombre avec le substantif qu'il représente. *« La reine? vraiment oui; je la suis en effet »* (La Fontaine, X, 2.)

34 Rosine !... Je ne la suis plus, cette Rosine que vous avez tant poursuivie ! je suis la pauvre comtesse Almaviva... »
BEAUMARCHAIS, le Mariage de Figaro, II, 19.

35 Je suis l'amie de M. Georges Saintenois, et je la resterai.
Paul BOURGET, la Geôle, VIII.

REM. 1. Le pronom peut cependant rester invariable *(le)* si le nom est pris en valeur d'adjectif : *« Une femme qui n'est pas ma femme, qui ne le sera jamais »* (Daudet, *l'Immortel,* XIII, p. 298) ; *« La France est l'ennemie, le restera »* (Romains, *les Hommes de bonne volonté,* t. X, VIII, p. 105).

2. En réponse à une question, il est préférable d'employer le tour démonstratif *« C'est » : « Êtes-vous la personne que... ? Oui, c'est moi »,* plutôt que *Je la suis.* Pour représenter les noms de choses, Littré recommandait encore l'emploi de *le, la, les. « Est-ce là votre voiture ? Oui, ce l'est ».* Ce tour est vieux.

b *Le, (la, les),* généralement invariable *(le)* quand il représente un adjectif ou un participe passé.

36 (...) j'étais fatiguée tout à l'heure, maintenant je ne le suis plus.
A. DE MUSSET, la Confession d'un enfant du siècle, III, IV.

37 Dans le même temps que les mœurs devenaient plus libres, l'intelligence le devenait moins (...) R. ROLLAND, Jean-Christophe, Nouvelle journée, p. 1570.

38 *(La barbe est)* presque indissolublement liée aux fonctions sérieuses, ou qui veulent le paraître (...)
J. ROMAINS, les Hommes de bonne volonté, t. X, I, p. 9.

REM. 1. Cette règle est relativement moderne. On trouve l'accord chez Corneille (*Pompée,* V, 2), Mme de Sévigné, Beaumarchais (*le Mariage de Figaro,* III, 16), et encore, par archaïsme ou affectation de féminisme, chez des écrivains modernes : *« J'ai été très calme. Je la suis plus encore, ce matin »* (Bourget, *l'Étape,* p. 19). *« Je n'ai jamais été vraiment amoureuse ; à présent je la suis »* (Colette, *Mitsou,* VI, p. 66).

2. « Il faut éviter de faire représenter par *le* un adjectif au superlatif : *"Elle aimait le beau linge, et* le plus fin *ne le lui paraissait jamais assez..." »* (H. de Régnier, in G. et R. Le Bidois, *Syntaxe du français moderne,* t. I, p. 133).

3. On ne fait généralement pas représenter par *le* un adjectif qui n'est pas au même genre (ou nombre) que l'adjectif explicité dans le contexte : *« ... c'est moi la plus contente. — Mais nous le sommes, madame... »* (Boylesve, *l'Enfant à la balustrade,* IV, XII, p. 353).

4. *Le* peut représenter un participe passé qui n'a pas été énoncé dans le contexte. Littré recommandait de dire : *« Je le traiterai comme il mérite d'être traité »,* et non pas *« comme il mérite de l'être ».* Ce dernier tour est pourtant courant : *« On ne se laisse plus séduire, parce qu'on ne craint plus de l'être »* (Sand, *Journal intime,* p. 121) ; *« ... en ne la traitant pas comme elle mérite de l'être »* (F. Mauriac, *la Pharisienne,* XI, p. 130) ; *« On ne peut bien déclamer que ce qui mérite de l'être »* (Voltaire) ; *« Ne vous laissez pas troubler... J'avoue que je l'ai été moi-même au début »* (Maurois, *Cercle de famille,* II, XVI, p. 215).

♦ **3.** *Le* attribut, suivi d'un complément déterminatif (comme le serait le mot qu'il remplace).

39 (...) un être leur paraît esclave dès qu'il l'est de ses passions (...)
GIDE, Journal, 1923, Feuillets, I.

♦ **4.** *Le,* attribut, tantôt exprimé, tantôt omis dans les comparatives : *« Jamais père ne fut plus heureux que vous l'êtes »* (Racine, *Iphigénie,* I, 4) ; *« Je pars, plus amoureux que je ne fus jamais »* (Racine, *Bérénice,* I, 4). *« Étranger comme je le suis à... »* (France, *le Crime de Sylvestre Bonnard,* p. 122) ; *« ... pressé d'argent comme il est toujours »* (Romains, *les Hommes de bonne volonté,* t. II, XI, p. 115).

REM. 1. Il est préférable d'exprimer le pronom *le* quand on veut insister sur la manière plutôt que sur la qualité (→ *infra,* cit. 42, France).

2. *Le* est obligatoire quand l'attribut qu'il représente est précisé par un complément déterminatif ou quand le second terme de la comparaison contient un autre verbe que le premier.

40 Vous ne le croiriez pas peut-être, ajoute-t-il, entêté comme vous l'êtes des préjugés de l'Orient (...) MONTESQUIEU, Lettres persanes, XLVIII.

Je me vis aussi méprisable que je l'étais devenue (...) 41
ROUSSEAU, Julie ou la Nouvelle Héloïse, III, XVIII.

(...) vous deviez pourtant bien penser que telle que je suis, mariée comme je l'étais (...) FRANCE, le Lys rouge, XXXIV. 42

HOM. La, là, lé.

LÉ [le] n. m. — V. 1170, *led* « largeur » ; du lat. *latus* « large ».

♦ **1.** Vx. Largeur.

♦ **2.** (1412). Techn. Largeur d'une étoffe entre ses deux lisières*. Chaque partie verticale d'une jupe. *Jupe de six lés.* ⇒ **Laize.** *Un lé de drap, de toile...* ⇒ **Bande.** Par ext. Bande de tissu, de papier peint, dans toute sa largeur.

(...) la robe (...) ayant accroché une gueule des tarasques qui formaient les balustres *(de l'escalier),* il en resta un lé entier arraché à grand bruit. 1
BALZAC, la Recherche de l'absolu, Pl., t. IX, p. 516.

Cette année, les robes mangent bien de l'étoffe. Les jupes portent six à sept lés, les manches prennent 3 aunes et demi. 1.1
Laure SURVILLE DE BALZAC, Lettres, 1er juil. 1833, p. 99.

♦ **3.** (1690, Furetière). Techn. Largeur d'un chemin de halage*, et, par ext., ce chemin lui-même.

Il y a une guinguette au bord de l'eau, un type boit (...) Deux autres marchent sur le lé, ils portent des canotiers et parlent tranquillement (...) 2
SARTRE, la Mort dans l'âme, p. 279.

HOM. Les (V. 1. Le, 2. le).

LEADER [lidœʀ] n. m. — 1829, *in* Höfler ; à propos de l'Angleterre, 1822, chez Chateaubriand ; mot angl. « conducteur », de *to lead* « conduire »

Anglicisme.

★ **I.** ♦ **1.** Chef, porte-parole d'un parti, d'un mouvement politique. *Le leader gouvernemental et le leader de l'opposition dans chacune des deux chambres du Parlement anglais. Leader travailliste* (→ Important, cit. 7).

(...) ils ne sont pas organisés en partis ; ni d'un côté ni d'un autre on ne trouve de *leader* reconnu qui choisisse le moment, prépare le débat, rédige la motion, distribue les rôles, lance ou retienne sa troupe. 1
TAINE, les Origines de la France contemporaine, III, t. I, p. 173.

(...) Octavie Roumestan, la fille du grand leader de toutes les droites. 2
Alphonse DAUDET, Soutien de famille, II.

Par ext. Celui qui prend la tête d'un mouvement (→ Garant, cit. 7).

♦ **2.** (1867, *in* Höfler). Sport (d'abord en hippisme ; 1882). Concurrent qui est en tête dans une course, une compétition. *Le Football-club de Reims, leader du championnat.* ⇒ **Premier.**

Quadrature (...) peut, en quelques secondes, refaire le terrain sur les deux leaders. 2.1
Paul VIALAR, l'Éperon d'argent, p. 119 (*in* T. L. F.).

Alpin. Premier de cordée.

(...) l'inclinaison de la pente oblige le grimpeur à tailler d'une seule main et le travail du leader en est rendu extrêmement dangereux. 2.2
R. FRISON-ROCHE, Premier de cordée, p. 302.

REM. L'exemple suivant représente probablement un anglicisme (ici un australianisme) occasionnel, et non un sens entré en français.

Sam Machell fit remarquer à ses auditeurs que les guides de l'armée n'étaient ni des chiens ni des hommes, mais bien des bœufs, des « leaders » intelligents, dont leurs congénères reconnaissaient la supériorité. Ils s'avançaient au premier rang, avec une gravité parfaite, prenant la bonne route par instinct, et très convaincus de leur droit à être traités avec égards. 2.3
J. VERNE, les Enfants du capitaine Grant, t. 2, chap. 10, p. 135.

★ **II.** (1829, *in* Rey-Debove-Gagnon). Presse. Article* de fond, figurant généralement en première page. — Adj. *Article leader.*

(...) il écrivait maintenant, non plus simples chroniques et feuilletons, mais ce que nous appelons l'article *leader* dans le *Constitutionnel* et dans le *Globe.* 3
Louis MADELIN, Talleyrand, V, XXXVI.

REM. La forme (anglaise) *leader-article* (1852, en franç.) est archaïque.

DÉR. Leadership.

LEADERSHIP [lidœʀʃip] n. m. — 1875, *in* Höfler ; n. f., 1864 ; mot angl., de *leader* « chef ».

Anglicisme.

♦ **1.** (Polit.). Fonction, position de leader. ⇒ **Commandement, direction, hégémonie.** *« Le succès de M. Mendès-France représente un défi au leadership américain »* (*France-Observateur,* no 215, 24 juin 1954, p. 10).

♦ **2.** Sports. Position de leader.

♦ **3.** Position dominante. *Le leadership d'une entreprise, d'une théorie.*

LEASING [liziŋ] n. m. — 1963, *in* Höfler ; mot angl., de *to lease* « louer ».

♦ Anglic. (Comm.). Système de financement du matériel industriel par location (vente à bail). *Entreprise, société de leasing,* qui gère ce système en servant d'intermédiaire entre le vendeur et l'utilisateur. « *Il existe des sociétés de leasing qui prennent en charge ces frais* (d'installation) *contre paiement d'un loyer* » (*France-Europe*, n° 16, p. 18). *Société pratiquant le leasing sur l'immobilier commercial et industriel* (société d'investissement pour le commerce et l'industrie).

Équivalents français : *crédit-bail ; location*-vente* (sans intermédiaire).

LEAVERS [livœʀ] n. m. — V. 1850 ; mot angl., du nom de *(John) Leavers* ou *Levers*, artisan de Nottingham.

♦ Techn. Métier pour la fabrication du tulle. — Par appos. « *Un métier à tisser leavers* » (*le Nouvel Obs.*, 22 janv. 1973, p. 32).

LEBEL [lebɛl] n. m. — 1902 ; *fusil Lebel*, 1890 ; nom de l'officier qui présenta le premier modèle de cette arme.

♦ Fusil à répétition de petit calibre qui fut en usage dans l'armée française de 1886 jusqu'à la guerre de 1939. — *Des Lebel, des Lebels* ou *des lebels*.

1 Les sergents ayant fait passer des ficelles par deux hommes dans les canons des lebels, vérifièrent l'éclat de la double spire.
A. JARRY, les Jours et les Nuits, Pl., p. 760.

2 Alors Rabe fit sauter le papier gris qui enveloppait ses cartouches et, tout doucement, approvisionna son lebel.
P. MAC ORLAN, Quai des brumes, XII.

En appos. *Fusil Lebel (des fusils Lebel).*

LÉCANIE [lekani] n. f. — 1873, P. Larousse ; grec *lekanion* « petit bassin », probablt à cause de la forme hémisphérique de certains de ces insectes.

♦ Zool. Genre d'insectes hémiptères *(Coccidés)*, couramment appelés *poux* ou *punaises des écorces*.

LÉCANORE [lekanɔʀ] n. f. — 1836, Landais ; dér. sav. du grec *lekanê* « bassin », probablt à cause de la forme hémisphérique des fructifications de cette plante.

♦ Bot. Lichen à thalle crustacé, renfermant des espèces tinctoriales (⇒ **Orseille**). — REM. En bot., on emploie aussi la forme latine *lecanora*.

LÉCHAGE [leʃaʒ] n. m. — 1894, « action de flatter » ; de *lécher*.

♦ **1.** (Rare en emploi général ; surtout dans des loc.). Action de lécher (I., 2., 3.). *Léchage de bottes.*

Loc. *Faire du léchage de vitrines.*

♦ **2.** 1910. (Au sens II de *lécher*). Exécution léchée, trop fignolée (⇒ **Léché, n. m.**).

Envoyez-moi encore d'autres photographies, dites ! J'en ai emporté quatre, je les compare, je vous y examine, avec une loupe, pour retrouver, sur chacune, malgré le léchage des retouches, les lumières travaillées, un peu de votre être secret (...)
COLETTE, la Vagabonde, p. 204.

1. LÈCHE [lɛʃ] n. f. — V. 1534 ; *lesche*, XIIIe ; var. graphique de *laiche*.

★ **I.** Laiche (plante).

1 Pas grand'chose de bon, la Vieille Vaîvre. C'est de la lèche et des joncs.
— Il faudrait labourer et resemer du foin (...)
M. AYMÉ, la Vouivre, p. 17.

★ **II.** (Par anal. de forme avec la feuille de la plante, puis confondu avec 2. *lèche*, de *lécher*). Fam. Tranche* longue et mince (de pain, de viande...). ⇒ aussi 1. **Liche, lichette.** *Une lèche de pain.*

2 Jérôme regardait Axel qui extrayait la chair nacrée de la pince d'un homard, Uni qui roulait sur sa fourchette une lèche de saumon fumé.
Maurice BEDEL, Jérôme 60° latitude Nord, IV, p. 56.

HOM. Formes du v. **lécher** ; 2. **lèche.**

2. LÈCHE [lɛʃ] n. f. — XIVe, « gourmandise » ; *piquer la, une lèche*, en argot de Polytechnique, 1878 ; sens mod., 1892, Esnault ; déverbal de *lécher*.

♦ **1.** Fam. Action de flatter servilement (surtout dans : *faire de la lèche*). *Faire de la lèche au patron* (→ Lécher* les bottes, le cul...).

1 (...) une fois que nous serons assis, après la sèche petite lèche réglementaire, il ne sera fait aucune allusion au propriétaire, au décorateur, à l'argent dépensé.
Hervé BAZIN, Cri de la chouette, p. 215.

2 Il avait rougi comme un petit garçon qu'on soupçonne de faire de la lèche au professeur.
F. MALLET-JORIS, le Jeu du souterrain, p. 54.

♦ **2.** (Sens concret). Rare. Action de lécher. ⇒ **Léchage, lèchement** (dér. de *lécher*).

Il perçut l'aube dans la lèche glacée du vent : il lui semblait que deux pétales de pervenche étaient collés sur ses joues. 3
J. GIONO, Naissance de l'Odyssée, p. 66.

♦ **3.** (1883, Huysmans). Peint. Petite touche délicate et minutieuse.

HOM. Formes du v. **lécher** ; 1. **lèche.**

LÉCHÉ, ÉE [leʃe] adj. et n. m. ⇒ **Lécher.**

LÈCHE-BOTTES [lɛʃbɔt] n. invar. — 1901 ; de *lécher*, et *bottes*.

♦ Fam. Personne qui flatte bassement. ⇒ **Lèche-cul.** *C'est une lèche-bottes.*

Et avec ça, lèche-bottes, toujours dans vos jambes : « Est-ce comme ceci, mon lieutenant ? Est-ce mieux qu'hier ? »
Roger VERCEL, Capitaine Conan, p. 159, *in* T. L. F.

LÈCHE-CARREAUX [lɛʃkaʀo] n. m. invar. — 1969, *in* T. L. F. ; de *lécher*, et *carreau*.

♦ Fam. Syn. de. *lèche-vitrines. Faire du lèche-carreaux.*

— Venez donc un peu plus souvent au marché, vous verrez ! (...)
— Vous avez raison, je vais aller faire un peu de lèche-carreaux, pour me rendre compte.
A. SARRAZIN, l'Astragale, p. 159.

LÈCHE-CUL [lɛʃky] n. invar. et adj. — 1833, Baudelaire, *Correspondance*, *in* D. D. L. ; de *lécher*, et *cul*.

♦ Vulg. Personne qui flagorne servilement. ⇒ **Flatteur, lécheur ; lèche-bottes.**

Nous lui avons fait un tel charivari dans la cour que le proviseur l'a entendu de son appartement. Alors ce pion riait de ce qu'on faisait pour lui, mais il riait jaune. Je suis dans les mutins. Je ne veux pas être de ces lèche-culs qui craignent de déplaire aux pions. 1
BAUDELAIRE, Correspondance, 25 mars 1833.

— Petit-Jacques, l'appelait-elle cent fois par jour et il accourait comme un toutou. Par jalousie la valetaille le surnomma bientôt « lèchecul ». 2
M. JOUHANDEAU, Chaminadour, Contes brefs, p. 126.

Adj. m. et f. *Elles sont lèche-cul !*

Le duc était de plus en plus écœuré : 3
— Ce qu'il peut être lèche-cul, ce bonhomme. Décidément, il ne me plaît pas du tout.
R. QUENEAU, les Fleurs bleues, p. 150.

REM. On trouve chez les Goncourt les dérivés plaisants *lècheculatif, ive*, adj. et *lècheculisme*, n. m.

LÈCHE-DOIGTS (À) [alɛʃdwa] loc. adv. — 1541 ; *a leke doit*, 1226 ; de *lécher*, et *doigt*.

♦ **1.** Vx. En quantité à peine suffisante pour lécher ce qui reste sur les doigts.

♦ **2.** Fig. et vx. (langue class.). En très petite quantité.

LÈCHEFRITE [lɛʃfʀit] n. f. — 1197, *leschefrite* ; de l'anc. franç. *lèche-froie*, de *lécher* et *froier* à l'impératif « lèche, frotte », de *lécher*, et *froiier* « frotter », sous l'influence de *frire*.

♦ Ustensile de cuisine placé sous la broche pour recevoir la graisse et le jus qui dégouttent de la viande mise à rôtir. ⇒ **Casse** (à rôt).

Et il tressautait, quand Gavard lui donnait une tartine de pain, qu'il mettait mijoter dans la lèchefrite, pendant une demi-heure.
ZOLA, le Ventre de Paris, t. I, p. 67.

LÈCHEMENT [lɛʃmɑ̃] n. m. — Déb. XIVe ; de *lécher*.

♦ Rare. Action de lécher ; résultat de cette action. ⇒ 2. **Lèche, léchage** (→ 2. Baiser, cit. 15). *Lèchement de doigts.*

Fig. « *Le lèchement des flammes* » (Goncourt, *in* T. L. F.).

LÉCHER [leʃe] v. tr. — Conjug. *céder*. — V. 1120 ; traditionnellement rapporté au francique **lekkon* ; P. Guiraud y voit plutôt, éventuellement combiné à l'influence francique, une origine romane, doublet de *lisser* (du lat. *lixicare*), le passage du *i* au *e* étant explicable par la fermeture du *e* initial sous l'infl. d'un yod.

★ **I.** ♦ **1.** (Sujet n. d'être animé). Passer la langue sur (qqch.). *Chien* (cit. 3 et 19) *qui lèche un plat, qui lèche la main de son maître* (⇒ **Caresser**), *lécher une plaie pour la cicatriser* (cit. 1). *Femelle qui lèche ses petits. Lécher ses doigts, ses lèvres. Lécher une glace.* « *On me donnait à lécher l'écume des confitures* » (Elsa Triolet, *le Premier Accroc...*, p. 295). *Lécher à petits coups de langue.* ⇒ **Lichotter,** et aussi **léchouiller.**

(...) les ours façonnent leurs petits en les léchant à loisir (...) 1
MONTAIGNE, Essais, II, XII.

La chatte était couchée sur le flanc, dans un panier rempli de chiffons, où grouillaient de petites boules de poils gluants qu'elle léchait et pourléchait de sa langue râpeuse. 2
MARTIN DU GARD, les Thibault, t. III, p. 115.

(...) un nouveau venu qui (...) écoutait, tout en léchant un timbre-poste pour le coller sur une enveloppe. 3
P. MAC ORLAN, Quai des brumes, VII.

4 Il avait léché la paume de sa main pour lisser ses cheveux.
J. GIONO, Jean le Bleu, I.

(Dans un contexte érotique). Faire des caresses linguales à...

♦ **2.** Enlever (qqch.) à petits coups de langue. *Lécher le beurre et laisser le pain* (→ 2. Fripe, cit.). *Animal qui lèche le sang d'une plaie.*

5 (...) je vois dans l'herbe flétrie un cadavre de cheval écorché qu'un chien dépèce. La bête me regarde en léchant le sang qui lui découle des babines (...)
CLAUDEL, Connaissance de l'Est, p. 136.

♦ **3.** Loc. (Fig. et fam.). [a] *Lécher les bottes** (⇒ **Cirer**), *les genoux, les pieds* (ou, vulg., *le cul*) *de qqn, à qqn,* le flatter* avec servilité. ⇒ **Flagorner.** → Faire de la lèche* (2. Lèche).

6 Tu fais le crâne aujourd'hui, parce que tu es avec le maire, avec l'adjoint, avec ton député de quatre sous! Hein? Tu lui lèches les bottes, à celui-là, tu es assez bête pour croire qu'il est le plus fort et qu'il t'aide à vendre ton blé.
ZOLA, la Terre, III, III.

7 On vous a vu, dans le scandale des licences, léchant les bottes à toute une escouade de ministres (...)
M. AYMÉ, la Tête des autres, I, 12.

[b] *Lécher les vitrines :* regarder de si près et avec tant de plaisir les vitrines des magasins qu'on a l'air de les lécher. — On dit aussi *faire du lèche-carreaux, faire du lèche-vitrines.*

*N'être pas gras** (cit. 18) *de lécher les murs.*

[c] Au p. p. MAL LÉCHÉ (par allus. à la tradition populaire qui prétendait que l'ourson naissait informe et que sa mère le *léchait* longuement pour lui façonner le corps. → ci-dessus, cit. 1). *Un ours mal léché :* un être mal fait, difforme (→ Cacher, cit. 52), et, par ext., un individu d'aspect rébarbatif, mal élevé, de manières grossières.

8 Que sont les hommes avant qu'ils passent par nos mains? Des corps tout d'une pièce, des ours mal léchés; mais nos leçons (*de danse*) les développent peu à peu, et leur font prendre insensiblement une forme (...)
A. R. LESAGE, Gil Blas, XII, V.

9 Il avait vécu dans le monde; il avait des talents, quelque savoir, de la douceur, de la politesse; il savait la musique, et comme j'étais de chambrée avec lui, nous nous étions liés de préférence au milieu des ours mal léchés qui nous entouraient.
ROUSSEAU, les Confessions, V.

(Avec d'autres noms que *ours*). *Un rustre mal léché. « Une bourgeoisie mal léchée »* (S. de Beauvoir).

♦ **4.** Par métaphore (en parlant du feu, les flammes étant comparées à des langues de feu). *Les flammes léchaient la plaque de la cheminée* (→ Coquemar, cit. 1). — Par ext. ⇒ **Effleurer.** *Mer qui lèche les roches* (→ Écumer, cit. 2).

9.1 On voit les cyprès et les croix du cimetière par-dessus le mur blanc, que lèche le courant.
Romain ROLLAND, Jean-Christophe, l'Aube, p. 68, *in* T. L. F.

★ **II.** (1680). Finir*, polir* (une œuvre littéraire ou artistique) avec un soin trop minutieux. ⇒ **Fignoler.** *Ce peintre a le tort de lécher, de trop lécher ses tableaux* (Académie). — Au p. p. *Un tableau léché.* — N. m. (1767, Diderot). *Le léché revient à la mode avec le goût de l'art pompier.*

10 LÉCHER *en Peinture,* c'est finir extrêmement les tableaux, mais d'une façon froide et insipide; et où l'on connaît partout la peine que cela a coûté au peintre.
Encyclopédie (DIDEROT), art. *Lécher.*

▶ **SE LÉCHER** [a] v. pron. (Récipr.) *Chiens qui se lèchent.* — (Réfl.) *Chat qui lustre son poil en se léchant. «* (Les femmes) *se lavent, se lèchent, se brossent, se poudrent... »* (Cocteau, *in* T. L. F.)

11 Hamilcar (*un chat*) qui se léchait, s'arrêta soudain et, la patte par-dessus l'oreille, me regarda d'un œil fâché.
FRANCE, le Crime de S. Bonnard, I, Œuvres, t. II, p. 297.

[b] Faux pron. (réfléchi indirect). *Le chat se lèche les moustaches.* — Fig. et fam. *Se lécher les babines*, les badigoinces.* ⇒ **Pourlécher** (se).

12 Les curieux impénitents, ceux que j'appelais, naguère, « les amateurs de chair crue » se sont jetés sur la *Correspondance.* Repus, ils ont déclaré, en se léchant les badigoinces : « Voilà l'œuvre de Flaubert! Son œuvre véritable! Le reste est donné par surcroît! »
G. DUHAMEL, Refuges de la lecture, VI.

(Avec un complément direct et un complément indirect). *Fouine* (1. Fouine, cit. 4) *qui se lèche les lèvres du sang des poulets.* — Fig. et fam. *S'en lécher les doigts*, les babines :* manger un plat succulent avec un très vif plaisir. ⇒ **Délecter** (se), **savourer.** *Haricots* (cit. 3) *cuisinés à s'en lécher les doigts.*

Fig. *Se lécher les doigts, les lèvres de qqch.,* s'en réjouir.

Loc. fam. Récipr. *Se lécher la poire, la pomme, la frimousse... :* se donner réciproquement des baisers.

▶ **LÉCHÉ, ÉE** p. p. adj. et n. m. Voir à l'article ci-dessus.

DÉR. **Léchage, 2. lèche, lèchement, lécherie, lécheur, léchouiller** — V. aussi **Licher.** — REM. On trouve le dér. fam. **léchotter** chez Léautaud.

COMP. **Allécher, pourlécher.** — **Lèche-bottes, lèche-carreaux, lèche-cul, lèche-doigts, lèchefrite, lèche-vitrines.**

LÉCHERIE [leʃʀi] n. f.— V. 1155, « luxure »; de *lécher,* et *-erie.*

Vieux ou archaïsme stylistique.

♦ **1.** Fam. et vx. Action de lécher. — Gourmandise.

♦ **2.** (1785). Vieilli. Grande démonstration de tendresse; fait de « se lécher », se donner des baisers.

Dans la multitude de ses baisers et de ses lécheries, rien ne marqua d'extase plus forte.
SADE, les 120 journées..., t. I, p. 129, *in* D. D. L., II, 14.

♦ **3.** Vieilli. Flatterie servile (Vallès, Daudet, *in* G. L. L. F.).

LÉCHEUR, EUSE [leʃœʀ, øz] adj. et n. — 1269; terme d'injure, 1140; de *lécher.*

A. Adj. Qui lèche. *Bouche lécheuse.*

B. N. ♦ **1.** Vx. Personne qui aime beaucoup la bonne chère (⇒ **Friand, gourmand**), surtout aux dépens d'autrui.

♦ **2.** (1866). Personne qui aime à embrasser.

♦ **3.** (1878). Péj. ⇒ **Flatteur, lèche-cul.** *« Lécheurs du trou du cul du peuple »* (Goncourt, *in* T. L. F.).

LÈCHE-VITRINES [lɛʃvitʀin] n. m. — Mil. XXe; de *lécher,* et *vitrine.*

♦ Fam. Action de « lécher les vitrines », de flâner en regardant les étalages. *Faire du lèche-vitrines.* ⇒ **Lèche-carreaux.**

LÉCHOTTER [leʃɔte] v. tr. ⇒ **Lichotter,** 2.

LÉCHOUILLER [leʃuje] v. tr. — XXe; de *lécher,* et suff. péj. *-ouiller;* cf. *léchonner* (1845).

★ **I.** Lécher salement.

★ **II.** Lécher (II.) minutieusement et sans art (un tableau).

Ils (*les surréalistes*) peignent des bonnes femmes à poil avec des têtes de veau. Mais ils les léchouillent comme on léchouillait il y a cent ans au Salon des Artistes Français (...)
J. DUTOURD, Pluche, XIII, p. 213.

LÉCITHE [lesit] n. m. — 1900, Encycl. Berthelot, art. *Œuf;* grec *lekithos* « jaune d'œuf ».

♦ Didact. (biol.). Vitellus. ⇒ **-lécithe.** *Graisse du lécithe.* ⇒ **Lécithine.** *Richesse d'un œuf en lécithe* (⇒ **Oligolécithe, télolécithe**).

La structure cellulaire de l'oocyte est évidente; il a, jusqu'à maturation, un noyau sphérique volumineux (...) pourvu, en général, d'un nucléole également sphérique et massif (...) Son cytoplasme forme un reticulum finement granuleux, dans les mailles duquel se dépose le *vitellus,* ou *lécithe,* constitué par des substances azotées (protides, ou albuminoïdes), des graisses (en particulier des graisses phosphorées, ou lécithines), ou des hydrates de carbone.
Maurice CAULLERY, l'Embryologie, p. 11.

DÉR. **Lécithique.** — V. **Lécithine.**
HOM. **Lécythe.**

-LÉCITHE Élément, du grec *lekithos* « jaune d'œuf », utilisé au sens de « vitellus » (⇒ **Lécithe**) pour former des mots de biologie. ⇒ **Alécithe, centrolécithe, ectolécithe, mégalécithe, oligolécithe, polylécithe, télolécithe.**

LÉCITHINE [lesitin] n. f. — 1850, Gobley; du grec *lekithos* « jaune d'œuf », et *-ine.*

♦ Biochim. Lipide contenant du glycérol et de l'acide phosphorique, présent dans tous les tissus animaux et végétaux (très abondant dans le jaune d'œuf et le cerveau). *Les lécithines sont des phosphatides dérivant des esters phosphoriques du glycérol. Emploi thérapeutique de la lécithine.*

LÉCITHIQUE [lesitik] adj. — XXe (1929, *in* T. L. F.); de *lécithe,* et *-ique.*

♦ Didact. (biol.). Se dit des œufs où le développement vitellin est moyen.

(...) dans les œufs à vitellus moyen ou *lécithiques* (...) la segmentation est partielle car le vitellus ralentit considérablement les divisions cellulaires à son contact (...)
R. et M.-L. BAUCHOT, les Poissons, p. 96.

LÉCITHOCÈLE [lesitɔsɛl] n. m. — Mil. XXe; du grec *lekithos* (→ Lécithe), et *-cèle.*

♦ Biol. Cavité remplie de liquide albumineux (lécithe), dans le germe des Mammifères. *Le lécithocèle correspond au sac vitellin des germes télolécithes.* — On écrit aussi *lécithocœle.*

LEÇON [l(ə)sɔ̃] n. f. — 1135, au sens liturgique; du lat. *lectionem,* accus. de *lectio* « lecture », du supin de *legere* « ramasser » et « lire ».

A. Liturgie rom. Textes de l'Écriture ou des Pères de l'Église, qu'on lit ou qu'on chante aux offices nocturnes, principalement à matines.

Il y a trois leçons à chaque nocturne (Académie). *Leçon de ténèbres* (⇒ **Ténèbre,** A., 2.).

1 Le pasteur était à côté,
Et récitait, à l'ordinaire,
Maintes dévotes oraisons,
Et des psaumes, et des leçons,
Et des versets, et des répons (...)
LA FONTAINE, Fables, VII, 11.

Vx. Lecture faite à haute voix.

B. Cour. ♦ **1.** (Fin XIIe). Ce qu'un écolier doit apprendre (→ Classe, cit. 14). *Élève* (cit. 3) *qui fait des fautes* (cit. 34) *en récitant sa leçon. Apprendre, étudier, revoir ses leçons. Je lui ai fait répéter sa leçon. Souffler la leçon à un écolier qui hésite* (cit. 29). *Ne pas savoir sa leçon.*

2 Qu'il (*le maître*) ne lui demande pas (*à l'élève*) seulement compte des mots de sa leçon, mais du sens et de la substance, et qu'il juge du profit qu'il aura fait, non par le témoignage de sa mémoire, mais de sa vie. MONTAIGNE, Essais, I, XXVI.

3 (...) comme ces leçons que nous nous sommes vainement épuisés à apprendre le soir et que nous retrouvons en nous, sues par cœur, après que nous avons dormi (...)
PROUST, À la recherche du temps perdu, t. VI, p. 56.

Par métaphore. *Réciter, avoir l'air de réciter une leçon,* comme un enfant qui récite un texte appris par cœur, sans en comprendre le sens ou sans penser à ce qu'il dit. — Fig. *Il récite une leçon, sa leçon :* il répète fidèlement ce qu'on lui a commandé de dire. ⇒ **Réciter** (→ Intervention, cit. 2).

♦ **2.** (1549). Enseignement donné par un maître, un professeur, à une classe, un auditoire... ⇒ **Enseignement; conférence, cours.** *Étudiants* (cit. 2) *qui assistent aux leçons, écoutent la leçon d'un professeur. Professeur qui prépare ses leçons* (→ Copie, cit. 6), *qui fait sa leçon.* ⇒ **Classe.** *Leçon inaugurale* (cit.). *La Leçon,* texte de R. Barthes. *Suivre les leçons, aller entendre les leçons d'un professeur* (Académie). *De brillantes, de doctes leçons* (→ Honneur, cit. 64).

4 On m'a blâmé d'avoir fait, à l'ouverture du cours, une leçon d'un caractère général. RENAN, Questions contemporaines, Œuvres, t. I, p. 143.

5 Un professeur (...) qui prépare soigneusement, chez lui, la leçon qu'il va donner le lendemain (...) J. GREEN, Léviathan, I, V.

Enseignement théorique et pratique. ⇒ **Cours, démonstration.** *Leçon de cuisine* (→ Couvent, cit. 5), *de dessin, de danse.* — *La Leçon d'anatomie,* tableau de Rembrandt (1632). — Fig. *La Leçon d'amour dans un parc,* roman de R. Boylesve (1902).

Loc. Anciennt. *Leçons de choses :* méthode d'enseignement élémentaire qui consiste à familiariser les enfants avec des objets usuels, des productions naturelles, qu'ils devront décrire et dont ils auront à découvrir, par l'expérience, les diverses propriétés. — *La leçon de chose,* l'enseignement lui-même.

Spécialt. *Une, des leçons.* Enseignement donné en particulier à un seul élève ou à un groupe restreint d'élèves, soit pour compléter les connaissances qu'ils acquièrent par ailleurs (⇒ **Répétition**), soit pour leur apprendre une matière, un art qui ne fait pas l'objet de leurs études courantes. *Prendre des leçons de chant, d'équitation d'un* (ou *chez un*) *professeur. Faire donner des leçons particulières,* et, absolt, *des leçons, à un enfant faible en latin. Donner des leçons pour vivre.* ⇒ **Cachet** (courir le).

6 Mme Liégeard m'a certifié que ses trois demoiselles (...) prenaient des leçons (*de piano*) moyennant cinquante sous la séance, et d'une fameuse maîtresse encore (...) — Si tu voulais (...) de temps à autre, une leçon, cela ne serait pas, après tout, extrêmement ruineux. — Mais les leçons, répliquait-elle, ne sont profitables que suivies. FLAUBERT, Mme Bovary, III, IV.

7 Parmi eux, beaucoup d'étudiants au linge élimé, qui vivotaient en donnant des leçons, en faisant des recherches de bibliothèque, de menus travaux de laboratoire.
MARTIN DU GARD, les Thibault, t. V, p. 13.

Par métaphore. *Faire leçon* (vx), *faire des leçons de générosité* (→ Calamité, cit. 3).

8 Les ans me font leçon, tous les jours, de froideur et de tempérance.
MONTAIGNE, Essais, III, V.

9 J'ai pensé qu'il serait intéressant (...) de réunir un faisceau de quelques deux douzaines de fables de La Fontaine comportant une signification politique en même temps qu'une leçon de conduite pour l'homme d'État.
André SIEGFRIED, La Fontaine..., p. 14.

Par ext. ⇒ **Enseignement.** *Apprenti* (cit. 1) *qui profite des leçons de son maître.*

10 Apprenez que tout flatteur
Vit aux dépens de celui qui l'écoute.
Cette leçon vaut bien un fromage sans doute. LA FONTAINE, Fables, I, 2.

11 Ne donnez à votre élève aucune espèce de leçon verbale; il n'en doit recevoir que de l'expérience (...) ROUSSEAU, Émile, II.

12 (...) il semble, pour un écrivain, que chaque page qu'il écrit doive être pour lui une nouvelle leçon dans l'art d'écrire (...)
Paul LÉAUTAUD, Propos d'un jour, p. 99.

Loc. *Donner des leçons à qqn,* vouloir lui en remontrer. *Il donnerait des leçons à* (une personne sur une chose) : il est capable d'en remontrer*, de rendre* des points à... (→ Grimer, cit. 3). — Par plais. *C'est un avare qui donnerait des leçons à Harpagon.*

♦ **3.** (XIIe). Conseils (cit. 9), règle de conduite donnés à une personne. ⇒ **Avertissement, exhortation, instruction** (vx), **précepte.** *Suivre les leçons de qqn* (→ Fumier, cit. 6). *Je me passerai bien de vos leçons* (Académie). *De sages leçons* (→ Fructifier, cit. 4). *Je vous dispense de vos leçons de morale.*

Mon cœur sur vos leçons veut régler sa conduite (...) 13
MOLIÈRE, les Femmes savantes, I, 2.

(...) j'étais sourd aux leçons de la sagesse. FRANCE, le Petit Pierre, XXXII. 14

Le christianisme n'a peut-être pas donné de leçons plus hautes que le jour où Jésus 15
a désigné le pauvre comme l'être sur qui repose la préférence de Dieu et le riche comme le malheureux qui sera bien embarrassé, un jour, pour franchir, avec son bagage, le « chas de l'aiguille ». DANIEL-ROPS, Ce qui meurt..., p. 190.

Spécialt. **FAIRE LA LEÇON,** et, vx, **FAIRE LEÇON À QQN,** lui donner des instructions sur ce qu'il doit dire ou faire en telle circonstance, lui dicter* point par point sa conduite. ⇒ **Endoctriner** (→ Garçon, cit. 18; incartade, cit. 5).

Fig. *Faire la leçon à qqn,* le morigéner, le réprimander. ⇒ **Chapitrer** (→ aussi ci-dessous, cit. 16). *Recevoir une leçon. N'avoir de leçons à recevoir de personne.*

Par métaphore. *La leçon d'un apologue, d'une fable.* ⇒ **Morale.**

Par ext. Vx (langue class.), sauf dans *donner, recevoir une leçon.* ⇒ **Admonestation, correction, punition.** « *Vos fréquentes leçons et vos aigres* (cit. 11) *censures* » (Molière). *Dieu donne, inflige, quand il lui plaît, de grandes, de terribles leçons* (→ Appartenir, cit. 20). *Administrer, recevoir une cinglante leçon. Il se souviendra de cette leçon.*

Contemplez de quel air un père dans Térence 16
Vient d'un fils amoureux gourmander l'imprudence;
De quel air cet amant écoute ses leçons,
Et court chez sa maîtresse oublier ces chansons. BOILEAU, l'Art poétique, III.

— Pourquoi un camouflet? C'est une leçon qu'il me donne, et qu'il a eu raison 17
de me donner, et que je reçois sans honte. F. MAURIAC, le Sagouin, p. 136.

♦ **4.** *La (les) leçon(s) de... :* enseignement profitable qu'on tire ou qu'on peut tirer de qqch., et, spécialt, d'une erreur, d'une imprudence, d'une faute, d'une mésaventure. ⇒ **Enseignement, instruction.** *Les leçons de l'expérience* (cit. 26). *Leçon qui ne porte pas de fruit* (→ Fatalité, cit. 2). *Dégager, tirer la leçon des événements.* ⇒ **Conclusion.** — (Sans compl. en *de*). *Exemple** (cit. 10), *aventure qui peut servir de leçon.* ⇒ **Exemplaire** (→ Avant, cit. 51). *Cela lui donnera une leçon* (→ Espion, cit. 2). → fam. Ça lui fera les pieds*. *Ce sera une bonne leçon, bien méritée dont il se souviendra* (→ Châtiment, cit. 1). *Une rude leçon* (→ Fois, cit. 27).

(...) que mon mariage est une leçon bien parlante à tous les paysans qui veulent 18
s'élever au-dessus de leur condition (...) MOLIÈRE, George Dandin, I, 1.

Il faut de chaque malheur tirer une leçon et rebondir après les chutes. 19
FLAUBERT, Correspondance, 322, 23 mai 1852.

La *leçon* frappe et fait craindre (...) C'est une invitation pressante de ne pas se 20
mettre dans un cas donné de peur d'encourir un malheur qui y a déjà été éprouvé. Elle laisse une impression forte, énergique; elle a un sens précis, saisissable directement; elle est d'une application restreinte et convient tout particulièrement à l'individu qui la reçoit et qu'elle fait sur-le-champ rentrer en lui-même.
LAFAYE, Dict. des synonymes, Supplément, Leçon.

(...) vous entendez, sacré têtu? que l'histoire d'aujourd'hui vous serve de leçon! Si 21
vous m'embêtez encore, je vous laisse crever de faim sur la route!
ZOLA, la Terre, V, II.

C. (1680). Didact. Texte ou fragment de texte tel qu'il a été lu par le copiste ou l'éditeur, d'où, par ext., variante (⇒ **Lecture, variante, version**). *Confronter les diverses leçons d'un passage* (Académie).

La grande affaire des critiques et des éditeurs est de déterminer laquelle de plu- 22
sieurs *leçons* est la meilleure. Encyclopédie (DIDEROT), art. *Leçon* (1765).

LÉCRELET [lekʀəlɛ] n. m. — 1761, J.-J. Rousseau, sous la forme *Écrelet,* par dissimilation; du suisse alémanique *leckerli* (mil. XVIIIe), all. *Leckerei.*

♦ Régional (Suisse). Anciennt. Petit pain d'épice assez dur, au miel et aux amandes.

La Fanchon me servit (...) des gaufres, des écrelets.
ROUSSEAU, Julie ou la Nouvelle Héloïse, IV, 10.

LECTEUR, TRICE [lɛktœʀ, tʀis] n. — 1307; liturgie, v. 1120; fém. en 1549; lat. *lector,* de *lectum,* supin de *legere.*

★ **I.** ♦ **1.** Personne qui (occasionnellement ou par fonction) lit à haute voix devant un ou plusieurs auditeurs. *Un excellent lecteur.* « *De leurs vers fatigants lecteurs infatigables* » (→ Auteur, cit. 27, Molière). — *Esclave qui faisait fonction de lecteur à Rome.* ⇒ **Anagnoste.** — *Le lecteur d'un roi, d'un prince.* — Relig. *Le lecteur de semaine; la chaire du lecteur, dans le réfectoire d'un couvent.* ⇒ **Anagnoste.** — Par appos. *La sœur lectrice.*

Je suis, de plus, sa lectrice ordinaire; 1
Ma manière de lire a le don de lui plaire (...)
COLLIN D'HARLEVILLE, Châteaux en Espagne, III, 2.

(...) il venait de la promouvoir à la supérieure fonction de lectrice (...) D'abord, 2
vous me lirez des livres que j'aime. Je les reverrai à travers vous (...)
Léon BLOY, la Femme pauvre, I, XXII.

Souvenons-nous que Louis XIV ne supportait pas de lire lui-même un texte 2.1
étendu : on lui rendait compte des notes qui résumaient « les affaires »; et, les nuits d'insomnie, il écoutait quelque lecteur comme les chambres des dames, cinq siècles plus tôt, avaient écouté les romans de Chrétien de Troyes. Mais les dames de Versailles, elles, lisaient Madeleine de Scudéry (...)
MALRAUX, l'Homme précaire et la Littérature, p. 95.

Liturgie rom. Anciennt. Clerc* ayant reçu l'ordre du « lectorat » (second ordre mineur), et, par ext., tout clerc chargé d'une lecture liturgique. ⇒ **Lecture** (7.). « *Les fonctions du lecteur sont (...) de* *lire et de chanter les leçons (...) et de bénir le pain et les fruits nouveaux»* (R. Lesage, *Dict. de liturgie romaine*).

(1972). Mod. Laïc auquel est confié le service de la parole de Dieu. ⇒ **Lectorat** (3.).

♦ **2.** [a] Anciennt (sous l'Ancien Régime). Professeur. — *Lecteur royal*, au Collège de France *(Collège des Lecteurs royaux). Lecteur d'anatomie* (→ Forceps, cit.).

[b] (1842; de l'all. *Lektor*). Mod. Assistant étranger adjoint aux professeurs de langues vivantes dans une université. *Lecteur d'anglais. Lectrice d'allemand. Il est lecteur de français dans une université allemande* (⇒ **Assistant**, II., c.).

♦ **3.** Personne qui lit, pour son compte (⇒ 1. **Lire**; 1. **livre**). *Cet homme est un grand lecteur* (Littré). ⇒ **Bibliophage** (fig.), **bouquineur** (2.); **liseur.** *Un lecteur de journaux, de revues, de romans* (→ Fonction, cit. 5; identifier, cit. 14). *L'attention* (cit. 9 et 34), *l'esprit, l'imagination, la sagacité du lecteur* (→ Épisode, cit. 3; expliquer, cit. 25; insinuer, cit. 11). *Lecteur averti* (cit. 24), *cultivé. Auteur* (cit. 20), *écrivain et lecteurs. S'adresser au lecteur* (→ Humble, cit. 24). *Avis** (cit. 43) *au lecteur. Ami lecteur...* (→ Abrégé, cit. 2). *«Hypocrite lecteur, — mon semblable, — mon frère!»* (Baudelaire, *Au lecteur*). — *Nombre de lecteurs* (→ Feuilleton, cit. 2). *«Je n'écris que pour cent lecteurs»* (→ Hypocrite, cit. 20, Stendhal). — *Courrier des lecteurs*, dans un journal. *À nos fidèles lecteurs.*

3 (...) un lecteur en use avec les livres comme un citoyen avec les hommes. On ne vit pas avec tous ses contemporains, on choisit quelques amis.
VOLTAIRE, Mélanges littéraires, Cons. à un journaliste, *in* LITTRÉ.

4 Voilà de quoi vous attirer beaucoup de lecteurs et beaucoup d'ennemis.
DE MALÉZIEU, *in* VOLTAIRE, le Siècle de Louis XIV, XXXII.

5 Chaque homme de plus qui sait lire est un lecteur de plus pour Molière.
SAINTE-BEUVE, Portraits littéraires, Molière, janv. 1835.

6 La vieille lectrice des *Débats* était assise sur son fauteuil, toujours à la même place (...) PROUST, À la recherche du temps perdu, t. II, p. 252.

6.1 L'écrivain ne dit que par une habitude prise dans le langage insincère des préfaces et des dédicaces: «mon lecteur». En réalité, chaque lecteur est, quand il lit, le propre lecteur de soi-même. L'ouvrage de l'écrivain n'est qu'une espèce d'instrument optique qu'il offre au lecteur afin de lui permettre de discerner ce que, sans ce livre, il n'eût peut-être pas vu en soi-même. La reconnaissance en soi-même, par le lecteur, de ce que dit le livre, est la preuve de la vérité de celui-ci, et *vice versa*, au moins dans une certaine mesure, la différence entre les deux textes pouvant être souvent imputée non à l'auteur mais au lecteur.
PROUST, le Temps retrouvé, Pl., t. III, p. 911.

7 J'ai connu peu de meilleurs lecteurs qu'Alain. Il allait au détail des textes et en savourait les beautés (...) Il pensait qu'un lecteur passionné doit avoir une bibliothèque limitée et relire chaque année les mêmes livres.
A. MAUROIS, Mémoires, I, IV.

♦ **4.** [a] Personne dont la fonction est de lire et de juger les œuvres encore manuscrites proposées à un directeur de théâtre, à un éditeur. *Ce romancier est lecteur dans une grande maison d'édition.*

[b] Personne qui relit et corrige des textes destinés à l'impression. *Lecteur correcteur.*

★ **II.** 1934. (Appareil, instrument). ♦ **1.** Dispositif servant à la reproduction de sons enregistrés. *Lecteur électromagnétique, électrodynamique, piézo-électrique.* ⇒ **Pick-up.** *Lecteur optique. Lecteur de son,* d'un projecteur cinématographique. *Lecteur magnétique. Lecteur de cassettes. «Des lecteurs-enregistreurs qui permettent d'enregistrer en voiture»* (*l'Express*, juin 1973). *«Les lecteurs de cassettes et les lecteurs de cartouches sont apparus après l'autoradio»* (*l'Express*, 11 juin 1973, p. 33). *Lecteur de disques** (4.) *compacts. «Un lecteur laser pour auto»* (*le Point*, n° 573, 12 sept. 1983, p. 103).

♦ **2.** *Lecteur de cartes :* lampe sur flexible pour lire les cartes la nuit en voiture.

♦ **3.** [a] Inform. Organe effectuant la lecture (B., 3.) d'informations. *Lecteur perforateur de bandes, de cartes. Lecteur de clés* (à code). *Lecteur automatique de caractères. Lecteur optique.*

[b] *Lecteur de microfiches, de microfilms :* instrument permettant de lire des microfiches, des microfilms (par agrandissement, projection...).

DÉR. Lectorat.

LECTINE [lɛktin] n. f. — V. 1960; angl. *lectin*, mot créé en 1954 par W.C. Boyd, du lat. *lectus*, p. p. de *legere* «choisir, sélectionner», et suff. *-ine.*

♦ Biochim. Protéine ayant la propriété d'agglutiner les globules rouges et de pouvoir fixer les sucres. *«On sait que les différentes lectines possèdent l'étonnante propriété de faire la distinction entre cellules normales et cellules malignes. Puisque les lectines sont capables de fixer sélectivement certains sucres, on en a déduit que si elles agglutinent des cellules cancéreuses c'est sans doute parce que ces dernières possèdent à leur surface des sucres (...) dont la conformation diffère de celle des cellules normales»* (*la Recherche*, janv. 1975, p. 24).

LECTIONNAIRE [lɛksjɔnɛʀ] n. m. — 1374; lat. médiéval *lectionarum*, du lat. class. *lectio*. → Leçon.

♦ Didact. (relig.). Livre contenant les textes lus ou chantés en chœur.

LECTISTERNE [lɛktistɛʀn] n. m. — 1599, Marnix, à propos d'une cérémonie chrétienne (*in* Huguet); probablt antérieur comme t. d'antiquité; cf. *lectisternien*, adj., *in* Bersuire, 1355, *Tite-Live* (God.); lat. *lectisternium*, de *lectum* «lit», et *sternere* «couvrir».

♦ Antiq. rom. Cérémonie propitiatoire pour laquelle on dressait des lits et des tables aux dieux (on plaçait leurs images sur les lits).

En vain le Grand Pontife a fait un lectisterne
Et consulté deux fois l'oracle sibyllin (...)
J.-M. DE HEREDIA, les Trophées, «Après Cannes».

LECTORAT [lɛktɔʀa] n. m. — XXe (1939, *in* T. L. F.); du rad. lat. de *lecteur*, et *-at*.

♦ **1.** Ensemble des lecteurs (d'un quotidien, d'une revue, etc...). *Le journal renouvelle son lectorat. L'évolution des différents lectorats. «(...) un lectorat canadien rétif à la francisation larvée»* (*le Nouvel Obs.*, n° 972, 24-30 juin 1983, p. 49). *«(...) le dynamisme de son lectorat, supposé être grand consommateur de livres»* (*Livres-Hebdo*, n° 12, 19 mars 1984, p. 103).

♦ **2.** Didact. Fonction, charge de lecteur (I., 2.) dans une université.

♦ **3.** Relig. Fonction, ministère confié au lecteur. ⇒ **Lecteur** (*infra* cit. 2.1).

LECTRIN [lɛktʀɛ̃] n. m. — XXe, réfection de *lutrin* (anc. franç. *letrin*, *leutrin*, *letrun*) avec le *c* étymologique, du lat. *lectorium*. → Lutrin.

♦ Archéol. Meuble formé par un pupitre monté sur un support (⇒ **Lutrin**) ou sur un meuble contenant livres et écritoire, utilisé au moyen âge pour lire et écrire.

LECTURE [lɛktyʀ] n. f. — 1352, «récit»; sens mod., 1445; du lat. médiéval *lectura*.

A. ♦ **1.** (1445). Action matérielle de lire* (1. Lire), de déchiffrer (ce qui est écrit). *Faire une lecture, faire la lecture d'un texte,* (le) lire. *Lecture d'un texte difficile dans une langue étrangère. Être arrêté dans la lecture par des difficultés* (→ Commentateur, cit. 2). *Se fatiguer les yeux par la lecture* (⇒ **Asthénopie**). *Incapacité de reconnaître les formes à la lecture.* ⇒ **Alexie, cécité** (verbale). *À la première, à la seconde lecture.* ⇒ **Relecture** (→ Curieux, cit. 11; feuillet, cit. 2). *Faire une première lecture d'un texte. Une faute de lecture. Une lecture fautive.* ⇒ **Leçon.**

Spécialt. *Lecture rapide*, méthode destinée à accroître la rapidité et la compréhension (cf. F. Richaudeau, *la Lisibilité*).

Spécialt. Lecture pour correction. *Lecture en première, en seconde* (épreuve).

(1741). Spécialt. *Lecture d'un morceau de musique, d'une partition. Épreuve de lecture à vue.* ⇒ **Déchiffrer.**

♦ **2.** (1561). Action de lire, de prendre connaissance du contenu d'un écrit «pour son instruction ou pour son plaisir» (Littré). ⇒ 1. **Lire.** *La lecture d'un prospectus, d'une note de service. La lecture des journaux* (→ Empêcher, cit. 23). *La lecture d'un livre*, d'un roman. Lectures romanesques. La lecture d'un auteur, d'un écrivain, des Anciens, des philosophes, des poètes, des orateurs* (→ Commerce, cit. 15; harmonie, cit. 23). *Plutarque devint sa lecture favorite* (cit. 3). *Être enfoncé* (cit. 45), *absorbé dans la lecture d'un roman.* — *Une lecture :* la lecture d'un livre, d'un ouvrage, et, par ext. (1675, Mme de Sévigné), ce livre, cet ouvrage. *Lecture attachante** (cit. 1), *exaltante* (cit. 1), *édifiante, fastidieuse* (cit. 3), *indigeste* (cit. 3). *Se préserver de certaines lectures* (→ 2. Confort, cit. 2). *Mauvaises lectures. D'abondantes* (cit. 2) *lectures.* — Allus. littér. *Après une lecture*, titre d'un poème de Musset *(Poésies nouvelles).* — *Les lectures de qqn :* les livres, les ouvrages qu'il a lus, qu'il lit habituellement (→ Floraison, cit. 5). *Trouver dans son style l'empreinte* (cit. 6) *de ses lectures. Oublier ses lectures* (→ Heureux, cit. 18).

(...) la lecture de tous les bons livres est comme une conversation avec les plus honnêtes gens des siècles passés, qui en ont été les auteurs, et même une conversation étudiée en laquelle ils ne nous découvrent que les meilleures de leurs pensées (...) DESCARTES, Discours de la méthode, I. 1

Quand une lecture vous élève l'esprit (...) 2
LA BRUYÈRE, les Caractères, I, 31 (→ Élever, cit. 23).

Lucile aimait à faire seule, vers le soir, quelque lecture pieuse (...) 3
CHATEAUBRIAND, Mémoires d'outre-tombe, I, III, 7 (éd. Levaillant).

Absolt. *«La lecture agrandit* (cit. 3) *l'âme»* (Voltaire). *«La lecture, c'est la nourriture...»* (→ Adéquat, cit. 2, Hugo). *Ce vice impuni, la lecture*, titre d'un essai de Valery Larbaud. — *Aimer la lecture. Goût de la lecture. La lecture est un délassement*. La lecture le fatigue* (→ Image, cit. 20).

La lecture apprend aussi, ce me semble, à écrire. 4
Mme DE SÉVIGNÉ, 1196, 17 juil. 1689.

5 (...) n'ayant jamais eu de chagrin qu'une heure de lecture ne m'ait ôté.
MONTESQUIEU, Cahiers, p. 3 (→ Étude, cit. 5).

6 La lecture est le fléau de l'enfance, et presque la seule occupation qu'on lui sait donner. ROUSSEAU, Émile, II.

7 Bientôt nous sommes captifs de la lecture, enchaînés par la facilité qu'elle nous offre de connaître, d'épouser sans effort quantité de destins extraordinaires, d'éprouver des sensations puissantes par l'esprit, de courir des aventures prodigieuses et sans conséquence, d'agir sans agir, de former enfin des pensées plus belles et plus profondes que les nôtres et qui ne nous coûtent presque rien; — et, en somme, d'ajouter une infinité d'émotions, d'expériences fictives, de remarques qui ne sont pas de nous, à ce que nous sommes et à ce que nous pouvons être (...)
VALÉRY, Variété IV, p. 149.

8 La lecture est-elle un travail? Valery Larbaud la nomme un «vice impuni», et Descartes au contraire «une conversation...». Tous deux ont raison.
A. MAUROIS, Un art de vivre, III, 5 (→ *supra*, cit. 1, et aussi Apporter, cit. 13).

8.1 (...) chacun *courbe* son esprit, tel un œil, pour saisir dans la masse du texte *cette intelligibilité-là*, dont il a besoin pour connaître, pour jouir, etc. En cela la lecture est un travail : il y a un muscle qui la courbe.
R. BARTHES, Roland Barthes, p. 137.

(... de lecture). Salle de lecture d'une bibliothèque. Cabinet de lecture.* — **EN LECTURE.** *Ce livre est en lecture,* il est emprunté. — Fam. *Prostituée en lecture,* en mains.

Par métonymie. (Collectif). *De la lecture :* de quoi lire, des livres, des journaux, des revues. *J'ai emporté de la lecture.*

Spécialt, par oppos. à *représentation* (en parlant d'une pièce de théâtre) ou à *récitation, déclamation...* (→ Équitable, cit. 8). *Discours qui étonne à la lecture* (→ Ampleur, cit. 3). *Audition ou lecture* (→ Expérience, cit. 16).

9 (...) je ne conseille de lire celle-ci *(cette comédie)* qu'aux personnes qui ont des yeux pour découvrir dans la lecture tout le jeu du théâtre.
MOLIÈRE, l'Amour médecin, Au lecteur.

♦ **3.** Le fait de déchiffrer. *Lecture d'une carte, d'un schéma, d'un plan.* — Par ext. *Lecture au son :* déchiffrement des signaux acoustiques.

♦ **4.** Interprétation (d'un texte) selon un ou plusieurs parmi les codes qu'il implique. ⇒ **Décodage, herméneutique.** *Niveaux de lecture. Lecture plurielle. Lecture psychanalytique de la comtesse de Ségur. Faire, proposer une lecture marxiste de Balzac.*

♦ **5.** Absolt et vieilli. Instruction qui résulte de la lecture. ⇒ **Culture.** *Avoir de l'esprit et de la lecture.*

10 (...) vous étudiez sous un régent qui a lui-même beaucoup de lecture et d'érudition.
RACINE, Lettres, 126, 1er oct. 1693.

♦ **6.** Absolt. Le fait de savoir lire, l'art de lire (⇒ **Alphabétisation**). *Enseigner la lecture et l'écriture. Leçon de lecture.*

11 Il n'était question d'abord que de m'exercer à la lecture par des livres amusants (...) ROUSSEAU, les Confessions, I.

Par ext. Enseignement, apprentissage de la lecture. *Méthode de lecture. Premier livre de lecture.*

♦ **7.** Action de lire qqch. à haute voix (à d'autres personnes). *Donner lecture d'une liste de prix, d'une proclamation, d'un arrêt* (→ Exposer, cit. 7). *Lecture des notes, en classe* (→ Haleine, cit. 27).

12 — Messieurs, dit Hourdequin, voici une lettre que nous adresse le maître d'école. Lecture en fut donnée. ZOLA, la Terre, II, V.

13 J'écoutais un jour un récit dont lecture m'était faite à haute voix.
G. DUHAMEL, Défense des Lettres, p. 251.

Faire une lecture, la lecture, à qqn (→ Entrecouper, cit. 2). *Sa dame de compagnie lui faisait la lecture. Lecture adroite* (→ Glisser, cit. 31). —*Assister à la lecture d'une pièce de théâtre inédite. Comité* de lecture.*

13.1 — Il lit tout lui-même monsieur Gallimard?
— Plutôt son comité de lecture.
CÉLINE, Entretiens avec le professeur Y, p. 93.

(1795; «discours», 1717; angl. *lecture*). Anglic. Vx. Conférence.

♦ **8.** (1789). Dr. constit. «Action de lire devant une assemblée délibérante un document officiel» (Capitant). *Lecture d'un projet de loi, d'un rapport, d'un ordre du jour; lecture d'une déclaration ministérielle.*

Par ext. *Première, seconde lecture :* délibération d'une assemblée législative sur un projet, une proposition de loi. *Loi adoptée en première, en seconde lecture.*

14 (...) l'Assemblée nationale (...) statue définitivement et souverainement sur les seuls amendements proposés par le Conseil de la République (...) En cas de rejet (...) de ces amendements, le vote en seconde lecture de la loi a lieu au scrutin public, à la majorité absolue des membres composant l'Assemblée nationale (...)
Constitution du 27 oct. 1946, art. 20.

♦ **9.** Liturgie. «Tous les textes, les oraisons mises à part, qui sont lus ou chantés par un seul dans la liturgie quotidienne» (Dom J. Roux, *in* Lesage, *Dict. de liturgie romaine*). *Lectures de l'office.* ⇒ **Leçon.**

B. ♦ **1.** (XXe). Première phase de la reproduction de sons enregistrés. *Lecture des sons enregistrés sur disques.* ⇒ **Lecteur.**

Loc. *Tête de lecture :* lecteur (II., 1.) supporté par un *bras* (5., d) *de lecture* et terminé par une *pointe de lecture* (aiguille). ⇒ **Cellule** (de lecture), **phonocapteur.** — *Table de lecture :* appareils effectuant la lecture (des disques, des bandes) dans une chaîne de reproduction sonore.

♦ **2.** Techn. (télév.). *Lecture électrique :* analyse de l'image, ligne par ligne. «*Le mécanisme de "lecture électrique" se trouve automatiquement bloqué pendant ce temps mort dit de* retour de ligne» (P. Grivet et P. Herreng, *la Télévision,* p. 21).

♦ **3.** Inform. Action de prendre en compte les informations écrites sur un support dans un organe de calculatrice électronique, en vue d'un traitement ultérieur (⇒ **Lecteur,** B., 3.). *Temps de lecture. Lecture destructive,* qui détruit l'information lue. *Lecture en mémoire.* (Par référence au sens A., 1.). *Lecture optique :* procédé optique de reconnaissance d'informations enregistrées sous forme graphique. Opération qui utilise ce procédé. «*La lecture optique suppose une réflexion approfondie sur la nature des caractères. Si j'exprime ce qui reste implicite dans la définition qu'en donnent les dictionnaires, je dirai qu'un caractère est un signe conventionnel, unicolore, plan, qui représente une information couramment lisible par l'homme. La lecture consiste à reconnaître dans l'ordre les différents caractères d'un message. Lorsqu'une machine s'en charge, on parle de lecture optique*» (*la Recherche,* n° 126, oct. 1981, p. 1095).

Lecture de microformes (microfiches, microfilms...). ⇒ **Microlecture.**

COMP. Microlecture.

LÉCYTHE [lesit] n. m. — 1762, Académie; du grec *lekuthos.*

♦ Archéol. grecque. Vase à anse, en forme de cylindre allongé, à col étroit, à embouchure évasée. *Lécythe décoré de figures au trait sur fond blanc.*

La Grèce avait apporté le blanc comme elle avait apporté le marbre. Depuis les lécythes jusqu'aux mosaïques de Piazza Armerina, une palette qui nous fait penser à celle des fresques du Trecento s'était maintenue pendant six siècles.
MALRAUX, la Métamorphose des dieux, p. 121.

HOM. Lécithe.

LEDIT [lədi], **LADITE** [ladit], **LESDITS** [lɛdi] ⇒ 1. **Dire** (dit, p. p., 2.).

LÉDON [ledɔ̃] n. m. ou **LÈDE** [lɛd] n. f. — 1762, Académie; *lède,* 1611; du lat. *leda, ledon,* grec *ledos.*

♦ Plante dicotylédone *(Éricacées* ou *Éricinées),* à feuilles dures, scientifiquement appelée *ledum. Lédon à larges feuilles* (thé du Labrador). *Lédon des marais.* ⇒ **Romarin.** *Le lédon (la lède) ressemble au rhododendron*.*

LÉGAL, ALE, AUX [legal, o] adj. et n. m. — 1365; du lat. impérial *legalis,* de *lex, legis* «loi».

REM. *Légal* s'est employé au sens de son doublet *loyal** jusqu'au XVIIIe siècle.

A. ♦ **1.** Qui a valeur de loi, résulte de la loi, est conforme à la loi. ⇒ **Légalité, loi; juridique, réglementaire.** *Règle légale* (→ Équité, cit. 20). *Texte légal. Dispositions légales. Formalités, formes légales,* prescrites, imposées par la loi. *Possession légale* (→ Acquêt, cit. 1). *Communauté** (cit. 4) *légale, régime légal. Hypothèque** (cit. 1) *légale* (par oppos. à *[hypothèque] conventionnelle,* et à *judiciaire). Incidence* (cit. 5) *légale et incidence réelle de l'impôt. Intérêt* légal. Cours** (cit. 20) *légal d'une monnaie; monnaie légale. Présomption légale, attachée par la loi à certains actes. Aptitude légale, pouvoir légal* (→ Habiliter, cit. 1). *Capacité*, compétence, incapacité légale. Interdiction* (cit. 5), *expulsion* (cit. 1) *légale.*

♦ **2.** (Personnes). Désigné par la loi. *Le père, administrateur* (cit. 1) *légal des biens de ses enfants mineurs.*

(Le) procureur du roi, tuteur légal des orphelins (...) 1
BALZAC, Ursule Mirouët, Pl., t. III, p. 415.

♦ **3.** Défini ou fourni par la loi. *Définition légale* (→ Artisan, cit. 7). *Bulletin d'annonces légales. Contenance légale d'un récipient* (→ Barrique, cit. 1). *Titre légal d'une monnaie. Âge légal,* requis par la loi.

(...) il n'y a point d'âge légal pour le malheur. 2
CHATEAUBRIAND, Mémoires d'outre-tombe, t. II, p. 123.

Par ext. *Les voies* légales. Armes légales, moyens légaux,* que fournit la loi. → Établir, cit. 42. *Annonces légales.*

Spécialt. *Médecine légale.* ⇒ **Médecine.**

Le pays légal : «ensemble des personnes qui exercent les droits politiques, dans un pays qui ne possède pas le suffrage universel» (P. Larousse, 1873). — Spécialt (et péj.). *Le pays légal et le pays réel.*

♦ **4.** Conforme à la loi (sans être forcément juste ou légitime). *Cela n'est ni juste, ni légal* (→ Inquisiteur, cit. 4). *Assassinat légal :* condamnation à mort qui est inique, mais qui a été prononcée dans les formes légales. *Réduire le mariage à n'être qu'un concubinage* (cit. 2) *légal.*

3 Ce qui est légal est conforme à la loi. Ce qui est légitime est conforme à l'équité. Un acte qui viole la loi ne peut jamais être légal ; mais il peut être légitime en raison des circonstances. LITTRÉ, Dict., art. *Légal.*

♦ **5.** (XVIe). Théol. Qui a rapport à la loi divine (de l'Ancien Testament). *Viandes légales. Impuretés, immondices* (cit. 3, Bossuet) *légales.*

♦ **6.** N. m. *Le légal :* la légalité.

B. (XXe). Didact. Relatif à une loi scientifique.

4 (...) le positivisme de Comte proscrivait toute hypothèse atomistique comme étant de nature explicative et non pas simplement légale ou phénoméniste, et comme relevant donc de la métaphysique.
J. PIAGET, Logique et Connaissance scientifique, Encycl. Pl., p. 107.

CONTR. Illégal. — Arbitraire, clandestin. — Conventionnel.
DÉR. Légalement, légaliser, légalisme, légaliste. — V. Légalité.
COMP. Extra-légal, illégal.

LÉGALEMENT [legalmɑ̃] adv. — 1320, *in* Wartburg ; de *légal.*

♦ D'une manière légale, conformément à la loi. *Procéder, agir légalement. Assemblée légalement élue* (→ Casser, cit. 12). *Convention* (cit. 3) *légalement formée. Peine légalement prononcée, appliquée* (→ Empaler, cit. 1 ; établir, cit. 9). *Constater légalement...* (→ Indemnité, cit. 1).

CONTR. Arbitrairement, illégalement.

LÉGALISATION [legalizɑsjɔ̃] n. f. — 1690, Furetière ; de *légaliser.*

♦ **1.** Procédure par laquelle un fonctionnaire public certifie l'authenticité* d'une signature apposée sur un acte.

1 Les pièces étaient, disait-il, parfaitement en règle, et revêtues des légalisations nécessaires pour faire foi en justice. BALZAC, le Colonel Chabert, Pl., t. II, p. 1110.

2 La légalisation d'un acte n'a guère qu'une valeur réglementaire. Le défaut de légalisation n'annule pas l'acte (...) À l'inverse, la légalisation n'empêche pas d'attaquer l'acte par inscription de faux, ni d'en demander vérification d'écritures s'il s'agit d'un acte sous seing privé.
DALLOZ, Nouveau répertoire, art. *Légalisation,* § 8.

♦ **2.** Action de légaliser, de rendre légal. *La légalisation du divorce en Italie, de l'avortement en France s'est heurtée à une forte résistance.*

LÉGALISER [legalize] v. tr. — 1681, Richesource, mais antérieur (1668, au p. p., *in* D. D. L.) ; de *légal,* et suff. verbal.

♦ **1.** Attester*, certifier* authentique en vertu d'une autorité officielle (la ou les signatures portées sur un acte, et, par ext., l'acte lui-même). ⇒ **Authentifier, authentiquer, confirmer.** *Faire légaliser sa signature par le maire, le commissaire de police. Faire légaliser une procuration* — Au p. p. *Signature légalisée.*

1 Richesource traduit le mot *légaliser :* c'est-à-dire « autoriser un acte public, et le rendre authentique en le revêtant des solennités et formalités de la Loi ou des Ordonnances » (*Des plaisirs de la lecture,* Préf., § XIII, V°).
F. BRUNOT, Hist. de la lang. franç., t. IV, p. 426, note 1.

♦ **2.** Rendre légal*. *Légaliser l'avortement.*

2 Il est plus facile de légaliser certaines choses que de les légitimer.
CHAMFORT, Maximes et Pensées, Philosophie et morale, LI.

3 Cromwell convoqua un autre parlement (...) pour légaliser l'autorité des majors généraux. CHATEAUBRIAND, Stuarts, Protectorat, *in* LITTRÉ.

DÉR. Légalisation.

LÉGALISME [legalism] n. m. — Av. 1868, *in* T. L. F. ; de *légal,* et *-isme.*

♦ Didact. Attitude légaliste. *Un légalisme rigoureux, formaliste.*

Ce qui, dans le légalisme juif, nous paraît excessif, avait cependant pour résultat de rappeler aux âmes pieuses que la vie tout entière était consacrée.
DANIEL-ROPS, le Peuple de la Bible, IV, III.

CONTR. Laxisme.

LÉGALISTE [legalist] adj. et n. — 1908 ; « socialiste modéré », 1894 ; de *légal,* et *-iste.*

♦ Didact. Qui pratique un respect absolu de la loi religieuse, de sa lettre. ⇒ **Formaliste, rigoriste.**

CONTR. Laxiste.

LÉGALITÉ [legalite] n. f. — 1606, au sens 1 ; « loyauté », fin XVe, Chastellain ; du lat. médiéval *legalitas,* du lat. class. *legalis.* → Légal.

♦ **1.** Caractère de ce qui est légal*, conforme au droit* (→ 3. Droit, II., 1.), à la loi*. *La légalité d'un acte, d'un règlement, d'une mesure. Acte d'une légalité douteuse.*

♦ **2.** *La légalité :* ce qui est légal ; état, situation, pouvoir conforme au droit. *Respecter, observer, côtoyer* (cit. 3), *violer la légalité. Rester dans les limites de la légalité. Légalité qui reparaît, remplace l'arbitraire* (cit. 11). *Ordonnance du 9 août 1944 sur le rétablissement de la légalité républicaine en France. Gouvernement qui sort de la légalité.* ⇒ **Excès** (de pouvoir).

(...) il fut un de ces profonds scélérats qui abritent leurs entreprises et leurs mau- 1
vaises actions derrière le paravent de la légalité et sous le toit discret de la famille.
BALZAC, la Rabouilleuse, Pl., t. III, p. 897.

(...) il restait dans les limites de la légalité, ni plus ni moins qu'une Opposition 2
parlementaire. BALZAC, Une ténébreuse affaire, Pl., t. VII, p. 463.

(...) elle *(la Commune)* avait tourné peu à peu, comme tous les pouvoirs qui durent, 3
à la légalité. JAURÈS, Hist. socialiste..., t. VII, p. 6.

— *Le principe de légalité.* On peut le formuler en des termes très simples et que 4
voici : il n'est pas un organe de l'État qui puisse prendre une décision individuelle qui ne soit conforme à une disposition par voie générale antérieurement édictée. Ou sous une autre forme, une décision individuelle ne peut jamais être prise que dans les limites déterminées par une loi matérielle antérieure.
L. DUGUIT, Traité de droit constitutionnel, t. III, VI, § 99.

Allusion historique :

Sorti de la légalité pour rentrer dans le droit. 5
Prince LOUIS-NAPOLÉON, Lettre à la Commission consultative, 31 déc. 1851.

Les vacances de la légalité. Léon BLUM, *in* le Populaire, 9 févr. 1927. 6

CONTR. Arbitraire, illégalité.

LÉGAT [lega] n. m. — V. 1155, au sens 2 ; du lat. *legatus* « envoyé, délégué », encore en ce sens dans Pascal, *Pensées,* 654, p. p. de *legare* « envoyer en mission », et « léguer ». → Léguer.

♦ **1.** (1284). Hist. rom. Fonctionnaire romain adjoint à un proconsul. — Fonctionnaire qui administrait les provinces de l'empereur (⇒ **Gouverneur**). — Officier adjoint à un général en chef, un commandant de région.

Hist. ecclés. Cardinal délégué par le pape pour gouverner une des provinces de l'Église.

♦ **2.** Dr. canon. Ambassadeur* du Saint-Siège. *Légat* a latere (c'est-à-dire : « du côté », « de l'entourage » du pape) : « cardinal que le Pape envoie comme un *alter ego* avec des pouvoirs bien déterminés » (R. Lesage, in *Dict. de liturgie romaine*). *Légat* (a latere) *représentant le Saint-Siège auprès d'un gouvernement.* ⇒ **Nonce.** *Légat auprès de l'empereur d'Orient.* ⇒ **Apocrisiaire.** — Par appos. *Cardinal légat* (→ Imposer, cit. 43). *Le vicaire d'un légat.* ⇒ **Ablégat, vice-légat.**

La ratification du Concordat (...) apportée très solennellement par le cardinal 1
Caprara, archevêque de Milan, qui, dans les mois qui suivraient, devrait, en qualité de « légat », achever de régler avec le conseiller d'État Portalis, « chargé de toutes les affaires concernant les cultes », les questions d'application.
Louis MADELIN, Hist. du Consulat et de l'Empire, Le Consulat, IX.

Une autre institution *(en dehors des conciles)* a aidé au cours des siècles la papauté 2
à exercer son pouvoir sur l'Église : les légats. Ceux-ci peuvent être des légats **a latere** (...) envoyés en missions avec les pouvoirs que leur a conférés le Souverain Pontife (...) Les nonces sont au contraire des légats qui ont reçu une mission diplomatique permanente (...) Ils sont seulement évêques (...)
Marcel PACAUT, Institutions religieuses, p. 23.

COMP. Ablégat, vice-légat.

LÉGATAIRE [legatɛʀ] n. — 1363 ; lat. jurid. *legatarius,* de *legare.* → Léguer.

♦ Dr. Personne qui bénéficie d'un legs*. ⇒ **Héritier** (cit. 10) ; **acquéreur, ayant-cause.** — (1607). *Légataire universel, à titre universel, à titre particulier. Le Légataire universel,* comédie de Regnard. *Elle est la légataire de tous les biens de son oncle. Désignation du légataire par le testateur. Acceptation, répudiation d'un legs par le légataire, en vertu de son droit d'option* (→ Instituer, cit. 2). *Droit au legs du légataire. Saisine du légataire universel. Obligations des légataires :* paiement des dettes de la succession, paiement des legs particuliers (pour les *légataires* universels ou à titre universel). *Droits accordés aux légataires d'un auteur* (cit. 24). *Légataires d'un même testateur.* ⇒ **Colégataire.**

Je fais mon légataire unique, universel, 1
Éraste mon neveu. J.-F. REGNARD, le Légataire universel, V, 7.

— C'est le seul ami que j'aie sur la terre, dit Pons, et je veux l'instituer mon léga- 2
taire universel ; dites-moi quelle forme doit avoir mon testament, pour que mon ami, qui est Allemand, qui ne sait rien de nos lois, puisse recueillir ma succession sans aucune contestation. BALZAC, le Cousin Pons, Pl., t. VI, p. 736.

Lorsqu'au décès du testateur il n'y aura pas d'héritiers auxquels une quotité de 3
ses biens soit réservée par la loi, le légataire universel sera saisi de plein droit par la mort du testateur, sans être tenu de demander la délivrance.
Code civil, art. 1006.

COMP. Colégataire.

LÉGATINE [legatin] n. f. — 1667, *in* D. D. L. ; semble dér. de *légat,* p.-ê. par l'ital., comme *papaline* de *pape.* → Popeline.

♦ Hist. Tissu de soie et de laine.

(On utilisait au XVIIe s.) des cotonnades et même des tissus faits d'éléments mélangés, telles que la *légatine* (...) Guillaume JANNEAU, le Mobilier français, p. 53.

LÉGATION [legɑsjɔ̃] n. f. — V. 1138, *lecaciun ;* « mission diplomatique », v. 1175 ; lat. *legatio,* du supin de *legare* (→ Légat) ; au sens large

de « mission » jusqu'au XVIIIe ; cf. La Fontaine, *Fables*, XII, 21 ; Voltaire, *Défense de Bolingbroke*.

♦ **1.** Dr. canon. Charge, dignité de légat*. « *L'habit de cardinal et toutes les marques de la légation* » (Fléchier). Durée des fonctions d'un légat. — (V. 1175). Pays placé sous l'administration d'un légat. *Les légations de Bologne, de Ferrare.*

♦ **2.** (1798). Dr. internat. *Droit de légation :* droit d'entrer directement en relation avec les États étrangers, soit en entretenant des représentants diplomatiques auprès des chefs d'États étrangers *(légation active)*, soit en recevant les représentants accrédités par les chefs d'États étrangers *(légation passive)*. *Personnel de légation*, accompagnant les agents diplomatiques (personnel d'une ambassade, d'une légation).

♦ **3.** (1791). Absolt et cour. « Représentation diplomatique entretenue par un gouvernement auprès d'un État où il n'a pas d'ambassade » (Capitant). *Ce pays entretient une légation et un consulat à Paris. Ministre plénipotentiaire, à la tête d'une légation. Secrétaire de légation.* — Par ext. Résidence d'une légation. *Aller chercher un visa à la légation. La légation d'Albanie en France.*

Berlinghieri, ayant été nommé ministre résident de Toscane à Paris, vint s'y installer en 1826, avec sa pupille (...) la situation de la jeune fille auprès de ce soi-disant oncle ou tuteur (...) parut un peu équivoque aux gens de la légation.
Émile HENRIOT, Portraits de femmes, p. 310.

LEGATO [legato] adv. et n. m. — 1834, Fétis, *in* D. D. L. ; mot ital., « lié ».

♦ Mus. (indication d'exécution, dans une partition). D'une manière liée, sans détacher les notes. *Jouer legato.*

N. m. Passage lié. *Un beau legato. En legato.*

1 La muette répétition en *legato* des accords posés en syncopes sur le flot, donne l'impression d'un sourd battement en vase clos.
R. ROLLAND, le Chant de la résurrection, p. 539 (1937).

2 (...) un *legato* prolongé est parfois très malaisé *(à la clarinette)*, par exemple s'il faut monter et redescendre coup sur coup, rapidement, par intervalles considérables.
Charles KŒCHLIN, les Instruments à vent, p. 47.

CONTR. **Staccato ; piqué.**

LÈGE [lɛʒ] adj. — 1681 ; néerlandais *leeg* « vide ».

♦ Mar. Qui est vide ou qui a un chargement incomplet, en parlant d'un bâtiment. *Navire lège, à l'état lège.* — Par ext. *Déplacement lège :* poids de la coque entièrement équipée, avec les machines, chaudières (mais sans combustible ni chargement). *Flottaison lège.*

(...) la mer avait fraîchi ; le courant était violent ; nous avons eu tout le mal du monde à gagner le bord. La *Pantoire*, étant lège, s'élevait sur l'eau à des hauteurs impressionnantes ; la houle brisait sur sa muraille (...)
J.-R. BLOCH, Sur un cargo, p. 62.

Loc. adv. *En lège :* le navire étant lège. *Tirant d'eau en lège.*

CONTR. **Lesté.**

LÉGENDAIRE [leʒɑ̃dɛʀ] n. et adj. — 1402, au sens I, 1 ; de *légende*, et *-aire*.

★ **I.** N. m. ♦ **1.** Recueil de légendes. ⇒ **Légende**, I., 2.

♦ **2.** Compilateur de légendes.

★ **II.** Adj. (1836, Montalembert). ♦ **1.** Qui n'a d'existence que dans les légendes. ⇒ **Fabuleux, imaginaire.** *Personnages, héros légendaires. La licorne, animal légendaire. Récit d'aventures légendaires.* ⇒ **Conte.**

♦ **2.** Qui a rapport aux légendes ; qui est constitué par des légendes ou prend l'allure d'une légende. ⇒ **Mythique.** *Aspect historique et aspect légendaire de l'histoire humaine* (→ Conjectural, cit. 1). *Atmosphère* (cit. 16) *légendaire et poétique.*

Bonaparte n'est plus le vrai Bonaparte, c'est une figure légendaire (...) c'est le Charlemagne et l'Alexandre des épopées du moyen âge que nous voyons aujourd'hui. Ce héros fantastique restera le personnage réel ; les autres portraits disparaîtront (...) Il nous faut subir le despotisme de sa mémoire.
CHATEAUBRIAND, Mémoires d'outre-tombe, t. IV, p. 66.

♦ **3.** Qui est entré dans la légende par sa célébrité, sa popularité. ⇒ **Célèbre.** *Marie d'Agoult et Liszt, couple légendaire* (→ Héroïque, cit. 2). — Par hyperbole. Qui est devenu, resté fameux. *Ses distractions, ses maladresses sont devenues légendaires* (Académie). *Son légendaire petit chapeau.*

CONTR. **Historique.** — **Inconnu.**
DÉR. **Légendairement.**

LÉGENDAIREMENT [leʒɑ̃dɛʀmɑ̃] adv. — 1894, Goncourt, *in* T. L. F ; de *légendaire*.

♦ Didact. ou littér. D'une manière légendaire.

LÉGENDE [leʒɑ̃d] n. f. — V. 1220 ; lat. médiéval *legenda*, proprt « ce qui doit être lu », forme du lat. class. *legere*. → Lire.

★ **I.** Relig. ♦ **1.** (V. 1235). Récit de la vie d'un saint destiné à être lu à l'office de matines (⇒ **Lecture**). → Iconographie, cit. 1. *Aux fêtes doubles des saints on lit trois leçons extraites de leur légende.*

♦ **2.** Recueil de ces récits. ⇒ **Légendaire** (I., 1.). *La Légende dorée*, recueil de vies de saints composé au XIIIe siècle.

★ **II.** Cour. ♦ **1.** (1558). Récit populaire traditionnel, plus ou moins fabuleux, qui a souvent un fondement historique. ⇒ **Fable, mythe.** « *Le commencement de l'histoire de tous les peuples est rempli de légendes* » (Académie). *Légendes des temps anciens où figurent des personnages, des animaux* imaginaires* (goule, vampire, dragon [cit. 1], hippogriffe, licorne, loup-garou, rock*, etc.). *Légendes propres à un peuple.* ⇒ **Folklore, mythologie.** *Personnage de légende* (→ Ériger, cit. 9). *La légende du cheval de Troie, la légende de Roland, de Faust* (→ Exergue, cit. 3). *La Légende des siècles*, œuvre de V. Hugo. *L'imagination* populaire est féconde en légendes.*

♦ **2.** (1853, Michelet). Représentation (de faits ou de personnages réels) accréditée dans l'opinion, mais déformée, ou amplifiée par l'imagination, la partialité. *La légende arthurienne. La légende de Napoléon. Légende qui déforme la vraie personnalité d'un homme célèbre, d'une héroïne* (→ Entorse, cit. 4). *Accréditer* (→ Calotin, cit. 1), *détruire une légende.* — *Combler* (cit. 10) *les lacunes de nos connaissances historiques par des légendes et des conjectures.* ⇒ **Conte, fable, histoire.**

(...) madame Séchard employa tous les restants de papiers qu'elle avait trouvés (...) à imprimer sur deux colonnes et sur une seule feuille ces légendes populaires coloriées que les paysans collent sur les murs de leurs chaumières : l'histoire du Juif-Errant, Robert-le-Diable, la Belle-Maguelonne, le récit de quelques miracles. 1
BALZAC, les Illusions perdues, Pl., t. IV, p. 892.

Carrier était une légende. 2
Une grande et féconde légende que l'imagination populaire allait chaque jour enrichir d'éléments nouveaux, rapportant à un même homme tout ce qui s'était fait d'atroce dans ce moment d'extermination. Tout ce qu'on fit devant Troie d'exploits héroïques, c'est Achille qui l'a fait ; et tout ce qu'on fit dans Nantes de choses effroyables, la tradition ne manque pas d'en faire honneur à Carrier.
MICHELET, Hist. de la Révolution franç., XVI, II.

Ses lectures, ses vues, son intelligence, dont les lettres de Joubert font état, la montrent *(Pauline de Beaumont)* sérieusement différente de cette figure d'oiseau blessé où sa légende la réduit. 3
Émile HENRIOT, Portraits de femmes, p. 266.

Ainsi Nerval, par une sale nuit, s'est-il pendu deux fois, pour lui d'abord qui était dans le malheur, et puis pour sa légende, qui aide quelques-uns à vivre. 3.1
CAMUS, l'Été, *in* Essais, Pl., p. 862.

Absolt (et dans un sens général). *L'histoire et la légende* (→ Éternel, cit. 19). *Légende héroïque* (⇒ **Épopée**). *Napoléon est entré dans la légende. Un grand nom que la légende auréole* (cit. 2).

Il y aura d'abord l'action impudente, obstinée de ceux dont le métier même est d'édifier la légende. 4
G. DUHAMEL, Récits des temps de guerre, IV, XXIV.

★ **III.** (1579). ♦ **1.** Inscription (d'une médaille, d'une monnaie). *Médaille fruste* (cit. 1) *dont la légende est effacée. Bordure réservée à la légende.* ⇒ **Carnèle.** — *Légende* (ou *âme*) *d'une devise.*

On avait donné à Louis XIV la devise du soleil avec cette légende : *Nec pluribus impar.* 5
VOLTAIRE, le Siècle de Louis XIV, X.

♦ **2.** (1598). Texte qui accompagne une image et lui donne un sens. *Légende d'un dessin de Daumier, d'un croquis humoristique* (→ Anecdotique, cit. 1). *Dessin sans légende* (→ Sans paroles). *Légende d'une photo dans un livre, une revue, un journal. Histoire en images avec des légendes et bande dessinée.*

Il n'avait appris aucun métier. Il pouvait, à la rigueur, dessiner des bonshommes avec une légende sur papier bristol. 6
P. MAC ORLAN, Quai des brumes, VIII.

Les légendes ont une fonction analogue à celle des titres. En effet, la première chose que fait le lecteur en ouvrant son journal est de jeter un coup d'œil sur les principaux titres et sur les photos. Des photos qui l'intéressent, il glisse tout naturellement aux légendes qui les accompagnent. D'où l'importance, pour une légende, de donner, elle aussi, des éléments d'information et d'inciter à la lecture du texte. C'est la raison pour laquelle les journaux ont renoncé depuis longtemps aux légendes purement descriptives de la photo, et les remplacent par de courts textes de nature à relier l'illustration à tel ou tel élément d'information. 7
Philippe GAILLARD, Technique du journalisme, p. 117.

♦ **3.** (1797). Cartographie. Liste explicative des signes conventionnels (lettres, chiffres, signes, couleurs) de (une carte, un plan). *La légende d'une carte physique de la France. Légende d'un plan de Paris, d'un guide de la route. La légende est dans un cartouche.*

DÉR. **Légendaire, légender.**
HOM. **Formes du v. légender.**

LÉGENDER [leʒɑ̃de] v. tr. — 1936 ; dans un autre sens (?), 1884, Vallès, *in* D. D. L. ; de *légende* (III.), et suff. verbal.

♦ Accompagner (un dessin, une médaille, une carte...) d'une légende, d'une note explicative. — Au p. p. *Schéma légendé.*

LÉGER, ÈRE [leʒe, ɛʀ] adj. — 1080, *Chanson de Roland* ; d'un lat. pop. **leviarius*, du lat. class. *levis* « léger ».

★ **I. A.** ♦ **1.** Qui a peu de poids, se soulève facilement (en parlant de ce qui est inanimé ou considéré dans un état d'immobilité) [s'oppose à *lourd*, II.]. *Le duvet est chaud et léger* (→ Eider, cit. 1). *Chose légère comme une plume, comme une bulle de savon. C'est très léger, ça ne pèse* rien. Plus léger qu'un bouchon* (cit. 5) *de liège. Léger comme l'air.* ⇒ **Aéré.** *Gaz plus léger que l'air. Fardeau, chargement léger. Vêtement léger à porter. Corps léger d'une personne fluette* (→ Aussi, cit. 35), *d'un oiseau* (→ Héron, cit. 3). — *Un enfant léger à soulever.* — Vx. *Être léger à qqn, pour qqn.* — Loc. *Que la terre te soit légère (Sit tibi terra levis),* inscription tumulaire empruntée aux anciens.

1 Légère à tes os soit la terre (...) RONSARD, Épitaphes, Pl., t. II, p. 527.

Loc. *Les plus légers que l'air :* les ballons*. — Sports. *Poids* léger.*

(XIIe). Spécialt (phys. et chim.). De faible densité. *L'aluminium est un métal léger. Huiles lourdes et huiles légères* (→ Extrait, cit. 11). *Gaz légers.*

2 (...) il paraît (...) que Saturne est principalement composé d'une matière légère semblable à la pierre ponce.
BUFFON, Suppl. à la Théorie de la terre, Œuvres, t. IX, p. 347, *in* LITTRÉ.

(1589). Vx. *Monnaie légère,* qui n'a pas le poids requis.

Fam. et vieilli. *Francs légers :* anciens francs (opposé à *francs lourds*).

♦ **2.** (1690, Furetière). Par anal. Qui ne pèse pas sur l'estomac. ⇒ **Digestible.** *Aliment léger. Viande légère. Préparation légère et friande* (→ Cuisine, cit. 8). — *Léger à digérer.* — *Un repas léger.*

3 Le potage est une nourriture saine, légère, nourrissante, et qui convient à tout le monde (...) BRILLAT-SAVARIN, Physiologie du goût, t. I, p. 95.

♦ **3.** Fig. Qui ne pèse pas moralement. « *La charge* (cit. 7) *de vos maux en sera plus légère* ». — *Léger à... Une faute légère à sa conscience. Léger à* (et inf.). *Un joug léger à porter,* aisé à supporter.

4 (...) il y a des contrées où la sujétion féodale, plus pesante qu'en France, semble plus légère, parce que, dans l'autre plateau de la balance, les bienfaits contrepèsent les charges.
TAINE, les Origines de la France contemporaine, t. I, I, p. 43.

♦ **4.** Qui est ou donne l'impression d'être peu chargé. *Avoir l'estomac léger.* ⇒ **Creux, vide.** — Loc. fig. *Avoir la tête légère, une tête légère :* être écervelé, ne rien avoir dans la tête* (→ ci-dessous, III.). *Se sentir l'âme légère, le cœur léger :* être allègre (cit. 4), joyeux, sans inquiétude, sans remords. ⇒ **Insouciant.** — Allus. hist. « *Cette responsabilité, nous l'acceptons* (cit. 10) *d'un cœur léger* » (É. Ollivier).

5 Cet argent suffit à payer notre retour et nous nous embarquons le cœur léger et la bourse aussi. LOTI, Aziyadé, III, LXIV.

(Av. 1615). Vieilli. *Léger de* (qqch.) : peu pourvu ou dépourvu de (qqch.). *Léger d'argent* (cit. 32 et 42). — REM. Dans ces emplois, *léger,* épithète, est en général placé après le nom; cependant, on trouve aussi l'antéposition aux sens 1 et 3 : *de légers bagages, une légère charge.*

B. ♦ **1.** (1080, *Chanson de Roland;* en parlant de ce qui est animé, en mouvement). Qui semble ne peser guère; qui se meut avec aisance et rapidité. ⇒ **Agile, leste, souple, vif.** « *Légère et court vêtue elle allait à grands pas* » (La Fontaine; → Agile, cit. 1). *Danseuse agile* (cit. 4) *et légère.* — *Léger à* (et nom ou inf.). *Être léger à la course, à faire qqch.* (vx). « *J'en serai moins léger à gagner le taillis* » (Molière; → Armer, cit. 19). — *Oiseau léger* (→ Aigle, cit. 1), *fauvette* (cit.) *légère. Papillons légers. Personne légère comme un papillon* (→ Danser, cit. 4), *comme l'air, le vent, le zéphir.* ⇒ **Aérien, ailé, éthéré.** — Qui est ou se sent alerte, vif. *Être, se sentir léger :* se sentir reposé, en bonne forme. ⇒ **Alerte, dispos, guilleret, ingambe** (→ Enivrer, cit. 28).

6 (...) ce pas délicieux où madame Ferraris, — Éoline, voulons-nous dire, — se montre si jeune, si légère, si aérienne, si voluptueusement chaste et si pudiquement provocante. Th. GAUTIER, Voyage en Russie, p. 332.

7 Il est alerte, dispos, léger, ainsi qu'après un bon sommeil dans la fraîcheur du matin. BERNANOS, Sous le soleil de Satan, I, III.

8 En quinze jours, elle a su danser; elle est légère comme un duvet.
MARTIN DU GARD, les Thibault, t. II, p. 102.

Spécialt. *Soldats, fantassins légers,* mobiles, équipés de manière légère (→ Gendarmerie, cit. 1). *Cavalerie légère* (→ ci-dessous, I., F.).

(XIIe). Par ext. *Pas* léger. Démarche souple et légère. Bond léger* (→ Bruit, cit. 8). *Saut léger de la fouine* (cit. 1). *Trot léger* (→ Frôlement, cit. 4). *Course, ronde, danse légère* (→ Basquine, cit. 1).

9 Elle portait une robe de mousseline (...) et allait, la démarche légère, sur de hauts talons. J. CHARDONNE, les Destinées sentimentales, p. 202.

Fouler le sol d'un pied léger. Achille au pied léger. — *Sentir une main légère vous effleurer** (cit. 6). *Effleurer* (cit. 14) *d'une main légère. Infirmier, masseur à la main légère.* — Fig. *Avoir la main* légère :* ne pas faire sentir l'autorité qu'on exerce. — Fam. *Avoir la cuisse* légère, la jambe légère.*

♦ **2.** (1690). Qui appuie peu, agit avec peu de force (s'oppose à *lourd,* II.). *Légère tape* (→ Gifle, cit. 5), *coup léger* (→ Bâton, cit. 15). *Légère caresse. Pression légère. Baisers légers* (→ Effleurer, cit. 7; éphémère, cit. 3). — *Jeu, toucher léger d'un pianiste, d'un violoniste. Tableau peint par touches légères.* ⇒ **Délicat.**

♦ **3.** Par anal. *Rire* léger.*

♦ **4.** Spécialt (mus.). *Voix légère,* qui se meut aisément (vocalises, trilles) dans les registres aigus (→ Fausset, cit. 4). *Soprano* léger. Ténor* léger.* — Par ext. *Rôle léger,* qui exige une voix légère (→ Chanteur, cit. 2).

C. (1690, Furetière). ♦ **1.** Qui a peu de matière, de substance (opposé à *épais*). *Une légère couche de neige.* ⇒ **Mince.** *Étoffe légère.* ⇒ **Fin** (→ Pelure d'oignon; et aussi haïk, cit. 1). *Flanelle* (cit. 1), *toile légère* (→ Gaufrage, cit.). *Vêtement léger d'été* (→ Importun, cit. 14). *Robe légère* (→ Fauve, cit. 5). *Flots de dentelles légères.* ⇒ **Flou, vaporeux.** *Déshabillé, voile léger.* ⇒ **Arachnéen.** — Peu dense, peu fourni. *Terre légère, sablonneuse. Nuage léger* (→ Ardoisé, cit. 2), *vapeur légère* (→ Cruche, cit. 3; exhaler, cit. 2). ⇒ **Éthéré, immatériel, impondérable.** *Léger feuillage du frêne** (cit. 2). *Ombre légère* (→ Cimetière, cit. 5). *Dessin léger. Repas léger,* peu substantiel. *Potage léger.* ⇒ **Clair.**

Après un déjeuner plus léger que celui d'un Arabe (...) 10
BAUDELAIRE, Curiosités esthétiques, XV, VI.

L'azur couvre les toits de son léger tulle bleu. J. RENARD, Journal, 8 mai 1909. 11

♦ **2.** Qui a peu d'éléments, n'a pas l'importance requise ou normale. *Une équipe légère, trop légère. Des moyens assez légers* (→ ci-dessous, *infra* cit. 19).

D. (1732). Par anal. (opposé à *fort,* à *concentré*). Qui a peu de force, qui est peu concentré. *Vin léger,* peu alcoolisé. *Café, thé léger.* ⇒ **Faible.** *Parfum léger,* qui n'entête pas (→ Gémir, cit. 8).

Sens-tu l'odeur du thé... celle du tilleul... et, parmi ces parfums légers, un arome 12
fruité... par exemple la prune... et puis cette senteur un peu lourde et pourtant subtile de pomme bien mûre (...)
J. CHARDONNE, les Destinées sentimentales, p. 17.

(...) un thé pâle, léger, très parfumé (...) que les dames de Limoges buvaient avec 13
une grimace. J. CHARDONNE, les Destinées sentimentales, p. 320.

Fig. (opposé à *profond*). *Sommeil* léger* (→ Appesantir, cit. 2) : sommeil peu profond, qu'un rien vient troubler, dissiper.

E. (XIIe; v. 1200 en parlant d'une femme). Esthétique. Qui a de la délicatesse, de la grâce dans la forme. ⇒ **Délicat, délié, élégant, gracieux.** *Cou robuste bien que léger* (→ Agressif, cit. 10). *Taille légère.* ⇒ **Élancé, fin, svelte** (→ Taille de sylphide*). *Guipure légère de l'architecture gothique* (cit. 9). → Chant, cit. 3. *Flèche, tour légère.* ⇒ **Aérien.** *Ornement léger. Léger couronnement* (cit. 3) *de colonnettes.*

Rien n'est plus joli, plus mignon, plus léger que ce frêle équipage qu'on emporte- 14
rait sous son bras. Il semble sortir de chez le carrossier de la reine Mab.
Th. GAUTIER, Voyage en Russie, p. 84.

F. ♦ **1.** Par métonymie. (→ ci-dessus, I., B., 1., Fantassin léger). Qui encombre peu, ne gêne pas les mouvements (en parlant d'armes, d'équipements). *Armes légères.* ⇒ **Mobile.** *Matériel léger.*

♦ **2.** Mar., aviat. (et cour.). Qui, étant moins pesant, moins important par la taille, se meut plus rapidement. *Croiseur léger. Escadre légère. Bombardier léger.*

♦ **3.** Qui ne nécessite pas un matériel et des investissements aussi importants que (la même activité qualifiée de *lourde*). *Industrie légère* (→ ci-dessous, II., Des investissements légers).

★ **II.** (Fin XIIe). Avec un sens affaibli. Peu sensible, peu perceptible; peu important. ⇒ **Faible, petit.** — REM. L'épithète est plus souvent avant le nom, mais la postposition est fréquente. *Un léger mouvement de tête* (→ Assentiment, cit. 6). *Un léger coup, un coup léger. Trace légère* (→ Indélébile, cit. 2). *Un léger grisonnement* (cit.). *Bruit léger.* ⇒ **Imperceptible** (→ Calomnie, cit. 5). *Son léger et doux. Une légère fraîcheur* (cit. 3). *Un léger goût de moisi. Douleur légère,* supportable*. *Malaise léger; incommodité* (cit. 6), *affection légère. Légère contusion* (cit. 2); *blessure, égratignure légère,* sans gravité. *Une légère paranoïa. Débilité légère.* — (Abstrait). *Faute* (cit. 28) *légère.* ⇒ **Véniel.** *Châtiment léger. Peine légère* (→ Glisser, cit. 33). *Une différence très légère.* ⇒ **Insensible.** *Les nuances les plus légères.* ⇒ **Impondérable, infime** (→ Exagérer, cit. 2). *Légère retouche* (→ Amendement, cit. 3). *Une colère* (cit. 5) *légère. Légère tristesse* (→ Une ombre* de tristesse). *Avoir, donner une légère idée* (→ Épithète, cit. 2; hommage, cit. 27). *Avoir une légère teinture de grec. Léger indice. Léger doute.*

(...) si la douleur est violente, elle est courte; si elle est longue, elle est legiere 15
(légère...) MONTAIGNE, Essais, I, XIV.

Pouvez-vous refuser cette grâce légère 16
Aux larmes d'une sœur, aux soupirs d'une mère? RACINE, la Thébaïde, II, 3.

(...) dans l'espoir que vous vous corrigerez, je veux bien m'en tenir à cette puni- 17
tion légère (...) LACLOS, les Liaisons dangereuses, CXV.

(...) une coloration légère, très faible, à peine sensible, était montée aux joues 18
(de Rowena...)
BAUDELAIRE, Trad. E. POE, Histoires extraordinaires, « Ligeia ».

Enfin, dit-elle avec un très léger sourire, on ne se consulte pas, nous autres (...) 19
SARTRE, l'Âge de raison, p. 163.

(Placé après le nom). *Innovation légère,* peu importante. *Une poli-*

tique de réformes légères. — Des investissements légers. C'est un budget assez léger pour une telle entreprise.

Personnes (emploi critiqué). *Blessé léger*, qui a une blessure légère. → Grave, cit. 25. — Opposé à *profond. Débile léger*, qui souffre de débilité légère.

★ **III.** (1174). Fig. (Placé en épithète après le nom). ♦ **1.** Qui a peu de profondeur, de sérieux (en parlant des personnes, de leur caractère). ⇒ **Évaporé, folâtre, folichon, frivole, futile, insouciant, superficiel.** *Personne légère et frivole* (cit. 7). *Caractère, esprit* (cit. 83 et 113) *léger.* ⇒ **Inconsistant.** *Le Français a la réputation d'être léger et spirituel.* ⇒ **Légèreté.**

20 Dans Athène*(s)* autrefois, peuple vain et léger,
Un orateur, voyant sa patrie en danger (...)
(...) parla fortement sur le commun salut (...)
Le vent emporta tout; personne ne s'émut.
L'animal aux têtes frivoles,
Étant fait à ces traits, ne daignait l'écouter. LA FONTAINE, Fables, VIII, 4.

21 Les Français naissent légers, mais ils naissent modérés. Ils ont un esprit leste, agréable et peu imposant. Parmi eux, les sages même, dans leurs écrits, semblent être de jeunes hommes. Joseph JOUBERT, Pensées, XVI, LXV.

22 Le roi (...) est accoutumé à un clergé vénérable et sans doute fort grave. Je ne voudrais pas, à cause de mon âge surtout, avoir l'air trop léger.
STENDHAL, le Rouge et le Noir, I, XVIII.

23 Je vais passer pour un esprit léger (au jugement des esprits lourds) : Un Dictionnaire d'anecdotes fait ma plus grande lecture. Tous les caractères sont là, peints en peu de mots. Paul LÉAUTAUD, Propos d'un jour, p. 107.

Être, se montrer léger dans sa conduite, dans ses jugements. ⇒ **Déraisonnable, dissipé, distrait, écervelé, étourdi, éventé, imprévoyant, imprudent, inconséquent, irréfléchi** (→ Tête* légère, en l'air, à l'évent; tête de linotte; ne pas avoir de plomb* dans la tête). *Garçon ignorant et léger.* ⇒ **Étourneau, inattentif.** *«Aussi léger dans vos démarches qu'inconséquent* (cit. 3) *dans vos reproches».*

(Choses intellectuelles). *Un article, un livre assez léger sur cette question difficile. C'est un peu léger, comme raisonnement.* ⇒ **Insuffisant, jeune.** *C'est un peu léger, pour une thèse d'État.*

♦ **2.** Déb. XIIIe. (Personnes). Vx. Qui change trop aisément de sentiments, d'opinions, d'occupations. ⇒ **Capricieux, changeant, inconstant, instable, mobile, versatile** (cf. par métaphore de I., *«Je suis chose légère, et vole à tout sujet...»* La Fontaine; → Fleur, cit. 11). — *Cet homme inquiet* (cit. 2), *léger, inconstant, qui change de mille et mille figures* (La Bruyère). — REM. En ce sens, *léger* ne s'applique plus, de nos jours, qu'aux choses de l'amour (→ ci-dessous).

24 Les hommes en un sens ne sont point légers, ou ne le sont que dans les petites choses. Ils changent leurs habits, leur langage, les dehors (...) ils gardent leurs mœurs toujours mauvaises, fermes et constants dans le mal (...)
LA BRUYÈRE, les Caractères, XI, 2.

(1573). Mod. Spécialt (en amour). ⇒ **Volage; coureur, gaillard** (→ Aimer, cit. 43). *Jeune personne délurée et légère* (→ Gigolette, cit. 1). *Mari léger et volage.* — *Femme* légère*, de mœurs légères. — REM. Le mot avait un sens moins précis (et moins fort) dans la langue classique.

25 Les femmes accusent les hommes d'être volages, et les hommes disent qu'elles sont légères. LA BRUYÈRE, les Caractères, IV, 17.

26 On entend des gens vous dire qu'il n'y a que les femmes légères, ou les commères du marché, qui ne portent pas de corset.
J. ROMAINS, les Hommes de bonne volonté, t. III, XXIII, p. 304.

♦ **3.** (Av. 1711, Boileau). Qui est trop libre (en parlant des propos et des mœurs). ⇒ **Grivois, libre, licencieux.** *Tenir des propos légers. Conversation, anecdote un peu légère.* ⇒ **Leste.** *Femme de mœurs légères* (→ ci-dessus).

27 Clydès est pur et doux (...)
Il fuit les jeux bruyants et les propos légers (...)
Albert SAMAIN, Aux flancs du vase, La sagesse.

28 Vous vous souvenez, chéri, de la phrase de Juliette?... *J'ai été trop tendre et peut-être eussiez-vous pu craindre en m'épousant que ma conduite devînt trop légère (...)* A. MAUROIS, Climats, I, IV.

♦ **4.** (V. 1210, «subtil», «délié»). Qui a de la grâce, de la délicatesse ou une désinvolture sans lourdeur (en parlant du ton, d'une attitude d'esprit). ⇒ **Badin, dégagé, désinvolte, enjoué.** *Un ton léger de crânerie* (cit. 2), *de plaisanterie* (→ Gaieté, cit. 12). *Une ironie légère. Vivacité légère et spirituelle du caractère national* (→ Fronde, cit. 3). *Le sentiment des nuances, la grâce légère de l'esprit attique* (cit. 8). *Un scepticisme léger et bienveillant* (→ Gamin, cit. 6).

29 (...) j'arrêtai par mon sérieux sa gaîté qui me parut trop légère pour un début; il se rabattit sur la délicate amitié (...)
LACLOS, les Liaisons dangereuses, LXXXV.

♦ **5.** (1692). Facile à comprendre, gai (en parlant de la musique, de la poésie). *Haute poésie et poésie légère. Vogue de la poésie légère au XVIIIe siècle.* — (Au plur., en parlant des poèmes). *Les poésies légères et satiriques de Voltaire. — Musique classique et musique légère. Concert de musique légère.*

30 Cultivée presque par jeu, considérée comme secondaire en vertu de la hiérarchie des genres et de la prétendue supériorité des genres nobles, elle *(la poésie légère)* n'en offre pas moins ce que l'inspiration poétique produit alors *(au XVIIIe s.)* de plus séduisant. R. JASINSKI, Hist. de la littérature franç., t. II, p. 59.

★ **IV.** Loc. adv. À LA LÉGÈRE. ⇒ **Légèrement.** ♦ **1.** (1544). Vx. D'une façon peu pesante. *Être habillé, armé à la légère.* — (Vx). D'une manière frugale. — Par ellipse du verbe :

Ses repas ne sont point repas à la légère. LA FONTAINE, Fables, V, 18. 31

♦ **2.** (1668, La Fontaine). Mod. Fig. Sans avoir pesé les choses, sans réfléchir. ⇒ **Inconsidérément, légèrement.** *Parler à la légère*, à tort* et à travers. *Porter à la légère une accusation téméraire. S'engager à la légère dans une entreprise aventureuse. Laissez-moi y réfléchir, je ne fais rien à la légère* (contr. : *en connaissance de cause*). *Prendre les choses à la légère*, avec insouciance (contr. : *sérieusement*).

Si le Ciel t'eût, dit-il, donné par excellence 32
Autant de jugement que de barbe au menton,
Tu n'aurais pas à la légère
Descendu dans ce puits (...) LA FONTAINE, Fables, III, 5.

(...) des tables de proscription où il inscrivait à la légère, sans examen, sans contrôle, tous les noms qu'on lui dictait. 33
MICHELET, Hist. de la Révolution franç., IV, VIII.

Germaine n'a rien d'une nature insouciante. Elle ne prend pas à la légère les ennuis quotidiens. Et les préoccupations d'intérêt lui sont spécialement sensibles. 34
J. ROMAINS, les Hommes de bonne volonté, t. I, XI, p. 124.

CONTR. Lourd. — REM. **Lourd** ne s'oppose à *léger* que dans son sens II (Voir **Lourd**, II.), le sens initial (I) étant «maladroit»; le sens III de *léger* a surtout pour contr. **sérieux, pesant.** Le contraire courant de *léger*, II., est **fort**; les contraires de *léger* I., C., D., etc. sont signalés en leur lieu. — V. aussi **Accablant, assujettissant, astreignant, chargé, considérable, embarrassant, encombrant,** 1. **fort, grave, gros, grossier, indigeste, massif, pesant, violent. — Épais, dense, opaque, profond. — Important. — Atroce, dramatique, horrible. — Circonspect, posé, sérieux. — Constant, fidèle. — Raisonnable, sévère.**

DÉR. Légèrement, légèreté.

COMP. V. **Alléger, allégir, élégir.**

LÉGÈREMENT [leʒɛʀmɑ̃] adv. — XIVe; *legierement* «sans douleur», v. 1131; «sans difficulté», v. 1135; de *léger.*

D'une manière légère*.

♦ **1.** (V. 1208, *legierement armé*). Au sens propre. *Être vêtu, armé légèrement.*

Il s'avance seul, légèrement armé, couvert d'un casque d'acier garni d'or (...) 1
VOLTAIRE, la Princesse de Babylone, I.

(Fin XVe). Avec souplesse, grâce, agilité. *Marcher, passer légèrement* (→ Alléger, cit. 2; forme, cit. 20). *Le palmier balance légèrement ses éventails* (cit. 5) *de verdure.*

Elle (...) courut légèrement jusqu'au coin de la rue Président-Carnot. 2
J. GREEN, Adrienne Mesurat, IV.

Sans appuyer, sans violence. ⇒ **Délicatement, doucement.** *Toucher légèrement qqn* (→ Céder, cit. 24). *Gratter légèrement la terre* (→ Germe, cit. 8).

(1340). Frugalement, sans excès. *Manger légèrement au repas du soir.*

♦ **2.** (Sens affaibli). Un peu, à peine. *Bouger légèrement. Poussez-vous légèrement vers la droite. Légèrement incliné, incurvé* (→ Gradin, cit. 2). *Blessé légèrement. Légèrement plus petit, plus gros, plus grand. Chair légèrement rosée* (→ Épaule, cit. 5). *Thé légèrement parfumé de citron* (→ Gourmandise, cit. 8). *Légèrement triste, ennuyeux* (→ Grandiose, cit. 2). *Il est légèrement sadique.* → Un peu sadique sur les bords*. — Par antiphr. et fam. Passablement. *Elle est légèrement prétentieuse!*

(...) ses sourcils, d'un dessin légèrement irrégulier, avaient la même couleur *(que ses yeux...)* BAUDELAIRE, Trad. E. POE, Histoires extraordinaires, «Ligeia». 3

Sa voix est toujours douce, mais l'expression de son visage a changé légèrement. 4
COLETTE, la Vagabonde, p. 148.

♦ **3.** (1538; *parler legierement*, fin XVe). Fig. À la légère*. ⇒ **Inconsidérément.** *Agir légèrement. Sacrifier légèrement la liberté des hommes* (→ Honneur, cit. 19). *Lire légèrement et citer négligemment un écrit* (→ Flétrir, cit. 6). *Prendre un parti un peu légèrement* (→ Flanc, cit. 14). *Croire légèrement les mensonges de quelqu'un* (→ Impudemment, cit.).

Peut-être est-ce un soupçon conçu légèrement, 5
Et votre esprit jaloux prend parfois des chimères (...)
MOLIÈRE, le Misanthrope, IV, 2.

D'une manière peu sérieuse; avec désinvolture.

Les Français parlent toujours légèrement de leurs malheurs, dans la crainte d'ennuyer leurs amis (...) ils se hâtent de montrer élégamment de l'insouciance pour leur propre sort (...) Mme DE STAËL, De l'Allemagne, I, XI. 6

Mais regrettant de s'être laissé aller à parler même légèrement de choses sérieuses : «Nous avons une bien belle conversation, dit-il ironiquement, je ne sais pourquoi nous abordons ces "sommets", et (...)» 7
PROUST, À la recherche du temps perdu, t. I, p. 41.

CONTR. Lourdement, pesamment. — Durement, fort, violemment. — Copieusement. — Beaucoup, très. — Gravement, grièvement, sérieusement.

LÉGÈRETÉ [leʒɛʀte] n. f. — XIIe, *legierté* «acte inconsidéré»; de *léger.*

Caractère de ce qui est léger*. — REM. Certains emplois de *léger* (par ex. le sens II) ne correspondent pas à des usages normaux de *légèreté.*

★ **I.** ♦ **1.** (Fin XIIe). Caractère d'un objet peu pesant, de faible densité (→ Léger, I., A.). *Outil très maniable, en raison de sa légèreté. La légèreté de l'aluminium, de la plume, de l'air.*

1 Dans le ciel d'ardoise, des flocons de neige commençaient à voler, d'une légèreté de plume. ZOLA, la Terre, I, IV.

♦ **2.** (XIIIe). En parlant de ce qui est animé. Qui se meut avec aisance, facilité (→ Léger, I., B.). ⇒ **Agilité, souplesse.** *Marcher avec légèreté* (→ Glisser, cit. 9). *La légèreté d'une danseuse. Légèreté d'une biche, d'un cheval* (→ Fond, cit. 60), *d'un oiseau, d'un papillon.* — Par ext. *Légèreté de main,* se dit d'une main agile, qui effleure à peine. ⇒ **Dextérité, douceur.** *Légèreté du toucher, de la touche.*

2 (...) il fit signe à Laurence de venir, et elle se posa sur le marchepied avec une légèreté d'oiseau. BALZAC, Une ténébreuse affaire, Pl., t. VII, p. 559.

3 La main, posée sur les yeux de l'enfant, se retira, avec une légèreté d'aile. MARTIN DU GARD, les Thibault, t. I, p. 27.

(Personnes). Euphorie (cit. 4) due à l'impression d'être léger.

♦ **3.** Caractère de ce qui est peu épais (→ Léger, I., C.). ⇒ **Finesse.** *La légèreté d'une étoffe, d'un vêtement.*

♦ **4.** Caractère léger. [a] *Légèreté d'un vin.*

4 (...) la gloire a, pour notre nation, la légèreté du vin de Champagne. CHATEAUBRIAND, Mémoires d'outre-tombe, t. V, p. 197.

[b] ⇒ **Délicatesse, grâce.** *Légèreté d'une architecture, d'une tour, d'une flèche; d'un ornement. La légèreté des figures sculptées* (→ Épater, cit. 8).

♦ **5.** Rare. Caractère de ce qui a peu de gravité. *La légèreté de l'offense, du châtiment* (Hatzfeld).

★ **II.** (1170; → Léger, III.). ♦ **1.** Caractère d'une personne qui manque de consistance, de profondeur dans ses jugements, de constance dans ses opinions, qui agit de manière peu réfléchie, inconsidérée; (spécialt) caractère d'une personne qui ne prend rien au sérieux, tourne toute chose en plaisanterie. ⇒ **Désinvolture, frivolité, futilité, inconscience, insouciance.** *Faire preuve de légèreté dans ses jugements, dans sa conduite, dans ses propos.* ⇒ **Enfantillage, imprudence, inconstance, instabilité, irréflexion** (→ Frustrer, cit. 6; intelligent, cit. 5). *Sa gravité contrastait avec la légèreté des autres* (→ 1. Grave, cit. 6). *La légèreté proverbiale des Français.*

5 Il résulte que cette legereté particulière aux Français a dans tous les temps produit des catastrophes bien funestes (...) Des ruisseaux de sang ont coulé en France, parce que la nation est souvent peu réfléchissante et très prompte dans ses jugements. VOLTAIRE, Dict. philosophique, Supplices, II.

6 (...) il gémit de la légèreté d'une femme qui, tout en accomplissant une grande chose, y trouvait néanmoins matière à plaisanter. BALZAC, le Cabinet des antiques, Pl., t. IV, p. 445.

7 Mais c'est une manière qui ne me va guère, que cette affectation de légèreté envers l'amour. COLETTE, l'Étoile Vesper, p. 186.

8 Les phrases passionnées de Lady Caroline n'étaient pour lui qu'un bruit fatigant et vulgaire qui couvrait sa musique intérieure. Il eût souhaité de la familiarité, de la légèreté, un mélange de frivolité gaie et de mélancolie fugitive; il trouvait la contrainte de l'adoration et tournait la tête avec lassitude A. MAUROIS, la Vie de Byron, II, XVI.

Défaut de sérieux, de profondeur, d'information (dans une œuvre, dans l'expression orale ou écrite). *La légèreté de cet article, de sa réaction.*

♦ **2.** Caractère d'une personne inconstante en amour. *Se plaindre de la légèreté de son amant* (→ Cesser, cit. 13). — Par ext. *La légèreté de sa conduite.* ⇒ **Inconduite.**

9 La vertu des femmes dépend toujours de la conduite des hommes. La prétendue légèreté des femmes vient de ce qu'elles ont peur d'être abandonnées : elles se précipitent dans la honte par crainte de l'outrage. Mme DE STAËL, De l'Allemagne, I, IV.

10 Les preuves de ses fautes (...) non seulement de sa coquetterie, mais de sa légèreté scandaleuse, je les ai eues sous les yeux (...) J. CHARDONNE, les Destinées sentimentales, p. 53.

(1355) Par ext. Liberté excessive dans les mœurs, dans les propos. *Juger d'une nation par la légèreté de ses mœurs* (→ Héroïque, cit. 16). *Il tient des propos d'une trop grande légèreté* (Académie).

♦ **3.** Vx. *(Une, des légèretés).* Faute* commise par étourderie, par défaut de réflexion. ⇒ **Bêtise** (fam), **caprice, enfantillage, imprudence, peccadille.** *Ce ne sont que des légèretés qui tiennent à son âge* (Académie).

11 Plusieurs circonstances peuvent faire pardonner une légèreté. Mme DE GENLIS, Théâtre d'éducation, « Les dangers du monde », III, 9.

♦ **4.** (1688, La Bruyère). Vieilli. Délicatesse et agrément (de la conversation, du ton, du style). → Léger, III., 4. ⇒ **Aisance, facilité, grâce** (cit. 77). *La légèreté de son style.* — REM. Les risques d'ambiguïté avec le sens II, 1, plus cour., font que cette acception a vieilli.

12 (...) ce n'est que légèreté, qu'élégance, que beau naturel et que délicatesse dans ses ouvrages (*de La Fontaine*). LA BRUYÈRE, les Caractères, XII, 56.

13 Cette agréable légèreté, qui fait prononcer sur ce qu'on ignore, peut avoir de l'élégance quand on parle, mais non quand on écrit (...) et nous avons tellement épuisé tout ce qui est superficiel, que, même pour la grâce, et surtout pour la variété, il faudrait, ce me semble, essayer d'un peu plus de profondeur. Mme DE STAËL, De l'Allemagne, Observations générales.

14 Ce qu'on appelle légèreté d'esprit n'est quelquefois qu'une apparence produite par la facilité de ses mouvements; une légèreté d'évolutions, fort différente de la légèreté d'attention et de jugement. Joseph JOUBERT, Pensées, IV, XVII.

CONTR. Lourdeur, pesanteur. — Componction, gravité. — Circonspection, prudence, réflexion, sérieux. — Constance, fidélité.

LEGGINGS [legiŋs] ou **LEGGINS** [legins] n. m. pl. — 1902, *leggings; leggins,* 1858, *in* Höfler; *leguins,* 1803, Volney; angl. *leggings* « jambières », de *leg* « jambe ».

♦ Jambières* de cuir ou de toile. *Leggins de cuir.*

Il y avait sur le quai de la gare un ostrogoth en uniforme de je ne sais quoi, une espèce d'adjupette en leggings, mal luné et congestionné, genre revenant du cadre noir, corseté, taille de guêpe, fin de siècle (...) 1
B. CENDRARS, la Main coupée, *in* Œ. compl., t. X, p. 215.

(...) le colonel arpentant la hutte et fouettant avec une badine ses leggins de cuir lui dictait une adresse pleine d'envolée destinée à tous les hommes de son secteur. 2
M. TOURNIER, le Roi des aulnes, p. 165.

LEGHORN [legɔʀn] n. f. — 1888; mot angl., du nom angl. de *Livourne,* pour désigner une race de poules de Livourne importée aux États-Unis.

♦ Techn. (élevage, agric.). Poule d'une race estimée, bonne pondeuse. *Des leghorns.* — N. f. sing. *La leghorn* : cette race.

LÉGIFÉRABLE [leʒifeʀabl] adj. — 1938, *in* D. D. L.; de *légiférer.*

♦ Rare. Qui peut être soumis à des lois, à des règles.

Rivages veut être une revue vivante. Littérairement parlant, elle ne peut céder à la tentation de légiférer où rien n'est légiférable.
CAMUS, Politique et Culture méditerranéennes, *in* Essais, Pl., p. 1330.

LÉGIFÉRER [leʒifeʀe] v. intr. — Conjug. *céder.* — 1840-1842, Académie, *Compl.; légisférer,* 1796; dér. sav. du lat. *legifer* « législateur ».

♦ **1.** Faire des lois. *Pouvoir de légiférer.* ⇒ **Législatif.**

À partir de 1934 (...) les Chambres renoncent périodiquement à légiférer. Le décret-loi devient, après les événements de février, une pratique courante. 1
Marcel PRÉLOT, Précis de droit constitutionnel, n° 186 (éd. Dalloz).

♦ **2.** Fig. Dicter des règles. *Ce grammairien prétend légiférer.*

(...) on croit souvent que Malherbe, Vaugelas, le P. Bouhours, etc., ont légiféré *in abstracto;* en réalité les « théoriciens » n'ont fait qu'interpréter, systématiser, diffuser les idées et les sentiments d'un groupe social. 2
G. MATORÉ, la Méthode en lexicologie, Introd., I.

DÉR. Légiférable.

LÉGION [leʒjɔ̃] n. f. — V. 1155, *legiun,* au sens 1; lat. *legio, onis,* t. militaire, de *legere* « rassembler; choisir ».

♦ **1.** Antiq. rom. Corps d'armée composé d'infanterie et de cavalerie. *Les légions romaines et les phalanges grecques. Manipule*, centurie*, cohorte* d'une légion. Au combat, les légions comprenaient trois lignes de soldats appelés* principes, hastati *(hastates* ou *hastaires*) et* triarii *(triaires*).* — Allus. hist. *Varus, rends-moi mes légions!,* lamentation d'Auguste après le désastre subi par Varus devant les Germains (an 9 après J.-C.).

(...) l'aigle romaine 1
Vit choir ses légions au bord de Trasimène (...)
CORNEILLE, Nicomède, I, 5.

Vers 300 *(avant J.-C.),* la levée régulière est de quatre légions dont chacune comprend quatre mille deux cents fantassins et trois cents cavaliers, groupés en trois centuries équestres. L'armement du légionnaire s'améliore. Rome adopte le *scutum,* long bouclier samnite, et le *pilum,* efficace arme de trait. 2
Raymond BLOCH, Rome..., *in* Encycl. Pl., t. I, p. 883.

(Au plur.). Poét. (et style soutenu). ⇒ **Armée.** *Déjà ses légions traversaient les Alpes* (Littré).

♦ **2.** 1534. (Sous François Ier). Corps d'infanterie.

Mod. Corps de gendarmerie*.

♦ **3.** (V. 1170). Grand nombre*, grande quantité*. ⇒ **Cohorte, multitude.** — (Fin XIIe). Relig. *Une légion d'anges* (cit. 5), *de damnés* (→ Ascète, cit. 2), *de démons. L'homme possédé d'une légion de démons* (→ ci-dessous, cit. 3).

Jésus lui demanda : Quel est ton nom? Il lui dit : Je m'appelle Légion, parce que plusieurs démons étaient entrés dans cet homme. 3
BIBLE (SACY), Évangile selon saint Luc, VIII, 30.

C'est une légion de diables enfermés dans un seul pourpoint. 4
BEAUMARCHAIS, la Mère coupable, III, 21.

(1690, Furetière). Fam. et vieilli. *Une légion de parents, une ribambelle de cousins.*

(Sans art., après le verbe *être*). *Ils sont, ils étaient légion. Ils n'étaient d'abord qu'une poignée, ils sont maintenant légion.*

On mettait pied à terre, on s'arrêtait aux plus décharnés, ne pouvant s'arrêter à tous, car ils étaient légion. 5
LOTI, l'Inde (sans les Anglais), V, X.

♦ **4.** LÉGION ÉTRANGÈRE. [a] (1792, *légion franche étrangère*). Vx. Nom de chaque régiment formé de volontaires étrangers au service de la France. *Les légions étrangères de l'Empire. — La Légion polonaise de la Grande Guerre.*

[b] (1831). Corps composé de volontaires généralement étrangers sous le commandement d'officiers français et étrangers. *Le premier régiment de la Légion étrangère* (ou *1er Étranger) était stationné à Sidi-Bel-Abbès* (puis en Corse). *Les Français peuvent s'engager à la Légion étrangère, mais sous un nom d'emprunt* (aucun état civil

n'étant exigé lors de l'engagement). — Ellipt. *La Légion. Entrer à la Légion. Le drapeau, le fanion* (cit.) *de la Légion. La célèbre marche de la Légion. — Les* banderas *de la Légion étrangère espagnole.*

6 La Légion étrangère de Dar Riffien constitue une troupe solide, parfaitement entraînée et qui sait mourir au feu, au *barro,* comme disent les légionnaires. Ce corps d'élite (...) reçoit, comme la Légion étrangère française dont il s'inspire, toutes les infortunes et répond parfaitement au besoin de disparaître que certains hommes, et non des moindres, peuvent parfois éprouver à certaines époques troubles de leur existence (...) La Légion étrangère espagnole est divisée en huit unités formant corps. On les appelle des *banderas,* du mot bannière. Elles possèdent chacune des fanions magnifiques qui correspondent à leur nom.
P. MAC ORLAN, la Bandera, V.

7 — «(...) vous ignorez peut-être que je sers au régiment étranger?»
— «Au régiment?...» — «À la Légion, quoi! Le mot me dégoûte depuis que les romanciers l'ont mis à la mode.»
BERNANOS, Journal d'un curé de campagne, p. 261.

7.1 — D'où tu es?
— Serbe. Je reviens de la Légion. Je suis déserteur.
Jean GENET, Journal du voleur, p. 35.

♦ **5.** (1802). **LÉGION D'HONNEUR.** Ordre national hiérarchisé créé par Bonaparte pour récompenser les services civils et militaires. *La Légion d'honneur a pour grand maître le président de la République et comprend cinq classes :* les chevaliers (en nombre illimité), les officiers, les commandeurs, les grands officiers et les grand-croix (en nombre limité); *elle est administrée par une Chancellerie et un Conseil de l'ordre. Nomination, promotion dans l'ordre de la Légion d'honneur. Membres de la Légion d'honneur. Croix** (→ Décorer, cit. 6), *plaque*, ruban*, rosette* de la Légion d'honneur.*

8 Le célèbre Legendre, géomètre de premier ordre, recevant la croix de la Légion d'honneur, l'attacha à son habit, se regarda au miroir et sauta de joie.
STENDHAL, Vie de Henry Brulard, 24.

9 (...) elle portait un veston d'homme au revers barré par le ruban de la Légion d'honneur. SARTRE, le Sursis, p. 19.

Par ext. Titre, dignité dans l'ordre de la Légion d'honneur. *Avoir la Légion d'honneur* (→ Avoir le ruban, la rosette). → Pistonner, cit. 1.1. *Il a eu la Légion d'honneur à titre militaire, à titre civil.* — La décoration. *Porter sa Légion d'honneur* (→ Concurrence, cit. 6). *Renvoyer sa Légion d'honneur au président de la République.*

Spécialt. *Maison d'éducation de la Légion d'honneur,* ou, ellipt, *Légion d'honneur :* maison d'éducation réservée aux filles de membres de la Légion d'honneur. *Jeune fille élevée à la Légion d'honneur.*

♦ **6.** Rare (trad. de l'angl.) *La Légion américaine* (American Legion). → Légionnaire, 4.

LÉGIONELLOSE [leʒjɔnelloz; leʒjɔneloz] n. f. — 1983; de *Legionella (pneumophila),* formé sur *American Legion.*

♦ Méd. Maladie du légionnaire* (4.). *« En 1976, des congressistes ayant participé à la Convention de l'American Legion étaient frappés d'une sorte de pneumonie foudroyante inconnue. Après une longue enquête, il fut enfin possible d'identifier l'agent responsable : une bactérie dénommée pour la circonstance "bactérie de la maladie des légionnaires". Depuis, d'autres bactéries de ce type ont été découvertes, d'où le terme de "légionelloses" pour désigner toutes les infections dont elles sont responsables »* (*la Recherche,* n° 141, févr. 1983, p. 146).

LÉGIONNAIRE [leʒjɔnɛʀ] n. m. — V. 1213, adj.; au sens 1, 1290; du lat. *legionarius, de legio, onis.* → Légion.

♦ **1.** Hist. Soldat de l'ancienne légion romaine. *Les légionnaires étaient recrutés dans la classe aisée* (→ Hoplite, cit.).

1 Le légionnaire qui avait conservé un morceau de sa pique ou de son bouclier *(dans la retraite de Perse)* magnifiait son courage.
CHATEAUBRIAND, Études historiques, II, 2, *in* LITTRÉ, art. *Magnifier.*

♦ **2.** Adj. (1798). Qui appartient à une légion étrangère. *Soldat légionnaire.* — N. m. (1534, *in* D. D. L., «soldat d'une légion»). *Les légionnaires de Napoléon Ier.*

2 Le premier, nommé Steingel, Alsacien pur sang, était fils du général de ce nom qui succomba lors des premiers succès de Bonaparte (...) Légionnaire intrépide, il n'avait reçu la moindre égratignure en seize ans de guerre.
BALZAC, les Paysans, Pl., t. VIII, p. 133-134.

(Fin XIXe). Mod. Soldat qui sert dans la Légion étrangère (→ Colonne, cit. 12). *Courage des légionnaires sous le feu* (→ Cruauté, cit. 13). *Légionnaires en cantonnement. Des légionnaires maigres et musclés.* → Pitrerie, cit.

3 Les légionnaires ne sont pas des bandits. Il existe des bandits à la Légion comme il en existe dans toutes les collectivités d'individus qui ne sont sélectionnés que par l'estimation de leur force physique, de leur courage et de leur mépris pour la mort violente. P. MAC ORLAN, la Bandera, V.

♦ **3.** (V. 1802). Dr. Membre de la Légion d'honneur. — REM. En ce sens, *légionnaire* n'appartient qu'au langage juridique ou officiel.

4 La mention de la croix à côté du nom d'un commerçant n'est régulière que si elle est placée immédiatement après le nom du légionnaire, et non après les diverses mentions qui peuvent constituer une raison sociale.
DALLOZ, Nouveau répertoire, *Légion d'honneur,* 22.

♦ **4.** *Maladie du légionnaire* (ainsi appelée parce qu'elle se manifesta au congrès des anciens combattants — *American Legion* — à Philadelphie, en 1976) : maladie voisine de la pneumonie, due à la bactérie *Legionella pneumophila.* ⇒ **Légionellose.**

LÉGISLATEUR, TRICE [leʒislatœʀ, tʀis] n. et adj. — V. 1361; lat. *legislator;* de *legis,* génitif de *lex,* et *lator* «celui qui propose», de *latum,* supin de *ferre* «porter».

A. ♦ **1.** Vieilli ou littér. Personne qui fait les lois*, qui donne des lois à un peuple (→ Borner, cit. 24, Montesquieu). *Sage, prudent législateur. Dracon et Solon, législateurs d'Athènes* (→ Imposant, cit. 4). *Lycurgue, législateur de Sparte. Les nomothètes*, qui faisaient fonction de législateurs à Athènes. Catherine II, législatrice de la Russie. — L'art, l'autorité, la sagesse du législateur* (→ Combiner, cit. 7; essence, cit. 10). — Adj. *Un monarque législateur. La nation, législatrice et souveraine* (→ Exécutif, cit. 1).

Commander des armées et remporter des victoires n'est rien en comparaison de la gloire d'un législateur. FÉNELON, Dialogue des morts, Solon et Justinien. 1

(...) s'il est vrai qu'un grand prince est un homme rare, que sera-ce d'un grand législateur? Le premier n'a qu'à suivre le modèle que l'autre doit proposer. Celui-ci est le mécanicien qui invente la machine, celui-là n'est que l'ouvrier qui la monte et la fait marcher. ROUSSEAU, Du contrat social, II, VII. 2

Si nous entendons par législateur un homme qui crée un code par la puissance de son génie et qui l'impose aux autres hommes, ce législateur n'exista jamais chez les anciens. FUSTEL DE COULANGES, la Cité antique, III, XI. 3

Figuré :

Législatrice du monde, Rome, assise sur la pierre de son sépulcre, avec sa robe de siècles (...) CHATEAUBRIAND, Mémoires d'outre-tombe, t. VI, p. 116. 4

Spécialt. (En parlant de lois religieuses). *Mahomet, le législateur des musulmans. Le législateur souverain, le divin législateur :* Dieu.

(1790). Hist. Vx. Membre du corps législatif.

♦ **2.** Littér. Personne qui établit des principes, des règles (dans un domaine intellectuel ou moral). *Un législateur de la langue* (→ Bienfaisance, cit. 2), *du Parnasse, de la poésie* (→ Genre, cit. 14). *« La famille a été dans le passé la législatrice d'un droit et d'une morale... »* (Durkheim, *in* T. L. F.).

Philos. (chez Kant). La conscience humaine, en tant que capable de produire des lois universelles, a priori. *« L'homme moral, chez Kant, agit comme législateur de la cité des fins »* (Sartre, *Situations I,* p. 318) — REM. Kant écrivait : *«l'être raisonnable doit toujours se considérer comme un législateur dans un règne des fins»* (in *Fondements de la métaphysique des mœurs*).

B. N. m. (1802, Bonald). *Le législateur :* le pouvoir qui légifère, qui fait les lois. ⇒ **Législatif.** *Dans les États modernes, le législateur est une assemblée.* ⇒ **Parlement.** *Les préoccupations, les intentions, la volonté du législateur* (→ Association, cit. 10; famille, cit. 29). *La carence du législateur* (→ Grève, cit. 17). *Maximes qui s'imposent au législateur* (→ Équité, cit. 19).

LÉGISLATIF, IVE [leʒislatif, iv] adj. et n. — 1685; adj., 1652; *la législative* «science du législateur», 1361, Oresme; l'emploi mod. est empr. à l'angl. *legislative* (1651), et ne se répand qu'au XVIIIe; l'angl. vient de *legislation,* d'après le lat. *legislativus.*

♦ **1.** Qui fait les lois; qui a la mission, le pouvoir de légiférer. *Force, puissance législative* (→ Députation, cit. 1; exécutif, cit. 1, Rousseau; exécuteur, cit. 2, Montesquieu). *Pouvoir* législatif. — Assemblée* législative. Corps*, organe législatif.* — N. m. Le pouvoir législatif, le parlement. *Le législatif et l'exécutif.*

Si la puissance exécutrice n'a pas le droit d'arrêter les entreprises du corps législatif, celui-ci sera despotique; car, comme il pourra se donner tout le pouvoir qu'il peut imaginer, il anéantira toutes les autres puissances. 1
MONTESQUIEU, l'Esprit des lois, XI, VI.

(...) le pouvoir législatif n'est pas le souverain, mais simplement le délégué du souverain. A. ESMEIN, Revue politique et parlementaire, Août 1894. 2

La Constitution de 1946 ne donne pas la définition de la loi. Pas davantage, elle ne détermine le domaine de la fonction législative. Elle dit simplement que «l'Assemblée nationale vote seule la loi» (art. 13). Par cette rédaction, elle fait écho à la Constitution de 1791 : «Les décrets du corps législatif ont force de loi...»; à celle de l'an III (...) ou encore à la loi du 25 février 1875 déclarant, à son article premier, que «le pouvoir législatif s'exerce par deux Assemblées». 3
M. PRÉLOT, Précis de droit constitutionnel, p. 458.

(1791). Hist. *L'Assemblée législative,* et, n. f., *la Législative :* l'assemblée qui succéda à la Constituante le 1er oct. 1791. — *Corps législatif* (1852-1870).

♦ **2.** Par ext. Qui concerne l'assemblée législative. *Élections* législatives* (→ Arrondissement, cit. 6), et, n. f. pl., *les législatives. Régler une question par une mesure législative.* ⇒ **Législativement.**

DÉR. Législativement.

LÉGISLATION [leʒislasjɔ̃] n. f. — V. 1361, Oresme, «création de nouvelles lois»; bas lat. *legislatio, de legis* (de *lex*), et *latum,* supin de *ferre* «porter»; repris 1721, de l'angl. *legislation* (1655), de même origine.

♦ **1.** (1721). Vx. Droit, pouvoir de faire les lois (⇒ **Législatif**).

1 J'aurais cherché un pays où le droit de législation fût commun à tous les citoyens; car qui peut mieux savoir qu'eux sous quelles conditions il leur convient de vivre ensemble dans une même société?
ROUSSEAU, De l'inégalité parmi les hommes, À la République de Genève.

♦ **2.** Ensemble des lois, des textes législatifs, des normes juridiques dans un pays ou dans un domaine déterminé. ⇒ **Droit, loi.** *La législation française, anglaise... Législation d'exception* (cit. 8). *Système de législation* (→ Égalité, cit. 9). *Législation civile* (→ Fédéral, cit. 8), *criminelle, aérienne, maritime. Législation financière.*

2 Et c'est un reproche aussi pour l'Assemblée constituante de n'avoir pas su qu'un système de législation est toujours impuissant, si l'on ne place à côté un système d'éducation. MICHELET, Hist. de la Révolution franç., V, XI.

♦ **3.** (Av. 1848). Science, connaissance des lois (syn. : *nomologie;* ⇒ 3. **Droit**). *Cours, manuel, ouvrage de législation* (→ Autoriser, cit. 22). *Législation comparée. Législation financière* (abrév. fam. : *légi fi*).

♦ **4.** Philos. (Kant, *«Principe selon lequel toute volonté humaine apparaît comme une volonté instituant par toutes ses maximes une législation universelle»,* in *Fondements de la métaphysique des mœurs*). Ensemble des lois universelles produites par la conscience.

LÉGISLATIVEMENT [leʒislativmɑ̃] adv. — 1867, Littré; de *législatif.*

♦ Dr. Par voie législative.

LÉGISLATURE [leʒislatyʀ] n. f. — 1636 «législation»; «pouvoir législatif», 1741; de *législateur, législation;* sens constitutionnel d'après l'angl. *legislature,* du lat. *legislator* «législateur».

♦ **1.** (1776). Rare. Le corps législatif d'un pays. ⇒ **Assemblée, parlement.** *«Les deux branches de la législature»* (Capitant).

♦ **2.** (1791). Cour. Période durant laquelle une assemblée législative exerce ses pouvoirs. *Pendant la dernière législature. Gouvernement de législature,* lié à une majorité parlementaire, et donc à la durée d'une assemblée législative.

Il visait la députation, le Palais-Bourbon. De toutes façons, il ne pouvait y compter avant une ou deux législatures (...) ARAGON, les Beaux Quartiers, I, VIII.

LÉGISTE [leʒist] n. m. et adj. — V. 1265; *legistre,* v. 1206; lat. médiéval *legista,* de *lex* «loi».

♦ **1.** Spécialiste des lois. ⇒ **Homme** (de loi), **jurisconsulte, juriste** (→ Esclave, cit. 8; invoquer, cit. 7).

Cestui Richard était juge dans Pise,
Homme savant dans l'étude des lois (...)
Notre légiste eut mis son doigt au feu
Que son épouse était toujours fidèle (...)
LA FONTAINE, Contes, «Le calendrier des vieillards».

♦ **2.** Adj. (1833, *in* D. D. L.). *Médecin* légiste,* chargé d'expertises en matière légale. — N. m. *Le légiste n'a pas encore vu le cadavre.*

♦ **3.** Hist. Conseiller juridique des rois de France. *Les légistes contribuèrent à étendre l'autorité de la monarchie*, notamment par leurs doctrines inspirées du droit romain. Les célèbres légistes de Philippe le Bel.*

LÉGITIMAIRE [leʒitimɛʀ] adj. — 1579; de *légitime,* et *-aire.*

♦ Dr., anc. Qui appartient à la légitime, à la réserve légale. ⇒ **Réservataire.** *Héritier légitimaire; portion légitimaire.*

LÉGITIMATION [leʒitimasjɔ̃] n. f. — 1340; de *légitimer,* et *-ation.*

Action de légitimer; résultat de cette action.

A. ♦ **1.** (1690, Furetière). Vx ou hist. Reconnaissance des pouvoirs (d'un souverain, d'un envoyé). — Par ext. *Légitimation des pouvoirs.*

1 M. de La Fare (...) a sans doute confondu la légitimation de mes pouvoirs et celle de mes pensées; il a cru que le droit de rejeter une opinion renfermait celui d'en rejeter l'auteur. MIRABEAU, *in* Louis BARTHOU, Mirabeau, p. 143.

♦ **2.** (1461). Dr. civ. Bénéfice par lequel la légitimité est conférée à un enfant* naturel (→ Famille, cit. 29; incestueux, cit. 4). *Légitimation de droit commun, résultant du mariage des parents. Légitimation «post nuptias» par décision judiciaire. — Reconnaissance et légitimation.*

2 Les enfants nés hors mariage (...) sont légitimés par le mariage subséquent de leurs père et mère, lorsque ceux-ci les ont légalement reconnus avant leur mariage ou qu'ils les reconnaissent au moment de sa célébration. Dans ce dernier cas, l'officier de l'état civil qui procède au mariage constate la reconnaissance et la légitimation dans un acte séparé. Code civil, art. 331.

Légitimation adoptive : sorte d'adoption qui produit, en principe, tous les effets de la filiation légitime.

Hist. *Légitimation d'un bâtard par un rescrit du prince. Lettres de légitimation.*

3 Au vu et au su de tout le monde, Henri IV a légitimé ses bâtards, et cela dans des conditions telles que sa succession pouvait faire naître des rivalités et des guerres redoutables. On lui pardonne. On parle à peine de ces imprudences. En revanche, la légitimation des bâtards de Louis XIV est considérée, depuis Saint-Simon, comme un outrage à la morale publique. Louis BERTRAND, Louis XIV, III, IV.

B. Action de légitimer, de justifier. *La légitimation de sa conduite.*

La politique, la littérature produisent (...) de ces vigoureux tempéraments, de ces protestants (...) dont la seule légitimation est un esprit de réaction quelquefois salutaire. BAUDELAIRE, Curiosités esthétiques, V, II. 4

La conséquence de la révolte (...) est de refuser sa légitimation au meurtre puisque, dans son principe, elle est protestation contre la mort. 5
CAMUS, l'Homme révolté, p. 352.

LÉGITIME [leʒitim] adj. et n. f. — 1266; lat. *legitimus,* de *lex, legis* «loi».

★ **I.** Adj. Qui est fondé en droit, en équité. — REM. *Légitime* n'est synonyme de *légal* que dans certaines expressions plus rares de nos jours qu'autrefois. Par exemple, on ne dit plus *intérêt légitime* pour «Intérêt de l'argent au taux fixé par la loi» (Académie), «intérêt* légal». *Légitime* évoque l'idée d'un droit fondé sur la justice et l'équité, droit supérieur que le droit positif peut contredire. Dans ce cas, *légitime,* synonyme de *juste,* s'oppose à *légal.* → Légal (cit. 3). Pour les *légitimistes,* Louis-Philippe n'était pas souverain *légitime,* bien qu'il fût *légalement* roi (→ Légitimiste, légitimité). Le gouvernement *légal* n'est pas *légitime* aux yeux de ses adversaires. Les définitions du gouvernement *légitime* sont forcément subjectives.

Un gouvernement légitime (...) est celui dont l'existence, la forme, le mode d'action sont consacrés par une longue succession d'années, par une prescription séculaire. La légitimité de la puissance souveraine résulte d'un antique état de possession. 1
TALLEYRAND cité par SAINT-AULAIRE, Talleyrand, p. 273.

♦ **1.** Dr. Qui est juridiquement fondé, consacré par la loi ou reconnu conforme au droit. ⇒ **Légal.** *Cause légitime. Union légitime* (par oppos. à *union libre*). ⇒ **Mariage.** — Par ext. *Liens, amours légitimes. Femme légitime* (→ ci-dessous, III.).

Une fille unique, fruit de leurs légitimes amours (...) 2
BALZAC, Eugénie Grandet, Pl., t. III, p. 484.

Il est de certaines fonctions où l'on est presque forcé de prendre une femme, comme il y a certaines fortunes où il serait honteux de ne pas avoir d'équipage. Allons, passons le gant blanc, tirons la bretelle, avançons-nous vers l'officier municipal, prenons une légitime (...) FLAUBERT, Correspondance, 97, 15 juin 1845. 3

(...) le mauvais plaisir aussi de le reprendre à une autre femme, une femme légitime. ZOLA, la Terre, V, III. 4

(V. 1300; par oppos. à *naturel*). *Filiation*, parenté légitime* (→ Agnation, cit.). *Père légitime; parents légitimes* (→ Héritier, cit. 7). *Enfant* légitime.* ⇒ **Filiation** (cit. 1). *Bâtards* (cit. 4) *et enfants légitimes. Reconnaître pour légitime.* ⇒ **Légitimation, légitimer.** *Descendants légitimes* (→ Héréditaire, cit. 1).

Au grand étonnement du pays, monsieur et madame Soudry reconnurent pour légitime, par leur acte de mariage, un fils naturel du gendarme (...) 5
BALZAC, les Paysans, Pl., t. VIII, p. 97.

Tous ces personnages licites et légitimes qui allaient et venaient autour de son lit, non insoumis, non polygames, à métiers clairs et définis, la flattaient dans son mal. 5.1
GIRAUDOUX, Siegfried et le Limousin, p. 284.

Les deux fils qu'il *(Louis XIV)* avait eus de Mme de Montespan, le duc du Maine et le comte de Toulouse, furent déclarés légitimes et aptes à succéder. Le Parlement enregistra docilement les édits. 6
J. BAINVILLE, Hist. de France, XIV, p. 258.

♦ **2.** (XVIe). Conforme à l'équité, à la justice, au droit naturel. ⇒ **Équitable, juste** (→ Légal, cit. 3). *Acte légitime* (→ Conflit, cit. 4). *Légitime influence* (cit. 14). *Acquêt* (cit. 3), *gain, salaire légitime,* mérité.

Je sais qu'un noble esprit peut, sans honte et sans crime, 7
Tirer de son travail un tribut légitime (...) BOILEAU, l'Art poétique, IV.

— Il est impossible, me dit-il, que les richesses qui servent à l'entretien de vos désordres vous soient venues par des voies légitimes. Vous les avez acquises injustement; elles vous seront ravies de même. 8
Abbé PRÉVOST, Manon Lescaut, p. 67.

(V. 1850). Spécialt. Dr. *Légitime défense.* ⇒ 1. **Défense.** (→ Esprit, cit. 82; homicide, cit. 4).

♦ **3.** Plus cour. Qui est justifié (par le bon droit, la raison, le bon sens...). ⇒ **Juste.** *Excuse* (cit. 3, 20) *légitime.* ⇒ **Admissible, fondé.** *Prétentions*, revendications légitimes,* qu'on peut soutenir à bon droit. ⇒ **Raisonnable** (→ 1. Intestin, cit. 4). *Remords légitime* (→ Ardeur, cit. 28). *Ardeur, courroux, sévérité légitime* (→ Armature, cit. 3; extirper, cit. 2; frustrer, cit. 2). *Une légitime colère. Orgueil légitime.* ⇒ **Permis** (→ Bouffée, cit. 5; fier, cit. 21; humilier, cit. 28). *Pessimisme légitime* (→ Généraliser, cit. 2). — *Usage légitime d'un mot. L'emploi de cette expression est légitime* (Académie). — *Franchir* (cit. 14) *les bornes, les limites légitimes. C'est tout à fait légitime; rien de plus légitime.* ⇒ **Compréhensible, normal** (→ Étape, cit. 6; éternel, cit. 17).

Que sa prétention fût ou non légitime (...) ROTROU, Antigone, IV, 1. 9

(...) même dans le mariage, le plaisir n'est légitime que quand le désir est partagé. 10
ROUSSEAU, Émile, V.

Le plaisir de plaire est légitime, et le désir de dominer choquant. 11
Joseph JOUBERT, Pensées, VIII, XLIII.

«Toute mystique est légitime», concéda-t-il, d'une voix lasse. 12
MARTIN DU GARD, les Thibault, t. VII, p. 268.

★ **II.** N. f. (1562). Dr., anc. *La légitime :* institution qui était destinée à protéger les héritiers légitimes en leur assurant une portion du patrimoine; cette portion. ⇒ **Réserve** (héréditaire), **succession; légitimaire.**

13 Il avait fait un testament (...) dans lequel il laissait tout le bien à son second fils, et réduisait mon père à une simple légitime (...)
MARIVAUX, la Vie de Marianne, IX.

★ **III.** N. f. (1845). Pop. Épouse (→ Épouse, femme; ci-dessus, cit. 3). *C'est sa légitime.* ⇒ **Associée** (argot), **bourgeoise** (pop.), **régulière** (fam.).

CONTR. Illégitime. — Bâtard (cit. 7), **naturel** (enfant). **— Arbitraire, criminel, déraisonnable, injuste.**

DÉR. Légitimaire, légitimement, légitimer, légitimiste, légitimité.

LÉGITIMEMENT [leʒitimmɑ̃] adv. — 1266, de *légitime.*

♦ D'une manière légitime. *Bien légitimement acquis; fortune légitimement gagnée. S'estimer légitimement* (→ Générosité, cit. 3). *Ce que nous avons légitimement appelé génie* (cit. 32).

Il eut pour un morceau de pain, légalement, sinon légitimement, les plus beaux vignobles de l'arrondissement, une vieille abbaye et quelques métairies.
BALZAC, Eugénie Grandet, Pl., t. III, p. 483.

CONTR. Illégitimement.

LÉGITIMER [leʒitime] v. tr. — V. 1280, Bloch-Wartburg, sens non précisé; de *légitime.*

Rendre légitime.

♦ **1.** (1375). Vx. Reconnaître pour légitime (un souverain, son pouvoir).

♦ **2.** (1694, Académie). Dr., anc. Reconnaître pour authentique*. *Il a fait légitimer ses pouvoirs* (Académie).

♦ **3.** (V. 1350). Mod. Rendre légitime* juridiquement. ⇒ **Légitimation** (cit. 1). *Légitimer un enfant naturel.* — Spécialt (histoire ou droit) :

1 Notre mariage légitimerait ce pauvre garçon, qui ne soupçonne pas encore sa position.
BALZAC, le Curé de village, Pl., t. VIII, p. 669.

Par ext. Rendre légitime (une union...).

2 (...) c'est par humilité qu'elle ne demandait point à Albert de légitimer une situation que la naissance d'une petite fille avait depuis longtemps consacrée.
GIDE, Si le grain ne meurt, I, IX, p. 230.

♦ **4.** (1640). Fig. Rendre légitime, faire admettre comme juste, raisonnable, excusable... ⇒ **Excuser, justifier.** *Rien ne peut légitimer une aussi mauvaise action* (Littré). *Les conséquences* (cit. 7) *d'un acte peuvent le légitimer. L'homme veut légitimer ses vices* (→ Cultiver, cit. 14). *Légitimer une attitude, un sentiment.*

3 Oui, la vie que je mène légitimerait dans mon cœur un amour comme celui que tu viens de me peindre.
BALZAC, les Paysans, Pl., t. VIII, p. 230.

4 Je me tuais en explications pour légitimer ma conduite.
GIDE, Journal, nov. 1904.

5 Les renseignements précis que centralisait Gallot sur l'activité de l'Internationale, légitimaient d'ailleurs ces espoirs. La résistance prolétarienne ne cessait de faire des progrès.
MARTIN DU GARD, les Thibault, t. VI, p. 170.

▶ **SE LÉGITIMER** v. pron. (1867, Littré).

(Passif). Se faire admettre comme juste, raisonnable. *La violence ne peut pas se légitimer.*

▶ **LÉGITIMÉ, ÉE** p. p. adj. *L'enfant légitimé est assimilé par la loi à l'enfant légitime.* — Spécialt (hist. du dr.). *Les bâtards légitimés du roi de France* (→ Légitimation, cit. 3).

DÉR. Légitimation.

LÉGITIMISME [leʒitimism] n. m. — 1839, Baudelaire, *in* D. D. L.; de *légitim(iste),* et *-isme.*

♦ Rare. Opinion, doctrine des légitimistes.

(...) On dit qu'elle se fait gloire de tenir une maison de rendez-vous de tous les jeunes gens légitimistes que leurs parents laissent seuls dans le quartier Saint-Germain (...) Un camarade de Louis-Le-Grand (...) m'a dit que dans cette maison, l'idée de religion et de légitimisme était si singulièrement unies *(sic)* qu'il suffisait de haïr le gouvernement pour être réputé catholique (...)
BAUDELAIRE, Correspondance, juin 1839.

LÉGITIMISTE [leʒitimist] n. et adj. — 1830, Balzac (n. m.); de *légitime,* et *-iste.*

♦ **1.** N. Partisan d'une dynastie, d'un souverain considérés comme seuls légitimes*. — Spécialt. En France, Partisan de la branche aînée des Bourbons, détrônée en 1830 (→ Gallican, cit. 4). *Légitimistes et orléanistes.*

♦ **2.** Adj. *Le parti légitimiste* (→ Influence, cit. 15). *Opposition légitimiste.*

— La princesse est une des héroïnes du parti légitimiste, n'est-ce pas un devoir pour tout homme de cœur de la protéger *quand même?*
BALZAC, les Secrets de la Princesse Cadignan, Pl., t. VI, p. 64.

Un esprit, une doctrine légitimiste.

DÉR. Légitimisme.

LÉGITIMITÉ [leʒitimite] n. f. — 1694, Académie «état d'un enfant légitime»; de *légitime.* Cf. lat. médiéval *legitimitas.*

♦ **1.** État, qualité de ce qui est légitime* ou considéré comme tel.

a Dr. civ. *Légitimité d'une union. — Légitimité d'un enfant,* sa qualité d'enfant légitime. *La légitimation* confère la légitimité à l'enfant naturel.*

La légitimité de l'enfant né trois cents jours après la dissolution du mariage pourra être contestée. 1
Code civil, art. 315.

b (1797, Chateaubriand). Polit. *Légitimité du pouvoir.* ⇒ **Souveraineté.** *Reconnaître, contester la légitimité d'un régime. Légitimité monarchique, démocratique.* — Spécialt. Droit (fondé sur les principes traditionnels de l'hérédité de la couronne) dont devaient se réclamer, particulièrement après 1830, les princes de la branche aînée des Bourbons. *Chateaubriand, défenseur de la légitimité.* ⇒ **Légitimiste** (→ Avancer, cit. 9; hérédité, cit. 6; incarner, cit. 4).

Charles X (...) a essayé de sauver la légitimité française et avec elle la légitimité européenne : il a livré la bataille et il l'a perdue; il s'est immolé au salut des monarchies; voilà tout : Napoléon a eu son Waterloo, Charles X ses journées de juillet. 2
CHATEAUBRIAND, Mémoires d'outre-tombe, t. VI, p. 88.

Quand Saint Louis aura annexé à une légitimité incontestable le prestige de sa sainteté, la lignée capétienne aura ses racines au plus profond des traditions françaises. 3
Fr. OLIVIER-MARTIN, Précis d'hist. du droit franç., nº 408.

♦ **2.** (1834, Landais). Qualité de ce qui est juste, équitable, raisonnable. *Légitimité d'une conviction* (→ Intolérant, cit. 3), *d'une prétention.* ⇒ **Bien-fondé,** 3. **droit** (bon droit).

On ne conteste guère aujourd'hui l'aptitude de la musique à se suffire à elle-même, la légitimité de la musique pure. 4
Henri LICHTENBERGER, Richard Wagner, p. 126.

CONTR. Illégitimité.

LEGO [lego] n. m. — D.i.; marque déposée, probablt du lat. *lego* «j'assemble, je relie».

♦ Jeu d'assemblage, de construction, de la marque de ce nom. — Fig. Structure abstraite dont les éléments ont entre eux des rapports d'imbrication et de complémentarité (comparés avec les emboîtements d'un jeu Lego; → un emploi métaphorique comparable, de *Meccano** (cit. 1), nom d'un autre jeu de construction).

LEGS [lɛ] ou cour., [lɛg] n. m. — 1466; altér. de l'anc. franç. *lais** (1250), dér. de *laisser,* «par suite d'un faux rapprochement étymologique avec le lat. *legatum* "legs"» (Bloch).

REM. L'ancienne prononciation [lɛ] est encore recommandée par quelques dictionnaires.

♦ **1.** (1466). Dr. Disposition à titre gratuit faite par testament. ⇒ **Héritage, succession, testament** (→ Institution, cit. 5). *Faire un legs.* ⇒ **Léguer.** *Bénéficiaire du legs.* ⇒ **Légataire.** *Légataire* (⇒ **Fiduciaire**) *chargé de restituer le legs à un fidéicommissaire*.* ⇒ **Fidéicommis.** *Dispositions* (cit. 20) *testamentaires, testament contenant une liste de legs. Acquérir* par un legs* (en parlant du légataire). *Accepter un legs.* → Prêter, cit. 11. *Aliéner par un legs.* ⇒ **Aliénation, don, donation, libéralité.** — *Legs universel, à titre universel* (→ cit. 1 et 2 ci-dessous). *Legs particulier* ou *à titre particulier,* portant sur un ou plusieurs biens déterminés. *Legs fait conjointement à plusieurs.* ⇒ **Colégataire** (→ Assigner, cit. 2). *Legs prélevé sur la masse avant le partage.* ⇒ **Prélegs.** *Legs pieux,* fait en faveur des églises. *Création par legs d'un établissement d'intérêt public.* ⇒ **Fondation** (3.). *Fonds* d'un musée, d'une bibliothèque..., provenant d'un legs. — Répudiation* d'un legs. Révocation d'un legs* (révocation légale, ou par la volonté du testateur). *La captation* dolosive, cause de nullité du legs.*

Le legs universel est la disposition testamentaire par laquelle le testateur donne à une ou plusieurs personnes l'universalité des biens qu'il laissera à son décès. 1
Code civil, art. 1003.

Le legs à titre universel est celui par lequel le testateur lègue une quote-part des biens dont la loi permet de disposer, telle qu'une moitié, un tiers, ou tous ses immeubles, ou tout son mobilier. Tout autre legs ne forme qu'une disposition à titre particulier. 2
Code civil, art. 1010.

Elle léguait la totalité de ses biens à l'hôpital de Vendôme, sauf quelques legs particuliers. 3
BALZAC, Autre étude de femme, Pl., t. III, p. 250.

Ce legs, déposé dans les mains d'un tiers, devait être remis à Cosette à sa majorité ou à l'époque de son mariage. 4
HUGO, les Misérables, V, V, VI.

Depuis bien longtemps, il considérait comme un devoir d'assurer l'avenir de son secrétaire; et le legs qu'il lui destinait figurait très explicitement parmi ses dispositions posthumes. 5
MARTIN DU GARD, les Thibault, t. III, p. 241.

♦ **2.** Les collections, les objets d'un legs. *Le legs X, au musée du Louvre. Des legs et des dations.*

♦ **3.** (1830). Fig. ⇒ **Héritage.** *Le legs du passé.* ⇒ **Tradition.**

6 L'une *(des deux choses qui forment l'âme d'une nation)* est la possession en commun d'un riche legs de souvenirs (...)
RENAN, Discours et Conférences, Œuvres, t. I, p. 903.

COMP. Prélegs.

LÉGUER [lege] v. tr. — Conjug. *céder.* — 1477; *leghier,* XIIIe; du lat. *legare.*

♦ **1.** Dr. Donner*, céder par disposition testamentaire. ⇒ **Laisser; legs** (cit. 2 et 3), **testament** (→ Héritage, cit. 5). *Léguer toute sa fortune, tous ses biens à un légataire universel. Léguer une somme d'argent, un immeuble.*

1 « J'ai *(disait-il)* légué tout par testament à la ville. » Et les visiteurs d'admirer sa *philanthropie !*
BALZAC, les Paysans, Pl., t. VIII, p. 230.

2 Elle avait une rente de trois cent quatre-vingts francs, léguée par sa maîtresse.
FLAUBERT, Trois contes, « Un cœur simple », IV.

Par extension :

3 Henri III avait légué à son fils de vastes États patrimoniaux, la toute-puissance féodale en Allemagne, une immense influence en Italie, et la prétention de faire les papes.
MICHELET, Hist. de France, IV, II.

♦ **2.** Fig. ⇒ **Donner, transmettre.** *Léguer une œuvre à la postérité.* Au p. p. *Traditions, réputations léguées de père en fils, de siècle en siècle* (→ Former, cit. 9). — *Léguer une qualité, un goût à ses enfants, à ses descendants* (→ Frugal, cit. 6; home, cit. 1). Au p. p. *Politique léguée au nouveau régime par l'ancien* (→ Frontière, cit. 4).

▶ **SE LÉGUER** v. pron. (Passif). *Des haines héréditaires qui se lèguent de père en fils* (Littré). Récipr. :

4 (...) les mêmes intonations, les mêmes gestes, et ce stéréotypé des traditions de famille qu'on se lègue (...)
Alphonse DAUDET, Contes du lundi, Le pape est mort.

5 Ceux qui nous avaient immédiatement précédés dans le monde, qui nous avaient légué leur culture, leur sagesse, leurs mœurs et leurs proverbes (...)
SARTRE, Situations II, p. 249.

CONTR. Hériter, recevoir.

LÉGUME [legym] n. m. et f. — 1575, n. f.; au masc., 1611; *legum,* 1550; *lesgum,* XIVe, collectif; du lat. *legumen, inis* « plante à cosse, à gousse », étendu aux plantes fourragères, aux céréales.

★ **I.** ♦ **1.** (Aussi n. f. au XVIIe). Vx. « Grains semés qui se cueillent avec la main, à la différence des blés et avoines qui se scient et se fauchent » (Furetière, et, spécialt, « graines qui se forment dans des gousses » (Richelet).

1 Le mot de *légume* ne convient proprement qu'aux semences et aux grains qui viennent dans des gousses comme pois, fèves, lentilles, haricots.
Dict. de Trévoux, art. *Légume.*

♦ **2.** (XVIIe-XVIIIe). Mod. Plante potagère dont certaines parties (feuille, racine, bulbe, fruit, graine, fleur, tige) peuvent entrer dans l'alimentation humaine. *Légumes verts. Légumes secs. Légumes frais. Légumes utilisés pour l'assaisonnement*, comme condiments*. Conserves de légumes. Légumes déshydratés.* — *Cosse, pelure d'un légume.*

Principaux légumes :

Ail	Courgette	Piment
Arroche	Cresson	Pissenlit
Artichaut	Crosne	Poireau
Asperge	Échalotte	Pois
Aubergine	Endive	Poivron
Barbe-de-capucin	Épinard	Pomme (de terre)
Bette	Estragon	Potiron
Betterave	Fenouil	Pourpier
Brocoli	Fève	Radis
Cardon	Haricot*	Raiponce
Carotte	Hysope	Rave
Céleri*	Igname	Romaine
Cerfeuil	Laitue*	Rutabaga
Champignon*	Lentille	Salade*
Chervis	Mâche	Salsifis
Chicorée	Navet	Sarriette
Chou*	Oignon	Scarole
Ciboule (ou Cive)	Oseille	Soja
Ciboulette (ou Civette)	Panais	Tétragone
Citrouille	Patate	Tomate
Concombre	Patisson	Topinambour
Cornichon	Persil	Truffe
Courge		

Culture des légumes. ⇒ **Maraîcher, potager** (culture maraîchère, potagère); **hortillonnage.** *Biner* (→ Fouailler, cit. 1), *éclaircir, enchausser, repiquer, sarcler des légumes. Arracher, cueillir, récolter des légumes. Légumes hâtifs.* ⇒ **Primeur.** — Fam. *Faire les légumes du jardin,* accomplir toutes les besognes qu'exige leur culture (→ Fournil, cit.). *Faire ses légumes :* cultiver des légumes pour sa consommation personnelle. — *Maraîchers qui vendent leurs légumes au marché, sur le carreau*. Voiture de légumes d'une marchande des quatre-saisons. Marchand de légumes.* ⇒ **Légumier,** II. (régional).

2 (...) elle soignait des fleurs bordant un carré de légumes de chaque côté de l'allée sablée.
J. CHARDONNE, les Destinées sentimentales, III, III.

(En cuisine). *Eau qui cuit* (cit. 8) *mal les légumes. Légumes cuits au beurre, à l'huile. Éplucher, parer* les légumes. Soupe aux légumes* (→ Fondant, cit. 1). *Bouillon de légumes. Macédoine, salade de légumes. Plat de viande garni de légumes.* ⇒ **Garniture, jardinière; arlésienne** (2.). *Légumes servant de condiment macérés dans du vinaigre.* ⇒ **Achards, picallilies** (anglic.), **pickles** (anglic.).

Alzire (...) s'était mise à faire la soupe (...) Elle avait arraché les derniers poireaux du jardin, cueilli de l'oseille, et elle nettoyait (...) les légumes (...) 3
ZOLA, Germinal, I, III.

Larseneur accepterait de se nourrir de légumes, exception faite, toutefois, pour les haricots verts qu'il ne peut décidément pas souffrir. 4
G. DUHAMEL, Chronique des Pasquier, V, XIV.

REM. Le mot était fém. au XVIIe s., fém. et masc. au XVIIIe s.

(...) il croît dans son jardin de bonnes légumes (...) 5
LA BRUYÈRE, les Caractères de Théophraste, D'un homme incommode.

♦ **3.** (1793). Bot. Gousse des légumineuses*.

★ **II.** N. f. (1832). *Une grosse légume,* ou, ellipt (1903), *une légume :* un personnage important, influent. ⇒ **Huile.** (1895, Verlaine, *in* T. L. F.). *Être dans les légumes :* occuper un poste de premier plan.

Évidemment, pensa Maurice, les grosses légumes du parti ne vont pas se mettre comme ça, sur commande, à faire part de leurs opinions à un petit mécano de Saint-Ouen. 6
SARTRE, le Sursis, p. 18.

DÉR. 1. **Légumier,** 2. **légumier, légumine, légumiste.** — V. **Légumineux.**
COMP. Coupe-légumes, hache-légumes.

1. LÉGUMIER, IÈRE [legymje, jɛʀ] n. — 1715; de *légume,* et *-ier.*

★ **I.** N. m. LÉGUMIER. ♦ **1.** Vx. Jardin potager.

♦ **2.** (1842). Pièce de vaisselle de table dans laquelle on sert généralement des légumes. *Légumier d'argent, de faïence, de porcelaine.*

(...) le maître d'hôtel (...) lui présentait, comme un encensoir, le légumier d'argent, d'où s'échappait un fumet de salmis.
MARTIN DU GARD, les Thibault, t. VI, p. 20.

★ **II.** N. m. et f. (1775). Régional (Belgique). Marchand (marchande) de légumes.

La vue d'un étalage de légumier dont on emporte l'odeur avec soi (...) 1
G. SIMENON, Antoine et Julie, I, III.

La légumière, dans la boutique d'en face, les regarde entrer. 2
G. SIMENON, Pedigree, II, IV.

Comme les salades qu'il achetait chez le légumier avaient un arrière-goût d'engrais, il a pris goût au jardinage. 3
Julos BEAUCARNE, Écrit pour vous, p. 127.

2. LÉGUMIER, IÈRE [legymje, jɛʀ] adj. — 1790; de *légume,* et *-ier.*

♦ **1.** Relatif aux légumes. *Cultures légumières et fruitières. Jardin légumier.*
Fam. « *Voiture légumière* » (A. France), d'un marchand des quatre-saisons.

♦ **2.** Didact. Qui constitue un légume. *Plante légumière* (⇒ **Légumineux**).

LÉGUMINE [legymin] n. f. — 1845, Bescherelle; de *légume,* et *-ine.*

♦ Sc. Substance albuminoïde, dite aussi *caséine végétale,* extraite des graines des légumineuses (⇒ **Aleurone**).

LÉGUMINEUX, EUSE [legyminø, øz] adj. et n. f. — 1570; lat. bot. médiéval *leguminosus,* de *legumen.* → Légume.

♦ **1.** Adj. Bot. Dont le fruit est une gousse*. *Le haricot, plante légumineuse.*

♦ **2.** N. f. *La fève est une légumineuse.* — Au plur. (1763, Adanson). *Les légumineuses :* famille de plantes dicotylédones dialypétales, comprenant des arbres, des arbustes ou des herbes dont le fruit est une gousse (⇒ **Légume**). *Sous-familles des légumineuses.* ⇒ **Astragalacées, césalpinées, mimosées, papilionacées.** *Principales légumineuses :* agati, ajonc, anagyre, anthyllide, apios, arachide, 2. astragale, baguenaudier, butée, caroubier, coronille, cytise, desmodie, dolic (ou dolique), ers, fève, galéga, genêt, gesse, glycine, haricot, indigotier, kennedie, lentille, lotier, lupin, luzerne, mélilot, mimosa, myroxyle, ononis, orobe, physostigma, pied-d'oiseau, pois, réglisse, robinier, sainfoin, trèfle, trigonelle, vesce... *Le bruche, l'orobanche, parasites des légumineuses. Farine* (cit. 1) *des légumineuses. Légumine* des graines de légumineuses.*

Au sing. *Une légumineuse.*

LÉGUMISTE [legymist] n. — 1767; de *légume.*

♦ **1.** Vx. Personne qui cultive des légumes. ⇒ **Jardinier, maraîcher.**

♦ **2.** Hist. Membre d'une société végétarienne. ⇒ **Végétarien.** — REM.

On a parlé aussi de *léguministe* et de *léguminisme* (1855, *in* D. D. L.), dans ce sens.

LEHM [lɛm] n. m. — 1848, d'Orbigny, Littré; mot all. «limon».

♦ Didact. (pédologie). Limon qui se forme à la surface du lœss, par décalcification due aux infiltrations.

HOM. Lem, lemme.

LEI [lɛ] ⇒ 2. **Leu.**

LEIBNIZIANISME [lɛbnitsjanism] n. m. — 1765, *Encyclopédie;* aussi *leibnitzianisme; de leibnizien,* et *-isme.*

♦ Didact. Doctrine philosophique de Leibniz.

LEIBNIZIEN, IENNE [lɛbnitsjɛ̃, jɛn] adj. et n. — 1741, Voltaire; *léibnitien,* 1765; de *Leibniz,* philosophe allemand (1646-1716).

♦ Didact. Relatif à Leibniz, à la philosophie de Leibniz. *Philosophie leibnizienne.*

(...) nous voilà, avec la transposition leibnizienne du problème freudien de la libido et du symbole, au seuil du problème philosophique.
P. Ricœur, Une interprétation philosophique de Freud, *in* la Nef, n° 31, p. 119.

N. *Un leibnizien, une leibnizienne* : partisan de la philosophie leibnizienne.

DÉR. Leibnizianisme.

LÉIO- Élément de mots scientifiques, tiré du grec *leios* «lisse». ⇒ **Leiomyome, léiophyllum.**

LÉIOMYOME [lejomjom] n. m. — 1890, Larousse, *Deuxième Suppl.; de léio-,* et *myome.*

♦ Méd. Fibrome des muscles lisses.

LÉIOPHYLLUM [lejofilɔm] n. m. — 1873, *leiophylle;* lat. sc. *leiophyllum,* grec *leiophullos* «à feuilles lisses». → Léio-.

♦ Bot. Airelle d'Amérique du Nord *(Éricacées)* cultivée en Europe comme ornementale.

LEISHMANIE [lɛʃmani] ou **LEISHMANIA** [lɛʃmanja] n. f. — 1910, *leishmanie; leishmania,* 1908; du nom de *Leishman,* biologiste anglais qui découvrit ces parasites en 1903.

♦ Protozoaire flagellé, parasite des cellules endothéliales des tissus et organes et, parfois, des leucocytes. ⇒ **Kala-azar.**

DÉR. Leishmaniose.

LEISHMANIOSE [lɛʃmanjoz] n. f. — 1907; de *leishmanie,* et suff. 2. *-ose.*

♦ Méd. Maladie produite par les leishmanies* bouton d'Orient (*leishmaniose américaine,* dite *pian-bois*), kala-azar *(leishmaniose splénique infantile).* — REM. Les formes cutanées sont parfois dites *leishmanides* (n. f.).

Depuis longtemps déjà, les sables diamantifères s'épuisaient; la région était infestée de malaria, de leishmaniose et d'ankylostomiase (...) la fièvre jaune sylvestre avait fait son apparition.
Claude Lévi-Strauss, Tristes tropiques, p. 181.

LEITMOTIV [lajtmɔtif] ou cour. [lɛtmɔtif] n. m. — Mil. XIXe (cit. 1), à propos de Wagner (1896, Proust, *in* T. L. F.); mot all. «motif dominant» ou «principal» (1871, Riemann).

♦ **1.** Mus. Motif*, thème caractéristique, ayant une signification dramatique extra-musicale et revenant à plusieurs reprises dans la partition. *Le leitmotiv de la Chevauchée des Walkyries.* — Par ext. Thème* au retour duquel on prête une signification. *Le leitmotiv de la Bien-aimée dans la Symphonie fantastique de Berlioz. Les cent vingt leitmotive de la Tétralogie de Wagner.*

1 En 1852, dans la *Revue et Gazette musicale de Paris,* Fétis écrivait : «... Employé dans une occasion exceptionnelle, le leitmotiv peut être admis, mal appliqué aux personnages mis en action, il anéantit nécessairement l'inspiration spontanée...» (...) il *(Wagner)* a très longuement expliqué (...) comment l'idée d'employer des leitmotive naquit en lui, en composant *Le Vaisseau fantôme,* non d'un parti pris théorique, mais d'une «expérience musicale».
André Cœuroy, la Musique et ses formes, I, Leitmotiv.

♦ **2.** (1898, Daudet). Par métaphore ou fig. Phrase, formule qui revient à plusieurs reprises. *Revenir comme un leitmotiv.* ⇒ **Refrain.**

2 (...) le «c'est bien français, comme c'est français» jaillissant en *leit motiv* à chaque page.
Alphonse Daudet, Soutien de famille, XI.

REM. Le pluriel allemand *leitmotive* est le seul admis par l'Académie; utilisé par les spécialistes de la musique, il cède la place à *leitmotivs,* au sens figuré.

LEK [lɛk] n. m. — Mil. XXe (1962, *in* Larousse); mot albanais.

♦ Unité monétaire de l'Albanie. — Au plur. *Des leks.*

LEM [lɛm] n. m. — 14-20 juil. 1969, in *l'Express;* mot formé sur le sigle amér. *L.-M., Lunar (excursion) Module* «module (d'excursion) lunaire».

♦ Américanisme. Véhicule à deux étages destiné à l'alunissage des cosmonautes. *Le lem permet la navette entre le vaisseau spatial et le sol lunaire.*

HOM. Lehm, lemme.

LEMMATIQUE [lematik] adj. — 1867, Littré; dér. sav. de *lemme.*

♦ Sc. Qui est de la nature du lemme. *Proposition lemmatique.*

LEMMATISATION [lematizasjɔ̃] n. f. — V. 1970; angl. *lemmatization* (1967), de *to lemmatize.* → Lemmatiser.

♦ Didact. Action de lemmatiser; son résultat. *Lemmatisation d'un texte médiéval pour constituer un glossaire.*

LEMMATISER [lematize] v. tr. — V. 1970; de l'angl. *to lemmatize* (1967), de *lemma.* → Lemme, 4.

♦ Didact. Regrouper (les formes différentes telles qu'elles apparaissent dans un texte) sous une forme unique, de manière à définir des unités lexicales. *Lemmatiser les formes verbales, les variantes orthographiques dans un texte.*

DÉR. V. **Lemmatisation.**

LEMME [lɛm] n. m. — 1629, en math.; lat. impérial *lemma,* d'orig. grecque. → Dilemme.

♦ **1.** Log. Majeure d'un syllogisme (en ce sens dans la *Logique de Port-Royal*).

♦ **2.** Math. Résultat, proposition intermédiaire qui ne concerne pas directement la thèse ou le théorème, mais qu'il est nécessaire d'établir avant de poursuivre la démonstration.

♦ **3.** Philos. Proposition accessoire, démontrée ou admise, qui permet de poursuivre le raisonnement.

♦ **4.** (Angl. *lemma,* du grec). Didact. Forme, formule correspondant à un contenu documentaire identifié.

DÉR. Lemmatique. — V. **Lemmatiser.**

HOM. Lehm, lem.

LEMMING [lemiŋ] n. m. — 1765, *Encyclopédie;* var. *lemmer,* 1701, Furetière; mot norvégien.

♦ Zool. Petit mammifère rongeur *(Muridés)* des régions boréales, voisin du campagnol. *Les migrations des lemmings.*

LEMNACÉES [lɛmnase] n. f. pl. — 1840-42, Académie, *Compl.,* Bescherelle; grec *lemna* «lentille d'eau», et *-acées.*

♦ Bot. Famille de plantes phanérogames angiospermes, classe des monocotylédones, à laquelle appartiennent les lentilles* d'eau (⇒ **Lenticule**). Au sing. *Une lemnacée.*

LEMNISCATE [lɛmniskat] n. f. — 1755, *Encyclopédie;* lat. *lemniscatus* «orné de bandelettes», de *lemniscus* «ruban», du grec *lemniskôs* (→ Lemnisque), à cause de la forme en 8 d'une des lemniscates.

♦ Math. Courbe correspondant au lieu géométrique des points tels que le produit de leurs distances à deux points fixes est constant (→ Conchoïde, cit.).

LEMNISQUE [lɛmnisk] n. m. — 1579; lat. *lemniscus,* grec *lemniskôs* «ruban».

Didactique.

♦ **1.** Antiq. Bandelette, ruban ornant la tête (de convives d'un festin), et liant les éléments d'une couronne végétale.

♦ **2.** (1842). Vx. Attache, ruban (d'un sceau).

♦ **3.** (1829). Trait, signe indiquant une différence entre deux textes, et, spécialt, un passage non littéral (des textes sacrés).

LEMON-GRASS [lemɔngʀɑs] n. m. invar. — 1855, Littré-Robin; mot angl., de *lemon* «citron», et *grass* «herbe».

♦ Anglic. Nom de plusieurs plantes graminées du genre *Andropogon,* dont on tire un aldéhyde utilisé en parfumerie.

LÉMUR [lemyʀ] n. m. — 1873, Larousse; de *lémur(iens).*

♦ Zool. Maki. *Le lémur est un lémurien de Madagascar.*

HOM. Lémure.

LÉMURE [lemyʀ] n. m. — 1488; lat. *lemures,* plur. «spectres».

♦ Antiq. rom. Spectre d'un mort revenant tourmenter les vivants. ⇒ **Larve,** 1. — Par ext. (Littér.). ⇒ **Fantôme.** *Maison hantée* (cit. 9) *par des lémures.*

1 Les lémures et le sabbat fuyaient à l'apparition du jour (...)
VOLTAIRE, Politique et Législation, Coutume de Franche-Comté.

2 C'est un vivant qui n'est ni stryge ni lémure (...)
HUGO, la Légende des siècles, XV, Éviradnus, I.

DÉR. Lémuriens.
HOM. Lémur.

LÉMURIENS [lemyʀjɛ̃] n. m. pl. — 1804; de *lémure,* et *-ien;* par compar. entre ces animaux nocturnes et les fantômes qui rôdent la nuit.

♦ Zool. Sous-ordre de mammifères primates des régions tropicales appelés aussi *prosimiens. Le lémur, type des lémuriens.* ⇒ 1. **Aï, aye-aye, bradype, indri, maki** (lémur), **tarsier.**

DÉR. Lémur.

LENDEMAIN [lɑ̃dmɛ̃] n. m. — 1292; *endemain, l'endemain,* XIIe; comp. de *en,* et *demain.*

♦ **1.** Jour qui suit immédiatement celui dont il est question. → Le jour* d'après, le jour* suivant. *Ils arrivèrent* (cit. 10) *le lendemain. Le lendemain était jour de marché* (→ Bourg, cit. 1). *Le lendemain matin, le lendemain soir, le lendemain à midi* (→ Guilleret, cit. 2; huissier, cit. 8). *La journée du lendemain* (→ Caractère, cit. 6; intercaler, cit. 2). *Les événements du lendemain. Partir dès le lendemain* (→ Essayer, cit. 24). — *Remettre au lendemain* (→ Ingénier, cit. 3). — Prov. *Il ne faut jamais remettre* au lendemain ce qu'on peut faire le jour même. Qui remet au lendemain trouve malheur en chemin.*

1 (...) sitôt qu'il se sentait pressé d'une objection imprévue, il la remettait au lendemain, disant que je sortais du sujet présent. ROUSSEAU, les Confessions, II.

2 Le lendemain, — car il ne vivait que de lendemains en lendemains, il n'y avait, pour ainsi dire, plus d'aujourd'hui pour lui, — le lendemain, il ne trouva personne au Luxembourg (...) HUGO, les Misérables, III, VI, IX.

Loc. *Du jour au lendemain :* en très peu de temps. *Cela peut changer du jour au lendemain.*

3 Nous cherchons très sérieusement, votre mère et moi, à la bien établir *(votre sœur)*; mais cela ne se trouve pas du jour au lendemain.
RACINE, Lettres, 184, 1er août 1698.

Par métaphore ou fig. ⇒ **Avenir.** *Penser, songer au lendemain. Prévoir le lendemain. Le souci du lendemain* (→ Chaque, cit. 1). *L'incertitude* (cit. 7) *des lendemains. Garder* (cit. 31) *qqch. pour le lendemain. Un jour sans lendemain.*

4 Je suis, mon Belleau, celui
Qui veut vivre ce jourd'hui.
L'homme ne saurait connaître
Si un lendemain doit être. RONSARD, 4e livre des Odes, Ode XXIII.

5 Le misérable a prononcé lui-même son arrêt : *un jour sans lendemain!*
BALZAC, les Chouans, Pl., t. VII, p. 925.

6 Les hommes de génie n'ont jamais que le lendemain, mais ils l'ont toujours.
HUGO, Post-Scriptum de ma vie, Tas de pierres, IV.

7 Moins prudents, par exemple, puisqu'ils n'avaient plus de lendemains à ménager, ils osaient causer, là, sur leur banc d'amoureux, ce que jamais ils n'avaient fait encore. LOTI, Ramuntcho, I, XXV.

8 L'homme qui projette songe au lendemain et au lendemain du lendemain, il en vient à esquisser le plan de son existence entière et à sacrifier chaque détail, c'est-à-dire chaque instant, à l'ordre de l'ensemble.
SARTRE, Situations I, p. 168.

Loc. «*Des lendemains qui chantent*» (Gabriel Péri) : un avenir heureux (pour le peuple, après la révolution sociale). — Par calembour. *Des lendemains qui déchantent.*

♦ **2.** (Déb. XVe). Jour qui suit immédiatement (un événement, un fait). *Le lendemain de son arrivée* (Académie). *Dès le lendemain, au lendemain même de ces événements. Un lendemain de bataille, de terreur* (→ Épicurisme, cit. 2). *La tristesse des lendemains de fêtes* (→ Attrister, cit. 7). — Prov. *Il n'y a pas de bonne fête sans lendemain,* proverbe que l'on évoque soit pour inviter à prolonger les réjouissances, soit au contraire, pour en souligner, avec ironie ou amertume, les suites désagréables.

L'avenir (de qqch.). *Point de lendemain,* œuvre de Vivant Denon (1777).

9 Il venait d'apprécier cette saveur nouvelle d'un lendemain de soûlerie.
P. MAC ORLAN, Quai des brumes, VIII.

Vx. *Le lendemain que :* le lendemain du jour où.

10 (...) le lendemain que vous m'avez écrit (...)
Mme DE SÉVIGNÉ, 376, 29 janv. 1674.

(Mil. XVIe). Par ext. Temps qui suit de très près un événement (→ Gâter, cit. 7). *Au lendemain de son mariage* (→ Fleuron, cit. 3). *Au lendemain de la guerre. Une aventure, un bonheur fugitif* (cit. 12), *sans lendemain.*

♦ **3.** Fig. (au plur.). ⇒ **Suite.** *Cette affaire a eu d'heureux lendemains* (Académie). *Les sombres lendemains d'une aventure.* ⇒ **Conséquence.**

CONTR. Veille.
COMP. Surlendemain.

LENDIT [lɑ̃di] n. m. — V. 1170; «notification», déb. XIIe; forme agglutinée de *l'endit;* empr. au lat. *indictum* «ce qui est fixé». → Indict.

♦ **1.** Hist. Grande foire qui, au moyen âge, se tenait entre Saint-Denis et La Chapelle, du 11 au 24 juin.

♦ **2.** Vx. Congé universitaire à l'occasion de cette foire.

♦ **3.** (1892, Barrès, *in* T. L. F.). Rencontre sportive, réunion de jeux entre élèves de plusieurs établissements scolaires. *Participer au lendit.*

LENDORE [lɑ̃dɔʀ] adj. et n. — 1534, Rabelais; orig. incert., classiquement de *endor(mir),* et d'un élément germanique *land-;* Guiraud y voit un dér. du provençal *landa, landra* «courir», p.-ê. de *anda* du lat. *ambitare;* le passage de sens proviendrait de sens figurés «coureur (de filles), musard».

♦ Vx (langue class.). Nonchalant, mou. — N. «*Je ne sais pas à quoi elle pense, cette lendore-là... Mon Dieu! qu'elle est lente!*» (Balzac, *les Petits Bourgeois, in* T. L. F.).

LÉNIFIANT, ANTE [lenifjɑ̃, ɑ̃t] adj. — 1850, Michelet; p. prés. de *lénifier.*

♦ **1.** Méd. Qui lénifie. ⇒ **Calmant, lénitif.** — *Une pommade lénifiante.*

♦ **2.** (1892, Goncourt). Fig. et cour. Qui calme, apaise. ⇒ **Apaisant.** *Tenir des propos lénifiants. Une tendresse lénifiante.* ⇒ **Balsamique** (cit. 5 et 6). *Une atmosphère douce et lénifiante. Malgré ses déclarations lénifiantes, nous nous méfions de cet homme politique.* ⇒ **Lénitif.**

CONTR. 1. **Irritant.**

LÉNIFICATION [lenifikasjɔ̃] n. f. — XIVe; du lat. *lenificare.* → Lénifier.

♦ Rare. Action de lénifier, de se lénifier. ⇒ **Adoucissement.**

LÉNIFIER [lenifje] v. tr. — XVe, méd., attestation isolée; repris XVIIe (1666, Molière), rare; du bas lat. *lenificare,* du lat. class. *lenis* «doux», et *facere* «faire».

♦ **1.** Méd. Adoucir* (cit. 2) à l'aide d'un calmant (⇒ **Lénitif**).

♦ **2.** (1845). Fig. et littér. Calmer, apaiser. ⇒ **Adoucir, apaiser, atténuer, tempérer** (→ Exhilarant, cit. 1).

De nouveau, la lumière sourit dans son cœur, ce cœur farouche que, tour à tour, mille aiguillons lacèrent et mille baumes lénifient.
G. DUHAMEL, Salavin, III, IX.

CONTR. Échauffer, enflammer.
DÉR. Lénifiant. — V. Lénification.

LÉNINISME [leninism] n. m. — 1918, *in* D. D. L.; de *Lénine,* et *-isme.*

♦ Doctrine marxiste de Lénine. *Marxisme et léninisme.* ⇒ **Marxisme-léninisme** (cit.).

Staline, dans l'établissement du premier et du second plan quinquennal, fait preuve d'une telle sagesse (...) que l'on en vient à se demander (...) si cet écartement du léninisme n'était pas nécessaire (...)
GIDE, Retour de l'U. R. S. S., IV, p. 74 (1936).

DÉR. Léniniste.
COMP. Marxisme-léninisme.

LÉNINISTE [leninist] adj. et n. — 1917, → cit. 1; de *léninisme.*

♦ Propre au léninisme.

La pensée de Karl Marx et d'Engels exerce déjà son attraction secrète sur toute la jeunesse intellectuelle chinoise, et rien n'arrêtera (...) la marche finale de la com- 1

munauté chinoise vers un collectivisme proche du communisme léniniste le plus orthodoxe.
SAINT-JOHN PERSE, Lettre, 3 janv. 1917, Œuvres, Pl., p. 810, *in* D. D. L., II, 7.

2 Dernier exemple d'auto-colonisation encore bien plus vaste : celui de Mao Tsé-Toung, rompant avec les coutumes millénaires de l'Empire du Milieu pour lui imposer une organisation politique et juridique du modèle léniniste.
Gaston BOUTHOUL, Sociologie de la politique, p. 46.

N. Partisan du léninisme, communiste léniniste.

3 Tout en parlant, j'imaginais le léniniste Popov, avec son long crâne, ses oreilles épaisses et ses knickerbockers dans cette chambre de starlette.
Vladimir VOLKOFF, le Retournement, p. 110.

COMP. Marxiste-léniniste.

LÉNITIF, IVE [lenitif, iv] adj. et n. m. — 1314; lat. médiéval *lenitivus*, du supin de *lenire* «adoucir», de *lenis* «doux».

♦ **1.** (1538). Méd. ⇒ **Adoucissant.** *Propriétés lénitives des baumes. Remède lénitif.* — N. m. *Le miel est un bon lénitif pour la gorge* (Académie).

1 Le moindre lénitif (...)
Une goutte de miel, ou de décoction (...)
J.-F. REGNARD, le Légataire universel, II, 11.

2 Or le malaise dont souffrait Patrice Périot, au lieu de se dissiper sous l'influence lénitive de l'exercice musculaire, ne cessait de grandir et de s'affirmer.
G. DUHAMEL, le Voyage de Patrice Périot, VII.

♦ **2.** Fig. et littér. Apaisant. *Des heures* (cit. 63) *lénitives.*

♦ **3.** (Emploi critiqué). Lénifiant. *Les déclarations lénitives d'un politicien.*

LÉNITION [lenisjõ] n. f. — 1933, Marouzeau; dér. sav. du lat. *lenitum*, supin de *lenire* «adoucir».

♦ Didact. (phonét.). Affaiblissement de l'articulation d'une consonne, qui devient douce. *Lénition en position intervocalique.*

LENT, LENTE [lɑ̃, lɑ̃t] adj. — 1080, *Chanson de Roland;* lat. *lentus*, proprt «souple, flexible» (*lent*, dans ce sens, v. 1500; encore par archaïsme chez A. Chénier), puis «mou, lent».

♦ **1.** Qui manque de rapidité, de vivacité, qui met plus ou trop de temps (à faire qqch.). *La tortue*, animal lent* (→ Guise, cit. 1). *Il est lent, lent dans tout ce qu'il fait, à tout ce qu'il fait.* ⇒ **Apathique, flâneur, lambin, long, mou, traînard.** *Être lent dans ses mouvements* (→ Figer, cit. 11). *Lent et lourd.* ⇒ **Lourdaud, pataud.** *Véhicule lent. Cet avion est plus lent que l'Airbus. Son trimaran est trop lent pour avoir des chances de gagner.* (V. 1145). *Lent à* (et inf.). *Être lent à comprendre, à se décider, à agir.*

1 Vous souvient-il encore, madame (...) de la vieille nourrice si lente à vous poursuivre (...)
BAUDELAIRE, la Fanfarlo.

2 (...) lentes et meuglant les vaches abandonnent
Pour toujours ce grand pré mal fleuri par l'automne.
APOLLINAIRE, Alcools, p. 35.

(1580, Montaigne). Par anal. *Avoir l'esprit lent, la compréhension lente :* ne pas comprendre vite (→ Appréhension, cit. 1 et 2). *Un esprit* (cit. 126) *aux vues lentes. Intelligence lente.* ⇒ **Endormi, engourdi, épais, paresseux.**

3 Que son petit cerveau soit actif ou soit lent,
Partout l'homme subit la terreur du mystère (...)
BAUDELAIRE, Nouvelles fleurs du mal, X.

Réactions lentes. — *Aptitudes lentes* (rare), *lentes à s'éveiller, à se développer.*

4 Des sens? oui, j'en ai... lents à s'enfiévrer, mais lents à s'éteindre (...)
COLETTE, la Vagabonde, p. 67.

(En parlant des comportements, des actes). *Parler d'une voix éteinte* (cit. 56) *et lente.* ⇒ **Traînant.** *Un parler lent, une parole lente* (→ Béatitude, cit. 5; étriqué, cit. 3). *Gestes, mouvements lents et mesurés*.* ⇒ **Calme, posé.** *La garde s'avança à pas lents dans la fournaise* (cit. 8). ⇒ **Tranquille.** *Errer, se promener à pas lents. Cheminer* (cit. 4) *d'un pas lent et accablé.* ⇒ **Pesant, tardif** (vx). *Le pas lent du bœuf* (cit. 3 et 4), *de l'éléphant* (cit. 2). ⇒ **Pesant.** *Une allure harmonieuse* (cit. 8) *et lente.* ⇒ **Alangui, nonchalant.**

5 (...) il *(le)* voyait (...) debout à l'avant de la barque, armé d'une longue perche, et d'un geste lent et fort l'appuyant au fond de l'eau.
A. HERMANT, l'Aube ardente, XIV.

6 *(Les)* groupes qui marchaient de ce pas lent, favorable aux conversations (...)
J. GREEN, Léviathan, I, VI.

7 Il avait une voix douce et lente, mais sa parole brève, comme scandée à la fin des phrases, était sans réplique.
J. CHARDONNE, les Destinées sentimentales, p. 75.

Rythme lent. Musique lente et solennelle.

(1680). Méd. *Pouls lent,* qui bat à un rythme au-dessous de la normale.

♦ **2.** Qui met du temps à agir, à opérer, à s'accomplir; dont l'effet n'est pas rapide. *Justice lente. Un pays où tout est lent* (→ Gouvernement, cit. 26), *où tout va au ralenti*. Le lent travail de l'érudition* (cit. 7). *Un lent et patient ouvrage. Lentes transformations. Lente gradation* (cit. 2), *lente progression. Évolution* (cit. 12 et 14) *plus ou moins lente. Le lent épanouissement du genre* (cit. 4) *humain. Un lent suicide* (→ Haschisch, cit. 7). *Un poison lent.* — *Mort lente.* — *Combustion* lente.*

8 (...) les tempéraments chez qui la digestion est un peu lente (...)
VOLTAIRE, Correspondance, 4201, 17 mai 1775.

Lent à (et inf.). *Promesse lente à se réaliser. Sa lettre est lente à venir.* ⇒ **Long.**

CONTR. Accéléré, actif, allègre, brusque, diligent, dispos, empressé, expéditif, hâtif, instantané, précipité, preste, prompt, rapide.

DÉR. Lentement, lenteur.

COMP. Alentir, ralentir. — REM. Outre **lantiponner*** on note certains comp. régionaux signifiant «musarder» **(lantibardouer, lanticouer,** Lyon).

HOM. (Du fém.) **Lente** (n. f.).

LENTE [lɑ̃t] n. f. — 1265; *lentre*, fin XIe; du lat. *lenditem*, accus. de *lens*, même sens.

♦ Œuf de pou. *Avoir des lentes dans les cheveux.*

HOM. Lente (fém. de lent).

LENTEMENT [lɑ̃tmɑ̃] adv. — 1165; de *lent(e)*, et *-ment.*

♦ D'une manière lente, d'un mouvement lent. ⇒ **Doucement.** *Ruisseau qui coule lentement* (→ Arène, cit. 3). *Marcher, cheminer lentement.* ⇒ **Pas** (pas à pas; à pas comptés*; → fam. Aller son petit bonhomme* de chemin). *Caravane qui se met en marche lentement* (→ Errance, cit. 1). — *Avancer lentement,* avec circonspection (cit. 2). ⇒ **Piano** (fam.), **pianissimo** (fam.). *Travailler lentement.* ⇒ **Mollement** (→ Expéditif, cit. 4). *Parler lentement.* ⇒ **Posément** (→ Bavard, cit. 3). *Jouez lentement* (⇒ mus. **Lento**). — Par une lente évolution. *Lentement, les choses se gâtèrent* (cit. 44). ⇒ **Peu** (peu à peu).

(...) ceux qui ne marchent que fort lentement peuvent avancer beaucoup davantage, s'ils suivent toujours le droit chemin, que ne font ceux qui courent et qui s'en éloignent. 1
DESCARTES, Discours de la méthode, I.

(...) nous procédons toujours lentement d'idée sensible en idée sensible (...) 2
ROUSSEAU, Émile, III.

Reste à savoir lequel vaut mieux de périr d'un coup, ou de mourir lentement en trente ou quarante années. 3
MICHELET, Hist. de la Révolution franç., Introd., II, IX.

(...) le petit omnibus à chevaux qui va d'un bout à l'autre aussi lentement que possible (...) 4
Valery LARBAUD, Barnabooth, Journal, IV, Mardi.

Loc. prov. (trad. du lat. *festina lente*). *« Hâte-toi* (ou *hâtez-vous) lentement »*. ⇒ **Hâter** (cit. 12 à 15).
Qui va lentement va sûrement. → Chi va piano va sano.

♦ **2.** En paraissant durer longtemps. *Temps, heures* (cit. 19) *qui s'écoulent* (cit. 15) *lentement.*

CONTR. Vite; activement, brusquement, diligemment, hâtivement, instantanément, promptement, rapidement.

LENTEUR [lɑ̃tœʀ] n. f. — 1355; de *lent.*

♦ **1.** Manque de rapidité, de vivacité. *La lenteur de l'escargot, de la tortue. Le soleil décline avec lenteur* (→ Brillant, cit. 4). *Se mouvoir avec lenteur* (⇒ **Lentement**), *avec une lenteur apathique* (cit. 2), *désespérante. Corrigez-vous de votre lenteur.* ⇒ **Apathie.** *Agir avec une sage lenteur* (→ Prendre son temps*), *avec une lenteur excessive* (⇒ **Lambiner, lanterner, traîner**). *Procéder, agir avec lenteur.* ⇒ **Douceur, patience.** — (Suivi de *à* et l'inf.). *Lenteur à comprendre* (cit. 6), *à se décider* (⇒ **Barguignage**).

Elle part, elle s'évertue; 1
Elle se hâte avec lenteur.
LA FONTAINE, Fables, VI, 10.

Le monde avec lenteur marche vers la sagesse. 2
VOLTAIRE, les Lois de Minos, III, 5.

Cette pauvre petite est à m'obéir d'une lenteur de tortue, et d'une vivacité lézard à la moindre chose que demande Justin. 3
BALZAC, les Paysans, Pl., t. VIII, p. 162.

(Ils) s'étaient approchés sans bruit, sans précipitation, sans dire une parole, avec la lenteur sinistre propre à ces hommes de nuit. 4
HUGO, les Misérables, IV, VIII, IV.

Par anal. Caractère de ce qui est lent*. *La lenteur de sa respiration.* ⇒ aussi **Brady-.** *La lenteur de ses pas. La lenteur douce de sa voix* (→ 1. Gens, cit. 30), *de sa parole, de son débit.* — Fig. *La lenteur de son esprit. Lenteur d'esprit.* ⇒ **Épaisseur, lourdeur, pesanteur.**

Il ne disait rien, se retranchait dans un mutisme que les courtisans frivoles prenaient pour de la lourdeur, ou de la lenteur d'esprit. 5
Louis BERTRAND, Louis XIV, I, II.

Par ext. Caractère de ce qui est long à se faire, à se produire, à s'accomplir, de ce qui tarde à arriver. *Cette drogue est connue pour la lenteur de son action, de ses effets* (→ Initiation, cit. 3). *La désespérante lenteur des travaux* (⇒ **Inactivité**). *La lenteur des nouvelles.*

♦ **2.** (1704, Trévoux). Au plur. Actes, mouvements, gestes lents. *Des lenteurs d'escargot. Lenteurs exaspérantes* (→ Heure, cit. 10).

— Ma cravate, Thérèse! m'entendez-vous? ma cravate! ou, si vous me désespé- 6

rez par de nouvelles lenteurs, ce n'est pas une cravate qu'il me faudra, c'est une corde pour me pendre.
FRANCE, le Crime de S. Bonnard, v, Œuvres, t. II, p. 424.

7 (..) le P. Mozier sortait de la rue des Gayes avec la régularité et les lenteurs d'une tortue (...) M. JOUHANDEAU, Chaminadour, Contes brefs, Café de France.

(1678). Fig. Actions, décisions lentes; retards dans l'accomplissement de qqch. *Les lenteurs de la procédure* (Académie). *Les lenteurs d'une méthode* (→ Grâce, cit. 60). *Des hésitations* (cit. 8) *et des lenteurs.* ⇒ **Atermoiement, délai, retard, tergiversation.** *Des lenteurs calculées. Lenteurs du voyage.*

8 Et comme, pour bercer les lenteurs de la route,
Je chanterai des airs ingénus (...) VERLAINE, la Bonne Chanson, IV.

9 Le vieux ne répondit point, les autres demeurèrent immobiles, un grand silence se fit. D'ailleurs, le notaire, habitué à ces lenteurs, ne se hâtait pas, lui non plus.
ZOLA, la Terre, I, II.

10 (...) les diplomatiques lenteurs des préliminaires de paix.
Émile HENRIOT, Portraits de femmes, p. 75.

Littér. *Il y a des lenteurs dans ce récit* (Académie). ⇒ **Longueur.**

CONTR. Activité, agilité, célérité, diligence, empressement, frénésie, hâte, promptitude, rapidité, vivacité.

LENTICELLE [lɑ̃tisɛl] n. f. — 1825, De Candolle; dimin. de *lens, lentis* «lentille»; var. sav. de *lenticule.*
REM. L'Académie n'enregistre ce mot qu'au pluriel.

♦ Bot. Voie d'aération dans le liège des arbres, ayant l'aspect d'une petite tache poreuse à la surface des rameaux.

DÉR. Lenticellé.

LENTICELLÉ, ÉE [lɑ̃tisɛlle; lɑ̃tisele] adj. — 1846, Bescherelle, de *lenticelle.*

♦ Didact. Qui présente des lenticelles.

LENTICULAIRE [lɑ̃tikylɛʀ] ou **LENTICULÉ, ÉE** [lɑ̃tikyle] adj. — 1314, *lenticulaire,* n. m.; *lenticulé,* 1539; *lenticulaire,* adj., 1690; lat. *lenticularis, lenticulatus,* de *lenticula.* → Lentille.

♦ Didact. Qui a la forme d'une lentille. ⇒ **Lentiforme.** *Verre, tache lenticulaire.* — (1735). *Os lenticulaire :* osselet de l'oreille interne.

1 *(les colons)* s'étendirent près d'une épaisse vitre lenticulaire qui obturait une sorte de gros œil d'où jaillissait une gerbe de lumière.
J. VERNE, l'Île mystérieuse, t. II, p. 816-817.

2 Un être sanglant à chevelure hérissée et yeux lenticulaires s'enroule autour de l'arbre. A. JARRY, Gestes et opinions du Dr. Faustroll, Pl., p. 715.

LENTICULE [lɑ̃tikyl] n. f. — 1556, «lentille»; sens actuel, 1803; lat. *lenticula.* → Lentille.

♦ Bot. Plante monocotylédone *(Lemnacées)* appelée scientifiquement *lemna,* et communément *lentille d'eau,* herbacée, vivace, flottante* ou submergée dans les eaux stagnantes, à petites feuilles rondes.

LENTICULÉ, ÉE [lɑ̃tikyle] adj. ⇒ **Lenticulaire.**

LENTIFORME [lɑ̃tifɔʀm] adj. — 1775; comp. sav. du lat. *lentis* (→ Lentille), et *-forme.*

♦ Didact. Qui a la forme d'une lentille. ⇒ **Lenticulaire.** *Éphélide lentiforme.* ⇒ **Lentille,** III.

LENTIGINE [lɑ̃tiʒin] n. f. ⇒ **Lentigo.**

LENTIGINEUX, EUSE [lɑ̃tiʒinø, øz] adj. — 1508, *in* F. E. W.; du lat. *lentiginosus,* de *lentigo, -inis.* → Lentigo.

♦ Didact. Affecté de lentigo ou taches de rousseur. *Mains, cou, visage, épiderme lentigineux.* ⇒ **Lentilleux** (vx).
De lentigo. *Taches lentigineuses.*

LENTIGINOSE [lɑ̃tiʒinoz] n. f. — Mil. XXe (1953, *in* Quillet); de *lentigine* (→ Lentigo), et suff. *-ose.*

♦ Méd. Affection cutanée bénigne caractérisée par la présence (aux mains, au cou, et surtout au visage) de nombreuses lentigines. ⇒ **Lentigo.** *Faire une lentiginose évolutive.*

LENTIGO [lɑ̃tigo] n. m. — 1832, Raymond; mot lat. dér. de *lens* (→ Lentille; et aussi lentigineux), p.-ê. par l'angl. *lentigo* (1700).

♦ Méd. Petite tache cutanée pigmentée ronde ou lenticulaire (nævus), plus foncée et à contours plus nets que l'éphélide*, de nature congénitale. *Des lentigos. Le grain de beauté est une forme particulière de lentigo.* ⇒ aussi **Tache** (de rousseur). — REM. On emploie aussi *lentigine* [lɑ̃tiʒin] n. f.

DÉR. Lentiginose.

LENTILLE [lɑ̃tij] n. f. — V. 1170; lat. *lenticula,* dimin. de *lens, lentis* «lentille».

★ **I.** ♦ **1.** Plante dicotylédone *(Légumineuses-Papilionacées),* herbacée, annuelle, aux gousses plates contenant deux graines arrondies. *Plant de lentilles. Planter, cultiver des lentilles.* — REM. Le mot ne s'emploie guère au sing. pour désigner la plante.

♦ **2.** Cour. (surtout au plur.). La graine comestible de la lentille, en forme de disque biconvexe. *Lentille commune, grosse blonde; lentille verte du Puy, lentille du Puy. Petite lentille rouge* dite *lentille à la reine.* ⇒ **Lentillon.** *Les lentilles, aliment farineux*, entrent dans la catégorie des légumes secs. Trier des lentilles. Le cosson*, charançon qui s'attaque aux lentilles. — Soupe, saucisse, petit salé, palette aux lentilles.* — Allus. bibl. *Esaü vendit son droit d'aînesse* (cit. 1) *contre un plat de lentilles.*

♦ **3.** (Qualifié; désignant d'autres plantes par anal. d'aspect). *Lentille d'Espagne, lentille du Canada :* gesse, vesce. *Lentille bâtarde :* ers. — (XVe). *Lentille d'eau (lemna).* ⇒ **Lenticule,** et aussi **lemnacées.**

Aux fossés, la lentille d'eau 1
De ses taches vert-de-grisées
Étale le glauque rideau.
Th. GAUTIER, Émaux et Camées, «Le château du souvenir».

★ **II.** ♦ **1.** (Av. 1690, Furetière; cf. en 1637, Descartes, *verre en forme de lentille,* par anal. de forme avec la graine comestible). Opt. Substance réfringente transparente (verre, etc.), limitée par deux surfaces dont l'une au moins est courbe. *Lentille de verre** (⇒ **Crown-glass**), *de cristal. Lentille biconvexe*, plan-convexe, biconcave, plan-concave. Les lentilles convexes* sont convergentes, les lentilles concaves* divergentes. Concentration*, dispersion des rayons lumineux qui ont traversé une lentille.* ⇒ **Convergence, divergence.** *Centres de courbure d'une lentille. Foyer* principal d'une lentille. Distance focale* d'une lentille. Lentille afocale*. Unité de puissance des lentilles.* ⇒ **Dioptrie.** *Achromatisme d'une lentille; lentilles achromatiques. Phénomènes optiques produits par les lentilles.* ⇒ **Anneau** (4.). — *Lentilles des instruments d'optique** (télescope, lunette, microscope...). ⇒ aussi **Loupe.** *Les lentilles d'une paire de lunettes.* ⇒ **Verre.** *Lentilles cornéennes :* verres de contact qui ne recouvrent que la cornée. *Lentille d'une chambre* noire* (⇒ **Photographie**), *lentille de mise au point* (⇒ **Bonnette**). *Une goutte de liquide peut former une lentille naturelle.* — Par anal. (Anat.). *Lentille cristalline, cristallinienne* (→ Cristallin, cit. 4).

LENTILLE, en termes d'Optique, est un verre taillé fait en forme de *lentille,* qui sert aux lunettes. Il est quelquefois convexe des deux côtés, et à cause de sa figure il ressemble à la *lentille;* ce qui lui a donné son nom : et en ce cas c'est la même chose qu'(...) une loupe. FURETIÈRE, Dict., art. *Lentille* (1690). 2

Et il montra l'appareil qui lui avait servi de lentille. C'étaient tout simplement les deux verres qu'il avait enlevés à la montre du reporter et à la sienne. Après les avoir remplis d'eau et rendu leurs bords adhérents au moyen d'un peu de glaise, il s'était ainsi fabriqué une véritable lentille, qui, concentrant les rayons solaires sur une mousse bien sèche, en avait déterminé la combustion. 2.1
J. VERNE, l'Île mystérieuse, t. I, p. 117.

♦ **2.** Dispositif modifiant la convergence d'un rayonnement (quelle que soit la forme de ce dispositif), d'un faisceau d'électrons, de corpuscules. *Lentille à grille, à immersion. Lentille magnétique, électrostatique.*

★ **III.** (V. 1300; vieilli). Éphélide* lentiforme. *Lentilles brunes, rousses.* ⇒ **Grain** (de beauté), **lentigo, tache** (de rousseur). *Peau* couverte de lentilles.* ⇒ **Lentilleux.**

(...) je revoyais la lentille qui marquait la naissance de la jolie raie par laquelle son dos était partagé, mouche perdue dans du lait (...) 3
BALZAC, le Lys dans la vallée, Pl., t. VIII, p. 796.

DÉR. Lentilleux, lentillon.

LENTILLEUX, EUSE [lɑ̃tijø, øz] adj. — XIIIe; *lentileus,* fin XIe; de *lentille,* et *-eux.*

♦ Vx. Parsemé de lentilles* (III.), de taches. *Visage lentilleux. Peau lentilleuse.* — On dit aussi *lentigineux.*

LENTILLON [lɑ̃tijɔ̃] n. m. — 1835; dimin. de *lentille.*

♦ Variété de lentille (I., 1.), à graine petite et rouge; graine de cette plante, dite aussi *lentille à la reine.*

LENTISQUE [lɑ̃tisk] n. m. — 1538; *lentisse,* XVe; *lentisc,* XIIIe; anc. provençal *lentisc,* du lat. *lentiscus.*

♦ Arbuste des régions méditerranéennes *(Térébinthacées)* appartenant au groupe des pistachiers* (n. sc. : *Pistacia lentiscus*). → Aromate, cit. 5; grimper, cit. 11. *On extrait une huile astringente du fruit du lentisque. Résine du lentisque.* ⇒ **Mastic.**

Sur les collines qui dominent la ville *(Alger)* il y a des chemins parmi les lentisques et les oliviers. Et c'est vers eux qu'alors mon cœur se retourne.
CAMUS, Noces à Tipasa, *in* Essais, Pl., p. 70.

LENTO [lɛnto] adj. et n. m. — 1777; mot italien.

♦ Mus. Avec lenteur (plus lentement qu'*adagio*). — N. m. *Un lento. Des lentos* ou *des lento* (invar.).

1. LÉONAIS, AISE [leɔnɛ, ɛz] adj. et n. — 1752; de *León*, province d'Espagne.

♦ De la province espagnole de León. — N. Personne originaire de cette région; habitant, habitante de cette région. *Un Léonais, une Léonaise.*

N. m. (1952). Dialecte espagnol parlé dans la région de León.

2. LÉONAIS, AISE [leɔnɛ, ɛz] n. ⇒ **Léonard.**

LÉONARD, ARDE [leɔnaʀ, aʀd] adj. et n. — 1952, n. m.; du nom du Léon, région de Bretagne.

♦ De la région bretonne du Léon, ou pays de Léon (le nord-ouest du Finistère). *Le Breton léonard* (→ ci-dessous, n. m.). — N. Personne originaire de cette région; habitant, habitante de cette région. *Les Léonards et les Bigoudens. Un Léonard, une Léonarde.*

N. m. Dialecte breton parlé dans le pays de Léon.

REM. On rencontre aussi la forme *léonais, aise* [leɔnɛ, ɛz] (1732, n.; 1963, n. m.).

LÉONARDESQUE [leɔnaʀdɛsk] ou **LÉONARDIEN, IENNE** [leɔnaʀdjɛ̃, jɛn] adj. — Attesté 1952, *in* D. D. L.; de *Léonard (de Vinci)*, le premier d'après l'italien.

♦ Didact. De Léonard de Vinci, propre à Léonard de Vinci. *Inspiration léonardesque.*

1. LÉONIN, INE [leɔnɛ̃, in] adj. — V. 1160; lat. *leoninus*, de *leo, leonis*. → Lion.

♦ **1.** (Déb. XIIIe). Qui appartient au lion. *Une crinière léonine* (Académie). — (V. 1130). Qui ressemble au lion, évoque le lion (par l'aspect physique, l'impression de force, de puissance).

Mirabeau était présent, et il attirait tous les regards. Son immense chevelure, sa tête léonine, marquée d'une laideur puissante, étonnaient, effrayaient presque; on n'en pouvait détacher les yeux.
MICHELET, Hist. de la Révolution franç., I, II.

♦ **2.** (1680; d'après le lat. jurid. *societas leonina*). *Société léonine :* société où tous les avantages sont pour un ou quelques-uns des associés, par allus. à la fable de La Fontaine du «lion en société avec d'autres animaux» (I, 6). — Par anal. *Marché, partage léonin. Contrat léonin.* ⇒ **Abusif, injuste.**

CONTR. Équitable, juste.

2. LÉONIN, INE [leɔnɛ̃, in] adj. — V. 1175; du nom d'un chanoine de Saint-Victor, Léon (→ cit.), ou de 1. *léonin*, par allus. au caractère noble.

♦ Se dit d'un vers dont les deux hémistiches riment ensemble. — *Rime léonine :* rime très riche où deux, trois syllabes sont semblables.

Des vers latin rimez que nos ancestres appelaient leonins (...) Et furent ces vers par eux appelés leonins, du nom de Lyon *(lion)*, comme plus hautains, selon l'opinion de quelques-uns. De moy (...) je trouve que sous le règne de Louys septième vers l'an 1154 nous eusmes un brave poëte dans Paris, lequel en ses œuvres manuscrits est tantost nommé Leoninus, tantost Leonius (...)
E. PASQUIER, Recherches de la France (1665), p. 595 (*in* T. L. F.).

LÉONTIASIS [leɔ̃tjazis] n. m. — 1803, Boiste; lat. sc. mod. *leontiasis*, du grec *leôn, leontos* «lion».

♦ Pathol. Épaississement des téguments de la face, dont les traits évoquent ceux de la tête d'un lion. *Le léontiasis est dû à la lèpre*, ou à la syphilis tertiaire.* — Par ext. Épaississement pathologique des os de la face et du crâne ressemblant à la tête d'un lion.

LÉONTINE [leɔ̃tin] n. f. — 1873; de *Léontine*, prénom féminin.

♦ Vx. Chaîne de montre pour dame faisant le tour du cou et retombant sur le corsage.

LÉONTOCÉPHALE [leɔ̃tosefal] adj. — 1891, Goncourt, *in* T. L. F.; grec *leontokephalos*, de *leôn* «lion», et *-céphale.*

♦ Didact. (myth., arts). À la tête de lion et au corps d'une autre espèce.

Le motif de l'aigle léontocéphale liant des capridés ou même s'attaquant à des taureaux est l'emblème du dieu de la ville sumérienne de Lagash.
G. CONTENAU et V. CHAPOT, l'Art antique, p. 39.

LÉONTODON [leɔ̃tɔdɔ̃] n. m. — 1867, Littré; du grec *leôn, leontos* «lion», et *odous, odontos* «dent».

♦ Bot. Plante à fleurs jaunes *(Composées)*, qui pousse dans les endroits secs.

LÉONTOPODIUM [leɔ̃topɔdjɔm] n. m. — 1873, *léontopode, in* Larousse; lat. sc. mod. *leontopodium* (1798, Linné), grec *leontopodion*, de *leôn* «lion», et *pous, podos* «pied».

♦ Bot. Edelweiss* *(Composacées).*

LÉONURE [leɔnyʀ] n. m. — 1694; du lat. bot. *leonurus*, du lat. *leo* «lion», et du grec *oura* «queue».

♦ Bot. ⇒ **Agripaume.** Le *léonure* est appelé *queue-de-lion**.

LÉOPARD [leɔpaʀ] n. m. — Déb. XIVe; *leupart*, 1080, *Chanson de Roland;* lat. *leopardus*, de *leo* «lion», et *pardus* «panthère», mot grec.

♦ **1.** Panthère* d'Afrique, mammifère carnassier de la famille des félidés*. *Le jaguar*, l'once*, le guépard* (cit. 1 et 2) *sont très voisins du léopard. Le singe et le léopard,* fable de La Fontaine (→ Afficher, cit. 2).

Un Éthiopien peut-il changer sa peau, et un léopard ses taches?
BIBLE (SEGOND), Prophètes, Jérémie, XIII, 23.

(1924, *in* D. D. L.). Fourrure de cet animal. *Un manteau de léopard.*

(1968). Par appos. *Tenue léopard :* vêtement de camouflage tacheté, utilisé surtout par les parachutistes de l'armée.

♦ **2.** (Av. 1690, Furetière; *le liepart* «les Anglais», 1385). Blason. Animal héraldique analogue au lion mais représenté «passant» (et non «rampant»), la tête de face. ⇒ **Léopardé.** *Les léopards des armoiries de l'Angleterre.* — Littér. *Le léopard anglais :* l'Angleterre.

♦ **3.** Fig. *Léopard de mer :* phoque carnivore des mers australes. *«Certaines espèces* (de phoques) *très carnassières, comme le léopard de mer, se nourrissent même de manchots»* (*la Recherche,* no 105, nov. 1979, p. 1059).

DÉR. Léopardé.

LÉOPARDÉ, ÉE [leɔpaʀde] adj. — 1502, «moucheté comme le léopard»; de *léopard.*

♦ Blason. *Lion léopardé,* «passant». Syn. : *léopard.*

L. E. P. ou **LEP** [lɛp] n. m. invar. — Déc. 1976, Journ. off.; sigle de *Lycée d'Enseignement Professionnel.*

♦ Lycée d'enseignement professionnel (ancien collège d'enseignement technique : *C. E. T.*). *«(...) un million d'élèves ont été accueillis hier dans les écoles, collèges, lycées et LEP (lycées d'enseignement professionnel) de l'académie de Lille»* (*Libération,* 9 sept. 1983).

LÉPADOGASTRE [lepadɔgastʀ] ou **LEPADOGASTER** [lepadɔgastɛʀ] n. m. — 1839, Boiste, *lépadogastère;* du lat. *lepas, -adis,* mot grec, nom d'un coquillage, et *gaster* «estomac».

♦ Didact. (zool.). Petit poisson à tête plate, qui se fixe aux rochers par une ventouse ventrale (famille des *Gobiésocidés*). ⇒ **Barbier,** 2. Plur. *Des lépadogastres; des lepadogaster.*

(...) les Lepadogaster ou Porte-Écuelles et les Cycloptères ont un organe en ventouse complexe, qui comprend à la fois les pelviennes très modifiées et méconnaissables, un ensemble musculaire très puissant, et même en partie les pectorales et leur ceinture.
R. et M.-L. BAUCHOT, les Poissons, p. 23.

LÉPAS [lepas] n. m. — 1736 (selon Arveiller); grec *lepas,* nom d'un coquillage univalve.

♦ Vx. Anatife*.

LÉPIDO- Élément tiré du grec *lepis, lepidos* «écaille», et entrant dans la composition de quelques mots savants. Voir à l'ordre alphabétique.

LÉPIDODENDRON [lepidɔdɛ̃dʀɔ̃] n. m. — 1828, Brongniart; de *lépido-,* et grec *dendron* «arbre».

♦ Paléont. Lycopode* fossile arborescent du Carbonifère, pouvant atteindre de grandes dimensions.

LÉPIDOLITHE [lepidɔlit] n. m. — 1808, Boiste; de *lépido-*, et *-lithe*.

♦ Minér. Mica blanc ou rose violacé, qui constitue le principal minerai de lithium.

LÉPIDOPE [lepidɔp] n. m. — 1808, Boiste; lat. zool. *lepidopus*; de *lépido-*, et grec *pous* «pied», p.-ê. à cause de la nageoire ventrale écailleuse.

♦ Zool. Poisson très long, rubané, à museau pointu. Syn. : *argentin* (1. Argentin, 3.) ou *jarretière*.

LÉPIDOPHYLLE [lepidɔfil] adj. — 1873, Larousse; de *lépido-*, et *-phylle*.

♦ Bot. Dont les feuilles ressemblent à des écailles.

LÉPIDOPTÈRES [lepidɔptɛʀ] n. m. pl. — 1754; lat. sav. *lepidoptera* (1744, Linné); du grec *lepis, lepidos* (→ Lépido-), et *ptéron* (→ -ptère).

♦ Zool. Ordre d'animaux arthropodes antennifères de la classe des insectes, ainsi nommés à cause des fines écailles qui recouvrent leurs ailes. *Les papillons* sont des lépidoptères. Les lépidoptères, insectes à métamorphoses complètes* (avec nymphe immobile). *Sous-ordres des lépidoptères :* hétérocères, microlépidoptères, rhopalocères. *Familles des lépidoptères :* hespéridés, noctuéliens, tortricidés... *Principaux lépidoptères :* achérontia, aglosse, agrotis, alucite, bombyx, cochylis, cossus, 2. danaïde, gallérie, géomètre (ou phalène), hépiale, hyponomeute, liparis, machaon, mite, noctuelle, parnassien, piéride, pyrale, saturnie, satyre, teigne, uranie, vanesse, xanthie, zeuzère, zygène... *Larve des lépidoptères.* ⇒ **Chenille.** *Collectionner* (cit.) *des lépidoptères. L'appareil stridulent des lépidoptères.* ⇒ **Archet** (3.). *Les lépidoptères sont des pollinisateurs* (cit. 2).

Gourdon possédait une collection de lépidoptères, mot qui faisait espérer des monstruosités et qui faisait dire en les voyant : «Mais c'est des papillons!»
BALZAC, les Paysans, Pl., t. VIII, p. 230.

Au sing. *Un lépidoptère.* ⇒ **Papillon.**

Appos. ou adj. (Rare). *Insecte lépidoptère.*

DÉR. **Lépidoptériste, lépidoptérologie.**
COMP. **Macrolépidoptères, microlépidoptères.**

LÉPIDOPTÉRISTE [lepidɔpteʀist] n. — 1860, G. Sand, *in* T. L. F.; de *lépidoptère*.

♦ Didact. (Rare). Entomologiste spécialiste des lépidoptères.

LÉPIDOPTÉROLOGIE [lepidɔpteʀɔlɔʒi] n. f. — 1873, Larousse; de *lépidoptères*, et *-logie*.

♦ Didact. Partie de l'entomologie qui étudie les lépidoptères.

LÉPIDOSAURIENS [lepidosɔʀjɛ̃] n. m. pl. — XXe; de *lépido-*, et *saurien*.

♦ Superordre de reptiles (Diapsides) comprenant les Rhynchocéphales (⇒ **Hattéria**) et les Squamates (Sauriens et Ophidiens). *« Les lépidosauriens ou "reptiles écailleux" (...) sont des formes typiquement terrestres, le plus souvent de taille petite ou moyenne»* (*la Recherche*, févr. 1974, p. 191). *Les lépidosauriens, apparus à la fin du primaire, comprennent une grande partie des reptiles vivants.*

LÉPIDOSIRÈNE ou **LÉPIDOSIREN** [lepidosiʀɛn] n. m. — 1873, Larousse; de *lépido-*, et *sirène*.

♦ Zool. Poisson à double respiration, pulmonaire et branchiale, qui vit dans les fleuves d'Amérique du Sud.

LÉPIDOSTÉE [lepidɔste] n. m. — 1875; lat. zool. *lepidosteus* (→ Lépido-), et grec *osteon* «os».

♦ Zool. Poisson à museau très allongé des grands cours d'eau américains (nom commun : *brochet-lance*).

LÉPIOTE [lepjɔt] n. f. — 1816, De Candolle; dér. sav. du grec *lepion* «petite écaille, petite croûte».

♦ Bot. Champignon basidiomycète *(Agaricinées)* dont une espèce, la *lépiote élevée* (⇒ **Coulemelle**), est comestible et appréciée.

LÉPISME [lepism] n. m. — 1808, Boiste; lat. sav. *lepismus*; du grec *lepis* «écaille».

♦ Zool. Insecte aptère *(Thysanoures)*, au corps effilé couvert d'écailles argentées qui lui ont valu d'être communément appelé *poisson d'argent*.

LÉPORIDES [lepɔʀid] ou **LÉPORIDÉS** [lepɔʀide] n. m. pl. — 1838; du lat. *lepus, leporis* «lièvre».

♦ **1.** Zool. Famille des mammifères rongeurs* comprenant le lièvre et le lapin. — Au sing. *Un léporide, un léporidé.*

Dans le silence d'un pré environné de bosquets, une bonne douzaine de lièvres ou de lapins de garenne (membres, en tout cas, du groupe des léporidés) presque tous assis et quelques-uns circulant, mais sans hâte et sans beaucoup s'écarter de leurs congénères. Michel LEIRIS, Frêle bruit, p. 112.

♦ **2.** (1867, Littré). Hybride résultant (prétendument) de l'union du lièvre et du lapin.

LÈPRE [lɛpʀ] n. f. — V. 1265; *liepre*, v. 1120; lat. *lepra*.

♦ **1.** [a] Vx. Maladie contagieuse rongeant les chairs. ⇒ **Éléphantiasis** (des Grecs), **ladrerie** (vx).

[b] Mod. (spécialt). Maladie infectieuse et contagieuse due au bacille de Hansen. *La lèpre, maladie jadis incurable* (→ Guérir, cit. 28). *Lèpre maculeuse, mutilante; lèpre nerveuse, tuberculeuse. Pustules de la lèpre. Nodules, ulcérations, lésions trophiques et nerveuses de la lèpre* (⇒ **Lépride, léprome**). *Léontiasis* dû à la lèpre. Malade atteint de la lèpre.* ⇒ **Lépreux.** *Vaccin contre la lèpre.*

Il était enveloppé d'une toile en lambeaux, la figure pareille à un masque de plâtre 1
et les deux yeux plus rouges que des charbons. En approchant de lui la lanterne, Julien s'aperçut qu'une lèpre hideuse le recouvrait (...) ses épaules, sa poitrine, ses bras maigres disparaissaient sous des plaques de pustules écailleuses. Des rides énormes labouraient son front. Tel qu'un squelette, il avait un trou à la place du nez; et ses lèvres bleuâtres dégageaient une haleine épaisse comme un brouillard, et nauséabonde.
FLAUBERT, Trois contes, «La légende de saint Julien l'Hospitalier», III.

♦ **2.** (1837). Ensemble de taches qui rappellent les macules de la lèpre. *Une lèpre qui érode* (cit.) *la pierre.*

C'étaient des murailles grises, mangées d'une lèpre jaune (...) 2
ZOLA, l'Assommoir, t. I, II, p. 54.

♦ **3.** (1828). Vx. Nom donné à certains lichens*.

♦ **4.** (1598; du sens 1, *in* D. D. L.). Par compar., métaphore ou fig. Littér. Mal qui s'étend et gagne de proche en proche. *La lèpre du vice. La lèpre de l'ennui.* ⇒ **Cancer, peste.**

(Une affaire qui) donna lieu à la plus grande plaie que la pairie pût recevoir, et 3
qui en devint la lèpre et le chancre. SAINT-SIMON, Mémoires, I, X.

Ah! je vous plains, si cette lèpre-là vous est connue. 4
FLAUBERT, Correspondance, 7 juin 1844
(→ Ennui, cit. 25, à laquelle cette phrase fait suite).

La pauvreté s'étendit ainsi sur toute la société française comme une lèpre. 5
FUSTEL DE COULANGES, Questions contemporaines, p. 78.

(...) tout un peuple mordu, rongé par une lèpre, une race détruite par ses instincts 6
d'en bas, comme des plages sans digue.
F. MAURIAC, Souffrances et bonheur du chrétien, p. 25.

DÉR. **Lépride, léprome.** — V. **Lépreux.**
COMP. **Léprologie, léprologue.**

LÉPRÉCHAUNISME [lepʀeʃonism] n. m. — 1968; identifié, 1954; angl. *leprechaunism*, de Leprechaun, nom d'un faune dans un conte de J. Stephëns.

♦ Méd. Syndrome caractérisé par de multiples malformations : nanisme et faciès «faunesque». *Le lépréchaunisme touche surtout les femmes et s'accompagne de troubles moteurs et psychiques.*

LÉPREUX, EUSE [lepʀø, øz] adj. et n. — V. 1050, *lepros, leprous*; bas lat. *leprosus*, de *lepra*. → Lèpre.

♦ **1.** Qui est atteint de la lèpre. *Femme lépreuse.* ⇒ **Ladre** (vx). *Il était lépreux.* — N. (plus cour.). *Les lépreux qui languissaient* (cit. 3) *aux carrefours des cités. Costume distinctif, cliquette des lépreux au moyen âge. Soigner, visiter les lépreux* (→ Grandeur, cit. 25). *Hôpital pour lépreux.* ⇒ **Ladrerie** (vx), **lazaret** (vx), **léproserie, maladrerie** (vx).

N'approche mie de ces lieux, 1
Cy est le chenil du lépreux.
Le Lai du lépreux, *in* Aloysius BERTRAND, Gaspard de la nuit,
Chroniques, Les lépreux.

J'ai vu (...) défiler une vingtaine de lépreux dont quelques-uns avaient des lésions 2
graves et montraient le mufle de lion, la peau tuméfiée, couleur de pain d'épices, des ulcères, des yeux morts, les oreilles énormes au lobule pendant (...) Ils ne portaient pas le costume maudit et n'agitaient pas les cliquettes (...) Les plus sévèrement atteints ne quittaient guère l'hôpital *(Saint-Louis)*. Comme les tristes pensionnaires des léproseries médiévales, ils attendaient la fin de leur martyre entre les murs de leur retraite. G. DUHAMEL, le Temps de la recherche, VIII.

Fig. *Traiter qqn en lépreux, comme un lépreux,* refuser de le fréquenter, de lui adresser la parole.

Le garde-champêtre fut craint, respecté, mais, comme un capitaine sur son vais- 3
seau, quand son équipage ne l'aime pas; aussi les paysans le traitèrent-ils en lépreux. BALZAC, les Paysans, Pl., t. VIII, p. 132.

♦ **2.** Dont l'aspect rappelle celui d'un lépreux. *Un vieux matou lépreux.*

(Choses). Couvert et dégradé par des taches qui rappellent la lèpre. ⇒ **Galeux.** *Roches lépreuses* (→ Effriter, cit. 4). — *Maisons lépreuses* (→ 1. Frais, cit. 21). *Murs lépreux.*

4 Il faut l'avouer, ces murailles sont badigeonnées d'une sorte de jaune assez abominable. Sans être de ceux qui aiment précisément les édifices moisis, lépreux et noirs, nous avons une horreur particulière pour cette infâme couleur potiron (...)
Th. GAUTIER, Voyage en Espagne, p. 234.

5 J'ignorais vers quels bouges, vers quelles buvettes sordides mes pas me conduisaient, mais la rue de la Harpe, celle de la Huchette puis le boyau gluant qui conduit à l'église m'éclairèrent sur le caractère de ces lieux. Un peu plus loin, vers Saint-Julien-le-Pauvre que l'on n'avait pas dégagé de l'îlot de masures lépreuses qui s'étendait jusqu'à la Seine, je lus à même une façade en hautes lettres peintes : *Hôtel du Bon Dieu.* Francis CARCO, Nostalgie de Paris, p. 171.

♦ **3.** (Déb. XIVe). Qui a rapport à la lèpre. *Pustules lépreuses. Tubercules, nodules lépreux.*

♦ **4.** (1844 ; cf. en moy. franç. *lepreux en ame,* 1524). Que l'on traite comme un lépreux, en refusant de le fréquenter. « *Les lépreux de la misère ou du crime* » (Vallès, *in* G. L. L. F.). ⇒ **Paria.**

LÉPRIDE [lepʀid] n. f. — XXe ; de *lèpre.*

♦ Pathol. Lésion de la peau due à la lèpre.

LÉPROLOGIE [lepʀɔlɔʒi] n. f. — V. 1970 ; de *lèpre,* et *-logie.*

♦ Didact. Étude de la lèpre.

LÉPROLOGUE [lepʀɔlɔg] ou **LÉPROLOGISTE** [lepʀɔlɔʒist] n. — V. 1970 ; de *lèpre,* et *-logue* ou *-logiste.*

♦ Didact. Spécialiste de la lèpre.

LÉPROME [lepʀom] n. m. — 1888 ; de *lèpre,* et *-ome.*

♦ Pathol. Petit nodule cutané caractéristique de la lèpre.

LÉPROSERIE [lepʀozʀi] n. f. — 1568, *leprosarie ;* lat. médiéval *leprosaria,* de *leprosus.* → Lépreux.

♦ Hôpital, hospice où l'on isole et soigne les lépreux (cit. 2). ⇒ **Ladrerie** (vx), **lazaret, maladrerie** (vx). *Le pavillon de Malte, léproserie de l'hôpital Saint-Louis. La léproserie que dirigeait Albert Schweitzer.*

Les *maladreries* ou *léproseries* de Saint-Lazare semblent avoir été en Orient les premières maisons de refuge.
CHATEAUBRIAND, le Génie du christianisme, IV, VI, II.

LEPT- ⇒ **Lepto-.**

LEPTA [lɛpta] n. m. pl. ⇒ **1. Lepton.**

LEPTE [lɛpt] n. m. — 1827 ; grec *leptos* « mince ».

♦ Zool. Larve hexapode du trombidion. *Les leptes d'automne s'introduisent sous la peau de l'homme et causent de vives démangeaisons.*

LEPTIQUE [lɛptik] adj. — 1970 ; abrév. de *psycholeptique.*

♦ Didact. Psycholeptique.

-LEPTIQUE Élément, du grec *lêptikos* « qui prend », et signifiant « qui affecte en déprimant, en calmant », servant à former des mots d'emploi médical *(dysleptique, neuroleptique, psycholeptique, etc.).* — REM. Il semble que le sens accordé à ce suffixe le soit par opposition au sens d'*analeptique** directement tiré du grec.

On sait que le suffixe « leptique » (du grec lambano, lepsomaï : capter) indique l'action de prendre en abaissant ; précédé du préfixe « ana » qui signifie en haut, il indique l'action de prendre en élevant ; précédé du préfixe péjoratif « dys », il indique l'action de prendre en déviant ou en perturbant. Il ne s'agit là que d'une systématisation commode dont le but est de permettre aux praticiens de distinguer les principales drogues psychotropes d'après le type de comportement clinique qu'elles induisent (...)
Jean DELAY, Introd. à la médecine psychosomatique, p. 64.

LEPTIS [lɛptis] n. f. — Av. 1846, Macquart ; lat. zool., du grec *leptos* « mince ». → Lepto-.

♦ Zool. Mouche grise ou jaunâtre, fréquente dans les bois.

LEPTO-, LEPT- Élément tiré du grec *leptos* « mince, grêle ». Voir à l'ordre alphabétique.

LEPTOCÉPHALE [lɛptosefal] n. m. — 1809, Lamarck, *in* D. D. L. ; de *lepto-,* et *-céphale* « à tête mince ».

♦ Zool. Larve de l'anguille et du congre.

LEPTOCÈRE [lɛptɔsɛʀ] n. m. — 1839, Boiste ; de *lepto-,* et suff. *-cère,* du grec *keras* « corne ».

♦ Zool. Phrygane à longues antennes fines, dont la larve se développe dans un fourreau de soie.

LEPTOCORISE [lɛptɔkɔʀiz] n. f. — 1846, Blainville ; lat. zool. *leptocorisa,* Latreille, du grec *leptos* (→ Lepto-), et grec *koris* « punaise ».

♦ Zool. Punaise allongée, nuisible aux céréales (riz, millet).

LEPTOLIDES [lɛptɔlid] n. m. pl. — XXe ; altér. de *leptolines,* du grec *leptos* (→ Lepto-), et grec *linon* « fil ».

♦ Zool. Ordre d'hydrozoaires (formes fixées ou méduses craspédotes). « *Les leptolides se divisent en deux sous-ordres : les Gymnoblastides et les Calypsoblastides* » (O. Tuzet, *les Cœlentérés,* Zool., Encycl. Pl., t. I, p. 477). — Syn. : *hydroméduses. Les leptolides forment avec les hydrides la classe des Hydroïdes*.* — Au sing. *Un leptolide.*

LEPTOLITHIQUE [lɛptɔlitik] n. m. et adj. — XXe, abbé Breuil ; de *lepto-,* et *-lithique.* → Paléolithique.

♦ Didact. Période du paléolithique supérieur, caractérisée par un outillage de silex plus différencié et comportant des formes fines. *Le leptolithique correspond à l'âge du renne.*

LEPTOLOGIE [lɛptɔlɔʒi] n. f. — Av. 1866 ; du grec *leptologia* « discussion subtile », de *leptologeô* « disserter subtilement », de *leptos* « fin, subtil, délicat » (→ Lepto-), et *legein* « dire » (→ -logie).

♦ Rhét., rare. Style minutieux, affecté ; discours subtil, qui se perd en arguties.

DÉR. Leptologique.

LEPTOLOGIQUE [lɛptɔlɔʒik] adj. — Attesté 1928, Aragon ; de *leptologie.*

♦ Didact. (rhét.). Qui se caractérise par (une tendance à) la subtilité dialectique.

Pas de fausses subtilités ! Les rêves ne sont pas l'occasion d'étaler vos goûts leptologiques, de faire montre de quelques connaissances péniblement acquises.
ARAGON, Traité du style, p. 186, *in* D. D. L., II, 7.

LEPTOME [lɛptom] n. m. — Attesté 1930, Larousse ; de *lepto-.*

♦ Bot. Région criblée des faisceaux libéroligneux (par oppos. à *hadrome*).

LEPTOMÉNINGES [lɛptomenɛ̃ʒ] n. f. pl. — 1971 ; *leptoméningite,* 1890 ; de *lepto-,* et *méninges.*

♦ Anat. Les deux méninges molles du cerveau et de la moelle épinière : l'arachnoïde et la pie-mère (opposé à *pachyméninge, ou duremère*).

1. LEPTON [lɛptɔn] n. m. — 1840-1842, Académie, *Compl. ; leptum,* 1765 ; mot grec. → Lepto-.

♦ Didact. Monnaie grecque, centième partie de la drachme. Plur. *Des lepta* [lɛpta]. *La drachme vaut cent lepta.*

2. LEPTON [lɛptɔ̃] n. m. — V. 1962 ; angl. *lepton,* 1948, Rosenfeld ; du grec *leptos* (→ Lepto-), et l'élément *-on* de *électron, muon,* etc.

♦ Phys. Particule élémentaire légère (électron, muon, etc.) qui ne subit pas d'interactions fortes. *Des leptons. Quarks et leptons. Lepton lourd.* « *Les particules de spin 1/2 se divisent en deux grandes catégories : les leptons et les quarks. Les leptons ne sont uniquement sensibles qu'aux interactions électromagnétiques et aux interactions faibles...* » (*la Recherche,* no 148, oct. 1983, p. 1218).

DÉR. Leptonique.

LEPTONIQUE [lɛptɔnik] adj. — Av. 1978 ; de *lepton.*

♦ Phys. Relatif aux leptons. « *Il s'agit* (dans la réaction de courant neutre d'un neutrino sur un électron) *de courant neutre "leptonique" (...) car seules des particules légères sont impliquées* » (*la Recherche,* juil.-août 1978, p. 678).

LEPTOSOME [lɛptozom] adj. — 1930, trad. de Kretschmer par Jankélévitch (*in* T. L. F.); en zool. (insecte), 1839; de *lepto-**, et *-some*. → Soma.

♦ Didact. (anthrop.). Dont le corps a des proportions élancées. — Syn. : *longiligne.*

Dans sa classification, E. Kretschmer admet trois types principaux (le quatrième étant fait des anormaux constitutionnels ou dysplastiques) : athlétique (...) pycnique (...) leptosome (ou longiligne mince...) il aurait constaté de la sorte la forte prédominance des leptosomes et des athlétiques chez les schizophrènes (...)
Pierre GRAPIN, l'Anthropologie criminelle, p. 56.

CONTR. Brachysome ou **bréviligne.**

LEPTOSPIRE [lɛptospiʀ] n. m. — XXe; *leptospira*, nom d'un mollusque, *in* P. Larousse, av. 1846; de *lepto-*, et *spire*.

♦ Biol. Micro-organisme dont certaines variétés sont pathogènes, après adaptation à quelques hôtes animaux (muridés, ex. : rat, souris). ⇒ **Spirochète.**

DÉR. Leptospirose.

LEPTOSPIROSE [lɛptospiʀoz] n. f. — Av. 1952; de *leptospire*, et suff. 2. *-ose*.

♦ Méd. Maladie (fièvre, troubles du foie) due au leptospire. *Leptospirose ictéro-hémorragique.* ⇒ **Typhus** (1.). *Leptospirose grippo-typhosique* (fièvre des marais). — *Leptospirose canine, bovine.*

Les leptospires (...) dérivent vraisemblablement d'une même variété (...) À un moment donné, survint une adaptation à un muridé, par exemple au rat, dont le leptospire est devenu un hôte inoffensif. Il est fixé dans ses reins et est évacué par ses urines qui contaminent l'homme (...) Lorsque le microbe rencontre un milieu aquatique lui convenant (...) il s'y développe. Il peut (...) rencontrer l'homme, pénétrer dans son organisme et y donner lieu au développement d'une leptospirose (...) L'on voit apparaître de nouveaux hôtes (...) l'adaptation au chien a comme conséquence la leptospirose caniculaire de l'homme; de l'adaptation au porc dérivent les leptospiroses à pomona ou à mitis (...)
V. VIC-DUPONT, la Maladie infectieuse, p. 40.

LEPTURE [lɛptyʀ] n. m. — 1770; de *lept(o)-*, et grec *oura* « queue », « à queue mince ».

♦ Zool. Insecte coléoptère longicorne, aux couleurs vives, qui vit sur les fleurs des ombellifères (famille des Cérambycidés).

LEQUEL [ləkɛl] (masc. sing.), **LAQUELLE** [lakɛl] (fém. sing.), **LESQUELS** (masc. plur.), **LESQUELLES** [lekɛl] (fém. plur.) pron. rel. et interrog. — V. 1100; comp. de *quel*, et de l'art. défini.

Pronom relatif et interrogatif composé, employé dans certains cas à la place de *qui**.

REM. Construit avec les prépositions *à* et *de*, *lequel* se contracte en *auquel, duquel* (masc. sing.), *auxquels, desquels* (masc. plur.), *auxquelles, desquelles* (fém. plur.).

★ **I.** Pron. rel. (Employé comme sujet ou comme complément).
♦ **1.** En fonction de sujet. Vx. ⇒ **Qui.** *« Ne vois-tu pas le sang, lequel dégoutte à force »* (cit. 78, Ronsard).

1 (...) il n'y avait que ceux de cette famille *(d'Aaron)*, lesquels pussent exercer la sacrificature.
RACINE, Athalie, Préface.

Dr. Mod. *On a entendu trois témoins, lesquels ont dit...* (Académie).

2 Il est (...) permis au créancier (...) de stipuler que la rente ne pourra lui être remboursée qu'après un certain terme, lequel ne peut jamais excéder trente ans (...)
Code civil, art. 530.

Pour éviter la répétition de *qui* (→ Idéographie, cit. 2) ou une équivoque (→ Brochure, cit.; existence, cit. 3; groupement, cit. 3; instaurer, cit. 3).

3 *(Il)* épousa une sœur de Colin; laquelle, étant de même humeur que le frère, le rendit très heureux.
VOLTAIRE, Jeannot et Colin.

4 J'ai reçu l'autre jour un billet, qui a l'air de bonne forme, d'un éditeur anglais, *lequel* me promet (...)
MÉRIMÉE, Lettre, *in* G. et R. LE BIDOIS, Syntaxe du franç. mod., n° 534.

5 Peu littéraire, impropre à la poésie, il *(lequel)* s'emploie pour marquer plus fortement le lien avec ce qui précède ou pour éviter toute ambiguïté : *le cousin de ma mère, lequel est en danger de mort.*
F. BRUNOT, la Pensée et la Langue, p. 179.

(Emploi emphatique). Littér. *« L'éloquence* (cit. 4, La Bruyère) *est un don de l'âme, lequel nous rend maîtres du cœur et de l'esprit des autres ».*

6 Quelques-uns (...) affirmaient qu'on n'entrait jamais dans sa chambre, laquelle était une vraie cellule d'anachorète (...)
HUGO, les Misérables, I, V, III.

7 La lettre était déposée dans un coffret clos, lequel se dissimulait dans la mousse (...)
GIDE, Si le grain ne meurt, I, VI, p. 172.

REM. *Lequel* ne s'emploie pas après *et*. — Il peut avoir pour antécédent un nom propre. — L'antécédent de *lequel* est parfois repris dans la relative et placé immédiatement après lui (→ ci-dessous, 4.).

8 (...) pour rappeler l'amitié intime de La Mole pour Coconasso, lequel Coconasso, comme un Italien qu'il était, s'appelait Annibal (...)
STENDHAL, le Rouge et le Noir, II, X.

9 *(Il)* est l'auteur de *Wieland*, lequel Wieland est la source et le modèle des romans de la nouvelle école.
CHATEAUBRIAND, Mémoires d'outre-tombe, t. I, p. 332.

♦ **2.** (XIIIe). Cour. En fonction de complément indirect. *Le milieu dans lequel vous vivez. Difficultés devant lesquelles on s'arrête* (→ 1. Faux, cit. 31). *La personne à laquelle* (ou : *à qui*) *on s'adresse* (→ Correspondre, cit. 7).

Il y a deux choses auxquelles il faut se faire, sous peine de trouver la vie insupportable : ce sont les injures du temps et les injustices des hommes. 10
CHAMFORT, Maximes et pensées, Philosophie et morale, LXXXIII.

Son mal connut maintes rémissions, pendant lesquelles la flamme de nouveau jaillit de l'âtre (...) 11
COLETTE, la Maison de Claudine, p. 168.

Cette femme était le seul être qui lui restât, auquel s'accrocher (...) depuis que la ruine l'avait chassé de sa maison. 12
Émile HENRIOT, Aricie Brun, II, VII.

REM. *Lequel* est rarement introduit par *en*, surtout sous la forme *en lequel*, moins fréquente que *en laquelle*.

Voilà donc la formule magique en laquelle se résument l'acte de foi, l'acte d'espérance et l'acte de contrition. 13
G. DUHAMEL, Scènes de la vie future, XIII.

REM. Après *parmi*, on emploie toujours *lequel* au pluriel (et jamais *qui*), même si l'antécédent désigne des personnes (→ Gré, cit. 25). *Prisonniers parmi lesquels se trouvent dix condamnés à mort* (→ Autodafé, cit. 1). *Il rencontra plusieurs parents, parmi lesquels son cousin Jean.* → Dont.

Spécialt. **DUQUEL, DE LAQUELLE...** Employé à la place de *dont*.
a Pour éviter une équivoque :

(...) des vérités appartenant à un monde plus réel que celui où je vivais, et desquelles l'acquisition une fois faite ne pourrait pas m'être enlevée par des incidents insignifiants (...) 14
PROUST, À la recherche du temps perdu, t. III, p. 21.

b Comme complément d'un nom introduit par une préposition. *Grâce* (cit. 35) *en vertu de laquelle l'homme est élevé jusqu'à Dieu. Le hasard* (cit. 20) *sur le compte duquel on met bien des choses.* — (Avec une personne pour antécédent). *Les amis avec le concours desquels* (ou *de qui*) *il a monté cette affaire.*

(...) cherchez dans le dictionnaire les mots de l'orthographe desquels vous ne serez pas sûr. 15
STENDHAL, le Rouge et le Noir, II, II.

c Littér. (Après un nombre, cardinal ou ordinal). *Il partit cinq personnes, deux desquelles ne revinrent pas,* dont* deux ne revinrent pas.

♦ **3.** (Av. 1563). Vx ou littér. En fonction de complément direct.

Ce bleu me fut un premier indice du caractère de mademoiselle Virginie Préfère, lequel j'eus depuis l'occasion d'étudier amplement. 16
FRANCE, le Crime de S. Bonnard, V, Œuvres, t. II, p. 404.

♦ **4.** Dr. ou littér. En fonction d'adj. relatif. *Vous serez peut-être absent, auquel cas vous me préviendriez.*

Bonaparte (...) était (...) empereur des Français, roi d'Italie, dans lequel royaume se trouvaient compris Venise, la Toscane, Parme et Plaisance (...) 17
CHATEAUBRIAND, Mémoires d'outre-tombe, III, I, t. I, p. 291 (éd. Levaillant).

Rien ne transpirait de ce passé dans leurs conversations devant moi, lesquelles conversations trottaient d'ordinaire sur les choses et les personnes de la ville (...) 18
BARBEY D'AUREVILLY, les Diaboliques, « Le rideau cramoisi ».

★ **II.** Pron. interrog. (1080). Représentant des personnes ou des choses qui viennent d'être ou vont être. — *« Il est entré à l'hôpital. — Lequel? »* (→ Fait, cit. 3). *Épouser un homme, n'importe** (2. Importer, cit. 30) *lequel.* — Spécialt. (Avec un complément déterminatif introduit par *de*). *Il lui demanda laquelle des trois langues il préférait* (→ Huron, cit. 2). *Lequel des deux gagnera?* (→ Blanc, cit. 31). *Cela peut arriver à n'importe* lequel d'entre nous.*

Cette circonstance assurait (...) un déshonneur éternel. Laquelle des femmes venant chez sa mère eût osé prendre son parti? 19
STENDHAL, le Rouge et le Noir, II, XIV.

Lequel d'entre ceux que nous honorons comme nos pères dans la foi n'a été traité de visionnaire? 20
BERNANOS, Sous le soleil de Satan, I, III.

Je me demande un peu lequel de nous deux s'amuse à rêver. 21
G. DUHAMEL, Chronique des Pasquier, I, I.

Absolt. Littér. Qu'est-ce qui. ⇒ **Que** (→ aussi Gagner, cit. 46, Péguy).

Lequel vaut mieux, mesdemoiselles, ou posséder ou espérer? 22
A. DE MUSSET, Carmosine, II, 6.

LERCHE [lɛʀʃ] adv. — 1907; *lerché*, 1905; altér. de *cher* par le code argotique dit *largonji*.

♦ Argot. *Pas lerche :* pas beaucoup. ⇒ **Besef** (pas).

Querelle de sa poche sortit le fric. Deux mille six cents francs. Il en donna la moitié à Gil.
— Y'a pas lerche, mais qu'est-ce que tu veux? C'est la recette de la journée.
— Ça fait déjà pas si mal (...)
Jean GENET, Querelle de Brest, p. 318.

On écrit aussi *lerch.*

LÉROT [leʀo] n. m. — 1580; *leyrot*, 1530; dimin. de *loir**.

♦ Petit mammifère rongeur *(Muscardinidés)* assez semblable au loir*.

Le loir demeure dans les forêts, et semble fuir nos habitations; le lérot, au contraire, habite nos jardins (...)
BUFFON, Hist. nat. des animaux, Le lérot.

LES [le] art. pl. ⇒ **Le.**

LES ou **LÈS** [lɛ] prép. ⇒ **Lez.**

LESBIANISME [lɛzbjanism] ou **LESBISME** [lɛzbism] n. m. — 1951, *lesbianisme; lesbisme*, 1952; de *lesbienne.*

♦ Didact. Homosexualité féminine. ⇒ **Saphisme, tribadisme.**

LESBIEN, IENNE [lɛzbjɛ̃, jɛn] adj. et n. — 1640, *lesbin*, n. m. «mignon»; de *Lesbos.*

★ **I.** Adj. (1873). Didact. De Lesbos, île de la mer Égée. *Dialecte lesbien.*

★ **II.** (1784, Collé; par allus. aux mœurs que la tradition attribue à Sapho et à ses compatriotes).

♦ **1.** Adj. f. (Personnes). Relatif à l'homosexualité féminine. *Amour lesbien. Elle est lesbienne.* ⇒ **Gay, homosexuel**(le). *Le corps lesbien*, œuvre de Monique Wittig.

1 C'est cette contradiction entre le dedans et le dehors qui explique, je crois, le recul des féministes devant les hommes d'aujourd'hui. Être lesbienne, me semble-t-il, n'est pas pour leur majorité autre chose qu'un radical refus non seulement d'une situation affective mais d'une situation politique. Être lesbienne pour beaucoup c'est une façon morale comme une autre de ne pas se salir les mains.
Michèle PERREIN, Entre chienne et louve, p. 183.

♦ **2.** N. f. Femme homosexuelle. ⇒ **Homosexuel**(le); (péj. et pop.) **gouine, gousse, tribade.**

2 L'inversion sexuelle est décrite chez la femme sous le nom de lesbisme ou de saphisme (...) Il existe (...) des lesbiennes actives qui affichent des tendances masculines et des lesbiennes passives qui ont, à l'égard de leur partenaire, des sentiments féminins. A. BINET, Vie sexuelle de la femme, p. 262.

DÉR. Lesbianisme.

LESBISME [lɛzbism] n. m. ⇒ **Lesbianisme.**

LÈSE- Élément, tiré du lat. dans l'expression *crimen læsæ majestatis* (→ Lèse-majesté), à l'origine adj. f., et senti aujourd'hui comme verbal «qui lèse». → Léser.

En composition. *Crime* (plus rarement *péché, faute, délit*) *de lèse-* (et subst.) : crime (péché, etc.), qui consiste à attaquer, à léser... *Être coupable de lèse-* (et subst.). *Crime de lèse-catholicité* (Rousseau), *de lèse-société* (Diderot), *de lèse-humanité* (d'Alembert). *Crime de lèse-âme* (Flaubert, *Correspondance*), *de lèse-nation* (Beaumarchais). *Crime de lèse-démocratie* (*l'Express*, 1er avr. 1968). — Par plais. *Un crime de lèse-faculté* (Molière, *Le Malade imaginaire*, III, 5). — REM. De nombreux autres composés sont attestés, y compris avec *lèse* et adj. (*crime lèse-syndical*, le Point, *in* T. L. F.).

1 Quel crime de lèse-million que de démontrer aux riches l'impuissance de l'or?
BALZAC, Modeste Mignon, Pl., t. I, p. 365.

2 Le nom de *«lèse-majesté»*... a été, par erreur analogique, considéré comme formé d'un verbe suivi de son complément d'objet, ainsi que dans *porte-plume.* D'où les types très nombreux : lèse-Constitution, -Révolution, -Patrie, -Convention, -République, -Jacobinisme, etc.
Ajoutez *«lèse-liberté»* (Danton, Conv. 29 mai 1793).
F. BRUNOT, Hist. de la langue franç., t. IX, p. 637, note 1.

HOM. Laize; formes du v. léser.

LÈSE-MAJESTÉ [lɛzmaʒɛste] n. f. — 1344, *meffait de leze majesté*; de l'élément *lese-* (→ Lèse-, cit. 2), et *majesté*, 2., d'après le lat. *(crimen) læsæ majestatis.*

♦ **1.** Hist. *Crime de lèse-majesté :* atteinte grave à la majesté du souverain, attentat commis contre sa personne, son pouvoir, l'intérêt de l'État. *Crime de lèse-majesté au premier chef* (→ Écartèlement, cit. 1). — Loc. *Crime de lèse-majesté humaine; divine* (→ Inobservation, cit. 1; irrévérencieux, cit. 1). *Le crime de lèse-majesté divine peut constituer en apostasie, hérésie, simonie, sacrilège, blasphème.*
Ellipt. *Une lèse-majesté.*

♦ **2.** Atteinte grave à qqch. ou à qqn de respectable. *«En toute œuvre vénérée, il y a lèse-majesté»* (Alain). — N. m. Rare. *Un lèse-majesté* (Schaeffer, *in* T. L. F.).

LÉSER [leze] v. tr. — Conjug. *céder.* — 1636; «offenser», 1611; «léser la majesté», 1538; du lat. *læsus.* → Lèse-.

♦ **1.** Atteindre*, blesser (qqn) dans ses intérêts, ses droits; causer du tort à. ⇒ **Frustrer** (→ Haut, cit. 105). *Il a été lésé par ses associés. Être lésé dans un partage.* ⇒ **Désavantager; perdre** (un avantage). — Dr. Porter préjudice à (qqn) par une lésion*. *Léser qqn de qqch., d'une somme de...*

Si le vendeur a été lésé de plus de sept douzièmes dans le prix d'un immeuble, il a le droit de demander la rescision de la vente (...) Code civil, art. 1674.

Par ext. Compl. n. de chose. *Léser les droits, les intérêts de qqn.* ⇒ **Nuire** (à).
Fig. *Léser l'orgueil, l'amour-propre de qqn.* ⇒ **Blesser.**

♦ **2.** (1834). Concret. Méd. Compl. n. d'être vivant, d'organe... Causer une lésion à. ⇒ **Attaquer** (II.), **atteindre, blesser, endommager.** *La balle a lésé le poumon, n'a lésé aucun organe vital.*

▶ **LÉSÉ, ÉE** p. p. adj. *Se prétendre lésé* (→ Civil, cit. 8). *Il s'estime lésé et demande des dédommagements, des réparations. «Des lois, où les femmes sont toujours plus lésées»* (→ Homme, cit. 140, Buffon).
Organe lésé; tissus lésés. ⇒ **Lésion.**

CONTR. Avantager.

LÉSINE [lezin] n. f. — 1604 (1618, selon T. L. F.), dans un titre traduit de l'ital. *la Fameuse Compagnie de la lésine*, compagnie d'avares qui raccommodaient eux-mêmes leurs souliers et avaient pris pour emblème une alêne; ital. *lesina* «alène» (de cordonnier).

♦ Vieilli ou littér. Épargne sordide jusque dans les plus petites choses. ⇒ **Avarice, épargne, ladrerie, lésinerie.** *Honteuse lésine* (→ Famélique, cit. 4, Boileau). *Lésine sordide* (⇒ **Sordidité**). *Maison construite avec lésine.* → Parcimonie, cit. 2.

(...) l'on n'est point plus ravi que (...) de faire sans cesse des contes de votre lésine (...) MOLIÈRE, l'Avare, III, 1 (→ Avare, cit. 14). 1

La sottise, l'erreur, le péché, la lésine,
Occupent nos esprits et travaillent nos corps. 2
BAUDELAIRE, les Fleurs du mal, Au lecteur.

Tout sentait la lésine, même le foyer. De l'âtre, où vivotaient péniblement deux souches maigres, le feu ne détachait qu'une chaleur avare. 3
H. BOSCO, le Jardin d'Hyacinthe, p. 100.

CONTR. Générosité, prodigalité.
DÉR. Lésiner.

LÉSINER [lezine] v. intr. — 1604 (1618, selon T. L. F.); de *lésine.*

♦ **1.** Épargner avec avarice. ⇒ **Liarder.** *Lésiner sur tout :* ne dépenser que le strict minimum. ⇒ **Épargner, rogner.** *Il lésine sur tout ce qu'il achète* (⇒ **Chicaner**). *Lésiner sur une allumette* (cit. 1), *sur un sou. Lésiner pour qqch., pour le prix de qqch.* — (Plus cour. en emploi négatif). *Ne pas lésiner sur l'éducation de ses enfants* (→ Écorner, cit. 4). Absolt. *Traiter ses amis sans lésiner* (→ Faire bien les choses*).

Et tout ce que lui coûtait sa peinture (car il n'était jamais assuré de la vendre) il se le reprochait. Il lésinait misérablement, préoccupé sans cesse de ne pas gâcher de la toile, ni d'employer trop de couleurs. Il lésinait surtout sur les séances de modèles. GIDE, Si le grain ne meurt, I, IX, p. 229.

♦ **2.** *Lésiner sur qqch. :* ne pas donner l'importance, la place requise à qqch. *Lésiner sur les moyens. «Ne marchandez pas, ne lésinez pas sur l'éloge»* (Sainte-Beuve, *in* T. L. F.) — Rare. *«Pourquoi lésiner avec l'évidence»* (Bremond, *in* T. L. F.).

LÉSINERIE [lezinʀi] n. f. — 1604; ital. *lesineria*, de *lesina.* → Lésine.
Vieilli.

♦ **1.** Acte de lésine; caractère de celui qui lésine. *Il est d'une lésinerie incroyable.*

♦ **2.** Par ext. ⇒ **Lésine.**

Ils ne distinguent point de la misère, une économie raisonnable; ni de la lésinerie, une gêne momentanée que les circonstances prescrivent (...)
É. DE SENANCOUR, Oberman, LXVI.

CONTR. Générosité.

LÉSINEUR, EUSE [lezinœʀ, øz] adj. et n. — V. 1650, *lezineur*; de *lésiner.*

♦ Vieilli. Avare. ⇒ **Ladre, pingre, radin.**

CONTR. Généreux.

LÉSINEUX, EUSE [lezinø, øz] adj. — 1770, Voltaire; de *lésiner.*

♦ Vieilli. Qui lésine (1.). ⇒ **Avare, lésineur.**

LÉSION [lezjɔ̃] n. f. — V. 1175; du lat. *læsio*, de *lædere* «léser».

♦ **1.** Dr. Atteinte portée aux intérêts de qqn. ⇒ **Dommage, préjudice, tort.** Spécialt (dans un contrat). Préjudice matériel qui résulte, pour l'une des parties, du défaut d'équivalence entre les prestations imposées par le contrat. *Vente* entachée de lésion. Rescision** de la vente pour cause de lésion (→ Léser, cit.).

La lésion qu'elles souffraient dans un partage si inégal (...) 1
RACINE, Port-Royal.

C'est à lui *(Dioclétien)* que nous devons la loi qui annule les contrats de vente dans lesquels il y a lésion d'outre-moitié. Il dit lui-même que l'humanité dicte cette loi (...) VOLTAIRE, Essai sur les mœurs, VIII. 2

3 La lésion ne vicie les conventions que dans certains contrats ou à l'égard de certaines personnes (...)
Code civil, art. 1118.

♦ **2.** (1314). Modification de la structure normale d'une partie de l'organisme. *Lésion visible à l'œil nu, à l'examen microscopique.* ⇒ **Blessure, dégénérescence, désordre, gangrène, inflammation, nécrose, plaie, trouble, ulcération.** *Lésion primaire,* marquant le début d'une dermatose. *Lésion secondaire,* qui fait suite à une lésion primaire ou qui complique une maladie cutanée existante. ⇒ **Complication.** *Lésion produite par un coup, un choc* (⇒ **Contusion, ecchymose, hématome**), *par une brûlure, par le froid* (⇒ **Engelure, gelure**). *Lésion syphilitique, tuberculeuse* (→ Endormir, cit. 37; garder, cit. 55). *Lésion par écrasement, par souffle. Lésion cutanée, muqueuse, osseuse. Lésion cérébrale, pulmonaire. Lésion infectieuse* (cit.). *Lésions cérébrales entraînant une aphasie*, une paralysie*. Lésions de la moelle épinière* (⇒ **Poliomyélite**), *du bulbe* (cit. 2). *Lésion affectant les fonctions*, la structure* d'un organe. Lésion décelée par un examen* (cit. 9) *médical. Étude des lésions.* ⇒ **Anatomopathologie.**

4 *(Le médecin)* venait d'examiner le jeune homme, sans lui trouver aucune blessure apparente; mais il craignait des lésions intérieures, car de minces filets de sang apparaissaient aux lèvres.
ZOLA, la Bête humaine, X.

5 Il avait toujours un point douloureux au poumon droit, une lésion qui se cicatrisait lentement, et des accès de toux nerveuse, qui l'empêchaient de dormir, la nuit.
R. ROLLAND, Jean-Christophe, La foire sur la place, p. 815.

DÉR. Lésionnaire, lésionnel.

LÉSIONNAIRE [lezjɔnɛʀ] adj. — 1872; de *lésion.*

♦ Dr. Relatif à une lésion (1.). *Conditions lésionnaires.* ⇒ aussi **Lésionnel.**

LÉSIONNEL, ELLE [lezjɔnɛl] adj. — 1931; de *lésion.*

♦ Méd. Relatif à une lésion. ⇒ **Organique.** *Signe, syndrome lésionnel.*

De petits malades qui ne m'apportaient que de petits symptômes sans cohérence, sans assises lésionnelles importantes (...)
André SOUBIRAN, les Hommes en blanc, t. III, p. 236.

CONTR. Anorganique (2.).

LESSIVABLE [lesivabl] adj. — XXe (1926, Jouhandeau, *in* T. L. F., art. *Lessiver*); de *lessiver.*

♦ Qui peut être passé à la lessive sans danger pour les couleurs, les dessins, etc. (tissus, revêtements plastiques, papiers peints). *Papier peint lavable mais non lessivable.*

LESSIVAGE [lesivaʒ] n. m. — 1779, *in* D. D. L.; de *lessiver.*

♦ **1.** Didact. (pédologie). Déplacement des éléments solubles et colloïdaux dans un sol.

♦ **2.** (1828). Cour. Action de lessiver; résultat de cette action. *Lessivage des murs, des parquets. Un grand lessivage.*

♦ **3.** (1867). Fig. et fam. (vieilli). Grosse perte au jeu. ⇒ **Lessive.**

♦ **4.** (1901). Fig. et fam. Le fait de lessiver*, d'éliminer qqn de sa place, de se débarrasser de qqch. ⇒ **Nettoyage** (fig). → Coup de balai*.

1 J'ai dû (...) procéder à une révision des valeurs sur lesquelles je vivais complaisamment. Cela a été un lessivage en grand.
J.-R. BLOCH, *in* Deux hommes se rencontrent, p. 25.

Loc. fam. *Lessivage de cerveau, de cervelle.* ⇒ **Lavage.**

2 Que les plus évolués d'entre eux, après le lessivage de leur propre cervelle, y fassent les retouches inspirées par Mao Tsé-Toung, il importe peu.
F. MAURIAC, le Nouveau Bloc-notes 1958-1960, p. 215.

♦ **5.** Fam. Réprimande sévère. ⇒ **Savon.** → Lavage* de tête.

LESSIVE [lesiv] n. f. — V. 1200, *lissive* «solution de cendres»; forme dial. de l'Ouest; du lat. pop. *lixiva,* adj. f. subst. (→ Lixiviation), de *lix,* ou *lixa* «eau pour la lessive».

★ **I.** ♦ **1.** (V. 1300). Solution alcaline (carbonate de sodium ou de potassium) destinée aux lavages et nettoyages ménagers (linge, tissus) ou industriels. Syn. : *eau de lessive* (*lessive* au sens II, 1). *Couler* la lessive. Mettre du linge à la lessive. Lessive de cendre dissoute* (eau de cendre). *Décrasser le linge avant de le mettre dans la lessive* (⇒ **Essanger**). *Une chaudière, un baquet de lessive.*

1 (...) la Frimat (...) aidait justement la jeune femme à couler la lessive, dans la cuisine (...) Depuis le matin, l'eau de cendre (...) bouillait dans un chaudron (...) Lise, armée d'un pot de terre jaune, puisait de cette eau, arrosait le linge dont le cuvier était rempli (...) La Frimat (...) causait, en se contentant, toutes les cinq minutes, d'enlever et de vider dans le chaudron le seau, qui (...) recevait l'égoutture continue de la lessive.
ZOLA, la Terre, II, III.

Loc. fig. (1690, *à laver la tête d'un âne on n'y perd que sa lessive*). *À laver, à blanchir* la tête d'un nègre, d'un More, d'un âne, on perd sa lessive.*

Par anal. Solution aqueuse (à 30 %) de soude utilisée dans la fabrication du savon* *(lessive des savonniers). — Lessive de cendres.* ⇒ **Charrée.** *Lessives sulfocalciques utilisées contre les tavelures des arbres fruitiers.*

Chim. *Lessive alcaline :* solution aqueuse d'un hydroxyde alcalin (potasse, soude, etc.).

♦ **2.** (1926). Substance alcaline (en poudre...) destinée à être dissoute dans l'eau pour le lavage du linge. *Acheter un paquet, un baril de lessive. Ajouter un assouplissant* à la lessive. Les lessives et les produits lessiviels*.*

★ **II.** (1465). ♦ **1.** Action de lessiver, de laver* le linge. ⇒ **Blanchissage, buée** (régional), **lavage, lavougne** (argot.). *Lieu où l'on fait la lessive.* ⇒ **Buanderie, lavoir.** *Faire la lessive dans un cuvier** (⇒ 2. **Charrier, paillon**), *une lessiveuse*, une machine à laver. Femme de ménage, laveuse qui fait des lessives. Jour de lessive. — Bleu utilisé pour la lessive (bleu de lessive).*

L'énorme quantité de linge qui leur permettait de ne faire la lessive que tous les six mois, et de le garder au fond de leurs armoires (...) 2
BALZAC, Eugénie Grandet, Pl., t. III, p. 510.

Loc. fam. Vx. *Faire la lessive du Gascon, une lessive de Gascon :* retourner ses vêtements sales au lieu de les laver.

♦ **2.** Lavage (dans quelques techniques). *Lessive du fil écru.* ⇒ **Décrument.**

(...) l'on m'a appris depuis qu'il fallait bien des lessives et des cérémonies pour rendre les olives douces (...) 3
RACINE, Lettres, 13, 11 nov. 1661.

♦ **3.** (Av. 1750, Saint-Simon). Fig. Perte considérable au jeu. ⇒ **Lessivage.**

Malgré la sagesse et le sang-froid avec lesquels Philippe jouait ses masses le soir, il éprouvait de temps en temps ce que les joueurs appellent des *lessives.* 4
BALZAC, la Rabouilleuse, Pl., t. III, p. 906.

♦ **4.** (1901). Fig. Action d'éliminer d'une entreprise, d'une société, d'une administration les personnes jugées indésirables. *À la suite de ce scandale, on fit une grande lessive* (Académie). ⇒ **Épuration, purge; balai** (coup de).

★ **III.** (XVe). Linge* qui doit être lavé («linge sale»), ou qui vient d'être lavé. *J'ai donné ma lessive à laver* (Académie). *Laver, battre, rincer la lessive* (→ Battoir, cit. 2; grain, cit. 22). — *Étendre la lessive sur un séchoir*. Rentrer la lessive.*

Près des communs, on avait, sur de longues cordes, étendu la lessive. Le linge claquait dans la brise et les cordes se balançaient. L'air embaumait ainsi l'herbe, l'eau claire du lavoir et la fleur de savon (...) 5
H. BOSCO, le Jardin d'Hyacinthe, p. 99.

Notre chambre est obscurcie de linge mouillé séchant sur des cordes tendues en zigzag d'un mur à l'autre. Cette lessive — de chemises, slips, mouchoirs, chaussettes, serviettes de toilette, caleçons — attendrit l'âme et le corps des deux garçons partageant la chambre. 6
Jean GENET, Journal du voleur, p. 266.

DÉR. Lessiver, lessiviel, lessivier.

LESSIVER [lesive] v. tr. — 1300; de *lessive.*

♦ **1.** Vieilli. Nettoyer* (du linge) à l'aide de lessive*. *Lessiver des draps.* ⇒ **Blanchir, buer** (régional), **laver.** — Absolt. Faire la lessive. *C'est le lundi que la femme de ménage lessive.*

♦ **2.** (1792). Mod. Nettoyer à l'aide d'une solution détersive. *Lessiver les murs, les boiseries d'un appartement. Lessiver les trottoirs, les façades.*

De tous côtés on lave et l'on balaye. Quand on arrive en Hollande, le soin redouble et s'exagère. Dès cinq heures du matin on voit des servantes lessiver les trottoirs. 1
TAINE, Philosophie de l'art, t. I, p. 258.

♦ **3.** (1701). Chim. Traiter (un corps, une substance) par l'eau pour en éliminer les parties solubles.

♦ **4.** (1866, Delvau). Fig. et fam. Dépouiller (son adversaire au jeu). (1909, *in* Petiot). Éliminer d'une compétition, d'un poste... *Il s'est fait lessiver en moins de deux.* → ci-dessous, Lessivé, p. p. adj.

(Compl. n. de chose). Supprimer, éliminer. ⇒ **Balayer; lessivage.**

Je t'aurai, pensa-t-il, je lessiverai tes principes, mon ange. Des idées sociales! Tu vas voir ce qu'elles deviendront! 2
SARTRE, la Mort dans l'âme, p. 143.

♦ **5.** *Lessiver la cervelle, le cerveau de qqn,* le priver de ses opinions, de ses convictions par un lavage de cerveau.

♦ **6.** (1888). Se débarrasser de, vendre rapidement (une chose dont on veut se débarrasser, compromettante ou inutile). ⇒ **Laver.**

▶ **LESSIVÉ, ÉE** p. p. adj.

♦ **1.** *Linge lessivé. — Sol lessivé,* ayant subi le lessivage*. — Figuré :

Cette fois, les conspirateurs se heurteraient à quelqu'un dont ils ont cru se servir. Ces lessiveurs de cervelles, et qui sont aussi des cervelles lessivées, ne s'y connaissent pas en hommes. Avoir pris Charles de Gaulle pour un instrument! 3
F. MAURIAC, le Nouveau Bloc-notes 1958-1960, p. 168.

♦ **2.** (Personnes). Ruiné.

Évidemment! Ce sont des Américains qui ont racheté aux Gontron, lessivés (...) 4
Hervé BAZIN, Cri de la chouette, p. 74.

(V. 1955). Fam. Très fatigué, épuisé. ⇒ **Moulu, vanné, vidé.** *Il en est sorti complètement lessivé.*

5 VALENTIN. Je voulais te tuer..., oui..., une idée... comme ça! J'ai souvent des idées merveilleuses..., mais je ne vais jamais jusqu'au bout... Foutu!... Lessivé!... *(Tout à fait lamentable.)* Clara a raison...
J. PRÉVERT, Le jour se lève, *in* l'Avant-scène, n° 53, p. 37.

DÉR. Lessivable, lessivage, lessiveur, lessiveuse.

LESSIVEUR, EUSE [lesivœʀ, øz] n. — 1845, au sens I, 1; adj., *une solution d'eau lessiveuse,* Hugo, 1842, *in* T. L. F.; de *lessiver.*

★ **I.** ♦ **1.** Vx. Personne qui lessive.

♦ **2.** Mod. Fig. *Un lessiveur de cervelles* (→ Lessiver, cit. 3) : un spécialiste de l'action psychologique qui pratique le lavage* de cerveaux.

★ **II.** ♦ **1.** N. m. (1867). Techn. Appareil servant à la cuisson des éléments utilisés pour fabriquer une pâte. *Lessiveur rotatif pour la fabrication du papier.*

♦ **2.** N. f. (1893, Guérin). Cour. (mais anciennt). **LESSIVEUSE** : appareil servant à laver le linge. — Spécialt. Récipient tronconique en métal muni d'un tube central dans lequel la vapeur chasse la solution alcaline, qu'un capuchon percé de trous (champignon) répand en nappe sur le linge entassé autour. *Entretenir le feu sous la lessiveuse. Laver son linge dans une lessiveuse. La lessiveuse est dans la buanderie. La machine à laver a remplacé la lessiveuse. Garder ses économies dans une lessiveuse.*
Vx (aux débuts de cette machine). Machine à laver.

LESSIVIEL, IELLE [lɛsivjɛl] adj. — 1951; de *lessive,* et suff. *-iel.*

♦ Techn. et comm. Relatif à la lessive. *Produit lessiviel :* détersif employé dans le blanchissage (cristaux de carbonate de sodium, lessives, savons, poudres diverses). *Le marché des produits lessiviels.*
REM. La var. *lessivial, ale, aux* [lɛsivjal, o] est attestée, notamment dans la langue de la publicité. — *Communication lessiviale,* du type de celle qui est utilisée pour faire vendre la lessive (répétition du nom de la marque, messages publicitaires très simples, etc.).

LESSIVIER, IÈRE [lesivje, jɛʀ] n. — 1845; de *lessive.*

♦ **1.** (Barbey d'Aurevilly, *in* T. L. F.). Vx. Personne qui lessive. ⇒ **Lessiveur.**

♦ **2.** Mod. Fabricant, vendeur de produits détersifs.

♦ **3.** Fam. (jargon publicitaire). Gros annonceur de publicité.

LESSONIA [lesɔnja] ou **LESSONIE** [lesɔni] n. f. — Mil. XIXe, Lachâtre; du nom du naturaliste Lesson (1794-1849).

♦ Zool. Algue* phéophycée *(Phéosporées)* au thalle arborescent terminé par des folioles dichotomes.

LEST [lɛst] n. m. — 1351; *lees,* 1282; *last,* 1208, dans un sens général «quantité de matière»; néerl. *last,* frison *lest.*

♦ **1.** (1473). Poids dont on charge un navire pour en abaisser le centre de gravité et en assurer ainsi la stabilité (⇒ **Charge**). *Sacs de sable, cailloux, pierres, gueuses de métal formant le lest. De nos jours, le lest est souvent remplacé par l'eau des ballasts*. Contrepoids servant de lest* (⇒ **Estive**). *Partir, retourner, être sur son lest,* se dit d'un navire qui n'a pas de cargaison, de chargement. *Partir sur lest. Garnir de lest* (⇒ **Lester**), *décharger de son lest* (⇒ **Délester**).

1 Le vaisseau, qui était sur son lest, fatiguait beaucoup au roulis (...)
CHATEAUBRIAND, Itinéraire..., III, p. 258.

1.1 — Vous allez partir?...
— Dans une heure.
— Vous êtes chargé pour...?
— Bordeaux.
— Et votre cargaison?
— Des cailloux dans le ventre. Pas de fret. Je pars sur lest.
J. VERNE, le Tour du monde en 80 jours, p. 292.

Poids constitué par la quille d'un voilier de plaisance. *Lest en plomb, en fonte.*
Poids qui empêche un filet, une ligne de pêche de remonter à la surface. ⇒ **Plomb.**
Par métaphore et fig. Ce qui donne de l'équilibre, sert à pondérer. «*Il faut se pourvoir d'ancres et de lest*» (→ 4. Dériver, cit. 1, Joubert).

2 (...) il faut combiner les puissances *(les pouvoirs)* donner (...) un lest à l'une pour la mettre en état de résister à une autre (...)
MONTESQUIEU, l'Esprit des lois, V, XIV.

♦ **2.** (1837, Vigny). Corps pesant (généralement du sable en sacs) que les aéronautes emportent pour régler le mouvement ascensionnel d'un ballon. *Les jets de lest et l'ouverture de la soupape permettent de régler le mouvement ascensionnel d'un ballon*. Jeter du lest.*

Dans cette conjoncture (...) je jetai hors de la nacelle trois morceaux de lest de cinq livres chaque. La vitesse dès lors accélérée de mon ascension m'emporta (...) dans une couche d'atmosphère singulièrement raréfiée (...) 3
BAUDELAIRE, Trad. E. POE, Histoires extraordinaires, «Hans Pfaall».

Fig. *Jeter, lâcher du lest :* faire les concessions, les sacrifices* nécessaires pour éviter une catastrophe, un échec, rétablir une situation compromise.

Nous étions exposés à quelque chose de bien plus grave. Nous avons tout intérêt à jeter du lest. J. ROMAINS, les Hommes de bonne volonté, t. III, XV, p. 192. 4

DÉR. et COMP. Lester. — Délester.
HOM. Leste.

LESTAGE [lɛstaʒ] n. m. — 1681; *lastage* «lest», 1366; «droit payé par les navires pour leur chargement», 1369; de *lester.*

♦ Action de lester (un navire, un ballon); son résultat.
CONTR. Délestage.

LESTE [lɛst] adj. — 1578, R. Estienne, présenté comme calque de l'italien, d'abord «élégant, gracieux, bien équipé»; ital. *lesto* «rapide, agile» (XVe), puis «bien équipé» (XVIe), d'origine incert., p.-ê. germanique.

★ **I.** (1585). Vx. Bien vêtu, bien équipé. — Par ext. (en parlant de choses). *Ajustement moins superbe que leste* (La Fontaine, *Contes,* L'oraison de saint Julien).

Rien n'était si beau, si leste, si brillant, si bien ordonné que les deux armées. 1
VOLTAIRE, Candide, III.

★ **II.** ♦ **1.** (1611). Mod. Qui a de la souplesse, de la légèreté dans les mouvements. ⇒ **Agile,** 1. **alerte** (2.), **dégagé, désinvolte, léger, vif** (→ Dépêcher, cit. 7; esquiver, cit. 2; garnement, cit. 3, Beaumarchais). *Clown, gymnaste très leste. Vieillard encore leste. Se sentir leste et dispos.* ⇒ **Allègre.** *Un homme leste et bien découplé*.* — Par ext. *Aller, marcher d'un pas* leste,* rapide, aisé.

L'écureuil (...) est propre, leste, vif, très alerte, très éveillé (...) 2
BUFFON, Hist. nat. des animaux, L'écureuil.

(...) elle paraissait leste, souple, et sa vigueur supposait l'agilité d'une panthère (...) 3
BALZAC, la Peau de chagrin, Pl., t. IX, p. 66.

(In Littré). *Avoir la main leste :* être prompt à frapper.

♦ **2.** (1611). Vx. «Adroit, prompt à trouver des expédients pour terminer une affaire». *C'est un homme leste en affaires* (Académie).

♦ **3.** (1765). Mod. Qui passe facilement sur les principes, les égards, les convenances. ⇒ **Cavalier, hardi.** *C'est un homme leste dans ses procédés, dans ses propos* (Académie).

(...) elle s'est conduite comme une femme galante des plus lestes. 4
DIDEROT, Lettre à S. Volland, 18 janv. 1766.

(En parlant des procédés, des propos). Inconvenant, irrespectueux. ⇒ **Cavalier, désinvolte.** *Le ton me parut un peu leste. Il a usé à mon égard d'un procédé un peu leste* (Académie).

Le lendemain il vint me voir le matin, ce qui me parut bien un peu leste (...) 5
LACLOS, les Liaisons dangereuses, LXXXVII.

♦ **4.** Qui dépasse la réserve prescrite par les conventions sociales. ⇒ 2. **Cru** (4.), **épicé** (fig.), 1. **gaillard, gaulois, grivois** (3.), **guilleret, hardi, hasardé, libre, licencieux, vert** (en dire de vertes). *Propos*, plaisanteries un peu lestes. Sous-entendus assez lestes. Épigramme* (cit. 5) *fort leste. Pages écrites d'un ton assez leste* (→ Fredaine, cit. 3).

Se méfier des citations en latin, elles cachent toujours quelque chose de leste. 6
FLAUBERT, Dict. des idées reçues, Latin.

CONTR. Lourd, lourdaud, maladroit. — Grave, respectueux, sérieux.
DÉR. et COMP. Lestement. — Alester.
HOM. Lest.

LESTEMENT [lɛstəmɑ̃] adv. — 1605, sens II; de *leste.*

★ **I.** Vx. D'une manière élégante. «*Tous les gens de cette cavalcade étaient vêtus et montés fort lestement*» (Furetière, 1690).

★ **II.** ♦ **1.** Avec souplesse et légèreté. ⇒ **Alertement, légèrement.** *Marcher, sauter, danser lestement. Descendre lestement un escalier* (→ Coup, cit. 63). *Se lever, sauter du lit lestement* (→ Aurore, cit. 14).

(...) il ramena son pied gauche (...) tourna lestement sur lui-même, vint saisir sa peureuse compagne (...) BALZAC, Séraphîta, Pl., t. X, p. 465. 1

J'enlève adroitement le porte-feuille, je le lui rends, et franchissant lestement le taillis, laissant le cheval, de peur que le bruit qu'il eût fait n'eût réveillé nos gens, nous gagnons, en toute diligence, le sentier qui devait nous sortir de la forêt. 1.1
SADE, Justine..., t. I, p. 60.

♦ **2.** Fig. et littér. Avec habileté, dextérité, promptitude*. *Se tirer lestement d'un mauvais pas, d'une besogne pénible* (→ Laborieusement, cit.). *Mener lestement une affaire.* ⇒ **Galamment, rondement.**

♦ **3.** Littér. Avec une légèreté répréhensible, sans réflexion; sans égards, sans respect des convenances.

2 Il me semble que l'empereur d'aujourd'hui traite un peu lestement les prêtres, les moines et le pape. D'ALEMBERT, Lettre au roi de Prusse, 11 mai 1781.

CONTR. Lourdement, maladroitement. — Gravement.

LESTER [lɛste] v. tr. — 1366, *laster;* de *lest.*

♦ **1.** Mar. Garnir, charger* (un navire) de lest. — Par ext. *Lester un ballon.*

♦ **2.** (1771). Fig. et fam. Charger, munir, remplir. *Lester ses poches, son portefeuille. Lester son estomac de nourriture.*

1 L'utilité matérielle *(d'un roman),* ce sont d'abord les quelques mille francs qui entrent dans la poche de l'auteur, et le lestent de façon que le diable ou le vent ne l'emportent (...)
Th. GAUTIER, Préface de Mlle de Maupin, p. 29 (éd. critique MATORÉ).

2 N'est-il pas juste que de si zélés comédiens ne se mettent pas en route sans avoir lesté leur estomac d'une soupe puissante et solide?
BAUDELAIRE, le Spleen de Paris, I.

▶ **SE LESTER** v. pron.

(Réfl.). *Se lester (l'estomac) de nourriture;* (absolt) *se lester :* manger une nourriture abondante (→ Se caler). Fig. *Se lester (l'esprit) de connaissances.*

(Passif) :

3 (...) c'était assez pour avoir mis du plomb dans sa tête *(de Tonquedec) :* mais, il y a des têtes qui ne se lestent jamais. Mme DE SÉVIGNÉ, 195, 19 août 1671.

▶ **LESTÉ, ÉE** p. p. adj. Mar. *Navire lesté* (contr. : *lège*). — Fig. (Personnes). *Être lesté de provisions, d'argent.* ⇒ **Muni.** — (1787). Spécialt. *Être lesté, bien lesté :* avoir bien mangé, bien bu. *Rasé, lesté de sa tasse de café dès huit heures du matin* (→ Horloge, cit. 8; et aussi casquette, cit. 3). — (Abstrait). *Lesté de connaissances, d'un bagage intellectuel.*

4 Il repartit vers l'hôtel du Louvre lesté de connaissances exactes sur la migration des anguilles et leur reproduction dans la mer des Sargasses, sur la petite usine qui utilise le flux et le reflux du golfe de Gascogne, sur la beauté du vert de nos feux fixes, si envié des Anglais. GIRAUDOUX, Bella, VII.

5 Cependant le voici lesté de ses cent vingt écus et prenant tout allègre la direction d'Angers. Il a vingt-cinq ans. Il est libre. Plus riche qu'il n'a jamais été et ne sera sans doute jamais. Francis CARCO, Nostalgie de Paris, p. 78.

CONTR. Alléger, délester.
DÉR. Lestage, lesteur.

LESTEUR [lɛstœʀ] adj. et n. m. — 1366, *lasteur;* de *lester.*

♦ **1.** Vx. Homme qui porte, qui arrime le lest à bord. — Adj. *Matelot lesteur.* — REM. Le fém. *lesteuse* est virtuel.

♦ **2.** (1681). Mod. Navire qui porte le lest à bord des navires à lester. — Adj. *Navire lesteur.*

LET [lɛt] n. m. — 1891, *in* Höfler; *balle let,* 1914; mot angl., proprt «obstacle».

♦ Anglic. Sports (tennis, ping-pong). En appos. *Balle let :* balle qui touche le filet avant de retomber sur le terrain adverse.

Un let : le coup, nul, qui envoie une telle balle.

Ils échangent quelques balles très sèches. Philippe mène. Lison, dents serrées, s'applique à remonter. Elle dit : J'ai vu mon oncle Rémi l'autre jour. — Ton oncle l'ours? — Oui. — Let! À remettre. Ils remettent la balle, repartent.
Michèle PERREIN, le Buveur de Garonne, p. 38.

HOM. Laite, lette.

LÉTAL, ALE, AUX ou **LÉTHAL, ALE, AUX** [letal, o] adj. — 1495; repris 1905 en biologie, génétique; lat. *letalis* «mortel», de *letum* «mort».

Biologie.

♦ **1.** Qui provoque la mort. *Gène létal,* responsable d'une anomalie qui entraîne la mort de la cellule sexuelle, de l'œuf fécondé, de l'embryon ou d'un individu après la naissance. *Facteur létal, léthal.*

♦ **2.** Qui entraîne la mort (d'un être ou d'un tissu vivant quelconque, animal ou végétal). *Température létale. Dose létale* (d'un produit toxique, d'un rayonnement ionisant).

C'est un fait bien popularisé que la sensibilité, très générale, des végétaux au froid (...)
Winckler, qui a étudié 43 espèces d'arbres, à cet égard, a trouvé que le «point léthal» du bois est compris entre − 8° et − 10°, tandis que celui des bourgeons et des jeunes pousses, aussi bien et d'ailleurs que celui des feuilles persistantes sous nos climats, varie de − 3° à − 5° (...) Roger SIMONET, le Froid, p. 46-47.

DÉR. Létalité.

LÉTALITÉ ou **LÉTHALITÉ** [letalite] n. f. — 1814, *léthalité,* au sens 1; «mortalité», 1875; de *létal.*

Médecine.

♦ **1.** «Condition qui rend une lésion nécessairement mortelle» (Littré). *Létalité d'une blessure.*

♦ **2.** (1875). Risque d'entraîner la mort (pour une maladie, etc.). *Taux de létalité. Tables de létalité.*

♦ **3.** (XXe; 1936, Cuénot et Rostand). Caractère létal (d'un gène, d'un facteur).

LETCHI [lɛtʃi] n. m. — 1588, *letchia;* variante de *litchi*.*

♦ Litchi*.

(...) pour jeter avec bénignité aux singes au-dessous de moi juchés sur les branches extrêmes des poignées de letchis secs tels que des grelots rouges! 1
CLAUDEL, Connaissance de l'Est, p. 193.

Il y avait dans les paquets (...) les choses les plus succulentes : du caviar, du foie gras (...) et pour finir, une quantité de ces fruits des tropiques appelés *letchis,* qui ont un parfum de raisin. J. DUTOURD, Pluche, XV, p. 270. 2

LÉTHAL [letal] adj. ⇒ **Létal.**

LÉTHALITÉ [letalite] n. f. ⇒ **Létalité.**

LÉTHARGIE [letaʀʒi] n. f. — XIIIe, *lithargie;* bas lat. *lethargia,* du grec *lethargia.*

♦ **1.** État pathologique caractérisé par un sommeil profond et prolongé dans lequel les fonctions de la vie semblent suspendues. ⇒ **Catalepsie, mort** (apparente), **torpeur.** *Tomber, retomber en léthargie. Sortir de sa léthargie. Un mélange* (cit. 8) *alcoolisé qui produit des léthargies terribles. Attaque d'épilepsie* (cit. 2) *suivie de léthargie. La léthargie, manifestation de l'hystérie* (cit. 2). *Léthargie hypnotique* (⇒ **Hypnose**). *Insensibilité* d'un sujet en état de léthargie.*

Il passait les jours et les nuits dans une continuelle léthargie, les yeux bien ouverts, le pouls bien battant, mais sans parler, sans manger, sans bouger, paraissant quelquefois entendre, mais ne répondant jamais, pas même par signe, et du reste sans agitation, sans douleur, sans fièvre et restant là comme s'il eût été mort. 1
ROUSSEAU, les Confessions, VIII.

Il était debout, immobile, mais il n'avait pas l'air assuré sur ses jambes. Il faisait penser à un opéré qui sort de léthargie; à un mort, qu'on vient de tirer du néant. MARTIN DU GARD, les Thibault, t. VII, p. 71. 2

♦ **2.** (1819). Hibernation. *Les marmottes passent l'hiver en état de léthargie* (→ Hiberner, cit. 1).

(...) Nyctalette *(une taupe)* s'éveillait du long sommeil hiémal (...) la joie nerveuse qui secouait de sa demi-léthargie son corps amaigri lui disait que la vie normale, longtemps interrompue, allait reprendre avec cette chaleur. 3
L. PERGAUD, De Goupil à Margot, p. 67.

♦ **3.** (1652, Guez de Balzac). État d'abattement profond. ⇒ **Apathie, assoupissement, atonie, engourdissement, nonchalance, prostration, torpeur.** *Léthargie de l'âme* (→ Esprit, cit. 4). *Arracher qqn à sa léthargie.* ⇒ **Inaction.** — (Collectivités; choses). *Pays, nation en léthargie, dans une profonde léthargie. La léthargie des activités intellectuelles, culturelles.*

Lorsqu'une grande nation, après avoir vieilli dans l'erreur et dans l'insouciance, lasse enfin de malheurs et d'oppression, se réveille de cette longue léthargie (...) 4
André CHÉNIER, Avis au peuple français, Œ., Pl., p. 199.

En 1820, la marquise sortit de sa léthargie, parut à la cour, dans les fêtes et reçut chez elle. BALZAC, l'Interdiction, Pl., t. III, p. 42. 5

(...) dans ces temps où la poésie dramatique était en complète léthargie. 6
Émile HENRIOT, les Romantiques, p. 318.

CONTR. Activité, excitation, fermentation, vitalité.

LÉTHARGIQUE [letaʀʒik] adj. — 1325, *letargique,* n.; adj., XVe; lat. *lethargicus,* de *lethargia.* → Léthargie.

♦ **1.** Méd. Qui tient de la léthargie; de la léthargie. *État, abattement, sommeil léthargique* (→ Bâillement, cit. 1; hier, cit. 2). *Encéphalite* (cit.) léthargique.*

(...) la malade dormait depuis plus de trois heures; et son sommeil était si profond et si tranquille, que j'eus peur un moment qu'il ne fût léthargique. 1
LACLOS, les Liaisons dangereuses, CXLIX.

(...) un long assoupissement succéda à l'état convulsif de leur douleur, et leur procura un repos léthargique, semblable, à la vérité, à celui de la mort. 2
BERNARDIN DE SAINT-PIERRE, Paul et Virginie, p. 130.

Entre autres pratiques ténébreuses, Bachkou avait enseigné à Fogar le moyen de se mettre, sans aucune aide, dans un état léthargique voisin de la mort. 2.1
Étendu sur le cadre primitif qui lui servait de couchette, le jeune homme, s'immobilisant dans une sorte d'extase hypnotique, parvenait à suspendre peu à peu les battements de son cœur en arrêtant complètement les oscillations respiratoires de son thorax. Raymond ROUSSEL, Impressions d'Afrique, p. 348.

♦ **2.** (1604). Qui est atteint de léthargie, apathique. *Il, elle est un peu léthargique.*

N. *Un, une léthargique.*

♦ **3.** Cour. Qui révèle un engourdissement profond, quasi anormal. *Indolence léthargique* (Académie). *État léthargique de l'âme. Âme, conscience léthargique.* ⇒ **Engourdi, insensible, nonchalant.**

3 (...) ce silence des Jacobins est l'effet d'un sommeil léthargique qui ne leur permet pas d'ouvrir les yeux sur les dangers de la Patrie (...)
MICHELET, Hist. de la Révolution franç., XX, IV.

4 — C'est une particularité du commerce de cognac qui peut s'accommoder longtemps d'un état léthargique. Le négociant réduit ses frais tandis que le stock s'il est bon vieillit et augmente de valeur.
J. CHARDONNE, les Destinées sentimentales, p. 428.

LÉTHÉEN, ENNE [leteɛ̃, ɛn] adj. — 1864, Mallarmé; de *Léthé*.

♦ Myth. ou littér. Propre au Léthé, fleuve des enfers dont les eaux apportaient l'oubli à ceux qui en avaient bu.

Et toi, sors des étangs léthéens et ramasse
En t'en venant la vase et les pâles roseaux,
Cher Ennui (...) MALLARMÉ, Poésies, Du Parnasse contemporain, « L'azur ».

LÉTHÉOMANIE [leteɔmani] n. f. — 1968; de *Léthé* (→ Léthéen), et *-manie*.

♦ Méd. Abus des somnifères.

LETTE [lɛt] ou **LETTON, ONE** ou **ONNE** [lɛtɔ̃, ɔn] adj. et n. — 1845; all. *Lette*.

♦ De Lettonie, pays balte. *Le peuple letton.* — N. *Les Lettons.*
N. m. *Le lette* ou *letton* : langue indo-européenne, du groupe baltique, dit aussi *lettique*.

HOM. Laite, let. — Laiton.

LETTRAGE [lɛtʀaʒ] n. m. — 1873; de *lettre*.

♦ Techn. Action de disposer les lettres (sur une carte, un schéma). *Lettrage d'une carte, d'un catalogue.* — Ensemble des lettres ainsi disposées.

LETTRE [lɛtʀ] n. f. — xᵉ, *letres*, au sens IV; v. 1130-1140, au sens I; du lat. *littera*.

★ **I.** ♦ **1.** Signe graphique qui, employé seul (ex. : *r, o*) ou combiné avec d'autres (ex. : *ch*), représente, dans la langue écrite, un phonème ou un groupe stable et élémentaire de phonèmes. ⇒ **Caractère** (cit. 1).

1 LETTRE (...) Figure, caractère, ou trait de plume dont un peuple est convenu pour signifier quelque chose, et dont l'assemblage fait connaître la pensée des uns aux autres (...) L'alphabet de chaque langue est composé d'un certain nombre de ces *lettres* ou caractères qui ont un son, une figure, et une signification différentes.
FURETIÈRE, Dict., art. *Lettre*.

*Les lettres d'une écriture alphabétique. Les 24 lettres de l'alphabet grec**. *Lettres cadméennes, hébraïques. Les 26 lettres de l'alphabet français. Le W, lettre double. On appelle aussi lettre double une lettre redoublée* : tt, mm... *Tracer des lettres ; bien former ses lettres* (→ Écrire, cit. 9 et 44). *Apprendre ses lettres, reconnaître les lettres,* en apprenant à lire. *Incapacité à reconnaître les lettres.* ⇒ **Asyllabie.**

2 Le grammairien en vers et prose commence par l'alphabet, qui contient vingt-cinq lettres, « malgré les vieilles prudes, qui n'en peuvent entendre nommer que vingt-trois » (...) BALZAC, le Feuilleton..., LI, Œuvres diverses, t. I, p. 446.

3 Quelle était l'origine des lettres? On remonte aisément de nos caractères latins à l'alphabet phénicien, car les Phéniciens, merveilleux intermédiaires du monde méditerranéen, ont été les propagateurs de cette méthode nouvelle.
DANIEL-ROPS, le Peuple de la Bible, II, I.

Un mot de trois lettres (⇒ **Trilittère**), *de quatre lettres* (⇒ **Tétragramme**). *Lettre initiale, médiale, finale. Combinaison, interversion, transposition de lettres.* ⇒ **Anagramme, chronogramme, métagramme, métathèse, paragramme.** *Épeler* les lettres d'un mot. Répéter les lettres d'un indicatif* (cit. 4) *d'appel. Lettre initiale** (cit. 3) *du nom, du prénom* (⇒ **Chiffre, monogramme**), *des mots d'un tautogramme*. Les lettres d'un logo. Code comportant des lettres et des chiffres.* ⇒ **Alphanumérique.** — Fam. (Par euphém.). *Les cinq lettres.* ⇒ **Merde.** — « ... *un mot de trois lettres, que je n'ose écrire* » (→ Frère, cit. 24; Bernanos). — *Sot* en trois lettres.*

4 (...) Mais le ton de cette vieille femme (...) lui parut une provocation appelant l'insolence. — « Vous, répondit-il, je vous dis cinq lettres ». La tante Julie béa, les yeux ronds, et comme il précisait ce qu'il fallait entendre par cinq lettres, elle tomba évanouie. M. AYMÉ, le Passe-muraille, p. 136.

(Aspects et formes). *Lettre majuscule, minuscule. Déliés, hampe, jambages, pleins, queue d'une lettre. Lettres cursives. Écriture* (cit. 10) *bizarre où chaque lettre est isolée. Lettres larges* (→ Colonne, cit. 11). *Lettres bâtardes, gothiques, rondes. Lettres historiées* (⇒ **Miniature**). *Lettres entrelacées* (cit. 5). *Enseigne en lettres d'or* (→ Gros, cit. 41). — *Titre en grosses lettres d'imprimerie* (cit. 4). *Lettres baveuses*. Lettre moulée*. Lettre capitale*. Lettres italiques*. Lettre ornée. Groupe de lettres.* ⇒ **Lettrine.** — Paléographie. *Lettres capitulaires*.*

5 (...) qu'autour de ma fosse
Ce qui s'ensuit, sans autre histoire,
Soit écrit en lettre assez grosse (...) VILLON, le Testament, CLXXVII.

6 Souviens-toi de m'écrire ces mots : je les veux faire graver en lettres d'or sur la cheminée de ma salle. MOLIÈRE, l'Avare, III, 1.

On avait aussi renouvelé la peinture bleue, entre les lettres en relief de l'inscription, qui brillaient maintenant d'or vif (...) LOTI, les Désenchantées, III, XVII. 7

Loc. *En toutes lettres* : sans abréviation. Spécialt. *Somme, date, portée en toutes lettres,* exprimée avec des mots et non avec des chiffres (→ Approuvé, cit.).

Fig. *Dire, écrire qqch. en toutes lettres,* l'exprimer sans restriction, nettement.

Je sentais le regard de ma mère qui s'attachait à moi, qui ne me lâchait plus et je pensais que « ça devait se voir », que ma disgrâce était écrite en toutes lettres sur mon visage. G. DUHAMEL, Salavin, I, III. 8

(1668). *Cela devrait être écrit, gravé, imprimé en lettres d'or* : cela est digne d'être rappelé sans cesse, d'être gardé toujours présent en mémoire.

(1873). *Lettres de feu** (cit. 6, et *supra*).
*En lettres de sang** : par une longue suite de crimes.

♦ **2.** (1486). Caractère* typographique représentant une des lettres (1.) de l'alphabet. ⇒ **Caractère** (→ Forme, cit. 82; interligne, cit. 2). *Le corps* d'une lettre. Bloquer*, créner* une lettre. Lettres du bas de casse** (ou *bas de casse*), *lettres capitales. Lettre grise* : lettrine* ainsi appelée « à cause des hachures dont les pleins striés produisent à l'impression une teinte grise » (Réau, *Dict. d'art*). — (V. 1970). *Lettre-transfert* : pellicule d'encre représentant un caractère typographique et stockée par sérigraphie sur un support qui peut être transférée par simple frottement sur toute surface lisse. ⇒ **Décalcomanie.** — (Au sing. collectif). *Lever* la lettre* : prendre les lettres dans les cassetins et les aligner sur le composteur* pour en faire des mots et des lignes.

♦ **3.** (V. 1265; impropre dans les emplois scientifiques modernes). Son, phonème représenté par un caractère alphabétique. *Les lettres de l'alphabet français se divisent en consonnes, voyelles et semi-consonnes. Lettre muette, aspirée, gutturale, palatale* (→ Bannir, cit. 27; H, cit. 4). *Ajouter une lettre à un mot par souci d'euphonie* (cit. 2). *Lettre épenthétique*. Lettre qui se lie à une autre. Lettres qui forment une syllabe*.*

(...) il faut commencer (...) par une exacte connaissance de la nature des lettres, et de la différente manière de les prononcer toutes. Et là-dessus j'ai à vous dire que les lettres sont divisées en voyelles (...) et en consonnes (...) 9
MOLIÈRE, le Bourgeois gentilhomme, II, 4.

♦ **4.** (1690). Spécialt. Lettre affectée d'une fonction autre que phonétique. Ling. et gramm. *Lettre figurative* (vx), *formative.* — Math. *Lettres algébriques. Lettre mise en exposant** (cit. 2), *en indice*. Lettres qui désignent une figure*, un angle, un point...* — Paléographie. *Lettres abréviatives.* ⇒ **Sigle.** — Chron. *Lettres numérales* (⇒ **Chronogramme,** cit.). — (1607). Liturgie. *Lettres dominicales*.*

★ **II.** Par ext. Au sing. collectif ou au plur. ♦ **1.** (V. 1160). Ensemble des mots qui composent un texte; ce texte. — Vx. *La sainte lettre, les saintes lettres* : l'Écriture sainte.

On leur apprenait les saintes lettres (...) dès la mamelle. 10
RACINE, Athalie, Préface.

(1541; en attribut). **LETTRE MORTE** : texte qui n'a plus de valeur juridique, d'autorité officielle. *Cette convention est devenue lettre morte* (Académie). — Fig. *Tous vos conseils seront pour lui lettre morte,* ils seront inutiles, sans effet.

— Moi aussi, je me tiens à votre disposition, et je vous ferai sur ces documents tous les commentaires utiles, faute desquels ils seraient pour vous lettre morte. 11
A. HERMANT, l'Aube ardente, VII.

♦ **2.** (1835). Techn. (gravure). Inscription, légende* qu'on met au bas d'une estampe pour en indiquer le sujet. *Épreuve* avant la lettre. Estampe après la lettre,* tirée avec l'inscription. — Fig. *Avant la lettre* : avant l'état définitif, l'époque du complet développement. « *L'enfant, c'est l'homme avant la lettre* » (A. d'Houdetot, *in* P. Larousse, 1873).

À propos de la vente d'eaux-fortes, d'où viennent ces Huet avant la lettre, il y a vraiment de bons toqués d'eaux-fortes avant la lettre, que dis-je avant la lettre, mais avant la plupart des travaux, avant même le sujet principal indiqué, et je suis sûr, à la convoitise de certains regards par moi perçus, qu'une épreuve de la planche de Daubigny : *Les cerfs au bord de l'eau,* avant les cerfs, se sera vendue fort cher. Ed. et J. DE GONCOURT, Journal, 19 févr. 1889. 11.1

♦ **3.** (V. 1170). **LA LETTRE** : le sens strict des mots qui composent un texte (⇒ **Littéral**); l'expression formelle de la pensée d'un auteur. *La lettre de la loi* (→ Formaliste, cit. 1). *L'esprit* (cit. 185 et 186) *et la lettre. S'attacher plus à la lettre qu'à l'esprit* : s'en tenir au sens formel, sans chercher à comprendre les intentions, le sens profond ou symbolique.

La lettre tue; tout arrivait en figures. 12
PASCAL, Pensées, X, 683 (→ Esprit, cit. 185).

(...) mon ancien maître, en dépit de tout ce qu'il devait à ma belle-mère (...) lui reprocha de suivre la lettre de la loi plutôt que l'esprit, et s'oublia jusqu'à lui dire que c'était toujours le prochain qui faisait les frais de ses scrupules et que c'était toujours contre quelqu'un qu'elle manifestait la délicatesse et les rigueurs de sa conscience. F. MAURIAC, la Pharisienne, XI. 13

♦ **4.** Loc. (V. 1265). **À LA LETTRE,** et (fin xviᵉ), **AU PIED DE LA LETTRE** : au sens propre, exact, véritable du terme, de l'expression. ⇒ **Exactement, proprement, véritablement** (→ Incartade, cit. 2).

14 L'on dit d'un grand (...) qu'il meurt de faim, pour exprimer qu'il n'est pas riche (...) c'est une figure; on le dirait plus à la lettre de ses créanciers.
LA BRUYÈRE, les Caractères, XII, 82.

15 Tu ne me voyais plus; il était vrai, à la lettre, que tu n'avais d'yeux que pour les petits.
F. MAURIAC, le Nœud de vipères, V.

Prendre une expression (→ Image, cit. 53), *une formule à la lettre, au pied de la lettre,* dans son sens littéral, strict, étroit. ⇒ **Littéralement.**

16 Avoir saint Paul en bouche et le prendre à la lettre.
RONSARD, Discours des misères de ce temps, Remontr. peuple de France.

17 (...) il prenait au pied de la lettre tout ce qu'on lui disait, et il paraissait fort content de ses convives (...)
A. R. LESAGE, Gil Blas, III, IV (→ Pour argent* comptant).

18 Apprenez (...) que le sens de la Bible est figuré et que la principale erreur des théologiens est d'avoir pris à la lettre ce qui doit être entendu en manière de symbole.
FRANCE, la Rôtisserie de la reine Pédauque, XIII, Œuvres, t. VIII, p. 114.

18.1 « On ne sait jamais d'où ça sort. » Il a entendu plus d'une fois ces mots dits sans méchanceté. Mais en les prenant à la lettre « on ne sait pas d'où ça sort » est un bon texte sur quoi rêver.
F. MALLET-JORIS, le Jeu du souterrain, p. 68.

19 S'il en est ainsi vraiment, si ces nouvelles toutes fraîches doivent être prises au pied de la lettre (...)
G. DUHAMEL, Manuel du protestataire, p. 118.

(V. 1462). Fig. *Mes ordres ont été exécutés à la lettre* (Académie). ⇒ **Ponctuellement.** *Suivre un règlement à la lettre,* s'y conformer scrupuleusement, rigoureusement.

(1740). *Ajouter à la lettre :* aller plus loin que ce qui est dit, écrit.

★ **III.** ♦ **1.** (V. 1170, au plur.). Écrit que l'on adresse à qqn pour lui communiquer ce qu'on ne peut ou ne veut lui dire oralement. ⇒ **Épître, missive;** fam. **babillarde, bafouille; lazagne** (argot.). *Écrire* (cit. 23), *rédiger, griffonner* (cit. 7), *dicter une lettre, des lettres. Commencer, interrompre, reprendre, terminer, relire une lettre. Une courte lettre; un bout de lettre.* ⇒ **Billet, bifton** (argot.), **mot.** *Très longue lettre.* ⇒ **Volume.** *Personne qui aime à écrire des lettres.* ⇒ **Épistolier** (fam.). *Demander, mander qqch.* (→ Folâtrerie, cit. 2), *inviter qqn par lettre.* ⇒ **Écrit** (par écrit). *Vous apprendrez par cette lettre.* ⇒ **Présent** (la présente). *Quand tu liras cette lettre... La lettre ci-incluse* (cit. 3), *ci-jointe. Lettre autographe* (→ Fuite, cit. 14), *dactylographiée, manuscrite. Dater, signer une lettre. Antidater une lettre. Apostiller* (cit. 2) *une lettre. Signature* (⇒ **Souscription**), *post-scriptum* au bas d'une lettre. Le signataire de la lettre. Lettre sans signataire. Lettre anonyme* (cit. 3). — *Mettre une lettre sous enveloppe.* ⇒ **Pli** (→ Facteur, cit. 10). *Garder* (cit. 28) *la copie d'une lettre. Clore, fermer, cacheter une lettre* (→ 1. Frais, cit. 27). *Mettre l'adresse du destinataire sur une lettre* (⇒ **Suscription**). *Faire porter, remettre une lettre à son destinataire.* ⇒ **Message.** *Échanger des lettres.* ⇒ **Correspondre; correspondance.** *Intercepter* (cit. 2) *une lettre. Recevoir* (→ Borner, cit. 12), *décacheter, lire ses lettres.* ⇒ **Courrier.** *Une liasse* de lettres. Renvoyer, retourner une lettre à son expéditeur* (→ Gageure, cit. 5). *Accuser* réception d'une lettre. Faire réponse, répondre à une lettre* (→ Fissure, cit. 2). — Loc. *Papier* (cit. 12) *à lettres* (→ Faute, cit. 9). — Littér. *La Nouvelle Héloïse, les Liaisons dangereuses,* romans par lettres.

20 Mes révérends Pères, mes lettres n'avaient pas accoutumé de se suivre de si près, ni d'être si étendues (...) Je n'ai fait celle-ci plus longue que parce que je n'ai pas eu le loisir de la faire plus courte.
PASCAL, les Provinciales, XVI, P.-S.

21 Tu te plains, mon cher ami, de la rareté de mes lettres. — Que veux-tu que je t'écrive, sinon que je me porte bien et que j'ai toujours la même affection pour toi?
Th. GAUTIER, Mlle de Maupin, I.

22 Il m'arrive rarement de relire mes lettres. J'ai relu celle-ci, — et je l'ai laissée partir, avec l'étrange impression que je commettais une maladresse, une erreur, et qu'elle s'en allait vers un homme qui n'aurait pas dû la lire (...)
COLETTE, la Vagabonde, p. 209.

Contenu, teneur, ton d'une lettre. Formules (cit. 6) *de lettre. Style des lettres.* ⇒ **Épistolaire.** *S'épancher* (cit. 22) *librement dans une lettre. Lettre comminatoire* (cit. 2), *détaillée* (cit. 4), *injurieuse* (→ Imputer, cit. 12). *Lettres d'amitié* (→ Empreinte, cit. 6). *Lettres d'amour brûlantes, chaleureuses, chastes, incendiaires* (cit. 7), *passionnées, tendres. Lettre de rupture. Lettre de condoléance, de félicitations, de remerciements, de faire-part* (cit. 2). *Lettre d'affaires. Lettre de candidature, d'introduction* (cit. 1 et 2). (1625) *Lettre de recommandation.*

23 En effet, quelqu'un avait envoyé à sa mère une longue lettre anonyme, pour prévenir qu'il *se perdait avec une femme mariée* (...)
FLAUBERT, Mme Bovary, III, VI.

24 En ouvrant la première lettre de Marthe, je me demandai comment elle exécuterait ce tour de force : écrire une lettre d'amour. J'oubliais qu'aucun genre épistolaire n'est moins difficile : il n'y est besoin que d'amour.
R. RADIGUET, le Diable au corps, p. 95.

25 (...) séparée de moi, elle m'écrit une lettre glaciale, sans un mot de tendresse, hors la formule finale, qui est de style (...)
A. MAUROIS, les Roses de septembre, II, V.

Acheminement, transmission des lettres. Affranchir une lettre. → Pèse-lettre (cit.). *Lettre envoyée par avion, par bateau, par surface* (anglic.). *Lettre avion.* ⇒ aussi **Aérogramme.** *Une lettre timbrée de Dresde* (→ Gel, cit. 1). *Le cachet de la poste sur une lettre.* — *Boîte* (cit. 4) *aux lettres. Jeter des lettres à la boîte.* ⇒ **Poster** (→ Éveiller, cit. 17). *Levée, tri, transport, distribution* (⇒ **Factage**) *des lettres.* ⇒ **Poste.** *Paquet* (vx) de lettres. Aller chercher une lettre à la poste restante* (→ Identité, cit. 15). *Facteur* (cit. 9, 12 et 13) *qui apporte les lettres. Nos lettres se sont croisées*. Lettre qui s'est égarée* (→ Fil, cit. 34). — *Lettre franche de port. Lettre chargée*.* ⇒ **Chargement.** — (1831, *in* D. D. L.). *Lettre recommandée. Lettre recommandée avec accusé de réception. Lettre exprès. Lettre portant la mention : « Faire suivre en cas d'absence ». Lettre urgente.* ⇒ **Dépêche.** *Lettre par avion* (⇒ **Aérogramme**).

(...) Adrienne ne sortirait pas et par conséquent ne pourrait mettre sa lettre à la poste à temps pour qu'elle parvînt au loueur de voitures avant la nuit. 26
J. GREEN, Adrienne Mesurat, X.

(...) une lettre non ouverte, qu'elle venait de prendre à la poste restante. 27
LOTI, les Désenchantées, I, II.

Moi facteur, membre du gouvernement provisoire, et chargé du service des postes, j'ai fidèlement distribué les lettres que vous m'avez confiées et celles qui vous étaient adressées. 28
ALAIN, Propos, 17 déc. 1908, Le facteur des postes.

Loc. fam. (1825). *Passer comme une lettre à la poste,* facilement et sans incident. — Par plais. Être facilement digéré (en parlant d'un aliment, d'un repas). — Fig. Être facilement admis. *Excuse, réforme qui passe comme une lettre à la poste.*

(...) la truffe est un aliment aussi sain qu'agréable, et qui, pris avec modération, passe comme une lettre à la poste. 29
BRILLAT-SAVARIN, Physiologie du goût, t. I, p. 125.

Les républicains les plus sages pensaient qu'il était fou de faire la séparation de l'Église. Elle a passé comme une lettre à la poste. 30
PROUST, À la recherche du temps perdu, t. XIV, p. 124.

Correspondance (éditée en tant qu'œuvre littéraire). *Lettres de Pline, de Mme de Sévigné, de Voltaire...,* recueil contenant tout ou partie de ces lettres célèbres. — Par anal. Ouvrage composé ou présenté sous forme de correspondance. *Lettres à un provincial (les Provinciales),* de Pascal (1656). *Lettres persanes,* de Montesquieu (1721). *Lettres philosophiques,* de Voltaire (1734)... — Opuscule en forme de lettre adressée à un ou plusieurs destinataires. *Lettre à l'Académie,* de Fénelon (1714). *Lettre sur les aveugles,* de Diderot (1749). *Lettre à d'Alembert sur les spectacles,* de Rousseau (1758).

Loc. (1835). **LETTRE OUVERTE :** article de journal, rédigé en forme de lettre, et généralement de caractère polémique ou revendicatif. *« J'accuse », lettre ouverte de Zola au président de la République* (1898), *au sujet de l'affaire Dreyfus* (titre d'une collection d'ouvrages).

♦ **2.** (1234). Écrit officiel, administratif, actes expédiés au nom d'une autorité, d'une communauté.

Hist. et diplom. anc. (le plus souvent au plur.). *Lettres royaux* (anc. fém. plur. de *royal*). *Lettres d'abolition*, d'attache*, de cachet** (cit. 4), *de grâce* (cit. 45), *de jussion** (cit.), *de naturalisation*, de rémission*. Lettres patentes*. Artisan* (cit. 2) *qui obtient ses lettres de maîtrise*. Lettres d'anoblissement** (→ Chancelier, cit. 1) ou *de noblesse** (→ Gothique, cit. 2). — Loc. *Lettre close.* ⇒ **Clore** (*supra* cit. 11).

Diplom. mod. *Lettres de créance*,* qui accréditent un diplomate. *Le nouvel ambassadeur a présenté ses lettres de créance au chef de l'État. Lettres de recréance** ou *de rappel.* — *Lettre reversale*. Les nulles* d'une lettre chiffrée.*

Admin. *Lettre circulaire*. Lettre missive*. Lettre de service :* lettre ministérielle indiquant à un officier le commandement particulier qu'il est appelé à tenir. *Lettre de marque** : commission délivrée en temps de guerre par l'État au capitaine d'un navire armé. *Lettre de mer.* ⇒ **Passeport.** *Lettre commune,* rédigée par plusieurs ministères ou services.

Admin. ecclés. *Lettre apostolique, papale.* ⇒ **Bref, décrétale** (anciennt), **encyclique, rescrit.** *Lettre dimissoriale*, épiscopale, pastorale*. Lettre monitoire*. Lettre d'obédience*.*

Dr. du travail et cour. *Lettre de licenciement, de démission, d'embauche.*

(1679). Comm. *Lettre d'avis* (4.), informant le destinataire de l'arrivée d'un colis. — *Lettre de voiture,* adressée par l'expéditeur (cit. 2) au destinataire et mentionnant le poids, la nature des marchandises, et les conditions de leur expédition (cit. 7). ⇒ **Récépissé** (→ Avarie, cit. 1).

Banque. *Lettre de crédit* :* « lettre par laquelle un banquier donne mandat à l'un de ses correspondants de mettre une somme d'argent à la disposition d'une personne désignée » (Capitant, *Voc. juridique*). *Lettre de crédit circulaire,* adressée à plusieurs correspondants.

(1671). **LETTRE DE CHANGE :** effet* de commerce par lequel une personne (le *tireur*) invite une autre personne (le *tiré*) à payer une certaine somme d'argent à échéance déterminée, à une troisième personne (le *preneur* ou *bénéficiaire*), ou à son ordre. ⇒ **Billet** (cit. 8; billet à ordre), **traite.** *Souscrire une lettre de change.* ⇒ **Souscripteur.** *Acceptation*, domiciliation*, endossement** (cit.), *paiement d'une lettre de change. Garantir une lettre de change par un aval* (cit. 2). *Lettre de change payable à vue, au porteur. Échéance* (cit. 2) *d'une lettre de change.* ⇒ **Usance.** *Acquitter* (→ Haut, cit. 43), *contrepasser, endosser* (cit. 2), *escompter, négocier, protester une lettre de change* (→ Fonds, cit. 10). *Lettre de change-relevé* (abrév. : L. C. R.), pour laquelle les informations concernant la traite sont reportées sur support magnétique.

Ils *(les Juifs)* inventèrent les lettres de change : et, par ce moyen, le commerce put 31 éluder la violence, et se maintenir partout; le négociant le plus riche n'ayant que des biens invisibles, qui pouvaient être envoyés partout, et ne laissaient de trace nulle part. MONTESQUIEU, l'Esprit des lois, XXI, XX.

32 Donnez-moi votre lettre de change, vous allez la passer au nom de mon teneur de livres, il la fera protester (...) BALZAC, la Cousine Bette, Pl., t. VI, p. 192.

★ **IV.** Au plur. **LES LETTRES.** ♦ **1.** (Xe). Vx. Ensemble des connaissances acquises par l'étude.

33 J'ai été nourri aux lettres dès mon enfance et pour ce qu'on me persuadait que par leur moyen on pouvait acquérir une connaissance claire et assurée de tout ce qui est utile à la vie, j'avais un extrême désir de les apprendre. DESCARTES, Discours de la méthode.

♦ **2.** (1538). Spécialt. Vieilli, littér. ou par plais. La culture littéraire. *Avoir des lettres* (⇒ **Lettré**), *peu de lettres* (→ Glaner, cit. 9).

33.1 Comme Max, bourré d'anecdotes et d'observations drôles prises sur le vif, il était fin causeur, mais ce n'était pas un intellectuel et il n'avait pas de lettres. C'était un esprit calculateur, desséchant et d'ordre pratique. B. CENDRARS, la Main coupée, *in* Œ. compl., t. X, p. 185.

Les belles-lettres (1666, *in* D. D. L.), *les lettres* (⇒ **Belles-lettres,** 1.; **littérature**).

(1671). Vx. *Les lettres humaines* (⇒ **Humanité,** 5.). *« On appelle les lettres humaines* ou *les belles-lettres,* la Grammaire, l'Éloquence, la Poésie» (Trévoux). *Exceller* (cit. 3) *dans les belles-lettres.* Mod. *Académie des inscriptions et belles-lettres.*

34 Notre langue et nos belles-lettres ont fait plus de conquêtes que Charlemagne (...) VOLTAIRE, Correspondance, 976, 24 août 1750.

35 Assez imbu de belles-lettres, parlant bien, écrivant d'un style pur, aisé, naturel et du meilleur goût (...) MARMONTEL, Mémoires, t. II, p. 82.

Mod. *(Les lettres). La renaissance des lettres. Les lettres françaises* (→ Aviser, cit. 4). *Le culte, l'étude* (cit. 8 et 9) *des lettres antiques.* ⇒ **Humanité** (cit. 18).

(1580, Montaigne). *Homme de lettres; femme de lettres; gens de lettres :* personne qui fait (personnes qui font) profession d'écrire (→ Agrandir, cit. 6; alliance, cit. 13; bon, cit. 27). *Une femme de lettres* (→ Homonymie, cit.). *Les gens de lettres.* ⇒ 1. **Gens** (cit. 5, 28 et 29); **gendelettre** (fam.). *La Société des Gens de lettres.*

36 (...) on sait par toute l'Europe l'accueil favorable que Votre Grandeur fait aux gens de lettres. CORNEILLE, Héraclius, Dédicace à Mgr Séguier.

37 Le plus grand malheur d'un homme de lettres n'est peut-être pas d'être l'objet de la jalousie de ses confrères, la victime de la cabale, le mépris des puissants du monde; c'est d'être jugé par des sots. VOLTAIRE, Dict. philosophique, Lettres.

38 (...) quand il a su que j'étais imprimé tout vif, il a pris la chose au tragique et m'a fait ôter mon emploi, sous prétexte que l'amour des lettres est incompatible avec l'esprit des affaires. BEAUMARCHAIS, le Barbier de Séville, I, 2.

38.1 Monsieur a bien une petite profession, une spécialité... Enfin, qu'est-ce que Monsieur sait faire?
— Rien, recommença Prométhée.
— Alors mettons : homme de lettres.
GIDE, le Prométhée mal enchaîné, *in* Romans, Pl., p. 307.

38.2 — Voulez-vous que je vous dise, mon cher. Vous avez toutes les qualités de l'homme de lettres : vous êtes vaniteux, hypocrite, ambitieux, versatile, égoïste...
— Vous me comblez.
— Oui, tout cela c'est charmant. Mais vous ne ferez jamais un bon romancier.
— Parce que?
— Parce que vous ne savez pas écouter.
— Il me semble que je vous écoute fort bien.
— Bah! Lui, qui n'est pas littérateur, il m'écoute encore bien mieux. Mais quand nous sommes ensemble, c'est bien plutôt moi qui écoute.
GIDE, les Faux-monnayeurs, *in* Romans, Pl., p. 968.

Le monde des lettres.

39 (...) il connaissait trop bien le monde des lettres pour penser que l'Académie tînt rigueur de leurs attaques aux hommes de talent. A. MAUROIS, Olympio, VI, I.

♦ **3.** (Par oppos. aux *sciences*). Les connaissances ou études littéraires, comprenant la littérature, la philologie*, la philosophie, l'histoire. ⇒ **Belles-lettres,** 2., **humanité,** 5. (→ Creux, cit. 9; honneur, cit. 55). Mod. *Docteur ès lettres. Baccalauréat* (cit.) *ès lettres. Secrétariat d'État aux arts et aux lettres. Diplôme de licence ès lettres. Faculté des lettres. Classe, professeur de lettres.*

Lettres classiques, comprenant grec et latin. *Lettres modernes,* comprenant des langues modernes.

40 (...) en ce temps-là, les élèves de l'Université de France, mis en demeure, au sortir des classes de grammaire, d'opter, sur le seuil de la classe de troisième, pour les lettres ou les sciences, et obligés, à quatorze ou quinze ans, de bifurquer, comme on disait (...) FRANCE, la Vie en fleur, VI.

Lettres supérieures. ⇒ **Khâgne.**

DÉR. Lettrage, lettrer, lettrisme, lettriste.
COMP. Carte*-lettre, contre-lettre, pèse-lettre, porte-lettres. — Gendelettre.

LETTRÉ, ÉE [letʀe; lɛtʀe] adj. et n. — V. 1150, *lectré,* adj.; *letré,* n., 1174; du lat. *litteratus,* de *littera.* → Lettre.

♦ **1.** Adj. Qui a des lettres* (IV.), de la culture, du savoir. ⇒ **Cultivé, érudit** (cit. 1), **savant.** *Un homme fort lettré* (→ Éloignement, cit. 7). *Le monde lettré* (→ Français, cit. 18). *La partie lettrée d'une assemblée* (→ Filtrer, cit. 9).

1 Toute fille lettrée restera fille toute sa vie, quand il n'y aura que des hommes sensés sur la terre. ROUSSEAU, Émile, V.

2 Il était spirituel, et juste assez lettré pour se croire un disciple d'Épicure (...) HUGO, les Misérables, I, I, VIII.

♦ **2.** N. (1605, *in* D. D. L.). *Un lettré, les lettrés.* ⇒ **Clerc** (→ Chinois, cit. 1; instruire, cit. 6). *L'opposition des lettrés à la barbarie* (cit. 6). *Une œuvre de lettré* (→ Impulsion, cit. 14). *C'est un fin lettré.*

Les gens de lettres qui ont rendu le plus de services au petit nombre d'êtres pen- 3
sants répandus dans le monde, sont les lettrés isolés, les vrais savants renfermés dans leur cabinet, qui n'ont ni argumenté sur les bancs des universités, ni dit les choses à moitié dans les académies; et ceux-là ont presque tous été persécutés. VOLTAIRE, Dict. philosophique, Lettres,... ou Lettrés.

(...) il les traite de sauvages, de brutes et les renvoie au fumier paternel, avec le 4
mépris d'un lettré (...) ZOLA, la Terre, II, V.

— J'ai rencontré à Lyon l'autre jour le Révérend Père... 5
— Mon cousin Louis? C'est un homme d'une haute élévation d'esprit, et avec cela un lettré. Les dominicains sont l'élite de l'Église.
ARAGON, les Beaux Quartiers, I, XXIV.

(1605). Spécialt. Homme cultivé, dans la Chine ancienne, exerçant un emploi public. ⇒ **Mandarin.**

CONTR. Illettré (cit. 1); **ignare, ignorant.**
DÉR. et **HOM. Lettrer.**

LETTRER [letʀe; lɛtʀe] v. tr. — XVIe; *letrer* «rédiger une lettre», XIIe; de *lettre.*

♦ **1.** Rare. Instruire dans les lettres. ⇒ **Éduquer, former.** *Lettrer le peuple* (→ Améliorer, cit. 1).

♦ **2.** Techn. Faire le lettrage de. *Lettrer une bande dessinée. «À force de lettrer les Peanuts* (il) *s'est mis lui-même à la B. D.»* (*Magazine littéraire,* déc. 1974, p. 31).

HOM. Lettré.

LETTRINE [letʀin] n. f. — 1625; ital. *letterina* «petite lettre», de *lettera* «lettre».

Imprimerie.

♦ **1.** Vx. Petite lettre entre parenthèses placée à côté d'un mot pour indiquer un renvoi.

♦ **2.** (1762). Mod. Groupe de lettres majuscules placé en haut de chaque colonne ou de chaque page dans un dictionnaire alphabétique, pour indiquer les initiales des mots qui y figurent. Syn. : *titre courant.*

♦ **3.** (1889). Mod. Lettre, ornée ou non, placée au commencement d'un chapitre ou d'un paragraphe (en général plus grosse que le reste du texte).

Peu à peu la lettre ornée lui avait inspiré l'ambition de la lettrine *historiée,* puis de la miniature détachée du texte (...) Léon BLOY, la Femme pauvre, I, XXIV.

LETTRISME [letʀism] n. m. — 1945; de *lettre.*

♦ École littéraire qui préconise l'emploi d'onomatopées dans des poèmes dénués de sens, les signes idéographiques, etc. *Qu'est-ce que le lettrisme?,* texte d'Isidore Isou (1947).

(...) le lettrisme est un produit de remplacement, une imitation plate et consciencieuse de l'exubérance dadaïste. SARTRE, Situations II, p. 241.

LETTRISTE [letʀist] adj. et n. — V. 1945; de *lettre.* → Lettrisme.

♦ Du lettrisme. *L'école lettriste. Un poème lettriste.*

De les *(les machines à écrire)* voir là, au repos, poursuivant on ne savait quelle méditation lettriste sous leur couverture, je ne pouvais pas croire non plus qu'elles eussent laissé passer tant de textes à travers elles comme de l'eau à travers un tamis, sans en rien retenir. Vladimir VOLKOFF, le Retournement, p. 58.

N. Partisan du lettrisme. *Le lettriste Isidore Isou.*

1. LEU [lø] n. m. — XIe; forme anc. de *loup**, du lat. *lupis.*

♦ Loc. *À la queue leu leu :* à la queue du loup, le loup. ⇒ 1. **Queue** (I., 3.).

2. LEU [lø] ou [lɛw] plur. **LEI** [lɛj] n. m. — Av. 1920 (*in* Larousse, 1930); mot roumain.

♦ Unité monétaire roumaine. *Cent lei.*

LEUC-, LEUCO- ♦ **1.** Élément, du grec *leukos* «blanc», servant à former des mots didactiques. ⇒ **Leucanie, leucémide, leucine, leucisme, leucite, leucodermie, leucomaïne, leuconychie.** Voir à l'ordre alphabétique.

♦ **2.** Élément qui signifie «leucocyte» dans de nombreux composés médicaux. ⇒ **Leucémie, leucopénie, leucosarcome, leucose.**

LEUCANIE [løkani] n. f. — 1842; lat. sav. *leucania,* du grec *leukos* «blanc». → Leuc-.

♦ Zool. Insecte lépidoptère *(Noctuidés)*, noctuelle dont la chenille vit sur les graminées.

LEUCÉMIDE [løsemid] n. f. — 1931; «exanthème prurigineux», 1906; de *leucémie*.

♦ Pathol. Lésion de la peau résultant d'une infiltration par des cellules leucémiques.

LEUCÉMIE [løsemi] n. f. — 1856; *leukémie*, 1855, all. *Leukämie*, 1845; du grec *leukos* (→ Leuc- 2.), et *-émie*.

♦ Maladie très grave caractérisée par une prolifération massive de leucocytes et des cellules dont ils proviennent dans la moelle osseuse et une augmentation des leucocytes dans le sang. *La leucémie est un cancer des cellules du sang. Leucémie aiguë, chronique.*

Je me souviens avec quelle fierté Yannik écoutait le docteur Thénon lorsqu'il lui disait que la leucémie des êtres jeunes, la maladie de Hodgkin et tant d'autres formes du mal ont déjà été vaincues. R. GARY, Clair de femme, p. 64.

DÉR. et COMP. Leucémide, leucémique, leucémogène.

LEUCÉMIQUE [løsemik] adj. et n. — 1856, *in* D. D. L.; de *leucémie*.

♦ Relatif à la leucémie. *État leucémique.* — Qui est atteint de leucémie. *Malade leucémique. Un enfant leucémique.* — N. *Un, une leucémique.*

COMP. Aleucémique.

LEUCÉMOGÈNE [løsemɔʒɛn] adj. — V. 1970; de *leucémie*, et *-gène*.

♦ Méd. Qui provoque la leucémie. *«(...) la découverte d'une cellule immunitaire responsable de la résistance aux greffes de moelle et de la résistance au virus leucémogène serait plus qu'un simple épisode dans le volumineux dossier des recherches sur le cancer»* (*la Recherche*, déc. 1974, p. 1096).

LEUCINE [løsin] n. f. — 1832, Raymond; de *leuc-*, et *-ine*.

♦ Biochim. Acide aminé, constituant des protéines, indispensable au métabolisme de l'organisme humain. *La leucine se trouve en abondance dans tous les animaux et les végétaux.*

LEUCISME [løsism] n. m. — 1971, *Dict. de médecine et de biologie*; de *leuc-*, et suff. *-isme*.

♦ Méd. Albinisme* qui n'atteint que certaines parties de la peau, certaines mèches de cheveux.

LEUCITE [løsit] n. — 1796, *in* T. L. F.; créé en all. par Werner, du grec *leukos* (→ Leuc-), et *-ite*.

♦ **1.** N. f. Minér. Minéral du groupe des feldspathoïdes, silicate de potassium et d'aluminium que l'on trouve dans les roches volcaniques. — Syn. : *amphigène* (1.).

♦ **2.** N. m. (Fin XIXe). Bot. ⇒ **Plaste.**

COMP. Angioleucite.

LEUCO- ⇒ **Leuc-.**

LEUCOBLASTE [løkɔblast] n. m. — 1897, *l'Année biol.*; de *leuco-* (2.), et *-blaste*.

♦ Biol. Cellule leucocytaire la plus indifférenciée (que l'on trouve dans le sang leucémique).

LEUCOCYTAIRE [løkɔsitɛʀ] adj. — 1897, *l'Année biol.*, p. 325; de *leucocyte**.

♦ Biol. Qui concerne les leucocytes. *Formule leucocytaire* : taux des différentes espèces de leucocytes contenus dans 1 mm³ de sang : polynucléaires (basophiles, éosinophiles [1 à 2 %], neutrophiles [65 %]), mononucléaires : lymphocytes [30 à 35 %], monocytes [3 à 7 %]. *Rapport leucocytaire*, qu'exprime cette formule. *Réactions leucocytaires.*

LEUCOCYTE [løkɔsit] n. m. — 1855, Nysten-Littré-Robin; de *leuco-*, et *-cyte*.

♦ Biol. Globule blanc du sang, arrondi et pourvu d'un noyau. ⇒ aussi l'élément **Leuc-, leuco-** (2.). *Leucocytes polynucléaires*, présentant des granulations cytoplasmiques. ⇒ **Basophile, éosinophile, neutrophile.** *Leucocytes mononucléés.* ⇒ **Lymphocyte, monocyte.** *Diminution du nombre des leucocytes.* ⇒ **Agranulocytose.**

Les cellules mobiles comprennent les différents types de leucocytes du sang et des tissus. Leur allure est rapide. Les leucocytes à plusieurs noyaux ressemblent à des amibes. Les lymphocytes rampent plus lentement, comme de petits vers. Les plus grands, les monocytes, sont de véritables pieuvres qui, en outre de leurs bras multiples, sont entourées d'une membrane ondulante.
Alexis CARREL, l'Homme, cet inconnu, III, IV.

DÉR. Leucocytaire, leucocytogenèse, leucocytolyse, leucocytose.

LEUCOCYTOGENÈSE [løkɔsitɔʒənɛz] n. f. — 1907; de *leucocyte*, et *genèse*.

♦ Biol. Formation des globules blancs. — Syn. : *leucopoïèse*.

LEUCOCYTOLYSE [løkɔsitɔliz] ou **LEUCOLYSE** [løkɔliz] n. f. — 1900, *in* D. D. L.; de *leucocyte*, et *-lyse*.

♦ Biol. Destruction des globules blancs du sang.

LEUCOCYTOSE [løkɔsitoz] n. f. — 1863, *in* D. D. L.; de *leucocyte*, et 2. *-ose*.

♦ Méd. Augmentation anormale du nombre des globules blancs dans le sang ou dans une sérosité.

LEUCO-DÉRIVÉ [løkodeʀive] n. m. — 1890, P. Larousse, *Deuxième Suppl.*, de *leuco-*, et *dérivé*.

♦ Chim. Substance incolore provenant de la réduction de colorants.

(...) le colorant, lentement réduit, passe à l'état colloïdal et s'insolubilise ou devient un leuco-dérivé. Jules CARLES, Chimie du vin, p. 90.

LEUCODERME [løkɔdɛʀm] adj. — 1846; de *leuco-*, et *-derme*.

♦ (Vx ou par plais.). Didact. De race blanche.

Comme les Noirs assumaient bruyamment leur négritude, il ne restait plus, en effet, aux Européens qu'à assumer en silence leur appartenance au groupe leucoderme des colonisateurs ô combien repentis.
René FALLET, Y a-t-il un docteur dans la salle?, p. 171.

LEUCODERMIE [løkɔdɛʀmi] n. f. — 1900, *in* D. D. L.; de *leuco-*, et *-dermie*.

♦ Méd. Dépigmentation, locale ou étendue, de la peau. ⇒ **Achromie, albinisme, hypochromie.**

LEUCOKÉRATOSE [løkokeʀatoz] n. f. — V. 1900, *Nouveau Larousse illustré*; de *leuco-*, et *kératose*.

♦ Méd. ⇒ **Leucoplasie.** *Leucokératose ou plaque nacrée des fumeurs.*

LEUCOLYSE [løkɔliz] n. f. ⇒ **Leucocytolyse.**

LEUCOMA [løkɔma; løkoma] ou **LEUCOME** [løkom] n. m. — 1701, *leucoma*; *leucome*, 1750; bas lat. *leucoma*, grec *leukoma*, de *leukoun* «rendre blanc», de *leukos*. → Leuco-.

★ **I.** Méd. Tache blanche sur la cornée de l'œil, provoquée par une plaie, une ulcération (⇒ **Albugo, néphélion**).

★ **II.** (Fin XIXe). Zool. Sous-genre de liparis comprenant des bombyx blanchâtres dont les chenilles dévastent les peupliers; insecte appartenant à ce sous-genre.

LEUCOMAÏNE [løkɔmain] n. f. — 1881, A. Gautier, d'après *Année sc. et industr.*, 1893, p. 260; de *leuco-*, et suff. chim. → Ptomaïne.

♦ Biol., méd. Substance azotée provenant du métabolisme des protides, présente dans les tissus vivants.

LEUCOME [løkom] n. m. ⇒ **Leucoma.**

LEUCONYCHIE [løkɔniki] n. f. — 1931; de *leuc-*, *onych(o)-*, et suff. *-ie*.

♦ Méd. Blancheur anormale, circonscrite ou diffuse, des ongles.

LEUCOPÉNIE [løkɔpeni] n. f. — 1906, *in Rev. gén. des sc.*, nº 1, p. 52; de *leuco-* (→ Leuco-, 2.), et grec *penia* «pauvreté».

♦ Méd. Diminution du nombre des leucocytes du sang. *Leucopénie infectieuse.*

DÉR. Leucopénique.

LEUCOPÉNIQUE [løkopenik] adj. et n. — XXᵉ; de *leucopénie.*

♦ Méd. Qui a un nombre de leucocytes inférieur à la normale. — N. Malade atteint de leucopénie.

LEUCOPHLEGMASIE [løkoflɛgmasi] n. f. — XVIᵉ; de *leuco-*, et *phlegmasie.*

♦ Méd., vx. Hydropisie sous-cutanée ou anarsaque.

LEUCOPLASIE [løkoplazi] n. f. — 1900, *in* D. D. L.; de *leuco-*, et *-plasie.*

♦ Méd. Transformation d'une muqueuse (spécialt, buccale ou linguale) qui se recouvre d'une couche dure, cornée, et prend une apparence blanchâtre (kératinisation). *La leucoplasie affecte les muqueuses à épithélium pavimenteux (larynx, vessie, organes génitaux, etc.), et principalement celles de la bouche (langue et face interne des joues).*

Les muqueuses, elles aussi, peuvent présenter d'autres atteintes *(dans la syphilis) :* l'épaississement nodulaire de la langue, prenant un aspect ficelé, la leucoplasie buccale, caractérisée par l'apparition de plaques blanc nacré plus ou moins étendues, sur lesquelles peut se greffer ultérieurement un cancer.
J. et H. PAYENNEVILLE, le Péril vénérien, p. 35.

LEUCOPOÏÈSE [løkopɔjɛz] n. f. — 1907, *Nouveau Larousse illustré, Suppl.*; de *leuco-*, et grec *poiêsis* «création, formation».

♦ Biol. ⇒ **Leucocytogenèse.**

DÉR. Leucopoïétique.

LEUCOPOÏÉTIQUE [løkopɔjetik] adj. — 1906, in *Rev. gén. des sc.*, nº 16, p. 758; de *leucopoïèse.*

♦ Biol. De la leucopoïèse.

LEUCORRHÉE [løkɔʀe] n. f. — 1784, *in* Bloch-Wartburg (1803, *in* T. L. F.); grec méd. *leukorrhein.*

♦ Méd. Écoulement vulvaire blanchâtre, parfois purulent (syn. cour. : *pertes* blanches*). *Leucorrhée provoquée par une métrite*.*

DÉR. Leucorrhéïque.

LEUCORRHÉÏQUE [løkɔʀeik] adj. — 1834; de *leucorrhée.*

♦ Méd. De la leucorrhée. *Un écoulement leucorrhéïque.*

LEUCOSARCOME [løkosaʀkom] n. m. — 1971, *Dict. de méd. et de biol.*, Manuila *et alii*; de *leuco-*, et *sarcome.* → Leuco-, 2.

♦ Pathol. Tumeur cancéreuse constituée par la prolifération d'un tissu ou organe où sont formés les leucocytes (ganglions lymphatiques, rate).

LEUCOSE [løkoz] n. f. — 1855, *Dict. de médecine*, Nysten-Littré-Robin; de *leuco-* (→ Leuc-, 2.), et 2. *-ose.*

♦ Méd. Prolifération leucocytaire (excès des fonctions de la moelle osseuse). *Leucoses des oiseaux. Leucose décelable par examen du sang.* ⇒ **Leucémie.**

LEUCOTOMIE [løkɔtɔmi] n. f. — Après 1935; de *leuco-*, et *-tomie.*

♦ Chir. Syn. de *lobotomie**.

LEUCOTRICHIE [løkɔtʀiki] n. f. — 1971, *Dict. de méd. et de biol.*, Manuila *et alii*; de *leuco-*, *trich(o)-*, et suff. *-ie.*

♦ Méd. Absence de pigmentation des cheveux, des poils. ⇒ **Albinisme, canitie.**

LEUDE [lød] n. m. — 1569, *leud* (E. Pasquier); *leudien*, XIVᵉ; bas lat. *leudes*, francique **leudi*, plur., «gens»; cf. all. *Leute.*

♦ Hist. Chez les Germains et les Francs, Grand vassal attaché à la personne du chef, du roi. ⇒ **Antrustion.** *Le roi et ses leudes. Le premier des leudes.* → 1. Palais, cit. 3.

J'ai parlé de ces volontaires qui, chez les Germains, suivaient les princes dans leurs entreprises (...) Tacite les désigne par le nom de compagnons (...) nos premiers historiens, par celui de leudes (...) MONTESQUIEU, l'Esprit des lois, XXX, XVI.

1. LEUR [lœʀ] pron. pers. invar. — V. 980, *loi*; lat. *illorum* «d'eux».

♦ Pronom personnel complément d'objet indirect de la troisième personne du pluriel des deux genres; pluriel de *lui.* → 2. Le (la, les) pron.; lui. À eux, à elles. *Vous leur fîtes beaucoup d'honneur* (cit. 68). *Les services que nous leur rendons* (→ Attacher, cit. 63). *Je le leur dirai. Nous leur en donnerons. Des manteaux qui leur tombent sur les talons. Demande-leur pardon, trouve quelque chose à leur avouer* (→ Fouiller, cit. 31). *Prêtez-la-leur.*

Un riche laboureur, sentant sa mort prochaine, 1
Fit venir ses enfants, leur parla sans témoins. LA FONTAINE, Fables, V, 9.

On leur a donné les chemises, 2
Les couvertures qu'il leur faut :
D'autres que vous les leur ont mises,
Elles ne leur tiennent pas chaud. SULLY PRUDHOMME, Solitudes, I.

REM. 1. Dans les cas d'attribution, *leur*, représentant des choses, s'emploie comme *lui*, là où *y* ne peut être utilisé. → Lui, y.

Je voyais de côté les joues d'Albertine qui souvent paraissaient pâles, mais ainsi, étaient arrosées d'un sang clair qui les illuminait, leur donnait ce brillant qu'ont certaines matinées d'hiver (...) 3
PROUST, À la recherche du temps perdu, t. V, p. 201.

2. *Leur* ne recouvre pas tous les emplois de *lui* sans préposition, mais seulement les emplois suivants : → Lui (I., 1. et 2.).

HOM. 2. Leur, leurre.

2. LEUR, LEURS [lœʀ] adj. et pron. poss. — V. 1050, *lor, lur*; de 1. *leur.*

♦ **1.** Adjectif possessif de la troisième personne des deux genres se rapportant à plusieurs possesseurs. Qui est (sont) à eux, à elles. *Les parents et leurs enfants. Les arbres perdent leurs feuilles. Ils aiment leur métier. C'est leur faute* (cit. 50). *Leur point de vue n'est pas le nôtre. Ils vont chacun de leur côté, chacun de son côté. Elles ont mis leur chapeau, leurs chapeaux.*

Les alouettes font leur nid 1
Dans les blés, quand ils sont en herbe (...) LA FONTAINE, Fables, IV, 22.

(...) elle sourit en voyant ses fils, ses deux grands fils, ôter leurs jaquettes et relever sur leurs bras nus les manches de leur chemise. 2
MAUPASSANT, Pierre et Jean, I.

Les lièvres n'ont pas quitté leur gîte (...) 3
L. PERGAUD, De Goupil à Margot, p. 19.

Les deux jeunes gens (...) semblaient ainsi, chacun à leur façon, s'incliner devant la sagesse collective. J. ROMAINS, les Hommes de bonne volonté, t. III, I, p. 24. 4

♦ **2.** Pron. poss. LE LEUR, LA LEUR, LES LEURS : celui, celle (ceux ou celles) qui est (sont) à eux, à elles. *Ma fille et la leur vont à l'école ensemble. C'est pour son profit et non pour le leur* (→ Gouverner, cit. 28). *Faites vous-même votre travail, ils ont assez du leur. Ils ont chacun* le sien, chacun le leur.*

Ils faisaient partie d'un monde autre que celui où j'allais entrer désormais. Le leur était le monde du travail et de la puissance. 5
H. DE RÉGNIER, Divers proverbes, p. 41.

Ta part de peine est petite auprès de la leur. 6
Ernest PÉROCHON, les Gardiennes, p. 23.

Spécialt. *Du leur :* de ce qui est à eux, à elles (→ Historien, cit. 1). *Ils y mettent* du leur.* ⇒ **Sien** (mettre du sien).

Les leurs : leurs parents, leurs compagnons, ceux qui appartiennent au même groupe social, au même parti... ⇒ **Sien.** *Ils vieillirent en paix parmi les leurs. J'étais un des leurs, un familier* (cit. 19). — Par ext. Chez eux, dans leur intimité. *Je fus des leurs dimanche dernier à dîner.*

(...) cet homme, qui n'était pas des leurs, qui ne portait l'estampille d'aucune de leurs écoles, et qui se permettait d'entraîner les foules à sa suite. 7
DANIEL-ROPS, Jésus en son temps, V, p. 266.

♦ **3.** Attribut. (XIIᵉ). Littéraire :

Les gens (...) imagineront difficilement la titillation de nos héros devant cette richesse qui était leur (...) J. DUTOURD, Au bon beurre, IV, III, p. 246. 8

HOM. 1. Leur; leurre.

LEURRE [lœʀ] n. m. — XVIᵉ; *loire*, 1202; soit d'un francique **lopr* «appât», soit (Guiraud) du lat. *loreus* «de cuir», de *lorum* «cuir».

♦ **1.** Techn. (fauconn.). Morceau de cuir rouge en forme d'oiseau auquel on attache un appât et qui sert à faire revenir le faucon sur le poing. *Dresser un oiseau au leurre.*

Son maître le rappelle, et crie, et se tourmente, 1
Lui présente le leurre, et le poing, mais en vain. LA FONTAINE, Fables, XII, 12.

(1769). Pêche et cour. Amorce factice munie d'un ou plusieurs hameçons (⇒ **Armement**, IV.).

(...) comment se fait-il que la truite refuse obstinément le leurre, s'il ne représente exactement la mouche de la rivière? 2
M. CONSTANTIN-WEYER, Source de joie, p. 30.

Appât utilisé pour la chasse.

Milit. Objet lancé dans l'atmosphère et destiné à simuler la présence de cible dans les détecteurs (radar, infrarouge, etc.). *Leurre de déception. Leurre de confusion.*

♦ **2.** (1580). Vieilli. [a] Artifice qui sert à attirer qqn pour le tromper. ⇒ **Amorce, appât** (cit. 1), **appeau, piège.** *« Il ne se laissera pas prendre à ce leurre »* (Académie).

3 Quand, ébloui de ce leurre, il aurait une fois consenti à ce qui vous touche, il importerait peu ensuite qu'il se désabusât (...) MOLIÈRE, l'Avare, IV, 1.

4 Et ce serait trop de plaisir pour lui de me reprendre deux fois au même leurre. SAINTE-BEUVE, Correspondance, 110, févr. 1830.

5 (...) vous voir berné sous mes yeux, et berné par ma faute, donnant dans un leurre que j'ai aidé à vous tendre. MONTHERLANT, le Maître de Santiago, III, 5.

b (XVIe). Mod. Ce qui abuse, trompe. ⇒ **Amusement** (vx), **duperie, illusion, imposture** (cit. 3), **tromperie.** *Ce projet, cet espoir n'est qu'un leurre. Leurres de dupes* (→ Incertitude, cit. 4). *Ce qui semblait un leurre devient parfois possible.*

6 (...) cet ultime contact entre les partis socialistes de France et d'Allemagne n'avait abouti à rien (...) La faillite était consommée. Le dogme de la solidarité internationale n'avait été qu'un leurre. MARTIN DU GARD, les Thibault, t. VII, p. 301.

DÉR. Leurrer (→ Délurer).
HOM. 1. Leur, 2. leur.

LEURRER [lœʀe] v. tr. — 1773; *loirier,* « instruire », v. 1220; *luirié* « rusé », v. 1119; de *leurre.*

♦ **1.** (Fin XIIIe). Faucon. Faire revenir (le faucon) en lui présentant le leurre. *Leurrer un faucon.*

♦ **2.** (1609; « attirer », 1415, sans aucune péjoration). Cour. Attirer (qqn) par des apparences séduisantes, des espérances vaines, tromper en donnant des illusions. ⇒ **Abuser, amuser, attraper, bercer, bluffer, décevoir** (vx), **duper, embabouiner** (vx), **endormir** (vx), **enjôler, flatter, mystifier, tromper** (→ aussi Donner le change*; mettre, foutre dedans*). *Leurrer qqn par des espérances évasives* (cit. 2). *Quelqu'un vous leurre, se joue, se moque de vous* (→ Chatouilleux, cit. 4). *Se laisser leurrer. Leurrer qqn sur qqch., à propos de qqch.* — (Sujet n. de chose). *L'espérance* (cit. 4) *leurre le présomptueux.* — (Compl. n. de chose; sujet n. de personne ou de chose). *Leurrer la faim, le besoin, l'espoir, les espoirs... de qqn.*

1 (...) quelques-unes de ces ordonnances indifférentes qui leurrent l'espoir du malade et maintiennent le crédit du médecin. ROUSSEAU, les Confessions, VI.

Au p. p. *Leurré par de belles promesses, il ne s'inquiétait pas.*

2 (...) les femmes n'obtiennent de vous qu'une considération dérisoire. Leurrées de respects apparents, dans une servitude réelle (...) BEAUMARCHAIS, le Mariage de Figaro, Préface.

3 (...) ils se donnèrent l'un à l'autre, sans souci de rien ni de la mort, enivrés, leurrés délicieusement par l'éternelle mirage de l'amour (...) LOTI, Pêcheur d'Islande, IV, VII.

▶ **SE LEURRER** v. pron. (1808; « se flatter de », 1637). Se faire des illusions. ⇒ **Illusionner** (s'). → fam. Se mettre le doigt* dans l'œil. *Se leurrer de... Se leurrer de vaines espérances. Se leurrer sur qqch. — Elle s'est bien leurrée en croyant réussir. — Il ne faut pas se leurrer. Ne nous leurrons pas, l'affaire sera difficile.*

4 À bout de résignation, il ne pouvait se leurrer davantage, le conseil repoussait chaque année la réparation du presbytère (...) ZOLA, la Terre, III, VI.

5 Mais combien de temps pourra-t-il se leurrer sur la nature de son attachement? MARTIN DU GARD, les Thibault, t. IV, p. 25.

CONTR. Désabuser, détromper.

LEV [lɛv], plur. **LEVA** [leva] n. m. — 1922; mot bulgare.

♦ Unité monétaire bulgare.

HOM. Lève; formes du v. lever.

1. LEVADE [l(ə)vad] n. f. — 1875, *pré de levade;* cf. anc. provençal *levada* « levée de terre, digue »; de 1. *lever.*

♦ Régional (Centre). Pré, terrain situé sur une hauteur (dit *levée* dans d'autres régions).

2. LEVADE [l(ə)vad] n. f. — Attesté XXe; de 1. *lever* (I., 2.).

♦ Équit. Saut d'école dans lequel le cheval, élevé du devant, est assis sur les jarrets. *« La levade, c'est-à-dire l'enlèvement de l'avant-main sur les hanches complètement ployées, le cheval assis sur les jarrets »* (H. Aublet, *l'Équitation,* p. 31). *La levade est l'une des figures de l'École de Vienne.* — Air de manège sur lequel cette figure s'exécute.

LEVAGE [l(ə)vaʒ] n. m. — 1660; « droit sur les bestiaux », 1289; de 1. *lever.*

♦ **1.** Action de lever, de soulever; résultat de cette action. (Rare). *Le levage d'un fardeau.* — Cour. *Levage et manutention des fardeaux.* ⇒ **Chargement.** *Appareils de levage.* ⇒ **Ascenseur, bigue, cabestan, chargeur** (2.), **chèvre, cric, derrick, élévateur, escalier** (roulant), **grue, monte-charge, moufle, palan, plan** (incliné), **pont** (roulant), **portique, poulie, sapine, transporteur, treuil, vérin...** *Mât de levage.*

Spécialt. Élévation et mise en place des gros ouvrages de charpente.

♦ **2.** (1790, pour l'ébullition; pour la fermentation, 1893). Techn. Le fait de lever par la fermentation, l'ébullition... *Levage de la pâte.*

♦ **3.** Fam. Action de « lever » une femme.

(...) le lundi matin, il racontait ses « levages » aux copains. J. CAU, la Pitié de Dieu, p. 24.

♦ **4.** *Levage des impôts :* fait de lever des impôts, d'en déterminer le montant et de le percevoir.

♦ **5.** *Levage de sort :* fait de « lever », de faire cesser un mauvais sort.

♦ **6.** (1873). Fait d'enlever le poisson pour le livrer aux acheteurs.

LEVAIN [l(ə)vɛ̃] n. m. — V. 1176; lat. *levamen* « soulagement », que l'on suppose avoir signifié « levain » en lat. vulg.; de *levare.* → 1. Lever.

♦ **1. a** Pâte de farine qu'on a laissée fermenter ou qu'on a mélangée de levure*. *On emploie le levain en boulangerie* pour faire lever* le pain*.* — Loc. *Pain sans levain.* ⇒ **Azyme.**

Un peu de levain et toute la pâte fermente. 1
BIBLE (JÉRUSALEM), Épître aux Galates, V, 2.

Dans la pâte qui sera le pain, la masse est inerte; mais cela seul compte qui transforme cette masse même en autre chose, lui impose sa saveur, sa forme nouvelle : le levain. DANIEL-ROPS, Ce qui meurt..., p. 38. 2

b (1690). Levure. *Levain de bière. Levain doux. Levain lactique.*

♦ **2.** (V. 1190). Fig. *Un levain (de...) :* chose capable d'exciter*, d'aviver (les sentiments, les passions, les idées). ⇒ **Ferment, germe.** *Un levain ardent, empoisonné* (cit. 22). *Un levain d'amertume, de rancune, de haine, de vengeance, d'orgueil* (→ Fureur, cit. 33). — Relig. *Le mauvais levain :* le levain du péché. — *Levain d'héroïsme, de vertu. Un levain de progrès.*

Sur le mot de la *Genèse,* VIII : la composition du cœur de l'homme est mauvaise dès son enfance (...) Ce mauvais levain est mis dans l'homme dès l'heure où il est formé (...) Ce mauvais levain a sept noms dans l'Écriture (...) PASCAL, Pensées, VII, 446. 3

Cette nouvelle réveilla toutes les idées qui me l'avaient dicté *(le Discours sur les sciences et les arts),* les anima d'une nouvelle force, et acheva de mettre en fermentation dans mon cœur ce premier levain d'héroïsme et de vertu que mon père, et ma patrie, et Plutarque, y avaient mis dans mon enfance. ROUSSEAU, les Confessions, VIII. 4

(...) c'est le moyen de ne laisser germer dans mon cœur aucun levain de vengeance ou de haine (...) ROUSSEAU, Rêveries..., 7e promenade. 5

Toutefois, aux minutes de crise, ce mélange d'hommes n'est plus qu'une pâte confuse, travaillée par des levains contradictoires, une pâte où toutes vertus dégénèrent. G. DUHAMEL, Récits des temps de guerre, IV, I. 6

Loc. *Être du même levain que qqn,* de la même nature (⇒ **Trempe**).

LEVALLOISIEN, IENNE [ləvalwazjɛ̃, jɛn] adj. et n. m. — XXe (1932, *in* T. L. F.); de *Levallois-Perret.*

♦ Didact. Se dit de l'industrie et de la culture du paléolithique moyen. ⇒ **Moustérien.** *Éclats levalloisiens :* éclats de pierre larges et plats. — N. m. *Le levalloisien.*

Au sommet de son évolution, qui est depuis longtemps déjà réalisée au temps des Néanderthaliens, la technique levalloisienne représente ce que l'humanité a créé de plus élaboré pour la fabrication des outils de silex. A. LEROI-GOURHAN, le Geste et la Parole, t. I, p. 144-145.

LEVANT [ləvɑ̃] adj. et n. m. — V. 1080, adj.; de 1. *lever.*

★ **I.** Adj. Qui se lève, en parlant du soleil. *Soleil* levant. Au soleil levant :* à l'aurore*.

(...) le soleil levant avait lentement dissipé ces vapeurs blanches et légères qui, dans les matinées de septembre, voltigent sur les prairies. BALZAC, les Chouans, Pl., t. VII, p. 772. 1

(...) dans la clarté douteuse de cette lune levante, ils *(les lièvres)* ont parfois l'air de danser une danse nocturne (...) L. PERGAUD, De Goupil à Margot, p. 110. 2

Figuré :

Là des hommes qui (...) adoraient le soleil levant, la faveur naissante (...) 3
BOSSUET, 2e sermon pour le jour de Pâques, III.

★ **II.** N. m. (V. 1265). ♦ **1.** Côté de l'horizon où le soleil se lève. ⇒ **Est, orient.** *Se tourner vers le levant. Du levant au couchant.*

Du levant au couchant, du More jusqu'au Scythe, 4
Les peuples vanteront et Bérénice et Tite (...)
CORNEILLE, Tite et Bérénice, V, 5.

♦ **2.** (1528). Vieilli. *Le Levant :* les pays, les régions qui sont au levant (par rapport à la France), et, spécialt, les régions de la Méditerranée orientale (on dit plutôt de nos jours *Proche-Orient, Moyen-Orient*). *Habitants, peuples du Levant.* ⇒ **Levantin.** *Les échelles* du Levant.*

Anc. *La flotte du Levant,* de la Méditerranée (opposée à la flotte du *Ponant,* des côtes atlantiques : Océan, Manche, mer du Nord).

5 Sont les filles de La Rochelle
Qu'ont armé un bâtiment
Pour aller faire la course
Dans les mers du Levant
Ah la feuille s'envole (...) (Chanson de marins).

♦ **3.** (1343). Vent d'est, par oppos. au *ponant.*

CONTR. Couchant. — Occident, ouest. — Ponant.
DÉR. Levantin, levantine.

LEVANTIN, INE [ləvɑ̃tɛ̃, in] adj. et n. — 1575; de *levant.*

♦ Vx ou péj. Qui est originaire des côtes de la Méditerranée orientale. *Les peuples levantins. Costume levantin.* — N. *Un Levantin, les Levantins.*

Les Levantins en leur légende
Disent qu'un certain rat (...) LA FONTAINE, Fables, VII, 3.

REM. L'adj., comme le nom, semble avoir acquis au XIXe s. et surtout à la fin du XXe des connotations péjoratives, liées à l'intolérance raciste et à la xénophobie : *«cet air levantin, lourd, flasque, huileux, qu'on voit partout sur les rives de la Méditerranée»* (J. et J. Tharaud, *la Fête arabe, in* T. L. F.)

LEVANTINE [ləvɑ̃tin] n. f. — 1744; de *levant.*

♦ Anciennt. Étoffe de soie unie (en usage notamment de 1830 à 1870).

1 Madame Grandet mettait constamment une robe de levantine verdâtre, qu'elle s'était accoutumée à faire durer près d'une année (...)
BALZAC, Eugénie Grandet, Pl., t. III, p. 499.

2 Le lit était un grand lit d'acajou en forme de nacelle. Les rideaux de levantine rouge, qui descendaient du plafond, se cintraient trop bas près du chevet évasé (...)
FLAUBERT, Mme Bovary, Folio, p. 345.

LÈVE [lɛv] n. f. — 1611, «pièce du jeu de mail»; cf. *lesve,* 1242, «impôt»; de 1. *lever.*
Technique.

♦ **1.** (1788; *levée,* dans ce sens, 1765). Pièce de bois servant à soulever (le pilon du moulin à poudre, etc.).

♦ **2.** (1873). Genre de tissage où le travail s'effectue par le mouvement ascendant des lices.

HOM. Lev, formes du v. **lever.**

LEVÉ [l(ə)ve] n. m. — 1534, «levée (aux cartes)»; p. p. substantivé de 1. *lever.*

♦ **1.** (1666). Vx. ⇒ 2. **Lever** (2.).

1 (...) je viens du Louvre, où Cléonte, au levé,
Madame, a bien paru ridicule achevé. MOLIÈRE, le Misanthrope, II, 4.

♦ **2.** (1867). Mus. Mod. Action de lever la main, le pied, en battant la mesure; temps sur lequel on lève la main, le pied (par oppos. au *frappé*).

♦ **3.** (1832). *Levé* ou *lever :* action de lever, de dresser un plan*, le plan (de qqch.); le plan lui-même (⇒ **Arpentage, géodésie, topographie**). *Levé au mètre; à la chaîne et au graphomètre, à la chaîne et à la boussole; à la planchette. Levés de terrain. Levé par triangulation. Levé d'itinéraire, de construction, de machines.*

2 Du 19 au 25 février, le cercle des investigations fut étendu à toute la région septentrionale de l'île Lincoln, dont les plus secrets réduits furent fouillés. Les colons en arrivèrent à sonder chaque paroi rocheuse, comme font des agents aux murs d'une maison suspecte. L'ingénieur prit même un levé très exact de la montagne, et il porta ses fouilles jusqu'aux dernières assises qui la soutenaient.
J. VERNE, l'Île mystérieuse, t. II, p. 765.

♦ **4.** ⇒ 1. **Lever** (p. p.).

HOM. Levée, 1. lever, 2. lever.

LÈVE-BLOCS [lɛvblɔk] adj. invar. — Mil. XXe; de *lève-* (→ 1. Lever), et *bloc.*

♦ *Chariot lève-blocs.* ⇒ **Bardeur,** 2.

LÈVE-CUL (À) [alɛvky] loc. adv. — 1599; de 1. *lever,* et *cul.*

♦ Vx (langue class.) et fam. En se levant (d'une place assise). *Jouer à lève-cul,* celui qui perd se levant et étant remplacé.

LEVÉE [l(ə)ve] n. f. — Fin XIIe, «action de recueillir»; «impôt», XIIIe; de 1. *lever.*

★ **I.** Chose levée, soulevée ou qui soulève. ♦ **1.** (1269; «digue», 1536). Remblai (de terre, de pierres, de maçonnerie). ⇒ 2. **Banque** (régional), 2. **banquette, chaussée** (2.), **digue, turcie** (vx). *Levée servant de berge artificielle, de chemin à travers un marais, retenant les eaux d'un lac...* ⇒ **Hydraulique; banc** (III.). *Levée du chemin* (cit. 8) *de fer.*

Une cassure de roc a favorisé la construction d'une rampe qui arrive en pente douce sur la *levée,* nom donné dans le pays à la digue établie au bas de la côte pour maintenir la Loire dans son lit, et sur laquelle passe la grande route de Paris à Nantes. BALZAC, la Grenadière, Pl., t. II, p. 183. 1

À travers les étangs partait une levée de terre qui occupait les eaux et se perdait derrière des arbustes. Elle aboutissait à un îlot, invisible du bord. 2
H. BOSCO, Hyacinthe, p. 27.

(V. 1960). Géol. *Levée alluviale :* alluvions formant un bourrelet le long du lit d'un cours d'eau (ex. : accroissement de la rive connexe des méandres). — *Levée de galets :* bancs de galets qui se forment près de la côte.

♦ **2.** Techn. (horlog.). Pièce (rubis) fixé sur l'ancre* d'échappement et recevant les impulsions de la roue d'échappement. *Levée d'entrée, de sortie.* — Syn. : *palette.*

★ **II.** Action de lever. **A.** (→ Lever, I.). ♦ **1.** (1530). Vx. Action de lever (1. Lever, I., A., 1.), de faire mouvoir vers le haut. — Vx. Action, fait de se lever (du lit, de table).

Sachez émouvoir le spectateur dès la levée de la toile. 3
D'ALEMBERT, Éloge de La Motte.

Loc. (V. 1389). Mod. *Levée de boucliers** (*supra* cit. 5). ⇒ **Révolte** (→ Exclusif, cit. 8).

(...) les sommes (...) destinées (...) à se procurer des armes et des munitions pour opérer une levée de boucliers. 4
BALZAC, Mme de La Chanterie, Pl., t. VII, p. 305.

♦ **2.** (1679, en dr.). Didact. Action d'enlever, de retirer (→ 1. Lever. I., B.). *La levée d'un appareil chirurgical.* Dr. *Levée du scellé, des scellés** (→ Inventaire, cit. 1). — (1690). Cour. *La levée du corps** (*supra* cit. 10) : l'enlèvement* du corps à la maison mortuaire; cérémonie religieuse qui s'y déroule devant le cercueil. *La levée du corps est la première cérémonie du rite des funérailles chrétiennes (Dict. de liturgie romaine).* — Par ext. *Levée d'un siège*, d'un blocus* (contr. : *investissement*). *Levée de séance**. — (1842). *Levée d'écrou**. ⇒ **Libération.**

Absolt. *La levée* (selon les contextes) : levée des scellés, du corps, etc.

Il causait avec le cocher et le croque-mort. Le cocher dit à la bonne : On est un petit peu en avance, la levée est à sept heures et demie. 5
Jean GENET, Pompes funèbres, p. 62.

(1549). Le fait de lever, de supprimer. ⇒ **Suppression.** *Levée d'une punition, des arrêts*... Levée d'un obstacle, d'une opposition.* — *La levée du blocus, du siège.*

Pourquoi la levée d'une douleur apporte-t-elle moins de joie que la fin d'une joie ne cause de peine? C'est que dans le chagrin tu songes au bonheur dont il te prive, tandis qu'au sein du bonheur, il ne t'arrive point de songer aux douleurs qui te sont épargnées; c'est qu'il t'est naturel d'être heureux. 6
GIDE, les Nouvelles Nourritures, *in* Romans, Pl., p. 259.

Techn. (presse). *Levée de l'embargo :* autorisation de diffuser une information qui avait été retenue pour des raisons de sécurité.

Dr. *Levée d'option,* action de la confirmer (en se portant fermement acquéreur, vendeur).

Spécialt (psychan.). *Levée des défenses*, des résistances**. → Lever, cit. 19.1 et *supra.*

♦ **3.** (Dans quelques emplois; → 1. Lever, I., B., 3.). [a] Action de ramasser*, de recueillir*, de prélever. *La levée des grains, des fruits* (vieilli). — Par ext. ⇒ **Récolte.** *Levée des impôts, des impositions.* ⇒ **Collecte** (1.), **perception** (→ Convocation, cit. 1; exiger, cit. 22).

[b] (1808). Spécialt. Action de retirer les lettres* de la boîte* publique où elles ont été jetées (⇒ **Poste**). *La levée du matin est faite. Heures des levées.* — Par ext. Les lettres recueillies à chaque levée.

[c] (1680). Action de prendre, de ramasser les cartes lorsqu'on gagne un coup. — Par ext. Les cartes elles-mêmes. ⇒ **Main, pli** (→ Écarté, cit.). *Ne faire aucune levée.* ⇒ 3. **Capot.** *On appelle «odd trick» la septième levée au whist.*

[d] Comm. *Levée de compte :* prélèvement effectué par un commerçant sur sa propre caisse. — Dr. *Levée de jugement :* «acte par lequel une partie qui a obtenu un jugement s'en fait délivrer une copie par le greffier» (Capitant).

[e] (1559). Action d'enrôler, de recruter des soldats, des troupes. ⇒ **Enrôlement.** *Levée de recrues*. Levée en masse* (→ Arrière-ban, cit. 1). — Par ext. ⇒ **Appel** (aux armes). — Fig. *Une levée de concurrents* (→ Gastronomique, cit. 3).

Techn. Récolte des vers à soie.

B. → Lever, II. (1691). Mar. (Techn.). Fait de se soulever, de lever. Spécialt. Fermentation panaire (syn : *pousse*). — Mar. Soulèvement des lames de la mer.

Les quatre wharfs de Rufisque prennent racine dans le sable même de la plage, 7

à une hauteur suffisante pour échapper aux effets des levées ordinaires. Quant à la marée, elle est presque insignifiante, sur ces côtes-là.
J.-R. BLOCH, Cacaouettes et Bananes, p. 46.

CONTR. Chute. — Nivellement.
HOM. Levé, 1. **lever,** 2. **lever.**

LÈVE-GLACES [lɛvglas] n. m. invar. — V. 1980; de 1. *lever,* et *glace.*

♦ Dispositif commandant l'ouverture et la fermeture des glaces d'une voiture. *Lève-glaces électrique, à manivelle.* — REM. On trouve aussi *lève-vitres.*

1. LEVER [l(ə)ve] v. — Conjug. *geler.* — V. 980; lat. *levare.*

★ **I.** V. tr. **A.** ♦ **1.** Faire mouvoir de bas en haut*. ⇒ **Élever, hausser** (3.), **soulever.** *Lever un fardeau, un poids** (→ Force, cit. 59). *Lever une caisse avec une grue.* ⇒ **Enlever, guinder** (1.), **hisser.** *Appareil servant à lever les fardeaux.* ⇒ **Levage** (appareils de), **levier.** *Lever les glaces d'une voiture,* les fermer (→ Lève-glaces). — *Lever (qqch.) de terre.* — *Le prêtre lève l'hostie après la consécration.*

1 Pendant cinquante ans il avait levé le marteau sur l'enclume (...)
Ch.-L. PHILIPPE, le Père Perdrix, I, I.

(1874). *Lever son verre :* (spécialt) porter un toast (→ Brinder, cit.; 1. flûte, cit. 6).
*Lever l'ancre** (cit. 3), la soulever pour appareiller. *Lever les lofs, une garcette...* — Pêche. *Lever les filets.* — Loc. LEVER L'ANCRE : appareiller; partir (d'un bateau).

2 Ô Mort, vieux capitaine, il est temps! levons l'ancre!
BAUDELAIRE, les Fleurs du mal, CXXVI, VIII.

Fig. *Lever l'ancre :* partir, s'en aller (d'abord en parlant de ce qui est assimilé à un navire). Fam. *Allez, on lève l'ancre :* on s'en va.

2.1 À peine achevait-il ces mots, qu'un craquement effroyable se fit entendre. La plaine de glace se brisa tout entière, et les matelots durent se cramponner au bloc qui oscillait auprès d'eux. En dépit des paroles du timonier, ils se trouvaient dans une position excessivement périlleuse, car un tremblement venait de se produire. Les glaçons venaient «de lever l'ancre», suivant l'expression des marins.
J. VERNE, Un hivernage dans les glaces, p. 259.

Loc. *Lever la toile :* au théâtre, Soulever le rideau.

♦ **2.** (Fin XVIe). Mettre plus haut, soulever (une partie du corps). *Lever les bras d'un noyé* (pour pratiquer la respiration artificielle). (En parlant de son propre corps). *Lever la main* pour prêter serment*. Levez la main droite et dites : «Je le jure». Lever les mains au ciel pour invoquer les dieux* (→ Fétiche, cit. 2). *Levez les mains!* (→ Haut* les mains!). *Lever le poing en signe de menace, de malédiction* (→ Bracelet, cit. 1). *Il lève le poing* (cit. 9) *pour le salut du Front populaire.* — (1538). *Lever la main, le poing sur qqn,* pour le battre*, le frapper* (→ Énergumène, cit. 3). *Lever les bras* au-dessus de sa tête, en l'air* (→ Amphore, cit. 2). — Loc. (1752). *Lever les bras au ciel,* en signe d'indignation, d'étonnement, d'impuissance. — *Lever le coude pour se protéger des coups* (→ Garer, cit. 5). — (1867). *Lever le coude*.* ⇒ **Boire.** — *Lever les épaules** (*supra* cit. 23). ⇒ **Hausser.** — *Lever le doigt, l'index* (cit. 3). *Ne pas lever le petit doigt* pour* (faire telle ou telle chose). — *Lever la jambe* (→ Girl, cit. 2). *Lever le pied* (de l'accélérateur) : ralentir. *Lever le pied*.* ⇒ **Déguerpir, enfuir** (s'). — *Chien qui lève la patte*.*

3 Ce sera un homme fier et sauvage; il lèvera la main contre tous, et tous lèveront la main contre lui *(Ismaël...)* BIBLE (SACY), Genèse, XVI, 12.

4 (...) je ne voudrais pas jurer que quelques-uns de ces maudits chiens ne levassent la jambe (...) SCARRON, le Roman comique, I, XV (→ Jambe, cit. 28).

5 (...) sa mère sur qui Tonsard n'a pas levé la main, tant il a peur de lui voir lever le pied! BALZAC, les Paysans, Pl., t. VIII, p. 70.

6 Je n'aurais jamais levé le petit doigt pour la faire partir, la pauvre vieille.
MARTIN DU GARD, les Thibault, t. V, p. 209.

7 Un gouvernement désemparé, qui ne sait répondre aux questions et aux objurgations qu'en levant les bras au ciel.
J. ROMAINS, les Hommes de bonne volonté, t. V, XXIV, p. 231.

8 Il garde les mains dans ses poches, elles sont lourdes comme du plomb. «Lever les mains!» Un Allemand le vise avec un fusil. Il rougit, ses mains se lèvent lentement, les voilà en l'air au-dessus de sa tête : ils me paieront ça avec du sang.
SARTRE, la Mort dans l'âme, p. 199.

Par ext. Diriger, orienter vers le haut (la tête, une partie de la tête). ⇒ **Dresser, redresser, relever.** *Lever la tête*, le front*.* — (1541). Par plais. *Lever la crête** (*supra* cit. 2). Par métaphore. *Ville, mont qui lève une tête altière* (cit. 3). *Lever un front* (cit. 8) *séditieux.* — *Lever la tête, le visage pour regarder qqn, qqch.* (→ Cercle, cit. 4; gratitude, cit. 4). — (1611). Fam. *Lever le nez* (→ Humer, cit. 9) : lever la tête pour regarder qqch.

9 Mais Hippolyte, alors, levant sa jeune tête (...)
BAUDELAIRE, les Épaves, Pièces condamnées, III.

Lever les yeux, pour regarder (qqn, qqch.). ⇒ **Regarder** (→ Gonfler, cit. 12; impression, cit. 32). *Lever les yeux pour voir. Travailler sans lever les yeux,* sans se laisser distraire. *N'oser lever les yeux; sans lever les yeux* (→ Humilité, cit. 5). *Lever les yeux au ciel,* pour implorer Dieu, exprimer son espoir (→ Espérance, cit. 9), sa détresse (→ Briller, cit. 10), son impatience... *Elle leva vers lui ses yeux suppliants* (→ Inconscient, cit. 6). *Elle leva sur lui son beau regard* (→ Bouger, cit. 3). — Fig. *Lever les yeux sur* (une chose que l'on désire). ⇒ **Aspirer** (à), **prétendre** (à).

Que sur Aménaïde il ait levé les yeux, 10
Qu'il ait osé prétendre à s'unir avec elle? VOLTAIRE, Tancrède, III, 1.

♦ **3.** (V. 1265). Relever (qqch.) de façon à découvrir ce qui se trouve derrière, ou dessous. ⇒ **Soulever.** *Lever un coin de vêtement* (→ Asseoir, cit. 11, La Fontaine). *Femme qui lève son voile.* — Loc. fig. (1873). *Lever le voile*, un coin de voile.* ⇒ **Découvrir, dévoiler** (→ Hiérophante, cit. 3). — (1629). *Lever le masque*.* ⇒ **Démasquer.** — (1835). *Lever le rideau* pour faire apparaître la scène.* ⇒ 2. **Lever.**

(...) être souvent réduite à emprunter une jupe pour aller se la faire lever par un 11
homme dégoûtant (...) VOLTAIRE, Candide, XXIV.

J'employai toutes les forces de ma volonté pour pénétrer encore le mystère dont 12
j'avais levé quelques voiles. NERVAL, la Bohème galante, p. 352.

Hippolyte rêvait aux caresses puissantes 13
Qui levaient le rideau de sa jeune candeur.
BAUDELAIRE, les Épaves, Pièces condamnées, III.

♦ **4.** Rendre (qqch.) vertical ou plus proche de la position verticale. ⇒ **Dresser** (I.), **redresser, relever.** *Lever une échelle. Lever un pont-levis*. Lever un drapeau.* (Fin XVIIe). Fig. *Lever la bannière*, l'étendard** (cit. 8) *de la révolte... :* donner le signal de la lutte*, de la révolte*.

Tout le quartier dormait profondément, en sorte 14
Qu'il leva lentement le marteau de la porte.
A. DE MUSSET, Premières poésies, «Mardoche», L.

(XIIIe). Compl. n. de personne. *Lever un malade sur son séant.* — (Mil. XVIe). Faire sortir du lit et préparer. *Lever un enfant* (→ ci-dessous, Se lever; et aussi habiller, cit. 1).

♦ **5.** (V. 1175). Faire sortir de son gîte, faire partir (un animal sauvage). *Lever un lièvre*, une perdrix.*

Ces perdrix, je les lève d'abord dans une éteule, puis je les relève dans une luzerne, 15
puis je les relève dans un pré, puis le long d'une haie (...)
J. RENARD, Histoires naturelles, «Les perdrix».

(1663). Fig. *Lever un lièvre :* soulever un problème embarrassant.

(1776). Par anal. Fam. Séduire et entraîner avec soi. ⇒ **Faire** (*supra* cit. 29), **soulever.** *Lever une femme.*

Elle s'examina de trois quarts, puis de côté, puis de dos dans la glace. — 16
Par exemple, à cette heure-ci, je suis sûre de lever sur mon passage pas mal de suiveurs.
FRANCE, l'Anneau d'améthyste, XV, Œuvres, t. XII, p. 203.

Paul montrait un teint clair, une peau de femme à «lever» toutes les femmes et 16.1
qu'il devait à ses habitudes d'hygiène chic.
Alphonse DAUDET, l'Immortel, p. 200.

♦ **6.** (1596). Établir avec soin. ⇒ **Dresser** (I., 3.). *Lever une carte* (cit. 15), *un plan*.* ⇒ **Dessiner** (→ Arpenter, cit. 1; graisseux, cit. 1; graphomètre, cit. 1).

Des ingénieurs levaient des cartes dans tout l'empire (...) 17
VOLTAIRE, Hist. de l'Empire de Russie, II, VI.

B. (Idée de prise. → Prélever). ⇒ **Enlever, retirer.** ♦ **1.** (1690). Vx ou didact. Ôter d'un lien. *Le chirurgien a levé le premier appareil* (Académie). ⇒ **Ôter.**

(1690). Techn. Ôter (une plante) de la terre avec ses racines. *Lever une fleur, un arbre.*

Cour. *Lever le corps* (d'un défunt), à la maison mortuaire. ⇒ **Levée** (II., 2.). — *Lever les lettres* (en parlant des postiers), les retirer de la boîte postale où elles ont été déposées. — *Lever les scellés*.*

Par anal. — (1564). *Lever le camp** (cit. 6). ⇒ **Décamper.** — *Lever le blocus** (cit. 1), *le siège*. Lever la séance*, l'audience*.* ⇒ **Clôturer; clore** (→ Allégation, cit. 2).

♦ **2.** Faire cesser, faire disparaître. ⇒ **Supprimer.** *Lever une interdiction* (→ Inconscient, cit. 10), *une punition. Lever les arrêts*, la consigne*. Lever l'interdit*. Lever une condamnation, une excommunication*.* — ⇒ **Aplanir, écarter.** *Lever les obstacles* (→ Inventer, cit. 1), *les difficultés** (→ Incident, cit. 13). *Lever un empêchement, une opposition. Lever un scrupule* (→ Art, cit. 9). *Lever un doute, une ambiguïté.*

Horace Bianchon leva toutes les difficultés à ce sujet, et ne recula devant 18
aucune (...) BALZAC, Illusions perdues, Pl., t. IV, p. 656.

Quand on a des doutes, on les lève; quand on manque de preuves, on se tait (...) 19
A. DE MUSSET, le Chandelier, I, 1.

Psychan. *Lever les résistances, les contrôles,* les faire tomber (par l'action du travail psychanalytique, par l'effet d'une substance chimique).

Psychothérapie sous narcose. — Sous le nom de «narco-analyse», on désigne un 19.1
procédé thérapeutique dont le but est de faire une sorte de psychanalyse accélérée ou brusquée; l'introduction d'une drogue dans l'organisme, en levant certains contrôles, permet l'extériorisation de tendances, d'émotions et de souvenirs qui ne se manifesteraient pas autrement. Daniel LAGACHE, la Psychanalyse, p. 109.

♦ **3.** [a] Idée de prendre, de prélever. (V. 1270). Vieilli. Prendre (une partie) sur un tout. ⇒ **Prélever.** *Lever tant de mètres sur une pièce d'étoffe* (⇒ **Couper, découper**). *Lever une cuisse, une aile de poulet.*

20 (...) je jetai quelques regards nonchalants sur un poulet d'assez bonne mine, dont je levai nonchalamment aussi les deux ailes (...)
MARIVAUX, le Paysan parvenu, III, p. 171.

20.1 Madame Coquenard tira le plat à elle, détacha adroitement les deux grandes pattes noires, qu'elle plaça sur l'assiette de son mari (...) trancha le cou, qu'elle mit avec la tête à part pour elle-même, leva l'aile pour Porthos (...)
A. DUMAS, les Trois Mousquetaires, t. II, p. 396.

(1723). Typogr. *Lever la lettre** (I., 3.).

b (1680). Jeux. *Lever les cartes,* ou, absolt, *lever :* ramasser les cartes du coup qu'on a gagné et les mettre en paquet devant soi. ⇒ **Levée.**

c Dr. *Lever une option** : accepter le contrat. — Bourse. *Lever la prime :* devenir acheteur ferme, dans les opérations à primes ou à options. — *Lever des titres,* les payer à la liquidation lorsqu'on s'en est porté acquéreur (opposé à *faire reporter*).

d (XIIIe). Fig. et cour. *Lever un tribut, des taxes*, des impôts* (cit. 5), *la dîme.* ⇒ **Percevoir, recueillir** (→ Énumérer, cit. 1).

e (Fin XVe). *Lever une armée, des troupes.* ⇒ **Enrôler, faire** (vx; *supra* cit. 29), **mobiliser, recruter** (→ Armer, cit. 11; 1. contre, cit. 21; coutumier, cit. 9). *Cet État peut lever et armer* un million d'hommes.*

21 Tout prince qui lève trop de soldats peut ruiner ses voisins, mais il ruine sûrement son État.
VOLTAIRE, Dict. philosophique, Âge.

22 (...) des troupes armées qui faisaient rentrer l'argent du fisc comme on lève une contribution de guerre (...)
ZOLA, la Terre, I, V.

♦ **4.** Techn. (horlog.). Façonner (certaines pièces) en enlevant de la matière. *Lever un pivot.*

★ **II.** V. intr. (XIIIe; «se mettre debout», v. 1155). Se mouvoir vers le haut. ⇒ **Dresser** (se), **monter.**

♦ **1.** Commencer à sortir de terre (plantes). ⇒ **Pousser** (→ Épi, cit. 4). *Le blé qui lève,* roman de R. Bazin (1907). — Par ext. :

23 À l'époque traditionnelle des fauchaisons, les prairies levèrent à peine : l'œil n'apercevait que des gazons maigres au lieu de hautes graminées.
J. TAILLEMAGRE, Peine des hommes, *in* le Monde, 20 nov. 1956.

Figuré :

24 La semence de la vertu lève difficilement.
ROUSSEAU, Émile, I, 24.

25 Le cycle imperturbable de l'année ne doit pas nous enseigner une sérénité paresseuse. Aucune récolte ne lève toute seule.
J. ROMAINS, les Hommes de bonne volonté, t. IV, XXIII, p. 255.

♦ **2.** (1256; le sujet désigne la pâte). Se gonfler sous l'effet de la fermentation. ⇒ **Fermenter** (1.). *Le levain*, la levure fait lever la pâte. Faire lever la pâte plus rapidement avec un améliorant*.*

25.1 (...) le lendemain au déjeuner une magnifique miche, un peu compacte peut-être, quoique levée avec de la levure de bière, figurait sur la table de Granite-House. Chacun y mordait à belles dents, et avec quel plaisir, on le comprend de reste!
J. VERNE, l'Île mystérieuse, t. II, p. 536.

♦ **3.** (V. 1160). Fig. *Le cœur lève (à qqn),* se soulève. *Le cœur lui lève :* il ressent un dégoût profond, il a la nausée. *« C'est votre société politique entière qui nous fait lever le cœur »* (Camus).

▶ **SE LEVER** v. pron. (1080, «s'élever»). **A.** Passif. Pouvoir être levé, soulevé. *Cette charge se lève sans difficulté.*

B. (1694). Réfléchi. ♦ **1.** (Choses). *Bras, mains qui se lèvent. Les yeux s'étaient levés vers le haut* (cit. 91) *de l'église. Le rideau se lève.*

26 (...) le rideau venait de se lever sur le troisième acte (...)
G. DUHAMEL, Chronique des Pasquier, VII, XXV.

♦ **2.** (XIIe). Personnes. Se mettre debout*, se dresser sur ses pieds (→ Cri, cit. 13). *Se lever de son fauteuil, de son siège* (→ Grandeur, cit. 15; imperceptible, cit. 11). *Cavalier qui se lève sur ses étriers. S'asseoir* (cit. 14) *et se lever. Se lever pour prononcer un discours. Se lever par respect* (→ Édifier, cit. 13), *pour saluer* (→ Inclination, cit. 23), *pour applaudir* (→ Honneur, cit. 66). *Boxeur qui se lève au coup de gong* (cit. 6).

27 Lequel est plus aisé de dire : Vos péchés vous sont remis, ou de dire : Levez-vous et marchez?
BIBLE (SACY), Évangile selon saint Matthieu, IX, 5.

Allusion littéraire :

28 Les grands ne nous paraissent grands que parce que nous sommes à genoux : levons-nous!
Épigraphes des Révolutions de Paris, Journal de L.-M. PRUDHOMME, *in* P. LAROUSSE.

Par ext. *Se lever de table :* se lever de son siège, sortir* de table (→ 1. Écot, cit.).

♦ **3.** (XIIIe). Personnes. Sortir de son lit*, de sa couche (→ fam. Se dépieuter; se dépagnoter; et aussi alouette, cit. 3; garde-chasse, cit.; gras, cit. 46). Action de se lever. ⇒ 2. **Lever.** *Il se réveille et veut se lever. Se lever tôt*, matin*, de bon matin, de bonne heure* (cit. 100 et 101). ⇒ **Lève-tôt, matinal.** *Se lever avec les poules. Se lever tard.* ⇒ **Lève-tard.** → Contenter, cit. 2; efféminé, cit. 6. *Se lever d'un bond, lestement* (→ Sauter* à bas de son lit). *Somnambule qui se lève toutes les nuits sans s'éveiller* (→ Étriller, cit. 1). *« Soldat, lève-toi! »* (→ Caserne, cit. 3).

29 Tout franc, vous vous levez tous les jours trop matin;
Qui veut voyager loin ménage sa monture.
RACINE, les Plaideurs, I, 1.

30 Je me levais avec le soleil (...)
ROUSSEAU, les Confessions, VI.

— Nous ne nous levons pas absolument comme les anciens moines, répondit gracieusement madame de La Chanterie, mais comme les ouvriers (...) à six heures en hiver, à trois heures et demie en été. 31
BALZAC, Mme de La Chanterie, Pl., t. VII, p. 253.

♦ **4.** (XIIIe). Le sujet désigne un astre. Apparaître à l'horizon, en parlant d'un astre. *Astre*, étoile* (cit. 10) *qui se lève. Le soleil* se lève* (⇒ **Île** [cit. 2]; **incendie** [cit. 6]). *Point où le soleil se lève.* ⇒ **Levant.** *La lune* se lève* (→ Halo, cit. 1; illumination, cit. 8).

La lune, toute ronde et couleur de pourpre, se levait à ras de terre, au fond de la prairie. 32
FLAUBERT, Mme Bovary, II, XII.

Par anal. *L'aube* (cit. 6), *l'aurore* (cit. 2 et 30), *le jour* se lève.* ⇒ **Arriver, commencer.**

Tous les jours se levaient clairs et sereins pour eux. RACINE, Phèdre, IV, 6. 33

Fils du printemps qui naît, du matin qui se lève. 34
HUGO, Odes et Ballades, Le sylphe.

♦ **5.** (XVe). Commencer à souffler (en parlant du vent). *La brise, le vent* se lève.* ⇒ **Fraîchir, souffler** (→ Casser, cit. 2; flotter, cit. 7).

Levez-vous vite, orages désirés (...) CHATEAUBRIAND, René. 35

Le vent se leva; les palmiers faisaient le bruit de la mer (...) 36
E. FROMENTIN, Un été dans le Sahara, p. 121.

♦ **6.** (1640). Devenir plus clair (en parlant du temps). *Le temps se leva rapidement après l'orage.*

C. Peut être considéré comme pron. avec ellipse de *se,* ou comme intrans. après certains verbes : *voir* (→ Aurore, cit. 8), *laisser, faire** (cit. 196). *Faire lever qqn* (→ Aurore, cit. 1; grommeler, cit. 2). *Le médecin n'a pas laissé lever son malade. — Faire lever un lièvre, une perdrix, du gibier,* les faire se lever, s'enfuir (→ ci-dessus, I., 4.).

Les herbes aromatiques avaient recueilli quelque humidité, et je fis lever deux perdreaux qui s'envolèrent d'un genévrier chargé de baies odorantes. 37
H. BOSCO, le Sanglier, p. 148.

Figuré :

À force de battre les buissons des idées, les philosophes, même les plus lointains et les plus perdus, finissent par faire lever des vérités. 38
HUGO, Post-Scriptum de ma vie, I.

▶ **LEVÉ, ÉE** p. p. adj. Spécialement.

♦ **1.** Mis plus haut, en haut. ⇒ **Hausse.** *Bras levés* (→ Cadencer, cit. 4; hardiesse, cit. 1). *Poing levé. Voter à mains levées. Coude levé* (→ Approche, cit. 7). — (1549). *Au pied* levé :* sans préparation*, par surprise*... ⇒ **Impromptu.**

Elle le contraignit de partir tout à l'heure,
Sans qu'il eût fait son testament, 39
Sans l'avertir au moins. — Est-il juste qu'on meure
Au pied levé? dit-il; attendez quelque peu.
LA FONTAINE, Fables, VIII, 1.

Front levé. ⇒ **Haut** (→ Attitude, cit. 17). *Front levé, tête levée :* avec assurance, détermination, résolution. — *Yeux levés.*

Leurs yeux, d'où la divine étincelle est partie, 40
Comme s'ils regardaient au loin, restent levés
Au ciel (...)
BAUDELAIRE, les Fleurs du mal, Tableaux parisiens, XCII.

♦ **2.** Dressé. *Laisser ses flèches* (cit. 16) *de direction levées. « L'étendard* (cit. 6) *sanglant est levé ». — Pierre levée.* ⇒ **Menhir.**

♦ **3.** ⇒ **Debout.** *Levée et tête nue.* — N. *Voter* par assis et levés.* — Par ext. Sorti du lit. *Déjà levé? Sitôt levé, il se met au travail.*

CONTR. Baisser, descendre, poser; incliner, pencher; asseoir, coucher. — Continuer; laisser, maintenir. — Asseoir (s'), coucher (se), écrouler (s'). — Bas.

DÉR. 1. **Levade,** 2. **levade, levage, levant, lève, levé, levée,** 2. **lever, leveur, levier, levure.**

COMP. Élever, enlever, soulever; lève-blocs, lève-cul (à), lève-glaces, lève-tard, lève-tôt, lève-vitres. — V. Prélever, pont-levis.

HOM. Levé, levée, 2. **lever.**

2. LEVER [l(ə)ve] n. m. — V. 1175, sens 2; de 1. *lever.*

♦ **1.** (V. 1360). Moment où un astre* se lève, paraît sur l'horizon. *Lever du soleil* (→ Accompagnement, cit. 4; affût, cit. 2), *de la lune.* — (1680). Par ext. *Lever de l'aurore, du jour.* ⇒ **Matin** (→ Aube, cit. 2).

Sur la petite place, au lever de l'aurore, 1
Le marché rit joyeux, bruyant, multicolore (...)
Albert SAMAIN, Aux flancs du vase, Le marché.

Ils *(les coqs)* avaient chanté toute la nuit. Je m'aperçus de ce mensonge poétique : les coqs chantaient au lever du soleil. 2
R. RADIGUET, le Diable au corps, p. 79.

♦ **2.** Action de se lever, de sortir du lit. *Dès son lever* (→ Expédier, cit. 5). *Heure, moment du lever. Au lever, à son lever* (→ Au saut* du lit). — (1664). Spécialt. *Le lever du roi,* et, absolt, *le lever :* cérémonie quotidienne au cours de laquelle le roi recevait, le matin, les courtisans dans sa chambre. *« Dès que le roi était réveillé et avait récité l'office du Saint-Esprit, le petit lever commençait; le grand lever avait lieu lorsque le roi était peigné et rasé »* (Chéruel, *in* Littré).

Mille gens à peine connus font la foule au lever pour être vus du prince (...) 3
LA BRUYÈRE, les Caractères, VIII, 71.

♦ **3.** (1826). Au théâtre. *Le lever du rideau,* qui fait apparaître la scène. *On frappe trois coups pour annoncer le lever du rideau.* — (1826). *Un lever de rideau :* petite pièce que l'on joue avant la partie principale du spectacle. — Par ext. ⇒ **Prélude.**

4 Ce passage inattendu d'une saison à l'autre, l'étrangeté du lieu, la nouveauté des perspectives, tout concourut à en faire comme un lever de rideau splendide (...)
E. FROMENTIN, Un été dans le Sahara, p. 9.

♦ **4.** (1867). Action de lever, de dresser un plan. ⇒ **Levé,** 3.

♦ **5.** Techn. Action de supprimer, de faire disparaître. *Lever de doute dans un relèvement radio.*

CONTR. Baisser, coucher.
HOM. Levé, levée, 1. lever.
COMP. Lever-Dieu.

LEVER-DIEU [ləvedjø] n. m. — 1798; de 2. *lever,* et *Dieu.*

♦ Relig. (vx). Élévation. *Le lever-Dieu* (Balzac emploie le mot).

LÈVE-TARD [lɛvtaʀ] n. invar. — 1968, *in* P. Gilbert; de 1. *lever,* et *tard.*

♦ Fam. Personne qui a l'habitude de se lever tard. *C'est une lève-tard.*

Ton oncle est encore couché. C'est un lève-tard.
Michel DÉON, le Jeune Homme vert, p. 277.

CONTR. Lève-tôt.

LÈVE-TÔT [lɛvto] n. invar. — 1967; de 1. *lever,* et *tôt.*

♦ Fam. Personne qui a l'habitude de se lever tôt. ⇒ **Matinal.** *C'est un lève-tôt, une lève-tôt.*

Montmartre n'était noctambule qu'à demi : aux couche-tard faisant la grasse matinée s'opposait le petit peuple laborieux des lève-tôt par force.
R. SABATIER, Trois sucettes à la menthe, p. 237.

LEVEUR, EUSE [l(ə)vœʀ, øz] n. — 1253, « percepteur d'impôts »; « celui qui déballe et porte le chanvre pour le faire peser », 1260; de 1. *lever.*

♦ **1.** Rare. Personne qui lève, qui soulève. « *Le trieur d'épis et le leveur de balles* » (Pérochon, *in* G. L. L. F.).

♦ **2.** (1723). Techn. Ouvrier de papeterie qui détache les feuilles pressées. — (1829). *Leveur de lettres :* typographe chargé de la composition. — (1845). Ouvrier d'une imprimerie qui prend la feuille imprimée lorsqu'elle sort de la presse.

♦ **3.** N. m. (1858, Larchey). Fam. Homme qui « lève » (des femmes).

♦ **4.** N. f. (1867). Techn. Ouvrière en dentelle qui détache la dentelle du parchemin.

LÈVE-VITRES [lɛvvitʀ] n. m. ⇒ **Lève-glaces.**

LÉVIATHAN [levjatɑ̃] n. m. — Fin XIIe; nom d'un animal fabuleux, dans la Bible (Job, III, 8; XL, 20...; Esaïe, XXVIII, 1).
Didactique ou littéraire.

♦ **1.** Chose énorme, colossale, que l'on compare à une sorte de monstre.

1 D'où viens-tu, beau navire? à quel lointain rivage,
Léviathan superbe, as-tu lavé tes flancs?
A. DE MUSSET, Poésies posthumes, « Retour ».

2 Voilà une centaine de léviathans *(des navires de guerre)* qui sont sortis des mains de l'humanité. Les ordres emphatiques des supérieurs, les cris des blessés, les coups de canon, c'est du bruit fait exprès pour anéantir quelques secondes.
LAUTRÉAMONT, les Chants de Maldoror, I.

Fig. Monstre symbolisant la force, le pouvoir (cf. *le Léviathan,* de Hobbes), le mal... :

3 Ce temps tragique semble vouer le monde à toutes les menaces d'un Léviathan sans forme et sans visage.
DANIEL-ROPS, Ce qui meurt..., p. 1.

♦ **2.** (XXe). Techn. Bac trempeur utilisé pour le dégraissage de la laine.

4 La laine est plongée ensuite *(après le dessuintage),* pour le dégraissage, dans une série de quatre ou cinq bacs de fonte munis d'un faux fond perforé, pleins d'eau chaude savonneuse additionnée de carbonate de soude (...) Des herses ou des bras articulés terminés par des fourches et dont l'aspect étrange à valu à la machine le nom de léviathan, font avancer doucement dans chaque bac la laine en suspension.
Charles MARTIN, la Laine, p. 31.

LEVIER [ləvje] n. m. — V. 1180; de 1. *lever.*

♦ **1.** Corps solide, mobile autour d'un point fixe (point d'appui), permettant de multiplier une force appliquée à une résistance. *Les leviers sont utilisés pour vaincre les résistances, soulever les fardeaux*. Formes usuelles de leviers.* ⇒ **Anspect, barre** (1.; et barre à mine), **ciseau** (à froid), **pince** (à talon...). *Levier de chirurgien, de dentiste. Leviers terminés par un pied-de-biche, un pied-de-chèvre. Cric* à levier. Se servir d'une barre de fer, d'un bâton comme d'un levier* (→ Coussinet, cit. 2). *Soulever une pierre à l'aide d'un levier.*

Loc. *Faire levier. Faire levier avec une pelle :* peser sur la pelle pour s'en servir comme d'un levier. ⇒ **Peser; pesée.**

— Tu vas trop vite, disaient ses camarades de chantier. Tiens, il faut faire levier sur la pelle (...) 1
P. MAC ORLAN, la Bandera, XI.

Le rapport des forces (puissance et résistance) *appliquées aux deux bras* du levier* (« rapport de multiplication » du levier) *est égal au quotient des distances du point d'appui aux points d'application de ces deux forces* (⇒ **Moment**). *Levier du premier, du deuxième, du troisième genre,* d'après la place du point d'appui. *La balance*, levier du premier genre.*

Connaissez-vous la beauté de la machine toute simple qu'on appelle un levier? 2
Mme DE SÉVIGNÉ, 941, 15 nov. 1684.

Archimède, le fondateur de la statique, établit d'abord la condition d'équilibre de deux poids suspendus aux deux extrémités d'un levier droit, c'est-à-dire la nécessité que ces poids soient en raison inverse de leurs distances au point d'appui du levier. 3
A. COMTE, Philosophie positive, t. I, XVI.

Le travail commença. Il fallut déchausser la base de la muraille, introduire un levier dans l'interstice de deux pierres, en détacher une. 3.1
J. VERNE, les Cinq Cents Millions de la Bégum, p. 240.

Levier hydraulique : dispositif servant à élever l'eau d'un cours d'eau, en utilisant la force même du courant. — *Levier pneumatique.*

♦ **2.** (1867). Techn. et cour. Organe de commande (d'une machine*, d'un mécanisme), utilisant le principe du levier ou en rappelant la forme. ⇒ **Commande.** → Engin, cit. 3. *Tracer le profil* (cit. 5.1) *d'un levier. Levier à main* (⇒ **Manette**), *à pied* (⇒ **Pédale**). — *Leviers de commande d'un avion permettant d'agir sur les gouvernes* (→ Manche à balai*, palonnier). — (1899, *in* D. D. L.). *Levier de changement de vitesse* (d'une automobile); *levier de vitesses, des vitesses.* — Ch. de fer. *Levier de changement de marche sur une locomotive à vapeur. Levier directeur d'un aiguillage. Levier à contrepoids* (→ Fermer, cit. 17). Mar. *Levier de chasse,* permettant de « chasser » le navire qui ne part pas de lui-même, au moment du lancement. ⇒ **Ber.**

(...) se faufilant sous les wagons, s'accrochant aux chaînes, s'aidant du levier des freins et des longerons des châssis, rampant d'une voiture à l'autre avec une adresse merveilleuse, il gagna ainsi l'avant du train. 3.2.
J. VERNE, le Tour du monde en 80 jours, p. 266.

Le moteur ronflait déjà. Rieux avait la main sur le levier de vitesse. 4
CAMUS, la Peste, p. 72.

Le feu passa au jaune, puis au vert. Les bras de la femme se mirent en mouvement, manœuvrant le levier des vitesses, tournant le cercle noir du volant, inclinant le bâtonnet des clignotants. 4.1
J.-M. G. LE CLÉZIO, le Déluge, p. 96.

(XXe; 1936, *in* T. L. F.). *Levier de commande.* Fig. Ce qui commande la marche, le fonctionnement d'un mécanisme, d'un organisme (→ Breloque, cit. 4). *Être aux leviers de commande :* occuper un poste de direction, de contrôle.

(...) cet Empire ressemblait à ces usines énormes d'aujourd'hui où tout marche sous la main d'un seul homme assis devant le clavier des « *leviers de commande* ». 5
Louis MADELIN, Hist. du Consulat et de l'Empire, Vers l'Empire d'Occident, VII.

♦ **3.** (1684; rare av. XVIIIe). Par métaphore et fig. Ce qui sert à vaincre une résistance; moyen* d'action* (→ Appui, cit. 9, Danton; grandir, cit. 11). *Un levier d'influence* (→ Électoral, cit. 1). « *Le levier de la puissance n'a d'autre appui que l'opinion* » (Raynal).

La curiosité, le désir et l'amour, ces trois leviers terribles, dont un seul enlèverait le monde, exaltent au plus haut degré toutes les puissances de son âme (...) 6
Th. GAUTIER, Fortunio, XV.

La *Vie française* était avant tout un journal d'argent, le patron étant un homme d'argent à qui la presse et la députation avaient servi de leviers. 7
MAUPASSANT, Bel-Ami, I, VI.

L'orgueil, c'est mon levier, le levier de toutes mes forces. Je m'en sers. J'ai bien le droit. 8
MARTIN DU GARD, les Thibault, t. I, p. 260.

LÉVIGATION [levigasjɔ̃] n. f. - 1741; du supin de *levigare* (→ Léviger), 1762; lat. *levigatio.*

♦ Techn. Procédé de séparation des particules d'une poudre selon leur taille, à l'aide d'un courant liquide.

LÉVIGER [leviʒe] v. tr. — Conjug. *bouger.* — 1675; lat. *levigare,* de *levis* « lisse, uni ».

♦ Chim., techn. Réduire (une substance) en une poudre très fine, et, spécialt, en la délayant dans un liquide et en laissant précipiter la poudre. *Léviger de la craie.*

Il tendit à Marche-à-terre ce petit cône en corne de bœuf dans lequel les Bretons mettent le tabac fin qu'ils lévigent eux-mêmes pendant les longues soirées d'hiver.
BALZAC, les Chouans, Pl., t. VII, p. 858.

DÉR. V. Lévigation.

LÉVIRAT [leviʀa] n. m. — 1672; du lat. *levir* « beau-frère ».

♦ Hist. des relig. Obligation que la loi de Moïse imposait au frère d'un défunt d'épouser la veuve sans enfants de celui-ci.

1 *Loi du lévirat.* — Lorsque deux frères demeureront ensemble, et que l'un d'eux sera mort sans enfants, la femme du mort n'en épousera point d'autre que le frère de son mari, qui la prendra pour femme et suscitera des enfants à son frère.
BIBLE (SACY), Deutéronome, XXV, 5.

Anthrop. Coutume analogue au lévirat mosaïque.

2 (...) le privilège polygame du chef est compensé dans une certaine mesure par le prêt de femmes à ses compagnons et aux étrangers (...) Un autre correctif à l'inégalité dans la répartition des femmes est fourni par le lévirat — héritage de la femme par le frère. C'est de cette façon qu'avait été marié Abaitara, avec la femme de son frère aîné mort (...)
Claude LÉVI-STRAUSS, Tristes tropiques, p. 319-320.

LÉVIROSTRE [leviʀɔstʀ] n. m. — 1819, *in* D. D. L.; lat. *levis* « léger », et *-rostre.*

♦ Zool. Oiseau passereau, percheur, à bec grand, mais faible (ex. : le martin-pêcheur). — Au plur. *Ordre des lévirostres* (vieilli).

LÉVITATION [levitasjɔ̃] n. f. — 1888, A. Daudet, *in* Höfler; angl. *levitation*, du lat. *levitas* « légèreté ».

♦ Élévation d'une personne au-dessus du sol, sans appui ni aide matérielle. *Lévitation d'une personne en état de transe, d'extase. Séance de lévitation d'une médium.*

Souvent, dans l'histoire des saints, on lit la description d'extase de lectures de pensée, de visions d'événements qui se passent au loin, et parfois de lévitations. Plusieurs des grands mystiques chrétiens auraient manifesté cet étrange phénomène, d'après le témoignage de leurs compagnons. Le sujet, absorbé dans sa prière, totalement insensible aux choses du monde extérieur, se serait élevé doucement à plusieurs pieds au-dessus du sol.
Alexis CARREL, l'Homme, cet inconnu, IV, VIII.

DÉR. Léviter.

LÉVITE [levit] n. m. et f. — V. 1170; lat. ecclés. *levites* ou *levita*, mot hébreu.

★ **I.** N. m. Relig. judaïque. Membre de la tribu de Lévi, voué au service du temple.

1 Lui-même il *(Dieu)* nous traça son temple et son autel,
Aux seuls enfants d'Aaron commit les sacrifices,
Aux lévites marqua leur place et leurs offices (...)
RACINE, Athalie, II, 4.

2 L'organisation administrative repose sur la tribu. Il y en a douze, plus une, celle des Lévites, qui assume les fonctions religieuses et se trouve donc éparse parmi les autres.
DANIEL-ROPS, le Peuple de la Bible, II, II.

(1690). Fig. et rare. Prêtre (→ Attarder, cit. 11, Mauriac).

★ **II.** N. f. (1782; d'après la robe des lévites au théâtre). Vx. Longue robe* de femme. — Longue redingote*.

3 (...) ses redingotes allongées rappellent les lévites de l'Empire (...)
BALZAC, les Petits Bourgeois, Pl., t. VII, p. 79.

4 Le commandant Tite-le-Long ne sortait plus de chez lui qu'enveloppé d'un pardessus trop grand, pareil à une lévite longue à souhait, traînant jusqu'aux pieds, qui avait appartenu à M. de la Popelinière, son beau-père (...)
M. JOUHANDEAU, Tite-le-Long, XXI.

DÉR. Lévitique.

HOM. Formes du v. léviter.

LÉVITER [levite] v. intr. — 1930, H. Michaux, *in* Höfler; de *lévitation.*

♦ Rare. S'élever au-dessus du sol, sans aide matérielle, en lévitation*.

1 (...) Une telle certitude possède maintenant le monde que sous l'éclat de la main, il lévite.
Hélène CIXOUS, Souffles, p. 52.

2 Une quinzaine de religieuses sont là... (...) deux, en extase... Vietnamiennes en bleu... (...) j'ai l'impression qu'elles vont s'envoler... Vraiment, elles lévitent presque...
Ph. SOLLERS, Femmes, p. 250.

LÉVITIQUE [levitik] adj. et n. m. — V. 1265 comme n. m.; adj., 1541; de *lévite.*

♦ Didact. Relatif aux lévites, à la loi mosaïque. *Cérémonies lévitiques* (Calvin). — N. m. Troisième livre du Pentateuque. *Le Lévitique contient principalement les lois des lévites et les règles des sacrifices* (Littré).

LÉVOGYRE [levɔʒiʀ] adj. — 1847; du lat. *lævus* « gauche », et suff. *-gyre**.

♦ Chim. Se dit des substances qui dévient à gauche le plan de polarisation (l'observateur faisant face à la lumière). *Sucre lévogyre.*

CONTR. Dextrogyre.

LEVRAUDER [ləvʀode] v. tr. — 1764; de *levraut.*

♦ Vx et fam. Poursuivre (qqn) comme on chasse le lièvre, en le harcelant. *Harceler** (cit. 6), *levrauder un innocent.*

LEVRAUT [ləvʀo] n. m. — 1536; *levroz*, 1306; dimin. de *lièvre*, avec suff. germ. *-aud.*

♦ Jeune lièvre* (âgé de moins de dix mois). → Glapir, cit. 2. *Les hases* (cit.) *et leurs levrauts.*

(...) dans les pays de collines élevées ou de plaines en montagne, où le serpolet et les autres herbes fines abondent, les levrauts, et même les vieux lièvres, sont excellents au goût.
BUFFON, Hist. nat. des animaux, Le lièvre.

DÉR. Levrauder, levreteau, 1. levretter.

LÈVRE [lɛvʀ] n. f. — V. 1100; *lawras*, sens I, 2, fin Xe; lat. *labra*, plur. neutre de *labrum*, pris pour un féminin.

★ **I.** ♦ **1.** (Fin XIIIe). Anat. et cour. Chacune des régions qui bordent la bouche de l'homme, intérieurement et extérieurement, limitées en haut par le nez *(lèvre supérieure)*, en bas par le sillon mentonnier *(lèvre inférieure). Lèvre supérieure haute, courte. Duvet* (cit. 5) *des lèvres. Muscles des lèvres :* orbiculaire, buccinateurs, élévateurs, canin, risorius, zygomatiques, triangulaire... *Angle des lèvres.* ⇒ **Commissure.** *Malformations des lèvres* (→ Bec*-de-lièvre). *Cancroïde** *des lèvres. Le bord* ou *ourlet des lèvres* (sens le plus courant).

(...) il y en a *(des Nègres)* qui se font percer la lèvre supérieure ou les narines pour y suspendre de pareils ornements (...) 1
BUFFON, Hist. nat. de l'homme, Variétés espèce humaine.

(...) Chéri regardait le grand nez de sa compagne, la lèvre grisonnante et poilue, les petits yeux paysans (...) COLETTE, la Fin de Chéri, p. 49. 2

Un (...) portrait de Ricard fait admirer de beaux yeux profonds, un grain de beauté sur la lèvre *(de Mme Sabatier).* 3
Émile HENRIOT, Portraits de femmes, p. 386.

♦ **2.** Cour. Chacune des deux parties charnues qui bordent extérieurement la bouche et s'amincissent pour se joindre aux commissures. *Les lèvres.* ⇒ **Bouche** (1.). *Lèvres charnues, épaisses* (cit. 5). *Lèvre inférieure proéminente.* ⇒ **Lippe; lippu.** *Lèvres pendantes. Lèvres fines, minces* (→ Avaler, cit. 9), *rentrée;* (par exagér.) *visage sans lèvres* (→ Fente, cit. 1). — *Lèvres bien dessinées* (→ Dent, cit. 6), *arquées, ourlées... Contour des lèvres. Angle, coin* (cit. 10), *commissure* (cit. 1) *des lèvres. Lèvres roses, rouges, vermeilles.* (Poét. et vx). *Lèvres de corail, de carmin, de rose* (→ Fleur, cit. 19). — *Lèvres pâles. Des lèvres fardées* (cit. 9), *peintes* (→ Fard, cit. 3). — *Crème, cérat** *pour les lèvres. Pommades pour les lèvres gercées. Rouge à lèvres.* ⇒ **Rouge.** — *Lèvres sèches, desséchées, calleuses* (cit. 1), *gercées, coupées, fendues. Lèvres humides, brillantes, fraîches, appétissantes* (cit. 3), *sensuelles, ardentes, brûlantes, fiévreuses.*

(...) ce contour des lèvres un peu trop grosses et susceptibles d'exprimer la passion la plus ardente, et qui faisait un étrange contraste avec le contour tout idéal du nez (...) STENDHAL, Romans et nouvelles, Féder, VII. 4

(...) sa bouche, très fraîche, avait cette lèvre inférieure des princesses d'Autriche, un peu avancée et fendue légèrement en forme de cerise, que l'on peut remarquer encore dans tous les portraits de cette époque. 5
A. DE VIGNY, Cinq-Mars, XVII.

(...) les deux angles de sa bouche inégalement relevés et la lèvre supérieure plus grosse que la lèvre inférieure lui donnaient quelque chose de bourru et d'impérieux. HUGO, les Misérables, I, II, II. 6

(...) ses lèvres peintes, rouges comme une plaie, lui donnaient quelque chose de bestial, d'ardent, d'outré, mais qui allumait le désir cependant. 7
MAUPASSANT, Bel-Ami, I, I.

(...) ce terrible espace entre le nez et la lèvre, presque toujours trop long ou trop court, sans grâce, sans jeunesse, souvent trop duveté. 8
ALAIN, Propos, 2 sept. 1913, L'anneau dans le nez.

*Mouvement des lèvres. Avoir le sourire** *aux lèvres, un sourire sur les lèvres* (→ Cruel, cit. 25; enjouement, cit. 8). — Au sing. (collectif). *« Sa lèvre éclate en rires sous les branches »* (→ Faune, cit. 3, Rimbaud). — *Lèvres entrouvertes* (cit. 7), *mi-closes. Avancer, serrer, pincer les lèvres. Mouiller, humecter* (cit. 3) *ses lèvres. Froncement* (cit. 2) *de lèvres. Lèvres contractées. Lèvres tremblantes de peur, de colère. Avoir l'écume, la bave aux lèvres.* (1580). *Se mordre les lèvres de dépit, de colère, de rage, pour s'empêcher de rire.* Fig. *S'en mordre les lèvres :* se repentir de ce qu'on a dit ou fait. — *Expression de dégoût, de dédain des lèvres* (→ Fier, cit. 4; insolence, cit. 8). — Au sing. *Lèvre dédaigneuse, ironique, maussade, boudeuse. Lèvre candide* (cit. 3, Lamartine).

Quand Javert riait, ce qui était rare et terrible, ses lèvres minces s'écartaient et laissaient voir non seulement ses dents, mais ses gencives (...) 9
HUGO, les Misérables, I, V, V.

(..) alors nous vous avons bien bêché, en nous mordant les lèvres pour ne pas rire (...) LOTI, les Désenchantées, IV, XXVI. 10

Sombres, l'envie au foie et l'ironie aux lèvres (...) 11
Albert SAMAIN, Symphonie héroïque, Évocations, « Idéal ».

Elle lui donne le bout de sa main droite, en détournant la tête, et en pinçant les lèvres pour ne pas rire. 12
J. ROMAINS, les Hommes de bonne volonté, t. IV, XII, p. 129.

Aussitôt, il se mordit les lèvres. D'avoir pensé cela le bouleversait plus encore que de l'avoir dit. MARTIN DU GARD, les Thibault, t. IV, p. 207. 13

Tenir une fleur, un cigare entre ses lèvres. Avoir la cigarette aux lèvres. Porter à ses lèvres (pour boire, manger) *un fruit* (cit. 8), *un verre, une coupe* (cit. 1). *Tremper ses lèvres...* → Gourmandise, cit. 8. *Tremper le bord, le bout des lèvres* (dans une boisson, une tasse...). *Manger du bout des lèvres,* sans appétit, avec dégoût. ⇒ **Bout.** *Se lécher les lèvres.* ⇒ **Babine, badigoince.** Prov. *Il y a loin de la coupe aux lèvres.* ⇒ **Coupe.** — (1808). Fig. *Avoir le cœur au bord des lèvres, sur les lèvres :* avoir des nausées.

14 Mais ses lèvres à peine en ont touché les bords *(de la coupe...)*
RACINE, Britannicus, V, 5.

15 (...) Chrysis (...) prit la coupe, et lentement la porta à sa bouche. Elle y trempa les lèvres. Pierre LOUŸS, Aphrodite, V, II.

16 (...) les femmes maquillées (...) la cigarette aux lèvres, avec leurs robes drapées (...)
ARAGON, les Beaux Quartiers, II, VII.

Loc. fig. *Avoir l'âme sur les lèvres :* rendre le dernier soupir (→ Errant, cit. 6).
*Les lèvres et le baiser** (cit. 10, 11, 13, 21 et 22). *Il effleura de ses lèvres le bout des doigts gantés* (→ Avancer, cit. 3). *Poser, appuyer, coller ses lèvres sur qqch.* (→ Crucifix, cit. 2). *Se baiser* (cit. 16) *les lèvres. Embrasser sur les lèvres, à pleines lèvres* (→ Goulûment, cit. 3). *Tendre, dérober ses lèvres* (→ aussi Embrasser, cit. 13; enivrer, cit. 19). — « *Les lèvres de l'étrangère distillent le miel* » (Bible). → Absinthe, cit. 1.

17 Aucun animal, hors toi, ne connaît les embrassements; tout ton corps est sensible; tes lèvres surtout jouissent d'une volupté que rien ne lasse; et ce plaisir n'appartient qu'à ton espèce (...) VOLTAIRE, Dict. philosophique, Amour.

18 (...) je posai lentement mes lèvres sur ses grands yeux fâchés qu'elle fermait, avec ennui, sous mes baisers, sur ses joues claires, sur ses lèvres charnues qu'elle détournait. MAUPASSANT, les Sœurs Rondoli, II.

19 (...) je sentis mes lèvres contre les siennes (...)
R. RADIGUET, le Diable au corps, p. 60.

20 (...) les lèvres qui me baisent, douces, fraîches (...)
COLETTE, la Vagabonde, p. 138.

(Dans le contexte de la parole; le plus souvent dans des expressions). *Remuer les lèvres; mouvement des lèvres. Sons articulés avec les lèvres.* ⇒ **Labial** (cit. 2); **apico-labial.** *Balbutiement* (cit. 2) *des lèvres. Mots qui coulent des lèvres* (→ Ambroisie, cit. 4; gâterie, cit. 2). — Loc. (1690). *Mot qu'on a sur les lèvres,* ou (1635), *sur le bord des lèvres,* qu'on est prêt à prononcer. — *Mot qui vient aux lèvres,* que l'on s'apprête à prononcer. *Mot qui ne passe pas les lèvres,* qu'on ne peut se résoudre à prononcer. *Parole qui expire* (cit. 7) *sur les lèvres.* — (1804; *à la lèvre,* Diderot, → cit. 21). Fig. *Être pendu* (cit. 12), *suspendu aux lèvres de qqn,* l'écouter avec une grande attention*. — « *Qu'importe de quoi parlent les lèvres...* » (→ Expirer, cit. 7, Musset). *Adorer, honorer* (cit. 6) *qqn des lèvres,* en paroles seulement. *Il le dit des lèvres, mais le cœur n'y est pas.* — *Avoir le cœur* sur les lèvres :* dire toute sa pensée, être franc*. — *Arrêter* (cit. 64), *clouer une phrase sur les lèvres de qqn.* — *Lèvres serrées, scellées, qui gardent un silence obstiné* (→ Arracher, cit. 38). *Ne pas desserrer les lèvres :* garder le silence (→ Ne pas desserrer les dents*, ne pas ouvrir la bouche*). — (Av. 1648). *Rire, parler, répondre, approuver du bout** (cit. 7 et 9) *des lèvres.*

21 (...) Rester suspendu à sa lèvre, attendre son ordre et partir comme un éclair.
DIDEROT, le Neveu de Rameau, Œuvres, p. 459.

22 Aucun son ne s'échappa de ses lèvres (...)
BAUDELAIRE, Trad. E. POE, Histoires extraordinaires, « Metzengerstein ».

23 Elle n'avait pas rouvert les yeux, pas desserré les lèvres. ZOLA, la Terre, V, IV.

24 Érôs fait crier sur vos lèvres, ô femmes!
Le Désir douloureux et doux. Pierre LOUŸS, Aphrodite, I, II.

25 (...) le saint mot de service (...) leur venait aux lèvres (...)
André SUARÈS, Trois hommes, « Ibsen », VI.

26 Le vers de Racine coulait de ses lèvres comme un cri d'amoureuse dans la nuit, un cri terminé en longue plainte, puis en râle.
Léon DAUDET, la Femme et l'Amour, VI.

27 Il est intéressant de noter, dans les conservations que nous avons avec nos proches, les mots qui reviennent le plus souvent sur leurs lèvres et qui, si nous les examinons avec soin, dénoncent toujours un tour d'esprit que nous avons avantage à connaître. G. DUHAMEL, Discours aux nuages, I.

28 Puis il s'agenouilla, mais les mots s'arrêtaient sur ses lèvres (...)
F. MAURIAC, la Pharisienne, p. 215.

♦ **3.** 1690. (En parlant des animaux et surtout des grands mammifères). *Lèvres du cheval, du bœuf, du chien* (⇒ **Babine**). — *Lèvres de certains poissons.* → 1. Labre.

29 Le petit ours (...) pleurait tout bas parce qu'une courroie très fine bouclée autour de son museau, lui coupait presque la lèvre.
COLETTE, la Paix chez les bêtes, « Lola ».

30 Ils les allongaient *(les carpes)* dans des caisses de bois (...) trois ou quatre d'entre elles en garnissaient le large fond; elles restaient là, le corps inerte, clappant de leurs grosses lèvres rondes, bourrelets de peau blanche et charnue (...)
M. GENEVOIX, Raboliot, I, I.

Zool. Chez les Invertébrés, Chacune des pièces buccales du dessus et du dessous de la bouche. ⇒ **Labre.**

★ **II.** Par anal. de forme. ♦ **1.** (1314). Au plur. Bords saillants (d'une plaie). *Rapprocher les lèvres d'une plaie.*

♦ **2.** (1680). Repli charnu de la vulve. *Grandes lèvres* (→ Con, cit. 3, Hardellet). *Petites lèvres.* ⇒ **Nymphe** (II.).

31 Les grandes lèvres sont deux bourrelets cutanéo-graisseux limitant la fente vulvaire. Elles s'étendent du mont de Vénus au périnée (...) un sillon profond, le sillon interlabial, sépare l'une de l'autre la grande et la petite lèvre.
A. BINET, les Régions génitales de la femme, p. 67.

♦ **3.** (1694). Bot. Chaque lobe de la corolle des plantes labiées. ⇒ **Labié** (et composés).

♦ **4.** (1752). *Lèvres d'un coquillage :* les deux bords d'une coquille (cit. 3) univalve.

♦ **5.** (1893). Mus. Chacun des bords aplatis à la bouche d'un tuyau d'orgue.

♦ **6.** (1834, Balzac; comme t. de géol.; 1877). Géogr. Chacun des bords d'une faille, situées à des hauteurs différentes. *Lèvre soulevée, lèvre abaissée* (→ Friction, cit. 4).

♦ **7.** (1840-1842, Académie, *Compl.*). Techn. Bord de l'orifice (d'un vase).

♦ **8.** Partie, élément extrême (de pièces à joindre, ou jointes). *Les lèvres d'un joint. Joints à lèvre frontale.*

COMP. Balèvre.

LEVRETEAU [ləvʀəto] n. m. — 1573, dimin. de *lièvre.* → Levraut.

♦ Rare. Jeune levraut.

LEVRETER [ləvʀəte] v. intr. ⇒ 1. Levretter.

LEVRETTE [ləvʀɛt] n. f. — 1554; attestation isolée, fin XIVe; de *lévrier.*

★ **I.** ♦ **1.** Femelle du lévrier.

♦ **2.** (Fin XVIIe, Bachaumont). Variété petite du lévrier d'Italie. *Levrette mâle, femelle. La levrette, chien* de luxe.*

Fi surtout de ces serpents à quatre pattes, frissonnants et désœuvrés, qu'on nomme levrettes (...) BAUDELAIRE, le Spleen de Paris, L. 1

♦ **3.** Loc. (1784, Collé; *à la levrette,* Sade, 1785). *En levrette,* se dit d'une position érotique où l'homme se place derrière sa partenaire, « à la manière des chiens ».

(...) la femme que l'on baise en levrette, toute nue, devant une vieille psyché en acajou plaqué. FLAUBERT, Correspondance, 10 févr. 1853. 2

★ **II.** (1902). Techn. Rabot à plusieurs lames utilisé dans le travail de la pierre.

DÉR. Levretté, 2. levretter.
HOM. Formes des v. 1 levretter, 2. levretter.

LEVRETTÉ, ÉE [ləvʀete] adj. — 1611; de *levrette.*

♦ Rare. Qui a la taille svelte, le ventre creusé du lévrier. *Jument levrettée. Épagneul levretté.*

(...) l'un *(un chien),* venu du Poitou, court de reins, large d'épaules, bas jointé, coiffé de longues oreilles; l'autre, venu d'Angleterre, blanc, levretté, peu de ventre, à petites oreilles et taillé pour la course (...)
BALZAC, Modeste Mignon, Pl., t. I, p. 596.

1. LEVRETTER [ləvʀete] ou (rare) LEVRETER [ləvʀəte] v. intr. — 1387; de *levraut.*

♦ Rare. Mettre bas, en parlant de la femelle du lièvre. *Hase* qui levrette.*

2. LEVRETTER [ləvʀete] v. tr. — Mil. XVIe; de *levrette.*

♦ Chasse (vx). Chasser à courre avec des lévriers. *Levretter le loup.*

LÉVRIER [levʀije] n. m. — 1130; de *lièvre,* parce que ce chien était utilisé dans la chasse au lièvre.

♦ **1.** Chien à jambes hautes, au corps allongé, à l'abdomen très étroit, au museau effilé, agile et rapide. ⇒ **Barzoï.** *Femelle, petit du lévrier.* ⇒ **Levrette** (I., 1.), **levron.** *Lévriers à poil ras, à poil long. Lévrier d'Afrique, lévrier arabe* (⇒ **Sloughi**), *de Grèce, de Perse; lévrier d'Italie.* ⇒ **Levrette** (I., 2.). *Lévrier russe, du Kurdistan, de Tartarie. Chasser au lévrier. Courir comme un lévrier,* très vite. *Courses* (cit. 8) *de lévriers* (⇒ **Cynodrome**).

Le mâtin, transporté au Nord, est devenu grand danois, et, transporté au Midi, est devenu lévrier : les grands lévriers viennent du Levant, ceux de taille médiocre, d'Italie; et ces lévriers d'Italie, transportés en Angleterre, sont devenus levrons, c'est-à-dire lévriers encore plus petits (...) Le lévrier et le mâtin ont produit le lévrier métis, que l'on appelle aussi lévrier à poil de loup; ce métis a le museau moins effilé que le franc lévrier, qui est très rare en France. 1
BUFFON, Hist. nat. des animaux, Le chien.

Cinq à six lévriers de la plus haute taille, minces de râble, larges de poitrine, supérieurement coiffés, dignes de la meute d'un roi (...) 2
Th. GAUTIER, Voyage en Espagne, p. 228.

♦ **2.** (1622, *les lévriers du Gourreau*). Fig. et vx. Gens qu'on lance à la poursuite de qqn. ⇒ **Limier.**

(1901, *in* Petiot). Sports. Coureur cycliste rapide.

DÉR. V. Levrette, levron.

LEVRON, ONNE [ləvʀɔ̃, ɔn] n. — 1361; fém., 1732; d'après *lévrier.*

Chasse.

♦ **1.** Jeune lévrier, jeune levrette.

♦ **2.** (1680). Lévrier, levrette de petite taille (→ Lévrier, cit. 1).

LEVROUX [levʀu] n. m. — Attesté mil. xxe; nom d'un chef-lieu de canton de l'Indre.

♦ Fromage de chèvre en forme de pyramide tronquée, fabriqué près de Levroux.

LÉVULOSE [levyloz] n. m. — 1860, M. Berthelot; du lat. *lævus* «gauche» (→ Lévogyre), et suff. 1. *-ose.*

♦ Biochim. Syn. de *fructose**.

LEVURAGE [l(ə)vyʀaʒ] n. m. — 1909; de *levure* ou de *levurer.*

♦ Techn. Opération par laquelle on ajoute des levures de nature et de quantité contrôlées, dans un milieu où l'on veut déclencher ou accélérer une fermentation alcoolique (bière, vin, cidre, alcool...), parfois après avoir appauvri le milieu en levures spontanées. *« Néanmoins, à défaut d'avoir réussi à copier les "grands princes", le procédé du levurage, très répandu dans les contrées à viticulture récente, a permis d'améliorer considérablement des vins de qualité moyenne »* (*l'Express,* no 1696, 6 janv. 1984, p. 40).

LEVURE [l(ə)vyʀ] n. f. — 1419; «revenus prélevés», xiiie; *leveüre, lieveüre* «éminence» «action de lever», xiie; encore écrit *levûre, in* Littré; de 1. *lever.*

★ **I.** ♦ **1.** Didact. Champignon microscopique unicellulaire qui se multiplie par bourgeonnement ou par sporulation *(Saccharomycètes).* ⇒ **Ferment, fermentation** (→ Ensemencer, cit. 3). *Ferments solubles produits par les levures.* ⇒ **Diastase** (vx), **enzyme.** *Certains micro-organismes pathogènes* (ex. Candida), *sont des levures.*

♦ **2.** Cour. *Levure de bière* (cit. 1), *de vin, de pain :* masse blanchâtre constituée par des champignons ascomycètes, employée dans la fabrication de la bière, du vin ou du pain, en raison des propriétés fermentatives de ces champignons. ⇒ **Ferment.** *Levure pathogène.* ⇒ **Oïdium.** *Utilisation de la levure de bière en boulangerie, en pâtisserie, pour faire lever* la pâte.* ⇒ **Levain.** — *Levure vendue dans le commerce sous forme de poudre, de pâte.*

♦ **3.** *Levure chimique :* corps utilisé en pâtisserie pour remplacer la levure (2.), à cause de ses capacités à libérer du gaz carbonique sous l'effet de la chaleur.

★ **II.** (1660). Cuis. (Vx). Ce qu'on retire de dessus et de dessous le lard* et qui ne peut servir à larder. *Levure de lard.*

★ **III.** Blason. Vx. Franc quartier.

DÉR. Levurage, levurer, levurerie, levurier.

LEVURER [l(ə)vyʀe] v. tr. — 1909; de *levure,* I., 2.

♦ Techn. Ensemencer de levures (I., 2.). ⇒ **Levurage.**

DÉR. V. **Levurage.**

LEVURERIE [l(ə)vyʀʀi] n. f. — Mil. xxe (1949, *in* T. L. F.); de *levure,* I., 2.

♦ Techn. Fabrique de levure. → Levure, I., 2.

LEVURIER [l(ə)vyʀje] n. m. — 1803; de *levure,* I., 2.

♦ **1.** Fabricant, marchand de levure (I., 2.) de bière.

♦ **2.** Techn. Réservoir à levure (I., 2.), bac métallique (en brasserie).

LEXÈME [lɛksɛm] n. m. — Av. 1950, Gilbert Boris, selon Cantineau, (dans un compte rendu de E. Nida, *in* T. L. F.); de *lex(ique),* et *-ème.* Cf. angl. *lexeme* (1940).

Linguistique.

♦ **1.** Morphème* lexical. *Le lexème considéré du point de vue de sa signification a été appelé* sémantème.

♦ **2.** (Dans la terminologie d'André Martinet). Élément minimum de signification (monème) qui n'est ni un mot de relation, ni un morphème (au sens de Martinet). ⇒ **Racine.** *Dans* nous chanterons, *« chant- » est un lexème et « -erons » est formé de deux morphèmes grammaticaux.*

♦ **3.** Unité lexicale en langue, intégrant la totalité des réalisations. *« Étais », « serais », « fut », etc. appartiennent au même lexème, le verbe « être ».* → Paradigme.

REM. Au sens 1, un dérivé *lexémique,* adj., est attesté.

LEXICAL, ALE, AUX [lɛksikal, o] adj. — 1804, empr. all., dans une trad. de Humboldt, *in* D. D. L.; rare av. xxe; diffusé mil. xxe; de *lexique.*

♦ Didact. Qui concerne le lexique*, les éléments codés d'une langue. *Unité lexicale :* unité appartenant au lexique d'une langue, qu'il s'agisse d'un mot ou d'une unité plus grande que le mot (syntagme lexicalisé, locution...). *La nomenclature d'un dictionnaire tend à représenter la composante lexicale d'une langue. Statistique lexicale. Regrouper des formes sous des unités lexicales.* ⇒ **Lemmatiser.**

(Opposé à *grammatical*). Du lexique (au sens restreint). *Mots* lexicaux. Morphème lexical.* ⇒ **Lexème.** *Enrichissement lexical d'une langue à une période donnée. — Compétence lexicale* (d'un locuteur).

(...) la préfixation et la suffixation sont des procédés lexicaux, car (...) elles affectent la signification des mots. S. ULLMANN, Précis de sémantique franç., p. 38.

Loc. *Champ lexical :* ensemble d'unités lexicales apparentées par la forme et le sens (champ morphosémantique; champ sémantique).

N. m. *Le lexical et le syntactique.*

DÉR. Lexicalisation, lexicalisé, lexicaliser (se), lexicaliste.

LEXICALISATION [lɛksikalizɑsjɔ̃] n. f. — 1927; de *lexical* (*lexicaliser* est attesté plus tard).

★ **I.** Ling. ♦ **1.** Le fait d'être lexicalisé, de devenir une unité lexicale. *Lexicalisation d'un syntagme. Expression libre, en voie de lexicalisation, lexicalisée. Lexicalisation d'un morphème lié.* ⇒ **Autonomisation.**

La lexicalisation d'un mot ne signifie pas seulement que celui-ci apparaît dans la langue, elle signifie aussi qu'un dérivé en *-ant* ou en *-é,* par exemple, apparaît comme autonome, indépendant du verbe, dont il était jusqu'alors une simple forme. Les hésitations dans la lexicalisation ont une signification qu'il ne convient pas de négliger dans les recherches actuellement entreprises pour définir d'une manière scientifique d'autres catégories que celles que nous ont léguées les grammairiens et logiciens anciens. 1

J. et C. DUBOIS, le Dictionnaire : introduction à la lexicographie, p. 121.

♦ **2.** Caractère lexical (d'une langue); expression par le lexique (d'un contenu sémantique).

Le français exprime par le moyen du lexique ce que l'allemand exprime par l'intonation. Cette lexicalisation est un autre trait caractéristique du français. 2

Walther VON WARTBURG, Évolution et structure de la langue franç., p. 233.

★ **II.** Inform., documentation. Opération qui consiste à classer les éléments d'un lexique selon un ordre convenu (ordre alphabétique, par exemple).

LEXICALISÉ, ÉE [lɛksikalize] adj. — 1927, *in* D. D. L.; de *lexical,* et *-isé.*

♦ Ling. Qui fonctionne comme une unité du lexique, c'est-à-dire qui est employé comme un mot (ex. : *pomme de terre, moyen âge; mettre au pied du mur*). *Expression lexicalisée.*

LEXICALISER [lɛksikalize] v. — Mil. xxe; de *lexical* (surtout employé au passif et au pron.).

♦ **1.** V. pron. Ling. *Se lexicaliser :* se mettre à fonctionner comme une unité lexicale. (Employé surtout au passif et au pron.). *Cette locution s'est lexicalisée. Sens figuré qui se lexicalise.*

♦ **2.** V. tr. Inform. Pratiquer la lexicalisation (II.) de.

LEXICALISTE [lɛksikalist] adj. — V. 1970; de *lexical.*

♦ Ling. Qui privilégie le lexique ou lui donne une place importante, par rapport aux autres composantes de la théorie linguistique et notamment à la morpho-syntaxe. *L'hypothèse lexicaliste en grammaire générative.*

LEXICOGRAPHE [lɛksikɔgʀaf] n. — 1578, Robert Estienne; grec *lexikographos,* de *lexikon* (→ Lexique), et *graphein.* → -graphe.

♦ Didact. Personne qui pratique la lexicographie, qui fait un dictionnaire* de la langue. *Émile Littré, célèbre lexicographe du XIXe siècle. Faire œuvre de lexicographe en publiant un dictionnaire, un vocabulaire de termes techniques, scientifiques. — Lexicographe bilingue, terminologue.*

LEXICOGRAPHE. *s. m.* Auteur d'un lexique, d'un dictionnaire (...) Le travail d'un *lexicographe* est un travail bien dur et bien ennuyant pour lui, mais bien utile aux autres. Dict. de Trévoux, 1771. 1

Il suffirait d'un petit essaim de philologues ou de lexicographes, réunis à quelques écrivains, pour tenir continuellement à jour la table des mots vivants à telle époque. VALÉRY, Regards sur le monde actuel, p. 292. 2

La classification des sens est un problème particulièrement difficile pour le lexicographe. 3

Oscar BLOCH, la Lexicologie, *in* Où en sont les études de français, p. 145.

REM. Pour remplacer ce mot didactique et non motivé (non rattaché aux termes plus courants : *dictionnaire, vocabulaire...*) on a proposé *voca-*

buliste, dictionnairiste (ou *dictionnariste*), parfois (B. Quemada) avec une opposition entre ce dernier terme et *lexicographe.*

Ling. Spécialiste de la lexicographie. (Syn. : *métalexicographe*).

DÉR. Lexicographie.

LEXICOGRAPHIE [lɛksikɔgʀafi] n. f. — 1757, Douchet et Beauzée *in* Encyclopédie, art. *Grammaire,* au sens de « science de la graphie des mots » ; sens mod., av. 1824, de *lexicographe* ou du grec *lexikon* (→ Lexique), et *graphein ;* l'angl. *lexicography* est attesté en 1680.

♦ Ling. Travail et techniques du lexicographe ; recensement et étude analytique des unités lexicales (mots, expressions) d'une langue déterminée, considérées dans leurs formes et leurs significations, et aboutissant à l'élaboration de dictionnaires de langue. ⇒ **Dictionnaire.** *La lexicographie est en relation avec la lexicologie* et la linguistique, mais aussi avec la sociolinguistique, l'anthropologie culturelle, la terminologie.*

La définition des mots est une des grandes difficultés de la lexicographie. Quand on fait un dictionnaire d'une langue morte ou d'une langue étrangère, la traduction sert de définition ; mais, quand il faut expliquer un mot par d'autres mots de la même langue, on est exposé à tomber dans une sorte de cercle vicieux ou explication du même par le même. LITTRÉ, Dict., Préface, p. XIX.

(Selon les types de dictionnaires élaborés). *Lexicographie pédagogique, didactique* (dictionnaires d'apprentissage, pour enfants, etc.). *Lexicographie bilingue, multilingue. Lexicographie terminologique.* ⇒ **Terminologie.**

Étude systématique des dictionnaires, de leur élaboration (méthodologie), de leur structure, de leur texte. *Lexicographie théorique, historique, comparée.*

DÉR. Lexicographique.

LEXICOGRAPHIQUE [lɛksikɔgʀafik] adj. — 1824, Raymond ; de *lexicographie.*

♦ **1.** Ling. Relatif à la lexicographie. *Travaux lexicographiques* (→ aussi Dépouillement, cit. 3 ; filiation, cit. 3). *Pratique et théorie lexicographique.*

REM. L'adv. dérivé *lexicographiquement* est en usage.

♦ **2.** Math. *Ordre lexicographique :* relation d'ordre total, définie sur un ensemble totalement ordonné, telle que deux couples d'éléments (a, b) et (a', b') soient rangés dans le même ordre que a et a' si a ≠ a', et dans le même ordre que b et b' si a = a'.

LEXICOLOGIE [lɛksikɔlɔʒi] n. f. — 1765, au sens mod. → cit. 1 ; av. 1748, Girard, cité par Douchet et Beauzée, dans un sens différent ; du grec *lexikon* « lexique », et suff. *-logie.*

♦ **1.** Ling. Étude des unités de significations (monèmes, selon A. Martinet ; morphèmes) et de leurs combinaisons en unités fonctionnelles (mots, lexies), ainsi que des structures où ces unités fonctionnent (lexiques, vocabulaires), souvent étudiées dans leurs rapports avec la société dont elles sont l'expression. *Lexicologie théorique. Lexicologie appliquée* (à la lexicographie, à la traduction, à l'enseignement des langues...). *Lexicologie linguistique :* étude de la « composante lexicale » des langues. *Lexicologie descriptive, morphologique, sémantique. Lexicologie sociale, historique. La lexicologie de l'allemand, allemande. Le caractère linguistique de la lexicologie est discuté.*

1 Mais le *Vocabulaire* n'est que le catalogue des mots d'une langue, et chaque langue a le sien ; au lieu que ce que nous appelons *Lexicologie,* contient sur cet objet des principes raisonnés communs à toutes les langues.
I. L'office de la Lexicologie est donc d'expliquer tout ce qui concerne la connaissance des mots, et pour y procéder avec méthode, elle en considère le *matériel,* la *valeur,* et l'*étymologie.*
1° Le matériel des mots comprend leurs *éléments* et leur *prosodie* (...)
2° La valeur des mots consiste dans la totalité des idées que l'usage a attachées à chaque mot. Les différentes espèces d'idées que les mots peuvent rassembler dans leur signification, donnent lieu à la Lexicologie de distinguer dans la valeur des mots trois sens différents ; le *sens fondamental,* le *sens spécifique* et le *sens accidentel* (...)
3° L'Étymologie des mots est la source d'où ils sont tirés. L'étude de l'étymologie peut avoir deux fins différentes.
La première est de suivre l'analogie d'une langue, pour se mettre en état d'y introduire des mots nouveaux, selon l'occurrence des besoins ; c'est ce qu'on appelle la formation ; et elle se fait, ou par *dérivation* ou par *composition.* De là, les mots *primitifs* et les *dérivés,* les mots *simples* et les *composés.*
Le second objet de l'étymologie est de remonter effectivement à la source d'un mot (...) DOUCHET et BEAUZÉE, art. *Grammaire* de l'Encyclopédie de Diderot et d'Alembert.

2 De même qu'on distingue l'*ethnologie* de l'*ethnographie,* il nous semble judicieux de ne pas confondre *lexicographie,* étude analytique des faits du vocabulaire, discipline linguistique, avec la *lexicologie,* discipline de caractère synthétique se proposant l'étude des faits de civilisation (...) La recherche des causes en lexicologie ne saurait être fondée uniquement sur des travaux de détail. Dépassant le stade analytique de la lexicographie, les études lexicologiques s'attacheront au fur et à mesure de leurs progrès à des sujets de plus en plus généraux.
Georges MATORÉ, la Méthode en lexicologie, p. 88-89.

♦ **2.** (1867). Vx. Lexicographie.

DÉR. Lexicologique. — V. Lexicologue.

LEXICOLOGIQUE [lɛksikɔlɔʒik] adj. — 1827 ; de *lexicologie.* Linguistique.

♦ **1.** Relatif à la lexicologie. *Études lexicologiques.*

À tous les stades de la recherche lexicologique, les chercheurs devront envisager leur travail en fonction d'un ensemble.
Georges MATORÉ, la Méthode en lexicologie, p. 89.

♦ **2.** Vx. Relatif au lexique. ⇒ **Lexical.** « *Faits phonétiques, lexicologiques, morphologiques...* » (Saussure, *Cours...,* p. 273).

LEXICOLOGUE [lɛksikɔlɔg] n. — 1840-1842, Académie, *Compl. ;* de *lexicologie* ou du grec *lexikon,* et suff. *-logue.*

♦ **1.** Personne qui s'occupe de lexicologie. *Lexicologue spécialiste d'une langue, d'un dialecte* (⇒ **Dialectologue**). *Lexicologue théoricien.*

La lexicologie (...) est fondée sur l'analyse *détaillée* des faits de vocabulaire. Mais les lexicologues doivent, à tout prix, dépasser ce stade (...) C'est seulement par la synthèse que l'irrationnel des faits, tel qu'il apparaît dans les études analytiques, sera rendu intelligible. Georges MATORÉ, la Méthode en lexicologie, p. 88.

♦ **2.** (Vx). Lexicographe.

LEXICON [lɛksikɔ̃] n. m. — 1563. → Lexique.

♦ Vx. Lexique, 1. (cit. 1, 2).

LEXIE [lɛksi] n. f. — Mil. XXe (1962, Bernard Pottier) ; du grec *lexis* « parole, énoncé ; mot ». → Lexis.

♦ **1.** Ling. Unité du lexique, mot ou expression. ⇒ **Idiome.** *Lexie simple, complexe.*

♦ **2.** Sémiol. Unité textuelle constituant un tout, dans la lecture (cf. Barthes, *S/Z,* p. 20, *in* T. L. F.).

LEXIQUE [lɛksik] n. m. — 1721, Trévoux, au sens 1 ; *lexicon,* 1563, Ronsard ; grec *lexikon,* de *lexis* « mot ».

♦ **1.** Vx. Dictionnaire (→ Lexicographe, cit. 1). — REM. Ce sens, pour lequel la forme moderne est longtemps en concurrence avec *lexicon,* est encore le seul enregistré par Trévoux (1771).

(...) quand je *(lui)* demande ce qu'il sait, il me demande un livre pour me le montrer ; et n'oserait me dire qu'il a le derrière galeux, s'il ne va sur-le-champ étudier en son lexicon *(ce)* que c'est que galeux, et *(ce)* que c'est que derrière. 1
MONTAIGNE, Essais, I, XXV.

En appos. ou adj. *Le « manuel lexique »,* de l'abbé Prévost (1751).

(1697, *lexicon,* Lémery, *in* D. D. L. ; *lexique,* 1838). Mod. Dictionnaire succinct (d'une science ou d'une technique, d'un domaine spécialisé). ⇒ **Glossaire.** *Lexique de la terminologie linguistique,* ouvrage de J. Marouzeau.

(1893). Dictionnaire bilingue abrégé. *Lexique français-anglais à l'usage des touristes.*

Recueil de mots classés en listes à tel ou tel usage (rimes, mots-croisés, etc.).

(1587, *lexicon,* Ronsard ; repris 1846, Génin). Recueil des mots employés par un auteur, dans une œuvre littéraire. ⇒ **Apparat** (vx), **index.** *Un lexique très complet de Cicéron, de La Bruyère.*

Encore vaudrait-il mieux, comme un bon bourgeois ou citoyen, rechercher et faire un lexicon des vieux mots d'Artus, Lancelot et Gauvain, ou commenter le Roman de la Rose (...) RONSARD, Œuvres en prose, Au lecteur apprenti(f). 2

♦ **2.** (1861, Baudelaire). Didact. L'ensemble des mots et des « idiomes » (lexies, locutions) d'une langue, considéré abstraitement comme un des éléments formant le code de cette langue. ⇒ aussi **Vocabulaire.** *Le lexique français actuel. Le lexique d'une langue, d'un dialecte, d'un patois. Faits de civilisation reflétés par le lexique d'une époque. Enrichissement, évolution, renouvellement du lexique. Étude du lexique.* ⇒ **Lexicologie.** *Description du lexique dans les dictionnaires.* ⇒ **Lexicographie.**

Je vois dans la Bible un prophète à qui Dieu ordonne de manger un livre. J'ignore dans quel monde Victor Hugo a mangé préalablement le dictionnaire de la langue qu'il était appelé à parler ; mais je vois que le lexique français, en sortant de sa bouche, est devenu un monde, un univers coloré, mélodieux et mouvant. 3
BAUDELAIRE, l'Art romantique, XXII, I.

On pourrait croire (beaucoup de linguistes l'ont affirmé) que les transformations du langage ont lieu de manière insensible ; nous n'en croyons rien ; en ce qui concerne le lexique, l'évolution est, semble-t-il, discontinue ; elle se manifeste par des bonds, des révolutions comparables à ce que les naturalistes appellent des *mutations brusques.* G. MATORÉ, la Méthode en lexicologie, p. 58. 4

L'envahissement du lexique français par des mots « savants » (...) date du moyen français (...) L'invasion de ces termes savants (...) a contribué puissamment à don- 5

ner au vocabulaire un caractère abstrait. C'est elle qui est responsable de l'aspect bigarré que présente le lexique français.
S. ULLMANN, Précis de sémantique franç., p. 128-129.

(1828, Sainte-Beuve). Spécialt. Ensemble des mots employés par un écrivain dans ses œuvres. ⇒ **Vocabulaire.** *Termes érotiques* (cit. 2) *fréquents dans le lexique de Rabelais.*

6 (...) la langue d'un écrivain s'augmente artificiellement d'un grand nombre de mots qu'il attrape au hasard de la rencontre ou qu'il va chercher dans les livres, quand il ne les invente pas (...) Il ne faut pas confondre le vocabulaire d'un écrivain avec le lexique de ses œuvres (...) Il y a dans tout lexique plusieurs vocabulaires qui se mêlent (...) J. VENDRYES, le Langage, p. 219-220.

Spécialt (opposé à *vocabulaire*). Ensemble des unités lexicales faisant partie du code d'une langue (opposé aux unités effectivement réalisées dans le discours).

♦ **3.** Inform. Liste des unités (mots) employées dans un langage. *Lexique des instructions.* — Spécialt. Ensemble des termes ou descripteurs utilisés dans un ensemble documentaire. *Lexique et thésaurus documentaire.*

LEXIS [lɛksis] n. f. — 1926, *in* Lalande ; mot grec « énoncé ». → Lexie.

♦ **1.** Log. Énoncé considéré indépendamment de sa vérité (syn. : *jugement virtuel*), c'est-à-dire qui n'est pas affirmé ou nié. — Contr. : *proposition.*

♦ **2.** Didact. Le discours, la parole. *La lexis opposée à la praxis.*

LEZ ou **LES** [lɛ; le] ou **LÈS** [lɛ] prép. — V. 1050; du lat. *latus* « côté ».

♦ Vx. À côté de, près de. — REM. De nos jours, *lez* ne s'est maintenu que dans les noms géographiques et le plus souvent sous la graphie *les*, peut-être par confusion avec l'article défini ; ex. : *Plessis-les* (ou *lez*)*-Tours, Flacé-les-Mâcon.*

HOM. 2. **Lai, laid, lait, les** (art. pl.).

LÉZARD [lezaʀ] n. m. — V. 1460, *lesar* (XIIIe, selon T. L. F.); anc. franç. *laiserde, laüsarde,* n. f., fin XIe ; du lat. *lacerta.* → Lézarde.

♦ **1.** Petit reptile saurien* *(Lacertien),* à longue queue effilée, au corps allongé et recouvert d'écailles, portant une tête fine et quatre pattes courtes et grêles. *Le lézard est insectivore et ovipare. La taille du lézard varie selon les espèces. La langue du lézard est bifide. Lézard gris, lézard vert, lézard ocellé. Grand lézard d'Amérique.* ⇒ **Tupinambis.** *Le lézard, inoffensif et agile, se plaît sur les rocailles et les murs, où il se chauffe au soleil* (→ Boire, cit. 31). *Le lézard, symbole de la fourberie chez les Anciens* (⇒ **Stellionat**). *Mutilation réflexe de la queue du lézard.* ⇒ **Autotomie.**

1 À la pente du roc que la flamme pénètre,
Le lézard souple et long s'enivre de sommeil,
Et, par instants, saisi d'un frisson de bien-être,
Il agite son dos d'émeraude au soleil.
LECONTE DE LISLE, Poèmes barbares, « La ravine Saint-Gilles ».

2 (...) ces pierres déchaussées, que hantaient de petits lézards infiniment fragiles. Pour un rien, ils se cassaient. J'avais bien garde de les effrayer, car ce sont bêtes familières, sensibles à la voix, et, par conséquent, d'un facile apprivoisement. Le soleil les enchante (...) H. BOSCO, Antonin, p. 103.

2.1 Il y a même des lézards gris et vert. Ils détalent vers les dunes en lançant de grands coups de queue pour courir plus vite. Quelquefois Lalla réussit à en attraper un, et elle s'amuse à le tenir par la queue jusqu'à ce que la queue se détache. Elle regarde le tronçon qui se tortille seul dans la poussière.
J.-M. G. LE CLÉZIO, Désert, p. 73.

Être preste, vif (→ Flexible, cit. 6), *paresseux comme un lézard.* — Loc. (1832, A. Karr, *in* T. L. F.). *Faire le lézard :* se chauffer paresseusement au soleil. ⇒ 2. **Lézarder.** — *Vivre en lézard,* paresseusement. — Dans d'autres contextes (métaphore → cit. 3; compar. → cit. 4).

3 (...) je ne suis qu'un lézard littéraire qui se chauffe toute la journée au grand soleil du beau. FLAUBERT, Correspondance, t. I, p. 177 (éd. Charpentier).

4 (...) je rêvais de rester là tout le jour, comme un lézard, à boire de la lumière, en écoutant chanter les pins (...)
Alphonse DAUDET, Lettres de mon moulin, « Les vieux ».

Loc. vieillie. *Un bain de lézard :* un bain de soleil.

♦ **2.** (1922). Peau du lézard, traitée. *Sac, portefeuille en lézard.*

DÉR. Lézarde, lézardeau, 2. lézarder.

1. LÉZARDE [lezaʀd] n. f. — 1676; de l'anc. franç. *laisarde, lezarde* « lézard », par anal. de forme entre ces fentes et le corps allongé d'un lézard.

♦ **1.** Crevasse* profonde, étroite et irrégulière, dans un ouvrage de maçonnerie. ⇒ **Fente, fissure.** *Ce mur présente de nombreuses lézardes.* ⇒ **Lézardé** (→ Griffe, cit. 12). *Boucher les lézardes d'un mur* (Académie). — *Lézardes que la guerre a laissées aux maisons.* ⇒ **Cicatrice.**

1 D'énormes lézardes sillonnent les murs (...)
BALZAC, Autre étude de femme, Pl., t. III, p. 244.

1.1 D'autres piliers s'indiquaient aux alentours, que la lézarde paraissait aussi gagner, par des fendillements ramifiés en tous sens. ZOLA, Paris, t. II, p. 247.

(...) des lézardes qui sont comme les rides des ans. 2
LOTI, l'Inde (sans les Anglais), IV, IV.

Fente, déchirure. *Les lézardes de souliers* (Balzac). — Sillon, ride.

Par métaphore :

Une lézarde de ciel clair disjoignit les ténèbres. Gilliatt fut stupéfait, il était grand jour. HUGO, les Travailleurs de la mer, II, III, VI. 3

(1819). Fig. *Cette dispute correspond à une nouvelle lézarde dans leur amitié.* ⇒ **Fêlure, fissure.** *« Les lézardes du vieil ordre social »* (Hugo, *in* T. L. F.). *Une amitié sans lézarde.*

♦ **2.** (1867). Techn. Petit galon* festonné servant à recouvrir les coutures* des étoffes d'ameublement ou leurs lignes de jonction avec le bois des meubles.
Galon à lézarde : galon des sous-officiers.

Typogr. Superposition accidentelle de blancs, formant une raie sinueuse. Syn. : *cheminée, ruelle.*

DÉR. 1. **Lézarder.**

2. LÉZARDE [lezaʀd] n. f. — 1803, Wailly; fém. de *lézard.*

♦ Vx et régional. Lézard femelle. — Lézard (indépendamment du sexe).

LÉZARDÉ, ÉE [lezaʀde] adj. ⇒ 1. **Lézarder.**

LÉZARDEAU [lezaʀdo] n. m. — XVIe, Lemaire de Belges, var. *laisardin,* 1564; *lizardin,* 1537; de *lézard,* d'après *serpenteau,* etc.

♦ Rare. Jeune lézard; petit du lézard. *« Un lambeau de membrane diaphane accroché à la racine de la queue de la mère me révèle que les lézardeaux ont déchiré leur mince cloison (...) Comme les vipéreaux, ils peuvent chasser pour vivre dès leur naissance »* (*Bêtes et Nature,* no 33, p. 17).

1. LÉZARDER [lezaʀde] v. tr. — 1770, au p. p.; v. tr., 1845; v. pron., 1829; de 1. *lézarde.*

♦ **1.** Fendre* par une ou plusieurs lézardes*. ⇒ **Crevasser, disjoindre.** *Les intempéries ont lézardé ce mur.* — Pron. *Cloison, plafond qui se lézarde.*

Les bâtiments abandonnés se lézardaient (...) 1
CHATEAUBRIAND, Mémoires d'outre-tombe, t. II, p. 351.

♦ **2.** Par métaphore ou fig. Produire des failles dans... *« Lézarder les croyances à l'aide d'un sourire »* (Léon Daudet, *in* T. L. F.). — Pron. *Un empire, une théorie qui se lézarde.*

► **LÉZARDÉ, ÉE** p. p. adj. *Mur lézardé. Corridor* (cit. 3) *lézardé et décrépi. Voûte lézardée.* ⇒ **Étonné.**

Pauvre maison en loques, tassée, lézardée et branlante, raccommodée partout de bouts de planches et de plâtras ! ZOLA, la Terre, II, III. 2

Contre le pan du mur, lézardé par l'explosion, qu'ils venaient de franchir, une échelle était encore dressée (...) 2.1
J. VERNE, les Cinq Cents Millions de la Bégum, XVII, p. 248.

Comment croire la résistance possible si après trois semaines de campagne l'armée se lézardait déjà ? R. DORGELÈS, la Drôle de guerre, XX. 3

Qui porte de nombreux sillons (analogues à des lézardes).

Par métaphore et fig. *« Des consciences lézardées »* (Daudet). *Il bâtissait* (cit. 38) *des théories aussitôt lézardées.*

2. LÉZARDER [lezaʀde] v. intr. — 1872, Larchey; de *lézard.*

♦ Fam. Faire le lézard*, paresser au soleil.

Li [ɛli] Symbole chimique du *lithium.*

LI [li] n. m. — 1603; mot chinois.

♦ Mesure itinéraire chinoise (environ 576 mètres). — Au plur. *Des lis* ou *des li.*

HOM. Lie, lit; formes des v. **lier,** 1. **lire.**

LIAGE [ljaʒ] n. m. — 1243; de *lier.*
Rare.

♦ **1.** Action de lier; son résultat. — Spécialt. *Liage des bottes, des gerbes.*

Ce liage, cette besogne si dure que les hommes d'habitude se réservent, l'épuisait, la poitrine écrasée des continuelles charges, les bras cassés d'avoir à étreindre de telles masses et de tirer sur les liens de paille.
ZOLA, la Terre, III, IV (→ Gerbe, cit. 1).

♦ **2.** (1765). Techn. Croisement des fils de trame et de chaîne avant tissage. — Opération de tissage qui consiste à lier aux fils du corps du tissu ceux qui forment le dessin, dans un tissu façonné. *Fils de liage.*

LIAIS [ljɛ] n. m. — 1125, *liois;* probablt mot gaul., comme *lie.* → aussi Lias.

♦ Pierre calcaire dure, d'un grain très fin. *Du liais. Pierre de liais* (même sens).

(...) une cheminée en pierre de liais cannelée (...)
BALZAC, Eugénie Grandet, Pl., t. III, p. 523.

HOM. Formes du v. **lier.**

LIAISON [ljɛzɔ̃] n. f. — 1190, «façon de s'habiller»; *loison,* XIIIe; *liaison,* XIVe; de *lier,* d'après lat. *ligatio, -onis,* du supin de *ligare* «attacher». → Lier.

★ **I.** (Choses). **A.** Action de lier, de se lier.

♦ **1.** (1538, sens général). Vx. Assemblage, jonction, union. Emplois spéciaux. (1597). Cerclage des tonneaux.

♦ **2.** (1393). Spécialt et mod. Opération qui consiste à incorporer des ingrédients à une sauce pour l'épaissir, la rendre onctueuse. *Faire une liaison à l'œuf, à la crème.*

♦ **3.** Mar. *Pièces de liaison.* → ci-dessous, C., 2.

B. (1588). ♦ **1.** Sens général. État de ce qui est lié. (1559). Ensemble de choses liées. *« Ces pièces sont si bien jointes qu'on n'en voit pas la liaison »* (Académie).

♦ **2.** Emplois spéciaux. — (De I., 2.). Les ingrédients utilisés pour *lier* (une sauce). *La liaison a tourné.*

1 Et Gervaise (...) remerciait chacun de son bouquet, sans cesser pour cela de préparer la liaison de la blanquette, au fond d'une assiette creuse.
ZOLA, l'Assommoir, VII, t. I, p. 261.

(1260, Villard de Honnecourt, *lioison;* puis 1538). *Maçonnerie en liaison,* où le milieu de chaque pierre (ou brique) porte sur le joint de deux autres. — (1676). Par ext. Mortier, plâtre.

(1690). Techn. Alliage, et, spécialt, alliage du plomb avec le zinc pour former une soudure.

C. (1482, «lien pour attacher qqn»). Ce qui sert à lier (vx au sens général; de nos jours dans quelques emplois spéciaux).

♦ **1.** (1680). Élément graphique joignant deux lettres ou les parties d'une même lettre.

♦ **2.** (1721). Mar. *Les liaisons :* «pièces de construction qui relient entre elles et fortifient les parties principales d'un navire» (Gruss, *Dict. de marine*). *Liaison longitudinale.* ⇒ **Serre.**

D. Relation entre deux sons consécutifs; signe établissant cette relation (correspond aux sens I, B et C).

♦ **1.** (1765). Mus. Signe de ponctuation ou d'accentuation qui unit soit deux notes de même son et presque toujours de même nom *(liaison de durée),* soit une suite de notes différentes *(liaison d'accentuation)* dont on doit soutenir le son. ⇒ **Coulé.** *Une phrase musicale surmontée d'une liaison doit être exécutée en une seule émission instrumentale ou vocale* (⇒ **Chant**).

♦ **2.** (1867; «assemblage des sons dans le discours», 1592). Action de prononcer deux mots consécutifs en unissant la consonne finale du premier mot (non prononcée devant une consonne) à la voyelle initiale du mot suivant (ex. : *les petits enfants* [leptizɑ̃fɑ̃]). *Liaisons obligatoires, usuelles, traditionnelles, facultatives. Liaison vicieuse.* ⇒ **Cuir; velours; pataquès.** Fam. *Liaison mal-t-à propos. La liaison ne se fait pas devant l'h* (cit. 4) *aspiré* (cit. 22). → Hiatus. *Le h dit « aspiré » interdit la liaison. — Voyelle de liaison,* apparue dans un mot au cours de son histoire, entre le radical et un affixe.

2 Il se disait tout bas, avec une stupidité méthodique et machinale : « Voici un point acquis. C'est ce qu'on nomme un point-t-acquis », en faisant sonner le *t* de la liaison.
COLETTE, la Fin de Chéri, p. 48.

3 S'ils font ces fausses liaisons que l'on appelle *cuirs,* c'est d'abord par ignorance, c'est, souvent aussi, pas besoin d'euphonie, par haine de l'hiatus.
DUHAMEL, Discours aux nuages, p. 42.

E. (Abstrait). ♦ **1.** (1538). Ce qui relie logiquement les éléments du discours : parties d'un texte, éléments d'un raisonnement. ⇒ **Association** (cit. 18), **contiguïté, enchaînement.** *Manque de liaison dans les idées.* ⇒ **Cohérence** (cit. 2), **continuité, suite.** *Récit, style dépourvu de liaisons.* ⇒ **Décousu, incohérent** (→ Jet, cit. 3). *Drame où la liaison des scènes laisse à désirer.* ⇒ **Contexture, texture.**

4 Je dirais la même chose de la liaison des scènes, si j'osais la nommer une règle (...)
CORNEILLE, Avertissements au lecteur, II.

5 Ce qui bientôt frappe ses interlocuteurs comme les lecteurs de ses lettres, c'est la liaison étroite, évidente, de la parole avec l'idée : c'est vraiment *la pensée qui parle,* rejetant tout ce qui est inutile pour l'expression d'une opinion, n'employant que des figures exactes et fortes.
Louis MADELIN, Hist. du Consulat et de l'Empire, De Brumaire à Marengo, VI.

(1649, Ménage). Spécialt (ling.). *Mot, terme de liaison :* conjonctions (cit. 7; ⇒ **Copulatif**), et prépositions. *Suppression des mots de liaison.* ⇒ **Asyndète** (→ Juxtaposition, cit. 2).

♦ **2.** (1656, Pascal). Rapport logique, psychologique. ⇒ **Connexion, rapport** (→ Éclairer, cit. 23; impénétrable, cit. 15). *Établir* (cit. 21) *une liaison de cause à effet* (⇒ **Dépendance**). — *En liaison :* en rapport logique. *Fait en liaison avec un autre.* ⇒ **Connexité, corrélation, correspondance** (→ Indice, cit. 10). — *Événements dont on voit mal la liaison.* ⇒ **Fil, filiation.** *Étroite* (cit. 17) *liaison de la musique et de la danse.* ⇒ **Affinité.** *Liaison du conformisme et de l'individualisme* (cit. 5) *aux États-Unis.* ⇒ **Alliance** (→ aussi Adhérence, coexistence).

En chaque action, il faut regarder, outre l'action, notre état présent, passé, futur, et des autres à qui elle importe, et voir les liaisons de toutes ces choses. 6
PASCAL, Pensées, VII, 505.

Les rapports des effets aux causes dont nous n'apercevons pas la liaison (...) 7
ROUSSEAU, Émile, III.

Log., philos. *La copule, liaison du sujet et du prédicat. — La liaison des représentations dans le concept.*

♦ **3.** Sc. Force qui maintient ensemble les éléments d'un système matériel. — Mécan. Contrainte s'exerçant sur un corps mobile. *Forces de liaison* (opposé à *forces extérieures*), appliquées à un système. — Chim. *Liaisons chimiques :* combinaisons entre atomes pour former un composé. *Liaison ionique* ou *hétéropolaire* (par attraction électrostatique), *liaison de covalence** ou *atomique. Liaison métallique, liaison hydrogène. Énergie de liaison,* nécessaire pour séparer deux atomes liés.

♦ **4.** Spécialt (psychan.). «Opération tendant à limiter le libre écoulement des excitations, à relier les représentations entre elles, à constituer et à maintenir des formes relativement stables» (Laplanche et Pontalis).

★ **II.** (1324, «lien moral»). Personnes. ♦ **1.** (1588). Vieilli. Action de se lier, fait d'être lié avec qqn; les relations que deux personnes entretiennent entre elles. *Liaison d'amitié, d'intérêt, de commerce, d'affaires.* ⇒ **Relation.** *Liaison fondée sur une affinité* de caractères, de goûts.* ⇒ **Attachement, camaraderie** (→ Amitié, cit. 12, La Bruyère). *Il a rompu toute liaison avec ce milieu.* ⇒ **Attache, lien.** — (1681, Mme de Maintenon). Au plur. Vieilli. (Souv. péj.). *Avoir des liaisons douteuses, louches, suspectes.* ⇒ **Accointance, fréquentation** (→ Irréligion, cit. 1). *Liaisons qui se forment dans les cercles* (cit. 10). *Les Liaisons dangereuses,* roman de Choderlos de Laclos (1782) souvent compris, à tort, au sens mod., ci-dessous.

Il *(Chateaubriand)* vit dès lors Fontanes, et noua avec lui une première liaison qui se resserra ensuite à Londres et y devint la plus étroite amitié. 8
SAINTE-BEUVE, Chateaubriand..., t. I, p. 89.

(1694). Spécialt. Mod. *Liaison amoureuse, liaison de galanterie** (→ Jalousie, cit. 17). 1768. Absolt. *(Une, des liaisons).* Lien entre deux amants. *Une liaison sans attachement* (→ Amour, cit. 12). ⇒ **Caprice, intrigue, passade.** *Former* (cit. 16), *nouer, entretenir* (cit. 6) *une liaison. Avoir une liaison. Sa liaison avec cette femme. Les premiers moments d'une liaison. Garçonnière* (cit. 4) *abritant une liaison clandestine. Liaison affichée, notoire.* ⇒ **Concubinage.** *Liaison difficile à rompre.* ⇒ **Attache, chaîne, engagement** (→ Crampon, cit. 3; inexpérience, cit. 1). *Renouer* une liaison.*

(...) je ne me séparais pas sans un vif regret d'un être qui m'était si uniquement dévoué. Il y a dans les liaisons qui se prolongent quelque chose de si profond! 9
B. CONSTANT, Adolphe, V.

(...) toutes les liaisons qu'elle nouait et dénouait si facilement n'étaient que d'intérêt ou de pur caprice. 10
Th. GAUTIER, Fortunio, I, p. 27.

Cette liaison devint, au bout de six ans, un quasi-mariage. 11
BALZAC, Un prince de la Bohème, Pl., t. VI, p. 840.

Je n'ai pas de liaison. Les femmes, je m'en fous, je les ai comme je veux. 12
ARAGON, les Beaux Quartiers, II, VII.

♦ **2.** (1902). Relations établies entre formations militaires, états-majors, etc., grâce à la communication des ordres, à la transmission des nouvelles. *Liaisons assurées par le service des transmissions*, par des estafettes*. Liaison par fusées, par signaux optiques. Officier de liaison. Agent, homme de liaison.* — Loc. (1725). **EN LIAISON.** *Entrer, se tenir, rester en liaison constante, étroite.* ⇒ **Communication, contact.**

Il s'agit de guider une patrouille de la quatrième qui doit se mettre en liaison avec les territoriaux qui sont à droite du ruisseau. 13
R. DORGELÈS, les Croix de bois, III.

(...) il avait toute la nuit couru dans la tranchée en qualité d'homme de liaison pendant que les autres dormaient (...) 14
H. BARBUSSE, le Feu, t. II, XVI.

Par ext. *Agent* de liaison. Agent de liaison d'un réseau d'espionnage.*

La veille de l'offensive, Aurelle reçut du colonel l'ordre d'aller servir d'agent de liaison entre l'état-major de la division et quelques batteries françaises, qui renforçaient l'artillerie britannique dans ce secteur. 15
A. MAUROIS, les Silences du colonel Bramble, XV.

(...) nous (...) fîmes admettre *(aux Britanniques)* qu'une «liaison permanente» serait établie entre leurs services et les nôtres pour régler «l'utilisation des navires de commerce français et de leurs équipages». 16
Ch. DE GAULLE, Mémoires de guerre, t. I, p. 81.

(1949). Au sens de «ce qui sert à lier». Personne qui assure la transmission de l'information, dans l'armée, dans un réseau d'espionnage, etc.

(En liaison). Travailler en liaison avec qqn. — Se sentir en liaison intime avec qqn. ⇒ **Accord.**

17 (...) quel plaisir de jouer avec son public, de l'émouvoir et le faire rire tour à tour, de se sentir en constante liaison avec lui (...)
Georges LECOMTE, Ma traversée, p. 325.

♦ **3.** (Mil. xxe). Communication régulièrement assurée, entre deux points du globe. *Liaison aérienne, maritime, ferroviaire, routière. Compagnie de navigation aérienne qui fait la liaison Paris-Dakar sans escale* (⇒ **Ligne**). — *Liaisons entre un aérodrome et une ville. Liaisons postales. Interrompre, rétablir les liaisons téléphoniques entre Paris et la province. Liaison radio. Liaison avec l'étranger.*

18 Les *liaisons* se font par fil ou par radio. Suivant l'équipement dont ils disposent, les correspondants et les reporters transmettent leurs dépêches au siège de l'agence par télex ou par téléphone, et les principaux bureaux utilisent une liaison permanente par téléscripteurs. Philippe GAILLARD, Technique du journalisme, p. 43.

DÉR. Liaisonner.

LIAISONNER [ljɛzone] v. tr. — 1694; au sens général «lier», 1575; de *liaison.*
Technique.

♦ **1.** (Maçonn.). Remplir (des joints) avec du mortier. — (1762). Par anal. *Liaisonner des pavés.*

♦ **2.** (1694). Disposer en liaison (les éléments d'une maçonnerie). *Liaisonner des briques, des pierres.*

LIANE [ljan] n. f. — 1694; *liene,* 1640; mot *(liene, liane)* du franç. des Antilles, des dial. de l'Ouest, de *liener;* de *lien.*

♦ Nom générique de diverses plantes grimpantes, épiphytes, des forêts (cit. 3) tropicales, de la jungle. *Les lianes, plantes épiphytes* qui s'enlacent aux arbres* (→ Cimenter, cit. 2). *Lianes qui pendent du haut d'un escarpement* (cit. 1). *Fouillis* (cit. 3) *de lianes inextricables* (→ 1. Frayer, cit. 1). *Lianes qui fournissent du caoutchouc* (⇒ **Urcéole**), *de la vanille* (⇒ **Vanillier**). — Par ext. La tige de ces plantes. *Lianes d'une glycine* (cit.). *Les lianes du lierre* (→ Glisser, cit. 8).

1 (...) des lianes de divers feuillages, qui, s'enlaçant d'un arbre à l'autre, forment ici des arcades de fleurs, là de longues courtines de verdure.
BERNARDIN DE SAINT-PIERRE, Paul et Virginie, p. 96.

2 (...) ces grands arbres, garnis jusqu'en bas de lianes en chevelure (...)
LOTI, l'Inde (sans les Anglais), II, I.

Par métaphore. *Une souplesse de liane.* — Fig. *Corps de liane.*

3 Il demeura abasourdi, étreint par ce corps enroulé autour du sien, et souple comme une liane et dur! HUYSMANS, Là-bas, XIII.

LIANT, LIANTE [ljɑ̃, ljɑ̃t] adj. et n. m. — 1671; «qui donne de la consistance», v. 1398; p. prés. de *lier.*

★ **I.** Adj. ♦ **1.** Vx. Souple, élastique, non cassant. ⇒ **Flexible, malléable.** *« Un bon carrosse à ressorts bien liants »* (Regnard). *« Un bois liant »* (Buffon).

♦ **2.** (Fin xviie). Mod. (Personnes). Qui se lie facilement avec autrui, forme volontiers des relations amicales, familières. ⇒ **Accostant** (vx), **affable, doux, familier** (cit. 9), **sociable, souple.** *Personne liante.* ⇒ **Lier** (se). *Esprit*, caractère liant.*

1 Mon esprit peu liant, mon amour trop sincère,
Ma manière d'agir, ma critique et mes ris
M'attireraient bientôt un monde d'ennemis (...)
J.-F. REGNARD, Démocrite, I, 6.

2 Mlle du Châtelet n'était ni jeune ni jolie, mais elle ne manquait pas de grâce; elle était liante et familière, et son esprit donnait du prix à cette familiarité.
ROUSSEAU, les Confessions, IV.

3 Je suis peu liant; je n'ai, par nature, aucune ouverture de cœur. Il m'est arrivé, pourtant, une seule fois dans ma vie, de chercher du soulagement dans la confidence. G. DUHAMEL, Salavin, Journal, 7 janvier.

★ **II.** N. m. ♦ **1.** (1867). Caractère de ce qui est élastique, souple. *L'acier* a plus de liant que le fer.*

4 (...) le principal inconvénient des pâtes obtenues des végétaux est un défaut de liant. Ainsi la paille donne un papier cassant, quasi métallique et sonore.
BALZAC, Illusions perdues, Pl., t. IV, p. 930.

♦ **2.** (Mil. xxe). Techn. Composé minéral (chaux, ciment...) qui provoque le durcissement d'un mortier. *Liant hydraulique.*
Composant d'un produit à étaler (vernis, peinture, encre) qui assure sa bonne répartition et sa cohésion.

♦ **3.** (Fin xviie). Fig. et littér. Disposition favorable aux relations sociales. *Avoir du liant. Manquer de liant.*

5 Il *(Fleury)* s'initia auprès de Mme de Levis et la subjugua par ses manières, son liant, son langage. SAINT-SIMON, Mémoires, IV, XXXV.

6 Je me rappelle le liant des hommes et des femmes, leur besoin de s'arrêter, de regarder, de commenter, de comprendre, la gentillesse avec laquelle ils se portaient assistance, en cas de difficulté, leur goût pour la plaisanterie truculente et poivrée.
G. DUHAMEL, Inventaire de l'abîme, VII.

CONTR. Cassant, sec.

1. LIARD [ljaʀ] n. m. — 1383; orig. incert., p.-ê. n. propre, plutôt de *liart* «grisâtre», lui-même d'orig. incert., soit du moy. irlandais *liath* «gris», soit de 1. *lie;* mais chaque hypothèse est fragile; selon Guiraud le *liard* est un alliage et *liart* «gris» vient plus probablement de *lier* au sens de «allier», le *cheval liart* est «de poil mêlé», la pièce est de métaux mêlés.

♦ **1.** Ancienne monnaie française de cuivre, qui valait trois deniers ou le quart d'un sou (→ Écumeur, cit. 4).

♦ **2.** (1526, *la valeur d'un liard,* Marot). Fig., vieilli. *Avoir quelques liards,* un peu d'argent. — (En emploi négatif). Très petite somme d'argent. ⇒ **Sou.** *N'avoir pas un liard, pas un rouge* liard :* être complètement démuni d'argent. ⇒ **Goutte** (vx, n'avoir goutte d'argent). *Il n'a pas un liard d'économie* (→ Fouiller, cit. 27).

Je te donnerai quinze cents francs (...) en livres, que Cruchot me prêtera; car je n'ai pas un rouge liard ici (...) 1
BALZAC, Eugénie Grandet, Pl., t. III, p. 590.

Je ne veux point vous refuser mon désistement du bail, mais il me faut soixante mille francs, et je ne rabattrai pas un liard. 2
BALZAC, César Birotteau, Pl., t. V, p. 575.

DÉR. Liarder.

2. LIARD [ljaʀ] n. m. — 1755; *léard,* 1558; du lat. *ligare* «lier», les jeunes tiges flexibles de cet arbre pouvant remplacer l'osier dans la confection des liens.

♦ Variété de peuplier* dite aussi *peuplier noir.* Appos. *Peuplier liard.*

Peupliers et liards confèrent à ce lieu un aspect de parc insolite. Le silence y est total et, bien que la Nahanni soit toute proche, on n'entend plus le sourd grondement de ses eaux (...) R. FRISON-ROCHE, Nahanni, p. 200.

3. LIARD [ljaʀ] n. m. — 1867, *poire de liard;* étym. obscure, probablt de l'anc. adj. *liart* «gris». → 1. Liard.

♦ Variété de poire grise.

LIARDER [ljaʀde] v. intr. — 1801; «distribuer quelques liards», 1611; de 1. *liard.*

♦ Vieilli. Lésiner. *Liarder sur ses dépenses.*

Ils se privèrent, ils liardèrent sur leurs moindres distractions, sur leurs vêtements, sur leur nourriture, pour arriver à amasser ces deux cents francs (...)
R. ROLLAND, Jean-Christophe, Antoinette, p. 875.

DÉR. Liardeur.

LIARDEUR, EUSE [ljaʀdœʀ, øz] n. et adj. — 1800; de *liarder.*

♦ Vx. Qui liarde, qui ne dépense pas facilement son argent. ⇒ **Avare, lésineur.** *« Économe, mais pas liardeuse »* (Huysmans).

LIAS [ljɑs] n. m. — 1821; mot angl. (mot régional adopté par le géologue W. Smith), empr. au franç. *liais*.*

♦ Géol. Sous-système du jurassique. ⇒ **Jurassique.** *Fossiles, marnes du lias.* ⇒ **Liasique.** *Étages du lias :* Toarcien *(lias supérieur);* Plœnsbachien *(lias moyen);* Sinémurien, Hettangien, Rhétien *(lias inférieur).* — Par ext. Les couches de terrains elles-mêmes. *Lias calcaire, marneux, schisteux.*

DÉR. Liasique.

LIASIQUE [ljɑzik] ou **LIASSIQUE** [ljɑsik] adj. — 1828, *liasique, in* Höfler; *liassique,* 1840; de *lias.*

♦ Qui appartient ou a rapport au lias. *Formations liasiques. Calcaires, ammonites liasiques.*

LIASSE [ljas] n. f. — 1611; «paquet, faisceau», v. 1170; de *lier.*

♦ **1.** Amas de papiers liés ensemble. *Une liasse d'actes notariés. Une liasse de lettres* (→ Cacheter, cit. 2), *de feuillets. Liasses de journaux* (cit. 13). — *Mettre des billets de banque en liasse.* ⇒ **Enliasser.**

Toujours accablés de procès (...) ils n'oublient jamais de porter (...) une liasse de papiers entre leurs mains. 1
LA BRUYÈRE, les Caractères de Théophraste, De l'image d'un coquin.

Je le prie seulement qu'on fasse une liasse de toutes nos requêtes, après quoi il examinera un jour à loisir ce qu'il voudra accorder ou refuser. 2
VOLTAIRE, Correspondance, 4320, 26 avr. 1776.

Par ext. Tas, paquet (de feuilles, de papiers) non attaché. *Une liasse de billets, une épaisse liasse* (⇒ **Brique**). *Une liasse volumineuse de papiers* (cit. 24).

(...) une petite liasse de dollars verts qu'elle enfouit dans son corsage comme un billet doux. CÉLINE, Voyage au bout de la nuit, p. 201. 3

(...) sortant de sa poche une liasse de quelque chose (pas du papier : plutôt comme 4 de minces et pelucheux morceaux de buvard, et, apparemment, pas de l'argent non plus...) Claude SIMON, le Palace, p. 19.

♦ **2.** Par métonymie (rare). Ce qui sert à lier; large ruban.

♦ **3.** Techn. Paquet de filasse réuni avec d'autres dans une balle. Écheveau de fil à coudre (de 96 mètres).

♦ **4.** (V. 1970). Série de petits échantillons de tissu, de papier, attachés d'un côté comme un carnet, ou par un coin, et référencés. *Le tapissier prête ses liasses aux clients.*

LIASSIQUE [ljasik] adj. ⇒ **Liasique.**

LIASTHÉNIE [ljasteni] n. f. — 1962; du grec *leios* «lisse», et *asthénie.*

♦ Didact. Asthénie des muscles lisses.

LIBAGE [libaʒ] n. m. — 1676, Félibien; de l'anc. franç. *libe* «bloc de pierre», gaul. **libba*, et suff. *-age.*

♦ Techn. Bloc* de pierre, moellon* grossièrement équarri, noyé dans la masse d'une maçonnerie; appareil ainsi formé.

LIBANAIS, AISE [libanɛ, ɛz] adj. et n. — 1914, Barrès, *in* T. L. F.; *libanien,* 1835, Lamartine, *in* T. L. F.; de *Liban.*

♦ Du Liban. *La côte libanaise. L'histoire libanaise. Le drame libanais. Les communautés libanaises chrétiennes* (⇒ **Maronite**), *musulmanes. L'arabe libanais. La littérature libanaise d'expression arabe, française. Cuisine libanaise. Le taboulé, plat libanais.* — N. Personne habitant au Liban ou originaire du Liban. *Une Libanaise. Les Libanais.*

LIBATION [libasjɔ̃] n. f. — 1488; du lat. *libatio,* du supin de *libare* «répandre (en l'honneur d'un dieu)».

♦ **1.** Antiq. Action de répandre* un liquide (vin, lait, huile...) en l'honneur d'une divinité* (⇒ **Offrande**). *Les Grecs et les Romains faisaient des libations lors des sacrifices*, au cours de cérémonies. Libation aux lares. Les choéphores* portaient les offrandes pour les libations.*

1 Tu sais combien je hais leurs fêtes criminelles,
Et que je mets au rang des profanations
Leur table, leurs festins et leurs libations (...) RACINE, Esther, I, 4.

♦ **2.** (1750). Fig. *Faire des libations, d'abondantes, de copieuses, de capiteuses, de joyeuses libations :* boire* abondamment, surtout des boissons alcoolisées (→ Cuisiner, cit. 5; huis, cit. 5). — Au sing. (rare) :

2 (...) Gambara but un grand verre de vin de Champagne, et accompagna sa libation d'un demi-sourire approbateur. BALZAC, Gambara, Pl., t. IX, p. 430.

LIBECCIO [libɛtʃjo] n. m. — 1859, Mérimée, *in* T. L. F.; mot ital., du lat. *libs* (vent du sud-ouest).

♦ Régional (Corse et Côte d'Azur). Vent du sud-ouest soufflant sur les côtes ligures, provençales et corses. *«Sous l'effet du "libeccio", un vent venu d'Afrique qui souffle à cent cinquante kilomètres à l'heure, la Corse aura encore connu en 1978 un été rouge»* (*le Nouvel Obs.,* 19 août 1978).

1. LIBELLE [libɛl] n. m. — 1283; lat. *libellus* «petit livre», dimin. de *liber.* → Livre.

♦ **1.** Anciennt. Petit livre. — Dr. rom. Acte (II.) par lequel quelque chose est notifié juridiquement. *Libelle de divorce.*

1 Lorsqu'une femme qui avait son mari à la guerre n'entendait plus parler de lui, elle pouvait (...) aisément se remarier (...) La loi de Constantin voulut qu'elle attendît quatre ans, après quoi elle pouvait envoyer le libelle de divorce au chef (...) MONTESQUIEU, l'Esprit des lois, XXVI, IX.

Dr. canon. Acte introductif d'instance. *Libelle d'anathème*, d'excommunication*.*

♦ **2.** (1465). Mod. et littér. Court écrit* de caractère satirique, injurieux, diffamatoire. ⇒ **Pamphlet, satire; diatribe** (cit. 1), **diffamation** (→ Encyclopédie, cit. 3). *Faire, répandre des libelles contre qqn. Auteur de libelles.* ⇒ **Libelliste.** *Les libelles, «dernière ressource des lâches»* (Beaumarchais, *la Mère coupable,* V, 8).

2 Mais les pauvres insensés se trompent beaucoup, s'ils pensent que leurs libelles, muettes injures, et livres sans nom, offensent la tranquillité de mon esprit (...) RONSARD, Œuvres en prose, Recueil des nouvelles poésies, «Épître au lecteur».

3 Ma première idée, à la lecture de ce libelle, fut de mettre à son vrai prix tout ce qu'on appelle renommée et réputation parmi les hommes, en voyant traiter de coureur de bordels un homme qui n'y fut de sa vie, et dont le plus grand défaut fut toujours d'être timide et honteux comme une vierge (...) ROUSSEAU, les Confessions, XII.

DÉR. Libeller, libelliste.
HOM. 2. **Libelle,** formes du v. **libeller.**

2. LIBELLE [libɛl] n. f. — 1902; lat. *libella* «niveau d'eau», de *libra* «poids» (→ Livre), «balance; niveau».

♦ Sc. Bulle gazeuse que présentent les inclusions liquides de certains cristaux.

HOM. 1. **Libelle;** formes du v. **libeller.**

LIBELLÉ [libɛlle] ou cour. [libele] n. m. — 1832, *in* D. D. L.; p. p. de *libeller.*

♦ **1.** Didact., admin. Termes dans lesquels un acte, et, spécialt, un acte officiel est rédigé. ⇒ **Rédaction.** *Le libellé d'un jugement, d'un arrêt, d'un exploit. Modèle de libellé.* ⇒ **Formule.** Par ext. *Le libellé d'une demande, d'une lettre* (Académie). *Libellé incorrect.*

Il prit l'écrit de monsieur Caron, et le lut, comme si le *libellé* de l'avocat allait être l'objet de son attention (...) BALZAC, le Curé de Tours, Pl., t. III, p. 820.

♦ **2.** Inform. Désignation en clair d'une donnée alphanumérique.

HOM. Libeller.

LIBELLER [libɛlle] ou cour. [libele] v. tr. — 1451; de 1. *libelle.* Didactique, administratif.

♦ **1.** Rédiger dans les formes. ⇒ **Écrire, rédiger.** *Libeller un acte*, un contrat, un exploit, un mandat d'arrêt...*

Ici tout est basé sur la propriété définie avec rigueur, sur le contrat libellé jusqu'au dernier iota. André SIEGFRIED, l'Âme des peuples, II, II.

Spécialt (fin.). *Libeller un mandat* (⇒ **Mandater**), *un chèque**, le remplir en spécifiant la destination de la somme qui y est portée.

♦ **2.** 1796. (Rare à l'actif). Exposer, formuler par écrit.

▶ **LIBELLÉ, ÉE** p. p. adj. *Demande, réclamation libellée en termes violents, incorrects... Un télégramme ainsi libellé...,* ainsi rédigé, qui contient ceci... — ⇒ **Libellé,** n. m.

DÉR. et **HOM.** Libellé.

LIBELLISTE [libɛllist] ou cour. [libelist] n. m. — 1640; de 1. *libelle,* et *-iste.*

♦ Littér. Auteur d'un libelle; folliculaire, pamphlétaire.

(...) le calomniateur se cachait sous un nom supposé, comme la plupart des libellistes. VOLTAIRE, Dict. philosophique, Dictionnaire.

LIBELLULE [libɛllyl] ou cour. [libelyl] n. f. — 1798, Cuvier; du lat. zool. *libellula,* 1758; tiré, d'après les étymologistes, du lat. class. *libella* «niveau», par allus. au vol plané horizontal de l'insecte.

♦ Insecte archiptère, à grosse tête ronde pourvue d'yeux globuleux à facettes, à corps allongé, aux ailes transparentes et nervurées. — REM. Dans le langage courant, on appelle *libellules* tous les insectes de la famille des *Libellulidés**. → Æschne, demoiselle (III.). — *Ailes* (cit. 7), *corselet* (cit. 2) *de la libellule. Le vol de la libellule* (→ 2. Grésiller, cit. 3).

La frissonnante libellule
Mire les globes de ses yeux
Dans l'étang splendide où pullule
tout un monde mystérieux. HUGO, les Rayons et les Ombres, XVII.

DÉR. Libellulidés.

LIBELLULIDÉS [libɛllylide; libelylide] n. m. pl. — 1902; *libellulides,* 1873; de *libellule,* et suff. *-idés* indiquant une famille.

♦ Famille d'insectes (*Archiptères*) dont les types principaux sont l'agrion* et la libellule.

LIBER [libɛʀ] n. m. — 1755; francisé en *livre,* 1733; mot lat. «écorce d'arbre». → 1. Livre.

♦ Bot. Tissu végétal constitué de vaisseaux (tubes criblés) généralement accompagnés de parenchyme* et par lequel circule la sève* élaborée. Plur. *Des libers. Liber de la tige, de la racine. Le liber et la partie profonde de l'écorce* d'un arbre constituent l'aubier. Dans la tige, les faisceaux du bois* (III., 1.) *et du liber sont accolés* (⇒ **Libéro-ligneux**). *Tissu cellulaire à la périphérie du liber.* ⇒ **Rhytidome.** — *Les couches du liber du tilleul servaient pour écrire* (⇒ **Teille** ou **tille**).

Il eut la précaution pour les boutures d'enlever les têtes avec les feuilles. Ensuite, il s'appliqua aux marcottages. Il essaya plusieurs sortes de greffes, greffes en flûte, en couronne, en écusson, greffe herbacée, greffe anglaise. Avec quel soin, il ajustait les deux libers! comme il serrait les ligatures! quel amas d'onguent pour les recouvrir! FLAUBERT, Bouvard et Pécuchet, Folio, p. 85.

REM. Les botanistes actuels emploient plutôt *phloème,* terme opposé à *xylème* (le bois proprement dit).

DÉR. 1. Libérien.
COMP. Libéro-ligneux.

LIBERA [libeʀa] n. m. invar. — 1560; mot lat., impér. de *liberare* « libérer ».

♦ Liturgie cathol. Leçon que le prêtre chante après l'office des morts et qui commence par les mots *Libera me, Domine. Le libera, prière* pour les morts.*

Loc. fig. Vx. *Chanter un libera :* se déclarer soulagé.

LIBÉRABLE [libeʀabl] adj. et n. m. — 1931, Joffre, *in* T. L. F.; proposé par Richard de Radonvilliers, 1842; de *libérer.*

♦ **1.** Qui peut être libéré. — Spécialt. Qui remplit les conditions nécessaires pour être libéré du service militaire. *Militaires, classes, contingents libérables.* — N. m. *Libérables renvoyés dans leurs foyers.*

♦ **2.** *Congé, permission libérable,* qui anticipe sur la libération.

LIBÉRAL, ALE, AUX [libeʀal, o] adj. et n. — V. 1160, « généreux »; lat. *liberalis,* de *liber.* → Libre.

♦ **1.** Vieilli. Qui donne facilement, largement. ⇒ **Aumônier** (adj.), **généreux, large, munificent, prodigue** (→ Avaricieux, cit. 3, Pascal; imprévoyant, cit. 1). *Il était généreux et libéral envers ses amis* (Académie). *Il est plus libéral de promesses que d'argent. Libéral en, de qqch.* — Par ext. *Une main libérale. Abandonner qqch. dans une intention libérale,* de libéralité*. ⇒ **Don; donner.**

1 (...) elle était naturellement libérale, même dans son extrême vieillesse, quoique cet âge ordinairement soit souillé des ordures de l'avarice.
BOSSUET, Oraison funèbre de Yolande de Monterby.

1.1 (...) je ne suis pas accoutumée à manger des choses si délicates; et, si j'en mange, c'est pour ne pas refuser ce que Dieu m'envoie par une main libérale comme la vôtre. A. GALLAND, les Mille et une Nuits, t. III, p. 452.

Par métaphore ou figuré (en parlant des choses) :

2 Quoique, pendant tout l'an, libéral il *(l'arbre)* nous donne
Ou des fleurs au printemps, ou du fruit en automne (...)
LA FONTAINE, Fables, X, 1.

3 Un pédant dont on voit la plume libérale
D'officieux papiers fournir toute la halle. MOLIÈRE, les Femmes savantes, I, 3.

♦ **2.** (XIIIe, au sens étym. « digne d'un homme libre »; trad. du lat. *artes liberales*). Vx. *Arts libéraux* (peinture, sculpture) *et arts mécaniques.* ⇒ **Art** (*supra* cit. 64). *Sciences libérales* (vx). → Artisan, cit. 1. — *Éducation libérale* (vieilli) : éducation basée sur la pratique des arts libéraux.

(1845, Bescherelle). Mod. **PROFESSIONS LIBÉRALES :** professions de caractère intellectuel que l'on exerce librement ou sous le seul contrôle d'une organisation professionnelle.

3.1 (...) cette éthique du travail et du métier, solidaire d'une valorisation de l'activité créatrice, tend à disparaître. Le « consensus » à ce propos se dissout et seules quelques professions plus ou moins libérales (dites « libérales ») conservent cette idéologie; elle couvre la consolidation de ces activités professionnelles (médecins, avocats, architectes, ingénieurs, etc.) en corps constitués, armature sociale et institutionnelle de la nouvelle France.
Henri LEFEBVRE, la Vie quotidienne dans le monde moderne, p. 86.

♦ **3.** (1750, d'Argenson; sens répandu v. 1799-1800). Favorable aux libertés* individuelles, dans le domaine politique. ⇒ **Libéralisme.** *Doctrines, idées, opinions, théories libérales. Principes libéraux. Institutions libérales. Régime libéral. L'Empire libéral :* dernière période du second Empire, qui succède à l'Empire autoritaire. *Pays, états libéraux* (→ Jeu, cit. 55). *Démocratie libérale.*

4 La liberté nationale est fort accrue pour dire, faire et écrire, les lois sont « libérales ». D'ARGENSON, Journal, 1750, *in* F. BRUNOT, Hist. de la langue franç., t. VI, p. 129, note 6.

5 Mais si le siècle de Louis XIV a conçu les idées *libérales,* pourquoi donc n'en a-t-il pas fait le même usage que nous?
CHATEAUBRIAND, le Génie du christianisme, III, II, VI.
REM. Chateaubriand ajoute en note : Barbarisme que la philosophie a emprunté des Anglais.

6 L'apparente insouciante d'Athanase expliquait son refus de faire à ce mariage le sacrifice de ses opinions *libérales,* mot qui venait d'être créé pour l'empereur Alexandre, et qui procédait, je crois, de madame de Staël par Benjamin Constant.
BALZAC, la Vieille Fille, Pl., t. IV, p. 308.

7 La veille du XVIII brumaire (...) Maret avait bu aux « idées généreuses et "libérales" qui fondèrent la Révolution ». D'après Bourrienne, c'était le titre de « héros des idées libérales » que Bonaparte aspirait à porter.
F. BRUNOT, Hist. de la langue franç., t. IX, p. 661.

Par ext. *Idées libérales,* larges, tolérantes (en matière sociale et politique). *Discipline, morale libérale.*

8 (...) j'ai, en matière de critique *(purement littéraire),* des opinions si libérales que j'aime même la licence. BAUDELAIRE, l'Art romantique, XVIII.

(En parlant des personnes). Qui est partisan du libéralisme*. *Les bourgeois libéraux, la bourgeoisie libérale. Parti libéral,* par oppos. aux conservateurs et aux monarchistes, au XIXe siècle. — N. *Un libéral, une libérale* (rare). *Libéraux et royalistes, en France, au XIXe siècle* (→ Amender, cit. 6). *Libéraux* (⇒ **Whig**) *et conservateurs en Angleterre. Libéraux* (rouges) *et conservateurs* (bleus) *au Canada. En 1848, les libéraux français, devenus conservateurs, s'opposèrent aux socialistes.*

9 J'étais et je reste un libéral, ce qui veut dire que je crois les hommes plus heureux et meilleurs s'ils jouissent des libertés essentielles. Mais je sais aujourd'hui qu'il n'y a pas de liberté sans sécurité, pas de sécurité sans unité.
A. MAUROIS, Mémoires, t. I, XXII.

Écon. *Doctrine, école libérale,* favorable à la libre circulation des biens, à la libre entreprise (par oppos. au *dirigisme économique*). ⇒ **Libéralisme.** *Économie libérale. Pays de tradition libérale. Doctrine libérale concernant le commerce extérieur.* ⇒ **Antiprotectionniste.** — *Les Physiocrates étaient des esprits libéraux.* — N. m. pl. *Les libéraux.*

La première de ces écoles, qu'on appelle parfois *classique* parce que tous les fondateurs de l'Économie politique, les Physiocrates, Adam Smith, Ricardo, J.-B. Say, Stuart Mill, lui appartiennent, parfois aussi *individualiste* (...) a déclaré à maintes reprises n'accepter d'autre qualificatif que celui d'*école libérale.* Il convient donc de lui donner exclusivement ce dernier titre, parce que d'ailleurs il la caractérise fort bien et s'accorde avec la formule fameuse qui lui a servi longtemps de devise : Laisser faire, laisser passer. Charles GIDE, Économie politique, t. I, p. 27. 10

CONTR. Avare, avaricieux, mesquin. — Absolu, autocrate, autocratique, autoritaire, compressif, dictatorial, fasciste (→ Fascisme, cit. 1), **illibéral, sectaire, totalitaire, tyrannique.**
CONTR. et **COMP. Antilibéral.**
DÉR. Libéralement, libéraliser, libéralisme, libérâtre.
HOM. (Du plur.) **Libero.**

LIBÉRALEMENT [libeʀalmɑ̃] adv. — 1370; « librement », fin XIIIe; de *libéral.*
D'une manière libérale.

♦ **1.** Avec générosité, avec libéralité. *Donner, accorder, distribuer libéralement.* ⇒ **Abondamment, beaucoup, largement** (→ Conseil, cit. 1, La Rochefoucauld; éloge, cit. 8).

(...) lorsqu'il ne pouvait payer seul la dépense, elle complétait le surplus libéralement, ce qui arrivait à peu près toutes les fois. FLAUBERT, Mme Bovary, III, VI.

♦ **2.** Vieilli. D'une manière digne d'un homme libre. *Élevé libéralement* (Littré).

♦ **3.** Rare. Avec libéralisme. *Gouverner libéralement.*

LIBÉRALISATION [libeʀalizɑsjɔ̃] n. f. — Mil. XXe (1966, *in* T. L. F.), proposé en 1842 par Richard de Radonvilliers; de *libéraliser;* cf. angl. *liberalization,* 1835.

♦ **1.** Le fait de rendre plus libéral (3.). *Libéralisation du régime de la presse. Libéralisation des mœurs.*

♦ **2.** Spécialt (écon.). Tendance à la liberté accrue dans les échanges internationaux. *La libération des échanges est une mesure de libéralisation.*

LIBÉRALISER [libeʀalize] v. tr. — 1785, répandu XXe; de *libéral,* et *-iser;* cf. angl. *to liberalize,* 1774.

♦ Rendre plus libéral (un régime politique, une activité économique).

▶ **SE LIBÉRALISER** v. pron.
Se faire, devenir plus libéral. *États, mœurs qui se libéralisent. Les conceptions de vie se libéralisent de plus en plus.*

DÉR. Libéralisation.

LIBÉRALISME [libeʀalism] n. m. — 1818, Maine de Biran, *in* D. D. L.; de *libéral* (3.).

♦ **1.** Vieilli. Attitude, doctrine des libéraux*, partisans de la liberté politique, de la liberté de conscience (→ Immoler, cit. 19, Chateaubriand).

Nous sommes obligés à faire des miracles dans une ville industrielle où l'esprit de sédition contre les doctrines religieuses et monarchiques a poussé des racines profondes, où le système d'examen né du protestantisme et qui s'appelle aujourd'hui libéralisme, quitte à prendre demain un autre nom, s'étend à toutes choses. 1
BALZAC, le Curé de village, Pl., t. VIII, p. 598.

Mod. Ensemble des doctrines qui tendent à garantir les libertés individuelles tantôt contre l'arbitraire du gouvernement par la limitation des pouvoirs de l'exécutif, tantôt contre l'influence des groupes par la limitation de la puissance des partis, des syndicats.

♦ **2.** Écon. (opposé à *étatisme* et à *socialisme*). Doctrine selon laquelle la liberté économique, le libre jeu des « lois naturelles » (libre concurrence, liberté d'entreprise, libre circulation) ne doivent pas être entravés par une intervention autoritaire. ⇒ **Capitalisme** (privé), **individualisme.** *Le « laisser* faire, laisser passer », formule du libéralisme.* ⇒ **Libéral** (cit. 10, Ch. Gide). *Le libéralisme préconise la libre concurrence, la liberté du travail et des échanges. Le libéralisme des physiocrates, d'A. Smith, de Bastiat...*

Ce fut à peu près à cette époque *(entre 1830 et 1850)* que s'effectua ce qu'on pourrait appeler la conjonction de la liberté politique et de la liberté économique, qui désormais furent confondues dans un même culte et portèrent un seul et même nom : *le libéralisme.* La liberté économique, c'est-à-dire celle du travail et des échanges, fut élevée au même rang que la liberté de conscience ou la liberté de la presse. GIDE et RIST, Hist. des doctrines économiques..., p. 382. 2

Nous sommes actuellement dans la période du libéralisme bâtard, qui n'ose plus 3

dire son nom et fait sournoisement appel à l'État, son vieil adversaire, sous prétexte de défendre ses meilleurs principes.
DANIEL-ROPS, Ce qui meurt..., p. 116.

♦ **3.** Attitude de respect à l'égard de l'indépendance d'autrui, de tolérance envers ses opinions. ⇒ **Tolérance.**

4 (Une mouche m'agace, je la tue : on tue ce qui vous agace. Si je n'avais pas tué la mouche, c'eût été *par pur libéralisme* : je suis libéral pour ne pas être un assassin.) R. BARTHES, Roland Barthes, p. 121.

CONTR. **Absolutisme, autocratie, autoritarisme, caporalisme, césarisme, despotisme. — Collectivisme, communisme, dirigisme, étatisme, socialisme.**
CONTR. et **COMP.** **Antilibéralisme.**

LIBÉRALITÉ [libeʀalite] n. f. — 1213; empr. au lat. *liberalitas*, de *liberalis*. → Libéral.

Littéraire ou style soutenu.

♦ **1.** Disposition à donner généreusement. ⇒ **Charité, générosité, largesse, magnificence, munificence** (→ Donner, cit. 7; épargne, cit. 4). *Excès de libéralité.* ⇒ **Prodigalité, profusion.** *Exercer sa libéralité envers qqn; se montrer d'une grande libéralité à l'égard de qqn. Avec libéralité.* ⇒ **Libéralement** (1.).

1 Libéralité est une vertu qui (...) prend plus (de) plaisir à donner qu'à recevoir. Ses extrémités sont prodigalité et avarice.
RONSARD, Œuvres en prose, Des vertus...

2 La libéralité consiste moins à donner beaucoup qu'à donner à propos.
LA BRUYÈRE, les Caractères, IV, 47.

♦ **2.** V. 1500. *(Une, des libéralités).* Don fait avec générosité. ⇒ **Aumône, bienfait, cadeau, distribution** (gratuite), **don, gratification, largesse.** *Faire une grande libéralité à qqn. Des libéralités immenses* (cit. 8).

3 Molière employait une partie de ses revenus en libéralités, qui allaient beaucoup plus loin que ce qu'on appelle dans d'autres hommes *des charités.*
VOLTAIRE, Vie de Molière, *in* LITTRÉ.

4 Je fis, en sortant, quelques libéralités au valet qui la servait, pour l'engager à lui rendre ses soins avec zèle. Abbé PRÉVOST, Manon Lescaut, p. 113.

Dr. Disposition faite à titre gratuit. ⇒ **Don, donation, legs; avantage** (*supra* cit. 25); → Interposition, cit. 1.

♦ **3.** (1810). Rare. *Libéralité d'esprit, de jugement :* largeur d'esprit, tolérance. ⇒ **Libéralisme** (3.).

CONTR. **Avarice** (cit. 4).

LIBÉRATEUR, TRICE [libeʀatœʀ, tʀis] n. et adj. — V. 1500, a remplacé *délivreur*; lat. *liberator, -trix*, du supin de *liberare*. → Libérer.

♦ **1.** Personne qui libère*, qui délivre*. ⇒ **Affranchisseur, émancipateur.** *Le libérateur d'un captif, d'un prisonnier. Libérateur d'un peuple, des opprimés* (→ État, cit. 102; gladiateur, cit. 1). — (1870). *Le libérateur de la patrie, du territoire. Nos libérateurs. Jeanne d'Arc a été la libératrice de la France* (Académie). — Relig. *Jésus-Christ, libérateur du genre humain.* ⇒ **Sauveur** (→ Lasser, cit. 5).

1 (...) il devait venir un libérateur qui écraserait la tête au démon, qui devait délivrer son peuple de ses péchés (...) PASCAL, Pensées, XI, 736.

2 Je te salue, ô Mort! Libérateur céleste (...)
Au secours des douleurs un Dieu clément te guide;
Tu n'anéantis pas, tu délivres (...)
LAMARTINE, Premières méditations, V.

REM. Le masculin est ici poétique.

3 Resté, malgré tous ses vices, homme d'ardente imagination, de passion orageuse, il *(Mirabeau)* trouvait quelque bonheur à se sentir l'appui, le défenseur, le libérateur peut-être, d'une belle reine prisonnière.
MICHELET, Hist. de la Révolution franç., III, VI.

4 Le libérateur du territoire, le voilà! *(Thiers)*
GAILLI, *in* Gabriel HANOTEAUX, Hist. de la France contemporaine, t. IV, I.

♦ **2.** Adj. (XVIe). Qui libère. *L'humour* (cit. 11) *a quelque chose de libérateur. Le sacrement libérateur* (→ Attache, cit. 1). *L'art libérateur, la science libératrice* (→ Idéaliste, cit. 3; imprévu, cit. 8). *Rôle libérateur de l'éducation. Guerre libératrice.* ⇒ **Libération** (de). — *La presse, l'école libératrice.*

5 (...) en dehors des guerres libératrices, tout ce que font les armées, elles le font de force. Le mot *obéissance passive* l'indique. HUGO, les Misérables, II, II, III.

Sc. *Des réactions libératrices d'énergie,* qui libèrent de l'énergie.

CONTR. **Asservisseur, oppresseur, tyran.**

LIBÉRATION [libeʀasjɔ̃] n. f. — XIVe, *liberacion*; lat. *liberatio*, du supin de *liberare*. → Libérer.

♦ **1.** Action de rendre libre. ⇒ **Délivrance** (→ Entrouvrir, cit. 4). *La libération d'un captif, d'un prisonnier, d'une personne séquestrée.* (1450). Spécialt. Mise en liberté d'un détenu après l'expiration partielle ou totale de sa peine. ⇒ **Élargissement.** *Libération conditionnelle, mise en liberté anticipée, accordée à un condamné ayant effectué une partie légalement déterminée de sa peine, en raison de sa bonne conduite* (loi du 14 août 1845).

(XIXe). Renvoi d'un militaire dans ses foyers à l'expiration de son temps de service ou à sa démobilisation. *Soldat* qui attend sa libération. Libération du contingent.*

♦ **2.** (1611; seule acception courante dans la langue class.). Décharge* d'une servitude, d'une obligation, d'une dette*. — Dr. *Libération par paiement*.* ⇒ **Acquittement, prescription** (libératoire), **remise** (de dette).

(1891, Zola, *in* D. D. L.). *Libération des actions,* versement de tout ou partie de leur montant par l'actionnaire à la société.

(Écon.). *Libération des échanges :* suppression des contingentements à l'importation.

♦ **3.** Fig. Délivrance d'une sujétion, d'un lien, d'un joug... ⇒ **Affranchissement, dégagement.** *La libération de l'homme. Le bonnet phrygien, symbole de libération* (⇒ 2. **Galle,** cit.). *Mouvement de libération de la femme* (M. L. F.). — *La libération sexuelle, des mœurs.*

Les révoltes serviles, les révolutions régicides et celles du XXe siècle, ont ainsi accepté (...) une culpabilité de plus en plus grande dans la mesure où elles se proposaient d'instaurer une libération de plus en plus totale. 1
CAMUS, l'Homme révolté, p. 135.

Ce qui fait l'intérêt de cette histoire, c'est qu'elle se passe au XXe siècle. Dans un village hérissé d'antennes de télévision, sous le règne de la pilule, des promoteurs immobiliers, de la libération sexuelle (...) 1.1
F. MALLET-JORIS, le Jeu du souterrain, p. 8.

♦ **4.** (1878). Spécialt. Délivrance (d'un pays occupé, d'un peuple asservi). *La libération d'un pays militairement occupé, colonisé. La libération d'un pays, d'un territoire par un soulèvement national* (⇒ aussi **Décolonisation**), *par le départ, le retrait des armées occupantes* (⇒ **Évacuation**), *par l'arrivée d'une armée amie, libératrice. Front, mouvement de libération.* — Absolt. *La Libération :* la libération des territoires occupés par les troupes allemandes durant la Seconde Guerre mondiale. *Comité français de libération nationale. Croix de la libération.*

Au long du mois d'août *(1943)* le Comité de la libération nationale, continuant à fonctionner comme il l'avait fait en juillet, joua son rôle de gouvernement. 2
Ch. DE GAULLE, Mémoires de guerre, t. II, p. 134.

♦ **5.** (XXe). Mise en liberté (de matière, d'énergie). *Libération d'énergie résultant de la fission du noyau atomique. Libération de neutrons, d'électrons.*

Vitesse de libération : vitesse qu'un projectile doit atteindre pour échapper à l'attraction terrestre.

Psychol. *Libération des pulsions. Brusque libération émotionnelle.* ⇒ **Abréaction.**

CONTR. **Asservissement, assujettissement, entrave, étranglement** (des libertés). — (Du sens 1) **Arrestation, captivité, claustration, détention, emprisonnement, incarcération. — Accablement, contrainte, esclavage.** — (Du sens 4) **Envahissement, occupation.**

LIBÉRATOIRE [libeʀatwaʀ] adj. — 1873; dér. sav. de *libérer*, d'après le rad. lat. *libérat-*. → Libération.

♦ Dr. fin. Qui a pour effet de libérer (d'une obligation, d'une dette). *Pouvoir libératoire de la monnaie* (→ Fongible, cit. 1). *Paiement libératoire. Prescription* libératoire. Prélèvement libératoire :* retenue fiscale forfaitaire opérée à la source sur le paiement des intérêts (des coupons) des obligations et de certaines rentes.

LIBÉRÂTRE [libeʀɑtʀ] adj. et n. — 1866, Amiel, *in* T. L. F.; de *libéral*, et suff. péj. *-âtre*.

Vieux.

♦ **1.** Péj. Partisan excessif de la liberté, des libertés (politiques).

♦ **2.** N. Hist. Membre du Tiers Parti d'Émile Ollivier (terme employé par ses opposants d'extrême droite et d'extrême gauche). — Adj. *« Les portes à écriteaux libérâtres »* (J. Vallès).

LIBÉRÉ, ÉE [libeʀe] p. p. adj. ⇒ Libérer.

LIBÉRER [libeʀe] v. tr. — Conjug. *céder.* — 1495, au p. p., «exempté»; à l'actif, 1541; lat. *liberare*, de *liber*. → Libre.

♦ **1.** (1541). Mettre (un prisonnier) en liberté*. ⇒ **Élargir, relâcher, relaxer.** *Être libéré conditionnellement.* ⇒ **Libération** (1.), **libéré.**

(1602). Délivrer de ce qui lie, de ce qui gêne, embarrasse, retient... *Libérer qqn.* ⇒ **Déchaîner** (peu usité), **dégager, délier, détacher, émanciper** (→ Briser* les chaînes, les liens; donner, rendre la clé* des champs). *Libérer ses mouvements en ôtant ses vêtements. Libérer un passage. Libérer l'intestin.* Pron. *Se libérer d'une entrave*, d'une étreinte.* ⇒ **Dégager** (se). Absolt et fig. Se rendre libre de toute occupation. *Je suis venu le plus vite possible, je n'ai pas pu me libérer plus tôt.*

Il la tenait par le cou (...) Et comme elle essayait de se libérer et de crier, il la frappa à la poitrine et au visage, plusieurs fois. J. GREEN, Léviathan, XII. 1

(XXe). Dégager (une chose, un mécanisme). *Libérer un levier, un cran de sûreté.*

Le «boss» (...) sortit son revolver de sa poche et libéra le déclic qui le maintenait à la sûreté. P. MAC ORLAN, Quai des brumes, V. 2

♦ **2.** (XVIIe). Fig. Compl. n. de personne. Rendre libre, affranchir d'une servitude, d'une obligation*. ⇒ **Décharger, dégager, délier, dispenser, exempter, quitte** (tenir quitte); **éviter** (à). *Libérer qqn d'un engagement* (⇒ **Désengager**), *d'une dette** (→ Faire grâce*, donner quittance*). *Libérer qqn d'impôts.* ⇒ **Exonérer.** Pron. *Se libérer d'une tutelle, d'une tyrannie.* ⇒ **Affranchir** (cit. 18), **émanciper** (s'), **évader** (s'). *Se libérer du joug de l'occupant.* → Secouer le joug*. *Se libérer d'une obligation.* ⇒ **Dérober** (se), **soustraire** (se). *Se libérer d'une hypothèque* (cit. 5). Spécialt. *Se libérer d'une dette par un paiement.* ⇒ **Acquitter, payer.**

3 (...) on peut se libérer un peu de la tyrannie d'un père.
MOLIÈRE, l'Amour médecin, I, 4.

4 (...) elle avait agi avec la dissimulation d'une jeune fille élevée dans la plus rigide dépendance, et qui, par un geste de révolte, se libère enfin d'une tutelle étroite, incompréhensible, impatiemment subie.
MARTIN DU GARD, les Thibault, t. VIII, p. 63.

Absolt. S'acquitter d'une dette.

5 (...) le jour où il aurait remboursé cette somme à son père, il deviendrait seul et unique propriétaire de l'imprimerie. David estima le brevet, la clientèle et le journal, sans s'occuper des outils; il crut pouvoir se libérer et accepta ses conditions.
BALZAC, Illusions perdues, Pl., t. IV, p. 475.

♦ **3.** (Mor.). Compl. n. de chose ou de personne. Rendre libre, dégager (ce qui, étant retenu, ne pouvait se manifester). → Essence, cit. 5. *Libérer le meilleur de son talent* (→ Corde, cit. 20). *Libérer son subconscient* (→ Hypnose, cit. 4). *Libérer une pensée enfouie dans l'inconscient* (cit. 10). — *Libérer qqn du vice, du péché* (→ Infini, cit. 21). — Pron. *Se libérer d'une passion* (→ Autel, cit. 20).

6 Se libérer d'une souffrance, du moins chercher à s'en libérer, quoi de plus naturel? L'extraordinaire, l'admirable, chez Goethe, c'est qu'il se libère également du bonheur, d'un amour qui ne lui donne que de la joie.
GIDE, Attendu que..., p. 110.

7 (...) ce moment de la vie où, selon un mythe respectueux et commode, l'homme est libéré des passions et considère celles qu'il a eues avec une indulgente lucidité.
SARTRE, Situations II, p. 180.

Spécialt. *Libérer sa conscience**, la décharger* du poids du remords par un aveu, une confession, un acte... ⇒ **Soulager.** *Libérer son cœur.* ⇒ **Épancher** (s').

♦ **4.** (1834). Par anal. du sens 1. Renvoyer (un soldat) dans ses foyers. ⇒ **Libération** (1.). — *Ce contingent va être libéré* (⇒ **Libérable**).

♦ **5.** Délivrer (un pays, un peuple) de l'occupation de l'étranger, d'un asservissement. ⇒ **Libération** (4.). → Évacuation, cit. 3. *Libérer une ville, un pays en en chassant* l'ennemi.*

8 Qu'entre la mer du Nord et la Méditerranée, depuis l'Atlantique jusqu'au Rhin, soit libérée de l'ennemi cette nation (...) Nous rapportons à la France l'indépendance, l'Empire et l'épée. Ch. DE GAULLE, Mémoires de guerre, t. II, p. 243.

♦ **6.** Chim., phys. Dégager (une substance, une énergie). *Réaction chimique qui libère un corps, un gaz. Électrons libérés dans le vide des lampes* (cit. 24). *L'atome* (cit. 18) *libère son énergie.* — *Substances libérées par les glandes endocrines* (cit. 2).

♦ **7.** (1830, *in* D. D. L.). Dr. comm. *Libérer ses actions,* en verser le montant à la société, conformément à l'engagement pris à la souscription (actions de numéraire) ou fournir les biens qu'elles représentent (actions d'apport, cit. 4). *Société au capital de vingt millions entièrement libérés.*

▶ **SE LIBÉRER** v. pron. Voir ci-dessus à l'article.

▶ **LIBÉRÉ, ÉE** p. p. adj.
Mis en liberté, rendu libre. *Détenu, forçat libéré* (→ Galère, cit. 6). *Prisonniers libérés.* — N. *Rééducation, réadaptation des jeunes libérés.*

9 *Libéré.* Il est remarquable que le même mot s'emploie pour les soldats et pour les forçats. Paul LÉAUTAUD, Passe-temps, p. 167.

Libéré des traditions, des lois. ⇒ **Affranchir** (I., 2., 3.) — *Pays libéré.*

(V. 1970). En parlant d'une femme. Émancipée par rapport aux préjugés, aux jugements sociaux convenus et posés par les hommes. *Elle n'est pas très libérée.*

10 Être féministe, pour moi, c'est commencer à prendre en main son propre destin. Pour l'instant, ce n'est qu'un vœu! Car, dans quel pays du monde les femmes sont-elles actuellement maîtresses de leur destin? Où sont les femmes «libérées»? Comment les femmes pourraient-elles être «libérées» quand rien dans la société ne l'est : ni économiquement, ni juridiquement, ni culturellement, ni dans l'éducation, ni dans les mentalités.
Pauline JULIEN, *in* F Magazine, no 22, déc. 1979, p. 37.

CONTR. Arrêter, captiver (vx), **capturer, chambrer, claquemurer, claustrer, coffrer, consigner, détenir, embastiller, emprisonner, garder, incarcérer. — Ficeler, garrotter; emmailloter, engoncer, enserrer, gêner. — Accabler, asservir, assujettir, astreindre, brider, contraindre, domestiquer, embrigader, engager, forcer. — Assiéger, envahir, occuper. — Comprimer, endiguer, retenir. — Immobiliser** (de l'argent).
DÉR. Libérable, libératoire.

1. LIBÉRIEN, IENNE [libeʀjɛ̃, jɛn] adj. — 1855; de *liber.*

♦ Bot. Qui appartient au liber. *Tissu libérien.*

2. LIBÉRIEN, ENNE [libeʀjɛ̃, ɛn] adj. et n. — 1873, P. Larousse; de *Libéria.*

♦ Du Libéria, État d'Afrique occidentale. *La capitale libérienne est Monrovia.* — N. *Les Libériens.*

LIBERO [libeʀo] n. m. — 1973, *in* Petiot; mot ital. «libre».

♦ Sport (football). Dernier défenseur parmi les joueurs du champ dans la défense en ligne. *Le libero ou «homme libre» garde sa liberté en attaque et en défense, dans la mesure où il n'est pas marqué par l'adversaire.*

HOM. Plur. de **libéral.**

LIBÉRO-LIGNEUX, EUSE [libeʀoliɲø, øz] adj. — 1904, in *Rev. gén. des sc.*, no 15, p. 751; de *liber,* et *ligneux.*

♦ Bot. Qui est composé de liber et de bois. *Faisceaux libéro-ligneux. Leptome* et hadrome* des faisceaux libéro-ligneux.*

LIBERTAIRE [libɛʀtɛʀ] adj. et n. — 1858, Proudhon, *in* T. L. F.; de *liberté.*

♦ Qui n'admet, ne reconnaît aucune limitation de la liberté individuelle, en matière sociale, politique. ⇒ **Anarchiste.** *Doctrines, théories, traditions libertaires* (→ Groupe, cit. 11). *Journal libertaire.*

(...) il avait fini par mettre toute sa foi dans le communisme libertaire, cette 1
anarchie où il rêvait l'individu délivré, évoluant, s'épanouissant, sans contrainte aucune, pour son bien et pour le bien de tous. ZOLA, Paris, t. I, p. 219.

N. (1892, *le Libertaire* [revue]). *Un, une libertaire. Les libertaires.*

(...) ce qui les agace (...) c'est surtout le Socialisme en tant que parti : sa hiérar- 2
chie, sa doctrine (...) tout ce qu'il y a en lui d'Église romaine (...) Les syndicalistes sont frères cadets des libertaires. Sorel leur a fait une injection supplémentaire d'individualisme. J. ROMAINS, les Hommes de bonne volonté.

LIBERTÉ [libɛʀte] n. f. — V. 1190, *liureteit* «libre arbitre»; *libertés* «franchises accordées à une ville», 1266; le sens I n'est attesté qu'en 1324; du lat. *libertas.*

État d'indépendance*, d'autonomie* par rapport aux causes extérieures; absence, suppression ou affaiblissement d'une contrainte.

LIBERTÉ : c'est un de ces détestables mots qui ont plus de valeur que de sens; qui 1
chantent plus qu'ils ne parlent; qui demandent plus qu'ils ne répondent; de ces mots qui ont fait tous les métiers, et desquels la mémoire est barbouillée de théologie, de Métaphysique, de Morale et de Politique; mots très bons pour la controverse, la dialectique, l'éloquence; aussi propres aux analyses illusoires et aux subtilités infinies qu'aux fins de phrases qui déchaînent le tonnerre.
VALÉRY, Regards sur le monde actuel, Fluctuations sur la liberté, p. 49.

★ **I.** (1324; au sens étroit). ♦ **1.** État, situation de la personne qui n'est pas sous la dépendance absolue de (quelqu'un par oppos. à *esclavage, servilité, servitude*). ⇒ **Franchise,** I., 1., vx. *Donner la liberté à un esclave, à un serf.* ⇒ **Affranchir, briser** (les liens, les chaînes*). *Priver de liberté.* ⇒ **Asservir.**

(...) je ne vous demande que la liberté d'une jeune esclave de Babylone (...) et je 2
consens de rester en esclavage à sa place, si je n'ai point le bonheur de guérir le magnifique seigneur Ogul. VOLTAIRE, Zadig, XVIII.

♦ **2.** Situation de qui n'est pas retenu captif (par oppos. à *captivité, emprisonnement*). *Rendre la liberté à un prisonnier*, à un captif*.* ⇒ **Délivrer,** cit. 3. → Arrestation, cit. 1. — *(En liberté). Être en liberté. Laisser qqn en liberté. Mettre en liberté, mise en liberté.* ⇒ **Élargir; élargissement, relaxation.** — *Recouvrer la liberté en s'évadant* (→ Prendre la clé* des champs; et aussi évasion, cit. 1). *Racheter sa liberté moyennant une forte rançon.* — Spécialt (dr. pén.). *Liberté provisoire,* accordée à un individu en état de détention préventive. *Laisser un inculpé* (cit. 2) *en liberté. Liberté sous caution** (→ Habeas corpus, cit. 2). *Liberté surveillée* (loi du 22 juillet 1912 sur l'enfance délinquante). Dr. internat. *Liberté sur parole,* accordée à un prisonnier sous certaines conditions qu'il s'engage sur l'honneur à respecter.

Contraint de racheter sa liberté après une longue prison durant les guerres d'Alle- 3
magne (...) FLÉCHIER, Oraison funèbre du duc de Montausier.

La mise en liberté provisoire est *de droit* lorsque se trouvent réunies, en faveur 4
de l'inculpé, des conditions particulièrement favorables (...)
J. DONNEDIEU DE VABRES, Précis de droit criminel, § 1029.

Par anal. *Donner la liberté à un oiseau en ouvrant sa cage. Élever des animaux en liberté* (→ Basse-cour, cit. 1). *État de liberté ou de domesticité* (→ Guanaco, cit.).

★ **II.** (Au sens large). État de ce qui ne subit pas de contrainte.

♦ **1.** Rare (choses). *Corps qui tombe en liberté,* librement (→ Chute* libre).

Quand un corps tombe, sa *liberté* se manifeste en cheminant selon sa nature vers 5
le centre de la Terre (...) A. COMTE, Catéchisme positiviste, 4e entretien.

Sc. *Degré de liberté :* nombre d'axes autour desquels un système est mobile.
Réaction chimique qui met un corps en liberté. ⇒ **Dégager, libérer.**

♦ **2.** (1530). Personnes. Possibilité, pouvoir* d'agir sans contrainte.

⇒ **Licence** (vieilli). *L'argent* (cit. 44), *source de liberté. Avoir des habitudes de liberté. Goût pour la liberté et la vie errante* (→ Horde, cit. 1). *Il vit avec ses parents et a très peu de liberté. On lui laisse peu de liberté* (→ Tenir de court*), *trop de liberté.* ⇒ **Émanciper;** → Lâcher, laisser la bride sur le cou*. *Heures* (cit. 10) *de liberté.* ⇒ **Loisirs.** *Exercer un droit avec une liberté entière, pleine, totale. — La liberté de qqn, sa liberté. Avoir sa liberté* (→ Fils, cit. 6). *Contraindre sa propre liberté* (→ Grille, cit. 2). — *(En liberté). Agir* en toute liberté, en pleine liberté.* ⇒ **Librement** (→ Influencer, cit. 2). *Faire qqch. en liberté* (vx). → Épancher, cit. 19, Racine. —*Avoir toute liberté pour faire qqch.* ⇒ **Crédit** (1.), **facilité, faculté, latitude.** → Avoir un blanc-seing*, avoir carte* blanche, avoir le champ* libre, les coudées* franches. — *Liberté de...* (et subst.). *Liberté de choix* (cit. 10). *Liberté d'action* (→ 1. Arbitre, cit. 8), *de manœuvre* (→ Envergure, cit. 6), *de mouvement* (→ Euthanasie, cit. 1). — Spécialt. État d'une personne qui n'est pas liée par un engagement (cit. 8). *Garder sa liberté. Aliéner, sacrifier sa liberté. Reprendre sa liberté :* se dégager d'un engagement envers qqn. *Reprendre sa liberté après une liaison* (→ Excéder, cit. 18). Spécialt. Quitter son conjoint.

6 Pour être en pleine liberté, j'ai fait en sorte que ma femme ira dîner chez ma sœur (...) MOLIÈRE, le Bourgeois gentilhomme, III, 6.

7 La liberté n'est pas oisiveté; c'est un usage libre du temps, c'est le choix du travail et de l'exercice.
LA BRUYÈRE, les Caractères, XII, 104 (→ aussi Bien, cit. 25).

8 J'écrivais ce livre au moment où, par le mariage, je venais de fixer ma vie; où j'aliénais volontairement une liberté que mon livre, œuvre d'art, revendiquait aussitôt d'autant plus. GIDE, les Nourritures terrestres, Préface.

LIBERTÉ DE (suivi d'un inf.) : droit (au sens large), permission* de faire qqch. *La liberté de blâmer* (cit. 7), *de critiquer* (→ Attaquer, cit. 27). *Avoir, se donner, prendre, obtenir la liberté de faire qqch.* (→ Férocité, cit. 2; grâce, cit. 74; hôtel, cit. 14; justifier, cit. 7). *Donner à qqn la liberté de faire* (telle ou telle chose). ⇒ **Autorisation, permission.** → Donner carrière*. *Prendre la liberté de faire qqch.*

9 Il y avait un flatteur qui prit la liberté de lui parler à l'oreille (...)
FÉNELON, Télémaque, XI.

♦ **3.** (1680). Au plur. *Prendre des libertés :* ne pas se gêner, se montrer d'une familiarité* inconvenante. ⇒ **Licence** (→ Boire, cit. 2; irrévérence, cit. 2). *Prendre des libertés insolentes, offensantes.* → En prendre à son aise*. Spécialt. *Prendre des libertés avec une femme.* ⇒ **Familiarité, privauté** (→ Frôlement, cit. 1).

10 (...) parler sans cesse à un grand que l'on sert (...) faire le familier, prendre des libertés, marquent mieux un fat qu'un favori.
LA BRUYÈRE, les Caractères, IV, 71.

♦ **4.** (Dans quelques expressions). Absence de contrainte dans la pensée, l'expression, l'allure, le comportement, etc. — *Liberté d'esprit** (cit. 48) : indépendance d'un esprit qui n'est pas dominé par la crainte, par des préoccupations obsédantes ou encore par des préjugés, des préventions. ⇒ **Disponibilité** (cit. 2), **indépendance** (→ Effraction, cit. 4; éparpiller, cit. 23; essor, cit. 6; grégaire, cit. 1; jugement, cit. 16). *Garder sa liberté de jugement,* le droit, la faculté de juger, de décider par soi-même. ⇒ **Libre** (libre examen). *Liberté de la pensée. Avoir une grande liberté de pensée.*

11 La liberté, où tant d'étourdis se trouvent portés du premier bond, fut pour moi une acquisition lente. Je n'arrivai au point d'émancipation que tant de gens atteignent sans aucun effort de réflexion qu'après avoir traversé toute l'exégèse allemande.
RENAN, Souvenirs d'enfance..., I, I.

12 (...) une certaine liberté professionnelle (...) J'entends : liberté de pensée, et liberté de travail (...) — avec tous les risques, bien entendu, et toutes les responsabilités que ça comporte. MARTIN DU GARD, les Thibault, t. V, p. 231.

(1835). *Liberté de langage*.* ⇒ **Franchise, hardiesse.** *« Il a toute la liberté de langage d'un homme qui ne dépend de personne »* (Académie). ⇒ **Franc-parler.** — *S'exprimer, parler avec une totale liberté. Répondre avec* (cit. 80) *la liberté d'un soldat. Il a parlé de l'Empereur avec une liberté inouïe* (→ Hésiter, cit. 19). ⇒ **Audace.** *Une liberté qui frise l'impertinence.*

13 (...) Tertullien a bien osé dire (...) vous allez être étonnés de la liberté de cette parole (...) BOSSUET, Panégyrique de saint Thomas de Cantorbéry.

Littér. *(Une, des libertés).* Parole, expression libre (→ Adoucir, cit. 11).

14 Vous direz peut-être que vous en avez retranché *(des comédies de Térence)* quelques libertés (...) RACINE, Œuvres diverses en prose,
Lettres à l'auteur des *Hérésies imaginaires.*

Aisance, élégance dans l'allure, dans les mouvements. ⇒ **Aisance.**

15 (...) combien de temps, de règles, d'attention et de travail pour danser avec la même liberté et la même grâce que l'on sait marcher (...)
LA BRUYÈRE, les Caractères, XII, 34.

16 Cette habitude de marcher seules leur donne une franchise, une élégance et une liberté d'allures que n'ont pas nos femmes, toujours suspendues à quelque bras.
Th. GAUTIER, Voyage en Espagne, p. 157.

Par ext. (Choses). *Ce ressort n'a pas assez de liberté* (Littré). ⇒ **Jeu.** *Souplesse et liberté des lignes d'un dessin.* → Irréel, cit. 3.

(Personnes). *Liberté de façons* (cit. 43), *liberté d'allures* (→ Bride, cit. 5). ⇒ **Désinvolture, familiarité.** *Liberté excessive des mœurs, des manières, de la tenue.* ⇒ **Débraillé, émancipation, laisser-aller, licence, sans-gêne.** *Liberté sexuelle.*

★ **III.** (Dans le domaine politique, social). ♦ **1.** Pouvoir d'agir, au sein d'une société organisée, selon sa propre détermination, dans la limite de règles définies. *Liberté civile :* état de l'individu qui jouit de ses droits civils. *Les théoriciens du XVIIIe siècle opposaient la liberté naturelle* (dont jouissait l'homme à l'état de nature) *à la liberté civile. Liberté politique :* droit pour le peuple, les citoyens de se donner des lois directement ou par le choix de représentants. *L'égalité* (cit. 7), *garantie de la liberté des faibles. Asservir* (cit. 7) *la liberté de l'homme. — Liberté publique* (ou *politique*) *et liberté individuelle* (→ Corps, cit. 44; garantie, cit. 8). — REM. La *liberté individuelle* est ici prise dans son sens le plus général de « liberté de l'homme, de l'individu »; → ci-dessous, III., 3., la *liberté individuelle* (au sens étroit).

La liberté est la propriété de soi; on distingue trois sortes de libertés : la liberté naturelle, la liberté civile, la liberté politique; c'est-à-dire la liberté de l'homme, celle du citoyen et celle d'un peuple. 17
G.-T. RAYNAL, Hist. philosophique, XI, XXIV.

♦ **2.** (1538). Absolt. **LA LIBERTÉ :** « absence ou suppression de toute contrainte considérée comme *anormale, illégitime, immorale* » (Lalande). *Conceptions de la liberté* (→ Abstention, cit. 2, Renan; exécuteur, cit. 2, Montesquieu; garantie, cit. 7, Lamennais; impérissable, cit. 4, Camus). *« La liberté bannira les oppressions »* (→ Fraternité, cit. 4, Mirabeau). *L'éclosion de la liberté* (→ Genre, cit. 4, Hugo). *La liberté n'est pas l'anarchie* (cit. 5). *L'État* (cit. 113 et 115) *et la liberté. « Liberté, Égalité, Fraternité »,* devise de la République française. *Liberté et égalité** (cit. 9). *Liberté et justice*. Démocratie* et liberté* (vx). — *Champion* (cit. 5), *défenseur, martyr de la liberté. Bastion, boulevard* (vx), *rempart de la liberté... Avoir la passion de la liberté* (→ Furie, cit. 4). *Amour de la liberté* (→ 1. Franc, cit. 1). *Appels* (cit. 9) *à la liberté. Vive la liberté! La liberté ou la mort! « Liberté, liberté chérie... »* (→ Défenseur, cit. 2, Rouget de Lisle). *« La liberté guide nos pas... »,* chant du Départ. — *« Ô Liberté, que de crimes on commet en ton nom! »,* dernières paroles attribuées à Mme Roland. *Le bonnet phrygien* (cit.), *emblème de la liberté.*

Sous ce nom de liberté, les Romains se figuraient avec les Grecs un État où personne ne fût sujet que de la loi, et où la loi fût plus puissante que les hommes. 18
BOSSUET, Discours sur l'histoire universelle, III, VI.

Il n'y a point de mot qui ait reçu plus de différentes significations (...) que celui de *liberté.* Les uns l'ont pris pour la facilité de déposer celui à qui ils avaient donné un pouvoir tyrannique; les autres, pour la faculté d'élire celui à qui ils devaient obéir; d'autres, pour le droit d'être armés et de pouvoir exercer la violence; ceux-ci, pour le privilège de n'être gouvernés que par un homme de leur nation, ou par leurs propres lois (...) Ceux qui avaient goûté du gouvernement républicain l'ont mise dans ce gouvernement; ceux qui avaient joui du gouvernement monarchique l'ont placée dans la monarchie. MONTESQUIEU, l'Esprit des lois, XI, II. 19

La liberté est le droit de faire tout ce que les lois permettent (...) 20
MONTESQUIEU, l'Esprit des lois, XI, III.

La liberté, ce bien qui fait jouir des autres biens. 21
MONTESQUIEU, Cahiers, p. 117.

Les peuples, une fois accoutumés à des maîtres, ne sont plus en état de s'en passer. S'ils tentent de secouer le joug, ils s'éloignent d'autant plus de la liberté, que, prenant pour elle une licence effrénée qui lui est opposée, leurs révolutions les livrent presque toujours à des séducteurs qui ne font qu'aggraver leurs chaînes. 22
ROUSSEAU, De l'inégalité parmi les hommes, À la République de Genève.

La liberté consiste à pouvoir faire tout ce qui ne nuit pas à autrui : ainsi, l'exercice des droits naturels de chaque homme n'a de bornes que celles qui assurent aux autres membres de la société la jouissance de ces mêmes droits. Ces bornes ne peuvent être déterminées que par la Loi. 23
Déclaration des droits de l'homme, Constitution du 3 sept. 1791, art. 4.

Liberté! Liberté! En toutes choses justice, et ce sera assez de liberté. 24
Joseph JOUBERT, Pensées, XV, XV (→ aussi Justice, cit. 12).

La Politique nous parle aussi de *liberté.* Elle parut d'abord n'attacher à ce terme qu'une signification juridique. Pendant des siècles, presque toute société organisée comprenait deux catégories d'individus (...) les uns étaient des esclaves; les autres étaient dits « libres » (...) 25
Plus tard (...) la liberté devint un idéal, un mythe, un ferment, un mot plein de promesses, gros de menaces (...) Cette liberté politique paraît difficilement séparable des notions d'égalité et de « souveraineté » (...)
Je me trouve bien en peine de me rendre nette et précise l'idée de liberté politique. Je suppose qu'elle signifie que je ne dois obéissance qu'à la loi, cette loi étant censée émaner de tous et faite dans l'intérêt de tous.
VALÉRY, Regards sur le monde actuel, p. 63-64-65.

Et par le pouvoir d'un mot 26
Je recommence ma vie
Je suis né pour te connaître
Pour te nommer
Liberté ÉLUARD, Poésie et Vérité (1942), « Liberté ».

La liberté, « ce nom terrible écrit sur le char des orages » *(Philotée O'Neddy),* est au principe de toutes les révolutions. Sans elle, la justice paraît aux rebelles inimaginable. Un temps vient, pourtant, où la justice exige la suspension de la liberté. La terreur (...) vient alors couronner la révolution. 27
CAMUS, l'Homme révolté, p. 135.

Arbre de la liberté. — Personnification de la liberté. La déesse* Liberté. Statues de la liberté.* Spécialt. *La Liberté éclairant le monde,* statue de Bartholdi, érigée à l'entrée du port de New York.

♦ **3.** (1694). Pouvoir que la loi reconnaît aux individus (dans un domaine précis). ⇒ 3. **Droit.** *Les droits** (cit. 8) *et les libertés de l'homme et du citoyen. Lois qui suppriment les libertés* (→ Intimidation, cit. 1). *Attenter* (cit. 7), *porter atteinte aux libertés* (→ Censure, cit. 3). *Entraves* aux libertés.*

Spécialt (dr. publ.). ⇒ 3. **Droit** (*supra* cit. 66). *Libertés publiques :* l'ensemble des libertés reconnues à l'individu *(libertés individuelles)* et aux groupes sociaux, et, spécialt (Capitant), celles qui permettent au citoyen d'exercer une action dans la société (*liberté d'opinion, de presse, de réunion, d'association*). — REM. *Liberté individuelle* se dit aussi, *stricto sensu*, de la *liberté physique*, et, notamment, de l'ensemble des garanties contre les arrestations, les détentions et pénalités arbitraires (→ Habeas corpus; sûreté). — *Liberté du domicile :* droit pour l'individu d'interdire l'accès de son domicile, hors les cas prévus par la loi. — *Liberté d'association** (loi du 1er juillet 1901), *de réunion* (lois du 30 juin 1881, du 28 mars 1907), *d'opinion* (→ Abus, cit. 3; état, cit. 111). *Liberté de la presse** (loi du 29 juillet 1881). *Libertés de l'imprimerie, de la librairie, de l'affichage, du colportage. Liberté religieuse* :* droit de choisir sa religion ou de n'en point avoir *(liberté de conscience*)*, de pratiquer la religion de son choix, d'en célébrer le culte *(liberté du culte*)*. *Liberté de l'enseignement*. — Libertés dans le domaine économique. Liberté du travail. Liberté du commerce* et de l'industrie. Liberté des échanges* (cit. 6). ⇒ **Libre-échange** (→ Barrière, cit. 5). *Doctrines favorables aux libertés.* ⇒ **Libéral, libéralisme.**

28 Liberté de conscience et liberté de commerce, monsieur, voilà les deux pivots de l'opulence d'un État petit ou grand.
VOLTAIRE, Correspondance, 3664, 16 juil. 1770.

29 Frédéric *(II de Prusse)* introduisit la liberté de penser dans le nord de l'Allemagne : la réformation y avait amené l'examen, mais non pas la tolérance (...) Frédéric mit en honneur la liberté de parler et d'écrire (...)
Mme DE STAËL, De l'Allemagne, I, XVI.

30 Le premier des droits de l'homme c'est la liberté individuelle, la liberté de la propriété, la liberté de la pensée, la liberté du travail.
JAURÈS, Hist. socialiste, t. I, p. 186.

30.1 La liberté de conscience, c'est de ne pas payer un curé quand on ne va pas à la messe.
J. RENARD, Journal, 14 août 1904.

♦ **4.** (1266; en parlant de groupes sociaux). *Liberté politique.* ⇒ aussi **Autodétermination.** — Au plur. *Libertés des communes, des villes; libertés locales.* ⇒ **Autonomie** (cit. 2), **franchise** (cit. 2 et 3), **immunité.**
*Libertés de l'Église gallicane** (cit. 1).

♦ **5.** (En parlant d'un État). *Combattre pour la liberté de sa patrie.* ⇒ **Indépendance, libération.**

31 (...) et moi, sous mon nom de Léon, sous le simple habit d'un soldat, je défendrai la liberté de notre nouvelle patrie.
BEAUMARCHAIS, la Mère coupable, IV, 18.

★ **IV.** Philos. et psychol. ♦ **1.** Caractère indéterminé de la volonté humaine. ⇒ 2. **Arbitre** (libre* arbitre), **autonomie** (de la volonté), **indéterminisme** (→ Détermination, cit. 5; devoir, cit. 3; fataliste, cit. 1; fatalité, cit. 4). *Sentiment de liberté, intuition de la liberté. «La liberté de notre volonté se connaît sans preuve, par la seule expérience que nous en avons»* (Descartes). *La liberté, fondement du devoir, de la responsabilité, de la morale. Conceptions philosophiques de la liberté. Liberté d'indifférence** (cit. 13, Descartes).

32 Puisque vous ne mettez pas la liberté dans l'indifférence précisément, mais dans une puissance réelle et positive de se déterminer, il n'y a de différence entre nos opinions que pour le nom, car j'avoue que cette puissance est en la volonté.
DESCARTES, Lettre au P. Mesland, 2 mai 1644.

33 J'appelle liberté le pouvoir de penser à une chose ou de n'y pas penser, de se mouvoir ou de ne se mouvoir pas, conformément au choix de son propre esprit.
VOLTAIRE, Correspondance avec le roi de Prusse, 32, oct. 1737.

34 Les prophètes n'ont jamais manqué, qui lui ont *(au révolutionnaire)* annoncé qu'il était libre : et c'était chaque fois pour le duper. La liberté stoïcienne, la liberté chrétienne, la liberté bergsonienne, n'ont fait que consolider ses chaînes en les lui cachant. Elles se réduisaient toutes à une certaine liberté *intérieure* que l'homme pourrait conserver en n'importe quelle situation. Cette liberté intérieure est une pure mystification idéaliste : on se garde bien de la présenter comme la condition nécessaire de l'*acte*. En vérité elle est pure jouissance d'elle-même. Si Épictète, dans les chaînes ne se révolte pas, c'est qu'il se sent libre, c'est qu'il jouit de sa liberté. Dès lors, un état en vaut un autre (...) pourquoi vouloir changer? Dans le fond, cette liberté se réduit à une affirmation plus ou moins claire de l'autonomie de la pensée (...)
SARTRE, Situations III, p. 196-197.

♦ **2.** *Liberté morale :* «état de l'être qui agit avec pleine conscience et après réflexion» (Cuvillier), par oppos. à *inconscience, impulsion, folie...*

35 (...) pour agir il faut participer à une puissance infinie; pour avoir conscience d'agir il faut qu'on ait l'idée de cet infini pouvoir. Or c'est dans l'acte raisonnable qu'il y a synthèse de la puissance et de l'idée d'infini : et cette synthèse, c'est ce que l'on nomme la liberté.
Maurice BLONDEL, l'Action, t. II, p. 162.

État de celui qui agit conformément à la raison et à la morale, considérées comme caractéristiques de sa nature profonde (par oppos. à *passion, instincts, ignorance...*). *«Il y a d'autant plus de liberté qu'on agit davantage selon la raison»* (Leibniz). *Liberté du sage. L'habitude* (cit. 24) *«endort la jeune liberté»* (Sully Prudhomme).

36 Elle *(l'âme)* est rendue maîtresse de ses passions et concupiscences, maîtresse (...) de toutes autres injures de fortune (...) c'est ici la vraie et souveraine liberté, qui nous donne de quoi faire la figue à la force et à l'injustice, et nous moquer des prisons et des fers (...)
MONTAIGNE, Essais, I, XX.

37 Notre meilleure liberté consiste à faire autant que possible prévaloir les bons penchants sur les mauvais.
A. COMTE, Catéchisme positiviste, 4e entretien.

38 Le déterminisme a raison pour tous les êtres vulgaires; la liberté intérieure n'existe que par exception et par le fait d'une victoire sur soi-même. Même celui qui a goûté de la liberté n'est libre que par intervalles et par élans (...) Nous sommes assujettis, mais susceptibles d'affranchissement, nous sommes liés, mais capables de nous délier.
H.-F. AMIEL, Fragments d'un journal intime, 5 nov. 1879.

CONTR. (Du sens I) **Arrestation, captivité, claustration, dépendance, esclavage, servilité, servitude; prison; collier, joug** (fig.). — (Du sens II) **Assujettissement, contrainte, défense, entrave, gêne, interdiction, obligation, obstacle. — Confusion, gêne, raideur. — Compression.** — (Du sens III) **Assujettissement, dépendance, dictature, domination, esclavage** (fig.), **oppression, servitude** (fig.), **tyrannie. — Formalité, réglementation...** — (Du sens IV) **Déterminisme, destin, fatalité. — Passion.**
DÉR. Libertaire.
COMP. Liberticide.

LIBERTICIDE [libɛʀtisid] adj. et n. — 1791; de *liberté*, et suff. *-cide.*

♦ Littér. Qui détruit la liberté, les libertés. *Lois, décisions liberticides. Projets liberticides* (Babeuf, *in* Littré).

(...) le désir irrationnel de paraître peut amener le révolté aux formes les plus liberticides de l'action.
CAMUS, l'Homme révolté, p. 107.

N. *Un, une liberticide.*

N. m. (1829). Acte qui détruit les libertés. *Ce décret est un véritable liberticide.*

LIBERTIN, INE [libɛʀtɛ̃, in] adj. et n. — 1468, hist. et dr. rom.; lat. *libertinus* «affranchi», de *libertus*, même sens, de *liberare*. → Libérer.

À Rome, les hommes libres, s'ils étaient nés de parents libres, s'appelaient «ingénus»; s'ils avaient été libérés, on les disait «libertins». Beaucoup plus tard on appela *libertins* ceux dont on prétendait qu'ils avaient libéré leurs pensées; bientôt, ce beau titre fut réservé à ceux qui ne connaissaient pas de chaînes dans l'ordre des mœurs. 1
VALÉRY, Regards sur le monde actuel, p. 63.

★ **I.** Vx. ♦ **1.** (1568). «Qui hait la contrainte, qui suit sa pente naturelle, sans s'écarter de l'honnêteté» (Richelet, 1680). *Avoir l'humeur libertine.*

(...) on dira d'un homme de bien, qui ne saurait se gêner et qui est ennemi de tout ce qui s'appelle servitude : *Il est libertin, il n'y a pas un homme au monde plus libertin que lui.* Une honnête femme dira même d'elle, jusqu'à s'en faire honneur : *Je suis née libertine. Libertin* et *libertine*, en ces endroits, ont un bon sens et une signification délicate. 2
BOUHOURS, Remarques nouvelles sur la langue franç., 3e éd., p. 389.

(XVIIe). Par ext. et péj. «Qui aime trop sa liberté et l'indépendance, qui se dispense aisément de ses devoirs...» (Académie, 4e éd., 1762). *Écoliers libertins*, dissipés, indisciplinés (→ Assidu, cit. 2).

À d'austères devoirs le rang de femme engage, 3
Et vous n'y montez pas, à ce que je prétends,
Pour être libertine et prendre du bon temps.
MOLIÈRE, l'École des femmes, III, 2.

♦ **2.** Spécialt. «Qui ne saurait s'assujettir aux lois de la religion, soit pour la croyance, soit pour la pratique» (Trévoux). ⇒ **Impie, incrédule, irréligieux.**

Je le soupçonne encor d'être un peu libertin : 4
Je ne remarque point qu'il hante les églises.
MOLIÈRE, Tartuffe, II, 2.

Chez ma tante Bernard la dévotion m'ennuyait un peu plus, parce qu'elle en faisait un métier. Chez mon maître je n'y pensais plus guère, sans pourtant penser différemment. Je ne trouvai point de jeunes gens qui me pervertissent. Je devins polisson, mais non libertin. 5
ROUSSEAU, les Confessions, II.

N. m. (1555). ⇒ **Esprit** (esprit fort), **penseur** (libre* penseur). *Des libertins ignorants* (cit. 6) *de la religion. Libertins et faux dévots à la cour* (cit. 13).

Un libertin d'ailleurs, qui, sans âme et sans foi, 6
Se fait de son plaisir une suprême loi (...)
BOILEAU, Satires, IV.

(...) c'est une méchante raillerie que de se railler du Ciel, et (...) les libertins ne font jamais une bonne fin (...) il y a de certains petits impertinents (...) qui sont libertins sans savoir pourquoi, qui font les esprits forts (...) 7
MOLIÈRE, Dom Juan, I, 2.

Il y a deux espèces de libertins : les libertins, ceux du moins qui croient l'être, et les hypocrites ou faux dévots, c'est-à-dire ceux qui ne veulent pas être crus libertins (...) 8
LA BRUYÈRE, les Caractères, XVI, 27.

★ **II.** (1625). Mod. (style soutenu). Qui est déréglé dans ses mœurs, dans sa conduite, s'adonne sans retenue, sans pudeur, aux plaisirs charnels. ⇒ **Dévergondé, dissolu** (→ Hommage, cit. 17). *Un jeune homme assez libertin et joueur* (cit. 5). — Littér. *L'Ingénue libertine*, roman de Colette.

Heureux qui peut, au lever de l'aurore, à la clarté de ses premiers rayons, contempler les beautés d'une épouse qui a de la pudeur à les montrer et que l'amour seul rend libertine. 9
C.-A. HELVÉTIUS, Notes, Maximes et Pensées, p. 272.

Il se lança dans une digression ethnographique : l'Allemande était vaporeuse, la Française libertine, l'Italienne passionnée. 10
FLAUBERT, Mme Bovary, III, VI.

Parmi tous ces hommes grossiers, libertins, dissolus, il en est un, me disais-je, qui croit à la pudeur et sait respecter ce qu'il aime. 11
Th. GAUTIER, le Capitaine Fracasse, X.

N. m. UN LIBERTIN : homme qui s'adonne aux plaisirs sensuels sans retenue et avec un certain raffinement. ⇒ **Débauché.** *Vivre en libertin* (→ Escompter, cit. 3). *Dérèglements* (cit. 8) *des libertins. Un fieffé libertin, de fâcheuse* (cit. 10) *réputation.* ⇒ **Vaurien.**

Un petit libertin que j'ai surpris encore hier avec la fille du jardinier. 12
BEAUMARCHAIS, le Mariage de Figaro, I, 9.

Ce libertin voulait pour épouse une femme vertueuse. 13
BALZAC, les Marana, Pl., t. IX, p. 806.

Agents, messagers de plaisirs, ils étaient aussi généralement libertins pour leur propre compte. L'un d'eux, le samedi soir, la veille du 17 juillet, eut une idée qui ne pouvait guère tomber que dans la tête d'un libertin désœuvré; ce fut d'aller s'établir sous les planches de l'autel de la patrie, et de regarder sous les jupes des femmes. 14
MICHELET, Hist. de la Révolution franç., V, VIII.

N. f. Rare. *C'est une petite libertine.*

Par ext. *Conduite libertine.* ⇒ **Déréglé, licencieux.** *Des agaceries* (cit. 4) *libertines.* ⇒ **Coquin, polisson.** *Regard libertin.* ⇒ **Égrillard.**

Propos, livres, vers libertins. ⇒ **Galant, grivois, leste.** *Histoire libertine mais point grossière* (cit. 11). *Gravures libertines. Donner à un mot un sens libertin.* ⇒ **Libre** (→ Faiblesse, cit. 46).

15 Il *(Byron)* se plaisait à lire, avec ses camarades, les vers libertins, alors à la mode, du poète Thomas Little (pseudonyme de Thomas Moore). Oui, c'était ainsi qu'il fallait aimer, en cherchant la volupté, non la passion.
A. MAUROIS, la Vie de Byron, I, VII.

REM. Le mot, au sens II, exclut la grossièreté dans la débauche, et s'oppose sur ce plan à *paillard**; il implique aussi une attitude normale, non pathologique, à la différence de *vicieux**.

CONTR. Ascète, ascétique, dévot, sérieux, vertueux.
DÉR. Libertinage, libertinement, libertiner.

LIBERTINAGE [libɛʀtinaʒ] n. m. — 1603; de *libertin.*

★ **I.** Vx. ♦ **1.** Indépendance, refus de toute contrainte, de toute sujétion.

1 J'aime fort la liberté et le libertinage de votre vie et de vos repas, et qu'un coup de marteau ne soit pas votre maître. Mme DE SÉVIGNÉ, 1200, 25 juil. 1689.

Péj. *Libertinage d'esprit, d'imagination.* ⇒ **Dérèglement.** — REM. Ces expressions archaïques figurent dans Académie, 8e éd. (1935).

2 (...) il n'est aucun travers que Malebranche ait si vivement et opiniâtrement persécuté que le libertinage d'imagination.
Émile FAGUET, Études littéraires, XVIIe siècle, Malebranche, p. 115.

♦ **2.** Vieilli. Licence* de l'esprit en matière de foi, de discipline, de morale religieuse. ⇒ **Incrédulité** (→ Croire, cit. 63; éloigner, cit. 27). *Discours qui sent le libertinage* (→ Enticher, cit. 1, Molière).

3 Elle s'élève contre le *libertinage* à la mode parmi les jeunes gens. Ce mot de libertinage, dans la langue du XVIIe siècle, signifie (...) la licence de l'esprit dans les matières de foi, et c'est encore dans ce sens que le prend Mme de Lambert : « La plupart des jeunes gens croient aujourd'hui se distinguer en prenant un air de libertinage qui les décrie auprès des personnes raisonnables. C'est un air qui ne prouve pas la supériorité de l'esprit, mais le dérèglement du cœur ».
SAINTE-BEUVE, Causeries du lundi, 9 juin 1851.

★ **II.** (1674). Mod. Inconduite du libertin*; licence* plus ou moins recherchée dans les mœurs. ⇒ **Débauche, dérèglement, dévergondage, dissolution, vice.** *Tomber dans le libertinage* (→ Escapade, cit. 4). *Femmes effrontées* (cit. 3) *qui vivent dans le libertinage.* ⇒ **Galanterie.** *Lasciveté* qui porte au libertinage. Mettre un terme à son libertinage.* ⇒ **Débordement**(s), **frasque**(s).

4 (...) je lui dis (...) que son libertinage avait été supporté par égards pour son âge (...) personne ne pouvait plus souffrir dans un petit-fils de France de trente-cinq ans ce que le Magistrat et la police eût châtié il y a longtemps dans quiconque n'eût pas été (...) hors d'état d'insulter à tout un royaume par le scandale affreux de sa vie (...) SAINT-SIMON, Mémoires, III, XXIV.

5 Ce n'était guère que son confesseur (...) qui lui avait parlé de l'amour (...) et il lui en avait fait une image si dégoûtante, que ce mot ne lui représentant que l'idée du libertinage le plus abject. STENDHAL, le Rouge et le Noir, I, VII.

6 Cet amour sans libertinage était pour lui quelque chose de nouveau, et qui, le sortant de ses habitudes faciles, caressait à la fois son orgueil et sa sensualité.
FLAUBERT, Mme Bovary, II, X.

7 Dans ce suprême état *(causé par le haschisch)*, l'amour (...) prend les formes les plus singulières et se prête aux combinaisons les plus baroques. Un libertinage effréné peut se mêler à un sentiment de paternité ardente et affectueuse.
BAUDELAIRE, Du vin et du haschisch, IV.

Par ext. *Le libertinage de sa vie. — Le libertinage d'un récit, d'un tableau.*

8 De leurs honteux plaisirs l'affreux libertinage ! BOILEAU, Satires, X.

9 Ceci n'est qu'un conte, galant, poétique et d'un libertinage accompli, qui a pu scandaliser nos grand-mères, mais qui n'émouvrait plus beaucoup leurs petites-filles et ne leur apprendrait même rien.
Émile HENRIOT, les Romantiques, p. 210.

CONTR. Ascétisme, bégueulerie, pureté, vertu.

LIBERTINEMENT [libɛʀtinmɑ̃] adv. — 1866, *in* T. L. F.; de *libertin, ine,* et suff. d'adverbe.

♦ Rare. D'une manière libertine; en libertin(e). *Il prenait libertinement de menues privautés. Une scène libertinement décrite.*

LIBERTINER [libɛʀtine] v. intr. — 1734; de *libertin* (II.).

♦ Rare et vieilli. Mener une vie de débauche.

LIBERTY [libɛʀti] n. m. et adj. invar. — 1892; du nom de l'inventeur et de la firme londonienne *Liberty.*

♦ Anglic. Étoffe légère, souvent de coton ou de soie, généralement à dessins ou à petites fleurs, employée dans l'ameublement et l'habillement. *Des tissus en liberty.* — Appos. ou adj. *« Des chiffons liberty »* (M. Proust).

1 (...) une jeune brune habillée de liberty mandarine bordé de cygne blanc.
ARAGON, les Beaux Quartiers, p. 217.

2 (...) elle aplatit sous sa tête le rempart de coussins en liberty.
Christine DE RIVOYRE, le Voyage à l'envers, p. 200.

LIBERTY-SHIP [libɛʀtiʃip] n. m. — V. 1945; mots angl. « bateau *(ship)* de la liberté ».

♦ Anglic. Cargo d'un modèle construit pendant la Seconde Guerre mondiale par les États-Unis. *Près de 3 000 liberty-ships furent construits de 1941 à 1945.*

LIBIDINAL, ALE, AUX [libidinal, o] adj. — Av. 1948 (→ cit. 1); du lat. *libido, -inis,* et suff. *-al.*

♦ Psychan. De la libido*. *Objet libidinal. Frustration et satisfaction libidinale. Pulsions libidinales.*

Le texte de notre conférence est : « La perte de la mère ». En termes psychanalytiques, nous préférerions dire « La perte de l'objet libidinal. » 1
R. SPITZ, Enfance, 1948, 376, *in* FOULQUIÉ, Dict. de la langue philosophique, art. *Libidinal.*

Les psychologues freudiens, à partir d'une théorie des zones libidinales et de leur signification symbolique, proposent des interprétations souvent aventureuses du choix des organes dans l'hystérie de conversion. 2
Jean DELAY, Introd. à la médecine psychosomatique, p. 36.

LIBIDINEUX, EUSE [libidinø, øz] adj. — XIIIe et v. 1485; mais rare jusqu'au XVIIIe; lat. *libidinosus,* de *libido, -inis* « désir ».

♦ Littér. ou par plais. Qui recherche constamment et sans pudeur des satisfactions sexuelles*. *Un vieillard libidineux.* — N. *Un vieux libidineux.* — (Actions, propos). *Propos libidineux.* → Cochon.

(...) une (...) ribotante vieillarde (...) qui régalait, dans sa tour de Nesle, des mitrons cupides ou des jardiniers libidineux. 1
Léon BLOY, la Femme pauvre, II, XVI.

(Actes, propos). *Regards libidineux.* ⇒ **Lascif, sensuel.** *Propos libidineux.* ⇒ **Licencieux.** — REM. Par rapport à *lascif,* cet adj. semble emporter l'idée d'une obsession peu naturelle. ⇒ **Vicieux.**

Libidineux (...) implique l'obsession assez vicieuse et condamnable des plaisirs de la chair. M. BÉNAC, Dict. des synonymes, art. *Lascif.* 2

DÉR. Libidinosité.

LIBIDINISATION [libidinizasjɔ̃] n. f. — D. i. (mil. XXe); de *libido* (2.), d'après les dér. (→ Libidinal), et *-ation.*

♦ Psychan. (Rare). Érotisation*.

LIBIDINOSITÉ [libidinozite] n. f. — XVe; de *libidineux.*

♦ Didact. et rare. Caractère libidineux; tendance à être libidineux. — REM. Les emplois littéraires de ce mot le classent comme un archaïsme plaisant.

Je dois ajouter d'ailleurs que sa tenue était correcte et que nulle libidinosité ne semblait tarer l'attention qu'il apportait à l'exercice.
A. ALLAIS, Contes et chroniques, p. 207.

LIBIDO [libido] n. f. — 1914, en France, *in* D. D. L.; emprunté par Freud au lat. *libido, -inis* « désir », au sens général. Cf. *libido sciendi* « désir de connaître ».

♦ **1.** Cour. Recherche instinctive du plaisir, spécialt, du plaisir sexuel. ⇒ **Désir.** Plur. : *des libidos.*

L'impulsion sexuelle qualifiée encore de désir, d'appétit sexuel, de *libido,* est le besoin de sensations voluptueuses. 1
A. BINET, Vie sexuelle de la femme, p. 242.

(...) il y a longtemps que l'Éros platonicien, le sens génésique, la liberté de vie, a disparu sous le revêtement sombre de la *Libido* que l'on identifie avec tout ce qu'il y a de sale, d'abject, d'infamant dans le fait de vivre, de se précipiter avec une vigueur naturelle et impure, avec une force toujours renouvelée vers la vie. 1.1
A. ARTAUD, le Théâtre et son double
Le théâtre et la peste, Idées/Gallimard, p. 43.

♦ **2.** Psychan. (chez Freud et ses disciples). Énergie psychique soustendant les pulsions de vie, et, spécialt, les pulsions sexuelles (⇒ **Anal,** 2., **génital, oral**). — REM. Ce terme, dans l'usage moderne, a remplacé *aimance**. — *Libido narcissique* ou *libido du moi :* investissement de la libido sur la personne même du sujet. *Libido d'objet* ou *libido objectale :* investissement sur un objet extérieur (une personne, etc.). ⇒ **Objet.**

(...) Freud propose d'employer le terme *libido* pour signifier la valeur dynamique des tendances sexuelles, infantiles ou adultes. 2
Jean-Claude FILLOUX, l'Inconscient, p. 63.

On notera, du point de vue terminologique : 1) Qu'objet, dans l'expression *libido d'objet* est pris dans le sens restreint d'objet extérieur et n'inclut pas le moi qui peut aussi (...) être qualifié d'objet de la pulsion; 2) Que la préposition *de* (...) indique la relation de la libido à son point d'arrivée et non à son point de départ. 3
J. LAPLANCHE et J.-B. PONTALIS, Voc. de la psychanalyse, art. *Libido du moi.*

(...) la libido est l'énergie générale des instincts sexuels investie sur le Moi, sur autrui ou sur les choses. La preuve repose sur le déplacement de la libido, du Moi aux objets, et vice-versa (...) Bien que pouvant entrer ultérieurement en con- 4 flit, la libido du Moi et la libido «objectale» sont de même nature et de même origine. Daniel LAGACHE, la Psychanalyse, p. 27.

DÉR. (Du lat. *libido, -inis*) V. **Libidinal, libidineux, libidinisation.**

LIBITUM (AD) [adlibitɔm] loc. adv. ⇒ **Ad libitum.**

LIBOURET [libuʀɛ] n. m. — 1643, Fournier, *in* T. L. F.; étym. obscure.

♦ Pêche. Ligne* à plusieurs hameçons employée pour pêcher le maquereau. ⇒ **Mitraillette** (2.).

LIBRAIRE [libʀɛʀ] n. — 1380; *livraire* «copiste», 1220; «marchand de livres», 1491; lat. *librarius,* dér. de *liber, libri.* → Livre.

♦ **1.** Anciennt. «Artisan et marchand qui imprime, qui vend et qui relie des livres» (Furetière). — REM. On dirait en français actuel : *libraire-éditeur**. → Éditeur (2.), et ci-dessous 2. — *Porter un manuscrit chez* (cit. 3) *le libraire. Libraire qui imprime les essais* (cit. 19) *d'un auteur. Écrivains et libraires* (→ Art, cit. 58; esclave, cit. 12; gager, cit. 6). *Les libraires hollandais* (→ Gagner, cit. 1).

1 Il me fit faire aussi connaissance avec Jean Néaulme, libraire d'Amsterdam (...) qui dans la suite imprima l'*Émile.* ROUSSEAU, les Confessions, X.

2 Cramoisy, Clousier, Laurent, les Étienne, imprimaient un livre et le vendaient (...) En 1815, cet état de choses avait subi une grande révolution. Non seulement les imprimeurs formaient un corps entièrement distinct des libraires, mais les libraires s'étaient partagés en plusieurs classes.
BALZAC, le Feuilleton, I, Œuvres diverses, t. I, p. 363 (→ *infra*, cit. 5).

3 *(Le mot)* d'éditeur nomma d'abord l'érudit qui présentait une autre œuvre que la sienne, pour s'appliquer ensuite au libraire qui publie des œuvres pour son propre compte. La distinction entre libraire-vendeur de livres et libraire-éditeur remonte plus haut (1777) que la dénomination même d'éditeur.
Encyclopédie franç. (DE MONZIE), XVII, 84-7 (→ Éditeur, 2.).

♦ **2.** (XVIIIe). Mod. Commerçant dont la profession est de vendre des livres au public. *Un, une libraire. L'éditeur* (cit. 4) *et le libraire, intermédiaires* (cit. 10) *entre l'auteur et le lecteur. Le magasin* (⇒ **Librairie**), *la devanture, la vitrine d'un libraire. Acheter un roman chez son libraire habituel. Un grand, un petit libraire. Libraire spécialisé dans la vente des livres d'art, des ouvrages religieux, techniques, scolaires. Libraire qui vend des livres d'assortiment**. *Libraire qui fait des abonnements de lecture.* — *Libraire d'occasion; libraire d'ancien.*

4 Les livres qui tombent à Paris font la fortune des libraires de province.
ROUSSEAU, Julie ou la Nouvelle Héloïse, Préface de la 2e édition, p. XVI.

5 Les libraires sont divisés en trois classes : 1° les libraires-éditeurs qui achètent les manuscrits, ou réimpriment les anciens auteurs, et les confectionnent en livres; 2° les libraires commissionnaires et de détail, auxquels les premiers livrent des parties considérables d'éditions; 3° les libraires de province ou de Paris qui se mettent en communication avec l'acheteur. Nous ne parlerons pas des bouquinistes ou étalagistes, qui paient des livres comptant, et vendent de même.
BALZAC, le Feuilleton, I, Œuvres diverses, t. I, p. 363-364.

6 À la vitrine du libraire Dupaty, on voit les nouveautés de chez Plon, quelques ouvrages techniques (...) une grande histoire illustrée de Bouville et des éditions de luxe élégamment disposées (...) SARTRE, la Nausée, p. 61.

Libraire-éditeur, qui vend les livres de son fonds*. *Imprimeur-libraire.* — Au plur. *Des libraires-éditeurs. Des imprimeurs-libraires.*

Adj. *Un marchand libraire. Commis libraire :* commis de librairie.

DÉR. V. **Librairie.**

LIBRAIRIE [libʀeʀi; libʀɛʀi] n. f. — 1360, au sens 1, anglo-normand *librarie,* 1119 (cf. angl. *library*); du lat. impérial *libraria,* de *liber, libri.* → Livre; et aussi libraire.

♦ **1.** Vx. ⇒ **Bibliothèque.** *Une ample librairie* (→ Étude, cit. 17). *Maître de la librairie :* bibliothécaire (cit.) du roi.

1 Chez moi, je me détourne un peu plus souvent à ma librairie (...) Là, je feuillette à cette heure un livre, à cette heure un autre, sans ordre et sans dessein (...)
MONTAIGNE, Essais, III, III.

2 Je résolus alors (...) de retourner dans la bibliothèque pour continuer l'examen des manuscrits (...) j'entrai dans ce que j'appellerai, en vieux langage, «la librairie», et je me mis au travail (...)
FRANCE, le Crime de S. Bonnard, II, II, Œuvres, t. II, p. 351.

♦ **2.** (1540, au sens 1 de *libraire*). Mod. Commerce des livres* au détail par les libraires (2.). *Il a fait toute sa carrière dans la librairie, dans le commerce de librairie* (Académie). *Commissionnaire, placier en librairie.* — *(En librairie). Il y a longtemps qu'on ne trouve plus ce livre en librairie. Les dernières nouveautés parues en librairie.* — Activité, profession du libraire. *La loi du 29 juillet 1881 proclame la liberté de la librairie et de l'imprimerie**.

3 Je suis courtier en librairie, monsieur. Je fais la place pour les principales maisons de la capitale, et, dans l'espoir que vous voudrez bien m'honorer de votre confiance, je prends la liberté de vous offrir quelques nouveautés.
FRANCE, le Crime de S. Bonnard, I, Œuvres, t. II, p. 269.

Commerce des livres (y compris la commercialisation par les éditeurs). ⇒ **Édition.** *Les romans publiés par la librairie française* (→ Déverser, cit. 1).

(1690, Furetière). Par métonymie. Corporation des libraires. *Le cercle, le syndicat de la librairie.*

♦ **3.** (1846). Magasin où l'on vend des livres, magasin de libraire*. *Monter, tenir une librairie. Ouvrage en vente dans toutes les librairies. Grande, petite librairie. Les vendeurs d'une librairie. Librairie d'ouvrages d'art,* et, ellipt., *librairie d'art. Librairie religieuse, scientifique, technique. Librairie d'occasion, d'ancien,* qui vend des livres anciens. *Librairie de poches.* ⇒ **Bibliopoche.** *Librairie d'assortiment** (3.). — *Librairie-papeterie**. *Librairie marchand de journaux. Librairie de gare.* ⇒ **Bibliothèque.** — Par ext. Maison d'édition qui dispose de magasins où sont vendues les œuvres publiées par ses soins. *La librairie Delagrave, éditeur* du dictionnaire de Hatzfeld.*

Sur les murs, de belles affiches annonçaient les traductions en tchèque des romans de Victor Hugo. Les devantures des librairies semblaient de véritables musées bibliographiques du poète. APOLLINAIRE, l'Hérésiarque..., p. 12. 4

(...) l'achat bi-quotidien de son journal à la petite librairie de la gare. 5
J. GREEN, Adrienne Mesurat, I, II.

Enfin, mes plus longues stations (et cela va de soi), je les faisais devant les librairies. Là j'oubliais la pluie à regarder les livres disposés en amphithéâtre sur un plan incliné. H. BOSCO, Un rameau de la nuit, p. 115. 6

LIBRATION [libʀasjɔ̃] n. f. — 1704; «nivellement», 1547; lat. *libratio* «balancement», du supin de *librare* «peser avec la balance, mettre de niveau», de *libra* «poids (→ 2. Livre), balance, niveau».

♦ Astron. Balancement apparent (d'un astre, et, spécialt, de la Lune) par rapport à son axe. *Libration en longitude, en latitude.*

Par ext. (Littér. et rare). Balancement régulier. *«Le flot, la libration de l'océan»* (Claudel, *in* T. L. F.).

LIBRE [libʀ] adj. — 1339; du lat. *liber* «de condition non esclave; affranchi»; d'où «indépendant; non occupé».

Qui jouit de liberté*, de certaines libertés.

★ **I.** Êtres animés. (Sens étroit). ♦ **1.** (Par oppos. à *esclave, serf*). Qui n'appartient pas à un maître*. ⇒ **Franc** (2. Franc, 1., vx.); **affranchi.** *Hommes libres. Rendre libre un esclave.* ⇒ **Affranchir.** *Le formariage* (cit.), *mariage d'un serf et d'une femme libre. Travailleurs libres* (→ Esclave, cit. 4). — Par ext. *Condition libre.*

Claude ordonna que les esclaves qui auraient été abandonnés par leurs maîtres, étant malades, seraient libres s'ils échappaient. 1
MONTESQUIEU, l'Esprit des lois, XV, XVII.

♦ **2.** (1596; opposé à *captif, prisonnier...*). Qui n'est pas privé de sa liberté physique, de sa liberté de mouvement; qui n'est pas enfermé, enchaîné. *Rendre qqn libre.* ⇒ **Délivrer, libérer.** *Être libre après une évasion* (cit. 1). ⇒ **Évadé.** (Animaux). *Bêtes en cage que l'on rend libres tout à coup* (→ Effarer, cit. 8). — Spécialt. *«L'accusé* (cit. 1) *comparaîtra libre»,* sans être enchaîné.

Alger (...) Tu rends déjà tes esclaves. Louis a brisé les fers dont tu accablais ses sujets, qui sont nés pour être libres sous son glorieux empire. 2
BOSSUET, Oraison funèbre de Marie-Thérèse d'Autriche.

Être libre sous caution. Libre sur parole, sous certaines conditions que l'on s'engage à respecter. ⇒ **Liberté** (*supra* cit. 3).

(...) on l'avait laissé libre, sur sa parole, le dernier soir; il devait, à minuit, quand le détachement passerait sous sa fenêtre pour se rendre à la gare, descendre bien vite le rejoindre (...) LOTI, Matelot, XXIX. 3

★ **II.** Personnes; facultés humaines. (Sens large). ♦ **1.** Cour. Qui a le pouvoir de décider, d'agir par soi-même. ⇒ **Indépendant** (cit. 4). → Assujettir, cit. 27; 2. bien, cit. 25; indépendance, cit. 3. *Être libre.* ⇒ **Appartenir** (s'), **disposer** (de soi). *Devenir libre.* ⇒ **Libérer** (se). → Attache, cit. 20. *Cesser d'être libre.* ⇒ **Engager** (s'). → Chaîne, cit. 20. *Vivre libre et content* (cit. 3; → aussi Inconstance, cit. 9; insouciant, cit. 4). *Se sentir libre* (→ Coquet, cit. 7). *Ses parents le laissent tout à fait libre* (→ Laisser la bride* sur le cou*). Fam. *Être libre comme l'air**. — Par ext. *Cœur, âme libre* (→ Accuser, cit. 22; glacer, cit. 17). *Imagination trop libre* (→ Insomnie, cit. 4). *Garder l'esprit* libre, la tête libre,* exempt de contrainte, de préoccupations, ou de préjugés (→ Culpabilité, cit. 3).

Pour former de grands desseins, il faut avoir l'esprit libre et reposé (...) 4
FÉNELON, Télémaque, XVII.

— Entrez, mon cher. — Oui, mais achevez votre lettre (...) Je ne peux vous parler si vous n'avez l'esprit tout à fait libre. G. DUHAMEL, Salavin, V, XIV. 5

(1659; d'après l'angl. *free thinker*). Spécialt. **LIBRE PENSEUR :** personne qui, en matière religieuse, ne se fie qu'à la raison, ne veut être influencé par aucun dogme établi. ⇒ **Libertin** (I., 2.); **incrédule, irréligieux** (→ Esprit fort; et aussi hérésiarque, cit. 2, Renan). Par appos. *Des instituteurs* (cit. 5) *libres penseurs* (Péguy). — REM. L'Académie écrit cette expression sans trait d'union, mais on trouve *libre-penseur* chez plusieurs écrivains (→ Athénien, cit. 3, Fustel de Coulanges; émanciper, cit. 9, Gide).

Moi qui suis (...) libre penseur, c'est-à-dire un révolté contre tous les dogmes que fit inventer la peur de la mort (...) 6
MAUPASSANT, les Sœurs Rondoli, Mon oncle Sosthène.

Au fém. *Une libre penseuse, une libre-penseuse.* — Adj. :

Une commune libre-penseuse s'honore, avait écrit le maire, de ramasser ce que Dieu rejette (...) GIRAUDOUX, Simon le Pathétique, p. 11. 6.1

(1873). *Libre pensée :* attitude d'esprit du libre penseur. ⇒ **Incrédu-**

lité. *Une libre pensée agressive* (cit. 6). — *Libre examen :* « le droit naturel de n'accepter comme vrai que ce qu'admet la raison » (Littré). *Libre examen en matière religieuse, en matière de foi.*

7 Du jour où l'on admet que l'on puisse abandonner le sens littéral des dogmes — et comment ne pas admettre cet abandon, si l'on consent à réfléchir? — on légitime du même coup toutes les indépendances d'interprétation, le libre examen, la libre pensée tout entière. MARTIN DU GARD, Jean Barois, La chaîne, I.

Libre arbitre. ⇒ 2. **Arbitre,** 2. → Franc arbitre* (vx); et aussi fataliste, cit. 1; généreux, cit. 5; humilité, cit. 2.

Spécialt. Philos. Qui jouit de la liberté, sur le plan philosophique.

7.1 — D'où vient que vous ne donnez pas votre fortune aux pauvres?
L'épicier, d'un regard inquiet, parcourut toute sa boutique.
— Tiens! pas si bête! je la garde pour moi!
— Si vous étiez saint Vincent de Paul, vous agiriez différemment, puisque vous auriez son caractère. Vous obéissez au vôtre. Donc vous n'êtes pas libre!
FLAUBERT, Bouvard et Pécuchet, Folio, p. 317.

♦ **2.** (1583). *Libre de...* (suivi d'un nom) : libéré, affranchi de... (→ Heureux, cit. 46). *Être libre d'entraves. Esprit libre de préoccupations, de préjugés.* ⇒ **Exempt.** *Cœur* libre de haine.*

8 Libre du joug superbe où je suis attaché (...) RACINE, Iphigénie, I, 1.

9 Hommes libres, s'écriait alors le stoïcien, sachez vous maintenir libres! Libres de vos passions en les sacrifiant aux devoirs, libres de vos semblables en leur montrant le fer ou le poison qui vous met hors de leurs atteintes, libres de la destinée en fixant le point au delà duquel vous ne lui laissez aucune prise sur vous, libres des préjugés en ne les confondant pas avec les devoirs, libres de toutes les appréhensions animales en sachant surmonter l'instinct grossier qui enchaîne à la vie tant de malheureux.
BALZAC, le Médecin de campagne, Pl., t. VIII, p. 503-504.

♦ **3. LIBRE À** (vx), **LIBRE DE** (suivis de l'inf.) : qui a la possibilité, le droit de... (→ Forger, cit. 2, Bossuet). *Libre de décider, d'agir, de faire* (→ Archives, cit. 9; éviter, cit. 25; jeu, cit. 45).

10 Car enfin je suis libre à disposer de moi (...) CORNEILLE, Don Sanche, I, 3.

11 L'homme n'est pas libre de ne pas faire ce qui lui fait plus de plaisir que toutes les autres actions possibles. STENDHAL, De l'amour, V.

♦ **4.** Qui n'est pas soumis à un engagement, à une obligation, morale ou juridique (→ Assurer, cit. 55). Spécialt. Qui n'est pas marié ou engagé par des relations suivies (→ Farouche, cit. 8).

12 Au joug d'un autre hymen sans amour destinée,
À peine je suis libre et goûte quelque paix,
Qu'il faut que je me livre à tout ce que je hais. RACINE, Mithridate, I, 2.

13 On l'avait mariée très jeune au procureur Marco Donato, et la mort de celui-ci venait de la laisser libre et en possession d'une grande fortune.
A. DE MUSSET, Nouvelles, « Le fils du Titien », V.

Qui n'est pas pris, retenu, occupé (→ Impatienter, cit. 6). *Êtes-vous libre ce soir? Il est très libre en ce moment. Se rendre libre.*

14 Je te l'ai dit, elle n'était pas libre. Elle me donne rendez-vous pour le lundi suivant. G. DUHAMEL, Salavin, V, X.

Loc. fam. *Être libre comme l'air,* tout à fait libre.

14.1 Je suis libre comme l'air, et je prends mon plaisir où je le trouve.
H. MONNIER, Scènes populaires, Les bourgeois campagnards, t. I, p. 351 (éd. 1835).

Fam. *Taxi! vous êtes libre?* (opposé à *occupé*). → ci-dessous, V., 3. Par plais. *Vous êtes libre? Eh bien, vive la liberté!*

Loc. *Externe* (cit. 3) *libre. Membre libre, d'une Académie. Auditeur, étudiant libre. Candidat libre,* qui se présente à un examen sans avoir suivi le régime des cours et des enseignements qui y préparait.

♦ **5.** (1538). Choses. Qui s'accomplit, s'effectue librement, sans contrainte extérieure. *Mouvements libres* (→ Adhérence, cit. 1). *Aile* libre. Vol* libre* (fig.). → Corbeau, cit. 6. *Respiration* libre. — Action* libre. Passions libres* (→ Insurrection, cit. 5). *Libre union de deux êtres* (→ Associer, cit. 10). Spécialt. *Union* libre. Amour* libre. — Le jeu* (cit. 2 et 3), *« libre poursuite de buts fictifs ». Libres ébats des enfants. Libre jeu** (fig.; → Aplomb, cit. 3; honneur, cit. 56), *libre fonctionnement. Donner libre cours** (cit. 6). ⇒ **Carrière** (→ ci-dessous, V., 3., Donner le champ libre). — *Libre aveu.* ⇒ **Volontaire.** *Libre discussion. Libres propos.*

15 Elle parla, elle donna libre cours à son exaltation.
Valery LARBAUD, Fermina Marquez, XII.

♦ **6.** Qui ne se contraint pas, se laisse aller sans retenue (→ Honnête, cit. 26; inférer, cit. 4). *Être libre, très libre avec qqn,* ne pas se gêner avec lui. *Un homme libre dans ses propos, son comportement.*

16 Et comme la jeunesse est vive et sans repos,
Sans peur, sans fiction, et libre en ses propos (...)
Mathurin RÉGNIER, Satires, I.

Par ext. *Airs, allures, façons, manières libres.* ⇒ **Aisé** (cit. 4), **dégagé, délibéré, désinvolte, familier, hardi** (→ Épanouissement, cit. 7; évaporé, cit. 12; impertinent, cit. 7 et 9). *Langage libre et direct.* ⇒ **Franc-parler** (→ 2. Critique, cit. 39). *Rire franc* (cit. 8) *et libre.* ⇒ **Spontané.** *Gaieté libre. La plus libre belle humeur* (→ Agile, cit. 7). — *Vie libre et joyeuse* (→ Étudiant, cit. 3; gaieté, cit. 2). *Morale libre et épicurienne*.* ⇒ **Facile.**

Spécialt. *Style, facture libre, sans contrainte, aisé* (→ Faire, cit. 226). *Style libre* (par oppos. à *style sévère*), caractérise une époque de l'art céramique grec (après 460 av. J.-C.). *Le style libre est représenté par l'école de Polygnote; par des vases à fond blanc (lecythes, etc.).*

Désormais s'ouvre la seconde époque de la céramique à figures rouges, que définit cette expression : le style libre; libéré, en effet, de l'ancienne rigidité dans la présentation, par des essais de perspective (...) 16.1
G. CONTENAU et V. CHAPOT, l'Art antique, p. 231.

♦ **7.** (Propos, comportements). Qui est indifférent aux convenances et tend à la licence. *Propos libres, un peu libres, trop libres.* ⇒ **Cavalier, coquin, cru, décolleté** (fig.), **égrillard, gai, gaillard, graveleux, grivois, guilleret, hardi, léger, leste, licencieux, osé** (→ Épicé, cit. 5; grossier, cit. 10). *Propos libres sans indécence* (→ Aiguillonner, cit. 1). *Mot, terme libre* (→ Appas, cit. 13; érotique, cit. 2). — *Mœurs libres.*

Je ne dis point que les femmes dont la mise paraît trop libre, soient tout à fait exemptes de blâme : celles d'entre elles qui n'en méritent pas un autre, oublient du moins qu'on vit parmi la foule, et cet oubli est une imprudence. 17
É. DE SENANCOUR, Oberman, L.

★ **III.** (Dans le domaine social, politique). ♦ **1.** (Personnes; communautés humaines). Qui n'est pas soumis à une autorité arbitraire, tyrannique; qui jouit de l'indépendance, de libertés* reconnues et garanties. *Les hommes naissent et demeurent libres et égaux* (cit. 13) *en droits* (Déclaration des droits de l'homme; → aussi Inégalité, cit. 8). *« L'homme est né libre, et partout il est dans les fers »* (→ Esclave, cit. 7, Rousseau). *Homme libre et citoyen* (Enrégimenter, cit. 1). *« L'individu* (cit. 14) *ne saurait être libre tout seul ». — Peuple, société, nation libre,* où les libertés sont respectées (→ Captif, cit. 4; guerrier, cit. 1). *Homme libre dans un pays libre* (→ Inquisiteur, cit. 4). *Les nations libres.* — Spécialt. *Le monde libre :* les pays qui ne sont pas communistes (pour leurs adversaires).

J'aurais voulu vivre et mourir libre, c'est-à-dire tellement soumis aux lois, que ni moi ni personne n'en pût secouer l'honorable joug, ce joug salutaire et doux, que les têtes les plus fières portent d'autant plus docilement qu'elles sont faites pour n'en porter aucun autre. 18
ROUSSEAU, De l'inégalité parmi les hommes, À la République de Genève.

Ils veulent être libres et ne savent pas être justes. 19
SIEYÈS, Discours à la Constituante, 10 août 1789.

Tous *(les hommes)* sont libres; car, par définition, nous avons supprimé les sujétions injustes que la force brutale et le préjugé héréditaire leur imposaient. 20
TAINE, les Origines de la France contemporaine, II, t. II, p. 48.

Ville, commune libre.* ⇒ **Autonome, indépendant** (→ Association, cit. 8). — *Pays libre,* qui n'est pas soumis à une puissance étrangère (⇒ **Souverain**). — Hist. *L'État libre d'Irlande.* Spécialt. *La France libre, les Français libres,* qui n'ont pas accepté l'armistice de 1940 et ont continué la lutte.

(...) pour chacune des nations d'Europe que submergeaient les armées d'Hitler, l'État avait emporté sur des rivages libres l'indépendance et la souveraineté (...) Pour ces exilés, la France Libre (...) était une intéressante expérience (...) Tandis que nous nous efforcions d'assurer à la France Libre un commencement d'audience internationale, je tâchais de mettre sur pied l'embryon d'un pouvoir (...) 21
Ch. DE GAULLE, Mémoires de guerre, t. I, p. 82.

♦ **2.** Par ext. (en parlant des activités, des institutions*). Dont le libre exercice, le libre fonctionnement est reconnu, garanti par la loi. *Libre communication, libre expression des pensées* (→ Abus, cit. 3). *Presse* libre. Élections libres.* → Candidature, cit. 1. *Libre exercice des cultes* (cit. 5). *« L'Église libre dans l'État libre ». — Enseignement* libre.* Spécialt. *Écoles, institutions* (cit. 20), *collèges libres :* écoles privées, et, spécialt, écoles religieuses. — Dr. *Libre disposition d'un bien* (→ Appartenir, cit. 4). *Libre usage, libre jouissance. Volonté libre* (→ Autonomie, cit. 4). — Écon. *Commerce** (cit. 7) *libre.* ⇒ **Libre-échange; libéralisme.** *Libre entreprise. Libre concurrence. Ventes libres et ventes forcées* (cit. 34). *Produit en vente libre.* — Par ext. *Denrée libre,* non rationnée. — Fin. *Change, cours libre.*

(...) l'on regarde comme impolitiques les droits qui s'opposent « au libre cours des échanges ». 22
NECKER, Administration financière, IV, p. 385, *in* F. BRUNOT, Hist. de la langue franç., p. 325, note 3.

Radio libre.*

★ **IV.** (1541). Philos. et psychol. Qui jouit de liberté* (IV.), en parlant de l'homme, de sa volonté. *« L'homme est un être* (cit. 13) *libre, c'est-à-dire un être moral ».*

(...) que chacun de nous s'écoute et se consulte soi-même, il sentira qu'il est libre, comme il sentira qu'il est raisonnable. BOSSUET, Traité du libre arbitre, II. 23

Il n'est pas bon d'être trop libre; il n'est pas bon d'avoir toutes les nécessités. 24
PASCAL, Pensées, VI, 379.

Le plus libre de tous les hommes, répondis-je, est celui qui peut être libre dans l'esclavage même. FÉNELON, Télémaque, V. 25

L'homme vraiment libre ne veut que ce qu'il peut, et fait ce qu'il lui plaît. 26
ROUSSEAU, Émile, II.

Les uns, donc, ayant rêvé que l'homme était libre, sans pouvoir dire au juste ce qu'ils entendaient par ces mots, les autres, aussitôt, imaginèrent et soutinrent qu'il ne l'était pas. Ils parlèrent de fatalité, de nécessité, et, beaucoup plus tard, de déterminisme (...) VALÉRY, Regards sur le monde actuel, p. 50. 27

Être libre, ce n'est point pouvoir faire ce que l'on veut, mais c'est vouloir ce que l'on peut. SARTRE, Situations I, p. 319. 28

★ **V.** (Choses). ♦ **1.** Autorisé. ⇒ **Permis.** *Accès* libre. Le feu est vert, le passage est libre.* Spécialt. *Entrée* libre :* entrée qui n'est soumise à aucune formalité, au paiement d'aucun droit.

L'entrée était libre, on payait deux sous chaque danse. 29
ZOLA, la Terre, III, III.

Mar. *Libre pratique :* « permission donnée à un navire par les autorités sanitaires de communiquer librement avec la terre » (Gruss). — *Libre service*.*

Impers. (vieilli). *Il est libre à (qqn) de... :* il est permis*, possible* à (qqn) de... — Mod. *Libre à vous de... :* vous êtes libre de..., vous pouvez ou non... *Libre à vous d'accepter ou de refuser.*

30 Il était libre à Jésus-Christ de mourir ou de ne pas mourir.
FLÉCHIER, Sermon, I, 186.

31 On y a seulement remarqué l'absence du clergé. Sans doute les sacristies entendent le progrès d'une autre manière. Libre à vous, Messieurs de Loyola!
FLAUBERT, Mme Bovary, II, VIII.

31.1 S'il te plaît de mourir au pied d'une borne kilométrique, couvert de haillons, libre à toi (...) GIRAUDOUX, Simon le Pathétique, p. 7.

♦ **2.** Qui n'est pas attaché, retenu, serré, embarrassé, et qui, par conséquent, peut se mouvoir sans gêne. *Taille libre, hanche* (cit. 7) *libre.* → Comprimer, cit. 11. *Vêtement qui laisse les poignets libres* (→ Emprisonner, cit. 5). *Cheveux libres.* ⇒ **Flottant.**

32 (...) que ses yeux *(de Pauline de Grignan)* sont jolis, bleus avec des paupières noires! une taille libre, adroite. Mme DE SÉVIGNÉ, 1244, 18 déc. 1689.

(D'un mécanisme). *Pignon, engrenage libre,* non enclenché. *Roue* libre; en roue libre.*

♦ **3.** Qui n'est pas occupé, ne présente pas d'obstacle (en empêchant l'accès, le passage...). *Place libre.* ⇒ **Vacant, vide.** *Espace** (cit. 16), *terrain libre.* → Creuser, cit. 13. *Angle, coin libre* (→ Croisement, cit. 3). *Chemin*, route, rue, voie libre.* ⇒ **Dégagé.** *La voie est libre.* — (En parlant d'un logement). ⇒ **Inoccupé.** *Appartement, chambre libre. Il ne reste plus une chambre de libre dans cet hôtel. — Taxi libre.* → ci-dessus, II., 4. — *La ligne téléphonique n'est pas libre.*

32.1 Dans la salle sur le premier mur il y avait les lavabos alignés devant les glaces, sur le deuxième mur rien, sur le troisième mur les urinoirs, sur le quatrième les six cabinets dont cinq marquaient « libre » et un « occupé ».
J.-M. G. LE CLÉZIO, le Déluge, p. 229.

Loc. **À L'AIR LIBRE** (→ Gardeur, cit. 2). — Fig. *Avoir la scène* (vx), *le champ* libre :* avoir toute liberté (⇒ **Carrière**). *Donner, laisser le champ libre* (→ ci-dessus, II., 5.).

La campagne est libre, sans ennemis. *Mer libre* (d'ennemis..., de glaces). → Expansion, cit. 5.

Temps libre, qui n'est pas occupé ou retenu, que l'on peut employer à sa guise. *Heures* (cit. 49) *libres. — Main libre.* ⇒ **Disponible** (→ Force, cit. 9; gladiateur, cit. 2). Fig. *Avoir les mains libres.* ⇒ **Main.**

33 Les heures qu'il avait libres furent remplies de bonnes lectures (...)
BOSSUET, Oraison funèbre de Michel Le Tellier.

♦ **4.** Dont la forme n'est pas imposée, fixée d'avance. *Genre littéraire plus ou moins libre* (→ Épigramme, cit. 4). *Pièce à forme libre.* ⇒ **Fantaisie, impromptu** (cit. 7). *Improvisation libre. Sujet libre. Emplois libres d'un mot :* emplois où le choix de l'entourage est libre (sans contraintes dues à l'existence d'emplois figés : locutions, etc.). *Vers* libre.* ⇒ **Irrégulier.** *Traduction, adaptation libre,* qui ne suit pas l'original à la lettre. *Formes libres, individuelles de l'art, de la culture...,* par oppos. aux *formes hiératiques*, traditionnelles, sacrées...*

34 (...) pour les poètes, le symbolisme semble lié au vers libre, c'est-à-dire démailloté, et dont le jeune corps peut s'ébattre à l'aise, sorti de l'embarras des langes et des liens. R. DE GOURMONT, le Livre des masques, p. 8.

(1835). *Papier* libre* (par oppos. à *papier timbré*). — *Licence libre* (d'une université) : diplôme pour lequel le choix des certificats est libre.

Sports. *Figures libres* (par oppos. aux *figures imposées,* en gymnastique, patinage).

(Mil. XXe). Techn. (alpinisme). *Escalade libre,* où l'on ne grimpe qu'avec les pieds et les mains, sans l'aide de moyen artificiel.

CONTR. Esclave, serf, servile; captif, enchaîné, lié, prisonnier. — Assujetti, astreint, opprimé, soumis. — Défendu, interdit, prohibé, réglementé; obligatoire. — Déterminé. — Dépendant, soumis. — Gêné, embarrassé, empêché, engagé, entravé, forcé. — Pris, retenu. — Cérémonieux, compassé, confus; bégueule, décent. — Attaché, engagé. — Occupé, plein, rempli. — Fixé, imposé, réglé.

DÉR. Librement.

LIBRE ARBITRE [libʀaʀbitʀ] n. m. ⇒ 2. Arbitre (2.).

LIBRE-ÉCHANGE [libʀeʃɑ̃ʒ] n. m. — 1840; d'après l'angl. *free trade.*

♦ Écon. Système dans lequel les échanges commerciaux entre États sont libres ou affranchis des « barrières » qui les entravent. *Doctrine du libre-échange.* ⇒ **Libéralisme*.** *Association européenne de libre-échange.*

CONTR. Protectionnisme.
DÉR. Libre-échangisme, libre-échangiste.

LIBRE-ÉCHANGISME [libʀeʃɑ̃ʒism] n. m. — Attesté mil. XIXe; de *libre-échange.* → Libre-échangiste.

♦ Écon. Doctrine des libre-échangistes.

LIBRE-ÉCHANGISTE [libʀeʃɑ̃ʒist] n. m. et adj. — 1846; de *libre-échange.*

♦ Écon. Partisan du libre-échange, par oppos. à *protectionniste*.* — Adj. *Théorie, politique libre-échangiste.*

LIBREMENT [libʀəmɑ̃] adv. — 1546; *liberement,* 1339; de *libre.*
Avec liberté, sans contrainte.

♦ **1.** Sans restriction d'ordre juridique. *Parler, écrire, imprimer librement* (→ Abus, cit. 3; censeur, cit. 5, Beaumarchais). *Circuler librement* (→ Barrière, cit. 6). *Raisonner, parler librement* (→ Franc-parler, cit. 3).

Vous pourriez librement disposer de mon bien. MOLIÈRE, l'Étourdi, II, 3. 1

♦ **2.** Sans obstacle, sans entrave au libre mouvement. *Se mouvoir, passer librement. Animaux qui se promènent, pâturent librement* (→ Herbe, cit. 16; jabot, cit. 2). *Croître, pousser librement* (→ Fécond, cit. 9). *Cheveux qui flottent librement.*

Suivis d'un gros d'amis nous passons librement 2
Au travers du palais à son appartement (...) CORNEILLE, Héraclius, V, 7.

Mon cœur, comme un oiseau, voltigeait tout joyeux 3
Et planait librement à l'entour des cordages (...)
BAUDELAIRE, les Fleurs du mal, CXVI.

♦ **3.** En toute liberté* de choix, de détermination; de son plein gré. *Accepter* (cit. 2.1), *décider librement. Discipline librement consentie. — Avouer, s'épancher* (cit. 10 et 22) *librement.*

Ceux qui (...) aiment parfaitement et librement ce qu'ils sont obligés d'aimer nécessairement. PASCAL, Prière pour le bon usage..., *in* LITTRÉ. 4

♦ **4.** (1450). Avec franchise, sans se gêner. *En user, se comporter librement avec qqn. Je vous parlerai très librement, sans façon.* ⇒ **Carrément.**

Peut-être n'est-il pas honnête à une fille de s'expliquer si librement (...) 5
MOLIÈRE, l'Amour médecin, I, 4.

Péj. (vieilli). Avec licence (→ Blesser, cit. 17).

♦ **5.** Avec une certaine latitude ou une certaine fantaisie dans l'interprétation. *Imiter* (cit. 16), *traduire librement.*

LIBRE PENSEUR, EUSE [libʀəpɑ̃sœʀ, øz] n. et adj., LIBRE PENSÉE [libʀəpɑ̃se] n. f. ⇒ Libre (II., 1.).

LIBRE-SERVICE [libʀəsɛʀvis] n. m. — V. 1950, pour traduire l'angl. *self-service;* de *libre.*

♦ **1.** *Le libre-service.* Service assuré par le client lui-même, dans un magasin, un restaurant.

♦ **2.** *(Un, des libres-services).* Magasin, restaurant où l'on se sert soi-même. — Au plur. *Des libres-services. On est prié de ne pas laisser les caddies* sur le parking du libre-service. Manger dans un libre-service.* ⇒ **Self-service** (anglic.).

Appos. *Autobus, laverie, magasin libre-service.* Spécialt. *Restaurant libre-service.*

LIBRETTISTE [libʀɛtist] ou cour. [libʀetist] n. — 1844; de *libretto.*

♦ Auteur d'un libretto. ⇒ **Parolier.** — Personne dont la profession est d'écrire des livrets*. *Meilhac et Halévy, les librettistes d'Offenbach.*

Dans l'article que vous publiez aujourd'hui sur le programme du *Faust* de M. Berlioz, vous voulez bien me compter au nombre des trois *librettistes.* L'affiche porte cependant que certains passages ont été seulement *empruntés* à ma traduction. NERVAL, Correspondance, 124, 3 déc. 1846.

LIBRETTO [libʀɛtto; libʀeto] n. m. — 1817, Stendhal, *Rome, Naples et Florence, in* T. L. F.; mot italien.

♦ Vieilli. ⇒ **Livret.** *Libretto d'un opéra, d'un oratorio, d'un ballet.* — Au plur. *Des libretti* [libʀɛti] ou (rare), *des librettos* [libʀeto].

Il vaudrait mieux sans doute que Voltaire ou Beaumarchais eussent fait le *libretto* 0.1
(de l'Italienne à Alger); il serait charmant comme la musique; on pourrait le lire sans se désenchanter le moins du monde.
STENDHAL, Vie de Rossini, III, p. 90 (1823).

Mon opéra, dont le *libretto* a été composé par moi, car un poète n'en eût jamais 1
développé le sujet, embrasse la vie de Mahomet (...)
BALZAC, Gambara, Pl., t. IX, p. 443.

2 Il farcissait de froides sentences et de comparaisons précieuses ses libretti d'opéras. R. ROLLAND, Voyage musical au pays du passé, p. 169.

DÉR. Librettiste.

LIBURNE [libyʀn] n. f. — 1732, Trévoux; lat. *liburna*, de *Liburni*, province romaine (près de l'Illyrie) où ces navires étaient construits.

♦ Hist. (Antiq. rom.). Navire de guerre léger, de forme effilée, à deux rangs de rames.

LIBYEN, ENNE [libjɛ̃, ɛn] adj. et n. — 1573; *libien*, XIIe; de *Libye*, lat. *Libya*.

♦ Relatif à la Libye. *Le pétrole libyen.* — N. Habitant, originaire de Libye. — N. m. Parlers arabes de Libye.

LIBYQUE [libik] adj. et n. m. — 1732, *in* T. L. F.; lat. *libycus*, de *Libya*. → Libyen.

♦ **1.** Vx ou géogr. De Libye (en tant que région, non en tant qu'État). *Les montagnes libyques.* ⇒ **Libyen.**

♦ **2.** N. m. Langue morte, appartenant au groupe chamito-sémitique, et à laquelle les parlers berbères sont apparentés (groupe *libyco-berbère*).

LIÇAGE [lisaʒ] n. m. ⇒ 1. **Lissage.**

1. LICE [lis] n. f. — 1155; du francique **listja* «barrière»; selon Guiraud, pourrait être apparenté aux dér. du lat. *licium* (→ 2. Lice) par analogie fonctionnelle (idée de «séparation»).

♦ **1.** Anciennt. Palissade entourant un château féodal. — (1538). Espace circonscrit par cette clôture* et généralement réservé aux exercices ou aux compétitions. — (1278). Champ clos où se déroulaient des joutes*, des tournois. ⇒ **Barrière** (vx, cit. 2), 2. **carrière.** *Champions et tenants qui se mesurent dans la lice.*

1 On fit faire une grande lice proche de la Bastille qui venait du château des Tournelles (...) et qui allait rendre aux écuries royales. Il y avait des deux côtés des échafauds et des amphithéâtres, avec des loges couvertes qui formaient des espèces de galeries (...) qui pouvaient contenir un nombre infini de personnes.
Mme DE LA FAYETTE, la Princesse de Clèves, II.

(1583, *entrer en lice*, Garnier). Fig. (dans quelques expressions). ⇒ **Arène, lutte*.** *Entrer en lice, dans la lice :* s'engager dans une compétition, ou intervenir dans un débat. *Rentrer dans la lice. Écarter de la lice un concurrent redoutable* (→ Exaucer, cit. 5). *Se retirer de la lice :* abandonner la partie.

2 Pour vous, Monsieur, qui entrez maintenant en lice contre des Marets (...) ne lui portez point de coups qui puissent retomber sur les autres.
RACINE, Œuvres diverses en prose, Lettre à l'auteur des Hérésies imaginaires.

3 *(Chateaubriand)* était un magnifique duelliste de plume, un paladin que tentaient les hasards de la lice (...) SAINTE-BEUVE, Chateaubriand..., t. II, p. 344.

4 (...) tandis que Victor *(Hugo)* soupire, son fils Charles, âgé de vingt ans, entre en lice, et s'étant épris de la belle, enleva en un tournemain les faciles faveurs qui s'étaient refusées au père. Émile HENRIOT, Portraits de femmes, p. 372.

♦ **2.** Palissade*, clôture entourant un champ de courses, de foire...

5 (...) les cultivateurs (...) entraient dans une manière d'hippodrome que formait une longue corde portée sur des bâtons (...) À l'écart, en dehors des lices, cent pas plus loin, il y avait un grand taureau noir muselé (...)
FLAUBERT, Mme Bovary, II, VIII.

6 (...) un grand terrain en contrebas, bordé de lices blanches — un champ de foire, sans doute (...) MARTIN DU GARD, les Thibault, t. VIII, p. 168.

Mar. ⇒ 4. **Lisse.**

HOM. 2. **Lice**, 3. **lice**, 1. **lis**, 1. **lisse**, 2. **lisse**, 3. **lisse**; formes des v. 1. **lisser**, 2. **lisser.**

2. LICE ou **LISSE** [lis] n. f. — XIIe; du lat. *licia* «fils de trame», plur. de *licium.*

♦ **1.** Techn. Pièce du métier à tisser, cordelette en forme d'anneau portant une maille ou œillet dans lequel passe un fil de chaîne; lamelle assurant la même fonction.

1 Plusieurs lisses, comprenant des fils verticaux respectivement munis d'un œillet, formaient l'une derrière l'autre des plans perpendiculaires à la chaîne qu'elle traversaient de part en part. Raymond ROUSSEL, Impressions d'Afrique, p. 125.

♦ **2.** (Au sing. collectif). Mod. *Tapisserie de haute lice,* dont les fils de chaîne sont disposés verticalement (→ Harceler, cit. 6). *Tapisserie de basse lice,* dont les fils de chaîne sont disposés horizontalement (→ Grignoter, cit. 1). ⇒ **Licier** (haute licier, basse licier).

2 (...) une chambre boisée en noyer, tapissée en tissus de haute lice de Flandre (...)
BALZAC, Maître Cornélius, Pl., t. IX, p. 937.

♦ **3.** Techn. Ensemble des fils de chaîne, dans la fabrication des rubans.

DÉR. Licier.
HOM. Voir 1. **Lice.**

3. LICE [lis] n. f. — XIIe; probablt, selon Bloch et Wartburg, d'un lat. pop. **licia*, lat. class. *lycisca*, grec *lukos* «loup».

♦ Chasse. Femelle d'un chien* de chasse. *Lice prête à mettre bas* (→ Fardeau, cit. 5).

Le médecin voulait conduire sa lice, une braque Saint-Germain magnifique, à l'étalon de la Chênetière. M. GENEVOIX, Forêt voisine, XIII.

HOM. Voir 1. **Lice.**

LICÉITÉ [liseite] n. f. — Déb. XXe (1907, *Larousse mensuel*); dér. sav. du lat. *licere* «être permis», remplaçant les dér. de *licite* (*licitité*, 1530).

♦ Didact. Caractère de ce qui est licite (surtout en droit canon).

LICENCE [lisɑ̃s] n. f. — V. 1175; lat. *licentia* «permission, liberté»; du v. impers. *licere.*

★ **I.** ♦ **1.** Vx. Droit, liberté (de faire ou de dire qqch.) en vertu d'une permission donnée par une autorité supérieure. *«Le pape, l'abbesse donnent licence à une religieuse de sortir de son couvent pour aller aux eaux»* (Furetière). — Par ext. ⇒ **Permission.**

Un cœur qui veut aimer, et qui sait comme on aime, 1
N'en demande jamais licence qu'à soi-même. CORNEILLE, le Menteur, I, 3.

♦ **2.** Vx. Autorisation d'enseigner. — (1534). Par ext. Vx. Degré* universitaire «qui donne permission de lire et d'enseigner publiquement, en vertu des lettres que l'on en obtient, et que l'on appelle *lettres de licence*. On les appelle aussi *licences* au pluriel» (Académie, 4e éd.). *Avoir* (cit. 49), *prendre ses licences.*

Il parcourut (...) tous les degrés de la licence, maîtrise et doctorerie des arts (...) 2
À dix-huit ans, les quatre facultés y avaient passé (...)
HUGO, Notre-Dame de Paris, I, IV, II.

Mod. Grade de l'enseignement* supérieur (français), intermédiaire entre le baccalauréat et le doctorat (cit. 1). ⇒ **Diplôme.** *Licence en droit. Licence ès lettres, licence ès sciences. Licence d'enseignement. Licence libre* (anciennt). *Préparer, passer, avoir sa licence, une licence d'allemand, d'histoire. Cours, programme, examen de licence. Certificats*, unités* de valeur de licence. Expliquer les auteurs de licence* (→ Bâcler, cit. 3).

Pourvu depuis cinq ans du diplôme de bachelier ès lettres, je désirerais subir les 3
épreuves de la licence. SAINTE-BEUVE, Correspondance, 74, 9 juil. 1829.

Hélène (...) était venue de Belfort, sa ville natale, pour préparer à Paris une licence 4
qu'elle avait obtenue, en même temps que moi, pendant la session d'été.
G. DUHAMEL, Chronique, III, V.

Par ext. Études préparatoires à la licence. *Faire sa licence. Commencer une licence en droit.*

— Vous travaillez toujours la philosophie, jeune homme? demanda-t-il. Boris fit 5
«oui» de la tête. — Où en êtes-vous? — Je finis ma licence, dit Boris avec sécheresse. SARTRE, l'Âge de raison, VIII.

♦ **3.** (1780). Dr. fisc. et comm. Autorisation d'exercer certaines activités économiques soumises au contrôle des Contributions indirectes. *Négociants en boissons assujettis au droit de licence. Commerce exonéré du droit de licence. Perception du droit de licence.* — *Licence d'ouverture, d'exploitation d'un débit de boissons : licence de vente restreinte, licence de plein exercice* (ou *grande licence*).

Autorisation administrative permettant, pour une durée déterminée, d'exercer un commerce ou une activité réglementée. *Licence d'importation, d'exportation. Licence de transport. Licence de pêche.* ⇒ **Permis.**

(1912, *in* Petiot). Sports. Autorisation qui permet de prendre part aux compétitions des fédérations sportives. *Licence de ski, de tennis... Coureur cycliste titulaire de la licence.* ⇒ **Licencié.**

Licence de fabrication, cédée, concédée par le premier fabriquant à une société. *Licence sèche,* cédée sans assistance technique.

★ **II.** Liberté d'action qui est laissée à quelqu'un ou qu'il se donne à lui-même.

♦ **1.** Vieilli. ⇒ **Liberté** (II., 2.). *Amoureux qui se recontrent avec* (cit. 81) *pleine licence. Laisser à quelqu'un la licence de faire quelque chose* (→ Équivoque, cit. 17). — REM. Cette acception survit dans quelques expressions du style recherché : *avoir, donner, laisser licence, entière licence, pleine licence, toute licence* (→ Entrelacs, cit. 4; et aussi Laisser [la bride* sur le cou, etc.]).

— Mais sans votre congé (...) 6
Je n'ose m'enhardir jusques à l'expliquer *(ce langage)*.
— Explique, explique, Arbate, avec toute licence
Ces soupirs, ces retards, et ce morne silence.
MOLIÈRE, La Princesse d'Élide, I, 1.

J'ai toute licence d'aimer Dieu et de le servir, et je me puis partager très heureuse- 7
ment entre mon Seigneur et mon cher époux. VALÉRY, Monsieur Teste, p. 52.

Le vers français a eu licence d'être non musical (...) 7.1
VALÉRY, Cahiers, Pl., t. II, p. 1088.

(1521). Mod. Liberté que prend un écrivain avec les règles de la versification, de l'orthographe, de la syntaxe. *Licence poétique. Licence orthographique* (*encor* pour *encore*). *Certaines figures de style sont des licences grammaticales* (ex. : anacoluthe, syllepse...).

8 Je suis d'avis de permettre quelque licence à nos poètes français, pourvu qu'elle soit rarement prise.
RONSARD, Œuvres en prose, La Franciade, Au lecteur apprenti(f).

9 Il est curieux de noter qu'en faveur de la poésie le Français, grammairien et logicien, a toujours admis (...) toutes sortes de petits passedroits appelés justement licences poétiques. G. DUHAMEL, Défense des lettres, p. 293.

♦ **2.** Vieilli. Liberté excessive que prend quelqu'un. *Prendre trop de licence dans sa conduite.* — (Au plur.). Geste, parole qui témoigne d'un manque de respect, d'un mépris des convenances. ⇒ **Liberté** (II., 4.). *Prendre, se permettre des licences avec quelqu'un.* ⇒ **Hardiesse.** *Se laisser aller à des licences de langage.* ⇒ **Excès.**

10 Admis dans l'intimité de la princesse et de Mme de Maintenon, traité sur le pied d'un bel enfant espiègle et spirituel, il *(le futur maréchal de Richelieu)* ne tarda pas à prendre les licences que prend cet effronté de Chérubin près de sa marraine (...) SAINTE-BEUVE, Causeries du lundi, 6 mai 1850.

11 (...) on sentait que la poigne d'un homme y manquait, à toutes sortes de licences, que lui n'aurait jamais tolérées, de son temps. ZOLA, la Terre, IV, IV.

(1512). Vieilli. Désordre, anarchie qu'entraîne l'absence de contraintes, de règles. ⇒ **Dérèglement.** *Liberté qui dégénère en licence. Licence de l'esprit en matière de foi.* ⇒ **Libertinage** (cit. 3). *Licence sans bornes* (→ Franchir, cit. 13). *Licence qui règne dans l'armée.* ⇒ **Insubordination.** *Mettre un frein* (cit. 8) *à la licence d'un peuple.*

12 (...) le monde est tombé dans une corruption générale; une licence épouvantable règne partout; et les magistrats, qui sont établis pour maintenir l'ordre dans cet État, devraient rougir de honte, en souffrant un scandale aussi intolérable (...)
MOLIÈRE, le Mariage forcé, I, 4.

13 (...) en l'absence du régent, pendant la demi-heure où je présidais seul, je commençai par accorder une liberté raisonnable : on causait, on riait, on s'amusait à petit bruit (...) Cette indulgence, qui me faisait aimer, devint tous les jours plus facile. À la liberté succéda la licence, et je la souffris (...)
MARMONTEL, Mémoires, I, p. 32.

♦ **3.** (1512). Vieilli. (Style soutenu). Dérèglement dans les mœurs, dans la conduite. *Tomber, vivre dans la licence la plus effrénée.* ⇒ **Débauche, débordement**(s), **désordre, dévergondage, épicurisme** (cit. 3), **libertinage, luxure.** *Licence effrénée. Jeunesse déréglée* (cit. 7) *par le luxe et la licence.* — Par ext. Caractère de ce qui est licencieux*. *Licence des mœurs.* ⇒ **Dérèglement, immoralité, impudicité.** *Licence des propos, de la tenue.* ⇒ **Abandon, cynisme, grivoiserie.**

14 Et jamais on n'a vu la timide innocence
Passer subitement à l'extrême licence. RACINE, Phèdre, IV, 2.

15 La licence due à l'absence de tout frein (...) passa toutes les bornes et fit, à certains égards, de ce temps une orgie dont le renom est devenu proverbial.
SAINTE-BEUVE, Chateaubriand..., t. I, p. 62.

16 Ces exemples, ces critiques injustes inclinaient à la licence une jeune femme qui, jusqu'alors, avait été imprudente, mais chaste. A. MAUROIS, Lélia, II, III.

Une licence de langage, de style, et, absolt, *une licence.* ⇒ **Gravelure, grivoiserie.**

17 Rien n'est moins commode que de venir parler convenablement de ces livres, car Rabelais a de ces licences qui ne sont qu'à lui, et que la critique la plus enthousiaste ne saurait prendre sur son compte.
SAINTE-BEUVE, Causeries du lundi, 7 oct. 1856.

CONTR. Entrave, formalité. — Chasteté, décence, retenue.
DÉR. (De 1., 2. et 3.) **Licencié, licencier.**

LICENCIÉ, ÉE [lisɑ̃sje] n. — 1349; de *licence* (I., 2.), ou du lat. médiéval *licentiatus*, de *licentia*. → Licence.

♦ **1.** Personne qui a passé avec succès les épreuves de la licence. *Des licenciés en droit* (→ 1. Fort, cit. 10). *Une licenciée ès sciences. Licencié qui prépare le diplôme*.* — Adj. *Enseignement donné par des professeurs licenciés.*

Il faut que, d'ici à un mois, je me fasse recevoir licencié ès lettres pour notre chaire en expectative; et, afin que l'obstacle ne vienne pas de moi, toi qui es licencié, dis-moi avec précision les exercices qu'on t'a fait faire.
SAINTE-BEUVE, Correspondance, 59, 22 déc. 1828.

♦ **2.** (1912, *in* Petiot). Sport. Titulaire d'une licence* délivrée par une fédération sportive. *Footballeur, boxeur licencié.*

♦ **3.** Qui possède une licence (I., 3.) d'exploitation. — Qui possède une licence de fabrication. *Société licenciée pour un produit.* — REM. On trouve la forme *licencié de* (un groupe industriel, une société), qui suppose un verbe *licencier* «donner une licence de fabrication à». Les formes *licenciage* n. m. (d'après *lavage*) et *licenciation* n. f. se rencontrent (pour éviter *licenciement*); → aussi Franchisage.

(Au Québec). *Restaurant, café licencié,* qui est autorisé à servir des boissons alcoolisées (s'emploie aussi en parlant des pays anglo-saxons, etc.).

HOM. Formes du v. **licencier.**

LICENCIEMENT [lisɑ̃simɑ̃] n. m. — 1569; de *licencier.*

♦ Action de licencier (2.). *Licenciement de troupes, d'ouvriers. Exiger le licenciement d'un employé indélicat.* ⇒ **Départ, renvoi**; (fam.) **bourlingue.** *Licenciement d'un fonctionnaire.* ⇒ **Destitution, révocation.** *Licenciement pour raison(s) économique(s).* ⇒ aussi **Chômage, dégraissage** (familier).

Ah, c'est un bel argument qu'a fourni aux révolutionnaires de tous pays Henry Ford, en un jour de franchise! Interrogé sur la raison du renvoi, sans aucune considération des services rendus, de ses plus anciens ouvriers, lors du grand licenciement de 1928, il répondit à un journaliste (...) : «Quand un ouvrier devient vieux, il devient moisi, il se rouille!» DANIEL-ROPS, le Monde sans âme, p. 203.

LICENCIER [lisɑ̃sje] v. tr. — Conjug. *prier.* — XIVe; de *licence.*

♦ **1.** Vx. Faire quitter un lieu à (qqn). *Licencier des soldats. Licencier les élèves d'un collège en période d'épidémie.* — Par ext. *Licencier une école.*

♦ **2.** (1590). Mod. Priver (qqn) de son emploi, de sa fonction. *Licencier une partie de son personnel.* ⇒ **Bourlinguer** (fam., vieilli), **congédier, renvoyer; chômage** (mettre au). *Licencier un officier.* ⇒ **Destituer.** *Il s'est fait licencier. Il a été licencié par la direction pour faute professionnelle.* — Absolt. *Licencier pour raisons économiques.* ⇒ aussi **Dégraisser** (6.).

Raconter à ma mère que j'étais licencié par une mesure générale de réduction du personnel (...) voilà une idée qui ne m'effleura même pas.
G. DUHAMEL, Salavin, I, II.

▶ **LICENCIÉ, ÉE** p. p. adj. *Employés licenciés et réduits au chômage.*

CONTR. Convoquer, embaucher, employer, engager, recruter.
DÉR. Licenciement, licencieur.
HOM. (Du p. p.) **Licencié.**

LICENCIEUR [lisɑ̃sjœʀ] n. m. — V. 1970; de *licencier.*

♦ Employeur qui licencie du personnel. *«Exproprions les licencieurs»* (affiche de *Lutte ouvrière,* 1978). — REM. Le fém., homonyme du fém. de l'adj. *licencieux,* est virtuel.

LICENCIEUSEMENT [lisɑ̃sjøzmɑ̃] adv. — 1541; de *licencieux.*

♦ Rare. D'une manière licencieuse.

LICENCIEUX, EUSE [lisɑ̃sjø, øz] adj. — 1537; du lat. *licentiosus,* de *licentia.* → Licence.

♦ **1.** Vx. Qui prend trop de licence*, qui abuse de la liberté qu'on lui laisse, manque à ses devoirs, aux règles établies.

Quand il *(Huet)* écrit en français, il a le style bon, bien qu'un peu suranné, et il laisse volontiers aux mots leur acception toute latine. Il dira, par exemple, d'un éditeur qu'il est *licencieux,* pour signifier qu'il prend trop de licences avec son auteur (...) SAINTE-BEUVE, Causeries du lundi, 3 juin 1850. 1

♦ **2.** (1590). Vieilli ou littér. Qui manque de pudeur, de décence. ⇒ **Libertin, libidineux.** *Conduite, mœurs licencieuses.* ⇒ **Déréglé, désordonné, dévergondé, effronté, immoral.** — Plus cour. (en parlant de l'expression, du discours). *Propos licencieux.* ⇒ **Audacieux, 2. cru, 1. gaillard, hasardé, immodeste, impudique, inconvenant, indécent, léger, leste, libre, salé.** *Histoires, plaisanteries licencieuses.* ⇒ **Équivoque, raide, risqué, scabreux, vert.** *Conte, écrit licencieux.* ⇒ **Croustillant, déshonnête, épicé, érotique, gaulois, gras, graveleux, grivois, pimenté, poivré, polisson.** — REM. *Licencieux* exclut en général le recours explicite à l'obscénité; → Cochon (adj.), obscène, pornographique.

(...) j'ai lieu d'appréhender des objections bien plus importantes (...) l'une, que ce livre est licencieux (...) je dis hardiment que la nature du conte le voulait ainsi (...) Qui voudrait réduire Boccace à la même pudeur que Virgile ne ferait assurément rien qui vaille (...) LA FONTAINE, Contes et Nouvelles, Préface. 2

(...) si mon goût ne me préserva pas des livres plats et fades, mon bonheur me préserva des livres obscènes et licencieux. ROUSSEAU, les Confessions, I. 3

Un écrivain, un conteur licencieux.

CONTR. Chaste, honnête, pudique.
DÉR. Licencieusement.

LICHADE [liʃad] n. f. — 1877, Zola; de *licher,* suff. *-ade.*

Familier et vieux.

♦ **1.** Repas bien arrosé. ⇒ **Gueuleton, 3. liche.** — Séance de boisson.

Ils la quittèrent d'un commun accord, après une dispute terminée en des calottes qu'ils lui appliquèrent et de copieuses lichades qu'ils s'offrirent au tourniquet. 1
HUYSMANS, les Sœurs Vatard, III, p. 42.

♦ **2.** (1896, Goncourt). Embrassade, baiser.

(...) c'était, tout le temps, dans la voiture, des amitiés, des embrassades, une intimité où la lichade de *Trovato* se mêlait au baiser de Pierre-Charles. 2
Ed. et J. DE GONCOURT, Madame Gervaisais, p. 229.

1. LICHE [liʃ] n. f. — XXe; var. de 1. *lèche,* par attr. de *licher.*

♦ Régional. Petite tranche. *Une liche de fromage.* ⇒ **Lichette.**

HOM. 2. **Liche,** 3. **liche;** formes du v. **licher.**

2. LICHE [liʃ] n. f. — 1765, *Encyclopédie,* qui le rapproche de *biche* «poisson» (lat. *bestia*); probablt de l'anc. provençal *lecha* (1410, Narbonne), du rad. de *lécher.*

♦ Poisson osseux à chair estimée, voisin des scombres.

Genre de l'ordre des Acanthoptérygiens, famille des Scombéroïdes, établie par G. Cuvier. Les liches ont le corps oblong, comprimé (...) sur le dos sont fixées des épines libres (...) On connaît trois espèces de ce genre, qui vivent dans la Méditerranée (...) À Nice, on l'appelle vulgairement *lica,* et c'est un poisson assez recherché.
C. D'ORBIGNY, Dict. universel d'histoire naturelle, t. VII, p. 341 (1846).

HOM. Voir 1. **Liche.**

3. LICHE [liʃ] n. f. — 1876; déverbal de *licher.*

♦ Fam. et vx. Bombance*, ripaille. ⇒ **Lichade.** — Mod. *Aimer la liche :* aimer boire. *Être porté sur la liche* (⇒ **Licheur**).

COMP. Pourliche.
HOM. Voir 1. **Liche.**

LICHEE [litʃi] n. m. ⇒ **Litchi.**

LICHÉE [liʃe] n. f. — 1886; de *licher.*

♦ **1.** Fam. et vieilli. Petite quantité de liquide qu'on avale d'un seul coup.

1 Vous préféreriez téter votre écritoire, hein? buveur d'encre! (...) Il a lampé une autre lichée, et a dit : — Je m'en bats l'œil!
J. VALLÈS, l'Insurgé, p. 245, Éd. Français réunis, 1886.

♦ **2.** Par ext. Bouchée. ⇒ **Lichette.**

2 On refile une bouchée de pâté de foie à celui qui vous refile une lichée de rillettes.
Catherine PAYSAN, l'Empire du taureau, p. 64.

LICHEN [likɛn] n. m. — 1545; mot lat., du grec *leikhên* «qui lèche», ce végétal semblant lécher son support.

♦ **1.** Bot. et cour. Végétal *(Ascolichen* ou *Basidiolichen)* formé de l'association d'un champignon *(Ascomycète* ou *Basidiomycète)* et d'une algue vivant en symbiose. *Organes reproducteurs des lichens.* ⇒ **Apothécie.** *Les lichens sont remarquables par leur extrême résistance à la sécheresse, au froid et au chaud. Principaux lichens :* astérisque (2.), cladonie, lécanore, orseille ou rocelle, parmélie, urcéolaire, usnée, verrucaire. *Les rennes se nourrissent de lichens. Pâles lichens qui poussent sur les branches* (cit. 2), *envelop-pent* (cit. 19) *les arbres. Des lichens grisâtres* (→ Épineux, cit. 1). *Lichens qui tapissent les rochers. Tours, clochers* (cit. 2) *où poussent des lichens* (→ Créneau, cit. 1). *Tuiles, balustres* (cit. 2), *statues rongées par le lichen.*

(...) des charmes dont l'écorce est mouchetée d'un lichen sombre, — brun profond, vert noir, mordoré. Ces plaques ont la dureté aride des choses vieilles (...)
M. GENEVOIX, Forêt voisine, IV.

Lichen d'Islande, utilisé en pharmacie comme pectoral, antiémétique et amer. *Gelée, pâte, sirop de lichen.*

♦ **2.** (XVIe). Pathol. (vx). Dermatose* caractérisée par la présence de papules (terme générique). — Mod. *Lichen plan :* maladie cutanée de cause inconnue, bien individualisée par une éruption de petites papules violacées souvent prurigineuses. *Lichen simplex* ou *prurigo circonscrit. Lichen verruqueux. Lichen tropicus* (dit *gale* bédouine*).

DÉR. Lichéneux, lichénique.
COMP. Ascolichen (→ Asco-), **basidiolichen. — Lichéniforme, lichénoïde.**

LICHÉNEUX, EUSE [likenø, øz] adj. — 1861; de *lichen.*

♦ Didact. a Bot. Qui a les caractères du lichen végétal. *Plante lichéneuse.*

b Méd. Qui a les caractères d'un lichen (2.). *Dermatose lichéneuse.*

LICHÉNIFORME [likenifɔʀm] adj. ⇒ **Lichénoïde.**

LICHÉNIQUE [likenik] adj. — 1846; de *lichen.*

♦ Didact. Constitué par des lichens. *Flore lichénique. Zone lichénique.*

LICHÉNOÏDE [likenɔid] ou **LICHÉNIFORME** [likenifɔʀm] adj. — 1823, *lichénoïde,* n. f.; adj., 1840; *lichéniforme,* fin XIXe; de *lichen.*

♦ Bot. et méd. Qui ressemble au lichen (1. et 2.).

LICHER [liʃe] v. tr. — XIIe; autre forme de *lécher*.*

♦ Fam. et vieilli. Boire, manger goulûment. *Licher un petit verre.* — Absolt. *Ils passent leurs dimanches à licher.*

DÉR. Lichade, 3. **liche, lichée, licheur, lichotter, lichoux.** — Voir 1. **Liche, lichette.**

LICHETTE [liʃɛt] n. f. — 1821; var. de *léchette,* dimin. de 1. *lèche* (II.), par attr. de *licher.*

♦ **1.** Fam. Petite tranche, petit morceau (d'un aliment). *Une lichette de pain, de fromage.* ⇒ **Languette,** 1. **lèche** (II.), 1. **liche, lichée** (2.).

Il ne restait qu'un bout de pain, du fromage blanc en suffisance, mais à peine une lichette de beurre (...) 1
ZOLA, Germinal, I, II.

Figuré :

(...) oh! le jardin, une lichette de terre en pente raide, plantée de quatre poiriers, encombrée de toute une basse-cour faite de planches verdies, de vieux plâtres, de grillages en fer consolidés de ficelles (...) 2
ZOLA, l'Œuvre, p. 348.

♦ **2.** (P.-ê. de *liset* «ruban»). Régional (Belgique). Petite attache de ruban, cordonnet ou chaînette, servant à suspendre un vêtement, un torchon... *La lichette d'un imperméable.*

LICHEUR, EUSE [liʃœʀ, øz] n. et adj. — XIIe, au masc., «homme impudique, entremetteur»; sens mod., 1611; de *licher.*

♦ Vieilli. ⇒ **Ivrogne.**

Entre la gueule du pot et celle d'un licheur il y a la place d'une vipère (...) 1
BALZAC, Splendeurs et Misères des courtisanes, Pl., t. V, p. 799.

Elle *(la sage-femme)* descendait encore l'escalier, que madame Lorilleux la traita de licheuse et de propre à rien. 2
ZOLA, l'Assommoir, t. I, IV, p. 129.

Adjectif :

J'suis un peu licheur, c'est vrai, mais j'fais de mal à personne. 3
Louise MICHEL, la Misère, t. I, p. 149.

LICHOTTER [liʃɔte] v. tr. — 1876, Huysmans; de *licher,* et *-otter.*

Familier et vieilli.

♦ **1.** Boire, «licher» un peu.

♦ **2.** (1885). Lécher à petits coups de langue. Var. : *léchotter.*

LICHOUSERIE [liʃuzʀi] n. f. — Attesté XXe; de *lichoux.*

♦ Régional (Ouest). Friandise, confiserie.

La marchande de bonbons a une devanture où elle expose ses dernières tentations. Quand on se penche contre la vitre, la main en visière sur le yeux, on voit à l'intérieur une longue table chargée de toutes les «lichouseries» du monde.
P.-J. HÉLIAS, le Cheval d'orgueil, p. 484.

LICHOUX, OUSE [liʃu, uz] adj. et n. — Fin XIXe; de *licher.*

♦ Régional (Ouest). Gourmand. *Une petite lichouse.*

DÉR. Lichouserie.

LICIER ou **LISSIER** [lisje] n. m. — 1765, *Encyclopédie;* de 2. *lice.*

Technique.

♦ **1.** Ouvrier qui monte les lices d'un métier à tisser.

♦ **2.** *Haute licier :* celui qui fait des tapisseries de haute lice. *Basse licier :* celui qui fait des tapisseries de basse lice. — *Maître licier.*

— REM. Les dérivés de *haute lice,* formés avec un nom masculin *(licier)* sont mal formés (sauf à considérer *haute lice* comme un nom insécable et à écrire *hautelicier*); l'*Encyclopédie* de Diderot employait *haut lissier* et *bas lissier.*

LICITATION [lisitɑsjɔ̃] n. f. — 1509; lat. *licitatio* «vente aux enchères»; du supin de *licitari.* → Liciter.

♦ Dr. Vente aux enchères d'un bien indivis (⇒ **Partage**). *Licitation amiable* ou *volontaire,* qui a lieu du consentement de tous les copropriétaires. *Licitation judiciaire,* qui a lieu en vertu d'un jugement. *Annonce de licitation par voie d'affiche* (→ Étude, cit. 52). *Adjudication* sur licitation.*

Les deux sœurs, d'une commune entente, l'avaient choisi *(ce notaire)* pour procéder à la licitation de la maison, des meubles et des bêtes. 1
ZOLA, la Terre, IV, VI.

«Il n'y a point d'héritiers connus de cette immense succession. Le tribunal d'Agra et de la Cour de Delhi en ayant ordonné la licitation, à la requête du gouverne- 2

ment local agissant au nom de l'État, nous avons l'honneur de demander aux Lords du Conseil privé l'homologation de ces jugements, etc.»
J. VERNE, les Cinq Cents Millions de la Bégum, I, p. 12.

DÉR. V. **Licitatoire.**

LICITATOIRE [lisitatwaʀ] adj. — 1828; du rad. de *licitation.*

♦ Dr. Qui a rapport à la licitation. *Acte licitatoire.*

LICITE [lisit] adj. — V. 1300; lat. *licitus* «permis», de *licere* «être permis». → Licence.

♦ Didact., littér. ou style soutenu. Qui n'est défendu par aucune loi, aucune autorité établie. ⇒ **Permis** (permettre). *Caractère licite* ⇒ **Licéité.** *Plaisirs licites. Ce qui est licite n'est pas nécessairement juste*, ni même légitime. Choses condamnables qui deviennent licites* (→ Guerre, cit. 27). — Dr. *Gains, profits licites et illicites. Commerce licite. Cause* (cit. 42) *licite. Moyen licite* (→ Fraude, cit. 2).

1 Que me reste-t-il des plaisirs licites? un souvenir inutile; des illicites? un regret (...)
BOSSUET, Sermon pour le jour des morts, Fragment.

2 On est maître d'user ou de n'user pas des plaisirs *permis* ou *licites;* on n'est pas maître de faire ou de ne pas faire ce qui est *légitime* ou *légal,* on doit le faire, on doit s'y conformer. LAFAYE, Dict. des synonymes, Permis, licite...

Impers. *Il est licite de :* il est permis de.

(Personnes). Rare. Dont les activités sont licites.

3 Tous ces personnages licites et légitimes qui allaient et venaient autour de son lit, non insoumis, non polygames, à métiers clairs et définis, la flattaient dans son mal.
GIRAUDOUX, Siegfried et le Limousin, p. 284.

CONTR. Défendu, illicite.
DÉR. Licitement.

LICITEMENT [lisitmɑ̃] adv. — 1286, de *licite.*

♦ Rare. D'une manière licite.

CONTR. Illicitement.

LICITER [lisite] v. tr. — 1514; lat. jurid. *licitari* «mettre une enchère» de *liceri* «offrir un prix de», de *licere* «mettre en vente; être mis en vente».

♦ Dr. Vendre par licitation*. *Héritiers qui licitent un domaine.*
Absolt. *Faute de partage amiable, il leur faudra liciter.*

(...) le général a trois enfants qui peut-être à sa mort ne s'accorderont pas, un jour ou l'autre le mari de sa fille et les fils liciteront (...)
BALZAC, les Paysans, Pl., t. VIII, p. 268.

LICOL [likɔl] (vx) ou **LICOU** [liku] n. m. — 1333, *licol; licou,* 1677; de *lie* forme du v. *lier,* et *cou.*

REM. Depuis l'apparition de *licou, licol* (encore dialectal) appartient à la langue littéraire.

♦ **1.** Pièce de harnais, lien de cuir (⇒ **Courroie**) ou de corde* qu'on met autour du cou des bêtes de somme pour les attacher, les mener. ⇒ **Attache, chevêtre** (vx). *Mener un âne, un mulet par le licou. Attacher avec un licou.* ⇒ **Enchevêtrer** (1.). *Retenir un cheval par son licou* (→ Hennir, cit. 4).

1 (...) Charles, en rentrant, mettait lui-même son cheval à l'écurie, retirait la selle et passait le licou (...) FLAUBERT, Mme Bovary, I, IX.

Par iron. Corde* (cit. 1) pour pendre quelqu'un.

♦ **2.** Fig. et vieilli. Lien qui assujettit (→ Bride, cit. 5). *Tirer, mener qqn par le licou, par le licol.*

2 Tout cela pouvait être flatteur, mais nous tirait par le licou où nous ne voulions pas. SAINT-SIMON, Mémoires, III, XXXVI.

3 (...) cette instruction rompue, indulgente et n'appuyant pas trop le licol.
GIDE, Si le grain ne meurt, I, VII, p. 188.

LICORNE [likɔʀn] n. f. — 1349, *lycorne;* ital. *liocorno,* forme de *lunicorno,* altér. d'*unicorno;* lat. *unicornis* «qui n'a qu'une seule corne», de *unus,* et *cornu* «corne».

♦ **1.** Animal fabuleux (cit. 2), qu'on représente avec un corps de cheval, une tête de cheval ou de cerf, et une corne unique au milieu du front. *La licorne, emblème de virginité, de pureté, au moyen âge. La dame à la licorne.*

1 Ce sont oreilles que Dieu fit.
— On les fera passer pour cornes,
Dit l'animal craintif, et cornes de licornes. LA FONTAINE, Fables, V, 4.

1.1 À midi, sous un ciel pur, la nature entière me proposait une énigme et me la proposait avec suavité.
— S'il se produit quelque chose, me disais-je, c'est l'apparition d'une licorne. Un tel instant et un tel endroit ne peuvent accoucher que d'une licorne.
Jean GENET, Journal du voleur, p. 50.

Blason. Animal héraldique (cit. 3). *Licorne en défense,* baissant la tête et présentant la pointe de sa corne.

(...) quelque légende en lettres gothiques, écussonnée d'une licorne ou de deux cigognes. Aloysius BERTRAND, Gaspard de la nuit, À Victor Hugo. 2

♦ **2.** (1870). Par anal. *Licorne de mer.* ⇒ **Narval.**

LICOU [liku] n. m. ⇒ **Licol.**

LICTEUR [liktœʀ] n. m. — XIVe; lat. *lictor* rapporté (probablt par étym. populaire) au verbe *ligare* «lier».

♦ Antiq. rom. Garde qui marchait devant les grands magistrats en portant une hache placée dans un faisceau* de verges. *Le dictateur était précédé de vingt-quatre licteurs, le consul* (cit. 2) *de douze et le préteur de six. Les licteurs étaient «toujours prêts à délier les faisceaux, pour fouetter les criminels ou leur trancher la tête»* (Littré).

Vos licteurs devant vous, graves, portent la hache (...) 1
HUGO, les Contemplations, VI, VI, XIII.

Mâtho acceptait sa compagnie, et quand il sortait, Spendius, avec un long glaive sur la cuisse, l'escortait comme un licteur. 2
FLAUBERT, Salammbô, Pl., t. I, p. 767.

LIDAR [lidaʀ] n. m. — 1971; mot formé en angl., aux États-Unis, v. 1963, sur le modèle de *radar*;* des premières lettres de l'expr. *Li(ght) D(etecting) a(nd) R(anging)* «détection et repérage par la lumière».

♦ Techn. Système ou appareil de détection qui émet un faisceau laser et en reçoit l'écho, permettant de déterminer la distance d'un objet. *La portée du lidar est inférieure à celle du radar, mais sa résolution angulaire est meilleure.*

LIDO [lido] n. m. — 1856 (→ ci-dessous, cit.); du *Lido* de Venise.

♦ Géogr. Lagune derrière un cordon littoral; le cordon littoral. *Des lidos. Le lido de Venise.*

Toute la plaine qui entoure les ruines de cette ville antique est formée d'alluvions du Nil; elle est séparée de la mer par un Lido ou cordon littoral de sable qu'il est impossible de confondre avec elle.
L. FIGUIER, l'Année scientifique et industrielle 1857, p. 37 (1856).

1. LIE [li] n. f. — 1120; *lias,* VIIIe; gaul. **liga,* ou (Guiraud) du verbe *lier* au sens de «donner de la consistance».

♦ **1.** Dépôt qui se forme au fond des récipients contenant des boissons fermentées. ⇒ **Fèces** (1.), **résidu.** *Lie de cidre, de bière* (Académie). — Spécialt. *Lie de vin*, ou, absolt, lie* (→ Bonde, cit. 2). *Le vin de ce tonneau approche de la lie* (⇒ **Baissière**). *La lie de vin est d'un rouge violacé. Cendre de lie de vin.* ⇒ **Gravelée.**

On aurait bien dû s'apercevoir que quand on renverse une bouteille, la lie monte et gâte le vin! (...) BALZAC, les Paysans, Pl., t. VIII, p. 244. 1

Le village sentait le tonneau mouillé et le bois écrasé. Il ne sentait pas le vin, il sentait la lie, la boue des cuves. J. GIONO, Jean le Bleu, VIII. 2

Vitic. *Vin sur lie, sur lies :* vin mis en bouteille «sur ses lies», sans transvasage préalable (ce qui le rend légèrement piquant et mousseux). ⇒ **Surlie.**

Adj. invar. (*Couleur lie de vin* [Académie] ou *lie-de-vin* [1840, *in* D. D. L.]). **LIE DE VIN** [lidvɛ̃] : de la couleur de la lie de vin, rouge violacé (→ Barbouillage, cit. 3; 2. kaki, cit. 2).

C'était l'oreille d'un homme un peu sanguin; une oreille large, avec des poils et des taches lie-de-vin. G. DUHAMEL, Salavin, I, I. 3

Par métaphore. (Allus. évang.). *Boire** (cit. 36 à 39) *le calice*, la coupe* jusqu'à la lie.*

(...) ils devront boire l'amer calice et le vider jusqu'à la lie. 4
GIDE, Journal, 8 févr. 1943.

Bien des gens — d'ailleurs ne s'y trompaient pas, et, à cause de certain reflet sur lui — respectaient Fontranges comme le vrai héros de sentiments qu'eux-mêmes avaient éprouvés jusqu'à la suprême lie ou la suprême douceur, et que lui n'avait point connus. GIRAUDOUX, Églantine, p. 198. 4.1

♦ **2.** Fig. et littér. Ce qu'il y a de plus trouble, de plus vil, de plus ignoble (→ Fond, cit. 6).

Le hasard d'une rencontre, le choc de deux regards, était-ce assez pour remuer toute la lie d'autrefois...? MARTIN DU GARD, les Thibault, t. V, p. 241. 5

Spécialt. Vieilli ou littér. *La lie du peuple, la lie du genre humain.* ⇒ **Balayure, écume, populace, racaille, rebut.** *La fleur* (cit. 33) *et la lie de la race.*

M. de Bouillon, qui courut en cette journée plus de périls que personne, ayant été couché en joue par un misérable de la lie du peuple (...) 6
RETZ, Mémoires, II, p. 247.

(...) de l'île Saint-Louis accourait en effet une foule d'hommes, de femmes et d'enfants de la lie du peuple, poussant, au ciel et vers le Louvre, d'étranges vociférations. A. DE VIGNY, Cinq-Mars, XIV. 7

(...) chaque nation a sa lie, cette frange de ratés et d'aigris qui profitent un moment des désastres et des révolutions (...) SARTRE, Situations III, p. 36. 8

CONTR. (Du sens 2) **Élite, gratin** (fam.).
COMP. Surlie ou **surlies.**
HOM. Li, 2. lie, 2. lis, lit; formes des v. **lier, 1. lire.**

2. LIE [li] adj. f. — Fin XIIe; fém. de l'adj. *liet*, du lat. *læta*, au masc. *lætus* «joyeux».

♦ Vx. Gaie, joyeuse. — Spécialt. *Faire chère lie :* faire bonne chère* avec gaieté, faire bombance* (→ Conclusion, cit. 9).

HOM. Voir 1. **Lie.**

LIÉ, É [lje] adj. ⇒ **Lier** (p. p. adj.).

LIED [lid] n. m. — 1833; all. *Lied* «chant».

♦ **1.** Chanson populaire, romance, ballade de caractère germanique.

1 De Lucerne ils gagnèrent par le coche d'eau, Bâle, puis Cologne. Il faisait beau. Le soir, sous les étoiles, les bateliers chantaient des lieds sentimentaux.
A. MAUROIS, Ariel..., II, I.

♦ **2.** Mus. Mélodie vocale composée sur le texte d'un poème (dans la musique allemande, autrichienne...).

2 Beethoven annonce le lied romantique, qui atteint d'emblée son apogée chez Schubert et se renouvelle de la façon la plus heureuse avec Schumann. L'un et l'autre n'hésitent pas à emprunter leurs textes aux plus grands poètes du moment : Gœthe, Schiller, Heine; ainsi se trouve réalisé ce rare mariage de la poésie la plus inspirée et de la musique la plus sensible.
André HODEIR, les Formes de la musique, p. 60.

Par ext. Mélodie d'un lied (jouée par un instrument).

3 Il s'asseyait au piano et jouait. Il aimait surtout les «lieder» et les jouait admirablement.
R. GARY, Éducation européenne, p. 135.

Au plur. *Des lieder* [lidœʀ] (plur. all.) ou *des lieds* [lid] (plur. francisé).

LIE DE VIN [lidvɛ̃] adj. ⇒ 1. **Lie.**

LIÈGE [ljɛʒ] n. m. — 1180; du lat. pop. **levius*, de *levis* «léger».

♦ **1.** Cour. Matériau léger, imperméable et élastique, formé par la couche externe de l'écorce de certains arbres, en particulier du *chêne-liège* ou *suber;* ⇒ **Suber** (et dér.). *Détacher de l'arbre* (⇒ **Démascler**) *le liège mâle,* le liège que produit le chêne-liège vers sa quinzième année. *Liège femelle. Le liège est très léger, isolant et calorifuge* (cit.). *Bouchon, bouée, flottes, flotteurs en liège. Casque, ceinture en liège. Semelle de liège. Liège aggloméré,* composé de débris de liège amalgamés. *Liège filmé**. *Le liège est utilisé pour la fabrication du linoléum.*

♦ **2.** Bot. Tissu secondaire formé de cellules mortes remplies d'air et dont la membrane est imprégnée de subérine (le *liège* du chêne-liège en est un cas particulier). *Assise génératrice du liège.* ⇒ **Phellogène.**

DÉR. **Liégé, liéger, liégeur, liégeux.**

LIÉGÉ, ÉE [ljeʒe] adj. — 1492; de *liège.*

♦ Techn. Garni de liège. — Spécialt. *Filet liégé, ligne liégée,* garni(e) de flotteurs de liège.

LIÉGEOIS, OISE [ljeʒwa, waz] adj. et n. — 1265, *liégois,* n. m.; adj., XIVe; de *Liège,* ville de Belgique.

♦ De Liège. *La population liégeoise.* — N. *Un, des liégeois.*

Loc. *Café, chocolat liégeois :* café, chocolat à la crème, servi frappé; par ext. (abusif), glace au café, au chocolat avec de la crème Chantilly. — N. m. *Un liégeois :* un chocolat; (plus souvent) un café liégeois.

LIÉGER [ljeʒe] v. tr. — Conjug. *céder* et *bouger.* — 1492, au p. p. (→ Liégé); de *liège.*

♦ Techn. Garnir (un filet de pêche, une ligne) de flotteurs en liège. ⇒ **Liégé.**

LIÉGEUR [ljeʒœʀ] n. m. — XXe (1941, Morand, *in* T. L. F.); de *liège.*

♦ Techn. Ouvrier qui récolte le liège. ⇒ **Démascleur.** — REM. Le fém. *liégeuse* est virtuel.

LIÉGEUX, EUSE [ljeʒø, øz] adj. — 1803; de *liège.*

♦ Didact. De la nature ou de l'apparence du liège. *Une substance liégeuse.*

LIEMENT [limɑ̃] n. m. — XIIe; de *lier;* cf. lat. *ligamentum.*

♦ Vx. Action de lier. ⇒ **Liage.** — (1888, *in* Petiot). Escr. Action de lier l'épée de l'adversaire.

LIEN [ljɛ̃] n. m. — V. 1220; du lat. *ligamen,* de *ligare.* → Lier.

★ **I.** ♦ **1.** Chose flexible et de forme allongée servant à lier*, à joindre*, à attacher ensemble plusieurs objets ou les diverses parties d'un même objet. ⇒ **Attache.** *Lien de cuir, de toile* (⇒ **Bande**), *de chanvre, de crin* (⇒ **Corde**), *de coton, de soie* (⇒ **Cordon**), *de jonc, d'osier, de paille* (⇒ **Alaise**). *Lien de glui** (vx). *Lien d'une gerbe* (cit. 1), *d'un fagot.* ⇒ **Hart, rouette.** *Lien servant à brider une volaille que l'on fait cuire.* ⇒ **Bridure.** *Liens spéciaux utilisés en arboriculture* (⇒ **Ligature**), *en chirurgie* (⇒ **Garrot, ligature**), *en viticulture* (⇒ **Accolure**). ⇒ aussi **Courroie, ficelle, sangle.**

Comme le vase ou récipient, le lien est l'un des signes de l'homme et l'un des principes, en même temps matériels et symboliques, de notre civilisation (...) Le lien (...) permet de réunir et de maintenir ensemble un certain nombre d'objets (...) Le propre du lien est de se prêter au nœud (...) À l'origine, on utilisait, pour faire des liens, certaines tiges souples d'osier, de noisetier, d'arbres ou d'arbustes divers. On utilisait aussi certaines herbes (...) De nos jours on fait des liens avec une foule de matières. G. DUHAMEL, Chronique des saisons amères, p. 119-120. 1

(1676). Techn. Pièce de bois ou de métal reliant solidement deux parties d'un assemblage*. ⇒ **Bride.** — (1908, *in* T. L. F.). *Lien élastique :* pièce reliant une pièce d'artillerie à son affût.

♦ **2.** (Abstrait). Ce qui relie, unit deux ou plusieurs choses entre elles. *Des mots sans lien.* ⇒ **Suite** (→ Entrechoquer, cit. 5). *Ces faits n'ont aucun lien entre eux. — Lien de cause à effet.* ⇒ **Corrélation, liaison.** *Le lien des idées.* ⇒ **Enchaînement** (cit. 3), **filiation** (→ Incohérence, cit. 2). *Lien logique.* ⇒ **Analogie, rapport.**

Je fus si frappé des liens qui unissent le français moderne au français ancien, j'aperçus tant de cas où les sens et les locutions du jour ne s'expliquent que par les sens et les locutions d'autrefois (...) LITTRÉ, Dict., Préface, p. II. 2

(...) il entendit affirmer que les liens se renouaient entre le glorieux présent et le passé glorieux de la France. 3
Louis MADELIN, Hist. du Consulat et de l'Empire, Le Consulat, II.

(...) sa pensée était faite de remarques inachevées, sans lien (...) 4
J. CHARDONNE, les Destinées sentimentales, p. 294.

Spécialt, inform. Séquence d'instructions reliant deux parties d'un programme.

♦ **3.** (1226). Ce qui unit entre elles deux ou plusieurs personnes. *Lien de parenté, de parentage* (cit.), *de famille* (cit. 5). *Les liens du sang** (→ 1. Étranger, cit. 8; incestueux, cit. 3). — Dr. (vieilli). *Lien simple; lien double* (entre frères et sœurs des mêmes père et mère). — *Les liens de l'amitié* (cit. 22). ⇒ **Nœud.** *Liens de sympathie. Lien puissant entre les hommes* (→ Intérêt, cit. 12). *Lien solide, durable, indissoluble.* ⇒ **Ciment.** — *Contracter, nouer des liens.* ⇒ **Lier** (se); **accointance, liaison, relation.** *Lien qui se noue, se resserre. Lien qui unit deux amis, deux frères* (cit. 5). ⇒ **Attachement, fraternité.** *Lien conjugal** (→ Époux, cit. 9). *Lien qui unit deux amants* (→ Enlacer, cit. 4; humanité, cit. 8). *Doux, tendres liens. Liens que crée l'habitude* (cit. 25). *Liens que l'absence* (cit. 10), *la séparation relâchent, étirent* (cit. 1), *rompent* (→ Déchirement, cit. 6). «*Plus le lien social s'étend* (cit. 40, *plus il se relâche*» (Rousseau). *Briser un lien sacré* (→ Abandonner, cit. 3). *Le dernier lien qui les unissait* (→ Fouetter, cit. 5). *Couper, trancher tous ses liens avec sa famille, son milieu social.* ⇒ **Attache** (cit. 18). *Le dernier lien qui le rattachait à la vie des autres* (→ Messager, cit. 3). *Liens qui se renouent. Servir de lien entre deux personnes.* ⇒ **Intermédiaire, union** (trait d'union).

Pour être séparé de villes et d'espaces, 5
Cela n'empêche point que les trois belles Grâces,
L'Honneur et la Vertu, n'ourdissent le lien
Qui serre de si près mon cœur avec le tien.
RONSARD, Pièces posthumes, «Poèmes inachevés».

Comprends-tu qu'un lien qui, dans l'âme immortelle, 6
Chaque jour plus profond se forme à notre insu;
Qui déracine en nous la volonté rebelle,
Et nous attache au cœur son merveilleux tissu;
Un lien tout puissant dont les nœuds et la trame
Sont plus durs que la roche et que les diamants;
Qui ne craint ni le temps, ni le fer, ni la flamme,
Ni la mort elle-même, et qui fait des amants
Jusque dans le tombeau s'aimer les ossements;
Comprends-tu que dix ans ce lien nous enlace,
Qu'il ne fasse dix ans qu'un seul être de deux,
Puis tout à coup se brise, et, perdu dans l'espace,
Nous laisse épouvantés d'avoir cru vivre heureux?
A. DE MUSSET, Poésies nouvelles «Lettre à Lamartine».

Dr. canon. *Lien religieux :* engagement contracté par celui qui est ordonné prêtre. — *Lien du mariage. Empêchement de lien.*

♦ **4.** Élément (affectif, intellectuel) qui attache l'homme aux choses. *Le lien, les liens entre le paysan et la terre* (→ Établir, cit. 18). *Des liens de sympathie, des liens sympathiques avec tout ce qui est beau.* ⇒ **Affinité** (cit. 4). *Les richesses s'attachent* (cit. 48), *au cœur de l'homme par des liens imperceptibles.* ⇒ **Fil.** *Les mille liens indéracinables des origines.* ⇒ **Racine** (→ Acclimater, cit. 2).

(Il) cultivait *(la terre)* de longues années de suite et il l'aimait. Il s'établissait entre elle et lui, non pas ce lien que la religion de la propriété avait créé entre elle et le maître, mais un autre lien, celui que le travail et la souffrance même peuvent former entre l'homme qui donne sa peine et la terre qui donne ses fruits. 7
FUSTEL DE COULANGES, la Cité antique, IV, VI, 1o.

8 J'ai voulu tout aimer, et je suis malheureux,
Car j'ai de mes tourments multiplié les causes !
D'innombrables liens, frêles et douloureux.
Dans l'univers entier vont de mon âme aux choses.
SULLY PRUDHOMME, Stances et Poèmes, Vie intérieure, « Les chaînes ».

9 Il sentit alors qu'il était lié aux choses par des liens invisibles qu'on ne rompt pas sans peine et il fut pris tout à coup d'une grande piété pour sa ville (...) Il se détourna de son chemin pour aller voir sur le mail un orme qu'il aimait entre tous.
FRANCE, l'Anneau d'améthyste, XXV, Œuvres, t. XII, XXV, p. 268.

★ **II.** ♦ **1.** Vx ou littér. Corde, chaîne... qui sert à attacher, à enchaîner, à retenir un captif, un animal. ⇒ **Entrave.** (Pour les animaux). *Lien servant à attacher ou à mener une bête de trait* (⇒ **Licol** ou **licou**), *un chien* (⇒ **Laisse**), *des chiens de meute* (⇒ **Accouple, couple** [cit. 1], 2. **harde**). *Se débattre dans ses liens.* ⇒ **Chaîne** (→ Face, cit. 8) — Poét. *Briser, rompre ses liens :* s'échapper d'une prison.

10 Mais plutôt demeurez pour me servir d'otage,
Jusqu'à ce que ma main de ses fers le dégage.
J'irai jusque dans Rome en briser les liens (...)
CORNEILLE, Nicomède, V, 6.

Par métaphore. *Briser* (cit. 18), *rompre ses liens.* ⇒ **Affranchir** (s'). → Flotter, cit. 16. *Traîner son lien :* ne pas être entièrement dégagé d'une servitude.

11 Les nœuds de tes cheveux devinrent mes liens.
RACINE, Poésies diverses, « Stances à Parthénice ».

12 Son existence qu'aucun lien n'amarra plus partit à la dérive (...)
HUYSMANS, En route, I, II.

♦ **2.** Par métaphore et fig. Ce qui maintient (qqn) dans un état d'étroite dépendance. ⇒ **Assujettissement, chaîne.** — REM. Le mot *lien,* au sens figuré, évoque, selon le contexte, soit une union (sens I), soit une servitude, un esclavage (sens II). *Se dégager, se déprendre* (cit. 1) *des liens du désir, de l'habitude. Les liens de tous les jours.* ⇒ **Servitude** (→ Gêne, cit. 6). — *Le lien irrévocable* (cit. 2) *des vœux religieux. S'engager dans les liens du mariage.* ⇒ **Nœud** (→ Bigamie, cit. 1). *S'empêtrer** (cit. 5) *dans les liens de l'amour. Les liens qui nous attachent* (cit. 17) *aux créatures.*

13 Ce n'est pas que je désapprouve qu'un sentiment honnête et doux vienne embellir le lien conjugal et adoucir en quelque sorte les devoirs qu'il impose (...)
LACLOS, les Liaisons dangereuses, CIV.

14 (...) délivré des liens du travail (...) le goujat de la ville se répand vers les environs (...) pour échapper aux gênes et aux conventions sociales.
BAUDELAIRE, Trad. E. POE, Histoires grotesques et sérieuses, « Le mystère de Marie Roget ».

15 Était-il donc impossible de retenir les hommes sans un lien charnel ? Elle en venait à le penser.
A. MAUROIS, Lélia, II, III.

Spécialt et vx (surtout dans le langage de la préciosité). Esclavage amoureux (⇒ **Chaîne, fers, joug...**). *Les liens d'une immuable ardeur* (→ Attacher, cit. 13).

16 Cependant à leurs vœux votre âme se refuse,
Tandis qu'en ses liens Célimène l'amuse (...)
MOLIÈRE, le Misanthrope, I, 1.

CONTR. Brèche, fossé, hiatus, rupture, séparation.
DÉR. V. Liane.

LIENTÉRIE [ljɑ̃teʀi] ou **LIENTERIE** [ljɑ̃tʀi] n. f. — 1377 ; lat. méd. d'orig. grecque *lienteria.*

♦ Méd. Diarrhée* caractérisée par des selles où les aliments sont rendus incomplètement digérés (→ Apepsie, cit.).

DÉR. Lientérique.

LIENTÉRIQUE [ljɑ̃teʀik] adj. — XVe ; de *lientérie.*

♦ Méd. Qui a rapport à la lientérie. *Flux* lientérique.*

LIER [lje] v. tr. — Conjug. *prier.* — Xe, *leier, loier ;* du lat. *ligare.*

★ **I.** Mettre ensemble, rapprocher, unir.

♦ **1.** Entourer, serrer avec un lien* (plusieurs choses ou les parties d'une même chose pour qu'elles tiennent ensemble). ⇒ **Attacher.** *Lier de la paille en bottes* (⇒ **Botteler**), *en faisceaux, en gerbes. Lier des branches avec une corde, une ficelle.* ⇒ **Ficeler.** *Centaine* qui lie un écheveau. — Lier les feuilles de composition en paquet.* — Chir. *Lier un vaisseau* (⇒ **Ligature**).

1 Voyez si vous romprez ces dards liés ensemble. LA FONTAINE, Fables, IV, 18.

2 Suivre les moissonneurs et lier la javelle. André CHÉNIER, Élégies, X.

3 (...) chirurgien, sûr de sa méthode, qui lie les artères et suture la plaie.
André SUARÈS, Trois hommes, « Ibsen », V.

Spécialt. ⇒ **Nouer.** *Lier les cordons de ses souliers* (Académie). — Par métaphore. *Lier le nœud d'une intrigue* (→ Intérêt, cit. 30).

♦ **2.** Compl. n. de chose. Assembler, joindre. — Techn. *Lier les pièces d'un assemblage* (⇒ **Assembler, fixer**). *Lier des éléments par des moises** (⇒ **Moiser**).
Lier ses lettres, les joindre l'une à l'autre par de légers traits. — Phonét. *Lier les mots :* les prononcer en faisant une liaison*. — Mus. ⇒ **Liaison.** *Lier des notes ; lier un passage,* le jouer legato. — Pron. (sens récipr.). *Se lier.* ⇒ **Accoler** (s').

Les montagnes du haut Limousin se lient à celles de l'Auvergne, et celles-ci avec les Cévennes. MICHELET, Extraits historiques, Hist. de France, p. 86. 4

♦ **3.** Compl. n. de chose. Joindre à l'aide d'une substance ou d'un ingrédient qui opère la réunion ou le mélange. Maçonn. *Lier des briques avec du ciment* (⇒ **Cimenter**), *des pierres avec du mortier* (⇒ **Conglomérer**). — Cuis. *Lier une sauce,* l'épaissir* avec une liaison*. — Pron. (sens passif). *Sauce qui se lie mal.*

(...) on ne lierait la sauce de la blanquette qu'au moment de se mettre à table. 5
ZOLA, l'Assommoir, t. I, VII, p. 254.

Peinture :

Tous les tons y sont fondus, fusionnés, pour une couleur neuve, inconnue, unique à chaque endroit de la toile, — et si intimement liés qu'on n'en peut plus détacher rien ni rajouter aucune touche (...) 6
GIDE, Journal, Feuilles de route, 16 déc. 1895.

♦ **4.** Compl. n. de chose (abstraite). Unir* par un rapport logique, fonctionnel, structural... *Lier les idées.* ⇒ **Associer, coordonner, relier** (→ Ailleurs, cit. 9 ; éloquence, cit. 9). *L'art de lier ses pensées* (→ Écrire, cit. 2). *Lier les scènes d'une pièce de théâtre.* ⇒ **Agencer, coudre.** — *Chaîne* (cit. 34), *rapport qui lie la cause* (cit. 31) *à l'effet.*

(...) cette comédie n'a été faite que pour lier ensemble les différents morceaux de musique, et de danse (...) MOLIÈRE, la Comtesse d'Escarbagnas, VII. 7

Je sais tout ce qu'on peut dire et tout ce qu'on a dit pour tâcher de lier ensemble les deux moitiés si disparates de la vie politique de M. de Chateaubriand (...) 8
SAINTE-BEUVE, Chateaubriand..., t. II, p. 238.

Quand elle s'égarait en ces souvenirs, indissolublement liés à l'éveil de sa première jeunesse (...) RENAN, Souvenirs d'enfance..., II, IV. 9

(...) il était une seconde fois dans cette Suisse qui l'avait si grassement nourri. Alors, les idées se liant les unes aux autres, il pensa à manger et dit : — Je voudrais du lait et du pain. 10
FRANCE, le Livre de mon ami, Livre de Suzanne, II, II.

Le réalisme politique des clercs, loin d'être un fait superficiel, dû au caprice d'une corporation, me semble lié à l'essence même du monde moderne. 11
Julien BENDA, la Trahison des clercs, p. 242.

♦ **5.** Compl. n. de personne. Unir* par des liens* d'affection, de convenance, de solidarité, d'intérêt. *Leur communauté de goûts les liera vite.* ⇒ **Rapprocher.** — Pron. **SE LIER AVEC (qqn).** Sens réfl. *Se lier avec qqn.* ⇒ **Accointer** (s'), **attacher** (s') ; **intimité** (entrer dans l'intimité de qqn). → 3. Fronde, cit. 5 ; gobeloter, cit. 1. *Je me suis lié d'amitié avec lui.* — Absolt. *Personne qui se lie facilement* (⇒ **Liant**). — Sens récipr. *Ils ne tardèrent pas à se lier.* — Absolt. *Comment on se lie à Paris* (→ Insinuer, cit. 18). *Nous nous étions liés* (→ Lécher, cit. 9).

Avant que nous lier, il faut nous mieux connaître (...) 12
MOLIÈRE, le Misanthrope, I, 2.

(...) l'amitié qui me lie à Monsieur votre frère (...) 13
MOLIÈRE, les Femmes savantes, V, 4.

(...) le besoin rapproche mutuellement les hommes, les lie, les réconcilie (...) 14
LA BRUYÈRE, les Caractères, XVI, 48.

Rien ne lie tant les cœurs que la douceur de pleurer ensemble. 15
ROUSSEAU, les Confessions, X.

Puis on se lie davantage ; il vous mène au café, vous invite à venir dans sa maison de campagne, vous fait faire, entre deux vins, toutes sortes de connaissances (...) 16
FLAUBERT, Mme Bovary, II, VI (→ Insinuer, cit. 18).

Ce fut à ce dîner de baptême que les Coupeau achevèrent de se lier étroitement avec les voisins du palier. ZOLA, l'Assommoir, t. I, IV, p. 133. 17

Pourtant, dans cette lutte, une silencieuse fraternité liait, au fond d'eux-mêmes, Rivière et ses pilotes. SAINT-EXUPÉRY, Vol de nuit, XI. 18

Elle le tutoyait parfois, en l'absence d'Antoine : si naturellement, que Léon n'en était pas surpris. De furtives et tacites connivences les liaient. 19
MARTIN DU GARD, les Thibault, t. V, p. 155.

♦ **6.** Créer (un lien). *Lier amitié (avec qqn) :* contracter* un lien d'amitié (avec lui). — *Lier connaissance* (cit. 28). *Lier conversation.* ⇒ **Nouer.**

(...) vous aviez lié quelque amitié avec une demoiselle d'Angélique (...) 20
RACINE, Lettres, 27, 30 avr. 1662.

(...) j'ai lié conversation avec une espèce de grand voyou (...) 21
Valery LARBAUD, Barnabooth, Journal, II, p. 220.

Loc. Vx. *Lier partie :* convenir d'une partie de plaisir, d'une rencontre. — Mod. *Avoir partie liée (avec qqn) :* se mettre ou être entièrement d'accord (avec lui) pour une affaire où sont engagés des intérêts communs.

(...) les *exclusifs,* républicains ardents, semblaient portés à lier maintenant partie avec les Chouans. Louis MADELIN, Hist. du Consulat et de l'Empire, Avènement de l'Empire, III. 22

Vous n'ignorez pas que Quesnel a tout à fait partie liée avec Wisner. 23
ARAGON, les Beaux Quartiers, I, XXIV.

Jouer (cit. 35, fig.) *en partie(s) liée(s) :* « jouer avec la condition que l'enjeu appartiendra à celui qui aura gagné le plus de parties sur un nombre déterminé » (Académie).

★ **II.** Compl. n. de personne, ou désignant une partie du corps. Fixer, retenir (qqn).

♦ **1.** Attacher, enchaîner. *On l'avait lié sur une chaise* (→ Fusiller, cit. 1). ⇒ **Attacher, garrotter, ligoter.** *Lier les membres d'un prisonnier* (→ 1. Arche, cit. 7). — Au p. p. *Captif qu'on amène pieds et poings liés* (→ par métaphore S'emparer, cit. 5). — Anciennt. *Lier un fou,* le mettre hors d'état de nuire en lui passant la camisole de force (→ Folie, cit. 3). — Par exagér. *Il est fou, elle est folle** (1. Fou, cit. 39) *à lier,* complètement fou, folle (→ À enfermer).

24 Vous voulez donc nous rendre fous à lier (...)
BALZAC, le Cousin Pons, Pl., t. VI, p. 711.

25 (...) une jeune fille qui se débattait pendue aux branches d'un chêne, — et moi que le bourreau liait échevelé sur les rayons de la roue.
Aloysius BERTRAND, Gaspard de la nuit, La nuit et ses prestiges, VII.

26 (...) un beau matin, les gardiens se trouvèrent pieds et poings liés, et jetés dans les cabanons, où ils furent surveillés comme fous par les fous eux-mêmes (...)
BAUDELAIRE, Trad. E. POE, Histoires grotesques et sérieuses, « Le système du Dr Goudron ».

Spécialt (en parlant de rapaces). *Lier la proie,* la saisir et l'immobiliser dans ses serres (→ Aigle, cit. 2).

Sujet n. de la chose qui lie. ⇒ **Assujettir** (1., cit. 8). *Chaînes* (cit. 7 et 16) *qui lient quelqu'un.*

(XVIe). Fig. **LIER LES MAINS À** (ou **DE**) **qqn,** lui ôter toute possibilité d'action. — Au p. p. *Avoir les mains liées, pieds et poings liés.* ⇒ **Impuissance, inaction** (être réduit à l'). *Se livrer à quelqu'un pieds et poings liés,* se mettre entièrement à sa merci. — Pron. (sens réfl.). *Se lier les mains :* perdre toute liberté d'action, en s'engageant pour l'avenir.

27 Je ne crois point que la nature
Se soit lié les mains, et nous les lie encor,
Jusqu'au point de marquer dans les cieux notre sort.
LA FONTAINE, Fables, VIII, 16.

28 Le pape est une idole à qui on lie les mains et dont on baise les pieds.
VOLTAIRE, le Sottisier, Souveraineté réelle des papes.

29 — Il me livrera le citoyen Montauran, pieds et poings liés, reprit Hulot en se parlant à lui-même, et je me trouverai embêté d'un conseil de guerre à présider.
BALZAC, les Chouans, Pl., t. VII, p. 1044.

30 Il eût donc fallu que Louis XIV, pour conserver l'amitié des Hollandais, abandonnât le traité de partage, se liât les mains pour l'avenir et que la France renonçât à parfaire son territoire. Le sage Lionne lui-même conseilla de ne pas signer un pareil engagement (...)
J. BAINVILLE, Hist. de France, XIII, p. 231.

Lier la langue à (ou *de*) *qqn,* le contraindre au silence. *La timidité lui lie la langue* (→ Fléau, cit. 7).

(1899, Petiot). Escr. Compl. n. de chose. *Lier l'épée :* exercer une pression enveloppante sur l'épée de l'adversaire pour le contraindre à changer de ligne.

♦ **2.** Imposer une obligation juridique ou morale à. ⇒ **Astreindre, obliger.** *Les paroles, les contrats lient les hommes* (Académie). — (Au passif). *Être lié par un serment, une promesse.* ⇒ **Engager, garrotter** (cit. 5). — Pron. (sens réfl.). *Se lier par un vœu.*

31 Par les mêmes serments Britannicus se lie (...)
RACINE, Britannicus, V, 5.

32 Vous vous trouveriez parjure en renonçant à Cinq-Mars? Mais rien ne vous lie; vous vous êtes plus qu'acquittée envers lui en refusant, durant plus de deux années, les mains royales qui vous étaient présentées.
A. DE VIGNY, Cinq-Mars, XXIII.

33 Je ne suis liée que pour deux ans; et, en principe, les clauses de mon contrat me protègent.
J. ROMAINS, les Hommes de bonne volonté, t. II, XI, p. 116.

Spécialt (théol.). Refuser d'absoudre.

34 Il se recueillit, il demanda des conseils à Celui qui conféra aux apôtres le pouvoir de lier et de délier les âmes. Alors (...) il se prépare à me donner l'absolution.
CHATEAUBRIAND, Mémoires d'outre-tombe, I, II, 8, t. I, p. 88 (éd. Levaillant).

♦ **3.** Sujet n. de personne ou de chose. *Lier à...* ⇒ **Assujettir** (3.), **attacher.** *Lier qqn, un forçat à sa chaîne.* ⇒ **Enchaîner, river.**

35 La vieille Brunehaut (...) fut traitée avec une atroce barbarie; on la lia par les cheveux, par un pied et par un bras, à la queue d'un cheval indompté qui la mit en pièces.
MICHELET, Hist. de France, II, I.

Par métaphore :

36 Il *(Ferdinand II)* commençait à resserrer cette ancienne chaîne qui avait lié l'Italie à l'Empire, et qui était relâchée depuis si longtemps.
VOLTAIRE, Essai sur les mœurs, CLXXVIII.

Sujet n. de chose. Créer un lien* de dépendance. *Contrat liant le débiteur au créancier* (→ Faute, cit. 26). *Lier deux personnes ensemble. Époux indifférents* (cit. 18) *que l'habitude lie l'un à l'autre.* ⇒ **Enchaîner.** — Pron. (sens réfl.). *Le vassal se liait au seigneur par l'hommage* (cit. 3). ⇒ **Engager** (s').

Par ext. *Lier sa vie à celle d'une femme.* ⇒ **Enchaîner** (→ Insensibilité, cit. 7). *Lier son destin à celui d'une entreprise* (→ Enrichir, cit. 3). ⇒ **Attacher, dépendre** (faire dépendre de).

37 (...) tous les gouvernements d'Europe sont liés de telle façon les uns aux autres par des traités d'alliance, par des conventions plus ou moins secrètes, par des promesses, qu'il se peut très bien que, si la guerre éclate, elle gagne toute l'Europe.
J. ROMAINS, les Hommes de bonne volonté, t. I, IV, p. 53.

▶ **SE LIER** v. pron. Voir ci-dessus à l'article, notamment I., 2., 4. et 5.

▶ **LIÉ, LIÉE** p. p. adj. — REM. Certains emplois, dont l'explication dépend de celle de l'actif ou du pronominal, sont traités dans l'article et renvoyés ci-après.

♦ **1.** Choses. (Au sens I). Entouré, serré par un lien. *Bouquet* (cit. 5) *de fleurs liées par un ruban. Serviettes liées avec un galon* (cit. 3) *rouge.* — *Feuilles liées.* ⇒ **Liasse.** — Blason. Réuni(s) par un lien.

Fig. *Propositions liées par la conjonction « et »* (cit. 9). ⇒ **Relié.** — Mus. *Notes liées.* ⇒ **Legato.** *Jeu lié.* — N. m. *Le lié. Un beau lié.*

Sauce liée, épaissie avec une liaison. — *Tons liés,* en peinture (→ ci-dessus, cit. 6). — *Événements liés par un enchaînement singulier* (→ Histoire, cit. 15). *Institutions non point juxtaposées* (cit. 3), *mais liées entre elles. Organisme où tout est lié,* où tout se tient*. ⇒ **Solidaire** (→ Contrecoup, cit. 3). *Affaires étroitement liées.* ⇒ **Connexe.**

♦ **2.** Personnes. (Sens I, 5). *Ils sont liés d'amitié. Être lié étroitement, intimement, indissolublement* (cit. 2) *à quelqu'un, avec quelqu'un* (→ Adulte, cit. 6). *Ils sont très liés.* ⇒ **Familier, intime.** *Gens peu liés entre eux* (→ Assortir, cit. 11). *Deux amis, deux frères* (cit. 6) *liés entre eux comme le pouce et l'index.* — REM. *Lié à* met l'accent sur le caractère affectif, et durable de l'union; *lié avec* marque plutôt l'existence même de relations.

Avoir partie liée avec qqn (→ Lier partie; et aussi ci-dessus, cit. 23).

♦ **3.** (Sens II). *Captif lié.* — Loc. *Pieds et poings liés* (→ ci-dessus cit. 26, et, au fig., cit. 29). *Avoir les mains liées :* ne pouvoir agir. — *Forçat lié à sa chaîne* (cit. 5), enchaîné, rivé.

Attaché par des liens affectifs, sentimentaux ou amicaux. *Jeune homme lié à une gourgandine* (cit. 1). — *Sort lié à la fatalité* (→ Fatalisme, cit. 3).

CONTR. Délier. — Concasser, couper, délivrer, détacher, rompre, séparer. — Fâcher (se). — (Du p. p.) Libre.

DÉR. Liage, liaison, liant, liasse, lierne, lieur, lieuse. — V. Liaison.

COMP. Allier, délier, relier, surlier.

LIERNE [ljɛʀn] n. f. — 1296, mar.; 1561, charpent.; de *lier.*

♦ **1.** Archit. Nervure de la voûte gothique, réunissant les sommets des arcs doubleaux et formerets à la clef de voûte.

Généralement, la lierne bifurque, avant d'atteindre la clef des doubleaux et des formerets, en deux branches appelées *tiercerons* (...)
Louis RÉAU, Dict. d'art. et d'archéologie, art. *Lierne.*

♦ **2.** Charpent. Pièce de charpente horizontale qui relie les poteaux d'un pan de bois.

LIERRE [ljɛʀ] n. m. — 1456, *in* D. D. L.; *èdre,* Xe; *ierre, hyerre,* XIIIe, puis *lyere* (1372), *lierre* pour *l'ierre,* par agglutination de l'article; du lat. *hedera.*

♦ **1.** Arbrisseau rampant et grimpant par des racines adventives, à feuilles luisantes toujours vertes, à fleurs jaune verdâtre et à baies noires (famille des *Araliacées;* n. sc. : *hedera*). *Le lierre, plante épiphyte*. Le lierre grimpe* (cit. 6), *attache ses crampons*, ses griffes* (cit. 12) *aux lézardes des murs* (→ Assaut, cit. 15, Hugo). *Touffe de lierre qui vit en parasite* (cit. 9). *Église* (cit. 13) *couverte de lierre. Le lierre était consacré à Bacchus. Bacchantes couronnées de lierre* (→ Évohé, cit. 2). *Le lierre, symbole de l'amour fidèle* (« Je meurs où je m'attache »).

Ce lierre qui coule et se glisse à l'entour 1
Des arbres et des murs, lesquels tour dessus tour,
Plis dessus plis il serre, embrasse et environne.
RONSARD, Sonnets pour Hélène, II, XXIX.

(...) les arbres verts entourés de lierre vers le pont. Malheureusement le lierre qui 1.1
les embrasse et fait un bel effet, les dévore et les fera périr avant peu.
E. DELACROIX, Journal, 7 oct. 1849.

Plutôt le lierre, disais-tu, l'attachement du lierre aux pierres de sa nuit : présence 1.2
sans issue, visage sans racine.
Yves BONNEFOY « L'été vieillissant », Poèmes, p. 24.

Par comparaison et métaphore :

(...) Et que faudrait-il faire? (...) 2
Chercher un protecteur puissant, prendre un patron,
Et comme un lierre obscur qui circonvient un tronc
Et s'en fait un tuteur en lui léchant l'écorce,
Grimper par ruse au lieu de s'élever par force?
Non, merci (...)
Edmond ROSTAND, Cyrano de Bergerac, II, 8.

Le lierre de tes bras à ce monde me lie 3
Je ne peux pas mourir Celui qui meurt oublie.
ARAGON, les Yeux d'Elsa, « Nuit de Dunkerque ».

♦ **2.** *Lierre terrestre :* gléchome hédéracé*. ⇒ **Gléchome.** *Utilisation du lierre terrestre en pharmacie.*

LIESSE [ljɛs] n. f. — XIe, *ledece, leesse; liesse,* au XIIIe; du lat. *lætitia* « joie », par attr. de l'anc. franç. *lié* « joyeux ». → aussi 2. Lie.
REM. *Liesse* est considérée aux XVIIe et XVIIIe s. comme archaïque au même titre que *lié.* Furetière le signale comme un « vieux mot » : « Il ne se dit plus guère qu'en cette phrase : *Notre-Dame de liesse* ». Littré (1867) le donne encore comme vieilli.

♦ **1.** Vx. Joie* (au sens général). *« Adieu ma Dame* (cit. 1), *ma liesse! »* (Ch. d'Orléans). *Le blanc, couleur de « joie et liesse »* (→ Analogie, cit. 1, Rabelais).

Vx ou littér. Joie débordante et collective. ⇒ **Allégresse, exultation.** *Une étrange liesse emplissait la ville illuminée* (cit. 20, Gide). *La liesse populaire.*

Voyez les liesses, les transports, les chants de cette cité triomphante.
BOSSUET, Sermon pour le 3e dimanche après Pâques, Danger des plaisirs des sens, II.

♦ **2.** Mod., littér. *En liesse,* se dit des foules qui manifestent leur joie (dans le style soutenu ou plais.). ⇒ **Réjouissance.** *Peuple, assemblée en liesse* (→ Allégresse, cit. 4; curée, cit. 5).

1. LIEU [ljø] n. m. — XIIe; *leu,* Xe; du lat. *locus.*

★ **I.** ♦ **1.** Portion déterminée de l'espace. ⇒ **Endroit.** — REM. *Lieu* est plus général, plus abstrait qu'*endroit* et s'emploie moins de nos jours que dans la langue classique. — *Situation*d'un objet dans un lieu de l'espace.* ⇒ **Espace, position** (→ Impression, cit. 46). *En quel lieu?* ⇒ **Où.** *Lieu précis. Lieu quelconque.* ⇒ 1. **Part** (quelque part). *Dans ce lieu.* ⇒ **Ici** (cit. 16), **là.** *Le lieu où l'on n'est pas.* ⇒ **Ailleurs** (l'). *Dans un autre lieu.* ⇒ **Ailleurs;** 1. **part** (autre part). *En tout lieu, en tout temps; en tous lieux, en tous temps :* toujours et partout (→ Attente, cit. 26; avantage, cit. 44). *Lieux très éloignés.* ⇒ **Bout** (du monde); **loin.** *Lieux proches, voisins.* ⇒ **Alentour** (cit. 1), **environ**(s), **secteur; parage, voisinage, zone; près.** *Représentation d'un lieu.* ⇒ **Carte, topographie.** *Science des noms de lieu.* ⇒ **Toponymie.** *Reconnaissance d'un lieu. Lieu dit, appelé...* ⇒ **Lieu-dit.** *Être en un lieu, dans un lieu* (⇒ **Trouver** [se]; **présence**), *en tous lieux.* ⇒ **Ubiquité.** *Ne pas être dans un lieu.* ⇒ **Absence.** *Quitter un lieu; partir, se retirer d'un lieu.* ⇒ **Aller** (s'en). *Changer* de lieu. Arriver* dans un lieu. Donner, attribuer un lieu à qqch., une sensation.* ⇒ **Localiser, mettre, placer, situer.** *Choisir un lieu pour qqn, qqch., pour y faire qqch.* ⇒ **Emplacement, place.** *Enfermer, confiner, cacher qqch. en un lieu. La date* et le lieu. Ce n'est ni le temps ni le lieu pour faire cela.* — Loc. *En temps et lieu :* au moment et à l'endroit convenable (rare au sens propre; → ci-dessous, II., 1.). — *Les coutumes* (cit. 9) *varient avec les lieux.* ⇒ **Climat, contrée, pays, région.**

1 (...) c'est n'être en aucun lieu, que d'être partout. MONTAIGNE, Essais, I, VIII.

2 Une lutte éternelle en tout temps, en tout lieu,
Se livre sur la terre, en présence de Dieu,
Entre la bonté d'Homme et la ruse de Femme.
A. DE VIGNY, Poèmes philosophiques, « Colère de Samson ».

3 En quel lieu, dans quel lit, à qui souriais-tu?
A. DE MUSSET, Poésies nouvelles, « Nuit d'octobre ».

(Dans un contexte concret). *Un lieu charmant, agreste* (cit. 4), *champêtre.* ⇒ **Séjour, site.** *La majesté du lieu. Lieux élevés* (→ Haut, cit. 62), *souterrains. Lieu désert; des lieux retirés, écartés et solitaires* (→ Apparaître, cit. 2; blaireau, cit. 1). *Un lieu perdu.* ⇒ **Coin.** *« Il y a des lieux où souffle l'esprit »* (→ Esprit, cit. 4, Barrès). *Lieu de délices* (⇒ **Paradis**), *de supplice* (⇒ **Enfer**); *lieu dangereux* (⇒ **Antre**). *Lieu de plaisir* (→ Écouler, cit. 6; étudiant, cit. 3), lieu public où l'on se distrait. *Lieu de débauche* (→ Incognito, cit. 2), *lieu de perdition. Mauvais lieu, lieu mal famé** (cit.). *Coureur* (cit. 3.1) *de tavernes et de mauvais lieux.* Plais. *Je ne pensais pas vous rencontrer dans ce mauvais lieu* (en parlant d'un lieu quelconque). — *Lieu de retraite* (→ Couvent, cit. 1), *de refuge* (→ Inviolable, cit. 5); *lieu d'asile.* ⇒ **Asile** (cit. 11 et 12). — *Lieu secret. Lieu sûr,* où l'on est en sûreté. ⇒ **Abri, cachette, planque** (fam.). Loc. *Mettre* (qqn, qqch.) *en lieu sûr :* mettre à l'abri, protéger. — *Lieu de promenade, de passage, de rencontre, de réunion. Lieu de pèlerinage. Lieux célèbres. Lieu de départ, de destination, d'arrivée. Lieu où l'on s'arrête.* ⇒ **Étape.** *Indiquer* (cit. 4) *l'heure et le lieu d'un rendez-vous.* — *Lieu de naissance d'une personne; lieu d'origine. Lieu d'habitation.* ⇒ 1. **Adresse, domicile, résidence.** *Les habitants d'un lieu. Cesser de paraître au lieu de son domicile* (→ Absence, cit. 13). *Le lieu de son travail. Lieu de travail* (→ Bibliothèque, cit. 7). — *Lieu où se passe un événement.* ⇒ **Scène, théâtre** (→ ci-dessous, Les lieux). *Le lieu du crime, du délit* (→ Attroupement, cit. 2). *Être ailleurs qu'au lieu du crime.* ⇒ **Alibi.** *Lieu de la scène, de l'action.* — *Unité* de lieu du théâtre classique* (→ Autant, cit. 45). *« Qu'en* (cit. 20) *un lieu, qu'en un jour, un seul fait accompli... »* (Boileau).

4 Quelle maison pourriez-vous me bâtir?
et en quel endroit le lieu de mon repos? BIBLE (JÉRUSALEM), Isaïe, 66, 4.

5 Il y a des lieux que l'on admire : il y en a d'autres qui touchent, et où l'on aimerait à vivre. LA BRUYÈRE, les Caractères, IV, 82.

6 *(Il)* choisit pour asile
Le haut d'un pin. Là, dans le sein des dieux,
Il goûte sa vengeance en lieu sûr et tranquille. LA FONTAINE, Fables, X, 11.

7 La mort de son frère (...) avait ramené toutes ses pensées aux lieux et aux jours de leur commune enfance (...) Émile HENRIOT, Portraits de femmes, p. 458.

7.1 Nous supprimons la scène et la salle qui sont remplacées par une sorte de lieu unique, sans cloisonnement, ni barrière d'aucune sorte, et qui deviendra le théâtre même de l'action.
A. ARTAUD, le Théâtre et son double, Idées/Gallimard, p. 146.

(V. 1960). Spécialt. Espace, considéré dans ses possibilités scéniques, spectaculaires ou dans son esthétique.

Loc. prov. (1549). *N'avoir ni feu** (1. Feu, cit. 28) *ni lieu, être sans feu ni lieu,* se dit de pauvres gens sans foyer, sans domicile fixe, ou de vagabonds sans aveu* (→ Bandit, cit. 1).

♦ **2.** (1291). **HAUT LIEU :** lieu élevé. — Spécialt (relig. juive). *Hauts lieux :* hauteurs, collines sur lesquelles les Juifs élevaient des autels aux faux dieux et faisaient des sacrifices (→ Bâtir, cit. 19). *Holocaustes d'Israël qui fument sur les hauts lieux* (→ Immoler, cit. 18). — Fig. Lieu mémorable, théâtre de hauts faits. *Le Chemin des Dames est un des hauts lieux de la guerre 1914-1918.*

8 (...) depuis que le temple de Salomon fut bâti, il n'était pas permis de sacrifier ailleurs; et tous ces autres autels qu'on élevait à Dieu sur des montagnes, appelés par cette raison dans l'Écriture les hauts lieux, ne lui étaient point agréables.
RACINE, Athalie, Préface.

LIEU SAINT, SAINT LIEU : nom donné aux temples, aux églises, aux sanctuaires (→ Humilier, cit. 16; impiété, cit. 4). Au plur. *Les lieux saints :* les lieux de la vie de Jésus, en Palestine, et, spécialt, les lieux de la Passion du Christ. ⇒ **Terre** (sainte). *Faire un pèlerinage, un voyage aux lieux saints.*

Tout l'édifice s'appelait en général le lieu saint. RACINE, Athalie, Préface. 9

Je lui ai dit l'impression religieuse que m'avaient faite les saints lieux, c'est-à-dire impression nulle (...) Ces lieux saints ne vous font rien. 10
FLAUBERT, Correspondance, 266, 20 août 1850.

♦ **3. LIEU PUBLIC :** lieu qui, par destination, admet le public (rue, jardin, mairie...), ou lieu privé auquel le public peut accéder (café, cinéma...). → Crime, cit. 17; endroit, cit. 6. *J'ai eu l'occasion de le voir dans divers lieux publics, mais jamais dans le privé.*

(...) l'affluence désordonnée qui fait queue, chaque jour, au cinéma, qui remplit toutes les salles de spectacles et les dancings eux-mêmes, qui se répand comme une marée déchaînée dans tous les lieux publics (...) CAMUS, la Peste, p. 214. 11

Dr. *Lieu d'un délit,* qui exige la publicité.

♦ **4.** Gramm. *Complément de lieu :* complément circonstanciel, déterminant le lieu d'un procès exprimé par le verbe. *Dans les grammaires scolaires, on a longtemps défini le complément de lieu comme celui qui répond à la question « Où? ». Adverbes de lieu.* ⇒ **Adverbe,** et aussi **avant; après,** 1. **bas** (en bas), 1. **ci, côté** (à côté), **haut** (en haut), 2. **outre,** 1. **part** (autre part, nulle part, quelque part). *Prépositions de lieu.* ⇒ **Préposition.**

Il n'est point besoin d'expliquer ce que c'est qu'un lieu; observons seulement que le lieu dont il est question dans les compléments de lieu est très souvent, non point, un emplacement dans l'espace, mais un endroit figuré, comme un texte, ou même un auteur. De même qu'on dit : *il est* **chez lui,** on dit : *j'ai trouvé cette doctrine* **chez Platon.** Ce n'est pas non plus de lieux réels qu'il est question dans : *entrer* dans le commerce, *sortir* **de la théorie;** — *vous croyez-vous* **au-dessus de la loi?** — *délibérer* **sous la présidence du juge de paix;** — *mettre sa confiance* **en Dieu;** — *être* **hors la loi.** 12
Le lieu est en certains cas plutôt *une situation,* qui marque non seulement l'endroit ou le moment, mais tout un ensemble de circonstances : **dans le trouble** *où j'étais;* — *il paraît* **dans un état de nervosité extrême;** — *il passe* **par des circonstances difficiles.** F. BRUNOT, la Pensée et la Langue, p. 420.

♦ **5.** (1691). Sc. **LIEU GÉOMÉTRIQUE.** *Lieu géométrique d'un point P, d'une courbe C satisfaisant à certaines conditions :* ensemble des positions occupées par ce point, cette courbe.

♦ **6.** Astron. *Lieu apparent* (4.), *d'un astre.*

★ **II.** (Plur. à valeur de sing.; emploi très fréquent dans la langue class.). **LES LIEUX.** ♦ **1.** (Souvent après une préposition). Endroit unique considéré ou non dans ses parties. *Dans ces lieux, en ces lieux :* ici* (→ Abord, cit. 4; accès, cit. 2). *Les lieux que l'ours habitait* (→ Affaire, cit. 65). — Mod. (dans des expr.). *Le maître de ces lieux* (⇒ **Céans**). *Venons au sujet qui m'amène* (cit. 4) *en ces lieux.*

(Un loup) que la faim en ces lieux attirait (...) LA FONTAINE, Fables, I, 10. 13

Vite, sortez friponne; allons, quittez ces lieux (...) 14
MOLIÈRE, les Femmes savantes, II, 6.

Il me fut aisé de reconnaître l'*étrangère* qui, comme moi, venue chercher dans ces lieux *(le château de Combourg)* des pleurs et des souvenirs! 15
CHATEAUBRIAND, René.

♦ **2.** Mod. (Dr. et cour.). Endroit précis où un fait s'est passé. *La police s'est rendue sur les lieux. Descente* sur les lieux. Être sur les lieux,* sur place (→ Barque, cit. 7; fantaisie, cit. 7). *Le juge de paix des lieux* (→ Apposer, cit. 3). *L'usage, la coutume des lieux.*

(...) il *(le bailleur)* est tenu de signifier d'avance un congé aux époques déterminées par l'usage des lieux. Code civil, art. 1762. 16

Je reconnais qu'il n'est pas commode d'admettre que le crime a eu lieu en plein jour. Maintenant le meurtrier aurait pu tarder à quitter les lieux; pour une raison quelconque. 17
J. ROMAINS, les Hommes de bonne volonté, t. II, XIII, p. 135.

♦ **3.** Appartement, maison, propriété. *Aménagement, configuration* (cit. 2) *des lieux.* ⇒ **Êtres.** *Les lieux étaient aménagés pour servir d'imprimerie* (cit. 5). *État** (cit. 64, et *supra*) *des lieux. Visiter les lieux. Emménager, entrer dans les lieux. Quitter, évacuer, vider les lieux.* ⇒ **Déloger.**

(...) tout est resté rituel dans la disposition des lieux, dans les ornements et les emblèmes, dans l'ordonnance des marchandises (...) 18
J. ROMAINS, les Hommes de bonne volonté, t. III, XIX, p. 263.

♦ **4.** (1801). **LIEUX D'AISANCES*** (→ Excrétion, cit. 1). ⇒ **Cabinet**(s), **commodité**(s), **goguenot**(s), **latrines, tartisse, water-closet** (→ aussi Petit endroit*).

(...) l'argent était comme une triste nécessité de la vie indispensable malheureusement, comme les lieux d'aisance, mais dont il ne fallait jamais parler. 19
STENDHAL, Vie de Henry Brulard, 7.

Vieilli ou régional. **LES LIEUX** (même sens). *Aller aux lieux* (→ Ergot, cit. 4).

Les lieux! Oui! ces braves latrines (...) ces pauvres lieux où l'on fumait des cigarettes de maryland (...) FLAUBERT, Correspondance, 552, 12 août 1857. 20

Je me fous bien de tous vos dieux, 20.1
Ils sont jolis, s'ils vous ressemblent,
Et bons à foutre dans les lieux. Germain NOUVEAU, Valentines, Pl., p. 626.

Loc. (Vx). *Lieux communs, lieux secrets :* les lieux d'aisance.

★ **III.** Au sing. (dans des emplois figés, au fig.). ♦ **1.** Place* déterminée dans un ensemble, une succession (espace ou temps). *Ce n'est pas le lieu de parler de cela* (Littré). → Déplacé. *En son lieu :* à son tour*. *Chaque dossier sera examiné en son lieu.* Loc. adv. **EN TEMPS ET LIEU :** au moment et à la place convenable. *Nous vous ferons connaître notre décision en temps et lieu.* Vieilli. *Hors de lieu :* hors de propos.

PREMIER, SECOND... LIEU (dans une énumération, un classement). En parlant des personnes (vx). *« Si l'ange est premier, l'homme a le second lieu »* (Malherbe). — (En parlant des points* successifs d'un discours, d'un écrit). *En premier lieu :* d'abord, premièrement*, primo (→ Fléau, cit. 6; guerre, cit. 40; individualisme, cit. 10). *En second lieu :* après, ensuite. *En dernier lieu :* enfin.

21 En premier lieu je te demande, Cinna, paisible audience. N'interromps pas mon parler (...) MONTAIGNE, Essais, I, XXIV.

22 Va, je reconnaîtrai ce service en son lieu. CORNEILLE, Rodogune, III, 1.

23 je saurai me souvenir, en temps et lieu, de tout ce que je viens d'apprendre. MOLIÈRE, les Fourberies de Scapin, II, 3.

23.1 Aristote le naturaliste a enfin décrit cet objet comme il aurait décrit le chameau ou la girafe, plutôt se garder, à ce que je crois, de s'en servir hors de lieu (...) ALAIN, les Idées et les Âges, *in* les Passions et la Sagesse, Pl., p. 61.

♦ **2. AVOIR LIEU :** avoir, prendre place à un endroit, à un moment. ⇒ **Arriver, passer** (se), **produire** (se). (Avec une précision de lieu ou de temps). *La fête aura lieu sur la grand-place.* ⇒ **Tenir** (se). *Les jeux olympiques ont lieu tous les quatre ans.* ⇒ **Célébrer.** *Le convoi* (cit. 5) *aura lieu demain, à telle date. Événements, crises qui ont lieu successivement, coup sur coup.* ⇒ **Dérouler** (se). — Absolt. Être, se faire. ⇒ **Accomplir** (s'), **opérer** (s'). *La chose a eu lieu, n'a pas eu lieu,* s'est produite ou non. *« La combinaison des deux substances aura lieu si l'expérience est bien faite »* (Littré). *La réunion n'aura pas lieu. Si l'exécution a lieu* (→ Franc-maçon, cit. 1). *La guerre de Troie n'aura pas lieu,* pièce de Giraudoux.

24 Que droit règne et justice ait lieu (...) Clément MAROT, Psaumes, XXIII.

25 (...) plus elles *(les faisanes)* avançaient en âge, plus elles devenaient semblables aux mâles, comme cela a lieu plus ou moins dans presque tous les animaux. BUFFON, Hist. nat. des oiseaux, Le faisan doré.

26 (...) comment ne pas avoir recours aux moyens de l'intrigue, quand les développements sont censés avoir lieu dans un espace aussi court? Mme DE STAËL, De l'Allemagne, II, XV.

27 Il s'est sauvé de l'endroit un quart d'heure avant; mais l'« action » avait peut-être eu lieu beaucoup plus tôt. Il a pu rester près de sa victime. J. ROMAINS, les Hommes de bonne volonté, t. I, XIX, p. 213 (→ aussi ci-dessus, cit. 17).

♦ **3.** (Vx). **BAS LIEU**; (vieilli) **HAUT LIEU :** rang qu'un groupe ou une personne occupe dans la hiérarchie sociale. ⇒ **Famille, maison, milieu, société.** — (Vx). *Une personne de bas lieu,* de basse naissance. ⇒ **Extraction, naissance, origine.** *Argot de bas lieu* (→ Boui-boui, cit. 1). — (Vx). *De haut lieu :* noble*, de haut lignage.

28 Nous qui sommes,
De par Dieu,
Gentilshommes
De haut lieu (...) HUGO, Odes et Ballades, Ballade XII.

Mod. **EN HAUT LIEU :** auprès des supérieurs haut placés dans une hiérarchie administrative. *Aller se plaindre en haut lieu.*

29 Il se sentait fort, au surplus, coté à son prix en haut lieu, pour son chic et son élégance (...) COURTELINE, le Train de 8 h 47, I, I.

♦ **4. AU LIEU :** à la place (en parlant du remplacement d'une chose ou d'une personne par une autre). — Dr. (par pléonasme). *Au lieu et place de... :* à la place de, au nom de... *« Lorsque le père est déchu de l'administration* (des biens de ses enfants mineurs), *la mère devient de droit administratrice* (cit. 1) *en ses lieu et place »* (Code civil).

Loc. prép. (1538). **AU LIEU DE :** à la place* de (→ Attendre, cit. 6; bélier, cit. 1; bruit, cit. 5; frein, cit. 3). *Employer un mot au lieu d'un autre.* ⇒ **Pour.** — *Au lieu de grives, nous mangerons des merles.* ⇒ **Défaut** (à défaut de), **faute** (de).

30 Je vous envoie, au lieu de moi, pour le portrait que vous savez ce gentilhomme français (...) MOLIÈRE, le Sicilien, 10.

31 (...) condamné aux travaux forcés, en 1812, pour avoir livré, au lieu de bœuf, la viande de chevaux morveux. FRANCE, le Mannequin d'osier, V, Œuvres, t. XI, p. 284.

(Suivi d'un verbe à l'infinitif; pour exprimer l'opposition entre deux actes, deux états). *Vous rêvez au lieu de réfléchir* (→ Boutade, cit. 5). *Au lieu d'être apitoyée* (cit. 3), *elle se montra très dure.* ⇒ **Loin** (bien loin de). *Grimper par ruse au lieu de s'élever par force* (→ Lierre, cit. 2).

32 L'adroit confident appellerait la voiture, ouvrirait la portière; et lui Prévan, au lieu de monter, s'esquiverait adroitement. LACLOS, les Liaisons dangereuses, LXXXV.

33 — Au lieu de la questionner, dit-il, nous ferions mieux de lui servir une bonne tasse de café au lait bien chaud. ZOLA, le Rêve, I.

Loc. conj. (1490). **AU LIEU QUE** **a** (Suivi d'un verbe à l'indicatif; pour opposer deux états, deux actions différentes). ⇒ **Alors** (que), **là** (où), **tandis** (que). → Assemblage, cit. 1; assurer, cit. 7; indispensable, cit. 10. *L'honnête homme ment dans les cas forcés au lieu que le fripon va au-devant des occasions* (→ Jouer, cit. 62). *« On s'imaginait que je pouvais écrire par métier (...) au lieu que je ne sus jamais écrire que par passion »* (→ Glacer, cit. 16, Rousseau).

Nous avons du foin dans nos bottes, nous autres! Au lieu qu'un de ces matins, vous verrez le *Café français* fermé (...) FLAUBERT, Mme Bovary, II, I. 34

b (Suivi d'un verbe au subjonctif; pour opposer deux actes, deux états dont l'un se substitue à l'autre). ⇒ **Loin** (loin que). « Suivi du subjonctif, *au lieu que* devient une locution franchement subordonnante, et introduit un fait qui n'a pas eu lieu, mais qui a été remplacé par le fait énoncé dans la principale : "En voyant Gilberte, *au lieu qu'elle vînt* aux Champs-Élysées, aller à une matinée..." Proust, *Swann,* II, 278; *"Au lieu que* son histoire l'*ait calmé,* on dirait plutôt qu'il s'aigrit." Romains, *Humbles,* XXIII, p. 206 » (G. et R. Le Bidois, *Syntaxe du franç. moderne,* § 1570).

♦ **5.** Loc. (*Lieu* a la même valeur abstraite que dans *au lieu,* ci-dessus). **TENIR LIEU DE.** ⇒ **Remplacer, servir** (de), **valoir.** *Copie authentique* (cit. 6) *qui tient lieu d'original. Les bonnes intentions* (cit. 10) *ne peuvent tenir lieu de génie. Personne qui tient lieu de père à un enfant.*

Soyez-vous l'un à l'autre un monde toujours beau, 35
Toujours divers, toujours nouveau;
Tenez-vous lieu de tout, comptez pour rien le reste. LA FONTAINE, Fables, IX, 2.

Il m'aurait tenu lieu d'un père et d'un époux (...) RACINE, Andromaque, I, 4. 36

Maintenant Marthe ne m'était pas seulement la plus aimée, ce qui ne veut pas dire la mieux aimée des maîtresses, mais elle me tenait lieu de tout. R. RADIGUET, le Diable au corps, p. 156. 37

Ces superstitions tenaient donc lieu de religion à nos concitoyens (...) CAMUS, la Peste, p. 242. 38

♦ **6.** (Dans des loc. verbales, en parlant des circonstances, des conditions qui autorisent ou justifient telle ou telle chose). ⇒ **Cas,** 3. **droit, occasion, prétexte, raison,** 3. **sujet** (II.). — Vx (langue class.). *Il n'y a aucun lieu de, je ne vois aucun lieu de...,* aucune raison. *Laisser lieu, prendre lieu.*

Je n'y vois pour ta flamme aucun lieu de murmure (...) MOLIÈRE, Amphitryon, III, 10. 39

Et sur ce fondement, ils prennent lieu de blasphémer la religion chrétienne (...) PASCAL, Pensées, VIII, 556. 40

Mod. **AVOIR LIEU DE** (suivi d'un verbe à l'infinitif) : avoir des raisons de. ⇒ 3. **Sujet** (avoir sujet de). *Avoir lieu de se louer, de se plaindre de quelqu'un. Elle n'a pas lieu de se plaindre,* elle est plutôt favorisée. *Nous avons tout lieu de le croire* (→ Accoutumer, cit. 6). *Vous n'avez nullement lieu, vous n'avez plus lieu de vous tracasser.* — Impers. *Il y a lieu de... :* il est opportun*, il convient* de... *Il y a lieu de maintenir cette distinction* (→ Animal, cit. 1). *Il n'y a pas lieu de s'inquiéter pour le moment.* Absolt. *S'il y a lieu* (de faire qqch.) : le cas échéant, si cela est nécessaire. *Nous vous convoquerons, s'il y a lieu.*

(...) vous n'aurez ni l'un ni l'autre aucun lieu de vous plaindre (...) MOLIÈRE, l'Avare, I, 4. 41

(...) il y a souvent moins lieu de craindre de pleurer au théâtre que de s'y morfondre. LA BRUYÈRE, les Caractères, I, 50. 42

Faire taire le droit jusqu'à ce que la justice soit établie, c'est le faire taire à jamais puisqu'il n'aura plus lieu de parler si la justice règne à jamais. CAMUS, l'Homme révolté, p. 359. 43

DONNER LIEU À (suivi d'un n.) : fournir l'occasion*, donner matière ou prétexte* à. ⇒ **Occasionner, produire, provoquer.** *Son retour donna lieu à de grandes réjouissances. Ce remède a donné lieu à des abus* (→ Grain, cit. 2). *Exhérédation* (cit. 2) *qui donne lieu à un procès. Cette affaire a donné lieu à un long procès. Cela ne donne pas lieu à des discussions, à discussion.*

(...) cette comédie qui donna lieu à la naissance de votre passion (...) MOLIÈRE, le Malade imaginaire, II, 1. 44

Il paya, contrarié que son passage eût donné lieu à une observation. HUGO, les Misérables, II, V, II. 45

Tout ce qui était sacré donnait lieu à une fête. FUSTEL DE COULANGES, la Cité antique, III, VII. 46

DONNER LIEU DE (suivi d'un verbe à l'infinitif). ⇒ **Autoriser, permettre.** *Rien ne nous donne lieu d'espérer* (→ Floraison, cit. 3).

Votre ressentiment me donnait lieu de craindre (...) MOLIÈRE, le Dépit amoureux, III, 4. 47

(...) il ne pouvait pas lui parler en public, de peur de donner lieu de soupçonner qu'il eût ou qu'il eût eu un commerce avec Schemselnihar. A. GALLAND, les Mille et une Nuits, t. II, p. 63. 47.1

★ **IV.** (1565, au plur.; lat. *loci communes,* du grec *topoï koïnoï*). **LIEU (COMMUN).** ♦ **1.** (Au plur.) Log. et rhét. anc. *Lieux communs, lieux d'arguments* ou *lieux :* arguments, développements et preuves applicables à tous les sujets. *Les Topiques* d'Aristote, traité sur les lieux communs.* — REM. Dans ce sens, l'usage didactique moderne emploie le mot grec *topos, topoï.*

Ce que les logiciens appellent *lieux (loci argumentorum)* sont certains chefs généraux auxquels on peut rapporter toutes les preuves dont on se sert dans les diverses matières que l'on traite. ARNAULD et NICOLE, Logique de Port-Royal, III, XVII. 48

Littér. (vx). Citations, sentences célèbres, utilisées par un écrivain; emprunt littéraire.

Ces pastissages *(mélanges)* de lieux communs (...) MONTAIGNE, Essais, III, XII. 49

Lieu, — se dit aussi des sentences et édits notables des Anciens, et des choses les plus remarquables qu'on extrait des livres (...) FURETIÈRE, Dict., art. *Lieu.* 50

En vain, pour attaquer son stupide silence, 51
De tous les lieux communs vous prenez l'assistance (...) MOLIÈRE, le Misanthrope, II, 4.

♦ **2.** (Déb. XIXe). Mod. (Sing. et plur.). Idée, sujet de conversation que tout le monde utilise (⇒ **Banalité, idée** [rebattue], **sentier** [battu], **trivialité** [vx]) ; image, association de mots de caractère littéraire, qu'un emploi trop fréquent a affadie. ⇒ **Cliché** (cit. 3), **poncif ;** → Moraliser, cit. 3. *Des lieux communs* (cit. 25) *rebattus, prétentieux. Locutions banales et lieux communs des lettres d'amour* (→ Épancher, cit. 25). *La conversation* (cit. 5) *roulait sur des lieux communs. S'écarter des lieux communs* (cit. 24). *Éviter les lieux communs. C'est un lieu commun de dire que...* (contr. : *invention, originalité, trouvaille*). *Des lieux communs sur la destinée des femmes* (→ Mesurer, cit. 15).

52 À la fin, tout devient *lieu commun* en littérature.
RIVAROL, Littérature, Notes, p. 127.

53 (...) la différence d'âge est, après celle de la fortune, un des grands lieux communs de la plaisanterie de province, toutes les fois qu'il est question d'amour.
STENDHAL, le Rouge et le Noir, I, XVI.

54 On ne s'entend que sur les lieux communs. Sans terrain banal, la société n'est plus possible.
GIDE, Attendu que..., p. 174.

55 (...) quelques-unes de leurs pensées *(des grands écrivains)* sont tout à fait mortes et il y en a d'autres que le genre humain tout entier a reprises à son compte et que nous tenons pour des lieux communs.
SARTRE, Situations II, p. 80.

56 Pour banal que soit un lieu commun, il peut toujours avoir été inventé par qui le prononce : il s'accompagne même, en ce cas, d'un vif sentiment de nouveauté. Qui ne se voit humilié, parcourant le *Dictionnaire des idées reçues* ou tout autre recueil de clichés, d'y retrouver telle « pensée »... qu'il croyait avoir inventée ; telle phrase qu'il disait jusque-là fort innocemment ?
J. PAULHAN, les Fleurs de Tarbes, p. 92.

57 L'énergie du désespoir. C'est un lieu commun. Mais il est vrai. Il est tellement important de dire quelque chose qui exprime ce qui est réellement qu'il faut respecter les lieux communs, car huit ou neuf fois sur dix ils expriment la réalité. Il est très bien d'être original, mais à condition d'être original en disant vrai.
MONTHERLANT, Carnets, *in* René GEORGIN, Jeux de mots, p. 147.

Vieilli (par métonymie). Chose, personne qui incarne un thème rebattu.

58 Le plénipotentiaire était un lieu commun de brigand de mélodrame, quant à la figure et au costume.
V. JACQUEMONT, Correspondance, sept. 1831, II, p. 137.

COMP. Chef-lieu, lieudit, milieu, non-lieu.
HOM. 2. **Lieu, lieue.**

2. LIEU [ljø] n. m. — 1552 ; *lief,* 1431 ; anc. scandinave *lyr ;* cf. breton *leouek.*

♦ Poisson anacanthinien, de la famille du merlan *(Gadidés),* parfois appelé *merlan jaune, merluche. Des lieus. Du lieu séché.* — REM. On dit parfois *lieu jaune.* — N. sc. : *Pollachius pollachius.*
Lieu noir (n. sc. : *Pollachius virens*), parfois appelé *merlan noir.* ⇒ **Colin.**

HOM. 1. **Lieu, lieue.**

LIEU COMMUN [ljøkɔmœ̃] n. m. ⇒ 1. Lieu (IV.).

LIEU-DIT ou LIEUDIT [ljødi] n. m. — 1874 ; de 1. *lieu,* et *dit,* p. p. de *dire.*

♦ Lieu de la campagne qui porte un nom traditionnel désignant une particularité d'ordre topographique ou historique. *L'autocar s'arrête au lieudit des « Trois chênes ».* — Au plur. *Des lieux-dits* ou *des lieudits.*

LIEUE [ljø] n. f. — 1080 ; du lat. *leuca,* d'un mot gaulois, selon les auteurs latins.

♦ **1.** Anciennt. Mesure itinéraire variant selon les pays et les régions et qu'on évalue aujourd'hui à 4 kilomètres environ. — REM. Au sens propre, *lieue* reste utilisé jusqu'au XXe s. ; il est vieux ou littéraire de nos jours (→ Kilomètre). *Faire 160 lieues* (→ Excursion, cit. 2). *Quart, demi-quart de lieue* (→ Bourbeux, cit. 1 ; front, cit. 27). *Une lieue à la ronde** (→ Cerbère, cit. 2). Allus. littér. *Les bottes* de sept lieues,* que le Petit Poucet vola à l'Ogre.

0.1 D'ancienneté, les pays n'estoyent distinctz par lieues, miliaires, stades, ny parasanges, jusques à ce que le roy Pharamond les distingua, ce que feut faict en la manière que s'ensuyt. Car il print dedans Paris cent beaulx et jeunes gallans compaignons bien délibérez et cent belles garses picardes (...) leur faisant commandement qu'ilz allassent en divers lieux par cy et par là, à tous les passaiges qu'ilz biscoteroyent leurs garses, que ilz missent une pierre, et ce seroit une lieue. Ainsi les compaignons joyeusement partirent, et, pource qu'ilz estoient frays et de séjour, ilz fanfreluchoient à chasque bout de champ, et voylà pourquoy les lieues de France sont tant petites. Mais quand ilz eurent long chemin parfaict, et estoient jà las comme pauvres diables (...) ilz ne belinoyent si souvent et se contentoyent bien (j'entends quand aux hommes) de quelque meschante et paillarde foys le jour. Et voylà qui faict les lieues de Bretaigne, de Lanes, d'Allemaigne et autres pays plus esloignéz si grandes.
RABELAIS, Pantagruel, Pl., p. 290.

1 Comme la chose presse beaucoup, il a voulu que je prisse ses bottes de sept lieues que voilà, pour faire diligence (...)
Ch. PERRAULT, Contes, « Le petit Poucet ».

2 (...) Pacy, qui en est éloigné *(d'Évreux)* de cinq ou six lieues.
Abbé PRÉVOST, Manon Lescaut, I, p. 5.

3 La lieue a quelque chose de plus souple que le kilomètre. Quelque chose de plus allant, de plus paysan, de plus terreux (...) Elle était l'unité itinéraire de notre enfance. Elle était l'unité itinéraire de l'ancienne France.
Ch. PÉGUY, Note conjointe, Sur Descartes, p. 314.

4 Il lui semblait qu'elle avait franchi des lieues et qu'elle était à la fin d'une étape difficile.
J. GREEN, Léviathan, II, V.

♦ **2.** Loc. Vieilli. *À cent, à mille lieues :* très loin (→ Ahurissement, cit. 1). *Un petit coin* (cit. 20) *à mille lieues de la ville.* — Loc. fig. (Mod.). *Être à cent lieues, à mille lieues* (d'une chose ou d'une personne), en être très éloigné. *Être à cent, à mille lieues de* (suivi d'un infinitif). *J'étais à cent lieues de supposer cela.*
Sentir (le, la ou *son, sa,* etc., suivi d'un nom) *d'une lieue :* laisser deviner ses intentions, son caractère en montrant des défauts, des travers typiques.

Un vieux renard, mais des plus fins, 5
Grand croqueur de poulets, grand preneur de lapins,
Sentant son renard d'une lieue (...)
LA FONTAINE, Fables, V, 5.

(...) je suis à mille lieues de l'hydropisie, il n'en a jamais été question (...) 6
Mme DE SÉVIGNÉ, Lettres, 526, 22 avr. 1676.

Loc. *Lieue kilométrique :* lieue de 4 km exactement. — *Lieue de poste :* lieue de 2 000 toises, soit 3 898 km. — *Lieue de terre, lieue commune,* de 4 445 m.

♦ **3.** Mar. *Lieue marine :* vingtième partie du degré d'un grand cercle de la terre qui vaut 3 milles* ou 5 555,5 mètres. *La lieue marine est une mesure peu employée. Vingt Mille Lieues sous les mers,* roman de J. Verne.

HOM. 1. **Lieu,** 2. **lieu.**

LIEUR, LIEUSE [ljœʀ, ljøz] n. — 1304, *lieour ;* de *lier.*

♦ Techn. (agric.). Personne qui lie les bottes de foin, de paille (botteleur), des gerbes de blé.

HOM. (Du fém.) **Lieuse.** — (Du masc.) V. **Lieuse,** REM.

LIEUSE [ljøz] n. f. — 1894 ; de *lier.*

♦ Techn. Faucheuse pourvue d'un dispositif formant et liant les gerbes. — REM. On rencontre parfois le terme *lieur,* dans le langage technique, pour désigner d'autres appareils.
(En composition). *Moissonneuse-batteuse-lieuse. Arracheuse-lieuse.*

(...) la machine est munie d'un lieur analogue à celui des faucheuses et dispose la paille en bottillons de 5 à 7 kg, c'est alors une arracheuse-lieuse (...) 1
Jacques LOURD, le Lin et l'Industrie linière, p. 41.

Les *moissonneuses-batteuses-lieuses,* parfois, ne purent fonctionner, soit en raison des chemins boueux qui devenaient impraticables, soit parce que les blés flagellés de pluie, emmêlés et gisant sur la terre empêchaient les dents de la barre de coupe de la machine de les trancher convenablement ; et souvent aussi les grains battus, trop humides, encombraient le trieur, et les gerbes mal liées s'éparpillaient, retombaient sur le sol souillé. 2
J. TAILLEMAGRE, Peine des hommes, *in* le Monde, 20 nov. 1956.

HOM. V. **Lieur.**

LIEUTENANCE [ljøtnɑ̃s] n. f. — 1364 ; de *lieutenant.*

♦ Anciennt (hist.) ou vx. Charge, office, grade de lieutenant. *Lieutenance aux gardes du roi dans une province ; lieutenance générale aux armées. Acheter une lieutenance.*

(...) gardez la lieutenance, mon cher, gardez. 1
A. DUMAS, les Trois Mousquetaires, t. II, p. 740.

(...) une médiocre lieutenance générale, comme celle du Roussillon, *(rapporte)* 13.000 à 14.000 livres (...) 2
TAINE, les Origines de la France contemporaine, IV, III, t. I, p. 103.

Habitation, hôtel d'un lieutenant.

LIEUTENANT [ljøtnɑ̃] n. m. — 1260, *luetenant ;* d'abord t. admin. ; grade militaire, 1478 ; de *lieu,* et *tenant,* proprt « tenant lieu de ».

♦ **1.** Personne (en général, homme) qui est directement sous les ordres du chef* et le remplace éventuellement. *Les lieutenants d'Alexandre, de César. — Chef d'entreprise qui a de bons lieutenants.* ⇒ **Adjoint, second.** *Elle est son lieutenant.* ⇒ **Lieutenante** (2.).

♦ **2.** Anciennt. Dr. et hist. *Lieutenant général du royaume :* personnage investi à titre exceptionnel de l'autorité du roi, pour l'aider ou le remplacer.

Henri II déclare le duc de Guise vice-roi de France, sous le nom de lieutenant général du royaume. Il était en cette qualité au-dessus du connétable. 1
VOLTAIRE, Essai sur les mœurs, CLXIII.

(...) on avait nommé le duc d'Orléans lieutenant général du royaume (...) 2
CHATEAUBRIAND, Mémoires d'outre-tombe, t. V, p. 238.

Lieutenant général du roi, placé avec des pouvoirs militaires auprès du gouverneur d'une province.
Officier de justice. *« Les lieutenants généraux* (*lieutenant civil,* chargé de la justice civile ; *lieutenant criminel,* chargé de la justice criminelle) *pouvaient être assistés de lieutenants particuliers »* (Lepointe). *Lieutenant général de police :* magistrat chargé de la police à Paris et dans les grandes villes.

Les magistrats chargés de veiller sur l'ordre public, tels que le lieutenant criminel, le lieutenant civil, le lieutenant de police, et tant d'autres, finissent presque toujours par avoir une opinion horrible de la société. Ils croient connaître les hommes et n'en connaissent que le rebut. On ne juge d'une ville par ses égouts. 3
CHAMFORT, Maximes et Pensées, Sur l'homme et la société, XXXIII.

Lieutenant de louveterie.*

♦ **3.** (1478). Milit. Anciennt. « Se dit de plusieurs officiers qui servent en différentes qualités » (Furetière). *Lieutenant général :* officier qui commandait sous les ordres d'un général (⇒ 2. **Général,** I., 2., REM.).

4 Enfin le roi régla, pour l'utilité de son service, que les maréchaux de France s'obéiraient les uns aux autres par ancienneté, tellement que ces maréchaux en second n'étaient proprement à l'armée que des lieutenants généraux qui ne roulaient point avec les autres. SAINT-SIMON, Mémoires, I, IV.

♦ **4.** Mod. *Lieutenant :* officier dont le grade* est immédiatement au-dessous de celui de capitaine, et qui commande ordinairement une section (→ Chef* de section). *Le lieutenant a deux galons. Lieutenant de cavalerie, d'infanterie. Lieutenant commandant par intérim* (cit. 1) *une compagnie. Mon* lieutenant* (→ Étouffer, cit. 13). — REM. On dit aussi « *Mon lieutenant* » aux sous-lieutenants et aspirants de toutes armes et aux adjudants et adjudants-chefs de cavalerie, d'artillerie. — *Lieutenant instructeur.*

5 Si Bonaparte fût resté lieutenant d'artillerie, il serait encore sur le trône.
Roger BALLU, Dessins du siècle (paroles de Monsieur Prudhomme).

6 Il était lieutenant de réserve : il faisait des cours aux sous-officiers de réserve sur l'école de section et le combat de groupe. P. NIZAN, le Cheval de Troie, I, II.

♦ **5.** Mar. Premier grade des officiers de pont dans la marine marchande. *Lieutenant au long cours*.* — Mar. milit. *Lieutenant de vaisseau :* officier de la Marine nationale dont le grade correspond à celui de capitaine* dans l'armée (→ Front, cit. 39). *Le lieutenant de vaisseau qui ne commande pas un bâtiment est appelé capitaine.* — *Lieutenant de port :* lieutenant de vaisseau ou capitaine au long cours en retraite.

DÉR. et **COMP. Lieutenance, lieutenante, lieutenant-colonel, premier-lieutenant, sous-lieutenant.**

LIEUTENANT-COLONEL [ljøtnɑ̃kɔlɔnɛl] n. m. — 1669; de *lieutenant,* et *colonel.*

♦ Officier dont le grade est immédiatement inférieur à celui de colonel. *Le lieutenant-colonel a cinq galons* (cit. 5) *de couleurs alternées* — REM. On lui dit « *mon colonel** ».

DÉR. Lieutenante-colonelle.

LIEUTENANTE [ljøtnɑ̃t] n. f. — 1690; de *lieutenant.*

♦ **1.** Anciennt. Femme d'un magistrat portant le titre de lieutenant. *Madame la lieutenante générale.*

♦ **2.** Mod. Femme lieutenant. — (Du sens 1 de *lieutenant*). Adjointe.

M. Ponto *(le banquier)* lutte de son côté, Hélène se rend utile en portant les communications du banquier à sa lieutenante.
A. ROBIDA, le Vingtième Siècle, p. 301.

LIEUTENANTE-COLONELLE [ljøtnɑ̃tkɔlɔnɛl] n. f. — V. 1700, Saint-Simon; de *lieutenant-colonel.*

♦ Milit., hist. Seconde compagnie d'un régiment, commandée par le lieutenant-colonel (adjoint du colonel).

LIÈVRE [ljɛvʀ] n. m. — 1155; *levre,* 1080; du lat. *leporem,* accus. de *lepus.*

REM. *Lièvre* est encore du fém. dans certains usages dialectaux, comme il l'a été en anc. français.

♦ **1.** Petit mammifère rongeur* assez semblable au lapin*, dont les pattes postérieures sont plus longues que les pattes antérieures ce qui le rend très rapide à la course (*Léporidés** ; n. sc. : *lepus).* ⇒ **Bossu** (fam., vieilli). *Femelle du lièvre.* ⇒ **Hase.** *Petit du lièvre.* ⇒ **Levraut.** *Cri du lièvre.* ⇒ **Vagissement.** *Oreilles* (→ Craindre, cit. 10), *museau du lièvre.* — Zool. *Lièvre commun. Lièvre changeant (lepus variabilis), vivant dans les montagnes, et de teinte variable selon les saisons.* — *Lièvre polaire :* lièvre variable des zones arctiques (→ Mimétisme, cit. 1). *Le lièvre, animal sauvage, de naturel craintif.* — *Chasser le lièvre.* ⇒ 2. **Bouquet,** 1. **bouquin, capucin.** *Courir, colleter* (⇒ **Collet, laçon**), *débusquer* (cit. 1 et 3), *forcer, lancer, lever un lièvre. Le lièvre déboule, gîte* (cit. 1), *se motte, se relaisse, se rase. Forme*, gîte*, randonnée* de lièvre. Battue**(cit. 2) *au lièvre.*

1 Un lièvre en son gîte songeait,
Car que faire en un gîte, à moins que l'on ne songe?
LA FONTAINE, Fables, II, 14.

2 Les lièvres (...) paraissent avoir les yeux mauvais; ils ont, comme par dédommagement, l'ouïe très fine et l'oreille d'une grandeur démesurée, relativement à celle de leur corps; ils remuent ces longues oreilles avec une extrême facilité; ils s'en servent comme gouvernail pour se diriger dans leur course, qui est si rapide, qu'ils devancent aisément tous les autres animaux. Comme ils ont les jambes de devant beaucoup plus courtes que celles de derrière, il leur est plus commode de courir en montant qu'en descendant (...) BUFFON, Hist. nat. des animaux, Le lièvre.

2.1 Les lièvres polaires pullulaient, et déjà ils portaient leur robe hivernale.
J. VERNE, le Pays des fourrures, t. I, p. 227.

Gibier*, chair comestible de cet animal. *Râble de lièvre, civet, fricassée, gibelotte, pâté... de lièvre* (→ Fourneau, cit. 4). *Lièvre rôti. Lièvre en daube, à la royale* (cit. 2).

(...) on décida qu'on allait rester ensemble, à manger le lièvre tout de suite. Quand la Trouille faisait un civet, la bonne odeur s'en répandait jusqu'à l'autre bout de Rognes. ZOLA, la Terre, IV, III. 3

Compar. *Courir*, gigoter* comme un lièvre. Craintif, inquiet, peureux* (cit. 2), *poltron comme un lièvre. Sommeil de lièvre :* sommeil léger. *Avoir une cervelle, une mémoire* de lièvre :* être très étourdi. — Spécialt (pathol.). *Bec-de-lièvre*.*

Comme un lièvre inquiet glisse hors de son gîte, 4
Peureux, le cœur timide et les yeux en éveil.
C^sse^ DE NOAILLES, les Éblouissements, « Poème de l'Île-de-France ».

Par métaphore. *Trouver le lièvre au gîte :* surprendre quelqu'un à l'improviste.

Loc. veillies (langue class.). — (1618). *Gentil-homme à lièvre :* gentilhomme pauvre, dont le seul luxe alimentaire est le produit de sa chasse. — (Déb. XVIIe, M. Régnier). *Bailler le lièvre par l'oreille :* payer de bonnes paroles, tromper. — (XVIIe, Mme de Sévigné). *Prendre le lièvre au corps :* aller à l'essentiel. — (1734, Lesage). *Mener une vie de lièvre :* être sans cesse poursuivi, harcelé.

(Déb. XVIIe). *Lièvre cornu :* idée absurde, chimérique.

♦ **2.** Loc. fig. *Courir le même lièvre que quelqu'un* (fam.), poursuivre le même but. *Courir, chasser plusieurs lièvres à la fois :* mener de front plusieurs activités, poursuivre plusieurs objectifs, avoir plusieurs partenaires amoureux. Prov. *Il ne faut pas courir deux lièvres à la fois.*

Oh dame ! on ne court pas deux lièvres à la fois. RACINE, les Plaideurs, III, 3. 5

(...) une politique incohérente poursuivant dix lièvres à la fois, et les lâchant tous l'un après l'autre (...) 6
R. ROLLAND, Jean-Christophe, La foire sur la place, p. 763.

C'est là que gît le lièvre (→ Hic* jacet lepus) : là est le nœud de l'affaire. — *Lever*, soulever un lièvre :* soulever à l'improviste une question importante, généralement embarrassante ou compromettante pour autrui. — REM. Les puristes soutiennent que l'expression *soulever un lièvre* est incorrecte; mais, l'analogie avec la forme *soulever une difficulté, une question,* etc., l'a finalement imposée dans l'usage.

J'ai (...) un jour, écrit par mégarde, *soulever un lièvre* au lieu de *lever un lièvre.* 7
Je m'en accuse et je prends toute la responsabilité de cette bévue (...)
A. HERMANT, *in* BOTTEQUIN, Difficultés et finesses de langage, p. 158.

Je ne vous aurais pas soulevé ce lièvre-là, parce que je n'ai jamais voulu la mort 8
du pécheur. Mais il faut avouer que votre cause n'est pas bonne.
J. ROMAINS, les Hommes de bonne volonté, t. II, XIV, p. 140.

(Dans d'autres emplois, où *lièvre* correspond à « ce que l'on poursuit, recherche ») :

Autre caractère militaire : la certitude qu'une décision ne doit pas être différée. 9
Parce que la promptitude fait partie de la décision, parce que le lièvre ne repassera pas, mais d'abord parce que la décision historique est inséparable du moment où elle a été prise.
MALRAUX, Antimémoires, p. 156.

♦ **3.** Par anal. Qualifié, pour désigner (dans l'usage commun) des animaux qui ne sont pas des léporidés. *Lièvre doré.* ⇒ **Agouti.** *Lièvre des Pampas.* ⇒ **Dolichotis.** *Lièvre à bourse :* macrotis. *Lièvre sauteur,* rongeur d'Afrique du Sud.

(XIIIe). *Lièvre de mer;* (XVIe) *lièvre marin :* blennie* d'eau douce. — Se dit aussi d'un mollusque.

♦ **4.** (1899, *in* Petiot). Sports. Coureur, dans les courses de demi-fond (entre 800 et 3 000 m), se plaçant en tête pour assurer un train rapide et permettre à d'autres coureurs d'obtenir un bon temps. — *Lièvre électrique :* leurre dans les courses de lévriers.

DÉR. Levraut, levreteau, lévrier, liévreteau.
COMP. Bec-de-lièvre.

LIÉVRETEAU [ljevʀəto] n. m. — 1803; *levreteau,* 1573; *liévretau,* 1752; de *lièvre.*

♦ Rare. Petit lièvre qui tète encore. ⇒ **Levraut.**

LIFT [lift] — REM. Proust atteste la prononciation prétentieuse et fautive [lajft] n. m. — 1902; mot angl., de *to lift* « élever ».

★ **I.** (1902; attestation isolée, 1885, *in* Höfler). Anglic. Vx. Ascenseur (→ Embrancher, cit. 2).

(1914, *in* Höfler). Vieilli. Garçon d'ascenseur. ⇒ **Liftier.**

(...) grâce au canotier et à la paire de gants, l'élégance devenait accessible au lift qui, ayant cessé, pour la soirée, de faire monter les clients, se croyait, comme un jeune chirurgien qui a retiré sa blouse (...) devenu un parfait homme du monde. Il n'était pas d'ailleurs sans ambition, ni talent non plus pour manipuler sa cage, et ne pas vous arrêter entre deux étages (...) Quant au langage du liftier, il est curieux que quelqu'un qui entendait cinquante fois par jour un client appeler : « Ascenseur » ne dît jamais lui-même qu' « accenseur ».
PROUST, Sodome et Gomorrhe, Pl., t. II, p. 791.

★ **II.** (1909, *in* Höfler, en tennis). Sports. Effet donné à une balle (ou à un ballon) liftée. ⇒ **Lifter.** *Un beau lift; un bel effet de lift.* « *(...) son tennis d'attaque ne contient aucun élément de défense — un service un peu plus vicieux, des passings shots, un peu de lift pour lui permettre de respirer dans les moments difficiles et de* *faire reculer l'adversaire»* (*Libération*, 3 nov. 1982). — REM. Cet anglicisme est plus rare que le verbe *lifter*.

DÉR. (Du sens 1) **Liftier.**

LIFTER [lifte] v. tr. — 1913, *in* Höfler; de l'angl. *to lift* «soulever». Anglicisme.

♦ **1.** Sports. Donner à (une balle) un effet particulier qui lui fait décrire une courbe assez haute et qui l'accélère quand elle rebondit.

Au p. p. *Une balle liftée difficile à reprendre. Revers lifté.*

Pour le service lifté, la balle sera présentée un peu plus à gauche et au-dessus de soi (quelquefois légèrement en arrière ou en avant, afin d'obtenir plus d'effet, ou pour la suivre plus aisément au filet). Henri COCHET, le Tennis, p. 62.

REM. Le dérivé *lifteur, euse* [liftœʀ, øz] n. est attesté. *«La troupe des lifteurs suédois»* (*Libération*, 3 sept. 1984).

♦ **2.** (1968, *in* P. Gilbert). Retendre la peau par une opération de chirurgie esthétique (dite *lifting**).

LIFTIER, IÈRE [liftje, jɛʀ] n. — 1918, au masc., Proust; au fém., 1948, *in* Höfler; de *lift* (I.), et *-ier, -ière*.

♦ Personne (homme ou femme) qui conduit un ascenseur. — Syn. (au masc.) : *garçon* d'ascenseur* (cit. 1). *Elle est liftière dans un grand magasin.* — REM. Alors que *lift* (cit.) a disparu de l'usage, *liftier* s'emploie encore.

En voyant le liftier prêt, dans son désespoir, à se jeter des cinq étages (...) PROUST, À la recherche du temps perdu, t. IX, p. 288.

LIFTING [liftiŋ] n. m. — 1955, *in* Höfler; *face-lifting* «ridectomie», de *to have one's face lifted* «se faire tirer la peau du visage, se faire remonter les bajoues», in *Harrap's dictionary*, 1939-1955; de *to lift* «hisser, remonter».

♦ Anglic. Opération de chirurgie esthétique, par décollement et tension de l'épiderme. *Faire un lifting. Se faire faire un lifting.*

1 (...) toutes les saisons ont leur beauté; cinquante ans, c'est la splendeur de l'automne, ses fruits moelleux et l'or de ses feuillages! Une courriériste du cœur a déclaré qu'un bon lifting résoudrait tous mes problèmes. S. DE BEAUVOIR, Tout compte fait, p. 133 (1972).

2 Les mauvaises langues prétendirent que Florence avait fait un séjour dans la clinique du docteur Niehans, en Suisse; qu'elle s'était peut-être même fait faire un lifting. Gabriel BARRAULT, la Foire aux crabes, p. 178.

REM. Plusieurs équivalents ont été proposés : *déridage, lissage* ou *remodelage*.

LIGAMENT [ligamɑ̃] n. m. — 1363; lat. méd. *ligamentum*, du supin de *ligare* «lier».

♦ **1.** Faisceau de tissu fibreux blanchâtre, très résistant et peu extensible, unissant les éléments constituant une articulation (⇒ **Cartilage, muscle, os**). *Ligaments articulaires* (cit. 1), *périphériques* (⇒ **Capsulaire**), *interosseux. Ligament de Bertin* (iliofémoral); *ligament rotulien*, du genou*; ligament cruciforme*. Ligaments jaunes unissant les lames vertébrales les unes aux autres. Ligaments distendus, arrachés.* ⇒ **Entorse** (cit. 2). *Déchirure des ligaments.*

♦ **2.** Repli du péritoine reliant les organes intra-abdominaux ou pelviens, soit entre eux, soit à la paroi abdominale. *Ligament suspenseur du foie, ligament de Fallope ou arcade crurale, ligament sacro-sciatique. Ligaments larges de la matrice. Ligaments utéro-lombaires. Ligaments antérieur et postérieur de la vessie.*

♦ **3.** Zool. Partie cornée unissant les deux valves d'un lamellibranche.

DÉR. Ligamentaire, ligamenteux.

LIGAMENTAIRE [ligamɑ̃tɛʀ] adj. — 1903, *in* T. L. F.; de *ligament*.

♦ Méd. Relatif aux ligaments. *Laxité ligamentaire.*

Pour ma part, toute la nuit, je cherche une place convenable pour ma jambe. J'ai de la chance, je vais sans doute m'en tirer avec de simples déchirures ligamentaires, car le ménisque ne paraît pas atteint. R. FRISON-ROCHE, Peuples chasseurs de l'Arctique, p. 271.

LIGAMENTEUX, EUSE [ligamɑ̃tø, øz] adj. — 1503; *ligamental*, 1478; de *ligament*.

♦ Anat. Qui est de la nature des ligaments. *Tissu ligamenteux.*

LIGAND [ligɑ̃] n. m. — 1959, *in* T. L. F.; mot angl. des États-Unis (1952), du lat. *ligandum*, gérondif de *ligare* «lier».

♦ Chim. (Anglic.). Molécule, ion dans lesquels un atome central est lié à d'autres atomes ou groupements d'atomes en nombre supérieur à la charge ou au degré d'oxydation de l'atome central. — Équivalent proposé : *coordinat*.

On donne le nom de «ligand» à un corps caractérisé comme tendant à se *lier* à un autre. Jacques MONOD, le Hasard et la Nécessité, p. 93 (note). 1

(...) les propriétés de reconnaissance stéréospécifiques de la protéine sont modifiées par la transition. Par exemple dans l'état «R», la protéine pourra s'associer à un ligand α, mais non à un autre ligand β qui, lui, sera reconnu (à l'exclusion d'α) par l'état «T». La présence d'un des ligands aura donc pour effet de stabiliser l'un des états aux dépens de l'autre, et l'on voit qu'α et β seront antagonistes l'un de l'autre, puisque leurs associations respectives avec la protéine sont mutuellement exclusives. Supposons maintenant un troisième ligand γ (qui pourrait être le substrat) s'associant exclusivement avec la forme R, en une région de la molécule autre que celle où se fixe α. On voit que α et β coopéreront à la stabilisation de la protéine dans l'état actif (celui qui reconnaît le substrat). Le ligand α et le substat γ agiront donc comme activateurs, le ligand β comme inhibiteur. Jacques MONOD, le Hasard et la Nécessité, p. 94. 2

HOM. Forme du v. **liguer.**

LIGATURE [ligatyʀ] n. f. — XVe; *ligadure*, XIVe; bas lat. *ligatura*, du supin de *ligare* «lier».

♦ **1.** Opération qui consiste à serrer qqch. avec un lien*, une bande, pour réunir, consolider, comprimer. *Faire une ligature.* ⇒ **Lier.**

Spécialt. (Chir.). Nœud fait à l'aide d'un fil autour d'un vaisseau, d'un cordon ou d'un conduit. ⇒ **Bandage; nœud.** *Ligature d'un vaisseau.* ⇒ **Garrot; hémostase.** *Ligature d'une tumeur, du cordon ombilical.* — Hortic. *Ligature d'une plante pour la fixer à son tuteur. Ligature d'une greffe*. Serrer les ligatures* (→ Liber, cit.). *Ligature de la vigne.* ⇒ **Accolure.** — Techn. *Ligature faite à un câble, à un cordage.* ⇒ **Attache.**

♦ **2.** Cour. Lien* servant à cette opération. *Ligature de catgut, de fil métallique. Ligature de jonc. Ligature en spirale. Forte, solide ligature* (→ Génuflexion, cit. 4).

C'était une espèce de faux soldat (...) qui défaisait en sifflant les bandages de sa fausse blessure, et qui dégourdissait son genou sain et vigoureux, emmailloté depuis le matin dans mille ligatures. HUGO, Notre-Dame de Paris, II, VI.

Mar. Morceau de filin ou faisceau de fils de caret, capable de soutenir un certain poids.

♦ **3.** Par anal. Typogr. Trait reliant plusieurs lettres (ff, fl, etc.). — Signe comportant plusieurs lettres liées ensemble. — Par ext. Signe graphique figurant plusieurs lettres. *Les ligatures de l'écriture* grecque rendent difficile le déchiffrage des manuscrits.* — Mus. Barre qui relie plusieurs croches.

♦ **4.** Gramm. Mot servant à lier plusieurs mots, plusieurs propositions (prépositions, conjonctions).

DÉR. Ligaturer.

LIGATURER [ligatyʀe] v. tr. — 1800; de *ligature*.

♦ Serrer, fixer avec une ligature. ⇒ **Attacher.** *Ligaturer une artère, une greffe.*

LIGE [liʒ] adj. — 1080; p.-ê. du bas lat. **liticus*, rad. germanique *let-*, désignant, dans la loi salique, une condition intermédiaire entre celle d'homme libre et celle d'esclave; cf. all. *ledig* «libre», ou, selon Guiraud, du lat. *litigare* «se quereller», de la même manière que l'anc. franç. *plege* (→ Plaider).

♦ **1.** Hist. (féod.). Qui a rendu à son seigneur* un hommage* l'engageant à une fidélité absolue (⇒ **Allégeance; vassal**). *Homme* (cit. 160), *vassal lige.* — Par ext. *Hommage* (cit. 1 et 4) *lige. Foi lige.*

♦ **2.** Mod. *Homme lige de (qqn) :* celui qui est entièrement dévoué à qqn, qui lui obéit sans condition. *Être l'homme lige d'un gouvernement, d'un parti.* — REM. Employé jusqu'à l'époque classique dans d'autres contextes :

Les animaux, et toute espèce lige
De son seul appétit (...) LA FONTAINE, Fables, IV, 12.

COMP. Allégeance.

LIGÉRIEN, IENNE [liʒeʀjɛ̃, jɛn] adj. — 1876, *in* Littré, *Suppl.*; dér. sav. du lat. *Liger* «Loire».

♦ Didact. Du bassin de la Loire.

LIGIE [liʒi] n. f. — 1802; du lat. sc. *ligia*, créé au XVIIIe par le Danois Fabricius.

♦ Zool. Genre de crustacés* isopodes *(Oniscidés)*, comprenant de nombreuses espèces marines.

1. LIGNAGE [liɲaʒ] n m. — Fin XIe, *linage*; de *ligne*.

♦ **1.** Vx (vieilli dès le XVIIe; de *ligne*, IV., 4.). Ensemble des parents (ascendants et collatéraux), issus d'une souche commune. ⇒ **Race.**

Le lignage d'un seigneur, d'un prince. Être de haut lignage. ⇒ **Descendance, extraction, famille, lieu** (haut lieu), **noblesse.**

1 Après beaucoup d'aventures, il avait pris pour femme une demoiselle de haut lignage. FLAUBERT, Trois contes, « La légende de saint Julien l'Hospitalier », I.

♦ **2.** Mod. (Ethnol., hist.). Groupe constitué par les individus qui descendent d'un ancêtre commun en vertu d'une règle de filiation unilinéaire. *Importance du lignage dans la constitution de la mémoire collective.*

1.1 Ce que Evans-Pritchard écrit à propos des Nuer peut s'appliquer à toutes les ethnies d'Afrique noire orientale et australe (...) La famille, même étendue, est justiciable d'une double extension horizontale et verticale (...) Verticale (...) puisque les liens de parenté remontent dans le temps jusqu'à l'ancêtre fondateur; cela permet de définir un certain nombre de structures sociales de plus en plus larges.
Le *lignage* lui-même restreint ou étendu : il unit tous les parents dont la descendance unilinéaire à partir d'un ancêtre réel est théoriquement, sinon en fait, connue (...) Louis-Vincent THOMAS, l'Afrique « anglophone »..., *in* Encycl. Pl. (Ethnologie régionale), t. I, p. 807.

1.2 Dans les strates supérieures de la société, et d'abord dans les plus élevées, les liens de famille tendirent alors à s'ordonner dans un cadre plus rigide, propre à mieux sauvegarder la cohésion de l'héritage, le cadre du lignage.
Georges DUBY, Guerriers et Paysans, p. 194.

♦ **3.** Par métaphore ou fig. Filiation. *Le lignage beethovenien d'un musicien* (→ Enfoncer, cit. 4).

2 Imprudence, babil, et sotte vanité,
Et vaine curiosité,
Ont ensemble étroit parentage :
Ce sont enfants tous d'un lignage. LA FONTAINE, Fables, X, 2.

♦ **4.** Biol. *Lignage cellulaire :* généalogie des différents tissus, telle qu'on peut la retracer en embryologie (pour certaines espèces).

DÉR. Lignager.
HOM. 2. **Lignage,** 3. **lignage.**

2. LIGNAGE [liɲaʒ] n. m. — XXe; de *ligne* (IV., B., 1.).

♦ Typogr. Nombre de lignes imprimées qui entrent dans la composition d'un texte. *Déterminer le lignage d'un article, d'une annonce.*

HOM. 1. **Lignage,** 3. **lignage.**

3. LIGNAGE [liɲaʒ] n. m. — 1867, Littré; de *ligner.*

♦ Techn. Action de marquer de lignes parallèles (une pierre de taille, une pièce de bois) avant de tailler, de scier.

HOM. 1. **Lignage,** 2. **lignage.**

LIGNAGER, ÈRE [liɲaʒe, ɛʀ] n. et adj. — 1411; de 1. *lignage.*

♦ **1.** N. m. Dr. anc. Personne de même lignage.

♦ **2.** Adj. Qui est du même lignage. — Mod. Ethnol. Qui a rapport au lignage. *Relations lignagères.*

LIGNARD [liɲaʀ] n. m. — 1848; de *ligne.*

♦ **1.** Vx et fam. Soldat appartenant à l'infanterie* de ligne.

♦ **2.** (1877). Typogr. Compositeur qui fait spécialement la ligne courante.

♦ **3.** (1867). Vieilli. Rédacteur, journaliste payé à la ligne. ⇒ **Pigiste.**

♦ **4.** Vx. (Polit.). Partisan inconditionnel de la ligne fixée par la direction d'un parti.

LIGNE [liɲ] n. f. — 1118; n. m., *lign* « lignage », 1080; « cordeau », v. 1140; du lat. *linea,* proprt « (corde) de lin ».

★ **I.** Trait* allongé, visible ou virtuel.

A. ♦ **1.** (XIIIe). Trait dont l'étendue se réduit pratiquement à la seule dimension de la longueur. *Tracer des lignes sur du papier, tracer une ligne droite sur du bois* (⇒ 1. **Cingler, tringler**). — *Ligne continue, interrompue, discontinue. Ligne pointillée*, ponctuée*. Tirer des lignes avec une règle* (⇒ **Régler; réglure**). *Ligne horizontale, oblique* (⇒ **Biais**), *verticale. Représentation d'un objet par des lignes.* ⇒ **Linéaire.**

0.1 Mais il ne se servit pas du quadrillage, construisant sans s'en soucier, à partir du permier trait qu'il avait dessiné (le crayon mal taillé, émoussé, traçant des lignes d'un demi-millimètre d'épaisseur à peu près, appuyées, imprimées en creux dans le papier labouré, comme des sillons d'un gris métallique, brillants, plombés).
Claude SIMON, le Palace, p. 49.

Spécialt. Typogr. ⇒ **Réglet.** *Écrivez sur les lignes.* — Mus. *Les cinq lignes de la portée*.* — Maçonn. *Ligne de refend*.* — Astron. *Lignes horaires* d'un cadran solaire.* — Opt. *Lignes de foi d'un compas* (cit. 4), *d'un graphomètre*.* ⇒ **Foi.**

Géom. Figure décrite par un point dont la position est fonction continue d'un paramètre (tel que le temps). *Ligne droite.* ⇒ **Droite.** *Différentes positions des lignes droites.* ⇒ **Asymptote, bissectrice, côté, diagonale, diamètre, médiane, sécante, tangente, transversale.** *Segments de lignes droites.* ⇒ **Corde, vecteur.** *Ligne brisée*, en zigzag. Ligne courbe.* ⇒ **Courbe.** *Ligne courbe fermée* (⇒ **Circonférence**). *Courbure*, inflexion d'une ligne en un point donné. Lignes parallèles* (→ Équidistant, cit. 1; infini, cit. 23). *Point d'intersection de deux lignes* (⇒ **Concours, section**), *de deux lignes perpendiculaires* (⇒ **Pied**). *Ligne d'intersection de deux plans.* ⇒ **Arête.** *Ligne normale* à un plan. Ligne de front*. Ligne directrice*, génératrice*. Ligne enveloppante*. Lignes osculatrices*.* — Spécialt. Courbe. *Lignes convergentes, divergentes. Lignes trigonométriques*.* — Géod. *Ligne géodésique*. Ligne de triangulation.* ⇒ **Base.**

La circonférence, idéal de la ligne courbe, est comparable à une figure analogue composée d'une infinité de lignes droites, qui doit se confondre avec elle, les angles intérieurs s'obtusant de plus en plus. 1
BAUDELAIRE, Curiosités esthétiques, III, VII.

(...) les objets de l'arithmétique ou de la géométrie sont simples auprès de tous les autres qu'on peut se proposer d'examiner, et même les plus simples possibles, puisqu'ils se résolvent en actes des plus simples : le nombre, en l'acte de compter; une ligne, en l'acte de tracer. VALÉRY, Variété V, p. 226. 2

Géogr. Vx. *Lignes isobares*, isoclines*, isothermes** (on dit aussi, ellipt., *une isobare,* etc.). *Ligne de niveau.* ⇒ **Courbe.** — Astron. *Ligne des pôles.* ⇒ **Axe** (du monde). → Équateur, cit. 1. — REM. Il s'agit d'une ligne abstraite qui joint deux points, alors que la ligne de l'équateur sépare deux zones (→ ci-dessous, 3.). — Phys. *Lignes de forces*.* Par anal. *Lignes de force d'un graphique, d'un dessin.*

♦ **2.** (1555, « riche », Ronsard). Marque, trace linéaire. *Joues* (cit. 2) *sillonnées de lignes.* ⇒ **Ride.** — Spécialt. (**LES) LIGNES DE LA MAIN :** traits qui sillonnent la paume, le creux de la main. *Art de « lire » les lignes de la main.* ⇒ **Chiromancie.** *Ligne de cœur, de vie. Bohémienne qui « fait » les lignes de la main.* → aussi Changer, cit. 30.

(Le bon vieillard) Me contempla des mains les lignes qui sont droites, 3
Celles qui sont en croix, celles qui sont étroites,
Celle d'autour le pouce, et celles des cinq monts,
Les angles malheureux, les angles qui sont bons (...)
RONSARD, le Bocage royal, II.

Mais, dit-il à la jeune fille, il me semble avoir vu chez vous des lignes de prospérité. Donnez-moi votre main, mademoiselle Victorine? je me connais en chiromancie, j'ai dit souvent la bonne aventure. BALZAC, le Père Goriot, Pl., t. II, p. 1002. 4

(...) il y a, dans l'angle du plafond, une petite ligne noire, très fine, longue d'une dizaine de centimètres, à peine perceptible : une fissure dans le plâtre, ou un fil d'araignée chargé de poussière, ou une trace quelconque de choc ou d'éraflure. Cette imperfection dans la surface blanche n'est du reste pas également visible de tous les points. A. ROBBE-GRILLET, Dans le labyrinthe, p. 125-126. 4.1

Embryol. *Ligne primitive :* épaississement linéaire des œufs télolécithes qui correspond au blastopore des Amphibiens.

♦ **3.** (XVIIe). Trait (réel ou imaginaire) qui sépare deux choses; intersection de deux surfaces. ⇒ **Limite.** *Ligne qui sépare des contrées sur une carte* (cit. 17). ⇒ **Frontière** (cit. 3). *Ligne séparative.* — Loc. *Ligne de démarcation** (cit. 3). Fig. ⇒ **Démarcation** (cit. 4 et 5).

Sans doute, entre les deux territoires, la ligne de démarcation n'est pas tranchée, et des contestations fréquentes s'élèvent entre les deux propriétaires. 5
TAINE, les Origines de la France contemporaine, t. I, III, p. 274.

Spécialt. Mar. *Ligne de flottaison*.* — Charpent. *Ligne de faîte*.* — Géol. *Ligne de faille** (cit. 2). — Géogr. *Ligne de faîte.* (1906, in *Rev. gén. des sc.,* n° 5, p. 246). *Ligne de partage des eaux.* — *Ligne méridienne*.* — Spécialt. *Ligne équinoxiale** (⇒ **Équateur**), et, ellipt., *la ligne. Passage de la ligne,* de l'équateur* (par mer ou par air). *« Un bâtiment coupant la ligne pour la première fois »* (→ Coup, cit. 61.16). — Loc. *Baptême* de la ligne.*

Les Hollandais (...) passèrent la ligne, et étant abordés au Brésil, s'emparèrent de Fernambouc (...) RACINE, Fragments et Notes historiques, XXXVII. 6

Cartographie. *Lignes de niveau :* sections d'une surface par différents plans horizontaux matérialisant le relief sur une carte.

Arts. *Ligne de terre :* intersection du plan d'un tableau avec le plan géométral.

Fig. *Ligne d'horizon :* ligne fictive à l'intersection du plan d'un tableau et du plan d'horizon de l'observateur. ⇒ **Horizon.**

(1858, *in* Petiot). Sports. Ligne droite. *Lignes délimitant un terrain de sport. Ligne de départ, d'arrivée.* — *Ligne de but. Ligne de réparation* (au basket-ball). *La ligne des dix-huit mètres,* au football; *des cinquante mètres,* au rugby. *Ligne d'envoi*. Ligne de touche.* — *Défense en ligne :* au football, Système de défense offensive dans lequel les quatre arrières constituent, parallèlement à la ligne médiane du terrain, une ligne mobile qui se déplace longitudinalement ou latéralement en fonction de la position du ballon et de façon à assurer un soutien permanent aux attaquants.

Il vit Rolcôte, l'inter gauche de Médoc, s'élancer comme une flèche, passer la ligne des dix-huit mètres, lever le pied pour décocher le shoot fatal (...) 6.1
René FALLET, le Triporteur, p. 381.

Ligne blanche, ligne jaune, marquant la division d'une route en deux bandes où doivent se tenir les véhicules qui vont dans un sens déterminé (à droite de la ligne). *Ligne discontinue,* que les véhicules peuvent franchir momentanément (pour dépasser, etc.). *Ligne continue,* qu'il est interdit de franchir.

(...) le mouvement des bras quand ils prenaient les tournants, très à droite, tout à fait en dedans de la ligne jaune, bien nette dans la lueur des phares (...) 6.2
Hervé BAZIN, Qui j'ose aimer, V, p. 45.

♦ **4.** Régional (Belgique). *Une impeccable ligne des cheveux,* la raie*.

♦ **5.** *Ligne de coke :* dose, prise individuelle de cocaïne (la dose de poudre étant disposée en une mince bande allongée). « *(...) à 20 ans, on encaisse, grâce à une "ligne de coke" ou à un petit coup de seringue* » (*le Nouvel Économiste*, nº 402, 29 août 1983, p. 27).

B. (Le plus souvent au plur. ou collectif). ♦ **1.** (1825). Élément d'un contour; tracé. ⇒ **Dessin, forme; délinéament.** *Le rapport des lignes et des volumes. Lignes sinueuses, droites, d'une architecture. Lignes horizontales d'un édifice* (cit. 2). *Harmonie, pureté des lignes. Tableau esquissé à grandes lignes.* ⇒ **Trait.**

7 Les belles lignes sont le fondement de toute beauté. Il est des arts où il faut qu'elles soient visibles, comme l'architecture, qui se contente de les parer. Il en est d'autres, comme la statuaire, où l'on doit les déguiser avec soin. Dans la peinture, elles sont toujours suffisamment voilées par les couleurs.
Joseph JOUBERT, Pensées, XX, XV.

Absolt. Le dessin, par oppos. à la couleur (→ Gris, cit. 20). *La ligne et la figure.*

♦ **2.** Par anal. [a] *(Une, des lignes).* Dessin* naturel (d'un objet, d'un corps). *Les crêtes* (cit. 5) *dessinent une ligne dentelée. Les longues lignes de l'Atlas* (→ Empanacher, cit. 4). ⇒ **Courbe.** *Les lignes fuyantes* (cit. 9) *de l'horizon romain. Les grandes* (cit. 13) *lignes d'un paysage* (→ Calquer, cit. 1).

8 (...) partout, ces lignes sans fin, grises ou jaunâtres, particulières aux horizons de la Sologne, de la Beauce et du Berri.
BALZAC, la Femme de trente ans, Pl., t. II, p. 736.

9 Les caps, les baies, sur lesquels ne passaient plus les ombres changeantes des nuages, dessinaient au soleil leurs grandes lignes immuables (...)
LOTI, Pêcheur d'Islande, IV, VIII.

Allus. hist. *La ligne bleue des vosges :* la ligne d'horizon que forment les sommets des Vosges, limite des territoires français occupés par l'Allemagne après 1870.

10 Je désire reposer dans la même tombe que mon père et ma sœur, en face de cette ligne bleue des Vosges, d'où monte jusqu'à mon cœur fidèle la plainte des vaincus.
Jules FERRY, Testament, *in* GUERLAC.

[b] Au plur. (En parlant d'un objet fabriqué). *Les lignes courbes d'une voiture. Les lignes raides d'un coupé* (cit. 3). ⇒ **Forme.** *Cette lampe de bureau a de belles lignes.* — Au sing. *Quelle ligne !*

[c] (En parlant du corps humain). Au plur. ⇒ **Contour, forme** (cit. 28). *Fondu* (cit. 1), *galbe* (cit. 5), *grâce, pureté des lignes. Lignes naturelles pleines et douces* (→ Comprimer, cit. 11). *Lignes harmonieuses* (cit. 10), *ondoyantes. Carrure aux lignes puissantes* (→ Énergique, cit. 5). — *Lignes d'un visage.* ⇒ **Linéament; profil** (→ Inversion, cit. 1). — Au sing. Courbe.

11 (...) cette ligne onduleuse et grasse des dos féminins qui va de la nuque aux talons, et qui montre dans le contour des épaules, dans la rondeur décroissante des cuisses et dans la légère courbe du mollet aminci jusqu'aux chevilles, toutes les modulations de la grâce humaine. MAUPASSANT, la Vie errante, La Sicile.

12 Il retrouvait avec ravissement les lignes de ce profil dont chaque trait semblait la forme charnelle d'une idée tendre.
J. ROMAINS, les Hommes de bonne volonté, t. IV, XX, p. 222.

♦ **3.** Au sing. collectif. *(La ligne).* Ensemble des lignes d'un corps, d'un objet naturel ou d'une composition; effet général produit par leur répartition et leur combinaison. *La ligne de l'architecture grecque* (cit. 5). — *Équilibre* (cit. 25) *de ligne d'un visage. Ligne serpentine**.

13 (...) la ligne suit le mouvement et fuit sans cesse; elle se perd et se retrouve, cause des joies et des désespoirs esthétiques. La belle ligne, c'est l'éclair qui blesse délicieusement les yeux. On l'admire et l'on s'étonne.
FRANCE, le Lys rouge, XXVII.

14 Les meubles en bois sombre imitaient la ligne contournée du style Régence (...)
J. GREEN, Adrienne Mesurat, I, I.

La ligne d'une toilette féminine. ⇒ **Allure** (→ Classer, cit. 2). — Mode. *La ligne cloche, tonneau, trapèze.*
Femme remarquée pour l'élégance (cit. 2) *de sa ligne.* ⇒ **Silhouette.** — Absolt. *Avoir de la ligne :* avoir des formes sveltes, élégantes. *Perdre la ligne. Suivre un régime pour garder, retrouver la ligne.*

14.1 Je te ferai une grillade. Tu fais toujours attention à ta ligne?
R. QUENEAU, Pierrot mon ami, p. 78.

C. ♦ **1.** Mus. *Ligne mélodique :* succession des sons. ⇒ **Mélodie.**

14.2 La ligne mélodique, d'une remarquable richesse d'invention se développait dans une extrême mobilité, aguichante et sensuelle, haute en couleur, d'une simplicité raffinée qui jaillissait avec naturel d'un savoir-faire parfaitement maîtrisé (...)
Herbert LE PORRIER, le Luthier de Crémone, p. 116.

♦ **2.** (Abstrait). Élément (d'un ensemble), assimilé à une ligne d'un graphisme, d'un dessin. *Dégager les lignes essentielles d'un ensemble.* ⇒ 1. **Point** (→ Fourmillement, cit. 3). — (1831). *Les grandes lignes. Les grandes lignes d'un programme politique* (→ Exotique, cit. 5). *Opinion conforme dans ses grandes lignes aux conceptions traditionnelles.* ⇒ **Gros** (en); → Indéterministe, cit. 2.

★ **II.** (1285). Direction continue dans un sens déterminé.

♦ **1.** Direction. *Suivre une ligne, ne pas changer de ligne.* — EN LIGNE (DROITE). *Se mouvoir en ligne droite* (→ Impulsion, cit. 2). *En ligne droite**, *en droite* (cit. 8) *ligne. Cent kilomètres en ligne droite,* à vol d'oiseau.

14.3 Leur imperturbable direction, c'était toujours la ligne droite, sans qu'aucun obstacle, lac ou montagne, les obligeât à la changer en ligne courbe ou brisée. Ils mettaient invariablement en pratique le premier théorème de la géométrie, et suivaient, sans se détourner, le plus court chemin d'un point à un autre.
J. VERNE, les Enfants du capitaine Grant, t. II, IX, p. 123.

Alors elle allongea son bras sec, et, m'indiquant la ligne qu'il fallait suivre, elle me donna une de ces explications compliquées, inintelligibles (...) 15
BARBEY D'AUREVILLY, l'Ensorcelée, p. 21.

Abstrait. ⇒ **Direction, voie.** *Destin qui se détourne de sa ligne première* (→ Changer, cit. 23). *S'écarter de la ligne droite* (→ Excommunier, cit. 4). *La ligne du devoir. Suivre la ligne de son intérêt* (→ Jeu, cit. 2). — *Ligne de conduite** (cit. 16). ⇒ **Règle** (→ Cause, cit. 55). *Ligne générale d'action* (→ Intention, cit. 1).

Gardez donc une attitude qui ne soit ni froide ni chaleureuse, sachez trouver cette ligne moyenne sur laquelle un homme peut demeurer sans rien compromettre. 16
BALZAC, le Lys dans la vallée, Pl., t. VIII, p. 890.

Quelle que soit la ligne politique qu'on suive (et je ne prétends point que celle d'André Chénier soit strictement la seule et la vraie), cette manière d'être et de sentir en temps de révolution, surtout quand elle est finalement confirmée et consacrée par la mort, sera toujours réputée *moralement* la plus héroïque et la plus belle, la plus digne de toutes d'être proposée aux respects des hommes. 17
SAINTE-BEUVE, Causeries du lundi, 19 mai 1851.

Il nous est si difficile, à nous, hommes politiques, même aux plus convaincus, de suivre longtemps une ligne d'action. Nous sommes tellement obligés de composer avec les circonstances (...) 18
J. ROMAINS, les Hommes de bonne volonté, t. X, XVIII, p. 207.

(1869). Ligne politique. *Dans la ligne d'un parti, d'une religion,* conformément à l'orthodoxie de ce parti, de cette religion. *Faire son autocritique* par rapport à une ligne politique.*
La ligne générale (spécialt) : la ligne d'action du parti communiste, définie d'abord par Lénine. — *La ligne du Parti.*

Le dernier des hommes est pour nous une âme immortelle et rachetée. Qu'était-il pour Staline? Et pourquoi l'eût-il ménagé si la ligne générale en exigeait l'immolation? 18.1
F. MAURIAC, Bloc-notes 1952-1957, p. 244.

♦ **2.** (1685). Ligne idéale indiquant ou suivant une direction déterminée. ⇒ **Axe.** *Ligne visuelle**. — *Ligne de mire**, *de visée,* déterminée par le guidon et le cran de mire. *Ligne de tir**. *Ligne d'action d'une mine.* ⇒ **Portée, rayon** (→ Explosion, cit. 2).

Escr. Ligne dans laquelle doivent être les épaules, le bras droit et l'épée, et qui est directement opposée à l'adversaire. — (1859, *in* Petiot). *Être en ligne. Lignes d'engagement.* ⇒ **Octave, prime, quarte, seconde, septime, sixte, tierce.** *Ligne haute, basse, dehors, dedans,* dans lesquelles se font attaques et parades.

Votre corps droit... Vos pieds sur une même ligne... La pointe de votre épée vis-à-vis de votre épaule... il est impossible que vous receviez, si vous savez détourner l'épée de votre ennemi de la ligne de votre corps (...) 19
MOLIÈRE, le Bourgeois gentilhomme, II, 2.

♦ **3.** (1839, Balzac). Trajet emprunté par un service régulier de transport en commun entre deux lieux (villes, pays). ⇒ **Voie.** *Tête** *de ligne. Une ligne très fréquentée. Sur l'ensemble, sur une partie de la ligne. La ligne Paris-Vienne.* — Service de transport desservant un trajet. *Ligne de chemin du fer électrifiée. La ligne Bruxelles-Liège, Genève-Lausanne, Paris-Vichy* (→ Horizontal, cit. 6). *Grandes lignes. Départ grandes lignes* (dans une gare). *Lignes de banlieue* (dans une grande ville). *Ligne à voie unique, à double voie.* — *Lignes du métro. Ligne aérienne, souterraine. Prendre la ligne Vincennes-Neuilly. Changer de ligne à la station* Concorde. Trafic interrompu sur la ligne nº 9.* — *Ligne d'autobus, de bus, de tramway, de trolley qui comprend huit sections**. *Ligne radiale,* allant de la périphérie au centre (d'une grande ville). *Ligne affrétée, privée. Ligne pilote* (autobus). — *Ligne de navigation. Ligne maritime. Ligne de paquebots Southampton-New York.* — *Ligne (de navigation) aérienne* (→ Avion, cit. 3). *La ligne Paris-Montréal, Londres-New York. Lignes intercontinentales.* ⇒ **Liaison.** *Nouvelle ligne mise en service par Air France. Pilote* de ligne.*

Une des lignes que les Touchard père et fils essayèrent de monopoliser, qui leur fut la plus disputée, et qu'on dispute encore aux Toulouse, leurs successeurs, est celle de Paris à Beaumont-sur-Oise, ligne étonnamment fertile, car trois entreprises l'exploitaient concurremment en 1822. 20
BALZAC, Un début dans la vie, Pl., t. I, p. 601.

On vous promet de vous faire arriver à Cassel directement et sans secousses, sauf une légère interruption d'un bout de ligne non terminé que desservent des omnibus. 21
NERVAL, Lorely, « Souvenirs de Thuringe », II.

(...) une fois le courrier en marche vers Santiago du Chili, on vivait, d'un bout à l'autre de la ligne, sous la même voûte profonde. SAINT-EXUPÉRY, Vol de nuit, VI. 22

— Elle aura su trouver, vous croyez? — Sans le moindre doute. Je lui ai bien spécifié la ligne de tram, le nom de la halte. 23
J. ROMAINS, les Hommes de bonne volonté, t. II, XX, p. 229.

Spécialt. Les voies de communication, les itinéraires utilisés pour ses liaisons ou ses déplacements par une armée en campagne. *Lignes d'opération. Lignes de retraite. Lignes de communication.*

Quant à la retraite des Russes, c'est excellent. Le Boche s'éloigne de ses bases, il allonge ses lignes de communication, il est fichu! 24
A. MAUROIS, les Silences du colonel Bramble, XV.

Vx (calque de l'angl. *rail-road*). *Ligne de fer :* les rails, la ligne d'une voie de chemin de fer (mod. : *voie ferrée*).

Tout l'horizon du nord et de l'est était couvert par cette immense courtine semi-circulaire, qui forme la portion septentrionale des Rocky-Mountains, dominées par le pic de Laramie. Entre cette courbure et la ligne de fer s'étendaient de vastes plaines, largement arrosées. Sur la droite du rail-road (...) 24.1
J. VERNE, le Tour du monde en 80 jours, p. 248.

★ **III.** (V. 1140). Concret. Ce qui est tendu (câble, corde, ficelle, fil...) dans une direction déterminée.

♦ **1.** Techn. Cordeau. *Utiliser une ligne pour tracer un sillon.*

Arbres (cit. 5) *plantés à la ligne. Sillons tracés à la ligne. — Ligne de charpentier* (⇒ **Simbleau**). *Ligne de maçon :* fil à plomb.

Mar. Cordage mince (à trois torons). *Ligne d'amarrage*, de loch*, de sonde*.*

♦ **2.** (V. 1180). Cour. Fil (soie, crin, nylon...) portant à l'une de ses extrémités un hameçon garni d'un appât ou d'un leurre. *La ligne est attachée au scion de la canne* à pêche. Bas de ligne. Enrouler une ligne sur un plioir*. Monter, casser sa ligne. Démêler* (cit. 1) *une ligne prise dans les ronces. Largeur de ligne entre canne et flotteur.* ⇒ **Bannière** (8.). — **À LA LIGNE.** *Pêcheur* (cit. 5) *à la ligne* (→ Amateur, cit. 8). *Pêche à la ligne au lancer*, à la mouche*.* ⇒ 2. **Pêche.** *Pêcher à la ligne. — Ligne flottante :* ligne plombée et munie d'un flotteur* en liège dont les mouvements indiquent les touches du poisson. *Ligne dormante*. Ligne de fond :* ligne sans flotteur qui repose au fond de l'eau (⇒ **Cordeau, cordée, traînée**). *Ligne volante,* sans flotteur ni plomb. *Ligne au vif*,* pour la pêche du brochet. *Ligne pour la pêche du maquereau.* ⇒ **Libouret, mitraillette** (2.). *Corde garnie de plusieurs lignes.* ⇒ **Aplet.**

25 (...) sur le lac de Côme l'industrie des pêcheurs place des lignes dormantes à une grande distance des bords. L'extrémité supérieure de la corde est attachée à une planchette doublée de liège, et une branche de coudrier très flexible, fichée sur cette planchette, soutient une petite sonnette qui tinte lorsque le poisson, pris à la ligne, donne des secousses à la corde. STENDHAL, la Chartreuse de Parme, II.

26 Il braconnait dans les petits ruisseaux voisins, où il y avait des anguilles superbes, et jamais il ne se couchait, sans être allé visiter ses lignes de fond.
ZOLA, la Bête humaine, p. 50.

27 Il m'enseignait à poser des lignes de fond et à prendre de grosses pièces. Pour lever ces lignes, il fallait se lever avant l'aube.
G. DUHAMEL, Inventaire de l'abîme, XII.

Par ext. Engin de pêche comprenant la gaule* et la *ligne* proprement dite. *Laisser ses lignes au bord de l'eau. Le fil de la ligne* (→ Effarouchement, cit.).

♦ **3.** Système de fils ou de câbles qui conduisent le courant électrique. *Ligne électrique. Ligne à haute tension. Ligne d'alimentation :* ligne transportant l'énergie électrique et reliant directement un générateur au réseau de distribution. *Ligne (électrique) aérienne, souterraine.* — Spécialt. Ligne électrique assurant des communications par télégraphe ou téléphone. *Ligne télégraphique. Installation d'une ligne téléphonique.* — Absolt. Ligne téléphonique considérée abstraitement, relativement à son fonctionnement. *Ligne occupée. Ligne en dérangement. Lignes interurbaines* (cit. 8). *Il y a de la friture sur la ligne.* — Loc. *En ligne. Être en ligne :* occuper une ligne. *Le directeur commercial est en ligne avec New York.*

28 — Téléphonez. — Nous avons essayé : la ligne est coupée.
SAINT-EXUPÉRY, Vol de nuit, XIII.

29 Tenez, appelez-moi au téléphone, pendant la Commission... — Bon. Je vous dirai ça en termes un peu voilés... pour le cas où il y aurait quelqu'un sur la ligne.
J. ROMAINS, les Hommes de bonne volonté, t. X, VIII, p. 114.

★ **IV.** Suite, série de personnes ou d'objets disposés dans une même direction.

A. ♦ **1.** Suite alignée de choses, de personnes placées côte à côte (surtout dans *en ligne, sur une ligne...*). *Arbres plantés en ligne le long d'une allée bornoyée*.* ⇒ **Aligner; alignement.** *Ligne de peupliers.* ⇒ **Rideau.** *Ligne de jours Venise.* ⇒ **Bordure, rangée.** *Personnes rangées sur une ligne* (⇒ **Brochette,** plais.), *sur plusieurs lignes.* ⇒ **File** (cit. 6). *Troupes qui se mettent en ligne sur deux rangs** (opposé à *colonne*).

30 (...) les fouets, les étriers, les gourmettes rangés en ligne tout le long de la muraille.
FLAUBERT, Mme Bovary, I, VIII.

Fig. *Mettre plusieurs personnes, plusieurs choses sur la même ligne.* ⇒ **Niveau, plan, rang** (→ Énumérer, cit. 2).
HORS LIGNE : supérieur. *Écrivain, talent hors ligne,* d'un ordre supérieur, hors de pair*. ⇒ **Exceptionnel, extraordinaire, supérieur.**

31 (...) un talent hors ligne et qui n'a besoin d'aucune aide (...)
A. DE MUSSET, Salon de 1836, III.

32 Mousseret est animé d'un zèle non douteux et son intelligence hors ligne le désigne pour un poste élevé. COURTELINE, Messieurs les ronds-de-cuir, 4e tableau, II.

♦ **2.** (1640). **a** Milit. et cour. Série alignée (d'ouvrages ou de positions militaires). *Ligne de bastions* (cit. 1), *de fortifications* (cit. 3). *Triple ligne de places fortes* (cit. 13). ⇒ **Cordon.** — *Ligne de circonvallation*, de défense*. Ligne intérieure de défense.* ⇒ **Bretelle** (II., 1.). — Absolt. Série d'ouvrages permanents ou temporaires servant à couvrir des troupes, à empêcher les approches d'une place. ⇒ **Retranchement.** *La ligne Maginot* (→ Passer, cit. 21); *la ligne Siegfried. Se replier sur ses lignes.* ⇒ **Base.**

33 Les Allemands préparent des lignes de défense à la base du cap Bon où ils s'apprêtent à se retirer et à résister le temps qu'il faudra (...)
GIDE, Journal, 26 mars 1943.

34 (...) il nous faudrait tout de même attaquer l'Allemagne. Alors? Par où? Dans l'Est, il y a la ligne Siegfried, nous nous casserions le nez.
SARTRE, le Sursis, p. 91.

34.1 Donnant l'exemple, l'armée française se disait défensive et, pour le prouver, se mettait à l'abri de la ligne Maginot. Personne donc n'attaquait personne.
Raymond ABELLIO, Ma dernière mémoire, t. II, p. 60.

b (1662). Suite d'unités militaires placées sur la même ligne et faisant face au même côté. *Première, seconde ligne. Soldat envoyé en première ligne* (→ Inhumain, cit. 1). « *La première ligne fut surprise et culbutée* » (→ Couper, cit. 34, Ségur). *La première ligne se replia sur la seconde* (→ Déroute, cit. 2). *Rompre les lignes* (→ Frapper, cit. 16).

À la bataille des dunes, il commandait la seconde ligne de l'aile gauche. 35
RACINE, Fragments et Notes historiques, IX.

(...) la première ligne russe, ayant « perdu beaucoup de monde », se repliait « dans 36
un grand désordre », sur la seconde qu'elle entraînait dans son repli vers Eylau.
Louis MADELIN, Hist. du Consulat et de l'Empire, Vers l'Empire d'Occident, XX.

À présent qu'ils ont perdu la guerre, tout le monde va leur tomber dessus; mais 37
je les ai vus en première ligne et je t'assure qu'ils ont fait tout ce qu'ils ont pu.
SARTRE, la Mort dans l'âme, p. 61.

Cavalerie, infanterie de ligne, et, absolt (vx), *la ligne :* les régiments d'infanterie appelés à combattre en ligne. ⇒ **Lignard.**

Par anal. *Ligne de douanes :* suite de postes de douanes. — *Chœur* (cit. 10) *qui se forme en ligne.* — (1901, *in* Petiot). Sports. *Ligne d'avants d'une équipe* (cit. 8) *de football. Ligne d'attaque*, ligne de défense*.* — (1961, *in* Petiot). Par ext. Le joueur. *Un troisième ligne. Jouer troisième ligne dans une équipe de rugby.*

c Par métonymie. Ensemble des positions occupées face à l'ennemi par une armée au combat. ⇒ **Front** (→ Guetter, cit. 5). *Monter en ligne. — Ligne de bataille, de contact, de feu.*

Au même signal, sur toute la ligne, nos pièces s'étaient mises à tirer (...) 38
R. DORGELÈS, les Croix de bois, III.

(...) il se rapprocha du champ de bataille. Une brigade de renfort montait en 39
ligne (...) A. MAUROIS, les Silences du colonel Bramble, XV.

d Fig. *Mettre qqn ou qqch. en première ligne.* ⇒ **Rang.** *Cela ne vient qu'en seconde ligne.* ⇒ **Ordre** (→ Fondamental, cit. 1).

Fig. *Avoir raison, être battu sur toute la ligne,* complètement, tout à fait.

Mais dans l'ensemble, l'infection reculait sur toute la ligne et les communiqués de 40
la préfecture (...) finirent par confirmer, dans l'esprit du public, la conviction que la victoire était acquise et que la maladie abandonnait ses positions.
CAMUS, la Peste, p. 291.

♦ **3.** Mar. Formation de bâtiments de guerre marchant les uns derrière les autres *(ligne de file)* ou à côté les uns des autres *(ligne de front*).* — Loc. *Bâtiments* de ligne,* appelés à combattre en ligne, en escadre. — *Les anciens vaisseaux de ligne.*

♦ **4.** Inform. *En ligne :* connecté à une unité centrale, à un ordinateur central. *Unité, calculateur en ligne.*

B. (Signes graphiques). ♦ **1.** (XIIIe). Suite de caractères manuscrits ou imprimés disposés sur une ligne droite horizontale dans une page. *Une page de cinquante lignes. Lignes qui chevauchent* (cit. 4). *Trois lignes plus bas, plus haut. Insérer des gloses* (cit. 4) *entre les lignes. Intervalle entre deux lignes.* ⇒ **Interligne.** *Allez, revenez à la ligne* (⇒ **Alinéa**) et, ellipt. (en dictant), *à la ligne. Point, à la ligne* (→ 1. Point, cit. 77.2). — Typogr. *Ligne mal justifiée** (cit. 18). *Ligne creuse,* qui n'occupe pas toute la justification. *Un bourreur* de lignes :* un typographe rapide. *Ligne-bloc*.*

Sur la marge de l'un d'eux *(de ces billets annotés par Richelieu)* étaient ces mots : 41
Sur quatre lignes de l'écriture d'un homme on peut lui faire un procès criminel. A. DE VIGNY, Cinq-Mars, XXIV.

Une mouche sur le papier à pas menus 42
Parcourt mes lignes inégales APOLLINAIRE, Alcools, p. 153.

(La poésie) consiste à passer à la ligne avant la fin d'une phrase. 43
GIDE, *in* Julien BENDA, La France byzantine, p. 59.

Les lignes qui suivaient étaient difficilement lisibles (...) CAMUS, la Peste, p. 298. 44

Loc. *Être payé à la ligne* (⇒ **Lignard,** 3.), *à la ligne ou à la page* (⇒ **Pige**). — *Tirer à la ligne :* allonger un texte.

Spécialt (au plur.). Lignes d'un texte à copier par un écolier, à titre de pensum. *Vous me ferez cinquante lignes.*

Inform. Impression horizontale d'une information (par une imprimante, un télétype).

Loc. *Il s'interrompait à chaque ligne,* à chaque instant de la lecture. *Il y a des fautes à chaque ligne, à toutes les lignes,* partout.

Par ext. Les mots, le texte d'une ligne. *Il écrivit* (cit. 7) *ces lignes, quelques lignes* (→ 1. Page, cit. 2). *Lire dix lignes de Bossuet* (→ Captivant, cit. 8). *Citer quelques lignes d'un auteur* (→ Humer, cit. 10). *Lire un journal* (cit. 10) *de la première à la dernière ligne. Mettre la dernière ligne à un devoir* (2. Devoir, cit. 30) *de classe.*

(...) il *(Louis XIV)* trace six lignes, et les envoie à son ambassadeur à La Haye. 45
RACINE, Disc. à l'Acad. pour la réception de Thomas Corneille.

Au bas de la lettre, Balzac avait tracé ces mots : 46
« Je ne puis plus ni lire, ni écrire. »
Nous avons gardé comme une relique cette ligne sinistre, la dernière probablement qu'écrivit l'auteur de la *Comédie humaine* (...)
Th. GAUTIER, Portraits contemporains, Balzac, VI.

Je suis satisfait quand je referme un livre en emportant le souvenir d'une ligne 47
qui m'ait fait penser. Pierre LOUŸS, Aphrodite, III, II.

Par exagér. (fam.). *Un billet de deux lignes :* un billet très court (→ Bulletin, cit. 2).

Loc. fig. *Lire entre les lignes :* deviner* ce qui est sous-entendu dans une lettre, un écrit (→ Avertir, cit. 24).

(...) madame de La Fayette aurait eu garde de tout dire; mais son art est si fin 48
qu'il laisse apercevoir entre les lignes bien des choses (...)
Émile HENRIOT, Portraits de femmes, p. 104.

♦ **2.** [a] (1611). Comptab. (Vx). **Ligne de compte** : « les articles qu'on couche dans un compte » (Furetière). — Loc. fig. (1570). Mod. *Mettre, faire entrer* une chose en ligne de compte,* la prendre en considération, lui accorder de l'importance. *Vos griefs personnels ne doivent pas entrer en ligne de compte.* ⇒ **Compter.**

[b] Fin. *Ligne de crédit*, ligne d'escompte :* facilités de crédit, d'escompte accordées à quelqu'un.

C. Télév. Bande (quasi horizontale) d'un écran de télévision qui est balayée au cours de l'analyse de l'image. *La définition de l'image est donnée en lignes qui correspondent à la finesse d'analyse. « Suivant le standard à 819 lignes* (on compte) *737 lignes dites " actives "* » (P. Grivet, et P. Herreng, *la Télévision,* p. 25). ⇒ **Linéature; définition.**

D. (1080, *lign,* n. m.). Généalogie et dr. Ligne formée par la suite des degrés* (cit. 4) de parenté. ⇒ **Famille, parenté.** *Ligne directe ascendante* (⇒ **Ascendance**), *ou descendante** (⇒ **Descendance, lignée**). *Hériter* (cit. 11) *en ligne directe, en droite ligne.* ⇒ **Linéal** (succession linéale). *Descendre* en droite ligne d'un Franc* (1. Franc, cit. 2). ⇒ **Filiation.** — *Ligne collatérale*. Degrés* (cit. 5) *de la ligne collatérale. — Ligne maternelle, ligne paternelle. Frères* (cit. 1) *germains, parents par les deux lignes.* ⇒ **Côté.** *Dévolution* (cit. 1) *d'une ligne à l'autre. La ligne comprend également, à titre d'alliés* (cit. 1), *les conjoints des parents.*

49 La suite des degrés forme la ligne ; on appelle *ligne directe* la suite des degrés entre personnes qui descendent l'une de l'autre ; *ligne collatérale,* la suite des degrés entre personnes qui ne descendent pas les unes des autres, mais qui descendent d'un auteur commun. Code civil, art. 736.

50 De chaque côté du lit se tenaient les enfants et les plus proches parents des époux, chaque ligne gardant son côté, les parents de la femme à gauche, ceux du défunt à droite. Balzac, le Médecin de campagne, Pl., t. VIII, p. 382.

E. Techn., comm. Ensemble cohérent de produits (d'abord en parfumerie) conçus pour un même type d'utilisateurs. *Une ligne complète de produits.*

★ **V.** ♦ **1.** (1289). Vx. Ancienne mesure de longueur, douzième partie du pouce*. Loc. *Ne pas perdre une ligne, ne pas s'écarter d'une ligne.*

51 (...) et puisse la malédiction et la damnation tomber sur moi, si je m'écarte d'une ligne de la sincérité la plus parfaite, soit à droite, soit à gauche. J.-A. de Gobineau, Nouvelles asiatiques, p. 151.

52 *(Il)* traversait le chœur, seul, sans perdre une ligne de sa haute taille. Renan, Souvenirs d'enfance..., I, iii.

♦ **2.** Mod. (Canada). Mesure de longueur, huitième partie du pouce (3,175 mm).

DÉR. 1. **Lignage,** 2. **lignage, lignard, lignée, ligner, lignerolle, lignette.**
COMP. **Aligner, enligner, forligner, souligner.** — **Curviligne, rectiligne.** — **Interligne, mixtiligne.** — **Tire-lignes.** — **Ligne-bloc, lignomètre.**

LIGNE-BLOC [liɲblɔk] n. f. — 1953 ; de *ligne* (IV., 4.), et *bloc.*

♦ Techn. (typogr.). Ligne fondue en un seul bloc par la linotype*. *Des lignes-blocs.*

(...) un jet de métal fondu est envoyé dans le moule que forme l'ensemble des matrices, et l'on obtient une *ligne-bloc.* Les lignes-blocs tombent, les unes à la suite des autres, dans une *galée,* d'où elles sont emportées sur le *marbre* pour la mise en pages. Philippe Gaillard, Technique du journalisme, p. 95.

LIGNÉE [liɲe] n. f. — Déb. xiie ; de *ligne.*

♦ **1.** (Opposé à *lignage*). Ensemble des descendants (d'une personne). ⇒ **Descendance, famille, filiation.** *Mourir sans laisser de lignée.* ⇒ **Enfant, postérité.** *Avoir une lignée, faire lignée.* ⇒ **Souche** (faire), **tige.** *L'épanouissement d'une lignée* (→ Arbre, cit. 47). ⇒ **Race.** *La lignée des O'Neilly* (→ Complexion, cit. 2, Sainte-Beuve).

1 Un père eut pour toute lignée
Un fils qu'il aima trop, jusques à consulter
Sur le sort de sa géniture
Les diseurs de bonne aventure. La Fontaine, Fables, viii, 16.

2 (...) vous êtes assez vert-galant pour avoir une belle lignée, dit la comtesse à l'oreille de ce vieillard qui avait servi sous sept rois de France. Balzac, l'Enfant maudit, Pl., t. IX, p. 749.

3 (...) la *lignée* n'est autre chose que la postérité, mais la postérité formant une chaîne, susceptible de se rompre ou de se continuer. Lafaye, Dict. des synonymes, Race, Sang...

4 On pouvait suivre les traces de la famille jusqu'au seizième siècle, dans la ville et aux environs : car il y avait naturellement un grand-oncle, dont la vie fut consacrée à dresser la généalogie de cette lignée d'obscures et laborieuses petites gens : paysans, fermiers, artisans de village, puis clercs, notaires de campagne (...) R. Rolland, Jean-Christophe, Antoinette, p. 830.

Ethnol. Ensemble des descendants d'un ancêtre commun (la règle de filiation et la ligne — directe ou collatérale — dans laquelle la parenté est établie, sont indifférentes).

Par analogie (en parlant des animaux ; → Femelle, cit. 4) :

5 Si petits *(des chatons),* et déjà pourvus des signes éclatants qui proclament la pureté d'une lignée sans mésalliance! Colette, la Paix chez les bêtes, La mère chatte.

(1907, in *Rev. gén. des sc.,* no 6, p. 245). Biol. Succession des êtres descendant d'un individu (animaux et plantes). *Lignée pure,* dont tous les individus ont le même patrimoine génétique.

♦ **2.** Fig. Filiation spirituelle.

François Mauriac est un grand prosateur français qui a sa place, l'une des premières, dans la lignée Chateaubriand-Barrès (...) 6
A. Maurois, Études littéraires, F. Mauriac.

(...) il *(Flaubert)* prend sa place exacte dans une lignée illustre (...) 7
G. Duhamel, Refuges de la lecture, vi.

HOM. Formes du v. **ligner.**

LIGNER [liɲe] v. tr. — 1530 ; « lancer », xiie ; de *ligne.*

♦ **1.** Marquer de lignes, de raies parallèles. *Ligner des feuilles.* — Au p. p. *Papier ligné.* — Techn. Marquer d'une ligne, ou de lignes parallèles (une pierre, un bloc de bois), au moyen d'un fil frotté de craie.

♦ **2.** Vén. Couvrir* la femelle, en parlant du loup.

DÉR. (De 1.) 3. **Lignage.**
HOM. V. **Lignée.**

LIGNEROLLE [liɲʀɔl] n. f. — 1773 ; de *ligne.*

♦ Mar. Petit filin en fil de caret.

LIGNETTE [liɲɛt] n. f. — 1723 ; « petite ligne », 1262 ; de *ligne.*

♦ Techn. (pêche). Ficelle* mince pour filets de pêche.

LIGNEUL [liɲœl] n. m. — xiiie ; d'un lat. pop. **lineolum* « ficelle », dér. de *linea* « fil, ficelle ».

♦ Techn. Gros fil enduit de poix dont se servent les cordonniers et les bourreliers pour coudre les cuirs.

J'étais là, tous les soirs, autour de l'établi, et, quand on ne battait pas le cuir sur la pierre, quand on ne clouait pas les semelles, quand on cousait à grandes brassées de ligneul, avec, seulement, le bruit du fil poissé qui grinçait comme un vol de mouches, j'interrogeais. J. Giono, Présentation de Pan, *in* Œ. roman., t. I, Pl., p. 757.

LIGNEUX, EUSE [liɲø, øz] adj. — 1505 ; lat. *lignosus,* de *lignum* « bois ».

♦ **1.** Bot. Qui est de la nature du bois. *Tissu ligneux :* substance compacte et fibreuse de la racine, de la tige* et des branches de certains végétaux (⇒ **Bois**). *Vaisseaux ligneux groupés en faisceaux. Fibres ligneuses,* ou *fibres du bois* (par oppos. à *fibres libériennes*). *Plantes ligneuses,* à tiges ligneuses (par oppos. à *herbacées*). ⇒ **Arbre, arbrisseau, arbuste.**

À la fourche d'un arbre où trois branches de moyenne grosseur nouaient leurs fibres ligneuses (...) L. Pergaud, De Goupil à Margot, p. 96.

N. m. (Vieilli). ⇒ **Lignine.**

♦ **2.** (xxe ; *in* Garnier-Delamare, 1938). Méd. Qui a la consistance du bois. *Ganglion, phlegmon ligneux* (→ Grossir, cit. 2).

♦ **3.** Fig. et littér. Qui a l'aspect du bois. *Une « main ligneuse »* (Giono, *in* T. L. F.).

LIGN-, LIGNI-, LIGNO- Premier élément de mots didactiques, du lat. *lignum* « bois ». Voir à l'ordre alphabétique ; cf. aussi *ligniforme* (*in* Littré), *lignivore* (1805, Cuvier).

LIGNICOLE [liɲikɔl] adj. — 1840-1842, Académie ; de *ligni-,* et suff. *-cole.*

♦ Zool. Qui habite dans le bois. *Insecte, ver lignicole.*

LIGNIFICATION [liɲifikasjɔ̃] n. f. — 1840-1842, Académie ; de *se lignifier.*

♦ Bot. Modification de la membrane cellulaire par association de la lignine* à la cellulose (ligno-cellulose).

LIGNIFIER (SE) [liɲifje] v. pron. — 1699 ; du lat. *lignum* « bois », et suff. *-fier.*

♦ Bot. Se convertir en bois, prendre la consistance du bois. *Pousse, rejet qui commence à se lignifier.*

▶ **LIGNIFIÉ, ÉE** p. p. adj. *Tissus lignifiés,* qui se sont lignifiés. *Rameau herbacé ou lignifié.*

DÉR. **Lignification.**

LIGNINE [liɲin] n. f. — 1813, de Candolle ; du lat. *lignum* « bois », et suff. *-ine.*

♦ Chim. Substance chimique s'apparentant aux *glucosides* et au *phénol,* qui imprime les éléments ligneux et donne au bois sa consistance.

LIGNITE [liɲit] n. m. — 1765; du lat. *lignum* «bois», et suff. *-ite.*

♦ Roche combustible contenant de 50 à 75% de carbone, de couleur noire, de densité plus faible que le charbon*, provenant de la décomposition des végétaux (→ Houille, cit. 3). *Briquettes de lignite. Le lignite est de couleur noire; il brûle en produisant plus de produits volatils que le charbon. Le jais*, variété de lignite.*

Les végétaux qui les constituent *(les lignites)* sont tantôt réduits à l'état de menus fragments, tantôt couchés à plat et comprimés, tantôt à peu près intacts et conservés dans leur position droite primitive (...) Le bois a fréquemment conservé intacte sa structure (...) Émile HAUG, Traité de géologie, t. I, p. 130.

REM. On trouve le mot employé, à tort, au féminin.

DÉR. **Ligniteux.**

LIGNITEUX, EUSE [liɲitø, øz] adj. — Mil. XXe; de *lignite.*

♦ Techn. Se dit des combustibles minéraux analogues au lignite et provenant surtout de débris de gymnospermes. *Combustibles ligniteux.*

LIGNO- ⇒ **Lign-.**

LIGNOCAÏNE [liɲɔkain] n. f. — XXe; pour *lignococaïne* (→ Novocaïne), de *ligno-,* et *(co)caïne.*

♦ Didact. «Anesthésique local utilisé, en art dentaire, pour l'anesthésie de surface, d'infiltration ou tronculaire» (*Dict. odonto-stomatologique,* Suppl. du 16 nov. 1867). — Syn. : *xylocaïne* (du grec *xulon* «bois»).

LIGNOMÈTRE [liɲɔmɛtʀ] n. m. — 1906, in *Petit Larousse;* de *ligne,* et suff. *-mètre.*

♦ Typogr. Règle* qui sert à compter les lignes d'un texte. *Anciens lignomètres en bois dur, de section triangulaire ou quadrangulaire, utilisés naguère en typographie. Lignomètres en plastique transparent utilisés en photocomposition. Lignomètre gradué en points Didot, en points Pica.*

LIGOT [ligo] n. m. — 1752; signifie «lien» dans des dialectes; cf. l'ancien sens argotique «jarretière», en 1596; du provençal et gascon *ligot,* de *liga* «lier», du lat. *ligare.*

★ **I.** Techn. Petit fagot de bûchettes enduites de résine, servant d'allume-feu*.

Il fit quelques pas et s'arrêta devant un marchand de charbon où des sacs cylindriques de charbon de bois s'empilaient près des allume-feu, ces ligots à l'extrémité orangée cernés dans du fil de fer. R. SABATIER, les Fillettes chantantes, p. 156.

★ **II.** Argot anc. Ficelle, corde; spécialt, corde dont se servaient les policiers pour *ligoter.* — Var. : *ligote,* n. f. (→ Ligoter).

LIGOTAGE [ligɔtaʒ] n. m. — 1879, *in* Rigaud; de *ligoter.*

♦ Action de ligoter; son résultat. *Un ligotage serré.*

LIGOTER [ligɔte] v. tr. — 1600, *ligoter la vigne; ligoter qqn,* en argot, 1837; de l'argot *ligote* «corde», repris de l'anc. franç. (1180), p.-ê. par le gascon ou le provençal *ligot* «lien» (→ Ligot); du lat. *ligare* «lier».

♦ **1.** Attacher (qqn) avec une corde, de sorte qu'il ne puisse pas bouger, en privant de l'usage des bras et des jambes. ⇒ **Ficeler, lier.** *Ligoter un prisonnier. On l'avait ligoté sur, à une chaise.* — Au p. p. *Ligoté et baillonné*.*

1 (...) les vrilles de la vigne poussèrent si dru, cette nuit-là, que le rossignol s'éveilla ligoté, les pattes empêtrées de liens fourchus, les ailes impuissantes (...) COLETTE, les Vrilles de la vigne, p. 10.

(Sujet n. du lien). *La corde qui le ligotait n'était pas très serrée, il a pu se dégager.*

(Sujet n. de chose). Serrer étroitement dans des liens. ⇒ **Enserrer.** *Plantes, lianes qui ligotent les branches d'un arbre* (→ Envelopper, cit. 19).

♦ **2.** Par métaphore ou fig. Priver (qqn) de sa liberté, de son indépendance. ⇒ **Enchaîner, garrotter** (→ Étiquette, cit. 9). — Par ext. *Ligoter les mouvements, les sentiments de qqn.*

2 Nietzsche, près de se laisser séduire et ligoter au mariage par la belle Lou Salomé, s'étant cabré et retiré devant le péril, parle dans une lettre de l' «égoïsme sacré» qui selon lui doit protéger l'artiste à la personnalité menacée dans son indispensable indépendance. Émile HENRIOT, les Romantiques, p. 192.

▶ **LIGOTÉ, ÉE** p. p. adj. Voir à l'article, ci-dessus.

DÉR. **Ligotage.**

HOM. Il existe un hom. argotique signifiant «lire».

LIGROÏNE [ligʀɔin] n. f. — 1873, P. Larousse; orig. obscure.

♦ Chim. Éther* de pétrole.

LIGUE [lig] n. f. — Déb. XIVe; ital. *liga,* du lat. *ligare* «lier».

♦ **1.** Alliance durable entre plusieurs États, plusieurs souverains, pour défendre des intérêts communs, poursuivre une politique concertée. ⇒ **Alliance** (cit. 6), **coalition, confédération, union.** *Ligue armée, défensive, offensive. Former une ligue. Ligue hanséatique* (→ 1. Hanse, cit.). *Ligue d'Augsbourg. Ligue de neutralité armée. La Ligue arabe.*

(...) signer un traité de ligue offensive et défensive (...) 1
RACINE, les Campagnes de Louis XIV.

(...) non seulement l'Angleterre n'eut pas d'alliés, mais les peuples, menacés par 2
son avidité et las de sa tyrannie navale, se rangèrent de notre côté, comme l'Espagne et la Hollande, tandis que les autres, sur l'initiative de la Russie, formaient une ligue des neutres, ligue armée, décidée à imposer aux Anglais la liberté de leur navigation. J. BAINVILLE, Hist. de France, XV, p. 306.

♦ **2.** (XVe). Par anal. Association formée à l'intérieur d'un État pour défendre certains intérêts politiques, religieux. ⇒ **Brigue, cabale, complot, conjuration, conspiration, faction, front, parti** (→ Braver, cit. 2; intrigue, cit. 4). *Ligue du Bien public :* conjuration nobiliaire contre Louis XI (→ Hasard, cit. 5). — Loc. Vx. *Faire ligue avec qqn.* ⇒ **Liguer** (se).

Hist. *La Sainte-Ligue,* ou, absolt (1598, l'Estoile), *la Ligue :* mouvement révolutionnaire catholique pendant les guerres de religion pour combattre les protestants (→ 2. Feu, cit. 3; 1. fort, cit. 37; front, cit. 8). *Les troubles de la Ligue.*

La Ligue est donc en premier lieu une vaste confrérie de catholiques français réso- 3
lus à «rétablir la loi de Dieu» et à combattre la Réforme. C'est ensuite une nouvelle ligue du Bien public, qui, sous le couvert de la religion catholique, réédite le programme protestant des revendications nobiliaires (...) LAVISSE et RAMBAUD, hist. générale du IVe s. à nos jours, t. V, p. 152.

Loc. prov. Anciennt (par allus. à *la Sainte-Ligue*). *Crier « vive le roi, vive la Ligue » :* être opportuniste.

Le sage dit, selon les gens : 4
Vive le Roi! vive la Ligue! LA FONTAINE, Fables, II, 5.

Par ext. Réunion secrète de personnes qui se liguent. ⇒ 2. **Bande, cabale, complot.**

(...) leurs ligues offensives et défensives *(des auteurs),* aussi bien que leurs guer- 5
res d'esprit, et leurs combats de prose et de vers. MOLIÈRE, Critique de l'École des femmes, VI.

Ils tâchaient de les engager à me quitter, leur promettant un regrat de sel, un 6
bureau de tabac, et je ne sais quoi encore, par le crédit de madame d'Épinay. Ils voulurent même entraîner Duclos, ainsi que d'Holbach, dans leur ligue (...) ROUSSEAU, les Confessions, VIII.

Fig. *La ligue des passions, des amours-propres* (→ Enrôler, cit. 5), *des sottises* (→ Couvercle, cit. 2).

♦ **3.** (1863). Association, groupement qui se propose des buts moraux, humanitaires, politiques, économiques (dans des dénominations). ⇒ **Association, groupement, fédération.** *Ligue du Bien public* (1863). *Ligue contre le cancer, les taudis. Ligue antialcoolique. Ligues sportives. — Ligue de l'enseignement. Ligue pour la défense des droits de l'homme et du citoyen. Ligue des droits de l'homme. Ligue des patriotes. Ligue contre racisme et l'antisémitisme (LICRA).*

Les ligues patriotes sont ainsi encombrées de fonctionnaires militaires ou civils, 7
auxquels des journalistes roublards proposent chaque matin de sauver la France. BERNANOS, les Grands Cimetières sous la lune, p. 311.

Conséquente avec elle-même, la majorité du bureau de la IIIe Internationale refusa 8
de favoriser la lutte armée sur le territoire africain; par contre, elle utilisa les révolutionnaires noirs dans des organisations totalement dévouées au Komintern; les meilleurs d'entre eux devenaient membres du parti communiste soviétique. Ils encadraient ensuite des organisations dont le travail révolutionnaire s'étendait jusqu'aux Caraïbes et aux États-Unis. Leurs noms : *Ligue contre l'impérialisme, Ligue pour la défense de la race noire, Ligue pour la libération de l'Orient.* Jean ZIEGLER, Main basse sur l'Afrique, p. 44.

Association, fédération (pour la défense d'intérêts, d'objectifs variés). *Ligue de consommateurs, d'acheteurs. Ligue antialcoolique. — « Ils forment une espèce de ligue contre vous tous les trois »* (M. Butor, *in* T.L.F.).

♦ **4.** Fig. Coalition. *Une ligue d'intérêts, de passions « Une ligue de toutes les sottises »* (Renan, *in* T.L.F.).

DÉR. **Liguer.**

LIGUER [lige] v. tr. — 1564; de *ligue.*

♦ **1.** Rare. Unir* dans une ligue. ⇒ **Allier, associer, coaliser.** *Liguer les Grecs (contre Troie). Liguer divers partis.*

Il n'eut pas de peine à liguer petit à petit l'Europe contre la France. 1
VOLTAIRE, le Siècle de Louis XIV, XV.

♦ **2.** Par ext. Compl. n. de personne. *Liguer... contre :* associer dans un mouvement, dans une action. *Liguer les mécontents contre qqn, contre qqch.* ⇒ **Ameuter.** *Liguer les enfants contre leur père.*

2 Il en venait donc à douter s'il n'avait pas fait un pas de clerc en emmenant avec lui ces deux êtres qu'il n'avait réunis, semblait-il, que pour les liguer contre lui.
GIDE, les Faux-monnayeurs, II, III.

▶ **SE LIGUER** v. pron.

♦ **1.** (Récipr.). Former une ligue (→ Assurer, cit. 51; 1. bon, cit. 68). *À l'instigation de Mazarin, les princes allemands, les rois de Suède et du Danemark se liguèrent contre l'empereur d'Allemagne.*
Les mécontents s'étaient ligués. Toute la ville s'est liguée contre lui. ⇒ **Coaliser** (se), **comploter, conjurer** (se).

3 (...) sainte Thérèse était la bonté même, mais lorsque (...) elle parle des nonnes qui se liguent pour discuter les volontés de leur mère, elle se décèle inexorable (...)
HUYSMANS, En route, I, VIII.

Fig. Se réunir, s'unir (contre...).

4 À certaines heures de notre vie, tout en nous, et même le meilleur, se ligue contre Dieu. À d'autres moments, au contraire, Il se sert de notre misère pour nous attirer dans ses voies.
F. MAURIAC, la Vie de Jean Racine, VIII.

5 Cette collusion de la technique et du mysticisme social se liguant contre la culture (...) contredit directement l'ancienne conception, grecque et chrétienne, de l'individu considéré comme unité spirituelle indépendante.
André SIEGFRIED, l'Âme des peuples, Conclusion, IV.

♦ **2.** (Réfl.). S'associer avec qqn (contre qqn, qqch.). *Se liguer avec un régime, un État pour en attaquer un autre. Il s'est ligué avec ma famille pour me convaincre.*

▶ **LIGUÉ, ÉE** p. p. et adj. *Conjurés ligués (contre...). Avoir tout le monde ligué contre soi.*

6 (...) une communication d'être à être qui rend *(dans la révolte)* les hommes ressemblants et ligués.
CAMUS, l'Homme révolté, p. 347.

CONTR. Désunir, dissocier.
DÉR. Ligueur.

LIGUEUR, EUSE [ligœʀ, øz] n. — 1585; *ligueux*, 1591, *in* D. D. L.; de *liguer* (ou *ligue*), et *-eur.*

♦ **1.** (1586). Hist. Partisan de la Sainte-Ligue*, pendant les guerres de religion.

1 La conversion religieuse du roi rendit facile la conversion politique des ligueurs sincères.
LAVISSE et RAMBAUD, Hist. générale du IVe s. à nos jours, t. V, p. 275.

♦ **2.** (1900, Barrès, *in* T. L. F.). Qui fait partie d'une ligue politique, qui prend part à une sédition. ⇒ **Conjuré, factieux** (→ Ameuter, cit. 2). — S'est dit des membres de certaines ligues politiques (en particulier d'extrême-droite, et hostiles au pouvoir).

2 Il assure à Gurau que parmi les hommes politiques, il est un de ceux que les Ligueurs et Camelots considèrent avec le moins d'hostilité.
J. ROMAINS, les Hommes de bonne volonté, t. X, IV, p. 43.

Adj. *Gentilhomme ligueur.*

3 (...) on voit véritablement dans ce pays trop de moines ligueurs (...)
WALDECK-ROUSSEAU, Disc. à la Chambre des députés, 11 avr. 1900.

LIGULACÉ, ÉE [ligylase] adj. et n. f. ⇒ Ligulé.

LIGULE [ligyl] n. f. — 1562; empr. au lat. *ligula*, var. de *lingula*, diminutif de *lingua* «languette*». → Langue.

♦ Bot. Petite lame* membraneuse saillante de la feuille des graminées, au point de réunion du limbe et de la gaine.

DÉR. Ligulé.
COMP. Liguliflore, liguliforme.

LIGULÉ, ÉE [ligyle] adj. — 1783; de *ligule.*

♦ **1.** Bot. Pourvu d'une ligule. *Feuille ligulée. Corolle ligulée* (ou *ligulacée*).

♦ **2.** En forme de languette.

LIGULIFLORE [ligyliflɔʀ] adj. et n. f. — 1842; de *ligule*, et suff. *-flore.*

♦ Bot. Se dit des plantes de la famille des *Composées* dont les fleurs présentent une corolle ligulée. *Principales Composées liguliflores :* chicorée, laiteron, laitue, pissenlit, salsifis, scorsonère.
N. f. *Les liguliflores.* — Au sing. *Une liguliflore.*

CONTR. Tubuliflore.

LIGULIFORME [ligylifɔʀm] adj. — 1873; de *ligule*, et suff. *-forme.*

♦ Allongé en forme de ligule.

LIGULINE [ligylin] n. f. — 1931, *in* Larousse; du lat. *ligu(strum)* «troëne», et suff. d'après *aniline.*

♦ Chim. Matière colorante rouge extraite des baies du troëne (réactif).

LIGURE [ligyʀ] n. m. — 1831, Michelet, comme n.; lat. *Ligur, Liguris.*

♦ Nom d'un peuple d'origine incertaine qui, après avoir envahi l'Europe occidentale à l'époque protohistorique, habitait le Sud-Est de la Gaule et le Nord-Ouest de l'Italie, au VIe siècle avant J.-C. *Les Ligures.* — Adj. *Race, civilisation ligure.*

En détail il était un peu ligure, un peu latin, pas mal ibère, avec une pincée de celte et un soupçon d'atlante, si bien qu'il portait en lui comme un héritage très confus d'initiations hétéroclites (...)
Jacques PERRET, Bande à part, p. 145.

N. m. (1863). *Le ligure :* langue ancienne du groupe italo-celtique (attestée surtout par des noms propres).

LIGURIEN, ENNE [ligyʀjɛ̃, ɛn] adj. et n. — 1721; en parlant de l'antiquité, 1562; de *Ligurie.*

♦ De Ligurie, région de l'Italie qui borde le golfe de Gênes. *Les Alpes liguriennes.*

Hist. *La République ligurienne :* république placée sur la protection de Bonaparte, puis assujettie à l'Empire, qui remplaça en 1797 la république de Gênes.

N. m. Dialecte italien de Ligurie.

LILAS [lilɑ] n. m. — 1651; *lilac*, 1600; esp. *lilac*, ou port. *lilaz*; arabo-persan *līlāk.*

♦ **1.** Bot. Arbrisseau d'origine exotique, cultivé pour ses fleurs très parfumées (famille des *Oléacées;* n. sc. : *Syringa*). *Un fourré* (cit. 39) *de lilas. Lilas de Perse* (→ Girandole, cit. 3), dit *Lilas saugé* ou *sauget* (n. sc. : *Buddleia*). — Par ext. *Lilas d'Espagne.* ⇒ **Centranthe.** *Lilas des Indes* (n. sc. : *Lagerstrœmia*). ⇒ **Mélia.**

Les lilas, sur leur fin, balançaient, ici et là, leurs branches fleuries, dont le vent agitait les thyrses. 1
André SUARÈS, Trois hommes, «Pascal», I.

Il y avait peu de maisons qui ne logeassent alors dans leur jardinet si petit qu'il fût, contre leur mur, devant la porte, des lilas arborescents, qui quelquefois dépassaient en une seule flèche, comme un clocher de couleur, le toit bas de la maison, d'autres fois entremêlaient sur le toit leurs fusées de fleurs avec une animation joyeuse, d'autres fois encore, dépassant le mur et se penchant jusque sur la rue, venaient chercher de leur bonne odeur jusque sur le trottoir opposé le passant même qui ne les voyait pas. 1.1
PROUST, Jean Santeuil, Pl., p. 278.

Les fleurs du lilas, disposées en grappes, ou thyrses*. *Lilas violet. Lilas blanc. Lilas qu'une nuit flétrit* (1. Flétrir, cit. 2; → aussi Ici, cit. 13). *Le parfum des lilas. La saison, le temps des lilas* (→ Effuser, cit. 2).

On cueille des lilas 2
Derniers lilas pareils à des baisers très las.
APOLLINAIRE, Ombre de mon amour, XXVI.

♦ **2.** Adj. invar. Dont la couleur (violet tirant sur le bleu ou sur le rose) rappelle la couleur la plus commune des fleurs du lilas. *Un ruban, une étoffe lilas* (→ Indienne, cit. 3). — N. m. *Un lilas pâle, foncé.*

Le soleil se couchait derrière la maison, dans une grande clarté rose, lentement pâlie, tournant au lilas tendre. 3
ZOLA, l'Assommoir, t. I, IV, p. 145.

LILIACÉ, ÉE [liljase] adj. — 1762; bas lat. *liliaceus*, de *lilium* «lis».

♦ Didact. ou littér. Qui a l'apparence du lis (1. Lis).

HOM. Liliacées.

LILIACÉES [liljase] n. f. pl. — 1718; lat. mod. *liliaceæ*, du bas lat. *liliaceus*, dér. de *lilium* «lis».

♦ Bot. Famille de plantes phanérogames angiospermes, classe des *Monocotylédones*, comprenant des plantes arborescentes et surtout des herbes, dont certaines espèces sont cultivées pour leur valeur ornementale ou alimentaire. *Principales liliacées.* ⇒ **Ail, aloès, asparagus** *(Asparagées)*, **asperge, asphodèle, aspidistra, ciboule** ou **cive, civette, dragonnier, échalote, fragon, fritillaire, hémérocalle, jacinthe, lis, maïanthème, muguet, muscari, oignon, ornithogale, paris** ou **parisette, phormion, poireau, salsepareille, sansevière, sceau** (de Salomon), **scille, smilax, tulipe, uvulaire, veratre, yucca.** — Au sing. *Une liliacée.*

Il y avait dans leur jardin des tubéreuses, toutes sans calice. — «Une étourderie! La plupart des Liliacées en manquent». 1
FLAUBERT, Bouvard et Pécuchet, Folio, p. 384.

Les arbres, appartenant aux espèces déjà reconnues, étaient magnifiques. Harbert en signala de nouveaux, entre autres, des dragonniers, que Pencroff traita de 2

« poireaux prétentieux », — car, en dépit de leur taille, ils étaient de cette même famille des liliacées que l'oignon, la civette, l'échalote ou l'asperge.

J. VERNE, l'Île mystérieuse, t. I, p. 197.

Adj. Vx. *Une plante liliacée.*

HOM. Liliacé.

LILIAL, ALE, AUX [liljal, o] adj. — 1492 ; « orné de fleurs de lis », 1511 ; tombé en désuétude jusqu'à la fin du XIXe ; du lat. *lilium.* → 1. Lis.

♦ **1.** Littér. Qui rappelle le lis* (en particulier par sa blancheur, sa pureté). *Un parfum lilial. Un teint lilial.*

(...) une jeune norvégienne des fiords lointains, à la gorge liliale (...)

Léon BLOY, le Désespéré, p. 16.

Abstrait. *Pureté liliale.*

♦ **2.** Rare. De lis. *Une « floraison liliale »* (Huysmans, *in* T. L. F.).

REM. L'adv. dérivé *lilialement* est attesté.

HOM. Liliales.

LILIALES [liljal] n. f. pl. — Mil. XXe ; du lat. *lilium* « lis », et suff. *-ales.*

♦ Bot. Ordre des plantes *(Liliacées)* ayant la même formule florale que le lis. — Au sing. *Une liliale.*

HOM. Lilial.

LILIUM [liljɔm] n. m. — 1873, P. Larousse ; mot lat., « lis ».

♦ Bot. et littér. Lis (1. Lis). *« Le feu d'artifice nuptial des liliums blancs »* (M. Prévost, *in* G. L. L. F.).

LILLIPUTIEN, IENNE [li(l)lipysjɛ̃, jɛn] adj. et n. — 1779 ; « de Lilliput », 1727, dans la trad. de Swift ; de *Lilliput,* nom d'un pays imaginaire dont les habitants sont minuscules, dans *les Voyages de Gulliver,* de Swift.

♦ Très petit. ⇒ **Minuscule.** *Une taille lilliputienne.*

Soudain, une fusée partit du sommet même du Calvaire et éclaira intensément le 0.1
paysage qui me parut immense et se ratatina en un relief lilliputien.

B. CENDRARS, la Main coupée, p. 114-115.

(Abstrait). *Un esprit lilliputien,* mesquin, très étriqué.

Il avait aussi des mots délicats et charmants, mais il ne fallait pas qu'ils s'élevas- 1
sent au-dessus de la taille lilliputienne de ses idées.

STENDHAL, Souvenirs d'égotisme, IV.

Une des plus détestables habitudes de ces esprits lilliputiens est de supposer leurs 3
petitesses chez les autres. BALZAC, le Père Goriot, Pl., t. II, p. 866.

N. Personne minuscule. ⇒ **Nain.** *C'est une lilliputienne.*

CONTR. Grand.

Cet ouvrage
a été réalisé en photocomposition programmée
par M.C.P., 45401 Fleury-les-Aubrais,

imprimé en France par Imprimerie AUBIN, 86240 Ligugé,

et relié par la SIRC, 10350 Marigny-le-Châtel,

pour le compte des DICTIONNAIRES LE ROBERT,
107, avenue Parmentier, 75011 Paris.

Dépôt Légal Août 1985
No Imprimeur L 20219

Collection « les usuels du Robert » (volumes reliés) :

— *Dictionnaire des difficultés du français,*
par Jean-Paul COLIN,
prix Vaugelas.

— *Dictionnaire étymologique du français,*
par Jacqueline PICOCHE.

— *Dictionnaire des synonymes,*
par Henri BERTAUD DU CHAZAUD,
ouvrage couronné par l'Académie française.

— *Dictionnaire des idées par les mots*
(dictionnaire analogique),
par Daniel DELAS et Danièle DELAS-DEMON.

— *Dictionnaire des mots contemporains,*
par Pierre GILBERT.

— *Dictionnaire des anglicismes*
(les mots anglais et américains en français),
par Josette REY-DEBOVE et Gilberte GAGNON.

— *Dictionnaire des structures du vocabulaire savant*
(éléments et modèles de formation),
par Henri COTTEZ.

— *Dictionnaire des expressions et locutions,*
par Alain REY et Sophie CHANTREAU.

— *Dictionnaire de proverbes et dictons,*
par Florence MONTREYNAUD, Agnès PIERRON et François SUZZONI.

— *Dictionnaire de citations françaises,*
par Pierre OSTER.

— *Dictionnaire de citations du monde entier,*
par Florence MONTREYNAUD et Jeanne MATIGNON.

Ouvrages édités par les DICTIONNAIRES LE ROBERT
107, avenue Parmentier, 75011 PARIS (France).